This book of the Zohar has been donated to you by students of the Kabbalah Centre, as part of the worldwide Zohar Project.

The *Zohar* promotes the universal principles of sharing, tolerance, and unity and is published in its original ancient Aramaic text—one of the world's oldest known languages. Over the centuries, some of the greatest minds in history from Plato to Sir Isaac Newton have studied the *Zohar*, and today it continues to inspire millions of people of all faiths and nationalities.

The *Zohar* Project

For the first time in history, the *Zohar* is now widely available to individuals and organizations throughout the world who would like to own it. The single mission of the *Zohar* Project is to share the *Zohar* among all people, with the purpose of illuminating the world with its simple spiritual light, therefore, removing darkness.

Tens of thousands of *Zohars* have already been warmly received by international embassies, hospitals, libraries, humanitarian aid workers, emergency services, airline crews, crisis shelters, government officials, business headquarters, peacekeeping troops, and community leaders throughout the world.

We have received hundreds of letters of gratitude as a result of this distribution, and it is our pleasure to extend this gift of the *Zohar* to you in recognition of the care you provide to others.

Please contact us.

If you would like to know more about the *Zohar*, request additional copies, or suggest organizations who may wish to receive a free copy, please contact us at +1 310 601 1001 or zoharproject@kabbalah.com.

THE
ZOHAR

THE COMPLETE ORIGINAL ARAMAIC TEXT

The Kabbalah Centre
155 E. 48th St., New York, NY 10017
1062 S. Robertson Blvd., Los Angeles, CA 90035

First Edition
April 2010

Printed in USA

ISBN13: 978-1-57189-701-5

In recognition that silence is not the enemy.
The enemy is living with fear, hopelessness, darkness,
and chaos.

In hope that you can enjoy silence and peace, and
receive as much Light, love, happiness, and goodness.

All our Love,
The Pergament Family
Arthur, Lizzy, Lucas, Harrison, & Sydney

TABLE OF CONTENTS

Prologue 1

BERESHEET

Beresheet A - 'בראשית א 43
Beresheet B - 'בראשית ב 95
Noach - נח 141
Lech Lecha - לך לך 180
Vayera - וירא 225
Chayei Sarah - חיי שרה 278
Toldot - תולדות 307
Vayetze - ויצא 334
Vayishlach - וישלח 376
Vayeshev - וישב 406
Miketz - מקץ 435
Vayigash - ויגש 462
Vayechi - ויחי 476

SHEMOT

Shemot - שמות 565
Va'era - וארא 610
Bo - בא 633
Beshalach - בשלח 660
Yitro - יתרו 712
Mishpatim - משפטים 773
Teruma - תרומה 844
Tetzave - תצוה 961
Ki Tisa - כי תשא 979
Vayak'hel - ויקהל 995
Pekudei - פיקודי 1052

VAYIKRA

Vayikra - ויקרא 1162
Tzav - צו 1216
Shemini - שמיני 1239
Tazria - תזריע 1254
Metzora - מצורע 1277
Acharei Mot - אחרי מות 1286
Kedoshim - קדושים 1338
Emor - אמור 1357
Behar - בהר 1401
Bechukotai - בחקותי 1413

BAMIDBAR

Bamidbar - במדבר 1422
Naso - נשא 1432
Beha'alotcha - בהעלותך 1496
Shlach Lecha - שלח לך 1514
Korach - קרח 1558
Chukat - חקת 1566
Balak - בלק 1577
Pinchas - פינחס 1643
Matot - מטות 1757

DEVARIM

Va'etchanan - ואתחנן 1758
Ekev - עקב 1782
Shoftim - שופטים 1790
Ki Tetze - כי תצא 1793
Vayalech - וילך 1813
Ha'azinu - האזינו 1820

INTRODUCTION

BY MICHAEL BERG

In a small town in ancient Europe, a young man was gravely ill. His doctors concluded that he had a fatal disease that was highly contagious. They told him his days were numbered, and he was immediately quarantined.

There was an old man who loved this young man and wanted desperately to help him. But soon it seemed clear that the young man was dying. The old man lit candles, took the young man off the bed, and gently placed him on the floor.

Suddenly, it appeared that a new soul was beating inside the young man. The old man was shocked. With every passing moment, his face seemed to be gaining color. Then he opened his eyes and asked for something to eat. The old man gave him food and drink, and by morning, the young man was well again.

This was a wondrous thing in the eyes of the old man, and he asked his young friend to describe everything he had gone through during his miraculous recovery.

"When my soul left my body, I was brought in front of the court in the Upper World. There I found my older brother. He asked, 'What are you doing here?' I told him that I had been sentenced to die and that my soul had been taken. My brother became very upset and shouted, 'Is it right to chop down a tree while it is still growing, or to kill a young man who has a wife and sons?' He ordered the divine court to renounce the judgment against me—but to no avail.

Then my older brother arrived, a book under his arm. He took my hand and said, 'Come with me!'

"The judges of the heavenly tribunal were shocked. They demanded, 'Who is this person with such nerve that he takes the one who needs to be judged?'

"My brother identified himself and said that the book under his arm was the *Zohar*, from which he gained power over death itself. It was then that my soul came back to me."

As this story shows, nothing can stand before the power of the *Zohar*, not even the judgments of the Upper World. Even if we don't merit this power, it will come to us if we are truly connected to this miraculous book. With the *Zohar*, we can reverse any decree—even a decree of death.

> *The Universe began not with an atom or a subatomic particle, but with a thought in the mind of God. This thought of Creation encompassed a world in which every human being would enjoy total happiness and fulfillment, free from any form of chaos or pain. This is what the Creator desires and intends.*
>
> *But bringing about the realization of the Creator's desire is up to us. For the manifestation of complete fulfillment to take place, we need to evolve into our truest, greatest selves. In our thoughts, our feelings, and our actions, we need to erase negativity and replace darkness with Light. It is for this purpose that the teachings and tools of Kabbalah were given to all humanity.*
>
> *The greatest of these tools is the Zohar.*

The *Zohar* is above all else a holy book. It is not meant to be regarded in the way we regard other books, because it is unlike any book that has ever been or ever will be. Its origin is Light; its purpose is to bring Light; its nature and substance are Light, so much so that the mere possession of the *Zohar*—even if it is never opened—can keep darkness from seeping into a house, so much so that the mere scanning of its words—without any comprehension of their meaning—will surround the walls and the occupants with an aura of merciful protection.

For these words are the words of the Creator. Just the thought of what these pages contain could, in different times and places, send many a holy sage into a state of divine rapture, weeping tears of joy in a sleepless ecstasy that would sometimes last for weeks. Others gave their lives or submitted to unspeakable tortures rather then betray or deny the truth of what you now hold in your hands. Still others used their last breath to declare that this text contains everything worth knowing and experiencing in this world.

In simplest terms, the *Zohar* is a commentary on the Bible, structured as conversations among friends, scholars, and spiritual masters. *Zohar* is a Hebrew word meaning "splendor." As the kabbalists explain, when we scan the pages in the original language, a deep connection to the Creator's Light comes into being. As we gain understanding of and intimacy with the *Zohar*, our consciousness deepens and expands. Spiritually, we grow and evolve. We can become who we need to be to gain the joy and fulfillment that God intends for us. This takes place in every area of our lives, including our relationships, our spiritual work, even our businesses and careers.

THE ZOHAR'S HISTORY

According to the ancient kabbalists, the Light of the *Zohar* has existed forever, albeit not in its present form as a book. Adam possessed the *Zohar*, as did the patriarchs of the Bible.

At Mount Sinai, Moses received the Bible as well as the secrets of the Bible, the "decoder" of the Bible, which is the *Zohar*. These secrets were originally passed on as oral wisdom from one generation to the next, but were not written down until Rav Shimon bar Yochai was granted Divine permission to give the ancient secrets in written form.

The *Zohar* was originally composed in Aramaic, a language widely spoken in the ancient world but now largely forgotten. It was first written down approximately two thousand years ago, although the exact date is uncertain. But more than being written, the *Zohar* was *revealed*.

Although secular scholars have argued about the *Zohar's* authorship, this is a meaningless debate from a spiritual perspective. Once we appreciate the greatness of the *Zohar's* wisdom, it becomes clear that the author—whoever this may have been—was a truly exalted soul. But whenever the *Zohar's* authorship has been discussed by kabbalists throughout history, they have agreed that the author must have been Rav Shimon bar Yochai. No lesser soul could have been a channel for this revelation. As Rav Yehuda Ashlag, the great twentieth century kabbalist, expressed it: "From the day that I have been enabled, by means of the Light of the Almighty, to peruse this holy book, it never entered my mind to investigate its authorship. The reason for this is simple. The contents of the book caused my mind to conjure up the cherished excellence of the authority of Rav Shimon bar Yochai incalculably more than any of the other holy masters."

During Rav Shimon's lifetime, the text of the *Zohar* was written down by his student, Rav Abba. But in the centuries that followed—and as the *Zohar* itself had predicted—this text was largely hidden from the world. It reemerged in thirteenth-century Spain through the efforts of Rav Moses deLeon. But it was not until 1540 that a prominent kabbalist of the era, Rav Abraham Azulai, declared that the time had come for the *Zohar* to be disseminated to all of humanity. "From now on," he wrote, "the basic levels of Kabbalah must be taught to everyone young and old. Only through Kabbalah will we forever eliminate war, destruction, and man's inhumanity to his fellow man." Rav Azulai invoked passages in the *Zohar* depicting a future in which even small children would come to know the teachings of the *Zohar*.

The next great development in kabbalistic revelation came from Rav Isaac Luria, known as the Ari, who was born in Jerusalem in 1534. After moving from Jerusalem to Egypt as a young man, he became a hermit scholar, isolating himself with the *Zohar* in a cottage by the Nile. According to Kabbalah, Elijah the Prophet and a whole host of angels joined him in his study, and there Rav Luria attained a supremely powerful connection to the Light of the Creator. Like Rav Shimon bar Yochai, Rav Luria never wrote a word. His wisdom was passed orally to his students, who recorded his teachings.

Although some believe that the *Zohar* is a Jewish text meant only for select scholars, the *Zohar* has always been studied by all people. During the fifteenth century, for example, there was a significant movement of Christian kabbalists across Europe. One of the first Christian scholars of Kabbalah was Giovanni Pico della Mirandola, an intellectual prodigy and renowned Italian humanist. Pico saw Kabbalah as part of an unbroken oral tradition extending back to Moses on Mount Sinai. He considered the *Zohar* a divine revelation, the lost key to understanding ancient teachings that were capable of unraveling the inner secrets of Christianity.

Pico died at the age of thirty-one. His efforts to disseminate Kabbalah to the Christian world were carried on by Johannes Reuchlin, a pioneer in the study of the Hebrew language. In his book *On the Art of the Kabbalah*, Reuchlin argued, like Pico, that Christian teachings could not be truly understood without an understanding of kabbalistic principles. A further development occurred in the seventeenth century, when kabbalists Christian Knorr von Rosenroth and Francis von Helmont produced a Latin translation of the *Zohar*. This text, known as the *Kabbalah Denudata*, influenced many great scholars and scientists of the time, including Gottfried Leibniz in Germany and Sir Isaac Newton in England. Newton's copy of the *Zohar* can be seen today in the library of Cambridge University.

Spiritual and intellectual giants throughout history have turned to the *Zohar* to unravel the mysteries of the Universe. A new era was ushered in with the work of Rav Yehuda Ashlag, who founded the organization now known as The Kabbalah Centre. Rav Ashlag is responsible for the first unabridged translation of the *Zohar* from the original Aramaic into Hebrew. A dramatic step was taken in 1995. I was blessed to be the editor of this work, which required ten years and the collective efforts of dozens of people to complete. As a result, the *Zohar* is now available to the vast international community of English speakers. The translation of the *Zohar* into English was a historic turning point, affirming in the strongest terms that Kabbalah and the *Zohar* transcend all religions, just as the principles of science transcend race or nationality. Today the appearance of this one-volume edition of the *Zohar* in its original language is an equally important event—which makes the *Zohar* available to anyone who wishes to have its Light in their home for protection and connection.

CONSCIOUSNESS AND CONNECTION

The *Zohar* is divided into sections, each revealing a specific aspect of spiritual wisdom. When we scan and meditate upon a section concerning mercy, for example, that aspect of the Light is awakened in us and in the world as a whole. We become more merciful, more forgiving, which in turn elicits the quality of mercy from others. When we scan the *Zohar's* passages dealing with judgment, we gain the power to remove judgments placed upon us, while also erasing our own judgmental tendencies.

Broadly speaking, the power of the *Zohar* manifests in three clearly defined ways:

Protection: According to kabbalistic teaching, the role of the *Zohar* in our lives is identical to that of the ark during Noah's flood. The *Zohar* is a secure haven for all who enter into its presence. Its "walls" are not made of wood or stone, but of spiritual Light. It is important to realize that this protection does not depend on an intellectual understanding of the *Zohar* or even on the ability to read it. Simply being in the presence of the *Zohar*—holding it in your hands, having it in your home, allowing your eyes to pass over the pages—can create a shield of protection against negativity. The history of Kabbalah abounds with stories of the *Zohar's* miraculous protective powers, protection that has never been more urgent than in these difficult times.

Connection: The kabbalists tell us that joy and fulfillment are the true purposes of our lives. Humanity's gravest mistake assuming that fulfillment can come about through the satisfaction of self-serving desire and that bringing abundance into our own lives can be achieved by depriving others. True fulfillment, in fact, comes about through connection with the Creator's Light. The *Zohar* is our most powerful source for making that connection.

Transformation: Since the beginning of time, we have confronted the presence of tragedy in our lives and have asked how such things could come to be. If the Creator is all-powerful, why does He not use His power to bring an end to pain, suffering, and even death? If the Creator is purely good, why does there seem to be so much that is evil? These are big questions, to which the *Zohar* provides a very short and powerful answer. It is not up to the Creator to bring about the transformation of the world. It is up to us—through our thoughts, our feelings, and the actions we perform every day. Every negative act distances us from true fulfillment, while every positive action moves us, both individually and collectively, closer to the transformation that is our true destiny. We have free will. The choice is ours, although it is sometimes difficult to make the positive choice. Connecting to the *Zohar* can help us make that choice because a connection to the *Zohar* connects us to our already transformed, perfected selves.

THE LANGUAGE AND LETTERS OF THE ZOHAR

The *Zohar* was originally written in the ancient language of Aramaic, a sister language to Hebrew that employs Hebrew letters. Aramaic is one of the oldest known languages. It has existed in written form from the beginning of writing itself; as a spoken language, it very likely existed from the start of human history.

The oldest examples of Aramaic writing come from a small number of ancient royal inscriptions dating from approximately 900 - 700 B.C.E. These take the form of treaty agreements, dedications, and memorial inscriptions found in what is modern-day Syria and southeast Turkey. The use of written Aramaic coincides with the ascent of the ancient Assyrian empire that was on the rise.

Aramaic was used by the Assyrians as a language of administrative communication and official discourse. After the fall of the Assyrian empire, Aramaic was similarly employed by the Babylonians and Persians, whose empires stretched from India to Ethiopia. During the period from 700 - 320 B.C.E., Aramaic was the dominant language of the day. Its importance was similar to that of English today.

Although most of the Bible was originally written in Hebrew, the portions of Ezra and Daniel are in Aramaic. These portions contain some of our best-known biblical passages, including the description of Belshazzar's feast and the handwriting on the wall.

For many centuries, Aramaic remained the dominant language among Israelites, both for worship and for everyday life. This was true in the land of Israel itself, as well as in Babylon and other areas where the Israelites were exiled. Among the Dead Sea Scrolls, the remains of the ancient library at Qumran, that were discovered in the 1940s and 1950s, there are many Aramaic texts. These provide examples of Aramaic as it was spoken by the people of Israel, including Jesus and his disciples, during the period of Roman rule. Although the New Testament Gospels were originally written in Greek, there is no question that Jesus himself spoke in Aramaic because, by this time, knowledge of Hebrew was no longer widespread, and Aramaic had become the language of the people.

Once the almost universal tongue of the developed world, Aramaic today exists as a spoken language only in a few communities in Syria, Iraq, Turkey, and Iran. The *Zohar*'s revelation in Aramaic was a message that this tool of Light—that is, the Aramaic language itself—can and should be used by all people. The more disadvantaged a person is spiritually, the more important it is for him or her to connect with the *Zohar* and the power of its words, for the *Zohar* is a spiritual tool that has the power to touch everyone.

But beyond the historical importance of the Aramaic language, even the individual letters of the *Zohar* have special significance. In our everyday lives, we're used to thinking of the letters of the English alphabet in purely functional terms—as units that we put together to create words, just as bricks are the units that we use to create a wall. We think of both letters and bricks in practical rather than spiritual terms—as small, inert objects that we use to create larger objects.

The letters of the Hebrew alphabet (used for both Aramaic and Hebrew) should be understood in an entirely different way. In addition to its functional importance as the component of a word, each Hebrew letter is also a channel to a unique form of spiritual energy. This is true whether or not we know what the letter sounds like or how it fits into a given word. The more we know about the letters, the richer our connection through them becomes, but their intrinsic power is not a function of any knowledge on our part.

The Hebrew letters are a gift of the Creator, just as the *Zohar* itself is a gift. The gift is for all humanity, not just for the few who know Hebrew or Aramaic. Scanning the letters—just letting your eyes pass over them—opens an unlimited channel to the Light.

THE ZOHAR IS FOR EVERYONE

We have seen how the teachings of the *Zohar* were once considered secrets to which only a few were granted access. But circumstances change, as do people, and the one benefit of living at a time when the importance of physicality dominates is that spiritual truths are easier to see. Black is blackest and white is whitest when they are side by side.

The need for Light both in our lives and in the world is now so great that every newspaper and current affairs show seems to be a single deafening scream calling out for the gates of Heaven to open and for mercy to fall like rain. No one who loves his fellow beings as he loves himself can remain unmoved by this suffering and desperation. The only prerequisite for opening the *Zohar*'s door and entering its palace of secrets is a pure heart and a genuine desire to receive the Light of our Creator and to share its blessings with all.

Using the Zohar

To benefit from the Light of the *Zohar*, you can have it in your home or you can place it in places or areas where you want to attract the Light. For even greater benefit, you can scan it. There are specific sections of the *Zohar* that connect to and reveal particular aspects of the Light, for example, inspiration, healing, fears, sustenance and more. By scanning these sections, you can awaken that aspect of the Light in your life.

What we gain from meditating on the *Zohar* is in direct proportion to the consciousness we bring to it—and to the amount of diligence and effort we apply to study. Anyone who is merely superficially curious to know the secrets of the *Zohar* or hopes to utilize these secrets for selfish ends will be profoundly disappointed. The *Zohar* can, in this sense, be likened to a mirror that reflects back to you your own image. Those who do not like what they see here should bear this in mind.

According to the kabbalists, the *Zohar* is the greatest gift we can give or to receive in this world, so it must be treated with the utmost respect. That respect can only be shown through our sincerity and devotion when approaching its teachings.

As Rav Ashlag wrote:

> "To those seeking the Light no eye has ever seen, we can only offer the guarantee that, should they not find what they seek here, then it is nowhere to be found. Never despair; never give up; for there is nowhere else to go in any case, and your Master will not let you leave until your work is done.
>
> Together, we can let the Light pour through us into this wounded Earth until the darkness bleeds bright day. Then we will build a new world upon these ancient foundations."

INTRODUCTION

By Rav Berg

The *Zohar* and Kabbalah represent humankind's only hope of a solution to the chaos that has afflicted it since the beginning of history. In addition to Kabbalah providing the tools and methodology by which to banish chaos once and for all, the *Zohar* also attacks the source of this chaos. Rather than merely being a problem-solver, Kabbalah explores and investigates why the problems exist at all. Kabbalists firmly believe that problems can never be resolved without a clear understanding of why they occur in the first place.

In the section of the *Zohar* called Parashat Naso (one of the fifty-two segments of the text arranged for weekly readings), Moses declares unto Rav Shimon bar Yochai, the author of the *Zohar*, that "only through your book shall humankind be redeemed from the chaos that has existed and endured for so many millennia." When I first noticed this passage, I was quite taken aback. What about the Bible, not to mention all other spiritual teachings and disciplines? Moreover, the *Zohar* is actually a derivation and clarification of the Bible. Why would Moses himself, the channel through whom the Bible reached humankind, declare that only through the *Zohar* would all chaos be removed from the face of the Earth?

Perusing the *Zohar*, one immediately notices its dependence upon Scripture. In fact, the *Zohar* deciphers Scripture, giving it clear and concise meaning, declaring the Bible and all other scriptures to be written code. The *Zohar* takes this thought even further when it states that Rav Shimon Bar Yochai had many friends who could probably have written more interesting and exciting stories than those in the Bible. But the Bible stories were not intended to be merely interesting and exciting, the *Zohar* explains. Those stories and the rest of the biblical text are a concealed document that must be decoded and clarified.

Otherwise, there is little in the Bible that can truly be understood even on a superficial level.

We are all familiar with the light-sensitive road signs along major highways. At night, they can be read only when illuminated by the headlights of an oncoming car. The Bible, then, is like the sign, and the *Zohar* is like a pair of headlights. Until it is illuminated, the Bible cannot provide direction for people who need to know how to reach their spiritual potential. Through the *Zohar*, the concealed and seemingly incomprehensible Bible is revealed and begins to shed its own vital light.

Many religious denominations have looked to the Bible as a source of salvation, the way to gain freedom from the pain and suffering that has been a seemingly eternal feature of the human experience. But in this regard, the Bible has been a deep disappointment. The history of humankind demonstrates persistent chaos. If humanity is no better off now than it was 3,400 years ago, why should we expect the future to be any better?

Moses emphatically identifies the *Zohar* as the only compendium by which humankind can achieve true freedom and redemption. Had this statement from Moses, the master builder, been entirely taken to heart, by the twenty-first century, humankind should have been rid of chaos in any form, whether personal or universal.

Yet, how much time does humanity need to understand that conventional approaches for achieving well-being simply do not work? When will we realize that two thousand years is far too long to live with the illusion that the problems we encounter each and every day will simply fade away? The world's problems haven't gone away, nor is there any possibility that under present conditions things will change for the better.

the political scene, wars, genocide, hatred, and intolerance persist as much 'r in the past. For whatever reason, humanity seems prepared to accept nal landscape and to rely on ill-founded hope as a solution for the

History and experience, however, show that hope and prayer contribute little to the removal of chaos from our world. Religions have always promised a better tomorrow. The fact that these promises have brought few meaningful results has not in any way undermined the optimism of humanity. In our society, where most people want and pay for instant gratification, we must wonder why we so eagerly embrace promises that have never borne any fruit.

As to how humankind can gain freedom from the chaos that envelops it, there has never been a shortage of suggestions. But over the millennia, the proposed remedies have never attempted to deal with the foundation of humanity's difficulties or to solve them all universally. Instead, we tend to react to problems as they arise, using whatever means necessary to resolve them one by one.

But a reactive consciousness can never affect the causes that bring problems into existence in the first place. The Kabbalah, in its first teachings and disciplines, provides us with the universal law that cause precedes effect; consequently, managing the effects cannot bring positive change. A society accustomed to reacting rather than being proactive has scant hope of changing our stress-filled environment.

New ideas for the removal of chaos continue to flow like an endless stream, but all of these proposals derive from some current problem. Our reactive state of consciousness dictates that solutions cannot be formulated until we actually encounter an obstacle. Yet by the time a problem emerges, reactive solutions cannot help at the most fundamental level.

Furthermore, the challenges of our society are so numerous and complex that neither manpower nor financial means suffice to deal with each difficulty as it appears. The problem of cancer is an example.

Moreover, the apparent solution to one problem only gives way to the appearance of another, often accompanied by even greater suffering and despair.

Every generation believes it will be the one that finally achieves the long-sought-after goal of removal of chaos. But since history clearly shows the error of this belief, let us not entertain the idea that our generation or any future generation will find answers to humankind's ills. Has the world ever known peace on a global scale? While certain nations or peoples may have enjoyed periods of tranquility and contentment, the world as a whole has never existed without war or famine or epidemic disease.

Consequently, many of those who may have longed for a panacea that could eliminate all forms of chaos have given up hope. Nor can their consciousness cope with the infinite individual forms in which chaos presents itself. Therefore, chaos, despite every advance in science and medicine or economics, has withstood every attempt to slow its growth, let alone achieve its ultimate removal.

Meanwhile, the kabbalistic explanation of the origin of chaos is surprisingly simple: Every problem, whether in an individual human being or in society as a whole, is a direct result of the absence of the Lightforce of God. To the kabbalist, areas of crisis or chaos clearly indicate that within that space, the Light has been diminished or excluded. Therefore, the simple solution is to restore the Lightforce of God to that space.

Here, then, is the all-embracing problem, and the remedy for that problem. Chaos is always darkness, the absence of divine Light. Once the Lightforce has been restored, however, chaos must inevitably disappear. It is that simple. Yet this very simplicity, unfortunately, is one of the major reasons why the Kabbalah has been slow to find acceptance. It is too good to be true, or it is just too, too simple!

Humankind has never been presented with something so radical, yet so easy to comprehend. We are accustomed to the complexities of life. We are prepared to accept answers and solutions of a complex nature. When Kabbalah provides simple explanations and easy-to-understand solutions, people mightily resist this revolutionary way of thinking.

We must learn to replace the word *chaos* with a new concept known as *darkness*. But accepting the fact that chaos is nothing less nor more than the absence of Light requires a true revolution in consciousness.

Instead of addressing chaos in its infinite manifestations, requiring infinite solutions and infinite sums of money, Kabbalah directs us to project all the manifestations onto one screen, and then to replace this infinite number of problems with a screen gone dark. All we see now on that screen is darkness. For the kabbalist, the different problems and different forms of chaos represent nothing but one simple idea: the absence of the Lightforce of God. And a rational mind naturally understands that merely turning on the light in a darkened room causes the darkness to instantly fade away as if it had never been there at all.

Humankind must learn to visualize this darkened screen, which is not so difficult. The real difficulty arises when we attempt to imagine a beam of light striking this darkened screen. In this way, the darkened screen is made to disappear—and with it all the chaos that this darkened screen represents. But to actually banish chaos by this process of bringing light to our darkened screen is not easy to accomplish. However, this is the principle whereby humankind can ultimately remove all forms of chaos, without stretching human physical, emotional, or financial resources beyond the breaking point.

I must again stress the fact that this kabbalistic approach will probably meet great resistance, if not outright rejection. How can we possibly lump together the world's problems in our minds and place them in a category of darkened consciousness or a darkened screen? To do this, let us try to understand how chaos begins, develops, and becomes manifest. Let us consider, for example, a cancer cell. Under a microscope, we can follow development of a cancer cell from its beginning to its final displacement of healthy cells.

Medical science has not understood what causes cells to become cancerous. One reason for this mystery is the absence of any physical activity accompanying the cancerous transformation. For science, the recognition of cancer comes only after a cell begins to behave in an abnormal, chaotic way. It is precisely for this reason that the cure for cancer has eluded the scientists. We cannot determine how the problem originated, so we can only begin to address the problem at its often-incurable stage when it has become an observably malignant condition.

For the kabbalist, the chaos of biological cancer is no different from emotional cancer in a family or a cancerous nation bent on destruction and devastation. We must learn to look beyond the effects of individual situations and difficulties to identify the origins of chaos at the seed level, at the level of the true cause. And that cause is the absence of the Lightforce of God.

What has really brought about the many variations of chaos is not what meets the eye, but rather the nonmaterial, nonphysical condition that should be construed as darkness. Anything and everything that remains beyond the grasp of the five senses is a darkened area. Every form of chaos has its beginnings in this unseen level of existence, in this darkened area.

Scientists, politicians, and others who would address the ills of humankind unfortunately address the problems in progress rather than their basic origin. They simply do not have the understanding to realize that what they take for the seed or the root of the tree is actually only a branch or a leaf of the chaos they wish to address. While science may perform some miracles on the branches of a diseased tree, nonetheless the root of the tree has in no way been affected. Because of this inability to reach into and remove the origins of pain and suffering, humankind has pursued a course that has brought nothing but unresolved problems.

A good beginning exercise for the removal of chaos from our lives is to write on a piece of paper all our problems and difficulties. If we then blacken out the letters and the words that represent our pain and suffering on the physical level, we can get beyond the present observable problem and reach back to the unseen darkened area of the problem's origin.

This is what Kabbalah means when it states that chaos is the absence of Light. From a kabbalistic perspective, all chaos in whatever forms it may physically appear is a direct result of the absence of the Lightforce of God. This is an idea so revolutionary and yet so simple that only now, in our day and age, have we merited the revelation of the concealed book of *Zohar*, which permits each and every human being access to the Lightforce of God and allows each person, through proper meditation, to restore the Lightforce to any area where chaos may have just begun or may have progressed to the critical stage of devastation, destruction, and death.

At the beginning, I stated that the *Zohar* is the single solution to the ills of this Universe. We can now begin to comprehend how Moses could speak to Rav Shimon bar Yochai and state that only through the light of the *Zohar* can humanity achieve a flawless Universe, which in biblical terminology we might call the Tree of Life Universe. If we can tap the awesome power of the Lightforce of God and bring It into our life and environment, it goes without saying that we can remove the seeds of discontent and therefore eliminate any manifestations of the chaos that has afflicted humankind over the centuries.

What has always puzzled me was why humankind has so readily accepted chaos as part of life, but rejected the clear solutions that did not come in complex packages. Why humankind has adopted the attitude that there cannot be one simple answer for all the chaos in our Universe continues to baffle me.

Why should humankind reject the *Zohar*, a discipline and a teaching that is obviously immortal inasmuch as its written word has survived over four millennia? No other teaching or discipline can boast this longevity. For this reason alone, humankind should have embraced this, a methodology that claims to be a panacea for all pain and suffering. Why are we so concerned about being duped by an "outlandish" claim that it can remove all of the ills of humankind and thus introduce the flawless Universe? We certainly have nothing to lose and everything to gain.

But, as I mentioned earlier, the natural instinct of humankind is to imagine the worst and hope for the best. Here, I believe, is the greatest challenge facing humanity today. We must transform our consciousness from one of accepting the worst as a natural part of human existence into one of demanding as a birthright, a life filled with order, tranquility, and our right to pursue happiness.

Those whose belief in the Creator is uncompromising must be prepared to ask whether it was God's intention to thrust humankind onto this apparently God-forsaken planet and have us fend for ourselves. The obvious response to this proposition is that the all-embracing beneficence of God consists of but one quality, and that is to share with humankind His beneficence. God did not forsake humankind. All those individuals who, in the state of freedom "to do good or evil," choose to do good were provided with the methodology to access the beneficence of the Lightforce of God. They were able to draw the Light into their very essence, thereby removing the dark origins of any chaos that attempted to emerge into some physical form.

What could be more straightforward? Wherever there is Light, darkness disappears. When the light switch is turned on in a darkened room, no one questions what has happened to the darkness. It simply vanishes. How the disappearance of the darkness takes place does not concern us. We just expect that darkness in a room will disappear when the light goes on.

Let us resolve to eliminate from our consciousness the question of how the Light simply vaporizes the darkness or origins of chaos. For thousands of years we have not troubled ourselves as to how light entering a darkened room immediately makes the darkness fade away. We have simply accepted the phenomenon. We have accepted the principal that the light and darkness cannot co-exist. So, too, let us not become overly "smart and intelligent" people and begin to question how in the world the Lightforce of God could make the darkness of chaos go away.

I am in no way suggesting that we end the questioning process. This would go against the essential teachings of Kabbalah. But until we can truly understand how light banishes darkness from a room, we should put aside the question of how and why the Lightforce of God removes the darkness of chaos. We should simply give thanks that it does and make use of this wonderful process.

This is what the *Zohar* is all about, a unique instrument, written in the universal language for all humankind. Through the *Zohar* we shall assuredly transform this planet into one of peace and tranquility.

PROLOGUE
הַקְדָּמָה

מאמר השושנה

א. רִבִּי חִזְקִיָּה פָּתַח, כְּתִיב כְּשׁוֹשַׁנָּה בֵּין הַחוֹחִים. מַאן שׁוֹשַׁנָּה, דָּא כְּנֶסֶת יִשְׂרָאֵל. בְּגִין דְּאִית שׁוֹשַׁנָּה וְאִית שׁוֹשַׁנָּה, מַה שׁוֹשַׁנָּה דְּאִיהִי בֵּין הַחוֹחִים אִית בַּהּ סוּמָק וְחִוָּור, אוּף כְּנֶסֶת יִשְׂרָאֵל אִית בַּהּ דִּין וְרַחֲמֵי. מַה שׁוֹשַׁנָּה אִית בַּהּ תְּלֵיסַר עָלִין, אוּף כְּנֶסֶת יִשְׂרָאֵל אִית בַּהּ תְּלֵיסַר מְכִילָן דְּרַחֲמֵי דְּסַחֲרִין לַהּ מִכָּל סְטְרָהָא. אוּף אֱלֹהִים דְּהָכָא מִשַּׁעְתָּא דְּאִדְכַּר אַפִּיק תְּלֵיסַר תֵּיבִין לְסַחֲרָא לִכְנֶסֶת יִשְׂרָאֵל וּלְנַטְרָא לַהּ.

ב. וּלְבָתַר אִדְכַּר זִמְנָא אָחֳרָא, אַמַּאי אִדְכַּר זִמְנָא אָחֳרָא, בְּגִין לְאַפָּקָא חָמֵשׁ עָלִין תַּקִּיפִין דְּסַחֲרִין לַשּׁוֹשַׁנָּה. וְאִינּוּן חָמֵשׁ, אִקְרוּן יְשׁוּעוֹת. וְאִינּוּן חָמֵשׁ תַּרְעִין. וְעַל רָזָא דָּא כְּתִיב, כּוֹס יְשׁוּעוֹת אֶשָּׂא, דָּא כּוֹס שֶׁל בְּרָכָה. כּוֹס שֶׁל בְּרָכָה אִצְטְרִיךְ לְמֶהֱוֵי עַל חָמֵשׁ אֶצְבְּעָן וְלָא יַתִּיר, כְּגַוְונָא דְּשׁוֹשַׁנָּה דְּיָתְבָא עַל חָמֵשׁ עָלִין תַּקִּיפִין דּוּגְמָא דְּחָמֵשׁ אֶצְבְּעָן. וְשׁוֹשַׁנָּה, דָּא אִיהִי כּוֹס שֶׁל בְּרָכָה, מֵאֱלֹהִים תִּנְיָנָא עַד אֱלֹהִים תְּלִיתָאָה חָמֵשׁ תֵּיבִין. מִכָּאן וּלְהָלְאָה, אוֹר דְּאִתְבְּרֵי וְאִתְגְּנִיז, וְאִתְכְּלִיל בַּבְּרִית, הַהוּא דְּעָאל בַּשּׁוֹשַׁנָּה וְאַפִּיק בַּהּ זַרְעָא. וְדָא אִקְרֵי עֵץ עוֹשֶׂה פְּרִי אֲשֶׁר זַרְעוֹ בוֹ. וְהַהוּא זֶרַע, קַיְּימָא בְּאוֹת בְּרִית מַמָּשׁ.

ג. וּכְמָה דְּדִיּוּקְנָא דִּבְרִית אִזְדְּרַע בְּאַרְבְּעִין וּתְרֵין זִוּוּגִין דְּהַהוּא זַרְעָא, כָּךְ אִזְדְּרַע שְׁמָא גְּלִיפָא מְפָרַשׁ, בְּאַרְבְּעִין וּתְרֵין אַתְוָון דְּעוֹבָדָא דִּבְרֵאשִׁית.

מאמר הניצנים

ד. בְּרֵאשִׁית. רִבִּי שִׁמְעוֹן פָּתַח, הַנִּצָּנִים נִרְאוּ בָאָרֶץ. הַנִּצָּנִים, דָּא עוֹבָדָא דִּבְרֵאשִׁית. נִרְאוּ בָאָרֶץ, אֵימָתַי, בַּיּוֹם הַשְּׁלִישִׁי, דִּכְתִיב וַתּוֹצֵא הָאָרֶץ, כְּדֵין נִרְאוּ בָאָרֶץ. עֵת הַזָּמִיר הִגִּיעַ, דָּא יוֹם רְבִיעָאִי, דַּהֲוָה בֵּיהּ זְמִיר עָרִיצִים. מְאֹרֹת, חָסֵר. וְקוֹל הַתּוֹר, דָּא יוֹם חֲמִישִׁי, דִּכְתִיב יִשְׁרְצוּ הַמַּיִם וְגוֹ', לְמֶעְבַּד תּוֹלָדוֹת. נִשְׁמַע, דָּא יוֹם שִׁשִּׁי, דִּכְתִיב נַעֲשֶׂה אָדָם, דַּהֲוָה עָתִיד לְמִקְדַּם עֲשִׂיָּה לִשְׁמִיעָה, דִּכְתִיב הָכָא נַעֲשֶׂה אָדָם, וּכְתִיב הָתָם נַעֲשֶׂה וְנִשְׁמַע. בְּאַרְצֵנוּ, דָּא יוֹם שַׁבָּת, דְּאִיהוּ דּוּגְמַת אֶרֶץ הַחַיִּים.

ה. דָּבָר אַחֵר, הַנִּצָּנִים, אִלֵּין אִינּוּן אֲבָהָן, דְּעָאלוּ בְּמַחֲשָׁבָה, וְעָאלוּ בְּעָלְמָא דְּאָתֵי וְאִתְגְּנִיזוּ תַּמָּן. וּמִתַּמָּן נָפְקוּ בִּגְנִיזוּ וְאִטְמִירוּ גּוֹ נְבִיאֵי קְשׁוֹט. אִתְיְלִיד יוֹסֵף, וְאִטְמִירוּ בֵּיהּ. עָאל יוֹסֵף בְּאַרְעָא קַדִּישָׁא וּנְצִיב לוֹן תַּמָּן, וּכְדֵין נִרְאוּ בָאָרֶץ וְאִתְגְּלוּ תַּמָּן. וְאֵימָתַי

אִתְחָזוּן, בְּשַׁעֲתָא דְּאִתְגְּלֵי קֶשֶׁת בְּעָלְמָא, דְּהָא בְּשַׁעֲתָא דְּקֶשֶׁת אִתְחֲזֵי כְּדֵין אִתְגַּלְיָין אִינּוּן. וּבְהַהִיא שַׁעֲתָא עֵת הַזָּמִיר הִגִּיעַ עִדָּן לְקַצֵּץ חַיָּיבִין מֵעָלְמָא. אַמַּאי אִשְׁתְּזִיבוּ, בְּגִין דְּהַנִּצָּנִים נִרְאוּ בָאָרֶץ, וְאִלְמָלֵא דְּנִרְאוּ לָא אִשְׁתָּאֲרוּן בְּעָלְמָא, וְעָלְמָא לָא אִתְקַיָּים.

ו. וּמַאן מְקַיֵּים עָלְמָא וְגָרִים לַאֲבָהָן דְּאִתְגַּלְיָין, קָל יְנוֹקֵי דְּלָעָאן בְּאוֹרַיְיתָא, וּבְגִין אִינּוּן רַבְיָין דְּעָלְמָא, עָלְמָא אִשְׁתְּזִיב. לְקָבְלֵיהוֹן, תּוֹרֵי זָהָב נַעֲשֶׂה לָּךְ, אִלֵּין אִינּוּן יְנוֹקֵי רַבְיָין עוֹלָמִין, דִּכְתִיב וְעָשִׂיתָ שְׁנַיִם כְּרוּבִים זָהָב.

מאמר מי ברא אלה

ז. בְּרֵאשִׁית. רִבִּי אֶלְעָזָר פָּתַח, שְׂאוּ מָרוֹם עֵינֵיכֶם וּרְאוּ מִי בָרָא אֵלֶּה. שְׂאוּ מָרוֹם עֵינֵיכֶם. לְאָן אֲתַר, לַאֲתַר דְּכָל עַיְינִין תַּלְיָאן לֵיהּ. וּמַאן אִיהוּ, פְּתַח עֵינַיִם. וְתַמָּן תִּנְדְּעוּן, דְּהַאי סָתִים עַתִּיקָא דְּקַיְימָא לְשְׁאֵלָה, בָּרָא אֵלֶּה. וּמַאן אִיהוּ, מִ"י. הַהוּא דְּאִקְרֵי מִקְצֵה הַשָּׁמַיִם לְעֵילָּא, דְּכֹלָּא קַיְימָא בִּרְשׁוּתֵיהּ. וְעַל דְּקַיְימָא לְשְׁאֵלָה, וְאִיהוּ בְּאֹרַח סָתִים וְלָא אִתְגַּלְיָא, אִקְרֵי מִ"י, דְּהָא לְעֵילָּא לֵית תַּמָּן שְׁאֵלָה. וְהַאי קְצֵה הַשָּׁמַיִם אִקְרֵי מִ"י.

ח. וְאִית אָחֳרָא לְתַתָּא וְאִקְרֵי מָ"ה. מַה בֵּין הַאי לְהַאי, אֶלָּא קַדְמָאָה סְתִימָאָה דְּאִקְרֵי מִ"י קַיְימָא לְשְׁאֵלָה, וְכֵיוָן דְּשָׁאַל בַּר נָשׁ וּמְפַשְׁפֵּשׁ לְאִסְתַּכְּלָא וּלְמִנְדַּע מִדַּרְגָּא לְדַרְגָּא עַד סוֹף כָּל דַּרְגִּין, כֵּיוָן דְּמָטֵי תַּמָּן מָ"ה, מַה יָדַעְתָּ, מַה אִסְתַּכַּלְתָּא, מַה פִּשְׁפַּשְׁתָּא, הָא כֹּלָּא סָתִים כִּדְקַדְמֵיתָא.

ט. וְעַל רָזָא דְּנָא כְּתִיב, מָה אֲעִידֵךְ מָה אֲדַמֶּה לָּךְ. כַּד אִתְחֳרִיב בֵּי מַקְדְּשָׁא, נָפַק קָלָא וַאֲמַר, מָה אֲעִידֵךְ וּמָה אֲדַמֶּה לָּךְ, בְּהַהוּא מָ"ה אֲעִידֵךְ, בְּכָל יוֹמָא וְיוֹמָא אַסְהִידַת בָּךְ מִיּוֹמִין קַדְמָאִין, דִּכְתִיב הַעִידֹתִי בָכֶם הַיּוֹם אֶת הַשָּׁמַיִם וְאֶת הָאָרֶץ. מָה אֲדַמֶּה לָּךְ, בְּהַהוּא גַּוְונָא מַמָּשׁ, עַטָּרִית לָךְ בְּעִטְרִין קַדִּישִׁין, עֲבָדִית לָךְ שָׁלְטָנוּ עַל עָלְמָא, דִּכְתִיב הֲזֹאת הָעִיר שֶׁיֹּאמְרוּ כְּלִילַת יֹפִי וְגוֹ'. קָרֵינָא לָךְ יְרוּשָׁלַיִם הַבְּנוּיָה כְּעִיר שֶׁחֻבְּרָה לָּהּ. מָה אַשְׁוֶה לָּךְ. כְּגַוְונָא דְּאַנְתְּ יָתְבָא, הָכֵי הוּא כִּבְיָכוֹל לְעֵילָּא, כְּגַוְונָא דְּלָא עָאלִין הַשְׁתָּא בָּךְ עַמָּא קַדִּישָׁא בְּסִדְרִין קַדִּישִׁין, הָכֵי אוֹמֵינָא לָךְ, דְּלָא אֵיעוֹל אֲנָא לְעֵילָּא עַד דְּיֵיעֲלוּן בָּךְ אֻכְלוּסָךְ לְתַתָּא. וְדָא אִיהוּ נֶחָמָה דִּילָךְ, הוֹאִיל דְּדַרְגָּא דָּא אַשְׁוֶה לָךְ בְּכֹלָּא. וְהַשְׁתָּא דְּאַנְתְּ הָכָא, גָּדוֹל כַּיָּם שִׁבְרֵךְ. וְאִי תֵּימָא דְּלֵית לָךְ קַיְימָא וְאַסְוָותָא, מִ"י יִרְפָּא לָךְ, וַדַּאי הַהוּא דַּרְגָּא סְתִימָאָה עִלָּאָה, דְּכֹלָּא קַיְימָא בֵּיהּ, יִרְפָּא לָךְ וִיוֹקִים לָךְ.

י. מִ"י קְצֵה הַשָּׁמַיִם לְעֵילָּא, מָ"ה, קְצֵה הַשָּׁמַיִם לְתַתָּא, וְדָא יָרִית יַעֲקֹב, דְּאִיהוּ מַבְרִיחַ מִן הַקָּצֶה אֶל הַקָּצֶה, מִן הַקָּצֶה קַדְמָאָה דְּאִיהוּ מִ"י, אֶל הַקָּצֶה בַּתְרָאָה דְּאִיהוּ מָ"ה, בְּגִין דְּקָאִים בְּאֶמְצָעִיתָא. וְעַל דָּא, מִי בָּרָא אֵלֶּה.

מאמר מי ברא אלה דאליהו

יא. אָמַר רַבִּי שִׁמְעוֹן, אֶלְעָזָר בְּנִי פְּסוֹק מִילָּךְ, וְיִתְגַּלֵּי סְתִימָא דְּרָזָא עִלָּאָה דִּבְנֵי עָלְמָא לָא יָדְעִין. שָׁתִיק ר' אֶלְעָזָר. בָּכָה ר"ש, וְקָאִים רִגְעָא וְחָדָא. אָמַר רַבִּי שִׁמְעוֹן, אֶלְעָזָר, מַאי אֵלֶּה. אִי תֵּימָא כֹּכְבַיָּא וּמַזָּלֵי, הָא אִתְחֲזוּן תָּמָן תָּדִיר. וּבְמ"ה אִיתְבְּרִיאוּ, כְּד"א בִּדְבַר ה' שָׁמַיִם נַעֲשׂוּ. אִי עַל מִלִּין סְתִימִין, לָא לִכְתּוֹב אֵלֶּה, דְּהָא אִיתְגַּלְיָא אִיהוּ.

יב. אֶלָּא רָזָא דָא לָא אִתְגַּלְיָא, בַּר יוֹמָא חַד דַּהֲוֵינָא עַל כֵּיף יַמָּא, וַאֲתָא אֵלִיָּהוּ וַאֲמַר לִי, רַבִּי יָדַעְתְּ מַה הוּא מִי בָרָא אֵלֶּה. אֲמֵינָא לֵיהּ, אִלֵּין שְׁמַיָּא וְחֵילֵיהוֹן, עוֹבָדָא דְקֻדְשָׁא בְּרִיךְ הוּא דְּאִית לֵיהּ לְבַר נָשׁ לְאִסְתַּכְּלָא בְּהוּ, וּלְבָרְכָא לֵיהּ, דִּכְתִיב כִּי אֶרְאֶה שָׁמֶיךָ מַעֲשֵׂה אֶצְבְּעוֹתֶיךָ וְגו' ה' אֲדוֹנֵינוּ מָה אַדִּיר שִׁמְךָ בְּכָל הָאָרֶץ.

יג. אָמַר לוֹ, רַבִּי: מִלָּה סְתִימָא הֲוָה קַמֵּי קֻדְשָׁא בְּרִיךְ הוּא, וְגַלֵּי בִּמְתִיבְתָּא עִלָּאָה, וְדָא הוּא. בְּשַׁעֲתָא דִּסְתִימָא דְּכָל סְתִימִין בָּעָא לְאִתְגַּלְיָא, עֲבַד בְּרֵישָׁא נְקוּדָה חֲדָא, וְדָא סָלֵיק לְמֶהֱוֵי מַחֲשָׁבָה. צַיֵּיר בָּהּ כָּל צִיּוּרִין וְחָקַק בָּהּ כָּל גְּלִיפִין.

יד. וְאַגְלִיף גּוֹ בּוֹצִינָא קַדִּישָׁא סְתִימָא גְּלִיפוּ דְּחַד צִיּוּרָא סְתִימָאָה קֹדֶשׁ קָדָשִׁין בְּנְיָינָא עֲמִיקָא דְּנָפִיק מִגּוֹ מַחֲשָׁבָה, וְאִקְרֵי מִי שֵׁירוּתָא לְבִנְיָינָא קַיְּימָא וְלָא קַיָּימָא, עָמִיק וְסָתִים בִּשְׁמָא. לָא אִקְרֵי אֶלָּא מִי. בָּעָא לְאִתְגַּלְיָיא וּלְאִתְקְרֵי בִּשְׁמָא דָא, וְאִתְלַבַּשׁ בִּלְבוּשׁ יְקָר דְּנָהִיר, וּבָרָא אֵלֶּ"ה, וְסָלֵיק אֵלֶּ"ה בִּשְׁמָא. אִתְחַבְּרוּן אַתְוָון אִלֵּין בְּאִלֵּין וְאִשְׁתְּלִים בִּשְׁמָא אֱלֹהִים. וְעַד לָא בָרָא אֵלֶּה לָא סָלֵיק בִּשְׁמָא אֱלֹהִים. וְאִינּוּן דְּחָבוּ בְּעֶגְלָא. עַל רָזָא דְּנָא אֲמָרוּ אֵלֶּה אֱלֹהֶיךָ יִשְׂרָאֵל.

טו. וּכְמָה דְּאִשְׁתַּתַּף מִ"י בְּאֵלֶּה, הָכֵי הוּא שְׁמָא דְּאִשְׁתַּתַּף תָּדִיר, וּבְרָזָא דָא אִתְקַיַּים עָלְמָא. וּפָרַח אֵלִיָּהוּ וְלָא חֲמֵינָא לֵיהּ. וּמִנֵּיהּ יָדַעְנָא מִלָּה דְּאוֹקִימְנָא עַל רָזָא וְסִתְרָא דִּילָהּ. אֲתָא ר' אֶלְעָזָר וְכֻלְּהוּ חַבְרַיָּיא וְאִשְׁתַּטְּחוּ קַמֵּיהּ, בָּכוּ וַאֲמָרוּ, אִלְמָלֵא לָא אֲתֵינָא לְעָלְמָא אֶלָּא לְמִשְׁמַע דָּא דַּי.

מאמר אמא אוזיפת לברתא מאנהא

טז. אָמַר רַבִּי שִׁמְעוֹן, עַל דָּא, שְׁמַיָּא וְחֵילֵיהוֹן בְּמָ"ה אִתְבְּרִיאוּ, דִּכְתִיב כִּי אֶרְאֶה שָׁמֶיךָ מַעֲשֵׂה אֶצְבְּעוֹתֶיךָ וְגו' וּכְתִיב מָ"ה אַדִּיר שִׁמְךָ בְּכָל הָאָרֶץ אֲשֶׁר תְּנָה הוֹדְךָ עַל הַשָּׁמָיִם, עַל הַשָּׁמַיִם אִיהוּ לְסַלְקָא בִּשְׁמָא. בְּגִין דִּבְרָא נְהוֹרָא לִנְהוֹרֵיהּ, וְאִתְלַבַּשׁ דָּא בְּדָא וְסָלֵיק בִּשְׁמָא עִלָּאָה. וְעַל דָּא בְּרֵאשִׁית בָּרָא אֱלֹהִים. דָּא אֱלֹהִים עִלָּאָה, דְּהָא מָ"ה לָא הֲוֵי הָכֵי וְלָא אִתְבְּנֵי.

יז. אֶלָּא בְּשַׁעֲתָא דְּאִתְמְשָׁכָן אַתְוָון אִלֵּין אֵלֶּ"ה מִלְּעֵילָּא לְתַתָּא, וְאִמָּא אוֹזִיפַת לִבְרַתָּא

מֵאִנְּהָא, וְקַשִּׁיטָא לַהּ בְּקִישׁוּטָהָא. וְאֵימָתַי קַשִּׁיטָא לַהּ בְּקִישׁוּטָהָא כִּדְקָא וָזֵי. בְּשַׁעֲתָא דְּאִתְוָזֵון קַמֵּהּ כָּל דְּכוּרָא, דִּכְתִּיב אֶל פְּנֵי הָאָדוֹן ה', וְדָא אִקְרֵי אָדוֹן, כד"א הִנֵּה אֲרוֹן הַבְּרִית אֲדוֹן כָּל הָאָרֶץ. כְּדֵין נַפְקַת ה' וְעָאלַת י', וְאִתְקַשִּׁיטַת בְּמָאנֵי דְּכוּרָא לְקַבְּלֵיהוֹן דְּכָל דְּכַר בְּיִשְׂרָאֵל.

יז. וְאַתְוָון אֻוזְרָנִין מְשַׁכָן לוֹן יִשְׂרָאֵל מֵעֵילָא לְגַבֵּי אֲתַר דָּא: אֵלֶּה אֶזְכְּרָה, אַדְכַּרְנָא בְּפוּמָאי, וְשָׁפֵיכְנָא דִּמְעָאי בִּרְעוּת נַפְשִׁי, בְּגִין לְאַמְשָׁכָא אַתְוָון אִלֵּין, וּכְדֵין אֲדַדֵּם מֵעֵילָא עַד בֵּית אֱלֹהִים, לְמֶהֱוֵי אֱלֹהִים כְּגַוְונָא דִּילֵיהּ. וּבְמַאי בְּקוֹל רִנָּה וְתוֹדָה הָמוֹן וזוֹגֵג. אָמַר רַבִּי אֶלְעָזָר, שְׁתִיקָא דִּילִי בְּנָה מַקְדְּשָׁא לְעֵילָא, וּבְנָה מַקְדְּשָׁא לְתַתָּא. וּבְוַדַּאי מִלָּה בְּסֶלַע, מִשְׁתּוּקָא בִּתְרֵין. מִלָּה בְּסֶלַע, מַה דַּאֲמַרְנָא וְאִתְעַרְנָא בֵּיהּ, מִשְׁתּוּקָא בִּשְׁתַּיִם מַה דִּשְׁתֵיקְנָא, דְּאִבְּרוּ וְאִיבְנוּ תְּרֵין עָלְמִין כַּוָזֲדָא.

יט. אָמַר ר' שִׁמְעוֹן מִכָּאן וּלְהָלְאָה שְׁלִימוּ דִּקְרָא, דִּכְתִּיב הַמּוֹצִיא בְּמִסְפָּר צְבָאָם, תְּרֵין דַּרְגִּין אִינּוּן, דְּאִיצְטְרִיךְ לְמֶהֱוֵי רְשִׁים כָּל וָזד מִינַּיְיהוּ, וַזד דָּא דְּאִתְּמַר מָ"ה, וְוַזד מִ"י, דָּא עִלָּאָה, וְדָא תַּתָּאָה: דָּא עִלָּאָה רָשִׁים וַאֲמַר הַמּוֹצִיא בְּמִסְפָּר צְבָאָם, הַמּוֹצִיא, הַהוּא דְּאִשְׁתְּמוֹדַע וְלֵית כַּוָותֵיהּ. כְּגַוְונָא דָּא, הַמּוֹצִיא לֶוזֶם מִן הָאָרֶץ, הַמּוֹצִיא, הַהוּא דְּאִשְׁתְּמוֹדַע, דָּא דַּרְגָּא תַּתָּאָה, וְכֹלָּא וַזד. בְּמִסְפָּר שִׁתִּין רִבּוֹא אִינּוּן דְּקַיְימִין כַּוָזֲדָא וְאַפִּיקוּ וֵזילִין לִזְינַיְיהוּ דְּלֵית לוֹן וֻזשְׁבְּנָא.

כ. לְכֻלָּם, בֵּין אִינּוּן שִׁתִּין, בֵּין כָּל וֵזילִין דִּילְהוֹן, בְּשֵׁם יִקְרָא. מַאי בְּשֵׁם יִקְרָא. אִי תֵּימָא דִּקְרָא לוֹן בִּשְׁמָהַתְהוֹן, לָאו הָכֵי הוּא, דְּא"כ בִּשְׁמוֹ מִבָּעֵי לֵיהּ. אֶלָּא בְּזִמְנָא דְּדַרְגָּא דָּא לָא סָלֵיק בִּשְׁמָא וְאִקְרֵי מִ"י, לָא אוֹלִיד וְלָא אַפֵּיק טְמִירִין לִזְנֵיהּ, אַף עַל גַּב דְּכֻלְּהוּ הֲווּ טְמִירִין בֵּיהּ, כֵּיוָן דִּבְרָא אֵלֶּ"ה, וְאִסְתַּלַּק בִּשְׁמֵיהּ, וְאִקְרֵי אֱלֹהִים, כְּדֵין בְּוֵזילָא דִּשְׁמָא דָּא, אַפֵּיק לוֹן בִּשְׁלִימוּ, וְדָא הוּא בְּשֵׁם יִקְרָא, בְּהַהוּא שֵׁם דִּילֵיהּ, קָרָא וְאַפֵּיק כָּל זִינָא וְזִינָא לְאִתְקַיְּימָא בִּשְׁלִימוּתֵיהּ. כְּגַוְונָא דָּא רְאֵה קָרָאתִי בְשֵׁם: אַדְכַּרְנָא שְׁמִי לְאִתְקַיְּימָא בְּצַלְאֵל עַל קִיּוּם אַשְׁלָמוּתֵיהּ.

כא. מֵרוֹב אוֹנִים, מַאי מֵרוֹב אוֹנִים, דָּא רֵישׁ דַּרְגִּין, דְּסַלִּיקוּ בֵּיהּ כָּל רְעוּתִין וְאִסְתַּלָּקוּ בֵּיהּ בְּאֹרַוז סָתִים. וְאַמִּיץ כֹּוַז, דָּא רָזָא דְּעָלְמָא עִלָּאָה, דְּאִסְתַּלַּק בְּשֵׁם אֱלֹהִים כִּדְקָאֲמָרָן. אִישׁ לֹא נֶעְדָּר, מֵאִינּוּן שִׁתִּין רִבּוֹא דְּאַפֵּיק בְּוֵזילָא דִּשְׁמָא, וּבְגִין דְּאִישׁ לֹא נֶעְדָּר, בְּכָל אֲתַר דְּמִיתוּ יִשְׂרָאֵל וְאִתְעֲנָשׁוּ בְּוזוֹבַיְיהוּ, אִתְמְנוּן וְלָא אַעֲדַר מֵאִינּוּן שִׁתִּין רִבּוֹא אֲפִילּוּ וָזד, בְּגִין לְמֶהֱוֵי כֹּלָּא דְּיוֹקְנָא וַזֲדָא: כְּמָה דְּאִישׁ לֹא נֶעְדַּר לְעֵילָא, אוּף הָכֵי לָא נֶעְדַּר לְתַתָּא.

מאמר אותיות דרב המנונא סבא

כב. בְּרֵאשִׁית רַב הַמְנוּנָא סָבָא אֲמַר, אַשְׁכְּחָן אַתְוָון בְּהִפּוּכָא, בֵּית בְּקַדְמֵיתָא וּלְבָתַר ב', הַיְינוּ בְּרֵאשִׁית בָּרָא, לְבָתַר א' בְּקַדְמֵיתָא וּלְבָתַר א', הַיְינוּ אֱלֹהִים אֵת. אֶלָּא כַּד בָּעָא קֻדְשָׁא בְּרִיךְ הוּא לְמֶעְבַּד עָלְמָא כָּל אַתְוָון הֲווֹ סְתִימִין, וּתְרֵין אַלְפִין שְׁנִין עַד דְּלָא בָּרָא עָלְמָא, הֲוָה מִסְתַּכֵּל קֻדְשָׁא בְּרִיךְ הוּא אִשְׁתַּעְשַׁע בְּהוּ.

(א) האות ת

כג. כַּד בְּעָא לְמִבְרֵי עָלְמָא, אָתוּ כָּל אַתְוָון קַמֵּיהּ מִסּוֹפָא אֲרֵישַׁיְיהוּ. שָׁרִיאַת אָת ת לְמֵיעַל בְּרֵישָׁא, אָמְרָה, רִבּוֹן עָלְמִין: נִיחָא קַמָּךְ לְמִבְרֵי בִּי עָלְמָא, דַּאֲנָא חוֹתָמָא דְּגוּשְׁפַּנְקָא דִּילָךְ, אֱמֶת, וְאַתְּ אִתְקְרִיאַת אֱמֶת, יָאוֹת לְמַלְכָּא לְמִשְׁרֵי בְּאוֹת אֱמֶת, וּלְמִבְרֵי בִּי עָלְמָא. אֲמַר לָהּ קֻדְשָׁא בְּרִיךְ הוּא יָאוֹת אַנְתְּ וְזַכָּאָה אַנְתְּ, אֶלָּא לֵית אַנְתְּ כְּדַאי לְמִבְרֵי בָּךְ עָלְמָא. הוֹאִיל וְאַנְתְּ זְמִינָא לְמֶהֱוֵי רָשִׁים עַל מִצְחִין דְּגוּבְרִין מְהֵימְנִין, דְּקַיְּימוּ אוֹרַיְיתָא מֵא' וְעַד ת', וּבִרְשִׁימוּ דִּילָךְ יְמוּתוּן. וְעוֹד, דְּאַנְתְּ חוֹתָמָא דְּמָוֶת, הוֹאִיל וְאַנְתְּ כָּךְ, לֵית אַנְתְּ כְּדַאי לְמִבְרֵי בָּךְ עָלְמָא. מִיַּד נָפְקַת.

(ב) האות ש

כד. עָאלַת אָת ש' קַמֵּיהּ, אָמְרָה קַמֵּיהּ: רִבּוֹן עָלְמִין, נִיחָא קַמָּךְ לְמִבְרֵי בִּי עָלְמָא, דְּבִי אִתְקְרֵי שְׁמָךְ שַׁדַּ"י, וְיָאוֹת לְמִבְרֵי עָלְמָא בִּשְׁמָא קַדִּישָׁא. אֲמַר לָהּ: יָאוֹת אַנְתְּ וְטָב אַנְתְּ וּקְשׁוֹט אַנְתְּ, אֲבָל הוֹאִיל וְאַתְוָון דְּזִיּוּפָא נָטְלִין לָךְ לְמֶהֱוֵי עִמְּהוֹן לָא בָּעֵינָא לְמִבְרֵי בָּךְ עָלְמָא, דִּבְגִין דְּלָא יִתְקַיֵּים שִׁקְרָא אֶלָּא אִי יִטְלוּן לָךְ ק ר.

(ג) האות ק והאות ר

כה. מִכָּאן, מַאן דְּבָעֵי לְמֵימַר שִׁקְרָא יִטּוֹל יְסוֹדָא דִּקְשׁוֹט בְּקַדְמֵיתָא, וּלְבָתַר יוֹקִים לֵיהּ שִׁקְרָא, דְּהָא אָת ש' אָת קְשׁוֹט אִיהוּ, אָת קְשׁוֹט דַּאֲבָהָתָן דְּאִתְיַיחֲדוּ בָהּ ק ר אַתְוָון דְּאִתְחֲזִיאוּ עַל סִטְרָא בִּישָׁא אִינּוּן, וּבְגִין לְאִתְקַיְּימָא נָטְלֵי אָת ש' בְּגַוַּויְיהוּ הֲוֵי קֶשֶׁר. כֵּיוָן דְּחָזַאת הָכֵי נָפְקַת מִקַּמֵּיהּ.

(ד) האות צ

כו. עָאלַת אָת צ' אָמְרָה קַמֵּיהּ: רִבּוֹן עָלְמָא, נִיחָא קַמָּךְ לְמִבְרֵי בִּי עָלְמָא, דַּאֲנָא, בִּי חֲתִימִין צַדִּיקִים, וְאַנְתְּ, דְּאִתְקְרִיאַת צַדִּיק, בִּי רָשִׁים, דִּכְתִיב כִּי צַדִּיק ה' צְדָקוֹת אָהֵב, וּבִי יָאוֹת לְמִבְרֵי עָלְמָא. אֲמַר לָהּ: צַדִּי, צַדִּי אַנְתְּ, וְצַדִּיק אַנְתְּ, אֲבָל אַנְתְּ צָרִיךְ לְמֶהֱוֵי

טְמִירָא, לֵית אַנְתְּ צָרִיךְ לְאִתְגַּלְיָא כָּל כָּךְ, בְּגִין דְּלָא לְמֵיהַב פִּתְחוֹן פֶּה לְעָלְמָא. מ"ט, נ אִיהִי, אַתְיָא י דִּשְׁמָא דִּבְרִית קַדִּישָׁא וְרָכִיב עֲלָהּ וְאִתְאַחַד בַּהֲדָהּ. וְרָזָא דָּא, כַּד בָּרָא קֻדְשָׁא בְּרִיךְ הוּא לְאָדָם הָרִאשׁוֹן דּוּ פַּרְצוּפִין בְּרָאוֹ. וּבְגִין כָּךְ אַנְפּוֹי דְּיו"ד מְהַדַּר לַאֲחוֹרָא כְּגַוְונָא דָּא צ, וְלָא אִתְהַדְּרוּ אַנְפִּין בְּאַנְפִּין כְּגַוְונָא דָּא צ, אִסְתַּכַּל לְעֵילָא כְּגַוְונָא דָּא צ אִסְתַּכְּלַת לְתַתָּא כְּגַוְונָא דָּא נ אֲמַר לָהּ קֻדְשָׁא בְּרִיךְ הוּא: תּוּ, דַּאֲנָא זַמִּין לְנַסְרָא לָךְ, וּלְמֶעְבַּד לָךְ אַפִּין בְּאַפִּין, אֲבָל בְּאַתְרָא אָחֳרָא תִּסְתַּלַּק. נָפְקַת מִקַּמֵּיהּ וַאֲזָלַת.

(ה) הָאוֹת פ וְהָאוֹת ע

כז. עָאלַת אָת פ אָמְרָה קַמֵּיהּ: רִבּוֹן עָלְמִין, נִיחָא קַמָּךְ לְמִבְרֵי בִּי עָלְמָא, דְּהָא פּוּרְקָנָא דְּאַנְתְּ זַמִּין לְמֶעְבַּד בְּעָלְמָא, בִּי רְשִׁים, וְדָא הוּא פְּדוּת, וּבִי יָאוּת לְמִבְרֵי עָלְמָא. אֲמַר לָהּ: יָאוּת אַנְתְּ, אֲבָל בָּךְ אִתְרְשִׁים פֶּשַׁע בִּטְמִירוּ, כְּגַוְונָא דְּחִוְיָא דְּמָחֵי, וְאָעֵיל רֵישֵׁיהּ בֵּין גּוּפֵיהּ, הָכֵי, מַאן דְּחָב, כָּפִיף רֵישֵׁיהּ וְאַפֵּיק יְדוֹי. וְכֵן ע עָוֹן, אַף עַל גַּב דְּאָמְרָה, דְּאִית בִּי עֲנָוָה, אֲמַר לָהּ קֻדְשָׁא בְּרִיךְ הוּא לָא אִבְרֵי בָּךְ עָלְמָא. נָפְקַת מִקַּמֵּיהּ.

(ו) הָאוֹת ס

כח. עָאלַת אָת ס אָמְרָה קַמֵּיהּ: רִבּוֹן עָלְמִין, נִיחָא קַמָּךְ לְמִבְרֵי בִּי עָלְמָא, דְּאִית בִּי סְמִיכָא לִנְפָלִין, דִּכְתִיב סוֹמֵךְ ה' לְכָל הַנּוֹפְלִים. אֲמַר לָהּ: עַל דָּא אַנְתְּ צָרִיךְ לְאַתְרָךְ, וְלָא תָּזוּז מִנֵּיהּ, אִי אַתְּ נָפִיק מֵאַתְרָךְ, מַה תְּהֵא עֲלַיְיהוּ דְּאִינוּן נְפִילִין, הוֹאִיל וְאִינוּן סְמִיכִין עֲלָךְ. מִיָּד נָפְקַת מִקַּמֵּיהּ.

(ז) הָאוֹת נ

כט. עָאלַת אָת נ אָמְרָה קַמֵּיהּ רִבּוֹן עָלְמָא, נִיחָא קַמָּךְ לְמִבְרֵי בִּי עָלְמָא, דְּבִי כְּתִיב נוֹרָא תְהִלּוֹת, וּתְהִלָּה דְּצַדִּיקִים נָאוָה תְהִלָּה. אֲמַר לָהּ: נו"ן, תּוּב לְאַתְרָךְ דְּהָא בְּגִינָךְ תָּבַת סָמֶ"ךְ לְאַתְרָהּ, וַהֲוֵי סָמִיךְ עֲלָהּ. מִיָּד תָּבַת לְאַתְרָהּ וְנָפְקַת מִקַּמֵּיהּ.

(ח) הָאוֹת מ וְהָאוֹת ל

ל. עָאלַת אָת מ אָמְרָה קַמֵּיהּ: רִבּוֹן עָלְמָא, נִיחָא קַמָּךְ לְמִבְרֵי בִּי עָלְמָא, דְּבִי אִתְקְרִיאַת מֶלֶךְ. אֲמַר לָהּ: הָכֵי הוּא וַדַּאי, אֲבָל לָא אִבְרֵי בָּךְ עָלְמָא, בְּגִין דְּעָלְמָא אִצְטְרִיךְ לְמֶלֶךְ, תּוּב לְאַתְרָךְ, אַנְתְּ וְ ל וְ ךְ, דְּהָא לָא יָאוּת לְעָלְמָא לְמֵיקַם בְּלָא מֶלֶךְ.

(ט) הָאוֹת כ

לא. בְּהַהִיא שַׁעֲתָא, נָחֲתָא מִן קֳדָמוֹהִי אָת כ מֵעַל כּוּרְסֵיהּ יְקָרֵיהּ, אִזְדַּעְזְעַת וְאָמְרָה

קַמֵּיהּ: רִבּוֹן עָלְמָא, נִיחָא קַמָּךְ לְמִבְרֵי בִּי עָלְמָא, דַּאֲנָא כְּבוֹדֶךָ. וְכַד נָחֲתַת כ מֵעַל כּוּרְסְיֵהּ יְקָרֵיהּ, אִזְדַּעְזְעוּ מָאתָן אֶלֶף עָלְמִין וְאִזְדַּעְזַע כָּרְסְיָא, וְכֻלְּהוּ עָלְמִין אִזְדַּעְזְעוּ לְמִנְפַּל. אֲמַר לָהּ קֻדְשָׁא בְּרִיךְ הוּא: כ"ף, כ"ף, מָה אַתְּ עָבֵיד הָכָא, דְּלָא אִבְרֵי בָּךְ עָלְמָא, תּוּב לְאַתְרָךְ, דְּהָא בָּךְ כְּלָיָה, כָּלָה וְנֶחֱרָצָה אִשְׁתְּמַע, תּוּב לְכָרְסְיָיךְ וַהֲוֵי תַּמָּן. בְּהַהִיא שַׁעֲתָא נָפְקַת מִקַּמֵּיהּ וְתָבַת לְדוּכְתָּהּ.

(י) האות י

לב. עָאלַת אָת י אָמְרָה קַמֵּיהּ: רִבּוֹן עָלְמָא, נִיחָא קַמָּךְ לְמִבְרֵי בִּיעָלְמָא, דַּאֲנָא שֵׁירוּתָא דִּשְׁמָא קַדִּישָׁא, וְיָאוּת לָךְ לְמִבְרֵי בִּי עָלְמָא. אֲמַר לָהּ: דַּי לָךְ דְּאַנְתְּ חָקִיק בִּי, וְאַנְתְּ רָשִׁים בִּי, וְכָל רְעוּתָא דִּילִי בָּךְ, סָלִיק, לֵית אַנְתְּ יָאוּת לְאִתְעַקְּרָא מִן שְׁמִי.

(יא) האות ט

לג. עָאלַת אָת ט אָמְרָה קַמֵּיהּ: רִבּוֹן עָלְמָא, נִיחָא קַמָּךְ לְמִבְרֵי בִּי עָלְמָא, דְּאַנְתְּ, בִּי אִתְקְרִיאַת טוֹב וְיָשָׁר. אֲמַר לָהּ: לָא אִבְרֵי בָּךְ עָלְמָא, דְּהָא טוּבָךְ סָתִים בְּגַוָּיךְ וְצָפוּן בְּגַוָּיךְ, הה"ד מָה רַב טוּבְךָ אֲשֶׁר צָפַנְתָּ לִירֵאֶךָ, הוֹאִיל וְגָנִיז בְּגַוָּיךְ, לֵית בֵּיהּ חוּלָקָא לְעָלְמָא דָא, דַּאֲנָא בָּעֵי לְמִבְרֵי, אֶלָּא בְּעָלְמָא דְּאָתֵי. וְתוּ, דְּעַל דְּטוּבָךְ גָּנִיז בְּגַוָּיךְ, יִטְבְּעוּן תַּרְעֵי דְּהֵיכְלָא. הה"ד טָבְעוּ בָאָרֶץ שְׁעָרֶיהָ. וְתוּ ד ח לְקִבְלָךְ, וְכַד תִּתְחַבְּרוּן כַּחֲדָא, הָא ח"ט, וְעַל דָּא אַתְוָון אִלֵּין לָא רְשִׁימִין בְּשִׁבְטִין קַדִּישִׁין, מִיָּד נָפְקַת מִקַּמֵּיהּ.

(יב) האות ז

לד. עָאלַת אָת ז אָמְרָה לֵיהּ: רִבּוֹן עָלְמָא, נִיחָא קַמָּךְ לְמִבְרֵי בִּי עָלְמָא, דְּבִי נָטְרִין בָּנָיךְ שַׁבָּת, דִּכְתִיב זָכוֹר אֶת יוֹם הַשַּׁבָּת לְקַדְּשׁוֹ. אֲמַר לָהּ: לָא אִבְרֵי בָּךְ עָלְמָא, דְּאַנְתְּ אִית בָּךְ קְרָבָא, וְחַרְבָּא דְּשִׁנָּנָא, וְרוּמְחָא דִּקְרָבָא, כְּגַוְונָא דְּנוּן, מִיָּד נָפְקַת מִקַּמֵּיהּ.

(יג) האות ו והאות ה

לה. עָאלַת אָת ו אָמְרָה קַמֵּיהּ: רִבּוֹן עָלְמָא, נִיחָא קַמָּךְ לְמִבְרֵי בִּי עָלְמָא, דַּאֲנָא אָת מִשְּׁמָךְ. אֲמַר לָהּ: וָאו, אַנְתְּ וְ ה, דַּי לְכוֹן דְּאַתּוּן אַתְוָון דִּשְׁמִי, דְּאַתּוּן בְּרָזָא דִּשְׁמִי, וַחֲקִיקִין וּגְלִיפִין בִּשְׁמִי, וְלָא אִבְרֵי בְּכוּ עָלְמָא.

(יד) האות ד והאות ג

לו. עָאלַת אָת ד וְאָת ג אָמְרוּ אוּף הָכֵי, אֲמַר אוּף לוֹן, דַּי לְכוֹן לְמֶהֱוֵי דָּא עִם דָּא, דְּהָא מִסְכְּנִין לָא יִתְבַּטְּלוּן מִן עָלְמָא, וּצְרִיכִין לִגְמוֹל עִמְּהוֹן טִיבוּ. דָּלֶ״ת אִיהוּ מִסְכְּנָא, גִּימְ״ל גְּמוֹל לָהּ טִיבוּ, לָא תִתְפָּרְשׁוּן דָּא מִן דָּא וְדַי לְכוֹן לְמֵיזַן דָּא לְדֵין.

(טו) האות ב

לז. עָאלַת אָת ב אָמְרָה לֵיהּ: רִבּוֹן עָלְמָא, נִיחָא קַמָּךְ לְמִבְרֵי בִּי עָלְמָא, דְּבִי מְבָרְכָאן לָךְ לְעֵילָּא וְתַתָּא. אֲמַר לָהּ קֻדְשָׁא בְּרִיךְ הוּא: הָא וַדַּאי בָּךְ אִבְרֵי עָלְמָא, וְאַתְּ תְּהֵא שֵׁירוּתָא לְמִבְרֵי עָלְמָא.

(טז) האות א

לח. קָיְימָא אָת א לָא עָאלַת. אֲמַר לָהּ קֻדְשָׁא בְּרִיךְ הוּא: אָלֶ״ף, אָלֶ״ף, לָמָּה לֵית אַנְתְּ עָאלַת קַמָּאי כִּשְׁאָר כָּל אַתְוָון. אָמְרָה קַמֵּיהּ: רִבּוֹן עָלְמָא, בְּגִין דְּחָמֵינָא כָּל אַתְוָון נָפְקוּ מִן קַמָּךְ בְּלָא תוֹעַלְתָּא, מָה אֲנָא אַעֲבֵיד תַּמָּן. וְתוּ, דְּהָא יְהֵיבְתָּא לְאָת בֵּי״ת נְבַזְבְּזָא רַבְרְבָא דָּא, וְלָא יָאוּת לְמַלְכָּא עִלָּאָה, לְאַעֲבָרָא נְבַזְבְּזָא דְּיָהַב לְעַבְדּוֹ וּלְמֵיהַב לְאָחֳרָא. אֲמַר לָהּ קֻדְשָׁא בְּרִיךְ הוּא: אָלֶ״ף אָלֶ״ף, אַף עַל גַּב דְּאָת בֵּי״ת בַּהּ אִבְרֵי עָלְמָא, אַתְּ תְּהֵא רֵישׁ לְכָל אַתְוָון, לֵית בִּי יִחוּדָא אֶלָּא בָּךְ. בָּךְ יִשָׁרוּן כָּל חוּשְׁבָּנִין, וְכָל עוֹבָדֵי דְּעָלְמָא, וְכָל יִחוּדָא, לָא הֲוֵי אֶלָּא בְּאָת אָלֶ״ף.

לט. וַעֲבַד קֻדְשָׁא בְּרִיךְ הוּא אַתְוָון עִלָּאִין רַבְרְבָן וְאַתְוָון תַּתָּאִין זְעִירִין, וּבְגִין כָּךְ בֵּי״ת בֵּי״ת, בְּרֵאשִׁית בָּרָא. אָלֶ״ף אָלֶ״ף, אֱלֹהִים אֶת. אַתְוָון מִלְּעֵילָּא וְאַתְוָון מִתַּתָּא, וְכֻלְּהוּ כַּחֲדָא הֲווֹ, מֵעָלְמָא עִלָּאָה וּמֵעָלְמָא תַּתָּאָה.

מאמר חכמה דעלמא קיימא עלה

מ. בְּרֵאשִׁית, רַבִּי יוּדָאי אֲמַר, מַאי בְּרֵאשִׁי״ת, בְּחָכְמָ״ה, דָּא חָכְמָ״ה דְּעָלְמָא קָיְימָא עֲלָהּ לְעָאלָא גּוֹ רָזֵי סְתִימִין עִלָּאִין. וְהָכָא אִגְלִיפוּ שִׁית סִטְרִין רַבְרְבִין עִלָּאִין, דְּמִנְּהוֹן נָפֵיק כֹּלָּא, דְּמִנְּהוֹן אִתְעֲבִידוּ שִׁית מְקוֹרִין וְנַחֲלִין לְעָאלָא גּוֹ יַמָּא רַבָּא. וְהַיְינוּ בָּרָא שִׁי״ת, מֵהָכָא אִתְבְּרִיאוּ. מַאן בָּרָא לוֹן הַהוּא דְּלָא אִדְכַּר, הַהוּא סָתִים דְּלָא יְדִיעַ.

מאמר מנעולא ומפתחא

מא. רַבִּי חִיָּיא וְרַבִּי יוֹסֵי הֲווֹ אָזְלֵי בְּאָרְחָא, כַּד מְטוֹ לְחַד בֵּי חֲקַל, אֲמַר לֵיהּ רַבִּי חִיָּיא לְרַבִּי יוֹסֵי, הָא דְּאַמְרִיתוּ בָּרָא שִׁית, וַדַּאי הָכֵי הוּא, בְּגִין דְּשִׁית יוֹמִין עִילָּאִין גַּבֵּי אוֹרַיְיתָא וְלָא יַתִּיר, אָחֳרָנִין סְתִימִין אִינּוּן.

מב. אֲבָל וַדַּאי סִתְרֵי בְּרֵאשִׁית דְּאָמַר הָכֵי. גְּלִיפֵי אִגְלִיף הַהוּא סְתִימָאָה קַדִּישָׁא גּוֹ מְעוֹי דְּחַד טְמִירוּ, דְּנָקִיד בִּנְקוּדָה דְּנָעֵץ. הַהוּא גְּלִיפֵי אִגְלִיף וּטְמִיר בֵּיהּ, כְּמַאן דְּגָנֵיז כֹּלָּא תְּחוֹת מַפְתְּחָא חָדָא, וְהַהוּא מַפְתְּחָא גָּנִיז כֹּלָּא בְּהֵיכָלָא חָדָא, וְאע״ג דְּכֹלָּא גָּנִיז בְּהַהוּא הֵיכָלָא, עִקָּרָא דְּכֹלָּא בְּהַהוּא מַפְתְּחָא הֲוֵי, הַהוּא מַפְתְּחָא סָגִיר וּפָתַח.

מג. בְּהַהוּא הֵיכָלָא, אִית בֵּיהּ גְּנִיזִין סְתִימִין סַגִּיאִין אִלֵּין עַל אִלֵּין. בְּהַהוּא הֵיכָלָא, אִית תַּרְעִין עוֹבַד סְתִימוּ, וְאִינּוּן חַמְשִׁין. אִגְלִיפוּ לְאַרְבַּע סִטְרִין וַהֲווּ אַרְבְּעִין וְתֵשַׁע. חַד תַּרְעָא לֵית לֵיהּ סִטְרָא, לָא יְדִיעַ אִי הוּא לְעֵילָא אִי הוּא לְתַתָּא, וּבְגִין כָּךְ הַהוּא תַּרְעָא סָתִים.

מד. גּוֹ אִינּוּן תַּרְעִין אִית מַנְעוּלָא חָדָא, וְחַד אֲתַר דַּקִּיק לְעָאלָא הַהוּא מַפְתְּחָא בֵּיהּ וְלָא אִתְרְשִׁים אֶלָּא בִּרְשִׁימוּ דְּמַפְתְּחָא, לָא יָדְעִין בֵּיהּ אֶלָּא הַהוּא מַפְתְּחָא בִּלְחוֹדוֹי. וְעַל רָזָא דְּנָא, בְּרֵאשִׁית בָּרָא אֱלֹהִים. בְּרֵאשִׁית, דָּא מַפְתְּחָא דְּכֹלָּא סְתִים בֵּיהּ, וְהוּא סָגִיר וּפָתַח, וְשִׁית תַּרְעִין כְּלִילָן בֵּיהּ בְּהַהוּא מַפְתְּחָא דְּסָגִיר וּפָתַח, כַּד סָגִיר אִינּוּן תַּרְעִין וְכָלֵיל לוֹן בְּגַוֵּיהּ, כְּדֵין וַדַּאי כְּתִיב, בְּרֵאשִׁית, מִלָּה גַּלְיָא בִּכְלַל מִלָּה סְתִימָאָה. וּבְכָל אֲתַר, בָּרָ״א, מִלָּא סְתִימָאָה אִיהוּ, סָגִיר וְלָא פָּתַח.

מאמר בהבראם באברהם

מה. אֲמַר רַבִּי יוֹסֵי, וַדַּאי הָכֵי הוּא, וְשִׁמַּעְנָא לְבוֹצִינָא קַדִּישָׁא דְּאָמַר הָכֵי, דְּמִלָּה סְתִימָאָה אִיהוּ בָּרָא, סָגִיר וְלָא פָּתַח. וּבְעוֹד דַּהֲוָה סָגִיר בְּמִלָּה דְּבָרָא, עָלְמָא לָא הֲוֵי וְלָא אִתְקַיַּים, וַהֲוָה חָפֵי עַל כֹּלָּא תה״ו, וְכַד שָׁלְטָא הַאי תה״ו עָלְמָא לָא הֲוָה, וְלָא אִתְקַיַּים.

מו. אֵימָתַי הַהוּא מַפְתְּחָא פָּתַח תַּרְעִין וְאִזְדַּמַּן לְשִׁמּוּשָׁא וּלְמֶעְבַּד תּוֹלְדִין, כַּד אֲתָא אַבְרָהָם. דִּכְתִיב אֵלֶּה תוֹלְדוֹת הַשָּׁמַיִם וְהָאָרֶץ בְּהִבָּרְאָם, וְתָנֵינָן, בְּאַבְרָהָ״ם, וּמַה דַּהֲוָה כֹּלָּא סָתִים בְּמִלַּת בָּרָא, אִתְהַדְּרוּ אָתְוָון לְשִׁמּוּשָׁא, וְנָפַק עַמּוּדָא דְּעָבֵד תּוֹלְדִין, אֵבָ״ר יְסוֹדָא קַדִּישָׁא, דְּעָלְמָא קַיְּימָא עֲלֵיהּ.

מז. כַּד הַאי אֵבָר אִתְרְשִׁים בְּמִלַּת בָּרָא, כְּדֵין רְשִׁים סְתִימָאָה עִילָּאָה רְשִׁימוּ אָחֳרָא לִשְׁמֵיהּ וְלִיקָרֵיהּ, וְדָא אִיהוּ מִ״י, וּבָרָא אֵלֶּה. וְגַם כֵּן שְׁמָא קַדִּישָׁא דְּאִתְבָּרְכָא, דְּאִיהוּ מַ״ה, אִתְרְשִׁים וְאַפִּיק מִן בָּרָ״א אֵבָ״ר. וְהוּא רְשִׁים בְּאֵלֶּה מִסִּטְרָא דָּא, וְאֵבָ״ר מִסִּטְרָא דָּא. סְתִימָאָה קַדִּישָׁא אֵלֶ״ה קַיְּימָא, אֵבָ״ר קַיְּימָא. כַּד אִשְׁתְּלִים דָּא אִשְׁתְּלִים דָּא, גָּלִיף לְהַאי אֵבָ״ר ה׳, גָּלִיף לְהַאי אֵלֶ״ה י׳.

מח. אִתְּעָרוּ אָתְוָון לְאַשְׁלָמָא לְהַאי סִטְרָא וּלְהַאי סִטְרָא כְּדֵין אַפִּיק ם׳ נָטֵיל חַד לְהַאי סִטְרָא וְחַד לְהַאי סִטְרָא, אִשְׁתְּלִים שְׁמָא קַדִּישָׁא וְאִתְעֲבֵיד אֱלֹהִים גַּם כֵּן שְׁמָא דְּאַבְרָהָם, כַּד אִשְׁתְּלִים דָּא אִשְׁתְּלִים דָּא. (וי״א דְּנָטַל קָדוֹשׁ בָּרוּךְ הוּא מִ״י וְשַׂדֵּי בְּאֵלֶ״ה,

וְאִתְעֲבֵיד אֱלֹהִים. וְנָטִיל קָדוֹשׁ בָּרוּךְ הוּא מ"ה וְשַׁדֵּי בְּאֵבֶ"ר וְאִתְעֲבֵיד אַבְרָהָ"ם. וּמִלַּת מִ"י רוֹמֵז לַחֲמִשִּׁים שַׁעֲרֵי בִּינָה, וְאִית בָּהּ יוּ"ד אוֹת קַדְמָאָה דִּשְׁמָא קַדִּישָׁא, וּמִלַּת מַ"ה רוֹמֵז לְמִנְיָנָא דִּשְׁמָא קַדִּישָׁא, וְאִית בֵּיהּ אוֹת תִּנְיָינָא דִּשְׁמָא קַדִּישָׁא יהו"ה. כד"א אַשְׁרֵי הָעָם שֶׁכָּכָה לוֹ וגו', תּוֹלֶה אֶרֶץ עַל בְּלִי מָ"ה, וּכְדֵין אִתְקַיְּימוּ תְּרֵין עָלְמִין, בְּיוּ"ד עָלְמָא דְּאָתֵי וּבְהֵ"א עָלְמָא דָּא. כְּלוֹמַר, בְּמִ"י בָּרָא עוֹלָם הַבָּא, וּבְמַ"ה בָּרָא עוֹלָם הַזֶּה. וְדֵין הוּא רֶמֶז עֵילָא וְתַתָּא). וּכְדֵין עָבֵיד תּוֹלְדוֹת וּנְפַק שְׁמָא שְׁלִים, מַה דְּלָא הֲוָה קֶדֶם דְּנָא, הה"ד, אֵלֶּה תּוֹלְדוֹת הַשָּׁמַיִם וְהָאָרֶץ בְּהִבָּרְאָם, כֻּלְּהוּ הֲווּ תַּלְיָין עַד דְּאִתְבְּרוּ שְׁמֵיהּ דְּאַבְרָהָם, כֵּיוָן דְּאִשְׁתְּלִים שְׁמָא דָּא דְּאַבְרָהָם שְׁמָא קַדִּישָׁא אִשְׁתְּלִים. הה"ד בְּיוֹם עֲשׂוֹת ה' אֱלֹהִים אֶרֶץ וְשָׁמָיִם.

מאמר חזווא דרבי חייא

מט. אִשְׁתְּטַח רַבִּי חִיָּיא בְּאַרְעָא וּנְשַׁק לְעַפְרָא, וּבְכָה וַאֲמַר, עַפְרָא עַפְרָא, כַּמָּה אַתְּ קְשֵׁי קְדַל, כַּמָּה אַתְּ בַּחֲצִיפוּ, דְּכָל מַחֲמַדֵּי עֵינָא יִתְבְּלוּן בָּךְ, כָּל עַמּוּדֵי נְהוֹרִין דְּעָלְמָא תֵּיכוּל וְתֵידוּק. כַּמָּה אַתְּ חֲצִיפָא, בּוֹצִינָא קַדִּישָׁא דַּהֲוָה נָהִיר עָלְמָא שַׁלִּיטָא רַבְרְבָא מְמַנָּא דִּזְכוּתֵיהּ מְקַיֵּים עָלְמָא, אִתְבְּלֵי בָּךְ. רַבִּי שִׁמְעוֹן נְהִירוּ דְּבוֹצִינָא, נְהִירוּ דְּעָלְמִין, אַנְתְּ בָּלֵי בְּעַפְרָא וְאַנְתְּ קַיָּים וּנְהַג עָלְמָא. אִשְׁתּוֹמֵם רִגְעָא חָדָא, וַאֲמַר עַפְרָא עַפְרָא לָא תִתְגָּאֵי, דְּלָא יִתְמַסְרוּן בָּךְ עַמּוּדִין דְּעָלְמָא, דְּהָא רַבִּי שִׁמְעוֹן לָא אִתְבְּלֵי בָּךְ.

נ. קָם רַבִּי חִיָּיא וַהֲוָה בָּכֵי. אֲזַל, וְרַבִּי יוֹסֵי עִמֵּיהּ. מֵהַהוּא יוֹמָא אִתְעַנֵּי אַרְבְּעִין יוֹמִין לְמֶחֱמֵי לְרַבִּי שִׁמְעוֹן. אֲמָרוּ לֵיהּ לֵית אַנְתְּ רַשַּׁאי לְמֶחֱמֵי לֵיהּ. בָּכָה וְאִתְעַנֵּי אַרְבְּעִין יוֹמִין אַחֲרִינִין, אַחֲזִיאוּ לֵיהּ בְּחֶזְווּא לְרַבִּי שִׁמְעוֹן וְרַבִּי אֶלְעָזָר בְּרֵיהּ, דַּהֲווּ לָעָאן בְּמִלָּה דָּא דַּאֲמַר רַבִּי יוֹסֵי, וַהֲווּ כַּמָּה אַלְפִין צַיְיתִין לְמִלּוּלֵיהּ.

נא. אַדְהָכֵי, חָמָא כַּמָּה גַּדְפִּין רַבְרְבִין עִלָּאִין, וּסְלִיקוּ עֲלַיְיהוּ רַבִּי שִׁמְעוֹן וְרַבִּי אֶלְעָזָר בְּרֵיהּ וּסְלִיקוּ לִמְתִיבְתָּא דִּרְקִיעָא, וְכָל אִלֵּין גַּדְפִּין הֲווּ מְחַכָּאן לְהוּ. חָמָא דְּמִתְהַדְּרָן וּמִתְחַדְּשָׁן בְּזִיווּן וּנְהִירוּ יַתִּיר מִנְּהוֹרָא דִּזִיוָא דְּשִׁמְשָׁא.

נב. פְּתַח רַבִּי שִׁמְעוֹן וַאֲמַר, יֵיעוֹל רַבִּי חִיָּיא וְלֶיחֱמֵי, בְּכַמָּה דְּזַמִּין קָדוֹשׁ בָּרוּךְ הוּא לְחַדְּתָא אַנְפֵּי צַדִּיקַיָּיא לִזְמְנָא דְּאָתֵי. זַכָּאָה אִיהוּ מַאן דְּעָאל הָכָא בְּלָא כִּסּוּפָא וְזַכָּאָה מַאן דְּקָאִים בְּהַהוּא עָלְמָא, כְּעַמּוּדָא תַּקִּיף בְּכֹלָּא, וַחֲמָא דַּהֲוָה עָאל וַהֲוָה קָם רַבִּי אֶלְעָזָר וּשְׁאָר עַמּוּדִין דְּיָתְבִין תַּמָּן. וְהוּא הֲוָה כְּסִיף, וְאַשְׁמִיט גַּרְמֵיהּ, וְעָאל וְיָתִיב לְרַגְלוֹי דְּרַבִּי שִׁמְעוֹן.

נג. קָלָא נְפַק וַאֲמַר, מָאִיךְ עֵינָךְ לָא תִזְקוֹף רֵישָׁךְ, וְלָא תִסְתַּכַּל. מָאִיךְ עֵינוֹי, וַחֲמָא

נְהוֹרָא דַּהֲוָה נָהִיר לְמֶרְוְזוּק. קָלָא אַהֲדַר כְּמִלְּקַדְּמִין, וַאֲמַר עִלָּאִין טְמִירִין סְתִימִין, פְּקִיחֵי עֵינָא, אִינּוּן דְּמְשַׁטְטִין בְּכָל עָלְמָא, אִסְתַּכָּלוּ וַחֲמוּ. תַּתָּאִין דְּמִיכִין סְתִימִין בְּחוֹרֵיכוֹן, אִתְּעָרוּ.

נד. מָאן מִנְּכוֹן, דִּי חֲשׁוֹכָא מְהַפְּכָן לִנְהוֹרָא, וְטַעֲמִין מְרִירָא לְמִתְקָא, עַד לָא יֵיתוּן הָכָא. מָאן מִנְּכוֹן, דִּמְחַכָּאן בְּכָל יוֹמָא לִנְהוֹרָא דְּנָהִיר בְּשַׁעֲתָא דְּמַלְכָּא פָּקִיד לְאַיַּלְתָּא, וְאִתְיַיקַר, וְאִתְקְרֵי מַלְכָּא מִכָּל מַלְכִין דְּעָלְמָא. מָאן דְּלָא מְצַפֶּה דָא בְּכָל יוֹמָא בְּהַהוּא עָלְמָא, לֵית לֵיהּ חוּלָקָא הָכָא.

נה. אַדְּהָכִי חֲמָא כַּמָּה מִן חַבְרַיָּיא, סַחֲרָנֵיהּ כָּל אִינּוּן עַמּוּדִין דְּקַיָּימִין. וַחֲמָא דְּסְלִיקוּ לוֹן לִמְתִיבְתָּא דִּרְקִיעָא, אִלֵּין סַלְקִין, וְאִלֵּין נָחֲתִין, וְעֵילָא דְּכֻלְּהוּ חֲמָא מָארֵי דְגַדְפֵּי דַּהֲוָה אָתֵי.

נו. וְהוּא אוֹמֵי אוֹמָאָה, דְּשָׁמַע מֵאֲחוֹרֵי פַּרְגּוֹדָא, דְּמַלְכָּא מַפְקַד בְּכָל יוֹמָא וְדָכִיר לְאַיַּלְתָּא דִּי שְׁכִיבַת לְעַפְרָא, וּבְעַט בְּעִיטִין בְּהַהוּא שַׁעֲתָא בִּתְלַת מְאָה וְתִשְׁעִין רְקִיעִין, וְכֻלְּהוּ מְרַתְּתִין וְזָעִין קַמֵּיהּ. וְאוֹרִיד דִּמְעִין עַל דָּא, וְנָפְלֵי אִינּוּן דִּמְעִין רְתִיחִין כְּאֶשָּׁא לְגוֹ יַמָּא רַבָּא, וּמֵאִינּוּן דִּמְעִין קָאִים הַהוּא מְמַנָּא דְּיַמָּא, וְאִתְקַיַּים, וְקַדִּישׁ שְׁמֵיהּ דְּמַלְכָּא קַדִּישָׁא, וְקַבִּיל עֲלֵיהּ לְמִבְלַע כָּל מֵימוֹי דִּבְרֵאשִׁית, וְיִכְנוֹשׁ לְהוּ לְגַוֵּיהּ, בְּשַׁעְתָּא דְּיִתְכַּנְּשׁוּן כָּל עַמְמַיָּא עַל עַמָּא קַדִּישָׁא, וְיִנַּגְּבוּן מַיָּא, וְיַעַבְרוּן בְּנִגּוּבוּ.

נז. אַדְּהָכִי, שָׁמַע קָלָא דַּאֲמַר, פַּנּוּן אֲתַר פַּנּוּן אֲתַר, דְּהָא מַלְכָּא מְשִׁיחָא אָתֵי לִמְתִיבְתָּא דְּרַבִּי שִׁמְעוֹן, בְּגִין דְּכָל צַדִּיקַיָּיא דְּתַמָּן רֵישֵׁי מְתִיבְתָּא. וְאִינּוּן מְתִיבְתֵּי דְּתַמָּן רְשִׁימִין אִינּוּן. וְכָל אִינּוּן חַבְרִין דִּי בְּכָל מְתִיבְתָּא, סַלְּקֵי מִמְּתִיבְתָּא דְּהָכָא לִמְתִיבְתָּא דִּרְקִיעָא. וּמָשִׁיחַ אָתֵי בְּכָל אִינּוּן מְתִיבְתֵּי, וְחָתִים אוֹרַיְיתָא מִפּוּמַיְיהוּ דְּרַבָּנָן. וּבְהַהִיא שַׁעֲתָא אָתֵי מָשִׁיחַ מִתְעַטֵּר מִן רֵישֵׁי מְתִיבְתֵּי בְּעִטְרִין עִילָּאִין.

נח. בְּהַהוּא שַׁעֲתָא, קָמוּ כָּל אִינּוּן חַבְרַיָּיא, וְקָם ר' שִׁמְעוֹן, וַהֲוָה סָלֵיק נְהוֹרֵיהּ עַד רוּם רְקִיעַ, אֲמַר לֵיהּ רַבִּי זַכָּאָה אַנְתְּ, דְּאוֹרַיְיתָךְ סָלְקָא בִּתְלַת מְאָה וְשַׁבְעִין נְהוֹרִין וְכָל נְהוֹרָא וּנְהוֹרָא אִתְפָּרְשַׁת לְשִׁית מְאָה וּתְלֵיסַר טַעֲמִין סָלְקִין וְאִסְתַּחְיָין בְּנַהֲרֵי אֲפַרְסְמוֹנָא דַּכְיָא. וְקֻדְשָׁא בְּרִיךְ הוּא אִיהוּ חָתִים אוֹרַיְיתָא מִמְּתִיבְתָּךְ, וּמִמְּתִיבְתָּא דְּחִזְקִיָּה מֶלֶךְ יְהוּדָה, וּמִגּוֹ מְתִיבְתָּא דַּאֲחִיָּה הַשִּׁילוֹנִי.

נט. וַאֲנָא לָא אָתֵינָא לְמֶחְתַּם מִמְּתִיבְתָּךְ, אֶלָּא מָארֵי דְגַדְפִּין אָתֵי הָכָא, דְּהָא יָדַעְנָא דְּלָא יֵיעוּל גּוֹ מְתִיבְתֵּי אַחֲרִיתֵי, אֶלָּא בִּמְתִיבְתָּךְ. בְּהַהִיא שַׁעֲתָא סָח לֵיהּ ר' שִׁמְעוֹן, הַהוּא אוֹמָאָה דְּאוֹמֵי מָארֵי דְגַדְפִּין. כְּדֵי אִזְדַּעְזַע מָשִׁיחַ וְאָרִים קָלֵיהּ, וְאִזְדַּעְזְעוּ רְקִיעִין, וְאִזְדַּעְזַע יַמָּא רַבָּא, וְאִזְדַּעְזַע לִוְיָתָן, וְחָשִׁיב עָלְמָא לְאִתְהַפְּכָא, אַדְּהָכִי חָמָא לְר' חִיָּיא

לְרַגְלוֹי דְּרַבִּי שִׁמְעוֹן. אֲמַר, מָאן יָהֵיב הָכָא בַּר נָשׁ לָבִישׁ מַדָּא דְּהַהוּא עָלְמָא. אֲמַר רַבִּי שִׁמְעוֹן דָּא אִיהוּ רַבִּי חִיָּיא, נְהִירוּ דְּבוּצִינָא דְּאוֹרַיְיתָא. אֲמַר לֵיהּ, יִתְכַּנֵּשׁ הוּא וּבְנוֹי, וְלֵיהֱווֹן מִמְּתִיבְתָּא דִּילָךְ. אֲמַר רַבִּי שִׁמְעוֹן זִמְנָא יִתְיְיהֵב לֵיהּ. יָהֲבוּ לֵיהּ זִמְנָא.

ס. וּנְפַק מִתַּמָּן מִזְדַּעְזַע, וְזָלְגָן עֵינוֹי דִּמְעִין. אִזְדַּעְזַע רַבִּי חִיָּיא, וּבְכָה וַאֲמַר, זַכָּאָה חוּלָקֵהוֹן דְּצַדִּיקַיָּיא בְּהַהוּא עָלְמָא, וְזַכָּאָה חוּלָקֵיהּ דְּבַר יוֹחָאי דְּזָכָה לְכָךְ. עֲלֵיהּ כְּתִיב לְהַנְחִיל אוֹהֲבַי יֵשׁ וְאוֹצְרוֹתֵיהֶם אֲמַלֵּא.

מאמר עמי אתה בשותפא

סא. בְּרֵאשִׁית. ר' שִׁמְעוֹן פָּתַח, וָאָשִׂים דְּבָרַי בְּפִיךָ. כַּמָּה אִית לֵיהּ לְבַר נָשׁ לְאִשְׁתַּדְּלָא בְּאוֹרַיְיתָא יְמָמָא וְלֵילְיָא, בְּגִין דְּקֻדְשָׁא בְּרִיךְ הוּא צַיֵּית לְקָלְהוֹן דְּאִינּוּן דְּמִתְעַסְּקֵי בְּאוֹרַיְיתָא, וּבְכָל מִלָּה דְּאִתְחַדֵּשׁ בְּאוֹרַיְיתָא, עַל יְדָא דְּהַהוּא דְּאִשְׁתַּדַּל בְּאוֹרַיְיתָא, עָבֵיד רְקִיעָא חַדְתָּא.

סב. תָּנָא בְּהַהִיא שַׁעֲתָא דְּמִלָּה דְּאוֹרַיְיתָא אִתְחַדְּשַׁת מִפּוּמֵיהּ דְּבַר נָשׁ, הַהִיא מִלָּה סַלְקָא, וְאִתְעַתְּדַת קַמֵּיהּ דְּקֻדְשָׁא בְּרִיךְ הוּא. וְקֻדְשָׁא בְּרִיךְ הוּא נָטֵיל לְהַהִיא מִלָּה, וְנָשִׁיק לָהּ, וְעַטַּר לָהּ בְּשַׁבְעִין עִטְרִין גְּלִיפִין וּמְחַקְקָן. וּמִלָּה דְּחָכְמְתָא דְּאִתְחַדְּשָׁא, סַלְקָא וְיָתְבָא עַל רֵישָׁא דְּצַדִּיק חַי עָלְמִין. וְטָסָא מִתַּמָּן, וְשָׁטָא בְּשַׁבְעִין אֶלֶף עָלְמִין, וְסַלִּיקַת לְגַבֵּי עַתִּיק יוֹמִין וְכָל מִלִּין דְּעַתִּיק יוֹמִין, מִלִּין דְּחָכְמְתָא אִינּוּן בְּרָזִין סְתִימִין עִלָּאִין.

סג. וְהַהִיא מִלָּה סְתִימָא דְּחָכְמְתָא דְּאִתְחַדְּשַׁת הָכָא, כַּד סַלְקָא אִתְחַבְּרַת בְּאִינּוּן מִלִּין דְּעַתִּיק יוֹמִין, וְסַלְקָא וְנַחְתָּא בַּהֲדַיְיהוּ, וְעָאלַת בִּתְמַנֵיסַר עָלְמִין גְּנִיזִין דְּעַיִן לֹא רָאֲתָה אֱלֹהִים זוּלָתֶךָ, נַפְקֵי מִתַּמָּן, וְשָׁאטָן וְאַתְיָין מַלְיָאן וּשְׁלֵמִין, וְאִתְעַתְּדוּ קַמֵּי עַתִּיק יוֹמִין. בְּהַהִיא שַׁעֲתָא אָרַח עַתִּיק יוֹמִין בְּהַאי מִלָּה וְנִיחָא קַמֵּיהּ, מִכֹּלָּא. נָטֵיל לְהַהִיא מִלָּה, וְאַעְטַר לָהּ בִּתְלַת מְאָה וְשַׁבְעִין אֶלֶף עִטְרִין. הַהִיא מִלָּה טָסַת וְסַלְקָא וְנַחְתָּא וְאִתְעֲבִידָא רְקִיעָא חַדְתָּא.

סד. וְכֵן כָּל מִלָּה וּמִלָּה דְּחָכְמְתָא, אִתְעַבְדִין רְקִיעִין קַיָּימִין בְּקִיּוּמָא שְׁלִים קַמֵּי עַתִּיק יוֹמִין, וְהוּא קָרֵי לוֹן שָׁמַיִם חֲדָשִׁים: שָׁמַיִם מְחוּדָשִׁים, סְתִימִין דְּרָזִין דְּחָכְמְתָא עִלָּאָה. וְכָל אִינּוּן שְׁאָר מִלִּין דְּאוֹרַיְיתָא דְּמִתְחַדְּשִׁין, קַיָּימִין קַמֵּי קֻדְשָׁא בְּרִיךְ הוּא, וְסַלְקִין וְאִתְעֲבִידוּ אַרְצוֹת הַחַיִּים. וְנַחְתִּין, וּמִתְעַטְּרִין לְגַבֵּי אֶרֶץ חַד, וְאִתְחַדַּשׁ וְאִתְעֲבֵיד כֹּלָּא אֶרֶץ חֲדָשָׁה, מֵהַהִיא מִלָּה דְּאִתְחַדַּשׁ בְּאוֹרַיְיתָא.

סה. וְעַל דָּא כְּתִיב כִּי כַאֲשֶׁר הַשָּׁמַיִם הַחֲדָשִׁים וְהָאָרֶץ הַחֲדָשָׁה אֲשֶׁר אֲנִי עוֹשֶׂה, עוֹמְדִים לְפָנַי וְגוֹ'. עָשִׂיתִי לָא כְתִיב, אֶלָּא עוֹשֶׂה, דְּעָבֵיד תָּדִיר מֵאִינּוּן חִדּוּשִׁין וְרָזִין

דְּאוֹרַיְיתָא, וְעַל דָּא כְּתִיב וָאָשִׂים דְּבָרַי בְּפִיךָ וּבְצֵל יָדִי כִּסִּיתִיךָ לִנְטֹעַ שָׁמַיִם וְלִיסוֹד אָרֶץ. הַשָּׁמַיִם לָא כְּתִיב, אֶלָּא שָׁמַיִם.

סו. אָמַר רַבִּי אֶלְעָזָר מַהוּ וּבְצֵל יָדִי כִּסִּיתִיךָ. אֲמַר לֵיהּ בְּשַׁעֲתָא דְּאִתְמְסַר אוֹרַיְיתָא לְמֹשֶׁה, אֲתוֹ כַּמָּה רִבּוֹא דְּמַלְאֲכֵי עִלָּאִין, לְאוֹקְדָא לֵיהּ בְּשַׁלְהוֹבָא דְּפוּמְהוֹן, עַד דְּחָפָא עֲלֵיהּ קֻדְשָׁא בְּרִיךְ הוּא. וְהַשְׁתָּא דְּהַאי מִלָּה סָלְקָא וְאִתְעַטְּרָא וְקַיְימָא קַמֵּי קֻדְשָׁא בְּרִיךְ הוּא, אִיהוּ חָפֵי עַל הַהִיא מִלָּה, וְכַסֵּי עַל הַהוּא בַּר נָשׁ, דְּלָא יִשְׁתְּמוֹדַע לְגַבַּיְיהוּ, אֶלָּא קֻדְשָׁא בְּרִיךְ הוּא. וְלָא יְקַנְאוּן לְגַבֵּיהּ, עַד דְּאִתְעֲבֵיד מֵהַהִיא מִלָּה, שָׁמַיִם חֲדָשִׁים וְאֶרֶץ חֲדָשָׁה. הה״ד וּבְצֵל יָדִי כִּסִּיתִיךָ לִנְטוֹעַ שָׁמַיִם וְלִיסוֹד אָרֶץ. מִכָּאן דְּכָל מִלָּה דְּסָתִים מֵעֵינָא, סָלְקָא לְתוֹעַלְתָּא עִלָּאָה. הה״ד וּבְצֵל יָדִי כִּסִּיתִיךָ. וַאֲמַאי אִתְחֲפֵי וְאִתְכַּסֵּי מֵעֵינָא, בְּגִין לְתוֹעַלְתָּא עִלָּאָה. הה״ד לִנְטוֹעַ שָׁמַיִם וְלִיסוֹד אָרֶץ, כְּמָה דְּאִתְּמָר.

סז. וְלֵאמֹר לְצִיּוֹן עַמִּי אָתָּה. וְלֵאמֹר לְאִינּוּן תַּרְעִין וּמִלִּין דִּמְצוּיָּינִין אִלֵּין עַל אִלֵּין, עַמִּי אָתָּה. אַל תִּקְרֵי עַמִּי אָתָּה, אֶלָּא עִמִּי אַתָּה, לְמֶהֱוֵי שׁוּתָּפָא עִמִּי, מָה אֲנָא בְּמִלּוּלָא דִּילִי עֲבָדִית שָׁמַיִם וָאָרֶץ, כד״א בִּדְבַר ה׳ שָׁמַיִם נַעֲשׂוּ אוּף הָכֵי אַתְּ. זַכָּאִין אִינּוּן דְּמִשְׁתַּדְּלֵי בְּאוֹרַיְיתָא.

סח. וְאִי תֵּימָא דְּמִלָּה דְּכָל ב״נ דְּלָא יָדַע עָבֵיד דָּא. תָּא חֲזֵי, הַהוּא דְּלָא אוֹרְזֵיהּ בְּרָזִין דְּאוֹרַיְיתָא, וְחַדֵּשׁ מִלִּין דְּלָא יָדַע עַל בּוּרְיֵיהוֹן כִּדְקָא יָאוֹת הַהִיא מִלָּה סַלְקָא, וְנָפִיק לְגַבֵּי הַהִיא מִלָּה אִישׁ תַּהְפּוּכוֹת לְשׁוֹן שֶׁקֶר, מִגּוֹ נוּקְבָא דִּתְהוֹמָא רַבָּא, וְדָלֵג חָמֵשׁ מְאָה פַּרְסֵי לְקַבְּלָא לְהַהִיא מִלָּה, וְנָטִיל לָהּ וְאָזִיל בְּהַהִיא מִלָּה לְגוֹ נוּקְבֵיהּ, וְעָבֵיד בָּהּ רְקִיעָא דְּשָׁוְא, דְּאִקְרֵי תֹּהוּ.

סט. וְטָס בְּהַהוּא רְקִיעָא, הַהוּא אִישׁ תַּהְפּוּכוֹת, שִׁיתָא אַלְפֵי פַּרְסֵי בְּזִמְנָא חֲדָא, כֵּיוָן דְּהַאי רְקִיעָא דְשָׁוְא קָאִים, נָפְקַת מִיַּד אֵשֶׁת זְנוּנִים, וְאַתְקֵיף בְּהַהוּא רְקִיעָא דְּשָׁוְא, וְאִשְׁתַּתְּפַת בֵּיהּ. וּמִתַּמָּן, נָפְקַת וְקָטְלַת כַּמָּה אַלְפִין וְרִבְוָון, בְּגִין דְּכַד קַיְימַת בְּהַהוּא רְקִיעָא, אִית לָהּ רְשׁוּ וִיכָלְתָּא לְמֶהֱוֵי טָס כָּל עָלְמָא בְּרִגְעָא חֲדָא.

ע. וְעַל דָּא כְּתִיב, הוֹי מוֹשְׁכֵי הֶעָוֹן בְּחַבְלֵי הַשָּׁוְא. הֶעָוֹן, דָּא דְּכוּרָא. וְכַעֲבוֹת הָעֲגָלָה חַטָּאָה. מַאן חַטָּאָה, דָּא נוּקְבָא דְּאִקְרֵי חַטָּאָה. אִיהוּ מָשִׁיךְ, הַהוּא דְּאִקְרֵי עָוֹן, בְּאִינּוּן חַבְלֵי הַשָּׁוְא, וּלְבָתַר, כַּעֲבוֹת הָעֲגָלָה חַטָּאָה, לְהַהִיא נוּקְבָא דְּאִקְרֵי חַטָּאָה, דְּתַמָּן אִתְתַּקְּפַת לְמֶהֱוֵי טָס לְקַטְלָא בְּנֵי נָשָׁא, וְעַל דָּא כִּי רַבִּים חֲלָלִים הִפִּילָה, מַאן הִפִּילָה, דָּא הַהִיא חַטָּאָה דְּקָטְלַת בְּנֵי נָשָׁא. מַאן גָּרֵים דָּא, תַּלְמִיד חָכָם דְּלָא מָטֵי לְהוֹרָאָה וּמוֹרֶה, רַחֲמָנָא לִשֵׁזְבָן.

עא. אָמַר רַבִּי שִׁמְעוֹן לְחַבְרַיָּיא בְּמָטוּתָא מִנַּיְיכוּ, דְּלָא תַּפְקוּן מִפּוּמַיְיכוּ מִלָּה דְּאוֹרַיְיתָא

דְּלָא יָדְעִתּוּן וְלָא שְׁמַעְתּוּן מֵאִילָנָא רַבְרְבָא כִּדְקָא יָאוּת, בְּגִין דְּלָא תֶּהֱווּן גָּרְמִין לְהַהוּא חַטָּאָה לְקַטְלָא אֻכְלוֹסִין דְּב״נ לְמַגָּנָא. פָּתְחוּ כֻּלְּהוֹן וַאֲמָרוּ, רַחֲמָנָא לִשֵׁיזְבָן, רַחֲמָנָא לִשֵׁיזְבָן.

עב. תָּא חֲזֵי, בְּאוֹרַיְיתָא בָּרָא קֻדְשָׁא בְּרִיךְ הוּא עָלְמָא, וְהָא אוּקְמוּהָ, דִּכְתִיב וָאֶהְיֶה אֶצְלוֹ אָמוֹן, וָאֶהְיֶה שַׁעֲשׁוּעִים יוֹם יוֹם. וְאִיהוּ אִסְתַּכַּל בָּהּ זִמְנָא, וּתְרֵין וּתְלָתָא וְאַרְבַּע זִמְנִין, וּלְבָתַר אֲמַר לוֹן, וּלְבָתַר עָבֵיד בָּהּ עֲבִידְתָּא. לְאוֹלְפָא לִבְנֵי נָשָׁא דְּלָא יֵיתוֹן לְמִטְעֵי בָּהּ. כד״א אָז רָאָהּ וַיְסַפְּרָהּ הֱכִינָהּ וְגַם חֲקָרָהּ וַיֹּאמֶר לָאָדָם.

עג. וְלָקֳבֵיל אַרְבַּע זִמְנִין אִינּוּן, דִּכְתִיב, אָז רָאָהּ, וַיְסַפְּרָהּ, הֱכִינָהּ, וְגַם חֲקָרָהּ, בָּרָא קוּדְשָׁא בְּרִיךְ הוּא מַה דְּבָרָא. וְעַד לָא אַפִּיק עֲבִידְתֵּיהּ, אָעֵיל אַרְבַּע תֵּיבִין בְּקַדְמֵיתָא, דִּכְתִיב, בְּרֵאשִׁית בָּרָא אֱלֹהִים אֵת, הָא אַרְבַּע. וּלְבָתַר הַשָּׁמַיִם. אִינּוּן לָקֳבֵיל אַרְבַּע זִמְנִין דְּאִסְתַּכַּל קֻדְשָׁא בְּרִיךְ הוּא בְּאוֹרַיְיתָא עַד לָא יַפִּיק עֲבִידְתֵּיהּ לְאוּמְנוּתֵיהּ.

מאמר דטעין וזמרי

עד. רַבִּי אֶלְעָזָר הֲוָה אָזִיל לְמֶחֱמֵי לְרַבִּי יוֹסֵי בְּרַבִּי שִׁמְעוֹן בֶּן לָקוּנְיָא חָמוֹי, וְרַבִּי אַבָּא בַּהֲדֵיהּ, וַהֲוָה טָעִין חַד גַּבְרָא אֲבַתְרַיְיהוּ. אֲמַר רַבִּי אַבָּא נִפְתַּח פִּתְחִין דְּאוֹרַיְיתָא, דְּהָא שַׁעֲתָא וְעִדָּנָא הוּא לְאִתְתַּקְּנָא בְּאָרְחָן.

עה. פָּתַח רַבִּי אֶלְעָזָר וַאֲמַר אֶת שַׁבְּתוֹתַי תִּשְׁמוֹרוּ. תָּא חֲזֵי, בְּשִׁית יוֹמִין בָּרָא קֻדְשָׁא בְּרִיךְ הוּא עָלְמָא. וְכָל יוֹמָא וְיוֹמָא גַּלֵּי עֲבִידְתֵּיהּ, וְיַהַב חֵילֵיהּ בְּהַהוּא יוֹמָא. אֵימָתַי גַּלֵּי עֲבִידְתֵּיהּ וְיַהַב חֵילֵיהּ. בְּיוֹמָא רְבִיעָאָה, בְּגִין דְּאִינּוּן תְּלַת יוֹמִין קַדְמָאִין כֻּלְּהוּ הֲווּ סְתִימִין וְלָא אִתְגַּלּוּ, כֵּיוָן דַּאֲתָא יוֹמָא רְבִיעָאָה, אַפִּיק עֲבִידְתָּא וְחֵילָא דְּכֻלְּהוּ.

עו. דְּהָא אֶשָּׁא וּמַיָּא וְרוּחָא, אַף עַל גָּב דְּאִינּוּן תְּלַת יְסוֹדִין עִלָּאִין, כֻּלְּהוּ תַּלְיָין וְלָא אִתְגַּלֵּי עֲבִידְתָּא דִּלְהוֹן עַד דְּאַרְעָא גַּלֵּי לוֹן, כְּדֵין אִתְיְדַע אוּמְנוּתָא דְּכָל חַד מִנַּיְיהוּ.

עז. וְאִי תֵּימָא הָא בְּיוֹמָא תְּלִיתָאָה הֲוָה, דִּכְתִיב תַּדְשֵׁא הָאָרֶץ דֶּשֶׁא, וּכְתִיב וַתּוֹצֵא הָאָרֶץ. אֶלָּא הַאי אַף עַל גָּב דִּכְתִיב בְּיוֹמָא תְּלִיתָאָה, רְבִיעָאָה הֲוָה, וְאִתְכְּלִיל בְּיוֹמָא תְּלִיתָאָה לְמֶהֱוֵי חַד בְּלָא פֵּרוּדָא. וּלְבָתַר יוֹמָא רְבִיעָאָה אִתְגַּלֵּי עֲבִידְתֵּיהּ לְאַפָּקָא אוּמָנָא לְאוּמְנוּתֵיהּ דְּכָל חַד וְחַד. בְּגִין דְּיוֹמָא רְבִיעָאָה אִיהוּ רַגְלָא רְבִיעָאָה דְּכָרְסְיָיא עִלָּאָה.

עח. וְכָל עֲבִידְתַּיְיהוּ דְּכֻלְּהוּ, בֵּין יוֹמִין קַדְמָאִין וּבֵין יוֹמִין בַּתְרָאִין, הֲווּ תַּלְיָין בְּיוֹמָא דְּשַׁבַּתָּא. הֲדָא הוּא דִּכְתִיב וַיְכַל אֱלֹהִים בַּיּוֹם הַשְּׁבִיעִי, דָּא שַׁבָּת וְדָא הוּא רַגְלָא רְבִיעָאָה דְּכָרְסְיָיא.

עט. וְאִי תֵּימָא אִי הָכֵי, מַהוּ אֶת שַׁבְּתוֹתַי תִּשְׁמוֹרוּ, תְּרֵין. אֶלָּא שַׁבָּת דְּמַעֲלֵי שַׁבַּתָּא

וְשַׁבַּתָּא דְּיוֹמָא מַמָּשׁ לֵית לוֹן פֵּרוּדָא.

פ. אֲמַר הַהוּא טַיְּיעָא דַּהֲוָה טָעִין בַּתְרַיְיהוּ, וּמַהוּ וּמִקְדָּשִׁי תִּירָאוּ. אֲמַר לֵיהּ דָּא קְדוּשָּׁא דְּשַׁבָּת. אֲמַר לֵיהּ וּמַהוּ קְדוּשָּׁא דְּשַׁבָּת. א"ל דָּא קְדוּשָּׁא דְּאִתְמַשְׁכָא מִלְּעֵילָּא. אֲמַר לֵיהּ אִי הָכֵי עֲבִידַת לְשַׁבָּת דְּלָא אִיהוּ קֹדֶשׁ, אֶלָּא קְדוּשָּׁא דְּשַׁרְיָא עֲלוֹי מִלְּעֵילָּא. אֲמַר רַבִּי אַבָּא, וְהָכֵי הוּא, וְקָרָאתָ לַשַּׁבָּת עֹנֶג לִקְדוֹשׁ ה' מְכֻבָּד. אַדְכַּר שַׁבָּת לְחוּד וּקְדוֹשׁ ה' לְחוּד. אֲמַר לֵיהּ אִי הָכֵי מַאן קְדוֹשׁ ה'. אֲמַר לֵיהּ קְדוּשָּׁא דְּנָחֲתָא מִלְּעֵילָּא וְשַׁרְיָא עֲלֵיהּ. אֲמַר לֵיהּ אִי קְדוּשָּׁא דְּאִתְמַשְׁכָא מִלְּעֵילָּא אִקְרֵי מְכֻבָּד, אִתְחֲזֵי דְּשַׁבָּת לָאו אִיהוּ מְכֻבָּד, וּכְתִיב וְכִבַּדְתּוֹ. אֲמַר רַבִּי אֶלְעָזָר לְרַבִּי אַבָּא: אַנַּח לְהַאי גַּבְרָא דְּמִלָּה דְּחָכְמְתָא אִית בֵּיהּ, דַּאֲנַן לָא יַדְעְנָא בָּהּ. אֲמָרוּ לֵיהּ: אֵימָא אַנְתְּ.

פא. פָּתַח וַאֲמַר, אֶת שַׁבְּתוֹתַי. אֶת, לְאַסְגָּאָה תְּחוּם שַׁבָּת, דְּאִיהוּ תְּרֵין אַלְפִּין אַמִּין לְכָל סִטְרָא, וּבְגִין כָּךְ אַסְגֵּי אֶת שַׁבְּתוֹתַי, דָּא שַׁבָּת עִלָּאָה וְשַׁבָּת תַּתָּאָה, דְּאִינוּן תְּרֵין כְּלִילָן כַּחֲדָא, וּסְתִימִין כַּחֲדָא.

פב. אִשְׁתָּאַר שַׁבָּת אָחֳרָא דְּלָא אִדְכַּר וַהֲוָה בְּכִסּוּפָא. אֲמָרָה קַמֵּיהּ: מָארֵי דְעָלְמָא, מִיּוֹמָא דַּעֲבַדְתְּ לִי, שַׁבָּת אִתְקְרֵינָא, וְיוֹמָא לָאו אִיהוּ בְּלָא לֵילְיָא. אֲמַר לָהּ: בְּרַתִּי, שַׁבָּת אַנְתְּ וְשַׁבָּת קְרֵינָא לָךְ, אֲבָל הָא אֲנָא מְעַטֵּר לָךְ בְּעִטְרָא עִלָּאָה יַתִּיר. אַעֲבַר כָּרוֹזָא וַאֲמַר, מִקְדָּשִׁי תִּירָאוּ, וְדָא שַׁבָּת דְּמַעֲלֵי שַׁבַּתָּא, דְּאִיהִי יִרְאָה, וְשַׁרְיָא בָהּ יִרְאָה. וּמָאן אִיהוּ, דְּקֻדְשָׁא בְּרִיךְ הוּא אַכְלֵיל וַאֲמַר, אֲנִי ה'. וַאֲנָא שְׁמַעְנָא מֵאַבָּא דַּאֲמַר הָכֵי. וְדַיֵּיק, אֶת לְאַסְגָּאָה תְּחוּם שַׁבָּת. שַׁבְּתוֹתַי, דָּא עִגּוּלָא וְרִבּוּעַ דִּלְגוֹ, וְאִינוּן תְּרֵין. וּלְקָבֵיל אִינוּן תְּרֵין, אִית תְּרֵי קְדוּשָׁתֵי דְּאִית לָנוּ לְאַדְכָּרָא, חַד וַיְכֻלּוּ, וְחַד קָדוֹשׁ. וַיְכֻלּוּ אִית בֵּיהּ תְּלָתִין וַחֲמֵשׁ תֵּיבִין, וּבִקְדוּשָּׁא דַּאֲנַן מְקַדְּשִׁין, תְּלָתִין וַחֲמֵשׁ תֵּיבִין, וְסָלֵיק כֹּלָּא לְשַׁבְעִין שְׁמָהָן דְּקוּדְשָׁא בְּרִיךְ הוּא וּכְנֶסֶת יִשְׂרָאֵל אִתְעַטַּר בְּהוּ.

פג. וּבְגִין דְּעִגּוּלָא וְרִבּוּעָא דָּא, אִינוּן שַׁבְּתוֹתַי, כְּלִילָן תַּרְוַיְיהוּ בְּשָׁמוֹר, דִּכְתִיב תִּשְׁמוֹרוּ. דְּהָא שַׁבָּת עִלָּאָה הָכָא לָא אִתְכְּלֵיל בְּשָׁמוֹר אֶלָּא בְּזָכוֹר, דְּהָא מַלְכָּא עִלָּאָה בְּזָכוֹר אִסְתַּיֵּים. וְעַל דָּא אִקְרֵי מַלְכָּא דִּשְׁלָמָא דִּילֵיהּ, וּשְׁלָמָא דִּילֵיהּ זָכוֹר אִיהוּ. וְעַל דָּא לֵית מַחְלוֹקֶת לְעֵילָּא.

פד. בְּגִין דִּתְרֵין שְׁלוֹמוֹת לְתַתָּא, חַד יַעֲקֹב, וְחַד יוֹסֵף, וּבְגִין כָּךְ כְּתִיב תְּרֵי זִמְנֵי שָׁלוֹם שָׁלוֹם לָרָחוֹק וְלַקָּרוֹב, לָרָחוֹק דָּא יַעֲקֹב וְלַקָּרוֹב דָּא יוֹסֵף. לָרָחוֹק כד"א מֵרָחוֹק ה' נִרְאָה לִי וַתֵּתַצַּב אֲחוֹתוֹ מֵרָחוֹק. וְלַקָּרוֹב, כד"א וַחֲדָשִׁים מִקָּרוֹב בָּאוּ.

פה. מֵרָחוֹק, דָּא נְקוּדָה עִלָּאָה דְּקַיְּימָא בְּהֵיכָלֵיהּ, וְעַל דָּא כְּתִיב תִּשְׁמוֹרוּ אִתְכְּלֵיל בְּשָׁמוֹר וּמִקְדָּשִׁי תִּירָאוּ, דָּא נְקוּדָה דְּקַיְּימָא בְּאֶמְצָעִיתָא, דְּאִית לְדַחֲלָא מִנָּהּ יַתִּיר

מִכֹּלָּא, דְּעָנְשֵׁיהּ מִיתָה, וְהַיְינוּ דִּכְתִיב מְחַלְּלֶיהָ מוֹת יוּמָת. מַאן מְחַלְּלֶיהָ, מַאן דְּעָאל לְגוֹ חָלָל דְּעִגּוּלָא וְרִבּוּעָא, לַאֲתַר דְּהַהוּא נְקוּדָה שַׁרְיָא וּפָגִים בֵּיהּ מוֹת יוּמָת, וְעַל דָּא כְּתִיב תִּירָאוּ. וְהַהִיא נְקוּדָה אִקְרֵי אֲנִי, וַעֲלָהּ שַׁרְיָא הַהוּא דְּסָתִים עִלָּאָה דְּלָא אִתְגַּלְיָא, וְהַיְינוּ הוי"ה וְכֹלָּא חַד. נָחֲתוּ רַבִּי אֶלְעָזָר וְר' אַבָּא וּנְשָׁקוּהוּ. אֲמָרוּ, וּמַה כָּל חָכְמְתָא דָּא אִית תְּחוֹת יָדָךְ, וְאַתְּ טָעִין אַבַּתְרִין. אֲמָרוּ לֵיהּ מָאן אַנְתְּ, אֲמַר לוֹן לָא תִשְׁאֲלוּן מָאן אֲנָא, אֶלָּא אֲנָא וְאַתּוּן נֵיזִל וְנִתְעַסַּק בְּאוֹרַיְיתָא, וְכָל חַד יֵימָא מִלִּין דְּחָכְמְתָא לְאַנְהָרָא אוֹרְחָא.

פו. אֲמָרוּ לֵיהּ, מָאן יָהַב לָךְ לְמֵיזַל הָכָא לְמֶהֱוֵי טָעוּן בְּחַמְרֵי, אֲמַר לוֹן, יו"ד עֲבַד קְרָבָא בִּתְרֵין אַתְוָון, בְּכָ"ף וְסַמֶ"ךְ, לְאִתְקַשְּׁרָא בַּהֲדָאי. כָּ"ף, לָא בָּעָא לְאִסְתַּלְּקָא וּלְאִתְקַשְּׁרָא, בָּתַר דְּלָא יָכְלָא לְמֶהֱוֵי רִגְעָא חָדָא אֶלָּא בֵּיהּ. סַמֶ"ךְ, לָא בָּעָא לְאִסְתַּלְּקָא, בְּגִין לְסַעֲדָא לְאִינּוּן דְּנָפְלִין, דְּהָא בְּלִי סַמֶ"ךְ לָא יָכְלִין לְמֶהֱוֵי.

פז. יו"ד אָתָא לְגַבָּאי יְחִידָאָה, נָשִׁיק לִי, וְגָפִיף לִי, בְּכָה עִמִּי וַאֲמַר לִי, בְּרִי מָה אַעֲבִיד לָךְ, אֲבָל הָא אֲנָא אִסְתַּלַּק וַאֲנָא אִתְמְלֵי מִכַּמָּה טָבִין וְאַתְוָון טְמִירִין עִלָּאִין יַקִּירִין, בָּתַר כֵּן אֵיתֵי לְגַבָּךְ, וַאֲנָא אֶהֱוֵי סְעִיד לָךְ, וְאֶתֵּן לָךְ אַחְסַנְתָּא דִּתְרֵין אַתְוָון עִלָּאִין, יַתִּיר מֵאִלֵּין דְּאִסְתַּלָּקוּ, דְּאִינּוּן יֵשׁ, יו"ד עִלָּאָה, וְשׁי"ן עִלָּאָה, לְמֶהֱוֵי לָךְ אוֹצְרִין מַלְיָיא מִכֹּל, וּבְגִין כָּךְ בְּרִי, זִיל וֶהֱוֵי טְעִין חַמְרֵי. וְעַל דָּא אֲנָא אָזִיל בְּכָךְ.

פח. חָדוּ ר' אֶלְעָזָר וְר' אַבָּא וּבְכוּ, וַאֲמָרוּ: זִיל רְכִיב, וַאֲנַן נְטְעִין אַבַּתְרָךְ. אֲמַר לוֹן, וְלָא אֲמָרִית לְכוֹן דִּפְקוּדָא דְּמַלְכָּא אִיהוּ, עַד דְּיֵיתֵי הַהוּא דְּטָעַן חַמְרֵי. אֲמָרוּ לֵיהּ, הָא שְׁמָךְ לָא אֲמַרְתְּ לָן, אֲתַר בֵּית מוֹתְבָךְ מַאי הוּא. אֲמַר לוֹן, אֲתַר בֵּית מוֹתְבִי אִיהוּ טַב וְעִלָּאָה לְגַבָּאי, וְאִיהוּ מִגְדָּל חַד דְּפָרַח בַּאֲוִירָא, רַב וְיַקִּירָא. וְאִינּוּן דְּדַיְירִין בֵּיהּ בְּהַאי מִגְדְּלָא, קָדוֹשׁ בָּרוּךְ הוּא וְחַד מִסְכְּנָא. וְדָא הוּא אֲתַר בֵּית מוֹתְבִי, וְגָלֵינָא מִתַּמָּן, וַאֲנָא טָעִין חַמְרֵי. אַשְׁגָּחוּ רַבִּי אַבָּא וְרַבִּי אֶלְעָזָר בֵּיהּ, וְאַטְעִים לוֹן מִלּוֹי דַּהֲווּ מְתִיקִין כְּמַנָּא וְדוּבְשָׁא. אֲמָרוּ לֵיהּ שְׁמָא דַּאֲבוּךְ אִי תֵּימָא, נְנַשִּׁיק עַפְרָא דְּרַגְלָךְ. אֲמַר לוֹן, וְאַמַּאי, לָאו אוֹרְחָא דִּילִי בְּכָךְ לְאִתְגָּאָה בְּאוֹרַיְיתָא.

פט. אֲבָל אַבָּא דִּילִי הֲוָה דִּיוּרֵיהּ בְּיַמָּא רַבָּא, וְאִיהוּ הֲוָה חַד נוּנָא דַּהֲוָה אַסְחַר יַמָּא רַבָּא מִסִּטְרָא דָּא לְסִטְרָא דָּא, וַהֲוָה רַב וְיַקִּירָא וְעַתִּיק יוֹמִין, עַד דַּהֲוָה בָּלַע כָּל שְׁאָר נוּנִין דְּיַמָּא, וּלְבָתַר אַפִּיק לוֹן חַיִּין וְקַיָּימִין מַלְיָין מִכָּל טָבִין דְּעָלְמָא. וְשָׁאַט יַמָּא בְּרִגְעָא חָדָא בְּתוּקְפֵּיהּ, וְאַפִּיק לִי כְּגִירָא בִּידָא דְּגִבַּר תַּקִּיף. וּטְמִיר לִי בְּהַהוּא אֲתַר דַּאֲמָרִית לְכוּ. וְהוּא תָּב לְאַתְרֵיהּ, וְאִתְגְּנִיז בְּהַהוּא יַמָּא.

צ. אַשְׁגַּח ר' אֶלְעָזָר בְּמִלּוֹי. אֲמַר לֵיהּ אַנְתְּ הוּא בְּרֵיהּ דְּבוֹצִינָא קַדִּישָׁא, אַנְתְּ הוּא בְּרֵיהּ דְּרַב הַמְנוּנָא סָבָא, אַנְתְּ הוּא בְּרֵיהּ דִּנְהִירוּ דְּאוֹרַיְיתָא, וְאַנְתְּ טָעִין אַבַּתְרָן. בְּכוּ כַּחֲדָא

וְשַׁקְיוּהוּ וַאֲזְלוּ אֲמָרוּ לֵיהּ אִי נִיזְזָא קַמֵּי מָארָנָא לְאוֹדָעָא לָן שְׁמֵיהּ.

צא. פָּתַח וַאֲמַר, וּבְנָיָהוּ בֶּן יְהוֹיָדָע, הַאי קְרָא אוֹקְמוּהָ, וְשַׁפִּיר אִיהוּ. אֲבָל הַאי קְרָא לְאַחֲזָאָה רָזִין עִלָּאִין דְאוֹרַיְיתָא הוּא דַאֲתָא. וּבְנָיָהוּ בֶּן יְהוֹיָדָע, עַל רָזָא דְחָכְמְתָא קָא אֲתָא, מִלָּה סְתִימָא אִיהוּ, וּשְׁמָא גָרִים. בֶּן אִישׁ חַי, דָא צַדִּיק חַי עָלְמִין. רַב פְּעָלִים, מָארֵי דְכָל עוֹבָדִין וְכָל חֵילִין עִלָּאִין, בְּגִין דְכֻלְּהוּ נָפְקִין מִנֵּיהּ. ה' צְבָאוֹת אִיהוּ, אוֹת הוּא בְּכָל חֲיָילִין דִּידֵיהּ, רְשִׁים הוּא וְרַב מִכֹּלָּא.

צב. רַב פְּעָלִים אִיהוּ מִקַּבְצְאֵל, הַאי אִילָנָא רַב וְיַקִּירָא, רַב מִכֹּלָּא, מֵאָן אֲתַר נְפַק, מֵאָן דַרְגָּא אֲתָא, אַהְדַר קְרָא וַאֲמַר מִקַּבְצְאֵל, דַרְגָּא עִלָּאָה סְתִימָאָה דְעַיִן לֹא רָאֲתָה וְגוֹ', דַרְגָּא דְכֹלָּא בֵּיהּ, וְכָנִישׁ בְּגַוֵּיהּ מִגּוֹ נְהוֹרָא עִלָּאָה, וּמִנֵּיהּ נָפִיק כֹּלָּא.

צג. וְאִיהוּ הֵיכָלָא קַדִּישָׁא סְתִימָא, דְכָל דַרְגִּין כְּנִישִׁין וּסְתִימִין בְּגַוֵּיהּ. וּבְגוּפָא דְהַאי הֵיכָלָא קַיְימִין כָּל עָלְמִין, וְכָל חַיָּילִין קַדִּישִׁין מִנֵּיהּ אִתְזְנוּ וְקַיְימֵי עַל קִיּוּמֵיהוֹן.

צד. הוּא הִכָּה אֵת שְׁנֵי אֲרִיאֵל מוֹאָב, תְּרֵין מַקְדְּשִׁין קַיְימִין בְּגִינֵיהּ, וְאִתְזְנוּ מִנֵּיהּ, מִקְדָּשׁ רִאשׁוֹן וּמִקְדָּשׁ שֵׁנִי, כֵּיוָן דְאִיהוּ אִסְתַּלַּק נְגִידוּ דַהֲוָה נָגִיד מִלְּעֵילָא אִתְמְנַע, כִּבְיָכוֹל הוּא הִכָּה לוֹן וְחָרֵיב לוֹן, וְשֵׁצֵי לוֹן.

צה. וְכֻרְסְיָיא קַדִּישָׁא נָפְלַת, הה"ד וַאֲנִי בְתוֹךְ הַגּוֹלָה. הַהוּא דַרְגָּא דְאִקְרֵי אֲנִי, הוּא בְּתוֹךְ הַגּוֹלָה. אַמַּאי, עַל נְהַר כְּבָר, עַל נָהָר דְנָגִיד וְנָפִיק דְפָסִיק מֵימוֹי וּמַבּוּעוֹי, וְלָא אַנְגִּיד כַּד בְּקַדְמֵיתָא. הה"ד וְנָהָר יֶחֱרַב וְיָבֵשׁ, יֶחֱרַב בְּבַיִת רִאשׁוֹן, וְיָבֵשׁ בְּבַיִת שֵׁנִי. וּבְגִין כָּךְ הוּא הִכָּה אֵת שְׁנֵי אֲרִיאֵל מוֹאָב. מוֹאָב: דַהֲווּ מֵאָב דְבִשְׁמַיָּא, וְאִתְחָרְבוּ וְאִשְׁתֵּצִיאוּ בְּגִינֵיהּ, וְכָל נְהוֹרִין דַהֲווּ נְהִירִין לְיִשְׂרָאֵל כֻּלְּהוּ אִתְחֲשָׁכוּ.

צו. וְתוּ הוּא יָרַד וְהִכָּה אֶת הָאֲרִי. בְּזִמְנִין קַדְמָאִין, כַּד הַאי נָהָר הֲוָה מָשִׁיךְ מֵימוֹי לְתַתָּא, הֲווּ קַיְימִין יִשְׂרָאֵל בִּשְׁלִימוּ, דְּהַדְבּוּ דִּבְחִין, וְקָרְבְּנִין לְכַפָּרָא עַל נַפְשַׁיְיהוּ, וּכְדֵין, הֲוָה נָחֵית מִלְּעֵילָא דְיוֹקְנָא דְחַד אַרְיֵה, וַהֲווּ חָמָאן לֵיהּ ע"ג מַדְבְּחָא, רָבִיץ עַל טַרְפֵּיהּ, אָכִיל קָרְבְּנִין כְּגִבַּר תַּקִּיף. וְכָל כַּלְבִּין הֲווּ מִתְטַמְרִין מִקַּמֵּיהּ, וְלָא נָפְקֵי לְבַר.

צז. כֵּיוָן דְּגָרְמוּ חוֹבִין, אִיהוּ נָחִית לְגוֹ דַרְגִּין דִלְתַתָּא, וְקָטִיל לְהַהוּא אַרְיֵה, דְּלָא בָעָא לְמֵיהַב לֵיהּ טַרְפֵּיהּ כִּדְבְקַדְמֵיתָא, כִּבְיָכוֹל קָטִיל לֵיהּ. הוּא הִכָּה אֶת הָאֲרִי וַדַּאי, לְתוֹךְ הַבּוֹר, לְעֵינָהָא דְסִטְרָא אָחֳרָא בִּישָׁא. כֵּיוָן דְּחָמָאת הָכֵי, הַהוּא סִטְרָא אָחֳרָא אִתְתַּקְּפַת וְשַׁדְּרַת לְחַד כַּלְבָּא לְמֵיכַל קָרְבְּנִין. וּמַה שְׁמֵיהּ דְהַהוּא אַרְיֵה, אוּרִיאֵל, דְאַנְפּוֹי אַנְפֵּי אַרְיֵה. וּמַה שְׁמֵיהּ דְהַהוּא כַּלְבָּא. בַּלְאֲדָן שְׁמֵיהּ, דְּלָאו אִיהוּ בִּכְלַל אָדָם, אֶלָּא כַּלְבָּא וְאַנְפֵּי כַּלְבָּא.

צח. בְּיוֹם הַשֶּׁלֶג, בְּיוֹמָא דְגָרְמוּ חוֹבִין, וְדִינָא אִתְדָּן לְעֵילָא מֵעִם בֵּי דִינָא עִלָּאָה וְעַל

דָּא כְּתִיב לֹא תִירָא לְבֵיתָהּ מִשָּׁלֶג, דָּא דִּינָא עִלָּאָה, אַמַּאי, בְּגִין דְּכָל בֵּיתָהּ לָבֻשׁ שָׁנִים, וְיָכֵיל לְמִיסְבַּל אֶשָּׁא תַּקִּיפָא. עַד כָּאן רָזָא דִּקְרָא.

צט. מַה כְּתִיב בַּתְרֵיהּ, וְהוּא הִכָּה אֶת אִישׁ מִצְרִי, אִישׁ מַרְאֶה. הָכָא רָזָא דִּקְרָא אֲתָא לְאוֹדָעָא, דִּי בְּכָל זִמְנָא דְּיִשְׂרָאֵל חָבוּ, אִיהוּ אִסְתַּלַּק וּמָנַע מִנַּיְיהוּ כָּל טָבִין, וְכָל נְהוֹרִין דַּהֲווּ נְהִירִין לוֹן. הוּא הִכָּה אֶת אִישׁ מִצְרִי, דָּא נְהוֹרָא, דְּהַהוּא נְהוֹרָא דַּהֲוָה נָהִיר לוֹ לְיִשְׂרָאֵל. וּמָאן אִיהוּ, מֹשֶׁה. דִּכְתִיב וַתֹּאמַרְןָ אִישׁ מִצְרִי הִצִּילָנוּ וגו', וְתַמָּן אִתְיְלִיד, וְתַמָּן אִתְרַבֵּי, וְתַמָּן אִסְתַּלִּיק לִנְהוֹרָא עִלָּאָה.

ק. אִישׁ מַרְאֶה: כד"א וּמַרְאֶה וְלֹא בְחִידוֹת. אִישׁ, כד"א אִישׁ הָאֱלֹהִים, כִּבְיָכוֹל, בַּעְלָהּ דְּהַהוּא מַרְאָה, כְּבוֹד ה'. דְּזָכָה לְאַנְהָגָא דַּרְגָּא דָּא בְּכָל רְעוּתֵיהּ בְּאַרְעָא, מַה דְּלָא זָכֵי בַּר נָשׁ אָחֳרָא.

קא. וּבְיַד הַמִּצְרִי חֲנִית. דָּא מַטֵּה הָאֱלֹהִים דְּהוּא אִתְמְסַר בִּידֵיהּ, כד"א וּמַטֵּה הָאֱלֹהִים בְּיָדִי. וְדָא אִיהוּ מַטֶּה דְּאִתְבְּרֵי עֶרֶב שַׁבָּת בֵּין הַשְּׁמָשׁוֹת וְחָקִיק בֵּיהּ שְׁמָא קַדִּישָׁא גְּלִיפָא קַדִּישָׁא, וּבְהַאי חָב בְּסֶלַע. כד"א וַיַּךְ אֶת הַסֶּלַע בְּמַטֵּהוּ פַּעֲמָיִם. אֲמַר לֵיהּ קֻדְשָׁא בְּרִיךְ הוּא: מֹשֶׁה לָא יְהָבִית לָךְ מַטֶּה דִּילִי לְהַאי, וַחַיֶּיךְ לָא יְהֵא בְּיָדָךְ מִכָּאן וּלְהָלְאָה.

קב. מִיָּד וַיֵּרֶד אֵלָיו בַּשָּׁבֶט, בְּדִינָא קַשְׁיָא. וַיִּגְזֹל אֶת הַחֲנִית מִיַּד הַמִּצְרִי. דְּמֵהַהִיא שַׁעֲתָא אִתְמְנַע מִנֵּיהּ, וְלָא הֲוָה בִּידֵיהּ לְעָלְמִין. וַיַּהַרְגֵהוּ בַּחֲנִיתוֹ. עַל הַהוּא חוֹבָא דִּמְחָא בְּהַהוּא מַטֶּה, מִית, וְלָא עָאל לְאַרְעָא קַדִּישָׁא, וְאִתְמְנַע נְהוֹרָא דָּא מִיִּשְׂרָאֵל.

קג. מִן הַשְּׁלֹשִׁים הֲכִי נִכְבָּד: אִלֵּין שְׁלֹשִׁים שָׁנָה עִלָּאִין, דְּאִיהוּ נָטִיל מִנְּהוֹן, וְאַנְגִּיד לְתַתָּא, וּמִנַּיְיהוּ אִיהוּ הֲוָה נָטִיל וְאִתְקְרֵב, וְאֶל הַשְּׁלֹשָׁה לֹא בָא, אִינוּן הֲווּ אַתְיָאן לְגַבֵּיהּ, וְיַהֲבֵי לֵיהּ בִּרְעוּתָא דְּלִבָּא, וְאִיהוּ לָא הֲוֵי אָתֵי לְגַבַּיְיהוּ.

קד. וְאַף עַל גַּב דְּלָא עָאל בְּמִנְיָינָא וְחוּשְׁבְּנָא דִּלְהוֹן. וַיְשִׂימֵהוּ דָוִד אֶל מִשְׁמַעְתּוֹ. דְּלָא אִתְפְּרַשׁ מִלּוּוְיָא דְּלִבֵּיהּ לְעָלְמִין, לֵית פֵּרוּדָא לְהוֹן לְעָלְמִין. דָּוִד שָׂם לֵיהּ לְבֵּיהּ וְאִיהוּ לָאו לְדָוִד. בְּגִין דְּתוּשְׁבְּחָן, וְשִׁירִין וְרַחֲמִין דְּסִיהֲרָא עָבֵיד לְשִׁמְשָׁא, אִיהִי מְשִׁיכַת לֵיהּ לְגַבָּהּ לְמֶהֱוֵי דִּיוּרֵיהּ בַּהֲדָהּ. וְדָא אִיהוּ וַיְשִׂימֵהוּ דָוִד אֶל מִשְׁמַעְתּוֹ.

קה. נָפְלוּ רַבִּי אֱלִיעֶזֶר וְרַבִּי אַבָּא קַמֵּיהּ. אַדְּהָכֵי וְהָכֵי לָא חָמוּ לֵיהּ, קָמוּ וְאִסְתַּכְּלוּ לְכָל סִטְרִין וְלָא חָמוּ לֵיהּ. יָתְבוּ וּבָכוּ וְלָא יָכִילוּ לְמַלְּלָא דָּא לְדָא. לְבָתַר שַׁעֲתָא, אֲמַר רַבִּי אַבָּא, וַדַּאי הָא דְּתָנֵינָן דִּבְכָל אָרְחָא דְּצַדִּיקַיָּיא אָזְלִין, וּמִלֵּי דְּאוֹרַיְיתָא בֵּינַיְיהוּ, דְּאִינוּן זַכָּאִין דְּהַהוּא עָלְמָא אַתְיָאן לְגַבַּיְיהוּ. וַדַּאי דָּא הוּא רַב הַמְנוּנָא סָבָא דְּאָתֵי לְגַבָּן מֵהַהוּא עָלְמָא, לְגַלָּאָה לָן מִלִּין אִלֵּין, וְעַד לָא נִשְׁתְּמוֹדַע בֵּיהּ, אָזַל לֵיהּ וְאִתְכַּסֵּי מִינָן. קָמוּ וַהֲווּ בָּעוּ לְמִטְעַן לְחַמְרֵי וְלָא אָזְלוּ, בָּעוּ לְמִטְעַן וְלָא אָזְלוּ, דְּחִילוּ וְאַנְחוּ לוֹן לְחַמְרֵי. וְעַד יוֹמָא,

הֲווֹ קָרָאן לְהַהוּא אֲתַר, דוּךְ דִּוְמָרֵי.

קו. פָּתַח רַבִּי אֶלְעָזָר וַאֲמַר. מָה רַב טוּבְךָ אֲשֶׁר צָפַנְתָּ לִירֵאֶיךָ וגו'. כַּמָּה הוּא טָבָא עִלָּאָה וְיַקִּירָא דִּזְמִין קָדוֹשׁ בָּרוּךְ הוּא לְמֶעְבַּד גַּבֵּי בְּנֵי נָשָׁא, לְאִינּוּן זַכָּאִין עִלָּאִין דַּחֲלֵי חֶטְאָה דְּמִשְׁתַּדְּלֵי בְּאוֹרַיְיתָא, כַּד עָאלִין לְהַהוּא עָלְמָא. טוּבְךָ לָא כְּתִיב אֶלָּא רַב טוּבְךָ, וּמַאן אִיהוּ זֵכֶר רַב טוּבְךָ יַבִּיעוּ. וְדָא אִיהוּ עִנּוּגָא דְּחַיִּין דְּנַגְדִּין מֵעָלְמָא דְּאָתֵי לְגַבֵּי חֵי עָלְמִין, דְּאִיהוּ זֵכֶר רַב טוּבְךָ. וַדַּאי אִיהוּ, וְרַב טוּב לְבֵית יִשְׂרָאֵל וגו'.

קז. תו מָה רַב טוּבְךָ, הָכָא אַגְלִיף רָזָא דְּחָכְמְתָא, וְכָל רָזִין אִתְכְּלִילוּ הָכָא, מָ"ה: כְּמָה דְּאִתְמָר. רַב: דָּא אִילָנָא רַ"ב וְתַקִּיף. בְּגִין דְּאִית אִילָנָא אָחֳרָא זוּטָא מִנֵּיהּ, וְדָא הוּא רַב, וְאָעִיל לֵיהּ בְּרוּם רְקִיעִין.

קח. טוּבְךָ: דָּא אוֹר דְּאִתְבְּרֵי בְּיוֹמָא קַדְמָאָה. אֲשֶׁר צָפַנְתָּ לִירֵאֶיךָ: בְּגִין דִּגְנִיז לֵיהּ לְצַדִּיקַיָּיא בְּהַהוּא עָלְמָא. פָּעַלְתָּ: דָּא גַּן עֵדֶן עִלָּאָה. דִּכְתִיב מָכוֹן לְשִׁבְתְּךָ פָּעַלְתָּ ה' וְדָא הוּא פָּעַלְתָּ לַחוֹסִים בָּךְ.

קט. נֶגֶד בְּנֵי אָדָם, דָּא גַּן עֵדֶן דִּלְתַתָּא, דְּכָל צַדִּיקַיָּיא תַּמָּן קַיְימֵי בְּרוּחָא דְּאִתְלַבַּשׁ בִּלְבוּשׁ יְקָר, כְּגַוְונָא וְדִיּוֹקְנָא דְּהַאי עָלְמָא, וְדָא אִיהוּ נֶגֶד בְּנֵי אָדָם בְּהַהוּא דְּיוֹקְנָא דִּבְנֵי אָדָם דְּהַאי עָלְמָא. וְקַיְימֵי תַּמָּן, וּפָרְחֵי בַּאֲוִירָא וְסָלְקִין לְגוֹ מְתִיבְתָּא דִּרְקִיעָא בְּהַהוּא ג"ע דִּלְעֵילָא, וּפָרְחֵי וְאִסְתַּחְיָין בְּטַלֵּי נַהֲרֵי אֲפַרְסְמוֹנָא דַּכְיָא וְנַחְתֵּי וְשָׁרָאן לְתַתָּא.

קי. וּלְזִמְנִין אִתְחֲזוּן נֶגֶד בְּנֵי אָדָם לְמֶעְבַּד לוֹן נִסִּין, כְּמַלְאָכִין עִלָּאִין, כְּגַוְונָא דַּחֲזֵינָא הַשְׁתָּא נְהִירוּ דְּבוּצִינָא עִלָּאָה. וְלָא זָכֵינָא לְאִסְתַּכְּלָא וּלְמִנְדַּע רָזִין דְּחָכְמְתָא יַתִּיר.

קיא. פָּתַח רַבִּי אַבָּא וַאֲמַר, וַיֹּאמֶר מָנוֹחַ אֶל אִשְׁתּוֹ מוֹת נָמוּת כִּי אֱלֹהִים רָאִינוּ, אַף עַל גַּב דְּמָנוֹחַ לָא הֲוָה יָדַע מַאי עֲבִידְתֵּיהּ, אֲמַר, הוֹאִיל וּכְתִיב כִּי לֹא יִרְאַנִי הָאָדָם וָחָי, וַדַּאי אֲנַן חֲזֵינָן, וּבְגִין כָּךְ מוֹת נָמוּת. וַאֲנַן חָמֵינָן וְזָכֵינָן לִנְהוֹרָא דָּא דַּהֲוָה אָזִיל בַּהֲדָן, וְאִתְקַיָּים בְּעָלְמָא. דְּהָא קָדוֹשׁ בָּרוּךְ הוּא שַׁדְּרֵיהּ לְגַבָּן, לְאוֹדָעָא לָן רָזִין דְּחָכְמְתָא דִּגְלֵי, זַכָּאָה חוּלָקָנָא.

קיב. אָזְלוּ, מְטוֹ לְחַד טוּרָא, וַהֲוָה נָטֵי שִׁמְשָׁא. שָׁרוּ עַנְפִּין דְּאִילָנָא דְּטוּרָא לְאַקְשָׁא דָּא בְּדָא, וְאַמְרֵי שִׁירָתָא. עַד דַּהֲווֹ אָזְלֵי, שָׁמְעוּ חַד קָלָא תַּקִּיפָא דַּהֲוָה אֲמַר, בְּנֵי אֱלָהִין קַדִּישִׁין אִינּוּן דְּאִתְבַּדְּרוּ בֵּינֵי חַיָּיא דְּהַאי עָלְמָא, אִינּוּן בּוֹצִינֵי בְּנֵי מְתִיבְתָּא, אִתְכְּנָשׁוּ לְדוּכְתַּיְיהוּ לְאִשְׁתַּעְשְׁעָא בְּמָארֵיכוֹן בְּאוֹרַיְיתָא. דְּחִילוּ אִלֵּין וְקָאִימוּ בְּדוּכְתַּיְיהוּ וְיָתְבֵי.

קיג. אַדְּהָכֵי נָפִיק קָלָא כְּמִלְקַדְּמִין, וַאֲמַר טִנָּרִין תַּקִּיפִין פַּטִּישִׁין רָמָאִין, הָא מָארֵי דִּגְוָונִין מְרַקְמָא בְּצִיּוּרִין קָאִים עַל אִצְטְוָונָא, עוּלוּ וְאִתְכְּנָשׁוּ. בְּהַהִיא שַׁעֲתָא שָׁמְעוּ קָל עַנְפֵי דְּאִילָנִין רַב וְתַקִּיף, וַהֲווֹ אַמְרֵי קוֹל ה' שׁוֹבֵר אֲרָזִים. נָפְלוּ עַל אַנְפַּיְיהוּ רַבִּי אֶלְעָזָר

וְרַבִּי אַבָּא, וּדְחִילוּ סַגְיָא נָפַל עֲלַיְיהוּ, קָאמוּ בִּבְהִילוּ וַאֲזָלוּ וְלָא שְׁמָעוּ מִידֵי. נָפְקוּ מִן טוּרָא וְאָזְלֵי.

קי״ד. כַּד מְטוֹ לְבֵי רַבִּי יוֹסֵי בְּרַבִּי שִׁמְעוֹן בֶּן לָקוּנְיָא, חֲמוֹ לְרַבִּי שִׁמְעוֹן בֶּן יוֹחָאי תַּמָּן, וְחָדוּ. חָדֵי רַבִּי שִׁמְעוֹן, אֲמַר לוֹן, וַדַּאי אָרְחָא דְּנִסִּין וְאָתִין עִלָּאִין קָא עֲבַרְתּוּן, דַּאֲנָא דְּמִיכְנָא הַשְׁתָּא, וְחָמֵינָא לְכוּ, וְלִבְנָיָהוּ בֶּן יְהוֹיָדָע דְּקָא מְשַׁדַּר לְכוּ תְּרֵין עִטְרִין, עַל יְדָא דְּחַד סָבָא, לְאַעַטְרָא לְכוּ. וַדַּאי, בְּאָרְחָא דָּא קָדוֹשׁ בָּרוּךְ הוּא הֲוָה. תּוּ, דַּחֲמֵינָא אַנְפַּיְיכוּ מְשַׁנְיָין. אֲמַר רַבִּי יוֹסֵי יָאוּת אֲמַרְתּוּן, דְּחָכָם עָדִיף מִנָּבִיא. אֲתָא רַבִּי אֶלְעָזָר וְשַׁוֵּי רֵישֵׁיהּ בֵּין בִּרְכוֹי דַּאֲבוֹי וְסָח עוֹבָדָא.

קט״ו. דָּחִיל רַבִּי שִׁמְעוֹן וּבְכָה. אֲמַר, ה׳ שָׁמַעְתִּי שִׁמְעֲךָ יָרֵאתִי. הַאי קְרָא חֲבַקּוּק אֲמַר, בְּשַׁעֲתָא דַּחֲמָא מִיתָתֵיהּ, וְאִתְקַיַּים עַל יְדָא דֶּאֱלִישָׁע. אַמַּאי אִקְרֵי חֲבַקּוּק. בְּגִין דִּכְתִיב לַמּוֹעֵד הַזֶּה כָּעֵת חַיָּה אַתְּ חוֹבֶקֶת בֵּן. וְדָא בְּרֵיהּ דְּשׁוּנַמִּית הֲוָה. וּתְרֵין חִבּוּקִין הֲווֹ, חַד דְּאִימֵּיהּ, וְחַד דֶּאֱלִישָׁע. דִּכְתִיב וַיָּשֶׂם פִּיו עַל פִּיו.

קט״ז. אַשְׁכַּחְנָא בְּסִפְרָא דִּשְׁלֹמֹה מַלְכָּא, שְׁמָא גְּלִיפָא דְּשַׁבְעִין וּתְרֵין שְׁמָהָן, אַגְלִיף עֲלוֹי בְּתֵבִין. בְּגִין דְּאַתְוָון דְּאַלְפָּא בֵּיתָא דְּאַגְלִיף בֵּיהּ אֲבוֹי בְּקַדְמֵיתָא כַּד מִית, פָּרְחוּ מִנֵּיהּ. וְהַשְׁתָּא דֶּאֱלִישָׁע חֲבַק לֵיהּ, אַגְלִיף בֵּיהּ כָּל אִינּוּן אַתְוָון דְּשַׁבְעִין וּתְרֵין שְׁמָהָן. וְאַתְוָון דְּאִילֵין שַׁבְעִין וּתְרֵין שְׁמָהָן גְּלִיפִין, אִינּוּן מָאתָן וְשִׁיתְּסַר אַתְוָון.

קי״ז. וְכֻלְּהוּ אַתְוָון אַגְלִיף בְּרוּחֵיהּ אֱלִישָׁע, בְּגִין לְקַיְּימָא לֵיהּ בְּאַתְוָון דְּשַׁבְעִין וּתְרֵין שְׁמָהָן, וְקָרָא לֵיהּ חֲבַקּוּק. שְׁמָא דְּאַשְׁלִים לְכָל סִטְרִין, אַשְׁלֵים לַחֲבוּקִין, כִּדְאִתְּמַר, וְאַשְׁלִים לְרָזָא דְּמָאתָן וְשִׁיתְּסַר אַתְוָון דִּשְׁמָא קַדִּישָׁא. בְּתֵבִין אִתְקַיַּים לְאַהַדְרָא רוּחֵיהּ, וּבְאַתְוָון אִתְקַיַּים כָּל גּוּפֵיהּ עַל קִיּוּמֵיהּ, וְעַל דָּא אִקְרֵי חֲבַקּוּק.

קי״ח. וְאִיהוּ אֲמַר ה׳ שָׁמַעְתִּי שִׁמְעֲךָ יָרֵאתִי, שְׁמַעְנָא מַה דַּהֲוָה לִי דְּאַטְעִימְנָא מֵהַהוּא עָלְמָא, וְדָחִילְנָא. שָׁרָא לְמִתְבַּע רַחֲמִין עַל נַפְשֵׁיהּ וַאֲמַר ה׳ פָּעָלְךָ דַּעֲבַדְתְּ לִי בְּקֶרֶב שָׁנִים יְהוֹן חַיֵּיהוּ, כְּמוֹ, חַיָּיו. וְכָל מָאן דְּאִתְקַשַּׁר בְּאִינּוּן שָׁנִים קַדְמוֹנִיּוֹת, חַיִּין אִתְקַשְּׁרוּ בֵּיהּ. בְּקֶרֶב שָׁנִים תּוֹדִיעַ, לְהַהוּא דַּרְגָּא דְּלֵית בָּהּ חַיִּין כְּלַל.

קי״ט. בָּכָה רַבִּי שִׁמְעוֹן וַאֲמַר, אוּף אֲנָא מִמַּה דִּשְׁמַעְנָא דָּחִילְנָא לְקֻדְשָׁא בְּרִיךְ הוּא. זָקִיף יְדוֹי עַל רֵישֵׁיהּ, וַאֲמַר, וּמַה רַב הַמְנוּנָא סָבָא נְהִירוּ דְּאוֹרַיְיתָא, זְכִיתוּן אַתּוּן לְמֶחֱמֵי אַפִּין בְּאַפִּין, וְלָא זָכֵינָא בֵּיהּ. נָפַל עַל אַנְפּוֹי, וַחֲמָא לֵיהּ מְעַקַּר טוּרִין, מַנְהִיר שְׁרָגִין בְּהֵיכְלָא דְּמַלְכָּא מְשִׁיחָא. אֲמַר לֵיהּ: רַבִּי, בְּהַהוּא עָלְמָא, תְּהוֹן שְׁבָבִין מָארֵי אוּלְפָּנִין, קַמֵּי קֻדְשָׁא בְּרִיךְ הוּא. מֵהַהוּא יוֹמָא, הֲוָה קָרֵי לְר׳ אֶלְעָזָר בְּרֵיהּ וּלְרַבִּי אַבָּא פְּנִ״אֵל, כְּמָא דְּאַתְּ אָמַר כִּי רָאִיתִי אֱלֹהִים פָּנִים אֶל פָּנִים.

מאמר ב נקודין

קכ. בְּרֵאשִׁית, רַבִּי חִיָּיא פָּתַח, רֵאשִׁית חָכְמָה יִרְאַת ה' שֵׂכֶל טוֹב לְכָל עוֹשֵׂיהֶם תְּהִלָּתוֹ עוֹמֶדֶת לָעַד. רֵאשִׁית חָכְמָה, הַאי קְרָא הָכֵי מִבָּעֵי לֵיהּ סוֹף חָכְמָה יִרְאַת ה', בְּגִין דְּיִרְאַת ה' סוֹף חָכְמָה אִיהִי. אֶלָּא אִיהִי רֵאשִׁית לְעָאלָא לְגוֹ דַּרְגָּא דְּחָכְמְתָא עִלָּאָה, הה"ד פִּתְחוּ לִי שַׁעֲרֵי צֶדֶק. זֶה הַשַּׁעַר לַה'. וַדַּאי דְּאִי לָא יֵיעוֹל בְּהַאי תַּרְעָא, לָא יֵיעוֹל לְעָלְמִין. לְמַלְכָּא עִלָּאָה. דְּאִיהִי עִלָּאָה וְטָמִיר וְגָנִיז, וַעֲבִיד לֵיהּ תַּרְעִין אִלֵּין עַל אִלֵּין.

קכא. וּלְסוֹף כָּל תַּרְעִין עֲבַד תַּרְעָא חַד בְּכַמָּה מַנְעוּלִין, בְּכַמָּה פִּתְחִין, בְּכַמָּה הֵיכָלִין, אִלֵּין עַל אִלֵּין. אָמַר כָּל מַאן דְּבָעֵי לְמֵיעַל לְגַבָּאי, תַּרְעָא דָא יְהֵא קַדְמָאָה לְגַבָּאי, מַאן דְּיֵיעוֹל בְּהַאי תַּרְעָא יֵיעוֹל. אוּף הָכֵי, תַּרְעָא קַדְמָאָה לְחָכְמָה עִלָּאָה, יִרְאַת ה' אִיהִי, וְדָא אִיהִי רֵאשִׁית.

קכב. ב', תְּרֵין אִינּוּן דְּמִתְחַבְּרִין כַּחֲדָא, וְאִינּוּן תְּרֵין נְקוּדִין, חַד גְּנִיזָא וּטְמִירָא, וְחַד קַיְּימָא בְּאִתְגַּלְּיָא. וּבְגִין דְּלֵית לְהוֹ פֵּרוּדָא, אִקְרוּן רֵאשִׁית, חַד וְלָא תְּרֵין, מַאן דְּנָטִיל הַאי נָטִיל הַאי, וְכֹלָּא חַד, דְּהָא הוּא וּשְׁמֵיהּ חַד, דִּכְתִיב וְיֵדְעוּ כִּי אַתָּה שִׁמְךָ ה' לְבַדֶּךָ.

קכג. אַמַּאי אִקְרֵי יִרְאַת ה', בְּגִין דְּאִיהוּ אִילָנָא דְּטוֹב וָרָע, זָכֵי בַּר נָשׁ, הָא טוֹב, וְאִי לָא זָכֵי הָא רָע. וְעַל דָּא שָׁרֵי בְּהַאי אֲתַר יִרְאָה, וְדָא תַּרְעָא לְעָאלָא לְכָל טוּבָא דְּעָלְמָא. שֵׂכֶל טוֹב, אִלֵּין תְּרֵין תַּרְעִין דְּאִינּוּן כַּחֲדָא. ר' יוֹסֵי אָמַר שֵׂכֶל טוֹב, דָּא אִילָנָא דְּחַיֵּי, דְּאִיהוּ שֵׂכֶל טוֹב בְּלָא רָע כְּלָל. וְעַל דְּלָא שַׁרְיָא בֵּיהּ רָע, אִיהוּ שֵׂכֶל טוֹב בְּלָא רָע.

קכד. לְכָל עוֹשֵׂיהֶם, אִלֵּין חַסְדֵי דָוִד הַנֶּאֱמָנִים, תַּמְכִין אוֹרַיְיתָא, וְאִינּוּן דְּתַמְכִין אוֹרַיְיתָא כִּבְיָכוֹל אִינּוּן עָבְדִין. כָּל אִינּוּן דְּלָעָאן בְּאוֹרַיְיתָא לֵית בְּהוֹ עֲשִׂיָּה בְּעוֹד דְּלָעָאן בָּהּ. אִינּוּן דְּתַמְכִין לוֹן אִית בְּהוֹ עֲשִׂיָּה, וּבְחֵילָא דָא כְּתִיב תְּהִלָּתוֹ עוֹמֶדֶת לָעַד, וְקַיְּימָא כּוּרְסַיָּא עַל קִיּוּמֵיהּ כִּדְקָא יָאוּת.

מאמר בליליא דכלה

קכה. רַבִּי שִׁמְעוֹן הֲוָה יָתִיב וְלָעֵי בְּאוֹרַיְיתָא, בְּלֵילְיָא דְּכַלָּה אִתְחַבְּרַת בְּבַעְלָהּ, דְּתַנְיָא כָּל אִינּוּן חַבְרַיָּא דִּבְנֵי הֵיכְלָא דְּכַלָּה, אִצְטְרִיכוּ בְּהַהִיא לֵילְיָא, דְּכַלָּה אִזְדַּמְּנַת לְמֶהֱוֵי לְיוֹמָא אָחֳרָא גּוֹ חוּפָּה בְּבַעְלָהּ, לְמֶהֱוֵי עִמָּהּ כָּל הַהוּא לֵילְיָא, וּלְמֶחֱדֵי עִמָּהּ בְּתִקּוּנָהָא דְּאִיהִי אִתְתַּקְּנַת, לְמִלְעֵי בְּאוֹרַיְיתָא, מִתּוֹרָה לִנְבִיאִים, וּמִנְּבִיאִים לִכְתוּבִים, וּבְמִדְרָשׁוֹת דִּקְרָאֵי, וּבְרָזֵי דְּחָכְמְתָא. בְּגִין דְּאִלֵּין אִינּוּן תִּיקּוּנִין דִּילָהּ וְתַכְשִׁיטָהָא. וְאִיהִי וְעוּלֵמְתָהָא עָאלַת וְקַיְּימַת עַל רֵישַׁיְהוּ, וְאִתְתַּקְּנַת בְּהוּ וְחָדַת בְּהוּ כָּל הַהוּא לֵילְיָא. וּלְיוֹמָא אָחֳרָא לָא עָאלַת לַחוּפָּה אֶלָּא בַּהֲדַיְיהוּ, וְאִלֵּין אִקְרוּן בְּנֵי חוּפָּתָא. וְכֵיוָן דְּעָאלַת לְחוּפָּתָא, קֻדְשָׁא

בָּרוּךְ הוּא שָׁאִיל עֲלַיְיהוּ וּמְבָרֵךְ לוֹן, וּמְעַטֵּר לוֹן בְּעִטְרָהָא דְּכַלָּה, זַכָּאָה חוּלָקֵהוֹן.

קכו. וַהֲוָה רַבִּי שִׁמְעוֹן וְכֻלְּהוּ חַבְרַיָּיא מְרַנְּנִין בְּרִנָּה דְּאוֹרַיְיתָא, וּמְחַדְּשָׁן מִלִּין דְּאוֹרַיְיתָא כָּל חַד וְחַד מִנַּיְיהוּ, וַהֲוָה חָדֵי רַבִּי שִׁמְעוֹן וְכָל שְׁאָר חַבְרַיָּיא. אֲמַר לוֹן רַבִּי שִׁמְעוֹן: בָּנַי, זַכָּאָה חוּלָקְכוֹן, בְּגִין דִּלְמָחָר לָא תֵּיעוֹל כַּלָּה לַחוּפָּה אֶלָּא בַּהֲדַיְיכוּ, בְּגִין דְּכֻלְּהוּ דִּמְתַקְּנִין תִּקּוּנָהָא בְּהַאי לֵילְיָא וְחָדָאן בָּהּ, כֻּלְּהוּ יְהוֹן רְשִׁימִין וּכְתִיבִין בְּסִפְרָא דְּדָכְרָנַיָּא, וְקָדוֹשׁ בָּרוּךְ הוּא מְבָרֵךְ לוֹן בְּשַׁבְעִין בִּרְכָאן וְעִטְרִין דְּעָלְמָא עִלָּאָה.

קכז. פָּתַח רַבִּי שִׁמְעוֹן וַאֲמַר הַשָּׁמַיִם מְסַפְּרִים כְּבוֹד אֵל וגו', קְרָא דָּא הָא אוֹקִימְנָא לֵיהּ. אֲבָל בְּזִמְנָא דָּא, דְּכַלָּה אִתְעָרָא לְמֵיעַל לַחוּפָּה בְּיוֹמָא דְּמָחָר, אִתְתַּקְּנַת וְאִתְנְהִירַת בְּקִישׁוּטָהָא, בַּהֲדֵי חַבְרַיָּיא דְּחָדָאן עִמָּהּ כָּל הַהִיא לֵילְיָא, וְאִיהִי חָדָאת עִמְּהוֹן.

קכח. וּבְיוֹמָא דְּמָחָר כַּמָּה אוּכְלוּסִין חַיָּילִין וּמַשִׁרְיָין מִתְכַּנְּשִׁין בַּהֲדָהּ, וְאִיהִי וְכֻלְּהוּ, מְחַכָּאן לְכָל חַד וְחַד דְּתַקִּינוּ לָהּ בְּהַאי לֵילְיָא, כֵּיוָן דְּמִתְחַבְּרָן כַּחֲדָא וְאִיהִי חָמָאת לְבַעְלָהּ, מַה כְּתִיב, הַשָּׁמַיִם מְסַפְּרִים כְּבוֹד אֵל. הַשָּׁמַיִם, דָּא חָתָן דְּעָאל לַחוּפָּה. מְסַפְּרִים, מְנַהֲרִין כְּזוֹהֲרָא דְּסַפִּיר, דְּנָהִיר וְזָהִיר מִסְּיְיפֵי עָלְמָא וְעַד סְיְיפֵי עָלְמָא.

קכט. כְּבוֹד אֵל, דָּא כְּבוֹד כַּלָּה דְּאִקְרֵי אֵל, דִּכְתִיב אֵל זוֹעֵם בְּכָל יוֹם. בְּכָל יוֹמֵי שַׁתָּא אִקְרֵי אֵל, וְהַשְׁתָּא, דְּהָא עָאלַת לַחוּפָּה, אִקְרֵי כָּבוֹד, וְאִקְרֵי אֵל, יְקָר עַל יְקָר. נְהִירוּ עַל נְהִירוּ, וְשָׁלְטָנוּ עַל שָׁלְטָנוּ.

קל. כְּדֵין בְּהַהִיא שַׁעֲתָא, דְּשָׁמַיִם עָאל לַחוּפָּה וְאָתֵי וְנָהִיר לָהּ, כָּל אִינּוּן חַבְרַיָּיא דְּאַתְקִינוּ לָהּ, כֻּלְּהוּ אִתְפָּרְשֵׁי בִּשְׁמָהָן תַּמָּן, הה"ד וּמַעֲשֵׂה יָדָיו מַגִּיד הָרָקִיעַ. מַעֲשֵׂה יָדָיו, אִלֵּין אִינּוּן מָארֵי קְיָימָא דִּבְרִית, אִקְרוּן מַעֲשֵׂה יָדָיו, כד"א וּמַעֲשֵׂה יָדֵינוּ כּוֹנְנֵהוּ, דָּא בְּרִית קְיָימָא דְּחָתִים בְּבִשְׂרָא דְּבַר נָשׁ.

קלא. רַב הַמְנוּנָא סָבָא אֲמַר הָכִי, אַל תִּתֵּן אֶת פִּיךָ לַחֲטִיא אֶת בְּשָׂרֶךָ, דְּלָא יְהֵיב בַּר נָשׁ פּוּמֵיהּ, לְמֵיתֵי לְהִרְהוּרָא בִּישָׁא, וִיהֵא גָּרִים לְמֶחֱטֵי לְהַהִיא בְּשַׂר קֹדֶשׁ דְּחָתִים בֵּיהּ בְּרִית קַדִּישָׁא. דְּאִלּוּ עָבֵיד כֵּן מַשְׁכִין לֵיהּ לַגֵּיהִנָּם, וְהַהוּא דִּמְמוּנֶּה עַל גֵּיהִנָּם דּוּמָ"ה שְׁמֵיהּ, וְכַמָּה רִבּוֹא דְּמַלְאֲכֵי חַבָּלָה בַּהֲדֵיהּ, וְקָאִים עַל פִּתְחָא דְּגֵיהִנָּם, וְכָל אִינּוּן דְּנָטְרוּ בְּרִית קַדִּישָׁא, בְּהַאי עָלְמָא, לֵית לֵיהּ רְשׁוּ לְמִקְרַב בְּהוּ.

קלב. דָּוִד מַלְכָּא בְּשַׁעֲתָא דְּאֵירַע לֵיהּ הַהוּא עוֹבָדָא, דָּחִיל, בְּהַהִיא שַׁעֲתָא סָלִיק דוּמָ"ה קַמֵּי קָדוֹשׁ בָּרוּךְ הוּא. וַאֲמַר לֵיהּ, מָארֵי דְּעָלְמָא כְּתִיב בַּתּוֹרָה, וְאִישׁ אֲשֶׁר יִנְאַף אֶת אֵשֶׁת אִישׁ, וּכְתִיב וְאֶל אֵשֶׁת עֲמִיתְךָ וגו', דָּוִד דְּקַלְקֵל בְּרִית בְּעֶרְוָה מַהוּ. אֲמַר לֵיהּ קָדוֹשׁ בָּרוּךְ הוּא, דָּוִד זַכָּאָה הוּא, וּבְרִית קַדִּישָׁא עַל תִּקּוּנֵיהּ קַיְּימָא, דְּהָא גְּלֵי קַדָּמַי דְּאִזְדַּמְּנַת לֵיהּ בַּת שֶׁבַע מִיּוֹמָא דְּאִתְבְּרֵי עָלְמָא.

קלג. אֲמַר לֵיהּ אִי קַמָּךְ גַּלֵּי, קַמֵּיהּ לָא גַּלֵּי. אֲמַר לֵיהּ, וְתוּ בְּהֶיתֵּרָא הֲוָה מַה דַּהֲוָה, דְּהָא כָּל אִינוּן דְּעָאלוּ לִקְרָבָא, לָא עָאל וְחַד מִנַּיְיהוּ עַד דְּאַפְטַר בְּגֵט לְאִנְתְּתֵיהּ. אֲמַר לֵיהּ אִי הָכֵי, הֲוָה לֵיהּ לְאוֹרְכָא תְּלַת יַרְחֵי וְלָא אוֹרִיךְ. אֲמַר לֵיהּ, בְּמַאי אוֹקִים מִלָּה, בַּאֲתַר דְּחַיְישִׁינָן דְּהִיא מְעוּבֶּרֶת, וְגַלֵּי קֳדָמַי דְּאוּרִיָּה לָא קָרֵיב בָּהּ לְעָלְמִין, דְּהָא שְׁמִי וְחָתִים בִּגְוֵיהּ לְסַהֲדוּתָא, כְּתִיב אוּרִיָּה, וּכְתִיב אוּרִיָּהוּ, שְׁמִי וְחָתוּם בַּהֲדֵיהּ, דְּלָא שִׁמֵּשׁ בָּהּ לְעָלְמִין.

קלד. אֲמַר לֵיהּ מָארֵי דְּעָלְמָא, הָא מָה דַּאֲמָרִית, אִי קַמָּךְ גַּלֵּי דְּלָא שְׁכִיב בַּהֲדָהּ אוּרִיָּה, קַמֵּיהּ מִי גַּלֵּי, הֲוָה לֵיהּ לְאוֹרְכָא לָהּ תְּלַת יַרְחֵי, וְתוּ אִי יָדַע דְּלָא שְׁכִיב בַּהֲדָהּ לְעָלְמִין, אַמַּאי שַׁדַּר לָהּ דָּוִד וּפְקִיד עֲלֵיהּ לְשַׁמָּשָׁא בְּאִנְתְּתֵיהּ, דִּכְתִיב רֵד לְבֵיתְךָ וּרְחַץ רַגְלֶיךָ.

קלה. אֲמַר לֵיהּ, וַדַּאי לָא יָדַע, אֲבָל יַתִּיר מִתְּלַת יַרְחֵי אוֹרִיךְ, דְּהָא אַרְבַּע יַרְחֵי הֲווֹ, דְּהָכֵי תָּנִינָן בַּחֲמִשָּׁה וְעֶשְׂרִים דְּנִיסָן אַעֲבַר דָּוִד כָּרוֹזָא בְּכָל יִשְׂרָאֵל, וַהֲווֹ עִם יוֹאָב בְּשִׁבְעָה יוֹמִין דְּסִיוָן, וַאֲזָלוּ וְחַבְּלוּ אַרְעָא דִּבְנֵי עַמּוֹן: סִיוָן, וְתַמּוּז, וְאָב, וֶאֱלוּל, אִשְׁתָּהוּ שָׁם. וּבְאַרְבָּעָה וְעֶשְׂרִים בֶּאֱלוּל הֲוָה מַה דַּהֲוָה מִבַּת שֶׁבַע, וּבְיוֹמָא דְּכִפּוּרֵי מָחַל לֵיהּ קֻדְשָׁא בְּרִיךְ הוּא הַהוּא חוֹבָא. וְאִית דְּאַמְרֵי בְּז' בַּאֲדָר אַעֲבַר כָּרוֹזָא, וְאִתְכַּנָּשׁוּ בַּחֲמֵיסַר דְּאִיָּיר, וּבַחֲמֵיסַר בֶּאֱלוּל הֲוָה מַה דַּהֲוָה מִבַּת שֶׁבַע, וּבְיוֹמָא דְּכִפּוּרָא אִתְבְּשַׂר גַּם יי' הֶעֱבִיר חַטָּאתְךָ לֹא תָמוּת. מַאי לֹא תָמוּת, לֹא תָמוּת בִּידָא דְּדוּמָה.

קלו. אֲמַר דוּמָה: מָארֵי דְּעָלְמָא, הָא מִלָּה חֲדָא אִית לִי גַּבֵּיהּ, דְּאִיהוּ אַפְתַּח פּוּמֵיהּ וַאֲמַר חַי ה' כִּי בֶן מָוֶת הָאִישׁ הָעוֹשֶׂה זֹאת, וְאִיהוּ דָּן לְנַפְשֵׁיהּ. טְרוּנְיָא אִית לִי עֲלֵיהּ. אֲמַר לֵיהּ, לֵית לָךְ רְשׁוּ, דְּהָא אוֹדֵי לְגַבָּאי וַאֲמַר חָטָאתִי לַה', וְאַף עַל גַּב דְּלָא חָב. אֲבָל בְּמָה דְּחָטָא בְּאוּרִיָּה, עוֹנְשָׁא כְּתָבִית עֲלֵיהּ, וְקִבֵּל. מִיָּד אַהֲדַר דוּמָ"ה לְאַתְרֵיהּ בְּפַחֵי נֶפֶשׁ.

קלז. וְעַל דָּא אֲמַר דָּוִד, לוּלֵי יי' עֶזְרָתָה לִי כִּמְעַט שָׁכְנָה דוּמָה נַפְשִׁי. לוּלֵי ה' עֶזְרָתָה לִי, דַּהֲוָה אַפּוֹטְרוֹפָּא דִּילִי. כִּמְעַט שָׁכְנָה וגו', מַהוּ כִּמְעַט, כְּחוּטָא דַּקִּיק. כְּשִׁיעוּרָא דְּאִית בֵּינִי וּבֵין סִטְרָא אָחֳרָא, כְּהַהוּא שִׁיעוּרָא הֲוַת דְּלָא שָׁכְנָה דוּמָה נַפְשִׁי.

קלח. וּבְגִין כָּךְ בָּעֵי לְאִסְתַּמְרָא בַּר נָשׁ דְּלָא יֵימָא מִלָּה כְּדָוִד, בְּגִין דְּלָא יָכִיל לְמֵימַר לְדוּמָה, כִּי שְׁגָגָה הִיא, כְּמָה דַּהֲוָה לְדָוִד, וְנָצַח לֵיהּ קֻדְשָׁא בְּרִיךְ הוּא בְּדִינָא. לָמָּה יִקְצוֹף הָאֱלֹהִים עַל קוֹלֶךָ, עַל הַהוּא קוֹל דְּאִיהוּ אֲמַר. וְחִבֵּל אֶת מַעֲשֵׂה יָדֶיךָ, דָּא בְּשַׂר קֹדֶשׁ בְּרִית קַדִּישָׁא דְּפָגִים וְאִתְמְשַׁךְ בְּגֵיהִנֹּם עַל יְדָא דְּדוּמָה.

קלט. וּבְגִין כָּךְ וּמַעֲשֵׂה יָדָיו מַגִּיד הָרָקִיעַ, אִלֵּין אִינוּן חַבְרַיָּא דְּאִתְחַבָּרוּ בְּכַלָּה דָא.

וּמָארֵי קַיְּימָא דִילָהּ. מַגִּיד וְרָשִׁים כָּל חַד וְחַד. מָאן הָרָקִיעַ. דָּא אִיהוּ הָרָקִיעַ דְּבֵיהּ חַמָּה וּלְבָנָה וְכֹכְבַיָּא וּמַזָּלֵי, וְדָא אִיהוּ סֵפֶר זִכָּרוֹן, אִיהוּ מַגִּיד וְרָשִׁים לְהוּ וּכְתִיב לְהוּ, לְמֶהֱוֵי בְּנֵי הֵיכָלָא וּלְמֶעְבַּד רְעוּתְהוֹן תָּדִיר.

קמ. יוֹם לְיוֹם יַבִּיעַ אוֹמֶר, יוֹמָא קַדִּישָׁא מֵאִינּוּן יוֹמִין עִלָּאִין דְּמַלְכָּא מְשַׁבְּחִין לוֹן לְחַבְרַיָּיא, וְאָמְרִין, הַהִיא מִלָּה דְּאֲמַר כָּל חַד לְחַבְרֵיהּ. יוֹמָא לְיוֹמָא יַבִּיעַ הַהוּא אוֹמֶר וּמְשַׁבְּחָן לֵיהּ. וְלַיְלָה לְלַיְלָה, כָּל דַּרְגָּא דְּאַשְׁלִים בְּלֵילְיָא, מְשַׁבְּחָן דָּא לְדָא, הַהוּא דַּעַת דְּכָל חַד מֵחַבְרֵיהּ, וּבִשְׁלִימוּ סַגֵּי אִתְעֲבִידוּ לוֹן חַבְרִין וּרְחִימִין.

קמא. אֵין אוֹמֶר וְאֵין דְּבָרִים בִּשְׁאָר מִילִין דְּעָלְמָא. דְּלָא אִשְׁתַּמְעוּ קַמֵּי מַלְכָּא קַדִּישָׁא וְלָא בָּעֵי לְמִשְׁמַע לוֹן. אֲבָל הָנֵי מִילֵי, בְּכָל הָאָרֶץ יָצָא קַוָּם. עַבְדֵי מְשִׁיחָא אִינּוּן מִלִּין, מְדוֹרֵי עִלָּאֵי וּמְדוֹרֵי תַּתָּאֵי. מֵאִלֵּין אִתְעֲבִידוּ רְקִיעִין, וּמֵאִלֵּין אֶרֶץ מֵהַהִיא תּוּשְׁבַּחְתָּא. וְאִי תֵּימָא, דְּאִינּוּן מִלִּין בַּאֲתַר חָד. מְשַׁטְּטָא בְּעָלְמָא, בִּקְצֵה תֵבֵל מִלֵּיהֶם.

קמב. וְכֵיוָן דְּאִתְעֲבִידָא רְקִיעִין מִנְהוֹן, מָאן שַׁרְיָא בְּהוֹן, הָדַר וַאֲמַר לַשֶּׁמֶשׁ שָׂם אֹהֶל בָּהֶם, הַהוּא שִׁמְשָׁא קַדִּישָׁא שַׁוֵּי מְדוֹרֵיהּ וּמַשְׁכְּנֵיהּ בְּהוּ, וְאִתְעַטַּר בְּהוּ.

קמג. כֵּיוָן דְּשָׁרֵי בְּאִינּוּן רְקִיעִין וְאִתְעַטַּר בְּהוּ, כְּדֵין, וְהוּא כְּחָתָן יוֹצֵא מֵחֻפָּתוֹ, חָדֵי וְרָהֵיט בְּאִינּוּן רְקִיעִין, נָפַק מִנַּיְיהוּ, וְעָאל וְרָהֵיט גּוֹ מִגְדְּלָא חָדָא אָחֳרָא, בַּאֲתַר אָחֳרָא. מִקְצֵה הַשָּׁמַיִם מוֹצָאוֹ, וַדַּאי מֵעָלְמָא עִלָּאָה, נָפֵיק וְאַתְיָא, דְּאִיהוּ קְצֵה הַשָּׁמַיִם לְעֵילָא. וּתְקוּפָתוֹ, מָאן תְּקוּפָתוֹ, דָּא קְצֵה הַשָּׁמַיִם לְתַתָּא דְּאִיהִי תְּקוּפַת הַשָּׁנָה דְּאַסְחָרָא לְכָל סָיְיפִין. וְאִתְקַשְּׁרַת מִן הַשָּׁמַיִם עַד רְקִיעָא דָּא.

קמד. וְאֵין נִסְתָּר מֵחַמָּתוֹ דְּהַהִיא תְּקוּפָה דָּא, וּתְקוּפָה דְּשִׁמְשָׁא דְּאַסְחַר בְּכָל סִטְרָא, וְאֵין נִסְתָּר, לֵית דְּאִתְכַּסֵּי מִנֵּיהּ מִכָּל דַּרְגִּין עִלָּאִין, דַּהֲווּ כֻּלְּהוּ מְסַחֲרָן וְאַתְיָין לְגַבֵּיהּ, וְכָל חַד וְחַד לֵית מַאן דְּיִתְכַּסֵּי מִינֵּיהּ. מֵחַמָּתוֹ, בְּשַׁעְתָּא דְּאִתְחַמֵּם, וְתָב לְגַבַּיְיהוּ בִּתְיוּבְתָּא שְׁלִים. כָּל שִׁבְחָא דָּא וְכָל עִלּוּיָא דָּא, בְּגִין אוֹרַיְיתָא הוּא, דִּכְתִיב תּוֹרַת ה' תְּמִימָה.

קמה. שִׁית זִמְנִין כְּתִיב הָכָא ה', וְשִׁית קְרָאֵי מִן הַשָּׁמַיִם מְסַפְּרִים עַד תּוֹרַת יי' תְּמִימָה, וְעַל רָזָא דָא כְּתִיב בְּרֵאשִׁית, הָא שִׁית אַתְוָון. בָּרָא אֱלֹהִים אֵת הַשָּׁמַיִם וְאֵת הָאָרֶץ, הָא שִׁית תֵּיבִין. קְרָאֵי אַחֲרָנִין לָקֳבֵל שִׁית זִמְנִין ה', שִׁית קְרָאֵי בְּגִין שִׁית אַתְוָון דְּהָכָא, שִׁית שְׁמָהָן בְּגִין שִׁית תֵּבִין דְּהָכָא.

קמו. עַד דַּהֲווּ יַתְבֵי, עָאלוּ רַבִּי אֶלְעָזָר בְּרֵיהּ וְרַבִּי אַבָּא, אֲמַר לוֹן: וַדַּאי אַנְפֵּי שְׁכִינְתָּא אַתְיָין, וְעַל דָּא פְּנִי"אֵל קָרֵינָא לְכוּ, דְּהָא חֲמִיתוּן אַנְפֵּי שְׁכִינְתָּא אַפִּין בְּאַפִּין, וְהַשְׁתָּא דְּקָא יְדַעְתּוּן וְגַלֵּי לְכוּ קְרָא דִּבְנָיָהוּ בֶּן יְהוֹיָדָע, וַדַּאי דְּמִלָּה דְּעַתִּיקָא קַדִּישָׁא אִיהוּ, וּקְרָא דְּאֲבַתְרֵיהּ, וְהַהוּא דְּסָתִים מִכֹּלָּא אֲמָרוֹ.

קמז. וְהַאי קְרָא אִיהוּ בַּאֲתַר אוֹחֲרָא כְּגַוְונָא דָא. פָּתַח וַאֲמַר וְהוּא הִכָּה אֶת הָאִישׁ הַמִּצְרִי אִישׁ מִדָּה וְחָמֵשׁ בָּאַמָּה, וְכֹלָּא רָזָא וְחָדָא אִיהוּ, הַאי מִצְרִי הַהוּא דְּאִשְׁתְּמוֹדַע, גָּדוֹל מְאֹד בְּאֶרֶץ מִצְרַיִם בְּעֵינֵי עַבְדֵי וגו', רַב וְיַקִּירָא, כְּמָה דְּגַלֵּי הַהוּא סָבָא.

קמח. וְהַאי קְרָא בִּמְתִיבְתָּא עִלָּאָה אִתְּמַר, אִישׁ מִדָּה כֹּלָּא חַד, אִישׁ מַרְאֶה וְאִישׁ מִדָּה כֹּלָּא חַד, בְּגִין דְּאִיהוּ שַׁבָּת וּתְחוּמָא. דִּכְתִיב וּמַדּוֹתֶם מִחוּץ לָעִיר, וּכְתִיב לֹא תַעֲשׂוּ עָוֶל בַּמִּשְׁפָּט בַּמִּדָּה, וְעַל דָּא אִישׁ מִדָּה אִיהוּ. וְאִיהוּ מַמָּשׁ אִישׁ מִדָּה, אִיהוּ אָרְכֵּיהּ מִסַּיְיפֵי עָלְמָא וְעַד סַיְיפֵי עָלְמָא. אָדָם הָרִאשׁוֹן הָכִי הֲוָה. וְאִי תֵימָא, הָא כְּתִיב וְחָמֵשׁ בָּאַמָּה. אִינּוּן וְחָמֵשׁ בָּאַמָּה מִסַּיְיפֵי עָלְמָא עַד סַיְיפֵי עָלְמָא הֲוָה.

קמט. וּבְיַד הַמִּצְרִי חֲנִית, כד"א כִּמְנוֹר אוֹרְגִים, דָּא מַטֵּה הָאֱלֹהִים דַּהֲוָה בִּידֵיהּ, וְחָקִיק בִּשְׁמָא גְּלִיפָא מְפָרַשׁ, בִּנְהִירוּ דְּצֵרוּפֵי אַתְוָון, דַּהֲוָה גָּלִיף בְּצַלְאֵל וּמְתִיבְתָּא דִילֵיהּ, דְּאִקְרֵי אוֹרֵג, דִּכְתִיב מִלֵּא אוֹתָם וגו', חָרָשׁ וְחוֹשֵׁב וְרוֹקֵם וגו'. וְהַהוּא מַטֵּה הֲוָה נָהִיר שְׁמָא גְּלִיפָא בְּכָל סִטְרִין בִּנְהִירוּ דְּחַכִּימִין דַּהֲווֹ מְגַלְּפִין שְׁמָא מְפָרַשׁ בְּאַרְבְּעִין וּתְרֵין גַּוְונֵי. וּקְרָא מִכָּאן וּלְהָלְאָה, כְּמָה דַּאֲמַר, זַכָּאָה חוּלָקֵיהּ.

קנ. תִּיבוּ יַקִּירִין תִּיבוּ, וּנְחַדֵּשׁ תִּקּוּן דְּכַלָּה בְּהַאי לֵילְיָא. דְּכָל מָאן דְּאִשְׁתַּתַּף בַּהֲדָהּ בְּהַאי לֵילְיָא, יְהֵא נָטִיר עֵילָּא וְתַתָּא כָּל הַהִיא שַׁתָּא, וְיַפִּיק שַׁתָּא בִּשְׁלָם. עֲלַיְיהוּ כְּתִיב חוֹנֶה מַלְאַךְ ה' סָבִיב לִירֵאָיו וַיְחַלְּצֵם טַעֲמוּ וּרְאוּ כִּי טוֹב יי'.

מאמר שמיא וארקא

קנא. פָּתַח רַבִּי שִׁמְעוֹן וַאֲמַר, בְּרֵאשִׁית בָּרָא אֱלֹהִים. הַאי קְרָא אִית לְאִסְתַּכְּלָא בֵּיהּ, דְּכָל מַאן דַּאֲמַר אִית אֱלָהָא אָחֳרָא אִשְׁתְּצֵי מֵעָלְמִין, כְּמָה דְּאִתְּמַר כִּדְנָה תֵּאמְרוּן לְהוֹם אֱלָהַיָּא דִּי שְׁמַיָּא וְאַרְקָא לָא עֲבַדוּ, יֵאבַדוּ מֵאַרְעָא וּמִן תְּחוֹת שְׁמַיָּא אֵלֶּה. בְּגִין דְּלֵית אֱלָהָא אָחֳרָא בַּר קוּדְשָׁא בְּרִיךְ הוּא בִּלְחוֹדוֹי.

קנב. וְהַאי קְרָא אִיהוּ תַּרְגּוּם, בַּר מִמִּלָּה דְּסוֹף קְרָא. אִי תֵימָא בְּגִין דְּמַלְאָכִין קַדִּישִׁין לָא נִזְקָקִין לְתַרְגּוּם וְלָא אִשְׁתְּמוֹדְעָן בֵּיהּ, מִלָּה דָא יָאוּת הִיא לְמֵימַר בְּלִישָּׁנָא קַדִּישָׁא, בְּגִין דְּיִשְׁמְעוּן מַלְאָכִין קַדִּישִׁין, וִיהוֹן נִזְקָקִין לְאוֹדָאָה עַל דָּא. אֶלָּא וַדַּאי בְּגִין כָּךְ כְּתִיב תַּרְגּוּם, דְּלָא נִזְקָקִין בֵּיהּ מַלְאָכִין קַדִּישִׁין, וְלָא יְקַנְּאוּן בב"נ לְאַבְאָשָׁא לֵיהּ, בְּגִין דִּבְהַאי קְרָא, בִּכְלָלָא אִינּוּן מַלְאָכִין קַדִּישִׁין, דְּהָא אִינּוּן אֱלֹהִים אִקְרוּן, וּבִכְלָלָא דֶּאֱלֹהִים הֲווֹ, וְאִינּוּן לָא עֲבַדוּ שְׁמַיָּא וְאַרְקָא.

קנג. וְאַרְקָא, וְאַרְעָא מִבָּעֵי לֵיהּ, אֶלָּא בְּגִין דְּאַרְקָא אִיהִי חָדָא מֵאִינּוּן שֶׁבַע אַרְעִין דִּלְתַתָּא, וּבְהַהוּא אֲתַר אִית בְּנֵי בְּנוֹי דְּקַיִן, לְבָתַר דְּאִתְתָּרַךְ מֵעַל אַפֵּי אַרְעָא נָחִית לְתַמָּן

וַעֲבֵיד תּוֹלָדוֹת, וְאִשְׁתַּבַּשׁ תַּמָּן, דְּלָא יָדַע כְּלוּם. וְאִיהוּ אַרְעָא כְּפִילָא דְּאִתְכְּפַל מֵחֲשׁוֹכָא וּנְהוֹרָא.

קנד. וְאִית תַּמָּן תְּרֵין מְמַנָּן שַׁלִּיטִין דִּי שָׁלְטִין, דָּא בַּחֲשׁוֹכָא וְדָא בִּנְהוֹרָא, וְתַמָּן קְטְרוּגָא דָּא בְּדָא, וְשַׁעֲתָא דַּהֲוֵית לְתַמָּן קַיִן, אִשְׁתַּתְּפוּ דָּא בְּדָא וְאִשְׁתְּלִימוּ כַּחֲדָא. וְכֹלָּא חָזֵי דְּאִינּוּן תּוֹלְדוֹת דְּקַיִן. וְעַל דָּא אִינּוּן בִּתְרֵין רָאשִׁין, כִּתְרֵין חִוְיָין בַּר דְּכַד הַהוּא נְהוֹרָא שָׁלִיט, נָצַח דִּילֵיהּ וְנָצַח עַל אָחֳרָא. וְעַל דָּא אִתְכְּלִילוּ דִּי בַּחֲשׁוֹכָא בִּנְהוֹרָא וַהֲווּ חַד.

קנה. אִינּוּן תְּרֵין מְמַנָּן, עֲפְרִירָא וְקַסְטִימוֹן, וְדִיוֹקְנָא דִּלְהוֹן כְּדִיוֹקְנָא דְּמַלְאָכִין קַדִּישִׁין בְּשִׁית גַּדְפִּין. חַד דִּיוֹקְנָא כְּתוֹרָ"א, וְחַד דִּיוֹקְנָא כְּנִשְׁרָא. וְכַד מִתְחַבְּרָן, אִתְעֲבִידוּ דִּיוֹקְנָא דְּאָדָם.

קנו. כַּד אִינּוּן בַּחֲשׁוֹכָא, מִתְהַפְּכִין לְדִיוֹקְנָא דְּנָחָשׁ בִּתְרֵין רָאשִׁין, וְאָזְלִין כְּחִוְיָא, וְטָאסִין גּוֹ תְּהוֹמָא, וְאִסְתַּחְיָין בְּיַמָּא רַבָּא. כַּד מָטָאן לְשַׁלְשְׁלָאָה דְּעֲזָ"א וַעֲזָאֵ"ל מַרְגִּיזִין לוֹן וּמִתְעָרֵי לוֹן, וְאִינּוּן מְדַלְּגִין גּוֹ טוּרֵי חֲשׁוֹכָן, וְחָשְׁבֵי דְּקוּדְשָׁא בְּרִיךְ הוּא בָּעֵי לְמִתְבַּע לוֹן דִּינָא.

קנז. וְאִלֵּין תְּרֵין מְמַנָּן שָׁאטִין בְּיַמָּא רַבָּא, וּפָרְחִין מִתַּמָּן, וְאָזְלִין בְּלֵילְיָא לְגַבֵּי נַעֲמָה אִמְּהוֹן דְּשֵׁדִין, דְּטָעוּ אֲבַתְרָהָא דָּחֲלִין קַדְמָאִין, וְחָשְׁבִין לְמִקְרַב לְגַבָּהּ. וְאִיהִי דִּלְּגַת שִׁתִּין אַלְפִין פַּרְסִין, וְאִתְעֲבִידַת בְּכַמָּה צִיּוּרִין לְגַבֵּי בְּנֵי נָשָׁא, בְּגִין דְּיִטְעוּן בְּנֵי נָשָׁא אֲבַתְרָהּ.

קנח. וְאִלֵּין תְּרֵין מְמַנָּן פָּרְחִין וּמְשַׁטְטָן בְּכָל עָלְמָא, וְאַהַדְרָן לְאַתְרַיְיהוּ, וְאִינּוּן מִתְעָרִין לְאִינּוּן בְּנֵי בְּנוֹי דְּקַיִן בְּרוּחָא דְּיִצְרִין בִּישִׁין, לְמֶעְבַּד תּוֹלָדוֹת.

קנט. שְׁמַיָּא דְּשָׁלְטִין תַּמָּן לָאו כְּהָנֵי. וְלָא אוֹלִידַת אַרְעָא בְּחֵילָא דִּלְהוֹן זְרוּעָא וַחֲצָדָא כְּהָנֵי, וְלָא אֲהַדְרָן אֶלָּא בְּכַמָּה שְׁנִין וְזִמְנִין. וְאִינּוּן אֱלָהָא דִּי שְׁמַיָּא וְאַרְקָא לָא עֲבַדוּ, יֵאבַדוּ מֵאַרְעָא עִלָּאָה דְּתֵבֵל, דְּלָא יִשְׁלְטוּן בָּהּ, וְלָא יְהוֹן גָּרְמִין לִבְנֵי נָשָׁא לְאִסְתָּאֲבָא מִמִּקְרֵה לֵילְיָא. וְעַל דָּא יֵאבַדוּ מֵאַרְעָא וּמִן תְּחוֹת שְׁמַיָּא דְּאִתְעֲבִידוּ בִּשְׁמָא דְּאֵלֶ"ה, כְּמָה דְּאִתְּמָר.

קס. וְעַל דָּא הַאי קְרָא תַּרְגּוּם, דְּלָא יַחְשְׁבוּן מַלְאֲכֵי עִלָּאֵי דַּעֲלַיְיהוּ אָמְרִין, וְלָא יְקַטְרְגוּ לָן. וְעַל דָּא רָזָא דְּאֵלֶ"ה, כְּמָה דְּאִתְּמָר, אִיהוּ מִלָּה קַדִּישָׁא דְּלָא אִתְחַלַּף בְּתַרְגּוּם.

מאמר כי בכל חכמי הגויים – מאין כמוך

קסא. אֲמַר לֵיהּ רַבִּי אֶלְעָזָר, הַאי קְרָא דִּכְתִיב מִי לֹא יִרָאֲךָ מֶלֶךְ הַגּוֹיִם כִּי לְךָ יָאָתָה, מַאי שִׁבְחָא אִיהוּ. אֲמַר לֵיהּ: אֶלְעָזָר בְּרִי, הַאי קְרָא בְּכַמָּה דוּכְתֵּי אִתְּמָר, אֲבָל וַדַּאי לָאו אִיהוּ הָכֵי, דִּכְתִיב כִּי בְכָל חַכְמֵי הַגּוֹיִם וּבְכָל מַלְכוּתָם, דְּהָא אֲתָא לְמִפְתַּח פּוּמָא

דְּזַיְּיבִין, דְּחָשְׁבִין דְּקָדוֹשׁ בָּרוּךְ הוּא לָא יָדַע הִרְהוּרִין וּמַחְשְׁבִין דִּלְהוֹן, וּבְגִין כָּךְ אִית לְאוֹדָעָא שְׁטוּתָא דִּלְהוֹן. דִּזְמְנָא חָדָא אֲתָא פִּילוֹסוֹפָא חָדָא דְּאוּמוֹת הָעוֹלָם לְגַבָּאי, אֲמַר לִי, אַתּוּן אָמְרִין דֶּאֱלָהֲכוֹן שַׁלִּיט בְּכָל רוּמֵי שְׁמַיָּא, כּוּלְּהוֹן חַיָּילִין וּמַשִּׁרְיָין לָא אַדְבְּקָן וְלָא יָדְעֵי אֲתַר דִּילֵיהּ. הַאי קְרָא לָא אַסְגֵּי יְקָרֵיהּ כָּל כָּךְ, דִּכְתִיב כִּי בְכָל חַכְמֵי הַגּוֹיִם וּבְכָל מַלְכוּתָם מֵאֵין כָּמוֹךָ. מַאי שְׁקוּלָא דָא לִבְנֵי נָשָׁא דִּי לֵית לוֹן קִיּוּמָא.

קסב. וְתוּ, דְּאַתּוּן אָמְרִין, וְלֹא קָם נָבִיא עוֹד בְּיִשְׂרָאֵל כְּמֹשֶׁה. בְּיִשְׂרָאֵל לֹא קָם, אֲבָל בְּאוּמוֹת הָעוֹלָם קָם. אוּף הָכֵי, אֲנָא אֵימָא, בְּכָל חַכְמֵי הַגּוֹיִם אֵין כָּמוֹהוּ, אֲבָל בְּחַכְמֵי יִשְׂרָאֵל אִית. אִי הָכֵי, אֱלָהָא דְּאִית בְּחַכְמֵי יִשְׂרָאֵל כְּוָותֵיהּ, לָאו אִיהוּ עִלָּאָה שַׁלִּיטָא. אִסְתַּכַּל בִּקְרָא, וְתִשְׁכַּח דְּדַיְיקְנָא כִּדְקָא יָאוּת.

קסג. אֲמֵינָא לֵיהּ, וַדַּאי שַׁפִּיר קָא אֲמַרְתְּ. מָאן מְחַיֶּה מֵתִים, אֶלָּא קָדוֹשׁ בָּרוּךְ הוּא בִּלְחוֹדוֹי, אֲתָא אֵלִיָּהוּ וֶאֱלִישָׁע, וְאַחֲיוּ מֵתַיָּיא. מָאן מוֹרִיד גְּשָׁמִים אֶלָּא קָדוֹשׁ בָּרוּךְ הוּא בִּלְחוֹדוֹי, אֲתָא אֵלִיָּהוּ, וּמְנַע לוֹן וּנְחִית לוֹן בִּצְלוֹתֵיהּ. מָאן עֲבַד שְׁמַיָּא וְאַרְעָא, אֶלָּא קָדוֹשׁ בָּרוּךְ הוּא בִּלְחוֹדוֹי, אֲתָא אַבְרָהָם, וְאִתְקַיָּימוּ בְּקִיּוּמוֹהִי בְּגִינֵיהּ.

קסד. מָאן מַנְהִיג שִׁמְשָׁא אֶלָּא קָדוֹשׁ בָּרוּךְ הוּא, אֲתָא יְהוֹשֻׁעַ, וְשָׁכִיךְ לֵיהּ וּפַקִּיד לֵיהּ דְּיֵקוּם עַל קִיּוּמֵיהּ וְאִשְׁתְּכַךְ, דִּכְתִיב וַיִּדֹּם הַשֶּׁמֶשׁ וְיָרֵחַ עָמָד. קָדוֹשׁ בָּרוּךְ הוּא גּוֹזֵר גְּזַר דִּין, אוּף הָכֵי מֹשֶׁה גָּזֵיר גְּזַר דִּין, וְאִתְקַיָּימוּ. וְתוּ, דְּקָדוֹשׁ בָּרוּךְ הוּא גּוֹזֵר גְּזֵרִין, וְצַדִּיקַיָּא דְּיִשְׂרָאֵל מְבַטְּלִין לוֹ, דִּכְתִיב צַדִּיק מוֹשֵׁל יִרְאַת אֱלֹהִים. וְתוּ דְּאִיהוּ פַּקִּיד לוֹן לְמֵהַךְ בְּאוֹרְחוֹי מַמָּשׁ, לְאִתְדַּמָּא לֵיהּ בְּכֹלָּא. אֲזַל הַהוּא פִּילוֹסוֹפָא וְאִתְגַּיַּיר בִּכְפַר שַׁחֲלַיִם, וְקָרוֹן לֵיהּ יוֹסֵי קְטִינָאָה. וְאוֹלִיף אוֹרַיְיתָא סַגְיָא, וְאִיהוּ בֵּין חַכִּימִין וְזַכָּאִין דְּהַהוּא אֲתַר.

קסה. הַשְׁתָּא אִית לְאִסְתַּכְּלָא בִּקְרָא, וְהָא כְּתִיב כָּל הַגּוֹיִם כְּאַיִן נֶגְדוֹ. מַאי רְבוּיָא הָכָא. אֶלָּא מִי לֹא יִרָאֲךָ מֶלֶךְ הַגּוֹיִם, וְכִי מֶלֶךְ הַגּוֹיִם אִיהוּ וְלָאו מֶלֶךְ יִשְׂרָאֵל. אֶלָּא בְּכָל אֲתַר, קָדוֹשׁ בָּרוּךְ הוּא בָּעָא לְאִשְׁתַּבְּחָא בְּיִשְׂרָאֵל, וְלָא אִתְקְרֵי אֶלָּא עַל יִשְׂרָאֵל בִּלְחוֹדוֹי, דִּכְתִיב אֱלֹהֵי יִשְׂרָאֵל, אֱלֹהֵי הָעִבְרִים. וּכְתִיב כֹּה אָמַר יי׳ מֶלֶךְ יִשְׂרָאֵל, מֶלֶךְ יִשְׂרָאֵל וַדַּאי. אָמְרוּ אוּמוֹת הָעוֹלָם, פַּטְרוֹן אָחֳרָן אִית לָן בִּשְׁמַיָּא, דְּהָא מַלְכֵּיכוֹן לָא שַׁלִּיט אֶלָּא עֲלַיְיכוּ בִּלְחוֹדֵיכוֹן, וַעֲלָנָא לָא שַׁלִּיט.

קסו. אֲתָא קְרָא וְאָמַר, מִי לֹא יִרָאֲךָ מֶלֶךְ הַגּוֹיִם, מַלְכָּא עִלָּאָה, לְרַדָּאָה לוֹן וּלְאַלְקָאָה לוֹן וּלְמֶעְבַּד בְּהוֹן רְעוּתֵיהּ. כִּי לְךָ יָאָתָה, לְדַחֲלָא מִנָּךְ לְעֵילָּא וְתַתָּא. כִּי בְכָל חַכְמֵי הַגּוֹיִם, אִלֵּין שַׁלִּיטִין רַבְרְבָן דִּי מְמַנָּן עֲלַיְיהוּ. וּבְכָל מַלְכוּתָם, בְּהַהוּא מַלְכוּ דִּלְעֵילָּא, דְּהָא אַרְבַּע מַלְכְּוָון שַׁלִּיטִין אִית לְעֵילָּא, וְשָׁלְטִין בִּרְעוּתֵיהּ עַל כָּל שְׁאָר עַמִּין. וְעִם כָּל דָּא, לֵית בְּהוּ דְּיַעֲבֵד אֲפִילוּ מִלָּה זְעֵירָא, אֶלָּא כְּמָה דְּפַקִּיד לוֹן, דִּכְתִיב וּכְמִצְבְּיֵהּ עָבֵיד

בְּחֵיל שְׁמַיָּא וְדַיְירֵי אַרְעָא. וַחֲכָמֵי הַגּוֹיִם, אִינּוּן מִמַּנָּן וְרַבְרְבָן דִּלְעֵילָּא, דְּחָכְמְתָא דִּלְהוֹן מִנַּיְיהוּ הֲוָה. בְּכָל מַלְכוּתָם, מַלְכוּתָא דְּשַׁלִּיט, כְּמָה דְּאִתְּמַר. וְדָא הוּא קְרָא כִּפְשָׁטֵיהּ.

קסז. אֲבָל בְּכָל חַכְמֵי הַגּוֹיִם, וּבְכָל מַלְכוּתָם. הָאי אַשְׁכַּחְנָא בְּסִפְרֵי קַדְמָאֵי, דְּאִינּוּן מַשִׁרְיָין וְחַיָּילִין, אע"ג דְּאִתְפַּקְּדָן עַל מִלִּין דְּעָלְמָא, וּפַקִּיד לְכָל חַד לְמֶעְבַּד עֲבִידְתָּא, מָאן הוּא דְּיַעֲבִיד שׁוּם חַד מִנַּיְיהוּ כָּמוֹךָ, בְּגִין דְּאַנְתְּ רָשִׁים בְּעִילּוּיָא, וְאַתְּ רָשִׁים בְּעוֹבָדָךְ מִכֻּלְּהוּ. וְדָא הוּא מֵאֵין כָּמוֹךָ יי', מָאן הוּא סְתִימָאָה קַדִּישָׁא דְּיַעֲבִיד וְלֶהֱוֵי כָּמוֹךָ, עִילָּא וְתַתָּא, וְיֶהֱא דָּמֵי לָךְ בְּכָל עוֹבָדָא דְּמַלְכָּא קַדִּישָׁא, שָׁמַיִם וָאָרֶץ. אֲבָל אִינּוּן תֹּהוּ וַחֲמוּדֵיהֶם בַּל יוֹעִילוּ. בְּקָדוֹשׁ בָּרוּךְ הוּא כְּתִיב, בְּרֵאשִׁית בָּרָא אֱלֹהִים וגו', בְּמַלְכוּתָם כְּתִיב וְהָאָרֶץ הָיְתָה תֹהוּ וָבֹהוּ.

קסח. אָמַר רַבִּי שִׁמְעוֹן לְחַבְרַיָּיא בְּנֵי הִלּוּלָא דָּא, כָּל חַד מִנְּכוֹן יְקַשֵּׁט קִשּׁוּטָא חַד לְכַלָּה. אָמַר לְרַבִּי אֶלְעָזָר בְּרֵיהּ. אֶלְעָזָר: הַב נְבַזְבְּזָא חַד לְכַלָּה דְּהָא לְמָחָר אִסְתַּכַּל, כַּד יֵיעוֹל לְחוּפָּה בְּאִינּוּן שִׁירִין וְתוּשְׁבְּחָן, דְּיַהֲבוּ לָהּ בְּנֵי הֵיכָלָא לְקַיְּימָא קַמֵּיהּ.

מאמר מי זאת

קסט. פָּתַח רַבִּי אֶלְעָזָר וְאָמַר מִי זֹאת עוֹלָה מִן הַמִּדְבָּר וגו'. מִי זֹאת כְּלָלָא דִּתְרֵין קַדִּישִׁין, דִּתְרֵין עָלְמִין בְּחִבּוּרָא חֲדָא וְקִשּׁוּרָא חֲדָא, עוֹלָה, מַמָּשׁ לְמֶהֱוֵי קֹדֶשׁ קָדָשִׁין, דְּהָא קֹדֶשׁ קָדָשִׁין מִ"י, וְאִתְחַבְּרָא בְּזֹא"ת, בְּגִין לְמֶהֱוֵי עוֹלָה דְּאִיהִי קֹדֶשׁ קָדָשִׁים. "מִן הַמִּדְבָּר", דְּהָא מִן הַמִּדְבָּר יָרְתָא לְמֶהֱוֵי כַּלָּה וּלְמֵיעַל לְחוּפָּה.

קע. תּוּ, מִן הַמִּדְבָּר אִיהִי עוֹלָה, כד"א וּמִדְבָּרֵךְ נָאוֶה. בְּהַהוּא מִדְבָּר דִּלְחִישׁוּ בִּשְׂפָוָון, אִיהִי עוֹלָה. וְתָנֵינָן, מַאי דִּכְתִיב הָאֱלֹהִים הָאַדִּירִים הָאֵלֶּה, אֵלֶּה הֵם הָאֱלֹהִים הַמַּכִּים אֶת מִצְרַיִם, בְּכָל מַכָּה בַּמִּדְבָּר וְכִי כָּל דַּעֲבַד לוֹן קָדוֹשׁ בָּרוּךְ הוּא בְּמִדְבָּר הֲוָה, וְהָא בְּיִשּׁוּבָא הֲוָה, אֶלָּא בַּמִּדְבָּר, בְּדִבּוּרָא, כד"א וּמִדְבָּרֵךְ נָאוֶה וּכְתִיב מִמִּדְבַּר הָרִים, אוּף הָכִי עוֹלָה מִן הַמִּדְבָּר, מִן הַמִּדְבָּר וַדַּאי, בְּהַהִיא מִלָּה דְּפוּמָא אִיהִי סַלְקָא, וְעָאלַת בֵּין גַּדְפֵּי דְּאִמָּא, וּלְבָתַר בְּדִבּוּרָא, נַחְתָּא וְשַׁרְיָא עַל רֵישַׁיְיהוּ דְּעַמָּא קַדִּישָׁא.

קעא. הֵיךְ סַלְקָא בְּדִבּוּרָא, דְּהָא בְּשֵׁירוּתָא, כַּד ב"נ קָאִים בְּצַפְרָא, אִית לֵיהּ לְבָרְכָא לְמָארֵיהּ, בְּשַׁעְתָּא דְּפָקַח עֵינוֹי, הֵיךְ מְבָרֵךְ, הָכִי הֲווּ עָבְדֵי חֲסִידֵי קַדְמָאֵי, נַטְלָא דְּמַיָּיא הֲווּ יַהֲבֵי קַמַּיְיהוּ, וּבְזִמְנָא דְּאִתְּעָרוּ בְּלֵילְיָא, אַסְחָן יְדַיְיהוּ, וְקַיְימֵי וְלָעָאן בְּאוֹרַיְיתָא, וּמְבָרְכֵי עַל קְרִיאָתָהּ. תַּרְנְגוֹלָא קָרֵי, וּכְדֵין פַּלְגוּת לֵילְיָא מַמָּשׁ, וּכְדֵין קָדוֹשׁ בָּרוּךְ הוּא אִשְׁתַּכַּח עִם צַדִּיקַיָּיא בְּגִנְּתָא דְּעֵדֶן, וְאָסִיר לְבָרְכָא בִּידַיִן מְסוֹאָבוֹת וּמְזוֹהָמוֹת וְכֵן כָּל שַׁעְתָּא.

קעב. בְּגִין דִּבְשַׁעֲתָא דְּבַר נָשׁ נָאִים, רוּחֵיהּ פָּרְחָא מִנֵּיהּ, וּבְשַׁעֲתָא דְּרוּחֵיהּ פָּרְחָא מִנֵּיהּ, רוּחָא מְסָאֲבָא זְמִין, וְשַׁרְיָא עַל יְדוֹי, וּמְסָאֵב לוֹן, וְאָסִיר לְבָרְכָא בְּהוּ בְּלָא נְטִילָה. וְאִי תֵּימָא אִי הָכֵי, הָא בִּימָמָא דְּלָא נָאִים וְלָא פָּרַח רוּחֵיהּ מִנֵּיהּ, וְלָא שַׁרְיָא עֲלֵיהּ רוּחָא מְסָאֲבָא, וְכַד עָאל לְבֵית הַכִּסֵּא, לָא יְבָרֵךְ וְלָא יִקְרָא בַּתּוֹרָה אֲפִילּוּ מִלָּה וְחָדָא, עַד דְּיִסְחֵי יְדוֹי. וְאִי תֵּימָא, בְּגִין דִּמְלוּכְלָכִים אִינּוּן, לָאו הָכֵי הוּא, בַּמֶּה אִתְלַכְלְכוּ.

קעג. אֶלָּא וַוי לִבְנֵי עָלְמָא, דְּלָא מַשְׁגִּיחִין וְלָא יַדְעִין בִּיקָרָא דְּמָארֵיהוֹן, וְלָא יָדְעֵי עַל מַה קַיְּימָא עָלְמָא. רוּחָא וְחָדָא אִית בְּכָל בֵּית הַכִּסֵּא דְּעָלְמָא, דְּשַׁרְיָא תַּמָּן, וְאִתְהַנֵּי מֵהַהוּא לִכְלוּכָא וְטִנּוּפָא, וּמִיָּד שָׁרֵי עַל אִינּוּן אֶצְבְּעָן דִּידוֹי דְּבַר נָשׁ.

מאמר וחדי במועדיא ולא יהיב למסכני

קעד. פָּתַח רַבִּי שִׁמְעוֹן וַאֲמַר, כָּל מַאן דְּחָדֵי בְּאִינּוּן מוֹעֲדַיָּא, וְלָא יָהֵיב חוּלָקֵיהּ לְקֻדְשָׁא בְּרִיךְ הוּא, הַהוּא רַע עַיִן שָׂטָן שׂוֹנֵא אוֹתוֹ וְקָא מְקַטְרֵג לֵיהּ, וְסָלֵיק לֵיהּ מֵעָלְמָא, וְכַמָּה עָקוּ עַל עָקוּ מְסַבֵּב לֵיהּ.

קעה. וְחוּלָקֵיהּ דְּקֻדוֹשׁ בָּרוּךְ הוּא, לְמֶחֱדֵי לְמִסְכְּנֵי כְּפוּם מַה דְּיָכִיל לְמֶעְבַּד. בְּגִין דְּקֻדוֹשׁ בָּרוּךְ הוּא בְּיוֹמַיָּא אִלֵּין, אָתֵי לְמֶחֱמֵי לְאִינּוּן מָאנִין תְּבִירִין דִּילֵיהּ, וְעָאל עֲלַיְיהוּ, וְחָמֵי דְּלָא אִית לְהוֹן לְמֶחֱדֵי, וּבָכֵי עֲלַיְיהוּ. סָלֵיק לְעֵילָּא לְחָרְבָא עָלְמָא.

קעו. אָתְאָן בְּנֵי מְתִיבְתָּא קַמֵּיהּ, וְאָמְרֵי רִבּוֹן עָלְמָא רַחוּם וְחַנּוּן אִתְקְרִיאַת. יִתְגַּלְגְּלוּן רַחֲמָךְ עַל בְּנָךְ. אֲמַר לוֹן: וְכִי עָלְמָא לָא עֲבֵידַת לֵיהּ אֶלָּא עַל חֶסֶ"ד, דִּכְתִיב אָמַרְתִּי עוֹלָם חֶסֶד יִבָּנֶה, וְעָלְמָא עַל דָּא קַיְּימָא. אָמְרֵי קַמֵּיהּ מַלְאֲכֵי עִלָּאֵי, רִבּוֹן עָלְמָא, הָא פְּלַנְיָא דְּאָכֵיל וְרָוֵי, וְיָכֵיל לְמֶעְבַּד טִיבוּ עִם מִסְכְּנֵי וְלָא יָהֵיב לוֹן מִידֵי. אָתֵי הַהוּא מְקַטְרְגָא וְתָבַע רְשׁוּ, וְרָדַף אֲבַתְרֵיהּ דְּהַהוּא בַּר נָשׁ.

קעז. מַאן לָן בְּעָלְמָא גָּדוֹל מֵאַבְרָהָם, דַּעֲבַד טִיבוּ לְכָל בִּרְיָין. בְּיוֹמָא דַּעֲבַד מִשְׁתְּיָיא, מַה כְּתִיב, וַיִּגְדַּל הַיֶּלֶד וַיִּגָּמַל וַיַּעַשׂ אַבְרָהָם מִשְׁתֶּה גָדוֹל בְּיוֹם הִגָּמֵל אֶת יִצְחָק. עֲבַד אַבְרָהָם מִשְׁתְּיָיא, וְקָרָא לְכָל רַבְרְבֵי דָּרָא לְהַהִיא סְעוּדְתָא. וְתָנֵינָן, בְּכָל סְעוּדְתָא דְּחֶדְוָה, הַהוּא מְקַטְרְגָא אָזֵיל וְחָמֵי, אִי הַהוּא ב"נ אַקְדִּים טִיבוּ לְמִסְכְּנֵי, וּמִסְכְּנֵי בְּבֵיתָא, הַהוּא מְקַטְרְגָא אִתְפְּרַשׁ מֵהַהוּא בֵּיתָא וְלָא עָאל תַּמָּן, וְאִי לָאו, עָאל תַּמָּן, וְחָמֵי עִרְבּוּבְיָא דְּחֶדְוָה בְּלָא מִסְכְּנֵי, וּבְלָא טִיבוּ דְּאַקְדִּים לְמִסְכְּנֵי, סָלֵיק לְעֵילָּא וּמְקַטְרְגָא עֲלֵיהּ.

קעח. אַבְרָהָם, כֵּיוָן דְּזַמִּין לְרַבְרְבֵי דָּרָא, נָחַת מְקַטְרְגָא וְקָם עַל פִּתְחָא כְּגַוְונָא דְּמִסְכְּנָא, וְלָא הֲוָה מַאן דְּאִשְׁגַּח בֵּיהּ. אַבְרָהָם הֲוָה מְשַׁמֵּשׁ לְאִינּוּן מַלְכִּין וְרַבְרְבִין. שָׂרָה אוֹנִיקַת בְּנִין לְכֻלְּהוּ דְּלָא הֲווּ מְהֵימְנִין כַּד אִיהִי אוֹלִידַת. אֶלָּא אָמְרוּ אֲסוּפִי הוּא וּמִן שׁוּקָא

אַיְתִיאוּ לֵיהּ, בְּגִין כָּךְ אַתְיָין בְּנַיְיהוּ בַּהֲדַיְיהוּ, וְנַטְלַת לוֹן שָׂרָה וְאוֹנִיקַת לוֹן קָמַיְיהוּ. הה"ד מִי מִלֵּל לְאַבְרָהָם הֵינִיקָה בָנִים שָׂרָה, בָּנִים וַדַּאי. וְהַהוּא מְקַטְרְגָא עַל פִּתְחָא. אָמְרָה צְחוֹק עָשָׂה לִי אֱלֹהִים. מִיַּד סָלֵיק הַהוּא מְקַטְרְגָא קַמֵּי קֻדְשָׁא בְּרִיךְ הוּא, וַאֲמַר לֵיהּ רִבּוֹן עָלְמָא, אַתְּ אֲמַרְתְּ אַבְרָהָם אוֹהֲבִי, עֲבַד סְעוּדְתָא וְלָא יְהַב לָךְ מִידֵי, וְלָאו לְמִסְכְּנֵי, וְלָא קָרֵיב קֳדָמָךְ אֲפִילּוּ יוֹנָה חַד. וְתוּ, אָמְרַת שָׂרָה דְּחַיְיכַת בָּהּ.

קעט. אֲמַר לֵיהּ קֻדְשָׁא בְּרִיךְ הוּא, מָאן בְּעָלְמָא כְּאַבְרָהָם. וְלָא זָז מִתַּמָּן עַד דְּבִלְבֵּל כָּל הַהִיא חֶדְוָה, וּפַקֵּיד קֻדְשָׁא בְּרִיךְ הוּא לְמִקְרַב לְיִצְחָק קָרְבְּנָא, וְאִתְגְּזַר עַל שָׂרָה דְּתָמוּת עַל צַעֲרָא דִּבְרָהּ כָּל הַהוּא צַעֲרָא גָּרֵים דְּלָא יָהֵיב מִידֵי לְמִסְכְּנֵי.

מאמר אורייתא וצלותא

קפ. פָּתַח רַבִּי שִׁמְעוֹן וַאֲמַר, מַאי דִּכְתִיב וַיַּסֵּב חִזְקִיָּהוּ פָּנָיו אֶל הַקִּיר וַיִּתְפַּלֵּל אֶל ה', ת"ח כַּמָּה הוּא חֵילָא תַּקִּיפָא דְּאוֹרַיְיתָא, וְכַמָּה הוּא עִלָּאָה עַל כֹּלָּא, דְּכָל מַאן דְּאִשְׁתַּדַּל בְּאוֹרַיְיתָא לָא דָּחֵיל מֵעִלָּאֵי וּמִתַּתָּאֵי, וְלָא דָּחֵיל מִמַּרְעִין בִּישִׁין דְּעָלְמָא, בְּגִין דְּאִיהוּ אָחִיד בְּאִילָנָא דְּחַיֵּי וְיָלִיף מִינֵּיהּ בְּכָל יוֹמָא.

קפא. דְּהָא אוֹרַיְיתָא תּוֹלִיף לְבַר נָשׁ לְמֵיזַל בְּאוֹרַח קְשׁוֹט, תּוֹלִיף לֵיהּ עֵיטָא הֵיךְ יָתוּב קַמֵּיהּ מָארֵיהּ, לְבַטְּלָא הַהִיא גְּזֵרָה, דַּאֲפִילּוּ אִתְגְּזַר עֲלֵיהּ דְּלָא יִתְבַּטֵּל הַאי גְּזֵרָה, מִיַּד אִתְבַּטֵּל וְאִסְתַּלֵּק מִנֵּיהּ וְלָא שַׁרְיָא עֲלֵיהּ דְּבַר נָשׁ בְּהַאי עָלְמָא. וּבְגִין כָּךְ, בָּעֵי לֵיהּ לְבַר נָשׁ לְאִשְׁתַּדְּלָא בְּאוֹרַיְיתָא יְמָמָא וְלֵילֵי, וְלָא יִתְעֲדֵי מִינָהּ, הֲדָא הוּא דִּכְתִיב וְהָגִיתָ בּוֹ יוֹמָם וָלַיְלָה, וְאִי אִתְעֲדֵי מִינָהּ דְּאוֹרַיְיתָא אוֹ אִתְפְּרַשׁ מִינָהּ כְּאִלּוּ אִתְפְּרַשׁ מֵאִילָנָא דְּחַיֵּי.

קפב. תָּא חֲזֵי עֵיטָא לְבַר נָשׁ כַּד אִיהוּ סָלֵיק בְּלֵילְיָא עַל עַרְסֵיהּ בָּעֵי לְקַבְּלָא עֲלֵיהּ מַלְכוּתָא דִּלְעֵילָא בְּלִבָּא שְׁלִים, וּלְאַקְדְּמָא לְמִמְסַר קַמֵּיהּ פִּקְדוֹנָא דְּנַפְשֵׁיהּ, וּמִיָּד אִשְׁתְּזֵיב מִכָּל מַרְעִין בִּישִׁין וּמִכָּל רוּחִין בִּישִׁין וְלָא שָׁלְטִין עֲלֵיהּ.

קפג. וּבְצַפְרָא, קָם מֵעַרְסֵיהּ, בָּעֵי לְבָרְכָא לְמָארֵיהּ, וּלְמֵיעַל לְבֵיתֵיהּ וּלְמִסְגַּד קַמֵּי הֵיכָלֵיהּ בִּדְחִילוּ סַגְיָא, וּבָתַר כֵּן יְצַלֵּי צְלוֹתֵיהּ, וְיִסַּב עֵיטָא מֵאִינוּן אֲבָהָן קַדִּישִׁין, דִּכְתִיב וַאֲנִי בְּרֹב חַסְדְּךָ אָבוֹא בֵיתֶךָ אֶשְׁתַּחֲוֶה אֶל הֵיכַל קָדְשְׁךָ בְּיִרְאָתֶךָ.

קפד. הָכִי אוֹקְמוּהָ, לָא לִבָּעֵי לֵיהּ לְבַר נָשׁ לְעָאֲלָא לְבֵי כְּנִישְׁתָּא, אֶלָּא אִי אַמְלִיךְ בְּקַדְמֵיתָא בְּאַבְרָהָם יִצְחָק וְיַעֲקֹב, בְּגִין דְּאִינוּן תַּקִּינוּ צְלוֹתָא קַמֵּי קֻדְשָׁא בְּרִיךְ הוּא. הה"ד, וַאֲנִי בְּרוֹב חַסְדְּךָ אָבוֹא בֵיתֶךָ, דָּא אַבְרָהָם, אֶשְׁתַּחֲוֶה אֶל הֵיכַל קָדְשְׁךָ, דָּא יִצְחָק. בְּיִרְאָתֶךָ, דָּא יַעֲקֹב. וּבָעֵי לְאַכְלְלָא לוֹן בְּרֵישָׁא, וּבָתַר כֵּן יֵיעוֹל לְבֵי כְּנִישְׁתָּא,

וִיצַלֵּי צְלוֹתֵיהּ, כְּדֵין כְּתִיב, וַיֹּאמֶר לִי עַבְדִּי אָתָּה יִשְׂרָאֵל אֲשֶׁר בְּךָ אֶתְפָּאָר.

מאמר יציאת רבי שמעון מהמערה

קפה. רַבִּי פִּנְחָס הֲוָה שְׁכִיחַ קַמֵּי דְּרַבִּי רְחוּמָאי בְּכֵיף יַמָּא דְּגִנּוֹסָר. וּבַ"נ רַב וְקַשִּׁישָׁא דְּיוֹמִין הֲוָה, וְעֵינוֹי אִסְתַּלָּקוּ מִלְּמֶחֱזֵי. אֲמַר לְרַבִּי פִּנְחָס, וַדַּאי שְׁמַעְנָא דְּיוֹחָאי חַבְרָנָא אִית לֵיהּ מַרְגָּלִית אֶבֶן טָבָא, וְאִסְתַּכְּלִית בִּנְהוֹרָא דְּהַהִיא מַרְגָּלִית, נָפְקָא כִּנְהִירוּ דְּשִׁמְשָׁא מִנַּרְתְּקֵהּ, וְנָהֲרָא כָּל עָלְמָא.

קפו. וְהַהוּא נְהוֹרָא קָאִים מִשְּׁמַיָּא לְאַרְעָא, וְנָהִיר כָּל עָלְמָא, עַד דְּיָתֵיב עַתִּיק יוֹמִין, וְיָתִיב עַל כָּרְסַיָּא כִּדְקָא יָאוּת. וְהַהוּא נְהוֹרָא כָּלִיל כֹּלָּא בְּבֵיתָךְ, וּמִנְּהוֹרָא דְּאִתְכְּלִיל בְּבֵיתָךְ, נָפִיק נְהִירוּ דַּקִּיק וּזְעֵיר, וְנָפִיק לְבַר וְנָהִיר כָּל עָלְמָא, זַכָּאָה חוּלָקָךְ. פּוֹק בְּרִי פּוֹק, זִיל אַבַּתְרֵיהּ דְּהַהִיא מַרְגָּלִית דְּנָהִיר עָלְמָא, דְּהָא שַׁעְתָּא קָיְימָא לָךְ.

קפז. נָפַק מִקַּמֵּיהּ וְקָאִים לְמֵיעַל בְּהַהִיא אַרְבָּא, וּתְרֵין גּוּבְרִין בַּהֲדֵיהּ וְחָמָא תְּרֵין צִפֳּרִין דַּהֲווּ אַתְיָין וְטָסִין עַל יַמָּא, רָמָא לוֹן קָלָא וַאֲמַר, צִפֳּרִין צִפֳּרִין דְּאַתּוּן טָאסִין עַל יַמָּא חֲמֵיתוּן דּוּךְ דְּבַר יוֹחָאי תַּמָּן, אִשְׁתְּהֵי פּוּרְתָּא אֲמַר צִפֳּרִין צִפֳּרִין זִילוּ וַאֲתִיבוּ לִי. פָּרְחוּ וַאֲזִילוּ, עָאלוּ בְּיַמָּא וְאָזְלֵי לְהוֹן.

קפח. עַד דְּנָפַק, הָא אִינוּן צִפֳּרִין אַתְיָין, וּבְפוּמָא דְּחָדָא מִנַּיְיהוּ פִּתְקָא חָדָא, וּכְתִיב בְּגַוֵּיהּ, דְּהָא בַּר יוֹחָאי נָפַק מִן מְעַרְתָּא, וְרַבִּי אֶלְעָזָר בְּרֵיהּ אֲזַל לְגַבֵּיהּ, וְאַשְׁכַּח לֵיהּ מְשַׁנְּיָא, וְגוּפֵיהּ מַלְיָא חֲלוּדִין. בָּכָה בַּהֲדֵיהּ, וַאֲמַר, וַוי דַּחֲמֵיתִיךְ בְּכָךְ. אֲמַר, זַכָּאָה חוּלָקִי דַּחֲמֵית לִי בְּכָךְ, דְּאִלְמָלֵא לָא חֲמֵיתָא לִי בְּכָךְ לָא הֲוֵינָא בְּכָךְ. פָּתַח רַבִּי שִׁמְעוֹן בְּפִקּוּדֵי אוֹרַיְיתָא וַאֲמַר, פִּקּוּדֵי אוֹרַיְיתָא דְּיָהַב קָדוֹשׁ בָּרוּךְ הוּא לְיִשְׂרָאֵל כֻּלְּהוּ בְּאוֹרַיְיתָא בְּאֹרַח כְּלַל כְּתִיבֵי.

מאמר פקודי אורייתא פקודא קדמאה

קפט. בְּרֵאשִׁית בָּרָא אֱלֹהִים. הֲדָא הִיא פִּקּוּדָא קַדְמָאָה דְּכֹלָּא וְאִקְרֵי פִּקּוּדָא דָּא יִרְאַת ה', דְּאִקְרֵי רֵאשִׁית, דִּכְתִיב רֵאשִׁית חָכְמָה יִרְאַת ה'. יִרְאַת ה' רֵאשִׁית דָּעַת. בְּגִין דְּמִלָּה דָּא רֵאשִׁית אִקְרֵי, וְדָא אִיהִי תַּרְעָא לְעָאלָא גּוֹ מְהֵימְנוּתָא, וְעַל פִּקּוּדָא דָּא אִתְקַיַּים כָּל עָלְמָא.

קצ. יִרְאָה אִתְפָּרַשׁ לִתְלַת סִטְרִין, תְּרֵין מִנַּיְיהוּ לֵית בְּהוּ עִקְּרָא כִּדְקָא יָאוּת, וְחַד עִקְּרָא דְּיִרְאָה: אִית ב"נ דְּדָחִיל מִקָּדוֹשׁ בָּרוּךְ הוּא, בְּגִין דְּיֵיחוֹן בְּנוֹהִי וְלָא יְמוּתוּן, אוֹ דָּחִיל מֵעוֹנְשָׁא דְּגוּפֵיהּ אוֹ דְּמָמוֹנֵיהּ, וְעַ"ד דָּחִיל לֵיהּ תָּדִיר. אִשְׁתְּכַח יִרְאָה, דְּאִיהוּ דָּחֵיל לְקָדוֹשׁ בָּרוּךְ הוּא, לָא שַׁוֵּי לְעִקְּרָא. וְאִית בַּר נָשׁ דְּדָחִיל מִן קָדוֹשׁ בָּרוּךְ הוּא בְּגִין

דְּדָחֵיל מֵעוֹנְשָׁא דְּהַהוּא עָלְמָא, וְעוֹנְשָׁא דְּגֵיהִנֹּם. תְּרֵין אִלֵּין לָאו עִיקָּרָא דְּיִרְאָה אִינּוּן וְשָׁרְשָׁא דִּילֵיהּ.

קצא. יִרְאָ״ה דְּאִיהִי עִקָּרָא, לְמִדְחַל ב״נ לְמָארֵיהּ, בְּגִין דְּאִיהוּ רַב וְשַׁלִּיט עִקָּרָא וְשָׁרְשָׁא דְּכָל עָלְמִין, וְכֹלָּא קַמֵּיהּ כְּלָא וְחֲשִׁיבִין. כְּמָה דְּאִתְּמַר, וְכָל דָּיְירֵי אַרְעָא כְּלָא וְחֲשִׁיבִין. וּלְשַׁוָּאָה רְעוּתֵיהּ בְּהַהוּא אֲתַר דְּאִקְרֵי יִרְאָה.

קצב. בָּכָה רַבִּי שִׁמְעוֹן וַאֲמַר, וַוי אִי אֵימָא וַוי אִי לָא אֵימָא. אִי אֵימָא יִנְדְּעוּן חַיָּיבִין הֵיךְ יִפְלְחוּן לְמָארֵיהוֹן אִי לָא אֵימָא יֹאבְדוּן חַבְרַיָּיא מִלָּה דָּא. בַּאֲתַר דְּיִרְאָה קַדִּישָׁא שָׁרֵי, מִלְּרַע אִית יִרְאָה רָעָה דְּלָקֵי וּמָחֵי וּמְקַטְרֵג, וְאִיהִי רְצוּעָה לְאַלְקָאָה חַיָּיבַיָּא.

קצג. וּמָאן דְּדָחִיל בְּגִין עוֹנֶשׁ דְּמַלְקְיוּתָא וְקִטְרוּגָא, כְּמָה דְּאִתְּמַר, לָא שַׁרְיָא עֲלֵיהּ הַהִיא יִרְאַת ה׳ דְּאִקְרֵי יִרְאַת ה׳ לְחַיִּים. אֶלָּא מָאן שַׁרְיָא עֲלֵיהּ, הַהִיא יִרְאָה רָעָה, וְאִשְׁתַּכַּח דְּשַׁרְיָא עֲלֵיהּ הַהִיא רְצוּעָה יִרְאָה רָעָה, וְלָא יִרְאַת ה׳.

קצד. וּבְגִין כָּךְ, אֲתַר דְּאִקְרֵי יִרְאַת ה׳ רֵאשִׁית דַּעַת אִקְרֵי, וְע״ד אִתְכְּלִיל הָכָא פִּקּוּדָא דָּא, וְדָא עִקָּרָא וִיסוֹדָא לְכָל שְׁאָר פִּקּוּדִין דְּאוֹרַיְיתָא. מָאן דְּנָטֵיר יִרְאָה נָטֵיר כֹּלָּא. לָא נָטֵיר יִרְאָה לָא נָטֵיר פִּקּוּדֵי אוֹרַיְיתָא, דְּהָא דָּא תַּרְעָא דְּכֹלָּא.

קצה. וּבְגִין כָּךְ כְּתִיב בְּרֵאשִׁית דְּאִיהִי יִרְאָה, בָּרָא אֱלֹהִים אֵת הַשָּׁמַיִם וְאֵת הָאָרֶץ. דְּמָאן דַּעֲבַר עַל דָּא עֲבַר עַל פִּקּוּדֵי דְּאוֹרַיְיתָא. וְעוֹנְשָׁא דְּמָאן דַּעֲבַר עַל דָּא, הַאי רְצוּעָה רָעָה אַלְקֵי לֵיהּ. וְהַיְינוּ וְהָאָרֶץ הָיְתָה תֹהוּ וָבֹהוּ, וְחֹשֶׁךְ עַל פְּנֵי תְהוֹם, וְרוּחַ אֱלֹהִים. הָא אִלֵּין ד׳ עוֹנְשִׁין לַאֲעַנְשָׁא בְּהוֹן חַיָּיבַיָּא.

קצו. תֹּהוּ דָּא חֶנֶק, דִּכְתִיב קַו תֹהוּ וְחֶבֶל מִדָּה. בֹּהוּ דָּא סְקִילָה, אַבְנִין דְּמְשׁוּקָעִין גּוֹ תְּהוֹמָא רַבָּא לְעוֹנְשָׁא דְּחַיָּיבַיָּא. וְחֹשֶׁךְ דָּא שְׂרֵיפָה, דִּכְתִיב וַיְהִי כְּשָׁמְעֲכֶם אֶת הַקּוֹל מִתּוֹךְ הַחֹשֶׁךְ וְהָהָר בּוֹעֵר בָּאֵשׁ עַד לֵב הַשָּׁמַיִם חֹשֶׁךְ כו׳. וְדָא אֶשָּׁא תַּקִּיפָא דְּעַל רֵישֵׁיהוֹן דְּחַיָּיבַיָּא שָׁרֵי לְאוֹקְדָא לוֹן.

קצז. וְרוּחַ, דָּא הֶרֶג בְּסַיָּיף, רוּחַ סְעָרָה חַרְבָּא מִשַּׁנְּנָא הִיא מְלַהֲטָא בֵּיהּ. כד״א וְאֵת לַהַט הַחֶרֶב הַמִּתְהַפֶּכֶת, וְאִקְרֵי רוּחַ. הַאי עוֹנְשָׁא, לְמַאן דְּיַעֲבַר עַל פִּקּוּדֵי אוֹרַיְיתָא, וּכְתִיב לְבָתַר יִרְאָה, רֵאשִׁית, דְּאִיהִי כְּלָלָא דְּכֹלָּא, מִכָּאן וְהָלְאָה, שְׁאָר פִּקּוּדִין דְּאוֹרַיְיתָא.

מאמר פקודא תניינא

קצח. פִּקּוּדָא תִּנְיָינָא, דָּא אִיהִי פִּקּוּדָא, דְּפִקּוּדָא דְּיִרְאָה אִתְאַחֲדַת בָּהּ, וְלָא נָפְקָא מִינָּהּ לְעָלְמִין, וְאִיהִי אַהֲבָ״ה, לְמִרְחַם בַּר נָשׁ לְמָארֵיהּ רְחִימוּ שְׁלִים. וּמָאן אִיהוּ רְחִימוּ שְׁלִים, דָּא אַהֲבָה רַבָּה, דִּכְתִיב הִתְהַלֵּךְ לְפָנַי וֶהְיֵה תָמִים, שְׁלִים בִּרְחִימוּתָא. וְדָא הוּא

דִכְתִיב וַיֹּאמֶר אֱלֹהִים יְהִי אוֹר, דָּא רְחִימוּ שְׁלִימוּתָא דְּאִקְרֵי אַהֲבָה רַבָּה, וְהָכָא אִיהוּ פִּקּוּדָא, לְמִרְחַם בַּר נָשׁ לְמָארֵיהּ כִּדְקָא יָאוּת.

קצט. אֲמַר רַבִּי אֶלְעָזָר, אַבָּא, רְחִימְתָא בִּשְׁלִימוּ אֲנָא שְׁמַעְנָא בֵּיהּ. אֲמַר לֵיהּ אֵימָא בְּרִי קַמֵּי דְּרַבִּי פִּינְחָס, דְּהָא אִיהוּ בְּהַאי דַּרְגָּא קָאִים. אָמַר רַבִּי אֶלְעָזָר, אַהֲבָה רַבָּה הַיְינוּ אַהֲבָה שְׁלֵימְתָא בִּשְׁלִימוּ דִּתְרֵין סִטְרִין, וְאִי לָא אִתְכְּלִיל בִּתְרֵין סִטְרִין, לָאו אִיהוּ אַהֲבָה כִּדְקָא יָאוּת בִּשְׁלִימוּ.

ר. וְעַל דָּא תָּנִינָן, בִּתְרֵין סִטְרִין אִתְפְּרַשׁ אַהֲבָה רְחִימוּ דְּקָדוֹשׁ בָּרוּךְ הוּא: אִית מָאן דְּרָחִים לֵיהּ מִגּוֹ דְּאִית לֵיהּ עוּתְרָא, אוּרְכָא דְּיוֹמִין, בְּנִין סַחֲרָנֵיהּ, שַׁלִּיט עַל שַׂנְאוֹי, אָרְחוֹי מִתְתַּקְּנָן לֵיהּ, וּמִגּוֹ כָּךְ רָחִים לֵיהּ. וְאִי לְהַאי יְהֵא בְּהִפּוּכָא וִיהַדַּר עֲלֵיהּ קָדוֹשׁ בָּרוּךְ הוּא גַּלְגּוּלָא דְּדִינָא קַשְׁיָא, יְהֵא שַׂנְיָא לֵיהּ, וְלָא יִרְחֵם לֵיהּ כְּלָל. וּבְגִין כָּךְ רְחִימָא דָּא, לָאו אִיהוּ אַהֲבָה דְּאִית לֵיהּ עִקָּרָא.

רא. רְחִימוּ דְּאִקְרֵי שָׁלִים, הַהוּא דַּהֲוֵי בִּתְרֵין סִטְרִין, בֵּין בְּדִינָא בֵּין בְּטִיבוּ וְתִקּוּנָא דְּאָרְחוֹי. דְּרָחִים לֵיהּ לְמָארֵיהּ כְּמָה דְּתָנִינָן, אֲפִילּוּ הוּא נָטִיל נִשְׁמָתָךְ מִינָּךְ, דָּא אִיהוּ רְחִימוּ שְׁלִים, דַּהֲוֵי בִּתְרֵין סִטְרִין. וְע"ד אוֹר דְּמַעֲשֵׂה בְּרֵאשִׁית נְפַק וּלְבָתַר אִגְנִיז, כַּד אִגְנִיז, נָפַק דִּינָא קַשְׁיָא, וְאִתְכְּלִילוּ תְּרֵין סִטְרִין כַּחֲדָא, לְמֶהֱוֵי שְׁלִימוּ דָּא אַהֲבָה כִּדְקָא יָאוּת.

רב. נָטְלֵיהּ רַבִּי שִׁמְעוֹן וּנְשָׁקֵיהּ. אָתָא רַבִּי פִּינְחָס וּנְשָׁקֵיהּ וּבָרְכֵיהּ, וַאֲמַר, בְּוַדַּאי קָדוֹשׁ בָּרוּךְ הוּא שַׁדְּרַנִי הָכָא, דָּא הוּא נְהִירוּ דְּקִיק, דַּאֲמָרוּ לִי דְּאִתְכְּלִיל בְּבֵיתָאי וּלְבָתַר נְהִיר כָּל עָלְמָא. א"ר אֶלְעָזָר, וַדַּאי לָא אִצְטְרִיךְ לְאִתְנְשֵׁי יִרְאָ"ה בְּכָל פִּקּוּדִין, כ"ש בְּפִקּוּדָא דָּא, אִצְטְרִיךְ יִרְאָה לְאִתְדַּבְקָא בְּהַאי הֵיךְ אִתְדַּבְקַת אַהֲבָה, אִיהִי בְּסִטְרָא וְחַד טָב, כְּמָה דְּאִתְּמַר, דְּיָהַב עוּתְרָא וְטַב, אוּרְכָא דְּחַיֵּי, בְּנֵי, מְזוֹנֵי, כְּדֵין אִצְטְרִיךְ לְאִתְעָרָא יִרְאָה, וּלְמִדְחַל דְּלָא יִגְרוֹם חוֹבָא. וְעַל דָּא כְּתִיב אַשְׁרֵי אָדָם מְפַחֵד תָּמִיד, בְּגִין דְּהָא כְּלִיל יִרְאָ"ה בְּאַהֲבָ"ה.

רג. וְהָכֵי אִצְטְרִיךְ בְּסִטְרָא אָחֳרָא דְּדִינָא קַשְׁיָא, לְאִתְעָרָא בֵּיהּ יִרְאָה. כַּד חָמֵי דְּדִינָא קַשְׁיָא שַׁרְיָא עָלוֹי, כְּדֵין יִתְעַר יִרְאָה, וְיִדְחַל לְמָארֵיהּ כִּדְקָא יָאוּת וְלָא יַקְשֶׁה לִבֵּיהּ. וְע"ד כְּתִיב וּמַקְשֶׁה לִבּוֹ יִפּוֹל בְּרָעָה, בְּהַהוּא סִטְרָא אָחֳרָא דְּאִקְרֵי רָעָה. אִשְׁתְּכַח יִרְאָה דְּאִתְאַחֲדַת בִּתְרֵין סִטְרִין, וְאִתְכְּלִילַת מִנַּיְיהוּ, וְדָא אִיהוּ אַהֲבָה שְׁלֵימְתָא כִּדְקָא יָאוּת.

מאמר פקודא תליתאה

רד. פִּקּוּדָא תְּלִיתָאָה, לְמִנְדַּע דְּאִית אֱלָהָא רַבְרְבָא וְשַׁלִּיטָאָה בְּעָלְמָא, וּלְיַיחֲדָא לֵיהּ

בְּכָל יוֹמָא יִחוּדָא כִּדְקָא יָאוֹת, בְּאִינּוּן שִׁית סִטְרִין עִלָּאִין וּלְמֶעְבַּד לוֹן יִחוּדָא חֲדָא בְּשִׁית תֵּבִין דִּשְׁמַע יִשְׂרָאֵל, וּלְכַוְּונָא רְעוּתָא לְעֵילָּא בַּהֲדַיְיהוּ וְעַל דָּא אֶחָד אִצְטְרִיךְ לְאַרְכָּא לֵיהּ בְּשִׁית תֵּבִין.

רה. וְדָא הוּא דִּכְתִּיב יִקָּווּ הַמַּיִם מִתַּחַת הַשָּׁמַיִם אֶל מָקוֹם אֶחָד. יִתְכַּנְּשׁוּן דַּרְגִּין דִּתְחוֹת שְׁמַיָּא, לְאִתְאַחֲדָא בֵּיהּ, לְמֶהֱוֵי בִּשְׁלִימוּ לְשִׁית סִטְרִין כִּדְקָא יָאוֹת. וְעִם כָּל דָּא, בְּהַהוּא יִחוּדָא, אִצְטְרִיךְ לְקַשְּׁרָא בֵּיהּ יִרְאָה, דְּאִצְטְרִיךְ לְאַרְכָּא בְּדָלֶ"ת דְּאֶחָד, דְּדָלֶ"ת דְּאֶחָד גְּדוֹלָה, וְהַיְינוּ דִּכְתִּיב וְתֵרָאֶה הַיַּבָּשָׁה. דְּתִתְחֲזֵי וְתִתְקַשֵּׁר דָּלֶ"ת דְּאִיהוּ יַבָּשָׁה, בְּהַהוּא יִחוּדָאָה.

רו. וּלְבָתַר דְּאִתְקַשַּׁר תַּמָּן לְעֵילָּא, אִצְטְרִיךְ לְקַשְּׁרָא לָהּ לְתַתָּא בְּאֻכְלוּסָהָא בְּשִׁית סִטְרִין אָחֳרָנִין דִּלְתַתָּא, בָּרוּךְ שֵׁם כְּבוֹד מַלְכוּתוֹ לְעוֹלָם וָעֶד, דְּאִית בֵּיהּ שִׁית תֵּבִין אָחֳרָנִין דְּיִחוּדָא. כְּדֵין, מַה דַּהֲוַת יַבָּשָׁה, אִתְעֲבִידַת אֶרֶץ לְמֶעְבַּד פֵּירִין וְאִיבִּין וּלְנָטְעָא אִילָנִין.

רז. וְהַיְינוּ דִּכְתִּיב, וַיִּקְרָא אֱלֹהִים לַיַּבָּשָׁה אֶרֶץ. בְּהַהוּא יִחוּדָא דִּלְתַתָּא, אַרְעָא רַעֲוָא שְׁלִים כִּדְקָא יָאוֹת. וְעַ"ד כִּי טוֹב כִּי טוֹב תְּרֵי זִמְנֵי, חַד יִחוּדָא עִלָּאָה, וְחַד יִחוּדָא תַּתָּאָה. כֵּיוָן דְּאִתְאַחֵיד בִּתְרֵין סִטְרִין, מִכָּאן וּלְהָלְאָה תַּדְשֵׁא הָאָרֶץ דֶּשֶׁא. אִתְתַּקְּנַת לְמֶעְבַּד פֵּירִין וְאִיבִּין כִּדְקָא יָאוֹת.

מאמר פקודא רביעאה

רח. פִּקּוּדָא רְבִיעָאָה, לְמִנְדַּע דַּה' הוּא הָאֱלֹהִים כד"א וְיָדַעְתָּ הַיּוֹם וַהֲשֵׁבֹתָ אֶל לְבָבֶךָ כִּי הוי"ה הוּא הָאֱלֹהִים. וּלְאִתְכַּלְלָא שְׁמָא דֶּאֱלֹהִים בִּשְׁמָא דַּהוי"ה, לְמִנְדַּע דְּאִינּוּן חַד, וְלֵית בְּהוּ פְּרוּדָא.

רט. וְהַיְינוּ רָזָא דִּכְתִּיב, יְהִי מְאֹרֹת בִּרְקִיעַ הַשָּׁמַיִם לְהָאִיר עַל הָאָרֶץ, לְמֶהֱוֵי תְּרֵין שְׁמָהָן חַד, בְּלָא פְּרוּדָא כְּלָל, לְאִתְכַּלְלָא מְאֹרֹת חָסֵר בִּשְׁמָא דְּשָׁמַיִם, דְּאִינּוּן חַד, וְלֵית בְּהוּ פְּרוּדָא. נְהוֹרָא אוּכְמָא בִּנְהוֹרָא חִוָּורָא לֵית בְּהוּ פְּרוּדָא וְכֹלָּא חַד, וְדָא הוּא עֲנָנָא חִוָּורָא דִּימָמָא, וַעֲנָנָא דְּאֶשָּׁתָא בְּלֵילְיָא מִדַּת יוֹם וּמִדַּת לַיְלָה, וּלְאִתְתַּקָּן דָּא בְּדָא לְאַנְהָרָא, כְּמָה דְּאִתְּמַר לְהָאִיר עַל הָאָרֶץ.

רי. וְדָא חוֹבָא דְּהַהוּא נָחָשׁ קַדְמָאָה, חִבֵּר לְתַתָּא וְאִתְפְּרַשׁ לְעֵילָּא, וּבְגִין כָּךְ גָּרַם מַה דְּגָרַם לְעָלְמָא. בְּגִין דְּאִצְטְרִיךְ לְאַפְרְשָׁא לְתַתָּא וּלְחַבְּרָא לְעֵילָּא, וּנְהוֹרָא אוּכְמָא אִצְטְרִיךְ לְאִתְאַחֲדָא לְעֵילָּא בִּנְהוֹרָא חִוָּורָא, וּלְאִתְאַחֲדָא לְבָתַר בְּאֻכְלוּסָהָא בְּיִחוּדָהָא, וּלְאַפְרְשָׁא לָהּ מִסִּטְרָא בִּישָׁא.

ריא. וְעִם כָּל דָּא, אִצְטְרִיךְ לְמִנְדַּע דֶּאֱלֹהִים הוי"ה כֹּלָּא וַחַד בְּלָא פֵּרוּדָא, הוי"ה הוּא הָאֱלֹהִים. וְכַד יִנְדַּע בַּר נָשׁ דְּכֹלָּא וַחַד, וְלָא יַשְׁוֵי פֵּרוּדָא, אֲפִילּוּ הַהִיא סִטְרָא אָחֳרָא יִסְתַּלַּק מֵעַל עָלְמָא, וְלָא אִתְמְשַׁךְ לְתַתָּא.

ריב. וְהַיְינוּ רָזָא דִּכְתִיב, וְהָיוּ לִמְאוֹרוֹת. הָא קְלִיפָּה בָּתַר מוֹחָא סַלְקָא, מוֹחָא אוֹר, סִטְרָא אָחֳרָא מָוֶת. אוֹר בְּחִבּוּר דְּאַתְוָון, מָוֶת בְּפֵרוּדָא. וְכַד הַאי אוֹר אִסְתַּלַּק מִתַּמָּן, מִתְחַבְּרָא אַתְוָון דְּפֵרוּדָא מָוֶת.

ריג. מֵאִלֵּין אַתְוָון שָׁרִיאַת חַוָּה, וְגָרְמַת בִּישָׁא עַל עָלְמָא. כְּמָה דִּכְתִיב, וַתֵּרֶא הָאִשָּׁה כִּי טוֹב. אֲהַדְרַת אַתְוָון לְמַפְרֵעַ, אִשְׁתָּאַר מ"ו, וְאִינּוּן אָזְלוּ וּנְטָלוּ אוֹת תי"ו בַּהֲדַיְיהוּ, וְגָרְמַת מוֹתָא עַל עָלְמָא, כְּמָה דִּכְתִיב וַתֵּרֶא.

ריד. א"ר אֶלְעָזָר, אַבָּא הָא אוֹלִיפְנָא מ"ם אִשְׁתָּאֲרַת יְחִידָאָה, וָא"ו דְּאִיהוּ חַיִּין תָּדִיר, אִתְהַפְּכַת וַאֲזָלַת וּנְטָלַת תי"ו, דִּכְתִיב וַתִּקַּח וַתִּתֵּן, וְאִשְׁתְּלִים תֵּיבָה דָּא וְאִתְחַבְּרוּ אַתְוָון. אֲמַר לֵיהּ בְּרִיךְ אַנְתְּ בְּרִי, וְהָא אוֹקִימְנָא מִלָּה דָּא.

מאמר פקודא וזמישאה

רטו. פִּקּוּדָא חֲמִישָׁאָה, כְּתִיב יִשְׁרְצוּ הַמַּיִם שֶׁרֶץ נֶפֶשׁ חַיָּה. בְּהַאי קְרָא אִית תְּלַת פִּקּוּדִין: חַד לְמִלְעֵי בְּאוֹרַיְיתָא, וְחַד לְאִתְעַסְקָא בִּפְרִיָּה וּרְבִיָּה, וְחַד לְמִגְזַר לִתְמַנְיָא יוֹמִין וּלְאַעֲבָרָא מִתַּמָּן עָרְלָתָא. לְמִלְעֵי בְּאוֹרַיְיתָא וּלְאִשְׁתַּדְּלָא בָּהּ, וּלְאַפָּשָׁא לָהּ בְּכָל יוֹמָא, לְתַקְנָא נַפְשֵׁיהּ וְרוּחֵיהּ.

רטז. דְּכֵיוָן דְּבַר נָשׁ אִתְעַסַּק בְּאוֹרַיְיתָא, אִתְתַּקַּן בְּנִשְׁמָתָא אָחֳרָא קַדִּישָׁא, דִּכְתִיב שֶׁרֶץ נֶפֶשׁ חַיָּה, נֶפֶשׁ דְּהַהִיא חַיָּה קַדִּישָׁא, דְּכַד בַּר נָשׁ לָא אִתְעַסַּק בְּאוֹרַיְיתָא, לֵית לֵיהּ נַפְשָׁא קַדִּישָׁא, קְדוּשָׁא דִּלְעֵילָּא לָא שַׁרְיָא עֲלוֹי. וְכַד אִשְׁתַּדַּל בְּאוֹרַיְיתָא, בְּהַהוּא רְחִישׁוּ דְּרָחִישׁ בָּהּ, זָכֵי לְהַהִיא נֶפֶשׁ חַיָּה, וּלְמֶהֱדַר כְּמַלְאָכִין קַדִּישִׁין.

ריז. דִּכְתִיב בָּרְכוּ ה' מַלְאָכָיו, אִלֵּין אִינּוּן דְּמִתְעַסְּקִין בְּאוֹרַיְיתָא דְּאִקְרוּן מַלְאָכָיו בְּאַרְעָא. וְדָא הוּא דִּכְתִיב, וְעוֹף יְעוֹפֵף עַל הָאָרֶץ, הַאי בְּהַאי עָלְמָא, בְּהַהוּא עָלְמָא תָּנִינָן, דְּזַמִּין קֻדְשָׁא בְּרִיךְ הוּא לְמֶעְבַּד לוֹן גַּדְפִּין כְּנִשְׁרִין, וּלְאַשְׁטָא בְּכָל עָלְמָא, דִּכְתִיב וְקֹוֵי ה' יַחֲלִיפוּ כֹחַ יַעֲלוּ אֵבֶר כַּנְּשָׁרִים.

ריח. וְהַיְינוּ דִּכְתִיב וְעוֹף יְעוֹפֵף עַל הָאָרֶץ. דָּא אוֹרַיְיתָא דְּאִקְרֵי מַיִם, יִשְׁרְצוּן וְיַפְקוּן רְחִישָׁא דְּנֶפֶשׁ חַיָּה, מֵאֲתַר דְּהַהִיא חַיָּה יִמְשְׁכוּן לָהּ לְתַתָּא. כְּמָה דְּאִתְּמָר, וְע"ד אֲמַר דָּוִד, לֵב טָהוֹר בְּרָא לִי אֱלֹהִים לְמִלְעֵי בְּאוֹרַיְיתָא, וּכְדֵין, וְרוּחַ נָכוֹן חַדֵּשׁ בְּקִרְבִּי.

מאמר פקודא שתיתאה

רִיט. פִּקּוּדָא שְׁתִיתָאָה, לְאִתְעַסְּקָא בִּפְרִיָּה וּרְבִיָּה. דְּכָל מָאן דְּאִתְעַסַּק בִּפְרִיָּה וּרְבִיָּה, גָּרֵים לְהַהוּא נָהָר לְמֶהֱוֵי נָבִיעַ תָּדִיר, וְלָא יִפָּסְקוּן מֵימוֹי, וְיַמָּא אִתְמַלְיָא בְּכָל סִטְרִין, וְנִשְׁמָתִין חַדְתִּין מִתְחַדְּשָׁן וְנָפְקִין מֵהַהוּא אִילָנָא, וְחֵילִין סַגִּיאִין אִתְרַבִּיאוּ לְעֵילָּא בַּהֲדֵי אִינּוּן נִשְׁמָתִין. הה"ד יִשְׁרְצוּ הַמַּיִם שֶׁרֶץ נֶפֶשׁ חַיָּה, דָּא בְּרִית קַיָּימָא קַדִּישָׁא, נָהָר דְּנָגִיד וְנָפִיק, וּמַיָּא דִּילֵיהּ אִתְרַבִּיאוּ, וְרַחֲשִׁין רוֹחֲשָׁא וְרִבּוּיָא דְּנִשְׁמָתִין לְהַהִיא חַיָּה.

רכ. וּבְאִינּוּן נִשְׁמָתִין דְּעָאלִין בְּהַהִיא חַיָּה, נַפְקֵי כַּמָּה עוֹפֵי דְּפָרְחָן וְטָאסָן כָּל עָלְמָא, וְכַד נִשְׁמְתָא נָפְקָא לְהַאי עָלְמָא, הַהוּא עוֹפָא, דְּפָרַח וְנָפַק בַּהֲדֵי הַאי נִשְׁמְתָא מֵהַהוּא אִילָנָא, נָפַק עִמֵּיהּ. כַּמָּה נָפְקָן בְּכָל נִשְׁמְתָא וְנִשְׁמְתָא, תְּרֵין: חַד מִימִינָא וְחַד מִשְּׂמָאלָא. אִי זָכֵי אִינּוּן נָטְרִין לֵיהּ, דִּכְתִיב כִּי מַלְאָכָיו יְצַוֶּה לָךְ. וְאִי לָא, אִינּוּן מְקַטְרְגֵי עֲלֵיהּ. אֲמַר רַבִּי פִּנְחָס, תְּלָתָא אִינּוּן דְּקַיְימֵי אַפּוֹטְרוֹפְּסִין עֲלֵיהּ דְּבַר נָשׁ כַּד זָכֵי. דִּכְתִיב אִם יֵשׁ עָלָיו מַלְאָךְ מֵלִיץ אֶחָד מִנִּי אָלֶף לְהַגִּיד לְאָדָם יָשְׁרוֹ: אִם יֵשׁ עָלָיו מַלְאָךְ, הָא חַד. מֵלִיץ, תְּרֵי. אֶחָד מִנִּי אָלֶף לְהַגִּיד לְאָדָם יָשְׁרוֹ. הָא תְּלַת.

רכא. אֲמַר רַבִּי שִׁמְעוֹן, חָמֵשׁ, דִּכְתִיב יַתִּיר וַיְחֻנֶּנּוּ וַיֹּאמֶר, וַיְחֻנֶּנּוּ חַד, וַיֹּאמֶר תְּרֵין. אֲמַר לוֹ לָאו הָכֵי, אֶלָּא וַיְחֻנֶּנּוּ, דָּא קָדוֹשׁ בָּרוּךְ הוּא בִּלְחוֹדוֹי, דְּהָא לֵית רְשׁוּ לְאָחֳרָא אֶלָּא לֵיהּ. אֲמַר לֵיהּ שַׁפִּיר קָא אֲמַרְתְּ.

רכב. וּמָאן דְּאִתְמְנַע מִפְּרִיָּה וּרְבִיָּה, כִּבְיָכוֹל, אַזְעִיר דְּיוֹקְנָא דְּכָלֵיל כָּל דְּיוֹקְנִין, וְגָרֵים לְהַהוּא נָהָר דְּלָא נַגְדִּין מֵימוֹי, וּפָגֵים קַיָּימָא קַדִּישָׁא בְּכָל סִטְרִין. וַעֲלֵיהּ כְּתִיב וְיָצְאוּ וְרָאוּ בְּפִגְרֵי הָאֲנָשִׁים הַפּוֹשְׁעִים בִּי. בִּי וַדַּאי, דָּא לְגוּפָא. וְנִשְׁמְתֵיהּ לָא עָיֵיל לְפַרְגּוֹדָא כְּלָל, וְאִתְטְרִיד מֵהַהוּא עָלְמָא.

מאמר פקודא שביעאה

רכג. פִּקּוּדָא שְׁבִיעָאָה לְמִגְזַר לִתְמַנְיָא יוֹמִין, וּלְאַעֲבָרָא זוּהֲמָא דְּעָרְלְתָא בְּגִין דְּהַהִיא חַיָּה, אִיהִי דַּרְגָּא תְּמִינָאָה לְכָל דַּרְגִּין, וְהַהִיא נֶפֶשׁ דְּפָרְחָא מִינָהּ, אִצְטְרִיכָא לְאִתְחֲזָאָה קַמָּהּ לִתְמַנְיָא יוֹמִין, כְּמָה דְּאִיהִי דַּרְגָּא תְּמִינָאָה.

רכד. וּכְדֵין, אִתְחֲזֵי וַדַּאי דְּאִיהִי נֶפֶשׁ חַיָּה, נֶפֶשׁ דְּהַהִיא חַיָּה קַדִּישָׁא, וְלָא מִסִּטְרָא אָחֳרָא וְדָא אִיהוּ יִשְׁרְצוּ הַמַּיִם. בְּסִפְרָא דַּחֲנוֹךְ, יִתְרַשְּׁמוּן מַיָּא דְּזַרְעָא קַדִּישָׁא רְשִׁימוּ דְּנֶפֶשׁ חַיָּה. וְדָא רְשִׁימוּ דְּאָת יו"ד, דְּאִתְרְשִׁים בְּבִשְׂרָא קַדִּישָׁא, מִכָּל שְׁאָר רְשׁוּמִין דְּעָלְמָא.

רכה. וְעוֹף יְעוֹפֵף עַל הָאָרֶץ. דָּא אֵלִיָּהוּ דְּטָאס כָּל עָלְמָא בְּד' טָאסִין, לְמֶהֱוֵי תַּמָּן

בְּהַהוּא גְּזִירוּ דִקְיָימָא קַדִּישָׁא. וְאִצְטְרִיךְ לְתַקְנָא לֵיהּ כּוּרְסַיָּיא, וּלְאַדְכְּרָא בְּפוּמֵיהּ, דָּא כָּרְסְיָיא דְאֵלִיָּהוּ. וְאִי לָאו, לָא שָׁארֵי תַּמָּן.

רכו. וַיִּבְרָא אֱלֹהִים אֶת הַתַּנִּינִים הַגְּדוֹלִים. תְּרֵין, אִלֵּין עָרְלָה וּפְרִיעָה, גְּזִירוּ דְעָרְלָה, וּפְרִיעָה לְבָתַר. וְאִינּוּן דְּכַר וְנוּקְבָא. וְאֵת כָּל נֶפֶשׁ הַחַיָּה הָרוֹמֶשֶׂת, דָּא רְשִׁימוּ דְאָ"ת קַיָּימָא קַדִּישָׁא, דְאִיהִי נֶפֶשׁ חַיָּה קַדִּישָׁא, כִּדְקָאֲמָרָן. אֲשֶׁר שָׁרְצוּ הַמַּיִם, מַיִין עִלָּאִין, דְּאִתְמְשָׁכוּ לְגַבָּהּ דְּאָת רְשִׁימוּ דָּא.

רכז. וּבְגִין דָּא אִתְרְשִׁימוּ יִשְׂרָאֵל בִּרְשִׁימוּ קַדִּישָׁא וְדַכְיוּ לְתַתָּא, כְּגַוְונָא דְאִינּוּן רְשִׁימִין קַדִּישִׁין לְאִשְׁתְּמוֹדְעָא בֵּין סְטַר קַדִּישָׁא לִסְטְרָא אָחֳרָא אוּף יִשְׂרָאֵל רְשִׁימִין, לְאִשְׁתְּמוֹדְעָא, בֵּין קְדוּשָׁא, לְעַמִּין עכו"ם דְּאַתְיָין מִסִּטְרָא אָחֳרָא כְּמָה דְאִתְּמַר. וּכְמָה דִּרְשִׁים לוֹן, הָכִי רָשִׁים בְּעִירֵי וְעוֹפֵי דִלְהוֹן, לִבְעִירֵי וְעוֹפֵי דְעַמִּין עכו"ם. זַכָּאָה חוּלָקְהוֹן דְּיִשְׂרָאֵל.

מאמר פקודא תמינאה

רכח. פִּקּוּדָא תְמִינָאָה, לְמִרְחַם גִּיּוֹרָא דְעָאל לְמִגְזַר גַּרְמֵיהּ וּלְעָאלָא תְּחוֹת גַּדְפוֹי דִשְׁכִינְתָּא. וְאִיהִי אָעִילָא לוֹן תְּחוֹת גַּדְפָהָא לְאִינּוּן דְּמִתְפָּרְשָׁן מִסִּטְרָא אָחֳרָא מְסָאֲבָא, וּמִתְקָרְבִין לְגַבָּהּ. דִּכְתִיב תּוֹצֵא הָאָרֶץ נֶפֶשׁ חַיָּה לְמִינָהּ.

רכט. וְאִי תֵימָא, דְּהַאי נֶפֶשׁ חַיָּה דִּכְלִילָא בְּיִשְׂרָאֵל, לְכֹלָּא הִיא אִזְדַּמְּנַת, הֲדַר וְאָמַר לְמִינָהּ. כַּמָּה אַכְסַדְרִין וְאִדְרִין, דָּא לְגוֹ מִן דָּא, אִית לָהּ לְהַאי אֶרֶץ, דְּאִיהִי חַיָּה, תְּחוֹת גַּדְפָהָא.

רל. גַּדְפָא יְמִינָא אִית לָהּ תְּרֵין אַכְסַדְרִין, וּמֵהַאי גַּדְפָא, אִתְפָּרְשָׁן לִתְרֵין אוּמִין אָחֳרָנִין דְּאִינּוּן קְרִיבִין בְּיִחוּדָא לְיִשְׂרָאֵל, לְעָאֳלָא לוֹן לְגוֹ אַכְסַדְרִין אִלֵּין. וּתְחוֹת גַּדְפָא שְׂמָאלָא, אִית תְּרֵין אַכְסַדְרִין אָחֳרָנִין, וּמִתְפָּרְשָׁן לִתְרֵין אוּמִין אָחֳרָנִין, דְּאִינּוּן עַמּוֹן וּמוֹאָב, וְכֻלְּהוֹן אִקְרוּן נֶפֶשׁ חַיָּה.

רלא. וְכַמָּה אִדְרִין סְתִימִין אָחֳרָנִין, וְהֵיכָלִין אָחֳרָנִין, בְּכָל גַּדְפָא וְגַדְפָא. וּמִנַּיְיהוּ נָפְקוּ רוּחִין, לְאַפְרָשָׁא לְכָל אִינּוּן גִּיּוֹרִין דְּמִתְגַּיְּירִין. וְאִקְרוּן נֶפֶשׁ חַיָּה, אֲבָל לְמִינָהּ. וְכֻלְּהוּ עָאלִין תְּחוֹת גַּדְפוֹ דִשְׁכִינְתָּא, וְלָא יַתִּיר.

רלב. אֲבָל נִשְׁמְתָא דְיִשְׂרָאֵל, נָפְקָא מִגּוֹ גּוּפָא דְּהַהוּא אִילָנָא, וּמִתַּמָּן פָּרְחִין נִשְׁמָתִין לְגוֹ הַאי אֶרֶץ, גּוֹ מְעָהָא לְגוֹ לְגוֹ, וְרָזָא כִּי תִהְיוּ אַתֶּם אֶרֶץ חֵפֶץ. וְעַל דָּא, יִשְׂרָאֵל, בֵּן יַקִּיר דְּהָמוּ מְעָהָא עֲלֵיהּ, וְאִקְרוּן הָעֲמוּסִים מִנִּי בָטֶן. וְלָא מִגַּדְפִין לְבַר. וְתוּ, גִּיּוֹרִין לֵית לוֹן חוּלָקָא בְּאִילָנָא עִלָּאָה, כ"ש בְּגוּפָא דִילֵיהּ. אֲבָל חוּלָקָא דִלְהוֹן בְּגַדְפִין אִיהוּ וְלָא יַתִּיר,

וְגִיּוֹרָא תְּחוֹת גַּדְפֵּי שְׁכִינְתָּא וְלָא יַתִּיר, גֵּירֵי הַצֶּדֶק אִינוּן דְּתַמָּן שַׁרְאָן וְאִתְאַחֲדָן, וְלָא לְגוֹ, כְּמָה דְאִתְּמַר. וּבְגִין כָּךְ תּוֹצֵא הָאָרֶץ נֶפֶשׁ חַיָּה לְמִינָהּ. וּלְמַאן בְּהֵמָה וָרֶמֶשׂ וְחַיְתוֹ אֶרֶץ לְמִינָהּ, כֻּלְּהוּ שְׁאָבִין נֶפֶשׁ מֵהַהִיא חַיָּה, אֲבָל כָּל חַד לְמִינָהּ כִּדְקָא חֲזֵי לָהּ.

מאמר פְּקוּדָא תְּשִׁיעָאָה

רל״ג. פְּקוּדָא תְּשִׁיעָאָה, לְמֵיחַן לְמִסְכְּנֵי, וּלְמֵיהַב לוֹן טַרְפָּא. דִּכְתִיב, נַעֲשֶׂה אָדָם בְּצַלְמֵנוּ כִּדְמוּתֵנוּ. נַעֲשֶׂה אָדָ״ם בְּשׁוּתָּפָא, כְּלָל דְּכַר וְנוּקְבָּא. בְּצַלְמֵנוּ עֲתִירֵי, כִּדְמוּתֵנוּ מִסְכְּנֵי.

רל״ד. דְּהָא מִסִּטְרָא דְּדְכוּרָא עֲתִירֵי, וּמִסִּטְרָא דְּנוּקְבָּא מִסְכְּנֵי, כְּמָה דְּאִינּוּן בְּשׁוּתָּפָא חֲדָא, וְחָס דָּא עַל דָּא, וְיָהֵיב דָּא לְדָא, וְגָמֵיל לֵיהּ טִיבוּ, הָכֵי אִצְטְרִיךְ בַּר נָשׁ לְתַתָּא, לְמֶהֱוֵי עֲתִירָא וּמִסְכְּנֵי בְּחוּבּוּרָא חֲדָא, וּלְמֵיהַב דָּא לְדָא, וּלְגָמְלָאָה טוּבָא דָּא לְדָא.

רל״ה. וַיִּרְדּוּ בִדְגַת הַיָּם וְגו׳, רָזָא דְּנָא וְזִמְנִין בְּסִפְרָא דִּשְׁלֹמֹה מַלְכָּא, דְּכָל מַאן דְּחָס עַל מִסְכְּנֵי בִּרְעוּתָא דְּלִבָּא, לָא מִשְׁתַּנֵּי דִּיּוּקְנֵיהּ לְעָלַם מִדִּיּוּקְנָא דְּאָדָם הָרִאשׁוֹן, וְכֵיוָן דְּדִיּוּקְנָא דְּאָדָם אִתְרְשִׁים בֵּיהּ, שַׁלִּיט עַל כָּל בִּרְיָין דְּעָלְמָא בְּהַהוּא דִּיּוּקְנָא. הֲדָ״א וּמוֹרַאֲכֶם וְחִתְּכֶם יִהְיֶה עַל כָּל חַיַּת הָאָרֶץ וְגו׳, כֻּלְּהוּ זָעִין וְדָחֲלִין מֵהַהוּא דִּיּוּקְנָא דְּאִתְרְשִׁים בֵּיהּ, בְּגִין דְּדָא הוּא פְּקוּדָא מֵעֵלָּא, לְאַסְתַּלְּקָא לְבַר נָשׁ בְּדִיּוּקְנֵיהּ דְּאָדָם, עַל כָּל שְׁאָר פְּקוּדִין.

רל״ו. מְנָלָן מִנְּבוּכַדְנֶצַּר. אַף עַל גַּב דְּחֲלַם הַהוּא חֶלְמָא, כָּל זִמְנָא דְּהֲוָה מֵיחַן לְמִסְכְּנֵי, לָא שַׁרְיָא עֲלֵיהּ וְחֶלְמֵיהּ, כֵּיוָן דְּאַטִיל עֵינָא בִּישָׁא דְּלָא לְמֵיחַן לְמִסְכְּנֵי, מַה כְּתִיב עוֹד מִלְּתָא בְּפוּם מַלְכָּא וְגו׳, מִיָּד אִשְׁתַּנֵּי דִּיּוּקְנֵיהּ וְאִתְטְרִיד מִן בְּנֵי נָשָׁא, וּבְגִין כָּךְ נַעֲשֶׂה אָדָם. כְּתִיב הָכָא עֲשִׂיָּה, וּכְתִיב הָתָם שֵׁם הָאִישׁ אֲשֶׁר עָשִׂיתִי עִמּוֹ הַיּוֹם, בֹּעַז.

מאמר פְּקוּדָא עֲשִׂירָאָה

רל״ז. פְּקוּדָא עֲשִׂירָאָה, לַאֲנָחָא תְּפִילִין וּלְאִשְׁתַּלְמָא וּלְאַשְׁלְמָא גַּרְמֵיהּ, בְּדִיּוּקְנָא עִלָּאָה. דִּכְתִיב וַיִּבְרָא אֱלֹהִים אֶת הָאָדָם בְּצַלְמוֹ. פָּתַח וַאֲמַר רֹאשְׁךָ עָלֶיךָ כַּכַּרְמֶל. הַאי קְרָא אוּקִימְנָא. וְאִתְּמַר, אֲבָל רֹאשְׁךָ עָלֶיךָ כַּכַּרְמֶל, דָּא רֵישָׁא עִלָּאָה, תְּפִילִין דְּרֵישָׁא, שְׁמָא דְּמַלְכָּא עִלָּאָה קַדִּישָׁא יְהֹ״ה, בְּאַתְוָון רְשִׁימִין, כָּל אָת וְאָת פַּרְשְׁתָּא חֲדָא, שְׁמָא קַדִּישָׁא גָּלִיפָא בְּסִדּוּרָא דְּאַתְוָון כִּדְקָא יָאוֹת. וְתַנָן כִּי שֵׁם יְ״י נִקְרָא עָלֶיךָ וְיָרְאוּ מִמֶּךָּ, אִלֵּין תְּפִילִין דְּרֵישָׁא, דְּאִינּוּן שְׁמָא קַדִּישָׁא בְּסִדּוּרָא דְּאַתְווֹי.

רל״ח. פַּרְשְׁתָּא קַדְמָאָה קַדֶּשׁ לִי כָל בְּכוֹר. דָּא יְ׳, דְּאִיהִי קֹדֶשׁ, בּוּכְרָא דְּכָל קוּדְשִׁין עִלָּאִין. פְּטַר כָּל רֶחֶם בְּהַהוּא שְׁבִיל דַּקִּיק דְּנָגֵית מִן יוּ״ד. דְּאִיהוּ אַפְתַּח רֶחֱמָא לְמֶעְבַּד

פֵּירִין וְאִבִּין כִּדְקָא יָאוּת, וְאִיהוּ קֹדֶשׁ עִלָּאָה.

רלט. פָּרְשְׁתָא תִּנְיָינָא, וְהָיָה כִּי יְבִיאֲךָ. דָּא ה', הֵיכָלָא דְּאִתְפַּתַּח רַזָּמָא דִּילָהּ מִגּוֹ יו"ד, בְּחַמְשִׁין פִּתְחִין אַכְסַדְרָאִין וְאִדְרִין סְתִימִין דְּבֵיהּ, דְּהַהוּא פֶּטֶר דַּעֲבִיד יו"ד, בְּהַאי הֵיכָלָא, לְמִשְׁמַע בָּהּ קָלָא דִּי נָפְקָא מִגּוֹ שׁוֹפָר דָּא, בְּגִין דְּשׁוֹפָר דָּא הוּא סְתִים בְּכָל סִטְרִין, וַאֲתָא יו"ד וּפְתַח לֵיהּ, לְאַפָּקָא מִנֵּיהּ קָלָא וְכֵיוָן דְּאַפְתַּח לֵיהּ, תָּקַע לֵיהּ, וְאַפֵּיק מִנֵּיהּ קָלָא, לְאַפָּקָא עַבְדִּין לְחֵירוּ.

רמ. וּבִתְקִיעוּ דְּשׁוֹפָרָא דָא, נָפְקוּ יִשְׂרָאֵל מִמִּצְרַיִם. וְכָךְ זַמִּין זִימְנָא אָחֳרָא לְסוֹף יוֹמַיָּא. וְכָל פּוּרְקָנָא מֵהַאי שׁוֹפָר אַתְיָא. וּבְגִ"כ אִית בָּהּ יְצִיאַת מִצְרַיִם בְּפָרְשָׁתָא דָא, דְּהָא מֵהַאי שׁוֹפָר אָתֵי, בְּחֵילָא דְּיו"ד דִּפְתַח רַזָּמָא דִּילָהּ וְאַפֵּיק קָלֵיהּ לְפוּרְקָנָא דְּעַבְדִּין, וְדָא ה', אָת תִּנְיָינָא דִּשְׁמָא קַדִּישָׁא.

רמא. פָּרְשְׁתָא תְּלִיתָאָה, רָזָא דְּיִחוּדָא דִּשְׁמַע יִשְׂרָאֵל, דָּא וָאו דְּכָלִיל כֹּלָּא, וּבֵיהּ יִחוּדָא דְּכֹלָּא, וּבֵיהּ אִתְיַיחֲדָן, וְהוּא נָטִיל כֹּלָּא. פָּרְשְׁתָא רְבִיעָאָה, וְהָיָה אִם שָׁמוֹעַ, כְּלִילוֹ דִּתְרֵין סִטְרִין דְּאִתְאַחֲדַת בְּהוּ כְּנֶסֶת יִשְׂרָאֵל גְּבוּרָה דִּלְתַתָּא. וְדָא ה' בַּתְרָאָה דְּנַטְלָא לוֹן, וְאִתְכְּלִילַת מִנְּהוֹן.

רמב. וּתְפִלִּין אַתְוָון דִּשְׁמָא קַדִּישָׁא אִינּוּן מַמָּשׁ, וְעַל דָּא רֹאשֵׁךְ עָלַיִךְ כַּכַּרְמֶל אִלֵּין תְּפִלִּין דְּרֵישָׁא. וְדַלַּת רֹאשֵׁךְ, הַהִיא תְּפִלָּה שֶׁל יַד, דְּאִיהִי מִסְכְּנָא לְגַבֵּי עִילָּא, אוּף הָכִי שְׁלִימוּ אִית לָהּ כְּגַוְונָא דִּלְעֵילָּא.

רמג. מֶלֶךְ אָסוּר בָּרְהָטִים. קָשִׁיר אִיהוּ וְאָחִיד בְּאִינּוּן בָּתֵּי, לְאִתְאַחֲדָא בְּהַהוּא שְׁמָא קַדִּישָׁא כִּדְקָא יָאוּת. וְעַל דָּא, מָאן דְּאִתְתַּקַּן בְּהוּ, אִיהוּ הֲוֵי בְּצֶלֶם אֱלֹהִים. מַה אֱלֹהִים אִתְיַיחֲדָא בֵּיהּ שְׁמָא קַדִּישָׁא, אַף הוּא אִתְיַיחַד בֵּיהּ שְׁמָא קַדִּישָׁא כִּדְקָא יָאוּת. זָכָר וּנְקֵבָה בָּרָא אוֹתָם. תְּפִלִּין דְּרֵישָׁא וּתְפִלָּה שֶׁל יַד, וְכֹלָּא חַד.

מאמר פקודא חדסר

רמד. פִּקּוּדָא חַדְסַר, לְעַשְּׂרָא מַעַשְׂרָא דְּאַרְעָא הָכָא אִית תְּרֵין פִּקּוּדִין: חַד, לְעַשְּׂרָא מַעַשְׂרָא דְּאַרְעָא. וְחַד בִּכּוּרֵי דְּפֵירֵי אִילָנָא, דִּכְתִיב הִנֵּה נָתַתִּי לָכֶם אֶת כָּל עֵשֶׂב זוֹרֵעַ זֶרַע אֲשֶׁר עַל פְּנֵי כָל הָאָרֶץ. כְּתִיב הָכָא, הִנֵּה נָתַתִּי. וּכְתִיב הָתָם וְלִבְנֵי לֵוִי הִנֵּה נָתַתִּי אֶת כָּל מַעֲשֵׂר בְּיִשְׂרָאֵל. וּכְתִיב וְכָל מַעְשַׂר הָאָרֶץ מִזֶּרַע הָאָרֶץ מִפְּרִי הָעֵץ לַה' הוּא.

מאמר פקודא תריסר

רמה. פִּקּוּדָא תְּרֵיסַר, לְאַיְיתָאָה בִּכּוּרֵי דְּאִילָנָא, דִּכְתִיב וְאֶת כָּל הָעֵץ אֲשֶׁר בּוֹ פְרִי עֵץ זוֹרֵעַ זָרַע. כָּל מָאן דְּאִתְחֲזֵי לִי, לְכוֹן אֲסִירָא לְמֵיכַל. אַתִּיר לוֹן, וִיהַב לוֹן כָּל מַעַשְׂרָא

דִּילֵיהּ וּבִכּוּרִין דְּאִילָנִין. נָתַתִּי לָכֶם, לָכֶם וְלֹא לְדָרִין דְּבַתְרֵיכוֹן.

מאמר פקודא תליסר

רמו. פִּקּוּדָא תְּלֵיסַר. לְמֶעְבַּד פּוּרְקָנָא לִבְרֵיהּ לְקַשְׁרָא לֵיהּ בַּחַיִּין. דִּתְרֵין מְמַנָּן נִינְהוּ חַד דְּחַיִּין וְחַד דְּמוֹתָא, וְקַיְּימִין עֲלֵיהּ דְּב"נ. וְכַד יִפְרוֹק ב"נ לִבְרֵיהּ, מִידָא דְּהַהוּא מוֹתָא פָּרִיק לֵיהּ, וְלָא יָכִיל לְשַׁלְטָאָה עֲלֵיהּ. וְרָזָא דָּא וַיַּרְא אֱלֹהִים אֶת כָּל אֲשֶׁר עָשָׂה, בִּכְלָל. וְהִנֵּה טוֹב, דָּא מַלְאַךְ חַיִּים. מְאֹד, דָּא מַלְאַךְ הַמָּוֶת. וְעַל דָּא, בְּהַהוּא פּוּרְקָנָא אִתְקַיֵּים דָּא דְּחַיִּים, וְאִתְחַלַּשׁ הַהוּא דְּמָוֶת. בְּפוּרְקָנָא דָּא, קָנֵי לֵיהּ חַיִּים, כְּמָה דְּאִתְּמַר, וְהַהוּא סִטְרָא בִּישָׁא שָׁבַק לֵיהּ, וְלָא אָחִיד בֵּיהּ.

מאמר פקודא ארביסר

רמז. פִּקּוּדָא אַרְבֵּיסַר, לְנַטְרָא יוֹמָא דְּשַׁבַּתָּא, דְּאִיהוּ יוֹמָא דְּנַיְיחָא מִכָּל עוֹבָדֵי בְּרֵאשִׁית. הָכָא כְּלִילָן תְּרֵין פִּקּוּדִין, וְחַד נְטוּרָא דְּיוֹם הַשַּׁבָּת. וְחַד לְקַשְׁרָא הַהוּא יוֹמָא בִּקְדוּשֵׁיהּ. לְנַטְרָא יוֹמָא דְּשַׁבַּתָּא, כְּמָא דְּאַדְכַּרְנָא וְאִתְעַרְנָא עֲלַיְיהוּ, דְּאִיהוּ יוֹמָא דְּנַיְיחָא לְעָלְמִין, וְכָל עֲבִידָן בֵּיהּ אִשְׁתַּכְלְלוּ וְאִתְעֲבִידוּ, עַד דְּאִתְקַדַּשׁ יוֹמָא.

רמח. כֵּיוָן דְּאִתְקַדַּשׁ יוֹמָא, אִשְׁתָּאַר בְּרִיאָה דְּרוּחִין. דְּלָא אִתְבְּרֵי לוֹן גּוּפָא. וְכִי לָא הֲוָה יָדַע קָדוֹשׁ בָּרוּךְ הוּא לְאַעְכָּבָא לְקַדְּשָׁא יוֹמָא, עַד דְּיִתְבְּרוּן גּוּפִין לְהָנֵי רוּחִין. אֶלָּא אִילָנָא דְּדַעַת טוֹב וָרָע, אִתְעַר הַהוּא סִטְרָא אָחֳרָא דְּרַע. וּבָעָא לְאִתְתַּקְּפָא בְּעָלְמָא, וְאִתְפָּרְשׁוּ כַּמָּה רוּחִין בְּכַמָּה זַיְינִין, לְאִתְתַּקְּפָא בְּעָלְמָא בְּגוּפִין.

רמט. כֵּיוָן דַּחֲמָא קָדוֹשׁ בָּרוּךְ הוּא כָּךְ, אִתְעַר מִגּוֹ אִילָנָא דְּחַיֵּי נְשִׁיבוּ דְּרוּחָא, וּבָטַשׁ בְּאִילָנָא אָחֳרָא, וְאִתְעַר סִטְרָא אָחֳרָא דְּטוֹב, וְאִתְקַדַּשׁ יוֹמָא. דְּהָא בְּרִיאוּ דְּגוּפִין וְאִתְּעָרוּ דְּרוּחִין, בְּסִטְרָא דְּטוֹב אִיהוּ בְּהַאי לֵילְיָא, וְלָא בְּסִטְרָא אָחֳרָא.

רנ. וְאִלְמָלֵא אַקְדִּים סִטְרָא אָחֳרָא בְּהַאי לֵילְיָא, עַד דְּלָא יַקְדִּים סִטְרָא דְּטוֹב, לָא יָכִיל עָלְמָא לְמֵיקַם קַמַּיְיהוּ אֲפִילוּ רִגְעָא חֲדָא. אֲבָל אַסְוָותָא אַקְדִּים קָדוֹשׁ בָּרוּךְ הוּא, דְּדָלֵיג קַמֵּיהּ קְדוּשָּׁא דְּיוֹמָא, וְאַקְדִּים קַמֵּי סִטְרָא אָחֳרָא, וְאִתְקַיַּים עָלְמָא. וּמַה דַּחֲשִׁיב סִטְרָא אָחֳרָא לְאִתְבְּנֵי בְּעָלְמָא לְאִתְתַּקְּפָא, אִתְבְּנֵי בְּהַאי לֵילְיָא סִטְרָא דְּטוֹב וְאִתְתַּקַּף, וְאִתְבְּנוּן גּוּפִין וְרוּחִין קַדִּישִׁין בְּהַאי לֵילְיָא מִסִּטְרָא דְּטוֹב. וּבְגִין כַּךְ, עוֹנָתָן דְּחַכִּימִין דְּיָדְעֵי דָּא, מִשַּׁבָּת לְשַׁבָּת.

רנא. דְּהָא כְּדֵין חָמַאת דָּא סִטְרָא אָחֳרָא, דְּכַמָּה דְּאִיהִי חֲשִׁיבַת לְמֶעְבַּד עֲבִידֵי סִטְרָא דִּקְדוּשָׁה, אָזְלָא וּמְשַׁטְּטָא בְּכַמָּה חַיָּילִין וְסִטְרִין דִּילָהּ, וְחָמַאת כָּל אִינוּן דְּקָא מְשַׁמְּשֵׁי עַרְסַיְיהוּ בְּגִלּוּיָא דְּגוּפֵיהוֹן לִנְהוֹרָא דְּבוּצִינָא, וְכָל אִינוּן בְּנִין דְּנָפְקִין מִתַּמָּן הֲווּ נִכְפִּין. דְּשָׁרוּ

עֲלַייהוּ רוּחִין מֵהַהוּא סִטְרָא אָחֳרָא. וְאִינּוּן רוּחִין עַרְטִילָאִין דְּרַזְיַיבְיָא דְּאִקְרוּן מַזִּיקִין, וְשָׁרִיאַת בְּהוּ לִילִית וְקַטִילַת לוֹן.

רנב. כֵּיוָן דְּאִתְקַדַּשׁ יוֹמָא וְשָׁלְטָא קְדוּשָּׁה עַל עָלְמָא, הַהוּא סִטְרָא אָחֳרָא אַזְעֵירַת גַּרְמָהּ וְאִטַּמְּרַת כָּל לֵילְיָא דְּשַׁבַּתָּא וְיוֹמָא דְּשַׁבַּתָּא. בַּר מִן אֲסִימוֹן וְכָל כַּת דִּילֵיהּ, דְּאַזְלֵי עַל שְׁרַגֵּי בִּטְמִירוּ, לְמֶחֱמֵי עַל גִּלּוּיֵי דְּשִׁמּוּשָׁא, וּלְבָתַר אִטַּמְּרוּן גּוֹ נוּקְבָא דִּתְהוֹמָא רַבָּא כֵּיוָן דְּנָפַק שַׁבַּתָּא, כַּמָּה חַיָּילִין וּמַשִׁרְיָין פַּרְחִין וּמְשַׁטְּטִין בְּעָלְמָא, וְעַל דָּא אִתְקַן שִׁיר שֶׁל פְּגָעִים, דְּלָא יִשְׁלְטוּן עַל עַמָּא קַדִּישָׁא.

רנג. לְאָן אֲתַר מְשַׁטְּטֵי בְּהַהוּא לֵילְיָא, כַּד נַפְקֵי בִּבְהִילוּ, וְחָשְׁבִין לְשַׁלְטָאָה בְּעָלְמָא עַל עַמָּא קַדִּישָׁא. וְחָמָאן לוֹן בִּצְלוֹתָא, וְאָמְרִין שִׁירָתָא דָּא, וּבְשֵׁירוּתָא מַבְדְּלֵי בִּצְלוֹתָא, וּמַבְדְּלֵי עַל הַכּוֹס, פַּרְחֵי מִתַּמָּן, וְאָזְלֵי וּמְשַׁטְּטֵי וּמָטָאן לְגוֹ מַדְבְּרָא. רַחֲמָנָא לְשֵׁיזְבָן מִנַּייְהוּ וּמִסִּטְרָא בִּישָׁא.

רנד. תְּלָתָא אִינּוּן גַּרְמִין בִּישָׁא לְגַרְמַייְהוּ. חַד, מַאן דְּלַיֵּיט גַּרְמֵיהּ. תִּנְיָינָא, מַאן דְּזָרַק נַהֲמָא אוֹ פֵּרוּרִין דְּאִית בְּהוּ כַּזַּיִת. תְּלִיתָאָה, מַאן דְּאוֹקִיד שְׁרַגָּא בְּמַפְקָא דְּשַׁבַּתָּא, עַד לָא מָטוּ יִשְׂרָאֵל לִקְדוּשָּׁא דְּסִדְרָא, דְּגָרִים לְנוּרָא דְּגֵיהִנֹּם לְאַדְלָקָא בְּהַאי נוּרָא, עַד לָא מָטָא זִמְנַייְהוּ.

רנה. דְּחַד דּוּכְתָּא אִית בַּגֵּיהִנֹּם לְאִינּוּן דְּקָא מְחַלְּלֵי שַׁבָּתוֹת, וְאִינּוּן דַּעֲנוּשִׁין בַּגֵּיהִנֹּם, לַיְיטִין לֵיהּ לְהַהוּא דְּאוֹקִיד שְׁרַגָּא, עַד לָא מָטָא זִמְנֵיהּ, וְאַמְרֵי לֵיהּ הִנֵּה ה' מְטַלְטֶלְךָ טַלְטֵלָה גָּבֶר וְגוֹ' צָנוֹף יִצְנָפְךָ צְנֵפָה כַּדּוּר אֶל אֶרֶץ רַחֲבַת יָדָיִם.

רנו. בְּגִין דְּלָאו יָאוּת הוּא לְאַדְלָקָא נוּרָא כַּד נָפֵיק שַׁבַּתָּא, עַד דְּמַבְדְּלֵי יִשְׂרָאֵל בִּצְלוֹתָא וּמַבְדְּלֵי עַל כַּסָּא, בְּגִין דְּעַד הַהוּא זִמְנָא שַׁבָּת הוּא, וּקְדוּשָּׁה דְּשַׁבָּת שַׁלְּיט עֲלָנָא וּבְשַׁעֲתָא דְּמַבְדִּילִין עַל כַּסָּא, כָּל אִינּוּן חַיָּילִין, וְכָל אִינּוּן מַשִּׁרְיָין דְּאִתְמְנָן עַל יוֹמֵי דְּחוֹל, כָּל חַד וְחַד יָתִיב לְאַתְרֵיהּ וּפוּלְחָנֵיהּ דְּאִתְמְנֵי עֲלֵיהּ.

רנז. בְּגִין דְּכַד עָאל שַׁבַּתָּא וְאִתְקַדַּשׁ יוֹמָא, קֹדֶשׁ אִתְּעַר וְשַׁלִּיט בְּעָלְמָא, וְחוֹל אִתְעֲדֵי מִשּׁוּלְטָנוּתָא דִּילֵיהּ, עַד שַׁעֲתָא דְּנָפֵיק שַׁבַּתָּא לָא תַּיְיבִין לְאַתְרַייְהוּ. וְאַף עַל גָּב דְּנָפֵיק שַׁבַּתָּא, לָא תַּיְיבִין לְאַתְרַייְהוּ עַד זִמְנָא דְּאָמְרֵי יִשְׂרָאֵל בא"י הַמַּבְדִּיל בֵּין קֹדֶשׁ לְחוֹל, כְּדֵין קֹדֶשׁ אִסְתַּלַּק, וּמַשִּׁרְיָין דְּאִתְמַנְיָאוּ עַל יוֹמֵי דְּחוֹל מִתְעָרִין וְתַיְיבִין לְאַתְרַייְהוּ כָּל חַד וְחַד עַל מַטְרֵיהּ דְּאִתְפְּקַד עֲלֵיהּ.

רנח. וְעִם כָּל דָּא, לָא שָׁלְטִין עַד דִּיהוֹן נְהוֹרִין מִנְּהוֹרָא דִּשְׁרַגָּא, וְכֻלְּהוֹן אִקְרוּן מְאוֹרֵי הָאֵשׁ, בְּגִין דְּמִנְּהוֹרָא דְּעַמּוּדָא דְּנוּרָא וּמִיסוֹדָא דְּנוּרָא אַתְיָאן כֻּלְּהוּ וְשָׁלְטִין עַל עָלְמָא תַּתָּאָה, וְכָל דָּא כַּד ב"נ אַדְלִיק שְׁרַגָּא עַד לָא שְׁלִימוּ יִשְׂרָאֵל קְדוּשָּׁא דְּסִדְרָא.

רנט. אֲבָל אִי אִיהוּ מַמְתִּין עַד דִּישְׁלִימוּ קְדוּשָּׁא דְסִדְרָא, אִינּוּן וַזַּיְבִין דְּגֵיהִנֹּם מַצְדִּיקִין עֲלַיְיהוּ דִּינָא דְקָדוֹשׁ בָּרוּךְ הוּא, וְאִינּוּן מְקַיְּימֵי עַל הַהוּא ב"נ כָּל בִּרְכָאן דְּקָא אָמְרֵי צִבּוּרָא, וְיִתֶּן לְךָ הָאֱלֹהִים מִטַּל הַשָּׁמַיִם בָּרוּךְ אַתָּה בָּעִיר וּבָרוּךְ אַתָּה בַּשָּׂדֶה וגו'.

רס. אַשְׁרֵי מַשְׂכִּיל אֶל דָּל בְּיוֹם רָעָה יְמַלְּטֵהוּ יי'. בְּיוֹם רָע מִבָּעֵי לֵיהּ, מַאי בְּיוֹם רָעָה. יוֹמָא דְשָׁלְטָא הַהִיא רָעָה לְמֵיסַב נִשְׁמְתֵיהּ, אַשְׁרֵי מַשְׂכִּיל אֶל דָּל, דָּא הוּא שְׁכִיב מְרַע, לְאַסָּאָה לֵיהּ מֵחוֹבוֹי גַּבֵּי קֻדְשָׁא בְּרִיךְ הוּא. ד"א, דָּא יוֹמָא דְדִינָא שַׁרְיָא עַל עָלְמָא, אִשְׁתְּזִיב מִנֵּיהּ, כְּמָא דְאִתְמַר, בְּיוֹם רָעָה יְמַלְּטֵהוּ ה' יוֹמָא דְאִתְמְסַר דִּינָא לְהַהוּא רָעָה לְשַׁלְטָאָה עַל עָלְמָא.

BERESHEET A

בראשית א'

א. בְּרֵישׁ הוּרְמְנוּתָא דְּמַלְכָּא, גָּלִיף גְּלוּפֵי בִּטְהִירוּ עִלָּאָה בּוּצִינָא דְּקַרְדִּינוּתָא, וְנָפִיק גּוֹ סְתִים דִּסְתִימוּ מֵרָזָ"א דְּאֵי"ן סוֹ"ף, קוּטְרָא בְּגוּלְמָא נָעִי"ץ בְּעִזְקָא לָא חִוָּור וְלָא אוּכָם וְלָא סוּמָק וְלָא יָרוֹק, וְלָא גָּוֶון כְּלָל. כַּד מָדִיד מְשִׁיחָא, עָבֵיד גְּוָונִין לְאַנְהָרָא לְגוֹ. בְּגוֹ בּוּצִינָא, נָפִיק חַד נְבִיעוּ, דְּמִנֵּיהּ אִצְטַבְּעוּ גְּוָונִין לְתַתָּא.

ב. סְתִים גּוֹ סְתִימִין מֵרָזָא דְּאֵי"ן סוֹ"ף, בָּקַע וְלָא בָּקַע, אֲוִירָא דִּילֵיהּ לָא אִתְיְידַע כְּלָל. עַד דְּמִגּוֹ דְּחִיקוּ דִּבְקִיעוּתֵיהּ, נָהִיר נְקוּדָה חֲדָא סְתִימָא עִלָּאָה, בָּתַר הַהִיא נְקוּדָה לָא אִתְיְידַע כְּלָל, וּבְגִין כָּךְ אִקְרֵי רֵאשִׁית, מַאֲמַר קַדְמָאָה דְּכֹלָּא.

ג. וְהַמַּשְׂכִּלִים יַזְהִירוּ כְּזֹהַר הָרָקִיעַ וּמַצְדִּיקֵי הָרַבִּים כַּכּוֹכָבִים לְעוֹלָם וָעֶד. זֹהַר סְתִימָא דִּסְתִימִין, בָּטַשׁ אֲוִירָא דִּילֵיהּ וְאַנְהִיר בְּהַאי נְקוּדָה, וּכְדֵין אִתְפָּשַׁט הַאי רֵאשִׁית, וְעָבֵיד לֵיהּ הֵיכָלָא לִיקָרֵיהּ, וּלְתוּשְׁבַּחְתֵּיהּ. תַּמָּן, זָרַע זַרְעָא דְּקוּדְשָׁא לְאוֹלָדָא, לְתוֹעַלְתָּא דְּעָלְמָא, וְרָזָא דָּא, זֶרַע קֹדֶשׁ מַצַּבְתָּהּ.

ד. זֹהַר, דְּזָרַע זַרְעָא לִיקָרֵיהּ, כְּהַאי זַרְעָא דְּמֶשִׁי דְּאַרְגְּוָון טָב, דְּאִתְחֲפֵי לְגוֹ, וְעָבֵיד לֵיהּ הֵיכָלָא דְּאִיהוּ תּוּשְׁבַּחְתָּא דִּילֵיהּ וְתוֹעַלְתָּא דְּכֹלָּא. בְּהַאי רֵאשִׁית, בָּרָא הַהוּא סְתִימָא דְּלָא אִתְיְידַע לְהֵיכָלָא דָּא. הֵיכָלָא דָּא אִקְרֵי אֱלֹהִים.

ה. וְרָזָא דָּא, בְּרֵאשִׁית בָּרָא אֱלֹהִים. זֹהַר, דְּמִנֵּיהּ כֻּלְּהוּ מַאֲמָרוֹת אִתְבְּרִיאוּ בְּרָזָא דְּאִתְפַּשְּׁטוּתָא דִּנְקוּדָה דְּזֹהַר סְתִים דָּא. אִי בְּהַאי כְּתִיב בָּרָא, לֵית תְּוְוהָא, דִּכְתִיב וַיִּבְרָא אֱלֹהִים אֶת הָאָדָם בְּצַלְמוֹ.

ו. זֹהַר, רָזָא דָּא בְּרֵאשִׁית, קַדְמָאָה דְּכֹלָּא שְׁמֵיהּ, אֶהְיֶה, שְׁמָא קַדִּישָׁא גְּלִיפָא בִּסְטְרוֹי, אֱלֹהִים גְּלִיפָא בְּעִיטְרָא. אֲשֶׁ"ר, הֵיכָלָא טָמִיר וְגָנִיז, שֵׁירוּתָא דְּרָזָא דְּרֵאשִׁית, אֲשֶׁר, רֹאשׁ דְּנָפִיק מֵרֵאשִׁית.

ז. וְכַד אִתְתַּקַּן לְבָתַר נְקוּדָה וְהֵיכָלָא כַּחֲדָא, כְּדֵין, בְּרֵאשִׁית כָּלֵיל רֵאשִׁיתָא עִלָּאָה בְּחָכְמְתָא. לְבָתַר אִתְחַלַּף גְּוָון הַהוּא הֵיכָלָא וְאִקְרֵי בַּיִת נְקוּדָה עִלָּאָה אִקְרֵי רֹא"שׁ. כָּלֵיל דָּא בְּדָא בְּרָזָא בְּרֵאשִׁית, כַּד אִיהוּ כֹּלָּא כַּחֲדָא בִּכְלָלָא חֲדָא, עַד לָא הֲוֵי יִשּׁוּבָא בְּבֵיתָא, כֵּיוָן דְּאִזְדְּרַע לְתִקּוּנָא דְּיִשּׁוּבָא, כְּדֵין אִקְרֵי אֱלֹהִים טְמִירָא סְתִימָא.

ח. זֹהַר סָתִים וְגָנִיז, עַד דְּבִנְיָן בְּגַוֵּיהּ לְאוֹלָדָא, וּבֵיתָא קַיְּימָא בְּפְשִׁיטוּ דְּתִקּוּנָא דְּאִינוּן זֶרַע קֹדֶשׁ. וְעַד לָא אִתְעַדִּיאַת, וְלָא אִתְפַּשַּׁט פְּשִׁיטוּ דְּיִשּׁוּבָא לָא אִקְרֵי אֱלֹהִים, אֶלָּא כֹּלָּא בִּכְלָלָא בְּרֵאשִׁית, לְבָתַר דְּאִתְתַּקַּן בִּשְׁמָא דֵּאלֹהִים, אַפֵּיק אִינוּן תּוֹלָדִין מֵהַהוּא זַרְעָא דְּאִזְדְּרַע בֵּיהּ. מַאן הַהוּא זַרְעָא, אִינוּן אַתְוָון גְּלִיפָן, רָזָא דְּאוֹרַיְיתָא, דִּנְפָקוּ מֵהַהִיא נְקוּדָה.

ט. הַהִיא נְקוּדָה זָרַע בְּגוֹ הַהוּא הֵיכָלָא רָזָא דִּתְלַת נְקוּדִין: חוֹלָ"ם שׁוּרֻ"ק, חִירִ"ק, וְאִתְכְּלִילוּ דָּא בְּדָא, וְאִתְעֲבִידוּ רָזָא חֲדָא קוֹל דְּנָפֵיק בְּחִבּוּרָא חֲדָא. בְּשַׁעֲתָא דְּנָפַק, נַפְקַת בַּת זוּגֵיהּ בַּהֲדֵיהּ, דְּכָלֵיל כָּל אַתְוָון, דִּכְתִיב אֶת הַשָּׁמַיִ"ם, קוֹל וּבַת זוּגוֹ. הַאי קוֹל דְּאִיהוּ שָׁמַיִם. אִיהוּ אֶהְיֶ"ה בַּתְרָאָה. זֹהַר דְּכָלֵיל כָּל אַתְוָון וּגְוָונִין כְּגַוְונָא דָּא.

י. עַד הָכָא תְּלָתָא דַּרְגִּין, לְקַבֵּל רָזָא דָּא עִלָּאָה, בְּרֵאשִׁית בָּרָא אֱלֹהִים. בְּרֵאשִׁית, רָזָא קַדְמָאָה. בָּרָ"א, רָזָא סְתִימָא לְאִתְפַּשְּׁטָא מִתַּמָּן כֹּלָּא. אֱלֹהִי"ם, רָזָא לְקַיְּימָא כֹּלָּא לְתַתָּא. אֶת הַשָּׁמַיִם, דְּלָא לְאַפְרְשָׁא לוֹן, דְּכַר וְנוּקְבָה כַּחֲדָא.

יא. א"ת, כַּד נָטִיל אַתְוָן כֻּלְּהוֹן, כְּלָלָא דְּכֻלְּהוּ אַתְוָון אִינּוּן רֵישָׁא וְסֵיפָא. לְבָתַר אִתּוֹסַף הֵ"א, לְאִתְחַבְּרָא כֻּלְּהוּ אַתְוָון בְּהֵ"א, וְאִתְקְרֵי אַתָּ"ה. וְעַל דָּא וְאַתָּ"ה מְחַיֶּה אֶת כֻּלָּם. אֶ"ת, רָזָא אדנ"י, וְהָכֵי אִקְרֵי. הַשָּׁמַיִם דָּא יהו"ה, רָזָא עִלָּאָה.

יב. וְאֶ"ת, תִּקּוּנָא דְּכַר וְנוּקְבָא. וְאֶ"ת, רָזָא והוי"ה, וְכֹלָּא חַד. הָאָרֶץ, דָּא אֱלֹהִים, כְּגַוְונָא עִלָּאָה לְמֶעְבַּד פֵּירִין וְאִיבִּין. שְׁמָא דָּא כְּלִילָא בִּתְלַת דּוּכְתֵּי, וּמִתַּמָּן אִתְפָּרַשׁ שְׁמָא דָּא לְכַמָּה סִטְרִין. עַד הָכָא רָזָא דְּסִתְרָא דְּסִתְרִין, דְּגָלִיף וּבָנֵי, וְקַיָּים בְּאֹרַח סָתִים בְּסִתְרָא דְּחַד קְרָא.

יג. מִכָּאן וּלְהָלְאָה בְּרֵאשִׁית בָּרָא שִׁי"ת, מִקְּצֵה הַשָּׁמַיִם וְעַד קְצֵה הַשָּׁמַיִם שִׁית סִטְרִין דְּמִתְפַּשְּׁטָן מֵרָזָא עִלָּאָה בְּאִתְפַּשְׁטוּתָא דְּבָרָא, מִגּוֹ נְקוּדָה קַדְמָאָה בָּרָא אִתְפַּשְּׁטוּתָא דְּחַד נְקוּדָה דִּלְעֵילָּא וְהָכָא אִגְלִיף רָזָא שְׁמָא דְּאַרְבְּעִין וּתְרֵין אַתְוָון.

יד. כְּגַוְונָא דְּטַעֲמֵי דִּמְנַגְּנֵי, וּבְנִגּוּנָא דִּילְהוֹן אָזְלִין אֲבַתְרַיְיהוּ אַתְוָון וּנְקוּדֵי, וּמִתְנַעְנְעָן אֲבַתְרַיְיהוּ כְּחַיָּילִין בָּתַר מַלְכֵּיהוֹן. גּוּפָא אַתְוָון וְרוּחָא נְקוּדֵי, כֻּלְּהוּ נָטְלוּ בְּמַטְלָנַיְיהוֹן בָּתַר טַעֲמֵי וְקַיְימֵי בְּקִיּוּמַיְיהוּ. כַּד נִגּוּנָא דְּטַעֲמֵי נָטִיל, נָטְלֵי אַתְוָון וּנְקוּדֵי אֲבַתְרַיְיהוּ כַּד אִיהוּ פָּסִיק, אִינּוּן לָא נָטְלִין וְקַיְימֵי בְּקִיּוּמַיְיהוּ.

טו. וְהַמַּשְׂכִּילִים יַזְהִירוּ, אַתְוָון וּנְקוּדֵי. כְּזֹהַר, נִגּוּנָא דְּטַעֲמֵי, הָרָקִיעַ, אִתְפַּשְּׁטוּתָא דְּנִגּוּנָא, כְּגוֹן אִינּוּן דְּמִתְפַּשְּׁטֵי בִּפְשִׁיטוּ, וְאָזְלוּ בְּנִגּוּנָא. וּמַצְדִּיקֵי הָרַבִּים, אִינּוּן פְּסוּקֵי דְּטַעֲמֵי, דְּפָסְקֵי בְּמַטְלָנַיְיהוֹן, דִּבְגִ"כ אִשְׁתְּמַע מִלָּה. יַזְהִירוּ, אַתְוָון וּנְקוּדֵי, וְנַהֲרִין כַּחֲדָא בְּמַטְלָנִין בְּרָזָא דִּסְתִימוּ, בְּמַטְלָנוּתָא בְּאִינּוּן שְׁבִילִין סְתִימִין. מֵהַאי אִתְפַּשַּׁט כֹּלָּא. וְהַמַּשְׂכִּילִים יַזְהִירוּ כְּזֹהַר הָרָקִיעַ, וְאִינּוּן קַיְּימִין וְסַמְכִין דְּהַהוּא אַפִּרְיוֹן. הַמַּשְׂכִּילִים, אִינּוּן קַיְּימִין וְסָמְכִין עִלָּאִין, דְּאִינּוּן מִסְתַּכְּלֵי בְּסָכְלְתָנוּ, בְּכָל מַה דְּאִצְטְרִיךְ הַהוּא אַפִּרְיוֹן וְסָמְכִין דִּילֵיהּ. סִתְרָא דָּא, כד"א אַשְׁרֵי מַשְׂכִּיל אֶל דָּל. יַזְהִירוּ, דְּאִי לָא יַזְהִירוּ וְלָא נַהֲרִין, לָא יָכְלִין לְעַיְּינָא וּלְאִסְתַּכְּלָא בְּהַהוּא אַפִּרְיוֹן בְּכָל מַה דְּאִצְטְרִיךְ.

טז. כְּזֹהַר הָרָקִיעַ, הַהוּא דְּקַיְּימָא עַל גַּבֵּי אִינּוּן מַשְׂכִּילִים, דִּכְתִּיב בֵּיהּ וּדְמוּת עַל רָאשֵׁי הַחַיָּה רָקִיעַ כְּעֵין הַקֶּרַח הַנּוֹרָא. זֹהַר דְּהַהוּא, נָהִיר לְאוֹרַיְיתָא. זֹהַר, דְּנָהִיר לְאִינּוּן רָאשֵׁי דְּהַהִיא חַיָּה, וְאִינּוּן רָאשֵׁי אִינּוּן מַשְׂכִּילִים דְּנַהֲרִין תָּדִיר, וּמִסְתַּכְּלָן לְהַהוּא רָקִיעַ לְהַהוּא נְהִירוּ דְּנָפִיק מִתַּמָּן. וְדָא אִיהוּ נְהִירוּ דְּאוֹרַיְיתָא דְּנָהִיר תָּדִיר וְלָא פָּסִיק.

יז. וְהָאָרֶץ הָיְתָה תֹהוּ וָבֹהוּ וגו', הָיְתָה דַּיְיקָא. מִקַּדְמַת דְּנָא תַּלְגָּא גּוֹ מַיָּא, נָפְקָא מִנֵּהּ זוּהֲמָא בְּהַהוּא חֵילָא דְּתַלְגָּא בְּמַיָּא, וְאַקִּישׁ בָּהּ אֶשָּׁא תַּקִּיפָא, וַהֲוָה בָּהּ פְּסוֹלֶת, וְאִתְעַדִּיאַת וְאִתְעֲבִידַת תה"ו. וּמֵאֲתַר דְּזוּהֲמָא, קִינָּא דִּפְסוֹלֶת. וָבֹה"וּ, בְּרִירוּ דְּאִתְבְּרִיר מִגּוֹ פְּסוֹלֶת, וְאִתְיַישַּׁב בָּהּ. וְחֹשֶׁךְ, רָזָא דְּאֶשָּׁא תַּקִּיפָא. וְהַהוּא חֹשֶׁ"ךְ חָפֵי ע"ג הַהוּא תה"ו עַל גַּבֵּי הַהוּא פְּסוֹלֶת, וְאִתְתַּקָּנַת מִינֵּיהּ.

יח. וְרוּחַ אֱלֹהִים, רוּחַ קוּדְשָׁא דְּנָפִיק מֵאֱלֹהִים חַיִּים, וְדָא מְרַחֶפֶת עַל פְּנֵי הַמָּיִם. בָּתַר דְּהַאי רוּחַ נָשִׁיב, אִבְרִיר דְּקִיקוּ חַד מִגּוֹ הַהוּא פְּסוֹלֶת, כְּטִיסָא דְּזוּהֲמָא. כַּד אִבְרִיר וְאִצְנִיף וְאִצְרִיף זִמְנָא וּתְרֵין, עַד דְּאִשְׁתְּאַר הַהוּא זוּהֲמָא, דְּלֵית בֵּיהּ זוּהֲמָא כְּלָל.

יט. כַּד הַאי תֹהוּ אִבְרִיר וְאִצְרִיף, נָפַק מִינֵּיהּ רוּחַ גְּדוֹלָה וְחָזָק מְפָרֵק הָרִים וּמְשַׁבֵּר סְלָעִים, הַהוּא דְּחָמָא אֵלִיָּהוּ. אִבְרִיר בֹּהוּ, וְאִצְרִיף, וְנָפַק מִינֵּיהּ רַעַשׁ, דִּכְתִּיב וְאַחַר

הָרוּחַ רַעַשׁ. וְאַבְרִיר וְחֹשֶׁךְ, וְאַכְלִיל בְּרָזָא דִילֵיהּ אֵשׁ, דִכְתִיב וְאַחַר הָרַעַשׁ אֵשׁ. אַבְרִיר רוּחַ, וְאִתְכְּלִיל בְּרָזָא דִילֵיהּ קוֹל דְמָמָה דַקָּה.

כ. תהו״ו אֲתַר דְלֵית בֵּיהּ גָוֶון וְלָא דִיוּקְנָא, וְלָא אִתְכְּלִיל בְּרָזָא דְדִיוּקְנָא, הַשְׁתָּא אִיהוּ בְּדִיוּקְנָא, כַּד מִסְתַּכְּלָן בֵּיהּ לֵית לֵיהּ דִיוּקְנָא כְּלָל. לְכֹלָּא אִית לְבוּשָׁא לְאִתְלַבְּשָׁא בַּר הַאי.

כא. בה״ו, לְהַאי אִית לֵיהּ צִיּוּרָא וְדִיוּקְנָא: אַבְנִין מְשֻׁקָּעִין גּוֹ גְלִיפָא דְתֹהוּ, נָפְקֵי גּוֹ גְלִיפָא דִמְשַׁקְעָן תַּמָּן. וּמִתַּמָּן מַשְׁכֵי תוֹעַלְתָּא לְעָלְמָא, בְּצִיּוּרָא דִלְבוּשָׁא, מַשְׁכֵי תוֹעַלְתָּא מֵעֵילָא לְתַתָּא וְסָלְקָא מִתַּתָּא לְעֵילָא.

כב. וְעַל דָּא נְקִיבָן וּמְפוּלָמִין, הַנֵּי תַלְיָין בַּאֲוִירָא. לִזְמְנִין תַּלְיָין בַּאֲוִירָא דְסָלְקֵי מִתַּמָּן לְעֵילָא, לִזְמְנִין מִטַּמְרִין בְּיוֹמָא דְעִיבָא, וּמַפִּיקֵי מַיִין מִגּוֹ תְּהוֹמָא לְאִתְזָנָא תה״ו מִתַּמָּן, דְּהָא כְּדֵין חֶדְוָה וְשִׁטּוּתָא דְקָא אִתְפַּשַּׁט תֹּהוּ בְּעָלְמָא.

כג. וְחֹשֶׁךְ, הוּא אֶשָּׁא אוּכְמָא תַקִּיף בְּגָוֶון, אֶשָּׁא סוּמְקָא תַקִּיף בְּחֵיזוּ, אֶשָּׁא יְרוֹקָא תַקִּיף בְּצִיּוּר, אֶשָּׁא חִוָּורָא דְכָלֵיל כֹּלָּא. וְחֹשֶׁךְ תַקִּיף בְּכָל אֶשִּׁין, וְדָא אִתְקִיף לְתה״ו. וְחֹשֶׁךְ הוּא אֶשָּׁא, וְלָאו אִיהוּ אֶשָּׁא חֲשׁוּכָא, בַּר כַּד אִתְקִיף לְתֹהוּ, וְרָזָא דָא וַתִּכְהֶינָה עֵינָיו מֵרְאוֹת וַיִּקְרָא אֶת עֵשָׂו וגו׳. וְחֹשֶׁךְ פְּנֵי רָע דְאִסְבַּר אַנְפִּין לְרַע, וּכְדֵין אִקְרֵי וְחֹשֶׁךְ, דְשָׁרֵי עָלֵיהּ לְאִתְתַּקְפָא לֵיהּ, וְרָזָא דָא וְחֹשֶׁךְ עַל פְּנֵי תְהוֹם.

כד. רו״ח הוּא קוֹל דְשָׁארֵי עַל בֹּהוּ וְאִתְקִיף לֵיהּ וְאַנְהִיג לֵיהּ בְּכָל מַה דְאִצְטְרִיךְ. וְרָזָא דָא קוֹל יי עַל הַמָּיִם. וְכֵן וְרוּחַ אֱלֹהִים מְרַחֶפֶת עַל פְּנֵי הַמָּיִם. אַבְנִין מְשֻׁקָּעָן גּוֹ תְהוֹמֵי, דְנָפְקֵי מַיָּיא מִנְּהוֹן, וְעַל דָּא אִקְרוּן פְּנֵי הַמָּיִם. רוּחַ אַנְהִיג וְאִתְקִיף לְאִינוּן פָּנִים פְּנֵי תְהוֹם, דָּא כְּמָה דְאִצְטְרִיךְ לֵיהּ וְדָא כְּמָה דְאִצְטְרִיךְ לֵיהּ.

כה. תה״ו, עָלֵיהּ שַׁרְיָא שֵׁם שד״י. בה״ו, עָלֵיהּ שַׁרְיָא שֵׁם צְבָאוֹת. וְחֹשֶׁךְ עָלֵיהּ שַׁרְיָא שֵׁם אֱלֹהִים. רוּחַ, עָלֵיהּ שַׁרְיָא שֵׁם ידו״ד.

כו. רוּחַ גָּדוֹל וְחָזָק מְפָרֵק הָרִים לֹא בָרוּחַ ה׳ וגו׳, שְׁמָא דָא לָא הֲוֵי בֵּיהּ, דְּהָא שד״י שָׁלְטָא עָלֵיהּ בְּרָזָא דְתֹהוּ. וְאַחַר הָרוּחַ רַעַשׁ לֹא בָרַעַשׁ ה׳, דְּהָא שֵׁם צְבָאוֹת שָׁלְטָא בֵּיהּ, בְּרָזָא דְבֹהוּ. וְעַל דָּא אִקְרֵי בֹּהוּ. רַעַשׁ, דְלָאו אִיהוּ בְּלָא רַעַשׁ.

כז. וְאַחַר הָרַעַשׁ אֵשׁ לֹא בָאֵשׁ ה׳, דְּהָא שְׁמָא דֶאֱלֹהִים שָׁלְטָא בֵּיהּ מִסִּטְרָא דְחֹשֶׁךְ. וְאַחַר הָאֵשׁ קוֹל דְמָמָה דַקָּה, הָכָא אִשְׁתְּכַח שֵׁם ידו״ד. אַרְבַּע פִּרְקִין הָכָא, דְאִינוּן פִּרְקֵי גוּפָא וְאֵבָרִין יְדִיעָן, דְאִינוּן אַרְבָּעָה, וְאִינוּן תְּרֵיסַר. וְהָכָא שְׁמָא גְלִיפָא דִתְרֵיסַר אַתְוָון. דְאִתְמְסַר לְאֵלִיָּהוּ בִּמְעָרָה.

כח. וַיֹּאמֶר אֱלֹהִים יְהִי אוֹר וַיְהִי אוֹר. מֵהָכָא אִיהוּ שֵׁירוּתָא לְאַשְׁכָּחָא גְנִיזִין, הֵיךְ אִתְבְּרֵי עָלְמָא בִּפְרָט. דְעַד הָכָא הֲוָה בִּכְלָל, וּבָתַר, אִתְהֲדַר כְּלָל לְמֶהֱוֵי כְּלָל וּפְרָט וּכְלָל.

כט. עַד הָכָא הֲוָה כֹּלָּא תַלְיָא בַּאֲוִירָא מֵרָזָא דְאֵין סוֹף, כֵּיוָן דְאִתְפַּשַּׁט חֵילָא בְּהֵיכְלָא עִלָּאָה רָזָא דֶאֱלֹהִים, כְּתִיב בֵּיהּ אֲמִירָה, וַיֹּאמֶר אֱלֹהִים. דְּהָא לְעֵילָא לָא כְתִיב בֵּיהּ אֲמִירָה בִּפְרָט, וְאַע״ג דִבְרֵאשִׁית מַאֲמָר הוּא, אֲבָל לָא כְתִיב בֵּיהּ וַיֹּאמֶר.

ל. דָּא וַיֹּאמֶר, אִיהוּ קַיְּימָא לְמִשְׁאַל וּלְמִנְדַּע. וַיֹּאמֶר, חֵילָא דְאִתְרַם, וַאֲרָמוּתָא בַּחֲשַׁאי מֵרָזָא דְאֵין סוֹף בְּרֵישָׁא דְמַחֲשָׁבָה. וַיֹּאמֶר אֱלֹהִים, הַשְׁתָּא אוֹלִיד הַהוּא הֵיכָלָא, מִמַּה דְאִתְעַדְּיַאת מִזַּרְעָא דְקֹדֶשׁ, וְאוֹלִיד בַּחֲשַׁאי. וְהַהוּא דְאִתְיְלִיד אִשְׁתְּמַע לְבַר, מָאן דְאוֹלִיד לֵיהּ אוֹלִיד בַּחֲשַׁאי דְלָא אִשְׁתְּמַע כְּלָל, כֵּיוָן דְנָפַק מִנֵּיהּ מָאן דְנָפַק

אִתְעֲבִיד קוֹל דְּאִשְׁתְּמַע לְבַר.

לא. יְהִי אוֹר. כָּל מַה דִּנְפַק בְּרָזָא דָא נָפַק. יְהִי, עַל רָזָא דְּאו"א, דְּאִיהוּ י"ה, וּלְבָתַר אִתְהֲדַר לִנְקוּדָה קַדְמָאָה, לְמֶהֱוֵי שֵׁירוּתָא לְאִתְפַּשְּׁטָא לְמִלָּה אָחֳרָא.

לב. אוֹר וַיְהִי אוֹר, אוֹר דִּכְבַר הֲוָה. אוֹר דָא רָזָא סְתִימָא, אִתְפַּשְּׁטוּתָא דְּאִתְפַּשַּׁט וְאִתְבְּקַע מֵרָזָא דְּסִתְרָא דַּאֲוִיר עִלָּאָה סְתִימָא. בְּקַע בְּקַדְמֵיתָא וְאַפִּיק חַד נְקוּדָה סְתִימָא מֵרָזָא דִּילֵיהּ, דְּהָא אֵין סוֹף בְּקַע מֵאֲוִירָא דִּילֵיהּ, וְגַלֵּי הַאי נְקוּדָה י', כֵּיוָן דְּהַאי י' אִתְפַּשַּׁט, מַה דְּאִשְׁתְּאַר אִשְׁתְּכַח אוֹר, מֵהַהוּא רָזָא דְּהַהוּא אֲוִיר סְתִימָאָה.

לג. כַּד אִשְׁתְּכַח מִנֵּיהּ נְקוּדָה קַדְמָאָה י', אִתְגְּלֵי לְבָתַר עֲלֵיהּ מָטֵי וְלָא מָטֵי, כֵּיוָן דְּאִתְפַּשַּׁט נָפַק, וְאִיהוּ הוּא אוֹר דְּאִשְׁתְּאַר מֵאֲוִיר, וְהַיְינוּ אוֹר דִּכְבַר הֲוָה וְהָא קַיְּימָא. נָפַק וְאִסְתַּלַּק וְאִתְגְּנִיז וְאִשְׁתְּאַר חַד נְקוּדָה מִנֵּיהּ לְמֶהֱוֵי מָטֵי תָּדִיר בְּאוֹרַח גְּנִיזוּ בְּהַהִיא נְקוּדָה. מָטֵי וְלָא מָטֵי נָהִיר בֵּיהּ בְּאוֹרַח נְקוּדָה קַדְמָאָה דִּנְפַק מִנֵּיהּ. וּבְגִין כָּךְ כֹּלָּא אָחִיד דָּא בְּדָא. נָהִיר בְּהַאי וּבְהַאי.

לד. כַּד סָלִיק כֹּלָּא סָלְקִין וְאִתְאֲחָדָן בֵּיהּ. וְאִיהוּ מָטֵי וְאִגְנִיז בְּאֲתַר דְּאֵי"ן סו"ף. וְכֹלָּא חַד אִתְעֲבִיד. הַהוּא נְקוּדָה דְּאוֹר אוֹר אִיהוּ. וְאִתְפַּשַּׁט וּנְהִירוּ בֵּיהּ שֶׁבַע אַתְוָון דְּאַלְפָּא בֵּיתָא, וְלָא אַקְרִישׁוּ וְלַחִים הֲווֹ, נָפַק חוֹשֶׁךְ לְבָתַר וְנָפְקוּ בֵּיהּ שֶׁבַע אַתְוָון אָחֳרָן דְּאַלְפָּא בֵּיתָא, וְלָא אַקְרִישׁוּ וְקַיְּימוּ לַחִים. נָפַק רָקִיעַ דְּאַפְרִישׁ מַחְלוֹקֶת דִּתְרֵין סִטְרִין, וְנָפְקוּ בֵּיהּ תְּמַנְיָא אַתְוָון אָחֳרָנִין. כְּדֵין כ"ב. דִּלְגוּ שֶׁבַע אַתְוָון דְּהַאי סִטְרָא וְשֶׁבַע דְּהַאי סִטְרָא וְאִתְגְּלִיפוּ כֻּלְּהוּ בְּהַהוּא רָקִיעַ, וַהֲווֹ קַיְּימֵי לַחִים. אַקְרִישׁ הַהוּא רָקִיעַ וְאַקְרִישׁוּ אַתְוָון וְאִגְלִימוּ וְאִתְצַיָּירוּ בְּצִיּוּרַיְיהוּ וְאִגְלִיף תַּמָּן אוֹרַיְיתָא לְאַנְהָרָא לְבַר.

לה. יְהִי אוֹר, דְּהוּא אֵל גָּדוֹל, רָזָא דִּנְפִיק מֵאֲוִיר קַדְמָאָה. וַיְהִי, רָזָא דְּחוֹשֶׁךְ, דְּאִקְרֵי אֱלֹהִים. אוֹר דְּאִתְכְּלִיל שְׂמָאלָא בִּימִינָא. וּכְדֵין, מֵרָזָא דְּאֵל הֲוֵי אֱלֹהִים, אִתְכְּלִיל יְמִינָא בִּשְׂמָאלָא וּשְׂמָאלָא בִּימִינָא.

לו. וַיַּרְא אֱלֹהִים אֶת הָאוֹר כִּי טוֹב, דָּא עַמּוּדָא דְּאֶמְצָעִיתָא. כִּי טוֹב אַנְהִיר עֵילָּא וְתַתָּא וּלְכָל שְׁאָר סִטְרִין, בְּרָזָא ידו"ד, שְׁמָא דְּאָחִיד לְכָל סִטְרִין וַיַּבְדֵּל אֱלֹהִים וְגוֹ' אַפְרִישׁ מַחְלוֹקֶת לְמֶהֱוֵי כֹּלָּא שְׁלִים.

לז. וַיִּקְרָא אֱלֹהִים וְגוֹ' מַהוּ וַיִּקְרָא, קָרָא וְזַמִּין, לְאַפָּקָא מֵהַאי אוֹר שְׁלִים דְּקַיְּימָא בְּאֶמְצָעִיתָא, חַד נְהִירוּ, דְּאִיהוּ יְסוֹדָא דְּעָלְמָא, דַּעֲלֵיהּ קַיְּימִין עָלְמִין. וּמֵהַהוּא אוֹר שְׁלִים עַמּוּדָא דְּאֶמְצָעִיתָא, אִתְפַּשַּׁט יְסוֹדָא חֵי עָלְמִין, דְּאִיהוּ יוֹם מִסִּטְרָא דִּימִינָא. וְלַחוֹשֶׁךְ קָרָא לָיְלָה, קָרָא וְזַמִּין, וְאַפִּיק מִסִּטְרָא דְּחוֹשֶׁךְ חַד נוּקְבָא סִיהֲרָא דְּשָׁלְטָא בְּלֵילְיָא, וְאִקְרֵי לַיְלָה. רָזָא דְּאדנ"י אֲדוֹן כָּל הָאָרֶץ.

לח. עָאל יְמִינָא בְּהַהוּא עַמּוּדָא שְׁלִים בְּאֶמְצָעִיתָא, כָּלִיל בְּרָזָא דִּשְׂמָאלָא, וְסָלִיק לְעֵילָּא עַד נְקוּדָה קַדְמָאָה, וְנָטִיל וְאָחִיד תַּמָּן מִלָּה דִּתְלַת נְקוּדִין, חוֹלָ"ם שׁוּרֶ"ק חִירֶ"ק, זֶרַע קֹדֶשׁ. דְּהָא לֵית זַרְעָא דְּאִזְדְּרַע בַּר בְּרָזָא דָא, וְאִתְחַבַּר כֹּלָּא בְּעַמּוּדָא דְּאֶמְצָעִיתָא, וְאַפִּיק יְסוֹדָא דְּעָלְמָא וּבְגִין כָּךְ אִקְרֵי כֹּל, דְּאָחִיד לְכֹלָּא בִּנְהִירוּ דְּתִיאוּבְתָּא.

לט. שְׂמָאלָא לָהִיט בְּתוּקְפָּא וְאָרַח, בְּכוּלְּהוּ דַּרְגִּין אָרַח רֵיחָא. וּמֵהַהוּא לְהִיטוּ דְּאֶשָּׁא, אַפִּיק הַהִיא נוּקְבָא סִיהֲרָא וְהַהוּא לְהִיטוּ הֲוָה חָשַׁךְ, בְּגִין דַּהֲוָה מֵחוֹשֶׁךְ. וּתְרֵין סִטְרִין אִלֵּין, אַפִּיקוּ תְּרֵין דַּרְגִּין אִלֵּין, חַד דְּכַר וְחַד נוּקְבָא.

מ. יְסוֹדָא אָחִיד בְּעַמּוּדָא דְּאֶמְצָעִיתָא, מֵהַהוּא תּוֹסֶפֶת נְהוֹרָא דַּהֲוָה בֵּיהּ, דְּכֵיוָן דְּהַהוּא עַמּוּדָא דְּאֶמְצָעִיתָא אִשְׁתְּלִים, וְעָבִיד שְׁלָם לְכָל סִטְרִין, כְּדֵין אִתּוֹסַף בֵּיהּ

נְהִירוּ מֵעֵילָּא, וּמִכָּל סִטְרִין, בְּחֶדְוָה דְּכֹלָּא בֵּיהּ. וּמֵהַהוּא תּוֹסֶפֶת דְּחֶדְוָה, נָפִיק יְסוֹדָא דְּעָלְמִין וְאִקְרֵי מוּסָף. מֵהָכָא נָפְקִין כָּל חַיָּילִין לְתַתָּא וְרוּחִין וְנִשְׁמָתִין קַדִּישִׁין, בְּרָזָא יְדֹוָ"ד צְבָאוֹת אֵל אֱלֹהֵי הָרוּחוֹת.

מא. לַיְלָה אֲדוֹן כָּל הָאָרֶץ, מִסִּטְרָא דִּשְׂמָאלָא, מֵהַהוּא חֹשֶׁךְ, וּבְגִין דְּהַהוּא חֹשֶׁךְ תֵּיאוּבְתֵּיהּ לְאִתְכְּלָלָא בִּימִינָא, וְחָלַשׁ תּוֹקְפֵיהּ, אִתְפָּשַׁט מִנֵּיהּ הַאי לַיְלָה, כַּד שָׁארֵי לְאִתְפַּשְּׁטָא הַאי לַיְלָה, עַד לָא אִסְתַּיֵּים, הַהוּא חֹשֶׁךְ עָאל וְאִתְכְּלִיל בִּימִינָא וִימִינָא אֲחִיד לֵיהּ, וְאִשְׁתָּאַר בִּגְרִיעוּ הַאי לַיְלָה.

מב. וּכְמָה דְּחֹשֶׁךְ תֵּיאוּבְתֵּיהּ לְאִתְכְּלָלָא בְּאוֹר. הָכֵי לַיְלָה תֵּיאוּבְתֵּיהּ לְאִתְכְּלָלָא בַּיּוֹם, חֹשֶׁךְ גָּרַע נְהוֹרֵיהּ, וּבְגִין כָּךְ אַפִּיק דַּרְגָּא בִּגְרִיעוּ, וְלָא בִּנְהִירוּ חֹשֶׁךְ לָא נָהִיר אֶלָּא כַּד אִתְכְּלִיל בְּאוֹר, לַיְלָה דְּנָפַק מִנֵּיהּ, לָא נָהִיר, אֶלָּא כַּד אִתְכְּלִיל בַּיּוֹם. גְּרִיעוּ דְּלַיְלָה לָא אִשְׁתְּלִים אֶלָּא בְּמוּסָף, מַה דְּאִתּוֹסַף הָכָא גָּרַע הָכָא.

מג. בְּמוּסָף הֲוָה בֵּיהּ רָזָא דִּנְקוּדָה עִלָּאָה, וְרָזָא דְּעַמּוּדָא דְּאֶמְצָעִיתָא בְּכָל סִטְרִין, וּבְגִין כָּךְ אִתּוֹסַף בֵּיהּ תְּרֵין אַתְוָון. בְּלֵילְיָא גְּרִיעוּ בֵּיהּ אִלֵּין תְּרֵין, כְּדֵין קָרָ"א, כְּתִיב וַיִּקְרָא, וְגָרַע מִנֵּיהּ ו' י' וּכְתִיב קָרָא לַיְלָה. הָכָא רָזָא דִּשְׁמָא דְּשַׁבְעִין וּתְרֵין אַתְוָון גְּלִיפָא דְּכִתְרָא עִלָּאָה.

מד. וַיֹּאמֶר אֱלֹהִים יְהִי רָקִיעַ בְּתוֹךְ הַמָּיִם וגו' הָכָא בִּפְרַט רָזָא לְאַפְרָשָׁא בֵּין מַיִין עִלָּאִין לְתַתָּאֵי, בְּרָזָא דִּשְׂמָאלָא הָכָא מַחֲלוֹקֶת בְּרָזָא דִּשְׂמָאלָא, דְּעַד הָכָא רָזָא דִּימִינָא הוּא, וְהָכָא הוּא רָזָא דִּשְׂמָאלָא. וּבְגִין כָּךְ אַסְגִּיאוּ מַחֲלוֹקֶת בֵּין דָּא לִימִינָא. יְמִינָא אִיהוּ שְׁלִימָא דְּכֹלָּא, וּבְגִין כָּךְ בִּימִינָא כְּתִיב כֹּלָּא, דְּהָא בֵּיהּ תַּלְיָא כָּל שְׁלִימוּ. כַּד אִתְעַר שְׂמָאלָא אִתְעַר מַחֲלוֹקֶת, וּבְהַהוּא מַחֲלוֹקֶת אִתְתַּקַּף אֶשָּׁא דְּרוּגְזָא, וְנָפִיק מִנֵּיהּ מֵהַהִיא מַחֲלוֹקֶת גֵּיהִנֹּם, וְגֵיהִנֹּם בִּשְׂמָאלָא אִתְעַר וְאִתְדַּבַּק.

מה. וְחָכְמְתָא דְּמֹשֶׁה בְּהָא אִסְתַּכַּל, וּבְעוֹבָדָא דִּבְרֵאשִׁית אַשְׁגַּח. בְּעוֹבָדָא דִּבְרֵאשִׁית הֲוָה מַחֲלוֹקֶת שְׂמָאלָא בִּימִינָא, וּבְהַהוּא מַחֲלוֹקֶת דְּאִתְעַר בֵּיהּ שְׂמָאלָא, נָפַק בֵּיהּ גֵּיהִנֹּם וְאִתְדַּבַּק בֵּיהּ. עַמּוּדָא דְּאֶמְצָעִיתָא דְּאִיהוּ יוֹם תְּלִיתָאֵי עָאל בֵּינַיְיהוּ, וְאַפְרִישׁ מַחֲלוֹקֶת וְאַסְכִּים לִתְרֵין סִטְרִין, וְגֵיהִנֹּם נָחִית לְתַתָּא, וּשְׂמָאלָא אִתְכְּלִיל בִּימִינָא וַהֲוָה שְׁלָמָא בְּכֹלָּא.

מו. כְּגַוְונָא דָּא, מַחֲלוֹקֶת קֹרַח בְּאַהֲרֹן, שְׂמָאלָא בִּימִינָא. אִסְתַּכַּל מֹשֶׁה בְּעוֹבָדָא דִּבְרֵאשִׁית, אֲמַר: לִי אִתְחֲזֵי לְאַפְרָשָׁא מַחֲלוֹקֶת בֵּין יְמִינָא לִשְׂמָאלָא אֶשְׁתַּדַּל לְאַסְכָּמָא בֵּינַיְיהוּ, וְלָא בָּעֵי שְׂמָאלָא. וְאִתַּקַּף קֹרַח בְּתוֹקְפֵיהּ.

מז. אֲמַר: וַדַּאי גֵּיהִנֹּם, בְּתוֹקְפָא דְּמַחֲלוֹקֶת שְׂמָאלָא, אִצְטְרִיךְ לְאִתְדַּבְּקָא, הוּא לָא בָּעֵי לְאִתְדַּבְּקָא לְעֵילָּא וּלְאִתְכַּלְּלָא בִּימִינָא, וַדַּאי יֵחוֹת לְתַתָּא בְּתוֹקְפָא דְּרוּגְזָא דִּילֵיהּ.

מח. וְעַל דָּא לָא בָּעֵי קֹרַח לְאַסְכָּמָא הַאי מַחֲלוֹקֶת בִּיְדָא דְּמֹשֶׁה, בְּגִין דְּלָא הֲוָה לְשֵׁם שָׁמַיִם, וְלָא חָיֵישׁ לִיקָרָא דִּלְעֵילָּא, וְאַכְחִישׁ עוֹבָדָא דִּבְרֵאשִׁית, כֵּיוָן דְּחָמָא מֹשֶׁה דַּהֲוָה מַכְחִישׁ עוֹבָדָא דִּבְרֵאשִׁית וְאִתְדְּחָא אִיהוּ לְבַר, כְּדֵין וַיִּחַר לְמֹשֶׁה מְאֹד.

מט. וַיִּחַר לְמֹשֶׁה, עַל דְּאַכְחִישׁוּ לֵיהּ, דְּלָא אַסְכִּים הַהוּא מַחֲלוֹקֶת. מְאֹד, עַל דְּאַכְחִישׁוּ עוֹבָדָא דִּבְרֵאשִׁית. וּבְכֹלָּא אַכְחִישׁ קֹרַח, בְּעֵילָּא וּבְתַתָּא. דִּכְתִיב בְּהַצּוֹתָם עַל ה', הָא תַּתָּא, וְעֵילָּא. וְעַל דָּא אִתְדַּבַּק בַּמֶּה דְּאִתְחֲזֵי לֵיהּ.

נ. מַחֲלוֹקֶת דְּאִתְתַּקַּן כְּגַוְונָא דִּלְעֵילָּא, וְסָלִיק וְלָא נָחִית, וְאִתְקַיַּים בְּאֹרַח מֵישָׁר, דָּא מַחֲלוֹקֶת דְּשַׁמַּאי וְהִלֵּל. וְקֻדְשָׁא בְּרִיךְ הוּא (וקב"ה) אַפְרֵישׁ בֵּינַיְיהוּ, וְאַסְכִּים לוֹן. וְדָא הֲוָה מַחֲלוֹקֶת לְשֵׁם

שָׁמַיִם, וְשָׁמַיִם אַפְרִיעַ מֵחֲלוֹקֶת, וְעַ"ד אִתְקַיַּים וְדָא הֲוָה כְּגַוְונָא דְּעוֹבָדָא דִּבְרֵאשִׁית.
וְקָרוּן, בְּעוֹבָדָא דִּבְרֵאשִׁית אִכְווֹשַׁע בְּכֹלָּא וּפְלוּגְתָּא דִּשְׁמַיִם הֲוָה, וּבָעָא לְאִכְווֹשַׁע מִלֵּי
דְּאוֹרַיְיתָא, וְדַאי בְּאִתְדַּבְּקוּתָא דְּגֵיהִנֹּם הֲוָה, וְעַל דָּא אִתְדַּבַּק בַּהֲדֵיהּ.

נא. וְרָזָא דָא בְּסִפְרָא דְּאָדָם. וְחֹשֶׁךְ כַּד אִתְּעַר, אִתְּעַר בְּתוּקְפֵיהּ וּבָרָא בֵּיהּ גֵּיהִנֹּם,
וְאִתְדַּבַּק בַּהֲדֵיהּ בְּהַהוּא מַחֲלוֹקֶת. כֵּיוָן דְּשָׁכִיךְ רוּגְזָא וְתוּקְפָּא אִתְּעַר מַחֲלוֹקֶת כְּגַוְונָא
אָוְזְרָא מַחֲלוֹקֶת דִּרְחִימוּ.

נב. וּתְרֵין מַחֲלוֹקֶת הֲווֹ. חַד שֵׁירוּתָא וְחַד סִיּוּמָא, וְדָא אִיהוּ אָרְחֵיהוֹן דְּצַדִּיקַיָּיא
שֵׁירוּתָא דִּלְהוֹן בְּקַשְׁיוּ וְסוֹפָא דִּלְהוֹן בְּנַיְיחָא. קָרוּן הֲוָה שֵׁירוּתָא דְּמַחֲלוֹקֶת כְּפוּם רוּגְזָא
וְתוּקְפָּא, וְאִתְדַּבַּק בְּגֵיהִנֹּם. שְׁמַאי, סוֹפָא דְּמַחֲלוֹקֶת. כַּד רוּגְזָא בְּנַיְיחָא אִצְטְרִיךְ
לְאִתְּעָרָא מַחֲלוֹקֶת דִּרְחִימוּ, וּלְאַסְכָּמָא עַל יְדָא דִּשְׁמַיִם.

נג. וְרָזָא דָא, יְהִי רָקִיעַ בְּתוֹךְ הַמַּיִם וִיהִי מַבְדִּיל, דָּא מַחֲלוֹקֶת קַדְמָאָה אִתְּעָרוּ
דְּרוּגְזָא וְתוּקְפָּא בָּעָא לְאַפְרָשָׁא, וְאִתְּעַר גֵּיהִנֹּם, עַד דְּרוּגְזָא וְתוּקְפָּא אַצְטְנַן. וּכְדֵין וַיַּעַשׂ
אֱלֹהִים אֶת הָרָקִיעַ וְגו', אִתְּעַר מַחֲלוֹקֶת דִּרְחִימוּ וְחַבִּיבוּ וְקִיּוּמָא דְּעָלְמָא. וּבְרָזָא דָּא
מַחֲלוֹקֶת שְׁמַאי וְהִלֵּל דְּתוֹרָה שֶׁבְּעַ"פ עָאלַת בִּרְחִימוּ גַּבֵּי תּוֹרָה שֶׁבִּכְתָב, וַהֲווֹ בְּקִיּוּמָא
שָׁלִים.

נד. הַבְדָּלָה אִיהוּ וַדַּאי בִּשְׂמָאלָא. כְּתִיב הָכָא הַבְדָּלָה, וִיהִי מַבְדִּיל, וּכְתִיב וַיַּבְדֵּל,
וּכְתִיב הָתָם הַמְעַט מִכֶּם כִּי הַבְדִּיל וְגו' וּכְתִיב בָּעֵת הַהִיא הַבְדִּיל ה' אֶת שֵׁבֶט הַלֵּוִי.
דְּהָא וַדַּאי לֵית הַבְדָּלָה אֶלָּא בִּשְׂמֹאל בַּאֲתַר שְׂמָאלָא.

נה. וְאִי תֵימָא הַבְדָּלָה בְּשֵׁנִי אִיהוּ וַדַּאי, אַמַּאי הַבְדָּלָה בְּלֵוִי דְּאִיהוּ תְּלִיתָאָה,
הַבְדָּלָה בְּשִׁמְעוֹן אִצְטְרִיךְ דְּאִיהוּ שֵׁנִי. אֶלָּא אע"ג דְּלֵוִי אִיהוּ תְּלִיתָאָה. לְדַעְתָּא דְּיַעֲקֹב
שֵׁנִי הֲוָה, וּלְעוֹלָם בְּשֵׁנִי הֲוָה, וְכֹלָּא בְּאֹרַח מֵישָׁר, בְּאֹרַח שְׁלִים כַּדְקָא יָאוֹת.

נו. הַבְדָּלָה בְּמוֹצָאֵי שַׁבָּת, בֵּין אִינוּן דְּעָלְמִין בְּיוֹמֵי דְחוֹל לְשַׁבָּת, וְכַד נָפִיק שַׁבָּת,
סַלְקָא מִגֵּיהִנֹּם וְחַד סִטְרָא מֵעֵינָא בִּישָׁא דְּבָעָא לְשֻׁלְטָאָה בְּשַׁעְתָּא דְּאָמְרִין יִשְׂרָאֵל
וּמַעֲשֵׂה יְדֵינוּ כּוֹנְנָה עָלֵינוּ, וְנָפִיק מֵהַהוּא דַּרְגָּא דְּאַקְרֵי שְׂמָאלָא, וּבָעֵי לְאִתְעָרְבָא
בְּאַרְעָא דְּיִשְׂרָאֵל וּלְשֻׁלְטָאָה עֲלַיְיהוּ דְּיִשְׂרָאֵל.

נז. וְיִשְׂרָאֵל עָבְדֵי עוֹבָדָא בַּהֲדַס וּבַיִין, וְאָמְרֵי הַבְדָּלָה, וְאִתְפְּרַשׁ מִנַּיְיהוּ, וּמֵאִיךְ
הַהוּא סִטְרָא וְעָאל לְדוּכְתֵּיהּ בִּשְׁאוֹל, אֲתַר דְּקָרוּ וְסִיעָתֵיהּ תַּמָּן, דִּכְתִיב וַיֵּרְדוּ הֵם וְכָל
אֲשֶׁר לָהֶם חַיִּים שְׁאוֹלָה, וְאִינוּן לָא נָחֲתוּ תַּמָּן עַד דְּעָבְדֵי יִשְׂרָאֵל הַבְדָּלָה מִנְהוֹן,
דִּכְתִיב הִבָּדְלוּ מִתּוֹךְ הָעֵדָה וְגו'.

נח. וּלְעוֹלָם הַבְדָּלָה בְּשֵׁנִי דְּאִיהוּ שְׂמָאלָא. בְּשֵׁירוּתָא וְתוּקְפָּא וְרוּגְזָא דְּאִתְּעַר שְׂמָאלָא
בְּמַחֲלוֹקֶת, עַד לָא שָׁכִיךְ בְּנַיְיחָא, וְאִתְבְּרֵי בֵּיהּ גֵּיהִנֹּם, כְּדֵין אִתְבְּרִיאוּ כָּל אִינוּן מַלְאָכִים
דְּקִטְרוּגֵי לְמָרֵיהוֹן לְעֵילָא וְאָכִיל לוֹן נוּרָא וְאִתּוֹקְדוּ. וְכֵן כָּל שְׁאָר אִינוּן דְּמִתְבַּטְּלֵי, וְלֵית לוֹן
קִיּוּמָא וְאִתְאַכָּלוּ בְּנוּרָא, כְּגַוְונָא דָּא קָרוּ לְתַתָּא, וְכֹלָּא כְּגַוְונָא דָּא.

נט. יְהִי רָקִיעַ, אִתְפַּשַּׁט פְּשִׁיטוּ דָא מִן דָּא: א"ל, קְטִפָּא יַמִּינָא, א"ל גָּדוֹל אִתְפַּשַּׁט
פְּשִׁיטוּ מִן גּוֹ מַיָּא, לְאִשְׁתַּלְמָא שְׁמָא דָּא א"ל, וּלְאִתְכַּלְּלָא בְּהַהוּא פְּשִׁיטוּ דָּא בְּדָא,
וְאִתְפַּשַּׁט מֵאֵל אֱלֹהִים, הַי"ם אִלֵּין אִתְפַּשְּׁטוּ, וְאִתְהַפָּכוּ לְמֶהֱוֵי מַיִין תַּתָּאִין, יַם"ה, הַהוּא
פְּשִׁיטוּ דְּאִתְפַּשַּׁט בְּשֵׁנִי מַיִין עִלָּאִין הַי"ם זֶה הַיָּ"ם גָּדוֹל, הַי"ם, מַיִין עִלָּאִין, הַפּוּכָא
דְּאִלֵּין אַתְוָון, יַם"ה, מַיִין תַּתָּאִין. כֵּיוָן דְּאִתְתַּקְּנוּ אִתְעֲבִידוּ כֹּלָּא כְּלָלָא וְדָא. וְאִתְפַּשַּׁט

שמא דא בכמה דוכתי.

ס. מיין עלאין דכורין, ומיין תתאין נוקבין. בקדמיתא הוו מים במים, עד דאתפרשו לאשתמודעא מיין עלאין ותתאין, דא אלקים ודא אדנ"י, ודא ה' עלאה וה' תתאה. מה כתיב ויעש אלקים את הרקיע. אתפשטותא דא נטל שמא דא, אלקים מיין עלאין. ומיין תתאין אדנ"י. ועם כל דא, כיון דאשתלימו מיין דכורין במיין נוקבין, שמא דאלקים אתפשט בכלא.

סא. ואע"ג דאפריש בין מיין עלאין לתתאין, מחלוקת לא אתבטל עד יום תליתאי, ואסכים מחלוקת ואתישב כלא בדוכתיה כדקא יאות. ובגין מחלוקת דא, אע"פ דאיהו קיומא דעלמא, לא כתיב כי טוב בשני, דלא אשתלים עובדא, מיין עלאין ומיין תתאין הוו כחדא, ולא הוו תולדין בעלמא. עד דאתפרשו ואשתמודעו, ובגין כך עבדו תולדין.

סב. ועם כל דא, אע"ג דהבדלה הוי בשני, ומחלוקת ביה הוה, יום תליתאי אסכים בכלא, דהוא שמא דאגליף בגליפוי, הו"ה, לאסתכמא מיין עלאין ומיין תתאין: ה' עלאה ה' תתאה, ו' בינייהו לאשלמא בתרין סטרין. וסימנא דא מי הירדן, מיין עלאין קמו נד אחד, מיין תתאין נחתו לימא, וישראל אזלי באמצעיתא.

סג. חמש רקיעין כתיבי הכא, וחי העולמים אזיל בהו ואנהיג בהו, וכלהו כליכן דא בדא, ואלמלא האי מחלוקת דאסתכם ע"י דאמצעיתא, לא אתכלילו ולא אתיישרו דא בדא. וחמש מאה שנין אינון, דאילנא דחיי דביק בהו למיעבד איבין ותולדין לעלמא, וכל מימוי דבראשית, דנגדין ואתמשכן מבראשית, אתפלגו תחותוי על ידיה. ודוד מלכא נקיט כלא, ואיהו פליג לבתר. דכתיב ויחלק לכל העם לכל המון וגו'. וכתיב תתן להם ילקוטון. וכתיב ותקם בעוד לילה ותתן טרף וגו'.

סד. בשעתא דאתער מחלוקת בתוקפא דשמאלא, אסגי ואתקף הורפילא דטיפסא, ונפקו מתמן טסירין, ואקרישו מיד בלא לחותא כלל, והוו דכר ונוקבא, ומנהון אתפרשו זיינין בישין לזנייהו, והכא תקיפו דרוח מסאבא בכל אנון תוקפין טסירין, ואינון רזא דערלה. אילין אתקפו בזיינין תקיפין, חד אפעה וחד נחש, ותרוייהו חד. אפעה אוליד לשבעין שנין, בחבורא חדא אתהדר כלא לשבע שנין דנחש.

סה. הכא איהו רזא דגיהנם, דאקרי בשבע שמהן. יצה"ר בשבע שמהן אקרי, ובכמה דרגין אתפשט מסאבו מהכא לעלמא, וכלא מרזא דשמאלא טב וביש, ואיהו ישובא דעלמא. הכא שמא גליפא דתמני סרי אתוון, ממנא על גשמי רצון נדבה וברכה ישובא דעלמא.

סו. ויאמר אלקים יקוו המים וגו', בארח קו למהוי בארח מישר, דהא מרזא דההיא נקודה קדמאה נפק כלא בסתימו, עד דמטי ואתכניש להיכלא עלאה, ומתמן נפיק בקו מישר לשאר דרגין עד דמטי לההוא אתר חד דכניש כלא בכלל דכר ונוקבא, ומאן איהו חי עלמין.

סז. המים, דנפקי מלעיל מאת ה' עלאה. מתחת השמים, ו' זעירא ועי"ד ו"ו וחד שמים וחד מתחת השמים. כדין, ותראה היבשה, דא ה' תתאה, דא אתגלי וכל שאר אתכסי, ומגוי האי בתראה, אשתמע בסוכלתנו ההוא דאתכסי.

סח. אל הוא קשורא דיחודא דעלמא עלאה ידו"ד אחד ושמו אחד, תרין יחודין: חד דעלמא עלאה לאתיחדא בדרגוי, וחד דעלמא תתאה לאתיחדא בדרגוי. קשורא

דְּיִחוּדָא דְּעָלְמָא עִלָּאָה עַד הָכָא אִיהוּ, וַוי עָלְמִין תַּמָּן אִתְבְּסִים, וְאִתְקַשַּׁר עָלְמָא עִלָּאָה בְּיִחוּדָא דִּילֵיהּ, וּבְגִין כָּךְ אִקְרֵי מָקוֹם אֶחָד. כָּל דַּרְגִּין וְכָל שַׁיְיפִין מִתְכַּנְּשִׁין תַּמָּן, וַהֲווּ כֻּלְּהוּ בֵּיהּ וְחַד בְּלָא פֵּרוּדָא כְּלָל. וְלֵית דַּרְגָּא דְּאִתְיַיחֲדָן תַּמָּן בְּיִחוּדָא וְחַד אֶלָּא הַאי, וּבֵיהּ אִתְכַּסְיָין כֻּלְּהוּ בְּאַרְזָ סָתִים בְּתִיאוּבְתָא וְחַד. עַד הָכָא, בְּדַרְגָּא דָּא אִתְיַיחַד עָלְמָא דְּאִתְגַּלְיָיא בְּעָלְמָא דְּאִתְכַּסְיָיא.

סט. עָלְמָא דְּאִתְגַּלְיָיא אִתְיַיחַד אוּף הָכֵי לְתַתָּא, וְעָלְמָא דְּאִתְגַּלְיָיא אִיהוּ עָלְמָא דְּתַתָּאָ"ה, וָאֵרָאֶה אֶת ה', וַיִּרְאוּ אֶת אֱלֹקֵי יִשְׂרָאֵל, וּכְבוֹד ה' נִרְאָה, וַיֵּרָא כְּבוֹד ה', כְּמַרְאֵה הַקֶּשֶׁת וגו' כֵּן מַרְאֵה הַנֹּגַהּ סָבִיב הוּא מַרְאֵה דְּמוּת כְּבוֹד ה', וְדָא אִיהוּ רָזָא וְתֵרָאֶה הַיַּבָּשָׁה.

ע. כְּמַרְאֵה הַקֶּשֶׁת, זֶה וַוי עָלְמִין, וְזֶהוּ אֶת קַשְׁתִּי נָתַתִּי בֶּעָנָן דָּא מַלְכוּת. נָתַתִּי, מִן יוֹמָא דְּאִתְבְּרֵי עָלְמָא בְּיוֹמָא דְּעִיבָא, דְּאִתְחֲזֵי קֶשֶׁת, מַרְאֵה דְּמוּת כְּבוֹד ה'. אִתְעַר שְׂמָאלָא לְאִתְתַּקְּפָא, נָפְקַת רָחֵל וַתְּקַשׁ בְּלִדְתָּהּ, מִיכָאֵל בְּסִטְרָא דָּא רְפָאֵל בְּסִטְרָא דָּא גַּבְרִיאֵל בְּסִטְרָא דָּא. וְאִינּוּן גַּוְונִין דְּאִתְחֲזְיָין בְּהַהוּא דְּמוּת חִוָּור וְסוּמָק וְיָרוֹק.

עא. כֵּן מַרְאֵה הַנֹּגַהּ סָבִיב, נְהִירוּ דְּאִתְכַּסְיָיא, בְּגַלְגּוּלָא דְּחֵיזוּ דְּעֵינָא. הוּא מַרְאֵה דְּמוּת כְּבוֹד ה'. גַּוְונִין דְּאִתְיַיחֲדָא יִחוּדָא תַּתָּאָה לְפוּם יִחוּדָא דְּאִתְיַיחַד יִחוּדָא דִּלְעֵילָּא.

עב. ה' אֱלֹקֵינוּ ה' גַּוְונִין סְתִימִין דְּלָא אִתְחֲזְיָין וְאִתְקַשְּׁרָן אֶל מָקוֹם אֶחָד יִחוּדָא וְחָדָא בְּעִלָּאָה. גַּוְונִין בַּקֶּשֶׁת לְתַתָּא לְאִתְיַיחֲדָא בְּהוּ חִוָּורסוּמָק וְיָרוֹק, כְּגַוְונִין סְתִימִין, וְאִנּוּן יִחוּדָא אָחֳרָא רָזָא וּשְׁמוֹ אֶחָד, בשכמל"ו יִחוּדָא דִּלְתַתָּא, יִחוּדָא עִלָּאָה שְׁמַע יִשְׂרָאֵל ידו"ד אֱלֹקֵינוּ ידו"ד אֶחָד. דָּא לָקֳבֵל דָּא, הָכָא שִׁית תֵּיבִין וְהָכָא שִׁית תֵּיבִין.

עג. יִקָּווּ מְדִידוּ דְּקַו וּמִשְׁחָתָא, מִשְׁחָתָא, בּוּצִינָא דְּקַרְדִינוּתָא. דִּכְתִיב מִי מָדַד בְּשָׁעֳלוֹ מַיִם, וְדָא אִיהוּ יִקָּווּ הַמַּיִם, הָכָא שִׁעוּרָא דְּיוֹצֵר עָלְמִין יו"ד ה"א וא"ו ה"א.

עד. קָדוֹשׁ קָדוֹשׁ, דָּא אִיהוּ יִקָּווּ הַמַּיִם. ה' צְבָאוֹת, דָּא אִיהוּ אֶל מָקוֹם אֶחָד בְּרָזָא דִּשְׁמָא דָּא. מְלֹא כָל הָאָרֶץ כְּבוֹדוֹ, דָּא וְתֵרָאֶה הַיַּבָּשָׁה, רָזָא גְּלִיפָא שְׁמָא דְּיִחוּדָא כוז"ו במוכס"ז כוז"ו.

עה. תַּדְשֵׁא הָאָרֶץ דֶּשֶׁא עֵשֶׂב וגו' הַשְׁתָּא אַפִּיקַת וְזִילָא בְּאִנּוּן מַיִין דְּאִתְכְּנָשׁוּ לַאֲתַר וְחַד, וְנַגְּדָן בְּגַוְויהּ גּוֹ טְמִירָן סְתִימָאָה, וְנָפְקִין בְּגַוֵּיהּ טְמִירִין עִלָּאִין וְחַיָּילִין קַדִּישִׁין, דִּי כָל אִנּוּן בְּנֵי מְהֵימְנוּתָא מִתַּקְּנָן לוֹן בְּתִקּוּנָא דִּמְהֵימְנוּתָא, בְּהַהוּא פּוּלְחָנָא דְּמָארֵיהוֹן.

עו. וְרָזָא דָּא מַצְמִיחַ חָצִיר לַבְּהֵמָה וגו' דָּא בְּהֵמָה דִּרְבִיעָאָה עַל אֶלֶף טוּרִין. וּמְגַדְּלִין לָהּ בְּכָל יוֹמָא הַהוּא חָצִיר, וְחָצִיר דָּא אִנּוּן מַלְאָכִין שַׁלִּיטִין לְפוּם שַׁעְתָּא, דְּאִתְבְּרִיאוּ בַּשֵּׁנִי, וְקַיְימִין לְמֵיכְלָא דְּהַאי בְּהֵמָה, בְּגִין דְּאִית אֶשָּׁא אָכְלָא אֶשָּׁא.

עז. וְעֵשֶׂב לַעֲבוֹדַת הָאָדָם. עֵשֶׂב, דָּא אִלֵּין אוֹפַנִּין וְחַיּוֹת וּכְרוּבִים, דְּכֻלְּהוּ מִתַּקְּנָן גּוֹ תִּקּוּנַיְיהוּ, וְקַיְימִין לְאִתְתַּקְּנָא בְּשַׁעְתָּא דִּבְנֵי נָשָׁא אַתְיָין לְפוּלְחָנָא דְּמָארֵיהוֹן בְּקָרְבְּנַיְיהוֹן וּבִצְלוֹתָא, דְּדָא אִיהוּ עֲבוֹדַת הָאָדָם, וְעֵשֶׂב דָּא אִזְדַּמַּן וְאִתְעֲתַד לַעֲבוֹדַת הָאָדָם, לְאִתְתַּקְּנָא בְּתִקּוּנֵיהּ כִּדְקָא יָאוּת.

עח. וְכַד אִינּוּן מִתְתַּקְּנָן בְּהַהִיא עֲבוֹדַת הָאָדָם לְבָתַר, וּמִנַּיְיהוּ נָפְקֵי מְזוֹנֵי וְטַרְפִּין לְעָלְמָא, דִּכְתִיב לְהוֹצִיא לֶחֶם מִן הָאָרֶץ. וְדָא אִיהוּ עֵשֶׂב מַזְרִיעַ זֶרַע, דְּהָא חָצִיר לָא מַזְרִיעַ זֶרַע אִיהוּ, אֶלָּא אִזְדַּמַּן לְמֵיכְלָא דְּאֶשָּׁא קַדִּישָׁא, וְעֵשֶׂב לְתִקּוּנָא דְּעָלְמָא.

עט. וְכָל דָּא, לְהוֹצִיא לֶחֶם מִן הָאָרֶץ. כָּל תִּקּוּנִין דִּבְנֵי נָשָׁא, דְּקָא מְתַקְּנָא לְהַאי עֵשֶׂב אֶרֶץ. דְּפוּלְחָנָא דִּלְהוֹן לְמָארֵיהוֹן, לְסַפְּקָא עַל יְדֵיהוֹן מֵהַהִיא אֶרֶץ, טַרְפָּא וּמְזוֹנֵי

לְהַאי עָלְמָא, וּלְאִתְבָּרְכָן בְּנֵי נָשָׁא מִבִּרְכָן דִּלְעֵיל.

פ. עֵץ פְּרִי עוֹשֶׂה פְּרִי, דַּרְגָּא עַל דַּרְגָּא, דְּכַר וְנוּקְבָא. כְּמָה דְּעֵץ פְּרִי אַפִּיק וְחֵילָא דְּעֵץ עוֹשֶׂה פְּרִי, אוּף הָכָא אַפִּיק אִיהוּ. וּמַאן אִיהוּ, אִלֵּין אִנּוּן כְּרוּבִים וְתִמְרוֹת. מַאי תִּמְרוֹת, אִלֵּין אִנּוּן דְּסָלְקֵי בְּתִנְנָא דְּקָרְבְּנָא וּמִתְתַּקְּנֵי בְּהַהִיא וְאִקְרוֹן תִּמְרוֹת עָשָׁן. וְכֻלְּהוּ קַיְּימִין בְּתִקּוּנַיְיהוּ לַעֲבוֹדַת הָאָדָם, מַה דְּלָא קַיְּימָא כֵּן וְחָצִיר, דְּהָא אִתְעֲתַד לְמֵיכַל, דִּכְתִיב הִנֵּה נָא בְהֵמוֹת אֲשֶׁר עָשִׂיתִי עִמָּךְ וְחָצִיר כַּבָּקָר יֹאכֵל.

פא. עֵץ פְּרִי עוֹשֶׂה פְּרִי. דְּיוּקְנָא דְּכַר וְנוּקְבָא, וּדְמוּת פְּנֵיהֶם פְּנֵי אָדָם. אִלֵּין לָאו אִנּוּן כְּאִנּוּן כְּרוּבִים, אִלֵּין אַפֵּי רַבְרְבָן בְּדִיקְנָא וַחֲתִימָא, כְּרוּבִים אַפֵּי זוּטְרֵי כְּרַבְיָין. פְּנֵי אָדָם, כָּל דְּיוּקְנִין כְּלִילָן בְּהוּ, בְּגִין דְּאִינּוּן אַפִּין רַבְרְבִין, וּמִצְטַיְּירִין בְּהוּ צִיּוּרִין גְּלִיפִין כִּגְלוּפֵי שְׁמָא מְפָרַשׁ, בְּאַרְבַּע סִטְרֵי דְּעָלְמָא מִזְרָ"ח מַעֲרָ"ב צָפוֹ"ן וְדָרוֹ"ם.

פב. מִיכָאֵל רָשִׁים רְשִׁימוּ לְצַד דָּרוֹם, וְכָל אַנְפִּין מִסְתַּכְּלִין לְגַבֵּי פְּנֵי אָדָ"ם: פְּנֵי אַרְיֵ"ה, פְּנֵי שׁוֹ"ר, פְּנֵי נֶשֶׁ"ר. אָדָם אִיהוּ דְּכַר וְנוּקְבָא, וְלָא אִקְרֵי אָדָם בַּר הָנֵי, וּמִנֵּיהּ אִצְטַיְּירָן צִיּוּרִין, דְּרֶכֶב אֱלֹקִים רִבּוֹתַיִם, דִּכְתִיב רֶכֶב אֱלֹקִים רִבֹּתַיִם אַלְפֵי שִׁנְאָן.

פג. שִׁנְאָן, כְּלָלָא דְּכֻלְּהוּ צִיּוּרִין: שׁוֹר, נֶשֶׁר, אַרְיֵה. ן', דָּא אִיהוּ אָדָם פְּשִׁיטוּ דְּאִתְכְּלִיל כַּחֲדָא בְּרָזָא דְּכַר וְנוּקְבָא, וְכֻלְּהוּ אַלְפִין וְרִבְבָן. כֻּלְּהוּ נָפְקֵי מֵהָנֵי, רָזָא שִׁנְאָ"ן. וּמֵהָנֵי דְּיוּקְנִין מִתְפָּרְשִׁין כָּל חַד וְחַד בְּסִטְרַיְיהוּ כְּמָה דְּאִתְחֲזֵי לוֹן.

פד. וְאִלֵּין אִינּוּן דְּהָא מְשַׁלְּבָן חַד בְּחַד, וְכָלִיל חַד בְּחַד לְמֶהֱוֵי כָּל חַד וְחַד כְּלִילָן בְּחַבְרֵיהּ שׁוֹר נֶשֶׁר אַרְיֵה אָדָם. אִתְנַהֲגָן בְּרָזָא דְּאַרְבַּע שְׁמָהָן גְּלִיפָאן, סָלְקִין לְאִתְנַהֲגָא וּלְאִסְתַּכְּלָא.

פה. סָלֵיק לְאִתְנַהֲגָא וּלְאִסְתַּכְּלָא שׁוֹר אַנְפֵּי אָדָם. סָלֵיק שְׁמָא חַד מִתְעַטְּרָא מְחֻקְּקָא בְּרָזָא דִּתְרֵין גַּוְונִין, וְאִיהוּ אֵ"ל. כְּדֵין אִתְהַדַּר לַאֲחוֹרָא, וְכָרְסַיָּיא חָקִיק וְגָלִיף לֵיהּ, וְאִתְרְשִׁים לְאִתְנַהֲגָא בְּרָזָא דִּשְׁמָא דָּא.

פו. סָלֵיק לְאִתְנַהֲגָא וּלְאִסְתַּכְּלָא נֶשֶׁר לְאַנְפֵּי אָדָם. סָלֵיק שְׁמָא אָחֳרָא מִתְעַטְּרָא מְחֻקְּקָא בְּרָזָא דִּתְרֵין אַנְפִּין גַּוְונִין, לְאִתְנַהֲרָא וּלְאִסְתַּכְּלָא, בְּסָלְקוּ בְּעִטּוּרָא דִּלְעֵיל, וְאִיהוּ גָּדוֹ"ל. כְּדֵין אִתְהַדַּר לַאֲחוֹרָא וְכָרְסַיָּיא חָקִיק וְגָלִיף לֵיהּ, וְאִתְרְשִׁים לְאִתְנַהֲגָא בְּרָזָא דִּשְׁמָא דָא.

פז. סָלֵיק לְאִתְנַהֲגָא וּלְאִסְתַּכְּלָא אַרְיֵה לְאַנְפֵּי אָדָם. סָלֵיק שְׁמָא אָחֳרָא, מִתְעַטְּרָא מִתְחַקְּקָא בְּרָזָא דִּתְרֵין אַנְפִּין גַּוְונִין, לְאִתְתַּקְּפָא וּלְאִתְקַשְּׁרָא בְּתוּקְפָּא וְאִיהוּ גִּבּוֹ"ר. כְּדֵין אִתְהַדַּר לַאֲחוֹרָא, וְכָרְסַיָּיא חָקִיק וְגָלִיף לֵיהּ, וְאִתְרְשִׁים לְאִתְנַהֲגָא בְּרָזָא דִּשְׁמָא דָא.

פח. אָדָ"ם אִסְתַּכַּל בְּכֻלְּהוּ, וְכֻלְּהוּ סָלְקִין וּמִסְתַּכְּלִין בֵּיהּ, כְּדֵין, כֻּלְּהוּ אִצְטַיְּירוּ בִּגְלוּפַיְיהוּ בְּצִיּוּרָא דָא בְּרָזָא דִּשְׁמָא חַד, דְּאִקְרֵי נוֹרָ"א. וּכְדֵין כְּתִיב עֲלַיְיהוּ, וּדְמוּת פְּנֵיהֶם פְּנֵי אָדָם, כֻּלְּהוּ כְּלִילָן בְּהַאי דְּיוּקְנָא וְהַאי דְּיוּקְנָא כָּלִיל לוֹן.

פט. וְעַל רָזָא דָא, אִקְרֵי קֻבְּ"ה הָאֵל הַגָּדוֹל הַגִּבּוֹר וְהַנּוֹרָא. דְּהָא שְׁמָהָן אִלֵּין גְּלִיפִין אִינּוּן לְעֵיל, בְּרָזָא דִּרְתִיכָא עִלָּאָה, כְּלִילָא בְּאַרְבַּע אַתְוָון יְדֹוָ"ד, דְּאִיהוּ שְׁמָא דְּכָלִיל כֹּלָּא. דְּיוּקְנִין אִלֵּין מְחֻקְקָן גְּלִיפָן בְּכוּרְסַיָּיא, וְכוּרְסַיָּיא גְּלִיפָא מְרֻקְּמָא בְּהוּ, חַד לִימִינָא וְחַד לִשְׂמָאלָא, וְחַד לְקַמָּא וְחַד לַאֲחוֹרָא, רְשִׁימָא בְּאַרְבַּע סִטְרִין דְּעָלְמָא.

צ. כָּרְסַיָּיא כַּד סָלְקָא, רְשִׁימָא בְּאַרְבַּע דְּיוּקְנִין אִלֵּין, אִלֵּין אַרְבַּע שְׁמָהָן עִלָּאִין נָטְלִין לְהַאי כּוּרְסַיָּיא וְכוּרְסַיָּיא אִתְכְּלִיל בְּהוּ, עַד דְּנָקְטָא וְלָקְטָא נַפְשִׁין וְעִנּוּגִין

דִּכְסוּפִין. כֵּיוָן דְּנָקְטָא וְלָקְטָא אִנּוּן עִנּוּגִין וְכִסּוּפִין, נָחֲתָא מַלְיָיא, כְּאִילָנָא דְּמַלְיָיא עַנְפִּין לְכָל סְטַר וּמָלֵי אִיבִּין.

צא. כֵּיוָן דְּנָחֲתָא, נָפְקֵי אִלֵּין אַרְבַּע דְּיוֹקְנִין מִצְטַיְּירִין בְּצִיּוּרַיְיהוּ, גְּלִיפָן מְנַהֲרִין נָצְצִין מְלַהֲטִין, וְאִנּוּן זָרְעִין זַרְעָא עַל עָלְמָא, כְּדֵין אִתְקְרֵי עֵשֶׂב מַזְרִיעַ זֶרַע: עֵשֶׂב, דְּאִנּוּן זָרְעִין זַרְעָא עַל עָלְמָא.

צב. נָפְקָא דְּיוֹקְנָא דְּאָדָם דְּכָלֵיל כָּל דְּיוֹקְנִין, כְּדֵין כְּתִיב עֵץ פְּרִי עוֹשֶׂה פְּרִי לְמִינוֹ. אֲשֶׁר זַרְעוֹ בוֹ עַל הָאָרֶץ. לָא אַפִּיק זַרְעָא אֶלָּא לְתוֹעַלְתָּא עַל הָאָרֶץ. אֲשֶׁר זַרְעוֹ בוֹ, דַּיְיקָא, מִכָּאן דְּלֵית רְשׁוּ לְבַר נָשׁ לְאַפָּקָא זַרְעָא מִנֵּיהּ לְבַטָּלָא.

צג. דֶּשֶׁא דְּהָכָא, לָאו אִיהוּ מַזְרִיעַ זֶרַע, וּבְגִין כָּךְ אִתְבַּטַּל, וְלָא קַיְימָא בְּקִיּוּמָא כְּהָנֵי אַחֲרָנִין, דְּלֵית לֵיהּ דְּיוֹקְנָא לְאִצְטַיְּירָא וּלְאִתְגַּלְפָא בְּדִיּוֹקְנָא וְצִיּוּרָא כְּלָל, אֶלָּא אִתְחָזוּן וְלָא אִתְחַזוּן. כָּל אִנּוּן דְּלָא אִצְטַיְּירוּ בְּצִיּוּרָא וְדִיּוֹקְנָא, לֵית לוֹן קִיּוּמָא, קַיְימֵי לְפוּם שַׁעֲתָא, וְאִתְאֲכִילוּ בְּאֶשָּׁא דְּאָכְלָא אֶשָּׁא, וּמִתְהַדְּרִין כְּמִלְּקַדְמִין, וְכֵן בְּכָל יוֹמָא.

צד. בַּר נָשׁ לְתַתָּא אִית לֵיהּ דְּיוֹקְנָא וְצִיּוּרָא, וְלָא אִיהוּ בְּקִיּוּמָא כְּגַוְונָא דְּהָנֵי דִּלְעֵילָא: צִיּוּרָא וְדִיּוֹקְנָא דִּלְעֵיל. מִצְטַיְּירִין בְּצִיּוּרֵיהוֹן כְּמָה דְּהַוְיָין, בְּלָא מַלְבּוּשָׁא אָחֳרָא לְאִצְטַיְּירָא, וּבְגִין כָּךְ אִנּוּן בְּקִיּוּמָא תָּדִיר. צִיּוּרָא דְּאָדָם לְתַתָּא, מִצְטַיְּירִין בְּצִיּוּרַיְיהוּ בְּמַלְבּוּשָׁא, וְלָא כְּגַוְונָא אָחֳרָא, וּבְגִין כָּךְ קַיְימִין בְּקִיּוּמָא זְמַן וְעִדָּן.

צה. וּבְכָל לֵילְיָא וְלֵילְיָא מִתְפַּשַּׁט רוּחָא מֵהַאי מַלְבּוּשָׁא, וְסַלְקָא, וְהַהוּא אֶשָּׁא דְּאָכְלָא אָכֵיל לֵיהּ, וּבָתַר אִתְהַדַּר כְּמִלְּקַדְמִין, וּמִצְטַיְּירִין בִּלְבוּשַׁיְיהוּ, וּבְגִין כָּךְ לֵית לוֹן קִיּוּמָא, כְּאִנּוּן דְּיוֹקְנִין דִּלְעֵיל. וְעַ"ד כְּתִיב חֲדָשִׁים לַבְּקָרִים, בְּנֵי נָשָׁא, דְּאִנּוּן חֲדָשִׁים בְּכָל יוֹמָא וְיוֹמָא מ"ט, רַבָּה אֱמוּנָתֶךָ, רַבָּה אִיהוּ וְלָא זְעֵירָא.

צו. רַבָּה אֱמוּנָתֶךָ וַדַּאי, רַבָּה, דְּיָכְלָא לְנַטְלָא כָּל בְּנֵי עָלְמָא, וּלְאַכְלָלָא לוֹן בְּגַוָּהּ, עִלָּאָה וְתַתָּאָה, אֲתַר רַב וְסַגֵּי אִיהוּ, דְּכָלֵיל כֹּלָּא וְלָא אִתְמַלְיָא יַתִּיר. וְרָזָא דָּא, כָּל הַנְּחָלִים הוֹלְכִים אֶל הַיָּם וְהַיָּם אֵינֶנּוּ מָלֵא וגו', אָזְלֵי לְגַבֵּי יַמָּא, וְיַמָּא נָטֵיל לוֹן, וְאָכֵיל לוֹן בְּגַוֵּיהּ, וְלָא אִתְמַלְיָיא, וּבָתַר אַפִּיק לוֹן כְּמִלְּקַדְמִין, וְאָזְלֵי, וּבְגִין דָּא רַבָּה אֱמוּנָתֶךָ.

צז. בְּיוֹמָא דָּא, כְּתִיב כִּי טוֹב, כִּי טוֹב, תְּרֵי זִמְנֵי, בְּגִין דְּיוֹמָא דָּא אָחִיד תְּרֵין סִטְרִין, וְאַפְרֵישׁ מַחְלוֹקֶת, אֲמַר לְהַאי סִטְרָא כִּי טוֹב, וּלְהַאי סִטְרָא כִּי טוֹב, וְאַסְכֵּים בֵּינַיְיהוּ. וּבְגִ"כ אִית בֵּיהּ תְּרֵין זִמְנִין, וַיֹּאמֶר, וַיֹּאמֶר. הָכָא רָזָא דִּשְׁמָא דְּאַרְבַּע אַתְוָון, גְּלִיפָא מְחֻקְּקָא, סָלֵיק לִתְרֵיסַר אַתְוָון, בְּאַרְבַּע דְּיוֹקְנִין, בְּאַרְבַּע סִטְרִין, רָשִׁים עַל כּוּרְסְיָיא קַדִּישָׁא.

צח. וַיֹּאמֶר אֱלֹקִים יְהִי מְאֹרֹת וגו', מְאֹרֹת חָסֵר, דְּאִתְבְּרֵי אַסְכָּרָה לְרַבְיֵי. דְּבָתַר דְּאִתְגְּנִיז נְהִירוּ אוֹר קַדְמָאָה, אִתְבְּרֵי קְלִיפָּה לְמוֹחָא, וְהַהִיא קְלִיפָּה אִתְפַּשַּׁט וְאַפִּיק קְלִיפָּה אָחֳרָא. כֵּיוָן דְּנָפְקַת, סַלְקָא וְנַחֲתָא, מָטַת לְגַבֵּי אַנְפֵּי זוּטְרֵי, בָּעַאת לְאִתְדַּבְּקָא בְּהוּ, וּלְאִצְטַיְּירָא בְּגַוַּויְיהוּ, וְלָא בָּעַאת לְאַפְרְשָׁא מִנַּיְיהוּ, אַפְרַשׁ לָהּ קֻבָּ"ה מִתַּמָּן, וְנָחִית לָהּ לְתַתָּא, כַּד בְּרָא אָדָם, בְּגִין לְאַתְקָנָא הַאי, בְּהַאי עָלְמָא.

צט. כֵּיוָן דְּחָמַת לְחַוָּה דְּקָא מִתְדַּבְּקָא בְּסִטְרוֹי דְּאָדָם, דְּשַׁפִּירוּ דִּלְעֵילָא, וְחָמַאת דְּיוֹקְנָא שְׁלִים, פָּרְחָא מִתַּמָּן, וּבָעַאת כְּמִלְּקַדְמִין לְאִתְדַּבְּקָא בְּאַנְפּוֹי זוּטְרֵי, אִינּוּן נָטְרֵי תַּרְעִין דִּלְעֵיל, לָא שַׁבְקוּ לָהּ, נָזַף קֻבָּ"ה בָּהּ, וְאַטֵּיל לָהּ בְּשִׁפּוּלֵי יַמָּא.

ק. וְיָתְבַת תַּמָּן, עַד דְּחָטָא אָדָם וְאִנְתְּתֵיהּ, כְּדֵין אַפִּיק לָהּ קֻבָּ"ה מִשִּׁפּוּלֵי יַמָּא, וְשַׁלְטָא עַל כָּל אִינּוּן רַבְיֵי אַפֵּי זוּטְרָא, דִּבְנֵי נָשָׁא, דְּאִתְחָזוּן לְאִתְעַנְשָׁא בְּחוֹבֵי דַּאֲבוּהוֹן. וְאִיהִי אָזְלָא

מִשַׁטְטוּ בְּעָלְמָא, קְרִיבַת לְתַרְעֵי ג"ע דְּאַרְעָא, וְחָמַת כְּרוּבִים נַטְרֵי תַּרְעֵי דְּג"ע, וְיָתְבָא תַּמָּן לְגַבֵּי הַהוּא לַהַט הַחֶרֶב, בְּגִין דְּהִיא נָפְקַת מִסְטְרָא דְּהַהוּא לַהַט.

קכא. בְּשַׁעֲתָא דְּהַהוּא לַהַט אִתְהַפַּךְ, עָרְקַת וּמְשַׁטְטַת בְּעָלְמָא, וְאִשְׁתְּכַחַת רַבְיֵי דְּאִתְחֲזוּן לְאִתְעַנְשָׁא. וְוַוי יִכַת בְּהוּ, וְקַטִּילַת לוֹן, וְדָא אִיהוּ בְּגִרְיעוֹ דְּסִיהֲרָא, דְּאַזְעִירַת נְהוֹרָא, וְדָא מְאָרַת, כַּד אִתְיְלִיד קַיִן לָא יָכְלָא לְאִתְדַּבְּקָא בֵּיהּ, לְבָתַר אִתְקְרִיבַת בַּהֲדֵיהּ וְאוֹלִידַת רוּחִין וְטִיסִין.

קכב. אָדָם, מֵאָה וּתְלָתִין שְׁנִין שִׁמֵּשׁ עִנְיַן בְּרוּחִין נוּקְבִין, עַד דְּאָתַת נַעֲמָה, וּמִגּוֹ שַׁפִּירוּ דִּילַהּ, טָעוּ בְּנֵי הָאֱלֹהִים בַּתְרָהּ. עֵנ"א וַעֲזָ"אֵ"ל. וְאוֹלִידַת, מִנַּיְיהוּ וּמִנָּהּ אִתְפַּשְׁטוּ רוּחִין בִּישִׁין, וְשֵׁדִין בְּעָלְמָא, דְּאִינּוּן אָזְלִין וּמְשַׁטְטִין בְּלֵילְיָא, וְאַזְלִין בְּעָלְמָא, וְחַיְיכָן בִּבְנֵי נָשָׁא, וְעַבְדֵי לוֹן דְּאוֹשְׁדָן קֶרִי, וּבְכָל אֲתַר דְּאַשְׁכְּחָן בְּנֵי נָשָׁא נַיְימִין יְחִידָאִין בְּבֵיתָא, שָׁרָן עֲלַיְיהוּ, וַאֲחִידָן לוֹן, וּמִתְדַּבְּקָן בְּהוּ, וְנַטְלֵי מִנַּיְיהוּ תַּאוּבְתָּא, וְאוֹלִידָן מִנַּיְיהוּ, וְתוּ פָּגְעִין בֵּיהּ בְּמַרְעִין, וְלָא יָדַע, וְכָל דָּא בְּגִרְיעוֹ דְּסִיהֲרָא.

קכג. מְאָרַת, כַּד אִתְתַּקָּנַת סִהֲרָא, אִתְהַדְּבַּק אַתְוָון אַמִּירַת ה' צְרוּפָה, מָגֵן הוּא לְכָל הַחוֹסִים בּוֹ, מָגֵן הוּא, עַל כָּל אִנּוּן רוּחִין בִּישִׁין, וְקַסְטִירִין, דִּמְשׁוֹטְטֵי בְּעָלְמָא בְּגִרְיעוֹ דִּילַהּ, לְכָל אִנּוּן דַּאֲחִידָן בֵּיהּ בְּהֵימָנוּתֵיהּ דְּקָב"ה.

קכד. שְׁלֹמֹה מַלְכָּא, כַּד נָחִית לְעַמְקָא דְּאֱגוֹזָא דִּכְתִיב אֶל גִּנַּת אֱגוֹז יָרַדְתִּי, נָטַל קְלִיפָה דֶּאֱגוֹזָא, וְאִסְתַּכַּל בְּכָל אִנּוּן קְלִיפִין, וְיָדַע דְּכָל אִנּוּן עֲנוּגִין, דְּהַנְהוּ רוּחִין קְלִיפִין דֶּאֱגוֹזָא, לָאו אִיהוּ, אֶלָּא לְאִתְדַּבְּקָא בִּבְנֵי נָשָׁא, וּלְאִסְתָּאֲבָא לוֹן, דִּכְתִיב וְתַעֲנוּגוֹת בְּנֵי אָדָם שִׁדָּה וְשִׁדּוֹת.

קכה. תּוּ, תַּעֲנוּגֵי בְּנֵי אָדָם, דְּמִתְעַנְּגֵי בְּשַׁעְתָּא דְּלֵילְיָא, נַפְקָא מִנַּיְיהוּ שִׁדָּה וְשִׁדּוֹת, וְכֹלָּא אִצְטְרִיךְ קָב"ה לְמִבְרֵי בְּעָלְמָא, וּלְאַתְקָנָא עָלְמָא בְּהוּ, וְכֹלָּא מִוַּוזָא לְגוֹ, וְכַמָּה קְלִיפִין חַיְיפָא לְמִוַּוזָא וְכָל עָלְמָא כְּהַאי גַּוְונָא, עֵילָא וְתַתָּא.

קכו. מֵרֵישׁ רָזָא דִּנְקוּדָה עִלָּאָה, עַד סוֹפָא דְּכָל דַּרְגִּין, כֻּלְּהוּ אִיהוּ, דָּא לְגוֹ מִן דָּא, וְדָא לְגוֹ מִן דָּא, עַד דְּאִשְׁתְּכַחוּ דְּהַאי קְלִיפָה לְהַאי, וְהַאי לְהַאי.

קכז. נְקוּדָה קַדְמָאָה, הוּא נְהִירוּ פְּנִימָאָה, דְּלֵית לֵיהּ שִׁעוּרָא, לְמִנְדַּע זַכִּיכוּ וְדַקִּיקוּ וְנַקְיוּ דִּילֵיהּ. עַד דְּאִתְפַּשַּׁט פְּשִׁיטוּ, וְהַהוּא פְּשִׁיטוּ דְּהַהִיא נְקוּדָה, אִתְעֲבֵיד חַד הֵיכָלָא לְאִתְלַבְּשָׁא הַהִיא נְקוּדָה, נְהִירוּ דְּלָא יְדִיעַ לְסַגִּיאוּ זַכִּיכָא דִּילֵיהּ.

קכח. הֵיכָלָא, דְּאִיהוּ לְבוּשָׁא לְהַהוּא נְקוּדָה סְתִימָא, אִיהוּ נְהִירוּ דְּלֵית לֵיהּ שִׁעוּרָא, וְעִם כָּל דָּא, לָאו דַּקִּיק וְזַכִּיךְ אִיהוּ, כְּהַהִיא נְקוּדָה קַדְמָאָה טָמִיר וְגָנִיז, הַהוּא הֵיכָלָא אִתְפַּשַּׁט פְּשִׁיטוּ אוֹר קַדְמָאָה, וְהַהוּא פְּשִׁיטוּ אִיהוּ לְבוּשָׁא לְהַהוּא הֵיכָלָא דַּקִּיק וְזַכִּיךְ פְּנִימָאָה יַתִּיר.

קכט. מִכָּאן וּלְהָלְאָה אִתְפַּשַּׁט דָּא בְּדָא, וְאִתְלַבַּשׁ דָּא בְּדָא, עַד דְּאִשְׁתְּכַחוּ, דָּא לְבוּשָׁא לְדָא, וְדָא לְדָא, דָּא מִוַּוזָא וְדָא קְלִיפָה, וְאע"ג דְּדָא לְבוּשָׁא אִתְעֲבֵיד אִיהוּ מִוַּוזָא, לְדַרְגָּא אַחֳרָא, וְכֹלָּא כְּגַוְונָא דָּא, אִתְעֲבֵיד הָכֵי לְתַתָּא, עַד כִּי בְּצֶלֶם דָּא, אִיהוּ בַּר נָשׁ בְּהַאי עָלְמָא, מִוַּוזָא וּקְלִיפָה, רוּחָא וְגוּפָא, וְכֹלָּא אִיהוּ תִּקּוּנָא דְּעָלְמָא.

קל. כַּד הֲוַת סִהֲרָא בְּשִׁמְּשָׁא בְּדַבְקוּתָא וַחֲדָא, הֲוַת סִיהֲרָא בִּנְהִירוּ. כֵּיוָן דְּאִתְפַּרְשָׁא מִן שִׁמְּשָׁא, וְאִתְפַּקְדַּת עַל וַיְלָהָא, אוֹזְעִירַת גַּרְמָהּ אַזְעִירַת נְהוֹרָא, וְאִתְבְּרוּן קְלִיפִין עַל קְלִיפִין. לְגִנְזוּ דְּמִוַּוזָא, וְכֹלָּא תִּקּוּנָא דְּמִוַּוזָא, וְעַ"ד, יְהִי מְאָרַת וְחָסֵר. וְכָל דָּא

לתקונא דעלמא, ודא הוא דכתיב להאיר על הארץ.

קיא. ויעש אלקים את שני המאורות הגדולים, ויעש רבויא ותקונא דכלא כדקא יאות. את שני המאורות הגדולים. בקדמיתא בחבורא וחדא, רזא דא שמא שלים כחדא, ידו"ד אלקים, אע"ג דלא איהו באתגליא אלא בארח סתים.

קיב. הגדולים דאתבריאו בשמא, דא כדא, לאתקרי בהו שמא דכלא, מצפ"ץ מצפ"ץ, אלין שמהן עלאין, דתליסר מכילן דרחמי. הגדולים, אלין אתרביאו, וסלקין לעילא, בגין, דאינון עלאין מרזא עלאה, וסלקין לתועלתא דעלמא, דאתקיימא בהון עלמין, כגוונא דא, שני המאורות תרוייהו כחדא סליקו ברבותא וחדא.

קיג. לא אתיישב סיהרא לגבי שמשא, דא אכסיף מקמי דא, סיהרא אמרה איכה תרעה, שמשא אמרה איכה תרביץ בצהרים, שרגא זעירא אכדין צהיר בצהרים, שלמה אהיה כעוטיה, אכדין אהוי בכסופא, כדין אזעירת גרמה למהוי רישא לתתאי, דכתיב צאי לך בעקבי הצאן, א"ל הקב"ה זילי ואזעירי גרמך.

קיד. ומתמן לית לה נהורא, בר משמשא, דבקדמיתא הוו יתבי כחדא בשקולא, לבתר, אזעירת גרמה, בכל אנון דרגין דילה, אע"ג דאיהי רישא עלייהו, דהא לית אתתא ברבויא, בר בבעלה כחדא, את המאור, הגדול ידו"ד, ואת המאור הקטן, אלקים, סוף כל דרגין, סופא, דמחשבה. בקדמיתא אתרשים איהו לעילא, באתוון דשמא קדישא, את רביעאה דיליה, ולבתר אזעירת גרמה, לאתקרי בשמא דאלקים.

קטו. ועם כל דא, סלקא לכל סטרין לעיל באת ה' בחבורא דאתוון דשמא קדישא, לבתר אתפשטו דרגין, מסטרא דא, ומסטרא דא, דרגין דאתפשטו מסטרא דלעיל, אקרון ממשלת היום, דרגין דאתפשטון מסטרא דתתא, אקרון ממשלת הלילה.

קטז. ואת הכוכבים, שאר חילין ומשריין, דלית לון חושבנא, דכלהו תליין בההוא רקיע השמים. חי העולמים, דכתיב ויתן אותם אלקים ברקיע השמים להאיר על הארץ, דא ארץ עלאה, לתתא כדוגמא דא חי העולמים, ודא להאיר על הארץ, דא ארץ תתאה, כדוגמא דלעיל.

קיז. מלכותא דדוד, אתתקן ביומא דא, רגלא וסמכא רביעאה דכורסייא, אתתקנו אתוון, ואתיישבו על דוכתייהו. ועם כל דא, עד יום שתיתאה, דאתתקן דיוקנא דאדם, תקונא כדקא יאות, לא אתיישב בדוכתיה, וכדין אתתקן כורסייא עלאה, וכורסייא תתאה, ועלמין כלהו אתיישבו בדוכתייהו, ואתוון כלהו אתתקנן על גלגלוי בפשיטו דטופסירא דקוטרא.

קיח. ויומא רביעאה, איהו יומא מאיס מבונים, כד"א אבן מאסו הבונים, הה"ד בני אמי נחרו בי. דהא נהורא דא אזעירת גרמה, ונהירו דילה, וקליפין אתתקנו על דוכתייהו, כל אינון נהורין דנהרן, כלהו תליין בהאי רקיע השמים, לאתקנא בהו כורסייא דדוד.

קיט. אלין נהורין מציירן ציורא דלתתא, לאתקנא ציורא דכלהו דאנון בכללא דאדם, ציורא פנימאה. דכל ציורא פנימאה אקרי הכי. ומהכא, כל ציורא דאתכליל באתפשטותא דא, אקרי אדם, הה"ד אדם אתם, אתם קרוין אדם, ולא שאר עמין עכו"ם.

קכ. וְכָל רוּחָא אִקְרֵי אָדָם, רוּחָא דִסְטַר קַדִּישָׁא, גּוּפָא דִילֵיהּ לְבוּשָׁא אִיהוּ, וְעַ"ד כְּתִיב עוֹר וּבָשָׂר תַּלְבִּישֵׁנִי וגו', בִּשְׂרָא דְאָדָם לְבוּשָׁא אִיהוּ. וּבְכָל אֲתַר כְּתִיב בְּשַׂר אָדָם, אָדָם לְגוֹ, בָּשָׂר, לְבוּשָׁא דְאָדָם גּוּפָא דִילֵיהּ.

קכא. סִטְרִין דִלְתַתָּא, דְאִתְהַתָּךְ בְּהַתּוֹכָא דְרוּחָא דָא, אִצְטַיָּירוּ מִנֵּיהּ צִיּוּרִין, דְאִתְלַבְּשָׁן בִּלְבוּשָׁא אָחֳרָא, כְּגוֹן צִיּוּרָא דִבְעִירֵי דַכְיָין, שׁוֹר שֵׂה כְשָׂבִים, וְשֵׂה עִזִּים, אַיָּל וּצְבִי וְיַחְמוּר וגו', אִנּוּן דְבָעְיָין לְאִתְכַּלְלָא בִּלְבוּשָׁא דְאָדָם. הַהוּא רוּחָא פְּנִימָאָה דְאִינוּן סִטְרִין, סָלֵיק בְּהַהוּא שְׁמָא דְאִתְקְרֵי בָהּ גּוּפָא דִילֵיהּ, לְבוּשָׁא דְהַהוּא שְׁמָא. בְּשַׂר שׁוֹר, שׁוֹר אִיהוּ פְּנִימָאָה דְהַהוּא גּוּפָא, בָּשָׂר דִילֵיהּ לְבוּשָׁא, וְכֵן כֻּלְּהוּ.

קכב. כְּגַוְונָא דָא, בְּסִטְרָא אָחֳרָא דְלָא קַדִּישָׁא, רוּחָא דְאִתְפַּשַּׁט בִּשְׁאָר עַמִּין עַכּוּ"ם נַפְקָא מִסִּטְרָא דְלָא קַדִּישָׁא, לָאו אִיהוּ אָדָם, וּבְגִין כָּךְ לָא סָלֵיק בִּשְׁמָא דָא, שְׁמָא דְהַהוּא רוּחָא טָמֵא, לָא סָלֵיק בִּשְׁמָא דְאָדָם, וְלֵית בֵּיהּ חוּלָקָא, גּוּפָא דִילֵיהּ לְבוּשָׁא דְהַהוּא טָמֵא, בָּשָׂר טָמֵא. וְטָמֵא לְגוֹ, בְּשַׂר לְבוּשָׁא דִילֵיהּ, בְּגִ"כ בְּעוֹד דְשָׁרֵי הַהוּא רוּחָא בְּהַהוּא גּוּפָא, אִתְקְרֵי טָמֵא נָפַק רוּחַ מֵהַהוּא לְבוּשָׁא, לָאו אִקְרֵי טָמֵא, וְלָא סָלֵיק הַהוּא לְבוּשָׁא בִּשְׁמָא.

קכג. סִטְרִין לְתַתָּא, דְאִתְהַתָּךְ בְּהַתּוֹכָא דְרוּחָא דָא, אִצְטַיָּירָן מִנֵּיהּ צִיּוּרִין, דְאִתְלַבְּשָׁן בִּלְבוּשָׁא אָחֳרָא. כְּגוֹן צִיּוּרֵי בְעִירֵי מְסָאֲבֵי, וְאוֹרַיְיתָא פָּתַח בְּהוּ וְזֶה לָכֶם הַטָּמֵא, כְּגוֹן חֲזִיר, וְעוֹפֵי וּבְעִירֵי דְהַהוּא סִטְרָא, רוּחָא סָלֵיק בְּהַהוּא שְׁמָא, גּוּפָא לְבוּשָׁא דִילֵיהּ, וְגוּפָא בְּשַׂר חֲזִיר אִקְרֵי, חֲזִיר לְגוֹ, בִּשְׂרָא לְבוּשָׁא דִילֵיהּ. וּבְגִ"כ אִלֵּין תְּרֵין סִטְרִין, מִתְפָּרְשָׁן, אִלֵּין אִתְכְּלִילוּ בְּרָזָא דְאָדָם, וְאִלֵּין אִתְכְּלִילוּ בְּרָזָא דְטָמֵא כָּל זִינָא אָזִיל לְזִינֵיהּ, וְאִתְהַדַּר לְזִינֵיהּ.

קכד. נְהוֹרִין עִלָּאִין דְקָא מְנַהֲרִין, נַהֲרִין בְּהַהוּא רְקִיעַ הַשָּׁמַיִם וכו' לְאִצְטַיְּירָא לְתַתָּא, צִיּוּרִין כִּדְקָא חָזֵי, דִכְתִיב וַיִּתֵּן אוֹתָם אֱלֹקִים בִּרְקִיעַ הַשָּׁמַיִם וגו', וְלִמְשׁוֹל בַּיּוֹם וּבַלַּיְלָה, שָׁלְטָנוּ דִתְרֵין נְהוֹרִין, דָא אִיהוּ שָׁלְטָנוּ כִּדְקָא חָזֵי.

קכה. מָאוֹר גָּדוֹל שָׁלְטָנוּ בִּימָמָא, מָאוֹר קָטָן שָׁלְטָנוּ בְּלֵילְיָא, וְרָזָא דָא מֵהָכָא שָׁלְטָנוּתָא דִדְכוּרָא בִּימָמָא, לְמַלְאָה בֵּיתֵיהּ, בְּכָל מַה דְאִצְטְרִיךְ, וּלְאַעֲלָא בֵּיהּ טַרְפָּא וּמְזוֹנָא, כֵּיוָן דְעָאל לֵילְיָא, וְנוּקְבָא נָקִיט כֹּלָּא, לֵית שׁוּלְטָנוּ דְבֵיתָא בַּר דְנוּקְבָא, דְהָא כְּדֵין שָׁלְטָנוּ דִילָהּ, דִכְתִיב וַתָּקָם בְּעוֹד לַיְלָה וַתִּתֵּן טֶרֶף לְבֵיתָהּ, הִיא, וְלָא הוּא. מֶמְשֶׁלֶת הַיּוֹם דִדְכוּרָא, מֶמְשֶׁלֶת הַלַּיְלָה דְנוּקְבָא.

קכו. מָאוֹר גָּדוֹל, דָא הוּא שִׁמְשָׁא, וְאִית בֵּיהּ תְּרֵין עֲשַׂר פִּתְחִין, אִית בֵּיהּ תְּרֵי עֲשַׂר שַׁעֲתֵי, וְשִׁמְשָׁא שַׁלִּיט עַל יוֹמָא, מָאוֹר קָטָן, אִית בֵּיהּ תְּרֵי עֲשַׂר פִּתְחִין, וְדָא סִיהֲרָא, וְשָׁלְטָא עַל לֵילְיָא, וְלֵילְיָא אִית בֵּיהּ תְּרֵיסַר שַׁעֲתֵי, וְעַל דָא בַּיּוֹם הַהוּא יִהְיֶה ה' אֶחָד וּשְׁמוֹ אֶחָד, שִׁמְשָׁא וּתְרֵיסַר פִּתְחִין אִתְעֲבִידָן י"ג מְכִילָן דְרַחֲמֵי, לֵיל סִיהֲרָא וּתְרֵיסַר פִּתְחִין וְאִתְעֲבִידוּ י"ג, וְאִתְעֲבִידוּ שִׁמְשָׁא וְסִיהֲרָא חַד וְיוֹם וְלַיְלָה אֶחָד, הה"ד וַיְהִי עֶרֶב וַיְהִי בֹקֶר יוֹם אֶחָד, וְרָזָא דָא לְעֵילָא.

קכז. וְאֵת הַכּוֹכָבִים, כֵּיוָן דְנוּקְבָא פְּקֵידַת בֵּיתָא, וְאִתְכְּנִיסַת לְבַעֲלָהּ, לֵית שׁוּלְטָנוּ לְבֵיתָא, אֶלָּא לְעוּלֵמְתָן דְאִשְׁתָּאֲרָן בְּבֵיתָא, לְאַתְקָנָא כָּל תִּקּוּנֵי בֵּיתָא, וּבָתַר אִתְהַדַּר בֵּיתָא, לְשָׁלְטָנוּ דִדְכוּרָא, בִּימָמָא, כֹּלָּא כִּדְקָא חָזֵי.

קכח. וַיַּעַשׂ אֱלֹקִים אֶת שְׁנֵי הַמְּאוֹרוֹת, דָא מָאוֹר, וְדָא מָאוֹר, בְּגִין כָּךְ אִנּוּן נְהוֹרִין דְסָלְקֵי לְעֵילָא, אִקְרוּן מְאוֹרֵי אוֹר, וְאִנּוּן נְהוֹרִין דְנָחֲתוּ לְתַתָּא, אִקְרוּן מְאוֹרֵי אֵשׁ, דְאִנּוּן

דַּרְגִּין לְתַתָּא, וְשָׁלְטֵי כָּל יוֹמֵי דְּחוֹל, וְע"ד כַּד נָפִּיק שַׁבַּתָּא מְבָרְכִין עַל שְׁרַגָּא, דְּהָא אִתְיְהֵיב לוֹן רְשׁוּ לְשַׁלְטָאָה.

קכט. אֶצְבְּעָן דְּבַר נָשׁ, אִינּוּן סִתְרָא דְּדַרְגִּין, וְרָזִין דִּלְעֵילָא, וְאִית בְּהוֹ פְּנִימָאִין, וַאֲחוֹרַיִם, אֲחוֹרַיִם אִנּוּן לְבַר, וְאִינּוּן רֶמֶז לְטוּפְרִין דְּאֶצְבְּעָן, וּבְגִין כָּךְ אִית רְשׁוּ לְאִסְתַּכָּלָא בַּטּוּפְרִין בְּמ"ש, דְּהָא נָהֲרִין מֵהַהוּא שְׁרַגָּא, וְנָהֲרִין מֵהַהוּא אֵשׁ, לְשַׁלְטָאָה.

קל. אִלֵּין אִתְחַזְיָין אֶצְבְּעָן לְגוֹ, לָא אִית רְשׁוּ לְאִתְחַזְיָיא בְּהַהוּא שְׁרַגָּא, דְּהָא מִלְּעֵילָא נָהֲרִין, וְאִקְרוּן פָּנִים, פְּנִימָאִין, וְרָזָא דָּא וְרָאִיתָ אֶת אֲחוֹרָי, וּפָנַי לֹא יֵרָאוּ, דְּלָא יִסְתַּכַּל בַּר נָשׁ בְּמ"ש בְּאֶצְבְּעָן לְגוֹ, בְּשַׁעֲתָא דַּאֲמַר בּוֹרֵא מְאוֹרֵי הָאֵשׁ, וְרָאִיתָ אֶת אֲחוֹרָי, אִלֵּין פָּנִים דִּלְבַר, דְּאִתְרְמִיזוּ בְּטוּפְרֵי, וּפָנַי לֹא יֵרָאוּ, אִלֵּין אֶצְבְּעָן לְגוֹ, אִלֵּין שָׁלְטֵי בְּשַׁבַּתָּא, וְאִלֵּין שָׁלְטֵי בַּחוֹל.

קלא. וּבְיוֹמָא דְּשַׁבַּתָּא, קב"ה שַׁלִּיט בִּלְחוֹדוֹי, בְּאִנּוּן פָּנִים פְּנִימָאִין, עַל כּוּרְסֵי יְקָרֵיהּ, וְכֻלְּהוּ אִתְכְּלִילָן בֵּיהּ, וְשַׁלְטָנוּתָא דִּילֵיהּ אִיהוּ, וּבְגִין כָּךְ אַוְסִין נַיְיחָא לְכָל עָלְמִין, וְיַרְתִּין יְרוּתָא דְּיוֹמָא דָּא עַמָּא קַדִּישָׁא, דְּאִקְרוּן עַמָּא וְחַד בְּאַרְעָא. מְאוֹרֵי אוֹר מִסִּטְרָא דִּימִינָא, דְּאִיהוּ אוֹר קַדְמָאָה, דַּהֲוָה בְּיוֹמָא קַדְמָאָה, דִּבְיוֹמָא דְּשַׁבַּתָּא, נָהֲרִין אִנּוּן מְאוֹרֵי אוֹר בִּלְחוֹדַיְיהוּ, וְשָׁלְטִין, וּמִנַּיְיהוּ נָהֲרִין כֻּלְּהוּ לְתַתָּא.

קלב. וְכַד נָפִּיק שַׁבַּתָּא, גְּנִיזִין מְאוֹרֵי אוֹר, דְּלָא אִתְגַּלְיָין, וּמְאוֹרֵי הָאֵשׁ שָׁלְטִין, כָּל חַד וְחַד עַל דּוּכְתַּיְיהוּ. אֵימָתַי שָׁלְטִין, בְּמ"ש עַד מַעֲלֵי יוֹמָא דְּשַׁבַּתָּא, וְעַל דָּא אִצְטְרִיכוּ לְאִתְנַהֲרָא מֵהַהוּא שְׁרַגָּא בְּמוֹצָאֵי שַׁבָּת.

קלג. וְהַחַיּוֹת רָצוֹא וָשׁוֹב, דְּלָא יָכֵיל עֵינָא לְמִשְׁלַט בְּהוֹ, בְּגִין דְּאִינּוּן רָצוֹא וָשׁוֹב, וְחֵיוָת דְּאִתְגַּלְיָין אִנּוּן, דְּהַהוּא אוֹפָן קָאִים בְּגַוַּויְיהוּ, וּמַאן אִיהוּ דָּא אִלֵּין, וְעִלָּאָה וַחֲמֵשׁ מְאָה פַּרְסֵי.

קלד. וְחֵיוָת דְּמִטַּמְרָן, אִנּוּן תְּחוֹת תְּרֵין אַתְוָון עִלָּאִין דְּאִתְכַּסְיָין, י"ה, אַתְוָון שַׁלִּיטִין עַל ו"ה, אִלֵּין רְתִיכָא לְאִלֵּין, וְהַהוּא טְמִירָא לְכָל טְמִירִין דְּלָא אִתְיְידַע כְּלָל, שַׁלִּיט עַל כֹּלָּא, וְרָכֵיב עַל כֹּלָּא, וְחֵיוָת דְּאִתְגַּלְיָין אִנּוּן לְתַתָּא, תְּחוֹת אִלֵּין עִלָּאִין דְּמִטַּמְרָן, וְאִתְנַהֲרָן מִנַּיְיהוּ, וְנָטְלִין בְּגִינַיְיהוּ.

קלה. וְחֵיוָת עִלָּאִין, כֻּלְּהוּ כְּלִילָן בִּרְקִיעַ הַשָּׁמַיִם, וַעֲלַיְיהוּ כְּתִיב יְהִי מְאֹרֹת בִּרְקִיעַ הַשָּׁמַיִם, וְהָיוּ לִמְאוֹרוֹת בִּרְקִיעַ הַשָּׁמַיִם, כֻּלְּהוּ תַּלְיָין בְּהַהוּא רְקִיעַ הַשָּׁמַיִם, רָקִיעַ שֶׁעַל גַּבֵּי הַחַיּוֹת, דָּא הַהוּא דִּכְתִיב וּדְמוּת עַל רָאשֵׁי הַחַיָּה רָקִיעַ כְּעֵין הַקֶּרַח, דָּא הַהוּא קַדְמוֹן.

קלו. דְּהָא מִתַּמָּן וּלְהָלְאָה, לֵית מָאן דְּיָכֵיל לְאִסְתַּכָּלָא וּלְמִנְדַּע. מ"ט, מִשּׁוּם דְּאִיהוּ סָתִים בְּמַחֲשָׁבָה, וּמַחֲשָׁבָה דְּקב"ה, טְמִירָא סְתִימָא עִלָּאָה, מַחֲשָׁבָה דְּבַר נָשׁ, בְּכָל עָלְמָא, לָא יָכֵיל לְאִתְדַּבְּקָא וּלְמִנְדַּע לָהּ, מִלִּין דְּתַלְיָין בְּמַחֲשָׁבָה עִלָּאָה, לֵית מָאן דְּיָכֵיל לְאִתְדַּבְּקָא לוֹן, מַחֲשָׁבָה מַמָּשׁ עאכ"ו לְגוֹ מִן מַחֲשָׁבָה מַאן אִיהוּ דַּעֲבֵיד רַעֲיוֹנֵי, דְּהָא לֵית סוּכְלְתָנוּ לְמִשְׁאַל, כָּל שֶׁכֵּן לְמִנְדַּע.

קלז. אֵין סוֹף לֵית בֵּיהּ רְשִׁימָא כְּלָל, וְלָא תַּלְיָא שְׁאֶלְתָּא בֵּיהּ, וְלָא רַעֲיוֹנָא לְאִסְתַּכְּלוּתָא דְּמַחֲשָׁבָה כְּלָל. מִגּוֹ סְתִימָא דִּסְתִימָא, מֵרֵישׁ נְחִיתוּ דְּאֵין סוֹף, נְהִיר נְהִירוּ דַּקִּיק, וְלָא יְדִיעַ, סָתִים בִּרְשִׁימוּ כְּחוּדוּדָא דְּמַחֲטָא, רָזָא סְתִימָא דְּמַחֲשָׁבָה. וְלָא יְדִיעַ, עַד דְּאִתְפְּשַׁט נְהִירוּ מִנֵּיהּ, בַּאֲתַר דְּאִית בֵּיהּ רְשִׁימִין, דְּאַתְוָון כֻּלְּהוּ מִתַּמָּן נָפְקָן.

קלח. בְּרֵישׁ כֹּלָּא רֵישָׁא וְסוֹפָא דְּכָל דַּרְגִּין, רְשִׁימוּ דְּאִתְרְשִׁים בֵּיהּ דַּרְגִּין כֻּלְּהוּ, וְלָא אִקְרֵי אֶלָּא אֶחָד, לְאַחֲזָאָה דְּאַע"ג דְּאִית בֵּיהּ דְּיוֹקְנִין סַגִּיאִין, לָאו אִיהוּ אֶלָּא חַד. וַדַּאי אִיהוּ אֶת דְּעִלָּאִין וְתַתָּאִין תַּלְיָין בֵּיהּ.

קלט. רֵאשִׁיתָא דְּאָלֶף, טְמִירוּ דְּרָזָא דְּמַחֲשָׁבָה עִלָּאָה, וְהַהוּא אִתְפַּשְּׁטוּ דְּהַהוּא רָקִיעַ עִלָּאָה כֹּלָּא סָתִים בְּהַהוּא רֵישָׁא, בְּגִין דְּכַד נָפִיק מֵהַאי רָקִיעַ, בְּדִיוֹקְנָא דְּרָזָא דְּרֵישָׁא דְּמַחֲשָׁבָה נַפְקָא. בְּהַהוּא אֶמְצָעִיתָא דְּאָלֶ"ף, שִׁית דַּרְגִּין כְּלִילָן בֵּיהּ, רָזָא דְּכֻלְּהוּ וַוִּיּוֹת טְמִירִין עִלָּאִין, דְּתַלְיָין מִגּוֹ מַחֲשָׁבָה.

קמ. וְחַד נְהִירוּ דְּנָהִיר וְאִתְגְּנִיז, דָּא נְהִירוּ דְּאֶת דִּבְרֵאשִׁית. וְזוּם הַיּוֹם, דַּהֲוָה אַבְרָהָם יָתִיב פֶּתַח הָאֹהֶל, דְּאִיהִי פִּתְחָא מִתַּתָּא לְעֵילָּא, וְזוּם הַיּוֹם נָהִיר עַל הַהוּא פִּתְחָא וְנַהֲרָא מִתַּמָּן.

קמא. תִּנְיָנָא, נְהִירוּ דַּאֲזִיל לְאִתְחַשְׁכָא לְעֵת פְּנוֹת עֶרֶב, רָזָא דִּצְלוֹתָא דְּיִצְחָק, לְאַתְקְנָא הַאי דַּרְגָּא, דִּכְתִיב וַיֵּצֵא יִצְחָק לָשׂוּחַ בַּשָּׂדֶה לִפְנוֹת עָרֶב, אִסְתַּכְּלוּתָא דְּעֶרֶב, וַחֲשׁוֹכָן כֻּלְּהוּ לְגַבֵּיהּ. בְּהַאי פְּנוֹת עֶרֶב, אִסְתַּכַּל יַעֲקֹב בְּהַהוּא מְמַנָּא דְּעֵשָׂו.

קמב. תְּלִיתָאָה, נְהִירוּ דְּכָלִיל תְּרֵין אִלֵּין, נְהִירוּ דְּנָהִיר בְּאַסְוָותָא, רָזָא דִּכְתִיב בְּיַעֲקֹב וַיִּזְרַח לוֹ הַשֶּׁמֶשׁ וגו', וַדַּאי כַּד אִתְכְּלִיל בְּהַהוּא פְּנוֹת עֶרֶב, מִכָּאן וּלְהָלְאָה וְהוּא צוֹלֵעַ עַל יְרֵכוֹ, דָּא אִיהוּ נֶצַח יִשְׂרָאֵל.

קמג. עַל יְרֵכוֹ, יְרֵכוֹ כְּתִיב וְלָא יְרֵכָיו, דָּא דַּרְגָּא רְבִיעָאָה, דְּלָא אִתְנַבֵּי בַּר נָשׁ מִתַּמָּן, עַד דַּאֲתָא שְׁמוּאֵל, וַעֲלֵיהּ כְּתִיב וְגַם נֵצַח יִשְׂרָאֵל וגו', כְּדֵין אִתְקַן, דַּהֲוָה חַלָּשָׁא מִכַּד אִסְתַּכַּן יַעֲקֹב אָבִינוּ בִּמְמַנָּא דְּעֵשָׂו.

קמד. וַיִּגַּע בְּכַף יְרֵכוֹ, כַּד אֲתָא לְגַבֵּי דְּיַעֲקֹב, נְטַל תּוֹקְפָּא מֵהַהוּא פְּנוֹת עֶרֶב, בְּדִינָא תַּקִּיפָא, וְיַעֲקֹב הֲוָה אִתְכְּלִיל בֵּיהּ, וְלָא יָכִיל לֵיהּ, וַיַּרְא כִּי לֹא יָכוֹל לוֹ וַיִּגַּע בְּכַף יְרֵכוֹ, נְטַל תּוֹקְפָּא דְּדִינָא מִתַּמָּן, בְּגִין דְּיַרְכָא אִיהוּ לְבַר מִגּוּפָא, דְּיַעֲקֹב גּוּפָא הֲוָה, וְגוּפֵיהּ הֲוָה כָּלִיל בְּרָזָא דִּתְרֵין דַּרְגִּין, בְּרָזָא דְּאִקְרֵי אָדָם, כֵּיוָן דִּנְטַל תּוֹקְפָּא לְבַר מִגּוּפָא, מִיַּד וַתֵּקַע כַּף יֶרֶךְ יַעֲקֹב.

קמה. וְלָא אִתְנַבֵּי בַּר נָשׁ מִתַּמָּן, עַד דַּאֲתָא שְׁמוּאֵל, וְע"ד נֵצַח יִשְׂרָאֵל כְּתִיב בֵּיהּ, כִּי לֹא אָדָם הוּא, יְהוֹשֻׁעַ אִתְנַבֵּי מֵהוֹדוֹ שֶׁל מֹשֶׁה, דִּכְתִיב וְנָתַתָּ מֵהוֹדְךָ עָלָיו. הוֹד, וְדָא דַּרְגָּא חֲמִישָׁאָה. נֶצַח יַרְכָא שְׂמָאלָא דְּיַעֲקֹב, וּבְגִ"כ אֲתָא דָּוִד וְכָלִיל לֵיהּ בְּיָמִינָא, דִּכְתִיב נְעִימוֹת בִּימִינְךָ נֶצַח, יְמִינְךָ לָא כְּתִיב אֶלָּא בִּימִינְךָ.

קמו. מ"ט אִתְחַלַּשׁ יַרְכָא דְּיַעֲקֹב, בְּגִין דְּאִתְקְרַב בֵּיהּ סְטַר מִסָּאֳבָא, וְנָקִיט תּוֹקְפָּא מִנֵּיהּ, וְאִתְעַכַּב עַד שְׁמוּאֵל, וְע"ד אֲתָא לְאַדְכָּרָא, דְּדָא אִיהוּ יַרְכָא דְּיִשְׂרָאֵל, דִּכְתִיב וְגַם נֵצַח יִשְׂרָאֵל, וְע"ד כָּל מִילוֹי הֲווּ בְּדִינָא, בְּשֵׁירוּתָא וּבְסוֹפָא.

קמז. וְתוּ קֻבְּ"ה כָּלִיל לֵיהּ לְבָתַר בְּהוֹד, אֵימָתַי, לְבָתַר דִּמְשַׁח מַלְכִּין. וְע"ד שָׁקִיל אִיהוּ כְּמֹשֶׁה וְאַהֲרֹן, מַה מֹשֶׁה וְאַהֲרֹן בִּתְרֵין סִטְרִין דִּלְעֵילָּא, אַף הוּא לְתַתָּא, כְּגַוְונָא דְּאִנּוּן תְּרֵין סִטְרֵי, וּמָאן אִנּוּן נֶצַח וְהוֹד, כְּגַוְונָא דְּמֹשֶׁה וְאַהֲרֹן דִּלְעֵילָּא: וְכֻלְּהוּ דַּרְגִּין אֲחִידָן דָּא בְּדָא, דִּכְתִיב מֹשֶׁה וְאַהֲרֹן בְּכֹהֲנָיו, וּשְׁמוּאֵל בְּקֹרְאֵי שְׁמוֹ, דְּהָא שִׁית סִטְרִין אִתְכְּלִילוּ וַאֲחִידָן דָּא בְּדָא.

קמח. כְּמָה דְּאִלֵּין אֲחִידָן, מֹשֶׁה וְאַהֲרֹן וּשְׁמוּאֵל, אוּף הָכֵי אֲחִידָן יַעֲקֹב מֹשֶׁה וְיוֹסֵף, יַעֲקֹב מָארֵיהּ דְּבֵיתָא, מִית יַעֲקֹב נְטַל מֹשֶׁה בֵּיתָא, וּמַנֵּי לָהּ בְּחַיָּיו, יוֹסֵף ע"י דְּיַעֲקֹב

וּמֹשֶׁה הֲוָה צַדִּיק.

קמט. יַעֲקֹב בְּיוֹסֵף נָטַל בֵּיתָא, דִּכְתִיב אֵלֶּה תּוֹלְדוֹת יַעֲקֹב יוֹסֵף, מֹשֶׁה לָא שִׁמֵּשׁ בָּהּ, עַד דְּנָטַל לֵיהּ לְיוֹסֵף, כַּד נָפְקַת שְׁכִינְתָּא מִן גָּלוּתָא לָא יָכֵיל לְאִזְדַּוְּוגָא בָּהּ, אֶלָּא בְּיוֹסֵף, דִּכְתִיב וַיִּקַּח מֹשֶׁה אֶת עַצְמוֹת יוֹסֵף עִמּוֹ, אַמַּאי כְּתִיב עִמּוֹ, אֶלָּא גּוּפָא לָא אִזְדַּוַּוג בְּנוּקְבָא, עַד דְּאִזְדַּוַּוג בַּהֲדֵי בְּרִית, וְע״ד מֹשֶׁה נָטַל לֵיהּ לְיוֹסֵף עִמֵּיהּ, כֵּיוָן דַּהֲוָה עִמֵּיהּ, שִׁמֵּשׁ בְּנוּקְבָא כִּדְקָא יָאוּת, וּבְגִין כָּךְ יַעֲקֹב מֹשֶׁה וְיוֹסֵף כַּחֲדָא אָזְלֵי.

קנ. יַעֲקֹב מִית, וְגוּפֵיהּ אָעֲלוּ לֵיהּ בְּאַרְעָא קַדִּישָׁא, יוֹסֵף מִית, גּוּפֵיהּ לָאִתְקַבַּר בְּאַרְעָא קַדִּישָׁא, אֶלָּא גַּרְמוֹי, מֹשֶׁה לָא הַאי וְלָא הַאי, אַמַּאי, אֶלָּא יַעֲקֹב בַּעֲלָהּ קַדְמָאָה דְּמַטְרוֹנִיתָא הֲוָה, מִית יַעֲקֹב אִזְדַּוְּוגָא בֵּיהּ בְּמֹשֶׁה, וּבְעוֹד דַּהֲוָה מֹשֶׁה בְּהַאי עָלְמָא, מָנֵי לָהּ כִּדְקָא יָאוּת, וְאִיהוּ הֲוָה בַּעֲלָהּ תִּנְיָינָא.

קנא. יַעֲקֹב אָעֵילוּ לֵיהּ לְאַרְעָא קַדִּישָׁא גּוּפֵיהּ שְׁלִים, בְּגִין דְּאִיהוּ גּוּפָא, יוֹסֵף גַּרְמוֹי וְלָא גּוּפֵיהּ, בְּגִין דְּגַרְמִין אִנּוּן חַיָּילִין וּמַשִׁרְיָין דִּלְעֵילָא, וְכֻלְּהוּ נָפְקֵי מֵהַהוּא צַדִּיק, וְצַדִּיק צְבָאוֹת אִקְרֵי, מ״ט, בְּגִין דְּכָל צְבָאוֹת וּמַשִׁרְיָין עִלָּאִין מִנֵּיהּ נָפְקִין, וְע״ד גַּרְמוֹי דְּאִנּוּן צְבָאוֹת עָאלוּ בְּאַרְעָא.

קנב. מֹשֶׁה הֲוָה לְבַר, וְלָא עָאל תַּמָּן, לָא גּוּפֵיהּ וְלָא גַּרְמוֹי, אֶלָּא עָאלַת שְׁכִינְתָּא בְּאַרְעָא בָּתַר דְּמִית מֹשֶׁה, וְאִתְהַדְּרַת לְבַעֲלָהּ קַדְמָאָה, וַדַּאי, אִיהוּ יַעֲקֹב, מִכָּאן נוּקְבָא דְּאִתְנְסִיבַת בִּתְרֵין, בְּהַהוּא עָלְמָא אַהַדְרַת לְקַדְמָאָה, מֹשֶׁה הֲוָה לְבַר, כֵּיוָן דְּבַעֲלָהּ קַדְמָאָה הֲוָה בְּאַרְעָא.

קנג. מֹשֶׁה זָכָה בְּחַיָּיו, מַה דְּלָא זָכָה בֵּיהּ יַעֲקֹב, יַעֲקֹב שִׁמֵּשׁ בָּהּ בְּהַהוּא עָלְמָא, מֹשֶׁה בְּהַאי עָלְמָא, וְאִי תֵּימָא דְּגָרְיעוּ דְּמֹשֶׁה הֲוָה, לָאו הָכֵי, אֶלָּא כַּד נָפְקֵי יִשְׂרָאֵל מִמִּצְרַיִם, מִסִּטְרָא דְּיוֹבְלָא הֲוָה, וְכָל אִנּוּן שִׁתִּין רִבְּבָן מֵעָלְמָא עִלָּאָה הֲווֹ, וּבְהַהוּא דְּיוֹקְנָא אָזְלוּ בְּמַדְבְּרָא, וְחַד מִנְּהוֹן לָא עָאלוּ בְּאַרְעָא, אֶלָּא בְּנֵיהוֹן תּוֹלָדִין דִּלְהוֹן, כִּדְקָא חָזֵי, דְּאִנּוּן תִּקּוּנָא דְּסִיהֲרָא, וְכָל עוֹבָדֵי אַרְעָא תִּקּוּנָא דְּסִיהֲרָא הֲוָה.

קנד. מֹשֶׁה שִׁמֵּשׁ בְּסִיהֲרָא בְּעוֹד דְּאִיהוּ בְּגוּפָא, וּמָנֵי לָהּ לִרְעוּתֵיהּ כַּד אִתְפַּטַּר מֵהַאי עָלְמָא, סָלֵיק בִּסְלִיקוּ עִלָּאָה, בִּרְעוּתָא קַדִּישָׁא, וְאִתְהַדַּר בִּרְעוּתָא לְיוֹבְלָא עִלָּאָה, וְתַמָּן אִתְדַּבַּק בְּאִנּוּן שִׁיתִּין רִבּוֹא דַּהֲווֹ דִּילֵיהּ, מַה דְּלָא הֲוָה כֵּן לְיַעֲקֹב, דְּהוּא אִתְהַדַּר בִּרְעוּתָא, לְגוֹ שְׁמִטָּה, מַה דְּלָא הֲוָה כֵּן בְּחַיָּיו, כֵּיוָן דְּבֵיתָא אוּחְרָא הֲוָה לֵיהּ.

קנה. וְאַרְעָא קַדִּישָׁא בְּתִקּוּנָא דִּלְתַתָּא אִתְתַּקְנַת בְּחֵילָא דִּלְעֵילָא, וְע״ד לָא אִתְחֲזוּן לְמֶהֱוֵי כֻּלְּהוּ כַּחֲדָא, אִנּוּן דְּעָלְמָא עִלָּאָה הֲווֹ בִּלְחוֹדַיְיהוּ, כֻּלְּהוּ בִּרְעוּתָא, וְאִנּוּן דְּעָלְמָא תַּתָּאָה הֲווֹ בִּלְחוֹדַיְיהוּ כֻּלְּהוּ בְּגוּפָא, וְלָא אִתְחֲזוּן לְמֶהֱוֵי אִלֵּין וְאִלֵּין גּוֹ סִיהֲרָא, אֶלָּא אִלֵּין גּוֹ סִיהֲרָא, וְאִלֵּין לְבַר, לְנַהֲרָא אִלֵּין מִגּוֹ אִלֵּין.

קנו. וְכֻלְּהוּ דְּעָאלוּ בְּאַרְעָא, דְּיוֹקְנָא דְּקַדְמָאֵי הֲווֹ, וְלָא הֲווֹ בִּסְלִיקוּ עִלָּאָה כְּוָותַיְיהוּ, בְּגִין דְּלָא יְהֵא דָּרָא, וְלָא הֲוָה מִקַּדְמַת דְּנָא, כְּאִנּוּן קַדְמָאֵי, דְּאִתְחַזְיָא לְהוֹן, זִיו יְקָרָא דְּמָארֵיהוֹן אַפִּין בְּאַפִּין.

קנז. יַעֲקֹב שִׁמֵּשׁ בְּנִשּׁוּי בְּגוּפָא, לְבָתַר אִתְדַּבַּק רְעוּתָא בִּרְעוּתָא, מֹשֶׁה אִתְפָּרַשׁ מֵאִתְּתֵיהּ, וְשִׁמֵּשׁ כַּד אִיהוּ בְּגוּפָא, בְּהַהוּא רְעוּתָא קַדִּישָׁא, לְבָתַר אִתְדַּבַּק רְעוּתָא, בִּרְעוּתָא עִלָּאָה טְמִירָא דִּלְעֵילָא, וְכָל דַּרְגִּין הֲווֹ מִתְדַּבְּקָן כֻּלְּהוּ כַּחֲדָא, רְעוּתָא דְּמֹשֶׁה דְּיוֹבְלָא אִיהוּ, גּוּפֵיהּ דִּשְׁמִטָּה, רְעוּתָא דְּיַעֲקֹב לְאִתְדַּבְּקָא בִּשְׁמִטָּה, גּוּפֵיהּ דְּנִשּׁוּי הֲוָה, בְּהַאי עָלְמָא.

כָּל אִנּוּן נְהוֹרִין עִלָּאִין, בִּדְיוֹקְנָא דִּלְהוֹן לְתַתָּא בְּאַרְעָא, וְכֻלְּהוּ תַּלְיָין בִּרְקִיעַ הַשָּׁמַיִם הָכָא רָזָא דִּתְרֵין שְׁמָהָן כְּלִילָן כַּחֲדָא, וְשִׁכְלוּלָא דִּלְהוֹן תְּלָתָא, וְאִתְהַדְּרָן לְחַד, דָּא לְקַבֵּל דָּא, וְאִיהוּ שְׁמָא גְּלִיפָא מְחַקְּקָא, כְּלִילָן בְּהַאי בְּרָזָא דִּמְהֵימְנוּתָא.

קנט. וַיֹּאמֶר אֱלֹקִים נַעֲשֶׂה אָדָם, סוֹד ה' לִירֵאָיו וְגוֹ', פָּתַח הַהוּא סָבָא דְּסָבִין, וַאֲמַר שִׁמְעוֹן שִׁמְעוֹן, מָאן הוּא דַּאֲמַר, נַעֲשֶׂה אָדָם. וַיֹּאמֶר אֱלֹקִים, מַאי נִיהוּ הָכָא, הַאי אֱלֹקִים, אַדְּהָכִי פָּרַח הַהוּא סָבָא דְּסָבִין, וְלָא חָמָא לֵיהּ, וְכַמָּה דְּשָׁמַע ר"ש דַּהֲוָה קָרֵי לֵיהּ שִׁמְעוֹן, וְלָא רַבִּי שִׁמְעוֹן, אֲמַר לְחַבְרוֹי, וַדַּאי הַאי הוּא קֻבְּ"ה, דְּאִתְּמַר בֵּיהּ וְעַתִּיק יוֹמִין יָתִיב, הָא כְּעַן אִיהוּ שַׁעֲתָא, לְמִפְתַּח בְּהַאי רָזָא, דְּוַדַּאי הָכָא אִית רָזָא, דְּלָא אִתְיְהִיב רְשׁוּ לְאִתְגַּלְיָא, וּכְעַן מַשְׁמַע, דִּרְשׁוּתָא אִתְיְהִיב לְאִתְגַּלְיָא.

קס. פָּתַח וַאֲמַר, לְמַלְכָּא, דַּהֲוָה לֵיהּ כַּמָּה בִּנְיָינִין לְמִבְנֵי, וַהֲוָה לֵיהּ אוּמָנָא וְהַהוּא אוּמָנָא, לָא הֲוָה עָבֵד מִדָּעַם, אֶלָּא מֵרְשׁוּ דְּמַלְכָּא, כד"א וָאֶהְיֶה אֶצְלוֹ אָמוֹן. מַלְכָּא וַדַּאי אִיהוּ וְחָכְמָה עִלָּאָה, לְעֵילָא, וְעַמּוּדָא דְּאֶמְצָעִיתָא, מַלְכָּא לְתַתָּא. אֱלֹקִים אוּמָנָא לְעֵילָא, וְדָא אִימָא עִלָּאָה, אֱלֹקִים אוּמָנָא לְתַתָּא, וְדָא שְׁכִינְתָּא דִּלְתַתָּא.

קסא. וְאִתְּתָא לֵית לָהּ רְשׁוּ לְמֶעְבַּד מִדָּעַם, בְּלָא רְשׁוּת בַּעְלָהּ, וְכָל בִּנְיָינִין דַּהֲווּ בְּאֹרַח אֲצִילוּתָא, הֲוָה אֲמַר אַבָּ"א בַּאֲמִירָה, לְגַבֵּי אִמָּ"א, יְהֵא כְּדֵין וּכְדֵין, וּמִיָּד הֲוָה, כד"א, וַיֹּאמֶר אֱלֹקִים יְהִי אוֹר וַיְהִי אוֹר, וַיֹּאמֶר הֲוָה אָמַר לֵאלֹקִים, יְהִי אוֹר, מָארֵי דְּבִנְיָנָא אִיהוּ אוֹמֵר, וְאוּמָנָא עָבִיד מִיָּד, וְהָכִי כָּל בִּנְיָינִין בְּאֹרַח אֲצִילוּתָא, הֲוָה אָמַר, יְהִי רָקִיעַ, יְהִי מְאֹרֹת וְכֹלָּא אִתְעֲבִיד מִיָּד.

קסב. כַּד מָטָא לְעָלְמָא דְּפִרוּדָא, דְּאִיהוּ עוֹלָם הַנִּבְדָּלִים, אֲמַר אוּמָנָא, לְמָארֵי בִּנְיָנָא נַעֲשֶׂה אָדָם בְּצַלְמֵנוּ כִּדְמוּתֵנוּ, אֲמַר מָארֵי בִּנְיָנָא, וַדַּאי טַב הוּא לְמֶעְבַּד לֵיהּ, אֲבָל עָתִיד הוּא לְמֶחֱטֵי קַמָּךְ, בְּגִין דְּאִיהוּ כְּסִיל, הה"ד בֵּן חָכָם יְשַׂמַּח אָב וּבֵן כְּסִיל תּוּגַת אִמּוֹ.

קסג. אִיהִי אָמְרָה, בָּתַר דְּחוֹבֵיהּ תַּלְיָא בְּאִמָּ"א וְלָא בְּאַבָּ"א אֲנָא בָּעֵינָא לְמִבְרֵי לֵיהּ בִּדְיוֹקְנָא דִּילִי, הֲדָא הוּא דִּכְתִיב, וַיִּבְרָא אֱלֹקִים אֶת הָאָדָם בְּצַלְמוֹ. וְלָא בָּעָא לְאִשְׁתַּתָּפָא בֵּיהּ אַבָּ"א.

קסד. בְּזִמְנָא דְּחָב מַה כְּתִיב, וּבְפִשְׁעֵכֶם שֻׁלְּחָה אִמְּכֶם, אֲמַר מַלְכָּא לְאִמָּ"א, וְלָא אֲמָרִית לָךְ דַּעֲתִיד הוּא לְמֶחֱטֵי. בְּהַהוּא זִמְנָא, תָּרִיךְ לֵיהּ, וְתָרִיךְ אִמָּא עִמֵּיהּ, וּבְגִין דָּא כְּתִיב בֵּן חָכָם יְשַׂמַּח אָב וּבֵן כְּסִיל תּוּגַת אִמּוֹ, בֵּן חָכָם, דָּא אָדָם, דְּאִיהוּ בְּאֹרַח אֲצִילוּת, וּבֵן כְּסִיל, דָּא אָדָם דִּבְרִיאָה.

קסה. קָמוּ כֻּלְּהוּ חַבְרַיָּיא, וַאֲמָרוּ, ר' ר' וְכִי אִית פִּרוּדָא בֵּין אַבָּ"א וְאִמָּ"א, דְּמִסִּטְרָא דְּאַבָּ"א, אִיהוּ בְּאֹרַח אֲצִילוּת, וּמִסִּטְרָא דְּאִמָּ"א בִּבְרִיאָה, אֲמַר לוֹן חַבְרַיָּיא חַבְרַיָּיא, לָאו הָכִי הוּא, דְּהָא אָדָם דַּאֲצִילוּתָא, דְּכַר וְנוּקְבָא הֲוָה מִסִּטְרָא דְּאַבָּא וְאִמָּא, וְדָא אִיהוּ, וַיֹּאמֶר אֱלֹקִים יְהִי אוֹר וַיְהִי אוֹר, יְהִי אוֹר מִסִּטְרָא דְּאַבָּא, וַיְהִי אוֹר מִסִּטְרָא דְּאִמָּא, וְדָא אִיהוּ אָדָם דּוּ פַּרְצוּפִין.

קסו. אֲבָל לְהַאי, לֵית בֵּיהּ צֶלֶם וּדְמוּת אֶלָּא אִמָּא עִלָּאָה, הֲוָה לֵיהּ חַד כִּנּוּי, דְּסָלִיק לְחוּשְׁבַּן אֱלֹקִים, וְהַהוּא כִּנּוּי אִיהוּ אוֹר וְחֹשֶׁךְ, וּבְגִין הַהוּא חֹשֶׁךְ, דַּהֲוָה בְּהַהוּא כִּנּוּי, אֲמַר אַבָּא, דַּעֲתִיד לְמֶחֱטֵי לְאָדָם דִּבְרִיאָה, דְּאִיהוּ אוֹר לְבוּשׁ עִלָּאָה.

קסז. וְהַאי אִיהוּ אוֹר דִּבְרָא קֻבְּ"ה, בְּיוֹם רִאשׁוֹן, דְּגָנִיז לְצַדִּיקַיָּיא, וְהַהוּא חֹשֶׁךְ, דְּאִתְבְּרֵי בְּיוֹמָא קַדְמָאָה לְרַשִׁיעַיָּיא, כד"א וּרְשָׁעִים בַּחֹשֶׁךְ יִדָּמּוּ, וּבְגִין הַהוּא חֹשֶׁךְ,

דַּהֲוָה עָתִיד לְמֶחֱטֵי לְהַהוּא אוֹר, לָא בָּעָא אַבָּא לְאִשְׁתַּתָּפָא בֵּיהּ, וּבְגִין דָּא אֲמַר, נַעֲשֶׂה אָדָם בְּצַלְמֵנוּ הַהוּא אוֹר, כִּדְמוּתֵנוּ הַהוּא חֹשֶׁךְ, דְּאִיהוּ לְבוּשָׁא לָאוֹר, כְּגַוְונָא דְּגוּפָא, דְּאִיהוּ לְבוּשָׁא לְנִשְׁמְתָא, הֲדָא הוּא דִכְתִיב עוֹר וּבָשָׂר תַּלְבִּישֵׁנִי. חָדוּ כֻּלְּהוּ, וַאֲמָרוּ זַכָּאָה חוּלְקָנָא, דְּזָכֵינָא לְמִשְׁמַע מִלִּין דְּלָא אִשְׁתְּמָעוּ עַד כְּעָן.

קסח. פָּתַח עוֹד ר' שִׁמְעוֹן וַאֲמַר רְאוּ עַתָּה כִּי אֲנִי אֲנִי הוּא וְאֵין אֱלֹקִים עִמָּדִי וגו', אֲמַר, חַבְרַיָּיא, שְׁמָעוּ מִלִּין עַתִּיקִין, דְּבָעֵינָא לְגַלָּאָה, בָּתַר דְּאִתְיְהִיב רְשׁוּ עִלָּאָה לְמֵימַר, מַאי נִיהוּ דַּאֲמַר רְאוּ עַתָּה כִּי אֲנִי אֲנִי הוּא אֶלָּא, דָּא הוּא, עִלַּת עַל כָּל עִלָּאִין, הַהוּא דְּאִתְקְרֵי עִלַּת הָעִלּוֹת, עִלַּת מֵאִלֵּין עִלּוֹת, דְּלָא יַעֲבִיד חַד מֵאִלֵּין עִלּוֹת שׁוּם עוֹבָדָא, עַד דְּנָטִיל רְשׁוּת מֵהַהוּא דַעֲלֵיהּ, כְּמָה דְּאוֹקִימְנָא לְעֵילָּא בְּנַעֲשֶׂה אָדָם.

קסט. נַעֲשֶׂה, וַדַּאי עַל תְּרֵין אִתְמַר, דַּאֲמַר דָּא לְהַהוּא דִּלְעֵילָּא מִנֵּיהּ נַעֲשֶׂה, וְלָא עָבִיד מִדַּעַם, אֶלָּא, בִּרְשׁוּ, וַאֲמִירָה, מֵהַהוּא דִּלְעֵילָּא מִנֵּיהּ, וְהַהוּא דִּלְעֵילָּא מִנֵּיהּ, לָא עָבִיד מִדַּעַם, עַד דְּנָטִיל עֵצָה מֵחַבְרֵיהּ. אֲבָל הַהוּא דְּאִתְקְרֵי עִלַּת עַל כָּל עִלּוֹת, דְּלֵית לְעֵילָּא מִנֵּיהּ, וְלָא לְתַתָּא שָׁוֶה לֵיהּ, כד"א וְאֶל מִי תְּדַמְּיוּנִי וְאֶשְׁוֶה יֹאמַר קָדוֹשׁ, אֲמַר רְאוּ עַתָּה כִּי אֲנִי אֲנִי הוּא וְאֵין אֱלֹקִים עִמָּדִי, דְּנָטִיל עֵצָה מִנֵּיהּ, כְּגַוְונָא דְּהַהוּא דַּאֲמַר, וַיֹּאמֶר אֱלֹקִים נַעֲשֶׂה אָדָם.

קע. קָמוּ כֻּלְּהוּ חַבְרַיָּיא, וַאֲמָרוּ רַבִּי, הַב לָנָא רְשׁוּ, לְמַלְּלָא בְּהַאי אֲתַר, אֲמָרוּ, וְהָא לָא אוֹקִמַת לְעֵילָּא דְּעִלַּת הָעִלּוֹת אֲמַר לְכת"ר נַעֲשֶׂה אָדָם, אֲמַר לוֹן הֲווֹ שָׁמְעִין אוּדְנַיְיכוּ, מַה דְּפוּמְכוֹן מְמַלְּלָן, וְהָא לָא אֲמָרִית לְכוּ הַשְׁתָּא, דְּאִית דְּאִתְקְרֵי עִלַּת הָעִלּוֹת, וְלָאו אִיהוּ הַהוּא דְּאִתְקְרֵי, עִלַּת עַל כָּל עִלּוֹת, דִּלְעִלַּת עַל כָּל עִלּוֹת לֵית לֵיהּ תִּנְיָינָא, דְּנָטִיל עֵצָה מִנֵּיהּ, דְּאִיהוּ יָחִיד קֹדֶם כֹּלָּא, וְלֵית לֵיהּ שׁוּתָּפוּ.

קעא. וּבְגִין דָּא אֲמַר, רְאוּ עַתָּה כִּי אֲנִי אֲנִי הוּא וְאֵין אֱלֹקִים עִמָּדִי, דְּנָטִיל עֵצָה מִנֵּיהּ, דְּלָא אִית לֵיהּ תִּנְיָינָא, וְלָא שׁוּתָּפָא, וְלָא חוּשְׁבְּנָא, דְּאִית אֶחָד בְּשִׁתּוּף, כְּגוֹן דְּכַר וְנוּקְבָא, וְאִתְּמַר בְּהוֹן כִּי אֶחָד קְרָאתִיו, אֲבָל אִיהוּ, חַד, בְּלָא חוּשְׁבָּן וְלָא שִׁתּוּף, וּבְגִין דָּא אֲמַר וְאֵין אֱלֹקִים עִמָּדִי. קָמוּ כֻּלְּהוּ, וְאִשְׁתַּטְחוּ קַמֵּיהּ, וַאֲמָרוּ זַכָּאָה בַּר נָשׁ דְּמָארֵיהּ אִסְתַּכַּם עִמֵּיהּ, לְגַלָּאָה רָזִין טְמִירִין, דְּלָא הֲווֹ מִתְגַּלְיָין לְמַלְאֲכַיָּיא קַדִּישַׁיָּיא.

קעב. אֲמַר לוֹן חַבְרַיָּיא, אִית לָן לְאַשְׁלָמָא קְרָא, דְּכַמָּה רָזִין טְמִירִין, אִית בְּהַאי קְרָא אֲנִי אָמִית וַאֲחַיֶּה וגו', אֲנִי אָמִית וַאֲחַיֶּה, בִּסְפִירָן אֲחַיֶּה, מִסִּטְרָא דִּימִינָא חַיֵּי, וּמִסִּטְרָא דִּשְׂמָאלָא מוֹתָא, וְאִי לָא אִסְתַּכְּמָן תַּרְוַויְיהוּ בְּעַמּוּדָא דְּאֶמְצָעִיתָא, לָא אִתְקַיַּים דִּינָא, דְּאִנּוּן בְּמוֹתַב תְּלָתָא כַּחֲדָא.

קעג. וּלְזִמְנִין אִסְתַּכָּמוּ תְּלָתָא לְמֶעְבַּד דִּינָא, וְיֵיתֵי יַד, דְּאִיהִי פְּשׁוּטָה לְקַבֵּל שָׁבִים, דְּאִיהוּ הוי"ה יוד הא ואו הא, וְדָא שְׁכִינְתָּא, אִתְקְרֵי יַד יָמִין מִסִּטְרָא דְּחֶסֶד, יַד שְׂמֹאל מִסִּטְרָא דִּגְבוּרָה, יַד הוי"ה מִסִּטְרָא דְּעַמּוּדָא דְּאֶמְצָעִיתָא, כַּד בַּר נָשׁ תָּב בִּתְיוּבְתָּא, הַאי יַד שֵׁיזִיב לֵיהּ מִן דִּינָא, אֲבָל כַּד דָּן עִלַּת עַל כָּל הָעִלּוֹת, אִתְּמַר בֵּיהּ וְאֵין מִיָּדִי מַצִּיל.

קעד. וְעוֹד תְּלַת זִמְנִין, אִתְּמַר בְּהַאי קְרָא, אֲנִי אֲנִי, דְּאִית בְּהוֹן א.א' א' א' י' י' י' דְּאִתְרְמִיזוּ בְּיוֹד הֵי וָאו הֵי. יוד הא ואו הא, וְאִית בְּהוֹן ג' ווין ו' ו' ו' וַאֲחַיֶּה וַאֲנִי וְאֵין, דְּאִתְרְמִיזוּ בְּאִלֵּין שְׁמָהָן.

קעה. וְעִם כָּל דָּא, דְּהַאי קְרָא, הָא אוֹקְמוּהָ חַבְרַיָּיא, לְגַבֵּי אֱלֹהִים אֲחֵרִים. כד"א רְאוּ עַתָּה כִּי אֲנִי אֲנִי הוּא, דָּא קב"ה וּשְׁכִינְתֵּיהּ, דְּאִתְּמַר בְּהוּ אֲנִי וָה"ו. וְאֵין אֱלֹהִים

עִמְדִי, דָּא סמא"ל וְנָחָשׁ. אֲנִי אָמִית וַאֲחַיֶּה, אֲנִי אָמִית בִּשְׁכִינְתִּי, לְמַאן דְּאִיהוּ חַיָּיב, וַאֲנִי אֲחַיֶּה בָּהּ, לְמַאן דְּאִיהוּ זַכַּאי. וְאֵין מִיָּדִי מַצִּיל, דָּא יַד הוי"ה דְּאִיהוּ הוי"ה יוד הא ואו הא, וְאִיהוּ כוז"ו במוכס"ז כוז"ו. וְכֹלָּא קְשׁוֹט, אֲבָל מַה דְּאִתְּמַר לְעֵילָּא עִלַּת עִלָּאָה דְּאִיהוּ עִלַּת עַל כָּל הָעִלּוֹת, וְהַאי רָזָא לָא אִתְמְסַר לְכָל חַכִּימָא וּנְבִיאָה.

קעו. ת"ח, כַּמָּה עִלּוֹת אִנּוּן סְתִימִין, דְּאִנּוּן מִתְלַבְּשִׁין, וְאִנּוּן מוּרְכָּבִין בִּסְפִירָן, וּסְפִירָן מֶרְכָּבָה לְגַבַּיְיהוּ, דְּאִנּוּן טְמִירִין מִמַּחֲשַׁבְתָּא דִּבְנֵי נָשָׁא, וַעֲלַיְיהוּ אִתְּמַר כִּי גָבוֹהַּ מֵעַל גָּבוֹהַּ שׁוֹמֵר וגו', נְהוֹרִין מְצוּחְצָחִין, אִלֵּין עַל אִלֵּין, וְאִלֵּין דִּמְקַבְּלִין אִנּוּן חֲשׁוֹכִין מֵאֲחֲרָנִין דַּעֲלַיְיהוּ, דִּמְקַבְּלִין מִנַּיְיהוּ, וְעִלַּת הָעִלּוֹת לֵית נְהוֹרָא קַיְּימָא קַמֵּיהּ, דְּכֹל נְהוֹרִין מִתְחַשְׁכָן קַמֵּיהּ.

קעז. ד"א נַעֲשֶׂה אָדָם בְּצַלְמֵנוּ כִּדְמוּתֵנוּ, הָא אוֹקְמוּהָ חַבְרַיָּיא עַל מַלְאֲכֵי הַשָּׁרֵת דְּאִנּוּן אָמְרֵי הַאי קְרָא, אֲמַר לְהוּ, בָּתַר דַּהֲווּ יָדְעִין מַה דַּהֲוָה, וּמַה דַּעֲתִיד לְמֶהֱוֵי, וְאִנּוּן הֲווּ יָדְעִין דַּעֲתִיד לְמֶחֱטֵי, אַמַּאי בָּעוּ לְמֶעְבַּד לֵיהּ.

קעח. וְלָא עוֹד, אֶלָּא דְּעַזָּא וַעֲזָאֵל הֲווּ מְקַטְרְגֵי עָלֵיהּ בִּזְמַנָּא דְּאָמַר שְׁכִינְתָּא לְקֻבָּ"ה נַעֲשֶׂה אָדָם אָמְרוּ מָה אָדָם וַתֵּדָעֵהוּ, מָה אַתְּ בָּעֵי לְמִבְרֵי אָדָם, וַתֵּדָעֵהוּ דַּעֲתִיד לְמֶחֱטֵי קַמָּךְ, בְּאִתְּתָא דִּילֵיהּ דְּאִיהִי חֹשֶׁךְ, דְּאוֹר אִיהוּ דְּכוּרָא, וְחֹשֶׁךְ נוּקְבָא שְׂמָאלָא, וְחֹשֶׁךְ דִּבְרִיאָה, בְּהַהוּא זִמְנָא שְׁכִינְתָּא אֲמַרַת לוֹן, בְּהַאי דְּאַתּוּן מְקַטְרְגִין, אַתּוּן עֲתִידִים לְמִנְפַּל, כְּדִכְתִיב וַיִּרְאוּ בְּנֵי הָאֱלֹקִים אֶת בְּנוֹת הָאָדָם, כִּי טוֹבוֹת הֵנָּה וגו' וְטָעוּ בְּהוֹן וְאַפִּיל לוֹן שְׁכִינְתָּא מִקְּדוּשָּׁה דִּלְהוֹן.

קעט. אָמְרוּ חַבְרַיָּיא, רַבִּי רַבִּי, אַדְּהָכֵי עַזָּא וַעֲזָאֵל לָא הֲווּ מְשַׁקְרִין בְּמִלּוּלַיְיהוּ דְּוַדַּאי בְּנוּקְבָא עָתִיד אָדָם לְמֶחֱטֵי, אֲמַר לְהוּ הָכֵי אָמְרָה שְׁכִינְתָּא, אַתּוּן אִזְדַּמַּנְתּוּן לְקַטְרְגָא קֳדָמַי יַתִּיר מֵחֵילָא דִּמְרוֹמָא, אִי אַתּוּן הֲוֵיתוּן שַׁפִּירִין מֵאָדָם בְּעוֹבָדַיְיכוּ, יָאוּת לְכוּ לְקַטְרְגָא עָלֵיהּ, אֲבָל אִיהוּ עָתִיד לְמֶחֱטֵי בְּאִתְּתָא חֲדָא, אַתּוּן בְּנָשִׁין סַגִּיאִין וְחַבְתִּיכוֹן, יַתִּיר מִבְּנֵי נָשָׁא, כְּמָה דִּכְתִיב וַיִּרְאוּ בְּנֵי הָאֱלֹקִים אֶת בְּנוֹת הָאָדָם וגו' אֶת בַּת הָאָדָם לֹא נֶאֱמַר, אֶלָּא אֶת בְּנוֹת הָאָדָם. וְלֹא עוֹד, אֶלָּא אִם אָדָם חָב, הָא אַקְדִּים לֵיהּ תְּשׁוּבָה, לְאַהְדְּרָא לְמָארֵיהּ לְאַתְקְנָא בַּמֶּה דְּחָב.

קפ. אָמְרוּ לֵיהּ חַבְרַיָּיא אִי הָכֵי אַמַּאי כּוּלֵּי הַאי, א"ר שִׁמְעוֹן לַחַבְרַיָּיא, אִי לָא דַּהֲוָה הָכֵי, דִּבְרָא קֻבָּ"ה יֵצֶר טָבָא וּבִישָׁא, דְּאִנּוּן אוֹר וְחֹשֶׁךְ, לָא הֲוָה זְכוּ וְחוֹבָה, לְאָדָם דִּבְרִיאָה, אֶלָּא, דְּאִתְבְּרֵי מִתַּרְוַויְיהוּ. וּבְגִין דָּא רְאֵה נָתַתִּי לְפָנֶיךָ הַיּוֹם אֶת הַחַיִּים וגו'. אָמְרוּ לֵיהּ כּוּלֵּי הַאי אַמַּאי, וְלָא הֲוָה שַׁפִּיר דְּלָא אִתְבְּרֵי, דְּלָא לְמֵיחַב וּלְגַרְמָא כָּל מַה דְּגָרִים לְעֵילָּא, וְלָא הֲוָה לֵיהּ, לָא עוֹנֶשׁ וְלָא שָׂכָר.

קפא. אֲמַר לוֹן, מִן הַדִּין, הֲוָה לֵיהּ לְמִבְרְיֵיהּ כָּךְ, בְּגִין דְּאוֹרַיְיתָא בְּגִינֵיהּ אִתְבְּרִיאַת, דִּכְתִיב בָּהּ עוֹנְשָׁא לְרַשִׁיעַיָּיא, וְאַגְרָא לְצַדִּיקַיָּיא, וְלָא הֲוָה אַגְרָא לְצַדִּיקַיָּיא וְעוֹנְשָׁא לְרַשִׁיעַיָּיא אֶלָּא בְּגִין אָדָם דִּבְרִיאָה, לֹא תֹהוּ בְרָאָהּ לָשֶׁבֶת יְצָרָהּ. אָמְרוּ וַדַּאי כְּעַן שְׁמַעְנָא מַה דְּלָא שְׁמַעְנָא עַד הַשְׁתָּא, דְּוַדַּאי לָא בָרָא קוּדְשָׁא בְּרִיךְ הוּא מִלְּתָא דְּלָא אִיהוּ צָרִיךְ.

קפב. וְלָא עוֹד, אֶלָּא אוֹרַיְיתָא דִּבְרִיאָה אִיהוּ לְבוּשָׁא דִּשְׁכִינְתָּא, וְאִי אָדָם לָא הֲוָה עָתִיד לְמִבְרֵי, הֲוַת שְׁכִינְתָּא בְּלָא כְּסוּיָיא כְּגַוְונָא דְּעָנִי. וּבְגִין דָּא כָּל מַאן דְּחָב, כְּאִלּוּ אַפְשִׁיט לִשְׁכִינְתָּא מִלְּבוּשָׁהָא, וְהַאי אִיהוּ עוֹנְשָׁא דְּאָדָם.

קפג. וְכָל מָאן דִּמְקַיֵּים פִּקּוּדִין דְּאוֹרַיְיתָא, כְּאִלּוּ הוּא לָבֵישׁ לִשְׁכִינְתָּא בִּלְבוּשָׁהָא, וּבְגִין דָּא אוּקְמוּהָ בְּכִסּוּיָא דְּצִיצִית וּתְפִלִּין כִּי הִיא כְסוּתוֹ לְבַדָּהּ הִיא שִׂמְלָתוֹ לְעוֹרוֹ בַּמֶּה יִשְׁכָּב בְּגָלוּתָא וְהָא אוּקְמוּהָ. ת״ח וְחֹשֶׁךְ אִיהוּ אוּכְמוּ דְּאוֹרַיְיתָא, אוֹר וְחִיוָּרוּ דְּאוֹרַיְיתָא.

קפד. צְלוֹתָא לָאו אִיהִי שְׁלֵימָא, כַּמָּה מַלְאֲכֵי חַבָּלָה רָדְפִין אֲבַתְרָהּ, כד״א כָּל רוֹדְפֶיהָ הִשִּׂיגוּהָ וגו׳, וּבְגִין דָּא מַצְלִין וְהוּא רַחוּם יְכַפֵּר עָוֹן, דָּא סמאל דְּאִיהוּ נָחָשׁ. וְלֹא יַשְׁחִית, דָּא מַשְׁחִית. וְהִרְבָּה לְהָשִׁיב אַפּוֹ, דָּא אַף. וְלֹא יָעִיר כָּל חֲמָתוֹ, דָּא חֵמָה. בְּגִין דְּלָא יִרְדְּפוּן בָּתַר צְלוֹתָא. וְכַמָּה מַלְאֲכֵי חַבָּלָה תַּלְיָין מִנַּיְיהוּ שִׁבְעָה מִמַּנָּן אִנּוּן, וְתַלְיָין מִנַּיְיהוּ שַׁבְעִין. וּבְכָל רְקִיעָא וּרְקִיעָא, אִנּוּן מְקַטְרְגִין וְתַלְיָין מִנַּיְיהוּ ע׳ אֶלֶף רִבּוֹא.

קפה. וְאִי צְלוֹתָא סַלְקָא שְׁלֵימָא, בְּעִטּוּפָא דְּמִצְוָה וּתְפִלִּין עַל רֵישָׁא וּדְרוֹעָא, אִתְּמַר בְּהוֹ וְרָאוּ כָּל עַמֵּי הָאָרֶץ כִּי שֵׁם הוי״ה נִקְרָא עָלֶיךָ וְיָרְאוּ מִמֶּךָּ. שֵׁם ה׳ אוּקְמוּהָ דְּאִיהִי תְּפִלִּין דְּרֵישָׁא, וּמָאן דְּחָזֵי שֵׁם הוי״ה עַל רֵישָׁא בִּצְלוֹתָא, דְּאִיהִי אדנ״י, מִיַּד כֻּלְּהוֹן בָּרְחִין הה״ד יִפּוֹל מִצִּדְּךָ אֶלֶף וגו׳.

קפו. וְיַעֲקֹב בְּגִין דְּחָמָא בְּרוּחָא דְקוּדְשָׁא דּוֹחֲקָא דְגָלוּתָא בַּתְרָאָה בְּסוֹף יוֹמַיָּא וַיִּירָא יַעֲקֹב מְאֹד וַיֵּצֶר לוֹ וּפָלִיג עַמָּא קַדִּישָׁא בְּגָלוּתָא לג׳ סִטְרִין. כד״א וַיָּשֶׂם אֶת הַשְּׁפָחוֹת וְאֶת יַלְדֵיהֶן רִאשׁוֹנָה בְּרֵישָׁא, בְּגָלוּתָא דֶּאֱדוֹם, וְאֶת לֵאָה וִילָדֶיהָ אַחֲרוֹנִים, וְאֶת רָחֵל וְאֶת יוֹסֵף אַחֲרוֹנִים. וּבְגִין דְּחָמָא בָּתַר כֵּן עֲנִיּוּתָא וְצַעֲרָא דִלְהוֹן, אֲמַר וְשַׁבְתִּי בְשָׁלוֹם אֶל בֵּית אָבִי, וַאֲמַר וְנָתַן לִי לֶחֶם לֶאֱכוֹל וּבֶגֶד לִלְבּוֹשׁ.

קפז. וְדָוִד, בְּגִין גָּלוּתָא, אֲמַר רָעֵב וְעָיֵף וְצָמֵא בַּמִּדְבָּר. בְּגִין דְּחָמָא שְׁכִינְתָּא חֲרֵבָה יְבֵשָׁה, הֲוָה נָטַל צַעֲרָא בְּגִינָהָא. לְבָתַר דְּחָמָא דְּהַדְרִין יִשְׂרָאֵל בְּחֶדְוָה, תַּקִּין עֶשֶׂר מִינֵי נִגּוּנִין, וּבְסוֹף כֻּלְּהוּ אֲמַר תְּפִלָּה לְעָנִי כִּי יַעֲטוֹף, וְהִיא צְלוֹתָא, דְּעָטִיף כָּל צְלוֹתִין קַדְמָהָא, עַד דְּיֵיעוּל צְלוֹתָא דִילֵיהּ, בְּגִין דָּא אַקְדִּים עָנִי לְכֻלְּהוּ.

קפח. מָאן צְלוֹתָא דְּעָנִי, דָּא צְלוֹתָא דְעַרְבִית, דְּאִיהִי רְשׁוּת בִּפְנֵי עַצְמָהּ, בְּלָא בַּעֲלָהּ. וּבְגִין דְּאִיהִי בְּלָא בַּעֲלָהּ, אִיהִי עֲנִיָּה יְבֵשָׁה, וְצָרִיךְ עָנִי יָבֵשׁ. דָּא זַרְעָא דְּיַעֲקֹב דְּאִיהוּ בִּרְשׁוּת כָּל אוּמִין דְּעָלְמָא, וְדַמְיָא לִצְלוֹתָא דְעַרְבִית, דְּאִיהִי לֵילְיָא דְגָלוּתָא.

קפט. וּצְלוֹתָא דְּשַׁבָּת אִיהִי צְדָקָה לֶעָנִי, כְּמָה דְּאוּקְמוּהָ מ״מ שֶׁמֶשׁ בְּשַׁבָּת צְדָקָה לַעֲנִיִּים. וּבְגִין דָּא צָרִיךְ בַּר נָשׁ לְמֶהֱוֵי אִיהוּ, כְּעָנִי לְתַרְעָא דְמַלְכָּא, בִּצְלוֹתָא דַעֲמִידָה בְּכָל שִׁית יוֹמִין דְּחוֹל, בְּגִין שְׁכִינְתָּא, וּמִתְעַטֵּף לָהּ בְּעִטּוּפָא דְמִצְוָה דְצִיצִית כְּעָנִי, וִיהֵא בִּתְפִלִּין כְּאֶבְיוֹן לְגַבֵּי תַּרְעָא דְּאִיהוּ אדנ״י, דְּהָכֵי סָלֵיק לְחוּשְׁבַּן הֵיכָל. וְדָא אִיהוּ אֲדֹנָי שְׂפָתַי תִּפְתָּח.

קצ. וְכַד אַפְתַּח פּוּמֵיהּ בִּצְלוֹתָא דְעַרְבִית, נִשְׁרָא קָא נָחִית בְּיוֹמִין דְּחוֹלָא לְקַבְּלָא בְּגַדְפָהָא צְלוֹתָא דְלֵילְיָא, וְדָא נוּרִיאֵ״ל. אִתְקְרֵי אוּרִיאֵ״ל מִסִּטְרָא דְחֶסֶד, וְנוּרִיאֵל מִסִּטְרָא דִגְבוּרָה דְּאִיהוּ נוּר דָּלֵיק, דְּאִתְּמַר בֵּיהּ נְהַר דִּינוּר וגו׳.

קצא. וּבִצְלוֹתָא דְשַׁחֲרִית אַרְיֵה נָחִית לְקַבְּלָא צְלוֹתָא, בִּדְרוֹעוֹי וְגַדְפּוֹי, דְּאַרְבַּע גַּדְפִין לְכָל חַיָּה דָּא מִיכָאֵל. וּבִצְלוֹתָא דְמִנְחָה שׁוֹר נָחִית לְקַבְּלָא בְּקַרְנוֹי וְגַדְפּוֹי, וְדָא גַּבְרִיאֵל.

קצב. וּבְשַׁבָּת נָחִית קב״ה בְּג׳ אֲבָהָן לְקַבְּלָא בַּת יְחִידָא דִילֵיהּ בְּהוֹן. וְדָא רָזָא דְשַׁבָּת שׁ׳ ב״ת יְחִידָא דִילֵיהּ. בְּהַהוּא זִמְנָא חֵיוָון עִלָּאִין דְּאִתְקְרִיאוּ בִּשְׁמָא דְהוי״ה,

פתוחין ואמרין שאו שערים ראשיכם והנשאו פתחי עולם.

קצג. בההוא זמנא, מתפתחין שבעה היכלין: היכל קדמאה, היכלא דאהבה. תניינא, היכלא דיראה. תליתאה, היכלא דרחמי. רביעאה, היכלא דנבואה דאספקלריא דנהרא. וחמישאה, היכלא דנבואה, דאספקלריא דלא נהרא. שתיתאה, היכלא דצדק. שביעאה היכלא דדין.

קצד. ועלייהו אתמר, בראשית, ברא שי"ת, אלהים היכלא שביעאה. והכי אנון ז' היכלין לתתא. ולקבלייהו שבעה קלין דהבו להוי"ה וי"ו אזכרות דביה, דבהון שט קב"ה בי"ו עלמין ברכב אלקים רבותים אלפי שנאן. דאנון י"ו רבוון עלמין. וכמה נטורי תרעין, אית להיכלין דמקבלין צלותין, וכל צלותא לא תעול אלא במדה במשקל.

קצה. ולית מאן דקאים קמי תרעא דצלותא, ועליה אתמר לא יבושו כי ידברו את אויבים בשער. דאיהי תרעא דמלכא. בגין דצלותא איהי מצוה, ודא שכינתא, ואורייתא דא קב"ה, לא צריך הפסקה בינייהו. וצריך לסלקא תורה ומצוה ברחימו ודחילו.

קצו. דכל פקודין דעשה ולא תעשה, כלהו תליין מן שם הוי"ה. כמה דאוקימנא רזא דא, שמי עם י"ה ש"ה מצות לא תעשה, וזה זכרי עם ו"ה רמ"ח מצות עשה, והא הכא ש"ה ורמ"ח, ואנון רמ"ח תיבין בק"ש, ואתיהיבו מרחימו ודחילו דאת ה'. ובגין דא תקינו הבוחר בעמו ישראל באהבה. ואנון כלילן באברהם דאתמר ביה זרע אברהם אוהבי.

קצז. ישראל דסליק ביוד הא ואו הא. ורזא דמלה, ישראל עלה במחשבה להבראות. מחשבה וחש"ב מ"ה וביה תשכח שמא קדישא. ובגין יעקב דאיהו ישראל, אתמר ויברא אלקים את האדם בצלמו, בדיוקנא דמאריה.

קצח. בני חיי ומזוני מסטרא דעמודא דאמצעיתא, דאיהו בני בכורי ישראל. ואיהו עץ החיים, ואיהו אילנא דמזון לכלא ביה. ובגין דא אנון ישראל מזונא דיליה, צלותא דחשיבא לקרבנא.

קצט. ובגלותא אתמר הבה לי בנים, ואם אין מתה אנכי, ושכינתא איהי קרבנא דקב"ה, מניה בימינא ושמאלא וגופא. וכד סלקא לגביה, צריך לאכללא עמיה, כל עשר ספירן, דלית קדושה פחות מעשרה, דאיהו קדושה דיליה, ובגין דא, כד בר נש בעי לסלקא צלותיה בכל תנועיה אי חיויא בעי לקטרגא לצלותא, צריך למעבד ליה קירטא, ורזא דמלה, זרקא מקף שופר הולך סגולתא.

ר. פתח רבי שמעון ואמר, עלאין שמעו, תתאין אתכנשו, אלין מארי מתיבתא דלעילא ותתא. אליהו באומאה עלך, טול רשו ונחית הכא, דהא קרבא סגיאה אזדמן. וחנוך ממנא נחית הכא, אנת, וכל מארי מתיבתא דתחות ידך, דלא ליקרא דילי עבידנא, אלא ליקרא דשכינתא.

רא. פתח כמלקדמין, ואמר, זרקא, ודאי במיתך לסלקא צלותא לההוא אתר ידיע, כמה דההוא אבנא דקירטא, דאזדריקת לאתר ידיע, הכי צריך לסלקא מחשבתיה, בצלותיה בההיא תגא אבן מוכללת ומעוטרת, דאתמר בה כל הזוקף זוקף בשם, דצריך לסלקא לה תמן.

רב. ובההוא אתר דסליק לה לגבי בעלה, אפילו נחש כרוך על עקבו לא יפסיק, טאע/ג דאתמר ביה ואתה תשופנו עקב, ההיא אבן, דאיהי י' דיעקב, דאתמר בה

מִשָּׁם רוֹעֶה אֶבֶן יִשְׂרָאֵל, לֹא יַפְסִיק, וְצָרִיךְ לְסַלְקָא עַד אֵין סוֹף, וְכַד נָחֲיִת לָהּ אִתְּמַר בֵּיהּ, כָּל הַכּוֹרֵעַ, כּוֹרֵעַ בְּבָרוּךְ, דְּצָרִיךְ לְנַחֲתָא עַד אֵין תַּכְלִית, וְלָא יַפְסִיק מִנֵּיהּ, לָא לְעֵילָא וְלָא לְתַתָּא.

רג. לִזְמְנִין אִיהוּ בַּעֲלָה ו' בְּצַדִּיק, בְּשִׁית פִּרְקִין דִּתְרֵין שׁוֹקִין, נָחֵית לְגַבָּהּ בִּתְרֵין שׁוֹקִין. לִזְמְנָא אִיהוּ בַּעֲלָה ו' בִּתְרֵין, שִׁית פִּרְקִין דִּסְלִיקַת לְגַבֵּיהּ בִּתְרֵין דְּרוֹעִין, לִזְמְנִין אִיהוּ בֵּין אַבָּא וְאִמָּא, בֵּין י"ה, צָרִיךְ לְסַלְקָא לְעֵילָא לָהּ, וְכַד סָלְקַת תַּמָּן, לִזְמְנִין אִיהִי בְּהִפּוּכָא ו' וּבֵין י' י' כְּגַוְונָא דָא א' צָרִיךְ לְסַלְקָא לְגַבֵּי דְּאִתְּמַר בָּהּ אֶבֶן מָאֲסוּ הַבּוֹנִים הָיְתָה לְרֹאשׁ פִּנָּה.

רד. וְכַד אִיהִי סְלִיקַת לְעֵילָא, בְּרֵישָׁא דְּכָל רֵישִׁין סַלְקָא, וּבְגִינָהּ מַלְאֲכַיָּיא אָמְרִין אַיֵּה מְקוֹם כְּבוֹדוֹ, וְכַד סְלִיקַת לְא' כְּגַוְונָא דָא **צ** אִיהִי תַּגָּא בְּרֵישֵׁיהּ דְּא' עֲטָרָה עַל רֵישֵׁיהּ, כֶּתֶר, וְכַד נַחֲתָא נְקוּדָה לְתַתָּא, וְאִתְעַטְּרַת, נַחֲיתַת בֵּיהּ כְּגַוְונָא דָא **א**. וְכַד סְלִיקַת אִתְקְרֵי תַּגָּא בְּרָזָא דְּטַעֲמֵי, וְכַד נַחֲיתַת אִתְקְרִיאַת נְקוּדָה. וְכַד אִיהִי כְּגַוְונָא דָא וּמִתְיַיחֶדֶת עִמֵּיהּ, וְכַד אִיהִי תַּגָּא עַל רֵישֵׁיהּ, אִתְקְרִיאַת אוֹת ז' כְּלִילָא מִנֵּיהּ אוֹת בְּרִית דְּאִיהִי שְׁבִיעָאָה דְּכֹלָּא.

רה. וּבְוַדַּאי הַאי אַבְנָא הִיא בִּנְיָינָא דְּכָל עָלְמִין וּבְגִין דָּא אֶבֶן שְׁלֵמָה וָצֶדֶק יִהְיֶה לָּךְ. אִיהִי מִדָּה בֵּין כָּל סְפִירָה וּסְפִירָה, דְּכָל סְפִירָה בָּהּ סְלִיקַת לְעֶשֶׂר, שִׁיעוּר דִּילָהּ ו' וּבָהּ אִתְעֲבִידַת אַמָּה, עֶשֶׂר אַמּוֹת אוֹרֶךְ, בֵּין כָּל סְפִירָה וּסְפִירָה, וְרָזָא דְּמִלָּה, עֶשֶׂר אַמּוֹת אוֹרֶךְ הַקֶּרֶשׁ, וּבֵין כֹּלָּא מְאָה אִיהִי י' בֵּין פֶּרֶק וּפֶרֶק וְיוּד עֶשֶׂר זִמְנִין, סַלְקָא לְמֵאָה וְהִפּוּכָא דְּמֵאָה, אַמָּה.

רו. כָּל מִדָּה וּמִדָּה אִתְקְרֵי עוֹלָם, וְאִנּוּן י"ו שִׁיעוּר וּמִדָּה, ו' שֶׁקֶל י' מִדָּה דִּילֵיהּ וְשִׁיעוּרָא דְּמִדָּה, וְחָמֵשׁ אַמּוֹת אוֹרֶךְ, וְחָמֵשׁ אַמּוֹת רוֹחַב, וְאִנּוּן לְקָבֵל שִׁיעוּרָא דְּכָל רָקִיעַ דִּמַהֲלַךְ ת"ק אוֹרְכֵּיהּ וְת"ק פּוּתְיֵיהּ וְאִנּוּן ה' ה'.

רז. הֲרֵי לָךְ שִׁיעוּר קוֹמָה בְּאַתְוָון הוי"ה, דְּאָת ו' אִיהִי רְקִיעַ הַשָּׁמַיִם, וְחָמֵשׁ רְקִיעִין דִּילֵיהּ. ה', אִלֵּין אִתְקְרִיאוּ שָׁמַיִם: ה' וְחָמֵשׁ רְקִיעִין דִּכְלִילָן בַּשָּׁמַיִם. וְחָמֵשׁ עִלָּאִין שְׁמֵי הַשָּׁמַיִם. וְאִנּוּן ה' ה' וְחָמֵשׁ בְּחָמֵשׁ, ו' רְקִיעַ שְׁתִיתָאָה לוֹן, י' שְׁבִיעָאָה לוֹן. וְאִינּוּן שִׁבְעָה בְּשִׁבְעָה, וְסָלְקִין י"ד. וְהָכֵי אִנּוּן אַרְעִין שִׁבְעָה עַל גַּבֵּי שִׁבְעָה כְּגַלְדֵּי בְּצָלִים, וְכֻלְּהוּ רְמִיזָן בִּתְרֵין עַיְינִין.

רח. י' אִתְקְרֵי עוֹלָם קָטָן, ו' עוֹלָם אָרוֹךְ, וְכָל מַאן דְּבָעֵי לְמִשְׁאַל שְׁאֵלְתִּין, לְגַבֵּי עוֹלָם אָרוֹךְ צָרִיךְ לְאַרְכָא בֵּיהּ וְכָל מַאן דְּשָׁאֵיל בְּעוֹלָם קָצָר צָרִיךְ לְקַצְּרָא. וְעַל דָּא אוּקְמוּהָ בְּמָקוֹם שֶׁאָמְרוּ לְקַצֵּר אֵין אָדָם רַשַּׁאי לְהַאֲרִיךְ.

רט. לְקַצֵּר בִּצְלוֹתִין אֵל נָא רְפָא נָא לָהּ. בִּנְקוּדָה דִּי', לְהַאֲרִיךְ וּלְהִתְנַפֵּל וָאֶתְנַפַּל לִפְנֵי ה' כָּרִאשֹׁנָה מ' יוֹם וּמ' לַיְלָה, כֹּלָּא מ"ם י' נְקוּדָה בְּאֶמְצַע, אִתְעֲבִיד מַיִם, מִסִּטְרָא דְּחֶסֶד צָרִיךְ לְאַרְכָא בִּצְלוֹתָא.

רי. וּבִשְׁמָא קַדִּישָׁא סָלִיק הוי"ה בִּרְבִיעַ לְאַרְכָא בִּתְנוּעָה דָא, דְּאִיהוּ רָזָא דִּתְקִיעָה, לְקַצֵּר מִסִּטְרָא דִּשְׁבָרִים, בֵּינוֹנִי לָא בְּקִצִּירוּ וְלָא בַּאֲרִיכוּ, בִּתְרוּעָה, דְּעַמּוּדָא דְּאֶמְצָעִיתָא דְּאִיהִי שַׁלְשֶׁלֶת, דִּתְרַוַויְיהוּ שֶׁקֶל הַקֹּדֶשׁ.

ריא. לְקָבֵיל רְבִיעַ דְּסָלִיק אִיהוּ חוֹלָם, שְׁבָרִים לְקָבֵיל שְׁבָא, דָּא בָּעָא לְסַלְקָא קָלָא, וְדָא בָּעָא לְנַחֲתָא לָהּ. וּבְגִין דָּא אִנּוּן שְׁבָרִים בַּחֲשַׁאי, שְׁכִינְתָּא תַּתָּאָה וְקָלָא לָא

יִשְׁתְּמַע, כד"א וְקוֹלָהּ לֹא יִשָּׁמֵעַ. תְּרוּעָה דָּא שַׁלְשֶׁלֶת אָזִיד בִּתְרַוַּויְהוּ.

ריב. וְאִית כְּגַוְונָא דְּרָקִיעַ הַמַּאֲרִיךְ בֵּיהּ תֵּיבָה, וְאִיהִי נְקוּדָה וְחִירִיק כְּגַוְונָא דְּחוֹלֶם, לֵית נְקוּדָה דְּלֵית כְּגַוְונָא דִּילָהּ בְּטַעֲמֵי, סְגוֹל לְגַבֵּי סְגוֹלְתָּא, שְׁבָא לְגַבֵּי זָקֵף גָּדוֹל כֻּלְּהוּ תַּשְׁכַּח לוֹן נְקוּדֵי לְגַבֵּי טַעֲמֵי לְמַאן דְּיָדַע רָזִין טְמִירִין.

ריג. פַּתַּח וַאֲמַר זַרְקָא מַקָּף שׁוֹפָר הוֹלֵךְ סְגוֹלְתָּא פַּתָּח נְקוּדַת יָמִין ה' מֶלֶךְ, נְקוּדַת סֶגּוֹל שְׂמָאלָא ה' מָלָךְ, בְּאֶמְצָעִיתָא ה' יִמְלוֹךְ לְתַתָּא. ר' אַוָּא אֲמַר ה' מֶלֶךְ דָּא עָלְמָא עִלָּאָה, ה' מָלָךְ דָּא תִּפְאֶרֶת ה' יִמְלוֹךְ דָּא אֲרוֹן הַבְּרִית.

ריד. אֵלֶּה תּוֹלְדוֹת הַשָּׁמַיִם וְהָאָרֶץ, הָא אוֹקְמוּהָ, כָּל אֲתַר דִּכְתִיב אֵלֶּה פָּסַל אֶת הָרִאשׁוֹנִים, וְאִלֵּין תּוֹלְדִין דְּתֹהוּ, דְּאִתְרְמִיזוּ בִּקְרָא תִּנְיָינָא, וְהָאָרֶץ הָיְתָה תֹהוּ, וְאִלֵּין אִנּוּן דְּאִתְּמַר דְּקב"ה בָּרָא עָלְמִין וּמַחֲרִיבָן, וּבְגִין דָּא אַרְעָא הֲוָה תּוֹהָה וּבוֹהָה.

רטו. אֵיךְ בָּרָא קב"ה עָלְמִין לְחָרְבָא לוֹן, שַׁפִּיר הֲוָה דְּלָא לִבְרֵי לוֹן. אֶלָּא וַדַּאי הָכָא אִיכָּא רָזָא, מַאי אִיהוּ וּמַחֲרִיבָן, דְּקב"ה לָא יְשֵׁיצֵי עוֹבָדֵי יְדוֹי. וְלֹא עוֹד אֶלָּא דָּא שְׁמַיָּא דְּאִתְּמַר בְּהוֹ כִּי שָׁמַיִם כֶּעָשָׁן נִמְלָחוּ וגו' א"כ קב"ה עָבֵיד וּמָחֵי.

רטז. אֶלָּא רָזָא דְּמִלָּה כְּדֵין הוּא, דְּקב"ה בָּרָא עָלְמָא, וּבְרָיֵיהּ בְּאוֹרַיְיתָא, כְּמָה דְּאוֹקְמוּהָ בְּרֵאשִׁית דְּאִתְּמַר בָּהּ ה' קָנָנִי רֵאשִׁית דַּרְכּוֹ, וּבְהַאי רֵאשִׁית בָּרָא יָת שְׁמַיָּא וְיָת אַרְעָא, וְאִיהִי סָמִיךְ לוֹן בֵּיהּ, בְּגִין דִּבְרִית כְּתִיב בֵּיהּ, בִּבְ'רֵאשִׁי'ת, וְאִתְּמַר בֵּיהּ אִם לֹא בְרִיתִי יוֹמָם וָלַיְלָה וגו'. וְאִלֵּין אִנּוּן דְּאִתְּמַר בְּהוֹן הַשָּׁמַיִם שָׁמַיִם לַה' וגו', וְאִיהִי אֶרֶץ הַחַיִּים כְּלִילָא מִשֶּׁבַע אַרְעִין דַּעֲלַיְיהוּ אֲמַר דָּוִד מַלְכָּא אֶתְהַלֵּךְ לִפְנֵי ה' בְּאַרְצוֹת הַחַיִּים.

ריז. וּבָרָא שְׁמַיָּא וְאַרְעָא בַּתְרֵיהּ, עַל תֹּהוּ, וְלֵית תַּמָּן יְסוֹדָא, דְּאִיהוּ בְּרִית דְּסָמִיךְ לוֹן, בְּגִין דָּא, קב"ה בָּעָא לְמִתַּן אוֹרַיְיתָא לְאוּמִין דְּעַלְמָא עכו"ם, דְּאִיהוּ בְּרִית מִילָה מַמָּשׁ, וְלָא בָּעוּ לְקַבְּלָא לֵיהּ, וְאִשְׁתְּאָרַת אַרְעָא חֲרֵבָה וִיבֵשָׁה.

ריח. וְדָא אִיהוּ יִקָּווּ הַמַּיִם מִתַּחַת הַשָּׁמַיִם אֶל מָקוֹם אֶחָד וְתֵרָאֶה הַיַּבָּשָׁה. יִקָּווּ הַמַּיִם דָּא אוֹרַיְיתָא, אֶל מָקוֹם אֶחָד, אִלֵּין יִשְׂרָאֵל, בְּגִין דְּנִשְׁמָתַיְיהוּ תַּלְיָין, מֵהַהוּא אֲתַר דְּאִתְּמַר בֵּיהּ, בָּרוּךְ כְּבוֹד ה' מִמְּקוֹמוֹ. כְּבוֹד ה', שְׁכִינְתָּא תַּתָּאָה. מִמְּקוֹמוֹ, שְׁכִינְתָּא עִלָּאָה, וְכֵיוָן דְּאִנּוּן נִשְׁמָתַיְיהוּ מִתַּמָּן, שַׁרְיָא עֲלַיְיהוּ וַדַּאי הוי"ה, וְאִתְּמַר בְּהוֹן כִּי חֵלֶק הוי"ה עַמּוֹ, וְדָא אִיהוּ יִקָּווּ הַמַּיִם אֶל מָקוֹם אֶחָד.

ריט. וְאוֹרַיְיתָא אִיהִי יִשּׁוּבָא דְּעָלְמָא, וְאוּמִין דְּעָלְמָא עכו"ם דְּלָא קַבִּילוּ לָהּ אִשְׁתְּאָרוּ חֲרֵבִין וִיבֵשִׁין, וְדָא אִיהוּ דְּקב"ה בָּרָא עָלְמִין וּמַחֲרִיבָן, אִלֵּין דְּלָא נָטְרֵי פִּקּוּדֵי אוֹרַיְיתָא, לָא דִּישֵׁיצֵי אִיהוּ עוֹבָדוֹי, כְּמָה דְּחָשְׁבִין בְּנֵי נָשָׁא, וְלָמָּה יְשֵׁיצֵי לוֹן לִבְנוֹי דְּאִתְּמַר בְּהוֹן בְּהִבָּרְאָם בְּה' בְּרָאָם.

רכ. וְאִלֵּין אִנּוּן דְּמִתְגַּיְירִין מֵאוּמִין דְּעָלְמָא, בְּגִינַיְיהוּ נָפְלַת ה' זְעֵירָא דְּאַבְרָהָם, בְּאֶלֶף וַחֲמֵישָׁאָה. דְּהוּא ה', דְּאִיהוּ חָרֵב וְיָבֵשׁ, חָרֵב בְּבַיִת רִאשׁוֹן, וְיָבֵשׁ בְּבַיִת שֵׁנִי.

רכא. וּמשֶׁה, בְּגִין דְּבָעָא לְאַעֲלָא גִּיּוֹרִין תְּחוֹת גַּדְפוֹי דִשְׁכִינְתָּא וְחָשִׁיב דְּהָווּ מֵאִלֵּין דְּאִתְבְּרִיאוּ בְּה' וְהַב בְּהוֹן אֶת ה' דְּאַבְרָהָם, גָּרְמוּ לֵיהּ יְרִידָה כד"א לֵךְ רֵד כִּי שִׁחֵת עַמְּךָ, בְּגִין דְּלָא קַבִּילוּ לְאָת ה' בִּדְחִילוּ דְיו"ד וּבִרְחִימוּ דְהֵ"ה, נָחִית אִיהִי מִדַּרְגֵּיהּ דְּאִיהוּ ו'.

רכב. וְאָת ו' נָחֲתַת עִמֵּיהּ בְּגִין דְּלָא יִתְאֲבֵיד בֵּינַיְיהוּ, דַּעֲתִיד אִיהוּ בְּרָזָא דְּגִלְגּוּלָא לְאִתְעָרְבָא בֵּינַיְיהוּ בְּגָלוּתָא, בֵּין עֵרֶב רַב, דְּאִינּוּן נִשְׁמָתַיְיהוּ, מִסִּטְרָא דְּאִלֵּין דְּאִתְּמַר

בְּהוֹן כִּי שָׁמַיִם כֶּעָשָׁן נִמְלָחוּ וְגוֹ'. וְאִלֵּין אִינּוּן דְּלָא בָּעָא נֹחַ רַחֲמֵי עֲלַיְיהוּ, וְאִתְּמַר בְּהוֹן, וַיִּמָּחוּ מִן הָאָרֶץ, בְּגִין דַּהֲווּ מֵאִלֵּין דְּאִתְּמַר בְּהוֹן תִּמְחֶה אֶת זֵכֶר עֲמָלֵק. וּמֹשֶׁה לָא אִסְתְּמַר מִנַּיְיהוּ, וְאַפִּיל ה' בֵּינַיְיהוּ. וּבְגִין דָּא, אִיהוּ לָא יֵעוֹל לְאַרְעָא דְּיִשְׂרָאֵל עַד דְּיִתוּב ה' לְאַתְרָהּ, וּבְגִין דָּא נָחַת אִיהוּ מִדַּרְגֵּיהּ, וְנָחִית בֵּיהּ ו', וּבְגִין דָּא ה' נָפְלַת ו' יוֹקִים לָהּ, ו' דְּמֹשֶׁה.

רכג. וּבְגִין דְּה"א זְעֵירָא, ה' דְּאַבְרָהָם דְּאִיהִי דְּהִבָּרְאָם, אִתְעַר אִיהוּ בְּגִינָהּ, וְאִתְּמַר בֵּיהּ מוֹלִיךְ לִימִין מֹשֶׁה וְגוֹ', וְאַפִּיק לָהּ מִתַּמָּן בְּזִילָא דו', וְאַיְיתֵי לָהּ עִמֵּיהּ, מִיָּד שַׁרְיָא עֲלֵיהּ י"ה, וְאִשְׁתְּלִים אוּמָאָה כִּי יָד עַל כֵּס יָ"הּ מִלְחָמָה לַהֲוָי"ה וְגוֹ', מַאי מִדֹּ"ר דֹּ"ר דָּא מֹשֶׁה, דְּאִתְּמַר בֵּיהּ דּוֹר הוֹלֵךְ וְדוֹר בָּא, וְהָא אוֹקְמוּהָ, דְּלֵית דּוֹר, פָּחוֹת מִס' רִבּוֹא, וְדָא מֹשֶׁה, דְּאִתְּמַר בֵּיהּ דְּאִנְתְּתָא וַחֲדָא יָלְדָה ס' רִבּוֹא בְּכֶרֶס אֶחָת.

רכד. וַחֲמֵשׁ מִינִין אִנּוּן בְּעֵרֶב רַב, וְאִנּוּן: נְפִילִים, גִּבּוֹרִים, עֲנָקִים, רְפָאִים, עֲמָלֵקִים. וּבְגִינַיְיהוּ נָפְלַת ה' זְעֵירָא מֵאַתְרָהָא, בִּלְעָם וּבָלָק מִסִּטְרָא דַּעֲמָלֵק הֲווּ, טוֹל עַם מִן בִּלְעָם, לָק מִן בָּלָק, אִשְׁתְּאַר בָּבֶל, כִּי שָׁם בָּלַל ה' שְׂפַת כָּל הָאָרֶץ.

רכה. וְאִלֵּין אִנּוּן דְּאִשְׁתְּאֲרוּ מֵאִלֵּין, דְּאִתְּמַר בְּהוֹן וַיִּמַּח אֶת כָּל הַיְקוּם, וּמֵאִלֵּין דְּאִשְׁתְּאֲרוּ מִנְּהוֹן בְּגָלוּתָא רְבִיעָאָה, אִנּוּן רֵישִׁין בְּקִיּוּמָא סַגֵּי וְאִינּוּן קַיְּימִין עַל יִשְׂרָאֵל כְּלֵי וְחָמָס, וַעֲלַיְיהוּ אִתְּמַר כִּי מָלְאָה הָאָרֶץ וְחָמָס מִפְּנֵיהֶם, אִלֵּין אִנּוּן עֲמָלֵקִים.

רכו. נְפִילִים עֲלַיְיהוּ אִתְּמַר וַיִּרְאוּ בְּנֵי הָאֱלֹהִים אֶת בְּנוֹת הָאָדָם כִּי טוֹבוֹת הֵנָּה, וְאִלֵּין אִנּוּן מִינָא תִּנְיָינָא, מֵאִלֵּין נְפִילִים מִלְּעֵילָא, דְּכַד בָּעָא קֻבְּ"ה לְמֶעְבַּד אָדָם, דַּאֲמַר נַעֲשֶׂה אָדָם בְּצַלְמֵנוּ וְגוֹ', בָּעָא לְמֶעְבַּד לֵיהּ רֵישָׁא עַל עִלָּאִין, לְמֶהֱוֵי אִיהוּ פָּקִיד עַל כֻּלְּהוּ וּלְמֶהֱוֵי אִנּוּן פְּקִידִין עַל יְדוֹי, כְּגַוְונָא דְּיוֹסֵף דְּאִתְּמַר בֵּיהּ וְיַפְקֵד פְּקִידִים עַל הָאָרֶץ.

רכז. אִנּוּן בָּעוּ לְקַטְרְגָא לֵיהּ וַאֲמָרוּ מָה אֱנוֹשׁ כִּי תִזְכְּרֶנּוּ וְגוֹ' דַּעֲתִיד לְמֶחְטֵי קַמָּךְ. אֲמַר לוֹן קֻבְּ"ה אִי אַתּוּן הֲוֵיתוּן לְתַתָּא כְּוָתֵיהּ, יַתִּיר הֲוֵיתוּן חָבִין מִנֵּיהּ, מִיָּד וַיִּרְאוּ בְּנֵי הָאֱלֹהִים אֶת בְּנוֹת הָאָדָם וְגוֹ', וְחָשְׁקוּ בְּהוֹן וְקֻבְּ"ה אַפִּיל לוֹן לְתַתָּא, בְּשַׁלְשְׁלָאן.

רכח. וְאִינּוּן עֲזָא וַעֲזָאֵל דְּמִנַּיְיהוּ נִשְׁמָתְהוֹן דְּעֵרֶב רַב, דְּאִינּוּן נְפִילִים דְּאַפִּילוּ גַּרְמַיְיהוּ לִזְנוּת בָּתַר נְשַׁיָּא דְּאִנּוּן טָבָאן, וּבְגִין דָּא אַפִּיל לוֹן קֻבְּ"ה מֵעָלְמָא דְּאָתֵי, דְּלָא יְהֵא לוֹן חוּלָקָא תַּמָּן, וְיָהֵיב לוֹן אַגְרַיְיהוּ בְּהַאי עָלְמָא כד"א וּמְשַׁלֵּם לְשׂוֹנְאָיו אֶל פָּנָיו לְהַאֲבִידוֹ וְגוֹ'.

רכט. גִּבּוֹרִים, מִינָא תְּלִיתָאָה, עֲלַיְיהוּ אִתְּמַר הֵמָּה הַגִּבּוֹרִים וְגוֹ', אַנְשֵׁי הַשֵּׁם, וְאִינּוּן מִסִּטְרָא דְּאִלֵּין דְּאִתְּמַר בְּהוֹן הָבָה נִבְנֶה לָּנוּ עִיר וְנַעֲשֶׂה לָּנוּ שֵׁם. וּבָנַיִן בָּתֵּי כְּנֵסִיּוֹת וּמִדְרָשׁוֹת, וְשַׁוְיָין בְּהוֹן ס"ת, וַעֲטָרָה עַל רֵישׁוֹי, וְלָא לִשְׁמָא דַּהֲוָי"ה אֶלָּא לְמֶעְבַּד לוֹן שֵׁם, הה"ד וְנַעֲשֶׂה לָּנוּ שֵׁם וּמִסִּטְרָא אָחֳרָא מִתְגַּבְּרִין עַל יִשְׂרָאֵל דְּאִנּוּן כְּעַפְרָא דְּאַרְעָא, וְגָזְלִין לוֹן וְאִתְּבָרַת עֲבִידְתָּא, וַעֲלַיְיהוּ אִתְּמַר וְהַמַּיִם גָּבְרוּ מְאֹד מְאֹד עַל הָאָרֶץ.

רל. רְפָאִים, מִינָא רְבִיעָאָה, אִם יֶחֱזוּן לְיִשְׂרָאֵל בְּדוּחֲקָא מִתְרַפִּין מִנַּיְיהוּ, וְאִית לוֹן רְשׁוּ לְשֵׁיזָבָא לוֹן, וְלָא בָּעָאן, וּמִתְרַפִּין מֵאוֹרַיְיתָא, וּמֵאִלֵּין דְּמִשְׁתַּדְּלִין בָּהּ, לְמֶעְבַּד טָב עִם עַכּוּ"ם, עֲלַיְיהוּ אִתְּמַר רְפָאִים בַּל יָקוּמוּ, בְּזִמְנָא דְּיֵיתֵי פְּקִידָה לְיִשְׂרָאֵל אִתְּמַר בְּהוֹן וַתְּאַבֵּד כָּל זֵכֶר לָמוֹ.

רלא. עֲנָקִים, מִינָא חֲמִישָׁאָה, דְּאִנּוּן מְזַלְזְלִין לְאִלֵּין דְּאִתְּמַר בְּהוֹן וַעֲנָקִים לְגַרְגְּרוֹתֶיךָ, וַעֲלַיְיהוּ אִתְּמַר רְפָאִים יֵחָשְׁבוּ אַף הֵם כָּעֲנָקִים, שְׁקִילִין דָּא לְדָא. אִלֵּין אִנּוּן דְּאַהַדְרוּ

עָלְמָא לְתֹהוּ וָבֹהוּ, וְרָזָא דְמִלָּה וְחָרֵב בֵּי מַקְדְּשָׁא, וְהָאָרֶץ הָיְתָה תֹהוּ וָבֹהוּ, דְּאִיהִי עִקָּרָא וְיִשּׁוּבָא דְעָלְמָא, מִיַּד דְּיֵיתֵי אוֹר דְּאִיהוּ קֻבְ"ה, יִתְמְחוּן מִן עָלְמָא וְיִתְאַבְדוּן, אֲבָל פּוּרְקָנָא לָאו אִיהִי תַּלְיָא אֶלָּא בַּעֲמָלֵק עַד דְּיִתְמְחוּ דְּבֵיהּ אוּמָאָה, וְהָא אוֹקְמוּהָ.

רלב. ד"א, אֵלֶּה תוֹלְדוֹת הַשָּׁמַיִם וגו'. אִלֵּין אִנּוּן, דְּאִתְּמַר בְּהוֹן, אֵלֶּה אֱלֹהֶיךָ יִשְׂרָאֵל, בְּיוֹמָא דְּיִתְמְחוּן אִלֵּין, כְּאִלּוּ הַהוּא יוֹמָא עֲבִיד קֻבְ"ה שְׁמַיָּא וְאַרְעָא, הה"ד בְּיוֹם עֲשׂוֹת ה' אֱלֹקִים אֶרֶץ וְשָׁמָיִם, בְּהַהוּא זִמְנָא יְהֵא קֻבְ"ה עִם שְׁכִינְתֵּיהּ, וְיִתְחַדֵּשׁ עָלְמָא, הה"ד כִּי כַאֲשֶׁר הַשָּׁמַיִם הַחֲדָשִׁים, וְהָאָרֶץ הַחֲדָשָׁה וגו', דָּא אִיהוּ בְּיוֹם עֲשׂוֹת.

רלג. בְּהַהוּא זִמְנָא, וַיַּצְמַח הוי"ה אֱלֹקִים מִן הָאֲדָמָה כָּל עֵץ נֶחְמָד וגו', אֲבָל בְּקַדְמֵיתָא, עַד דְּיִתְמְחוּן אִלֵּין, לָא נָוְית מִטְרָא דְאוֹרַיְיתָא, וְיִשְׂרָאֵל דְּדַמְיָין לַעֲשָׂבִים וּלְאִילָנִין לָא יִצְמְחוּן, וְרָזָא דְמִלָּה וְכֹל שִׂיחַ הַשָּׂדֶה טֶרֶם יִהְיֶה בָאָרֶץ, וְכָל עֵשֶׂב הַשָּׂדֶה וגו', בְּגִין דְּאָדָם אַיִן, דְּאִנּוּן יִשְׂרָאֵל בְּבֵי מַקְדְּשָׁא, לַעֲבוֹד אֶת הָאֲדָמָה בְּקָרְבָּנִין.

רלד. ד"א, וְכֹל שִׂיחַ הַשָּׂדֶה, דָּא מָשִׁיחַ רִאשׁוֹן, טֶרֶם יִהְיֶה בְּאַרְעָא, וְכָל עֵשֶׂב הַשָּׂדֶה טֶרֶם יִצְמָח, דָּא מָשִׁיחַ שֵׁנִי, וְלָמָּה, בְּגִין דְּלֵית תַּמָּן מֹשֶׁה, לְמִפְלַח לִשְׁכִינְתָּא, דַּעֲלֵיהּ אִתְּמַר, וְאָדָם אַיִן לַעֲבוֹד אֶת הָאֲדָמָה, וְרָזָא דְמִלָּה לֹא יָסוּר שֵׁבֶט מִיהוּדָה, דָּא מָשִׁיחַ בֶּן דָּוִד, וּמְחוֹקֵק מִבֵּין רַגְלָיו, דָּא מָשִׁיחַ בֶּן יוֹסֵף, עַד כִּי יָבוֹא שִׁילֹ"ה דָּא מֹשֶׁה, חוּשְׁבָּן דָּא כְּדָא, וְלוֹ יִקְהַ"ת עַמִּים, אַתְוָון וְלֵוִ"י קְהָ"ת.

רלה. ד"א, וְכֹל שִׂיחַ הַשָּׂדֶה, אִלֵּין צַדִּיקַיָּיא, דְּאִנּוּן מִסִּטְרָא דְּצַדִּיק חַי עָלְמִין. שִׂיחַ ש' וְחַ"י. ש תְּלַת עַנְפִּין דְּאִילָנָא, וְאִנּוּן ג' אֲבָהָן, וּמִן ח"י עָלְמִין.

רלו. לָשׁוֹן אַחֵר, וְכָל עֵשֶׂב הַשָּׂדֶה, ע"ב שִׂי"ן, תְּלַת עָלִין דְּאִינּוּן ש יאהדונה"י, וְאִינּוּן ע"ב. עַנְפִּין דְּתַלְיָין בְּהוֹן, כְּחוּשְׁבַּן ע"ב כֻּלְּהוּ. לָא אִתְאַחֲדִין בְּאַתְרָא, דְּאִיהִי שְׁכִינְתָּא, עַד דְּיֵיתֵי הַהוּא דְּאִקְרֵי אָדָ"ם, דְּאִיהוּ יו"ד ה"א וא"ו ה"א, וְדָא אִיהוּ וְאָדָם אַיִן לַעֲבוֹד אֶת הָאֲדָמָה.

רלז. וּבְגִין דָּא, אִתְּמַר בֵּיהּ, וְכָל עֵשֶׂב הַשָּׂדֶה טֶרֶם יִצְמָח, עַד דְּיִצְמַח צַדִּיק, וּמִנֵּיהּ אֱמֶת מֵאֶרֶץ תִּצְמָח, דְּאִתְּמַר בֵּיהּ וְתַשְׁלֵךְ אֱמֶת אַרְצָה, וְתַלְמִידֵי חֲכָמִים, דְּאִנּוּן דְּשָׂאִין, לָא צָמְחִין בְּגָלוּתָא, עַד דֶּאֱמֶת מֵאֶרֶץ תִּצְמָח, וְדָא מֹשֶׁה דְּאִתְּמַר בֵּיהּ תּוֹרַת אֱמֶת הָיְתָה בְּפִיהוּ, דְּלָא יְהֵא מָאן דְּדָרִישׁ לִשְׁכִינְתָּא כְּוָתֵיהּ, וּבְגִין דָּא וְאָדָם אַיִן לַעֲבוֹד.

רלח. וּמִיָּד דְּאִיהוּ יֵיתֵי מִיָּד וְאֵ"ד יַעֲלֶה מִן הָאָרֶץ, א"ד מִן אדנ"י סָלִיק לֵיהּ ו' וְאִתְעֲבִיד בֵּהּ אֲדוֹן כָּל הָאָרֶץ, מִיָּד וְהִשְׁקָה אֶת כָּל פְּנֵי הָאֲדָמָה, מִנֵּיהּ אִתְשַׁקְיָין יִשְׂרָאֵל לְתַתָּא בְּע' אַנְפִּין דְּאוֹרַיְיתָא.

רלט. ד"א, וְאֵד יַעֲלֶה מִן הָאָרֶץ, תַּרְגּוּמוֹ, וַעֲנָנָא יִסְתַּלַּק מִן אַרְעָא, הַהוּא דְּאִתְּמַר בָּהּ כִּי עֲנַן ה' עַל הַמִּשְׁכָּן וגו', וּבֵיהּ מִתְשַׁקְיָין תַּלְמִידֵי חֲכָמִים בְּאַרְעָא.

רמ. בְּהַהוּא זִמְנָא, וַיִּיצֶר הוי"ה אֱלֹקִים אֶת הָאָדָם, אִלֵּין יִשְׂרָאֵל. בְּהַהוּא זִמְנָא, קֻבְ"ה צַיַּיר לוֹן בְּצִיּוּרִין דְּעָלְמָא דֵין וְעָלְמָא דְּאָתֵי. וַיִּיצֶר, בְּהַהוּא זִמְנָא, קֻבְ"ה עַיֵּיל לוֹן בִּשְׁמֵיהּ, בְּצִיּוּרָא דְּב' יוּדִי"ן י' י'. ו' בֵּינַיְיהוּ, דְּאִינּוּן סַלְקִין לְחֻשְׁבּוֹן הוי"ה. וִיהוֹן מְצוּיָּירִין בְּאַנְפּוֹי, בְּאַנְפִּין דִּילְהוֹן בִּתְרֵין יוּדִין, בְּחוֹטְמָא דִּילְהוֹן בְּאָת ו'.

רמא. וּבְגִין דָּא אֲמַר קְרָא כִּי מֵרֹאשׁ צֻרִים אֶרְאֶנּוּ. אִלֵּין אִנּוּן צִיּוּרִין דִּשְׁמָא קַדִּישָׁא. וִיהוֹן מְצוּיָּירִין בְּאַנְפַּיְיהוּ, בִּתְרֵין לוּחִין יַקִּירִין דְּאִנּוּן י' י' דְּאִיהוּ ו' חָרוּת עֲלַיְיהוּ.

רמב. וְעוֹד צַיֵּיר לוֹן, לְכָל דּוֹר בְּבַת זוּגֵיהּ עִלָּאָה, דָּא י"ה. וְאִנּוּן ו' יְחוּדָא דִּתְרַוַויְיהוּ. וְצַיֵּיר לוֹן בְּאִנּוּן דְּצִיּוּרָא דִּלְעֵילָא, דְּאִיהוּ יִשְׂרָאֵל, עַמּוּדָא דְּאֶמְצָעִיתָא, כְּלִיל שְׁכִינְתָּא

עִלָּאָה וְתַתָּאָה, דְּאִנּוּן ק"ש עַרְבִית, וק"ש שַׁחֲרִית, וַעֲלַיְיהוּ אִתְּמַר עֶצֶם מֵעֲצָמַי וּבָשָׂר מִבְּשָׂרִי.

רמג. וּמִיָּד בְּהַהוּא זִמְנָא, נָטַע לוֹן לְיִשְׂרָאֵל בְּגִנְתָּא דְעֵדֶן קַדִּישָׁא, הה"ד וַיִּטַּע ה' אֱלֹקִים אַבָּא וְאִמָּא. גַּן, דָּא שְׁכִינְתָּא תַּתָּאָה. עֵדֶן, דָּא אִמָּא עִלָּאָה. אֶת הָאָדָם, דָּא עַמּוּדָא דְאֶמְצָעִיתָא, אִיהִי תְהֵא נֶטַע דִּילֵיהּ, בַּת זוּגֵיהּ, וְלָא תָזוּז מִנֵּיהּ לְעָלַם, וּתְהֵא עֲדוּנָא דִּילֵיהּ, וְיִשְׂרָאֵל קֻבָּ"ה נָטַע לוֹן בְּהַהוּא זִמְנָא נִטְעָא קַדִּישָׁא בְּעָלְמָא, כד"א נֵצֶר מַטָּעַי מַעֲשֵׂי יָדַי לְהִתְפָּאֵר.

רמד. וַיַּצְמַח הוי"ה אֱלֹקִים, אַבָּא וְאִמָּא, כָּל עֵץ נֶחְמָד, דָּא צַדִּיק. וְטוֹב לְמַאֲכָל, דָּא עַמּוּדָא דְאֶמְצָעִיתָא, דְּבֵיהּ הוּא זַמִּין מָזוֹן לְכֹלָּא, דְּכֹלָּא בֵּיהּ, וְלָא אִתְפַּרְנַס צַדִּיק אֶלָּא מִנֵּיהּ, וּשְׁכִינְתָּא מִנֵּיהּ, וְלָא צְרִיכִין לְתַתָּאִין, אֶלָּא כֻּלְּהוּ נִזּוֹנִין לְתַתָּא עַל יָדֵיהּ. דִּבְגָלוּתָא לָא הֲוָה לִשְׁכִינְתָּא וּלְחַ"י עָלְמִין מְזוֹנָא, אֶלָּא בְּחַ"י בִּרְכָאן דִּצְלוֹתָא, אֲבָל בְּהַהוּא זִמְנָא, אִיהוּ יְהֵא מְזוֹנָא לְכֹלָּא.

רמה. וְעֵץ הַחַיִּים, דְּהוּא אִילָנָא דְחַיֵּי יְהֵא נְטִיעַ בְּגוֹ גִנְתָּא, דְּאִתְּמַר בֵּיהּ וְלָקַח גַּם מֵעֵץ הַחַיִּים וְאָכַל וָחַי לְעוֹלָם. וּשְׁכִינְתָּא, לָא שָׁלְטָא עֲלָהּ, אִילָנָא דְסִטְרָא אָחֳרָא, דְּאִנּוּן עֵרֶב רַב, דְּאִנּוּן עֵץ הַדַּעַת טוֹב וָרַע, וְלָא תְקַבֵּל בָּהּ עוֹד טָמֵא, הה"ד ה' בָּדָד יַנְחֶנּוּ וְאֵין עִמּוֹ אֵל נֵכָר. וּבְגִין דָּא לָא מְקַבְּלִין גֵּרִים לִימוֹת הַמָּשִׁיחַ. וּתְהֵא שְׁכִינְתָּא, כְּגַפְנָא, דְּלָא מְקַבְּלָא נִטְעָא מִמִּינָא אָחֳרָא.

רמו. וְיִשְׂרָאֵל יְהוֹן כָּל עֵץ נֶחְמָד לְמַרְאֶה, וְיִתְהַדַּר עֲלַיְיהוּ שׁוּפְרָא, דְּאִתְּמַר בֵּיהּ הִשְׁלִיךְ מִשָּׁמַיִם אֶרֶץ תִּפְאֶרֶת יִשְׂרָאֵל. וְעֵץ הַדַּעַת טוֹב וָרָע, אַדְחִיָּין מִנַּיְיהוּ, וְלָא מִתְדַּבְּקִין, וְלָא מִתְעָרְבִין בְּהוֹן, דְּהָא אִתְּמַר בְּיִשְׂרָאֵל, וּמֵעֵץ הַדַּעַת טוֹב וָרַע לֹא תֹאכַל מִמֶּנּוּ, דְּאִנּוּן עֵרֶב רַב, וְגַלֵּי לוֹן קֻבָּ"ה, דְּבְיוֹם אָכְלוּ מִמֶּנּוּ, גָּרְמוּ דְּאָבְדוּ ב' אָבְדִין, דְּאִנּוּן בַּיִת רִאשׁוֹן וּבַיִת שֵׁנִי, דָּא אִיהוּ כִּי בְּיוֹם אֲכָלְךָ מִמֶּנּוּ מוֹת תָּמוּת ב' פְּעָמִים, וְאִנּוּן גְּרִימוּ דְּצַדִּיק יֶחֱרַב וְיָבֵשׁ, בְּבַיִת רִאשׁוֹן דְּאִיהִי שְׁכִינְתָּא עִלָּאָה. וּבְבַיִת שֵׁנִי, דְּאִיהִי שְׁכִינְתָּא תַּתָּאָה, דָּא אִיהוּ וְנָהָר יֶחֱרַב וְיָבֵשׁ. וְנָהָר דָּא ו', יֶחֱרַב בֵּהּ' תַּתָּאָה, בְּגִין דְּאִסְתַּלַּק מִנֵּיהּ נְבִיעוּ דְּיוּ' לְאֵין סוֹף.

רמז. וּמִיָּד דְּיִפְקוּן יִשְׂרָאֵל מִן גָּלוּתָא, עַמָּא קַדִּישָׁא לְחוּד, מִיָּד נָהָר דַּהֲוָה חָרֵב וְיָבֵשׁ אִתְּמַר בֵּיהּ וְנָהָר יוֹצֵא מֵעֵדֶן דָּא ו' לְהַשְׁקוֹת אֶת הַגָּן, וְנָהָר דָּא עַמּוּדָא דְאֶמְצָעִיתָא, יוֹצֵא מֵעֵדֶן, דָּא אִמָּא עִלָּאָה, לְהַשְׁקוֹת אֶת הַגָּן, דָּא שְׁכִינְתָּא תַּתָּאָה.

רמח. דִּבְהַהוּא זִמְנָא אִתְּמַר בְּמֹשֶׁה וּבְיִשְׂרָאֵל אָז תִּתְעַנַּג עַל ה' בְּעֹנֶ"ג דְּאִיהוּ: ע' עֵדֶן, נ' נָהָר, ג' גַּן. וְאִתְקַיַּים קְרָא, אָז יָשִׁיר מֹשֶׁה וגו', שָׁר לֹא נֶאֱמַר, אֶלָּא יָשִׁיר. וְאִתְהַפַּךְ לְעֵרֶב רַב עֹנֶ"ג לְנֶגַ"ע, וּלְאוּמִין דְּעָלְמָא עֹ"ז, כְּגַוְונָא דְפַרְעֹה וּמִצְרָאֵי, דְּפָרַח בְּהוֹן שְׁחִין אֲבַעְבּוּעוֹת. אֲבָל לְיִשְׂרָאֵל יְהֵא עֹנֶ"ג.

רמט. וְדָא אִיהוּ וְנָהָר יוֹצֵא מֵעֵדֶן, לְהַשְׁקוֹת אֶת הַגָּן, וּמִשָּׁם יִפָּרֵד, וְהָיָה לְאַרְבָּעָה רָאשִׁים, דְּאִנּוּן: חֶסֶד דְּרוֹעָא יְמִינָא, וּבְהַהוּא זִמְנָא הָרוֹצֶה לְהַחְכִּים יַדְרִים, וּמַחֲנֶה מִיכָאֵ"ל אִתְשַׁקְיָין מִנֵּיהּ, וְעִמֵּיהּ מַטֵּה יְהוּדָה וּתְרֵין שִׁבְטִין. גְּבוּרָה דְּרוֹעָא שְׂמָאלָא, וּבְהַהוּא זִמְנָא הָרוֹצֶה לְהַעֲשִׁיר יַצְפִּין, וּמַחֲנֶה גַּבְרִיאֵ"ל אִתְשַׁקְיָין מִנֵּיהּ, וְעִמֵּיהּ מַטֵּה דָן וּתְרֵין שִׁבְטִין. נֶצַח שׁוֹקָא יְמִינָא וּמִנֵּהּ אִתְשַׁקְיָין מַשִּׁרְיָיא דְנוּרִיאֵ"ל, וְעִמֵּיהּ מַטֵּה רְאוּבֵן, וּתְרֵין שִׁבְטִין עִמֵּיהּ. הוֹד שׁוֹקָא שְׂמָאלָא, דַּעֲלָהּ אִתְּמַר לְיַעֲקֹב וְהוּא צֹלֵעַ עַל יְרֵכוֹ,

ומניה אתשקיין משרייא דרפאל, דאיהו ממנא על אסוותא דגלותא, ועמיה מטה אפרים וב' שבטין.

רנ. ד"א, ומשם יפרד והיה לארבעה ראשים, אלין אנון ארבעה דנכנסו לפרדס, חד עאל בפישו"ן, דאיהו פי שונה הלכות, תניינא עאל בגיחו"ן ותמן הוא קבור, ההוא דאתמר ביה כל הולך על גחון, גבריאל, גבר אל, עליה אתמר לגבר אשר דרכו נסתרה ויסך אלוה בעדו, ולא ידע גבר ית קבורתיה, עד יומא הדין דאתגלייא תמן. ודא איהו רמז, ולחכימא ברמיזא.

רנא. תליתאה עאל בחדקל, חד קל, ודא לישנא וחדידא קלא לדרשא. רביעאה עאל בפרת, דאיהו מוחא, דביה פריה ורביה. בן זומא ובן עזאי דעאלו בקליפין דאורייתא, הוו לקאן בהון. ר' עקיבא דעאל במוחא אתמר ביה דעאל בשלם, ונפק בשלם.

רנב. אלעזר, אבא, יומא חד הוינא בבי מדרשא, ושאילו חבריא, מאי ניהו דא"ר עקיבא לתלמידוי כשתגיעו לאבני שיש טהור, אל תאמרו מים מים, שמא תסתכנון גרמייכו, דכתיב דובר שקרים לא יכון לנגד עיני. אדהכי, הא סבא דסבין קא נחית, אמר לון, רבנן במאי קא תשתדלון. אמרו ליה, ודאי, בהא דא"ר עקיבא לתלמידוי כשתגיעו לאבני שיש וכו'. אמר לון, ודאי רזא עלאה אית הכא, והא אוקמוה במתיבתא עלאה, ובגין דלא תטעון נחיתנא לכו, ובגין דאתגליא רזא דא בינייכו דאיהי רזא עלאה, טמירא מבני דרא.

רנג. בודאי אבני שיש טהור, אנון דמנהון מיין דכיין נפקין, ואינון רמיזין באת רישא וסופא, ו' דאיהו נטוי בינייהו, איהו עץ החיים, מאן דאכיל מניה, וחי לעלם, ואלין ב' יודי"ן, אינון רמיזין בוייצר, ואינון תרין יצירות, יצירה דעלאין, ויצירה דתתאין, ואנון חכמה בראש, וחכמה בסוף, תעלומות חכמה, ודאי אנון תעלומות מחכמה עלאה דתוות כתר עלאה.

רנד. ואנון לקבל ב' עיינין, דבהון תרין דמעין נחתו בימא רבא, ואמאי נחתו, בגין דאורייתא מתרין לוחין אלין, הוה משה נחית לישראל, ולא זכו בהון, ואתברו ונפלו, ודא גרים אבודא דבית ראשון ושני, ואמאי נפלו, בגין דפרח ו' מנייהו, דאיהו ו' דוייצר, ויהיב לון אחרנין מסטרא דעץ הדעת טו"ר. דמתמן אתייהיבת אורייתא באסור והתר מימינא חיי, ומשמאלא מותא.

רנה. ובג"ד א"ר עקיבא לתלמידוי, כשתגיעו לאבני שיש טהור, אל תאמרו מים מים, לא תהוו שקילין אבני שיש טהור לאבנין אחרנין, דאנון חיי ומותא, דמתמן לב חכם לימינו ולב כסיל לשמאלו. ולא עוד אלא אתון תסתכנון גרמייכו, בגין דאלין דעץ הדעת טו"ר אנון בפרודא, ואבני שיש טהור אינון ביחודא בלא פרודא כלל. ואי תימרון דהא אסתלק עץ החיים מנייהו ונפלו, ואית פרודא בינייהו, דובר שקרים לא יכון לנגד עיני, דהא לית תמן פרודא לעילא דאלין דאתברו מאנון הוו. אתו לנשקא ליה, פרח ואסתלק מנייהו.

רנו. ד"א, ונהר יוצא מעדן, בודאי לעילא בעץ חיים, תמן לית קליפין נוכראין הה"ד לא יגורך רע, אבל בעץ דלתתא אית קליפין נוכראין, ודאי, ואיהו נטוע בגנתא דעדן דזעיר אפין, דאיהו חנוך מטטרו"ן, דג"ע דלעילא דקב"ה לית תמן ערטולא, למהוי תמן נפתל ועקש. ובגין דא, ונהר יוצא וגו', ויכילנא למימר במטטרו"ן, יוצא

מֵעֵדֶן מֵעִדּוּן דִּילֵיהּ, לְהַשְׁקוֹת אֶת הַגָּן, גַּן דִּילֵיהּ, פַּרְדֵּס דִּילֵיהּ, דְּתַמָּן עָאלוּ, בֶּן עֲזַאי וּבֶן זוֹמָא וֶאֱלִישָׁע וּקְלִיפִּין דִּילֵיהּ, מִסִּטְרָא דָּא טוֹב, וּמִסִּטְרָא דָּא רָע וְדָא אִסּוּר וְהֶתֵּר, כָּשֵׁר וּפָסוּל, טוּמְאָה וְטָהֳרָה.

רנז. קָם חַד סָבָא וַאֲמַר, ר' ר', הָכֵי הוּא וַדַּאי, אֲבָל עֵץ חַיִּים לָא אִתְקְרֵי אִיהוּ, אֶלָּא הָכָא הוּא רָזָא דְּמִלָּה וַיִּיצֶר: חַד יְצִירָה דְּטוֹב, וְחַד יְצִירָה דְּרַע, דָּא אִיהוּ עֵץ הַדַּעַת טוֹב וָרָע, עֵץ דָּא אָדָם זְעֵירָא מִסִּטְרָא דְּחַיִּים מִנֵּיהּ, וּמִסִּטְרָא דְּמוֹתָא מִנֵּיהּ, תַּמָּן ב' יְצִירוֹת דִּילֵיהּ, דְּאִנּוּן אִסּוּר וְהֶתֵּר, וַעֲלֵיהּ אִתְּמַר וַיִּיצֶר ה' אֱלֹקִים אֶת הָאָדָם עָפָר מִן הָאֲדָמָה.

רנח. וַיִּפַּח בְּאַפָּיו נִשְׁמַת חַיִּים. דָּא שְׁכִינְתָּא עִלָּאָה, עֵדֶן. תְּיוּבְתָּא. וַעֲלָהּ אִתְּמַר וְעֵץ הַחַיִּים. בְּתוֹךְ הַגָּן, דָּא עַמּוּדָא דְּאֶמְצָעִיתָא. הַגָּן שְׁכִינְתָּא תַּתָּאָה, תְּלַת קְטִירִין אִנּוּן: נִשְׁמְתָא. רוּחָא. נַפְשָׁא לְגַבֵּיהּ. וּבְהוֹן וַיְהִי הָאָדָם לְנֶפֶשׁ חַיָּה, דְּאִיהוּ מִפִּיו מַמָּשׁ, אִתְקְרֵי לִשְׁכִינְתָּא, דְּאִיהִי נִשְׁמַת חַיִּים. מִיָּד דַּאֲמַר מִלִּין אִלֵּין סָלִיק לְעֵילָּא. א"ר שִׁמְעוֹן, וַחֲבְרַיָּיא בְּוַדַּאי מַלְאֲכָא הֲוָה, וּבְוַדַּאי סָמִיךְ אִית לָנָא, מִכָּל אֲתָר.

רנט. פָּתַח קְרָא אֲבַתְרֵיהּ, וַיִּקַּח ה' אֱלֹקִים אֶת הָאָדָם וַיַּנִּיחֵהוּ בְּגַן עֵדֶן וגו', וַיִּקַּח מֵאָן נְטֵיל לֵיהּ, אֶלָּא נְטֵיל לֵיהּ מִד' יְסוֹדִין, דְּאִתְּמַר בְּהוֹן וּמִשָּׁם יִפָּרֵד וְהָיָה לְאַרְבָּעָה רָאשִׁים, אַפְרֵישׁ לֵיהּ מִנְּהוֹן, וְשַׁוֵּי לֵיהּ בְּגִנְתָּא דְעֵדֶן.

רס. כְּגַוְונָא דָּא, יַעֲבֵד קֻבְּ"ה לְבַ"נ דְּאִתְבְּרֵי מִד' יְסוֹדִין, בְּזִמְנָא דְתָב בִּתְיוּבְתָּא, וּמִתְעַסֵּק בְּאוֹרַיְיתָא, קֻבְּ"ה נָטֵיל לֵיהּ מִתַּמָּן, וַעֲלַיְיהוּ אִתְּמַר, וּמִשָּׁם יִפָּרֵד, אַפְרֵישׁ נַפְשֵׁיהּ מִתַּאֲוָה דִּילְהוֹן, וְשַׁוֵּי לֵיהּ בְּגִנְתָּא דִּילֵיהּ, דְּאִיהִי שְׁכִינְתָּא. לְעָבְדָהּ בְּפִקּוּדִין דַּעֲשֵׂה, וּלְשָׁמְרָהּ בְּפִקּוּדִין דְּלָא תַעֲשֶׂה, אִי זָכָה לְנַטְרָא לָהּ, אִיהוּ יְהֵא רֵישָׁא, עַל ד' יְסוֹדִין, וְאִתְעֲבֵיד נָהָר דְּאִתְשַׁקְיָין עַל יְדֵיהּ, וְלָא עַל יְדָא אַחֲרָא, וְאִשְׁתְּמוֹדְעִין בֵּיהּ, דְּאִיהוּ רִבּוֹן וְשַׁלִּיט עֲלַיְיהוּ.

רסא. וְאִי עָבַר עַל אוֹרַיְיתָא, אִתְשַׁקְיָין מִמְּרִירוּ דְּאִילָנָא דְּרַע, דְּאִיהוּ יֵצֶר הָרָע, וְכָל אֵבָרִין דְּאִנּוּן מִד' יְסוֹדִין, אִתְּמַר בְּהוֹן, וַיְמָרְרוּ אֶת חַיֵּיהֶם וגו' וַיְמָרְרוּ בִּמְרִירוּ דְּמָרָה, וּלְגַבֵּי אֵבָרִין קַדִּישִׁין דְּגוּפָא, דְּאִנּוּן מִסִּטְרָא דְּטוֹב, עֲלַיְיהוּ אִתְּמַר וַיָּבוֹאוּ מָרָתָה וְלֹא יָכְלוּ לִשְׁתּוֹת מַיִם מִמָּרָה וגו'. כְּגַוְונָא דָּא, אָמְרוּ מָארֵי מַתְנִיתִין, וַיְמָרְרוּ אֶת חַיֵּיהֶם בַּעֲבוֹדָה קָשָׁה, בְּקוּשְׁיָא. בְּחוֹמֶר, בְּקַל וָחוֹמֶר. וּבִלְבֵנִים, בְּלִבּוּן הִלְכְתָא. וּבְכָל עֲבוֹדָה בַּשָּׂדֶה, דָּא בָּרַיְיתָא. אֶת כָּל עֲבוֹדָתָם וגו' דָּא מִשְׁנָה.

רסב. אִם תַּיְיבִין בִּתְיוּבְתָּא, אִתְּמַר בְּהוֹן, וַיּוֹרֵהוּ ה' עֵץ, וְדָא עֵץ חַיִּים, וּבֵיהּ וַיִּמְתְּקוּ הַמָּיִם, וְדָא מֹשֶׁה מָשִׁיחַ, דְּאִתְּמַר בֵּיהּ, וּמַטֵּה הָאֱלֹקִים בְּיָדִי, מַטֶּה, דָּא מְטַטְרוֹ"ן, מִסִּטְרֵיהּ חַיִּים, וּמִסִּטְרֵיהּ מִיתָה. כַּד אִתְהַפַּךְ לְמַטֶּה אִיהוּ עֵזֶר, מִסִּטְרָא דְטוֹב, כַּד אִתְהַפַּךְ לְחִוְיָא, אִיהוּ כְּנֶגְדּוֹ, מִיָּד וַיָּנָס מֹשֶׁה מִפָּנָיו.

רסג. וְקֻבְּ"ה מְסַר לֵיהּ בִּידָא דְמֹשֶׁה, וְאִיהוּ אוֹרַיְיתָא דִּבְעַ"פ, דְּבֵיהּ אִסּוּר וְהֶתֵּר, מִיָּד דְּמָחָא בֵּיהּ בְּטִינָרָא, נָטַל לֵיהּ קֻבְּ"ה בִּידֵיהּ, וְאִתְּמַר בֵּיהּ וַיֵּרֶד אֵלָיו בַּשָּׁבֶט, לְמֶחֱאָה לֵיהּ בֵּיהּ, וְשֵׁבֶט אִיהוּ יֵצֶר הָרָע, חִוְיָא, וְכֹלָּא אִיהוּ בְּגָלוּתָא מְזוּמֶּנֶת דִּילֵיהּ.

רסד. וְעוֹד וּמִשָּׁם יִפָּרֵד, זַכָּאָה אִיהוּ בַּר נָשׁ, דְּאִשְׁתַּדַּל בְּאוֹרַיְיתָא דִּבְזִמְנָא דְּנָטֵיל לֵיהּ קֻבְּ"ה, מֵהַאי גּוּפָא, מִד' יְסוֹדִין, אִתְפְּרַשׁ מִתַּמָּן, וְאָזֵיל לְמֶהֱוֵי רֵישָׁא בְּד' חֵיוָון, וְאִתְּמַר בְּהוֹן עַל כַּפַּיִם יִשָּׂאוּנְךָ וגו'.

רסה. וַיִּצֶו ה' אֱלֹקִים וגו', הָא אוֹקְמוּהָ לֵית צַו אֶלָּא ע"ז, דְּמִתַּמָּן אֱלֹהִים אֲחֵרִים, וְאִיהִי בַּכָּבֵד דְּמִנָּהּ תִּכְבַּד הָעֲבוֹדָה, דְּאִיהִי ע"ז לֵיהּ וְהַכָּבֵד כּוֹעֵס, וְהָא אוֹקְמוּהָ כָּל הַכּוֹעֵס כְּאִלּוּ עוֹבֵד עֲבוֹדָה זָרָה. דָּא אִיהוּ וַיְצַו.

רסו. עַל הָאָדָם, דָּא שְׁפִיכוּת דָּמִים, כד"א בָּאָדָם דָּמוֹ יִשָּׁפֵךְ, וְדָא מָרָה, וְחַרְבָּא דְּמַלְאַךְ הַמָּוֶת, כד"א וְאַחֲרִיתָהּ מָרָה כַלַּעֲנָה, חַדָּה כְּחֶרֶב פִּיּוֹת. לֵאמֹר, דָּא גִּלּוּי עֲרָיוֹת, וְדָא טְחוֹל. עֲלָהּ נֶאֱמַר אָכְלָה וּמָחֲתָה פִּיהָ וגו' דִּטְחוֹל לֵית לָהּ פּוּמָא וְעַרְקִין, וְאִתְשַׁקְיָא מֵעֲכִירוּ דְּדָמָא אוּכְמָא דְּכָבֵד, וְלָא אִשְׁתְּכַחַת לֵיהּ פּוּמָא, וְדָא אִיהוּ אָכְלָה וּמָחֲתָה פִּיהָ וגו'. כָּל שׁוֹפְכֵי דָמִים מִמָּרָה אִנּוּן, דְּעַרְקִין דְּדָמָא דְּלִבָּא, מִיַּד דְּחָזָאן מָרָה, כֻּלְּהוֹן בַּרְחִין קַדְמָהּ.

רסז. וְעַרְיָין כֻּלְּהוּ אִתְכַּסְיָין בַּחֲשׁוֹכָא, בְּדָם אוּכְמָא דִּטְחוֹל, מַאן דְּעָבַר עַל שְׁפִיכַת דָּמָא וְע"ז וְג"ע, גַּלְיָא נִשְׁמָתֵיהּ, בְּכָבֵד מָרָה טְחוֹל, וְדַיְינִין לֵיהּ בְּגֵיהִנֹּם, וּתְלַת מְמַנָּן עֲלַיְיהוּ, מַשְׁחִית אַף וְחֵימָה.

רסח. ט"ו עֶרְיָין אִנּוּן, כְּחוּשְׁבַּן י"ה, וְשִׁית אָחֳרָנִין כְּחוּשְׁבַּן ו'. קֳדָם דְּגָלוּ יִשְׂרָאֵל בְּגָלוּתָא, וּשְׁכִינְתָּא עִמְּהוֹן, מָנֵי קב"ה לְיִשְׂרָאֵל, עֶרְוַת אָבִיךָ לֹא תְגַלֵּה. וְדָא גָּלוּתָא, אִיהוּ גִּלּוּי עֶרְוָתָהּ דִּשְׁכִינְתָּא, הה"ד וּבְפִשְׁעֵכֶם שֻׁלְּחָה אִמְּכֶם, וְעַל גִּלּוּי עֲרָיוֹת גָּלוּ יִשְׂרָאֵל וּשְׁכִינְתָּא בְּגָלוּתָא, וְדָא אִיהִי עֶרְוָה דִּשְׁכִינְתָּא. וְהַאי עֶרְוָה אִיהִי לִילִית, אִמָּא דְּעֵרֶב רַב, וְעֵרֶב רַב אִנּוּן עֲרָיוֹת דִּילָהּ, וַעֲרָיוֹת דְּיִשְׂרָאֵל דִּלְעֵילָא, דַּעֲלֵיהּ אִתְּמַר עֶרְוַת אָבִיךָ לֹא תְגַלֵּה.

רסט. וְאִנּוּן אַפְרִישִׁין בֵּין ה' ה', דְּלָא אִתְקְרִיב ו' בֵּינַיְיהוּ, הה"ד עֶרְוַת אִשָּׁה וּבִתָּהּ לֹא תְגַלֵּה, וְאִנּוּן שְׁכִינְתָּא עִלָּאָה וְתַתָּאָה, דִּבְזִמְנָא דְּעֵרֶב רַב דְּאִנּוּן נְפִילִים, גִּבּוֹרִים, עֲמָלֵקִים, רְפָאִים, עֲנָקִים, בֵּין ה' ה' לֵית רְשׁוּ לְקב"ה לְקָרְבָא בֵּינַיְיהוּ, וְרָזָא דְּמִלָּה וְנָהָר יֶחֱרַב וְיָבֵשׁ, יֶחֱרַב בְּהּ' עִלָּאָה, וְיָבֵשׁ בְּהּ' תַּתָּאָה, בְּגִין דְּלָא יִתְפַּרְנְסוּן עֵרֶב רַב מִן ו', דְּאִיהוּ עֵץ הַחַיִּים וּבְגִין דָּא לֵית קְרִיבוּ לו' בֵּין ה' ה', בִּזְמְנָא דְּעֵרֶב רַב בֵּינַיְיהוּ.

ער. וְלֵית רְשׁוּ, לְאָת י' לְקָרְבָא בְּהּ' תִּנְיָינָא, הה"ד עֶרְוַת כַּלָּתְךָ לֹא תְגַלֵּה. וְאִנּוּן אַפְרִישׁוּ בֵּין ו' לְהּ' עִלָּאָה, הה"ד עֶרְוַת אֵשֶׁת אָבִיךָ לֹא תְגַלֵּה דְּי' אִיהוּ אָב, ה' אֵם, ו' בֵּן, ה' בַּת. וּבְגִין דָּא מָנֵי לְגַבֵּיהּ ה' עִלָּאָה, עֶרְוַת אֵשֶׁת אָבִיךָ לֹא תְגַלֵּה. עֶרְוַת אֲחוֹתְךָ בַּת אָבִיךָ, דָּא ה' תַּתָּאָה. אֶת בַּת בְּנָהּ וְאֶת בַּת בִּתָּהּ, אִנּוּן ה"א ה"א דְּאִנּוּן תּוֹלְדִין דְּהּ'. עֶרְוַת אֲחִי אָבִיךָ דָּא יו"ד דְּאִיהוּ תּוֹלָדָה דְּאָת י', וְאִיהוּ אָח לְוא"ו.

רעא. סוֹף סוֹף, בִּזְמְנָא דְּעֵרֶב רַב מְעוֹרְבִין בְּיִשְׂרָאֵל, לֵית קְרִיבוּ וְיִחוּדָא בְּאַתְוָן שֵׁם הוי"ה, וּמִיַּד דְּיִתְמְחוּן מֵעָלְמָא אִתְּמַר בְּאַתְוָון דְּקב"ה, בַּיּוֹם הַהוּא יִהְיֶה הוי"ה אֶחָד וּשְׁמוֹ אֶחָד. וּבְגִ"ד אָדָם, דְּאִנּוּן יִשְׂרָאֵל, אִית לוֹן יִחוּדָא בְּאוֹרַיְיתָא, דְּאִתְּמַר בָּהּ עֵץ חַיִּים הִיא לַמַּחֲזִיקִים בָּהּ, וְאִיהִי מַטְרוֹנִיתָא מַלְכוּת, דְּמִסִּטְרָהָא אִתְקְרִיאוּ יִשְׂרָאֵל בְּנֵי מְלָכִים.

רעב. וּבְגִ"ד, אֲמַר קב"ה, לֹא טוֹב הֱיוֹת הָאָדָם לְבַדּוֹ אֶעֱשֶׂה לוֹ עֵזֶר כְּנֶגְדּוֹ, דָּא מִשְׁנָה, אִתְּתָא דְּהַהוּא נַעַר, וְאִיהִי שִׁפְחָה דִּשְׁכִינְתָּא. וְאִי זָכוּ יִשְׂרָאֵל, אִיהִי עֵזֶר לוֹן בְּגָלוּתָא, מִסִּטְרָא דְּהֶתֵּר, טָהוֹר, כָּשֵׁר. וְאִי לָאו אִיהִי כְּנֶגְדּוֹ, מִסִּטְרָא דְּטָמֵא, פָּסוּל, אָסוּר. טָהוֹר הֶתֵּר, כָּשֵׁר, אִיהוּ יֵצֶר הַטּוֹב. פָּסוּל, טָמֵא, אָסוּר, אִיהוּ יֵצֶר הָרָע.

רעג. וְאִתְּתָא, דְּאִית לָהּ דַּם טוֹהַר, וְדַם נִדָּה, מִסִּטְרָא דְּמִשְׁנָה, אִיהִי שַׁוְיָא לֵיהּ, וְלָאו אִיהִי בַּת זוּגֵיהּ, יִחוּדָא דִּילֵיהּ, דְּלֵית יִחוּדָא, עַד דְּעֵרֶב רַב יִתְמְחוּן מֵעָלְמָא. וּבְגִ"ד

אִתְקְבַר מֹשֶׁה לְבַר מֵאַרְעָא קַדִּישָׁא, וּקְבוּרְתָא דִּילֵיהּ מִשְׁנָה אִיהִי, וְלָא יָדַע גֶּבֶר יַת קְבוּרְתֵּיהּ עַד יוֹמָא הָדֵין, קְבוּרְתָא דִּילֵיהּ מִשְׁנָה, דְּשָׁלְטָא עַל מַטְרוֹנִיתָא, דְּאִיהִי קַבָּלָה לְמֹשֶׁה, וּמַלְכָּא, וּמַטְרוֹנִיתָא מִתְפָּרְשָׁא מִבַּעֲלָהּ. בְּגִין דָּא, תַּחַת שָׁלֹשׁ רָגְזָה אֶרֶץ וגו' תַּחַת עֶבֶד כִּי יִמְלוֹךְ, דָּא אִיהוּ עַבְדָּא יְדִיעָא, וְשִׁפְחָה דָּא מִשְׁנָה, וְנָבָל כִּי יִשְׂבַּע לָחֶם, דָּא עֵרֶב רַב, עַם נָבָל וְלֹא חָכָם.

רעד. עוֹד פָּתַח וְאָמַר, וַיִּצֶר ה' אֱלֹקִים מִן הָאֲדָמָה, כָּל חַיַּת הַשָּׂדֶה, וְכָל עוֹף הַשָּׁמַיִם, וַוי לְעָלְמָא, דְּאִנּוּן אַטִּימִין לִבָּא, וּסְתִימִין עַיְינִין, דְּלָא מִסְתַּכְּלִין בְּרָזֵי דְּאוֹרַיְיתָא, וְלָא יָדְעִין דְּוַדַּאי חַיַּת הַשָּׂדֶה וְעוֹף הַשָּׁמַיִם, אִינּוּן עַמֵּי הָאָרֶץ. וַאֲפִילּוּ בְּאִלֵּין דְּאִנּוּן נֶפֶשׁ חַיָּה, לָא אִשְׁתְּכַח בְּהוֹן עֵזֶר לִשְׁכִינְתָּא בְּגָלוּתָא, וְלָא לְמֹשֶׁה דְּאִיהוּ עִמַּהּ, דִּבְכָל זִמְנָא דְּגָלַת שְׁכִינְתָּא, לָא זָז מִנָּהּ.

ערה. א"ר אֶלְעָזָר, וְהָא מַאן יָהֵב עוֹבָדָא דְּאָדָם, בְּיִשְׂרָאֵל וּבְמֹשֶׁה. אָמַר לֵיהּ בְּרִי, וְאַנְתְּ אֲמַרְתְּ הָכֵי, וְכִי לָא אוֹלִיפַת מַגִּיד מֵרֵאשִׁית אַחֲרִית, אָמַר לֵיהּ, הָכֵי הוּא וַדַּאי.

רעו. וּבְגִין דָּא מֹשֶׁה לָא מִית, וְאָדָם אִתְקְרֵי אִיהוּ, וּבְגִינֵיהּ אִתְּמַר בְּגָלוּתָא בַּתְרָאָה, וּלְאָדָם לֹא מָצָא עֵזֶר, אֶלָּא כֻּלְּהוּ כְּנֶגְדּוֹ. וְכֵן עַמּוּדָא דְּאֶמְצָעִיתָא אִתְּמַר בֵּיהּ, וּלְאָדָם לֹא מָצָא עֵזֶר, דְּאַפִּיק שְׁכִינְתֵּיהּ מִן גָּלוּתָא, הה"ד וַיִּפֶן כֹּה וָכֹה וַיַּרְא כִּי אֵין אִישׁ, וּמֹשֶׁה אִיהוּ בִּדְיוֹקְנֵיהּ מַמָּשׁ, דְּאִתְּמַר בֵּיהּ לֹא מָצָא עֵזֶר כְּנֶגְדּוֹ.

רעז. בְּהַהוּא זִמְנָא, וַיַּפֵּל ה' אֱלֹהִים תַּרְדֵּמָה עַל הָאָדָם, ה' אֱלֹהִים אַבָּא וְאִמָּא, תַּרְדֵּמָה דָּא גָּלוּתָא, דְּאִתְּמַר בֵּיהּ וְתַרְדֵּמָה נָפְלָה עַל אַבְרָם. אַרְמֵי לֵיהּ עַל מֹשֶׁה, וַיִּישָׁן, לֵית שֵׁינָה אֶלָּא גָּלוּתָא. וַיִּקַּח אַחַת מִצַּלְעוֹתָיו, מִצַּלְעוֹתָיו דְּמָאן, אֶלָּא מֵאִלֵּין עוֹלֵמִין דְּמַטְרוֹנִיתָא, נָטְלוּ אַבָּא וְאִמָּא חַד מִנַּיְיהוּ, וְאִיהוּ סִטְרָא חִוָּורָא, יָפָה כַּלְּבָנָה. וַיִּסְגּוֹר בָּשָׂר תַּחְתֶּנָּה, דָּא בָּשָׂר דְּאִתְּמַר בֵּיהּ בְּשַׁגָּם הוּא בָשָׂר, בָּשָׂר דְּמֹשֶׁה סוּמָק, וַעֲלֵיהּ אִתְּמַר פְּנֵי מֹשֶׁה כִּפְנֵי חַמָּה, וּבְגִין דָּא יָפָה כַּלְּבָנָה בָּרָה כַּחַמָּה.

רעח. ד"א וַיִּסְגּוֹר בָּשָׂר, בָּעָאן לְאַגָּנָא בָּהּ עֲלֵיהּ, הה"ד וַיִּסְגּוֹר ה' בַּעֲדוֹ. ד"א, וַיִּסְגֹּר, כד"א לְעוּמַּת הַמִּסְגֶּרֶת, מִסְגֶּרֶת מִתְקַיֶּימֶת, דְּבָהּ מַטְרוֹנִיתָא יִהְיֶה סָגוּר שֵׁשֶׁת יְמֵי הַמַּעֲשֶׂה.

רעט. וַיִּבֶן ה' אֱלֹהִים אֶת הַצֵּלָע, הָכָא אִתְרְמִיז רָזָא דְּיִבּוּם, דַּאֲמָרוּ בֵּיהּ כֵּיוָן שֶׁלֹּא בָנָה שׁוּב לֹא יִבְנֶה, הה"ד אֲשֶׁר לֹא יִבְנֶה אֶת בֵּית אָחִיו. אֲבָל לְגַבֵּי קב"ה אִתְּמַר בֵּיהּ, וַיִּבֶן ה' אֱלֹהִים אַבָּא וְאִמָּא, בָּנֵי לָהּ לְגַבֵּיהּ, הה"ד בּוֹנֵה יְרוּשָׁלַםִ ה'. ו' דְּאִיהוּ בֵּן י"ה אַבָּא וְאִמָּא, עֲלַיְיהוּ אִתְּמַר וַיִּבֶן ה' אֱלֹהִים אֶת הַצֵּלָע אֲשֶׁר לָקַח מִן הָאָדָם, דָּא עַמּוּדָא דְּאֶמְצָעִיתָא. וַיְבִיאֶהָ אֶל הָאָדָם, אַיְיתֵי לֵיהּ לְגַבֵּי צֵלָע, דְּנָטֵיל מִן ה', עוּלֵימָא דִּילָהּ.

רפ. וַעֲלָהּ אִתְּמַר וַאֲנִי אֶהְיֶה לָּהּ נְאֻם ה' חוֹמַת אֵשׁ סָבִיב, וּבְגִין דָּא בְּטוּרָא דָּא אִתְבְּנֵי בֵּי מַקְדְּשָׁא עַל יְדָא דְּקב"ה יְהֵא קַיְּימָא לְדָרֵי דָּרִין. וַעֲלֵיהּ אִתְּמַר גָּדוֹל יִהְיֶה כְּבוֹד הַבַּיִת הַזֶּה הָאַחֲרוֹן מִן הָרִאשׁוֹן, דְּקַדְמָאָה אִתְבְּנֵי עַל יְדָא דְּבַר נָשׁ וְהַאי עַל יְדָא דְּקב"ה, וּבְגִין דָּא אִם ה' לֹא יִבְנֶה בַיִת שָׁוְא עָמְלוּ בוֹנָיו בּוֹ.

רפא. וְכֵן אִתְּמַר בְּמֹשֶׁה, וַיִּבֶן ה' אֱלֹקִים אֶת הַצֵּלָע, כד"א וּלְצֶלַע הַמִּשְׁכָּן הַשֵּׁנִית, צֵלָע וַדַּאי מִסִּטְרָא דְּחֶסֶד חִוָּור, מִתַּמָּן אִתְקְרִיאַת סִיהֲרָא. וַיִּסְגֹּר בָּשָׂר תַּחְתֶּנָּה, בָּשָׂר דְּאִיהוּ סוּמָק מִסִּטְרָא דִּגְבוּרָה, וְאִתְכְּלִיל בְּתַרְוַוְיְיהוּ. בְּהַהוּא זִמְנָא, שְׂמֹאלוֹ תַּחַת לְרֹאשִׁי וִימִינוֹ תְּחַבְּקֵנִי.

רפב. זֹאת הַפַּעַם עֶצֶם מֵעֲצָמַי וּבָשָׂר מִבְּשָׂרִי, דָּא שְׁכִינְתָּא, נַעֲרָה הַמְאוֹרָסָה לְגַבֵּי עַמּוּדָא דְּאֶמְצָעִיתָא, אִתְּמַר בָּהּ זֹאת הַפַּעַם וגו' אֲנָא יְדַעְנָא דְּאִיהִי עֶצֶם מֵעֲצָמַי וּבָשָׂר מִבְּשָׂרִי, לְזֹאת וַדַּאי יִקָּרֵא אִשָּׁה, מִסִּטְרָא עִלָּאָה דְּאִיהִי אִמָּא. כִּי מֵאִישׁ לֻקֳחָה זֹּאת, מִסִּטְרָא דְּאַבָּא, דְּאִיהוּ י', וְכֵן מֹשֶׁה בְּדִיוּקְנָא דִּילֵיהּ לְתַתָּא.

רפג. בְּהַהוּא זִמְנָא, יִזְכּוּ יִשְׂרָאֵל, כָּל חַד וְחַד לְבַת זוּגֵיהּ, וְדָא אִיהוּ דִּכְתִיב וְנָתַתִּי לָכֶם לֵב חָדָשׁ וְרוּחַ חֲדָשָׁה אֶתֵּן בְּקִרְבְּכֶם, וּכְתִיב וְנִבְּאוּ בְּנֵיכֶם וּבְנוֹתֵיכֶם וגו', וְאִלֵּין אִנּוּן נִשְׁמָתִין חַדְתִּין, דַּעֲתִידִין לְמֶהֱוֵי עַל יִשְׂרָאֵל כְּמָה דְּאוּקְמוּהָ אֵין בֶּן דָּוִד בָּא עַד שֶׁיִּכְלוּ כָּל נְשָׁמוֹת שֶׁבַּגּוּף, וְאָז הַחֲדָשׁוֹת יָבוֹאוּ.

רפד. בְּהַהוּא זִמְנָא, מִתְעַבְּרִין עֶרֶב רַב מֵעָלְמָא, וְאִתְּמַר בְּיִשְׂרָאֵל וּבְמֹשֶׁה כָּל חַד בְּבַת זוּגַיְיהוּ. וַיִּהְיוּ שְׁנֵיהֶם עֲרוּמִּים, הָאָדָם וְאִשְׁתּוֹ וְלֹא יִתְבּוֹשָׁשׁוּ דְּאִתְעֲבַר עֶרְוָה מֵעָלְמָא, דְּאִלֵּין אִנּוּן דְּגָרְמוּ גָּלוּתָא, עֶרֶב רַב וַדַּאי.

רפה. וַעֲלַיְיהוּ אִתְּמַר, וְהַנָּחָשׁ הָיָה עָרוּם מִכֹּל חַיַּת הַשָּׂדֶה וגו', עָרוּם לְרַע מִכָּל חֵיוָון דְּאוּמִּין דְּעָלְמָא עכו"ם, וְאִנּוּן בְּנוֹי דְּנָחָשׁ הַקַּדְמוֹנִי, דְּפַתֵּי לְחַוָּה, וְעֶרֶב רַב וַדַּאי אִינּוּן הֲווֹ זוּהֲמָא דְּאַטִּיל נָחָשׁ בְּחַוָּה, וּמֵהַהִיא זוּהֲמָא נָפַק קַיִן, וְקָטַל לְהֶבֶל רוֹעֵה צֹאן דְּאִתְּמַר בֵּיהּ בְּשַׁגָּם הוּא בָשָׂר, בְּשַׁגָּם זֶה הֶבֶל. בְּשַׁגָּם וַדַּאי אִיהוּ מֹשֶׁה וְקָטִיל לֵיהּ, וְאִיהוּ הֲוָה בְּרָא בּוּכְרָא דְּאָדָם.

רפו. וְעִם כָּל דָּא, מֹשֶׁה בְּגִין לְכַסָּאָה עַל עֶרְיְיתָא דַּאֲבוּהִי, נָטַל בַּת יִתְרוֹ דְּאִתְּמַר בֵּיהּ וּבְנֵי קֵינִי חוֹתֵן מֹשֶׁה, וְהָא אוּקְמוּהָ, אַמַּאי אִתְקְרֵי קֵינִי שֶׁנִּפְרַד מִקַּיִן, כד"א וְחֶבֶר הַקֵּינִי נִפְרַד מִקָּיִן. וּלְבָתַר בָּעָא לְאַהֲדָרָא עֶרֶב רַב בִּתְיוּבְתָּא, לְכַסָּאָה עֶרְיְיתָא דַּאֲבוּהִי, דְּקֻבְּ"ה מַחֲשָׁבָה טוֹבָה מְצָרְפָהּ לְמַעֲשֶׂה, וַאֲמַר לֵיהּ קֻבְּ"ה מִגְּזְעָא בִּישָׁא אִנּוּן, תִּסְתַּמַּר מִנַּיְיהוּ, אִלֵּין אִנּוּן חוֹבָה דְּאָדָם דַּאֲמַר לֵיהּ וּמֵעֵץ הַדַּעַת טוֹב וָרָע לֹא תֹאכַל מִמֶּנּוּ. אִלֵּין אִנּוּן חוֹבָה דְּמֹשֶׁה וְיִשְׂרָאֵל.

רפז. וּבְגִינַיְיהוּ גָּלוּ יִשְׂרָאֵל בְּגָלוּתָא, וְאִתְתָּרְכוּ מִתַּמָּן, הה"ד וַיְגָרֶשׁ אֶת הָאָדָם, וְאָדָם יִשְׂרָאֵל וַדַּאי, וּמֹשֶׁה בְּגִינַיְיהוּ אִתְתָּרַךְ מֵאַתְרֵיהּ, וְלָא זָכָה לְמֵיעַל בְּאַרְעָא דְּיִשְׂרָאֵל, דִּבְגִינַיְיהוּ עָבַר מַאֲמַר דְּקֻבְּ"ה, וְחָב בְּסֶלַע, דִּמְחָא בֵּיהּ. דְּלָא אֲמַר לֵיהּ, אֶלָּא וְדִבַּרְתֶּם אֶל הַסֶּלַע, וְאִנּוּן גָּרְמוּ. וְעִם כָּל דָּא, מַחֲשָׁבָה טוֹבָה הַקֻּבְּ"ה מְצָרְפָהּ לְמַעֲשֶׂה, דְּאִיהוּ לָא קָבִּיל לוֹן, וִיהֵיב בְּהוֹן אוֹת בְּרִית, אֶלָּא לְכַסָּאָה עֶרְיְיתָא דַּאֲבוּהָ, וְקֻבְּ"ה אֲמַר לֵיהּ וְאֶעֱשֶׂה אוֹתְךָ לְגוֹי גָּדוֹל וְעָצוּם מִמֶּנּוּ. וּבְגִינַיְיהוּ אֲמַר מִי אֲשֶׁר חָטָא לִי אֶמְחֶנּוּ מִסִּפְרִי דְּאִנּוּן מִזַּרְעָא דַּעֲמָלֵק דְּאִתְּמַר בֵּיהּ תִּמְחֶה אֶת זֵכֶר עֲמָלֵק. וְאִנּוּן גָּרְמָא לְתַבְרָא תְּרֵין לוּחִין דְּאוֹרַיְיתָא.

רפח. וּמִיָּד, וַתִּפָּקַחְנָה עֵינֵי שְׁנֵיהֶם וַיֵּדְעוּ יִשְׂרָאֵל כִּי עֵרוּמִּים הֵם, בְּטוּנָא דְּמִצְרַיִם, דַּהֲווֹ בְּלָא אוֹרַיְיתָא, וְאִתְּמַר בְּהוֹ וְאַתְּ עֵרוֹם וְעֶרְיָה. וְאִיּוֹב בְּגִין דָּא אֲמַר ב' זִמְנֵי עָרוֹם יָצָאתִי מִבֶּטֶן אִמִּי וְעָרוֹם אָשׁוּב שָׁמָּה מַה דַּהֲוָה מֹשֶׁה, אִתְהַפַּךְ לְעֶרֶב רַב לְשַׁמָּה וְלִשְׁנִינָה, אָשׁוּב שָׁמָּה הָכָא רְמִיז דַּעֲתִיד לְאִתְחֲזָרָא בֵּינַיְיהוּ בְּגָלוּתָא בַּתְרָאָה, וְאָזֵיל בֵּינַיְיהוּ לְשַׁמָּה, וְאִיהוּ אֲמַר ה' נָתַן וַה' לָקָח, יְהִי שֵׁם ה' מְבוֹרָךְ.

רפט. וּבְזִמְנָא דְּאִתַּבְּרוּ תְּרֵין לוּחִין דְּאוֹרַיְיתָא, וְאוֹרַיְיתָא דְּע"פ, אִתְּמַר בְּהוֹן, וַיִּתְפְּרוּ עֲלֵה תְאֵנָה, אִתְכַּסּוּ בְּכַמָּה קְלִיפִּין, מֵעֶרֶב רַב, בְּגִין כִּי עֵרוּמִּים הֵם, דְּלָא יִתְגַּלּוּ עֶרְיָתַיְיהוּ וְכִסוּיָיא דִּילְהוֹן כַּנְפֵי צִיצִית. וּרְצוּעִין דִּתְפִילִּין, עֲלַיְיהוּ אִתְּמַר וַיַּעַשׂ ה' אֱלֹקִים

לְאָדָם וּלְאִשְׁתּוֹ כָּתְנוֹת עוֹר וַיַּלְבִּישֵׁם. אֲבָל לְגַבֵּי צִיצִיּוֹת, וַיִּתְפְּרוּ עֲלֵי תְאֵנָה, וַיַּעֲשׂוּ לָהֶם וַחֲגוֹרוֹת, דָּא אִיהוּ וַחֲגוֹר וַחַרְבְּךָ עַל יָרֵךְ גִּבּוֹר. וְדָא ק״ש דְּאִתְּמַר בֵּיהּ רוֹמְמוֹת אֵל בִּגְרוֹנָם וגו׳ דָּא הוּא וַיַּעֲשׂוּ לָהֶם וַחֲגוֹרוֹת.

רצ. וַיִּשְׁמְעוּ אֶת קוֹל ה׳ אֱלֹקִים וגו׳, כַּד קְרִיבוּ לְטוּרָא דְּסִינַי. הה״ד הֲשָׁמַע עָם קוֹל אֱלֹקִים מְדַבֵּר מִתּוֹךְ הָאֵשׁ וגו׳, וְעֶרֶב רַב מִיתוּ וְאִנּוּן הֲווּ דַּאֲמָרוּ לְמשֶׁה וְאַל יְדַבֵּר עִמָּנוּ אֱלֹקִים פֶּן נָמוּת וְאַשְׁכָּחוּ אוֹרַיְיתָא, וְאִלֵּין אִנּוּן עַמֵּי הָאָרֶץ, דְּאִתְּמַר בְּהוֹן אָרוּר שׁוֹכֵב עִם כָּל בְּהֵמָה. בְּגִין דְּאִנּוּן מִסִּטְרָא דְּהַהוּא חִוְיָא, דְּאִתְּמַר בֵּיהּ, אָרוּר אַתָּה מִכָּל הַבְּהֵמָה.

רצא. וְהָא כַּמָּה עִרְבּוּבִין אִנּוּן בִּישִׁין בְּעִירָן וְחֵיוָון. אֲבָל אִית עִרְבּוּבְיָא מִסִּטְרָא דְּנָחָשׁ, וְאִית עִרְבּוּבְיָא מִסִּטְרָא דְּאוּמֵּי עעכו״ם, דְּדָמוּ לְחֵיוָון וּבְעִירָן דְּחַקְלָא. וְאִית עִרְבּוּבְיָא מִסִּטְרָא דְּמַזִּיקִין דְּנִשְׁמָתָן דְּחַיָּיבַיָּא, אִנּוּן מַזִּיקִין דְּעָלְמָא מַמָּשׁ. וְאִית עִרְבּוּבְיָא דְּשֵׁדִים וְרוּחִין וְלִילִין וְכֹלָּא מְעוֹרְבִין בְּיִשְׂרָאֵל. וְלָא אִית בְּכֻלְּהוּ לַטְיָיא כַּעֲמָלֵק, דְּאִיהוּ חִוְיָא בִּישָׁא, אֵל אַחֵר, אִיהוּ גָּלוּי לְכָל עֶרְיָין דְּעָלְמָא. רוֹצֵחַ אִיהוּ וּבַת זוּגֵיהּ סַם מָוֶת, ע״ז. וְכֹלָּא סמא״ל וְאִית סמא״ל, וְלָאו כֻּלְּהוּ שָׁוִין, אֲבָל הַהוּא סִטְרָא דְּחִוְיָא אִיהוּ לַטְיָא עַל כֹּלָּא.

רצב. וַיִּקְרָא ה׳ אֱלֹקִים אֶל הָאָדָם וַיֹּאמֶר לוֹ אַיֶּכָּה. הָכָא רְמִיז לֵיהּ, דַּעֲתִיד לְחָרְבָא בֵּי מַקְדְּשָׁא, וּלְמִבְכֵּי בָּהּ אֵיכָה, הה״ד אֵיכָה יָשְׁבָה בָדָד, אֵי כ״ה. וּלְזִמְנָא דַּאֲתֵי עֲתִיד קֻבְּ״ה לְבַעֲרָא כָּל זִינִין בִּישִׁין מֵעָלְמָא, כְּדִכְתִיב בִּלַּע הַמָּוֶת לָנֶצַח. כְּדֵין תָּב כֹּלָּא לְאַתְרֵיהּ. כְּדִכְתִיב בַּיּוֹם הַהוּא יִהְיֶה ה׳ אֶחָד וּשְׁמוֹ אֶחָד.

רצג. תָּנֵינָן כָּל שְׁלֹמֹה דְּאִתְּמַר בְּשִׁיר הַשִּׁירִים בְּמַלְכָּא דִּשְׁלָמָא דִּילֵיהּ בְּמֶלֶךְ סְתָם, בְּנוּקְבָא. מֶלֶךְ תַּתָּאָה בְּעִלָּאָה, וְרָזָא דְּמִלָּה, דִּירְתָא תַּתָּאָה לְעִלָּאָה, תַּרְוַויְיהוּ כְּחַד, וְהַיְינוּ בַּיִת, דִּכְתִיב בְּחָכְמָה יִבָּנֶה בָּיִת, וּכְתִיב אַפִּרְיוֹן עָשָׂה לוֹ הַמֶּלֶךְ שְׁלֹמֹה מֵעֲצֵי הַלְּבָנוֹן, אַפִּרְיוֹן דָּא תִּקּוּנָא דְּעָלְמָא תַּתָּאָה, מֵעָלְמָא עִלָּאָה.

רצד. דְּעַד לָא בָּרָא קֻבְּ״ה עָלְמָא, הֲוָה סָתִים שְׁמֵיהּ בֵּיהּ, וַהֲוָה הוּא וּשְׁמֵיהּ סָתִים בְּגַוֵּיהּ וְחַד, וְלָא קַיְּימָא מִלָּה, עַד דְּסָלִיק בִּרְעוּתָא לְמִבְרֵי עָלְמָא, וַהֲוָה רָשִׁים וּבָנֵי. וְלָא קַיְּימָא עַד דְּאִתְעַטַּף, בְּעִטּוּפָא חַד דְּזִיהֲרָא, וּבָרָא עָלְמָא.

רצה. וְאַפִּיק אַרְזִין עִלָּאִין, רַבְרְבִין, מֵהַהוּא נְהוֹרָא זִיהֲרָא עִלָּאָה, וְשַׁוֵּי רְתִיכוּ עַל תְּרֵין וְעֶשְׂרִין אַתְוָון רְשִׁימִין, אִתְגְּלִיפוּ בַּעֲשַׂר אֲמִירָן, וְאִתְיַישְׁבוּ, הה״ד מֵעֲצֵי הַלְּבָנוֹן, וּכְתִיב אַרְזֵי לְבָנוֹן אֲשֶׁר נָטָע.

רצו. עָשָׂה לוֹ הַמֶּלֶךְ שְׁלֹמֹה, לוֹ, לְגַרְמֵיהּ. לוֹ, לְתִקּוּנֵיהּ. לוֹ, לְאַחֲזָאָה יְקָרָא עִלָּאָה. לוֹ, לְאוֹדָעָא דְּאִיהוּ חַד, וּשְׁמֵיהּ חַד, כְּמָה דְּאַתְּ אָמַר, יִהְיֶה ה׳ אֶחָד וּשְׁמוֹ אֶחָד, וּכְתִיב וְיֵדְעוּ כִּי אַתָּה שִׁמְךָ ה׳ לְבַדֶּךָ.

רצז. בְּמָטוֹן דְּקָלְפּוֹי קַסְטוֹרִין יְדִיעָא, נָטִיף לְסִטְרָא דָּא לְעֵילָא, נָטִיף לִימִינָא, סָטָא לִשְׂמָאלָא, נָחִית לְתַתָּא, וְכֵן לְאַרְבַּע זָוְיָין, מַלְכוּ אִתְפָּרַשׁ, לְעֵילָא וְתַתָּא, וּלְאַרְבַּע זָוְיָין, לְמֶהֱוֵי חַד נַהֲרָא עִלָּאָה.

רצח. נָחִית לְתַתָּא, וְעָבֵיד לֵיהּ יַמָּא רַבָּא, כְּמָה דְּאַתְּ אָמַר כָּל הַנְּחָלִים הוֹלְכִים אֶל הַיָּם וְהַיָּם אֵינֶנּוּ מָלֵא, דְּהָא הוּא כָּנִישׁ כֹּלָּא, וְשָׁאֵיב לֵיהּ בְּגַוֵּיהּ. כד״א אֲנִי חֲבַצֶּלֶת הַשָּׁרוֹן שׁוֹשַׁנַּת הָעֲמָקִים, וְאֵין שָׁרוֹן אֶלָּא אֲתַר יַמָּא רַבָּא, דְּשָׁאֵיב כָּל מֵימִין דְּעָלְמָא,

דְּאַפִּיק וְשָׁאִיב, וְנָהִיר דָּא בְּדָא, בְּאוֹרְחִין יְדִיעָן. וּכְדֵין עֲלַיְיהוּ כְּתִיב בְּחָכְמָה יִבָּנֶה בָּיִת, וְע"ד בַּיִת בְּרֵאשִׁית. אֲבָל בֵּיתָא עִלָּאָה רַבְרְבָא, יְשׁוּבָא דְעָלְמָא, מֶלֶךְ סְתָם, בֵּיתָא תַּתָּאָה.

רצט. וְהַמֶּלֶךְ יִשְׂמַח בֵּאלֹקִים , עִלָּאָה, לְאוֹדָאָה בֵּיהּ תְּחוֹת רֵישֵׁיהּ, וּלְקָרְבָא לֵיהּ בְּחֶדְוָה, לְמֶהֱוֵי כֹּלָּא חַד. וְהַמֶּלֶךְ יִשְׂמַח בֵּאלֹקִים, חֲדוּ נְהוֹרָא דְּאַפֵּיק, דְּנָפֵיק בְּחַד שְׁבִילָא, טָמִיר וְגָנִיז, וְעַיֵּיל בֵּיהּ ב', תְּרֵין דְּאִינוּן חַד. עַל דָּא עָלְמָא אִשְׁתַּכְלַל, בְּקִיּוּמָא שְׁלִים.

ש. וְהַמֶּלֶךְ יִשְׂמַח בֵּאלֹקִים, עָלְמָא תַּתָּאָה חָדֵי, בְּעָלְמָא עִלָּאָה סְתִימָא, הַהוּא דְשַׁדַּר חַיִּים לְכֹלָּא, וְחַיֵּי מַלְכָּא אִקְרוּן, דָּא עִקָּרָא דְבֵיתָא. בֵּיתָא דָּא, בָּנֵי בֵּיתָא דְעָלְמָא, וּבְנֵי עָלְמָא. וְדָא הוּא, בְּרֵאשִׁית בָּרָא אֱלֹקִים, ב' רֵאשִׁית, רֵאשִׁית וְחָכְמָה, כַּד כָּנִישׁ כֹּלָּא לְגַוֵּיהּ, וְאִתְעֲבִיד יַמָּא רַבָּא, לְשָׁאֲבָא כֹּלָּא.

שא. יַמָּא דְקָאפוּ, מֵימוֹי שָׁאִיב, כָּל מֵימִין דְּעָלְמָא, וְכָנִישׁ לוֹן לְגַוֵּיהּ, וּמַיִין אָזְלִין וְשָׁאטִין, וְאִשְׁתָּאֲבָן בֵּיהּ. וְדָא נָפֵיק מִגּוֹ עִלָּאָה, וְסִימָנֵיהּ דְּרָזָא דָּא, מִבֶּטֶן מִי יָצָא הַקָּרַח דְּמֵימוֹי גְּלִידִין בֵּיהּ, לְשָׁאֲבָא אוֹחֲרָנִין.

שב. הַאי קָרַח, יַמָּא דְקָפָא, לָא נַגְּדִין מֵימוֹי, אֶלָּא בְּשַׁעֲתָא דְתוּקְפָּא דִּדְרוֹם מָטֵי לְגַבֵּיהּ, וּמְקָרִיב לֵיהּ בַּהֲדֵיהּ, כְּדֵין מַיָּא דַהֲווֹ גְלִידִין בִּסְטְרָא דְצָפוֹן, מִשְׁתָּרָן וְנַגְּדִין, דְּהָא מִסִּטְרָא דְצָפוֹן גְּלִידֵי מַיָּא, וּמִסִּטְרָא דְדָרוֹם, מִשְׁתְּרָן וְנַגְּדִין. לְאַשְׁקָאָה כָּל אִינוּן חַיַּות בָּרָא, כד"א יַשְׁקוּ כָּל חַיְתוֹ שָׂדָי וגו', וְאִלֵּין אִקְרוּן הָרֵי בָתֶר, טוּרִין דְּפְרוּדָא, דְּכֻלְּהוּ מִשְׁתַּקְיָין, כַּד סִטְרָא דְדָרוֹם שָׁארֵי לְקָרְבָא בַּהֲדֵיהּ, וּכְדֵין מַיָּא נַגְּדִין, וּבְחֵילָא דָּא עִלָּאָה דְנָגִיד, כֹּלָּא הֲוֵי בִּרְבוּ בְּחֶדְוּ.

שג. כַּד מַחֲשָׁבָה סָלֵיק בִּרְעוּ, מִטְּמִירָא דְּכָל טְמִירִין מָטוֹ מִגַּוֵּיהּ חַד נָהָר, וְכַד מִתְקָרְבִין דָּא בְּדָא, בְּחַד שְׁבִיל דְּלָא יְדִיעַ לְעֵילָא וְתַתָּא, וְהָכָא הוּא רֵאשִׁיתָא דְּכֹלָּא. וּב' מֶלֶךְ סְתָם, מֵהַאי רֵאשִׁיתָא אִשְׁתַּכְלַל וְדָמֵי דָּא לְדָא.

דש. בָּרָא אֱלֹקִים אֶת הַשָּׁמַיִם, וְאַפִּיק קוֹל מִגַּוֵּיהּ, וְדָא אִקְרֵי קוֹל הַשּׁוֹפָר, וְהַיְינוּ בָּרָא אֱלֹקִים אֶת הַשָּׁמַיִם, דְּאִיהוּ קוֹל הַשּׁוֹפָר, וְשָׁמַיִם שַׁלִּיטִין בְּחַיֵּי הַמֶּלֶךְ עִלָּאָה, עַל אַרְעָא, וְסִימָנִיךְ בֶּן יִשַׁי חַי עַל הָאֲדָמָה, דְּחַיִּים תַּלְיָין בְּבֶן יִשַׁי, וּבְהוּ שַׁלִּיט בְּכֹלָּא, וְאַרְעָא מִינֵּיהּ אִתְזָנַת, הה"ד וְאֵת הָאָרֶץ, וא"ו דְּאִתּוֹסַף, לְשַׁלְטָאָה בִּמְזוֹנֵי עַל אַרְעָא.

שה. אֶת לְעֵילָא, וְהוּא חֵילָא דִּכְלָלָא דְעֶשְׂרִין וּתְרֵין אַתְוָון, דְּאַפֵּיק א"ת א' ת' אֱלֹקִים דָּא, וְיָהִיב לַשָּׁמַיִם, כד"א בַּעֲטָרָה שֶׁעִטְּרָה לוֹ אִמּוֹ בְּיוֹם חֲתֻנָּתוֹ, וְהַיְינוּ אֶת הַשָּׁמַיִם, לְאַכְלָלָא דָּא בְּדָא, וּלְחַבְּרָא לוֹן דָּא בְּדָא, לְאִתְקַיְּימָא כַּחֲדָא, בְּאִנּוּן חַיֵּי מַלְכָּא, מֶלֶךְ סְתָם לְאִתְזָנָא מִן שָׁמַיִם. וְאֵת הָאָרֶץ חִבּוּרָא דִּדְכַר וְנוּקְבָא, דְּאִתְגְּלִיפוּ בְּאַתְוָון רְשִׁימִין, וְחַיֵּי מַלְכָּא דְּאִתְנְגִידוּ מִן שְׁמַיָּא, דְּשָׁמַיִם נַגְּדִין לוֹן לְקַיְּימָא אַרְעָא וְכָל אֻכְלוּסִין דִּילָהּ.

שו. וְרָזָא, דֵּאלֹקִים עִלָּאָה עֲבַד שָׁמַיִם וָאָרֶץ לְקִיּוּמָא, וְאַפִּיק לוֹן כַּחֲדָא, בְּחֵילָא דִּלְעֵילָא רֵאשִׁיתָא דְּכֹלָּא. כְּגַוְונָא דָּא, רָזָא עִלָּאָה נָחִית לְתַתָּא וְהַאי בַּתְרָאָה עֲבִיד שָׁמַיִם וָאָרֶץ לְתַתָּא.

שז. וְרָזָא דְּכֹלָּא ב', תְּרֵין עָלְמִין נִינְהוּ, וּבָרָאוּ עָלְמִין, דָּא עָלְמָא עִלָּאָה, וְדָא עָלְמָא תַּתָּאָה, דָּא כְּגַוְונָא דְּדָא, דָּא בָּרָא שָׁמַיִם וָאָרֶץ, וְדָא בָּרָא שָׁמַיִם וָאָרֶץ, וְעַל דָּא ב',

תְּרֵין עָלְמִין נִינְהוּ, דָּא אַפֵּיק תְּרֵין עָלְמִין, וְדָא אַפֵּיק תְּרֵין עָלְמִין וְכֹלָּא בְּחֵילָא דְּרֵאשִׁית עִלָּאָה.

שז. נָחֵית עִלָּאָה בְּתַתָּאָה, וְאִתְמַלְיָיא בְּאֹרַח דְּחַד דַּרְגָּא דְּשָׁרֵי עֲלָהּ, כְּגַוְונָא דְּהַהוּא שְׁבִיל סָתִים וְטָמִיר וְגָנִיז לְעֵילָּא, בַּר חַד, שְׁבִיל דַּקִּיק וְחַד אֹרַח, הַהוּא דִּלְתַתָּא אֹרַח, כד״א וְאֹרַח צַדִּיקִים כְּאוֹר נוֹגַהּ. וְהַהוּא דִּלְעֵילָּא שְׁבִיל דַּקִּיק, כְּדִכְתִּיב נָתִיב לֹא יְדָעוֹ עָיִט. וְרָזָא דְּכֹלָּא הַנּוֹתֵן בַּיָּם דָּרֶךְ וּבְמַיִם עַזִּים נְתִיבָה. וּכְתִיב בַּיָּם דַּרְכֶּךָ וּשְׁבִילְךָ בְּמַיִם רַבִּים. עָלְמָא עִלָּאָה כַּד אִתְמַלְיָא וְאִתְעַבְּרָא כְּנוּקְבָא דְּמִתְעַבְּרָא מִן דְּכוּרָא, אַפֵּיקַת תְּרֵין בְּנִין כַּחֲדָא, דְּכַר וְנוּקְבָא, וְאִינּוּן שָׁמַיִם וָאָרֶץ, כְּגַוְונָא עִלָּאָה.

שט. מִמֵּימוֹי דִּשְׁמַיָּא אִתְּזַן אַרְעָא, וּמֵימוֹי אִשְׁתַּדְּרָן בְּגַוָּהּ, אֶלָּא דְּעִלָּאֵי דְּכַר, וְתַתָּאֵי נוּקְבָא, וְתַתָּאֵי מִן דְּכוּרָא אִתְּזָנָן, וּמַיִין תַּתָּאִין קָרָאן לְעִלָּאִין, כְּנוּקְבָא דְּפַתְיָא לִדְכוּרָא, וְשָׁדַת מַיָּא, לְקַבֵּל מַיָּא דִּדְכוּרָא לְמֶעְבַּד זַרְעָא, וְנוּקְבָא מִן דְּכוּרָא אִתְּזָנַת, הֲדָא הוּא דִּכְתִיב, וְאֵת הָאָרֶץ, בְּתוֹסֶפֶת וי״ו כְּמָה דְּאִתְּמַר.

שי. כְּתִיב שְׂאוּ מָרוֹם עֵינֵיכֶם וּרְאוּ מִי בָרָא אֵלֶּה וְגוֹ׳, אַתְוָון אִתְוָּקְקוּ בְּעוֹבָדָא דְּכֹלָּא, בְּעוֹבָדָא דְּעִלָּאָה, וּבְעוֹבָדָא דְּתַתָּאָה. לְבָתַר, אִתְרְשִׁימוּ אַתְוָון, וְאִתְוָּקְקוּ בִּקְרָא, ב׳ בְּרֵאשִׁית בָּרָא, א׳ אֱלֹקִים אֵת. ב׳ רֵאשִׁית בָּרָא, וַדַּאי כְּמָה דְּאִתְּמַר, ב׳ בָּרָא וַדַּאי בְּחֵילָא עִלָּאָה. ב׳ נוּקְבָא, א׳ דְּכַר כְּמָה דְּב׳ בָּרָא וַדַּאי בְּחֵילָא דִּלְעֵילָּא, הָכֵי א׳ אַפֵּיק אַתְוָון. כְּלָלָא דְּעֶשְׂרִין וּתְרֵין אַתְוָון, הַשָּׁמַיִם ה׳ אַפֵּיק שָׁמַיִם, לְמֵיהַב לֵיהּ חַיִּין וּלְאַשְׁרָשָׁא לֵיהּ.

שיא. וְאֵת הָאָרֶץ, ו׳ אַפֵּיק הָאָרֶץ, לְמֵיהַב לָהּ מְזוֹנָא, וּלְאַתְקָנָא לָהּ, וּלְמֵיהַב לָהּ סִפּוּקָא, דְּאִתְחֲזֵי לָהּ, וְאֵת הָאָרֶץ, דְּנָטֵיל וָא״ו אֶ״ת כְּלָלָא דְּעֶשְׂרִין וּתְרֵין אַתְוָון, וּמִתְּזָן אַרְעָא, וְאַרְעָא כָּלֵיל לוֹן לְגַוָּהּ, כד״א כָּל הַנְּחָלִים הוֹלְכִים אֶל הַיָּם, וְהַיְינוּ רָזָא וְאֵת הָאָרֶץ, דְּכָנֵישׁ כֹּלָּא לְגַוָּהּ, וְקַבִּילַת לוֹן הָאָרֶץ, נַטְלָא הָאָרֶץ וְאֶ״ת, דָּא שָׁמַיִם וָאָרֶץ כַּחֲדָא. אֵת הַשָּׁמַיִם, רָזָא דְּשָׁמַיִם וָאָרֶץ כַּחֲדָא.

שיב. וְקַבִּילַת לוֹן לְאִתְּזָנָא. מָטוֹן מִלָּה בְּקוּלְפוֹי שְׁכִיחֵי. קוּסְטְרָא דְּקוּטְרָא בְּאַרְעָא שְׁכִיחַ. כַּד אֶשָּׁא דִּמְלַהֲטָא נָגִיד וְאִתְעַר מִשְּׂמָאלָא, אוֹחִיד בָּהּ, וְסַלְקָא תְּנָנָא, כד״א וְהַר סִינַי עָשַׁן כֻּלּוֹ מִפְּנֵי אֲשֶׁר יָרַד עָלָיו ה׳ בָּאֵשׁ, דָּא אֶשָּׁא וְדָא תְּנָנָא. וּכְתִיב וְאֶת הָהָר עָשֵׁן, מִגּוֹ דְּאֶשָּׁא כַּד נָחֵית, אֲחִידָן דָּא בְּדָא, תְּנָנָא בְּאֶשָּׁא. וּכְדֵין בִּסְטַר שְׂמָאלָא קַיְּימָא כֹּלָּא. וְהַיְינוּ רָזָא אַף יָדִי יָסְדָה אֶרֶץ. וִימִינִי טִפְּחָה שָׁמָיִם. בְּחֵילָא דִּימִינָא לְעֵילָּא, כִּי הַאי גַּוְונָא אִתְעֲבִידוּ שְׁמַיָּא, דְּאִיהוּ דְּכַר, וּדְכַר מִסִּטְרָא דִּימִינָא קָא אָתֵי, וְנוּקְבָא מִסִּטְרָא דִּשְׂמָאלָא.

שיג. שְׂאוּ מָרוֹם עֵינֵיכֶם וּרְאוּ מִי בָרָא אֵלֶּה, עַד הָכָא אִסְתַּלְּקוּ מִלִּין, דְּלָא לְשָׁאֲלָא, כִּדְלְעֵילָּא, דְּחָכְמָה אִשְׁתַּכְלֵיל מֵאַיִן, וְלָא קַיְּימָא לְשָׁאֲלָא, דִּסְתִּים וְעָמִיק, לֵית דְּיֵיקוּם בֵּיהּ, כֵּיוָן דְּאִתְפַּשַּׁט נְהוֹרָא עֲמִיקָא, נְהוֹרֵיהּ קַיְּימָא בִּשְׁאֵלְתָּא, אע״ג דְּאִיהוּ סָתִים מִכֹּלָּא דִּלְתַתָּא, וְקָרָאן לֵיהּ עַל פּוּם שְׁאֵילְתָּא מִי בָרָא אֵלֶּה.

שיד. וְהַיְינוּ רָזָא דְּקָאמְרָן מִבֶּטֶן מִי יָצָא הַקָּרַח, מִבֶּטֶן מִי וַדַּאי, הַהוּא דְּקַיְּימָא לִשְׁאֵלְתָּא, וְלֵית לְשָׁאֲלָא מַה לְעֵילָּא מַה לְתַתָּא, אֶלָּא לְשָׁאֲלָא אֲתַר דְּנַפְקָן לְמִנְדַּע, וְלָא לְמִנְדַּע לֵיהּ, דְּהָא לָא יָכְלִין, אֶלָּא קַיְּימָא לִשְׁאֶלְתָּא וְלָא לְמִנְדַּע בֵּיהּ.

שטו. בראשית, ב' ראשית, ראשית מאמר הוא, או נימא דבראשית איהו מאמר, אלא עד לא נפיק ואתפשט חיליה, וכלא סתים ביה, בראשית איהו, ומאמר איהו. כיון דנפיק ואתפשט מניה חילין, ראשית אקרי, והוא מאמר בלחודוי. מי שאילתא ההוא דברא אלה, לבתר כד אתפשט ואשתכלל, אתעביד י"ם, וברא לתתא. וכלא עביד כההוא גוונא ממש דלעילא, דא לקבל דא, ודא כגוונא דדא, ותרווייהו ב'.

שטז. כתיב עד שהמלך במסבו, במסבו לאתיישבא במלכו תתאה, ברזא דההוא חבורותא ותפנוקא, דההוא חביבותא דבעדן עלאה, בההוא שביל דסתים וגניז, ולא אתידע, ואתמליא מניה, ונפקא בנחלין ידיען. נרדי נתן ריחו, דא מלכא תתאה, דברא עלמא לתתא, כגוונא דלעילא, וסליק ריחא טבא עלאה, לשלטאה, ולמעבד, ויכיל ושליט, ונהיר בנהורא עלאה.

שיז. בתרין גוונין אתברי עלמא, בימינא ובשמאלא, בשיתא יומין עלאין, שיתא יומין אתעבידו לאנהרא, כמה דאת אמר כי ששת ימים עשה ה' את השמים ואת הארץ. ואלין כרון ארחין, ועבדו שיתין נוקבין, לתהומא רבא, ואינון שיתין נוקבין לאעלאה מיא דנחלי גו תהומא, ועל דא השיתין משטת ימי בראשית נבראו, ואינון הוו שלמא דעלמא.

שיח. והארץ היתה תהו ובהו סוספיתא דקמרי גו קולטוי, דהוה בקדמיתא ולא אתקיימת, היתה כבר. ולבתר, אתקיימת, בארבעין ותרין אתוון, אתגליף עלמא, ואתקיימת, וכלהו עטורא דשמא קדישא.

שיט. כד מצטרפין, סלקין אתוון לעילא, ונחתין לתתא, מתעטרין בעטרין, בארבע סטרי עלמא, ויכיל עלמא לאתקיימא, ואלין אתקיימין בעובדוי דעלמא. טופסרא דקילטא בהני שכיוי, כחותמא דגושפנקא, עאלו ונפקו את ואת, ואתברי עלמא, עאלו גו חותמא ואצטרפו ואתקיים עלמא.

שכ. בקולפי דחויא רברבא, מחו ועאלו תחות נוקבי דעפרא, אלף וחמש מאה אמין, לבתר תהומא רבא, הוה סליק בחשוכא, וחשוכא חפי כלא, עד דנפק נהורא, ובקע בחשוכא, ונפק ואתנהיר, דכתיב מגלה עמוקות מני חשך ויוצא לאור צלמות.

שכא. מיא אתקלו בתיקלא, אלף וחמש מאה, באצבען, תלת נטיפו גו תיקלא, פלגו מנייהו לקיומא, ופלגו דעאלו לתתא. אלין סלקין ואלין נחתין, כיון דסליקו, בסליקו דידא, קאים תיקלא בארח מישר, ולא סטא לימינא ולשמאלא, הה"ד מי מדד בשעלו מים וגו'.

שכב. כלא הוה ביה בארעא סתים ולא אתגלייא, וחילא ותקפא ומיא גלידין בגוה, ולא נגידו, ולא אתפשטו, עד דאנהיר עלה נהורא דלעילא, ונהורא מחאת בקולטוי, ואשתריאו חילה, הה"ד ויאמר אלקים יהי אור ויהי אור, דא הוא אור קדמאה עלאה, דהוה מקדמת דנא.

שכג. ומהכא נפקו כל חילין ותוקפין, וארעא אתבסמת ואפיקת חילהא לבתר, כיון דנהיר ונחית, הוה אסתלק נהוריה מסייפי עלמא עד סייפי עלמא, כד אסתכל בחייבי עלמא אתגניז ואתטמיר ולא נפיק אלא בשבילוי סתימין דלא אתגליין.

שכד. וירא אלקים את האור כי טוב, תנן כל חלמא דקיימא בקיומא דכי טוב, שלמא הוא לעילא ותתא. חמי אתוון כפום ארחוי, כל חד וחד, חמא ט' טב ליה, טב

לְחֶלְמֵיהּ, דְּהָא אוֹרַיְיתָא פְּתַח בֵּיהּ כִּי טוֹב, נָהִיר מִסַּיְיפֵי עָלְמָא לְסַיְיפֵי עָלְמָא, ט', טַב, טוֹב הוּא, טַב: נְהִירוּ בְּאַשְׁלָמוּתָא.

שכה. ט' תְּשִׁיעָאָה דְּכֹלָּא, אֶת דְּאִתְנְהִיר מֵעִלָּאָה, רֵאשִׁיתָא וְאִתְכְּלִיל בֵּיהּ, וְאִתְעֲבִיד בִּסְתִימוּ דִּנְקוּדָה, רָזָא דְּי', דְּהִיא נְקוּדָה וְחָדָא ו' מֵחֵילֵיהּ נָפִיק, בֵּיהּ אִתְעֲבִיד שָׁמַיִם. כַּד אִסְתַּיֵּים בִּנְקוּדָה חַד, וְאִתְגְּנִיז גּוֹ אִתְנַהֲרָא ב'. מִנֵּיהּ נָפְקוּ עִלָּאָה וְתַתָּאָה, עִלָּאָה טְמִירָא, תַּתָּאָה אִתְגַּלְיָיא, בְּרָזָא דִּתְרֵין, וְקַיְּימָא בְּחֵילָא דִּלְעֵילָּא.

שכו. וְדָא הוּא טוֹב, אִלֵּין תְּלַת אַתְוָון, טו"ב, אִתְכְּלִילוּ לְבָתַר לְצַדִּיקָא דְּעָלְמָא, דְּכָלֵיל כֹּלָּא לְעֵילָּא וְתַתָּא, כד"א אִמְרוּ צַדִּיק כִּי טוֹב, בְּגִין דִּנְהִירוּ עִלָּאָה כְּלִילָא בֵּיהּ, דִּכְתִיב טוֹב ה' לַכֹּל וְרַחֲמָיו עַל כָּל מַעֲשָׂיו, לַכֹּל כְּתִיב, דָּא סְתָמָא דְּמִלָּה בְּגִין לְאַנְהָרָא יוֹמָא חַד דְּנָהִיר לְכֹלָּא, עִלָּאָה עַל כֹּלָּא. עַד כָּאן סְתָמָא דְּמִלִּין.

שכז. בְּרֵאשִׁית בָּרָא אֱלֹקִים, רָזָא דְּרֵאשִׁית עֲרִיסוֹתֵיכֶם חַלָּה תָּרִימוּ תְּרוּמָה. דָּא חָכְמָה עִלָּאָה, דְּאִיהִי רֵאשִׁית. ב' בֵּיתָא דְּעָלְמָא, לְאִתְשַׁקְאָה, מֵהַהוּא נָהָר, דְּעָיֵיל בֵּיהּ. רָזָא דִּכְתִיב וְנָהָר יוֹצֵא מֵעֵדֶן לְהַשְׁקוֹת אֶת הַגָּן, וְנָהָר דְּאַכְנִישׁ כֹּלָּא, מֵעוֹמְקָא עִלָּאָה, וְלָא פְּסִיקוּ מֵימוֹי לְעָלְמִין, לְאַשְׁקָאָה לְגִנְּתָא.

שכח. וְהַהוּא עוֹמְקָא עִלָּאָה בֵּית רִאשׁוֹן, אִסְתַּיְּימוּ בֵּיהּ אַתְוָון, בְּחַד שְׁבִיל דַּקִּיק דִּגְנִיז בְּגַוֵּיהּ, וּמִגּוֹ הַהוּא עוֹמְקָא, נָפְקוּ תְּרֵין חֵילִין, דִּכְתִיב אֶת הַשָּׁמַיִם, שָׁמַיִם לָא כְּתִיב, אֶלָּא הַשָּׁמַיִם, מִגּוֹ הַהוּא עוֹמְקָא דְּסָתִים מִכֹּלָּא. וְאֶת הָאָרֶץ, נָהָר דָּא אַפִּיק לְהַאי אָרֶץ.

שכט. אֲבָל בִּכְלָלָא דְּשָׁמַיִם הֲוָה, וּנְפָקוּ כַּחֲדָא, מִתְדַּבְּקָא בְּסִטְרוֹי, דָּא בְּדָא. כַּד אִתְנְהִיר רֵאשִׁיתָא דְּכֹלָּא, שָׁמַיִם נַטְלוּ לָהּ, וְאוֹתִיבוּ לָהּ בְּאַתְרָהּ, דִּכְתִיב וְאֶת הָאָרֶץ, וְאֶת כְּלָלָא דְּאַתְוָון דְּאִינּוּן אֶת.

של. כַּד אִתְהַדְרַת אַרְעָא לְמֵיתַב בְּאַתְרָהּ, וְאִתְפְּרַשׁ מִסִּטְרוֹי דְּשָׁמַיִם, הֲוַת תֹּהוּ וּבֹהוּ לְאִתְדַּבְּקָא בְּשָׁמַיִם כַּחֲדָא, כְּקַדְמֵיתָא, בְּגִין דְּחָמַת לְשָׁמַיִם נְהִירִין, וְהִיא אִתְחַשְׁכַת, עַד דִּנְהוֹרָא עִלָּאָה נְפַק עָלָהּ, וְאַנְהִיר לָהּ, וְתָבַת בְּאַתְרָהּ, לְאִסְתַּכְּלָא בִּשְׁמַיָּא אַפִּין בְּאַפִּין, וּכְדֵין אִתְתַּקְנַת אַרְעָא, וְאִתְבַּסְמַת.

שלא. נְפַק נְהוֹרָא בִּסְטַר יְמִינָא, וַחֲשׁוֹכָא בִּסְטַר שְׂמָאלָא, וְאַפְרֵישׁ לוֹן, לְבָתַר, בְּגִין לְאִתְכַּלְלָא דָּא בְּדָא, הה"ד וַיַּבְדֵּל אֱלֹקִים בֵּין הָאוֹר וּבֵין הַחֹשֶׁךְ, וְאִי תֵּימָא הֲוָה הַבְדָּלָה מַמָּשׁ, לָא, אֶלָּא יוֹם אָתֵי מִסִּטְרָא דִּנְהוֹרָא, דְּאִיהוּ יְמִינָא, וְלַיְלָה מִסִּטְרָא דַּחֲשׁוֹכָא, דְּאִיהוּ שְׂמָאלָא. וְכַד נָפְקוּ כַּחֲדָא, אַפְרֵישׁ לוֹן. וְהַבְדָּלָה הֲוָה מִסִּטְרוֹי, לְאִסְתַּכְּלָא אַפִּין בְּאַפִּין, וּלְאִתְדַּבְּקָא דָּא בְּדָא לְמֶהֱוֵי כֹּלָּא חָד.

שלב. וְאִיהוּ אִקְרֵי יוֹם, וְקָרֵי לֵיהּ יוֹם. וְאִיהִי קָרֵי לַיְלָה כד"א וַיִּקְרָא אֱלֹקִים לָאוֹר יוֹם וְגוֹ'. מַהוּ וְלַחֹשֶׁךְ, דָּא חֹשֶׁךְ דְּאָחִיד לְלַיְלָה, דְּלֵית לָהּ נְהוֹרָא מִגַּרְמָהּ, וְאע"ג דְּאָתְיָא מִסִּטְרָא דְּאֶשָּׂא דְּאִיהִי חֹשֶׁךְ, אֲבָל חֹשֶׁךְ, עַד דְּאִתְנְהִיר מִסִּטְרָא דְּיוֹם, יוֹם נָהִיר לְלַיְלָה, וְלַיְלָה לָא נָהִיר עַד זִמְנָא דִּכְתִיב וְלַיְלָה כַּיּוֹם יָאִיר כַּחֲשֵׁכָה כָּאוֹרָה.

שלג. רַבִּי אֶלְעָזָר קָפַץ בְּקַדְמֵיתָא, וְדָרַשׁ קוֹל ה' עַל הַמָּיִם אֵל הַכָּבוֹד הִרְעִים ה' עַל מַיִם רַבִּים, קוֹל ה', דָּא קוֹל עִלָּאָה, דִּמְמַנָּא עַל הַמָּיִם, דְּנַגְדִּין מִדַּרְגָּא לְדַרְגָּא, עַד דְּמִתְכַּנְּשֵׁי לַאֲתַר חָד, בִּכְנוּפְיָא חֲדָא. הַהוּא קוֹל עִלָּאָה מְשַׁדֵּר לְאִינּוּן מַיִין בְּאָרְחַיְיהוּ, כָּל חַד וְחַד כְּפוּם אָרְחֵיהּ, כְּהַאי גִּנָּנָא דִּמְמַנָּא עַל מַיָּא, לְשַׁדֵּר לוֹן, לְכָל אֲתַר וַאֲתַר, כִּדְחָזֵי לֵיהּ. כַּךְ קוֹל ה' מְמַנָּא עַל מַיָּא.

שלד. אֵל הַכָּבוֹד הִרְעִים, כד״א וְרַעַם גְּבוּרוֹתָיו מִי יִתְבּוֹנָן, דָּא סִטְרָא דְּאַתְיָא מִן גְּבוּרָה וְנָפְקָא מִנֵּיהּ. ד״א, אֵ״ל הַכָּבוֹד הִרְעִים, דָּא יְמִינָא, דְּנַפְקָא מִנֵּיהּ שְׂמָאלָא, ה׳ עַל מַיִם רַבִּים, ה׳ דָּא וְחָכְמָה עִלָּאָה דְּאִקְרֵי יו״ד. עַל מַיִם רַבִּים, עַל הַהוּא עוֹמְקָא סְתִימָאָה דְּנָפֵיק מִנֵּיהּ. כד״א וּשְׁבִילְךָ בְּמַיִם רַבִּים.

שלה. ר״ש פָּרֵישׁ פְּלוּגְתָּא, וַאֲמַר, פָּתַח קְרָא וַאֲמַר, כְּתִיב לְעֻמַּת הַמִּסְגֶּרֶת תִּהְיֶינָה הַטַּבָּעוֹת בָּתִּים לְבַדִּים, מָאן הַהוּא מִסְגֶּרֶת, דָּא הוּא אֲתַר סָגִיר דְּלָא פְּתִיחָא, בַּר בִּשְׁבִיל וַחַד דַּקִּיק, דְּאִתְיְידַע בִּגְנִיזוּ לְגַבֵּיהּ, וּבְגִינֵיהּ אִתְמְלֵי וְרָשִׁים תַּרְעִין, לְאַדְלָקָא בּוֹצִינִין. וּבְגִין דְּאִיהוּ אֲתַר גָּנִיז וְסָתִים, אִקְרֵי מִסְגֶּרֶת, וְדָא הוּא עָלְמָא דְּאָתֵי, וְהַהוּא עָלְמָא דְּאָתֵי אִתְקְרֵי מִסְגֶּרֶת.

שלו. תִּהְיֶינָה הַטַּבָּעוֹת, אִלֵּין עִזְקָאן עִלָּאִין, דְּאִתְאַחֲדָן דָּא בְּדָא, מַיָּא מֵרוּחָא, וְרוּחָא מֵאֶשָּׁא, וְאֶשָּׁא מִמַּיָּא, כָּלְהוֹן אִתְאַחֲדָן דָּא בְּדָא, וְנַפְקָן דָּא מִן דָּא בְּהָנֵי עִזְקָאן, וְכָלְהוֹן מִסְתַּכְּלָן לְגַבֵּי הַהוּא מִסְגֶּרֶת, דְּבֵיהּ מִתְאַחֵד, לְהַהוּא נַהֲרָא עִלָּאָה, לְאַשְׁקָאָה לוֹן, וְאִתְאַחֲדָן בֵּיהּ.

שלז. בָּתִּים לְבַדִּים, הָנֵי עִזְקָאן, מְלֵאִין אִינּוּן בָּתִּים, וְאַתְרִין לְבַדִּים, דְּאִינּוּן רְתִיכִין דִּלְתַתָּא, בְּגִין דְּדָא אָתֵי מִסִּטְרָא דְּאֶשָּׁא, וְדָא מִסִּטְרָא דְּמַיָּא, וְדָא מִסִּטְרָא דְּרוּחָא, וְכֵן כֻּלְּהוּ, בְּגִין לְמֶהֱוֵי רְתִיכָא לַאֲרוֹנָא, וְעַל דָּא מָאן דְּמִקָּרֵב יִקְרַב בְּאִלֵּין בַּדִּים, וְלָא בְּמַה דִּלְגַו, לֵךְ לֵךְ אָמְרִין נְזִירָא, סְחוֹר סְחוֹר לְכַרְמָא לָא תִּקְרָב בַּר אִינּוּן דְּאִתְחֲזוּן לְשַׁמְּשָׁא לְגַו, לוֹן אִתְיְהִיב רְשׁוּתָא לְאַעֲלָאָה לְשַׁמְּשָׁא וּלְקָרְבָא, וְעַל דָּא כְּתִיב וְהַזָּר הַקָּרֵב יוּמָת.

שלח. דִּבְרֵאשִׁית רַבְרְבָא, רַבִּי יוֹסֵי שָׁאֵיל לֵיהּ וַאֲמַר, הַאי שִׁיתָּא יוֹמֵי בְּרֵאשִׁית דְּקָא תָּנֵינָן מָאן אִנּוּן, אֲמַר לֵיהּ, הַיְינוּ דִּכְתִיב אַרְזֵי לְבָנוֹן אֲשֶׁר נָטָע, כְּמָה דְּאִלֵּין אַרְזִין נָפְקִין מִן לְבָנוֹן, הָכֵי נָמֵי אִנּוּן שִׁיתָּא יוֹמִין, נָפְקִין מִן בְּרֵאשִׁית.

שלט. וְאִלֵּין שִׁיתָּא יוֹמִין עִלָּאִין קְרָא פָּרֵישׁ לוֹן, דִּכְתִיב לְךָ ה׳ הַגְּדוּלָּה וְהַגְּבוּרָה וְהַתִּפְאֶרֶת וגו׳, כִּי כֹל, דָּא צַדִּיק. בַּשָּׁמַיִם, דָּא תִּפְאֶרֶת. וּבָאָרֶץ, דָּא כ״י, כְּתַרְגּוּמוֹ, דִּי אָחִיד בִּשְׁמַיָּא וּבְאַרְעָא, כְּלוֹמַר, דִּיסוֹדָא דְּעָלְמָא דְּאִקְרֵי כֹּל, אִיהוּ אָחִיד בְּתִפְאֶרֶת, דְּאִקְרֵי שָׁמַיִם, וּבְאָרֶץ, דְּאִקְרֵי כ״י.

שמ. וְעַל דָּא, בְּרֵאשִׁית, ב׳ רֵאשִׁית, הִיא ב׳ בְּגִין דְּאִיהִי תִּנְיָינָא לְחוּשְׁבְּנָא. וְאִקְרֵי רֵאשִׁית, בְּגִין דְּהַאי כִּתְרָא עִלָּאָה טְמִירָא, הִיא קַדְמָאָה, וְעַל דְּלָא עָיֵיל בְּחוּשְׁבְּנָא, תִּנְיָינָא הֲוֵי רֵאשִׁית. בְּגִין דָּא ב׳ רֵאשִׁית. וְעוֹד, כְּמָה דְּחָכְמָה עִלָּאָה, אִיהִי רֵאשִׁית, וְחָכְמָה תַּתָּאָה, רֵאשִׁית נָמֵי הֲוָיָא, וְעַל דָּא, לֵית לְאַפְרָשָׁא, ב׳ מִן רֵאשִׁית.

שמא. בְּרֵאשִׁית, מַאֲמָר קָרֵינָן לֵיהּ, וְהָכֵי הוּא, וְשִׁיתָּא יוֹמִין נָפְקִין מִינָּהּ, וְאִתְכְּלִילָן בֵּיהּ, וְאִלֵּי אִקְרוּן, כְּגַוְונָא דְּאִלֵּין אַחֲרָנִין.

שמב. בָּרָא אֱלֹקִים, הה״ד, וְנָהָר יוֹצֵא מֵעֵדֶן לְהַשְׁקוֹת אֶת הַגָּן, מַאי לְהַשְׁקוֹת אֶת הַגָּן, לְאַשְׁקָאָה וּלְקַיְּימָא לֵיהּ, וּלְאִסְתַּכְּלָא בֵּיהּ, בְּכָל מַה דְּאִצְטְרִיךְ. אֱלֹקִים: אֱלֹקִים חַיִּים, דְּמַשְׁמַע בְּרֵאשִׁית בָּרָא אֱלֹקִים, וַדַּאי עַל יְדָא דְּהַהוּא נַהֲרָא, בְּגִין לְאַפָּקָא כֹּלָּא, וּלְאַשְׁקָאָה כֹּלָּא.

שמג. אֶת הַשָּׁמַיִם, חִבּוּרָא דְּכַר וְנוּקְבָא כִּדְקָא חָזֵי. לְבָתַר הַאי, בֵּיהּ אִתְבְּרֵי עָלְמָא לְתַתָּא, בֵּיהּ יָהֵיב חֵילָא לְכֹלָּא. אֶת הַשָּׁמַיִם, דְּמַשְׁמַע דְּשָׁמַיִם אַפֵּיקוּ אֶת, בְּחֵילָא דְּרָזָא

דֵּאלֹקִים וְחַיִּים, בָּתַר דְּרֵאשִׁית אַפִּיק לֵיהּ.

שדמ. כֵּיוָן דְּהַאי אַפִּיק כֹּלָּא, וְכֹלָּא אִתְיַּישַׁב בְּדוּכְתֵּיהּ, כְּחַד עִזְקָא דָּא בְּתַרְיֵיתָא אִתְעֲבִידַת רֵאשִׁית, וּבְהַאי רֵאשִׁית אַפִּיק נְהוֹרִין עִלָּאִין, וְשָׁרֵי נַהֲרָא, וְשָׁרֵי מַיָּא לְנַגְדָא, לְקַבְּלָא לְתַתָּא, וְעַל דָּא בְּרֵאשִׁית וַדַּאי, בָּרָא אֱלֹקִים, בֵּיהּ בָּרָא עָלְמָא תַּתָּאָה, בֵּיהּ אַפִּיק נְהוֹרִין, בֵּיהּ יָהִיב חֵילָא לְכֹלָּא.

שמה. ר' יְהוּדָה אָמַר, עַל דָּא כְּתִיב הֲיִתְפָּאֵר הַגַּרְזֶן עַל הַחוֹצֵב בּוֹ, שְׁבָחָא דְּמַאן, לָאו דְּאוּמָנָא הוּא, כָּךְ בְּהַאי רֵאשִׁית, בָּרָא אֱלֹקִים עִלָּאָה אֶת הַשָּׁמַיִם, שְׁבָחָא דְּמַאן, דֵּאלֹקִים הוּא.

שמו. אָמַר ר' יוֹסֵי הַאי דִּכְתִיב אֲשֶׁר לוֹ אֱלֹקִים קְרוֹבִים אֵלָיו, קְרוֹבִים, קָרוֹב מִבָּעֵי לֵיהּ, אֶלָּא אֱלֹקִים עִלָּאָה, אֱלֹקִים דְּפַחַד יִצְחָק, אֱלֹקִים בַּתְרָאָה, וּבְגִינֵי כָּךְ קְרוֹבִים, וּגְבוּרוֹת סַגִּיאִין אִנּוּן, דְּנָפְקִין מֵחַד, וְכֻלְּהוּ חַד.

תּוֹסֶפְתָּא

שמז. בְּרֵאשִׁית בָּרָא רֶמֶז לְכֶתֶר וְחָכְמָה. אֱלֹקִים רוֹמֵז לְבִינָה אֶת רוֹמֵז לִגְדוּלָה וּגְבוּרָה. הַשָּׁמַיִם דָּא הוּא ת"ת. וְאֶת רוֹמֵז לְנֶצַח הוֹד יְסוֹד, הָאָרֶץ רוֹמֵז לְמַלְכוּת (עַד כָּאן תּוֹסֶפְתָּא)

שמח. וַיֹּאמֶר אֱלֹקִים יְהִי אוֹר וַיְהִי אוֹר, וְדָא אִיהוּ נְהוֹרָא, דִּבְרָא קב"ה בְּקַדְמֵיתָא, וְהוּא נְהוֹרָא דְּעֵינָא, וְהוּא נְהוֹרָא דְּאַחֲזֵי קב"ה לְאָדָם קַדְמָאָה. וַהֲוֵי חָזֵי בֵּיהּ, מִסַּיְּיפֵי עָלְמָא וְעַד סַיְּיפֵי עָלְמָא, וְהוּא נְהוֹרָא דְּאַחֲזֵי קב"ה לְדָוִד, וַהֲוָה מְשַׁבַּח וְאָמַר מָה רַב טוּבְךָ אֲשֶׁר צָפַנְתָּ לִּירֵאֶיךָ, וְהוּא נְהוֹרָא דְּאַחֲזֵי קב"ה לְמֹשֶׁה, וְחָמָא בֵּיהּ, מִגִּלְעָד וְעַד דָּן.

שמט. וּבְשַׁעֲתָא דְּחָמָא קב"ה דִּיקוּמוּן תְּלָתָא דָּרִין חַיָּיבִין, וְאִינּוּן: דָּרָא דֶּאֱנוֹשׁ, וְדָרָא דְּטוֹפָנָא, וְדָרָא דְּפַלָּגָה, גָּנִיז לֵיהּ, בְּגִין דְּלָא יִשְׁתַּמְּשׁוּן בֵּיהּ, וְיָהַב יָתֵיהּ קב"ה לְמֹשֶׁה, וְאִשְׁתַּמַּשׁ בֵּיהּ תְּלַת יַרְחִין, דְּאִשְׁתָּאֲרוּן לֵיהּ, מִיּוֹמֵי עִבּוּרָא דִּילֵיהּ, כְּמָה דְּאַתְּ אָמֵר וַתִּצְפְּנֵהוּ שְׁלֹשָׁה יְרָחִים.

שנ. וּבָתַר תְּלַת יַרְחִין, עָאל קַמֵּי פַּרְעֹה, נָטִיל לֵיהּ קב"ה מִנֵּיהּ, עַד דְּקָאֵים עַל טוּרָא דְּסִינַי לְקַבְּלָא אוֹרַיְיתָא, וְהָדַר לֵיהּ הַהוּא נְהוֹרָא, וְאִשְׁתַּמַּשׁ בֵּיהּ כָּל יוֹמוֹי, וְלָא יָכְלוּ בְּנֵי יִשְׂרָאֵל, לְמִקְרַב בַּהֲדֵיהּ, עַד דְּיָהַב מַסְוֶה עַל אַנְפּוֹי, כד"א וַיִּירְאוּ מִגֶּשֶׁת אֵלָיו, וְאִתְעַטַּף בֵּיהּ כְּטַלִּית. הה"ד עוֹטֶה אוֹר כַּשַּׂלְמָה.

שנא. יְהִי אוֹר וַיְהִי אוֹר. כָּל מַה דְּאִתְמַר בֵּיהּ וַיְהִי, הוּא בְּעָלְמָא דֵּין, וּבְעָלְמָא דְּאָתֵי. אָמַר רַבִּי יִצְחָק אוֹר דִּבְרָא קב"ה בְּעוֹבָדָא דִּבְרֵאשִׁית, הֲוָה סָלֵיק נְהוֹרֵיהּ מִסַּיְּיפֵי עָלְמָא עַד סַיְּיפֵי עָלְמָא, וְאִתְגְּנִיז.

שנב. מַאי טַעְמָא אִתְגְּנִיז, בְּגִין דְּלָא יִתְהֲנוּן מִנֵּיהּ חַיָּיבֵי עָלְמָא וְעָלְמִין לָא יִתְהֲנוּן בְּגִינֵיהוֹן, וְהוּא טָמִיר לְצַדִּיקַיָּא, לְצַדִּיק דַּיְקָא דִּכְתִיב אוֹר זָרוּעַ לַצַּדִּיק וּלְיִשְׁרֵי לֵב שִׂמְחָה. וּכְדֵין יִתְבַּסְּמוּן עָלְמִין, וְיֶהֱווֹן כֹּלָּא חַד, וְעַד יוֹמָא דְּיֵהֵא עָלְמָא דְּאָתֵי הוּא טָמִיר וְגָנִיז.

שנג. הַהוּא נְהוֹרָא נָפַק מִגּוֹ חֲשׁוֹכָא, דְּאִתְגַּלְּפָא בְּקַלְפּוֹי דִּטְמִירָא דְּכֹלָּא, עַד דְּמֵהַהוּא נְהוֹרָא דְּאִתְגְּנִיז, אִתְגְּלִיף בִּשְׁבִיל חַד טְמִירָא, לַחֲשׁוֹכָא דִּלְתַתָּא, וּנְהוֹרָא שָׁארֵי בֵּיהּ. מָאן חֲשׁוֹכָא דִּלְתַתָּא. הַהוּא דְּאִקְרֵי לַיְלָה, דִּכְתִיב בֵּיהּ וְלַחֹשֶׁךְ קָרָא לָיְלָה.

שנד. וְעַ"ד תָּנִינָן מַאי דִּכְתִיב מְגַלֶּה עֲמוּקוֹת מִנִּי חֹשֶׁךְ, ר' יוֹסֵי אוֹמֵר אִי תֵּימָא מֵחֹשֶׁךְ סְתִים אִתְגַּלְיָין, הָא חֲזֵינָן דִּטְמִירִין אִנּוּן, כָּל אִנּוּן כִּתְרִין עִלָּאִין, וְקָרֵינָן עֲמוּקוֹת, מַהוּ מְגַלֶּה, אֶלָּא, כָּל אִנּוּן טְמִירִין עִלָּאִין לָא אִתְגַּלְיָין, אֶלָּא מִגּוֹ הַהוּא חֲשׁוֹכָא, דְּאִיהוּ בְּרָזָא דְלֵילְיָא. ת"ח, כָּל אִנּוּן עֲמִיקִין סְתִימִין דְּנָפְקֵי מִגּוֹ מַחֲשָׁבָה, וְקָלָא נָטֵיל לוֹן, לָא אִתְגַּלְיָין, עַד דְּמִלָּה מְגַלֶּה לוֹן, מַאן מִלָּה הַיְינוּ דִּבּוּר.

שנה. וְהַאי דִּבּוּר אִקְרֵי שַׁבָּת, וּבְגִין דְּשַׁבָּת אִקְרֵי דִּבּוּר, דִּבּוּר דְּחוֹל אָסוּר בְּשַׁבָּת. וְכָךְ הֲוָה עָבִיד ר"ש כַּד חָמֵי לְאִמֵּיהּ דַּהֲוַת מִשְׁתָּעֲיָא, הֲוָה אָמַר לָהּ, אִמָּא שְׁתוּקִי, שַׁבָּת הוּא וַאֲסִיר. בְּגִין דְּדִבּוּר דָּא בָּעֲיָא לְשַׁלְטָאָה, וְלָא אָחֳרָא. וְהַאי דִּבּוּר דְּאִיהוּ אָתֵי מִסִּטְרָא דְּחֹשֶׁךְ, מְגַלֶּה עֲמוּקוֹת מִגַּוֵּיהּ. וּמַשְׁמַע מִנִּי חֹשֶׁךְ, הַהוּא דְּאָתֵי מִסִּטְרָא דְּחֹשֶׁךְ, דִּכְתִיב מִנִּי דַּיְיקָא.

שנו. אָמַר רַבִּי יִצְחָק, אִי הָכֵי, מַאי דִּכְתִיב וַיַּבְדֵּל אֱלֹקִים בֵּין הָאוֹר וּבֵין הַחֹשֶׁךְ, א"ל אוֹר אַפִּיק יוֹם, וְחֹשֶׁךְ אַפִּיק לַיְלָה, לְבָתַר חָבַר לוֹן כַּחֲדָא, וַהֲווּ חַד, דִּכְתִיב וַיְהִי עֶרֶב וַיְהִי בֹקֶר יוֹם אֶחָד, דְּלַיְלָה וְיוֹם אִקְרוּן חַד, וְהַאי דִּכְתִיב וַיַּבְדֵּל אֱלֹקִים בֵּין הָאוֹר וּבֵין הַחֹשֶׁךְ, דָּא בִּזְמְנָא דְּגָלוּתָא דְּאִשְׁתְּכַח פֵּרוּדָא.

שנז. א"ר יִצְחָק, עַד הָכָא דְּכוּרָא בְּאוֹר, וְנוּקְבָא בַּחֲשׁוֹכָא, לְבָתַר מִתְחַבְּרָן כַּחֲדָא לְמֶהֱוֵי חַד. בְּמַאי אִתְפָּרְשָׁאן לְאִשְׁתְּמוֹדְעָא, בֵּין נְהוֹרָא וּבֵין חֲשׁוֹכָא, מִתְפָּרְשָׁן בְּדַרְגִּין, וְתַרְוַויְיהוּ כְּחַד הֲווּ, דְּהָא לֵית נְהוֹרָא אֶלָּא בַּחֲשׁוֹכָא, וְלֵית חֲשׁוֹכָא אֶלָּא בִּנְהוֹרָא, וְאַע"ג דְּאִנּוּן חַד, אִתְפָּרְשָׁן בִּגְוָונִין וְעִם כָּל דָּא אִנּוּן חַד. דִּכְתִיב יוֹם אֶחָד.

שנח. ר"ש אָמַר, עַל בְּרִית עָלְמָא אִתְבְּרֵי, וְאִתְקַיָּים, דִּכְתִיב אִם לֹא בְרִיתִי יוֹמָם וָלָיְלָה חֻקּוֹת שָׁמַיִם וָאָרֶץ לֹא שָׂמְתִּי. מַאן בְּרִית דָּא צַדִּיק, יְסוֹדָא דְּעָלְמָא, דְּאִיהוּ רָזָא דִּדְכוּר, וְעַ"ד עָלְמָא קַיְּימָא בִּבְרִית, יוֹמָם וָלַיְלָה כַּחֲדָא, דִּכְתִיב, אִם לֹא בְרִיתִי יוֹמָם וָלַיְלָה, חֻקּוֹת שָׁמַיִם וָאָרֶץ לֹא שָׂמְתִּי, חֻקּוֹת שָׁמַיִם דְּנַגְדִּין וְנָפְקִין מֵעֵדֶן עִלָּאָה.

שנט. פָּתַח וַאֲמַר מִקּוֹל מְחַצְּצִים בֵּין מַשְׁאַבִּים שָׁם יְתַנּוּ צִדְקוֹת ה' וגו'. מִקּוֹל מְחַצְּצִים, דָּא קוֹל יַעֲקֹב, מְחַצְּצִים כד"א אִישׁ הַבֵּינַיִם. בֵּין מַשְׁאַבִּים, דְּאִיהוּ יָתֵיב בֵּין אִנּוּן דְּשָׁאֲבִין מַיָּא מִלְּעֵילָא, וְהוּא נָטֵיל בִּתְרֵין סִטְרִין, וְכָלִיל לְהוֹן בְּגַוֵּיהּ.

שס. שָׁם יְתַנּוּ צִדְקוֹת ה'. תַּמָּן הוּא אֲתַר מְהֵימְנוּתָא, לְאִתְדַּבְּקָא. שָׁם יְתַנּוּ צִדְקוֹת ה', תַּמָּן יָנְקִין צִדְקוֹת ה' וְשָׁאֲבִין. צִדְקוֹת פִּרְזוֹנוֹ, דָּא צַדִּיק דְּעָלְמָא, דְּאִיהוּ קַיָּים וְקַדִּישׁ, וְאִיהוּ שָׁאִיב וְנָטֵיל כֹּלָּא, וּמְסַּר לְגַבֵּי יַמָּא רַבָּא, אִינּוּן מַיִין עִלָּאִין. בְּיִשְׂרָאֵל, דְּיִשְׂרָאֵל יָרְתוּ קַיָּים דָּא. וִיהַבֵיהּ לוֹן קוּדְשָׁא בְּרִיךְ הוּא יְרוּתַת עָלְמִין.

שסא. כֵּיוָן דְּיִשְׂרָאֵל שַׁבְקוּ לֵיהּ, דַּהֲווּ גָּזְרִין וְלָא פָּרְעִין, מַה כְּתִיב אָז יָרְדוּ לַשְּׁעָרִים עַם ה', יָרְדוּ לַשְּׁעָרִים, אִינּוּן שַׁעֲרֵי צֶדֶק, הֲווּ יָתְבִין לְתַרְעֵי, וְלָא עָאלִין לְגוֹ, וּבְהַהוּא זִמְנָא כְּתִיב וַיַּעַזְבוּ אֶת ה' וגו', עַד דַּאֲתַת דְּבוֹרָה, וּנְדִיבַת לוֹן בְּהַאי כְּמָה דִּכְתִיב בִּפְרוֹעַ פְּרָעוֹת בְּיִשְׂרָאֵל וגו'.

שסב. וְעַ"ד כְּתִיב, חָדְלוּ פְרָזוֹן בְּיִשְׂרָאֵל, חָדְלוּ פְּרָזוֹן, דָּא הוּא פִּרְזוֹנוֹ דְּקָא אֲמָרָן, חָדְלוּ פְּרָזוֹן קַיָּים קַדִּישָׁא, דְּלָא אִתְפָּרְעוּן עַד שַׁקַּמְתִּי דְּבוֹרָה שַׁקַּמְתִּי אֵם בְּיִשְׂרָאֵל, מַאי אֵם, אֶלָּא אֲנָא נָחֲתִית מַיִין עִלָּאִין מֵעֵילָא, לְקַיְּימָא עָלְמִין, בְּיִשְׂרָאֵל סְתָם, לְעֵילָא וְתַתָּא, לְאַחֲזָאָה, דְּעָלְמָא לָא אִתְקַיָּים, אֶלָּא עַל קִיּוּמָא דָּא, וְרָזָא דְּכֹלָּא, וְצַדִּיק יְסוֹד עוֹלָם כְּתִיב.

שסג. תְּלַת נַפְקֵי מֵחַד, וְחַד בִּתְלַת קַיְימָא, עָאל בֵּין תְּרֵין, תְּרֵין יַנְקִין לְחַד, וְחַד יָנִיק לְכַמָּה סִטְרִין, כְּדֵין כֹּלָּא חַד. הֲדָא הוּא דִכְתִיב וַיְהִי עֶרֶב וַיְהִי בֹקֶר יוֹם אֶחָד, יוֹם דְּעֶרֶב וָבֹקֶר כָּלֵיל כַּחֲדָא. הַיְינוּ רָזָא דִּבְרִית יוֹמָם וָלָיְלָה, וּבֵיהּ כֹּלָּא חַד.

תּוֹסֶפְתָּא

שסד. תָּנִינָן, מָל וְלֹא פָּרַע אֶת הַמִּילָה, כְּאִילּוּ לֹא מָל, בְּגִין דִּתְרֵין דַּרְגִּין אִינּוּן, מִילָה וּפְרִיעָה, זָכוֹר וְשָׁמוֹר. צַדִּיק וְצֶדֶק, דְּכַר וְנוּקְבָא, אוֹת בְּרִית, דָּא יוֹסֵף, וּבְרִית דָּא רָחֵל, וְאִצְטְרִיךְ לְחַבְּרָא לוֹן, וּבַמֶּה מְחַבֵּר לוֹן, כַּד אִיהוּ גָּזִיר, וּפָרִיעַ, וּמָאן דְּגָזִיר וְלָא פָּרִיעַ, כְּאִלּוּ עָבְדוּ בֵּינַיְיהוּ פְּרוֹדָא (עַד כָּאן תּוֹסֶפְתָּא).

שסה. וַיֹּאמֶר אֱלֹקִים יְהִי רָקִיעַ בְּתוֹךְ הַמָּיִם וִיהִי מַבְדִּיל בֵּין מַיִם לָמָיִם, ר' יְהוּדָה אָמַר, שִׁבְעָה רְקִיעִים אִנּוּן לְעֵילָא, וְכֻלְּהוּ קַיְימָא בִּקְדוּשְׁתָּא עִלָּאָה, וּשְׁמָא קַדִּישָׁא בְּהוּ אִשְׁתַּכְלַל, וְדָא רְקִיעָא הוּא בְּאֶמְצָעוּת מַיָּא.

שסו. דָּא רָקִיעַ קַיְימָא עַל גַּבֵּי חֵיוָתָא אָחֳרָנִין, וְאִיהוּ אַפְרֵישׁ בֵּין מַיִין עִלָּאִין לְמַיִין תַּתָּאִין, וּמַיִין תַּתָּאִין קָרְאִין לְעִלָּאִין, וּמֵהַאי רָקִיעַ שָׁתָאן לוֹן, דָּא הוּא דְּמַפְרִישׁ בֵּינַיְיהוּ, בְּגִין דְּכֻלְּהוּ מַיָּא בֵּיהּ כְּלִילָן, וּלְבָתַר נָחֵית לוֹן לְהָנֵי חֵיוָתָא, וְשָׁאֲבִין מִתַּמָּן.

שסז. כְּתִיב גַּל נָעוּל אֲחוֹתִי כַלָּה, גַּל נָעוּל מַעְיָן חָתוּם. גַּן נָעוּל, דְּכֹלָּא אַסְתִּים בֵּיהּ, דְּכֹלָּא אִתְכְּלִיל בֵּיהּ. גַּל נָעוּל דְּהַהוּא נָהָר נָגִיד וְנָפִיק, וְעָיֵיל בֵּיהּ, וְכָלֵיל, וְלָא אַפִּיק, וְקָרְשֵׁי מַיָּא בֵּיהּ, וְקַיְימֵי, מ"ט בְּגִין דְּרוּחַ צָפוֹן נָשִׁיב בְּאִנּוּן מַיָּא, וְאִתְקְרִישׁוּ וְלָא נָפְקֵי לְבַר, עַד דְּאִתְעֲבִיד קֶרַח, וְאִלְמָלֵא סִטְרָא דְּדָרוֹם, דְּאַקִּישׁ תְּקִפֵיהּ דְּהַאי קֶרַח, לָא נַפְקֵי מִנֵּיהּ מַיָּא לְעָלְמִין.

שסח. וְחֵיזוּ דְּהַהוּא רְקִיעָא עִלָּאָה, כְּחֵיזוּ דְּהַאי קֶרַח דְּמִתְקַרְשָׁא וּמַכְנִיס בְּגַוֵּיהּ כָּל אִנּוּן מַיִין, כָּךְ הַהוּא עִלָּאָה, דַּעֲלֵיהּ כָּנִישׁ כָּל אִנּוּן, מַיִין, וְאַפְרֵישׁ בֵּין מַיִין עִלָּאִין לְמַיִין תַּתָּאִין, וְהַאי דַּאֲמָרָן יְהִי רָקִיעַ בְּתוֹךְ הַמָּיִם, בְּמְצִיעוּת, לָאו הָכֵי, אֶלָּא יְהִי כְּתִיב, הַהוּא דַּהֲוֵי מִנֵּיהּ בִּמְצִיעוּת מַיָּא הֲוֵי, וְאִיהוּ לְעֵיל, דְּקַיְימָא עַל רֵישָׁא דְּחֵיוָתָא.

שסט. א"ר יִצְחָק אִית קְרוּמָא, בִּמְצִיעוּת מֵעוֹי דְּבַר נָשׁ, דְּאִיהוּ פָּסִיק מִתַּתָּא לְעֵילָא, וְשָׁאִיב מֵעֵילָא, וְיָהִיב לְתַתָּא, כָּךְ גַּוְונָא דָּא, רָקִיעַ אִיהוּ בְּאֶמְצָעִיתָא, וְקַיְימָא עַל אִנּוּן חֵיוָתָא דִלְתַתָּא, וְאִיהוּ פָּרֵישׁ בֵּין מַיִין עִלָּאִין לְתַתָּאִין. ת"ח, אִנּוּן מַיִין אַעֲדוּ וְאוֹלִידוּ חֲשׁוֹכָא, וְעַל רָזָא דָּא כְּתִיב וְהִבְדִּילָה הַפָּרֹכֶת לָכֶם בֵּין הַקֹּדֶשׁ וּבֵין קֹדֶשׁ הַקֳּדָשִׁים.

שע. רַבִּי אַבָּא פָּתַח הַמְקָרֶה בַמַּיִם עֲלִיּוֹתָיו וגו', בַּמַּיִם, אִלֵּין מַיִין עִלָּאִין דְּכֹלָּא, דִּבְהוּ תַּקִּין בֵּיתָא, כד"א בְּחָכְמָה יִבָּנֶה בָּיִת, וּבִתְבוּנָה יִתְכּוֹנָן.

שעא. הַשָּׂם עָבִים רְכוּבוֹ ר' יֵיסָא סָבָא, פָּלִיג, עָבִים עָ"ב יָ"ם, עָב דְּאִיהוּ חֹשֶׁךְ, שְׂמָאלָא, דְּקַיְימָא עַל יָם דָּא. הַמְהַלֵּךְ עַל כַּנְפֵי רוּחַ, דָּא רוּחָא דְּמַקְדְּשָׁא עִלָּאָה, וְרָזָא דָּא שְׁנַיִם כְּרוּבִים זָהָב, כְּתִיב וַיִּרְכַּב עַל כְּרוּב וַיָּעֹף וַיֵּדֶא עַל כַּנְפֵי רוּחַ, וַיִּרְכַּב עַל כְּרוּב חַד, לְבָתַר אִיגְלֵי עַל כַּנְפֵי רוּחַ וְעַד דְּהַאי אִתְעַר לָא אִתְגְּלֵי בְּהַאי.

שעב. רַבִּי יוֹסֵי אָמַר כְּתִיב וּמַיִם תִּכֵּן בְּמִדָּה, בְּמִדָּה מַמָּשׁ אַתְקִין לְהוּ, כַּד מָטוֹן לְגַוֵּיהּ, וְאִינּוּן תִּקּוּנָא דְעָלְמָא, כַּד מָטוֹ מִסִּטְרָא דִּגְבוּרָה. אָמַר רַבִּי אַבָּא כָּךְ הֲווֹ קַדְמָאֵי אָמְרֵי, כַּד הֲווֹ מָטָאן לְהַאי אֲתַר, מְרַחֲשָׁן שִׂפְוָון דְּחַכִּימִין, וְלָא אָמְרִין מִדֵּי בְּגִין דְּלָא יִתְעַנְשׁוּן.

שעג. רַבִּי אֶלְעָזָר אָמַר, אָת קַדְמָאָה דְּאַתְוָון הֲוָה שָׁטְיָא עַל אַנְפּוֹי דְּקִיטְרָא דַּכְיָא, וְאִתְעַטַּר מִלְּרַע מִלְּעֵילָא, וְסָלִיק וְנָחֵית, וּמַיָּא מִתְגַּלְּפֵי בְּגִלּוּפַיְיהוּ, וּמִתְיַישְּׁבָן בְּדוּכְתַּיְיהוּ,

ואתכלילו חד בחד. וכן אתוון כלהו, כלילן דא בדא, ומתעטרן דא בדא, עד דאתבני עלייהו בניינא ויסודא.

שעד. וכד אתבניאו כלהו ואתעטרו, הוו מיין עלאין מתערבין במיין תתאין, ואפיקו ביתא דעלמא, ועל דא ב' אתחזי ברישא, ומיין סלקין ונחתין, עד דהאי רקיע הוה, ואפריש לון, ומחלוקת הוה בשני, דביה אתברי גיהנם, דאיהו נורא דדליק, כד"א אש אוכלה הוא, וזמין לאשראה על רישייהו דחייביא.

שעה. אמר רבי יהודה, מהכא כל מחלוקת דאיהו לשם שמים, סופה להתקיים, דהא הכא מחלוקת דאיהו לשם שמים הוה, ושמים בהאי אתקיים, לבתר דא, דכתיב ויקרא אלקים לרקיע שמים וגו'. בקטפירא דעיליתא בקסטייהו שכיחי ואתקיימו, דהא תנינן כתיב והבדילה הפרוכת לכם, בין הקדש ובין קדש הקדשים, דייקא, דהא איהו רקיע דמפריש בגו באמצעיתא.

שעו. ת"ח, כתיב לבתר, יקוו המים מתחת השמים אל מקום אחד, מתחת השמים ממש. אל מקום אחד, לאתר דאקרי אחד ואיהו ים תתאה, דהא איהו אשלים לאחד, וכלא איהו לא אקרי אחד, ומשמע דכתיב יקוו, דביה מתכנשין כלהו מיא כד"א כל הנחלים הולכים אל הים וגו'.

שעז. ר' ייסא אמר, אל מקום אחד, דא איהו אתר דכתיב ביה וברית שלומי לא תמוט, דהא איהו נטיל כלא, ושדי בימא, וביה אתתקנת ארעא, דכתיב ותראה היבשה, דא הוא ארץ, כד"א ויקרא אלקים ליבשה ארץ.

שעח. אמאי אקרי יבשה, אמר רבי יצחק, היינו דכתיב לחם עוני, לחם עני כתיב ובגין דאיהו לחם עני אקרי יבשה, ושאיב בגווה כל מימין דעלמא, ואיהי יבשה הוי, עד דאתר דא אמלי לה, וכדין נגדין מיא, אורח דאנון מקורות.

שעט. ולמקוה המים קרא ימים, דא הוא בית כנישות מיין דלעילא, דתמן מתכנשין כל מיא, ומתמן נגדין ונפקין. א"ר חייא מקוה המים דא צדיק, דכד מטא למקוה המים, כתיב וירא אלקים כי טוב, וכתיב אמרו צדיק כי טוב. ר' יוסי אמר ישראל מקוה איהו, דכתיב מקוה ישראל ה'.

שפ. רבי חייא אמר דא צדיק, היינו דכתיב קרא ימים, בגין דנחלין ומבועין ונהרין כלהו נטיל לון, ואיהו מקורא דכלא, ואיהו נטיל כלא, בגיני כך ימים, ועל דא וירא אלקים כי טוב, וכתיב אמרו צדיק כי טוב.

שפא. ובגין דאתרשים, איהו אפריש בין יומא קדמאה לתליתאה, ולא אתמר כי טוב בגווייהו, דהא ביומא תליתאה, עבדת ארעא איבין, מחילא דהאי צדיק, דכתיב ויאמר אלקים תדשא הארץ דשא, עשב מזריע זרע עץ פרי, מאי עץ פרי דא עץ הדעת טוב ורע, דאיהו עביד איבין ופירין, עושה פרי דא צדיק יסוד דעלמא.

שפב. למינו, דכל בני נשא דאית לון רוחא קדישא, דאיהו איבא דההוא אילנא, רשימין בהו, רשימא למינו, ומאי איהו, ברית קדש, ברית שלום, ובני מהימנותא למינו. למינו עאלין, ולא מתפרשן מניה, וצדיק עושה פרי הוא, וההוא אילנא אתעברת, ואפיקת ההוא פרי למינו, למינו דההוא עושה פרי, דיהוי כוותיה.

שפג. זכאה חולקיה, מאן דדמי לאמיה ולאבוי, ועל כן רשימא קדישא ביומא תמינאה, בגין דידמי לאמיה. וכד אתפרעת, ואתגלייא רשימא קדישא, בגין דידמי

לַאֲבוּי, וְעַל דָּא עֵץ פְּרִי, דָּא אִמָּא, עוֹשֶׂה פְּרִי דָּא בְּרִית קֹדֶשׁ, אֲבוּי, לְמִינוֹ דְּיִדְמֵי לֵיהּ, וְאִתְרְשִׁים בֵּיהּ.

שפד. אֲשֶׁר זַרְעוֹ בוֹ עַל הָאָרֶץ, זַרְעוֹ בוֹ, זֶרַע בּוֹ, מִבָּעֵי לֵיהּ, מַאי זַרְעוֹ בוֹ, אֶלָּא זֶרַע וָא"ו בּוֹ. עַל הָאָרֶץ, הָכֵי הוּא וַדַּאי, דְּהָא הַהוּא זַרְעָא אַשְׁדֵּי עַל אַרְעָא. זַכָּאָה חוּלָקֵיהוֹן דְּיִשְׂרָאֵל, דְּאִינוּן קַדִּישִׁין וְדַמְיָין לְקַדִּישִׁין. וְע"ד וַדַּאי כְּתִיב וְעַמֵּךְ כֻּלָּם צַדִּיקִים, כֻּלָּם צַדִּיקִים וַדַּאי, דְּהָא מֵהָנֵי נָפְקוּ וּלְהָנֵי דַמְיָין. זַכָּאִין אִינוּן בְּעָלְמָא דֵין וּבְעָלְמָא דְּאָתֵי.

שפה. אָמַר רַבִּי חִיָּיא, כְּתִיב עוֹשֶׂה אֶרֶץ בְּכֹחוֹ, מַאי עוֹשֶׂה אֶרֶץ, דָּא קב"ה לְעֵילָּא, בְּכֹחוֹ, דָּא צַדִּיק, מֵכִין תֵּבֵל בְּחָכְמָתוֹ, תֵּבֵל דָּא אֶרֶץ דִּלְתַתָּא, בְּחָכְמָתוֹ דָּא צֶדֶק, דִּכְתִיב וְהוּא יִשְׁפּוֹט תֵּבֵל בְּצֶדֶק, עוֹשֶׂה אֶרֶץ, דָּא קב"ה, דְּהוּא מַתְקִין אַרְעָא, וּמַתְקִין אָרְחוֹי, וּבַמֶּה בְּכֹחוֹ כִּדְקָאֲמָרָן.

שפו. רַבִּי יְהוּדָה אָמַר, בְּאַתְוָון גְּלִיפָן דְּרַבִּי אֶלְעָזָר, אִית קוֹטְרֵי דְּאַתְוָון, כ"ב קְטִירִין כַּחֲדָא, תְּרֵין אַתְוָון, דָּא סָלֵיק, וְדָא נָחֵית. וּדְסָלֵיק נָחֵית, וּדְנָחֵית סָלֵיק, וְסִימָן דָּא א"ך ב"ך א"ל.

שפז. רַבִּי יוֹסֵי אָמַר טִיפְסָא דְּשִׁיקְלָא בְּאֶמְצָעִיתָא קַיְימָא, וְסִימָן בַּמִּדָּה בַּמִּשְׁקָל וגו'. מִשְׁקָל לִישָּׁן דְּקַיְימָא בְּאֶמְצָעִיתָא, וְרָזָא דָּא שֶׁקֶל הַקֹּדֶשׁ כְּתִיב, וּמֹאזְנַיִם בֵּיהּ קַיְימָן וְאִתְקָלוּ, מָאן מֹאזְנַיִם, כד"א מֹאזְנֵי צֶדֶק, וְכֻלְּהוּ קַיְימִין בְּמִשְׁקָל, בְּשֶׁקֶל הַקֹּדֶשׁ. רַבִּי יְהוּדָה אָמַר בְּשֶׁקֶל הַקֹּדֶשׁ, דָּא רוּחַ הַקֹּדֶשׁ.

שפח. אָמַר רַבִּי יִצְחָק, כְּתִיב בִּדְבַר ה' שָׁמַיִם נַעֲשׂוּ, וּבְרוּחַ פִּיו כָּל צְבָאָם, בִּדְבַר ה' שָׁמַיִם נַעֲשׂוּ, אִלֵּין שְׁמַיָּא דִּלְתַתָּא, דְּאִתְעֲבִידוּ בִּדְבַר שָׁמַיִם דִּלְעֵילָּא, בְּרוּחַ דְּאַפִּיק קָלָא, עַד דְּמָטֵי לְהַהוּא נָהָר דְּנָגִיד וְנָפִיק, וְלָא פָּסְקִין מֵימוֹי לְעָלְמִין. וּבְרוּחַ פִּיו כָּל צְבָאָם, כֻּלְּהוּ תַּתָּאֵי קַיְימִין בְּרוּחַ דְּאִיהוּ דְּכַר.

שפט. מַשְׁקֶה הָרִים מֵעֲלִיּוֹתָיו מִפְּרִי מַעֲשֶׂיךָ תִּשְׂבַּע הָאָרֶץ, מַשְׁקֶה הָרִים מֵעֲלִיּוֹתָיו, מָאן עֲלִיּוֹתָיו כִּדְקָאֲמָרָן, דִּכְתִיב הַמְקָרֶה בַמַּיִם עֲלִיּוֹתָיו. מִפְּרִי מַעֲשֶׂיךָ תִּשְׂבַּע הָאָרֶץ, רָזָא דְּהַהוּא נָהָר דְּנָגִיד וְנָפִיק לְתַתָּא, הָדָא הוּא דִכְתִיב עוֹשֶׂה פְּרִי אֲשֶׁר זַרְעוֹ בוֹ וגו' וְהָא אִתְמָר.

שצ. יְהִי מְאֹרֹת בִּרְקִיעַ הַשָּׁמַיִם לְהָאִיר עַל הָאָרֶץ. יְהִי מְאֹרֹת חָסֵר, רַבִּי חִזְקִיָּה אוֹמֵר, מְאוֹרֹת דְּשַׁרְיָא בֵּיהּ תּוּקְפָּא דְּדִינָא, קִילְטָא דְּדִינָא. רַבִּי יוֹסֵי אָמַר, יְהִי מְאֹרֹת לְתַתָּא, אִיהִי סִיהֲרָא, דְּבָהּ תַּלְיָא אַסְכָּרָה לְרַבְיֵי עָלְמָא, וּבָהּ תַּלְיָא מְאֹרֹת, בְּגִין דְּאִיהִי נְהוֹרָא זוּטְרָא מִכָּל נְהוֹרִין, וְזִמְנִין דְּאִתְחֲשָׁכָא וְלָא מְקַבְּלָא נְהוֹרָא.

שצא. בִּרְקִיעַ הַשָּׁמַיִם, דָּא הוּא רְקִיעָא דְּאִיהוּ כְּלָלָא דְּכֻלְּהוּ, בְּגִין דְּנָטִיל כָּל נְהוֹרִין, וְהוּא נָהִיר לְהַאי נְהוֹרָא, דְּלָא נָהֲרָא. וְהִיא תַּלְיָא בֵּיהּ בְּגִין דְּאִתְדַּבַּק בָּהּ הַהוּא מְאֵרָה, וּבֵיהּ תַּלְיָין לְתַתָּא כָּל אִינוּן זַיְינִין אָחֳרָנִין בְּגִין זְעֵירוּ דִּנְהוֹרָא.

שצב. רַבִּי יִצְחָק אָמַר וְאַפִּיק הַאי רְקִיעָא, דְּלָא נָהִיר וְקָרֵינָן לֵיהּ מַלְכוּת שָׁמַיִם, וְאֶרֶץ יִשְׂרָאֵל, וְאֶרֶץ הַחַיִּים. הַשָּׁמַיִם אִיהוּ הַאי רָקִיעַ בְּגִינֵי כָּךְ, יְהִי מְאֹרֹת חָסֵר ו' מַאי טַעְמָא, דְּהָא בְּלָא וָא"ו מוֹתָא הוּא בְּעָלְמָא.

שצג. יְהִי מְאֹרֹת כְּלָא בֵּיהּ תַּלְיָא, לְאַכְלָלָא לִילִית בְּעָלְמָא. כְּתִיב קָטָן וְגָדוֹל שָׁם הוּא, וּכְתִיב כִּי אִם שָׁם אַדִּיר ה' לָנוּ, וְעַל דָּא כְּתִיב אַךְ שָׁם הִרְגִּיעָה לִּילִית, וּמָצְאָה לָהּ מָנוֹחַ.

שצ"ד. רִבִּי אֶלְעָזָר אָמַר, יְהִי מְאֹרֹת אַסְפַּקְלַרְיָאָה, דְּלָא נְהָרָא מִגַּרְמָהּ, אֶלָּא עַל יְדָא דִּנְהוֹרִין עִלָּאִין, דְּנָהֲרִין לָהּ, כְּעַשְׁשִׁיתָא, דְּלָקְטָא נְהוֹרָא דְּנָהִיר, כְּתִיב הִנֵּה אֲרוֹן הַבְּרִית אֲדוֹן כָּל הָאָרֶץ הִנֵּה אֲרוֹן דָּא אַסְפַּקְלַרְיָאָה דְּלָא נְהָרָא, הַבְּרִית אַסְפַּקְלַרְיָאָה דְּנָהֲרָא, הִנֵּה אֲרוֹן דָּא הִיא מְאֹרֹת, אֲרוֹן תֵּיבוּתָא לְאַעֲלָאָה בְּגַוָּוהּ תּוֹרָה שֶׁבִּכְתָב. הַבְּרִית דָּא שִׁמְשָׁא דְּנָהִיר לָהּ, וְאִיהִי בְּרִית בַּהֲדֵיהּ. אֲרוֹן הַבְּרִית דַּיְיקָא, אֲדוֹן כָּל הָאָרֶץ. הַבְּרִית דְּאִיהוּ אֲדוֹן כָּל הָאָרֶץ.

שצ"ה. וּבְגִין דְּהַאי, אֲרוֹן אִיהוּ אֲדוֹן, בְּגִין שִׁמְשָׁא דְּנָהִיר לָהּ, וְנָהִיר לְכָל עָלְמָא, הָכִי אִתְקְרֵי וּמִנֵּיהּ נַקְטָא שְׁמָא, וְאִתְקְרֵי הַאי אֲרוֹן, אֲדוֹן, בְּרָזָא דְּאָלֶ"ף דָּלֶ"ת נוּ"ן יוּ"ד. כְּמָה דְּאַמְרִינָן, צַדִּיק וְצֶדֶק, כָּךְ אֲדוֹ"ן אדנ"י דָּא בְּדָא תַּלְיָין.

שצ"ו. תָּא חֲזֵי, כּוֹכָבִים וּמַזָּלוֹת בִּבְרִית קַיְימִין, דְּאִיהוּ רְקִיעַ הַשָּׁמַיִם דִּרְשִׁימִין בֵּיהּ, וּגְלִיפִין בֵּיהּ, כּוֹכָבִים וּמַזָּלוֹת וּבֵיהּ תַּלְיָין לְאַנְהָרָא, רִבִּי יֵיסָא סָבָא הֲוָה אָמַר הָכִי, יְהִי מְאֹרֹת. דְּתַלְיָיא בִּרְקִיעַ הַשָּׁמַיִם, וְדָא סִיהֲרָא דְּתַלְיָיא בֵּיהּ, כֵּיוָן דִּכְתִיב וְהָיוּ לִמְאוֹרוֹת הָא שִׁמְשָׁא. וּלְמוֹעֲדִים, דְּהָא זִמְנַיָּא, וַחֲגִין, יַרְחִין וְשַׁבָּתֵי בְּהוּ תַּלְיָאן. וְהוּ.

שצ"ז. וְכֹלָּא בַּעֲבִידְתָּא קַדְמָאָה עִלָּאָה, דִּשְׁמֵיהּ קַדִּישָׁא אִתְאַחִיד בֵּיהּ, וְאִיהוּ הוּא כֹּלָּא. שִׁבְעָה כֹּכְבֵי אִינוּן, לָקֳבֵל שִׁבְעָה רְקִיעִין, וְכֻלְּהוּ מְדַבְּרֵי עָלְמָא, וְעָלְמָא עִלָּאָה, עֲלַיְיהוּ, וּתְרֵין עָלְמִין נִינְהוּ, עָלְמָא עִלָּאָה, וְעָלְמָא תַּתָּאָה, תַּתָּאָה כְּגַוְונָא דִּלְעֵילָּא, דִּכְתִיב מִן הָעוֹלָם וְעַד הָעוֹלָם, מֶלֶךְ עִלָּאָה, וּמֶלֶךְ תַּתָּאָה.

שצ"ח. כְּתִיב ה' מֶלֶךְ ה' מָלָךְ ה' יִמְלוֹךְ לְעוֹלָם וָעֶד, ה' מֶלֶךְ לְעֵילָּא. ה' מָלָךְ בְּאֶמְצָעִיתָא. ה' יִמְלוֹךְ לְתַתָּא. רִבִּי אַחָא אָמַר ה' מֶלֶךְ, דָּא עָלְמָא עִלָּאָה, דְּאִיהוּ עָלְמָא דְּאָתֵי. ה' מָלָךְ דָּא תִּפְאֶרֶת יִשְׂרָאֵל. ה' יִמְלוֹךְ, דָּא אֲרוֹן הַבְּרִית.

שצ"ט. אָתָא זִמְנָא אָחֳרָא דָּוִד, וְאַהְדַּר לוֹן מִתַּתָּא לְעֵילָּא, וְאָמַר ה' מֶלֶךְ עוֹלָם וָעֶד, ה' מֶלֶךְ לְתַתָּא, עוֹלָם בְּאֶמְצָעִיתָא, וָעֶד לְעֵילָּא. דְּתַמָּן וִיעוּדָא וְקִיּוּמָא, וְאַשְׁלֵימוּתָא דְּכֹלָּא. מֶלֶךְ לְעֵילָּא, יִמְלוֹךְ לְתַתָּא.

ת. רִבִּי אַבָּא אָמַר, כָּל הָנֵי מְאוֹרוֹת, כֻּלְּהוּ מִתְחַבְּרָן, בִּרְקִיעַ הַשָּׁמַיִם. לְהָאִיר עַל הָאָרֶץ, לְאַנְהָרָא עַל אַרְעָא, מַאן הוּא רְקִיעָא, דְּנָהִיר עַל אַרְעָא, הֱוֵי אֵימָא דָּא נָהָר דְּנָגִיד וְנָפִיק מֵעֵדֶן, דִּכְתִיב וְנָהָר יוֹצֵא מֵעֵדֶן לְהַשְׁקוֹת אֶת הַגָּן.

תא. ת"ח כֵּיוָן דְּסִיהֲרָא שַׁלְטָא, וְאִתְנְהִיר מֵהַהוּא נַהֲרָא, דְּנָגִיד וְנָפִיק, כָּל אִנּוּן שְׁמַיָּא דִּלְתַתָּא וְחֵילֵיהוֹן, כֻּלְּהוֹן אִתּוֹסְפָן נְהוֹרָא, וְכֹכְבַיָּא דִּמְמַנָּן עַל אַרְעָא, כֻּלְּהוּ שַׁלְטִין וּמְגַדְּלִין צִמְחִים וְאִילָנִין, וְעָלְמָא אִתְרַבֵּי בְּכֹלְּהוּ, וַאֲפִילּוּ מַיָּא וְנוּנֵי יַמָּא, כֻּלְּהוּ בְּרִבּוּ יַתִּיר, וְכַמָּה גַּרְדִּינֵי נִימוּסִין שָׁאטָן בְּעָלְמָא, בְּגִין דְּכֹלְּהוּ בְּחֶדְוָה, בְּרִבּוּ וְחֵילָא. כַּד חֶדְוָה הוּא בְּבֵי מַלְכָּא, אֲפִילּוּ אִנּוּן מִבֵּי תַרְעֵי, וַאֲפִילּוּ אִנּוּן מְדַבֵּי טַרְנְשֵׁי כֻּלְּהוּ חָדָן וְשָׁטְאָן בְּעָלְמָא, וְרַבְיֵי דְּעָלְמָא בְּעַיְין לְאִסְתַּמְרָא.

תב. רִבִּי אַחָא אָמַר, וַיִּתֵּן אוֹתָם אֱלֹקִים בִּרְקִיעַ הַשָּׁמַיִם, וְכַד כֻּלְּהוֹן קַיְימִין בֵּיהּ, כְּדֵין חֶדְוָותָא דָּא עִם דָּא, כְּדֵין סִיהֲרָא אַזְעִירַת נְהוֹרָא מִקַּמֵּי שִׁמְשָׁא, כָּל מַה דְּנָטִיל, בְּגִין לְאַנְהָרָא לָהּ, הה"ד לְהָאִיר עַל הָאָרֶץ.

תג. רִבִּי יִצְחָק אָמַר, כְּתִיב וְהָיָה אוֹר הַלְּבָנָה כְּאוֹר הַחַמָּה, וְאוֹר הַחַמָּה יִהְיֶה שִׁבְעָתַיִם, כְּאוֹר שִׁבְעַת הַיָּמִים, מַאן שִׁבְעַת הַיָּמִים, אִלֵּין אִינּוּן שִׁבְעַת יוֹמִין דִּבְרֵאשִׁית. רִבִּי יְהוּדָה אָמַר אִלֵּין אִינּוּן שִׁבְעַת יְמֵי הַמִּלּוּאִים.

תד. מְלוֹאִים וַדַּאי, בְּגִין דְּהָהוּא זִמְנָא, אִתְבַּסַּם עָלְמָא, וְאִתְהַדָּר בְּאַשְׁלָמוּתֵיהּ, וְלָא אִתְפְּגִים סִיהֲרָא, בְּגִין וַוְזָא בִּישָׁא, דִּכְתִיב בֵּיהּ וְנִרְגָּן מַפְרִיד אַלּוּף, וְאֵימָתַי יְהֵא דָא, בְּזִמְנָא דִּכְתִיב בְּלַע הַמָּוֶת לָנֶצַח. וּכְדֵין כְּתִיב בַּיּוֹם הַהוּא יִהְיֶה ה' אֶחָד וּשְׁמוֹ אֶחָד.

תה. יִשְׁרְצוּ הַמַּיִם שֶׁרֶץ נֶפֶשׁ חַיָּה וַיְהִי וַזַּא לְמִינָהּ. אָמַר רַבִּי אֶלְעָזָר אִלֵּין מַיִין תַּתָּאִין, דְּרַחֲשִׁין רַחֲשִׁין, כְּגַוְונָא דִּלְעֵילָּא, אִינּוּן עִלָּאֵי, וְאִינּוּן תַּתָּאֵי. רַבִּי וַוְזָא אָמַר, עִלָּאֵי אַפִּיקוּ נֶפֶשׁ חַיָּה, וּמַאי נִיהוּ, דָּא נֶפֶשׁ דְּאָדָם קַדְמָאָה, כְּמָה דְּאַתְּ אָמַר, וַיְהִי הָאָדָם לְנֶפֶשׁ חַיָּה.

תו. וְעוֹף יְעוֹפֵף עַל הָאָרֶץ, אִלֵּין שְׁלִיחֵי עִלָּאִין דְּאִתְחֲזוּן לִבְנֵי נָשָׁא, בְּחֵיזוּ דְּבַר נָשׁ, מַשְׁמַע דִּכְתִיב יְעוֹפֵף עַל הָאָרֶץ, בְּגִין דְּאִית אָחֳרָנִין, דְּלָא אִתְחֲזוּן, אֶלָּא בְּרוּחָא מַמָּשׁ, לְפוּם סָכְלְתָנוּ דִּבְנֵי נָשָׁא.

תז. בְּגִינֵי כָּךְ לָא כְּתִיב בְּאִלֵּין לְמִינֵהוּ, כְּאִינּוּן אָחֳרָנִין דִּכְתִיב בְּהוֹ, וְאֶת כָּל עוֹף כָּנָף לְמִינֵהוּ, בְּגִין דְּאִלֵּין לָא מִשְׁתַּנְיָין מִמִּינַיְיהוּ לְעָלְמִין, כְּהָנֵי אָחֳרָנִין דְּלָא כְּתִיב לְמִינֵהוּ וְאִי תֵימָא, אִית בְּהוֹ דְּמִשְׁתַּנְיָין דָּא מִן דָּא, הָכִי הוּא וַדַּאי, דְּהָא אִית בְּהוֹ דְּמִשְׁתַּנְיָין אִלֵּין מֵאִלֵּין, בְּגִינֵי כָּךְ כְּתִיב וּמֵשָׁם יִפָּרֵד.

תח. וַיִּבְרָא אֱלֹהִים אֶת הַתַּנִּינִים הַגְּדוֹלִים, אִלֵּין לִוְיָתָן וּבַת זוּגוֹ, וְאֵת כָּל נֶפֶשׁ הַחַיָּה הָרֹמֶשֶׂת, דָּא נֶפֶשׁ דְּהַהִיא חַיָּה, דְּאִיהִי רוֹמֶשֶׂת לְד' סִטְרֵי עָלְמָא, וּמַאן אִיהִי חַיָּה דְּאִיהִי רוֹמֶשֶׂת, הֲוֵי אֵימָא דָּא לִילִית.

תט. אֲשֶׁר שָׁרְצוּ הַמַּיִם לְמִינֵהֶם, דְּמַיִין מְגַדְּלִין לוֹן. דְּכַד אַתֵּי סִטְרָא דְדָרוֹם, שָׁרְאָן מַיִין, וְנַגְדִּין לְכָל סִטְרִין, וְאַרְבֵּי יַמָּא אָזְלִין וְעָבְרִין, כְּמָה דְּאַתְּ אָמַר שָׁם אֳנִיּוֹת יְהַלֵּכוּן לִוְיָתָן זֶה יָצַרְתָּ לְשַׂחֶק בּוֹ.

תי. וְאֶת כָּל עוֹף כָּנָף לְמִינֵהוּ, כְּמָה דְּאַתְּ אָמַר, כִּי עוֹף הַשָּׁמַיִם יוֹלִיךְ אֶת הַקּוֹל וּבַעַל כְּנָפַיִם יַגֵּיד דָּבָר, רַבִּי יוֹסֵי אָמַר, כֻּלְּהוֹן מְשִׁית גַּדְפִּין, וְלָא מִשְׁתַּנְיָין לְעָלְמִין, וּבְגִינֵי כָּךְ כְּתִיב לְמִינֵהוּ, מַאי לְמִינֵהוּ כְּזִינָא דִּלְעֵילָּא, וְאִלֵּין טָאסָן וְשַׁאֲטָן עָלְמָא בְּשֵׁית וְזַמְאָן עוֹבָדִין דִּבְנֵי נָשָׁא, וְסַלְקִין לוֹן לְעֵילָּא, וְעַל דָּא כְּתִיב גַּם בְּמַדָּעֲךָ מֶלֶךְ אַל תְּקַלֵּל וְגוֹ'.

תיא. ר' וְחִזְקִיָּה אָמַר, הָרֹמֶשֶׂת, הַשּׁוֹרֶצֶת מִבָּעֵי לֵיהּ, אֶלָּא כְּדַאֲמָרִינָן רֶמֶשׁ לֵילְיָא וְעַל דָּא בּוֹ תִרְמוֹשׂ כָּל חַיְתוֹ יָעַר, דְּכֻלְּהוֹ שָׁלְטָאן בְּשַׁעֲתָא דְּאִיהִי שָׁלְטָא, וּפַתְחִין שִׁירָתָא בִּתְלַת סִטְרִין, דְּפַלְגוּ לֵילְיָא, וְזַמְרֵי שִׁירָתָא, וְלָא מִשְׁתַּכְּחֵי, וְעַל אִלֵּין כְּתִיב הַמַּזְכִּירִים אֶת ה' אַל דֳּמִי לָכֶם.

תיב. ר"ע קָם וְאָמַר, מִסְתַּכֵּל הֲוֵינָא דְּכַד בָּעָא קָבָּ"ה לְמִבְרֵי אָדָם, אוֹזְעָעֵוּ כָּל עִלָּאִין וְתַתָּאִין, וְיוֹמָא שְׁתִיתָאָה הֲוָה סָלִיק בְּדַרְגוֹי, עַד דְּסָלְקָא רְעוּתָא עִלָּאָה, וְנָהִיר שֵׁירוּתָא דְּכָל נְהוֹרִין.

תיג. וּפָתְחוּ תַּרְעָא דְּמִזְרָח, דְּהָא מִתַּמָּן נְהוֹרָא נָפִיק וְדָרוֹם אוֹזְעֵי תּוּקְפֵי דִּנְהוֹרָא, דִּירֵית מֵרֵישָׁא, וְאִתְתְּקַף בְּמִזְרָח, מִזְרָח אַתְקִיף לְצָפוֹן, וְצָפוֹן אִתְעַר, וְאִתְפַּשַּׁט, וְקָרֵי בְּחֵיל סַגִּי לְמַעֲרָב, לְמִקְרַב וּלְאִשְׁתַּתְּפָא בַּהֲדֵיהּ, כְּדֵין מַעֲרָב סַלְקָא בְּצָפוֹן וְאִתְקַשַּׁר בֵּיהּ, לְבָתַר דָּרוֹם אַתְיָא וְאָחִיד בְּמַעֲרָב, וְסַחֲרִין לֵיהּ דָּרוֹם וְצָפוֹן דְּאִלֵּין גַּדְרֵי גִנְתָא. כְּדֵין מִזְרָח קָרִיב בְּמַעֲרָב, וּמַעֲרָב שַׁרְיָא בְּחֶדְוָה, וּבָעָאת מִכֻּלְּהוֹ וְאָמַר נַעֲשֶׂה אָדָם בְּצַלְמֵנוּ כִּדְמוּתֵנוּ. דִּלְהֱוֵי כְּגַוְונָא דָא, בְּאַרְבַּע סִטְרִין וְעֵילָּא וְתַתָּא, וּמִזְרָח אִתְדַּבַּק בְּמַעֲרָב וְאַפִּיק לֵיהּ, וְעַל דָּא תָּנִינָן אָדָם מֵאֲתַר דְּבֵית הַמִּקְדָּשׁ נָפַק.

תיד. תּוּ, נַעֲשֶׂה אָדָם, קָבָּ"ה אָמַר לְאִלֵּין, תַּתָּאֵי דַּאֲתוּ מִסִּטְרָא דִּלְעֵילָּא, רָזָא דִשְׁמָא דָּא דְּסָלִיק אָדָם, אָדָם מֵרָזָא סְתִימָא עִלָּאָה, אָדָם: רָזָא דְאַתְוָון, דְּהָא אָדָם כְּלִיל לְעֵילָּא,

וְכָלִיל לְתַתָּא, אָדָ"ם: א' לְעֵילָא. ם סְתִימָא, דְּאִיהִי ם מִלְּםַרְבֵּה הַמִּשְׂרָה. ד' תַּתָּאָה, דִּסְתִימָא בְּמַעֲרָב, וְדָא כְּלָלָא דִּלְעֵילָא וְתַתָּא, אִתְתַּקַּן לְעֵילָא אִתְתַּקַּן לְתַתָּא.

תטו. אִלֵּין אַתְוָון, כַּד נָחֲתָא לְתַתָּא כֻּלְּהוּ כַּחֲדָא, בְּאַשְׁלָמוּתֵיהּ, אִשְׁתְּכַח דְּכַר וְנוּקְבָא, וְנוּקְבָא בִּסְטְרוֹי אִתְדַּבְּקַת, עַד דְּאַפִּיל עֲלוֹי שִׁנְתָּא וּדְמוּךְ, וַהֲוָה רָמֵי בְּאַתַר דְּבֵי מַקְדְּשָׁא לְתַתָּא.

תטז. וּנְסַר לֵיהּ קֻבְ"ה, וְתַקִּין לָהּ, כְּמָה דִּמְתַקְּנִין לְכַלָּה, וְאַעֲלָא לֵיהּ. הֲדָא הוּא דִּכְתִיב, וַיִּקַּח אַחַת מִצַּלְעוֹתָיו וַיִּסְגֹּר בָּשָׂר תַּחְתֶּנָּה. וַיִּקַּח אַחַת דַּיְיקָא. בְּסִפְרֵי קַדְמָאָה אַשְׁכַּחְנָא, דָּא לִילִית קַדְמִיתָא, דַּהֲוַת עִמֵּיהּ, וְאִתְעַבְּרַת מִנֵּיהּ.

תיז. וְלָא הֲוַת לְקִיבְלֵיהּ עֵזֶר, כְּמָה דִּכְתִיב, וּלְאָדָם לֹא מָצָא עֵזֶר כְּנֶגְדּוֹ, מַאי עֵזֶר, סָמִךְ, עַד הַהוּא שַׁעֲתָא דִּכְתִיב לֹא טוֹב הֱיוֹת הָאָדָם לְבַדּוֹ אֶעֱשֶׂה לּוֹ עֵזֶר כְּנֶגְדּוֹ. ת"ח, אָדָם בַּתְרָאָה דְּכֹלָּא הֲוָה, הָכֵי אִתְחֲזֵי לְמֵיתֵי עַל עָלְמָא שְׁלִים.

תיח. תו, אָמַר רַבִּי שִׁמְעוֹן, כְּתִיב וְכֹל שִׂיחַ הַשָּׂדֶה טֶרֶם יִהְיֶה בָאָרֶץ, וְכָל עֵשֶׂב הַשָּׂדֶה טֶרֶם יִצְמָח כִּי לֹא הִמְטִיר ה' אֱלֹהִים עַל הָאָרֶץ וגו', וְכֹל שִׂיחַ הַשָּׂדֶה אִלֵּין אִילָנִין רַבְרְבִין לְנָטִיעוּ לְבָתַר, וַהֲווּ זְעִירִין.

תיט. ת"ח, אָדָם וְחַוָּה, דָּא בְּסִטְרָא דְּדָא אִתְבְּרִיאוּ, מ"ט לָא אִתְבְּרִיאוּ אַנְפִּין בְּאַנְפִּין, בְּגִין דִּכְתִיב כִּי לֹא הִמְטִיר ה' אֱלֹקִים עַל הָאָרֶץ, וְזִוּוּגָא לָא אִשְׁתְּכַח בְּתִקּוּנֵיהּ, כַּדְקָא יָאוּת. וְכַד אִתְתַּקָּנוּ הַאי דִּלְתַתָּא, וְאִתְהַדָּרוּ אַנְפִּין בְּאַנְפִּין, כְּדֵין אִשְׁתְּכַח לְעֵילָא.

תכ. מְנָלָן מִן הַמִּשְׁכָּן, דִּכְתִיב הוּקַם הַמִּשְׁכָּן, בְּגִין דְּמִשְׁכָּן אָחֳרָא אִתָּקַם עִמֵּיהּ, וְעַד לָא אִתָּקַם לְתַתָּא, לָא אִתָּקַם לְעֵילָא, אוּף הָכָא כַּד אִתְתַּקַּם לְתַתָּא, אִתְתַּקַּם לְעֵילָא, וּבְגִין דְּעַד כְּעַן לָא אִתְתַּקַּן לְעֵילָא, לָא אִתְבְּרִיאוּ אַנְפִּין בְּאַנְפִּין, וּקְרָא אוֹכַח דִּכְתִיב כִּי לֹא הִמְטִיר ה' אֱלֹקִים עַל הָאָרֶץ. וּבְגִינֵי כָךְ, וְאָדָם אַיִן, דְּלָא הֲוָה בְּתִקּוּנֵיהּ.

תכא. וְכַד אִשְׁתַּלִּימַת חַוָּה, אִשְׁתְּלִים אָדָם, וְקֹדֶם לָכֵן לָא אִשְׁתְּלִים, וְרָזָא דָּא, דְּעַד כְּעַן לָא אִית אֶת סָמֶךְ בְּפָרָשָׁתָא, וְאַע"ג דְּחַבְרַיָּיא אָמְרוּ, אֲבָל סָמֶ"ךְ דָּא עֵזֶר, וְדָא עֵזֶר דִּלְעֵילָא, דְּאִתְהַדַּר לְעֵילָא אַנְפִּין בְּאַנְפִּין, דְּכַר וְנוּקְבָא אִסְתְּמַךְ דָּא לְקָבֵל דָּא, וַדַּאי, סְמוּכִים לָעַד לְעוֹלָם עֲשׂוּיִם בֶּאֱמֶת וְיָשָׁר, סְמוּכִים, דָּא דְּכַר וְנוּקְבָא, דְּאִינוּן סְמוּכִים כַּחֲדָא.

תכב. כִּי לֹא הִמְטִיר ה' אֱלֹקִים עַל הָאָרֶץ, דְּהָא דָּא בְּדָא סָמִיךְ, עוֹלָם דָּא תַּתָּאָה כַּד אִתְתַּקַּן, וְאִתְהַדָּרוּ אַנְפִּין בְּאַנְפִּין, וְאִתְתַּקָּנוּ, אִשְׁתְּכַח סָמֶךְ לְעֵילָא, דְּהָא מִקַּדְמַת דְּנָא לָא הֲוָה עוֹבָדָא בְּתִקּוּנָא, בְּגִין דְּלָא הִמְטִיר ה' אֱלֹקִים עַל הָאָרֶץ, וְדָא בְּדָא תַּלְיָיא.

תכג. מַה כְּתִיב בַּתְרֵיהּ, וְאֵד יַעֲלֶה מִן הָאָרֶץ, דָּא תִּקּוּנָא דִּלְתַתָּא, לְבָתַר וְהִשְׁקָה אֶת כָּל פְּנֵי הָאֲדָמָה, וְאֵד יַעֲלֶה מִן הָאָרֶץ דָּא תֵּיאוּבְתָּא דְּנוּקְבָא לְגַבֵּי דְּכוּרָא. ד"א מַאי טַעְמָא לֹא הִמְטִיר, בְּגִין דְּלָא אִשְׁתְּכַח תִּקּוּנָא דְּיַעֲלֶה מִן הָאָרֶץ, וְעַל דָּא, מִן אַרְעָא תַּתָּאָה, אִתְעַר עוֹבָדָא לְעֵילָא.

תכד. ת"ח תְּנָנָא סָלִיק מִן אַרְעָא בְּקַדְמֵיתָא, וַעֲנָנָא אִתְעַר, וְכֹלָּא אִתְחַבַּר לְבָתַר דָּא בְּדָא, כְּגַוְונָא דָּא תְּנָנָא דְּקָרְבְּנָא אִתְעַר מִתַּתָּא, וַעֲבִיד שְׁלִימוּ לְעֵילָא, וְאִתְחַבַּר כֹּלָּא דָּא בְּדָא, וְאִשְׁתַּלִּימוּ, כְּגַוְונָא דָּא לְעֵילָא, אִתְעֲרוּתָא שָׁרֵי מִתַּתָּא, וּלְבָתַר אִשְׁתְּלִים כֹּלָּא, וְאִלְמָלֵא דִּכְנֶסֶת יִשְׂרָאֵל שָׁרְיָא בְּאִתְעֲרוּתָא בְּקַדְמֵיתָא, לָא אִתְעַר לְקִבְלָהּ הַהוּא דִּלְעֵילָא, וּבְתֵיאוּבְתָּא דִּלְתַתָּא, אִשְׁתְּלִים לְעֵילָא.

תכה. רַבִּי אַבָּא אֲמַר, אַמַּאי כְּתִיב וְעֵץ הַחַיִּים בְּתוֹךְ הַגָּן וְעֵץ הַדַּעַת טוֹב וָרָע, עֵץ הַחַיִּים, הָא תָּנֵינָן, דִּמַהֲלַךְ וַחֲמֵשׁ מֵאָה שְׁנִין הֲוָה, וְכָל מֵימוֹי דִּבְרֵאשִׁית מִתְפַּלְּגִין תְּחוֹתוֹי, עֵץ הַחַיִּים, בְּמְצִיעוּת דְּגִנְתָּא מַמָּשׁ, וְהוּא נָטֵיל כָּל מֵימוֹי דִּבְרֵאשִׁית, וּמִתְפַּלְּגִין תְּחוֹתוֹי.

תכו. דְּהָא הַהוּא נָהָר דְּנָגִיד וְנָפִיק, הוּא שַׁרְיָא עַל הַהוּא גִּנְתָּא, וְעַיֵּיל בֵּיהּ, וּמִתַּמָּן מִתְפַּלְּגִין מַיָּא לְכַמָּה סִטְרִין, וְנָטֵיל כֹּלָּא הַהִיא גִּנְתָּא, וּלְבָתַר נָפְקֵי מִנָּהּ, וּמִתְפַּלְּגִין לְכַמָּה נַחֲלִין לְתַתָּא, כד"א יַשְׁקוּ כָּל חַיְתוֹ שָׂדָי, כְּמָה דְּנָפְקִין מֵהַהוּא עָלְמָא עִלָּאָה, וְאַשְׁקֵי לְאִנּוּן טוּרִין עִלָּאִין דַּאֲפַרְסְמוֹנָא דַּכְיָא, לְבָתַר כַּד מָטָאן לְעֵץ הַחַיִּים, מִתְפַּלְּגִין תְּחוֹתוֹי בְּכָל סְטַר כְּפוּם אָרְחוֹי.

תכז. וְעֵץ הַדַּעַת טוֹב וָרָע, אַמַּאי אִקְרֵי הָכֵי, דְּהָא עֵץ דָּא לָאו אִיהוּ בְּאֶמְצָעִיתָא. אֲבָל, עֵץ הַדַּעַת טוֹב וָרַע, מַאי הוּא, אֶלָּא בְּגִין דְּיָנְקָא מִתְרֵין סִטְרִין, וְיָדַע לוֹן כְּמָאן דְּיָנִיק מִתְקָא וּמְרִירָא, וּבְגִין דְּיָנְקָא מִתְרֵין סִטְרִין, וְיָדַע לוֹן וְשַׁרְיָא בְּגַוַּויְיהוּ אִקְרֵי הָכֵי, טוֹב וָרַע, וְכָל אִנּוּן נְטִיעִין שַׁרְיָין עֲלַיְיהוּ.

תכח. וּבֵיהּ אֲחִידָן נְטִיעִין אָחֳרָנִין עִלָּאִין, וְאִנּוּן אִקְרוּן אַרְזֵי לְבָנוֹן, מָאן אִנּוּן אַרְזֵי לְבָנוֹן, אִנּוּן שִׁית יוֹמִין עִלָּאִין, שֵׁשֶׁת יְמֵי בְרֵאשִׁית דְּקָאֲמָרָן, אַרְזֵי לְבָנוֹן אֲשֶׁר נָטָע נְטִיעוּת וַדַּאי, דְּאִתְקַיְּימוּ לְבָתַר.

תכט. מִכָּאן וּלְהָלְאָה סַמִּךְ, מַאי הִיא, וַיִּסְגּוֹר בָּשָׂר תַּחְתֶּנָּה, בְּסִטְרוֹי הֲוָה, וַהֲוָה דָּא בְּסִטְרוֹי דְּדָא, וַדַּאי עֲקָרָן קב"ה, וְשָׁתֵיל לוֹן, בַּאֲתַר אָחֳרָא, וְאִתְהַדְּרוּ אַנְפִּין בְּאַנְפִּין, לְקִיּוּמָא, כְּגַוְונָא דָּא סְמִיכָן עָלְמִין, עֲקָרָן קב"ה, וְשָׁתֵיל לוֹן בַּאֲתַר אָחֳרָא, וְאִתְקַיְּימוּ בְּקִיּוּמָא שְׁלִים.

תל. וַאֲמַר ר' אַבָּא, מְנָלָן דְּאָדָם וְחַוָּה נְטִיעִין הֲווּ, דִּכְתִיב נֵצֶר מַטָּעַי מַעֲשֵׂה יָדַי לְהִתְפָּאֵר, מַעֲשֵׂה יְדֵי דַּיְיקָא, דְּלָא אִשְׁתַּדְּלוּ בְּהוֹן בִּרְיָין אָחֳרָנִין, וּכְתִיב בְּיוֹם נִטְעֵךְ תְּשַׂגְשֵׂגִי, דִּבְהַהוּא יוֹמָא דְּאִתְנְטָעוּ בְּעָלְמָא סָרְחוּ.

תלא. תְּנַן, הַנְּטִיעוּת כְּקַרְנֵי חֲגָבִים הֲווּ, וּנְהוֹרָא דִּלְהוֹן דַּקִּיק, וְלָא הֲווּ נָהֲרִין, כֵּיוָן דְּאִתְנְטָעוּ וְאִתְתַּקְּנוּ, אִתְרַבִּיאוּ בִּנְהוֹרָא, וְאִקְרוּן אַרְזֵי לְבָנוֹן. וְאָדָם וְחַוָּה, עַד דְּאִתְנְטָעוּ, לָא אִתְרַבִּיאוּ, בִּנְהוֹרָא, וְלָא סְלִיקוּ רֵיחָא, וַדַּאי אִתְעֲקָרוּ וְאִשְׁתִּילוּ וְאִתְתְּקָנוּ כִּדְקָא יָאוּת.

תלב. וַיְצַו ה' אֱלֹקִים, הָא תָּנִינָן, לֵית צַו, אֶלָּא ע"ז. ה', זוֹ בִּרְכַּת הַשֵּׁם. אֱלֹקִים, אֵלּוּ הַדַּיָּינִין. עַל הָאָדָם, זוֹ שְׁפִיכַת דָּמִים, לֵאמֹר, זוֹ ג"ע. מִכָּל עֵץ הַגָּן וְלֹא גָּזֵל. אָכֹל תֹּאכֵל, וְלֹא אֵבֶר מִן הַחַי, וְשַׁפִּיר.

תלג. מִכָּל עֵץ הַגָּן אָכֹל תֹּאכֵל, דְּשַׁרְיָא לֵיהּ כֹּלָּא, דְּלֵיכְלִינְהוּ בְּיִחוּדָא, דְּהָא חֲזֵינָן אַבְרָהָם אָכַל, יִצְחָק וְיַעֲקֹב וְכָל הַנְּבִיאִים אֲכָלוּ וְחָיוּ, אֲבָל אִילָנָא דָּא אִילָנָא דְּמוֹתָא אִיהוּ, מָאן דְּנָטֵיל לֵיהּ בִּלְחוֹדוֹי מַיִית, דְּהָא סַמָּא דְּמוֹתָא נָטֵיל, וְעַל דָּא כִּי בְּיוֹם אֲכָלְךָ מִמֶּנּוּ מוֹת תָּמוּת, בְּגִין דְּקָא פָּרֵישׁ נְטִיעִין.

תלד. רַבִּי יְהוּדָה שָׁאֵיל לְר' שִׁמְעוֹן, הָא דִּתְנִינָן, אָדָם הָרִאשׁוֹן מוֹשֵׁךְ בְּעָרְלָתוֹ הֲוָה, מַאי הוּא, א"ל דְּפָרֵישׁ בְּרִית קֹדֶשׁ מֵאַתְרֵיהּ. וּמִחוּלְקֵיהּ, וַדַּאי מוֹשֵׁךְ בְּעָרְלָה הֲוָה, וְשָׁבַק בְּרִית קֹדֶשׁ, וְדָבַק בְּעָרְלָה, וְאִתְפַּתֶּה בְּמִלָּה דְּנָחָשׁ.

תלה. וּמִפְּרִי הָעֵץ דָּא אִתְּתָא, לֹא תֹאכַל מִמֶּנּוּ, בְּגִין דִּכְתִיב רַגְלֶיהָ יוֹרְדוֹת מָוֶת, שְׁאוֹל צְעָדֶיהָ יִתְמוֹכוּ, וּבְהַאי הֲוֵי פְּרִי, דְּהָא בְּאָחֳרָא לָא הֲוֵי פְּרִי, כִּי בְּיוֹם אֲכָלְךָ מִמֶּנּוּ

מות תָּמוּת, בְּגִין דָּא אִילָנָא דְמוֹתָא הֲוֵי, כִּדְקָאֲמָרָן דִּכְתִיב רַגְלֶיהָ יוֹרְדוֹת מָוֶת.

תלו. ר׳ יוֹסֵי אָמַר, הַאי אִילָנָא דְקָא אֲמָרָן הֲוָה מִתְשַׁקְּיָ מִלְּעֵילָא וְאִתְרַבֵּי, וַהֲוָה וְחָדֵי, כד״א, וְנָהָר יוֹצֵא מֵעֵדֶן לְהַשְׁקוֹת אֶת הַגָּן, הַגָּן דָּא אִתְּתָא, וְנָהָר דָּא הֲוָה עָיֵיל בֵּיהּ, וְאַשְׁקֵי לֵיהּ וַהֲוָה כֹּלָּא חָד, דְּהָא מִתַּמָּן וּלְתַתָּא, אִיהוּ פְּרוּדָא, דִּכְתִיב וּמִשָּׁם יִפָּרֵד.

תלז. וְהַנָּחָשׁ, ר׳ יִצְחָק אָמַר דָּא יֵצֶר הָרָע, רַבִּי יְהוּדָה אָמַר, נָחָשׁ מַמָּשׁ, אָתוּ לְקַמֵּיהּ דְּר׳ שִׁמְעוֹן, אָמַר לוֹן, וַדַּאי כֹּלָּא חָד, וְסמא״ל הֲוָה, וְאִתְחֲזֵי עַל נָחָשׁ, וְצוּלְמֵיהּ דְּנָחָשׁ, דָּא אִיהוּ שָׂטָן. וְכֹלָּא חָד.

תלח. תָּנִינָא, בְּהַהִיא שַׁעֲתָא נָחַת סמא״ל מִן שְׁמַיָּא רָכִיב עַל נָחָשׁ דָּא, וְצוּלְמֵיהּ הֲווּ חָמָאן כָּל בִּרְיָין וְעָרְקָן מִנֵּיהּ, וּמָטוּ לְגַבֵּי אִתְּתָא בְּמִלִּין, וְגָרִימוּ מוֹתָא לְעָלְמָא, וַדַּאי בְּחָכְמָה אַיְיתֵי סמא״ל לְווּטִין עַל עָלְמָא, וְחַבֵּל אִילָנָא קַדְמָאָה, דִּבְרָא קוּדְשָׁא בְּרִיךְ הוּא בְּעָלְמָא.

תלט. וּמִלָּה דָא הֲוֵי תָּלֵי עַל סמא״ל, עַד דְּאָתָא אִילָנָא אָחֳרָא קַדִּישָׁא, דְּאִיהוּ יַעֲקֹב, וְנָטַל מִנֵּיהּ בִּרְכָאן, דְּלָא יִתְבָּרֵךְ סמא״ל לְעֵילָא, וְעֵשָׂו לְתַתָּא. דְּהָא יַעֲקֹב דִּוגְמָא דְּאָדָם הָרִאשׁוֹן הֲוָה דְּיַעֲקֹב שׁוּפְרֵיהּ דְּאָדָם הָרִאשׁוֹן הֲוָה. וְעַל דָּא כְּמָה דְּמָנַע סמא״ל בִּרְכָאן, מֵאִילָנָא קַדְמָאָה, הָכִי נָמֵי מָנַע יַעֲקֹב, דְּאִיהוּ אִילָנָא דִּוגְמָא דְּאָדָם, מִסמא״ל בִּרְכָאן מִלְּעֵילָא, וּמִתַּתָּא, וְיַעֲקֹב דִּידֵיהּ נָטִיל בְּכֹלָּא, וְעַל דָּא וַיֵּאָבֵק אִישׁ עִמּוֹ, כְּתִיב.

תמ. וְהַנָּחָשׁ הָיָה עָרוּם, דָּא יֵצֶר הָרָע, דָּא מַלְאַךְ הַמָּוֶת וּבְגִין דְּנָחָשׁ אִיהוּ מַלְאַךְ הַמָּוֶת, גָּרַם מוֹתָא לְכָל עָלְמָא, וְדָא הוּא רָזָא דִּכְתִיב, קֵץ כָּל בָּשָׂר בָּא לְפָנַי, דָּא הוּא קִצָּא דְּכָל בִּשְׂרָא, דְּנָטִיל נִשְׁמְתָא לְכָל בִּשְׂרָא וְאִקְרֵי הָכִי.

תמא. וַיֹּאמֶר אֶל הָאִשָּׁה אַף, ר׳ יוֹסֵי אָמַר, בְּאַף פָּתַח, וְאַף אַטִּיל בְּעָלְמָא, א״ל לְאִתְּתָא, בְּאִילָנָא דָא בָּרָא קב״ה עָלְמָא וַדַּאי, אֲכָלוּ מִנֵּיהּ, וִהְיִיתֶם כֵּאלֹקִים יוֹדְעֵי טוֹב וָרָע, דְּהָא אִיהוּ הָכִי הֲוֵי אֱלֹקִים שְׁמֵיהּ עֵץ הַדַּעַת טוֹב וָרָע, וְעַל דָּא וִהְיִיתֶם כֵּאלֹקִים יוֹדְעֵי וגו׳.

תמב. אֲמַר רַבִּי יְהוּדָה, לָא אֲמַר הָכִי, דְּאִלּוּ אֲמַר בְּאִילָנָא דָא בָּרָא קב״ה עָלְמָא, יָאוּת הֲוָה, כִּי הוּא כְּגַרְזֶן בְּיַד הַחוֹצֵב בּוֹ, אֲבָל לָא אֲמַר, אֶלָּא מֵאִילָנָא דָא אָכַל קב״ה, וּכְדֵין בָּרָא עָלְמָא, וְכָל אוּמָן סָנֵי לְחַבְרֵיהּ, אֲכָלוּ מִנֵּיהּ וְאַתּוּן תֶּהֱווֹן בָּרָאן עָלְמִין, וְעַל דָּא כִּי יוֹדֵעַ אֱלֹקִים כִּי בְּיוֹם אֲכָלְכֶם מִמֶּנּוּ וגו׳, וּבְגִין דְּאִיהוּ יָדַע דָּא, אַפְקִיד לְכוּ עֲלֵיהּ, דְּלָא תֵיכְלוּ מִנֵּיהּ.

תמג. אָמַר רַבִּי יִצְחָק, בְּכֹלָּא מִלּוֹי שִׁקְרָא, בְּשֵׁירוּתָא דַּאֲמָרוּ שִׁקְרָא הֲוָה, דִּכְתִיב אַף כִּי אָמַר אֱלֹקִים לֹא תֹאכְלוּ מִכֹּל עֵץ הַגָּן, וְלָאו הָכֵי, דְּהָא כְּתִיב מִכֹּל עֵץ הַגָּן אָכֹל תֹּאכֵל, וְכֻלְּהוּ שָׁרָא לֵיהּ.

תמד. אָמַר רַבִּי יוֹסֵי, הָא תָּנִינָן, דְּפַקִּיד לֵיהּ קב״ה עַל ע״ז, דִּכְתִיב וַיְצַו. ה׳ עַל בִּרְכַּת הַשֵּׁם. אֱלֹקִים, עַל הַדִּינִין. עַל הָאָדָם, עַל שְׁפִיכַת דָּמִים. לֵאמֹר, עַל גִּלּוּי עֲרָיוֹת, וְכִי כַּמָּה אִנְשֵׁי הֲווּ בְּעָלְמָא, דְּאִיהוּ אִצְטְרִיךְ דָּא, אֶלָּא וַדַּאי כֹּלָּא עַל הַאי אִילָנָא הֲוָה.

תמה. בְּגִין דְּבֵיהּ אֲחִידָן כָּל אִלֵּין פִּקּוּדִין, דְּכָל מָאן דְּנָטִיל לֵיהּ בִּלְחוֹדוֹי עָבִיד פֵּרוּשׁוּ, וְנָטִיל לֵיהּ בְּאוּכְלוּסִין דִּלְתַתָּא דַּאֲחִידָן בֵּיהּ. וְנָטִיל ע״ז וּשְׁפִיכוּת דָּמִים וְגִלּוּי עֲרָיוֹת. ע״ז, בְּאִנּוּן רַבְרְבֵי מְמַנָּן. שְׁפִיכוּת דָּמִים, בְּהַאי אִילָנָא תַּלְיָין, דְּאִיהוּ בְּסִטְר

גְּבוּרָה, וְסמא"ל אִתְפַּקַּד עַל דָּא. גִּלּוּי עֲרָיוֹת, אִשָּׁה הִיא, וְאִנְתְּתָא אִקְרֵי, וַאֲסִיר לְזַמְּנָא לְאִנְתְּתָא בִּלְחוֹדָהָא, אֶלָּא עִם בַּעְלָהּ, דְּלָא יְהֵא וְחָשִׁיד בְּגִלּוּי עֲרָיוֹת, וְעַל דָּא, בְּכֻלְּהוּ אִתְפְּקַד בְּהַאי אִילָנָא, כֵּיוָן דַּאֲכַל מִנֵּיהּ, בְּכֻלְּהוּ עָבַר, דְּהָא כֹּלָּא אָחִיד בֵּיהּ.

תמו. רַבִּי יְהוּדָה אָמַר, וַדַּאי מִלָּה דָּא הָכֵי הוּא, דַּאֲסִיר לְאִתְיַיחֲדָא עִם אִנְתְּתָא בִּלְחוֹדָהָא, אֶלָּא אִם כֵּן בַּעְלָהּ עִמָּהּ, מַה עֲבַד הַהוּא רָשָׁע, אָמַר הָא מְטֵיתִי לְהַאי אִילָנָא, וְלָא מִתִּי, אוּף אַתְּ קְרֵיב וּמְטֵי בִּידָךְ בֵּיהּ, וְלָא תְּמוּת, וּמִלָּה דָּא הוּא אוֹסִיף לָהּ מִגַּרְמֵיהּ.

תמז. מִיָּד וַתֵּרֶא הָאִשָּׁה כִּי טוֹב וְגוֹ' בַּמֶּה חָמֵאת. א"ר יִצְחָק, הַהוּא אִילָנָא סָלִיק רֵיחִין כד"א כְּרֵיחַ שָׂדֶה אֲשֶׁר בֵּרְכוֹ ה', וּבְגִין הַהוּא רֵיחָא דַּהֲוָה סָלִיק, חָמְדַת לֵיהּ לְמֵיכַל מִנֵּיהּ. ר' יוֹסֵי אָמַר, רְאִיָּה הֲוָה. א"ל ר' יְהוּדָה, וְהָא כְּתִיב וַתִּפָּקַחְנָה עֵינֵי שְׁנֵיהֶם, א"ל הַאי רְאִיָּה בְּשִׁיעוּרָא דְּאִילָנָא נָקְטַת לֵיהּ, דִּכְתִיב וַתֵּרֶא הָאִשָּׁה דַּיְיקָא.

תמח. וַתֵּרֶא הָאִשָּׁה כִּי טוֹב, וְחָמֵאת וְלָא וְחָמֵאת, כִּי טוֹב, וְחָמֵאת כִּי טוֹב וְלָא אִתְיַישְׁבַת בֵּיהּ, מַה כְּתִיב לְבָתַר, וַתִּקַּח מִפִּרְיוֹ, וְלָא כְּתִיב וַתִּקַּח מִמֶּנּוּ, וְהִיא אִתְדַּבְּקַת בְּאֲתַר דְּמוֹתָא, וּגְרִימַת לְכָל עָלְמָא מוֹתָא, וְאַפְרִישַׁת חַיֵּי מִן מוֹתָא, וּבְחוֹבָא דָּא גָּרִים פְּרִישׁוּתָא, לְאַפְרְשָׁא אִתְּתָא מִבַּעְלָהּ, דְּהָא קוֹל מִדִּבּוּר לָא מִתְפָּרְשָׁן לְעָלְמִין, וּמַאן דְּמַפְרִישׁ קוֹל מִדִּבּוּר, אִתְאַלַּם וְלָא יָכִיל לְמַלְּלָא, וְכֵיוָן דְּאִשְׁתְּקִיל מִנֵּיהּ מִלּוּלָא אִתְיְהִיב לְעַפְרָא.

תמט. אר"ש כְּתִיב נֶאֱלַמְתִּי דוּמִיָּה הֶחֱשֵׁיתִי מִטּוֹב וּכְאֵבִי נֶעְכָּר. נֶאֱלַמְתִּי דוּמִיָּה, הַאי קְרָא כְּנֶסֶת יִשְׂרָאֵל אָמְרוּ בְּגָלוּתָא, מ"ט, בְּגִין דְּקוֹל מְדַבָּר לֵיהּ לְדִבּוּר, כֵּיוָן דְּאִיהִי בְּגָלוּתָא, קוֹל אִתְפְּרַשׁ מִינָהּ, וּמִלָּה לָא אִשְׁתְּמַע, וְעַל דָּא נֶאֱלַמְתִּי דוּמִיָּה וְגוֹ', מ"ט, בְּגִין דְּהֶחֱשֵׁיתִי מִטּוֹב, דְּלָא אָזִיל קוֹל בַּהֲדָהּ. וְיִשְׂרָאֵל אָמְרֵי לְךָ דוּמִיָּה תְהִלָּה, מַאי דוּמִיָּה, דָּא תְּהִלָּה לְדָוִד, דְּאִיהִי דוּמִיָּה בְּגָלוּתָא, וּשְׁתִיקָא בְּלָא קוֹל. א"ר יִצְחָק מַאי לְךָ, בְּגִינָךְ, אִיהִי דוּמִיָּה וּשְׁתִיקָא, דְּאִסְתַּלְּקָא מִנָּהּ קוֹל.

תנ. וַתִּקַּח מִפִּרְיוֹ, הָא תָּנִינָן, סָחֲטָה עֲנָבִים וְיָהֲבַת לֵיהּ, וּגְרִימוּ מוֹתָא לְכָל עָלְמָא, דְּהָא אִילָנָא דָּא, בֵּיהּ שַׁרְיָא מוֹתָא, וְהוּא אִילָנָא דְּשַׁלְטָא בְּלֵילְיָא, וְכַד אִיהִי שַׁלְטָא, כָּל בְּנֵי עָלְמָא טָעֲמוּ טַעֲמָא דְּמוֹתָא. אֶלָּא אִינּוּן בְּנֵי מְהֵימְנוּתָא מַקְדְּמֵי וְיָהֲבוּ לֵיהּ נַפְשַׁיְיהוּ בְּפִקְדוֹנָא, וּבְגִין דְּאִיהוּ בְּפִקְדוֹנָא, אִתְהַדְּרוּ נַפְשָׁאן לְאַתְרַיְיהוּ, וְעַל דָּא וֶאֱמוּנָתְךָ בַּלֵּילוֹת כְּתִיב.

תנא. וַתִּפָּקַחְנָה עֵינֵי שְׁנֵיהֶם, רַבִּי חִיָּיא אָמַר, דְּהָא אִתְפָּקָחוּ לְמִנְדַּע בִּישִׁין דְּעָלְמָא, מַה דְּלָא יָדְעוּ עַד הַשְׁתָּא, כֵּיוָן דְּיָדְעוּ וְאִתְפָּקָחוּ לְמִנְדַּע בִּישׁ, כְּדֵין יָדְעוּ כִּי עֵרוּמִּים הֵם, דְּאַבְדוּ זִהֲרָא עִלָּאָה, דַּהֲוָה חָפֵי עֲלַיְיהוּ, וְאִסְתַּלַּק מִנַּיְיהוּ, וְאִשְׁתָּאֲרוּ עֲרוּמִים מִנֵּיהּ.

תנב. וַיִּתְפְּרוּ עֲלֵה תְאֵנָה, אִתְדַּבְּקוּ לְאִתְחַפָּאָה בְּאִינּוּן צוּלְמִין, דְּהַהוּא אִילָנָא דַּאֲכָלוּ מִנֵּיהּ, דְּאִקְרוּן טַרְפֵּי דְּאִילָנָא. וַיַּעֲשׂוּ לָהֶם חֲגוֹרוֹת, ר' יוֹסֵי אָמַר, כֵּיוָן דְּיָדְעוּ מֵהַאי עָלְמָא וְאִתְדַּבְּקוּ בֵּיהּ, חָמוּ, דְּהַאי עָלְמָא מִתְדַּבַּר, עַל יְדָא דְּאִינּוּן טַרְפִּין דְּאִילָנָא, וַעֲבָדוּ לְהוֹן תּוּקְפָא, לְאִתְתַּקְפָּא בְּהוּ בְּהַאי עָלְמָא. וּכְדֵין יָדְעוּ כָּל זַיְינֵי וְחַרְשִׁין דְּעָלְמָא, וּבָעוּ לְמֵיחְגַּר זַיְינִין בְּאִינּוּן טַרְפֵּי אִילָנָא, בְּגִין לְאַגָּנָא עֲלַיְיהוּ.

תנג. רַבִּי יְהוּדָה אָמַר, כְּדֵין תְּלַת עָאלוּ בְּדִינָא, וְאִתְדָּנוּ, וְעָלְמָא תַּתָּאָה אִתְלַטְיָיא, וְלָא קַיְימָא בְּקִיּוּמֵיהּ, בְּגִין זוּהֲמָא דְנָחָשׁ, עַד דְּקַיְימוּ יִשְׂרָאֵל בְּטוּרָא דְסִינַי.

תנד. לְבָתַר אַלְבֵּישׁ לוֹן קב"ה בִּלְבוּשִׁין, דְּמִשְׁכָא אִתְהֲנֵי מִנַּיְיהוּ, הה"ד כָּתְנוֹת עוֹר, בְּקַדְמֵיתָא הֲווֹ כָּתְנוֹת אוֹר, דַּהֲווֹ מִשְׁתַּמְּשִׁין בְּהוֹ בְּעִלָּאִין דִּלְעֵילָא, בְּגִין דְּמַלְאֲכֵי עִלָּאִין הֲווֹ אַתְיָין לְאִתְהֲנָאָה מֵהַהוּא נְהוֹרָא הה"ד וַתְּחַסְּרֵהוּ מְעַט מֵאֱלֹקִים וְכָבוֹד וְהָדָר תְּעַטְּרֵהוּ, וְהַשְׁתָּא דְּחָבוּ, כָּתְנוֹת עוֹר, דְּעוֹר אִתְהֲנֵי מִנַּיְיהוּ וְלָא נַפְשָׁא.

תנה. לְבָתַר אוֹלִידוּ, בְּרָא קַדְמָאָה, בְּרָא דְּזוּהֲמָא הֲוָה, תְּרֵין אֲתוֹ עָלָהּ דְּחַוָּה, וְאִתְעַבְּרַת מִנַּיְיהוּ, וְאוֹלִידַת תְּרֵין, דָּא נָפַק לְזִינֵיהּ, וְדָא נָפַק לְזִינֵיהּ. וְרוּחַ דִּילְהוֹן אִתְפָּרְשׁוּ דָּא לְסִטְרָא דָּא, וְדָא לְסִטְרָא דָּא. דָּא דָּמֵי לְסִטְרוֹי וְדָא דָּמֵי לְסִטְרוֹי.

תנו. מִסִּטְרָא דְּקַיִן, כָּל מְדוֹרִין דְּסִטְרָא דְּזַיְינִין בִּישִׁין, וְרוּחִין וְשֵׁדִין וְחַרָשִׁין אַתְיָין. מִסִּטְרָא דְּהֶבֶל, סִטְרָא דְּרַחֲמֵי יַתִּיר, וְלָא בִּשְׁלִימוּ. חֲמַר טַב בַּחֲמַר בִּישׁ וְלָא אִתְתַּקַּן בַּהֲדֵיהּ, עַד דְּאָתָא שֵׁת, וְאִתְיַיחֲסוּ מִנֵּיהּ, כָּל אִינּוּן דָּרִין דְּזַכָּאֵי עָלְמָא, וּבֵיהּ אִשְׁתִּיל עָלְמָא, וּמִקַּיִן אַתְיָין כָּל אִינּוּן חֲצִיפִין וְרַשִּׁיעִים וְחַיָּיבֵי עָלְמָא.

תנז. א"ר אֶלְעָזָר, בְּשַׁעֲתָא דְּחָב קַיִן, הֲוָה מִסְתְּפֵי, בְּגִין דַּחֲמָא קַמֵּיהּ, זַיְנֵי מַשִּׁרְיָין מְזַיְינִין, וְאַתְיָין לְקַטְלָא לֵיהּ, וְכַד אַהֲדַר בִּתְשׁוּבָה, מַאי קָאָמַר, הֵן גֵּרַשְׁתָּ אוֹתִי הַיּוֹם מֵעַל פְּנֵי הָאֲדָמָה וּמִפָּנֶיךָ אֶסָּתֵר. מַאי מִפָּנֶיךָ אֶסָּתֵר אֶלָּא אֱהֵא סָתִיר מִבְּנְיָינָא דִּילִי, רַבִּי אַבָּא אֲמַר, כד"א וְלֹא הִסְתִּיר פָּנָיו מִמֶּנּוּ, וַיַּסְתֵּר מֹשֶׁה פָּנָיו, וְע"ד וּמִפָּנֶיךָ אֶסָּתֵר, מֵאִינּוּן פָּנִים דִּילָךְ, אֱהֵא נִסְתָּר, דְּלָא יַשְׁגְּחוּן בִּי, וְעַל דָּא וְהָיָה כָּל מוֹצְאִי יַהַרְגֵנִי.

תנח. וַיָּשֶׂם ה׳ לְקַיִן אוֹת לְבִלְתִּי וגו׳, מַאי אוֹת, אוֹת א, מֵעֶשְׂרִין וּתְרֵין אַתְוָון דְּאוֹרַיְיתָא, יְהַב עָלֵיהּ לְאַגָּנָא עָלֵיהּ. אֲמַר ר׳ יְהוּדָה, מַאי דִּכְתִיב וַיְהִי בִּהְיוֹתָם בַּשָּׂדֶה, מַאי בַּשָּׂדֶה דָּא אִתְּתָא, וְעַל דָּא קָם וְקָטֵיל לֵיהּ, דְּהָא מִסִּטְרָא דָּא יָרֵית לְקַטְלָא, מִסִּטְרָא דְּסמא"ל דְּגָרִים מוֹתָא לְכָל עָלְמָא. וְקַנֵּי קַיִן לְהֶבֶל עַל נוּקְבֵיהּ. ר׳ חִיָּיא אֲמַר, הָא חֲזֵינָן דִּכְתִיב וַיִּחַר לְקַיִן מְאֹד וַיִּפְּלוּ פָּנָיו, עַל דְּלָא אִתְקַבֵּיל קָרְבָּנֵיהּ. אֲמַר לֵיהּ הָכֵי הוּא, וְכֹלָּא הֲוָה לְקַבְּלֵיהּ.

תנט. וַאֲמַר רַבִּי יְהוּדָה, מַאי דִּכְתִיב הֲלֹא אִם תֵּיטִיב שְׂאֵת וְאִם לֹא תֵיטִיב לַפֶּתַח חַטָּאת רוֹבֵץ. אֶלָּא הָכֵי קָאֲמַר, הֲלֹא אִם תֵּיטִיב עוֹבָדָךְ שְׂאֵת, מַאי שְׂאֵת, כְּדִכְתִיב יֶתֶר שְׂאֵת, דְּהָא בּוּכְרָא שְׁבְחָא אִית לֵיהּ בְּכֹלָּא תָּדִיר. וְתַלְיָיא בְּעוֹבָדוֹהִי, וְעַל דָּא אִם תֵּיטִיב שְׂאֵת, וְאִם לֹא תֵיטִיב לַפֶּתַח חַטָּאת רוֹבֵץ.

תס. מַאי לַפֶּתַח, דָּא פִּתְחָא דִּלְעֵילָא, דְּמִנֵּיהּ נָפְקִין דִּינִין עַל עוֹבָדִין בִּישִׁין דְּעָלְמָא. פֶּתַח, כד"א פִּתְחוּ לִי שַׁעֲרֵי צֶדֶק, וּלְהַהוּא פֶּתַח, חַטָּאת רוֹבֵץ, דָּא מַלְאַךְ הַמָּוֶת, וְהוּא זַמִּין לְאִתְפָּרְעָא מִינָךְ.

תסא. ת"ח, בְּרֹאשׁ הַשָּׁנָה אִתְיְלִיד אָדָם, בְּרֹאשׁ הַשָּׁנָה, וַדַּאי רָזָא לְעֵילָא וְתַתָּא ר"ה לְעֵילָא, ר"ה לְתַתָּא. בְּרֹאשׁ הַשָּׁנָה עֲקָרוֹת נִפְקָדוֹת, מְנָלָן דִּבְרֹאשׁ הַשָּׁנָה הֲוָה, דִּכְתִיב וַה׳ פָּקַד אֶת שָׂרָה, וַה׳ דַּיְיקָא, דָּא ר"ה, וּבְגִין דְּנָפֵיק אָדָם מר"ה נָפֵיק בְּדִינָא, וְעָלְמָא קַיְּימָא בְּדִינָא, וּבְגִינֵי כָּךְ לַפֶּתַח וַדַּאי. חַטָּאת רוֹבֵץ בְּגִין לְאִתְפָּרְעָא מִינָךְ, וְאֵלֶיךָ תְּשׁוּקָתוֹ, עַד דְּתִשְׁתֵּיצֵי.

תסב. וְאַתָּה תִּמְשׁוֹל בּוֹ, רָזָא הוּא, דִּכְתִיב וְאַתָּה מְחַיֶּה אֶת כֻּלָּם, מִכָּאן אָמְרוּ, לָא שַׁלִּיט קב"ה, אֶלָּא בִּזְמְנָא דְּיִשְׁתֵּיצוּן חַיָּיבֵי עָלְמָא. וְעַל דָּא כֵּיוָן דְּמַלְאַךְ הַמָּוֶת יְשֵׁיצֵי לוֹן, כְּדֵין קב"ה שַׁלִּיט עֲלוֹי, דְּלָא יָפוּק לְאַבְאָשָׁא עָלְמָא, דִּכְתִיב וְאַתָּה תִּמְשָׁל בּוֹ, וְאַתָּה דַּיְיקָא.

תסג. אָמַר רַבִּי יִצְחָק בְּקוּטְרָא דְּפַלְגָּא קַפְסִירָא שְׁכִיחַ. רַבִּי יְהוּדָה אָמַר, וְאַתָּה תִּמְשָׁל בּוֹ בִּתְיוּבְתָּא.

תסד. רַבִּי יוֹסֵי אָמַר כַּד הֲווֹ אִינוּן דָּרִין דְּקַיִן אָזְלִין בְּעָלְמָא, הֲווֹ מְטַרְטְשֵׁי אַרְעָא, וַהֲווֹ דָּמְיָין לְעִלָּאֵי וְתַתָּאֵי, א"ר יִצְחָק עֲזָ"א וַעֲזָאֵ"ל, כַּד נָפְלוּ מֵאֲתַר קְדוּשָׁתַיְיהוּ מִלְּעֵילָא, חָמוּ בְּנַת בְּנֵי נָשָׁא, וְחָטָאוּ, וְאוֹלִידוּ בְּנִין, וְאִלֵּין הֲווֹ נְפִילִים, דִּכְתִיב הַנְּפִילִים הָיוּ בָאָרֶץ.

תסה. ר' חִיָּיא אָמַר, בְּנוֹי דְּקַיִן, הֲווֹ בְּנֵי אֱלֹהִים, דְּהָא כַּד אָתָא סמא"ל עַל חַוָּה, אַטִּיל בָּהּ זוּהֲמָא וְאִתְעַבְּרַת, וְאוֹלִידַת לְקַיִן, וְחֵיזוּ דִּילֵיהּ, לָא הֲוַת דָּמֵי לִשְׁאָר בְּנֵי נָשָׁא, וְכָל אִינוּן דְּאַתְיָין מִסִּטְרָא דִּילֵיהּ, לָא הֲווֹ אִקְרוּן אֶלָּא בְּנֵי הָאֱלֹהִים.

תסו. ר' יְהוּדָה אָמַר וַאֲפִילּוּ אִינוּן נְפִילִים הָכֵי אִקְרוּן. הֵמָּה הַגִּבּוֹרִים, שִׁתִּין הֲוָה בְּאַרְעָא, כְּחוּשְׁבַּן דִּלְעֵילָּא, כְּתִיב הָכָא הֵמָּה הַגִּבּוֹרִים אֲשֶׁר מֵעוֹלָם, וּכְתִיב הָתָם שִׁשִּׁים גִּבּוֹרִים סָבִיב לָהּ, רַבִּי יוֹסֵי אוֹמֵר הֵמָּה הַגִּבּוֹרִים אֲשֶׁר מֵעוֹלָם מַמָּשׁ, מֵעוֹלָם דַּיְיקָא, אַנְשֵׁי הַשֵּׁם, מַאי שֵׁם, דָּא הוּא עוֹלָם דְּקָאֲמָרָן, אַנְשֵׁי הַשֵּׁם דַּיְיקָא, כְּתִיב הָכָא אַנְשֵׁי הַשֵּׁם וּכְתִיב הָתָם בְּנָקְבוֹ שֵׁם, וּכְתִיב וַיִּקּוֹב בֶּן הָאִשָּׁה הַיִּשְׂרְאֵלִית אֶת הַשֵּׁם.

תסז. רַבִּי חִיָּיא אָמַר, מֵעוֹלָם מַמָּשׁ הֲווֹ, וּמֵעוֹלָם דִּלְתַתָּא נָטַל לוֹן קֻבְּ"ה, כד"א זְכֹר רַחֲמֶיךָ ה' וַחֲסָדֶיךָ כִּי מֵעוֹלָם הֵמָּה, מֵעוֹלָם וַדַּאי, וּמֵעוֹלָם דִּלְתַתָּא, נָטִיל לוֹן קֻבְּ"ה וְאִנּוּן אֲבָהָן קַדְמָאֵי לְמֶהֱוֵי רְתִיכָא קַדִּישָׁא לְעֵילָּא, אוּף הָכָא הֵמָּה הַגִּבּוֹרִים אֲשֶׁר מֵעוֹלָם, מֵעוֹלָם וַדַּאי נָטִיל לוֹן קֻבְּ"ה, ר' יִצְחָק אָמַר מֵעוֹלָם דָּא מִטָּתוֹ שֶׁלִּשְׁלֹמֹה דִּכְתִיב שִׁשִּׁים גִּבּוֹרִים סָבִיב לָהּ. ר' אַחָא אָמַר כֻּלְּהוּ בְּנֵי הָאֱלֹקִים אִקְרוּן.

תּוֹסֶפְתָּא

תסח. ארז"ל בְּשַׁעְתָּא דִּבְרָא קֻבְּ"ה לְאָדָם, בָּרָא לֵיהּ בְּגִינְתָּא דְּעֵדֶן, וְצִוָּהוּ עַל שֶׁבַע מִצְוֹת, וְחָב, וְאִתְגָּרַשׁ מִגִּינְתָּא דְעֵדֶן, וּתְרֵי מַלְאֲכֵי שְׁמַיָא, עֲזָא וַעֲזָאֵל, אָמְרוּ קַמֵּי קֻבְּ"ה, אִלּוּ הֲוֵינָא אֲנַן בְּאַרְעָא, הֲוֵינָא זַכָּאִין, א"ל קֻבְּ"ה, וְכִי אַתּוּן יְכִלִּין עַל יִצְרָא בִּישָׁא, אָמְרוּ קַמֵּיהּ יָכְלִין, מִיַּד אַפִּיל לוֹן קֻבְּ"ה, כד"א הַנְּפִילִים הָיוּ בָאָרֶץ, וּכְתִיב הַגִּבּוֹרִים וגו', וּבְשַׁעְתָּא דְּנָחֲתוּ לְאַרְעָא, עָאל בְּהוּ יִצְרָא בִּישָׁא, שֶׁנֶּאֱמַר וַיִּקְחוּ לָהֶם נָשִׁים מִכֹּל אֲשֶׁר בָּחָרוּ, וְחָבוּ וְאִתְעֲקָרוּ מִקְּדוּשַׁתַיְיהוּ, עַד כָּאן.

תסט. ת"ח, כֻּלְּהוֹן נְטִיעָן הֲווֹ סְתִימִין רְשִׁימִין דַּקִּיקִין בְּאַתְרָא חַד, לְבָתַר עֲקָרָן קוּדְשָׁא בְּרִיךְ הוּא, וְאַשְׁתִּיל לוֹן בַּאֲתַר אָחֳרָא, וְאִתְקַיָּימוּ.

תע. רַבִּי יֵיסָא שָׁאַל, מַאי דִּכְתִיב זֶה סֵפֶר תּוֹלְדוֹת אָדָם, בְּיוֹם בְּרֹא אֱלֹקִים אָדָם, בִּדְמוּת אֱלֹקִים עָשָׂה אוֹתָם, זָכָר וּנְקֵבָה בְּרָאָם, וַיְבָרֶךְ אוֹתָם, א"ל רַבִּי אַבָּא, רָזָא עִלָּאָה הוּא, תָּנִינָן, תְּלַת סִפְרִין פְּתִיחָן בר"ה חַד דְּצַדִּיקִים גְּמוּרִים וכו'. סֵפֶר עִלָּאָה, דְּהָא מִנֵּיהּ נָפַק כֹּלָּא, נָפִיק מִנֵּיהּ כְּתִיבָה. סֵפֶר אֶמְצָעִיתָא, כְּלָלָא דְּעֵילָּא וְתַתָּא. דְּתוֹרָה שֶׁבִּכְתָב אָדָם קַדְמָאָה, סֵפֶר תְּלִיתָאָה דְּאִקְרֵי תּוֹלְדוֹת אָדָם, וְדָא אִיהוּ דְּצַדִּיקִים גְּמוּרִים, הה"ד זֶה סֵפֶר תּוֹלְדוֹת אָדָם, דָּא צַדִּיק וַדַּאי דַּעֲבִיד תּוֹלְדוֹת. בְּיוֹם בְּרֹא אֱלֹקִים אָדָם, בִּדְמוּת אֱלֹקִים, דְּהָא וַדַּאי כְּדֵין אִתְתַּקַּן כֹּלָּא לְעֵילָּא וְתַתָּא וְאִתְקַיָּימוּ בְּדוּגְמָא חֲדָא. זָכָר וּנְקֵבָה בְּרָאָם סְתָם, חַד אִתְכְּלִיל בְּחַד.

תעא. מַתְנִיתִין כְּתִיב מִגְדַּל עֹז שֵׁם ה' בּוֹ יָרוּץ צַדִּיק וְנִשְׂגָּב, דָּא הוּא סֵפֶר תּוֹלְדוֹת אָדָם, דִּרְהִיט בְּהַהוּא מִגְדַּל,

מיץ	עוי	מבש
יצד	ווה	גרג
היי	זדו	דצב
ונק	שוה	לקה

הַאי מִגְדַּל מַאי עֲבִידְתֵּיהּ, אֶלָּא דָא הוּא מִגְדַּל דָּוִד, וְדָא הוּא מִגְדַּל עֹז שֵׁם ה' וְכֹלָּא וְחַד, הָכָא יְדִיעָא לִבְנֵי מְהֵימְנוּתָא, דָּא הוּא וַדַּאי סֵפֶר תּוֹלְדוֹת.

תעב. וְאָמַר ר' אַבָּא, סֵפֶר וַדַּאי נָחֲתוּ לֵיהּ לְאָדָם הָרִאשׁוֹן וּבֵיהּ הֲוָה יָדַע חָכְמְתָא עִלָּאָה, וְסִפְרָא דָּא, מָטָא לִבְנֵי אֱלָהִין, וְחַכִּימֵי דָּרָא, וּמַאן דְּזָכֵי לְאִשְׁגְּחָא בֵּיהּ, יָדַע בֵּיהּ חָכְמָה עִלָּאָה, וּמִשְׁגִּיחִין בֵּיהּ וְיָדְעִין בֵּיהּ, וְסִפְרָא דָּא נָחֵית לֵיהּ, מָארֵי דְרָזִין, וּתְלַת שְׁלִיחָן מְמַנָּן קַמֵּיהּ.

תעג. וּבְשַׁעְתָּא, דִּנְפַק אָדָם מִגִּנְתָּא דְּעֵדֶן, אָחִיד בְּהַהוּא סִפְרָא, כַּד נָפִיק טָס מִנֵּיהּ, צַלֵּי וּבָכֵי קַמֵּי מָארֵיהּ. וְאַתִיבוּ לֵיהּ כְּמִלְּקַדְמִין בְּגִין דְּלָא תִתְנְשֵׁי חָכְמְתָא מִבְּנֵי נָשָׁא, וְיִשְׁתַּדְּלוּן לְמִנְדַּע לְמָארֵיהוֹן.

תעד. וְכֵן תָּנִינָן, סֵפֶר הֲוָה לֵיהּ לַחֲנוֹךְ, וְדָא סֵפֶר, מֵאֲתַר דְּסִפְרָא דְּתוֹלְדוֹת אָדָם הֲוָה, וְדָא הוּא רָזָא דְּחָכְמְתָא, דְּהָא מֵאַרְעָא אִתְנְטִיל, הה"ד וְאֵינֶנּוּ כִּי לָקַח אוֹתוֹ אֱלֹקִים וְהוּא הַנַּעַר כְּדִכְתִיב חֲנֹךְ לַנַּעַר עַל פִּי דַרְכּוֹ.

תעה. וְכָל גִּנְזֵי עִלָּאֵי אִתְמְסָרָן בִּידֵיהּ, וְדָא מָסִיר וְיָהֵיב וְעָבִיד שְׁלִיחוּתָא, וְאֶלֶף מַפְתְּחָן אִתְמְסָרָן בִּידֵיהּ, וּמְאָה בִּרְכָאן נָטִיל בְּכָל יוֹמָא, וְקָשִׁיר קִשְׁרִין לְמָארֵיהּ. מֵעָלְמָא נָטִיל לֵיהּ קב"ה לְשִׁמּוּשֵׁיהּ, הֲדָא הוּא דִכְתִיב כִּי לָקַח אוֹתוֹ אֱלֹקִים.

תעו. וּמִן דָּא אִתְמְסַר סִפְרָא, דְּאִקְרֵי סִפְרָא דַּחֲנוֹךְ. בְּשַׁעְתָּא דְּאַחִיד לֵיהּ קב"ה. אַחְמֵי לֵיהּ, כָּל גִּנְזֵי עִלָּאֵי, אַחְמֵי לֵיהּ אִילָנָא דְּחַיֵּי, בְּגוֹ מְצִיעוּת גִּנְתָּא, וְטַרְפוֹי, וְעַנְפוֹי, וְכֹלָּא חָמֵינָן בְּסִפְרֵיהּ. זַכָּאִין אִינּוּן חֲסִידֵי עִלָּאִין דְּחָכְמְתָא עִלָּאָה אִתְגְּלֵי לְהוֹ, וְלָא אִתְנְשֵׁי מִנַּיְיהוּ לְעָלְמִין, כד"א סוֹד ה' לִירֵאָיו וּבְרִיתוֹ לְהוֹדִיעָם.

תעז. וַיֹּאמֶר ה' לֹא יָדוֹן רוּחִי בָאָדָם לְעוֹלָם בְּשַׁגַּם הוּא בָשָׂר וגו' רַבִּי אַחָא אָמַר, בְּהַהוּא זִמְנָא, הֲוָה הַהוּא נַהֲרָא דְּנָגִיד וְנָפִיק, אַפִּיק רוּחָא עִלָּאָה מֵאִילָנָא דְּחַיֵּי, וְאָרִיק בְּאִילָנָא דְּשַׁרְיָא בֵּיהּ מוֹתָא, וְאִתְמַשְׁכָן רוּחִין בְּגַוַּויְיהוּ דִּבְנֵי נָשָׁא, יוֹמִין סַגִּיאִין, עַד דְּסָלְקוּ בִּישִׁין, וְאִתְעֲתְדוּ לְפַתְחָא. כְּדֵין אִסְתַּלַּק רוּחָא עִלָּאָה, מֵהַהוּא אִילָנָא, בְּשַׁעְתָּא דְּפָרְחָא נִשְׁמָתִין בִּבְנֵי נָשָׁא, הה"ד לֹא יָדוֹן רוּחִי בָאָדָם לְעוֹלָם, לְמֵיהַב לְעוֹלָם בְּשַׁעְתָּא דְּפָרְחוּ נִשְׁמָתִין בִּבְנֵי נָשָׁא.

תעח. בְּשַׁגַּם הוּא בָשָׂר, רַבִּי אֶלְעָזָר אָמַר, בְּשַׁגַּם, דָּא מֹשֶׁה, דְּאִיהוּ נָהִיר לְסִיהֲרָא, וּמוֹזִילָא דָּא, קַיְימִין בְּנֵי נָשָׁא בְּעָלְמָא יוֹמִין סַגִּיאִין. וְהָיוּ יָמָיו מֵאָה וְעֶשְׂרִים שָׁנָה, רָמַז לְמֹשֶׁה דְּעַל יְדֵיהּ תּוֹרָה אִתְיְהִיבַת, וּכְדֵין יָרִיק חַיִּין לִבְנֵי נָשָׁא מֵהַהוּא אִילָנָא דְּחַיִּין וְכַךְ הֲוָה, אִלְמָלֵא דְּחָבוּ יִשְׂרָאֵל, הה"ד חָרוּת עַל הַלֻּחֹת חֵירוּת מִמַּלְאַךְ הַמָּוֶת. דְּהָא אִילָנָא דְּחַיֵּי הֲוָה מָשִׁיךְ לְתַתָּא.

תעט. וְעַל דָּא, בְּשַׁגַּם דְּאִיהוּ בָשָׂר, קַיְּימָא מִלָּה לְאַרְקָא רוּחָא דְּחַיֵּי, בְּשַׁגַּם אָחִיד לְתַתָּא, אָחִיד לְעֵילָא, וְעַל דָּא תָּנִינָן, מֹשֶׁה לָא מִית אֶלָּא אִתְכְּנִישׁ מֵעָלְמָא, וַהֲוָה נָהִיר לְסִיהֲרָא, דְּהָא שִׁמְשָׁא אע"ג דְּאִתְכְּנִשׁ מֵעָלְמָא, לָא מִית אֶלָּא עָאל וְאַנְהִיר לְסִיהֲרָא, כָּךְ מֹשֶׁה.

תפ. ד"א. בְּשַׁגַּם הוּא בָשָׂר, בְּמִשִׁיכוּ דְּרוּחָא בִּבְנֵי נָשָׁא, זִמְנָא רַבָּה אִתְהַדַּר לְמֶהֱוֵי בָשָׂר לְאִתְמַשְׁכָא בָּתַר גּוּפָא, וּלְאִשְׁתַּדְּלָא בְּעוֹבָדִין דְּהַאי עָלְמָא.

תפא. אָמַר ר' יִצְחָק, כָּל דָּרִין דְּאִשְׁתַּכְלָלוּ מִשֵּׁת, כֻּלְּהוּ צַדִּיקֵי וַחֲסִידֵי לְבָתַר אִתְפַּשְּׁטוּ וְאוֹלִידוּ וְאוֹלִיפוּ אוּמְנוּתָא דְּעָלְמָא, לְשַׁצָּאָה בְּרוּמְחִין וְסַיְיפִין, עַד דְּאָתָא נֹחַ, וְאַתְקִין לוֹן תִּקוּנָא דְּעָלְמָא, וּלְמִפְלַח וּלְאַתְקְנָא אַרְעָא, דְּהָא בְּקַדְמֵיתָא לָא הֲווּ זָרְעִין

וְחֶדְוָון, לְבָתַר אִצְטְרִיכוּ לְהַאי, דִּכְתִּיב עוֹד כָּל יְמֵי הָאָרֶץ וְגוֹ'.

תפב. ר' אֶלְעָזָר אָמַר, זַמִּין קֻבָּ"ה לְתַקְּנָא עָלְמָא, וּלְאַתְקְּנָא רוּחָא בִּבְנֵי נָשָׁא, בְּגִין דְּיוֹרְכוּן יוֹמִין לְעָלְמִין, הה"ד כִּי כִּימֵי הָעֵץ יְמֵי עַמִּי וְגוֹ'. וּכְתִיב וּבִלַּע הַמָּוֶת לָנֶצַח, וּמָחָה ה' אֱלֹקִים דִּמְעָה מֵעַל כָּל פָּנִים וְחֶרְפַּת עַמּוֹ יָסִיר מֵעַל כָּל הָאָרֶץ, כִּי ה' דִּבֵּר.

BERESHEET B

בראשית ב'

א. אמר ר' שמעון הא תנינן, דכד ברא קב"ה עלמא, גליף בגילופי דרזא דמהימנותא, גו טהירין, ברזין עלאין, וגליף לעילא, וגליף לתתא, וכלא ברזא וחדא, ועביד עלמא תתאה, כגוונא דעלמא עלאה , ודא קאים לקביל דא, למהוי כלא חד, ביחודא וחדא, ובגין כך קב"ה גליף גליפי דאתוון עילא ותתא, ובהו ברא עלמין.

ב. ות"ח כגוונא דעבד קב"ה עלמא, הכי נמי ברא ליה לאדם קדמאה. פתח ואמר והמה כאדם עברו ברית וגו', דהא קב"ה אעטר ליה בעטרין עלאין, וברא ליה בשית סטרין דעלמא, למהוי שלים בכלא, וכלא זעאן ודחלן מקמיה, דהא כד אתברי אדם, אתברי בדיוקנא עלאה, והוו מסתכלן בההוא דיוקנא, וזעאן ודחלן מקמיה.

ג. ולבתר אעיל ליה קב"ה בגנתא דעדן, לאתעדנא תמן בעדונין עלאין, והוו מלאכין עלאין סחרין ליה, ומשמשין קמיה, ורזין דמריהון הוו אודעין ליה. ת"ח, בשעתא דאעיל ליה קב"ה לגנתא דעדן, הוה חמי ואסתכל מתמן, כל רזין עלאין, וכל חכמתא, בגין למנדע ולאסתכלא ביקרא דמריה.

ד. שבעה היכלין מדורין אינון לעילא, דאינון רזא דמהימנותא עלאה, ושבעה היכלין אינון לתתא כגוונא דלעילא, ואינון שית כגוונא עלאה, וחד טמיר וגניז איהו לעילא. וכל אלין אינון ברזא עלאה, בגין דכל הני היכלין, אית בהו כגוונא דלעילא, ואית בהו כגוונא דלתתא, למהוי כליל בדיוקנא דרזא דלעילא, ובדיוקנא דרזא דלתתא, ובהו הוה דיוריה דאדם.

ה. ולבתר דאתתרך מגנתא דעדן, אתקין לון קב"ה לנשמתהון דצדיקיא, לאשתעשעא בהו. כדקא חזי, מזיוא דיקרא עלאה. וכל חד וחד, אתתקן כגוונא דלעילא, וכגוונא דלתתא, כמה דאוקימנא.

ו. היכלא קדמאה, אתר דאיהו מתתקן לתתא, למהוי כגוונא דלעילא, והא אתערו חבריא, נמוסי דגנתא דעדן, כמה דאיהו ברזא עלאה. ולא שלטא ביה עינא, בר נשמתהון דצדיקייא, למהוי גליפן לעילא ותתא, ולאסתכלא מתמן, ברזא דמריהון, ובענוגא דלעילא.

ז. ואלין אינון צדיקיא, דלא אחלפו יקרא דמריהון, בגין דחלא אחרא. כתיב אשת חיל עטרת בעלה, רזא דמהימנותא, לאתדבקא בר נש במריה, ולדחלא מניה תדיר, ולא יסטי לימינא ושמאלא, והא אוקימנא, דלא יהך בר נש, בתר דחלא אחרא, דאקרי אשת זנונים, ובגין כך כתיב לשמרך מאשה זרה מנכריה אמריה החליקה.

ח. היכלא דא, קאים בדיוקנא דרזא עלאה, בגין דכד נשמתין דצדיקיא נפקי מהאי עלמא, עאלין גו אלין היכלין, די בגנתא דעדן דלתתא, ותמן יתבין כל חד וחד, כל ההוא זמנא דאצטריכא נשמתא למיתב תמן.

ט. ובכל היכלא והיכלא, אית דיוקנין, כגוונא דלעילא. ודיוקנין כגוונא דלתתא,

וְתַמָּן אִתְלַבְּשַׁת נִשְׁמְתָא בִּלְבוּשִׁין כְּגַוְונָא דְּהַאי עָלְמָא, וְאִתְעַדְּנַת תַּמָּן כָּל הַהוּא זִמְנָא דְּאִצְטְרִיכַת, עַד דְּמָטוּ זִמְנָא לְסַלְּקָא לַאֲתַר עִלָּאָה כְּמָה דְּאִצְטְרִיךְ. וּמִגּוֹ הַהוּא מָאנָא דְּאִתְלַבְּשַׁת בֵּיהּ, וְזַמִּינַת דְּיוֹקְנִין עִלָּאִין, לְאִסְתַּכְּלָא בִּיקָרָא דְּמָרֵיהוֹן.

י. בְּהַאי הֵיכָלָא, אִית נְהוֹרִין עִלָּאִין, לְאִסְתַּכְּלָא, וְנִשְׁמָתְהוֹן דְּאִינּוּן גִּיּוֹרִין דְּאִתְגַּיְּירוּ, קַיְּימִין תַּמָּן, וְעָאלִין תַּמָּן, לְאִסְתַּכְּלָא בִּיקָרָא עִלָּאָה, וּמִתְלַבְּשָׁן תַּמָּן בִּלְבוּשָׁא חֲדָא דִּנְהוֹרָא, דְּנָהִיר וְלָא נָהִיר. וְהַהוּא הֵיכָלָא מְקָפָּא מֵאֶבֶן טָבָא וְדַהֲבָא.

יא. וְתַמָּן אִיהוּ פִּתְחָא חֲדָא. דְּנָוְוית לָקֳבֵל פִּתְחָא דְּגֵיהִנֹּם, מִתַּמָּן מִסְתַּכְּלָן בְּכָל אִינּוּן חַיָּיבֵי, דְּלָא עָאלוּ בִּבְרִית קַיְּימָא קַדִּישָׁא, וְאִתְתְּרָכוּ בְּאִינּוּן מַלְאֲכֵי חַבָּלָה, דְּטָרְדֵי לוֹן בְּנוּרָא דְּדָלִיק, וְאִינּוּן חָמָאן וְחָדָאן עַל דְּאִתְגַּיְּירוּ.

יב. וּתְלַת זִמְנִין בְּיוֹמָא, נָהֲרִין מִגּוֹ נְהִירוּ עִלָּאָה, וּמִשְׁתַּעְשְׁעָן תַּמָּן, וְעֵילָּא מִנְּהוֹן, עוֹבַדְיָה וְאוּנְקְלוּס גִּיּוֹרָא, וּשְׁאָר גִּיּוֹרִין דְּאִתְגַּיְּירוּ, כְּגַוְונָא דָּא לְעֵילָּא, כַּד זָכָאן לְסַלְּקָא נִשְׁמָתְהוֹן לְאִתְעַטְּרָא תַּמָּן.

יג. הֵיכָלָא תִּנְיָינָא, הֵיכָלָא דָּא, קַיְּימָא לְגוֹ מֵהַאי הֵיכָלָא קַדְמָאָה וְהַאי פִּתְחָא אִיהוּ סָמִיךְ לְגוֹ מְעַרְתָּא דַּאֲבָהָן, וְהַאי הֵיכָלָא נָהִיר מִקַּדְמָאָה, הָכָא אִית כָּל אַבְנִין יַקִּירִין דְּמַקְּפָן לֵיהּ.

יד. בְּגוֹ דְּהַאי הֵיכָלָא, אִית נְהִירוּ חַד, כְּלִיל מִכָּל גַּוְונִין, וְאִיהוּ נָהִיר מֵעֵילָּא לְתַתָּא. בְּהַאי הֵיכָלָא קַיְּימִין אִינּוּן, דְּסָבְלוּ יִסּוּרִין וּמַרְעִין בְּהַאי עָלְמָא, בְּגִין לְאִתְתַּקְּנָא, וַהֲווּ מוֹדָן וּמְשַׁבְּחָן לְמָרֵיהוֹן כָּל יוֹמָא, וְלָא הֲווּ מְבַטְּלִין צְלוֹתַיְיהוּ לְעָלְמִין.

טו. לְגוֹ מֵהַאי הֵיכָלָא, קַיְּימִין כָּל אִינּוּן דִּמְקַדְּשִׁין בְּכָל חֵילָא שְׁמָא דְּמָרֵיהוֹן, וַאֲתִיבוּ אָמֵן יְהֵא שְׁמֵיהּ רַבָּא מְבָרַךְ בְּכָל חֵילָא, וְאִלֵּין אִינּוּן קַיְּימִין לְגוֹ, בְּגוֹ הַאי הֵיכָלָא, וְהַהוּא נְהוֹרָא דְּכָלִיל כָּל גַּוְונִין נָהִיר לוֹן. מֵהַהוּא נְהִירוּ קַיְּימִין וְחָמָאן נְהוֹרִין אָחֳרָנִין, דְּאִתְאַחֲדָן וְלָא אִתְאַחֲדָן בְּגַוַויְיהוּ. וְעֵילָּא מִנְּהוֹן מָשִׁיחַ, דְּאִיהוּ עָאל וְקָאִים בֵּינַיְיהוּ, וְנָוְוית לוֹן.

טז. אִיהוּ נָטִיל מֵהַאי הֵיכָלָא, וְעָאל בְּהֵיכָלָא תְּלִיתָאָה, וְתַמָּן כָּל אִנּוּן בְּנֵי מַרְעִין וּכְאֵבִין יַתִּיר, וְכָל אִינּוּן דַּרְדְּקֵי דְּבֵי רַבָּן דְּלָא אַשְׁלִימוּ יוֹמִין, וְכָל אִינּוּן דַּעֲצִיבִין עַל חָרוּב בֵּי מַקְדְּשָׁא וַהֲווּ אוֹשְׁדִין דִּמְעִין, כֻּלְּהוֹן קַיְּימִין בְּהַהוּא הֵיכָלָא, וְאִיהוּ מְנַחֵם לוֹן.

יז. וּנְטִיל מֵהַאי הֵיכָלָא, וְעָאל בְּהֵיכָלָא רְבִיעָאָה, וְתַמָּן כָּל אִינּוּן אֲבֵלֵי צִיּוֹן וִירוּשָׁלַםִ, וְכָל אִינּוּן קְטוּלֵי דִּשְׁאָר עַמִּין עכו"ם וְאִיהוּ שָׁרֵי וּבָכֵי, וּכְדֵין כָּל אִינּוּן נְשִׂיאִין דְּזַרְעָא דְּדָוִד, כֻּלְּהוּ אֲחִידָן בֵּיהּ, וּמְנַחֲמִין לֵיהּ.

יח. שָׁארֵי תִּנְיָינוּת וּבָכֵי, עַד דְּקָלָא נָפֵיק, וּמִתְאַחֵד בְּהַהוּא קָלָא, וְסָלֵיק לְעֵילָּא, וְאִשְׁתְּהֵי תַּמָּן עַד רֵישׁ יַרְחָא. וְכַד נָחֵית נָחֲתִין עִמֵּיהּ כַּמָּה נְהוֹרִין וְזִיוִין, מְנַהֲרִין לְכָל אִינּוּן הֵיכָלִין, וְאַסְוָותָא וּנְהוֹרָא לְכָל אִינּוּן קְטוּלִין, וּבְנֵי מַרְעִין וּמַכְאוֹבִין דְּסָבִילוּ עִמֵּיהּ דְּמָשִׁיחַ.

יט. וּכְדֵין פּוּרְפִּירָא לָבֵישׁ, וְתַמָּן חֲקִיקִין וּרְשִׁימִין כָּל אִינּוּן קְטוּלֵי דִּשְׁאָר עַמִּין עכו"ם בְּהַהוּא פּוּרְפִּירָא, וְסָלֵיק הַהוּא פּוּרְפִּירָא לְעֵילָּא, וְאִתְחֲקַק תַּמָּן גּוֹ פּוּרְפִּירָא עִלָּאָה דְּמַלְכָּא, וְקֻבְ"ה זַמִּין לְאַלְבְּשָׁא הַהוּא פּוּרְפִּירָא וּלְמֵידַן עַמִּין, דִּכְתִּיב יָדִין בַּגּוֹיִם מָלֵא גְּוִיּוֹת. עַד דִּי אֲתָא וְנָחִים לוֹן, וְנָחֲתִין עִמֵּיהּ נְהוֹרִין וְעִדּוּנִין, לְאִתְעַדְּנָא, וְכַמָּה מַלְאָכִין וּרְתִיכִין עִמֵּיהּ, כָּל חַד וְחַד בְּמַלְבּוּשָׁא, לְאִתְלַבְּשָׁא בְּהוּ כָּל אִינּוּן נִשְׁמָתִין דִּקְטוּלִין, וְתַמָּן מִתְעַדְּנִין כָּל הַהוּא זִמְנָא דְּאִיהוּ סָלֵיק וְנָחֵית.

כ. לְגוֹ מֵהַאי הֵיכָלָא, קַיְּימָא גּוֹ דַּרְגָּא עִלָּאָה, אִינּוּן עֲשָׂרָה רַבְרְבִין מִמַּנָּן, רַבִּי

עֲקִיבָא וַחֲבֵרוֹי, וְכֻלְּהוּ סַלְקִין בִּסְלִיקוּ, גּוֹ אַסְפַּקְלַרְיָאָה דִּלְעֵילָּא, וְנָהֲרִין בְּזִיו יְקָרָא עִלָּאָה, עֲלַיְיהוּ כְּתִיב עַיִן לֹא רָאָתָה אֱלֹקִים זוּלָתְךָ יַעֲשֶׂה לִמְחַכֵּה לוֹ.

כא. בְּהֵיכָלָא וְחַמִּישָׁאָה, קַיְּימִין כָּל אִינּוּן מָארֵיהוֹן דִּתְיוּבְתָּא שְׁלִימְתָא, דְּתָבוּ מֵחַטָּאֵיהוֹן וְאִתְנְחָמוּ בְּהוּ, וְנָפְקַת נִשְׁמַתְהוֹן בְּדַכְיוּ, וְכָל אִינּוּן דְּקַדִּישׁוּ שְׁמָא דְּמָרֵיהוֹן, וְקַבִּילוּ עֲלַיְיהוּ מוֹתָא, וּבְתַרְעָא דְּהַאי הֵיכָלָא, קָאִים מְנַשֶּׁה מֶלֶךְ יְהוּדָה, דְּקַבֵּיל לֵיהּ קב"ה בִּתְיוּבְתָּא שְׁלִימְתָא, וְחָתַר לֵיהּ וְחָתִירָא לְקַבְּלָא לֵיהּ.

כב. וּלְגוֹ מֵהַאי הֵיכָלָא, קַיְּימִין כָּל אִינּוּן מָארֵיהוֹן דִּתְיוּבְתָּא תַּקִּיפָא, דְּנִשְׁמַתְהוֹן נָפְקַת בְּשַׁעֲתָא דְּאִתְמַרְמְרוּ עַל עוֹבָדֵיהוֹן, וְאִלֵּין מִתְעַדְּנִין בְּעִדּוּנָא עִלָּאָה, בְּכָל יוֹמָא וְיוֹמָא. וּתְלַת זִמְנִין בְּיוֹמָא, נְהִירוּ עָאל בְּהַהוּא הֵיכָלָא, דְּמִתְעַדְּנִין בֵּיהּ כָּל חַד וְחַד כִּדְקָא חֲזֵי לֵיהּ. וְכָל חַד נִכְוֶה, מִנְּהִירוּ דְּחוּפָּה דְּחַבְרֵיהּ, בֵּין לְתַתָּא בֵּין לְעֵילָּא.

כג. הַאי הֵיכָלָא קַיְּימָא עַל אִינּוּן הֵיכְלֵי תַּתָּאֵי, וַאֲפִלּוּ צַדִּיקִים גְּמוּרִין לָא יָכְלִין לְאַעֲלָאָה בְּגוֹ הַאי הֵיכָלָא, וּלְמֵיקָם בֵּיהּ, וְהַאי אִיהוּ דַּרְגָּא עִלָּאָה עַל כֹּלָּא, בַּר דַּרְגָּא דַּחֲסִידֵי דְּאִיהוּ דַּרְגָּא עִלָּאָה עַל כֹּלָּא.

כד. הַאי הֵיכָלָא שְׁתִיתָאָה: הֵיכָלָא דָא הֵיכָלָא דַּחֲסִידֵי, הֵיכָלָא דָא, הֵיכָלָא עִלָּאָה עַל כֹּלָּא, וְהַאי הוּא הֵיכָלָא דְּקַיְּימָא עַל כֹּלָּא. הֵיכָלָא דִּימִינָא, לֵית מַאן דְּיָקִים בֵּיהּ, אֶלָּא אִינּוּן וַחֲסִידִים קַדִּישִׁין, וְכָל אִינּוּן דִּמְרַחֲמֵי לְמָרֵיהוֹן בִּרְחִימוּ סַגֵּי. וּלְפִתְחָא דְּהַאי הֵיכָלָא, קַיְּימָא כָּל אִינּוּן דִּמְיַיחֲדֵי יִחוּדָא דְּמָרֵיהוֹן בְּכָל יוֹמָא וְאִלֵּין עָאלִין בְּהַאי הֵיכָלָא, וְזַמִּינִין לְסַלְּקָא בְּקַדְמֵיתָא.

כה. וְעֵילָּא מֵהַאי פִּתְחָא אַבְרָהָם, יְמִינָא דְּקב"ה, וּלְפִתְחָא אָחֳרָא קַיְּימָא יִצְחָק, דְּאִתְעֲקַד עַל גַּבֵּי מַדְבְּחָא, וַהֲוָה קָרְבְּנָא שְׁלִים קַמֵּיהּ דְּקב"ה. וּלְפִתְחָא אָחֳרָא לְגוֹ, קַיְּימָא יַעֲקֹב שְׁלִימָא, וּתְרֵיסַר שִׁבְטִין סַחֲרָנֵיהּ, וּשְׁכִינְתָּא עַל רֵישַׁיְיהוּ.

כו. וְכַד יִשְׂרָאֵל בְּעָקוּ אִתְעָרוּ תְּלַת אַבָהָן, וּמִתְעָרֵי לָהּ לִשְׁכִינְתָּא לְאַגָּנָא עֲלַיְיהוּ, וּכְדֵין אִיהִי סַלְקָא וְאִתְעַטְּרָא לְעֵילָּא, וְאַגְנָא עֲלַיְיהוּ דְּיִשְׂרָאֵל. וּכְמָה דְּאִית הֵיכָלִין לְתַתָּא בְּגִנְּתָא דְּעֵדֶן, הָכֵי נָמֵי לְעֵילָּא אִית הֵיכָלִין מִתְקְנָן, דְּאִינּוּן רָזָא דִּמְהֵימְנוּתָא.

כז. וְכָל הָנֵי הֵיכָלִין, כֻּלְּהוּ מִתְקַשְּׁרָן וּמִתְעַטְּרָן בְּחַד הֵיכָלָא דְּאִיהוּ הֵיכָלָא שְׁבִיעָאָה, וְהַאי הֵיכָלָא אִיהוּ גָּנִיז וְסָתִים מִכָּל שְׁאָר הֵיכָלִין. בְּאֶמְצָעִיתָא דְּהַאי הֵיכָלָא קָאִים חַד עַמּוּדָא, דְּאִיהוּ בְּגַוְונִין סַגִּיאִין: יָרוֹק, וְחִוּור, סוּמָק, אוּכָם. וְכַד נִשְׁמָתִין סַלְקִין, אִינּוּן עָאלִין גּוֹ הַאי הֵיכָלָא, מַאן דְּאִתְחֲזֵי לְהַאי גַּוָּון סָלִיק בֵּיהּ, וּמַאן דְּאִתְחֲזֵי לְהַאי גַּוָּון סָלִיק בֵּיהּ. כָּל חַד וְחַד כִּדְקָא חֲזֵי לֵיהּ.

כח. וְאִלֵּין שִׁית הֵיכָלִין אִינּוּן לִמְדוֹרָא כִּדְאֲמָרָן, וּשְׁבִיעָאָה לָאו אִיהוּ לִמְדוֹרָא. וְשִׁית, כֹּלָּא בְּרָזָא דְּשִׁית, וְעַל דָּא כְּתִיב בָּרָא שִׁית. שִׁית דַּרְגִּין לְעֵילָּא, שִׁית דַּרְגִּין לְתַתָּא, וְכֹלָּא רָזָא וְחָדָא.

כט. תָּא חֲזֵי, בְּרֵאשִׁית, רַבִּי יְהוּדָה אָמַר, תְּרֵין בָּתִּין הֲווֹ, בַּיִת רִאשׁוֹן וּבַיִת שֵׁנִי, דָּא עִלָּאָה וְדָא תַּתָּאָה, תְּרֵין הֵה"ין אִינּוּן, דָּא עִלָּאָה וְדָא תַּתָּאָה, וְכֻלְּהוּ חַד, ב' עִלָּאָה פְּתִיחָא תַּרְעִין לְכָל סִטְרָא, דְּהָכֵי הוּא דִּכְלִיל דָּא בְּדָא. רֵאשִׁית, כְּדֵין הוּא רֵאשִׁית לְאַעֲלָא בְּחוּשְׁבְּנָא דְּבִנְיָנָא, רַבִּי יִצְחָק אָמַר לְמִנְיָנָא.

ל. אָמַר רַבִּי אֶלְעָזָר, בְּרֵאשִׁית דָּא כְּלָלָא, דְּיוּקְנָא דְּכָל דְּיוּקְנִין כְּלִילָן בֵּיהּ, דָּא רָזָא דִּכְתִיב הוּא מַרְאֵה דְּמוּת כְּבוֹד ה', וְהֵיזוּ דְּאִתְחֲזוּן בֵּיהּ שִׁית אָחֳרָנִין, וְדָא הוּא

בְּרֵאשִׁית בָּרָא שִׁית, ת"ח, כַּד עָאלִין בְּהַאי וְזִיווּ שִׁית גַּוְונִין, הִיא אַתְקִינַת גַּרְמָא לְאַחֲזָאָה לוֹן וּלְמִפְעַל בְּהוֹ אוּמָנוּתָא דְעָלְמָא, וְאִי תֵּימָא דְּהַאי אוּמָנוּתָא דְעָלְמָא, מַדְרְגָּא דָּא הוּא, כְּתִיב בָּרָא שִׁית, שְׁבָחָא דְשִׁית אִיהוּ, דְּעָבְדֵי אוּמָנוּתָא בְּהַאי.

לא. רַבִּי יוֹסֵי פָּתַח הַנִּצָּנִים נִרְאוּ בָאָרֶץ, עֵת הַזָּמִיר הִגִּיעַ, וְקוֹל הַתּוֹר נִשְׁמַע בְּאַרְצֵנוּ, הַנִּצָּנִים: דָּא הוּא רָזָא דְשִׁית דַּרְגִּין. נִרְאוּ בָאָרֶץ בְּגִין דְּאִינּוּן דְּיוֹקְנִין לְאִתְחֲזָאָה בְּהַאי דַּרְגָּא. עֵת הַזָּמִיר הִגִּיעַ: דְּהָא כְּדֵין מְשַׁבַּח וּמְהַדֵּר, כְּמָה דְּאַתְּ אָמַר לְמַעַן יְזַמֶּרְךָ כָבוֹד וְלֹא יִדּוֹם, וּבְגִין כָּךְ אִקְרֵי מִזְמוֹר, כְּמָה דְּתָנֵינָן דִּכְתִיב מִזְמוֹר לְדָוִד, דְּשָׁארַת עֲלֵיהּ שְׁכִינְתָּא בְּרֵישָׁא, וְדָא הוּא עֵת הַזָּמִיר הִגִּיעַ. רַבִּי חִיָּיא אָמַר, דְּהָא כְּדֵין מָטָא זִמְנָא לְשַׁבְּחָא.

לב. רַבִּי אַבָּא אָמַר, עָלְמָא עִלָּאָה סָתִים, וְכָל מִלּוֹי סְתִימִין, בְּגִין דְּקַיְּימָא בְּרָזָא עִלָּאָה, יוֹמָא דְכָל יוֹמִין, וְכַד בָּרָא וְאַפִּיק, אַפִּיק אִלֵּין שִׁית, וּבְגִין דְּאִיהוּ סָתִים, דְּכָל מִלּוֹי סְתִימִין, אָמַר בְּרֵאשִׁית, בָּרָא שִׁית יוֹמִין עִלָּאִין, וְלָא אָמַר מַאן בָּרָא לְהוֹן, בְּגִין דְּאִיהוּ עָלְמָא עִלָּאָה סְתִימָא.

לג. וּלְבָתַר גָּלֵי וַאֲמַר עֲבִידְתָּא תַּתָּאָה, וַאֲמַר מַאן בָּרָא לֵיהּ, בְּגִין דְּאִיהוּ עָלְמָא דְקַיְּימָא בְּאִתְגַּלְיָיא, וַאֲמַר בָּרָא אֱלֹקִים אֵת הַשָּׁמַיִם וְאֵת הָאָרֶץ, וְלָא כְּתִיב בָּרָא סָתִים, בָּרָא אֵת הַשָּׁמַיִם, בְּגִין דְּאִיהוּ עָלְמָא בְּאִתְגַּלְיָא, וַאֲמַר בָּרָא אֱלֹקִים, אֱלֹקִים וַדַּאי שְׁמָא בְּאִתְגַּלְיָא, קַדְמָאָה בִּסְתִימָא דְּאִיהוּ עִלָּאָה, תַּתָּאָה בְּאִתְגַּלְיָא. לְמֶהֱוֵי תָּדִיר עוֹבָדָא דְקוּדְשָׁא בְּרִיךְ הוּא סָתִים וְגַלְיָא. וְרָזָא דִשְׁמָא קַדִּישָׁא הָכֵי הוּא סְתִים וְגַלְיָא.

לד. אֵת הַשָּׁמַיִם, לְאַסְגָּאָה שָׁמַיִם תַּתָּאֵי לְתַתָּא, וְאֵת הָאָרֶץ לְאַכְלְלָא אֶרֶץ דִּלְתַתָּא, וּלְאַסְגָּאָה כָּל עוֹבָדָהָא כְּגַוְונָא דִלְעֵילָא.

לה. וְהָאָרֶץ הָיְתָה תֹהוּ וָבֹהוּ: כִּדְקָאֲמָרָן, וְהָאָרֶץ דָּא אֶרֶץ עִלָּאָה, דְּלֵית לָהּ נְהוֹרָא מִגַּרְמָהּ. הָיְתָה: בְּקַדְמֵיתָא כְּבַר הֲוַת, כִּדְקָא יָאוּת, וְהַשְׁתָּא תֹהוּ, וָבֹהוּ, וְחֹשֶׁךְ. הָיְתָה דַיְיקָא, לְבָתַר אַזְעִירַת גַּרְמָהּ וְאַזְעִירַת נְהוֹרָא. תֹּהוּ, וָבֹהוּ, וְחֹשֶׁךְ, וְרוּחַ: אַרְבַּע יְסוֹדֵי עָלְמָא דְּאִשְׁתַּכְלְלוּ בָּהּ.

לו. ד"א, וְאֵת הָאָרֶץ כִּדְקָאֲמָרָן, לְאַסְגָּאָה אַרְעָא דִלְתַתָּא, דְּאִיהִי אִתְעֲבִידַת בְּכַמָּה מְדוֹרִין, כְּלָא כְּגַוְונָא עִלָּאָה, וְדָא הוּא, וְהָאָרֶץ הָיְתָה תֹהוּ וָבֹהוּ וְחֹשֶׁךְ וְרוּחַ. אִלֵּין אִינּוּן מְדוֹרֵי אַרְעָא: אֶרֶץ, אֲדָמָה, גֵּיא, נְשִׁיָּה, צִיָּה, אַרְקָא, תֵּבֵל. וְגָדוֹל שֶׁבְּכוּלָּם תֵּבֵל, דִּכְתִיב וְהוּא יִשְׁפּוֹט תֵּבֵל בְּצֶדֶק.

לז. אָמַר רַבִּי יוֹסֵי, מַאן הוּא צִיָּה, א"ל דָּא הוּא אֲתַר דְּגֵיהִנֹּם, כד"א צִיָּה וְצַלְמָוֶת. וְרָזָא דָּא כְּתִיב, וְחֹשֶׁךְ עַל פְּנֵי תְהוֹם, דָּא רָזָא אֲתַר דְּגֵיהִנֹּם, דָּא הוּא צִיָּה, אֲתַר דְּמַלְאַךְ הַמָּוֶת, כִּדְקָאֲמָרָן, דְּאִיהוּ מַחְשִׁיךְ אַנְפַּיְיהוּ דִּבְרִיָּיתָא, וְדָא הוּא אֲתַר דְּחֹשֶׁךְ עִלָּאָה.

לח. תֹּהוּ דָּא נְשִׁיָּה, דְּלָא אִתְחֲזִיָּיא בָּהּ חֵיזוּ כְּלָל, עַד דְּאִתְנְשֵׁי מִכֹּלָּא. וְעַל דָּא אִתְקְרֵי נְשִׁיָּה. וָבֹהוּ דָּא אַרְקָא אֲתַר דְּלָא אִתְנְשֵׁי. ר' חִיָּיא אָמַר דָּא גֵּיא. וְרוּחַ אֱלֹקִים מְרַחֶפֶת דָּא לְקָבֵל תֵּבֵל דְּאִתְּזָן מֵרוּחַ אֱלֹקִים, וְכֹלָּא כְּחַד הוּא.

לט. כְּגַוְונָא דָא, אִית לְאֶרֶץ עִלָּאָה, שִׁבְעָה מְדוֹרִין אִינּוּן לְעֵילָא, דַּרְגָּא עַל דַּרְגָּא, וּבְכֻלְּהוּ מְדוֹרִין מַלְאֲכֵי עִלָּאֵי אִלֵּין עַל אִלֵּין. הָכֵי נָמֵי לְתַתָּא, וְכֹלָּא אָחִיד דָּא בְּדָא לְמֶהֱוֵי כֹּלָּא חָד. שִׁבְעָה מְדוֹרִין אִינּוּן לְעֵילָא, וְהָא אֶרֶץ עִלָּאָה אֲחִידַת לוֹן, וְכֻלְּהוּ קַיְּימִין בָּהּ, וּבְכֻלְּהוֹן קַיְּימָא תּוּשְׁבַּחְתָּא דְקוּדְשָׁא בְּרִיךְ הוּא. דַּרְגִּין פְּרִישָׁן דָּא מִן דָּא. וְאַתְרִין

פְּרִישָׁן דָּא מִן דָּא.

מ. מָדוֹרָא קַדְמָאָה, לְתַתָּא, הוּא אֲתַר בֵּי וְחָשׁוּךְ דְּלָא נָהִיר, וְהוּא מִתְתַּקַּן לְמָדוֹרֵי רוּחֵי וְקַסְטִירֵי וְעִלְעוּלֵי תַּקִּיפִין דְּלָא אִתְחֲזְיָין, וְלָא אִית בֵּיהּ נְהוֹרָא, וְלָא חֲשׁוֹכָא, וְלָא דְּיוֹקְנָא כְּלַל. וְתַמָּן לָא יָדְעִין בֵּיהּ יְדִיעָא כְּלָל, דְּלָאו בֵּיהּ צוּרָה גּוֹ כְּלַל כּוּרְסְיָיא.

מא. וְעַל הַהוּא אֲתַר מְמַנָּא חַד מַלְאָכָא טַהֲרִיאֵל שְׁמֵיהּ, וְעִמֵּיהּ שַׁבְעִין מְמַנָּן מְעוֹפְפִין וְאִתְמַחוֹן מַזִּיקֵי שְׁבִיבִין, וְלָא קַיְּימִין, וְלָא אִתְחֲזוֹן, וְלָא מִשְׁתַּכְּחֵי. וְכַד אָתֵי צַפְרָא כֻּלְּהוּ מִתְחַדְּשָׁן וְלָא קַיְימֵי, כַּד מָטָאן לְגַבֵּי הַהוּא אֲתַר, אָבְדִין וְלָא מִשְׁתַּכְּחִין, וְעָאלִין בְּחַד נוּקְבָא דִּתְהוֹמָא. וְלָא אִתְחֲזוֹן, כַּד אִתְרְמִישׁ לֵילְיָא אִתְמַחוֹן מֵאִינוּן שְׁבִיבִין עַד דְּמָטֵי צַפְרָא.

מב. מָדוֹרָא תִּנְיָינָא: הוּא אֲתַר דְּנָהִיר יַתִּיר, וְאִיהוּ וְחָשׁוּךְ, אֲבָל לָא וְחָשׁוּךְ כְּהַהוּא קַדְמָאָה, וְהוּא מִתְתַּקַּן לְמָדוֹרֵי מַלְאָכִין עִלָּאִין, דִּי מְמַנָּן עַל עוֹבָדֵיהוֹן דִּבְנֵי נָשָׁא, וּלְמִסְטֵי לְהוֹן בְּהַהוּא אֹרַח בִּישָׁא דְּאִינוּן אָזְלִין. וְהַהוּא אֲתַר אִתְחֲזֵי יַתִּיר מִן קַדְמָאָה, וְאִלֵּין מַלְאָכִין אִית לְהוֹן קְרָבָא עִם בְּנֵי נָשָׁא, וּמִתְזָנָן מֵרֵיחָא וּבוּסְמָא דִּלְתַתָּא, לְסַלְּקָא בְּתוּעַלְתָּא, וּלְאַנְהָרָא יַתִּיר.

מג. וְעֲלַיְיהוּ חַד מְמַנָּא קְדוּמִיא״ל שְׁמֵיהּ, וְאִלֵּין פְּתוּחִין שִׁירָתָא וּמִשְׁתַּכְּכֵי, וְאָזְלִין לוֹן, וְלָא אִתְחֲזוֹן, עַד דְּיִשְׂרָאֵל לְתַתָּא פָּתְחֵי וְאָמְרֵי שִׁירָתָא, כְּדֵין קָיְימָן בְּדוּכְתַּיְיהוּ, וְאִתְחֲזָן נְהִירִין יַתִּיר, תְּלַת זִמְנִין בְּיוֹמָא מְקַדְּשֵׁי קְדוּשְׁתָּא. וְכַד יִשְׂרָאֵל עָסְקֵי בְּאוֹרַיְיתָא, כֻּלְּהוֹן טָאסִין וְסָהֲדֵי סָהֲדוּתָא לְעֵילָּא, וְקוּדְשָׁא בְּרִיךְ הוּא חַיֵּיס עֲלַיְיהוּ.

מד. מָדוֹרָא תְּלִיתָאָה: הוּא אֲתַר דִּשְׁבִיבִין וְקִטּוּרִין, וְתַמָּן נְגִידוּ דִּנְהַר דִּינוּר, דְּנָגִיד וְנָפֵיק, וְאִיהוּ בֵּי מוֹקְדָא דְּנַפְשַׁיְיהוּ דְּרַשִׁיעַיָּא, דְּמִתַּמָּן נָחִית אֶשָּׁא עַל רֵישַׁיְיהוּ דְּרַשִׁיעַיָּא, וְתַמָּן מַלְאֲכֵי חַבָּלָה דְּטָרְדֵי לְהוּ.

מה. וְתַמָּן אִשְׁתַּכַּח דְּלִטּוּרְיָיא עֲלַיְיהוּ דְּיִשְׂרָאֵל לִזְמַנִּין, וּלְאַסְטָאָה לוֹן. בַּר בִּזְמְנָא דְּנָסְבֵי אַסְוָתָא לְדָוְיָיא לֵיהּ, וְחַד מְמַנָּא עֲלַיְיהוּ מִסִּטְרָא דִּשְׂמָאלָא. כֻּלְּהוּ מִסִּטְרָא דְּחוֹשֶׁךְ, כְּמָה דְּאַתְּ אָמֵר וְחוֹשֶׁךְ עַל פְּנֵי תְהוֹם, וְסמא״ל חַיָּיבָא אִשְׁתַּכַּח תַּמָּן.

מו. מָדוֹרָא רְבִיעָאָה: הוּא אֲתַר דְּנָהִיר, וְתַמָּן הוּא נְהִירוּ לְמַלְאֲכֵי עִלָּאֵי, דִּי בִּסְטַר יְמִינָא. וּפָתְחוּ שִׁירָתָא וְסַיְּימֵי, וְלָא אָזְלִין לְאַעֲבָרָא כְּהָנֵי קַדְמָאֵי, דְּפָתְחִין שִׁירָתָא וּמִתּוֹקְדָן וּמִתְעַבְּרָן בְּנוּר דָּלֵיק, וְתָבִין וּמִתְחַדְּשִׁין כְּמִלְּקַדְמִין, וְהָנֵי קָיְימִין בְּדוּכְתַּיְיהוּ וְלָא מִתְעַבְּרָן. וְהָנֵי מַלְאֲכֵי דְּרַחֲמֵי דְּלָא מִשְׁתַּנָּיין לְעָלְמִין.

מז. וַעֲלַיְיהוּ כְּתִיב עוֹשֶׂה מַלְאָכָיו רוּחוֹת וגו׳. וְאִלֵּין עָבְדִין שְׁלִיחוּתַיְיהוּ בְּעָלְמָא, וְלָא אִתְחֲזוֹן לִבְנֵי נָשָׁא בַּר בְּחֶזְוָוא, אוֹ בְּסִטְרָא אָחֳרָא בְּסָכְלְתָנוּ סַגֵּי. וְחַד מַלְאָכָא מְמַנָּא עֲלַיְיהוּ פדא״ל שְׁמֵיהּ. וּבֵיהּ פִּתְיוֹחִין מַפְתְּחָן דְּרַחֲמֵי, לְאִינוּן דְּתָיְיבִין לְגַבֵּיהּ דְּמָארֵיהוֹן, וּפָתְחִין תַּרְעִין לְאַעֲבָרָא צְלוֹתְהוֹן וּבָעוּתְהוֹן.

מח. מָדוֹרָא חֲמִישָׁאָה: הוּא מָדוֹרָא דְּנָהִיר בִּנְהִירוּ יַתִּיר מִכֻּלְּהוּ קַדְמָאֵי, וְאִית בֵּיהּ מַלְאָכִין מִנְּהוֹן אֶשָּׁא, וּמִנְּהוֹן מַיָּא. לִזְמַנִּין אִשְׁתַּכְחוּ בְּרַחֲמֵי, וּלְזִמְנִין אִשְׁתַּכְחוּ בְּדִינָא. אִלֵּין בְּסִטְרָא דָּא, וְאִלֵּין בְּסִטְרָא דָּא, לִזְמַנִּין נָהֲרִין אִלֵּין, וְחָשְׁכִין אִלֵּין, וְאִלֵּין מְמַנָּן לְזַמְּרָא לְמָארֵיהוֹן, אִלֵּין בְּפַלְגוּת לֵילְיָא, וְאִלֵּין כַּד סָלֵיק נְהוֹרָא. וְחַד מְמַנָּא עֲלוֹהִי קְדִשִׁיא״ל שְׁמֵיהּ.

מט. כַּד אִתְפְּלַג לֵילְיָא, וְאִתְעַר רוּחַ צָפוֹן וְקֻבָּ״ה אָתֵי לְאִשְׁתַּעְשְׁעָא עִם צַדִּיקַיָּיא

בְּגִנְתָּא דְעֵדֶן, כְּדֵין רוּחַ צָפוֹן אַקִּישׁ, וּמָטָא לְאִינוּן דִּמְמַנָּן בְּפַלְגּוּת לֵילְיָא, לְזַמְּרָא, וְכֻלְּהוּ מְזַמְּרִין וּפָתְחִין שִׁירָתָא. וְכַד אָתֵי צַפְרָא וּמִתְחַבֵּר קַדְרוּתָא דְצַפְרָא בִּנְהוֹרָא, כְּדֵין כֻּלְּהוּ אָחֳרָנִין אָמְרִין שִׁירָתָא, וְכָל כֹּכְבֵי רְקִיעָא וְכָל שְׁאָר מַלְאָכִין מְסַיְּיעִין לוֹן, כְּמָה דִכְתִיב בְּרָן יַחַד כֹּכְבֵי בֹקֶר וַיָּרִיעוּ כָּל בְּנֵי אֱלֹקִים, עַד דְּיִשְׂרָאֵל נָטְלֵי שִׁירָתָא וְתוּשְׁבַּחְתָּא אֲבַתְרַיְיהוּ.

נ. מָדוֹרָא שְׁתִיתָאָה: הוּא, מָדוֹרָא עִלָּאָה קָרִיב לְמַלְכוּ שְׁמַיָּא. וּבֵיהּ אַרְבִּין, וְנַהֲרִין, וְנַחֲלִין, דְּמִתְפַּלְּגִין מִן יַמָּא, וְכַמָּה נוּנִין אִינוּן, דִּמְרַחֲשָׁן לְאַרְבַּע סִטְרֵי עָלְמָא, וְעֵילָא מִנְּהוֹן סָרְכִין מְמַנָּן, וְחַד מְמַנָּא עֲלַיְיהוּ וְאוּרִיאֵל שְׁמֵיהּ, וְהוּא מְמַנָּא עַל כָּל אִלֵּין תַּתָּאִין.

נא. וְכֻלְּהוּ נָטְלֵי בְּשַׁעֲתֵי וְרִגְעֵי כַּד נָטְלֵי אַרְבֵּי לְסִטְרָא דָא וּלְסִטְרָא דָא, כַּד נָטְלֵי אַרְבֵּי לִסְטַר דָּרוֹם מְמַנָּא דְקַיְּימָא עֲלַיְיהוּ, לְהַהוּא סִטְרָא, הוּא מִיכָאֵל דַּאֲתָא מִימִינָא. וְכַד נָטְלֵי אַרְבֵּי לִסְטַר צָפוֹן, מְמַנָּא דְקַיְּימָא עֲלַיְיהוּ לְהַהוּא סִטְרָא, הוּא גַּבְרִיאֵל דְּאָתֵי מִסִּטְרָא דִשְׂמָאלָא. וְכַד נָטְלֵי אַרְבֵּי לִסְטַר מִזְרָח הָא תַּמָּן אִיהוּ מְמַנָּא, דְקַיְּימָא עֲלַיְיהוּ, לְהַהוּא סִטְרָא רְפָאֵל שְׁמֵיהּ, וְהוּא לִימִינָא. וְכַד נָטְלֵי אַרְבֵּי לִסְטַר מַעֲרָב, מְמַנָּא דְקַיְּימָא עֲלַיְיהוּ, לְהַהוּא סִטְרָא, הוּא אוּרִיאֵל וְאִיהוּ לְבַתְרָאָה.

נב. מָדוֹרָא שְׁבִיעָאָה: הוּא מָדוֹרָא עִלָּאָה עַל כֹּלָּא. וְתַמָּן לָא אִשְׁתַּכָּחוּ בַּר נִשְׁמָתְהוֹן דְּצַדִּיקַיָּיא דְּתַמָּן מִתְעַדְּנִין בְּהַהוּא זִיהֲרָא עִלָּאָה, וּמִתְעַדְּנִין בְּעִדּוּנִין וְתַפְנוּקִין עִלָּאִין, וְתַמָּן לָא אִשְׁתַּכָּחוּ בַּר אִינוּן זַכָּאִין, וְגִנְזֵי שָׁלוֹם בְּרָכָה וּנְדָבָה, כֹּלָּא הוּא כְּגַוְונָא עִלָּאָה, וְהָא אֲמָרוּ חַבְרַיָּיא.

נג. כְּדֵין הוּא לְאֶרֶץ דִּלְתַתָּא, בְּשִׁבְעָה מָדוֹרִין, וְכֻלְּהוּ כְּגַוְונָא דִלְעֵילָּא. וּבְכֻלְּהוּ אִית זִינִין כְּחֵיזוּ בְּנֵי נָשָׁא, וְכֻלְּהוּ מוֹדָן וּמְשַׁבְּחָן לְקֻבְ"ה, וְלֵית מָאן דְּיָדַע יְקָרֵיהּ, כְּאִינוּן דְּאִינוּן בְּמָדוֹרָא עִלָּאָה, וְאִלֵּין חָזָאן יְקָרֵיהּ כִּדְקָא יָאוֹת, לְמִפְלַח לֵיהּ, וּלְשַׁבְּחָא לֵיהּ, וּלְאִשְׁתְּמוֹדַע יְקָרֵיהּ.

נד. וְעָלְמָא דָא עִלָּאָה, דְּאִיהוּ תֵּבֵל, לָא קָיְימָא בְּקִיּוּמֵיהּ, אֶלָּא בְּגִינֵיהוֹן דְּצַדִּיקַיָּיא, דְּאִינוּן גּוּפִין קַדִּישִׁין. כְּגַוְונָא דִלְעֵילָּא לָא קָיְימָא הַהוּא מָדוֹרָא שְׁבִיעָאָה, אֶלָּא לְנִשְׁמָתְהוֹן דְּצַדִּיקַיָּיא, הָכִי נָמֵי הַאי מָדוֹרָא שְׁבִיעָאָה לְתַתָּא, לָא קָיְימָא אֶלָּא לְגוּפֵיהוֹן דְּצַדִּיקַיָּיא, לְמֶהֱוֵי כֹּלָּא חַד דָּא כְּגַוְונָא דְּדָא.

נה. ת"ח אר"ש ז' מָדוֹרִין אִינוּן דְּקָאֲמָרָן, וּבְגוֹ אִינוּן אִית ז' הֵיכָלִין, מֵאִינוּן רָזֵי מְהֵימְנוּתָא, לָקֳבֵל ז' רְקִיעִין עִלָּאִין, וּבְכָל הֵיכָלָא וְהֵיכָלָא אִית רוּחִין עִלָּאִין.

הֵיכָלָא קַדְמָאָה: הָכָא אִית רוּחָא, דְּאִתְמַנּוּ עַל נִשְׁמָתְהוֹן דְּגֵרִין דְּאִתְגַּיְּירוּ, וְרוּחָמִיא"ל שְׁמֵיהּ, וְאִיהוּ נָטִיל לוֹן וְאִתְהַנּוּן מִזִּיו יְקָרָא דִלְעֵילָּא.

נו. הֵיכָלָא תִּנְיָנָא: אִית רוּחָא וְדָא אהינא"ל שְׁמֵיהּ, וְדָא קָיְימָא עַל כָּל אִינוּן נִשְׁמָתִין דְּרַבְיֵי, דְּלָא זָכוּ בְּהַאי עָלְמָא לְמִלְעֵי בְּאוֹרַיְיתָא, וְאִיהוּ קָיְימָא עֲלַיְיהוּ וְאוֹלִיף לוֹן.

נז. הֵיכָלָא תְּלִיתָאָה: בְּהַאי אִית רוּחָא וְדָא אדרהינא"ל שְׁמֵיהּ, וְאִיהוּ קָיְימָא עַל נִשְׁמָתְהוֹן דְּאִינוּן דְּאַהֲדָרוּ בִּתְיוּבְתָּא, וְלָא אַהֲדָרוּ, כְּגוֹן דַּחֲשִׁיבוּ וְעַד לָא אַהֲדָרוּ בְּהוּ מִיתוּ אִלֵּין טָרְדִין לוֹן בַּגֵּיהִנֹּם וּלְבָתַר עָאלִין לוֹן לְהַאי רוּחָא מְמַנָּא, וְנָטִיל לוֹן, וְזַמִּינָן לְאִתְהֲנָאָה מִזִּיו יְקָרָא דְּמָארֵיהוֹן, וְלָא אִתְהַנּוּן. וְאִלֵּין אִקְרוּן בְּנֵי בָשָׂר, וַעֲלַיְיהוּ כְּתִיב וְהָיָה מִדֵּי חֹדֶשׁ בְּחָדְשׁוֹ וּמִדֵּי שַׁבָּת בְּשַׁבַּתּוֹ יָבֹא כָל בָּשָׂר לְהִשְׁתַּחֲוֹת לְפָנַי אָמַר ה'.

נח. הֵיכָלָא רְבִיעָאָה: הָכָא קָיְימָא חַד רוּחָא גדריהא"ל שְׁמֵיהּ, דָּא קָיְימָא עַל כָּל

אִינּוּן נִשְׁמָתִין דְּקָטוֹלֵי דִּשְׁאָר עַמִּין לְעָאֳלָא לוֹן, גּוֹ פּוֹרְפָּרָא דְּמַלְכָּא, וְאִתְרְשִׁימוּ תַּמָּן, עַד יוֹמָא דְּיִנְקוֹם לוֹן קֻבָּ"ה דִּכְתִיב יָדִין בַּגּוֹיִם מָלֵא גְוִיּוֹת מָחַץ רֹאשׁ עַל אֶרֶץ רַבָּה.

נט. הֵיכָלָא וַחֲמִישָׁאָה: הָכָא קַיְּימָא חַד רוּחָא, דְּאִקְרֵי אַדִירִיאֵ"ל וְדָא קַיְּימָא עַל כָּל אִלֵּין נִשְׁמָתִין, דְּאִתְקַיְּימוּ בְּהַהוּא סִטְרָא, וְאִלֵּין אִינּוּן לְעֵילָא מִכֻּלְּהוּ, דִּי בִּמְדוֹרָא דָא, עִלָּאָה עַל כֹּלָּא וּמִיכָאֵל רַב מְמַנָּא עַל כֻּלְּהוּ קַיְּימָא בֵּיהּ, וְכַמָּה אֶלֶף וְרִבְבָן, כֻּלְּהוּ קַיְּימִין תְּחוֹתֵיהּ בְּהַהוּא סִטְרָא, וְתַמָּן מִתְעַדְּנִין אִינּוּן נִשְׁמָתִין דַּחֲסִידֵי, בְּהַהוּא נְהוֹרָא עִלָּאָה דְּנַגְדָּא מֵעָלְמָא דְּאָתֵי.

ס. ת"ח אר"ש מַאן הוּא דְּיָדַע לְסַדְּרָא צְלוֹתָא דְּמָרֵיהּ כְּמֹשֶׁה, בְּשַׁעֲתָא דְּאִצְטְרִיךְ לֵיהּ, לְסַדְּרָא צְלוֹתֵיהּ בַּאֲרִיכוּת סֵדֶר, וּבְשַׁעֲתָא דְּאִצְטְרִיךְ לֵיהּ לְקַצְרָא הָכֵי נָמֵי. אר"ש הָא אַשְׁכַּחְנָא בְּסִפְרֵי קַדְמָאֵי, סִדּוּרָא דְּרָזֵי דְּרָזִין, בְּקִשּׁוּרָא חֲדָא, וּמְנִין דְּאִצְטְרִיךְ לְסַדְּרָא צְלוֹתֵיהּ כִּדְקָא יָאוּת, וּלְקַשְּׁרָא קִשְׁרִין, לְבַסּוּמֵי לְמָארֵיהּ כִּדְקָא יָאוּת, וּלְמִנְדַּע לְיַחֲדָא יִחוּדָא שְׁלִימְתָא, לְמִקְרַע רְקִיעִין, וּלְאַפְתְּחָא תַּרְעִין וּפִתְחִין דְּלָא יְהֵא מַאן דִּימְחֵי בִּידֵיהּ.

סא. זַכָּאִין אִינּוּן צַדִּיקַיָּא, דְּאִנּוּן יָדְעֵי לְמִפְתֵּי לְמָארֵיהוֹן, וּלְבַטּוֹלֵי גְּזֵרִין, וּלְאַשְׁרָאָה שְׁכִינְתָּא בְּעָלְמָא, וּלְנַחְתָּא בִּרְכָאן, וּלְמֶעְדֵּי מָארֵיהוֹן דְּדִינִין דְּלָא יִשְׁלְטוּן בְּעָלְמָא. קָם ר"ש וְאָמַר, מִי יְמַלֵּל גְּבוּרוֹת ה' וגו', מַאן יְגַלֵּי עַפְרָא מֵעֵינָךְ אַבְרָהָם וַחֲסִידָא, יְמִינָא דְקֻבָּ"ה, דְּגָלֵי לָךְ רָזָא דְּרָזִין, וְשָׁרֵיאַת צְלוֹתִין בְּעָלְמָא, וְאִתְגַּלְיָין לָךְ הֵיכָלֵי דְּמַלְכָּא עִלָּאָה.

סב. שִׁבְעָה הֵיכָלִין קַדִּישִׁין אִינּוּן, וְאִינּוּן קַיְּימִין בִּתְרֵעִין בְּקִיּוּמָא, וּבְכָל חַד וְחַד עָאל צְלוֹתָא דְּיִחוּדָא, דְּמַאן דְּיָדַע לְבַסּוּמֵי לְמָארֵיהּ, וּלְיַחֲדָא יִחוּדָא בִּשְׁלִימוּ, דְּיָדַע לְאָעֳלָא בְּכֻלְּהוּ, וּלְקַשְּׁרָא קִשְׁרִין אִלֵּין בְּאִלֵּין, רוּחָא בְּרוּחָא, רוּחָא תַּתָּאָה בְּרוּחָא עִלָּאָה, כְּתִיב ה' בַּצַּר פְּקָדוּךָ צָקוּן לַחַשׁ מוּסָרְךָ לָמוֹ.

סג. הֵיכָלָא קַדְמָאָה: כְּתִיב וְתַחַת רַגְלָיו כְּמַעֲשֵׂה לִבְנַת הַסַּפִּיר, וּכְעֶצֶם הַשָּׁמַיִם לָטֹהַר. רָזָא דְּרָזִין, רוּחַ דְּאִקְרֵי סַפִּירָא כְּסַפִּירוּ דְּאֶבֶן טָבָא, נָצִיץ לִתְרֵין סִטְרִין, נְהוֹרָא חַד סָלֵיק וְנָחֵית, וְהַהוּא נְהוֹרָא חִוָּור, נָצִיץ לְכָל סְטַר: עֵילָא וְתַתָּא וּלְאַרְבַּע סִטְרֵי עָלְמָא, נְהוֹרֵיהּ תַּלְיָין סָתִים וְגַלְיָיא.

סד. מִנְּהוֹרָא דָא מִתְפָּרְשִׁין ד' נְהוֹרִין, לְד' סִטְרִין, וְכֻלְּהוּ נְהוֹרִין חַד נְהוֹרָא, כְּבוּצִינָא דִּשְׁרָגָא דְּדָלֵיק, וְנָצִיץ נְהוֹרִין לְוִיזוּ דְּעַיְינִין דִּבְנֵי נָשָׁא, וְאִינּוּן נְהוֹרִין דִּשְׁרַגָּא, סַלְקִין וְנַחְתִּין אָזְלִין וְתַיְיבִין, מִגּוֹ הַהוּא אֶשָּׁא דִּנְהוֹרָא דִּשְׁרַגָּא דְּדָלֵיק, וְכֻלְּהוּ חַד נְהוֹרָא, הָכֵי נָמֵי אִלֵּין. וּנְצִיצִין כֻּלְּהוּ נְהוֹרִין, כְּוִיזוּ דִּנְחָשָׁא בְּטִישָׁא בְּסוּמְקָא, כְּמָה דְּאִתְּמַר, וְנוֹצְצִים כְּעֵין נְחֹשֶׁת קָלָל. דָא הוּא לִימִינָא.

סה. לִשְׂמָאלָא, אִית רוּחָא דְּאִקְרֵי לִבְנָה, וְדָא אִתְכְּלֵיל בְּרוּחָא קַדְמָאָה, וְעָאל דָא בְּדָא, נְהוֹרֵיהּ סוּמָק וְחִוַּור כַּחֲדָא, בְּגִין דְּנַפְקָא מֵאִינּוּן נְהוֹרִין קַדְמָאִין. כַּד אָתוּ נְהוֹרִין דְּדָא, מָטוּ בִּנְהוֹרִין קַדְמָאִין וְאִתְכְּלִילוּ בֵּיהּ, וְאִינּוּן חַד, וְאִתְחֲזוּן נְהוֹרֵי קַדְמָאֵי בִּלְחוֹדַיְיהוּ. וְלָא אִתְגַּלְיָין אִינּוּן אָחֳרָנִין, וְלָא אִתְיְדָעוּ דְּעָאלוּ בְּגַוַּויְיהוּ, וְאִתְטַמְּרוּ בֵּיהּ. כד"א וְלֹא נוֹדַע כִּי בָאוּ אֶל קִרְבֶּנָה וגו' וְדָא הוּא רוּחָא בְּרוּחָא דְּאִינּוּן חַד, נְהוֹרִין בִּנְהוֹרִין דְּאִינּוּן חַד. וְהָכָא אִינּוּן תְּרֵין רְקִיעִין תַּתָּאִין מֵאִינּוּן רְקִיעִין דְּאִקְרוּן שְׁמֵי הַשָּׁמַיִם.

סו. מִתְּרֵין רוּחִין אִלֵּין מִנַּצְּצָן, אִתְבְּרִיאוּ אִינּוּן אוֹפַנִּין, דְּאִינּוּן קַדִּישִׁין, דְּדִינַיְיהוּ כְּדִינָא דְּחַיּוֹת, כְּדִכְתִיב מַרְאֵה הָאוֹפַנִּים וּמַעֲשֵׂיהֶם וגו', וְדָא הוּא דִּכְתִיב, וּדְמוּת

הַחַיּוֹת מַרְאֵיהֶן כְּגַחֲלֵי אֵשׁ בּוֹעֲרוֹת כְּמַרְאֵה הַלַּפִּידִים. הִיא מִתְהַלֶּכֶת בֵּין הַחַיּוֹת, מָאן הִיא, דָּא רוּחָא קַדִּישָׁא, אֲתַר דְּנַפְקוּ מִנֵּיהּ, וְאִיהִי נָהִיר לוֹן, דִּכְתִּיב וְנוֹגַהּ לָאֵשׁ, וּמִן הָאֵשׁ יוֹצֵא בָרָק.

סו. כַּד אִתְכְּלִיל רוּחָא בְּרוּחָא, נָפִיק מִנַּיְיהוּ, נְהִירוּ דְּחַד וְזִיוָותָא רַמְיָא עַל ד' אוֹפַנִּין, וְהָא דְּיוֹקְנָא דִּילֵיהּ כְּאַרְיֵה, שַׁלִּיט עַל אֶלֶף וּתְלַת מְאָה רִבּוֹא דְּאוֹפַנִּין אָחֳרָנִין, גַּדְפָּהָא דְּנִשְׁרָא, הַאי אִתְמַנָּא עַל אִינּוּן אוֹפַנִּים, בְּד' גַּלְגַּלִּים, נָטְלִין כָּל חַד וְחַד, מֵאִינּוּן אַרְבַּע, בְּכָל גַּלְגַּלָּא וְגַלְגַּלָּא תְּלַת סָמְכִין וְאִינּוּן תְּרֵיסַר סָמְכִין בְּד' גַּלְגַּלִּין, רוּחָא דָּא שָׁלְטָא עַל כֹּלָּא, מֵהָכָא נָפְקוּ, וְדָא רוּחָא קַיְּימָא לְכֻלְּהוּ, מִינָּהּ אִתְּזָנוּ.

סז. אִלֵּין ד' אוֹפַנִּים, ד' אַנְפִּין לְכָל חַד וְחַד, וְכָל אִינּוּן אַנְפִּין, אִסְתַּכְּיָין לְאַרְבַּע סִטְרִין דְּהַהוּא זִיוָותָא דְּקַיְּימָא עֲלַיְיהוּ. כַּד נָטְלִין אִלֵּין אַרְבַּע תְּחוֹת הַהוּא זִיוָותָא, עָאלוּ דָּא בְּדָא, וּמִשְׁתַּלְּבָן דָּא בְּדָא. כד"א מַקְבִּילוֹת הַלּוּלָאוֹת אִשָּׁה אֶל אֲחוֹתָהּ, לְאִתְכַּלְלָא וְחָדָא בְּחָדָא וּלְאָעֳלָא דָּא בְּדָא. כַּד נָטְלִין אִינּוּן גַּלְגַּלִּין, אִשְׁתְּמַע קָל נְעִימוּתָא, בְּכָל אִינּוּן חֵילִין דִּלְתַתָּא לִזְנַיְיהוּ.

סח. תְּחוֹת הֵיכָלָא דָּא, מִתְפָּרְשִׁין חֵילִין לְבַר, לְכַמָּה סִטְרִין דִּרְקִיעִין דִּלְתַתָּא, עַד דְּמָטוּ לְכֹכָבָא דְּשַׁבְּתָאי, כֻּלְּהוּ אִסְתַּכְּיָין לְהֵיכָלָא דָּא מִתַּמָּן אִתְּזָנוּ כָּל אִלֵּין דִּי בְּהֵיכָלָא דָּא, כֻּלְּהוּ אִסְתְּכוּ לְהַהוּא רוּחָא, דִּכְתִּיב אֶל אֲשֶׁר יִהְיֶה שָׁמָּה הָרוּחַ לָלֶכֶת יֵלֵכוּ לֹא יִסַּבּוּ בְּלֶכְתָּן, וְדָא הוּא הֵיכָלָא דְּאִקְרֵי לִבְנַת הַסַּפִּיר.

ע. רוּחָא דָּא דְּכָלֵיל רוּחָא אָחֳרָא תִּנְיָינָא, סַלְקָא וְנַחֲתָא נְהוֹרֵיהּ, דְּלָא שָׁכִיךְ לְעָלְמִין, כְּנוּרָא דְּשִׁמְשָׁא גּוֹ מַיָּא, לֵית מָאן דְּקָאִים עֲלֵיהּ, בַּר רְעוּתֵיהּ דְּבַר נָשׁ זַכָּאָה, בְּהַהוּא צְלוֹתָא, דְּעָאלַת בְּהַהוּא הֵיכָלָא, וְסַלְקָא לְקַשְׁרָא קִשְׁרִין בִּשְׁלִימוּ, בְּשֵׁירוּתָא דְּרוּחַ דָּא כַּדְקָא חֲזֵי. כְּדֵין נְהוֹרָא אִתְעַטַּף בֵּיהּ, וְחָדֵי בָּהּ וְסַלְקָא עִמָּהּ לְאִתְקַשְּׁרָא בְּקִשּׁוּרָא דְּהֵיכָלָא תִּנְיָינָא, לְאִתְכַּלְלָא רוּחָא דְּכָלֵיל בְּרוּחָא אָחֳרָא עִלָּאָה דַּעֲלֵיהּ.

עא. וְרוּחָא דָּא דְּכָלֵיל, כָּלֵיל בֵּיהּ הַהִיא זִיוָותָא, וְכָל אִינּוּן אוֹפַנִּין וְגַלְגַּלִּין, וְאִתְאַחֲדָן בֵּיהּ, כְּגַוְונָא דְּאִתְאַחֲדָא אֶשָּׁא בְּמַיָּא, וּמַיָּא בְּאֶשָּׁא, דָּרוֹם בְּצָפוֹן, צָפוֹן בְּדָרוֹם, מִזְרָח בְּמַעֲרָב, וּמַעֲרָב בְּמִזְרָח, הָכִי אִתְאַחֲדָן כֻּלְּהוּ דָּא בְּדָא, וְאִתְקַשְּׁרָן דָּא בְּדָא. הַהוּא רוּחָא סָלְקָא לְאִתְקַשְּׁרָא, וְהַהִיא זִיוָותָא אִסְתַּכְּיָיא לְעֵילָּא, לְגַבֵּי הֵיכָלָא תִּנְיָינָא וְאִסְתַּכְּיָין דָּא בְּדָא.

עב. בְּאֶמְצָעִיתָא דְּהֵיכָלָא דָּא, נָעִיץ חַד עַמּוּדָא, דְּסַלְקָא עַד אֶמְצָעִיתָא דְּהֵיכָלָא אָחֳרָא, וְאִיהוּ נָקִיב וְנָעִיץ מִתַּתָּא לְעֵילָּא, לְאִתְדַּבְּקָא רוּחָא בְּרוּחָא, וְכֵן עַד לְעֵילָּא מִכֻּלְּהוּ, לְמֶהֱוֵי כֻּלְּהוּ רוּחָא וְחָדָא, כד"א וְרוּחַ אֶחָד לַכֹּל.

עג. הֵיכָלָא תִּנְיָינָא: כְּתִיב וּכְעֶצֶם הַשָּׁמַיִם לָטוֹהַר, הָכָא אִיהוּ הַהוּא רוּחָא דְּאִקְרֵי זֹהַר, וְקַיְּימָא בְּחִוָּורְתָּאתְדִּיר, דְּלָא אִתְעֲרָבוּ גַּוְונָיו בְּאָחֳרָא, וְאִיהוּ עֶצֶם דְּלָא אִשְׁתַּנֵּי לְעָלְמִין. דָּא לָאו אִיהוּ בְּאִתְגַּלְיָא הָכִי, לְאִתְנַצְּצָא כְּאָחֳרָא, דָּא קָשֵׁי לְאִתְגַּלְיָא. כִּסְתִּימוּ דְּעֵינָא, דְּכַד מִתְגַּלְגְּלָא אִזְדְּהַר, וְנָצִיץ בְּגַלְגּוּלָא, וְדָא אוּף הָכִי, בְּגִין דְּכַד הַהוּא רוּחָא קַדְמָאָה סַלְקָא, מְגַלְגֵּל בְּגַלְגּוּלָא, וְגַלֵּי לֵיהּ, וְאִתְקַשַּׁר בַּהֲדֵיהּ, בְּקִשּׁוּרָא דְּחִוָּורְתָּא דְּעֵינָא גּוֹ גַּוָּון אָחֳרָא דְּאִיהוּ דַּקִּיק מִנֵּיהּ דְּשָׁארֵי עֲלוֹי.

עד. מִתְגַּלְגְּלָא רוּחָא דָּא, מִגּוֹ רוּחָא דִּלְתַתָּא, נְהוֹרָא דִּלְתַתָּא אַסְחַר לְגַלְגְּלָא נְהוֹרָא דָּא וְאִתְנְהִיר, וְלָא יָכִיל לְאִתְנַהֲרָא עַד דְּאָחִיד תַּתָּאָה בֵּיהּ וְאִתְקַשַּׁר בַּהֲדֵיהּ, וּכְדֵין

אַנְהִיר וְאַוְזִיד בִּנְהוֹרָא דִלְתַתָּא, דְהוּא כָּלִיל, וְלָא אִשְׁתַּנֵּי כְּלָל, אֶלָּא אִתְגַּלְיָא בְּגִינֵיהּ, בְּגַלְגּוּלָא דִילֵיהּ.

עה. וְכַד נְהוֹרָא דָא מִתְגַּלְגְּלָא, נָטֵיל נְהוֹרָא אָחֳרָא לִסְטַר שְׂמָאלָא, וְאִתְגַּלְגְּלָא בַּהֲדֵיהּ, וְאִסְתַּחַר עִמֵּיהּ, וְרָזָא דָא כְּתִיב וַחֲמוּקֵי יְרֵכַיִךְ כְּמוֹ חֲלָאִים מַעֲשֵׂה יְדֵי אָמָּן. זַכָּאָה אִיהוּ מַאן דְיָדַע לְגַלָּאָה נְהוֹרִין.

עו. רוּוְזָא אָחֳרָא אִתְכְּלִיל בַּהֲדֵיהּ וְאִסְתַּחַר וְנָהִיר סְוַזרְנֵיהּ, בְּגַוְון תִּכְלָא וְזִוָּור, הַהוּא וְזִוָּור אִתְקַשַּׁר בְּוְזִוָּור דָא, וְהַהוּא תִּכְלָא אִתְקַשַּׁר בְּסוּמְקָא דִנְהוֹרָא תַּתָּאָה, דִלְסְטַר שְׂמָאלָא, וְאִתְכְּלִילוּ דָא בְּדָא, וַהֲווֹ וְזַד, וְאִקְרוֹן עֶצֶם הַשָּׁמַיִם, וְכָל מַה דִלְתַתָּא, וְהַהוּא הֵיכְלָא דִלְתַתָּא, כֹּלָּא אִתְכְּלִיל הָכָא, וּבְגִין דְכֹלָּא אִתְכְּלִיל הָכָא, אִתְקְרֵי עֶצֶם הַשָּׁמַיִם.

עז. מִכְּלָלָא דִנְהוֹרִין אִלֵּין אִתְבְּרִיאוּ אִינּוּן שְׂרָפִים, דְשִׁית גַּדְפִּין, כד"א שְׂרָפִים עוֹמְדִים מִמַּעַל לוֹ שֵׁשׁ כְּנָפַיִם שֵׁשׁ כְּנָפַיִם לְאֶוְזָד, כֻּלְּהוּ בְּשֵׁשׁ, בְּגִין דְכֻלְּהוּ מֵעֶצֶם הַשָּׁמַיִם. אִלֵּין אִינּוּן דְאוֹקִידוּ לְאִינּוּן דְלָא וַזיְישֵׁי עַל יְקָרָא דְמָארֵיהוֹן, וְרָזָא דְאִשְׁתַּמֵּשׁ בְּתָגָא וַזְלָף. מַאן דְקָארֵי וְתָנֵי שִׁית סִדְרֵי מִשְׁנָה, דָא הוּא מַאן דְיָדַע לְסַדְרָא וּלְקַשְּׁרָא קְשׁוּרָא יִוזוּדָא דְמָארֵיהּ, כִּדְקָא יָאוֹת, אִלֵּין אִינּוּן דִמְקַדְשִׁין שְׁמָא קַדִּישָׁא דְמָארֵיהוֹן בְּכָל יוֹמָא תָּדִיר.

עח. כַּד מִתְגַּלְגְּלָן נְהוֹרִין, נָפַק מִגַּיְיהוּ נְהִירוּ דְוַזד וֵזיוָותָא, דְאִיהִי קַיְימָא וְרַמְיָא, עַל ד' וֵזיוָון, שַׁלִּיטִין עַל קַמָּאֵי, דִכְלִילוּ לוֹן בְּגַוַּוְיְיהוּ, וּבְאִלֵּין כַּד נָטְלִין אִתְכַּפְיָין שְׂרָפִים תַּתָּאֵי, נְוָזשִׁים דְנָפְקֵי מִגּוֹ הַהוּא נָוָזשׁ שָׂרָף, דְגָרִים מוֹתָא לְכָל עָלְמָא.

עט. אִלֵּין וֵזיוָון אַנְפֵּי נֶשֶׁר, מִסְתַּכְּלָן לְגַבֵּי הַהוּא וֵזיוָתָא, נִשְׁרָא עִלָּאָה דַעֲלַיְיהוּ, כד"א דֶּרֶךְ הַנֶּשֶׁר בַּשָּׁמַיִם, רוּוְזָא דָא שַׁלְטָא עַל כֹּלָּא, הַהִיא וֵזיוָתָא דְרַמְיָא עַל כֻּלְּהוּ אִסְתַּכְּיָא לְעֵילָא, וְכֻלְּהוּ לְגַבֵּיהּ.

פ. כֻּלְּהוּ כַּד נָטְלִין מִזְדַּעְזְעִין כַּמָּה וַזיָּילִין, מִנְּהוֹן נְהִירִין מִנְּהוֹן מִתְחַבְּרֵי מִקִּיּוּמַיְיהוֹן, וְאוֹקִידוּן לוֹן בְּנוּרָא, וְאַתְיָין וּמִתְוַזדְשָׁן כְּמִלְּקַדְּמִין, כֻּלְּהוּ עָאלִין תְּחוֹת הַהוּא וֵזיוָתָא, מִסְתַּתְּרִין תְּחוֹת גַּדְפָּהָא, לְאַכְלָלָא לוֹן לְעֵילָא.

פא. אִינּוּן ד' וֵזיוָון סָלְקִין כַּד רוּוְזָא אִזְדְּהַר בְּגוֹ הַהוּא וֵזיוָותָא. אַרְבַּע גַּלְגַּלִּין לְכָל וַזד וְוַזד, גַּלְגַּלָּא וְזָדָא אִסְתְּכֵי לִסְטַר מִזְרָוז, תְּלַת סָמְכִין נָטְלִין לֵיהּ, וְאִסְתַּכְּיָין לְאֶמְצָעִיתָא. וְגַלְגַּלָּא וְזָדָא אִסְתְּכֵי לִסְטַר מַעֲרָב, וּתְלַת סָמְכִין נָטְלִין לֵיהּ וְאִסְתַּכְּיָין לְאֶמְצָעִיתָא. וְגַלְגַּלָּא וְזָדָא אִסְתְּכֵי לִסְטַר דָּרוֹם וּתְלַת סָמְכִין נָטְלִין לֵיהּ וְאִסְתַּכְּיָין לְאֶמְצָעִיתָא. וְגַלְגַּלָּא אוֹוזְרָא אִסְתְּכֵי לִסְטַר צָפוֹן וּתְלַת סָמְכִין נָטְלִין לֵיהּ וְאִסְתַּכְּיָין לְאֶמְצָעִיתָא. וְכֻלְּהוּ סָמְכִין תְּרֵיסַר, נָטְלִין מִגּוֹ אֶמְצָעִיתָא. וְהַהוּא אֶמְצָעִיתָא סָגִיר וּפָתַוז. וְכָל גַּלְגַּלָּא וְגַלְגַּלָּא כַּד נָטְלָא קָלָא אִשְׁתְּמַע בְּכֻלְּהוּ רְקִיעִין.

פב. אִלֵּין אַרְבַּע וֵזיוָון כֻּלְּהוּ מִתְלַבְּשָׁן דָא בְּדָא, וְעָאלִין אִינּוּן אוֹפַנִּים דִלְתַתָּא, בְּגוֹ אִלֵּין וֵזיוָון דִלְעֵילָא, כְּלִילָן אִלֵּין בְּאִלֵּין, רוּוְזָא דָא דְאִתְכְּלִיל בְּאִינּוּן רוּוְזִין, מִלְּהַטָּא וְסָלְקָא לְאִתְאַוְזָדָא לְעֵילָא. וּלְאִתְקַשְּׁרָא בִּרְעוּתָא דְבַר נָשׁ זַכָּאָה, בְּהַהִיא צְלוֹתָא דִצְלֵי, דְכַד סָלְקָא וְעָאלַת בְּהַהוּא הֵיכְלָא נָטֵיל כֹּלָּא, וְכֻלְּהוּ נָטְלִין בַּהֲדָהּ, וְאִתְכְּלִילוּ דָא בְּדָא, עַד דְאִתְכְּלִילוּ בְּהַהוּא רוּוְזָא. וְהַהוּא רוּוְזָא נָטְלָא בִּרְעוּתָא דִקְשׁוּרָא דְיִוזוּדָא דִצְלוֹתָא דְמְיַוזְדָא כֹּלָּא, עַד דְמָטוּ כֻּלְּהוּ לְהֵיכְלָא תְּלִיתָאָה, כְּלִילָן דָא בְּדָא

כִּדְקַדְמָאֵי, אֶשָּׁא בְּמַיָּא, וּמַיָּא בְּאֶשָּׁא, רוּחָא בְּעַפְרָא וְעַפְרָא בְּרוּחָא, מִזְרָח בְּמַעֲרָב, מַעֲרָב בְּמִזְרָח, צָפוֹן בְּדָרוֹם, דָּרוֹם בְּצָפוֹן. וְהָכֵי הָנֵי כֻּלְּהוּ מִתְקַשְּׁרָן דָּא בְּדָא, וּמִתְאַחֲדָן דָּא בְּדָא, וּמִשְׁתַּלְּבָן דָּא עִם דָּא, וְכֵן כַּמָּה חַיָּילִין וּמַשִּׁרְיָין דְּאִתְאַחֲדוּ לְתַתָּא וְאִתְעָרְבוּ בְּאִינוּן תַּתָּאֵי עַד דִּמְטוּ לְכֹכָבָא דְּצֶדֶק, וְתַמָּן כַּמָּה מְמַנָּן עַל עָלְמָא.

פג. וְכַד רוּחָא דָּא דְּאִתְכְּלִיל מִכֻּלְּהוּ, וְכֻלְּהוּ כְּלִילָן בֵּיהּ, סָלֵיק וְאִתְאַחֵד וְעָאל בְּגוֹ הֵיכָלָא תְּלִיתָאָה, עַד דְּאִתְאַחֵד בְּרוּחָא דְּתַמָּן, בְּגוֹ הַהוּא עַמּוּדָא דְּקָאֵים בְּאֶמְצָעִיתָא, וּכְדֵין כֹּלָּא אִשְׁתְּלִים עַד הָכָא, כִּדְקָא יָאוֹת. וְכֻלְּהוּ רוּחָא חֲדָא, כָּלֵיל מִכֹּלָּא, וּשְׁלִים מִכֹּלָּא, כד"א וְרוּחַ אֶחָד לַכֹּל, הָכָא הַכְּרָעָה לְאִתְדַּבְּקָא בְּמָארֵיהּ.

פד. הֵיכָלָא תְּלִיתָאָה: הֵיכָלָא דָּא, אִיהוּ הֵיכָלָא, דְּהַהוּא רוּחָא דְּאִקְרֵי נֹגַהּ, רוּחָא דָּא, אִיהוּ דַּכְיָא, בָּרִיר מִכֻּלְּהוּ, לֵית לֵיהּ גַּוָּון דְּאִתְחֲזֵי בֵּיהּ, לָאו חִוָּור, וְלָאו יָרוֹק, וְלָאו אוּכָם, וְלָא סוּמָק. וּבְגִין כָּךְ אִקְרֵי טוֹהַר, דַּכְיָא, בְּרִירָא מִכָּל אִלֵּין תַּתָּאִין, וְאע"ג דְּאִיהוּ דַּכְיָא מִכֹּלָּא, לָא אִתְחֲזֵי, עַד דְּאִלֵּין תַּתָּאֵי מִתְגַּלְגְּלָן וַאֲחִידָן בֵּיהּ, וְעָאלִין בְּגַוֵּיהּ. כֵּיוָן דְּעָאלִין בְּגַוֵּיהּ, כְּדֵין אַחֲזֵי נְהוֹרֵיהּ, וְלָא גַּוָּון חַד מִכֻּלְּהוּ.

פה. כַּד אִשְׁתְּלַם הַאי רוּחָא, מִכֻּלְּהוּ תַּתָּאֵי, אַפֵּיק מִנֵּיהּ נְהוֹרָא, דְּכָלֵיל בִּתְלַת נְהוֹרִין. אִינוּן תְּרֵין נְהוֹרִין, סָלְקִין וְנָחֲתִין וְנָצְצִין. בְּהַהוּא נְצוֹצָא אִתְחֲזוּן עֶשְׂרִין וּתְרֵין נְהוֹרִין, מְשַׁנְיָין דָּא מִן דָּא, וְכֻלְּהוּ חַד נְהוֹרָא, וְעָאלִין בְּגוֹ הַהוּא חַד נְהוֹרָא, וְהַהוּא נְהוֹרָא כָּלֵיל לוֹן.

פו. וְלָא נָהִיר, בַּר בְּזִמְנָא דְּאִלֵּין נְהוֹרִין דִּלְתַתָּא סָלְקִין, וְהַהוּא רְעוּתָא דִּצְלוֹתָא נָטֵיל לְכֻלְּהוּ, כְּדֵין הַהוּא נְהוֹרָא נָפֵיק מִגּוֹ הַהוּא רוּחָא, אִתְנְהִיר הַהוּא נְהוֹרָא, וְאַפֵּיק אִלֵּין תְּרֵין נְהוֹרִין, נָצְצִין, וְאִתְחֲזוּן כְּחוּשְׁבַּן כ"ב אַתְוָון דְּאוֹרַיְיתָא. לְבָתַר מִתְהַדְּרִין וּכְלִילָן בְּהַהוּא נְהוֹרָא.

פז. כָּל אִינוּן נְהוֹרִין תַּתָּאֵי, כֻּלְּהוֹן כְּלִילָן בְּהָנֵי נְהוֹרִין, וְכֻלְּהוּ בִּנְהוֹרָא דָּא. הַאי נְהוֹרָא אִיהוּ כָּלֵיל בְּגוֹ הַהוּא רוּחָא, וְהַהוּא רוּחָא, קַיְּימָא בְּהֵיכָלָא תְּלִיתָאָה דָּא, וְלָא קָאֵים לְאִתְיַשְּׁבָא, אֶלָּא בְּגוֹ הֵיכָלָא רְבִיעָאָה, דְּתֵיאוּבְתֵּיהּ לְסַלְּקָא לְגַוֵּיהּ.

פח. אִלֵּין נְהוֹרִין דְּנָפְקוּ מִגּוֹ הַהוּא רוּחָא, כַּד מְנַצְצִין, מִתְחַבְּרָן כֻּלְּהוּ נְהוֹרִין דְּנָצְצָן, בְּשַׁעֲתָא דְּנָפְקֵי מִגּוֹ הַהוּא נְהוֹרָא חֲדָא, וְדַחֲקִין לְאִתְנַצְּצָא, נָפְקֵי מִנַּיְיהוּ חַד חֵיוָתָא קַדִּישָׁא רַבְרְבָא, דְּיוּקְנָהָא כְּחֵיזוּ דְּכָל אִינוּן שְׁאָר חֵיוָתָא, דְּיוּקְנָא דְּאַרְיֵה וּדְיוּקְנָא דְּנֶשֶׁר כְּלִילָן כַּחֲדָא, וְאִתְעֲבִידוּ בָּהּ חַד דְּיוּקְנָא מִנַּיְיהוּ.

פט. תְּחוֹת הַאי חֵיוָתָא, אִית ד' אוֹפַנִּין עִלָּאִין, כְּחֵיזוּ דְּתַרְשִׁישׁ, מְרַקְמָן בִּכְלִילוּ דְּכָל גַּוְונִין. וְשִׁית מְאָה אֶלֶף רִבּוֹא, כֻּלְּהוּ בְּגַוַּויְהוּ, וְאִלֵּין ד' אוֹפַנִּים בִּתְמַנְיָא גַּדְפִּין כֻּלְּהוּ. וְכֻלְּהוּ נָפְקִין מִגּוֹ נְהִירוּ דְּהַהוּא חֵיוָתָא, דְּשָׁלְטָא עֲלַיְיהוּ, בְּשַׁעֲתָא דְּנָצֵיץ הַהוּא נְהוֹרָא, מַפְּקָא חַיָּילִין וְחַיָּילִין אִלֵּין.

צ. וְאִלֵּין ד' דִּתְחוֹתָהּ קַיָּימִין בְּד' סִטְרִין דְּעָלְמָא, בְּד' אַנְפִּין כָּל חַד וְחַד, תְּרֵין אַנְפִּין מִסְתַּכְּלָן לְגַבֵּי הַהוּא חֵיוָתָא, וּתְרֵין אַנְפִּין מְחַפְּיָין בְּגַדְפַּיְיהוּ, מֵאִינוּן נְהוֹרִין דְּנָצְצָן דְּלָא יָכְלִין לְאִסְתַּכְּלָא.

צא. בְּכָל זִמְנָא דְּנָטְלֵי אִלֵּין, בְּד' גַּלְגַּלִּין וּתְרֵיסַר סַמְכִין כְּקַדְמָאֵי, אִתְעֲבֵיד מֵהַהוּא זִיעָא דִּלְהוֹן, כַּמָּה חַיָּילִין וּמַשִּׁרְיָין, דְּכֻלְּהוּ מְשַׁבְּחִין וּמְזַמְּרֵי דְּלָא מִשְׁתַּכְּכֵי לְעָלְמִין, וּלְאִלֵּין לֵית לוֹן שִׁיעוּרָא.

צב. אַרְבַּע פִּתְחִין אִית לְהֵיכָלָא דָּא, לְאַרְבַּע סִטְרִין דְּעָלְמָא, עֶשֶׂר מְמַנָּן בְּכָל

פִּתְוָא וּפִתְוָא, וּבְזִמְנָא דְכֻלְּהוּ דִּי בְּגוֹ הֵיכָלִין דִּלְתַתָּא, וְאִינּוּן הֵיכָלִין סָלְקִין בִּרְעוּ דִצְלוֹתָא דַכְיָא, כֻּלְּהוּ פְּתוּוִין פְּתוּוִין, עַד דְּכְלִילָן כֻּלְּהוּ, אִלֵּין בְּאִלֵּין, וּמְשַׁלְּבִין אִלֵּין בְּאִלֵּין, וְעָאלִין כֻּלְּהוּ, מִמְּנָן גּוֹ מִמַּנָן, מַשִׁרְיָין גּוֹ מַשִׁרְיָין, אוֹפַנִּים בְּחַיּוֹת, וְחַיּוֹת בְּאוֹפַנִּים בְּאִלֵּין אוֹפַנִּים, נְהוֹרִין בִּנְהוֹרִין רְוִוָא בִּרְוִוָא, עַד דְּעָאלוּ בִּרְוִוָא דָא.

צג. בְּהֵיכָלָא דָא, אִית דּוּכְתָּא חֲדָא, כְּזִיווּ דְּדַהֲבָא דְנָצִיץ, וְתַמָּן גְּנִיזִין כַּמָּה חַיָּילִין וּמַשִׁרְיָין, דְּלָא סָלְקִין וְלָא מִתְעַטְּרִין לְעֵילָא, אֶלָּא, בְּשַׁעֲתָא דְּכָל אִלֵּין קָשְׁרִין קִשְׁרָן, וְהֵיכָל נָטִיל לְאִתְעַטְּרָא, כֻּלְּהוֹן נָפְקִין מַלְיָין בְּדִינָא, וְאִקְרוּן מָארֵי תְּרֵיסִין שַׁלִּיטָן בְּעָלְמָא, מִגּוֹ מָארֵי דִינִין דִּי בְּהֵיכָלָא רְבִיעָאָה, בְּהַאי דּוּכְתָּא תַּלְיָין, בְּאַרְבַּע סִטְרִין, שִׁית מְאָה אֶלֶף רִבְוָון מְגִינִּים דְּדַהֲבָא לְכָל סְטַר וּסְטַר, וְכֵן לְתַתָּא מִנַּיְיהוּ שׁוֹרִין מַקִּפָן וְאִינּוּן שִׁתִּין.

צד. וְכָל הָנֵי מְגִנִּים, כֻּלְּהוּ מַגִּיוִוין קְרָבִין סַיָּיפִין וְרוֹמְחִין לְבַר, בְּכָל אִינּוּן שַׁלִּיטֵי דִינִין דְּעָלְמָא, עַד דְּמָטוּ דַּרְגִּין בְּדַרְגִּין לְכֹכָבָא דְמַאְדִּים, וּכְדֵין הֵיכָלָא סַלְקָא וְאִתְעַטְּרַת בְּהַהוּא רְוִוָא בְּכָל אִינּוּן חַיָּילִין, וְאִשְׁתְּאַר הַהוּא דּוּכְתָּא בְּאַתְרֵיהּ, וְהַהוּא דּוּכְתָּא אִקְרֵי תָּא הָרָצִים, אִינּוּן שַׁלִּיטִין מְרַהֲטֵי לְאַשְׁלָמָא דִינִין וּפֻרְעָנִין בְּכָל סִטְרֵי עָלְמָא.

צה. כַּד סָלְקָא צְלוֹתָא נָטִיל כָּל הָנֵי נְהוֹרִין וּמַשִׁרְיָין וְקָשַׁר קִשְׁרִין וְאִתְכְּלִילוּ כֻּלְּהוּ כַּחֲדָא, עַד דְּאִתְקְשַׁר רְוִוָא בִּרְוִוָא וְאִינּוּן חַד, וְעָאלוּ גּוֹ הַהוּא עַמּוּדָא לְאִתְכְּלָלָא בִּרְוִוָא דְהֵיכָלָא רְבִיעָאָה. זַכָּאָה חוּלָקֵיהּ מַאן דְּיָדַע רָזָא דְמָארֵיהּ וְאָרִים דִּגְלֵיהּ בְּאַתַר דְּאִצְטְרִיךְ.

צו. וְתָא חֲזֵי כֹּלָּא אִצְטְרִיךְ דָּא לְדָא, וְדָא לְדָא, לְאַשְׁלָמָא דָא עִם דָּא וּלְהִתְנַהֲרָא דָּא בְּדָא, עַד דְּסָלִיק כֹּלָּא לַאֲתַר דְּאִצְטְרִיךְ שְׁלִימוּ. מִתַּתָּא בְּקַדְמֵיתָא וּמִלְעֵילָא לְבָתַר, וּכְדֵין אִיהוּ שְׁלִימוּ בְּכָל סִטְרִין וְאִשְׁתְּלִים כֹּלָּא כִּדְקָא יָאוּת.

צז. מָאן דְּיָדַע רָזִין אִלֵּין וְעָבֵיד שְׁלִימוּ, דָּא אִיהוּ מִתְדַּבֵּק בְּמָארֵיהּ וּבַטֵּיל כָּל גְּזֵרִין קָשִׁין, וְאִיהוּ אַעֲטַר לְמָארֵיהּ וּמַשִּׁיךְ בִּרְכָאן עַל עָלְמָא, וְדָא אִיהוּ בַּר נָשׁ דְּאִקְרֵי צַדִּיקָא עַמּוּדָא דְעָלְמָא, וּצְלוֹתֵיהּ לָא אַהֲדַר רֵיקַנְיָא, וְחוּלָקֵיהּ בְּעָלְמָא דְּאָתֵי וְאִיהוּ בְּחוּשְׁבַּן בְּנֵי מְהֵימְנוּתָא.

צח. ת"ח כָּל הָנֵי הֵיכָלִין, וְכָל הָנֵי חֵיוָתָא וְכָל הָנֵי חַיָּלִין וְכָל הָנֵי נְהוֹרִין וְכָל הָנֵי רוּחִין, כֻּלְּהוּ אִצְטְרִיכוּ דָא לְדָא בְּגִין לְאַשְׁתַּלְמָא מִתַּתָּא וּלְאַשְׁתַּלְמָא לְבָתַר מִלְעֵילָא. אִלֵּין הֵיכָלִין אִינּוּן מִתְדַּבְּקִין דָּא בְּדָא.

צט. וְכֻלְּהוּ כִּגְוָונִין דְּעֵינָא מִתְדַּבְּקִין דָּא עִם דָּא, כָּל מַה דִּי בְּגַוַּויְיהוּ, אִינּוּן כְּהַהוּא חֵיזוּ דְּמִתְחֲזְיָא בִּסְתִימוּ, כַּד מִתְגַּלְגְּלָא עֵינָא, וְאִתְחֲזֵי הַהוּא זֶהֳרָא נָצִיץ. וְהַהוּא מַה דְּלָא אִתְחֲזֵי בְּהַהוּא גַּלְגּוּלָא, אִיהוּ הַהוּא רְוִוָא דְּשָׁלְטָא עַל כֹּלָּא. וּבְגִין כָּךְ קַיְּימָא דָּא בְּדָא, דַּרְגִּין עַל דַּרְגִּין עַד דְּאִתְעַטַּר כֹּלָּא כִּדְקָא יָאוּת.

ק. וְתָא חֲזֵי, אִלְמָלֵא כָּל אִינּוּן גְּוָונִין דְּעֵינָא, דְּאִתְחֲזְיָין כַּד אַסְתִּים עֵינָא וְאִתְגַּלְגְּלָא בְּגַלְגְּלָא, לָא אִתְחֲזוּן אִינּוּן גְּוָונִין דְּזָהֲרָן, וְאִלְמָלֵא אִינּוּן גְּוָונִין, לָא אִתְדַּבַּק הַהוּא דִּסְתִים דְּשָׁלְטָא עֲלַיְיהוּ. אִשְׁתְּכַח דְּכֹלָּא תַּלְיָא דָּא בְּדָא, וְאִתְקְשַׁר דָּא בְּדָא.

קא. כַּד אִתְכְּלִיל כֹּלָּא כַּחֲדָא בְּהֵיכָלָא תְּלִיתָאָה, וּרְעוּתָא דִצְלוֹתָא סַלְקָא לְאִתְעַטְּרָא בְּהֵיכָלָא רְבִיעָאָה, כְּדֵין כֹּלָּא חַד, וּרְעוּתָא חֲדָא, וְקִישׁוּרָא חֲדָא. הָכָא הִשְׁתַּחֲוָאָה לְאִתְרַצָּאָה בְּמָארֵיהּ.

קב. מִכָּלְהוּ, אַרְבַּע הֵיכָלִין לְדָא, דָּא לְגוֹ מִן דָּא, וְכֻלְּהוּ וַחַד הֵיכָלָא, הָכָא אִיהוּ רְוָוחָא, דְּאִקְרֵי זְכוּת, בַּאֲתַר דָּא מִתְהַפֵּךְ זְכוּת דְּכָל בְּנֵי עָלְמָא, רְוָוחָא דָּא נָטִיל כֹּלָּא.

קג. מִנֵּיהּ נָפְקוּ שַׁבְעִין נְהוֹרִין, כֻּלְּהוּ מְנַצְּצָן, וְכֻלְּהוּ בְּעִגּוּלָא, דְּלָא מִתְפַּשְּׁטֵי כְּאִלֵּין אֻחֲרָנִין, מִתְדַּבְּקִין דָּא בְּדָא, וּנְהִירִין דָּא בְּדָא אֲחִידָן דָּא בְּדָא. כָּל זַכְיָין דְּעָלְמָא, קַמֵּי אִלֵּין נְהוֹרִין קַיְימִין. מִכָּלְהוּ נָפְקֵי תְּרֵין נְהוֹרִין שְׁקוּלִין כַּחֲדָא, דְּקַיְימֵי קַמַּיְיהוּ תְּדִירָא.

קד. לְקָבֵל אִלֵּין, אִינּוּן שַׁבְעִין רַבְרְבָן מִמַּנָּן לְבַר, דְּסַחֲרִין כָּל אַרְבַּע הֵיכָלִין. שַׁבְעִין נְהוֹרִין אִלֵּין, וּתְרֵי נְהוֹרִין דְּקַיְימִין קַמַּיְיהוּ, כֻּלְּהוּ פְּנִימָאִין, גּוֹ לְגוֹ, וְרָזָא דָּא דִּכְתִיב בִּטְנֵךְ עֲרֵמַת חִטִּים סוּגָה בַּשּׁוֹשַׁנִּים.

קה. לְקַמֵּי נְהוֹרִין אִלֵּין עָאלִין כָּל זַכּוּ, וְכָל עוֹבָדִין דְּעָלְמָא, לְאִתְדָּנָא תְּרֵין נְהוֹרִין אִלֵּין, אִינּוּן סָהֲדֵי סָהֲדוּתָא, בְּגִין דְּאִית שִׁבְעָה עֵינֵי ה' דִּמְשַׁטְּטֵי בְּכָל אַרְעָא, כָּל מַה דְּאִתְעֲבֵיד בְּעָלְמָא אִתְרְשִׁים בְּהַהוּא עוֹבָדָא מַמָּשׁ, וְהַהוּא זְכוּתָא מַמָּשׁ, וְקַיְימֵי בְּקִיּוּמַיְיהוּ, וְאִלֵּין תְּרֵין נְהוֹרִין וַחֲמָאן בְּהוּ, וּמִסְתַּכְּלָן, וְסָהֲדֵי קַמֵּי אִלֵּין ע' נְהוֹרִין. אִלֵּין ע' גָּזְרֵי גְּזֵרִין, וְדַיְינֵי דִּינִין, הֵן לְטַב הֵן לְבִישׁ, וְהָכָא אִיהוּ אֲתַר דִּזְכוּתָא.

קו. רְוָוחָא דָּא, בֵּיהּ אִתְרְשִׁימוּ, אַתְוָון תְּלַת דְּאִינּוּן יה"ו דְּכַד אִלֵּין אַתְוָון מִתְדַּבְּקָן בְּהַאי אֲתַר, בְּאִתְדַּבְּקוּתָא דִּדְכוּרָא וְנוּקְבָא, כְּדֵין אִתְרְשִׁימוּ בֵּיהּ, וְלָא אִתְעֲדוּן מִתַּמָּן. לְבָתַר נָפַק וַחַד נְהוֹרָא, נָהִיר לְאַרְבַּע סִטְרִין, הַאי נְהוֹרָא אַפֵּיק תְּלַת אֻחֲרָנִין, דְּאִינּוּן תְּלַת בָּתֵּי דִּינָא, דְּדַיְינִין דִּינִין אֻחֲרָנִין, בְּמִלִּין דְּעָלְמָא, בְּעוּתְרָא בְּמִסְכְּנוּ, בְּמַרְעִין בִּשְׁלִימוּ, בְּכָל אִינּוּן שְׁאָר מִלִּין, דְּעָלְמָא אִתְדָּן בְּהוּ. וַחַד הֵיכָלָא, לְאִינּוּן ע' קַדְמָאֵי לְגוֹ, תְּלָתָא לְאִלֵּין תְּלָתָא אֻחֲרָנִין.

קז. סָלְקָא הַאי רְוָוחָא, וְכָלֵיל כָּל אִינּוּן דִּלְתָתָא, וְאַפֵּיק וַחַד חֵיוָתָא קַדִּישָׁא מִתְלַהֲטָא, וְעַיְינִין לָהּ, כְּעֵינֵי אֵינָשָׁא, לְאַשְׁגָּחָא בְּאֶלֶף אַלְפִין וְרִבּוֹא רִבְוָון חַיָּילִין, מָארֵיהוֹן דְּדִינָא, כֻּלְּהוּ נָטְלִין פִּתְקִין, וּפְתוּחִין וְסַגְּרִין בְּעָלְמָא, וְאַשְׁלִימוּ דִּינָא.

קח. תְּחוֹת הַאי חֵיוָתָא, ד' שְׂרָפִים, מְלַהֲטָן, כֻּלְּהוּ כְּחִוָּור וְשׁוֹשַׁן, וְשַׁבִּיבֵי דְּאֶשָּׁא סָלְקִין. ע"ב גַּלְגַּלִּין לְכָל וַחַד, מְלַהֲטָן בְּאֶשָּׁא. כַּד נָטְלִין אִתְעֲבֵיד נָהָר וְחַד דִּי נוּרָא. אֶלֶף אַלְפִין מְשַׁמְּשִׁין לְהַהוּא נוּרָא, מִתַּמָּן נָפְקֵי כַּמָּה חַיָּילִין, כַּד גַּלְגַּלִּין נָטְלִין, כַּמָּה אִינּוּן רִבּוֹא רִבְוָון דְּיָקוּמוּן מִנַּיְיהוּ, בְּגוֹ הַהוּא נוּרָא. תְּחוֹת הֵיכָלָא תִּנְיָינָא, נָפְקֵי חַיָּילִין דִּמְזַמְּרִין, וְאַתְיָין לְקָרְבָא הָכָא, וְאִתּוֹקְדוּן כֻּלְּהוּ.

קט. כָּל אִינּוּן מְמַנָּן דְּעָלְמָא דְּאִתְמַנּוּן לְשַׁלְטָאָה, מֵהָכָא נָפֵיק דִּינְהוֹן לְשַׁלְטָאָה, מִגּוֹ הַהוּא רְוָוחָא דְּאִתְרְשִׁים בִּתְלַת אַתְוָון, וּמֵהָכָא מַעְבְּרִין קִיּוּמַיְיהוּ מֵעָלְמָא, וְאִתְדָּנוּ בְּהַאי נוּרָא דְּנָגִיד וְנָפִיק. כֹּלָּא אִתְמְסַר בְּהַאי הֵיכָלָא, בְּגִין דְּאִתְרְשִׁימוּ בִּתְלַת אַתְוָון הָכָא, הַאי רְוָוחָא, אִתְכְּלֵיל בְּהוּ. הַהוּא חֵיוָתָא, אַפֵּיק חַיָּילִין וּמַשִּׁרְיָין, דְּלֵית לְהוֹן חוּשְׁבְּנָא.

קי. כָּל דִּינִין דְּעָלְמָא, מֵהַאי הֵיכָלָא נָפְקֵי, הֵן לְטַב הֵן לְבִישׁ, בַּר תְּלַת: בָּנֵי, חַיֵּי וּמְזוֹנֵי. דְּלָא אִתְיְהַב רְשׁוּ בַּאֲתַר דָּא, דְּהָא בְּהַהוּא נָהָר עִלָּאָה, דְּכָל נְהוֹרִין נַגְדִּין מִנֵּיהּ, קַיְימָא מִלָּה. בְּאֶמְצָעִיתָא דְּהֵיכָלָא דָּא, הוּא אֲתַר מְתַקְּנָא לְקָבֵל רְוָוחָא דִּלְעֵילָא, בְּגוֹ רְוָוחָא דָּא, וְדָא סָלְקָא בְּהוּ.

קיא. תְּרֵין עֲשַׂר פִּתְחִין אִינּוּן לְהֵיכָלָא דָּא. בְּכָל פִּתְחָא וּפִתְחָא כָּל אִינּוּן סָרְכִין וּמְמַנָּן, דְּאִינּוּן מַכְרְזֵי לְאוֹדָעָא לְתַתָּא, כָּל אִינּוּן דִּינִין דִּזְמִינִין לְנַחֲתָא לְתַתָּא, כְּמָא דְּאַתְּ אָמֵר קָרֵא בְּחַיִל, וְכֵן אוֹמֵר גֹּדּוּ אִילָנָא וְגוֹ'.

קיב. ומגו כרוזי אלין, נטלי מלה כל מאריהון דגדפין, עד דאודעי מלה לרקיע דרזמה, ומתמן כד נפיק שמשא, נפיק מלה, ואתשטייא בעלמא, עד דמטי לההוא חויא דרקיעא, דכל ככבי דרקיעא גלידו ביה, דאיהו באמצעיתא דרקיעא.

קיג. ושמעין מלה, ונקטין לה אינון סרכין דתחות, ואינון דממנן על ההוא חויא, ומתמן אתפשט לעלמא, ואפילו רוחין ושדין, ואפילו עופי שמיא, מודעי ליה בעלמא כרוזין. תבין וסתמין פתחין. לא סלקא רוחא ברוחא, עד דכלהו רוחין תתאי כלהו חד, בהדי האי רוחא, וכלהו אתכליכן ועאלין דא בדא, עד דאתעביד כלא חד.

קיד. בר נש כד איהו בבי מרעיה, הכא אתדן, הן לחיים, הן למות, וחיין תליא לעילא, אי אתדן הכא לחיים, יהבי חיין מלעילא, ואי לא, לא יהבין. זכאה חולקיה מאן דאתדבק במאריה, ויעול ונפיק. הכא קידה באנפין בארעא, לאתגברא על דינא, על האי היכלא אתמר אל אמונה ואין עול וגו'.

קטו. היכלא חמישאה, היכלא דא, היכלא דברקא זהיר, דאיהו רוחא דמזהיר נהיר לאינון תתאי, רוחא דא איהו כליל, ופתח וסגיר, נהיר ונציץ לכל סטרין. מנציצו דא, נהיר חד נהורא כעין ארגוונא, נהורא דא, כליל כל גוונין דנהרין נהורא חוור, ואוכם, סומק, וירוק. אתכליכן אלין באלין, אתרקים חוור בסומק, אוכם בירוק, לבתר חוור באוכם, ואתעביד חד חיזותא מרקמא, ואתכליל בה, ירוק וסומק, דיוקנהא כדיוקנא דבר נש, דכליל כל דיוקנין.

קטז. מינה נפקו ד' סמכין דאינון חיזון רברבן, על אלין דלתתא, וחד אקרי אופן, דאיהו תרין, בגין דכד אתחזי האי, אתנהיר אוורא בגויה, דביק דא בדא, עאל דא בדא, לבתר עאל אוורא דא בדא, ואתחזון ד' רישין, לד' סטרין דעלמא, וכלהו חד גופא, ואלין אינון דכתיב בהו כאשר יהיה האופן בתוך האופן, וכלהו אלין קשורין דא בדא, כחיזו דחיזון עלאין, דלא מתפרשין לעלמין, האי חיזותא. דארבע גוונין מרקמן, אחידן אלין באלין לד' סטרין. מהכא, כד נטלא חיזותא דא, נטלא לתרין סטרין.

קיז. האי רוחא דברקא, אתכליל בתרין רוחין, רוחא דא דברקא, אפיק חד חיזותא וכל אינון נהורין. רוחא אוורא אתנהיר מניה, דאקרי רוחא מלהטא.

קיח. נהרין מניה תרין נהורין דאינון ארבע. ואלין נהורין מתהפכין בגוונין, והכא איהו להט החרב המתהפכת, אלין אינון נהורין דמתהפכן שננא דחרבא. ואילו קיימי על היכלא דלתתא, בגין דהאי להט החרב, קיימא על אינון ע' נהורין דבי דינא מהכא, כל אינון דיינין דדייני דינא, וחרבא תליא על רישייהו מלעילא.

קיט. האי להט החרב, דאלין אינון נהורין דלסטר שמאלא, אפיקו חד חיזותא אוורא, דקיימא על ד', דלא קימי בקיומייהו, תרי מימינא, ותרי משמאלא, כד רוחא דחיזותא האי עאל באלין, נציץ מנייהו תרי ניצוצין מלהטן, ונפקי מהאי היכלא לבר, ומתהפכי תדיר. אלין ניצוצין מלהטן, לזמנין נוקבי, לזמנין גוברי, לזמנין רוחין, לזמנין עירין קדישין.

קכ. מ"ט בגין דכד אתכליל האי חיזותא בחיזותא קדמאה, מגו תקיפו דאתכליכן דא בדא, נפקא חד נצוצא מלהטא תדיר, דלא אתדעך לעלמין, ושאטא ואזלא אבתרייהו דאינון תרין ניצוצין.

קכא. והשתא אינון גוברין, ועבדין שליחותא בעלמא, ועד לא מסיימי מתדעכי,

וההוא ניצוצא בטש בהו, ונהיר לון, ואתחדשון כמלקדמין, ואינון נוקבי, ואזלי ושאטן, ועד לא מסיימי מתדעכי, והאי ניצוצא בטש בהו, ונהיר לון, ואתהדרן כמלקדמין, בגין דההוא ניצוצא כליל מכלא, כליל מד' גוונין, ובגין דא אינון מתהפכין לכל הני גווני.

קכב. רוחא דא, אתכליל ברוחא אחרא, כדקאמרן, ואתחזון תרין כחדא, ולא כאחרנין קדמאין, דכד אתכליל דא בדא, לא אתחזי בר חד, והכא אתחזון תרין, וקימי בחביבותא, כלילן מכלהו תתאי, ואע"ג דאינון תרין, אינון חד. כד אתפשט, רוחא ברוחא, ואתחזון בחביבותא, כלילן מכלהו תתאי, דא הוא רזא, דכתיב שני שדיך כשני עפרים תאומי צביה הרועים בשושנים.

קכג. וכד תרין רוחין מתפשטן, דא בדא בחביבותא, כדין אתהדר האי היכלא, ואקרי היכל אהבה, היכלא דרחימותא, היכלא דא, קאים תדיר בקיומיה, אתגניז ברזא דרזין, למאן דאצטריך לאתדבקא ביה. והכא כתיב אתן את דודי לך.

קכד. לבתר כד נהרין, תרין רוחין דאינון חד, נפקי כמה חיילין, לכמה סטרין, אלפין ורבוון דלית לון שיעורא, מנהון אקרון דודאים, מנהון גפנים, מנהון רמונים, עד דמטו כמה חיילין לבר, עד ההוא ככבא דאקרי נגה, וכלהו בחביבו דלא מתפרשין לעלמין, בהכא כתיב אם יתן איש את כל הון ביתו באהבה בוז יבוזו לו. הכא השתחוואה ופרישו דידין לאתדבקא ברחימו דמאריה.

קכה. היכלא שתיתאה: הכא הוא רוחא דאקרי חוט השני רזא דכתיב כחוט השני שפתותיך, האי היכלא אקרי היכל הרצון, הכא רוחא דאיהו רעוא, דכל הני רוחין תתאין רהטין אבתריה, לאתדבקא ביה, בנשיקה ברחימותא.

קכו. האי רוחא אתכליל בשית, וקיימא בשית, אתכליל בשית דלתתא בהדיה, וקיימא בשית עלאין, ובגין כך, האי רוחא אפיק תריסר נהורין, כלילן כלהו מתתא ומלעילא, הני תריסר נהורין, אינון חדון לסלקא לעילא, ולקבלא כל אינון דלתתא.

קכז. היכלא דא, דאיהו רצון, רעוא דכלא, מאן דקשר קשרין, וסליק לון הכא, דא הוא דאפיק רצון מה' בחביבותא. בגו היכלא דא, אתכניש משה, ברחימו דנשיק נשיקי רחימותא, האי הוא היכלא דמשה, רוחא דא, רוחא דרחימותא, רוחא דיחודא, דאמשיך רחימו לכל סטרין.

קכח. אינון תריסר נהורין, סלקין ולהטין, מנציצו דלהון נפקי, ארבע חיוון קדישין, רחימי דאהבה, אלין אקרון חיות גדולות, לאתחברא אינון זוטי, לאתכללא בהו דכתיב חיות קטנות עם גדולות.

קכט. אלין אחידן דא בדא, לד' סטרין, כאגוזא דמתחברא לד' סטרין, ובג"כ אקרי היכלא דא גנת אגוז, דכתיב אל גנת אגוז ירדתי, מאי אל גנת אגוז, בגיניה דגנת אגוז, ירדתי, דאיהו היכלא דרחימו, לאתדבקא דכורא בנוקבא.

קל. אלין ארבע, מתפרשן לתריסר, תלת תלת לכל סטר, כל אינון תתאי כלילן בהו, ובהו קיימין רוחין ברוחין, נהורין בנהורין, כלהו אלין באלין, עד דאתעבידו חד, וכדין האי רוחא דכליל מכלהו, סלקא לאתעטרא ברוחא דלעילא, ההוא דאקרי שמים, וזמין ליה, לאתחברא בהדיה, כיון דאתקשרו כלהו דלתתא בהדיה, אמר ישקני מנשיקות פיהו, וכדין איהו חדוה לאתקשרא רוחא ברוחא, ולאשתלמא דא בדא, כדין איהו שלימו בחבורא חדא.

קלא. כֵּיוָן דְּהַאי רוּחָא אִתְחַבַּר בַּהֲדֵיהּ, וְאִשְׁתְּלִים דָּא בְּדָא, וְאִתְנְהִירוּ דָּא בְּדָא בְּכָל שְׁלִימוּ, כִּדְקָא וָזֵי, בְּהַאי רְעוּתָא דְּצַלֵּי ב״נ זַכָּאָה, דְּסָלִיק כּוֹלָא כִּדְקָא וָזֵי, עַד הַהוּא אֲתַר לְחַבְרָא רְזִימוּ דָּא בְּדָא, כְּדֵין כָּל אִינוּן הֵיכָלִין, וְכָל אִינוּן רוּחִין דְּאִתְכְּלִילוּ בְּהַאי, כָּל וָזַד וְוָזַד מֵאִינוּן רוּחִין וְהֵיכָלִין, דְּאִינוּן בִּכְלָלָא דְּשָׁמַיִם, כָּל וַזַד וְוָזַד נָטִיל הַהוּא הֵיכָלָא, וְהַהוּא רוּחָא דְּאִתְחֲזֵי לֵיהּ, לְאִתְחַבְּרָא בַּהֲדֵיהּ, וּלְאִשְׁתַּלְמָא בַּהֲדֵיהּ, כִּדְקָא יָאוּת. בְּגִין דְּהַהוּא רוּחָא שְׁתִיתָאָה דְּאִקְרֵי רָצוֹן, סָלִיק לוֹן לְגַבַּיְיהוּ, בְּהַהוּא יִחוּדָא.

קלב. וְהָכִי אִתְחַבְּרָן: שָׁמַיִם דְּאִיהִי רוּחָא קַדִּישָׁא לְעֵילָא, נָטִיל הֵיכָלָא דָּא, רוּחָא דָּא דְּאִקְרֵי רָצוֹן, לְאִתְנַשְּׁקָא דָּא בְּדָא, לְאִתְחַבְּרָא דָּא בְּדָא, לְאִשְׁתַּלְמָא דָּא בְּדָא, וְרָזָא דָּא וַיִּשַּׁק יַעֲקֹב לְרָחֵל וְגוֹ׳.

קלג. אַבְרָהָם, דְּאִיהוּ יְמִינָא לְעֵילָא, נָטִיל רוּחָא דְּאִקְרֵי אַהֲבָה, לְאִתְקַשְּׁרָא דָּא בְּדָא לְאִתְחַבְּרָא דָּא בְּדָא, לְמֶהֱוֵי וָזַד, וְסִימָנָךְ, הִנֵּה נָא יָדַעְתִּי כִּי אִשָּׁה יְפַת מַרְאֶה אָתְּ, וְשַׁפִּירוּ דְּאִתְּתָא בְּאִינוּן שָׁדַיִם.

קלד. יִצְחָק, דְּאִיהוּ שְׂמָאלָא, נָטִיל הַהוּא הֵיכָלָא דְּבֵי דִּינָא, דְּכָל דִּינִין מִתְעָרִין מִתַּמָּן, רוּחָא דְּאִקְרֵי זְכוּתָא, לְאִתְחַבְּרָא דָּא בְּדָא, וּלְאִשְׁתַּלְמָא דָּא בְּדָא, לְמֶהֱוֵי כֹּלָּא וָזַד כִּדְקָא יָאוּת. שְׁאָר נְבִיאִים נָטְלִין תְּרֵין הֵיכָלִין, תְּרֵין רוּחִין, נֹגַהּ וְזֹהַר בְּרָזָא דִּכְתִיב וַזֲמוּקֵי יְרֵכַיִךְ וְגוֹ׳ לְאִתְקַשְּׁרָא אִלֵּין בְּאִלֵּין לְמֶהֱוֵי וָזַד.

קלה. יוֹסֵף הַצַּדִּיק, עַמּוּדָא דְּעָלְמָא, נָטִיל הֵיכָלָא דְּסַפִּיר, רוּחָא דְּאִקְרֵי לִבְנַת הַסַּפִּיר, וְאע״ג דִּכְתִיב וְתַוזַת רַגְלָיו, בְּגִין יְקָרָא דְּמַלְכָּא, וְהָכִי הוּא וַדַּאי. וּלְבָתַר עַמּוּדָא דָּא נָטִיל יַתִּיר, דְּאִיהוּ רָזָא דְּרָזִין, בַּאֲתַר דְּהֵיכָלָא שְׁבִיעָאָה. עַד הָכָא מִתְחַבְּרָן דַּרְגִּין, וּמִתְחַבְּרָן דָּא בְּדָא, לְאִשְׁתַּכְלְמָא דָּא עִם דָּא, לְמֶהֱוֵי כֻּלְּהוּ וָזַד, כֹּלָּא כִּדְקָא וָזֵי. וּכְדֵין ה׳ הוּא הָאֱלֹקִים וְגוֹ׳. זַכָּאָה ווּלְקֵיהּ בְּעָלְמָא דֵּין, וּבְעָלְמָא דְּאָתֵי, מַאן דְּיָדַע לְקַשְּׁרָא לוֹן, וּלְאִתְדַּבְּקָא בְּמָארֵיהּ.

קלו. הָכָא הַכְּרָעָה וְהִשְׁתַּחֲוָאָה, וְקִידָה, וּפְרִישׂוּ דְּכַפִּין, וּנְפִילָה דְּאַפִּין. לְאַמְשָׁכָא רְעוּתָא דְּרוּחָא עִלָּאָה, נִשְׁמְתָא דְּכָל נִשְׁמָתִין, דְּאִיהוּ תַּלְיָא לְעֵילָא עַד אֵין סוֹף, דְּמִנֵּיהּ נָפְקֵי נְהִירוּ וּבִרְכָאן לְאַשְׁלָמָא כֹּלָּא מִלְּעֵילָא כִּדְקָא יָאוּת. וּלְמֶהֱוֵי כֹּלָּא בִּשְׁלִימוּ, מִתַּתָּא וּמִלְּעֵילָא, וְכָל אַנְפִּין נְהִירִין בְּכָל סִטְרִין כִּדְקָא יָאוּת. כְּדֵין כָּל גְּזֵרֵי דִּינִין מִתְבַּטְּלִין, וְכָל רְעוּתָא אִתְעֲבֵיד לְעֵילָא וְתַתָּא. וְעַל דָּא כְּתִיב וַיֹּאמֶר לִי עַבְדִּי אַתָּה יִשְׂרָאֵל אֲשֶׁר בְּךָ אֶתְפָּאָר. וּכְתִיב אַשְׁרֵי הָעָם שֶׁכָּכָה לוֹ, אַשְׁרֵי הָעָם שֶׁה׳ אֱלֹקָיו.

קלז. הֵיכָלָא שְׁבִיעָאָה: הֵיכָלָא דָּא, לָאו בֵּיהּ דְּיוֹקְנָא מַמָּשׁ, כֹּלָּא אִיהוּ בִּסְתִימוּ. גּוֹ רָזָא דְּרָזִין, פָּרוֹכְתָּא דִּפְרִיסָא. קַיְימִין כֻּלְּהוּ הֵיכָלִין, דְּלָא לְאִתְחֲזָאָה תְּרֵין כְּרוּבִים. לְגוֹ מִן דָּא קַיְימָא כַּפּוֹרְתָּא, דְּיוֹקְנָא דְּקֹדֶשׁ קוּדְשִׁין, בְּגִין כָּךְ הֵיכָלָא דָּא אִקְרֵי קֹדֶשׁ הַקֳּדָשִׁים. הַאי קֹדֶשׁ הַקֳּדָשִׁים, אֲתַר מִתְתַּקְּנָא, לְהַהוּא נִשְׁמְתָא עִלָּאָה, כְּלָלָא דְּכֹלָּא, עָלְמָא דְּאָתֵי לְגַבֵּי הַאי עִלָּאֵי.

קלח. דְּהָא כַּד מִתְחַבְּרָן, כֻּלְּהוּ רוּחֵי דָּא בְּדָא, וְאִשְׁתְּלִימוּ דָּא עִם דָּא, כִּדְקָא וָזֵי, כְּדֵין אִתְעַר רוּחָא עִלָּאָה נִשְׁמְתָא דְּכֹלָּא, לְגַבֵּי עֵילָא, סְתִימָא דְּכָל סְתִימִין, לְאִתְעָרָא עַל כֹּלָּא, לְאַנְהָרָא לוֹן מֵעֵילָא לְתַתָּא, וּלְאַשְׁלָמָא לוֹן לְאַדְלָקָא בּוֹצִינִין.

קלט. וְכַד כֹּלָּא בִּשְׁלִימוּ, בִּנְהִירוּ דְּכֹלָּא, וְזַוְּוגָא נְהִירוּ עִלָּאָה, כְּדֵין הַאי הֵיכָלָא

שְׁבִיעָאָה, אִיהוּ הֵיכָלָא סְתִימָאָה, בִּסְתִימוּ דְּכֹלָּא, לְקַבְּלָא הַהוּא קֹדֶשׁ הַקֳּדָשִׁים, נְהִירוּ דְּנָוְזִית, וּלְאִתְמַלְיָא מִתַּמָּן, כְּנוּקְבָא דְּמִתְעַבְּרָא מִן דְּכוּרָא, וְאִתְמַלְיָיא, וְלָא אִתְמַלְיָיא אֶלָּא מֵהַאי הֵיכָלָא, דְּמִתְתַּקְּנָא לְקַבְּלָא הַהוּא נְהִירוּ עִלָּאָה, וְרָזָא דָּא, הֵיכָלָא שְׁבִיעָאָה, אִיהוּ אֲתַר דְּחִבּוּרָא דְּזִוּוּגָא, לְאִתְחַבְּרָא שְׁבִיעָאָה בִּשְׁבִיעָאָה, לְמֶהֱוֵי כֹּלָּא חַד שְׁלִימוּ, כִּדְקָא חָזֵי.

קמ. וּמָאן דְּיָדַע לְקַשְׁרָא יִחוּדָא דָּא, זַכָּאָה חוּלָקֵיהּ, רְעֵים לְעֵילָּא, רְחִים לְתַתָּא, קֻבָּ"ה גָּזֵיר וְאִיהוּ מְבַטֵּל. סָלְקָא דַּעְתִּין, דְּאִיהוּ מְקַטְרְגָא בְּמָארֵיהּ, לָאו הָכֵי, אֶלָּא בְּגִין דְּכַד אִיהוּ קָשִׁיר קִשְׁרִין, וְיָדַע לְיַחֲדָא יִחוּדָא, וְכָל אַנְפִּין נְהִירִין, וְכָל שְׁלִימוּ אִשְׁתַּכַּח, וְכֹלָּא אִתְבָּרְכָא כִּדְקָא יָאוּת, כָּל דִּינִין מִתְעַבְּרִין וּמִתְבַּטְּלִין, וְלָא אִשְׁתַּכַּח דִּינָא בְּעָלְמָא. זַכָּאָה חוּלָקֵיהּ בְּעָלְמָא דֵּין, וּבְעָלְמָא דַּאֲתֵי, דָּא הוּא לְתַתָּא דִּכְתִּיב בֵּיהּ וְצַדִּיק יְסוֹד עוֹלָם, דָּא הוּא קִיּוּמָא דְּעָלְמָא, בְּכָל יוֹמָא קָארֵי עֲלוֹי כָּרוֹזָא וְאַתָּה תָּגִיל בַּה' בִּקְדוֹשׁ יִשְׂרָאֵל תִּתְהַלָּל.

קמא. כְּגַוְונָא דָּא קָרְבְּנָא סָלְקָא תְּנָנָא, וּמִסְתַּפְּקִין כָּל חַד וְחַד, כִּדְקָחָזֵי לֵיהּ, וְכַהֲנֵי בִּרְעוּתָא, וְלֵוָאֵי בִּבְסִימוּ דְּשִׁירָתָא, דָּא אִתְכְּלִיל בְּדָא, וְעַיְילֵי הֵיכָלָא בְּהֵיכָלָא, רְוָוחָא בִּרְוָוחָא, עַד דְּמִתְחַבְּרָן בְּדוּכְתַּיְיהוּ כִּדְקָא חָזֵי לֵיהּ, שַׁיְיפָא בְּשַׁיְיפָא, וְאִשְׁתַּלִּימוּ דָּא בְּדָא, וְאִתְיַיחֲדוּ דָּא בְּדָא, עַד דְּאִנּוּן חַד. וְנָהֲרִין דָּא בְּדָא.

קמב. כְּדֵין נִשְׁמְתָא עִלָּאָה דְּכֹלָּא, אַתְיָא מִלְּעֵילָּא, וְנָהִיר לוֹן, וַהֲווּ נְהִירִין כֻּלְּהוּ בּוּצִינִין בִּשְׁלִימוּ, כִּדְקָא חָזֵי, עַד דְּהַהוּא נְהוֹרָא עִלָּאָה אִתְעַר, וְכֹלָּא אָעֵיל לְגַבֵּי קֹדֶשׁ הַקֳּדָשִׁים, וְאִתְבָּרְכָא וְאִתְמַלְיָיא כְּבֵירָא דְּמַיִין נָבְעִין, וְלָא פָּסְקִין, וְכֻלְּהוּ מִתְבָּרְכָאן לְעֵילָּא וְתַתָּא.

קמג. הָכָא רָזָא דְּרָזִין, הַהוּא דְּלָא אִתְיְידַע, וְלָא אָעֵיל בְּחוּשְׁבְּנָא, רְעוּתָא דְּלָא אִתְפַּס לְעָלְמִין, בְּסִים לְגוֹ לְגוֹ בְּגַוַּויְיהוּ, וְלָא אִתְיְידַע הַהוּא רְעוּתָא, וְלָא אִתְפַּס לְמִנְדַּע, וְכַדֵּין כֹּלָּא רְעוּתָא וְחָדָא, עַד א"ס, וְכֹלָּא אִיהוּ בִּשְׁלִימוּ, מִתַּתָּא וּמִלְּעֵילָּא, וּמִגּוֹ לְגוֹ. עַד דְּאִתְעֲבֵיד כֹּלָּא חַד.

קמד. הַאי רְעוּתָא, לָא אָעֵיל לְגוֹ, אע"ג דְּלָא אִתְיְידַע, עַד דְּכֹלָּא אִשְׁתְּלִים, וְאִתְנְהִיר בְּקַדְמֵיתָא בְּכֻלְּהוּ סִטְרִין, כְּדֵין בָּסִים הַהוּא רְעוּתָא, וְלָא אִתְפַּס לְגוֹ בְּגוֹ בִּסְתִימוּ, וּכְדֵין זַכָּאָה חוּלָקֵיהּ מָאן דְּיִתְדַּבֵּק בְּמָארֵיהּ, בְּהַהִיא שַׁעֲתָא. זַכָּאָה אִיהוּ לְעֵילָּא, זַכָּאָה אִיהוּ לְתַתָּא, עֲלֵיהּ כְּתִיב יִשְׂמַח אָבִיךָ וְאִמֶּךָ וְתָגֵל יוֹלַדְתֶּךָ.

קמה. ת"ח, כֵּיוָן דְּכֻלְּהוּ אִשְׁתַּלִּימוּ דָּא בְּדָא, וְאִתְקַשְּׁרוּ דָּא בְּדָא, בְּקִשּׁוּרָא חֲדָא, וְנִשְׁמָתָא עִלָּאָה נָהִיר לוֹן מִסִּטְרָא דִּלְעֵילָּא, וְכֹלָּא נְהוֹרִין אִינּוּן בּוּצִינָא חֲדָא, בִּשְׁלִימוּ, כְּדֵין רַעֲוָא חֲדָא דְּמַחֲשָׁבָה אִתְפַּס, נְהִירוּ דְּלָא אִתְפַּס וְלָא אִתְיְידַע, בַּר הַהוּא רְעוּ דְּמַחֲשָׁבָה תָּפִיס, וְלָא יָדַע מַה תָּפִיס, אֶלָּא דְּאִתְנְהִיר וְאִתְבַּסַּם, הַהוּא רְעוּ דְּמַחֲשָׁבָה, וְאִתְמַלְיָא כֹּלָּא, וְאִשְׁתְּלִים כֹּלָּא, וְאִתְנְהִיר וְאִתְבַּסַּם כֹּלָּא, כִּדְקָא יָאוּת. וְעַל דָּא כְּתִיב אַשְׁרֵי הָעָם שֶׁכָּכָה לוֹ וגו'.

קמו. מָאן דְּזָכֵי לְאִתְדַּבְּקָא בְּמָארֵיהּ, כְּהַאי גַּוְונָא, יָרִית עָלְמִין כֻּלְּהוּ, רְחִימָא לְעֵילָּא, רְחִימָא לְתַתָּא, צְלוֹתֵיהּ לָא אֲהַדְרָא רֵיקַנְיָא, דָּא אִתְחַזֵּי קַמֵּי מָארֵיהּ, כִּבְרָא קַמֵּי אֲבוֹי, וְעָבֵיד לֵיהּ רְעוּתָא בְּכָל מַה דְּאִצְטְרִיךְ, וְאֵימְתֵיהּ שַׁלִּיט עַל כָּל בִּרְיָין, אִיהוּ גָּזֵיר וְקֻבָּ"ה עָבֵיד. עֲלֵיהּ כְּתִיב וְתִגְזַר אֹמֶר וְיָקָם לָךְ וְעַל דְּרָכֶיךָ נָגַהּ אוֹר.

קמז. א"ר יִצְחָק מִכָּאן דְּעָקַרְן קב"ה לְהָנֵי נְטִיעָן, וְשָׁתִיל לוֹן, מַשְׁמַע דִּכְתִּיב יְהִי. ר' יְהוּדָה אוֹמֵר, אוֹר שֶׁכְּבָר הָיָה, תְּנַן מַשְׁמַע דִּכְתִּיב וַיְהִי אוֹר, וְהָיָה לָא כְתִיב, אֶלָּא וַיְהִי. וְכַד אִסְתַּכַּל קב"ה בְּאִינּוּן דָּרִין דְּרַשִׁיעַיָּיא. גָּנִיז לֵיהּ לְצַדִּיקַיָּיא, הה"ד אוֹר זָרוּעַ לַצַּדִּיק וּלְיִשְׁרֵי לֵב שִׂמְחָה, וְהָא אִתְּמַר וַיֹּאמֶר אֱלֹקִים יְהִי אוֹר הה"ד מִי הֵעִיר מִמִּזְרָח וגו'.

קמח. וַיַּרְא אֱלֹהִים אֶת הָאוֹר כִּי טוֹב, מַאי רָאָה א"ר חִיָּיא כִּדְקָאֲמָרָן, וְחָמָא בְּעוֹבָדַיְיהוּ דְּרַשִׁיעַיָּיא וְגָנִיז לֵיהּ. ר' אַבָּא אֲמַר וַיַּרְא אֱלֹקִים אֶת הָאוֹר כִּי טוֹב לִגְנוֹז אוֹתוֹ. וַיַּרְא אֱלֹקִים אֶת הָאוֹר, דְּסָלֵיק נְהוֹרֵיהּ מִסַּיְיפֵי עָלְמָא עַד סַיְיפֵי עָלְמָא, וְכִי טוֹב הוּא לְאַגְנָזָא לֵיהּ דְּלָא יְהֲנוּן מִנֵּיהּ חַיָּיבֵי עָלְמָא.

קמט. אֲמַר רַבִּי שִׁמְעוֹן, וַיַּרְא אֱלֹקִים אֶת הָאוֹר כִּי טוֹב, דְּלָא יִשְׁתְּכַח בֵּיהּ רְתָחָא, כְּתִיב הָכָא כִּי טוֹב, וּכְתִיב הָתָם כִּי טוֹב בְּעֵינֵי ה' לְבָרֵךְ אֶת יִשְׂרָאֵל, וְסוֹפָא דִּקְרָא וַיַּבְדֵּל אֱלֹקִים בֵּין הָאוֹר וּבֵין הַחֹשֶׁךְ, וּבְג"כ לָא אִשְׁתְּכַח בֵּיהּ רְתָחָא, וְאַף עַל גַּב דְּשִׁתֵּף לוֹן קוּדְשָׁא בְּרִיךְ הוּא כַּחֲדָא.

קנ. ת"ח, נְהִירוּ עִלָּאָה, לְמֶהֱוֵי נָהִיר הַאי אוֹר, וּמֵהַהוּא נְהִירוּ, חֲדוּ לְכֹלָּא בֵּיהּ, וְהוּא יְמִינָא לְאִתְעַטְּרָא גּוּלְפֵּי גְּלִיפִין בְּהַדֵּיהּ, וְהָא אִתְּמַר כְּתִיב מָה רַב טוּבְךָ אֲשֶׁר צָפַנְתָּ לִּירֵאֶיךָ פָּעַלְתָּ לַחוֹסִים בָּךְ, מָה רַב טוּבְךָ, דָּא אוֹר קַדְמָאָה דְּגָנִיז קוּדְשָׁא בְּרִיךְ הוּא לִירֵאֶיךָ, לְצַדִּיקִים, לְאִנּוּן דְּדָחֲלֵי חַטָּאָה כִּדְקָאֲמָרָן.

קנא. יוֹם אֶחָד, וַיְהִי עֶרֶב מִסִּטְרָא דְּחוֹשֶׁךְ, וַיְהִי בֹקֶר, מִסִּטְרָא דְּאוֹר, וּמִגּוֹ דְּאִנּוּן מִשְׁתַּתְּפֵי כַּחֲדָא, כְּתִיב יוֹם אֶחָד, רַבִּי יְהוּדָה אֲמַר, מַאי טַעְמָא, בְּכָל יוֹמָא וְיוֹמָא כְּתִיב, וַיְהִי עֶרֶב וַיְהִי בֹקֶר. לְמִנְדַּע, דְּהָא לֵית יוֹם, בְּלָא לַיְלָה, וְלֵית לַיְלָה בְּלָא יוֹם, וְלָא אִבְעוּן לְאִתְפָּרְשָׁא.

קנב. אֲמַר רַבִּי יוֹסֵי, הַהוּא יוֹם דְּנָפַק אוֹר קַדְמָאָה, אִתְפְּשַׁט בְּכֻלְּהוּ יוֹמֵי, דִּכְתִּיב בְּכֻלְּהוּ יוֹם. אֲמַר רַבִּי אֶלְעָזָר, מַשְׁמַע דִּכְתִּיב בְּכֻלְּהוּ בֹּקֶר, וְלָאו בֹּקֶר אֶלָּא מִסִּטְרָא דְּאוֹר קַדְמָאָה. ר"ש אֲמַר, יוֹמָא קַדְמָאָה, אָזֵיל עִם כֻּלְּהוּ, וְכֻלְּהוּ בֵּיהּ, בְּגִין לְאַחֲזָאָה דְּלָאו בְּהוּ פֵּרוּדָא, וְכֹלָּא חַד.

קנג. וַיֹּאמֶר אֱלֹקִים יְהִי אוֹר, יְהִי: אִתְפַּשְּׁטוּתָא דְּהַאי אוֹר לְתַתָּא, וְאִלֵּין אִינּוּן מַלְאָכִין דְּאִתְבְּרִיאוּ בְּיוֹמָא קַדְמָאָה, אִית לוֹן קִיּוּמָא, לְאִתְקַיְּימָא לִסְטַר יְמִינָא. וַיַּרְא אֱלֹקִים אֶת הָאוֹר כִּי טוֹב, אֶת לְאִתְכְּלָלָא אִסְפַּקְלַרְיָאָה דְּלָא נָהֲרָא עִם אִסְפַּקְלַרְיָאָה דְּנָהֲרָא דְּאִתְּמַר כִּי טוֹב, אר"א, אֶת: לְאִתְכְּלָלָא וּלְאַסְגָּאָה כֻּלְּהוּ מַלְאָכִין דְּאַתְיָין מִסִּטְרָא דְּאוֹר דָּא, וְכֻלְּהוֹן נָהֲרִין כְּקַדְמֵיתָא בְּקִיּוּמָא שְׁלִים.

קנד. יְהִי רָקִיעַ בְּתוֹךְ הַמַּיִם, א"ר יְהוּדָה בְּהַאי אִתְפָּרְשׁוּ, מַיִין עִלָּאִין מִמַּיִין תַּתָּאִין. רָקִיעַ: פְּשִׁיטוּתָא דְּמַיִין, וְהָא אִתְּמַר, וִיהִי מַבְדִּיל, בֵּין מַיִין עִלָּאִין לְתַתָּאִין.

קנה. בֵּיהּ עֲבִידְתָּא, בְּסִגְיאוּ עִלָּאָה, וַיְהִי רָקִיעַ לָא כְתִיב, אֶלָּא וַיַּעַשׂ, דְּאַסְגֵּי לֵיהּ, בְּרִבּוּ סַגְיָא.

קנו. א"ר יִצְחָק, בַּשֵּׁנִי אִתְבְּרֵי גֵּיהִנֹּם, לְחַיָּיבֵי עָלְמָא, בַּשֵּׁנִי אִתְבְּרֵי מַחֲלוֹקֶת, בַּשֵּׁנִי לָא אִשְׁתְּלִים בֵּיהּ עֲבִידְתָּא, וּבְג"כ לָא כְתִיב בֵּיהּ כִּי טוֹב, עַד דַּאֲתָא יוֹם תְּלִיתָאָה, וְאִשְׁתְּלִים בֵּיהּ עֲבִידְתָּא, בְּג"כ כִּי טוֹב תְּרֵי זִמְנֵי, וְחַד עַל אַשְׁלָמוּת עֲבִידְתָּא דְּיוֹם שֵׁנִי, וְחַד לְגַרְמֵיהּ. בְּיוֹם תְּלִיתָאֵי אִתְתַּקַּן יוֹם שֵׁנִי, וְאִתְפָּרַשׁ בֵּיהּ מַחֲלוֹקֶת, וּבֵיהּ אִשְׁתְּלִימוּ רַחֲמֵי עַל חַיָּיבֵי גֵּיהִנֹּם, בְּיוֹמָא תְּלִיתָאָה מִשְׁתַּכְּכִין שְׁבִיבִין דְּגֵיהִנֹּם, בְּגִינֵי כָּךְ אִתְכְּלִיל בֵּיהּ יוֹם שֵׁנִי, וְאִשְׁתְּלִים בֵּיהּ.

קנז. ר' חִיָּיא הֲוָה יָתִיב קַמֵּיהּ דְּר"ש, א"ל הַאי אוֹר בְּיוֹם רִאשׁוֹן, וְחֹשֶׁךְ בְּיוֹם שֵׁנִי, וְאִתְפְּרָשׁוּ מַיָּא, וּמַחְלוֹקֶת הֲוָה בֵּיהּ, אַמַּאי לָא אִשְׁתְּלִים בְּיוֹם רִאשׁוֹן, דְּהַאי יְמִינָא כָּלִיל לִשְׂמָאלָא, א"ל עַל דָּא הֲוָה מַחְלוֹקֶת, וּתְלִיתָאָה בָּעֵי לְמֵיעַל בֵּינַיְיהוּ, לְאַכְרְעָא וּלְאַסְגָּאָה בְּהוּ שְׁלָם.

קנח. אִתְחַבְּרוּתָא דְּמַיִין עִלָּאִין בְּתַתָּאִין, לְמֶעְבַּד פֵּרִין, מַיִין עִלָּאִין, וְעַבְדֵי אִיבִּין, וְתַתָּאֵי קָרָאן לוֹן לְעִלָּאִין, כְּנוּקְבָא לְגַבֵּי דְּכוּרָא, בְּגִין דְּמַיִין עִלָּאִין דְּכוּרִין, וְתַתָּאֵי נוּקְבִין.

קנט. רַבִּי שִׁמְעוֹן אֲמַר, כָּל דָּא הוּא לְעֵילָּא, וְהוּא לְתַתָּא, א"ר יוֹסִי אִי הָכֵי אֱלֹקִים דְּקָא אֲמָרָן מַאי אֱלֹקִים, אֱלֹקִים חַיִּים לְעֵילָּא, וְאִי תֵּימָא לְתַתָּא אֱלֹקִים סְתָם. אֶלָּא לְתַתָּא אִיהוּ תּוֹלְדוֹת כְּמָה דְּאַתְּ אָמֵר, אֵלֶּה תוֹלְדוֹת הַשָּׁמַיִם וְהָאָרֶץ בְּהִבָּרְאָם, וְאַמְרִינָן בְּה' בְּרָאָם, וְהַהוּא לְעֵילָּא, אֲבָהָן דְּכֹלָּא הוּא, אִיהִי עֲבִידְתָּא, וְעַל דָּא אַרְעָא עַבְדַת תּוֹלְדוֹת, דְּהָא הִיא מִתְעַבְּרָא כְּנוּקְבָא מִן דְּכוּרָא.

קס. ר' אֶלְעָזָר אֲמַר, כָּל חֵילִין הֲווֹ בְּאַרְעָא, וְלָא אַפֵּיקַת חֵילָהָא, וְאִינוּן תּוֹלְדוֹתֶיהָ, עַד יוֹם הַשִּׁשִּׁי, דִּכְתִיב תּוֹצֵא הָאָרֶץ נֶפֶשׁ חַיָּה, וְאִי תֵּימָא וְהָא כְתִיב וַתּוֹצֵא הָאָרֶץ דֶּשֶׁא, אֶלָּא אַפֵּיקַת תִּקּוּן חֵילָהָא לְאִתְיַישְּׁבָא כִּדְקָא יָאוּת, וְכֹלָּא הֲוָה גָּנִיז בָּהּ עַד דְּאִצְטְרִיךְ, דְּהָא בְּקַדְמֵיתָא כְּתִיב צַדְיָיא וְרֵיקַנְיָא כְּתַרְגּוּמוֹ, וּלְבָתַר אִתְתַּקְנַת, וְאִתְיַישְּׁבַת וְקַבִּילַת זַרְעָא, וּדְשָׁאִין וְעִשְׂבִּין וְאִילָנִין כִּדְקָא יָאוּת, וְאַפֵּיקַת לוֹן לְבָתַר. וּמְאוֹרוֹת הָכֵי נָמֵי לָא שִׁמְשׁוּ נְהוֹרָא דִּלְהוֹן עַד דְּאִצְטְרִיךְ.

קסא. לְאַכְלָלָא חִוְיָא בִּישָׁא, דְּאַטִּיל זוּהֲמָא, וַעֲבַד פְּרוּדָא, דְּלָא מְשַׁמֵּשׁ שִׁמְשָׁא בְּסִיהֲרָא. מְאֹרֹת לְוָוטִין, וְעַל דָּא גָּרִים דְּאִתְלַטְיָיא אַרְעָא, דִּכְתִיב אֲרוּרָה הָאֲדָמָה, וּבְגִין כָּךְ מְאֹרֹת כְּתִיב.

קסב. וְחַד, יְהִי מְאֹרֹת דָּא סִיהֲרָא, רְקִיעַ הַשָּׁמַיִם דָּא שִׁמְשָׁא, וְתַרְוַויְיהוּ בְּכַלָּא וְחָדָא, לְאִזְדַּוְּוגָא לְאַנְהָרָא עָלְמִין, לְעֵילָּא וְתַתָּא, מַשְׁמַע דִּכְתִיב עַל הָאָרֶץ, וְלָא כְתִיב בָּאָרֶץ, דְּמַשְׁמַע לְעֵילָּא וְתַתָּא, וְחוּשְׁבַּן דְּכֹלָּא בְּסִיהֲרָא הוּא.

קסג. ר"ש אֲמַר, גִּימַטְרִיָּאוֹת וְחֶשְׁבּוֹן תְּקוּפוֹת וְעִבּוּרִין, כֹּלָּא הוּא בְּסִיהֲרָא, דְּהָא לְעֵילָּא לָאו אִיהוּ. א"ל ר' אֶלְעָזָר, וְלָא, וְהָא כַּמָּה חוּשְׁבְּנִין וְשִׁיעוּרִין קָעָבְדֵי חַבְרַיָּיא. א"ל, לָאו הָכֵי, אֶלָּא חוּשְׁבְּנָא קָיְימָא בְּסִיהֲרָא, וּמִתַּמָּן יָעוּל בַּר נָשׁ לְמִנְדַּע לְעֵילָּא, א"ל וְהָא כְתִיב וְהָיוּ לְאוֹתוֹת וּלְמוֹעֲדִים. א"ל, לְאֹתֹת כְּתִיב, חָסֵר. א"ל הָא כְתִיב וְהָיוּ. א"ל הָוְיָין כֻּלְּהוֹן דִּיהֲווֹן בֵּיהּ כְּאַסְקוּפָּא דָּא, דְּאִתְמַלְיָא מִכֹּלָּא, אֲבָל חוּשְׁבְּנָא דְּכֹלָּא בְּסִיהֲרָא הוּא.

קסד. ת"ח, נְקוּדָה חַד אִית, וּמִתַּמָּן שֵׁירוּתָא לְמִמְנֵי, דְּהָא מַה דִּלְגוֹ דְּהַהִיא נְקוּדָה, לָא אִתְיְדַע, וְלָא אִתְיְיהַב לְמִמְנֵי, וְאִית נְקוּדָה לְעֵילָּא סְתִים, דְּלָא אִתְגַּלְיָא כְּלַל, וְלָא אִתְיְדַע, וּמִתַּמָּן שֵׁירוּתָא לְמִמְנֵי, כָּל סְתִים וְעוּמְקָא, הָכֵי נָמֵי אִית נְקוּדָה לְתַתָּא דְּאִתְגַּלְיָא, וּמִתַּמָּן הוּא שֵׁירוּתָא לְכָל חוּשְׁבְּנָא, וּלְכָל מִנְיָן, וְעַל דָּא, הָכָא הוּא אֲתַר לְכָל תְּקוּפוֹת, וְגִימַטְרִיָּאוֹת, וְעִבּוּרִין, וְזִמְנִין, וְחַגֵּי, וְשַׁבָּתֵי. וְיִשְׂרָאֵל דְּדָבְקֵי בְּקֻבָ"ה עָבְדֵי חוּשְׁבַּן לְסִיהֲרָא, וְאִינוּן דָּבְקִין בֵּיהּ, וְסַלְקִין לֵיהּ לְעֵילָּא, דִּכְתִיב וְאַתֶּם הַדְּבֵקִים בַּה' אֱלֹקֵיכֶם וגו'.

קסה. שֶׁרֶץ נֶפֶשׁ חַיָּה, אֲמַר רַבִּי אֶלְעָזָר, הָא אוֹקְמוּהָ, דְּאִינוּן מַיִין רְחִישׁוּ וְאוֹלִידוּ כְּגַוְונָא דִּלְעֵילָּא, וְהָא אִתְּמַר. וְעוֹף יְעוֹפֵף עַל הָאָרֶץ, יָעוּף מִבָּעֵי לֵיהּ, מַהוּ יְעוֹפֵף.

קסו. א"ר שִׁמְעוֹן רָזָא הוּא, וְעוֹף דָּא מִיכָאֵל, דִּכְתִיב וַיָּעָף אֵלַי אֶחָד מִן הַשְּׂרָפִים. יְעוֹפֵף דָּא גַּבְרִיאֵל, דִּכְתִיב וְהָאִישׁ גַּבְרִיאֵל אֲשֶׁר רָאִיתִי בֶּחָזוֹן בַּתְּחִלָּה מֻעָף בִּיעָף. עַל הָאָרֶץ, דָּא אֵלִיָּהוּ, דְּאִשְׁתְּכַח תָּדִיר בְּאַרְעָא, וְלָא מִסִּטְרָא דְּאַבָּא וְאִמָּא אִשְׁתְּכַח, דְּאִיהוּ בְּד' טָאסִין, דִּכְתִיב וְרוּחַ ה' יִשָּׂאֲךָ עַל אֲשֶׁר לֹא אֵדָע, וְרוּחַ ה' וַחַד, יִשָּׂאֲךָ תְּרֵין, עַל אֲשֶׁר תְּלַת, לֹא אֵדָע אַרְבַּע.

קסז. עַל פְּנֵי, דָּא מַלְאַךְ הַמָּוֶת, דְּהוּא אַחְשִׁיךְ פְּנֵי עָלְמָא, וּכְתִיב בֵּיהּ וְחֹשֶׁךְ עַל פְּנֵי תְהוֹם, רְקִיעַ הַשָּׁמָיִם, כִּדְאַמָרָן, עוֹלֶה וּמַסְטִין וכו'. אָמַר רַבִּי אַבָּא, וְהָא מַלְאַךְ הַמָּוֶת בַּשֵּׁנִי אִתְבְּרֵי, אֶלָּא, עַל הָאָרֶץ, דָּא רְפָאֵל, דְּאִיהוּ מְמַנָּא לַאֲסוּתָא דְאַרְעָא, דִּבְגִינֵיהּ אִתְרַפִּיאַת אַרְעָא, וְקַיִּים בַּר נָשׁ עֲלָהּ, וְרַפֵּי לְכָל מַרְעִין, עַל פְּנֵי רְקִיעַ הַשָּׁמָיִם דָּא אוּרִיאֵל. וְכֹלָּא הוּא בִּקְרָא.

קסח. וּבְגִין כָּךְ, כְּתִיב בַּתְרֵיהּ, וַיִּבְרָא אֱלֹקִים אֶת הַתַּנִּינִים הַגְּדוֹלִים, אָמַר רַבִּי אֶלְעָזָר אִלֵּין אִינוּן שַׁבְעִין מְמַנָּן רַבְרְבָן, עַל שַׁבְעִין עַמִּין, וּבְגִין כָּךְ אִתְבְּרִיאוּ כֻּלְּהוּ, לְמֶהֱוֵי שַׁלִּיטָאן עַל אַרְעָא.

קסט. וְאֵת כָּל נֶפֶשׁ הַחַיָּה הָרוֹמֶשֶׂת, אִלֵּין אִינוּן יִשְׂרָאֵל, דְּאִינוּן נֶפֶשׁ וַדַּאי דְּהַהוּא חַיָּה, וְאִקְרוּן גּוֹי אֶחָד בָּאָרֶץ. אֲשֶׁר שָׁרְצוּ הַמַּיִם לְמִינֵיהֶם, דְּאִינוּן מִשְׁתַּדְּלִין בְּאוֹרַיְיתָא. וְאֵת כָּל עוֹף כָּנָף לְמִינֵהוּ, אִלֵּין צַדִּיקַיָּיא דִּבְהוֹן, וּבְגִין כָּךְ אִינוּן נֶפֶשׁ חַיָּה. ד"א וְאֵת כָּל עוֹף כָּנָף כִּדְקָא אִתְּמַר, אִלֵּין אִינוּן שְׁלוּחֵי עָלְמָא.

קע. אָמַר רַבִּי אַבָּא, נֶפֶשׁ חַיָּה אִינוּן יִשְׂרָאֵל, בְּגִין דְּאִינוּן בְּנֵי דְּקֻבָּ"ה וְנִשְׁמַתְהוֹן קַדִּישִׁין מִנֵּיהּ אַתְיָין. נַפְשָׁאן דִּשְׁאָר עַמִּין עכו"ם מֵאָן אֲתַר הוּא, אָמַר רַבִּי אֶלְעָזָר, מֵאִינוּן סִטְרֵי שְׂמָאלָא, דִּמְסָאֲבֵי לוֹן, אִית לוֹן נִשְׁמָתִין, וּבְגִין כָּךְ כֻּלְּהוּ מְסָאֲבִין, וּמְסָאֲבִין לְמַאן דְּקָרֵב בַּהֲדַיְיהוּ.

קעא. וַיֹּאמֶר אֱלֹקִים תּוֹצֵא הָאָרֶץ נֶפֶשׁ חַיָּה וגו', כֻּלְּהוֹן שְׁאָר חֵיוָן אַחֲרָנִין כָּל חַד וְחַד כְּפוּם זִינֵיהּ, וְא"ר אֶלְעָזָר, הַאי מְסַיֵּיעַ לְמַה דַּאֲמָרָן, נֶפֶשׁ חַיָּה אִלֵּין יִשְׂרָאֵל, דְּאִינוּן נֶפֶשׁ חַיָּה קַדִּישָׁא עִלָּאָה. בְּהֵמָה וָרֶמֶשׂ וְחַיְתוֹ אֶרֶץ, אִלֵּין שְׁאָר עַמִּין עכו"ם, דְּלָאו אִינוּן נֶפֶשׁ חַיָּה, אֶלָּא כִּדְקָאֲמָרָן.

קעב. נַעֲשֶׂה אָדָם בְּצַלְמֵנוּ כִּדְמוּתֵנוּ, דְּאִתְכְּלִיל בְּשִׁית סִטְרִין, כָּלִיל מִכֹּלָּא, כְּגַוְונָא דִלְעֵילָּא, בְּשַׁיְיפֵי מְתַקְּנָן, בְּרָזָא דְחָכְמְתָא, כִּדְקָא יָאוּת, כֹּלָּא תִּקּוּנָא עִלָּאָה. נַעֲשֶׂה אָדָם, רָזָא דְּכַר וְנוּקְבָא, כֹּלָּא בְּחָכְמְתָא קַדִּישָׁא עִלָּאָה. בְּצַלְמֵנוּ כִּדְמוּתֵנוּ, לְאִשְׁתַּכְלְלָא דָּא בְּדָא, לְמֶהֱוֵי הוּא יְחִידָאִי בְּעָלְמָא, שַׁלִּיט עַל כֹּלָּא.

קעג. וַיַּרְא אֱלֹקִים אֶת כָּל אֲשֶׁר עָשָׂה, וְהִנֵּה טוֹב מְאֹד, הָכָא אִתְתַּקַּן, מַה דְּלָא אִתְּמַר כִּי טוֹב בַּשֵּׁנִי, בְּגִין דְּאִתְבְּרֵי בֵּיהּ מוֹתָא, וְהָכָא אִתְּמַר וְהִנֵּה טוֹב מְאֹד. וְאוֹקְמוּהָ כְּמָה דְּאָמְרֵי חַבְרַיָּא, וְהִנֵּה טוֹב מְאֹד זֶה מָוֶת.

קעד. וַיַּרְא אֱלֹקִים אֶת כָּל אֲשֶׁר עָשָׂה, וְהִנֵּה טוֹב מְאֹד, וְכִי לָא חָמָא לֵיהּ קוֹדֶם, אֶלָּא כֹּלָּא חָמָא לֵיהּ קֻבָּ"ה, וּמַאן דַּאֲמַר אֶת כָּל, לְאַסְגָּאָה כָּל דָּרִין דַּיְיתוּן לְבָתַר כֵּן, וְכֵן כָּל מַה דְּיִתְחַדֵּשׁ בְּעָלְמָא, בְּכָל דָּרָא וְדָרָא, עַד לָא יֵיתוּן לְעָלְמָא. אֲשֶׁר עָשָׂה דָּא כָּל עוֹבָדִין דִּבְרֵאשִׁית, דְּתַמָּן אִתְבְּרֵי יְסוֹדָא וְעִקָּרָא לְכָל מַה דְּיֵיתֵי וְיִתְחַדֵּשׁ בְּעָלְמָא לְבָתַר כֵּן. וּבְגִין כָּךְ חָמָא לֵיהּ קֻבָּ"ה, עַד לָא הֲוָה, וְשַׁוֵּי כֹּלָּא בְּעוֹבָדָא דִּבְרֵאשִׁית.

קעה. יוֹם הַשִּׁשִּׁי מַאי שְׁנָא בְּכֻלְּהוּ יוֹמֵי דְּלָא אִתְּמַר בְּהוּ הֵ"א, אֶלָּא הָכָא כַּד

אִשְׁתַּכְלֵל עָלְמָא, אִתְחַבְּרַת נוּקְבָא בִּדְכוּרָא, בְּחִבּוּרָא חַד, ה' בַּשִּׁשִּׁי לְמֶהֱוֵי כֹּלָּא חַד. וַיְכֻלּוּ אִשְׁתַּכְלְלוּ כֹּלָּא חַד, אִשְׁתַּכְלְלוּ מִכֹּלָּא, וְאִשְׁתַּלִּימוּ בְּכֹלָּא.

קְעו. וַיְכֻלּוּ הַשָּׁמַיִם וְהָאָרֶץ וְכָל צְבָאָם, רִבִּי אֶלְעָזָר פָּתַח, מָה רַב טוּבְךָ אֲשֶׁר צָפַנְתָּ לִּירֵאֶיךָ פָּעַלְתָּ לַחוֹסִים בָּךְ נֶגֶד בְּנֵי אָדָם, ת"ח קֻבָּ"ה בָּרָא לְבַר נָשׁ בְּעָלְמָא, וְאַתְקִין לֵיהּ לְמֶהֱוֵי שְׁלִים בְּפוּלְחָנֵיהּ, וּלְאַתְקָנָא אָרְחוֹי, בְּגִין דְּיִזְכֵּי לִנְהוֹרָא עִלָּאָה, דְּגָנִיז קֻבָּ"ה לְצַדִּיקַיָּיא, כד"א עַיִן לֹא רָאָתָה אֱלֹהִים זוּלָתְךָ יַעֲשֶׂה לִמְחַכֵּה לוֹ.

קְעז. וּבַמֶּה יִזְכֵּי לֵיהּ לְבַר נָשׁ לְהַהוּא נְהוֹרָא, בְּאוֹרַיְיתָא. דְּכָל מַאן דְּאִשְׁתַּדַּל בְּאוֹרַיְיתָא בְּכָל יוֹמָא, יִזְכֵּי לְמֶהֱוֵי לֵיהּ חוּלָקָא בְּעָלְמָא דְּאָתֵי, וְיִתְחַשֵּׁב לֵיהּ כְּאִלּוּ בָּנֵי עָלְמִין, דְּהָא בְּאוֹרַיְיתָא אִתְבְּנֵי עָלְמָא וְאִשְׁתַּכְלַל, הה"ד ה' בְּחָכְמָה יָסַד אֶרֶץ כּוֹנֵן שָׁמַיִם בִּתְבוּנָה, וּכְתִיב וָאֶהְיֶה אֶצְלוֹ אָמוֹן וָאֶהְיֶה שַׁעֲשׁוּעִים יוֹם יוֹם, וְכָל דְּאִשְׁתַּדַּל בָּהּ, שַׁכְלִיל עָלְמִין, וְקַיֵּים לֵיהּ, וְת"ח, בְּרוּחָא עָבִיד קֻבָּ"ה עָלְמָא, וּבְרוּחָא מִתְקַיְּימָא, רוּחָא דְּאִינוּן דְּלָעָאן בְּאוֹרַיְיתָא, וְכָל שֶׁכֵּן רוּחָא דְּהֶבֶל דְּרַבְיֵי דְּבֵי רַב.

קְעח. מָה רַב טוּבְךָ, דָּא טוּבָא דְּאִתְגְּנִיז. לִירֵאֶיךָ, לְאִינוּן דַּחֲלֵי חַטָּאָה. פָּעַלְתָּ לַחוֹסִים בָּךְ, מַאי פָּעַלְתָּ, דָּא עוֹבָדָא דִּבְרֵאשִׁית. רִבִּי אַבָּא אָמַר, דָּא ג"ע, דְּהָא בְּאוּמָנוּתָא עָבִיד לֵיהּ קֻבָּ"ה בְּאַרְעָא, כְּגַוְונָא דִּלְעֵילָּא. לְאִתְתַּקְפָא בֵּיהּ צַדִּיקַיָּיא, הה"ד פָּעַלְתָּ לַחוֹסִים בָּךְ נֶגֶד בְּנֵי אָדָם, דְּהָא הוּא נֶגֶד אָדָם וְאַחֲרָא נֶגֶד עִלָּאִין קַדִּישִׁין. אר"ש גַּן עֵדֶן לְעֵילָּא וְנֶגֶד בְּנֵי אָדָם הֲוֵי, לְאִתְכַּנְּשָׁא בֵּיהּ צַדִּיקַיָּיא דְּעָבְדֵי רְעוּתָא דְּמָארֵיהוֹן.

קְעט. וַיְכֻלּוּ, דְּכָלוּ עוֹבָדִין דִּלְעֵילָּא וְעוֹבָדִין דִּלְתַתָּא, הַשָּׁמַיִם וְהָאָרֶץ, לְעֵילָּא וְתַתָּא. רִבִּי שִׁמְעוֹן אָמַר עוֹבָדָא וְאוּמָנוּתָא דְּאוֹרַיְיתָא שֶׁבִּכְתָב, וְעוֹבָדָא וְאוּמָנוּתָא דְּתוֹרָה שֶׁבְּעַל פֶּה. וְכָל צְבָאָם, אִלֵּין פְּרָטֵי דְּאוֹרַיְיתָא, אַפִּין דְּאוֹרַיְיתָא, שִׁבְעִים פָּנִים לַתּוֹרָה. וַיְכֻלּוּ, דְּאִתְקַיְּימוּ וְאִשְׁתַּכְלְלוּ דָּא בְּדָא, שָׁמַיִם וָאָרֶץ פְּרָט וּכְלָל, וְכָל צְבָאָם רָזֵי דְּאוֹרַיְיתָא, דַּכְיָאן דְּאוֹרַיְיתָא מִסְאֲבָן דְּאוֹרַיְיתָא.

קְפ. דָּא תּוֹרָה שֶׁבְּעַל פֶּה, דְּאִיהוּ יוֹם שְׁבִיעִי, וּבֵיהּ אִשְׁתַּכְלַל עָלְמָא, דְּאִיהוּ קִיּוּמָא דְּכֹלָּא. מְלַאכְתּוֹ אֲשֶׁר עָשָׂה, וְלֹא כָּל מְלַאכְתּוֹ, דְּהָא תּוֹרָה שֶׁבִּכְתָב, אַפֵּיק כֹּלָּא, בְּתוּקְפָא דִּכְתָב דְּנָפַק מֵחָכְמְתָא.

קְפא. תְּלַת זִמְנִין הָכָא בַּיּוֹם הַשְּׁבִיעִי, וַיְכַל אֱלֹקִים בַּיּוֹם הַשְּׁבִיעִי, וַיִּשְׁבֹּת בַּיּוֹם הַשְּׁבִיעִי וַיְבָרֶךְ אֱלֹקִים אֶת יוֹם הַשְּׁבִיעִי, הָא תְּלַת, וַיְכַל אֱלֹקִים, בַּיּוֹם הַשְּׁבִיעִי, דָּא תּוֹרָה שֶׁבְּעַל פֶּה, דְּעִם יוֹם הַשְּׁבִיעִי דָּא, אִשְׁתַּכְלַל עָלְמָא כִּדְקָא אֲמָרָן.

קְפב. וַיִּשְׁבֹּת בַּיּוֹם הַשְּׁבִיעִי, דָּא יְסוֹדָא דְּעָלְמָא, בְּסִפְרָא דְּרַב יֵיבָא סָבָא דָּא יוֹבְלָא, וְעַל כָּךְ כְּתִיב הָכָא מִכָּל מְלַאכְתּוֹ, דְּכֹלָּא נָפֵיק מִנֵּיהּ. וַאֲנָן, דָּא יְסוֹדָא כִּדְקָאֲמָרָן דְּהָא נַיְיחָא בֵּיהּ הֲוָה, יַתִּיר מִכֹּלָּא.

קְפג. וַיְבָרֶךְ אֱלֹקִים אֶת יוֹם הַשְּׁבִיעִי, דָּא כֹּהֵן גָּדוֹל, דִּמְבָרֵךְ לְכֹלָּא, וְהוּא נָטֵיל בְּרֵישָׁא, דִּתְנַן כֹּהֵן נוֹטֵל בָּרֹאשׁ, וּבִרְכָאן בֵּיהּ שַׁרְיָין לְבָרְכָא. וְאִקְרֵי שְׁבִיעִי. רִבִּי יֵיסָא סָבָא אָמַר, הָנֵי תְּרֵי, חַד בִּיסוֹדָא דְּעָלְמָא אִיהוּ, וְחַד בְּעַמּוּדָא דְּאֶמְצָעִיתָא.

קְפד. וְכֵן וַיְקַדֵּשׁ אוֹתוֹ, לְמַאן, לְהַהוּא אֲתַר, דְּאָת קַיְּימָא, בֵּיהּ שַׁרְיָא, כד"א וְהִרְאַנִי אוֹתוֹ וְאֶת נָוֵהוּ, וּבְהַאי אֲתַר שַׁרְיָין כָּל קְדוּשִׁין לְעֵילָּא, וְנָפְקֵי מִנֵּיהּ לִכְנֶסֶת יִשְׂרָאֵל, לְמֵיהַב לָהּ תַּפְנוּקָא, לֶחֶם פַּנַּג, וְאָזְלָא הָא כְּמָה דִּכְתִיב מֵאָשֵׁר שְׁמֵנָה לַחְמוֹ וְהוּא יִתֵּן מַעֲדַנֵּי מֶלֶךְ. מֵאָשֵׁר, דָּא קְיָים שְׁלִים, שְׁמֵנָה לַחְמוֹ, דַּהֲוָה לֶחֶם עוֹנִי, אִתְהַדַּר לְמֶהֱוֵי

לֶחֶם פַּנַג. וְהוּא יִתֵּן מַעֲדַנֵּי מֶלֶךְ, מַאן מֶלֶךְ דָּא כְּנֶסֶת יִשְׂרָאֵל, הוּא יָהֵיב כָּל תַּפְנוּקִין דְּעָלְמִין, וְכָל קִדּוּשִׁין דְּנָפְקִין מִלְּעֵילָא מֵהַאי אֲתַר נָפְקִין. וְעַל דָּא וַיְקַדֵּשׁ אוֹתוֹ, הַהוּא אֵת קַיְּימָא.

קפה. כִּי בוֹ שָׁבַת, בֵּיהּ נַיְיחָא דְּכֹלָּא, דְּעִלָּאִין וְתַתָּאִין, בֵּיהּ שַׁבַּתָּא לְנַיְיחָא, אֲשֶׁר בָּרָא אֱלֹקִים מִכְּלָלָא דְּזָכוֹר נַפְקָא שָׁמוֹר, לְאַתְקָנָא עֲבִידְתָּא דְּעָלְמָא. לַעֲשׂוֹת, דָּא אוּמָנָא דְּעָלְמָא, לְמֶעְבַּד עֲבִידְתָּא דְּכֹלָּא.

קפו. תּו, פָּרֵישׁ ר' שִׁמְעוֹן מִלָּה וַאֲמַר, כְּתִיב שׁוֹמֵר הַבְּרִית וְהַחֶסֶד, שׁוֹמֵר, דָּא כְּנֶסֶת יִשְׂרָאֵל, הַבְּרִית, דָּא יְסוֹדָא דְּעָלְמָא, וְהַחֶסֶד דָּא אַבְרָהָם, דִּכְנֶסֶת יִשְׂרָאֵל הִיא שׁוֹמֵר הַבְּרִית וְהַחֶסֶד, וְאִקְרֵי שׁוֹמֵר יִשְׂרָאֵל, דָּא הוּא נָטֵיר פִּתְחָא דְּכֹלָּא, בֵּיהּ תַּלְיָין כָּל עֲבִידָן דְּעָלְמָא וַדַּאי. אֲשֶׁר בָּרָא אֱלֹקִים לַעֲשׂוֹת, לְשַׁכְלְלָא לְאַתְקָנָא כֹּלָּא, כָּל יוֹמָא וְיוֹמָא, וּלְאַפָּקָא רוּחִין וְנִשְׁמָתִין וַאֲפִלּוּ רוּחִין וְשֵׁדִין.

קפז. וְאִי תֵּימָא דְּלָאו אִינּוּן תִּקּוּנָא דְּעָלְמָא, לָאו הָכִי, דְּהָא אִינּוּן לְתִקּוּנָא דְּעָלְמָא הֲווֹ, וּלְאַלְקָאָה בְּהוֹ לְחַיָּיבֵי עָלְמָא, דְּאִנּוּן אָזְלִין לְקַבְלַיְיהוּ לְאוֹכָחָא לְהוֹ, וּמַאי דְּאָזֵיל לִשְׂמָאלָא, אִתְאֲחִיד בְּסִטְרָא שְׂמָאלָא לְקַבְלַיְיהוּ, בְּגִינֵי כָּךְ לְתִקּוּנָא הֲווֹ. תָּא חֲזֵי מַה כְּתִיב בִּשְׁלֹמֹה וְהוֹכַחְתִּיו בְּשֵׁבֶט אֲנָשִׁים וּבְנִגְעֵי בְּנֵי אָדָם מַאן נִגְעֵי בְּנֵי אָדָם אִלֵּין אִינּוּן מַזִּיקִין.

קפח. תָּא חֲזֵי, בְּשַׁעְתָּא דְּאִתְבְּרִיאוּ, אִתְקַדֵּשׁ יוֹמָא, וְאִשְׁתָּאֲרוּ רוּחָא בְּלָא גּוּפָא, וְאִלֵּין אִינּוּן בִּרְיָין דְּלָא אִשְׁתַּכְלָלוּ, וּמִסְּטַר שְׂמָאלָא אִינּוּן זוּהֲמָא דְּדַהֲבָא, וְעַל דָּא, בְּגִין דְּלָא אִשְׁתַּכְלָלוּ וְאִינּוּן פְּגִימִין, שְׁמָא קַדִּישָׁא לָא שַׁרְיָא בְּהוֹ, וְלָא אִתְדַּבְקוּ בֵּיהּ, וְדַחֲלִין דִּלְהוֹן מִשְּׁמָא קַדִּישָׁא אִיהוּ, וְזָעִין וְדַחֲלִין מִנֵּיהּ, וּשְׁמָא קַדִּישָׁא לָא שַׁרְיָא בַּאֲתַר פָּגִים.

קפט. וְתָא חֲזֵי, הַאי ב"נ דְּאִתְפְּגִים דְּלָא שָׁבַק בַּר בְּהַאי עָלְמָא, כַּד נָפַק מִנֵּיהּ, לָא אִתְדַּבַּק בִּשְׁמָא קַדִּישָׁא, וְלָא עָאלִין לֵיהּ בְּפַרְגּוֹדָא, בְּגִין דְּאִיהוּ פָּגִים וְלָא אִשְׁתְּלִים, וְאִילָנָא דְּאִתְעֲקַר, בָּעְיָא נְטִיעָא זִמְנָא אָחֳרָא, בְּגִין דִּשְׁמָא קַדִּישָׁא אִשְׁתְּלִים בְּכָל סִטְרִין, וּפְגִימוּ לָא אִתְדַּבַּק בֵּיהּ לְעָלְמִין.

קצ. וְת"ח, הָנֵי בִּרְיָין, פְּגִימִין אִינּוּן, מֵעֵילָא וּמִתַּתָּא, וּבְגִינֵי כָּךְ לָא מִתְדַּבְּקָן לְעֵילָא, וְלָא מִתְדַּבְּקָן לְתַתָּא, וְאִלֵּין דִּכְתִיב בְּהוֹ אֲשֶׁר בָּרָא אֱלֹקִים לַעֲשׂוֹת, דְּלָא אִשְׁתַּלִּימוּ עֵילָא וְתַתָּא. וְאִי תֵּימָא הָא רוּחִין אִינּוּן, אַמַּאי לָאו אִשְׁתְּלִימוּ לְעֵילָא, אֶלָּא כֵּיוָן דְּלָא אִשְׁתְּלִימוּ לְתַתָּא בְּאַרְעָא, לָא אִשְׁתְּלִימוּ לְעֵילָא, וְכֻלְּהוֹ מִסְּטַר שְׂמָאלָא קָא אַתְיָין, וּמִתְכַּסְיָין מֵעֵינָא דִּבְנֵי נָשָׁא, וְקַיְימֵי לְקַבְלַיְיהוּ לְאַבְאָשָׁא לוֹן. תְּלַת לוֹן כְּמַלְאֲכֵי הַשָּׁרֵת, וּתְלַת לוֹן כִּבְנֵי נָשָׁא, וְהָא אוֹקְמוּהָ.

קצא. בָּתַר דְּאִתְבְּרִיאוּ רוּחִין, אִשְׁתָּאֲרוּ אִינּוּן רוּחִין, בָּתַר רֵיחַיָּא דְּנוּקְבָא דִּתְהוֹמָא רַבָּא, לֵילְיָא דְּשַׁבַּתָּא וְיוֹמָא דְּשַׁבַּתָּא, כֵּיוָן דְּנָפַק קְדוּשָׁתָא דְּיוֹמָא, וְלָא אִשְׁתַּלִּימוּ, נָפְקוּ לְעָלְמָא, וְשָׁטְאָן לְכָל סִטְרִין, וּבָעְיָא עָלְמָא לְאִתְנַטְרָא מִנַּיְיהוּ. דְּהָא כְּדֵין כָּל סְטַר שְׂמָאלָא אִתְעַר, וְאֶשָּׁא דְּגֵיהִנָּם מְלַהֲטָא, וְכָל אִינּוּן דְּבִסְטַר שְׂמָאלָא, אָזְלִין וְשָׁטָאן בְּעָלְמָא, וּבָעָאן לְאִתְלַבְּשָׁא בְּגוּפָא, וְלָא יָכְלִין, כְּדֵין בָּעֵינָא לְאִסְתַּמְרָא מִנַּיְיהוּ וְאַתְקִינוּ שִׁיר דִּפְגָעִים, בְּכָל שַׁעְתָּא דִּדְחִילוּ דִּלְהוֹן שַׁרְיָא בְּעָלְמָא.

קצב. ת"ח כַּד אִתְקַדַּשׁ יוֹמָא בְּמַעֲלֵי שַׁבַּתָּא, סוּכַּת שָׁלוֹם שַׁרְיָא, וְאִתְפְּרִיסַת בְּעָלְמָא, מַאן סוּכַּת שָׁלוֹם, דָּא שַׁבַּתָּא, וְכָל רוּחִין וְעִלְעוּלִין וְשֵׁדִין, וְכָל סִטְרָא דִּמְסָאֲבֵי כֻּלְּהוֹ טְמִירִין, וְעָאלִין בְּעֵינָא דְּרֵיחַיָּא דְּנוּקְבָא דִּתְהוֹמָא רַבָּא, דְּהָא כֵּיוָן דְּאִתְעַר קְדוּשָׁתָא עַל

עָלְמָא, רוּחַ מְסָאֲבָא לָא אִתְעַר בַּהֲדֵיהּ, וְדָא עָרִיק מִקַּמֵּיהּ דְּדָא.

קצג. וּכְדֵין עָלְמָא בִּנְטִירוּ עִלָּאָה. וְלָא בָּעֵינָן לְצַלָּאָה עַל נְטִירוּ, כְּגוֹן שׁוֹמֵר אֶת עַמּוֹ יִשְׂרָאֵל לָעַד אָמֵן, דְּהָא דָּא בְּיוֹמָא דְּחוֹל אִתְתַּקַּן, דְּעָלְמָא בָּעְיָא נְטִירוּ, אֲבָל בְּשַׁבָּת, סוּכַּת שָׁלוֹם אִתְפְּרִיסָא עַל עָלְמָא, וְאִתְנְטִיר בְּכָל סִטְרִין, וַאֲפִילּוּ חַיָּיבֵי גֵּיהִנָּם נְטִירִין אִינּוּן, וְכֹלָּא בִּשְׁלָמָא אִשְׁתַּכְּחָא, עִלָּאִין וְתַתָּאִין, וּבְגִ"כ בִּקְדוּשָּׁא דְּיוֹמָא מְבָרְכִינָן הַפּוֹרֵס סֻכַּת שָׁלוֹם עָלֵינוּ וְעַל כָּל עַמּוֹ יִשְׂרָאֵל וְעַל יְרוּשָׁלַיִם.

קצד. אַמַּאי עַל יְרוּשָׁלַיִם, אֶלָּא דָּא הִיא מְדוֹרָא דְּהַהִיא סֻכָּה, וּבָעֵינָא לְזַמְּנָא לְהַהִיא סֻכָּה, דְּאִתְפָּרְסַת עֲלָנָא, וּלְמִשְׁרָא עִמָּנָא, וּלְמֶהֱוֵי עֲלָנָא כְּאִמָּא דְּשַׁרְיָיא עַל בְּנִין, וּבְגִ"ד לָא דָּחֲלִין מִכָּל סִטְרִין, וְעַ"ד הַפּוֹרֵס סוּכַּת שָׁלוֹם עָלֵינוּ.

קצה. ת"ח, בְּשַׁעֲתָא דְּיִשְׂרָאֵל מְבָרְכִין וּמְזַמְּנִין לְהַאי סֻכַּת שָׁלוֹם, אוּשְׁפִּיזָא קַדִּישָׁא, וְאָמְרֵי הַפּוֹרֵס סֻכַּת שָׁלוֹם, כְּדֵין קְדוּשָׁתָא עִלָּאָה נָחֲתָא, וּפְרִיסַת גַּדְפָּהָא עֲלַיְיהוּ דְּיִשְׂרָאֵל, וּמְכַסְיָא לוֹן כְּאִמָּא עַל בְּנִין, וְכָל זִינִין בִּישִׁין, אִתְכַּנִּישׁוּ מֵעָלְמָא, וְיַתְבֵי יִשְׂרָאֵל תְּחוֹת קְדוּשָּׁתָא דְּמָארֵיהוֹן, וּכְדֵין דָּא סֻכַּת שָׁלוֹם, יָהֵיב נִשְׁמָתִין חַדְתִּין לִבְנָהָא, מַאי טַעֲמָא בְּגִין דְּבֵיהּ נִשְׁמָתִין שַׁרְיָין, וּמִנֵּיהּ נָפְקִין וְכֵיוָן דְּשַׁרְיָא, וּפְרִיסַת גַּדְפָּהָא עַל בְּנָהָא, אֲרִיקַת נִשְׁמָתִין חַדְתִּין לְכָל חַד וְחַד.

קצו. תּו, אֲמַר רַבִּי שִׁמְעוֹן, עַל דָּא תָּנֵינָן שַׁבָּת, דּוּגְמָא דְּעָלְמָא דְּאָתֵי אִיהוּ, הָכֵי הוּא וַדַּאי, וְעַל דָּא, שְׁמִיטָּה וְיוֹבֵל, דּוּגְמָא דָּא בְּדָא, וְשַׁבָּת וְעָלְמָא דְּאָתֵי הָכֵי הוּא, וְהַהוּא תּוֹסֶפֶת דְּנִשְׁמְתָא, מֵרָזָא דְּזָכוֹר קָא אַתְיָא, עַל הַאי סֻכַּת שָׁלוֹם, דְּנָטֵיל מֵעָלְמָא דְּאָתֵי, וְדָא תּוֹסֶפֶת יַהֲבַת לְעַמָּא קַדִּישָׁא, וּבְהַהוּא תּוֹסֶפֶת, חָדָאן, וְיִתְנְשֵׁי מִנַּיְיהוּ כָּל מִלִּין דְּחוֹל, וְכָל צַעֲרִין, וְכָל עָאקִין, כְּד"א בְּיוֹם הָנִיחַ ה' לְךָ מֵעָצְבְּךָ וּמֵרָגְזֶךָ וּמִן הָעֲבֹדָה הַקָּשָׁה וגו'.

קצז. וּבְלֵילְיָא דְּשַׁבַּתָּא, בָּעֵי ב"נ לְאַטְעָמָא מִכֹּלָּא, בְּגִין לְאַחֲזָאָה, דְּהַאי סֻכַּת שָׁלוֹם, מִכֹּלָּא אִתְכְּלִילַת, וּבִלְבַד דְּלָא יַפְגִּים, מֵיכְלָא וְחָדָא לְיוֹמָא, וְאִית דְּאָמְרֵי תְּרֵין, לִתְרֵין סְעוּדָתֵי אָחֳרָנִין דְּיוֹמָא, וְשַׁפִּיר, וְכָל שֶׁכֵּן אִי סָלִיק יַתִּיר לְיוֹמָא, וְיָכֵיל לְמִטְעַם מִמֵּיכְלִין אָחֳרָנִין, וְלִזְעִירֵי בִּתְרֵי תַּבְשִׁילִין סַגְיָא, וְאוֹקְמוּהָ חַבְרַיָּא.

קצח. נֵר שֶׁל שַׁבָּת, לִנְשֵׁי עַמָּא קַדִּישָׁא אִתְיְיהִיבַת לְאַדְלָקָא, וְחַבְרַיָּיא הָא אָמְרוּ, דְּאִיהִי כַּבְתָה בּוֹצִינָא דְּעָלְמָא, וְאַחֲשִׁיכַת לֵיהּ כו' וְשַׁפִּיר. אֲבָל רָזָא דְּמִלָּה, הַאי סֻכַּת שָׁלוֹם מַטְרוֹנִיתָא דְּעָלְמָא הִיא, וְנִשְׁמָתִין דְּאִינּוּן בּוֹצִינָא עִלָּאָה, בָּהּ שַׁרְיָין, וְעַל דָּא מַטְרוֹנִיתָא בַּעְיָא לְאַדְלָקָא, דְּהָא בְּדוּכְתָּהָא אִתְאַחֲדַת וַעֲבָדַת עוֹבָדָא.

קצט. וְאִתְּתָא בַּעְיָא בְּחֶדְוָה דְּלִבָּהּ וּרְעוּתָא, לְאַדְלָקָא בּוֹצִינָא דְּשַׁבָּת, דְּהָא יְקָרָא עִלָּאָה הִיא לָהּ, וּזְכוּ רַב לְגַרְמָהּ, לְמִזְכֵּי לִבְנִין קַדִּישִׁין, דִּיהוֹן בּוֹצִינָא דְּעָלְמָא, בְּאוֹרַיְיתָא, וּבְדַחַלְתָּא, וְיַסְגּוֹן שְׁלָמָא בְּאַרְעָא, וְיָהֲבַת לְבַעֲלָהּ אוֹרְכָא דְּחַיִּין, בְּגִין כָּךְ בַּעְיָא לְאִזְדַּהֲרָא בָּהּ.

ר. ת"ח, שַׁבָּת, לֵילְיָא וְיוֹמָא, זָכוֹר וְשָׁמוֹר, אִיהוּ כַּחֲדָא, וְעַל דָּא כְּתִיב זָכוֹר אֶת יוֹם הַשַּׁבָּת לְקַדְּשׁוֹ, וּכְתִיב שָׁמוֹר אֶת יוֹם הַשַּׁבָּת, זָכוֹר לִדְכוּרָא שָׁמוֹר לְנוּקְבָא, וְכֹלָּא חַד. זַכָּאִין אִינּוּן יִשְׂרָאֵל, חוּלָקֵיהּ דְּקֻדְשָׁא בְּרִיךְ הוּא, עַדְבֵיהּ וְאַחֲסַנְתֵּיהּ, עֲלַיְיהוּ כְּתִיב אַשְׁרֵי הָעָם שֶׁכָּכָה לּוֹ, אַשְׁרֵי הָעָם שֶׁה' אֱלֹקָיו.

רא. הַצֵּלָע אֲשֶׁר לָקַח מִן הָאָדָם וגו', א"ר שִׁמְעוֹן כְּתִיב אֱלֹקִים הֵבִין דַּרְכָּהּ וְהוּא

יָדַע אֶת מְקוֹמָהּ. הַאי קְרָא גְּוָונִין סַגִּיאִין אִית בֵּיהּ, אֶלָּא מַהוּ אֱלֹקִים הֵבִין דַּרְכָּהּ, כד"א וַיִּבֶן ה' אֱלֹקִים אֶת הַצֵּלָע, דָא תּוֹרָה שֶׁבְּע"פ, דְּאִית בָּהּ דֶּרֶךְ, כד"א הַנּוֹתֵן בַּיָּם דֶּרֶךְ, בְּגִינֵי כָּךְ אֱלֹקִים הֵבִין דַּרְכָּהּ.

רב. וְהוּא יָדַע אֶת מְקוֹמָהּ, מָאן מְקוֹמָהּ, דָא תּוֹרָה שֶׁבִּכְתָב, דְּאִית בָּהּ דַּעַת. ה' אֱלֹקִים, שֵׁם מָלֵא, לְאַתְקְנָא לָהּ בְּכֹלָּא, וְע"ד אִתְקְרִיאַת חָכְמָה, וְאִתְקְרִיאַת בִּינָה, בְּגִין דַּהֲוָה בְּשֵׁם מָלֵא, ה' אֱלֹקִים, בְּכֹלָּא בִּשְׁלִימוּ בִּתְרֵי שְׁמָהָן.

רג. אֶת הַצֵּלָע, דָא אַסְפַּקְלַרְיָאה דְּלָא נָהֲרָא, כד"א וּבְצַלְעִי שָׂמְחוּ וְנֶאֱסָפוּ. אֲשֶׁר לָקַח מִן הָאָדָם, בְּגִין דְּהָא מִתּוֹרָה שֶׁבִּכְתָב נָפְקַת. לְאִשָּׁה, לְאִתְקַשְּׁרָא בְּשַׁלְהוֹבָא דִּסְטַר שְׂמָאלָא, דְּהָא אוֹרַיְיתָא מִסִּטְרָא דִּגְבוּרָה אִתְיְהִיבַת. לְאִשָּׁה, לְמֶהֱוֵי אֵשׁ ה' קָטִיר כַּחֲדָא.

רד. וַיְבִאֶהָ אֶל הָאָדָם, בְּגִין דְּלָא בָּעֲיָא לְאִשְׁתַּכְּחָא בִּלְחוֹדָהָא, אֶלָּא לְאִתְכַּלְּלָא וּלְאִתְחַבְּרָא בְּתוֹרָה שֶׁבִּכְתָב, כֵּיוָן דְּאִתְחַבְּרַת בַּהֲדֵיהּ, הוּא יָזוּן לָהּ, וִיתַקֵּן לָהּ, וְיִתֵּן לָהּ מַה דְּאִצְטְרִיךְ, הַיְינוּ דִּכְתִיב, וְאֶת הָאָרֶץ, וְהָא אוֹקִימְנָא.

רה. מִכָּאן אוֹלִיפְנָא, מָאן דְּאַנְסִיב בְּרַתֵּיהּ, עַד לָא תֵּיעוּל לְבַעֲלָהּ, אֲבוּהָ וְאִמָּהּ מְתַקְּנִין לָהּ, וְיָהֲבִין לָהּ כָּל מַה דְּאִצְטְרִיךְ, כֵּיוָן דְּאִתְחַבְּרַת בְּבַעֲלָהּ, הוּא יָזוּן לָהּ, וְהוּא יִתֵּן לָהּ מַה דְּבָעְיָא. ת"ח, בְּקַדְמֵיתָא כְּתִיב, וַיִּבֶן ה' אֱלֹקִים אֶת הַצֵּלָע, דְּאַבָּא וְאִמָּא אַתְקִינוּ לָהּ, וּלְבָתַר, וַיְבִאֶהָ אֶל הָאָדָם, לְאִתְקַשְּׁרָא כֹּלָּא כַּחֲדָא, וּלְאִתְחַבְּרָא חַד בְּחַד, וְהוּא יָהֵיב לָהּ מַה דְּאִצְטְרִיךְ.

רו. ד"א, אֱלֹקִים הֵבִין דַּרְכָּהּ, כַּד בְּרַתָּא בְּבֵי אִמָּא, הִיא אִסְתַּכְּלָא בְּכָל יוֹמָא, בְּכָל מַה דְּבַעְיָא בְּרַתָּהּ, דִּכְתִיב אֱלֹקִים הֵבִין דַּרְכָּהּ, כֵּיוָן דְּחַבְּרַת לָהּ בְּבַעֲלָהּ הוּא יָהֵיב לָהּ כָּל מַה דְּבַעְיָא, וִיתַקֵּן עוֹבָדָהָא, הֲדָא הוּא דִּכְתִיב, וְהוּא יָדַע אֶת מְקוֹמָהּ.

רז. כְּתִיב אִשְׁתַּכְלַל בְּכֹלָּא, בִּימִינָא וּבִשְׂמָאלָא, וְהָא אוֹקִימְנָא דְּאִתְכְּלִיל בְּיֵצֶר הַטּוֹב, אֲבָל וַיִּיצֶר ה' אֱלֹקִים, בְּיֵצֶר טוֹב וּבְיֵצֶר רָע, אַמַּאי, אֶלָּא יֵצֶר טוֹב לֵיהּ לְגַרְמֵיהּ, יֵצֶר הָרָע, לְאִתְעָרָא לְגַבֵּי נוּקְבֵי. רָזָא דְּמִלָּה, מִכָּאן אוֹלִיפְנָא דְּצָפוֹן אִתְעַר תָּדִיר לְגַבֵּי נוּקְבָא, וְאִתְקַשַּׁר בַּהֲדָהּ, וּבְגִין כָּךְ אִתְקְרִיאַת אִשָּׁה.

רח. וְת"ח יֵצֶר טוֹב וְיֵצֶר הָרָע, בְּגִין דְּאִתְיְיהֲבַת נוּקְבָא בֵּינַיְיהוּ וְאִתְקַשְּׁרָא בַּהֲדַיְיהוּ, וְלָא מִתְקַשְּׁרָא עַד דְּיֵצֶר הָרַע אִתְעַר לְגַבָּהּ. וּמִתְקַשְּׁרָן דָא בְּדָא, וְכֵיוָן דְּמִתְקַשְּׁרָן דָא בְּדָא, כְּדֵין אִתְעַר יֵצֶר טוֹב, דְּאִיהוּ חֶדְוָה, וְאַיְיתֵי לָהּ לְגַבֵּיהּ.

רט. אֶת הָאָדָם, הָא אוֹקִימְנָא. אֲבָל דְּכַר וְנוּקְבָא כַּחֲדָא, מִתְפָּרְשָׁן לְמֶהֱוֵי אַפִּין בְּאַפִּין. מַה כְּתִיב עָפָר מִן הָאֲדָמָה. הַשְׁתָּא קָיְימָא לְאַתְקְנָא. ת"ח, אִתְּתָא כַּד אִתְחַבְּרַת בְּבַעֲלָהּ, אִתְקְרִיאַת עַל שֵׁם בַּעֲלָהּ, אִישׁ אִשָּׁה, צַדִּיק צֶדֶק, אִיהוּ עוֹפֶר, וְאִיהִי עָפָר, אִיהוּ צְבִי וְאִיהִי צְבִיָּה, צְבִי הִיא לְכָל הָאֲרָצוֹת.

רי. כְּתִיב לֹא תִטַּע לְךָ אֲשֵׁרָה כָּל עֵץ אֵצֶל מִזְבַּח ה' אֱלֹהֶיךָ אֲשֶׁר תַּעֲשֶׂה לָּךְ. אֵצֶל מִזְבַּח, וְכִי לְעֵילָּא מִנֵּיהּ, אוֹ בַּאֲתַר אָחֳרָא מָאן שַׁרְיָיה, אֶלָּא הָא אוֹקִימְנָא, אֲשֶׁר, דָא בַּעֲלָהּ, דְּאִתְּתָא אִתְקְרִיאַת עַל שׁוּם בַּעֲלָהּ, אֲשֵׁרָה, וְעַל דָא כְּתִיב לַבַּעַל וְלָאֲשֵׁרָה, בְּגִין כָּךְ כְּתִיב לֹא תִטַּע לְךָ אֲשֵׁרָה כָּל עֵץ אֵצֶל מִזְבַּח ה' אֱלֹקֶיךָ, לָקֳבֵל אֲתַר דְּהַהוּא מִזְבַּח ה', דְּהָא מִזְבַּח ה' אִיהוּ קָיְימָא עַל דָא, וְעַל דָא לָקֳבְלָהּ, לֹא תִטַּע לְךָ אֲשֵׁרָה אָחֳרָא.

ריא. ת"ח, בְּכָל אֲתַר, כָּל אִינּוּן פָּלְחֵי שִׁמְשָׁא, אִקְרוּן עוֹבְדִין לַבַּעַל, וְאִינּוּן דְּפָלְחִין לְסִיהֲרָא אִיקְרוּן עוֹבְדֵי אֲשֵׁרָה, וְעַל דָּא, לַבַּעַל וְלָאֲשֵׁרָה, וַאֲשֵׁרָה אִתְקְרֵי עַל שׁוּם בַּעֲלָהּ אָשֵׁר. אִי הָכֵי אַמַּאי אִתְעֲבַר שְׁמָא דָּא, אֶלָּא אֲשֵׁרָה עַל שׁוּם דִּכְתִּיב בְּאָשְׁרִי כִּי אִשְּׁרוּנִי בָּנוֹת, וְהוּא דְּלָא אַשְׁרוּהָ שְׁאָר עַמִּין, וְקַיְּימָא אָחֳרָא תְּחוֹתָהּ, וְלָא עוֹד, אֶלָּא דִּכְתִּיב כָּל מְכַבְּדֶיהָ הִזִּילוּהָ וּבְג"כ אִתְעֲבַר שְׁמָא דָּא, וּבְגִין דְּלָא יִתְתַּקְּפוּן אִינּוּן דְּעָבְדֵי שְׁאָר עַמִּין עעכו"ם, וְקָרֵינָן מִזְבֵּחַ, דְּאִיהוּ מֵאֲדָמָה, דִּכְתִּיב מִזְבַּח אֲדָמָה וגו', בְּגִינֵי כָּךְ עָפָר מִן הָאֲדָמָה.

ריב. וַיִּפַּח בְּאַפָּיו נִשְׁמַת חַיִּים, אִתְכְּלִיל נִשְׁמַת חַיִּים בְּהַהוּא עָפָר כְּנוּקְבָא דְּמִתְעַבְּרָא מִן דְּכוּרָא דְּהָא מִתְחַבְּרָן, וְאִתְמַלְיָא הַאי עָפָר מִכֹּלָּא, וּמַאי אִיהוּ רוּחִין וְנִשְׁמָתִין, וַיְהִי הָאָדָם לְנֶפֶשׁ חַיָּה, הַשְׁתָּא אִתְתַּקַּן וְקַיַּים אָדָם לְאַתְקְנָא וּלְמֵיזַן לְנֶפֶשׁ חַיָּה.

ריג. וַיִּבֶן ה' אֱלֹהִים, אוּף הָכֵי נָמֵי בְּשֵׁם מָלֵא, דְּהָא אַבָּא וְאִמָּא אַתְקִינוּ לָהּ, עַד לָא אָתַת לְבַעֲלָהּ. אֶת הַצֵּלָע, כד"א שְׁחוֹרָה אֲנִי וְנָאוָה בְּנוֹת יְרוּשָׁלָםִ, אַסְפַּקְלַרְיָאה דְּלָא נָהֲרָא, אֲבָל אַבָּא וְאִמָּא אַתְקִינוּ לָהּ, לְאִתְפַּיְּיסָא בַּעֲלָהּ בַּהֲדָהּ.

ריד. וַיְבִאֶהָ אֶל הָאָדָם, מֵהָכָא אוּלִיפְנָא דְּבָעָאן אַבָּא וְאִמָּא דְּכַלָּה, לְאָעֳלָהּ בִּרְשׁוּתֵיהּ דְּחָתָן, כד"א אֶת בִּתִּי נָתַתִּי לָאִישׁ הַזֶּה וגו', מִכָּאן וָאֵילָךְ בַּעֲלָהּ יֵיתֵי לְגַבָּהּ, דְּהָא בֵּיתָא דִּילָהּ הוּא, דִּכְתִּיב וַיָּבֹא אֵלֶיהָ, וַיָּבֹא גַּם אֶל רָחֵל, בְּקַדְמֵיתָא וַיְבִאֶהָ אֶל הָאָדָם, דְּעַד הָכָא אִית לְאַבָּא וּלְאִמָּא לְמֶעְבַּד, לְבָתַר אִיהוּ יֵיתֵי לְגַבָּהּ, וְכָל בֵּיתָא דִּילָהּ הוּא, וְיִטּוֹל רְשׁוּתָא מִינָּהּ.

רטו. וְעַ"ד אִתְעֲרָנָא, דִּכְתִּיב וַיִּפְגַּע בַּמָּקוֹם וַיָּלֶן שָׁם, דְּנָטִיל רְשׁוּ בְּקַדְמֵיתָא, מִכָּאן אוּלִיפְנָא, דְּמַאן דְּמִתְחַבַּר בְּאִנְתְּתֵיהּ, בָּעֵי לְמִפְגַּע לָהּ, וּלְבַסְמָא לָהּ בְּמִלִּין, וְאִי לָאו לָא יְבִית לְגַבָּהּ בְּגִין דִּיהֵא רְעוּתָא דִּלְהוֹן כַּחֲדָא בִּדְלָא אֲנִיסוּ.

רטז. וַיָּלֶן שָׁם כִּי בָא הַשֶּׁמֶשׁ, לְאַחֲזָאָה, דְּאָסִיר לֵיהּ לְבַר נָשׁ, לְשַׁמְּשָׁא עַרְסֵיהּ בִּימָמָא. וַיִּקַּח מֵאַבְנֵי הַמָּקוֹם וַיָּשֶׂם מְרַאֲשׁוֹתָיו, הָכָא אוּלִיפְנָא, דַּאֲפִילּוּ יְהוֹן לְמַלְכָּא עַרְסֵי דְּדַהֲבָא, וּלְבוּשֵׁי יְקָר לְמֵיבַת בְּהוּ, וּמַטְרוֹנִיתָא תַּתְקִין לֵיהּ עַרְסָא, מִתְתַּקַּן בְּאַבְנִין, יִשְׁבּוֹק דִּילֵיהּ, וְיָבִית בְּמָה דְּאִיהִי תַּתְקִין, דִּכְתִּיב וַיִּשְׁכַּב בַּמָּקוֹם הַהוּא.

ריז. ת"ח, מַה כְּתִיב הָכָא, וַיֹּאמֶר הָאָדָם זֹאת הַפַּעַם וגו', הָא בְּסִימוּ דְּמִלִּין, לְאַמְשָׁכָא עִמָּהּ חֲבִיבוּתָא, וּלְאַמְשָׁכָא לָהּ לִרְעוּתֵיהּ, לְאַתְעָרָא עִמָּהּ רְחִימוּתָא, חָמֵי כַּמָּה בְּסִימִין אִינּוּן מִלִּין, כַּמָּה מִלֵּי דִּרְחִימוּתָא אִינּוּן, עֶצֶם מֵעֲצָמַי וּבָשָׂר מִבְּשָׂרִי, בְּגִין לְאַחֲזָאָה לָהּ דְּאִינּוּן חַד, וְלָא אִית פֵּרוּדָא בֵּינַיְיהוּ בְּכֹלָּא.

ריח. הַשְׁתָּא שָׁרֵי לְשַׁבְּחָא לָהּ, לְזֹאת יִקָּרֵא אִשָּׁה, דָּא הִיא דְּלָא יִשְׁתְּכַח כַּוָותָהּ, דָּא הִיא יְקָרָא דְּבֵיתָא, כֻּלְּהוֹן נָשִׁין גַּבָּהּ כְּקוֹפָא בִּפְנֵי בְּנֵי נָשָׁא, אֲבָל לְזֹאת יִקָּרֵא אִשָּׁה, שְׁלִימוּ דְּכֹלָּא, לְזֹאת וְלָא לְאָחֳרָא, כֹּלָּא הוּא מִלֵּי רְחִימוּתָא, כְּמָה דְּאַתְּ אָמֵר רַבּוֹת בָּנוֹת עָשׂוּ חָיִל וְאַתְּ עָלִית עַל כֻּלָּנָה.

ריט. כֵּן יַעֲזָב אִישׁ אֶת אָבִיו וְאֶת אִמּוֹ וְדָבַק בְּאִשְׁתּוֹ וְהָיוּ לְבָשָׂר אֶחָד כֹּלָּא לְאַמְשָׁכָא לָהּ בִּרְחִימוּ, וּלְאִתְדַּבְּקָא בַּהֲדָהּ, כֵּיוָן דְּאִתְעַר לְגַבָּהּ כָּל מִלִּין אִלֵּין, מַה כְּתִיב, וְהַנָּחָשׁ הָיָה עָרוּם וגו', הָא אִתְעַר יֵצֶר הָרָע לְאַחֲדָא בָּהּ, בְּגִין לְקַשְׁרָא לָהּ בְּתִיאוּבְתָּא דְּגוּפָא, וּלְאִתְעָרָא לְגַבָּהּ מִלִּין אָחֳרָנִין דְּיֵצֶר הָרָע אִתְעֲנַג בְּהוּ.

רכ. עַד לְבָתַר מַה כְּתִיב, וַתֵּרֶא הָאִשָּׁה כִּי טוֹב הָעֵץ לְמַאֲכָל, וְכִי תַאֲוָה הוּא

לָעֵינַיִם, וַתִּקַּח מִפִּרְיוֹ וַתֹּאכַל. קַבֵּילַת לֵיהּ בִּרְעוּתָא, וַתִּתֵּן גַּם לְאִישָׁהּ עִמָּהּ, הָא כְּדֵין הִיא אִתְעָרָא לְגַבֵּיהּ בְּתֵיאוּבְתָא לְאַתְעָרָא לֵיהּ רְעוּתָא וּרְחִימוּ, דָּא מִלָּה לְאַחֲזָאָה עוֹבָדָא לִבְנֵי נָשָׁא כְּגַוְונָא דִּלְעֵילָּא.

רכא. אֲמַר רַבִּי אֶלְעָזָר, אִי הָכֵי, בְּמַאי נוֹקִים לֵיהּ לְעֵילָּא, יֵצֶר הָרַע דְּאָחִיד בָּהּ בְּנוּקְבָא. אֲמַר לֵיהּ, הָא אִתְעָרָא, אִלֵּין לְעֵילָּא וְאִלֵּין לְתַתָּא, יֵצֶר טוֹב וְיֵצֶר רָע, יֵצֶר טוֹב מִיְּמִינָא, וְיֵצֶר רָע מִשְּׂמָאלָא, וּשְׂמָאלָא לְעֵילָּא, אָחִיד בְּנוּקְבָא, לְקַשְּׁרָא לָהּ כַּחֲדָא בְּגוּפָא, כד"א שְׂמֹאלוֹ תַּחַת לְרֹאשִׁי וגו', וְעַל דָּא, מִלִּין אִתְפָּרְשָׁן לְעֵילָּא וְתַתָּא, עַד הָכָא, מִכָּאן וּלְהָלְאָה מִלִּין בְּזוּטְרָא דְּזִיפְתָּא לִזְעִירֵיהּ דְּטִינְקִין לְפָרְשָׁא מִלָּה. וְהָא אִתְעָרוּ בֵּיהּ חַבְרַיָּיא.

רכב. ר"ש הֲוָה אָזִיל לִטְבֶרְיָה, וַהֲווּ עִמֵּיהּ ר' יוֹסֵי וְרַבִּי יְהוּדָה וְר' חִיָּיא, אַדְּהָכֵי חָמוּ לֵיהּ לְרַבִּי פִּנְחָס דַּהֲוָה אָתֵי, כֵּיוָן דְּאִתְחַבָּרוּ כַּחֲדָא, נַחֲתוּ וְיָתְבוּ תְּחוֹת אִילָנָא חַד, מֵאִילָנֵי טוּרָא, אֲמַר רַבִּי פִּנְחָס, הָא יָתִיבְנָא, מֵאִלֵּין מִלֵּי מַעַלְיָיתָא דְּאַתְּ אָמַר בְּכָל יוֹמָא בְּעֵינָא לְמִשְׁמַע.

רכג. פָּתַח רַבִּי שִׁמְעוֹן וַאֲמַר, וַיֵּלֶךְ לְמַסָּעָיו מִנֶּגֶב וְעַד בֵּית אֵל עַד הַמָּקוֹם אֲשֶׁר הָיָה שָׁם אָהֳלֹה בַּתְּחִלָּה בֵּין בֵּית אֵל וּבֵין הָעָי. וַיֵּלֶךְ לְמַסָּעָיו, לְמַסָּעוֹ מִבָּעֵי לֵיהּ, מַאי לְמַסָּעָיו, אֶלָּא תְּרֵין מַטְלָנִין אִינוּן, חַד דִּידֵיהּ, וְחַד דִּשְׁכִינְתָּא, דְּהָא כָּל בַּר נָשׁ בָּעֵי לְאִשְׁתַּכְּחָא דְּכַר וְנוּקְבָא, בְּגִין לְאַתְקָפָא מְהֵימְנוּתָא, וּכְדֵין שְׁכִינְתָּא לָא אִתְפָּרְשָׁא מִנֵּיהּ לְעָלְמִין.

רכד. וְאִי תֵּימָא, מַאן דְּנָפֵיק לְאוֹרְחָא, דְּלָא אִשְׁתַּכַּח דְּכַר וְנוּקְבָא, שְׁכִינְתָּא אִתְפָּרְשָׁא מִנֵּיהּ, תָּא חֲזֵי, הַאי מַאן דְּנָפֵיק לְאָרְחָא, יְסַדֵּר צְלוֹתָא קַמֵּי קב"ה, בְּגִין לְאַמְשָׁכָא עֲלֵיהּ שְׁכִינְתָּא דְּמָרֵיהּ עַד לָא יִפּוֹק לְאָרְחָא, בְּזִמְנָא דְּאִשְׁתַּכַּח דְּכַר וְנוּקְבָא. כֵּיוָן דְּסַדַּר צְלוֹתֵיהּ וְשִׁבְחֵיהּ, וּשְׁכִינְתָּא שַׁרְיָא עֲלֵיהּ, יִפּוֹק, דְּהָא שְׁכִינְתָּא אִזְדַּוְּוגַת בַּהֲדֵיהּ, בְּגִין דְּיִשְׁתַּכַּח דְּכַר וְנוּקְבָא, דְּכַר וְנוּקְבָא בְּמָתָא, דְּכַר וְנוּקְבָא בְּחַקְלָא, הה"ד צֶדֶק לְפָנָיו יְהַלֵּךְ וְיָשֵׂם לְדֶרֶךְ פְּעָמָיו.

רכה. ת"ח, כָּל זִמְנָא דְּבַר נָשׁ אִתְעַכַּב בְּאוֹרְחָא, בָּעֵי לְנַטְּרָא עוֹבָדוֹי, בְּגִין דְּזִוּוּגָא עִלָּאָה לָא יִתְפָּרַשׁ מִנֵּיהּ, וְיִשְׁתַּכַּח פָּגִים בְּלָא דְּכַר וְנוּקְבָא, בְּמָתָא אִצְטְרִיךְ כַּד נוּקְבֵיהּ עִמֵּיהּ, כ"ש הָכָא דְּזִוּוּגָא עִלָּאָה אִתְקַשְּׁרַת בֵּיהּ, וְלָא עוֹד, אֶלָּא דְּהָא זִוּוּגָא עִלָּאָה נָטֵיר לֵיהּ בְּאָרְחָא, וְלָא מִתְפָּרְשָׁא מִנֵּיהּ, עַד דְּיִתוּב לְבֵיתֵיהּ.

רכו. בְּשַׁעֲתָא דְּעָאל לְבֵיתֵיהּ, בָּעָא לְחַדְּתָא דְּבֵיתְהוּ, בְּגִין דְּדְבֵיתְהוּ גָּרְמָא לֵיהּ, הַהוּא זִוּוּגָא עִלָּאָה, כֵּיוָן דְּאָתָא לְגַבָּהּ, בָּעֵי לְחַדְּתָא לָהּ, בְּגִין תְּרֵין גַּוְונֵי, חַד בְּגִין חֶדְוָתָא דְּהַהִיא זִוּוּגָא, חֶדְווֹתָא דְּמִצְוָה הִיא, וְחֶדְווֹתָא דְּמִצְוָה, חֶדְווֹתָא דִּשְׁכִינְתָּא אִיהוּ.

רכז. וְלָא עוֹד אֶלָּא דְּאַסְגֵּי שָׁלוֹם סְתָם, הה"ד וְיָדַעְתָּ כִּי שָׁלוֹם אָהֳלֶךָ וּפָקַדְתָּ נָוְךָ וְלֹא תֶחֱטָא. וְכִי אִי לָא פָּקִיד לְאִתְּתֵיהּ, חֵטְא אִיהוּ, הָכֵי הוּא וַדַּאי, בְּגִין דְּגָרַע יְקַר זִוּוּגָא עִלָּאָה, דְּאִזְדַּוְּוגַת בֵּיהּ וּדְבֵיתְהוּ גָּרְמָא לֵיהּ.

רכח. וְחַד דְּאִי מִתְעַבְּרָא אִתְּתֵיהּ, זִוּוּגָא עִלָּאָה אֲרִיקַת בָּהּ, נִשְׁמָתָא קַדִּישָׁא, דְּהַאי בְּרִית אִקְרֵי בְּרִית דְּקב"ה, וְעַל דָּא בָּעֵי לְכַוְּונָא, בְּחֶדְווֹתָא דָּא כְּמָה דְּבָעֵי בְּחֶדְווֹתָא דְּשַׁבָּת, דְּאִיהוּ זִוּוּגָא דַּחֲכִימִין, וְעַל דָּא, וְיָדַעְתָּ כִּי שָׁלוֹם אָהֳלֶךָ, דְּהָא שְׁכִינְתָּא אַתְיָא עִמָּךְ, וְשַׁרְיָא בְּבֵיתָךְ, וְע"ד וּפָקַדְתָּ נָוְךָ וְלֹא תֶחֱטָא, מַאי וְלֹא תֶחֱטָא, לְשַׁמָּשָׁא קַמֵּי שְׁכִינְתָּא, חֶדְווֹתָא דְּמִצְוָה.

רכט. כְּגַוְונָא דָא, תַּלְמִידֵי וַחֲכָמִים, דְּמִתְפָּרְשָׁן מִנְּשַׁיְיהוּ, כָּל אִינּוּן יוֹמִין דְּשַׁבַּתָּא, בְּגִין לְאִתְעַסְקָא בְּאוֹרַיְיתָא, זִוּוּגָא עִלָּאָה אִזְדַּוֵּוג בְּהוּ, וְלָא מִתְפָּרְשָׁא מִנַּיְיהוּ, בְּגִין דְּיִשְׁתַּכְּחוּן דְּכַר וְנוּקְבָא. כֵּיוָן דְּעָאל שַׁבָּת, בָּעְיָין תַּלְמִידֵי וַחֲכָמִים, לְחַדְּתָא לְדְבֵיתְהוּ, בְּגִין יְקָר זִוּוּגָא עִלָּאָה, וּלְכַוְּונָא לִבַּיְיהוּ, בִּרְעוּתָא דְּמָארֵיהוֹן כְּמָה דְּאִתְּמַר.

רל. כְּגַוְונָא דָא, הַאי מַאן דְּאִתְּתֵיהּ בְּיוֹמֵי מִסָּאֲבוּ דִּילָהּ, וְנָטִיר לָהּ כִּדְקָא יָאוֹת, כָּל אִינּוּן יוֹמִין, זִוּוּגָא עִלָּאָה אִזְדַּוֵּוג בַּהֲדֵיהּ, דְּיִשְׁתַּכְּחוּן דְּכַר וְנוּקְבָא, כֵּיוָן דְּאִתְדְּכִיאַת אִתְּתֵיהּ, בָּעֵי לְחַדְּתָא לָהּ, וְחֶדְוָה דְּמִצְוָה, וְחֶדְוָה עִלָּאָה, וְכָלְהוּ טַעֲמֵי דְּקָא אֲמָרָן בְּחַד דַּרְגָּא סַלְּקִין. סְתָמָא דְּמִלָּה כָּל אִינּוּן בְּנֵי מְהֵימְנוּתָא, בָּעְיָין לְכַוְּונָא, לִבָּא וּרְעוּתָא בְּהַאי.

רלא. וְאִי תֵּימָא, אִי הָכֵי, שְׁבָחָא הוּא דְּבַר נָשׁ, כַּד נָפֵיק לְאָרְחָא, יַתִּיר מִן בֵּיתֵיהּ, בְּגִין זִוּוּגָא עִלָּאָה דְּאִזְדַּוְּוגַת בַּהֲדֵיהּ. תָּא וַחֲזֵי, בְּזִמְנָא דְּבַר נָשׁ הוּא בְּבֵיתֵיהּ, עִקָּרָא דְּבֵיתָא דְּבֵיתְהוּ, בְּגִין דִּשְׁכִינְתָּא לָא אִתְעַדֵּי מִן בֵּיתָא, בְּגִין דְּבֵיתְהוּ, כְּמָה דִּתְנֵינָן, דִּכְתִיב וַיְבִיאֶהָ יִצְחָק הָאֹהֱלָה שָׂרָה אִמּוֹ, דִּשְׁרַגָּא אִתְדְּלָקַת, מַאי טַעְמָא, בְּגִין דִּשְׁכִינְתָּא אֲתַת לְבֵיתָא.

רלב. רָזָא דְּמִלָּה, אִמָּא עִלָּאָה לָא אִשְׁתַּכְּחַת גַּבֵּי דְּכוּרָא, אֶלָּא בְּזִמְנָא דְּאִתְתַּקְּנַת בֵּיתָא, וְאִתְחַבְּרוּ דְּכַר וְנוּקְבָא, כְּדֵין אִמָּא עִלָּאָה, אֲרִיקַת בִּרְכָאן, לְבָרוּכֵי לוֹן. כְּגַוְונָא דָא אִמָּא תַּתָּאָה, לָא אִשְׁתַּכְּחַת לְגַבֵּי דְּכוּרָא, אֶלָּא בְּזִמְנָא דְּאִתְתַּקְּנַת בֵּיתָא, וְאָתֵי דְּכַר לְגַבָּהּ דְּנוּקְבֵיהּ, וְאִתְחַבְּרוּ כַּחֲדָא, כְּדֵין אִמָּא תַּתָּאָה, אֲרִיקַת בִּרְכָאן לְבָרְכָא לוֹן.

רלג. וְעַ"ד בִּתְרֵי נוּקְבִין, אִתְעַטַּר דְּכוּרָא בְּבֵיתֵיהּ, כְּגַוְונָא דִּלְעֵילָא. וְהַיְינוּ רָזָא דִּכְתִיב, עַד תַּאֲוַת גִּבְעוֹת עוֹלָם, הַאי עַ"ד, תֵּיאוּבְתָּא דְּגִבְעוֹת עוֹלָם בֵּיהּ, נוּקְבָא עִלָּאָה, לְאַתְקְנָא לֵיהּ, וּלְאַעְטְּרָא לֵיהּ, וּלְבָרְכָא לֵיהּ. נוּקְבָא תַּתָּאָה, לְאִתְחַבְּרָא בֵּיהּ, וּלְאִתְּזְנָא מִנֵּיהּ.

רלד. וּכְגַוְונָא דָא לְתַתָּא, כַּד דְּכוּרָא אִנְסִיב, תַּאֲוַת גִּבְעוֹת עוֹלָם לְגַבֵּיהּ, וְאִתְעַטַּר בִּתְרֵי נוּקְבֵי, חַד עִלָּאָה וְחַד תַּתָּאָה, עִלָּאָה לְאַרְקָא עָלֵיהּ בִּרְכָאן, תַּתָּאָה לְאִתְּזְנָא מִנֵּיהּ, וּלְאִתְחַבְּרָא בַּהֲדֵיהּ, וּבְ"נ בְּבֵיתֵיהּ, תַּאֲוַת גִּבְעוֹת עוֹלָם לְגַבֵּיהּ, וְאִתְעַטַּר בְּהוּ.

רלה. כַּד נָפֵיק בְּאָרְחָא, לָאו הָכֵי, אִימָּא עִלָּאָה אִתְחַבְּרַת בַּהֲדֵיהּ, וְתַתָּאָה אִשְׁתְּאָרַת. כַּד תָּב לְבֵיתֵיהּ, בָּעֵי לְאִתְעַטְּרָא בִּתְרֵי נוּקְבֵי כִּדְקָאֲמָרָן. אֲמַר ר' פִּנְחָס אֲפִילּוּ בְּקְלִיפֵּי סַנְפּוּרֵי קִטְרָא לָא פַּתְוֵי עִטְרָא קַמָּךְ.

רלו. א"ר שִׁמְעוֹן, כְּגַוְונָא דָא אוֹרַיְיתָא קָאִים בֵּין תְּרֵי בָּתִּים, כְּמָה דִּכְתִיב לִשְׁנֵי בָתֵּי יִשְׂרָאֵל וְגוֹ'. וְחַד סְתִימָא עִלָּאָה, וְחַד אִתְגַּלְיָא יַתִּיר, עִלָּאָה, קוֹל גָּדוֹל, דִּכְתִיב קוֹל גָּדוֹל וְלֹא יָסָף.

רלז. וְהַאי קוֹל פְּנִימָאָה אִיהוּ, דְּלָא אִשְׁתְּמַע, וְלָא אִתְגַּלְיָא, וְדָא הוּא, כַּד נָבִיעַ בֵּי גָרוֹן, אַפִּיק ה' בְּחָשַׁאי, וְנָבִיעַ תָּדִיר וְלָא פָּסַק, וְאִיהוּ דַּקָּה פְּנִימָאָה, דְּלָא אִשְׁתְּמַע לְעָלְמִין.

רלח. וּמֵהָכָא נָפְקָא אוֹרַיְיתָא, דְּאִיהוּ קוֹל יַעֲקֹב, וְהַאי אִשְׁתְּמַע, דְּנָפְקָא מֵהַהִיא דְּלָא אִשְׁתְּמַע, וּלְבָתַר אִתְאַחִיד דִּבּוּר בַּהֲדֵיהּ, וְנָפַק לְבַר, מֵחֵילֵיהּ וּמִתְּקִיפֵיהּ, וְקוֹל דְּיַעֲקֹב דְּאִיהוּ אוֹרַיְיתָא, אָחִיד בֵּין תְּרֵי נְקֵבֵי, אָחִיד בְּהַאי פְּנִימָאָה דְּלָא אִשְׁתְּמַע, וְאָחִיד בְּהַאי דִּלְבַר דְּאִשְׁתְּמַע.

רלט. תְּרֵין אִינּוּן דְּלָא אִשְׁתְּמָעוּ, וּתְרֵין אִינּוּן דְּאִשְׁתְּמָעוּ. תְּרֵין דְּלָא אִשְׁתְּמָעוּ, דָּא הוּא חָכְמָה עִלָּאָה סְתִימָאָה, דְּקַיְּימָא בְּמַחֲשָׁבָה, דְּלָא אִתְגַּלְיָא וְלָא אִשְׁתְּמַע. לְבָתַר נָפְקָא

וְאִתְגַּלְיָא זְעֵיר בְּחָשַׁאי, דְּלָא אִשְׁתְּמַע, הַהוּא דְּאִקְרֵי קוֹל גָּדוֹל, דְּהוּא דַק וְנָפִיק בְּחָשַׁאי.

רמ. תְּרֵין אִינּוּן דְּאִשְׁתְּמָעוּ, אִינּוּן דְּנָפְקֵי מֵהָכָא, קוֹל דְּיַעֲקֹב, וְדִבּוּר דְּאִתְאֲחִיד בַּהֲדֵיהּ. הַאי קוֹל גָּדוֹל, דְּאִיהוּ בְּחָשַׁאי וְלָא אִשְׁתְּמַע, אִיהִי בַּיִת לְחָכְמָה עִלָּאָה, וְכָל נוּקְבָא בַּיִת אִקְרֵי, וְהַאי דִּבּוּר בַּתְרָאָה, אִיהוּ בַּיִת לְקוֹל דְּיַעֲקֹב, דְּאִיהוּ אוֹרַיְיתָא. וְעַל דָּא אוֹרַיְיתָא שָׁרְיָא בְּבֵי״ת, בֵּי״ת רֵאשִׁית.

רמא. פָּתַח וְאָמַר, בְּרֵאשִׁית בָּרָא אֱלֹקִים, הַיְינוּ דִּכְתִיב וַיִּבֶן ה' אֱלֹקִים אֶת הַצֵּלָע. אֵת הַשָּׁמַיִם, הַיְינוּ דִּכְתִיב וַיְבִיאֶהָ אֶל הָאָדָם. וְאֵת הָאָרֶץ, כד״א וְעֶצֶם מֵעֲצָמַי, וַדַּאי הַאי אִיהִי אֶרֶץ הַחַיִּים.

רמב. תּוּ, פָּתַח ר' שִׁמְעוֹן וְאָמַר נְאֻם ה' לַאדֹנִי שֵׁב לִימִינִי עַד אָשִׁית אֹיְבֶיךָ הֲדֹם לְרַגְלֶיךָ. נְאֻם ה' לַאדֹנִי, דַּרְגָּא עִלָּאָה, לְדַרְגָּא תַּתָּאָה קָאָמַר, שֵׁב לִימִינִי, לְאִתְקַשְּׁרָא מַעֲרָבִית בִּדְרוֹמִית, שְׂמָאלָא בִּימִינָא, בְּגִין לְתַבְרָא חֵילֵיהוֹן, דִּשְׁאָר עַמִּין עעכו״ם. נְאֻם ה' לַאדֹנִי, נְאֻם ה', דָּא יַעֲקֹב. לַאדֹנִי, דָּא אֲרוֹן הַבְּרִית אֲדוֹן כָּל הָאָרֶץ.

רמג. ד״א נְאֻם ה', דָּא יוֹבְלָא. לַאדֹנִי, דָּא שְׁמִיטָה. דִּכְתִיב בָּהּ אָהַבְתִּי אֶת אֲדֹנִי. שֵׁב לִימִינִי, דְּהָא יְמִינָא בְּיוֹבְלָא שַׁרְיָא, וּשְׁמִיטָה בָּעֵי לְאִתְקַשְּׁרָא בִּימִינָא.

רמד. ת״ח, שְׁמִיטָה דָּא, לָא אִתְקַשַּׁר בְּקִיּוּמָא שְׁלִים, בִּימִינָא וּבִשְׂמָאלָא, מִיּוֹמָא דְּאִשְׁתַּכְחַת, כַּד בָּעְיָא לְאִתְקַשְּׁרָא, אוֹשִׁיט דְּרוֹעָא שְׂמָאלָא לְקַבְּלָהּ, וּבָרָא עָלְמָא דֵּין, וּבְגִין דְּהוּא מִסִּטְרָא דִּשְׂמָאלָא, לֵית בֵּיהּ קִיּוּמָא, עַד זִמְנָא דְּאֶלֶף שְׁבִיעָאָה, דִּבְהַהוּא יוֹמָא לְזִוּוּג, אִתְקַשַּׁר כְּדֵין בִּימִינָא, וּכְדֵין תֶּהֱוֵי בֵּין יְמִינָא וּשְׂמָאלָא, בְּקִיּוּמָא שְׁלִים, וְיִשְׁתַּכְּחוּן שָׁמַיִם חֲדָשִׁים, וְאֶרֶץ חֲדָשָׁה, וּכְדֵין לָא תַעֲדֵי מִתַּמָּן לְעָלְמִין.

רמה. אִי הָכֵי בְּמַאי נוּקִים שֵׁב לִימִינִי, אֶלָּא עַד זִמְנָא יְדִיעָא, דִּכְתִיב עַד אָשִׁית אֹיְבֶיךָ הֲדֹם לְרַגְלֶיךָ, וְלָא תְּדִיר. אֲבָל בְּהַהוּא זִמְנָא, לָא תַעֲדֵי מִתַּמָּן לְעָלְמִין, דִּכְתִיב כִּי יָמִין וּשְׂמֹאל תִּפְרוֹצִי, לְמֶהֱוֵי כֹּלָּא חַד.

רמו. תָּא חֲזֵי, אֵת הַשָּׁמַיִם, דָּא שְׁכִינְתָּא עִלָּאָה. וְאֵת הָאָרֶץ, דָּא שְׁכִינְתָּא דִּלְתַתָּא, בְּאִתְחַבְּרוּתָא דִּדְכַר וְנוּקְבָא כַּחֲדָא. וְהָא אִתְּמַר כַּמָּה דְּאִתְעָרוּ בֵּיהּ חַבְרַיָּיא עַד כָּאן.

רמז. בָּעוּ לְמֵיזַל, קָמוּ, אָמַר ר״ש, מִלָּה הָכָא גְּנִיזָא, פָּתַח רַבִּי שִׁמְעוֹן וְאָמַר, תְּרֵי קְרָאֵי כְּתִיבֵי, כִּי ה' אֱלֹקֶיךָ אֵשׁ אוֹכְלָה הוּא. וּכְתִיב הָתָם וְאַתֶּם הַדְּבֵקִים בַּה' אֱלֹקֵיכֶם חַיִּים כֻּלְּכֶם הַיּוֹם. הָנֵי קְרָאֵי אוֹקִימְנָא לְהוּ, בְּכַמָּה אֲתַר, וְאִתְעָרוּ בְּהוּ חַבְרַיָּיא. תָּא חֲזֵי, כִּי ה' אֱלֹקֶיךָ אֵשׁ אוֹכְלָה הוּא, הָא אִתְּמַר, מִלָּה דָּא, בְּגוֹ חַבְרַיָּיא, דְּאִית אֶשָּׁא אָכְלָא אֶשָּׁא, וְאָכִיל לָהּ וְשֵׁיצֵי לָהּ, בְּגִין דְּאִית אֶשָּׁא תַּקִּיפָא מֵאֶשָּׁא, וְאוֹקְמוּהָ.

רמח. אֲבָל תָּא חֲזֵי, מַאן דְּבָעֵי לְמִנְדַּע חָכְמְתָא דְּיִחוּדָא קַדִּישָׁא, יִסְתַּכַּל בְּשַׁלְהוֹבָא דְּסַלְקָא מִגּוֹ גַּחֶלְתָּא, אוֹ מִגּוֹ בּוֹצִינָא דְּדָלִיק, דְּהָא שַׁלְהוֹבָא לָא סַלְקָא אֶלָּא כַּד אִתְאֲחִיד בְּמִלָּה גַּסָּה.

רמט. תָּא חֲזֵי, בְּשַׁלְהוֹבָא דְּסַלְקָא, אִית תְּרֵין נְהוֹרִין, חַד נְהוֹרָא חִוָּורָא, דְּנָהִיר, וְחַד נְהוֹרָא דְּאִתְאֲחִיד בָּהּ, אוּכְמָא אוֹ תְּכְלָא. הַהוּא נְהוֹרָא חִוָּורָא אִיהוּ לְעֵילָא, וְסַלְקָא בְּאוֹרַח מֵישׁוֹר. וּתְחוֹתֵיהּ, הַהוּא נְהוֹרָא תִּכְלָא אוֹ אוּכְמָא, דְּאִיהוּ כֻּרְסְיָא לְהַהוּא חִוָּורָא.

רנ. וְהַהוּא נְהוֹרָא חִוָּורָא, שַׁארֵי עֲלוֵיהּ, וְאִתְאֲחִידוּ דָּא בְּדָא, לְמֶהֱוֵי כֹּלָּא חַד, וְהַהוּא נְהוֹרָא אוּכְמָא, אוֹ גַּוָּון תִּכְלָא, דְּאִיהוּ לְתַתָּא, הוּא כֻּרְסְיָא דִּיקָר, לְהַהוּא חִוָּורָא.

וְעַל דָּא רָזָא דִּתְכֵלְתָּא.

רנא. וְהַאי כֻּרְסְיָא תִּכְלָא אוּכְמָא, אִתְאֲחַד בְּמִלָּה אֲחֳרָא לְאִתְדַּלְקָא, דְּהוּא מִתַּתָּא, וְהַהוּא אִתְעַר לֵיהּ, לְאִתְאַחֲדָא בִּנְהוֹרָא חִוְּורָא.

רנב. וְדָא תִּכְלָא אוּכְמָא, לִזְמְנִין אִתְהֲדַר סוּמְקָא, וְהַהוּא נְהוֹרָא חִוְּורָא דְּעֲלֵיהּ, לָא אִשְׁתַּנֵּי לְעָלְמִין, דְּהָא חִוְּורָא הוּא תָּדִיר. אֲבָל הַאי תִּכְלָא אִשְׁתַּנֵּי לְגַוְונִין אִלֵּין, לִזְמְנִין תִּכְלָא אוֹ אוּכְמָא, וְלִזְמְנִין סוּמְקָא.

רנג. וְהַאי אִתְאֲחִיד לִתְרֵין סִטְרִין, אִתְאֲחִיד לְעֵילָּא, בְּהַהוּא נְהוֹרָא חִוְּורָא. אִתְאֲחִיד לְתַתָּא, בְּהַהוּא מִלָּה דִּתְחוֹתוֹי, דִּמְתַקְנָא בֵּיהּ לְאַנְהָרָא וּלְאִתְאַחֲדָא בֵּיהּ.

רנד. וְדָא אַכְלָא תָּדִיר, וְשֵׁיצֵי לְהַהוּא מִלָּה דְּשַׁוְיָין לֵיהּ, דְּהָא בְּכָל מַה דְּאִתְדַּבַּק בֵּיהּ לְתַתָּא, וְשַׁרְיָא עֲלוֹי הַהוּא נְהוֹרָא תִּכְלָא, שֵׁיצֵי לֵיהּ, וְאָכֵיל לֵיהּ, בְּגִין דְּאוֹרְחוֹי הוּא לְשֵׁיצָאָה, וּלְמֶהֱוֵי אָכֵיל, דְּהָא בֵּיהּ תַּלְיָא שֵׁיצוּ דְּכֹלָּא, מוֹתָא דְּכֹלָּא, וּבְגִינֵי כָּךְ אִיהִי אָכֵיל, כָּל מַה דְּאִתְדַּבַּק בֵּיהּ לְתַתָּא.

רנה. וְהַהוּא נְהוֹרָא חִוְּורָא דְּשַׁרְיָא עֲלוֹי, לָא אָכֵיל וְלָא שֵׁיצֵי לְעָלְמִין, וְלָא אִשְׁתַּנֵּי נְהוֹרֵיהּ. וְעַ״ד אֲמַר מֹשֶׁה, כִּי ה׳ אֱלֹקֶיךָ אֵשׁ אוֹכְלָה הוּא, אוֹכְלָה וַדַּאי, אָכֵיל וְשֵׁיצֵי כָּל מַה דְּשַׁרְיָא תְּחוֹתוֹי. וְעַל דָּא אֲמַר ה׳ אֱלֹהֶיךָ, וְלָא אֱלֹקֵינוּ, בְּגִין דְּמֹשֶׁה, בְּהַהוּא נְהוֹרָא חִוְּורָא דִּלְעֵילָּא הֲוָה, דְּלָא שֵׁיצֵי וְלָא אָכֵיל.

רנו. ת״ח, לֵית לֵיהּ אִתְעֲרוּתָא, לְאִתְדַּלְקָא הַאי נְהוֹרָא תִּכְלָא, לְאִתְאַחֲדָא בִּנְהוֹרָא חִוְּורָא, אֶלָּא עַל יְדֵי יִשְׂרָאֵל, דְּאִינּוּן מִתְדַּבְּקָן בֵּיהּ תְּחוֹתוֹי.

רנז. וְת״ח, אע״ג דְּאוֹרְחֵיהּ דְּהַאי נְהוֹרָא תִּכְלָא אוּכְמָא, לְשֵׁיצָאָה כָּל מַה דְּאִתְדַּבַּק בֵּיהּ תְּחוֹתוֹי, יִשְׂרָאֵל מִתְדַּבְּקָן בֵּיהּ תְּחוֹתוֹי, וְקַיְימִין בְּקִיּוּמָא, הה״ד וְאַתֶּם הַדְּבֵקִים בַּה׳ אֱלֹקֵיכֶם חַיִּים. בַּה׳ אֱלֹקֵיכֶם, וְלָא אֱלֹקֵינוּ, בְּהַהוּא נְהוֹרָא תִּכְלָא אוּכְמָא, דְּאָכֵיל וְשֵׁיצֵי, כָּל מַה דְּאִתְדַּבַּק בֵּיהּ תְּחוֹתֵיהּ, וְאַתּוּן מִתְדַּבְּקָן בֵּיהּ וְקַיְימֵי, דִּכְתִיב חַיִּים כֻּלְּכֶם הַיּוֹם.

רנח. וְעַל נְהוֹרָא חִוְּורָא, שַׁרְיָיא לְעֵילָּא נְהוֹרָא סְתִימָא דְּאַקִּיף לֵיהּ. וְרָזָא עִלָּאָה הָכָא. וְכֹלָּא תַּשְׁכַּח בְּשַׁלְהוֹבָא דְּסָלֵיק, וְחָכְמְתִין דְּעֶלְיוֹנִין בֵּיהּ. אָתָא רַבִּי פִּנְחָס וּנְשָׁקֵיהּ, אֲמַר בְּרִיךְ רַחֲמָנָא דְּאִיעֲרַעְנָא הָכָא, אָזְלוּ עִמֵּיהּ דְּרַבִּי פִּנְחָס תְּלַת מִילִּין.

רנט. אַהַדְרוּ רַבִּי שִׁמְעוֹן וְחַבְרַיָּיא. אֲמַר רַבִּי שִׁמְעוֹן, הָא דַּאֲמָרָן רָזָא דְּחָכְמְתָא אִיהוּ בְּיִחוּדָא קַדִּישָׁא, דְּבג״כ ה״א בַּתְרָאָה דִּשְׁמָא קַדִּישָׁא, אִיהוּ נְהוֹרָא תִּכְלָא אוּכְמָא, דְּאִתְאֲחִיד בְּיה״ו, דְּהוּא נְהוֹרָא חִוְּורָא דְּנָהִיר.

רס. ת״ח, לִזְמְנִין הַאי נְהוֹרָא תִּכְלָא ד׳, וְלִזְמְנִין ה׳, אֶלָּא בִּזְמְנָא דְּלָא מִתְדַּבְּקָן בֵּיהּ יִשְׂרָאֵל לְתַתָּא, לְאַדְלָקָא לֵיהּ, לְאִתְאַחֲדָא בִּנְהוֹרָא חִוְּורָא, אִיהוּ ד׳. וְלִזְמְנָא דְּמִתְעָרֵי לֵיהּ, לְאִתְחַבְּרָא עִם נְהוֹרָא חִוְּורָא, כְּדֵין אִקְרֵי ה׳.

רסא. מְנָלָן, דִּכְתִיב כִּי יִהְיֶה נַעֲרָה בְתוּלָה, נַעַר כְּתִיב, בְּלָא ה׳, מ״ט בְּגִין דְּלָא אִתְחַבְּרַת בִּדְכוּרָא, וּבְכָל אֲתַר דְּלָא אִשְׁתַּכְּחוּ דְּכַר וְנוּקְבָא, ה״א לָא אִשְׁתַּכַּח, וְסָלְקָא מִתַּמָּן, וְאִשְׁתָּאַר ד׳.

רסב. דְּהָא אִיהִי כָּל זִמְנָא דְּאִתְחַבַּר בִּנְהוֹרָא חִוְּורָא דְּנָהִיר, אִקְרֵי ה׳. דְּהָא כְּדֵין כֹּלָּא אִתְחַבַּר כַּחֲדָא, אִיהִי אִתְדַּבְּקַת בִּנְהוֹרָא חִוְּורָא, וְיִשְׂרָאֵל מִתְדַּבְּקָן בָּהּ, וְקַיְימָא תְּחוֹתָהּ, לְאַדְלָקָא לָהּ, וּכְדֵין כֹּלָּא חַד.

רסג. וְדָא הוּא רָזָא דְּקָרְבְּנָא, דִּתְנָנָא דְּסָלֵיק, אַתְעַר לֵיהּ, לְהַאי נְהוֹרָא תִּכְלָא

לאדלקא, וכד אתדלק, אתחבר בנהורא חוורא, ושרגא דליק ביחודא חד.

רסד. ובגין דארחיה דהאי נהורא תכלא לשיצאה, ולמהוי אכיל כל מה דאתדבק ביה תחותיה, כד רעוא אשתכח, ושרגא דליק בחבורא חד, כדין כתיב ותפול אש ה' ותאכל את העולה וגו'. וכדין אתידע, דההיא שרגא דליק בחבורא חד, וקשורא חד. נהורא תכלא אתדבק בנהורא חוורא, ואיהו חד. אכיל תחותיה תרבין ועלוון, דמשמע דהא לא אכיל תחותיה, אלא בזמנא דאיהו סליק, וכלא אתקשר ואתחבר בנהורא חוורא, וכדין שלמא דעלמין כלהו, וכלא אתקשר ביחודא חד.

רסה. ולבתר דסיים לשיצאה תחותיה, האי נהורא תכלא. מתדבקן ביה תחותיה, כהני וליואי וישראל. אלין בחדוה דשיר, ואלין ברעותא דלבא, ואלין בצלותא. ושרגא דליק עלייהו, ואתדבקו נהורין כחד, ונהירין עלמין, ומתברכין עלאין ותתאין.

רסו. וכדין ואתם הדבקים בה' אלקיכם חיים כלכם היום. ואתם, אתם מבעי ליה, אלא ו' לאוספא, על תרבין ועלוון, דאינון מתדבקין ביה, ואכלין ושצאן. ואתון מתדבקן ביה, בההוא נהורא תכלא אוכמא דאכלא, ואתון קיימין, הדא הוא דכתיב חיים כלכם היום.

רסז. כל גוונין טבין לחלמא, בר מתכלא, דאיהו אכיל ושצי תדיר, ואיהו אילנא דביה מותא, ושריא על עלמא תתאה, ובגין דכלא שריא תחותיה, איהו אכיל ושצי.

רסח. ואי תימא, הכי נמי שריא, בשמיא לעילא, וכמה חילין אינון לעילא, וכלהו קיימי. תא חזי, כל אינון דלעילא בההוא נהורא תכלא אתכללן. אבל תתאי לאו הכי, דאינון מלה גסה, עלמא דקיימא ושריא עליה, ובג"כ אכיל ושצי לון, ולית לה מלה אחרא לתתא בעלמא, דלא אשתצי, בגין דנהורא תכלא שצי, לכל מה דקיימא עליה.

רסט. בארבעין וחמש גווני זיני נהורין, אתפליג עלמא, שבעה מתפלגין, לשבעה תהומין. כל חד בטש בתהומא דיליה, ואבנין מתגלגלין בגו תהומא. ועייל ההוא נהורא, באינון אבנין, ונקב לון, ומיא נפקו בהו, ושקעין כל חד וחד, על תהומא, וחפייא לתרין סטרין.

ער. נפקו מיא באינון נוקבין, ועאל נהורא ובטש לארבע סטרי תהומא, מתגלגלא נהורא בחברתה, ואערעו כחד. ופלגין מיין.

רעא. ואעידן כל אינון שבעה בשבעה תהומי, וכראן בחשוכי תהומא. וחשוכי אינון אתערבי בהון, וסלקין מיא ונחתין, ומתגלגלין באינון נהורין, ואתערבו כחדא. נהורין, וחשוכין, ומיין. ואתעבידו מנייהו נהורין דלא אתחזאן, חשוכאן.

רעב. בטש כל חד בחבריה, ומתפלגין לשבעין וחמש צנורי תהומא, ובהו נגדן מיא. כל צנורא וצנורא סליק בקליה, ואזדעזען תהומין, וכד ההוא קלא אשתמע, כל תהומא קרי לחבריה ואמר, פליג מימך ואעול בך. הדא הוא דכתיב תהום אל תהום קורא לקול צנוריך.

רעג. תחות אלין, תלת מאה ושתין וחמשה גידין, מנהון חוורין, מנהון אוכמין, מנהון סומקין, אתכלילו דא בדא, ואתעבידו גוון חד. אינון גידין אתרקימו בשבע עשרה רשתות. וכל חד, רשת גידין אקרי, אתרקימו דא בדא, ונחתין בשפולי תהומי. תחות אלין, תרין רשתין קיימין, כחיזו דפרזלא, ותרין רשתין אחרנין כחיזו דנחשא.

רעד. תרין כרסוון קיימי עלייהו, חד מימינא, וחד משמאלא, כל אינון רשתין מתחברן כחדא, ומיין נחתין מאינון צנורין, ועאלין באלין רשתין. אינון תרין כרסוון,

וַחַד כָּרְסְיָיא דִּרְקִיעָא אוּכְמָא, וְחַד כָּרְסְיָיא דִּרְקִיעָא סַסְגּוֹנָא.

רהע. אִלֵּין תְּרֵין כָּרְסָוָון, כַּד אִינּוּן סָלְקִין, סָלְקִין בְּהַהוּא כָּרְסְיָיא דִּרְקִיעָא אוּכְמָא, וְכַד נָחֲתִין, נָחֲתִין בְּהַהוּא כָּרְסְיָיא דִּרְקִיעָא סַסְגּוֹנָא.

רעו. אִלֵּין תְּרֵין כָּרְסָוָון, חַד מִיְּמִינָא, וְחַד מִשְּׂמָאלָא. וְהַהוּא כָּרְסְיָיא דִּרְקִיעָא אוּכְמָא, מִיְּמִינָא. וְהַהוּא כָּרְסְיָיא דִּרְקִיעָא סַסְגּוֹנָא, מִשְּׂמָאלָא. כַּד סָלְקִין בְּכָרְסְיָיא דִּרְקִיעָא אוּכְמָא, מָאִיךְ כָּרְסְיָיא דִּרְקִיעָא שְׂמָאלָא, וְנָחֲתִין בֵּיהּ.

רעז. מִתְגַּלְגְּלִין כָּרְסָוָון, חַד בְּחַד. נָקְטִין כָּל אִינּוּן רְשִׁימִין בְּגַוַויְיהוּ, וְעָאלִין לוֹן, בְּשִׁפּוּלָא דִּתְהוֹמָא תַּתָּאָה, קָאִים חַד כָּרְסְיָיא, וְסָלֵיק לְעֵילָּא מִכָּל אִינּוּן תְּהוֹמֵי, וְקָאֵים כָּרְסְיָיא אָחֳרָא, לְתַתָּא דְּכָל תְּהוֹמֵי. בֵּין תְּרֵין כָּרְסָוָון אִלֵּין, מִתְגַּלְגְּלִין כָּל אִינּוּן תְּהוֹמֵי, וְכָל אִינּוּן צִנּוֹרִין אִתְנְעָצוּ בֵּין תְּרֵין כָּרְסָוָון אִלֵּין.

רעח. שַׁבְעִין וְחָמֵשׁ צִנּוֹרִין אִינּוּן, שִׁבְעָה, אִינּוּן עִלָּאֵי דְּכֹלָּא, וְכָל אִינּוּן אָחֳרָנִין אֲחִידָן בְּהוּ. וְכֻלְּהוּ נְעִיצֵי בְּגַלְגְּלוֹי דְּהַאי כָּרְסְיָיא, בְּסִטְרָא דָּא וּנְעִיצִין בְּגַלְגְּלוֹי דְּהַאי כָּרְסְיָיא, בְּסִטְרָא דָּא.

רעט. בְּהוֹן מַיִין סָלְקִין וְנַחֲתִין, אִינּוּן דְּנַחֲתִין כָּרָאן בִּתְהוֹמֵי, וּבָקְעֵי לוֹן. אִינּוּן דְּסָלְקִין עָאלִין, בְּאִינּוּן נוּקְבֵי אַבְנִין, וְסָלְקִין וּמַלְיָין לְשֶׁבַע יַמִּין, עַד כָּאן שִׁבְעָה גְּוָונֵי נְהוֹרִין בְּרָזָא עִלָּאָה.

רפ. שִׁבְעָה נְהוֹרִין אָחֳרָנִין, מִתְפַּלְּגִין לְשִׁבְעָה יַמִּים. וְיַמָּא חַד כָּלֵיל לוֹן, הַהוּא יַמָּא חָד, אִיהוּ יַמָּא עִלָּאָה, דְּכֻלְּהוּ שֶׁבַע יַמִּין כְּלִילָן בֵּיהּ.

רפא. שִׁבְעָה נְהוֹרִין אִלֵּין, עָאלִין לְגוֹ הַהוּא יַמָּא, וּמְחָאן לֵיהּ לְיַמָּא, לְשִׁבְעָה סִטְרִין. וְכָל סִטְרָא וְסִטְרָא אִתְפְּלַג לְשִׁבְעָה נַחֲלִין. כְּדִכְתִּיב וְהִכָּהוּ לְשִׁבְעָה נְחָלִים וגו', וְכָל נַחֲלָא וְנַחֲלָא אִתְפְּלַג לְשִׁבְעָה נַהֲרִין. וְכָל נַהֲרָא וְנַהֲרָא אִתְפְּלַג לְשִׁבְעָה אָרְחִין. וְכָל אוֹרְחָא וְאוֹרְחָא אִתְפְּלַג לְשִׁבְעָה שְׁבִילִין. וְכָל מֵימוֹי דְּיַמָּא כֻּלְּהוֹן עָאלִין לְגַוַויְיהוּ.

רפב. שִׁבְעָה נְהוֹרִין סָלְקִין וְנַחֲתִין לְשִׁבְעָה סִטְרִין, שִׁבְעָה נְהוֹרִין עִלָּאִין, עָאלִין לְגוֹ יַמָּא. שִׁתָּא אִינּוּן, וּמֵחַד עִלָּאָה נָפְקֵי. כְּמָה דְּנָטֵיל יַמָּא, הָכֵי פָּלֵיג מֵימוֹי לְכָל אִינּוּן יַמִּין, לְכָל אִינּוּן נַהֲרִין.

רפג. חַד תַּנִּינָא לְתַתָּא, בְּסִטַר שְׂמָאלָא, שָׁאט בְּכָל אִינּוּן נַהֲרִין. אָתֵי בְּסִטַר, קַשְׂקְשׂוֹי כֻּלְּהוֹן תַּקִּיפִין כְּפַרְזְלָא. וּמָטֵי לְשָׁאֲבָא, וְשָׁאֵיב אַתְרָהּ. וְכָל אִינּוּן נְהוֹרִין אִתְחֲשָׁכָן קַמֵּיהּ, פּוּמֵיהּ וְלִישָׁנֵיהּ מְלַהֲטָא אֶשָּׁא וְחִדּוּד לִישָׁנֵיהּ, כְּחַרְבָּא תַּקִּיפָא.

רפד. עַד דְּמָטֵי לְמֵיעַל לְמַקְדְּשָׁא, גּוֹ יַמָּא. וּכְדֵין סָאֵיב מַקְדְּשָׁא, וְאִתְחֲשָׁכָן נְהוֹרִין. וּנְהוֹרִין עִלָּאִין סָלְקִין מִן יַמָּא, כְּדֵין יַמָּא מִתְפַּלְּגִין מֵימוֹי, בְּסִטַר שְׂמָאלָא, וְיַמָּא קָאפֵי, וְלָא נָגְדִין מֵימוֹי.

רפה. וְעַל דָּא רָזָא דְּמִלָּה, כְּמָה דִּכְתִּיב, וְהַנָּחָשׁ הָיָה עָרוּם מִכֹּל חַיַּת הַשָּׂדֶה אֲשֶׁר עָשָׂה ה' אֱלֹקִים. רָזָא דְּחִוְיָא בִּישָׁא, נָחֵית מֵעֵילָּא לְתַתָּא, וְהוּא שָׁאט עַל אַפֵּי מַיִין מְרִירָן, וְנָחֵית לְאַפָּתֵי לְתַתָּא, עַד דְּיִפְּלוּן גּוֹ רִשְׁתּוֹי.

רפו. הַאי חִוְיָא הִיא מוֹתָא דְּעָלְמָא. וְהוּא עָאל בְּמֵעוֹי דְּסָתִים דְּבַר נָשׁ, הוּא לְסִטַר שְׂמָאלָא, וְאִית חִוְיָא אַחֲרָא דְּחַיֵּי, בְּסִטַר יְמִינָא, תַּרְוַיְיהוּ אָזְלֵי עִמֵּיהּ דְּבַר נָשׁ. כְּמָה דְּאוֹקְמוּהָ.

רפז/א. מִכֹּל חַיַּת הַשָּׂדֶה, דְּהָא כָּל שְׁאָר חֵיוָן דְּחַקְלָא, לֵית בְּהוּ חַכִּים לְאַבְאָשָׁא כְּהַאי, בְּגִין דְּאִיהוּ זוּהֲמָא דְּדַהֲבָא. וַוי לְמַאן דְּאִתְמְשִׁיךְ אֲבַתְרֵיהּ. דְּאִיהוּ גָּרִים לֵיהּ

מותא, ולכל דאתיין אבתריה, והא אוקמוה.

רפז/ב. אדם, אתמשיך אבתריה לתתא, ונזיית למנדע, בכל מה דלתתא, כמה דנזיית הכי אתמשיך רעותיה, וארחוי אבתרייהו, עד דמטין להאי חויא, וחמו תיאובתיה דעלמא, ושטו אורחוי באתר דא. כדין קם ואתמשיך איהו אבתרייהו דאדם ואתתיה, ואתדבק בהו, וגרים להו מותא, ובכל דרי דאתו אבתריה. עד דמטו ישראל, לטורא דסיני, לא פסק זוהמא דיליה מעלמא, והא אתמר.

רפח. כיון דחטו, ואתדבקו באילנא דשריא ביה מותא לתתא. מה כתיב, וישמעו את קול ה' אלקים מתהלך בגן. מהלך אין כתיב כאן, אלא מתהלך ת"ח, עד לא חטא אדם, הוה סליק וקאים בחכמה דנהירו עלאה. ולא הוה מתפרש מאילנא דחיי. כיון דאסגי תיאובתא למנדע, ולנחתא לתתא, אתמשך אבתרייהו, עד דאתפרש מאילנא דחיי, וידע רע ושבק טוב, ועל דא כתיב כי לא אל חפץ רשע אתה לא יגורך רע. מאן דאתמשך בתר רע, לית ליה דירה, עם אילנא דחיי.

רפט. ועד לא חטאו, הוו שמעין קלא מלעילא, והוו ידעי חכמתא עלאה, וקיימי בקיומא דזיהרא עלאה, ולא דחלי. כיון דחטאו, אפילו קלא דלתתא, לא הוי יכלין למיקם ביה.

רצ. כגוונא דא, עד לא חבו ישראל, בשעתא דקיימו ישראל על טורא דסיני, אתעבר מנייהו זוהמא, דהאי חויא, דהא כדין בטול יצר הרע הוה מעלמא, ודחו ליה מנייהו. וכדין אתאחידו באילנא דחיי, וסלקו לעילא, ולא נחתו לתתא.

רצא. כדין הוו ידעין וחמאן אספקלריאן עלאין, ואתנהרין עינייהו, וחדאן למנדע ולמשמע, וכדין חגר לון קב"ה חגורין דאתוון דשמיה קדישא, דלא ייכול לשלטאה עלייהו, האי חויא, ולא יסאב לון כקדמיתא.

רצב. כיון דחטאו בעגל, אתעבר מנייהו כל אינון דרגין, ונהורין עלאין, ואתעברו מנייהו אינון חגירו מזיינין, דאתעטרו משמא עלאה קדישא, ואמשיכו עלייהו חויא בישא, כמלקדמין, וגרמו מותא, לכל עלמא.

רצג. ולבתר מה כתיב וירא אהרן וכל בני ישראל את משה והנה קרן עור פניו וייראו מגשת אליו. ת"ח, מה כתיב בקדמיתא, וירא ישראל את היד הגדולה. וכלהו חמאן זהרין עלאין, ומתנהרין באספקלריא דנהרא, דכתיב וכל העם רואים את הקולות, ועל ימא הוו חמאן ולא דחלין, דכתיב זה אלי ואנוהו, לבתר דחטו פני הסרסור לא הוו יכלין למחמי, דכתיב וייראו מגשת אליו.

רצד. ת"ח, מה כתיב בהו, ויתנצלו בני ישראל את עדים מהר חורב. דאתעבר מנייהו אינון מזיינן, דאתחגרו בהון בטורא דסיני. בגין דלא ישלוט בהו ההוא חויא בישא, כיון דאתעבר מנייהו, מה כתיב ומשה יקח את האהל ונטה לו מחוץ למחנה הרחק מן המחנה.

רצה. אמר רבי אלעזר, מאי האי קרא, לגבי האי, אלא, כיון דידע משה דאתעברו מנייהו דישראל אינון זיינין עלאין, אמר, הא ודאי מכאן ולהלאה חויא בישא ייתי לדיירא בינייהו, ואי יקום מקדשא הכא בינייהו, יסתאב. מיד ומשה יקח את האהל ונטה לו מחוץ למחנה הרחק מן המחנה. בגין דחמא משה, דהא כדין ישלוט חויא בישא, מה דלא הוה מקדמת דנא.

רצו. וְקָרָא לוֹ אֹהֶל מוֹעֵד, וְכִי לָא הֲוָה בְּקַדְמֵיתָא אֹהֶל מוֹעֵד. אֶלָּא, בְּקַדְמֵיתָא אֹהֶל סְתָם, הַשְׁתָּא אֹהֶל מוֹעֵד. מַאי מוֹעֵד, ר' אֶלְעָזָר אֲמַר לְטַב וְרַבִּי אַבָּא אֲמַר לְבִישׁ. ר' אֶלְעָזָר אֲמַר לְטַב: מַה מוֹעֵד דְּאִיהוּ יוֹם חֶדְוָה, דְּסִיהֲרָא דְּאִתּוֹסְפָא בֵּיהּ קְדוּשָּׁה, לָא שָׁלְטָא בֵּיהּ פְּגִימוּתָא. אוּף הָכָא, קָרָא לָהּ, בִּשְׁמָא דָּא, לְאַחֲזָאָה דְּהָא אִתְרַחִיק אֹהֶל מִבֵּינַיְיהוּ, וְלָא אִתְפְּגִים. וְע"ד וְקָרָא לוֹ אֹהֶל מוֹעֵד כְּתִיב.

רצז. וְרַבִּי אַבָּא אֲמַר לְבִישׁ: דְּהָא בְּקַדְמֵיתָא הֲוָה אֹהֶל סְתָם, כד"א אֹהֶל בַּל יִצְעָן בַּל יִסַּע יְתֵדוֹתָיו לָנֶצַח. וְהַשְׁתָּא אֹהֶל מוֹעֵד. בְּקַדְמֵיתָא, לְמֵיהַב חַיִּין אֲרוּכִין לְעָלְמִין, דְּלָא יִשְׁלוֹט בְּהוּ מוֹתָא. מִכָּאן וּלְהָלְאָה אֹהֶל מוֹעֵד, כד"א וּבֵית מוֹעֵד לְכָל חָי, הַשְׁתָּא אִתְיְהִיב בֵּיהּ זִמְנָא וְחַיִּין קְצוּבִין לְעָלְמָא, בְּקַדְמֵיתָא לָא אִתְפְּגִים, וְהַשְׁתָּא אִתְפְּגִים. בְּקַדְמֵיתָא, חַבְרוּתָא וְזִוּוּגָא דְּסִיהֲרָא בְּשִׁמְשָׁא דְּלָא יַעֲדוּן. הַשְׁתָּא, אֹהֶל מוֹעֵד זִוּוּגָא דִּלְהוֹן מִזְּמַן לִזְמַן, וּבְגִינֵי כָּךְ, וְקָרָא לוֹ אֹהֶל מוֹעֵד, מַה דְּלָא הֲוָה קוֹדֶם.

רצח. רַבִּי שִׁמְעוֹן הֲוָה יָתִיב לֵילְיָא חַד וְלָעֵי בְּאוֹרַיְיתָא, וַהֲווּ יַתְבֵי קַמֵּיהּ רַבִּי יְהוּדָה, וְרַבִּי יִצְחָק, וְרַבִּי יוֹסֵי. אֲמַר רַבִּי יְהוּדָה, הָא כְּתִיב וַיִּתְנַצְּלוּ בְנֵי יִשְׂרָאֵל אֶת עֶדְיָם מֵהַר חוֹרֵב, וְקָאַמְרִינָן דְּגָרְמוּ מוֹתָא עֲלַיְיהוּ, מֵהַהוּא זִמְנָא וּלְעֵילָא, וְשַׁלִּיט בְּהוּ הַהוּא חִוְיָא בִּישָׁא, דְּאַעֲדוּ לֵיהּ מִנַּיְיהוּ בְּקַדְמֵיתָא. יִשְׂרָאֵל תֵּינַח. יְהוֹשֻׁעַ דְּלָא חָטָא אַעֲדֵי מִנֵּיהּ הַהוּא זַיְינָא עִלָּאָה דְּקַבֵּל עִמְּהוֹן בְּטוּרָא דְסִינַי אוֹ לָא.

רצט. אִי תֵּימָא דְּלָא אַעֲדֵי מִנֵּיהּ, אִי הָכִי אַמַּאי מִית כִּשְׁאָר בְּנֵי נָשָׁא. אִי תֵּימָא דְּאִתְעַדֵּי מִנֵּיהּ, אַמַּאי. וְהָא לָא חָטָא, דְּהָא אִיהוּ עִם מֹשֶׁה הֲוָה, בְּשַׁעֲתָא דְּחָבוּ יִשְׂרָאֵל. וְאִי תֵּימָא דְּלָא קַבֵּיל הַהוּא עִטְרָא בְּטוּרָא דְסִינַי, כְּמָה דְּקַבִּילוּ יִשְׂרָאֵל, אַמַּאי.

ש. פָּתַח וַאֲמַר, כִּי צַדִּיק ה' צְדָקוֹת אָהֵב יָשָׁר יֶחֱזוּ פָנֵימוֹ. הַאי קְרָא אֲמָרוּ בֵּיהּ חַבְרַיָּיא מַאי דְּקָאֲמָרוּ. אֲבָל כִּי צַדִּיק ה', צַדִּיק הוּא, וּשְׁמֵיהּ צַדִּיק וּבְגִינֵי כָּךְ, צְדָקוֹת אָהֵב.

שא. יָשָׁר: אִיהוּ יָשָׁר כד"א צַדִּיק וְיָשָׁר. וְעַל דָּא, יֶחֱזוּ פָנֵימוֹ, כָּל בְּנֵי עָלְמָא, וְיַתְקְנוּ אָרְחַיְיהוּ, לְמֵיהַךְ בְּאֹרַח מֵישָׁר, כִּדְקָא יָאוּת. ת"ח, כַּד דָּאִין קוּדְשָׁא בְּרִיךְ הוּא עָלְמָא, לָא דָּן לֵיהּ אֶלָּא לְפוּם רוּבָּן דִּבְנֵי נָשָׁא.

שב. וְת"ח, כַּד חָב אָדָם בְּאִילָנָא דְּאָכַל מִנֵּיהּ, גָּרַם לְהַהוּא אִילָנָא, דְּשָׁרֵי בֵּיהּ מוֹתָא לְכָל עָלְמָא. וְגָרִים פְּגִימוּ לְאַפְרָשָׁא אִתְּתָא מִבַּעְלָהּ. וְקָאֵים חוֹבָה דִּפְגִימוּ דָּא בְּסִיהֲרָא, עַד דְּקָיְימוּ יִשְׂרָאֵל בְּטוּרָא דְסִינַי. כֵּיוָן דְּקָיְימוּ יִשְׂרָאֵל בְּטוּרָא דְסִינַי, אִתְעֲבַר הַהוּא פְּגִימוּ דְּסִיהֲרָא, וְקָיְימָא לְאַנְהָרָא תָּדִיר.

שג. כֵּיוָן דְּחָבוּ יִשְׂרָאֵל בָּעֵגֶלָא, תָּבַת כְּמִלְקַדְמִין סִיהֲרָא לְאִתְפַּגְמָא, וְשָׁלְטָא חִוְיָא בִּישָׁא, וְאָחִיד בָּהּ, וּמָשִׁיךְ לָהּ לְגַבֵּיהּ. וְכַד יָדַע מֹשֶׁה דְּחָבוּ יִשְׂרָאֵל, וְאִתְעֲבַר מִנַּיְיהוּ אִינוּן זַיְינִין קַדִּישִׁין עִלָּאִין, יָדַע וַדַּאי דְּהָא חִוְיָא אָחִיד בָּהּ בְּסִיהֲרָא, לְאַמְשָׁכָא לָהּ לְגַבֵּיהּ, וְאִתְפְּגִימַת, כְּדֵין אַפִּיק לָהּ לְבַר.

שד. וְכֵיוָן דְּקָיְימָא לְאִתְפַּגְמָא, אע"ג דִּיהוֹשֻׁעַ קָאִים בְּעִטְרָא דְּזַיְינִין דִּילֵיהּ כֵּיוָן דִּפְגִימוּ שַׁרְיָא בָּהּ, וְאִתְהַדְּרַת כְּמָה דְּאִתְפְּגִימַת בְּחוֹבָא דְּאָדָם, לָא יָכִיל ב"נ לְאִתְקַיְּימָא בַּר מֹשֶׁה, דַּהֲוָה שַׁלִּיט בָּהּ, וּמוֹתֵיהּ הֲוָה בְּסִטְרָא אָחֳרָא עִלָּאָה. וְעַל דָּא, לָא הֲוָה רְשׁוּ בָּהּ, לְקַיְּימָא לִיהוֹשֻׁעַ תָּדִיר, וְלָא לְאָחֳרָא, וְעַל כָּךְ, אֹהֶל מוֹעֵד קָרֵי לֵיהּ, אֹהֶל דְּהָא שַׁרְיָא בֵּיהּ, זְמַן קָצִיב לְכָל עָלְמָא.

שה. וְעַל דָּא רָזָא דְּמִלָּה, אִית יְמִינָא לְעֵילָא, וְאִית יְמִינָא לְתַתָּא. אִית שְׂמָאלָא לְעֵילָא, וְאִית שְׂמָאלָא לְתַתָּא. אִית יְמִינָא לְעֵילָא, בִּקְדוּשָּׁה עִלָּאָה. וְאִית יְמִינָא לְתַתָּא, דְּאִיהוּ בְּסִטְרָא אָחֳרָא.

שו. אִית שְׂמָאלָא לְעֵילָא, בִּקְדוּשָּׁה עִלָּאָה, לְאַתְעָרָא רְחִימוּתָא, לְאִתְקַשְּׁרָא סִיהֲרָא בַּאֲתַר קַדִּישָׁא לְעֵילָא לְאִתְנַהֲרָא. וְאִית שְׂמָאלָא לְתַתָּא, דְּאַפְרִישׁ רְחִימוּתָא דִּלְעֵילָא, וְאַפְרִישׁ לָהּ מִלְּאַנְהֲרָא בְּשִׁמְשָׁא, וּלְאִתְקָרְבָא בַּהֲדֵיהּ. וְדָא הוּא סִטְרָא דְּחִוְיָא בִּישָׁא.

שז. דְּכַד שְׂמָאלָא דָּא דִּלְתַתָּא אִתְעַרַת, כְּדֵין מָשִׁיךְ לָהּ לְסִיהֲרָא, וְאַפְרֵישׁ לָהּ מִלְּעֵילָא, וְאִתְחַשְּׁכַת נְהוֹרָאָה, וְאִתְדַּבְּקַת בְּחִוְיָא בִּישָׁא. וּכְדֵין שָׁאִיבַת מוֹתָא לְתַתָּא לְכֹלָּא, וְאִתְדַּבְּקַת בְּחִוְיָא וְאִתְרַחֲקַת מֵאִילָנָא דְּחַיֵּי.

שח. וְע"ד גָּרִים מוֹתָא לְכָל עָלְמָא, וְדָא הוּא, דִּכְדֵין אִסְתָּאֲבַת מַקְדְּשָׁא, עַד זְמַן קָצִיב, דְּאַתְקָנַת סִיהֲרָא וְתָבַת לְאַנְהָרָא, וְדָא הוּא אֹהֶל מוֹעֵד. וְעַל דָּא, יְהוֹשֻׁעַ לָא מִית, אֶלָּא בְּעֵיטָא שֶׁל נָחָשׁ דָּא דְּקָרֵיב וּפָגִים מַשְׁכְּנָא, כִּדְקַדְמֵיתָא.

שט. וְדָא הוּא רָזָא, דִּכְתִיב וִיהוֹשֻׁעַ בִּן נוּן נַעַר לֹא יָמִישׁ מִתּוֹךְ הָאֹהֶל. דְּאַע"ג דְּאִיהוּ נַעַר לְתַתָּא, לְקַבְּלָא נְהוֹרָא, לֹא יָמִישׁ מִתּוֹךְ הָאֹהֶל. כְּמָה דְּאִתְפְּגִים דָּא, הָכֵי נָמֵי אִתְפְּגִים דָּא. אע"ג דְּזַיְינָא קַדִּישָׁא הֲוָה לֵיהּ, כֵּיוָן דְּאִתְפְּגִים סִיהֲרָא, הָכֵי הוּא וַדַּאי, לָא אִשְׁתְּזֵיב בִּלְחוּדוֹי מִנֵּיהּ, מֵהַהוּא גַּוְונָא מַמָּשׁ.

שי. ת"ח, כְּגַוְונָא דָּא כֵּיוָן דְּחָב אָדָם, נָטַל קב"ה מִנֵּיהּ אִינּוּן זַיְינֵי אַתְוָון, נְהִירִין קַדִּישִׁין, דְּאַעְטַר לֵיהּ קב"ה. וּכְדֵין דָּחֲלוּ, וְיָדְעוּ דְּהָא אִתְפַּשְׁטוּ מִנַּיְיהוּ, הה"ד וַיֵּדְעוּ כִּי עֵירוּמִּים הֵם. בְּקַדְמֵיתָא הֲווּ מִתְלַבְּשָׁן בְּאִינּוּן כִּתְרֵי יְקָר מְזַיְינָן, דְּאִינּוּן וְזִירוּ מִכֹּלָּא. כֵּיוָן דְּחָבוּ, אִתְפַּשְׁטוּ מִנַּיְיהוּ. וּכְדֵין יָדַע, דְּהָא מוֹתָא קָרֵי לוֹן, וְיָדְעוּ דְּאִתְפְּשִׁיטוּ מֵחֵירוּ דְּכֹלָּא, וְגָרְמוּ מוֹתָא לוֹן וּלְכָל עָלְמָא.

שיא. וַיִּתְפְּרוּ עֲלֵה תְאֵנָה. הָא אוּקִימְנָא, דְּאוֹלִיפוּ כָּל זַיְינֵי חַרְשִׁין וְקוֹסְמִין, וַאֲחִידוּ בְּהַאי דִּלְתַתָּא. כְּמָה דְּאִתְּמַר. וְהַהִיא שַׁעֲתָא אִתְגְּרַע זְקִיפוּ וְקוֹמָה דְּאָדָם מֵאָה אַמִּין. וּכְדֵין אִתְעֲבֵיד פְּרוּדָא, וְקָאֵים אָדָם בְּדִינָא, וְאִתְלַטְיָא אַרְעָא. וְהָא אוּקִימְנָא.

שיב. וַיְגָרֶשׁ אֶת הָאָדָם, א"ר אֶלְעָזָר לָא יָדְעֲנָא מַאן עֲבֵיד תֵּירוּכִין לְמַאן, אִי קב"ה עֲבַד תֵּירוּכִין לְאָדָם, אִי לָא. אֲבָל מִלָּה אִתְהַפִּיךְ, וַיְגָרֶשׁ אֶת, אֶת דַּיְיקָא. וּמַאן גָּרַשׁ אֶת, הָאָדָם. הָאָדָם וַדַּאי גָּרַשׁ אֶת.

שיג. וּבְגִּין דָּא כְּתִיב, וַיְשַׁלְּחֵהוּ ה' אֱלֹהִים מִגַּ"ע, אַמַּאי וַיְשַׁלְּחֵהוּ, בְּגִין דְּגֵרַשׁ אָדָם אֶת, כִּדְקָאֲמָרָן. וַיַּשְׁכֵּן: אִיהוּ אַשְׁרֵי לוֹן בַּאֲתַר דָּא, דְּאִיהוּ גָּרִים, וְסָתִים אוֹרְחִין וּשְׁבִילִין, וְאַשְׁרֵי דִּינִין עַל עָלְמָא, וְאַמְשִׁיךְ לְווֹטִין, מֵהַהוּא יוֹמָא וּלְעֵילָא.

שיד. וְאֵת לַהַט הַחֶרֶב הַמִּתְהַפֶּכֶת. כָּל אִינּוּן דְּשָׁרְיָין בְּקוּזְפֵי דִּינִין עַל עָלְמָא, דְּמִתְהַפְּכִין לְגַוְונִין סַגִּיאִין, בְּגִין לְאִתְפָּרְעָא מֵעָלְמָא. לִזְמְנִין גּוּבְרִין, לִזְמְנִין נָשִׁין, לִזְמְנִין אֶשָּׁא מְלַהֲטָא, וְלִזְמְנִין רוּחִין, דְּלֵית מַאן דְּקָאִים בְּהוּ. וְכָל דָּא, לִשְׁמוֹר אֶת דֶּרֶךְ עֵץ הַחַיִּים, דְּלָא יוֹסִיפוּן לְאַבְאָשָׁא כְּקַדְמֵיתָא.

שטו. לַהַט הַחֶרֶב. אִינּוּן דִּמְלַהֲטָאן אֶשָּׁא וְקוּסְטִירֵי עַל רָאשֵׁיהוֹן דְּרַשִּׁיעַיָּא וְחַיָּיבַיָּא, וּמִתְהַפְּכִין גַּוְונִין לְכַמָּה זַיְינִין, לְפוּם אָרְחַיְיהוּ דִּבְנֵי נָשָׁא. וְעַל דָּא לַהַט, כְּמָא דְּאַתְּ אָמֵר וְלִהַט אוֹתָם הַיּוֹם הַבָּא וְגוֹ'. וְהָא אִתְּמַר.

שטז. הַחֶרֶב: דָּא וְחֶרֶב לַה' מָלְאָה דָם וְגוֹ'. א"ר יְהוּדָה, לַהַט

החרב, כל אינון קסטרין דלהטא, דמתהפכין מדיוקנא לדיוקנא, כלהון ממנן על עלמא לאבאשא, ולאסטאה לון לחייבי עלמא, דעברין על פקודי דמאריהון.

שיז. ת"ח, כיון דחוב אדם, אמשיך עליה כמה זיינין בישין, וכמה גרדיני נמוסין, ודחיל מכלהו, ולא יכיל לקיימא עלייהו. שלמה ידע חכמתא עלאה, ושוי ליה קב"ה עטרא דמלכותא, והוו דחלי מניה כל עלמא. כיון דחוב אמשיך עליה כמה זיינין בישין, וכמה גרדיני נמוסין ודחיל מכלהו, וכדין יכלו לאבאשא ליה, ומה דהוה בידיה נטלו מניה.

שיח. ועל דא במה דאזיל ב"נ, ובההוא ארחא דאתדבק ביה, הכי משיך עליה, חילא ממנא, דאזיל לקבליה. כך אדם הוה משיך עליה חילא אחרא מסאב דסאיב ליה ולכל בני עלמא.

שיט. ת"ח כד חב אדם, משיך עליה חילא מסאבא, וסאיב ליה ולכל בני עלמא, והאי הוא חויא בישא, דאיהו מסאב וסאיב עלמא. דתנינן כד אפיק נשמתין מבני נשא, אשתאר מניה גופא מסאב, וסאיב ביתא, וסאיב לכל אינון דמקרבין ביה. הדא הוא דכתיב הנוגע במת וגו'.

שכ. וע"ד, כיון דאיהו נטיל נשמתא, וסאיב גופא, כדין אתייהיב רשו, לכל אינון סטרי מסאבן לשריא עלוי. דהא ההוא גופא אסתאב, מסטרא דההוא חויא בישא, דשריא עלוי. וע"ד, בכל אתר דההוא חויא בישא שארי מסאב ליה, ואסתאב.

שכא. ות"ח, כל בני עלמא בשעתא דניימי על ערסייהו בליליא, וליליא פריש גדפהא על כל בני עלמא, טעמי טעמא דמותא, ומגו דטעמי טעמא דמותא, האי רוחא מסאבא שטיא על עלמא, וסאיב עלמא ושריא על ידוי דבר נש ואסתאב.

שכב. וכד אתער, ואתהדר ליה נשמתיה, בכל מה דיקרב בידוי, כלהו מסאבי, בגין דשריא עלייהו רוח מסאבא, וע"ד לא יסב ב"נ מנוי לאלבשא, ממאן דלא נטיל ידוי, דהא אמשיך עליה ההוא רוח מסאבא, ואסתאב, ואית ליה רשו, להאי רוח מסאבא, לשריא בכל אתר, דאשתכח רשימו מסטריה.

שכג. ועל דא, לא יטול ידוי, ב"נ, ממאן דלא נטיל ידוי. בגין דאמשיך עליה ההוא רוח מסאבא, וקביל ליה האי דנטל מיא מניה. ואית ליה רשו לשריא עלוי דבר נש. בגין כך בעי בר נש לאסתמרא בכל סטרוי, מסטרא דהאי חויא בישא, דלא ישלוט עלוי. וזמין קב"ה לעלמא דאתי לאעברא ליה מעלמא, הה"ד ואת רוח הטומאה אעביר מן הארץ. וכתיב בלע המות לנצח וגו'.

שכד. והאדם ידע את חוה אשתו וגו'. רבי אבא פתח מי יודע רוח בני האדם העולה היא למעלה ורוח הבהמה היורדת היא למטה לארץ. האי קרא, כמה גוונין אית ביה, והכי הוא כל מלוי דאורייתא, כמה גוונין בכל חד וחד, וכלהו יאות.

שכה. והכי אינון, וכל אורייתא מתפרשא בשבעין אנפין, לקביל שבעין סטרין, ושבעין אנפין, והכי הוא בכל מלה ומלה דאורייתא, וכל מאי דנפיק מכל מלה ומלה, כמה גוונין אתפרשן מניה לכל סטרין.

שכו. ת"ח כד ב"נ אזיל בארח קשוט, הוא אזיל לימינא, ואמשיך עליה, רוחא קדישא עלאה מעילא. והאי רוח סליק ברעותא קדישא, לאתאחדא לעילא, ולאתדבקא בקדושה עלאה, דלא אתעדי מניה.

שכז. וכד בר נש אזיל בארח ביש, וסטי אורחוי, הוא אמשיך עליה רוח מסאבא

דִּלְסְטַר שְׂמָאלָא, וְסָאִיב לֵיהּ, וְאִסְתְּאַב בֵּיהּ, כד"א וְלֹא תִטַּמְּאוּ בָּהֶם וְנִטְמֵתֶם בָּם. אָתָא לְאִסְתְּאָבָא מְסָאֲבִין לֵיהּ.

שכז. ות"ח, בְּשַׁעֲתָא דְּבַר נָשׁ אָזִיל בְּאֹרַח קְשׁוֹט, וְאַמְשִׁיךְ עֲלֵיהּ רוּחָא קַדִּישָׁא עִלָּאָה וְאִתְדַּבַּק בֵּיהּ, בְּרָא דְּיוֹלִיד וְיִפּוֹק מִנֵּיהּ לְעָלְמָא, הוּא מַשִּׁיךְ עֲלֵיהּ קְדוּשָּׁה עִלָּאָה, וְיְהֵא קַדִּישׁ בִּקְדוּשָּׁה דְּמָארֵיהּ, כְּמָה דִּכְתִיב וְהִתְקַדִּשְׁתֶּם וִהְיִיתֶם קְדוֹשִׁים וגו'.

שכט. וְכַד אִיהוּ אָזִיל בִּסְטַר שְׂמָאלָא, וְאַמְשִׁיךְ עֲלֵיהּ רוּחַ מְסָאֲבָא, וְאִתְדְּבַק בֵּיהּ, בְּרָא דְּיִפּוֹק מִנֵּיהּ לְעָלְמָא, הוּא אַמְשִׁיךְ עֲלֵיהּ רוּחַ מְסָאֲבוּ, וְיִסְתָּאַב בִּמְסָאֲבוּ דְּהַהוּא סִטְרָא.

של. וְעַ"ד כְּתִיב, מִי יוֹדֵעַ רוּחַ בְּנֵי הָאָדָם הָעוֹלָה הִיא לְמַעְלָה. כַּד אִיהוּ בְּאִתְדַּבְּקוּת יְמִינָא, סָלְקָא הִיא לְעֵילָא. וְכַד אִיהוּ בְּאִתְדַּבְּקוּת שְׂמָאלָא, הַהוּא סְטַר שְׂמָאלָא, דְּאִיהוּ רוּחַ מְסָאֲבוּ, נָחִית מֵעֵילָא לְתַתָּא, וְשַׁוֵּי דִּיוּרֵיהּ בְּבַר נָשׁ, וְלָא אַעֲדֵי מִנֵּיהּ. וּבְרָא דְּאוֹלִיד בְּהַהוּא מְסָאֲבוּ אִיהוּ הֲוֵי בְּרֵיהּ, מֵהַהוּא רוּחַ מְסָאַב, אִיהוּ הַהוּא בְּרָא.

שלא. אָדָם אִתְדַּבַּק בְּהַהוּא רוּחַ מְסָאַב, וְאִתְּתֵיהּ אִתְדַּבְּקָא בֵּיהּ בְּקַדְמֵיתָא, וְנָטְלַת וְקַבִּילַת הַהוּא זוּהֲמָא מִנֵּיהּ. אוֹלִיד בַּר, הַאי בְּרָא, בְּרָא דְּרוּחַ מְסָאֲבָא אִיהוּ. וְעַל דָּא, תְּרֵין בְּנִין הֲווֹ, וְחַד מֵהַהוּא רוּחַ מְסָאַב, וְחַד כַּד תָּב אָדָם בִּתְיוּבְתָּא, וּבְגִינֵי כָךְ, הַאי מִסִּטְרָא מְסָאֲבָא, וְהַאי מִסִּטְרָא דַּכְיָא.

שלב. רַבִּי אֶלְעָזָר אָמַר, בְּשַׁעֲתָא דְּאַטִּיל נָחָשׁ הַהוּא זוּהֲמָא בָּהּ בְּחַוָּה, קַבִּילַת לֵיהּ, וְכַד אִשְׁתַּמַּשׁ עִמָּהּ אָדָם, אוֹלִידַת תְּרֵין בְּנִין, וְחַד מֵהַהוּא סִטְרָא מְסָאֲבָא, וְחַד מִסִּטְרָא דְּאָדָם. וַהֲוֵי דָּמֵי הֶבֶל, בְּדְיוּקְנָא דִּלְעֵילָא, וְקַיִן בְּדְיוּקְנָא דִּלְתַתָּא. וּבְגִין כָּךְ אִתְפָּרְשׁוּ אָרְחַיְיהוּ דָּא מִן דָּא.

שלג. וַדַּאי קַיִן, בְּרָא דְּרוּחַ מְסָאֲבָא הֲוָה, דְּאִיהוּ וְזִינָא בִּישָׁא הֲוָה. וּבְגִין דְּקַיִן אָתָא מִסִּטְרָא דְּמַלְאַךְ הַמָּוֶת, קָטִיל לֵיהּ לַאֲחוּי. וְהוּא בְּסִטְרָא דִּילֵיהּ, וּמִנֵּיהּ כָּל מְדוֹרִין בִּישִׁין, וּמַזִּיקִין וְשֵׁדִין וְרוּחִין אַתְיָין לְעָלְמָא.

שלד. אָמַר רַבִּי יוֹסֵי, קַיִן קִינָא דִּמְדוֹרִין בִּישִׁין, דְּאָתוּ מִסִּטְרָא דִּמְסָאֲבָא לְעָלְמָא. וּלְבָתַר אַיְיתִיאוּ קָרְבְּנָא. דָּא אַקְרִיב מִסִּטְרָא דִּילֵיהּ, וְדָא אַקְרִיב מִסִּטְרָא דִּילֵיהּ. הה"ד וַיְהִי מִקֵּץ יָמִים וַיָּבֵא קַיִן מִפְּרִי הָאֲדָמָה וגו'. ר' שִׁמְעוֹן אָמַר, וַיְהִי מִקֵּץ יָמִים, מַאי מִקֵּץ יָמִים, דָּא הוּא קֵץ כָּל בָּשָׂר. וּמַאן אִיהוּ דָּא מַלְאַךְ הַמָּוֶת.

שלה. וְקַיִן מֵהַהוּא קֵץ יָמִים אַיְיתֵי קָרְבְּנָא, דַּיְיקָא דְּקָאָמַר מִקֵּץ יָמִים, וְלָא אָמַר מִקֵּץ יָמִין. וּבְג"כ כְּתוּב בְּדָנִיֵּאל וְאַתָּה לֵךְ לַקֵּץ וְתָנוּחַ וְתַעֲמוֹד לְגוֹרָלְךָ. א"ל לְקֵץ הַיָּמִים אוֹ לְקֵץ הַיָּמִין. א"ל לְקֵץ הַיָּמִין. וְקַיִן מִקֵּץ הַיָּמִים אַיְיתֵי.

שלו. וַיָּבֵא קַיִן מִפְּרִי הָאֲדָמָה. כד"א וּמִפְּרִי הָעֵץ. אָמַר ר' אֶלְעָזָר, מִפְּרִי הָאֲדָמָה, כד"א אוֹי לְרָשָׁע רָע כִּי גְמוּל יָדָיו וגו'. גְּמוּל יָדָיו. דָּא מַלְאַךְ הַמָּוֶת. יֵעָשֶׂה לוֹ, דְּאִתְמְשַׁךְ עֲלַיְיהוּ, וְיִתְדַּבַּק בְּהוּ לְקַטְלָא לוֹן וּלְסָאֲבָא לוֹן. וְעַל דָּא קַיִן אַקְרִיב מִסִּטְרָא דִּילֵיהּ.

שלז. וְהֶבֶל הֵבִיא גַם הוּא מִבְּכוֹרוֹת. לְאַסְגָּאָה סִטְרָא עִלָּאָה, דְּאַתְיָא מִסְּטַר קְדוּשְׁתָא. וּבְגִינֵי כָּךְ, וַיִּשַׁע ה' אֶל הֶבֶל וְאֶל מִנְחָתוֹ וְאֶל קַיִן וְאֶל מִנְחָתוֹ לֹא שָׁעָה. לָא קַבִּיל לֵיהּ קֻב"ה. וְעַל דָּא וַיִּחַר לְקַיִן מְאֹד וַיִּפְּלוּ פָּנָיו. דְּהָא לָא אִתְקַבִּילוּ אַנְפּוֹי, אִינּוּן אַנְפִּין דְּסִטְרוֹי, וְקַבִּיל לֵיהּ לְהֶבֶל.

שלח. וּבְגִינֵי כָּךְ כְּתוּב, וַיְהִי בִּהְיוֹתָם בַּשָּׂדֶה. בַּשָּׂדֶה דָּא אִתְּתָא, כד"א כִּי בַשָּׂדֶה

מְצָאָה, וְקַיִן קָנֵי עַל נוּקְבָא יְתֵירָה, דְּאִתְיְלִידַת עִם הֶבֶל. דִּכְתִיב, וַתּוֹסֶף לָלֶדֶת וְהָא אִתְּמַר.

שלט. אִם תֵּיטִיב שְׂאֵת, כְּמָה דְּאִתְּמַר. אֲבָל שְׂאֵת, כְּדַאֲמַר רַבִּי אַבָּא, שְׂאֵת: תִּסְתַּלַּק לְעֵילָא, וְלָא תֵּיחוֹת לְתַתָּא. אֲמַר רַבִּי יוֹסֵי הַאי מִלָּה הַשְׁתָּא אִתְּמַר, וְיָאוֹת הוּא. אֲבָל הָכֵי שְׁמַעְנָא, שְׂאֵת: יְסַלֵּק מִינָּךְ, וְיִשְׁבּוֹק לָךְ, אִתְדַּבְּקוּתָא דָא, דְּרוּחַ מְסָאֲבָא.

שם. וְאִי לָא, לַפֶּתַח חַטָּאת רוֹבֵץ. מַאי לַפֶּתַח, דָּא דִּינָא עִלָּאָה, דְּאִיהוּ פִּתְחָא דְּכֹלָּא. כד"א פִּתְחוּ לִי שַׁעֲרֵי צֶדֶק. חַטָּאת רוֹבֵץ. הַהוּא סִטְרָא דְּאִתְדַּבְּקַת בֵּיהּ, וְאִתְמַשְׁכַת עֲלָךְ, יְהֵא נָטִיר לָךְ, לְאִתְפָּרְעָא מִנָּךְ, כְּתַרְגּוּמָא.

שמא. א"ר יִצְחָק, ת"ח, בְּשַׁעֲתָא דְּקָטִיל קַיִן לְהֶבֶל, לָא הֲוָה יָדַע הֵיךְ יַפִּיק נִשְׁמָתֵיהּ מִנֵּיהּ, וַהֲוָה נָשִׁיךְ לֵיהּ בְּשִׁינֵּיהּ כְּחִוְיָא. וְהָא אוֹקְמוּהָ חַבְרַיָּא. בֵּיהּ שַׁעֲתָא לַיִיט לֵיהּ קוּדְשָׁא בְּרִיךְ הוּא, וַהֲוָה אָזִיל לְכָל סִטְרֵי עָלְמָא, וְלָא הֲוָה אֲתַר דִּמְקַבֵּל לֵיהּ, עַד דְּאַטְפּוּחַ עַל רֵישֵׁיהּ וְתָב קַמֵּי מָארֵיהּ. וְקַבִּילַת לֵיהּ אַרְעָא, בְּמָדוֹרָא לְתַתָּא.

שמב. ר' יוֹסֵי אֲמַר, אַרְעָא קַבִּילַת לֵיהּ, לְמֵיהַךְ בָּהּ. דִּכְתִיב, וַיָּשֶׂם ה' לְקַיִן אוֹת. ר' יִצְחָק אֲמַר, לָאו הָכֵי, אֶלָּא, לְתַתָּא קַבִּילַת לֵיהּ אַרְעָא, בְּמָדוֹרָא חָדָא דִּתְחוֹתָהּ. דִּכְתִיב, הֵן גֵּרַשְׁתָּ אוֹתִי הַיּוֹם מֵעַל פְּנֵי הָאֲדָמָה. מֵעַל פְּנֵי הָאֲדָמָה גּוֹרַשׁ, אֲבָל לְתַתָּא לָא גּוֹרַשׁ.

שמג. וּבְאָן אֲתַר קַבִּילַת לֵיהּ אַרְעָא, בְּאַרְקָא. וְכָל אִינּוּן דְּדַיְירֵי תַּמָּן. עֲלַיְיהוּ כְּתִיב יֹאבְדוּ מֵאַרְעָא וּמִתְּחוֹת שְׁמַיָּא אֵלֶּה. וְתַמָּן שַׁוֵּי מְדוֹרֵיהּ, וְהַיְינוּ דִּכְתִיב, וַיֵּשֶׁב בְּאֶרֶץ נוֹד קִדְמַת עֵדֶן.

שדמ. תּוֹסֶפְתָּא כֵּיוָן דַּאֲמַר קַיִן, גָּדוֹל עֲוֹנִי מִנְּשֹׂא. מָחַל לֵיהּ קב"ה, פַּלְגּוּ מֵעוֹנְשֵׁיהּ. בְּגִין דְּגָזַר עֲלֵיהּ בְּקַדְמֵיתָא, וַאֲמַר לֵיהּ, נָע וָנָד תִּהְיֶה בָאָרֶץ. וְהַשְׁתָּא, אִשְׁתָּאַר בְּנוֹד בִּלְחוֹדוֹי. הה"ד וַיֵּצֵא קַיִן מִלִּפְנֵי ה' וְגוֹ'. כְּלוֹמַר, דְּכַד נָפַק מִן קֳדָם ה' הֲוָה, בְּגִין לְמֶהֱוֵי נָד בְּאַרְעָא, וְלָא נָע.

שמה. וְעוֹד אֲמָרוּ, כַּד נָפַק קַיִן, מִן קֳדָם ה', אֲמַר לוֹ אָדָם, בְּרִי, מָה אִתְעֲבֵיד עַל דִּינָךְ. אֲמַר לוֹ קַיִן, אַבָּא, כְּבָר אִתְבַּשְּׂרִית, דְּמָחַל לִי קב"ה, בְּנוֹד בִּלְחוֹדוֹי. אֲמַר לוֹ, הֵיאַךְ הוּא. אֲמַר לוֹ, בְּגִין דְּתָבִית, וְאוֹדֵית קַמֵּיהּ. אֲמַר אָדָם, וְכִי דֵּין הוּא רַב וְתַקִּיף חֵילָא דִּתְשׁוּבָה, וַאֲנָא לָא יָדַעְנָא. שָׁרָא לְשַׁבְּחָא לְמָרֵיהּ, וּלְאוֹדָאָה לֵיהּ, פָּתַח וַאֲמַר, מִזְמוֹר שִׁיר לְיוֹם הַשַּׁבָּת טוֹב לְהוֹדוֹת לַה'. כְּלוֹמַר, טוֹב לְשַׁבְּחָא וְלַאֲתָבָא וּלְאוֹדָאָה קַמֵּיהּ קב"ה (ע"כ תוספתא).

שמו. וַאֲמַר רַבִּי יִצְחָק, מֵהַהִיא שַׁעֲתָא דְּקָטִיל קַיִן לְהֶבֶל, אִתְפְּרַשׁ אָדָם מֵאִתְּתֵיהּ. תְּרֵין רוּחִין נוּקְבִין, הֲווּ אַתְיָין וּמִזְדַּוְּוגָן עִמֵּיהּ, וְאוֹלִיד רוּחִין וְשֵׁדִין דְּשָׁאטָן בְּעָלְמָא.

שמז. וְלָא תִּקְשֵׁי לָךְ הַאי, דְּהָא בַּר נָשׁ, כַּד אִיהוּ בְּחֶלְמֵיהּ, אַתְיָין רוּחִין נוּקְבִין וְחַיְיכָן עִמֵּיהּ, וּמִתְחַמְּמָן מִנֵּיהּ, וְאוֹלִידִין לְבָתַר. וְאִלֵּין אִקְרוּן נִגְעֵי בְּנֵי אָדָם. וְלָא מִתְהַפְּכָן, אֶלָּא לִדְיוֹקְנֵי בְּנֵי נָשָׁא וְלֵית לוֹן שַׂעֲרִין בְּרֵישָׁא. וְעַל דָּא כְּתִיב בִּשְׁלֹמֹה, וְהוֹכַחְתִּיו בְּשֵׁבֶט אֲנָשִׁים וּבְנִגְעֵי בְּנֵי אָדָם. וַאֲפִילוּ כְּהַאי גַּוְונָא, רוּחִין דְּכוּרִין אַתְיָין לִנְשֵׁי עָלְמָא, וּמִתְעַבְּרָן מִנַּיְיהוּ, וְאוֹלִידָן רוּחִין, וְכֻלְּהוֹן נִגְעֵי בְּנֵי אָדָם אִקְרוּן.

שמח. בָּתַר מְאָה וּתְלָתִין שְׁנִין, אִתְלַבַּשׁ אָדָם בְּקִינְאָה, וְאִתְחַבַּר בְּאִתְּתֵיהּ, וְאוֹלִיד בַּר, וְקָרָא שְׁמוֹ שֵׁת. רָזָא, דְּסוֹפָא דְּאַתְוָון בְּקִיטְרֵי גְּלִיפָן. רַבִּי יְהוּדָה אֲמַר, רָזָא דְּרוּחָא

דְאִתְאֲבִיד, דְאִתְלַבַּשׁ בְּגוּפָא אָחֳרָא בְּעָלְמָא. הֲדָא הוּא דִכְתִיב כִּי שָׁת לִי אֱלֹקִים זֶרַע אַחֵר תַּחַת הֶבֶל.

שמט. וְאָמַר רַבִּי יְהוּדָה, כְּתִיב וַיּוֹלֶד בִּדְמוּתוֹ כְּצַלְמוֹ, מַשְׁמַע דִּבְנִין אָחֳרָנִין לָא הֲווּ בְּדִיוּקְנָא דִילֵיהּ, וְדָא בִּדְמוּתוֹ כְּצַלְמוֹ, בְּתִיקוּנָא דְגוּפָא, וּבְתִיקוּנָא דְנַפְשָׁא, בְּאֹרַח מֵישָׁר. כְּמָה דְּאָמַר ר״ש, מִשְּׁמֵיהּ דְּרַב יֵיבָא סָבָא. בְּנִין אָחֳרָנִין, בְּאִתְדַּבְּקוּתָא דְזוּהֲמָא דְנָחָשׁ, וְהַהוּא דְרָכִיב בֵּיהּ דְּאִיהוּ סמא״ל הֲווּ, וּבְגִינֵי כָּךְ לָא הֲוָה בְּדִיוּקְנָא דְאָדָם. וְאִי תֵּימָא, הָא אֲמַרְתְּ, דְהֶבֶל מִסִּטְרָא אָחֳרָא הֲוָה. הָכִי הוּא. אֲבָל תַּרְוַויְהוּ, לָא הֲווּ בְּדִיוּקְנָא דִלְתַתָּא.

שנ. אָמַר ר׳ יוֹסֵי, וְהָא כְּתִיב, וְהָאָדָם יָדַע אֶת חַוָּה אִשְׁתּוֹ וַתַּהַר וַתֵּלֶד אֶת קַיִן. וְלָא כְּתִיב וַיּוֹלֶד אֶת קַיִן. וַאֲפִילוּ בְּהֶבֶל לָא כְּתִיב וַיּוֹלֶד, אֶלָּא וַתּוֹסֶף לָלֶדֶת אֶת אָחִיו אֶת הָבֶל. וְדָא הוּא רָזָא דְמִלָּה. אֲבָל בְּהַאי מַה כְּתִיב וַיּוֹלֶד בִּדְמוּתוֹ כְּצַלְמוֹ.

שנא. רַבִּי שִׁמְעוֹן אָמַר, מֵאָה וּתְלָתִין שְׁנִין, אִתְפְּרַשׁ אָדָם מֵאִתְּתֵיהּ. וְכָל אִינּוּן מֵאָה וּתְלָתִין שְׁנִין, הֲוָה אוֹלִיד רוּחִין וְשֵׁדִין בְּעָלְמָא. בְּגִין הַהוּא חֵילָא דְזוּהֲמָא, דַּהֲוָה שָׁאִיב בֵּיהּ. כֵּיוָן דְּנָסִיל מִנֵּיהּ הַהוּא זוּהֲמָא, תָּב וְקָנֵי לְאִנְתְּתֵיהּ, וְאוֹלִיד בַּר. כְּדֵין כְּתִיב, וַיּוֹלֶד בִּדְמוּתוֹ כְּצַלְמוֹ.

שנב. ת״ח, כָּל ב״נ דְּאָזִיל לִסְטַר שְׂמָאלָא וְסָאִיב אָרְחוֹי, כָּל רוּחֵי מְסָאֲבֵי, מָשִׁיךְ עַל גַּרְמֵיהּ. וְרוּחַ מְסָאַב אִתְדַּבַּק בֵּיהּ, וְלָא אַעֲדֵי מִנֵּיהּ. וְאִתְדַּבְּקוּתָא דְּהַהוּא רוּחָא מְסָאַב, הֲוֵי בְּהַאי ב״נ, וְלָא בְּאָחֳרָא, וּבְגִינֵי כָּךְ, אִתְדַּבְּקוּתָא דִלְהוֹן לָאו אִיהוּ, אֶלָּא בְּאִינּוּן דְּמִתְדַּבְּקִין בְּהוּ. זַכָּאִין אִינּוּן צַדִּיקַיָּא, דְּאָזְלֵי בְּאֹרַח מֵישָׁר, וְאִינּוּן זַכָּאֵי קְשׁוֹט. וּבְנֵיהוֹן זַכָּאִין בְּעָלְמָא. וַעֲלַייְהוּ כְּתִיב כִּי יְשָׁרִים יִשְׁכְּנוּ אָרֶץ.

שנג. אָמַר ר׳ חִיָּיא, מַאי דִכְתִיב, וַאֲחוֹת תּוּבַל קַיִן נַעֲמָה. מַאי אִירְיָא הָכָא, דְּקָאָמַר קְרָא דִשְׁמָהּ נַעֲמָה. אֶלָּא, בְּגִין דְּטָעַיִין בְּנֵי נָשָׁא אֲבַתְרָהּ, וַאֲפִילוּ רוּחִין וְשֵׁדִין. רַבִּי יִצְחָק אָמַר, אִינּוּן בְּנֵי הָאֱלֹהִים עֻזָּא וַעֲזָאֵל, טָעוּ בַּתְרָהּ.

שנד. רַבִּי שִׁמְעוֹן אָמַר, אִמָּן שֶׁל שֵׁדִים הֲוַת, דְּמִסִּטְרָא דְקַיִן נָפְקַת, וְהִיא אִתְמַנַּת עִם לִילִית בְּאַסְכָּרָה דְרַבְיֵי. אָמַר לֵיהּ רַבִּי אַבָּא, וְהָא אָמַר מַר, דְּהִיא אִתְמַנַּת לְחַיְיכָא בִּבְנֵי נָשָׁא. א״ל, הָכִי הוּא וַדַּאי, דְּהָא אִיהִי אַתְיַית וְחַיְיכַאת בְּהוּ בִּבְנֵי נָשָׁא. וּלְזִמְנִין דְּאוֹלִידַת רוּחִין בְּעָלְמָא מִנַּיְיהוּ. וְעַד כָּאן אִיהִי קַיְימַת לְחַיְיכָא בְּהוּ בִּבְנֵי נָשָׁא.

שנה. א״ל רַבִּי אַבָּא, וְהָא אִינּוּן מֵתִין כִּבְנֵי נָשָׁא, מַאי טַעְמָא, אִיהִי קַיְימַת עַד הַשְׁתָּא. א״ל, הָכִי הוּא. אֲבָל לִילִית וְנַעֲמָה, וְאִגְּרַת בַּת מָחֲלַת דְּנָפְקַת מִסִּטְרָא דִלְהוֹן כֻּלְּהוּ קַיָּימוֹת עַד דִּיבָעֵר קב״ה, רוּחַ מְסָאֲבָא מֵעָלְמָא. דִּכְתִיב וְאֶת רוּחַ הַטֻּמְאָה אַעֲבִיר מִן הָאָרֶץ.

שנו. אָמַר ר״ש, וַוי לוֹן לִבְנֵי נָשָׁא, אִינּוּן דְּלָא יָדְעִין וְלָא מַשְׁגִּיחִין, וְלָא מִסְתַּכְּלִין, וְכֻלְּהוּ אֲטִימִין, דְּלָא יָדְעִין כַּמָּה מַלְיָיא עָלְמָא מִבִּרְיָין מְשַׁנְיָין, דְּלָא אִתְחֲזוּן, וּמִלִּין סְתִימִין, דְּאִלְמָלֵא אִתְיְיהִיב רְשׁוּ לְעֵינָא לְמֶחֱזֵי, יִתְמְהוּן בְּנֵי נָשָׁא, הֵיךְ יָכְלִין לְאִתְקַיְּימָא בְּעָלְמָא.

שנז. ת״ח, הַאי נַעֲמָה, אִימָּא דְשֵׁדִין הֲוַת, וּמִסִּטְרָהּ אַתְיָין, כָּל אִינּוּן שֵׁדִין, דְּמִתְחַמְּמָן מִבְּנֵי נָשָׁא, וְנַטְלֵי רוּחַ תֵּיאוּבְתָּא מִנַּיְיהוּ, וְחַיְיכַת בְּהוֹן, דְּעָבְדֵי לוֹן בַּעֲלֵי קִרְיָין. וּבְגִין דְּבַעַל קֶרִי, אָתֵי מִסִּטְרָא דְרוּחַ מְסָאֲבָא, בָּעֵי לְאַסְחָאָה גַּרְמֵיהּ,

לְאִתְדַּכְּאָה מִנֵּיהּ, וְהָא אוּקְמוּהָ וְחַבְרַיָּא.

שנו. זֶה סֵפֶר תּוֹלְדוֹת אָדָם: לְדִיּוּקְנֵי. א״ר יִצְחָק, אוֹזְמֵי קב״ה לְאָדָם, דְּיוּקְנֵי דְּכָל אִינּוּן דָּרִין דְּיֵּיתוּן לְעָלְמָא. וְכָל וַכִּימֵי עָלְמָא, וּמַלְכֵי עָלְמָא, דְּזַמִּינִין לְקַיְּימָא לַעֲלַיְיהוּ דְּיִשְׂרָאֵל. מָטָא לְמֹוְזְמֵי, דָּוִד מַלְכָּא דְּיִשְׂרָאֵל. דְּאִתְיְלִיד וּמִית. א״ל, מֵעִנְיָן דִּילִי, אוֹזִיף לֵיהּ ע׳ שְׁנִין. וְגָרְעוּ מֵאָדָם ע׳ שְׁנִין, וְסָלִיק לוֹן קוּדְשָׁא בְּרִיךְ הוּא לְדָוִד.

שנט. וְעַל דָּא שַׁבַּח דָּוִד וְאָמַר, כִּי שִׂמַּחְתַּנִי ה׳ בְּפָעֳלֶךָ בְּמַעֲשֵׂי יָדֶיךָ אֲרַנֵּן. בְּמַאן גָּרַם לִי וְחֶדְוָה בְּעָלְמָא, פָּעֳלֶךָ. דָּא הוּא אָדָם קַדְמָאָה, דְּאִיהוּ פָּעֳלוֹ דְּקב״ה, וְלָא פָּעֳלוֹ דְּבָשָׂר וָדָם. מַעֲשֵׂה יָדָיו דְּקב״ה, וְלָא מִבְּנֵי נָשָׁא. וְעַל דָּא, גָּרְעוּ אִינּוּן שַׁבְעִין שְׁנִין מֵאָדָם, מֵאֶלֶף שְׁנִין דַּהֲוָה לֵיהּ לְאִתְקַיְּימָא בְּהוֹ.

שס. וְאוֹזְמֵי לֵיהּ קב״ה, כָּל וַכִּימֵי דָּרָא וְדָרָא, עַד דְּמָטָא לְדָרֵיהּ דְּרַבִּי עֲקִיבָא, וְחֵמֵי אוֹרַיְיתָא דִּידֵיהּ וְחַדֵי. וְחֵמֵי מִיתָתֵיהּ וְעָצִיב, פָּתַח וְאָמַר וְלִי מַה יָּקְרוּ רֵעֶיךָ אֵל מַה עָצְמוּ רָאשֵׁיהֶם.

שסא. זֶה סֵפֶר, סֵפֶר וַדַּאי. וְהָא אוּקִימְנָא, דְּכַד הֲוָה אָדָם בְּגִנְתָא דְעֵדֶן, נָחִית לֵיהּ קב״ה סִפְרָא, עַל יְדָא דְּרָזִיא״ל, מַלְאָכָא קַדִּישָׁא, מְמַנָּא עַל רָזֵי עִלָּאִין קַדִּישִׁין. וּבֵיהּ גְּלִיפִין, גְּלוּפֵי עִלָּאִין, וְחָכְמָה עִלָּאָה, וְשַׁבְעִין וּתְרֵין זִינֵי דְּחָכְמָתָא, הֲווֹ מִתְפָּרְשָׁן מִנֵּיהּ, לְשִׁית מְאָה וּשְׁבַעִין גְּלִיפִין דְּרָזֵי עִלָּאָה.

שסב. בְּאֶמְצָעִיתָא דְּסִפְרָא, גְּלִיפָא דְּחָכְמְתָא, לְמִנְדַּע אֶלֶף וְחַמֵשׁ מְאָה מַפְתְּחָן, דְּלָא אִתְמַסְרָן לְעִלָּאֵי קַדִּישֵׁי. וְכֻלְּהוּ אִסְתִּימוּ בֵּיהּ בְּסִפְרָא, עַד דְּמָטָא לְגַבֵּי דְּאָדָם, הֲווֹ מִתְכַּנְשֵׁי מַלְאֲכֵי עִלָּאֵי, לְמִנְדַּע וּלְמִשְׁמַע, וַהֲווֹ אָמְרֵי, רוּמָה עַל הַשָּׁמַיִם אֱלֹקִים עַל כָּל הָאָרֶץ כְּבוֹדֶךָ.

שסג. בָּה שַׁעְתָּא, אִתְרְמֵיז לְגַבֵּיהּ הֲדַרְנִיא״ל מַלְאֲכָא קַדִּישָׁא, וְאָמַר לֵיהּ: אָדָם אָדָם, הֱוֵי גָּנִיז יְקָרָא דְּמָארָךְ, דְּלָא אִתְיְהֵיב רְשׁוּתָא לְעִלָּאֵי, לְמִנְדַּע בִּיקָרָא דְּמָרָךְ, בַּר אַנְתְּ. וַהֲוָה עָמֵּיהּ טָמִיר וְגָנִיז, הַהוּא סִפְרָא, עַד דְּנָפַק אָדָם מִגִּנְתָא דְּעֵדֶן.

שסד. דְּהָא בְּקַדְמֵיתָא, הֲוָה מְעַיֵּין בֵּיהּ, וּמִשְׁתַּבְּשַׁע כָּל יוֹמָא בְּגִנְזַיָּא דְּמָארֵיהּ, וְאִתְגַּלְיָין לֵיהּ רָזִין עִלָּאִין, מַה דְּלָא יָדְעוּ שַׁמָּשֵׁי עִלָּאִין. כֵּיוָן דְּחָטָא, וַעֲבַר עַל פִּקּוּדָא דְּמָארֵיהּ, פָּרַח הַהוּא סִפְרָא מִנֵּיהּ. וַהֲוָה אָדָם טָפַח עַל רֵישׁוֹי, וּבָכֵי, וְעָאל בְּמֵי גִּיחוֹן עַד קָדְלֵיהּ, וּמַיָּא עָבְדִין גּוּפֵיהּ חֲלַדִּין, וְאִשְׁתַּנֵּי זִיוֵיהּ.

שסה. בְּעֵעְתָּא הַהִיא, רָמֵיז קב״ה לִרְפָאֵל, וְאָתֵיב לֵיהּ הַהוּא סִפְרָא. וּבֵיהּ הֲוָה מִשְׁתַּדֵּל אָדָם, וְאַנַּח לֵיהּ לְשֵׁת בְּרֵיהּ. וְכֵן לְכָל אִינּוּן תּוֹלְדוֹת. עַד דְּמָטָא לְאַבְרָהָם, וּבֵיהּ הֲוָה יָדַע לְאִסְתַּכְּלָא בִּיקָרָא דְּמָארֵיהּ. וְהָא אִתְּמַר. וְכֵן לַחֲנוֹךְ, אִתְיְהַב לֵיהּ סִפְרָא, וְאִסְתַּכַּל מִנֵּיהּ, בִּיקָרָא עִלָּאָה.

שסו. זָכָר וּנְקֵבָה בְּרָאָם. רַבִּי שִׁמְעוֹן אָמַר, רָזִין עִלָּאִין, אִתְגַּלְיָין בְּהָנֵי תְּרֵי קְרָאֵי. זָכָר וּנְקֵבָה בְּרָאָם, לְמִנְדַּע יְקָרָא עִלָּאָה, רָזָא דִּמְהֵימְנוּתָא, דְּמִגּוֹ רָזָא דְּנָא אִתְבְּרֵי אָדָם.

שסז. ת״ח, בְּרָזָא דְּאִתְבְּרִיאוּ שָׁמַיִם וָאָרֶץ, אִתְבְּרֵי אָדָם. בְּהוֹ כְּתִיב, אֵלֶּה תּוֹלְדוֹת הַשָּׁמַיִם וְהָאָרֶץ. בְּאָדָם כְּתִיב, זֶה סֵפֶר תּוֹלְדוֹת אָדָם. בְּהוֹ כְּתִיב בְּהִבָּרְאָם, בְּאָדָם כְּתִיב, בְּיוֹם הִבָּרְאָם.

שסח. זָכָר וּנְקֵבָה בְּרָאָם. מֵהָכָא, כָּל דְּיוּקְנָא דְּלָא אִשְׁתַּכְחוּ בֵּיהּ, דְּכַר וְנוּקְבָא, לָאו אִיהוּ דְּיוּקְנָא עִלָּאָה כִּדְקָא חֲזֵי. וּבְרָזָא דְּמַתְנִיתִין אוּקִימְנָא.

שסט. ת״ח, בְּכָל אֲתַר דְּלָא אִשְׁתַּכְּחוּ, דְּכַר וְנוּקְבָא כַּחֲדָא, קב״ה לָא שַׁוֵּי מָדוֹרֵיהּ בְּהַהוּא אֲתַר. וּבִרְכָאן לָא אִשְׁתַּכְּחוּ, אֶלָּא בַּאֲתַר דְּאִשְׁתַּכַּח דְּכַר וְנוּקְבָא. דִּכְתִּיב, וַיְבָרֶךְ אוֹתָם וַיִּקְרָא אֶת שְׁמָם אָדָם, בְּיוֹם הִבָּרְאָם, וְלָא כְּתִיב וַיְבָרֶךְ אוֹתוֹ, וַיִּקְרָא אֶת שְׁמוֹ אָדָם, דַּאֲפִילּוּ אָדָם, לָא אִקְרֵי, אֶלָּא דְּכַר וְנוּקְבָא כַּחֲדָא.

שע. רַבִּי יְהוּדָה אֲמַר, מִיּוֹמָא דְּאִתְחָרַב בֵּי מַקְדְּשָׁא, בִּרְכָאן לָא אִשְׁתַּכְּחוּ בְּעָלְמָא, וְאִתְאֲבִידוּ בְּכָל יוֹמָא. דִּכְתִּיב הַצַּדִּיק אָבָד. מַאי אָבַד, אָבַד בִּרְכָאן דַּהֲווּ שָׁרְיָין בֵּיהּ, כְּמָה דִּכְתִּיב בְּרָכוֹת לְרֹאשׁ צַדִּיק. וּכְתִיב אָבְדָה הָאֱמוּנָה. כְּגַוְונָא דָּא כְּתִיב, וַיְבָרֶךְ אוֹתָם, וּכְתִיב וַיְבָרֶךְ אוֹתָם אֱלֹקִים.

שעא. מִשֵּׁת אִתְיַיחֲסוּ כָּל דָּרֵי עָלְמָא וְכָל אִינּוּן צַדִּיקֵי קְשׁוֹט, דַּהֲווּ בְּעָלְמָא. אֲמַר רַבִּי יוֹסֵי, אִלֵּין אַתְוָון בַּתְרָאִין דַּהֲווּ בְּאוֹרַיְיתָא, אִשְׁתְּכָחוּ בָּתַר דְּעָבַר אָדָם עַל אַתְוָון דְּאוֹרַיְיתָא כֻּלְּהוּ. וּבִתְיוּבְתֵּיהּ לְקַמֵּי מָארֵיהּ, אָחִיד בְּאִלֵּין תְּרֵין. וּמִכְּדֵין, אִתְהַדְּרוּ אַתְוָון לְמִפְרַע, בְּסֵדֶר תשר״ק.

שעב. וּבְגִּ״ד, קָרָא לְהַהוּא בְּרָא דְּאַתְיְלִיד לֵיהּ, דְּאִיהוּ בִּדְמוּתוֹ כְּצַלְמוֹ, שֵׁת. דְּאִינּוּן סִיּוּמָא דְּאַתְוָון, וְלָא אִתְתַּקָּנוּ אַתְוָון, עַד דְּקַיְּימוּ יִשְׂרָאֵל עַל טוּרָא דְּסִינַי, וּכְדֵין אֲהַדְרוּ אַתְוָון עַל תִּקּוּנַיְיהוּ, כְּיוֹמָא דְּאִתְבְּרִיאוּ שָׁמַיִם וָאָרֶץ. וְאִתְבַּסַּם עָלְמָא, וְקַיְּימָא עַל קִיּוּמֵיהּ.

שעג. ר׳ אַבָּא אֲמַר, יוֹמָא דְּעָבַר אָדָם עַל פִּקּוּדָא דְּמָארֵיהּ, בָּעְיָין שָׁמַיִם וָאָרֶץ, לְאִתְעַקְּרָא מֵאַתְרַיְיהוּ. מ״ט, בְּגִין דְּאִינּוּן לָא קַיְימוּ, אֶלָּא עַל בְּרִית דִּכְתִּיב אִם לֹא בְרִיתִי יוֹמָם וָלַיְלָה חֻקּוֹת שָׁמַיִם וָאָרֶץ לֹא שָׂמְתִּי. וְאָדָם עָבַר בְּרִית, שֶׁנֶּאֱמַר וְהֵמָּה כְּאָדָם עָבְרוּ בְרִית.

שעד. וְאִלְמָלֵא דְּגַלֵּי קַמֵּי קב״ה, דִּזְמִינִין יִשְׂרָאֵל לְקַיְּימָא עַל טוּרָא דְּסִינַי, לְקַיְּימָא הַאי בְּרִית, לָא אִתְקַיַּים עָלְמָא. רַבִּי חִזְקִיָּה אֲמַר, כָּל מַאן דְּאוֹדֵי עַל חֶטְאֵיהּ, קוּדְשָׁא בְּרִיךְ הוּא שָׁבִיק לֵיהּ, וּמָחִיל עַל חוֹבֵיהּ.

שעה. ת״ח, כַּד בָּרָא קב״ה עָלְמָא, עָבַד הַאי בְּרִית, וְקַיְּימָא עֲלֵיהּ עָלְמָא. מְנָלָן, דִּכְתִיב בְּרֵא שִׁית, דָּא בְּרִית דְּעָלְמָא קַיְּימָא עֲלֵיהּ. שִׁית, דִּמְנֵיהּ, נְגִידִין וְנָפְקֵי בִּרְכָאן לְעָלְמָא, וַעֲלֵיהּ אִתְבְּרֵי עָלְמָא. וְאָדָם עָבַר עַל הַאי בְּרִית, וְאַעֲבַר לֵיהּ מֵאַתְרֵיהּ.

שעו. הַאי בְּרִית, אִתְרְמִיזַת בְּאָת יו״ד, אָת זְעֵירָא, עִקָּרָא וִיסוֹדָא דְּעָלְמָא. כַּד אוֹלִיד בַּר, אוֹדֵי עַל חֶטְאוֹ, וְקָרָא שְׁמֵיהּ ש״ת, וְלָא אַדְכַּר בֵּיהּ יו״ד, לְמֶהֱוֵי שִׁית, בְּגִין דְּעָבַר עֲלֵיהּ. וּבְגִ״כ, קב״ה מִנֵּיהּ אִשְׁתִּיל עָלְמָא, וְאִתְיַיחֲסוּ כָּל דָּרָא זַכָּאָה דְּעָלְמָא.

שעז. וְת״ח, כַּד קַיְּימוּ יִשְׂרָאֵל עַל טוּרָא דְּסִינַי, עָאל בֵּין תְּרֵין אַתְוָון אִלֵּין, רָזָא דִּבְרִית. וּמַאן אִיהוּ, בֵּ״ת. וְעָאל בֵּין תְּרֵין אַתְוָון דְּאִשְׁתָּאֲרוּ, וְיָהִיב לֵיהּ לְיִשְׂרָאֵל. וְכַד עָאל בֵּ״ת, רָזָא דִּבְרִית, בֵּין תְּרֵין אַתְוָון אִלֵּין, דְּאִינּוּן שִׁי״ן תי״ו, וְאִתְעֲבִידוּ שַׁבָּת, כד״א וְשָׁמְרוּ בְנֵי יִשְׂרָאֵל אֶת הַשַּׁבָּת לַעֲשׂוֹת אֶת הַשַּׁבָּת לְדֹרֹתָם בְּרִית עוֹלָם, כְּמָה דַּהֲוָה שֵׁירוּתָא דְּעָלְמָא, לְאִתְיַיחֲסוּ בְּהוּ כָּל דָּרֵי עָלְמָא, מֵאִלֵּין תְּרֵין אַתְוָון ש״ת. הֲווּ תַּלְיָין, עַד דְּאִשְׁתַּכְלַל עָלְמָא, כַּדְקָא יָאוּת, וְעָאל בֵּינַיְיהוּ בְּרִית קַדִּישָׁא, וְאִשְׁתַּכְלַל בִּשְׁלִימוּ, וְאִתְעֲבִידוּ שַׁבָּת.

שעח. א״ר יוֹסֵי, אִלֵּין תְּרֵין אַתְוָון, אִשְׁתַּכְלְלוּ בְּאָת בֵּ״ת. וְכַד אִתְהַדַּר אַתְוָון לְמִפְרַע, מִן יוֹמָא דְּאִתְיְלִיד שֵׁת, אֲהַדְרוּ אַתְוָון בְּכָל דָּרָא וְדָרָא, עַד דְּמָטֵי יִשְׂרָאֵל

לְטוּרָא דְסִינַי, וְאִתְתַּקָּנוּ.

שעט. אָמַר רַבִּי יְהוּדָה, לְתַתָּא אִתְהַדְּרוּ, וְכָל דָּרָא וְדָרָא הֲוָה גָּפִיף עָלְמָא בְּאַתְווֹן, וְלָא מִתְיַישְׁבִין בְּדוּכְתַּיְיהוּ. כַּד אִתְיְיהֲבַת אוֹרַיְיתָא לְיִשְׂרָאֵל, אִתְתַּקַּן כֹּלָּא. ר' אֶלְעָזָר אוֹמֵר, בְּיוֹמֵי אֱנוֹשׁ, הֲווֹ חַכִּימִין בְּנֵי נָשָׁא, בְּחָכְמָה דְחַרְשִׁין וְקוֹסְמִין, וּבְחָכְמְתָא לְמֶעֱצַר לְחֵילֵי דִשְׁמַיָּא. וְלָא הֲוָה בַּר נָשׁ מִיּוֹמָא דִנְפַק אָדָם מִגִּנְתָּא דְעֵדֶן, וְאַפִּיק עִמֵּיהּ חָכְמְתָא דְטַרְפֵי אִילָנָא, דְאִשְׁתַּדַּל בָּהּ, דְּהָא אָדָם וְאִתְּתֵיהּ, וְאִינּוּן דְּנָפְקוּ מִנֵּיהּ, עַד דְּאָתָא אֱנוֹשׁ, שְׁבִיקוּ לָהּ.

שפ. כַּד אָתָא אֱנוֹשׁ, חָמָא לוֹן, וְחָמָא חָכְמְתְהוֹן מְשַׁנְּיָין עֵלָּאִין, וְאִשְׁתַּדְּלוּ בְּהוֹן, וְעָבְדִין עֲבִידְתִּין, וְחַרְשִׁין וְקוֹסְמִין, וְאוֹלִיפוּ מִנְּהוֹן, עַד דְּאִתְפַּשְּׁטַת הַהִיא חָכְמְתָא, בְּדָרָא דְמַבּוּל. וְכֻלְּהוּ הֲווֹ עָבְדֵי עֲבִידְתַּיְיהוּ לְאַבְאָשָׁא.

שפא. וַהֲווֹ מִתְתַּקְּפֵי לְגַבֵּי נֹחַ, בְּאִינּוּן חָכְמְתָן, וְאָמְרֵי דְּלָא יָכִיל דִּינָא דְעָלְמָא לְאַשְׁרָאָה עֲלַיְיהוּ, דְּהָא אִינּוּן עָבְדֵי חָכְמְתָא, לְדַחְיָיא לְכָל אִינּוּן מָארֵי דְדִינָא. וּמֵאֱנוֹשׁ שָׁרִיאוּ כֻּלְּהוּ לְאִשְׁתַּדְּלוּ בְּאִלֵּין חָכְמְתָן. הה"ד אָז הוּחַל לִקְרֹא בְּשֵׁם ה'.

שפב. ר' יִצְחָק אָמַר, כָּל אִינּוּן זַכָּאִין דַּהֲווֹ בְּהוּ לְבָתַר, בְּהַהוּא דָּרָא, כֻּלְּהוּ הֲווֹ מִשְׁתַּדְּלֵי לְמֵיחָאָה בְּהוּ, כְּמוֹ יֶרֶד מְתוּשֶׁלַח וַחֲנוֹךְ, וְלָא יָכִילוּ, עַד דְּאִתְפַּשְּׁטוּ חַיָּיבִין, מָרְדֵי בְּמָארֵיהוֹן, וְאָמְרֵי מַה שַּׁדַּי כִּי נַעַבְדֶנּוּ.

שפג. וְכִי הַאי טִפְּשׁוּתָא הֲווֹ קָא אָמְרֵי. אֶלָּא, בְּגִין דַּהֲווֹ יָדְעֵי כָּל אִינּוּן חָכְמְתָן, וְכֻלְּהוּ מְמַנָּן דְּעָלְמָא, דְּאִתְפַּקְּדָן עֲלַיְיהוּ, וַהֲווֹ מִרְחֲצָן בְּהוּ. עַד דְּאָתִיב קב"ה עָלְמָא כִּדְקָא הֲוָה, דְּהָא בְּקַדְמֵיתָא הֲוָה מַיִם בְּמַיִם. וּלְבָתַר אָתִיב לֵיהּ לְעָלְמָא כִּדְקַדְמֵיתָא, וְלָא אִתְחָרִיב מִכֹּלָּא, דְּהָא בְּרַחֲמִין אַשְׁגַּח עֲלַיְיהוּ, דִּכְתִיב ה' לַמַּבּוּל יָשָׁב, וְלָא כְּתִיב אֱלֹקִים.

שפד. בְּיוֹמוֹי דֶאֱנוֹשׁ, אֲפִילּוּ יְנוּקֵי דְּהַהוּא דָּרָא, כֻּלְּהוּ הֲווֹ מַשְׁגִּיחָן בְּחָכְמְתָאן עִלָּאִין, וַהֲוֵי מִסְתַּכְּלָן בְּהוּ. א"ר יֵיסָא, אִי הָכֵי טִפְּשִׁין הֲווֹ, דְּלָא הֲווֹ יָדְעִין דְּזַמִּין קוּדְשָׁא בְּרִיךְ הוּא לְאַיְיתָאָה עֲלַיְיהוּ מֵי טוֹפָנָא, וִימוּתוּן בְּהוּ.

שפה. א"ר יִצְחָק, מִנְדַּע יָדְעֵי, אֲבָל אֲחִידוּ טִפְּשׁוּתָא בְּלִבַּיְיהוּ, דְּאִינּוּן הֲווֹ יָדְעֵי הַהוּא מַלְאָכָא דִמְמַנָּא עַל אֶשָּׁא, וְהַהוּא דִמְמַנָּא עַל מַיָּא, וַהֲווֹ יָדְעִין לְמֶעֱצַר לוֹן, דְּלָא יָכְלִין לְמֶעְבַּד דִּינָא עֲלַיְיהוּ. וְאִינּוּן לָא הֲווֹ יָדְעִין דְּקוּדְשָׁא בְּרִיךְ הוּא שַׁלִּיט עַל אַרְעָא, וּמִנֵּיהּ יֵיתֵי דִּינָא עַל עָלְמָא.

שפו. אֶלָּא הֲווֹ חָמָאן, דְּעָלְמָא אִתְפַּקַּד בִּידָא דְאִינּוּן מְמַנָּן, וּבְהוּ כָּל מִלֵּי עָלְמָא. וּבְגִינֵי כָּךְ, לָא הֲווֹ מִסְתַּכְּלָן בֵּיהּ בְּקב"ה, וְלָא מַשְׁגִּיחִין בַּעֲבִידְתֵּיהּ, עַד דְּאַרְעָא אִתְחַבְּלַת. וְרוּחַ קוּדְשָׁא אַכְרִיז בְּכָל יוֹמָא, וַאֲמַר יִתַּמּוּ חַטָּאִים מִן הָאָרֶץ וּרְשָׁעִים עוֹד אֵינָם.

שפז. וְאוֹרִיךְ קב"ה לוֹן כָּל הַהוּא זִמְנָא, דְּאִינּוּן זַכָּאִין: יֶרֶד וּמְתוּשֶׁלַח וַחֲנוֹךְ קַיָּימִין בְּעָלְמָא. כֵּיוָן דְּאִסְתַּלָּקוּ מֵעָלְמָא, וּכְדֵין אַנְחִית קוּדְשָׁא בְּרִיךְ הוּא דִּינָא עֲלַיְיהוּ וְאִתְאֲבִידוּ. כְּמָא דְאַתְּ אָמֵר וַיִּמָּחוּ מִן הָאָרֶץ.

שפח. וַיִּתְהַלֵּךְ חֲנוֹךְ אֶת הָאֱלֹקִים וְאֵינֶנּוּ כִּי לָקַח אוֹתוֹ אֱלֹקִים. ר' יוֹסֵי פָּתַח עַד שֶׁהַמֶּלֶךְ בִּמְסִבּוֹ נִרְדִּי נָתַן רֵיחוֹ. הַאי קְרָא אִתְּמַר. אֲבָל תָּא חֲזֵי, כָּךְ אָרְחוֹי דְּקב"ה, בְּשַׁעְתָּא דְּבַר נָשׁ אִתְדַּבַּק בֵּיהּ, וְהוּא אַשְׁרֵי דְיוּרֵיהּ עֲלֵיהּ, וְיָדַע דִּלְבָתַר יוֹמִין יִסְרַח, אַקְדִּים וְלָקִיט רֵיחֵיהּ טָב מִנֵּיהּ, וְסָלִיק לֵיהּ מֵעָלְמָא.

שפט. הה"ד עַד שֶׁהַמֶּלֶךְ בִּמְסִבּוֹ נִרְדִּי נָתַן רֵיחוֹ. עַד שֶׁהַמֶּלֶךְ: דָּא קב"ה. בִּמְסִבּוֹ:

דָא הַהוּא בַּר נָשׁ דְּאִתְדַּבַּק בֵּיהּ, וְאָזִיל בְּאָרְחוֹי. נ"ר"ד"י נָתָן רֵיוָוח: אִינּוּן עוֹבָדִין טָבִין דְּבֵיהּ, דִּבְגִינֵיהוֹן יִסְתַּלַּק מֵעָלְמָא, עַד דְּלָא מָטָא זִמְנֵיהּ.

שצ. וְעַל דָּא הֲוָה שְׁלֹמֹה מַלְכָּא אָמַר, יֵשׁ הֶבֶל אֲשֶׁר נַעֲשָׂה עַל הָאָרֶץ אֲשֶׁר יֵשׁ צַדִּיקִים וגו'. יֵשׁ צַדִּיקִים אֲשֶׁר מַגִּיעַ אֲלֵיהֶם כְּמַעֲשֵׂה הָרְשָׁעִים, כְּמָה דְּאוּקִימְנָא, דִּבְגִין דְּעוֹבָדֵיהוֹן טָבִין, קב"ה סָלִיק לוֹן מֵעָלְמָא, עַד לָא מָטָא זִמְנַיְיהוּ, וְעָבִיד בְּהוֹן דִּינִין. וְיֵשׁ רְשָׁעִים אֲשֶׁר מַגִּיעַ אֲלֵיהֶם כְּמַעֲשֵׂה הַצַּדִּיקִים, דְּקֻבָּ"ה אוֹרִיךְ לוֹן יוֹמִין, וְאוֹרִיךְ רוּגְזֵיהּ בְּהוּ. וְכֹל דָּא, כְּמָה דְּאִתְּמַר, אִלֵּין בְּגִין דְּלָא יִסְרְחוּן, וְאִלֵּין בְּגִין דִּלְהַדְּרוּ לְגַבֵּיהּ, אוֹ בְּגִין דְּיִפּוֹק מִנַּיְיהוּ בְּנִין דְּמַעֲלֵי.

שצא. תָּא חֲזֵי, וַחֲנוֹךְ זַכָּאָה הֲוָה, וְקֻבָּ"ה חָמָא לֵיהּ דְּיִסְרְחוּ לְבָתַר, וְלָקִיט לֵיהּ עַד לָא יִסְרַח, הה"ד וְלִלְקוֹט שׁוֹשַׁנִּים. בְּגִין דְּיָהֲבֵי רֵיחָא טַב, לָקִיט לוֹן קב"ה עַד לָא יִסְרְחוּ. וְאֵינֶנּוּ כִּי לָקַח אוֹתוֹ אֱלֹקִים. וְאֵינֶנּוּ: לְאַרְכָא יוֹמִין כִּשְׁאָר בְּנֵי נָשָׁא, דַּהֲווּ אוֹרְכֵי יוֹמִין. מ"ט, בְּגִין דְּלָקַח לֵיהּ קב"ה, עַד לָא מָטֵי זִמְנֵיהּ.

שצב. ר"א אָמַר, וַחֲנוֹךְ נָטִיל לֵיהּ קב"ה מֵאַרְעָא, וְאַסְקֵיהּ לִשְׁמֵי מְרוֹמִים וְאַמְסַר בִּידֵיהּ כָּל גִּנְזֵי עִלָּאִין. וּמ"ה מַפְתְּחָן סְתָרֵי גְּלִיפִין, דִּבְהוּ מִשְׁתַּמְּשֵׁי מַלְאָכֵי עִלָּאֵי. וְכֻלְּהוּ אִתְמְסָרוּ בִּידֵיהּ. וְהָא אוּקִימְנָא.

שצג. וַיַּרְא ה' כִּי רַבָּה רָעַת הָאָדָם בָּאָרֶץ וְכָל יֵצֶר מַחְשְׁבוֹת לִבּוֹ, רַבִּי יְהוּדָה פָּתַח, כִּי לֹא אֵל חָפֵץ רֶשַׁע אָתָּה לֹא יְגוּרְךָ רָע. הַאי קְרָא אִתְּמַר וְאוֹקְמוּהָ. אֲבָל ת"ח, מַאן דְּאִתְדַּבַּק בְּיֵצֶר הָרַע וְאִתְמְשִׁיךְ אֲבַתְרֵיהּ, וְיִסְתָּאַב הוּא, וִיסָאֲבוּן לֵיהּ, כְּמָה דְּאִתְּמַר.

שצד. כִּי רַבָּה רָעַת הָאָדָם. כָּל בִּישִׁין הֲווּ עָבְדֵי, וְלָא אַשְׁתְּלִים חוֹבַיְיהוּ, עַד דַּהֲווּ אוֹשְׁדִין דָּמִין לְמַגָּנָא עַל אַרְעָא. וּמַאן אִינּוּן. דַּהֲווּ מְחַבְּלִין אָרְחַיְיהוּ עַל אַרְעָא. הה"ד רַק רַע כָּל הַיּוֹם. כְּתִיב הָכָא רַק רַע, וּכְתִיב הָתָם וַיְהִי עֵר בְּכוֹר יְהוּדָה רַע בְּעֵינֵי ה'.

שצה. אָמַר רַבִּי יוֹסֵי, וְכִי רַע לָאו אִיהוּ רָשָׁע. א"ל לָא. רָשָׁע: אֲפִילּוּ אָרִים יְדֵיהּ לְגַבֵּי חַבְרֵיהּ. אע"ג דְּלָא עָבִיד לֵיהּ מִידֵי, אִקְרֵי רָשָׁע. כְּמָה דִּכְתִיב וַיֹּאמֶר לָרָשָׁע לָמָּה תַכֶּה רֵעֶךָ. הִכִּית לָא כְּתִיב, אֶלָּא תַכֶּה.

שצו. אֲבָל רַע לָא אִקְרֵי אֶלָּא מַאן דִּמְחַבֵּל אָרְחֵיהּ, וְסָאִיב גַּרְמֵיהּ, וְסָאִיב אַרְעָא, וְיָהִיב חֵילָא וְתוֹקְפָּא לְרוּחַ מְסָאֲבָא דְּאִקְרֵי רַע. דִּכְתִיב, רַק רַע כָּל הַיּוֹם. וְלָא עָאל בְּפַלְטְרִין, וְלָא חָמֵי אַפֵּי שְׁכִינְתָּא. בְּגִין דִּבְהַאי אִסְתַּלַּק שְׁכִינְתָּא מֵעָלְמָא.

שצז. מְנָלָן, מִיַּעֲקֹב. דְּכַד אִסְתַּלַּק שְׁכִינְתָּא מִנֵּיהּ, וְחָשִׁיב דִּבְנוֹהִי הֲוָה פְּסוֹל, דִּבְגִינַיְיהוּ אִתְתַּקַּף בְּעָלְמָא רוּחָא מְסָאֲבָא, וְגָרַע נְהוֹרָא מִן סִיהֲרָא, וּפָגִים לָהּ. וְאִי תֵּימָא, אַמַּאי. בְּגִין דְּדָא סָאִיב מַקְדְּשָׁא, וְאִסְתַּלְּקָא שְׁכִינְתָּא מֵעִלּוֹי דְּיַעֲקֹב. כָּל שֶׁכֵּן הַהוּא דִּמְסָאֵב אָרְחֵיהּ, וְסָאִיב גַּרְמֵיהּ, דְּהוּא אַתְקֵיף לֵיהּ לְרוּחָא מְסָאֲבָא, וּבְגִין כָּךְ, כַּד אִסְתָּאַב, אִקְרֵי רַע.

שצח. ת"ח, כַּד בַּר נָשׁ אִסְתָּאַב, לָא יִתְפַּקַּד מֵעִם קב"ה לְטַב. וּבְכָל זִמְנָא אִתְפְּקִיד מֵהַהוּא דְּאִתְקְרֵי רַע, לְבִישׁ. הה"ד וְשָׂבֵעַ יָלִין בַּל יִפָּקֶד רָע. כַּד אָזִיל בְּאָרַח מֵישָׁר, כְּדֵין בַּל יִפָּקֶד רָע. וְעַל דָּא כְּתִיב, רַק רַע כָּל הַיּוֹם. וּכְתִיב לֹא יְגוּרְךָ רָע. וְדָא אִקְרֵי רַע, וְלָא אִקְרֵי רָשָׁע. וּכְתִיב גַּם כִּי אֵלֵךְ בְּגֵיא צַלְמָוֶת לֹא אִירָא רָע כִּי אַתָּה עִמָּדִי.

שצט. וַיִּנָּחֶם ה' כִּי עָשָׂה אֶת הָאָדָם בָּאָרֶץ וַיִּתְעַצֵּב אֶל לִבּוֹ. ר' יוֹסֵי פָּתַח, הוֹי מוֹשְׁכֵי הֶעָוֹן בְּחַבְלֵי הַשָּׁוְא וְכַעֲבוֹת הָעֲגָלָה חַטָּאָה. הוֹי מוֹשְׁכֵי הֶעָוֹן: אִלֵּין בְּנֵי נָשָׁא

דְּחָטְאָן קַמֵּי מָארֵיהוֹן, בְּכָל יוֹמָא, וְאִתְדַּמָּן בְּעֵינַיְיהוּ אִינּוּן חוֹבִין, דְּאִינּוּן כְּחַבְלֵי הַשָּׁוְא. וְחָשְׁבִין דְּהַהוּא עוֹבָדָא דְּעָבְדִין, וְהַהוּא חוֹבָא דְּעָבְדִין, דְּלָאו אִיהוּ כְּלוּם, וְלָא אַשְׁגַּח בְּהוּ קֻבָּ"ה, עַד דְּעָבְדִין לְהַהוּא חוֹבָא תַּקִּיף וְרַבֵּי, כַּעֲבוֹת הָעֲגָלָה, דְּאִיהוּ תַּקִּיף, דְּלָא יָכִיל לְאִשְׁתֵּצָאָה.

ת. וְתָא חֲזֵי, כַּד עָבִיד קֻבָּ"ה דִּינָא בְּחַיָּיבֵי עָלְמָא, אע"ג דְּאִינּוּן חָטָאן קַמֵּי קֻבָּ"ה, וְאַרְגִּיזִין לֵיהּ כָּל יוֹמָא, לָא בָּעֵי לְאוֹבָדָא לְהוּ מֵעָלְמָא. וְכַד אַשְׁגַּח בְּעוֹבָדֵיהוֹן, אִתְנַחֵם עֲלַיְיהוּ, עַל דְּאִינּוּן עוֹבָדֵי יְדוֹי, וְאוֹרִיךְ לוֹן בְּעָלְמָא.

תא. וּבְגִין דְּאִינּוּן עוֹבָדֵי יְדוֹי, נָטִיל נֶחָמָה, וְאִתְנַחֵם עֲלַיְיהוּ, וְחַיֵּיס עֲלַיְיהוּ. וְכַד בָּעֵי לְמֶעְבַּד בְּהוּ דִּינָא, כִּבְיָכוֹל עָצִיב. דְּכֵיוָן דְּעוֹבָדֵי יְדוֹי אִינּוּן, עָצִיב עֲלַיְיהוּ. כְּמָא דְּאַתְּ אָמֵר וְדִוְוֹן לָא הַנְעֵל קָדָמוֹהִי.

תב. כְּתִיב הוֹד וְהָדָר לְפָנָיו עוֹז וְחֶדְוָה בִּמְקוֹמוֹ. אֲמַר רַבִּי יוֹסֵי, תָּא חֲזֵי, וַיִּתְעַצֵּב אֶל לִבּוֹ כְּתִיב. אֶל לִבּוֹ עָצִיב, וְלָא לַאֲתַר אָחֳרָא. לִבּוֹ: כד"א כַּאֲשֶׁר בִּלְבָבִי וּבְנַפְשִׁי יַעֲשֶׂה. רַבִּי יִצְחָק אֲמַר, וַיִּנָּחֶם ה', כד"א וַיִּנָּחֶם ה' עַל הָרָעָה אֲשֶׁר דִּבֶּר לַעֲשׂוֹת לְעַמּוֹ.

תג. ר' יֵיסָא אֲמַר, לְטַב. רַבִּי חִזְקִיָּה אֲמַר, לְבִישׁ. ר' יֵיסָא אֲמַר לְטַב: כְּמָה דְּאִתְּמַר, דְּקֻבָּ"ה נָחִים עַל דְּאִינּוּן עוֹבָדֵי יְדוֹי, וְחַיֵּיס עֲלַיְיהוּ. וַיִּתְעַצֵּב: בְּגִין דְּאִינּוּן חָטָאן קַמֵּיהּ.

תד. וְרַבִּי חִזְקִיָּה אֲמַר, לְבִישׁ: דְּכַד קֻבָּ"ה בָּעֵי לְאוֹבָדָא לְחַיָּיבֵי עָלְמָא, נָטִיל נִחוּמִין עֲלַיְיהוּ, וְקַבֵּיל נִיחוּמִין כִּבְיָכוֹל, כְּמַאן דִּמְקַבֵּל נִיחוּמִין עַל מַה דְּאֲבֵיד. כֵּיוָן דְּקַבֵּל נִיחוּמִין, וַדַּאי דִּינָא אִתְעֲבַד, וְלָא תַּלְיָא מִלְּתָא בִּתְשׁוּבָה.

תה. אֵימָתַי תַּלְיָא בִּתְשׁוּבָה, עַד לָא קַבֵּיל תַּנְחוּמִין עֲלַיְיהוּ, הָא קַבֵּיל תַּנְחוּמִין עֲלַיְיהוּ, לָא תַּלְיָיא מִלְּתָא בִּתְשׁוּבָה כְּלַל. וְדִינָא אִתְעֲבֵיד. וּכְדֵין אוֹסִיף דִּינָא עַל דִּינָא, וְאַתְקֵיף לְהַהוּא אֲתַר דְּדִינָא, לְמֶעְבַּד דִּינָא, וְאוֹבִיד לוֹן לְחַיָּיבַיָּא מִן עָלְמָא. וְכֹלָּא בַּקְּרָא, דִּכְתִיב וַיִּנָּחֶם ה', קַבֵּל תַּנְחוּמִין. וּלְבָתַר וַיִּתְעַצֵּב אֶל לִבּוֹ. יְהַב תּוּקְפָּא לְדִינָא, לְמֶעְבַּד דִּינָא.

תו. רַבִּי חִיָּיא אֲמַר, וַיִּנָּחֶם ה' כִּי עָשָׂה אֶת הָאָדָם בָּאָרֶץ. נָטַל תַּנְחוּמִין וְחֶדְוָה, כַּד עֲבַד קֻבָּ"ה לְאָדָם בְּאַרְעָא, דְּאִיהוּ כְּגַוְונָא עִלָּאָה, וְכָל מַלְאֲכֵי עִלָּאֵי, מְשַׁבְּחָן לֵיהּ לְקוּדְשָׁא בְּרִיךְ הוּא, כַּד חָמֵי לֵיהּ, בְּדִיוֹקְנָא עִלָּאָה. וַאֲמָרוּ וַתְּחַסְּרֵהוּ מְעַט מֵאֱלֹקִים וְכָבוֹד וְהָדָר תְּעַטְּרֵהוּ.

תז. לְבָתַר, כַּד חָטָא אָדָם, אִתְעַצַּב קֻבָּ"ה עַל דְּחָטָא, דִּיהַב פִּתְחוֹן פֶּה, לְמַלְאֲכֵי הַשָּׁרֵת, דַּאֲמָרוּ קַמֵּיהּ בְּקַדְמֵיתָא, כַּד בָּעָא לְמִבְרֵי לֵיהּ. מָה אֱנוֹשׁ כִּי תִזְכְּרֶנּוּ וּבֶן אָדָם כִּי תִפְקְדֶנּוּ.

תח. אֲמַר רַבִּי יְהוּדָה, וַיִּתְעַצֵּב אֶל לִבּוֹ. בְּגִין דְּבָעֵי לְמֶעְבַּד בְּהוּ דִּינָא, שֶׁנֶּאֱמַר בְּצֵאת לִפְנֵי הֶחָלוּץ וְאוֹמְרִים הוֹדוּ לַה' כִּי לְעוֹלָם חַסְדּוֹ. וַאֲמַר רַבִּי יִצְחָק, אַמַּאי לָא כְּתִיב הָכָא כִּי טוֹב, אֶלָּא, בְּגִין דְּאוֹבִיד עוֹבְדֵי יְדוֹי, קַמַּיְיהוּ דְּיִשְׂרָאֵל.

תט. כְּגַוְונָא דָא, כַּד הֲווּ יִשְׂרָאֵל עָבְרִין יַמָּא. אָתוּ מַלְאֲכֵי עִלָּאֵי לְמֵימַר שִׁירָה קַמֵּיהּ קֻבָּ"ה, בְּהַהוּא לֵילְיָא. א"ל קֻבָּ"ה, וּמַה עוֹבְדֵי יָדַי טָבְעִין בְּיַמָּא, וְאַתּוּן אָמְרִין שִׁירָה. כְּדֵין וְלֹא קָרַב זֶה אֶל זֶה כָּל הַלָּיְלָה. אוּף הָכָא, בְּכָל זִמְנִין, דְּאִיבּוּד רַשִּׁיעַיָּא אִיהוּ מֵעָלְמָא, כְּדֵין עֲצִיבוּ אִשְׁתְּכַח עֲלַיְיהוּ.

תי. רַבִּי אַבָּא אֲמַר, בְּשַׁעֲתָא דְּחָב קַמֵּי קֻבָּ"ה אָדָם, וְעָבַר עַל פִּקּוּדוֹי, כְּדֵין

אִשְׁתְּכַחוּ עֲצִיבוּ קַמֵּיהּ. אֲמַר לֵיהּ קֻבָּ"ה, אָדָם, וַוי דְּחָלַשְׁתְּ וְזִילָא עִלָּאָה. בְּהַאי שַׁעֲתָא אִתְחַשְּׁכַת נְהוֹרָא חַד. מִיַּד תָּרִיךְ לֵיהּ מִגִּנְתָּא דְּעֵדֶן.

תיא. אֲמַר לֵיהּ, אֲנָא אַעֲלִית לָךְ לְגִנְתָּא דְּעֵדֶן, לְקָרְבָא קָרְבָּנָא, וְאַתְּ פְּגִימַת מַדְבְּחָא, דְּלָא אִתְקְרַב קָרְבָּנָא. מִכָּאן וּלְהָלְאָה, לַעֲבוֹד אֶת הָאֲדָמָה. וְגָזַר עֲלֵיהּ מִיתָה. וְחָס עֲלֵיהּ קֻבָּ"ה, וְגָנִיז לֵיהּ בְּשַׁעֲתָא דְּמִית סָמִיךְ לְגִנְתָּא.

תיב. מַה עֲבַד אָדָם, עֲבַד מְעַרְתָּא חָדָא, וְאִתְטַמַּר בָּהּ, הוּא וְאִתְּתֵיהּ. מְנָא יָדַע. אֶלָּא, חָמָא חַד נְהוֹרָא דְּקִיק, עָיֵיל בְּהַהוּא אֲתַר, דְּנָפִיק מִגִּנְתָּא דְּעֵדֶן, וְתָאַב תִּיאוּבְתֵּיהּ לִקְבוּרֵיהּ. וְתַמָּן הוּא אֲתַר, סָמוּךְ לְתַרַע דְּגִנְתָּא דְּעֵדֶן.

תיג. תָּא חֲזֵי, לָא אִסְתַּלַּק בַּר נָשׁ מֵעָלְמָא, עַד דְּחָמֵי לֵיהּ לְאָדָם הָרִאשׁוֹן. שָׁאִיל לֵיהּ, עַל מַה אָזִיל מֵעָלְמָא, וְהֵיךְ נָפִיק. הוּא אֲמַר לֵיהּ, וַוי, דְּבְגִינָךְ נַפְקְנָא מֵעָלְמָא. וְהוּא אָתִיב לֵיהּ, בְּרִי, אֲנָא עֲבָרִית עַל פִּקּוּדָא חָדָא, וְאִתְעֲנָשִׁית בְּגִינָהּ. וְחָמֵי אַתְּ, כַּמָּה חוֹבִין, וְכַמָּה פִּקּוּדִין דְּמָארָךְ עֲבַרְתְּ.

תיד. אֲמַר רַבִּי חִיָּיא, עַד כְּדוּ יוֹמָא, קָאִים אָדָם הָרִאשׁוֹן וְחָזֵי בַּאֲבָהָן, תְּרֵין זִמְנִין בְּיוֹמָא. וְאוֹדֵי עַל חוֹבוֹי, וְאַחְזֵי לוֹן הַהוּא אֲתַר דַּהֲוָה בֵּיהּ, בִּיקָרָא עִלָּאָה, וְאָזִיל וְחָמֵי כָּל אִינּוּן צַדִּיקַיָּיא, וַחֲסִידֵי דְּנָפְקוּ מִנֵּיהּ. וְיָרְתוּ לְהַהוּא יְקָרָא עִלָּאָה דִּבְגִנְתָּא דְּעֵדֶן. וַאֲבָהָן כֻּלְּהוֹן, אוֹדָן וְאָמְרִין, מַה יָּקָר חַסְדְּךָ אֱלֹקִים וּבְנֵי אָדָם בְּצֵל כְּנָפֶיךָ יֶחֱסָיוּן.

תטו. רַבִּי יֵיסָא אֲמַר, כֻּלְּהוּ בְּנֵי עָלְמָא, זִמְנָא לֵיהּ לְאָדָם הָרִאשׁוֹן, בְּשַׁעֲתָא דְּמִסְתַּלְּקֵי מִן עָלְמָא, לְאַחֲזָאָה סַהֲדוּתָא, דִּבְגִין חוֹבוֹי דְּבַר נָשׁ, אִיהוּ אִסְתַּלַּק מֵעָלְמָא, וְלָא בְּגִינֵיהּ דְּאָדָם. כְּמָה דְּתָנִינָן אֵין מִיתָה בְּלֹא חֵטְא.

תטז. בַּר אִינּוּן תְּלָתָא, דְּאִסְתַּלָּקוּ בְּגִין הַהוּא עֵיטָא דְּנָחָשׁ הַקַּדְמוֹנִי. וְאִלֵּין אִינּוּן: עַמְרָם, לֵוִי וּבִנְיָמִין. וְאִית דְּאָמְרֵי, אוֹף נָמֵי יִשַׁי. דְּלָא חָבוּ, וְלָא אִשְׁתְּכַח עֲלַיְיהוּ חוֹבָא דִּימוּתוּן בֵּיהּ, בַּר דְּאִדְּכַר עֲלַיְיהוּ הַהוּא עֵיטָא דְּנָחָשׁ. כְּדְאֲמָרָן.

תיז. תָּא חֲזֵי, כֻּלְּהוֹן דָּרִין דַּהֲווּ בְּיוֹמוֹי דְּנֹחַ, כֻּלְּהוּ אַפְּשִׁיטוּ חוֹבִין, עַל עָלְמָא בְּאִתְגַּלְיָא, לְעֵינֵיהוֹן דְּכֹלָּא. רַבִּי שִׁמְעוֹן, הֲוָה אָזִיל יוֹמָא חַד, בְּפִילֵי דְּטִבֶּרְיָה. חָמָא בְּנֵי נָשָׂא דַּהֲווֹ מְקַטְרֵי בְּקִיטְרָא דְּקַשְׁתָּא בְּקוּלְפָּא דְּקַנְסִיר. אֲמַר, וּמַה חוֹבָא דָּא בְּאִתְגַּלְיָא, לְאַרְגָּזָא לְמָרֵיהוֹן. יָהִיב עֵינוֹי בְּהוּ, וְאִתְרְמִיוּ לְגוֹ יַמָּא, וּמִיתוּ.

תיח. תָּא חֲזֵי, כָּל חוֹבָא דְּאִתְעֲבֵיד בְּאִתְגַּלְיָא, דָּחֵי לָהּ לִשְׁכִינְתָּא מֵאַרְעָא, וְסַלִּיקַת דִּירָה מֵעָלְמָא. אִלֵּין הֲווּ אָזְלִין בְּרֵישָׁא זְקִיף, וְעַבְדֵי חוֹבַיְיהוּ בְּאִתְגַּלְיָיא, וְדָחוּ לָהּ לִשְׁכִינְתָּא מֵעָלְמָא, עַד דְּקֻבָּ"ה דָּחָא לוֹן, וְאַעֲבִיר לוֹן מִנֵּיהּ. וְעַל דָּא כְּתִיב הָגוֹ רָשָׁע לִפְנֵי מֶלֶךְ וְגו'. הָגוֹ סִגִּים מִכָּסֶף וְגו'.

תיט. וַיֹּאמֶר ה' לֹא יָדוֹן רוּחִי בָאָדָם לְעוֹלָם בְּשַׁגָּם הוּא בָשָׂר וְגו'. אֲמַר רַבִּי אֶלְעָזָר ת"ח, כַּד בָּרָא קֻבָּ"ה עָלְמָא, עֲבַד לְהַאי עָלְמָא, לְאִשְׁתַּמְּשָׁא כְּגַוְונָא דִּלְעֵילָא. וְכַד בְּנֵי עָלְמָא אִינּוּן זַכָּאִין, דְּאָזְלֵי בְּאָרַח מֵישָׁר, קֻבָּ"ה אִתְעַר רוּחָא דְּחַיֵּי דִּלְעֵילָא עַד דְּמָטוֹ, אִינּוּן חַיִּין, לַאֲתַר דְּיַעֲקֹב שַׁרְיָא בֵּיהּ.

תכ. וּמִתַּמָּן נָגְדֵי אִינּוּן חַיִּין, עַד דְּאִתְמְשִׁיךְ הַהוּא רוּחָא, לְהַאי עוֹלָם, דְּדָוִד מַלְכָּא שַׁרְיָא בֵּיהּ. וּמִתַּמָּן נָגְדֵי בִּרְכָאן לְכֻלְּהוּ אִינּוּן תַּתָּאֵי. וְהַהוּא רוּחָא עִלָּאָה, אִתְנְגִיד וְאִתְמְשִׁיךְ לְתַתָּא. וְיָכְלִין לְאִתְקַיְּימָא בְּעָלְמָא.

תכא. וּבְגִינֵי כָּךְ, לְעוֹלָם חַסְדּוֹ. דָּא הוּא עוֹלָם, דְּדָוִד מַלְכָּא. וּבְגִ"כ כְּתִיב לְעָלַם

בְּלָא וָא"ו. דְּהָא כַּד הַהוּא רוּחָא אִתְנְגִיד לְהַהוּא עוֹלָם. מִתַּמָּן נָפְקֵי בִּרְכָאן וְחַיִּין לְכֹלָּא, לְאִתְקַיְּימָא. הַשְׁתָּא דְּחָבוּ בְּנֵי נָשָׁא, אִסְתַּלַּק כֹּלָּא. בְּגִין דְּלָא יִמְטֵי הַהוּא רוּחָא דְּחַיֵּי לְהַאי עוֹלָם, לְאִתְהַנָּאָה מִנֵּיהּ תַּתָּאֵי, וּלְאִתְקַיְּימָא בֵּיהּ.

תכב. בְּשַׁגַּם הוּא בָשָׂר. בְּגִין דְּלָא יִתְרַק הַאי רוּחָא לְהַאי עוֹלָם. מ"ט, דְּלָא לְאַסְגָּאָה נָחָשׁ, תַּתָּאָה דְּדַרְגִּין, דְּיִתְתַּקַּף בֵּיהּ רוּחָא דִּקְדוּשָּׁא דְּלָא יִתְעָרַב בְּרוּחַ מְסָאָב. בְּשַׁגַּם הוּא בָשָׂר, דָּא נָחָשׁ קַדְמָאָה דְּיִתְבָּרַךְ. בג"כ הוּא בָשָׂר: כד"א קֵץ כָּל בָּשָׂר בָּא לְפָנַי, וְאָמַר ר"ש, דָּא מַלְאַךְ הַמָּוֶת. וְהָיוּ יָמָיו מֵאָה וְעֶשְׂרִים שָׁנָה. אוּרִיכוּ דְּקוּסְטִירָא דְּקִיטְרָא.

תכג. הַנְּפִילִים הָיוּ בָאָרֶץ. תָּנֵי רַבִּי יוֹסֵי, אִלֵּין עֲזָא וַעֲזָאֵל. כְּמָה דְּאִתְּמָר, דְּאַפֵּיק לוֹן קֻבּ"ה מִקְּדוּשָּׁתָא דִּלְעֵילָא. וְאִי תֵּימָא וְהֵיךְ יָכְלוּ לְאִתְקַיְּימָא בְּהַאי עָלְמָא. אָמַר רַבִּי חִיָּיא, אִלֵּין הֲווּ מֵאִינוּן דִּכְתִיב וְעוֹף יְעוֹפֵף עַל הָאָרֶץ. וְהָא אִתְּמָר, דְּאִלֵּין אִתְחֲזוּ לִבְנֵי נָשָׁא, כְּחֵיזוּ דִּלְהוֹן. וְאִי תֵּימָא, הֵיךְ יָכְלִין לְאִתְהַפָּכָא. הָא אִתְּמָר דְּאִתְהַפְּכָן לְכַמָּה גַּוְונִין. וּבְשַׁעֲתָא דְּנָחְתֵי אִתְגְּלִימוּ בַּאֲוִירָא דְּעָלְמָא, וְאִתְחֲזוּן כִּבְנֵי נָשָׁא.

תכד. וְהָנֵי, עֲזָא וַעֲזָאֵל, דְּמָרְדוּ לְעֵילָא, וְאַפִּיל לוֹן קֻבּ"ה, וְאִתְגְּלִימוּ בְּאַרְעָא, וְאִתְקַיְּימוּ בֵּיהּ, וְלָא יָכִילוּ לְאִתְפַּשְּׁטָא מִנֵּיהּ. וּלְבָתַר טָעוּ בָּתַר נְשֵׁי עָלְמָא. וְעַד כְּעַן יוֹמָא דָּא, אִינוּן קַיְימֵי וְאוֹלְפֵי חָרָשִׁין לִבְנֵי נָשָׁא. וְאוֹלִידוּ בְּנִין, וְקָרוּ לְהוּ עֲנָקִים, גִּבָּרִין. וְאִינוּן נְפִילִים, אִקְרוּן בְּנֵי אֱלֹהִים. וְהָא אִתְּמָר.

תכה. וַיֹּאמֶר ה' אֶמְחֶה אֶת הָאָדָם אֲשֶׁר בָּרָאתִי מֵעַל פְּנֵי הָאֲדָמָה. רַבִּי יוֹסֵי פָּתַח, כִּי לֹא מַחְשְׁבוֹתַי מַחְשְׁבוֹתֵיכֶם. ת"ח כַּד בַּר נָשׁ בָּעֵי לְנָקְמָא מֵאַחֲרָא, שָׁתִיק וְלָא אָמַר מִידֵי, דְּאִילוּ אוֹדְעֵיהּ, יִסְתַּמַּר, וְלָא יָכִיל לֵיהּ.

תכו. אֲבָל קֻבּ"ה לָאו הָכֵי עָבִיד. לָא עָבִיד דִּינָא בְּעָלְמָא, עַד דְּאַכְרִיז וְאוֹדַע לְהוּ, זִמְנָא, תְּרֵין וּתְלָתָא. בְּגִין, דְּלָא אִיתָאי דִּימְחֵי בִּידֵיהּ, דְּיֵימָא לֵיהּ מָה עֲבַדְתְּ, וְלָא יִסְתַּמַּר מִנֵּיהּ, וְלָא יָכִיל לְקַיְּימָא קַמֵּיהּ.

תכז. ת"ח וַיֹּאמֶר ה' אֶמְחֶה אֶת הָאָדָם אֲשֶׁר בָּרָאתִי מֵעַל פְּנֵי הָאֲדָמָה. אוֹדַע לוֹן, עַל יְדָא דְּנֹחַ, וְאַתְרֵי בְּהוֹן כַּמָּה זִמְנִין, וְלָא שָׁמְעֵי. בָּתַר דְּלָא שָׁמְעוּ, אַיְיתֵי עֲלַיְיהוּ דִּינָא, וְאוֹבִיד לוֹן מֵעַל אַפֵּי אַרְעָא.

תכח. ת"ח, מַה כְּתִיב בֵּיהּ בְּנֹחַ, וַיִּקְרָא אֶת שְׁמוֹ נֹחַ לֵאמֹר זֶה יְנַחֲמֵנוּ מִמַּעֲשֵׂנוּ. מְנָא הֲוָה יָדַע. אֶלָּא, בְּשַׁעֲתָא דְּלַיִיט קֻבּ"ה עָלְמָא, דִּכְתִיב, אֲרוּרָה הָאֲדָמָה בַּעֲבוּרֶךָ. אֲמַר אָדָם קַמֵּי קֻבּ"ה, רִבּוֹנוֹ שֶׁל עוֹלָם: עַד מָתַי יְהֵא עָלְמָא בִּלְטִיוּתָא. אָמַר לֵיהּ עַד דְּיִתְיְלִיד לָךְ בֵּן מָהוּל, כְּגַוְונָא דִּילָךְ.

תכט. וַהֲווּ מְחַכָּאן, עַד שַׁעֲתָא דְּאִתְיְלִיד נֹחַ. וְכֵיוָן דְּאִתְיְילִיד, חָמָא לֵיהּ גְּזִיר, רְשִׁים בְּאָת קַדִּישָׁא. וְחָמָא שְׁכִינְתָּא מִתְדַּבְּקָא בַּהֲדֵיהּ. כְּדֵין קָרָא שְׁמֵיהּ עַל מָה דְּעָבִיד לְבָתַר.

תל. בְּקַדְמֵיתָא, לָא הֲווּ יָדְעֵי לְמִזְרַע, וּלְמֶחְצַד, וּלְמֶחְרַשׁ. וַהֲווּ עָבְדֵי פּוּלְחָנָא דְּאַרְעָא בִּידַיְיהוּ. כֵּיוָן דְּאָתָא נֹחַ, אַתְקִין אוּמָנוּתָא לְהוּ, וְכָל מָאנִין דִּצְרִיכִין לְתַקְּנָא אַרְעָא, לְמֶעְבַּד פֵּירִין. הֲדָא הוּא דִכְתִיב זֶה יְנַחֲמֵנוּ מִמַּעֲשֵׂנוּ וּמֵעִצְּבוֹן יָדֵינוּ מִן הָאֲדָמָה. דְּאִיהוּ, אַפִּיק אַרְעָא, מִמַּה דְּאִתְלַטְיָיא. דַּהֲווּ זָרְעִין חִטִּין, וְקָצְרִין גּוּבִין וְדַרְדְּרִין. וּבְגִינֵי כָּךְ, כְּתִיב, אִישׁ הָאֲדָמָה.

תלא. רַבִּי יְהוּדָה אָמַר, אִישׁ הָאֲדָמָה, כד"א אִישׁ נָעֳמִי. בְּגִין, דְּאִקְרֵי צַדִּיק, וְאַפִּיק לָהּ לְאַרְעָא, בְּקָרְבְּנָא דַּעֲבַד, מִמָּה דְּאִתְלַטְיָיא. דִּכְתִיב לֹא אוֹסִיף לְקַלֵּל עוֹד אֶת הָאֲדָמָה בַּעֲבוּר הָאָדָם. וּבְגִין דָּא, אִקְרֵי אִישׁ הָאֲדָמָה. וְעַל דָּא קָרָא לֵיהּ שְׁמָא, עַל מַה דַּהֲוָה.

תלב. רַבִּי יְהוּדָה פָּתַח, לְכוּ חֲזוּ מִפְעֲלוֹת אֱלֹקִים אֲשֶׁר שָׂם שַׁמּוֹת בָּאָרֶץ. הַאי קְרָא אוֹקְמוּהָ וְאִתְּמַר. אֲבָל, לְכוּ חֲזוּ וגו'. דְּאִלּוּ הֲווּ מִפְעֲלוֹת יוד הא ואו הא, שֵׁם קִיּוּם בָּאָרֶץ, אֲבָל בְּגִין דַּהֲווּ מִפְעֲלוֹת שְׁמָא דֶּאֱלֹקִים, שָׂם שַׁמּוֹת בָּאָרֶץ.

תלג. א"ל רַבִּי חִיָּיא, הַשְׁתָּא אִתְעָרַת לְהַאי, לָאו אֲנָא הָכֵי אֲמֵינָא לֵיהּ, בְּגִין דְּבֵין שְׁמָא דָּא, וּבֵין שְׁמָא דָּא, כֹּלָּא הוּא שְׁבָחָא. אֲבָל, אֲנָא אֲמֵינָא לֵיהּ, כְּמָה דְּאִתְּעָרוּ חַבְרַיָּא. דְּשַׁוֵּי שַׁמָּהָן שַׁמּוֹת בָּאָרֶץ, שַׁמּוֹת מַמָּשׁ.

תלד. ר' יִצְחָק אָמַר, כֹּלָּא הוּא וַאֲפִילּוּ מַה דְּא"ר יְהוּדָה, שַׁפִּיר קָאָמַר. דְּאִלּוּ יְהֵא עָלְמָא בִּשְׁמָא דְּרַחֲמֵי, יִתְקַיֵּים עָלְמָא, אֲבָל, בְּגִין דְּאִתְבְּרֵי עָלְמָא עַל דִּינָא, וְקַיְמָא עַל דִּינָא, שָׂם שַׁמּוֹת בָּאָרֶץ. וְשַׁפִּיר הוּא, דְּאִלְמָלֵא כָּךְ, לָא יָכִיל עָלְמָא לְאִתְקַיְּימָא, מִקַּמֵּי חוֹבֵיהוֹן דִּבְנֵי נָשָׁא.

תלה. ת"ח, נֹחַ כַּד אִתְיְילִיד, קָרוֹן לֵיהּ עַל שְׁמָא דְּנֶחָמָה. וְלֶהֱוֵי שְׁמָא גָּרִים. אֲבָל קב"ה לָאו הָכֵי. נֹחַ בְּהִפּוּךְ אַתְוָון, חֵן. כד"א וְנֹחַ מָצָא חֵן. א"ר יוֹסֵי, חֵן, הַיְינוּ נֹחַ. בְּצַדִּיקַיָּיא, שְׁמֵיהוֹן גָּרִים לְטַב. בְּחַיָּיבַיָּא, שְׁמֵיהוֹן גָּרִים לְבִישׁ. בְּנֹחַ, כְּתִיב וְנֹחַ מָצָא חֵן בְּעֵינֵי ה'. בְּעֵר בְּכוֹר יְהוּדָה, אִתְהַפְּכוּ אַתְוֵי לְבִישׁ, עֵר רָע. רַע בְּעֵינֵי ה'.

תלו. ת"ח, כֵּיוָן דְּאִתְיְילִיד נֹחַ, חָמָא עוֹבָדֵיהוֹן דִּבְנֵי נָשָׁא, דְּאִינּוּן חָטָאן קַמֵּי קב"ה, וַהֲוָה גָּנִיז גַּרְמֵיהּ, וְאִשְׁתַּדַּל בְּפוּלְחָנָא דְּמָארֵיהּ. בְּגִין דְּלָא לְמֵהַךְ בְּאוֹרְחַיְיהוּ. וְכ"ת, בְּמָּה אִשְׁתַּדַּל. בְּהַהוּא סִפְרָא דְּאָדָם. וְסִפְרָא דַּחֲנוֹךְ. וַהֲוָה אִשְׁתַּדַּל בְּהוּ לְמִפְלַח לְמָרֵיהּ.

תלז. ת"ח, דְּהָכֵי הוּא, דְּהָא נֹחַ, מְנָא הֲוָה יָדַע, לְקָרֵב קָרְבְּנָא לְמָרֵיהּ. אֶלָּא, בְּגִין דְּאַשְׁכַּח חָכְמְתָא, עַל מַה מִתְקַיֵּים עָלְמָא, וְיָדַע דְּעַל קָרְבְּנָא מִתְקַיֵּים. וְאִלְמָלֵא קָרְבְּנָא, לָא הֲווּ קַיְימֵי עִלָּאֵי וְתַתָּאֵי.

תלח. רַבִּי שִׁמְעוֹן הֲוָה אָזִיל בְּאָרְחָא, וַהֲווּ עִמֵּיהּ רַבִּי אֶלְעָזָר בְּרֵיהּ, וְרַבִּי יוֹסֵי, וְרַבִּי חִיָּיא. עַד דַּהֲווּ אָזְלֵי, א"ר אֶלְעָזָר לַאֲבוֹהִי, אָרְחָא מִתְקְנָא קַמָּן, בָּעֵינָן לְמִשְׁמַע מִלֵּי דְּאוֹרַיְיתָא.

תלט. פָּתַח ר"ש וְאָמַר, גַּם בַּדֶּרֶךְ כְּשֶׁהַסָּכָל הוֹלֵךְ לִבּוֹ חָסֵר וגו'. כַּד ב"נ בָּעֵי לְאַתְקְנָא אָרְחֵיהּ קַמֵּי קב"ה. עַד לָא יִפּוֹק לְאָרְחָא, בָּעֵי לְאַמְלְכָא בֵּיהּ, וּלְצַלֵּי קַמֵּיהּ עַל אָרְחֵיהּ. כְּמָה דְּתָנִינָן, דִּכְתִיב צֶדֶק לְפָנָיו יְהַלֵּךְ וְיָשֵׂם לְדֶרֶךְ פְּעָמָיו. דְּהָא שְׁכִינְתָּא לָא אִתְפְּרַשָׁא מִנֵּיהּ.

תמ. וּמַאן דְּאִיהוּ לָא מְהֵימְנָא בְּמָרֵיהּ, מַה כְּתִיב בֵּיהּ, וְגַם בַּדֶּרֶךְ כְּשֶׁהַסָּכָל הוֹלֵךְ לִבּוֹ חָסֵר, מַאן לִבּוֹ, דָּא קב"ה, דְּלָא יְהַךְ עִמֵּיהּ בְּאָרְחָא, וְגָרַע מִן סִיַּיעְתֵּיהּ בְּאָרְחֵיהּ. בְּגִין דְּהַהוּא בַּר נָשׁ, דְּלָא מְהֵימַן בֵּיהּ בְּמָארֵיהּ, עַד לָא יִפּוֹק בְּאָרְחָא, לָא בָּעֵי סִיַּעְתָּא דְּמָארֵיהּ.

תמא. וַאֲפִילּוּ בְּאָרְחָא, כַּד אִיהוּ אָזִיל, לָא אִשְׁתַּדַּל בְּמִלֵּי דְּאוֹרַיְיתָא. וּבְגִינֵי כָּךְ, לִבּוֹ חָסֵר, דְּלָא אָזִיל בַּהֲדֵיהּ דְּמָרֵיהּ, וְלָא אִשְׁתְּכַח בְּאָרְחֵיהּ. וְאוֹמֵר לַכֹּל סָכָל הוּא. אֲפִילּוּ כַּד שָׁמַע מִלָּה דִּמְהֵימְנוּתָא דְּמָארֵיהּ, הוּא אָמַר, דִּטְפְּשׁוּתָא הוּא, לְאִשְׁתַּדְּלָא בֵּיהּ.

תמב. כְּהַאי דְּשָׁאִילוּ לְבַר נָשׁ, עַל אָת קְיָימָא, דִּרְשִׁימוּ בְּבִשְׂרֵיהּ דְּבַר נָשׁ, וַאֲמַר לָאו אִיהוּ מְהֵימְנוּתָא. שָׁמַע רַב יֵיבָא סָבָא, וְאִסְתַּכַּל בֵּיהּ, וְאִתְעֲבֵיד תִּלָּא דְּגַרְמֵי. וַאֲנָן

בְּהַאי אוֹרְחָא, בְּסִיַּיעְתָּא דְּקֻבְּ"ה, בָּעֵינָן לְמֵימַר מִלֵּי דְאוֹרַיְיתָא.

תמג. פָּתַח וְאָמַר, הוֹרֵנִי ה' דַּרְכֶּךָ אֲהַלֵּךְ בַּאֲמִתֶּךָ יַחֵד לְבָבִי לְיִרְאָה שְׁמֶךָ. הַאי קְרָא קַשְׁיָא, דְּהָא תָּנִינָן, כֹּלָּא הִיא בִּידָא דְּקֻבְּ"ה, בַּר לְמֶהֱוֵי זַכָּאָה, אוֹ חַיָּיבָא. וְדָוִד הֵיךְ תָּבַע דָּא מֵעִם קוּדְשָׁא בְּרִיךְ הוּא.

תמד. אֶלָּא, דָּוִד הָכִי קָאָמַר, הוֹרֵנִי ה' דַּרְכֶּךָ. הַהוּא אָרְחָא מֵישׁוֹר, וּמְתַקְנָא, לְגַלָּאָה עֵינַי, וּלְמִנְדַּע לֵיהּ, וּלְבָתַר, אֲהַלֵּךְ בַּאֲמִתֶּךָ. אֵיהַךְ בְּאָרְחָא קְשׁוֹט, וְלָא אַסְטֵי לְיָמִינָא וְלִשְׂמָאלָא. יַחֵד לְבָבִי. מַאן לְבָבִי. כד"א צוּר לְבָבִי וְחֶלְקִי. וְכָל דָּא, אֲנָא תָּבַע, לְיִרְאָה אֶת שְׁמֶךָ, לְאִתְדַּבְּקָא בִּדְחִלְתָּךְ, לְאִסְתַּמְּרָא אוֹרְחֵי כִּדְקָא יָאוֹת. לְיִרְאָה שְׁמֶךָ. אֲתַר חוּלְקִי, דְּבֵיהּ שַׁרְיָא דַּחֲלְתָא לְמִדְחַל.

תמה. ת"ח, כָּל בַּר נָשׁ, דְּדָחִיל לֵיהּ לְקֻבְּ"ה, שַׁרְיָא עִמֵּיהּ מְהֵימְנוּתָא כִּדְקָא יָאוֹת. דְּהָא הַהוּא ב"נ שְׁלִים בְּפוּלְחָנָא דְמָרֵיהּ. וּמַאן דְּלָא שַׁרְיָא בֵּיהּ דַּחֲלָא דְמָרֵיהּ, לָא שַׁרְיָיא עִמֵּיהּ מְהֵימְנוּתָא. וְלָאו אִיהוּ כְּדַאי לְמֶהֱוֵי לֵיהּ חוּלָקָא, בְּעָלְמָא דְאָתֵי.

תמו. תו, פָּתַח וְאָמַר, וְאֹרַח צַדִּיקִים כְּאוֹר נֹגַהּ הוֹלֵךְ וָאוֹר, עַד נְכוֹן הַיּוֹם. זַכָּאִין אִינּוּן צַדִּיקַיָּא, בְּעָלְמָא דֵּין וּבְעָלְמָא דְאָתֵי, דְּקֻבְּ"ה בָּעֵי בִּיקָרֵיהוֹן. ת"ח, מַה כְּתִיב, וְאֹרַח צַדִּיקִים כְּאוֹר נֹגַהּ, מַאי כְּאוֹר נֹגַהּ כְּהַהוּא נְהוֹרָא דְּנָהִיר, דִּבְרָא קֻבְּ"ה, בְּעוֹבָדָא דִבְרֵאשִׁית, דָּא הוּא דְּגָנִיז לוֹן לְצַדִּיקַיָּא לְעָלְמָא דְאָתֵי. הוֹלֵךְ וָאוֹר, דְּאִיהוּ סָלִיק בִּנְהוֹרֵיהּ תָּדִיר, וְלָא גָּרַע מִנֵּיהּ.

תמז. אֲבָל, בְּחַיָּיבַיָּא מַה כְּתִיב, דֶּרֶךְ רְשָׁעִים כָּאֲפֵלָה לֹא יָדְעוּ בַּמֶּה יִכָּשֵׁלוּ. לֹא יָדְעוּ, וְכִי לָא יָדְעִין. אֶלָּא חַיָּיבַיָּא, אָזְלֵי בַּעֲקִימוּ דְּאָרְחָא, בְּהַאי עָלְמָא, וְלָא בָּעָאן לְאִסְתַּכְּלָא, דְּזַמִּין קֻבְּ"ה לְמֵידַן לְהוּ בְּהַהוּא עָלְמָא וּלְאַעֲלָאָה לוֹן, בְּדִינָא דְגֵיהִנֹּם, וְאִינּוּן צָוְוחִין וְאָמְרִין וַוי לָן: דְּלָא אוֹרִיכְנָא אוּדְנִין, וְלָא אֲצִיתְנָא, בְּהַהוּא עָלְמָא. וּבְכָל יוֹמָא, אָמְרֵי וַוי דָּא.

תמח. ת"ח, זַמִּין קֻבְּ"ה לְאַנְהָרָא לוֹן לְצַדִּיקַיָּא לְעָלְמָא דְאָתֵי, וּלְמֵיהַב לוֹן, אֲגַר חוּלַקְהוֹן, אֲתַר דְּעֵינָא לָא שָׁלְטָא, לְמֵיקַם עֲלֵיהּ. כד"א עַיִן לֹא רָאֲתָה אֱלֹקִים זוּלָתְךָ יַעֲשֶׂה לִמְחַכֵּה לוֹ. וּכְתִיב וְיָצְאוּ וְרָאוּ בְּפִגְרֵי הָאֲנָשִׁים הַפּוֹשְׁעִים בִּי. וּכְתִיב וְעַסּוֹתֶם רְשָׁעִים כִּי יִהְיוּ אֵפֶר תַּחַת כַּפּוֹת רַגְלֵיכֶם. זַכָּאִין אִינּוּן צַדִּיקַיָּא, בְּעָלְמָא דֵּין וּבְעָלְמָא דְאָתֵי. עֲלַיְיהוּ כְּתִיב צַדִּיקִים לְעוֹלָם יִירְשׁוּ אָרֶץ. וּכְתִיב אַךְ צַדִּיקִים יוֹדוּ לִשְׁמֶךָ יֵשְׁבוּ יְשָׁרִים אֶת פָּנֶיךָ.

בָּרוּךְ ה' לְעוֹלָם אָמֵן וְאָמֵן.

NOACH

נח

א. אלה תולדות נח רבי חייא פתח, ועמך כלם צדיקים לעולם יירשו ארץ נצר מטעי מעשה ידי להתפאר, זכאין אינון ישראל, דמשתדלי באורייתא, וידעי ארחין דאורייתא, דבגינה יזכון לעלמא דאתי.

ב. ת"ח, כל ישראל אית לון חולקא לעלמא דאתי, מאי טעמא, בגין דנטרין ברית דעלמא אתקיים עליה, כד"א אם לא בריתי יומם ולילה חקות שמים וארץ לא שמתי. ועל דא, ישראל דנטרי ברית, וקבילו ליה, אית לון חולקא בעלמא דאתי.

ג. ולא עוד, אלא בגין כך אקרון צדיקים, מכאן אוליפנא, כל מאן דנטיר האי ברית, דעלמא אתקיים עליה, אקרי צדיק. מנא לן מיוסף, בגין דנטר ליה לברית עלמא, זכה דאקרי צדיק, ועל כך, ועמך כלם צדיקים לעולם יירשו ארץ.

ד. רבי אלעזר אמר, אלה בכל אתר פסל את הראשונים תנינן וכו', מה כתיב לעילא בפרשתא דבראשית, ונהר יוצא מעדן להשקות את הגן ומשם יפרד וגו'. ההוא נהר דנגיד ונפיק, ועייל לגנתא, ואשקי ליה משקיו דלעילא, ועביד ליה נייחא, ועביד איבין, ורבי זרעין, והוא כדין נייחא לכלא, ודא נייחא ליה לגנתא, ודא עביד נייחא ביה, כד"א כי בו שבת, וכתיב וישבות ביום השביעי, ודא רזא דמלה, דא עביד תולדות ולא אחרא.

ה. ת"ח, כגוונא דא, נח לתתא, קיימא קדישא הוה, דוגמא דלעילא, וע"ד אקרי איש האדמה, ורזא אוליפנא, דהא נח אצטריך לתיבה, לאתחברא בה, ולקיימא זרעא דכולא, דכתיב לחיות זרע.

ו. מאן תיבה, דא ארון הברית, ונח ותיבה לתתא, הכי הוו, כדוגמא דלעילא. נח כתיב ביה ברית, דכתיב והקימותי את בריתי אתך וגו', ועד דאתקיים ביה ברית, לא עייל לתיבותא, דכתיב והקימותי את בריתי אתך ובאת אל התיבה, וכדין הוה תיבה ארון הברית.

ז. תיבה ונח, כלא כגוונא דלעילא, ובגין דהאי ברית לעילא הוא עביד תולדות, כגוונא דא נח, איהו עביד תולדות. בגיני כך אלה תולדות נח.

ח. נח איש צדיק, הכי הוא ודאי, כגוונא דלעילא, ועל דא וצדיק יסוד עולם כתיב, וארעא על דא אתקיימת, דהא איהו, עמודא דעלמא קיימא עליה. ומאן איהו, דא צדיק, ונח אקרי צדיק לתתא.

ט. ורזא דכלא, את האלהים התהלך נח דייקא, דלא אתפרש מניה לעלמין, ולמהוי הוא בארעא, כגוונא דלעילא, איש צדיק, יסודא דעלמא, ברית שלום שלמא דעלמא, איש האדמה ודאי, ועל דא, ונח מצא חן בעיני ה'.

י. תמים היה בדורותיו, מאי בדורותיו, אלין אינון דנפקו מניה, הוא אשלים לכלהו, והוא הוה שלים מכלהו, תמים היה דאתייליד מהול, דכתיב התהלך לפני והיה תמים. בדורותיו, ולא בדרין דעלמא, דהא מניה נפקו תולדות בעלמא.

יא. ת"ח, נֹחַ אִתְחֲזֵי מִיּוֹמָא דְּאִתְבְּרֵי עָלְמָא, לְמֶהֱוֵי בְּתֵיבָה בְּחִבּוּרָא חַד, וּלְמֵיעַל בָּהּ. וְעַד לָא אִתְחַבְּרוּ כַּחֲדָא, לָא הֲוָה עָלְמָא כִּדְקָא יָאוֹת, לְבָתַר מַה כְּתִיב וּמֵאֵלֶּה נָפְצָה כָּל הָאָרֶץ, מַהוּ נָפְצָה, כְּמָה דְּאַתְּ אָמֵר וּמִשָּׁם יִפָּרֵד, דְּמִתַּמָּן אִשְׁתְּכַח פְּרוּדָא, וְאִתְבַּדְּרוּ תּוֹלְדוֹת לְכָל סִטְרִין.

יב. וְכֹלָּא חַד, כְּדוּגְמָא חֲדָא, בְּגִינֵי כָּךְ, אֵלֶּה תּוֹלְדוֹת נֹחַ, אֵלֶּה וַדַּאי, דְּהָא יְסוֹדָא דְּעָלְמָא אִיהוּ, דְּעָבֵיד תּוֹלְדוֹת, לְקַיְּימָא בְּאַרְעָא. אָתָא רַבִּי אַבָּא וּנְשָׁקֵיהּ, אָמַר אַרְיָא בְּחֵילֵיהּ טִינָרָא נָקִיב וְתָבַר. כָּךְ הוּא וַדַּאי. וְת"ח מִשִּׁיעוּרָא דְּתֵיבוּתָא, אוּף נָמֵי הָכֵי הוּא.

תּוֹסֶפְתָּא

יג. לָמָה נֹחַ נֹחַ תְּרֵי זִמְנֵי, אֶלָּא כָּל צַדִּיק וְצַדִּיק דִּי בְּעָלְמָא אִית לֵיהּ תְּרֵין רוּחִין, רוּחָא חַד בְּעָלְמָא דֵּין, וְרוּחָא חַד בְּעָלְמָא דְּאָתֵי וְהָכֵי תִּשְׁכַּח בְּכֻלְּהוּ צַדִּיקֵי, מֹשֶׁה מֹשֶׁה. יַעֲקֹב יַעֲקֹב. אַבְרָהָם אַבְרָהָם. שְׁמוּאֵל שְׁמוּאֵל. שֵׁם שֵׁם. בַּר מִיִּצְחָק דְּלָא כְּתִיב בֵּיהּ, כְּמָה דִּכְתִיב בְּהוּ, בְּגִין דְּיִצְחָק בְּשַׁעְתָּא דְּאִתְקְרַב עַל גַּבֵּי מַדְבְּחָא, נָפְקַת נִשְׁמָתֵיהּ דַּהֲוַת בֵּיהּ בְּהַאי עָלְמָא, וְכֵיוָן דְּאִתְּמַר בֵּיהּ בְּאַבְרָהָם בָּרוּךְ מְחַיֵּה הַמֵּתִים, תָּבַת בֵּיהּ נִשְׁמָתֵיהּ דְּעָלְמָא דְּאָתֵי. בְּגִין דָּא תִּשְׁכַּח דְּלָא יִיחֵד קֻבְּ"ה שְׁמֵיהּ אֶלָּא עַל יִצְחָק, בְּגִין דְּאִתְחַשַּׁב כְּמֵת, וְעַל דָּא רָמַז קְרָא וְאָמַר הֵן בִּקְדוֹשָׁיו לֹא יַאֲמִין וְגוֹ'.

יד. ד"א אֵלֶּה תּוֹלְדוֹת, בְּגִין דַּהֲוָה צַדִּיק שַׁבַּח לֵיהּ תְּרֵי זִמְנֵי, תָּמִים הָיָה בְּדוֹרוֹתָיו, אֲבָל בְּדָרִין אַחֲרָנִין אֵינוֹ נֶחְשָׁב לִכְלוּם, כְּמוֹ דָּרָא דְּאַבְרָהָם, וְדָרָא דְּמֹשֶׁה וְדָרָא דְּדָוִד. דָּבָר אַחֵר וְחָמֵי מַאי עֲבַד בְּדָרָא דְּכֻלְּהוּ חַיָּיבִים, קַל וָחוֹמֶר אִלּוּ הָיָה בְּדָרָא דְּכוּלְּהוּ צַדִּיקִים, עַד כָּאן.

טו. רַבִּי אֶלְעָזָר פָּתַח, לְכוּ חֲזוּ מִפְעֲלוֹת ה' אֲשֶׁר שָׂם שַׁמּוֹת בָּאָרֶץ, הַאי קְרָא, הָא אִתְּמַר וְאוֹקְמוּהָ, אֲבָל לְכוּ חֲזוּ, מַאי חֲזוּ כד"א חָזוּת קָשָׁה הֻגַּד לִי, בְּעוֹבָדוֹי, דְּקֻבְּ"ה עָבֵיד, אִתְגְּלֵי נְבוּאָה עִלָּאָה לִבְנֵי נָשָׁא. אֲשֶׁר שָׂם שַׁמּוֹת, שֵׁמוֹת וַדַּאי, דְּהָא שְׁמָא גָּרִים לְכֹלָּא.

טז. כְּתִיב וַיִּקְרָא אֶת שְׁמוֹ נֹחַ לֵאמֹר זֶה וְגוֹ', אַמַּאי הָכָא לֵאמֹר, וְאַמַּאי זֶה, אֶלָּא לֵאמֹר, דָּא אִתְּתָא, זֶה, דָּא צַדִּיק, כְּתִיב הָכָא זֶה יְנַחֲמֵנוּ, וּכְתִיב הָתָם זֶה ה' קִוִּינוּ לוֹ. זַכָּאִין אִינּוּן צַדִּיקַיָּא דִּרְשִׁימִין בִּרְשִׁימוּ דְּגוּשְׁפַּנְקָא דְּמַלְכָּא, לְמֶהֱוֵי בִּשְׁמֵיהּ רְשִׁימִין, וְאִיהוּ שַׁוֵּי שְׁמָהָן בְּאַרְעָא כִּדְקָא יָאוֹת.

יז. כְּתִיב וַיִּקְרָא אֶת שְׁמוֹ נֹחַ, וּכְתִיב וַיִּקְרָא שְׁמוֹ יַעֲקֹב, אַמַּאי לָא כְּתִיב אֶת, אֶלָּא הָתָם דַּרְגָּא אָחֳרָא, וְהָכָא דַּרְגָּא אָחֳרָא, כִּדְכְתִיב וָאֶרְאֶה אֶת ה' וָאֶרְאֶה ה' לָא כְּתִיב, אֶלָּא אֶת ה', אוּף הָכָא בְּנֹחַ, וַיִּקְרָא אֶת שְׁמוֹ נֹחַ, וַיִּקְרָא שְׁמוֹ יַעֲקֹב דַּרְגָּא דִּילֵיהּ, קֻבְּ"ה מַמָּשׁ, קָרָא לֵיהּ יַעֲקֹב, אֲבָל הָכָא אֶת, לְאִתְכַּלְּלָא שְׁכִינְתָּא.

יח. אֵלֶּה תּוֹלְדוֹת נֹחַ וְגוֹ', רַבִּי יְהוּדָה פָּתַח טוֹב אִישׁ חוֹנֵן וּמַלְוֶה יְכַלְכֵּל דְּבָרָיו בְּמִשְׁפָּט. טוֹב אִישׁ דָּא קוּדְשָׁא בְּרִיךְ הוּא, דְּאִקְרֵי טוֹב כְּמָה דִּכְתִיב טוֹב ה' לַכֹּל, וּכְתִיב ה' אִישׁ מִלְחָמָה, לְהַאי כָּל חוֹנֵן וּמַלְוֶה, לַאֲתַר דְּלֵית לֵיהּ מִדִּילֵיהּ, וְהַהוּא אֲתַר מִנֵּיהּ אִתְּזָן. יְכַלְכֵּל דְּבָרָיו בְּמִשְׁפָּט, דְּהָא הַהוּא דָּבָר לָא אִתְּזָן, אֶלָּא בְּמִשְׁפָּט, כְּמָה דְּאַתְּ אָמֵר צֶדֶק וּמִשְׁפָּט מְכוֹן כִּסְאֲךָ.

יט. דָּבָר אַחֵר טוֹב אִישׁ, דָּא צַדִּיק, דִּכְתִיב אִמְרוּ צַדִּיק כִּי טוֹב כִּי פְּרִי מַעַלְלֵיהֶם יֹאכֵלוּ. רַבִּי יוֹסֵי אָמַר דָּא נֹחַ, דִּכְתִיב נֹחַ אִישׁ צַדִּיק. רַבִּי יִצְחָק אָמַר דָּא שִׁבְחָא

דְּשַׁבָּת, דְּבֵיהּ פָּתַח טוֹב, דִּכְתִיב טוֹב לְהוֹדוֹת לַה'.

כ. רַבִּי חִיָּיא אֲמַר כֹּלָּא וְחַד וְכֻלְּהוּ מִלָּה וְחָדָא אֲמָרוּ, וְדָא עָבִיד תּוֹלְדוֹת בְּעָלְמָא, תּוֹלְדוֹת דְּעָלְמָא מַאן אִינּוּן, אִלֵּין נִשְׁמָתְהוֹן דְּצַדִּיקַיָּא דְּאִינּוּן אִיבָּא דְּעוֹבָדוֹי דְּקוּדְשָׁא בְּרִיךְ הוּא.

כא. רַבִּי שִׁמְעוֹן אֲמַר, בְּשַׁעֲתָא דְּקֻבְּ"ה מִתְעַטֵּר בְּעִטְרוֹי, מִתְעַטֵּר מֵעֵילָּא וּמִתַּתָּא, מֵעֵילָּא, מֵאֲתַר דַּעֲמִיקָא דְּכֹלָּא, מִתְעַטֵּר מִתַּתָּא, בְּמָה, בְּנִשְׁמָתְהוֹן דְּצַדִּיקַיָּא, כְּדֵין אִתּוֹסַף חַיִּים מֵעֵילָּא וּמִתַּתָּא, וְאִתְכְּלִיל אֲתַר מַקְדְּשָׁא מִכָּל סִטְרִין, וּבֵירָא אִתְמַלְיָא, וְיַמָּא אִשְׁתְּלִים, וּכְדֵין יָהַב לְכֹלָּא.

כב. כְּתִיב שְׁתֵה מַיִם מִבּוֹרֶךָ וְנוֹזְלִים מִתּוֹךְ בְּאֵרֶךָ, אַמַּאי בּוֹרְךָ בְּקַדְמֵיתָא, וּלְבָתַר בְּאֵרְךָ, דְּהָא בּוֹר לָא אִקְרֵי אֶלָּא רֵיקַנְיָא דְּלָא נָבִיעַ, בְּאֵר: מַיִין דְּנָבְעִין, אֶלָּא כֹּלָּא אֲתַר חַד הוּא, אֶלָּא אֲתַר דְּמִסְכְּנֵי אֲחִידָן בֵּיהּ, אִקְרֵי בּוֹר, דְּלֵית לֵיהּ מִדִּילֵיהּ, אֶלָּא מַה דְּיַהֲבִין בְּגַוֵּיהּ, וּמַאן אִיהוּ דל"ת.

כג. לְבָתַר אִתְעֲבִיד בְּאֵר, דְּאִיהוּ נָבִיעַ, וּמַלְיָא מִכָּל סִטְרִין, וּמַאן אִיהוּ ה"א אִתְמַלְיָא מֵעֵילָּא, וְנָבִיעַ מִתַּתָּא, אִתְמַלְיָא מֵעֵילָּא כְּמָה דַּאֲמָרָן, וְנָבִיעַ מִתַּתָּא, מִנִּשְׁמָתְהוֹן דְּצַדִּיקַיָּא.

כד. דָּבָר אַחֵר, שְׁתֵה מַיִם מִבּוֹרֶךָ: דָּא דָּוִד מַלְכָּא, דִּכְתִיב בֵּיהּ מִי יַשְׁקֵנִי מַיִם מִבּוֹר בֵּית לֶחֶם. וְנוֹזְלִים: דָּא אַבְרָהָם. מִתּוֹךְ: דָּא יַעֲקֹב, דְּאִיהוּ בְּאֶמְצָעִיתָא. בְּאֵרֶךָ: דָּא יִצְחָק, דְּאִקְרֵי בְּאֵר מַיִם חַיִּים. הָא בְּהַאי קְרָא אִשְׁתְּכַח רְתִיכָא קַדִּישָׁא עִלָּאָה מֵאֲבָהָן, וְדָוִד מַלְכָּא אִתְחַבַּר עִמְּהוֹן.

כה. תֵּיאוּבְתָּא דְּנוּקְבָא לְגַבֵּי דְּכוּרָא, לָאו אִיהוּ, אֶלָּא כַּד עָיֵיל רוּחָא בָּהּ, וְאַשְׁדַּת מַיָּא לְקַבְּלָא, מַיִין עִלָּאִין דְּכוּרִין, כָּךְ כְּנֶסֶת יִשְׂרָאֵל, לָא אִתְעֲרַת תֵּיאוּבְתָּא לְגַבֵּי קוּדְשָׁא בְּרִיךְ הוּא, אֶלָּא בְּרוּחָא דְּצַדִּיקַיָּא דְּעָאלִין בְּגַוָּהּ, וּכְדֵין נָבְעִין מַיָּא מִגַּוָּהּ, לְקַבְּלָא מַיִין דִּדְכוּרָא וְכֹלָּא אִתְעֲבִיד תֵּיאוּבְתָּא חָדָא, וּצְרוֹרָא חָדָא, וְקִשּׁוּרָא חָדָא, וְדָא הוּא רַעֲוָא דְּכֹלָּא, וְטִיּוּלָא דְּמְטַיֵּיל קוּדְשָׁא בְּרִיךְ הוּא בְּנִשְׁמָתְהוֹן דְּצַדִּיקַיָּא.

כו. תָּא חֲזֵי, כָּל אִינּוּן תּוֹלְדוֹת דְּגִנְתָּא דְּעֵדֶן, לָא נָפְקִין מִצַּדִּיק, אֶלָּא כַּד עָיֵיל בְּהַאי תֵּבָה בְּחִבּוּרָא חָדָא, וְכֹלָּא גְּנִיזִין בָּהּ. וּלְבָתַר מִינָּהּ נָפְקִין. אוּף הָכָא נֹחַ אִישׁ צַדִּיק, לָא אַפִּיק תּוֹלְדוֹת לְמִפְרֵי בְּעָלְמָא, עַד דְּעָאל לְתֵיבָה, וְאִתְכְּנַשׁ כֹּלָּא בָּהּ, וַהֲווֹ גְּנִיזִין בָּהּ, וּלְבָתַר מִנָּהּ נָפְקוּ לְמִפְרֵי בְּעָלְמָא, וּלְאִתְקַיְּימָא בְּאַרְעָא, וְאִלְמָלֵא דְּנָפְקוּ מִגּוֹ תֵּיבָה, לָא אִתְקַיְּימוּ בְּעָלְמָא.

כז. וְכֹלָּא כְּגַוְונָא דִּלְעֵילָּא, מִגּוֹ תֵּיבָה נָפְקֵי לְעֵילָּא, מִגּוֹ תֵּיבָה נָפְקֵי לְתַתָּא, דָּא כְּגַוְונָא דָּא וְהָכָא אִתְקַיַּים עָלְמָא וְלָא מִקַּדְמַת דְּנָא, דִּבְגִינֵי כָּךְ כְּתִיב וְנוֹזְלִים מִתּוֹךְ בְּאֵרֶךָ. וּכְתִיב וַיּוֹלֶד נֹחַ שְׁלשָׁה בָנִים.

כח. וַתִּשָּׁחֵת הָאָרֶץ לִפְנֵי הָאֱלֹקִים, אֲמַר רַבִּי יְהוּדָה, כֵּיוָן דִּכְתִיב וַתִּשָּׁחֵת הָאָרֶץ, אַמַּאי לִפְנֵי הָאֱלֹקִים, אֶלָּא כֵּיוָן דַּעֲבָדוּ חוֹבֵיהוֹן בְּאִתְגַּלְיָא, לְעֵינֵיהוֹן דְּכֹלָּא, כְּדֵין לִפְנֵי הָאֱלֹקִים כְּתִיב.

כט. רַבִּי יוֹסֵי אֲמַר, אֲנָא אַפְכָא אֲמֵרִית, וַתִּשָּׁחֵת הָאָרֶץ לִפְנֵי הָאֱלֹקִים, בְּקַדְמֵיתָא לִפְנֵי הָאֱלֹקִים, דְּלָא הֲווֹ עָבְדֵי בְּאִתְגַּלְיָיא, לִפְנֵי הָאֱלֹקִים עָבְדוּ, וְלָא לִפְנֵי בְּנֵי נָשָׁא, וּלְבָסוֹף עָבְדוּ בְּאִתְגַּלְיָא, הה"ד וַתִּמָּלֵא הָאָרֶץ חָמָס, דְּלָא הֲוָה אֲתַר בְּכָל אַרְעָא, דְּלָא

הֲוָה בְּאִתְגַּלְיָא, וּבְגִין כָּךְ, בְּתְרֵי גַּוְונֵי אֲמַר קְרָא.

ל. אֵלֶּה תּוֹלְדוֹת נֹחַ, רַבִּי אַבָּא אֲמַר, מִיּוֹמָא דַּעֲבַר אָדָם עַל פִּקּוּדָא דְּמָרֵיהּ, כָּל בְּנֵי עָלְמָא דְּאִתְיַלִּידוּ לְבָתַר, אִקְרוּן בְּנֵי הָאָדָם, וְלָא לְשִׁבְחָא אִקְרוּן הָכֵי, אֶלָּא כְּמַאן דְּאֲמַר, בְּנוֹי דְּהַהוּא דַּעֲבַר עַל פִּקּוּדָא דְּמָרֵיהּ.

לא. כֵּיוָן דְּאָתָא נֹחַ, אִקְרוּן בְּנֵי עָלְמָא עַל שְׁמֵיהּ דְּנֹחַ, תּוֹלְדוֹת נֹחַ, לְשִׁבְחָא. דְּקָאִים לוֹן בְּעָלְמָא, וְלָא תּוֹלְדוֹת דְּאָדָם, דְּאַעֲבַר לוֹן מֵעָלְמָא, וְגָרִים מוֹתָא לְכֻלְּהוּ.

לב. אֲמַר לֵיהּ רַבִּי יוֹסֵי, אִי הָכֵי, הָא כְּתִיב לְבָתַר וַיֵּרֶד ה' לִרְאוֹת אֶת הָעִיר וְאֶת הַמִּגְדָּל אֲשֶׁר בָּנוּ בְּנֵי הָאָדָם, בְּנֵי הָאָדָם כְּתִיב, וְלָא כְּתִיב בְּנֵי נֹחַ, אֲמַר לֵיהּ, בְּגִין דְּאָדָם וְחָטָא קַמֵּי מָרֵיהּ, טַב לֵיהּ דְּלָא אִבְרֵי, וְלָא יִכְתּוֹב עֲלֵיהּ הַאי קְרָא.

לג. אֶלָּא תָּא חֲזֵי, כְּתִיב בֵּן חָכָם יְשַׂמַּח אָב, כַּד בְּרָא טַב, כָּל בְּנֵי עָלְמָא דְּכָרִין לֵיהּ לַאֲבוֹי לְטַב, וְכַד אִיהוּ בִּישׁ, כֻּלָּא דָּכְרִין לֵיהּ לַאֲבוֹי לְבִישׁ. אָדָם בְּגִין דְּחָטָא וְעָבַר עַל פִּקּוּדָא דְּמָרֵיהּ, כַּד אָתוּ אִינוּן דְּמָרְדוּ בְּמָרֵיהוֹן, מַה כְּתִיב, אֲשֶׁר בָּנוּ בְּנֵי הָאָדָם, בְּנוֹי דְּאָדָם קַדְמָאָה, דְּמָרַד בְּמָרֵיהּ, וַעֲבַר עַל פִּקּוּדֵיהּ.

לד. וּבְגִינֵי כָּךְ, אֵלֶּה תּוֹלְדוֹת נֹחַ, אֵלֶּה וְלָא קַדְמָאֵי, אֵלֶּה דְּנָפְקוּ וְעָאלוּ גּוֹ תֵּיבָה וְאַפִּיקוּ תּוֹלְדִין לְעָלְמִין, וְלָא תּוֹלְדוֹת אָדָם דִּנְפַק מִגִּנְתָּא דְּעֵדֶן, וְלָא אַפִּיק לוֹן מִתַּמָּן.

לה. תָּא חֲזֵי, אִלּוּ אַפִּיק אָדָם תּוֹלְדוֹת, מִגִּנְתָּא דְּעֵדֶן, לָא יִשְׁתֵּיצוּן לְדָרֵי דָּרִין, וְלָא אִתְחֲשַׁךְ נְהוֹרָא דְּסִיהֲרָא לְעָלְמִין, וְכֻלְּהוּ הֲווּ קַיָּימִין לְעָלְמִין, וַאֲפִילּוּ מַלְאֲכֵי עִלָּאֵי, לָא קַיְּימֵי קָמַיְיהוּ, בִּנְהוֹרָא וְזִיוָא וְחָכְמְתָא, כְּמָא דְּאַתְּ אָמֵר בְּצֶלֶם אֱלֹקִים בָּרָא אוֹתוֹ, אֲבָל כֵּיוָן דְּגָרִים וְחָטָאָה, וּנְפַק אִיהוּ מִגִּנְתָּא דְּעֵדֶן, וַעֲבַד תּוֹלְדוֹת לְבַר, לָא אִתְקַיְּימוּ בְּעָלְמָא, וְלָא הֲוֵי כִּדְקָא חֲזֵי.

לו. אֲמַר רַבִּי חִזְקִיָּה, וְכֵי הֵיךְ יָכְלִין לְמֶעְבַּד תּוֹלְדוֹת תַּמָּן, דְּהָא אִלְמָלֵא לָא אִתְמְשֵׁיךְ עֲלֵיהּ יֵצֶר הָרָע וְחָטָא, אִתְקַיַּים אִיהוּ בְּעָלְמָא בִּלְחוֹדוֹי, וְלָא יַעֲבֵיד תּוֹלְדוֹת. כְּגַוְונָא דָּא, אִלְמָלֵא דְּחָבוּ יִשְׂרָאֵל בְּעֶגְלָא, וְאַמְשִׁיכוּ עֲלַיְיהוּ יֵצֶר הָרָע, לָא עָבְדוּ תּוֹלְדוֹת לְעָלְמִין, וְלָא יֵיתוּן דָּרִין אָחֳרָנִין לְעָלְמָא.

לז. אֲמַר לֵיהּ אִלְמָלֵא לָא חָטָא אָדָם, לָא עָבִיד תּוֹלְדוֹת כְּגַוְונָא דָּא מִסִּטְרָא דְּיֵצֶר הָרָע, אֲבָל עָבִיד תּוֹלְדוֹת מִסִּטְרָא דְּרוּחָא קַדִּישָׁא, דְּהַשְׁתָּא לָא עָבֵיד תּוֹלְדוֹת אֶלָּא מִסִּטְרָא דְּיֵצֶר הָרָע, וּבְגִין דְּכָל תּוֹלְדוֹת דִּבְנֵי נָשָׁא, כֻּלְּהוּ מִסִּטְרָא דְּיֵצֶר הָרָע, בְּגִין כָּךְ לֵית לוֹן קִיּוּם, וְאִי אֶפְשָׁר לוֹן לְאִתְקַיְּימָא, דְּסִטְרָא אָחֳרָא אִתְעָרַב בְּהוּ.

לח. אֲבָל אִלְמָלֵא לָא חָטָא אָדָם, וְלָא אִתְתָּרַךְ מִגִּנְתָּא דְּעֵדֶן, הֲוָה עָבִיד תּוֹלְדוֹת מִסִּטְרָא דְּרוּחַ קוּדְשָׁא דְּקַדִּישִׁין, כְּמַלְאֲכֵי עִלָּאִין קַיָּימִין לְדָרֵי דָּרִין כְּגַוְונָא דִּלְעֵילָּא, כֵּיוָן דְּחָטָא וְאוֹלִיד בְּנִין לְבַר מִגִּנְתָּא דְּעֵדֶן, וְלָא זָכָה לְאַפָּקָא לוֹן מִגִּנְתָּא, לָא אִתְקַיְּימוּ, אֲפִילּוּ לְאִשְׁתָּרְשָׁא בְּעָלְמָא דָּא, עַד דְּאָתָא נֹחַ דְּאִיהוּ צַדִּיק, וְעָאל בְּתֵיבָה, וּמִן תֵּיבָה נָפְקוּ כָּל דָּרִין דְּעָלְמָא, וּמִתַּמָּן אִתְבַּדְּרוּ לְכָל אַרְבַּע רוּחֵי עָלְמָא.

לט. וַיַּרְא אֱלֹקִים אֶת הָאָרֶץ וְהִנֵּה נִשְׁחָתָה. אַמַּאי נִשְׁחָתָה, בְּגִין כִּי הִשְׁחִית כָּל בָּשָׂר אֶת דַּרְכּוֹ, כְּמָה דְּאִתְּמָר. רַבִּי חִיָּיא פָּתַח קְרָא וַאֲמַר, וַיַּרְא אֱלֹקִים אֶת מַעֲשֵׂיהֶם כִּי שָׁבוּ מִדַּרְכָּם הָרָעָה, תָּא חֲזֵי, בְּשַׁעֲתָא דִּבְנֵי נָשָׁא זָכָאן, וְנָטְרֵי פִּקּוּדֵי דְּאוֹרַיְיתָא, כְּדֵין אַרְעָא אִתְתַּקְפַת, וְכָל חֵידוּ אִשְׁתַּכַּחַת בָּהּ, מַאי טַעְמָא בְּגִין דִּשְׁכִינְתָּא שָׁרְיָא עַל אַרְעָא, וּכְדֵין כֻּלָּא עִלָּאֵי וְתַתָּאֵי בְּחֶדְוָה.

מ. וכד בני נשא מחבלן ארחייהו, ולא נטרי פקודי אורייתא, וחטאן קמי מאריהון, וכדין כביכול דחיין לה לשכינתא מעלמא, ואשתארת ארעא מחבלא, דהא שכינתא אתדחייא, ולא שריא עלה, וכדין אתחבלת, מאי טעמא אתחבלת, בגין דשריא רוחא אחרא עלה דמחבלא עלמא ועל דא אמרינן דישראל יהבי עוז לאלקים, דמקיימין עלמא, אלקים דא שכינתא, ואם חס ושלום אי ישראל ישתכחו חייבין, מה כתיב רומה על השמים אלקים וגו' משום דרשת הכינו לפעמי. כפף נפשי בסבת וחמס ושנאת וזמם, כרו לפני שוחה וגו', כגוונא דדור המבול, דבגין חמס דהות בינייהון, הוה בינייהון שנאה ודבבו.

מא. יכול אף דארעא דישראל כן, והא תנינן, ארעא דישראל לא שריא עלה רוחא אחרא, ולא ממנא אחרא, בר קודשא בריך הוא בלחודוי. תא חזי דארעא דישראל הכי הוא, דלא שריא עלה ממנא ולא שליחא אחרא, בר קודשא בריך הוא בלחודוי. אבל שעתא חדא שריא עלה, לחבלא בני נשא, מנלן מדוד, דכתיב וירא דוד את מלאך ה' וחרבו שלופה בידו נטויה על ירושלים, וכדין אתחבלת ארעא.

מב. אמר רבי אלעזר, אפילו בההיא שעתא, קודשא בריך הוא הוה, כתיב הכא מלאך ה', וכתיב התם המלאך הגואל אותי, וכתיב ויסע מלאך האלקים, הן לטב והן לביש, קודשא בריך הוא שליט עלה, לטב: בגין דלא אתמסרא תחות שאר ממנן, וכל דיירי עלמא יכספון מן עובדייהו. לביש בגין דלא יחדון אינון לשלטאה עלה.

מג. ואי תימא והא כתיב כי ראתה גוים באו מקדשה, וחריבו ביתא, ואי לאו שלטין אינון ממנן, לא אתחרב מקדשא, תא חזי כתיב כי אתה עשית, וכתיב עשה ה' את אשר זמם.

מד. תא חזי, כתיב וירא אלקים את הארץ והנה נשחתה. נשחתה ודאי, כמה דאתמר. הכי נמי וירא אלקים את מעשיהם כי שבו מדרכם הרעה, דהא כדין ארעא קראת לעילא, וסלקא בסליקו עלאה, ומקשטא אנפהא, כנוקבא דמקשטא לגבי דכורא, הכי נמי ארעא, דהא גדילת בגין זכאין למלכא.

מה. והכא דלא תבו דרא דטופנא, מה כתיב, וירא אלקים את הארץ והנה נשחתה וגו', כאתתא דאסתאבת ואסתירת אנפהא מבעלה, ובזמנא דאסגיאו חובי בני נשא באתגליא, ארעא שויתא אנפהא כנוקבא דלית לה כסופא מכלא, כמה דאת אמר והארץ חנפה תחת יושביה, ועל דא וירא כי נשחתה ודאי, מאי טעמא בגין כי השחית כל בשר את דרכו על הארץ.

מו. רבי אלעזר אזל לגביה דרבי יוסי ב"ר שמעון בן לקוניא חמוי, כיון דחמא ליה, אתקין ליה תופסיתא דקומרא, במטון דקולפא, ויתיבו. א"ל חמוי, אפשר דשמעת מאבוך, האי דכתיב עשה ה' אשר זמם בצע אמרתו אשר צוה מימי קדם.

מז. אמר ליה הא אוקמוה חבריא, בצע אמרתו דבזע פורפירא דיליה, אשר צוה מימי קדם, דהא פורפירא פקיד לה, מאינון יומי קדמאי עלאי, וביומא דאתחריב בי מקדשא, בזע לה, בגין דהאי פורפירא איהי יקרא דיליה, ותיקונא דיליה, ובזע ליה.

מח. אמר ליה עשה ה' אשר זמם, וכי מלכא חשיב לאבאשא לבנוי, עד לא ייתון למוחטי. אמר ליה, למלכא דהוה ליה, מאן יקר, ובכל יומא הוה דחיל עליה, דלא יתבר, והוה מסתכל ביה, ותקין בעיני, ליומין אתא בריה, וארגיז ליה למלכא, נטל

מַלְכָּא הַהוּא מָאן יְקָר, וְתָבַר לֵיהּ, הֲדָא הוּא דִכְתִּיב עָשָׂה ה' אֲשֶׁר זָמָם.

מט. תָּא חֲזֵי, מִן יוֹמָא דְּאִתְבְּנֵי בֵּי מַקְדְּשָׁא, הֲוָה קב"ה מִסְתַּכַּל בֵּיהּ, וַחֲבִיב עָלֵיהּ סַגֵּי, וַהֲוָה דָּחִיל עֲלַיְיהוּ דְּיִשְׂרָאֵל דְּיֶחֱטוּן, וְיִחָרֵב בֵּי מַקְדְּשָׁא, וְכֵן בְּכָל זִמְנָא דַּהֲוָה אָתֵי לְגַבֵּי בֵּי מַקְדְּשָׁא, הֲוָה לָבִישׁ הַהוּא פּוֹרְפִירָא, לְבָתַר דְּגָרְמוּ חוֹבִין, וְאַרְגִּיזוּ קַמֵּי מַלְכָּא, אִתְחָרַב בֵּי מַקְדְּשָׁא, וּבָזַע הַהִיא פּוֹרְפִירָא, הַיְינוּ דִּכְתִּיב עָשָׂה ה' אֲשֶׁר זָמַם בִּצַּע אֶמְרָתוֹ.

נ. הַאי אֶמְרָתוֹ, בְּקַדְמֵיתָא יָתְבָא בְּרֹאשׁ אָמִיר, וְהָא אִתְעַטְּרוּ עִטְרָא לְרֵישָׁא, וְאִילָן נָאָה לְפָנָיו, וְאִיהִי מִימֵי קֶדֶם וַדַּאי. וּכְדֵין עֲצִיבוּ קַמֵּיהּ, בְּבָתֵּי בָּרָאֵי וַדַּאי, וְהֵן אֶרְאֶלָּם צָעֲקוּ חוּצָה.

נא. וַיִּקְרָא ה' צְבָאוֹת בַּיּוֹם הַהוּא וְגוֹ'. הַיְינוּ בְּזִמְנָא דְּאִתְחָרִיב בֵּי מַקְדְּשָׁא, אֲבָל בְּזִמְנָא אָחֳרָא, לֵית חֶדְוָה קַמֵּי קב"ה כְּזִמְנָא דְּאִתְאֲבִידוּ חַיָּיבֵי עָלְמָא, וְאִינוּן דְּאַרְגִּיזוּ קַמֵּיהּ, הה"ד וּבַאֲבוֹד רְשָׁעִים רִנָּה. וְכֵן בְּכָל דָּרָא וְדָרָא, דְּעָבִיד דִּינָא בְּחַיָּיבֵי עָלְמָא, חֶדְוָה וְתוּשְׁבַּחְתָּא קַמֵּי קב"ה.

נב. וְאִי תֵּימָא, הָא תָּנֵינָן, דְּלֵית חֶדְוָה קַמֵּי קב"ה, כַּד אִיהוּ עָבִיד דִּינָא בְּחַיָּיבַיָּא. אֶלָּא תָּא חֲזֵי, בְּשַׁעְתָּא דְּאִתְעֲבִיד דִּינָא בְּחַיָּיבַיָּא, חֶדְוָון וְתוּשְׁבְּחָן קַמֵּיהּ, עַל דְּאִתְאֲבִידוּ מֵעָלְמָא, וְהָנֵי מִילֵּי, כַּד מָטָא הַהוּא זִמְנָא, דְּאוֹרִיךְ לוֹן, וְלָא תָּאבָן לְגַבֵּיהּ מֵחוֹבַיְיהוּ, אֲבָל אִי אִתְעֲבִיד בְּהוּ דִּינָא, עַד לָא מָטָא זִמְנַיְיהוּ, דְּלָא אִשְׁתְּלִים חוֹבַיְיהוּ, כד"א כִּי לֹא שָׁלֵם עֲוֹן הָאֱמוֹרִי עַד הֵנָּה, כְּדֵין לֵית חֶדְוָה קַמֵּיהּ, וּבָאִישׁ קַמֵּיהּ עַל דְּאִתְאֲבִידוּ.

נג. וְאִי תֵּימָא, אִיהוּ, עַד לָא מָטוּ זִמְנַיְיהוּ, אַמַּאי עָבִיד בְּהוּ דִּינָא. אֶלָּא אִינוּן גָּרְמִין בִּישָׁא לְגַרְמַיְיהוּ, דְּהָא קב"ה לָא עָבִיד בְּהוּ דִּינָא, עַד לָא מָטָא זִמְנַיְיהוּ, אֶלָּא, בְּגִין דְּמִשְׁתַּתְּפֵי בַּהֲדַיְיהוּ דְּיִשְׂרָאֵל, לְאַבְאָשָׁא לוֹן, וּבְגִין כָּךְ עָבִיד בְּהוּ דִּינָא, וְאוֹבִיד לוֹן מֵעָלְמָא בְּלָא זִמְנָא, וְדָא הוּא דְּאַבְאִישׁ קַמֵּיהּ. וּבג"כ אַעֲבַר מִצְרָאֵי בְּיַמָּא, וְאוֹבִיד שַׂנְאֵיהוֹן דְּיִשְׂרָאֵל בִּימֵי יְהוֹשָׁפָט. וְכֵן כֻּלְּהוּ, דְּהָא בְּגִינֵיהוֹן דְּיִשְׂרָאֵל אִתְאֲבִידוּ בְּלָא זִמְנָא.

נד. אֲבָל כַּד אִשְׁתְּלִים זִמְנָא דְּאוֹרִיךְ לוֹן, וְלָא תָבוּ, כְּדֵין חֶדְוָה וְתוּשְׁבַּחְתָּא קַמֵּיהּ עַל דְּאִתְאֲבִידוּ מֵעָלְמָא. בַּר בְּזִמְנָא דְּאִתְחָרִיב בֵּי מַקְדְּשָׁא, דְּאַף עַל גַּב דְּאִשְׁתְּלִים זִמְנָא דִלְהוֹן, דְּאַרְגִּיזוּ קַמֵּיהּ, לָא הֲוָה חֶדְוָה קַמֵּיהּ, וּמֵהַהוּא זִמְנָא, לָא הֲוָה חֶדְוָה לְעֵילָּא וְתַתָּא.

נה. כִּי לְיָמִים עוֹד שִׁבְעָה אָנֹכִי מַמְטִיר עַל הָאָרֶץ אַרְבָּעִים יוֹם וְאַרְבָּעִים לַיְלָה וְגוֹ'. רַבִּי יְהוּדָה אָמַר הָנֵי אַרְבָּעִים יוֹם וְאַרְבָּעִים לַיְלָה, מַאי עֲבִידְתַּיְיהוּ, אֶלָּא, אַרְבָּעִים יוֹם לְאַלְקָאָה חַיָּיבֵי עָלְמָא, וּכְתִיב אַרְבָּעִים יַכֶּנּוּ לֹא יוֹסִיף, לְקָבֵל אַרְבַּע סִטְרֵי עָלְמָא, לְכָל חַד עֲשָׂרָה, בְּגִין דב"נ מֵאַרְבַּע סִטְרֵי עָלְמָא אִתְבְּרֵי, וְעַל דָּא וּמָחִיתִי אֶת כָּל הַיְקוּם, וְאִצְטְרִיךְ אַרְבָּעִים לְאַלְקָאָה וּלְאִתְמְחוּיֵי עָלְמָא.

נו. רַבִּי יִצְחָק הֲוָה שְׁכִיחַ קַמֵּיהּ דר"ש, א"ל הַאי קְרָא דִּכְתִּיב וַתִּשָּׁחֵת הָאָרֶץ לִפְנֵי הָאֱלֹקִים, אִי בְּנֵי נָשָׁא חָטָאן, אַרְעָא בַּמֶּה. א"ל, בְּגִין דִּכְתִּיב כִּי הִשְׁחִית כָּל בָּשָׂר אֶת דַּרְכּוֹ, כְּמָה דְּאִתְּמַר, כְּגַוְונָא דָא, וַתִּטְמָא הָאָרֶץ וָאֶפְקוֹד עֲוֹנָהּ עָלֶיהָ. אֶלָּא בְּנֵי נָשָׁא חָטָאן, וְאִי תֵּימָא אַרְעָא בַּמֶּה, אֶלָּא עִקָּרָא דְּאַרְעָא בְּנֵי נָשָׁא אִינוּן, וְאִינוּן מְחַבְּלִין אַרְעָא, וְהִיא אִתְחַבְּלַת, וּקְרָא אוֹכַח, דִּכְתִּיב וַיַּרְא אֱלֹקִים אֶת הָאָרֶץ וְהִנֵּה נִשְׁחָתָה כִּי

הִשְׁחִית כָּל בָּשָׂר אֶת דַּרְכּוֹ עַל הָאָרֶץ.

נז. תָּא חֲזֵי, כָּל חֶטְאוֹי דְּבַר נָשׁ, כֻּלְּהוּ וְחַבָּלוּתָא דִּילֵיהּ, תַּלְיָין בִּתְשׁוּבָה, וְחֶטְאָה דְּאוֹשִׁיד זַרְעָא עַל אַרְעָא, וּמְחַבְּלָא אָרְחֵיהּ, וְאַפִּיק זַרְעָא עַל אַרְעָא, מְחַבֵּיל לֵיהּ, וּמְחַבֵּיל אַרְעָא. וַעֲלֵיהּ כְּתִיב נִכְתַּם עֲוֹנֵךְ לְפָנַי, וּכְתִיב בֵּיהּ כִּי לֹא אֵל חָפֵץ רֶשַׁע אָתָּה לֹא יְגוּרְךָ רָע, בַּר בִּתְשׁוּבָה סַגְּי. וּכְתִיב וַיְהִי עֵר בְּכוֹר יְהוּדָה רַע בְּעֵינֵי ה' וַיְמִיתֵהוּ ה', וְהָא אִתְּמָר.

נח. א"ל אַמַּאי דָּאִין קֻבְ"ה עָלְמָא בְּמַיָּא, וְלָא בְּאֶשָּׁא, וְלָא בְּמִלָּה אָחֳרָא. א"ל רָזָא הוּא, דְּהָא אִינּוּן חַבִּילוּ אָרְחַיְיהוּ, בְּגִין דְּמַיִין עִלָּאִין וּמַיִין תַּתָּאִין לָא אִתְחַבָּרוּ דְּכַר וְנוּקְבָא כִּדְקָא יָאוֹת, מַאן אִינּוּן דְּחַבִּילוּ אָרְחַיְיהוּ, כְּגַוְונָא דָּא מַיִין דְּכוּרִין וְנוּקְבֵי. וְעַל דָּא אִתְדָּנוּ בְּמַיָּא, בְּמָה דְּאִינּוּן חָבוּ.

נט. וּמַיִין הֲווּ רְתִיחָן וּפָשְׁטוּ מַשְׁכָּא מִנַּיְיהוּ, כְּמָה דְּחַבִּילוּ אָרְחַיְיהוּ בְּמַיִין רְתִיחָן, דִּינָא לָקֳבֵל דִּינָא, הה"ד נִבְקְעוּ כָּל מַעְיְינוֹת תְּהוֹם רַבָּה, הָא מַיִין תַּתָּאִין. וַאֲרוּבּוֹת הַשָּׁמַיִם נִפְתָּחוּ, דָּא מַיִין עִלָּאִין. מַיִין עִלָּאִין וְתַתָּאִין.

ס. רַבִּי חִיָּיא וְרַבִּי יְהוּדָה, הֲווּ אָזְלֵי בְּאָרְחָא, וּמָטוּ לְגַבֵּי טוּרִין רַבְרְבָן, וְאַשְׁכָּחוּ בֵּינֵי טוּרַיָּא, גַּרְמֵי בְּנֵי נָשָׁא, דַּהֲווּ מֵאִינּוּן בְּנֵי טוֹפָנָא, וּפָסְעוּ תְּלַת מְאָה פְּסִיעָן, בְּגַרְמָא חֲדָא. תָּוְוהוּ, אָמְרוּ, הַיְינוּ דַּאֲמָרוּ חַבְרָנָא, דְּאִינּוּן לָא הֲווּ מִסְתַּפֵּי מִדִּינָא דְּקֻבְ"ה, כְּמָה דִּכְתִּיב וַיֹּאמְרוּ לָאֵל סוּר מִמֶּנּוּ וְדַעַת דְּרָכֶיךָ לֹא חָפָצְנוּ. מָה עֲבָדוּ, הֲווּ סְתִימִין בְּרַגְלַיְיהוּ, מַבּוּעֵי תְּהוֹמָא, וּמַיִין נָפְקִין רְתִיחָן, וְלָא יָכִילוּ לְמֵיקַם בְּהוּ, עַד דַּהֲווּ נִשְׁמָטִין, וְנָפְלוּ בְּאַרְעָא וּמַיְיתִין.

סא. וַיּוֹלֶד נֹחַ שְׁלֹשָׁה בָנִים וגו'. אֲמַר רַבִּי חִיָּיא לְרַבִּי יְהוּדָה, תָּא וְאֵימָא לָךְ מִלֵּי דִּשְׁמַעְנָא בְּהַאי, מְתַל, לְבַר נָשׁ דְּאָעִיל לְנוּקְבָא אִיבָא דְּמַעֲהָא בִּזְמְנָא חֲדָא, וְנָפְקֵי תְּרֵין אוֹ תְּלָתָא בְּנִין, חַד מִתְפָּרְשָׁא מֵאָחֳרָא, בְּאוֹרְחוֹי, בְּעוֹבָדוֹי, דָּא זַכָּאָה, וְדָא חַיָּיבָא, וְדָא בֵּינוֹנִי, אוֹף הָכָא נָמֵי, תְּלַת קִטְרֵי דְּרוּחָא אָזְלִין, וְשָׁטָאן, וְאִתְכְּלִילָן בִּתְלַת עָלְמִין.

סב. תָּא חֲזֵי, נִשְׁמָתָא נָפְקָאת, וְאָעִיל בֵּין טוּרֵי פְּרוּדָא, וְאִתְחַבַּר רוּחָא בְּנִשְׁמָתָא, נָחֵית לְתַתָּא, אִתְחַבַּר נֶפֶשׁ בְּרוּחַ, וְכֻלְּהוּ אָזְלֵי וּמִתְחַבְּרִין דָּא עִם דָּא, אֲמַר רַבִּי יְהוּדָה, נֶפֶשׁ וְרוּחַ כְּלִילָן דָּא עִם דָּא, נִשְׁמָתָא שָׁרְיָא בְּאָרְחוֹי דְּבַר נָשׁ, וְהִיא מְדוֹרָא טְמִירָא דְּלָא אִתְיְידַע אַתְרָהָא.

סג. אָתָא בַּר נָשׁ לְאִתְדַּכָּאָה, מְסַייְעִין לֵיהּ בְּנִשְׁמָתָא קַדִּישָׁא, וְדַכָּאן לֵיהּ, וּמְקַדְּשִׁין לֵיהּ, וְאִקְרֵי קָדוֹשׁ. לָא זָכָה, וְלָא אָתֵי לְאִתְדַּכָּאָה, תְּרֵין דַּרְגִּין פְּתוּחִין, דְּאִינּוּן נֶפֶשׁ וְרוּחַ בֵּיהּ, נִשְׁמָתָא קַדִּישָׁא לֵית בֵּיהּ. וְלָא עוֹד, אֶלָּא דְּאִי יִסְתָּאַב מְסָאֲבִין לֵיהּ, וְסִיוְעָא דִּלְעֵילָא אַעֲדִיו מִינֵּיהּ. מִכָּאן וּלְהָלְאָה, כָּל חַד לְפוּם אָרְחֵיהּ.

תּוֹסֶפְתָּא

סד. קִטוּרֵי רָמָאֵי דְּקַסְטוּרֵי דְּהַהוּא סִטְרָא אֲנַן פְּתִיחָן עַיְינִין, פְּתִיחָן אוּדְנִין, קָל מִן קָלַיָּא נָחֵית מֵעֵילָא לְתַתָּא, מִתַּבַּר טוּרִין וְטִנָּרִין, מָאן אִינּוּן דְּחָזְמָאן וְלָא חָזְמָאן, אֲטִימִין אוּדְנִין, סְתִימִין עַיְינִין, לָא חָזְמָאן וְלָא שָׁמְעִין, לָא יָדְעִין בִּסְכַלְתָּנוּ, חַד דִּכְלִילָא בִּתְרֵין בְּגַוַּיְיהוּ, דְּחָזְיָין לֵיהּ לְבַר.

סה. אִינּוּן מִתְדַּבְּקָן בֵּיהּ בְּאִינּוּן תְּרֵי. חַד אוּמָנָא דְּאוּמָנָא, לָא שַׁרְיָא בְּגַוַּיְיהוּ, לָא עָאלִין בֵּין סִפְרֵי קַדִּישִׁין, כָּל אִינּוּן דְּאוּמָנָא דָּא לָא שַׁרְיָא בְּגַוַּיְיהוּ, לָא אִכְתִּבוּ בְּסִפְרֵי

דְּכְרָנַיָּיא, אִתְמְחוֹן מִסִּפְרָא דְּחַיֵּי, כְּמָא דְּאַתְּ אָמַר יִמָּחוּ מִסֵּפֶר חַיִּים וְעִם צַדִּיקִים אַל יִכָּתֵבוּ.

סו. וַוי לוֹן כַּד יִפְקוּן מֵהַאי עָלְמָא, וַוי לוֹן, מַאן יִתְבַּע לוֹן, כַּד יִתְמַסְרוּן בִּידָא דְּדוּמָה, וְיִתּוֹקְדוּן בְּנוּרָא דְּדָלֵיק וְלָא יִפְקוּן מִנֵּיהּ, בַּר בְּרֵישׁ יַרְחֵי וְשַׁבְּתֵי, כד"א וְהָיָה מִדֵּי חֹדֶשׁ בְּחָדְשׁוֹ וּמִדֵּי שַׁבָּת בְּשַׁבַּתּוֹ יָבֹא כָל בָּשָׂר לְהִשְׁתַּחֲוֹת לְפָנַי אָמַר ה'. לְבָתַר כָּרוֹזָא דְּבִסְטַר צָפוֹן אַכְרִיז עֲלַיְיהוּ וַאֲמַר יָשׁוּבוּ רְשָׁעִים לִשְׁאוֹלָה וגו'. כַּמָּה חֲבִילֵי טְרִיקִין אִתְכַּנְּשׁוּ עֲלַיְיהוּ, בְּאַרְבַּע סִטְרִין אֶשָּׁא מְלַהֲטָא בְּגֵי בֶן הִנֹּם.

סז. תְּלַת זִמְנִין בְּיוֹמָא מִתְפַּקְדָן, וְלָא עוֹד אֶלָּא בְּזִמְנָא דְּיִשְׂרָאֵל אָתִיבוּ בְּקוֹל רָם אָמֵן יְהֵא שְׁמֵיהּ רַבָּא מְבָרַךְ, קֻבְּ"ה אִתְמְלֵי רַחֲמִין, וְחַיֵּיס עַל כֹּלָּא, וְרָמִיז לְמַלְאָכָא דִּמְמַנָּא עַל תַּרְעֵי דְּגֵיהִנֹּם, סמריאל שְׁמֵיהּ, וּתְלַת מַפְתְּחָן בִּידֵיהּ, וּפָתַח תְּלַת תַּרְעִין דְּבִסְטַר מַדְבְּרָא, וְחָמָאן נְהוֹרָא דְּהַאי עָלְמָא, אָתָא תְּנָנָא דְּנוּרָא, וְסָתִים אוֹרְחִין.

סח. כְּדֵין תְּלַת מְמַנָּן, דִּתְחוֹת יְדַיְיהוּ תְּלַת מַגְרוֹפִין, מְנַשְּׁבָן בִּידַיְיהוּ, וַאֲתִיבוּ תְּנָנָא לְאַתְרַיְיהוּ. וְרַוְוחִין לוֹן שַׁעֲתָא וּפַלְגוּת שַׁעֲתָא, וּלְבָתַר תַּיְיבִין לְאֶשַּׁיְיהוּ. וְכֵן תְּלַת זִמְנִין בְּיוֹמָא, וּבְכָל זִמְנִין דְּאָמְרֵי יִשְׂרָאֵל אָמֵן יְהֵא שְׁמֵיהּ רַבָּא מְבָרַךְ וכו' אִינּוּן רַוְוחִין לוֹן. זַכָּאִין אִינּוּן צַדִּיקַיָּיא דְּאוֹרְחֵיהוֹן מְנַהֲרָא בְּהַהוּא עָלְמָא, לְכָל סִטְרִין, כד"א וְאֹרַח צַדִּיקִים כְּאוֹר נֹגַהּ הוֹלֵךְ וָאוֹר עַד נְכוֹן הַיּוֹם (עַד כָּאן לְשׁוֹן הַתּוֹסֶפְתָּא).

סט. רַבִּי אַבָּא אֲמַר בְּגֵיהִנֹּם אִית מְדוֹרִין עַל מְדוֹרִין, תְּנָיָינִין תְּלִיתָאִין עַד שֶׁבַע, וְהָא אוֹקְמוּהָ חַבְרַיָּיא. וְזַכָּאִין אִינּוּן צַדִּיקַיָּא, דְּאִינּוּן מִסְתַּמְּרִין מֵחוֹבֵי חַיָּיבַיָּא, וְלָא אָזְלֵי בְּאָרְחַיְיהוּ, וְלָא מִסְתָּאֲבֵי בְּהוֹ, וְכָל מַאן דְּאִסְתָּאַב, כַּד אָזִיל לְהַהוּא עָלְמָא, נָחִית לַגֵּיהִנֹּם, וְנָחִית עַד מְדוֹרָא תַּתָּאָה.

ע. וּתְרֵין מְדוֹרִין אִינּוּן, דִּסְמִיכִין דָּא עִם דָּא, שְׁאוֹל וַאֲבַדּוֹן. מָאן דְּנָחֵית לִשְׁאוֹל דַּיְינִין לֵיהּ תַּמָּן, וּמְקַבֵּל עָנְשֵׁיהּ, וְסַלִּיקוּ לֵיהּ לִמְדוֹרָא אָחֳרָא עִלָּאָה, וְכֵן דַּרְגָּא בָּתַר דַּרְגָּא, עַד דְּאִנּוּן סַלְקִין לֵיהּ. אֲבָל מָאן דְּנָחֵית לַאֲבַדּוֹן, לָא סָלְקִין לֵיהּ לְעָלְמִין, וּבְגִ"כ אִקְרֵי אֲבַדּוֹן, דְּהָא אָבִיד הוּא מִכֹּלָּא.

עא. ת"ח, נֹחַ זַכָּאָה, הֲוָה אַתְרֵי בִּבְנֵי דָרֵיהּ, וְלָא הֲווּ שָׁמְעֵי לֵיהּ, עַד דְּקֻבְּ"ה אַיְיתֵי עֲלַיְיהוּ דִּינָא דְּגֵיהִנֹּם. מַאי דִּינָא דְּגֵיהִנֹּם, אֶשָּׁא וְתַלְגָּא, מַיָּא וְאֶשָּׁא, דָּא צִנִּינָא וְדָא רְתִיחָא. וְכֻלְּהוּ בְּדִינָא דְּגֵיהִנֹּם אִתְדָּנוּ, וְאִתְאֲבִידוּ מֵעָלְמָא.

עב. וּלְבָתַר, אִתְקַיַּים עָלְמָא כִּדְקָא חָזֵי לֵיהּ, וְעָאל נֹחַ בַּתֵּיבָה, וְאָעִיל בָּהּ כָּל זִינָא וְזִינָא דְּעָלְמָא. וְדַאי נֹחַ עֵץ עוֹשֶׂה פְּרִי הֲוָה, וְנָפְקוּ מִן תֵּיבָה כָּל זַיְינֵי עָלְמָא, כְּגַוְונָא דִּלְעֵילָּא.

עג. ת"ח, כַּד הַאי עֵץ עוֹשֶׂה פְּרִי, כָּל אִינּוּן זַיְינִין דִּלְעֵילָּא, חֵיוָון רַבְרְבָן וּזְעִירָן, וְכַמָּה זַיְינִין, וְכָל חַד לִזְנֵיהּ, כד"א חַיּוֹת קְטַנּוֹת עִם גְּדוֹלוֹת. כְּגַוְונָא דָּא נֹחַ בַּתֵּיבָה, וְכֻלְּהוּ נָפְקוּ מִן תֵּיבוּתָא, וְאִתְקַיַּים עָלְמָא כְּגַוְונָא דִּלְעֵילָּא. וּבְגִינֵי כָּךְ נֹחַ אִישׁ הָאֲדָמָה אִקְרֵי. נֹחַ אִישׁ צַדִּיק אִקְרֵי, וְהָא אוֹקְמוּהָ.

עד. רַבִּי חִיָּיא אֲמַר, תְּלַת מְאָה שְׁנִין, עַד לָא אָתֵי טוֹפָנָא, הֲוָה נֹחַ אַתְרֵי בְּהוֹ, עַל עוֹבָדֵיהוֹן, וְלָא הֲווּ שָׁמְעִין לֵיהּ, עַד דְּקֻבְּ"ה אַשְׁלִים זִמְנָא דְּאוֹרִיךְ לוֹן, וְאִתְאֲבִידוּ מֵעָלְמָא. ת"ח, מַה כְּתִיב לְעֵילָּא וַיְהִי כִּי הֵחֵל הָאָדָם לָרֹב עַל פְּנֵי הָאֲדָמָה, וּבָנוֹת יֻלְּדוּ לָהֶם, וַהֲווּ אָזְלִין עַרְטִילָאִין לְעֵינֵיהוֹן דְּכֹלָּא, מַה כְּתִיב וַיִּרְאוּ בְנֵי הָאֱלֹקִים אֶת בְּנוֹת הָאָדָם וגו', וְדָא הֲוָה יְסוֹדָא וְעִקָּרָא לְמֵיגַד בְּחוֹבֵיהוֹן, עַד דְּגָרִים לוֹן לְאִשְׁתֵּצָאָה

מֵעָלְמָא. וּבְגִין כָּךְ אִתְמַשְׁכָאן בָּתַר יֵצֶר הָרַע, וּבִגְזָעוֹי וְשָׁרְשׁוֹי, וְדָווּ מֵהֵימְנוּתָא קַדִּישָׁא מִבֵּינַיְיהוּ, וְאִסְתָּאֲבוּ, כְּמָה דְּאִתְּמַר. בְּגִין כָּךְ קֵץ כָּל בָּשָׂר בָּא לְפָנַי לְאַלְקָאָה קַטֵּיגוֹרְיָיא עֲלַיְיהוּ.

עה. וַיֹּאמֶר אֱלֹקִים אֶל נֹחַ קֵץ כָּל בָּשָׂר בָּא לְפָנַי. רַבִּי יְהוּדָה פָּתַח הוֹדִיעֵנִי ה' קִצִּי וּמִדַּת יָמַי מַה הִיא אֵדְעָה מֶה חָדֵל אָנִי. אֲמַר דָּוִד קַמֵּי קֻבָּ"ה תְּרֵין קִצִּין אִינּוּן, חַד לִימִינָא וְחַד לִשְׂמָאלָא, וְאִינּוּן תְּרֵין אוֹרְחִין לְמֵהַךְ בְּהוּ בְּנֵי נָשָׁא לְהַהוּא עָלְמָא. קֵץ לִימִינָא, דִּכְתִיב לְקֵץ הַיָּמִין, וְקֵץ לִשְׂמָאלָא, דִּכְתִיב קֵץ שָׂם לַחֹשֶׁךְ וּלְכָל תַּכְלִית הוּא חוֹקֵר אֶבֶן אוֹפֶל וְצַלְמָוֶת. מַאי וּלְכָל תַּכְלִית הוּא חוֹקֵר, מַאן הוּא חוֹקֵר, אֶלָּא הַהוּא קֵץ לִשְׂמָאלָא דְּמַחְשִׁיךְ אַפֵּיהוֹן דִּבְרִיָּיתָא.

עו. קֵץ לִימִינָא, כִּדְקָאֲמָרָן, דִּכְתִיב לְקֵץ הַיָּמִין. א"ל קֻבָּ"ה לְדָנִיֵּאל, וְאַתָּה לֵךְ לַקֵּץ וְתָנוּחַ. א"ל מְנוּחָה בְּהַאי עָלְמָא, אוֹ בְּהַהוּא עָלְמָא, כד"א יָנוּחוּ עַל מִשְׁכְּבוֹתָם. א"ל בְּזִמְנָא דִּיקוּמוּן מֵעַפְרָא, אֵיקוּם בֵּינַיְיהוּ, אוֹ לָאו, א"ל וְתַעֲמוֹד, א"ל הָא יְדַעְנָא דִּי יְקוּמוּן כִּתּוֹת כִּתּוֹת, מִנְּהוֹן דְּזַכָּאֵי קְשׁוֹט, וּמִנְּהוֹן דְּחַיָּיבֵי עָלְמָא, וְלָא יְדַעְנָא עִם מָאן מִנְּהוֹן אֵיקוּם, א"ל לְגוֹרָלֶךָ. אֲמַר לֵיהּ, הָא אֲמַרְתְּ וְאַתָּה לֵךְ לַקֵּץ, אִית קֵץ לִימִינָא, וְאִית קֵץ לִשְׂמָאלָא, וְלָא יְדַעְנָא לְאָן קֵץ, לְקֵץ הַיָּמִין, אוֹ לְקֵץ הַיָּמִים. א"ל לְקֵץ הַיָּמִין.

עז. אוּף הָכָא, דָּוִד א"ל לְקֻבָּ"ה הוֹדִיעֵנִי ה' קִצִּי, מָה אִיהוּ חוּלָקָא עַדְבִי, וְלָא נָח דַּעְתֵּיהּ עַד דְּאִתְבַּשַּׂר דִּיְהֵא לִימִינָא, דִּכְתִיב שֵׁב לִימִינִי. ת"ח אוּף קֻבָּ"ה א"ל לְנֹחַ, קֵץ כָּל בָּשָׂר בָּא לְפָנַי, מָאן אִיהוּ, דָּא קֵץ, דְּאַחְשִׁיךְ אַפַּיְיהוּ דִּבְרִיָּיתָא, דְּאִיהוּ קֵץ כָּל בָּשָׂר.

עח. בָּא לְפָנַי. מִכָּאן אוֹלִיפְנָא, וְחַיָּיבֵי עָלְמָא מַקְדִּימִין לֵיהּ, וּמָשְׁכָן לֵיהּ עֲלַיְיהוּ, לְאַחְשָׁכָא לוֹן, דְּכֵיוָן דְּיָהֲבֵי לֵיהּ רְשׁוּתָא, נָטֵיל נִשְׁמָתָא, וְלָא נָטֵיל עַד דְּיָהֲבֵי לֵיהּ רְשׁוּתָא, וְעַל דָּא בָּא לְפָנַי, לְמֵיטַל רְשׁוּ לְאַחְשָׁכָא אַפַּיְיהוּ דִּבְנֵי עָלְמָא, וּבְגִינֵי כָּךְ, וְהִנְנִי מַשְׁחִיתָם אֶת הָאָרֶץ. וְעַל דָּא, עֲשֵׂה לְךָ תֵּיבַת עֲצֵי גֹפֶר, בְּגִין לְאִשְׁתְּזָבָא, וְלָא יָכֵיל לְשַׁלְטָאָה עֲלָךְ.

עט. ת"ח תָּנִינָן, בְּזִמְנָא דְּמוֹתָא אִית בְּמָתָא אוֹ בְּעָלְמָא, לָא יִתְחֲזֵי בַּר נָשׁ בְּשׁוּקָא, בְּגִין דְּאִית לֵיהּ רְשׁוּ לִמְחַבְּלָא לְחַבְּלָא כֹּלָּא. בְּגִינֵי כָּךְ א"ל קֻבָּ"ה, בָּעֵי לָךְ לְאִסְתַּמְרָא, וְלָא תֶּחֱזֵי גַּרְמָךְ, קַמֵּי דִּמְחַבְּלָא, דְּלָא יִשְׁלוֹט עֲלָךְ.

פ. וְאִי תֵּימָא מָאן יָהִיב הָכָא מְחַבְּלָא, דְּהָא מַיִין הֲווּ וְאִתְגַּבָּרוּ. ת"ח, לֵית לָךְ דִּינָא בְּעָלְמָא, אוֹ כַּד אִתְמְחֵי, אוֹ כַּד אִתְמְסַר עָלְמָא בְּדִינָא, דְּלָא אִשְׁתְּכַח הַהוּא מְחַבְּלָא, דְּאָזִיל בְּגוֹ אִינּוּן דִּינִין דְּאִתְעֲבִידוּ בְּעָלְמָא. אוּף הָכֵי הָכָא, טוֹפָנָא הֲוָה, וּמְחַבְּלָא אָזִיל בְּגוֹ טוֹפָנָא, וְאִיהוּ אִקְרֵי הָכֵי דְּאִתְכְּלֵיל בִּשְׁמָא דָּא. וְעַל דָּא, אֲמַר קֻבָּ"ה לְנֹחַ, לְאִטַּמְרָא גַּרְמֵיהּ, וְלָא יִתְחֲזֵי בְּעָלְמָא.

פא. וְאִי תֵּימָא הַאי תֵּיבוּתָא אִתְחֲזֵי בְּגוֹ הַאי עָלְמָא, וּמְחַבְּלָא אָזִיל בְּגַוֵּיהּ. כָּל זִמְנָא דְּלָא יִתְחֲזֵי אַפֵּי דְּב"נ קַמֵּי מְחַבְּלָא, לָא יָכֵיל לְשַׁלְטָאָה עֲלֵיהּ. מְנָלָן מִמִּצְרַיִם, דִּכְתִיב וְאַתֶּם לֹא תֵצְאוּ אִישׁ מִפֶּתַח בֵּיתוֹ עַד בֹּקֶר, מַאי טַעֲמָא, בְּגִין דְּאִיהוּ אִשְׁתְּכַח, וְיָכֵיל הוּא לְחַבְּלָא, וְלָא אִצְטְרִיךְ לְאִתְחֲזָאָה קַמֵּיהּ. בְּגִין כָּךְ הֲוָה גָּנִיז נֹחַ, וְכָל אִינּוּן דְּעִמֵּיהּ בְּתֵיבוּתָא, וּמְחַבְּלָא לָא יָכֵיל לְשַׁלְטָאָה עֲלַיְיהוּ.

פב. רַבִּי חִיָּיא וְרַבִּי יוֹסֵי הֲווּ אָזְלֵי בְּאָרְחָא, אֵעָרַע בְּהַנֵּי טוּרֵי דְּקַרְדוּ, וְחָמוּ רְשִׁימִין בְּקִיעִין בְּאַרְעָא, דַּהֲווּ מִן יוֹמֵי דְּטוֹפָנָא, א"ל רַבִּי חִיָּיא לְרַ' יוֹסֵי, הַנֵּי בְּקִיעִין דַּהֲווּ מִיּוֹמוֹי

דְטוֹפָנָא, וְקֻבָּ"ה שָׁבִיק לוֹן לְדָרֵי דָרִין, בְּגִין דְּלָא יִתְמְחוּן וְחוֹבַיְיהוּ דְרָשִׁיעַיָּא קַמֵּיהּ.

פג. דְּכַךְ אַרְזַוֵּוי דְקֻבָּ"ה, לְזַכָּאִין דְּעָבְדִין רְעוּתֵיהּ, בָּעֵי דְּיִדְכְּרוּן לְהוֹ לְעֵילָא וְתַתָּא, וְלָא יִתְנְשֵׁי דּוּכְרָנֵיהוֹן לְדָרֵי דָרִין לְטַב. כְּגַוְונָא דָא לִרְשִׁיעַיָּא דְּלָא עָבְדִין רְעוּתֵיהּ, בְּגִין דְּלָא יִתְנְשֵׁי וְחוֹבַיְיהוּ, וּלְאַדְכָּרָא עֶנְשַׁיְיהוּ וְדוּכְרָנֵיהוֹן לְבִישׁ לְדָרֵי דָרִין. הַיְינוּ דִכְתִיב נִכְתָּם עֲוֹנֵךְ לְפָנַי וְגוֹ'.

פד. פָּתַח רַבִּי יוֹסֵי וַאֲמַר, צַהֲלִי קוֹלֵךְ בַּת גַּלִּים הַקְשִׁיבִי לַיְשָׁה עֲנִיָּה עֲנָתוֹת. הַאי קְרָא אוּקְמוּהָ וְחַבְרַיָּא, אֲבָל הַאי קְרָא עַל כְּנֶסֶת יִשְׂרָאֵל אִתְּמַר. צַהֲלִי קוֹלֵךְ בַּת גַּלִּים, בְּרַתֵּיהּ דְּאַבְרָהָם אָבִינוּ. הָכֵי אוּקְמוּהָ, בַּת גַּלִּים כִּדְכְתִיב גַּל נָעוּל. גַּלִּים אִינּוּן נְהוֹרִין דְּמִתְכַּנְּשֵׁי וְאַזְלֵי וְעָאלִין לְגַוָּוהּ, וּמַלְּיִין לָהּ כִּדְכְתִיב שְׁלָחַיִךְ פַּרְדֵּ"ס רִמּוֹנִים.

פה. הַקְשִׁיבִי לַיְשָׁה. כְּדָ"א לַיְשׁ אוֹבֵד מִבְּלִי טָרֶף, לַיְשׁ דְּכַר, לַיְשָׁה נוּקְבָא. אֲמַאי אִקְרֵי לַיְשׁ, אִי מִשּׁוּם דִּכְתִיב לַיְשׁ גָּבוֹר בַּבְּהֵמָה אוֹ מִשּׁוּם דִּכְתִיב לַיְשׁ אוֹבֵד מִבְּלִי טָרֶף. אֶלָּא כֹּלָּא אִיהוּ לַיְשׁ: גְּבוּרָה תַּתָּאָה, וּדְאָתֵי מִגְּבוּרָה עִלָּאָה; לַיְשׁ אוֹבֵד מִבְּלִי טָרֶף, בְּעִדָּנָא דְּאִינּוּן נְזְלִין מִסְתַּלְּקִין וְלָא עָאלִין לְגַוָּוהּ, כְּדֵין אִתְקְרֵי לַיְשָׁה, דְּאָבֵידַת מִבְּלִי טָרֶף, דִּכְתִיב לַיְשׁ אוֹבֵד מִבְּלִי טָרֶף וּבְנֵי לָבִיא יִתְפָּרָדוּ.

פו. וּמַה דַּאֲמַר, לַיְשָׁה, הַיְינוּ עֲנִיָּה עֲנָתוֹת, מִסְכֵּנָא דְּבֵמסְכְּנוּתָא, כְּדָ"א מִן הַכֹּהֲנִים אֲשֶׁר בַּעֲנָתוֹת, וּכְתִיב עֲנָתֹת לְךָ עַל שָׂדֶיךָ. מַאי אִירְיָא. אֶלָּא כָּל זִמְנָא דִּדָוִד מַלְכָּא הֲוָה קַיָּים, אִסְתַּלַּק אֲבִיתָר בְּעוּתְרָא וּבְכֹלָּא, לְבָתַר אָ"ל שְׁלֹמֹה עֲנָתֹת לֵךְ עַל שָׂדֶיךָ.

פז. אֲמַאי קְרֵי לֵיהּ שְׁלֹמֹה הָכֵי, אֶלָּא אֲמַר לֵיהּ בְּיוֹמָךְ הֲוָה אַבָּא בְּמִסְכְּנוּ, וְהַשְׁתָּא לֵךְ עַל שָׂדֶיךָ. הַשְׁתָּא אִית לוֹמַר, אֲמַאי אִקְרֵי אֲבִיתָר עֲנָתוֹת, אִי תֵימָא דַּהֲוָה דַהֲוָה מִן עֲנָתוֹת, הָא תָּנֵינָן דִּכְתִיב וַיִּמָּלֵט בֶּן אֶחָד לַאֲחִימֶלֶךְ בֶּן אֲחִיטוּב וּשְׁמוֹ אֶבְיָתָר, וְהוּא מִנּוֹב הֲוָה, דְּהָא נוֹב עִיר הַכֹּהֲנִים הֲוָה. וְאע"פ דְּאָמְרוּ דְּהִיא נוֹב הִיא עֲנָתוֹת, וַאֲמַאי אִקְרֵי עֲנָתוֹת, בְּגִין דְּנְוֹזָחַת לְמִסְכְּנוּ, וְאִתְאֲבִיד קַרְתָּא עַל יְדָא דְשָׁאוּל, וְאִתְאֲבִידוּ כַּהֲנֵי. אֶלָּא עֲנָתוֹת כְּפַר הֲוָה, וְלָאו הוּא נוֹב, וְעַל דָּא קְרֵי לֵיהּ אֲבִיתָר עֲנָתוֹת, בְּגִין דְּאָמַר וְכִי הִתְעַנִּיתָ בְּכֹל אֲשֶׁר הִתְעַנָּה אָבִי, וּמִמִּסְכְּנוּתָא דְּנוֹב הֲוָה, וְעַל מִסְכְּנוּ דְּדָוִד דַּהֲוָה בְּיוֹמוֹי, אִקְרֵי לֵיהּ הָכֵי.

פח. אֲמַר רַבִּי וַיְיסָא בְּמִסְכְּנוּתָא הֲוָה עָלְמָא, מִיּוֹמָא דְּעָבַר אָדָם, עַל פִּקּוּדֵי קֻבָּ"ה, עַד דְּאָתָא נֹחַ, וְקָרִיב קָרְבָּן, וְאִתְיַישַּׁב עָלְמָא. אֲמַר ר' יוֹסֵי לָא אִתְיַישַּׁב עָלְמָא וְלָא נַפְקָא אַרְעָא מִזּוּהֲמָא דְּנָחָשׁ, עַד דְּקַיְימוּ יִשְׂרָאֵל עַל טוּרָא דְּסִינַי, וְאִתְאַחִידוּ בְּאִילָנָא דְחַיֵּי, כְּדֵין אִתְיַישַּׁב עָלְמָא.

פט. וְאִלְמָלֵא דְּהַדְרוּ יִשְׂרָאֵל וְזָאבוּ וַחֲזָרוּ קַמֵּיהּ קֻבָּ"ה, לָא הֲווֹ מֵתִין לְעָלְמִין, דְּהָא אִתְפַּסַּק מִנַּיְיהוּ זוּהֲמָא דְּנָחָשׁ. כֵּיוַן דְּחָטוּ, כְּדֵין אִתְחַבְּרוּ אִינּוּן לֵווֵי קַדְמָאֵי, דַּהֲווֹ בְּהוֹ וְזֵירוּ דְכֹלָּא, וְזֵירוּ דְּהַהוּא נָחָשׁ, דְּאִיהוּ קֵץ כָּל בָּשָׂר.

צ. וְכַד קָמוּ לַיְוָאֵי, לְקַטְלָא קַטְלָא, כְּדֵין אִתְעַר וְזֵירָא בִּישָׁא, וַהֲוָה אָזִיל קַמַּיְיהוּ, וְלָא יָכִיל לְשַׁלְטָאָה בְּהוֹ, בְּגִין דַּהֲווֹ דְּהַווֹ יִשְׂרָאֵל מְזֻדְרְזִין כֻּלְּהוֹ בְּזַיְינִין מְזַיְינָן, וְלָא יָכִיל הַהוּא נָחָשׁ לְשַׁלְטָאָה בְּהוֹ. וְכֵיוַן דְּאָמַר לְמֹשֶׁה וְעַתָּה הוֹרֵד עֶדְיְךָ מֵעָלֶיךָ. אַתְּיְהִיב רְשׁוּ לְהַאי נָחָשׁ לְשַׁלְטָאָה עֲלַיְיהוּ.

צא. ת"ח, מַה כְּתִיב, וַיִּתְנַצְּלוּ בְּנֵי יִשְׂרָאֵל אֶת עֶדְיָם מֵהַר חוֹרֵב. וַיִּתְנַצְּלוּ וַיְנַצְּלוּ מִבָּעֵי לֵיהּ. אֶלָּא, וַיִּתְנַצְּלוּ, עַל יְדָא דְּאָזְרָא, בְּגִין דְּאִתְיְהִיב רְשׁוּ לְנָחָשׁ לְשַׁלְטָאָה. אֶת

עֲדָיִם מֵהַר חוֹרֵב, דְּקַבִּלוּ מִטּוּרָא דְּחוֹרֵב, כַּד אִתְיְיהִיב אוֹרַיְיתָא לְיִשְׂרָאֵל.

צב. אָמַר רַבִּי חִיָּיא נֹחַ דַּהֲוָה צַדִּיק, אַמַּאי לָא הֲוָה בָּטִיל מוֹתָא מֵעָלְמָא. אֶלָּא, בְּגִין דְּעַד לָא סָלְקַת זוּהֲמָא מֵעָלְמָא. וְעוֹד דְּאִינּוּן לָא הֲווֹ מְהֵימְנִין בֵּיהּ בְּקֻבָּ"ה, וְכֻלְּהוּ אֲחִידָן בְּטַרְפֵּי אִילָנָא לְתַתָּא, וּמִתְלַבְּשָׁאן בְּרוּחַ מְסָאֲבָא.

צג. וְתוּ, לְבָתַר אוֹסִפוּ לְמֶחֱטֵי וּלְמֵהַךְ בָּתַר יֵצֶר הָרָע, כַּד בְּקַדְמֵיתָא, וְאוֹרַיְיתָא קַדִּישָׁא דְּאִיהִי אִילָנָא דְּחַיֵּי, אַכַּתִּי לָא נָחִית לָהּ קֻבָּ"ה בְּאַרְעָא. וְתוּ דְּאִיהוּ אַמְשִׁיךְ לֵיהּ בְּעָלְמָא לְבָתַר, דִּכְתִיב וַיֵּשְׁתְּ מִן הַיַּיִן וַיִּשְׁכָּר וַיִּתְגַּל בְּתוֹךְ אָהֳלֹה. וְהָא אִתְּמָר.

צד. עַד דַּהֲווֹ אָזְלֵי, חָמוּ חַד יוּדָאי דַּהֲוָה אָתֵי, אָמַר רַבִּי יוֹסֵי, הַאי בַּר נָשׁ יוּדָאי אִיהוּ, וְאִתְחֲזֵי. כַּד מָטָא גַּבַּיְיהוּ, שָׁאִילוּ לֵיהּ, אָמַר לוֹן, שְׁלִיחָא דְּמִצְוָה אֲנָא, דְּהָא אֲנָן דַּיְירֵי בִּכְפַר דְּרָאמִין, וּמָטֵי זִמְנָא דְּחַג, וַאֲנָן צְרִיכִין לוּלָב, וְחִינִין דְּעִמֵּיהּ, וַאֲנָא אָזִיל לְקַטְעָא לוֹן לְמִצְוָה, אָזְלוּ כַּחֲדָא.

צה. אָמַר לְהוּ הַהוּא יוּדָאי, הַנֵּי אַרְבַּע מִינִין דְּלוּלָב, דִּבְכֻלְּהוּ אָתָאן לְרַצּוּיֵי עָלְמָא, שְׁמַעְתּוּן אַמַּאי אֲנָן צְרִיכִין לוֹן בַּחַג. א"ל כְּבָר אִתְּעָרוּ בְּהוּ חַבְרַיָּיא, אֲבָל אִי מִלָּה חַדְתָּא אִיהוּ תְּחוֹת יְדָךְ אֵימָא לָהּ.

צו. אָמַר לוֹן, וַדַּאי הַהוּא אֲתַר דַּאֲנָן דַּיְירֵי בֵּיהּ, הוּא זְעֵיר, וְכֻלְּהוּ עָסְקֵי בְּאוֹרַיְיתָא. וְאִית עֲלָן צוּרְבָא מֵרַבָּנָן, רַבִּי יִצְחָק בַּר יוֹסֵי מֵחוֹזָאָה שְׁמֵיהּ, וּבְכָל יוֹמָא וְיוֹמָא אָמַר לָן מִלִּין חַדְתִּין בְּאוֹרַיְיתָא. וְאָמַר, דְּהָא בְּחַג זִמְנָא הוּא, לְשַׁלְטָאָה. אֲזַי עָבַר עַל נַפְשֵׁנוּ הַמַּיִם הַזֵּידוֹנִים, בָּרוּךְ ה' שֶׁלֹּא נְתָנָנוּ טֶרֶף לְשִׁנֵּיהֶם, וְכִי אִית שִׁנַּיִם לַמַּיִם. אֶלָּא אִינּוּן שְׁאָר עַמִּין. אִינּוּן רַבְרְבִין מְמַנָּן עַל שְׁאָר עַמִּין עכו"ם וּמִתְבָּרְכָאן מִסִּטְרַיְיהוּ דְּיִשְׂרָאֵל, וְקָרֵינָן לוֹן מַיִם הַזֵּידוֹנִים, כְּמָא דְּאַתְּ אָמַר הַמַּיִם הַזֵּידוֹנִים.

צז. וּבְגִין לְשַׁלְטָאָה עֲלַיְיהוּ אֲתֵינָא בְּרָזָא דִּשְׁמָא קַדִּישָׁא, בְּאִינּוּן אַרְבַּע מִינִין שֶׁבַּלּוּלָב, לְרַצּוּיֵי לֵיהּ לְקֻבָּ"ה, וּלְשַׁלְטָאָה עֲלַיְיהוּ בְּרָזָא דִּשְׁמָא קַדִּישָׁא, וּלְאַתְעָרָא עֲלָן מַיִין קַדִּישִׁין, לְנַסְּכָא עַל גַּבֵּי מַדְבְּחָא.

צח. תּוּ אָמַר לוֹן, בְּר"ה אִתְּעָרוּתָא קַדְמָאָה אִיהוּ בְּעָלְמָא. מַאי אִתְּעָרוּתָא קַדְמָאָה, דָּא בֵּי דִּינָא דִּלְתַתָּא, דְּאִתְּעַר לְמֵידַן עָלְמָא, וְקֻבָּ"ה יָתֵיב עַל עָלְמָא בְּדִינָא, וְדָאִין עָלְמָא.

צט. וְשָׁלְטָא הַאי בֵּי דִּינָא, לְמֵידַן עָלְמָא, עַד יוֹמָא דְּכִפּוּרֵי, דְּנָהֲרִין אַנְפָּהָא, וְלָא אִשְׁתְּכַח חִוְיָא דִּלְטוּרָא בְּעָלְמָא, דְּאִיהוּ אִתְעַסַּק בְּמַה דְּאַתְיָין לֵיהּ הַהוּא שָׂעִיר, דְּאִיהוּ מִסִּטְרָא דְּרוּחַ מְסָאֲבָא, כִּדְקָא חָזֵי לֵיהּ. וּבְגִין דְּאִתְעַסַּק בְּהַהוּא שָׂעִיר, לָא קָרֵיב לְמַקְדְּשָׁא.

ק. וְשָׂעִיר דָּא כְּהַהוּא שָׂעִיר דְּר"ח דְּאִתְעַסַּק בֵּיהּ, וְאַנְהִירוּ אַנְפָּהָא דְּמַקְדְּשָׁא. וְעַל דָּא יִשְׂרָאֵל כֻּלְּהוּ, מִשְׁתַּכְּחִין רַחֲמֵי קַמֵּי קֻבָּ"ה, וְאִתְעֲבַר חוֹבַיְיהוּ. וְרָזָא וַדַּאי, אָמַר לוֹן, וְלָא אִתְיְיהִיב רְשׁוּ לְגַלָּאָה, בַּר לַחֲסִידֵי קַדִּישִׁין עֶלְיוֹנִין וְחַכִּימִין. אָמַר רַבִּי יוֹסֵי מַאן אִיהוּ, אָמַר לוֹן, עַד לָא בָּדִיקְנָא בְּכוּ.

קא. אָזְלוּ, לְבָתַר אָמַר לוֹן, כַּד סִיהֲרָא אִתְקְרִיבַת בְּשִׁמְשָׁא, אִתְּעַר קֻבָּ"ה סִטְרָא דְּצָפוֹן, וְאָחִיד בָּהּ בִּרְחִימוּ, וּמָשִׁיךְ לָהּ לְגַבֵּיהּ, וְדָרוֹם אִתְּעַר מִסִּטְרָא אָחֳרָא, וְסִיהֲרָא סַלְקָא וּמִתְחַבְּרָא בְּמִזְרָח, וּכְדֵין יָנְקָא מִתְּרֵין סִטְרִין, וְנָטִיל בִּרְכָאן בְּחַשָּׁאי, וּכְדֵין אִתְבָּרְכָא סִיהֲרָא, וְאִתְמַלְיָא. וְהָכָא אִתְקְרִיבַת אִתְּתָא בְּבַעְלָהּ.

קָב. כְּמָה דְּאִית רָזָא דְּיוּקְנָא שַׁיְיפֵי דְּאָדָם, וְתִיקּוּנוֹי. הָכֵי נָמֵי אִית רָזָא דִּדְיוּקְנֵי דְּשַׁיְיפֵי נוּקְבָא, וְתִקּוּנֵי דְּנוּקְבָא. וְכֹלָּא פָּרִישׁ בְּגַוָּון. הָכֵי נָמֵי אִית לְעֵילָּא, אָחִיד בָּהּ, וְאִתְעַר לְקַבֵּל בִּרְחִימוּ, ה״נ אִית לְתַתָּא, רָזָא וְתִקּוּנָא דְּאָדָם תַּתָּאָה אָחֳרָא, תְּחוֹת סִיהֲרָא.

קָג. כְּמָה דִּדְרוֹעָא שְׂמָאלָא לְעֵילָּא אָחִיד בָּהּ, וְאִתְעַר לְקַבְּלָהּ בִּרְחִימוּ, הָכֵי נָמֵי אִית לְתַתָּא, הַאי נָחָשׁ, אִיהוּ דְּרוֹעָא שְׂמָאלָא דְּרוּחַ מִסָאֳבָא, וְאָחִיד בֵּיהּ מַאן דְּרָכִיב בֵּיהּ, וְקָרְבָא לְגַבֵּי דְּסִיהֲרָא, וּמָשִׁיךְ לָהּ בֵּינַיְיהוּ דְּקוּטְפָּא וְאִסְתָּאֲבַת.

קָד. וּכְדֵין יִשְׂרָאֵל לְתַתָּא, מְקָרְבִין שָׂעִיר. וְהַהוּא נָחָשׁ, אִתְמְשַׁךְ אֲבַתְרֵיהּ דְּהַהוּא שָׂעִיר, וְסִיהֲרָא אִתְדְּכִיאַת, וְסַלְקָאת לְעֵילָּא, וְאִתְקַשְּׁרַת לְעֵילָּא, לְאִתְבָּרְכָא, וּנְהִירִין אַנְפָּהָא, מַה דְּאִתְחַשְּׁכַת לְתַתָּא.

קָה. כְּדֵין הָכָא בְּיוֹמָא דְּכִפּוּרֵי, כֵּיוָן דְּהַהוּא חִוְיָא בִּישָׁא, אִתְעַסַּק בְּהַהוּא שָׂעִיר, סִיהֲרָא אִתְפָּרְשַׁת מִנֵּיהּ, וְאִתְעַסְקַת לְאוֹלָפָא עֲלַיְיהוּ סָנֵיגוֹרְיָא, וְסוֹכֶכֶת עֲלַיְיהוּ, כְּאִמָּא עַל בְּנִין, וְקֻבָּ״ה בָּרֵיךְ לוֹן מִלְּעֵילָּא, וּמָחֵיל לוֹן.

קָו. לְבָתַר, יִשְׂרָאֵל כַּד מָטוּ לַחַג, מִתְעָרֵי סִטְרָא דִּימִינָא לְעֵילָּא, בְּגִין דְּיִתְקַשַּׁר בֵּיהּ סִיהֲרָא, וְיִתְנְהִירוּ אַנְפָּהָא כִּדְקָא חָזֵי. וּכְדֵין פַּלְגַת חוּלָקָא דְּבִרְכָאן, לְכָל אִינּוּן מְמַנָּן דִּלְתַתָּא, דְּיִתְעַסְקוּן בְּחוּלָקֵהוֹן, וְלָא יֵיתוּן לְיַנְקָא וּלְקָרְבָא בְּסִטְרָא דְּחוּלָקֵהוֹן דְּיִשְׂרָאֵל.

קָז. כְּגַוְונָא דָּא לְתַתָּא, כַּד שְׁאָר עַמִּין אִתְבָּרְכוּן, כֻּלְּהוֹן אִינּוּן מִתְעַסְקִין בְּאַחְסָנַת חוּלַקְהוֹן, וְלָא הֲווֹ אַתְיָין לְאִתְעָרְבָא בַּהֲדַיְיהוּ דְּיִשְׂרָאֵל, וּלְחָמְדָא חוּלַק אַחְסַנְתְּהוֹן, וּבְגִין כָּךְ יִשְׂרָאֵל, אִינּוּן מָשְׁכִין בִּרְכָאן לְכָל אִינּוּן מְמַנָּן, בְּגִין דְּיִתְעַסְקוּן בְּחוּלַקְהוֹן, וְלָא יִתְעָרְבוּן בַּהֲדַיְיהוּ.

קָח. וְכַד סִיהֲרָא אִתְמַלְיָא בִּרְכָאן לְעֵילָּא, כִּדְקָא יָאוּת, יִשְׂרָאֵל אַתְיָין וְיַנְקִין מִנָּהּ בִּלְחוֹדַיְיהוּ. וְעַל דָּא כְּתִיב בַּיּוֹם הַשְּׁמִינִי עֲצֶרֶת תִּהְיֶה לָכֶם, מַאי עֲצֶרֶת, כְּתַרְגּוּמוֹ, כְּנִישׁוּ. כָּל מַה דִּכְנִישׁוּ, מֵאִינּוּן בִּרְכָאן עִלָּאִין, לָא יַנְקִין מִנֵּיהּ עַמִּין אָחֳרָנִין, בַּר יִשְׂרָאֵל בִּלְחוֹדַיְיהוּ, וּבְגִין כָּךְ כְּתִיב, עֲצֶרֶת תִּהְיֶה לָכֶם, לָכֶם וְלָא לִשְׁאָר עַמִּין, לָכֶם וְלָא לִשְׁאָר מְמַנָּן.

קָט. וְעַל דָּא אִינּוּן מְרַצִּין עַל הַמַּיִם, לְמֵיהַב לוֹן חוּלַק בִּרְכָאן, דְּיִתְעַסְקוּן בֵּיהּ, וְלָא יִתְעָרְבוּן לְבָתַר, בְּחֶדְוָותָא דְּיִשְׂרָאֵל, כַּד יַנְקִין בִּרְכָאן עִלָּאִין. וְעַל הַהוּא יוֹמָא כְּתִיב, דּוֹדִי לִי וַאֲנִי לוֹ, דְּלָא אִתְעָרַב אָחֳרָא בַּהֲדָן.

קִי. לְמַלְכָּא דְּזַמִּין רְחִימוֹי בִּסְעוּדָתָא עִלָּאָה, דַּעֲבֵיד לֵיהּ לְיוֹמָא רְשִׁימָא. הָא רְחִימוֹי דְּמַלְכָּא יָדַע, דְּמַלְכָּא אִתְרְעֵי בֵּיהּ. אֲמַר מַלְכָּא הַשְׁתָּא אֲנָא בָּעֵי לְמֶחֱדֵי עִם רְחִימָאי, וְדָחִילְנָא דְּכַד אֲנָא בִּסְעוּדָתָא, עִם רְחִימָאי, יַעֲלוּן כָּל אִינּוּן קַסְטוֹרֵי מְמַנָּן, וְיָתִיבוּן עִמָּנָא לְפָתוֹרָא, לְמִסְעַד סְעוּדָתָא דְּחֶדְוָה, עִם רְחִימָאי. מַה עֲבַד, אַקְדִּים הַהוּא רְחִימוֹי קוּסְטוֹרִין דִּירוֹקֵי, וּבִשְׂרָא דְּתוֹרֵי, וְאַקְרֵיב קַמַּיְיהוּ, דְּאִינּוּן קַסְטוֹרֵי מְמַנָּן לְמֵיכַל. לְבָתַר יָתִיב מַלְכָּא עִם רְחִימוֹי, לְהַהִיא סְעוּדָתָא עִלָּאָה, מִכָּל עִדּוּנִין דְּעָלְמָא. וּבְעוֹד דְּאִיהוּ בִּלְחוֹדוֹי, עִם מַלְכָּא, שָׁאִיל לֵיהּ כָּל צָרְכוֹי, וְיָהִיב לֵיהּ. וְאַחֲדֵי מַלְכָּא עִם רְחִימוֹי, בִּלְחוֹדוֹהִי, וְלָא אִתְעָרְבִין אָחֳרָנִין בֵּינַיְיהוּ. כָּךְ יִשְׂרָאֵל, עִם קֻבָּ״ה, בְּגִין כָּךְ כְּתִיב בַּיּוֹם הַשְּׁמִינִי עֲצֶרֶת תִּהְיֶה לָכֶם.

קִיא. אֲמָרוּ רַבִּי יוֹסֵי וְר׳ חִיָּיא, קֻבָּ״ה אַתְקִין אוֹרְחָא קַמָּן. זַכָּאִין אִינּוּן דְּמִשְׁתַּדְּלֵי בְּאוֹרַיְיתָא. אָתֵי נַשְּׁקוּהוּ. קָרָא עֲלֵיהּ ר׳ יוֹסֵי וְכָל בָּנַיִךְ לִמּוּדֵי ה׳ וְרַב שְׁלוֹם בָּנָיִךְ. כַּד

מָטוֹ בֵּי וְחַקַל, יָתִיבוּ. אֲמַר הַהוּא בַּר נָשׁ, מַאי שְׁנָא דִּכְתִיב וַה׳ הִמְטִיר עַל סְדוֹם וְעַל עֲמוֹרָה וגו׳. וּמַאי שְׁנָא בְּטוֹפָנָא, דִּכְתִיב אֱלֹקִים בְּכָל אֲתַר, וְלָא כְתִיב וַה׳.

קִיב. אֶלָּא תָּנִינָן בְּכָל אֲתַר דִּכְתִיב וַה׳ הוּא וּבֵית דִּינוֹ. אֱלֹקִים סְתָם, דִּינָא בִּלְחוֹדוֹי. אֶלָּא בִּסְדוֹם אִתְעֲבֵיד דִּינָא, וְלָא לְשֵׁיצָאָה עָלְמָא, וּבְגִין כָּךְ אִתְעָרַב אִיהוּ בַּהֲדֵי דִּינָא. אֲבָל בְּטוֹפָנָא, כָּל עָלְמָא שֵׁיצֵי, וְכָל אִינּוּן דְּאִשְׁתַּכָּחוּ בְּעָלְמָא.

קִיג. וְאִי תֵּימָא נֹחַ וּדְעִמֵּיהּ. סָתִים מֵעֵינָא הֲוָה, דְּלָא אִתְחֲזֵי, וְעַל דָּא כָּל מַה דְּאִשְׁתְּכַח בְּעָלְמָא שֵׁיצֵי לֵיהּ, וְעַל דָּא וַה׳ בְּאִתְגַּלְיָא, וְלָא שֵׁיצֵי כֹּלָּא. אֱלֹקִים בָּעֵי סְתִימוּ, וּבָעֵי לְאִסְתַּמְּרָא, דְּהָא כֹּלָּא שֵׁיצֵי, וְעַל דָּא אֱלֹקִים בִּלְחוֹדוֹי הֲוֵי.

קִיד. וְרָזָא דָּא ה׳ לַמַּבּוּל יָשָׁב, מַהוּ יָשָׁב, אִלְמָלֵא קְרָא כְּתִיב, לָא יָכְלִינָן לְמֵימַר, יָשַׁב בִּלְחוֹדוֹי, דְּלָא אַתְיָא עִם דִּינָא, כְּתִיב הָכָא יָשָׁב, וּכְתִיב הָתָם בָּדָד יֵשֵׁב, בִּלְחוֹדוֹי.

קטו. וּבְגִין דְּנֹחַ הֲוָה סָתִים מֵעֵינָא, לְבָתַר כַּד אִתְעֲבֵיד דִּינָא, וְשֵׁיצֵי עָלְמָא, וְנָח רוּגְזֵיהּ, מַה כְּתִיב, וַיִּזְכֹּר אֱלֹקִים אֶת נֹחַ וגו׳. דְּהָא כַּד שֵׁיצֵי עָלְמָא, לָא אִדְכַּר דִּסְתִים מֵעֵינָא הֲוָה.

קטז. וְרָזָא אוֹלִיפְנָא, קב״ה סָתִים וְגַלְיָא. גַּלְיָא: הוּא בֵּי דִּינָא דִּלְתַתָּא. סָתִים: הוּא אֲתַר דְּכָל בִּרְכָאן נָפְקֵי מִתַּמָּן. וּבְגִין כָּךְ כָּל מִלּוֹי דְּבַר נָשׁ, דְּאִינּוּן בִּסְתִימוּ, בִּרְכָאן שַׁרְיָין עֲלוֹי. וְכָל דְּאִינּוּן בְּאִתְגַּלְיָא, הַהוּא אֲתַר דְּבֵי דִּינָא שַׁרְיָאן עֲלוֹי, בְּגִין דְּאִיהוּ אֲתַר בְּאִתְגַּלֵּי, וְהַהוּא דְּאִקְרֵי רַע עַיִן, שַׁלִּיט עֲלֵיהּ, וְכֹלָּא הוּא בְּרָזָא עִלָּאָה, כְּגַוְונָא דִּלְעֵילָּא.

קיז. בָּכָה רַבִּי יוֹסֵי וַאֲמַר, זַכָּאָה דָּרָא דְּרַבִּי שִׁמְעוֹן שַׁרְיָא בְּגַוֵּיהּ, דְּהָא זְכוּתָא דִּילֵיהּ אַזְמִין לָן בְּטוּרֵי, מִלִּין עִלָּאִין כְּאִלֵּין. אֲמַר רַבִּי יוֹסֵי הַאי בַּר נָשׁ לְאוֹדְעָא לָן מִלִּין אִלֵּין קָא אָתֵי, וְשַׁדְרֵיהּ קב״ה לְגַבָּן. כַּד אָתוּ וְסִדְּרוּ מִלִּין קַמֵּיהּ דְּר׳ שִׁמְעוֹן, אֲמַר, וַדַּאי שַׁפִּיר קָא אֲמַר.

קיח. רַבִּי אֶלְעָזָר, הֲוָה יָתִיב יוֹמָא וְחַד קַמֵּיהּ דְּר״ש אָבוֹי. א״ל הַאי קֵץ כָּל בָּשָׂר, אִתְהֲנֵי מֵאִינּוּן קָרְבָּנִין דַּהֲווֹ יִשְׂרָאֵל מְקָרְבִין עַל גַּבֵּי מַדְבְּחָא אוֹ לָא. אֲמַר לֵיהּ כֹּלָּא הֲווֹ מִסְתַּפְּקֵי כַּחֲדָא, לְעֵילָּא וְתַתָּא.

קיט. וְתָא חֲזֵי, כַּהֲנֵי וְלֵיוָאֵי וְיִשְׂרָאֵל, אִינּוּן אִקְרוּן אָדָם, בְּחִבּוּרָא דְּאִינּוּן רְעוּתִין קַדִּישִׁין דְּסַלְקִין מִגַּוַויְיהוּ. הַהוּא כִּשְׂבָּא אוֹ אִמְּרָא, אוֹ הַהִיא בְּהֵמָה דְּקָרְבִין, אִצְטְרִיךְ עַד לָא יִתְקְרִיב עַל גַּבֵּי מַדְבְּחָא, לְפָרְשָׁא עֲלָהּ כָּל חַטָּאִין וְכָל רְעוּתִין בִּישִׁין, לְאִתְוַדָּאָה עֲלָהּ. וּכְדֵין הַהִיא אִתְקְרֵי בְּהֵמָה בְּכֹלָּא, בְּגוֹ אִינּוּן חַטָּאִין וּבִישִׁין וְהִרְהוּרִין.

קכ. כְּגַוְונָא דְּקָרְבְּנָא דַּעֲזָאזֵל, דִּכְתִיב וְהִתְוַדָּה עָלָיו אֶת כָּל עֲוֹנוֹת בְּנֵי יִשְׂרָאֵל וגו׳. הָכֵי נָמֵי הָכָא, וְכַד סַלְקָא עַל גַּבֵּי מַדְבְּחָא, מָטוֹ לָהּ עַל חַד תְּרֵין, וּבְגִין כָּךְ, דָּא סַלְקָא לְאַתְרֵיהּ, וְדָא סַלְקָא לְאַתְרֵיהּ, דָּא בְּרָזָא דְּאָדָם, וְדָא בְּרָזָא דִּבְהֵמָה, כְּמָה דְּאַתְּ אָמֵר אָדָם וּבְהֵמָה תוֹשִׁיעַ ה׳.

קכא. וְחַבִּיתִין, וְכָל שְׁאָר מְנָחוֹת, לְאִתְעָרָא רְוָחָא קַדִּישָׁא, בִּרְעוּתָא דְּכַהֲנֵי וְשִׁירָתָא דְּלֵיוָאֵי, וּבִצְלוֹתָא דְּיִשְׂרָאֵל. וּבְהַהוּא תְּנָנָא וְשַׁמְנָא וְקִמְחָא דְּסָלֵיק מִתְרַוְּון וּמִסְתַּפְּקִין כָּל שְׁאָר מָארֵי דְּדִינִין, דְּלָא יָכְלִין לְשַׁלְטָאָה בְּהַהוּא דִּינָא דְּאִתְמְסַר לוֹן וְכֹלָּא בְּזִמְנָא חֲדָא. ת״ח, כֹּלָּא אִתְעֲבֵיד בְּרָזָא דִּמְהֵימְנוּתָא לְאִסְתַּפְּקָא דָּא בְּדָא, וּלְאִסְתַּלְּקָא לְעֵילָּא, מָאן דְּאִצְטְרִיךְ, עַד אֵין סוֹף.

קכב. אֲמַר רַבִּי שִׁמְעוֹן אֲרֵימַת יְדָאי בִּצְלוֹתִין לְעֵילָּא, דְּכַד רְעוּתָא עִלָּאָה, לְעֵילָּא לְעֵילָּא, קַיְּימָא עַל הַהוּא רְעוּתָא, דְּלָא אִתְיְדַע, וְלָא אִתְפַּס כְּלַל לְעָלְמִין, רֵישָׁא דִּסְתִים

יַתִּיר לְעֵילָּא, וְהַהוּא רֵישָׁא אַפִּיק מַאי דְּאַפִּיק, וְלָא יְדִיעַ, וְנָהִיר מַאי דְּנָהִיר, כֹּלָּא בִּסְתִימוּ.

קכג. רְעוּ דְּמַחֲשָׁבָה עִלָּאָה לְמִרְדַּף אֲבַתְרֵיהּ, וּלְאִתְנַהֲרָא מִנֵּיהּ. וְחַד פְּרִיסוּ אִתְפְּרִיס, וּמִגּוֹ הַהוּא פְּרִיסָא, בִּרְדִיפוּ דְּהַהִיא מַחֲשָׁבָה עִלָּאָה, מָטֵי וְלָא מָטֵי. עַד הַהוּא פְּרִיסָא, נָהִיר מַה דְּנָהִיר. וּכְדֵין אִיהוּ מַחֲשָׁבָה עִלָּאָה, נָהִיר בִּנְהִירוּ סָתִים דְּלָא יְדִיעַ, וְהַהוּא מַחֲשָׁבָה לָא יָדַע.

קכד. כְּדֵין בָּטַשׁ הַאי נְהִירוּ דְּמַחֲשָׁבָה דְּלָא אִתְיְדַע, בִּנְהִירוּ דִּפְרְסָא דְּקָיְימָא, דְּנָהִיר מִמַּה דְּלָא יְדִיעַ וְלָא אִתְיְדַע, וְלָא אִתְגַּלְיָיא. וּכְדֵין דָּא נְהִירוּ דְּמַחֲשָׁבָה דְּלָא אִתְיְדַע בָּטַשׁ בִּנְהִירוּ דִּפְרִיסָא, וְנַהֲרִין כַּחֲדָא, וְאִתְעֲבִידוּ תֵּשַׁע הֵיכָלִין.

קכה. וְהֵיכָלִין, לָאו אִינּוּן נְהוֹרִין, וְלָאו אִינּוּן רוּחִין, וְלָאו אִינּוּן נִשְׁמָתִין, וְלָא אִית מָאן דְּקָיְימָא בְּהוּ. רְעוּתָא, דְּכָל תֵּשַׁע נְהוֹרִין, דְּקָיְימֵי כֻּלְּהוּ בְּמַחֲשָׁבָה, דְּאִיהוּ חַד מִנַּיְיהוּ בְּחוּשְׁבְּנָא, כֻּלְּהוּ לְמִרְדַּף בַּתְרַיְיהוּ, בְּשַׁעֲתָא דְּקָיְימֵי בְּמַחֲשָׁבָה וְלָא מִתְדַּבְּקָן וְלָא אִתְיְדָעוּ, וְאִלֵּין לָא קָיְימֵי לָא בִּרְעוּתָא, וְלָא בְּמַחֲשָׁבָה עִלָּאָה תַּפְסִין בָּהּ, וְלָא תַּפְסִין. בְּאִלֵּין קָיְימֵי כָּל רָזֵי דִּמְהֵימְנוּתָא, וְכָל אִינּוּן נְהוֹרִין מֵרָזָא דְּמַחֲשָׁבָה עִלָּאָה כֻּלְּהוּ אִקְרוּן אֵין סוֹף. עַד הָכָא מָטוּ נְהוֹרִין וְלָא מָטוֹן, וְלָא אִתְיְדָעוּ, לָאו הָכָא רְעוּתָא, וְלָא מַחֲשָׁבָה.

קכו. כַּד נָהִיר מַחֲשָׁבָה, וְלָא אִתְיְדַע מִמַּאן דְּנָהִיר, כְּדֵין אִתְלַבַּשׁ וְאַסְתִּים גּוֹ בִּינָה, וְנָהִיר, לְמַאן דְּנָהִיר וְאָעֵיל דָּא בְּדָא, עַד דְּאִתְכְּלִילוּ כֻּלְּהוּ כַּחֲדָא.

קכז. וּבְרָזָא דְּקָרְבְּנָא כַּד סָלֵיק, כֹּלָּא אִתְקַשַּׁר דָּא בְּדָא, וְנָהִיר דָּא בְּדָא, כְּדֵין קָיְימֵי כֻּלְּהוּ בִּסְלִיקוּ, וּמַחֲשָׁבָה אִתְעַטַּר בְּאֵין סוֹף. הַהוּא נְהִירוּ דְּאִתְנְהֵיר מִנֵּיהּ מַחֲשָׁבָה עִלָּאָה, אִקְרֵי אֵין סוֹף. וּמִנֵּיהּ אִשְׁתְּכַח וְקָיְימָא וְנָהִיר לְמַאן דְּנָהִיר, וְעַל דָּא כֹּלָּא קָאִים. זַכָּאָה חוּלָקֵיהוֹן דְּצַדִּיקַיָּיא בְּעָלְמָא דֵּין וּבְעָלְמָא דְּאָתֵי.

קכח. ת"ח הַאי קֵץ כָּל בָּשָׂר, כְּמָה דְּקִשּׁוּרָא אִשְׁתְּכַח לְעֵילָּא בְּחֶדְוּ, אוּף הָכֵי נָמֵי לְתַתָּא, בְּחֶדְוָותָא וּרְעוּתָא, לְאִסְתַּפְּקָא כֹּלָּא לְעֵילָּא וְתַתָּא, וְאִימָּא קָיְימָא עֲלַיְיהוּ דְּיִשְׂרָאֵל כִּדְקָא יָאוּת.

קכט. ת"ח בְּכָל רֵישֵׁי יַרְחֵי וְיַרְחָא, כַּד סִיהֲרָא מִתְחַדְּשָׁא יָהֲבִין לֵיהּ לְהַאי קֵץ כָּל בָּשָׂר, חוּלָקָא חֲדָא יַתִּיר עַל קָרְבְּנִין, לְאִתְעַסְּקָא בֵּיהּ, וְיִשְׁתַּמֵּשׁ בְּחוּלָקֵיהּ, וִיהֵא סִטְרָא דְּיִשְׂרָאֵל בִּלְחוֹדַיְיהוּ, בְּגִין דְּיִתְאַחֲדוּן בְּמַלְכֵּיהוֹן, וְדָא אִיהוּ שָׂעִיר, בְּגִין דְּאִיהוּ בְּחוּלָקָא דְּעֵשָׂו דִּכְתִיב בֵּיהּ שָׂעִיר, הֵן עֵשָׂו אָחִי אִישׁ שָׂעִיר. וְעַל דָּא אִיהוּ אִשְׁתַּמֵּשׁ בְּחוּלָקֵיהּ. וְיִשְׂרָאֵל אִינּוּן מִשְׁתַּמְּשִׁין בְּחוּלָקֵיהוֹן, וּבְגִין כָּךְ כְּתִיב כִּי יַעֲקֹב בָּחַר לוֹ יָהּ יִשְׂרָאֵל לִסְגוּלָּתוֹ.

קל. תָּא חֲזֵי, הַאי קֵץ כָּל בָּשָׂר כָּל רְעוּתֵיהּ לָאו אִיהוּ, אֶלָּא בְּבִשְׂרָא תָּדִיר, וּבְגִין כָּךְ תִּקּוּנָא דְּבִשְׂרָא תָּדִיר לְגַבֵּיהּ, וְעַל דָּא אִקְרֵי קֵץ כָּל בָּשָׂר. וְכַד אִיהוּ שַׁלִּיט, שַׁלִּיט עַל גּוּפָא וְלָא עַל נִשְׁמְתָא, נִשְׁמְתָא סַלְקָא לְאַתְרָא וּבִשְׂרָא אִתְיְהֵיב לְאֲתַר דָּא. כְּגַוְונָא דָּא, בְּקָרְבְּנָא, דִּרְעוּתָא סַלְקָא לַאֲתַר חַד, וּבִשְׂרָא לַאֲתַר חַד.

קלא. וּב"נ דְּאִיהוּ זַכָּאָה, אִיהוּ קָרְבְּנָא מַמָּשׁ לְכַפָּרָה, וְאַחֲרָא דְּלָאו אִיהוּ זַכָּאָה, לָאו אִיהוּ קָרְבְּנָא, בְּגִין דְּבֵיהּ מוּמָא, דִּכְתִיב כִּי לֹא לְרָצוֹן וְגוֹ'. וְעַל דָּא צַדִּיקַיָּא כַּפָּרָה אִינּוּן דְּעָלְמָא, וְקָרְבְּנָא אִינּוּן בְּעָלְמָא. ת"ח, וַיֹּאמֶר אֱלֹקִים לְנֹחַ, קֵץ כָּל בָּשָׂר בָּא לְפָנַי, לְמֵיטַל

רשו לאחשכא אפייהו דבני עלמא, ובגיני כך הנני משחיתם את הארץ.

קלב. ת"ח, מה כתיב ונח בן שש מאות שנה וגו', וכי אמאי אתא חושבנא דא למימני, אלא אילו לא הוה נח בן שש מאות שנה, לא ייעול לתיבותא, ולא יתחבר בהדה, כיון דאשתלים בשש מאות שנה, כדין אתחבר בהדה.

קלג. ועל דא, מן יומא דאשתלים חובייהו דבני עלמא, אוריך לון קב"ה, עד דאשתלים נח, בשש מאות שנה, ואשתלים דרגיה כדקא יאות, והוה צדיק שלים וכדין עאל לתיבותא, וכלא כגוונא דלעילא. ונח בן שש מאות שנה. כמה דאמרן. ובגיני כך לא אתמר כבן שש מאות שנה.

קלד. תו פתח ואמר, ואני הנני מביא את המבול מים. מ"ט הנני, כיון דאמר ואני, אלא אני הנני, כלא מלה חדא היא. ת"ח בכל אתר אני, אתעביד גופא לנשמתא, ודאי, דמקבלא ממה דלעילא, ובגין כך, אתרמיז באת קיימא, דכתיב אני הנה בריתי אתך, אני דקיימא באתגליא, מזומנת למנדע. אני, כרסיא למה דלעילא. אני, דעבידנא נוקמין לדרי דרין. ואני, כליל דכר ונוקבא כחדא, לבתר אתרשים בלחודוי, דאזדמן למעבד דינא. הנני מביא את המבול מים.

קלה. כיון דאמר, מביא את המבול, לא ידענא דאיהו מים, אלא את המבול, לאסגאה מלאך המות, דאע"ג דמיא הוו, מחבלא אזיל בעלמא, לשיצאה באינון מיין.

קלו. אני ה'. הכי תנינן, נאמן אנא, לשלמא אגר טוב לצדיקיא, ולאתפרע מרשיעיא, ובגין כך, אבטח לון קרא לצדיקיא, באני, לשלמא אגר טב דלהון, לעלמא דאתי. ואגזים לרשיעיא, לאתפרע מנייהו לעלמא דאתי, באני.

קלז. לשחת כל בשר, כמה דאוקימנא, דדא הוא מחבלא דעלמא. ועל דא כתיב ולא יתן המשחית לבא אל בתיכם לנגוף. ודא הוא לשחת כל בשר, מסטרא דקץ כל בשר בא לפני. דהא כיון דמטא זמנא, דאוריך לון קב"ה, עד דאשלים נח לשש מאות שנה, כדין לשחת כל בשר. אמר הכי אוליפנא משמיה דרבי יצחק דאמר לן.

קלח. פתח ואמר, אמרתי לא אראה יה יה בארץ החיים לא אביט אדם עוד עם יושבי חדל. אמרתי לא אראה יה, כמה אטימין אינון בני נשא, דלא ידעין ולא משגיחין במלי דאורייתא, אלא מסתכלי במלוי דעלמא, ואתנשי מנייהו רוחא דחכמתא.

קלט. דכד בר נש אסתלק מהאי עלמא, ויהיב חושבנא למאריה, מכל מה דעבד בהאי עלמא, בעוד דאיהו קאים רוחא וגופא כחדא, וחמי מה דחמי, עד דאזיל להוא עלמא, ופגע ליה לאדם הראשון, יתיב לתרעא דגנתא דעדן, למחמי כל אינון, דנטרו פקודי דמאריהון, וחדי בהו.

קמ. וכמה צדיקיא סוחרניה דאדם, אינון דאתמנעו מארחא דגיהנם, וסטו לגבי ארחא דגן עדן. ואילין אקרון יושבי חדל. ולא כתיב יושבי חלד, בגין דלא הוו כמו חולדה דגררא, ומנחא, ולא ידעא למאן שבקא, אלא יושבי חדל. כד"א חדלו לכם מן האדם וגו'. דאתמנע לון מארחא דגיהנם ואתקיפו בהו לאעלא להו בגנתא דעדן.

קמא. ד"א יושבי חדל אינון מריהון דתשובה, דמנעו גרמייהו מאינון חובין דחייביא, ובגין דאדם הראשון, תב בתיובתא קמי מאריה, יתיב על אינון דאתמנעו מחוביהון, ואינון בני חדל, כד"א אדעה מה חדל אני. ובגין כך איהו יתיב לתרעא דגנתא דעדן, וחדי בהו בצדיקייא, דאתיין בההוא ארחא דגנתא דעדן.

קמב. ת״ח, מַה כְּתִיב, אָמַרְתִּי לֹא אֶרְאֶה יָהּ, וְכִי מַאן יָכִיל לְמֶחֱמֵי יָהּ. אֶלָּא סוֹפָא דִקְרָא אוֹכַח, דִּכְתִיב יָהּ בְּאֶרֶץ הַחַיִּים, תָּא חֲזֵי, כַּד סָלְקִין נִשְׁמָתִין לַאֲתַר צְרוֹרָא דְּחַיֵּי, תַּמָּן מִתְהַנָּן, בְּזִהֲרָא דְּאַסְפַּקְלַרְיָאה דְּנַהֲרָא, דְּנָהִיר מֵאֲתַר עִלָּאָה דְּכֹלָּא, וְאִילוּ לָא מִתְלַבְּשָׁא נִשְׁמָתָא, בְּזִהֲרָא דִּלְבוּשָׁא אָחֳרָא, לָא תֵּיכוּל לְאִתְקָרְבָא לְמֶחֱמֵי הַהוּא נְהוֹרָא.

קמג. וְרָזָא דְּמִלָּה, כְּמָה דְּיָהֲבֵי לְנִשְׁמָתָא, לְבוּשָׁא דְּמִתְלַבְּשָׁא בֵּיהּ, לְמֵיקָם בְּהַאי עָלְמָא. הָכִי נָמֵי יַהֲבֵי לָהּ לְבוּשָׁא, דְּזִהֲרָא עִלָּאָה, לְמֵיקַם בֵּיהּ בְּהַהוּא עָלְמָא, וּלְאִסְתַּכְּלָא בְּגוֹ הַהוּא אַסְפַּקְלַרְיָאה דְּנַהֲרָא, מִגּוֹ הַהוּא אֶרֶץ הַחַיִּים.

קמד. תָּא חֲזֵי, מֹשֶׁה לָא יָכִיל לְקָרְבָא. לְאִסְתַּכְּלָא, בְּמָה דְּאִסְתַּכַּל, אֶלָּא כַּד אִתְלַבַּשׁ בִּלְבוּשָׁא אָחֳרָא, כד״א וַיָּבֹא מֹשֶׁה בְּתוֹךְ הֶעָנָן וַיַּעַל אֶל הָהָר. וְתַרְגּוּם בִּמְצִיעוּת עֲנָנָא. וְאִתְלַבַּשׁ בָּהּ, כְּמַאן דְּאִתְלַבַּשׁ בִּלְבוּשָׁא, וּבג״ד, וּמֹשֶׁה נִגַּשׁ אֶל הָעֲרָפֶל אֲשֶׁר שָׁם הָאֱלֹקִים, וּכְתִיב וַיָּבֹא מֹשֶׁה בְּתוֹךְ הֶעָנָן וגו׳. וַיְהִי מֹשֶׁה בָּהָר אַרְבָּעִים יוֹם וְאַרְבָּעִים לָיְלָה. וְיָכִיל לְאִסְתַּכְּלָא בְּמָה דְּאִסְתַּכַּל.

קמה. כְּגַוְונָא דָא, מִתְלַבְּשִׁין נִשְׁמַתְהוֹן דְּצַדִּיקַיָּא, בְּהַהוּא עָלְמָא, בִּלְבוּשָׁא, כְּגַוְונָא דְּהַהוּא עָלְמָא, דְּלָא יִתְנַהֵג אֶלָּא בִּלְבוּשָׁא, כְּגַוְונָא דָא. וְקַיְימֵי לְאִסְתַּכְּלָא בִּנְהוֹרָא דְּנָהִיר, בְּהַהוּא אֶרֶץ הַחַיִּים. וְהוּ יָהּ, יָהּ בְּאֶרֶץ הַחַיִּים. דַּהֲוָה סָבִיר דְּלָא יִזְכֵּי לְהַהוּא נְהוֹרָא, וּלְהַהוּא אִסְתַּכְּלוּתָא, בְּגִין דְּנַהֲרָא דְּנָגִיד, פָּסִיק לֵיהּ, וְלָא אוֹלִיד. לֹא אַבִּיט אָדָם עוֹד, דָּא אָדָם קַדְמָאָה כְּמָה דְּאִתְּמַר.

קמו. וְכָל דָּא לָמָּה, בְּגִין דַּאֲמַר לֵיהּ נְבִיאָה, כִּי מֵת אַתָּה, בְּהַאי עָלְמָא, וְלָא תִּחְיֶה, לְהַהוּא עָלְמָא, בְּגִין דְּמַאן דְּלָא אוֹלִיד בְּנִין בְּהַאי עָלְמָא, כַּד נָפִיק מִנֵּיהּ, מְתָרְכִין לֵיהּ, מִכָּל מַה דַּאֲמָרָן, וְלָא שַׁרְיָא לְמֶחֱמֵי בְּהַהוּא נְהוֹרָא דְּנָהִיר. וּמַה חִזְקִיָּה, דַּהֲוָה לֵיהּ זְכוּת אָבוֹת, וְאִיהוּ זַכָּאָה צַדִּיקָא וַחֲסִידָא כָּךְ, כָּל שֶׁכֵּן מַאן דְּלֵית לֵיהּ זְכוּת אָבוֹת וְחָטֵי קַמֵּי מָארֵיהּ.

קמז. הַאי לְבוּשָׁא דְּקָאֲמָרָן, אִיהוּ מַה דַּאֲמָרוּ חַבְרַיָּיא, חֲלוּקָא דְּרַבָּנָן, דְּאִתְלַבִּישׁוּ בְּהַהוּא עָלְמָא. זַכָּאָה חוּלָקֵיהוֹן דְּצַדִּיקַיָּיא, דְּגָנִיז לוֹן קב״ה, כַּמָּה טָבִין וְעִידוּנִין, לְהַהוּא עָלְמָא, עֲלַיְיהוּ כְּתִיב, עַיִן לֹא רָאָתָה אֱלֹקִים זוּלָתְךָ יַעֲשֶׂה לִמְחַכֵּה לוֹ.

קמח. וַאֲנִי הִנְנִי מֵבִיא אֶת הַמַּבּוּל מַיִם עַל הָאָרֶץ, ר׳ יְהוּדָה פָּתַח, הֵמָּה מֵי מְרִיבָה אֲשֶׁר רָבוּ בְּנֵי יִשְׂרָאֵל אֶת ה׳ וַיִּקָּדֵשׁ בָּם, וְכִי בַּאֲתַר אָחֳרָא לֹא רָבוּ בְּנֵי יִשְׂרָאֵל אֶת ה׳, מ״ש הָכָא דְּקָאֲמַר הֵמָּה מֵי מְרִיבָה, וְלָא אָחֳרָנִין. אֶלָּא הָנֵי מֵי מְרִיבָה הֲווֹ וַדַּאי, דְּיָהֲבוּ חֵילָא וְתוּקְפָּא לְמָארֵיהוֹן דְּדִינָא לְאִתְתַּקְפָא, בְּגִין דְּאִית מַיִין מְתוּקִין, וְאִית מַיִין מְרִירָן, אִית מַיִין צְלִילָן, וְאִית מַיִין עֲכִירָן, אִית מַיִין שְׁלָם, וְאִית מַיִין קְטָטוּ. וְע״ד הֵמָּה מֵי מְרִיבָה אֲשֶׁר רָבוּ בְּנֵי יִשְׂרָאֵל אֶת ה׳, דְּאַמְשִׁיכוּ עֲלַיְיהוּ, לְמַאן דְּלָא אִצְטְרִיךְ, וְאִסְתְּאִיבוּ בֵּיהּ, הֲדָא הוּא דִכְתִיב וַיִּקָּדֵשׁ בָּם.

קמט. א״ל רַבִּי חִזְקִיָּה, אִי הָכֵי, מַאי וַיִּקָּדֵשׁ, וַיִּקַּדְּשׁוּ מִבָּעֵי לֵיהּ, אֶלָּא מִלָּה אִסְתַּלִּיקַת, וַיִּקָּדֵשׁ, אִתְפְּגַם מַאן דְּלָא אִצְטְרִיךְ, כִּבְיָכוֹל, דְּאִתְפְּגִימַת סִיהֲרָא. וַיִּקָּדֵשׁ לָאו לְשִׁבְחָא אִיהוּ הָכָא. וַאֲנִי הִנְנִי מֵבִיא אֶת הַמַּבּוּל, כְּמָה דְּאוֹקִימְנָא, לְאַיְיתָאָה מְחַבְּלָא עֲלַיְיהוּ, כְּמָה דְּאִינוּן אִסְתְּאָבוּ בֵּיהּ.

קנ. אָמַר רַבִּי יוֹסֵי, וַוי לוֹן לְרַשִׁיעַיָּא, דְּלָא בָּעָאן לַאֲתָבָא, קַמֵּי קב״ה עַל חוֹבֵיהוֹן בְּעוֹד דְּאִינוּן בְּהַאי עָלְמָא, דְּכַד ב״נ אָתֵיב, וְאִתְנְחָם עַל חוֹבוֹי, קב״ה מָחִיל לֵיהּ. וְכָל

אינון דמתתקפין בחובייהו, ולא בעי לאתבא קמי קב״ה על חוביהון, לבתר ינפלו לגיהנם ולא יסקון ליה מתמן לעלמין.

קנא. ת״ח, בגין דאתקיפו לבייהו, כל אינון דרא דנח, ובעו לאחזאה חובייהו באתגליא, קב״ה אייתי דינא עלייהו, בההוא גוונא. א״ר יצחק, ואפילו כד חטי ב״נ באתכסיא, קב״ה רחמן, ואי תב ב״נ לגביה, חפי עליה, ומחיל ליה ושביק ליה, ואי לא, גלי ליה לעיני כלא, מנלן, מסוטה.

קנב. והכי נמי אתמחון אלין חייביא מארעא באתגלייא, והיך אתמחון. אלא דהוו נפקי מייא, והוו רתיחין, מן תהומא, וסלקי ואעבר מנייהו משכא, וכיון דאעבר מנייהו משכא, הכי נמי בשרא, ולא אשתארו אלא בגרמייהו לחוד, לקיימא דכתיב וימחו מן הארץ. וכל אינון גרמי, אתפרדן דא מן דא, ולא אשתארו כחדא, ומכלא אתעברו מעלמא. רבי יצחק אמר, וימחו מן הארץ, מאי וימחו, כד״א ימחו מספר חיים, מכאן אוליפנא דלית לון תחייה לעלמין, ולא יקומון בדינא.

קנג. והקימותי את בריתי אתך, אמר ר׳ אלעזר, מהכא קיומא דברית לעילא, כקיומא דברית לתתא, משמע דכתיב אתך. וא״ר אלעזר, מכאן אוליפנא, דכד זכאין אינון בעלמא, אתקיים עלמא לעילא ותתא.

קנד. א״ר שמעון מלה סתים איהו, כד אתערותא דדכורא לגבי נוקבא, כד איהו מקני לה. ת״ח, רזא דמלה, כד צדיקא איהו בעלמא, מיד שכינתא לא אתעדיאת מניה, ותיאובתא דילה ביה, כדין תיאובתא דלעילא לגבה ברחימו, כתיאובתא דדכורא לנוקביה, כד איהו מקני לה, ועל דא והקימותי את בריתי אתך. אתער תיאובתא בגינך. כגוונא דא ואת בריתי אקים את יצחק.

קנה. והקימותי את בריתי אתך, למהוי את בריתי בעלמא, ולבתר ובאת אל התיבה, דאלמלא לאו איהו צדיק, לא ייעול לתיבותא, דהא לא אתחבר לתיבה, בר צדיק, ובגיני כך, ובאת אל התיבה, והא אתמר.

קנו. אמר רבי אלעזר, בכל זמנא, דבני נשא, יתאחדון בברית דא, ולא ישבקון ליה, לית עם ולישן בעלמא, דייכול לאבאשא לון, ונח אתקיף בברית דא, ונטר ליה, בגיני כך, קב״ה נטר ליה. וכל בני דריה לא נטרו ליה, בגין כך קב״ה אעבר לון מעלמא, והא אתמר, בההוא חובא ממש, דאינון חאבו, בההוא גוונא אתמחון מעלמא.

קנז. רבי יהודה הוה שכיח קמיה דר״ש, והוו עסקי בהאי קרא דכתיב וירפא את מזבח ה׳ ההרוס. מאי וירפא, ת״ח, ביומי אליהו, ישראל כלהו שבקו ליה לקב״ה, ושבקו ברית קיימא דלהון, כד אתא אליהו וחמא דקא שבקו בני ישראל האי ברית קיימא, ואעברו מנייהו האי ברית.

קנח. כיון דחמא אליהו כך, אתא לאתקנא מלה לדוכתיה, כיון דקריב מלה לדוכתיה, אתסי כלא, הה״ד וירפא את מזבח ה׳ ההרוס, דא ברית קיימא, דהוה שביק מעלמא. וכתיב ויקח אליהו שתים עשרה אבנים למספר שבטי בני יעקב, דא הוא תקונא דמזבח ה׳.

קנט. אשר היה דבר ה׳ אליו לאמר ישראל יהיה שמך. מ״ט אדכר הכא ישראל, אלא ודאי ישראל יהיה שמך, ודאי לאסתלקא לעילא, ולאתבא ברית קיימא לאתריה, והיינו דכתיב כי עזבו בריתך בני ישראל, ובגין כך, את מזבחותיך הרסו.

קס. ת"ח, כָּל זִמְנָא דְּיִשְׂרָאֵל נָטְרוּ קְיָימָא קַדִּישָׁא, כְּדֵין עָבְדֵי קִיּוּמָא, לְעֵילָּא וְתַתָּא. וְכַד שָׁבְקֵי לְהַאי בְּרִית, כְּדֵין לָא אִשְׁתְּכַח קִיּוּם לְעֵילָּא וְתַתָּא. דִּכְתִיב אִם לֹא בְרִיתִי יוֹמָם וָלָיְלָה חֻקּוֹת שָׁמַיִם וָאָרֶץ לֹא שָׂמְתִּי, וּבְגִין כָּךְ, וַיְרַפֵּא אֶת מִזְבַּח ה' הֶהָרוּס. וְכִי רְפוּאָה אִיהוּ. הָכִי הוּא וַדַּאי, דְּהָא מְקַיֵּים לְהַהוּא אֲתָר, דִּמְהֵימְנוּתָא תַּלְיָא בֵּיהּ.

קסא. ת"ח, אוּף הָכִי פִּנְחָס, בְּשַׁעְתָּא דְּקַנֵּי לְעוֹבָדָא דְּזִמְרִי, אַתְקִין לְהַאי בְּרִית בְּאַתְרֵיהּ, וּבְגִין כָּךְ כְּתִיב, הִנְנִי נוֹתֵן לוֹ אֶת בְּרִיתִי שָׁלוֹם. וְכִי ס"ד, דִּבְגִין פִּנְחָס הֲוָה, וּמַה קְטָטָא הֲוָה לֵיהּ לְפִנְחָס, בְּהַאי בְּרִית, אֶלָּא הָכָא אִתְקְשַׁר מִלָּה בְּדוּכְתֵּיהּ, הִנְנִי נוֹתֵן לוֹ אֶת בְּרִיתִי, וּמַה אֶתֵּן לוֹ שָׁלוֹם, לְאִתְחַבְּרָא בְּרִית בְּאַתְרֵיהּ. וְעַל דָּא הִנְנִי נוֹתֵן לוֹ אֶת בְּרִיתִי. וּמַה, שָׁלוֹם, דְּאִיהוּ אַתְרֵיהּ לְאִתְחַבְּרָא בַּהֲדֵיהּ, מַה דְּאִתְפְּרַשׁ מִנֵּיהּ בְּחוֹבַיְיהוּ, בְּגִינֵיהּ אִתְחַבַּר בֵּיהּ, וְעַל דָּא, הוֹאִיל וְהוּא אַתְקִין מִלָּה בְּדוּכְתֵּיהּ, מִכָּאן וּלְהָלְאָה, וְהָיְתָה לוֹ וּלְזַרְעוֹ אַחֲרָיו בְּרִית כְּהֻנַּת עוֹלָם תַּחַת אֲשֶׁר קִנֵּא לֵאלקָיו וגו'.

קסב. א"ר שִׁמְעוֹן, לֵית לָךְ מִלָּה בְּעָלְמָא, דְּקֻבְּ"ה קַנֵּי לָהּ, כְּמוֹ חוֹבָא דִּבְרִית, כְּד"א וְחֶרֶב נוֹקֶמֶת נְקַם בְּרִית. וְת"ח לָא אִשְׁתְּלִים חוֹבָא דְּדָרָא דְּטוֹפָנָא אֶלָּא בְּגִין דַּחֲבוּ בְּחַבִּילוּ דְּאָרְחַיְיהוּ עַל אַרְעָא. וְאע"ג דַּהֲווּ מְקַפְּחֵי דָּא לְדָא, כְּדִכְתִיב וַתִּמָּלֵא הָאָרֶץ חָמָס, וּכְתִיב כִּי מָלְאָה הָאָרֶץ חָמָס מִפְּנֵיהֶם, מִכָּל מָקוֹם, וַתִּשָּׁחֵת הָאָרֶץ לִפְנֵי הָאֱלקִים, וְהִנְנִי מַשְׁחִיתָם, מִדָּה כְּנֶגֶד מִדָּה, הִנְנִי מַשְׁחִיתָם בְּחוֹבָא דְּחַבָּלוּתָא.

קסג. וְאִית דְּאָמְרֵי, דְּלָא אִשְׁתְּלִים קִסְטַיְיהוּ, אֶלָּא בְּחוֹבָא דְּחָמָס, דַּהֲווּ מְקַפְּחִין דָּא לְדָא דַּהֲווּ בִּישִׁין לַשָּׁמַיִם וְלַבְּרִיּוֹת. ת"ח כַּמָּה אִינּוּן מְמַנָּן מִלְּעֵילָּא, דְּאִתְפַּקְדָן עַל קָלֵי דְּאִינּוּן דְּמָסְרֵי דִּינָא עַל חַבְרֵיהוֹן, עַל מַה דְּעָבְדֵי לוֹן, וְעַל דָּא כְּתִיב כִּי מָלְאָה הָאָרֶץ חָמָס מִפְּנֵיהֶם. וּבְגִין כָּךְ כְּתִיב, וְהִנְנִי מַשְׁחִיתָם אֶת הָאָרֶץ.

קסד. וַיֹּאמֶר ה' לְנֹחַ בֹּא אַתָּה וְכָל בֵּיתְךָ, אר"ש אַמַּאי בְּכֻלְּהוּ אֱלקִים וְהָכָא ה', מַאי שְׁנָא הָכָא דְּאִתְּמַר ה', שְׁמָא עִלָּאָה דְּרַחֲמֵי. אֶלָּא רָזָא אִיהוּ, דְּאוֹלִיפְנָא, לָאו אוֹרַח אַרְעָא, לְקַבְּלָא אִתְּתָא אוּשְׁפִּיזָא בַּהֲדָהּ אֶלָּא בִּרְשׁוּ דְּבַעְלָהּ.

קסה. אוּף הָכִי נֹחַ, בָּעָא לְאַעָלָא בְּתֵיבוּתָא, לְאִתְחַבְּרָא בַּהֲדָהּ, וְלָאו הֲוָה יָאוֹת עַד דְּבַעְלָהּ דְּתֵיבָה, יָהַב לֵיהּ רְשׁוּ לְאַעָלָאָה, הה"ד בֹּא אַתָּה וְכָל בֵּיתְךָ אֶל הַתֵּבָה. וּבְגִין כָּךְ אִקְרֵי הָכָא ה', בַּעְלָהּ דְּתֵיבָה, וּכְדֵין עָאל נֹחַ וְאִתְחַבַּר בַּהֲדָהּ. וְכֵן אוֹלִיפְנָא, דְּלֵית לֵיהּ רְשׁוּ לְאוּשְׁפִּיזָא לְמֵיעָאל לְבֵיתָא, אֶלָּא בִּרְשׁוּ בַּעְלָהּ, מָארֵיהּ דְּבֵיתָא, הֲדָא הוּא דִּכְתִיב לְבָתַר, וַיָּבֹא נֹחַ וגו'.

קסו. תָּא חֲזֵי, מַה כְּתִיב כִּי אוֹתְךָ רָאִיתִי צַדִּיק לְפָנַי בַּדּוֹר הַזֶּה. מִכָּאן אוֹלִיפְנָא, דְּלָא יְקַבֵּל ב"נ אוּשְׁפִּיזָא בְּבֵיתֵיהּ, אִי אִיהוּ חָשִׁיד בֵּיהּ דְּאִיהוּ חַיָּיבָא, אֶלָּא אִי קָאִים בְּעֵינוֹי לְזַכָּאָה, דְּלָא חָשִׁיד בְּעֵינוֹי כְּלַל, הה"ד בֹּא אַתָּה וְכָל בֵּיתְךָ אֶל הַתֵּבָה, מַאי טַעֲמָא בְּגִין כִּי אוֹתְךָ רָאִיתִי צַדִּיק לְפָנַי בַּדּוֹר הַזֶּה.

קסז. וְאוֹלִיפְנָא, דְּאִי יָהֵיב לֵיהּ רְשׁוּ בִּלְחוֹדוֹי, וְלָא יָהֵיב רְשׁוּ לְכָל אִינּוּן דְּאַתְיָין עִמֵּיהּ, לָא יֵיעוֹל לוֹן לְבֵיתָא, הה"ד בֹּא אַתָּה וְכָל בֵּיתְךָ אֶל הַתֵּבָה, לְכֻלְּהוּ יָהֵיב רְשׁוּתָא לְמֵיעַל. וּמִקְּרָא דָּא אוֹלִיפְנָא, רָזָא דְּאוֹרְחוֹי דְּאַרְעָא.

קסח. רַבִּי יְהוּדָה פָּתַח, לְדָוִד מִזְמוֹר לַה' הָאָרֶץ וּמְלוֹאָהּ תֵּבֵל וְיוֹשְׁבֵי בָהּ. הָא תָּנֵינָן, לְדָוִד מִזְמוֹר, דְּאָמַר שִׁירָתָא, וּלְבָתַר שָׁארַת עֲלֵיהּ רוּחַ קֻדְשָׁא, מִזְמוֹר לְדָוִד, דְּשָׁארַת עֲלֵיהּ רוּחַ קַדִּישָׁא, וּלְבָתַר אֲמַר שִׁירָתָא.

קסט. לַה' הָאָרֶץ וּמְלוֹאָהּ, הַאי קְרָא עַל אַרְעָא דְיִשְׂרָאֵל אִתְּמַר, דְּאִיהִי אַרְעָא קַדִּישָׁא. וּמְלוֹאָהּ, דָּא שְׁכִינְתָּא, כד"א כִּי מָלֵא כְבוֹד ה' אֶת בֵּית ה', וּכְתִיב וּכְבוֹד ה' מָלֵא אֶת הַמִּשְׁכָּן. מַהוּ מָלֵא וְלָא מִילָא. אֶלָּא מָלֵא וַדַּאי, דְּאִתְמַלְיָא מִכֹּלָּא, דְּאִתְמַלְיָא מִן שִׁמְשָׁא, סִיהֲרָא שְׁלִים בְּכָל סִטְרִין. מָלֵא, מִכָּל טוּבָא דִלְעֵילָּא, כְּאִסְקוּפָּא דָּא, דְּאִתְמַלְיָא מִכָּל טוּבָא דְעָלְמָא, וְעַל דָּא כְּתִיב לַה' הָאָרֶץ וּמְלוֹאָהּ. תֵּבֵל וְיוֹשְׁבֵי בָהּ, דָּא שְׁאָר אַרְעָאן.

קע. ד"א לַה' הָאָרֶץ וּמְלוֹאָהּ. דָּא אַרְעָא קַדִּישָׁא עִלָּאָה, דְּקב"ה אִתְרְעֵי בָהּ. וּמְלוֹאָהּ, אִלֵּין נִשְׁמָתְהוֹן דְּצַדִּיקַיָּיא, אִתְמַלְיָא מִנַּיְיהוּ, מִזִּילָא דְעַמּוּדָא חַד, דְּעָלְמָא קַיְימָא עֲלֵיהּ.

קעא. וְאִי תֵּימָא עַל וָוד קַיְימָא, ת"ח מַה כְּתִיב כִּי הוּא עַל יַמִּים יְסָדָהּ. כִּי הוּא, מַאן הוּא, דָּא קב"ה, כד"א הוּא עָשָׂנוּ. וּכְתִיב כִּי הוּא לִקְצוֹת הָאָרֶץ יַבִּיט.

קעב. עַל יַמִּים יְסָדָהּ וְעַל נְהָרוֹת יְכוֹנְנֶהָ, אִלֵּין שִׁבְעָה עַמּוּדִים דְּקַיְימָא עֲלַיְיהוּ, וּמַלְיָין לָהּ. הִיא אִתְמַלְיָא מִנַּיְיהוּ, הֵיךְ אִתְמַלְיָא מִנַּיְיהוּ, בְּשַׁעְתָּא דְּאַסְגִּיאוּ זַכָּאִין בְּעָלְמָא, כְּדֵין אַרְעָא דָּא עֲבֵדַת פֵּירִין, וְאִתְמַלְיָא מִכֹּלָּא.

קעג. וּבְשַׁעְתָּא דְּאַסְגִּיאוּ חַיָּיבִין בְּעָלְמָא, כְּדֵין כְּתִיב אָזְלוּ מַיִם מִנִּי יָם וְנָהָר יֶחֱרַב וְיָבֵשׁ. אָזְלוּ מַיִם מִנִּי יָם, דָּא אַרְעָא קַדִּישָׁא, דַּאֲמָרָן דְּאִשְׁתַּקְיָא מִשַּׁקְיוּ עִלָּאָה, וְנָהָר יֶחֱרַב וְיָבֵשׁ, הַהוּא עַמּוּדָא חַד, דְּקָאִים עֲלָהּ, לְאִתְנַהֲרָא מִנֵּיהּ, וְנָהָר יֶחֱרַב וְיָבֵשׁ, כְּמָה דְּאַתְּ אָמֵר הַצַּדִּיק אָבָד.

קעד. וְאָמַר רַבִּי יְהוּדָה, בְּהַהוּא זִמְנָא דְּאִתְאֲבִידוּ, אִינּוּן חַיָּיבִין מֵעָלְמָא, קב"ה אִסְתַּכַּל עַל עָלְמָא, וְלָא חָמָא מַאן דְּאָגֵין עֲלֵיהּ. וְאִי תֵּימָא הָא נֹחַ, דַּהֲוָה לֵיהּ לְאַגָּנָא עַל דָּרֵיהּ, וּלְאַפָּקָא מִנֵּיהּ תּוֹלְדִין לְעָלְמָא, הה"ד כִּי אוֹתְךָ רָאִיתִי צַדִּיק לְפָנַי בַּדּוֹר הַזֶּה. בַּדּוֹר הַזֶּה דַּיְיקָא.

קעה. רַבִּי יוֹסֵי אָמַר, בַּדּוֹר הַזֶּה, דָּא שִׁבְחָא דִילֵיהּ, דַּהֲוָה בְּהַהוּא דָּרָא חַיָּיבָא, וְאִשְׁתְּכַח כּוֹלֵי הַאי אִישׁ צַדִּיק תָּמִים, וַאֲפִילּוּ בְּדָרָא דְמֹשֶׁה, אֲבָל לָא הֲוָה יָכִיל לְאַגָּנָא עַל עָלְמָא, בְּגִין דְּלָא אִשְׁתְּכָחוּ עֲשָׂרָה בְּעָלְמָא, כד"א אוּלַי יִמָּצְאוּן שָׁם עֲשָׂרָה, וְלָא אִשְׁתְּכָחוּ תַּמָּן. אוּף הָכָא, לָא אִשְׁתְּכָחוּ עֲשָׂרָה, אֶלָּא הוּא, וּתְלַת בְּנוֹי, וְנוּקְבַיְיהוּ, וְלָא הֲווֹ עֲשָׂרָה.

קעו. רַבִּי אֶלְעָזָר שָׁאִיל לֵיהּ לר"ש אֲבוּי, הָא תָּנִינָן, בְּשַׁעֲתָא דְעָלְמָא אִתְמַלְיָא חוֹבֵי בְּנֵי נָשָׁא, וְדִינָא נָפַק, וַוי לְהַהוּא זַכָּאָה דְּאִשְׁתְּכַח בְּעָלְמָא, דְּאִיהוּ אִתְפַּס בְּחוֹבוֹי דְחַיָּיבַיָּא בְּקַדְמֵיתָא. נֹחַ אֵיךְ אִשְׁתְּזִיב, דְּלָא אִתְפַּס בְּחוֹבַיְיהוּ. א"ל הָא אִתְּמַר, דְּקב"ה בָּעָא לְאַפָּקָא מִנֵּיהּ תּוֹלְדִין לְעָלְמָא מִגּוֹ תֵּיבוּתָא. וְתוּ דְּהָא דִּינָא לָא יָכְלָא לְשַׁלְטָאָה עֲלוֹי, בְּגִין דַּהֲוָה טָמִיר וְגָנִיז בַּתֵּיבָה, וְאִתְכַּסְיָיא מֵעֵינָא.

קעז. וְת"ח כְּתִיב בַּקְּשׁוּ צֶדֶק בַּקְּשׁוּ עֲנָוָה אוּלַי תִּסָּתְרוּ בְּיוֹם אַף ה'. וְנֹחַ בִּקֵּשׁ צֶדֶק, וְעָאל בְּגַוֵּוהּ דְּתֵיבוּתָא, וְאִסְתַּתַּר בְּיוֹם אַף ה'. וְעַל דָּא, דִּינָא לָא יָכִיל לְשַׁלְטָאָה, וּלְקַטְרְגָא לֵיהּ.

קעח. הָכָא אִתְרְמִיז לְאִינּוּן קַדִּישֵׁי עֶלְיוֹנִין, לְמִנְדַּע בְּרָזָא דְּאַתְוָון קַדִּישִׁין עִלָּאִין, הִפּוּכָא דְּאַתְוָון כ"ב לְאִתְמְחֵי לְאִינּוּן חַיָּיבַיָּא. וְעַל דָּא, וַיִּמָּחוּ מִן הָאָרֶץ. וּכְתִיב, בֹּא אַתָּה וְכָל בֵּיתְךָ.

קעט. רַבִּי יִצְחָק פָּתַח, מוֹלִיךְ לִימִין מֹשֶׁה זְרוֹעַ תִּפְאַרְתּוֹ, בּוֹקֵעַ מַיִם מִפְּנֵיהֶם לַעֲשׂוֹת לוֹ שֵׁם עוֹלָם. דָּא זְכוּתָא דְאַבְרָהָם, דְּאִיהוּ יַמִּינָא, מִמֹּשֶׁה, תִּפְאֶרֶת דְּמֹשֶׁה. וּבְגִ"כ בּוֹקֵעַ מַיִם מִפְּנֵיהֶם. דְּהָא זְכוּתָא דְאַבְרָהָם בּוֹקֵעַ מַיִם אִיהוּ. וְכָל דָּא לְמָה, לַעֲשׂוֹת לוֹ שֵׁם עוֹלָם.

קפ. תָּ"ח, מַה בֵּין מֹשֶׁה לִשְׁאָר בְּנֵי עָלְמָא, בְּשַׁעֲתָא דְּא"ל לְמֹשֶׁה וְעַתָּה הַנִּיחָה לִי וְגוֹ' וְאֶעֱשֶׂה אוֹתְךָ לְגוֹי גָדוֹל וְגוֹ'. מִיָּד אָמַר מֹשֶׁה, וְכִי אֶשְׁבּוֹק דִּינָהוֹן דְּיִשְׂרָאֵל בְּגִינֵי הַשְׁתָּא יֵימְרוּן כָּל אִינּוּן בְּנֵי עָלְמָא, דְּאֲנָא קְטִילִית לוֹן לְיִשְׂרָאֵל, כְּמָה דְעָבַד נֹחַ.

קפא. דְּכֵיוָן דְּאֲמַר לֵיהּ קָבַּ"ה, דְּיִשְׁזִיב לֵיהּ בַּתֵּיבוּתָא, דִּכְתִיב וַאֲנִי הִנְנִי מֵבִיא אֶת הַמַּבּוּל מַיִם וְגוֹ'. וּכְתִיב וּמָחִיתִי אֶת כָּל הַיְקוּם אֲשֶׁר עָשִׂיתִי מֵעַל פְּנֵי הָאֲדָמָה. וַאֲנִי הִנְנִי מֵקִים אֶת בְּרִיתִי וְגוֹ'. וּבָאתָ אֶל הַתֵּיבָה. כֵּיוָן דְּאֲמַר לֵיהּ דְּיִשְׁתְּזִיב הוּא וּבְנוֹי, לָא בָּעָא רַחֲמִין עַל עָלְמָא, וְאִתְאֲבִידוּ. וּבְגִין כָּךְ אִקְרוֹן מֵי הַמַּבּוּל עַל שְׁמֵיהּ. כְּד"א כִּי מֵי נֹחַ זֹאת לִי אֲשֶׁר נִשְׁבַּעְתִּי מֵעֲבֹר מֵי נֹחַ.

קפב. אָמַר מֹשֶׁה, הַשְׁתָּא יֵימְרוּן בְּנֵי עָלְמָא, דְּאֲנָא קְטִילַת לוֹן, בְּגִין דְּאֲמַר לִי, וְאֶעֱשֶׂה אוֹתְךָ לְגוֹי גָדוֹל. הַשְׁתָּא טַב לִי דְּאֵימוּת, וְלָא יִשְׁתֵּצוּן יִשְׂרָאֵל, מִיָּד וַיְחַל מֹשֶׁה אֶת פְּנֵי ה' אֱלֹקָיו. בָּעָא רַחֲמִין עֲלֵיהוּ, וְאִתְעַר רַחֲמֵי עַל עָלְמָא.

קפג. וְאָמַר רַבִּי יִצְחָק, וַיְחַל מֹשֶׁה, שֵׁירוּתָא דְּבָעָא רַחֲמֵי עֲלֵיהוּ, מַאי קָאָמַר, לָמָה ה' יֶחֱרֶה אַפְּךָ בְּעַמֶּךָ. וְכִי מִלָּה דָא אֵיךְ אָמַר לָהּ אִיךְ אָמַר לָהּ מֹשֶׁה לָמָה, וְהָא עָבְדוּ כוּ"מ, כְּד"א עָשׂוּ לָהֶם עֵגֶל מַסֵּכָה, וַיִּשְׁתַּחֲווּ לוֹ וַיֹּאמְרוּ אֵלֶּה וְגוֹ'. וּמֹשֶׁה אָמַר לָמָה. אֶלָּא הָכִי אוֹלִיפְנָא, מַאן דְּמָרְצֵי לְאוּזְרָא, לָא בָּעֵי לְמֶעְבַּד הַהוּא חוֹבָא רַב, אֶלָּא יַזְעִיר לֵיהּ קַמֵּיהּ. וּלְבָתַר יַסְגֵּי לֵיהּ קַמֵּיהּ אוּזְרָא, דִּכְתִיב אָנָּא חָטָא הָעָם הַזֶּה חֲטָאָה גְדֹלָה.

קפד. וְלָא שָׁבִיק לֵיהּ לְקָבַּ"ה, עַד דְּמָסַר גַּרְמֵיהּ לְמוֹתָא. דִּכְתִיב וְעַתָּה אִם תִּשָּׂא חַטָּאתָם וְאִם אַיִן מְחֵנִי נָא מִסִּפְרְךָ אֲשֶׁר כָּתָבְתָּ. וְקָבַּ"ה בְּחוֹזִיל לוֹן דִּכְתִיב וַיִּנָּחֶם ה' עַל הָרָעָה וְגוֹ'. וְנֹחַ לָא עָבַד כֵּן, אֶלָּא בָּעָא לְאִשְׁתְּזָבָא וְשָׁבִיק כָּל עָלְמָא.

קפה. וּבְכָל זִמְנָא דְּדִינָא שַׁרְיָא עַל עָלְמָא, רוּחַ קוּדְשָׁא אָמַר וַוי, דְּלָא אִשְׁתְּכַח כְּמֹשֶׁה. דִּכְתִיב וַיִּזְכֹּר וְגוֹ', אַיֵּה הַמַּעֲלֵם מִיָּם וְגוֹ'. דִּכְתִיב וַיֹּאמֶר ה' אֶל מֹשֶׁה מַה תִּצְעַק אֵלָי. דְּהָא אִיהוּ בִּצְלוֹתָא, בִּצְלוֹתָא, סָלִיק לוֹן מִן יַמָּא. וּבְגִין דִּשַׁוֵּי גַּרְמֵיהּ, בִּצְלוֹתָא עֲלֵיהוּ דְּיִשְׂרָאֵל בְּיַמָּא, אִקְרֵי הַמַּעֲלֵם מִיָּם, דְּאִיהוּ אַסִּיק לוֹן מִן יַמָּא.

קפו. אַיֵּה הַשָּׂם בְּקִרְבּוֹ אֶת רוּחַ קָדְשׁוֹ. דָּא אִיהוּ מֹשֶׁה, דְּאַשְׁרֵי שְׁכִינְתָּא בֵּינַיְהוּ דְּיִשְׂרָאֵל. מוֹלִיכָם בַּתְּהֹמוֹת. כַּד אִתְבְּקָעוּ מַיָּא, וַאֲזְלוּ בְּגוֹ תְהוֹמֵי בְּיַבֶּשְׁתָּא, דְּגָלִידוּ מַיָּא, בְּגִין דְּאֲמְסַר גַּרְמֵיהּ עַל יִשְׂרָאֵל.

קפז. אָמַר רַבִּי יְהוּדָה, אַף עַל גַּב דְּזַכָּאָה הֲוָה נֹחַ, לָאו אִיהוּ כְּדַאי דְּקָבַּ"ה יָגִין עַל עָלְמָא, בְּגִינֵיהּ. תָּא וְחֲזֵי, מֹשֶׁה לָא תָלָה מִלָּה בִּזְכוּתֵיהּ, אֶלָּא בִּזְכוּת אֲבָהָן קַדְמָאֵי, אֲבָל נֹחַ לָא הֲוָה לֵיהּ, בְּמַאן דְּיִתְלֵי בִּזְכוּתָא, כְּמֹשֶׁה.

קפח. אָמַר רַבִּי יִצְחָק, וְעִם כָּל דָּא, כֵּיוָן דְּאֲמַר לֵיהּ, קָבַּ"ה, וַהֲקִמֹתִי אֶת בְּרִיתִי אִתָּךְ. הֲוָה לֵיהּ לְמִבְעֵי רַחֲמֵי עֲלֵיהוּ, וְקָרְבְּנָא דְּאַקְרִיב לְבָתַר, דְּיַקְרִיב לֵיהּ מִן קַדְמַת דְּנָא, דִּלְמָא יִשְׁכַּךְ רוּגְזָא מֵעָלְמָא.

קפט. אָמַר רַבִּי יְהוּדָה, מַאי הֲוָה לֵיהּ לְמֶעְבַּד, דְּהָא וְזַיָּיבֵי עָלְמָא, הֲווֹ מַרְגִּיזִין קַמֵּי קָבַּ"ה, וְאִיהוּ יַקְרִיב קָרְבְּנָא. אֶלָּא וַדַּאי נֹחַ, דָּוִיל עַל גַּרְמֵיהּ הֲוָה, בְּגִין דְּלָא יֵעָרַע בֵּיהּ

מותא, בגו חייבי עלמא, דהוה חמי עובדיהון בישא כל יומא, והיך מרגזן קמי קב"ה כל יומא.

קצ. רבי יצחק אמר, כל זמנא דחייבי עלמא אסגיאו, זכאה דאשתכח ביניהו, הוא אתפס בקדמיתא. דכתיב ומִמקדשי תחלו. ותנינן אל תקרי ממקדשי, אלא ממקודשי. ונח היך שזיב ליה קב"ה, בין כל אינון חייביא. אלא בגין, דיפקון מניה, תולדין בעלמא דהוה צדיק כדקא יאות.

קצא. ותו, דאיהו אתרי בהו כל יומא ויומא, ולא קבילו מניה, וקיים בנפשיה, קרא דכתיב, ואתה כי הזהרת רשע וגו'. וכתיב ואתה את נפשך הצלת. מכאן כל מאן דאזהר לחייבא, אע"ג דלא קביל מניה, הוא שזיב ליה לגרמיה, וההוא חייבא אתפס בחוביה. ועד כמה יזהר ליה, עד דימחוי ליה. הא אוקמוה חבריא.

קצב. רבי יוסי הוה שכיח קמיה דר"ש יומא חד, א"ל, מאי חמא קב"ה לשיצאה כל חיות ברא, ועוף שמיא, עמהון דחייביא, אי בני נשא חטאן, בעירי ועופי שמיא ושאר בריין, מה חטו. א"ל, בגין דכתיב כי השחית כל בשר את דרכו על הארץ. כלהו, הוו מחבלי ארחייהו, שבקי זיניהו ודבקו בזינא אחרא.

קצג. ת"ח, אינון חייבי עלמא, גרמו הכי לכל בריין, ובעון לאכחשא עובדא דבראשית, ואינון גרמו לכל בריין, לחבלא אורחייהו, כמה דאינון מחבלן. אמר קב"ה, אתון בעיתו לאכחשא עובדי ידי אנא אשלים רעותא דלכון, ומחיתי את כל היקום אשר עשיתי מעל פני האדמה. אהדר עלמא למיין, כמה דהוה בקדמיתא, מיין במיין, והא אתמר. מכאן ולהלאה, אעביד בריין אחרנין בעלמא, כדקא יאות.

קצד. ויבא נח ובניו ואשתו ונשי בניו אתו. רבי חייא פתח ואמר, אם יסתר איש במסתרים ואני לא אראנו נאם ה'. כמה אינון בני נשא אטימין לבא, סתימין עיינין, דלא משגיחין ולא ידעין, ביקרא דמאריהון, דכתיב ביה, הלא את השמים ואת הארץ אני מלא. היך בעון בני נשא, לאסתתרא מחובייהו, ואמרי מי רואנו, ומי יודענו. וכתיב והיה במחשך מעשיהם. לאן יתטמרון מקמיה.

קצה. למלכא, דבנה פלטרין, ועבד תחות ארעא טמירין פצירין, ליומין מרדו בני פלטרין במלכא, אסחר עלייהו מלכא בגייסוי, מה עבדו, עאלו וטמירו גרמייהו, תחות נוקבי פסירין. אמר מלכא, אנא עבדית לון, ומקמאי אתון בעאן לאתטמרא. הה"ד אם יסתר איש במסתרים ואני לא אראנו נאם ה'. אנא הוא דעבדית, נוקבי פסירין ועבדית חשוכא ונהורא, ואתון איך יכלין לאתטמרא קמאי.

קצו. ת"ח, כד ב"נ חטי קמי מאריה, ואמשיך גרמיה לאתכסיא, קב"ה עביד ביה דינא באתגליא. וכד ב"נ אדכי גרמיה, קב"ה בעי לאסתרא ליה, דלא יתחזי ביום אף ה'. דודאי אבעי ליה לאיניש דלא יתחזי קמי מחבלא, כד שריא על עלמא, דלא יסתכל ביה, דהא כל אינון, דיתחזון קמיה, אית ליה רשו לחבלא.

קצז. והיינו דקאמר ר' שמעון, כל ב"נ דעיניה בישא, עינא דמחבלא ושריא עלוי, ואיהו מחבלא דעלמא אקרי. ולבעי ליה לאיניש לאסתמרא מניה, ולא לאתקרבא בהדיה, דלא יתזק, ואסיר למקרב בהדיה באתגליא. ומשום הכי, מאיש רע עין בעי לאסתמרא מניה. מקמי מלאך המות על אחת כמה וכמה.

קצח. מה כתיב בבלעם ונאם הגבר שתם העין. דעינא בישא הוה ליה, ובכל אתר דהוה מסתכל ביה, הוה אמשיך עליה רוח מחבלא. ובג"כ הוה בעי לאסתכלא בהו

בְּיִשְׂרָאֵל, בְּגִין דְּיִשְׁצֵי, בְּכָל אֲתַר דְּעֵינֵיהּ הֲוָה מִסְתַּכֵּל. מַה כְּתִיב, וַיִּשָּׂא בִלְעָם אֶת עֵינָיו. דְּזָקִיף עֵינָא חַד. וּמָאִיךְ עֵינָא חַד, בְּגִין לְאִסְתַּכָּלָא בְּהוּ בְּיִשְׂרָאֵל, בְּעֵינָא בִּישָׁא.

קצט. ת״ח, מַה כְּתִיב, וַיַּרְא אֶת יִשְׂרָאֵל שׁוֹכֵן לִשְׁבָטָיו. וְחָמָא דִּשְׁכִינְתָּא חַפְיָא עֲלַיְיהוּ, וּרְבִיעָא עֲלַיְיהוּ, מִתְתַּקְנָא בִּתְרֵיסַר שִׁבְטִין תְּחוֹתָהּ, וְלָא יָכִיל לְשַׁלְטָאָה עֲלַיְיהוּ עֵינֵיהּ. אֲמַר, אֵיךְ אֵיכוֹל לְהוֹן, דְּהָא רוּחַ קַדִּישָׁא עִלָּאָה, רְבִיעָא עֲלַיְיהוּ, וְחָפַת לוֹן בְּגַדְפָהָא. הה״ד כָּרַע שָׁכַב כַּאֲרִי וּכְלָבִיא מִי יְקִימֶנּוּ. מִי יְקִימֶנּוּ מֵעֲלַיְיהוּ, בְּגִין דְּיִתְגַּלְיָין, וְיִשְׁלְטָא עֵינָא עֲלַיְיהוּ.

ר. וְעַל דָּא קֻבְּ״ה בָּעָא לְחַפְיָא לְנֹחַ, לְאִסְתַּתְּרָא מֵעֵינָא, דְּלָא יָכִיל רוּחַ מְסָאֲבָא לְשַׁלְטָא עֲלֵיהּ, בְּגִין דְּלָא יִתְחַבֵּל. וְהָא אִתְּמַר. וַיָּבֹא נֹחַ, כְּמָה דְּאִתְּמַר, לְאִסְתַּתְּרָא מֵעֵינָא. מִפְּנֵי מֵי הַמַּבּוּל, דְּמַיִין דְּדָחֲקוּ לֵיהּ. אֲמַר רַבִּי יוֹסֵי, חָמָא מַלְאַךְ הַמָּוֶת דַּהֲוָה אָתֵי, וּבְגִין כָּךְ עָאל לְתֵיבוּתָא.

רא. וְאִסְתַּמַּר בָּהּ, תְּרֵיסַר יַרְחֵי. וְאַמַּאי תְּרֵיסַר יַרְחִין, פְּלִיגֵי בָּהּ, ר׳ יִצְחָק וְר׳ יְהוּדָה, חַד אֲמַר י״ב יַרְחִין, דְּהָכִי אִיהוּ דִּינָא דְּחַיָּיבַיָּא. וְחַד אֲמַר, לְאַשְׁלָמָא צַדִּיק דַּרְגִּין תְּרֵיסַר, וּשְׁאָר דַּרְגִּין דְּאִתְחֲזֵי לְאַפָּקָא מִן תֵּיבָה.

רב. ר׳ יְהוּדָה אֲמַר, שִׁיתָא יַרְחֵי אִינּוּן בְּמַיָּא, וְשִׁיתָא יַרְחֵי בְּאֶשָּׁא. וְהָא הָכָא מַיָּא הֲווּ, אַמַּאי תְּרֵיסַר יַרְחֵי. אֲמַר רַבִּי יוֹסֵי, בִּתְרֵי דִּינִין דְּגֵיהִנֹּם אִתְדָּנוּ, בְּמַיָּא וְאֶשָּׁא. בְּמַיָּא: דְּמַיִין דְּנָחֲתוּ עֲלַיְיהוּ מִלְּעֵילָּא, הֲווּ צְנִינִין כְּתַלְגָּא. בְּאֶשָּׁא: דְּמַיִין דְּנַפְקֵי מִתַּתָּא, הֲווּ רְתִיחָן כְּאֶשָּׁא. וְעַל דָּא בְּדִינָא דְּגֵיהִנֹּם אִתְדָּנוּ, בְּאֶשָּׁא וּמַיָּא, עַד דְּאִשְׁתֵּצִיאוּ מֵעָלְמָא. וְנֹחַ, הֲוָה מִסְתַּתֵּר בְּתֵיבוּתָא, וְאִתְכַּסֵּי מֵעֵינָא, וּמְחַבְּלָא לָא קָרֵיב לְגַבֵּיהּ, וְתֵיבוּתָא אִיהוּ הֲוָה שַׁטְיָא עַל אַנְפֵּי מַיָּא. כְּמָא דְּאַתְּ אָמֵר וַיִּשְׂאוּ אֶת הַתֵּבָה וַתָּרָם מֵעַל הָאָרֶץ.

רג. אַרְבָּעִים יוֹם לָקוּ. דִּכְתִיב וַיְהִי הַמַּבּוּל אַרְבָּעִים יוֹם עַל הָאָרֶץ וגו׳. וְכָל שְׁאָר זִמְנָא אִתְמְחוֹן מֵעָלְמָא. הה״ד וַיִּמָּחוּ מִן הָאָרֶץ. וַוי לוֹן לְאִינּוּן חַיָּיבַיָּא, דְּהָא לָא יְקוּמוּן לְאַחְיָיא בְּעָלְמָא לְמֵיקַם בְּדִינָא. הה״ד וַיִּמָּחוּ. כד״א שְׁמָם מָחִיתָ לְעוֹלָם וָעֶד. דַּאֲפִלּוּ לְמֵיקַם בְּדִינָא לָא יְקוּמוּן.

רד. וַיִּשְׂאוּ אֶת הַתֵּבָה וַתָּרָם מֵעַל הָאָרֶץ. רַבִּי אַבָּא פָּתַח, רוּמָה עַל הַשָּׁמַיִם אֱלֹקִים עַל כָּל הָאָרֶץ כְּבוֹדֶךָ. וַוי לוֹן לְחַיָּיבַיָּא. דְּאִינּוּן חָטָאן, וּמַרְגִּיזִין לְמָארֵיהוֹן בְּכָל יוֹמָא, וּבְחוֹבַיְיהוּ דּוֹחִין לָהּ לִשְׁכִינְתָּא מֵאַרְעָא, וְגָרְמִין דְּתִסְתַּלֵּק מֵעָלְמָא, וּשְׁכִינְתָּא אִקְרֵי אֱלֹקִים, וַעֲלָהּ כְּתִיב, רוּמָה עַל הַשָּׁמַיִם אֱלֹקִים.

רה. ת״ח, מַה כְּתִיב, וַיִּשְׂאוּ אֶת הַתֵּבָה, דְּדַחְיָין לָהּ לְבַר. וַתָּרָם מֵעַל הָאָרֶץ דְּלָא שַׁרְיָיא בְּעָלְמָא, וְאִסְתַּלְּקַת מִנָּהּ. וְכַד אִסְתַּלְּקַת מֵעָלְמָא, הָא לֵית מַאן דְּיַשְׁגַּח בְּעָלְמָא. וְדִינָא שַׁלְטָא כְּדֵין עֲלוֹי. וְכַד יִתְמְחוֹן חַיָּיבֵי עָלְמָא, וְיִסְתַּלְּקוּן מִנֵּיהּ, שְׁכִינְתָּא אַהְדַרַת מְדוֹרָהּ בְּעָלְמָא.

רו. א״ל רַבִּי יֵיסָא, אִי הָכֵי, הָא אַרְעָא דְּיִשְׂרָאֵל דְּאִתְמְחוֹן חַיָּיבַיָּא, דַּהֲווּ בְּהַהוּא זִמְנָא, אַמַּאי לָא אַהְדַרַת שְׁכִינְתָּא לְאַתְרָהּ, כִּדְבְקַדְמֵיתָא. א״ל בְּגִין דְּלָא אִשְׁתָּאֲרוּ בָהּ, שְׁאָר זַכָּאֵי עָלְמָא. אֶלָּא בְּכָל אֲתַר דְּאָזְלוּ, נָחְתַת, וְשַׁוִּיאַת מְדוֹרָהּ עִמְּהוֹן. וּמַה בְּאַרְעָא נוּכְרָאָה אָחֳרָא, לָא אִתְפָּרְשָׁא מִנַּיְיהוּ, כָּל שֶׁכֵּן אִי אִשְׁתָּאֲרוּ בְּאַרְעָא קַדִּישָׁא.

רז. וְהָא אִתְּמַר, בְּכָל חוֹבִין, דְּחַיָּיבֵי עָלְמָא, דּוֹחִין לָהּ לִשְׁכִינְתָּא, וְחַד מִנַּיְיהוּ מַאן דִּמְחַבֵּל אוֹרְחֵיהּ עַל אַרְעָא, כְּדַאֲמָרָן. וּבְגִין כָּךְ, לָא חָמֵי אַנְפֵּי שְׁכִינְתָּא, וְלָא עָאל

בְּפַלְטְרִין. וְעַל דָּא כְּתִיב בְּאִלֵּין, וַיִּמָּחוּ מִן הָאָרֶץ. אִתְמְחוֹן מִן כֹּלָּא.

רח. תָּא וַחֲזֵי, בְּהַהוּא זִמְנָא דִּזְמִין קָבָּ"ה, לְאַחֲזָיָאה מְתַיָּיא, כָּל אִינוּן מֵתִין דְּיִשְׁתַּכְחוּן לְבַר, בִּשְׁאָר אַרְעִין נוּכְרָאִין, קָבָּ"ה יִבְרָא לוֹן גּוּפַיְיהוּ, כִּדְקָא חֲזֵי. דְּהָא גַּרְמָא חַד, דְּאִשְׁתָּאַר בֵּיהּ בְּבַר נָשׁ, תְּחוֹת אַרְעָא. הַהוּא גַּרְמָא יִתְעֲבֵיד כַּחֲמִירָא בְּעִיסָה, וַעֲלֵיהּ יִבְנֵי קוּדְשָׁא בְּרִיךְ הוּא כָּל גּוּפָא.

רט. וְלָא יָהִיב לוֹן קָבָּ"ה נִשְׁמָתִין, אֶלָּא בְּאַרְעָא דְיִשְׂרָאֵל. דִּכְתִיב הִנֵּה אֲנִי פוֹתֵחַ אֶת קִבְרוֹתֵיכֶם וְהַעֲלֵיתִי אֶתְכֶם מִקִּבְרוֹתֵיכֶם עַמִּי וְהֵבֵאתִי אֶתְכֶם אֶל אַדְמַת יִשְׂרָאֵל, דְּיִתְגַּלְגְּלוּן תְּחוֹת אַרְעָא, וּלְבָתַר מַה כְּתִיב, וְנָתַתִּי רוּחִי בָכֶם וִחְיִיתֶם וְגוֹ'. דְּהָא בְּאַרְעָא דְיִשְׂרָאֵל יְקַבְּלוּן נִשְׁמָתִין, כָּל אִינוּן בְּנֵי עָלְמָא. בַּר אִלֵּין דְּאִסְתָּאֲבוּ וְסָאִיבוּ אַרְעָא, אִלֵּין כְּתִיב, וַיִּמָּחוּ מִן הָאָרֶץ. מִן הָאָרֶץ דַּיְיקָא וְאַע"ג דְּאַקְשׁוּ וְאַפְלִיגוּ קַדְמָאֵי עַל דָּא. וַיִּמָּחוּ, כְּד"א יְמָחוּ מִסֵּפֶר וַחַיִּים.

רי. אָמַר לֵיהּ רַבִּי שִׁמְעוֹן, וַדַּאי לֵית לוֹן חוּלָקָא בְּעָלְמָא דְאָתֵי, דִּכְתִיב וַיִּמָּחוּ מִן הָאָרֶץ. וּכְתִיב, לְעוֹלָם יִירְשׁוּ אָרֶץ. אֲבָל יְקוּמוּן בְּדִין, וַעֲלַיְיהוּ כְּתִיב וְרַבִּים מִיְּשֵׁנֵי אַדְמַת עָפָר יָקִיצוּ אֵלֶּה לְחַיֵּי עוֹלָם וְאֵלֶּה לַחֲרָפוֹת וּלְדִרְאוֹן עוֹלָם. וּפְלוּגְתָּא בְּהָא, אֲבָל כֹּלָּא כְּמָה דְאוּקְמוּהָ וְחַבְרַיָּיא.

ריא. וַיִּמָּחוּ אֶת כָּל הַיְקוּם אֲשֶׁר עַל פְּנֵי הָאֲדָמָה. ר' אַבָּא אָמַר, לְאַכְלְלָא כָּל אִינוּן עִלָּיטִין דְּשַׁלְטִין, מִמְּנָן עַל אַרְעָא, וְדָא הוּא, הַיְקוּם אֲשֶׁר עַל פְּנֵי הָאֲדָמָה. דְּכַד עָבִיד קָבָּ"ה דִּינָא בִּבְנֵי עָלְמָא, אַעֲבַר לְאִינוּן עִלָּיטִין, דִּמְמַנָּן עֲלַיְיהוּ בְּקַדְמֵיתָא, וּלְבָתַר לְאִינוּן דְּיָתְבֵי תְּחוֹת גַּדְפַיְיהוּ, דִּכְתִיב, יִפְקוֹד ה' עַל צְבָא הַמָּרוֹם בַּמָּרוֹם. וּלְבָתַר עַל מַלְכֵי הָאֲדָמָה עַל הָאֲדָמָה.

ריב. וְהֵיךְ מִתְעַבְּרָן קַמֵּיהּ, אֶלָּא אַעֲבַר לוֹן בְּנוּרָא דְּדָלִיק, הֲה"ד כִּי ה' אֱלֹהֶיךָ אֵשׁ אוֹכְלָה הוּא אֵל קַנָּא. אֶשָּׁא דְּאָכִיל אֶשָּׁא, הַהוּא יְקוּם דַּעֲלַיְיהוּ בְּאֶשָּׁא. וְאִינוּן דְּיָתְבֵי תְּחוֹתַיְיהוּ בְּמַיָּא. וּבְגִינֵי כָּךְ, וַיִּמָּחוּ אֶת כָּל הַיְקוּם אֲשֶׁר עַל פְּנֵי הָאֲדָמָה. וּלְבָתַר מֵאָדָם וְעַד בְּהֵמָה עַד רֶמֶשׂ וְעַד עוֹף הַשָּׁמַיִם וַיִּמָּחוּ מִן הָאָרֶץ. כָּל אִלֵּין דִּלְתַתָּא. וַיִּשָּׁאֶר אַךְ נֹחַ. אַךְ לְמֵעוּטֵי, דְּלָא אִשְׁתָּאֲרוּ בְּעָלְמָא, בַּר נֹחַ וּדְעִמֵּיהּ בְּתֵיבוּתָא. רַבִּי יוֹסֵי אוֹמֵר, וְחַגִּיר הֲוָה, דְּאַכִּישׁ לֵיהּ אַרְיָא. וְהָא אוֹקְמוּהָ.

ריג. וַיִּזְכֹּר אֱלֹהִים אֶת נֹחַ וְאֵת כָּל הַחַיָּה וְאֶת כָּל הַבְּהֵמָה אֲשֶׁר אִתּוֹ בַּתֵּבָה. רַבִּי חִיָּיא פָּתַח עָרוּם רָאָה רָעָה וְנִסְתָּר. הַאי קְרָא, אִתְּמַר עַל נֹחַ, דְּעָאל לְתֵיבוּתָא, וְאִסְתַּתָּר בָּהּ. וְעָאל לְגוֹ תֵּיבוּתָא, בְּזִמְנָא דְּמַיָּא דְזַקְפוּ לֵיהּ. וְהָא אִתְּמַר, דְּעַד לָא עָאל לְתֵיבוּתָא, חָמָא לֵיהּ לְמַלְאַךְ הַמָּוֶת, דְּאָזִיל בֵּינַיְיהוּ, וְאַסְחַר לוֹן. כֵּיוָן דְּחָמָא לֵיהּ, עָאל לְתֵיבָה, וְאִסְתַּתָּר בְּגַוָּהּ, הֲה"ד עָרוּם רָאָה רָעָה וְנִסְתָּר. רָאָה רָעָה, דָּא מַלְאַךְ הַמָּוֶת, וְנִסְתָּר מִקַּמֵּיהּ, הֲה"ד מִפְּנֵי מֵי הַמַּבּוּל.

ריד. רַבִּי יוֹסֵי אָמַר, עָרוּם רָאָה רָעָה וְנִסְתָּר. אַהֲדַר עַל מַה דְּאִתְּמַר בְּזִמְנָא דְּמוֹתָא שַׁרְיָא בְּעָלְמָא, בַּר נָשׁ וַזְכִּים יִסְתַּר, וְלָא יָקוּם לְבַר, וְלָא יִתְחֲזֵי קַמֵּי מְחַבְּלָא. בְּגִין דְּכֵיוָן דְּאִתְיְהִיב לֵיהּ רְשׁוּ, יְוַבֵּל כָּל אִינוּן דְּיִשְׁתַּכְחוּן קַמֵּיהּ וְיַעֲבְרוּן קַמֵּיהּ בְּאִתְגַּלְיָיא, וְסוֹפָא דִּקְרָא, וּפְתָאיִם עָבְרוּ וְנֶעֱנָשׁוּ. עָבְרוּן קַמֵּיהּ, וְאִתְחֲזֵיִין קַמֵּיהּ, וְנֶעֱנָשׁוּ. ד"א עָבְרוּ, עָבְרוּ פִּקּוּדָא דְּמָארֵיהוֹן, וְנֶעֱנָשׁוּ. ד"א, עָרוּם רָאָה רָעָה וְנִסְתָּר, דָּא נֹחַ. וּפְתָאיִם עָבְרוּ וְנֶעֱנָשׁוּ אִלֵּין בְּנֵי דָרֵיהּ.

רטו. כֵּיוָן דְּאִסְתַּתַּר וְאִשְׁתְּהֵי תַּמָּן כָּל הַהוּא זִמְנָא. לְבָתַר, וַיִּזְכֹּר אֱלֹקִים אֶת נֹחַ. אר״ש ת״ח, בְּשַׁעֲתָא דְּדִינָא אִתְעֲבֵיד, לָא כְּתִיב בֵּיהּ זְכִירָה כֵּיוָן דְּאִתְעֲבֵיד דִּינָא, וְאִתְאֲבִידוּ חַיָּיבֵי עָלְמָא, כְּדֵין כְּתִיב בֵּיהּ זְכִירָה. דְּהָא כַּד דִּינָא שַׁרְיָא בְּעָלְמָא, אִתְחַבְּרוּתָא לָא אִשְׁתְּכַח, וּמְחַבְּלָא שַׁרְיָא עַל עָלְמָא.

רטז. כֵּיוָן דְּאִתְעֲבַר דִּינָא, וְאִשְׁתַּכִּיךְ רוּגְזָא, תָּב כֹּלָּא לְאַתְרֵיהּ. וּבְגִין כָּךְ כְּתִיב הָכָא, וַיִּזְכֹּר אֱלֹקִים אֶת נֹחַ. דְּבֵיהּ שַׁרְיָא זָכוֹר, דְּנֹחַ, אִישׁ צַדִּיק כְּתִיב בֵּיהּ.

ריז. כְּתִיב אַתָּה מוֹשֵׁל בְּגֵאוּת הַיָּם בְּשׂוֹא גַלָּיו אַתָּה תְשַׁבְּחֵם. בְּשַׁעֲתָא דְּיַמָּא קָפֵי״ן בְּגַלְגְּלוֹי, וּתְהוֹמֵי סָלְקֵי וְנָחְתֵי, קֻבְּ״ה שַׁדַּר חַד חוּטָא, מִסִּטְרָא דִּימִינָא, וּמָשִׁיךְ גַּלְגְּלוֹי, וְשָׁכֵיךְ זַעְפֵּיהּ, וְלֵית מַאן דְּיָדַע לֵיהּ.

ריח. יוֹנָה נָחַת לְיַמָּא, וְאִזְדַּמַּן לֵיהּ הַהוּא נוּנָא, וּבָלַע לֵיהּ, הֵיךְ לָא נָפְקַת נִשְׁמָתֵיהּ מִנֵּיהּ, וְלָא פָּרְחָא מִיָּד. אֶלָּא, בְּגִין דְּקֻבְּ״ה שַׁלִּיטָא בְּהַהוּא גֵּאוּתָא דְּיַמָּא.

ריט. וְהַהוּא גֵּאוּתָא דְּיַמָּא, הוּא חַד חוּטָא דִּשְׂמָאלָא, דְּסָלִיק לֵיהּ לְיַמָּא לְעֵילָּא, וּבֵיהּ אִסְתַּלָּק. וְאִי לָאו הַהוּא חוּטָא, דְּמָטֵי לֵיהּ מִסִּטְרָא דִּימִינָא, לָא סָלְקָא לְעָלְמִין, דְּכֵיוָן דְּהַהוּא חוּטָא נָחִית לְיַמָּא, וְיַמָּא אִתְאַחִיד בָּהּ, כְּדֵין אִתְעָרִין גַּלְגְּלוֹי, וְשַׁאֲגָן לְמִטְרַף טַרְפָּא. עַד דְּקֻבְּ״ה אָתִיב לֵיהּ לַאֲחוֹרָא. וְתָבִין לְאַתְרַיְיהוּ.

רכ. הה״ד בְּשׂוֹא גַלָּיו אַתָּה תְשַׁבְּחֵם. תְּשַׁבְּחֵם, לְאִינּוּן גַּלֵּי יַמָּא, תְּשַׁבְּחֵם: תְּתַבַּר לוֹן, לְאַתָּבָא לְאַתְרַיְיהוּ. ד״א, תְּשַׁבְּחֵם מַמָּשׁ, שְׁבָחָא הוּא לוֹן, בְּגִין דְּסָלְקִין בְּתֵיאוּבְתָּא לְמֶחֱמֵי. מִכָּאן כָּל מַאן דְּכָסִיף לְאִסְתַּכָּלָא וּלְמִנְדַּע, אַף עַל גַּב דְּלָא יָכִיל, שְׁבָחָא אִיהוּ דִּילֵיהּ, וְכֹלָּא מְשַׁבְּחָן לֵיהּ.

רכא. אָמַר רַבִּי יְהוּדָה, נֹחַ כַּד הֲוָה בְּתֵיבָה, דָּחִיל הֲוָה, דְּלָא יִדְכַּר לֵיהּ קֻבְּ״ה לְעָלְמִין. וְכֵיוָן דְּאִתְעֲבֵיד דִּינָא, וְאִתְעֲבָרוּ חַיָּיבָא עָלְמָא, כְּדֵין מַה כְּתִיב וַיִּזְכֹּר אֱלֹקִים אֶת נֹחַ.

רכב. רַבִּי אֶלְעָזָר אָמַר, ת״ח בְּשַׁעֲתָא דְּדִינָא שַׁרְיָא בְּעָלְמָא, לָא לִיבְעֵי לֵיהּ לְאִינַשׁ דְּיִדְכַּר שְׁמֵיהּ לְעֵילָּא, דְּהָא אִי אִדְכַּר שְׁמֵיהּ, יִדְכְּרוּן חוֹבוֹי, וְיֵיתוּן לְאַשְׁגָּחָא בֵּיהּ.

רכג. מְנָלָן, מִשּׁוּנַמִּית, דְּהַהוּא יוֹמָא, יוֹם טוֹב דְּרֹאשׁ הַשָּׁנָה הֲוָה, וְקֻבְּ״ה דָּאִין עָלְמָא. וּכְדֵין אָמַר לָהּ אֱלִישָׁע, הֲיֵשׁ לְדַבֵּר לָךְ אֶל הַמֶּלֶךְ. דָּא קֻבְּ״ה. דִּכְדֵין אִקְרֵי מֶלֶךְ, מֶלֶךְ הַקָּדוֹשׁ, מֶלֶךְ הַמִּשְׁפָּט. וַתֹּאמֶר בְּתוֹךְ עַמִּי אָנֹכִי יוֹשָׁבֶת. לָא בָּעֵינָא דְּיִדְכְּרוּן לִי וְיַשְׁגְּחוּן בִּי, אֶלָּא בְּתוֹךְ עַמִּי. מַאן דְּעָיֵיל רֵישֵׁיהּ בֵּין עַמָּא, לָא יַשְׁגְּחוּן עֲלֵיהּ, לְמֵידַן לֵיהּ לְבִישׁ, בְּגִינֵי כָּךְ אָמְרָה בְּתוֹךְ עַמִּי.

רכד. ת״ח, נֹחַ, בְּשַׁעֲתָא דְּרוּגְזָא שַׁרְיָא בְּעָלְמָא, לָא אִדְכַּר, כֵּיוָן דְּדִינָא אִתְעֲבַר, מַה כְּתִיב, וַיִּזְכֹּר אֱלֹקִים אֶת נֹחַ. הַשְׁתָּא אִדְכַּר שְׁמֵיהּ. ד״א וַיִּזְכֹּר אֱלֹקִים אֶת נֹחַ. כְּמָה דְּאַתְּ אָמֵר וָאֶזְכֹּר אֶת בְּרִיתִי.

רכה. רַבִּי חִזְקִיָּה, הֲוָה אָזִיל מִקַּפּוֹטְקִיָּא לְלוּד, פָּגַע בֵּיהּ רַבִּי יֵיסָא, א״ל תְּוַוהְנָא עֲלָךְ, דְּאַתְּ בִּלְחוֹדָךְ. דְּהָא תָּנֵינָן, דְּלָא יִפּוֹק בַּר נָשׁ יְחִידָאי בְּאוֹרְחָא. א״ל רַבְיָא חַד אָזִיל בַּהֲדָאי, וְאִיהוּ אָתֵי אֲבַתְרָאי. א״ל וְעַל דָּא תְּוַוהְנָא, אֵיךְ אָזִיל בַּהֲדָךְ, מַאן דְּלָא תִשְׁתָּעֵי בֵּיהּ מִלֵּי דְאוֹרַיְיתָא, דְּהָא תָּנֵינָן, כָּל מַאן דְּאָזִיל בְּאָרְחָא, וְלָאו עִמֵּיהּ מִלֵּי דְאוֹרַיְיתָא, אִסְתַּכַּן בְּנַפְשֵׁיהּ. א״ל הָכִי הוּא וַדַּאי.

רכו. אַדְּהָכִי מָטָא הַהוּא רַבְיָא, א״ל רַבִּי יֵיסָא, בְּרִי, מֵאָן אֲתַר אַנְתְּ, א״ל מִקַּרְתָּא דְּלוּד, וְשָׁמַעְנָא דְּהַאי ב״נ חַכִּים, אָזִיל תַּמָּן, וְזַמִּינָא גַּרְמַאי, לְפוּלְחָנֵיהּ, וּלְמֵיהַךְ בַּהֲדֵיהּ.

רכז. א"ל ברי ידעת מלי דאורייתא, א"ל ידענא, דהא אבא הוה אוליף לי בפרשת קרבנות, וארכינא אודנאי למאי דהוה אמר, עם אחי, דאיהו קשישא מנאי, אמר ליה רבי ייסא, ברי, אימא לי.

רכח. פתח ואמר, ויבן נח מזבח לה' ויקח מכל הבהמה הטהורה ומכל העוף הטהור ויעל עולות במזבח. ויבן נח מזבח, דא איהו מזבח דאקריב ביה אדם קדמאה. נח אמאי קריב עולה, דהא עולה לא סלקא, אלא בגין הרהורא דלבא, ונח, במה חב. אלא נח הרהר ואמר, הא קב"ה גזר דינא על עלמא דיתחרב, דילמא בגין דשזיב לי, כל זכותא פקע לי, ולא ישתאר לי זכו בעלמא. מיד ויבן נח מזבח לה'.

רכט. ההוא מזבח דאקריב ביה אדם הראשון הוה. אי הכי, אמאי ויבן. אלא, בגין דחייבי עלמא, גרמו דלא קיימא בדוכתיה, כיון דאתא נח כתיב ביה ויבן.

רל. ויעל עולות. עלת כתיב, חדא. כתיב עלה הוא אשה ריח ניחח לה'. עולה סלקא דכר, ולא סלקא נוקבא, דכתיב זכר תמים יקריבנו. אמאי כתיב אשה, דהא אש בעי לאשתכחא תמן.

רלא. אלא, אע"ג דעולה אתקריב דכר, ולאתריה אתקריב, נוקבא לא בעיא לאתפרשא מניה, אלא בה אתקריב, בגין לחברא דא בדא. דסלקא נוקבא לגבי דכורא, לאתחברא כחדא. ואף על גב דאשה לשום אישים.

רלב. נח אצטריך ליה, למקרב עולה, דאיהו, באתר דדכורא עבד ליה קב"ה, לאתחברא ולאעלאה בתיבה. ועל דא, אקריב עולה. עולה הוא אשה. אש ה', דאתחבר שמאלא בנוקבא, דהא נוקבא מסטרא דשמאלא, קא אתיא, דאתדבק דא בדא, ובגין כך אקרי נוקבא אשה. אשה קטירו דרחימו, דאחיד בה שמאלא, לסלקא לה לעילא, ולאתקשרא כחדא. ובגין כך, עולה הוא אשה, קשירו דדכר ונוקבא, דא בדא.

רלג. וירח ה' את ריח הניחח. וכתיב, אשה ריח ניחוח. אשה, הכי שמענא תננא ואשא מחברין כחדא, דהא לית תננא, בלא אשא, כמה דכתיב והר סיני עשן כלו מפני אשר ירד עליו ה' באש.

רלד. ת"ח, אש נפיק מלגיו, ואיהו דק, ואחיד במלה אחרא לבר, דלאו איהו דק הכי. ואתאחדן דא בדא, וכדין תננא סלקא, מאי טעמא, בגין דאתאחיד אשא, במלה דרגיש. וסימנך, חוטמא דנפיק ביה תננא, מגו אשא.

רלה. וע"ד כתיב, ישימו קטורה באפך. בגין דאהדר אשא לאתריה, וחוטמא אתכניש, בההוא ריחא לגו לגו, עד דאתאחיד כלא, ותב לאתריה, ואתקריב כלא לגו מחשבה, ואתעביד רעותא חדא. וכדין ריח ניחח דנח רוגזא ואתעביד נייחא.

רלו. דהא תננא אתכניש, ועייל וקמיט באשא, ואשא אחיד בתננא, ועייל תרוייהו לגו לגו, עד דנח רוגזא. וכד אתאחיד כלא דא בדא, ונח רוגזא, כדין הוא נייחא, וקשירו חד, ואתקרי נייחא. נייחא דרוחא. חדוותא דכלא כחדא. נהירו דבוצינין. נהירו דאנפין. ובג"כ כתיב, וירח ה' את ריח הניחח. כמאן דארח וכניש כלא, לגו אתריה.

רלז. אתא ר' ייסא ונשקיה. אמר, ומה כל הדין טבא, אית תחות ידך ולא ידענא ביה. אמר, אהדרנא מן אורחא, ונתחבר בהדך. אזלו, אמר רבי חזקיה, ארחא דא,

בהדי שכינתא נהר, דהא מתתקנא קמן. אוחיד בידא דההוא ינוקא, ואזלו. אמרו ליה, אימא לן קרא חד, מאינון דאמר לך אבוך.

רלח. פתח ההוא ינוקא ואמר, ישקני מנשיקות פיהו, דא הוא תאובתא עלאה, דיפוק רעותא מפומא. ולא נפיק מחוטמא, כד אשא נפקא, דהא כד אתחבר פומא לנשקא נפיק אשא, ברעותא, בנהירו דאנפין, בחדוה דכלא, באתדבקותא דזיווגא.

רלט. ובג"כ כי טובים דודיך מיין. מההוא יין, דמחדי ונהיר אנפין, וחייכין עיינין, ועביד רעותא. ולאו מיין דמשכר, ועביד רוגזא, ואחשיך אנפין ולהטאן עיינין, יין דרוגזא.

רמ. ועל דא, בגין דחמר דא טב, נהיר אנפין, וחדי עיינין, ועביד תיאובתא דרחימו, מקריבין ליה כל יומא, על גבי מדבחא. שיעורא דמאן דשתי ליה, וחדי ליה, ועביד ליה נייחא, דכתיב ונסכו רביעית ההין. ובג"כ, כי טובים דודיך מיין. מההוא יין, דאתער רחימותא ותיאובתא.

רמא. וכלא, כמה דלתתא, אתער רחימותא דלעילא. תרין שרגין כד אתדעך נהורא דלעילא, בתננא דסליק, מההוא דלתתא, אתדליק ההוא דלעילא. א"ר חזקיה, הכי הוא ודאי, דעלמא עלאה, תליא בתתאה, ותתאה בעלאה ומזמנא דאתחריב בי מקדשא, ברכאן לא אשתכחו לעילא ותתא. לאחזאה דדא בדא תליא.

רמב. ואמר רבי יוסי, ברכאן לא אשתכחו, ולווטין אשתכחו, דהא ינקו דכלא, בההוא סטרא נפקי. מאי טעמא, בגין דישראל לא שריין בארעא, ולא פלחי פולחנא דאצטריך, לאדלקא בוצינין, ולאשתכחא ברכאן, ובגין כך לא משתכחי לעילא ותתא, ועלמא לא יתיב בקיומיה כדקא יאות.

רמג. וא"ר חזקיה, לא אוסיף לקלל עוד את האדמה בעבור האדם. מאי הוא, א"ר ייסא הכי שמענא מרבי שמעון, דאמר כל זמנא דאשא דלעילא אוסיף לתקפא, תננא דאיהו דינא דלתתא, אתקיף רוגזא, ושצי כלא. בגין דכד נפיק אשא, לית ליה פסק, עד דישתלים דינא. וכד דינא דלתתא לא אוסיף לאתתקפא בדינא דלעילא, עביד דינא ופסיק, ולא ישתלם דינא לשיצאה. ובגין כך כתיב לא אוסיף. למיהב תוספת, לאתתקפא דינא דלתתא.

רמד. אמר ההוא ינוקא, שמענא, בגין דכתיב, ארורה האדמה בעבורך. דהא בההיא שעתא דאתלטיא ארעא, בחובא דאדם. אתייהיב רשו לשלטאה עלה, ההוא חויא בישא, דאיהו מחבלא דעלמא, ושצי בני עלמא. מההוא יומא דקריב נח קרבנא, וארח ליה קב"ה, אתייהיב רשו לארעא, לנפקא מתחות ההוא נחש, ונפקא ממסאבא. ועל דא מקריבין ישראל קרבנא לקב"ה, בגין לאנהרא אפי ארעא. א"ר חזקיה, יאות הוא, והאי הוה תלי עד דקיימו ישראל על טורא דסיני.

רמה. אמר ר' ייסא, קב"ה אזעיר לה לסיהרא, ושלטא ההוא נחש, אבל בגין חובא דאדם, אתלטייא, בגין למילט עלמא. בההוא יומא, נפקת ארעא מההיא קללה, וקיימא סיהרא בההיא גריעותא, בר בשעתא דקורבנא אשתכחו בעלמא, וישראל יתבין על ארעהון. אמר רבי ייסא לההוא ינוקא, מה שמך, א"ל אבא. א"ל אבא תהא בכלא, בחכמה ובשנין. קרא עליה ישמח אביך ואמך ותגל יולדתך.

רמו. א"ר חזקיה, זמין קב"ה לאעברא רוח מסאבא מן עלמא, כמה דכתיב ואת רוח הטמאה אעביר מן הארץ. וכתיב בלע המות לנצח ומחה ה' אלקים דמעה מעל

כָּל פָּנִים וְחֶרְפַּת עַמּוֹ יָסִיר מֵעַל כָּל הָאָרֶץ כִּי ה' דִּבֵּר.

רמז. וְזַמִּין קב"ה לְאַנְהָרָא לְסִיהֲרָא, וּלְאַפָּקָא לָהּ מֵחֲשׁוֹכָא, בְּגִין הַהוּא חִוְיָא בִּישָׁא. כְּמָה דִּכְתִיב וְהָיָה אוֹר הַלְּבָנָה כְּאוֹר הַחַמָּה וְאוֹר הַחַמָּה יִהְיֶה שִׁבְעָתַיִם כְּאוֹר שִׁבְעַת הַיָּמִים. מַאי אוֹר, הַהוּא אוֹר, דִּגְנִיז לֵיהּ קב"ה, בְּעוֹבָדָא דִּבְרֵאשִׁית.

רמח. וַיְבָרֶךְ אֱלֹקִים אֶת נֹחַ וְאֶת בָּנָיו וַיֹּאמֶר לָהֶם פְּרוּ וּרְבוּ וגו'. רַבִּי אַבָּא פָּתַח וְאָמַר בִּרְכַּת ה' הִיא תַעֲשִׁיר וְלֹא יוֹסִיף עֶצֶב עִמָּהּ. בִּרְכַּת ה' דָּא שְׁכִינְתָּא, דְּאִיהִי אִתְפַּקְדָא עַל בִּרְכָאן דְּעָלְמָא, וּמִנָּהּ נָפְקֵי בִּרְכָאן לְכֹלָּא.

רמט. תָּא חֲזֵי מַה כְּתִיב בְּקַדְמֵיתָא, וַיֹּאמֶר ה' לְנֹחַ בֹּא אַתָּה וְכָל בֵּיתְךָ אֶל הַתֵּבָה וגו'. כְּמָה דְּאִתְּמַר, דְּמָארֵיהּ דְּבֵיתָא יָהֵב לֵיהּ רְשׁוּ לְמֵיעָאל. לְבָתַר אִתְּתָא אֲמָרָה לֵיהּ לְנַפְּקָא. בְּקַדְמֵיתָא עָאל בִּרְשׁוּתָא דְּבַעְלָהּ, לְסוֹף נָפַק בִּרְשׁוּ דְּאִתְּתָא. מִכָּאן אוֹלִיפְנָא, מָארֵיהּ דְּבֵיתָא יָעֵיל, וְאִתְּתָא תַּפִּיק, הה"ד וַיְדַבֵּר אֱלֹקִים אֶל נֹחַ לֵאמֹר צֵא מִן הַתֵּבָה. דִּרְשׁוּ הֲוָה בִּידָהָא, לְאַפָּקָא לֵיהּ לְאוּשְׁפִּיזָא, וְלָא לְאַעָלָא לֵיהּ.

רנ. כֵּיוָן דִּנְפַק, יָהַב מַתְּנָן לָהּ, בְּגִין דְּאִיהִי בְּבֵיתָא, וּבֵיתָא בִּידָהָא. וְאִינּוּן מַתְּנָן דְּיָהַב לָהּ, בְּגִין לְאַסְגָּאָה לָהּ רְחִימוּתָא בְּבַעְלָהּ. מִכָּאן אוֹלִיפְנָא אוֹרַח אַרְעָא לְאוּשְׁפִּיזָא. וְע"ד לְבָתַר דְּיָהַב לָהּ מַתְּנָן, לְאַסְגָּאָה לָהּ רְחִימוּתָא בְּבַעְלָהּ, בָּרְכָא לֵיהּ, דִּכְתִיב וַיְבָרֶךְ אֱלֹקִים אֶת נֹחַ וְאֶת בָּנָיו וַיֹּאמֶר לָהֶם פְּרוּ וּרְבוּ וגו'. וּבְגִ"כ כְּתִיב בִּרְכַּת ה' הִיא תַעֲשִׁיר. וַדַּאי כְּמָה דְּאִתְּמַר.

רנא. וְלֹא יוֹסִיף עֶצֶב עִמָּהּ. רָזָא, דִּכְתִיב בְּעִצָּבוֹן תֹּאכְלֶנָּה, עִצָּבוֹן: עֲצִיבוּ וְרוּגְזָא בְּלָא נְהִירוּ דְּאַנְפִּין. כַּד אִתְחֲשַׁךְ סִיהֲרָא, וּבִרְכָאן לָא מִשְׁתַּכְּחֵי. בְּעִצָּבוֹן: סִטְרָא דְּרוּחָא אָחֳרָא, דְּאִמְנַע בִּרְכָאן מֵעָלְמָא, וּבְגִ"כ וְלֹא יוֹסִיף עֶצֶב עִמָּהּ. וְדָא הוּא רָזָא דִּכְתִיב לֹא אוֹסִיף לְקַלֵּל עוֹד אֶת הָאֲדָמָה.

רנב. וּמוֹרַאֲכֶם וְחִתְּכֶם יִהְיֶה. מִכָּאן וּלְהָלְאָה, יְהֵא לְכוֹן דְּיוֹקְנִין דִּבְנֵי נָשָׁא, דְּהָא בְּקַדְמֵיתָא לָא הֲווּ דְּיוֹקְנִין דִּבְנֵי נָשָׁא. ת"ח, בְּקַדְמֵיתָא כְּתִיב בְּצֶלֶם אֱלֹקִים עָשָׂה אֶת הָאָדָם. וּכְתִיב בִּדְמוּת אֱלֹקִים עָשָׂה אוֹתוֹ. כֵּיוָן דְּחָטוּ אִשְׁתַּנּוּ דְּיוֹקְנַיְיהוּ, מֵהַהוּא דְּיוֹקְנָא עִלָּאָה, וְאִתְהַפְּכוּ אִינּוּן לְמִדְחַל מִקַּמֵּי חֵיוָון בָּרָא.

רנג. בְּקַדְמֵיתָא, כָּל בִּרְיָין דְּעָלְמָא, זָקְפָן עַיְינִין, וְחָמָאן דְּיוֹקְנָא, קַדִּישָׁא עִלָּאָה, וְזָעִין וְדָחֲלִין מִקַּמֵּיהּ. כֵּיוָן דְּחָטוּ אִתְהֲפַךְ דְּיוֹקְנַיְהוּ, מֵעֵינַיְיהוּ, לִדְיוֹקְנָא אָחֳרָא. וְאִתְהֲפַךְ דִּבְנֵי נָשָׁא זָעִין וְדָחֲלִין קַמֵּי שְׁאָר בִּרְיָין.

רנד. ת"ח, כָּל אִינּוּן בְּנֵי נָשָׁא, דְּלָא חָטָאן קַמֵּי מָארֵיהוֹן, וְלָא עָבְרִין עַל פִּקּוּדֵי אוֹרַיְיתָא. זִיו דְּיוֹקְנָא דִּלְהוֹן, לָא אִשְׁתַּנֵּי מֵחֵיזוּ דִּדְיוֹקְנָא עִלָּאָה. וְכָל בִּרְיָין דְּעָלְמָא, זָעִין וְדָחֲלִין קַמֵּיהּ. וּבְשַׁעְתָּא דִּבְנֵי נָשָׁא עָבְרִין עַל פִּתְגָּמֵי אוֹרַיְיתָא, אִתְחֲלַף דְּיוֹקְנָא דִּלְהוֹן, וְכֻלְּהוּ זָעִין וְדָחֲלִין מִקַּמֵּי בִּרְיָין אָחֳרָנִין, בְּגִין דְּאִתְחֲלַף דְּיוֹקְנָא עִלָּאָה, וְאִתְעֲבַר מִנַּיְיהוּ, וּכְדֵין שָׁלְטֵי בְּהוּ חֵיוַת בָּרָא, דְּהָא לָא חָמוּ בְּהוּ, הַהוּא דְּיוֹקְנָא עִלָּאָה כִּדְקָחֲזֵי.

רנה. וְעַל כָּךְ, הַשְׁתָּא כֵּיוָן דְּעָלְמָא אִתְחַדַּשׁ כְּמִלְּקַדְּמִין, בָּרִיךְ לוֹן, בִּרְכָה דָּא, וְשַׁלִּיט לוֹן עַל כֹּלָּא, כד"א וְכָל דְּגֵי הַיָּם בְּיֶדְכֶם נִתָּנוּ. וַאֲפִילּוּ נוּנֵי יַמָּא. ר' חִיָּיא אָמַר, בְּיֶדְכֶם נִתָּנוּ. מִקַּדְמַת דְּנָא. דְּכַד בָּרָא קב"ה עָלְמָא מָסַר כֹּלָּא בִּידַיְהוּ, דִּכְתִיב, וּרְדוּ בִּדְגַת הַיָּם וּבְעוֹף הַשָּׁמַיִם וגו'.

רנו. וַיְבָרֶךְ אֱלֹקִים אֶת נֹחַ, רַבִּי חִזְקִיָּה פָּתַח, לְדָוִד מַשְׂכִּיל אַשְׁרֵי נְשׂוּי פֶּשַׁע כְּסוּי חֲטָאָה. הַאי קְרָא אוֹקְמוּהָ, אֲבָל קְרָא דָּא, בְּרָזָא דְּחָכְמְתָא אִתְּמַר. דְּהָא תָּנֵינָן,

בַּעֲשָׂרָה זִינֵי שְׁבָחָא, שַׁבַּח דָּוִד לְקֻבָּ"ה, וְחַד מִנַּיְיהוּ מַשְׂכִּיל. וְהוּא דַּרְגָּא חַד מֵאִינּוּן עֲשָׂרָה. וְדָוִד אַתְקִין גַּרְמֵיהּ עַד לָא יִשְׁרֵי עֲלוֹי הַאי דַּרְגָּא.

רנז. אַשְׁרֵי נְשׂוּי פֶּשַׁע: דְּהָא בְּשַׁעְתָּא דְּקֻבָּ"ה, אַתְקִיל חוֹבֵי וְזַכְוָון דִּבְנֵי נָשָׁא, דְּהַהוּא תִּיקְלָא, דְּבִסְטַר חוֹבִין מִסְתַּלְּקִין, וְאִינּוּן אוּחֲרָנִין, זַכָּיִין דְּאִינּוּן בְּתִיקְלָא אָחֳרָא, מַכְרִיעִין לְתַתָּא, דָּא הוּא נְשׂוּי פֶּשַׁע.

רנח. כְּסוּי חֲטָאָה: בְּשַׁעֲתָא דְּדִינָא שַׁרְיָא בְּעָלְמָא, דִּיהֵא מְחַפְּיָא, דְּלָא יִשְׁלוֹט עֲלוֹי מְחַבְּלָא, כְּמָה דַּהֲוָה לְנֹחַ, דְּכַסֵּי לֵיהּ קֻבָּ"ה, מֵהַהוּא חֲטָאָה, דְּאַמְשִׁיךְ עֲלֵיהּ אָדָם עַל עָלְמָא. דְּכֵיוָן דַּחֲטָאָה דָּא, אַגְגִּיד אָדָם עַל עָלְמָא, שְׁאָר בִּרְיָין שָׁלְטָאן, וּבַר נָשׁ דָּחִיל מִנַּיְיהוּ, וְעָלְמָא לָא אַתְקִין בְּתִקּוּנֵיהּ. וּבְגִ"כ, כַּד נָפַק נֹחַ מִתֵּיבוּתָא, קֻבָּ"ה בָּרְכֵיהּ. דִּכְתִּיב, וַיְבָרֶךְ אֱלֹקִים אֶת נֹחַ וְאֶת בָּנָיו וְגוֹ'.

רנט. וְאַתֶּם פְּרוּ וּרְבוּ. בְּהַנֵּי בִּרְכָאן, לָא אִשְׁתַּכָּחוּ נוּקְבֵי, אֶלָּא אֶת נֹחַ וְאֶת בָּנָיו, אֲבָל נוּקְבֵי לָא אָמַר קְרָא. א"ר שִׁמְעוֹן, וְאַתֶּם כְּלָלָא דִּדְכוּרֵי וְנוּקְבֵי כַּחֲדָא. וְתוּ, אֶת נֹחַ, לְאַסְגָּאָה נוּקְבֵיהּ. וְאֶת בָּנָיו, לְאַסְגָּאָה נוּקְבֵי דִּלְהוֹן.

רס. וּבְגִין כָּךְ כְּתִיב, וְאַתֶּם פְּרוּ וּרְבוּ. לְמֶעְבַּד תּוֹלָדוֹת. מִכָּאן וּלְהָלְאָה שִׁרְצוּ בָאָרֶץ. וְהָכָא יָהִיב לוֹן קֻבָּ"ה שֶׁבַע פִּקּוּדֵי אוֹרַיְיתָא. לוֹן וּלְכָל דְּאָתוּ אֲבַתְרַיְיהוּ, עַד דְּקַיְּימוּ יִשְׂרָאֵל בְּטוּרָא דְּסִינַי, וְאִתְיְיהַב לוֹן כָּל פִּקּוּדֵי אוֹרַיְיתָא כַּחֲדָא.

רסא. וַיֹּאמֶר אֱלֹקִים לְנֹחַ וְגוֹ'. זֹאת אוֹת הַבְּרִית אֲשֶׁר אֲנִי נֹתֵן בֵּינִי וּבֵינֵיכֶם וְגוֹ'. אֶת קַשְׁתִּי נָתַתִּי בֶּעָנָן. נָתַתִּי מִקַּדְמַת דְּנָא. ר"ש פָּתַח וּמִמַּעַל לָרָקִיעַ אֲשֶׁר עַל רֹאשָׁם כְּמַרְאֵה אֶבֶן סַפִּיר דְּמוּת כִּסֵּא. מַה כְּתִיב לְעֵילָא, וָאֶשְׁמַע אֶת קוֹל כַּנְפֵיהֶם כְּקוֹל מַיִם רַבִּים כְּקוֹל שַׁדַּי בְּלֶכְתָּן. אִלֵּין אַרְבַּע חֵיוָון רַבְרְבָן עִלָּאִין קַדִּישִׁין, דְּהַהוּא רְקִיעַ מִתְתַּקְּנָא עֲלַיְיהוּ. וְכֻלְּהוּ גַּדְפַּיְיהוּ מִתְחַבְּרָאן דָּא בְּדָא, לְחַפְיָיא גּוּפַיְיהוּ.

רסב. וּבְשַׁעֲתָא דְּאִינּוּן פָּרְשֵׂי גַּדְפַּיְיהוּ, אִשְׁתְּמַע קוֹל גַּדְפִּין דְּכֻלְּהוּ, דְּאָמְרֵי שִׁירָתָא, הה"ד כְּקוֹל שַׁדַּי. דְּלָא אִשְׁתְּכִיךְ לְעָלְמִין. כְּמָה דִּכְתִּיב לְמַעַן יְזַמֶּרְךָ כָבוֹד וְלֹא יִדֹּם. וּמַאי אָמְרֵי, הוֹדִיעַ ה' יְשׁוּעָתוֹ לְעֵינֵי הַגּוֹיִם גִּלָּה צִדְקָתוֹ.

רסג. קוֹל הֲמֻלָּה כְּקוֹל מַחֲנֶה, כְּקוֹל מַשִׁרְיָיתָא קַדִּישָׁא, כַּד מִתְחַבְּרָן כָּל חֵילִין עִלָּאִין לְעֵילָא. וּמַאי אָמְרֵי, קָדוֹשׁ קָדוֹשׁ קָדוֹשׁ ה' צְבָאוֹת מְלֹא כָל הָאָרֶץ כְּבוֹדוֹ. אַהַדְרוּ לְדָרוֹם, אָמְרוּ קָדוֹשׁ, אַהַדְרוּ לְצָפוֹן אָמְרוּ קָדוֹשׁ. אַהַדְרוּ לְמִזְרָח, אָמְרוּ קָדוֹשׁ. אַהַדְרוּ לְמַעֲרָב, אָמְרוּ בָּרוּךְ.

רסד. וְהַאי רָקִיעַ קָאִים עַל רֵישַׁיְיהוּ. וּבְכָל אֲתַר דְּאִיהִי אָזְלָא, אַסְחָרוּ אַפִּין לְהַהִיא סִטְרָא, דְּאִתְכְּלִילוּ אַנְפִּין בֵּיהּ. אַסְחָרוּ אַנְפִּין לְאַרְבַּע זָוְיָין, וְכֻלְּהוּ מִסְתַּחֲרִין לְתַתָּא.

רסה. בִּרְבוּעָא דִּילֵיהּ, אִתְגְּלִיפַת בְּאַרְבַּע אַנְפִּין, אַנְפֵּי אַרְיֵה. אַנְפֵּי נִשְׁרָא. אַנְפֵּי שׁוֹר. אַנְפֵּי אָדָם. גְּלִיף בְּכֻלְּהוּ, אָדָם. אַנְפֵּי אַרְיֵה, אָדָם. אַנְפֵּי נֶשֶׁר, אָדָם. אַנְפֵּי שׁוֹר, אָדָם. כֻּלְּהוּ כְּלִילָן בֵּיהּ. וּבְגִין כָּךְ כְּתִיב, וּדְמוּת פְּנֵיהֶם פְּנֵי אָדָם.

רסו. וְהַאי רָקִיעַ דְּאִתְרַבַּע, כֻּלְּהוּ גַּוְונִין כְּלִילָן בֵּיהּ, אַרְבַּע גַּוְונִין אִתְחֲזְיָין בֵּיהּ, גְּלִיפִין בְּאַרְבַּע אַרְבַּע. בְּאַרְבַּע גְּלִיפִין, רְשִׁימִין טְהִירִין, עִלָּאִין וְתַתָּאִין. כַּד מִתְפָּרְשָׁאן גַּוְונִין דְּאִינּוּן אַרְבַּע, סָלְקִין תְּרֵיסַר. גַּוָּון יָרֹק. גַּוָּון סוּמָק גַּוָּון חִוָּור, גַּוָּון סַפִּיר, דְּאִתְכְּלִילוּ מִכָּל גַּוְונִין. הה"ד כְּמַרְאֵה הַקֶּשֶׁת אֲשֶׁר יִהְיֶה בֶעָנָן בְּיוֹם הַגֶּשֶׁם כֵּן מַרְאֵה הַנֹּגַהּ סָבִיב הוּא מַרְאֵה דְּמוּת כְּבוֹד ה'. חֵיזוּ דְּגַוְונִין דְּכֹלָּא. וּבְגִין כָּךְ, אֶת קַשְׁתִּי נָתַתִּי בֶּעָנָן.

רסז. מַאי קַשְׁתִּי, כְּמָה דְּאִתְּמַר בְּיוֹסֵף, דִּכְתִיב וַתֵּשֶׁב בְּאֵיתָן קַשְׁתּוֹ. בְּגִין דְּיוֹסֵף צַדִּיק אִקְרֵי, וּבְגִין כָּךְ, קַשְׁתּוֹ: דָּא בְּרִית דְּקֶשֶׁת, דְּאִתְכְּלִיל בְּצַדִּיק, דִּבְרִית, דָּא בְּדָא אִתְאֲחִיד. וּבְגִין דְּנֹחַ הֲוָה צַדִּיק, קַיְּימָא דִּילֵיהּ קֶשֶׁת.

רסח. וַיָּפוֹזּוּ. מַאי וַיָּפוֹזּוּ, אַנְהִירוּ בְּנְהִידוּ דְּכֹלָּא. כד"א הַנֶּחֱמָדִים מִזָּהָב וּמִפָּז רָב וּמְתוּקִים. אִתְנְהִירוּ בִּנְהִירוּ עִלָּאָה, כַּד נָטַר בְּרִית. וּבְגִין כָּךְ, אִקְרֵי יוֹסֵף הַצַּדִּיק. עַל דָּא, אִקְרֵי הַקֶּשֶׁת בְּרִית, כָּלִיל דָּא בְּדָא.

רסט. וְדָא זֶהְרָא יְקָרָא עִלָּאָה, וְזִיווּ דְּכֹל וְזִיווּ. וְחֶזְוּ כְּחֵיזוּ טְמִירִין, גַּוְונִין טְמִירִין. גַּוְונִין דְּלָא אִתְגַּלְיָין. וְלֵית רְשׁוּ לְאִסְתַּכְּלָא בְּעֵינָא בַּקֶּשֶׁת, כַּד אִתְחֲזֵי בְּעָלְמָא, דְּלָא יִתְחֲזֵי קְלָנָא בִּשְׁכִינְתָּא. וְכֵן גַּוְונִין דְּקֶשֶׁת הוּא וְזִיווּ סוֹסְטִיפָא קְטִירָא, כְּזִיווּ יְקָרָא עִלָּאָה, דְּלָא לְאִסְתַּכְּלָא.

ער. וְכֵיוָן דְּאַרְעָא וְזִמְאת לְהַאי קֶשֶׁת, קַיְּימָא קַדִּישָׁא, אִתְקַיְּימַת בְּקִיּוּמָא. וְעַל דָּא, וְהָיְתָה לְאוֹת בְּרִית בֵּין אֱלֹקִים וגו'. הַאי דְּאֲמָרָן, דְּאִלֵּין תְּלַת גַּוְונִין, וְחַד דְּאִתְכְּלִיל בֵּינַיְיהוּ, כֻּלְּהוּ רָזָא וַחֲדָא. וּבְגוֹ עֲנָנָא סַלְּקָא לְאִתְחֲזָאָה.

רעא. וּמִמַּעַל לָרָקִיעַ אֲשֶׁר עַל רֹאשָׁם כְּמַרְאֵה אֶבֶן סַפִּיר. הַאי הִיא אֶבֶן שְׁתִיָּה, דְּאִיהִי נְקוּדָה וַחֲדָא, דְּכָל עָלְמָא. וְקַיְּימָא עֲלָהּ קֹדֶשׁ הַקֳּדָשִׁים. וּמַאי הִיא כָּרְסְיָיא קַדִּישָׁא עִלָּאָה, דְּאִיהִי מִמַּנָּא עַל אִלֵּין אַרְבַּע. דְּמוּת כִּסֵּא, בְּאַרְבַּע סָמְכִין, וְדָא הוּא תּוֹרָה שֶׁבְּעַל פֶּה.

רעב. וְעַל דְּמוּת הַכִּסֵּא דְּמוּת כְּמַרְאֵה אָדָם עָלָיו מִלְמָעְלָה. דָּא הוּא תּוֹרָה שֶׁבִּכְתָב. מִכָּאן דְּתוֹרָה שֶׁבִּכְתָב יִשְׁווּן יָתֵה, עַל תּוֹרָה שֶׁבְּעַל פֶּה. בְּגִין דְּהַאי כָּרְסְיָיא לְדָא, כְּמַרְאֵה אָדָם. דְּאִיהוּ דְּיוֹקְנָא דְּיַעֲקֹב, דְּאִיהוּ יָתִיב עֲלָהּ.

רעג. רַבִּי יְהוּדָה, קָם לֵילְיָא וְחַד לְמִלְעֵי בְּאוֹרַיְיתָא, בְּפַלְגּוּ לֵילְיָא, בְּבֵי אוּשְׁפִּיזָא, בְּמָתָא מוֹזְסִיָּא. וַהֲוָה תַּמָּן בְּבֵיתָא, חַד יוּדָאי, דַּאֲתָא בַּתְרֵי קְסִירָא דְּקַטְפִּירָא. פָּתַח רַבִּי יְהוּדָה וְאָמַר, וְהָאֶבֶן הַזֹּאת אֲשֶׁר שַׂמְתִּי מַצֵּבָה יִהְיֶה בֵּית אֱלֹקִים. דָּא הִיא אֶבֶן שְׁתִיָּה, דְּמִתַּמָּן אִשְׁתִּיל עָלְמָא, וַעֲלָהּ אִתְבְּנֵי בֵּי מַקְדְּשָׁא.

עדר. זָקַף רֵישֵׁיהּ, הַהוּא יוּדָאי וא"ל הַאי מִלָּה אֵיךְ אֶפְשַׁר, וְהָא אֶבֶן שְׁתִיָּה עַד לָא אִתְבְּרֵי עָלְמָא הֲוָת, וּמִינָּהּ אִשְׁתִּיל עָלְמָא, וְאַתְּ אֲמַרְתְּ וְהָאֶבֶן הַזֹּאת אֲשֶׁר שַׂמְתִּי מַצֵּבָה. דְּמַשְׁמַע דְּיַעֲקֹב שַׁוֵּי לָהּ הַשְׁתָּא, דִּכְתִיב וַיִּקַּח אֶת הָאֶבֶן אֲשֶׁר שָׂם מְרַאֲשׁוֹתָיו. וְתוּ, דְּיַעֲקֹב בְּבֵית אֵל הֲוָה, וְהַאי אַבְנָא הֲוָה בִּירוּשְׁלַם.

עדה. רַבִּי יְהוּדָה, לָא אַסְחַר רֵישֵׁיהּ לְגַבֵּיהּ, פָּתַח וְאָמַר הִכּוֹן לִקְרַאת אֱלֹקֶיךָ יִשְׂרָאֵל. וּכְתִיב הַסְכֵּת וּשְׁמַע יִשְׂרָאֵל. מִלֵּי דְּאוֹרַיְיתָא בְּעֵיָין כַּוָּנָה. וּמִלִּין דְּאוֹרַיְיתָא, בְּעָאן לְאִתְתַּקְּנָא בְּגוּפָא וּרְעוּתָא כַּחֲדָא. קָם הַהוּא יוּדָאי, וְאִתְלַבַּשׁ, וְיָתִיב לְגַבֵּיהּ דְּרַבִּי יְהוּדָה, וְאָמַר זַכָּאִין אַתּוּן צַדִּיקַיָּא, דְּמִשְׁתַּדְּלֵי בְּאוֹרַיְיתָא יוֹמָא וְלֵילֵי.

רעו. א"ל רַבִּי יְהוּדָה, הַשְׁתָּא דְּכַוְּונַת גַּרְמָךְ, אֵימָא מִלָּךְ, דְּנִתְחַבַּר כַּחֲדָא. דְּהָא מִלֵּי דְּאוֹרַיְיתָא בְּעֵיָין תִּקּוּנָא דְּגוּפָא, וְתִקּוּנָא דְּלִבָּא. וְאִי לָאו, בְּעַרְסַאי שְׁכִיבְנָא וּבְלִבַּאי אֲמַרְנָא מִלִּין. אֶלָּא הָא תָּנֵינָן, דַּאֲפִילוּ חַד דְּיָתִיב וְלָעֵי בְּאוֹרַיְיתָא שְׁכִינְתָּא אִתְחַבְּרַת בַּהֲדֵיהּ, וּמַה שְּׁכִינְתָּא הָכָא, וַאֲנָא שְׁכִיב בְּעַרְסַאי. וְלָא עוֹד, אֶלָּא דְּבָעְיָין צְחוּתָא.

רעז. וְתוּ, דְּכָל בַּר נָשׁ, דְּקָם לְמִלְעֵי בְּאוֹרַיְיתָא, מִפַּלְגּוּ לֵילְיָא, כַּד אִתְּעַר רוּחַ צָפוֹן, קוּדְשָׁא בְּרִיךְ הוּא אָתֵי לְאִשְׁתַּעְשְׁעָא עִם צַדִּיקַיָּא בְּגִנְתָּא דְּעֵדֶן. וְהוּא וְכָל צַדִּיקַיָּיא דִּבְגִנְתָּא, כֻּלְּהוּ

צַיְיתִין לְאִלֵּין מִלִּין דְּנָפְקֵי מִפּוּמֵיהּ. וּמָה קֻבְּ"ה, וְכָל צַדִּיקַיָּיא, מִתְעַדְּנִין לְמִשְׁמַע מִלֵּי דְּאוֹרַיְיתָא בְּשַׁעֲתָא דָּא. וַאֲנָא אֵהָא שָׁכִיב בְּעַרְסָאי. אֲמַר לֵיהּ, הַשְׁתָּא אֵימָא מִילָּךְ.

רעח. א"ל, שְׁאֵילְתָּא עַל מַה דַּאֲמַרְתְּ בִּפְסוּקָא דָּא, וְהָאֶבֶן הַזֹּאת אֲשֶׁר שַׂמְתִּי מַצֵּבָה יִהְיֶה בֵּית אֱלֹקִים, דְּדָא אֶבֶן שְׁתִיָּה. הֵיךְ אֶפְשָׁר, דְּהָא אֶבֶן שְׁתִיָּה, עַד לָא אִתְבְּרֵי עָלְמָא הֲוָת, וּמִנָּהּ אִשְׁתִּיל עָלְמָא, וְאַתְּ אֲמַרְתְּ, אֲשֶׁר שַׂמְתִּי, דְּמַשְׁמַע דְּיַעֲקֹב שַׁוֵּי לָהּ הַשְׁתָּא. וּכְתִיב וַיִּקַּח אֶת הָאֶבֶן אֲשֶׁר שָׂם מְרַאֲשׁוֹתָיו.

רעט. וְתוּ, דְּיַעֲקֹב בְּבֵית אֵל הֲוָה, וְאַבְנָא דָּא הֲוָת בִּירוּשְׁלֵם. א"ל כָּל אַרְעָא דְּיִשְׂרָאֵל אִכְּפַל תְּחוֹתוֹי, וְהַהוּא אֶבֶן תְּחוֹתֵיהּ הֲוָת. א"ל, אֲשֶׁר שָׂם כְּתִיב. וּכְתִיב, וְהָאֶבֶן הַזֹּאת אֲשֶׁר שַׂמְתִּי מַצֵּבָה. א"ל אִי יָדַעַתְּ מִלָּה אֵימָא לָהּ.

רפ. פָּתַח וַאֲמַר, אֲנִי בְּצֶדֶק אֶחֱזֶה פָנֶיךָ אֶשְׂבְּעָה בְהָקִ"ץ תְּמוּנָתֶךָ. דָּוִד מַלְכָּא, חֲבִיבוּתָא וּדְבֵקוּתָא דִּילֵיהּ, בְּהַאי אֶבֶן הֲוָה. וַעֲלָהּ אֲמַר אֶבֶן מָאֲסוּ הַבּוֹנִים הָיְתָה לְרֹאשׁ פִּנָּה. וְכַד בָּעָא לְאִסְתַּכְּלָא, בְּזִיוּ יְקָרָא דְּמָרֵיהּ, נָטַל לְהַאי אֶבֶן בִּידֵיהּ, בְּקַדְמֵיתָא, וּלְבָתַר עָיֵיל.

רפא. בְּגִין דְּכָל מַאן דְּבָעֵי, לְאִתְחֲזָאָה קַמֵּי מָרֵיהּ, לָא אָעֵיל אֶלָּא בְּהַאי אֶבֶן. דִּכְתִיב בְּזֹאת יָבֹא אַהֲרֹן אֶל הַקֹּדֶשׁ. וְדָוִד מְשַׁבַּח גַּרְמֵיהּ, וַאֲמַר אֲנִי בְּצֶדֶק אֶחֱזֶה פָנֶיךָ. וְכָל אִשְׁתַּדְּלוּתֵיהּ דְּדָוִד, לְאִתְחֲזָאָה בְּהַאי אֶבֶן, כִּדְקָא יָאוּת, לְגַבֵּי דִּלְעֵילָּא.

רפב. תָּא חֲזֵי, אַבְרָהָם אַתְקִין צְלוֹתָא דְּצַפְרָא וְאוֹדַע טִיבוּ דְּמָארֵיהּ בְּעָלְמָא. וְאַתְקִין הַהִיא שַׁעֲתָא, בְּתִקּוּנָהָא כִּדְקָא יָאוּת. דִּכְתִיב וַיַּשְׁכֵּם אַבְרָהָם בַּבֹּקֶר. יִצְחָק, אַתְקִין צְלוֹתָא דְּמִנְחָה. וְאוֹדַע בְּעָלְמָא, דְּאִית דִּין וְאִית דַּיָּין, דְּיָכוֹל לְשֵׁיזָבָא וּלְמֵידַן עָלְמָא.

רפג. יַעֲקֹב, אַתְקִין צְלוֹתָא דְּעַרְבִית, וּבְגִין צְלוֹתָא דָּא, דְּאַתְקִין מַה דְּלָא אַתְקִין ב"נ מִקַּדְמַת דְּנָא, כִּדְקָא יָאוּת. בְּגִ"כ, שַׁבַּח גַּרְמֵיהּ, וַאֲמַר וְהָאֶבֶן הַזֹּאת אֲשֶׁר שַׂמְתִּי מַצֵּבָה. דְּעַד הַהִיא שַׁעֲתָא, לָא שַׁוֵּי לָהּ אָחֳרָא כַּוָּותֵיהּ.

רפד. וּבְגִין כָּךְ, וַיִּקַּח אֶת הָאֶבֶן אֲשֶׁר שָׂם מְרַאֲשׁוֹתָיו וַיָּשֶׂם אוֹתָהּ מַצֵּבָה. מַאי מַצֵּבָה, דַּהֲוָה נְפִילָה, וְאוֹקִים לָהּ. וַיִּצֹק שֶׁמֶן עַל רֹאשָׁהּ. דְּהָא בְּיַעֲקֹב תַּלְיָא מִילְּתָא, לְמֶעְבַּד יַתִּיר מִכָּל בְּנֵי עָלְמָא.

רפה. אָתָא רַבִּי יְהוּדָה וּנְשָׁקֵיהּ, א"ל, וְכָל הַאי יָדַעַתְּ וְאַתְּ מִשְׁתַּדֵּל בִּסְחוֹרְתָּא, וּמְנַח חַיֵּי עָלְמָא. א"ל דַּהֲוָה דְּחִיקָא לִי שַׁעֲתָא, וְאִית לִי תְּרֵין בְּנִין, וְקַיְימִין כָּל יוֹמָא בְּבֵי רַב, וַאֲנָא אִשְׁתַּדַּלְנָא עַל מְזוֹנַיְיהוּ, וּלְמֵיהַב לוֹן אַגְרָא לְמוֹרַיְיהוּ, בְּגִין דְּיִשְׁתַּדְּלוּן בְּאוֹרַיְיתָא.

רפו. פָּתַח וַאֲמַר, וּשְׁלֹמֹה יָשַׁב עַל כִּסֵּא דָּוִד אָבִיו וַתִּכֹּן מַלְכוּתוֹ מְאֹד. מַאי שִׁבְחָא דָּא. אֶלָּא, דְּאַתְקִין אֶבֶן שְׁתִיָּה, וְשַׁוֵּי עֲלָהּ קֹדֶשׁ הַקֳּדָשִׁים, וּכְדֵין, וַתִּכֹּן מַלְכוּתוֹ מְאֹד.

רפז. וּכְתִיב, וּרְאִיתִיהָ לִזְכֹּר בְּרִית עוֹלָם. דְּהָא קֻבְּ"ה, תֵּיאוּבְתָא דִּילֵיהּ בָּהּ תָּדִיר, וּמַאן דְּלָא אִתְחֲזֵי בָּהּ, לָא אָעֵיל קַמֵּי מָארֵיהּ. וְעַ"ד כְּתִיב, וּרְאִיתִיהָ לִזְכֹּר בְּרִית עוֹלָם.

רפח. וּרְאִיתִיהָ. מַאי וּרְאִיתִיהָ, רָזָא הוּא, כד"א וְהָתְוִיתָ תָּיו עַל מִצְחוֹת וְגוֹ'. לְאִתְחֲזָאָה עֲלַיְיהוּ. וְאִיכָּא דְּאָמְרֵי, דָּא רְשִׁימוּ דְּאָת קַדִּישָׁא, דִּי בְּבִשְׂרָא.

רפט. א"ר יְהוּדָה, וַדַּאי כֹּלָּא הוּא. אֲבָל, הַאי קֶשֶׁת דְּאִתְחֲזֵי בְּעָלְמָא, בְּרָזָא עִלָּאָה קַיְימָא. וְכַד יִפְקוּן יִשְׂרָאֵל מִן גָּלוּתָא, זְמִינָא הַאי קֶשֶׁת לְאִתְקַשְּׁטָא בְּגַוְונוֹי, כְּכַלָּה דָּא, דְּמִתְקַשְּׁטָא לְבַעֲלָהּ.

רצ. א"ל הַהוּא יוּדָאי, כָּךְ אֲמַר לִי אַבָּא, כַּד הֲוָה מִסְתַּלַּק מֵעָלְמָא, לָא תְּצַפֵּי לְרַגְלֵי דִּמְשִׁיחָא, עַד דְּיִתְחֲזֵי הַאי קֶשֶׁת בְּעָלְמָא, מִתְקַשְּׁטָא בְּגַוְונֵי נְהִירִין, וְיִתְנְהִיר לְעָלְמָא.

וּכְדֵין צָפֵי לֵיהּ לְמָשִׁיחַ.

רצא. מְנָלָן, דִּכְתִּיב וּרְאִיתִיהָ לִזְכֹּר בְּרִית עוֹלָם. וְהַשְׁתָּא דְּאִתְחֲזְיָא בְּגַוְונִין וְחֲשׁוֹכִין, מִתְחַזְיָא לְדוּכְרָנָא, דְּלָא יֵיתֵי מַבּוּל. אֲבָל בְּהַהִיא זִמְנָא אִתְחַזְיָיא בְּגַוְונִין נְהִירִין, וּמִתְקַשְּׁטָא בְּתִקּוּנָא כְּכַלָּה דְּמִתְקַשְּׁטָא לְבַעְלָהּ. וּכְדֵין לִזְכֹּר בְּרִית עוֹלָם. וְיִדְכַּר קֻבָּ"ה לְהַאי בְּרִית, דְּאִיהוּ בְּגָלוּתָא, וְיָקִים לָהּ מֵעַפְרָא, הה"ד וּבִקְשׁוּ אֶת ה' אֱלֹהֵיהֶם וְאֵת דָּוִד מַלְכָּם. וּכְתִיב וְעָבְדוּ אֵת ה' אֱלֹהֵיהֶם וְאֵת דָּוִד מַלְכָּם אֲשֶׁר אָקִים לָהֶם, אֲשֶׁר אָקִים מֵעָפָר, כד"א אָקִים אֶת סֻכַּת דָּוִד הַנֹּפֶלֶת. וְע"ד וּרְאִיתִיהָ לִזְכֹּר בְּרִית עוֹלָם, וּלְאַקָמָא לָהּ מֵעַפְרָא.

רצב. וַאֲמַר הָכֵי אַבָּא, דִּבְגִין כָּךְ, אִדְכַּר בְּאוֹרַיְיתָא, פּוּרְקָנָא דְּיִשְׂרָאֵל, וּדְכוּרָנָא דִּילָהּ. וְדָא הוּא דִּכְתִּיב אֲשֶׁר נִשְׁבַּעְתִּי מֵעֲבוֹר מֵי נֹחַ עוֹד עַל הָאָרֶץ כֵּן נִשְׁבַּעְתִּי מִקְּצוֹף עָלַיִךְ וּמִגְּעָר בָּךְ.

רצג. וַיִּהְיוּ בְּנֵי נֹחַ הַיּוֹצְאִים מִן הַתֵּבָה. רַבִּי אֶלְעָזָר אֲמַר, כֵּיוָן דִּכְתִּיב וַיִּהְיוּ בְּנֵי נֹחַ. אַמַּאי אֲמַר הַיּוֹצְאִים מִן הַתֵּבָה. וְכִי בְּנִין אָחֳרָנִין הֲווֹ לֵיהּ, דְּלָא נָפְקֵי מִן תֵּיבוּתָא.

רצד. אֲמַר לֵיהּ רַבִּי אַבָּא, אִין. דְּהָא לְבָתַר, אוֹלִידוּ בְּנוֹי בְּנִין. דִּכְתִּיב, וְאֵלֶּה תּוֹלְדוֹת שֵׁם וְגוֹ'. וְאִינּוּן לָא נָפְקֵי מִגּוֹ תֵּיבוּתָא. וּבְגִ"כ כְּתִיב, הַיּוֹצְאִים מִן הַתֵּבָה שֵׁם וְחָם וָיָפֶת.

רצה. רַבִּי שִׁמְעוֹן אֲמַר, אִילּוּ הֲוָה שְׁכִיחַ בְּעָלְמָא, כַּד יָהֵיב קֻבָּ"ה סִפְרָא דַּחֲנוֹךְ בְּעָלְמָא, וְסִפְרָא דְּאָדָם, אִתְקִיפְנָא, דְּלָא יִשְׁתַּכְּחוּן בֵּינֵי אֱנָשָׁא, בְּגִין דְּלָא חַיְישׁוּ כָּל חַכְמָאן לְאִסְתַּכְּלָא בְּהוּ, וְטָעָן בְּמִלִּין אָחֳרָנִין, לְאַפָּקָא מֵרְשׁוּ עִלָּאָה, לִרְשׁוּ אָחֳרָא. וְהַשְׁתָּא הָא חַכִּימֵי עָלְמָא יָדְעִין מִלִּין, וְסַתְמִין לוֹן, וּמִתְתַּקְּפֵי בְּפוּלְחָנָא דְּמָארֵיהוֹן.

רצו. וְהַאי קְרָא, אַשְׁכַּחְנָא בְּרָזָא דְּרָזִין. דְּכַד אִתְעַר חֶדְוָה דְּכֹלָּא חֶדְוָון, טְמִירָא סְתִימָא, סִבְתָא דְּסַבְתִּין, אַנְהִיר מִנֵּיהּ נְהִירוּ דַּקִּיק. חֶדְוָה דְּכֹלָּא חֶדְוָון, נָהִיר לִימִינָא, בְּמִשְׁחָא רְבוּת עִלָּאָה. וְנָהִיר לִשְׂמָאלָא בְּחֶדְוָה דְּחַמְרָא טָב, נָהִיר לְאֶמְצָעִיתָא בְּחֶדְוָה דִּתְרֵין סִטְרִין. רוּחַ אִתְעַר, וְרוּחַ סַלְקָא, וְאִתְיְיהֵיב בְּרוּחָא.

רצז. דְּבַקְן דָּא בְּדָא. תְּלַת עָאלִין בִּתְלַת. מִגּוֹ תְּלַת, נָפְקָא חַד בְּרִית, וְדָבְקָא בִּבְרִית. אִתְעֲבָרַת רוּחַ דְּסַלְקָא, מִתְעַבְּרַת מִנֵּיהּ. כַּד אִתְיְיהִיבַת בִּתְרֵין סִטְרִין, אִתְדַּבְּקוּ רוּחָא בְּרוּחָא, וּמִתְעַבְּרָאן מִתְּלַת בְּנִין. וְנֹחַ וְתֵיבָה, נָפְקוּ מִנַּיְיהוּ תְּלָתָא, כְּגַוְונָא דִּתְלָתָא עִלָּאִין, וְאִלֵּין אִינּוּן דִּנְפָקוּ מִגּוֹ תֵּיבוּתָא: שֵׁם וְחָם וָיָפֶת. שֵׁם: דְּבִסְטַר יְמִינָא, וְחָם: דְּבִסְטַר שְׂמָאלָא. יֶפֶת: אַרְגְּוָונָא דְּכָלֵיל לוֹן.

רצח. וְחָם הוּא אֲבִי כְנָעַן. זוּהֲמָא דְּדַהֲבָא, תְּחוֹת קַסְטִיפִין. אִתְּעָרוּתָא דְּרוּחָא מְסָאֲבָא, דְּנָחָשׁ קַדְמָאָה. וּבְגִ"כ, רָשִׁים וַאֲמַר, וְחָם הוּא אֲבִי כְנָעַן. דְּאַיְיתֵי לְווֹטִין עַל עָלְמָא. הַהוּא כְּנַעַן, דְּאִתְלַטְיָא. הַהוּא כְנַעַן, דְּאַחְשִׁיךְ אַנְפֵּי בִּרְיָין.

רצט. וּבְגִ"כ, לָא נָפִיק מִגּוֹ כְּלָלָא דְּכֻלְּהוּ, אֶלָּא דָּא. דִּכְתִּיב, וְחָם הוּא אֲבִי כְנָעַן. הַהוּא דְּאַחְשִׁיךְ עָלְמָא, וְלָא כְּתִיב בִּכְלָלָא דָּא, וְשֵׁם הוּא אֲבִי כָךְ, אוֹ יֶפֶת הוּא אֲבִי כָךְ, אֶלָּא מִיָּד קָפַץ וַאֲמַר, וְחָם הוּא אֲבִי כְנָעַן. וַדַּאי.

ש. וְעַל דָּא, כַּד אָתָא אַבְרָהָם, מַה כְּתִיב, וַיַּעֲבֹר אַבְרָם בָּאָרֶץ. דְּעַד לָא הֲוָה קִיּוּמָא דַּאֲבָהָן, וְלָא אָתוּ זַרְעָא דְּיִשְׂרָאֵל בְּעָלְמָא, דְּיִפּוּק שְׁמָא דָא, וְיֵיעוּל שְׁמָא עִלָּאָה קַדִּישָׁא. כַּד הֲווֹ זַכָּאִין יִשְׂרָאֵל, אִקְרֵי אַרְעָא, עַל שְׁמָא דָא, אֶרֶץ יִשְׂרָאֵל. כַּד לָא זָכוּ,

אִקְרֵי אַרְעָא עַל שְׁמָא אָחֳרָא, אֶרֶץ כְּנָעַן.

שא. וְעַל דָּא, כְּתִיב וַיֹּאמֶר אָרוּר כְּנָעַן עֶבֶד עֲבָדִים יִהְיֶה לְאֶחָיו. דְּאִיהוּ אַיְיתֵי לְוָוטִין עַל עָלְמָא. וּבְנָחָשׁ מַה כְּתִיב אָרוּר אַתָּה מִכָּל הַבְּהֵמָה. הַיְינוּ דִּכְתִּיב עֶבֶד עֲבָדִים. וְעַל דָּא כְּתִיב, שֵׁם וְחָם וָיָפֶת. תְּלַת אִלֵּין בְּנֵי נֹחַ הַיּוֹצְאִים מִן הַתֵּיבָה כִּדְקָאַמְרִינָן.

שב. שְׁלֹשָׁה אֵלֶּה בְּנֵי נֹחַ. קִיּוּמָא דְּכָל עָלְמָא, קִיּוּמָא דְּרָזָא עִלָּאָה. וּמֵאֵלֶּה נָפְצָה כָּל הָאָרֶץ. הַיְינוּ רָזָא דִּתְלַת גְּוָונִין עִלָּאִין. דְּכַד הַהוּא נָהָר דְּנָגִיד וְנָפִיק, אַשְׁקֵי לְגִנְּתָא, בְּחֵילָא דִּתְלַת אִלֵּין עִלָּאִין. וּמִתַּמָּן אִתְפָּרְשָׁן גְּוָונִין דִּלְתַתָּא, כָּל חַד וְחַד כָּלִיל בְּחַבְרֵיהּ, לְאַחֲזָאָה דִּיקָרָא דְּקֻבְּ"הֽ, אִתְפַּשַּׁט לְעֵילָּא וְתַתָּא, וְאִיהוּ חַד, בְּעִלָּאֵי וְתַתָּאֵי.

שג. אָמַר רַבִּי אֶלְעָזָר, תְּלַת גְּוָונִין אִלֵּין, בְּכָל אִינּוּן דְּאַתְיָין, מִסִּטְרָא דִּקְדוּשָּׁה, וּמֵחֵיזוּ דִּתְלַת גְּוָונִין אִלֵּין, מִתְפָּרְשָׁאן לְכָל אִינּוּן דְּאַתְיָין מִסִּטְרָא דְּרוּחָא אָחֳרָא. וְכַד תִּסְתַּכֵּל בְּרָזָא דְּדַרְגִּין, תִּשְׁכַּח הֵיךְ מִתְפָּרְשָׁן גְּוָונִין, לְכָל אִינּוּן סִטְרִין, עַד דְּעָיְילִין לְתַתָּא, בְּרָזָא דְּאִינּוּן שִׁבְעָה וְעֶשְׂרִין צִנּוֹרִין, דְּדַשֵּׁי. דְּחָפְיָין לִתְהוֹמֵי.

שד. וְכֹלָּא יְדִיעָא לְחַכִּימִין עֶלְיוֹנִין. זַכָּאָה חוּלָקְהוֹן דְּצַדִּיקַיָּיא, דְּקֻבְּ"ה אִתְרְעֵי בִּיקָרֵיהוֹן, וְגַלֵּי לוֹן סִתְרִין עִלָּאִין דְּחָכְמְתָא, עֲלַיְיהוּ כְּתִיב סוֹד ה' לִירֵאָיו וּבְרִיתוֹ לְהוֹדִיעָם.

שה. פָּתַח רַבִּי אֶלְעָזָר וַאֲמַר: ה' אֱלֹקַי אַתָּה אֲרוֹמִמְךָ אוֹדֶה שִׁמְךָ כִּי עָשִׂיתָ פֶּלֶא עֵצוֹת מֵרָחוֹק אֱמוּנָה אֹמֶן. כַּמָּה אִית לוֹן לִבְנֵי נָשָׁא, לְאִסְתַּכָּלָא בִּיקָרָא דְּקֻבְּ"ה, וּלְשַׁבְּחָא לִיקָרֵיהּ. בְּגִין דְּכָל מַאן דְּיָדַע לְשַׁבְּחָא לְמָארֵיהּ, כִּדְקָא יָאוּת, קֻבְּ"ה עָבִיד לֵיהּ רְעוּתֵיהּ. וְלָא עוֹד, אֶלָּא דְּאַסְגֵּי בִּרְכָאן לְעֵילָּא וְתַתָּא.

שו. וְעַל דָּא מַאן דְּיָדַע לְשַׁבְּחָא לֵיהּ לְמָארֵיהּ, וּלְיַיחֲדָא שְׁמֵיהּ, חָבִיב הוּא לְעֵילָּא, וְחָמִיד לְתַתָּא. וְקֻבְּ"ה מִשְׁתַּבַּח בֵּיהּ. וַעֲלֵיהּ כְּתִיב, וַיֹּאמֶר לִי עַבְדִּי אַתָּה יִשְׂרָאֵל אֲשֶׁר בְּךָ אֶתְפָּאַר.

שז. וַיָּחֶל נֹחַ אִישׁ הָאֲדָמָה וַיִּטַּע כָּרֶם. ר' יְהוּדָה וְר' יוֹסֵי. חַד אֲמַר, מִגַּן עֵדֶן אִתְתָּרְכַת, וּנְצִיב לָהּ הָכָא. וְחַד אֲמַר בְּאַרְעָא הֲוַת, וְעָקַר לָהּ, וְשָׁתַל לָהּ, וּבְהַהוּא יוֹמָא, עַבְדַּת אִיבִּין וְנִיצַּת לִבְלְבִין, וַעֲנָבִים וַהֲוָה סָחִיט לָהּ, וְשָׁתֵי מִן חַמְרָא וְרָוֵי.

שח. רַבִּי שִׁמְעוֹן אֲמַר, רָזָא דְּחָכְמְתָא, אִיהוּ הָכָא, בְּהַאי קְרָא. כַּד בָּעָא נֹחַ לְמִבְדַּק בְּהַהוּא חוֹבָא, דְּבָדַק אָדָם הָרִאשׁוֹן. לָאו לְאִתְדַּבְּקָא בֵּיהּ, אֶלָּא לְמִנְדַּע, וּלְאַתְקָנָא עָלְמָא, וְלָא יָכִיל. סָחַט עֲנָבִים לְמִבְדַּק בְּהַהוּא כֶּרֶם. כֵּיוָן דְּמָטָא לְהַאי, וַיִּשְׁכָּר וַיִּתְגַּל. וְלָא הֲוָה לֵיהּ, חֵילָא לְמֵיקַם. וּבְג"כ, וַיִּתְגַּל: גַּלֵּי פִּרְצָה דְּעָלְמָא, דַּהֲוָה סָתִים. בְּתוֹךְ אָהֳלֹה, כְּתִיב בְּה"א. וְע"ד כְּתִיב, וְאַל תִּקְרַב אֶל פֶּתַח בֵּיתָהּ. בְּתוֹךְ אָהֳלָה, דְּהַהוּא כֶּרֶם.

שט. כְּגַוְונָא דָּא, בְּנֵי אַהֲרֹן, דְּתָנִינָן שְׁתוּיֵי יַיִן הֲווֹ. וְכִי מַאן יָהִיב לוֹן חַמְרָא, בְּהַהוּא אֲתַר לְמִשְׁתֵּי. אִי ס"ד, דְּאִינּוּן חֲצִיפִין הֲווֹ, דְּרָווּ חַמְרָא. לָאו הָכֵי, אֶלָּא וַדַּאי, מֵהַהוּא חַמְרָא רָווּ. דִּכְתִיב, וַיַּקְרִיבוּ לִפְנֵי ה' אֵשׁ זָרָה. כְּתִיב הָכָא, אֵשׁ זָרָה, וּכְתִיב הָתָם לִשְׁמָרְךָ מֵאִשָּׁה זָרָה. וְכֹלָּא חַד מִלָּה.

שי. וְכֵן כְּגַוְונָא דָּא, וַיֵּשְׁתְּ מִן הַיַּיִן וַיִּשְׁכָּר וַיִּתְגַּל. וְעַל דָּא, אִתְעַר חָם אֲבִי כְנַעַן, כְּמָה דְּאִתְּמַר. וְאִתְיְיהִיב אֲתַר לִכְנַעַן לְשַׁלְטָאָה, וּמַאי דַּהֲוָה הָדֵין צַדִּיק, בְּרָזָא דִּבְרִית, סֵרְסוֹ. וְתַנְיָא דְּאַעֲבַר מִינֵּיהּ הַהוּא קִיּוּמָא.

שיא. וּבְגִין כָּךְ אֲמַר, אָרוּר. דְּהָא לְוָוטִין, אִתְעָרוּ בְּקַדְמֵיתָא, עַל יְדֵיהּ בְּעָלְמָא. עֶבֶד עֲבָדִים יִהְיֶה. כד"א אָרוּר אַתָּה מִכָּל הַבְּהֵמָה וגו'. כֹּלָּא יִתְתַּקַּן לִזְמְנָא דְּאָתֵי,

וְהוּא לָא יִתְתַּקַּן. וְכֹלָּא יִפְקוּן לְזֵירוּ, וְהוּא לָא יִפּוּק. וְרָזָא אִיהוּ לְאִינּוּן דְּיָדְעֵי אָרְחוֹי, וּשְׁבִילֵי דְּאוֹרַיְיתָא.

שי״ב. פָּתַח וְאָמַר, כִּי פְשָׁעַי אֲנִי אֵדָע וְחַטָּאתִי נֶגְדִּי תָמִיד. כַּמָּה אִית לוֹן לִבְנֵי נָשָׁא, לְאִסְתַּמְּרָא מֵחוֹבַיְיהוּ, מִקַּמֵּי קֻבְּ״ה. דְּהָא לְבָתַר דְּחָטָא בַּר נָשׁ, רָשִׁים הוּא, וְחוֹבֵיהּ לְעֵילָא, וְלָא אִתְמְחַק, בַּר בְּתוּקְפָּא דִּתְיוּבְתָּא סַגְיָא. כד״א כִּי אִם תְּכַבְּסִי בַּנֶּתֶר וְתַרְבִּי לָךְ בּוֹרִית נִכְתָּם עֲוֹנֵךְ לְפָנַי.

שי״ג. ת״ח, כֵּיוָן דְּחָב ב״נ קַמֵּי קב״ה זִמְנָא וְחָדָא, עָבִיד רְשִׁימוּ. וְכַד חָב בֵּיהּ זִמְנָא תִּנְיָינָא, אִתְתַּקַּף הַהוּא רְשִׁימוּ יַתִּיר. חָב בֵּיהּ זִמְנָא תְּלִיתָאָה, אִתְפָּשַׁט הַהוּא כִּתְמָא, מִסִּטְרָא דָּא לְסִטְרָא דָּא, כְּדֵין כְּתִיב, נִכְתָּם עֲוֹנֵךְ לְפָנַי.

שי״ד. ת״ח, דָּוִד מַלְכָּא, כֵּיוָן דְּחָב קַמֵּי קב״ה, עַל עִסְקָא דְּבַת שֶׁבַע, חָשִׁיב, דְּהַהוּא חוֹבָא, אִתְרְשִׁים עֲלֵיהּ לְעָלְמִין. מַה כְּתִיב, גַּם ה׳ הֶעֱבִיר חַטָּאתְךָ לֹא תָמוּת. אַעֲבַר הַהוּא רְשִׁימוּ מִקַּמֵּיהּ.

שט״ו. א״ל רַבִּי אַבָּא, וְהָא תָּנִינָן דְּבַת שֶׁבַע, דִּילֵיהּ דְּדָוִד מַלְכָּא הֲוַת מִן יוֹמָא דְּאִתְבְּרֵי עָלְמָא, אַמַּאי, יְהַבָה קב״ה לְאוּרִיָּה הַחִתִּי, מִן קַדְמַת דְּנָא.

שט״ז. א״ל, הָכֵי אוֹרְחוֹי דְּקֻבְּ״ה, אע״ג דְּאִתְּתָא אִזְמִינָא לֵיהּ לְבַר נָשׁ, לְמֶהֱוֵי דִּילֵיהּ, אַקְדִּים אַחֲרָא וְנָסִיב לָהּ, עַד דְּמָטָא זִמְנֵיהּ דְּהַאי. כֵּיוָן דְּמָטָא זִמְנֵיהּ, אִתְדְּחִיָּיא הַאי דְּנָסִיב לָהּ, מִקַּמֵּי הַאי אָחֳרָא, דְּאָתֵי לְבָתַר, וְאִסְתַּלַּק מֵעָלְמָא. וְקָשֵׁי קַמֵּיהּ קב״ה לְאַעֲבָרָא לֵיהּ מֵעָלְמָא, עַד לָא מָטֵי זִמְנֵיהּ, מִקַּמֵּי הַאי אָחֳרָא.

שי״ז. וְרָזָא דְּבַת שֶׁבַע, דְּאִתְיְיהִיבַת לְאוּרִיָּה הַחִתִּי בְּקַדְמֵיתָא, פּוּק וְדוּק, אַמַּאי אִתְיְהִיבַת אַרְעָא קַדִּישָׁא לִכְנַעַן, עַד לָא יֵיתוּן יִשְׂרָאֵל. וְתִשְׁכַּח מִלָּה דָּא. וְכֹלָּא רָזָא וְחָדָא אִיהוּ, וּמִלָּה וְחָדָא.

שי״ח. ת״ח, דָּוִד, אע״ג דְּאוֹדֵי עַל חוֹבֵיהּ, וְתָב בִּתְיוּבְתָּא, לָא אַעֲדֵי לִבֵּיהּ וּרְעוּתֵיהּ מֵאִינּוּן חוֹבִין דְּחָב, וּמֵהַהוּא חוֹבָא דְּבַת שֶׁבַע, בְּגִין דִּדְחִיל עֲלַיְיהוּ תָּדִיר, דִּילְמָא גָּרִים חַד מִנַּיְיהוּ, וְיִקְטְרַג עֲלֵיהּ בְּשַׁעֲתָא דְּסַכָּנָה. וּבְגִין כָּךְ, לָא אַנְשֵׁי לוֹן, מִנֵּיהּ וּמֵרְעוּתֵיהּ.

שי״ט. ד״א, כִּי פְשָׁעַי אֲנִי אֵדָע. כֻּלְּהוּ דַּרְגִּין, דְּתַלְיָין בְּהוּ חוֹבֵי בְּנֵי נָשָׁא, אֲנִי אֵדָע. וְחַטָּאתִי נֶגְדִּי תָמִיד. דָּא פְּגִימוּ דְּסִיהֲרָא, דְּלָא נָפְקָא מִסְּאוּבְתָּא, עַד דְּאָתָא שְׁלֹמֹה, וְאִתְנְהִירַת בְּאַשְׁלְמוּתָא. וּכְדֵין אִתְבְּסָם עָלְמָא, וִיתִיבוּ יִשְׂרָאֵל לִרְוָחָן. דִּכְתִיב וַיֵּשֶׁב יְהוּדָה וְיִשְׂרָאֵל לָבֶטַח אִישׁ תַּחַת גַּפְנוֹ וְתַחַת תְּאֵנָתוֹ. וְעִם כָּל דָּא, וְחַטָּאתִי נֶגְדִּי תָמִיד. וְלָא אִתְפְּסַק מֵעָלְמָא. עַד דְּיֵיתֵי מַלְכָּא מְשִׁיחָא, לְזִמְנָא דְּאָתֵי. כְּמָה דְּאִתְּמַר וְאֶת רוּחַ הַטּוּמְאָה אַעֲבִיר מִן הָאָרֶץ.

ש״כ. הוּא הָיָה גִּבּוֹר צַיִד לִפְנֵי ה׳ עַל כֵּן יֵאָמַר כְּנִמְרוֹד גִּבּוֹר צַיִד לִפְנֵי ה׳. ת״ח, הוּא הֲוָה גְּבַר תַּקִּיף. לְבוּשׁוֹי דְּאָדָם הָרִאשׁוֹן הֲוָה לָבִישׁ. וַהֲוָה יָדַע לְמֵיצַד צֵידָה דִּבְרִיָּיתָא בְּהוּ.

שכ״א. אָמַר רַבִּי אֶלְעָזָר, נִמְרוֹד הֲוָה מְפַתֵּי לִבְרִיָּיתָא, לְמֵיהַךְ בָּתַר פּוּלְחָן דַּע״ז. וַהֲוָה שַׁלִּיט בְּאִינּוּן לְבוּשִׁין, וְנָצַח בְּנֵי עָלְמָא. וַהֲוָה אֲמַר דְּאִיהוּ שַׁלִּיטָא בְּעָלְמָא, וּפָלְחִין לֵיהּ בְּנֵי נָשָׁא. וְאַמַּאי אִקְרֵי שְׁמֵיהּ נִמְרוֹד. דְּמָרַד בְּמַלְכָּא עִלָּאָה. דִּלְעֵילָא. דְּמָרַד בְּעִלָּאֵי, וּמָרַד בְּתַתָּאֵי.

שכ״ב. בְּאִינּוּן לְבוּשִׁין, שַׁלִּיט עַל כָּל בְּנֵי עָלְמָא, וּמָלַךְ בְּהוּ. וּמָרַד בְּמָארֵיהּ. וְאָמַר, דְּאִיהוּ שַׁלִּיטָא דְּעָלְמָא, וַהֲוָה מְפַתֵּי לִבְרִיָּיתָא אֲבַתְרֵיהּ, עַד דְּמָשַׁךְ בְּנֵי נָשָׁא, לְמֵיפַק

מִבָּתַר פּוּלְחָנָא דְּמָארֵי עָלְמָא. אֲמַר ר"ש בְּאִלֵּין לְבוּשִׁין, יָדְעֵי בְּהוּ חַבְרַיָּיא רָזָא עִלָּאָה.

שכג. מַתְנִיתִין. וַיְהִי כָל הָאָרֶץ שָׂפָה אֶחָת וּדְבָרִים אֲחָדִים. ר' שִׁמְעוֹן פָּתַח, וְהַבַּיִת בְּהִבָּנוֹתוֹ אֶבֶן שְׁלֵמָה מַסָּע נִבְנָה וּמַקָּבוֹת וְהַגַּרְזֶן כָּל כְּלִי בַרְזֶל לֹא נִשְׁמַע בַּבַּיִת בְּהִבָּנוֹתוֹ. וְהַבַּיִת בְּהִבָּנוֹתוֹ. וְכִי לָא הֲוָה בָּנֵי לֵיהּ שְׁלֹמֹה, וְכֻלְּהוּ אוּמָנִין, דַּהֲווֹ תַּמָּן, מַהוּ בְּהִבָּנוֹתוֹ.

שכד. אֶלָּא, כָּךְ הוּא, כְּמָה דִּכְתִּיב, מִקְשָׁה תֵּעָשֶׂה הַמְּנוֹרָה. אִם הִיא מִקְשָׁה, מַהוּ תֵּעָשֶׂה. אֶלָּא, וַדַּאי כֹּלָּא בְּאָת וְנִיסָּא אִתְעֲבֵיד אִיהוּ מִגַּרְמֵיהּ. כֵּיוָן דְּשָׁרָאן לְמֶעְבַּד עֲבִידְתָּא אוּלִיף לְאוּמָנִין לְמֶעְבַּד בָּהּ, מַה דְּלָא הֲווֹ יָדְעִין מִקַּדְמַת דְּנָא.

שכה. מ"ט, בְּגִין דְּבִרְכְתָא דְקֻדְשָׁא בְּרִיךְ הוּא, שָׁרָא עַל יְדַיְיהוּ, וְעַ"ד כְּתִיב, בְּהִבָּנוֹתוֹ, אִיהִי אִתְבְּנֵי מִגַּרְמֵיהּ, דְּהוּא אוּלְפָא אוּלִפַן לְאוּמָנִין, הֵיאךְ שָׁרָאן לְמֶעְבַּד, וְלָא אִסְתַּלַּק מֵעֵינַיְיהוּ רְשִׁימוּ דְּהַהוּא עֲבִידְתָּא מַמָּשׁ, וּמִסְתַּכְּלָאן בֵּיהּ וְעָבְדֵי, עַד דְּאִתְבְּנֵי כָּל בֵּיתָא.

שכו. אֶבֶן שְׁלֵמָה מַסָּע נִבְנָה. שְׁלֵמָה כְּתִיב, וְחָסֵר יוּד, אֶבֶן שְׁלֵמָה וַדַּאי. מַסָּע: דְּאִתְנְטֵיל וְאַתְיָיא וְשָׁרְיָיא עֲלַיְיהוּ, וְאִתְעֲבֵיד עֲבִידְתָּא. מַסָּע: דְּאַנְטֵיל יָדָן לְמֶעְבַּד, דְּלָא מִדַּעְתַּיְיהוּ. כְּתִיב הָכָא מַסָּע. וּכְתִיב הָתָם וּלְמַסַּע אֶת הַמַּחֲנוֹת.

שכז. וּמַקָּבוֹת וְהַגַּרְזֶן כָּל כְּלִי בַּרְזֶל לֹא נִשְׁמַע. בְּגִין, דְּשָׁמִיר בָּזַע כֹּלָּא, וְלָא אִשְׁתְּמַע מִלָּה, דְּלָא אִצְטְרִיכוּ לִשְׁאָר מָאנִין לְמֶעְבַּד. וְכֹלָּא בְּאָת וְנִיסָּא הֲוָה.

שכח. אֲמַר רַבִּי שִׁמְעוֹן, כַּמָּה חֲבִיבִין אִינּוּן מִלֵּי דְּאוֹרַיְיתָא. זַכָּאָה חוּלָקֵיהּ, מַאן דְּאִתְעַסַּק בְּהוּ, וְיָדַע לְמֵיהַךְ בְּאֹרַח קְשׁוֹט. וְהַבַּיִת בְּהִבָּנוֹתוֹ. כַּד סָלְקָא בִּרְעוּתָא דְּקֻדְשָׁא בְּרִיךְ הוּא, לְמֶעְבַּד יְקָרָא לִיקָרֵיהּ, סָלְקָא מִגּוֹ מַחֲשָׁבָה רְעוּתָא, לְאִתְפַּשְּׁטָא, וְאִתְפַּשְּׁטַת מֵאֲתַר דְּאִיהִי מַחֲשָׁבָה סְתִימָא, דְּלָא אִתְיְידַע.

שכט. עַד דְּאִתְפַּשְּׁטַת וְשַׁרְיָיא לְבֵי גָּרוֹן, אֲתַר דְּאִיהוּ נְבִיעַ תָּדִיר, בְּרָזָא דְּאִיהוּ רוּחַ חַיִּים. וּכְדֵין כַּד אִתְפַּשְּׁטַת הַהִיא מַחֲשָׁבָה, וְשָׁרְיָא בַּאֲתַר דָּא, אִקְרֵי הַהִיא מַחֲשָׁבָה, אֱלֹקִים חַיִּים. דִּכְתִּיב הוּא אֱלֹקִים חַיִּים.

של. עוֹד בָּעָא, לְאִתְפַּשְּׁטָא וּלְאִתְגַּלְיָא, מִתַּמָּן נָפְקוּ, אֶשָּׁא וְרוּחָא וּמַיָּא, כְּלִילָן כַּחֲדָא, וְנָפַק יַעֲקֹב, גְּבַר שְׁלִים, וְאִיהוּ קוֹל חַד דְּנָפִיק וְאִשְׁתְּמַע. מֵהָכָא, מַחֲשָׁבָה דַּהֲוָה סְתִימָא בַּחֲשַׁאי, אִשְׁתְּמַע לְאִתְגַּלְיָא.

שלא. עוֹד, אִתְפַּשְּׁטַת הַאי מַחֲשָׁבָה, לְאִתְגַּלְיָא. וּבָטַשׁ הַאי קוֹל וְאַקִּישׁ בְּשִׂפְוָון, וּכְדֵין נָפְקָא דִּבּוּר, דְּאַשְׁלִים כֹּלָּא, וְגַלֵּי כֹּלָּא. אִשְׁתְּמַע דְּכֹלָּא אִיהוּ הַהִיא מַחֲשָׁבָה סְתִימָא דַּהֲוַת לְגוֹ, וְכֹלָּא חַד.

שלב. כֵּיוָן דְּמָטָא אִתְפַּשְּׁטוּתָא דָּא, וְאִתְעֲבֵיד דִּבּוּר בְּתַקִּיפָא דְּהַהוּא קָלָא, כְּדֵין, וְהַבַּיִת בְּהִבָּנוֹתוֹ. כַּאֲשֶׁר נִבְנָה לֹא כְתִיב, אֶלָּא בְּהִבָּנוֹתוֹ, בְּכָל זִמְנָא וְזִמְנָא. אֶבֶן שְׁלֵמָה, כְּמָה דְּאִתְּמַר. וּכְתִיב בָּעֲטָרָה שֶׁעִטְּרָה לוֹ אִמּוֹ.

שלג. מַסָּע: דְּנָפְקָא מִלְּגוֹ, וְשַׁרְיָא וְנָטֵיל לְבַר, נָפְקָא מִלְּעֵילָא, וְשַׁרְיָא וְנָטֵיל לְתַתָּא. וּמַקָּבוֹת וְהַגַּרְזֶן כָּל כְּלִי בַרְזֶל: אִלֵּין שְׁאָר דַּרְגִּין תַּתָּאִין, דְּכֻלְּהוּ תַּלְיָין בֵּיהּ, וְלָא אִשְׁתְּמָעוּ, וְלָא אִתְקַבְּלָן לְגוֹ, כַּד אִיהִי סָלְקָא לְאִתְאַחֲדָא לְעֵילָא, וּלְיַנְקָא מִתַּמָּן. וְדָא הוּא בְּהִבָּנוֹתוֹ.

שלד. וּכְדֵין כַּד אִיהִי יַנְקָא, כֻּלְּהוּ קַיְימֵי בְּחֶדְוְותָא, וְיַנְקִין וְאִתְמַלְיָין בִּרְכָאן. וּכְדֵין, קַיְימִין עָלְמִין כֻּלְּהוּ, בְּרָזָא חֲדָא, בְּיִחוּדָא חַד, וְלָא הֲוֵי בְּהוּ בְּכֻלְּהוּ עָלְמִין פְּרוּדָא. לְבָתַר

דְּנָטְלֵי וְזוֹלְקָהוֹן כָּל וַחַד וְחַד, כֻּלְּהוּ מִתְפַּשְּׁטָן וּמִתְפָּרְשָׁן לִסְטְרַיְיהוּ, לְמָה דְּאִתְמַנָּן.

שלה. ת"ח, וַיְהִי כָל הָאָרֶץ שָׂפָה אֶחָת וגו'. לְבָתַר מַה כְּתִיב, וַיְהִי בְּנָסְעָם מִקֶּדֶם. מֵהַהוּא קַדְמָאָה דְּעָלְמָא. וַיִּמְצְאוּ בִקְעָה בְּאֶרֶץ שִׁנְעָר. דְּהָא מִתַּמָּן, מִתְפָּרְשָׁן לְכָל אִינּוּן סִטְרִין, וְאִיהוּ רֵישׁ מַלְכוּ לְאִתְבַּדְּרָא.

שלו. וְאִי תֵּימָא, הָא כְּתִיב וְנָהָר יוֹצֵא מֵעֵדֶן לְהַשְׁקוֹת אֶת הַגָּן וּמִשָּׁם יִפָּרֵד. וַדַּאי הָכֵי הוּא, דְּכֵיוָן דְּנָטְלֵי מִתַּמָּן, הֲוֵי פְּרוּדָא, וְכַד אִינּוּן כְּנִישִׁין תַּמָּן לְיַנְקָאָה לָא הֲוֵי פְּרוּדָא. וְכַד נָטְלִין הֲוֵי פְּרוּדָא, דִּכְתִיב וַיְהִי בְּנָסְעָם מִקֶּדֶם, וַיִּמְצְאוּ בִקְעָה. כְּמָה דְּאִתְּמַר.

שלז. וַיְהִי כָל הָאָרֶץ שָׂפָה אֶחָת וּדְבָרִים אֲחָדִים. דְּהָא כְּדֵין עָלְמָא, בִּיסוֹדָא וְעִקָּרָא וְשָׁרְשָׁא וְחָדָא, וּמְהֵימְנוּתָא וְחָדָא, בֵּיהּ בְּקֻבְּ"ה. מַה כְּתִיב, וַיְהִי בְּנָסְעָם מִקֶּדֶם. מִקַּדְמָאָה עִקָּרָא דְּעָלְמָא, מִהֵימְנוּתָא דְּכֹלָּא. וַיִּמְצְאוּ בִקְעָה. מְצִיאָה אַשְׁכְּחוּ, וְנָפְקוּ בָהּ מִתְּוְוֹת מְהֵימְנוּתָא עִלָּאָה.

שלח. ת"ח, נִמְרוֹד מַה כְּתִיב בֵּיהּ, וַתְּהִי רֵאשִׁית מַמְלַכְתּוֹ בָּבֶל. דְּהָא מִתַּמָּן נָטַל לְאִתְאַחֲדָא בִּרְשׁוּ אָחֳרָא. וְהָכָא, וַיִּמְצְאוּ בִקְעָה בְּאֶרֶץ שִׁנְעָר. מִתַּמָּן נָטְלוּ בְּלִבַּיְיהוּ, לְאַפָּקָא מֵרְשׁוּתָא עִלָּאָה, לִרְשׁוּ אָחֳרָא.

שלט. וַיֹּאמְרוּ הָבָה נִבְנֶה לָּנוּ עִיר וּמִגְדָּל וְרֹאשׁוֹ בַשָּׁמַיִם וְנַעֲשֶׂה לָּנוּ שֵׁם. ר' חִיָּיא פָּתַח, וְהָרְשָׁעִים כַּיָּם נִגְרָשׁ וגו'. וְכִי אִית יָם נִגְרָשׁ. אִין. דְּכַד יַמָּא נַפְקָא מִתִּקּוּנֵיהּ, וְאָזִיל בְּלָא וְחַבְלָא, כְּדֵי נִגְרָשׁ וְאִתְתָּרַךְ מֵאַתְרֵיהּ, כְּמַאן דְּרָוֵי וְחַמְרָא, וְלָא יָתֵיב עַל בּוּרְיֵיהּ, וְסַלְקָא וְנָחֲתָא. מ"ט בְּגִין, כִּי הַשְׁקֵט לֹא יוּכָל וַיִּגְרְשׁוּ מֵימָיו רֶפֶשׁ וָטִיט. דְּמַפְּקוּ מֵימוֹי, כָּל הַהוּא טִינָא דְּיַמָּא, וְכָל טִנּוּפָא לְשִׂפְוָותֵיהּ.

שמ. כְּגַוְונָא דָא, אִינּוּן רְשָׁעִים, דְּנַפְקָא מֵאָרְחָא דְּתִקְנָא, וְאָזְלֵי כְּרָוֵי וְחַמְרָא, בְּלָא תִּקּוּנָא, דְּנָפְקֵי מֵאוֹרַח מֵישָׁר, לְאוֹרַח עֲקִים. מ"ט בְּגִין, כִּי הַשְׁקֵט לֹא יוּכָל. דְּהָא עֲקִימוּ דְּאָרְחַיְיהוּ גָּרִים לוֹן, לִמְהַךְ בְּלָא תִּקּוּנָא, וּבְלָא שְׁכִיכוּ.

שמא. וְלָא עוֹד, אֶלָּא, דְּכָל רוּגְזָא דִּידְהוּ, בְּשַׁעֲתָא דְּאָמְרֵי מִלָּה מִפּוּמַיְיהוּ, הַהוּא מִלָּה, רֶפֶשׁ וָטִיט. כֻּלְּהוּ מַפְּקֵי טִנּוּפָא וְגִיעוּלָא, מִפּוּמַיְיהוּ לְבַר, עַד דְּמִסְתָּאֲבֵי, וּמְסָאֲבֵי לוֹן.

שמב. ת"ח, וַיֹּאמְרוּ הָבָה נִבְנֶה לָנוּ עִיר וּמִגְדָּל וְרֹאשׁוֹ בַשָּׁמַיִם. לֵית הָבָה: אֶלָּא הַזְמָנָה בְּעָלְמָא. נִבְנֶה לָּנוּ עִיר וּמִגְדָּל וְרֹאשׁוֹ בַשָּׁמַיִם. כֻּלְּהוּ בְּעֵיטָא בִּישָׁא, אָתוּ לְסָרְבָא בֵּיהּ, בְּקֻבְּ"ה. בִּשְׁטוּתָא אָתוּ בְּטִפְּשׁוּ דְּלִבָּא.

שמג. אָמַר ר' אַבָּא, שְׁטוּתָא נְסִיבוּ בְּלִבַּיְיהוּ. אֲבָל בְּחָכְמָה דִּרְשִׁיעוּ אָתוּ, בְּגִין לְנָפְקָא מֵרְשׁוּ עִלָּאָה, לִרְשׁוּ אָחֳרָא, וּלְאַחְלָפָא יְקָרֵיהּ, לִיקָרָא נוּכְרָאָה. וּבְכֹלָּא אִית רָזָא דְּחָכְמְתָא עִלָּאָה.

שמד. הָבָה נִבְנֶה לָנוּ עִיר וּמִגְדָּל. ת"ח, כַּד מָטוּ לְהַאי בִּקְעָה, דְּאִיהוּ רְשׁוּ נוּכְרָאָה, וְאִתְגְּלֵי לְהוּ, אֲתַר דְּשָׁלְטָנוּתָא דָא תְּקִיעַ בְּגוֹ נוּנֵי יַמָּא. אָמְרוּ, הָא אֲתַר, לְמֵיתַב וּלְאִתְתַּקְפָא לִבָּא, לְאִתְהַנָּאָה בֵּיהּ תַּתָּאֵי. מִיַּד הָבָה נִבְנֶה לָנוּ עִיר. נַתְקִין בַּאֲתַר דָא, עִיר וּמִגְדָּל.

שמה. וְנַעֲשֶׂה לָּנוּ שֵׁם. אֲתַר דָא יְהֵא לָן לִדְחֲלָא, וְלָא אָחֳרָא, וְנִבְנֶה לַאֲתַר דָא, עִיר וּמִגְדָּל. לְמָה לָן לְסַלְקָא לְעֵילָא, דְּלָא נֵיכוֹל לְאִתְהַנָּאָה מִנֵּהּ. הָא הָכָא אֲתַר מִתְקְנָא. וְנַעֲשֶׂה לָּנוּ שֵׁם. דְּחָלָא לְמִפְלַח תַּמָּן. פֶּן נָפוּץ: לְדַרְגִּין אָחֳרָנִין, וְנִתְבַּדַּר לְסִטְרֵי עָלְמָא.

סִתְרֵי תוֹרָה

שמו. קוּמְטוּרָא דְּהַרְמָנָא, מְמַלְּלָן בִּלְשׁוֹן הַקֹּדֶשׁ, דְּמה"ש אִשְׁתְּמוֹדְעָן בֵּיהּ, וְלָא הֲווּ

מְמַלְּלִין בְּלִישָׁן אָחֳרָא. בְּגִין כָּךְ כְּתִיב וְעַתָּה לֹא יִבָּצֵר מֵהֶם וגו׳. דְּאִלְמָלֵי מִשְׁתַּעְאָן בְּלִישָׁן אָחֳרָא דְּמַלְאֲכֵי עִלָּאֵי לָא הֲווֹ אִשְׁתְּמוֹדְעָן בֵּיהּ, גָּרַע וְחַשִּׁיבוּ דְּאִינּוּן חָשְׁבִין לְמֶעְבַּד. בְּגִין, דְּעוֹבָדָא דְּשֵׁדִין, לָאו אִיהוּ אֶלָּא בְּרִגְעָא חֲדָא, לְחָזוּ בְּנֵי אֱנָשָׁא, וְלָא יַתִּיר.

שמז. וּדְבָרִים אֲחָדִים. דַּהֲווֹ יָדְעִין דַּרְגִּין עִלָּאִין, כָּל חַד וְחַד, עַל בּוּרְיֵיהּ, וְלָא אִתְחֲלַף לְהוּ דַּרְגָּא. וּבְגִין כָּךְ כְּתִיב, וּדְבָרִים אֲחָדִים. וּבְגִין כָּךְ, אִתְיָעֲטוּ בְּעֵיטָא בִּישָׁא, עֵיטָא דְּחָכְמְתָא, דִּכְתִיב הָבָה נִבְנֶה לָּנוּ עִיר וּמִגְדָּל.

שמח. כֹּלָּא בְּרָזָא דְּחָכְמְתָא הוּא, וּבָעוּ לְאִתַּקְפָּא בְּאַרְעָא, סִטְרָא אָחֳרָא, וּלְמִפְלַח פּוּלְחָנָא דִּילֵיהּ. בְּגִין דַּהֲווֹ יָדְעִין, דְּהָא כָּל דִּינִין בִּישִׁין, מִתַּמָּן נַחֲתִין לְעָלְמִין. וּבָעְיָין לְדַחוּיֵי דַּרְגָּא דְּקֻדְשָׁא.

שמט. עִיר וּמִגְדָּל: דָּא חָכְמְתָא עִלָּאָה. הֲווֹ יָדְעֵי דִּשְׁמָא קַדִּישָׁא, לָא אִתְתַּקַּף בְּאַרְעָא, אֶלָּא בְּעִיר וּמִגְדָּל. עִיר: דִּכְתִיב עִיר דָּוִד הִיא צִיּוֹן וגו׳. מִגְדָּל: דִּכְתִיב כְּמִגְדַּל דָּוִד צַוָּארֵךְ. וּבְחָכְמְתָא עֲבָדוּ, לְמֶהֱוֵי שָׁלְטָנָא דְּסִטְרָא אָחֳרָא בְּאַרְעָא, דְּדַחְיָיא אֲדוֹן כָּל הָאָרֶץ מֵאַתְרֵיהּ. וּלְמֶהֱוֵי דִּיוֹרָא לְסִטְרָא אָחֳרָא בְּאַרְעָא.

שנ. וְנַעֲשֶׂה לָּנוּ שֵׁם. כְּמָה דַּאֲחִידָא אִיהוּ שֵׁם לְעֵילָא, נַתְקִיף לָהּ בֵּינָנָא, לְמֶהֱוֵי שֵׁם בְּאַרְעָא. פֶּן נָפוּץ. יְדִיעָא הֲווֹ יָדְעִין, דְּיִתְבַּדְּרוּן מֵעַל אַפֵּי אַרְעָא. וּבְגִין כָּךְ, הֲווֹ מִתְיַיחֲדִין לְמֶעְבַּד עֲבִידְתָּא דָּא בְּחָכְמָה.

שנא. סִטְרָא אָחֳרָא, אִיהוּ דְּכַר וְנוּקְבָא, תּוּקְפָּא דְּזוּהֲמָא דְּדִינָא קַשְׁיָא. וּכְמָה דְּאָדָם זָב בְּהוּ, וְאִתַּקְפוּ בְּגִינֵיהּ עַל עָלְמָא. אוּף הָכֵי אִינּוּן עָבְדִין דְּאִתְתַּקַּף יַתִּיר, דִּכְתִיב אֲשֶׁר בָּנוּ בְּנֵי הָאָדָם. בְּנוֹי דְּאָדָם קַדְמָאָה, דְּאַיְיתֵי וְאַשְׁלִיט סִטְרָא אָחֳרָא עַל עָלְמָא, סִטְרָא בִּישָׁא. כְּמָה דְּסִטְרָא דִּקְדוּשָׁה, לָאו שָׁלְטָנֵיהּ בְּהַאי עָלְמָא, אֶלָּא בְּעִיר וּמִגְדָּל. אוּף הָכֵי וְחַשִּׁיבֵי אִינּוּן, לְמִבְנֵי עִיר וּמִגְדָּל, לְמִשְׁלַט הַאי סְטַר בִּישָׁא בְּעָלְמָא.

שנב. וַיֵּרֶד ה׳ לִרְאוֹת, נָחַת הַאי שְׁמָא דְּקַדִּישָׁא, לְמֶחֱזֵי עוֹבָדֵיהוֹן דִּבְנְיָינָא דִּבְנוֹ. וְאִינּוּן הֲווֹ מְמַלְּלָן בְּלִשׁוֹן קֹדֶשׁ, לְגַבֵּי כָּל אִינּוּן דַּרְגִּין קַדִּישִׁין, וַהֲווֹ מְצַלְּיוּזִין. כֵּיוָן דְּנָחֲתַת קְדוּשָׁה, אִתְבַּלְבְּלוּ כָּל אִינּוּן דַּרְגִּין, עִלָּאִין נָחֲתוּ, וְתַתָּאִין סְלִיקוּ, וְלָא הֲווֹ קַיְימִין בְּאֹרַח מֵישָׁר, כְּמָה דַּהֲווֹ. וּלְבָתַר בִּלְבֵּל לִישָׁנְהוֹן בְּע׳ לִישָׁן, וְאִתְבַּדְּרוּ לְכָל סִטְרֵי עָלְמָא.

שנג. וְחַד מְמַנָּא הוּא בִּרְקִיעָא, וּבֵיהּ קָיְימִין כָּל מַפְתְּחָן, דְּעוֹבָדֵי עָלְמָא. וְאִיהוּ קַיְימָא זִמְנִין, בְּשַׁעְתֵּי וְרִגְעֵי דְּיוֹמָא. וְאִינּוּן הֲווֹ יָדְעִין בְּרָזָא דְּחָכְמְתָא, גְּנִיזָא דְּהַאי מְמַנָּא. וַהֲווֹ פָּתְחֵי וְסָגְרֵי, וּמַצְלְחֵי בְּעוֹבָדֵיהוֹן, בְּמֵימְרָא דְּפוּמְהוֹן. כֵּיוָן דְּאִתְבַּלְבֵּל מֵימְרָא דִּלְהוֹן, כֹּלָּא אִתְמְנַע מִנַּיְיהוּ.

שנד. וְאָתַר מְתֻקָּן אַשְׁכָּחוּ, בְּהַהוּא בִּקְעָה. סִתְרָא דְּסִתְרִין. וַיִּמְצְאוּ בִקְעָה. אֲתַר מְתֻקָּן לְהַאי סִטְרָא בִּישָׁא דְּבָעוּ אִנּוּן לְאִתַּקְפָא וְאִתְמְנָעוּ. תּוּקְפָּא דְּהַהוּא סִטְרָא הֲוָה תַּלְיָא לְאִתְפַּרְעָא בְּהַהִיא בִּקְעָה, עַד דְּנָטְלָא תַּמָּן חֵילִין וּמַשִּׁירְיָין, כְּגַוְונָא דְּאִינּוּן דְּבָנוּ קַרְתָּא וּמִגְדְּלָא. וְאִתְיְהִיבוּ כֻּלְּהוּ בִּידָהָא, וְאִתְקַטְלוּ תַּמָּן.

שנה. אִנּוּן, דְּלָא בָּעוּ לְמֵיפַק בְּקֵץ הַיָּמִין, אִתְבְּהִילוּ וְנָפְלוּ בְּקֵץ הַיָּמִים. בְּהַהוּא אֲתַר, דְּאִתְחֲלַשׁ תָּקְפָּא בְּקַדְמֵיתָא, בְּהַאי בִּקְעָה. וְע״ד כְּתִיב, וְהִיא מְלֵאָה עֲצָמוֹת.

שנו. וְאִתַּקְפַת בְּהַהוּא צוּלְמָא, דְּאָקִים נְבוּכַדְנֶצַּר. וְאִתְּבַר תּוּקְפָּא לְבָתַר, בְּאִנּוּן גַּרְמִין, וּבְהַהוּא צוּלְמָא דְּאִינּוּן קַדְמָאֵי קָיְימוּ, וְקָמוּ עַל רַגְלֵיהוֹן. וְהַהוּא צוּלְמָא אִתְּבַר.

שנז. וּכְדֵין יָדְעוּ כָּל עַמִּין דְּעָלְמָא, דְּלֵית אֱלוֹהַּ בַּר קב"ה בִּלְחוֹדוֹי. וְתוּ דְּאִתְקַדַּשׁ שְׁמֵיהּ, עַל יְדָא דַּחֲנַנְיָה מִישָׁאֵל וַעֲזַרְיָה. וְכֹלָּא בְּחַד יוֹמָא, וְעַ"ד כְּתִיב וְהִקְדִּישׁוּ אֶת קְדוֹשׁ יַעֲקֹב וגו' (עַד כָּאן סִתְרֵי תּוֹרָה).

שנח. וַיֵּרֶד ה' לִרְאוֹת אֶת הָעִיר וְאֶת הַמִּגְדָּל. דָּא הוּא חַד מֵאִינּוּן עֶשֶׂר זִמְנִין, דְּנָחֲתָא שְׁכִינְתָּא לְאַרְעָא. וְכִי מַה הוּא לִרְאוֹת, וְלָא הֲוָה יָדַע מִקַּדְמַת דְּנָא. אֶלָּא, לִרְאוֹת: לְאַשְׁגָּחָא בְּדִינָא. כד"א, יֵרֶא ה' עֲלֵיכֶם וְיִשְׁפֹּט.

שנט. אֶת הָעִיר וְאֶת הַמִּגְדָּל. הָכָא אִית לְאִסְתַּכְּלָא, דְּהָא לָא כְּתִיב, לִרְאוֹת אֶת בְּנֵי הָאָדָם, אֶלָּא, לִרְאוֹת אֶת הָעִיר וְאֶת הַמִּגְדָּל. אַמַּאי. אֶלָּא, בְּשַׁעֲתָא דְּאַשְׁגַּח קב"ה בְּדִינָא, בְּקַדְמֵיתָא יַשְׁגַּח בְּדַרְגָּא דִּלְעֵילָּא, וּלְבָתַר בְּדַרְגָּא דִּלְתַתָּא. בְּקַדְמֵיתָא בְּעִלָּאֵי, וּלְבָתַר בְּתַתָּאֵי. וּבְגִין דְּהַאי מִלָּה מָטָא לְעֵילָּא, אַשְׁגָּחוּתָא דִּלְעֵילָּא הֲוָה בֵּיהּ בְּקַדְמֵיתָא. דִּכְתִיב, לִרְאוֹת אֶת הָעִיר וְאֶת הַמִּגְדָּל.

שס. אֲשֶׁר בָּנוּ בְּנֵי הָאָדָם. מַאי בְּנֵי הָאָדָם, בְּנוֹי דְּאָדָם קַדְמָאָה. דְּמָרַד בְּמָרֵיהּ, וְגָרַם מוֹתָא לְעָלְמָא. אֲשֶׁר בָּנוּ בְּנֵי הָאָדָם, בִּנְיָינָא וַדַּאי, אָמְרוּ וּבָעוּ לְמִבְנֵי לְעֵילָּא.

שסא. רַבִּי שִׁמְעוֹן פָּתַח כֹּה אָמַר ה' אֱלֹקִים שַׁעַר הֶחָצֵר הַפְּנִימִית הַפֹּנֶה קָדִים יִהְיֶה סָגוּר שֵׁשֶׁת יְמֵי הַמַּעֲשֶׂה וּבְיוֹם הַשַּׁבָּת יִפָּתֵחַ וּבְיוֹם הַחֹדֶשׁ יִפָּתֵחַ. הַאי קְרָא אִית לְאִסְתַּכְּלָא בֵּיהּ, וְאִיהוּ רָזָא, כְּמָה דְּאִתְּמַר, יִהְיֶה סָגוּר שֵׁשֶׁת יְמֵי הַמַּעֲשֶׂה. אַמַּאי.

שסב. אֶלָּא, אִלֵּין יְמֵי חוֹל, דְּתַרְעָא דָּא יִהְיֶה סָגוּר. דְּלָא לְאִשְׁתַּמְּשָׁא חוֹל בְּקוּדְשָׁא. וּבְיוֹם הַשַּׁבָּת יִפָּתֵחַ וּבְיוֹם הַחֹדֶשׁ יִפָּתֵחַ. דְּהָא כְּדֵין, שִׁמּוּשָׁא דְּקוּדְשָׁא בְּקוּדְשָׁא. וּכְדֵין, אִתְנְהִיר סִיהֲרָא לְאִתְחַבְּרָא בְּשִׁמְשָׁא.

שסג. תָּא חֲזֵי, תַּרְעָא דָּא, לָא אִתְפַּתַּח בְּאִינּוּן שִׁתָּא יוֹמֵי דְּחוֹל. בְּגִין דְּהָא בְּאִינּוּן יוֹמֵי דְּחוֹל, עָלְמָא תַּתָּאָה אִתְּזָן, וְשָׁלְטִין כָּל אִנּוּן שִׁית יוֹמִין דְּחוֹל עַל עָלְמָא. בַּר בְּאַרְעָא דְּיִשְׂרָאֵל.

שסד. וְאִינּוּן דְּשָׁלְטֵי, לָא שָׁלְטֵי בְּאַרְעָא קַדִּישָׁא. בְּגִין, דְּהַשַּׁעַר הַזֶּה, אִיהוּ סָגוּר. אֲבָל בְּיוֹם הַשַּׁבָּת וּבְיוֹם הַחֹדֶשׁ, כֻּלְּהוּ מִתְעַבְּרָן, וְלָא שָׁלְטִין. בְּגִין, דְּהַשַּׁעַר הַזֶּה, אִיהוּ פָּתוּחַ, וְעָלְמָא אִיהוּ בְּחֶדְוָה, וְאִתְּזָן מִתַּמָּן, וְלָא אִתְיְהִיב עָלְמָא לִרְשׁוּ אָחֳרָא.

שסה. וְאִי תֵּימָא, דְּכָל אִינּוּן שִׁית יוֹמִין, אִינּוּן שָׁלְטִין בִּלְחוֹדַיְיהוּ. תָּא חֲזֵי. הַפֹּנֶה קָדִים: עַד לָא יְקוּמוּן לְשָׁלְטָאָה, אִיהוּ אִסְתַּכַּל תָּדִיר בְּעָלְמָא. אֲבָל לָא אִתְפַּתַּח לְאִתְּזָנָא עָלְמָא מִקּוּדְשָׁא, בַּר בְּיוֹמָא דְּשַׁבְּתָא, וּבְיוֹמָא דְּחָדְשָׁא. וְכֻלְּהוּ יוֹמִין, כֻּלְּהוּ אִתְדַּבְּקָן בְּיוֹמָא דְּשַׁבְּתָא, וְאִתְּזָנוּ מִתַּמָּן. דְּהָא בְּיוֹמָא דְּשַׁבְּתָא כֻּלְּהוּ תַּרְעִין פְּתִיחָן, וְנַיְיחָא אִשְׁתְּכַח לְכֹלָּא, לְעִלָּאֵי וְתַתָּאֵי. ת"ח. וַיֵּרֶד ה' לִרְאוֹת. נָחַת מִקּוּדְשָׁא לְחוֹל, לְאַשְׁגָּחָא בְּמָה דְּבָנוּ, וְקַיְּימוּ קִיּוּמָא לְאַתְעָרָא עַל עָלְמָא, לְדַחֲלָא לוֹן.

שסו. רַבִּי יִצְחָק, הֲוָה יָתִיב קַמֵּיהּ דר"ש, א"ל, מַה חָמוּ אִלֵּין, דַּעֲבָדוּ שְׁטוּתָא דָּא, לְמִרְדָּא בֵּיהּ בְּקב"ה, וְכֻלְּהוּ, בְּעֵיטָא חֲדָא אִתְקַיְּימוּ בְּדָא. א"ל, הָא אִתְּמַר, דִּכְתִיב, וַיְהִי בְּנָסְעָם מִקֶּדֶם. אִתְנְטִילוּ מֵעֵילָּא לְתַתָּא. אִתְנְטִילוּ מֵאַרְעָא דְּיִשְׂרָאֵל, וְנָחֲתוּ לְבָבֶל. אָמְרוּ, הָא הָכָא אֲתַר לְמִדְבַּק.

שסז. וְנַעֲשֶׂה לָּנוּ שֵׁם וגו'. וְיִתְדַּבַּק סִיּוּעָא דִּלְתַתָּא, בַּאֲתַר דָּא. בְּגִין דְּכַד דִּינָא אָתֵי לְאַשְׁרָאָה בְּעָלְמָא, הָא אֲתַר דָּא לְקַבְּלֵיהּ. וּמֵהָכָא אִתְהַנֵּי עָלְמָא, וְיִתְּזָן. דְּהָא לְעֵילָּא, דְּחִיקוּ אִיהוּ לְאִתְּזָנָא עָלְמָא מִנֵּיהּ. וְלָא עוֹד, אֶלָּא, אֲנַן נִסַּק לִרְקִיעָא, וְנַגַּח בֵּיהּ קְרָבָא,

דְּלָא יֶהֱוֵי טוֹפָנָא בְּעָלְמָא. כִּדְבְקַדְמֵיתָא.

שסז. וַיֹּאמֶר ה' הֵן עַם אֶחָד וְשָׂפָה אַחַת לְכֻלָּם. בְּגִין דְּכֻלְּהוּ כַּחֲדָא, בְּיִיחוּדָא דְּכֻלְּהוֹן יַעַבְדוּן וְיִצְלְחוּן בְּעוֹבָדַיְיהוּ. יִתְבַּדְּרוּן דַּרְגִּין, כָּל חַד לְסִטְרֵיהּ. וּבְגִין כָּךְ, יִתְבַּדְּרוּן כָּל הָנֵי דִּלְתַתָּא. מַה כְּתִיב וַיָּפֶץ ה' אוֹתָם מִשָּׁם.

שסח. וְאִי תֵּימָא, לִישָׁנְהוֹן אַמַּאי אִתְבַּלְבַּל. אֶלָּא, בְּגִין דְּכֻלְּהוֹן מְמַלְּלִין בִּלְשׁוֹן הַקּוֹדֶשׁ. הַהוּא לִישָׁנָא, קָא עָבִיד לוֹן סִיּוּעָא, בְּגִין, דִּבְעוֹבָדָא, וּבְמִלּוּלָא דְּפוּמָא, תַּלְיָין מִלִּין אִלֵּין, לְאַדְבְּקָא כַּוָּונָה דְּלִבָּא, וּבְדָא עָבְדֵי סִיּוּעָא לְהַהוּא אֲתַר, דְּבָעֵי לְאוֹקְמָא.

שע. וְעַל דָּא אִתְבַּלְבַּל לִישָׁנְהוֹן, דְּלָא יָכִילוּ לְאִתְתַּקְּפָא רְעוּתְהוֹן, בִּלְשׁוֹן הַקּוֹדֶשׁ. כֵּיוָן דְּאִתְחַלַּף לִישָׁנְהוֹן, לָא אַצְלְחוּ בְּעוֹבָדָא. בְּגִין דְּחֵילָא דִּלְעֵילָּא, לָא יָדְעֵי, וְלָא אִשְׁתְּמוֹדְעֵי בַּר בִּלְשׁוֹן הַקֹּדֶשׁ. וְכַד אִתְבַּלְבַּל לִישָׁנָא דִּלְהוֹן, אִתְחַלַּשׁ חֵילֵיהוֹן, וְאִתְּבַר תּוּקְפָּא דִּלְהוֹן.

שעא. ת"ח, דְּהָא מִלָּה דְּאָמְרֵי תַּתָּאֵי בִּלְשׁוֹן הַקֹּדֶשׁ, כֻּלְּהוּ חֵילֵי שְׁמַיָּא יָדְעֵי בֵּיהּ, וְאִתְתַּקְּפֵי בֵּיהּ. וְלִישָׁן אָחֳרָא לָא יָדְעִין, וְלָא אִשְׁתְּמוֹדְעֵי בֵּיהּ. וְעַל דָּא, אִלֵּין, כֵּיוָן דְּאִתְבַּלְבַּל לִישָׁנָא דִּלְהוֹן, מִיַּד וַיַּחְדְּלוּ לִבְנוֹת הָעִיר. דְּהָא אִתְּבַר חֵילַיְיהוּ, וְלָא יָכִילוּ לְמֶעְבַּד מִדִּי, בִּרְעוּתָא דִּלְהוֹן.

שעב. לֶהֱוֵי שְׁמֵיהּ דִּי אֱלָהָא מְבָרַךְ מִן עָלְמָא וְעַד עָלְמָא דִּי חָכְמְתָא וּגְבוּרְתָּא דִּי לֵהּ הִיא. דְּהָא בְּגִין דְּאַנְוִּית קב"ה רָזֵי דְּחָכְמְתָא לְעָלְמָא, אִתְקַלְקְלוּ בֵּיהּ בְּנֵי נָשָׁא. וּבָעוּ לְאִתְגָּרָא בֵּיהּ.

שעג. יְהַב חָכְמְתָא עִלָּאָה לְאָדָם הָרִאשׁוֹן, וּבְהַהִיא חָכְמָה דְּאִתְגַּלֵּי לֵיהּ, יָדַע דַּרְגִּין, וְאִתְדְּבַק בְּיֵצֶר הָרָע, עַד דְּאִסְתַּלְּקוּ מִנֵּיהּ מַבּוּעֵי דְּחָכְמְתָא. וּלְבָתַר תָּב קַמֵּי מָארֵיהּ. וְאִתְגַּלְיָין לֵיהּ מִנַּיְיהוּ, וְלָא כִּקְדְמֵיתָא. לְבָתַר, בְּהַהוּא סִפְרָא דִּילֵיהּ, יָדַע חָכְמָאן, וּלְבָתַר, אָתוּ בְּנֵי נָשָׁא, וְאַרְגִּיזוּ קַמֵּיהּ.

שעד. יְהַב חָכְמְתָא לְנֹחַ, וּפְלַח בָּהּ לְקב"ה, לְבָתַר מַה כְּתִיב, וַיֵּשְׁתְּ מִן הַיַּיִן וַיִּשְׁכָּר וַיִּתְגַּל. כְּמָה דְּאִתְּמַר. יְהַב חָכְמְתָא לְאַבְרָהָם, וּפְלַח בָּהּ לְקב"ה. לְבָתַר, נָפַק מִנֵּיהּ יִשְׁמָעֵאל, דְּאַרְגִּיז קַמֵּי קב"ה. וְכֵן יִצְחָק, נָפַק מִנֵּיהּ עֵשָׂו. יַעֲקֹב נָסַב תַּרְתֵּין אַחְתָּן.

שעה. יְהַב חָכְמְתָא לְמֹשֶׁה, מַה כְּתִיב בֵּיהּ, בְּכָל בֵּיתִי נֶאֱמָן הוּא. וְלָא הֲוָה כְּמֹשֶׁה שַׁמָּשׁ מְהֵימָן, בְּכֻלְּהוּ דַּרְגִּין, וְלָא סָטָא לִבֵּיהּ, בְּתֵיאוּבְתָּא דְּחַד מִנַּיְיהוּ, אֶלָּא קָאִים בִּמְהֵימְנוּתָא עִלָּאָה, כִּדְקָא יָאוּת.

שעו. יְהַב חָכְמְתָא עִלָּאָה לִשְׁלֹמֹה מַלְכָּא. לְבָתַר, מַה כְּתִיב בֵּיהּ בְּמִשְׁלֵי שְׁלֹמֹה, הַמַּשָּׂא נְאֻם הַגֶּבֶר לְאִיתִיאֵל וְאֻכָל. אָמַר שְׁלֹמֹה אִתִּי אֵל, וְחָכְמְתָא דִּילֵיהּ הוּא. וְאוּכָל: וְאֵיכוּל לְמֶעְבַּד רְעוּתִי. לְבָתַר וַיָּקֶם ה' שָׂטָן לִשְׁלֹמֹה וגו'.

שעז. ת"ח, בְּגִין זְעֵירוּ דְּחָכְמְתָא, דְּאַשְׁכְּחוּ אִלֵּין מֵהַהוּא חָכְמָה דְּקַדְמָאֵי, אִתְגָּרוּ בֵּיהּ בְּקב"ה, וּבְנוּ מִגְדָּל, וַעֲבָדוּ כָּל מַה דַּעֲבָדוּ, עַד דְּאִתְבַּדְּרוּ מֵאַנְפֵּי אַרְעָא, וְלָא אִשְׁתְּאַר בְּהוּ חָכְמָה, לְמֶעְבַּד מִדִּי.

שעח. אֲבָל לְזִמְנָא דְּאָתֵי, קב"ה יִתְעַר חָכְמְתָא בְּעָלְמָא, וְיִפְלְחוּן לֵיהּ בָּהּ. הה"ד וְאֶת רוּחִי אֶתֵּן בְּקִרְבְּכֶם וְעָשִׂיתִי. לָאו כְּקַדְמָאֵי, דְּחָבִּילוּ בֵּיהּ עָלְמָא. אֶלָּא וְעָשִׂיתִי אֵת אֲשֶׁר בְּחֻקַּי תֵּלֵכוּ וְאֶת מִשְׁפָּטַי תִּשְׁמְרוּ וַעֲשִׂיתֶם.

שעט. ר' יוֹסֵי וְר' חִיָּיא, הֲווּ אָזְלֵי בְּאָרְחָא. א"ל ר' יוֹסֵי לְר' חִיָּיא, נִפְתַּח בְּאוֹרַיְיתָא וְנֵימָא מִלָּה. פָּתַח רַבִּי יוֹסֵי וְאָמַר כִּי ה' אֱלֹקֶיךָ מִתְהַלֵּךְ בְּקֶרֶב מַחֲנֶךָ לְהַצִּילְךָ וְלָתֵת

אֹיְבֶיךָ לְפָנֶיךָ וְהָיָה מַחֲנֶיךָ קָדוֹשׁ וְלֹא יִרְאֶה בְךָ עֶרְוַת דָּבָר וְשָׁב מֵאַחֲרֶיךָ. כִּי ה' אֱלֹקֶיךָ מִתְהַלֵּךְ, מְהַלֵּךְ מִבָּעֵי לֵיהּ. אֶלָּא, כד"א מִתְהַלֵּךְ בַּגָּן לְרוּחַ הַיּוֹם. וְדָא הוּא אִילָנָא, דְּאָכַל מִנֵּיהּ אָדָם הָרִאשׁוֹן. מִתְהַלֵּךְ: נוּקְבָא. מְהַלֵּךְ: דְּכַר.

שפ. וְדָא הוּא, דְּאָזִיל קָמַיְיהוּ דְּיִשְׂרָאֵל, כַּד הֲווֹ אָזְלֵי בְּמַדְבְּרָא. דִּכְתִיב, וַה' הוֹלֵךְ לִפְנֵיהֶם יוֹמָם וגו'. הוּא דְּאָזִיל קָמֵיהּ דְּב"נ כַּד אָזִיל בְּאוֹרְחָא, דִּכְתִיב צֶדֶק לְפָנָיו יְהַלֵּךְ וְיָשֵׂם לְדֶרֶךְ פְּעָמָיו. וְדָא הוּא, דְּאָזִיל קָמֵיהּ דְּב"נ בְּשַׁעְתָּא דְּאִיהוּ זַכַּאי. וְלָמָּה, לְהַצִּילְךָ וְלָתֵת אוֹיְבֶיךָ לְפָנֶיךָ. לְאִשְׁתְּזָבָא בַּר נָשׁ בְּאָרְחָא, וְלָא יִשְׁלוֹט בֵּיהּ אָחֳרָא.

שפא. וּבְגִ"כ לְבָעֵי לֵיהּ לב"נ לְאִסְתַּמְּרָא מֵחוֹבוֹי. וּלְדַכְּאָה לְגַרְמֵיהּ. מַאי דִּכְיוּ. דָּא דִּכְתִיב וְהָיָה מַחֲנֶךָ קָדוֹשׁ. מַאי קָדוֹשׁ, קְדוֹשִׁים מִבָּעֵי לֵיהּ, אֶלָּא, מַחֲנֶךָ קָדוֹשׁ: אִלֵּין שַׁיְיפֵי גּוּפָא. דְּגוּפָא אִתְחַבַּר וְאִתְתַּקַּן בְּהוּ. וּבְגִ"כ, וְהָיָה מַחֲנֶךָ קָדוֹשׁ. וְלֹא יִרְאֶה בְךָ עֶרְוַת דָּבָר.

שפב. מַאי עֶרְוַת דָּבָר. דָּא מִלְּתָא דְּעֶרְיָין, דְּדָא הוּא מִלָּה דְּקֻבְּ"ה מָאִיס בָּהּ יַתִּיר מִכֹּלָּא. כֵּיוָן דְּאָמַר וְלֹא יִרְאֶה בְךָ עֶרְוַת, אַמַּאי דָּבָר. אֶלָּא, הָנֵי חַיָּיבֵי עָלְמָא, דְּגָעֲלֵי וּמְסָאֲבֵי גַּרְמַיְיהוּ, בְּמִלָּה דִּלְהוֹן דְּנָפְקֵי מִפּוּמַיְיהוּ, וְהָא אִיהוּ עֶרְוַת דָּבָר.

שפג. וְכָל כָּךְ לָמָּה. בְּגִין דְּאִיהוּ אָזִיל קָמָךְ, וְאִי אַתְּ עָבִיד כְּדֵין, מִיָּד וְשָׁב מֵאַחֲרֶיךָ. דְּלָא יֵיזִיל בַּהֲדָךְ, וְיֵיתוּב מֵאֲחוֹרָךְ, וַאֲנָן הָא אָזְלִינָן קָמֵיהּ, בְּאָרְחָא, נִתְעַסֵּק בְּמִלֵּי דְּאוֹרַיְיתָא. דְּהָא אוֹרַיְיתָא אִתְעַטְּרָא עַל רֵישֵׁיהּ דְּבַר נָשׁ, וּשְׁכִינְתָּא לָא אַעְדִּיאַת מִנֵּיהּ.

שפד. פָּתַח ר' חִיָּיא וְאָמַר, וַיֹּאמֶר ה' הֵן עַם אֶחָד וְשָׂפָה אַחַת לְכֻלָּם וגו'. ת"ח, מַה כְּתִיב, וַיְהִי בְּנָסְעָם מִקֶּדֶם. מַאי מִקֶּדֶם. מִקַּדְמוֹנוֹ שֶׁל עוֹלָם. וַיִּמְצְאוּ. וַיִּרְאוּ מִבָּעֵי לֵיהּ, מַאי וַיִּמְצְאוּ. אֶלָּא מְצִיאָה אַשְׁכָּחוּ תַּמָּן, מֵרָזֵי דְּחָכְמְתָא מִקַּדְמָאֵי, דְּאִתְנְעַר תַּמָּן, מִן בְּנֵי טוֹפָנָא, וּבָהּ אִשְׁתַּדְּלוּ לְמֶעְבַּד, בְּהַהִיא עֲבִידְתָּא דַּעֲבָדוּ, לְסָרְבָא בֵּיהּ בְּקֻבְּ"ה, וַהֲווֹ אָמְרֵי בְּפוּמָא, וְעָבְדֵי עֲבִידְתָּא.

שפה. וְחָמֵי, מַה כְּתִיב, הֵן עַם אֶחָד וְשָׂפָה אַחַת לְכֻלָּם. בְּגִין, דְּאִינּוּן בְּלִבָּא חַד, וּרְעוּתָא חַד, וּמְמַלְּלֵי בְּלִשָּׁנָא הַקֹּדֶשׁ. וְעַתָּה לֹא יִבָּצֵר מֵהֶם כֹּל אֲשֶׁר יָזְמוּ לַעֲשׂוֹת. וְלֵית מַאן דְּיִמְנַע עוֹבָדָא דִּלְהוֹן. אֲבָל מַאי אַעְבִּיד, אֲבַלְבֵּל לוֹן דַּרְגִּין דִּלְעֵילָּא, וְלִישָׁן דִּלְהוֹן לְתַתָּא. וּכְדֵין אִתְמְנַע עוֹבָדָא דִּלְהוֹן.

שפו. וּמָה, בְּגִין דַּהֲווֹ בִּרְעוּתָא וְלִבָּא חַד, וּמְמַלְּלֵי בְּלִשָּׁן הַקֹּדֶשׁ כְּתִיב, לֹא יִבָּצֵר מֵהֶם כֹּל אֲשֶׁר יָזְמוּ לַעֲשׂוֹת, וְדִינָא דִּלְעֵילָּא, לָא יָכִיל לְשַׁלְטָאָה בְּהוּ. אֲנָן, אוֹ חַבְרַיָּיא דְּמִתְעַסְּקִין בְּאוֹרַיְיתָא, וַאֲנָן בְּלִבָּא חַד, וּרְעוּתָא חַד, עַל אַחַת כַּמָּה וְכַמָּה.

שפז. א"ר יוֹסֵי, מִכָּאן לְאִינּוּן מָארֵי דְּמַחְלוֹקֶת, לֵית לוֹן קִיּוּמָא. דְּהָא כָּל זִמְנָא, דִּבְנֵי עָלְמָא, אִלֵּין עִם אִלֵּין, בִּרְעוּתָא חֲדָא, וְלִבָּא חַד, אע"ג, דְּמָרְדֵי בֵּיהּ בְּקֻבְּ"ה, לָא שָׁלְטָא בְּהוּ דִּינָא דִּלְעֵילָּא. כֵּיוָן דְּאִתְפְּלָגוּ, מִיָּד, וַיָּפֶץ ה' אוֹתָם מִשָּׁם וגו'.

שפח. א"ר חִיָּיא, אִשְׁתְּמַע, דְּכֹלָּא בְּמִלָּה דְּפוּמָא תַּלְיָיא. דְּהָא, כֵּיוָן דְּאִתְבַּלְבַּל, מִיָּד וַיָּפֶץ ה' אֹתָם מִשָּׁם. אֲבָל בְּזִמְנָא דְּאָתֵי, מַה כְּתִיב, כִּי אָז אֶהְפֹּךְ אֶל עַמִּים שָׂפָה בְרוּרָה לִקְרֹא כֻלָּם בְּשֵׁם ה' וּלְעָבְדוֹ שְׁכֶם אֶחָד. וּכְתִיב וְהָיָה ה' לְמֶלֶךְ עַל כָּל הָאָרֶץ בַּיּוֹם הַהוּא יִהְיֶה ה' אֶחָד וּשְׁמוֹ אֶחָד.

בָּרוּךְ ה' לְעוֹלָם אָמֵן וְאָמֵן.

Lech Lecha

לֶךְ לְךָ

א. לֶךְ לְךָ מֵאַרְצְךָ וגו׳. ר׳ אַבָּא פָּתַח וְאָמַר, שִׁמְעוּ אֵלַי אַבִּירֵי לֵב הָרְחוֹקִים מִצְּדָקָה. שִׁמְעוּ אֵלַי אַבִּירֵי לֵב: כַּמָּה תַּקִּיפִין לִבַּיְיהוּ דְּחַיָּיבַיָּא, דְּחָמָאן שְׁבִילֵי וְאוֹרְחֵי דְּאוֹרַיְיתָא, וְלָא מִסְתַּכְּלָן בְּהוּ, וְלִבַּיְיהוּ תַּקִּיפִין, דְּלָא מְהַדְּרִין בִּתְיוּבְתָּא, לְגַבֵּי מָרֵיהוֹן, וְאִקְרוּן אַבִּירֵי לֵב. הָרְחוֹקִים מִצְּדָקָה: דְּמִתְרַחֲקֵי מֵאוֹרַיְיתָא.

ב. רַבִּי חִזְקִיָּה אֲמַר, דְּמִתְרַחֲקֵי מִקּוּדְשָׁא בְּרִיךְ הוּא, וְאִינּוּן רְחִיקִין מִנֵּיהּ, וּבְגִין כָּךְ, אִקְרוּן אַבִּירֵי לֵב. הָרְחוֹקִים מִצְּדָקָה. דְּלָא בָּעָאן לְקָרְבָא לְגַבֵּי קוּדְשָׁא בְּרִיךְ הוּא. בְּגִין כָּךְ, אִינּוּן רְחוֹקִים מִצְּדָקָה. כֵּיוָן דְּאִינּוּן רְחוֹקִים מִצְּדָקָה, רְחוֹקִים אִינּוּן מִשָּׁלוֹם. דְּלֵית לוֹן שָׁלוֹם. דִּכְתִּיב אֵין שָׁלוֹם אָמַר ה׳ לָרְשָׁעִים. מַאי טַעְמָא בְּגִין דְּאִינּוּן רְחוֹקִים מִצְּדָקָה.

ג. תָּא חֲזֵי, אַבְרָהָם בָּעֵי לְקָרְבָא לְקוּדְשָׁא בְּרִיךְ הוּא, וְאִתְקְרַב. הֲדָא הוּא דִּכְתִיב אָהַבְתָּ צֶּדֶק וַתִּשְׂנָא רֶשַׁע. בְּגִין דְּאָהַב צֶדֶק, וְשָׂנָא רֶשַׁע, אִתְקְרַב לִצְדָקָה, וְעַל דָּא כְּתִיב, אַבְרָהָם אוֹהֲבִי. מַאי טַעְמָא אוֹהֲבִי, בְּגִין דִּכְתִיב, אָהַבְתָּ צֶּדֶק. רְחִימוּתָא דְּקוּדְשָׁא בְּרִיךְ הוּא, דְּרָחִים לֵיהּ אַבְרָהָם, מִכָּל בְּנֵי דָּרֵיהּ, דַּהֲווּ אַבִּירֵי לֵב, וְאִינּוּן רְחוֹקִים מִצְּדָקָה, כְּמָה דְּאִתְּמָר.

ד. ר׳ יוֹסֵי פָּתַח, מַה יְּדִידוֹת מִשְׁכְּנוֹתֶיךָ ה׳ צְבָאוֹת. כַּמָּה אִית לוֹן לִבְנֵי נָשָׁא, לְאִסְתַּכָּלָא בְּפוּלְחָנָא דְּקוּדְשָׁא בְּרִיךְ הוּא. דְּהָא כָּל בְּנֵי נָשָׁא, לָא יָדְעֵי וְלָא מִסְתַּכְּלֵי עַל מַה קָּאִים עָלְמָא. וְאִינּוּן עַל מַה קָיְימִין. דְּכַד בָּרָא קוּדְשָׁא בְּרִיךְ הוּא עָלְמָא, עֲבַד שְׁמַיָּא, מֵאֵשׁ וּמִמַּיִם מִתְעָרְבִין כַּחֲדָא, וְלָא הֲווּ גַּלְדֵי. וּלְבָתַר אַגְלִידוּ, וְקַיְימוּ בְּרוּחָא עִלָּאָה. וּמִתַּמָּן שָׁתִיל עָלְמָא, לְקַיְּימָא עַל סָמְכִין. וְאִינּוּן סָמְכִין, לָא קָיְימִין, אֶלָּא בְּהַהוּא רוּחָא. וּבְשַׁעֲתָא דְּהַהוּא רוּחָא אִסְתַּלַּק, כֻּלְּהוּ מְרַפְּפִין וְזָעִין, וְעָלְמָא אַרְתַּת. הֲדָא הוּא דִּכְתִיב הַמַּרְגִּיז אֶרֶץ מִמְּקוֹמָהּ וְעַמּוּדֶיהָ יִתְפַּלָּצוּן. וְכֹלָּא קָאִים עַל אוֹרַיְיתָא, דְּכַד יִשְׂרָאֵל מִשְׁתַּדְּלֵי בְּאוֹרַיְיתָא, מִתְקַיֵּים עָלְמָא, וְאִינּוּן קָיְימִין, וְסָמְכִין קָיְימִין בְּאַתְרַיְיהוּ, בְּקִיּוּמָא שְׁלִים.

ה. תָּא חֲזֵי. בְּשַׁעֲתָא דְּאִתְעַר פַּלְגוּת לֵילְיָא, וְקוּדְשָׁא בְּרִיךְ הוּא עָאל לְגִנְּתָא דְּעֵדֶן, לְאִשְׁתַּעְשְׁעָא עִם צַדִּיקַיָּא. כֻּלְּהוּ אִילָנִין דִּבְגִנְּתָא דְּעֵדֶן, מְזַמְּרָן וּמְשַׁבְּחָן קַמֵּיהּ. דִּכְתִיב, אָז יְרַנְּנוּ עֲצֵי הַיָּעַר מִלִּפְנֵי ה׳ וגו׳.

ו. וְכָרוֹזָא קָארֵי בְּחַיִל, וַאֲמַר, לְכוֹן אָמְרִין קַדִּישִׁין עֶלְיוֹנִין, מָאן מִנְּכוֹן, דְּעָיֵיל רוּחָא בְּאוּדְנוֹי, לְמִשְׁמַע. וְעֵינוֹי פְּקוּחִין לְמֶחֱמֵי. וְלִבֵּיהּ פָּתוּחַ לְמִנְדַּע. בְּשַׁעֲתָא, דְּרוּחָא דְּכָל רוּחִין, אָרִים בְּסִימוּ דְּנִשְׁמָתָא, וּמִתַּמָּן, נָפִיק קָלָא דְּקָלַיָּא, וְחֵילִין אִתְבַּדַּר לְאַרְבַּע סִטְרֵי עָלְמָא.

ז. חַד סָלִיק, לְסִטְרָא חָד. חַד נָחִית לְהַהוּא סִטְרָא. חַד עָיֵיל, בֵּין תְּרֵין. תְּרֵין מִתְעַטְּרָן בִּתְלַת. תְּלַת עָיְילֵי בְּחַד. חַד אַפִּיק גַּוְונִין. שִׁית מִנְּהוֹן, לְסִטְרָא חָד. וְשִׁית מִנְּהוֹן, נָחֲתֵי לְהַהוּא סִטְרָא. שִׁית עָיְילֵי בִּתְרֵיסַר. תְּרֵיסַר מִתְעָרִין בְּעֶשְׂרִין וּתְרֵין. שִׁית, כְּלִילָן בַּעֲשָׂרָה. עֲשָׂרָה קָאִים בְּחַד.

ח. וַוי לְאִינּוּן דְּנַיְימֵי שֵׁינְתָא בְּחוֹרֵיהוֹן, לָא יָדְעֵי וְלָא מִסְתַּכְּלָאן אֵיךְ יְקוּמוּן בְּדִינָא,

דְּחוּשְׁבַּן אִתְפַּקַד, כַּד אִסְתָּאַב גּוּפָא, וְנִשְׁמָתָא שַׁטְיָא, עַל אַנְפֵּי דַּאֲוִירָא דְּטִיהֲרָא, וְסָלְקָא וְנַחֲתָא, וְתַרְעִין לָא מִתְפַּתְּחָן, מִתְגַּלְגְּלָן כְּאַבְנִין בְּגוֹ קוּסְפִּיתָא. וַוי לוֹן, מַאן יְתַבַּע לוֹן, דְּלָא יְקוּמוּן בְּעִדּוּנָא דָא, בְּגוֹ דּוּכְתֵּי דְּעִנּוּגֵי דְּצַדִּיקַיָּא, אִתְפַּקְּדוּן דּוּכְתַּיְיהוּ. אִתְמַסְרוּן בִּידָא דְּדוּמָה, נַחֲתֵי וְלָא סַלְקֵי. עֲלַיְיהוּ כְּתִיב, כָּלָה עָנָן וַיֵּלַךְ כֵּן יוֹרֵד שְׁאוֹל לֹא יַעֲלֶה.

ט. בְּהַהִיא שַׁעֲתָא אִתְעַר שַׁלְהוֹבָא חַד מִסְּטַר צָפוֹן, וּבָטַשׁ בְּאַרְבַּע סִטְרֵי עָלְמָא, וְנָחִית וּמָטֵי, בֵּין גַּדְפֵּי דְּתַרְנְגוֹלָא. וְאִתְעַר הַהוּא שַׁלְהוֹבָא בֵּיהּ, וְקָרֵי. וְלֵית מַאן דְּאִתְעַר, בַּר אִינּוּן זַכָּאֵי קְשׁוֹט, דְּקַיְימֵי וְאִתְעָרוּ בְּאוֹרַיְיתָא. וּכְדֵין קֻבְּ"ה, וְכָל אִינּוּן צַדִּיקַיָּיא, דִּבְגוֹ גִּנְתָּא דְּעֵדֶן, צַיְיתֵי לְקָלֵיהוֹן. כד"א, הַיּוֹשֶׁבֶת בַּגַּנִּים חֲבֵרִים מַקְשִׁיבִים לְקוֹלֵךְ הַשְׁמִיעִנִי.

סִתְרֵי-תּוֹרָה

י. תָּאנָא. בְּתוּקְפָּא דְּהַרְמְנוּ דְּמַלְכָּא, אַנְצִיב חַד אִילָנָא רַבָּא וְתַקִּיף. גּוֹ נְטִיעָן עִלָּאִין, נְטִיעַ אִילָנָא דָא. בִּתְרֵיסַר תְּחוּמִין, אִסְתַּחַר. בְּאַרְבַּע סִטְרִין דְּעָלְמָא, פְּרִישָׂא רַגְלֵיהּ.

יא. ת"ק פַּרְסֵי מַטְלָנוֹי, כָּל רְעוּתִין, דְּאִינּוּן פְּרָסִין, בֵּיהּ תַּלְיָין. כַּד אִתְעַר הַאי, כֻּלְּהוּ מִתְעָרִין בַּהֲדֵיהּ, לֵית מַאן דְּנָפִיק מֵרְעוּתֵיהּ. לְבָתַר, כֻּלְּהוּ בִּרְעוּתָא חֲדָא בַּהֲדֵיהּ.

יב. קָם מִלְּעֵילָא, נָחִית בְּמַטְלָנוֹי לְגוֹ יַמָּא. מִנֵּיהּ, יַמָּא אִתְמַלְיָא. אִיהוּ מְקוֹרָא דְּכָל מַיִין דְּנָבְעִין. תְּחוֹתֵיהּ מִתְפַּלְּגִין כָּל מֵימוֹי דִּבְרֵאשִׁית. שַׁקְיוּ דְּגִנְתָּא, בֵּיהּ תַּלְיָין.

יג. כָּל נִשְׁמָתִין דְּעָלְמָא, מִנֵּיהּ פָּרְחִין. נִשְׁמָתִין אִלֵּין עָאלִין בְּגִנְתָּא, לְנַחֲתָא לְהַאי עָלְמָא. נִשְׁמָתָא כַּד נָפְקָא, אִתְבָּרְכָא בְּשֶׁבַע בִּרְכָאן, לְמֶהֱוֵי אַבָּא לְגוּפָא, בִּסְלִיקוּ עִלָּאָה. הה"ד וַיֹּאמֶר ה' אֶל אַבְרָם. הָא נִשְׁמָתָא עִלָּאָה אַבָּא לְגוּפָא בִּסְלִיקוּ דִּדְיוֹקְנָא עִלָּאָה.

יד. כַּד בַּעְיָא לְנַחֲתָא לְהַאי עָלְמָא, אוֹמֵי לָהּ קֻבְּ"ה לְמִיטַּר פִּקּוּדֵי אוֹרַיְיתָא, וּלְמֶעְבַּד רְעוּתֵיהּ. וּמָסַר לָהּ מְאָה מַפְתְּחָאן דְּבִרְכָאן, דְּכָל יוֹמָא, לְאַשְׁלָמָא לְדַרְגִּין עִלָּאִין, כְּחוּשְׁבַּן לֶךְ לְךָ. דְּהָא כֻּלְּהוּ אִתְמְסַר לָהּ, בְּגִין לְאַתְקְנָא בְּהוּ לְגִנְתָּא, וּלְמִפְלַח לָהּ וּלְנַטְרָא לָהּ. מֵאַרְצְךָ, דָּא גִּנְתָּא דְּעֵדֶן.

טו. וּמִמּוֹלַדְתְּךָ, דָּא גּוּפָא, דְּאִתְקְרֵי אִילָנָא דְּחַיֵּי, דְּאִיהוּ תְּרֵיסַר שִׁבְטִין עִלָּאִין. וּמִבֵּית אָבִיךָ, דָּא שְׁכִינְתָּא. אָבִיךָ, דָּא קֻבְּ"ה. שֶׁנֶּאֱמַר גּוֹזֵל אָבִיו וְאִמּוֹ וְאוֹמֵר אֵין פָּשַׁע וגו', וְאֵין אָבִיו אֶלָּא קֻבְּ"ה. וְאֵין אִמּוֹ אֶלָּא כְּנֶסֶת יִשְׂרָאֵל. אֶל הָאָרֶץ אֲשֶׁר אַרְאֶךָּ. דָּא אִיהוּ הַאי עָלְמָא. (עַד כָּאן סִתְרֵי תּוֹרָה.

טז. וַיֹּאמֶר ה' אֶל אַבְרָם. מַה כְּתִיב לְעֵילָא וַיָּמָת הָרָן עַל פְּנֵי תֶּרַח אָבִיו וגו'. מַאי אִירְיָא הָכָא, אֶלָּא עַד הַהוּא יוֹמָא, לָא הֲוָה בַּר נָשׁ, דְּמִית בְּחַיֵּי אֲבוֹי, בַּר דָּא. דְּכַד אִתְרְמֵי אַבְרָם לְנוּרָא, אִתְקְטִיל הָרָן, וּבְגִין דָּא, נָפְקוּ מִתַּמָּן.

יז. ת"ח, מַה כְּתִיב, וַיִּקַּח תֶּרַח אֶת אַבְרָם בְּנוֹ וְאֶת לוֹט בֶּן הָרָן וגו'. וַיֵּצְאוּ אִתָּם מֵאוּר כַּשְׂדִּים. וַיֵּצְאוּ אִתָּם. אִתּוֹ מִבָּעֵי לֵיהּ. דְּהָא כְּתִיב וַיִּקַּח תֶּרַח וגו'. מַאי, וַיֵּצְאוּ אִתָּם. אֶלָּא, תֶּרַח וְלוֹט, עִם אַבְרָהָם וְשָׂרָה נָפְקוּ, דְּאִינּוּן הֲווֹ עִקָּרָא לְמֵיפַּק מִגּוֹ אִינּוּן חַיָּיבַיָּא. דְּכֵיוָן דְּחָמָא תֶּרַח, דְּאַבְרָהָם בְּרֵיהּ, אִשְׁתְּזֵיב מִגּוֹ נוּרָא, אִתְהֲדַר לְמֶעְבַּד רְעוּתֵיהּ דְּאַבְרָהָם, וּבְגִין כָּךְ וַיֵּצְאוּ אִתָּם תֶּרַח וְלוֹט.

יח. וּבְשַׁעֲתָא דִּנְפָקוּ, מַה כְּתִיב, לָלֶכֶת אַרְצָה כְּנַעַן. דִּרְעוּתָא דִּלְהוֹן הֲוָה לְמֵיהַךְ תַּמָּן. מִכָּאן אוֹלִיפְנָא, כָּל מַאן דְּאִתְעַר לְאִתְדַּכָּאָה, מְסַיְּיעִין לֵיהּ. ת"ח דְּהָכֵי הוּא. דְּכֵיוָן

דִּכְתִּיב, לָלֶכֶת אַרְצָה כְּנַעַן, מִיָּד וַיֹּאמֶר ה' אֶל אַבְרָהָם לֶךְ לְךָ, וְעַד דְּאִיהוּ אִתְעַר בְּקַדְמֵיתָא, לָא כְּתִיב לֶךְ לְךָ.

יט. ת"ח. מִלָּה דִּלְעֵילָּא לָא אִתְעַר, עַד דְּאִתְעַר לְתַתָּא בְּקַדְמֵיתָא, עַל מַה דְּתִשְׁרֵי הַהִיא דִּלְעֵילָּא. וְרָזָא דְּמִלָּה, נְהוֹרָא אוּכְמָא, לָא אִתְאֲחִיד בִּנְהוֹרָא חִוָּורָא. עַד דְּאִיהִי אִתְעָרִית בְּקַדְמֵיתָא. כֵּיוָן דְּאִיהִי אִתְעָרִית בְּקַדְמֵיתָא. מִיָּד נְהוֹרָא חִוָּורָא שַׁרְיָיא עָלָהּ.

כ. וְעַ"ד כְּתִיב אֱלֹקִים אַל דֳּמִי לָךְ אַל תֶּחֱרַשׁ וְאַל תִּשְׁקֹט אֵל. בְּגִין דְּלָא יִתְפְּסַק נְהוֹרָא חִוָּורָא מֵעָלְמָא, לְעָלְמִין. וְכֵן הַמַּזְכִּירִים אֶת ה' אַל דֳּמִי לָכֶם. בְּגִין, לְאַתְעָרָא לְתַתָּא, בְּמָה דְּיִשְׁרֵי אִתְעֲרוּתָא דִּלְעֵילָּא. וְכֵן כֵּיוָן דְּאִתְעַר בַּר נָשׁ, אִתְעֲרוּתָא בְּקַדְמֵיתָא, כְּדֵין אִתְעַר, אִתְעֲרוּתָא דִּלְעֵילָּא. ת"ח, כֵּיוָן דִּכְתִיב וַיֵּצְאוּ אִתָּם מֵאוּר כַּשְׂדִּים וגו', מִיָּד וַיֹּאמֶר ה' אֶל אַבְרָם וגו'.

כא. וַיֹּאמֶר ה' אֶל אַבְרָם לֶךְ לְךָ. אֲמַר ר' אֶלְעָזָר, לֶךְ לְךָ: לְגַרְמָךְ, לְאַתְקָנָא גַּרְמָךְ. לְאַתְקָנָא דַּרְגָּא דִּילָךְ. לֶךְ לְךָ. לֵית אַנְתְּ כְּדַאי לְמֵיקַם הָכָא, בֵּין חַיָּיבִין אִלֵּין.

כב. וְרָזָא דְּמִלָּה, לֶךְ לְךָ. דְּהָא קֻבְּ"ה, יָהִיב לֵיהּ לְאַבְרָהָם, רוּחָא דְּחָכְמְתָא, וַהֲוָה יָדַע וּמְצָרֵף סִטְרֵי דְּיִישׁוּבֵי עָלְמָא, וְאִסְתַּכַּל בְּהוּ. וְאַתְקַל בְּתִיקְלָא, וְיָדַע חֵילִין דִּי מְמַנָּן עַל סִטְרֵי יִישׁוּבָא.

כג. כַּד מָטָא לְגוֹ נְקוּדָה דְּאֶמְצָעִיתָא דְּיִישׁוּבָא, תָּקִיל בְּתִיקְלָא וְלָא הֲוָה סָלִיק בִּידֵיהּ, אַשְׁגַּח לְמִנְדַּע חֵילָא דִּי מְמַנָּא עָלָהּ, וְלָא יָכִיל לְאִתְדַּבְּקָא בִּרְעוּתֵיהּ.

כד. תָּקִיל כַּמָּה זִמְנִין, וְחָמָא, דְּהָא מִתַּמָּן אִשְׁתִּיל כָּל עָלְמָא. אַשְׁגַּח וְצָרַף וְתָקַל לְמִנְדַּע, וְחָמָא, דְּהָא חֵילָא עִלָּאָה, דַּעֲלָהּ לֵית לֵיהּ שִׁעוּרָא עָמִיק וְסָתִים. וְלָאו אִיהוּ כְּגַוְונֵי דְּסִטְרֵי דַּרְגֵּי דְּיִשׁוּבָא.

כה. אַשְׁגַּח וְתָקִיל, וְיָדַע, דְּהָא כְּמָה דְּמֵהַהִיא נְקוּדָה אֶמְצָעִיתָא דְּיִשׁוּבָא, מִנֵּיהּ אִשְׁתִּיל כָּל עָלְמָא, לְכָל סִטְרוֹי. הָכֵי נַמֵּי יָדַע, דְּהָא חֵילָא דְּשָׁרֵי עָלָהּ, מִתַּמָּן נָפְקוּ כָּל שְׁאָר חֵילִין, דִּמְמַנָּן עַל כָּל סִטְרֵי עָלְמָא, וְכֻלְּהוּ בֵּיהּ אֲחִידָן. כְּדֵין וַיֵּצְאוּ אִתָּם מֵאוּר כַּשְׂדִּים לָלֶכֶת אַרְצָה כְּנַעַן.

כו. עוֹד אַשְׁגַּח וְתָקִיל וְצָרִיף, לְמֵיקַם עַל בְּרִירָא דְּמִלָּה, דְּהַהוּא אֲתַר, וְלָא הֲוָה יָדַע, וְלָא יָכִיל לְמֵיקַם עָלָהּ לְאִתְדַּבְּקָא. כֵּיוָן דְּחָמָא תּוּקְפָא דְּהַאי אֲתַר, וְלָא יָכִיל לְמֵיקַם עֲלֵיהּ, מִיָּד וַיָּבֹאוּ עַד חָרָן וַיֵּשְׁבוּ שָׁם.

כז. מַאי טַעְמָא דְּאַבְרָהָם. אֶלָּא, דְּאִיהוּ הֲוָה יָדַע וְצָרִיף בְּכָל אִינּוּן שָׁלְטָנִין מְדַבְּרֵי עָלְמָא, בְּכָל סִטְרוֹ דְּיִשׁוּבָא. וַהֲוָה תָּקִיל וְצָרִיף אִינּוּן דְּשָׁלְטִין בְּסִטְרֵי דְּיִשׁוּבָא מְדַבְּרֵי כֹּכְבַיָּא וּמַזָּלֵיהוֹן, מַאן אִינּוּן תַּקִּיפִין, אִלֵּין עַל אִלֵּין, וַהֲוָה תָּקִיל כָּל יִשׁוּבֵי דְּעָלְמָא, וַהֲוָה סָלִיק בִּידוֹי. כַּד מָטָא לְהַאי אֲתַר, וְחָמָא תַּקִּיפוּ דְּעָמִיקִין, וְלָא יָכִיל לְמֵיקַם בֵּיהּ.

כח. כֵּיוָן דְּחָמָא קֻבְּ"ה, אִתְעֲרוּתָא דִּילֵיהּ, וְתֵיאוּבְתָּא דִּילֵיהּ, מִיָּד אִתְגְּלֵי עֲלֵיהּ, וַאֲמַר לֵיהּ, לֶךְ לְךָ. לְמִנְדַּע לָךְ, וּלְאַתְקָנָא גַּרְמָךְ.

כט. מֵאַרְצְךָ. מֵהַהוּא סִטְרָא דְּיִשׁוּבָא דַּהֲוֵית מִתְדַּבַּק בֵּיהּ. וּמִמּוֹלַדְתְּךָ מֵהַהוּא חָכְמָה, דְּאַתְּ מַשְׁגַּח, וְתָקִיל תּוֹלַדְתָּא דִּילָךְ, וְרִגְעָא וְשַׁעֲתָא וְזִמְנָא, דְּאִתְיְלִידַת בֵּיהּ, וּבְהַהוּא כּוֹכָבָא, וּבְהַהוּא מַזָּלָא.

ל. וּמִבֵּית אָבִיךָ. דְּלָא תַּשְׁגַּח בְּבֵיתָא דַּאֲבוּךְ. וְאִי אִית לָךְ שָׁרְשָׁא לְאַצְלָחָא בְּעָלְמָא, מִבֵּיתָא דַּאֲבוּךְ, בְּגִין כָּךְ לֶךְ לְךָ, מֵחָכְמָה דָּא וּמֵאַשְׁגָּחוּתָא דָּא.

לא. תָּא חֲזֵי. דְּהָכֵי הוּא, דְּהָא נָפְקוּ מֵאוּר כַּשְׂדִּים, וַהֲווּ בְּחָרָן, אַמַּאי יֵימָא לֵיהּ לֶךְ

לֶךְ מֵאַרְצְךָ וּמִמּוֹלַדְתְּךָ. אֶלָּא עִקָּרָא דְּמִלְּתָא, כְּמָה דְּאִתְּמַר. אֶל הָאָרֶץ אֲשֶׁר אַרְאֶךָּ. אַרְאֶךָּ, מַה דְּלָא יְכֵילַת לְמֵיקַם עֲלֵיהּ, וְלָא יְכֵילַת לְמִנְדַּע חֵילָא דְּהַהִיא אַרְעָא, דְּאִיהוּ עָמִיק וְסָתִים.

לב. וְאֶעֶשְׂךָ לְגוֹי גָּדוֹל וגו'. וְאֶעֶשְׂךָ, בְּגִין דִּכְתִיב, לֶךְ לְךָ. וַאֲבָרֶכְךָ, בְּגִין דִּכְתִיב, מֵאַרְצְךָ. וַאֲגַדְּלָה שְׁמֶךָ, בְּגִין דִּכְתִיב, וּמִמּוֹלַדְתְּךָ. וֶהְיֵה בְּרָכָה, בְּגִין דִּכְתִיב, וּמִבֵּית אָבִיךָ.

לג. ר"ש אֲמַר, וְאֶעֶשְׂךָ לְגוֹי גָּדוֹל, מִסִּטְרָא דִּימִינָא. וַאֲבָרֶכְךָ, מִסִּטְרָא דִּשְׂמָאלָא. וַאֲגַדְּלָה שְׁמֶךָ, מִסִּטְרָא דְּאֶמְצָעִיתָא. וֶהְיֵה בְּרָכָה, מִסִּטְרָא דְּאַרְעָא דְּיִשְׂרָאֵל. הָא הָכָא כָּרְסְיָּיא, דְּאַרְבַּע סַמְכִין, דְּכֻלְּהוּ כְּלִילָן בֵּיהּ בְּאַבְרָהָם. מִכָּאן וּלְהָלְאָה, בִּרְכָאן לְאַחֲרָנִין, דְּמִתְּזְנֵי מֵהָכָא, דִּכְתִיב, וַאֲבָרְכָה מְבָרְכֶיךָ וּמְקַלֶּלְךָ אָאוֹר וְנִבְרְכוּ בְךָ כֹּל מִשְׁפְּחוֹת הָאֲדָמָה.

לד. ר' אֶלְעָזָר, הֲוָה יָתִיב קַמֵּיהּ דְּר"ש אֲבוֹי, וַהֲווּ עִמֵּיהּ, ר' יְהוּדָה, וְרַבִּי יִצְחָק, וְרַבִּי חִזְקִיָּה. א"ל ר' אֶלְעָזָר לְר"ש אֲבוֹי, הַאי דִּכְתִיב, לֶךְ לְךָ מֵאַרְצְךָ וּמִמּוֹלַדְתְּךָ. כֵּיוָן דְּכֻלְּהוּ נָפְקוּ לְמֵהַךְ, אַמַּאי לָא אִתְּמַר לֵיהּ דְּכֻלְּהוּ יִפְקוּן.

לה. דְּהָא אַף עַל גַּב דְּתֶרַח הֲוָה פָּלַח לע"ז, כֵּיוָן דְּאִתְּעַר בְּאִתְעָרוּתָא טַב לְמֵיפַק בַּהֲדֵיהּ דְּאַבְרָהָם, וְזִמְנִין דְּקֻבְּ"ה אִתְרְעֵי בְּתְיוּבְתָא דְּחַיָּיבַיָּא, וְשָׁרָא לְמֵיפַק, אַמַּאי לָא כְּתִיב לְכוּ לָכֶם. אַמַּאי לְאַבְרָהָם בִּלְחוֹדוֹי לֶךְ לְךָ.

לו. א"ל ר"ש, אִי תֵּימָא, דְּתֶרַח כַּד נָפַק, מֵאוּר כַּשְׂדִּים, בְּגִין לְאַהְדְּרָא בִּתְשׁוּבָה הֲוָה, לָאו הָכִי, אֶלָּא כַּד נָפַק, לְאִשְׁתְּזָבָא נָפַק, דַּהֲווּ כֻּלְּהוּ בְּנֵי אַרְעֵיהּ, בָּעָאן לְמִקְטְלֵיהּ. כֵּיוָן דְּחָזוּ, דְּאִשְׁתֵּזִיב אַבְרָהָם, הֲווּ אָמְרֵי לֵיהּ לְתֶרַח, אַנְתְּ הוּא דַּהֲוֵית מַטְעֵי לָן, בְּאִלֵּין פְּסִילִין, וּמִגּוֹ דְּחִילָא דִּלְהוֹן, נָפַק תֶּרַח, כֵּיוָן דְּמָטָא לְחָרָן, לָא נָפַק מִתַּמָּן לְבָתַר, דִּכְתִיב וַיֵּלֶךְ אַבְרָם כַּאֲשֶׁר דִּבֶּר אֵלָיו ה' וַיֵּלֶךְ אִתּוֹ לוֹט. וְאִילּוּ תֶּרַח לָא כְּתִיב.

לז. פָּתַח וְאָמַר, וַיִּמָּנַע מֵרְשָׁעִים אוֹרָם וּזְרוֹעַ רָמָה תִּשָּׁבֵר. הַאי קְרָא אוֹקְמוּהָ, אֲבָל, וַיִּמָּנַע מֵרְשָׁעִים אוֹרָם, דָּא נִמְרוֹד וּבְנֵי דָּרֵיהּ, דִּנְפַק אַבְרָהָם מִנַּיְיהוּ דַּהֲוָה אוֹרָם. וּזְרוֹעַ רָמָה תִּשָּׁבֵר, דָּא נִמְרוֹד.

לח. ד"א, וַיִּמָּנַע מֵרְשָׁעִים אוֹרָם, דָּא תֶּרַח וּבְנֵי בֵּיתֵיהּ. אוֹרָם: דָּא אַבְרָהָם. הָאוֹר, לָא כְּתִיב, אֶלָּא אוֹרָם, דַּהֲוָה עִמְּהוֹן. וּזְרוֹעַ רָמָה תִּשָּׁבֵר. דָּא נִמְרוֹד, דַּהֲוָה מַטְעֵי אֲבַתְרֵיהּ, כָּל בְּנֵי עָלְמָא. וּבְגִין כָּךְ כְּתִיב לֶךְ לְךָ. בְּגִין, לְאַנְהָרָא לָךְ, וּלְכָל אִינּוּן דְּיִפְקוּן מִינָּךְ, מִכָּאן וּלְהָלְאָה.

לט. תּוּ פָּתַח וְאָמַר. וְעַתָּה לֹא רָאוּ אוֹר בָּהִיר הוּא בַּשְּׁחָקִים וְרוּחַ עָבְרָה וַתְּטַהֲרֵם. וְעַתָּה לֹא רָאוּ אוֹר, אֵימָתַי, בְּשַׁעְתָּא דַּאֲמַר קֻבְּ"ה לְאַבְרָהָם לֶךְ לְךָ מֵאַרְצְךָ וּמִמּוֹלַדְתְּךָ וּמִבֵּית אָבִיךָ. בָּהִיר הוּא בַּשְּׁחָקִים. דְּבָעָא קֻבְּ"ה לְאַדְבְּקָא לֵיהּ לְאַבְרָהָם, בְּהַהוּא אוֹר דִּלְעֵילָּא, וּלְאַנְהָרָא תַּמָּן.

מ. וְרוּחַ עָבְרָה וַתְּטַהֲרֵם. דְּהָא לְבָתַר תָּבוּ בִּתְיוּבְתָּא, תֶּרַח וְכָל בְּנֵי מָאתֵיהּ בְּנֵי מָאתֵיהּ, דִּכְתִיב, וְאֶת הַנֶּפֶשׁ אֲשֶׁר עָשׂוּ בְחָרָן. תֶּרַח: דִּכְתִיב וְאַתָּה תָּבֹא אֶל אֲבוֹתֶיךָ בְּשָׁלוֹם וגו'.

סִתְרֵי תּוֹרָה

מא. וְאֶעֶשְׂךָ לְגוֹי גָּדוֹל, הַאי בִּרְכְתָא חֲדָא. וַאֲבָרֶכְךָ, תְּרֵין. וַאֲגַדְּלָה שְׁמֶךָ, תְּלַת. וֶהְיֵה בְּרָכָה, אַרְבַּע. וַאֲבָרְכָה מְבָרְכֶיךָ, חָמֵשׁ. וּמְקַלֶּלְךָ אָאוֹר, שִׁית. וְנִבְרְכוּ בְךָ כֹּל

משפחות האדמה, הא שבע. כיון דאתברכו באלין שבע ברכאן, מה כתיב, וילך אברם כאשר דבר אליו ה'. לנחתא להאי עלמא, כמה דאתפקדא.

מב. מיד וילך אתו לוט. דא איהו נחש דאתלטיא, ואתלטיא עלמא בגיניה, דאיהו קאים לפתחא, לאסטאה לגופא, ולא תפעול נשמתא, פולחנא דאתפקדת, עד דיעברון עלה בהאי עלמא, י"ג שנין, דהא מתריסר שנין ולעילא, נשמתא אתערת, למפלח פולחנא דאתפקדת, הה"ד ואברם בן חמש שנים ושבעים שנה. שבע וחמש תריסר אינון.

מג. וכדין אתחזיאת נשמתא בהאי עלמא. דאיהי אתיא מחמש שנים, דאינון ת"ק פרסי דאילנא דחיי. ושבעים שנה, דא איהו ההוא אילנא ממש, דאיהו שביעאה לדרגין, ושבעין שנה אתקרי.

מד. כדין נפקת מההוא זוהמא דנחש, ועאלת בפולחנא קדישא, הה"ד, בצאתו מחרן, מההוא רוגזא ותוקפא דההוא נחש, דהוה אסטי ליה עד השתא לגופא, ושלטא עלוי.

מה. באילנא, שלטא ערלה תלת שנין. בבר נש, תלת סרי שנין, דאקרון שני ערלה, כיון דאעברו על גופא אינון שנין, ואתעברת נשמתא, למפלח פולחנא קדישא, פקידת לגופא, לרעותא טבא, לכפוף לההוא נחש, דהא לא יכיל לשלטאה כמה דהוי.

מו. דכתיב, ויקח אברם את שרי אשתו וגו', דא גופא, דאיהי לגבי נשמתא, כנוקבא לגבי דכורא. ואת לוט בן אחיו, דא נחש, דלא אעדי כל כך מן גופא, בגין דדבקותא דגופא, לא אעדיו כל כך מניה, אבל אתערותא דנשמתא אלקי ליה תדיר, ואתרי ביה, ואוכח ליה, וכפיף ליה, על כרחיה, ולא יכיל לשלטאה.

מז. ואת כל רכושם אשר רכשו, אלין עובדין טבין דעביד בר נש, בהאי עלמא, באתערותא דנשמתא. ואת הנפש אשר עשו בחרן. ההוא נפש, דהות בקדמיתא בדבקותא בחברותא דההיא ערלה, בהדי גופא, ואתקין לה לבתר, דהא לבתר דתליסר שנין ולעילא, דנשמתא אתערת, לאתקנא לגופא, תרווייהו מתקנין לההוא נפש, דמשתתפא בתוקפא דנחש, ותאובתיה בישא, הה"ד ואת הנפש אשר עשו בחרן.

מח. ועם כל דא, נשמתא אתקיפת ביה, בההוא נחש, לתברא ליה, בתוקפא בשעבודא דתשובה, הדא הוא דכתיב ויעבור.

מט. וילך אברם כאשר דבר אליו ה'. א"ר אלעזר, ת"ח, דהא לא כתיב ויצא אברם כאשר דבר אליו ה'. אלא וילך. כד"א לך לך. דהא יציאה בקדמיתא עבדו, דכתיב, ויצאו אתם מאור כשדים ללכת ארצה כנען. והשתא כתיב וילך, ולא כתיב ויצא.

נ. כאשר דבר אליו ה'. דאבטח ליה בכלהו הבטחות. וילך אתו לוט, דאתחבר עמיה, בגין למילף מעובדוי, ועם כל דא לא אוליף כולי האי. א"ר אלעזר זכאין אינון צדיקייא, דאולפי ארחוי דקב"ה, בגין למיהך בהו, ולדחלא מניה, מההוא יומא דדינא, דזמין בר נש למיהב דינא וחושבנא לקב"ה.

נא. פתח ואמר, ביד כל אדם יחתום לדעת כל אנשי מעשהו. האי קרא אוקמוה. אבל ת"ח, בההוא יומא, דאשלימו יומוי דבר נש לאפקא מעלמא, ההוא יומא, דגופא אתבר, ונפשא בעיא לאתפרשא מניה. כדין, אתייהיב רשו לבר נש למחמי, מה דלא

הֲוָה לֵיהּ רְשׁוּ לְמֶחֱמֵי, בְּזִמְנָא דְּגוּפָא שָׁלְטָא, וְקָאִים עַל בּוּרְייֵהּ.

נב. וּכְדֵין קַיְימֵי עֲלֵיהּ תְּלַת שְׁלִיחָן, וְחָשְׁבֵי יוֹמוֹי וְחוֹבוֹי, וְכָל מַה דַּעֲבַד בְּהַאי עָלְמָא, וְהוּא אוֹדֵי עַל כֹּלָּא בְּפוּמֵיהּ. וּלְבָתַר הוּא חָתִים עֲלֵיהּ בִּידֵיהּ. הֲדָא הוּא דִּכְתִיב, בְּיַד כָּל אָדָם יַחְתּוֹם.

נג. וּבִידֵיהּ כֻּלְּהוּ חַתִּימִין לְמֵידַן לֵיהּ, בְּהַאי עָלְמָא, עַל קַדְמָאֵי, וְעַל בַּתְרָאֵי, עַל חַדְתֵּי וְעַל עַתִּיקֵי. לָא אִתְנְשֵׁי חַד מִנַּיְיהוּ, הה״ד לָדַעַת כָּל אַנְשֵׁי מַעֲשֵׂהוּ. וְכָל אִינּוּן עוֹבָדִין דַּעֲבַד בְּהַאי עָלְמָא, בְּגוּפָא וְרוּחָא. הָכִי נָמֵי יָהִיב חוּשְׁבְּנָא בְּגוּפָא וְרוּחָא, עַד לָא יִפּוּק מֵעָלְמָא.

נד. ת״ח, כַּמָּה דְּחַיָּיבַיָּא, אַקְשֵׁי קְדַל בְּהַאי עָלְמָא, ה״נ, אֲפִילּוּ בְּשַׁעְתָּא דְּבָעֵי לְנָפְקָא מֵהַאי עָלְמָא, אַקְשֵׁי קְדַל. בְּגִ״כ זַכָּאָה הוּא ב״נ, דְּיָלִיף בְּהַאי עָלְמָא אָרְחוֹי דְּקֻבְ״ה, בְּגִין לְמֵיהַךְ בְּהוּ. וְחַיָּיבָא, אע״ג דְּאִסְתַּכַּל בְּהָנֵי צַדִּיקַיָּיא, אַקְשֵׁי קְדַל, וְלָא בָּעֵי לְמֵילַף.

נה. וּבְגִ״כ אִית לֵיהּ לְצַדִּיקָא, לְמִתְקַף בֵּיהּ, וְאע״ג דְּחַיָּיבָא אַקְשֵׁי קְדַל הוּא, לָא יִשְׁבּוֹק לֵיהּ, וְאִית לֵיהּ לְאִתְקַפָּא בִּידֵיהּ, וְלָא יִשְׁבּוֹק לֵיהּ, דְּאִי יִשְׁבּוֹק לֵיהּ יְהַךְ וְיַחֲרִיב עָלְמָא.

נו. ת״ח, מִן אֱלִישָׁע דְּדָחָה לְגֵחֲזִי. וְכֵן בְּאַבְרָהָם כָּל זִמְנָא דַּהֲוָה לוֹט בַּהֲדֵיהּ, לָא אִתְחַבַּר בַּהֲדֵי רַשִׁיעַיָּא, כֵּיוָן דְּאִתְפְּרַשׁ מִנֵּיהּ, מַה כְּתִיב וַיִּבְחַר לוֹ לוֹט אֵת כָּל כִּכַּר הַיַּרְדֵּן, וּכְתִיב וַיֶּאֱהַל עַד סְדוֹם. מַה כְּתִיב בַּתְרֵיהּ, וְאַנְשֵׁי סְדוֹם רָעִים וְחַטָּאִים לַה׳ מְאֹד.

נז. א״ר אַבָּא, הַאי דְּאֲמַרְתְּ וַיֵּלֶךְ אַבְרָם, וְלָא כְּתִיב וַיֵּצֵא אַבְרָם, שַׁפִּיר הוּא. אֲבָל, סוֹפָא דִּקְרָא, מַה כְּתִיב, בְּצֵאתוֹ מֵחָרָן. א״ר אֶלְעָזָר, מֵחָרָן כְּתִיב, וְהַהִיא יְצִיאָה מֵאֶרֶץ מוֹלַדְתּוֹ הֲוַת בְּקַדְמֵיתָא.

נח. וַיִּקַּח אַבְרָם אֶת שָׂרַי אִשְׁתּוֹ. מַהוּ וַיִּקַּח, אֶלָּא, אַמְשִׁיךְ לָהּ בְּמִלֵּי מַעַלְיָיתָא, בְּגִין דְּלֵית לֵיהּ רְשׁוּ לְב״נ לְאַפָּקָא אִתְּתֵיהּ, לְמֵיהַךְ בְּאַרְעָא אָחֳרָא בְּלָא רְעוּתָא דִּילָהּ. וְכֵן הוּא אוֹמֵר קַח אֶת אַהֲרֹן. קַח אֶת הַלְוִיִּם. וּבְגִ״כ וַיִּקַּח אַבְרָם. מָשִׁיךְ לָהּ בְּמִלִּין, וְאוֹדַע לָהּ אָרְחַיְיהוּ דְּאִינּוּן בְּנֵי דָּרָא, כַּמָּה בִּישִׁין. וּבְגִין כָּךְ וַיִּקַּח אַבְרָם אֶת שָׂרַי אִשְׁתּוֹ.

נט. וְאֶת לוֹט בֶּן אָחִיו. מַה חָמָא אַבְרָהָם לְדַבְּקָא עִמֵּיהּ לוֹט. אֶלָּא בְּגִין דְּצָפָה בְּרוּחַ הַקֹּדֶשׁ, דְּזַמִּין לְמֵיפַק מִנֵּיהּ דָּוִד. וְאֶת הַנֶּפֶשׁ אֲשֶׁר עָשׂוּ בְּחָרָן. אִלֵּין גֵּרִים וְגִיּוֹרוֹת דְּאִתְקִינוּ נַפְשַׁיְיהוּ, אַבְרָהָם מְגַיֵּיר גּוּבְרִין, וְשָׂרָה מְגַיֶּירֶת נָשִׁין. וּמַעֲלֶה עֲלֵיהוֹן כְּאִלּוּ עֲבָדוּ לְהוֹן.

ס. א״ר אַבָּא אִי הָכִי, כַּמָּה בְּנֵי נָשָׁא הֲווֹ, אִי תֵּימָא דְּכֻלְּהוּ אָזְלוּ עִמֵּיהּ. א״ר אֶלְעָזָר אִין. וּבְגִין כָּךְ כֻּלְּהוּ בְּנֵי נָשָׁא, דַּהֲווֹ אָזְלִין עִמֵּיהּ, כֻּלְּהוּ אִקְרוּן עַם אֱלֹקֵי אַבְרָהָם. וַהֲוָה מְעַבַּר בְּאַרְעָא, וְלָא הֲוָה דָּחִיל. דִּכְתִיב וַיַּעֲבֹר אַבְרָם בָּאָרֶץ.

סא. א״ל ר׳ אַבָּא, אִי הָכִי כְּתִיב, וְהַנֶּפֶשׁ אֲשֶׁר עָשׂוּ בְּחָרָן. הֲוָה אֲמִינָא הָכִי, אֶלָּא, וְאֶת הַנֶּפֶשׁ כְּתִיב, אֶת לְאַסְגָּאָה, זְכוּתָא דְּכֻלְּהוּ נַפְשָׁאן, דַּהֲווֹ אָזְלֵי עִמֵּיהּ, דְּכָל מַאן דִּמְזַכֶּה לְאָחֳרָא, הַהוּא זְכוּתָא תַּלְיָא בֵּיהּ, וְלָא אַעְדֵּי מִנֵּיהּ. מְנָלַן, דִּכְתִיב, וְאֶת הַנֶּפֶשׁ אֲשֶׁר עָשׂוּ בְּחָרָן. זְכוּתָא דְּאִינּוּן נַפְשָׁן הֲוָה אָזִיל עִמֵּיהּ דְּאַבְרָהָם.

סב. לֶךְ לְךָ. א״ר שִׁמְעוֹן, מַאי טַעְמָא דְּגִלּוּיָא קַדְמָאָה, דְּאִתְגְּלֵי קֻבְ״ה עֲלֵיהּ דְּאַבְרָהָם, פָּתַח בְּלֶךְ לְךָ, דְּהָא עַד הָכָא, לָא מַלִּיל עִמֵּיהּ קֻבְ״ה, מ״ט פָּתַח לֶךְ לְךָ. אֶלָּא, הָא קָאָמְרוּ, דְּרָמַז בְּחוּשְׁבְּנֵיהּ מֵאָה, דְּהָא לְמֵאָה שְׁנִין אִתְיְילִיד לֵיהּ בַּר.

סג. אֲבָל ת״ח, כָּל מַה דְּעָבִיד קֻבְ״ה בְּאַרְעָא, כֹּלָּא רָזָא דְּחָכְמְתָא אִיהוּ, בְּגִין

דאברהם לא הוה דביק ביה בקב"ה, כדין כדקא חזי. אמר ליה לך לך, ודא רמז להוא אתר דבעי לאתקרבא בהדיה דקב"ה, ואיהו דרגא קדמאה לאעלא לקודשא בריך הוא, בגין כך לך לך.

סד. והאי דרגא לא יכיל אברהם לאתאחדא ביה, עד דייעול לארעא דתמן יקבל ליה לההוא דרגא. כגוונא דא כתיב וישאל דוד בה' לאמר האעלה באחת מערי יהודה, ויאמר ה' עלה. ויאמר אנה אעלה, ויאמר חברונה. וכי כיון דמית שאול, ומלכותא אתחזי לדוד, אמאי לא קביל מלכותא מיד על כל ישראל.

סה. אלא כלא רזא דחכמתא איהו, בגין דדוד לית ליה לקבלא מלכותא, אלא עד דיתחבר באבהן, דאינון בחברון, וכדין בהו יקבל מלכותא. וע"ד אתעכב תמן שבע שנין, בגין דיקבל מלכותא כדקא יאות, וכלא ברזא דחכמתא ובגין דיתקן מלכותיה. כגוונא דא, אברהם לא עאל בקיומא דקודשא בריך הוא, עד דעאל לארעא.

סו. וחמי מה כתיב ויעבר אברם בארץ. ויעבר, וילך מבעי ליה, אלא, הכא הוא רמז שמא קדישא, דאתחתים ביה עלמא, בע"ב אתוון, גליפן דכלהו בשמא דא. כתיב הכא ויעבר, וכתיב התם ויעבר ה' על פניו ויקרא.

סז. בספרא דר' ייסא סבא, כתיב הכא ויעבר אברם בארץ. וכתיב התם אני אעביר כל טובי. והוא רמז לקדושה דארעא, דאתי מאתר עלאה, כדקא חזי.

סח. עד מקום שכם עד אלון מורה. מסטרא דא לסטרא דא, כדקא חזי והכנעני אז בארץ. הא אתמר, דעד כדין, שלטא חויא בישא דאתלטיא, ואייתי לווטין על עלמא, דכתיב ארור כנען עבד עבדים יהיה לאחיו. וכתיב ארור אתה מכל הבהמה וגו'. ותמן אתקריב אברהם לגבי קב"ה, מה כתיב, וירא ה' אל אברם. הכא אתגלי ליה, מה דלא הוה ידע, ההוא חילא עמיקא לשלטא על ארעא. ובגין כך וירא, מה דהוה מתכסי מניה.

סט. וכדין ויבן שם מזבח לה' הנראה אליו, כיון דאמר לה', מהו הנראה אליו. אלא הכא אתגלי ליה, ההוא דרגא, דשלטא על ארעא, ועאל ביה, ואתקיים ביה.

ע. ויעתק משם ההרה, מתמן ידע הר ה'. וכלהו דרגין דנטיעין בהאי אתר, ויט אהלה. בה"א כתיב, פריש פרישו, וקביל מלכו שמיא, בכלהו דרגין דאחידן ביה. וכדין ידע דקב"ה שליט על כלא. וכדין בנה מזבח.

עא. ותרין מדבחן הוו, בגין דהכא אתגלי ליה, דהא קב"ה שליט על כלא. וידע חכמה עלאה, מה דלא הוה ידע מקדמת דנא. ובנה תרין מדבחן, חד לדרגא דאתגליא וחד לדרגא דאתכסיא, ת"ח, דהכי הוה, בקדמיתא כתיב, ויבן שם מזבח לה' הנראה אליו וגו'. ולבתר כתיב, ויבן שם מזבח לה' סתם, ולא כתיב הנראה אליו. וכלא רזא דחכמתא איהו.

עב. וכדין אתעטר אברהם מדרגא לדרגא, עד דסליק לדרגיה, הה"ד ויסע אברם הלוך ונסוע הנגבה. דא דרום, דהוא חולקיה דאברהם. הלוך ונסוע. דרגא בתר דרגא עד דסליק לדרום, ותמן אתקשר כדקא יאות, וסליק לדרגיה לדרום.

עג. כיון דאתעטר אברהם בדרגוי, בארעא קדישא, ועאל בדרגא קדישא, כדין מה כתיב, ויהי רעב בארץ. דלא הוו ידעי ידיעה, לקרבא לגבי דקודשא בריך הוא.

עד. ויהי רעב בארץ. דעד כען לא הוה חילא דעל ארעא, יהיב תוקפא ומזונא על

אַרְעָא, בְּגִין דְּעַד לָא אִתְקַדְּשַׁת וְלָא קַיְּימָא בְּקִיּוּמָא. כֵּיוָן דְּחָמָא אַבְרָהָם, דְּהָא הַהוּא חֵילָא דִּמְמַנָּא עַל אַרְעָא, לָא יָהִיב תּוּקְפָּא וְחֵילָא קַדִּישָׁא כִּדְקָחָזֵי, כְּדֵין וַיֵּרֶד אַבְרָם מִצְרַיְמָה לָגוּר שָׁם.

עה. מְנָא יָדַע אַבְרָהָם. דִּכְתִיב לְזַרְעֲךָ נָתַתִּי אֶת הָאָרֶץ הַזֹּאת. כְּדֵין יָדַע אַבְרָהָם, דְּהָא אַרְעָא לָא אִתְתַּקְנָא בְּתִקּוּנָא קַדִּישָׁא, אֶלָּא בְּדַרְגִּין קַדִּישִׁין, דְּיִפְקוּן מִנֵּיהּ. וּכְדֵין יָדַע אַבְרָהָם, רָזָא דְּחָכְמְתָא, דְּאַרְעָא לָא תִתַּקַּן בִּקְדוּשָׁה, אֶלָּא כִּדְאֲמָרָן.

גִּלְיוֹן

עו. קב"ה רָמִיז חָכְמְתָא עִלָּאָה, בְּאַבְרָהָם וּבְיִצְחָק. אַבְרָהָם דָּא נִשְׁמָתָא לִנְשָׁמְתָא, וְאִיהִי נְשָׁמָה דָּא הִיא שָׂרָה. לוֹט דָּא הוּא נָחָשׁ, וּבַת זוּגֵיהּ דְּהַהוּא סמא"ל. רוּחַ קַדִּישָׁא דָּא יִצְחָק. נֶפֶשׁ קַדִּישָׁא דָּא רִבְקָה. יֵצֶר הָרָע, דָּא רוּחַ הַבְּהֵמָה, וְע"ד אָמַר שְׁלֹמֹה בְּחָכְמְתֵיהּ, מִי יוֹדֵעַ רוּחַ בְּנֵי הָאָדָם הָעוֹלָה הִיא וגו'. נֶפֶשׁ הַבַּהֲמִית, דָּא נֶפֶשׁ מִסִּטְרָא דְּיֵצֶר הָרָע.

עז. וְעַל דָּא אָמְרוּ דְּאִיהִי נִשְׁמְתָא לִנְשָׁמְתָא, אִתְעֲרָא לְגַבְרָא בְּיִרְאָה וּבְחָכְמְתָא. נִשְׁמְתָא אִתְעֲרָא לְאִינִישׁ בְּבִינָה. הה"ד וַיֹּאמֶר לָאָדָם הֵן יִרְאַת ה' הִיא חָכְמָה וגו'. נִשְׁמָתָא אִתְעֲרֵי בִּתְשׁוּבָה, דְּאִתְקְרֵי בִּינָה, וְאִקְרֵי שָׂרָה. וְרוּחַ הוּא הַקּוֹל וְאִתְקְרֵי דַּעַת, וְאִתְעֲרֵי לְאִינִישׁ דִּי סָלִיק קָלֵיהּ בְּאוֹרַיְיתָא וְאִתְקְרֵי תּוֹרָה שֶׁבִּכְתָב, וְנֶפֶשׁ הַשִּׂכְלִית אִתְעַר מִנֵּיהּ עוּבְדִין טָבִין.

עח. וּבְדוּגְמָא דָּא, בָּרָא גּוּפָא, מֵאַרְבַּע יְסוֹדוֹת: אֵשׁ, וְרוּחַ, וְעָפָר, וּמַיִם. כְּגַוְונָא דְּהוּא נִשְׁמָתָא לִנְשָׁמְתָא, נְשָׁמָה, וְרוּחַ, וְנֶפֶשׁ. מַיִם דָּא דְּכַר, וְדָא הוּא מַיִם מְתִיקֵי דִּקְדוּשָּׁה, וְאִית מַיִם הַמְּאָרְרִים, דְּאִינוּן יֵצֶר הָרָע. אִית אֶשָּׁא קַדִּישָׁא נוּקְבָא, וְאִית אֶשָּׁא נוּכְרָאָה, אֵשׁ זָרָה. וְעַל דָּא כְּתִיב, וְאַל יָבֹא בְּכָל עֵת אֶל הַקֹּדֶשׁ. דְּאִיהִי נוּקְבְתָא מִן יֵצֶר הָרָע. רוּחַ קַדִּישָׁא אִיהוּ דְּכַר, אִית רוּחַ מְסָאֲבָא, דָּא יֵצֶר הָרָע, שֶׁנֶּאֱמַר כִּי מִשֹּׁרֶשׁ נָחָשׁ יֵצֵא צֶפַע. אִית עָפָר קַדִּישָׁא, וְאִית עָפָר מְסָאֲבָא.

עט. וְעַל דָּא, נִשְׁמְתָא דְּאִיהִי תְּשׁוּבָה, דְּתַקִּיפַת בֵּיהּ בְּהַהוּא נָחָשׁ, לְתַבְרָא לֵיהּ, בְּשִׁעְבּוּדָא דִּתְשׁוּבָה, וְאַמְשִׁיךְ לֵיהּ לְבָתֵּי כְּנֵסִיּוֹת וּלְבָתֵּי מִדְרָשׁוֹת וְאִינוּן אַרְבַּע יְסוֹדֵי מִתְפַּשְּׁטִין לְכ"ב אַתְוָון, אוהי"ע, בומ"ף, גיכ"ק, דטלנ"ת, זסשר"ץ. (עַד כָּאן גִּלְיוֹן).

סִתְרֵי תּוֹרָה

פ. וַיַּעֲבֹר אַבְרָם בָּאָרֶץ עַד מְקוֹם שְׁכֶם. דָּא בֵּי כְּנִישְׁתָּא, אֲתַר דְּדִיּוּרָא דִּשְׁכִינְתָּא תַּמָּן, כד"א וַאֲנִי נָתַתִּי לְךָ שְׁכֶם אַחַד. דָּא שְׁכִינְתָּא דְּאִתְחֲזֵי לֵיהּ, הוֹאִיל וְאִתְקְרֵי צַדִּיק, דְּהָא צֶדֶק לָאו דִּיּוּרָהּ אֶלָּא בַּהֲדֵי צַדִּיק, וְדָא הוּא עַד מְקוֹם שְׁכֶם. עַד אֵלוֹן מוֹרֶה. אֵלּוּ בָּתֵּי מִדְרָשׁוֹת, דְּאוֹלְפִין וּמוֹרִים תַּמָּן תּוֹרָה בָּרַבִּים.

פא. וְהַכְּנַעֲנִי אָז בָּאָרֶץ. כְּדֵין אִתְבַּסַּם וְאִתְתַּקַּן יֵצֶר הָרָע בְּגוּפָא בְּעַל כָּרְחֵיהּ. דְּסַגִּיאִין שְׁמָהָן אִית לֵיהּ, וּבְגִינֵי כָּךְ אִדְּכַר בִּשְׁמָהָן סַגִּיאִין. אָז בָּאָרֶץ. וַדַּאי וְאִתְכַּפְיָא בְּהַאי, בְּגִין דִּכְדֵין אִיהוּ גּוּפָא, בְּזִמְנָא דְּלָא אִתְעֲבַר מִנֵּיהּ הַהוּא נָחָשׁ כָּל כָּךְ, בְּגִין דִּבְקִיּוּתָא דְּגוּפָא, כְּדֵין הַכְּנַעֲנִי אָז בָּאָרֶץ. אַמַּאי אִקְרֵי כְּנַעֲנִי, דְּאַסְחַר גּוּפָא לְדִינִין בִּישִׁין.

פב. וְנִשְׁמְתָא קַיְּימָא בְּהַאי עָלְמָא כִּדְקָא יָאוֹת, בְּגִין לְמִזְכֵּי בָּהּ לְבָתַר כַּד נָפְקַת מֵהַאי עָלְמָא, אִי זָכָאת סָלְקָא לְאַתְרָהּ דְּנָפְקַת מִתַּמָּן, דִּכְתִיב אֶל מְקוֹם הַמִּזְבֵּחַ אֲשֶׁר עָשָׂה שָׁם בָּרִאשׁוֹנָה, וּכְתִיב אֶל הַמָּקוֹם אֲשֶׁר הָיָה שָׁם אָהֳלֹה בַּתְּחִלָּה. אָהֳלֹה בְּה"א.

פג. וְהַשְׁתָּא אִיהִי קַיְּימָא בֵּין לְסַלְקָא לְעֵילָּא, וּבֵין לְנַחְתָּא לְתַתָּא. בֵּין בֵּית אֵל וּבֵין הָעַי.

אִי זָכָאת, סַלְקָא אֶל מְקוֹם הַמִּזְבֵּחַ אֲשֶׁר עָשָׂה שָׁם וגו'. מַאן עָשָׂה, וּמַאן מִזְבֵּחַ. אֶלָּא, אֲשֶׁר עָשָׂה שָׁם, דָּא קֻבְּ"ה. דְּאִיהוּ עָבַד תַּמָּן הַאי מִזְבֵּחַ, וְאַתְקִין לָהּ עַל תְּרֵיסַר אַבְנִין, לְמִסְפַּר שִׁבְטֵי בְּנֵי יַעֲקֹב אֲשֶׁר הָיָה דְּבַר ה' אֵלָיו לֵאמֹר יִשְׂרָאֵל יִהְיֶה שְׁמֶךָ וַדַּאי.

פד. וּמִזְבֵּחַ דָּא עָשָׂה שָׁם בָּרִאשׁוֹנָה, כַּד אִתְבְּרֵי עָלְמָא עִלָּאָה טְמִירָא לְכָל עָלְמִין, וּמִיכָאֵל כַּהֲנָא רַבָּא, קָאִים וּמַקְרִיב עֲלָה, קָרְבְּנִין דְּנִשְׁמָתִין. כֵּיוָן דְּנִשְׁמָתָא סַלְקָא תַּמָּן מַה כְּתִיב, וַיִּקְרָא שָׁם אַבְרָם בְּשֵׁם ה'. נִשְׁמָתָא קָארֵי תַּמָּן, וְאִצְרִירָא בִּצְרוֹרָא דְּחַיֵּי.

פה. וְכָל דָּא אִי זַכָּאָה בְּהַאי עָלְמָא, לְאַתְקָנָא גּוּפָא כִּדְקָא יָאוּת, וּלְאַכְפָּיָא תּוּקְפָּא דְּהַהוּא לָטְיָא, עַד דְּאִתְפָּרְשָׁא מִנֵּיהּ. מַה כְּתִיב, וַיְהִי רִיב בֵּין רוֹעֵי מִקְנֵה אַבְרָם וּבֵין רוֹעֵי מִקְנֵה לוֹט. דִּבְכָל יוֹמָא וְיוֹמָא, בְּהַאי עָלְמָא, אִינּוּן סִיְּעָן וּמַנְהִיגִין דְּנִשְׁמָתָא, וְאִינּוּן סִיְּעָן וּמַנְהִיגִין דְּיֵצֶר הָרָע, אִינּוּן בְּקִטְרוּגָא, מְקַטְרְגִין אִלֵּין בְּאִלֵּין, וְכָל שַׁיְיפִין דְּגוּפָא בְּצַעֲרָא בֵּינַיְיהוּ, בֵּין נִשְׁמָתָא, וְהַהוּא נָחָשׁ, דְּקָא מַגִּיחִין קְרָבָא בְּכָל יוֹמָא.

פו. מַה כְּתִיב, וַיֹּאמֶר אַבְרָם אֶל לוֹט. נִשְׁמָתָא אַהַדְרָא לְגַבֵּי יֵצֶר הָרָע, וַאֲמַר לֵיהּ אַל נָא תְהִי מְרִיבָה בֵּינִי וּבֵינֶיךָ וּבֵין רוֹעַי וּבֵין רוֹעֶיךָ, סִטְרִין דִּילִי וְסִטְרִין דִּילָךְ. כִּי אֲנָשִׁים אַחִים אֲנָחְנוּ. יֵצֶר טוֹב וְיֵצֶה"ר קְרִיבִין דָּא בְּדָא, דָּא לִימִינָא וְדָא לִשְׂמָאלָא.

פז. הֲלֹא כָל הָאָרֶץ לְפָנֶיךָ הִפָּרֶד נָא מֵעָלַי. סַגִּיאִין חַיָּיבַיָּא אִינּוּן בְּעָלְמָא, זִיל וְשׁוּט אֲבַתְרַיְיהוּ, וְאִתְפְּרַשׁ מֵעִמִּי. אִם הַשְּׂמֹאל וְאֵימִינָה וגו'. וְאוֹכַח לֵיהּ, וְאָעִיק לֵיהּ, בְּכַמָּה קָרְבִין דְּעָבִיד בַּהֲדֵיהּ בְּכָל יוֹמָא, עַד דִּכְתִיב וַיִּפָּרְדוּ אִישׁ מֵעַל אָחִיו.

פח. כֵּיוָן דְּמִתְפָּרְשִׁין דָּא מִן דָּא, מַה כְּתִיב, אַבְרָם יָשַׁב בְּאֶרֶץ כְּנָעַן. אִתְיַשְּׁבַת נִשְׁמָתָא בְּאִינּוּן צַדִּיקַיָּיא, בְּיִשּׁוּבָא טָב בִּשְׁלָם. וְלוֹט יָשַׁב בְּעָרֵי הַכִּכָּר, הַהוּא לָטְיָא מְקַטְרְגָא, אָזִיל לְקַטְרְגָא, וּלְאִתְחַבְּרָא בַּאֲתַר דְּחַיָּיבַיָּא תַּמָּן. דִּכְתִיב וַיֶּאֱהַל עַד סְדוֹם. מַה כְּתִיב בַּתְרֵיהּ, וְאַנְשֵׁי סְדוֹם רָעִים וְחַטָּאִים לַה' מְאֹד. תַּמָּן שַׁרְיָא וְשַׁוֵּי דִּיוּרֵיהּ בֵּינַיְיהוּ, לְאִתְחַבְּרָא בְּהוּ, לְאַסְטָאָה לוֹן וּלְאוֹבָדָא לוֹן, בְּעוֹבָדִין בִּישִׁין.

פט. כֵּיוָן דְּאִשְׁתְּאָרַת נִשְׁמָתָא בְּלָא מְקַטְרְגָא, וְאִתְדְּכֵי גּוּפָא מֵהַהוּא זוּהֲמָא, מִיַּד קֻבְּ"ה אַשְׁרֵי דִּיוּרֵיהּ בַּהֲדֵיהּ, וְיָרִית אַחְסַנְתָּא עִלָּאָה וְתַתָּאָה, וְאִית לֵיהּ נַיְיחָא בֵּין צַדִּיקַיָּיא, וְהַהוּא לָטְיָא בֵּין אִינּוּן רַשִּׁיעַיָּיא, וְחָטָאן בַּהֲדֵיהּ עַד דְּלָא הֲוָה פּוּרְקָנָא לְחוֹבַיְיהוּ.

צ. מַה כְּתִיב וַיִּשְׁמַע אַבְרָם כִּי נִשְׁבָּה אָחִיו. וַיִּשְׁמַע אַבְרָם, דָּא נִשְׁמָתָא, דְּאִשְׁתְּאָרַת בְּדָכְיוּ בְּגוּפָא. כִּי נִשְׁבָּה אָחִיו, דָּא יֵצֶר הָרָע, דְּנִשְׁבָּה בֵּין אִינּוּן חַיָּיבַיָּא בְּחוֹבִין סַגִּיאִין. וַיָּרֶק אֶת חֲנִיכָיו יְלִידֵי בֵיתוֹ. אִלֵּין אִינּוּן צַדִּיקַיָּא דְּלָעָאן בְּאוֹרַיְיתָא דְּאִינּוּן שַׁיְיפֵי דְּגוּפָא, זְרִיזִין לְמֵיהַךְ בַּהֲדֵיהּ י"ח וּשְׁלֹשׁ מֵאוֹת, אִלֵּין רמ"ח שַׁיְיפִין דְּגוּפָא, וְשִׁבְעִין דְּרָזָא דְּנִשְׁמָתָא, דְּנָפְקָא מִתַּמָּן. בְּכֻלָּא אִזְדָּרֵז לְמֵיהַךְ תַּמָּן, לְגַבֵּי אִינּוּן חַיָּיבַיָּא, לְאַתָבָא לוֹן מֵחוֹבֵיהוֹן.

צא. מַה כְּתִיב, וַיִּרְדֹּף עַד דָּן. רָדִיף אֲבַתְרַיְיהוּ, וְאוֹדַע לוֹן דִּינָא דְּהַהוּא עָלְמָא, וְעוֹנְשָׁא דְּגֵיהִנֹּם, וְלָא יָהִיב דְּמִיכוּ לְעֵינֵיהּ, בִּימָמָא וּבְלֵילְיָא, עַד דְּאוֹכַח לוֹן לְאִינּוּן חַיָּיבִין, וְאָתֵיב לוֹן בִּתְיוּבְתָּא לְגַבֵּי קֻבְּ"ה. מַה כְּתִיב וַיָּשֶׁב אֵת כָּל הָרְכוּשׁ, אָתֵיב לוֹן בִּתְיוּבְתָּא שְׁלֵימָא כִּדְקָא יָאוּת.

צב. וְגַם אֶת לוֹט אָחִיו וגו', אֲפִילּוּ לְהַהוּא יֵצֶר הָרָע אַתְקִיף בַּהֲדֵיהּ, עַד דְּאַכְפְּיֵיהּ בְּעַל כָּרְחֵיהּ וְאַמְתִּיק לֵיהּ, כִּדְקָא חָזֵי. כֻּלָּא אָתֵיב בִּתְיוּבְתָּא שְׁלֵימָתָא כִּדְקָא יָאוּת, בְּגִין דְּלָא אִשְׁתְּכַךְ יְמָמָא וְלֵילְיָא, עַד דְּאוֹכַח לוֹן וּרְדַף לוֹן עַל הַהוּא חוֹבָא דְּחָאבוּ, עַד

דְּתָאבוּ בִּתְיוּבְתָּא שְׁלֵימָתָא כִּדְקָחָזוּ.

צג. אַהַדְרְנָא לְמִלֵּי קַדְמָאֵי דְּפָרְשָׁתָא. כְּתִיב מְצָאוּנִי הַשּׁוֹמְרִים הַסּוֹבְבִים בָּעִיר וגו', תְּנַן, עָבַד קב"ה, יְרוּשְׁלֵם לְעֵילָא, כְּגַוְונָא דִּירוּשְׁלֵם דִּלְתַתָּא, בְּשׁוּרִין, וּמִגְדָּלִין, וּפִתְחִין פְּתִיחִין. וְאִינּוּן חוֹמוֹת דְּתַמָּן, אִית עֲלַיְיהוּ נָטְרִין, דְּנָטְרֵי תַּרְעֵי דְּאִינּוּן חוֹמוֹת, דִּכְתִיב עַל חוֹמוֹתַיִךְ יְרוּשָׁלַיִם הִפְקַדְתִּי שׁוֹמְרִים וגו'. וּמִיכָאֵל כַּהֲנָא רַבָּא, עִלָּאָה מִכֻּלְּהוּ נָטְרֵי תַּרְעֵי דְּאִינּוּן חוֹמוֹת.

צד. נְשָׁמָה כַּד נָפְקַת מֵהַאי עָלְמָא, אִי זָכְאת, עָאלַת בְּגִנְתָּא דְּעֵדֶן דְּאַרְעָא, דִּנְטַע קב"ה לְרוּחֵיהוֹן דְּצַדִּיקַיָּיא, כְּגַוְונָא דְּהַהוּא גִּנְתָּא דְּעֵדֶן דִּלְעֵילָא, וְתַמָּן כָּל צַדִּיקַיָּא דְּעָלְמָא.

צה. וְכַד נִשְׁמָתָא נָפְקַת מֵהַאי עָלְמָא, עָאלַת בִּמְעַרְתָּא דְּכַפֶּלְתָּא, דְּתַמָּן אִיהִי פִּתְחָא דג"ע. פָּגְעַת בְּאָדָם הָרִאשׁוֹן, וּבְאִינּוּן אֲבָהָן דְּתַמָּן, אִי זָכְאת אִיהִי, חַדָּאן בָּהּ, וּפָתְחִין לָהּ פִּתְחִין, וְעָאלַת. וְאִי לָא, דָּחִין לָהּ לְבַר. וְאִי זָכְאת, עָיְילַת לְגִנְתָּא דְּעֵדֶן, כֵּיוָן דְּעָיְילַת, יָתְבָא תַּמָּן בְּגִנְתָּא, וְאִתְלַבְּשַׁת תַּמָּן, בִּלְבוּשָׁא דִּדְיוֹקְנָא דְּהַאי עָלְמָא, וְאִתְעַדְּנַת תַּמָּן.

צו. סִתְרָא דְּסִתְרִין, לְחַכִּימֵי לִבָּא אִתְמְסַר, תְּלַת דַּרְגִּין אִינּוּן, דַּאֲחִידָן דָּא בְּדָא, וְאִלֵּין אִינּוּן: נֶפֶשׁ, רוּחַ, וּנְשָׁמָה. נֶפֶשׁ, אִיהוּ חֵילָא, דְּגוּפָא אִתְבְּנֵי מִנֵּיהּ. דְּכַד בַּר נָשׁ אִתְעַר בְּהַאי עָלְמָא, לְאִזְדַּוְּוגָא בְּנוּקְבֵיהּ, כָּל שַׁיְיפֵי מִסְתַּכְּמֵי וּמִתְתַּקְנֵי לְאִתְהֲנָאָה תַּמָּן, וְהַהוּא נֶפֶשׁ וּרְעוּתָא דִּילֵיהּ, אִסְתַּכַּם בֵּיהּ בְּהַהוּא עוֹבָדָא, וּמָשִׁיךְ לֵיהּ לְהַהוּא נֶפֶשׁ, וְאָעִיל לֵיהּ תַּמָּן בְּהַהוּא זַרְעָא דְּאוֹשִׁיד.

צז. וּמִגּוֹ רְעוּתָא וּמְשִׁיכוּ דְּנַפְשָׁא, דְּמָשִׁיךְ תַּמָּן, אִתְמְשַׁךְ חֵילָא אוּחֲרָא תַּמָּן, מֵאִינּוּן דַּרְגִּין דְּאִתְקְרוּן אִישִׁים. וְעָאל כֹּלָּא בִּמְשִׁיכוּ דְּהַהוּא זַרְעָא, וְאִתְבְּנֵי מִנֵּיהּ גּוּפָא. וְדָא אִיהוּ חֵילָא קַדְמָאָה תַּתָּאָה, דְּאִינּוּן תְּלַת.

צח. וּבְגִין דְּהַאי נֶפֶשׁ אַקְרִיב, בִּדְבֵקוּתָא וִיסוֹדָא דְּגוּפָא, קָרְבְּנָא, דְּאִתְקְרִיב לְכַפָּרָא עַל נִשְׁמָתָא, אִתְיְהִיבַת חוּלָקָא לְאִינּוּן דַּרְגִּין דְּאִישִׁים. וּבְגִין דִּמְשִׁיכוּ דְּחוּלָקָא דְּהַהוּא נֶפֶשׁ אָתֵי מִנַּיְיהוּ. וְהַיְינוּ דִּכְתִיב אֶת קָרְבָּנִי לַחְמִי לְאִשַּׁי. בְּגִין דְּהוּא כַּפָּרָה דְּנֶפֶשׁ, נָטְלֵי חוּלְקֵיהוֹן. וְכַד מִית ב"נ בְּהַאי עָלְמָא, הַהִיא נֶפֶשׁ לָא אִתְעֲדֵי מִן קִבְרָא לְעָלְמִין. וּבְחֵילָא דָּא, יָדְעֵי מֵתַיָּיא וּמִשְׁתָּעוּ דָּא עִם דָּא.

צט. רוּחַ, אִיהוּ דִּמְקַיֵּים לְנֶפֶשׁ בְּהַאי עָלְמָא. וְאִיהוּ מְשִׁיכוּ דְּאִתְעֲרוּתָא דְּנוּקְבָא לְגַבֵּי דְּכוּרָא, כַּד אִינּוּן בְּתֵיאוּבְתָּא חֲדָא, וּכְדֵין אִתְעָרַת לְגַבֵּי דְּכוּרָא בְּתֵיאוּבְתָּא דִּילָהּ, לְהַאי רוּחַ. כְּגַוְונָא דְּנוּקְבָא דִּלְתַתָּא אֲשַׁדִיאַת זַרְעָא בְּתֵיאוּבְתָּא לְגַבֵּי דְּכוּרָא. וְסִתְרָא דָּא וְהָרוּחַ תָּשׁוּב אֶל הָאֱלֹקִים אֲשֶׁר נְתָנָהּ.

ק. וְהַאי רוּחַ נָפְקָא מֵהַאי עָלְמָא, וְאִתְפָּרְשַׁת מִנֶּפֶשׁ, עָאל לְגִנְתָּא דְּעֵדֶן, דִּבְהַאי עָלְמָא, וְאִתְלַבַּשׁ תַּמָּן גּוֹ אֲוִירָא דְּגִנְתָּא. כְּמָה דְּמִתְלַבְּשֵׁי מַלְאֲכֵי עִלָּאֵי, כַּד נָחְתִין לְהַאי עָלְמָא, בְּגִין דְּאִינּוּן מֵהַהוּא רוּחַ הֲווֹ, דִּכְתִיב עוֹשֶׂה מַלְאָכָיו רוּחוֹת וגו'.

קא. וּבְמְצִיעוּת גִּנְתָּא, אִית עַמּוּדָא חֲדָא, מְרֻקְמָא בְּכָל גְּוָונִין. וְהַהוּא רוּחַ, כַּד בָּעָא לְסַלְקָא, אִתְפַּשַּׁט תַּמָּן מֵהַהוּא לְבוּשָׁא, וְעָאל גּוֹ הַהוּא עַמּוּדָא וְסָלֵיק לְעֵילָא, גּוֹ הַהוּא אֲתַר דְּנָפְקַת מִנֵּיהּ, כִּדְכְתִיב וְהָרוּחַ תָּשׁוּב וגו'.

קב. וְנָטֵיל לָהּ מִיכָאֵל כַּהֲנָא רַבָּא, וּמַקְרִיב לָהּ קָרְבַּן בּוּסְמִין, קַמֵּי קב"ה, וְיָתְבָא תַּמָּן וּמִתְעַדְּנָא, בְּהַהוּא צְרוֹרָא דְּחַיֵּי, דְּעַיִן לֹא רָאֲתָה אֱלֹקִים זוּלָתְךָ וגו'. לְבָתַר נָחֲתָא

לְגוֹ גִּנְתָּא דְאַרְעָא, וּמִתְעַדְּנָא בְּכָל עִדּוּנִין, וְאִתְלַבְּשַׁת בְּהַהוּא לְבוּשָׁא, וְיָתְבָא תַּמָּן בְּעִטּוּרָא, עַל וַחַד תְּרֵין מִכַּמָּה דַּהֲוַת בְּקַדְמֵיתָא.

קג. נְשָׁמָה, הִיא חֵילָא עִלָּאָה עַל כָּל אִלֵּין, וְאִיהִי מֵחֵילָא דִדְכוּרָא, רָזָא דְאִילָנָא דְחַיֵּי. וְדָא סָלְקָא לְעֵילָּא מִיַּד. וְכָל הָנֵי תְּלַת דַּרְגִּין מִתְקַשְּׁרִין כַּחֲדָא דָא בְּדָא. וְכַד מִתְפָּרְשָׁן, כֻּלְּהוּ סָלְקִין, וְתָבִין לְהַהוּא אֲתַר דִּנְפָקוּ מִנֵּיהּ.

קד. כַּד הַאי רוּחָא נָפְקַת מֵהַאי עָלְמָא, וְעָאלַת בְּגוֹ מְעַרְתָּא דְאָדָם וַאֲבָהָן תַּמָּן, אִינוּן יָהֲבִין לָהּ פִּנְקָס סִימָנָא, וְעָאלַת לְגַבֵּי גִּנְתָּא דְעֵדֶן. קְרִיבַת תַּמָּן וְאַשְׁכָּחַת כְּרוּבִים וְהַהוּא לַהַט הַחֶרֶב הַמִּתְהַפֶּכֶת. אִי זָכְאַת, חָמָאן פִּנְקָס סִימָנָא, וּפָתְחִין לָהּ פִּתְחָא, וְעָאלַת. וְאִי לָא, דַּחְיָין לָהּ לְבַר.

קה. וְיָתְבָא תַּמָּן כָּל הַהוּא זִמְנָא דְיָתְבָא, מִתְלַבְּשָׁא תַּמָּן בְּדִיוּקְנָא דְהַאי עָלְמָא. וּבְרֵישׁ יַרְחֵי וְשַׁבַּתֵּי, כַּד בָּעָאת לְסַלְּקָא, צַדִּיקַיָּיא דִּבְגִנְתָּא דְעֵדֶן, יַהֲבִין לָהּ פִּנְקָס סִימָנָא, וְסָלְקַת בְּהַהוּא עַמּוּדָא, וּפָגְעַת בְּאִינוּן נָטְרֵי חוֹמוֹת יְרוּשְׁלֵם, אִי זָכְאָה, פָּתְחִין לָהּ פִּתְחָא וְעָאלַת. וְאִי לָא, נָטְלִין מִינָּהּ הַהוּא פִּנְקָס וְדַחְיָין לָהּ לְבַר. תָּבַת לְגִנְתָּא, וְאָמְרָה מְצָאוּנִי הַשּׁוֹמְרִים הַסּוֹבְבִים בָּעִיר וְגוֹ'. נָשְׂאוּ אֶת רְדִידִי מֵעָלַי. דָא אִיהוּ פִּנְקָס סִימָנָא, דְּנָטְלֵי מִנֵּיהּ, שׁוֹמְרֵי הַחוֹמוֹת, אִלֵּין אִינוּן נָטְרֵי חוֹמוֹת יְרוּשְׁלֵם (עַד כָּאן סִתְרֵי תּוֹרָה).

קו. וַיֵּרֶד אַבְרָם מִצְרַיְמָה לָגוּר שָׁם. מ"ט לְמִצְרַיִם. אֶלָּא, בְּגִין דְּשָׁקִיל לְגַן ה'. דִּכְתִּיב, כְּגַן ה' כְּאֶרֶץ מִצְרַיִם, דְּתַמָּן שָׁקִיל וְנָחֵית חַד נַהֲרָא, דְּאִיהוּ לְיָמִינָא, דִּכְתִּיב שֵׁם הָאֶחָד פִּישׁוֹן הוּא הַסּוֹבֵב אֵת כָּל אֶרֶץ הַחֲוִילָה אֲשֶׁר שָׁם הַזָּהָב.

קז. וְאַבְרָהָם, כֵּיוָן דְּיָדַע, וְעָאל בְּהֵימָנוּתָא שְׁלֵימָתָא, בָּעָא לְמִנְדַּע כָּל אִינוּן דַּרְגִּין, דְּאִתְאַחֲדָן לְתַתָּא. וּמִצְרַיִם הֲוָה נָטִיל מִיְּמִינָא, וּבְגִ"כ, נָחַת לְמִצְרַיִם. וְת"ח, כַּפְנָא לָא אִשְׁתְּכַח בְּאַרְעָא, אֶלָּא כַּד מִסְתַּלְּקֵי רַחֲמֵי מִן דִּינָא.

קח. וַיְהִי כַּאֲשֶׁר הִקְרִיב לָבֹא מִצְרָיְמָה. אָמַר ר"א, כַּאֲשֶׁר הִקְרִיב, כַּאֲשֶׁר קָרַב, מִבָּעֵי לֵיהּ, מַאי כַּאֲשֶׁר הִקְרִיב. אֶלָּא כִּדְכְתִיב, וּפַרְעֹה הִקְרִיב, דְּאִיהוּ אַקְרִיב לְהוּ לְיִשְׂרָאֵל, לִתְיוּבְתָּא. אוּף הָכָא הִקְרִיב, דְּאַקְרִיב גַּרְמֵיהּ לְקֻבְּ"ה, כִּדְקָא יָאוּת. לָבֹא מִצְרָיְמָה. לְאַשְׁגָּחָא בְּאִינוּן דַּרְגִּין, וּלְאִתְרַחֲקָא מִנַּיְיהוּ, וּלְאִתְרַחֲקָא מֵעוֹבָדֵי מִצְרַיִם.

קט. א"ר יְהוּדָה, תָּא חֲזֵי, בְּגִין דְּנָחַת אַבְרָהָם לְמִצְרַיִם בְּלָא רְשׁוּ, אִשְׁתַּעְבִּידוּ בְּנוֹי בְּמִצְרַיִם, אַרְבַּע מְאָה שְׁנִין, דְּהָא כְתִיב, וַיֵּרֶד אַבְרָם מִצְרַיְמָה. וְלָא כְתִיב רֵד מִצְרַיִם, וְאִצְטַעַר כָּל הַהוּא לֵילְיָא בְּגִינָהּ דְּשָׂרָה.

קי. וַיֹּאמֶר אֶל שָׂרַי אִשְׁתּוֹ הִנֵּה נָא יָדַעְתִּי כִּי אִשָּׁה יְפַת מַרְאֶה אָתְּ. וְכִי עַד הַהִיא שַׁעֲתָא לָא הֲוָה יָדַע אַבְרָהָם, דְּאִשָּׁה יְפַת מַרְאֶה הֲוַת. אֶלָּא, הָא אוֹקְמוּהָ, דְּעַד הַהִיא שַׁעֲתָא, לָא אִסְתַּכַּל בְּדִיוּקְנָא דְשָׂרָה, בְּסַגִּיאוּת צְנִיעוּתָא דַּהֲוַת בֵּינַיְיהוּ, וְכַד קָרִיב לְמִצְרַיִם, אִתְגַּלְיָיא אִיהִי, וְחָמָא בָּהּ.

קיא. ד"א בַּמֶּה יָדַע. אֶלָּא עַל יְדָא דְטוֹרַח אוֹרְחָא, ב"נ מִתְבַּזֶּה, וְהִיא קַיְימָא בְּשַׁפִּירוּ דִילָהּ, וְלָא אִשְׁתַּנֵּי. ד"א הִנֵּה נָא יָדַעְתִּי, דְּחָמָא עִמָּהּ שְׁכִינְתָּא. וּבְגִין כָּךְ, אִתְרְחִיץ אַבְרָהָם, וַאֲמַר אֲחוֹתִי הִיא.

קיב. וּמִלָּה דָא אִסְתַּלָּק, לִתְרֵי גַּוְונִין. חַד כְּמַשְׁמָעוֹ. וְחַד כִּדְכְתִיב אֱמֹר לַחָכְמָה אֲחוֹתִי אָתְּ. וּכְתִיב אִמְרִי נָא אֲחוֹתִי אָתְּ. וּכְתִיב וְאַתְּ תְּדַבֵּר אֵלֵינוּ. לְמַעַן יִיטַב לִי בַעֲבוּרֵךְ, כְּלַפֵּי שְׁכִינָה אָמַר, בַּעֲבוּרֵךְ יִיטַב לִי קֻבְּ"ה. וְחָיְתָה נַפְשִׁי בִּגְלָלֵךְ. בְּגִין דִּבְדָא

יִסְתַּלֵּק ב"נ, וְיִזְכֶּה לְאִסְתַּלְּקָא לְאוֹרְזָא דּוֹזַיי.

קי"ג. אִמְרִי נָא אֲחוֹתִי וגו'. ר' יֵיסָא אָמַר, יָדַע הֲוָה אַבְרָהָם דְּכֻלְּהוּ מִצְרָאֵי שְׁטִיפִין אִינּוּן בְּזִמָּה, וְכֵיוָן דְּכָל הַאי יָדַע, אַמַּאי לָא דָּחִיל עַל אִתְּתֵיהּ, דְּלָא אַהְדַּר מֵאָרְזָא, וְלָא יֵיעוֹל לְתַמָּן. אֶלָּא בְּגִין דְּחָזָמָא שְׁכִינְתָּא עִמָּהּ.

קי"ד. וַיְהִי כְּבֹא אַבְרָם מִצְרָיְמָה וַיִּרְאוּ הַמִּצְרִים אֶת הָאִשָּׁה כִּי יָפָה הִיא מְאֹד. א"ר יְהוּדָה, בְּתֵיבָה אָעִיל לָהּ, וּפָתְחוּ לָהּ, לְמֵיסַב מִנָּהּ קוּסְטוּנָא. כֵּיוָן דְּאִתְפָּתַח, הֲוָה נְהוֹרָא, כִּנְהוֹרָא דְּשִׁמְשָׁא, הה"ד כִּי יָפָה הִיא מְאֹד.

קט"ו. מַאי מְאֹד. אֶלָּא, דְּחָזְמוּ בְּתֵיבָה נְהוֹרָא אָחֳרָא, אַפִּיקוּ לָהּ וְחָזְמוּ לָהּ, כְּמִלְּקַדְמִין, הה"ד וַיִּרְאוּ אוֹתָהּ שָׂרֵי פַרְעֹה, כֵּיוָן דִּכְתִיב, וַיִּרְאוּ הַמִּצְרִים אֶת הָאִשָּׁה. מַאי וַיִּרְאוּ אוֹתָהּ שָׂרֵי פַרְעֹה. אֶלָּא דְּאַפִּיקוּ לָהּ, וְחָזְמוּ לָהּ, כְּמִלְּקַדְמִין. וּכְדֵין וַיְהַלְלוּ אוֹתָהּ אֶל פַּרְעֹה וגו'.

קט"ז. א"ר יִצְחָק. וַוי לְאִינּוּן חַיָּיבַיָּא דְּעָלְמָא, דְּלָא יָדְעִין וְלָא מַשְׁגִּיחִין בַּעֲבִידְתֵּיהּ דְּקֻבְּ"ה, וְאִנּוּן לָא מִסְתַּכְּלֵי דְּכָל מַה דַּהֲוֵי בְּעָלְמָא, מֵעִם קֻבְּ"ה אִיהוּ, דְּאִיהוּ יָדַע בְּקַדְמֵיתָא, מַה דְּלֶהֱוֵי בְּסוֹפָא, דִּכְתִיב מַגִּיד מֵרֵאשִׁית אַחֲרִית. וְאִיהוּ אִסְתַּכֵּי וַעֲבִיד עֲבִידָן בְּקַדְמֵיתָא, בְּגִין לְסַלְּקָא לוֹן, לְבָתַר יוֹמִין.

קי"ז. ת"ח, אִלְמָלֵא דְּאִנְסִיבַת שָׂרַי לְגַבֵּי פַרְעֹה, לָא אִלְקֵי הוּא, וְאַלְקָאוּתָא דָּא גָּרֵים אַלְקָאוּתָא לְבָתַר כֵּן, דְּיִלְקוּן מִצְרַיִם בִּנְגָעִים גְּדוֹלִים, כְּתִיב הָכָא נְגָעִים גְּדוֹלִים, וּכְתִיב הָתָם וַיִּתֵּן ה' אוֹתוֹת וּמוֹפְתִים גְּדוֹלִים וְרָעִים בְּמִצְרַיִם, מַה לְהַלָּן עֶשֶׂר מַכּוֹת, אַף כָּאן עֶשֶׂר מַכּוֹת. כְּמָה דַּעֲבִיד קֻבְּ"ה נִסִּין וּגְבוּרָן לְיִשְׂרָאֵל לֵילְיָא, אוּף הָכָא עֲבַד לָהּ קֻבְּ"ה לְשָׂרָה נִסִּין וּגְבוּרָאן לֵילְיָא.

קי"ח. ר' יוֹסֵי פָּתַח וְאָמַר, וְאַתָּה ה' מָגֵן בַּעֲדִי כְּבוֹדִי וּמֵרִים רֹאשִׁי. אָמַר דָּוִד אע"ג דְּכָל בְּנֵי עָלְמָא, יֵיתוּן לְאַגָּחָא בִּי קְרָבָא, וְאַתָּה ה' מָגֵן בַּעֲדִי. ת"ח, כְּתִיב מָגֵן בַּעֲדִי. אָמַר דָּוִד לְקֻבְּ"ה, רבש"ע, מִפְּנֵי מָה לָא עָבְדֵי בִּי וַחֲתִימָה דִּבְרָכָה, כְּמָה דְּחָתְמֵי בְּרָכָה בְּאַבְרָהָם, דִּכְתִיב אָנֹכִי מָגֵן לָךְ, וְאָמְרֵי מָגֵן אַבְרָהָם.

קי"ט. א"ל קֻבְּ"ה לְדָוִד, אַבְרָהָם כְּבָר בְּחַנְתִּיו וּצְרַפְתִּיו, וְקָאִים קַמָּאי בְּקִיּוּמָא שְׁלִים. א"ל דָּוִד, א"ה בְּחָנֵנִי ה' וְנַסֵּנִי צָרְפָה כִלְיוֹתַי וְלִבִּי. כֵּיוָן דַּעֲבַד הַהִיא מִלָּה דְּבַת שֶׁבַע, אַדְכַּר דָּוִד קַמֵּיהּ, עַל מַה דַּאֲמַר, אָמַר בָּחַנְתָּ לִבִּי פָּקַדְתָּ לַּיְלָה צְרַפְתַּנִי בַל תִּמְצָא זַמֹּתִי בַּל יַעֲבָר פִּי.

ק"כ. אָמַר, אֲנָא אֲמֵינָא, בְּחָנֵנִי ה' וְנַסֵּנִי, וְאַנְתְּ בָּחַנְתָּ לִבִּי. אֲנָא אֲמֵינָא צָרְפָה כִלְיוֹתַי, וְאַתְּ צְרַפְתַּנִי, בַּל תִּמְצָא, לָא אַשְׁכַּחַתְּ לִי כִּדְקָא יָאוֹת. זַמֹּתִי בַּל יַעֲבָר פִּי. מַאן יִתֵּן וְהַאי מִלָּה דַּחֲשַׁבִית, דְּלָא יַעֲבַר לִי פּוּמָאי.

קכ"א. וְעִם כָּל דָּא, וְחָתְמִין בֵּיהּ בְּרָכָה, דְּקָאָמְרָן מָגֵן דָּוִד. וּבג"כ אָמַר דָּוִד וְאַתָּה ה' מָגֵן בַּעֲדִי כְּבוֹדִי וּמֵרִים רֹאשִׁי, וַדַּאי דַּרְגָּא דָּא יְקָרָא דִּילִי, דַּאֲנָא מִתְעַטַּרְנָא בֵּיהּ.

קכ"ב. וַיְצַו עָלָיו פַּרְעֹה אֲנָשִׁים וַיְשַׁלְּחוּ אוֹתוֹ. ת"ח, קֻבְּ"ה אִיהוּ מָגֵן לְצַדִּיקַיָּא, דְּלָא יִשְׁלְטוּן בְּהוּ בְּנֵי נָשָׁא, וְקֻבְּ"ה אָגֵין עַל אַבְרָהָם דְּלָא יִשְׁלְטוּן בֵּיהּ וּבְאִתְּתֵיהּ.

קכ"ג. ת"ח, שְׁכִינְתָּא לָא אִתְעֲדֵי מִינָּהּ דְּשָׂרָה, כָּל הַהוּא לֵילְיָא, אָתָא פַּרְעֹה לְמִקְרַב בַּהֲדָהּ, אָתָא מַלְאָךְ וְאַלְקֵי לֵיהּ, כָּל אֵימַת דַּאֲמָרָה שָׂרָה אַלְקֵי, הוּא מַלְקֵי, וְאַבְרָהָם הֲוָה מִתְקִיף בְּמָארֵיהּ, דְּהָא שָׂרָה לָא יָכְלִין לְשַׁלְטָאָה עָלָהּ, הה"ד וְצַדִּיקִים כִּכְפִיר

יִבְטַח. וְהָכָא נִסְיוֹנָא הוּא, דְּלָא הִרְהֵר אֲבַתְרֵיהּ דְּקוּדְשָׁא בְּרִיךְ הוּא.

קכד. א״ר יִצְחָק, ת״ח, דִּבְגִין כָּךְ לָא פָּקִיד קֻבָּ״ה לְנַחְתָּא לְמִצְרַיִם, אֶלָּא הוּא עַצְמוֹ מִגַּרְמֵיהּ נָחַת, בְּגִין דְּלָא יְהֵא פִּתְחוֹן פֶּה לִבְנֵי עָלְמָא, דַּאֲמַר לֵיהּ כֵּן, וּלְבָתַר אִצְטַעַר עַל אִתְּתֵיהּ.

קכה. ר׳ יִצְחָק פָּתַח וְאָמַר צַדִּיק כַּתָּמָר יִפְרָח כְּאֶרֶז בַּלְּבָנוֹן יִשְׂגֶּא צַדִּיק כַּתָּמָר יִפְרָח. מִפְּנֵי מָה אַקִּישׁ צַדִּיק לְתָמָר. מַה תָּמָר, כֵּיוָן דְּגַזְרִין לֵיהּ לָא סָלֵיק עַד זְמַן סַגְיָא, אוּף הָכֵי צַדִּיק, כֵּיוָן דְּאִתְאֲבִיד מֵעָלְמָא, לָא סָלֵיק אַחֵר תְּחוֹתוֹי עַד זְמַן סַגְיָא.

קכו. כַּתָּמָר יִפְרָח, מַה תָּמָר לָא סָלֵיק אֶלָּא דְּכַר וְנוּקְבָא. אוּף הָכֵי צַדִּיק, לָא סָלֵיק אֶלָּא דְּכַר וְנוּקְבָא, דְּכַר צַדִּיק, וְנוּקְבָא צַדֶּקֶת, כְּגַוְונָא דְּאַבְרָהָם וְשָׂרָה.

קכז. כְּאֶרֶז בַּלְּבָנוֹן יִשְׂגֶּא. מָה אֶרֶז בַּלְּבָנוֹן עִלָּאָה עַל כֹּלָּא, וְכֹלָּא יַתְבֵי תְּחוֹתוֹי, אוּף הָכֵי צַדִּיק, הוּא עִלָּאָה עַל כֹּלָּא, וְכֹלָּא יַתְבֵי תְּחוֹתוֹי. וְעָלְמָא לָא קָיְימָא אֶלָּא עַל צַדִּיק וְחַד, דִּכְתִיב וְצַדִּיק יְסוֹד עוֹלָם. וַעֲלֵיהּ קָאִים עָלְמָא, וּבְגִינֵיהּ אִסְתְּמִיךְ, וַעֲלֵיהּ אִשְׁתִּיל.

קכח. ר׳ יְהוּדָה אָמַר, וְהָא תָּנֵינָן, דְּעַל שִׁבְעָה סָמְכִין עָלְמָא קָיְימָא, דִּכְתִיב חָצְבָה עַמּוּדֶיהָ שִׁבְעָה. א״ל ר׳ יוֹסֵי, הָכֵי הוּא וַדַּאי, אֲבָל כֻּלְּהוּ אָחֳרָנִין בְּשִׁבִיעָאָה קָיְימֵי, דְּאִיהוּ סָמְכָא דְּעָלְמָא וְאִיהוּ צַדִּיק. וְדָא אַשְׁקֵי וְרָוֵי עָלְמָא וְזָן כֹּלָּא. וַעֲלֵיהּ כְּתִיב אִמְרוּ צַדִּיק כִּי טוֹב כִּי פְּרִי מַעַלְלֵיהֶם יֹאכֵלוּ. וּכְתִיב טוֹב ה׳ לַכֹּל וְרַחֲמָיו עַל כָּל מַעֲשָׂיו.

קכט. אָמַר ר׳ יִצְחָק, הָא כְּתִיב וְנָהָר יוֹצֵא מֵעֵדֶן לְהַשְׁקוֹת אֶת הַגָּן. דָּא הוּא סָמְכָא דְּעָלְמָא קָאִים עֲלֵיהּ, וְאִיהוּ אַשְׁקֵי לְגִנְתָּא, וְגִנְתָּא אִשְׁתַּקְיָא מִנֵּיהּ, וּמִנֵּיהּ עָבִידָא פֵּירִין. וְכֻלְּהוּ פֵּירִין פָּרְחִין בְּעָלְמָא, וְאִינּוּן קִיּוּמָא דְּעָלְמָא, קִיּוּמָא דְּאוֹרַיְיתָא, וּמַאן נִינְהוּ, נִשְׁמָתְהוֹן דְּצַדִּיקַיָּיא, דְּאִינּוּן פְּרִי עוֹבָדוֹי דְּקוּדְשָׁא בְּרִיךְ הוּא.

קל. וּבְגִין כָּךְ בְּכָל לֵילְיָא וְלֵילְיָא, נִשְׁמָתְהוֹן דְּצַדִּיקַיָּיא סָלְקָן, וְכַד אִתְפְּלַג לֵילְיָא, קֻבָּ״ה אָתֵי לְגִנְתָּא דְּעֵדֶן לְאִשְׁתַּעְשְׁעָא בְּהוּ. בְּמַאן. א״ר יוֹסֵי בְּכֻלְּהוּ. בֵּין אִינּוּן דִּמְדוֹרֵיהוֹן בְּהַהוּא עָלְמָא, בֵּין אִינּוּן דְּיָתְבֵי בִּמְדוֹרֵיהוֹן בְּהַאי עָלְמָא, בְּכֻלְּהוּ מִשְׁתַּעֲשַׁע בְּהוּ קוּדְשָׁא בְּרִיךְ הוּא, בְּפַלְגוּת לֵילְיָא.

קלא. ת״ח, עָלְמָא דִּלְעֵילָּא, אִצְטְרִיךְ לְאִתְעֲרוּתָא דְּעָלְמָא תַּתָּאָה, וְכַד נִשְׁמָתְהוֹן דְּצַדִּיקַיָּיא נָפְקֵי מֵהַאי עָלְמָא, וְסָלְקֵי לְעֵילָּא, כֻּלְּהוּ מִתְלַבְּשֵׁי בִּנְהוֹרָא דִּלְעֵילָּא, בְּדִיּוּקְנָא יְקָר, וּבְהוּ קֻבָּ״ה מִשְׁתַּעֲשַׁע, וְתָאִיב לוֹן, דְּאִנּוּן פְּרִי עוֹבָדוֹי. וְעַ״ד אִקְרוּן יִשְׂרָאֵל, דְּאִית לוֹן נִשְׁמָתִין קַדִּישִׁין, בְּנִין לְקֻבָּ״ה, כְּד״א בָּנִים אַתֶּם לַה׳ אֱלֹקֵיכֶם, בָּנִים וַדַּאי, אִיבָּא דְּעוֹבָדוֹי.

קלב. אֲמַר ר׳ יֵיסָא, וַאֲפִילּוּ אִינּוּן דִּבְהַאי עָלְמָא. הָאֵיךְ א״ל, בְּגִין דִּבְפַלְגוּת לֵילְיָא, כָּל אִינּוּן זַכָּאֵי קְשׁוֹט, כֻּלְּהוּ מִתְעָרֵי לְמִקְרֵי בְּאוֹרַיְיתָא, וּלְמִשְׁמַע תּוּשְׁבְּחָן דְּאוֹרַיְיתָא, וְהָא אִתְּמָר, דְּקֻבָּ״ה וְכָל אִינּוּן צַדִּיקַיָּא דִּבְגוֹ גִּנְתָּא דְּעֵדֶן, כֻּלְּהוּ צַיְיתִין לְקָלֵיהוֹן, וְחוּטָא דְּחֶסֶד אִתְמְשַׁךְ עֲלַיְיהוּ בִּימָמָא, דִּכְתִיב יוֹמָם יְצַוֶּה ה׳ חַסְדּוֹ וּבַלַּיְלָה שִׁירֹה עִמִּי.

קלג. וְעַל דָּא תּוּשְׁבְּחָן דְּסָלְקִין בְּלֵילְיָא קַמֵּיהּ, דָּא תּוּשְׁבַּחְתָּא שְׁלִים. ת״ח, בְּשַׁעֲתָא דְּיִשְׂרָאֵל הֲווֹ סְגִירִין בְּבָתֵּיהוֹן, כַּד קָטַל קֻבָּ״ה בְּכוֹרֵיהוֹן דְּמִצְרָאֵי, הֲווֹ אָמְרֵי הַלֵּילָא וְתֻשְׁבְּחָן קַמֵּיהּ.

קלד. ת״ח דְּדָוִד מַלְכָּא, הֲוָה קָם בְּפַלְגוּת לֵילְיָא, דְּאִי תֵּימָא דַּהֲוָה יָתֵיב אוֹ שָׁכֵיב בְּעַרְסֵיהּ, וַהֲוָה אָמַר שִׁירִין וְתוּשְׁבְּחָן, לָא, אֶלָּא כְּמָה דִּכְתִיב חֲצוֹת לַיְלָה אָקוּם לְהוֹדוֹת

לָךְ. אָקוּם: וַדַּאי בַּעֲמִידָה, לְאִתְעַסְקָא בְּשִׁירִין וְתוּשְׁבְּחָן דְּאוֹרַיְיתָא.

קלה. וּבְגִין כָּךְ, דָּוִד מַלְכָּא, חַיֵּי לְעָלְמִין, וַאֲפִילּוּ בְּיוֹמֵי מַלְכָּא מְשִׁיחָא, אִיהוּ מַלְכָּא. דְּהָא תָּנֵן מַלְכָּא מְשִׁיחָא, אִי מִן חַיַּיא הוּא, דָּוִד שְׁמֵיהּ, וְאִי מִן מֵתַיָּא הוּא, דָּוִד שְׁמֵיהּ, וְאִיהוּ הֲוָה אִתְעַר בְּצַפְרָא עַד לָא יֵיתֵי, דִּכְתִיב עוּרָה כְבוֹדִי עוּרָה הַנֵּבֶל וְכִנּוֹר אָעִירָה שָׁחַר.

קלו. ת"ח, כָּל הַהוּא לֵילְיָא, דְּשָׂרָה הֲוַת לְגַבֵּיהּ דְּפַרְעֹה, אָתוּ מַלְאֲכֵי עִלָּאֵי, לְזַמְּרָא לֵיהּ לְקֻבְ"ה, בְּשִׁירִין וְתוּשְׁבְּחָן, א"ל קֻבְ"ה, כֻּלְכוּ זִילוּ וַעֲבִידוּ מַכְתְּשִׁין רַבְרְבִין בְּמִצְרַיִם, רְשִׁימוּ לְמַאן דַּאֲנָא זַמִּין לְמֶעְבַּד לְבָתַר. מַה כְּתִיב וַיְנַגַּע ה' אֶת פַּרְעֹה נְגָעִים גְּדוֹלִים וְגוֹ'.

קלז. ת"ח, מַה כְּתִיב, וַיִּקְרָא פַרְעֹה לְאַבְרָם וְגוֹ'. מְנָא הֲוָה יָדַע, דְּהָא לָא כְתִיב הָכָא, כְּמָה דְּאִתְּמַר בַּאֲבִימֶלֶךְ, דִּכְתִיב, וְעַתָּה הָשֵׁב אֵשֶׁת הָאִישׁ כִּי נָבִיא הוּא וְגוֹ', וְהָכָא לָא אֲמַר לֵיהּ מִדֵּי.

קלח. אֲמַר רַבִּי יִצְחָק, הָא כְתִיב עַל דְּבַר שָׂרַי אֵשֶׁת אַבְרָם. דְּהָכֵי הֲווֹ אָמְרֵי לֵיהּ, עַל דְּבַר שָׂרַי אֵשֶׁת אַבְרָם. דְּהָא לָא הֲוָה מְמַלֵּיל עִמֵּיהּ, כְּמָה דִּמְמַלֵּיל בַּאֲבִימֶלֶךְ, אֶלָּא בְּמִלָּה דָא אִתְּמַר, וְלָא יַתִּיר, מַכְתְּשָׁא דָא, עַל דְּבַר שָׂרַי אֵשֶׁת אַבְרָם אִיהִי, וְלָא הֲוָה מַלֵּיל עִמֵּיהּ, כְּדֵין יָדַע דְּהָא אִתְּתֵיהּ דְּאַבְרָהָם אִיהִי, מִיָּד וַיִּקְרָא פַרְעֹה לְאַבְרָם וַיֹּאמֶר וְגוֹ'.

קלט. וַיְצַו עָלָיו פַּרְעֹה אֲנָשִׁים. לָמָּה, בְּגִין דְּלָא יִקְרַב בַּר נַשׁ בְּהוּ, לְאַבְאָשָׁא לוֹן. וַיְשַׁלְּחוּ אוֹתוֹ. לְוָיָה עֲבָדוּ לֵיהּ, בְּכָל אַרְעָא דְּמִצְרַיִם. א"ל קֻבְ"ה הָכֵי אַנְתְּ זַמִּין לְמֶעְבַּד לִבְנוֹי, אַתְּ תּוֹזִיף לוֹן מֵאַרְעָךְ, דִּכְתִיב וַיְהִי בְּשַׁלַּח פַּרְעֹה אֶת הָעָם. דְּאוֹזִיף לוֹן מִכָּל אַרְעֵיהּ.

קמ. א"ר אַבָּא, כָּל כָּךְ לָמָּה אִזְדַּמַּן לֵיהּ לְאַבְרָהָם, וּלְמַאי אִצְטְרִיךְ. אֶלָּא, בְּגִין לְגַדְּלָא שְׁמֵיהּ דְּאַבְרָהָם וְשָׂרָה בְּעָלְמָא, דַּאֲפִילּוּ בְּמִצְרַיִם, דְּאִינּוּן חָרָשֵׁי עָלְמָא, וְלָא הֲוָה יָכִיל בַּר נַשׁ לְאִשְׁתֵּזָבָא מִנַּיְיהוּ, אִתְגַּדַּל אַבְרָהָם, וְאִסְתַּלֵּיק לְעֵילָּא, הֲדָא הוּא דִּכְתִיב וַיַּעַל אַבְרָם מִמִּצְרַיִם, לְאָן אֲתַר, הַנֶּגְבָּה.

קמא. אֲמַר רַבִּי שִׁמְעוֹן, תָּא חֲזֵי, כֹּלָּא רָזָא דְּחָכְמְתָא אִיהוּ, וְקָא רָמִז הָכָא בְּחָכְמְתָא, וְדַרְגִּין דִּלְתַתָּא, דְּקָא נָחִית אַבְרָהָם לְעוּמְקַיָּיא דִּלְהוֹן, וְיָדַע לוֹן, וְלָא אִתְדַּבַּק בְּהוּ, וְתָב לְקַמֵּי מָרֵיהּ.

קמב. וְלָא אִתְפַּתָּא בְּהוּ, כְּאָדָם, דְּכַד מָטָא לְהַהוּא דַּרְגָּא, אִתְפַּתָּא בְּנָחָשׁ, וְגָרִים מוֹתָא לְעָלְמָא. וְלָא אִתְפַּתָּא כְּנֹחַ, דְּכַד נָחַת וּמָטָא לְהַהוּא דַּרְגָּא, מַה כְּתִיב, וַיֵּשְׁתְּ מִן הַיַּיִן וַיִּשְׁכָּר וַיִּתְגַּל בְּתוֹךְ אָהֳלֹה. אָהֳלָה כְּתִיב בְּה"א.

קמג. אֲבָל בְּאַבְרָהָם מַה כְּתִיב, וַיַּעַל אַבְרָם מִמִּצְרַיִם. דְּסָלֵיק וְלָא נָחֵית, וְתָב לְאַתְרֵיהּ, לְדַרְגָּא עִלָּאָה, דְּאִתְדַּבַּק בֵּיהּ בְּקַדְמֵיתָא. וְעוֹבָדָא דָא הֲוָה, בְּגִין, לְאַחֲזָאָה חָכְמְתָא, דְּאִתְקַיֵּים בְּקִיּוּמָא שְׁלִים, כִּדְקָא חָזֵי לֵיהּ, וְלָא אִתְפַּתָּא, וְקָם בְּקִיּוּמָא וְתָב לְאַתְרֵיהּ. הַנֶּגְבָּה: דָא דָרוֹם, דַּרְגָּא עִלָּאָה, דְּאִתְאֲחִיד בֵּיהּ בְּקַדְמֵיתָא, דִּכְתִיב הָלוֹךְ וְנָסוֹעַ הַנֶּגְבָּה. אוּף הָכָא הַנֶּגְבָּה, אֲתַר דְּאִתְדַּבַּק בֵּיהּ בְּקַדְמֵיתָא.

קמד. ת"ח, רָזָא דְּמִלָּה, אִי אַבְרָם לָא יֵיחוֹת לְמִצְרַיִם, וְלָא יִצְטָרֵף תַּמָּן בְּקַדְמֵיתָא. לָא יְהֵא חוּלַק עַדְבֵיהּ בְּקֻבְ"ה. כְּגַוְונָא דָא לִבְנוֹי, כַּד בָּעָא קֻבְ"ה לְמֶעְבַּד לֵיהּ עַמָּא

וְדָא, עַמָּא שְׁלִים, וּלְקָרְבָא לוֹן לְגַבֵּיהּ, אִי לָא נָחֲתוּ בְּקַדְמֵיתָא לְמִצְרַיִם, וְלָא יִצְטָרְפוּן תַּמָּן, לָא הֲווֹ עַמָּא יְחִידָא דִּילֵיהּ.

קמה. כְּגַוְונָא דָא, אִי לָא אִתְיְיהִיבַת אַרְעָא קַדִּישָׁא לִכְנַעַן בְּקַדְמֵיתָא, וְיִשְׁלוֹט בָּהּ, לָא הֲוַת אַרְעָא חוּלָקֵיהּ וְעַדְבֵיהּ, דְּקֻבְּ"ה. וְכֹלָּא רָזָא וְחָדָא.

קמו. ר"ש הֲוָה אָזִיל בְּאָרְחָא, וַהֲוָה עִמֵּיהּ ר' אֶלְעָזָר בְּרֵיהּ, וְרַבִּי אַבָּא וְרַבִּי יְהוּדָה. עַד דַּהֲווֹ אָזְלֵי, אר"ש, תַּוַּוהְנָא, הֵיךְ בְּנֵי עָלְמָא לָא מַשְׁגִּיחִין, לְמִנְדַּע מִלֵּי דְּאוֹרַיְיתָא, וְעַל מָה קַיְימֵי. פָּתַח וַאֲמַר, נַפְשִׁי אִוִּיתִיךָ בַּלַּיְלָה אַף רוּחִי בְקִרְבִּי אֲשַׁחֲרֶךָּ. הַאי קְרָא אוֹקְמוּהָ, וְאוּקִימְנָא לֵיהּ, אֲבָל ת"ח, נַפְשָׁא דְּב"נ, כַּד סָלִיק לְעַרְסֵיהּ, נָפְקַת מִנֵּיהּ, וְסַלְקָא לְעֵילָּא. וְאִי תֵּימָא, דְּכֻלְּהוּ סַלְקָאן. לָאו כָּל חַד וְחַד חָמֵי אַפֵּי מַלְכָּא, אֶלָּא נַפְשָׁא סַלְקָא, וְלָא אִשְׁתָּאַר בֵּהּ בְּהַדֵי גּוּפָא, בַּר חַד רְשִׁימוּ דְּקַסְטָא דְּחַיּוּתָא דְּלִבָּא.

קמז. וְנַפְשָׁא אָזְלָא וּבָעְיָא לְסַלְקָא. וְכַמָּה דַּרְגִּין לְדַרְגִּין לְסַלְקָא, שָׁטְאת, וְהִיא אִתְעָרְעַת בְּהַנֵּי קוּמְרִין טְהִירִין דִּמְסָאֲבוּתָא, אִי הִיא דְּכִיאַת, דְּלָא אִסְתָּאֲבַת בִּימָמָא, סַלְקָא לְעֵילָּא. וְאִי לָאו דְּכִיאַת, אִסְתָּאֲבַת בֵּינַיְיהוּ, וְאִתְדַּבְּקַת בְּהוּ, וְלָא סַלְקָא יַתִּיר.

קמח. וְתַמָּן מוֹדְעֵי לָהּ מִלִּין, וְאִיהִי אִתְדַּבְּקַת מֵאִינּוּן מִלִּין, דִּזְמַן קָרִיב. וּלְזִמְנִין דְּחַיְיכִין בָּהּ, וּמוֹדְעִין לָהּ מִלִּין כְּדִיבִין. וּכְדֵין אָזְלָא כְּהַאי גַּוְונָא כָּל לֵילְיָא, עַד דְּיִתְּעַר ב"נ, וְתָאבַת לְאַתְרָהּ. זַכָּאִין אִינּוּן צַדִּיקַיָּיא, דְּגַלֵּי לוֹן קב"ה, רָזִין דִּילֵיהּ בְּחֶלְמָא, בְּגִין דְּיִסְתַּמְּרוּן מִן דִּינָא. וַוי לְאִינּוּן חַיָּיבֵי עָלְמָא, דִּמְסָאֲבִין גַּרְמַיְיהוּ וְנַפְשַׁיְיהוּ.

קמט. ת"ח, אִינּוּן דְּלָא אִסְתָּאֲבוּ, כַּד סַלְקֵי בְּעַרְסַיְיהוּ, נַפְשָׁא סַלְקָא וְעָאלַת בֵּין כָּל הַנֵּי דַּרְגִּין בְּקַדְמֵיתָא, וְסַלְקָא וְלָא אִתְדַּבְּקַת בְּהוּ. וּלְבָתַר אָזְלָא וְשָׁטְאת, וְסַלְקָא כְּפוּם אוֹרְחָהּ.

קנ. הַהִיא נַפְשָׁא דְּזָכַת לְסַלְקָא, אִתְחֲזִיאַת קַמֵּיהּ דְּסַבַּר אַפֵּי יוֹמִין, וְאִתְדַּבְּקַת בִּרְעוּתָא לְאִתְחֲזָאָה בְּתִיאוּבְתָּא עִלָּאָה, לְמֶחֱמֵי בְּנוֹעַם מַלְכָּא, וּלְבַקְּרָא בְּהֵיכָלֵיהּ. וְדָא הוּא בַּר נָשׁ דְּאִית לֵיהּ חוּלָקָא תָּדִיר בְּעָלְמָא דְּאָתֵי.

קנא. וְדָא הִיא נַפְשָׁא, דְּכִסּוּפָא דִּילָהּ, כַּד סַלְקָא, בְּקֻבְּ"ה, וְלָא אִתְדַּבְּקַת בְּהַנֵּי זִינִין טְהִירִין אַחֲרָנִין, וְהִיא אָזְלַת בָּתַר זִינָא קַדִּישָׁא, בְּאַתְרָא דְּנָפְקַת מִתַּמָּן. וּבְגִ"כ כְּתִיב נַפְשִׁי אִוִּיתִיךָ בַּלַּיְלָה. בְּגִין לְמִרְדַּף בַּתְרָךְ וְלָא לְאִתְפַּתָּאָה בָּתַר זִינָא אָחֳרָא נוּכְרָאָה.

קנב. ת"ח, נַפְשִׁי: דָּא נֶפֶשׁ דְּאִיהִי שָׁלְטָא בַּלַּיְלָה, וּלְמִרְדַּף בָּתַר דַּרְגָּא. רוּחַ בַּיּוֹם, דִּכְתִיב נַפְשִׁי אִוִּיתִיךָ בַּלַּיְלָה, דָּא נֶפֶשׁ דְּאִיהִי שָׁלְטָא בַּלַּיְלָה, אַף רוּחִי בְּקִרְבִּי אֲשַׁחֲרֶךָּ. דָּא רוּחַ דְּאִיהוּ שָׁלְטָא בִּימָמָא.

קנג. וְאִי תֵּימָא, דִּתְרֵין דַּרְגִּין אִינּוּן בְּפִרוּדָא. לָאו הָכִי, דְּהָא דַּרְגָּא חַד אִינּוּן, וְאִינּוּן תְּרֵין, בְּחִבּוּרָא חַד. וְחַד עִלָּאָה, דְּשָׁלְטָא עֲלַיְיהוּ, וְאִתְדַּבַּק בְּהוּ, וְאִינּוּן בֵּיהּ, וְאִתְקְרִיאַת נְשָׁמָה.

קנד. וְכֻלְּהוּ דַּרְגִּין סַלְקָאן בְּרָזָא דְּחָכְמְתָא, דְּכַד מִסְתַּכְּלָן אִלֵּין דַּרְגִּין, יִסְתַּכַּל ב"נ, בְּחָכְמָה עִלָּאָה, וְהַאי נְשָׁמָה עָיֵיל בְּהוּ, וּמִתְדַּבְּקָן בָּהּ, וְכַד הַאי שָׁלְטָא, כְּדֵין הַהוּא ב"נ, אִקְרֵי קָדוֹשׁ, שְׁלִים מִכֹּלָּא, רְעוּתָא וְחָדָא לְגַבֵּי קב"ה.

קנה. נֶפֶשׁ: אִיהוּ אִתְעָרוּתָא תַּתָּאָה, וְדָא סְמִיכָא בְּגוּפָא, וְזָנַת לֵיהּ, וְגוּפָא אָחִיד בָּהּ, וְהִיא אִתְאַחֲדַת בְּגוּפָא. לְבָתַר אִתְתַּקְּנַת, וְאִתְעֲבִידַת כֻּרְסַיָּיא לְאַשְׁרָאָה עָלָהּ רוּחַ, בְּאִתְעָרוּתָא דְּהַאי נֶפֶשׁ. דְּאִתְאַחֲדַת בְּגוּפָא, כְּמָה דִּכְתִיב עַד יֵעָרֶה עָלֵינוּ רוּחַ מִמָּרוֹם.

קנו. לְבָתַר דְּמִתְתַּקְּנֵי תַּרְווַיְיהוּ, זְמִינִין לְקַבְּלָא נְשָׁמָה, דְּהָא רוּחַ אִתְעֲבִיד כֻּרְסַיָּיא

לְגַבֵּי נִשְׁמָה, לְאַשְׁרָאָה עֲלֵיהּ, וְהַאי נִשְׁמָה, אִיהִי סְתִימָא, עִלָּאָה עַל כֹּלָּא, טְמִירָא דְּכָל טְמִירִין.

קנו. אִשְׁתְּכַח, דְּאִית כֻּרְסְיָּיא לְכֻרְסְיָּיא, וְכֻרְסְיָּיא לְגַבֵּי עִלָּאָה עֲלַיְיהוּ. וְכַד תִּסְתַּכַּל בְּדַרְגִּין, תִּשְׁכַּח רָזָא דְּחָכְמְתָא בְּהַאי מִלָּה. וְכֹלָּא הוּא חָכְמְתָא לְאִתְדַּבְּקָא בְּהַאי גַּוְונָא מִלִּין סְתִימִין.

קנז. ת"ח, נֶפֶשׁ אִיהִי אִתְעֲרוּתָא תַּתָּאָה, דְּאִתְדַּבְּקָא בֵּיהּ בְּגוּפָא. כְּגַוְונָא דִּנְהוֹרָא דְּבוֹצִינָא, דִּנְהוֹרָא תַּתָּאָה, דְּאִיהִי אוּכְמָא אִתְדַּבְּקַת בִּפְתִילָה, וְלָא אִתְפְּרַשׁ מִנָּהּ, וְלָא אִתְתַּקְּנַת אֶלָּא בָּהּ. וְכַד אִתְתַּקְנַת בִּפְתִילָה, אִתְעֲבִידַת כֻּרְסְיָּיא לִנְהוֹרָא עִלָּאָה חִוָּורָא, דְּשַׁרְיָּיא עַל הַהוּא נְהוֹרָא אוּכְמָא.

קנח. לְבָתַר כַּד מִתְתַּקְּנָן תַּרְוַויְיהוּ, אִתְעֲבִידַת הַהוּא נְהוֹרָא חִוָּורָא כֻּרְסְיָּיא לִנְהוֹרָא סְתִימָאָה, דְּלָא אִתְחֲזֵי וְלָא אִתְיְידַע, מַה דְּשַׁרְיָא עַל הַהוּא נְהוֹרָא חִוָּורָא. וּכְדֵין, נְהוֹרָא שְׁלִים. וְכָךְ הוּא בַּר נָשׁ, דְּאִיהוּ שְׁלִים בְּכֹלָּא. וּכְדֵין אִקְרֵי קָדוֹשׁ, כְּד"א לִקְדוֹשִׁים אֲשֶׁר בָּאָרֶץ הֵמָּה וגו'.

קס. כְּגַוְונָא דָּא בְּרָזָא עִלָּאָה. ת"ח בְּשַׁעֲתָא דְּעָאל אַבְרָהָם לְאַרְעָא, אִתְחֲזֵי לֵיהּ קֻבּ"ה, כְּמָה דְּאִתְּמַר, דִּכְתִּיב לַה' הַנִּרְאֶה אֵלָיו, וְקַבִּיל תַּמָּן נֶפֶשׁ וּבָנָה מִזְבֵּחַ לְהַהוּא דַּרְגָּא. לְבָתַר הָלוֹךְ וְנָסוֹעַ הַנֶּגְבָּה, דְּקַבִּיל רוּחַ. לְבָתַר דְּסָלִיק לְאִתְדַּבְּקָא גּוֹ נִשְׁמָה, כְּדֵין וַיִּבֶן שָׁם מִזְבֵּחַ לַה' סְתָם, דָּא הִיא נִשְׁמָה, דְּאִיהִי סְתִימָא דְּכָל סְתִימִין.

קסא. לְבָתַר יָדַע דְּבָעֵי לְאִצְטְרָפָא וּלְאִתְעַטְּרָא בְּדַרְגִּין, מִיָּד וַיֵּרֶד אַבְרָם מִצְרַיְמָה, וְאִשְׁתְּזִיב מִתַּמָּן. וְלָא אִתְפַּתָּא גּוֹ אִינּוּן טְהִירִין, וְאִתְצָרֵיף וְתָב לְאַתְרֵיהּ. כֵּיוָן דְּנָחַת וְאִתְצְרֵיף, מִיָּד וַיַּעַל אַבְרָם מִמִּצְרַיִם, סָלֵיק וַדַּאי וְתָב לְאַתְרֵיהּ, וְאִתְדַּבַּק בִּמְהֵימְנוּתָא עִלָּאָה, דִּכְתִּיב הַנֶּגְבָּה.

קסב. מִכָּאן וּלְהָלְאָה יָדַע אַבְרָהָם, חָכְמְתָא עִלָּאָה, וְאִתְדַּבַּק בְּקֻבּ"ה, וְאִתְעֲבִיד יְמִינָא דְּעָלְמָא. כְּדֵין וְאַבְרָם כָּבֵד מְאֹד בַּמִּקְנֶה בַּכֶּסֶף וּבַזָּהָב. כָּבֵד מְאֹד, בְּסִטְרָא דְּמִזְרָח. בַּמִּקְנֶה, בְּסִטְרָא דְּמַעֲרָב. בַּכֶּסֶף מִסִּטְרָא דְּדָרוֹם. בַּזָּהָב מִסִּטְרָא דְּצָפוֹן.

קסג. אָתוּ ר' אֶלְעָזָר וְר' אַבָּא וְכֻלְּהוּ חַבְרַיָּא, וְנָשְׁקוּ יְדוֹי. בָּכָה ר' אַבָּא וְאָמַר וַוי וַוי כַּד תִּסְתַּלַּק מִן עָלְמָא, מַאן יַנְהִיר נְהוֹרָא דְּאוֹרַיְיתָא, זַכָּאָה חוּלָקְהוֹן דְּחַבְרַיָּיא דְּשָׁמְעִין מִלִּין דְּאוֹרַיְיתָא אִלֵּין מִפּוּמָךְ.

קסד. אָמַר רַבִּי שִׁמְעוֹן, תָּא חֲזֵי, מַה כְּתִיב, וַיֵּלֶךְ לְמַסָּעָיו. לְמִפְקַד אַתְרֵיהּ וְדַרְגּוֹי. לְמַסָּעָיו, לְמַסָּעוֹ כְּתִיב, מַאן מַסָּעוֹ. דָּא דַּרְגָּא קַדְמָאָה, דְּאִתְחֲזֵי לֵיהּ בְּקַדְמֵיתָא, כְּתִיב הָכָא מַסָּעוֹ, וּכְתִיב הָתָם אֶבֶן שְׁלֵמָה מַסָּע נִבְנָה. וְהָא אוֹקִימְנָא, אֶבֶן שְׁלֵמָה וַדַּאי. מַסַּע כְּמָה דְּאִתְּמַר.

קסה. וַיֵּלֶךְ לְמַסָּעָיו. כָּל אִינּוּן דַּרְגִּין, דַּרְגָּא בָּתַר דַּרְגָּא, כְּמָה דְּאִתְּמַר. מִנֶּגֶב וְעַד בֵּית אֵל, לְאַתְקָנָא אַתְרֵיהּ, וּלְחַבְּרָא לוֹן בְּיִחוּדָא שְׁלִים. דְּהָא מִנֶּגֶב וְעַד בֵּית אֵל, אִשְׁתְּכַח רָזָא דְּחָכְמְתָא, כְּדְקָא יָאוּת.

קסו. אֶל הַמָּקוֹם אֲשֶׁר הָיָה שָׁם אָהֳלֹה בַּתְּחִלָּה אָהֳלֹה בְּהֵ"א, מַאן אָהֳלֹה, דָּא בֵּית אֵל, אֶבֶן שְׁלֵמָה כְּדְאֲמָרָן. תּוּ רְשִׁ"ים וְאָמַר, אֶל מְקוֹם הַמִּזְבֵּחַ אֲשֶׁר עָשָׂה שָׁם בָּרִאשׁוֹנָה. דִּכְתִּיב לַה' הַנִּרְאֶה אֵלָיו. וּכְדֵין וַיִּקְרָא שָׁם אַבְרָם בְּשֵׁם ה'. כְּדֵין אִתְדַּבַּק בִּמְהֵימְנוּתָא שְׁלִימְתָא.

קסז. ת"ח, בְּקַדְמֵיתָא סָלֵיק מִתַּתָּא לְעֵילָּא, דִּכְתִּיב וַיֵּרָא ה' אֶל אַבְרָם, וּכְתִיב לַה'

הנראה אליו. ודא הוא דרגא קדמאה, כדאמרן אבן שלמה. ולבתר הלוך ונסוע הנגבה. דרגא בתר דרגא, עד דאתעטר בדרום, וחולקיה ועדביה. לבתר סתים מלה, כד סליק, ואמר לה' סתם, דא עלמא עלאה. ומתמן נטיל בדרגין, ונחית מעילא לתתא, ואתדבק כלא באתריה, כדקא יאות.

קסח. והכא כד תסתכל בדרגין, תשכח רזא דחכמתא עלאה, מה כתיב, וילך למסעיו מנגב, מסטרא דימינא, שירותא דעלמא עלאה, סתימא עמיקא לעילא, עד אין סוף, ונחית דרגא בתר דרגא, מנגב ועד בית אל מעילא לתתא.

קסט. וכתיב, ויקרא שם אברם בשם ה'. אדבק יחודא באתריה, כדקא יאות, דכתיב, אל מקום המזבח אשר עשה שם בראשונה, מאי אשר עשה שם. דסליק לה מתתא לעילא. והשתא נחית בדרגין מעילא לתתא, בגין דהוא לא תעדי מאינון דרגין עלאין, ואינון לא יעדון מנה, ויתייחד כלא ביחודא וחדא כדקא יאות.

קע. כדין אתעטר אברהם, והוה חולק עדביה דקב"ה ודאי. זכאין אינון צדיקייא, דמתעטרי ביה, בקב"ה. והוא, מתעטר בהון. זכאין אינון בעלמא דין, וזכאין אינון בעלמא דאתי. עלייהו כתיב ועמך כלם צדיקים לעולם יירשו ארץ. וכתיב וארח צדיקים כאור נוגה הולך ואור עד נכון היום.

קעא. אזלו, כד מטו בחד בי חקל, יתבו. פתח ר' שמעון ואמר, פנה אלי וחנני וגו'. האי קרא אית לאסתכלא ביה, והא אוקימנא ליה, בכמה אתר. אבל בהאי קרא, מלין סתימין אית ביה, פנה אלי. וכי דוד אמר פנה אלי וחנני.

קעב. אלא, בגין דרגא דיליה, דאיהו אתעטר ביה קאמר, תנה עזך לעבדך. תנה עזך, דא עז עלאה, כדכתיב ויתן עז למלכו. מאן מלכו. דא מלך סתם, מלכא משיחא. אוף הכא לעבדך, דא מלכא משיחא, כדאמרן מלך סתם.

קעג. והושיעה לבן אמתך. וכי לא הוה בריה דישי איהו, עד דאיהו אמר בשמא דאמיה, ולא בשמא דאבוי. אלא, הא אוקימנא, דכד ייתי ב"נ לקבל מלה עלאה לאדכרא, בעי למהך במלה דאיהו ודאי. ועל דא, אדכר לאמיה, ולא לאבוי. ותו, הא תנינן דדא מלך כדקאמרן.

קעד. אמר ר' שמעון, ת"ח, מה כתיב, ויהי ריב בין רעי מקנה אברם, ריב כתיב, חסר יוד, דבעא לוט למהדר לפולחנא נוכראה, דפלחי יתבי ארעא, וסופיה דקרא אוכח, דכתיב והכנעני והפרזי אז יושב בארץ.

קעה. ומנלן דלוט אהדר לסרחניה, לפולחנא נוכראה, דכתיב, ויסע לוט מקדם. מאי מקדם, מקדמונו של עולם. כתיב הכא, ויסע לוט מקדם, וכתיב ויהי בנסעם מקדם, מה להלן נטילו מקדמונו של עולם אוף הכא כן.

קעו. כיון דידע אברהם, דלוט להכי נטי לביה. מיד ויאמר אברם אל לוט וגו' הפרד נא מעלי. לית אנת כדאי לאתחברא בהדאי. כדין אתפרש אברהם מניה, ולא בעא למיהך ולאתחברא עמיה, דכל מאן דיתחבר לחייבא, סופיה למיהך אבתריה, ולאתענש בגיניה.

קעז. מנלן, מיהושפט, דאתחבר עם אחאב, ואלמלא זכו דאבהן, אתענש תמן, דכתיב ויזעק יהושפט. וכדין אשתזיב, דכתיב ויסיתם אלקים ממנו.

קעח. ועכ"ד לא בעא אברם למיהך בהדיה דלוט. ועם כל דא, לא בעא לוט, למהדר

מְסוּרְוָנֵיה, אֶלָּא וַיִּבְחַר לוֹ לוֹט אֵת כָּל כִּכַּר הַיַּרְדֵּן. וַיִּסַּע לוֹט מִקֶּדֶם. אִתְנְטִיל מִן קַדְמָאָה דְּעָלְמָא, וְלָא בָּעָא לְאִתְדַּבְּקָא בִּמְהֵימְנוּתָא שְׁלֵימָתָא, כְּאַבְרָהָם.

קעט. אַבְרָם יָשַׁב בְּאֶרֶץ כְּנָעַן. לְאִתְדַּבְּקָא בְּאַתְרָא דִּמְהֵימְנוּתָא, וּלְמִנְדַּע וְחָכְמְתָא, לְאִתְדַּבְּקָא בְּמָארֵיהּ. וְלוֹט יָשַׁב בְּעָרֵי הַכִּכָּר וַיֶּאֱהַל עַד סְדוֹם, עִם אִינּוּן חַיָּיבִין דְּעָלְמָא, דְּנָפְקוּ מִגּוֹ מְהֵימְנוּתָא, דִּכְתִיב, וְאַנְשֵׁי סְדוֹם רָעִים וְחַטָּאִים לַה' מְאֹד. כָּל חַד אִתְפְּרַשׁ לְאָרְחֵיהּ, כַּדְקָא יָאוֹת. בְּגֵ"כ זַכָּאִין אִינּוּן חַבְרַיָּיא, דְּמִשְׁתַּדְּלֵי בְּאוֹרַיְיתָא יְמָמָא וְלֵילְיָא, וְחַבְרוּתָא דִּלְהוֹן בְּקֻבְּ"ה. וַעֲלַיְיהוּ כְּתִיב וְאַתֶּם הַדְּבֵקִים בַּה' אֱלֹקֵיכֶם חַיִּים כֻּלְּכֶם הַיּוֹם.

קפ. וַה' אָמַר אֶל אַבְרָם אַחֲרֵי הִפָּרֶד לוֹט מֵעִמּוֹ וגו'. ר' אַבָּא פָּתַח וַיָּקָם יוֹנָה לִבְרֹחַ תַּרְשִׁישָׁה מִלִּפְנֵי ה' וגו', וַוי לְמַאן דְּאִסְתַּתַּר מִקַּמֵּי קֻבְּ"ה, דִּכְתִיב בֵּיהּ הֲלֹא אֶת הַשָּׁמַיִם וְאֶת הָאָרֶץ אֲנִי מָלֵא נְאֻם ה'. וְהוּא אָתֵי לְמֶעֱרַק מִקַּמֵּיהּ.

קפא. אֶלָּא, כְּתִיב יוֹנָתִי בְּחַגְוֵי הַסֶּלַע בְּסֵתֶר הַמַּדְרֵגָה. יוֹנָתִי: דָּא כְּנֶסֶת יִשְׂרָאֵל. בְּחַגְוֵי הַסֶּלַע: דָּא יְרוּשְׁלֵם, דְּאִיהִי סַלְקָא עַל כָּל עָלְמָא. מַה סֶּלַע, אִיהִי עִלָּאָה וְתַקִּיפָא עַל כֹּלָּא, אוּף יְרוּשְׁלֵם אִיהִי עִלָּאָה וְתַקִּיפָא עַל כֹּלָּא. בְּסֵתֶר הַמַּדְרֵגָה: דָּא אֲתַר דְּאִקְרֵי בֵּית קֹדֶשׁ הַקֳּדָשִׁים, לִבָּא דְּכָל עָלְמָא.

קפב. וּבְגֵ"כ כְּתִיב בְּסֵתֶר הַמַּדְרֵגָה, בְּגִין דְּתַמָּן הֲוַת שְׁכִינְתָּא מִסְתַּתְּרָא, כְּאִתְּתָא דְּאִיהִי צְנוּעָה לְבַעֲלָהּ, וְלָא נָפְקָא מִבֵּיתָא לְבַר. כְּמָה דְּאַתְּ אָמַר, אֶשְׁתְּךָ כְּגֶפֶן פּוֹרִיָּה בְּיַרְכְּתֵי בֵיתֶךָ וגו'. כַּךְ כְּנֶסֶת יִשְׂרָאֵל לָא שַׁרְיָיא לְבַר מֵאַתְרָהָא, בִּסְתִירוּ דְּדַרְגָּא, אֶלָּא בְּזִמְנָא דְּגָלוּתָא, דְּאִיהוּ בְּגוֹ גָּלוּתָא, וּבְגִין דְּאִיהִי בְּגָלוּתָא, שְׁאָר עַמִּין אִית לוֹן טִיבוּ וְשַׁלְוָה יַתִּיר.

קפג. ת"ח, בְּזִמְנָא דְּיִשְׂרָאֵל שַׁרְיָין עַל אַרְעָא קַדִּישָׁא, כֹּלָּא הֲוָה מִתְתַּקַּן כַּדְקָא יָאוֹת, וְכָרְסְיָיא שְׁלִים עֲלַיְיהוּ, וְעַבְדֵי פּוּלְחָנָא, וּבָקַע אֲוִירִין דְּעָלְמָא, וְסָלִיק הַהוּא פּוּלְחָנָא לְעֵילָא לְאַתְרֵיהּ, בְּגִין דְּאַרְעָא לָא אִתְתַּקְנַת לְפוּלְחָנָא, אֶלָּא לְיִשְׂרָאֵל בִּלְחוֹדַיְיהוּ. וּבְגֵ"כ, שְׁאָר עַמִּין עכו"ם, הֲווֹ מִתְרַחֲקֵי, דְּלָא הֲווֹ שָׁלְטִין בָּהּ כִּדְהַשְׁתָּא, בְּגִין דְּלָא אִתְזְנוּ אֶלָּא מִתַּמְצִית.

קפד. וְאִי תֵּימָא, הָא זִמְנִין כַּמָּה מַלְכִין הֲווֹ, דְּשַׁלִּיטִין בְּזִמְנָא דְּבֵית הַמִּקְדָּשׁ קַיָּים עַל עָלְמָא. ת"ח, בְּבַיִת רִאשׁוֹן, עַד לָא סָאִיבוּ יִשְׂרָאֵל אַרְעָא, לָא הֲווֹ שָׁלְטִין שְׁאָר עַמִּין עכו"ם, אֶלָּא, אִתְזְנוּ מִתַּמְצִית, וּבָהּ הֲווֹ שָׁלְטִין, וְלָאו כָּל כַּךְ. כֵּיוָן דְּחָבוּ יִשְׂרָאֵל, וְסָאִיבוּ אַרְעָא, כְּדֵין כִּבְיָכוֹל, דָּחוּ לָהּ לִשְׁכִינְתָּא מֵאַתְרָהּ, וְאִתְקְרִבַת לְדוּכְתָּא אָחֳרָא, וּכְדֵין שָׁלְטִין שְׁאָר עַמִּין, וְאִתְיְיהֵיב לוֹן רְשׁוּ לְשַׁלְטָאָה.

קפה. ת"ח, אַרְעָא דְּיִשְׂרָאֵל, לָא שַׁלִּיט עָלָהּ מְמַנָּא אָחֳרָא, בַּר קֻבְּ"ה בִּלְחוֹדוֹי. וּבְשַׁעֲתָא דְּחָאבוּ יִשְׂרָאֵל, וַהֲווֹ מְקַטְרִין לְטַעֲוָון אָחֳרָנִין, בְּגוֹ אַרְעָא, כִּבְיָכוֹל אַדְחִיָּיא שְׁכִינְתָּא מֵאַתְרָהּ, וּמָשְׁכֵי וּמְקַטְרֵי לְאִתְקַשְּׁרָא טַעֲוָון אָחֳרָן גּוֹ שְׁכִינְתָּא, וּכְדֵין אִתְיְיהֵיב לוֹן שָׁלְטָנוּתָא, בְּגִין דִּקְטֹרֶת קִטְרָא הוּא לְאִתְקַטְּרָא. וּכְדֵין, שָׁלְטוּ שְׁאָר עַמִּין, וּבָטְלוּ נְבִיאִים, וְכָל אִינּוּן דַּרְגִּין עִלָּאִין לָא שָׁלְטוּ בְּאַרְעָא.

קפו. וְלָא אַעֲדִיוּ שָׁלְטָנוּתָא דִּשְׁאָר עַמִּין, בְּגִין דְּאִינּוּן מָשְׁכוּ לִשְׁכִינְתָּא לְגַבַּיְיהוּ. וְעַ"ד בְּבַיִת שֵׁנִי, הָא שׁוּלְטָנוּתָא מִשְּׁאָר עַמִּין, לָא אַעֲדִיוּ, וְכ"ש בְּגָלוּתָא, דִּשְׁכִינְתָּא בִּשְׁאָר עַמִּין, אֲתַר דִּשְׁאָר מְמַנָּן שָׁלְטִין, וּבְגִין כַּךְ כֻּלְּהוּ יַנְקִין מִן שְׁכִינְתָּא, דְּאִתְקְרִיבַת

גַּבֵּיהוּ.

קפֵּז. וְעַל דָּא, בְּזִמְנָא דְיִשְׂרָאֵל, הֲווֹ שַׁרְיָאן עַל אַרְעָא, וּפַלְחֵי פוּלְחָנָא דְקוּבָּ״ה, שְׁכִינְתָּא הֲוַת צְנוּעָה בֵּינַיְיהוּ, וְלָא נָפְקַת מִגּוֹ בֵּיתָא לְבַר בְּאִתְגַּלְּיָיא. וּבְגִ״כ, כָּל אִינוּן נְבִיאִים דַּהֲווֹ בְּהַהוּא זִמְנָא, לָא נָטְלוּ נְבוּאָה אֶלָּא בְּאַתְרָה כִּדְקָאֲמָרָן. וּבְגִ״כ, יוֹנָה הֲוָה עָרַק לְבַר מֵאַרְעָא קַדִּישָׁא, דְּלָא יִתְגְּלֵי עֲלֵיהּ נְבוּאָה, וְלָא יְהַךְ בִּשְׁלִיחוּתָא דְקוּבָּ״ה.

קפֵּח. וְאִי תֵימָא, הָא וְזִמְנִין דְּאִתְגַּלְּיָיא שְׁכִינְתָּא בְּבָבֶל, דְּאִיהוּ לְבַר. הָא אוֹקִימְנָא, דִּכְתִיב הָיֹה הָיָה, דַּהֲוָה, מַה דְּלָא הֲוָה מִן קַדְמַת דְּנָא, מִיּוֹמָא דְּאִתְבְּנֵי בֵּי מַקְדְּשָׁא, וְהַהִיא נְבוּאָה לְשַׁעְתָּא הֲוַת.

קפֵּט. וּכְתִיב, עַל נָהָר כְּבָר. נָהָר דְּכְבָר הֲוָה, מִיּוֹמָא דְּאִתְבְּרֵי עָלְמָא, וּשְׁכִינְתָּא אִתְגַּלְּיָיא תָּדִיר עֲלֵיהּ, דִּכְתִיב וְנָהָר יוֹצֵא מֵעֵדֶן לְהַשְׁקוֹת אֶת הַגָּן וּמִשָּׁם יִפָּרֵד וְגוֹ׳. וְדָא אִיהוּ וָד מֵעֵינַיְיהוּ.

קצֵא. וְתַמָּן אִתְגַּלְּיָיא שְׁכִינְתָּא, לְפוּם שַׁעְתָּא דְּאִצְטְרִיכוּ לָהּ יִשְׂרָאֵל, לְפוּם צַעֲרַיְיהוּ. אֲבָל בְּזִמְנָא אָחֳרָא לָא אִתְגַּלְּיָיא, וּבְגִ״כ יוֹנָה, בְּגִין דְּלָא תִּשְׁרֵי עֲלֵוי שְׁכִינְתָּא, וְלָא תִתְגְּלֵי עֲלֵיהּ, אֲזַל מֵאַרְעָא קַדִּישָׁא, וַעֲרַק. הֲדָא הוּא דִּכְתִיב כִּי מִלִּפְנֵי ה׳. וּכְתִיב כִּי יָדְעוּ הָאֲנָשִׁים כִּי מִלִּפְנֵי ה׳ הוּא בֹרֵחַ.

קצֵא. תָּ״ח כַּמָּה דִשְׁכִינְתָּא לָא אִתְגַּלְּיָיא, אֶלָּא בְּאַתְרָא דְּאִתְחֲזֵי לָהּ, אוּף הָכֵי לָא אִתְחֲזֵי וְלָא אִתְגַּלְּיָיא, אֶלָּא בְּבַ״נ דְּאִתְחֲזֵי לָהּ. דְּהָא מִן יוֹמָא דְּסָלִיק עַל רְעוּתֵיהּ דְּלוֹט, לְאִתְהַפְּכָא בְּסִרְחֲנֵיהּ, אִסְתַּלְּקַת רוּוְזָא קַדִּישָׁא מֵאַבְרָהָם. וְכַד אִסְתַּלַּק לוֹט מִנֵּיהּ, מִיָּד שַׁרְיָא רוּחַ קוּדְשָׁא בְּדוּכְתֵּיהּ. הֲדָא הוּא דִכְתִיב, וַה׳ אָמַר אֶל אַבְרָם אַחֲרֵי הִפָּרֶד לוֹט מֵעִמּוֹ וְגוֹ׳.

קצֵב. תָּ״ח, כֵּיוָן דְּחָזְמָא אַבְרָהָם, דְּלוֹט הֲוָה תָּב לְסִרְחֲנֵיהּ, הֲוָה דָּחִיל אַבְרָהָם, אָמַר דִּלְמָא וֹ״ו, בְּגִין וְחוּבְרוּתָא דְּדָא, אֲבִידְנָא בְּגִינֵיהּ וְחוּלָקָא קַדִּישָׁא, דְּאַעְטַר לִי קוּבָּ״ה. כֵּיוָן דְּאִתְפְּרַע מִנֵּיהּ, א״ל שָׂא נָא עֵינֶיךָ וּרְאֵה מִן הַמָּקוֹם אֲשֶׁר אַתָּה שָׁם.

קצֵג. מַאי מִן הַמָּקוֹם אֲשֶׁר אַתָּה שָׁם. דְּאִתְדַּבְּקַת בֵּיהּ בְּקַדְמֵיתָא, וְאִתְעַטְּרַת בִּהֵימָנוּתָא שְׁלֵימָתָא. צָפוֹנָה, וָנֶגְבָּה, וָקֵדְמָה, וָיָמָּה. אִלֵּין אִינוּן מַסָּעֵי, דַּהֲווֹ בְּקַדְמֵיתָא, דִּכְתִיב וַיֵּלֶךְ לְמַסָּעָיו. וּכְתִיב הָלוֹךְ וְנָסוֹעַ הַנֶּגְבָּה. אִלֵּין דַּרְגִּין עִלָּאִין, דְּאִתְעַטַּר בִּמְהֵימָנוּתָא שְׁלֵימָתָא בְּקַדְמֵיתָא.

קצֵד. וּכְדֵין אִתְבְּעַר, דְּלָא יַעֲדֵי מִנֵּיהּ וּמִן בְּנוֹי לְעָלְמִין, דִּכְתִיב כִּי אֶת כָּל הָאָרֶץ אֲשֶׁר אַתָּה רוֹאֶה. מַאי אֲשֶׁר אַתָּה רוֹאֶה. דָּא דַּרְגָּא קַדְמָאָה דְּאִתְגַּלְּיָיא לֵיהּ, כְּד״א הַנִּרְאֶה אֵלָיו. וּבְגִ״כ אֲשֶׁר אַתָּה רוֹאֶה, בְּגִין דְּדַרְגָּא דָא קַדְמָאָה, אִתְכְּלִיל מִכֻּלְּהוּ דַּרְגִּין, וְכֻלְּהוּ אִתְחַזּוּן בֵּיהּ, וּבְגִ״כ, כִּי אֶת כָּל הָאָרֶץ אֲשֶׁר אַתָּה רוֹאֶה וְגוֹ׳.

קצֵה. ר׳ אֶלְעָזָר אֲעָרַע בְּבֵי אוּשְׁפִּיזָא בְּלוֹד, וַהֲוָה עִמֵּיהּ רַבִּי וְחִזְקִיָּה. קָם בְּלֵילְיָא לְמִלְעֵי בְּאוֹרַיְיתָא, קָם רַבִּי וְחִזְקִיָּה גַּבֵּיהּ, א״ל ר׳ אֶלְעָזָר, בְּקִיסְטְרָא דְּקִיסְטָא, וַחֲבֵרַיָּא שְׁכִיוֵזי.

קצֵו. פָּתַח ר׳ אֶלְעָזָר וְאָמַר, כְּתַפּוּחַ בַּעֲצֵי הַיַּעַר וְגוֹ׳. כְּתַפּוּחַ, דָּא קוּבָּ״ה דְּאִיהוּ וָמִיד וּמִתְעַטַּר בִּגְוַונוֹי, מִכָּל שְׁאָר אִילָנִין, דְּלָא אִית דְּדָמֵי לֵיהּ. רְעִים אִיהוּ מִכֹּלָּא, רְעִים הוּא, דְּלֵית אוּזָרָא כְּוָותֵיהּ.

קצֵז. בְּגִינֵי כָךְ, בְּצִלּוֹ וְחִמַּדְתִּי. בְּצִלּוֹ: וְלָא בְּצִלָּא אָחֳרָא. בְּצִלּוֹ: וְלָא בְּצִלָּא דִּשְׁאָר מִמָּן וְחִמַּדְתִּי, אֵימָתַי, מִן יוֹמָא דַּהֲוָה אַבְרָהָם בְּעָלְמָא, דְּאִיהוּ וָמִיד וְרָחִים לֵיהּ לְקוּבָּ״ה בְּאַהֲבָה.

כד"א אַבְרָהָם אוֹהֲבִי. וּפִרְיוֹ מָתוֹק לְחִכִּי, דָּא הוּא יִצְחָק, דְּאִיהוּ אִיבָּא קַדִּישָׁא.

קצח. ד"א, בְּצִלּוֹ חִמַּדְתִּי וְיָשַׁבְתִּי, דָּא יַעֲקֹב. וּפִרְיוֹ מָתוֹק לְחִכִּי, דָּא יוֹסֵף הַצַּדִּיק, דַּעֲבַד פֵּירִין קַדִּישִׁין בְּעָלְמָא. וְע"ד כְּתִיב אֵלֶּה תּוֹלְדוֹת יַעֲקֹב יוֹסֵף. דְּכָל אִינּוּן תּוֹלְדוֹת דְּיַעֲקֹב בְּיוֹסֵף הַצַּדִּיק קַיְימֵי, דַּעֲבִיד תּוֹלְדוֹת. וּבְגִ"כ, אִקְרוּן יִשְׂרָאֵל, עַל שְׁמָא דְּאֶפְרַיִם, דִּכְתִיב הֲבֵן יַקִּיר לִי אֶפְרַיִם וְגוֹ'.

קצט. ד"א כְּתַפּוּחַ בַּעֲצֵי הַיַּעַר. דָּא אַבְרָהָם. דְּדָמֵי לֵיהּ לְתַפּוּחַ, דְּסָלִיק רֵיחִין, וְאִתְרְשִׁים בִּמְהֵימְנוּתָא שְׁלֵימְתָא, עַל כָּל בְּנֵי דָּרֵיהּ, וְאִתְרְשִׁים חַד לְעֵילָּא, וְאִתְרְשִׁים חַד לְתַתָּא, דִּכְתִיב אֶחָד הָיָה אַבְרָהָם.

ר. מַאי טַעֲמָא הֲוָה אֶחָד. דְּלָא הֲוָה אָחֳרָא בְּעָלְמָא, דִּי סָלִיק לִמְהֵימְנוּתָא דְּקֻבְּ"ה, בַּר אִיהוּ. א"ל ר' חִזְקִיָּה, וְהָא כְּתִיב וְאֶת הַנֶּפֶשׁ אֲשֶׁר עָשׂוּ בְחָרָן. א"ל עַד כְּעָן, אִינּוּן לָא הֲווֹ בְּדַרְגִּין עִלָּאִין, דְּאִתְעַטַּר בְּהוּ אַבְרָהָם.

רא. לְבָתַר א"ל, תּוּ שְׁמַעְנָא, דְּלָא אִקְרֵי אַבְרָהָם אֶחָד, עַד דְּאִסְתַּלַּק בְּיִצְחָק וְיַעֲקֹב. כֵּיוָן דְּאִסְתַּלַּק בְּיִצְחָק וְיַעֲקֹב, וַהֲווֹ כֻּלְּהוּ תְּלָתְהוֹן אֲבָהָן דְּעָלְמָא, כְּדֵין אִקְרֵי אַבְרָהָם אֶחָד. וּכְדֵין הוּא תַּפּוּחַ בְּעָלְמָא. רְשִׁים מִכָּל בְּנֵי עָלְמָא. אָמַר לֵיהּ שַׁפִּיר קָא אֲמַרְתְּ.

רב. ד"א, כְּתַפּוּחַ בַּעֲצֵי הַיַּעַר, דָּא קֻבְּ"ה. כֵּן דּוֹדִי, דָּא קֻבְּ"ה. בְּצִלּוֹ, דָּא קֻבְּ"ה. חִמַּדְתִּי וְיָשַׁבְתִּי, בְּיוֹמָא דְּאִתְגְּלֵי קֻבְּ"ה, עַל טוּרָא דְּסִינַי, וְקַבִּילוּ יִשְׂרָאֵל אוֹרַיְיתָא, וַאֲמָרוּ נַעֲשֶׂה וְנִשְׁמַע.

רג. וּפִרְיוֹ מָתוֹק לְחִכִּי. אִלֵּין מִלִּין דְּאוֹרַיְיתָא, דִּכְתִיב בְּהוּ וּמְתוּקִים מִדְּבַשׁ וְנֹפֶת צוּפִים. ד"א וּפִרְיוֹ מָתוֹק לְחִכִּי, אִלֵּין נִשְׁמָתְהוֹן דְּצַדִּיקַיָּא, דְּכֻלְּהוּ אִיבָּא דְּעוֹבָדוֹי דְּקוּדְשָׁא בְּרִיךְ הוּא, וְקַיְימֵי עִמֵּיהּ לְעֵילָּא.

רד. ת"ח, כָּל נִשְׁמָתִין דְּעָלְמָא, דְּאִינּוּן אִיבָּא דְּעוֹבָדוֹי דְּקֻבְּ"ה, כֻּלְּהוּ חַד, בְּרָזָא חַד, וְכַד נַחְתֵּי לְעָלְמָא, כֻּלְּהוּ מִתְפָּרְשִׁין, בְּגַוְונִין דְּכַר וְנוּקְבָא, וְאִינּוּן דְּכַר וְנוּקְבָא מְחוּבָּרִין כַּחֲדָא.

רה. וְת"ח, תֵּיאוּבְתָּא דְּנוּקְבָא לְגַבֵּי דְּכוּרָא, עָבֵיד נֶפֶשׁ. וּרְעוּתָא דְּתֵיאוּבְתָּא דִּדְכוּרָא, לְגַבֵּי נוּקְבָא, וְאִתְדַּבְּקוּתָא דִּילֵיהּ בָּהּ, אַפִּיק נֶפֶשׁ, וְכָלִיל תֵּיאוּבְתָּא דְּנוּקְבָא, וְנָטִיל לָהּ. וְאִתְכְּלִיל תֵּיאוּבְתָּא תַּתָּאָה, בְּתֵיאוּבְתָּא דִּלְעֵילָּא, וְאִתְעֲבִידוּ רְעוּתָא חֲדָא, בְּלָא פֵּרוּדָא.

רו. וּכְדֵין כָּלִיל כֹּלָּא נוּקְבָא, וְאִתְעַבְּרַת מִן דְּכוּרָא, וְתֵיאוּבְתִּין דִּתְרַוַויְיהוּ מִתְדַּבְּקָן כַּחֲדָא, וְעַל דָּא, כֹּלָּא כָּלִיל דָּא בְּדָא. וְכַד נִשְׁמָתִין נָפְקִין, דְּכַר וְנוּקְבָא כַּחֲדָא נָפְקִין.

רז. לְבָתַר, כֵּיוָן דְּנַחְתֵּי, מִתְפָּרְשָׁן דָּא לְסִטְרָא דָּא, וְדָא לְסִטְרָא דָּא, וְקֻבְּ"ה מְזַוֵּוג לוֹן לְבָתַר. וְלָא אִתְיְיהִיב זִוּוּגָא לְאָחֳרָא, אֶלָּא לְקֻבְּ"ה בִּלְחוֹדוֹי, דְּאִיהוּ יָדַע זִוּוּגָא דִּלְהוֹן לְחַבְּרָא לוֹן כִּדְקָא יָאוּת.

רח. זַכָּאָה הוּא ב"נ, דְּזָכֵי בְּעוֹבָדוֹי וְאָזִיל בְּאוֹרַח קְשׁוֹט. בְּגִין דְּאִתְחַבַּר נֶפֶשׁ בְּנֶפֶשׁ, כְּמָה דַּהֲוָה מֵעִיקָּרָא. דְּהָא אִי זָכֵי בְּעוֹבָדוֹי, דָּא הוּא ב"נ שְׁלִים כִּדְקָא יָאוּת, וּבְגִ"כ כְּתִיב, וּפִרְיוֹ מָתוֹק לְחִכִּי. דְּהוּא בְּתִקּוּנָא מְבָרֵךְ, לְאִתְבָּרְכָא מִנֵּיהּ עָלְמָא, בְּגִין דְּכֹלָּא בְּעוֹבָדִין דְּבַר נָשׁ תַּלְיָא, אִי זָכֵי אִי לָא זָכֵי.

רט. א"ר חִזְקִיָּה, הָכֵי שְׁמַעְנָא, דִּכְתִיב מִמֶּנִּי פֶּרְיְךָ נִמְצָא. קֻבְּ"ה אָמַר לָהּ לִכְנֶסֶת יִשְׂרָאֵל, מִמֶּנִּי וַדַּאי, פֶּרְיְךָ נִמְצָא, פֶּרְיִי נִמְצָא, לָא כְּתִיב, אֶלָּא פֶּרְיְךָ, הַהוּא תֵּיאוּבְתָּא

דְּנוּקְבָא, דַּעֲבִיד נְפָשׁ, וְאִתְכְּלִיל בְּתוּקְפָּא דִּדְכוּרָא, וְאִתְכְּלִיל נֶפֶשׁ בְּנֶפֶשׁ, וְאִתְעֲבִידוּ וְחָד, כָּלִיל דָּא בְּדָא, כִּדְאֲמָרָן. לְבָתַר אִשְׁתַּכְּחוּ תַּרְוַויְיהוּ בְּעָלְמָא, וְדָא בְּחֵילָא דִּדְכוּרָא, אִשְׁתְּכַח אִיבָּא דְּנוּקְבָא.

רי. ד"א בְּתֵיאוּבְתָּא דְּנוּקְבָא, אִשְׁתְּכַח אִיבָּא דִּדְכוּרָא, דְּאִי לָאו תֵּיאוּבְתָּא דְּנוּקְבָא לְגַבֵּי דְּכוּרָא, לָא אִתְעֲבִידוּ פֵּירִין לְעָלְמִין, הה"ד מִמֶּנִּי פֶּרְיְךָ נִמְצָא.

ריא. וַיְהִי בִּימֵי אַמְרָפֶל מֶלֶךְ שִׁנְעָר וגו'. רַבִּי יוֹסֵי פָּתַח, מִי הֵעִיר מִמִּזְרָח צֶדֶק יִקְרָאֵהוּ לְרַגְלוֹ וגו'. הַאי קְרָא אוּקְמוּהָ וְחַבְרַיָּיא. אֲבָל הַאי קְרָא בְּרָזָא דְּחָכְמְתָא אִיהוּ. דְּהָא תָּנִינָן, שִׁבְעָה רְקִיעִין עֲבַד קב"ה לְעֵילָא, וְכֻלְּהוּ לְאִשְׁתְּמוֹדַע יְקָרָא דְּקב"ה, וְכֻלְּהוּ קַיְימִין לְאוֹדָעָא רָזָא דִּמְהֵימְנוּתָא עִלָּאָה.

ריב. ת"ח אִית רְקִיעָא עִלָּאָה סָתִים, לְעֵילָא מִנַּיְיהוּ, דְּאִינּוּן שִׁבְעָה, וְדָא הוּא רְקִיעָא דְּדַבַּר לוֹן וְנָהִיר לוֹן לְכֻלְּהוּ, וְדָא לָא אִתְיְדַע, וְקַיְּימָא בִּשְׁאֶלְתָּא, דְּלָא יְדִיעָא, בְּגִין דְּאִיהוּ סָתִים וְעָמִיק, וְכֹלָּא תַּוְוהִין עֲלֵיהּ, וּבְג"כ אִקְרֵי מִי, כְּמָה דְּאוּקְמוּהָ דִּכְתִיב מִבֶּטֶן מִי יָצָא הַקָּרַח, וְאִתְּמַר. וְהַאי הוּא רְקִיעָא עִלָּאָה, דְּקַיְּימָא עַל כָּל אִינּוּן שִׁבְעָה.

ריג. וְאִית לְתַתָּא רְקִיעָא, דְּאִיהוּ תַּתָּאָה מִכֻּלְּהוּ וְלָא נָהִיר. וּבְגִין דְּאִיהוּ תַּתָּאָה דְּלָא נָהִיר, הַהוּא רְקִיעָא דַּעֲלַיְיהוּ, אִתְחַבַּר בֵּיהּ, וְאִלֵּין תְּרֵין אַתְוָון, כָּלִיל לוֹן בְּגַוֵּיהּ, וְאִקְרֵי יָם, דְּהַהוּא רְקִיעָא עִלָּאָה, דְּאִקְרֵי מִי.

ריד. בְּגִין דְּכָל אִינּוּן רְקִיעִין אָחֳרָנִין, אִתְעֲבִידוּ נַחֲלִין, וְעָאלִין לְגַבֵּיהּ, וּכְדֵין אִיהוּ יַם עִלָּאָה, וַעֲבַד אִיבִּין וְנוּנִין לִזְנַיְיהוּ, וְעַל דָּא אֲמַר דָּוִד זֶה הַיָּם גָּדוֹל וּרְחַב יָדַיִם שָׁם רֶמֶשׂ וְאֵין מִסְפָּר חַיּוֹת קְטַנּוֹת עִם גְּדוֹלוֹת.

רטו. וְעַל דָּא כְּתִיב מִי הֵעִיר מִמִּזְרָח צֶדֶק יִקְרָאֵהוּ לְרַגְלוֹ. מִי הֵעִיר מִמִּזְרָח דָּא אַבְרָהָם. צֶדֶק יִקְרָאֵהוּ לְרַגְלוֹ, דָּא הוּא רְקִיעָא תַּתָּאָה דְּכֻלְּהוּ רְקִיעִין, דְּאִתְעֲבִיד יָם. יִתֵּן לְפָנָיו גּוֹיִם. מַאן הַאי. הוּא רְקִיעָא תַּתָּאָה דַּאֲמָרָן, דַּעֲבִיד נוּקְמִין, וְאַפֵּיל שַׂנְאִין. וּבְהַאי אִשְׁתַּבַּח דָּוִד וַאֲמַר וְאֹיְבַי נָתַתָּה לִּי עֹרֶף וּמְשַׂנְאַי אַצְמִיתֵם.

רטז. יִתֵּן לְפָנָיו גּוֹיִם. אִלֵּין אִינּוּן עַמִּין דַּהֲוָה רָדִיף עֲלַיְיהוּ אַבְרָהָם, וְקב"ה הֲוָה קָטִיל לוֹן. וּמְלָכִים יַרְדְּ, אִלֵּין מְמַנָּן רַבְרְבָן דִּלְעֵילָא. דְּכַד עָבִיד קוּדְשָׁא בְּרִיךְ הוּא דִּינָא בְּעָלְמָא, בְּכֹלָּא עָבִיד דִּינָא, בְּעֵילָא וְתַתָּא.

ריז. יִרְדְּפֵם יַעֲבוֹר שָׁלוֹם אֹרַח בְּרַגְלָיו לֹא יָבוֹא. יִרְדְּפֵם, דָּא אַבְרָהָם. דְּאַבְרָהָם הֲוָה רָדִיף לוֹן וְקב"ה הֲוָה עָבַר קַמֵּיהּ, וְקָטִיל לוֹן. דִּכְתִיב יַעֲבוֹר שָׁלוֹם, דָּא קוּדְשָׁא בְּרִיךְ הוּא דְּאִקְרֵי שָׁלוֹם.

ריח. אֹרַח בְּרַגְלָיו לֹא יָבוֹא. וְכִי סַלְקָא דַעְתָּךְ, דַּהֲוָה אַבְרָהָם אָזִיל בְּגוֹ עֲנָנֵי אוֹ בְּגוֹ סוּסְוָון וּרְתִיכִין. אֶלָּא אֹרַח בְּרַגְלָיו לֹא יָבוֹא, דְּלָא הֲוָה אָזִיל קַמֵּיהּ דְּאַבְרָהָם, לָא מַלְאָכָא, וְלָא שְׁלִיחָא, אֶלָּא קב"ה בִּלְחוֹדוֹי, דִּכְתִיב אֹרַח בְּרַגְלָיו, מַאן רַגְלָיו, אִלֵּין מַלְאָכִין דְּאִינּוּן תְּחוֹתוֹי דְּקב"ה, כד"א וְעָמְדוּ רַגְלָיו בַּיּוֹם הַהוּא וגו'.

ריט. ד"א, מִי הֵעִיר מִמִּזְרָח. ת"ח, בְּשַׁעֲתָא דְּקב"ה אִתְעַר עָלְמָא, לְאַיְיתָאָה לְאַבְרָהָם, וּלְקָרְבָא לֵיהּ לְגַבֵּיהּ, הַאי אִתְעֲרוּתָא, בְּגִין דְּזַמִּין יַעֲקֹב לְמֵיפַק מִנֵּיהּ, וּלְקַיְּימָא תְּרֵיסַר שִׁבְטִין, כֻּלְּהוּ זַכָּאִין קַמֵּיהּ דְּקוּדְשָׁא בְּרִיךְ הוּא.

רכ. צֶדֶק יִקְרָאֵהוּ לְרַגְלוֹ. דְּקב"ה הֲוָה קָרֵי לֵיהּ תָּדִיר, מִן יוֹמָא דְּאִתְבְּרֵי עָלְמָא, כד"א קֹרֵא הַדֹּרוֹת מֵרֹאשׁ. וּבְג"כ, צֶדֶק יִקְרָאֵהוּ, וַדַּאי. לְרַגְלוֹ: לְאִתְחַבְּרָא בֵּיהּ

בְּפוּלְחָנֵיהּ, וּלְקָרְבָא לֵיהּ לְגַבֵּיהּ. כד״א הָעָם אֲשֶׁר בְּרַגְלֶיךָ.

רכא. ד״א מִי הֵעִיר מִמִּזְרָח. דְּמִתַּמָּן שֵׁירוּתָא דִּנְהוֹרָא לְאַנְהָרָא. בְּגִין, דְּדָרוֹם הַהוּא תּוֹקְפָּא דִּנְהוֹרָא דִּילֵיהּ, מִגּוֹ מִזְרָח אִיהוּ, וְעַל דָּא מִי הֵעִיר הַהוּא נְהוֹרָא דְּדָרוֹם, מִמִּזְרָח. בְּגִין דְּאִיהוּ נָטֵיל וְאִתְזָן בְּקַדְמֵיתָא, וְתֵיאוּבְתָּא דְּהַהוּא רְקִיעָא עִלָּאָה, לְמֵיהַב לֵיהּ לְמִזְרָח.

רכב. צֶדֶק יִקְרָאֵהוּ לְרַגְלוֹ. דָּא מַעֲרָב, דְּאִיהוּ קָרֵי לֵיהּ תָּדִיר וְלָא שָׁכִיךְ. כד״א אֱלֹקִים אַל דֳּמִי לָךְ אַל תֶּחֱרַשׁ וְאַל תִּשְׁקוֹט אֵל. בְּגִין דְּמַעֲרָב אִתְעַר תָּדִיר לְגַבֵּיהּ. יִתֵּן לְפָנָיו גּוֹיִם וּמְלָכִים יַרְדְּ. דְּהָא מִנֵּיהּ קַבֵּיל תּוֹקְפָּא לְאַכְנְעָא כָּל אִינּוּן עַמִּין דְּעָלְמָא.

רכג. רַבִּי יְהוּדָה אֲמַר מִי הֵעִיר מִמִּזְרָח, דָּא אַבְרָהָם. דְּלָא נָטֵיל אִתְעֲרוּתָא לְגַבֵּי קב״ה אֶלָּא מִמִּזְרָח, בְּגִין דְּחָמָא שִׁמְשָׁא דְּנָפֵיק בְּצַפְרָא, מִסִּטְרָא דְּמִזְרָח, נָטֵיל אִתְעֲרוּתָא לְנַפְשֵׁיהּ דְּאִיהוּ קב״ה, אֲמַר דָּא הוּא מַלְכָּא דִּבְרָא יָתִי, פְּלַח לֵיהּ כָּל הַהוּא יוֹמָא. לְרַמְשָׁא, חָמָא שִׁמְשָׁא דְּאִתְכְּנֵישׁ, וְסִיהֲרָא נָהֲרָא. אֲמַר דָּא הוּא וַדַּאי, דְּשַׁלִּיט עַל הַהוּא פּוּלְחָנָא דִּפְלָחִית כָּל הַאי יוֹמָא, דְּהָא אִתְחֲשַׁךְ קַמֵּיהּ וְלָא נָהִיר. פְּלַח לֵיהּ כָּל הַהוּא לֵילְיָא.

רכד. לְצַפְרָא, חָמָא דְּאָזְלָא וְחָשׁוֹכָא, וְאִתְנְהִיר סִטְרָא דְּמִזְרָח, אֲמַר וַדַּאי כָּל אִלֵּין, מַלְכָּא אִית עֲלַיְיהוּ, וְשַׁלִּיט דְּאַנְהִיג לוֹן. כֵּיוָן דְּחָמָא קב״ה, תֵּיאוּבְתָּא דְּאַבְרָהָם לְגַבֵּיהּ, כְּדֵין אִתְגְּלֵי עָלוֹי, וּמַלֵּיל עִמֵּיהּ, דִּכְתִיב צֶדֶק יִקְרָאֵהוּ לְרַגְלוֹ. דְּמַלֵּיל עִמֵּיהּ, וְאִתְגְּלֵי עָלֵיהּ.

רכה. רַבִּי יִצְחָק פָּתַח דּוֹבֵר צֶדֶק מַגִּיד מֵישָׁרִים. קב״ה, כָּל מִלּוֹי אִינּוּן בְּקוּשְׁטָא, וַעֲבֵיד מֵישָׁרִים, בְּמָה עֲבֵיד מֵישָׁרִים. בְּגִין, דְּכַד בָּרָא קב״ה עָלְמָא, לָא הֲוָה קָאִים, וַהֲוָה מִתְמוֹטֵט לְהָכָא וּלְהָכָא. א״ל קב״ה לְעָלְמָא, מַה לָּךְ דְּאַתְּ מִתְמוֹטֵט. א״ל רִבּוֹנוֹ שֶׁל עוֹלָם, לָא יָכֵילְנָא לְמֵיקַם, דְּלֵית בִּי יְסוֹדָא, עַל מַה דְּאִתְקַיַּים.

רכו. א״ל הָא אֲנָא זַמִּין לְמֵיקַם בָּךְ חַד צַדִּיק, דְּאִיהוּ אַבְרָהָם, דְּיִרְחָמִים לִי. מִיַּד קָאִים עָלְמָא בְּקִיּוּמֵיהּ, הה״ד אֵלֶּה תּוֹלְדוֹת הַשָּׁמַיִם וְהָאָרֶץ בְּהִבָּרְאָם; אַל תִּקְרָא בְּהִבָּרְאָם אֶלָּא בְּאַבְרָהָם. בְּאַבְרָהָם מִתְקַיֵּים עָלְמָא.

רכז. אֲמַר רַבִּי חִיָּיא, מַגִּיד מֵישָׁרִים. דְּהָא אָתֵיב לֵיהּ עָלְמָא לְקב״ה, הַהוּא אַבְרָהָם זַמִּין הוּא דְּיִפְקוּן מִנֵּיהּ בְּנִין דְּיַחֲרִיבוּ מַקְדְּשָׁא, וְיוֹקִידוּ אוֹרַיְיתָא. אֲמַר לֵיהּ, זַמִּין חַד ב״נ לְמִיפַּק מִנֵּיהּ, דְּאִיהוּ יַעֲקֹב, וְיִפְקוּן מִנֵּיהּ תְּרֵיסַר שִׁבְטִין, כֻּלְּהוּ זַכָּאִין. מִיַּד אִתְקַיֵּים עָלְמָא בְּגִינֵיהּ הה״ד מַגִּיד מֵישָׁרִים.

רכח. רַבִּי אֶלְעָזָר אֲמַר, הָא אִתְעֲרָנָא, וַיְדַבֵּר, וַיַּגֵּד, וַיֹּאמֶר, כֻּלְּהוּ לְטַעֲמַיְיהוּ מִתְפָּרְשָׁן, וַיְדַבֵּר: אִיהוּ בְּאִתְגַּלְיָא, דַּרְגָּא לְבַר, דְּלָא אִיהוּ דַּרְגָּא פְּנִימָאָה, כְּאִינּוּן דַּרְגִּין עִלָּאִין, וְדָא אִיהוּ דּוֹבֵר צֶדֶק.

רכט. וַיַּגֵּד: אִיהוּ רֶמֶז לְדַרְגָּא פְּנִימָאָה עִלָּאָה, דְּשַׁלְטָאָה עַל דִּבּוּר, וְדָא הוּא מַגִּיד מֵישָׁרִים, מַאן מֵישָׁרִים, דָּא דַּרְגָּא עִלָּאָה דְּיַעֲקֹב שַׁרְיָא בֵּיהּ. הָדָא הוּא דִכְתִיב אַתָּה כּוֹנַנְתָּ מֵישָׁרִים, וּבְגִ״כ מַגִּיד כְּתִיב, וְלָא כְּתִיב דּוֹבֵר.

רל. א״ר יִצְחָק, וְהָא כְּתִיב, וַיַּגֵּד לָכֶם אֶת בְּרִיתוֹ. א״ל הָכִי הוּא וַדַּאי אִיהוּ דַּרְגָּא דְּשַׁלְטָא עַל תַּתָּאָה, דְּאִיהוּ דּוֹבֵר צֶדֶק. וְכֹלָּא אִיהוּ לְאִסְתַּכְּלָא הָכָא. ת״ח, דְּאַעַ״ג דְּדִבּוּר אִיהוּ תַּתָּאָה, לָא תֵּימָא, דְּלָא עִלָּאָה אִיהוּ, אֶלָּא וַדַּאי דִּבּוּר מַלְיָיא אִיהוּ

מִכֹּלָּא, וְדַרְגָּא עִלָּאָה אִיהוּ. וְסִימָנֵיךְ כִּי לֹא דָבָר רֵק הוּא מִכֶּם.

רלא. רַבִּי אֶלְעָזָר, הֲוָה אָזֵיל לְבֵי חָמוּי, וַהֲווּ עִמֵּיהּ רַבִּי חִיָּיא, וְרַבִּי יוֹסֵי, וְרַבִּי חִזְקִיָּה. אָמַר ר״א, הָא חֲמֵינָא דְּאִתְעָרוּתָא דִּלְעֵילָא לָאו אִיהוּ, אֶלָּא כַּד אִתְעַר לְתַתָּא, דְּהָא אִתְעָרוּתָא דִּלְעֵילָא, בְּתֵיאוּבְתָּא דִּלְתַתָּא תַּלְיָיא.

רלב. פָּתַח וְאָמַר, אֱלֹקִים עַל דֳּמִי לָךְ אַל תֶּחֱרַשׁ וְאַל תִּשְׁקוֹט אֵל. דָּא הוּא אִתְעָרוּתָא דִּלְתַתָּא. בְּגִין לְשַׁלְטָאָה. אָמַר דָּוִד, אֱלֹקִים אַל דֳּמִי לָךְ, לְאִתְעָרָא לְגַבֵּי עִלָּאָה, וּלְאִתְחַבְּרָא גַּבֵּי יְמִינָא.

רלג. מַאי טַעְמָא, בְּגִין כִּי הִנֵּה אוֹיְבֶיךָ יֶהֱמָיוּן וגו׳, כִּי נוֹעֲצוּ לֵב יַחְדָּיו עָלֶיךָ בְּרִית יִכְרוֹתוּ, וּבְגִין כָּךְ, אֱלֹהִים אַל דֳּמִי לָךְ, לְאִתְעָרָא לְגַבֵּי עֵילָא, דְּהָא כְּדֵין אִתְעָרַת יְמִינָא, וְקָטִירַת לָהּ בַּהֲדָהּ. וְכַד אִתְקַשְּׁרַת בִּימִינָא, כְּדֵין אִתְּבַר שַׂנְאִין, דִּכְתִּיב, יְמִינְךָ ה׳ נֶאְדָּרִי בַּכֹּחַ יְמִינְךָ ה׳ תִּרְעַץ אוֹיֵב.

רלד. וְתָא חֲזֵי, בְּשַׁעֲתָא דְּאִתְחַבָּרוּ כָּל אִינּוּן מַלְכִּין, לְאַגָּחָא קְרָבָא עִלֵּיהּ דְּאַבְרָהָם, אִתְיָיעֲטוּ לְאַעֲבָרָא לֵיהּ מִן עָלְמָא, וְכֵיוָן דְּשַׁלְטוּ בְּלוֹט, בַּר אֲחוּהָ דְּאַבְרָהָם, מִיַּד אָזְלוּ, דִּכְתִּיב וַיִּקְחוּ אֶת לוֹט וְאֶת רְכוּשׁוֹ בֶּן אֲחִי אַבְרָם וַיֵּלֵכוּ. מ״ט, בְּגִין, דְּדִיוּקְנֵיהּ דְּלוֹט הֲוָה דָּמֵי לְאַבְרָהָם, וּבְגִין כָּךְ וַיֵּלֵכוּ, דְּכָל הַהוּא קְרָבָא, בְּגִינֵיהּ הֲוָה.

רלה. מַאי טַעְמָא. בְּגִין, דַּהֲוָה אַבְרָהָם אַפִּיק בְּנֵי עָלְמָא מִפּוּלְחָנָא נוּכְרָאָה, וְאָעֵיל לוֹן, בְּפוּלְחָנָא דְּקֻבְּ״ה. וְתוּ, קֻבְּ״ה אַתְעַר לוֹן בְּעָלְמָא, בְּגִין לְגַדְּלָא שְׁמָא דְּאַבְרָהָם בְּעָלְמָא וּלְקָרְבָא לֵיהּ לְפוּלְחָנֵיהּ.

רלו. וְרָזָא דְּמִלָּה, כֵּיוָן דְּאַבְרָהָם אִתְעַר לְמִרְדַּף אֲבַתְרַיְיהוּ, כְּדֵין אֱלֹקִים אַל דֳּמִי לָךְ, עַד דְּאִתְקַשַּׁר כֹּלָּא בְּאַבְרָהָם, וְכַד אִתְקַשַּׁר כֹּלָּא בְּאַבְרָהָם, כְּדֵין אִתְּבָרוּ כֻּלְּהוּ מַלְכִּין מִקַּמֵּיהּ, כִּדְקָא אֲמָרָן, דִּכְתִּיב יְמִינְךָ ה׳ תִּרְעַץ אוֹיֵב וגו׳.

רלז. וּמַלְכִּי צֶדֶק מֶלֶךְ שָׁלֵם הוֹצִיא לֶחֶם וָיָיִן. רַבִּי שִׁמְעוֹן פָּתַח וְאָמַר וַיְהִי בְשָׁלֵם סֻכּוֹ וגו׳. ת״ח, כַּד סָלֵיק בִּרְעוּתָא דְּקֻבְּ״ה לְמִבְרֵי עָלְמָא, אַפִּיק חַד שַׁלְהוֹבָא דְּבוּצִינָא דְּקַרְדִּינוּתָא, וְנָשַׁף זִיקָא בְּזִיקָא, וְחָשְׁכָאת וְאוֹקִידַת. וְאַפִּיק מִגּוֹ סִטְרֵי תְהוֹמָא, חַד טִיף, וְחַבַּר לוֹן כְּחַד, וּבָרָא בְהוֹ עָלְמָא.

רלח. הַהוּא שַׁלְהוֹבָא סָלֵיק, וְאִתְעַטְּרָא בִּשְׂמָאלָא, וְהַהוּא טִיף סָלֵיק וְאִתְעַטַּר בִּימִינָא, סָלְקוּ חַד בְּחַד, אַחְלְפוּ דּוּכְתֵּי, דָּא לְסִטְרָא דָּא, וְדָא לְסִטְרָא דָּא, דְּנָחִית סָלֵיק, וּדְסָלֵיק נָחִית.

רלט. אִתְקְטָרוּ דָּא בְּדָא, נָפֵיק מִבֵּינַיְיהוּ רוּחַ שְׁלִים. כְּדֵין אִינּוּן תְּרֵין סִטְרִין, אִתְעֲבִידוּ חַד, וְאִתְיְיהִיב בֵּינַיְיהוּ, וְאִתְעַטְּרוּ חַד בְּחַד. כְּדֵין אִשְׁתְּכַח שְׁלָם לְעֵילָּא, וּשְׁלָם לְתַתָּא, וְדַרְגָּא אִתְקַיַּים.

רמ. אִתְעַטְּרַת ה״א בְּוא״ו, וָא״ו בְּה״א, כְּדֵין סַלְקָא ה״א, וְאִתְקַשְּׁרָא בְּקִשּׁוּרָא שְׁלִים. כְּדֵין וּמַלְכִּי צֶדֶק מֶלֶךְ שָׁלֵם. מֶלֶךְ שָׁלֵם וַדַּאי, מֶלֶךְ אִיהוּ דְּשַׁלִּיט בִּשְׁלִימוּ, אֵימָתַי אִיהוּ מֶלֶךְ שָׁלֵם, בְּיוֹמָא דְּכִפּוּרֵי דְּכָל אַנְפִּין נְהִירִין.

רמא. וּמַלְכִּי צֶדֶק. דָּא עָלְמָא בַּתְרָאָה. מֶלֶךְ שָׁלֵם, דָּא עָלְמָא עִלָּאָה. דְּאִתְעַטַּר חַד בְּחַד, בְּלָא פֵּרוּדָא, תְּרֵין עָלְמִין כַּחֲדָא, וַאֲפִילּוּ עָלְמָא תַּתָּאָה, כֹּלָּא חַד מִלָּה אִיהוּ. הוֹצִיא לֶחֶם וָיָיִן, דִּתְרֵין אִלֵּין בֵּיהּ. וְהוּא כֹהֵן לְאֵל עֶלְיוֹן מְשַׁמֵּשׁ עָלְמָא לְקָבֵל עָלְמָא. וְהוּא כֹּהֵן, דָּא יְמִינָא. לְאֵל עֶלְיוֹן, עָלְמָא עִלָּאָה. וּבְגִין כָּךְ, בָּעֵי כַּהֲנָא, לְבָרְכָא עָלְמָא.

רמב. ת״ח, בִּרְכָאן נָטֵיל הַאי עָלְמָא תַּתָּאָה, כַּד אִתְחַבַּר בְּכַהֲנָא רַבָּא. כְּדֵין,

וַיְבָרְכֵהוּ, וַיֹּאמַר בָּרוּךְ אַבְרָם לְאֵל עֶלְיוֹן. הָכֵי הוּא וַדַּאי. כְּגַוְונָא דָא בָּעֵי כַּהֲנָא לְתַתָּא, לְקַשְּׁרָא קִשְׁרִין, וּלְבָרְכָא הַאי דּוּכְתָּא, בְּגִין דְּיִתְקַשַּׁר בִּימִינָא, לְאִתְקַשְּׁרָא תְּרֵין עָלְמִין כַּחֲדָא.

רמג. בָּרוּךְ אַבְרָם. רָזָא דְּמִלָּה, תִּקּוּנָא דְּבִרְכָאן אִיהוּ. בָּרוּךְ אַבְרָם, כְּמָה דְּאַמְרִינָן בָּרוּךְ אַתָּה. לְאֵל עֶלְיוֹן, ה' אֱלֹקֵינוּ. קוֹנֵה שָׁמַיִם וָאָרֶץ, מֶלֶךְ הָעוֹלָם. וְהַאי קְרָא, רָזָא דְּבִרְכָאן אִיהוּ. וַיְבָרְכֵהוּ, מִתַּתָּא לְעֵילָא. וּבָרוּךְ אֵל עֶלְיוֹן, מֵעֵילָא לְתַתָּא. וַיִּתֶּן לוֹ מַעֲשֵׂר מִכֹּל. לְאִתְדַּבְּקָא בַּאֲתַר דְּקִשּׁוּרָא אִתְקַשַּׁר לְתַתָּא.

רמד. עַד דַּהֲווֹ אָזְלֵי, אַעֲרַע בְּהוּ ר' יֵיסָא וְחַד יוּדָאי בַּהֲדֵיהּ. וַהֲוָה אָמַר הַהוּא יוּדָאי, לְדָוִד אֵלֶיךָ ה' נַפְשִׁי אֶשָּׂא. לְדָוִד, וְכִי אַמַּאי לָא כְּתִיב, מִזְמוֹר לְדָוִד, אוֹ לְדָוִד מִזְמוֹר.

רמה. אֶלָּא, בְּגִין דַּרְגֵּיהּ קָאָמַר לְדָוִד, תּוּשְׁבַּחְתָּא דְּאָמַר בְּגִינֵיהּ. אֵלֶיךָ ה' נַפְשִׁי אֶשָּׂא. אֵלֶיךָ ה', לְעֵילָא. נַפְשִׁי: מַאן נַפְשִׁי. דָּא דָּוִד, דַּרְגָּא קַדְמָאָה דְּקָאֲמָרָן. אֶשָּׂא: אַסַּלֵּק. כְּד"א אֶשָּׂא עֵינַי אֶל הֶהָרִים. בְּגִין, דְּכָל יוֹמוֹי דְּדָוִד, הֲוָה מִשְׁתַּדֵּל לְסַלְּקָא דַּרְגֵּיהּ, לְאִתְעַטְּרָא לְעֵילָא, וּלְאִתְקַשְּׁרָא תַּמָּן בְּקִשּׁוּרָא שְׁלִים, כִּדְקָא יָאוֹת.

רמו. כְּגַוְונָא דָא, לְדָוִד בָּרְכִי נַפְשִׁי אֶת ה', בְּגִין דַּרְגֵּיהּ קָאָמַר, וּמַאי אָמַר, בָּרְכִי נַפְשִׁי אֶת ה'. אֶת: לְאִתְקַשְּׁרָא בְּקִשּׁוּרָא לְעֵילָא. וְכָל קְרָבַי, מַאן קְרָבַי. אִלֵּין שְׁאָר חֵיוָון בָּרָא, דְּאִקְרוּן קְרָבַיִם, כְּד"א וּמֵעַי הָמוּ עָלָיו ד"א, בָּרְכִי נַפְשִׁי, בְּגִינֵיהּ קָאָמַר. אֶת ה', דָּא שְׁלִימוּ דְּכֹלָּא, אֶת ה' כְּלָלָא דְּכֹלָּא.

רמז. א"ל ר"א לְרַבִּי יֵיסָא, וְזַמִּינָא לָךְ, דְּהָא עִם שְׁכִינְתָּא קָאַתֵית וְאִתְחַבַּרְתְּ. א"ל, הָכֵי הוּא וַדַּאי, וּתְלַת פַּרְסֵי הוּא דְּאָזִילְנָא בַּהֲדֵיהּ, וַאֲמַר לִי כַּמָּה מִלֵּי מַעַלְיָיתָא, וַאֲנָא אֲגִירְנָא לֵיהּ לְיוֹמָא דָא, וְלָא יָדַעְנָא דְּאִיהוּ בּוֹצִינָא דְּנָהִיר כִּדְחָמֵינָא הַשְׁתָּא.

רמח. א"ל רַבִּי אֶלְעָזָר, לְהַהוּא יוּדָאי, מַה שְּׁמָךְ, א"ל יוֹעֶזֶר. א"ל יוֹעֶזֶר וְאֶלְעָזָר, יָתִיבָן כַּחֲדָא. יָתְבוּ גַּבֵּי חַד טִנָּרָא בְּהַהוּא חֲקַל. פָּתַח הַהוּא יוּדָאי וְאָמַר, אָנֹכִי אָנֹכִי הוּא מוֹחֶה פְשָׁעֶיךָ לְמַעֲנִי וְחַטֹּאתֶיךָ לֹא אֶזְכֹּר, מַאי טַעְמָא, תְּרֵי זִמְנֵי, אָנֹכִי אָנֹכִי.

רמט. אֶלָּא, חַד בְּסִינַי. וְחַד בְּשַׁעֲתָא דִּבְרָא עָלְמָא. דִּכְתִּיב, אָנֹכִי ה' אֱלֹקֶיךָ, דָּא הוּא בְּסִינַי. וְחַד כַּד בָּרָא עָלְמָא, דִּכְתִּיב, אָנֹכִי עָשִׂיתִי אֶרֶץ וְאָדָם עָלֶיהָ בָּרָאתִי. הוּא בְּגִין לְאַחֲזָאָה, דְּלָא הֲוֵי פֵּרוּדָא בֵּין עֵילָא וְתַתָּא.

רנ. מוֹחֶה פְשָׁעֶיךָ. מַעֲבִיר פְּשָׁעֶיךָ לָא כְּתִיב, אֶלָּא מוֹחֶה, בְּגִין דְּלָא יִתְחֲזוּן לְעָלְמִין. לְמַעֲנִי. מַאי לְמַעֲנִי, בְּגִין אִינּוּן רַחֲמִין דְּתַלְיָין בִּי. דִּכְתִּיב כִּי אֵל רַחוּם ה' אֱלֹקֶיךָ וגו'.

רנא. ד"א, מוֹחֶה פְשָׁעֶיךָ לְמַעֲנִי. ת"ח, חַיָּיבֵי עָלְמָא עָבְדִין פְּגִימוּתָא לְעֵילָא, דְּכַד אִינּוּן חוֹבִין סָלְקִין, רַחֲמִין, וּנְהִירוּ עִלָּאָה, וִינִיקוּ דְּבִרְכָאן, לָא נָחִית לְתַתָּא, וְהַאי דַּרְגָּא לָא נָטִיל בִּרְכָאן דִּלְעֵילָא, לְיַנְקָא לְתַתָּא. וּבְגִ"כ לְמַעֲנִי, בְּגִין דְּלָא יִתְמַנְעוּן בִּרְכָאן לְיַנְקָא לְכֹלָּא.

רנב. כְּגַוְונָא דָא, רְאוּ עַתָּה כִּי אֲנִי אֲנִי הוּא, לְאַחֲזָאָה דְּלָא הֲוֵי פֵּרוּדָא, בֵּין עֵילָא וְתַתָּא. כְּמָה דְּאִתְּמָר.

רנג. ת"ח, כְּגַוְונָא דָא, כַּד אִשְׁתַּכָּחוּ זַכָּאִין בְּעָלְמָא, אִתְּעָרוּ בִּרְכָאן לְעָלְמִין כֻּלְּהוּ. כֵּיוָן דְּאָתָא אַבְרָהָם, אִתְּעַר בִּרְכָאן לְעָלְמָא. דִּכְתִּיב וַאֲבָרֶכְךָ. וֶהְיֵה בְּרָכָה, מַאי וֶהְיֵה בְּרָכָה. רֶמֶז דְּיִשְׁתַּכְּחוּן בְּגִינֵיהּ בִּרְכָאן, לְעֵילָא וְתַתָּא. דִּכְתִּיב וְנִבְרְכוּ בְךָ וגו' וּכְתִיב וַאֲבָרְכָה מְבָרְכֶיךָ.

רנד. אָתָא יִצְחָק, אוֹדַע לְכֹלָּא, דְּאִית דִּין וְאִית דַּיָּין לְעֵילָא, לְאִתְפָּרְעָא מֵרַשִּׁיעַיָּא,

וְאִיהוּ אִתְּעַר דִּינָא בְּעָלְמָא, בְּגִין דְּיִדְחֲלוּן לֵיהּ לְקֻבְּ"ה, כָּל בְּנֵי עָלְמָא. אָתָא יַעֲקֹב, וְאִתְּעַר רַחֲמֵי בְּעָלְמָא, וְאַשְׁלִים מְהֵימְנוּתָא בְּעָלְמָא, כִּדְקָא חָזֵי.

רנה. בְּיוֹמֵי דְּאַבְרָהָם מַה כְּתִיב, וּמַלְכִּי צֶדֶק מֶלֶךְ שָׁלֵם, דְּאִתְעַטְּרַת כָּרְסְיָיא בְּדוּכְתֵּיהּ, וּכְדֵין אִשְׁתְּכַח מֶלֶךְ שָׁלֵם, בְּלָא פְּגִימוּ כְּלַל. הוֹצִיא לֶחֶם וָיָיִן דְּאַפִּיק מְזוֹנִין לְעָלְמִין, כֻּלְּהוּ כִּדְקָא חָזֵי. הוֹצִיא לֶחֶם וָיָיִן, דְּלָא אִתְמְנָעוּ בִּרְכָאן מִכֻּלְּהוּ עָלְמִין, הוֹצִיא: כד"א תּוֹצֵא הָאָרֶץ, מִדַּרְגִּין דִּלְעֵילָּא אַפִּיק מְזוֹנִין וּבִרְכָאן לְעָלְמִין כֻּלְּהוּ.

רנו. וְהוּא כֹהֵן לְאֵל עֶלְיוֹן. דְּאִשְׁתְּכַח כֹּלָּא, בִּשְׁלִימוּ עִלָּאָה, כִּדְקָא חָזֵי. לְאִתְחֲזָאָה כַּמָּה דְּחוֹבַיָּיא עָבְדֵי פְּגִימוּ בְּעָלְמָא, וּמָנְעֵי בִּרְכָאן. הָכֵי נָמֵי, בְּגִין זַכָּאִין אַתְיָין בִּרְכָאן לְעָלְמָא, וּבְגִינַיְיהוּ אִתְבָּרְכָאן כָּל בְּנֵי עָלְמָא.

רנז. וַיִּתֶּן לוֹ מַעֲשֵׂר מִכֹּל. מַאי מַעֲשֵׂר מִכֹּל, מֵאִינּוּן בִּרְכָאן, דְּנָפְקֵי מִכֹּל. בְּגִין דְּאִיהוּ אֲתַר, דְּכָל בִּרְכָאן דְּנָחֲתֵי לְעָלְמָא, מִתַּמָּן נָפְקֵי. ד"א, וַיִּתֶּן לוֹ מַעֲשֵׂר מִכֹּל. קֻבְּ"ה יָהַב לֵיהּ מַעַשְׂרָא. וּמַאן אִיהוּ, דָּא דַּרְגָּא, דְּכָל פִּתְחִין דִּמְהֵימְנוּתָא, וּבִרְכָאן דְּעָלְמָא, בֵּיהּ קַיְימֵי. וְאִיהוּ מַעֲשֵׂר, וְאִיהוּ חַד מֵעֲשָׂרָה, וְאִיהוּ עֲשָׂרָה מִמֵּאָה. מִכָּאן וּלְהָלְאָה עָאל אַבְרָהָם, בְּקִיּוּמָא דִּלְעֵילָּא, כִּדְקָא חָזֵי. אֲמַר לֵיהּ רַבִּי אֶלְעָזָר שַׁפִּיר קָא אֲמַרְתְּ.

רנח. א"ל ר' אֶלְעָזָר, מַאי עֲבִידְתָּךְ. א"ל קְרִינָא דַּרְדְּקֵי בְּאַתְרִי, הַשְׁתָּא אָתָא ר' יוֹסֵי דִּכְפַר חָנִין לְמָתָא, וּסְלִיקוּ לוֹן מִגַּבָּאי, וְאוֹתְבוּ לוֹן לְגַבֵּיהּ. וַהֲווּ יָהֲבִין לִי כָּל בְּנֵי מָתָא אַגְרָא, כְּהַהוּא זִמְנָא דְּדַרְדְּקֵי הֲווּ גַּבָּאי. וְאִסְתַּכַּלְנָא בְּנַפְשָׁאי, דְּלָא אִתְחֲזֵי לִי לְאִתְהֲנֵי מִנַּיְיהוּ לְמַגָּנָא, וַאֲגִירְנָא גַּרְמָאי בַּהֲדֵי דְּהַאי חַכִּים. אָמַר רַבִּי אֶלְעָזָר, בִּרְכָאן דְּאַבָּא אִצְטְרִיכוּ הָכָא.

רנט. קָמוּ. אָתוּ קַמֵּיהּ דְּר"ש, וַהֲוָה יָתִיב וְלָעֵי כָּל יוֹמָא קַמֵּיהּ דְּר"ש. וְיוֹמָא חַד, הֲוָה עָסִיק בִּנְטִילַת יָדַיִם קַמֵּיהּ, אֲמַר, כָּל מַאן דְּלָא נָטִיל יְדוֹי כִּדְקָא יָאוֹת, אע"ג דְּאִתְעֲנַשׁ לְעֵילָּא, אִתְעֲנַשׁ לְתַתָּא. וּמַאי עוֹנְשֵׁיהּ לְתַתָּא, דְּגָרִים לֵיהּ לְגַרְמֵיהּ מִסְכְּנוּתָא. כַּמָּה דְּעוֹנְשֵׁיהּ, כָּךְ הָכֵי הוּא זָכֵי, מַאן דְּנָטִיל יְדוֹי כִּדְקָא יָאוֹת. דְּגָרִים לְגַרְמֵיהּ בִּרְכָאן דִּלְעֵילָּא, דְּשָׁרָאן בִּרְכָאן עַל יְדוֹי כִּדְקָא יָאוֹת, וְאִתְבָּרַךְ בְּעוּתְרָא.

רס. לְבָתַר אַקְדִּים ר"ש, וְחָמָא לֵיהּ, דְּאַנְטִיל יְדוֹי בְּמַיָּא, וְנָטִיל לוֹן, בְּשִׁיעוּרָא סַגְיָיא דְּמַיִין. אר"ש מַלֵּא יָדָיו מִבִּרְכוֹתֶיךָ. וְכָךְ הֲוָה, מֵהַהוּא יוֹמָא וּלְהָלְאָה, אִתְעַתַּר, וְאַשְׁכַּח סִימָא, וַהֲוָה לָעֵי בְּאוֹרַיְיתָא, וְיָהֵיב מְזוֹנָא לְמִסְכְּנֵי כָּל יוֹמָא, וַהֲוָה חָדֵי עִמְּהוֹן וּמַסְבַּר לוֹן אַנְפִּין נְהִירִין. קָרָא עֲלֵיהּ ר"ש, וְאַתָּה תָּגִיל בַּה' בִּקְדוֹשׁ וגו'.

רסא. אַחַר הַדְּבָרִים הָאֵלֶּה הָיָה דְבַר ה' אֶל אַבְרָם וגו'. ר' יְהוּדָה פָּתַח אֲנִי לְדוֹדִי וְעָלַי תְּשׁוּקָתוֹ. הָא אוֹקְמוּהָ, אֲבָל בְּאִתְעֲרוּתָא דִּלְתַתָּא, אִשְׁתְּכַח אִתְעֲרוּתָא לְעֵילָּא, דְּהָא לָא אִתְּעַר לְעֵילָּא, עַד דְּאִתְּעַר לְתַתָּא. וּבִרְכָאן דִּלְעֵילָּא לָא מִשְׁתַּכְּחֵי, אֶלָּא בְּמָה דְּאִית בֵּיהּ מַמָּשָׁא, וְלָאו אִיהוּ רֵיקַנְיָא.

רסב. מְנָלָן. מֵאֵשֶׁת עוֹבַדְיָהוּ, דְּאָמַר לָהּ אֱלִישָׁע הַגִּידִי לִי מַה יֶּשׁ לָךְ בַּבָּיִת, דְּהָא בִּרְכָאן דִּלְעֵילָּא, לָא שָׁרְיָין עַל פָּתוֹרָא רֵיקַנְיָא, וְלָא בַּאֲתַר רֵיקַנְיָא. מַה כְּתִיב, וַתֹּאמֶר אֵין לְשִׁפְחָתְךָ כֹל בַּבַּיִת כִּי אִם אָסוּךְ שָׁמֶן. מַאי אָסוּךְ. אֶלָּא א"ל, שִׁיעוּרָא דְּהַאי מִשְׁחָא, לָאו אִיהִי, אֶלָּא כְּדֵי מְשִׁיחַת אֶצְבְּעָא זְעֵירָא.

רסג. אֲמַר לָהּ, נַחַמְתַּנִי. דְּהָא לָא יָדַעְנָא, הֵיאַךְ יִשְׁרוּן בִּרְכָאן דִּלְעֵילָּא, בְּדוּכְתָּא רֵיקַנְיָא, אֲבָל הַשְׁתָּא דְּאִית לָךְ שֶׁמֶן, דָּא הוּא אֲתַר, לְאִשְׁתַּכְּחָא בֵּיהּ בִּרְכָאן. מְנָלָן

דִּכְתִּיב כַּשֶּׁמֶן הַטּוֹב וגו'. וְסֵיפֵיהּ מַה כְּתִיב, כִּי שָׁם צִוָּה ה' אֶת הַבְּרָכָה חַיִּים עַד הָעוֹלָם. וּבְאַתְרָא דָּא שָׁרְיָאן בִּרְכָאן.

רסד. וְאִי תֵּימָא כְּטַל חֶרְמוֹן שֶׁיֹּרֵד עַל הַרְרֵי צִיּוֹן, וְלָא כְּתִיב שֶׁמֶן אֶלָּא טַל. אֶלָּא, אִיהוּ שֶׁמֶן, וְאִיהוּ טַל. הַהוּא טַל, אִיהוּ, דְּאַטִּיל קוּדְשָׁא בְּרִיךְ הוּא מִמִּשְׁחָא עִלָּאָה. דְּהַהוּא שֶׁמֶן נָפַק לְסִטְרָא דִּימִינָא.

רסה. תְּרֵין אִינּוּן: יַיִן וְשֶׁמֶן. וְאָזְלוּ לִתְרֵין סִטְרִין, יַיִן לִסְטַר שְׂמָאלָא, שֶׁמֶן, לִסְטַר יְמִינָא. וּמִסִּטְרָא דִּימִינָא, נָפְקֵי בִּרְכָאן לְעָלְמָא, וּמִתַּמָּן אִתְמְשַׁח מַלְכוּתָא קַדִּישָׁא. וּבְגִין דְּשֶׁמֶן הֲוָה אִתְתַּקַּן לְתַתָּא בְּקַדְמֵיתָא, שֶׁמֶן אִזְדַּמַּן לְעֵילָא, אֲרִיקוּ דְּבִרְכָאן.

רסו. ת"ח, מֵאִתְעֲרוּתָא דְּהַאי שֶׁמֶן דִּלְעֵילָא, קָאֵי לְאַרְקָא עַל דָּוִד וּשְׁלֹמֹה, לְאִתְבָּרְכָא בְּנוֹי. מנ"ל, דִּכְתִיב, וַיַּעֲמֹד הַשֶּׁמֶן. כְּתִיב הָכָא וַיַּעֲמֹד. וּכְתִיב הָתָם שֹׁרֶשׁ יִשַׁי, אֲשֶׁר עֹמֵד לְנֵס עַמִּים.

רסז. ת"ח, מִשֻּׁלְחָן דְּלֶחֶם הַפָּנִים, דְּבִרְכָאן נָפְקִין מִתַּמָּן, וּמְזוֹנָא לְעָלְמָא, לָא בָּעֵי לְאִשְׁתַּכְּחָא רֵיקַנְיָא, אֲפִילּוּ רִגְעָא חֲדָא, בְּגִין דְּלָא יִסְתַּלְקוּן בִּרְכָאן מִתַּמָּן, אוּף הָכֵי לָא מְבָרְכִין עַל שֻׁלְחָן רֵיקַנְיָא, דְּהָא בִּרְכָאן דִּלְעֵילָא, לָא שַׁרְיָין עַל שֻׁלְחָן רֵיקַנְיָא.

רסח. ת"ח, מַה כְּתִיב אֲנִי לְדוֹדִי וְעָלַי תְּשׁוּקָתוֹ. אֲנִי לְדוֹדִי בְּקַדְמֵיתָא, וּלְבָתַר וְעָלַי תְּשׁוּקָתוֹ. אֲנִי לְדוֹדִי, לְאַתְקָנָא לֵיהּ דּוּכְתָּא בְּקַדְמֵיתָא, וּלְבָתַר, וְעָלַי תְּשׁוּקָתוֹ.

רסט. ד"א אֲנִי לְדוֹדִי. דְּהָא תָּנִינָן שְׁכִינְתָּא לָא אִשְׁתַּכְּחַת עִמְּהוֹן דְּחַיָּיבַיָּא, כֵּיוָן דְּאָתֵי בַּר נָשׁ לְאִתְדַּכָּאָה, וּלְמִקְרַב גַּבֵּי דְּקוּדְשָׁא בְּרִיךְ הוּא, כְּדֵין שְׁכִינְתָּא שַׁרְיָא עָלֵיהּ. הה"ד אֲנִי לְדוֹדִי בְּקַדְמֵיתָא, וְעָלַי תְּשׁוּקָתוֹ לְבָתַר. אָתֵי בַּר נָשׁ לְאִתְדַּכָּאָה, מְדַכְּאִין לֵיהּ.

ער. ת"ח, אַחַר הַדְּבָרִים הָאֵלֶּה, דְּרָדַף אַבְרָהָם בָּתַר אִלֵּין מַלְכִין, וְקָטִיל לוֹן קוּדְשָׁא בְּרִיךְ הוּא, הֲוָה אַבְרָהָם תָּוֵהּ, אֲמַר דִּילְמָא ח"ו, גָּרַעְנָא הַהוּא אַגְרָא, דַּהֲוֵינָא אַהֲדַר בְּנֵי נָשָׁא לְגַבֵּי קוּדְשָׁא בְּרִיךְ הוּא, וְאַוְּוִידְנָא בְּהוּ, לְקָרְבָא לוֹן לְגַבֵּיהּ, וְהַשְׁתָּא אִתְקְטִילוּ בְּנֵי נָשָׁא עַל יָדַי. מִיַּד א"ל קוּדְשָׁא בְּרִיךְ הוּא, אַל תִּירָא אַבְרָם אָנֹכִי מָגֵן לָךְ שְׂכָרְךָ הַרְבֵּה מְאֹד. אַגְרָא קַבִּילַת עֲלַיְיהוּ, דְּהָא כֻּלְּהוּ לָא יִזְכּוּן לְעָלְמִין.

רעא. הָיָה דְבַר ה' אֶל אַבְרָם בַּמַּחֲזֶה לֵאמֹר. מַאי בַּמַּחֲזֶה. אֶלָּא, בְּהַהוּא חֵיזוּ, דַּרְגָּא דְּכָל דְּיוּקְנִין אִתַּחֲזְיָין בֵּיהּ. אר"ש ת"ח, עַד לָא אִתְגְּזַר אַבְרָהָם, הֲוָה חַד דַּרְגָּא מַלִּיל עִמֵּיהּ, וּמַאן אִיהוּ, דָּא מַחֲזֶה, דִּכְתִיב מַחֲזֵה שַׁדַּי יֶחֱזֶה.

רעב. כֵּיוָן דְּאִתְגְּזַר, הֲווּ כֻּלְּהוּ דַּרְגִּין שָׁרָאן עַל הַאי דַּרְגָּא, וּכְדֵין מַלִּיל עִמֵּיהּ, הה"ד, וָאֵרָא אֶל אַבְרָהָם אֶל יִצְחָק וְאֶל יַעֲקֹב בְּאֵל שַׁדָּי, וְעַד לָא אִתְגְּזַר, לָא הֲווּ אִינּוּן דַּרְגִּין שָׁרָאן עֲלוֹי לְמַלָּלָא.

רעג. וְאִי תֵּימָא, דְּהָא בְּקַדְמֵיתָא כְּתִיב, וַיֵּרָא ה' אֶל אַבְרָם, וּכְתִיב, וַיִּסַּע אַבְרָם הָלוֹךְ וְנָסוֹעַ הַנֶּגְבָּה. וּכְתִיב וַיִּבֶן שָׁם מִזְבֵּחַ. הָא הָכָא אִינּוּן דַּרְגִּין עִלָּאִין. וְהַשְׁתָּא אֲמָרָן דְּעַד לָא אִתְגְּזַר, לָא הֲווּ אִינּוּן דַּרְגִּין עִלָּאִין, שָׁרָאן עַל הַאי דַּרְגָּא לְמַלָּלָא עִמֵּיהּ.

רעד. ת"ח, בְּקַדְמֵיתָא יְהַב קוּדְשָׁא בְּרִיךְ הוּא חָכְמָה לְאַבְרָהָם, לְמִנְדַּע חָכְמָה לְאִתְדַּבְּקָא בֵּיהּ, וְיָדַע רָזָא דִּמְהֵימְנוּתָא, אֲבָל לְמַלָּלָא עִמֵּיהּ, לָא הֲוָה, אֶלָּא הַאי דַּרְגָּא תַּתָּאָה בִּלְחוֹדוֹי. כֵּיוָן דְּאִתְגְּזַר, כֻּלְּהוּ דַּרְגִּין עִלָּאִין הֲווּ שָׁרָאן עַל הַאי דַּרְגָּא תַּתָּאָה, בְּגִין לְמַלָּלָא עִמֵּיהּ, וּכְדֵין אִסְתַּלַּק אַבְרָהָם בְּכֹלָּא. כְּמָה דְּאִתְּמַר.

רעה. ת"ח, עַד לָא אִתְגְּזַר בַּר נָשׁ, לָא אִתְאַחִיד בִּשְׁמָא דְּקוּדְשָׁא בְּרִיךְ הוּא, כֵּיוָן דְּאִתְגְּזַר, עָאל

בִּשְׁמֵיהּ, וְאִתְאַחֵיד בֵּיהּ. וְאִי תֵּימָא אַבְרָהָם, דְּאִתְאַחֵיד בֵּיהּ, עַד לָא אִתְגְּזַר. הָכֵי הֲוָה, דְּאִתְאַחֵיד בֵּיהּ וְלָא כִּדְקָא יָאוֹת, דְּהָא מִגּוֹ רְחִימוּתָא עִלָּאָה דְּרָחִים לֵיהּ קוּדְשָׁא בְּרִיךְ הוּא קָרֵיב לֵיהּ.

רעו. לְבָתַר פָּקִיד לֵיהּ, דְּיִתְגְּזַר, וְאִתְיְיהִיב לֵיהּ בְּרִית. קְשׁוּרָא דְּכָלְהוּ דַּרְגִּין עִלָּאִין. בְּרִית קְשׁוּרָא לְאִתְקַשְּׁרָא כֹּלָּא כַּחֲדָא, לְאַכְלְלָא דָּא בְּדָא, בְּרִית קְשׁוּרָא, דְּכֹלָּא אִתְקְשַׁר בֵּיהּ, וּבְגִ"כ אַבְרָהָם עַד לָא אִתְגְּזַר. מִלּוֹי לָא הֲוָה עִמֵּיהּ, אֶלָּא בְּמַחֲזֶה. כְּמָה דְּאִתְּמַר.

רעז. ת"ח. בְּשַׁעֲתָא דִּבְרָא קֻבְּ"ה עָלְמָא. לָא אִתְבְּרוּ אֶלָּא עַל בְּרִית. כד"א בְּרֵ"א־שִׁי"ת בָּרָא אֱלֹקִים, וְהַיְינוּ בְּרִית, דְּעַל בְּרִית קַיֵּים קֻבְּ"ה עָלְמָא וּכְתִיב אִם לֹא בְרִיתִי יוֹמָם וָלָיְלָה חֻקּוֹת שָׁמַיִם וָאָרֶץ לֹא שָׂמְתִּי, דְּהָא בְּרִית קְשׁוּרָא אִיהוּ, דְּיוֹמָא וְלֵילְיָא לָא מִתְפָּרְשָׁאן.

רעח. אָמַר רַבִּי אֶלְעָזָר, כַּד בָּרָא קֻבְּ"ה עָלְמָא, עַל תְּנַאי הֲוָה, דְּכַד יֵיתוּן יִשְׂרָאֵל, אִם יְקַבְּלוּן אוֹרַיְיתָא יָאוֹת, וְאִם לָאו הֲרֵי אֲנָא אַהֲדַר לְכוּ, לְתֹהוּ וָבֹהוּ. וְעָלְמָא לָא אִתְקַיָּים, עַד דְּקָיְימוּ יִשְׂרָאֵל, עַל טוּרָא דְּסִינַי, וְקַבִּילוּ אוֹרַיְיתָא, וּכְדֵין אִתְקַיָּים עָלְמָא.

רעט. וּמֵהַהוּא יוֹמָא וּלְהָלְאָה, קֻבְּ"ה בָּרֵי עָלְמִין, וּמָאן אִינּוּן, זִוּוּגִין דִּבְנֵי נָשָׁא. דְּהָא מֵהַהוּא זִמְנָא, קֻבְּ"ה מְזַוֵּוג זִוּוּגִין, וְאוֹמֵר בַּת פְּלוֹנִי לִפְלוֹנִי, וְאִלֵּין אִינּוּן עָלְמִין דְּהוּא בָּרֵי.

סִתְרֵי תּוֹרָה

רפ. אַחַר הַדְּבָרִים הָאֵלֶּה וְגוֹ'. אִלֵּין פִּתְגָּמֵי אוֹרַיְיתָא, דִּכְתִיב אֶת הַדְּבָרִים הָאֵלֶּה דִּבֶּר ה' אֶל כָּל קְהַלְכֶם. מָה לְהַלָּן פִּתְגָּמֵי אוֹרַיְיתָא, אוּף הָכָא פִּתְגָּמֵי אוֹרַיְיתָא. בָּתַר דְּאִשְׁתַּדַּל ב"נ בְּהַאי עָלְמָא, בַּדְּבָרִים הָאֵלֶּה, קֻבְּ"ה מְבַשֵּׂר לֵיהּ, וְאַקְדִּים לָהּ לְנִשְׁמָתָא שְׁלָם, הה"ד אַל תִּירָא אַבְרָם אָנֹכִי מָגֵן לָךְ. מִכָּל זַיְינִין בִּישִׁין דְּגֵיהִנָּם.

רפא. שְׂכָרְךָ הַרְבֵּה מְאֹד. בְּגִין דְּכָל מַאן דְּאִשְׁתַּדַּל בְּאוֹרַיְיתָא בְּהַאי עָלְמָא, זָכֵי וְאַחְסִין יְרוּתָא אַחְסַנְתָּא בְּעָלְמָא דְּאָתֵי, כְּמָה דִּכְתִיב לְהַנְחִיל אוֹהֲבַי יֵשׁ. מַאי יֵשׁ. דָּא עָלְמָא דְּאָתֵי. וְאוֹצְרוֹתֵיהֶם אֲמַלֵּא, בְּהַאי עָלְמָא, מֵעוּתְרָא וּמִכָּל טִיבוּ דְּעָלְמָא, מַאן דְּאָזֵיל לִימִינָא, זָכֵי לְעָלְמָא דְּאָתֵי. וּמַאן דְּאָזֵיל לִשְׂמָאלָא, הָא עוּתְרָא בְּעָלְמָא דֵּין.

רפב. ר' אַבָּא כַּד אָתָא מֵהָתָם, הֲוָה מַכְרִיז, מַאן בָּעֵי עוּתְרָא, וּמַאן בָּעֵי אוּרְכָא דְּחַיֵּי בְּעָלְמָא דְּאָתֵי, יֵיתֵי וְיִשְׁתַּדַּל בְּאוֹרַיְיתָא. הֲווּ מִתְכַּנְּשִׁין כּוּלֵּי עָלְמָא לְגַבֵּיהּ. רַוָּוק חַד הֲוָה בְּשִׁיבָבוּתֵיהּ. יוֹמָא חַד אָתָא לְגַבֵּיהּ, א"ל ר', בָּעֵינָא לְמִלְעֵי בְּאוֹרַיְיתָא, כְּדֵי שֶׁיִּהְיֶה לִי עוּתְרָא. א"ל הָא וַדַּאי. א"ל מַה שְּׁמָךְ. א"ל יוֹסֵי. אֲמַר לוֹן לְתַלְמִידוֹי דְּיִקְרוּן לֵיהּ ר' יוֹסֵי מָארֵי דְּעוּתְרָא וִיקָרָא. יָתֵיב וְאִתְעַסַּק בְּאוֹרַיְיתָא.

רפג. לְיוֹמִין, הֲוָה קָאִים קַמֵּיהּ, א"ל ר', אָן הוּא עוּתְרָא. אֲמַר שְׁמַע מִינָהּ, דְּלָא לְשֵׁם שָׁמַיִם קָא עָבֵיד, וְעָאל לְאִדְרֵיהּ, שְׁמַע חַד קָלָא דַּהֲוָה אֲמַר, לָא תַּעַנְשֵׁיהּ, דְּגַבְרָא רַבָּא לֶיהֱוֵי. תָּב לְגַבֵּיהּ, אֲמַר לֵיהּ, תִּיב בְּרִי תִּיב, וַאֲנָא יָהִיבְנָא לָךְ עוּתְרָא.

רפד. אַדְּהָכֵי, אָתָא גַּבְרָא חַד, וּמָאנָא דְּפָז בִּידֵיהּ, אַפְקֵיהּ וּנְפַל נְהוֹרָא בְּבֵיתָא. א"ל רַבִּי בָּעֵינָא לְמִזְכֵּי בְּאוֹרַיְיתָא, וַאֲנָא לָא זָכֵינָא, וּבָעֵינָא מַאן דְּיִשְׁתַּדַּל בְּאוֹרַיְיתָא בְּגִינִי. דְּהָא אִית לִי עוּתְרָא סַגֵּי, דְּקָא שָׁבַק לִי אַבָּא, דְּכַד יָתִיב עַל פָּתוֹרֵיהּ, הֲוָה מְסַדֵּר עֲלֵיהּ, תְּלֵיסַר כָּסֵי מֵאִלֵּין. וּבָעֵינָא לְמִזְכֵּי בְּאוֹרַיְיתָא, וַאֲנָא יָהִיבְנָא עוּתְרָא.

רפה. א"ל לְהַהוּא רַוָּוק, תִּשְׁתַּדַּל בְּאוֹרַיְיתָא, וְדָא יָהֵיב לָךְ עוּתְרָא, יְהַב לֵיהּ הַהוּא

כַּסָּא דְּפָז. קָרָא עֲלֵיהּ ר' אַבָּא, לֹא יַעַרְכֶנָּה זָהָב וּזְכוֹכִית וּתְמוּרָתָהּ כְּלִי פָז. יָתִיב וְלָעָא בְּאוֹרַיְיתָא, וְהַהוּא בַּר נָשׁ הֲוָה יָהִיב לֵיהּ עוּתְרָא.

רפו. לְיוֹמִין עָאל וְזַמִּידוּ דְּאוֹרַיְיתָא בִּמְעוֹי, יוֹמָא חַד הֲוָה יָתִיב, וַהֲוָה בָּכֵי. אַשְׁכְּחֵיהּ רַבֵּיהּ דַּהֲוָה בָּכֵי. א"ל עַל מָה קָא בָּכִית. א"ל, וּמָה מְנַוְונָא וְזִיו דְּעָלְמָא דְּאָתֵי, בְּגִין הַאי, לָא בָּעִינָא אֶלָּא לְמִזְכֵּי לְגַבַּאי. א"ל הַשְׁתָּא ש"מ דְּהָא לְשֵׁם שָׁמַיִם קָא עָבֵיד.

רפז. קָרָא לֵיהּ לְהַהוּא גַּבְרָא, א"ל טוֹל עוּתְרָךְ וְהַב לֵיהּ לְיַתְמֵי וּלְמִסְכְּנֵי, וַאֲנָא יָהִיבְנָא לָךְ חוּלָק יַתִּיר בְּאוֹרַיְיתָא, בְּכָל מַה דַּאֲנָן לָעָאן. אַהֲדַר לֵיהּ ר' יוֹסֵי הַהוּא כַּסָּא דְּפָז, וְעַד יוֹמָא לָא אַעֲדֵי שְׁמֵיהּ וּמִן בְּנוֹי בֶּן פָּזִי, וְהַיְינוּ ר' יוֹסֵי בֶּן פָּזִי, וְזָכָה לְכַמָּה אוֹרַיְיתָא, הוּא וּבְנוֹי. דְּלֵית לָךְ אֲגַר טַב בְּעָלְמָא כְּמַאן דְּלָעֵי בְּאוֹרַיְיתָא.

רפח. אַחַר הַדְּבָרִים הָאֵלֶּה הָיָה דְּבַר ה' אֶל אַבְרָם בַּמַּחֲזֶה לֵאמֹר וגו'. בְּכָל אֲתַר דִּכְתִיב בְּאוֹרַיְיתָא בַּמַּחֲזֶה, דָּא שְׁמָא דְּאִתְגְּלֵי לַאֲבָהָן, וּמַאן אִיהוּ. שַׁדַּי, שֶׁנֶּאֱמַר וָאֵרָא אֶל אַבְרָהָם אֶל יִצְחָק וְאֶל יַעֲקֹב בְּאֵל שַׁדָּי. כד"א אֲשֶׁר מַחֲזֵה שַׁדַּי יֶחֱזֶה. וְדָא אִיהוּ וְזִיו דְּכָל וֶחֱזוֹן עִלָּאִין אִתְחַזְיָין מִגַּוֵּיהּ, כְּהַאי מַרְאָה, דְּכָל דְּיוֹקְנִין אִתְחֲזִיָין בֵּיהּ, וְכֹלָּא חַד. מַרְאֶה מַחֲזֶה חַד הוּא, דָּא תַּרְגּוּם, וְדָא לָשׁוֹן הַקּוֹדֶשׁ.

רפט. א"ר יוֹסֵי, סַגִּיאִין אִינּוּן בְּאוֹרַיְיתָא, וְעַ"ד הֲוָה לֵיהּ רְשׁוּ לְאוּנְקְלוֹס, לְתַרְגֵּם בְּהַהוּא לִישָּׁנָא דְּגָלֵי קוּדְשָׁא בְּרִיךְ הוּא בְּאוֹרַיְיתָא. וְלִישָּׁנָא דָּא סָתִים אִיהוּ מִגּוֹ מַלְאֲכֵי עִלָּאָה. בַּמַּחֲזֶה, דַּהֲוָה סָתִים מִמַּלְאֲכֵי עִלָּאֵי דְּלָא יָדְעֵי בְּדָא, כַּד מְמַלֵּיל בֵּיהּ בְּאַבְרָהָם.

רצ. מ"ט, בְּגִין דְּאַבְרָהָם לָא הֲוָה מָהוּל, וַהֲוָה עָרֵל, סְתִים בִּשְׂרָא. וּבְגִין כָּךְ הֲוָה סָתִים מִנַּיְיהוּ, בִּלְשׁוֹן תַּרְגּוּם. כְּגַוְונָא דָּא בְּבִלְעָם, דִּכְתִיב אֲשֶׁר מַחֲזֵה שַׁדַּי יֶחֱזֶה. סָתִים הֲוָה מִלָּה מִגּוֹ מַלְאֲכֵי הַשָּׁרֵת, בְּגִין דְּלָא יְהֵא לוֹן פִּטְרָא, דְּקוּדְשָׁא בְּרִיךְ הוּא מְמַלֵּל בְּהַהוּא עָרֵל מְסָאֲבָא. דְּהָא מַלְאֲכֵי קַדִּישֵׁי לָאו נִזְקָקִין בִּלְשׁוֹן תַּרְגּוּם.

רצא. אִי תֵּימָא דְּלָא יָדְעֵי, וְהָא גַּבְרִיאֵל אוֹלִיף לְיוֹסֵף ע' לָשׁוֹן, וְתַרְגּוּם חַד מֵע' לָשׁוֹן הוּא. אֶלָּא מִנְדַּע יָדְעֵי, אֲבָל לָא נִזְקָקִין תְּנַן, דְּלָא חַיְישֵׁי וְלָא מַשְׁגִּיחִין עֲלֵיהּ, דְּהָא מָאִיס אִיהוּ קַמַּיְיהוּ, מִכָּל שְׁאָר לָשׁוֹן.

רצב. וְאִי תֵּימָא, הוֹאִיל וּמָאִיס אִיהוּ מִמַּלְאֲכֵי עִלָּאֵי, אַמַּאי תַּרְגּוּם אוּנְקְלוֹס אוֹרַיְיתָא בְּהַאי לָשׁוֹן, וְיוֹנָתָן בֶּן עוּזִּיאֵל הַמִּקְרָא. אֶלָּא מָאִיס הוּא קַמַּיְיהוּ, וְהָכֵי אִצְטְרִיךְ דְּלֵית קִנְאָה לְמַלְאֲכֵי עִלָּאֵי בַּהֲדַיְיהוּ דְּיִשְׂרָאֵל יַתִּיר, וְעַל דָּא תַּרְגּוּם תּוֹרָה וּמִקְרָא כָּךְ, וְלָאו מָאִיס אִיהוּ, דְּהָא בְּכַמָּה דּוּכְתֵּי כָּתַב קוּדְשָׁא בְּרִיךְ הוּא בְּאוֹרַיְיתָא הָכֵי.

רצג. וּבְגִ"כ סָתִים אִיהוּ מִגּוֹ מַלְאֲכֵי עִלָּאֵי קַדִּישֵׁי. וְעַל דָּא אִתְגְּלֵי בֵּיהּ בְּאַבְרָהָם בְּאוֹרַח סָתִים, דְּלָא יַשְׁגְּחוּן בֵּיהּ מַלְאָכִין קַדִּישִׁין, וְלָא יְהֵא לוֹן פִּטְרָא, דְּקוּדְשָׁא בְּרִיךְ הוּא אִתְגְּלֵי עַל בַּר נָשׁ עָרֵל.

רצד. אֵימָתַי אִתְגְּלֵי לֵיהּ בְּאִתְגַּלְיָא דְּמַלְאֲכֵי עִלָּאֵי, כַּד יָהִיב לֵיהּ בְּרִית קַיְּימָא קַדִּישָׁא, דִּכְתִיב וַיְדַבֵּר אִתּוֹ אֱלֹקִים לֵאמֹר. אֱלֹקִים שְׁמָא דְּקוּדְשָׁא, וְלָא כְּתִיב בַּמַּחֲזֶה, שְׁמָא בְּאִתְגַּלְיָיא.

רצה. לֵאמֹר. מַאי לֵאמֹר, לֵאמֹר וּלְאַכְרָזָא בְּכָל לָשׁוֹן, דְּלָא תְהֵא בְּאִתְכַּסְיָא, לָאו בְּלִישָּׁנָא אָחֳרָא, אֶלָּא בְּלִישָּׁנָא דְּכֹלָּא מִשְׁתַּעְיָין בַּהּ, דְּיָכְלֵי לְמֵימַר דָּא לְדָא, וְלָא יָכְלֵי לְקַטְרְגָא וּלְמֵימַר פִּטְרָא, וְעַל דָּא וַיְדַבֵּר אִתּוֹ אֱלֹקִים לֵאמֹר. אֱלֹקִים, וְלָא מַחֲזֶה. בְּגִין דַּהֲוָה מְעַיֵּיל לֵיהּ בִּבְרִית קַיְּימָא קַדִּישָׁא, וְקָרִיב לֵיהּ לְגַבֵּיהּ.

רצו. ר' יְהוּדָה אֲמַר, בְּגִ"כ אֶת ה' לָא אִתְיְיהַב לֵיהּ עַד דְּאִתְגְּזַר. מ"ט. דְּאִיהִי מַמָּשׁ בְּרִית אִקְרֵי. וְעַ"ד כֵּיוָן דְּעָאל בִּבְרִית, כְּדֵין אִתְיְיהִיבַת לֵיהּ אֶת ה"א. דִּכְתִּיב, אֲנִי הִנֵּה בְרִיתִי אִתָּךְ וְהָיִיתָ לְאַב הֲמוֹן גּוֹיִם וְלֹא יִקָּרֵא עוֹד שִׁמְךָ אַבְרָם וגו'.

רצז. אַחַר הַדְּבָרִים הָאֵלֶּה. רַבִּי חִיָּיא הֲוָה אָזִיל לְמֶחֱמֵי לְרַבִּי אֶלְעָזָר, פָּגַע בֵּיהּ רַבִּי חַגָּאי, א"ל הַאי אָרְחָא דְּמִתַקְּנָא קַמֵּיהּ דְּמַר, לְאָן אִיהוּ אָזִיל. א"ל לְמֶחֱמֵי לְרַבִּי אֶלְעָזָר. א"ל וַאֲנָא נָמֵי אֵיזִיל בַּהֲדָךְ. א"ל, אִי תֵּיכוּל לְמִסְבַּר סְבָרָא לְמַאי דְּתִשְׁמַע, זִיל. וְאִי לָאו תּוּב אֲבַתְרָךְ. א"ל, לָא לֵיחוּשׁ מַר לְהַאי, דְּהָא אֲנָא שְׁמַעְנָא כַּמָּה רָזֵי דְּאוֹרַיְיתָא, וְיָכֵילְנָא לְמֵיקַם בְּהוּ.

רחצ. פָּתַח ר' חַגָּאי וַאֲמַר מַאי דִּכְתִּיב אֶת קָרְבָּנִי לַחְמִי לְאִשַּׁי וגו'. אֶת קָרְבָּנִי, דָּא קָרְבַּן בִּשְׂרָא, דְּאִתְקְרַב לְכַפָּרָא, דְּמָא עַל דְּמָא, בִּשְׂרָא עַל בִּשְׂרָא, בְּגִין דְּכָל קָרְבְּנִין לָאו מִתְקָרְבִין אֶלָּא עַל בִּשְׂרָא, לְכַפָּרָא עַל בִּשְׂרָא.

רצט. וְהָכִי שְׁמַעְנָא, אִי ב"נ חָטָא, בְּהֵמָה מַה חָטָאת, דְּקֻבְּ"ה אֲמַר אָדָם כִּי יַקְרִיב מִכֶּם קָרְבָּן וגו'. אַמַּאי. אֶלָּא קֻבְּ"ה עָבֵיד רוּחַ בְּנֵי נָשָׁא, וְרוּחַ הַבְּהֵמָה, וְאַפְרֵישׁ דָּא מִן דָּא. וּבְגִ"כ רוּחַ בְּנֵי הָאָדָם הָעוֹלָה הִיא לְמַעְלָה וְרוּחַ הַבְּהֵמָה וגו'. וַדַּאי מִתְפְּרַשׁ דָּא מִן דָּא.

ש. עַד לָא חָטָא אָדָם, מַה כְּתִיב, וַיֹּאמֶר אֱלֹקִים הִנֵּה נָתַתִּי לָכֶם אֶת כָּל עֵשֶׂב זוֹרֵעַ זֶרַע וגו', וּכְתִיב לָכֶם יִהְיֶה לְאָכְלָה, וְלָא יַתִּיר. כֵּיוָן דְּחָטָא, וְיֵצֶר הָרָע אִשְׁתָּאִיב בְּגוּפָא דִּילֵיהּ, וּבְכָל אִינּוּן תּוֹלָדִין, עֲבַד בְּהוּ דִּינָא.

שא. וּלְבָתַר אָתָא נֹחַ, וְחָמָא דְּהָא גּוּפָא אִתְבְּנֵי מֵאַתְרָא דְּיִצְהָ"ר אַקְרִיב קָרְבָּן, כְּמָה דְּאַקְרִיב אָדָם, מַה כְּתִיב וַיָּרַח ה' אֶת רֵיחַ הַנִּיחוֹחַ וגו'. כִּי יֵצֶר לֵב הָאָדָם רַע מִנְּעוּרָיו. אֲמַר קֻבְּ"ה, מִכָּאן וּלְהָלְאָה, הוֹאִיל וְגוּפָא אִשְׁתָּאִיב מֵהַהוּא יֵצֶה"ר יִתְעַנַּג גּוּפָא כְּמָה דְּאִתְחֲזֵי לֵיהּ, יֵיכוּל בִּשְׂרָא. כְּיֶרֶק עֵשֶׂב נָתַתִּי לָכֶם אֶת כֹּל.

שב. כַּד אָכִיל בִּשְׂרָא, מֵהַהוּא בִּשְׂרָא אִתְעַנַּג בִּשְׂרָא דִּילֵיהּ, וְאִתְעָרַב דָּא בְּדָא, וְאִתְרַבֵּי גּוּפָא מִנֵּיהּ, וּמֵהַהוּא עֹנֶג, גּוּפָא חָטָא בְּכַמָּה חֶטְאִין. אֲמַר קֻבְּ"ה כַּפָּרָה עַל גּוּפָא בִּשְׂרָא. בִּשְׂרָא אָכִיל, וּבִשְׂרָא אִתְרַבֵּי מִינֵּיהּ, וּבֵיהּ חָטָא, בְּגִ"כ לְכַפָּרָא עַל גּוּפֵיהּ בִּשְׂרָא. וּבִשְׂרָא דְּאָכִיל בִּשְׂרָא, עָבֵיד דְּמָא לְגוּפָא, בְּגִ"כ דְּמָא דְּאִשְׁתָּאַר מֵהַהוּא בִּשְׂרָא לְבַר, אִתְעֲתַד לְכַפָּרָא עַל דְּמָא, דְּאִתְעֲבֵיד מֵהַהוּא בִּשְׂרָא דִּילֵיהּ, דִּכְתִּיב כִּי הַדָּם הוּא בַּנֶּפֶשׁ יְכַפֵּר.

שג. כְּתִיב קָרְבָּנִי, וּכְתִיב קָרְבַּנְכֶם, דִּכְתִּיב תַּקְרִיבוּ אֶת קָרְבַּנְכֶם, מַה בֵּין הַאי לְהַאי. אֶלָּא קָרְבָּנִי, כְּגוֹן שְׁלָמִים דְּאַתְיָין עַל שָׁלוֹם. קָרְבַּנְכֶם: כְּגוֹן חַטָּאוֹת וַאֲשָׁמוֹת דְּאַתְיָין עַל חֵטְא וְאָשָׁם, בְּגִ"כ אֶת קָרְבָּנִי: בִּשְׂרָא. לַחְמִי: נַהֲמָא וְחַמְרָא. רֵיחַ: דָּא קְטוֹרֶת. נִיחוֹחִי: דָּא נַחַת רוּחַ, דְּעָבֵיד כַּהֲנָא בִּרְעוּתָא דִּשְׁמָא קַדִּישָׁא, וְלֵיוָאֵי, בִּרְעוּתָא דְּשִׁיר וְשִׁבְחָה.

שד. תִּשְׁמְרוּ לְהַקְרִיב לִי בְּמוֹעֲדוֹ. בְּמוֹעֲדוֹ מַאי הֲוֵי, אִי תֵּימָא בְּכָל יוֹמָא בַּבֹּקֶר וּבָעֶרֶב, מַאי אִיהוּ בְּמוֹעֲדוֹ. אֶלָּא מוֹעֲדוֹ, דְּשָׁלְטָא בְּהַהוּא זִמְנָא רַעֲוָא. רְעוּ דְּאִשְׁתְּכַח לְעֵילָּא בְּדַרְגָּא יְדִיעָא. וְעַל דָּא כְּתִיב בְּמוֹעֲדוֹ.

שה. כַּד קָרְבַּן אִתְקְרֵיב, כֹּלָּא נָטְלִין חוּלָקָא, וְאִתְבַּדְּרָן קְלִיפִּין לְכָל סִטְרָא, וְיִיחוּדָא אִתְקְרֵיב וְאִתְיַיחַד, וּבוֹצִינִין אִתְנַהֲרִין, וְאִשְׁתְּכַח רַעֲוָא וּרְעוּ בְּכָל עָלְמִין, וְקֻבְּ"ה

אשתכח ברזא דיוזדא וחדא כדקא חזי. אתא ר' חייא ונשקיה, אמר ליה, יאות אנת ברי מני, למיהך למחזי ליה.

שו. אזלו, כד מטון לגביה, חמא לון יתבי על תרעא, א"ל לשמשא, זיל ואימא לון, האי כרסייא דתלת קיימין, מהו כל חד. אמרו ליה, זיל ואימא ליה למר, דלאו למגנא אמר דוד מלכא דאיהו רביעאה, אבן מאסו הבונים. א"ל זיל ואימא לון דאן געלו ביה בדוד, דאיהו אמר אבן מאסו הבונים.

שז. אהדר רבי חייא רישיה לגבי ר' חגאי, ואמר ליה שמעת בהאי מדי. אמר שמענא, בהאי קרא דכתיב בני אמי נחרו בי שמוני וגו'. דהאי קרא שלמה מלכא אמרו, ועל דוד מלכא אתמר, כד דחו ליה אחוהי מנייהו.

שח. ותו שמענא, מאי חמא קב"ה למיהב מלכותא ליהודה מכל אחוהי, אלא אתוון דשמיה חקיקן ביה, וקב"ה יהב יקרא לשמיה, ובג"כ אחסין מלכותא. ותו שמענא, יהודה הא אתוון דשמיה ודאי, ד' ליתיה אמאי. אלא דא דוד מלכא, דאתקשר בשמיה מכל בני עלמא, דכתיב, ובקשו את ה' אלקיהם ואת דוד מלכם וגו', הא דוד קשיר בשמיה, ותו, דאיהו קשר של תפלין, ודאי ד' דוד מלכא, ובג"כ דוד אתקשר בשמיה.

שט. עאלו, כיון דעאלו יתיבו קמיה, אשתיק רבי אלעזר, ואינון אשתיקו. עאל ר' אלעזר לאדריה, שמע חד קלא דהוה אמר, זיל ואימא לון מה דאינון בעיין דכשרין אינון. אהדר לגבייהו. אמר לון, אית מאן דשמע מלה לימא לי. אמרו ליה אנן מחכאן לאנהרא מגו צחותא דבוצינא עלאה וסברא נסבר.

שי. פתח ואמר וה' בהיכל קדשו הס מפניו כל הארץ. כד בעי קב"ה למברי עלמא, אסתכל גו מחשבה, רזא דאורייתא, ורשים רשומין, ולא הוה יכיל למיקם עד דברא תשובה, דאיהי היכלא פנימאה עלאה, ורזא סתימא, ותמן אתרשימו ואתציירו אתוון בגלופייהו.

שיא. כיון דאתברי דא, הוה מסתכל בהאי היכלא, ורשים קמיה ציורין דכל עלמא, דכתיב הס מפניו כל הארץ. רשים קמיה רשומין וציורין דכל עלמא. בעי למברי שמים, מה עבד, אסתכל באור קדמאה ואתעטף ביה, וברא שמים. דכתיב עוטה אור כשלמה, ואחר כך נוטה שמים כיריעה.

שיב. אסתכל למעבד עלמא תתאה, עבד היכלא אחרא, ועאל ביה, ומניה אסתכל ורשים קמיה כל עלמין לתתא, וברא לון. הה"ד וה' בהיכל קדשו הס מפניו כל הארץ. הס מפניו: ה"ס רשים קמיה, כל נקודין דכל עלמא, דאינון שתין וחמש, כחושבן ה"ס, שתין אינון, וחמש אינון, וכלהו רשים קמיה, כד ברא עלמא. בג"כ יקרא דקב"ה לאו איהו, אלא לאינון דידעין ארחוי, ומהכין בה באורח קשוט, כדקא יאות.

שיג. אדהכי דהוה משתעי בהדייהו, אתא נורא ואסחר ליה, ואינון יתבו לבר. שמעו חד קלא דהוה אמר, אי קדישא, הביאני המלך חדריו, בכל אינון אידרין, דסבר דאנפין עולימא קדישא אתמסרו מפתחן דלהון בידיה, וכלהו מתקנן לך, ולאינון דבגינך. ובוצינך קדישא כל חילא דשמיא, גילה ונשמחה בך.

שיד. כד חמו אלין הכי, אזדעזעו, ודחילו סגי נפל עלייהו, אמרי לית אנן חזיין להאי, נפוק מכאן, ונהך לאורחין, יתבו תמן כל ההוא יומא, ולא יכילו למחזי ליה, ואמרו לית רעותא דקב"ה, דניתיב הכא, נפקו מתמן ואזלי.

שטו. עַד דַּהֲווֹ אָזְלֵי, פָּתַח רַבִּי חִיָּיא וַאֲמַר בָּרְכוּ ה' מַלְאָכָיו גִּבּוֹרֵי כֹחַ עוֹשֵׂי דְּבָרוֹ וגו'. זַכָּאִין אִינּוּן יִשְׂרָאֵל מִכָּל שְׁאָר עַמִּין דְּעָלְמָא, דְּקֻבְּ"ה אִתְרְעֵי בְּהוּ מִכָּל שְׁאָר עַמִּין, וַעֲבַד לוֹן חוּלָקֵיהּ וְאַחְסַנְתֵּיהּ, וְעַל דָּא יְהַב לוֹן אוֹרַיְיתָא קַדִּישָׁא, בְּגִין דְּכֻלְּהוּ הֲווֹ בִּרְעוּתָא חֲדָא עַל טוּרָא דְּסִינַי וְאַקְדִּימוּ עֲשִׂיָּה לִשְׁמִיעָה.

שטז. כֵּיוָן דְּאַקְדִּימוּ עֲשִׂיָּיה לִשְׁמִיעָה, קָרָא קֻבְּ"ה לְפַמַּלְיָא דִּילֵיהּ, אֲמַר לוֹן, עַד הָכָא אַתּוּן הֲוֵיתוּן יְחִידָאִין קַמָּאי בְּעָלְמָא, מִכָּאן וּלְהָלְאָה הָא בָּנַי בְּאַרְעָא חֲבֵרִים בַּהֲדַיְיכוּ בְּכֹלָּא. לֵית לְכוּ רְשׁוּ לְקַדְּשָׁא שְׁמִי, עַד דְּיִשְׂרָאֵל יִתְחַבְּרוּן בַּהֲדַיְיכוּ בְּאַרְעָא, וְכֻלְּהוּ תֶּהֱווֹן כַּחֲדָא חֲבֵרִים לְקַדְּשָׁא שְׁמִי, בְּגִין דְּאַקְדִּימוּ עֲשִׂיָּה לִשְׁמִיעָה, כְּגַוְונָא דְּמַלְאֲכֵי עִלָּאֵי עָבְדֵי בִּרְקִיעָא, דִּכְתִּיב בָּרְכוּ ה' מַלְאָכָיו גִּבּוֹרֵי כֹחַ עוֹשֵׂי דְּבָרוֹ לִשְׁמֹעַ בְּקוֹל דְּבָרוֹ. עוֹשֵׂי דְּבָרוֹ בְּקַדְמֵיתָא, וּלְבָתַר לִשְׁמוֹעַ.

שיז. דָּבָר אַחֵר, בָּרְכוּ ה' מַלְאָכָיו. אִלֵּין אִינּוּן צַדִּיקַיָּא בְּאַרְעָא, דְּאִינּוּן חֲשׁוּבִין קַמֵּי קֻבְּ"ה, כְּמַלְאֲכֵי עִלָּאֵי בִּרְקִיעָא, בְּגִין, דְּאִינּוּן גִּבּוֹרֵי כֹחַ, דְּמִתְגַּבְּרֵי עַל יִצְרֵיהוֹן כְּגִבַּר טַב דְּמִתְגַּבֵּר עַל שַׂנְאֵיהּ. לִשְׁמוֹעַ בְּקוֹל דְּבָרוֹ. דְּזָכָאן בְּכָל יוֹמָא לְמִשְׁמַע קָלָא מִלְּעֵילָּא, בְּשַׁעֲתָא דְּאִצְטְרִיכוּ.

הַשְׁתָּא מָאן יָכִיל לְמֵיקָם בַּהֲדַיְיהוּ, דְּאִינּוּן קַדִּישִׁין עֶלְיוֹנִין, זַכָּאִין אִינּוּן דְּיָכְלֵי לְמֵיקָם קַמַּיְיהוּ, זַכָּאִין אִינּוּן דְּיָכְלֵי לְאִשְׁתְּזָבָא מִקַּמַּיְיהוּ, אַשְׁגָּחוּתָא דְּקֻבְּ"ה עֲלַיְיהוּ בְּכָל יוֹמָא, הֵיךְ אֲנָן יְכִילָן לְמֵיעַל קַמַּיְיהוּ. וְעַל דָּא כְּתִיב אַשְׁרֵי תִּבְחַר וּתְקָרֵב, וּכְתִיב אַשְׁרֵי אָדָם עוֹז לוֹ בָךְ וגו'. (עַד כָּאן סִתְרֵי תּוֹרָה)

שיט. ת"ח, אָנֹכִי מָגֵן לָךְ. אָנֹכִי, דָּא הוּא דַּרְגָּא קַדְמָאָה, דְּאִתְאֲחִיד בֵּיהּ בְּקַדְמֵיתָא. וַיֹּאמֶר אַבְרָם, אֲדֹנָי ה' מַה תִּתֶּן לִי. אדנ"י: אָלֶף דָּלֶת נוּן יוּד. אֱלֹקִים יוּד הֵא וָיו הֵא. אֶלָּא רָזָא דְּמִלָּה, חִבּוּרָא דִּתְרֵין עָלְמִין כַּחֲדָא, עָלְמָא תַּתָּאָה, וְעָלְמָא עִלָּאָה.

שכ. מַה תִּתֶּן לִי וְאָנֹכִי הוֹלֵךְ עֲרִירִי. דְּלֵית לִי בַּר, וְאוֹלִיפְנָא דְּכָל מָאן דְּלֵית לֵיהּ בְּרָא בְּהַאי עָלְמָא, אִקְרֵי עֲרִירִי. כְּד"א עֲרִירִים יִהְיוּ. וְאַבְרָהָם עַל מָה אֲמַר מִלָּה דָא, דַּאֲמַר מַה תִּתֶּן לִי, כִּבְיָכוֹל כְּאִילּוּ לָא הֶאֱמִין בֵּיהּ בְּקוּדְשָׁא בְּרִיךְ הוּא.

שכא. אֶלָּא, א"ל קֻבְּ"ה אָנֹכִי מָגֵן לָךְ, בְּהַאי עָלְמָא. שְׂכָרְךָ הַרְבֵּה מְאֹד, בְּעָלְמָא דְּאָתֵי. מִיַּד אִתְּעַר אַבְרָהָם בְּרָזָא דְּחָכְמְתָא, וַאֲמַר מַה תִּתֶּן לִי, דְּהָא יְדַעְנָא, דְּלָא קַבֵּיל אֲגַר לְמֵיעַל בֵּיהּ בְּהַהוּא עָלְמָא, ב"נ דְּלָא אוֹלִיד בַּר, וְע"ד אֲמַר מַה תִּתֶּן לִי וְאָנֹכִי הוֹלֵךְ עֲרִירִי, דְּהָא לָא תִּתֶּן לִי דְּלָא זָכִינָא בֵּיהּ. מִכָּאן, דְּב"נ דְּלָא זָכֵי בִּבְנִין בְּהַאי עָלְמָא, לָא זָכֵי בְּהַהוּא עָלְמָא, לְאַעֲלָא גּוֹ פַּרְגּוֹדָא.

שכב. וְאַבְרָהָם הֲוָה חָמֵי בְּאִצְטַגְנִינוּת דִּילֵיהּ דְּלָא יוֹלִיד. מַה כְּתִיב וַיּוֹצֵא אוֹתוֹ הַחוּצָה וגו'. א"ל קֻבְּ"ה לָא תִּסְתַּכַּל בְּהַאי, אֶלָּא בְּרָזָא דִּשְׁמִי, יְהֵא לָךְ בַּר. הה"ד כֹּה יִהְיֶה זַרְעֶךָ. רָזָא דִּשְׁמָא קַדִּישָׁא, דְּמִתַּמָּן אִתְקַשַּׁר לֵיהּ בְּרָא, וְלָא מִסִּטְרָא אָחֳרָא.

שכג. כֹּה: דְּהוּא תַּרְעָא לִצְלוֹתָא, בָּהּ יִשְׁכַּח בְּרָכָה, בָּהּ יִשְׁכַּח ב"נ שְׁאֶלְתֵּיהּ. כֹּה: הַהוּא סִטְרָא דְּאַתְיָיא מִסִּטְרָא דִּגְבוּרָה, דְּהָא מִסִּטְרָא דִּגְבוּרָה קָא אָתָא יִצְחָק. וְהַהוּא סִטְרָא דִּגְבוּרָה כֹּה אִקְרֵי, דְּמִתַּמָּן אַתְיָין אִיבִּין וְפֵירֵי לְעָלְמָא, וְלָא מִסִּטְרָא דִּלְתַתָּא, דְּכֹכְבַיָּא וּמַזָּלוֹת.

שכד. כְּדֵין וְהֶאֱמִין בַּה'. אִתְדַּבַּק לְעֵילָּא, וְלָא אִתְדַּבַּק לְתַתָּא. וְהֶאֱמִין בַּה', וְלָא בְּכֹכְבַיָּא וּמַזָּלֵי. וְהֶאֱמִין בַּה', דְּאַבְטַח לֵיהּ דְּיַסְגֵּי אַגְרֵיהּ לְעָלְמָא דְּאָתֵי. וְהֶאֱמִין בַּה', בְּהַהוּא דַּרְגָּא דְּאִתְיְיהֵיב לֵיהּ, דְּמִתַּמָּן יֵיתֵי לֵיהּ זַרְעָא לְאוֹלָדָא בְּעָלְמָא.

שכה. וַיַּחְשְׁבֶהָ לוֹ צְדָקָה. וַיַּחְשְׁבֶהָ לוֹ: דְּאע"ג דְּאִיהִי דִּינָא כְּאִילוּ הִיא רַחֲמֵי הַאי כה. ד"א, וַיַּחְשְׁבֶהָ לוֹ צְדָקָה, דְּקָשִׁיר קִשְׁרָא עִלָּאָה בְּתַתָּאָה, לְחַבְּרָא לוֹן כַּחֲדָא.

שכו. ת"ח, הָא אִתְּעָרוּ אַבְרָהָם מוֹלִיד, אַבְרָם אֵינוֹ מוֹלִיד, וְכִי תֵימָא דְּהָא אוֹלִיד יִשְׁמָעֵאל בְּעוֹד דְּאִיהוּ אַבְרָם. אֶלָּא הַהוּא בְּרָא דְּאַבְטַח לֵיהּ קב"ה לָא אוֹלִיד, בְּעוֹד דְּאִיהוּ אַבְרָם, דְּהָא בְּעוֹד דְּאִיהוּ אַבְרָם, אוֹלִיד לְתַתָּא, כֵּיוָן דְּאִתְקְרֵי אַבְרָהָם, וְעָאל בִּבְרִית, כְּדֵין אוֹלִיד לְעֵילָא, וּבְגִ"כ אַבְרָם אֵינוֹ מוֹלִיד בְּקִשּׁוּרָא עִלָּאָה, אַבְרָהָם מוֹלִיד, כְּמָה דְּאַמָרָן וְאִתְקַשַּׁר לְעֵילָא בְּיִצְחָק.

שכז. וַיְהִי אַבְרָם בֶּן תִּשְׁעִים שָׁנָה וְתֵשַׁע שָׁנִים וגו'. רַבִּי אַבָּא פָּתַח כִּי מִי אֵל מִבַּלְעֲדֵי ה' וּמִי צוּר וגו'. דָּוִד מַלְכָּא אָמַר הַאי קְרָא כִּי מִי אֵל מִבַּלְעֲדֵי ה'. מַאן הוּא שַׁלִּיטָא אוֹ מְמַנָּא דְּיָכוֹל לְמֶעְבַּד מִדֵּי מִבַּלְעֲדֵי ה', אֶלָּא מַה דְּאִתְפְּקַד מֵעִם קב"ה, בְּגִין דְּכֻלְּהוּ לָא בִּרְשׁוּתַיְיהוּ קַיְימֵי, וְלָא יַכְלֵי לְמֶעְבַּד מִדֵּי. וּמִי צוּר: וּמַאן אִיהוּ תַּקִּיף דְּיָכוֹל לְמֶעְבַּד תּוֹקְפָּא וּגְבוּרָה מִגַּרְמֵיהּ, מִבַּלְעֲדֵי אֱלֹקֵינוּ. אֶלָּא כֻּלְּהוּ בִּידָא דְּקב"ה, וְלָא יָכִיל לְמֶעְבַּד מִדֵּי בַּר בִּרְשׁוּתֵיהּ.

שכח. ד"א, כִּי מִי אֵל מִבַּלְעֲדֵי ה'. דְּקב"ה כֹּלָּא בִּרְשׁוּתֵיהּ, וְלָא כְּמַאן דְּאִתְחֲזֵי בְּזִיווּ דְּכֹכְבַיָּא וּמַזָּלֵי, דְּכֻלְּהוּ אַחֲזְיָין מִלָּה, וְקב"ה אַחְלַף לֵיהּ לְגַוְונָא אָחֳרָא. וּמִי צוּר זוּלָתִי אֱלֹקֵינוּ. הָא אוֹקְמוּהָ, דְּלֵית צַיָּיר כְּמָה דְּקב"ה, דְּאִיהוּ צַיֵּיר שְׁלִים, עָבֵיד וְצַיֵּיר דְּיוֹקְנָא גּוֹ דְּיוֹקְנָא, וְאַשְׁלִים לְהַהוּא דְּיוֹקְנָא בְּכָל תִּקּוּנֵיהּ, וְאָעֵיל בָּהּ נֶפֶשׁ עִלָּאָה, דְּדָמֵי לְתִקּוּנָא עִלָּאָה, בְּגִ"כ לֵית צַיָּיר כְּקוּדְשָׁא בְּרִיךְ הוּא.

שכט. ת"ח, מֵהַהוּא זַרְעָא דְּב"נ, כַּד אִתְּעַר תִּיאוּבְתֵּיהּ לְגַבֵּי נוּקְבֵיהּ, וְנוּקְבֵיהּ אִתְעָרַת לְגַבֵּיהּ, כְּדֵין מִתְחַבְּרָן תַּרְוַויְיהוּ כַּחֲדָא, וְנָפַק מִנַּיְיהוּ בַּר חַד, דְּכָלִיל מִתְּרֵין דְּיוֹקְנִין כַּחֲדָא, בְּגִין דְּקב"ה צַיֵּיר לֵיהּ בְּצִיּוּרָא דְּאִתְכְּלִיל מִתַּרְוַויְיהוּ. וְעַ"ד בָּעֵי ב"נ לְקַדְּשָׁא גַּרְמֵיהּ בְּהַהוּא זִמְנָא, בְּגִין דְּיִשְׁתְּכַח הַהוּא דְּיוֹקְנָא בְּצִיּוּרָא שְׁלִים כַּדְקָא יָאוּת.

של. א"ר חִיָּיא ת"ח, כַּמָּה אִינּוּן רַבְרְבִין עוֹבָדוֹי דְּקב"ה, דְּהָא אוּמָנוּתָא וְצִיּוּרָא דְּב"נ אִיהוּ כְּגַוְונָא דְּעָלְמָא, וּבְכָל יוֹמָא וְיוֹמָא קב"ה בָּרֵי עָלְמָא, מְזַוֵּוג זִוּוּגִין כָּל חַד וְחַד כַּדְקָא חֲזֵי לֵיהּ, וְהוּא צַיֵּיר דְּיוֹקְנֵיהוֹן עַד לָא יֵיתוּן לְעָלְמָא.

שלא. ת"ח, דְּאָמַר ר"ש, כְּתִיב זֶה סֵפֶר תּוֹלְדוֹת אָדָם. וְכִי סֵפֶר הֲוָה לֵיהּ. אֶלָּא אוֹקְמוּהָ, דְּקב"ה אַחֲמֵי לֵיהּ לְאָדָם הָרִאשׁוֹן, דּוֹר דּוֹר וְדוֹרְשָׁיו וכו'. הֵיאַךְ אַחֲמֵי לֵיהּ, אִי תֵימָא דְּחָמָא בְּרוּחַ קוּדְשָׁא, דְּאִינּוּן זְמִינִין לְמֵיתֵי לְעָלְמָא. כְּמַאן דְּחָמָא בְּחָכְמְתָא, מַה דְּיֵיתֵי לְעָלְמָא, לָאו הָכֵי. אֶלָּא חָמָא בְּעֵינָא, כֻּלְּהוּ. וְהַהוּא דְּיוֹקְנָא דְּזַמִּינִין לְמֵיקַם בֵּיהּ בְּעָלְמָא, כֻּלְּהוּ חָמָא בְּעֵינָא, מ"ט, בְּגִין דְּמִיּוֹמָא דְּאִתְבְּרֵי עָלְמָא, כֻּלְּהוּ נַפְשָׁאן דְּזַמִּינִין לְמֵיקַם בִּבְנֵי נָשָׁא כֻּלְּהוּ קַיְימִין קַמֵּי קב"ה, בְּהַהוּא דְּיוֹקְנָא מַמָּשׁ, דְּזַמִּינִין לְמֵיקַם בֵּיהּ בְּעָלְמָא.

שלב. כְּגַוְונָא דָא, כָּל אִינּוּן צַדִּיקַיָּא בָּתַר דְּנָפְקִין מֵהַאי עָלְמָא, כֻּלְּהוּ נַפְשָׁאן סָלְקָן, וְקב"ה אַזְמִין לוֹן דְּיוֹקְנָא אָחֳרָא לְאִתְלַבְּשָׁא בְּהוּ, כְּגַוְונָא דַּהֲווּ בְּהַאי עָלְמָא, בְּגִ"כ כֻּלְּהוּ קַיְימִין קַמֵּיהּ, וְחָמָא לוֹן אָדָם הָרִאשׁוֹן בְּעֵינָא.

שלג. וְאִי תֵימָא, בָּתַר דְּחָמָא לוֹן, לָא קַיְימֵי בְּקִיּוּמַיְיהוּ. ת"ח כָּל מִלּוֹי דְּקב"ה, בְּקִיּוּמָא אִינּוּן, וְקַיְימוּ קַמֵּיהּ עַד דְּנָחֲתוּ לְעָלְמָא, כְּגַוְונָא דָא כְּתִיב כִּי אֶת אֲשֶׁר יֶשְׁנוֹ פֹּה וגו'. הָא אוֹקְמוּהָ דְּכֻלְּהוּ בְּנֵי נָשָׁא דְּזַמִּינִין לְמֶהֱוֵי בְּעָלְמָא, כֻּלְּהוּ אִשְׁתְּכָחוּ תַּמָּן.

שלד. הכא אית לאסתכלא, דהא כתיב, את אשר איננו פה וגו', ומשמע ההוא דיפקון מאינון דקיימו תמן, בגין דכתיב עמנו היום, ולא כתיב עמנו עומד היום. אלא ודאי כלהו קיימו תמן, אלא דלא אתחזו לעינא, בג"כ כתיב עמנו היום, אף על גב דלא אתחזון.

שלה. ואי תימא, מ"ט לא אתחזון הכא, כמה דאתחזון לאדם הראשון, דחמא לון עינא בעינא, והא הכא אתחזי יתיר. אלא, הכא כד אתייהיבת אורייתא לישראל, וחיזו אוחרא, ודרגין עלאין, הוו חמאן ומסתכלן עינא בעינא, והוו תאיבין לאסתכלא ולמחמי ביקרא דמריהון, ובג"כ חמו יקרא עלאה דקודשא בריך הוא בלחודוי, ולא מאוחרא.

שלו. וע"ד, כלהו בני נשא דזמינין לקיימא בעלמא, כלהו קיימי קמי קב"ה, באינון דיוקנין ממש, דזמינין לקיימא ביה, הה"ד גלמי ראו עיניך ועל ספרך וגו'. גלמי ראו עיניך. מ"ט, בגין דדיוקנא אוחרא עלאה הוי כהאי, ובג"כ כתיב ומי צור זולתי אלקינו. מאן צייר טב, דצייר כלא כקודשא בריך הוא.

שלז. ד"א, כי מי אלוה. דא רזא דמלה, דהא אל כללא הוא, דאתכליל מכלהו דרגין, ואי תימא, דהא אל איהו דרגא אוחרא, בגין דכתיב אל זועם בכל יום. תא חזי, דהא לית אל מבלעדי ה', דלאו איהו בלחודוי, ולא אתפרש לעלמין. וע"ד כתיב כי מי אל מבלעדי ה' וגו' ומי צור וגו'. דהא צור לאו איהו בלחודוי, אלא כלא חד, כדכתיב וידעת היום והשבות אל לבבך כי ה' הוא האלקים וגו'.

שלח. ת"ח, עד לא אתגזר אברהם, הוה ממליל עמיה מגו מחזה בלחודוי, כמה דאתמר, דכתיב היה דבר ה' אל אברם במחזה וגו'. במחזה: בההוא חיזו דרגא דכל דיוקנין אתחזיין ביה, כמה דאתמר. והאי מחזה איהו רזא דברית.

שלט. ואי תימא, דבגין כך אקרי מחזה, בגין דאיהו דרגא חיזו דכל דיוקנין אתחזיין ביה, הא אמרת בקדמיתא, דעד לא אתגזר אברהם, לא הוה ממליל עמיה בר האי דרגא, דלא שראן עלוי דרגין אוחרנין, והשתא אמרת במחזה, חיזו דכל דרגין עלאין, והא עד לא אתגזר כתיב, היה דבר ה' אל אברם במחזה.

שמ. אלא, האי דרגא, חיזו דכל דרגין עלאין איהו, ובחיזו דדרגין עלאין אתתקן. ואע"ג דבההוא זמנא דאברהם לא הוה גזיר, האי דרגא בחיזו דדרגין עלאין איהו, ובכל אינון גוונין איהו קאים. וחיזו דאינון גוונין קיימי תחותיה, חד מימינא, גוון חוור. וחד משמאלא, גוון סומק. וחד דכליל מכל גוונין, ואיהו חיזו, דכל גוונין עלאין דקיימי עליה. ועל דא בהאי חיזו קאים עליה דאברהם, ומליל עמיה, ואע"ג דלא אתגזר. כיון דאתגזר, מה כתיב, וירא ה' אל אברם.

שמא. ת"ח, מחזה שדי כתיב בבלעם, ובאברהם כתיב מחזה סתם, מה בין האי להאי. אלא, מחזה שדי, אלין דלתתא מניה, ואינון חיזו דיליה. מחזה סתם, מחזה דא הוא ה', דכל דיוקנין עלאין אתחזיין ביה, ובגין כך כתיב באברהם, מחזה סתם, ובבלעם מחזה שדי.

שמב. ועל דא עד לא אתגזר אברהם, הוה ליה האי דרגא כדאמרן. כיון דאתגזר, מיד וירא ה' אל אברם וגו'. אתחזון כלהו דרגין, על האי דרגא, והאי דרגא מליל עמיה, כדקא חזי בשלימו. ואברהם אתקטר מדרגא לדרגא, ועאל בברית קיימא קדישא, כדקא חזי בשלימו.

שמג. ת"ח, כיון דאתגזר אברהם, נפק מערלה, ועאל בקיימא קדישא, ואתעטר בעטרא קדישא, ועאל בקיומא, דעלמא קאים עליה, וכדין אתקיים עלמא בגיניה. בגין דכתיב אם לא בריתי יומם ולילה חקות שמים וארץ לא שמתי. וכתיב אלה תולדות השמים והארץ בהבראם. בה"א בראם, באברהם. וכלא ברזא חדא קאים.

שדמ. ובשעתא דקב"ה אחמי ליה לאדם, כל אינון דרין דעלמא, וחמא לון כל חד וחד, כל דרא ודרא, כלהו קיימי בגנתא דעדן, בההוא דיוקנא דזמינין לקיימא בהאי עלמא, ות"ח, הא אתמר, כיון דחמא ליה לדוד, דלאו ביה חיים כלל, תוה, ואיהו יהיב ליה מדיליה ע' שנין, בג"כ הוו ליה לאדם, תשע מאות ותלתין שנין, ואינון שבעין אסתלקו ליה לדוד.

שמה. ומלה דא רזא דחכמתא איהו, דדוד לית ליה בר שבעין שנין, מאדם קדמאה, וכלא רזא דחכמתא איהו. וכל מה דלתתא כלא איהו ברזא דלעילא.

שמו. ות"ח, בכל אינון דיוקנין דנשמתין דעלמא. כלהו זווגין זווגין קמיה, לבתר, כד אתיין להאי עלמא, קב"ה מזווג זווגין. אמר ר' יצחק, קודשא בריך הוא אמר בת פלוני לפלוני.

שמז. א"ר יוסי, מאי קא מיירי, והא כתיב אין כל חדש תחת השמש. אמר ר' יהודה, תחת השמש כתיב, שאני לעילא. אמר רבי יוסי, מאי כרוזא הכא, והא אמר ר' חזקיה אמר רבי חייא, בההיא שעתא ממש, דנפיק ב"נ לעלמא, בת זוגו אזדמנת לו.

שמח. אמר רבי אבא, זכאין אינון צדיקייא, דנשמתהון מתעטרין קמי מלכא קדישא, עד לא ייתון לעלמא, דהכי תנינן, בההיא שעתא דאפיק קב"ה נשמתין לעלמא, כל אינון רוחין ונשמתין, כלהו כלילן דכר ונוקבא, דמתחברן כחדא.

שמט. ואתמסרן בידא דההוא ממנא, שליחא דאתפקד על עדואיהון דבני נשא, ולילה שמיה. ובשעתא דנחתין ואתמסרן בידוי, מתפרשין. ולזמנין דא אקדים מן דא, ואחית להו בבני נשא.

שנ. וכד מטא עידן דזווגא דלהון, קב"ה דידע אינון רוחין ונשמתין, מחבר לון כדבקדמיתא, ומכרזא עלייהו. וכד אתחברן, אתעבידו חד גופא חד נשמתא, ימינא ושמאלא כדקא חזי. ובגין כך אין כל חדש תחת השמש.

שנא. ואי תימא הא תנינן, לית זווגא, אלא לפום עובדוי וארחוי דבר נש. הכי הוא ודאי, דאי זכי, ועובדוי אתכשרן, זכי להההוא דיליה, לאתחברא ביה, כמה דנפיק.

שנב. אמר ר' חייא, מאן דאתכשרן עובדוי, באן אתר יתבע ההוא זווגא דיליה. א"ל הא תנינן, לעולם ימכור אדם כו' וישא בת ת"ח. דתלמיד חכם, פקדונא דמאריה, אתפקדן בידיה.

שנג. תאנא ברזא דמתניתא, כל אינון דאתו בגלגולא דנשמתין, יכלין לאקדמא ברחמי זווגא דלהון. ועל האי אתערו חבריא, שמא יקדמנו אחר ברחמים. ושפיר קאמרו, אחר דייקא, ועל כן קשין זווגין קמיה דקודשא בריך הוא. ועל כלא ודאי כי ישרים דרכי ה' כתיב.

שנד. ר' יהודה שלח ליה לר' אלעזר, אמר הא רזא דמלה ידענא, אינון דאתו בגלגולא דנשמתין, מאן אתר להו זווגא. שלח ליה, כתיב מה נעשה להם לנותרים לנשים וגו'. וכתיב, לכו וחטפתם לכם וגו'. פרשתא דבני בנימין אוכח, ועל האי תנינן, שמא יקדמנו אחר ברחמים.

שנה. אֲמַר ר' יְהוּדָה הַאי הוּא וַדַּאי, דְּקַשְׁיָין זִוּוּגִין קַמֵּי קב"ה. זַכָּאָה חוּלַקְהוֹן דְּיִשְׂרָאֵל, דְּאוֹרַיְיתָא אוֹלִיף לְהוֹ אוֹרְחוֹי דְּקב"ה, וְכָל טְמִירִין וּגְנִיזָא דִּגְנִיזִין קַמֵּיהּ.

שנו. וַדַּאי כְּתִיב תּוֹרַת ה' תְּמִימָה וגו'. זַכָּאָה חוּלָקֵיהּ מַאן דְּיִשְׁתַּדֵּל בְּאוֹרַיְיתָא, וְלָא יִתְפְּרַשׁ מִינָּהּ, דְּכָל מַאן דְּיִתְפְּרַשׁ מֵאוֹרַיְיתָא, אֲפִילּוּ שַׁעֲתָא חֲדָא, כְּמָה דְּאִתְפְּרַשׁ מֵחַיֵּי דְּעָלְמָא. דִּכְתִיב כִּי הוּא חַיֶּיךָ וְאֹרֶךְ יָמֶיךָ. וּכְתִיב אֹרֶךְ יָמִים וּשְׁנוֹת חַיִּים וְשָׁלוֹם יוֹסִיפוּ לָךְ.

שנז. וַיְהִי אַבְרָם בֶּן תִּשְׁעִים שָׁנָה וגו'. ר' יוֹסֵי פָּתַח, וְעַמֵּךְ כֻּלָּם צַדִּיקִים לְעוֹלָם יִרְשׁוּ אָרֶץ וגו'. זַכָּאִין אִינּוּן יִשְׂרָאֵל, מִכָּל שְׁאָר עַמִּין, דְּקב"ה קָרָא לוֹן צַדִּיקִים. דְּתַנְיָא מֵאָה וְעֶשְׂרִין וְחָמֵשׁ אַלְפֵי מָארֵי דְּגַדְפִּין, דְּאָזְלִין וְטָאסִין כָּל עָלְמָא, וְשָׁמְעִין קָלָא, וְאַחֲדִין לֵיהּ לְהַהוּא קָלָא.

שנח. כְּמָה דְּתָנֵינָן, לֵית לָךְ מִלָּה בְּעָלְמָא, דְּלֵית לָהּ קָלָא, וְאָזְלָא וְטָאסָא בִּרְקִיעָא, וְאַחֲדִין לָהּ מָארֵי דְּגַדְפִּין וְסָלְקִין הַהוּא קָלָא, וְדַיְינִין לָהּ, הֵן לְטַב, הֵן לְבִישׁ. דִּכְתִיב כִּי עוֹף הַשָּׁמַיִם יוֹלִיךְ אֶת הַקּוֹל וגו'.

שנט. אֵימָתַי דַּיְינִין לְהַהוּא קָלָא. רַבִּי חִיָּיא אֲמַר, בְּשַׁעֲתָא דְּב"נ שָׁכִיב וְנָאִים, וְנִשְׁמָתֵיהּ נָפְקַת מִנֵּיהּ, וְהִיא אַסְהִידַת בֵּיהּ בְּב"נ, וּכְדֵין דַּיְינִין לְהַהוּא קָלָא. הה"ד מִשֹּׁכֶבֶת חֵיקֶךָ שְׁמֹר פִּתְחֵי פִיךָ. מ"ט מִשּׁוּם דְּהִיא אַסְהִידַת בְּבַר נָשׁ. רַבִּי יְהוּדָה אֲמַר, כָּל מַה דְּב"נ עָבֵיד בְּכָל יוֹמָא, נִשְׁמָתֵיהּ אַסְהִידַת בֵּיהּ בְּבַר נָשׁ בְּלֵילְיָא.

שס. תָּאנָא אֲמַר ר' אֶלְעָזָר, בִּתְחִלַּת שַׁעֲתָא קַמַּיְיתָא בְּלֵילְיָא, כַּד נָשַׁף יְמָמָא, וְעָאל שִׁמְשָׁא, מָארֵי דְּמַפְתְּחָן דִּמְמַנָּן עַל שִׁמְשָׁא, עָאל בִּתְרֵיסַר תַּרְעִין דְּפִתְחִין בִּימָמָא, בָּתַר דְּעָאל בְּכֻלְּהוּ, כָּל אִינּוּן תַּרְעִין סְתִימִין.

שסא. כָּרוֹזָא קָאֵים, וְשָׁרֵי לְאַכְרָזָא, קָאֵים מַאן דְּקָאֵים, וְאָחִיד לְאִינּוּן מַפְתְּחָן. בָּתַר דְּסַיֵּים כָּרוֹזָא, כָּל אִינּוּן נְטוּרֵי עָלְמָא מִתְכַּנְּשִׁין וְסָלְקִין, לֵית מַאן דְּפָתַח פּוּמָא, כֹּלָּא מִשְׁתַּכְּכִין. כְּדֵין דִּינִין דִּלְתַתָּא מִתְעָרִין, וְאָזְלִין וְשָׁאטִין בְּעָלְמָא, וְסִיהֲרָא שָׁארֵי לְאַנְהָרָא.

שסב. וּמָארֵי דְּיַבָּבָא תָּקְעִין וּמְיַלְּלִין, תָּקְעִין תִּנְיָינוּת. כְּדֵין מִתְעָרֵי שִׁירָתָא, וּמְזַמְּרִין קַמֵּי מָארֵיהוֹן, כַּמָּה מָארֵי תְּרֵיסִין קַיְימוּ בְּקִיּוּמַיְיהוּ, וְאִתְעָרִין דִּינִין בְּעָלְמָא, כְּדֵין בְּנֵי נָשָׁא נַיְימִין, וְנִשְׁמָתָא נָפְקַת, וְאַסְהִידַת סַהֲדוּתָא, וְאִתְחַיְּיבַת בְּדִינָא, וְקב"ה עָבֵיד חֶסֶד בְּבַר נָשׁ, וְנִשְׁמָתָא תָּבַת לְאַתְרָהּ.

שסג. בְּפַלְגוּת לֵילְיָא, כַּד צִפּוֹרִין מִתְעָרִין, סִטְרָא דְּצָפוֹן אִתְעַר בְּרוּחָא, קָם בְּקִיּוּמֵיהּ, שַׁרְבִיטָא דְּבִסְטַר דָּרוֹם, וּבָטַשׁ בְּהַהוּא רוּחָא, וְשָׁכִיךְ וְאִתְבְּסָם, כְּדֵין אִתְעַר קוּדְשָׁא בְּרִיךְ הוּא בְּנִמּוּסוֹי, לְאִשְׁתַּעְשְׁעָא עִם צַדִּיקַיָּא בְּגִנְתָא דְּעֵדֶן.

שסד. בְּהַהוּא שַׁעֲתָא, זַכָּאָה חוּלָקֵיהּ דְּב"נ דְּקָאֵים לְאִשְׁתַּעֲשְׁעָא בְּאוֹרַיְיתָא, דְּהָא קב"ה, וְכָל צַדִּיקַיָּא דְּבְגִנְתָא דְּעֵדֶן, כֻּלְּהוּ צַיְיתִין לְקָלֵיהּ. הֲדָא הוּא דִּכְתִיב הַיּוֹשֶׁבֶת בַּגַּנִּים חֲבֵרִים מַקְשִׁיבִים לְקוֹלֵךְ הַשְׁמִיעִנִי.

שסה. וְלָא עוֹד, אֶלָּא דְּקב"ה מָשִׁיךְ עֲלֵיהּ חַד חוּטָא דְּחֶסֶד, לְמֶהֱוֵי נָטִיר בְּעָלְמָא, דְּהָא עִלָּאִין וְתַתָּאִין נָטְרִין לֵיהּ. הה"ד, יוֹמָם יְצַוֶּה ה' חַסְדּוֹ וּבַלַּיְלָה שִׁירֹה עִמִּי.

שסו. א"ר חִזְקִיָּה, כָּל מַאן דְּאִשְׁתַּדַּל בְּהַאי שַׁעֲתָא בְּאוֹרַיְיתָא, וַדַּאי אִית לֵיהּ חוּלָקָא תָּדִיר בְּעָלְמָא דְּאָתֵי. אֲמַר ר' יוֹסֵי, מ"ט תָּדִיר. א"ל הָכֵי אוֹלִיפְנָא, דְּכָל פַּלְגוּת לֵילְיָא, כַּד קב"ה אִתְעַר בְּגִנְתָא דְּעֵדֶן, כָּל אִינּוּן נְטִיעָן דְּגִנְתָא אִשְׁתַּקְיָין יַתִּיר, מֵהַהוּא

נַהֲלָא, דְּאִקְרֵי נַחַל קְדוּמִים, נַחַל עֲדָנִים, דְּלָא פָּסְקוּ מֵימוֹי לְעָלְמִין, כִּבְיָכוֹל הַהוּא דְּקָאִים וְאִשְׁתַּדַּל בְּאוֹרַיְיתָא, כְּאִילוּ הַהוּא נַהֲלָא אִתְרַק עַל רֵישֵׁיהּ, וְאַשְׁקֵי לֵיהּ, בְּגוֹ אִינּוּן נְטִיעָן דִּבְגִנְּתָא דְּעֵדֶן.

שסז. וְלָא עוֹד, אֶלָּא הוֹאִיל וְכֻלְּהוּ צַדִּיקַיָּיא, דִּבְגוֹ גִּנְּתָא דְּעֵדֶן, צַיְיתִין לֵיהּ, וְחוּלָקָא שַׁוְיָין לֵיהּ, בְּהַהוּא שַׁקְיוּ דְּנַהֲלָא, אִשְׁתַּכַּח דְּאִית לֵיהּ חוּלָקָא תָּדִיר, בְּעָלְמָא דְּאָתֵי.

שסח. רַבִּי אַבָּא הֲוָה אָתֵי מִטְּבֶרְיָה, לְבֵי טְרוֹנְיָא דַּחֲמוֹי, וְר' יַעֲקֹב בְּרֵיהּ הֲוָה עִמֵּיהּ, אִעֲרָעוּ בִּכְפַר טַרְשָׁא. כַּד בָּעוּ לְמִשְׁכַּב, אֲמַר ר' אַבָּא, לְמָרֵיהּ דְּבֵיתָא, אִית הָכָא תַּרְנְגוֹלָא. א"ל מָארָא דְּבֵיתָא, אַמַּאי. א"ל, בְּגִין דְּקָאֵימְנָא בְּפַלְגוּת לֵילְיָא מַמָּשׁ.

שסט. א"ל, לָא אִצְטְרִיךְ, דְּהָא סִימָנָא לִי בְּבֵיתָא, דְּהַדֵין טַקְלָא דְּקַמֵּי עַרְסַאי, מַלֵּינָא לֵיהּ מַיָּא, וְנָטִיף טִיף טִיף, בְּפַלְגוּת לֵילְיָא מַמָּשׁ, אִתְרָקוּ כֻּלְּהוּ מַיָּא, וְאִתְגַּלְגַּל הַאי קִיטְפָא, וְנָהִים, וְאִשְׁתְּמַע קָלָא בְּכָל בֵּיתָא, וּכְדֵין הוּא פַּלְגוּת לֵילְיָא מַמָּשׁ. וְחַד סָבָא הֲוָה לִי, דַּהֲוָה קָם בְּכָל פַּלְגוּת לֵילְיָא, וְאִשְׁתַּדַּל בְּאוֹרַיְיתָא, וּבְגִינֵי כָּךְ, עֲבַד הַאי.

שע. אֲמַר ר' אַבָּא, בְּרִיךְ רַחֲמָנָא דְּשַׁדְּרַנִי הָכָא. בְּפַלְגוּת לֵילְיָא נָהִים, הַהוּא גַּלְגַּלָּא דְּקִיטְפָא, קָמוּ רַבִּי אַבָּא וְרַבִּי יַעֲקֹב. שָׁמְעוּ לְהַהוּא גַּבְרָא, דַּהֲוָה יָתִיב בְּשִׁפּוּלֵי בֵּיתָא, וּתְרֵין בְּנוֹי עִמֵּיהּ, וַהֲוָה אֲמַר, כְּתִיב וַחֲצוֹת לַיְלָה אָקוּם לְהוֹדוֹת לָךְ עַל מִשְׁפְּטֵי צִדְקֶךָ, מַאי קָא חָמָא דָּוִד, דְּאִיהוּ אֲמַר וַחֲצוֹת לַיְלָה, וְלָא בַּחֲצוֹת לַיְלָה. אֶלָּא, וַדַּאי לְקוּדְשָׁא בְּרִיךְ הוּא אֲמַר הָכִי.

שעא. וְכִי קוּדְשָׁא בְּרִיךְ הוּא הָכִי אִקְרֵי. אִין, דְּהָא וַחֲצוֹת לַיְלָה מַמָּשׁ, קוּדְשָׁא בְּרִיךְ הוּא אִשְׁתַּכַּח, וְסִיַּעְתָּא דִּילֵיהּ, וּכְדֵין הִיא שַׁעֲתָא דְּעָיֵיל בְּגִנְּתָא דְּעֵדֶן, לְאִשְׁתַּעְשְׁעָא עִם צַדִּיקַיָּא.

שעב. אֲמַר רַבִּי אַבָּא, לְרַבִּי יַעֲקֹב, וַדַּאי נִשְׁתַּתֵּף בִּשְׁכִינְתָּא, וְנִתְחַבַּר כַּחֲדָא, קָרִיבוּ וְיָתִיבוּ עִמֵּיהּ, אֲמָרוּ לֵיהּ, אֵימָא מִלָּה דְּפוּמָךְ, דְּשַׁפִּיר קָאֲמַרְתְּ. מְנָא לָךְ הַאי. אֲמַר לוֹן, מִלָּה דָא, אוֹלִיפְנָא מִסָּבָאִי.

שעג. וְתוּ הֲוָה אֲמַר, דְּתוּלְתַּת שַׁעֲתֵי קַמַּיְיתָא דְּלֵילְיָא, כָּל דִּינִין דִּלְתַתָּא מִתְעָרִין, וְאָזְלִין וְשָׁאטִין בְּעָלְמָא. בְּפַלְגוּת לֵילְיָא מַמָּשׁ, קוּדְשָׁא בְּרִיךְ הוּא אִתְעַר בְּגִנְּתָא דְּעֵדֶן, וְדִינִין דִּלְתַתָּא לָא מִשְׁתַּכְּחִין.

שעד. וְכָל נִימוּסִין דִּלְעֵילָּא, בְּלֵילְיָא לָא אִשְׁתְּכָחוּ, אֶלָּא בְּפַלְגוּת לֵילְיָא מַמָּשׁ. מְנָלָן, מֵאַבְרָהָם, דִּכְתִיב וַיֵּחָלֵק עֲלֵיהֶם לַיְלָה. בְּמִצְרַיִם, וַיְהִי בַּחֲצִי הַלַּיְלָה. וּבְאַתְרִין סַגִּיאִין בְּאוֹרַיְיתָא הָכִי אִשְׁתְּכַח. וְדָוִד הֲוָה יָדַע.

שעה. וּמְנָא הֲוָה יָדַע. אֶלָּא, הָכִי אֲמַר סָבָא, דְּמַלְכוּתָא דִּילֵיהּ בְּהַאי תַּלְיָא. וְעַל דָּא קָאִים בְּהַהִיא שַׁעְתָּא, וַאֲמַר שִׁירָתָא, וּלְהָכִי קָרְיֵהּ לְקוּדְשָׁא בְּרִיךְ הוּא וַחֲצוֹת לַיְלָה מַמָּשׁ אָקוּם לְהוֹדוֹת לָךְ וְגוֹ'. דְּהָא כָּל דִּינִין תַּלְיָין מֵהָכָא, וְדִינִין דְּמַלְכוּתָא מֵהָכָא מִשְׁתַּכְּחִין וְהַהִיא שַׁעֲתָא, אִתְקְטִיר בָּהּ דָּוִד, וְקָם. וַאֲמַר שִׁירָתָא. אָתָא רַבִּי אַבָּא וּנְשָׁקֵיהּ, א"ל וַדַּאי הָכִי הוּא, בְּרִיךְ רַחֲמָנָא, דְּשַׁדְּרַנִי הָכָא.

שעו. ת"ח, לַיְלָה דִּינָא בְּכָל אֲתַר, וְהָא אוֹקִימְנָא מִלָּה, וְהָכִי הוּא וַדַּאי, וְהָא אִתְּעַר קַמֵּי דְּרַבִּי שִׁמְעוֹן. אֲמַר הַהוּא יְנוּקָא, בְּרֵיהּ דְּהַהוּא גַּבְרָא, אִי הָכִי, אַמַּאי כְּתִיב וַחֲצוֹת לַיְלָה. א"ל, הָא אִתְּמַר, בְּפַלְגוּת לֵילְיָא, מַלְכוּתָא דִּשְׁמַיָּא אִתְּעָרַת. אֲמַר אֲנָא שְׁמַעְנָא מִלָּה. א"ל, ר' אַבָּא, אֵימָא בְּרִי טַב דְּהָא מִלָּה דְּפוּמָךְ, קָלָא דְּבוּצִינָא לֶהֱוֵי.

שעז. אֲמַר, אֲנָא שְׁמַעְנָא, דְּהָא לַיְלָה דִּינָא דְּמַלְכוּתָא אִיהוּ, וּבְכָל אֲתַר דִּינָא הוּא,

וְהַאי דְּקָאֲמַר וַחֲצוֹת, בְּגִין דִּינְקָא בִּתְרֵי גַּוְונֵי, בְּדִינָא וְחֶסֶד, וַדַּאי פַּלְגּוּתָא קַדְמֵיתָא, דִּינָא הוּא, דְּהָא פַּלְגּוּתָא אָחֳרָא, נְהִירוּ אַנְפָּהָא בְּסִטְרָא דְּחֶסֶד. וְעַל דָּא וַחֲצוֹת לַיְלָה כְּתִיב וַדַּאי.

שעז. קָם רַבִּי אַבָּא, וְשַׁוֵּי יְדוֹי בְּרֵישֵׁיהּ, וּבָרְכֵיהּ, אֲמַר וַדַּאי, וַחֲשִׁיבְנָא דְּחָכְמְתָא לָא אִשְׁתְּכַח בַּר בְּאִינּוּן זַכָּאֵי דְּזָכוּ בָּהּ. הַשְׁתָּא חָמֵינָא, דַּאֲפִילּוּ יְנוּקֵי בְּדָרָא דְּרַבִּי שִׁמְעוֹן, זָכוּ לְחָכְמְתָא עִלָּאָה. זַכָּאָה אַנְתְּ רַבִּי שִׁמְעוֹן. וַוי לְדָרָא דְּאַנְתְּ תִּסְתַּלַּק מִנֵּיהּ. יָתְבוּ עַד צַפְרָא, וְאִשְׁתַּדְּלוּ בְּאוֹרַיְיתָא.

שעט. פָּתַח ר' אַבָּא וְאָמַר, וְעַמֵּךְ כֻּלָּם צַדִּיקִים וגו'. מִלָּה דָּא הָא אוֹקְמוּהָ חַבְרַיָּיא, מ"ט, כְּתִיב, וְעַמֵּךְ כֻּלָּם צַדִּיקִים, וְכִי כֻּלְּהוּ יִשְׂרָאֵל צַדִּיקֵי נִינְהוּ. וְהָא כַּמָּה חַיָּיבִין אִית בְּהוּ בְּיִשְׂרָאֵל, כַּמָּה חַטָּאִין, וְכַמָּה רַשִׁיעִין, דְּעָבְרִין עַל פִּקּוּדֵי אוֹרַיְיתָא.

שפ. אֶלָּא, הָכֵי תָּנָא בְּרָזָא דְּמַתְנִיתִין, זַכָּאִין אִינּוּן יִשְׂרָאֵל, דְּעָבְדִין קָרְבְּנָא דְּרַעֲוָא לְקֻבְּ"ה, דְּמַקְרִיבִין בְּנַיְיהוּ לִתְמַנְיָא יוֹמִין לְקָרְבְּנָא, וְכַד אִתְגְּזָרוּ, עָאלוּ בְּהַאי חוּלָקָא טָבָא דְּקֻבְּ"ה, דִּכְתִּיב וְצַדִּיק יְסוֹד עוֹלָם. כֵּיוָן דְּעָאלוּ בְּהַאי חוּלָקָא דְּצַדִּיק, אִקְרוּן צַדִּיקִים, וַדַּאי כֻּלָּם צַדִּיקִים.

שפא. וְעַ"כ לְעוֹלָם יִירְשׁוּ אָרֶץ. כְּדִכְתִּיב פִּתְחוּ לִי שַׁעֲרֵי צֶדֶק אָבֹא בָם. וּכְתִיב זֶה הַשַּׁעַר לַה' צַדִּיקִים יָבֹאוּ בוֹ. אִינּוּן דְּאִתְגְּזָרוּ, וְאִקְרוּן צַדִּיקִים. נֵצֶר מַטָּעַי. נֵצֶר מֵאִינּוּן נְטִיעִין דְּנָטַע קֻבְּ"ה בְּגִנְתָּא דְּעֵדֶן, הַאי אֶרֶץ חַד מִנַּיְיהוּ, וְעַל כֵּן אִית לְהוּ לְיִשְׂרָאֵל חוּלָקָא טָבָא, בְּעָלְמָא דְּאָתֵי. וּכְתִיב צַדִּיקִים יִירְשׁוּ אָרֶץ. לְעוֹלָם יִירְשׁוּ אָרֶץ. מַהוּ לְעוֹלָם. כְּמָה דְּאוֹקִימְנָא בְּמַתְנִיתָא דִּילָן, וְהָא אִתְּמַר הַאי מִלָּה בֵּין חַבְרַיָּיא.

שפב. וְתָאנָא, מַאי קָא חָמָא קְרָא, דְּלָא אִקְרֵי אַבְרָהָם עַד הַשְׁתָּא. אֶלָּא, הָכֵי אוֹקִימְנָא, דְּעַד הַשְׁתָּא לָא אִתְגְּזַר, וְכַד אִתְגְּזַר, אִתְחַבַּר בְּהַאי ה', וּשְׁכִינְתָּא שַׁרְיָא בֵּיהּ, וּכְדֵין אִקְרֵי אַבְרָהָם.

שפג. וְהַיְינוּ דִּכְתִּיב, אֵלֶּה תוֹלְדוֹת הַשָּׁמַיִם וְהָאָרֶץ בְּהִבָּרְאָם. וְתָאנָא בְּה' בְּרָאָם. וְתָאנָא בְּאַבְרָהָם. מַאי קָאַמְרֵי, אֶלָּא דָּא חֶסֶד, וְדָא שְׁכִינְתָּא, וְכֹלָּא נָוִית כַּחֲדָא, וְלָא קַשְׁיָא מִלָּה, וְהַאי וְהַאי הֲוֵי.

שפד. א"ר יַעֲקֹב לְר' אַבָּא, הַאי ה' דְּהִבָּרְאָם זְעִירָא, וְה' דְּהַלַה' רַבְרְבָא, מַה בֵּין הַאי לְהַאי. א"ל דָּא שְׁמִיטָה וְדָא יוֹבְלָא. וּבְגִין כָּךְ זִמְנִין דְּסִיהֲרָא קָיְימָא בְּאַשְׁלָמוּתָא, וְזִמְנִין בִּפְגִימוּתָא, וּבְאַנְפָּהָא אִשְׁתְּכַח וְאִשְׁתְּמוֹדַע, וְכֹלָּא שַׁפִּיר וְהַאי אִיהוּ בְּרִירָה דְּמִלָּה.

שפה. אֲמַר רַבִּי אַבָּא, זַכָּאִין אִינּוּן יִשְׂרָאֵל, דְּקֻבְּ"ה אִתְרְעֵי בְּהוֹן, מִכָּל שְׁאָר עַמִּין, וְיָהִיב לוֹן אָת קְיָימָא דָּא, דְּכָל מַאן דְּאִית בֵּיהּ הַאי אָת, לָא נָחִית לַגֵּיהִנֹּם, אִי אִיהוּ נָטִיר לֵיהּ, כִּדְקָא יָאוּת, דְּלָא עָיֵיל לֵיהּ בִּרְשׁוּתָא אָחֳרָא, וְלָא מְשַׁקֵּר בִּשְׁמֵיהּ דְּמַלְכָּא, דְּכָל מַאן דִּמְשַׁקֵּר בְּהַאי, כְּמַאן דִּמְשַׁקֵּר בִּשְׁמֵיהּ דְּקוּדְשָׁא בְּרִיךְ הוּא. דִּכְתִּיב, בַּה' בָּגָדוּ כִּי בָנִים זָרִים יָלָדוּ.

שפו. תו, אֲמַר ר' אַבָּא, בְּזִמְנָא דְּבַר נָשׁ אַסִּיק בְּרֵיהּ, לְאָעֳלֵיהּ לְהַאי בְּרִית, קָרֵי קֻבְּ"ה לְפַמַּלְיָא דִּילֵיהּ, וַאֲמַר, חָמוּ מַאי בִּרְיָה עֲבָדִית בְּעָלְמָא. בֵּיהּ שַׁעֲתָא אִזְדַּמַּן אֵלִיָּהוּ וְטָאס עָלְמָא בְּד' טָאסִין, וְאִזְדַּמַּן תַּמָּן.

שפז. וְעַל דָּא תָּנִינָן דְּבָעֵי בַּר נָשׁ לְתַקְּנָא כָּרְסַיָּיא אָחֳרָא לִיקָרָא דִּילֵיהּ, וְיֵימָא דָּא כָּרְסַיָּיא דְּאֵלִיָּהוּ, וְאִי לָאו לָא שָׁרֵי תַּמָּן. וְהוּא סָלִיק, וְאַסְהִיד קַמֵּי קוּדְשָׁא בְּרִיךְ הוּא.

שפח. ת"ח, בקדמיתא כתיב מה לך פה אליהו וגו'. וכתיב קנא קנאתי לה' כי עזבו בריתך בני ישראל וגו'. א"ל, חייך בכל אתר דהאי רשימא קדישא, ירשמון ליה בני בבשרהון, אנת תזדמן תמן, ופומא דאסהיד דישראל עזבו, הוא יסהיד דישראל מקיימין האי קיימא. והא תנינן, על מה אתענש אליהו קמי קב"ה, על דאמר דלטורא על בנוי.

שפט. אדהכי, הוה אתי נהורא, דיומא והוו אמרי מלי דאורייתא. קמו למיזל. א"ל ההוא גברא, במה דעסקיתו בהאי ליליא, אשלימו. אמרי מאי הוא. א"ל דתזמון למחזר אנפוי דמריה דקיימא, דהא דביתאי, בעאת בעותא דא מנייכו. וגזר קיימא דברי דאתייליד לי, למהוי הלולא דיליה. א"ר אבא, האי בעותא דמצוה איהו, ולמחמי אפי שכינתא ניתיב.

שצ. אוריכו כל ההוא יומא, בההוא ליליא, כנש ההוא גברא, כל אינון רחימוי, וכל ההוא ליליא, אשתדלו באורייתא, ולא הוה מאן דנאים. א"ל, ההוא גברא במטו מנייכו, כל חד וחד, לימא מלה חדתא דאורייתא.

שצא. פתח חד ואמר, בפרוע פרעות בישראל בהתנדב עם ברכו ה'. מאי קא חמו דבורה וברק דפתחו בהאי קרא. אלא הכי תנינן, לית עלמא מתקיימא, אלא על האי ברית, דכתיב אם לא בריתי יומם ולילה וגו'. דהא שמיא וארעא על דא קיימין.

שצב. בגין כך, כל זמנא דישראל מקיימין האי ברית, נמוסי שמיא וארעא קיימין בקיומייהו, וכל זמנא דח"ו ישראל מבטלין האי ברית, שמיא וארעא לא מתקיימין, וברכאן לא משתכחין בעלמא.

שצג. ת"ח, לא שליטו שאר עמין על ישראל, אלא כד בטילו מנייהו קיימא דא. ומה בטילו מנייהו. דלא אתפרען, ולא אתגליין. וע"ד כתיב ויעזבו בני ישראל את ה' וגו'. וימכור אותם ביד סיסרא, ויעזבו את ה' ממש. עד דאתת דבורה, ואתנדבת לכל ישראל, במלה דא, כדין אתכנעו שנאיהון תחותייהו.

שצד. והיינו דתנינן, דאמר קב"ה ליהושע, וכי ישראל אטימין אינון, ולא אתפרעו ולא אתגלייא, ולא קיימין קיימא דילי, ואת בעי לאעלא להו לארעא, ולאכנעא שנאיהון. שוב מול את בני ישראל שנית. ועד דאתפרעו ואתגלייא האי ברית, לא עאלו לארעא, ולא אתכנעו שנאיהון. אוף הכא, כיון דאתנדבין ישראל, בהאי את, אתכנעו שנאיהון תחותייהו, וברכאן אתחזרו לעלמא, הה"ד בפרוע פרעות בישראל בהתנדב עם ברכו ה'.

שצה. קם אחרא, פתח ואמר, ויהי בדרך במלון ויפגשהו ה' ויבקש המיתו. למאן למשה. א"ל קב"ה, וכי את אזיל לאפקא ית ישראל ממצרים, ולאכנעא מלכא רב ושליטא, ואת אנשיית מנך קיימא, דברך לא אתגזר, מיד ויבקש המיתו.

שצו. תאנא, נחת גבריאל בשלהובא דאשא, לאוקדיה, ואתרמיז חד חויא מתוקדא לשאפא ליה, בגויה. אמאי חויא. א"ל קב"ה, את אזיל לקטלא חויא רברבא ותקיפא, וברך לא אתגזר. מיד אתרמיז לחד חויא לקטלא ליה.

שצז. עד דחמת צפורה, וגזרת לברה, ואשתזיב. הה"ד ותקח צפורה צור. מהו צור. אלא אסוותא. ומאי אסוותא, דכתיב ותכרות את ערלת בנה דנצנצא בה רוח קודשא.

שצח. קם אחרא ואמר, ויאמר יוסף אל אחיו גשו נא אלי ויגשו ויאמר וגו'. וכי אמאי

קרי להו, והא קריבין הוו גביה. אלא בשעתא דאמר לון אני יוסף אחיכם. תווהו, דחמו ליה במלכו עלאה. אמר יוסף, מלכו דא, בגין דא רווחנא ליה, גשו נא אלי. ויגשו, דאחזי להו האי קיימא דמילה, אמר, דא גרמת לי מלכו דא, בגין דנטרית לה.

שצט. מכאן אוליפנא, מאן דנטיר להאי את קיימא, מלכו אתנטרת ליה. מנלן, מבעז, דכתיב חי ה׳ שכבי עד הבקר. דהוה מקטרג ליה יצריה, עד דאומי אומאה, ונטיר להאי ברית, בגין כך זכה דנפקו מניה מלכין שליטין, על כל שאר מלכין, ומלכא משיחא, דאתקרי בשמא דקודשא בריך הוא.

ת. פתח אידך ואמר, כתיב אם תחנה עלי מחנה וגו׳. הכי תאנא, בזאת אני בוטח. מהו בזאת, דא את קיימא, דזמינא תדיר גבי ב״נ, ואתרמיזא לעילא, ובגיני כך אתמר בזאת, כמה דכתיב זאת אות הברית. זאת בריתי. וכלא בחד דרגא. ותאנא, זה וזאת בחד דרגא אינון, ולא מתפרשן.

תא. ואי תימא, אי הכי הא שאר בני עלמא, הכי, אמאי דוד בלחודוי, ולא אחרא. אלא, בגין דאחידא ביה, ואתרמיזא ביה, והוא כתרא דמלכותא.

תב. ת״ח, בגין דהאי זאת, לא נטר ליה, דוד מלכא כדקא חזי, מלכותא אתעדי מניה, כל ההוא זמנא. והכי אוליפנא, האי זאת אתרמיזא במלכותא דלעילא, ואתרמיזא בירושלם קרתא קדישא.

תג. בההוא שעתא דדוד עבר עליה, נפק קלא ואמר, דוד במה דאתקטרת תשתרי. לך טרדין מירושלם, ומלכותא אתעדי מינך. מנ״ל, דכתיב הנני מקים עליך רעה מביתך. מביתך דייקא, והכי הוה, במה דעבר ביה אתענש, ומה דוד מלכא הכי, שאר בני עלמא על אחת כמה וכמה.

תד. פתח אידך ואמר לולי ה׳ עזרתה לי כמעט שכנה דומה נפשי. תאנא. במה זכאן ישראל, דלא נחתי לגיהנם, כשאר עמין עכו״ם, ולא אתמסרן בידוי דדומה, בהאי את.

תה. דהכי תאנא, בשעתא דב״נ נפיק מעלמא, כמה חבילי טהירין אתפקדן עליה. זקיפין עינא וחמאן האי את, דהוא קיימא דקודשא, אתפרשן מניה. ולא אתייהיב בידוי דדומה לנחתא לגיהנם, דכל מאן דאתמסר בידוי, נחית לגיהנם ודאי.

תו. ומהאי את, דחלין עלאין ותתאין, ודינין בישין לא שלטין ביה בב״נ, אי איהו זכי לנטורי ליה, להאי את, בגין דהוא אתאחיד בשמא דקודשא בריך הוא.

תז. כיון דדוד מלכא לא נטר את קיימא דא כדקא חזי, אתעדי מניה מלכותא, ואתטריד מירושלים. מיד דחיל, דסבר דייחתון ליה מיד, וימסרון ליה בידוי דדומה, וימות בההוא עלמא, עד דאתבשר ביה, דכתיב גם ה׳ העביר חטאתך לא תמות. ביה שעתא פתח ואמר לולי ה׳ עזרתה לי כמעט שכנה דומה נפשי.

תח. פתח אידך ואמר מאי האי דאמר דוד והראני אותו ואת נוהו. מאן יכיל למחמי ליה לקב״ה. אלא הכי תנינן, בההיא שעתא דאתגזר עליה ההוא עונשא, ודוד ידע דעל דלא נטר האי את כדקא יאות, אתענש בהאי, דכלא כחדא אחידא, וכלא מתרמיז בהאי את, ולא אקרי צדיק, מאן דלא נטר ליה כדקא יאות, הוה בעי בעותיה, ואמר והראני אותו ואת נוהו.

תט. מאי אותו. דא את קיימא קדישא, דהא דחילנא דאתאביד מנאי. מ״ט. בגין

דִּתְרֵין אִלֵּין מַלְכוּתָא וִירוּשְׁלֵם בְּהַאי אֲחִידָן, וּבְגִ"כ תָּלֵי בְּבָעוּתֵיהּ אוֹתוֹ וְאֶת נָוֵהוּ, דְּיִתְהַדַּר מַלְכוּתָא דְּהַאי אָת לְאַתְרֵיהּ. וְכֹלָּא וַחֲד מִלָּה.

תי. פָּתַח אִידָךְ וַאֲמַר וּמִבְּשָׂרִי אֶחֱזֶה אֱלוֹהַּ. מַאי וּמִבְּשָׂרִי, וּמֵעַצְמִי מִבָּעֵי לֵיהּ. אֶלָּא מִבְּשָׂרִי מַמָּשׁ. וּמַאי הִיא. דִּכְתִיב וּבְשַׂר קֹדֶשׁ יַעַבְרוּ מֵעָלָיִךְ. וּכְתִיב וְהָיְתָה בְּרִיתִי בִּבְשַׂרְכֶם. דְּתַנְיָא בְּכָל זִמְנָא דְּאִתְרְשִׁים ב"נ, בְּהַאי רְשִׁימָא קַדִּישָׁא, דְּהַאי אָת, מִנֵּיהּ חָמֵי לְקוּב"ה, מִנֵּיהּ מַמָּשׁ, וְנִשְׁמָתָא קַדִּישָׁא אִתְאֲחִידַת בֵּיהּ.

תיא. וְאִי לָא זָכֵי, דְּלָא נָטִיר הַאי אָת, מַה כְּתִיב מִנִּשְׁמַת אֱלוֹהַּ יֹאבֵדוּ. דְּהָא רְשִׁימוּ דְּקוּב"ה לָא אִתְנְטִיר. וְאִי זָכֵי וְנָטִיר לֵיהּ, שְׁכִינְתָּא לָא אִתְפְּרַשׁ מִנֵּיהּ.

תיב. אֵימָתַי מִתְקַיְּימָא בֵּיהּ, כַּד אִתְנְסִיב, וְהַאי אָת עָיֵיל בְּאַתְרֵיהּ, אִשְׁתַּתָּפוּ כַּחֲדָא וְאִקְרֵי וַחֲד שְׁמָא, כְּדֵין וְחֶסֶד עִלָּאָה שַׁרְיָיא עֲלַיְיהוּ. בְּאָן אֲתַר שַׁרְיָיא. בְּסִטְרָא דִּדְכוּרָא. וּמַאן וְחֶסֶד, וְחֶסֶד אֵל, דְּאָתֵי וְנָפַק מֵחָכְמָה עִלָּאָה, וְאִתְעַטַּר בִּדְכוּרָא, וּבְגִ"כ אִתְבַּסְּמַת נוּקְבָא.

תיג. תּוּ תָּנֵינָן, אֱלוֹהַּ: הָכֵי הוּא, א"ל נְהִירוּ דְּחָכְמְתָא. ו' דְּכַר. ה' נוּקְבָא. אִשְׁתַּתָּפוּ כַּחֲדָא, אֱלוֹהַּ אִקְרֵי. וְנִשְׁמְתָא קַדִּישָׁא מֵהַאי אֲתַר אִתְאֲחִידַת, וְכֹלָּא תַּלְיָא בְּהַאי אָת.

תיד. וְעַ"ד כְּתִיב, וּמִבְּשָׂרִי אֶחֱזֶה אֱלוֹהַּ. דָּא שְׁלֵימוּתָא דְּכֹלָּא, מִבְּשָׂרִי מַמָּשׁ, מֵהַאי אָת מַמָּשׁ. וְעַ"ד זַכָּאִין אִינּוּן יִשְׂרָאֵל קַדִּישִׁין, דַּאֲחִידָן בֵּיהּ בְּקוּב"ה, זַכָּאִין אִינּוּן בְּעָלְמָא דֵּין, וּבְעָלְמָא דְּאָתֵי, עֲלַיְיהוּ כְּתִיב וְאַתֶּם הַדְּבֵקִים בַּה' וגו' וּבְגִין כָּךְ וַחַיִּים כֻּלְּכֶם הַיּוֹם.

תטו. א"ר אַבָּא, וּמָה בְּכָל כָּךְ אַתּוּן וְחַכִּימִין, וְאַתּוּן יָתְבִין הָכָא, אֲמָרוּ לֵיהּ אִי צִפּוֹרָאָה יִתְעַקְּרוּ מֵאַתְרַיְיהוּ לָא יָדְעִין לְאָן טָאסָן, הה"ד כְּצִפּוֹר נוֹדֶדֶת מִן קִנָּהּ כֵּן אִישׁ נוֹדֵד מִמְּקוֹמוֹ.

תטז. וְאַתְרָא דָּא זָכֵי לָן לְאוֹרַיְיתָא, וְהַאי אוֹרְחָא דִּילָן. בְּכָל לֵילְיָא, פַּלְגוּתָא אֲנָן נַיְימִין, וּפַלְגוּתָא אֲנָן עָסְקִין בְּאוֹרַיְיתָא. וְכַד אֲנָן קַיְימִין בְּצַפְרָא, רֵיחֵי חַקְלָא, וְנַהֲרֵי מַיָּא, נַהֲרִין לָן אוֹרַיְיתָא, וְאִתְיַישְׁבַת בְּלִבָּן.

תיז. וְאַתַר דָּא הָא דַּיְינוּהָ לְעֵילָא זִמְנָא וַחֲדָא, וְכַמָּה סָרְכֵי תְּרֵיסִין, אִסְתַּלָּקוּ בְּהַהוּא דִּינָא, עַל עוֹנְשָׁא דְּאוֹרַיְיתָא, וּכְדֵין אִשְׁתַּדְּלוּתָא דִּילָן יְמָמָא, וְלֵילְיָא בְּאוֹרַיְיתָא הוּא, וְאַתְרָא דָּא, קָא מְסַיְּיעָא לָן, וּמַאן דְּאִתְפְּרַשׁ מִכָּאן כְּמַאן דְּאִתְפְּרַשׁ מֵחַיֵּי עָלְמָא.

תיח. זָקִיף יְדוֹי רַבִּי אַבָּא, וּבָרֵיךְ לוֹן. יָתְבוּ עַד דִּנְהַר יְמָמָא, בָּתַר דִּנְהַר יְמָמָא, אֲמָרוּ לְאִינּוּן דַּרְדְּקֵי דְּקַמַּיְיהוּ, פּוּקוּ וַחֲמוּ, אִי נְהַר יְמָמָא, וְכָל וַחֲד לֵימָא מִלָּה וַחֲדָתָא דְּאוֹרַיְיתָא, לְהַאי גַּבְרָא רַבָּא.

תיט. נָפְקוּ וְחָמוּ, דִּנְהַר יְמָמָא, אֲמַר וַחֲד מִנַּיְיהוּ, זַמִּין הַאי יוֹמָא, אֶשָּׁא מִלְּעֵילָא. אֲמַר אָחֳרָא, וּבְהַךְ בֵּיתָא. אֲמַר אָחֳרָא, וַחֲד סָבָא הָכָא, דְּזַמִּין הַאי יוֹמָא לְאִתּוֹקְדָא בְּנוּרָא דָּא, אֲמַר ר' אַבָּא, רַחֲמָנָא לִישֵׁזְבָן.

תכ. תָּוָה, וְלָא יָכִיל לְמַלָּלָא, אֲמַר קוֹטְרָא דְּהוֹרְמָנָא, בְּאַרְעָא אִתְפְּסַת. וְכָךְ הֲוָה, דְּהַהוּא יוֹמָא, וְחָמוּ וַחֲבְרַיָּיא, אַפֵּי שְׁכִינְתָּא, וְאִסְתַּחֲרוּ בְּאֶשָּׁא, וְר' אַבָּא אִתְלַהִיטוּ אַנְפּוֹי כְּנוּרָא, מֵחֶדְוָותָא דְּאוֹרַיְיתָא.

תכא. תָּאנָא, כָּל הַהוּא יוֹמָא לָא נָפְקוּ כֻּלְּהוּ מִבֵּיתָא, וּבֵיתָא אִתְקְטַר בְּקִיטְרָא, וַהֲווּ וַחֲדָתָאן מִלֵּי בְּגַוַּויְיהוּ, כְּאִלּוּ קַבִּלוּ הַהוּא יוֹמָא אוֹרַיְיתָא, מִטּוּרָא דְּסִינַי. בָּתַר דְּאִסְתַּלָּקוּ, לָא הֲווּ יָדְעֵי, אִי הוּא יְמָמָא וְאִי לֵילְיָא. א"ר אַבָּא, בְּעוֹד דַּאֲנָן קַיְימִין, לֵימָא כָּל וַחֲד מִינָּן, מִלָּה וַחֲדָתָא דְּחָכְמְתָא, לְאַקְשָׁרָא טִיבוּ לְמָארֵיהּ דְּבֵיתָא, מָרֵיהּ דְּהִלּוּלָא.

תכב. פָּתַח חַד וְאָמַר אַשְׁרֵי תִּבְחַר וּתְקָרֵב יִשְׁכֹּן חֲצֵרֶיךָ וְגוֹ׳. בְּקַדְמֵיתָא חֲצֵרֶיךָ, לְבָתַר בֵּיתֶךָ, וּלְבָתַר הֵיכָלֶךָ. דָּא פְּנִימָאָה מִן דָּא, וְדָא לְעֵילָא מִן דָּא. יִשְׁכֹּן חֲצֵרֶיךָ בְּקַדְמֵיתָא, כְּד״א וְהָיָה הַנִּשְׁאָר בְּצִיּוֹן וְהַנּוֹתָר בִּירוּשָׁלַםִ קָדוֹשׁ יֵאָמֶר לוֹ.

תכג. נִשְׂבְּעָה בְּטוּב בֵּיתֶךָ לְבָתַר, כְּד״א בְּחָכְמָה יִבָּנֶה בָּיִת. הַחָכְמָה יִבְנֶה בַּיִת, לָא כְּתִיב, דְּאִי כְּתִיב הָכֵי הֲוָה מַשְׁמַע דְּחָכְמָה בַּיִת אִקְרֵי, אֶלָּא כְּתִיב בְּחָכְמָה יִבָּנֶה בָּיִת, הַיְינוּ דִּכְתִיב, וְנָהָר יוֹצֵא מֵעֵדֶן לְהַשְׁקוֹת אֶת הַגָּן וְגוֹ׳.

תכד. קְדוֹשׁ הֵיכָלֶךָ, לְבָתַר, דָּא הוּא שְׁלִימָא דְּכֹלָּא, דְּהָכֵי תָּנִינָן, מַהוּ הֵיכָל. כְּלוֹמַר ה״י כ״ל, הַאי וְהַאי, וְכֹלָּא אִשְׁתְּלִים כַּחֲדָא.

תכה. רֵישָׁא דִּקְרָא מַה מוֹכַח, דִּכְתִיב אַשְׁרֵי תִּבְחַר וּתְקָרֵב יִשְׁכֹּן חֲצֵרֶיךָ. הַאי מַאן דְּאַקְרִיב בְּרֵיהּ קָרְבָּנָא קַמֵּי קֻבְּ״ה, רַעֲוָא דְּקֻבְּ״ה, בְּהַהוּא קָרְבָּנָא, וְאִתְרְעֵי בֵּיהּ, וְקָרִיב לֵיהּ, וְשַׁוֵּי מְדוֹרֵיהּ בִּתְרֵין אִדְרִין, וְאָחִיד לְהַאי וּלְהַאי, דְּאִינּוּן תְּרֵין אִתְקַשְּׁרוּ כַּחֲדָא. דִּכְתִיב יִשְׁכֹּן חֲצֵרֶיךָ. חֲצֵרֶיךָ וַדַּאי תְּרֵי.

תכו. בְּגִינֵי כָּךְ, חֲסִידֵי קַדְמָאֵי סָבָאן דְּהָכָא, כַּד מַקְרִיבִין בְּנַיְיהוּ לְקָרְבָּנָא דָּא, פָּתְחֵי וְאָמְרֵי, אַשְׁרֵי תִּבְחַר וּתְקָרֵב יִשְׁכֹּן חֲצֵרֶיךָ. אִינּוּן דְּקַיְימֵי עֲלַיְיהוּ אָמְרֵי, נִשְׂבְּעָה בְּטוּב בֵּיתֶךָ קְדוֹשׁ הֵיכָלֶךָ. לְבָתַר מְבָרֵךְ אֲשֶׁר קב״ו לְהַכְנִיסוֹ בִּבְרִיתוֹ שֶׁל אַבְרָהָם אָבִינוּ. וְאִינּוּן דְּקַיְימֵי עֲלַיְיהוּ אָמְרֵי, כְּשֵׁם שֶׁהִכְנַסְתּוֹ לַבְּרִית וְכוּ׳.

תכז. וְתָנִינָן, בְּקַדְמֵיתָא לְבָעֵי ב״נ רַחֲמִין עֲלֵיהּ, וּלְבָתַר עַל אָחֳרָא, דִּכְתִיב וְכִפֶּר בַּעֲדוֹ בְּקַדְמֵיתָא, וּלְבָתַר וּבְעַד כָּל קְהַל יִשְׂרָאֵל. וַאֲנַן אוֹרְחָא דָּא נְקִיטְנָן, וְהָכֵי שַׁפִּיר וְחָזֵי לְקַמָּאן.

תכח. א״ר אַבָּא, וַדַּאי כָּךְ הוּא וְיָאוֹת מִלָּה, וּמַאן דְּלָא אָמַר הָכֵי, אַפִּיק גַּרְמֵיהּ מֵעֲשָׂרָה חוּפּוֹת דְּזַמִּין קֻבְּ״ה לְמֶעְבַּד לְצַדִּיקַיָּא, בְּעָלְמָא דְּאָתֵי, וְכֻלְּהוּ מִתְקַשְּׁרָן בְּהַאי. וּבְגִינֵי כָּךְ, עֲשָׂרָה מִלֵּי דִּמְהֵימְנוּתָא אִית בְּהַאי קְרָא, אַשְׁרֵי תִּבְחַר וּתְקָרֵב וְגוֹ׳, וְכָל מִלָּה וּמִלָּה חַד חוּפָּה אִתְעֲבֵיד מִנֵּהּ.

תכט. זַכָּאָה חוּלָקֵיכוֹן בְּעָלְמָא דָּא, וּבְעָלְמָא דְּאָתֵי, דְּהָא אוֹרַיְיתָא מִתְקַשְּׁרָא בְּלִבַּיְיכוּ, כְּאִילּוּ קַיְּימִיתוּ בְּגוּפַיְיכוּ בְּטוּרָא דְּסִינַי, בְּשַׁעֲתָא דְּאִתְיְהִיבַת אוֹרַיְיתָא לְיִשְׂרָאֵל.

תל. פָּתַח אִידָךְ וְאָמַר מִזְבַּח אֲדָמָה תַּעֲשֶׂה לִּי וְזָבַחְתָּ עָלָיו אֶת עֹלֹתֶיךָ וְאֶת שְׁלָמֶיךָ וְגוֹ׳. תָּאנָא, כָּל מַאן דְּקָרִיב בְּרֵיהּ לְקָרְבָּנָא דָּא, כְּאִילּוּ אַקְרִיב כָּל קָרְבְּנִין דְּעָלְמָא, לְקַמֵּיהּ דְּקֻבְּ״ה, וּכְאִילּוּ בָּנֵי מַדְבְּחָא שְׁלֵימָתָא קַמֵּיהּ.

תלא. בְּגִינֵי כָּךְ, בָּעֵי לְסַדְּרָא מַדְבְּחָא, בְּמָאנָא חַד מַלְיָיא אַרְעָא, לְמִגְזַר עֲלֵיהּ הַאי קַיָּימָא קַדִּישָׁא, וְאִתְחֲשִׁיב קַמֵּי קֻבְּ״ה, כְּאִילּוּ אַדְבַּח עֲלֵיהּ עֲלָוָון וְקָרְבְּנִין, עָאנָא וְתוֹרֵי.

תלב. וְנִיחָא לֵיהּ יַתִּיר מִכֻּלְּהוּ, דִּכְתִיב וְזָבַחְתָּ עָלָיו אֶת עֹלֹתֶיךָ וְאֶת שְׁלָמֶיךָ וְגוֹ׳. בְּכָל הַמָּקוֹם אֲשֶׁר אַזְכִּיר אֶת שְׁמִי. מַהוּ אַזְכִּיר אֶת שְׁמִי. דָּא מִילָה, דִּכְתִיב בָּהּ סוֹד ה׳ לִירֵאָיו וּבְרִיתוֹ לְהוֹדִיעָם.

תלג. הַאי מִזְבַּח אֲדָמָה וַדַּאי כְּמָה דַּאֲמֵינָא. בַּתְרֵיהּ מַה כְּתִיב, וְאִם מִזְבַּח אֲבָנִים תַּעֲשֶׂה לִּי. רֶמֶז לְגִיּוֹרָא כַּד אִתְגַּיָּיר, דְּאִיהוּ מֵעַם קְשֵׁי קְדַל, וּקְשֵׁי לִבָּא, הַאי אִקְרֵי מִזְבַּח אֲבָנִים.

תלד. לֹא תִבְנֶה אֶתְהֶן גָּזִית. מַה הוּא. דְּבָעֵי לְאַעֲלָא לֵיהּ בְּפוּלְחָנָא דְּקֻבְּ״ה, וְלָא יִגְזַר יָתֵיהּ, עַד דְּיִנְשֵׁי פּוּלְחָנָא אָחֳרָא דַּעֲבַד עַד הָכָא, וְיַעֲדֵי מִנֵּיהּ הַהוּא קַשְׁיוּ דְּלִבָּא.

תלה. וְאִי אִתְגְּזַר, וְלָא אַעֲדֵי מִנֵּיהּ הַהוּא קַשְׁיָא דְּלִבָּא, לְמֵיעַל בְּפוּלְחָנָא קַדִּישָׁא דְּקב"ה, הֲרֵי הוּא כְּהַאי פְּסִילָא דְּאַבְנָא, דְּגָזְרֵי לֵיהּ מֵהַאי גִּיסָא, וּמֵהַאי גִּיסָא, וְאִשְׁתָּאַר אַבְנָא כִּדְבְקַדְמֵיתָא. בְּגִ"כ לֹא תִבְנֶה אֶתְהֶן גָּזִית. דְּאִי אִשְׁתָּאַר בְּקַשְׁיוּתֵיהּ, כִּי חַרְבְּךָ הֵנַפְתָּ עָלֶיהָ וַתְּחַלְלֶיהָ, כְּלוֹמַר, הַהוּא גְּזִירוּ דְּאִתְגְּזַר לָא מְהַנְיָא לֵיהּ.

תלו. בְּגִינֵי כָּךְ, זַכָּאָה חוּלָקֵיהּ דְּמַאן דְּאַקְרִיב הַאי קָרְבְּנָא בְּחֶדְוָותָא בִּרְעוּתָא קַמֵּי קב"ה, וּבָעֵי לְמֶחְדֵי בְּהַאי חוּלָקָא, כָּל יוֹמָא, דִּכְתִּיב וְיִשְׂמְחוּ כָל חוֹסֵי בָךְ לְעוֹלָם יְרַנֵּנוּ וְתָסֵךְ עָלֵימוֹ וְיַעְלְצוּ בְךָ אֹהֲבֵי שְׁמֶךָ.

תלז. פָּתַח אִידָךְ וְאָמַר, וַיְהִי אַבְרָם בֶּן תִּשְׁעִים שָׁנָה וְתֵשַׁע שָׁנִים וַיֵּרָא ה' וגו' אֲנִי אֵל שַׁדַּי הִתְהַלֵּךְ לְפָנַי וגו'. הַאי קְרָא אִית לְעַיְּינָא בֵּיהּ, וְקַשְׁיָא בְּכַמָּה אוֹרְחִין, וְכִי עַד הַשְׁתָּא לָא אִתְגְּלֵי לֵיהּ קב"ה לְאַבְרָהָם, אֶלָּא הָאִידָנָא כַּד מָטָא לְהַנֵּי יוֹמִין, וַיֵּרָא ה' אֶל אַבְרָם, וְלָא קוֹדֶם. וְהָכְתִיב וַיֹּאמֶר ה' אֶל אַבְרָם. וַה' אָמַר אֶל אַבְרָם. וַיֹּאמֶר לְאַבְרָם יָדוֹעַ תֵּדַע וגו'. וְהָאִידָנָא מָנֵי וְחוּשְׁבַּן יוֹמִין, וְכַד מָנֵי לְהוּ, כְּתִיב וַיֵּרָא ה' אֶל אַבְרָם, אִשְׁתְּמַע דְּעַד הַשְׁתָּא לָא אִתְגְּלֵי עָלוֹי. וְעוֹד דִּכְתִּיב בֶּן תִּשְׁעִים שָׁנָה וְתֵשַׁע שָׁנִים בְּקַדְמֵיתָא שָׁנָה, וּלְבַסּוֹף שָׁנִים.

תלח. אֶלָּא הָכֵי תָאנָא, כָּל אִינּוּן יוֹמִין לָא כְּתִיב וַיֵּרָא, מ"ט, אֶלָּא כָּל כַּמָּה דַּהֲוָה אָטִים וְסָתִים, קב"ה לָא אִתְגְּלֵי עָלֵיהּ כִּדְקָחֲזֵי. הָאִידָנָא אִתְגְּלֵי עָלֵיהּ, דִּכְתִּיב וַיֵּרָא. מ"ט. מִשּׁוּם דְּבָעָא לְגַלֵּי בֵּיהּ הַאי אָת כִּתְרָא קַדִּישָׁא.

תלט. וְעוֹד דְּבָעָא קב"ה לְאַפָּקָא מִנֵּיהּ זַרְעָא קַדִּישָׁא, וְקַדִּישָׁא לָא לֶהֱוֵי, בְּעוֹד דְּאִיהוּ אָטִים בְּשָׂרָא, אֶלָּא אֲמַר הַשְׁתָּא דְּהוּא בֶּן תִּשְׁעִים שָׁנָה וְתֵשַׁע שָׁנִים, וְזִמְנָא קָרִיב הוּא דְּיִנְפּוֹק מִנֵּיהּ זַרְעָא קַדִּישָׁא, לֶהֱוֵי הוּא קַדִּישָׁא בְּקַדְמֵיתָא, וּלְבָתַר יִנְפּוֹק מִנֵּיהּ זַרְעָא קַדִּישָׁא. בְּגִ"כ מָנֵי יוֹמוֹי בְּהַאי, וְלָא בְּכָל הַנֵּי זִמְנֵי קַדְמֵיתָא.

תמ. תּוּ תִּשְׁעִים שָׁנָה, דְּכָל יוֹמוֹי קַדְמָאֵי לָא הֲווּ שָׁנִים אֶלָּא כְּחַד שָׁנָה, דְּלָא הֲווּ יוֹמוֹי יוֹמִין, הַשְׁתָּא דְּמָטָא לְהַאי, שָׁנִים אִינּוּן, וְלָא שָׁנָה.

תמא. וַיֹּאמֶר אֵלָיו אֲנִי אֵל שַׁדַּי. מַאי מַשְׁמַע, דְּעַד הַשְׁתָּא לָא קָאָמַר אֲנִי אֵל שַׁדַּי. אֶלָּא הָכֵי תָאנָא, עָבַד קב"ה כִּתְרִין תַּתָּאִין דְּלָא קַדִּישִׁין לְתַתָּא, וְכָל אִינּוּן דְּלָא אִתְגְּזָרוּ יִסְתָּאֲבוּן בְּהוֹן.

תמב. וּרְשִׁימִין בְּהוֹן, וּמַאי רְשׁוּמָא אִית בְּהוֹן דְּאִתְחֲזֵי בְּהוּ שׁ"ן דל"ת, וְלָא יַתִּיר, וּבְגִ"כ אִסְתָּאֲבוּן בְּהוּ, וְאִתְדַּבְּקוּן בְּהוּ. בָּתַר דְּאִתְגְּזָרוּ, נָפְקִין מֵאִלֵּין, וְעָאלִין בְּגַדְפוֹי דִּשְׁכִינְתָּא, וְאִתְגַּלְיָא בְּהוּ יו"ד רְשִׁימָא קַדִּישָׁא, אָת קַיָּימָא שְׁלִים, וְאִתְרְשִׁים בְּהוּ שד"י, וְאִשְׁתְּלִים בְּקִיּוּמָא שְׁלִים, וְעַל דָּא כְּתִיב בְּהַאי, אֲנִי אֵל שַׁדַּי.

תמג. הִתְהַלֵּךְ לְפָנַי וֶהְיֵה תָמִים, שְׁלִים, דְּהַשְׁתָּא אַתְּ חָסֵר בִּרְשִׁימָא דְּשׁי"ן וְדל"ת, גְּזַר גַּרְמָךְ, וֶהֱוֵי שְׁלִים, בִּרְשִׁימָא דְּיו"ד. וּמַאן דְּאִיהוּ בִּרְשׁוּמָא דָּא, אִתְחֲזֵי לְאִתְבָּרְכָא בִּשְׁמָא דָּא, דִּכְתִּיב וְאֵל שַׁדַּי יְבָרֵךְ אוֹתְךָ.

תמד. מַהוּ אֵל שַׁדַּי. הַהוּא דְּבִרְכָאן נָפְקָן מִנֵּיהּ, הוּא דְּשַׁלִּיט עַל כָּל כִּתְרִין תַּתָּאִין, וְכֹלָּא מִדַּחַלְתֵּיהּ דָּחֲלִין וּמִזְדַּעְזְעִין, בְּגִ"כ מַאן דְּאִתְגְּזַר, כָּל אִינּוּן דְּלָא קַדִּישִׁין אִתְרַחֲקָן מִנֵּיהּ, וְלָא שָׁלְטִין בֵּיהּ. וְלָא עוֹד אֶלָּא דְּלָא נָחִית לַגֵּיהִנֹּם, דִּכְתִּיב וְעַמֵּךְ כֻּלָּם צַדִּיקִים וגו'.

תמה. א"ר אַבָּא, זַכָּאִין אִתּוּן בְּעָלְמָא דֵּין וּבְעָלְמָא דְּאָתֵי, זַכָּאָה חוּלָקֵי דְּאָתֵינָא

לְמִשְׁמַע מִלִּין אִלֵּין מִפּוּמַיְכוֹן, כָּלְכוּ קַדִּישִׁין, כָּלְכוּ בְּנֵי אֱלָהָא, עֲלַיְכוּ כְּתִיב זֶה יֹאמַר לַה' אָנִי וְזֶה יִקְרָא בְּשֵׁם יַעֲקֹב וְזֶה יִכְתֹּב יָדוֹ לַה' וּבְשֵׁם יִשְׂרָאֵל יְכַנֶּה. כָּל וַד מִנַּכוֹן אָזִיד וְאִתְקְשַׁר בְּמַלְכָּא קַדִּישָׁא עִלָּאָה, וְאַתּוּן רַבְרְבָן מִמַּנָּן תְּרִיסִין מֵהַהִיא דְּאַקְרֵי אֶרֶץ הַחַיִּים, דְּרַבְרְבָנוֹהִי אָכְלִין מִמַּנָּא דְּטַלָּא קַדִּישָׁא.

תמו. פָּתַח אִידָךְ וַאֲמַר אַשְׁרֶיךָ אֶרֶץ שֶׁמַּלְכֵּךְ בֶּן חוֹרִין וְשָׂרַיִךְ בָּעֵת יֹאכֵלוּ. וּכְתִיב אִי לָךְ אֶרֶץ שֶׁמַּלְכֵּךְ נַעַר וְשָׂרַיִךְ בַּבֹּקֶר יֹאכֵלוּ. הַנֵּי קְרָאֵי קַשְׁיָין אַהֲדָדֵי. וְלָא קַשְׁיָין. הַאי דִּכְתִיב אַשְׁרֶיךָ אֶרֶץ, דָּא אֶרֶץ דִּלְעֵילָּא, דְּעוּלְטָּא עַל כָּל אִינּוּן חַיִּין דִּלְעֵילָּא. וּבְגִ"כ אַקְרֵי אֶרֶץ הַחַיִּים, וַעֲלָהּ כְּתִיב אֶרֶץ אֲשֶׁר ה' אֱלֹהֶיךָ דּוֹרֵשׁ אוֹתָהּ תָּמִיד. וּכְתִיב אֶרֶץ אֲשֶׁר לֹא בְמִסְכֵּנוּת תֹּאכַל בָּהּ לֶחֶם לֹא תֶחְסַר כֹּל בָּהּ. לֹא תֶחְסַר כֹּל בָּהּ דַּיְיקָא. וְכָל כָּךְ לָמָּה, מִשּׁוּם דִּכְתִיב שֶׁמַּלְכֵּךְ בֶּן חוֹרִין דָּא הקב"ה. כד"א בְּנֵי בְּכוֹרִי יִשְׂרָאֵל.

תמו. בֶּן חוֹרִין, מַהוּ בֶּן חוֹרִין, כד"א יוֹבֵל הוּא קֹדֶשׁ תִּהְיֶה לָכֶם. וּכְתִיב וּקְרָאתֶם דְּרוֹר בָּאָרֶץ. דְּהָא כָּל חֵירוּ מִיּוּבְלָא קָא אָתֵי, בְּגִ"כ בֶּן חוֹרִין. וְאִי תֵּימָא בֶּן חוֹרִין, וְלָא כְּתִיב בֶּן חֵירוּת. הָכִי הוּא וַדַּאי, בֶּן חֵירוּת מִבַּעֵי לֵיהּ.

תמו. אֶלָּא בְּמַתְנִיתָא סְתִימָאָה דִּילָן תַּנֵינָא, כַּד מִתְחַבְּרָן יו"ד בֵּהּ כְּדֵין כְּתִיב וְנָהָר יוֹצֵא מֵעֵדֶן לְהַשְׁקוֹת אֶת הַגָּן. וְלָא תֵּימָא כַּד מִתְחַבְּרָן, אֶלָּא מִתְחַבְּרָן וַדַּאי. וּבְגִ"כ בֶּן חוֹרִין כְּתִיב, וע"ד אַשְׁרֶיךָ אֶרֶץ שֶׁמַּלְכֵּךְ בֶּן חוֹרִין וְשָׂרַיִךְ בָּעֵת יֹאכֵלוּ, בְּחֶדְוָותָא בִּשְׁלִימוּ בִּרְעֻתָא.

תמט. אִי לָךְ אֶרֶץ שֶׁמַּלְכֵּךְ נַעַר, הַאי אֶרֶץ דִּלְתַתָּא. דְּתַנְיָא כָּל שְׁאָר אַרְעֵי דִּשְׁאָר עַמִּין עכו"ם אִתְיְהִיבוּ לְרַבְרְבִין תְּרִיסִין דִּמְמַנָּן עֲלַיְיהוּ, וְעֵילָּא מִכֻּלְּהוּ הַהוּא דִּכְתִיב בֵּיהּ, נַעַר הָיִיתִי גַּם זָקַנְתִּי. וע"ד כְּתִיב אִי לָךְ אֶרֶץ שֶׁמַּלְכֵּךְ נַעַר. וַוי לְעָלְמָא דְּמִסִּטְרָא דָּא יָנְקָא, וְכַד יִשְׂרָאֵל בְּגָלוּתָא, יַנְקִין כְּמַאן דְּיָנִיק מֵרְשׁוּתָא אָחֳרָא.

תנ. וְשָׂרַיִךְ בַּבֹּקֶר יֹאכֵלוּ. וְלָא בְּכוֹלֵי יוֹמָא. בַּבֹּקֶר, וְלָא בְּזִמְנָא אָחֳרָא דְּיוֹמָא. דְּתַנְיָא בְּעִדָּנָא דְּרוּגְזָא חֹרְוַחַת, וְאַתְיָין וְסַגְדִּין לֵיהּ לְשִׁמְשָׁא, רוּגְזָא תָּלֵי בְּעָלְמָא, בְּעִדָּנָא דְּמִנְחָה, רוּגְזָא תַּלְיָא בְּעָלְמָא. מַאן גָּרִים הַאי, מִשּׁוּם דְּמַלְכֵּךְ נַעַר, הַהוּא דְּאַקְרֵי נַעַר.

תנא. וְאַתּוּן זַכָּאֵי קְשׁוֹט, קַדִּישֵׁי עֶלְיוֹנִין, בְּנֵי מַלְכָּא קַדִּישָׁא, לָא יַנְקִין מֵהַאי סִטְרָא, אֶלָּא מֵהַהוּא אֲתָר קַדִּישָׁא דִּלְעֵילָּא, עֲלַיְכוּ כְּתִיב וְאַתֶּם הַדְּבֵקִים בַּה' אֱלֹהֵיכֶם חַיִּים כֻּלְּכֶם הַיּוֹם.

תנב. פָּתַח רִבִּי אַבָּא וַאֲמַר, אָשִׁירָה נָּא לִידִידִי שִׁירַת דּוֹדִי לְכַרְמוֹ וְגוֹ' וַיְעַזְּקֵהוּ וַיְסַקְּלֵהוּ וְגוֹ'. הַנֵּי קְרָאֵי אִית לְאִסְתַּכְּלָא בְּהוּ, אַמַּאי כְּתִיב שִׁירָה, תּוּכַחָה מִבַּעֵי לֵיהּ. לִידִידִי, לְדוֹדִי מִבַּעֵי לֵיהּ. כְּמָה דִּכְתִיב שִׁירַת דּוֹדִי. כֶּרֶם הָיָה לִידִידִי בְּקֶרֶן בֶּן שָׁמֶן. אִסְתַּכְּלָנָא בְּכָל אוֹרַיְיתָא, וְלָא אַשְׁכַּחְנָא אֲתָרָא דְּאַקְרֵי קֶרֶן בֶּן שָׁמֶן.

תנג. אֶלָּא הַנֵּי קְרָאֵי הָא אוּקְמוּהָ וְחַבְרַיָּיא בְּכַמָּה גְּוונִין, וְכֻלְּהוּ שַׁפִּיר וְהָכֵי הוּא. אֲבָל אָשִׁירָה נָּא לִידִידִי, דָּא יִצְחָק, דַּהֲוָה יָדִיד, וְאִקְרֵי יָדִיד עַד דְּלָא יִפּוֹק לְעָלְמָא.

תנד. אַמַּאי יָדִיד. דְּתַנֵּינָן רְחִימוּ סַגִּי הֲוָה לֵיהּ לקב"ה בֵּיהּ, דְּלָא אִתְעֲבִיד, עַד דְּלָא אִתְגְּזַר אַבְרָהָם אֲבוּהָ, וְאִקְרֵי שָׁלִים, וְאִתּוֹסַף לֵיהּ ה"א לְאִשְׁתַּלְּמוּתָא. וְכֵן לְשָׂרָה הַאי ה"א אִתְיְהִיבַת לָהּ.

תנה. הָכָא אִית לְאִסְתַּכְּלָא, ה' לְשָׂרָה שַׁפִּיר, אֲבָל לְאַבְרָהָם, אַמַּאי ה"א וְלָא יו"ד, י' מִבָּעֵי לֵיהּ, דְּהָא הוּא דְּכַר הֲוָה. אֶלָּא רָזָא עִלָּאָה הוּא, סָתִים בְּגַוָּון, אַבְרָהָם סָלִיק לְעֵילָא, וְנָטֵיל רָזָא מֵה"א עִלָּאָה, דְּאִיהוּ עָלְמָא דִּדְכוּרָא, ה"א עִלָּאָה וְה"א תַּתָּאָה, הַאי תַּלְיָא בִּדְכוּרָא וְהַאי בְּנוּקְבָא וַדַּאי.

תנו. דִּכְתִּיב כֹּה יִהְיֶה זַרְעֶךָ. וְתָנָא זַרְעֶךָ, זַרְעֶךָ מַמָּשׁ, דַּהֲוָה שָׁארֵי לְמֵיעַל בְּהַאי קְיָים, וּמַאן דְּשָׁארֵי לְמֵיעַל, בְּהַאי קְיָים עָאל. וּבְגִינֵי כָּךְ גִּיּוֹרָא דְּאִתְגְּזַר גֵּר צֶדֶק אִקְרֵי, בְּגִין דְּלָא אָתָא מִגִּזְעָא קַדִּישָׁא דְּאִתְגְּזָרוּ, וְעַל דָּא מַאן דְּעָאל בְּהַאי, שְׁמֵיהּ כְּהַאי.

תנז. אַבְרָהָם, בְּגִ"כ כְּתִיב בֵּיהּ כֹּה יִהְיֶה זַרְעֶךָ, זַרְעֶךָ מַמָּשׁ, וְאִתְמְסַר לֵיהּ ה"א. אִתְחַבָּרוּ תְּרֵין הֵהֵ"ין כַּחֲדָא, וְאוֹלִידוּ לְעֵילָא, וּמַאי דְּנָפַק מִנַּיְיהוּ, הוּא יו"ד, בְּגִינֵי כָּךְ, יו"ד אֶת רֵישָׁא דְּיִצְחָק, דְּכַר. מִכָּאן שָׁארֵי דְּכוּרָא לְאִתְפַּשְּׁטָא, וְעַ"ד כְּתִיב כִּי בְיִצְחָק יִקָּרֵא לְךָ זָרַע. בְּיִצְחָק, וְלָא בָּךְ. יִצְחָק אוֹלִיד לְעֵילָא, דִּכְתִּיב תִּתֵּן אֱמֶת לְיַעֲקֹב. יַעֲקֹב אַשְׁלִים כֹּלָּא.

תנח. וְאִי תֵּימָא, וְכִי אַבְרָהָם בְּהַאי אִתְאֲחִיד, וְלָא יַתִּיר, וְהָא כְּתִיב חֶסֶד לְאַבְרָהָם. אֶלָּא חוּלָקָא דִּילֵיהּ כָּךְ הוּא, בְּגִין דַּעֲבִיד חֶסֶד עִם בְּנֵי עָלְמָא, אֲבָל לְאוֹלָדָא, הָכָא אֲחִיד, וּמֵהָכָא שָׁארֵי. וְעַ"ד לָא אִתְגְּזַר אַבְרָהָם, אֶלָּא בֶּן תִּשְׁעִים וְתֵשַׁע שָׁנָה. וְרָזָא דְּמִלָּה הָא אִתְיְדַע, וְאוֹקִימְנָא, בְּמַתְנִיתָא דִּילָן.

תנט. וּבְגִ"כ יִצְחָק, דִּינָא קַשְׁיָא, נָפַק לַאֲחֲדָא לְחוּלָקֵיהּ וּלְאוֹלָדָא וְחֶסֶד אִקְרֵי. וְעַ"ד יַעֲקֹב אַשְׁלִים כֹּלָּא, מֵהַאי סִטְרָא, וּמֵהַאי סִטְרָא, מִסִּטְרָא דַּאֲחִידוּ אַבְרָהָם וְיִצְחָק לְחוּלָקֵיהוֹן לְעֵילָא, הוּא שְׁלִימוּתָא. מִסִּטְרָא דְּאִתְיְהִיב לְהוּ לְאוֹלָדָא מִתַּתָּא לְעֵילָא הוּא שְׁלִימוּתָא. וְעַ"ד כְּתִיב יִשְׂרָאֵל אֲשֶׁר בְּךָ אֶתְפָּאַר. בֵּיהּ אִתְאֲחִידוּ גַּוְונִין מֵעֵילָא וּמִתַּתָּא.

תס. וְעַ"ד כְּתִיב הָכָא שִׁירָה, דִּכְתִּיב אָשִׁירָה נָּא לִידִידִי. שִׁירָה וַדַּאי, דְּהָא אִקְרֵי לְאוֹלָדָא, דְּכַר, דְּהָא אִקְרֵי יְדִיד, עַד לָא יִפּוֹק לְעָלְמָא.

תסא. וְאִית דְּאָמְרֵי, אָשִׁירָה נָּא לִידִידִי דָּא אַבְרָהָם, כְּד"א מֶה לִּידִידִי בְּבֵיתִי. וְאַבְרָהָם יָרִית יְרוּתָא דְּאַחְסָנַת חוּלָקָא דָּא, אֲבָל מַה דַּאֲמֵינָא, דְּדָא יִצְחָק הָכֵי הוּא.

תסב. שִׁירַת דּוֹדִי לְכַרְמוֹ. דָּא קֻבְ"ה, דְּאִקְרֵי דּוֹדִי. דִּכְתִּיב דּוֹדִי צַח וְאָדוֹם, יְדִידִי אֲחִיד בְּדוֹדִי, דְּכַר. וּמִנֵּיהּ אִתְנְטַע כֶּרֶם, דִּכְתִּיב, כֶּרֶם הָיָה לִידִידִי.

תסג. בְּקֶרֶן בֶּן שָׁמֶן. מַאי בְּקֶרֶן בֶּן שָׁמֶן. אֶלָּא, בַּמֶּה נָפִיק הַאי כֶּרֶם, וּבַמֶּה אִתְנְטַע, חָזַר וְאָמַר בְּקֶרֶן. מַאי קֶרֶן. דִּכְתִּיב בְּקֶרֶן הַיּוֹבֵל. בְּקֶרֶן הַיּוֹבֵל שָׁארֵי. וְהַאי קֶרֶן אִתְאֲחִיד בְּהַהוּא דְּכַר, דְּאִקְרֵי בֶּן שָׁמֶן.

תסד. מַהוּ בֶּן שָׁמֶן. כְּד"א בֶּן חוֹרִין. וְתַרְוַויְיהוּ חַד מִלָּה, שֶׁמֶן דְּמִתְּמַן נָגִיד מִשְׁחָא וּרְבוּ, לְאַדְלָקָא בּוֹצִינִין, וּבְגִ"כ בֶּן שָׁמֶן. וְדָא שֶׁמֶן וּרְבוּ נָגִיד וְנָפִיק וְאַדְלִיק בּוֹצִינִין, עַד דְּנָטֵיל לֵיהּ, וְכָנִישׁ לֵיהּ, הַאי קֶרֶן, וְדָא אִקְרֵי קֶרֶן הַיּוֹבֵל. בְּגִינֵי כָּךְ, לֵית מְשִׁיחוּתָא דְּמַלְכוּתָא, אֶלָּא בְּקֶרֶן, וְעַ"ד אִתְמְשַׁךְ מַלְכוּתָא דְּדָוִד, דְּאִתְמְשַׁח בְּקֶרֶן, וְאִתְאֲחִיד בֵּיהּ.

תסה. וַיְעַזְּקֵהוּ, כְּהַאי עִזְקָא דְּאִסְתַּחַר לְכָל סִטְרִין. וַיְסַקְּלֵהוּ, דְּאַעֲדֵי מִנֵּיהּ מֵחוּלָקֵיהּ, כָּל אִינּוּן רַבְרְבִין, כָּל אִינּוּן תְּרֵיסִין, כָּל אִינּוּן כִּתְרִין תַּתָּאִין, וְהוּא נְסִיב לֵיהּ לְהַאי כֶּרֶם לְחוּלָקֵיהּ, דִּכְתִּיב כִּי חֵלֶק ה' עַמּוֹ יַעֲקֹב חֶבֶל נַחֲלָתוֹ.

תסו. וַיִּטָּעֵהוּ שׂוֹרֵק, כְּד"א וְאָנֹכִי נְטַעְתִּיךְ שׂוֹרֵק כֻּלֹּה זֶרַע אֱמֶת. כל"ה כְּתִיב בְּה"א. מִכָּאן שָׁארֵי אַבְרָהָם לְאוֹלָדָא לְעֵילָא, וּמֵהַאי נָפַק זֶרַע אֱמֶת. כֻּלֹּה זֶרַע אֱמֶת, וַדַּאי,

הַיְינוּ דִּכְתִיב, כֹּה יִהְיֶה זַרְעֶךָ, וְכֹלָּא וַחַד מִלָּה. זַכָּאָה חוּלָקֵהוֹן דְּיִשְׂרָאֵל, דְּיָרְתוּ יְרוּתָא קַדִּישָׁא דָּא.

תסז. סוֹפֵיהּ דִּקְרָא וַיִּבֶן מִגְדָּל בְּתוֹכוֹ. מַהוּ מִגְדָּל. כְּד״א מִגְדַּל עֹז שֵׁם ה׳ בּוֹ יָרוּץ צַדִּיק וְנִשְׂגָּב, בּוֹ יָרוּץ צַדִּיק וַדַּאי.

תסח. וְגַם יֶקֶב חָצֵב בּוֹ. דָּא תַּרְעָא דְּצֶדֶק, כְּד״א פִּתְחוּ לִי שַׁעֲרֵי צֶדֶק. מַאי מַשְׁמַע, דְּכָל בַּר יִשְׂרָאֵל דְּאִתְגְּזַר, עָיֵיל בְּתַרְוַויְיהוּ וְזָכֵי לְתַרְוַויְיהוּ.

תסט. וּמַאן דְּקָרֵיב בְּרֵיהּ לְקָרְבָּנָא דָּא, עָיֵיל לֵיהּ בִּשְׁמָא קַדִּישָׁא, וְעַל אָת דָּא, מִתְקַיְּימִין שְׁמַיָּא וְאַרְעָא. דִּכְתִיב אִם לֹא בְרִיתִי יוֹמָם וָלַיְלָה חֻקּוֹת שָׁמַיִם וָאָרֶץ לֹא שָׂמְתִּי. וְהַאי מָארֵיהּ דְּהִלּוּלָא דָּא, זָכֵה לְכֹלָּא, לְמֶחֱזֵי קוּדְשָׁא בְּרִיךְ הוּא אַנְפִּין בְּאַנְפִּין בְּהַאי יוֹמָא.

תע. זַכָּאָה חוּלָקָנָא, דְּזָכֵינָא לְהַאי יוֹמָא, וְזַכָּאָה חוּלָקָךְ עִמָּנָא, וְהַאי בְּרָא דְּאִתְיְילֵיד לָךְ קָרֵינָא עֲלֵיהּ כֹּל הַנִּקְרָא בִשְׁמִי וגו׳ יְצַרְתִּיו אַף עֲשִׂיתִיו. וּכְתִיב וְכָל בָּנַיִךְ לִמּוּדֵי ה׳ וגו׳. אוּזְפוּהָ לְרַבִּי אַבָּא תְּלַת מִילִּין.

תעא. אָמְרוּ לֵיהּ הַאי מָארֵיהּ דְּהִלּוּלָא אוּשְׁפִּיזָךְ זָכֵה לְכוּלֵּי הַאי, בְּגִין דְּקַיֵּים קִיּוּמָא דְּמִצְוָה. אָמַר מַאי הִיא. אָמַר הַהוּא גַּבְרָא, דְּבֵיתָאִי, אִתַּת אָחוּהָ הֲוַות, וּמִית בְּלָא בְּנִין, וּנְסֵיבְנָא לָהּ, וְדָא הוּא בְּרָא קַדְמָאָה דַּהֲוָה לִי מִנָּהּ, וְקָרֵינָא לֵיהּ בִּשְׁמָא דְּאָחוּהָ דְּאִתְפְּטַר. א״ל מִכָּאן וּלְהָלְאָה קְרֵי לֵיהּ אִידֵי, וְהַיְינוּ אִידֵי בַּר יַעֲקֹב. בָּרֵיךְ לוֹן רַבִּי אַבָּא וְאָזֵיל לְאָרְחֵיהּ.

תעב. כַּד אָתָא, סִדֵּר מִלִּין קַמֵּיהּ דְּר׳ אֶלְעָזָר, וְדָחִיל לְמֵימַר לְר׳ שִׁמְעוֹן. יוֹמָא חַד הֲוָה קַמֵּיהּ דְּר״ש, וְא״ר שִׁמְעוֹן, מַאי דִּכְתִיב וַיִּפֹּל אַבְרָם עַל פָּנָיו וַיְדַבֵּר אִתּוֹ אֱלֹהִים לֵאמֹר אֲנִי הִנֵּה בְרִיתִי אִתָּךְ. מַשְׁמַע דְּעַד דְּלָא אִתְגְּזַר הֲוָה נָפִיל עַל אַנְפּוֹי, וּמַלֵּיל עִמֵּיהּ, בָּתַר דְּאִתְגְּזַר קָאִים בְּקִיּוּמֵיהּ וְלָא דָּחִיל. אֲנִי הִנֵּה בְרִיתִי אִתָּךְ, דְּאַשְׁכַּח גַּרְמֵיהּ גְּזִיר.

תעג. א״ל ר׳ אַבָּא, אִי נֵיחָא קַמֵּיהּ דְּמַר דְּלֵימָא קַמֵּיהּ, מֵאִינּוּן מִלֵּי מַעַלְיָיתָא דִּשְׁמַעְנָא בְּהַאי, א״ל אֵימָא. א״ל דָּחִילְנָא דְּלָא יִתְעַנְשׁוּ עַל יְדָאִי. א״ל ח״ו מִשְּׁמוּעָה רָעָה לֹא יִירָא נָכוֹן לִבּוֹ בָּטֻחַ בַּה׳. סָח לֵיהּ עוֹבָדָא, וְסַדַּר קַמֵּיהּ כָּל אִינּוּן מִלִּין.

תעד. א״ל וְכִי כָּל הַנֵּי מִלֵּי מַעַלְיָיתָא הֲווּ טְמִירִין גַּבָּךְ, וְלָא אֲמַרְתְּ לְהוּ. גּוֹזַרְנָא עֲלָךְ דְּכָל תְּלָתִין יוֹמִין אִלֵּין תִּלְעֵי וְתִנְשֵׁי. וְלָא כְתִיב אַל תִּמְנַע טוֹב מִבְּעָלָיו בִּהְיוֹת לְאֵל יָדְךָ לַעֲשׂוֹת. וְכָךְ הֲוָה. אָמַר, גּוֹזַרְנָא, דִּבְאוֹרַיְיתָא, דָּא יִגְלוֹן לְבָבֶל בֵּינֵי חַבְרַיָּיא.

תעה. חָלַשׁ דַּעְתֵּיהּ דְּרַבִּי אַבָּא, יוֹמָא חַד חָמָא לֵיהּ רַבִּי שִׁמְעוֹן, א״ל טוּפְסְרָא דְּלִבָּךְ בְּאַנְפָּךְ שְׁכִיחַ, א״ל לָא עַל דִּידִי הוּא, אֶלָּא עַל דִּידְהוּ. א״ל ח״ו דְּאִתְעַנְּשׁוּ, אֶלָּא בְּגִין דְּמִלִּין אִתְגַּלְיָין בֵּינַיְיהוּ כָּל כָּךְ, יִגְלוֹן בֵּינֵי חַבְרַיָּיא, יִלְפוּן אִינּוּן אָרְחִין, וְאִתְכַּסְיָין מִלִּין בְּגַוַּויְיהוּ. דְּהָא מִלִּין לָא אִתְגַּלְיָין אֶלָּא בֵּינָנָא, דְּהָא קב״ה אִסְתַּכַּם עִמָּנָא, וְעַל יְדָנָא אִתְגַּלְיָין מִלִּין.

תעו. אָמַר רַבִּי יוֹסֵי, כְּתִיב אָז יִבָּקַע כַּשַּׁחַר אוֹרֶךָ וגו׳. זַמִּין קב״ה לְאַכְרָזָא עַל בְּנוֹי, וְיֵימָא, אָז יִבָּקַע כַּשַּׁחַר אוֹרֶךָ וַאֲרֻכָתְךָ מְהֵרָה תִצְמָח וְהָלַךְ לְפָנֶיךָ צִדְקֶךָ וּכְבוֹד ה׳ יַאַסְפֶךָ.

VAYERA

וַיֵּרָא

א. רַבִּי חִיָּיא פָּתַח, הַנִּצָּנִים נִרְאוּ בָאָרֶץ עֵת הַזָּמִיר הִגִּיעַ וְקוֹל הַתּוֹר נִשְׁמַע בְּאַרְצֵנוּ. הַנִּצָּנִים נִרְאוּ בָאָרֶץ, כַּד בָּרָא קֻבָּ"ה עָלְמָא, יָהַב בְּאַרְעָא כָּל חֵילָא דְּאִתְחֲזֵי לָהּ. וְכֹלָּא הֲוָה בְּאַרְעָא, וְלָא אַפִּיקַת אִיבִּין בְּעָלְמָא, עַד דְּאִתְבְּרֵי אָדָם, כֵּיוָן דְּאִתְבְּרֵי אָדָם, כֹּלָּא אִתְחֲזֵי בְּעָלְמָא, וְאַרְעָא גַּלְיָאת אִיבְּהָא, וְחֵילָהָא דְּאִתְפְּקָדוּ בָּהּ.

ב. כְּגַוְונָא דָא, שָׁמַיִם לָא יָהֲבוּ חֵילִין לְאַרְעָא, עַד דְּאָתָא אָדָם. הה"ד, וְכֹל שִׂיחַ הַשָּׂדֶה טֶרֶם יִהְיֶה בָאָרֶץ, וְכָל עֵשֶׂב הַשָּׂדֶה טֶרֶם יִצְמָח, כִּי לֹא הִמְטִיר ה' אֱלֹקִים עַל הָאָרֶץ, וְאָדָם אַיִן לַעֲבֹד אֶת הָאֲדָמָה. אִטְמָרוּ כָּל אִינּוּן תּוֹלְדִין וְלָא אִתְגַּלּוּן, וּשְׁמַיָּא אִתְעַכָּבוּ, דְּלָא אַמְטִירוּ עַל אַרְעָא, בְּגִין דְּאָדָם אַיִן, דְּלָא אִשְׁתְּכַח, וְלָא אִתְבְּרֵי, וְכֹלָּא אִתְעַכַּב בְּגִינֵיהּ, כֵּיוָן דְּאִתְחֲזֵי אָדָם, מִיַּד הַנִּצָּנִים נִרְאוּ בָאָרֶץ, וְכָל חַיָּילִין דְּאִתְטַמָּרוּ, אִתְגַּלְּיָאוּ וְאִתְיְהִיבוּ בָּהּ.

ג. עֵת הַזָּמִיר הִגִּיעַ, דְּאִתְתְּקַן תִּקּוּנָא דְּתוּשְׁבְּחָן לְזַמְּרָא קַמֵּי קֻבָּ"ה, מַה דְּלָא אִשְׁתְּכַח עַד לָא אִתְבְּרֵי אָדָם. וְקוֹל הַתּוֹר נִשְׁמַע בְּאַרְצֵנוּ. דָּא מִלָּה דְּקֻבָּ"ה, דְּלָא אִשְׁתְּכַח בְּעָלְמָא, עַד דְּאִתְבְּרֵי אָדָם, כֵּיוָן דְּאִשְׁתְּכַח אָדָם כֹּלָּא אִשְׁתְּכַח.

ד. בָּתַר דְּחָטָא, כֹּלָּא אִסְתַּלַּק מֵעָלְמָא, וְאִתְלַטְיָא אַרְעָא. הה"ד אֲרוּרָה הָאֲדָמָה בַּעֲבוּרֶךָ וְגו'. וּכְתִיב כִּי תַעֲבֹד אֶת הָאֲדָמָה לֹא תֹסֵף תֵּת כֹּחָהּ לָךְ וְגו'. וּכְתִיב וְקוֹץ וְדַרְדַּר תַּצְמִיחַ לָךְ.

ה. אָתָא נֹחַ וְתִקֵּן קַרְדּוּמִין וּפְצִירֵי בְּעָלְמָא. וּלְבָתַר וַיֵּשְׁתְּ מִן הַיַּיִן וַיִּשְׁכָּר וַיִּתְגַּל בְּתוֹךְ אָהֳלֹה. אָתוּ בְּנֵי עָלְמָא וְחָבוּ קַמֵּיהּ דְּקֻבָּ"ה, וְאִסְתַּלָּקוּ חֵילִין דְּאַרְעָא כְּמִלְּקַדְּמִין, וַהֲווּ קַיְימֵי עַד דְּאָתָא אַבְרָהָם.

ו. כֵּיוָן דְּאָתָא אַבְרָהָם, מִיַּד הַנִּצָּנִים נִרְאוּ בָאָרֶץ, אִתְתְּקָנוּ וְאִתְגַּלוּ כָּל חֵילִין בְּאַרְעָא. עֵת הַזָּמִיר הִגִּיעַ, בְּשַׁעֲתָא דְּאָמַר לֵיהּ קֻבָּ"ה דְּיִתְגְּזַר, כֵּיוָן דִּמְטָא הַהוּא זִמְנָא, דִּבְרִית, אִשְׁתְּכַח בֵּיהּ בְּאַבְרָהָם, וְאִתְגְּזַר. כְּדֵין אִתְקַיַּים בֵּיהּ, כָּל הַאי קְרָא, וְאִתְקַיַּים עָלְמָא, וּמִלָּה דְּקֻבָּ"ה הֲוָה בְּאִתְגַּלְּיָיא בֵּיהּ, הה"ד וַיֵּרָא אֵלָיו ה'.

ז. רַבִּי אֶלְעָזָר פָּתַח, הַאי קְרָא בָּתַר דְּאִתְגְּזַר אַבְרָהָם, דְּעַד לָא אִתְגְּזַר לָא הֲוָה מַלִּיל עִמֵּיהּ, אֶלָּא מִגּוֹ דַּרְגָּא תַּתָּאָה, וְדַרְגִּין עִלָּאִין לָא הֲווּ קַיְימֵי, עַל הַהִיא דַּרְגָּא. כֵּיוָן דְּאִתְגְּזַר, מִיַּד הַנִּצָּנִים נִרְאוּ בָאָרֶץ, אִלֵּין דַּרְגִּין תַּתָּאִין דְּאַפִּיקַת וְאַתְקִינַת הַאי דַּרְגָּא תַּתָּאָה.

ח. עֵת הַזָּמִיר הִגִּיעַ אִלֵּין עַנְפֵי דְּעָרְלָה. וְקוֹל הַתּוֹר נִשְׁמַע בְּאַרְצֵנוּ. דָּא קוֹל דְּנָפִיק מִגּוֹ הַהוּא פְּנִימָאָה דְּכֹלָּא, וְהַהוּא קוֹל נִשְׁמַע, וְדָא קוֹל דְּגָזַר מִלָּה לְמַלָּלָא וְעָבֵיד לָהּ שְׁלִימוּ.

ט. ת"ח, דְּעַד לָא אִתְגְּזַר אַבְרָהָם, לָא הֲוָה עָלֵיהּ, אֶלָּא הַאי דַּרְגָּא כְּדְאַמָרָן, כֵּיוָן דְּאִתְגְּזַר, מַה כְּתִיב, וַיֵּרָא אֵלָיו ה'. לְמַאן, דְּהָא לָא כְתִיב, וַיֵּרָא ה' אֶל אַבְרָם. דְּאִי לְאַבְרָם, מַאי שִׁבְחָא הָכָא יַתִּיר, מִבְּקַדְמֵיתָא עַד לָא אִתְגְּזַר, דִּכְתִיב וַיֵּרָא ה' אֶל

אברם.

י. אלא, רזא סתימא איהו, וירא אליו ה'. לההוא דרגא דמליל עמיה, מה דלא הוה מקדמת דנא, עד דלא אתגזר. דהשתא, אתגלי קול, ואתחבר בדבור, כד מליל עמיה.

יא. והוא יושב פתח האהל. והוא, ולא גלי מאן. אלא, הכא גלי וחכמתא, דכלהו דרגין שרו על האי דרגא תתאה, בתר דאתגזר אברהם. ת"ח, וירא אליו ה'. דא הוא רזא דקול דאשתמע, דאתחבר בדבור, ואתגלי ביה.

יב. והוא יושב פתח האהל. דא עלמא עלאה, דקאים לאנהרא עליה. כחום היום. דהא אתנהיר ימינא, דרגא דאברהם אתדבק ביה. ד"א כחום היום. בשעתא דאתקריב דרגא לדרגא, בתיאובתא דדא לקבל דא.

יג. וירא אליו. אמר רבי אבא, עד לא אתגזר אברהם, הוה אטים. כיון דאתגזר, אתגלי כלא, ושרא עליה שכינתא בשלימו כדקא יאות. תא חזי. והוא יושב פתח האהל. והוא: דא עלמא עלאה, דשרי על האי עלמא תתאה, אימתי, כחום היום. בזמנא דתיאובתא דחד צדיק למישרי ביה.

יד. מיד, וישא עיניו וירא והנה שלשה אנשים נצבים עליו, מאן אינון שלשה אנשים. אלין אברהם יצחק ויעקב, דקיימי עליה דהאי דרגא, ומנייהו יניק ואתזן.

טו. כדין וירא וירץ לקראתם. דתיאובתא דהאי דרגא תתאה, לאתחברא בהו, וחדוותא דילה, לאתמשכא אבתרייהו. וישתחו ארצה. לאתתקנא כרסייא לגבייהו.

טז. ת"ח, עבד קב"ה לדוד מלכא, חד סמכא מכרסייא עלאה, כאבהן. ואע"ג דאיהו כרסייא לגבייהו, אבל, בזמנא דאתחבר בהו, איהו חד סמכא, לאתתקנא בכרסייא עלאה. ובגין כך, נטל מלכותא בחברון, דוד מלכא, שבע שנין, לאתחברא בהו. והא אתמר.

תוספתא

יז. וירא אליו ה' באלוני ממרא. אמאי באלוני ממרא, ולא באתר אחרא. אלא, בגין דיהיב ליה עיטא, על גזירו דקיימא דיליה. בשעתא דאמר קב"ה לאברהם למגזר, אזל אברהם ליתמלך עם חבריו, אמר ליה ענר, אנת בן תשעין שנין ואת מעיק גרמך.

יח. א"ל ממרא, דכרת יומא דרמו לך כשדאי באתון דנורא. וההוא כפנא דעבר על עלמא, דכתיב ויהי רעב בארץ וירד אברם מצרימה. ואינון מלכין דרדפו בתריהון, ומחית יתהון, וקב"ה שזבינך מכלא, ולא יכיל בר נש למעבד לך ביש. קום עביד פקודא דמרך. א"ל קב"ה: ממרא. אנת יהבת ליה עיטא למגזר, חייך, לית אנא מתגלי עליה אלא בפלטרין דילך, הה"ד באלוני ממרא (עד כאן).

מדרש הנעלם

יט. רבנן פתחי בהאי קרא, לריח שמניך טובים שמן תורק שמך וגו'. ת"ר האי נשמתא דבר איניש, בשעתא דסלקא מארעא לרקיעא, וקיימא בההוא זיהרא עלאה דאמרן, קודשא בריך הוא מבקר לה.

כ. ת"ש. א"ר שמעון בן יוחאי, כל נשמתא דצדיקייא, כיון דקיימא באתר שכינתא יקרא, דחזיא למיתב, קב"ה קרי לאבהתא, ואמר לון, זילו ובקרו לפלניא

צדיקא דאתא, ואקדימו ליה שלמא, מן שמי. ואינון אמרין, מארי עלמא, לא אתחזי, לאבא למיזל למיחמי לברא, ברא אתחזי למיחמי, ולמחזי, ולמתבע לאבוי.

כא. והוא קרי ליעקב, ואמר ליה, אנת דהוה לך צערא דבנין, זיל וקביל פני דפלניא צדיקא דאתא הכא, ואנא איזיל עמך. הה"ד מבקשי פניך יעקב סלה. מבקש לא נאמר, אלא מבקשי. א"ר חייא, מרישיה דקרא משמע דכתיב זה דור דורשיו וגו'.

כב. א"ר יעקב א"ר חייא, יעקב אבינו הוא כסא הכבוד. וכן תאנא דבי אליהו, יעקב אבינו הוא כסא בפני עצמו, דכתיב, וזכרתי את בריתי יעקוב, ברית כרת קב"ה ליעקב לבדו, יותר מכל אבותיו, דעביד ליה כסא הכבוד בר מן קדמאה.

כג. רבי אליעזר הוה יתיב, והוה לעי באורייתא. אתא לגביה, ר' עקיבא, אמר ליה, במאי קא עסיק מר. א"ל בהאי קרא דכתיב וכסא כבוד ינחילם. מהו כסא כבוד ינחילם. זה יעקב אבינו, דעביד ליה כרסי יקר בלחודוי, לקבלא אולפן נשמתא דצדיקיא.

כד. וקב"ה אזיל עמיה, בכל ריש ירחא וירחא. וכד חמי נשמתא, יקר אספקלריאה שכינתא דמאריה, מברכת וסגדת קמי קב"ה, הה"ד ברכי נפשי וגו'.

כה. א"ר עקיבא, קב"ה קאים עלוהי, ונשמתא פתחו ואמר, ה' אלקי גדלת מאד וגו', כל הפרשה עד סיומא, דקאמר יתמו חטאים וגו'. ועוד א"ר עקיבא, ולא דא בלחודוי, אלא, משבחות ליה, על גופא דאשתאר בעלמא דין, ואמר ברכי נפשי את ה' וכל קרבי וגו'.

כו. וקב"ה אזיל. מנא לן האי. מהאי קרא דכתיב, וירא אליו ה' באלוני ממרא, זה יעקב. מהו ממרא. משום דאחסין מאתן עלמין מעדן, והוא כסא. א"ר יצחק, ממרא בגימטריא מאתן ותמנין וחד, הוה מאתן דעדן, דכתיב ומאתים לנוטרים את פריו, ותמנין וחד, דהוא כסא. ובג"כ אתקרי וירא אליו ה' באלוני ממרא. ועל שום דא, נקרא ממרא.

כז. א"ר יהודה, מהו באלוני. ר"ל תוקפוי, הה"ד אביר יעקב. והוא יושב פתח האהל. הה"ד ה' מי יגור באהלך וגו'. כחום היום. דכתיב, וזרחה לכם יראי שמי שמש צדקה ומרפא בכנפיה.

כח. אמר רבן יוחנן בן זכאי, בההיא שעתא אזיל קב"ה, ובגין דשמעין אבהתא אברהם ויצחק, דקב"ה אזיל לגביה, תבעין מן יעקב למיזל עמהון, ולאקדמא ליה שלם.

כט. ואינון קיימין עלוהי. ממאי. דכתיב, וישא עיניו וירא והנה שלשה אנשים נצבים עליו. שלשה אנשים: אלין אבהתא, אברהם יצחק ויעקב, דקיימין עלוהי, וחמו עובדין טבין דעבדין. וירא וירץ לקראתם מפתח האהל וישתחו ארצה. משום דחמי שכינת יקרא עמהון. הה"ד, על כן עלמות אהבוך.

ל. דבר אחר, וירא אליו ה' באלוני ממרא. רבנן פתחי בהאי קרא, בשעת פטירתו של אדם. דתניא, אמר רבי יהודה, בשעת פטירתו של אדם, הוא יום הדין הגדול, שהנשמה מתפרדת מן הגוף. ולא נפטר אדם מן העולם, עד שרואה את השכינה. הה"ד, כי לא יראני האדם וחי. ובאין עם השכינה שלשה מלאכי השרת, לקבל נשמתו של צדיק. הה"ד וירא אליו ה' וגו'. כחום היום. זה יום הדין הבוער כתנור, להפריד הנשמה מן הגוף.

לא. וַיִּשָּׂא עֵינָיו וַיַּרְא וְהִנֵּה שְׁלֹשָׁה אֲנָשִׁים. הַמְבַקְּרִים מַעֲשָׂיו מַה שֶּׁעָשָׂה, וְהוּא מוֹדֶה עֲלֵיהֶם בְּפִיו. וְכֵיוָן שֶׁהַנְּשָׁמָה רוֹאָה כָּךְ, יוֹצֵאת מִן הַגּוּף, עַד פֶּתַח בֵּית הַבְּלִיעָה, וְעוֹמֶדֶת שָׁם, עַד שֶׁמִּתְוַדָּה, כָּל מַה שֶּׁעָשָׂה הַגּוּף עִמָּהּ, בָּעוֹלָם הַזֶּה. וְאָז נִשְׁמַת הַצַּדִּיק, הִיא שְׂמֵחָה בְּמַעֲשֶׂיהָ, וּשְׂמֵחָה עַל פִּקְדוֹנָהּ. דְּתַנְיָא, א״ר יִצְחָק, נִשְׁמָתוֹ שֶׁל צַדִּיק מִתְאַוָּה, אֵימָתַי תֵּצֵא מִן הָעוֹלָם הַזֶּה, שֶׁהוּא הֶבֶל, כְּדֵי לְהִתְעַנֵּג בָּעוֹלָם הַבָּא.

לב. ת״ר, כְּשֶׁחָלָה רַבִּי אֱלִיעֶזֶר הַגָּדוֹל, הַהוּא יוֹמָא ע״ש הֲוָה, וְאוֹתִיב לִימִינֵיהּ הוֹרְקְנוּס בְּרֵיהּ, וַהֲוָה מְגַלֵּי לֵיהּ, עֲמִיקְתָּא וּמִסְתַּרְתָּא, וְהוּא לָא הֲוָה מְקַבֵּל בְּדַעְתֵּיהּ מִלַּיָּא, דַּחֲשִׁיב כִּמְטוֹרָף בְּדַעְתֵּיהּ הֲוָה. כֵּיוָן דְּחָמָא דְּדַעְתָּא דַּאֲבוֹי מִתְיַשְּׁבָא עֲלוֹי, קַבֵּיל מִנֵּיהּ, מְאָה וּתְמַנְיָן וְתִשְׁעָה רָזִין עִלָּאִין.

לג. כַּד מָטָא לְאַבְנֵי שַׁיִשׁ, דְּמִתְעָרְבֵי בְּמַיָּא עִלָּאָה, בָּכָה רַבִּי אֱלִיעֶזֶר. וּפָסַק לְמֵימַר, אֲמַר, קוּם הָתָם בְּרִי. א״ל אַבָּא לָמָּה. אֲמַר לֵיהּ, חָזֵינָא, דְּאוֹחִית וַחֲלָף מִן עָלְמָא. א״ל, זִיל וְאֵימָא לְאִמָּךְ, דְּתִסְתַּלַּק תְּפִלַּאי, בַּאֲתַר עִלָּאָה, וּבָתַר דְּאֶסְתַּלַּק מִן עָלְמָא, וְאֵיתֵי הָכָא לְמֶחֱמֵי לְהוֹן, לָא תִבְכֵּי. דְּאִינוּן קְרִיבִין עִלָּאִין, וְלָא תַתָּאִין. וְדַעְתָּא דְּבַר נָשׁ, לָא יָדַע בְּהוּ.

לד. עַד דַּהֲווּ יָתְבֵי, עָאלוּ וְחַכִּימֵי דָּרָא, לְמִבַקָּר לֵיהּ, אוֹלִיט לְהוּ, עַל דְּלָא אָתוּ לְשַׁמְּשָׁא לֵיהּ. דְּתָנִינָן, גְּדוֹלָה שִׁמּוּשָׁהּ יוֹתֵר מִלִּמּוּדָהּ. עַד דְּאָתָא רַבִּי עֲקִיבָא, א״ל, עֲקִיבָא עֲקִיבָא, לָמָּה לָא אָתֵית לְשַׁמְּשָׁא לִי. א״ל רַבִּי לָא הֲוָה לִי פְּנַאי. אַרְתַּח, אֲמַר, אֶתְמְהָא עֲלָךְ, אִי תָּמוּת מִיתַת עַצְמְךָ. לַטְיֵיהּ, דִּיהֵא קָשֶׁה מִכֻּלְּהוֹן מִיתָתֵיהּ.

לה. בְּכֵי רַבִּי עֲקִיבָא, וַאֲמַר לֵיהּ, רַבִּי, אוֹלִיף לִי אוֹרַיְיתָא. אַפְתַּח פּוּמֵיהּ רַבִּי אֱלִיעֶזֶר, בְּמַעֲשֵׂה מֶרְכָּבָה. אָתָא אֶשָּׁא, וְאַסְחַר לִתְרֵוַיְיהוּ. אָמְרוּ חַכִּימַיָּא ש״מ, דְּלֵית אֲנַן חֲזָיִין וּכְדָאִין לְכָךְ, נָפְקוּ לְפִתְחָא דְּבָרָא, וְיָתִיבוּ תַּמָּן הֲוָה מַה דַּהֲוָה, וַאֲזַל אֶשָּׁא.

לו. וְאוֹלִיף בְּבַהֶרֶת עַזָּה, תְּלַת מְאָה הֲלָכוֹת פְּסוּקוֹת, וְאוֹלִיף לֵיהּ רי״ו טְעָמִים, דִּפְסוּקֵי דְּשִׁיר הַשִּׁירִים. וַהֲווּ עֵינוֹי דְּר׳ עֲקִיבָא, נָחֲתִין מַיָּא. וְאִתְהֲדַר אֶשָּׁא כְּקַדְמֵיתָא. כַּד מָטָא לְהַאי פְּסוּקָא סַמְּכוּנִי בָּאֲשִׁישׁוֹת רַפְּדוּנִי בַּתַּפּוּחִים כִּי חוֹלַת אַהֲבָה אָנִי. לָא יָכִיל לְמִסְבַּל רַבִּי עֲקִיבָא, וְאָרִים קָלֵיהּ בְּבִכְיָיתָא וְגָעֵי, וְלָא הֲוָה מְמַלֵּל מִדְּחִילוּ דִּשְׁכִינְתָּא, דַּהֲוַת תַּמָּן.

לז. אוֹרֵי לֵיהּ כָּל עֲמִיקְתָּא, וְרָזִין עִלָּאִין, דַּהֲוָה בֵּיהּ בְּשִׁיר הַשִּׁירִים. וְאוֹמֵי לֵיהּ אוּמָאָה, דְּלָא לִישְׁתַּמֵּשׁ בְּשׁוּם חַד פָּסוּק מִנֵּיהּ. כִּי הֵיכִי דְּלָא לֵיחֱרִיב עָלְמָא קֻבְּ״ה בְּגִינֵיהּ. וְלָא בָּעֵי קַמֵּיהּ דְּיִשְׁתַּמְּשׁוּן בֵּיהּ בִּרְיָיתֵי, מִסַּגִּיאוּת קְדוּשָּׁתָא דְּאִית בֵּיהּ. לְבָתַר נָפִיק ר״ע, וְגָעֵי, וְנָבְעִין עֵינוֹי מַיָּא, וַהֲוָה אֲמַר וַוי רַבִּי, וַוי רַבִּי, דְּאִשְׁתָּאַר עָלְמָא יָתוֹם מִנָּךְ. עָאלוּ כָּל שְׁאָר חַכִּימַיָּא גַּבֵּיהּ, וְשָׁאֲלוּ לֵיהּ, וְאָתִיב לְהוֹן.

לח. הֲוָה דָּחִיק לֵיהּ לְר״א, אַפֵּיק תְּרֵי דְּרוֹעוֹי, וְשַׁוִּינוּן עַל לִבֵּיהּ. פָּתַח וַאֲמַר, אֵי עָלְמָא, עָלְמָא עִלָּאָה חָזְרַת לְאָעֳלָא, וּלְאַגְנָזָא מִן תַּתָּאָה, כָּל נְהִירוּ וּבוֹצִינָא. וַוי לְכוֹן תְּרֵי דְּרָעֵי, וַוי לְכוֹן תְּרֵי תוֹרוֹת, דְּיִשְׁתַּכְּחוּן יוֹמָא דֵּין מִן עָלְמָא. דְּא״ר יִצְחָק, כָּל יוֹמוֹי דְּר׳ אֱלִיעֶזֶר, הֲוָה נְהִירָא שְׁמַעְתָּא מִפּוּמֵיהּ כְּיוֹמָא דְּאִתְיְהִיבַת בְּטוּרָא דְּסִינַי.

לט. אֲמַר אוֹרַיְיתָא גְּמָרִית, וְחָכְמְתָא סְבָרִית, וְשִׁמּוּשָׁא עֲבָדִית. דְּאִלּוּ יְהוֹן כָּל בְּנֵי אֵינָשָׁא דְּעָלְמָא סוֹפְרִים, לָא יָכְלִין לְמִכְתַּב, וְלָא חַסְרֵי תַּלְמִידַי מֵחָכְמָתִי, אֶלָּא כְּכוּחְלָא בְּעֵינָא. וַאֲנָא מֵרַבּוֹתַי, אֶלָּא כְּמַאן דְּשָׁתֵי בְּיַמָּא. וְלָא הֲוָה אֶלָּא לְמֵיתַן

טִיבוּתָא לְרַבוּהִי יַתִּיר מִנֵּיהּ.

מ. וַהֲווּ שָׁאֲלִין מִנֵּיהּ, בְּהַהוּא סַנְדְּלָא דְּיִבּוּם, עַד דְּנָפַק נִשְׁמָתֵיהּ, וַאֲמַר טָהוֹר. וְלָא הֲוָה תַּמָּן ר"ע. כַּד נָפַק שַׁבַּתָּא, אַשְׁכְּחֵיהּ ר' עֲקִיבָא דְּמִית, בָּזַע מָאנֵיהּ, וְגָרִיר כָּל בִּשְׂרֵיהּ, וְדָמָא נָחִית וְנָגִיד עַל דִּיוֹקְנֵיהּ. הֲוָה צָוַח וּבָכֵי נָפַק לְבָרָא וַאֲמַר שְׁמַיָא שְׁמַיָא, אֵמָרוּ לְשִׁמְשָׁא וּלְסִיהֲרָא, דִּנְהִירוּתָא דַּהֲוַת נָהִיר יַתִּיר מִנַּהוֹן, הָא אִתְחֲשַׁךְ.

מא. אָמַר ר' יְהוּדָה, בְּשָׁעָה שֶׁנִּשְׁמַת הַצַּדִּיק רוֹצָה לָצֵאת, שְׂמֵחָה, וְהַצַּדִּיק בָּטוּחַ בְּמִיתָתוֹ, כְּדֵי לְקַבֵּל שְׂכָרוֹ, הה"ד וַיַּרְא וַיָּרָץ לִקְרָאתָם, בְּשִׂמְחָה, לְקַבֵּל פְּנֵיהֶם. מֵאֵי זֶה מָקוֹם, מִפֶּתַח הָאֹהֶל, כִּדְקָא אֲמָרָן. וַיִּשְׁתַּחוּ אָרְצָה לְגַבֵּי שְׁכִינָה.

מב. ר' יוֹחָנָן פָּתַח וְאָמַר, עַד שֶׁיָּפוּחַ הַיּוֹם וְנָסוּ הַצְּלָלִים סֹב דְּמֵה לְךָ דוֹדִי לִצְבִי אוֹ לְעֹפֶר הָאַיָּלִים. עַד שֶׁיָּפוּחַ הַיּוֹם וגו', זוֹ אַזְהָרָה לָאָדָם בְּעוֹדוֹ בָּעוֹלָם הַזֶּה, שֶׁהוּא כְּהֶרֶף עַיִן. ת"ח מַה כְּתִיב וְאִלּוּ חָיָה אֶלֶף שָׁנִים פַּעֲמַיִם וגו'. בְּיוֹם הַמִּיתָה, כָּל מַה שֶּׁהָיָה, נֶחְשַׁב כְּיוֹם אֶחָד אֶצְלוֹ.

מג. אָמַר רַבִּי שִׁמְעוֹן, נִשְׁמָתוֹ שֶׁל אָדָם מַתְרָה בּוֹ, וְאוֹמֶרֶת, עַד שֶׁיָּפוּחַ הַיּוֹם, וְיִדָּמֶה בְּעֵינֶיךָ כְּהֶרֶף עַיִן, בְּעוֹדְךָ בָּעוֹלָם הַזֶּה. וְנָסוּ הַצְּלָלִים: הה"ד כִּי צֵל יָמֵינוּ עֲלֵי אָרֶץ. בְּבַקָּשָׁה מִמְּךָ, סֹב דְּמֵה לְךָ דוֹדִי לִצְבִי וגו'.

מד. ד"א. עַד שֶׁיָּפוּחַ הַיּוֹם וגו'. אר"ש בֶּן פָּזִי, זוֹ אַזְהָרָה לָאָדָם, בְּעוֹדוֹ בָּעוֹלָם הַזֶּה, שֶׁהוּא כְּהֶרֶף עַיִן. מַה הַצְּבִי קַל בְּרַגְלָיו, אַף אַתָּה הֱיֵה קַל כַּצְּבִי אוֹ כְּעוֹפֶר הָאַיָּלִים, לַעֲשׂוֹת רְצוֹן בּוֹרְאֲךָ, כְּדֵי שֶׁתִּנְחַל הָעוֹלָם הַבָּא, שֶׁהוּא הָרֵי בְּשָׂמִים, הַנִּקְרָא הַר ה', הַר הַתַּעֲנוּג, הָהָר הַטּוֹב (עַד כָּאן מִדְרָשׁ הַנֶּעְלָם).

סִתְרֵי תוֹרָה

מה. הוּרְמְנוּתָא דְּמַלְכָּא, אִתְחֲזֵי בִּתְלַת גַּוְונִין, גַּוְּון חַד, וְזִיוּו דְּאִתְחֲזֵי לְעֵינָא מֵרָחִיק, וְעֵינָא לָא יָכִיל לְקַיְּימָא בִּבְרִירוּ דְּחָזֵי, בְּגִין דְּאִיהוּ מֵרָחוּק, עַד דְּנָטִיל עֵינָא, וְזִיוּו זְעֵיר, בְּקַמִּיטוּ דִּילֵיהּ. וְע"ד כְּתִיב מֵרָחוֹק ה' נִרְאָה לִי.

מו. גַּוְּון תִּנְיָין: וְזִיוּו דְּהַאי עֵינָא, בִּסְתִימוּ דִּילֵיהּ, דְּהַאי גַּוְּון לָא אִתְחֲזֵי לְעֵינָא, בַּר בִּסְתִימוּ זְעֵיר, דְּנָקִיט וְלָא קַיְּימָא בִּבְרִירוּ, סְתִים עֵינָא, וּפָתַח זְעֵיר, וְנָקִיט הַהוּא זִיוּו, וְגַוְּון דָּא אִצְטְרִיךְ לְפִתְרוֹנָא, לְקַיְּימָא עַל מַה דְּנָקִיט עֵינָא, וְעַל דָּא כְּתִיב מָה אַתָּה רוֹאֶה.

מז. גַּוְּון תְּלִיתָאָה: הוּא זֹהַר אַסְפַּקְלַרְיָאה, דְּלָא אִתְחֲזֵי בֵּיהּ כְּלַל, בַּר בְּגַלְגּוּלָא דְּעֵינָא, כַּד אִיהוּ סָתִים בִּסְתִימוּ. וּמְגַלְגְּלִין לֵיהּ בְּגַלְגּוּלָא, וְאִתְחֲזָאי בְּהַאי גַּלְגּוּלָא, אַסְפַּקְלַרְיָאה דִּנְהָרָא. וְלָא יָכִיל לְקַיְּימָא בְּהַהוּא גַּוְּון, בַּר דְּחָזֵי זוֹהַר מְנַהֲרָא בִּסְתִימוּ דְּעֵינָא.

מח. וְעַל דָּא כְּתִיב הָיְתָה עָלַי יַד ה'. וְיַד ה' עָלַי חֲזָקָה. וְכֻלְּהוּ מִתְפָּרְשָׁן מִנְּבִיאֵי קְשׁוֹט. בַּר מֹשֶׁה, מְהֵימְנָא עִלָּאָה, דְּזָכָה לְאִסְתַּכְּלָא לְעֵילָא, בְּמָה דְּלָא אִתְחֲזֵי כְּלַל. עֲלֵיהּ כְּתִיב, לֹא כֵן עַבְדִּי מֹשֶׁה וגו'.

מט. וַיֵּרָא אֵלָיו. אִתְחֲזֵי וְאִתְגְּלֵי לֵיהּ שְׁכִינְתָּא, גּוֹ אִינּוּן דַּרְגִּין דְּאִתְחַבָּרוּ בִּסְטְרוֹי, מִיכָאֵל לִסְטַר יְמִינָא. גַּבְרִיאֵל לִסְטַר שְׂמָאלָא. רְפָאֵל לְקַמָּא. אוּרִיאֵל לַאֲחוֹרָא. וְעַל דָּא, אִתְגַּלְיָא עֲלֵיהּ שְׁכִינְתָּא, בְּהַנֵּי אֵלוֹנֵי צוּלְמִין דְּעָלְמָא, בְּגִין לְאַחֲזָאָה קַמַּיְיהוּ בְּרִית קַדְמָאָה רְשִׁימוּ קַדִּישָׁא, דַּהֲוָה בְּכָל עָלְמָא, בְּרָזָא דִּמְהֵימְנוּתָא.

נ. וְהוּא יוֹשֵׁב פֶּתַח הָאֹהֶל. מַאן פֶּתַח הָאֹהֶל. דָּא אֲתַר דְּאִקְרֵי בְּרִית, רָזָא דִּמְהֵימְנוּתָא. כְּחֹם הַיּוֹם. דָּא רָזָא דְּאִתְדַּבַּק בֵּיהּ אַבְרָהָם, תּוּקְפָּא דְּסִטְרָא דִּימִינָא,

דַרְגָּא דִילֵיהּ.

נא. פָּתַח הָאֹהֶל. רָזָא דְּתַרְעָא דְצֶדֶק, פִּתְחָא דִּמְהֵימְנוּתָא, דִּכְדֵין עָאל בֵּיהּ
אַבְרָהָם, בְּהַהוּא רְשִׁימָא קַדִּישָׁא. כְּחוֹם הַיּוֹם. דָּא צַדִּיק, דַּרְגָּא דְּחוֹבוּרָא וַדַּאי, דְּעָאל
בֵּיהּ מַאן דְּאִתְגְּזַר, וְאִתְרְשִׁים בֵּיהּ, רְשִׁימָא קַדִּישָׁא, דְּהָא אִתְעֲבַר, מֵעָרְלָה, וְעָאל
בְּקִיּוּמָא דִּתְרֵין דַּרְגִּין אִלֵּין, דְּאִינּוּן רָזָא דִּמְהֵימְנוּתָא.

נב. וְהִנֵּה שְׁלֹשָׁה אֲנָשִׁים וְגוֹ'. אִלֵּין תְּלַת מַלְאָכִין עִלָּאִין, דְּמִתְלַבְּשָׁן בַּאֲוִירָא, וְנַחֲתֵי
לְהַאי עָלְמָא, בְּחֵיזוּ דִּבַר נָשׁ. וּתְלַת הֲווֹ, כְּגַוְונָא דִלְעֵילָּא, בְּגִין דְּקֶשֶׁת לָא אִתְחֲזֵי, אֶלָּא
בְּגַוְונִין תְּלָתָא: חִוָּור, וְסוּמָק, וְיָרוֹק. וְהָכֵי הוּא וַדַּאי.

נג. וְאִלֵּין אִינּוּן שְׁלֹשָׁה אֲנָשִׁים, תְּלָתָא גַּוְונִין, גַּוָון חִוָּור, גַּוָון סוּמָק, גַּוָון יָרוֹק. גַּוָון
חִוָּור: דָּא מִיכָאֵל, בְּגִין דְּאִיהוּ סִטְרָא דִּימִינָא. גַּוָון סוּמָק: דָּא גַּבְרִיאֵל, סִטְרָא
דִּשְׂמָאלָא. גַּוָון יָרוֹק: דָּא רְפָאֵל. וְהַנֵּי אִינּוּן תְּלַת גַּוְונִין דְּקֶשֶׁת, דְּקֶשֶׁת לָא אִתְחֲזֵי אֶלָּא
עִמְּהוֹן, וּבְג"כ, וַיֵּרָא אֵלָיו, גִּלּוּי שְׁכִינָה, בִּתְלַת גַּוְונִין אִלֵּין.

נד. וְכֻלְּהוּ אִצְטְרִיכוּ: חַד, לְאַסָּיָא מִן הַמִּילָה, וְדָא רְפָאֵל, מָארֵי דְּאַסְוָון. וְחַד
לְבַשְּׂרָא לְשָׂרָה, עַל בְּרָא, וְדָא אִיהוּ מִיכָאֵל. בְּגִין דְּאִיהוּ אִתְמַנָּא לִימִינָא, וְכָל טָבִין
וּבִרְכָאן בִּידֵיהּ אִתְמַסְרָן, מִסִּטְרָא דִּימִינָא.

נה. וְחַד לַהֲפָכָא לִסְדוֹם, וְדָא אִיהוּ גַּבְרִיאֵל, דְּאִיהוּ לִשְׂמָאלָא. וְאִיהוּ מְמַנָּא עַל כָּל
דִּינִין דְּעָלְמָא, מִסִּטְרָא דִּשְׂמָאלָא, לְמֵידַן וּלְמֶעֱבַד עַל יְדָא דְּמַלְאָךְ הַמָּוֶת, דְּאִיהוּ
מָארֵי דְּקָטוֹלָא דְּבֵי מַלְכָּא.

נו. וְכֻלְּהוּ עָבְדוּ שְׁלִיחוּתְהוֹן, וְכָל חַד וְחַד כִּדְקָא חֲזֵי לֵיהּ. מַלְאָךְ גַּבְרִיאֵל,
בְּשְׁלִיחוּתָא לְנִשְׁמָתָא קַדִּישָׁא, וּמַלְאָךְ הַמָּוֶת בִּשְׁלִיחוּתֵיהּ, לְנַפְשָׁא דְיֵצֶר הָרָע, וְעִם כָּל
דָּא נִשְׁמָתָא קַדִּישָׁא לָא נָפִיק, עַד דְּיַחֲזֵי שְׁכִינְתָּא.

נז. כַּד חָמָא לוֹן מִתְחַוְּורָן כַּחֲדָא, כְּדֵין חָמָא שְׁכִינְתָּא בְּגַוְונָהָא, וְסָגִיד. דִּכְתִיב
וַיִּשְׁתַּחוּ אָרְצָה. כְּגַוְונָא דְיַעֲקֹב, שֶׁנֶּאֱמַר וַיִּשְׁתַּחוּ יִשְׂרָאֵל עַל רֹאשׁ הַמִּטָּה לַשְּׁכִינָה.

נח. וּלְגַבֵּי שְׁכִינְתָּא אֲמַר, בְּשְׁמָא אֲדֹנָי, וּלְגַבֵּי צַדִּיק אֲדוֹן. דְּהָא כְּדֵין אִקְרֵי אֲדוֹן כָּל
הָאָרֶץ, כַּד אִתְנַהֲרָא מִצַּדִּיק, וְאִתְנַהֲרָא בְּגַוְונָהָא, דְּהָא בְּגִין דָּא, אִשְׁתְּלִים לְעֵילָּא.

נט. מֵהָכָא, דְּחֵיזוּ דִלְתַתָּא, מָשִׁיךְ מְשִׁיכוּ מִלְעֵילָּא, דְּהָא גַּוְונִין אִלֵּין מַשְׁכִין מְשִׁיכָא
מִלְעֵילָּא, מֵאִינוּן מְקוֹרִין עִלָּאִין. אֲדֹנָי מָשִׁיךְ מְשִׁיכָא מִלְעֵילָּא, בְּאִלֵּין תְּלַת גַּוְונִין דְּאִתְלַבַּשׁ
בְּהוּ, וּבְהוּ נָטְלָא כָּל מַה דְּנָטְלֵי מִלְעֵילָּא.

ס. וּבְגִין דְּאִינוּן חֲבוּרָא דִּילֵיהּ, וְסַמְכִין דִּילֵיהּ, בְּכֹלָּא אִתְּמַר שְׁמָא אדנ"י. דְּהָא שְׁמָא
דָּא אִתְגְּלֵי לֵיהּ, כְּלִיל בְּרָזִין עִלָּאִין, אִתְגְּלֵי לֵיהּ בְּאִתְגַּלְיָא מַה דְּלָא הֲוָות מִקַּדְמַת דְּנָא,
דְּלָא הֲוָה גָּזִיר. וְעַד דְּאִתְגְּזַר לָא בָּעָא קֻבְּ"ה לְאַפָּקָא מִנֵּיהּ זַרְעָא קַדִּישָׁא, כֵּיוָן
דְּאִתְגְּזַר, מִיַּד נָפַק מִנֵּיהּ זַרְעָא קַדִּישָׁא.

סא. וּבְגִין כָּךְ, אִתְגְּלֵי עֲלֵיהּ שְׁכִינְתָּא, בְּאִינוּן דַּרְגִּין קַדִּישִׁין. וְהַמַּשְׂכִּילִים יַזְהִירוּ כְּזֹהַר
הָרָקִיעַ. זֹהַר: זָהֲרָא דְּזָהֲרִין בִּדְלִיקוּ דַהֲרָא. זֹהַר: דְּאַנְהִיר דְּאַדְלִיק, וְנָצִיץ לְכַמָּה סִטְרִין.

סב. זֹהַר. זֹהַר: סָלִיק וְנָחֵית. זֹהַר: נָצִיץ לְכָל עֵיבָר. זֹהַר: נָגֵיד וְנָפֵיק. זֹהַר: דְּלָא פָּסִיק
לְעָלְמִין. זֹהַר: דַּעֲבֵיד תּוֹלְדִין.

סג. זֹהַר: טָמִיר וְגָנִיז, נְצִיצוּ דְּכָל נְצִיצִין וְדַרְגִּין, כֹּלָּא בֵּיהּ, נָפֵיק וְטָמִיר, סְתִים וְגַלְיָא.
חֲזֵי וְלָא חֲזֵי. סְפָרָא דָּא, מַבּוּעָא דִּבְאֵרָא, נָפֵיק בִּימָמָא, טָמִיר בְּלֵילְיָא, אִשְׁתְּעֲשַׁע

בִּפְלְגוּת לֵילְיָא, בְּתוּלְדִין דְּאַפִּיק.

סד. זֹהַר: דְּזָהִיר וְאַנְהִיר לְכֹלָּא, כְּלָלָא דְּאוֹרַיְיתָא, וְדָא אִיהוּ דְּאִתְחֲזֵי, וְכָל גַּוְונִין סְתִימִין בֵּיהּ, וְאִתְקְרֵי בִּשְׁמָא דַּאדנ"י. תְּלַת גַּוְונִין אִתְחֲזֵי לְתַתָּא, מֵהַאי, תְּלַת גַּוְונִין לְעֵילָּא, מֵאִלֵּין עִלָּאִין אִתְמְשַׁךְ כְּלָא דְּלָא אִתְחֲזֵי. וְנָצִי"ץ בִּתְרֵיסַר נְצִיצִין וְזָהִירִין דְּנָצִיצִין מִנֵּיהּ. תְּלֵיסַר אִינּוּן, בְּרָזָא דִשְׁמָא קַדִּישָׁא, וְגוֹ רָזָא דְּאֵין סוֹף, הוי"ה אִקְרֵי.

סה. כַּד אִתְחַבַּר זֹהַר תַּתָּאָה אדנ"י, בְּזֹהַר עִלָּאָה הוי"ה, אִתְעֲבֵיד שְׁמָא סָתִים, דְּבֵיהּ יָדְעֵי נְבִיאֵי קְשׁוֹט, וּמִסְתַּכְּלָאן לְגוֹ זֶהָרָא עִלָּאָה, וְדָא יאקדונק"י. וְזִיווּ טְמִירִין, דִּכְתִיב כְּעֵין הַחַשְׁמַל מִתּוֹךְ הָאֵשׁ.

סו. מַתְנִיתִין עִלָּאִין רָמָאִין טָבִין דִּימִינָא. תֵּשַׁע נְקוּדִין דְּאוֹרַיְיתָא, נָפְקִין וּמִתְפַּלְּגִין בְּאַתְוָון, וְאַתְוָון בְּהוּ נָטְלִין מַטְלָנוֹי דַּקִּיקִין בְּרָזֵי. פַּלְטִין אִלֵּין תֵּשַׁע, שַׁלִּיטִין אִינּוּן אַתְוָון אַתְוָון, מִנַּיְיהוּ אִתְפַּשְׁטוּ, אִשְׁתָּאֲרוּ נְקוּדִין לְאַעֲנָאָה לוֹן. לָא נָטְלִין, בַּר כַּד אִינּוּן נָפְקִין.

סז. אִלֵּין אִינּוּן בְּרָזָא דְּאֵין סוֹף, כֻּלְּהוּ אַתְוָון מַטְלְכָן בְּרָזָא דְּאֵין סוֹף. כְּמָה דְּאִינּוּן נָטְלִין לוֹן, הָכֵי נָמֵי נָטְלֵי אִלֵּין סְתִימִין אַתְוָון, גַּלְיָין וְלָא גַּלְיָין, הָנֵּי טְמִירִין, עַל מַה דְּשָׁרְיָין אַתְוָון.

סח. תֵּשַׁע שְׁמָהָן, גְּלִיפָן בְּעֶשֶׂר, וְאִינּוּן: קַדְמָאָה אֶהְיֶה. יו"ד ה"א. אֶהְיֶה אֲשֶׁר אֶהְיֶה. הוי"ה. אֵל. אֱלֹקִים. הוי"ה. צְבָאוֹת. אָדוֹן. שַׁדַּי.

סט. אִלֵּין אִינּוּן עֶשֶׂר שְׁמָהָן גְּלִיפָן בְּסִטְרֵיהוֹן. וְכָל הָנֵּי שְׁמָהָן, אִתְגְּלִיפוּ, וְעָאלִין בְּחַד אֲרוֹן הַבְּרִית, וּמַאן אִיהוּ, שְׁמָא דְּאִתְקְרֵי אדנ"י. וְדָא אִתְגְּלֵי הַשְׁתָּא לְאַבְרָהָם.

ע. מִיכָאֵל שְׁמָא דִּימִינָא, דְּקָא אָזִיד וּמְשַׁמְּשָׁא לִשְׁמָא דָא, יַתִּיר מֵאִינּוּן אָחֳרָנִין, בְּכָל אֲתַר דְּרָזָא דְּהַאי שְׁמָא תַּמָּן, מִיכָאֵל תַּמָּן, מִיכָאֵל אִסְתַּלֵּיק הַאי, מִיכָאֵל אִסְתַּלֵּיק, אֱלֹקִים בַּהֲדֵי שַׁדַּי.

עא. בְּקַדְמֵיתָא שְׁלֹשָׁה אֲנָשִׁים, וְאִגְלִימוּ בְּצִיּוּרָא דַּאֲוִירָא, וַהֲווּ אָכְלֵי, אָכְלֵי וַדַּאי, דְּאֶשָּׁא דִּלְהוֹ אֲכַל וְשֵׁצֵי כֹּלָּא, וְאַעֲבֵיד נַחַת רוּחַ לְאַבְרָהָם. אִינּוּן אֶשָּׁא וַדַּאי, וְהַהוּא אֶשָּׁא אִתְכַּסֵּי בְּצִיּוּרָא דַּאֲוִירָא, וְלָא אִתְחֲזֵי, וְהַהוּא מֵיכְלָא אֶשָּׁא מְלַהֲטָא, וְאָכְלָא לֵיהּ, וְאַבְרָהָם מְקַבֵּל נַחַת רוּחַ מֵהַאי.

עב. כֵּיוָן דְּאִסְתַּלַּק שְׁכִינְתָּא, מַה כְּתִיב, וַיַּעַל אֱלֹקִים מֵעַל אַבְרָהָם, מִיָּד מִסְתַּלֵּק בַּהֲדֵיהּ מִיכָאֵל, דִּכְתִיב וַיָּבֹאוּ שְׁנֵי הַמַּלְאָכִים סְדוֹמָה וגו'. שְׁלֹשָׁה כְּתִיב בְּקַדְמֵיתָא, וְהַשְׁתָּא תְּרֵין, אֶלָּא מִיכָאֵל דְּאִיהוּ יְמִינָא, אִסְתַּלֵּיק בַּהֲדֵי שְׁכִינְתָּא.

עג. מַלְאָךְ דְּאִתְחֲזֵי לְמָנוֹחַ, נַחַת וְאִתְגְּלִים בַּאֲוִירָא, וְאִתְחֲזֵי לֵיהּ, וְדָא אִיהוּ אוּרִיאֵל. מַה דְּלָא נָחַת בְּאִלֵּין דְּאַבְרָהָם, נַחַת הָכָא בִּלְחוֹדוֹי, לְבַשְּׂרָא לְמָנוֹחַ, דְּאָתֵי מִדָּן.

עד. וּבְגִין דְּלָא וְתִיב כְּאַבְרָהָם, לָא כְּתִיב דַּאֲכַל, דְּהָא כְּתִיב אִם תַּעַצְרֵנִי לֹא אוֹכַל בְּלַחְמֶךָ. וּכְתִיב וַיְהִי בַּעֲלוֹת הַלַּהַב מֵעַל הַמִּזְבֵּחַ וַיַּעַל מַלְאַךְ ה' בְּלַהַב הַמִּזְבֵּחַ וגו'. וְהָכָא וַיַּעַל אֱלֹקִים מֵעַל אַבְרָהָם. בְּגִין דְּבֵיהּ אִסְתַּלֵּיק מִיכָאֵל, וְאִשְׁתָּאֲרוּ רְפָאֵל וְגַבְרִיאֵל.

עה. וַעֲלַיְיהוּ כְּתִיב, שְׁנֵי הַמַּלְאָכִים סְדוֹמָה. בָּעֶרֶב בְּשַׁעֲתָא דְּדִינָא תַּלְיָא עַל עָלְמָא. לְבָתַר אִסְתַּלַּק וַחַד, וְאִשְׁתַּכַּח גַּבְרִיאֵל בִּלְחוֹדֵיהּ. בִּזְכוּתֵיהּ דְּאַבְרָהָם אִשְׁתְּזֵיב לוֹט, וְאִיהוּ אוּף הָכֵי זָכֵי בְּהוּ, וְע"ד אָתוּ לְגַבֵּיהּ (ע"ד ס"ת).

עו. ר' אַבָּא פָּתַח וְאָמַר, מִי יַעֲלֶה בְהַר ה' וּמִי יָקוּם בִּמְקוֹם קָדְשׁוֹ. ת"ח, כָּל בְּנֵי עָלְמָא לָא וְחָמָאן עַל מָה קַיְימֵי בְּעָלְמָא, וְיוֹמִין אָזְלִין וְסָלְקִין, וְקַיְימֵי קָמֵי קב"ה, כָּל

אִינּוּן יוֹמִין, דִּבְנֵי נָשָׁא קַיְימֵי בְּהוּ בְּהַאי עָלְמָא, דְּהָא כֻּלְּהוּ אִתְבְּרִיאוּ וְכֻלְּהוּ קַיְימֵי לְעֵילָּא, וּמְנָלָן דְּאִתְבְּרִיאוּ, דִּכְתִיב יָמִים יוּצָּרוּ.

עז. וְכַד מָטָאן יוֹמִין לְאִסְתַּלְּקָא מֵהַאי עָלְמָא, כֻּלְּהוּ קְרֵיבִין קַמֵּי מַלְכָּא עִלָּאָה, הה"ד וַיִּקְרְבוּ יְמֵי דָוִד לָמוּת. וַיִּקְרְבוּ יְמֵי יִשְׂרָאֵל לָמוּת.

עח. בְּגִין דְּכַד ב"נ אִיהוּ בְּהַאי עָלְמָא, לָא אַשְׁגַּח וְלָא אִסְתַּכַּל, עַל מַה קָאִים, אֶלָּא כָּל יוֹמָא וְיוֹמָא חָשִׁיב כְּאִילּוּ הוּא אָזִיל בְּרֵיקָנַיָּיא, דְּהָא כַּד נִשְׁמָתָא נָפְקַת מֵהַאי עָלְמָא, לָא יָדְעַת לְאָן אוֹרְחָא סַלְקִין לָהּ, דְּהָא אוֹרְחָא לְסַלְּקָא לְעֵילָּא לַאֲתַר דִּנְהִירוּ דְּנִשְׁמָתִין עִלָּאִין נְהִירִין, לָא אִתְיְהִיב לְכֻלְּהוֹן נִשְׁמָתִין, דְּהָא כְּגַוְונָא דְּאִיהוּ אַמְשִׁיךְ עָלֵיהּ בְּהַאי עָלְמָא, הָכִי אִתְמַשְׁכַת לְבָתַר דְּנָפִיק מִנֵּיהּ.

עט. ת"ח, אִי ב"נ אִתְמְשִׁיךְ בָּתַר קֻדְשָׁא בְּרִיךְ הוּא וְתִיאוּבְתָּא דִּילֵיהּ אֲבַתְרֵיהּ בְּהַאי עָלְמָא, לְבָתַר כַּד נָפִיק מִנֵּיהּ, אִיהוּ אִתְמְשִׁיךְ אֲבַתְרֵיהּ, וְיָהֲבִין לֵיהּ אוֹרְחָא לְאִסְתַּלְּקָא לְעֵילָּא, בָּתַר הַהוּא מְשִׁיכוּ דְּאִתְמְשִׁיךְ בִּרְעוּתָא, כָּל יוֹמָא בְּהַאי עָלְמָא.

פ. א"ר אַבָּא, יוֹמָא חַד אִעֲרָעְנָא בְּחַד מָתָא, מֵאִינּוּן דַּהֲווּ מִן בְּנֵי קֶדֶם, וַאֲמָרוּ לִי מֵהַהִיא חָכְמְתָא דַּהֲווּ יָדְעִין מִיּוֹמֵי קַדְמָאֵי, וַהֲווּ אַשְׁכְּחָן סִפְרִין דְּחָכְמְתָא דִּלְהוֹן, וְקָרִיבוּ לִי חַד סִפְרָא.

פא. וַהֲוָה כְּתִיב בֵּיהּ, דְּהָא כְּגַוְונָא דִּרְעוּתָא דְּב"נ אִיכַוַּון בֵּיהּ בְּהַאי עָלְמָא, הָכִי אַמְשִׁיךְ עָלֵיהּ רוּחַ מִלְּעֵילָּא, כְּגַוְונָא דְּהַהוּא רְעוּתָא דְּאִתְדַּבַּק בֵּיהּ, אִי רְעוּתֵיהּ אִיכַוַּון בְּמִלָּה עִלָּאָה קַדִּישָׁא, אִיהוּ אַמְשִׁיךְ עָלֵיהּ לְהַהִיא מִלָּה, מִלְּעֵילָּא, לְתַתָּא לְגַבֵּיהּ.

פב. וְאִי רְעוּתֵיהּ, לְאִתְדַּבְּקָא בְּסִטְרָא אָחֳרָא, וְאִיכַוַּון בֵּיהּ, אִיהוּ אַמְשִׁיךְ לְהַהִיא מִלָּה מִלְּעֵילָּא לְתַתָּא לְגַבֵּיהּ. וַהֲווּ אָמְרֵי דְּעִקָּרָא דְּמִלְּתָא תַּלְיָיא בְּמִלִּין, וּבְעוֹבָדָא, וּבִרְעוּתָא לְאִתְדַּבְּקָא, וּבְדָא אִתְמְשַׁךְ מִלְּעֵילָּא לְתַתָּא הַהוּא סִטְרָא דְּאִתְדַּבַּק בָּהּ.

פג. וְאַשְׁכַּחְנָא בֵּיהּ, כָּל אִינּוּן עוֹבָדִין וּפוּלְחָנִין דְּכֹכְבַיָּא וּמַזָּלֵי, וּמִלִּין דְּאִצְטְרִיכוּ לוֹן, וְהֵאיךְ רְעוּתָא לְאִתְכַּוְּונָא בְּהוּ, בְּגִין לְאַמְשָׁכָא לוֹן לְגַבַּיְיהוּ.

פד. כְּגַוְונָא דָּא, מַאן דְּבָעֵי לְאִתְדַּבְּקָא לְעֵילָּא, בְּרוּחַ קוּדְשָׁא, דְּהָא בְּעוֹבָדָא וּבְמִלִּין, וּבִרְעוּתָא דְּלִבָּא לְכַוְּונָא בְּהַהִיא מִלָּה, תַּלְיָיא מִלְּתָא לְאַמְשָׁכָא לֵיהּ לְגַבֵּיהּ, מֵעֵילָּא לְתַתָּא, וּלְאִתְדַּבְּקָא בְּהַהִיא מִלָּה.

פה. וַהֲווּ אָמְרֵי, כְּמָה דְּבַר נָשׁ אִתְמְשַׁךְ בְּהַאי עָלְמָא, הָכִי נָמֵי מָשְׁכִין לֵיהּ, כַּד נָפִיק מֵהַאי עָלְמָא. וּבְמָה דְּאִתְדַּבַּק בְּהַאי עָלְמָא, וְאִתְמְשַׁךְ אֲבַתְרֵיהּ, הָכִי אִתְדַּבַּק בְּהַהוּא עָלְמָא, אִי בְּקוּדְשָׁא בְּקוּדְשָׁא, וְאִי בִּמְסָאֲבָא בִּמְסָאֲבָא.

פו. אִי בְּקוּדְשָׁא, מָשְׁכִין לֵיהּ לְגַבֵּי הַהוּא סְטָר, וְאִתְדַּבַּק בֵּיהּ לְעֵילָּא, וְאִתְעֲבֵיד מִמְּנָא שַׁמָּשָׁא, לְשַׁמְּשָׁא קַמֵּי קֻדְשָׁא בְּרִיךְ הוּא, בֵּין אִינּוּן שְׁאָר מַלְאָכִין. כְּמָה דְּהָכִי אִתְדַּבַּק לְעֵילָּא, וְקָאִים בֵּין אִינּוּן קַדִּישִׁין, דִּכְתִיב וְנָתַתִּי לְךָ מַהְלְכִים בֵּין הָעוֹמְדִים הָאֵלֶּה.

פז. הָכִי נָמֵי כְּגַוְונָא דָּא, אִי בִּמְסָאֲבָא, מָשְׁכִין לֵיהּ לְגַבֵּי הַהוּא סְטָר, וְאִתְעֲבֵיד כְּחַד מִנַּיְיהוּ, לְאִתְדַּבְּקָא בְּהוּ, וְאִינּוּן אִקְרוּן נִזְקֵי בְּנֵי נָשָׁא. וּבְהַהִיא שַׁעֲתָא דְּנָפִיק מֵהַאי עָלְמָא, נָטְלִין לֵיהּ וְשָׁאבִין לֵיהּ בְּגֵיהִנָּם, בְּהַהוּא אֲתַר דְּדַיְינֵי לוֹן לִבְנֵי מְסָאֲבָא, דְּסָאִיבוּ גַּרְמַיְיהוּ וְרוּחַיְיהוּ, וּלְבָתַר אִתְדַּבַּק בְּהוּ. וְאִיהוּ נִזְקָא, כְּחַד מֵאִינּוּן נִזְקֵי דְּעָלְמָא.

פח. אֲמֵינָא לוֹן, בָּנַי, קְרִיבָא דָּא לְמִלִּין דְּאוֹרַיְיתָא, אֲבָל אִית לְכוּ לְאִתְרַחֲקָא מֵאִינּוּן סִפְרִין, בְּגִין דְּלָא יִסְטֵי לִבַּיְיכוּ לְאִלֵּין פּוּלְחָנִין, וּלְכָל אִינּוּן סִטְרִין דְּקָאֲמַר הָכָא,

דִּילְמָא וְחַס וְשָׁלוֹם תִּסְטוֹן מִבָּתַר פּוּלְחָנָא דְּקֻבָּ"ה.

פט. דְּהָא כָּל סְפָרִים אִלֵּין, אַטְעְיָין לוֹן לִבְנֵי נָשָׁא, בְּגִין דִּבְנֵי קֶדֶם חַכִּימִין הֲווֹ, וִירוּתָא דְּחָכְמְתָא דָּא, יָרְתוּ מֵאַבְרָהָם, דְּיָהַב לִבְנֵי פִּלַּגְשִׁים, דִּכְתִיב וְלִבְנֵי הַפִּילַגְשִׁים אֲשֶׁר לְאַבְרָהָם נָתַן אַבְרָהָם מַתָּנוֹת וַיְשַׁלְּחֵם מֵעַל יִצְחָק בְּנוֹ בְּעוֹדֶנּוּ חַי קֵדְמָה אֶל אֶרֶץ קֶדֶם. וּלְבָתַר אִתְמְשָׁכוּ בְּהַהִיא חָכְמָה לְכַמָּה סִטְרִין.

צ. אֲבָל זַרְעָא דְּיִצְחָק וְחוּלָקָא דְּיַעֲקֹב, לָאו הָכִי, דִּכְתִיב וַיִּתֵּן אַבְרָהָם אֶת כָּל אֲשֶׁר לוֹ לְיִצְחָק. דָּא חוּלָקָא קַדִּישָׁא דִּמְהֵימְנוּתָא, דְּאִתְדַּבַּק בֵּיהּ אַבְרָהָם. וּנְפַק מֵהַהוּא עַדְבָא, וּמֵהַהוּא סִטְרָא יַעֲקֹב. מַה כְּתִיב בֵּיהּ וְהִנֵּה ה' נִצָּב עָלָיו. וּכְתִיב וְאַתָּה יַעֲקֹב עַבְדִּי וְגוֹ'. בְּגִינֵי כָּךְ בָּעֵי לֵיהּ לְבַ"נ, לְאִתְמַשְׁכָא בָּתַר קוּדְשָׁא בְּרִיךְ הוּא, וּלְאִתְדַּבְּקָא בֵּיהּ תָּדִיר, דִּכְתִיב וּבוֹ תִדְבָּק.

צא. ת"ח מִי יַעֲלֶה בְהַר ה' וְגוֹ'. וּלְבָתַר אַהְדַּר וּפֵירַשׁ. נְקִי כַפַּיִם. דְּלָא עָבִיד בִּידוֹי טוּפְסָא, וְלָא אִתְתָּקַף בְּהוֹ בְּמָה דְּלָא אִצְטְרִיךְ. וְתוּ, דְּלָא אִסְתָּאַב בְּהוֹ, וְלָא סָאִיב בְּהוֹ לְגוּפָא, כְּאִינוּן דִּמְסָאֲבִין גַּרְמַיְיהוּ בִּידַיִן לְאִסְתַּאֲבָא, וְדָא הוּא נְקִי כַפַּיִם. וּבַר לֵבָב, כְּגַוְונָא דָּא דְּלָא אַמְשִׁיךְ רְעוּתֵיהּ וְלִבֵּיהּ, לְסִטְרָא אָחֳרָא, אֶלָּא לְאִתְמַשְׁכָא בָּתַר פּוּלְחָנָא דְּקוּדְשָׁא בְּרִיךְ הוּא.

צב. אֲשֶׁר לֹא נָשָׂא לַשָּׁוְא נַפְשִׁי. נַפְשׁוֹ כְּתִיב, נַפְשִׁי קְרִי, וְהָא אוֹקְמוּהָ נַפְשִׁי דָּא נֶפֶשׁ דָּוִד, סִטְרָא דִּמְהֵימְנוּתָא. נַפְשׁוֹ דָּא נֶפֶשׁ דְּבַר נָשׁ מַמָּשׁ. בְּגִין דְּכַד יִפּוֹק מֵהַאי עָלְמָא, וְנַפְשֵׁיהּ יִסְתַּלַּק בְּעוֹבָדִין דְּכַשְׁרִין, עַל מַה דְּיִתְקַיֵּים בְּהוֹ, לְמֵיהַךְ בֵּין כָּל אִינוּן קַדִּישִׁין, כד"א אֶתְהַלֵּךְ לִפְנֵי ה' בְּאַרְצוֹת הַחַיִּים. וּבְגִין דְּלָא נָשָׂא לַשָּׁוְא נַפְשִׁי, יִשָּׂא בְרָכָה מֵאֵת ה' וְגוֹ'.

צג. ת"ח, בָּתַר דְּאִתְגְּזַר אַבְרָהָם, הֲוָה יָתִיב וְכָאִיב, וְקֻבָּ"ה שַׁדַּר לְגַבֵּיהּ תְּלַת מַלְאָכִין בְּאִתְגַּלְיָא, לְאַקְדָּמָא לֵיהּ שְׁלָם. וְאִי תֵימָא, דְּהָא בְּאִתְגַּלְיָא, וְכִי מַאן יָכִיל לְמֶחֱמֵי מַלְאָכִין, וְהָא כְּתִיב עוֹשֶׂה מַלְאָכָיו רוּחוֹת וְגוֹ'.

צד. אֶלָּא וַדַּאי חָמָא לוֹן, דְּנַחְתֵּי לְאַרְעָא, כְּגַוְונָא דִּבְנֵי נָשָׁא, וְלָא יִקְשֶׁה לָךְ הַאי, דְּהָא וַדַּאי אִינוּן רוּחִין קַדִּישִׁין, וּבְשַׁעֲתָא דְּנַחְתֵּי לְעָלְמָא, מִתְלַבְּשִׁין בַּאֲוִירֵי וּבִיסוֹדֵי דִּגְלָמִין, וְאִתְחֲזוּ לִבְנֵי נָשָׁא מַמָּשׁ, כְּחֵיזוּ דְּיוּקְנָא דִּלְהוֹן.

צה. וְת"ח אַבְרָהָם חָמָא לוֹן, כְּחֵיזוּ בְּנֵי נָשָׁא, וְאַע"ג דַּהֲוָה כָּאִיב מִמִּילָה, נְפַק וְרָהַט אֲבַתְרַיְיהוּ, בְּגִין דְּלָא לְמִגְרַע מַה דַּהֲוָה עָבִיד מִקַּדְמַת דְּנָא.

צו. אר"ש וַדַּאי כְּחֵיזוּ דְּמַלְאָכִין חָמָא לוֹן, מִמָּה דִּכְתִיב, וַיֹּאמַר אֲדֹנָי בְּאָלֶ"ף דָּלֶ"ת, שְׁכִינְתָּא הֲוָה אַתְיָא, וְאִלֵּין הֲווֹ סְמִיכִין דִּילָהּ, וְכָרְסְיָיא לְגַבָּהּ, בְּגִין דְּאִינוּן גַּוְונִין תְּלַת דִּתְחוֹתָהּ.

צז. וְחָמָא הַשְׁתָּא בְּגִין דְּאִתְגְּזַר, מַה דְּלָא הֲוָה חָמֵי מִקַּדְמַת דְּנָא, עַד לָא אִתְגְּזַר, בְּקַדְמֵיתָא לָא הֲוָה יָדַע, אֶלָּא דְּאִינוּן בְּנֵי נָשָׁא, וּלְבָתַר יָדַע דְּאִינוּן מַלְאָכִין קַדִּישִׁין, וְאָתוּ בִּשְׁלִיחוּתָא לְגַבֵּיהּ. בְּשַׁעֲתָא דַּאֲמָרוּ לֵיהּ אַיֵּ"ה שָׂרָה אִשְׁתֶּךָ, וּבַשְּׂרוּ לֵיהּ בְּשׂוֹרַת יִצְחָק.

צח. אֵלָיו: אַתְוָון נְקוּדוֹת אי"ו, וְסִימָן אי"ו רֶמֶז לְמַה דִּלְעֵילָּא, רֶמֶז לְקֻבָּ"ה. וַיֹּאמֶר הִנֵּה בָאֹהֶל, כְּתִיב הָכָא הִנֵּה בָאֹהֶל, וּכְתִיב הָתָם אֹהֶל בַּל יִצְעָן וְגוֹ'. ת"ח, כֵּיוָן דִּנְקוּד אי"ו, אַמַּאי כְּתִיב לְבָתַר אַיֵּה. אֶלָּא, בְּגִין דְּחִבּוּרָא דִּדְכַר וְנוּקְבָא כַּחֲדָא, רָזָא

דִּמְהֵימְנוּתָא. כְּדֵין אָמַר, וַיֹּאמֶר הִנֵּה בָאֹהֶל, תַּמָּן הוּא קְשׁוּרָא דְכֹלָּא וְתַמָּן אִשְׁתַּכַּח.

צט. אַיֵּה וְגוֹ'. וְכִי לָא הֲווֹ יָדְעֵי מַלְאֲכֵי עִלָּאֵי, דְּשָׂרָה הִנֵּה בָאֹהֶל, אֲמַאי כְּתִיב אַיֵּה. אֶלָּא לָא יָדְעֵי בְּהַאי עָלְמָא, אֶלָּא מַה דְּאִתְמְסַר לְהוֹ לְמִנְדַּע. ת"ח, וְעָבַרְתִּי בְאֶרֶץ מִצְרַיִם אֲנִי ה'. וְכִי כַּמָּה שְׁלִיחָן וּמַלְאָכִין אִית לֵיהּ לְקַבְּ"ה, אֶלָּא בְּגִין דְּאִינּוּן לָא יָדְעֵי בֵּין טִפָּה דִּבוּכְרָא, לְהַהוּא דְּלָא בּוּכְרָא, בַּר קַבְּ"ה בִּלְחוֹדוֹי.

ק. כְּגַוְונָא דָא, וְהִתְוֵית תָּו עַל מִצְחוֹת הָאֲנָשִׁים. אֶלָּא, בְּגִין דְּאִינּוּן לָא יָדְעֵי, אֶלָּא מַה דְּאִתְמְסַר לוֹן לְמִנְדַּע. כְּגוֹן כָּל אִינּוּן מִלִּין דְּזַמִּין קַבְּ"ה לְאַיְיתָאָה עַל עָלְמָא. ומ"ט, בְּגִין דְּקַבְּ"ה אַעֲבַר כָּרוֹזָא בְּכֻלְּהוּ רְקִיעִין, בְּהַהִיא מִלָּה דְּזַמִּין לְאַיְיתָאָה עַל עָלְמָא.

קא. כְּגַוְונָא דָא, בְּשַׁעֲתָא דְּמוֹתְבְלָא אִשְׁתַּכַּח בְּעָלְמָא, בָּעֵי בַּר נָשׁ לְאִתְכַּסְּיָא בְּבֵיתֵיהּ, וְלָא יִתְחֲזֵי בְּשׁוּקָא, בְּגִין דְּלָא יִתְחַבַּל, כד"א, וְאַתֶּם לֹא תֵצְאוּ אִישׁ מִפֶּתַח בֵּיתוֹ עַד בֹּקֶר. מִנַּיְיהוּ דְּיָכִיל לְאִסְתַּתְּרָא, אִין, אֲבָל מִקַּמֵּי קַבְּ"ה, לָא בָּעֵי לְאִסְתַּתְּרָא, מַה כְּתִיב אִם יִסָּתֵר אִישׁ בַּמִּסְתָּרִים וַאֲנִי לֹא אֶרְאֶנּוּ נְאֻם ה'.

קב. אַיֵּה שָׂרָה אִשְׁתֶּךָ. דְּלָא בָּעוֹ לוֹמַר קָמָהּ, כֵּיוָן דַּאֲמַר הִנֵּה בָאֹהֶל, מִיָּד וַיֹּאמֶר שׁוֹב אָשׁוּב אֵלֶיךָ כָּעֵת חַיָּה וְהִנֵּה בֵן לְשָׂרָה אִשְׁתֶּךָ וְגוֹ', ת"ח אוֹרַח אַרְעָא, דְּעַד לָא אָזְמִין אַבְרָהָם קַמַּיְיהוּ לְמֵיכַל, לָא אָמְרוּ לֵיהּ מִדֵּי, בְּגִין דְּלָא יִתְחֲזֵי דְּבְגִין הַהִיא בְּשׂוּרָה, קָא אָזְמִין לְהוֹ לְמֵיכַל, בָּתַר דִּכְתִיב וַיֹּאכֵלוּ, כְּדֵין אָמְרוּ לֵיהּ הַהִיא בְּשׂוֹרָה.

קג. וַיֹּאכֵלוּ, סָלְקָא דַּעְתָּךְ, וְכִי מַלְאֲכֵי עִלָּאֵי אָכְלֵי, אֶלָּא, בְּגִין יְקָרָא דְּאַבְרָהָם, אִתְחֲזֵי הָכִי. אָמַר ר' אֶלְעָזָר וַיֹּאכֵלוּ וַדַּאי, בְּגִין דְּאִינּוּן אֵשָּׁא דְּאָכִיל אֵשָּׁא, וְלָא אִתְחֲזֵי, וְכָל מַה דִּיהַב לוֹן אַבְרָהָם אָכְלֵי, בְּגִין דְּמִסִּטְרָא דְּאַבְרָהָם אָכְלֵי לְעֵילָּא.

קד. ת"ח, כָּל מַה דְּאָכִיל אַבְרָהָם, בְּטָהֳרָה אִיהוּ קָא אָכִיל, ובג"כ אַקְרִיב קַמַּיְיהוּ, וְאָכְלֵי, וְנָטִיר אַבְרָהָם בְּבֵיתֵיהּ דִּכְיָא וּמְסָאֲבוּתָא, דַּאֲפִילּוּ בַּר נָשׁ דְּאִיהוּ מְסָאָב, לָא הֲוָה מְשַׁמֵּשׁ בְּבֵיתֵיהּ, עַד דְּעָבֵיד לֵיהּ טְבִילָה, אוֹ עָבֵיד לֵיהּ לְנַטְרָא שִׁבְעָה יוֹמִין, כְּדְקָא חֲזֵי לֵיהּ, בְּבֵיתֵיהּ, וְהָכִי הוּא וַדַּאי.

קה. ת"ח כְּתִיב אִישׁ אֲשֶׁר לֹא יִהְיֶה טָהוֹר מִקְּרֵה לָיְלָה וְגוֹ'. מַאי תַּקְנָתֵיהּ, וְהָיָה לִפְנוֹת עֶרֶב יִרְחַץ בַּמָּיִם. אַעֲרַע בֵּיהּ טוּמְאָה אַחֲרָא, כְּגוֹן זִיבָה, אוֹ סְגִירַת נִדָּה, דַּהֲווֹ תְּרֵי מְסָאֲבוּ, לָא סַגְיָא לֵיהּ בְּהַהִיא טְבִילָה, בֵּין דְּאַעֲרַע בֵּיהּ קֶרִי, קוֹדֶם דְּקַבִּיל טוּמְאָה אַחֲרָא, בֵּין דְּאַעֲרַע בֵּיהּ לְבָתַר.

קו. וְאַבְרָהָם וְשָׂרָה הֲווֹ מְתַקְּנֵי טְבִילָה לְכֻלְּהוּ, אִיהוּ לְגֻבְרֵי וְאִיהִי לְנַשֵּׁי. מ"ט אִעֲסָק אַבְרָהָם לְדַכְּאָה לִבְנֵי נָשָׁא, בְּגִין דְּאִיהוּ טָהוֹר, וְאִקְרֵי טָהוֹר, דִּכְתִיב מִי יִתֵּן טָהוֹר מִטָּמֵא לֹא אֶחָד. טָהוֹר דָּא אַבְרָהָם דְּנָפַק מִתֶּרַח.

קז. רַבִּי שִׁמְעוֹן אָמַר, בְּגִין לְהַתְקָנָא הַהוּא דַּרְגָּא דְּאַבְרָהָם, וּמַאן אִיהוּ מַיִם, בג"כ, אַתְקִין לְדַכְּאָה בְּנֵי עָלְמָא בְּמַיָּא. וּבְשַׁעֲתָא דְּאָזְמִין לְמַלְאָכִין, שֵׁירוּתָא דְּמִלּוֹי, מַה כְּתִיב, יֻקַּח נָא מְעַט מַיִם. בְּגִין לְאַתְתַּקְּפָא בְּהַהוּא דַּרְגָּא דְּמַיִין שַׁרְיָאן בָּהּ.

קח. וּבְגִינֵי כָּךְ, הֲוָה מְדַכֵּי לְכָל בְּנֵי נָשָׁא מִכֹּלָּא, מְדַכֵּי לוֹן מִסִּטְרָא דִּמְסָאֲבָא, וּמַדְכֵּי לוֹן מִסִּטְרָא דִּמְסָאֲבָא, וְכַמָּה דְּאִיהוּ מְדַכֵּי לְגוּבְרִין, ה"נ שָׂרָה מְדַכְּאַת לְנַשִּׁין, וְאִשְׁתַּכָּחוּ כֻּלְּהוּ דְּאַתְיָין לְגַבַּיְיהוּ דַּכְיָין מִכֹּלָּא.

קט. ת"ח, אִילָנָא נָטַע אַבְרָהָם, בְּכָל אֲתַר דְּדִיּוּרֵיהּ תַּמָּן, וְלָא הֲוָה סָלִיק בְּכָל אֲתַר כְּדְקָא יָאוֹת, בַּר בְּשַׁעֲתָא דְּדִיּוּרֵיהּ בְּאַרְעָא דִּכְנָעַן. וּבְהַהוּא אִילָנָא הֲוָה יָדַע מַאן

דְּאִתְאַחֲזֵיד בֵּיהּ בְּקוּדְשָׁא בְּרִיךְ הוּא, וּמַאן דְּאִתְאַחֲזֵיד בֵּעֵ"ז.

קי. מַאן דְּאִתְאַחֲזֵיד בְּקֻבָּ"ה, אִילָנָא הֲוָה פָּרֵישׁ עַנְפּוֹי וְחַזֵּי עַל רֵישֵׁיהּ וַעֲבִיד עֲלֵיהּ צְלָא יָאֶה, וּמַאן דְּאִתְאַחֲזֵיד בְּסִטְרָא דֵּעֵ"ז, הַהוּא אִילָנָא הֲוָה אִסְתַּלַּק, וְעַנְפוֹי הֲוּו סַלְקִין לְעֵילָא. כְּדֵין הֲוָה יָדַע אַבְרָהָם, וְאַזְהִיר לֵיהּ וְלָא אַעֲדֵי מִתַּמָּן, עַד דְּאִתְאַחֲזֵיד בִּמְהֵימְנוּתָא דְּקוּדְשָׁא בְּרִיךְ הוּא.

קיא. וְהָכֵי מַאן דְּאִיהוּ דַּכְיָא, מְקַבֵּל לֵיהּ אִילָנָא. מַאן דְּאִיהוּ מְסָאַב לָא מְקַבֵּל לֵיהּ. כְּדֵין יָדַע אַבְרָהָם וּמְדַכֵּי לוֹן בְּמַיָּא.

קיב. וּמֵעֵיְינָא דְּמַיָּא הֲוָה תְּחוֹת הַהוּא אִילָנָא, וּמַאן דְּצָרִיךְ טְבִילָה, מִיָּד מַיָּין סַלְקִין לְגַבֵּיהּ, וְאִילָנָא אִסְתַּלְּקִין עַנְפּוֹי, כְּדֵין יָדַע אַבְרָהָם דְּאִיהוּ מְסָאֲבָא, וּבָעֵי טְבִילָה מִיָּד, וְאִם לָאו, מַיָּא נְגִיבָן, כְּדֵין יָדַע דְּבָעֵי לְאַסְתָּאֲבָא וּלְאִסְתַּמְּרָא שִׁבְעָה יוֹמִין.

קיג. ת"ח, דַּאֲפִילוּ בְּעַעְתָּא דְּאַזְמִין לוֹן לְמַלְאָכִין, אָמַר לוֹן, וְהִשָּׁעֲנוּ תַּחַת הָעֵץ. בְּגִין לְמֶחֱמֵי וּלְמִבְדַּק בְּהוּ, וּבְהַהוּא אִילָנָא הֲוָה בָּדִיק לְכָל בְּנֵי עָלְמָא, וְרָזָא בְּגִין קֻבָּ"ה קָא אָמַר דְּאִיהוּ אִילָנָא דְּחַיֵּי לְכֹלָּא, וּבְּג"כ, וְהִשָּׁעֲנוּ תַּחַת הָעֵץ, וְלָא תַּחַת עֲבוֹדָה זָרָה.

קיד. וְת"ח כַּד חָב אָדָם, בְּעֵץ הַדַּעַת טוֹב וָרָע חָב, דִּכְתִיב וּמֵעֵץ הַדַּעַת וְגוֹ'. וְאִיהוּ בֵּיהּ חָב, וְגָרַם מוֹתָא לְעָלְמָא. מַה כְּתִיב, וְעַתָּה פֶּן יִשְׁלַח יָדוֹ וְלָקַח גַּם מֵעֵץ הַחַיִּים וְגוֹ'. וְכַד אָתָא אַבְרָהָם, בְּאִילָנָא אוֹחֲרָא אַתְקִין עָלְמָא, דְּהוּא אִילָנָא דְּחַיֵּי, וְאוֹדַע מְהֵימְנוּתָא לְכָל בְּנֵי עָלְמָא.

מִדְרָשׁ הַנֶּעֱלָם

קטו. אָמַר רַבִּי וַיָּיא אָמַר רַב, אִי הֲוֵינָא מִסְתַּכְּלִין בְּפָרְשָׁתָא דָּא, נִסְתַּכֵּל בְּחָכְמְתָא, אִי עִנְיָינָא דְּנִשְׁמָתָא הִיא, לָאו רֵישָׁא סוֹפָא, וְלָאו סוֹפָא רֵישָׁא. וְאִי עִנְיָינָא לִפְטִירַת אֵינִישׁ מֵעָלְמָא הִיא, נִסְתּוֹר כָּל פָּרְשָׁתָא, אוֹ נוֹקִים פָּרְשָׁתָא בְּהַאי אוֹ בְּהַאי. מַהוּ יֻקַּח נָא מְעַט מַיִם וְרַחֲצוּ רַגְלֵיכֶם וְגוֹ'. וְאֶקְחָה פַת לֶחֶם וְגוֹ'. וַיְמַהֵר אַבְרָהָם הָאֹהֱלָה אֶל שָׂרָה וְגוֹ'. וְאֶל הַבָּקָר רָץ אַבְרָהָם וְגוֹ'. וַיִּקַּח חֶמְאָה וְחָלָב וְגוֹ'.

קטז. כַּד אָתָא רַב דִּימֵי, אָמַר, לָא מָצְאָה הַנְּשָׁמָה תּוֹעֶלֶת לַגּוּף, אֶלָּא מַה שֶּׁרָמַז בְּכַאן, רָמַז הַקָּרְבָּנוֹת. בָּטְלוּ הַקָּרְבָּנוֹת, לָא בָּטְלָה הַתּוֹרָה, הַאי דְּלָא אִעֲסַק בְּקָרְבָּנוֹת, לִיעֲסַק בְּתוֹרָה, וְיִתְהֲנֵי לֵיהּ יַתִּיר.

קיז. דְּאָמַר רַבִּי יְוָנָתָן, כְּשֶׁפֵּירַשׁ הַקָּבָּ"ה הַקָּרְבָּנוֹת, אָמַר מֹשֶׁה, רִבּוֹנוֹ שֶׁל עוֹלָם, תִּינַח בִּזְמָן שֶׁיִּהְיוּ יִשְׂרָאֵל עַל אַדְמָתָם, כֵּיוָן שֶׁיִּגְלוּ מֵעַל אַדְמָתָם מַה יַּעֲשׂוּ, אָמַר לוֹ, מֹשֶׁה, יַעַסְקוּ בַּתּוֹרָה וַאֲנִי מוֹחֵל לָהֶם בִּשְׁבִילָהּ, יוֹתֵר מִכָּל הַקָּרְבָּנוֹת שֶׁבָּעוֹלָם, שֶׁנֶּאֱמַר זֹאת הַתּוֹרָה לְעוֹלָה לַמִּנְחָה וְגוֹ'. כְּלוֹמַר זֹאת הַתּוֹרָה, בִּשְׁבִיל עוֹלָה, בִּשְׁבִיל מִנְחָה, בִּשְׁבִיל חַטָּאת, בִּשְׁבִיל אָשָׁם.

קיח. א"ר כְּרוּסְפְּדָאי, הַאי מַאן דְּמַדְכַּר בְּפוּמֵיהּ, בְּבָתֵּי כְנֵסִיּוֹת וּבְבָתֵּי מִדְרָשׁוֹת, עִנְיָינָא דְּקָרְבָּנַיָּא וְהַקְרוּבְתָּא, וִיכַוֵּין בְּהוּ, בְּרִית כְּרוּתָה הוּא, דְּאִינוּן מַלְאָכַיָּא דְּמַדְכְּרִין חוֹבֵיהּ, לְאַבְאָשָׁא לֵיהּ, דְּלָא יָכְלִין לְמֶעֱבַּד לֵיהּ, אֶלָּא מְלָּא טִיבוּ.

קיט. וּמַאן יוֹכַח, הַאי פָּרְשָׁתָא יוֹכַח, דְּכֵיוָן דְּאָמַר וְהִנֵּה שְׁלֹשָׁה אֲנָשִׁים נִצָּבִים עָלָיו, מַהוּ עָלָיו, לְעַיֵּין בְּדִינֵיהּ, כֵּיוָן דְּחָמָא נִשְׁמָתָא דְּצַדִּיקַיָּא כָּךְ, מַה כְּתִיב, וַיְמַהֵר אַבְרָהָם הָאֹהֱלָה וְגוֹ'. מַהוּ הָאֹהֱלָה. בֵּית הַמִּדְרָשׁ. וּמַהוּ אוֹמֵר מַהֲרִי שְׁלֹשׁ סְאִים, עִנְיַן הַקָּרְבָּנוֹת, וְנִשְׁמָתָא מִתְכַּוְּונַת בְּהוּ, הַה"ד וְאֶל הַבָּקָר רָץ אַבְרָהָם. וּכְדֵין נַיְיחָא לְהוּ, וְלָא יָכְלִין

לְאַבְאָשָׁא לֵיהּ.

קכ. רַבִּי פִּנְחָס פָּתַח קְרָא, דִּכְתִיב וְהִנֵּה הֵחֵל הַנֶּגֶף בָּעָם, וּכְתִיב וַיֹּאמֶר מֹשֶׁה אֶל אַהֲרֹן קַח אֶת הַמַּחְתָּה וְגוֹ'. וּכְתִיב וַתֵּעָצַר הַמַּגֵּפָה. כְּתִיב הָכָא מַהֵר, וּכְתִיב הָתָם מַהֲרִי שְׁלֹשׁ סְאִים. מַה לְהַלָּן קָרְבָּן לְאִשְׁתְּזָבָא, אַף כָּאן קָרְבָּן לְאִשְׁתְּזָבָא.

קכא. א"ר פִּנְחָס, זִמְנָא וְחַד חֵיוָא אָזֵיל בְּאָרְחָא, וַעֲרָעִית בֵּיהּ בְּאֵלִיָּהוּ, אָמֵינָא לֵיהּ, לֵימָא לִי מַר מִלָּה דְּמַעֲלֵי לִבְרִיָּיתָא, א"ל, קַיָּים גְּזַר קֻבָּ"ה, וְעָאלוּ קַמֵּיהּ כָּל אִלֵּין מַלְאָכַיָּא, דִּמְמַנָּן לְאַדְכָּרָא חוֹבֵי דְּבָ"נ, דִּי בְּעִדָּנָא דִּידְכְּרוּן בְּנֵי אֲנָשָׁא קָרְבְּנָא דִּמְּנֵי מֹשֶׁה, וְשַׁוֵּי לִבַּיהּ וּרְעוּתֵיהּ בְּהוֹ, דְּכֻלְּהוּ יִדְכְּרוּן לֵיהּ לְטַב.

קכב. וְעוֹד בְּעִדָּנָא דְּיֵעֱרַע מוֹתָנָא בִּבְנֵי אֲנָשָׁא, קְיָימָא אִתְגְּזַר, וְכָרוֹזָא אַעֲבַר עַל כָּל וְזִילָא דִּשְׁמַיָּא, דְּאִי יֵיעֲלוּן בְּנוֹהִי בְּאַרְעָא, בְּבָתֵּי כְּנֵסִיּוֹת וּבְבָתֵּי מִדְרְשׁוֹת, וְיֵימְרוּן בִּרְעוּת נַפְשָׁא וְלִבָּא, עִנְיָינָא דִּקְטֹרֶת בּוּסְמִין, דַּהֲווֹ לְהוֹ לְיִשְׂרָאֵל, דְּיִתְבַּטַּל מוֹתָנָא מִנַּיְיהוּ.

קכג. א"ר יִצְחָק בֹּא וּרְאֵה, מַה כְּתִיב, וַיֹּאמֶר מֹשֶׁה אֶל אַהֲרֹן קַח אֶת הַמַּחְתָּה וְתֶן עָלֶיהָ אֵשׁ מֵעַל הַמִּזְבֵּחַ וְשִׂים קְטֹרֶת. א"ל אַהֲרֹן לָמָּה. אָמַר כִּי יָצָא הַקֶּצֶף מִלִּפְנֵי ה' וְגוֹ'. מַה כְּתִיב וַיָּרָץ אֶל תּוֹךְ הַקָּהָל וְהִנֵּה הֵחֵל הַנֶּגֶף בָּעָם. וּכְתִיב וַיַּעֲמֹד בֵּין הַמֵּתִים וּבֵין הַחַיִּים וַתֵּעָצַר הַמַּגֵּפָה. וְלָא יָכִיל מַלְאֲכָא דִּמְחַבְּלָא, לְשַׁלְטָאָה וְנִתְבַּטַּל מוֹתָנָא.

קכד. ר' אַוְוזָא אָזַל לִכְפַר טַרְשָׁא, אָתָא לְגַבֵּי אוֹשְׁפִּיזֵיהּ, לְחִישׁוּ עֲלֵיהּ כָּל בְּנֵי מָתָא, אָמְרוּ גַּבְרָא רַבָּא אָתָא הָכָא, נֵיזִיל לְגַבֵּיהּ, אָתוּ לְגַבֵּיהּ, אָמְרוּ לֵיהּ לָא וַס עַל אוֹבְדָּנָא, אָמַר לְהוֹ מַהוּ. אָמְרוּ לֵיהּ, דְּאִית שִׁבְעָה יוֹמִין, דְּשָׁארֵי מוֹתָנָא בְּמָאתָא, וְכָל יוֹמָא אִתְתַּקַּף וְלָא אִתְבַּטַּל.

קכה. אָמַר לְהוֹ, נֵיזִיל לְבֵי כְּנִישְׁתָּא, וְנִתְבַּע רַחֲמֵי מִן קֳדָם קֻבָּ"ה. עַד דַּהֲווֹ אָזְלֵי אָתוּ וְאָמְרוּ, פְּלוֹנִי וּפְלוֹנִי מִיתוּ, וּפְלוֹנִי וּפְלוֹנִי נָטוּ לָמוּת. אָמַר לְהוֹ רַבִּי אַוְוזָא, לֵית עִתָּא לְקַיְימָא הָכִי, דִּשַׁעֲתָא דְּוִזְקָא.

קכו. אֲבָל אַפְרִישׁוּ מִנְּכוֹן אַרְבְּעִין בְּנֵי נָשָׁא, מֵאִינוּן דְּזַכָּאִין יַתִּיר, עֲשָׂרָה לְאַרְבְּעָה חוּלְקִין, וַאֲנָא עִמְּכוֹן, עֲשָׂרָה לְזָוְויָּיתָא דְּמָאתָא, וַעֲשָׂרָה לְזָוְויָּיתָא דְּמָאתָא, וְכֵן לְאַרְבַּע זָוְויָּיתָא דְּמָאתָא, וְאָמְרוּ בִּרְעוּת נַפְשְׁכוֹן עִנְיָינָא דִּקְטֹרֶת בּוּסְמִין, דְּקֻבָּ"ה יָהַב לְמֹשֶׁה, וְעִנְיָינָא דִּקְרְבְּנָא עִמֵּיהּ.

קכז. עֲבָדוּ כֵן תְּלַת זִמְנִין, וְאַעֲבָרוּ בְּכָל מָאתָא, לְאַרְבַּע זָוְויָּיתָא, וַהֲווֹ אָמְרִין כֵּן, לְבָתַר אָמַר לְהוֹ, נֵיזִיל לְאִינוּן דְּאוֹשִׁיטוּ לְמֵיתַת, אַפְרִישׁוּ מִנַּיְיכוּ לְבַתֵּיהוֹן, וְאָמְרוּ כְּדֵין, וְכַד תְּסַיְימוּ אָמְרוּן אִלֵּין פְּסוּקַיָּיא וַיֹּאמֶר מֹשֶׁה אֶל אַהֲרֹן קַח אֶת הַמַּחְתָּה וְתֶן עָלֶיהָ אֵשׁ וְגוֹ' וַיִּקַּח אַהֲרֹן וְגוֹ'. וַיַּעֲמֹד בֵּין הַמֵּתִים וְגוֹ'. וְכֵן עֲבָדוּ וְאִתְבַּטַּל מִנַּיְיהוּ.

קכח. שָׁמְעוּ הַהוּא קָלָא דְּאָמַר, סְתָרָא סְתָרָא קַמְיְיתָא, אוֹזִילוּ לְעֵילָּא, דְּהָא דִּינָא דִּשְׁמַיָּא לָא אַשְׁרֵי הָכָא, דְּהָא יָדְעֵי לְבַטְּלָא לֵיהּ, וְזָלַשׁ לְבֵיהּ דְּרַבִּי אַוְוזָא, אַדְמוּךְ, שָׁמַע דְּאָמְרֵי לֵיהּ, כַּד עֲבַדְתְּ דָּא, עֲבֵיד דָּא, זִיל וְאֵימָא לוֹן דְּיַחְזְרוּן בִּתְשׁוּבָה, דְּחַיָּיבִין אִינוּן קַמָּאי. קָם וְאַוְוזַר לְהוֹ בִּתְשׁוּבָה שְׁלֵימְתָא, וְקַבִּילוּ עֲלַיְיהוּ דְּלָא יִתְבַּטְּלוּן מֵאוֹרַיְיתָא לְעָלַם, וְאַוְוזִיפוּ שְׁמָא דִּקְרָתָא, וְקָארוּן לָהּ מָאתָא מְחַסְיָא.

קכט. א"ר יְהוּדָה, לֹא דִּי לָהֶם לַצַּדִּיקִים, שֶׁמְבַטְּלִין אֶת הַגְּזֵרָה, אֶלָּא לְאַחַר כֵּן, שֶׁמְבָרְכִין לָהֶם, תֵּדַע לְךָ שֶׁכֵּן הוּא, דְּכֵיוָן שֶׁהַנְּשָׁמָה אוֹמֶרֶת לַגּוּף, מַהֲרִי שְׁלֹשׁ סְאִים וְגוֹ'. וְכָל אוֹתוֹ הָעִנְיָן, וּמְבַטֵּל אֶת הַדִּין, מַה כְּתִיב וַיֹּאמֶר שׁוֹב אָשׁוּב אֵלֶיךָ כָּעֵת חַיָּה.

הָרֵי בְּרָכָה.

קל. כֵּיוָן שֶׁרוֹאִים אוֹתָהּ הַמַּלְאָכִים, שֶׁזֶּה לָקַח עֵצָה לְנַפְשׁוֹ, מַה עוֹשִׂים, הוֹלְכִים אֵצֶל הָרְשָׁעִים, לְעַיֵּין בְּדִינָם, וְלַעֲשׂוֹת בָּהֶם מִשְׁפָּט. הה"ד וַיָּקֻמוּ מִשָּׁם הָאֲנָשִׁים וַיַּשְׁקִיפוּ עַל פְּנֵי סְדוֹם, לִמְקוֹם הָרְשָׁעִים, לַעֲשׂוֹת בָּהֶם מִשְׁפָּט.

קלא. דְּאָמַר רַבִּי יְהוּדָה כָּךְ דַּרְכּוֹ שֶׁל צַדִּיק, כֵּיוָן שֶׁרוֹאֶה שֶׁמְּעַיְּינִין בְּדִינוֹ, אֵינוֹ מִתְאַחֵר לָשׁוּב וּלְהִתְפַּלֵּל וּלְהַקְרִיב חֶלְבּוֹ וְדָמוֹ לִפְנֵי צוּרוֹ, עַד שֶׁמִּסְתַּלְּקִין בַּעֲלֵי הַדִּין מִמֶּנּוּ.

קלב. דְּכֵיוָן שֶׁאָמַר וַיִּשָּׂא עֵינָיו וַיַּרְא וְהִנֵּה שְׁלֹשָׁה אֲנָשִׁים נִצָּבִים עָלָיו, מַה כְּתִיב בַּנְּשָׁמָה, וַיְמַהֵר אַבְרָהָם הָאֹהֱלָה אֶל שָׂרָה. בְּחִפָּזוֹן וּבִמְהִירוּת, בְּלֹא שׁוּם הָעִכָּבָה, מִיָּד מְמַהֶרֶת הַנְּשָׁמָה אֵצֶל הַגּוּף, לְהַחֲזִירוֹ לְמוּטָב, וּלְבַקֵּשׁ בַּמֶּה שֶׁיִּתְכַּפֵּר לוֹ, עַד שֶׁמִּסְתַּלְּקִין מִמֶּנּוּ בַּעֲלֵי הַדִּין.

קלג. ר' אֱלִיעֶזֶר אוֹמֵר, מ"ד וְאַבְרָהָם וְשָׂרָה זְקֵנִים בָּאִים בַּיָּמִים חָדַל לִהְיוֹת לְשָׂרָה אֹרַח כַּנָּשִׁים. אֶלָּא, כֵּיוָן שֶׁהַנְּשָׁמָה עוֹמֶדֶת בְּמַעֲלָתָהּ, וְהַגּוּף נִשְׁאָר בָּאָרֶץ מִכַּמָּה שָׁנִים, בָּאִים בַּיָּמִים. שָׁנִים וְיָמִים הַרְבֵּה, וְחָדַל לָצֵאת וְלָבֹא וְלַעֲבוֹר אֹרַח כִּשְׁאָר כָּל אָדָם, אִתְבַּשֵּׂר לְהַחֲיוֹת הַגּוּף.

קלד. מַהוּ אוֹמֵר, אַחֲרֵי בְלוֹתִי הָיְתָה לִי עֶדְנָה, אַחֲרֵי בְלוֹתִי בֶּעָפָר מֵהַיּוֹם כַּמָּה שָׁנִים, הָיְתָה לִי עֶדְנָה וְחִדּוּשׁ, וַאדֹנִי זָקֵן, שֶׁהַיּוֹם כַּמָּה שָׁנִים, שֶׁיָּצָאת מִמֶּנִּי, וְלֹא הִפְקִידַנִי.

קלה. וְקָבָּ"ה אָמַר, הֲיִפָּלֵא מֵה' דָּבָר לַמּוֹעֵד. מַהוּ לַמּוֹעֵד. אוֹתוֹ הַיָּדוּעַ אֶצְלִי לְהַחֲיוֹת הַמֵּתִים. וּלְשָׂרָה בֵן. מְלַמֵּד שֶׁיִּתְחַדֵּשׁ כְּבֶן שָׁלֹשׁ שָׁנִים.

קלו. אָמַר רַבִּי יְהוּדָה בְּרַבִּי סִימוֹן, כֵּיוָן שֶׁהַנְּשָׁמָה נִזּוֹנִית מִזִּיוָהּ שֶׁל מַעְלָה, קָבָּ"ה אוֹמֵר לְאוֹתוֹ הַמַּלְאָךְ הַנִּקְרָא דוּמָ"ה, לֵךְ וּבַשֵּׂר לְגוּף פְּלוֹנִי, שֶׁאֲנִי עָתִיד לְהַחֲיוֹתוֹ, לַמּוֹעֵד שֶׁאֲנִי אֲחַיֶּה אֶת הַצַּדִּיקִים לֶעָתִיד לָבֹא. וְהוּא מֵשִׁיב, אַחֲרֵי בְלוֹתִי הָיְתָה לִי עֶדְנָה. אַחֲרֵי בְלוֹתִי בֶּעָפָר, וְשָׁכַנְתִּי בָּאֲדָמָה, וְאָכַל בְּשָׂרִי רִמָּה, וְגוּשׁ עָפָר, תִּהְיֶה לִי חִדּוּשׁ.

קלז. קָבָּ"ה אוֹמֵר לַנְּשָׁמָה, הה"ד וַיֹּאמֶר ה' אֶל אַבְרָהָם וגו'. הֲיִפָּלֵא מֵה' דָּבָר לַמּוֹעֵד הַיָּדוּעַ אֶצְלִי, לְהַחֲיוֹת אֶת הַמֵּתִים, אָשׁוּב אֵלֶיךָ אוֹתוֹ הַגּוּף שֶׁהוּא קָדוֹשׁ, מְחוּדָּשׁ כְּבָרִאשׁוֹנָה, לִהְיוֹתְכֶם כְּמַלְאָכִים קְדוֹשִׁים. וְאוֹתוֹ הַיּוֹם עָתִיד לְפָנַי לִשְׂמוֹחַ בָּהֶם, הה"ד יְהִי כְבוֹד ה' לְעוֹלָם יִשְׂמַח ה' בְּמַעֲשָׂיו (ע"כ מדה"נ).

קלח. וַיֹּאמֶר שׁוֹב אָשׁוּב אֵלֶיךָ כָּעֵת חַיָּה. א"ר יִצְחָק, שׁוֹב אָשׁוּב, שׁוֹב יָשׁוּב מִבָּעֵי לֵיהּ, דְּהָא מַפְתְּחָא דָּא לְמִפְקַד עֲקָרוֹת, בִּידָא דְּקָבָּ"ה אִיהוּ, וְלָא בִּידָא דִּשְׁלִיחָא אָחֳרָא.

קלט. כְּמָה דְּתָנִינָן, תְּלַת מַפְתְּחוֹת אִינּוּן, דְּלָא אִתְמְסָרוּ בִּידָא דִּשְׁלִיחָא, דְּחַיָּה, וּתְחִיַּית הַמֵּתִים, וּגְשָׁמִים. וְהוֹאִיל דְּלָא אִתְמְסָרוּ בִּידָא דִּשְׁלִיחָא, אַמַּאי כְּתִיב שׁוֹב אָשׁוּב. אֶלָּא וַדַּאי קָבָּ"ה דַּהֲוָה קָאִים עֲלַיְיהוּ, אָמַר מִלָּה, בְּגִ"כ כְּתִיב וַיֹּאמֶר שׁוֹב אָשׁוּב אֵלֶיךָ.

קמ. וְת"ח, בְּכָל אֲתַר דִּכְתִיב וַיֹּאמֶר סְתָם, אוֹ וַיִּקְרָא סְתָם, הוּא מַלְאָכָא דִּבְרִית, וְלָא אָחֳרָא. וַיֹּאמֶר: דִּכְתִיב וַיֹּאמֶר אִם שָׁמוֹעַ תִּשְׁמַע וגו'. וַיֹּאמֶר, וְלָא קָאָמַר מַאן הוּא. וַיִּקְרָא: דִּכְתִיב וַיִּקְרָא אֶל מֹשֶׁה, וְלָא קָאָמַר מַאן הֲוָה. אָמַר: דִּכְתִיב וְאֶל מֹשֶׁה אָמַר וגו'. וְלָא אָמַר מַאן הֲוָה. אֶלָּא בְּכָל הָנֵי מַלְאָכָא דִּבְרִית הֲוָה. וְכֹלָּא בְּקָבָּ"ה אִתְּמַר. וּבְגִ"כ, כְּתִיב וַיֹּאמֶר שׁוֹב אָשׁוּב אֵלֶיךָ וגו'. וְהִנֵּה בֵן וגו'.

קמא. וְהִנֵּה בֵן לְשָׂרָה אִשְׁתֶּךָ. מ"ט לָא כְּתִיב וְהִנֵּה בֵן לָךְ, אֶלָּא בְּגִין דְּלָא יֶחֱשׁוֹב דְּהָא מִן הָגָר אִיהוּ, כִּדְבְקַדְמֵיתָא. רַבִּי שִׁמְעוֹן פָּתַח וְאָמַר, בֵּן יְכַבֵּד אָב וְעֶבֶד אֲדֹנָיו.

בֵּן יְכַבֵּד אָב, דָּא יִצְחָק לְאַבְרָהָם.

קמב. אֵימָתַי כַּבֵּיד לֵיהּ, בְּשַׁעְתָּא דַּעֲקַד לֵיהּ עַל גַּבֵּי מַדְבְּחָא, וּבְעָא לְמִקְרַב לֵיהּ קָרְבָּנָא, וְיִצְחָק בַּר תְּלָתִין וּשְׁבַע שְׁנִין הֲוָה, וְאַבְרָהָם הֲוָה סָבָא, דְּאִלּוּ הֲוָה בָּעִיט בְּרַגְלָא חַד, לָא יָכִיל לְמֵיקַם קַמֵּיהּ, וְאִיהוּ אוֹקִיר לֵיהּ לַאֲבוֹי, וַעֲקַד לֵיהּ כְּחַד אִימְּרָא, בְּגִין לְמֶעְבַּד רְעוּתֵיהּ דַּאֲבוֹי.

קמג. וְעָבֵד אָדוֹנָיו: דָּא אֱלִיעֶזֶר לְאַבְרָהָם. כַּד סַדֵּר לֵיהּ לְזֻוְּוּגֵיהּ, וַעֲבַד כָּל רְעוּתֵיהּ דְּאַבְרָהָם, וְאוֹקִיר לֵיהּ, כְּמָה דִכְתִיב וָאֲבָרֵךְ יְהֹ' בֵּרַךְ אֶת אֲדוֹנִי וְגוֹ'. וּכְתִיב וַיֹּאמֶר עֶבֶד אַבְרָהָם אָנֹכִי. בְּגִין לְאוֹקִיר לֵיהּ לְאַבְרָהָם.

קמד. דְּהָא בַּר נָשׁ דַּהֲוָה מַיְיתֵי כֶּסֶף וְזָהָב, וְאַבְנֵי יְקַר וּגְמַלִּין, וְאִיהוּ כִּדְקָא יָאוֹת, עַפִּיר בְּחֵיזוּ, לָא אָמַר דְּאִיהוּ רְחִימָא דְּאַבְרָהָם, אוֹ קָרִיבָא דִּילֵיהּ. אֶלָּא אָמַר, עֶבֶד אַבְרָהָם אָנֹכִי, בְּגִין לְסַלְּקָא בִּשְׁבָחָא דְּאַבְרָהָם, וּלְאוֹקִיר לֵיהּ בְּעֵינַיְיהוּ.

קמה. וְעַ"ד בֵּן יְכַבֵּד אָב וְעֶבֶד אֲדוֹנָיו. וְאַתּוּן יִשְׂרָאֵל בָּנַי, קָלָנָא בְּעֵינַיְיכוּ לוֹמַר דַּאֲנָא אֲבוּכוֹן, אוֹ דְּאַתּוּן עַבְדִין לִי. וְאִם אָב אָנִי אַיֵּה כְּבוֹדִי וְגוֹ'. בְּגַ"כ וְהִנֵּה בֵן: דָּא הוּא בֵן וַדַּאי, וְלָא יִשְׁמָעֵאל. דָּא הוּא בֵן דְּאוֹקִיר לַאֲבוֹי כִּדְקָא חֲזֵי.

קמו. וְהִנֵּה בֵן לְשָׂרָה אִשְׁתְּךָ. בֵּן לְשָׂרָה, בְּגִינֵיהּ מִיתַת, דִּבְגִינֵיהּ כְּאִיבַת נַפְשָׁה, עַד דְּנָפְקַת מִינָהּ. וְהִנֵּה בֵן לְשָׂרָה. לְאִסְתַּלְּקָא בְּגִינֵיהּ, בְּשַׁעְתָּא דְּקָבָּ"ה יָתִיב בְּדִינָא עַל עָלְמָא. דִּכְדֵין יְהֹ' פָּקַד אֶת שָׂרָה וְגוֹ'. וְעַ"ד אִיהוּ בֵּן לְשָׂרָה. וְהִנֵּה בֵן לְשָׂרָה. דְּהָא נוּקְבָא נָטְלָא לִבְרָא מִן דְּכוּרָא.

קמז. וְשָׂרָה שׁוֹמַעַת פֶּתַח הָאֹהֶל וְהוּא אַחֲרָיו, וְהִיא אֲחֲרָיו מִבְעֵי לֵיהּ. אֶלָּא רָזָא אִיהוּ, וְשָׂרָה שׁוֹמַעַת, מַה דַּהֲוָה אָמַר פֶּתַח הָאֹהֶל, דָּא דַּרְגָּא תַּתָּאָה פֶּתַח דִּמְהֵימְנוּתָא. וְהוּא אַחֲרָיו. דְּאוֹדִי לֵיהּ, דַּרְגָּא עִלָּאָה. מִן יוֹמָא דַּהֲוַת שָׂרָה בְּעָלְמָא, לָא שַׁמְעַת מִלָּה דְּקָבָּ"ה, בַּר הַהוּא שַׁעְתָּא.

קמח. ד"א, דַּהֲוַת יָתְבָא שָׂרָה פֶּתַח הָאֹהֶל, בְּגִין לְמִשְׁמַע מִלִּין, וְהִיא שָׁמְעַת הַאי מִלָּה דְּאִתְבְּשַׂר בָּהּ אַבְרָהָם. וְהוּא אַחֲרָיו, דַּהֲוָה אַבְרָהָם, דַּהֲוָה יָתִיב אֲחוֹרוֹי דִּשְׁכִינְתָּא.

קמט. וְאַבְרָהָם וְשָׂרָה זְקֵנִים בָּאִים בַּיָּמִים. מַאי בָּאִים בַּיָּמִים. שְׁעוּרִין דְּיוֹמִין דְּאִתְחֲזוּ כְּדֵין לְהוֹ, וְחַד מְאָה, וְחַד תִּשְׁעִים, עָאלוּ בְּיוֹמִין, שְׁעוּרָא דְּיוֹמִין, כִּדְקָא יָאוֹת בָּאִים בַּיָּמִים. כְּד"א כִּי בָא הַיּוֹם, דְּאָעֲרַב יוֹמָא לְמֵיעַל.

קנ. וָחֲדַל לִהְיוֹת לְשָׂרָה אֹרַח כַּנָּשִׁים. וְהַהִיא שַׁעְתָּא וְחָמַאת גַּרְמָהּ בְּעִדּוֹנָא אַחֲרָא. וּבְגַ"כ אָמְרָה וַאדוֹנִי זָקֵן. דְּהָא אִיהוּ לָא כְּדַאי לְאוֹלָדָא, בְּגִין דְּאִיהוּ סָבָא.

קנא. ר' יְהוּדָה פָּתַח, נוֹדַע בַּשְּׁעָרִים בַּעְלָהּ בְּשִׁבְתּוֹ עִם זִקְנֵי אָרֶץ. תָּ"חַ קָבָּ"ה אִסְתַּלַּק בִּיקָרֵיהּ, דְּאִיהוּ גָּנִיז וּסְתִים, בְּעִלּוּיָא סַגְיָא. לָאו אִיתֵי בְּעָלְמָא, וְלָא הֲוָה מִן יוֹמָא דְּאִתְבְּרִי עָלְמָא, דְּיָכִיל לְקַיְּימָא עַל וְחָכְמְתָא דִּילֵיהּ, וְלָא יָכִיל לְקַיְּימָא בֵּיהּ.

קנב. בְּגִין דְּאִיהוּ גָּנִיז וּסְתִים, וְאִסְתַּלַּק לְעֵילָּא לְעֵילָּא, וְכֻלְּהוּ עִלָּאֵי וְתַתָּאֵי לָא יָכְלִין לְאִתְדַּבְּקָא, עַד דְּכֻלְּהוֹ אָמְרִין בָּרוּךְ כְּבוֹד ה' מִמְּקוֹמוֹ. תַּתָּאֵי אָמְרֵי דְּאִיהוּ לְעֵילָּא, דִּכְתִיב עַל הַשָּׁמַיִם כְּבוֹדוֹ. עִלָּאֵי אָמְרֵי דְּאִיהוּ לְתַתָּא, דִּכְתִיב עַל כָּל הָאָרֶץ כְּבוֹדֶךָ. עַד דְּכֻלְּהוּ עִלָּאֵי וְתַתָּאֵי, אָמְרֵי בָּרוּךְ כְּבוֹד ה' מִמְּקוֹמוֹ. בְּגִין דְּלָא אִתְיְידַע, וְלָא הֲוָה מַאן דְּיָכִיל לְקַיְּימָא בֵּיהּ, וְאַתְּ אָמְרַת נוֹדַע בַּשְּׁעָרִים בַּעְלָהּ.

קנג. אֶלָּא וַדַּאי, נוֹדַע בַּשְּׁעָרִים בַּעְלָהּ. דָּא קָבָּ"ה. דְּאִיהוּ אִתְיְידַע וְאִתְדַּבַּק, לְפוּם מַה דִּמְשַׁעֵר בְּלִבֵּיהּ, כָּל חַד וְחַד, כְּמָה דְּיָכִיל לְאִתְדַּבְּקָא בְּרוּחָא דְּחָכְמְתָא. וּלְפוּם מַה

דְּמִשַּׁעֵר בְּלִבֵּיהּ, הָכִי אִתְיְדַע בְּלִבֵּיהּ. וּבְגִינֵי כָּךְ, נוֹדָע בַּשְּׁעָרִים, בְּאִינּוּן שְׁעָרִים. אֲבָל דְּאִתְיְדַע כִּדְקָא יָאוּת, לָא הֲוָה מַאן דְּיָכִיל לְאַדְבְּקָא וּלְמִנְדַּע לֵיהּ.

קנד. רַבִּי שִׁמְעוֹן אֲמַר, נוֹדָע בַּשְּׁעָרִים בַּעְלָהּ. מַאן שְׁעָרִים. כד"א שְׂאוּ שְׁעָרִים רָאשֵׁיכֶם וְהִנָּשְׂאוּ פִּתְחֵי עוֹלָם. וּבְגִין אִלּוּ שְׁעָרִים, דְּאִינּוּן דַּרְגִּין עִלָּאִין, בְּגִינַיְיהוּ אִתְיְדַע קֻבְ"הּ. וְאִי לָא, לָא יָכְלִין לְאִתְדַּבְּקָא בֵּיהּ.

קנה. ת"ח, דְּהָא נִשְׁמָתָא דְּב"נ, לָאו אִיהוּ מַאן דְּיָכִיל לְמִנְדַּע לָהּ, אֶלָּא בְּגִין אִלֵּין שַׁיְיפִין דְּגוּפָא, וְאִינּוּן דַּרְגִּין דְּעָבְדִין אוּמָנוּתָא דְּנִשְׁמָתָא, בְּגִ"כ אִתְיְדַע וְלָא אִתְיְדַע. כָּךְ קֻבְ"הּ, אִתְיְדַע וְלָא אִתְיְדַע. בְּגִין דְּאִיהוּ נִשְׁמָתָא לְנִשְׁמָתָא, רוּחָא לְרוּחָא, גָּנִיז וְטָמִיר מִכֹּלָּא, אֲבָל בְּאִינּוּן שְׁעָרִים, דְּאִינּוּן פִּתְחִין לְנִשְׁמָתָא אִתְיְדַע קוּדְשָׁא בְּרִיךְ הוּא.

קנו. ת"ח, אִית פִּתְחָא לְפִתְחָא, וְדַרְגָּא לְדַרְגָּא, וּמִנַּיְיהוּ יְדִיעַ יְקָרָא דְּקֻבְ"הּ. פֶּתַח הָאֹהֶל, דָּא הוּא פִּתְחָא דְּצֶדֶק. כד"א פִּתְחוּ לִי שַׁעֲרֵי צֶדֶק וגו'. דָּא פִּתְחָא קַדְמָאָה, לְאָעֲלָא בֵּיהּ, וּבְהַאי פִּתְחָא, אִתְחֲזוּן כָּל שְׁאָר פִּתְחִין עִלָּאִין, מַאן דְּזָכֵי לְהַאי, זָכֵי לְמִנְדַּע בֵּיהּ, וּבְכֻלְּהוּ שְׁאָר פִּתְחִין, בְּגִין דְּכֻלְּהוּ שָׁרָאן עֲלֵיהּ.

קנז. וְהַשְׁתָּא דְּפִתְחָא דָּא לָא אִתְיְדַע, בְּגִין דְּיִשְׂרָאֵל בְּגָלוּתָא, וְכֻלְּהוּ פִּתְחִין אִסְתַּלָּקוּ מִנֵּיהּ, וְלָא יָכְלִין לְמִנְדַּע וּלְאִתְדַּבְּקָא. אֲבָל בְּזִמְנָא דְּיִפְקוּן יִשְׂרָאֵל מִן גָּלוּתָא, זְמִינִין כֻּלְּהוּ דַּרְגִּין עִלָּאִין, לְמִשְׁרֵי עֲלֵיהּ כִּדְקָא יָאוּת.

קנח. וּכְדֵין יִנְדְּעוּן בְּנֵי עָלְמָא, חָכְמְתָא עִלָּאָה יַקִּירָא, מַה דְּלָא הֲווּ יָדְעִין מִקַּדְמַת דְּנָא. דִּכְתִיב וְנָחָה עָלָיו רוּחַ ה' רוּחַ חָכְמָה וּבִינָה רוּחַ עֵצָה וּגְבוּרָה רוּחַ דַּעַת וְיִרְאַת ה'. כֻּלְּהוּ זְמִינִין לְאַשְׁרָאָה עַל הַאי פִּתְחָא תַּתָּאָה, דְּאִיהוּ פֶּתַח הָאֹהֶל. וְכֻלְּהוּ זְמִינִין לְאַשְׁרָאָה עַל מַלְכָּא מְשִׁיחָא, בְּגִין לְמֵידַן עָלְמָא. דִּכְתִיב וְשָׁפַט בְּצֶדֶק דַּלִּים וגו'.

קנט. בְּגִינֵי כָּךְ, כַּד אִתְבַּשַּׂר אַבְרָהָם, הַאי דַּרְגָּא הֲוָה אֲמַר, כְּמָה דְּאִתְּמַר, דִּכְתִיב וַיֹּאמֶר שׁוֹב אָשׁוּב אֵלֶיךָ כָּעֵת חַיָּה. וַיֹּאמֶר, לָא כְּתִיב מַאן הֲוָה, וְדָא הוּא פֶּתַח הָאֹהֶל. וְעַל דָּא, וְשָׂרָה שׁוֹמַעַת, הַאי דַּרְגָּא דַּהֲוָה מַלִּיל עִמֵּיהּ, מַאן דְּלָא הֲוָה שָׁמְעַת מִקַּדְמַת דְּנָא. דִּכְתִיב וְשָׂרָה שׁוֹמַעַת פֶּתַח הָאֹהֶל, דַּהֲוָה מְבַשֵּׂר וַאֲמַר, שׁוֹב אָשׁוּב אֵלֶיךָ כָּעֵת חַיָּה וְהִנֵּה בֵן לְשָׂרָה אִשְׁתֶּךָ.

קס. ת"ח, כַּמָּה הוּא חֲבִיבוּתָא דְּקֻבְ"הּ, לְגַבֵּיהּ דְּאַבְרָהָם, דְּהָא לָא נָפַק מִנֵּיהּ יִצְחָק עַד דְּאִתְגְּזַר, לְבָתַר דְּאִתְגְּזַר אִתְבַּשַּׂר בֵּיהּ בְּיִצְחָק, בְּגִין דְּאִיהוּ כְּדֵין זַרְעָא קַדִּישָׁא, וְעַד לָא אִתְגְּזַר, לָאו אִיהוּ זַרְעָא קַדִּישָׁא. וּכְדֵין אִיהוּ, כְּמָה דִּכְתִיב אֲשֶׁר זַרְעוֹ בוֹ לְמִינֵהוּ.

קסא. ות"ח עַד לָא אִתְגְּזַר אַבְרָהָם, הַהוּא זַרְעָא דִּילֵיהּ לָא הֲוָה קַדִּישָׁא, בְּגִין דְּנָפַק בְּגוֹ עָרְלָה, וְאִתְדְּבַק בְּעָרְלָה לְתַתָּא. לְבָתַר דְּאִתְגְּזַר, נָפַק הַהוּא זַרְעָא בְּגוֹ קַדִּישָׁא, וְאִתְדְּבַק בִּקְדוּשָּׁה דִּלְעֵילָא, וְאוֹלִיד לְעֵילָא, וְאִתְדְּבַק אַבְרָהָם בְּדַרְגֵּיהּ כִּדְקָא יָאוּת. ת"ח, כַּד אוֹלִיד אַבְרָהָם לְיִצְחָק, נָפַק קַדִּישָׁא כִּדְקָא יָאוּת. וְהַאי מִמַּאי אַעֲדוּ, וְאוֹלִידוּ חֲשׁוֹכָא.

קסב. רַבִּי אֶלְעָזָר שָׁאִיל יוֹמָא חַד, לְרַ"שׁ אֲבוֹי, א"ל הַאי דְּקָרָא לֵיהּ קֻבְ"הּ יִצְחָק, דִּכְתִיב, וְקָרָאתָ אֶת שְׁמוֹ יִצְחָק, אַמַּאי, דְּהָא אִתְחֲזֵי דְּעַד לָא נָפַק לְעָלְמָא, קָרָא לֵיהּ יִצְחָק.

קסג. א"ל הָא אִתְּמַר, דְּאֶשָּׁא נָטַל מַיָא, דְּהָא מַיָא מִסִּטְרָא דִּגְבוּרָה קָא אַתְיָין. וְדָא שָׁאִיל, לְלֵוָאֵי דְּאִינּוּן בְּדִיוּזִין לְהַהוּא סִטְרָא, בְּמָאנֵי זֶמֶר וְתִשְׁבְּחָן, לְקָבֵיל הַאי סִטְרָא,

בג"כ יצחק איהו חדוה, בגין דאתי מההוא סטרא, ואתדבק ביה.

קסד. ת"ח, יצחק בחדוותא, וחדוה דאחלף מיא באשא, ואשא במיא. וע"ד אקרי הכי. ובג"כ קב"ה קרי ליה הכי, עד לא יפוק לעלמא, שמא דא, ואודע ליה לאברהם.

קסה. ות"ח, בכלהו אחרנין שבק לון קב"ה, למקרי לון שמהן, ואפילו נשי הוו קראן לבנייהו שמהן, אבל הכא לא שבק קב"ה לאמיה, למקרי ליה שמא, אלא לאברהם, דכתיב וקראת את שמו יצחק, אנת ולא אחרא, בגין לאחלפא מיא באשא, ואשא במיא, לאכללא ליה בסטריה.

קסו. כיון דאתבשר אברהם ביצחק, מה כתיב ויקומו משם האנשים וישקיפו על פני סדום. ר"א אמר, ת"ח, כמה אנהג קב"ה טיבו עם כל בריין, וכל שכן, לאינון דאזלי באורחוי, דאפילו בזמנא דבעי למידן עלמא, איהו גרים למאן דרחים ליה, למזכי במלה, עד לא ייתי ההוא דינא לעלמא.

קסז. דתנינן, בשעתא דקב"ה רחים ליה לב"נ, משדר ליה דורונא, ומאן איהו מסכנא, בגין דיזכי ביה. וכיון דזכי ביה, איהו אמשיך עליה, חד חוטא דחסד, דאתמשך מסטר ימינא, ופריש ארישיה, ורשים ליה, בגין דכד ייתי דינא לעלמא, ההוא מחבלא יזדהר ביה, וזקיף עינוי וחמא לההוא רשימו וכדין אסתלק מניה, ואזדהר ביה. בגיני כך, אקדים ליה קב"ה במה דיזכי.

קסח. ות"ח, כד בעי קב"ה לאיתאה דינא על סדום, אזכי קודם לאברהם, ושדר ליה דורונא למזכי עמהון, בגין לשזבא ללוט בר אחוה מתמן, הה"ד ויזכר אלקים את אברהם וישלח את לוט מתוך ההפכה. ולא כתיב ויזכר אלקים את לוט, דהא בזכותיה דאברהם אשתזיב. ומאי ויזכר, דדכיר ליה מאי דאזכי קודם, עם אינון תלת מלאכין.

קסט. כגוונא דא, ב"נ דיזכי בצדקה עם בני נשא, בשעתא דדינא שריא בעלמא, קב"ה אדכר ליה לההיא צדקה דעבד. בגין דבכל שעתא דזכי ב"נ, הכי אכתיב עליה לעילא, ואפילו בשעתא דדינא שריא עלוי, קב"ה אדכר ליה, לההוא טיבו דעבד, וזכה עם בני נשא. כד"א וצדקה תציל ממות. בגיני כך, אקדים ליה קב"ה לאברהם, בגין דיזכי, וישזיב ללוט.

קע. וישקיפו על פני סדום. ת"ח, ויקומו משם האנשים. מההיא סעודה דאתקין לון אברהם, וזכה בהו. אע"ג דמלאכין הוו, זכה בהו, וכל ההוא מיכלא, לא אשתאר מניה כלום בגיני דאברהם, ולמזכי ביה, דהא כתיב ויאכלו, באשא דלהון אתאכיל.

קעא. ואי תימא, הא תלת מלאכין הוו, האי אשא, והאי מיא, והאי רוחא. אלא, כל חד וחד כליל בחבריה, ובגיני כך, ויאכלו. כגוונא דא ויחזו את האלקים ויאכלו וישתו. אכילה ודאית אכלו, דאתזנו מן שכינתא, אוף הכא ויאכלו. גרמו לאתזנא מההוא סטרא דאברהם אתדבק ביה, ובג"כ, לא אשארו ממה דיהיב לון אברהם כלום.

קעב. כגוונא דא בעי ליה לב"נ, למשתי מההוא כסא דברכה, בגין דיזכי לההיא ברכה דלעילא. אוף אינון אכלו, ממה דאתקין לון אברהם, בגין דיזכון לאתזנא מסטרא דאברהם. דהא מההוא סטרא, נפיק מזונא לכלהו מלאכי עלאי.

קעג. וישקיפו: אתערותא דרחמי לשיזבא ללוט. כתיב הכא וישקיפו, וכתיב התם השקיפה ממעון קדשך. מה להלן לרחמי, אוף הכא לרחמי.

קעד. ואברהם הולך עמם לשלחם. למעבד לון לויה. א"ר ייסא אי תימא דאברהם ידע דמלאכין אינון, אמאי אעביד לון לויה. אלא אמר ר' אלעזר, אע"ג

דַּהֲוָה יָדַע, מַה דַּהֲוָה רָגִיל לְמֶעְבַּד עִם בְּנֵי נָשָׁא, עֲבַד בְּהוּ, וְאַלְוֵי לוֹן. בְּגִין דְּכָךְ אִצְטְרִיךְ לֵיהּ לְב"נ לְמֶעְבַּד לְוָיָה לְאוּשְׁפִּיזִין, דְּהָא כֹּלָּא בְּהַאי תַּלְיָא.

קעה. וּבְעוֹד דְּאִיהוּ הֲוָה אָזִיל עִמְּהוֹן, אִתְגְּלֵי קב"ה עֲלֵיהּ דְּאַבְרָהָם, דִּכְתִּיב וַה' אָמָר הַמְכַסֶּה אֲנִי מֵאַבְרָהָם אֲשֶׁר אֲנִי עֹשֶׂה. וַה': הוּא וּבֵית דִּינֵיהּ, בְּגִין דְּקוּדְשָׁא בְּרִיךְ הוּא הֲוָה אָזִיל עִמְּהוֹן.

קעו. ת"ח כַּד ב"נ עָבִיד לְוָיָה לְחַבְרֵיהּ, אִיהוּ אַמְשִׁיךְ לִשְׁכִינְתָּא לְאִתְחַבְּרָא בַּהֲדֵיהּ. וּלְמֵהַךְ עִמֵּיהּ בְּאוֹרְחָא לְשֵׁזָבָא לֵיהּ. וּבְגִ"כ בָּעֵי לֵיהּ לְב"נ לְלַוּוּיֵי לְאוּשְׁפִּיזָא, בְּגִין דְּחַבַּר לֵיהּ לִשְׁכִינְתָּא, וְאַמְשִׁיךְ עֲלֵיהּ לְאִתְחַבְּרָא בַּהֲדֵיהּ.

קעז. בְּגִ"כ וַה' אָמָר הַמְכַסֶּה אֲנִי מֵאַבְרָהָם אֲשֶׁר אֲנִי עֹשֶׂה. ר' חִיָּיא פָּתַח כִּי לֹא יַעֲשֶׂה ה' אֱלֹקִים דָּבָר כִּי אִם גָּלָה סוֹדוֹ אֶל עֲבָדָיו הַנְּבִיאִים. זַכָּאִין אִינּוּן זַכָּאֵי עָלְמָא, דְּקֻבָּ"ה אִתְרְעֵי בְּהוּ, וְכָל מַה דְּאִיהוּ עָבִיד בִּרְקִיעָא, וְזַמִּין לְמֶעְבַּד בְּעָלְמָא, עַל יְדֵי דְּזַכָּאִין עָבִיד לֵיהּ, וְלָא כַּסֵּי מִנַּיְיהוּ לְעָלְמִין כְּלוּם.

קעח. בְּגִין דְּקב"ה בָּעֵי לְשִׁתְּפָא בַּהֲדֵיהּ לְצַדִּיקַיָּא. בְּגִין דְּאִינּוּן אַתְיָין, וּמַזְהִרִין לִבְנֵי נָשָׁא, לַאֲתָבָא מֵחוֹבַיְיהוּ, וְלָא יִתְעַנְשׁוּן מִגּוֹ דִּינָא עִלָּאָה, וְלָא יְהֵא לוֹן פִּתְחָא דְּפוּמָא לְגַבֵּיהּ. בְּגִינֵי כָּךְ, קב"ה אוֹדַע לוֹן רָזָא, דְּאִיהוּ עָבִיד בְּהוּ דִּינָא. תּוּ בְּגִין דְּלָא יֵימְרוּן, דְּהָא בְּלָא דִּינָא עָבִיד בְּהוּ דִּינָא.

קעט. אָמַר רַבִּי אֶלְעָזָר, וַוי לוֹן לְחַיָּיבַיָּא, דְּלָא יָדְעִין וְלָא מַשְׁגִּיחִין, וְלָא יָדְעִין לְאִסְתַּמְּרָא מֵחוֹבַיְיהוּ. וּמַה קב"ה דִּי כָל עוֹבָדוֹהִי קְשׁוֹט, וְאוֹרְחָתֵיהּ דִּין, לָא עָבִיד כָּל מַה דַּעֲבִיד בְּעָלְמָא, עַד דְּגַלֵּי לְהוּ לְצַדִּיקַיָּיא, בְּגִין דְּלָא יְהֵא לוֹן פִּתְחָא דְּפוּמָא לִבְנֵי נָשָׁא. גַּבֵּי בְּנֵי נָשָׁא לֹא כ"ש דְּאִית לוֹן לְמֶיעְבַּד מִלַּיְיהוּ דְּלָא יְמַלְּלוּן בְּנֵי נָשָׁא סַטְיָא עֲלַיְיהוּ. וְכֵן כְּתִיב וִהְיִיתֶם נְקִיִּים מֵה' וּמִיִּשְׂרָאֵל.

קפ. וְאִית לוֹן לְמֶיעְבַּד, דְּלָא יְהֵא לוֹן פִּתְחוֹן פֶּה לִבְנֵי נָשָׁא, וְיִתְרוֹן בְּהוֹן, אִי אִינּוּן חָטְאָן, וְלָא מַשְׁגִּחֵי לְאִסְתַּמְּרָא, דְּלָא יְהֵא לֵיהּ לְמִדַּת דִּינָא דְּקב"ה, פִּתְחָא דְּפוּמָא לְגַבַּיְיהוּ. וּבַמֶּה, בִּתְשׁוּבָה וְעוֹבָדִין דְּכַשְׁרָן.

קפא. ת"ח, וַה' אָמָר הַמְכַסֶּה אֲנִי מֵאַבְרָהָם. א"ר יְהוּדָה, קב"ה יָהַב כָּל אַרְעָא לְאַבְרָהָם, לְמֶהֱוֵי לֵיהּ אַחְסָנַת יְרוּתָא לְעָלְמִין. דִּכְתִּיב כִּי אֶת כָּל הָאָרֶץ אֲשֶׁר אַתָּה רֹאֶה לְךָ אֶתְּנֶנָּה וגו'. וּכְתִיב שָׂא נָא עֵינֶיךָ וּרְאֵה. וּלְבָתַר קב"ה אִצְטְרִיךְ לְאַעֲקָרָא אַתְרִין אִלֵּין. אָמַר קב"ה, כְּבָר יַהֲבִית יַת אַרְעָא לְאַבְרָהָם, וְהוּא אַבָּא לְכֹלָּא, דִּכְתִּיב כִּי אַב הֲמוֹן גּוֹיִם נְתַתִּיךָ. וְלָא יָאוֹת לִי לְמִמְחֵי בְּנִין, וְלָא אוֹדַע לַאֲבוּהוֹן, דְּקָרִית לֵיהּ אַבְרָהָם אוֹהֲבִי. וּבְגִ"כ אִצְטְרִיךְ לְאוֹדַע לֵיהּ, בְּגִ"כ וַה' אָמָר הַמְכַסֶּה אֲנִי מֵאַבְרָהָם אֲשֶׁר אֲנִי עֹשֶׂה.

קפב. אָמַר רַבִּי אַבָּא, ת"ח, עִנְוְתָנוּתָא דְּאַבְרָהָם, דְּאַעַ"ג דַּאֲמַר לֵיהּ קב"ה, זַעֲקַת סְדוֹם וַעֲמוֹרָה כִּי רָבָּה. וְעִם כָּל דָּא דְּאוֹרִיךְ עִמֵּיהּ, וְאוֹדַע לֵיהּ, דְּבָעֵי לְמֶעְבַּד דִּינָא בִּסְדוֹם, לָא בָּעָא קַמֵּיהּ לְשֵׁזָבָא לֵיהּ לְלוֹט, וְלָא יַעֲבִיד בֵּיהּ דִּינָא. מ"ט, בְּגִין דְּלָא לְמִתְבַּע אַגְרָא מִן עוֹבָדוֹי.

קפג. וְעַל דָּא שְׁלַח קב"ה לְלוֹט, וְשֵׁזִיב לֵיהּ, בְּגִינֵיהּ דְּאַבְרָהָם. דִּכְתִּיב וַיִּזְכֹּר אֱלֹקִים אֶת אַבְרָהָם וַיְשַׁלַּח אֶת לוֹט מִתּוֹךְ הַהֲפֵכָה וגו'.

קפד. מַאי אֲשֶׁר יָשַׁב בָּהֵן לוֹט. הָא אִתְמָר. אֲבָל בְּגִין דְּכֻלְּהוּ חַיָּיבִין, וְלָא אִשְׁתְּכַח

מִכֻּלְּהוּ, דְּאִית לֵיהּ מִידֵי דִּזְכוּ, בַּר לוֹט. מִכָּאן אוֹלִיפְנָא, בְּכָל אֲתַר דְּדַיְירִין בֵּיהּ חַיָּיבִין, וְחָרִיב אִיהוּ.

קפה. אֲשֶׁר יָשַׁב בָּהֵן לוֹט. וְכִי בְּכֻלְּהוּ הֲוָה יָתִיב לוֹט, אֶלָּא בְּגִינֵיהּ הֲווּ יַתְבֵי, דְּלָא אִתְחָרְבוּ. וְאִי תֵּימָא בִּזְכוּתֵיהּ, לָא. אֶלָּא בִּזְכוּתֵיהּ דְּאַבְרָהָם.

קפו. א"ר שִׁמְעוֹן, ת"ח, דְּשִׁמּוּשָׁא דְּעָבִיד בַּר נָשׁ לְזַכָּאָה, הַהוּא שִׁמּוּשָׁא, אֲגִין עֲלֵיהּ בְּעָלְמָא. וְלָא עוֹד, אֶלָּא דְּאַף עַל גַּב דְּאִיהוּ חַיָּיבָא, אוֹלִיף מֵאוֹרְחוֹי וְעָבִיד לוֹן.

קפז. ת"ח, דְּהָא בְּגִין דְּאִתְחַבַּר לוֹט בַּהֲדֵיהּ דְּאַבְרָהָם, אע"ג דְּלָא אוֹלִיף כָּל עוֹבָדוֹי, אוֹלִיף לְמֶעְבַּד טִיבוּ עִם בִּרְיָין, כְּמָה דַּהֲוָה עָבִיד אַבְרָהָם, וְדָא הוּא דְּאוֹתִיב לְכָל אִינוּן קַרְתֵּי, כָּל הַהוּא זִמְנָא דְּיָתְבוּ, בָּתַר דְּעָאל לוֹט בֵּינַיְיהוּ.

קפח. א"ר שִׁמְעוֹן, ת"ח, דִּשְׁכִינְתָּא לָא אַעֲדֵי מִנֵּיהּ דְּאַבְרָהָם, בְּהַהִיא שַׁעֲתָא דְּקֻבְּ"ה אֲמַר לֵיהּ, א"ל ר"א, וְהָא שְׁכִינְתָּא הֲוָה מַלִּיל עִמֵּיהּ, דְּהָא בְּדַרְגָּא דָּא אִתְגְּלֵי עֲלֵיהּ קֻבְּ"ה, דִּכְתִיב וָאֵרָא אֶל אַבְרָהָם אֶל יִצְחָק וְאֶל יַעֲקֹב בְּאֵל שַׁדָּי. אֲמַר לֵיהּ הָכִי הוּא וַדַּאי.

קפט. ות"ח מַה כְּתִיב, וַיֹּאמֶר ה' זַעֲקַת סְדֹם וַעֲמֹרָה כִּי רָבָּה. בְּקַדְמֵיתָא וה' אָמַר, וּלְבַסּוֹף וַיֹּאמֶר ה' זַעֲקַת סְדוֹם וַעֲמוֹרָה וגו'. דָּא אִיהוּ דַּרְגָּא עִלָּאָה, דְּאִתְגְּלֵי לֵיהּ עַל דַּרְגָּא תַּתָּאָה.

מִדְרָשׁ הַנֶּעְלָם

קצ. וה' אָמַר הַמְכַסֶּה אֲנִי מֵאַבְרָהָם וגו'. מַה כְּתִיב לְמַעְלָה, וַיָּקֻמוּ מִשָּׁם הָאֲנָשִׁים וַיַּשְׁקִפוּ עַל פְּנֵי סְדֹם. לַעֲשׂוֹת דִּין בָּרְשָׁעִים, מַה כְּתִיב אַחֲרָיו הַמְכַסֶּה אֲנִי מֵאַבְרָהָם.

קצא. א"ר חִסְדָּא, אֵין הקב"ה עוֹשֶׂה דִּין בָּרְשָׁעִים, עַד שֶׁנִּמְלָךְ בְּנִשְׁמָתָן שֶׁל צַדִּיקִים, הה"ד מִנִּשְׁמַת אֱלוֹהַּ יֹאבֵדוּ, וּכְתִיב הַמְכַסֶּה אֲנִי מֵאַבְרָהָם. אָמַר הקב"ה, כְּלוּם יֵשׁ לִי לַעֲשׂוֹת דִּין בָּרְשָׁעִים, עַד שֶׁאֶמָּלֵךְ בְּנִשְׁמוֹת הַצַּדִּיקִים, וְאוֹמַר לָהֶם, הָרְשָׁעִים חָטְאוּ לְפָנַי, אֶעֱשֶׂה בָּהֶם דִּין, דִּכְתִיב וַיֹּאמֶר ה' זַעֲקַת סְדֹם וַעֲמֹרָה כִּי רָבָּה וְחַטָּאתָם וגו'.

קצב. א"ר אֲבָהוּ, הַנְּשָׁמָה עוֹמֶדֶת בִּמְקוֹמָהּ, וְהִיא יְרֵאָה לְהִתְקָרֵב אֵלָיו, וְלוֹמַר לְפָנָיו כְּלוּם, עַד שֶׁיֹּאמַר לְמְטַטְרוֹ"ן, שֶׁיַּגִּישֶׁנָּה לְפָנָיו, וְתֹאמַר מַה שֶּׁרָצְתָה, הה"ד, וַיִּגַּשׁ אַבְרָהָם וַיֹּאמַר הַאַף תִּסְפֶּה צַדִּיק עִם רָשָׁע וְחָלִילָה לְּךָ וגו'.

קצג. אוּלַי יֵשׁ חֲמִשִּׁים צַדִּיקִים וגו' הַנְּשָׁמָה פּוֹתַחַת וְאוֹמֶרֶת, רבש"ע, שֶׁמָּא נִתְעַסְּקוּ בְּנ' פָּרְשִׁיּוֹת שֶׁל תּוֹרָה, וְאע"פ שֶׁלֹּא נִתְעַסְּקוּ לִשְׁמָהּ, שָׂכָר יֵשׁ לָהֶם לְעוה"ב, וְלֹא יִכָּנְסוּ לַגֵּיהִנֹּם. מַה כְּתִיב בַּתְרֵיהּ, וַיֹּאמֶר ה' אִם אֶמְצָא בִסְדֹם חֲמִשִּׁים צַדִּיקִים וגו'.

קצד. וְהָא יַתִּיר אִינוּן פָּרְשִׁיּוֹת, נ"ג הֲווּ. אֶלָּא, א"ר אֲבָהוּ, וַחֲמִשָּׁה סְפָרִים הֵם בַּתּוֹרָה, וּבְכָל אֶחָד וְאֶחָד נִכְלָלִים עֲשֶׂרֶת הַדִּבְּרוֹת, עֲשָׂרָה מַאֲמָרוֹת, שֶׁבָּהֶם נִבְרָא הָעוֹלָם, וְחָשׁוּב עֲשָׂרָה בְּכָל חַד מִנְּהוֹן, הוּא וַחֲמִשִּׁים.

קצה. עוֹד פּוֹתַחַת הַנְּשָׁמָה וְאוֹמֶרֶת, רבש"ע, אע"פ שֶׁלֹּא נִתְעַסְּקוּ בַּתּוֹרָה, שֶׁמָּא קִבְּלוּ עָנְשָׁם, עַל מַה שֶּׁחָטְאוּ, בב"ד, וְנִתְכַּפֵּר לָהֶם. שֶׁנֶּאֱמַר אַרְבָּעִים יַכֶּנּוּ לֹא יֹסִיף. וּמִמַּה שֶּׁנִּתְבַּיְּישׁוּ לְפָנֵיהֶם, דַּיִּים לְהִתְכַּפֵּר לָהֶם, שֶׁלֹּא יִכָּנְסוּ לַגֵּיהִנֹּם. מַה כְּתִיב אַחֲרָיו, לֹא אֶעֱשֶׂה בַּעֲבוּר הָאַרְבָּעִים.

קצו. עוֹד פּוֹתַחַת וְאוֹמֶרֶת, אוּלַי יֵשׁ שָׁם שְׁלֹשִׁים, אוּלַי יֵשׁ בֵּינֵיהֶם צַדִּיקִים, שֶׁהִשִּׂיגוּ

שְׁלֹשִׁים מַעֲלוֹת, הָרְמוּזִים בַּפָּסוּק וַיְהִי בִּשְׁלֹשִׁים שָׁנָה וְהֵם כְּלוּלִים בְּל"ב נְתִיבוֹת. שֶׁהֵם כ"ב אוֹתִיּוֹת, וי"ס. לִפְעָמִים הֵם כְּלוּלִים לִשְׁמוֹנָה.

קצז. עוֹד פּוֹתַחַת וְאוֹמֶרֶת, אוּלַי יִמָּצְאוּן שָׁם עֶשְׂרִים, שֶׁמָּא יְגַדְּלוּ בָּנִים לְתַלְמוּד תּוֹרָה, וְיֵשׁ לָהֶם שָׂכָר, לַעֲשֶׂרֶת הַדִּבְּרוֹת, שְׁתֵּי פְּעָמִים בְּכָל יוֹם, דְּאָמַר ר' יִצְחָק כָּל הַמְגַדֵּל בְּנוֹ לְתַלְמוּד תּוֹרָה, וּמוֹלִיכוֹ לְבֵית רַבּוֹ, בַּבֹּקֶר וּבָעֶרֶב, מַעֲלֶה עָלָיו הַכָּתוּב כְּאִלּוּ קִיֵּם הַתּוֹרָה, ב' פְּעָמִים בְּכָל יוֹם. מַה כְּתִיב, וַיֹּאמֶר לֹא אַשְׁחִית בַּעֲבוּר הָעֶשְׂרִים.

קצח. עוֹד פּוֹתַחַת וְאוֹמֶרֶת, אוּלַי יִמָּצְאוּן שָׁם עֲשָׂרָה. אוֹמֶרֶת רִבּוֹנוֹ שֶׁל עוֹלָם, שֶׁמָּא הָיוּ מֵאוֹתָם הָעֲשָׂרָה הָרִאשׁוֹנִים שֶׁל בֵּיהכ"נ, שֶׁנּוֹטֵל שָׂכָר כְּנֶגֶד כּוּלָם, שֶׁבָּאִים אַחֲרֵיהֶם, מַה כְּתִיב וַיֹּאמֶר לֹא אַשְׁחִית בַּעֲבוּר הָעֲשָׂרָה.

קצט. כָּל זֶה יֵשׁ לְנִשְׁמַת הַצַּדִּיק, לוֹמַר עַל הָרְשָׁעִים, כֵּיוָן שֶׁלֹּא נִמְצָא בְּיָדָם כְּלוּם, מַה כְּתִיב, וַיֵּלֶךְ ה' כַּאֲשֶׁר כִּלָּה לְדַבֵּר אֶל אַבְרָהָם. וְאַבְרָהָם שָׁב לִמְקוֹמוֹ. מַהוּ לִמְקוֹמוֹ. לִמְקוֹם מַעֲלָתוֹ הַיְדוּעָה.

ר. אָמַר רַבִּי, מִצְוָה לוֹ לָאָדָם לְהִתְפַּלֵּל עַל הָרְשָׁעִים, כְּדֵי שֶׁיַּחְזְרוּ לְמוּטָב. וְלֹא יִכָּנְסוּ לַגֵּיהִנֹּם. דִּכְתִיב וַאֲנִי בַּחֲלוֹתָם לְבוּשִׁי שָׂק וגו'. וְאָמַר רַבִּי, אָסוּר לוֹ לָאָדָם לְהִתְפַּלֵּל עַל הָרְשָׁעִים שֶׁיִּסְתַּלְּקוּ מִן הָעוֹלָם, שֶׁאִלְמָלֵא סִלְּקוֹ הקב"ה לְתֶרַח מִן הָעוֹלָם, כְּשֶׁהָיָה עוֹבֵד ע"ז, לֹא בָּא אַבְרָהָם אָבִינוּ לָעוֹלָם, וְשִׁבְטֵי יִשְׂרָאֵל לֹא הָיוּ, וְהַמֶּלֶךְ דָּוִד, וּמֶלֶךְ הַמָּשִׁיחַ, וְהַתּוֹרָה, לֹא נִתְּנָה, וְכָל אוֹתָם הַצַּדִּיקִים, וְהַחֲסִידִים, וְהַנְּבִיאִים, לֹא הָיוּ בָּעוֹלָם. אָמַר ר' יְהוּדָה, כֵּיוָן שֶׁרוֹאֶה הַקב"ה, שֶׁלֹּא נִמְצָא בָּרְשָׁעִים כְּלוּם, מִכָּל אוֹתָם הָעִנְיָנִים, מַה כְּתִיב, וַיָּבֹאוּ שְׁנֵי הַמַּלְאָכִים סְדוֹמָה וגו'.

רא. אֵרְדָה נָּא וְאֶרְאֶה הַכְּצַעֲקָתָהּ הַבָּאָה אֵלַי עָשׂוּ כָּלָה. לְמַאן קָאָמַר. אִי תֵּימָא לְאִינּוּן מַלְאָכִין, מַאן חָמָא מַלִּיל עִם דָּא, וּפָקִיד לְדָא. אֶלָּא, לְאַבְרָהָם קָאָמַר, דְּבִרְשׁוּתֵיהּ קַיְימִין אִינּוּן אַתְרֵי. ד"א, לְאִינּוּן מַלְאָכִין.

רב. מַה דְּאִתְּמַר לְאַבְרָהָם, מַה טַעֲמָא עָשׂוּ, עָשָׂה מִבָּעֵי לֵיהּ, מַאי עָשׂוּ, אֶלָּא דָּא אַבְרָהָם, וּשְׁכִינְתָּא לָא אַעֲדֵי מִנֵּיהּ. מַה דְּאִתְּמַר לְמַלְאָכִין, בְּגִין דַּהֲווּ זְמִינִין תַּמָּן, וַהֲווּ מִשְׁתַּכְּחִין לְמֶעְבַּד דִּינָא, וְעַל דָּא עָשׂוּ.

רג. ד"א עָשׂוּ, כְּתַרְגּוּמוֹ עֲבָדוּ. וְכִי לָא הֲוָה יָדַע קב"ה, דְּאִיהוּ אָמַר אֵרְדָה נָּא וְאֶרְאֶה, וְהָא כֹּלָּא אִתְגְּלֵי קַמֵּיהּ. אֶלָּא, אֵרְדָה נָּא מִדַּרְגָּא דְּרַחֲמֵי, לְדַרְגָּא דְּדִינָא, וְהַיְינוּ יְרִידָה. וְאֶרְאֶה: רְאִיָּה דָּא הִיא לְאַשְׁגָּחָא עֲלַיְיהוּ, בְּמַאן דִּינָא יָדִין לוֹן.

רד. אַשְׁכְּחָן רְאִיָּה לְטַב, וְאַשְׁכְּחָן רְאִיָּה לְבִישׁ. רְאִיָּה לְטַב: דִּכְתִיב וַיַּרְא אֱלֹקִים אֶת בְּנֵי יִשְׂרָאֵל וַיֵּדַע. רְאִיָּה לְבִישׁ: דִּכְתִיב אֵרְדָה נָּא וְאֶרְאֶה. לְאַשְׁגָּחָא עֲלַיְיהוּ בְּדִינָא, וְעַל דָּא אָמַר קב"ה, הַמְכַסֶּה אֲנִי מֵאַבְרָהָם.

רה. וְאַבְרָהָם הָיוֹ יִהְיֶה לְגוֹי גָּדוֹל וְעָצוּם. מַאי טַעֲמָא בְּרָכָה דָּא הָכָא. אֶלָּא, בְּגִין לְאוֹדָעָא דַּאֲפִילּוּ בְּשַׁעְתָּא דְּקב"ה יָתִיב בְּדִינָא עַל עָלְמָא, לָא אִשְׁתַּנֵּי. דְּהָא יָתִיב בְּדִינָא עַל דָּא, וּבְרַחֲמֵי עַל דָּא, וְכֹלָּא בְּרִגְעָא חֲדָא וּבְשַׁעְתָּא חֲדָא.

רו. א"ר יְהוּדָה, וְהָא כְתִיב וַאֲנִי תְפִלָּתִי לְךָ ה' עֵת רָצוֹן. זִמְנִין דְּאִיהוּ עֵת רָצוֹן, וְזִמְנִין דְּלָאו אִיהוּ עֵת רָצוֹן. זִמְנִין דְּשָׁמַע, וְזִמְנִין דְּלָא שָׁמַע. זִמְנִין דְּאִשְׁתַּכַּח, וְזִמְנִין דְּלָא אִשְׁתַּכַּח. דִּכְתִיב דִּרְשׁוּ ה' בְּהִמָּצְאוֹ קְרָאוּהוּ בִּהְיוֹתוֹ קָרוֹב.

רז. אָמַר ר' אֶלְעָזָר, כָּאן לְיָחִיד, כָּאן לְצִבּוּר. כָּאן לַאֲתַר חַד, וְכָאן לְכוּלֵּי עָלְמָא.

בְּגִינֵי כָּךְ בָּרִיךְ לֵיהּ לְאַבְרָהָם דְּאִיהוּ שָׁקִיל כְּכָל עָלְמָא, דִּכְתִיב אֵלֶּה תוֹלְדוֹת הַשָּׁמַיִם וְהָאָרֶץ בְּהִבָּרְאָם. וְתָנִינָן בְּאַבְרָהָם.

רח. יִהְיֶה. בְּגִימַטְרִיָּא שְׁלֹשִׁים. הָכֵי תָּנִינָן, תְּלָתִין צַדִּיקִים, אַזְמִין קוּדְשָׁא בְּרִיךְ הוּא, בְּכָל דָּרָא וְדָרָא לְעָלְמָא. כְּמָה דְּאַזְמִין לְאַבְרָהָם.

רט. פָּתַח וְאָמַר, מִן הַשְּׁלֹשִׁים הֲכִי נִכְבָּד וְאֶל הַשְּׁלֹשָׁה לֹא בָא וגו'. מִן הַשְּׁלֹשִׁים הֲכִי נִכְבָּד, אִלֵּין אִינוּן תְּלָתִין צַדִּיקִים, דְּאַזְמִין קוּדְשָׁא בְּרִיךְ הוּא לְעָלְמָא, וְלָא יְבַטֵּל לוֹן מִנֵּיהּ. וּבְנָיָהוּ בֶּן יְהוֹיָדָע, כְּתִיב בֵּיהּ מִן הַשְּׁלֹשִׁים הֲכִי נִכְבָּד. אִיהוּ וַחַד מִנַּיְיהוּ. וְאֶל הַשְּׁלֹשָׁה לֹא בָא. דְּלָא שָׁקִיל לִתְלָתָא אָחֳרָנִין, דְּעָלְמָא קָאִים עֲלַיְיהוּ.

רי. וְאֶל הַשְּׁלֹשָׁה לֹא בָא. לְמֶהֱוֵי בְּמִנְיָינָא כְּחַד מִנַּיְיהוּ. בְּאִינוּן תְּלָתִין זַכָּאִין, זָכָה לְמֵיעַל בְּחוּשְׁבְּנָא, אֲבָל וְאֶל הַשְּׁלֹשָׁה לֹא בָא, דְּלָא זָכָה לְאִתְחַבְּרָא בְּהוּ וּלְמֶהֱוֵי עִמְּהוֹן בְּחוּלָקָא וְחָדָא. יִהְיֶה: כְּמָה דְּתָנִינָן, תְּלָתִין הֲוָה. וּבְגִין כָּךְ, קוּדְשָׁא בְּרִיךְ הוּא בָּרְכֵיהּ, בְּאִינוּן תְּלָתִין צַדִּיקִים.

ריא. תָּא וַחֲזֵי, אֲמַר לֵיהּ קב"ה לְאַבְרָהָם, זַעֲקַת סְדוֹם וַעֲמוֹרָה כִּי רָבָּה, דְּהָא סְלִיקַת קֳדָמַי, מַה דְּאִינוּן עָבְדִין לְכָל עָלְמָא, דְּכָל עָלְמָא מָנְעֵי רַגְלַיְיהוּ דְּלָא לְמֵיעַל בִּסְדוֹם וַעֲמוֹרָה. דִּכְתִיב פָּרַץ נַחַל מֵעִם גָּר הַנִּשְׁכָּחִים מִנִּי רָגֶל דַּלּוּ מֵאֱנוֹשׁ נָעוּ. פָּרַץ נַחַל מֵעִם גָּר: פִּרְצָה הֲוָה פָּרִיץ נַחַל, לְאִינוּן בְּנֵי עָלְמָא דְּעָאלוּ לְתַמָּן, דְּכֻלְּהוּ, דְּחָזְמָאן לְמַאן דַּהֲוו יַהֲבֵי, לְמֵיכַל וּלְמִשְׁתֵּי לְבַר נָשׁ אָחֳרָא, שַׁדְיָין לֵיהּ בְּעוּמְקָא דְּנַהֲרָא, וְאִיהוּ דְּנָטֵיל לֵיהּ הָכֵי נָמֵי.

ריב. וְעַל דָּא כֻּלְּהוּ בְּנֵי עָלְמָא, הֲווֹ נִשְׁכָּחִים מִנִּי רָגֶל, דְּמָנְעֵי רַגְלַיְיהוּ לָא לְמֵיעַל תַּמָּן, וּמַאן דְּעָאל, דַּלּוּ מֵאֱנוֹשׁ נָעוּ, דַּהֲוו דַּלֵּי גּוּפָא בְּכַפְנָא, לָא הֲווֹ יַהֲבֵי לֵיהּ לְמֵיכַל וּלְמִשְׁתֵּי, וְאִשְׁתַּנֵּי דְּיוֹקְנֵיהּ מִשְּׁאָר בְּנֵי עָלְמָא דִּכְתִיב דַּלּוּ מֵאֱנוֹשׁ נָעוּ. כְּתִיב הָכָא נָעוּ. וּכְתִיב הָתָם נָעוּ מַעְגְּלוֹתֶיהָ. הָכֵי נָמֵי הֲווֹ סָטָאן מַעְגְּלִין וְאוֹרְחִין, דְּלָא לְמֵיעַל תַּמָּן. וַאֲפִילּוּ עוֹפֵי שְׁמַיָּא הֲווֹ מָנְעֵי לְמֵיעַל תַּמָּן, דִּכְתִיב נָתִיב לֹא יְדָעוֹ עַיִט וגו'. וּבְגִינֵי כָּךְ, כּוּלֵּי עָלְמָא הֲווֹ צָוְוחִין עַל סְדוֹם וְעַל עֲמוֹרָה, וְעַל כֻּלְּהוּ קַרְתֵּי, דְּכֻלְּהוּ כְּגַוְונָא וְחָדָא הֲווֹ.

ריג. זַעֲקַת סְדוֹם וַעֲמוֹרָה כִּי רָבָּה, א"ל אַבְרָהָם, אַמַּאי. אֲמַר לֵיהּ, וְחַטָּאתָם כִּי כָבְדָה מְאֹד. בְּגִינֵי כָּךְ, אֵרְדָה נָּא וְאֶרְאֶה הַכְּצַעֲקָתָהּ. הַכְּצַעֲקָתָם מִבָּעֵי לֵיהּ, דְּהָא כְּתִיב זַעֲקַת סְדוֹם וַעֲמוֹרָה, וּתְרֵי קַרְתֵּי הֲווֹ, אַמַּאי הַכְּצַעֲקָתָהּ. אֶלָּא הָא אוֹקְמוּהָ.

ריד. ת"ח בְּסִטְרָא דְּתוּתֵי קָלָא דְּבַרְדָּא, סָלְקִין קוּטְרֵי, כֻּלְּהוּ בְּכַתְפָּא. מִתְכַּנְּשֵׁי בְּחַד טִיף, וְעָאלִין בְּגוֹ נוּקְבֵי דִּתְהוֹמָא רַבָּא אִתְעֲבִידוּ וְחָמֵשׁ בְּחַד. וְחַד אִיהוּ כַּד אִיכָּא צְלִילִין, קָלִין, דְּכֻלְּהוּ אִתְעֲבִידוּ וְחַד. קָלָא דְּסָלִיק מִתַּתָּא, עָאל בֵּינַיְיהוּ, וְאִתְמַשְׁכוּ כְּחַד.

רטו. וְהַהוּא קָלָא סָלְקָא וְנַחֲתָא, תָּבְעָא דִּינָא לְאִתְמַשְׁכָא לְתַתָּא. כַּד הַאי קָלָא סָלְקָא לְמִתְבַּע דִּינָא, כְּדֵין אִתְגְּלֵי קוּדְשָׁא בְּרִיךְ הוּא לְאַשְׁגָּחָא בְּדִינָא.

רטז. אֲמַר רַבִּי שִׁמְעוֹן, הַכְּצַעֲקָתָהּ. מַאן הַכְּצַעֲקָתָהּ, דָּא גְּזֵרַת דִּינָא, דְּתָבְעָא דִּינָא כָּל יוֹמָא. דְּהָכֵי תָּנִינָן כַּמָּה שְׁנִין קַיְימָא גְּזֵרַת דִּינָא, וְתָבְעָא מִקַּמֵּי קב"ה, עַל דְּזַבִּינוּ אֲחוֹי דְּיוֹסֵף לְיוֹסֵף. בְּגִין דִּגְזֵרַת דִּינָא, צָוְוחַת עַל דִּינָא, וְעַל דָּא, הַכְּצַעֲקָתָהּ הַבָּאָה אֵלַי.

ריז. מַהוּ הַבָּאָה אֵלַי, דָּא הוּא רָזָא, כד"א בָּעֶרֶב הִיא בָאָה וּבַבֹּקֶר הִיא שָׁבָה. וְדָא הוּא הַבָּאָה אֵלַי תָּדִיר. כְּגַוְונָא דָּא, קֵץ כָּל בָּשָׂר בָּא לְפָנַי. וְהָא אִתְּמַר. עָשׂוּ כָּלָה הָא אִתְּמַר.

ריח. וַיִּגַּשׁ אַבְרָהָם וַיֹּאמַר הַאַף תִּסְפֶּה צַדִּיק עִם רָשָׁע. אֲמַר ר' יְהוּדָה מַאן חָמָא

אַבָּא דִּרְחִימְנוּתָא כְּאַבְרָהָם. ת״ח, בְּנֹחַ כְּתִיב וַיֹּאמֶר אֱלֹקִים לְנֹחַ קֵץ כָּל בָּשָׂר בָּא לְפָנַי וגו׳. עֲשֵׂה לְךָ תֵּבַת עֲצֵי גֹפֶר. וְאִשְׁתִּיק, וְלָא אֲמַר לֵיהּ מִידֵי, וְלָא בָּעָא רַחֲמֵי. אֲבָל אַבְרָהָם, בְּשַׁעְתָּא דַּאֲמַר לֵיהּ קֻבָּ״ה, זַעֲקַת סְדוֹם וַעֲמוֹרָה כִּי רָבָּה וגו׳. אֵרְדָה נָּא וְאֶרְאֶה וגו׳. מִיָּד כְּתִיב וַיִּגַּשׁ אַבְרָהָם וַיֹּאמַר הַאַף תִּסְפֶּה צַדִּיק עִם רָשָׁע.

ריט. א״ר אֶלְעָזָר אוּף אַבְרָהָם, לָא עָבַד שְׁלִימוּ כִּדְקָא יָאוּת. נֹחַ לָא עָבִיד מִידֵי, לָא הַאי וְלָא הַאי. אַבְרָהָם תָּבַע דִּינָא כִּדְקָא יָאוּת, דְּלָא יָמוּת זַכָּאָה עִם חַיָּיבָא. וְשָׁאַרֵי מֵחֲמִשִּׁים, עַד עֲשָׂרָה, עָבַד וְלָא אַשְׁלִים, דְּלָא בָּעָא רַחֲמֵי בֵּין כָּךְ וּבֵין כָּךְ, דַּאֲמַר אַבְרָהָם לָא בָּעֵינָא לְמִתְבַּע אֲגַר עוֹבָדוֹי.

רכ. אֲבָל מַאן עָבַד שְׁלִימוּ כִּדְקָא יָאוּת דָּא מֹשֶׁה. דְּכֵיוָן דַּאֲמַר קֻבָּ״ה סָרוּ מַהֵר מִן הַדֶּרֶךְ וגו׳. עָשׂוּ לָהֶם עֵגֶל מַסֵּכָה וַיִּשְׁתַּחֲווּ לוֹ. מִיָּד מַה כְּתִיב וַיְחַל מֹשֶׁה אֶת פְּנֵי ה׳ אֱלֹקָיו וגו׳. עַד דַּאֲמַר וְעַתָּה אִם תִּשָּׂא חַטָּאתָם וְאִם אַיִן מְחֵנִי נָא מִסִּפְרְךָ אֲשֶׁר כָּתָבְתָּ. וְאע״ג דְּכֻלְּהוּ חָטוּ, לָא זָז מִתַּמָּן, עַד דַּאֲמַר לֵיהּ סָלַחְתִּי כִּדְבָרֶךָ.

רכא. אֲבָל אַבְרָהָם לָא אַשְׁגַּח אֶלָּא אִי אִשְׁתַּכְחוּ בְּהוּ זַכָּאֵי, וְאִם לָאו לָא. וְעַל דָּא לָא הֲוָה בְּעָלְמָא בַּר נָשׁ, דְּיָגִין עַל דָּרֵיהּ, כְּמֹשֶׁה, דְּאִיהוּ רַעְיָא מְהֵימְנָא.

רכב. וַיִּגַּשׁ אַבְרָהָם וַיֹּאמַר, אַתְקִין גַּרְמֵיהּ לְמִתְבַּע דָּא. אוּלַי יִמָּצְאוּן שָׁם חֲמִשִּׁים. שָׁרָא מֵחֲמִשִּׁים, דְּאִיהוּ שֵׁירוּתָא לְמִנְדַּע, עַד עֲשָׂרָה, דְּאִיהוּ עֲשִׂירָאָה, סוֹפָא דְּכָל דַּרְגִּין.

רכג. אֲמַר ר׳ יִצְחָק עַד עֲשָׂרָה, אִלֵּין עֲשָׂרָה יוֹמִין, דְּבֵין רֹאשׁ הַשָּׁנָה לְיוֹם הַכִּפּוּרִים. בְּגִין כָּךְ שָׁרָא מֵחֲמִשִּׁים עַד עֲשָׂרָה. וְכֵיוָן דְּמָטָא לַעֲשָׂרָה, אֲמַר, מִכָּאן וּלְתַתָּא לָאו הוּא אֲתַר דְּקַיְּימָא בִּתְשׁוּבָה, בְּגִינֵי כָּךְ לָא נָחַת לְתַתָּא מֵעֲשָׂרָה.

רכד. וַיָּבֹאוּ שְׁנֵי הַמַּלְאָכִים סְדוֹמָה בָּעֶרֶב וגו׳. אֲמַר ר׳ יוֹסֵי, תָּא חֲזֵי, מַה כְּתִיב לְעֵילָּא, וַיֵּלֶךְ ה׳ כַּאֲשֶׁר כִּלָּה לְדַבֵּר אֶל אַבְרָהָם. דְּהָא כֵּיוָן דְּאִתְפְּרַשׁ שְׁכִינְתָּא מֵאַבְרָהָם, וְאַבְרָהָם תָּב לְאַתְרֵיהּ, כְּדֵין וַיָּבֹאוּ שְׁנֵי הַמַּלְאָכִים סְדוֹמָה בָּעֶרֶב, דְּהָא חַד אִסְתַּלַּק בִּשְׁכִינְתָּא, וְאִשְׁתָּאֲרוּ אִינּוּן תְּרֵין.

רכה. כֵּיוָן דְּחָמָא לוֹט לוֹן, רָהַט בַּתְרַיְיהוּ. מַאי טַעְמָא, וְכִי כָּל אִינּוּן דַּהֲווּ אַתְיָין, אִיהוּ אָעִיל לוֹן לְבֵיתֵיהּ, וְיָהֵיב לוֹן לְמֵיכַל וּלְמִשְׁתֵּי, וּבְנֵי מָתָא הֵיךְ לָא קָטְלִין לֵיהּ, דְּהָא לִבְרַתֵּיהּ עָבְדוּ דִּינָא.

רכו. וּמַאי הוּא, דִּבְרַתֵּיהּ דְּלוֹט, יָהֲבַת פִּתָּא דְּנַהֲמָא לְחַד עַנְיָא, יָדְעוּ בָּהּ, שָׁפוּהָ דּוּבְשָׁא, וְאוֹתְבוּהָ בְּרֵישׁ אִיגְרָא, עַד דַּאֲכָלוּהָ צִרְעֵי.

רכז. אֶלָּא בְּגִין דַּהֲוָה בְּלֵילְיָא, וְחָשִׁיב דְּלָא יִסְתַּכְּלוּן לֵיהּ בְּנֵי מָתָא, וְעִם כָּל דָּא, כֵּיוָן דַּאֲעָלוּ לְבֵיתָא, אִתְכְּנָשׁוּ כֻּלְּהוּ, וְאַסְחָרוּ לְבֵיתָא.

רכח. א״ר יִצְחָק, אַמַּאי רָהַט לוֹט אֲבַתְרַיְיהוּ, דִּכְתִיב וַיַּרְא לוֹט וַיָּרָץ לִקְרָאתָם. ר׳ חִזְקִיָּה וְר׳ יֵיסָא. חַד אֲמַר, דְּיוּקְנָא דְּאַבְרָהָם חָמָא עִמְּהוֹן. וְחַד אֲמַר שְׁכִינְתָּא אַתְיָא עֲלַיְיהוּ. כְּתִיב הָכָא וַיַּרְא לוֹט וַיָּרָץ לִקְרָאתָם, וּכְתִיב הָתָם וַיָּרָץ לִקְרָאתָם מִפֶּתַח הָאֹהֶל. מַה לְהַלָּן חָמָא שְׁכִינְתָּא, אוּף הָכָא חָמָא שְׁכִינְתָּא.

רכט. וְע״ד, וַיַּרְא לוֹט וַיָּרָץ לִקְרָאתָם, וַיֹּאמֶר הִנֶּה נָּא אֲדֹנַי בְּאָלֶ״ף דָּלֶ״ת נוּ״ן יוּ״ד. סוּרוּ נָא, גְּשׁוּ נָא מִבְּעֵי לֵיהּ, מַאי סוּרוּ נָא. אֶלָּא לְאַהֲדְרָא לוֹן סַחֲרָנֵיהּ דְּבֵיתָא, בְּגִין דְּלָא יֶחֱמוּן לוֹן בְּנֵי מָתָא, וְלָא יֵעֲלוּן בְּאוֹרַח מֵישַׁר לְבֵיתָא, וּבְגִין כָּךְ, סוּרוּ נָא.

רל. ר׳ חִזְקִיָּה פָּתַח כִּי הוּא לִקְצוֹת הָאָרֶץ יַבִּיט תַּחַת כָּל הַשָּׁמַיִם יִרְאֶה. כַּמָּה אִית

לוֹן לִבְנֵי נָשָׁא, לְאִסְתַּכְּלָא בְּעוֹבָדוֹי דְּקֻבְּ"ה, וּלְאִשְׁתַּדְּלָא בְּאוֹרַיְיתָא יְמָמָא וְלֵילֵי, דְּכָל מָאן דְּאִשְׁתַּדַּל בְּאוֹרַיְיתָא, קֻבְּ"ה אִשְׁתַּבַּח בֵּיהּ לְעֵילָּא, וְאִשְׁתַּבַּח בֵּיהּ לְתַתָּא, בְּגִין דְּאוֹרַיְיתָא, אִילָנָא דְּחַיֵּי אִיהִי, לְכָל אִינּוּן דְּעָסְקִין בָּהּ, לְמֵיהַב לוֹן חַיִּין בְּעָלְמָא דֵּין, וּלְמֵיהַב לוֹן חַיִּין בְּעָלְמָא דְּאָתֵי.

רלא. ת"ח כִּי הוּא לִקְצוֹת הָאָרֶץ יַבִּיט. לְמֵיהַב לוֹן מְזוֹנָא, וּלְסַפְּקָא לוֹן מִכָּל מַה דְּאִצְטְרִיכוּ, בְּגִין דְּאִיהוּ אַשְׁגַּח בָּהּ תָּדִיר, דִּכְתִּיב תָּמִיד עֵינֵי ה' אֱלֹקֶיךָ בָּהּ מֵרֵשִׁית הַשָּׁנָה וְעַד אַחֲרִית שָׁנָה.

רלב. בְּגִין דְּאֶרֶץ דָּא, מַה כְּתִיב בָּהּ, מִמֶּרְחָק תָּבִיא לַחְמָהּ. וּלְבָתַר אִיהִי יָהֲבַת מְזוֹנָא וְטַרְפָּא, לְכָל אִינּוּן חֵיוָן בָּרָא, דִּכְתִּיב וַתָּקָם בְּעוֹד לַיְלָה וַתִּתֵּן טֶרֶף לְבֵיתָהּ וְחֹק לְנַעֲרוֹתֶיהָ.

רלג. וְע"ד כִּי הוּא לִקְצוֹת הָאָרֶץ יַבִּיט תַּחַת כָּל הַשָּׁמַיִם יִרְאֶה. לְכֻלְּהוּ בְּנֵי עָלְמָא, לְמֵיהַב לוֹן מְזוֹנָא וְסִפּוּקָא, לְכָל מַה דְּאִצְטְרִיךְ כָּל חַד וְחַד, דִּכְתִּיב, פּוֹתֵחַ אֶת יָדֶךָ וּמַשְׂבִּיעַ לְכָל חַי רָצוֹן.

רלד. ד"א כִּי הוּא לִקְצוֹת הָאָרֶץ יַבִּיט. לְאִסְתַּכְּלָא עוֹבָדוֹי דְּבַר נָשׁ, וּלְאַשְׁגָּחָא בְּכָל מַה דְּעַבְדֵי בְּנֵי נָשָׁא בְּעָלְמָא. תַּחַת כָּל הַשָּׁמַיִם יִרְאֶה. מִסְתַּכֵּל וְחָמֵי לְכָל חַד וְחַד.

רלה. ת"ח כֵּיוָן דְּחָמָא קֻבְּ"ה, עוֹבָדִין דִּסְדוֹם וַעֲמוֹרָה, שַׁדַּר לוֹן לְאִינּוּן מַלְאָכִין, לְחַבְּלָא לִסְדוֹם. מַה כְּתִיב, וַיַּרְא לוֹט, וְחָמָא לִשְׁכִינְתָּא, וְכִי מָאן יָכִיל לְמֶחֱמֵי שְׁכִינְתָּא, אֶלָּא, וְחָמָא זָהֲרָא וַחַד דְּנָהִיר, דַּהֲוָה סַלְקָא עַל רֵישַׁיְיהוּ. וּכְדֵין וַיֹּאמֶר הִנֶּה נָא אֲדֹנַי בְּאָלֶ"ף דָּלֶ"ת, כְּמָה דְּאִתְּמַר. וּבְגִין שְׁכִינְתָּא, הַהוּא נְהִירוּ דְּנָהִיר, קָאֲמַר סוּרוּ נָא אֶל בֵּית עַבְדְּכֶם.

רלו. וְלִינוּ וְרַחֲצוּ רַגְלֵיכֶם. לָא עֲבַד הָכֵי אַבְרָהָם, אֶלָּא בְּקַדְמֵיתָא אֲמַר וְרַחֲצוּ רַגְלֵיכֶם, וּלְבָתַר וְאֶקְחָה פַּת לֶחֶם וגו'. אֲבָל לוֹט אֲמַר, סוּרוּ נָא אֶל בֵּית עַבְדְּכֶם וְלִינוּ. וּלְבָתַר וְרַחֲצוּ רַגְלֵיכֶם וְהִשְׁכַּמְתֶּם וַהֲלַכְתֶּם לְדַרְכְּכֶם. בְּגִין דְּלָא יִשְׁתְּמוֹדְעוּן בְּהוּ בְּנֵי נָשָׁא.

רלז. וַיֹּאמְרוּ לֹּא כִּי בָרְחוֹב נָלִין. בְּגִין דְּכָךְ הֲווּ עָבְדֵי אוֹרְחִין דְּעָאלִין תַּמָּן, לָא הֲוָה בַּר נָשׁ דְּיִכְנוֹשׁ לוֹן לְבֵיתָא, וְעַל דָּא, אֲמָרוּ לֹּא כִּי בָרְחוֹב נָלִין, מַה כְּתִיב וַיִּפְצַר בָּם מְאֹד וגו'.

רלח. ת"ח, כַּד קֻבְּ"ה עָבִיד דִּינָא בְּעָלְמָא, שְׁלִיחָא וְחָדָא עָבִיד לֵיהּ, וְהַשְׁתָּא חָמִינָן תְּרֵי שְׁלוּחֵי, אַמַּאי, וְכִי לָא סַגֵּי בְּחַד. אֶלָּא חַד הֲוָה, וּמַה דַּאֲמַר תְּרֵי, חַד הֲוָה לְאַפָּקָא לֵיהּ לְלוֹט, וּלְשֵׁיזָבָא לֵיהּ, וְחַד לְמֵיהְפַּךְ לְקַרְתָּא, וּלְחַבְּלָא אַרְעָא, וּבְגִין כָּךְ אִשְׁתָּאַר חַד.

מִדְרַשׁ הַנֶּעְלָם

רלט. רַבִּי פָּתַח, בְּהַאי קְרָא, וְאֵלֶּה הַגּוֹיִם אֲשֶׁר הִנִּיחַ ה' לְנַסּוֹת בָּם אֶת יִשְׂרָאֵל. אֲמַר רַבִּי, חָזֵי הֲוֵית בְּהַהוּא עָלְמָא, וְלֵית עָלְמָא קָאִים, אֶלָּא בְּאִינּוּן דְּשַׁלִּיטִין עַל רְעוּתָא דְּלִבְּהוֹן. שֶׁנֶּאֱמַר עֵדוּת בִּיהוֹסֵף שָׂמוֹ וגו'. אֲמַר רַב יְהוּדָה, לָמָּה זָכָה יוֹסֵף לְאוֹתָהּ הַמַּעֲלָה וְהַמַּלְכוּת, בִּשְׁבִיל שֶׁכָּבַשׁ יִצְרוֹ. דִּתְנִינָן כָּל הַכּוֹבֵשׁ אֶת יִצְרוֹ, מַלְכוּתָא דִּשְׁמַיָּא אַזִּיל עֲלֵיהּ.

רמ. דַּאֲמַר ר' אַוָּזָא, לֹא בָּרָא הקב"ה לִיצה"ר, אֶלָּא לְנַסּוֹת בּוֹ בְּנֵי אָדָם. וּמִי בָּעֵי קֻבְּ"ה לְנַסּוֹתָא בִּבְנֵי נָשָׁא. אִין. דַּאֲמַר ר' אַוָּזָא, מנ"ל, מִדִּכְתִיב כִּי יָקוּם בְּקִרְבְּךָ נָבִיא וגו'. וּבָא הָאוֹת וְהַמּוֹפֵת וגו'. כִּי מְנַסֶּה ה' אֱלֹקֵיכֶם וגו'.

רמא. וּלְמָה בָּעֵי נַסּוֹתָא, דְּהָא כָּל עוֹבָדוֹי דְּבַר נָשׁ אִתְגְּלֵי קַמֵּיהּ, אֶלָּא שֶׁלֹּא לָתֵת

פִּתְחוֹן פֶּה לִבְנֵי אָדָם, רְאֵה מַה כְּתִיב וְלוֹט יוֹשֵׁב בְּשַׁעַר סְדוֹם דַּהֲוָה יָתִיב לְנַסוּתָא לִבְרִיָּתָא. א"ר יִצְחָק, מַאי דִּכְתִיב וְהָרְשָׁעִים כַּיָּם נִגְרָשׁ וְגוֹ'. אֲפִילוּ בְּשַׁעֲתָא דִּינוֹ עַל רָשָׁע הוּא מֵעִיז פָּנָיו, וַאֲוֵי הוּא בְּרִשְׁעָתוֹ קַיָּם, רְאֵה מַה כְּתִיב טֶרֶם יִשְׁכָּבוּ וְגוֹ'.

רמב. אָמַר ר' יִצְחָק, כְּשֵׁם שֶׁבָּרָא קב"ה ג"ע בָּאָרֶץ, כָּךְ בָּרָא גֵּיהִנֹּם בָּאָרֶץ. וּכְשֵׁם שֶׁבָּרָא ג"ע לְמַעְלָה, כָּךְ בָּרָא גֵּיהִנֹּם לְמַעְלָה. גַּן עֵדֶן בָּאָרֶץ, דִּכְתִיב וַיִּטַּע ה' אֱלֹקִים גַּן בְּעֵדֶן וְגוֹ'. גֵּיהִנֹּם בָּאָרֶץ, דִּכְתִיב אֶרֶץ עֵפָתָה כְּמוֹ אֹפֶל וְגוֹ'.

רמג. ג"ע לְמַעְלָה, דִּכְתִיב וְהָיְתָה נֶפֶשׁ אֲדֹנִי צְרוּרָה בִּצְרוֹר הַחַיִּים אֶת ה' אֱלֹקֶיךָ. וּכְתִיב וְהָרוּחַ תָּשׁוּב אֶל הָאֱלֹקִים אֲשֶׁר נְתָנָהּ. גֵּיהִנֹּם לְמַעְלָה דִּכְתִיב וְאֵת נֶפֶשׁ אֹיְבֶיךָ יְקַלְּעֶנָּה בְּתוֹךְ כַּף הַקָּלַע.

רמד. ג"ע לְמַטָּה כְּדְקָאָמְרָן. ג"ע לְמַעְלָה, לְנִשְׁמָתָן שֶׁל צַדִּיקִים גְּמוּרִים, לִהְיוֹת נִזּוֹנִין מֵאוֹר הַגָּדוֹל שֶׁל מַעְלָה. גֵּיהִנֹּם לְמַטָּה, לְאוֹתָם הָרְשָׁעִים שֶׁלֹּא קִבְּלוּ בְּרִית מִילָה, וְלֹא הֶאֱמִינוּ בְּהַקָּבָּ"ה וְדָתוֹ, וְלֹא שָׁמְרוּ שַׁבָּת, וְאֵלּוּ הֵם עכו"ם, שֶׁנִּדּוֹנִים בָּאֵשׁ, שֶׁנֶּאֱמַר מֵהָאֵשׁ יָצְאוּ וְהָאֵשׁ תֹּאכְלֵם וְגוֹ'. וּכְתִיב וְיָצְאוּ וְרָאוּ בְּפִגְרֵי הָאֲנָשִׁים וְגוֹ'.

רמה. גֵּיהִנֹּם לְמַעְלָה, לְאוֹתָם פּוֹשְׁעֵי יִשְׂרָאֵל שֶׁעָבְרוּ עַל מִצְוֹת הַתּוֹרָה, וְלֹא וָזְרוּ בִּתְשׁוּבָה, שֶׁדְּוֹחִים אוֹתָם לַחוּץ, עַד שֶׁיְּקַבְּלוּ עָנְשָׁם. וְהוֹלְכִים וְסוֹבְבִים כָּל הָעוֹלָם, שֶׁנֶּאֱמַר סָבִיב רְשָׁעִים יִתְהַלָּכוּן.

רמו. וְעִם נְדוֹנִים עָשָׂר עָנְשָׁם וָזְדַע לְאוֹר כֵּן, מְדוֹרָם עִם אוֹתָם שֶׁקִּבְּלוּ עָנְשָׁם בְּמוֹתָם כָּל אֶחָד וְאֶחָד כְּפִי הַמָּקוֹם הָרָאוּי לוֹ. וְהָרְשָׁעִים שֶׁל עכו"ם, נְדוֹנִים תָּמִיד בָּאֵשׁ וּבַמַּיִם, וְשׁוּב אֵינָם עוֹלִים, שֶׁנֶּאֱמַר וְאֵשָׁם לֹא תִכְבֶּה.

רמז. מִשְׁפָּט הָרְשָׁעִים בַּגֵּיהִנֹּם, כְּמָה דִכְתִיב, וַה' הִמְטִיר עַל סְדֹם וְעַל עֲמֹרָה גָּפְרִית וָאֵשׁ וְגוֹ'. וְשׁוּב אֵינָם עוֹלִים, וְלֹא יָקוּמוּ לְיוֹם הַדִּין, שֶׁנֶּאֱמַר אֲשֶׁר הָפַךְ ה' בְּאַפּוֹ וּבַחֲמָתוֹ, בְּאַפּוֹ: בָּעוֹלָם הַזֶּה. וּבַחֲמָתוֹ: בָּעוֹלָם הַבָּא.

רמח. אָמַר ר' יִצְחָק כְּהַאי גַוְונָא אִית ג"ע לְמַעְלָה, וְאִית ג"ע לְמַטָּה. אִית גֵּיהִנֹּם לְמַטָּה, וְאִית גֵּיהִנֹּם לְמַעְלָה. אָמַר ר' יַעֲקֹב, הָרְשָׁעִים שֶׁקִּלְקְלוּ בְּרִית מִילָה שֶׁבָּהֶם, וְחִלְּלוּ שַׁבָּת בְּפַרְהֶסְיָא, וְחִלְּלוּ אֶת הַמּוֹעֲדוֹת, וְשֶׁכָּפְרוּ בַּתּוֹרָה, וְשֶׁכָּפְרוּ בִּתְחִיַּית הַמֵּתִים, וְכַדּוֹמֶה לָהֶם, יוֹרְדִים לַגֵּיהִנֹּם שֶׁלְּמַטָּה, וְנִדּוֹנִים עִם וְשׁוּב אֵינָם עוֹלִים.

רמט. אֲבָל יָקוּמוּ לְיוֹם הַדִּין, וְיָקוּמוּ לִתְחִיַּית הַמֵּתִים, וַעֲלֵיהֶם נֶאֱמַר וְרַבִּים מִישֵׁנֵי אַדְמַת עָפָר יָקִיצוּ אֵלֶּה לְחַיֵּי עוֹלָם וְגוֹ'. וַעֲלֵיהֶם נֶאֱמַר וְהָיוּ דֵרָאוֹן לְכָל בָּשָׂר. מַה דֵּרָאוֹן, דֵּי רָאוֹן, שֶׁהַכֹּל יֹאמְרוּ דֵּי רְאִיַּתָם, וְעַל הַצַּדִּיקִים שֶׁבְּיִשְׂרָאֵל נֶאֱמַר, וְעַמֵּךְ כֻּלָּם צַדִּיקִים וְגוֹ'. (ע"כ מדה"נ).

רג. וַה' הִמְטִיר עַל סְדֹם וְעַל עֲמֹרָה וְגוֹ', ר' וַזַּיָּא פָּתַח, הִנֵּה יוֹם ה' בָּא אַכְזָרִי וְגוֹ'. הִנֵּה יוֹם ה' בָּא, דָּא בֵּי דִּינָא לְתַתָּא. בָּא: כְּמָה דְאִתְּמַר הַבָּאָה אֵלַי, בְּגִין דְּלָא עָבִיד דִּינָא, עַד דְּעָאל, וְנָטִיל רְשׁוּ, כְּגַוְונָא דָא, קֵץ כָּל בָּשָׂר בָּא לְפָנַי.

רנא. ד"א הִנֵּה יוֹם ה' בָּא. דָּא הוּא מַחֲוְבְלָא לְתַתָּא, כַּד נָטִיל נִשְׁמָתָא. בְּגִינֵי כָךְ אַכְזָרִי, וְעֶבְרָה, לְשׁוּם הָאָרֶץ לְשַׁמָּה. דָּא סְדוֹם וַעֲמֹרָה, וְחַטָּאֶיהָ יַשְׁמִיד מִמֶּנָּה. אִלֵּין יָתְבֵי אַרְעָא.

רנב. מַה כְּתִיב בַּתְרֵיהּ, כִּי כוֹכְבֵי הַשָּׁמַיִם וּכְסִילֵיהֶם וְגוֹ'. דְּהָא מִן שְׁמַיָּא אַמְטַר עֲלֵיהוֹן אֶשָּׁא, וְאַעֲבַר לוֹן מִן עָלְמָא. לְבָתַר מַה כְּתִיב, אוֹקִיר אֱנוֹשׁ מִפָּז וְגוֹ'. דָּא

אַבְרָהָם, דְּקוּדְשָׁא בְּרִיךְ הוּא סָלֵיק לֵיהּ, עַל כָּל בְּנֵי עָלְמָא.

רנג. ר' יְהוּדָה אוֹקִים לוֹן לְהַנֵּי קְרָאֵי בְּיוֹמָא דְּאִתְחָרַב בֵּי מַקְדְּשָׁא, דִּבְהַהוּא יוֹמָא, אִתְחֲשָׁכוּ עִלָּאֵי וְתַתָּאֵי, וְאִתְחֲשָׁכָן שְׁמַיָּא וְכֹכְבַיָּא. ר' אֶלְעָזָר, מוֹקִים לְהַנֵּי קְרָאֵי, בְּיוֹמֵי דְּיוֹקִים קֻבְּ"ה לִכְנֶסֶת יִשְׂרָאֵל מֵעַפְרָא, וְהַהוּא יוֹמָא, יִתְיְדַע לְעֵילָּא וְתַתָּא, דִּכְתִיב וְהָיָה יוֹם אֶחָד הוּא יִוָּדַע לַה'. וְהַהוּא יוֹמָא, יוֹמָא דְּנוּקְמָא אִיהוּ, דְּזַמִּין קֻבְּ"ה לְנָקְמָא מִשְּׁאָר עַמִּין עוֹבְדֵי עכו"ם.

רנד. וְכַד קֻבְּ"ה יַעֲבֵיד נוּקְמִין בִּשְׁאָר עַמִּין עעכו"ם, כְּדֵין אוֹקִיר אֱנוֹשׁ מִפָּז. דָּא מַלְכָּא מְשִׁיחָא, דְּיִסְתַּלֵּק וְיִתְיַיקַּר עַל כָּל בְּנֵי עָלְמָא, וְכָל בְּנֵי עָלְמָא יִפְלְחוּן וְיִסְגְּדוּן קַמֵּיהּ, דִּכְתִיב לְפָנָיו יִכְרְעוּ צִיִּים וגו', מַלְכֵי תַרְשִׁישׁ וגו'.

רנה. ת"ח, אע"ג דִּנְבוּאָה דָא, אִתְּמַר עַל בָּבֶל, בְּכֹלָּא אִתְּמַר. דְּהָא זַמִּינָן בְּהַאי פַּרְשָׁתָא, דִּכְתִיב כִּי יְרַחֵם ה' אֶת יַעֲקֹב. וּכְתִיב וּלְקָחוּם עַמִּים וֶהֱבִיאוּם אֶל מְקוֹמָם.

רנו. וַה' הִמְטִיר עַל סְדוֹם. דָּא דַּרְגָּא דְּבֵי דִּינָא לְתַתָּא, דְּנָטֵיל רְשׁוּ מֵעֵילָּא. ר' יִצְחָק אָמַר דַּעֲבֵיד דִּינָא בְּרַחֲמֵי. דִּכְתִיב, מֵאֵת ה' מִן הַשָּׁמָיִם. בְּגִין לְאִשְׁתַּכְּחָא, דִּינָא בְּרַחֲמֵי, וְאִי תֵּימָא מַאי רַחֲמֵי הָכָא, דִּכְתִיב, וַיְהִי בְּשַׁחֵת אֱלֹקִים אֶת עָרֵי הַכִּכָּר וַיִּזְכֹּר אֱלֹקִים אֶת אַבְרָהָם וגו', וּלְבָתַר נָפְקוּ מִנֵּיהּ תְּרֵין אוּמִין שְׁלֵמִין, וְזָכָה דְּנָפֵיק מִנֵּיהּ דָּוִד וּשְׁלֹמֹה מַלְכָּא.

רנז. וְחָמֵי מַה כְּתִיב וַיְהִי כְהוֹצִיאָם אוֹתָם הַחוּצָה וַיֹּאמֶר וגו'. ת"ח בְּשַׁעֲתָא דְּדִינָא שַׁרְיָא בְּעָלְמָא, הָא אִתְּמַר דְּלָא לִיבָּעֵי לְבַ"נ לְאִשְׁתַּכְּחָא בְּשׁוּקָא, בְּגִין דְּכֵיוָן דְּשַׁרְיָא דִּינָא, לָא אַשְׁגַּח בֵּין זַכָּאָה וְחַיָּיבָא, וְלָא בָּעֵי לְאִשְׁתַּכְּחָא תַּמָּן. וְהָא אִתְּמַר דְּבג"כ אִסְתִּים נֹחַ בְּתֵיבָה, וְלָא יַשְׁגַּח בְּעָלְמָא בְּשַׁעֲתָא דְּדִינָא יִתְעֲבֵיד. וּכְתִיב וְאַתֶּם לֹא תֵצְאוּ אִישׁ מִפֶּתַח בֵּיתוֹ עַד בֹּקֶר. עַד דְּיִתְעֲבֵיד דִּינָא. וּבְג"כ וַיֹּאמֶר הִמָּלֵט עַל נַפְשֶׁךָ אַל תַּבִּיט אַחֲרֶיךָ וגו'.

רנח. ר' יִצְחָק וְר' יְהוּדָה הֲווּ אָזְלֵי בְּאָרְחָא. אָמַר ר' יְהוּדָה לְר' יִצְחָק, דִּינָא דַּעֲבֵיד קֻבְּ"ה בְּמַבּוּל, וְדִינָא דִסְדוֹם, תַּרְוַויְיהוּ דִּינִין דְּגֵיהִנֹּם הֲווּ. בְּגִין דְּחַיָּיבֵי גֵּיהִנֹּם, אִתְדָּנוּ בְּמַיָּא וּבְאֶשָּׁא.

רנט. אָמַר ר' יִצְחָק, סְדוֹם בְּדִינָא דְּגֵיהִנֹּם אִתְדָּן, דִּכְתִיב, וַה' הִמְטִיר עַל סְדֹם וְעַל עֲמֹרָה גָּפְרִית וָאֵשׁ מֵאֵת ה' מִן הַשָּׁמָיִם. דָּא מִסִּטְרָא דְּמַיָּא וְדָא מִסִּטְרָא דְּאֶשָּׁא. דָּא וְדָא הוּא דִּינָא דְּגֵיהִנֹּם, וְחַיָּיבִין דְּגֵיהִנֹּם בִּתְרֵין דִּינִין אִלֵּין אִתְדָּנוּ.

רס. א"ל, דִּינָא דְּחַיָּיבֵי דְּגֵיהִנֹּם, תְּרֵיסַר יַרְחֵי, וְקֻבְּ"ה סָלֵיק לוֹן מִגֵּיהִנֹּם, וְתַמָּן מִתְלַבְּנִין, וְיָתְבִין לְתַרְעָא דְּגֵיהִנֹּם וְחָמָאן אִינוּן חַיָּיבִין דְּעָאלִין, וְדָנִין לוֹן תַּמָּן, וְאִינוּן תָּבְעֵי רַחֲמֵי עֲלַיְיהוּ. וּלְבָתַר, קֻבְּ"ה חָיֵיס עֲלַיְיהוּ, וְאָעֵיל לוֹן לְדוּכְתָּא דְּאִצְטְרִיךְ לוֹן. מֵהַהוּא יוֹמָא וּלְהָלְאָה, גּוּפָא אִשְׁתְּכַךְ בְּעַפְרָא, וְנִשְׁמָתָא יָרְתָא אַתְרָהּ כִּדְחָזֵי לָהּ.

רסא. ת"ח, דְּהָא אִתְּמַר, דַּאֲפִילּוּ אִינוּן בְּנֵי טוֹפָנָא, לָא אִתְדָּנוּ, אֶלָּא בְּאֶשָּׁא וּמַיָּא. מַיָּא קְרִירָן נָחֲתֵי מִלְּעֵילָּא, וּמַיָּא רְתִיחָן סָלְקֵי מִתַּתָּא כְּאֶשָּׁא. וְאִתְדָּנוּ בִּתְרֵי דִּינִין, בְּגִין דְּדִינָא דִּלְעֵילָּא, הָכֵי הֲוָה, בְּג"כ בִּסְדוֹם גָּפְרִית וָאֵשׁ.

רסב. א"ל, אִי יְקוּמוּן לְיוֹם דִּינָא, א"ל הָא אִתְּמַר. אֲבָל אִלֵּין דִּסְדוֹם וַעֲמוֹרָה, לָא יְקוּמוּן, וּקְרָא אוֹכַח, דִּכְתִיב גָּפְרִית וָמֶלַח שְׂרֵפָה כָל אַרְצָהּ לֹא תִזָּרַע וְלֹא תַצְמִיחַ וגו'. אֲשֶׁר הָפַךְ ה' בְּאַפּוֹ וּבַחֲמָתוֹ. אֲשֶׁר הָפַךְ ה': בְּעָלְמָא דֵּין. בְּאַפּוֹ: בְּעָלְמָא דְּאָתֵי.

וּבַחֲמָתוֹ: בִּזְמְנָא דְּזַמִּין קֻבָּ"ה לְאַחֲזָיָא מֵתַיָּא.

רסג. א"ל ת"ח, כַּמָּה דְּאַרְעָא דִּלְהוֹן אִתְאֲבִיד לְעָלַם וּלְעָלְמֵי עָלְמַיָּא, הָכֵי נָמֵי אִתְאֲבִידוּ אִינּוּן, לְעָלַם וּלְעָלְמֵי עָלְמַיָּא. וְת"ח, דִּינָא דְּקֻבָּ"ה, דִּינָא לְקָבֵל דִּינָא, אִינּוּן לָא הֲווֹ תַּיְיבִין נַפְשָׁא דְּמִסְכְּנָא, בְּמֵיכְלָא וּבְמִשְׁתְּיָא, אוּף הָכֵי קֻבָּ"ה לָא אָתֵיב לוֹן נַפְשַׁיְיהוּ לְעָלְמָא דְּאָתֵי.

רסד. וְת"ח, אִינּוּן אִתְמְנָעוּ מִצְּדָקָה, דְּאִקְרֵי חַיִּים, אוּף קֻבָּ"ה, מָנַע מִנַּיְיהוּ חַיִּים, בְּעָלְמָא דֵּין, וּבְעָלְמָא דְּאָתֵי. וְכַמָּה דְּאִינּוּן מָנְעוּ אוֹרְחִין וּשְׁבִילִין מִבְּנֵי עָלְמָא, ה"נ קֻבָּ"ה מָנַע מִנַּיְיהוּ אוֹרְחִין וּשְׁבִילִין דְּרַחֲמֵי, לְרַחֲמָא עֲלַיְיהוּ בְּעָלְמָא דֵּין, וּבְעָלְמָא דְּאָתֵי.

רסה. ר' אַבָּא אֲמַר, כֻּלְּהוּ בְּנֵי עָלְמָא יְקוּמוּן, וִיקוּמוּן לְדִינָא. וַעֲלַיְיהוּ כְּתִיב וְאֵלֶּה לַחֲרָפוֹת וּלְדֵרְאוֹן עוֹלָם. וְקֻבָּ"ה מָארֵי דְּרַחֲמִין אִיהוּ, כֵּיוָן דְּדָן לְהוּ בְּהַאי עָלְמָא, וְקַבִּילוּ דִּינָא, לָא אִתְדָּנוּ בְּכֻלְּהוּ דִּינִין.

רסו. א"ר חִיָּיא כְּתִיב וַיְשַׁלַּח אֶת לוֹט מִתּוֹךְ הַהֲפֵכָה וגו'. מַהוּ בַּהֲפֹךְ אֶת הֶעָרִים אֲשֶׁר יָשַׁב בָּהֵן לוֹט. אֶלָּא, בְּכֻלְּהוּ עֲבַד דִּיוּרֵיהּ לוֹט, דִּכְתִיב וְלוֹט יָשַׁב בְּעָרֵי הַכִּכָּר וַיֶּאֱהַל עַד סְדוֹם. וְלָא קַבִּילוּ לֵיהּ, בַּר דְּמֶלֶךְ סְדוֹם קַבִּיל לֵיהּ בִּסְדוֹם, בְּגִינֵיהּ דְּאַבְרָהָם.

סִתְרֵי תּוֹרָה

רסז. תּוֹסֶפְתָּא. קְטוּרֵי רָמָאֵי, הוּרְמְנֵי דִּבְדוּרֵי, וְחַכִּימִין, בְּסָכְלְתָנוּ יִסְתַּכְּלוּן לְמִנְדַּע, בְּשַׁעֲתָא דְּרֵישָׁא וְחִוְּורָא אַתְקִין כֻּרְסְיָיא, ע"ג סָמְכִין דְּאַבְנִין דְּמַרְגְּלִיטָן טָבָן.

רסח. בֵּין אִינּוּן אַבְנִין, אִית חַד מַרְגָּלִיטָא, שַׁפִּירָא בְּזִיווֹ, יָאָה בְּרֵיוָא, קוּמְטְרָא דְּקִיטְרָא, דְּמִלַּהֲטָא בְּע' גַּוְונִין, אִינּוּן ע' גַּוְונִין מְלַהֲטָן לְכָל סְטַר.

רסט. אִלֵּין ע', מִתְפָּרְשָׁאן מִגּוֹ ג' גַּוְונִין. אִלֵּין זִיקִין, בְּזִיקִין דִּנְצִיצִין לְד' סִטְרֵי עָלְמָא, הָכָא אִיתָא זִיקָא תַּקִּיפָא, דִּסְטַר שְׂמָאלָא, דְּאִתְאַחֵיד בִּשְׁמַיָּא. אִינּוּן גַּוְונִין שַׁבְעִין, דִּינָא יָתֵיב וְסִפְרִין פְּתִיחוּ.

ער. מֵהָכָא נָפְקֵי גִּירִין, וְסַיְיפִין, וְרוֹמְחִין, וְאֶשָּׁא דְּקוּסְטְרָא. וְאִתְאַחֵיד אֶשָּׁא תַּקִּיפָא, דְּנָפְקָא מִשָּׁמַיִם בֵּיהּ, וְכַד אִתְאֲחַד אֶשָּׁא עִלָּאָה, בְּאִלֵּין דִּלְתַתָּא, לֵית מַאן דְּיָכִיל לְאִתְבַּר רוּגְזָא וְדִינָא.

רעא. עַיְינִין לַהֲטִין כְּטִיסִין דְּנוּרָא, נַחְתִּית בְּהוּ לְעָלְמָא. וַוי מַאן דְּאִעָרַע בֵּיהּ, וְחַגִּיר חַרְבִין, אִיהוּ חַרְבָּא שְׁנָנָא בִּידֵיהּ, לָא חָיֵיס עַל טַב וְעַל בִּישׁ, דְּהָא פִּסְקָא דְּאִינּוּן שַׁבְעִין, בִּרְשׁוּ דְּאִתְאַחֵיד הַהוּא סִטְרָא דִּשְׁמַיָּא, נַחְתִּית בִּידָא שְׂמָאלָא.

ערב. בְּכַמָּה דִּינִין אִתְהַפַּךְ, בְּכַמָּה גַּוְונִין הָפוּךְ בְּכָל יוֹמָא, אִיהוּ אִקְרֵי כְּרֻם זֻלּוּת, דְּמִתְקְנָא לְגַבֵּי בְּנֵי אָדָם. כָּל גַּוְונִין דִּכְלֵי זַעֲמוֹ דְּקֻבָּ"ה, בֵּיהּ אִתְחֲזְיָין. וְאִינּוּן יָתְבִין בְּרוּמֵי דְּעָלְמָא, וּבְנֵי נָשָׁא בְּסָכְלוּתָא דִּלְהוֹן, לָא מַשְׁגְּחֵי בְּהוֹן.

רעג. גָּפְרִית וָאֵשׁ, הִתּוּכָא דְּמַיָּא וְאֶשָּׁא, דְּמִתְהַתְּכֵי מִן שְׁמַיָּא אִתְאֲחִידוּ דָּא בְּדָא, וּנְחַת עַל סְדוֹם. וַוי לְחַיָּיבַיָּא דְּלָא מַשְׁגִּיחִין עַל יְקָרָא דְּמָארֵיהוֹן.

רעד. עֲשָׂרָה שְׁמָהָן, גְּלִיפָן בְּהוּרְמְנוּתָא דְּמַלְכָּא, עֶשֶׂר אִינּוּן, וְסָלְקִין לְחוּשְׁבַּן סַגֵּי. שַׁבְעִין גַּוְונִין, מְלַהֲטֵי לְכָל סְטַר. נָפְקֵי מִגּוֹ שְׁמָהָן דְּאִגְלִיף רָזָא דְּע' שְׁמָהָן דְּמַלְאָכַיָּא. דְּאִינּוּן בְּרָזָא דִּשְׁמַיָּא.

רעה. וְאִינּוּן: מִיכָאֵל, גַּבְרִיאֵל, רְפָאֵל, נוּרִיאֵל. קָמַץ: קְדוּמִיאֵל, מַלְכִּיאֵל, צַדְקִיאֵל. פַּתָּח: פְּדָאֵל, תּוּמִיאֵל. חַסְדִּיאֵל. צֵרֵי: צוּרִיאֵל, רְזִיאֵל, יוֹפִיאֵל. סֶגּוֹל: סְטוּטְרִיָּה, גְּזֻרִיאֵל,

ותריאל, למאל. וחִרק: וזוקיאל, רהִטיאֵל, קָדשיאל. שְׁבָא: שמעאל, ברכיאל, אהיאל. וחֹלָם: וזניאל, להדיאל, מוזניאל. שֻׁרֻק: שמושיאל, רהביאל, קמושיאל. שֻׁרֻק: שמראל, רהטיאל, קָרשיאל.

רעו. אהניאל. ברקיאל. גדיאל. דומיאל. הדריאל. ודרגזיה. זהריאל. וזניאל. טהריאל. יעזריאל. כרעיאל. למדיאל. מלכיאל. נהריאל. סניה. ענאל. פתוזיאל. צוריאל. קנאל. רמיאל. שריאל. תבכיאל.

רעז. תפוריא. שכניאל. רנאל. קמריה. צוריה. פסיסיה. עיריאל. סמכיאל. נריאל. מדוניה. לסניה. כמוסריה. יריאל. טסמסיה. וזניאל. זכריאל. ודריאל. הינאל. דנבאל. גדיאל. בדאל. אדירירון. אדני עַל כֻּלְּהוּ.

רעח. כַּד מִתְחַבְּרָן כֻּלְּהוּ כַּחֲדָא, בְּרָזָא וְחָדָא, בְּחֵילָא עִלָּאָה, כְּדֵין אִקְרֵי וידוד, כֹּלָּא בִּכְלָלָא וְחָדָא. מֵאֵת יי׳ מִן הַשָּׁמַיִם, שְׁמָא קַדִּישָׁא, דְּאִתְגְּלַף בְּע׳ שְׁמָהָן אַחֲרָנִין, רָזָא דְשָׁמַיִם. וְאִלֵּין אִינּוּן שִׁבְעִין, דְּשָׁלְטִין עַל אִילֵין ע׳ דִּינִין, רָזָא דְּוִיהו״ה, וְאִלֵּין שִׁבְעִין שְׁמָהָן בִּקְדוּשָׁה יהו״ה שָׁמַיִם.

רעט. אִלֵּין נָטְלִין מֵאִלֵּין, וִידוד נָטִיל מֵאֵת ידוד, דָּא מִן דָּא. וְאִלֵּין תַּלְיָין מֵאִלֵּין, תַּתָּאִין בְּעִלָּאִין, וְכֹלָּא קְשׁוּרָא וְחָדָא. וּבְהַאי קב״ה אִשְׁתְּמוֹדַע בִּיקָרֵיהּ. שָׁמַיִם דְּאִינּוּן ע׳, רָזָא ידוד, דָּא אִיהוּ, בְּרָזָא דְשִׁבְעִין וּתְרֵין שְׁמָהָן, וְאִלֵּין אִינּוּן דְּנָפְקֵי מִן וַיִּסַּע, וַיָּבֹא, וַיֵּט.

רפ. וה״ו, יל״י, סי״ט, על״ם, מה״ש, לל״ה, אכ״א, כה״ת, הז״י, אל״ד, לא״ו, הה״ע. וחלק ראשון יז״ל, מב״ה, הר״י, הק״ם, לא״ו, כל״י, לו״ו, פה״ל, נל״ך, יי״י, מל״ה, וזה״ו. וחלק שני נת״ה, הא״א, יר״ת, שא״ה, רי״י, או״ם לכ״ב, וש״ר, יוז״ו, לה״וז, כו״ק, מנ״ד. וחלק שלישי אנ״י, וזע״ם, רה״ע, יי״ז, הה״ה, מי״ך, וו״ל, יל״ה, סא״ל, ער״י, עש״ל, מי״ה. וחלק רביעי וה״ו, דנ״י, הוז״ש, עמ״ם, ננ״א, ני״ת, מב״ה, פו״י, נמ״ם, יי״ל, הר״וז, מצ״ר. וחלק וזמישי ומ״ב, יה״ה, ענ״ו, מוז״י, דמ״ב, מנ״ק, אי״ע, וזב״ו, רא״ה, יב״מ, הי״י, מו״ם וחלק שישי.

רפא. וְאִלֵּין אִינּוּן שִׁבְעִין שְׁמָהָן, דְּשָׁלְטִין עַל שִׁבְעִין דַּרְגִּין תַּתָּאִין, רָזָא וידוד. אִלֵּין שִׁבְעִין שְׁמָהָן ידוד, רָזָא דְּאִקְרֵי שָׁמַיִם, שִׁבְעָא רְקִיעִין אִינּוּן, דְּסַלְקִין לְשִׁבְעִין שְׁמָהָן, שְׁמָא קַדִּישָׁא, וְדָא אִיהוּ וַידוד הִמְטִיר, מֵאֵת ידוד מִן הַשָּׁמַיִם.

רפב. סִתְרָא דְּסִתְרִין לְחַכִּימִין אִתְמְסַר, שְׁמָא דָּא דְּאִקְרֵי שָׁמַיִם, מִנֵּיהּ אִתְבְּרֵי סִתְרָא, דְּאִקְרֵי אָדָם. וְחֻשְׁבַּן שַׁיְיפֵי גּוּפָא, דְּאִינּוּן חוּשְׁבַּן מָאתָן וְאַרְבְּעִין וּתְמַנְיָא שַׁיְיפִין.

רפג. וְחֻשְׁבַּן אַתְוֵוהִי מָאתָן וְשִׁית סְרֵי, שְׁמָא דָּא דְּאִיהוּ רָזָא וְסִתְרָא כְּלָלָא דְּכֹל אוֹרַיְיתָא, בְּכ״ב אַתְוָון וְעֶשֶׂר אֲמִירָן, בְּגִין דְּהָא שְׁמָא דָּא, מָאתָן וְשִׁית סְרֵי אַתְוָון, וּתְלָתִין וּתְרֵין שְׁבִילִין דְּאִתְכְּלִילָן בֵּיהּ, הָא מָאתָן וְאַרְבְּעִין וּתְמַנְיָא שַׁיְיפִין דְּגוּפָא.

רפד. רָזָא דְּאִקְרֵי אָדָם, דְּשַׁלִּיט עַל כָּרְסַיָּיא, רָזָא דְשִׁבְעִין דִּלְתַתָּא, וְסִתְרָא דָּא, דִּכְתִיב וְעַל דְּמוּת הַכִּסֵּא דְּמוּת כְּמַרְאֵה אָדָם עָלָיו מִלְמָעְלָה, וְדָא הוּא סִתְרָא דִּכְתִיב וַיי׳ הִמְטִיר עַל סְדוֹם וְגוֹ׳. מֵאֵת יי׳ מִן הַשָּׁמַיִם. וְכֹלָּא וְחַד, וּמִלָּה וְחָדָא, וְסִתְרָא וְחָדָא, לְחַכִּימֵי לִבָּא אִתְמְסַר זַכָּאָה וְחוּלָקֵהוֹן בְּעָלְמָא דֵּין וּבְעָלְמָא דְּאָתֵי.

רפה. סְדוֹם גְּזַר דִּינָא דִּלְהוֹן, עַל דְּמָנְעוּ צְדָקָה מִנַּיְיהוּ, כד״א וְיַד עָנִי וְאֶבְיוֹן לֹא הֶחֱזִיקָה. וּבְגִין כָּךְ, דִּינָא לָא הֲוָה, אֶלָּא מִן שָׁמַיִם, צְדָקָה וְשָׁמַיִם כֹּלָּא וְחַד, וּכְתִיב כִּי גָדוֹל מֵעַל שָׁמַיִם חַסְדֶּךָ, וּבְגִין דְּתַלְיָא צְדָקָה בְּשָׁמַיִם, דִּינָא הוּא מִשָּׁמַיִם, דִּכְתִיב מֵאֵת

יי' מִן הַשָּׁמַיִם.

רפו. דִּינָא דְּיִשְׂרָאֵל מֵהַאי אֲתַר, דִּכְתִיב וַיִּגְדַּל עֲוֹן בַּת עַמִּי מֵחַטַּאת סְדֹם. וְאִקְרֵי יְרוּשָׁלַם, אֲחוֹת לִסְדוֹם, כְּד"א הִנֵּה זֶה הָיָה עֲוֹן סְדוֹם אֲחוֹתֵךְ, וְדִינְהוֹן הֲוָה מִן שְׁמַיָּא, דִּינָא וְדָא כִּסְדוֹם, עַל דְּמָנְעוּ צְדָקָה מִנַּיְיהוּ. בַּר דְּדָא אִתְהַפַּךְ, וְדָא אִתְחָרַב, דָּא אִית לָהּ תְּקוּמָה, וְדָא לֵית לָהּ תְּקוּמָה (ע"כ ס"ת).

רפז. וַתַּבֵּט אִשְׁתּוֹ מֵאַחֲרָיו, מֵאֲחוֹרֵיהּ מִבָּעֵי לֵיהּ, אֶלָּא מִבָּתַר שְׁכִינְתָּא, ר' יוֹסֵי אֲמַר, מִבַּתְרֵיהּ דְּלוֹט, דִּמְחַבְּלָא אָזִיל אֲבַתְרֵיהּ, וְכִי אֲבַתְרֵיהּ אָזִיל, וְהָא הוּא שַׁדַּר לֵיהּ, אֶלָּא בְּכָל אֲתַר דַּהֲוָה אָזִיל לוֹט, אִתְעַכַּב מְחַבְּלָא לְחַבְּלָא, וְכָל אֲתַר דְּאָזִיל כְּבָר, וְשָׁבִיק לַאֲחוֹרֵיהּ, הֲוָה מְהַפֵּךְ לֵיהּ מְחַבְּלָא.

רפח. וּבְגִין כָּךְ, אֲמַר לֵיהּ, אַל תַּבִּיט אַחֲרֶיךָ, דְּהָא אֲנָא אֲחַבֵּל בַּתְרָךְ, וְעַל דָּא כְּתִיב, וַתַּבֵּט אִשְׁתּוֹ מֵאַחֲרָיו. וַחֲמַת מְחַבְּלָא, כְּדֵין וַתְּהִי נְצִיב מֶלַח. דְּהָא בְּכָל זִמְנָא דִּמְחַבְּלָא, לָא חָמֵי אַנְפּוֹי דְּבַר נָשׁ, לָא מְחַבִּיל לֵיהּ, כֵּיוָן דְּאִתְתֵיהּ אַהֲדָרַת אַנְפָּהָא, לְאִסְתַּכְּלָא אֲבַתְרֵיהּ, מִיָּד וַתְּהִי נְצִיב מֶלַח.

רפט. רַבִּי אֶלְעָזָר וְרַבִּי יוֹסֵי, הֲווּ קַיְימֵי יוֹמָא חַד, וְעָסְקֵי בְּהַאי קְרָא, אֲמַר רַבִּי אֶלְעָזָר, כְּתִיב אֶרֶץ אֲשֶׁר לֹא בְמִסְכֵּנֻת תֹּאכַל בָּהּ לֶחֶם לֹא תֶחְסַר כֹּל בָּהּ. הַאי בָּהּ בָּהּ, תְּרֵי זִמְנֵי, אַמַּאי. אֶלָּא הָא אִתְּמַר, דְּקוּדְשָׁא בְּרִיךְ הוּא, פָּלִיג כָּל עַמִּין וְאַרְעָאן לִמְמַנָּן שָׁלִיחָן, וְאַרְעָא דְּיִשְׂרָאֵל, לָא שַׁלִּיט בָּהּ מַלְאָכָא, וְלָא מְמַנָּא אָחֳרָא, אֶלָּא אִיהוּ בִּלְחוֹדוֹי, בְּגִין כָּךְ אָעִיל לְעַמָּא דְּלָא שַׁלִּיט בְּהוּ אָחֳרָא, לְאַרְעָא דְּלָא שָׁלִיט בָּהּ אָחֳרָא.

רצ. תָּא חֲזֵי, קוּדְשָׁא בְּרִיךְ הוּא, יָהִיב מְזוֹנָא תַּמָּן בְּקַדְמֵיתָא, וּלְבָתַר לְכָל עָלְמָא. כָּל שְׁאָר עַמִּין עכו"ם בְּמִסְכֵּנוּת, וְאַרְעָא דְּיִשְׂרָאֵל לָאו הָכִי, אֶלָּא אֶרֶץ יִשְׂרָאֵל אִתְזָן בְּקַדְמֵיתָא, וּלְבָתַר כָּל עָלְמָא.

רצא. וּבְגִ"כ אֶרֶץ אֲשֶׁר לֹא בְמִסְכֵּנֻת תֹּאכַל בָּהּ לֶחֶם. אֶלָּא בַּעֲתִירוּ, בְּסִפּוּקָא דְּכֹלָּא. תֹּאכַל בָּהּ, וְלָא בַּאֲתַר אָחֳרָא. בָּהּ בִּקְדִישׁוּ דְּאַרְעָא. בָּהּ שַׁרְיָא מְהֵימְנוּתָא עִלָּאָה. בָּהּ שַׁרְיָא בִּרְכְתָא דִּלְעֵילָּא, וְלָא בַּאֲתַר אָחֳרָא.

רצב. ת"ח כְּתִיב כְּגַן יי' כְּאֶרֶץ מִצְרַיִם. עַד הָכָא לָא אִתְיְדַע, גַּן יי' אִי הוּא אֶרֶץ מִצְרַיִם, וְאִי אִיהוּ אֶרֶץ סְדוֹם, וְאִי אִיהוּ גַּן יי', דְּאִקְרֵי גַּן עֵדֶן. אֶלָּא, כְּגַן יי' דְּאִית בֵּיהּ סִפּוּקָא, וְעִדּוּנָא דְּכֹלָּא, הָכֵי נָמֵי הֲוָה סְדוֹם, וְהָכֵי נָמֵי מִצְרַיִם. מַה גַּן יי', לָא אִצְטְרִיךְ בַּר נָשׁ לְאַשְׁקָאָה לֵיהּ, אוּף מִצְרַיִם לָא אִצְטְרִיךְ אָחֳרָא לְאַשְׁקָאָה לֵיהּ, בְּגִין דְּנִילוּס אִיהוּ אַסֵּיק, וְאַשְׁקֵי לְכָל אַרְעָא דְּמִצְרַיִם.

רצג. ת"ח מַה כְּתִיב וְהָיָה אֲשֶׁר לֹא יַעֲלֶה מֵאֵת מִשְׁפְּחוֹת הָאָרֶץ אֶל יְרוּשָׁלַם וגו'. דָּא הוּא עוֹנְשָׁא דִּלְהוֹן, דְּאִתְמְנַע מִנַּהוֹן מִטְרָא, מַה כְּתִיב, וְאִם מִשְׁפַּחַת מִצְרַיִם לֹא תַעֲלֶה וְלֹא בָאָה וגו'. חָמֵי דְּלָא כְּתִיב, וְלֹא עֲלֵיהֶם יִהְיֶה הַגָּשֶׁם, בְּגִין דְּלָא נָחִית מִטְרָא לְמִצְרַיִם, וְלָא אִצְטְרִיכָן לֵיהּ, אֶלָּא עוֹנְשָׁא דִּלְהוֹן מַה הוּא, דִּכְתִיב וְזֹאת תִּהְיֶה הַמַּגֵּפָה אֲשֶׁר יִגֹּף ה' אֶת כָּל הַגּוֹיִם וגו'. בְּגִין דְּמִצְרַיִם לָא צְרִיכִין לְמִטְרָא, אוּף סְדוֹם, מַה כְּתִיב בֵּיהּ, כִּי כֻלָּהּ מַשְׁקֶה, כָּל עִדּוּנִין דְּעָלְמָא הֲווּ בָּהּ, וְעַל דָּא לָא בָּעָאן דִּבְנֵי נָשָׁא אָחֳרָנִין יִתְעַדְּנוּן בָּהּ.

רצד. רַבִּי חִיָּיא אֲמַר, אִינוּן הֲווּ חַיָּיבִין מִגַּרְמַיְיהוּ, וּמִמּוֹנְהוֹן, דְּכָל בַּר נָשׁ דְּאִיהוּ צַר עֵינָא לְגַבֵּי מִסְכְּנָא, יָאוּת הוּא דְּלָא יִתְקַיֵּים בְּעָלְמָא. וְלֹא עוֹד, אֶלָּא דְּלֵית לֵיהּ חַיִּים

לְעָלְמָא דְאָתֵי. וְכָל מַאן דְּאִיהוּ וַתְרָן לְגַבֵּי מִסְכְּנָא יָאוּת הוּא דְּיִתְקַיֵּים בְּעָלְמָא, וְיִתְקַיֵּים עָלְמָא בְּגִינֵיהּ, וְאִית לֵיהּ חַיִּים וְאוֹרְכָא דְּחַיֵּי לְעָלְמָא דְּאָתֵי.

רצה. וַיַּעַל לוֹט מִצּוֹעַר וַיֵּשֶׁב בָּהָר הוּא וּשְׁתֵּי בְנוֹתָיו עִמּוֹ וְגוֹ'. מַאי טַעְמָא. בְּגִין דְּחָמָא דַּהֲוָה קָרִיב לִסְדוֹם, וְאִסְתַּלַּק מִתַּמָּן.

רצו. רַבִּי יִצְחָק פָּתַח וְהוּא מְסִבּוֹת מִתְהַפֵּךְ בְּתַחְבּוּלֹתָו לְפָעֳלָם וְגוֹ'. קֻבְּ"ה, מְסַבֵּב סִבּוּבִין דְּעָלְמָא, וְאַיְיתֵי קוּמְרִין טְהִירִין, לְמֶעְבַּד עוֹבָדוֹי וּלְבָתַר מְהַפֵּךְ לוֹן, וְעָבֵיד לוֹן כְּגַוְונָא אָחֳרָא.

רצז. וּבַמֶּה בְּתַחְבּוּלוֹתָיו, עָבֵיד תַּחְבּוּלִין, וּמְסַבֵּב סִבּוּבִין, לְאַפְּכָא לוֹן, וְלָאו כְּאִינּוּן קַדְמָאֵי. לְפָעֳלָם, בְּגִין פָּעֳלָם דִּבְנֵי נָשָׁא, כְּמָה דְּאִינּוּן עָבְדִין עוֹבָדִין, הָכִי מְהַפֵּךְ לוֹן. כֹּל אֲשֶׁר יְצַוֵּם עַל פְּנֵי תֵבֵל אָרְצָה. בְּגִין דְּעוֹבָדִין דִּבְנֵי נָשָׁא, מְהַפֵּךְ לְאִינּוּן מְסִבּוֹת, בְּכָל מַה דְּאִיהוּ פָּקֵיד לוֹן עַל פְּנֵי תֵבֵל וְגוֹ'.

רצח. רַבִּי אֶלְעָזָר אָמַר, וְהוּא מְסִבּוֹת מִתְהַפֵּךְ. הקב"ה מְסַבֵּב סִבּוּבִין, וְאַיְיתֵי, עוֹבָדִין בְּעָלְמָא לְאִתְקַיְּימָא, וּלְבָתַר דְּחָשִׁיבוּ בְּנֵי נָשָׁא דְּיִתְקַיְּימוּן אִינּוּן עוֹבָדִין, קֻבְּ"ה מְהַפֵּךְ לוֹן לְאִינּוּן עוֹבָדִין, מִכְּמָה דַּהֲווֹ בְּקַדְמֵיתָא.

רצט. בְּתַחְבּוּלוֹתָיו. בְּתַחְבּוּלֹתָו כְּתִיב, כְּהַאי אוּמָנָא דְּעָבֵיד מָאנִין דְּחַסְפָּא, בְּעוֹד דְּהַהִיא טִיקְלָא, אִסְתַּחֲרַת קַמֵּיהּ, וְחָשִׁיב לְמֶעְבַּד כְּגַוְונָא דָּא, עָבֵיד. וְחָשִׁיב לְמֶעְבַּד כְּגַוְונָא אָחֳרָא, עָבֵיד. מְהַפֵּךְ מָאנָא דָּא לְמָאנָא דָּא, בְּגִין דְּהַהוּא טִיקְלָא אִסְתַּחֲרַת קַמֵּיהּ.

ש. כָּךְ קֻבְּ"ה, מְהַפֵּךְ עוֹבָדוֹי, דְּאִיהוּ עָבֵיד. בְּתַחְבּוּלֹתָו חָסֵר יו"ד, וּמַאן אִיהוּ, דָּא בֵּי דִּינָא לְתַתָּא, דְּאִיהוּ טִקְלָא, דְּאִסְתַּחֲרַת קַמֵּיהּ, וְעַל דָּא, מְהַפֵּךְ מָאנִין, מִמָּאנָא דָּא, לְמָאנָא אָחֳרָא.

שא. וְכָל דָּא כְּפוּם פָּעֳלָם דִּבְנֵי נָשָׁא, אִי מְטִיבִין בְּנֵי נָשָׁא עוֹבָדֵיהוֹן, הַהוּא טִקְלָא דְּסַחֲרָא, אַסְחָרַת לוֹן לִימִינָא, וּכְדֵין אִתְעֲבִידוּ עוֹבָדִין בְּעָלְמָא, לְאוֹטָבָא לוֹן כִּדְקָא יָאוּת. וְטִיקְלָא אַסְחָרַת תָּדִיר, וְלָא שָׁכִיךְ, בְּהַהוּא סִטְרָא דִּימִינָא, וְעָלְמָא מִתְגַּלְגְּלָא בֵּיהּ.

שב. אָתוּ בְּנֵי נָשָׁא לְאַבְאָשָׁא תַּחְבּוּלָתוֹ, דְּאַסְחַר תָּדִיר, וַהֲוָה קַיְּימָא בְּאַסְחָרוּתָא דִּימִינָא, קֻבְּ"ה אַסְחַר לֵיהּ בְּסִטְרָא דִּשְׂמָאלָא, וּמְהַפֵּךְ מְסִבּוֹת וּמָאנִין, דַּהֲווֹ בְּקַדְמֵיתָא, לְהַהוּא סְטַר שְׂמָאלָא.

שג. וּכְדֵין טִקְלָא אַסְחָרָא, וְאִתְעֲבִידוּ עוֹבָדִין בְּעָלְמָא, לְאַבְאָשָׁא לוֹן לִבְנֵי נָשָׁא. וְטִקְלָא אַסְחַר לְהַהוּא סִטְרָא, עַד דִּבְנֵי נָשָׁא תַּיְיבִין לְאוֹטָבָא עוֹבָדֵיהוֹן. וְטִקְלָא קַיְּימָא בְּעוֹבָדִין דִּבְנֵי נָשָׁא. וְעַל דָּא בְּתַחְבּוּלֹתָו לְפָעֳלָם וְלָא קַיְּימָא תָּדִיר.

שד. תָּא חֲזֵי, קֻבְּ"ה גָּרַם סִבּוּבִין וְעוֹבָדִין בְּעָלְמָא, בְּגִין לְמֶעְבַּד כֹּלָּא כִּדְקָא יָאוּת. וְכֹלָּא נָפְקָא מֵעִקָּרָא וְשָׁרְשָׁא דִּלְעֵילָּא. אַקְרִיב אַבְרָהָם לְגַבֵּיהּ, נָפַק מִנֵּיהּ יִשְׁמָעֵאל, דְּלָא הֲוָה אַבְרָהָם גְּזִיר, כַּד נָפַק מִנֵּיהּ, בְּגִין דְּאִיהוּ לְתַתָּא, וְלָא אִשְׁתְּלִים בְּאָת קַיְּימָא קַדִּישָׁא.

שה. לְבָתַר קֻבְּ"ה סַבֵּב סִבּוּבִין בְּתַחְבּוּלוֹתָיו, וְאִתְגְּזַר אַבְרָהָם, וְעָאל בִּבְרִית, וְאִשְׁתְּלִים בִּשְׁמֵיהּ, וְאִקְרֵי אַבְרָהָם, וְה' עִלָּאָה אַעְטְרַת לֵיהּ, בְּרָזָא דְּמַיִם מְרַוֵּוי.

שו. כֵּיוָן דְּרָזָא אִשְׁתְּלִים, וְאִתְגְּזַר, נָפַק מִנֵּיהּ יִצְחָק, וַהֲוָה זַרְעָא קַדִּישָׁא, וְאִתְקַשַּׁר לְעֵילָּא, בְּרָזָא דְּאֵשׁ מִמַּיִם, וְעַל דָּא כְּתִיב, וְאָנֹכִי נְטַעְתִּיךְ שׂוֹרֵק כֻּלֹּה זֶרַע אֱמֶת. וְלָא אִתְקַשַּׁר בְּהַהוּא סִטְרָא אָחֳרָא.

שז. תָּא חֲזֵי, לוֹט נָפְקוּ מִנֵּיהּ, וּמִבְּנָתֵיהּ תְּרֵין אוּמִין, מִתְפָּרְשָׁן, וְאִתְקַשְּׁרוּ בְּהַהוּא

סִטְרָא, דְּאִתְחֲזֵי לוֹן, וְעַל דָּא קֻדְשָׁא בְּרִיךְ הוּא מְסַבֵּב סִבּוּבִין, וּמְגַלְגֵּל גִּלְגּוּלִין בְּעָלְמָא, דְּיִתְעֲבֵיד כֹּלָּא כִּדְקָא יָאוּת, וְיִתְקַשַּׁר כֹּלָּא בְּאַתְרֵיהּ.

שח. ת"ח, יָאוּת הֲוָה לְלוֹט, דְּקֻדְשָׁא בְּרִיךְ הוּא יַפִּיק מִנֵּיהּ וּמֵאִתְּתֵיהּ, תְּרֵין אוּמִין אִלֵּין, אֶלָּא בְּגִין לְאִתְקַשְּׁרָא בְּאַתְרַיְיהוּ, דְּאִתְחֲזֵי לְהוּ. וְאִתְעֲבִידוּ מִגּוֹ יַיְנָא, וְהַהוּא יַיְנָא, אִזְדַּמַּן לְהוֹן בִּמְעַרְתָּא, הַהִיא לֵילְיָא, וְדָא הוּא רָזָא דְּאִתְעֲבִידוּ, כְּמָה דְּאַתְּ אָמֵר וַיֵּשְׁתְּ מִן הַיַּיִן וַיִּשְׁכָּר. וְהָא אִתְּמַר וְאוּקְמוּהָ.

שט. ת"ח, מוֹאָב וְעַמּוֹן, אִינּוּן קָרָאן לוֹן שְׁמָהָן, מוֹאָב מֵאָב. ר' יוֹסֵי אָמַר, בְּכִירָה בְּחֻצִּיפוּ אָמְרָה, מוֹאָב מֵאַבָּא הוּא. וְהַצְּעִירָה גַּם הִיא יָלְדָה בֵּן וַתִּקְרָא שְׁמוֹ בֶּן עַמִּי. בִּצְנִיעוּ, אָמְרָה בֶּן עַמִּי, בַּר עַמִּי, וְלָא אָמְרָה מִמָּאן הֲוָה.

שי. ת"ח, בְּקַדְמֵיתָא כְּתִיב, וְלֹא יָדַע בְּשִׁכְבָה וּבְקוּמָהּ. בְּוא"ו, וְנָקוּד עַל וא"ו, בְּגִין דְּסִיּוּעָא דְּעֵילָּא הֲוָה אִשְׁתְּכַח בְּהַהוּא עוֹבָדָא, דְּזַמִּין מַלְכָּא מְשִׁיחָא לְנָפְקָא מִנֵּיהּ, וּבְגִין כָּךְ, אִשְׁתְּלִים הָכָא בְּוא"ו. וּבְאַחֲרָא, כְּתִיב וּבְקֻמָהּ חָסֵר ו', בְּגִין דְּלָא נָפַק מִינָּהּ חוּלְקָא לְקֻדְשָׁא בְּרִיךְ הוּא, כְּהַאי אַחֲרָא, וְעַל דָּא כְּתִיב בְּהַאי אַחֲרָא קַשִּׁישָׁא, וּבְקוּמָהּ בְּוא"ו מָלֵא, וְנָקוּד עֲלָהּ.

שיא. ר' שִׁמְעוֹן אָמַר לָא יָדַע, דְּזַמִּין קֻדְשָׁא בְּרִיךְ הוּא לְאוֹקְמָא מִינָּהּ, דָּוִד מַלְכָּא וּשְׁלֹמֹה, וְכָל שְׁאָר מַלְכִין, וּמַלְכָּא מְשִׁיחָא. תּוּ וּבְקוּמָהּ דִּכְתִיב בְּרוּת, וַתָּקָם בְּטֶרֶם יַכִּיר אִישׁ אֶת רֵעֵהוּ וְגוֹ'. וּבְהַהוּא יוֹמָא הֲוָה לָהּ קִימָה וַדַּאי אִתְחַבַּר עִמָּהּ בֹּעַז, לְהָקִים שֵׁם הַמֵּת עַל נַחֲלָתוֹ, וְאִתָּקַם מִנָּהּ כָּל הָנֵי מַלְכִין וְכָל עִלּוּיָא דְּיִשְׂרָאֵל. וְלֹא יָדַע בְּשִׁכְבָהּ, דִּכְתִיב וַתִּשְׁכַּב מַרְגְּלוֹתָיו עַד הַבֹּקֶר. וּבְקוּמָהּ, דִּכְתִיב וַתָּקָם בטרום (בְּטֶרֶם). יַכִּיר אִישׁ אֶת רֵעֵהוּ וְגוֹ'. בְּגִין כָּךְ וּבְקוּמָהּ נָקוּד וא"ו.

שיב. תָּא חֲזֵי, עִנְוְתָנוּתָא דְּאַבְרָהָם, דְּהָא אֲפִילּוּ בְּקַדְמֵיתָא, כַּד בָּעָא קֻדְשָׁא בְּרִיךְ הוּא לְמֶעְבַּד דִּינָא בִּסְדוֹם, לָא בָּעָא מִנֵּיהּ רַחֲמֵי עַל לוֹט, לְבָתַר דִּכְתִיב, וַיַּרְא וְהִנֵּה עָלָה קִיטֹר הָאָרֶץ כְּקִיטֹר הַכִּבְשָׁן. לָא תָּבַע עֲלֵיהּ דְּלוֹט, וְלָא אָמַר עֲלֵיהּ לְקֻדְשָׁא בְּרִיךְ הוּא כְּלוּם, אוּף הָכֵי קֻדְשָׁא בְּרִיךְ הוּא, לָא אָמַר לֵיהּ מִדֵּי, בְּגִין דְּלָא יַחֲשׁוֹב אַבְרָהָם דְּקֻדְשָׁא בְּרִיךְ הוּא גָּרַע מִזַּכְוָתֵיהּ כְּלוּם.

שיג. וְאִי תֵּימָא, דְּאַבְרָהָם לָא הֲוָה חָשִׁיב לֵיהּ לְלוֹט בְּלִבֵּיהּ כְּלוּם, הָא מָסַר נַפְשֵׁיהּ, לְמֵיהַךְ לְאַגָּחָא קְרָבָא, בַּחֲמִשָּׁה מַלְכִין תַּקִּיפִין, כד"א וַיִּשְׁמַע אַבְרָם כִּי נִשְׁבָּה אָחִיו וְגוֹ'. וּכְתִיב וַיֵּחָלֵק עֲלֵיהֶם לַיְלָה. וּכְתִיב וַיָּשֶׁב אֵת כָּל הָרְכוּשׁ וְגַם אֶת לוֹט אָחִיו וּרְכֻשׁוֹ הֵשִׁיב וְגוֹ'. אֲבָל בִּרְחִימוּתָא דִּרְחִים לְקֻדְשָׁא בְּרִיךְ הוּא, וְחָמָא עוֹבָדוֹי דְּלוֹט, דְּלָא כַּשְׁרָן כִּדְקָא יָאוּת, לָא בָּעָא אַבְרָהָם, דִּבְגִינֵיהּ יִשְׁבּוֹק קֻדְשָׁא בְּרִיךְ הוּא כְּלוּם מִדִּילֵיהּ, וּבְגִינֵי כָּךְ, לָא תָּבַע עֲלֵיהּ רַחֲמֵי, לָא בְּקַדְמֵיתָא וְלָא בְּסוֹפָא.

מִדְרָשׁ הַנֶּעְלָם

שיד. וַיַּעַל לוֹט מִצּוֹעַר וְגוֹ'. אָמַר רַבִּי אַבָּהוּ, בֹּא וּרְאֵה מַה כְּתִיב בַּיֵּצֶר הָרָע, תֵּדַע לְךָ, שֶׁאֵינוֹ מִתְבַּטֵּל לְעוֹלָם מִבְּנֵי אָדָם, עַד אוֹתוֹ זְמַן, דִּכְתִיב וַהֲסִרֹתִי אֶת לֵב הָאֶבֶן וְגוֹ'. שֶׁאַף עַל פִּי שֶׁרוֹאֶה בְּנֵי אָדָם נִדּוֹנִין בַּגֵּיהִנֹּם, הוּא בָּא וְחוֹזֵר לוֹ אֵצֶל בְּנֵי אָדָם, הֲדָא הוּא דִּכְתִיב וַיַּעַל לוֹט מִצּוֹעַר. מִצַּעֲרָהּ שֶׁל גֵּיהִנֹּם, מִשָּׁם עוֹלֶה לְפַתּוֹת בְּנֵי אָדָם.

שטו. אָמַר רַבִּי יְהוּדָה, שָׁלֹשׁ הַנְהָגוֹת, יֵשׁ בָּאָדָם: הַנְהָגַת הַשֵּׂכֶל וְהַחָכְמָה, וְזוֹ הִיא כֹּחַ הַנְּשָׁמָה הַקְּדוֹשָׁה. וְהַנְהָגַת הַתַּאֲוָה, שֶׁהִיא מִתְאַוָּה בְּכָל תַּאֲוֹת רָעוֹת, וְזֶהוּ כֹּחַ הַתַּאֲוָה. וְהַהַנְהָגָה, הַמַּנְהֶגֶת לִבְנֵי אָדָם, וּמְחַזֶּקֶת הַגּוּף, וְהִיא נִקְרֵאת נֶפֶשׁ הַגּוּף. אָמַר

רַב דִּימִי, זֶהוּ כֹּחַ הַמַּזִּיק.

שטז. אָמַר רַבִּי יְהוּדָה, בֹּא וּרְאֵה, לְעוֹלָם אֵין יֵצֶר הָרָע שׁוֹלֵט, אֶלָּא בְּאֵלּוּ ב' כַּוָּונוֹת אֵלֵּין דַּאֲמָרָן: נֶפֶשׁ הַמִּתְאַוָּה, הִיא הָרוֹדֶפֶת אַחַר יֵצֶר הָרָע לְעוֹלָם, מַשְׁמַע, דִּכְתִּיב וַתֹּאמֶר הַבְּכִירָה אֶל הַצְּעִירָה אָבִינוּ זָקֵן. נֶפֶשׁ הַמִּתְאַוָּה, הִיא מְעוֹרֶרֶת אֶת הָאַחֶרֶת, וּמְפַתָּה אוֹתָהּ, עִם הַגּוּף, לְהִדָּבֵק בְּיֵצֶר הָרָע, וְהִיא אוֹמֶרֶת, לְכָה נַשְׁקֶה אֶת אָבִינוּ יַיִן וְנִשְׁכְּבָה עִמּוֹ. מַה יֵּשׁ לָנוּ בָּעוֹלָם הַבָּא, נֵלֵךְ וְנִרְדּוֹף אַחַר יֵצֶר הָרָע, וְאַחַר תְּשׁוּקַת חֶמְדַּת הָעוֹלָם הַזֶּה, וּמַה עוֹשׂוֹת, שְׁתֵּיהֶן מַסְכִּימוֹת לְהִדָּבֵק בּוֹ, מַה כְּתִיב וַתַּשְׁקֶיןָ אֶת אֲבִיהֶן יַיִן. מִתְפַּטְּמוֹת, לְהִתְעוֹרֵר לְיֵצֶר הָרָע, בַּאֲכִילָה וּבִשְׁתִיָּה.

שיז. וַתָּקָם הַבְּכִירָה וַתִּשְׁכַּב אֶת אָבִיהָ. כְּשֶׁאָדָם שׁוֹכֵב עַל מִטָּתוֹ בַּלַּיְלָה, נֶפֶשׁ הַמִּתְאַוָּה הִיא הַמְעוֹרֶרֶת לְיֵצֶר הָרָע, וּמְהַרְהֶרֶת בּוֹ, וְהוּא דָּבֵק בְּכָל הִרְהוּר רָע, עַד שֶׁמִּתְעַבֶּרֶת מְעַט שֶׁמֵּבִיא בְּלֵב הָאָדָם, אוֹתָהּ הַמַּחֲשָׁבָה הָרָעָה, וּדְבֵקָה בּוֹ, וַעֲדַיִין יֵשׁ בְּלִבּוֹ, וְלֹא נִגְמַר לַעֲשׂוֹתָהּ, עַד שֶׁזֹּאת הַתַּאֲוָה, מְעוֹרֶרֶת לְכֹחַ הַגּוּף כְּמִתְּחִלָּה, לְהִדָּבֵק בְּיֵצֶר הָרָע, וְאָז הוּא תַּשְׁלוּם הָרָעָה, הה"ד וַתַּהֲרֶיןָ שְׁתֵּי בְנוֹת לוֹט מֵאֲבִיהֶן.

שיח. אָמַר רַבִּי יִצְחָק, מֵעוֹלָם אֵין יֵצֶר הָרָע מִתְפַּתֶּה, אֶלָּא בַּאֲכִילָה וּשְׁתִיָּה, וּמִתּוֹךְ שִׂמְחַת הַיַּיִן, אָז שׁוֹלֵט בָּאָדָם. בַּצַּדִּיק, מַה כְּתִיב בֵּיהּ, צַדִּיק אֹכֵל לְשֹׂבַע נַפְשׁוֹ. וְאֵינוֹ מִשְׁתַּכֵּר לְעוֹלָם, דא"ר יְהוּדָה, הַאי צוּרְבָא מֵרַבָּנָן, דְּמַרְוֵי, קָרֵינָא עֲלֵיהּ, נֶזֶם זָהָב בְּאַף חֲזִיר. וְלֹא עוֹד, אֶלָּא שֶׁמְּחַלֵּל שֵׁם שָׁמַיִם. מִנְהַג הָרְשָׁעִים מַהוּ, וְהִנֵּה שָׂשׂוֹן וְשִׂמְחָה. הַיַּיִן אָז שׁוֹלֵט בָּאָדָם, הָרֹג בָּקָר וְשָׁחֹט צֹאן וְגוֹ'. עֲלֵיהֶם אָמַר הַכָּתוּב הוֹי מַשְׁכִּימֵי בַבֹּקֶר שֵׁכָר יִרְדֹּפוּ וְגוֹ'. כְּדֵי לְעוֹרֵר לְיֵצֶר הָרָע, שֶׁאֵין יֵצֶר הָרָע מִתְעוֹרֵר אֶלָּא מִתּוֹךְ הַיַּיִן, הֲדָא הוּא דִּכְתִּיב וַתַּשְׁקֶיןָ אֶת אֲבִיהֶן יַיִן.

שיט. אָמַר רַבִּי אַבָּהוּ, מַה כְּתִיב וְלֹא יָדַע בְּשִׁכְבָהּ וּבְקוּמָהּ. כְּלוֹמַר, יֵצֶר הָרָע אֵינוֹ מַשְׁגִּיחַ בָּהּ, בְּשִׁכְבָהּ בָּעוֹלָם הַזֶּה, וּבְקוּמָהּ לָעוֹלָם הַבָּא, אֶלָּא מִתְעוֹרֵר עִם כֹּחַ הַגּוּף, לַעֲבוֹד תַּאֲוָתוֹ בָּעוֹלָם הַזֶּה. דְּאָמַר ר' אַבָּהוּ, בְּשָׁעָה שֶׁנִּכְנָסִין הָרְשָׁעִים בַּגֵּיהִנֹּם, מַכְנִיסִים לְיֵצֶר הָרָע, לִרְאוֹת בָּהֶן, הֲדָא הוּא דִכְתִּיב, וְלוֹט בָּא צֹעֲרָה, לְצַעֲרָהּ שֶׁל גֵּיהִנֹּם, וְנָפֵק לֵיהּ מִתַּמָּן, לְנַסוּתָא לִבְרִיָּיתָא, כִּדְקָאֲמָרָן. הֲדָא הוּא דִכְתִּיב, וַיַּעַל לוֹט מִצּוֹעַר, מִצַּעֲרָהּ שֶׁל גֵּיהִנֹּם.

שכ. וַיֵּשֶׁב בָּהָר, אָמַר ר' יִצְחָק, מַשְׁמַע דִּכְתִּיב בָּהָר, מְלַמֵּד שֶׁהוּא שָׁם מוֹשָׁבוֹ, בִּמְקוֹם הָר, גּוּף שֶׁהוּא חָרֵב כְּהָר, דְּלֵית בֵּיהּ טִיבוּתָא, וּב' בְּנוֹתָיו עִמּוֹ. אֵלּוּ הַב' כַּוָּונוֹת, דַּאֲמָרָן. כִּי יָרֵא לָשֶׁבֶת בְּצוֹעַר, יִרְאָה וַחֲרָדָה נוֹפֶלֶת עָלָיו בְּשָׁעָה שֶׁרוֹאֶה צַעַר גֵּיהִנֹּם, שֶׁמְּצַעֲרִין לָרְשָׁעִים, וְחוֹשֵׁב שֶׁשָּׁם יָדוּן, כֵּיוָן שֶׁרוֹאֶה שֶׁאֵינוֹ נִדּוֹן שָׁם, יוֹצֵא וְהוֹלֵךְ לְפַתּוֹת בְּנֵי אָדָם אַחֲרָיו.

שכא. רַב הוּנָא כַּד הֲוָה דָּרִישׁ, לְאַזְהָרָא לִבְנֵי אָדָם, הֲוָה אָמַר לְהוֹ, בָּנַי, אִסְתַּמְּרוּ מִשְׁלִיחָא שֶׁל גֵּיהִנֹּם, וּמַאן הוּא, זֶהוּ יֵצֶר הָרָע, שֶׁהוּא שָׁלִיחַ שֶׁל גֵּיהִנֹּם.

שכב. רַבִּי אַבָּא אָמַר, מַאי דִּכְתִּיב לַעֲלוּקָה שְׁתֵּי בָנוֹת הַב הַב. אֵלּוּ שְׁתֵּי בְּנוֹת לוֹט דַּאֲמָרָן, שֶׁהִיא נֶפֶשׁ הַמִּתְאַוָּה, וְנֶפֶשׁ הַמִּשְׁתַּתֶּפֶת בַּגּוּף, הָרוֹדֶפֶת אַחַר יֵצֶר הָרָע לְעוֹלָם. אָמַר ר' יְהוֹשֻׁעַ, כְּתִיב הָכָא בְּלוֹט, כִּי יָרֵא לָשֶׁבֶת בְּצוֹעַר, וּכְתִיב הָתָם לַעֲלוּקָה שְׁתֵּי בָנוֹת הַב הַב. יָרֵ"א בְּגִימַטְרִיָּא הוּא עֲלוּקָ"ה. אָמַר ר' יִצְחָק, אִי יָרֵא הוּא, לְמַאי אָתֵי לְמִטְעֵי בִּרְיָיתָא, אֶלָּא כָּךְ דֶּרֶךְ כָּל עוֹשֵׂה עַוְלָה, כְּשֶׁרוֹאֶה הָרָע, מִתְיָרֵא לְפִי שָׁעָה,

מִיָּד חוֹזֵר לְרִשְׁעָתוֹ, וְאֵינוֹ חוֹשֵׁשׁ לִכְלוּם, כָּךְ יֵצֶר הָרַע, בְּשָׁעָה שֶׁרוֹאֶה דִּין בָּרְשָׁעִים, יָרֵא, כֵּיוָן שֶׁיּוֹצֵא לַחוּץ, אֵינוֹ חוֹשֵׁשׁ כְּלוּם.

שכג. רַבִּי אַבָּא אָמַר, מ"ד וַתֹּאמֶר הַבְּכִירָה אֶל הַצְּעִירָה אָבִינוּ זָקֵן. מַאי אָבִינוּ זָקֵן. זֶהוּ יֵצֶר הָרַע, שֶׁנִּקְרָא זָקֵן, שֶׁנֶּאֱמַר מֶלֶךְ זָקֵן וּכְסִיל. שֶׁהוּא זָקֵן, שֶׁנּוֹלַד עִם הָאָדָם, דִּתְנִינָן, אָמַר רַבִּי יְהוּדָה אָמַר רַבִּי יוֹסֵי, אוֹתָהּ נֶפֶשׁ הַמִּתְאַוָּה, אוֹמֶרֶת לָאַחֶרֶת, אָבִינוּ זָקֵן, נִרְדּוֹף אַחֲרָיו, וְנִדְבַּק בּוֹ, כִּשְׁאָר כָּל הָרְשָׁעִים שֶׁבָּעוֹלָם. וְאִישׁ אֵין בָּאָרֶץ לָבֹא עָלֵינוּ, אֵין אִישׁ צַדִּיק בָּאָרֶץ, וְאֵין אִישׁ שַׁלִּיט עַל יִצְרוֹ, הַרְבֵּה רְשָׁעִים בָּאָרֶץ, לֵית אֲנָן בִּלְחוֹדָנָא חַיָּיבִין, נַעֲשֶׂה כְּדֶרֶךְ כָּל הָאָרֶץ, שֶׁהֵם חַיָּיבִים, שֶׁעַד הַיּוֹם דֶּרֶךְ כָּל הָאָרֶץ הוּא. לְכָה נַשְׁקֶה אֶת אָבִינוּ יַיִן, נִשְׂמַח בָּעוֹלָם הַזֶּה, נֹאכַל וְנִשְׁתֶּה, וְנִרְוֶה חַמְרָא, וְנִדְבַּק בְּאָבִינוּ, בַּיצה"ר, וְנִשְׁכְּבָה עִמּוֹ. וְרוּחַ הַקֹּדֶשׁ צוֹוַחַת וְאוֹמֶרֶת, גַּם אֵלֶּה בַּיַּיִן שָׁגוּ וּבַשֵּׁכָר תָּעוּ.

שכד. אָמַר רַבִּי יְהוּדָה, תָּא חֲזֵי, מַה כְּתִיב, וַתַּשְׁקֶיןָ אֶת אֲבִיהֶן יַיִן. דֶּרֶךְ הָרְשָׁעִים לִטְעוֹת אַחֲרֵי הַיַּיִן, לְפַנֵּק לַיצה"ר וּלְעוֹרְרוֹ, וְעַד שֶׁהוּא שָׂמֵחַ בְּשִׁכְרוּתוֹ, שׁוֹכֵב עַל מִטָּתוֹ, מִיָּד וַתָּקָם הַבְּכִירָה, וַתִּשְׁכַּב אֶת אָבִיהָ. הִיא מְזוּמֶּנֶת עִמּוֹ, וּמִתְאַוָּה וּמְהַרְהֶרֶת בְּכָל הִרְהוּרִים רָעִים, וְיֵצֶר הָרַע מִתְחַבֵּר עִמָּהּ וְנִדְבַּק בָּהּ, וְאֵינוֹ מַשְׁגִּיחַ בָּהּ מַה הוּא מִמֶּנָּה. בְּשִׁכְבָהּ וּבְקוּמָהּ. בְּשִׁכְבָהּ בָּעוֹלָם הַזֶּה. וּבְקוּמָהּ לֶעָתִיד לָבֹא. בְּשִׁכְבָהּ, בָּעוֹלָם הַבָּא, כְּשֶׁתִּתֵּן דִּין וְחֶשְׁבּוֹן. וּבְקוּמָהּ, לְיוֹם הַדִּין, דִּכְתִיב וְרַבִּים מִיְּשֵׁנֵי אַדְמַת עָפָר יָקִיצוּ וגו'. בְּשׁוּם עִנְיָן מֵאֵלּוּ, אֵין מַשְׁגִּיחַ בָּהּ יֵצֶר הָרַע, אֶלָּא דָּבֵק בָּהּ, וְהִיא נִדְבֶּקֶת בּוֹ, וּלְאַחַר כֵּן, מְעוֹרֶרֶת לְאַחֶרֶת, לְאַחַר שֶׁהַהִרְהוּר גָּדוֹל, נִדְבַּק בַּיֵּצֶר הָרַע, בָּאָה הָאַחֶרֶת, וְנִדְבֶּקֶת בּוֹ.

שכה. וַתַּשְׁקֶיןָ אֶת אֲבִיהֶן יַיִן. כְּמוֹ כֵן, לְעוֹרֵר לַיֵּצֶר הָרַע, וְנִדְבֶּקֶת בּוֹ, וְאַזַּי תַּשְׁלוּם הָרָעוֹת לַעֲשׂוֹת, וּמִתְעַבְּרוֹת שְׁתֵּיהֶן, מִיֵּצֶר הָרַע, הֲדָא הוּא דִּכְתִיב, וַתַּהֲרֶיןָ שְׁתֵּי בְנוֹת לוֹט מֵאֲבִיהֶן. עַד שֶׁיָּצָא לַפּוֹעַל מַעֲשֵׂיהֶן, זוֹ יוֹלֶדֶת רִשְׁעָתָהּ, וְזוֹ יוֹלֶדֶת רִשְׁעָתָהּ, וְכֵן דַּרְכָּם שֶׁל רְשָׁעִים, בְּעִנְיָן זֶה, עִם יֵצֶר הָרַע, עַד שֶׁהוֹרֵג לָאָדָם וּמוֹלִיכוֹ לַגֵּיהִנֹּם וּמַכְנִיסוֹ שָׁם, וְאח"כ עוֹלֶה מִשָּׁם לְפַתּוֹת לִבְנֵי אָדָם, כְּמוֹ כֵן. וּמִי שֶׁמַּכִּיר בּוֹ, נִצּוֹל מִמֶּנּוּ, וְאֵינוֹ מִתְחַבֵּר עִמּוֹ.

שכו. אָמַר רַבִּי יִצְחָק, מָשָׁל לְמָה הַדָּבָר דּוֹמֶה, לְכַת לִסְטִים, שֶׁהָיוּ אוֹרְבִים בַּדְּרָכִים, לִגְזוֹל וְלַהֲרוֹג לִבְנֵי אָדָם, וּמַפְרִישִׁים מֵהֶם אֶחָד, שֶׁיּוֹדֵעַ לְהָסִית לִבְנֵי אָדָם וּלְשׁוֹנוֹ רַךְ, מֶה עָבִיד, מַקְדִּים וְהוֹלֵךְ לְקַבְּלָם, וְנַעֲשֶׂה כְּעֶבֶד לִפְנֵיהֶם, עַד שֶׁמַּאֲמִינִים הַטִּפְּשִׁים בּוֹ, וּבוֹטְחִים בְּאַהֲבָתוֹ וּבְשִׂיחָתוֹ, וּשְׂמֵחִים עִמּוֹ, וּמוֹלִיכָם בְּחֵלֶק דְּבָרָיו, בְּאוֹתוֹ הַדֶּרֶךְ שֶׁהַלִּסְטִים שָׁם, כֵּיוָן שֶׁמַּגִּיעַ עִמָּהֶם לְשָׁם הוּא הָרִאשׁוֹן שֶׁהוֹרֵג בָּם, לְאַחַר שֶׁנְּתָנָם בְּיַד הַלִּסְטִים לְהָרְגָם, וְלָקַחַת מָמוֹנָם וְאֵינוֹן צָוְוחִין וְאָמְרִין, וַוי דְּאָצֵיתְנָא לְדֵין וְלִרְכִיכָא דְּלִישְׁנֵיהּ, לְאַחַר שֶׁהָרְגוּ אֵלֶּה, עוֹלֶה מִשָּׁם וְיוֹצֵא לְפַתּוֹת לִבְנֵי אָדָם, כְּמִתְּחִלָּה. הַפִּקְחִים מָה הֵם עוֹשִׂים, כְּשֶׁרוֹאִים לָזֶה, יוֹצֵא לִקְרָאתָם וּמְפַתֶּה לָהֶם, מַכִּירִין בּוֹ, שֶׁהוּא צוֹדֶה אֶת נַפְשָׁם וְהוֹרְגִים אוֹתוֹ, וְהוֹלְכִים בְּדֶרֶךְ אַחֶרֶת. כָּךְ הוּא יֵצֶר הָרַע, יוֹצֵא מִכַּת הַלִּסְטִים, עוֹלֶה מִגֵּיהִנֹּם לְקַבְּלָא דִּבְנֵי נָשָׁא, וּלְפַתּוֹת לָהֶם בְּחֵלֶק מֶתֶק דְּבָרָיו, הֲדָא הוּא דִּכְתִיב, וַיַּעַל לוֹט מִצּוֹעַר וַיֵּשֶׁב בָּהָר וגו'. כְּמוֹ לִסְטִים, לֶאֱרוֹב לִבְנֵי אָדָם, מַה עוֹשֶׂה, עוֹבֵר לִפְנֵיהֶם, וְהַטִּפְּשִׁים מַאֲמִינִים בּוֹ וּבְאַהֲבָתוֹ, שֶׁהוּא הוֹלֵךְ

לְפַתּוֹתָם, וְעוֹבֵד לָהֶם כְּעֶבֶד, שֶׁנּוֹתֵן לָהֶם נָשִׁים יָפוֹת אֲסוּרוֹת, נוֹתֵן לָהֶם בְּנֵי אָדָם לְהָרַע, מְפָרֵק מֵהֶם עוֹל תּוֹרָה, וְעוֹל מַלְכוּת שָׁמַיִם. הַטִּפְּשִׁים רוֹאִים כָּךְ, בּוֹטְחִים בְּאַהֲבָתוֹ, עַד שֶׁהוֹלֵךְ עִמָּהֶם, וּמוֹלִיכָם בְּאוֹתוֹ דֶּרֶךְ שֶׁהַלִּסְטִים שָׁם, בְּדֶרֶךְ גֵּיהִנֹּם, אֲשֶׁר אֵין דֶּרֶךְ לִנְטוֹת יָמִין וּשְׂמֹאל, כֵּיוָן שֶׁמַּגִּיעַ עִמָּהֶם לְשָׁם, הוּא הָרִאשׁוֹן שֶׁהוֹרֵג לָהֶם, וְנַעֲשָׂה לָהֶם מה"מ, וּמַכְנִיסָן לַגֵּיהִנֹּם, וּמוֹרִידִין לְהוֹן מַלְאֲכֵי חַבָּלָה, וְאִינּוּן צָוְוחִין וְאָמְרִין, וַוי דַּאֲצִיתְנָא לְדֵין, וְלָא מְהַנְיָא לוֹן. לְאַחַר כֵּן עוֹלֶה מִשָּׁם, וְיוֹצֵא לְפַתּוֹת לִבְנֵי אָדָם. הַפִּקְחִין כְּשֶׁרוֹאִין אוֹתוֹ, מַכִּירִים אוֹתוֹ, וּמִתְגַּבְּרִים עָלָיו, עַד שֶׁשּׁוֹלְטִין עָלָיו, וְסָטִין מִזֶּה הַדֶּרֶךְ, וְלוֹקְחִין דֶּרֶךְ אַחֶרֶת לְהִנָּצֵל מִמֶּנּוּ.

שכו. רַב יוֹסֵף כַּד הֲוָה נָחֵית לְבָבֶל, חָמָא אִינּוּן רַוְוקַיָּא, דַּהֲווּ עָיְילֵי וְנָפְקֵי בֵּינֵי נָשֵׁי שַׁפִּירִין, וְלָא חָטָאן, אֲמַר לוֹן לָא מִסְתְּפוּ אִלֵּין מִיצה"ר, אָמְרוּ לֵיהּ, לָא מִקּוֹנְדִּיטוֹן בִּישָׁא קָאֲתֵינָא, מִקְּדוּשָּׁתָא דְּקַדִּישָׁא אִתְגְּזַרְנָא, דְּאָמַר רַב יְהוּדָה אָמַר רַב, צָרִיךְ אָדָם לְקַדֵּשׁ עַצְמוֹ בִּשְׁעַת תַּשְׁמִישׁ, וְנָפְקֵי מִנֵּיהּ בְּנֵי קַדִּישֵׁי, בְּנֵי מַעֲלֵי, דְּלָא מִסְתְּפוּ מִיצה"ר. שֶׁנֶּאֱמַר וְהִתְקַדִּשְׁתֶּם וִהְיִיתֶם קְדוֹשִׁים.

שכז. ר' אַבָּא אָמַר, מַאי דִּכְתִּיב וְאֶת שַׁבְּתוֹתַי קַדֵּשׁוּ, אֶלָּא אֵין עוֹנָתָן שֶׁל ת"ח, אֶלָּא מִשַּׁבָּת לְשַׁבָּת, וּמַזְהַר לְהוּ, דְּהוֹאִיל דְּתַשְׁמִישׁ הַמִּטָּה דְּמִצְוָה הוּא, קַדְּשׁוּ. כְּלוֹמַר, קַדְּשׁוּ עַצְמְכֶם בְּשַׁבְּתוֹתַי, בְּהַהוּא תַּשְׁמִישׁ דְּמִצְוָה אָמַר רַב יְהוּדָה אָמַר רַב, הַאי מַאן דְּעָיֵיל לְקַרְתָּא, וְחָמֵי נָשֵׁי שַׁפִּירָן יַרְכִּין עֵינוֹי, וְיֵימָא הָכֵי סַךְ סָפָאן, אִיגְּזַר אִיגְּזַרְנָא קַרְדִּינָא תְּקִיל פּוּק פּוּק, דַּאֲבוֹי קַדִּישָׁא דְשַׁבַּתָּא הוּא. מ"ט דְּחַמִּימוּת דְּאַרְוָא שָׁלַט בֵּיהּ, וְיָכִיל יצה"ר לְשַׁלְטָא עֲלוֹי (עַד כָּאן מִדְרַשׁ הַנֶּעֱלָם).

סִתְרֵי תּוֹרָה

שכט. וַיַּעַל לוֹט מִצּוֹעַר וְגוֹ', מִגּוֹ הוֹרְמְנוּתָא דְּמַלְכָּא, אִתְפָּרְשָׁא מִסִּטְרָא דִּימִינָא, חַד הִתּוּכָא דְּקִטּוּרָא דְּגוּלְפָּא, מִתְדַּבְקָא בְּגוֹ הִתּוּכָא דְּדַהֲבָא, מִסִּטְרָא דִּשְׂמָאלָא, בְּגוֹ מְסָאֲבוּ, דִּיוּרֵיהּ. וְאִתְעֲבִיד קִטּוּרָא וְחָדָא דְּאִילָנָא.

של. כַּד בָּעָא יִצְחָק לְאִתְעָרָא בְּעָלְמָא, בְּתוּקְפֵּיהּ דְּדִינָא קַשְׁיָא, אִתְתַּקַּף, וּפָרֵישׁ דַּרְגִּין מִקִּיּוּמַיְיהוּ, וְאִתְתַּקַּף אַבְרָהָם, וּפָרֵישׁ הַהוּא דְּקִטּוּרָא וְחָדָא דְּאִילָנָא, מִגּוֹ הַהוּא מְסָאֲבוּ.

שלא. הַהוּא נָחָשׁ קַדְמָאָה, עָאל בְּאִנְבֵּיהּ דְּהַהוּא אִילָנָא, וְאִיהוּ חַמְרָא דְּשָׁתָא, וְאוֹלִיד תְּרֵין דַּרְגִּין, קְטוּרִין דָּא בְּדָא. וְאִינּוּן דַּרְגִּין דְּסָחֲרָן בִּסְטַר מְסָאֲבוּ, חַד אִקְרֵי מִלְכּוֹ"ם, וְחַד אִקְרֵי פְּעוֹ"ר.

שלב. דָּא עֵיטָא דְּאִתְכַּסְיָא, וְדָא עֵיטָא דְּאִתְגַּלְיָא. פְּעוֹר דְּאִתְגַּלְיָא אִיהוּ, וְכָל עוֹבָדוֹי בְּאִתְגַּלְיָא, מִלְכּוֹ"ם דְּאִתְכַּסְיָא אִיהוּ, וְכָל עוֹבָדוֹי בְּאִתְכַּסְיָא. מֵאִלֵּין תְּרֵין אִתְפָּרְשָׁן זֵינִין סַגִּיאִין לִזְנַיְיהוּ, וְסָחֲרָן יַמָּא רַבָּא, וּלְכָל אִלֵּין סִטְרֵי מְסָאֲבוּ, וְכָל חַד וְחַד שָׁף לְדוּכְתֵּיהּ.

שלג. כְּגַוְונָא דָּא אִיהוּ לְתַתָּא, לוֹט אִתְפְּרַשׁ מֵאַבְרָהָם, וְשַׁוֵּי דִּיוּרֵיהּ בְּאַנְשֵׁי סְדוֹם, כַּד אִתְעַר דִּינָא בְּהוּ, אִדְכַּר לְאַבְרָהָם, וְשַׁלַּח לֵיהּ מִתַּמָּן, וְאִתְפְּרֵישׁ מִנַּיְיהוּ.

שלד. יַיִן אַשְׁקִיאוּ לֵיהּ בְּנָתֵיהּ, וְאוֹלִידוּ בְּהוּ תְּרֵין אוּמִין, חַד אִקְרֵי עַמּוֹן, וְחַד אִקְרֵי מוֹאָב, חַד בְּאִתְגַּלְיָא, וְחַד בְּאִתְכַּסְיָא. עַמּוֹן דַּרְגָּא דִּילֵיהּ מִלְכּוֹ"ם, עֵיטָא דְּאִתְכַּסְיָא, מוֹאָב דַּרְגָּא דִּילֵיהּ פְּעוֹ"ר, כֹּלָּא בְּאִתְגַּלְיָא.

שלה. כְּגַוְונָא דָּא בְּנָתֵיהּ, דָּא אַמְרַת בֶּן עַמִּי, בְּרָא אִית לִי מֵעַמִּי, וְלָא אַמְרַת מִמַּאן

הוּא, בְּגִין כָּךְ, אִיהוּ הֲוָה בְּאִתְכַּסְיָא. דָּא אֲמִירַת מוֹאָב, מֵאָב הוּא דְּנָא, מֵאַבָּא אוֹלִידַת לֵיהּ, דַּרְגָּא דִּילֵיהּ פְּעוֹ״ר מִלָּה בְּאִתְגַּלְיָא.

שלו. וּבִתְרֵין אִלֵּין, אָוֹלִיד דָּוִד מַלְכָּא לְבָתַר, מִן מוֹאָב אָתַת רוּת, וּנְפַק מִנָּהּ דָּוִד מַלְכָּא. מִן עַמּוֹן אִתְעַטַּר דָּוִד מַלְכָּא, בְּהַאי עִטְרָא, דְּאִיהִי סַהֲדוּתָא לְזַרְעָא דְּדָוִד, דִּכְתִיב וַיִּתֵּן עָלָיו אֶת הַנֵּזֶר וְאֶת הָעֵדוּת. וְהַאי הֲוַת מִן מִלְכֹּם, דַּרְגָּא דִּבְנֵי עַמּוֹן, דִּכְתִיב וַיִּקַּח אֶת עֲטֶרֶת מַלְכָּם.

שלז. מִלְכֹּם, דַּרְגָּא דִּבְנֵי עַמּוֹן הוּא, דִּכְתִיב וַתְּהִי עַל רֹאשׁ דָּוִד, וּמִתַּמָּן הֲוָה סַהֲדוּתָא לִבְנוֹי לְעָלְמִין, וּבָהּ אִשְׁתְּמוֹדַע מַאן דְּאִיהוּ מִן בְּנוֹי דְּדָוִד דְּאִתְחֲזֵי לְמַלְכָּא וַדַּאי, דְּאָמְרִין מִן דָּוִד הוּא. דַּאֲפִילּוּ אִתְיְלִיד בְּהַהוּא יוֹמָא, יָכִיל הֲוָה לְמִסְבַּל הַהִיא עִטְרָא עַל רֵישֵׁיהּ, דַּהֲוַת מִשְׁקָל כִּכַּר זָהָב, וְאֶבֶן יְקָרָה הֲוַת. וּב״נ אָחֳרָא לָא יָכִיל לְמִסְבְּלָא. וְדָא הוּא דִּכְתִיב בְּיוֹאָשׁ וַיִּתֵּן עָלָיו אֶת הַנֵּזֶר וְאֶת הָעֵדוּת.

שלח. וּבִתְרֵין דַּרְגִּין אִתְאָוֹלִיד דָּוִד מַלְכָּא, וְאִינּוּן תּוּקְפָא דְּמַלְכוּתֵיהּ, לְאִתְתַּקְּפָא עַל שְׁאָר עַמִּין, דְּאִי לָא אִתְכְּלִיל בְּסִטְרָא דִּלְהוֹן, לָא יָכִיל לְאִתְתַּקְּפָא עֲלַיְיהוּ, כָּל דַּרְגִּין דִּשְׁאָר עַמִּין כְּלִילָן בֵּיהּ בְּדָוִד, לְאִתְגַּבְּרָא וּלְאִתְתַּקְּפָא עֲלַיְיהוּ.

שלט. וַיַּעַל לוֹט מִצּוֹעַר וַיֵּשֶׁב בָּהָר. כְּתִיב לַעֲלוּקָה שְׁתֵּי בָנוֹת הַב הַב. אִלֵּין שְׁתֵּי בְּנוֹת דְּיֵצֶר הָרָע, דְּאִינּוּן מִתְעָרִין לֵיהּ, לְשַׁלְטָא בְּגוּפָא. חֲדָא אִיהִי נֶפֶשׁ, דְּאִתְרַבִּיאַת תָּדִיר בְּגוּפָא. וְחָדָא אִיהִי נֶפֶשׁ, דִּכְסִיפַת בְּתֵיאוּבְתִּין בִּישִׁין, וּבְכָל כִּסוּפִין בִּישִׁין דְּהַאי עָלְמָא. דָּא אִיהִי בְּכִירָ״ה וְדָא אִיהִי צְעִירָ״ה.

שמ. וְיֵצֶ״ר לָא אִתְחַבַּר תָּדִיר, אֶלָּא בִּתְרֵין אִלֵּין, בְּגִין לְפַתָּאָה לִבְנֵי נָשָׁא וּבְגִין דִּיהֵמְנוּן לֵיהּ לְאוֹבָדָא לְהוּ, לַאֲתַר גִּירִין דְּמוֹתָא, וְיִפְלְחוּן לֵיהּ. כד״א עַד יְפַלַּח חֵץ כְּבֵדוֹ.

שמא. לְלִסְטִים דְּמִקַּפְּחֵי בְּטוּרַיָּא, וְטָמִירוּ גַּרְמַיְיהוּ בַּאֲתַר דְּחִיל דְּטוּרַיָּא, וְיָדְעִין דְּהָא בְּנֵי נָשָׁא אִתְטַמְּרָן גַּרְמַיְיהוּ, לְמֵיהַךְ בְּאִינּוּן דּוּכְתֵּי, מָה עָבְדֵי, בְּרִירוּ מִנַּיְיהוּ הַהוּא דְּחַדִּידָא בְּלִישָׁנֵיהּ מִכֹּלָּא, הַהוּא דְּיָדַע לְמִפְתֵּי בְּנֵי נָשָׁא, וְיִפּוֹק מִבֵּינַיְיהוּ, וְיָתִיב בְּאוֹרַח מֵישָׁר, דְּכָל בְּנֵי עָלְמָא עָבְרִין תַּמָּן, כֵּיוָן דְּמָטָא לְגַבַּיְיהוּ, שָׁרֵי לְאִתְחַבְּרָא תַּמָּן (עַד כָּאן סִתְרֵי תּוֹרָה).

שמב. וַיִּסַּע מִשָּׁם אַבְרָהָם אַרְצָה הַנֶּגֶב. כָּל מַטְלָנוֹי הֲווֹ לְסִטְרָא דְּדָרוֹמָא, יַתִּיר מִסִּטְרָא אָחֳרָא, בְּגִין דְּהָא בְּחָכְמְתָא עָבַד, לְאִתְדַּבְּקָא בְּדָרוֹמָא.

שמג. וַיֹּאמֶר אַבְרָהָם אֶל שָׂרָה אִשְׁתּוֹ אֲחוֹתִי הִיא. תָּנֵינָן לָא לִיבָּעֵי לֵיהּ לְבַר נָשׁ לְסָמְכָא עַל נִיסָא, וְאִי קֻבָּ״ה אַרְחִישׁ נִיסָא לְבַ״נ, לָא אִית לֵיהּ לְסָמְכָא עַל נִיסָא זִמְנָא אָחֳרָא, בְּגִין דְּלָאו בְּכָל שַׁעְתָּא וְשַׁעְתָּא אִתְרְחִישׁ נִיסָא.

שדמ. וְאִי יֵיעוֹל ב״נ גַּרְמֵיהּ בַּאֲתַר דְּנִזְקָא אִשְׁתְּכַח לְעֵינָא, הָא פָּקַע כָּל זְכוּתֵיהּ דַּעֲבַד בְּקַדְמֵיתָא, וְאוּקְמוּהָ. כד״א קָטֹנְתִּי מִכֹּל הַחֲסָדִים וּמִכָּל הָאֱמֶת וגו׳. וְאַבְרָהָם כֵּיוָן דְּסָלִיק מִמִּצְרַיִם, וְאִשְׁתְּזִיב זִמְנָא וְחָדָא, הַשְׁתָּא אַמַּאי אָעִיל גַּרְמֵיהּ בְּצַעֲרָא כְּקַדְמֵיתָא, וַאֲמַר אֲחוֹתִי הִיא.

שמה. אֶלָּא אַבְרָהָם לָא סָמִיךְ עַל גַּרְמֵיהּ כְּלוּם, וְחָמָא שְׁכִינְתָּא תָּדִיר בְּדִיּוּרָהּ דְּשָׂרָה, וְלָא אַעְדֵּי מִתַּמָּן, וּבְגִין דַּהֲוַת תַּמָּן, אַסְמִיךְ אַבְרָהָם וַאֲמַר אֲחוֹתִי הִיא, כְּמָה דִּכְתִיב אֱמֹר לַחָכְמָה אֲחוֹתִי אָתְּ, וּבְגִין כָּךְ אֲמַר אֲחוֹתִי הִיא.

שמו. וַיָּבֹא אֱלֹקִים אֶל אֲבִימֶלֶךְ וגו׳. וְכִי קֻבָּ״ה אָתָא לְגַבַּיְיהוּ דְּרַשִּׁיעַיָּא, כְּמָה

דִּכְתִּיב וַיָּבֹא אֱלֹקִים אֶל בִּלְעָם. וַיָּבֹא אֱלֹקִים אֶל לָבָן. אֶלָּא הַהוּא מְמַנָּא שְׁלִיחָא דְּאִתְפַּקְּדָא עֲלַיְיהוּ הֲוָה, בְּגִין דְּכֻלְּהוּ כַּד עָבְדֵי שְׁלִיחוּתָא, נַטְלֵי שְׁמָא דָּא, וּמִסִּטְרָא דְּדִינָא קָא אַתְיָין. וְע״ד, וַיָּבֹא אֱלֹקִים אֶל אֲבִימֶלֶךְ בַּחֲלוֹם הַלָּיְלָה וַיֹּאמֶר לוֹ הִנְּךָ מֵת עַל הָאִשָּׁה אֲשֶׁר לָקַחְתָּ וגו'.

שמז. ר״ש פָּתַח וְאָמַר שְׂפַת אֱמֶת וגו'. שְׂפַת אֱמֶת תִּכּוֹן לָעַד. דָּא אַבְרָהָם, דְּכָל מִלּוֹי בְּקַדְמֵיתָא וּבְסוֹפָא הֲווּ בֶּאֱמֶת. וְעַד אַרְגִּיעָה לְשׁוֹן שָׁקֶר. דָּא אֲבִימֶלֶךְ.

שמח. בְּאַבְרָהָם נֶאֱמַר, וַיֹּאמֶר אַבְרָהָם אֶל שָׂרָה אִשְׁתּוֹ אֲחוֹתִי הִוא. דָּא בְּקַדְמֵיתָא, דַּאֲמַר בְּגִין שְׁכִינְתָּא דַּהֲוַת עִמָּהּ דְּשָׂרָה, אֲחוֹתִי הִיא, וְאַבְרָהָם בְּחָכְמְתָא עֲבַד.

שמט. מ״ט, בְּגִין דְּאַבְרָהָם, מִסִּטְרָא דִּימִינָא אִיהוּ, אֲמַר אֲחוֹתִי הִיא וְרָזָא, כְּד״א אֲחוֹתִי רַעְיָתִי יוֹנָתִי תַמָּתִי. וְעַל דָּא, אַבְרָהָם קָרָא לָהּ תָּדִיר אֲחוֹתִי, בְּגִין דְּאִתְדַּבַּק בַּהֲדָהּ, וְלָא יִתְעַדּוּן דָּא מִן דָּא לְעָלְמִין.

שנ. לְסוֹף מַה כְּתִיב, וְגַם אָמְנָה אֲחוֹתִי בַת אָבִי הִוא אַךְ לֹא בַּת אִמִּי. וְכִי הָכֵי הֲוָה. אֶלָּא, כֹּלָּא בְּגִין שְׁכִינְתָּא קָאֲמַר, אֲחוֹתִי הִיא בְּקַדְמֵיתָא, דִּכְתִּיב אֱמוֹר לַחָכְמָה אֲחוֹתִי אָתְּ. וּלְבָתַר וְגַם אָמְנָה. מַאי וְגַם, לְאִתּוֹסָפָא, עַל מַה דְּקָאֲמַר בְּקַדְמֵיתָא. אֲחוֹתִי בַּת אָבִי הִיא. בְּרַתֵּיהּ דְּחָכְמָה עִלָּאָה, וּבְגִין כָּךְ אִתְקְרֵי אֲחוֹתִי, וְאִתְקְרֵי חָכְמָה. אַךְ לֹא בַּת אִמִּי. מֵאֲתַר דְּשֵׁירוּתָא דְּכֹלָּא, סְתִימָא עִלָּאָה. וְעַל דָּא, וַתְּהִי לִי לְאִשָּׁה. בְּאַחֲוָה בַּחֲבִיבוּתָא, דִּכְתִּיב וִימִינוֹ תְּחַבְּקֵנִי. וְכֹלָּא רָזָא דְּחָכְמְתָא אִיהוּ.

שנא. תָּא חֲזֵי, בְּקַדְמֵיתָא כַּד נָחֲתוּ לְמִצְרַיִם, הָכֵי קָאֲמַר, בְּגִין לְאִתְדַּבְּקָא בְּגוֹ מְהֵימְנוּתָא, וְקָרָא לָהּ אֲחוֹתִי, בְּגִין דְּלָא יִטְעוֹן גּוֹ אִינּוּן דַּרְגִּין דִּלְבַר. אוֹף הָכָא אֲחוֹתִי, בְּגִין דְּלָא אִתְעֲדֵי מִגּוֹ מְהֵימְנוּתָא, כִּדְקָא יָאוֹת.

שנב. דְּהָא אֲבִימֶלֶךְ, וְכָל אִינּוּן יָתְבֵי אַרְעָא, הֲווּ אָזְלֵי בָּתַר פּוּלְחָנָא נוּכְרָאָה, וְאִיהוּ אִתְדַּבַּק גּוֹ מְהֵימְנוּתָא, וּבְגִין כָּךְ, עָאל לְתַמָּן, וַאֲמַר אֲחוֹתִי, מָה אָחוֹת לָא אִתְפְּרַשׁ מֵאָחָא לְעָלְמִין, אוֹף הָכָא. דְּהָא אִתְּתָא יְכֵילַת לְאִתְפָּרְשָׁא, אֲבָל אָחוֹת לָא אִתְפְּרַשׁ, דְּהָא תְּרֵין אַחִין לָא יָכְלִין לְאִתְפָּרְשָׁא, לְעָלְמִין וּלְעָלְמֵי עָלְמִין.

שנג. וּבְגִין כָּךְ אֲמַר אַבְרָהָם אֲחוֹתִי הִיא, דְּהָא כֻּלְּהוֹן הֲווּ לְהוּטִין גּוֹ טְהָרֵי כֹּכְבַיָּא וּמַזָּלֵי, וּפַלְחֵי לוֹן, וְאַבְרָהָם הֲוָה מִתְדַּבֵּק גּוֹ מְהֵימְנוּתָא, וַאֲמַר אֲחוֹתִי, דְּלָא נִתְפְּרֵשׁ לְעָלְמִין. וְסִימָנֵיךְ וְלַאֲחוֹתוֹ הַבְּתוּלָה. דְּאִתְּמַר לְכֹהֵן, אַתְרָא דְּאַבְרָהָם שַׁרְיָא בֵּיהּ.

שנד. כְּתִיב אֶת יי׳ אֱלֹהֶיךָ תִּירָא אוֹתוֹ תַעֲבֹד וּבוֹ תִדְבָּק וּבִשְׁמוֹ תִּשָּׁבֵעַ. הַאי קְרָא אוֹקְמוּהָ. אֲבָל ת״ח, לַיי׳ אֱלֹהֶיךָ תִּירָא, לָא כְּתִיב, אֶלָּא אֶת יי׳, מַאי אֶת, דָּא דַּרְגָּא קַדְמָאָה, אֲתַר דַּחֲלָא דְּקֻבְּ״ה, וּבְג״כ כְּתִיב תִּירָא, דְּתַמָּן בָּעֵי בַּר נָשׁ לְדַחֲלָא קַמֵּי מָארֵיהּ, בְּגִין דְּאִיהוּ דִּינָא.

שנה. וְאוֹתוֹ תַעֲבוֹד. דָּא דַּרְגָּא עִלָּאָה, דְּקַיְּימָא עַל הַאי דַּרְגָּא תַּתָּאָה, וְלָא מִתְפָּרְשָׁאן לְעָלְמִין, אֶת וְאוֹתוֹ, דָּא בְּדָא דְּבֵקִין, וְלָא אִתְפָּרְשָׁן. מַאי וְאוֹתוֹ. דָּא אֲתַר בְּרִית קַדִּישָׁא. אוֹת לְעָלְמִין, דְּהָא פּוּלְחָנָא לָא שַׁרְיָא בְּאֶת, וְלָאו אִיהוּ לְמִפְלַח, אֶלָּא לְמִדְחַל, אֲבָל פּוּלְחָנָא אִיהוּ לְעֵילָּא, וּבְגִין כָּךְ וְאוֹתוֹ תַעֲבוֹד.

שנו. וּבוֹ תִדְבָּק. בַּאֲתַר דְּאִיהוּ דְּבֵקוּתָא לְאִתְדַּבְּקָא, דְּאִיהוּ גּוּפָא, דְּשָׁרֵי בְּאֶמְצָעִיתָא. וּבִשְׁמוֹ תִּשָּׁבֵעַ, אֲתַר שְׁבִיעָאָה דְּדַרְגִּין. וְסִימָנֵיךְ וְאֵת דָּוִד מַלְכָּם אֲשֶׁר אָקִים לָהֶם.

שנז. בְּגִין כָּךְ אִתְדַּבַּק אַבְרָהָם בִּמְהֵימְנוּתָא, כַּד נָחַת לְמִצְרַיִם, וְכַד אָזַל לְאַרְעָא

דִּפְלִשְׁתִּים. לְבַ"נ, דְּבָעָא לְנָחֲתָא גּוֹ גּוּבָא עֲמִיקָא, דָּחִיל דְּלָא יָכִיל לְסַלְּקָא מִגּוֹ גּוּבָא, מַה עָבַד, קָשַׁר חַד קִשְׁרָא דְּחֶבֶל לְעֵילָא מִן גּוּבָא, אָמַר, הוֹאִיל דְּקָשִׁירְנָא קִשְׁרָא דָּא, מִכָּאן וּלְהָלְאָה אֵעוֹל תַּמָּן. כָּךְ אַבְרָהָם, בְּשַׁעֲתָא דְּבָעָא לְנָחֲתָא לְמִצְרַיִם, עַד לָא יֵיחוּת תַּמָּן, קָשַׁר קִשְׁרָא דִּמְהֵימְנוּתָא בְּקַדְמֵיתָא, לְאִתְתַּקְּפָא בֵּיהּ, וּלְבָתַר נָחַת.

שנח. אוּף הָכִי נָמֵי, כַּד עָאל לְאַרְעָא דִּפְלִשְׁתִּים. בְּגִ"כ שְׂפַת אֱמֶת תִּכּוֹן לָעַד. וְעַד אַרְגִּיעָה לְשׁוֹן שָׁקֶר, דָּא אֲבִימֶלֶךְ, דְּאָמַר בְּתוֹם לְבָבִי וּבְנִקְיוֹן כַּפַּי. וְכַד אַהְדְּרוּ לֵיהּ, מַה כְּתִיב, גַּם אָנֹכִי יָדַעְתִּי כִּי בְתָם לְבָבְךָ עָשִׂיתָ זֹּאת וְלָא כְּתִיב נִקְיוֹן כַּפַּיִם.

שנט. וְעַתָּה הָשֵׁב אֵשֶׁת הָאִישׁ כִּי נָבִיא הוּא. ר' יְהוּדָה פָּתַח וְאָמַר, רַגְלֵי חֲסִידָו יִשְׁמֹר וגו'. חֲסִידוֹ כְּתִיב, חַד, וְדָא אַבְרָהָם, דְּקֻבָּ"ה נָטִיר לֵיהּ תָּדִיר, וְלָא אַעֲדֵי נְטִירוּ מִנֵּיהּ לְעָלְמִין. וּמַה דְּאָמַר רַגְלֵי, דָּא אִתְּתֵיהּ, דְּקוּדְשָׁא בְּרִיךְ הוּא שַׁדַּר שְׁכִינְתֵּיהּ עִמָּהּ, וְנָטַר לָהּ תָּדִיר.

שס. ד"א רַגְלֵי חֲסִידָיו יִשְׁמֹר. חַד, דָּא אַבְרָהָם, דְּקֻבָּ"ה אָזִיל עִמֵּיהּ תָּדִיר, בְּגִין דְּלָא יַיְכְלוּן לְנַזְקָא לֵיהּ. וּרְשָׁעִים בַּחֹשֶׁךְ יִדָּמּוּ. אִלֵּין אִינּוּן מַלְכִּין. דְּקָטַל קוּדְשָׁא בְּרִיךְ הוּא בְּהַהוּא לֵילְיָא, דְּרָדַף בַּתְרַיְיהוּ.

שסא. הה"ד בַּחֹשֶׁךְ יִדָּמּוּ, דָּא לֵילְיָא, דְּאִתְקְשַׁר בַּחֲשׁוֹכָא, וְקָטַל לוֹן, וְאַבְרָהָם רָדִיף, וְלֵילְיָא קָטִיל לוֹן, הה"ד וַיֵּחָלֵק עֲלֵיהֶם לַיְלָה הוּא וַעֲבָדָיו וַיַּכֵּם. וַיֵּחָלֵק עֲלֵיהֶם לַיְלָה, דָּא קֻבָּ"ה דְּפָלִיג רַחֲמֵי מִן דִּינָא, בְּגִין לְמֶעְבַּד נוּקְמִין לְאַבְרָהָם, וּבְגִין כָּךְ וּרְשָׁעִים בַּחֹשֶׁךְ יִדָּמּוּ. וַיַּכֵּם, וַיַּכּוּם מִבָּעֵי לֵיהּ. אֶלָּא, דָּא קוּדְשָׁא בְּרִיךְ הוּא. כִּי לֹא בְכֹחַ יִגְבַּר אִישׁ. דְּאִיהוּ וֶאֱלִיעֶזֶר, הֲווּ בִּלְחוֹדַיְיהוּ.

שסב. ר' יִצְחָק אָמַר, וְהָא תָּנֵינָן בְּאֲתַר דְּנִזְקָא שְׁכִיחַ, לָא יִסְמוֹךְ בַּ"נ עַל נִיסָא, וְלָא הֲוָה אֲתַר דְּנִזְקָא אִשְׁתְּכַח כְּהַאי, דְּאַבְרָהָם אָזִיל בָּתַר חֲמִשָּׁה מַלְכִין לְמִרְדַּף בַּתְרַיְיהוּ, וּלְאַגָּחָא קְרָבָא. אָמַר ר' יְהוּדָה כַּד אָזִיל אַבְרָהָם לְהַאי, לָא אָזַל לְאַגָּחָא קְרָבָא, וְלָא סָמַךְ עַל נִיסָא, אֶלָּא צַעֲרָא דְּלוֹט, אַפְקֵיהּ מִבֵּיתֵיהּ, וְנָטִיל מָמוֹנָא לְמִפְרַק לֵיהּ, וְאִי לָאו, דִּימוּת בַּהֲדֵיהּ גּוֹ שִׁבְיֵהּ. כֵּיוָן דְּנָפַק חָמָא שְׁכִינְתָּא דְּנָהֲרָא קָמֵיהּ, וְכַמָּה חֵילִין סַחֲרָנֵיהּ, בְּהַהִיא שַׁעֲתָא רָדַף בַּתְרַיְיהוּ וְקוּדְשָׁא בְּרִיךְ הוּא קָטִיל לוֹן, הֲדָא הוּא דִּכְתִּיב וּרְשָׁעִים בַּחֹשֶׁךְ יִדָּמּוּ.

שסג. ר' שִׁמְעוֹן אָמַר, רָזָא אִיהוּ, רַגְלֵי חֲסִידָו יִשְׁמֹר, דָּא אַבְרָהָם. וְכַד נָפַק אִשְׁתַּתַּף יִצְחָק בַּהֲדֵיהּ, וְנָפְלוּ קַמֵּיהּ, וְאִי לָאו דְּאִשְׁתַּתַּף יִצְחָק בַּהֲדֵיהּ דְּאַבְרָהָם, לָא אִשְׁתֵּצִיאוּ, הה"ד וּרְשָׁעִים בַּחֹשֶׁךְ יִדָּמּוּ. כִּי לֹא בְכֹחַ יִגְבַּר אִישׁ. אע"ג דְּחֵילָא אִשְׁתְּכַח תָּדִיר בִּימִינָא, אִי לָא הֲוָה בְּסִטְרָא דִּשְׂמָאלָא, לָא אִתְדַּחְיָין קַמֵּיהּ.

שסד. ד"א רַגְלֵי חֲסִידָו יִשְׁמֹר, בְּשַׁעֲתָא דְּבַ"נ רָחִים לֵיהּ לְקֻבָּ"ה, קֻבָּ"ה רָחִים לֵיהּ, בְּכָל מַה דְּאִיהוּ עָבִיד, וְנָטִיר אָרְחוֹי, כְּדָ"א יְיָ' יִשְׁמָר צֵאתְךָ וּבוֹאֶךָ מֵעַתָּה וְעַד עוֹלָם.

שסה. ת"ח כַּמָּה חֲבִיבוּתֵיהּ דְּאַבְרָהָם, לְגַבֵּי קֻבָּ"ה, דִּבְכָל אֲתַר דַּהֲוָה אָזִיל, לָא הֲוָה חָיֵיס עַל דִּילֵיהּ כְּלוּם, אֶלָּא, בְּגִין לְאִתְדַּבְּקָא בֵּיהּ בְּקֻבָּ"ה, וּבְגִין כָּךְ רַגְלֵי חֲסִידָיו יִשְׁמֹר. וְדָא הִיא אִתְּתֵיהּ, דִּכְתִּיב וַאֲבִימֶלֶךְ לֹא קָרַב אֵלֶיהָ. וּכְתִיב כִּי עַל כֵּן לֹא נְתַתִּיךָ לִנְגֹּעַ אֵלֶיהָ.

שסו. בְּפַרְעֹה מַה כְּתִיב, וַיְנַגַּע יְיָ' אֶת פַּרְעֹה וגו' עַל דְּבַר. אִיהִי אָמְרָה, וְקֻבָּ"ה הֲוָה מָחֵי, וּבְגִ"כ רַגְלֵי חֲסִידָו יִשְׁמֹר. וּרְשָׁעִים בַּחֹשֶׁךְ יִדָּמּוּ, אִלֵּין פַּרְעֹה וַאֲבִימֶלֶךְ, דְּקוּדְשָׁא

בְּרִיךְ הוּא עָבֵד בְּהוּ דִּינִין בְּלֵילְיָא. כִּי לֹא בְכֹחַ יִגְבַּר אִישׁ. מַאן אִישׁ, דָּא אַבְרָהָם, דִּכְתִּיב וְעַתָּה הָשֵׁב אֵשֶׁת הָאִישׁ וְגוֹ'.

שסז. וַיְיָ' פָּקַד אֶת שָׂרָה כַּאֲשֶׁר אָמָר וְגוֹ'. רַבִּי חִיָּיא, פָּתַח וַאֲמַר, וַיַּרְאֵנִי אֶת יְהוֹשֻׁעַ הַכֹּהֵן הַגָּדוֹל עוֹמֵד לִפְנֵי מַלְאַךְ יְיָ' וְהַשָּׂטָן עוֹמֵד עַל יְמִינוֹ לְשִׂטְנוֹ. הַאי קְרָא אִית לְאִסְתַּכְּלָא בֵּיהּ. וַיַּרְאֵנִי אֶת יְהוֹשֻׁעַ הַכֹּהֵן הַגָּדוֹל, דָּא יְהוֹשֻׁעַ בֶּן יְהוֹצָדָק. עוֹמֵד לִפְנֵי מַלְאַךְ יְיָ', מַאן מַלְאַךְ יְיָ'. דָּא אֲתַר צְרוֹרָא דְּנִשְׁמָתֵיהּ דְּצַדִּיק צְרִירָא בֵּיהּ, וְכָל אִינּוּן נִשְׁמָתִין דְּצַדִּיקַיָּא קַיְימִין תַּמָּן, וְדָא הוּא מַלְאַךְ יְיָ'.

שסח. וְהַשָּׂטָן עוֹמֵד עַל יְמִינוֹ לְשִׂטְנוֹ. דָּא יֵצֶר הָרָע, דְּאִיהוּ מְשׁוֹטֵט וְאָזֵיל בְּעָלְמָא, לְנַטְלָא נִשְׁמָתִין, וּלְאַפָּקָא רוּחִין, וּלְמִסְטֵי לוֹן לִבְרִיָּיתָא, לְעֵילָּא וְתַתָּא. וְדָא הוּא בְּשַׁעֲתָא דְּאַטֵּיל לֵיהּ נְבוּכַדְנֶצַּר לְאֶשָּׁא, עִם אִינּוּן נְבִיאֵי הַשֶּׁקֶר, וְהַאי הֲוָה מַסְטִין לְעֵילָּא, בְּגִין דְּיִתּוֹקַד עִמְּהוֹן.

שסט. דְּהָכֵי הוּא אוֹרְחוֹי, דְּלָאו אִיהוּ מְקַטְרֵג, אֶלָּא בְּזִמְנָא דְּסַכָּנָה וּבְזִמְנָא דְּצַעֲרָא שַׁרְיָא בְּעָלְמָא, וְאִית לֵיהּ רְשׁוּ, לְמִסְטֵי וּלְמֶעְבַּד דִּינָא אֲפִילּוּ בְּלָא דִּינָא, כְּד"א וְיֵשׁ נִסְפֶּה בְּלֹא מִשְׁפָּט. מַהוּ לְשִׂטְנוֹ, דַּהֲוָה אָמַר, אוֹ כֻּלְּהוּ יִשְׁתֵּזְבוּן, אוֹ כֻּלְּהוּ יִתּוֹקְדוּן. דְּהָא בְּשַׁעֲתָא דְּאִתְיְיהֵיב רְשׁוּתָא לִמְחַבְּלָא לְחַבָּלָא, לָא אִשְׁתֵּזִיב זַכָּאָה מִן חַיָּיבַיָּא.

שע. וּבְגִין כָּךְ בְּשַׁעֲתָא דְּדִינָא שַׁרְיָא בְּמָתָא, בָּעֵי בַּר נָשׁ לְעָרְקָא, עַד לָא אִתְפַּס תַּמָּן, דְּהָא מְחַבְּלָא כֵּיוָן דְּשָׁרֵי, הָכֵי נָמֵי עָבֵיד לְזַכָּאָה כְּחַיָּיבָא. וְכָל שֶׁכֵּן דַּהֲווּ תְּלָתֵיהוֹן כַּחֲדָ, וַהֲוָה תָּבַע דְּיִתּוֹקְדוּן כֻּלְּהוּ, אוֹ יִשְׁתֵּזְבוּן כֻּלְּהוּ. בְּגִין דְּכַד אִתְעֲבֵיד נִיסָא, לָא אִתְעֲבֵיד פַּלְגּוּ נִיסָא, וּפַלְגּוּ דִּינָא, אֶלָּא כֹּלָּא כַּחֲדָא, אוֹ נִיסָא אוֹ דִּינָא.

שעא. אָמַר לוֹ ר' יוֹסֵי, וְלָא, וְהָא בְּזִמְנָא דְּבָקַע קב"ה יַמָּא לְיִשְׂרָאֵל, הֲוָה קָרַע יַמָּא לְאִלֵּין, וְאָזְלִין בְּיַבֶּשְׁתָּא, וּמַיָּיא הֲווּ תָּבִין מִסִּטְרָא אָחֳרָא, וְטָבְעִין לְאִלֵּין, וּמֵתִין, וְאִשְׁתְּכַח נִיסָא הָכָא, וְדִינָא הָכָא כֹּלָּא כַּחֲדָא.

שעב. א"ל, וְדָא הוּא דְּקַשְׁיָא קַמֵּיהּ, דְּכַד קב"ה עָבֵיד דִּינָא וְנִיסָא כַּחֲדָא, לָאו בַּאֲתַר חַד, וְלָא בְּבֵיתָא חֲדָא, וְאִי אִתְעֲבֵיד, קַשְׁיָא קַמֵּיהּ, דְּהָא לְעֵילָּא, לָא אִתְעֲבֵיד כֹּלָּא, אֶלָּא בִּשְׁלִימוּ כַּחֲדָא, אוֹ נִיסָא, אוֹ דִּינָא בַּאֲתַר חַד, וְלָא בְּפַלְגּוּ.

שעג. בג"כ, לָא עָבֵיד קב"ה דִּינָא בְּחַיָּיבַיָּא, עַד דְּאִשְׁתַּלִּימוּ בְּחוֹבַיְיהוּ הה"ד כִּי לֹא שָׁלֵם עֲוֹן הָאֱמוֹרִי עַד הֵנָּה. וּכְתִיב בְּסַאסְּאָה בְּשַׁלְחָהּ תְּרִיבֶנָּה. וְעַל דָּא, הֲוָה אַסְטִין לֵיהּ לִיהוֹשֻׁעַ, דְּיִתּוֹקַד בְּהוּ, עַד דַּאֲמַר לֵיהּ, יִגְעַר יְיָ' בְּךָ הַשָּׂטָן. מַאן אֲמַר לֵיהּ, דָּא, מַלְאַךְ יְיָ'.

שעד. וְאִי תֵּימָא וַיֹּאמֶר יְיָ' אֶל הַשָּׂטָן יִגְעַר יְיָ' בְּךָ וְגוֹ'. תָּא חֲזֵי הָכֵי נָמֵי לְמֹשֶׁה בַּסְּנֶה, דִּכְתִּיב וַיֵּרָא מַלְאַךְ יְיָ' אֵלָיו בְּלַבַּת אֵשׁ. וּכְתִיב וַיַּרְא יְיָ' כִּי סָר לִרְאוֹת. לִזְמְנִין מַלְאַךְ יְיָ', וְלִזְמְנִין מַלְאָךְ, וְלִזְמְנִין יְיָ'. וּבְגִין כָּךְ, אֲמַר לֵיהּ יִגְעַר יְיָ' בְּךָ הַשָּׂטָן, וְלָא אֲמַר הִנְנִי גוֹעֵר בְּךָ.

שעה. תָּא חֲזֵי, כְּגַוְונָא דָּא, בְּיוֹמָא דְּאִשְׁתְּכַח דִּינָא בְּעָלְמָא, וְקב"ה יָתֵיב עַל כָּרְסְיָיא דְּדִינָא, כְּדֵין אִשְׁתְּכַח הַאי שָׂטָן, דְּאַסְטֵי לְעֵילָּא וְתַתָּא, וְאִשְׁתְּכַח אִיהוּ לְחַבָּלָא עָלְמָא, וְלִיטּוֹל נִשְׁמָתִין.

שעו. רַבִּי שִׁמְעוֹן הֲוָה יָתֵיב וְלָעֵי בְּאוֹרַיְיתָא, וַהֲוָה מִשְׁתַּדֵּל בְּהַאי קְרָא. וְלָקְחוּ זִקְנֵי הָעִיר הַהִיא עֶגְלַת בָּקָר וְגוֹ'. וְעָרְפוּ שָׁם אֶת הָעֶגְלָה בַּנָּחַל. וְדִינָא אִיהוּ בְּקוֹפִי"ץ לְעָרְפָא

לָהּ. אֲמַר לֵיהּ רַבִּי אֶלְעָזָר הַאי לְמַאי אִצְטְרִיךְ.

שעז. בָּכָה ר' שִׁמְעוֹן וְאָמַר, וַוי לְעָלְמָא, דְּאִתְמְשַׁךְ בָּתַר דָּא, דְּהָא מִן הַהוּא יוֹמָא, דְּהַהוּא חִוְיָא בִּישָׁא, דְּאִתְפַּתָּה בֵּיהּ אָדָם, שַׁלִּיט עַל אָדָם וְשַׁלִּיט עַל בְּנֵי עָלְמָא, אִיהוּ קָאִים לְמִסְטֵי עָלְמָא, וְעָלְמָא לָא יָכִיל לְנָפְקָא מֵעוֹנְשֵׁיהּ עַד דְּיֵיתֵי מַלְכָּא מְשִׁיחָא, וְיוֹקִים קב"ה לְדְמִיכֵי עַפְרָא, דִּכְתִיב בִּלַּע הַמָּוֶת לָנֶצַח וגו'. וּכְתִיב וְאֶת רוּחַ הַטּוּמְאָה אַעֲבִיר מִן הָאָרֶץ. וְאִיהוּ קָאִים עַל עָלְמָא דָּא, לְמֵיטַל נִשְׁמָתִין דְּכָל בְּנֵי נָשָׁא.

שעח. וְתָא חֲזֵי, הָא כְּתִיב כִּי יִמָּצֵא חָלָל וגו', תָּא חֲזֵי כָּל בְּנֵי עָלְמָא, ע"י מַלְאַךְ הַמָּוֶת נָפְקָא נִשְׁמָתַיְיהוּ, אִי תֵּימָא דְּב"נ דָּא, עַל יְדָא דְּהַהוּא מַלְאַךְ הַמָּוֶת, נָפַק נִשְׁמָתֵיהּ, לָאו הָכִי, אֶלָּא מַאן דְּקָטִיל לֵיהּ, אַפִּיק נִשְׁמָתֵיהּ, עַד לָא מָטָא זִמְנֵיהּ, לְשַׁלְטָאָה בֵּיהּ הַהוּא מַלְאַךְ הַמָּוֶת.

שעט. וּבְגִין כָּךְ וְלָאָרֶץ לֹא יְכֻפַּר וגו', וְלָאָרֶץ דַּיְיקָא. וְלָא דַּי לוֹן, דְּקָאִים אִיהוּ לְמִסְטֵי עָלְמָא לְמַגָּנָא, וּלְקַטְרְגָא תָּדִיר, כ"ש דְּגָזְלִין מִינֵּיהּ, מַה דְּאִית לֵיהּ לְנַטְלָא, וְקב"ה חָיֵיס עַל בְּנוֹי, וּבְגִ"כ, קָרֵבִין עַל הַאי עֶגְלָא, בְּגִין לְתַקְּנָא עִמֵּיהּ, מַה דְּאִתְנְטִיל, הַהִיא נִשְׁמְתָא דְּב"נ מִנֵּיהּ, וְלָא יִשְׁתְּכַח מְקַטְרְגָא עַל עָלְמָא.

שפ. וְרָזָא עִלָּאָה תָּנִינָן הָכָא, שׁוֹר, פָּרָה, עֵגֶל, עֶגְלָה, כֻּלְּהוּ בְּרָזָא עִלָּאָה אִשְׁתְּכָחוּ, וּבְגִין כָּךְ, בְּדָא מִתְתַּקְּנִין לֵיהּ, וְדָא הוּא דִּכְתִיב יָדֵינוּ לֹא שָׁפְכָה אֶת הַדָּם הַזֶּה וגו', לָא שָׁפְכָה, וְלָא גְּרֵימְנָא מִיתָתֵיהּ וּבְדָא לָא אִשְׁתְּכַח מְקַטְרְגָא עֲלַיְיהוּ, וּבְכֹלָּא יְהֵיב קוּדְשָׁא בְּרִיךְ עֵיטָא לְעָלְמָא.

שפא. תָּא חֲזֵי, כְּגַוְונָא דָּא, בְּיוֹם ר"ה, וְיוֹם הַכִּפּוּרִים, דְּדִינָא אִשְׁתְּכַח בְּעָלְמָא, אִיהוּ קָאִים לְקַטְרְגָא, וְיִשְׂרָאֵל בָּעְיָין לְאִתְעָרָא בְּשׁוֹפָר, וּלְאַתְעָרָא קוֹל, דְּכָלִיל בְּאֶשָׁ"א וּמַיָּ"א וְרוּחָ"א, וְאִתְעֲבִידוּ חָד, וּלְאַשְׁמָעָא הַהוּא קוֹל, מִגּוֹ שׁוֹפָר.

שפב. וְהַהוּא קוֹל, סַלְקָא עַד אֲתַר, דְּכָרְסְיָיא דְּדִינָא יָתְבָא, וּבָטַשׁ בָּהּ, וְסָלְקָא, כֵּיוָן דְּמָטָא הַאי קוֹל מִתַּתָּא, קוֹל דְּיַעֲקֹב אִתְתַּקַּן לְעֵילָא, וְקב"ה אִתְעַר רַחֲמֵי, דְּהָא כְּגַוְונָא דְּיִשְׂרָאֵל מִתְעָרֵי לְתַתָּא, קוֹל חַד, כָּלִיל בְּאֶשָׁ"א וְרוּחָ"א וּמַיָּ"א, דְּנָפְקֵי כַּחֲדָא, מִגּוֹ שׁוֹפָר, הָכֵי נָמֵי אִתְעַר לְעֵילָא שׁוֹפָר, וְהַהוּא קוֹל דְּכָלִיל בְּאֶשָׁ"א וּמַיָּ"א וְרוּחָ"א אִתְתַּקַּן, וְנָפַק דָּא מִתַּתָּא, וְדָא מֵעֵילָא, וְאִתְתַּקַּן עָלְמָא, וְרַחֲמֵי אִשְׁתְּכָחוּ.

שפג. וְהַהוּא מְקַטְרְגָא אִעַרְבַּב, דַּחֲשִׁיב לְשַׁלְטָאָה בְּדִינָא, וּלְקַטְרְגָא בְּעָלְמָא, וְחָמֵי דְּמִתְעָרֵי רַחֲמֵי, כְּדֵין אִעַרְבַּב, וְאִתְּשַׁשׁ חֵילֵיהּ, וְלָא יָכִיל לְמֶעְבַּד מִדֵּי, וְקב"ה דָּאִין עָלְמָא בְּרַחֲמֵי, דְּאִי תֵּימָא דְּדִינָא אִתְעֲבֵיד, לָאו הָכֵי, אֶלָּא אִתְחַבְּרוּ רַחֲמֵי בְּדִינָא, וְעָלְמָא אִתְדָּן בְּרַחֲמֵי.

שפד. תָּא חֲזֵי, כְּתִיב תִּקְעוּ בַחֹדֶשׁ שׁוֹפָר בַּכֶּסֶה לְיוֹם חַגֵּנוּ דְּאִתְכַּסְיָא סִיהֲרָא, דְּהָא כְּדֵין, שָׁלְטָא הַאי חִוְיָא בִּישָׁא, וְיָכִיל לְנַזְּקָא עָלְמָא, וְכַד מִתְעָרֵי רַחֲמֵי, סַלְקָא סִיהֲרָא, וְאִתְעֲבָרַת מִתַּמָּן, וְאִיהוּ אִתְעַרְבַּב, וְלָא יָכִיל לְשַׁלְטָאָה, וְאִתְעֲבַר, דְּלָא יִתְקְרַב תַּמָּן, וְעַל דָּא, בְּיוֹם ר"ה, בָּעֵי לְעַרְבְּבָא לֵיהּ, כְּמַאן דְּאִתְעַר מִשִּׁנְתֵיהּ, וְלָא יָדַע כְּלוּם.

שפה. בְּיוֹה"כ בָּעֵי לְנַיְיחָא, וּלְמֶעְבַּד לֵיהּ נַיְיחָא דְּרוּחָא, בְּשָׂעִיר דְּקָרְבִין לֵיהּ, וּכְדֵין אִתְהַפַּךְ סַנֵּיגוֹרְיָא, עֲלַיְיהוּ דְּיִשְׂרָאֵל, אֲבָל בְּיוֹמָא דְּר"ה, אִתְעַרְבַּב, דְּלָא יָדַע וְלָא יָכִיל לְמֶעְבַּד כְּלוּם. חָמֵי אִתְעָרוּתָא דְּרַחֲמֵי סַלְקִין מִתַּתָּא, וְרַחֲמֵי מִלְּעֵילָא, וְסִיהֲרָא סַלְקָא בֵּינַיְיהוּ, כְּדֵין אִתְעַרְבַּב וְלָא יָדַע כְּלוּם, וְלָא יָכִיל לְשַׁלְטָאָה.

שפו. וְקֻבָּ"ה דָּן לְהוּ לְיִשְׂרָאֵל בְּרַחֲמֵי, וְחָיֵיס עֲלַיְיהוּ, וְאִשְׁתְּכַח לְהוּ זִמְנָא כָּל אִינּוּן י' יוֹמִין, דְּבֵין ר"ה לְיוֹם הַכִּפּוּרִים, לְקַבְּלָא כָּל אִינּוּן דְּתַיְיבִין קַמֵּיהּ, וּלְכַפָּרָא לוֹן מֵחוֹבַיְיהוּ, וְסָלִיק לוֹן לְיוֹמָא דְּכִפּוּרֵי.

שפז. וְעַל דָּא, בְּכֹלָּא קֻבָּ"ה פָּקִיד לוֹן לְיִשְׂרָאֵל, לְמֶעְבַּד עוֹבָדָא, בְּגִין דְּלָא יִשְׁלוֹט עֲלַיְיהוּ, מַאן דְּלָא אִצְטְרִיךְ, וְלָא יִשְׁלוֹט עֲלַיְיהוּ דִּינָא, וִיהוֹן כֻּלְּהוֹן זַכָּאִין בְּאַרְעָא, כְּרוֹזִימוּ דְּאַבָּא עַל בְּנִין, וְכֹלָּא בְּעוֹבָדָא וּבְמִלִּין תַּלְיָא, וְהָא אוֹקִימְנָא מִלִּין.

מִדְרַשׁ הַנֶּעְלָם

שפח. וַה' פָּקַד אֶת שָׂרָה כַּאֲשֶׁר אָמָר. ר' יוֹחָנָן פָּתַח, בְּהַאי קְרָא, רֹאשֵׁךְ עָלַיִךְ כַּכַּרְמֶל וְדַלַּת רֹאשֵׁךְ כָּאַרְגָּמָן מֶלֶךְ אָסוּר בָּרְהָטִים. עָשָׂה קָבָּ"ה שִׁלְטוֹנִים לְמַעְלָה, וְשִׁלְטוֹנִים לְמַטָּה, כְּשֶׁנּוֹתֵן קָבָּ"ה מַעֲלָה לְשָׂרִים שֶׁל מַעְלָה נוֹטְלִים מַעֲלָה הַמְּלָכִים שֶׁל מַטָּה, נָתַן מַעֲלָה לְשָׂרוֹ שֶׁל בָּבֶל, נָטַל מַעֲלָה נְבוּכַדְנֶצַּר הָרָשָׁע, דִּכְתִּיב בֵּיהּ, אַנְתְּ הוּא רֵאשָׁה דִּי דַהֲבָא, וְהָיוּ כָּל הָעוֹלָם, מְשׁוּעְבָּדִים תַּחַת יָדוֹ, וּבְנוֹ וּבֶן בְּנוֹ, הה"ד רֹאשֵׁךְ עָלַיִךְ כַּכַּרְמֶל, זֶהוּ נְבוּכַדְנֶצַּר הה"ד תְּחוֹתוֹהִי תַּטְלֵל חֵיוַת בָּרָא. וְדַלַּת רֹאשֵׁךְ כָּאַרְגָּמָן, זֶהוּ בֵּלְשַׁאצַּר, דְּאָמַר אַרְגְּוָנָא יִלְבַּשׁ. מֶלֶךְ אָסוּר בָּרְהָטִים, זֶהוּ אֱוִיל מְרוֹדַךְ, שֶׁהָיָה אָסוּר, עַד שֶׁמֵּת אָבִיו נְבוּכַדְנֶצַּר, וּמָלַךְ תַּחְתָּיו.

שפט. אָמַר ר' יְהוּדָה, לְמַאי אָתָא, הַאי טַעַם בְּשִׁיר הַשִּׁירִים. אֶלָּא אָמַר ר' יְהוּדָה, שִׁבְעָה דְּבָרִים נִבְרְאוּ, קוֹדֶם שֶׁנִּבְרָא הָעוֹלָם, וְאֵלּוּ הֵן וכו', כִּסֵּא הַכָּבוֹד, שֶׁנֶּאֱמַר נָכוֹן כִּסְאֲךָ מֵאָז מֵעוֹלָם אָתָּה. וּכְתִיב, כִּסֵּא כָבוֹד מָרוֹם מֵרִאשׁוֹן. שֶׁהוּא הָיָה רֹאשׁ, הַנִּקְדָּם לַכֹּל, וְנָטַל, הקב"ה, אֶת הַנְּשָׁמָה הַטְּהוֹרָה, מִכִּסֵּא הַכָּבוֹד, לִהְיוֹת מְאִירָה לַגּוּף, הֲדָא הוּא דִכְתִיב, רֹאשֵׁךְ עָלַיִךְ כַּכַּרְמֶל, זֶהוּ כִּסֵּא הַכָּבוֹד, שֶׁהוּא רֹאשׁ עַל הַכֹּל. וְדַלַּת רֹאשֵׁךְ כָּאַרְגָּמָן, זוֹ הִיא הַנְּשָׁמָה, הַנִּטֶּלֶת מִמֶּנּוּ. מֶלֶךְ אָסוּר בָּרְהָטִים, זֶהוּ הַגּוּף, שֶׁהוּא אָסוּר בַּקֶּבֶר, וְכָלֶה בֶּעָפָר, וְלֹא נִשְׁאַר מִמֶּנּוּ, אֶלָּא כִּמְלֹא תַּרְוָד רָקָב, וּמִמֶּנּוּ יִבָּנֶה כָּל הַגּוּף. וּכְשֶׁפּוֹקֵד הַקָּדוֹשׁ בָּרוּךְ הוּא אֶת הַגּוּף, הוּא אוֹמֵר לָאָרֶץ, שֶׁתַּפְלִיט אוֹתוֹ לַחוּץ, דִּכְתִיב וָאָרֶץ רְפָאִים תַּפִּיל.

שצ. אָמַר רַבִּי יוֹחָנָן, הַמֵּתִים שֶׁבָּאָרֶץ, הֵם וְחַיִּים תְּחִלָּה, הֲדָא הוּא דִכְתִיב יִחְיוּ מֵתֶיךָ, נְבֵלָתִי יְקוּמוּן, אֵלּוּ שֶׁבְּחוּצָה לָאָרֶץ. הָקִיצוּ וְרַנְּנוּ שׁוֹכְנֵי עָפָר, אֵלּוּ הַמֵּתִים שֶׁבַּמִּדְבָּר. דְּאָמַר רַבִּי יוֹחָנָן, לָמָּה מֵת מֹשֶׁה, בְּחוּצָה לָאָרֶץ. לְהַרְאוֹת לְכָל בָּאֵי עוֹלָם, כְּשֵׁם שֶׁעָתִיד הַקָּדוֹשׁ בָּרוּךְ הוּא, לְהַחֲיוֹת לְמֹשֶׁה, כָּךְ עָתִיד לְהַחֲיוֹת לְדוֹרוֹ, שֶׁהֵם קִבְּלוּ הַתּוֹרָה. וַעֲלֵיהֶם נֶאֱמַר, זָכַרְתִּי לָךְ חֶסֶד נְעוּרַיִךְ אַהֲבַת כְּלוּלֹתָיִךְ לֶכְתֵּךְ אַחֲרַי בַּמִּדְבָּר בְּאֶרֶץ לֹא זְרוּעָה.

שצא. דָּבָר אַחֵר, הָקִיצוּ וְרַנְּנוּ שׁוֹכְנֵי עָפָר, אֵלּוּ הֵם הָאָבוֹת. וְהַמֵּתִים בְּחוּצָה לָאָרֶץ, יִבָּנֶה גּוּפָם, וּמִתְגַּלְגְּלִים תַּחַת הָאָרֶץ, עַד אֶרֶץ יִשְׂרָאֵל, וְשָׁם יְקַבְּלוּ נִשְׁמָתָם, וְלֹא בְּחוּצָה לָאָרֶץ, הֲדָא הוּא דִכְתִיב, לָכֵן הִנָּבֵא וְאָמַרְתָּ אֲלֵיהֶם הִנֵּה אָנֹכִי פוֹתֵחַ אֶת קִבְרוֹתֵיכֶם וְהַעֲלֵיתִי אֶתְכֶם מִקִּבְרוֹתֵיכֶם עַמִּי וְהֵבֵאתִי אֶתְכֶם אֶל אַדְמַת יִשְׂרָאֵל. מַה כְּתִיב אַחֲרָיו, וְנָתַתִּי רוּחִי בָּכֶם וִחְיִיתֶם.

שצב. רַבִּי פִּנְחָס אָמַר, הַנְּשָׁמָה נִטְּלָה מִכִּסֵּא הַכָּבוֹד, שֶׁהוּא הָרֹאשׁ, כִּדְקָאָמַר רֹאשֵׁךְ עָלַיִךְ כַּכַּרְמֶל. וְדַלַּת רֹאשֵׁךְ כָּאַרְגָּמָן. זוֹ הִיא הַנְּשָׁמָה שֶׁהִיא דַּלַּת הָרֹאשׁ. מֶלֶךְ אָסוּר בָּרְהָטִים, הוּא הַגּוּף, שֶׁהוּא אָסוּר בַּקְּבָרִים, זֶהוּ הַגּוּף, וְזֶהוּ שָׂרָה, וְזֶהוּ מֶלֶךְ.

וְקוּדְשָׁא בְּרִיךְ הוּא פּוֹקְדָהּ, לַמּוֹעֵד אֲשֶׁר דִּבֵּר אֵלָיו, הה"ד וַה' פָּקַד אֶת שָׂרָה כַּאֲשֶׁר אָמָר. פּוֹקֵד אֶת הַגּוּף, לַזְּמַן הַיָּדוּעַ שֶׁבּוֹ יִפְקוֹד הַצַּדִּיקִים.

שצג. אָמַר רַבִּי פִּנְחָס, עָתִיד הקב"ה, לְיַפּוֹת לְגוּף הַצַּדִּיקִים לֶעָתִיד לָבֹא, כְּיוֹפִי שֶׁל אָדָם הָרִאשׁוֹן כְּשֶׁנִּכְנַס לְגַן עֵדֶן, שֶׁנֶּאֱמַר וְנָחֲךָ ה' תָּמִיד וגו' וְהָיִיתָ כְּגַן רָוֶה. אָמַר רַבִּי לֵוִי, הַנְּשָׁמָה בְּעוֹדָהּ בְּמַעֲלָתָהּ, נִיזּוֹנֶת בְּאוֹר שֶׁל מַעְלָה, וּמִתְלַבֶּשֶׁת בּוֹ, וּכְשֶׁתִּכָּנֵס לַגּוּף לֶעָתִיד לָבֹא, בְּאוֹתוֹ הָאוֹר מַמָּשׁ תִּכָּנֵס, וַאֲזַי הַגּוּף יָאִיר, כְּזוֹהַר הָרָקִיעַ, הה"ד, וְהַמַּשְׂכִּילִים יַזְהִירוּ כְּזוֹהַר הָרָקִיעַ, וְיַשִּׂיגוּ בְּנֵי אָדָם דֵּעָה שְׁלֵימָה, שֶׁנֶּאֱמַר כִּי מָלְאָה הָאָרֶץ דֵּעָה אֶת ה'. מנ"ל הָא, מִמַּה דִּכְתִיב, וְנָחֲךָ ה' תָּמִיד וְהִשְׂבִּיעַ בְּצַחְצָחוֹת נַפְשֶׁךָ. זֶה אוֹר שֶׁל מַעְלָה. וְעַצְמוֹתֶיךָ יַחֲלִיץ, זֶה פְּקִידַת הַגּוּף. וְהָיִיתָ כְּגַן רָוֶה וּכְמוֹצָא מַיִם אֲשֶׁר לֹא יְכַזְּבוּ מֵימָיו. זֶהוּ דַּעַת הַבּוֹרֵא יִתְבָּרֵךְ, וַאֲזַי יֵדְעוּ הַבְּרִיּוֹת, שֶׁהַנְּשָׁמָה הַנִּכְנֶסֶת בָּהֶם, שֶׁהִיא נִשְׁמַת הַחַיִּים, נִשְׁמַת הַתַּעֲנוּגִים, שֶׁהִיא קִבְּלָה תַּעֲנוּגִים מִלְּמַעְלָה, וּמַעֲדַנּוֹת לַגּוּף, וְהַכֹּל תְּמֵהִים בָּהּ, וְאוֹמְרִים מַה יָּפִית וּמַה נָּעַמְתְּ אַהֲבָה בַּתַּעֲנוּגִים. זוֹ הִיא הַנְּשָׁמָה, לע"כ.

שצד. א"ר יְהוּדָה תָּא חֲזֵי שֶׁכָּךְ הוּא, דִּכְתִיב מֶלֶךְ אָסוּר בָּרְהָטִים. וּכְתִיב בַּתְרֵיהּ מַה יָּפִית וּמַה נָּעַמְתְּ. וְאָמַר ר' יְהוּדָה, בְּאוֹתוֹ זְמַן, עָתִיד הקב"ה לִשְׂמוֹחַ עוֹלָמוֹ, וְלִשְׂמוֹחַ בִּבְרִיּוֹתָיו, שֶׁנֶּאֱמַר יִשְׂמַח ה' בְּמַעֲשָׂיו. וַאֲזַי יִהְיֶה שְׂחוֹק בָּעוֹלָם, מַה שֶּׁאֵין עַכְשָׁיו, דִּכְתִיב אָז יִמָּלֵא שְׂחוֹק פִּינוּ וגו'. הה"ד וַתֹּאמֶר שָׂרָה צְחוֹק עָשָׂה לִי אֱלֹהִים. שֶׁאֲזַי עֲתִידִים בְּנֵי אָדָם לוֹמַר שִׁירָה, שֶׁהוּא עֵת שְׂחוֹק. רַבִּי אַבָּא אָמַר, הַיּוֹם שֶׁיִּשְׂמַח הקב"ה עִם בְּרִיּוֹתָיו, לֹא הָיְתָה שִׂמְחָה כְּמוֹתָהּ, מִיּוֹם שֶׁנִּבְרָא הָעוֹלָם, וְהַצַּדִּיקִים הַנִּשְׁאָרִים בִּירוּשָׁלַיִם, לֹא יָשׁוּבוּ עוֹד לְעַפְרָם, דִּכְתִיב וְהָיָה הַנִּשְׁאָר בְּצִיּוֹן וְהַנּוֹתָר בִּירוּשָׁלַםִ קָדוֹשׁ יֵאָמֶר לוֹ. הַנּוֹתָר בְּצִיּוֹן וּבִירוּשָׁלַםִ דַּיְיקָא.

שצה. אָמַר רַבִּי אַוָּזָא, אִם כֵּן זְעִירִין אִינּוּן, אֶלָּא כָּל אִינּוּן דְּאִשְׁתְּאָרוּ בְּאַרְעָא קַדִּישָׁא דְּיִשְׂרָאֵל, דִּינָא דִּלְהוֹן, כִּירוּשָׁלַםִ, וּכְצִיּוֹן לְכָל דָּבָר, מְלַמֵּד דְּכָל אֶרֶץ יִשְׂרָאֵל בִּכְלַל יְרוּשָׁלַםִ הִיא, מִמַּשְׁמַע דִּכְתִיב וְכִי תָבֹאוּ אֶל הָאָרֶץ, הַכֹּל בִּכְלָל.

שצו. ר' יְהוּדָה בַּר' אֶלְעָזָר, שָׁאַל לְרַבִּי חִזְקִיָּה, אָמַר לוֹ, מֵתִים שֶׁעָתִיד הקב"ה לְהַחֲיוֹתָם, לָמָּה לֹא יְהִיב נִשְׁמַתְהוֹן, בַּאֲתַר דְּאִתְקְבָרוּ תַּמָּן, וְיֵיתוּן לְאַחֲיָיא בְּאַרְעָא דְּיִשְׂרָאֵל. אָמַר לוֹ, נִשְׁבַּע הקב"ה, לִבְנוֹת יְרוּשָׁלַםִ, וְשֶׁלֹּא תֵּהָרֵס לְעוֹלָמִים, דְּאָמַר ר' יִרְמְיָה, עָתִיד הקב"ה לְחַדֵּשׁ עוֹלָמוֹ, וְלִבְנוֹת יְרוּשָׁלַםִ, וּלְהוֹרִידָהּ בְּנוּיָה מִלְּמַעְלָה, בְּגִין שֶׁלֹּא תֵּהָרֵס, וְנִשְׁבַּע שֶׁלֹּא תִּגָּלֶה עוֹד כְּנֶסֶת יִשְׂרָאֵל, וְנִשְׁבַּע שֶׁלֹּא יֵהָרֵס בִּנְיַן יְרוּשָׁלַםִ, שֶׁנֶּאֱמַר לֹא יֵאָמֵר לָךְ עוֹד עֲזוּבָה וּלְאַרְצֵךְ לֹא יֵאָמֵר עוֹד שְׁמָמָה. וּבְכָל מָקוֹם, שֶׁאַתָּה מוֹצֵא לֹא לֹא, הִיא שְׁבוּעָה, הה"ד וְלֹא יִכָּרֵת כָּל בָּשָׂר עוֹד מִמֵּי הַמַּבּוּל. וְלֹא יִהְיֶה עוֹד מַבּוּל וגו'. וּכְתִיב אֲשֶׁר נִשְׁבַּעְתִּי מֵעֲבֹר מֵי נֹחַ. מִכָּאן שֶׁלֹּא לֹא שְׁבוּעָה, וּמִן לָאו אַתָּה שׁוֹמֵעַ הֵן. וְעָתִיד הקב"ה לְקַיֵּים עוֹלָמוֹ, קִיּוּם שֶׁלֹּא תִּגָּלֶה כנ"י, וְלֹא תֵּהָרֵס בִּנְיַן בהמ"ק, לְפִיכָךְ, אֵין מְקַבְּלִין נִשְׁמָתָן, אֶלָּא בְּמָקוֹם קַיָּים לְעוֹלָמִים, כְּדֵי שֶׁתִּהְיֶה הַנְּשָׁמָה קַיֶּימֶת בַּגּוּף לְעוֹלָמִים, וְדָא הוּא דִּכְתִיב, הַנִּשְׁאָר בְּצִיּוֹן וְהַנּוֹתָר בִּירוּשָׁלַםִ קָדוֹשׁ יֵאָמֶר לוֹ וגו'.

שצז. א"ר חִזְקִיָּה, מֵהָכָא, הוּא קָדוֹשׁ, יְרוּשָׁלַםִ קָדוֹשׁ, הַנּוֹתָר בָּהּ קָדוֹשׁ, הוּא קָדוֹשׁ, דִּכְתִיב קָדוֹשׁ ה' צְבָאוֹת. וּכְתִיב בְּקִרְבְּךָ קָדוֹשׁ. יְרוּשָׁלַםִ קָדוֹשׁ, דִּכְתִיב וּמִמְּקוֹם קָדוֹשׁ יְהַלֵּכוּ. הַנּוֹתָר בָּהּ קָדוֹשׁ, דִּכְתִיב וְהָיָה הַנִּשְׁאָר בְּצִיּוֹן וְהַנּוֹתָר בִּירוּשָׁלַםִ

קָדוֹשׁ יֵאָמֵר לוֹ. מַה קָּדוֹשׁ הָרִאשׁוֹן קַיָּים, אַף הַשְּׁאָר קָדוֹשׁ קַיָּים.

שצח. א״ר יִצְחָק, מַאי דִּכְתִּיב, עוֹד יֵשְׁבוּ זְקֵנִים וּזְקֵנוֹת בִּרְחוֹבוֹת יְרוּשָׁלַ͏ִם וְאִישׁ מִשְׁעַנְתּוֹ בְּיָדוֹ מֵרוֹב יָמִים. מַאי טִיבוּתָא דָּא לְמֵיזַל כְּדֵין, דִּכְתִּיב וְאִישׁ מִשְׁעַנְתּוֹ בְּיָדוֹ. אֶלָּא אָמַר רַבִּי יִצְחָק, עֲתִידִים הַצַּדִּיקִים לֶעָתִיד לָבֹא, לְהַחֲיוֹת מֵתִים כֶּאֱלִישָׁע הַנָּבִיא, דִּכְתִּיב וְקַח מִשְׁעַנְתִּי בְּיָדְךָ וָלֵךְ. וּכְתִיב וְשַׂמְתָּ מִשְׁעַנְתִּי עַל פְּנֵי הַנַּעַר. א״ל קב״ה, דָּבָר שֶׁעֲתִידִים לַעֲשׂוֹת הַצַּדִּיקִים, לֶעָתִיד לָבֹא, אַתָּה רוֹצֶה עַכְשָׁיו לַעֲשׂוֹת, מַה כְּתִיב וַיָּשֶׂם אֶת הַמִּשְׁעֶנֶת עַל פְּנֵי הַנַּעַר וְאֵין קוֹל וְאֵין עוֹנֶה וְאֵין קָשֶׁב. אֲבָל הַצַּדִּיקִים לֶעָתִיד לָבֹא, עָלָה בְּיָדָם, הַבְטָחָה זוֹ, דִּכְתִּיב וְאִישׁ מִשְׁעַנְתּוֹ בְּיָדוֹ, כְּדֵי לְהַחֲיוֹת בּוֹ אֶת הַמֵּתִים, מֵהַגֵּרִים שֶׁנִּתְגַּיְּירוּ מֵאוּ״ה, דִּכְתִּיב בְּהוּ כִּי הַנַּעַר בֶּן מֵאָה שָׁנָה יָמוּת וְהַחוֹטֵא בֶּן מֵאָה שָׁנָה יְקוּלָּל. א״ר יִצְחָק, סוֹפֵיהּ דִּקְרָא מוֹכִיחַ, דִּכְתִּיב מֵרוֹב יָמִים.

שצט. דָּבָר אַחֵר, וַתֹּאמֶר שָׂרָה צְחוֹק עָשָׂה לִי אֱלֹהִים. כְּתִיב שִׂמְחוּ אֶת יְרוּשָׁלַ͏ִם וְגִילוּ בָהּ כָּל אֹהֲבֶיהָ שִׂישׂוּ אִתָּהּ מָשׂוֹשׂ כָּל הַמִּתְאַבְּלִים עָלֶיהָ. אָמַר רַבִּי יְהוּדָה, לֹא הָיְתָה שִׂמְחָה, לִפְנֵי הַקָּדוֹשׁ בָּרוּךְ הוּא, מִיּוֹם שֶׁנִּבְרָא הָעוֹלָם, כְּאוֹתָהּ שִׂמְחָה, שֶׁעָתִיד לִשְׂמוֹחַ עִם הַצַּדִּיקִים, לֶעָתִיד לָבוֹא. וְכָל אֶחָד וְאֶחָד, מַרְאֶה בְּאֶצְבַּע, וְאוֹמֵר הִנֵּה אֱלֹהֵינוּ זֶה קִוִּינוּ לוֹ וְיוֹשִׁיעֵנוּ זֶה ה׳ קִוִּינוּ לוֹ נָגִילָה וְנִשְׂמְחָה בִּישׁוּעָתוֹ. וּכְתִיב זַמְּרוּ ה׳ כִּי גֵאוּת עָשָׂה מוּדַעַת זֹאת בְּכָל הָאָרֶץ.

ת. רַבִּי יוֹחָנָן אָמַר, לֹא חָזִינָן מַאן דְּפָרֵישׁ הַאי מִלָּה כְּדָוִד מַלְכָּא, דְּאָמַר תַּסְתִּיר פָּנֶיךָ יִבָּהֵלוּן וגו׳. מִכָּאן שֶׁאֵין הקב״ה עוֹשֶׂה רָעָה לְשׁוּם אָדָם, אֶלָּא כְּשֶׁאֵינוֹ מַשְׁגִּיחַ בּוֹ, הוּא כָּלֶה מֵאֵלָיו, דִּכְתִּיב תַּסְתִּיר פָּנֶיךָ יִבָּהֵלוּן תּוֹסֵף רוּחָם יִגְוָעוּן וגו׳. וְאַח״כ תְּשַׁלַּח רוּחֲךָ יִבָּרֵאוּן וגו׳. וְאַח״כ יְהִי כְבוֹד ה׳ לְעוֹלָם יִשְׂמַח ה׳ בְּמַעֲשָׂיו. וַאֲזַי הַשְּׂחוֹק בָּעוֹלָם, דִּכְתִּיב אָז יִמָּלֵא שְׂחוֹק פִּינוּ וּלְשׁוֹנֵנוּ רִנָּה. הה״ד, וַתֹּאמֶר שָׂרָה צְחוֹק עָשָׂה לִי אֱלֹהִים לִשְׂמוֹחַ בִּישׁוּעָתוֹ.

תא. רַבִּי חִיָּיא אָמַר, תָּא חֲזֵי, עַד שֶׁהַגּוּף עוֹמֵד בְּעוֹה״ז, הוּא חָסֵר מִן הַתַּשְׁלוּם, לְאַחַר שֶׁהוּא צַדִּיק, וְהוֹלֵךְ בְּדַרְכֵי יוֹשֶׁר, וּמֵת בְּיוֹשְׁרוֹ, נִקְרָא שָׂרָה בְּתַשְׁלוּמוֹ, הִגִּיעַ לִתְחִיַּית הַמֵּתִים הוּא שָׂרָה, כְּדֵי שֶׁלֹּא יֹאמְרוּ שֶׁאַחֵר הוּא שֶׁהֶחֱיָה קב״ה. לְאַחַר שֶׁהוּא חַי, וְשָׂמֵחַ עִם הַשְּׁכִינָה, וּמַעֲבִיר הקב״ה, הַיָּגוֹן מִן הָעוֹלָם, דִּכְתִּיב בִּלַּע הַמָּוֶת לָנֶצַח וּמָחָה ה׳ אֱלֹהִים דִּמְעָה מֵעַל כָּל פָּנִים וגו׳. אֲזַי נִקְרָא יִצְחָק, בִּשְׁבִיל הַצְּחוֹק וְהַשִּׂמְחָה, שֶׁיִּהְיֶה לַצַּדִּיקִים לֶעָתִיד לָבֹא.

תב. רַבִּי יְהוּדָה אָתָא לְהַהוּא אֲתַר דִּכְפַר חָנָן, שָׁדְרוּ לֵיהּ תִּקְרוּבְתָּא, כָּל בְּנֵי מָאתָא, עָאל לְגַבֵּיהּ ר׳ אַבָּא, א״ל אֵימָתַי לֵיזִיל מַר, א״ל, אֶפְרַע מַה דְּיָהֲבוּ לִי בְּנֵי מָאתָא וְאֵיזִיל, אֲמַר לֵיהּ, לָא לֵיחוּשׁ מַר לְהַאי תִּקְרוּבְתָּא, לְאוֹרַיְיתָא הוּא דַּעֲבָדוּ, וְלָא יְקַבְּלוּ מִנָּךְ כְּלוּם, אֲמַר לֵיהּ, וְלָא מְקַבְּלֵי מִלֵּי דְּאוֹרַיְיתָא, אֲמַר אִין. אָתוּ כָּל בְּנֵי מָאתָא. א״ל רַבִּי יְהוּדָה, כֻּלְּהוֹן מָארֵי מְתִיבְתָּא, אֲמַר לֵיהּ, וְאִי אִית מַאן דְּלָא יָאוּת לְמֵיתַב הָכָא לֵיקוּם וְלֵיזִיל. קָם רַבִּי אַבָּא, וְאַבְדִּיל מִנַּיְיהוּ עֲשָׂרָה, דִּי יְקַבְּלוּן מִנֵּיהּ, אֲמַר לְהוּ, תִּיבוּ בַּהֲדֵי גַּבְרָא רַבָּא דְּנָא, וַאֲנָא וְאִינוּן נְקַבֵּל לְמָחָר, וּנְתֵיב עִמֵּיהּ. אָזְלוּ. וְאִינוּן עֲשָׂרָה דְּאִשְׁתָּאֲרוּ עִמֵּיהּ, יָתִיבוּ, וְלָא אֲמַר כְּלוּם, אֲמָרוּ לֵיהּ, אִי רְעוּתֵיהּ דְּמַר, נְקַבֵּל אַפֵּי שְׁכִינְתָּא. אֲמַר לְהוּ, וְהָא רַבִּי אַבָּא לֵית הָכָא, שָׁדְרוּ בַּהֲדֵיהּ וַאֲתָא.

תג. פְּתַח וַאֲמַר, וַה׳ פָּקַד אֶת שָׂרָה כַּאֲשֶׁר אָמַר. מַאי שְׁנוּיָא הֲוָה הָכָא, הֲוָה לֵיהּ

לְמֵימַר וַה' זָכַר אֶת שָׂרָה. כְּמָה דְּאַתְּ אָמֵר וַיִּזְכֹּר אֱלֹהִים אֶת רָחֵל. דְּאֵין פְּקִידָה, אֶלָּא עַל מַה דַּהֲוָה בְּקַדְמֵיתָא. אֶלָּא בְּקַדְמֵיתָא הֲוָה, דִּכְתִיב שׁוֹב אָשׁוּב אֵלֶיךָ כָּעֵת חַיָּה, וְעַל אוֹתוֹ עִנְיָן נֶאֱמַר, שֶׁפָּקַד עַכְשָׁיו, מַשְׁמַע דִּכְתִיב כַּאֲשֶׁר אָמָר, דְּאִלְמָלֵא לֹא נֶאֱמַר כַּאֲשֶׁר אָמָר, לֵימָא זְכִירָה, אֲבָל פָּקַד הַהִיא מִלָּה דַּאֲמַר, לַמּוֹעֵד אָשׁוּב אֵלֶיךָ.

תד. לְבָתַר אָמַר הָכֵי, הַאי צַדִּיק, דְּזָכֵי לְמֵיסַק, לְהַהוּא יְקָר עִלָּאָה, דְּיוֹקְנֵיהּ מִתְפַּתַּח בְּכֻרְסֵי יְקָרֵיהּ, וְכֵן לְכָל צַדִּיק וְצַדִּיק, דְּיוֹקְנֵיהּ לְעֵילָּא, כַּד הֲוָה לְתַתָּא, לְאַבְטָחָא לְהַהִיא נִשְׁמָתָא קַדִּישָׁא.

תה. וְהַיְינוּ דְּאָמַר רַבִּי יוֹחָנָן, מַאי דִּכְתִיב שֶׁמֶשׁ יָרֵחַ עָמַד זְבֻלָה, דְּזָהֲרָן גּוּפָא וְנִשְׁמָתָא, דְּקַיְּימִין בְּאִדְרָא קַדִּישָׁא עִלָּאָה דִּלְעֵילָא, כִּדְיוֹקְנָא דַּהֲוָה קָאִים בְּאַרְעָא, וְהַהִיא דְּיוֹקְנָא מִמְּזוֹנָהּ הֲנָאַת נִשְׁמָתָא, וְהַהִיא, עֲתִידָה לְאִתְלַבְּשָׁא, בְּהַאי גַּרְמָא, דְּאִשְׁתָּאַר בְּאַרְעָא, וְאַרְעָא מִתְעַבֵּר מִנֵּיהּ, וּפָלֵט טִינֵיהּ לְבָרָא, וְדָא הוּא דְּאִתְקְרֵי קְדוּשָׁה.

תו. וְכַד קַיְּימָא דְּיוֹקְנָא הַהִיא דִּלְעֵילָא, אַתְיָא בְּכָל יַרְחָא לְסָגְדָא, קָמֵי מַלְכָּא קַדִּישָׁא בְּרִיךְ הוּא, דִּכְתִיב וְהָיָה מִדֵּי חֹדֶשׁ בְּחָדְשׁוֹ. וְהוּא מְבַשֵּׂר לֵיהּ, וְאָמַר לַמּוֹעֵד אָשׁוּב אֵלֶיךָ, לְהַהוּא זִמְנָא דַּעֲתִיד לְאַחֲיָיא מֵיתַיָּא, עַד דְּאִתְפַּקְדַת לְהַהוּא זִמְנָא, כְּמָה דְּאִתְבַּשַּׂר, הה"ד וַה' פָּקַד אֶת שָׂרָה כַּאֲשֶׁר אָמָר. וְהַהוּא יוֹמָא, דְּחָדֵי קֻבְּ"ה בְּעוֹבָדוֹי, הה"ד יִשְׂמַח ה' בְּמַעֲשָׂיו.

תז. א"ל ר' אַבָּא, לֵימָא לָן מָר, עַל פָּרְשָׁתָא, לְבָתַר אֲמַר, יָאוֹת לְכוֹן לְמִפְתַּח פָּרְשָׁתָא דָּא. פָּתַח וַאֲמַר, וַיְהִי אַחַר הַדְּבָרִים הָאֵלֶּה וְהָאֱלֹהִים נִסָּה אֶת אַבְרָהָם וגו'. וַיֹּאמֶר קַח נָא אֶת בִּנְךָ אֶת יְחִידְךָ אֲשֶׁר אָהַבְתָּ וגו'. הָכָא אִית לְאִסְתַּכָּלָא הַאי אוּמָנָא, דְּאַפֵּיק כַּסְפָּא, מִמְּקוֹרָא דְּאַרְעָא, מַאי עָבֵד, בְּקַדְמֵיתָא, מְעַיֵּיל לֵיהּ בְּנוּר דָּלִיק, עַד דְּנָפֵיק מִנֵּיהּ כָּל זוּהֲמָא דְּאַרְעָא, וְהָא אִשְׁתְּאֲרַת כַּסְפָּא, אֲבָל לָא כַּסְפָּא שְׁלֵימָתָא, לְבָתַר מַאי עָבֵיד, מְעַיֵּיל לֵיהּ בְּנוּרָא, כִּדְבְקַדְמֵיתָא, וּמַפִּיק מִנֵּיהּ סְטָיְיפֵי, כְּד"א הָגוֹ סִיגִים מִכָּסֶף וגו'. וּכְדֵין, הוּא כַּסְפָּא שְׁלֵימָתָא, בְּלָא עִרְבּוּבְיָא.

תח. כָּךְ הקב"ה, מְעַיֵּיל הַאי גּוּפָא תְּחוֹת אַרְעָא, עַד דְּמִתְרַקַּב כּוּלֵיהּ, וְנָפֵיק מִנֵּיהּ כָּל זוּהֲמָא בִּישָׁא, וְאִשְׁתָּאַר הַהוּא תַּרְווָד רָקָב, וְאִתְבְּנֵי גּוּפָא מִנֵּיהּ, וְעַד כְּעַן הוּא גּוּפָא לָא שְׁלִים.

תט. לְבָתַר, הַהוּא יוֹמָא רַבָּא, דִּכְתִיב וְהָיָה יוֹם אֶחָד הוּא יִוָּדַע לַה' לֹא יוֹם וְלֹא לָיְלָה. מִתְטַמְּרָן כֻּלְּהוּ בְּעַפְרָא כִּדְבְקַדְמֵיתָא, מִן קֳדָם דְּחִילוּ וְתַקִּיפוּ דְּקוּדְשָׁא בְּרִיךְ הוּא, הה"ד וּבָאוּ בִּמְעָרוֹת צֻרִים וּבִמְחִלּוֹת עָפָר מִפְּנֵי פַּחַד ה' וּמֵהֲדַר גְּאוֹנוֹ וגו'. וְנָפֵיק נִשְׁמָתַיְיהוּ, וּמִתְעַכֵּל הַהוּא תַּרְווָד רָקָב, וְאִשְׁתָּאַר גּוּפָא דְּאִתְבְּנֵי תַּמָּן נְהוֹרָא, דִּילֵיהּ כִּנְהוֹרָא דְּשִׁמְשָׁא, וּכְזִהֲרָא דִּרְקִיעָא, דִּכְתִיב וְהַמַּשְׂכִּילִים יַזְהִירוּ כְּזֹהַר הָרָקִיעַ וגו'. וּכְדֵין כַּסְפָּא שְׁלִים, גּוּפָא שְׁלֵימָא, בְּלָא עִרְבּוּבְיָא אַחֲרָנִיתָא.

תי. דַּאֲמַר ר' יַעֲקֹב, גּוּפָא דְּנָהִיר, יַרְמֵי קֻבְּ"ה מִלְּעֵילָא, דִּכְתִיב כִּי טַל אוֹרוֹת טַלֶּךָ. וּכְתִיב הִנֵּה ה' מְטַלְטֶלְךָ וגו'. וּכְדֵין יִתְקְרוּן, קַדִּישִׁין עִלָּאִין, דִּכְתִיב קָדוֹשׁ יֵאָמֶר לוֹ. וְדָא הוּא, דְּאִתְקְרֵי תְּחִיַּית הַמֵּתִים דְּבַתְרַיְיתָא, וְדָא הוּא נִסְיוֹנָא בַּתְרַיְיתָא, וְלָא יִטְעֲמוּן עוֹד טַעֲמָא דְּמוֹתָא, דִּכְתִיב בִּי נִשְׁבַּעְתִּי נְאֻם ה' כִּי יַעַן אֲשֶׁר עָשִׂיתָ וגו' כִּי בָרֵךְ אֲבָרֶכְךָ וגו'. וּבְהַהוּא זִמְנָא, מַצְלוּ צַדִּיקַיָּיא. דְּלָא יִתְנַסּוּן בְּדָא יַתִּיר.

תיא. מַה כְּתִיב וַיִּשָּׂא אַבְרָהָם אֶת עֵינָיו וַיַּרְא וְהִנֵּה אַיִל וגו'. אִלֵּין שְׁאָר חַיָּיבֵי עָלְמָא.

דְּאִתְקְרוּן אֵילִים, כְּד״א אֵילֵי נְבָיוֹת יְשָׁרְתוּנֶךְ וּמִתַּרְגְּמִינָן רַבְרְבֵי נְבָיוֹת. אוֹחֵז נֶאֱחַז בַּסְּבַךְ וְגוֹ׳. כְּד״א וְכָל קַרְנֵי רְשָׁעִים אֲגַדֵּעַ וַיֵּלֶךְ אַבְרָהָם וַיִּקַּח אֶת הָאַיִל וְגוֹ׳. דְּאִינּוּן מְזוּמָּנִין, לְאִתְנַסְּאָה בְּכָל נִסְיוֹנָא בִּישָׁא, וְיִשְׁתָּאֲרוּן הַצַּדִּיקִים, לְעָלְמָא דְּאָתֵי, כְּמַלְאָכִין עִלָּאִין קַדִּישִׁין, לְיַיחֲדָא שְׁמֵיהּ, וּבְגִ״כ כְּתִיב, בַּיּוֹם הַהוּא יִהְיֶה ה׳ אֶחָד וּשְׁמוֹ אֶחָד וְגוֹ׳.

תיב. א״ל רַבִּי יְהוּדָה מִכָּאן וּלְהָלְאָה, אַצְלָחוּ פִּתְחָא. עָאל יוֹמָא אָחֳרָא, עָאלוּ קַמֵּיהּ כָּל בְּנֵי מָתָא, אֲמָרוּ לֵיהּ, לֵימָא לָן מַר, מִלָּיָא דְּאוֹרַיְיתָא, בְּפָרְשָׁתָא דְּקָרֵינָן בָּהּ יוֹמָא דְּשַׁבַּתָּא, וַה׳ פָּקַד אֶת שָׂרָה. קָם בֵּינֵי עַמּוּדֵי, פָּתַח וַאֲמַר וַה׳ פָּקַד אֶת שָׂרָה וְגוֹ׳. ג׳ מַפְתֵּחוֹת בְּיָדוֹ שֶׁל הקב״ה, וְלֹא מְסָרָם לֹא בְּיַד מַלְאָךְ, וְלֹא בְּיַד שָׂרָף, מַפְתֵּחַ שֶׁל חַיָּה, וְשֶׁל גְּשָׁמִים, וְשֶׁל תְּחִיַּית הַמֵּתִים. בָּא אֵלִיָּהוּ, וְנָטַל הַשְּׁנַיִם, שֶׁל גְּשָׁמִים וְשֶׁל תְּחִיַּית הַמֵּתִים. וא״ר יוֹחָנָן, לֹא נִמְסַר בְּיַד אֵלִיָּהוּ, אֶלָּא אַחַת. דְּאָמַר ר׳ יוֹחָנָן, כְּשֶׁבִּקֵּשׁ אֵלִיָּהוּ, לְהַחֲיוֹת בֶּן הַצָּרְפִית, א״ל קב״ה, לֹא יָאוּת לָךְ, לְמֵיסַב בִּידָךְ, שְׁתֵּי מַפְתֵּחוֹת, אֶלָּא תֵּן לִי מַפְתֵּחַ הַגְּשָׁמִים, וּתְחַיֶּה הַמֵּת. וְהַיְינוּ דִּכְתִיב לֵךְ הֵרָאֵה אֶל אַחְאָב וְגוֹ׳. וְאֶתְּנָה מָטָר. לֹא אָמַר, וְתֵן מָטָר, אֶלָּא וְאֶתְּנָה.

תיג. וְהָא אֱלִישָׁע הֲוָה לֵיהּ. אִין. לְקַיֵּים פִּי שְׁנַיִם בְּרוּחוֹ שֶׁל אֵלִיָּהוּ, אֶלָּא, שְׁלָשְׁתָּם לֹא מְסָרָם הקב״ה, בְּיַד שָׁלִיחַ, דְּאָמַר רַבִּי סִימוֹן, בֹּא וּרְאֵה כֹּחוֹ שֶׁל הקב״ה, בְּפַעַם אַחַת מְחַיֶּה מֵתִים, וּמוֹרִיד שְׁאוֹל וַיָּעַל, מַזְרִיחַ מְאוֹרוֹת, וּמוֹרִיד גְּשָׁמִים, מַצְמִיחַ חָצִיר, מְדַשֵּׁן יְבוּלִים, פּוֹקֵד עֲקָרוֹת, נוֹתֵן פַּרְנָסוֹת, עוֹזֵר דַּלִּים, סוֹמֵךְ נוֹפְלִים, זוֹקֵף כְּפוּפִים, מְהַעֲדָא מַלְכִין, וּמְהָקֵם מַלְכִין, וְהַכֹּל בִּזְמַן אֶחָד, וּבְרֶגַע אֶחָד, וּבְבַת אַחַת, מַה שֶׁאֵין שָׁלִיחַ, לְעוֹלָם יָכוֹל לַעֲשׂוֹתוֹ.

תיד. תַּנְיָא אָמַר רַבִּי יוֹסֵי, כָּל מַה שֶּׁעוֹשֶׂה הקב״ה, אֵינוֹ צָרִיךְ לַעֲשׂוֹת, אֶלָּא בְּדִבּוּר, דְּכֵיוָן דְּאָמַר, מִמְּקוֹם קְדוּשָּׁתוֹ יְהֵא כָּךְ, מִיָּד נַעֲשָׂה. בֹּא וּרְאֵה כֹּחַ גְּבוּרָתוֹ שֶׁל הקב״ה, דִּכְתִיב בִּדְבַר ה׳ שָׁמַיִם נַעֲשׂוּ. דְּאָמַר ר׳ יוֹחָנָן מַאי דִּכְתִיב וְעָבַרְתִּי בְאֶרֶץ מִצְרַיִם אֲנִי וְלֹא מַלְאָךְ וְגוֹ׳.

תטו. אִי הָכִי, יְקָרָא סַגִּיאָה הוּא לְמִצְרָאֵי, דְּלָא דָּמֵי מַאן דְּתָפַשׂ מַלְכָּא, לְמַאן דְּתָפַשׂ הֶדְיוֹטָא. וְעוֹד אֵין לָךְ אוּמָּה מְזוּהֶמֶת בְּכָל טוּמְאָה, כְּמוֹ הַמִּצְרִים, דִּכְתִיב בְּהוּ אֲשֶׁר בְּשַׂר חֲמוֹרִים בְּשָׂרָם וְגוֹ׳. שֶׁהֵם חֲשׁוּדִים עַל מִשְׁכַּב זָכוּר, וְהֵם בָּאִים מֵחָם, שֶׁעָשָׂה מַה שֶּׁעָשָׂה לְאָבִיו, וְקִלֵּל אוֹתוֹ, וְלִכְנַעַן בְּנוֹ. וְכִי לֹא הָיָה לְהקב״ה, מַלְאָךְ, אוֹ שָׁלִיחַ, לְשַׁגֵּר לַעֲשׂוֹת נְקָמָה בְּמִצְרַיִם, כְּמוֹ שֶׁעָשָׂה בְּאַשּׁוּר, שֶׁהָיָה בְּנוֹ שֶׁל שֵׁם, דִּכְתִיב וּבְנֵי שֵׁם עֵילָם וְאַשּׁוּר. וְשֵׁם הָיָה כֹּהֵן גָּדוֹל וְנִתְבָּרֵךְ, שֶׁנֶּאֱמַר בָּרוּךְ ה׳ אֱלֹהֵי שֵׁם. וְהָיָה לְשֵׁם הַגְּדוּלָּה וְהַבְּרָכָה עַל אָחִיו. וּכְתִיב בָּם, וַיֵּצֵא מַלְאַךְ ה׳ וַיַּכֶּה בְּמַחֲנֵה אַשּׁוּר. וְעַל יְדֵי שָׁלִיחַ נַעֲשָׂה, כ״ש הַמִּצְרִים, שֶׁהֵם מְזוּהָמִים, יוֹתֵר מִכָּל אוּמָּה, וְאָמַר אֲנִי וְלֹא מַלְאָךְ.

תטז. אֶלָּא אָמַר רַבִּי יְהוּדָה, מִכָּאן לָמַדְנוּ כֹּחַ גְּבוּרָתוֹ שֶׁל הקב״ה, וּמַעֲלָתוֹ, שֶׁהוּא גָּבוֹהַּ עַל הַכֹּל. אָמַר הַקָּדוֹשׁ בָּרוּךְ הוּא, אוּמָּה זוֹ שֶׁל מִצְרַיִם, מְזוּהֶמֶת וּמְטוּנֶּפֶת, וְאֵין רָאוּי לְשַׁגֵּר מַלְאָךְ, וְלֹא שָׂרָף, דָּבָר קָדוֹשׁ בֵּין רְשָׁעִים אֲרוּרִים מְטוּנָּפִים, אֶלָּא אֲנִי עוֹשֶׂה, מַה שֶּׁאֵין יָכוֹל לַעֲשׂוֹת מַלְאָךְ, וְלֹא שָׂרָף, וְלֹא שָׁלִיחַ. שֶׁאֲנִי אוֹמֵר מִמְּקוֹם קְדוּשָּׁתִי, יְהֵא כָּךְ, וּמִיָּד נַעֲשָׂה, מַה שֶּׁאֵין הַמַּלְאָךְ יָכוֹל לַעֲשׂוֹתוֹ. אֲבָל הקב״ה, מִמְּקוֹם קְדוּשָּׁתוֹ, אוֹמֵר יְהֵא כָּךְ, וּמִיָּד נַעֲשָׂה, מַה שֶּׁהוּא רוֹצֶה לַעֲשׂוֹת. וּלְפִיכָךְ לֹא נַעֲשֵׂית נְקָמָה זוֹ, ע״י מַלְאָךְ וְשָׁלִיחַ, בִּשְׁבִיל קְלוֹן הַמִּצְרִים, וּלְהַרְאוֹת גְּדוּלָּתוֹ שֶׁל מָקוֹם, שֶׁלֹּא רָצָה שֶׁיִּכָּנֵס בֵּינֵיהֶם דָּבָר קָדוֹשׁ,

וְעַל הַדֶּרֶךְ הַזֶּה נֶאֱמַר, אֲנִי וְלֹא מַלְאָךְ, אֲנִי יָכוֹל לַעֲשׂוֹתוֹ וְלֹא מַלְאָךְ.

תיז. כַּיּוֹצֵא בּוֹ אָמַר רַבִּי יְהוּדָה, מַאי דִּכְתִיב וַיֹּאמֶר ה' לַדָּג. וְכַמָּה צַדִּיקִים וַחֲסִידִים מִיִּשְׂרָאֵל, שֶׁלֹּא דִּבֵּר עִמָּהֶם הקב"ה, וּבָא לְדַבֵּר עִם הַדָּג, דָּבָר שֶׁאֵינוֹ מַכִּיר וְיוֹדֵעַ. אֶלָּא אָמַר ר' יְהוּדָה, כֵּיוָן שֶׁעָלְתָה תְּפִלָּתוֹ שֶׁל יוֹנָה, לִפְנֵי הקב"ה, מִמְּקוֹם קְדוּשָּׁתוֹ אָמַר, בִּשְׁבִיל שֶׁיָּקִיא הַדָּג אֶת יוֹנָה אֶל הַיַּבָּשָׁה, למ"ד לַדָּג, כְּמוֹ בִּשְׁבִיל, כְּלוֹמַר, וַיֹּאמֶר ה' בִּשְׁבִיל הַדָּג, שֶׁיָּקִיא אֶת יוֹנָה אֶל הַיַּבָּשָׁה, מִמְּקוֹם קְדוּשָּׁתוֹ אָמַר הקב"ה יְהֵא כָּךְ, וּמִיָּד נַעֲשָׂה, מַה שֶּׁאֵין שָׁלִיחַ, יָכוֹל לַעֲשׂוֹתוֹ.

תיח. תַּנְיָא אָמַר רַבִּי שִׁמְעוֹן, מַפְתֵּחַ שֶׁל חַיָּה, בְּיָדוֹ שֶׁל הקב"ה הִיא, וּבְעוֹד שֶׁהִיא יוֹשֶׁבֶת עַל הַמַּשְׁבֵּר, הַקָּדוֹשׁ בָּרוּךְ הוּא, מְעַיֵּין בְּאוֹתוֹ הַוָּלָד, אִם רָאוּי הוּא לָצֵאת לָעוֹלָם, פּוֹתֵחַ דַּלְתוֹת בִּטְנָהּ וְיוֹצֵא, וְאִם לָאו סוֹגֵר דַּלְתוֹתֶיהָ, וּמֵתוּ שְׁנֵיהֶם. אִי הָכִי, לֹא יֵצֵא רָשָׁע לָעוֹלָם. אֶלָּא הָכֵי תָּנִינָן, עַל שָׁלֹשׁ עֲבֵירוֹת נָשִׁים מֵתוֹת וכו'. וְאָמַר רַבִּי יִצְחָק, לָמָּה אִשָּׁה מַפֶּלֶת פְּרִי בִטְנָהּ. אֶלָּא אָמַר רַבִּי יִצְחָק, הַקָּדוֹשׁ בָּרוּךְ הוּא רוֹאֶה אוֹתוֹ הָעוּבָּר, שֶׁאֵינוֹ רָאוּי לָצֵאת לָעוֹלָם, וּמַקְדִּים לַהֲמִיתוֹ בִּמְעֵי אִמּוֹ, שֶׁנֶּאֱמַר הַנְּפִלִים הָיוּ בָאָרֶץ בַּיָּמִים הָהֵם. הַנְּפִלִים כְּתִיב, בְּלֹא יו"ד רִאשׁוֹנָה. וְלָמָּה, בִּשְׁבִיל שֶׁאַחֲרֵי כֵן, בָּאוּ בְּנֵי הָאֱלֹהִים אֶל בְּנוֹת הָאָדָם, וְיָלְדוּ לָהֶם בִּזְנוּת, וַיִּרְבּוּ מַמְזֵרִים בָּעוֹלָם.

תיט. הֵמָּה הַגִּבּוֹרִים אֲשֶׁר מֵעוֹלָם. שֶׁאֵין גִּבּוֹר וּפָרִיץ וְעָרִיץ, כְּמוֹ הַמַּמְזֵר. אַנְשֵׁי הַשֵּׁם, שֶׁהַכֹּל יַכִּירוּ, לִקְרוֹתוֹ הַשֵּׁם הַיָּדוּעַ מַמְזֵר, דְּכֵיוָן שֶׁרוֹאִים מַעֲשָׂיו, שֶׁהוּא פָּרִיץ וְעָרִיץ וְגִבּוֹר, הַכֹּל יִקְרָאוּהוּ אוֹתוֹ שֵׁם. וּמַה דא"ר שִׁמְעוֹן הקב"ה מְעַיֵּין בְּאוֹתוֹ הַוָּלָד. אֵין לְךָ רָשָׁע בָּעוֹלָם, מֵאוֹתָם הָרְשָׁעִים הַיּוֹצְאִים לָעוֹלָם, שֶׁאֵין הקב"ה מְעַיֵּין בּוֹ, וְרוֹאֶה אִם אוֹתוֹ הַגּוּף, יַזִּיחַ בֵּן צַדִּיק וְכָשֵׁר, אוֹ שֶׁיַּצִּיל לְאָדָם מִיִּשְׂרָאֵל מִמִּיתָה מְשׁוּנָה, אוֹ שֶׁיַּעֲשֶׂה טוֹבָה אַחַת, וּבִשְׁבִיל כָּךְ הַקָּדוֹשׁ בָּרוּךְ הוּא מוֹצִיאוֹ לָעוֹלָם.

תכ. בְּיוֹמוֹי דְּרַבִּי יוֹסֵי, הֲווֹ אִינּוּן פְּרִיצֵי, דַּהֲווֹ מִשְׁתַּדְּדֵי בְּטוּרַיָּיא, עִם פְּרִיצֵי אוּמּוֹת הָעוֹלָם, וְכַד מִשְׁכְּחֵי בַּר נָשׁ, וְתָפְשֵׂי לֵיהּ לְקַטְלֵיהּ, הֲווֹ אָמְרִין לֵיהּ, מַה שְּׁמָךְ, אִי הֲוָה יוּדָאִי, הֲווֹ אָזְלִין עִמֵּיהּ, וּמַפְקִין לֵיהּ מִן טוּרַיָּיא, וְאִי הֲוָה בַּר נָשׁ אוּחֲרָנָא, קַטְלֵי לֵיהּ, וַהֲוָה אָמַר רַבִּי יוֹסֵי, אִתְחֲזוּן אִינּוּן, בְּכָל הַאי, לְמֵיעַל לְעָלְמָא דְּאָתֵי.

תכא. ת"ר, ג' דְּבָרִים הַלָּלוּ, אֵינָן בָּאִין לָעוֹלָם אֶלָּא בְּקוֹלוֹת, קוֹל חַיָּה, דִּכְתִיב בְּעֶצֶב תֵּלְדִי בָנִים. וּכְתִיב וַיִּשְׁמַע אֵלֶיהָ אֱלֹהִים. קוֹל גְּשָׁמִים, דִּכְתִיב, קוֹל ה' עַל הַמָּיִם. וּכְתִיב כִּי קוֹל הֲמוֹן הַגָּשֶׁם. קוֹל תְּחִיַּית הַמֵּתִים, דִּכְתִיב קוֹל קוֹרֵא בַּמִּדְבָּר. מַאי בָּעֵי הָכָא קָלָא בְּמַדְבְּרָא. אֶלָּא אָמַר רַבִּי זְרִיקָא אִלֵּין אִינּוּן קָלַיָּיא, לְאִתְעֲרָא מֵתֵי מִדְבָּר, וּמִכָּאן דְּהוּא הַדִּין לְכָל הָעוֹלָם. א"ר יוֹחָנָן, הָא תְּנַן, כְּשֶׁנִּכְנַס אָדָם לַקֶּבֶר, נִכְנַס בְּקוֹלוֹת. כְּשֶׁיָּקוּמוּ בִּתְחִיַּית הַמֵּתִים, אֵינוֹ דִּין שֶׁיָּקוּמוּ בְּקוֹלֵי קוֹלוֹת.

תכב. א"ר יַעֲקֹב, עֲתִידָה בַּת קוֹל, לִהְיוֹת מִתְפּוֹצֶצֶת, בְּבָתֵּי קְבָרוֹת, וְאוֹמֶרֶת, הָקִיצוּ וְרַנְּנוּ שׁוֹכְנֵי עָפָר, וַעֲתִידִים לְחִיּוֹת, בְּטַל שֶׁל אוֹר גָּדוֹל שֶׁל מַעְלָה, דִּכְתִיב כִּי טַל אוֹרוֹת טַלֶּךָ וָאָרֶץ רְפָאִים תַּפִּיל, אכי"ר (ע"כ מדרש הַנֶּעְלָם).

תכג. וַיְיָ' פָּקַד אֶת שָׂרָה כַּאֲשֶׁר אָמַר, דִּכְתִיב, לַמּוֹעֵד אָשׁוּב אֵלֶיךָ כָּעֵת חַיָּה וּלְשָׂרָה בֵן. וְתָנִינָן פָּקַד אֶת שָׂרָה, פְּקִידָה לְנוּקְבָא, זְכִירָה לִדְכוּרָא וּבְגִין כָּךְ, וַיְיָ' פָּקַד אֶת שָׂרָה כַּאֲשֶׁר אָמַר, דִּכְתִיב שׁוֹב אָשׁוּב אֵלֶיךָ כָּעֵת חַיָּה וגו', מֵהָכָא מַשְׁמַע דְּאָמַר, וַיֹּאמֶר שׁוֹב אָשׁוּב אֵלֶיךָ, וַיֹּאמֶר סְתָם, דְּאִיהוּ הֲוָה, וְלָא שְׁלִיחָא אוּחֲרָא.

תכד. וַיַּעַשׂ יי' לְשָׂרָה וגו'. כֵּיוָן דְּאָמַר וַיְיָ' פָּקַד אֶת שָׂרָה, מַהוּ וַיַּעַשׂ יי' לְשָׂרָה. אֶלָּא

הָכִי תָּנֵינָן דְּאִיבָּא דְּעוֹבָדוֹי דְּקֻבָּ"ה, מֵהַהוּא נָהָר דְּנָגִיד וְנָפִיק מֵעֵדֶן אִיהוּ, וְאִיהוּ נִשְׁמָתְהוֹן דְּצַדִּיקַיָּיא, וְאִיהוּ מַזָּלָא, דְּכָל בִּרְכָאן טָבָאן, וְגִשְׁמֵי בִּרְכָאן, נָזְלֵי מִנֵּיהּ, וּמִתַּמָּן נָפְקֵי, דִּכְתִיב לְהַשְׁקוֹת אֶת הַגָּן, דְּאִיהוּ מַזִּיל, וּמַשְׁקֶה מֵעֵילָּא לְתַתָּא, בְּגִין דִּבְנֵי בְּהַאי מַזָּלָא תַּלְיָין, וְלָא בַּאֲתַר אָחֳרָא.

תכה. וְעַל דָּא כְּתִיב, וַיְיָ' פָּקַד אֶת שָׂרָה, פְּקִידָה בִּלְחוּדוֹי. וַיַּעַשׂ יְיָ' לְשָׂרָה. עֲשִׂיָּיה אִיהוּ, לְעֵילָּא מֵהַאי דַּרְגָּא, כְּמָה דְּאִתְּמַר דְּהָא בְּמַזָּלָא תַּלְיָיא, וְעַל דָּא, כָּאן פְּקִידָה, וְכָאן עֲשִׂיָּיה. וּבְגִ"כ אֲמַר יְיָ' וַיְיָ', וְכֹלָּא חַד.

תכו. רַבִּי אֶלְעָזָר, פָּתַח וַאֲמַר, הִנֵּה נַחֲלַת יְיָ' בָּנִים שָׂכָר פְּרִי הַבָּטֶן. הִנֵּה נַחֲלַת יְיָ', אַחְסַנְתָּא לְאִתְאַחֲדָא בַּיְיָ', דְּלָא יִתְעֲבַר מִינֵּהּ לְעָלְמִין, דְּבַר נָשׁ דְּזָכֵי לִבְנִין בְּהַאי עָלְמָא, זָכֵי בְּהוּ לְמֵיעַל לְפַרְגּוֹדָא, בְּעָלְמָא דְּאָתֵי. בְּגִין, דְּהַהוּא בְּרָא דְּשָׁבִיק ב"נ, וְזָכֵי בֵּיהּ בְּעָלְמָא דָּא, אִיהוּ יְזַכֵּי לֵיהּ לְעָלְמָא דְּאָתֵי וְזָכֵי לְאָעָלָא בֵּיהּ, לְנַחֲלַת יְיָ'.

תכז. מַאן נַחֲלַת יְיָ', דָּא אֶרֶץ הַחַיִּים. וְהָכֵי קָרָא לָהּ לְאֶרֶץ יִשְׂרָאֵל, דְּאִיהִי אֶרֶץ הַחַיִּים. דָּוִד מַלְכָּא, קָרָא לֵיהּ נַחֲלַת יְיָ' דִּכְתִיב כִּי גֵרְשׁוּנִי הַיּוֹם מֵהִסְתַּפֵּחַ בְּנַחֲלַת יְיָ' לֵאמֹר לֵךְ עֲבֹד אֱלֹהִים אֲחֵרִים, וּבְגִין כָּךְ, הִנֵּה נַחֲלַת יְיָ' בָּנִים. מַאן אַזְכֵּי לֵיהּ, לְבַר נָשׁ. בְּנִין. אִי זָכֵי בְּהוּ בְּהַאי עָלְמָא, שָׂכָר פְּרִי הַבָּטֶן, אַגְרָא וְחוּלָקָא טָבָא, בְּהַהִיא עָלְמָא, בְּהַהוּא אִיבָּא דִּמְעוֹי, אִיהוּ דְּזָכֵי בַּר נָשׁ, בְּהַהוּא עָלְמָא, בְּהוּ.

תכח. תָּא חֲזֵי הִנֵּה נַחֲלַת יְיָ' בָּנִים. יְרוּתָא וְאַחְסַנְתָּא, דְּאִיבִּין דְּעוֹבָדוֹי דְּקֻבָּ"ה מִלְּעֵילָּא, אִיהוּ מֵאִילָנָא דְּחַיֵּי, דְּהָא מִתַּמָּן זָכֵי בַּר נָשׁ לִבְנִין, כד"א מִמֶּנִּי פֶּרְיְךָ נִמְצָא. מַה כְּתִיב, אַשְׁרֵי הַגֶּבֶר אֲשֶׁר מִלֵּא אֶת אַשְׁפָּתוֹ מֵהֶם לֹא יֵבוֹשׁוּ וגו'. אַשְׁרֵי בְּעָלְמָא דֵּין, וְאַשְׁרֵי בְּעָלְמָא דְּאָתֵי.

תכט. לֹא יֵבוֹשׁוּ כִּי יְדַבְּרוּ אֶת אוֹיְבִים בַּשָּׁעַר. מַאן אוֹיְבִים בַּשָּׁעַר. אִלֵּין מָארֵיהוֹן דְּדִינִין, דְּכַד נִשְׁמְתָא נָפְקַת מֵהַאי עָלְמָא, כַּמָּה אִינּוּן מָרֵיהוֹן דְּדִינִין, דְּזַמִּינִין קַמֵּיהּ, עַד לָא יֵיעוֹל לְדוּכְתֵּיהּ, בַּשָּׁעַר. בְּהַהוּא תַּרְעָא, דְּיֵיעוֹל תַּמָּן, בְּגִין דְּמִשְׁכּוֹנִין, שָׁבִיק בְּהַאי עָלְמָא, וּבְגִינַיְיהוּ יְזַכֵּי בְּהַהוּא עָלְמָא, וְעַל דָּא, לֹא יֵבוֹשׁוּ כִּי יְדַבְּרוּ אֶת אוֹיְבִים בַּשָּׁעַר.

תל. רַבִּי יְהוּדָה וְרַבִּי יוֹסֵי, הֲווּ אָזְלֵי בְּאָרְחָא, א"ל רַבִּי יְהוּדָה לְרַבִּי יוֹסֵי, פְּתַח פּוּמָךְ, וְלָעֵי בְּאוֹרַיְיתָא, דְּהָא שְׁכִינְתָּא אִשְׁתַּכְּחַת גַּבָּךְ, דְּכָל זִמְנָא דְּבְמִלֵּי דְּאוֹרַיְיתָא לָעָאן, שְׁכִינְתָּא אַתְיָא וּמִתְחַבְּרָא וְכָל שֶׁכֵּן בְּאוֹרְחָא, דִּשְׁכִינְתָּא קָדְמָא וְאַתְיָא וְאָזְלָא קַמַּיְיהוּ דִּבְנֵי נָשָׁא, דְּזָכָאן בִּמְהֵימְנוּתָא דְּקֻבָּ"ה.

תלא. פָּתַח רַבִּי יוֹסֵי וַאֲמַר, אֶשְׁתְּךָ כְּגֶפֶן פֹּרִיָּה בְּיַרְכְּתֵי בֵיתֶךָ בָּנֶיךָ כִּשְׁתִילֵי זֵיתִים סָבִיב לְשֻׁלְחָנֶךָ. אֶשְׁתְּךָ כְּגֶפֶן פֹּרִיָּה, כָּל זִמְנָא, דְּאִתְּתָא בְּיַרְכְּתֵי בֵיתָא, וְלָא נָפְקָא לְבַר, הִיא צְנוּעָה, וְאִתְחֲזֵי לְאוֹלָדָא בְּנִין דִּכְשְׁרָן. כְּגֶפֶן, מַה גֶּפֶן, לָא אִתְנְטַע אֶלָּא בְּזִינָהּ, וְלָא בְּזִינָא אָחֳרָא. כָּךְ אִתְּתָא דִּכְשֵׁרָא, לָא תֶּעֱבַד נְטִיעָן בְּבַר נָשׁ אָחֳרָא. מַה גֶּפֶן, לָא אִית בֵּיהּ רְכִיבָה מֵאִילָנָא אָחֳרָא, אוּף הָכֵי אִתְּתָא דִּכְשֵׁרָא הָכֵי נָמֵי.

תלב. וְחָמֵי מַה אַגְרָהּ, בָּנֶיךָ כִּשְׁתִילֵי זֵיתִים. מַה זֵיתִים לָא נָפְלֵי טַרְפַּיְיהוּ, כָּל יוֹמֵי שַׁתָּא, וְכֻלְּהוּ קְשׁוּרִין תָּדִיר. אוּף הָכֵי בָּנֶיךָ כִּשְׁתִילֵי זֵיתִים סָבִיב לְשֻׁלְחָנֶךָ.

תלג. מַה כְּתִיב בַּתְרֵיהּ, הִנֵּה כִּי כֵן יְבֹרַךְ גָּבֶר יְרֵא יְיָ'. מַאי הִנֵּה כִּי כֵן יְבֹרַךְ גָּבֶר. הִנֵּה כֵן מִבָּעֵי לֵיהּ. אֶלָּא לְאַסְגָּאָה מִלָּה אָחֳרָא, דְּאוֹלִיפְנָא דָּא מִנָּהּ, דְּכָל זִמְנָא דִּשְׁכִינְתָּא הֲוָה צְנִיעָא בְּאַתְרָהּ, כִּדְקָא חֲזֵי לָהּ, כִּבְיָכוֹל, בָּנֶיךָ כִּשְׁתִילֵי זֵיתִים, אִלֵּין יִשְׂרָאֵל כַּד שָׁרָאן

בְּאַרְעָא. סָבִיב לְשֻׁלְחָנָךְ. דְּאָכְלֵי וְשָׁתָאן, וְקָרֵבִין קָרְבָּנִין וְחַדָאן קַמֵּי קב"ה, וּמִתְבָּרְכָן עִלָּאִין וְתַתָּאִין בְּגִינַיְיהוּ.

תלד. לְבָתַר דִּשְׁכִינְתָּא נָפְקַת, אִתְגְּלוּ יִשְׂרָאֵל, מֵעַל פְּתוֹרָא דַּאֲבוּהוֹן, וַהֲווֹ בֵּינֵי עַמְמַיָּא, וְצַוְוחִין כָּל יוֹמָא, וְלֵית דְּאַשְׁגַּח בְּהוּ, בַּר קב"ה, דִּכְתִיב וְאַף גַּם זֹאת בִּהְיוֹתָם בְּאֶרֶץ אוֹיְבֵיהֶם וגו'. וְזִמְנִין, כַּמָּה קַדִּישִׁין עִלָּאִין, מִיתוּ בִּגְזֵרִין תַּקִּיפִין, וְכָל דָּא, בְּגִין עוֹנְשָׁא דְּאוֹרַיְיתָא, דְּלָא קַיְּימוּ יִשְׂרָאֵל, כַּד הֲווֹ שָׁרָאן בְּאַרְעָא קַדִּישָׁא.

תלה. וְחָמֵי מַה כְּתִיב, תַּחַת אֲשֶׁר לֹא עָבַדְתָּ אֶת יְיָ' אֱלֹהֶיךָ בְּשִׂמְחָה וּבְטוּב לֵבָב מֵרֹב כֹּל. הַאי קְרָא, אִיהוּ רָזָא תַּחַת, אֲשֶׁר לֹא עָבַדְתָּ בְּשִׂמְחָה בִּזְמַן דְּכַהֲנֵי הֲווֹ קָרֵבִין קָרְבְּנִין וַעֲלָוָון, וְדָא הִיא בְּשִׂמְחָה. וּבְטוּב לֵבָב, אִלֵּין לֵיוָאֵי. מֵרֹב כֹּל, אִלּוּ יִשְׂרָאֵל, דַּהֲווֹ אֶמְצָעִיִּים בֵּינַיְיהוּ, וְנַטְלֵי בִּרְכָאן מִכָּל סִטְרִין.

תלו. דִּכְתִיב הִרְבִּיתָ הַגּוֹי לוֹ הִגְדַּלְתָּ הַשִּׂמְחָה. אִלֵּין כַּהֲנֵי. שָׂמְחוּ לְפָנֶיךָ כְּשִׂמְחַת בַּקָּצִיר, אִלּוּ יִשְׂרָאֵל, דְּקב"ה בָּרִיךְ לוֹן, עֲבוּרָא דְּחַקְלָא, וְיַהֲבֵי מַעַשְׂרָא מִכֹּלָּא. כַּאֲשֶׁר יָגִילוּ בְּחַלְּקָם שָׁלָל. אִלֵּין לֵיוָאֵי, דְּנַטְלָא מַעַשְׂרָא, מִגּוֹ אִדְּרָא.

תלז. ד"א הִרְבִּיתָ הַגּוֹי. אִלֵּין יִשְׂרָאֵל דִּמְהֵימְנוּתָא דְּקב"ה עֲלַיְיהוּ, כִּדְקָא חָזֵי. לוֹ הִגְדַּלְתָּ הַשִּׂמְחָה. דָּא אִיהוּ דַּרְגָּא, רֵישָׁא עִלָּאָה דְּאַבְרָהָם דְּאִתְדַּבַּק בָּהּ, דְּאִיהוּ גָּדוֹל, וְחֶדְוָה בֵּיהּ אִשְׁתְּכַח.

תלח. שָׂמְחוּ לְפָנֶיךָ בְּשַׁעְתָּא דְּסָלְקִין לְאִתְדַּבְּקָא בָּךְ. כְּשִׂמְחַת בַּקָּצִיר. דָּא כְּנֶסֶת יִשְׂרָאֵל, דְּשִׂמְחַת בַּקָּצִיר דִּילֵיהּ הָוֵה. כַּאֲשֶׁר יָגִילוּ בְּחַלְּקָם שָׁלָל. כַּאֲשֶׁר יָגִילוּ, אִלֵּין שְׁאַר חֵילִין, וְרַתִּיכִין לְתַתָּא, בִּזְמְנָא דְּמִתְפַּלְּגֵי שָׁלָל, וְטַרְפֵי טַרְפָּא, בְּרֵאשִׁיתָא דְּכֹלָּא.

תלט. ר' יְהוּדָה פָּתַח וְאָמַר, עֵת לַעֲשׂוֹת לַיְיָ' הֵפֵרוּ תּוֹרָתֶךָ. עֵת לַעֲשׂוֹת לַיְיָ' מַהוּ. אֶלָּא, הָא אוֹקְמוּהָ. אֲבָל עֵת: דָּא כְּנֶסֶת יִשְׂרָאֵל, דְּאִקְרֵי עֵת. כְּמָה דְּאַתְּ אָמֵר, וְאַל יָבֹא בְכָל עֵת אֶל הַקֹּדֶשׁ. מַאי וְאַל יָבֹא בְכָל עֵת. כְּמָה דְּאַתְּ אָמֵר, לִשְׁמָרְךָ מֵאִשָּׁה זָרָה. וְדָא הוּא וַיַּקְרִיבוּ לִפְנֵי יְיָ' אֵשׁ זָרָה וגו'. מַאי טַעְמָא עֵת. בְּגִין, דְּאִית לָהּ עֵת וּזְמַן לְכֹלָּא, לְקָרְבָא, לְאִתְנַהֲרָא, לְאִתְחַבְּרָא כִּדְקָא יָאוֹת. כד"א וַאֲנִי תְפִלָּתִי לְךָ יְיָ' עֵת רָצוֹן.

תמ. לַעֲשׂוֹת לַיְיָ'. כְּמָה דִּכְתִיב, וַיַּעַשׂ דָּוִד שֵׁם. דְּכָל מַאן דְּאִשְׁתַּדַּל בְּאוֹרַיְיתָא, כְּאִלּוּ עָבִיד וְתַקַּן, הַאי עֵת, לְחַבְּרָא לָהּ בְּקב"ה. וְכָל כָּךְ לָמָּה, בְּגִין דְּהֵפֵרוּ תּוֹרָתֶךָ, דְּאִלּוּ לָא הֵפֵרוּ תּוֹרָתֶךָ, לָא אִשְׁתְּכַח פֵּרוּדָא דְּקוּדְשָׁא בְּרִיךְ הוּא מִיִּשְׂרָאֵל לְעָלְמִין.

תמא. אָמַר ר' יוֹסֵי, כְּגַוְונָא דָּא כְּתִיב, אֲנִי יְיָ' בְּעִתָּהּ אֲחִישֶׁנָּה. מַהוּ בְּעִתָּהּ. בְּעֵת הֲ' דְּתָקוּם מֵעַפְרָא, כְּדֵין אֲחִישֶׁנָּה. אָמַר רַבִּי יוֹסֵי, וְעִם כָּל דָּא, יוֹמָא וְחַד, אִיהִי כְּנֶסֶת יִשְׂרָאֵל, גּוֹ עַפְרָא וְלָא יַתִּיר.

תמב. אָמַר ר' יְהוּדָה, הָכֵי אָמְרוּ. אֲבָל ת"ח, רָזָא דְּאוֹלִיפְנָא, בְּשַׁעְתָּא דִּכְנֶסֶת יִשְׂרָאֵל אִתְגַּלְיָיא מֵאַתְרָהּ, כְּדֵין אַתְוָון דִּשְׁמָא קַדִּישָׁא, כִּבְיָכוֹל אִתְפָּרְשׁוּ. דְּאִתְפָּרְשָׁא ה"א, מִן וא"ו. וּבְגִין דְּאִתְפָּרְשׁוּ, מַה כְּתִיב, נֶאֱלַמְתִּי דוּמִיָּה, בְּגִין דְּאִסְתַּלַּק, וא"ו מִן ה"א, וְקוֹל לָא אִשְׁתְּכַח, כְּדֵין דִּבּוּר אִתְאֲלַם.

תמג. וּבְגִין כָּךְ, הִיא שְׁכִיבַת בְּעַפְרָא, כָּל הַהוּא יוֹמָא דְּה"א. וּמַאן אִיהוּ, אֶלֶף וַחֲמִשָּׁאָה, ואע"ג דְּאַקְדִּימַת בְּגָלוּתָא, עַד לָא יֵיעוֹל הַהוּא אֶלֶף וַחֲמִשָּׁאָה, רָזָא דְּה"א.

תמד. וְכַד יֵיתֵי אֶלֶף שְׁתִיתָאָה דְּאִיהוּ רָזָא דְּוא"ו, כְּדֵין וא"ו יוֹקִים לְה"א. בִּזְמְנָא שִׁית זִמְנִין עֶשֶׂר, וא"ו סַלְקָא בְּי', וא"ו נַחְתָּא בְּה"א.

תמה. אִשְׁתְּלִים וא"ו גּוֹ עֶשֶׂר, שִׁית זִמְנִין, כְּדֵין הֲווֹ שִׁתִּין, לְאַקָּמָא מֵעַפְרָא, וּבְכָל שִׁתִּין

ושתין, מההוא אלף שתיתאה, אתתקף ה"א, וסלקא בדרגוי, לאתתקפא. ובשית מאה שנין לשתיתאה, יתפתחון תרעי דחכמתא לעילא, ומבועי דחכמתא לתתא, ויתתקן עלמא, לאעלא בשביעאה. כבר נש, דמתתקן ביומא שתיתאה, מכי ערב שמשא, לאעלא בשבתא. אוף הכי נמי. וסימניך בשנת שש מאות שנה לחיי נח וגו'. נבקעו כל מעיינות תהום רבה.

תמו. א"ל רבי יוסי, כל דא, אריכו זמנא יתיר, מכמה דאוקמוה חבריא, דאיהו יומא חד, גלותא דכנסת ישראל, ולא יתיר, דכתיב נתנני שוממה כל היום דוה. א"ל, הכי אוליפנא מאבא, ברזין דאתוון דשמא קדישא, וביומי דשני עלמא, וביומי דבראשית, וכלא רזא חדא איהו.

תמז. וכדין יתחזי קשתא בעננא, בגווני נהירין, כאתתא דמתקשטא לבעלה, דכתיב וראיתיה לזכר ברית עולם. והא אוקמוה ושפיר הוא. וראיתיה: בגוונין נהירין כדקא יאות.

תמח. וכדין לזכור ברית עולם. מאן ברית עולם. דא כנסת ישראל ויתחבר וא"ו בה"א, ויקים לה מעפרא, כד"א ויזכר אלהים את בריתו. דא כנסת ישראל. דאיהי ברית, כד"א והיתה לאות ברית וגו'.

תמט. כד יתער וא"ו, לגבי ה"א, כדין אתין עלאין, יתערון בעלמא. ובנוי דראובן, זמינין דיתערון קרבין, בכל עלמא, וכנסת ישראל יוקים לה מעפרא, וידכר לה קודשא בריך הוא.

תנ. וישתכח קב"ה לגבה, גו גלותא כחושבן וא"ו, שית זמנין י'. עשר זמנין שית שנין, וכדין תיקום, ויתפקד עלמא, למעבד נוקמין, ומאן דאיהו מאיך יתרמי.

תנא. א"ל ר' יוסי, שפיר קאמרת, בגין דאיהו גו רזא דאתוון. וליח לן לאתערא, וחושבן וקצין אחרנין, דהא בספרא דרב ייבא סבא אשכחן, וחושבן דא, דכתיב אז תרצה הארץ. והוא רזא דוא"ו, דכתיב, וזכרתי את בריתי יעקוב. ודא הוא ו"ו, כלא כחדא, ועל דא אזכור, ולבתר והארץ אזכור, דא כנסת ישראל. תרצה: תתרעי ארעא, לגבי קודשא בריך הוא.

תנב. אבל יומא חד, דאמרו חבריא, ודאי כלא הוא גניז, קמי קב"ה, וכלא אשתכח ברזא דאתוון, דשמא קדישא, דהא גלותא, באינון אתוון, גלי לון רבי ייסא הכא, והשתא באינון אתוון אתגליין, וגלי לון.

תנג. א"ל ת"ח, דאפילו כד אתפקדא שרה, מהאי דרגא, לא פקיד לה, אלא ברזא דוא"ו, דכתיב וי"י פקד את שרה וגו'. בגין דכלא ברזא דוא"ו איהו, ובהא כליל כלא, וביה אתגליא כלא, בגין דכל מלה דאיהי סתימא, איהי גלי כל סתים, ולא אתי מאן דאיהו באתגליא, ויגלי מה דאיהו סתים.

תנד. א"ר יוסי, כמה אית לן לאתמשכא גו גלותא, עד ההוא זמנא, וכלא תלי ליה קב"ה, כד יתובון בתיובתא, אי יזכו, ואי לא יזכו כמה דאתמר בהאי קרא, דכתיב אני י"י בעתה אחישנה. זכו אחישנה, לא זכו בעתה.

תנה. אזלו עד דהוו אזלי, א"ר יוסי, אדכרנא השתא, דהא באתר דא יתיבנא, יומא חד עם אבא, ואמר לי ברי, זמין אנת, כד מטון יומך, לשיתין שנין, לאשכחא בהאי אתר סימא, דחכמתא עלאה, והא זכינא לאינון יומין, ולא אשכחנא, ולא ידענא, אי הני מלין

דְּקָאֲמָרָן, או הַהִיא וְחָכְמְתָא, דְּאִיהוּ אֲמַר.

תנו. וַאֲמַר לִי כַּד יִמְטוּן קוּלְפִין דְּנוּרָא, גּוֹ טְהִירֵי יְדָךְ, אִתְאֲבִיד מִינָךְ. אֲמִינָא לֵיהּ אַבָּא בַּמֶּה יָדַעְתְּ. א"ל, בְּהַנֵּי תְּרֵין צִפּוֹרִין, דְּאַעֲבָרוּ עַל רֵישָׁךְ יְדַעְנָא.

תנז. אַדְּהָכֵי, אִתְפָּרַשׁ ר' יוֹסֵי, וְעָאל גּוֹ מְעַרְתָּא וְחָדָא, וְאַשְׁכַּח סִפְרָא וְחַד, דַּהֲוָה נָעִיץ גּוֹ נוּקְבָא דְּטִנָּרָא, בְּסִיְּיפֵי מְעַרְתָּא, נָפַק בֵּיהּ.

תנח. כֵּיוָן דִּפְתַח לֵיהּ, חָמָא שַׁבְעִין וּתְרֵין גְּלִיפִין דְּאַתְוָון, דְּאִתְמְסָרוּ לְאָדָם הָרִאשׁוֹן, וּבְהוּ הֲוָה יָדַע, כָּל חָכְמְתָא דְּעִלָּאִין קַדִּישִׁין, וְכָל אִינּוּן דְּבָתַר רֵיחַיָּא, דְּמִתְגַּלְגְּלָן בָּתַר פָּרוֹכְתָּא, גּוֹ טְהִירִין עִלָּאִין, וְכָל אִינּוּן מִלִּין, דְּזַמִּינִין לְמֵיתֵי לְעָלְמָא, עַד יוֹמָא, דְּיָקוּם עֲנָנָא, דְּבִסְטַר מַעֲרָב, וְיַחְשִׁיךְ עָלְמָא.

תנט. קָרָא לְרַבִּי יְהוּדָה, וְשָׁרוּ לְמִלְעֵי, בְּהַהוּא סִפְרָא, לָא סְפִיקוּ לְמִלְעֵי, תְּרֵי אוֹ תְּלָתָא סִטְרִין, דְּאִינּוּן אַתְוָון, עַד דַּהֲווּ מִסְתַּכְּלִין, בְּהַהִיא חָכְמָה עִלָּאָה, כֵּיוָן דְּמָטוּ, לְמִלְעֵי בִּסְתִירוּ דְּסִפְרָא, וּמִשְׁתָּעוּ דָּא עִם דָּא, נָפַק שַׁלְהוֹבָא דְּאֶשָּׁא, וְעִלְעוּלָא דְּרוּחָא, וּבָטַשׁ בִּידַיְיהוּ, וְאִתְאֲבִיד מִנַּיְיהוּ. בָּכָה ר' יוֹסֵי וַאֲמַר דִּילְמָא ח"ו, חוֹבָה אִיהוּ גַּבָּן, אוֹ דְּלָאו אֲנַן זַכָּאִין, לְמִנְדַּע לֵיהּ.

תס. כַּד אָתוֹ לְגַבֵּי דר' שִׁמְעוֹן, אִשְׁתָּעוּ לֵיהּ עוֹבָדָא דָּא, אֲמַר לוֹן, דִּילְמָא בְּקֵץ מְשִׁיחָא דְּאִינּוּן אַתְוָון, הֲוֵיתוּן מִשְׁתַּדְּלֵי, אֲמָרוּ לֵיהּ, דָּא לָא יָדְעִינָן, דְּהָא כֹּלָּא אִתְנְשֵׁי מִינָן. אֲמַר לוֹן רַבִּי שִׁמְעוֹן. לֵית רְעוּתָא דְּקֻבְ"ה בְּדָא, דְּיִתְגְּלֵי כָּל כָּךְ לְעָלְמָא, וְכַד יְהֵא קָרִיב לְיוֹמֵי מְשִׁיחָא, אֲפִילּוּ רַבְיֵי דְּעָלְמָא, זְמִינִין לְאַשְׁכְּחָא טְמִירִין דְּחָכְמְתָא, וּלְמִנְדַּע בֵּיהּ קִצִּין, וְחוּשְׁבְּנִין, וּבְהַהוּא זִמְנָא, אִתְגַּלְיָא לְכֹלָּא, הה"ד, כִּי אָז אֶהְפֹּךְ אֶל עַמִּים וגו'. מַהוּ אָז. בְּזִמְנָא דְּתֵיקוּם כְּנֶסֶת יִשְׂרָאֵל מֵעַפְרָא, וְיוֹקִים לָהּ קֻבְ"ה, כְּדֵין אֶהְפֹּךְ אֶל עַמִּים שָׂפָה בְרוּרָה לִקְרֹא כֻלָּם בְּשֵׁם יי' וּלְעָבְדוֹ שְׁכֶם אֶחָד.

תסא. ת"ח, אע"ג דְּאַבְרָהָם כְּתִיב בֵּיהּ, וַיִּסַּע אַבְרָם הָלוֹךְ וְנָסוֹעַ הַנֶּגְבָּה. וְכָל מַטְלָנוֹי, הֲווּ לְדָרוֹמָא, וְאִתְקַשַּׁר בֵּיהּ, לָא סָלִיק לְדוּכְתֵּיהּ כִּדְקָא יָאוּת, עַד דְּאַתְיְלִיד יִצְחָק, כֵּיוָן דְּאִתְיְלִיד יִצְחָק, אִסְתַּלַּק לְאַתְרֵיהּ, וְאִיהוּ אִשְׁתַּתַּף בַּהֲדֵיהּ, וְאִתְקַשְּׁרוּ דָּא בְּדָא.

תסב. בְּגִ"כ, אִיהוּ קָרֵי לֵיהּ יִצְחָק, וְלָא אָחֳרָא, בְּגִין לְשַׁתְּפָא מַיָּא בְּאֶשָּׁא, דִּכְתִיב וַיִּקְרָא אַבְרָהָם אֶת שֵׁם בְּנוֹ הַנּוֹלַד לוֹ אֲשֶׁר יָלְדָה לוֹ שָׂרָה יִצְחָק, מַאן הַנּוֹלַד לוֹ, אֵשׁ מִמַּיִם.

תסג. וַתֵּרֶא שָׂרָה אֶת בֶּן הָגָר הַמִּצְרִית אֲשֶׁר יָלְדָה לְאַבְרָהָם מְצַחֵק. אָמַר רַבִּי חִיָּיא, מִיּוֹמָא דְּאִתְיְלִיד יִצְחָק, וַהֲוָה יִשְׁמָעֵאל בְּבֵיתָא דְּאַבְרָהָם, לָא אִסְתַּלַּק יִשְׁמָעֵאל בִּשְׁמָא, בַּאֲתַר דְּדַהֲבָא שַׁרְיָא, סוּסְפִיתָא לָא אִדְכַּר קַמֵּיהּ, וּבְגִ"כ אֶת בֶּן הָגָר הַמִּצְרִית, גְּבַר דְּלָא יִתְחֲזֵי לְאַדְכָּרָא, קַמֵּיהּ דְּיִצְחָק.

תסד. אֲמַר רַבִּי יִצְחָק, וַתֵּרֶא שָׂרָה, בְּעֵינָא דְּקַלָּנָא, וְחָמַאת לֵיהּ שָׂרָה דְּלָא וְחָמַאת לֵיהּ בְּעֵינָא, דְּאִיהוּ בְּרָא דְּאַבְרָהָם, אֶלָּא דְּאִיהוּ בְּרָא, דְּהָגָר הַמִּצְרִית, וּבְגִ"כ וַתֵּרֶא שָׂרָה: דְּשָׂרָה וְחָמַאת לֵיהּ בְּעֵינָא דָּא, וְלָא אַבְרָהָם, דְּאִילּוּ בְּאַבְרָהָם, לָא כְּתִיב אֶת בֶּן הָגָר, אֶלָּא אֶת בְּנוֹ.

תסה. ת"ח לְבָתַר מַה כְּתִיב, וַיֵּרַע הַדָּבָר מְאֹד בְּעֵינֵי אַבְרָהָם עַל אוֹדוֹת בְּנוֹ. וְלָא כְתִיב, עַל אוֹדוֹת בֶּן הָגָר הַמִּצְרִית. בְּגִ"כ, וַתֵּרֶא שָׂרָה אֶת בֶּן הָגָר הַמִּצְרִית. וְלָא וְחָמַאת דְּאִיהוּ בְּרֵיהּ דְּאַבְרָהָם.

תסו. רַבִּי שִׁמְעוֹן אָמַר, הַאי קְרָא, תּוּשְׁבַּחְתָּא דְּשָׂרָה אִיהוּ, בְּגִין דְּחָמַאת לֵיהּ, דְּקָא

מְצַחֵק לְכו"ם, אֲמִירָה, וַדַּאי לָאו בְּרָא דָּא, בְּרָא דְּאַבְרָהָם, לְמֶעְבַּד עוֹבָדוֹי דְּאַבְרָהָם, אֶלָּא בְּרָא דְּהָגָר הַמִּצְרִית אִיהוּ, אֲהֲדַר לְחוּלָקָא דְּאִמֵּיהּ, בְּגִ"כ, וַתֹּאמֶר לְאַבְרָהָם גָּרֵשׁ הָאָמָה הַזֹּאת וְאֶת בְּנָהּ כִּי לֹא יִירַשׁ בֶּן הָאָמָה הַזֹּאת עִם בְּנִי עִם יִצְחָק.

תסז. וְכִי ס"ד, דְּקַנֵּי לָהּ שָׂרָה, אוֹ לִבְרָהּ, אִי הָכֵי, לָא אוֹדֵי קֻבָּ"ה עִמָּהּ, דִּכְתִיב כֹּל אֲשֶׁר תֹּאמַר אֵלֶיךָ שָׂרָה שְׁמַע בְּקוֹלָהּ. אֶלָּא, בְּגִין דְּחָמֵאת לֵיהּ בְּכו"ם, וְאִמֵּיהּ אוֹלְפָא לֵיהּ נִמּוּסֵי דְּכו"ם, בְּגִין כָּךְ, אֲמָרַת שָׂרָה, כִּי לֹא יִירַשׁ בֶּן הָאָמָה הַזֹּאת, אֲנָא יָדַעְנָא, דְּלָא יָרֵית לְעָלְמִין, חוּלָקָא דִּמְהֵימְנוּתָא, וְלָא יְהֵא לֵיהּ, עִם בְּרִי חוּלָקָא, לָא בְּעָלְמָא דֵּין, וְלָא בְּעָלְמָא דְּאָתֵי, וּבְגִין כָּךְ אוֹדֵי עִמָּהּ קוּדְשָׁא בְּרִיךְ הוּא.

תסח. וְקֻבָּ"ה, בָּעָא לְאַפְרָשָׁא בִּלְחוֹדוֹי, זַרְעָא קַדִּישָׁא כִּדְקָא יָאוּת, דִּבְגִין כָּךְ, בָּרָא עָלְמָא, דְּהָא יִשְׂרָאֵל, סָלִיק בִּרְעוּתָא דְּקֻבָּ"ה, עַד לָא יִבְרֵי עָלְמָא, וּבְגִין כָּךְ, נָפַק אַבְרָהָם לְעָלְמָא, וְעָלְמָא מִתְקַיֵּים בְּגִינֵיהּ, וְאַבְרָהָם וְיִצְחָק קָיְימוּ, וְלָא אִתְיַישְּׁבוּ בְּדוּכְתַּיְיהוּ, עַד דְּנָפַק יַעֲקֹב לְעָלְמָא.

תסט. כֵּיוָן דְּנָפַק יַעֲקֹב לְעָלְמָא אִתְקַיְּימוּ, אַבְרָהָם וְיִצְחָק, וְאִתְקַיֵּים כָּל עָלְמָא, וּמִתַּמָּן נָפַק עַמָּא קַדִּישָׁא לְעָלְמָא, וְאִתְקַיֵּים כֹּלָּא, כְּגַוְונָא קַדִּישָׁא, כִּדְקָא יָאוּת, וּבְגִ"כ, א"ל קֻבָּ"ה, כֹּל אֲשֶׁר תֹּאמַר אֵלֶיךָ שָׂרָה שְׁמַע בְּקוֹלָהּ כִּי בְּיִצְחָק יִקָּרֵא לְךָ זָרַע, וְלָא בְּיִשְׁמָעֵאל.

תע. מַה כְּתִיב לְבָתַר, וַתֵּלֶךְ וַתֵּתַע בְּמִדְבַּר בְּאֵר שָׁבַע. כְּתִיב הָכָא וַתֵּתַע וּכְתִיב הָתָם הֶבֶל הֵמָּה מַעֲשֵׂה תַּעְתּוּעִים. וְקֻבָּ"ה, בְּגִינֵיהּ דְּאַבְרָהָם, לָא שָׁבֵיק לָהּ, וְלִבְרָהּ.

תעא. ת"ח, בְּקַדְמֵיתָא כַּד אָזְלַת מִקַּמֵּיהּ דְּשָׂרָה, מַה כְּתִיב, כִּי שָׁמַע יְיָ אֶל עָנְיֵךְ. וְהַשְׁתָּא דְּטָעַאת בָּתַר כו"ם, אַע"ג דִּכְתִיב, וַתִּשָּׂא אֶת קוֹלָהּ וַתֵּבְךְּ. מַה כְּתִיב, כִּי שָׁמַע אֱלֹהִים אֶל קוֹל הַנַּעַר. וְלָא כְּתִיב כִּי שָׁמַע אֱלֹהִים אֶת קוֹלֵךְ.

תעב. בַּאֲשֶׁר הוּא שָׁם. הָא אוֹקְמוּהָ, דְּלָאו בַּר עוֹנָשָׁא הוּא, לְגַבֵּי בֵּי דִּינָא דִּלְעֵילָּא, דְּהָא בֵּי דִּינָא דִּלְתַתָּא, עָנְשִׁין מִתְּלֵיסַר שְׁנִין וּלְעֵילָּא, וּבֵי דִּינָא דִּלְעֵילָּא, מֵעֶשְׂרִים שְׁנִין וּלְהָלְאָה. וְאַע"ג דְּחַיָּיבָא הֲוָה, לָאו בַּר עוֹנָשָׁא אִיהוּ. וְהָא אוֹקְמוּהָ, וְדָא הוּא דִּכְתִיב, בַּאֲשֶׁר הוּא שָׁם.

תעג. א"ר אֶלְעָזָר, אִי הָכֵי, מַאן דְּאִסְתַּלַּק מֵעָלְמָא, עַד לָא מָטוֹן יוֹמוֹי, לְעֶשְׂרִין שְׁנִין, מֵאָן אֲתַר אִתְעֲנַשׁ, בְּגִין דְּהָא מִתְּלֵיסַר שְׁנִין וּלְתַתָּא, לָאו בַּר עוֹנָשָׁא אִיהוּ, אֶלָּא בְּחֶטְאוֹי דַּאֲבוֹי, אֲבָל מִתְּלֵיסַר שְׁנִין וּלְעֵילָּא מַהוּ. א"ל, קֻבָּ"ה חָס עֲלֵיהּ, דִּלֵימוּת זַכַּאי, וְיָהֵיב לֵיהּ אֲגַר טַב, בְּהַהוּא עָלְמָא, וְלָא לֵימוּת חַיָּיב, דְּיִתְעֲנַשׁ בְּהַהוּא עָלְמָא, וְאוֹקְמוּהָ.

תעד. א"ל אִי חַיָּיבָא הוּא, וְלָא מָטוֹן יוֹמוֹי, לְעֶשְׂרִין שְׁנִין, מַהוּ, כֵּיוָן דְּאִסְתַּלַּק מֵעָלְמָא, בְּמַאי הוּא עוֹנְשֵׁיהּ. א"ל בְּדָא אִתְקַיֵּים וְיֵשׁ נִסְפֶּה בְּלֹא מִשְׁפָּט. דְּכַד עוֹנָשָׁא נָחֵית לְעָלְמָא, אִיהוּ אַעֲרַע בְּלָא כַּוָּונָה, לְעֵילָּא וְתַתָּא, בְּהַהוּא מְחַבְּלָא, וְיִתְעֲנַשׁ, כַּד לָא אַשְׁגָּחוּ עֲלֵיהּ מִלְּעֵילָּא.

תעה. וַעֲלֵיהּ כְּתִיב עֲווֹנוֹתָיו יִלְכְּדֻנוֹ אֶת הָרָשָׁע. א"ת לְאַסְגָּאָה, מַאן דְּלָא מָטוֹן יוֹמוֹי, לְאִתְעֲנָשָׁא, עֲווֹנוֹתָיו יִלְכְּדֻנוֹ וְלָא בֵּי דִּינָא דִּלְעֵילָּא, וּבְחַבְלֵי חַטָּאתוֹ יִתָּמֵךְ, וְלָא בֵּי דִּינָא דִּלְתַתָּא בְּגִין כָּךְ כְּתִיב כִּי שָׁמַע אֱלֹהִים אֶל קוֹל הַנַּעַר בַּאֲשֶׁר הוּא שָׁם.

תעו. ר"ש פָּתַח וַאֲמַר וְזָכַרְתִּי אֶת בְּרִיתִי יַעֲקוֹב, מָלֵא בְּוא"ו, אַמַּאי. אֶלָּא, בִּתְרֵין סִטְרִין אִיהוּ, רָזָא דְּחָכְמְתָא, וְדָא, דְּאִיהוּ רָזָא דַּרְגָּא דְּחָכְמְתָא אֲתַר דְּשָׁרֵי בֵּיהּ יַעֲקֹב.

אֲבָל הַאי קְרָא, עַל גָּלוּתָא דְיִשְׂרָאֵל אִתְּמַר, דְּכַד אִינּוּן גּוֹ גָּלוּתָא, הַהוּא זִמְנָא דְּיִתְפַּקְדוּן, יִתְפַּקְדוּן בְּרָזָא דְוא״ו. וְאִיהוּ בְּאֶלֶף שְׁתִיתָאָה.

תעז. וּפְקִידָה בְּרָזָא דְוא״ו, שִׁית רִגְעֵי, וּפַלְגּ עִידָן. וּבְזִמְנָא דְשִׁתִּין שְׁנִין, לְעַבּוּרָא דְדַשָּׁא, בְּאֶלֶף שְׁתִיתָאָה, יָקִים אֵלֶּה שְׁמַיָּא, פְּקִידוּ לְבְרַתֵּיהּ דְּיַעֲקֹב. וּמֵהַהוּא זִמְנָא, עַד דְּיְהֵא לָהּ זְכִירָה, שִׁית שְׁנִין וּפַלְגָּא. וּמֵהַהוּא זִמְנָא, שִׁית שְׁנִין אָחֳרָנִין, וְאִינּוּן שַׁבְעִין וּתְרֵין וּפַלְגָּא.

תעח. בְּשִׁיתִּין וְשִׁית, יִתְגְּלֵי מַלְכָּא מְשִׁיחָא בְּאַרְעָא דְגָלִיל, וְכַד כֹּכָבָא דְּבִסְטַר מִזְרָח, יִבְלַע שֶׁבַע כֹּכְבַיָּא מִסְּטַר צָפוֹן, וְשַׁלְהוֹבָא דְאֶשָּׁא אוּכְמָא, תְּהֵא תַּלְיָא בִּרְקִיעָא שִׁיתִּין יוֹמִין, וּקְרָבִין יִתְעָרוּן בְּעָלְמָא, לִסְטַר צָפוֹן, וּתְרֵין מַלְכִּין יִפְּלוּן, בְּאִינּוּן קְרָבִין.

תעט. וְיִזְדַּוְּוגוּן כֻּלְּהוֹן עַמְמַיָּא, עַל בְּרַתֵּיהּ דְּיַעֲקֹב, לְאַדְחָיָיא לָהּ מֵעָלְמָא. וְעַל הַהוּא זִמְנָא כְּתִיב, וְעֵת צָרָה הִיא לְיַעֲקֹב וּמִמֶּנָּה יִוָּשֵׁעַ, וּכְדֵין, יִסְתַּיְּימוּן נַפְשִׁין מִגּוּפָא, וּבָעְיָין לְאִתְחַדְּשָׁא, וְסִימָנֵיךְ כָּל הַנֶּפֶשׁ הַבָּאָה לְיַעֲקֹב מִצְרַיְמָה וגו׳, כָּל נֶפֶשׁ, שִׁשִּׁים וָשֵׁשׁ.

תפ. בְּשַׁבְעִין וּתְלַת, כָּל מַלְכֵי עָלְמָא, יִתְכַּנְּשׁוּן לְגוֹ קַרְתָּא רַבְתָּא דְרוֹמִי, וְקוּדְשָׁא בְּרִיךְ הוּא, יִתְעַר עֲלַיְיהוּ, אֶשָּׁא וּבַרְדָּא, וְאַבְנֵי אֶלְגָּבִישׁ, וְיִתְאַבְּדוּן מֵעָלְמָא, בַּר אִינּוּן מַלְכִּין, דְלָא יִמְטוּן לְתַמָּן, וִיהַדְרוּן לְאַגָּחָא קְרָבִין אָחֳרָנִין. וּמֵהַהוּא זִמְנָא, מַלְכָּא מְשִׁיחָא, יִתְעַר בְּכָל עָלְמָא, וְיִתְכַּנְּשׁוּן עִמֵּיהּ, כַּמָּה עַמִּין, וְכַמָּה חַיָּילִין, מִכָּל סַיְיפֵי עָלְמָא, וְכָל בְּנֵי יִשְׂרָאֵל, יִתְכַּנְּשׁוּן בְּכָל אִינּוּן אַתְרֵי.

תפא. עַד דְּאִשְׁתַּלִּימוּ אִינּוּן שְׁנִין לְמֵאָה, כְּדֵין, וא״ו יִתְחַבַּר בְּה״א, וּכְדֵין וְהֵבִיאוּ אֶת כָּל אֲחֵיכֶם מִכָּל הַגּוֹיִם מִנְחָה לַיְיָ׳ וגו׳. וּבְנֵי יִשְׁמָעֵאל זְמִינִין בְּהַהוּא זִמְנָא לְאִתְעָרָא עִם כָּל עַמִּין דְעָלְמָא, לְמֵיתֵי עַל יְרוּשָׁלַם, דִּכְתִיב וְאָסַפְתִּי אֶת כָּל הַגּוֹיִם אֶל יְרוּשָׁלַם לַמִּלְחָמָה וגו׳. וּכְתִיב יִתְיַצְּבוּ מַלְכֵי אֶרֶץ וְרוֹזְנִים נוֹסְדוּ יָחַד עַל יְיָ׳ וְעַל מְשִׁיחוֹ. וּכְתִיב יוֹשֵׁב בַּשָּׁמַיִם יִשְׂחָק יְיָ׳ יִלְעַג לָמוֹ.

תפב. לְבָתַר וא״ו זְעֵירָא, יִתְעַר, לְאִתְחַבְּרָא, וּלְחַדְּשָׁא נִשְׁמָתִין, דַּהֲווֹ עַתִּיקִין, בְּגִין לְחַדְּתָא עָלְמָא, כְּמָה דִּכְתִיב, יִשְׂמַח יְיָ׳ בְּמַעֲשָׂיו. וּכְתִיב יְהִי כְבוֹד יְיָ׳ לְעוֹלָם. לְאִתְחַבְּרָא כַּדְקָא יָאוּת. יִשְׂמַח יְיָ׳ בְּמַעֲשָׂיו, לְנַחְתָּא לוֹן לְעָלְמָא, וּלְמֶהֱוֵי כֻּלְּהוֹן בִּרְיָין חַדְתִּין, לְחַבְּרָא עָלְמִין כֻּלְּהוּ כַּחֲדָא.

תפג. זַכָּאִין אִינּוּן, כָּל אִינּוּן, דְּיִשְׁתָּאֲרוּן בְּעָלְמָא בְּסַיְיפֵי אֶלֶף שְׁתִיתָאָה, לְמֵיעַל בְּשַׁבַּתָּא, דְּהָא כְּדֵין, אִיהוּ יוֹמָא חַד לְקוּדְשָׁא בְּרִיךְ הוּא בִּלְחוֹדוֹי לְאִזְדַּוְּוגָא כַּדְקָא יָאוּת, וּלְמִלְקַט נִשְׁמָתִין חַדְתִּין, לְמֶהֱוֵי בְּעָלְמָא, עִם אִינּוּן דְּאִשְׁתָּאֲרוּ בְּקַדְמֵיתָא, דִּכְתִיב וְהָיָה הַנִּשְׁאָר בְּצִיּוֹן וְהַנּוֹתָר בִּירוּשָׁלַם קָדוֹשׁ יֵאָמֶר לוֹ כָּל הַכָּתוּב לַחַיִּים בִּירוּשָׁלָם.

תפד. וַיְהִי אַחַר הַדְּבָרִים הָאֵלֶּה וְהָאֱלֹהִים נִסָּה אֶת אַבְרָהָם וַיֹּאמֶר אֵלָיו אַבְרָהָם וַיֹּאמֶר הִנֵּנִי. רַבִּי יְהוּדָה, פָּתַח וְאָמַר, אַתָּה הוּא מַלְכִּי וגו׳ דָּא הוּא שְׁלִימוּ, דְּכָל דַּרְגִּין כַּחֲדָא, דָּא בְּדָא.

תפה. צַוֵּה יְשׁוּעוֹת יַעֲקֹב, כָּל אִינּוּן שְׁלִיחָן, דְּעַבְדֵי שְׁלִיחוּתָא בְּעָלְמָא דְּלֶיהֱוֵי כֻּלְּהוּ, מִסִּטְרָא דְרַחֲמֵי, וְלָא לֶהֱווֹ מִסִּטְרָא דְדִינָא, בְּגִין דְּאִית מָארֵי שְׁלִיחָן, מִסִּטְרָא דְרַחֲמֵי, וּמִסִּטְרָא דְדִינָא קַשְׁיָא. אִינּוּן שְׁלִיחָן, דְּאַתְיָין מִסִּטְרָא דְרַחֲמֵי, לָא עַבְדֵי שְׁלִיחוּתָא דְדִינָא בְּעָלְמָא כְּלָל.

תפו. וְאִי תֵּימָא, הָא מַלְאָכָא, דְּאִתְגְּלֵי לֵיהּ לְבִלְעָם, הָא תָּנִינָן, שְׁלִיחָא דְרַחֲמֵי הֲוָה,

וְאִתְהַפָּךְ לְדִינָא. לָא. לְעוֹלָם לָא אִשְׁתְּנֵי, אֶלָּא עִלָּיוֹזָא דְרַחֲמֵי הֲוָה, לְאַגָּנָא עֲלַיְיהוּ
דְיִשְׂרָאֵל, וּלְמֶהֱוֵי סַנֵּיגוֹרְיָא עֲלַיְיהוּ, וּלְקַבְּלֵיהּ, הוּא דִינָא, וְכָךְ אוֹרְחוֹי דְקָבָּ"ה, כַּד אוֹטִיב
לְדָא, הַהוּא טִיבוּ, דִינָא לְדָא. כָּךְ הָא עִלָּיוֹזָא דְרַחֲמֵי, הֲוָה לְהוּ לְיִשְׂרָאֵל, וּלְבִלְעָם אִתְהַפָּךְ
לְדִינָא. בְּגִ"כ צִוָּה יְשׁוּעוֹת יַעֲקֹב, אָמַר דָוִד, פָּקִיד עַל עָלְמָא, כַּד יִשְׁתַּלְזוּן עִלָּיוֹזָא, דִּי
לַהֲווֹן מִסִּטְרָא דְרַחֲמֵי.

תפו. רַבִּי אַבָּא אָמַר, צַוֵּה יְשׁוּעוֹת יַעֲקֹב, דְּאִינּוּן גּוֹ גָלוּתָא, וְיִשְׁתַּכְּחוּ פּוּרְקָנָא לְהוֹן, גּוֹ
גָלוּתְהוֹן. תָּ"ח, תּוּשְׁבְּחָן דַּאֲבָהָן, יַעֲקֹב הֲוָה, וְאִלְמָלֵא יִצְחָק, לָא אָתָא יַעֲקֹב לְעָלְמָא, וּבְגִין
כָּךְ, צַוֵּה יְשׁוּעוֹת יַעֲקֹב דָא יִצְחָק, דְכֵיוָן דְּאִשְׁתְּזֵיב יִצְחָק, יְשׁוּעוֹת יַעֲקֹב הֲווֹ.

תפו. וַיְהִי אַחַר הַדְּבָרִים הָאֵלֶּה. ר' שִׁמְעוֹן אָמַר, הָא תָּנֵינָן, וַיְהִי בִּימֵי, עַל צַעֲרָא
אִתְּמַר, וַיְהִי אע"ג דְּלָא כְּתִיב בִּימֵי, טַפְסֵי דְצַעֲרָא אִית בֵּיהּ. וַיְהִי אַחַר, בָּתַר דַּרְגָּא
תַּתָּאָה, דְכָל דַּרְגִּין עִלָּאִין, וּמַאן אִיהוּ, הַדְּבָרִים, כְּד"א, לֹא אִישׁ דְּבָרִים אָנֹכִי.

תפט. וּמַאן הֲוָה בָּתַר דַּרְגָּא דָא, וְהָאֱלֹהִים נִסָּה אֶת אַבְרָהָם. דְּאָתָא יֵצֶר הָרָע,
לְקַטְרְגָא קַמֵּי קָבָּ"ה. הָכָא אִית לְאִסְתַּכְּלָא, וְהָאֱלֹהִים נִסָּה אֶת אַבְרָהָם. אֶת יִצְחָק מִבָּעֵי
לֵיהּ. דְּהָא יִצְחָק, בַּר תְּלָתִין וְשֶׁבַע שְׁנִין הֲוָה, וְהָא אֲבוּי, לָאו בַּר עוֹנָשָׁא דִילֵיהּ הֲוָה,
דְּאִלְמָלֵא אָמַר יִצְחָק, לָא בָעֵינָא, לָא אִתְעֲנַשׁ אֲבוֹי עֲלֵיהּ, מַאי טַעְמָא, וְהָאֱלֹהִים נִסָּה אֶת
אַבְרָהָם, וְלָא כְּתִיב נִסָּה אֶת יִצְחָק.

תצ. אֶלָּא, אֶת אַבְרָהָם וַדַּאי, דְּבָעֵי לְאִתְכַּלְלָא בְּדִינָא, דְּהָא אַבְרָהָם, לָא הֲוָה בֵּיהּ
דִינָא כְּלָל, מִקַּדְמַת דְּנָא, וְהַשְׁתָּא אִתְכְּלִיל מַיָּ"א בְּאֶשָּׁ"א. וְאַבְרָהָם, לָא הֲוָה שְׁלִים, עַד
הַשְׁתָּא, דְּאִתְעֲטַר לְמֶעְבַּד דִּינָא, וּלְאַתְקְנָא לֵיהּ בְּאַתְרֵיהּ.

תצא. וְכָל יוֹמוֹי, לָא הֲוָה שְׁלִים, עַד הַשְׁתָּא דְּאִתְכְּלִיל מַיָּ"א בְּאֶשָּׁ"א, וְאֶשָּׁ"א בְּמַיָּ"א,
וּבְגִ"כ וְהָאֱלֹהִים נִסָּה אֶת אַבְרָהָם, וְלָא אֶת יִצְחָק, דְּאַזְמִין אַבְרָהָם, לְאִתְכַּלְלָא בְּדִינָא, וְכַד
עָבֵיד דָא, עָאל אֶשָּׁ"א בְּמַיָּ"א, וְאִשְׁתְּלִים דָּא עִם דָּא. וְדָא עָבֵיד דִינָא, לְאִתְכַּלְלָא דָא
בְּדָא, וּכְדֵין יֵצֶר הָרָע, אָתָא לְקַטְרְגָא עֲלֵיהּ דְּאַבְרָהָם, דְּלָא אִשְׁתְּלִים כִּדְקָא יָאוֹת, עַד
דִּיעֲבֵיד דִּינָא בְּיִצְחָק, דְּיֵצֶר הָרָע, אַחַר הַדְּבָרִים אִיהוּ, וְאָתָא לְקַטְרְגָא.

תצב. וְתָא וָחֲזֵי, רָזָא דְמִלָּה. אע"ג דְּקָאמְרָן דְּאַבְרָהָם כְּתִיב, וְלָא יִצְחָק, יִצְחָק נָמֵי
אִתְכְּלִיל בֵּיהּ, בְּהַאי קְרָא, רָזָא דִכְתִיב, וְהָאֱלֹהִים נִסָּה אֶת אַבְרָהָם. נִסָּה לְאַבְרָהָם, לָא
כְּתִיב, אֶלָּא אֶת אַבְרָהָם, אֶת דַּיְיקָא, אֶת יִצְחָק, וְדָא יִצְחָק. דְּהָא בְּהַהִיא שַׁעֲתָּא, בְּגִבּוּרָ"ה תַּתָּאָה
שַׁרְיָא, כֵּיוָן דְּאִתְעֲקַד, וְאָזְדְּמַן בְּדִינָא, עַל יְדָא דְּאַבְרָהָם, כְּדֵין אִתְעֲטַר
בְּאַתְרֵיהּ, בַּהֲדֵיהּ דְּאַבְרָהָם, וְאִתְכְּלִילוּ אֶשָּׁ"א בְּמַיָּ"א, וּסְלִיקוּ לְעֵילָּא, וּכְדֵין אִשְׁתַּכְּחוּ
בְּוִזּוּלֶקֶת כִּדְקָא יָאוֹת, מַיָא בְּאֶשָּׁא.

תצג. מַאן וָזְמָא אַבָּא אַבָּא רְוֹזַמְנָא, דְּאִתְעֲבֵיד אַכְזָר. אֶלָּא, בְּגִין לְאִשְׁתַּכְּחָא בְּוִזּוּלֶקֶת מַיָא
בְּאֶשָּׁא, וּלְאִתְעַטְּרָא בְּאַתְרַיְיהוּ, עַד דְּאָתָא יַעֲקֹב, וְאִתְתַּקַּן כֹּלָּא, כִּדְקָא יָאוֹת, וְאִתְעֲבִידוּ
תְּלָתָא אֲבָהָן שְׁלֵמִין, וְאִתְתַּקְנוּ עִלָּאֵי וְתַתָּאֵי.

תצד. וַיֹּאמֶר קַח נָא אֶת בִּנְךָ. וְכִי הֵיאַךְ יָכִיל אַבְרָהָם, דְּאִיהוּ סָבָא. אִי תֵימָא, בְּגִין
דְיִצְחָק, לָא נָפִיק מֵרְשׁוּתֵיהּ כְּלָל, יָאוֹת. אֲבָל, כְּד"א קַח אֶת אַהֲרֹן וְאֶת אֶלְעָזָר בְּנוֹ. אֶלָּא,
בְּגִין לְאַמְשָׁכָא לוֹן בְּמִלִּין, וּלְאַדְכְּרָא לוֹן, לִרְעוּתָא דְקָבָּ"ה, אוֹף הָכָא קַח בְּמִלִּין. אֶת בִּנְךָ
אֶת יְחִידְךָ אֲשֶׁר אָהַבְתָּ. הָא אוּקְמוּהָ. וְלֶךְ לְךָ אֶל אֶרֶץ הַמּוֹרִיָּה, כְּד"א אֵלֵךְ לִי אֶל הַר
הַמּוֹר. לְאִתְקְנָא בְּאַתְרָא דְיִתּוֹזֵי.

תצה. בַּיּוֹם הַשְּׁלִישִׁי וַיִּשָּׂ"א אַבְרָהָ"ם אֶ"ת עֵינָיו וַיַּרְא אֶת הַמָּקוֹם מֵרָחוֹק. בַּיּוֹם

הַשְּׁלִישִׁי, הָא אוֹקְמוּהָ, אֶלָּא, כֵּיוָן דְּאִתְּמַר, וַיָּקָם וַיֵּלֶךְ אֶל הַמָּקוֹם אֲשֶׁר אָמַר לוֹ הָאֱלֹהִים, מַאי טַעְמָא, בַּיּוֹם הַשְּׁלִישִׁי וַיַּרְא אֶת הַמָּקוֹם מֵרָחוֹק. אֶלָּא, בְּגִין דִּכְתִיב, כִּי בְיִצְחָק יִקָּרֵא לְךָ זָרַע. וְדָא הוּא יַעֲקֹב, דְּנָפַק מִנֵּיהּ. וְהַאי הוּא בַּיּוֹם הַשְּׁלִישִׁי.

תצו. וַיַּרְא אֶת הַמָּקוֹם מֵרָחוֹק. כְּד"א מֵרָחוֹק יְיָ' נִרְאָה לִי. וַיַּרְא אֶת הַמָּקוֹם. דָּא הוּא יַעֲקֹב, דִּכְתִיב וַיִּקַּח מֵאַבְנֵי הַמָּקוֹם. אִסְתַּכַּל אַבְרָהָם, בַּיּוֹם הַשְּׁלִישִׁי דְּאִיהוּ דַּרְגָּא תְּלִיתָאָה, וְחָמָא לֵיהּ לְיַעֲקֹב, דִּזְמִין לְמֵיפַּק מִנֵּיהּ. מֵרָחוֹק, כְּמָה דַּאֲמָרָן, מֵרָחוֹק, וְלָא לִזְמַן קָרִיב.

תצז. אָמַר לֵיהּ רִבִּי אֶלְעָזָר, מַאי שְׁבָחָא אִיהוּ לְאַבְרָהָם, כַּד אִסְתַּכַּל, וְחָמָא דִּזַמִּין לְמֵיפַּק, מִנֵּיהּ יַעֲקֹב. דְּהָא כַּד אָזִיל לְמֶיעֱקַד לֵיהּ לְיִצְחָק, לָאו שְׁבָחָא כָּל כָּךְ אִיהוּ דִּילֵיהּ.

תצח. א"ל וַדַּאי וְחָמָא לֵיהּ לְיַעֲקֹב, דְּהָא מִקַּדְמַת דְּנָא, יָדַע אַבְרָהָם וְחָכְמְתָא, וְאִסְתַּכַּל הַשְׁתָּא, בַּיּוֹם הַשְּׁלִישִׁי, דְּאִיהוּ דַּרְגָּא תְּלִיתָאָה, לְמֶעְבַּד שְׁלִימוּ, וּכְדֵין וְחָמָא לֵיהּ לְיַעֲקֹב, דִּכְתִיב וַיַּרְא אֶת הַמָּקוֹם. אֲבָל הַשְׁתָּא, קַיְּימָא לֵיהּ מִלָּה מֵרָחוֹק, בְּגִין דְּאָזִיל לְמֶיעֱקַד לֵיהּ לְיִצְחָק, וְלָא בָּעָא לְהַרְהֵר אֲבַתְרֵיהּ דְּקוּדְשָׁא בְּרִיךְ הוּא.

תצט. מֵרָחוֹק: וְחָמָא לֵיהּ, גּוֹ אַסְפַּקְלַרְיָאה דְּלָא נָהֲרָא בִּלְחוֹדוֹי, וּבְגִין כָּךְ, וְחָמָא לֵיהּ, וְלָא אִתְגְּלֵי כְּלָא, דְּאִלּוּ אַסְפַּקְלַרְיָאה דְּנַהֲרָא, הֲוָה שְׁכִיחַ, עַל הַאי אַסְפַּקְלַרְיָאה דְּלָא נַהֲרָא, אִתְקַיַּים עֲלֵיהּ אַבְרָהָם, כִּדְקָא יָאוּת, אֲבָל מֵרָחוֹק בִּלְחוֹדוֹי הֲוָה, מֵרָחוֹק.

תק. מַאי טַעְמָא אִסְתַּלַּק, מֵהַאי מִלָּה, אַסְפַּקְלַרְיָאה דְּנַהֲרָא בְּגִין דְּהַאי, דַּרְגָּא דְּיַעֲקֹב הֲוָה, וּבְגִין דְּיַעֲקֹב עַד לָא אִתְיְילִיד, לָא אִשְׁתַּכַּח הַשְׁתָּא עַל הַאי דַּרְגָּא. וְתוּ, בְּגִין דְּיֵהָךְ וִיקַבֵּל אַגְרָא. וַיַּרְא אֶת הַמָּקוֹם מֵרָחוֹק. דָּא יַעֲקֹב, כְּמָה דְּאִתְּמַר מֵרָחוֹק, דְּלָא זָכָה בֵּיהּ.

תקא. וַיָּבֹאוּ אֶל הַמָּקוֹם אֲשֶׁר אָמַר לוֹ הָאֱלֹהִים וגו'. רָמִיז הָכָא, דְּאַע"ג דְּאָתוּ לְהַהוּא רְאִיָּיה, וְחָמָא לְיַעֲקֹב, אָמַר אַבְרָהָם, וַדַּאי קֻבָּ"ה יָדַע בְּגַוְונָא אָחֳרָא דְּאִתְחֲזֵי, מִיָּד וַיִּבֶן שָׁם אַבְרָהָם אֶת הַמִּזְבֵּחַ וגו'.

תקב. מַה כְּתִיב לְעֵילָּא, וַיֹּאמֶר יִצְחָק אֶל אַבְרָהָם אָבִיו וַיֹּאמֶר אָבִי, הָא אוֹקְמוּהָ. אֲבָל מַאי טַעְמָא, לָא אָתִיב לֵיהּ מִיָּד. אֶלָּא, בְּגִין דְּהָא אִסְתַּלַּק, מֵרַחֲמֵי דְּאַבָּא עַל בְּרָא, וּבְגִין כָּךְ, כְּתִיב הִנֶּנִּי בְנִי, הִנֶּנִּי דְּאִסְתַּלָּקוּ רַחֲמֵי, וְאִתְהַפַּךְ לְדִינָא.

תקג. וַיֹּאמֶר אַבְרָהָם, וְלָא כְּתִיב, וַיֹּאמֶר אָבִיו. דְּהָא לָא קָאִים עֲלֵיהּ כְּאַבָּא, אֶלָּא בַּעַל מַחְלוֹקֶת, הֲוָה בֵּיהּ. אֱלֹהִים יִרְאֶה לוֹ הַשֶּׂה. יִרְאֶה לָנוּ מִבָּעֵי לֵיהּ, מַאי יִרְאֶה לוֹ. אֶלָּא, א"ל אֱלֹהִים יִרְאֶה לוֹ לְגַרְמֵיהּ, כַּד אִיהוּ יִצְטְרִיךְ, אֲבָל הַשְׁתָּא בְּנִי, וְלָא אִמְּרָא. מִיָּד וַיֵּלְכוּ שְׁנֵיהֶם יַחְדָּו.

תקד. רִבִּי שִׁמְעוֹן, פָּתַח וְאָמַר, הֵן אֶרְאֶלָּם צָעֲקוּ חוּצָה מַלְאֲכֵי שָׁלוֹם מַר יִבְכָּיוּן. הֵן אֶרְאֶלָּם, אִלֵּין מַלְאֲכֵי עִלָּאֵי. צָעֲקוּ, בְּהַהִיא שַׁעֲתָא, וּבָעוּ לְקַיְּימָא, עַל הַהִיא מִלָּה, דִּכְתִיב, וַיּוֹצֵא אוֹתוֹ הַחוּצָה. בְּגִין כָּךְ, צָעֲקוּ חוּצָה.

תקה. מַלְאֲכֵי שָׁלוֹם. אִלֵּין אִינּוּן מַלְאָכִין אָחֳרָנִין, דַּהֲווּ זְמִינִין, לְמֵיהַךְ קַמֵּיהּ דְּיַעֲקֹב, וּבְגִינֵיהּ דְּיַעֲקֹב, אַבְטַח לוֹן שְׁלִימוּ קֻבָּ"ה, דִּכְתִיב וְיַעֲקֹב הָלַךְ לְדַרְכּוֹ וַיִּפְגְּעוּ בוֹ מַלְאֲכֵי אֱלֹהִים. וְאִלֵּין אִקְרוּן מַלְאֲכֵי שָׁלוֹם, כֻּלְּהוּ בָּכוּ, כַּד חָמוּ לֵיהּ לְאַבְרָהָם, דְּעָקִיד לֵיהּ לְיִצְחָק, וְאִזְדַּעְזְעוּ עִלָּאֵי וְתַתָּאֵי, וְכֻלְּהוּ עֲלֵיהּ דְּיִצְחָק.

תקו. וַיִּקְרָא אֵלָיו מַלְאַךְ יְיָ' וגו', פְּסִיק טַעְמָא בְּגַוַויְיהוּ, דְּלָאו אַבְרָהָם בַּתְרָאָה, כְּקַדְמָאָה, בַּתְרָאָה שְׁלִים, קַדְמָאָה לָא שְׁלִים, כְּגַוְונָא דָּא, שְׁמוּאֵל שְׁמוּאֵל, בַּתְרָאָה

שְׁלִים, קַדְמָאָה לָא שְׁלִים. בַּתְרָאָה נָבִיא, קַדְמָאָה לָא נָבִיא. אֲבָל מֹשֶׁה מֹשֶׁה, לָא פְּסִיק, בְּגִין דְּמִיּוֹמָא דְּאִתְיְילִיד, לָא אַעֲדֵי מִנֵּיהּ שְׁכִינְתָּא. אַבְרָהָם אַבְרָהָם: רַבִּי חִיָּיא אָמַר, בְּגִין לְאַתְעָרָא לֵיהּ, בְּרוּחָא אָחֳרָא, בְּעוֹבָדָא אָחֳרָא, בְּלִבָּא אָחֳרָא.

תקז. ר' יְהוּדָה אָמַר, אִתְבְּרֵיר יִצְחָק, וְאִסְתַּלַּק בִּרְעוּתָא, קַמֵּי קֻבְּ"ה, כְּרֵיחָא דִּקְטֹרֶת בּוּסְמִין, דְּקָרְבִין כָּהֲנַיָּיא קַמֵּיהּ, תְּרֵין זִמְנִין בְּיוֹמָא, וְאִשְׁתְּלִים קָרְבְּנָא. דְּהָא צַעֲרָא דְּאַבְרָהָם הֲוָה, בְּשַׁעֲתָא דְּאִתְּמַר לֵיהּ, אַל תִּשְׁלַח יָדְךָ אֶל הַנַּעַר וְאַל תַּעַשׂ לוֹ מְאוּמָה. וְחָשִׁיב דְּקָרְבָּנֵיהּ לָא אִשְׁתְּלִים, וּלְמַגָּנָא עֲבַד וְסַדַּר כֹּלָּא, וּבְנָה מִזְבֵּחַ. מִיָּד וַיִּשָּׂא אַבְרָהָם אֶת עֵינָיו וַיַּרְא וְהִנֵּה אַיִל אַחַר וגו'.

תקח. הָא תָּנֵינָן הוּא אַיִל דְּאִתְבְּרֵי בֵּין הַשְּׁמָשׁוֹת הֲוָה. וּבֶן שְׁנָתוֹ הָיָה, כְּד"א כֶּבֶשׂ אֶחָד בֶּן שְׁנָתוֹ. וְהָכִי אִצְטְרִיךְ, וְאַתְּ אֲמַרְתְּ בֵּין הַשְּׁמָשׁוֹת. אֶלָּא אִתְפַּקַּד וְחֵילָא, לְאִזְדַּמְּנָא הַהוּא אִימְרָא, בְּשַׁעֲתָא דְּאִצְטְרִיךְ לֵיהּ לְאַבְרָהָם. כְּמָה דְּכָל אִינּוּן מִלִּין, דַּהֲווֹ בֵּין הַשְּׁמָשׁוֹת, אִתְמַנָּא וְחֵילָא, לְאִזְדַּמְּנָא הַהוּא מִלָּה בְּשַׁעֲתָא דְּאִצְטְרִיךְ לֵיהּ. הָכֵי נָמֵי, הַאי אַיִל, דְּאִתְקְרֵיב תְּחוֹתֵיהּ דְּיִצְחָק.

תקט. פָּתַח וְאָמַר בְּכָל צָרָתָם לֹא צָר וּמַלְאַךְ פָּנָיו הוֹשִׁיעָם וגו'. תָּא חֲזֵי, בְּכָל צָרָתָם דְּיִשְׂרָאֵל, כַּד אִזְדַּמַּן לוֹן עָאקָן, כְּתִיב לֹא בְּאל"ף, וּקְרֵי בְּוא"ו, בְּגִין דְּקֻבְּ"ה עִמְּהוֹן בְּעָקוּ. לֹא בְּאל"ף, אֲתַר עִלָּאָה יַתִּיר, אַף עַל גַּב, דְּלָאו בְּהַהוּא אֲתַר, רוּגְזָא וְעָקוּ, לְהָתָם לְעֵילָּא, מָטָא עָקְתָא דְּיִשְׂרָאֵל. לֹא בְּאל"ף, כְּד"א הוּא עָשָׂנוּ וְלֹא אֲנַחְנוּ. כְּתִיב בְּאל"ף, וּקְרֵי בְּוא"ו.

תקי. וּמַלְאַךְ פָּנָיו הוֹשִׁיעָם. וְהָא אִיהוּ עִמְּהוֹן, בְּהַהוּא עָקוּ, וְאַתְּ אֲמַרְתְּ הוֹשִׁיעָם. אֶלָּא מוֹשִׁיעָם לָא כְּתִיב אֶלָּא הוֹשִׁיעָם, מִקַּדְמַת דְּנָא, דְּאִיהוּ זַמִּין, בְּהַהוּא עָקוּ, לְמִסְבַּל עִמְּהוֹן. תָּא חֲזֵי, בְּכָל זִמְנָא דְּיִשְׂרָאֵל אִינּוּן בְּגָלוּתָא, שְׁכִינְתָּא עִמְּהוֹן בְּגָלוּתָא, וְהָא אוֹקְמוּהָ, דִּכְתִּיב וְשָׁב יי' אֱלֹהֶיךָ אֶת שְׁבוּתְךָ וְרִחֲמֶךָ וגו'.

תקיא. ד"א וּמַלְאַךְ פָּנָיו הוֹשִׁיעָם, דָּא שְׁכִינְתָּא, דְּאִיהִי עִמְּהוֹן בְּגָלוּתָא וְאַתְּ אֲמַרְתְּ דְּאִיהוּ הוֹשִׁיעָם. אֶלָּא הָכֵי הוּא וַדַּאי, דְּאִלֵּין אִינּוּן, מִשְׁכְּנוֹתָיו דְּקֻבְּ"ה בְּגָלוּתָא, וּבְגִין דִּשְׁכִינְתָּא עִמְּהוֹן, קֻבְּ"ה אַדְכַּר לוֹן, לְאוֹטָבָא לוֹן, וּלְאַפָּקָא לוֹן מִן גָּלוּתָא, דִּכְתִּיב וָאֶזְכֹּר אֶת בְּרִיתִי, בְּקַדְמֵיתָא, וּלְבָתַר וְעַתָּה הִנֵּה צַעֲקַת בְּנֵי יִשְׂרָאֵל בָּאָה אֵלָי.

תקיב. וְגַם רָאִיתִי. לְאַסְגָּאָה רְאִיָּה אָחֳרָא, דְּאִיהוּ קַדְמָאָה דְּכֹלָּא, וּכְתִיב וַיִּזְכֹּר אֱלֹהִים אֶת בְּרִיתוֹ, דָּא שְׁכִינְתָּא. אֶת אַבְרָהָם, לְאַבְרָהָם מִבְּעֵי לֵיהּ, אֶלָּא אֶת אַבְרָהָם, דָּא הוּא, חַבְרוּתָא וְזִוּוּגָא דִּילָהּ, בַּאֲבָהָן. אֶת אַבְרָהָם, דָּא הוּא, מַעֲרָבִית דְּרוֹמִית. אֶת יִצְחָק, דָּא הוּא, צְפוֹנִית מַעֲרָבִית. וְאֶת יַעֲקֹב, דָּא הוּא, זִוּוּגָא חֲדָא, כְּלָלָא חֲדָא, זִוּוּגָא שְׁלִים, כִּדְקָא יָאוּת.

תקיג. כְּגַוְונָא דָּא, אֶת הַשָּׁמַיִם, דָּא הוּא, כְּלָלָא מִדַּת לַיְלָה בַּיּוֹם. וְאֶת הָאָרֶץ, דָּא מִדַּת יוֹם בַּלַּיְלָה כַּחֲדָא. אוֹף הָכָא, בְּכֻלְּהוּ אֶת, וּבְיַעֲקֹב וְאֶת, לְמֶהֱוֵי כֹּלָּא, זִוּוּגָא חֲדָא, דְּלָא מִתְפָּרְשִׁין דְּכַר וְנוּקְבָא לְעָלְמִין. וְזַמִּין קֻבְּ"ה, לְאַכְרָזָא בְּכָל עָלְמָא, וּלְאַשְׁמָעָא קָל, דְּיֵימָא, וַיֹּאמֶר אַךְ עַמִּי הֵמָּה בָּנִים לֹא יְשַׁקֵּרוּ וַיְהִי לָהֶם לְמוֹשִׁיעַ.

בָּרוּךְ יְיָ לְעוֹלָם אָמֵן וְאָמֵן.

CHAYEI SARAH
וייי שרה

א. וַיִּהְיוּ חַיֵּי שָׂרָה מֵאָה שָׁנָה וְעֶשְׂרִים שָׁנָה וְשֶׁבַע שָׁנִים. רַבִּי יוֹסֵי, פָּתַח וְאָמַר, וַיִּשְׂאוּ אֶת יוֹנָה וַיְטִלוּהוּ אֶל הַיָּם וַיַּעֲמֹד הַיָּם מִזַּעְפּוֹ. הָכָא אִית לְאִסְתַּכְּלָה, מ"ט, אַרְעִישַׁת יַמָּא עֲלֵיהּ דְּיוֹנָה, וְלָא אַרְעִישַׁת עֲלֵיהּ אַרְעָא, כֵּיוָן דְּהֲוָה אָזִיל, בְּגִין דְּלָא תִשְׁרֵי עֲלֵיהּ שְׁכִינְתָּא, יַמָּא אַמַּאי אַזְעֵיד בֵּיהּ, כַּד הֲוָה אָזִיל.

ב. אֶלָּא, וַדַּאי מִכָּה בְּאַתְרֵיהּ הֲוָה. יָם, תְּנָן, יָם דְּמַיָּא לִרְקִיעַ, וּרְקִיעַ לְכֻרְסֵי הַכָּבוֹד, וּבְגִין כָּךְ, יַמָּא אַזְעֵיד בֵּיהּ וְנַטְל לֵיהּ, מִקַּמֵּי יַמָּא עָרַק.

ג. וַיִּשְׂאוּ אֶת יוֹנָה וַיְטִלוּהוּ אֶל הַיָּם. אוֹלִיפְנָא, כַּד הֲוָה נָטְלֵי לֵיהּ וְטָבְעֵי יַרְכוֹי בְּיַמָּא, הֲוָה יַמָּא שָׁכִיךְ, זָקְפִין לֵיהּ, אִתְרְעִישׁ יַמָּא, כָּל מַה דְּטָבְעֵי לֵיהּ, הָכִי אִשְׁתְּכַךְ יַמָּא, עַד דְּאִיהוּ אָמַר, שָׂאוּנִי וַהֲטִילוּנִי אֶל הַיָּם, מִיַּד וַיִּשְׂאוּ אֶת יוֹנָה וַיְטִלוּהוּ אֶל הַיָּם.

ד. כֵּיוָן דְּאִתְרְמֵי בְּיַם פְּרָחָה מִנֵּיהּ נִשְׁמָתֵיהּ וְסַלְקָא עַד כֻּרְסַיָּא דְּמַלְכָּא, וְאִתְדָּנַת קַמֵּיהּ, וְאַהֲדָרַת לֵיהּ נִשְׁמָתֵיהּ, וְעָאל בְּפוּמָא דְּהַהוּא נוּנָא, וּמִית נוּנָא לְבָתַר אִתְקַיַּים הַהוּא נוּנָא, וְאוֹקְמוּהָ.

ה. תָּא וְחֲזֵי, בְּשַׁעֲתָא דְּבַר נָשׁ סָלִיק בְּעַרְסֵיהּ, כָּל לֵילְיָא וְלֵילְיָא נִשְׁמָתֵיהּ נָפְקַת מִנֵּיהּ, וְאִתְדָּנַת קַמֵּי בֵּי דִּינָא דְּמַלְכָּא, אִי זַכָּאָה לְאִתְקַיְּימָא, אִתְהֲדָרַת לְהַאי עָלְמָא.

ו. וְדִינָא הוּא בִּתְרֵין גַּוְונִין, דְּהָא לָא דַּיְינִין לֵיהּ לְבַר נָשׁ, עַל בִּישִׁין דְּאִיהוּ עָתִיד וְזַמִּין לְמֶעְבַּד, דִּכְתִיב כִּי שָׁמַע אֱלֹהִים וְגוֹ' בַּאֲשֶׁר הוּא שָׁם. וְלָא תֵימָא, דְּדַיְינִין לֵיהּ עַל טָבִין דְּעָבֵיד לְחוּד, אֶלָּא לְאוֹטָבָא לֵיהּ עַל אִינוּן טָבִין דְּהַשְׁתָּא, כְּמָה דְּאִתְּמָר, וְדַיְינִין לֵיהּ עַל כֵּיוָן דְּאִיהוּ זַמִּין לְמֶעְבַּד, וּבְגִינַיְיהוּ אִשְׁתְּזֵיב, אע"ג דְּאִיהוּ הַשְׁתָּא וַיָּיבָא. בְּגִין דְּקָב"ה עָבֵיד טִיבוּ, עִם כָּל בִּרְיָין, וְכָל אָרְחוֹי דְּאִיהוּ עָבֵיד, לְאוֹטָבָא לְכֹלָּא, וְלָא דָאֵין לב"נ, עַל בִּישִׁין דְּאִיהוּ זַמִּין לְמֶעְבַּד, וּבְגִין כָּךְ אִתְדָּן בַּר נָשׁ, קַמֵּי קוּדְשָׁא בְּרִיךְ הוּא.

ז. ת"ח, כֵּיוָן דְּאַטִּילוּ לֵיהּ לְיוֹנָה בְּיַמָּא, מַה כְּתִיב, וַיַּעֲמֹד הַיָּם מִזַּעְפּוֹ. הַיָּם עֵלָּאָה, מַאי וַיַּעֲמֹד, דְּקָאֵים בְּקִיּוּמֵיהּ, כְּדְקָא יָאוֹת, בַּעֲמִידָה אִיהוּ, כַּד רוּגְזָא שָׁכִיךְ, בְּשַׁעֲתָא דְּדִינָא שַׁרְיָא בְּעָלְמָא, הַהוּא בֵּי דִּינָא, אִיהוּ כְּאִתְּתָא דְּמִתְעַבְּרָא, וְקַשְׁיָא לְאוֹלְדָא, וְכַד אוֹלִידַת שָׁכִיךְ רוּגְזָא. הָכִי נָמֵי, כַּד דִּינָא שַׁרְיָא בְּעָלְמָא לָא שָׁכִיךְ וְלָא נָח, עַד דְּאִתְעֲבֵיד דִּינָא בְּחַיָּיבַיָּא, כְּדֵין הוּא נַיְיחָא דִילֵיהּ, לְמֵיקַם בְּדוּכְתָּא שְׁלִים, וּלְמֵיקַם בְּקִיּוּמֵיהּ, הה"ד, וּבַאֲבֹד רְשָׁעִים רִנָּה. וְהָא אוֹקְמוּהָ.

ח. בַּאֲבֹד רְשָׁעִים רִנָּה. וְהָכְתִיב הֶחָפֹץ אֶחְפֹּץ מוֹת הָרָשָׁע. וְהָא לֵית נַיְיזָא קַמֵּי קָב"ה, כַּד אִתְעֲבֵיד דִּינָא בְּרַשִּׁיעַיָּיא. אֶלָּא, כָּאן קוֹדֶם דְּאִשְׁתְּלִים קִיסְטָא, כָּאן לְבָתַר דְּאִשְׁתְּלִים קִיסְטָא.
תּוֹסֶפְתָּא.

ט. וַיִּהְיוּ חַיֵּי שָׂרָה. גּוּפָא דְּמַתְנִיתִין, אֲנַן קְרִיבִין הֲוֵינָא, שׁוֹמְעָנָא קָלָא מִתְהַפֵּךְ מֵעֵילָּא לְתַתָּא, אִתְפַּשְּׁטַת בְּעָלְמָא, כָּל מְתַבַּר טוּרִין, וּמִתַבַּר טִנָרִין תַּקִּיפִין, עֲלְעוֹלִין רַבְרְבִין

278

סַלְקִין, אוּדְנָּא פְּתִיוָן.

י. הֲוָה אָמַר בְּמַטַּלְנוֹי קוּץ קוֹצִיתָא, דְּמִיכָן דְּמִימִין דְּשִׁינְתָא בְּחוֹרֵיהוֹן, קְיָימִין בְּקִיּוּמֵיהוֹן. מַלְכָּא דְּמִמַּלְלָא, נַטְרֵי תַּרְעִין, שַׁלִּיטָא דְּזָוְלִין סַגִּיאִין, קָם בְּקִיּוּמֵיהּ.

יא. כֻּלְּהוּ לָא מַרְגְּשָׁן, וְלָא יָדְעֵי דְּסִפְרָא פְּתִיחָא, וּבִשְׁמָא אִכְתּוּב, וְדוּמָה קָאִים, וְנָטִיל בְּחוּשְׁבְּנָא, וְדַיְירֵי עַפְרָא תַּיְיבִין לְבַר, וְקָרִיב טַב לְאִתְמְנָאָה בְּהוּ, לָא תָּאִיבִין, גַּלְגּוּלָא וְהִפּוּךְ.

יב. נָפְלִין וְלָא קָיְימִין, אִתְמְחוֹן וְחַיָּיבִין מִסִּפְרָא דְּדוּמָה, מַאן יִתְבַּע לוֹן, וּמַאן יָתִיב בְּחוּשְׁבְּנְהוֹן, וַוי לוֹן, וַוי לְחַיֵּיהוֹן, וַוי לְרַגְשֵׁיהוֹן, בְּגִינְהוֹן אִתְקְרֵי, יִמָּחוּ מִסֵּפֶר חַיִּים וגו'.

יג. וַיִּהְיוּ חַיֵּי שָׂרָה. מַאי שְׁנָא הָכָא שָׂרָה, דִּכְתִיב מִיתָתָהּ בְּאוֹרַיְיתָא, מִכָּל נְשֵׁי דְעָלְמָא, דְּלָא כְּתִיב הָכִי מִיתַתְהוֹן בְּאוֹרַיְיתָא. אָמַר רַבִּי חִיָּיא, וְלָאו, וְהָכְתִיב וַתָּמָת רָחֵל וַתִּקָּבֵר בְּדֶרֶךְ אֶפְרָתָה. וּכְתִיב וַתָּמָת שָׁם מִרְיָם וגו'. וּכְתִיב, וַתָּמָת דְּבוֹרָה מֵינֶקֶת רִבְקָה. וּכְתִיב וַתָּמָת בַּת שׁוּעַ אֵשֶׁת יְהוּדָה.

יד. אָמַר ר' יוֹסֵי, בְּכֻלְּהוּ לָא כְּתִיב, כְּמָה דִּכְתִיב בְּשָׂרָה, דְּאִתְּמַר, וַיִּהְיוּ חַיֵּי שָׂרָה מֵאָה שָׁנָה וְעֶשְׂרִים שָׁנָה וְשֶׁבַע שָׁנִים שְׁנֵי חַיֵּי שָׂרָה. דְּהָא בְּכֻלְּהוּ, לָא אִתְמְנוּן יוֹמִין וּשְׁנִין, כְּמוֹ לְשָׂרָה. בְּכֻלְּהוּ לָא כְּתִיב פַּרְשְׁתָא וְדָא בִּלְחוֹדָהָא, כְּמוֹ לְשָׂרָה. אֶלָּא, רָזָא אִיהוּ, בְּגִין הַהוּא דַּרְגָּא, דְּכָל יוֹמִין וּשְׁנִין דְּב"ג, בֵּיהּ תַּלְיָין.

טו. פָּתַח וַאֲמַר, וְיִתְרוֹן אֶרֶץ בַּכֹּל הִיא מֶלֶךְ לְשָׂדֶה נֶעֱבָד. וְיִתְרוֹן אֶרֶץ בַּכֹּל הִיא וַדַּאי, דְּהָא מִתַּמָּן נָפְקִין רוּחִין וְנִשְׁמָתִין, וְתוֹעַלְתָּא לְעָלְמָא. מֶלֶךְ לְשָׂדֶה נֶעֱבָד, מַאן מֶלֶךְ, דָּא קוּדְשָׁא בְּרִיךְ הוּא. לְשָׂדֶה נֶעֱבָד, כַּד אִיהוּ אִתְתַּקַּן כִּדְקָא יָאוּת. וּמֶלֶךְ, דָּא מֶלֶךְ עִלָּאָה, דְּאִתְחַבַּר לְשָׂדֶה, כַּד אִיהוּ נֶעֱבָד. מַאן שָׂדֶה, דָּא שָׂדֶה אֲשֶׁר בֵּרְכוֹ ה'. דִּכְתִיב כְּרֵיחַ שָׂדֶה אֲשֶׁר בֵּרְכוֹ ה'. דְּכַד אִיהוּ נֶעֱבָד וְאִתְתַּקַּן, בְּכָל מַה דְּאִצְטְרִיךְ לֵיהּ, כִּדְקָא יָאוּת, כְּדֵין מֶלֶךְ עִלָּאָה אִתְחַבַּר עִמֵּיהּ.

טז. רַבִּי אֶלְעָזָר אָמַר, מֶלֶךְ לְשָׂדֶה נֶעֱבָד. כַּמָּה גְּוָונֵי, רָזִין עִלָּאִין הָכָא. מֶלֶךְ: דָּא שְׁכִינְתָּא, דְּלָא שָׁרְיָא בְּבֵיתָא, לְאִתְתַּקְּנָא בָהּ, אֶלָּא בְּזִמְנָא דְּאִתְנְסִיב בַּר נָשׁ, וְאִזְדַּוַּוג בְּאִנְתְּתֵיהּ, לְאוֹלָדָא וּלְמֶעְבַּד אִיבִּין, וְאִיהִי אַפִּיקַת נִשְׁמָתִין, לְאַשְׁרָאָה בָהּ, וּבְגִין כָּךְ לְשָׂדֶה נֶעֱבָד, וְלָא לְאָחֳרָא.

יז. דָּבָר אַחֵר, מֶלֶךְ: דָּא אִשָּׁה יִרְאַת ה', כד"א אִשָּׁה יִרְאַת ה' הִיא תִתְהַלָּל. לְשָׂדֶה נֶעֱבָד, דָּא אִשָּׁה זָרָה, כד"א לִשְׁמָרְךָ מֵאִשָּׁה זָרָה. בְּגִין דְּאִית שָׂדֶה, וְאִית שָׂדֶה. אִית שָׂדֶה, דְּכָל בִּרְכָאן וְקִדּוּשִׁין, בֵּיהּ שַׁרְיָין, כְּמָה דְּאַתְּ אָמֵר, כְּרֵיחַ שָׂדֶה אֲשֶׁר בֵּרְכוֹ ה'. וְאִית שָׂדֶה, דְּכָל חֵירוּב וּמְסָאֲבוּ, וְשֵׁיצָאָה, וְקַטוּלִין, וּקְרָבִין, בֵּיהּ שַׁרְיָין. וְהַאי מֶלֶךְ, זִמְנִין דְּאִיהוּ נֶעֱבָד לְהַאי שָׂדֶה, דִּכְתִיב, תַּחַת שָׁלֹשׁ רָגְזָה אֶרֶץ וגו', תַּחַת עֶבֶד כִּי יִמְלוֹךְ, וגו', וְשִׁפְחָה כִּי תִירַשׁ גְּבִרְתָּהּ. וְהַאי מֶלֶךְ, אִתְכַּסְיָא נְהוֹרֵיהּ וְאִתְחַשַּׁךְ עַד דְּאִתְדַּכֵּי, וְאִתְחַבַּר לְעֵילָּא.

יח. וּבְגִין כָּךְ שָׂעִיר דר"ח, בְּגִין דְּאִתְפְּרַשׁ הַהוּא שָׂדֶה מִמַּלְכָּא קַדִּישָׁא, וְלָא שַׁרְיָין בְּהַאי שָׂדֶה בִּרְכָאן, מֵהַאי מֶלֶךְ. וְכַד אִיהוּ נֶעֱבָד לְהַאי שָׂדֶה, כְּדֵין כְּתִיב, כִּי בַשָּׂדֶה מְצָאָהּ וגו'. כִּי בַשָּׂדֶה כְּמָה דְּאִתְּמַר.

יט. תָּא חֲזֵי, אִתַּת חַוָּה לְעָלְמָא, אִתְדַּבְּקַת בְּהַאי חִוְיָא, וְאַטִּיל בָּהּ זוּהֲמָא. וְגָרְמָא מוֹתָא לְעָלְמָא, וּלְבַעְלָהּ. אֲתַת שָׂרָה, וְנָחֲתַת וְסָלְקַת, וְלָא אִתְדַּבְּקַת בֵּיהּ, כד"א וַיַּעַל אַבְרָם מִמִּצְרַיִם הוּא וְאִשְׁתּוֹ וְכָל אֲשֶׁר לוֹ. אֲתָא נֹחַ לְעָלְמָא, מַה כְּתִיב, וַיֵּשְׁתְּ מִן הַיַּיִן

ויששכר ויתגל וגו'.

כ. ובגין דאברהם ושרה, לא אתדבקו ביה, בג"כ שרה זכתה לחיין עלאין, לה, ולבעלה, ולבנהא בתראה, הה"ד הביטו אל צור חוצבתם ואל מקבת בור נוקרתם. ועל דא, ויהיו חיי שרה, דזכתה בהו בכלהו, ולא כתיב בכלהו נשי, ויהיו חיי חוה, וכן בכלא, היא אתדבקת בחיין, ועל דא דילה הוו חיין.

תוספתא

כא. זכאה איהו, מאן דאזעיר גרמיה, בהאי עלמא, כמה איהו רב ועלאה, בההוא עלמא. והכי פתח רב מתיבתא, מאן דאיהו זעיר, איהו רב. מאן דאיהו רב, איהו זעיר. דכתיב ויהיו חיי שרה וגו'. מאה, דאיהו חושבן רב, כתיב ביה שנה, זעירו דשנין, חד, אזעיר ליה. שבע דאיהו חושבן זעיר, אסגי ליה ורבי ליה, דכתיב שנים. ת"ח, דלא רבי קב"ה, אלא לדאזעיר, ולא אזעיר, אלא לדרבי, זכאה איהו, מאן דאזעיר גרמיה בהאי עלמא, כמה איהו רב בעלויא. לההוא עלמא (עד כאן).

כב. מאן דפסק יתפסק. מאן דקצר, יתקצר. מאן דקצר, יתארך. ר"ל, מאן דפסק מלין דאורייתא, על מלין בטלין, יתפסקון חיוהי מהאי עלמא, ודיניה קיימא בההוא עלמא. מאן דקצר אמן, ולא מאריך גו ניוזא, יתקצר מחיין דהאי עלמא. מאן דאמר אחד, אצטריך לחטפא אל"ף, ולקצר קריאה דיליה, ולא יעכב בהאי אות כלל, ומאן דיעביד דא יתארכון חייו.

כג. ויהיו חיי שרה. אינון חיין, כלהו לעילא, מאה שנה לעילא. ועשרים שנה לעילא, ושבע שנים לעילא, כלהו הוו כדקא יאות. אמר רבי שמעון, ת"ח, רזא דמלה, מאי שנא בכלהו, דאמר שנה שנה, ובאינון שבע, דאמר שנים. דכתיב מאה שנה ועשרים שנה ולבתר שבע שנים.

כד. אלא מאה שנה, כללא דכלא תמן, דאתכליל אתר עלאה, כלא כחדא, ברזא דמאה ברכאן, בכל יומא. וכן עשרים שנה, דאתכליל עלאה סתימא דכל סתימין, ובגין כך כתיב שנה רזא דיחודא, דלא אתפרש מחשבה ויובלא לעלמין.

כה. שבע שנים: אלין אתפרשן, ונפקאן מכללא סתימאה דלעילא. ואע"ג דכלא יחודא חדא, אבל מתפרשן, בדינא ורחמי, בכמה סטרין ואורחין, מה דלא הוי הכי לעילא. ובג"כ כתיב שנה, רזא דיחודא, דלא אתפרש לעלמין. וכלהו אקרון חיים, ויהיו חיי שרה, דהוו ממש, דאתבריאו ואתקיימו לעילא.

כו. אמר רבי חייא, הא אוקמוה, דהא כד אתעקד יצחק, בר תלתין ושבע שנין הוה, וכיון דאתעקד יצחק, מיתת שרה, דכתיב ויבא אברהם לספד לשרה ולבכתה. מאין בא, מהר המוריה, בא מלמעקד ליה ליצחק, ואינון תלתין ושבע שנין, מיומא דאתייליד יצחק, עד שעתא דאתעקד, אינון הוו חיי שרה ודאי, כחושבן ויהיו, בגימטריא תלתין ושבע שנין הוו, כמה דאתמר, מדאתיליד יצחק עד דאתעקד.

כז. רבי יוסי פתח, מזמור שירו לה' שיר חדש כי נפלאות עשה הושיעה לו ימינו וזרוע קדשו. האי קרא, אוקמוה חבריא, דפרות אמרוה. כמה דכתיב וישרנה הפרות בדרך. מאי וישרנה, דהוו אמרי שירתא חדתא. ומאי שירה אמרו. מזמור שירו לה' שיר חדש כי נפלאות עשה.

כח. הכא אית לאסתכלא, דכל מה דברא קב"ה בעלמא, כלהו אמרי תושבחן

ושירתא קמיה, בין לעילא בין לתתא, ואי תימא, דאינהו מגרמייהו אמרי שירתא דא, הכי הוא ודאי, דרזא עלאה איהו, אבל הני, ארונא הוה על גבייהו, וכיון דארונא אשתקיל עלייהו, ושויוה לעילא, אינון שרירו שירתא, דהא כיון דאתנטיל מנייהו ארונא, הוו געאן, כאורח שאר פרות דעלמא, ולא אמרו שירתא, ודאי ארונא דעל גבייהו עביד לון לזמרא.

כט. מזמור. הא אוקימנא ואתמר בכלא כתיב, מזמור לדוד, או לדוד מזמור, והכא לא אמר דוד כלל, אלא מזמור. דרוח קודשא, זמין לזמרא ליה לזמנא דיוקים קודשא בריך הוא לישראל מעפרא, וכדין שירו לה' שיר חדש, כדין איהו חדש, דהא שירתא כהאי, לא אתמר מיומא דאתברי עלמא.

ל. א"ר חייא, כתיב אין כל חדש תחת השמש. והכא שירתא דא, איהי חדש, ואיהי תחת השמש, דהא תחות שמשא להוי, ומאי איהו, דא סיהרא, וכדין הוי חדש תחת השמש. מאי טעמא, בגין כי נפלאות עשה. ומאן אינון נפלאות, האי דכתיב הושיעה לו ימינו וזרוע קדשו. הושיעה לו, למאן לההוא דרגא, דאמר שירתא דא, בגין דבהו אסתמיך בימינא ובשמאלא. הושיעה לו ימינו ודאי, לההוא דרגא, דהאי מזמור, אימתי, בזמנא דיקומון מתי עלמא, ויתערון מעפרא, כדין יהא חדש, מה דלא אתעביד בהאי עלמא.

לא. רבי יוסי אמר, בזמנא דיעביד קב"ה נוקמין בעלמא, בגינייהו דישראל, כדין יתאמר שירתא, דהא לבתר יתערון מעפרא מתי עלמא, ויתחדש עלמא, בקיום שלים, דלא ליהוי כקדמיתא דשליט מותא בעלמא בגין דחויא גרים מותא בעלמא לכלא, ואסתאב עלמא, ואתחשיך אנפוי.

לב. תא חזי, כתיב ואיבה אשית בינך ובין האשה, מאי ואיבה, כדכתיב חלפו עם אניות אבה. דהא כמה ארבין שטאן גו ימא רבא, ואית ארבין וספינן, מתפרשן דא מן דא, ואינון ארבין דהאי נחש שאט בגווייהו, אקרון אניות אבה.

לג. בינך ובין האשה. דא אשה יראת ה'. ובין זרעך, אלין שאר עמין עכו"ם. ובין זרעה, אלין ישראל. הוא ישופך ראש, דא קב"ה, דזמין לבערא ליה מעלמא, דכתיב בלע המות לנצח. וכתיב ואת רוח הטמאה אעביר מן הארץ.

לד. ראש, דא לזמנא דאתי דיתערון מתיא, דהא כדין להוי עלמא רא"ש, דיתקיים בר"ש, דאיהו עלמא עלאה. ואתה תשופנו עקב. דא בהאי עלמא, השתא דאיהו עקב, ולאו איהו בקיומא, וההוא חויא נשיך לעלמא, ואחשיך אנפוי בריין.

לה. ת"ח, יומין דבר נש אתבריאו, וקיימו באינון דרגין עלאין, כיון דמסיימו לאתקיימא באינון דרגין, דכתיב ימי שנותינו בהם שבעים שנה וגו', מכאן ולהלאה, לית דרגא לאתקיימא. ובגין כך, ורהבם עמל ואון. ואינון כלא הוו.

לו. אבל אינון יומין דצדיקיא הוו ואתקיימו, כד"א, ויהיו חיי שרה. וכן ואלה ימי שני חיי אברהם. ואי תימא, הכי נמי כתיב בישמעאל, דכתיב שני חיי ישמעאל. אלא בתשובה אהדר, ועל דא קרי ביומוי, ויהיו.

מדרש הנעלם

לז. ויהיו, רבנן פתחי בהאי קרא, לכה דודי נצא השדה נלינה בכפרים. ת"ר, היוצא לדרך, יתפלל שלש תפלות: תפלה שהיא חובה של יום. ותפלת הדרך, על הדרך שהוא

עוֹשֶׂה. וּתְפִלָּה, שֶׁיַּחֲזוֹר לְבֵיתוֹ לְשָׁלוֹם. וְלֵימָא לְהוּ לְהָנֵי שְׁלֹשָׁה, אֲפִלּוּ בְּאֶחָד, יָכֵיל לְמֶעְבְּדֵיהּ, דְּתָנֵינָן כָּל שְׁאֵלוֹתָיו שֶׁל אָדָם, יָכֵיל לְמִכְלְלִינְהוּ, בְּשׁוֹמֵעַ תְּפִלָּה.

לז. אָמַר רַבִּי יְהוּדָה, כָּל עוֹבָדוֹי דְּבַר נָשׁ, כְּתִיבִין בְּסִפְרָא, הֵן טַב, הֵן בִּישׁ, וְעַל כֻּלְּהוֹן, עָתִיד לְמֵיתַן דִּינָא, דְּתָנֵינָן, אָמַר רַב יְהוּדָה אָמַר רַב, מַאי דִּכְתִּיב, גָּלְמִי רָאוּ עֵינֶיךָ, אוֹתָם הַדְּבָרִים שֶׁעָשָׂה הַגּוֹלֶם, שֶׁאֵינוֹ מַשְׁגִּיחַ בָּעוֹלָם הַבָּא, כּוּלָּם רָאוּ עֵינֶיךָ, שֶׁעַיַּינְתָּ בָּהֶם. וְעַל סִפְרְךָ כּוּלָּם יִכָּתֵבוּ, לִתֵּן עֲלֵיהֶם דִּין וְחֶשְׁבּוֹן, לָעוֹלָם הַבָּא, הִלְכָּךְ, יַקְדִּים אָדָם תְּפִלָּתוֹ תָּמִיד, וְיוֹעִיל לֵיהּ.

לט. אָמַר רַבִּי יִצְחָק אֵין אָדָם עוֹשֶׂה עֲבֵרוֹת אֶלָּא מִי שֶׁהוּא גּוֹלֶם וְלֹא אָדָם, וְהַיְינוּ הַהוּא דְּלָא מִסְתַּכַּל בְּנִשְׁמָתָא קַדִּישָׁא, אֶלָּא כָּל עוֹבָדוֹי, כְּהַאי בְּעִירָא, דְּלָא מַשְׁגְּחַת וְלָא יָדְעַת. אָמַר רַבִּי בָּא, וְכִי גּוֹלֶם, מִתְקְרֵי דָּוִד, דַּאֲמַר הַאי פְּסוּקָא. אָמַר לוֹ רַבִּי יִצְחָק, אָדָם הָרִאשׁוֹן אֲמָרוֹ, גָּלְמִי רָאוּ עֵינֶיךָ, קוֹדֶם שֶׁזָּרַקְתָּ בִּי נְשָׁמָה, רָאוּ עֵינֶיךָ, לְמֶעְבַּד בִּדְיוֹקְנִי, בְּנֵי נָשָׁא דְּדָמוּ לִי. וְעַל סִפְרְךָ כֻּלָּם יִכָּתֵבוּ, מַאן אִינּוּן. יָמִים יוּצָרוּ, כְּהַאי צוּרָה דִּידִי. וְלֹא אֶחָד בָּהֶם, דְּלָא אִשְׁתָּאַר חַד מִנַּיְהוּ.

מ. אָמַר רַבִּי בָּא, לָמָּה. אֲמַר לֵיהּ ת״ח, כֻּלְּהוּ דְּדָמֵי לֵיהּ, אוֹ בִּרְמִיזָא דִּילֵיהּ, לָא מֵתוּ בְּמִיתַת נַפְשֵׁהוֹן, וְכֻלְּהוּ לָקוּ, בְּהַהוּא עַנְיָינָא מַמָּשׁ. ת״ח, אֲמַר רַבִּי יְהוּדָה, דְּיוֹקְנֵיהּ דְּאָדָם הָרִאשׁוֹן, וְשַׁפִּירוּתֵיהּ, הֲוָה כְּזֻהֲרָא דִּרְקִיעָא עִלָּאָה, דְּעַל גַּבֵּי שְׁאָר רְקִיעֵי, וּכְהַהוּא נְהוֹרָא, דְּגָנִיז קב״ה, לְצַדִּיקַיָּיא לְעָלְמָא דְּאָתֵי, וְכָל אִינּוּן דַּהֲווּ רְמִיזָא בֵּיהּ מִדְּיוֹקְנֵיהּ דְּאָדָם הָרִאשׁוֹן, בֵּיהּ לָקוּ וּמִיתוּ.

מא. דְּכָךְ אוֹרְחוֹי דְּקב״ה, יָהֵיב עוּתְרָא לְבַר אֵינָשׁ, לָמָּה, לְמֵיזַן עַנְיִין, וּלְמֶעְבַּד פִּקּוּדוֹי. לָא עָבֵיד הַאי, וְאִתְגָּאֵי בְּהַהוּא עוּתְרָא, בֵּיהּ יִלְקֵי, דִּכְתִּיב עֹשֶׁר שָׁמוּר לִבְעָלָיו לְרָעָתוֹ. יָהֵיב לֵיהּ בְּנִין, לָמָּה, לְמֵילַף לְהוּ אוֹרְחוֹי דְּקב״ה, וּלְמִיטַּר פִּקּוּדוֹי, כִּדְאָמוּר בְּאַבְרָהָם, כִּי יְדַעְתִּיו לְמַעַן אֲשֶׁר יְצַוֶּה אֶת בָּנָיו וְאֶת בֵּיתוֹ אַחֲרָיו וְשָׁמְרוּ דֶּרֶךְ ה׳ לַעֲשׂוֹת צְדָקָה וגו׳. לָא עָבֵיד הַאי וּמִתְגָּאֶה בְּהוּ, בְּהוּ לָקֵי, דִּכְתִּיב לֹא נִין לוֹ וְלֹא נֶכֶד בְּעַמּוֹ וגו׳. וְכֵן כְּהַאי גַּוְונָא, כַּד יָהֵיב קוּדְשָׁא בְּרִיךְ הוּא, מִשַּׁפִּירוּתָא טָבָא עִלָּאָה דְּאָדָם הָרִאשׁוֹן לְהוּ, לָמָּה, בְּגִין לְמִיטַּר פִּקּוּדוֹי, וּלְמֶעְבַּד רְעוּתֵיהּ, לָא עָבְדוּ כְּדֵין, אֶלָּא אִתְגָּאוּ בֵּיהּ. בֵּיהּ לָקוּ, בְּהַאי שַׁפִּירוּתָא.

מב. אֲמַר רַב יְהוּדָה, כַּד בָּרָא קב״ה, אָדָם הָרִאשׁוֹן, הֲוָה גּוֹלֶם, עַד לָא זָרִיק בֵּיהּ נִשְׁמָתָא, וְקָרָא לְהַהוּא מַלְאָכָא, דְּהוּא מְמוּנֶּה עַל דְּיוֹקְנָא דִּבְנֵי נָשָׁא, וַאֲמַר לוֹ, עַיֵּין, וְצַר בִּדְיוֹקְנָא דְּדֵין, שִׁיתָא בְּנֵי נָשָׁא, הה״ד וַיּוֹלֶד בִּדְמוּתָא כְּצַלְמוֹ וַיִּקְרָא אֶת שְׁמוֹ שֵׁת, כְּלוֹמַר שִׁיתָא.

מג. א״ר יִצְחָק, מֵהַהוּא עַפְרָא מַמָּשׁ, דְּאִתְבְּרֵי אָדָם הָרִאשׁוֹן, נְסֵיב קב״ה, לְאִתְבְּרָאָה אִלֵּין שִׁיתָא, וְקָרָא לֵיהּ שֵׁת, שִׁיתָא, הה״ד וַיּוֹלֶד בִּדְמוּתוֹ כְּצַלְמוֹ, מֵאוֹתָהּ הָעִיסָּה, שֶׁנִּבְרָא הַגּוֹלֶם שֶׁלּוֹ, וְעַל כָּךְ נֶאֱמַר, גָּלְמִי רָאוּ עֵינֶיךָ, וְעַיַּינְתָּ בּוֹ, לַעֲשׂוֹת דְּדָמוּ לֵיהּ. וְעַל סִפְרְךָ כֻּלָּם יִכָּתֵבוּ, מַאן אִינּוּן, כֻּלְּהוּ דְּלָא נָטְרוּ, מַאי דְּיָהַב קוּדְשָׁא בְּרִיךְ הוּא לוֹן, וְאִתְטָרְדוּ מִן עָלְמָא.

מד. תְּנַן הָתָם, אֲמַר רַב יְהוּדָה אֲמַר רַב אַשְׁכַּחְנָא, דִּתְלַת מִטְרָן הָוֵי לֵילְיָא, וְכָל וַחַד וְחַד, אִית עִנְיָינָא, דְּקוּדְשָׁא בְּרִיךְ הוּא, בְּבַר נָשׁ. כַּד נָפֵיק נִשְׁמָתֵיהּ מִנֵּיהּ, וְאִשְׁתָּאַר הַהוּא גּוֹלְמָא נָאִים עַל עַרְסֵיהּ, וְנִשְׁמָתֵיהּ סָלְקָא בְּכָל לֵילְיָא, קַמֵּי קוּדְשָׁא בְּרִיךְ הוּא, א״ר יִצְחָק,

אִי זַכָּאָה הִיא, וַדַּאי עִמָּהּ, וְאִי לָא דַּחְיָין לָהּ לְבַר.

מה. אָמַר רַב יְהוּדָה אָמַר רַב, מַאי דִּכְתִיב הִשְׁבַּעְתִּי אֶתְכֶם בְּנוֹת יְרוּשָׁלַיִם אִם תִּמְצְאוּ אֶת דּוֹדִי מַה תַּגִּידוּ לוֹ שֶׁחוֹלַת אַהֲבָה אָנִי. אָמַר רַבִּי פִּנְחָס אָמַר רַבִּי יְהוּדָה, הִשְׁבַּעְתִּי אֶתְכֶם בְּנוֹת יְרוּשָׁלַיִם, הַנְּשָׁמָה אוֹמֶרֶת לְאוֹתָם הַנְּשָׁמוֹת, הַזּוֹכוֹת לִיכָּנֵס לִירוּשָׁלַיִם שֶׁל מַעְלָה, וְהֵם הַנִּקְרָאוֹת בְּנוֹת יְרוּשָׁלַיִם, עַל שֶׁזּוֹכוֹת לִיכָּנֵס שָׁם, וּלְפִיכָךְ הַנְּשָׁמָה אוֹמֶרֶת לָהֶם, הִשְׁבַּעְתִּי אֶתְכֶם בְּנוֹת יְרוּשָׁלַיִם אִם תִּמְצְאוּ אֶת דּוֹדִי, דָּא קוּדְשָׁא בְּרִיךְ הוּא. רַב אָמַר, זֶה זִיו אַסְפַּקְלַרְיָאה שֶׁל מַעְלָה. מַה תַּגִּידוּ לוֹ שֶׁחוֹלַת אַהֲבָה אָנִי, לֵיהָנוֹת מִזִּיו שֶׁלּוֹ, וּלְהִסְתּוֹפֵף בְּצִלּוֹ. רַב הוּנָא אָמַר, שֶׁחוֹלַת אַהֲבָה אָנִי, אוֹתָהּ הַתְּשׁוּקָה, וְהַכִּסּוּף שֶׁכָּסַפְתִּי בָּעוֹלָם עַל הַכֹּל, לְפִיכָךְ אֲנִי חוֹלָה.

מו. רַבִּי יְהוּדָה אָמַר, זוֹ אַהֲבָה, שֶׁאוֹהֶבֶת הַנְּשָׁמָה לַגּוּף, דְּכֵיוָן שֶׁנִּשְׁלַם קִצּוֹ שֶׁל גּוּף, אוֹתָם הַיָּמִים שֶׁנִּגְזְרוּ עָלָיו, כְּמָה דְּאַתְּ אָמַר וַיִּהְיוּ חַיֵּי שָׂרָה, מַה כְּתִיב, וַיָּקָם אַבְרָהָם מֵעַל פְּנֵי מֵתוֹ וְגוֹ'. אָמַר רַב יְהוּדָה אָמַר רַב, מַה כְּתִיב בְּפָסוּק קוֹדֶם זֶה, דִּכְתִיב וַתָּמָת שָׂרָה בְּקִרְיַת אַרְבַּע הִיא חֶבְרוֹן בְּאֶרֶץ כְּנָעַן.

מז. רַבִּי יִצְחָק אָמַר רַבִּי יוֹחָנָן, בָּרָא קוּדְשָׁא בְּרִיךְ הוּא לָאָדָם, וְהִכְנִיס בּוֹ אַרְבָּעָה דְּבָרִים, הַנֶּחֱלָקִים בַּגּוּף. אָמַר רַבִּי יְהוּדָה, הַמְחוּבָּרִים בַּגּוּף. רַבִּי יִצְחָק אָמַר, הַנֶּחֱלָקִים בַּגּוּף, שֶׁהֵם חוֹלְקִים לְהִתְפָּרֵשׁ, כָּל אֶחָד לִיסוֹדוֹ, כְּשֶׁיּוֹצֵא הָאָדָם מִן הָעוֹלָם הַזֶּה. רַבִּי יְהוּדָה אָמַר, הַמְחוּבָּרִים בַּגּוּף, בְּחַיָּיו, מַשְׁמַע מִקְּרָא דִּכְתִיב, וַתָּמָת שָׂרָה, זֶה הַגּוּף. בְּקִרְיַת אַרְבַּע, אֵלּוּ הָאַרְבַּע יְסוֹדוֹת. הִיא חֶבְרוֹן, שֶׁהָיוּ מְחוּבָּרִים בְּגוּפוֹ, בְּחַיָּיו. בְּאֶרֶץ כְּנַעַן, בָּעוֹלָם הַזֶּה, הַבּוֹחֵר אָדָם בִּזְמַן מוּעָט.

מח. וַיָּבֹא אַבְרָהָם לִסְפֹּד לְשָׂרָה וְלִבְכֹּתָהּ. הַיְינוּ דִּתְנַן, כָּל שִׁבְעַת הַיָּמִים, נַפְשׁוֹ שֶׁל אָדָם, פּוֹקֶדֶת לְגוּפוֹ, וּמִתְאַבֶּלֶת עָלָיו, הֲדָא הוּא דִּכְתִיב, אַךְ בְּשָׂרוֹ עָלָיו יִכְאָב וְנַפְשׁוֹ עָלָיו תֶּאֱבָל. כְּהַאי גַּוְונָא, וַיָּבֹא אַבְרָהָם לִסְפֹּד לְשָׂרָה וְלִבְכֹּתָהּ. וַיָּבֹא אַבְרָהָם, זוֹ הִיא הַנְּשָׁמָה. לִסְפֹּד לְשָׂרָה, זֶה הַגּוּף.

מט. אָמַר רַבִּי יִצְחָק, בְּשָׁעָה שֶׁהַנְּשָׁמָה זוֹכָה, וְעוֹלָה לִמְקוֹם מַעֲלָתָהּ, הַגּוּף שׁוֹכֵב בְּשָׁלוֹם, וְיָנוּחַ עַל מִשְׁכָּבוֹ, הֲדָא הוּא דִּכְתִיב, יָבֹא שָׁלוֹם יָנוּחוּ עַל מִשְׁכְּבוֹתָם הֹלֵךְ נְכֹחוֹ. מַאי הוֹלֵךְ נְכוֹחוֹ. אָמַר רַבִּי יִצְחָק, הַנְּשָׁמָה הוֹלֵךְ נְכוֹחָהּ, לִמְקוֹם הָעֵדֶן, הַגָּנוּז לָהּ. מַאי מַשְׁמַע. אָמַר רַבִּי יְהוּדָה, מֵהַאי מַשְׁמַע, נְכוֹחָה כְּתִיב, בְּה"א. וּבְשָׁעָה שֶׁאֵינָהּ זוֹכָה, וְהִיא רְאוּיָה לְקַבֵּל עוֹנְשָׁהּ, הוֹלֶכֶת מְשׁוֹטֶטֶת, וּמְבַקֶּרֶת בְּכָל יוֹם לַגּוּף, וְלַקֶּבֶר.

נ. א"ר יוֹסֵי, הַאי קוֹלִיתָא דְקַרְדִּינוּתָא, כַּד אָזִיל בִּסְרִיחוּתָא לְכָאן וּלְכָאן, אָזַל וּמְבַקֵּר לָהּ לְאַתְרָהּ, תְּרֵיסַר יַרְחֵי. כָּךְ נִשְׁמָתָא, הַהִיא דְּאִתְחַזְיָא לְקַבְּלָא עָנְשָׁא, אָזְלָה לְבַר בְּעַלְמָא, וּמַפְקְדָת לָהּ לְאַתְרָהּ, תְּרֵיסַר יַרְחֵי, בְּבָתֵּי קִבְרֵי וּבְעַלְמָא.

נא. אָמַר רַבִּי יְהוּדָה, תָּא חֲזֵי דִּכְתִיב וַיָּקָם אַבְרָהָם מֵעַל פְּנֵי מֵתוֹ וְגוֹ', א"ר אַבָּא, וְהָא תְּנַן, דְּכַד נִשְׁמָתָא הִיא בְּתַשְׁלוּמָא עִלָּאָה, נִתּוֹסַף בָּהּ ה' וְנִקְרֵאת אַבְרָהָם, בְּתַשְׁלוּמָא עִלָּאָה. וְהָכָא אַתְּ אָמַר, דְּכַד לֵיתָא זַכָּאָה כָּל כָּךְ, דִּכְתִיב וַיָּקָם אַבְרָהָם. עֲבִידַת מַאן דְּיָתִיב בְּכָרְסְיָיא, נָחֵית בְּגוֹ זוּטָר תַּתָּאָה.

נב. אֶלָּא הָכֵי גְּזַרְנָא, וַיָּקָם אַבְרָהָם מֵעַל פְּנֵי מֵתוֹ, דְּאָמַר ר' בּוּ אָמַר רַבִּי זְרִיקָא, כְּשֶׁהַנְּשָׁמָה רְאוּיָה לַעֲלוֹת לִמְקוֹם עֶדְנָהּ, קוֹדֶם מְגִינָּה עַל הַגּוּף הַקָּדוֹשׁ, שֶׁיּוֹצֵאת מִשָּׁם, וְאַחַ"כ עוֹלָה, לִמְקוֹם מַעֲלָתָהּ, הה"ד וַיָּקָם אַבְרָהָם מֵעַל פְּנֵי מֵתוֹ, זֶהוּ הַגּוּף.

נג. וַיְדַבֵּר אֶל בְּנֵי חֵת, אֵלּוּ שְׁאָר גּוּפוֹת הַצַּדִּיקִים, שֶׁהֵם חַתּוּיִם וְנֶהֱלָמִים בָּעוֹלָם, לְמַעַן יִרְאַת קוֹנָם, וְחִתִּים עַל שֶׁהֵם שׁוֹכְנֵי עָפָר, וְאַמַּאי צְרִיכָה לְהוּ, אָמַר ר׳ יְהוּדָה, כֹּלָּא בִּמְנְיָינָא כְּתִיבִין, וְעַל דָּהֲוֵי גּוּפָא בִּמְנְיָינָא עִמְּהוֹן.

נד. וּמָה א״ל, בְּדֶרֶךְ פִּיּוּס וּבְדֶרֶךְ כָּבוֹד, גֵּר וְתוֹשָׁב אָנֹכִי עִמָּכֶם וגו׳, דְּהַאי גּוּפָא, יְהֱוֵי בִּמְנְיָינָא וְחַד עִמְּכוֹן בְּחִבּוּרָא דָּא. א״ר, רְאֵה מַה כְּתִיב וַיַּעֲנוּ בְנֵי חֵת אֶת אַבְרָהָם וגו׳. כְּמוֹ כֵן, בְּדֶרֶךְ כָּבוֹד, בְּדֶרֶךְ פִּיּוּס הֲדָא הוּא דִכְתִּיב שְׁמָעֵנוּ אֲדוֹנִי נְשִׂיא אֱלֹהִים אַתָּה בְּתוֹכֵנוּ.

נה. מַאי נְשִׂיא אֱלֹהִים אַתָּה. אָמַר ר׳ פִּנְחָס, קוֹדֶם שֶׁיֵּצֵא הַצַּדִּיק מִן הָעוֹלָם, בַּת קוֹל יוֹצֵאת בְּכָל יוֹם, עַל אוֹתָם הַצַּדִּיקִים בְּגַן עֵדֶן, הָכִינוּ מָקוֹם לִפְלוֹנִי שֶׁיָּבֹא לְכָאן. וְעַל כֵּן הֵם אוֹמְרִים, מֵאֵת אֱלֹהִים מִלְמַעְלָה, אַתָּה נָשִׂיא, בְּכָל יוֹם בְּתוֹכֵנוּ, בְּמִבְחַר קְבָרֵינוּ, בְּמִבְחַר הַצַּדִּיקִים, בַּחֲבוּרַת הַצַּדִּיקִים הַמּוּבְחָרִים, מְנֵה אוֹתוֹ, הַכְנִיסֵהוּ בְּחֶשְׁבּוֹן עִמָּנוּ, וְאִישׁ מִמֶּנּוּ לֹא יִמְנַע, אֶת הַמִּנְיָן, כִּי כּוּלָּנוּ שְׂמֵחִים בּוֹ, וּמַקְדִּימִים לוֹ שָׁלוֹם.

נו. אָמַר רַבִּי יוֹסֵי בֶּן פָּזִי, תָּא חֲזֵי, כֵּיוָן שֶׁהַנְּשָׁמָה פּוֹגַעַת בָּהֶם, וְתָדוֹן, לְאַחַר כָּךְ, פּוֹגַעַת לְאוֹתוֹ הַמַּלְאָךְ, הַמְמֻנֶּה עֲלֵיהֶם, דִּתְנַן, מַלְאָךְ מְמוּנֶּה, עַל בָּתֵּי קִבְרֵי, וְדוּמָה שְׁמוֹ, וְהוּא מַכְרִיז בֵּינֵיהֶם, בְּכָל יוֹם, עַל הַצַּדִּיקִים, הָעֲתִידִים לִיכָּנֵס בֵּינֵיהֶם, וּמִיָּד פּוֹגַעַת בּוֹ, כְּדֵי לְשַׁכֵּן הַגּוּף, בְּהַשְׁקֵט, וּבְבִטְחָה, וּבִמְנוּחָה, וּבַהֲנָאָה, הֲדָא הוּא דִכְתִיב, וַיְדַבֵּר אֶל עֶפְרוֹן.

נז. אָמַר רַבִּי יֵיסָא, זֶה הַמַּלְאָךְ הַנִּקְרָא דוּמָה, וְלָמָּה נִתְכַּנֶּה שְׁמוֹ עֶפְרוֹן, עַל שֶׁהוּא מְמוּנֶּה עַל שׁוֹכְנֵי עָפָר, וְהוּפְקְדוּ בְּיָדוֹ, כָּל פִּנְקְסֵי הַצַּדִּיקִים, וַחֲבוּרוֹת הַחֲסִידִים, הַשּׁוֹכְנִים בֶּעָפָר, וְהוּא עָתִיד לְהוֹצִיאָם בְּחֶשְׁבּוֹן.

נח. וְתָאנָא אָמַר רַבִּי אֶלְעָזָר, לֶעָתִיד לָבֹא, כְּשֶׁיִּפְקוֹד הקב״ה לְהַחֲיוֹת הַמֵּתִים, יִקְרָא לַמַּלְאָךְ הַמְמוּנֶּה עַל הַקְּבָרוֹת, וְדוּמָה שְׁמוֹ וְיִתְבַּע מִמֶּנּוּ מִנְיַן כָּל הַמֵּתִים, הַצַּדִּיקִים וְהַחֲסִידִים, וְאוֹתָם גֵּרֵי הַצֶּדֶק, וְשֶׁנֶּהֶרְגוּ עַל שְׁמוֹ, וְהוּא מוֹצִיאָם בְּחֶשְׁבּוֹן, כְּמוֹ שֶׁנִּטְלָם בְּחֶשְׁבּוֹן, הֲדָא הוּא דִכְתִיב הַמּוֹצִיא בְמִסְפָּר צְבָאָם וגו׳ אִישׁ לֹא נֶעְדָּר.

נט. וְתָאנָא, אָמַר רַבִּי שְׁמוּאֵל בְּרַבִּי יַעֲקֹב, נַפְשׁוֹת הָרְשָׁעִים, נְתוּנוֹת בְּיָדוֹ שֶׁל מַלְאָךְ זֶה, שֶׁשְּׁמוֹ דוּמָה, לְהַכְנִיסָם בַּגֵּיהִנֹּם, וְלָדוּן שָׁם, וְכֵיוָן שֶׁנִּמְסָרוֹת בְּיָדוֹ, שׁוּב אֵינָן חוֹזְרוֹת, עַד שֶׁיִּכָּנְסוּ לַגֵּיהִנֹּם, וְזֶה יִרְאַת דָּוִד שֶׁנִּתְיָירֵא, כְּשֶׁעָשָׂה אוֹתוֹ עָוֹן, שֶׁנֶּאֱמַר לוּלֵי ה׳ עֶזְרָתָה לִּי כִּמְעַט שָׁכְנָה דוּמָה נַפְשִׁי. אָמַר רַבִּי יֵיסָא, הַנְּשָׁמָה פּוֹגַעַת לוֹ, לְהַכְנִיס אוֹתוֹ גּוּף, עִם שְׁאָר גּוּפוֹת הַצַּדִּיקִים, בְּחֶשְׁבּוֹנָם, הֲדָא הוּא דִכְתִיב וַיְדַבֵּר אֶל עֶפְרוֹן וגו׳.

ס. אָמַר רַבִּי תַּנְחוּם, הַמַּלְאָךְ קוֹדֵם וְאוֹמֵר לוֹ. רְאֵה מַה כְּתִיב לְמַעְלָה, וְעֶפְרוֹן יוֹשֵׁב בְּתוֹךְ בְּנֵי חֵת, שֶׁחַתּוּ לִשְׁכּוֹן בֶּעָפָר, וְהוּא מַקְדִּים וְאוֹמֵר לוֹ, לְהַכְנִיס אוֹתוֹ הַגּוּף, בְּחֶשְׁבּוֹן הַצַּדִּיקִים, הה״ד וַיַּעַן עֶפְרוֹן הַחִתִּי אֶת אַבְרָהָם בְּאָזְנֵי בְנֵי חֵת לְכֹל בָּאֵי שַׁעַר עִירוֹ לֵאמֹר. מַאי לְכֹל בָּאֵי שַׁעַר עִירוֹ, רַב נַחְמָן אָמַר, אִינּוּן דְּעָאלוּ, בִּכְתַב וְחוּשְׁבַּן פִּנְקָסֵיהּ דַּאֲמַר רַב נַחְמָן, וְהָכֵי אִתְגְּזַר, בְּחוּשְׁבּוֹן עַל יְדוֹי דְּדוּמָה, עָאלִין בְּבָתֵּי קִבְרֵי, וּבְחוּשְׁבַּן פִּתְקָא, זַמִּין לְאַפָּקָא לוֹן, וְהוּא מְמוּנֶּה עַל דַּיְירֵי עַפְרָא.

סא. מַהוּ הַשָּׂדֶה נָתַתִּי לָךְ וְהַמְּעָרָה אֲשֶׁר בּוֹ. אָמַר רַבִּי יוֹסֵי, הַפְקָדָא דִּשְׁלָוָה, וּמְנוּחָה רַבָּה. אָמַר ר׳ שָׁלוֹם בַּר מִנְיוּמִי, אֵין לְךָ כָּל צַדִּיק וְצַדִּיק מֵאוֹתָם הָעוֹסְקִים בַּתּוֹרָה, שֶׁאֵין לוֹ מָאתַיִם עוֹלָמוֹת וְכִסּוּפִין בִּשְׁבִיל הַתּוֹרָה, הה״ד וּמָאתַיִם לְנוֹטְרִים אֶת פִּרְיוֹ, וּמָאתַיִם, עַל שֶׁמּוֹסְרִים עַצְמָם בְּכָל יוֹם, כְּאִילּוּ נֶהֶרְגוּ עַל קְדוּשַּׁת שְׁמוֹ, נִצְחוּ , כְּהַאי פְּסוּקָא לִמְסוֹר נַפְשׁוֹ עַל קְדוּשַּׁת שְׁמוֹ, מַעֲלֶה עָלָיו הַכָּתוּב כְּאִלּוּ נֶהֱרַג בְּכָל יוֹם עָלָיו, הה״ד כִּי עָלֶיךָ הוֹרַגְנוּ כָל

הַיּוֹם. אָמַר רַב נַחְמָן, כָּל הַמּוֹסֵר נַפְשׁוֹ בְּהַאי פְּסוּקָא, נוֹחֵל אַרְבַּע מֵאוֹת עוֹלָמוֹת לָעוֹלָם הַבָּא. אָמַר רַב יוֹסֵף, וְהָא תְּנַן מָאתַיִם. אָמַר רַב נַחְמָן מָאתַיִם עַל הַתּוֹרָה, וּמָאתַיִם עַל שֶׁמּוֹסֵר עַצְמוֹ בְּכָל יוֹם, עַל קְדוּשַּׁת שְׁמוֹ. (עַד כָּאן מִדְרָשׁ הַנֶּעְלָם).

סב. וַתָּמָת שָׂרָה בְּקִרְיַת אַרְבַּע. ר׳ אַבָּא אָמַר, כְּגַוְונָא דָּא, לָא הֲווֹ בְּכָל נְשֵׁי עָלְמָא, דְּהָא אִתְּמַר וְחוּשְׁבַּן יוֹמָהָא, וּשְׁנָהָא, וְקִיּוּמָהָא בְּעָלְמָא, וְהַהוּא אֲתַר דְּאִתְקְבָרַת בֵּיהּ. אֶלָּא לְאַחֲזָאָה, דְּלָא הֲוָה כְּשָׂרָה, בְּכָל נְשֵׁי עָלְמָא.

סג. וְאִי תֵּימָא הָא מִרְיָם, דִּכְתִיב וַתָּמָת שָׁם מִרְיָם וַתִּקָּבֵר שָׁם. בְּגִין לְאַחֲזָאָה סְרָחָנָא דְּיִשְׂרָאֵל קָא אָתָא, דְּהָא מַיָּא לָא אָזְלֵי לְהוֹ בְּיִשְׂרָאֵל, אֶלָּא בִּזְכוּתָא דְּמִרְיָם. אֲבָל לָא אִתְּמַר בְּמִיתָתָהּ, כְּמָה דְּאִתְּמַר בְּשָׂרָה.

סד. רַבִּי יְהוּדָה פָּתַח אַשְׁרֵיךְ אֶרֶץ שֶׁמַּלְכֵּךְ בֶּן חוֹרִים וְשָׂרַיִךְ בָּעֵת יֹאכֵלוּ, הַאי קְרָא אוֹקְמוּהָ חַבְרַיָּיא, אֲבָל אִית לָן לְאִסְתַּכְּלָא בֵּיהּ, דְּזַכָּאִין אִינּוּן יִשְׂרָאֵל, דְּקוּדְשָׁא בְּרִיךְ הוּא יָהַב לוֹן אוֹרַיְיתָא, לְמִנְדַּע כָּל אוֹרְחִין סְתִימִין, וּלְאִתְגַּלְיָיא לוֹן רָזִין עִלָּאִין.

סה. וְהָא אִתְּמַר, אַשְׁרֵיךְ אֶרֶץ, דָּא אֶרֶץ הַחַיִּים, בְּגִין דְּמַלְכָּא דִּילָהּ, אַזְמִין לָהּ כָּל בִּרְכָאן, דְּאִתְבָּרְכָא מֵאֲבָהָן עִלָּאִין, רָזָא דְּוא״ו, דְּאִיהוּ קַיְימָא לְאַרְקָא עָלָהּ בִּרְכָאן תָּדִיר, וְאִיהוּ בֶּן חוֹרִין, בֶּן יוֹבְלָא, דְּאַפִּיק עַבְדִּין לְחֵירוּ, בְּרָא דְּעָלְמָא עִלָּאָה, דְּאַפִּיק תָּדִיר כָּל חַיִּין, וְכָל נְהִירוּ, וְכָל מְשַׁח רְבוּת, וְכֹלָּא אַנְגִּיד הַאי בְּרָא בּוּכְרָא, לְהַאי אֶרֶץ, כְּד״א בְּנִי בְכֹרִי יִשְׂרָאֵל, וּבְגִין כָּךְ, אַשְׁרֵיךְ אֶרֶץ.

סו. וּמַה דְּאִתְּמַר אִי לָךְ אֶרֶץ שֶׁמַּלְכֵּךְ נַעַר, כְּמָה דְּאוֹקְמוּהָ, דְּהַאי אֶרֶץ תַּתָּאָה, וְעָלְמָא תַּתָּאָה, לָא יָנְקָא אֶלָּא מִגּוֹ שָׁלְטָנוּתָא דְּעָרְלָה, וְכֹלָּא מֵהַהוּא מַלְכָּא דְּאִקְרֵי נַעַר, כְּמָה דְּאוֹקְמוּהָ. וַוי לְאַרְעָא דְּאִצְטְרִיךְ לְיַנְקָא הָכֵי.

סז. תָּא חֲזֵי הַאי נַעַר לֵית לֵיהּ מִגַּרְמֵיהּ כְּלוּם, בַּר כַּד נָטֵיל בִּרְכָאן לִזְמַנִּין יְדִיעָן, וְכָל זִמְנִין דְּאִתְמְנָעוּ מִנֵּיהּ, וְאִתְפְּגִים סִיהֲרָא, וְאִתְחֲשַׁךְ, וּבִרְכָאן אִתְמְנָעוּ מִנֵּיהּ, וַוי לְעָלְמָא, דְּאִצְטְרִיךְ לְיַנְקָא בְּהַהִיא שַׁעְתָּא. וְעוֹד בְּכַמָּה דִּינִין אִתְדָּן הַאי עָלְמָא, עַד לָא יָנְקָא מִנֵּיהּ, דְּכֹלָּא בְּדִינָא אִתְקַיָּים וְאִתְעֲבֵד וְאוֹקְמוּהָ.

סח. תָּא חֲזֵי, וַתָּמָת שָׂרָה בְּקִרְיַת אַרְבַּע, רָזָא אִיהוּ, בְּגִין דְּלָא הֲוָה מִיתָתָהּ, עַל יְדָא דְּהַהוּא נָחָשׁ עֲקִימָאָה, וְלָא שָׁלַט בָּהּ כִּשְׁאַר בְּנֵי עָלְמָא. דְּאִיהוּ שַׁלִּיט בְּהוֹ, וְעַל יְדֵיהּ, מֵתוּ בְּנֵי עָלְמָא, מִיּוֹמָא דְּגָרִים לוֹן אָדָם, בַּר מֹשֶׁ״ה וְאַהֲרֹ״ן וּמִרְיָ״ם, דִּכְתִיב בְּהוּ עַל פִּי ה׳. וּבְגִין יְקָרָא דִּשְׁכִינְתָּא, לָא כְּתִיב בְּמִרְיָם עַל פִּי ה׳.

סט. אֲבָל בְּשָׂרָה, כְּתִיב בְּקִרְיַת אַרְבַּע, רָזָא דְּקִרְיַת אַרְבַּע, בְּרָזָא עִלָּאָה וְלָא עַל יְדָא אָחֳרָא, בְּקִרְיַת אַרְבַּע וְלָא בְּנָחָשׁ. בְּקִרְיַת אַרְבַּע הִיא חֶבְרוֹן, דְּאִתְחַבַּר דָּוִד מַלְכָּא בַּאֲבָהָן, וְעַל דָּא לָא הֲוָה מִיתָתָהּ בִּידָא אָחֳרָא, אֶלָּא בְּקִרְיַת אַרְבַּע.

ע. תָּא חֲזֵי, כַּד יוֹמִין דְּבַר נָשׁ, אִתְקַיְּימוּ בְּדַרְגִּין עִלָּאִין, אִתְקַיָּים בַּר נָשׁ בְּעָלְמָא, כֵּיוָן דְּלָא אִתְקַיָּים בְּדַרְגִּין עִלָּאִין, נָפְקֵי וְנָחֲתֵי לְתַתָּא, עַד דְּקָרִיבוּ לְהַאי דַּרְגָּא דְּמוֹתָא שַׁרְיָא בֵּיהּ, וּכְדֵין נָטֵיל רְשׁוּ לְאַפֵּיק נִשְׁמָתָא, וְטָאס עָלְמָא בִּזְמְנָא חָדָא, וְנָטֵיל נִשְׁמָתָא, וְסָאֵיב לֵיהּ לְגוּפָא, וְאִשְׁתְּאַר מְסָאֲבָא. זַכָּאִין אִינּוּן צַדִּיקַיָּא דְּלָא אִסְתָּאֲבוּ, וְלָא אִשְׁתְּאַר בְּהוּ מְסָאֲבוּתָא.

עא. וְתָא חֲזֵי, בְּאֶמְצָעוּת דִּרְקִיעָא, אִתְקַטַּר חַד אוֹרְחָא קַסְטִירָא. וְאִיהוּ חֵיוָא דִּרְקִיעָא, דְּכָל כֹּכְבִין דַּקִּיקִין, כֻּלְּהוּ קְטִירִין בֵּיהּ, וְקַיְימֵי בֵּיהּ, תְּלֵי תִּלִּין, וְאִינּוּן מִמַּנָּן בִּסְתִירוּ עוֹבָדֵי בְּנֵי עָלְמָא.

עב. כגוונא דא, כמה חבילי טהירין, נפקי לעלמא, מהאי חויא עלאה קדמאה, דאתפתא ביה אדם, וכלהו ממנן בסתירו עובדי עלמא, ובגין כך, אתי בר נש לאתדכאה, מסייעין ליה מלעילא, וסיועא דמאריה סחרא ליה, ואסתמר ואקרי קדוש.

עג. אתי בר נש לאסתאבא, כמה חבילין טהירין אזדמנו ליה וכלהו שריין ביה, ומסחרין ליה, ומסאבין ליה, ואקרי טמא, וכלהו אזלי, ומכרזי קמי, טמא טמא, כמה דאת אמר וטמא טמא יקרא. וכלהו קטירין בההוא חויא קדמאה, וסתירין בכמה עובדי עלמא.

עד. ר' יצחק ורבי יוסי, הוו אזלי מטבריא ללוד. אמר ר' יצחק, תווהנא על ההוא רשע דבלעם, דכל עובדוי דההוא רשע, הוו מסטרא דמסאבא. והכא אוליפנא רזא חדא, דכל זיני נחשיא דעלמא, כלהון מתקטרן ונפקין, מההוא נחש קדמוני, דאיהו רוח מסאבא מזוהמא, ובגין כך, כל חרשין דעלמא, אקרון על שמא דא, נחשים, וכלהו מהאי סטרא נפקי. ומאן דאתמשך בהאי הא אסתאב.

עה. ולא עוד, אלא דבעי לאסתאבא, בגין לאמשכא עליה ההוא סטרא דרוח מסאבא. דהא תנינן, כגוונא דאתער בר נש, הכי נמי אמשיך עליה מלעילא, אי איהו אתער בסטרא דקדושה, אמשיך עליה קדושה מלעילא ואתקדש. ואי איהו אתער, בסטרא דמסאבא, הכי אמשיך עליה רוח מסאבא, ואסתאב. דהא אתמר, על מה דתנינן, אתי בר נש לאסתאבא, מסאבין ליה.

עו. בגין כך ההוא רשע דבלעם, בגין לאמשכא עליה רוח מסאבא, מההוא נחש עלאה, הוה אסתאב בכל ליליא באתניה, והוה עביד עמה עובדי אישות, בגין לאסתאבא, ולאמשכא עליה רוח מסאבא, וכדין עביד חרשוי ועובדוי.

עז. ושירותא דעובדוי הוי, נטיל נחש, מאינון חויין, וקטיר ליה קמיה, ובזע רישיה, ואפיק לישניה ונטיל עשבין ידיען, ואוקיד כלא, ועביד מניה קטרתא חדא, לבתר נטיל רישא דההוא חויא, ובזע ליה לארבע סטרין, ועביד מניה קטרתא אחרא.

עח. ועביד עגולא חד, והוה אמר מלין, ועביד עובדין אחרנין, עד דאמשיך עליה רוחין מסאבין, ואודיעין ליה, מה דאצטריך, ועביד בהו עובדוי, כפום מה דאינון ידעי, מסטרא דההוא חויא דרקיעא. מתמן אתמשך בעובדוי וחרשוי, עד דאמשיך עליה רוח, מההוא נחש קדמאה.

עט. ומהכא הוה ידע, ידיען, וחרשין, וקוסמין. ובגין כך כתיב ולא הלך כפעם בפעם לקראת נחשים, נחשים ודאי, ועקרא ושרשא במסאבותא איהו, כמה דאתמר, ולבתר שירותא דכלא, לאו איהו אלא בנחש.

פ. אמר רבי יוסי, אמאי כל זייני חרשין וקוסמין, לא אשתכחו אלא בנשייא. אמר ליה, הכי אוליפנא, מדאתא נחש על חוה, הטיל בה זוהמא בה אטיל, ולא בבעלה. אמר, הכי הוא ודאי. אתא רבי יוסי, ונשקיה לרבי יצחק, אמר כמה זמנין שאילנא האי מלה, ולא זכינא בה, אלא השתא.

פא. אמר ליה, כל הני עובדים וכל מה דידע בלעם, מאן אתר אוליף ליה. אמר ליה, מאבוי. אבל, באינון הררי קדם, דאיהו ארץ קדם, אוליף כל חרשין וכל זיני קודמין, בגין דבאינון טורי, אינון מלאכי עזא ועזאל דאפיל לון קב"ה מן שמיא, ואינון קטירין, בשלשלאי דפרזלא, ואודיעין חרשין לבני נשא, ומתמן הוה ידע בלעם, כמה דאת אמר מן ארם ינחני בלק מלך מואב מהררי קדם.

פב. א"ל, וְהָא כְתִיב וְלֹא הָלַךְ כְּפַעַם בְּפַעַם לִקְרַאת נְחָשִׁים וַיָּשֶׁת אֶל הַמִּדְבָּר פָּנָיו. א"ל, סִטְרָא תַּתָּאָה דְּאַתְיָא מֵרוּחַ מִסְאֲבָא דִּלְעֵילָּא, הוּא רוּחַ מִסְאֲבָא, דְּשַׁלִּיט בְּמַדְבְּרָא, כַּד עָבְדוּ בְּנֵי יִשְׂרָאֵל יָת עֶגְלָא, בְּגִין לְאִסְתָּאֲבָא בַּהֲדֵיהּ, דְּאִיהוּ תַּתָּאָה, וּבְכֹלָּא עָבַד חַרְשׁוֹי בְּגִין דְּיָכוֹל לְאַעֲקְרָא לוֹן לְיִשְׂרָאֵל, וְלָא יָכִיל.

פג. אָמַר רַבִּי יוֹסֵי, הַאי דַּאֲמַרְתְּ בְּקַדְמֵיתָא, דְּכַד נָחָשׁ אָתָא עַל חַוָּה אַטִּיל בָּהּ זוּהֲמָא, שַׁפִּיר, אֲבָל הָא תָּנִינָן, דְּכַד קָאִימוּ יִשְׂרָאֵל, עַל טוּרָא דְּסִינַי, פָּסַק מִנַּיְיהוּ זוּהֲמָא. יִשְׂרָאֵל דְּקַבִּילוּ אוֹרַיְיתָא, פָּסַק מִנַּיְיהוּ זוּהֲמָא, אֲבָל שְׁאָר עַמִּין עעכו"ם, דְּלָא קַבִּילוּ אוֹרַיְיתָא, לָא פָּסְקָא זוּהֲמָא מִנַּיְיהוּ.

פד. אָמַר לֵיהּ שַׁפִּיר קָאֲמַרְתְּ, אֲבָל תָּא חֲזֵי, אוֹרַיְיתָא לָא אִתְיְהִיבַת אֶלָּא לִדְכוּרֵי, דִּכְתִיב וְזֹאת הַתּוֹרָה אֲשֶׁר שָׂם מֹשֶׁה לִפְנֵי בְּנֵי יִשְׂרָאֵל. דְּהָא נָשֵׁי, פְּטִירִין מִפִּקּוּדֵי אוֹרַיְיתָא.

פה. וְעוֹד, דְּאַהַדְרוּ כֻּלְּהוּ לְזוּהֲמָתָן כְּקַדְמֵיתָא, בָּתַר דְּחָטוּ, וְאִתְּתָא קַשְׁיָא לְאִתְפָּרְשָׁא זוּהֲמָא מִנָּהּ, יַתִּיר מִגַּבְרָא, וּבְגִין כָּךְ, אִשְׁתַּכָּחוּ נָשִׁין בְּחַרְשַׁיָא, וּבְזוּהֲמָא דָּא יַתִּיר מִגּוּבְרִין. דְּהָא נָשַׁיָא מִסִּטְרָא דִּשְׂמָאלָא קָא אַתְיָין וְאִתְדַּבְּקוּ בְּדִינָא קַשְׁיָא, וְסִטְרָא דָּא, אִתְדַּבַּק בְּהוּ, יַתִּיר מִגּוּבְרִין, כְּמָה דְּאִתְּמַר, בְּגִין דְּאַתְיָא מִסִּטְרָא דְּדִינָא קַשְׁיָא, וְכֹלָּא אִתְדַּבַּק וְאָזִיל בָּתַר זִינֵיהּ.

פו. תָּא חֲזֵי, דְּהָכֵי הוּא, כְּמָה דַּאֲמֵינָא, דְּבִלְעָם הֲוָה אִסְתָּאַב בְּקַדְמֵיתָא, בְּגִין לְאַמְשְׁכָא עָלֵיהּ רוּחָא מִסְאֲבָא. כְּגַוְונָא דָּא, אִתְּתָא בְּיוֹמֵי דְּמִסְאֲבוּ דִּילָהּ, אִית לֵיהּ לְבַר נָשׁ לְאִסְתַּמְּרָא מִנָּהּ, בְּגִין דְּבְרוּחַ מִסְאֲבָא אִתְדַּבְּקַת וּבְהַהוּא זִמְנָא, אִי אִיהִי תַּעֲבִיד חַרְשִׁין, אַצְלָחוּ בִּידָהָא, יַתִּיר מִזִּמְנָא אָחֳרָא דְּהָא רוּחַ מִסְאֲבָא שַׁרְיָא עִמָּהּ, וְעַל דָּא, בְּכָל מַה דְּקָרִיבַת אִסְתָּאַב, כָּל שֶׁכֵּן מַאן דְּקָרִיב בַּהֲדָהּ. זַכָּאִין אִינּוּן יִשְׂרָאֵל, דְּקוּדְשָׁא בְּרִיךְ הוּא, יָהִיב לוֹן, אוֹרַיְיתָא, וַאֲמַר לוֹן, וְאֶל אִשָּׁה בְּנִדַּת טֻמְאָתָהּ לֹא תִקְרַב לְגַלּוֹת עֶרְוָתָהּ אֲנִי ה'.

פז. אָמַר לֵיהּ, הַאי מַאן דְּאִסְתַּכַּל, בְּצִפְצוּפֵי דְּעוֹפֵי, אַמַּאי אִקְרֵי נָחָשׁ. א"ל דְּהָא מֵהַהוּא סִטְרָא קָאָתֵי, דְּרוּחַ מִסְאֲבָא, שַׁרְיָא עַל הַהוּא עוֹפָא, וְאוֹדַע מִלִּין בְּעָלְמָא. וְכָל רוּחַ מִסְאֲבָא, בְּנָחָשׁ אִתְדַּבְּקוּ, וְאַתְיָין לְעָלְמָא, וְלֵית מַאן דְּיִשְׁתְּזִיב מִנֵּיהּ בְּעָלְמָא, דְּהָא אִיהוּ אִשְׁתַּכַּח עִם כֹּלָּא, עַד זִמְנָא, דְּזַמִּין קב"ה לְאַעֲבְרָא לֵיהּ מֵעָלְמָא, כְּמָה דְּאִתְּמַר, דִּכְתִיב בִּלַּע הַמָּוֶת לָנֶצַח וּמָחָה ה' אֱלֹהִים דִּמְעָה מֵעַל כָּל פָּנִים וגו'. וּכְתִיב וְאֶת רוּחַ הַטֻּמְאָה אַעֲבִיר מִן הָאָרֶץ וגו'.

פח. רַבִּי יְהוּדָה אָמַר, אַבְרָהָם יָדַע, בְּהַהִיא מְעַרְתָּא סִימָנָא, וְלִבֵּיהּ וּרְעוּתֵיהּ תַּמָּן הֲוָה, בְּגִין דְּמִקַּדְמַת דְּנָא עָאל לְתַמָּן, וְחָמָא לְאָדָם וְחַוָּה, טְמִירִין תַּמָּן. וּמְנָא הֲוָה יָדַע, דְּאִינּוּן הֲווֹ. אֶלָּא חָמָא דְּיוֹקְנֵיהּ, וְאִסְתַּכַּל וְאִתְפְּתַח לֵיהּ, חַד פִּתְחָא דְּגִנְתָּא דְּעֵדֶן תַּמָּן, וְהַהוּא דְּיוֹקְנָא דְּאָדָם, הֲוָה קָאִים לְגַבֵּיהּ.

פט. וְתָא חֲזֵי, כָּל מַאן דְּאִסְתַּכַּל, בִּדְיוֹקְנָא דְּאָדָם, לָא אִשְׁתְּזִיב לְעָלְמִין מִמִּיתָה, בְּגִין דְּהָא בְּשַׁעְתָּא דְּבַר נָשׁ אִסְתַּלַּק מֵעָלְמָא, חָמֵי לֵיהּ לְאָדָם, וּבְהַהוּא זִמְנָא מֵית. אֲבָל אַבְרָהָם אִסְתַּכַּל בֵּיהּ, וְחָמָא דְּיוֹקְנֵיהּ, וְאִתְקַיַּים, וְחָמָא נְהוֹרָא דְּנָהִיר בִּמְעַרְתָּא, וְחַד שְׁרָגָא דָּלִיק, כְּדֵין תָּאִיב אַבְרָהָם, דְּיוּרֵיהּ בְּהַהוּא אֲתַר וְלִבֵּיהּ וּרְעוּתֵיהּ הֲוָה תָּדִיר בִּמְעַרְתָּא.

צ. תָּא חֲזֵי, הַשְׁתָּא אַבְרָהָם בְּחָכְמְתָא עָבַד בְּזִמְנָא דְּתָבַע קִבְרָא לְשָׂרָה, דְּהָא כַּד

תָּבַע, לָא תָּבַע לִמְעַרְתָּא בְּהַהוּא זִמְנָא, וְלָא אֲמַר דְּבָעֵי לְאִתְפָּרְשָׁא מִנַּיְיהוּ, אֶלָּא אֲמַר, תְּנוּ לִי אֲחוּזַּת קֶבֶר עִמָּכֶם וְאֶקְבְּרָה מֵתִי מִלְּפָנָי. וְאִי תֵּימָא דְּלָא הֲוָה עֶפְרוֹן תַּמָּן, תַּמָּן הֲוָה, דִּכְתִיב וְעֶפְרוֹן יוֹשֵׁב בְּתוֹךְ בְּנֵי חֵת, וְאַבְרָהָם לָא אֲמַר לֵיהּ בְּהַהִיא שַׁעְתָּא כְּלוּם.

צא. אֶלָּא מַה דַּאֲמַר לוֹן, אֲמַר כְּמָה דִּכְתִיב וַיְדַבֵּר אֶל בְּנֵי חֵת וְגוֹ'. וְכִי סָלְקָא דַּעְתָּךְ דְּאַבְרָהָם בָּעָא לְאִתְקַבְּרָא בֵּינַיְיהוּ בֵּין מְסָאֲבִין, אוֹ דְּתָאוּבְתֵּיהּ הֲוָה עִמְּהוֹן, אֶלָּא בְּחָכְמָה עָבַד.

צב. וְיָלְפִינָן אוֹרַח אַרְעָא הָכָא, בְּמָה דַּעֲבַד אַבְרָהָם, דְּהָא בְּגִין דְּתָאוּבְתֵּיהּ וּרְעוּתֵיהּ הֲוָה בְּהַהִיא מְעַרְתָּא, אע"ג דַּהֲוָה תַּמָּן, לָא בָּעָא לְמִשְׁאַל לֵיהּ מִיָּד, הַהוּא רְעוּתָא דַּהֲוָה לֵיהּ בִּמְעַרְתָּא, וְשָׁאֵיל בְּקַדְמֵיתָא, מַה דְּלָא אִצְטְרִיךְ לֵיהּ, לְאִינוּן אָחֳרָנִין, וְלָא לְעֶפְרוֹן.

צג. כֵּיוָן דַּאֲמָרוּ לֵיהּ, קַמֵּי עֶפְרוֹן, שְׁמָעֵנוּ אֲדֹנִי נְשִׂיא אֱלֹהִים אַתָּה בְּתוֹכֵנוּ וְגוֹ', מַה כְּתִיב וְעֶפְרוֹן יֹשֵׁב בְּתוֹךְ בְּנֵי חֵת, יָשַׁב כְּתִיב, מִשֵּׁירוּתָא דְּמִלִּין דַּאֲמַר אַבְרָהָם, תַּמָּן הֲוָה, כְּדֵין אֲמַר שְׁמָעוּנִי וּפִגְעוּ לִי בְּעֶפְרוֹן בֶּן צֹחַר וְיִתֶּן לִי אֶת מְעָרַת הַמַּכְפֵּלָה אֲשֶׁר לוֹ וְגוֹ'. וְאִי תֵּימָא בְּגִין יְקָרָא דִּילִי יַתִּיר מִנַּיְיכוּ, אֲנָא עָבִיד, דְּלָא רְעֵינָא בְּכוּ, בְּתוֹכְכֶם, בְּגִין לְאִתְקַבְּרָא בֵּינַיְיכוּ, דִּרְעֵינוּ בְּכוּ, בְּגִין דְּלָא אִתְפְּרַשׁ מִנַּיְיכוּ.

תּוֹסֶפְתָּא.

צד. רִבִּי יוֹסֵי בּ"ר יְהוּדָה, אֲזִיל לְמֵיחֱמֵי לְר' חִיָּיא, א"ל, לֵימָא מַר, אִי שָׁמַע הַאי פָּרְשָׁתָא, הֵיךְ אֲמָרוּ מָארֵי מַתְנִיתָא, דְּפָרְשׁוּהָ בְּעִנְיָינָא דְּנִשְׁמָתָא. אֲמַר, זַכָּאָה חוּלָקֵיהוֹן דְּצַדִּיקַיָּא, בְּעַלְמָא דְּאָתֵי, דְּכַךְ הִיא אוֹרַיְיתָא בְּלִבְּהוֹן, כְּמַבּוּעָא רַבָּא דְּמַיָּא, דְּאע"ג דְּמַסְתִּימִין לֵיהּ, מִסְגִיאוּת מַיָּא, פַּתְחִין מַבּוּעִין דְּנָבְעִין לְכָל עִיבָר.

צה. ת"ש, ר' יוֹסֵי, רְחִימָא אַתְּ, אֲנָא אֵימָא לָךְ בְּהַאי פָּרְשָׁתָא, לְעוֹלָם אֵין גּוּף הָאָדָם נִכְנַס בְּחֶשְׁבּוֹן הַצַּדִּיקִים, עַל יַד דּוּמָה, עַד שֶׁתַּרְאֶה הַנְּשָׁמָה, פִּנְקַס סִימָנָה, שֶׁנּוֹתְנִין לָהּ הַכְּרוּבִים בְּגַ"ע. א"ר יוֹסֵי, אֲנָא שְׁמַעְנָא, דְּהָא נִשְׁמָתָא, בָּתַר דְּעַיְילַת תַּמָּן, הִיא אָזְלַת לְסָלְקָא לְאַתְרָא לְעֵילָּא, וְלָא לְמֵיחַת לְתַתָּא, אֲבָל קוֹדֶם שֶׁתַּעֲלֶה וְתִכָּנֵס, נַעֲשֵׂית אַפִּטְרוֹפּוֹס הַגּוּף, עַל יַד דּוּמָה, וּמַרְאָה לוֹ, שֶׁרָאוּי הוּא, לְקַבֵּל שְׂכַר אַרְבַּע מֵאוֹת עוֹלָמוֹת.

צו. א"ר חִיָּיא, הָא רַבִּי אֶלְעָזָר אֲמַר, דְּהָא דּוּמָה יָדַע קוֹדֶם, מִשּׁוּם דְּמַכְרְזֵי עֲלָהּ בְּגִנְתָּא דְּעֵדֶן. אֲבָל אֲנָא כַּךְ שְׁמַעְנָא, דִּי בְּעִדָּנָא דְּיָהֲבִין לֵיהּ פִּנְקָסָא, חָזַר עַל גּוּפָא, לְאָעֵיל לֵיהּ בְּפִתְקָא דְּצַדִּיקַיָּיא, עַל יְדוֹי דְּדוּמָה. הֲדָא הוּא דִּכְתִיב, אַךְ אִם אַתָּה לוּ שְׁמָעֵנִי נָתַתִּי כֶּסֶף הַשָּׂדֶה קַח מִמֶּנִּי. מַהוּ כֶּסֶף הַשָּׂדֶה, דָּא כְּסוּפָא דְּעָלְמִין אַרְבַּע מֵאוֹת, דְּיָהֲבִין לֵיהּ לְאַחְסָנָא.

צז. רַב יוֹסֵף, כַּד הֲוָה שָׁמַע פָּרְשָׁתָא דָּא, מִמָּארֵיהוֹן דְּמַתִיבְתָּא, הֲוָה אֲמַר, מַאן דְּאִיהוּ עַפְרָא, מַאי קָא זָכֵי לְהַאי, מַאן יִזְכֶּה, וּמַאן יָקוּם הֲדָא הוּא דִּכְתִיב מִי יַעֲלֶה בְּהַר ה' וְגוֹ'.

צח. אֲמַר רַבִּי אַבָּא, תָּא חֲזֵי, מַאי דִּכְתִיב, וַיִּשְׁמַע אַבְרָהָם אֶל עֶפְרוֹן וַיִּשְׁקֹל אַבְרָהָם לְעֶפְרוֹן אֶת הַכֶּסֶף, דָּא הוּא כְּסוּפָא רַבָּתָא, דְּאִינוּן עָלְמִין וְכִסּוּפִין. אַרְבַּע מֵאוֹת שֶׁקֶל כֶּסֶף, אַרְבַּע מֵאוֹת עוֹלָמוֹת, וַהֲנָאוֹת, וְכִסּוּפִין, עוֹבֵר לַסּוֹחֵר. רַב נַחְמָן אֲמַר, שֶׁיַּעֲבוֹר כָּל שַׁעֲרֵי שָׁמַיִם, וִירוּשָׁלַיִם שֶׁל מַעְלָה וְאֵין מוֹחֶה בְּיָדָהּ.

צט. תָּא חֲזֵי, מַה כְּתִיב, וְאַחֲרֵי כֵן קָבַר אַבְרָהָם אֶת שָׂרָה אִשְׁתּוֹ, וְנִמְנֶה, עִם שְׁאָר הַצַּדִּיקִים בַּחֲבוּרָתָם, מִפִּתְקָא דְּמִמַּנָּא עַל יְדוֹי דְּדוּמָה. א"ר יִצְחָק, הָכֵי גְמִירְנָא, כָּל אִינּוּן דִּכְתִיבִין בִּידוֹי דְּדוּמָה, וּמִתְמַנָּן עַל יְדוֹי, יְקוּמוּן לִזְמְנָא דְּזַמִּין לְאַחֲיָא דְּיָירֵי עַפְרָא, וַוי לְהוֹן

לְרַשִׁיעַיָּא דְּלָא כְּתִיבִין עַל יְדוֹי בְּפִתְקָא, שֶׁיֵּאבְדוּ בַּגֵּיהִנֹּם לְעָלְמִין, וְעַל דָּא נֶאֱמַר וּבָעֵת הַהִיא יִמָּלֵט עַמְּךָ כָּל הַנִּמְצָא כָּתוּב בַּסֵּפֶר (עַד כָּאן תּוֹסֶפְתָּא).

ק. רַבִּי אֶלְעָזָר אָמַר, בְּשַׁעְתָּא דְּעָאל אַבְרָהָם בִּמְעַרְתָּא, הֵיךְ עָאל. בְּגִין דַּהֲוָה רָהִיט אֲבַתְרֵיהּ דְּהַהוּא עֶגְלָא, דִּכְתִיב וְאֶל הַבָּקָר רָץ אַבְרָהָם וגו', וְהַהוּא בֶּן בָּקָר, עָרַק עַד הַהוּא מְעַרְתָּא, וְעָאל אֲבַתְרֵיהּ, וְחָמָא מַה דְּחָמָא.

קא. תּוּ בְּגִין דְּאִיהוּ צַלֵּי כָּל יוֹמָא וְיוֹמָא, וַהֲוָה נָפִיק עַד הַהוּא חֲקַל, דַּהֲוָה סָלֵיק רֵיחִין עִלָּאִין, וְחָמָא נְהוֹרָא דְּנָפִיק מִגּוֹ מְעַרְתָּא, וְצַלֵּי תַּמָּן, וְתַמָּן מַלִּיל עִמֵּיהּ קוּדְשָׁא בְּרִיךְ הוּא, וּבְגִין כָּךְ בָּעָא לֵיהּ, דְּתֵיאוּבְתֵּיהּ הֲוָה בְּהַהוּא אֲתַר תָּדִיר.

קב. וְאִי תֵּימָא אִי הָכֵי, אַמַּאי לָא בָּעָא לָהּ עַד הַשְׁתָּא. בְּגִין דְּלָא יַשְׁגְּחוּן עֲלֵיהּ, הוֹאִיל וְלָא אִצְטְרִיךְ לֵיהּ, הַשְׁתָּא דְּאִצְטְרִיךְ לֵיהּ, אֲמַר הָא שַׁעְתָּא לְמִתְבַּע לֵיהּ.

קג. תָּא חֲזֵי, אִי עֶפְרוֹן הֲוָה חָמֵי בִּמְעַרְתָּא, מַה דַּהֲוָה חָמֵי אַבְרָהָם בָּהּ, לָא יְזַבִּין לָהּ לְעָלְמִין, אֶלָּא וַדַּאי לָא חָמָא בָּהּ וְלָא כְּלוּם, דְּהָא לֵית מִלָּה אִתְגַּלְיָא, אֶלָּא לְמָארֵיהּ, וּבְגִין כָּךְ, לְאַבְרָהָם אִתְגַּלְיָיא, וְלָא לְעֶפְרוֹן, לְאַבְרָהָם אִתְגַּלְיָיא, דִּילֵיהּ הֲוָה לְעֶפְרוֹן לָא הֲוַת אִתְגַּלְיָא לֵיהּ, דְּלָא הֲוָה לֵיהּ חוּלָקָא בֵּיהּ. וּבְגִין כָּךְ, לָא אִתְגַּלֵּי לְעֶפְרוֹן כְּלוּם, וְלָא הֲוָה חָמֵי אֶלָּא חֲשׁוֹכָא, וְעַל דָּא זַבִּין לָהּ.

קד. וּמַה דְּלָא תָּבַע אַבְרָהָם בְּקַדְמֵיתָא, דְּיַזְבִּין לֵיהּ זְבִין, דְּהָא אַבְרָהָם לָא קָאָמַר, אֶלָּא וְיִתֶּן לִי אֶת מְעָרַת הַמַּכְפֵּלָה אֲשֶׁר לוֹ וגו', בְּכֶסֶף מָלֵא יִתְּנֶנָּה לִי וגו', וְאִיהוּ אֲמַר הַשָּׂדֶה נָתַתִּי לָךְ וְהַמְּעָרָה אֲשֶׁר בּוֹ לְךָ נְתַתִּיהָ וגו'. בְּגִין דְּכֹלָּא הֲוָה מָאִיס עֲלֵיהּ דְּעֶפְרוֹן, דְּלָא יָדַע מַה הִיא.

קה. וְת"ח, כַּד עָאל אַבְרָהָם בִּמְעַרְתָּא, בְּקַדְמֵיתָא חָמָא תַּמָּן נְהוֹרָא, וְאִתְרְמֵי עַפְרָא קַמֵּיהּ, וְאִתְגַּלֵּי לֵיהּ תְּרֵין קִבְרִין, אַדְּהָכֵי אִסְתַּלַּק אָדָם בִּדְיוֹקְנֵיהּ, וְחָמָא לֵיהּ לְאַבְרָהָם, וְחַיֵּיךְ, וּבֵיהּ יָדַע אַבְרָהָם, דְּתַמָּן הוּא זַמִּין לְאִתְקַבְּרָא.

קו. א"ל אַבְרָהָם, בְּמָטוּ מִינָּךְ, קוּסְטְרָא קְטִיר אִית הָכָא, אֲמַר לֵיהּ, קב"ה טַמְרַנִּי הָכָא, וּמֵהַהוּא זִמְנָא עַד הַשְׁתָּא, אִתְטַמַּרְנָא כְּגִילְדָא דְּקִירְטָא, עַד דַּאֲתֵית אַנְתְּ בְּעָלְמָא, הַשְׁתָּא מִכָּאן וָאֵילָךְ, הָא קִיּוּמָא לִי, וּלְעָלְמָא, הֲוָה בְּגִינָךְ.

קז. וְחָמֵי מַה כְּתִיב וַיָּקָם הַשָּׂדֶה וְהַמְּעָרָה אֲשֶׁר בּוֹ, קִימָה מַמָּשׁ הֲוָה לֵיהּ, מַה דְּלָא הֲוָה לֵיהּ עַד הַשְׁתָּא. רַבִּי אַבָּא אֲמַר, וַיָּקָם הַשָּׂדֶה, וַדַּאי קִימָה מַמָּשׁ, דְּקָם וְאִסְתַּלַּק קַמֵּיהּ דְּאַבְרָהָם, בְּגִין דְּעַד הַשְׁתָּא, לָא אִתְחֲזֵי תַּמָּן כְּלוּם, וְהַשְׁתָּא מַה דַּהֲוָה טָמִיר, קָם וְאִסְתַּלֵּיק, וּכְדֵין קָם כֹּלָּא בְּנִמּוּסוֹי.

קח. אֲמַר רַבִּי שִׁמְעוֹן, בְּשַׁעְתָּא דְּעָאל אַבְרָהָם בִּמְעַרְתָּא, וְאָעֵיל שָׂרָה תַּמָּן, קָמוּ אָדָם וְחַוָּה, וְלָא קַבִּילוּ לְאִתְקַבְּרָא תַּמָּן, אָמְרוּ וּמַה אֲנַן בְּכִסּוּפָא קַמֵּי קוּדְשָׁא בְּרִיךְ הוּא, בְּהַהוּא עָלְמָא, בְּגִין הַהוּא חוֹבָא דִּגְרֵימְנָא, וְהַשְׁתָּא יִתּוֹסַף לָן כִּסּוּפָא אָחֳרָא, מִקַּמֵּי עוֹבָדִין טָבִין דִּבְכוּ.

קט. אֲמַר אַבְרָהָם, הָא אֲנָא זַמִּין קַמֵּי קוּדְשָׁא בְּרִיךְ הוּא, בְּגִינָךְ דְּלָא תִכְסִיף קַמֵּיהּ לְעָלְמִין. מִיָּד וְאַחֲרֵי כֵן קָבַר אַבְרָהָם אֶת שָׂרָה אִשְׁתּוֹ, מַאי וְאַחֲרֵי כֵן. בָּתַר דְּקַבִּיל אַבְרָהָם עֲלֵיהּ מִלָּה דָּא.

קי. אָדָם עָאל בְּדוּכְתֵּיהּ, וְחַוָּה לָא עָאלַת, עַד דְּקָרִיב אַבְרָהָם, וְאָעֵיל לָהּ לְגַבֵּי אָדָם, וְקַבִּיל לָהּ בְּגִינֵיהּ, הה"ד וְאַחֲרֵי כֵן קָבַר אַבְרָהָם אֶת שָׂרָה אִשְׁתּוֹ, לְשָׂרָה לָא כְּתִיב, אֶלָּא

אֶת שָׂרָה, לְאַסְגָּאָה וְחַוָּה, וּכְדֵין אִתְיַישְׁבוּ בְּדוּכְתַּיְיהוּ כִּדְקָא יָאוּת, הה״ד אֵלֶּה תוֹלְדוֹת הַשָּׁמַיִם וְהָאָרֶץ בְּהִבָּרְאָם, וְתָנֵינָן בְּאַבְרָהָם. תּוֹלְדוֹת הַשָּׁמַיִם וְהָאָרֶץ, דָּא אָדָם וְחַוָּה, אֵלֶּה הַשָּׁמַיִם וְהָאָרֶץ לָא כְּתִיב, אֶלָּא תּוֹלְדוֹת הַשָּׁמַיִם וְהָאָרֶץ, וְלָא תּוֹלְדוֹת בַּר נָשׁ. וְאִינּוּן אִתְקַיְּימוּ בְּגִינֵיהּ דְּאַבְרָהָם. וּמְנָא לָן דְּאִתְקַיְּימוּ בְּגִינֵיהּ דְּאַבְרָהָם. דִּכְתִיב וַיָּקָם הַשָּׂדֶה וְהַמְּעָרָה אֲשֶׁר בּוֹ לְאַבְרָהָם, וְעַד דְּאָתָא אַבְרָהָם, לָא אִתְקַיְּימוּ אָדָם וְחַוָּה בְּדוּכְתַּיְיהוּ, בְּהַהוּא עָלְמָא.

קי״א. ר׳ אֶלְעָזָר שָׁאִיל לְרַבִּי שִׁמְעוֹן אֲבוֹי, אֲמַר הַאי מְעָרְתָּא לָאו אִיהוּ כְּפִילְתָּא, דְּהָא כְּתִיב מְעָרַת הַמַּכְפֵּלָה וּקְרָא קָרֵי לָהּ לְבָתַר, מְעָרַת שְׂדֵה הַמַּכְפֵּלָה, מַכְפֵּלָה קָא קָרֵי לֵיהּ לַשָּׂדֶה.

קי״ב. אֲמַר לֵיהּ, הָכִי קָארֵי לֵיהּ, מְעָרַת הַמַּכְפֵּלָה, כְּמָה דְּאַתְּ אָמֵר, וְיִתֶּן לִי אֶת מְעָרַת הַמַּכְפֵּלָה, אֲבָל וַדַּאי, וְחַיֶּיךָ, לָאו מְעָרְתָּא אִיהוּ מַכְפֵּלָה, וְלָאו שָׂדֶה אִקְרֵי מַכְפֵּלָה, אֶלָּא הַאי שָׂדֶה וּמְעָרְתָּא, עַל שׁוּם מַכְפֵּלָה אִקְרוּן, שְׂדֵה הַמַּכְפֵּלָה וַדַּאי, וְלָא מְעָרְתָּא, דְּהָא מְעָרְתָּא בַּשָּׂדֶה אִיהִי, וְהַהוּא שָׂדֶה קָאִים בְּמִלָּה אָחֳרָא.

קי״ג. תָּא חֲזֵי, יְרוּשָׁלַיִם כָּל אַרְעָא דְּיִשְׂרָאֵל אִתְכַּפַּל תְּחוֹתָהּ, וְאִיהִי קַיְּימָא לְעֵילָּא וְתַתָּא, כְּגַוְונָא דָּא, יְרוּשָׁלַיִם לְעֵילָּא יְרוּשָׁלַיִם לְתַתָּא, אֲחִידָא לְעֵילָּא, וַאֲחִידָא לְתַתָּא, יְרוּשָׁלַיִם לְעֵילָּא אֲחִידַת בִּתְרֵין סִטְרִין, לְעֵילָּא וְתַתָּא, וּבְגִין כָּךְ, כְּפֶלְתָּא הִיא.

קי״ד. וְעַל דָּא, הַאי שָׂדֶה מֵהַהִיא כְּפֶלְתָּא אִיהוּ, דְּבֵיהּ שַׁרְיָא. כְּגַוְונָא דָּא כְּתִיב כְּרֵיחַ שָׂדֶה אֲשֶׁר בֵּרְכוֹ ה׳, לְעֵילָּא וְתַתָּא, וּבְג״כ שְׂדֵה הַמַּכְפֵּלָה וַדַּאי וְלָא שָׂדֶה כָּפוּל.

קט״ו. תּוּ, רָזָא דְּמִלָּה, שְׂדֵה הַמַּכְפֵּלָה וַדַּאי, מַאן מַכְפֵּלָה, ה׳ דִּבִשְׁמָא קַדִּישָׁא, דְּאִיהִי מַכְפֵּלָה. וְכֹלָּא קַיְּימָא כְּחַד, וּבְגִינֵיהּ קָאֲמַר, בְּאוֹרַח סְתִים, ה׳ מַכְפֵּלָה, דְּלָא הֲוֵי בִּשְׁמָא קַדִּישָׁא, אָת אָחֳרָא מַכְפֵּלָה, בַּר אִיהִי.

קט״ז. וְאַף עַל גַּב דִּמְעָרְתָּא כְּפֶלְתָּא הֲוָה, וַדַּאי, דְּאִיהִי מְעָרְתָּא, גּוֹ מְעָרְתָּא, אֲבָל עַל שׁוּם אָחֳרָא, אִקְרֵי מְעָרַת שְׂדֵה הַמַּכְפֵּלָה, כְּמָה דְּאִתְּמַר. וְאַבְרָהָם יָדַע, וְכַד אֲמַר לִבְנֵי חֵת, כַּסֵּי מִלָּה, וַאֲמַר וְיִתֶּן לִי אֶת מְעָרַת הַמַּכְפֵּלָה, עַל שׁוּם דְּאִיהִי מְעָרְתָּא כְּפֶלְתָּא, וְאוֹרַיְיתָא לָא קָרֵי לָהּ, אֶלָּא מְעָרַת שְׂדֵה הַמַּכְפֵּלָה כִּדְקָא יָאוּת.

קי״ז. וְקוּדְשָׁא בְּרִיךְ הוּא, עָבֵד כֹּלָּא לְאִשְׁתַּכְחָא הַאי עָלְמָא, כְּגַוְונָא דִּלְעֵילָּא, וּלְאִתְדַּבְּקָא דָּא בְּדָא, לְמֶהֱוֵי יְקָרֵיהּ לְעֵילָּא וְתַתָּא, זַכָּאָה חוּלָקֵיהוֹן דְּצַדִּיקַיָּא, דְּקוּדְשָׁא בְּרִיךְ הוּא אִתְרְעֵי בְּהוּ, בְּהַאי עָלְמָא וּבְעָלְמָא דְּאָתֵי.

קי״ח. וְאַבְרָהָם זָקֵן בָּא בַּיָּמִים וַה׳ בֵּרַךְ אֶת אַבְרָהָם בַּכֹּל. רַבִּי יְהוּדָה פָּתַח, אַשְׁרֵי תִּבְחַר וּתְקָרֵב יִשְׁכֹּן חֲצֵרֶיךָ, הַאי קְרָא אִתְּמַר, אֲבָל זַכָּאָה הוּא בַּר נָשׁ, דְּאוֹרְחוֹי אִתְכַּשְּׁרָן קַמֵּי קוּדְשָׁא בְּרִיךְ הוּא וְאִיהוּ אִתְרְעֵי בֵּיהּ, לְקָרְבָא לֵיהּ לְגַבֵּיהּ.

קי״ט. תָּא חֲזֵי, אַבְרָהָם אִתְקְרִיב לְגַבֵּיהּ, וְתִיאוּבְתֵּיהּ דִּילֵיהּ הֲוָה כָּל יוֹמוֹי בְּהַאי, וְלָא אִתְקְרִיב אַבְרָהָם בְּיוֹמָא חָדָא, אוֹ בְּזִמְנָא חָדָא, אֶלָּא עוֹבָדוֹי קְרִיבוּ לֵיהּ בְּכָל יוֹמוֹי, מִדַּרְגָּא לְדַרְגָּא, עַד דְּאִסְתַּלַּק בְּדַרְגּוֹי.

ק״כ. כַּד הֲוָה סִיב, וְעָאל בְּדַרְגִּין עִלָּאִין כִּדְקָא חֲזֵי, דִּכְתִיב וְאַבְרָהָם זָקֵן, וּכְדֵין בָּא בַּיָּמִים, בְּאִינּוּן יוֹמִין עִלָּאִין, בְּאִינּוּן יוֹמִין יְדִיעָאן בְּרָזָא דִּמְהֵימְנוּתָא. וַה׳ בֵּרַךְ אֶת אַבְרָהָם בַּכֹּל, דְּמִתַּמָּן נָפְקִין כָּל בִּרְכָאן, וְכָל טִיבוּ.

קכ״א. זַכָּאִין אִינּוּן מָארֵיהוֹן דִּתְשׁוּבָה, דְּהָא בְּשַׁעְתָּא חָדָא, בְּיוֹמָא חָדָא, בְּרִגְעָא חָדָא,

קָרִיבִין לְגַבֵּי קוּדְשָׁא בְּרִיךְ הוּא, מַה דְּלָא הֲוָה הָכֵי אֲפִילּוּ לְצַדִּיקִים גְּמוּרִים, דְּאִתְקְרִיבוּ גַּבֵּי קוּדְשָׁא בְּרִיךְ הוּא בְּכַמָּה שְׁנִין. אַבְרָהָם לָא עָאל בְּאִינּוּן יוֹמִין עִלָּאִין, עַד דַּהֲוָה סִיב, כְּמָה דְּאִתְּמַר. וְכֵן דָּוִד, דִּכְתִּיב וְהַמֶּלֶךְ דָּוִד זָקֵן בָּא בַּיָּמִים. אֲבָל מָארֵיהּ דִּתְשׁוּבָה, מִיָּד עָאל, וְאִתְדַּבַּק בֵּיהּ בְּקוּדְשָׁא בְּרִיךְ הוּא.

קכב. ר' יוֹסֵי אָמַר, תָּנֵינָן, אֲתַר דְּמָארֵיהוֹן דִּתְשׁוּבָה קָיְימֵי בֵּיהּ, בְּהַהוּא עָלְמָא, צַדִּיקִים גְּמוּרִים לֵית לוֹן רְשׁוּ לְקַיְימָא בֵּיהּ, בְּגִין דְּאִינּוּן קְרֵיבִין לְמַלְכָּא יַתִּיר מִכֻּלְּהוּ, וְאִינּוּן מָשְׁכֵי עֲלַיְיהוּ בִּרְעוּתָא דְּלִבָּא יַתִּיר, וּבְחֵילָא סַגְּיָא לְאִתְקָרְבָא לְמַלְכָּא.

קכג. תָּא חֲזֵי, כַּמָּה אֲתָרִין מְתוּקָנִין לֵיהּ לְקוּדְשָׁא בְּרִיךְ הוּא בְּהַהוּא עָלְמָא, וּבְכֻלְּהוּ בֵּי מוֹתְבֵי לוֹן לְצַדִּיקִים. כָּל חַד וְחַד לְפוּם דַּרְגֵּיהּ כִּדְקָא חֲזֵי לֵיהּ.

קכד. כְּתִיב אַשְׁרֵי תִּבְחַר וּתְקָרֵב יִשְׁכֹּן חֲצֵרֶיךָ, דְּקוּדְשָׁא בְּרִיךְ הוּא קָרִיב לוֹן לְגַבֵּיהּ, דְּסַלְּקִין אִינּוּן נִשְׁמָתִין מִתַּתָּא לְעֵילָּא, וּלְאִתְאַחֲדָא בְּאַחְסַנְתֵּיהוֹן, דְּאִתְתְּקָנָן לְהוּ. יִשְׁכֹּן חֲצֵרֶיךָ, אִלֵּין אֲתָרִין וְדַרְגִּין לְבַר, וּמַאן אִינּוּן, כד"א וְנָתַתִּי לְךָ מַהְלְכִים בֵּין הָעוֹמְדִים הָאֵלֶּה. וְהַאי הוּא, דַּרְגָּא בֵּין קַדִּישִׁין עִלָּאִין.

קכה. וּמַאן דְּזָכָאן לְדַרְגָּא דָּא, אִינּוּן שְׁלִיחָן דְּמָארֵי עָלְמָא, כְּאִינּוּן מַלְאָכִין, וְעָבְדִין שְׁלִיחוּתָא תָּדִיר בִּרְעוּתָא דְּמָארֵיהוֹן, בְּגִין דְּאִלֵּין תָּדִיר בִּקְדוּשָּׁה וְלָא אִסְתָּאֲבוּ.

קכו. כְּגַוְונָא דָּא, מַאן דְּאִסְתָּאַב בְּהַאי עָלְמָא, אִיהוּ מָשִׁיךְ עֲלֵיהּ רוּחַ מְסָאָב, וְכַד נָפַק נִשְׁמָתֵיהּ מִנֵּיהּ, מְסָאֲבִין לֵיהּ, וּמְדוֹרֵיהּ בֵּין אִינּוּן מְסָאֲבִין, וְאִלֵּין אִינּוּן מַזִּיקִין דְּעָלְמָא. כְּמָה דְּאִתְמְשַׁךְ בַּר נָשׁ גַּרְמֵיהּ בְּהַאי עָלְמָא, הָכֵי הוּא מְדוֹרֵיהּ, וְאִתְמְשַׁךְ בְּהַהוּא עָלְמָא, וְאִינּוּן רוּחֵי מְסָאֲבֵי מְסָאֲבִין לֵיהּ, וְאָעֲלִין לֵיהּ לְגֵיהִנֹּם.

קכז. ת"ח מַאן דְּאִתְקַדַּשׁ, וְנָטִיר גַּרְמֵיהּ בְּהַאי עָלְמָא, דְּלָא אִסְתָּאַב, מְדוֹרֵיהּ בְּהַהוּא עָלְמָא, בֵּין אִינּוּן קַדִּישִׁין עִלָּאִין, וְעָבְדִין שְׁלִיחוּתָא תָּדִיר, וְאִלֵּין קָיְימֵי בְּחָצֵר, כְּמָא דְּאַתְּ אָמֵר אֵת חֲצַר הַמִּשְׁכָּן.

קכח. וְאִית אָחֳרָנִין, דְּאִינּוּן לְגוֹ יַתִּיר, דְּלָאו אִינּוּן בְּחָצֵר, אֶלָּא בְּבֵיתָא, כד"א נִשְׂבְּעָה בְּטוּב בֵּיתֶךָ. אָמַר דָּוִד, נִשְׂבְּעָה בְּטוּב בֵּיתֶךָ, כֵּיוָן דְּאָמַר יִשְׁכֹּן חֲצֵרֶיךָ, אַמַּאי כְּתִיב נִשְׂבְּעָה בְּטוּב בֵּיתֶךָ, יִשְׂבַּע בְּטוּב בֵּיתֶךָ מִבָּעֵי לֵיהּ, כְּמָה דִּכְתִיב יִשְׁכֹּן. אֶלָּא הָא תָּנֵינָן, לֵית יְשִׁיבָה בָּעֲזָרָה, אֶלָּא לְמַלְכֵי בֵּית דָּוִד בִּלְחוֹדַיְיהוּ.

קכט. וְאִית אֲתַר לַחֲסִידֵי עֶלְיוֹנִין, דְּעָיְילֵי לְגוֹ, וּמַאי אִינּוּן, כִּדְכְתִיב וְהַחוֹנִים לִפְנֵי הַמִּשְׁכָּן קֵדְמָה לִפְנֵי אֹהֶל מוֹעֵד מִזְרָחָה מֹשֶׁה וְאַהֲרֹן וּבָנָיו וגו'. וְכַמָּה מְדוֹרִין עַל מְדוֹרִין, וּנְהוֹרִין עַל נְהוֹרִין, מִתְפָּרְשָׁן בְּהַהוּא עָלְמָא, וְכָל חַד אִכְסִיף מִנְּהוֹרָא דְּחַבְרֵיהּ, כְּמָה דְּעוֹבָדִין אִתְפָּרְשָׁן בְּהַאי עָלְמָא, הָכֵי נָמֵי, דּוּכְתִּין וּנְהוֹרִין, מִתְפָּרְשָׁן בְּהַהוּא עָלְמָא.

קל. וְתָא חֲזֵי, הָא אִתְּמַר, דַּאֲפִילּוּ בְּהַאי עָלְמָא, כַּד בַּר נָשׁ נָאִים עַל עַרְסֵיהּ, וְנִשְׁמָתִין אִצְטְרִיכוּ לְאִתְשׁוֹטְטָא בְּעָלְמָא, וְנָפְקוּ מִגּוֹ גּוּפָא, לָאו כָּל נִשְׁמְתָא וְנִשְׁמְתָא, סַלְקָא וְשָׁטְיָא, לְמֶחֱזֵי בִּיקָר סֵבַר אַפֵּי דְּעַתִּיק יוֹמִין, אֶלָּא כְּמָא דְּאִתְמְשִׁיךְ תָּדִיר, וּכְפוּם עוֹבָדֵי, הָכֵי נִשְׁמָתֵיהּ סַלְקָא.

קלא. אִי אִסְתָּאַב, אִיהוּ נָאִים וְנִשְׁמָתָא נָפְקָא, וְכָל אִינּוּן רוּחִין מְסָאֲבִין נָקְטִין לָהּ, וְאִתְדַּבְּקַת בְּהוּ בְּאִינּוּן דַּרְגִּין תַּתָּאִין דְּשָׁטְיָין בְּעָלְמָא, וְאִינּוּן מוֹדִיעִין לָהּ מִלִּין דְּאִינּוּן קְרֵיבִין לְמֵיתֵי בְּעָלְמָא, וּלְזִמְנִין דְּמוֹדִיעִין לָהּ, מִלִּין כְּדִיבִין, וְחָזְיָיךְ בָּהּ, וְהָא אוּקְמוּהָ.

קלב. וְאִי זָכֵי בַּר נָשׁ, כַּד אִיהוּ נָאִים וְנִשְׁמָתֵיהּ סַלְקָא, אָזְלָא וְשָׁטְיָא, וּבַקְעָא בֵּין אִלֵּין

רוּחִין מְסָאֲבִין, וְכֻלְּהוּ מַכְרִיזִין וְאָמְרִין פַּנּוּ אֲתַר, פַּנּוּ, לָאו דָּא מִסִּטְרָנָא, וְאִיהִי סַלְקָא בֵּין אִינּוּן קַדִּישִׁין, וּמוֹדְעֵי לָהּ מִלָּה וְדָא דִּקְשׁוֹט.

קלג. וְכַד נָחֲתָא, כָּל אִינּוּן חֲבִילִין טְרִיקִין, בָּעָאן לְאִתְקָרְבָא בַּהֲדָהּ, לְמִנְדַּע הַהִיא מִלָּה, וְאִינּוּן מוֹדְעִין לָהּ, מִלִּין אָחֳרָנִין, וְהַהִיא מִלָּה דְּנַטְלָא גּוֹ אִינּוּן קַדִּישִׁין, בֵּין אִינּוּן אָחֳרָנִין, אִיהוּ כְּעַבּוּרָא גּוֹ תִּיבְנָא. וְהַאי אִיהוּ דְּזָכֵי יַתִּיר, בְּעוֹד דְּאִיהוּ קָאִים, וְנִשְׁמָתָא קַיְּימָא, בְּהַאי עָלְמָא.

קלד. כְּגַוְונָא דָּא כַּד נָפְקִין נִשְׁמָתִין מִגּוּפָא מֵהַאי עָלְמָא, בָּעָאן לְסַלְקָא, וְכַמָּה תַּרְעִין וַחֲבִילֵי טְהִירִין קַיְימֵי, אִי אִינּוּן מִסִּטְרַיְיהוּ, כֻּלְּהוּ אַחֲדִין בְּהוּ, בְּאִינּוּן נַפְשָׁאן, וּמָסְרֵי לוֹן בִּידָא דְּדוּמָה, לְאָעֳלָא לוֹן בַּגֵּיהִנֹּם.

קלה. וּלְבָתַר סַלְקָן וְאַחֲדָן בְּהוּ, וְאִינּוּן נָטְלֵי לְהוֹן, וּמַכְרְזֵי בְּהוּ, אִלֵּין אִינּוּן דַּעֲבָרוּ עַל פִּקּוּדֵי דְּמָארֵיהוֹן, וְכֵן שָׁטָאן בְּכָל עָלְמָא. וּלְבָתַר מְהַדְרֵי לְהוּ לַגֵּיהִנֹּם, וְכֵן עַד תְּרֵיסַר יַרְחֵי. לְבָתַר תְּרֵיסַר יַרְחֵי, מִשְׁתַּכְּכֵי, בְּהַהוּא אֲתַר דְּאִתְחֲזֵי לוֹן, אִינּוּן נִשְׁמָתִין דְּזָכוּ, סַלְקֵי לְעֵילָּא, כְּמָה דְּאִתְּמַר, וְזַכָּאִין בְּדוּכְתַּיְיהוּ.

קלו. תָּא חֲזֵי, זַכָּאִין אִינּוּן צַדִּיקַיָּא, דְּאִתְגְּנִיז לְהוּ, כַּמָּה טָבִין לְהַהוּא עָלְמָא, וְלֵית אֲתַר פְּנִימָאָה בְּכָל אִינּוּן, כְּאִינּוּן דְּיָדְעֵי רָזָא דְּמָארֵיהוֹן, וְיָדְעֵי לְאִתְדַּבְּקָא בְּהוּ, בְּכָל יוֹמָא עַל אִלֵּין כְּתִיב עַיִן לֹא רָאָתָה אֱלֹהִים זוּלָתְךָ יַעֲשֶׂה לִמְחַכֵּה לוֹ.

קלז. מַאי לִמְחַכֵּה לוֹ, כְּד״א וֶאֱלִיהוּ חִכָּה אֶת אִיּוֹב בִּדְבָרִים. וְאִלֵּין אִינּוּן דְּדָחֲקִין לְמִלָּה דְּחָכְמְתָא, וְדַיְּיקִין לָהּ, וּמְחַכָּאן לָהּ, לְמִנְדַּע בְּרִירָא דְּמִלָּה, וְאִשְׁתְּמוֹדְעָא לְמָארֵיהוֹן, אִלֵּין אִינּוּן דְּמָארֵיהוֹן מִשְׁתַּבַּח בְּהוֹן בְּכָל יוֹמָא, אִלֵּין אִינּוּן, דְּעָאלִין בֵּין עִלָּאִין קַדִּישִׁין, וְאִלֵּין עָאלִין כָּל תַּרְעֵי דִּלְעֵילָּא, וְלֵית מַאן דְּיִמְחֵי בִּידַיְיהוּ, זַכָּאָה חוּלָקֵיהוֹן בְּעָלְמָא דֵּין, וּבְעָלְמָא דְּאָתֵי.

קלח. תָּא חֲזֵי, אַבְרָהָם עָאל לְמִנְדַּע וּלְאִתְדַּבְּקָא בְּמָארֵיהּ כַּדְקָא יָאוּת, לְבָתַר דְּאַקְדִּים עוֹבָדוֹי בְּקַדְמֵיתָא, וְזָכָה בְּאִינּוּן יוֹמִין עִלָּאִין, וְאִתְבָּרַךְ מֵאֲתַר דְּכָל בִּרְכָאן נָפְקֵי מִתַּמָּן, דִּכְתִּיב וַה׳ בֵּרַךְ אֶת אַבְרָהָם בַּכֹּל. מַאי בַּכֹּל. אֲתַר דְּנַהֲרָא, דְּלָא פַּסְקֵי מֵימוֹי לְעָלְמִין.

קלט. אָמַר רִבִּי חִיָּיא, תָּא חֲזֵי, דְּאַבְרָהָם לָא בָּעָא לְאִתְעָרְבָא בִּנְשֵׁי עָלְמָא, וּלְאִתְדַּבְּקָא בִּשְׁאָר עַמִּין עכו״ם, בְּגִין דִּנְשַׁיָּיא דִּשְׁאָר עַמִּין עכו״ם, אִינּוּן סָאֲבִין, לְגוּבְרַיְיהוּ, וּלְאִינּוּן דְּמִתְדַּבְּקִין בְּהוֹן, בְּגִין דְּכַד אַבְרָהָם יָדַע וְחָכְמְתָא, יָדַע עִקָּרָא וְשָׁרְשָׁא, וּמֵאָן אֲתַר נָפְקֵי וְשָׁטְיָין רוּחֵי מְסָאֲבִין בְּעָלְמָא, וְעַל דָּא אוֹמֵי לְעַבְדֵּיהּ, דְּלָא יִסַּב אִתְּתָא לִבְרֵיהּ, מִשְּׁאָר עַמִּין.

מִדְרַשׁ הַנֶּעְלָם

קמ. וְאַבְרָהָם זָקֵן בָּא בַּיָּמִים וְגוֹ׳. מַתְנִיתִין. אָמַר רִבִּי אֶלְעָזָר, עַל כָּל פָּנִים כָּךְ הוּא, דְּהַאי מַתְנִיתִין שַׁפִּיר, דְּאִתְעֲבִיד נִשְׁמָתָא, הַהוּא דִּכְתִּיב בֵּיהּ, וְהִנֵּה אוֹפַן אֶחָד בָּאָרֶץ אֵצֶל הַחַיּוֹת לְאַרְבַּעַת פָּנָיו, כְּדְאָמוּר בְּהַהִיא מַתְנִיתָא קַמַּיְיתָא.

קמא. אָמַר לֵיהּ רִבִּי אַבָּא, לֵימָא לָן מַר, מֵהַהִיא מַתְנִיתִין, אָמַר לֵיהּ, הָכִי אִתְפְּרַשׁ, בִּתְלַת עֲשַׂר מְכִילָן דְּרַחֲמֵי, בְּפָרְשָׁתָא דִּילֵיהּ, אֲבָל הָכָא אִית לָן לְמֵימַר, פָּתַח וְאָמַר, אַחַת הִיא יוֹנָתִי תַמָּתִי אַחַת הִיא לְאִמָּהּ וְגוֹ׳. אָמַר רִבִּי אֶלְעָזָר, מַאי הִיא, דַּאֲנַן קָרֵינַן הָכָא, בְּשִׁיר הַשִּׁירִים, לִישָׁנָא דְּנוּקְבְתָא, וְהָתָם בְּאוֹרַיְיתָא, לִישָׁנָא דִּדְכוּרָא.

קמב. אֶלָּא א״ר אֶלְעָזָר, הָכָא בַּתּוֹרָה, נִקְרָא בִּלְשׁוֹן זָכָר, אֵצֶל הַגּוּף, מִפְּנֵי שֶׁהַגּוּף, אֵצֶל

הַנְּשָׁמָה, כְּאִשָּׁה אֵצֶל הַזָּכָר, וְהַנְּשָׁמָה לְגַבֵּי מַעְלָה, כִּנְקֵבָה בִּפְנֵי הַזָּכָר, וְכָל אֶחָד מַעֲלָתוֹ יוֹרֵשׁ.

קמג. תְּנַן הָתָם, בְּאַרְבָּעָה פְּעָמִים בְּשָׁעָה, בְּכָל יוֹם, עֵדֶן מְנַטֵּף עַל הַגָּן, וְיוֹצֵא מֵאוֹתָם הַטִּפּוֹת נָהָר גָּדוֹל, הַמִּתְחַלֵּק לְאַרְבָּעָה רָאשִׁים, וּשְׁמֹנֶה וְאַרְבָּעִים טִפּוֹת, מְנַטֵּף בְּכָל יוֹם, וּמִשָּׁם שִׁבְעִים אִילָנֵי הַגָּן, הה"ד יִשְׂבְּעוּ עֲצֵי ה'. ר' תַּנְחוּם אָמַר מֵהָכָא, מַשְׁקֶה הָרִים מֵעֲלִיּוֹתָיו, אֵיזוֹ הִיא עֲלִיָּה, זֶהוּ עֵדֶן. וְעֵדֶן בְּאֵיזֶה מָקוֹם הוּא. ר' יְהוּדָה אָמַר, לְמַעְלָה מֵעֲרָבוֹת הוּא. ר' יוֹסֵי אָמַר בַּעֲרָבוֹת הוּא, דְּהָא תְּנַן, שָׁם גִּנְזֵי חַיִּים טוֹבִים בְּרָכָה וְשָׁלוֹם, וְנִשְׁמָתָן שֶׁל צַדִּיקִים, הוּא הָעֶלְיוֹן. עֵדֶן לְמַטָּה, מְכֻוָּן כְּנֶגְדּוֹ גַּן בָּאָרֶץ, וְנוֹטֵל מִמֶּנּוּ שֶׁפַע בְּכָל יוֹם.

קמד. א"ר אַבָּהוּ, שְׁמֹנָה וְאַרְבָּעִים נְבִיאִים, עָמְדוּ לָהֶם לְיִשְׂרָאֵל, וְכָל אֶחָד נָטַל בְּחֶלְקוֹ, תַּמְצִית טִפָּה אַחַת מֵאוֹתָם טִפּוֹת שֶׁל עֵדֶן, שֶׁהֵם שְׁמֹנָה וְאַרְבָּעִים טִפּוֹת. וּמַה אִם כָּל נָבִיא, שֶׁנָּטַל טִפָּה אַחַת מֵהֶן, הָטְתָה מַעֲלָתוֹ בְּרוּחַ הַקֹּדֶשׁ, עַל כָּל הַשְּׁאָר, אָדָם הָרִאשׁוֹן, שֶׁהָיָה מְקַבֵּל מִשְּׁמֹנָה וְאַרְבָּעִים לֹא כָּל שֶׁכֵּן, מִכָּאן אַתָּה לָמֵד, כַּמָּה הָיְתָה חָכְמָתוֹ.

קמה. רַבִּי בָּא אָמַר רַב כַּהֲנָא, וְכִי מֵאַיִן הָיָה לָהֶם לַנְּבִיאִים, מֵאוֹתָם הַטִּפּוֹת, אֶלָּא הָכֵי תְּנַן, בְּכָל טִפָּה וְטִפָּה, הַיּוֹצֵאת מֵעֵדֶן, רוּחַ וְחָכְמָה יוֹצֵא עִמּוֹ, וְעַל כֵּן אִתְגְּזַר בְּמַתְנִיתִין, אִית מַיָּא מְגַדְּלָן חַכִּימִין, וְאִית מַיָּא מְגַדְּלָן טַפְּשִׁין, וְאִינוּן מַיָּא דִּמְגַדְּלָן חַכִּימִין, אִינוּן מַיָּא, הֲווּ מְטַפִּין דְּעֵדֶן.

קמו. דא"ר יוֹסֵי, מַיָּא דְּבֵיהּ טִפִּין יָתְבִין, מִכָּל אִינוּן אַרְבַּע נַהֲרֵי, קַדְמָאָה הוּא, דִּכְתִיב שֵׁם הָאֶחָד פִּישׁוֹן. מַאי שֵׁם הָאֶחָד פִּישׁוֹן. הַמְיֻחָד מִכֻּלָּם פִּישׁוֹן, וְהוּא הַנּוֹפֵל בְּאֶרֶץ מִצְרַיִם, וּלְפִיכָךְ, הָיְתָה חָכְמַת מִצְרַיִם יוֹתֵר מִכָּל הָעוֹלָם.

קמז. וּמִשֶּׁנִּגְזְרָה גְּזֵרָה, שֶׁאָבְדָה חָכְמַת מִצְרַיִם, נָטַל קב"ה, אוֹתָם טִפִּין וְזָרַק לוֹן בְּהַהוּא גִּנְּתָא, בְּהַהוּא נַהֲרָא דְּגִנְּתָא דְּעֵדֶן, דִּכְתִיב, וְנָהָר יֹצֵא מֵעֵדֶן לְהַשְׁקוֹת אֶת הַגָּן. וְזֶה הָיָה מוֹלִיד אַרְבָּעָה אֲחֵרִים, וְהָאֶחָד הַמְיֻחָד, הַנּוֹלַד מִמֶּנּוּ, פִּישׁוֹן הָיָה. מִשֶּׁנִּטְּלוּ אֵלּוּ הַטִּפּוֹת שֶׁלֹּא יָצְאוּ מֵהַגָּן, אָבְדָה הַחָכְמָה מִמִּצְרַיִם.

קמח. וּמֵאוֹתוֹ הָרוּחַ שֶׁהָיָה יוֹצֵא מֵעֵדֶן, הִמְצוּ כָּל נָבִיא וְנָבִיא, וְהַיְינוּ דִּכְתִיב, מִתְהַלֵּךְ בַּגָּן לְרוּחַ הַיּוֹם. וְגָנוּז זֶה בְּגַן עֵדֶן, לֶעָתִיד לָבוֹא, וְזֶה הוּא הַנָּהָר, שֶׁרָאָה יְחֶזְקֵאל בִּנְבוּאָתוֹ. וְע"כ אָמַר הַכָּתוּב כִּי מָלְאָה הָאָרֶץ דֵּעָה אֶת ה' וגו'. שֶׁאוֹתָם מַיִם, תָּמִיד מְגַדְּלִים הַיְדִיעָה בָּעוֹלָם.

קמט. ת"ר, כָּל נִשְׁמָתָן שֶׁל צַדִּיקִים, לְמַעְלָה בְּעֵדֶן הֵן, וּמַה מִּמַּה שֶּׁיּוֹרֵד מֵעֵדֶן, יִשְׂגֶּא הַחָכְמָה בָּעוֹלָם, לָעוֹמְדִים בּוֹ, וְנֶהֱנִין מֵהֲנָאוֹתָיו וְכִסּוּפָיו, עַל אַחַת כַּמָּה וְכַמָּה.

קנ. אָמַר רַבִּי יִצְחָק כֵּיוָן שֶׁהַנְּשָׁמָה זוֹכָה, לִיכָּנֵס בְּשַׁעֲרֵי יְרוּשָׁלַיִם שֶׁל מַעְלָה, מִיכָאֵ"ל הַשַּׂר הַגָּדוֹל, הוֹלֵךְ עִמָּהּ, וּמַקְדִּים לָהּ שָׁלוֹם. מַלְאֲכֵי הַשָּׁרֵת, תְּמֵהִים בּוֹ, וְשׁוֹאֲלִים עָלֶיהָ, מִי זֹאת עֹלָה מִן הַמִּדְבָּר. מִי זֹאת, עוֹלָה בֵּין הָעֶלְיוֹנִים, מֵהַגּוּף הֶחָרֵב, שֶׁדּוֹמֶה לַהֶבֶל, דִּכְתִיב אָדָם לַהֶבֶל דָּמָה. הוּא מֵשִׁיב וְאוֹמֵר, אַחַת הִיא יוֹנָתִי תַמָּתִי, אַחַת הִיא, מְיֻחֶדֶת הִיא. אַחַת הִיא לְאִמָּהּ וגו', לְאִמָּהּ. זוֹ הִיא כִּסֵּא הַכָּבוֹד, שֶׁהִיא אֵם לַנְּשָׁמָה, וְיוֹלֶדֶת לָהּ, שֶׁנִּגְזְרָה מִמֶּנָּה.

קנא. רָאוּהָ בָנוֹת וַיְאַשְּׁרוּהָ, אֵלּוּ שְׁאָר הַנְּשָׁמוֹת, שֶׁהֵן בְּמַעֲלָתָן לְמַעְלָה, וְהֵם הַנִּקְרָאוֹת בְּנוֹת יְרוּשָׁלַיִם. אָמַר רַבִּי יוֹסֵי, הָא חֲזֵינָא עַל מַה דְּאָמְרָן, אֵלּוּ נִקְרָאוֹת בְּנוֹת יְרוּשָׁלַיִם,

וְהָאֲחֵרוֹת נִקְרָאוֹת בְּנוֹת לוֹט. רָאוּהָ בָנוֹת וַיְאַשְּׁרוּהָ, שְׁאָר הַנְּשָׁמוֹת, מְשַׁבְּחוֹת לָהּ, וְאוֹמְרוֹת שָׁלוֹם בּוֹאֵךְ. מְלָכוֹת וּפִלַגְשִׁים וַיְהַלְלוּהָ מְלָכוֹת אֵלּוּ הָאָבוֹת, שֶׁהֵם מְלָכוֹת. וּפִלַגְשִׁים: הֵן גֵּירֵי הַצֶּדֶק, כּוּלָּם מְשַׁבְּחוֹת, וּמְקַלְּסוֹת אוֹתָהּ, עַד שֶׁנִּכְנֶסֶת לְמַעְלָה, וַאֲזַי הַנְּשָׁמָה בְּמַעֲלָתָהּ, וּמִתְקַיְּימָא אֲרִיכוּת הַיָּמִים, הה"ד, וְאַבְרָהָם זָקֵן בָּא בַּיָּמִים. נִכְנַס בַּאֲרִיכוּת הַיָּמִים, לְעוה"ב.

קנב. רַבִּי אַבָּא סָבָא, קָם עַל רַגְלוֹי, וַאֲמַר, מְנוּחָה וְשָׁלוֹם גָּרְמִין יְהֵא לָךְ רַבִּי שִׁמְעוֹן בֶּן יוֹחָאי, דְּהֶחֱזַרְתָּ עֲטָרָה לְיוֹשְׁנָהּ. דִּתְנִינָן בְּמַתְנִיתָא קַדְמָאָה, דְּכֵיוָן שֶׁהַנְּשָׁמָה הִיא בְּתַשְׁלוּמָהּ, בַּאֲתַר עִלָּאָה, לָא תֵּבֹאת לְגוּפָא אֶלָּא אִתְבְּרִיאָן מִנָּהּ, נִשְׁמֵי אָחֳרָנִין, דְּנָפְקֵי מִנָּהּ, וְאִיהִי אִשְׁתְּאָרַת בְּקִיּוּמָא, עַד דַּאֲתָא רשב"י וְדָרַשׁ, וּמַה אִם בָּעוֹלָם הַזֶּה, שֶׁהוּא הֶבֶל, וְהַגּוּף שֶׁהוּא טִפָּה סְרוּחָה, נִכְנֶסֶת בּוֹ, אוֹתָהּ הַנְּשָׁמָה. לֶעָתִיד לָבֹא, שֶׁיִּצְרְפוּ כּוּלָּם, וְיִהְיֶה הַגּוּף מוּבְחָר, בְּקִיּוּם וְתַשְׁלוּם יוֹתֵר, אֵינוֹ דִּין לְהִכָּנֵס אוֹתָהּ הַנְּשָׁמָה בּוֹ, בְּכָל הַתַּשְׁלוּמִין, וְהָעִלּוּיִין שֶׁבָּהּ.

קנג. אָמַר רַבִּי אוֹזָא, אוֹתָהּ הַנְּשָׁמָה מַמָּשׁ, וְאוֹתוֹ הַגּוּף מַמָּשׁ, עָתִיד הקב"ה, לְהַעֲמִידָן בְּקִיּוּמָן לֶעָתִיד לָבֹא, אֲבָל שְׁנֵיהֶם יִהְיוּ שְׁלֵמִים, בְּתַשְׁלוּם הַדַּעַת, לְהַשִּׂיג מַה שֶׁלֹּא הִשִּׂיגוּ בָּעוֹלָם הַזֶּה.

קנד. וְאַבְרָהָם זָקֵן בָּא בַּיָּמִים וגו'. ר' בּוֹ א"ר יוֹחָנָן, בְּאוֹתוֹ הָעוֹלָם: שֶׁהוּא יָמִים, וְלֹא בָּעוֹלָם הַזֶּה, שֶׁהוּא לַיְלָה. אָמַר ר' יַעֲקֹב, בְּאוֹתָם הָעוֹלָמוֹת, שֶׁהֵם יָמִים, בְּאוֹתָם הַהֲנָאוֹת וְהַכִּסּוּפִין, שֶׁהוּא נוֹחֵל. וַה' בֵּרַךְ אֶת אַבְרָהָם בַּכֹּל. בְּאוֹתוֹ הַמִּשְׂרָה שֶׁנָּתַן לוֹ הקב"ה מִשְּׁמוֹ, שֶׁהִיא אוֹת ה"א שֶׁבּוֹ נִבְרָא הָעוֹלָם.

קנה. וְתַנְיָא, אָמַר ר' יוֹחָנָן, מטטרון שַׂר הַפָּנִים, שֶׁהוּא נַעַר, עֶבֶד מֵרַבּוֹ, הָאָדוֹן הַמּוֹשֵׁל עָלָיו, מְמוּנֶּה עַל הַנְּשָׁמָה, בְּכָל יוֹם, לְהַסְפִּיק לָהּ, מֵאוֹתוֹ הָאוֹר שֶׁנִּצְטַוָּה, וְהוּא עָתִיד לְמֵיסַב, וְזוּשְׁבַּן פִּתְקָא, בְּבָתֵּי קִבְרֵי, מִן דוּמָה, וּלְאַחֲזָאָה לֵיהּ קַמֵּי מָארֵיהּ, וְהוּא זַמִּין, לְמֶעְבַּד וְזַמִּיר, הַהוּא גַּרְמָא, תְּחוֹת אַרְעָא, לְתַקְנָא לְגוּפַיָּא, וּלְקַיְּימָא לוֹן בִּשְׁלֵימוּתָא דְּגוּפָא, בְּלָא נִשְׁמְתָא, דְּקוּדְשָׁא בְּרִיךְ הוּא יְשַׁדַּר לָהּ לְאַתְרָהּ.

קנו. אָמַר ר' יִצְחָק, בְּאוֹתָהּ שָׁעָה, מַה כְּתִיב, וַיֹּאמֶר אַבְרָהָם אֶל עַבְדּוֹ זְקַן בֵּיתוֹ הַמּוֹשֵׁל וגו'. מַהוּ אֶל עַבְדּוֹ, אִי בְּחָכְמְתָא דָא נִסְתַּכַּל, מַהוּ אֶל עַבְדּוֹ, אָמַר רַבִּי נְהוֹרַאי, לֹא נִסְתַּכֵּל, אֶלָּא בַּמֶּה שֶׁאָמַר עַבְדּוֹ, עַבְדּוֹ שֶׁל מָקוֹם. הַקָּרוֹב לַעֲבוֹדָתוֹ, וּמַאן אִיהוּ, זֶה מטטרון, כִּדְקָאֲמָרָן, דְּאִיהוּ עָתִיד לְיַפּוֹת לַגּוּף בְּבָתֵּי קִבְרֵי.

קנז. הֲדָא הוּא דִכְתִיב, וַיֹּאמֶר אַבְרָהָם אֶל עַבְדּוֹ, זֶה מטטרון, עַבְדּוֹ שֶׁל מָקוֹם. זְקַן בֵּיתוֹ, שֶׁהוּא תְּחִלַּת בְּרִיּוֹתָיו, שֶׁל מָקוֹם. הַמּוֹשֵׁל בְּכָל אֲשֶׁר לוֹ, שֶׁנָּתַן לוֹ קוּדְשָׁא בְּרִיךְ הוּא, מֶמְשָׁלָה, עַל כָּל צְבָאוֹתָיו.

קנח. וְתָאנָא, אר"ש א"ר יוֹסֵי אָמַר רַב, כָּל צְבָאוֹתָיו שֶׁל אוֹתוֹ עֶבֶד, נוֹטְלִים אוֹר, וְנֶהֱנִין מִזִּיו הַנְּשָׁמָה, דְּתָאנָא אוֹר הַנְּשָׁמָה, לְעה"ב, גָּדוֹל מֵאוֹר הַכִּסֵּא. וְהָא מֵהַכִּסֵּא נִטְּלָה הַנְּשָׁמָה. אֶלָּא זֶה לְפִי הָרָאוּי לוֹ, וְזֶה לְפִי הָרָאוּי לוֹ. רַב נַחְמָן אָמַר גָּדוֹל מֵאוֹר הַכִּסֵּא מַמָּשׁ, דִּכְתִיב, דְּמוּת כְּמַרְאֵה אָדָם עָלָיו מִלְמַעְלָה מַאי עָלָיו עַל זָהֳרוֹ.

קנט. וּכְשֶׁהוּא הוֹלֵךְ לַעֲשׂוֹת שְׁלִיחוּתוֹ, כָּל צְבָאוֹתָיו וְהַמֶּרְכָּבָה שֶׁלּוֹ נִזּוֹנִין מֵאוֹתוֹ הַזּוֹהַר. הֲדָא הוּא שֶׁהַנְּשָׁמָה אוֹמֶרֶת לוֹ, שִׂים נָא יָדְךָ כְּלוֹמַר סִיעָתְךָ, תַּחַת יְרֵכִי, זֶהוּ אוֹר הַנִּשְׁפָּע מִן הַנְּשָׁמָה עֲלֵיהֶם.

קס. אָמַר רַבִּי יְהוּדָה בְּרַבִּי שָׁלוֹם, כָּךְ קִבַּלְנוּ, בְּשָׁעָה שֶׁזֶּה הוֹלֵךְ בִּשְׁלִיחוּתוֹ שֶׁל מָקוֹם, קוּדְשָׁא בְּרִיךְ הוּא, מֵנִיעַ כָּל צְבָאוֹתָיו שֶׁל מַעְלָה, בְּאוֹת אַחַת מִשְּׁמוֹ. אָמַר רַב הוּנָא, כָּךְ יְרֵכִי״ בְּגִימַטְרִיָּא רָ״ם. כְּלוֹמַר הַנְּשָׁמָה אוֹמֶרֶת, שִׂים נָא יָדְךָ, סִיעָתְךָ, תַּחַת מַעֲלָתוֹ שֶׁל רָם וְנִשָּׂא הַמּוֹשֵׁל עַל הַכֹּל. וּלְאַחַר שֶׁצִּוָּה סִיעַת עֶלְיוֹנִים, תַּחַת יָדוֹ, אֲנִי מַשְׁבִּיעֲךָ, שְׁבוּעָה גְּדוֹלָה בּוֹ.

קסא. אָמַר רַבִּי יִצְחָק, אֱלֹהֵי הַשָּׁמַיִם וֵאלֹהֵי הָאָרֶץ. הוֹאִיל וְאָמַר בָּהּ שֶׁהוּא הַכֹּל, לָמָּה נֶאֱמַר, אֱלֹהֵי הַשָּׁמַיִם, אָמַר רַבִּי יְהוּדָה שֶׁהוּא אָדוֹן עַל הַכֹּל, בְּבַת אַחַת, וּבְרֶגַע אֶחָד הוּא מֵנִיעַ לַכֹּל, וְכֻלָּם כְּאַיִן נֶגְדּוֹ. רַבִּי יִצְחָק אוֹמֵר, עַל שְׁתֵּים אוֹתִיּוֹת מִשְּׁמוֹ, לְהוֹרוֹת, שֶׁהוּא הַכֹּל וְאֵין אַחֵר בִּלְתּוֹ.

קסב. וְאַשְׁבִּיעֲךָ בַּה׳ אֱלֹהֵי הַשָּׁמַיִם וֵאלֹהֵי הָאָרֶץ. אָמַר רַב הוּנָא, וְאִי הֲוֵינָא עִמְּהוֹן, דְּמָארֵי מַתְנִיתָא, כַּד גָּלוּ רָזָא דְּנָא, לָא אִיפָּרַשְׁנָא מִנְּהוֹן הָכִי, דְּהָא אֲנָא וַוי, עֲמִיקִין סַגִּיאִין בְּפוּמַיְיהוּ, דְּגָלוּ וְלָא אִתְחֲזִיין לְכָל אֱינִישׁ. תָּא חֲזֵי, שְׁבוּעַת קַיְימָא דָא, אוֹמֵי לָהּ נִשְׁמָתָא, דִּכְתִיב אֲשֶׁר לֹא תִקַּח אִשָּׁה לִבְנִי.

קסג. א״ר יִצְחָק, מֵהָכָא מַשְׁמַע, שֶׁהוֹאִיל וְאַתָּה הוֹלֵךְ בִּשְׁלִיחוּת זֶה, לֹא תִקַּח אִשָּׁה לִבְנִי, כְּלוֹמַר שֶׁלֹּא תִקַּח גּוּף לִבְנִי, לִיכָּנֵס בְּגוּף אַחֵר, בְּגוּף זָר, בְּגוּף שֶׁאֵינוֹ רָאוּי לוֹ, אֶלָּא בְּהַהוּא מַמָּשׁ, שֶׁהוּא שֶׁלִּי, בְּהַהוּא מַמָּשׁ, שֶׁיָּצָאתִי מִמֶּנּוּ, הֲדָא הוּא דִכְתִיב כִּי אִם אֶל אַרְצִי וְאֶל מוֹלַדְתִּי תֵּלֵךְ.

קסד. אָמַר ר׳ יוֹסֵי, מַהוּ וְלָקַחְתָּ אִשָּׁה לִבְנִי לְיִצְחָק. אָמַר רַבִּי יִצְחָק, אוֹתוֹ הַגּוּף שֶׁנִּצְטַעֵר עִמִּי בְּאוֹתוֹ הָעוֹלָם, וְלֹא הָיָה לוֹ הֲנָאָה וְכִסּוּף בּוֹ, מִפְּנֵי יִרְאַת קוֹנוֹ, אוֹתוֹ הַגּוּף מַמָּשׁ, תִּקַּח לְיִצְחָק עִמּוֹ בְּהַאי שְׂמוֹחַת הַצַּדִּיקִים, לְיִצְחָק עִמּוֹ בִּשְׂמוֹחַת הקב״ה, לְיִצְחָק עִמּוֹ דְּעַכְשָׁיו עֵת שְׂחוֹק בָּעוֹלָם, הה״ד אָז יִמָּלֵא שְׂחוֹק פִּינוּ וגו׳.

קסה. אָמַר רַבִּי יְהוּדָה בַּר יִצְחָק, ת״ש, אֵין מַלְאָךְ אֶחָד עוֹשֶׂה אֶלָּא שְׁלִיחוּת אֶחָד וְלֹא ב׳ שְׁלִיחוּת בְּבַת אַחַת. וְתַנְיָא, אָמַר רַבִּי אַבָּא, מַלְאָךְ אֶחָד, אֲשֶׁר קֶסֶת הַסּוֹפֵר בְּמָתְנָיו, עָתִיד לְהַרְשִׁים כָּל אֶחָד וְאֶחָד, עַל מִצְוָה, וּלְאַחַר כֵּן, הַשַּׂר הַגָּדוֹל, הוֹלֵךְ לְתַקֵּן כָּל אֶחָד וְאֶחָד, וּלְהַעֲמִידוֹ לְקַבֵּל נִשְׁמָתוֹ, הה״ד הוּא יִשְׁלַח מַלְאָכוֹ לְפָנֶיךָ וְלָקַחְתָּ אִשָּׁה, מַאי לְפָנֶיךָ. לִפְנֵי שְׁלִיחוּתְךָ.

קסו. רַבִּי אֱלִיעֶזֶר אָזַל לְמֶחֱמֵי לְרַבָּן יוֹחָנָן בֶּן זַכַּאי רַבֵּיהּ, וְהַהוּא יוֹמָא רֵישׁ יַרְחָא הֲוָה, כַּד מָטָא גַּבֵּיהּ, אָמַר לֵיהּ, בֵּירָא דִּלְסַרְיָין, וּמַלְיָין לֵיהּ, וְהוּא נָבִיעַ מִדִּידֵיהּ יַתִּיר, מַאי בָּעָא הָכָא.

קסז. אָמַר לֵיהּ חַיָּיב אָדָם לְהַקְבִּיל פְּנֵי רַבּוֹ. אָמַר לֵיהּ, לָאו עַל כָּךְ אֲמָרִית. אֶלָּא אֲנָא חָמֵי בְּאַנְפָּךְ, דְּמִלָּה חַדְתָּא אִית גַּבָּךְ, מֵאִינּוּן עֲמִיקִים, דְּאַתְּ עָתִיד לְמִתְבַּע.

קסח. א״ל, חֲמֵינָא הַאי אוֹר הָרִאשׁוֹן, דְּמִטַּלְנוֹי עֲשָׂרָה, וּבַעֲשָׂרָה נָטִיל, וּבְרָזָא דַּעֲשָׂרָה נָהִיג לְכֹלָּא, וּבְאַתְוָותָא דַּעֲשָׂרָה עֲבִיד עוֹבָדוֹי. וְתָאנָא, עֲשָׂרָה פִּתְקִין, עֲשָׂרָה מַפְתְּחָן דְּבֵי קַצְרֵי בִּידוֹי, וּפִתְקִין עֲשָׂרָה, נָטִיל בְּגִנְתָא דְּעֵדֶן, לְאַתְקְנָא אַרְעָא, עַל גּוּפֵיהוֹן דְּצַדִּיקַיָּא.

קסט. אָמַר לֵיהּ, אֱלִיעֶזֶר בְּרִי, חָמֵית הֲוֵית יַתִּיר מִמַּלְאָכָא קַדִּישָׁא, דְּעָלְמָא בַּעֲשָׂרָה אִתְבְּרֵי, בַּעֲשָׂרָה אִתְנְהִיג, כֻּרְסְיָּיא קַדִּישָׁא, בַּעֲשָׂרָה, אוֹרַיְיתָא הוּא בַּעֲשָׂרָה, מִטַּלְנוֹי בַּעֲשָׂרָה, עָלְמִין עִלָּאִין בַּעֲשָׂרָה, וְחַד עִלָּאָה עַל כֹּלָּא בְּרִיךְ הוּא.

קע. וְאֵימָא לָךְ מִלָּה, דַּעֲתֵיהּ דְּמָארֵי דְּמַתְנִיתָא הֲוָה בְּהַאי, מַה כְּתִיב, וַיִּקַּח הָעֶבֶד

עֲשָׂרָה גְּמַלִּים מִגְּמַלֵּי אֲדֹנָיו וַיֵּלֶךְ. אֲמַר לֵיהּ, רִבִּי, זָכֵינָא לִפְסוּקָא דָא, אֲבָל וְכָל טוּב אֲדֹנָיו בְּיָדוֹ מַהוּ. אֲמַר לֵיהּ, הוּא שְׁמֵיהּ דְּמָארֵיהּ, דְּאָזִיל גַּבֵּי, לְאַעֲלָא לֵיהּ, וּלְאַנְהָגָא לֵיהּ, אֲמַר דָּא וַדַּאי הוּא, כִּי שְׁמִי בְּקִרְבּוֹ.

קעא. תְּנַן, אֲמַר רַבִּי אֲבָהוּ, תָּא וַחֲזֵי, מַאן דְּיָדַע שְׁמֵיהּ עַל בּוּרְיֵיהּ, יָדַע דְּהוּא וּשְׁמֵיהּ וְחַד הוּא, קֻבָּ"ה וּשְׁמֵיהּ וְחַד, דִּכְתִּיב ה' אֶחָד וגו'. כְּלוֹמַר הַשֵּׁם וְהוּא אֶחָד.

קעב. אֲמַר רַבִּי אַבָּא, אִית לְאִסְתַּכְּלָא בְּפָרְשָׁתָא דָא, וַיַּבְרֵךְ הַגְּמַלִּים מִחוּץ לָעִיר אֶל בְּאֵר הַמָּיִם. אֲמַר רַבִּי אַבָּא, מִחוּץ לָעִיר, דָּא הוּא בֵּי קִבְרֵי. אֶל בְּאֵר הַמָּיִם, דְּתַנְיָא, הַנִּקְדָּמִים בְּבָתֵּי קִבְרֵי אוֹתָם שֶׁנָּשְׂאוּ וְנָתְנוּ בַּתּוֹרָה, דְּהָא תְּנַן, כְּשֶׁנִּכְנַס אָדָם לַקֶּבֶר, מַה דְּשָׁאֲלוּ לֵיהּ תְּחִלָּה, אִם קָבַע עִתִּים לַתּוֹרָה, דִּכְתִּיב וְהָיָה אֱמוּנַת עִתֶּךָ וגו'. וּכְשֶׁיֵּצֵא אֵינוֹ דָּן לַהֲקִימָם בַּתְּחִלָּה.

קעג. אֲמַר רַבִּי אַבָּא, לְעֵת עֶרֶב, זֶהוּ יוֹם שִׁשִּׁי, שֶׁהוּא עֶרֶב הַשַּׁבָּת, שֶׁאָז הַזְּמַן לְקִיּוּמָא מֵתַיָּא, מַאי מַשְׁמַע, דִּתְנַן, שִׁיתָא אַלְפֵי שְׁנִין הֲוֵי עָלְמָא וְהוּא אֶלֶף הַשִּׁשִּׁי, שֶׁהוּא סִיּוּם הַכֹּל, וְהַיְינוּ לְעֵת עֶרֶב, זְמַן סִיּוּם הַכֹּל. לְעֵת צֵאת הַשֹּׁאֲבוֹת, אֵלּוּ הֵם תַּלְמִידֵי וַחֲכָמִים, הַשּׁוֹאֲבִים מֵימֶיהָ שֶׁל תּוֹרָה, שֶׁהוּא עֵת לָצֵאת וּלְהִתְנַעֵר מִן הֶעָפָר.

קעד. וְא"ר אַבָּא, עוֹד יֵשׁ לָדַעַת, דִּתְנַן, אוֹתָם הַמִּתְעַסְּקִים לָדַעַת אֶת בּוֹרְאָם בָּעוה"ז, וְנִשְׁמָתָם בְּתַשְׁלוּמָהּ, לָעה"ב זָכוּ לָצֵאת מִשְּׁבוּעַת הַנְּשָׁמָה, הוֹלֵךְ לָדַעַת מִי הוּא גּוּפָהּ מַמָּשׁ, וּמַאי הוּא. הִנֵּה אָנֹכִי נִצָּב עַל עֵין הַמָּיִם, אע"ג שֶׁתַּלְמִיד וְחָכָם הוּא, הוֹלֵךְ אַחַר הַתַּשְׁלוּם, דִּכְתִּיב וְהָיָה הָעַלְמָה הַיֹּצֵאת לִשְׁאוֹב וְאָמַרְתִּי אֵלֶיהָ הַשְׁקִינִי נָא מְעַט מַיִם מִכַּדֵּךְ, אֱמוֹר לִי רֶמֶז יְדִיעָתוֹ מִמַּה שֶּׁהִשַּׂגְתָּ.

קעה. וְאָמְרָה אֵלַי גַּם אַתָּה שְׁתֵה, אַף אַתָּה עֶבֶד כָּמוֹנִי, וְלֹא נִתְחַלֵּף לִי יְדִיעָתְךָ, בִּידִיעָתוֹ שֶׁל מָקוֹם בָּרוּךְ הוּא, וְצָרִיךְ אַתָּה לְהַשִּׂיג שֶׁאַתָּה נִבְרָא כָּמוֹנִי.

קעו. וְגַם לִגְמַלֶּיךָ אֶשְׁאָב, כְּלוֹמַר יְדִיעַת הַשָּׂגָתִי, שֶׁלֹּא הִשִּׂיגוּ סִיעָתְךָ וְיָדַעְתִּי כִּי מַעֲלָה יֵשׁ לִי עָלֶיךָ, וְהֵיאַךְ נִבְרָא אַתָּה מִזִּיו הַנָּתוּן אֶצְלְךָ. אִם הוּא אוֹמֵר סִימָן זֶה, יְהִי מָסוּר בְּיָדִי, עַל כָּל דְּבָרִים אֵלּוּ, וְאֵדַע שֶׁהִיא הָאִשָּׁה, הוּא הַגּוּף, מֵאוֹתָהּ הַנְּשָׁמָה הַשְּׁבוּעָה שֶׁהִשְׁבִּיעַנִי.

קעז. וַיְהִי הוּא טֶרֶם כִּלָּה לְדַבֵּר וגו'. רַבִּי יִצְחָק אָמַר רַבִּי יְהוּדָה, בְּעוֹד שֶׁכָּל הָעִנְיָנִים, הוּא רוֹצֶה לְנַסּוֹת עַל הַגּוּף, מַאי כְּתִיב, וְהִנֵּה רִבְקָה יוֹצֵאת, זֶהוּ הַגּוּף קָדוֹשׁ, שֶׁנִּתְעַסֵּק בְּד"ת, וְכִתֵּת גּוּפוֹ לְהַשִּׂיג וְלָדַעַת אֶת קוֹנוֹ. אֲשֶׁר יֻלְּדָה לִבְתוּאֵל, אָמַר רַב יְהוּדָה, בִּתּוֹ שֶׁל אֵל. בֶּן מִלְכָּה, בֶּן מַלְכָּהּ שֶׁל עוֹלָם. אֵשֶׁת נָחוֹר אֲחִי אַבְרָהָם. וְחֶבְרַת הַשֵּׂכֶל, גּוּף שֶׁנִּדְבַּק בַּשֵּׂכֶל, וְהִיא אָח הַנְּשָׁמָה. וְכַדָּהּ עַל שִׁכְמָהּ, מַשָּׂא הַחָכְמָה עָלֶיהָ.

קעח. וַיָּרָץ הָעֶבֶד לִקְרָאתָהּ, זֶה מטטרון. וַיֹּאמֶר הַגְמִיאִינִי נָא מְעַט מַיִם מִכַּדֵּךְ, אֱמוֹר לִי רֶמֶז וְחָכְמְתָא, בִּידִיעַת בּוֹרְאֵךְ, מִמַּה שֶּׁעָסַקְתְּ בָּעוֹלָם שֶׁיָּצָאת מִמֶּנּוּ. אֲמַר רַבִּי אַבָּא, כִּדְפָרְשִׁינָן, אַחַר כָּל זֶה מַה כְּתִיב, וָאָשִׂים הַנֶּזֶם עַל אַפָּהּ וְהַצְּמִידִים עַל יָדֶיהָ, א"ר אַבָּא, אוֹתָם הָעֲצָמוֹת שֶׁנִּפְזְרוּ לְכָאן וּלְכָאן, הוּא צוֹמֵד אוֹתָם, וְשׁוֹקְלָם זֶה עַל זֶה, כְּמָה דְּאַתְּ אָמֵר וְעַצְמוֹתֶיךָ יַחֲלִיץ.

קעט. אֲמַר רַבִּי אַבָּא, בְּאוֹתָהּ שָׁעָה, אוֹתוֹ הַגּוּף עוֹמֵד בְּאֶרֶץ יִשְׂרָאֵל, וְשָׁם נִכְנַס בּוֹ נִשְׁמָתוֹ. אָמַר רַבִּי יוֹחָנָן, מִי מוֹלִיךְ הַגּוּף לְאֶרֶץ יִשְׂרָאֵל, אֲמַר רַבִּי זֵירָא, קוּדְשָׁא בְּרִיךְ הוּא עוֹשֶׂה מְחִילוֹת תַּחַת הָאָרֶץ, וְהֵם מִתְגַּלְגְּלִים וְהוֹלְכִים לְאֶרֶץ יִשְׂרָאֵל, הֲדָא הוּא דִכְתִּיב וְאֶרֶץ רְפָאִים תַּפִּיל.

קפ. אמר רבי יצחק, גבריאל מוליך אותם לארץ ישראל, מנ"ל, דכתיב התלכי עם האיש הזה, וכתיב התם והאיש גבריאל. אמר רבי יוסי, מאי דכתיב, ולרבקה אח ושמו לבן. א"ר יצחק, אין יצה"ר בטל מן העולם אף על פי שכלו לא נמצא קצתו נמצא.

קפא. תא חזי בתחלה כשהיה מוטל בעה"ז נקרא לוט, לעה"ב יבטל מן העולם, אבל לא כולו ונקרא לבן, לא מנוול כבראשונה, אלא כמאן דסחי מנוולו. לבן למאי אצטריך. א"ר שמעון, למעבד פריה ורביה אצטריך, דאמר ר"ש, אם אין יצר הרע נמצא, פריה ורביה אינו מצוי.

קפב. ת"ש, כיון שהגוף נבנה ועומד בקיומו, מאי כתיב וישלחו את רבקה אחותם וגו'. מאי ואת מניקתה זה כח התנועה. רבי יצחק אמר זה כח הגוף.

קפג. רבי אבהו פתח בהאי קרא, אתי מלבנון כלה אתי מלבנון תבאי וגו', אמר רבי אבהו, כיון שהגוף נבנה על קיומו, ומביאין אותו, לקבל נשמתו, לארץ ישראל, הנשמה ממתנת אליו, ויוצאת לקראתו, כמה דאת אמר ויצא יצחק לשוח בשדה. הדא הוא דכתיב אתי מלבנון כלה. זו היא הנשמה. תשורי מראש אמנה, היינו דכתיב וישא עיניו וירא.

קפד. אמר ר' יהודה, אם היא הנשמה, תינח אברהם כדקאמרן, אבל יצחק מהו. אמר ר' אבהו, הא חברייא אמרו, דעכשיו אתקרי יצחק, על שום חדוותא סגיאה דבעלמא.

קפה. אמר ר' אבהו, בתחלה נקראת הנשמה אברהם, והגוף שרה עכשיו נקראת הנשמה יצחק והגוף רבקה. תנן במתניתין, אמר ר' שמעון, ארבעים שנה קודם קיום הגוף, ממתנת הנשמה לגוף בארץ ישראל. באיזה מקום, במקום המקדש.

קפו. אמר ר' אבהו, תא חזי, ויקח את רבקה ותהי לו לאשה ויאהבה וינחם יצחק אחרי אמו. אוהב לאותו הגוף, ומתנחם עמו והוא עת לשחוק והחדוה בעולם.

קפז. אמר רבי יהודה, הא כל פרשתא דא אתברר לן, אבל לא יכילנא למנדע מהו, ויוסף אברהם ויקח אשה ושמה קטורה. ולשקולא דדעתא כל פרשתא דא ליסתורי.

קפח. כד אתא רב דימי, אמר האי פרשתא דא שמענא, ולא אדכרנא, אמרו, דעלאין תקיפין, לא זמנוה לגלאה, ואנן מאי נימא. קם רבי יהודה ואמר, ממתיבתא דחברנא, מארי מתניתא גליא.

קפט. קמו ואזלו, הוא ורבי ייסא ורבי חייא, אשכחוה לרבי אלעזר ברבי שמעון, והוה מגלה רזין דתפילין, עאלו קמיה, ואמרו במאי אתעסק מר, אמר לון, טעמא דתפילין אמינא, דהא זכאה הוא בר נש, דמנח תפילין, וידע טעמא דידהו.

קצ. אמרו אי ניחא קמיה דמר, לימא לן מלה. אמרו, שמענא מאבוך, דקודשא בריך הוא, ברחימו סגיאה דהוה ליה עם ישראל, אמר לון למעבד ליה בי משכנא, כגוונא דרתיכא עלאה דלעילא, וייתי דיוריה עמהון, הה"ד ועשו לי מקדש ושכנתי בתוכם. ושמענא מאבוך דהכא סתים טעמא דתפילין, בהאי פסוקא.

קצא. א"ל ת"ח, כגוונא עלאה, אתעבד מקדש ברתיכוי קדישין, ובתר כן, אשרי קודשא בריך הוא דיוריה עמהון, כעניינא דא, וכגוונא דא, אתערו חברייא מארי מתניתא בטעמא דתפלין, למהוי ההוא גברא דוגמא דרתיכי עלאין, רתיכא תתאה, רתיכא עלאה, למייתי מלכותא דיליה, וישרי דיוריה עלויה.

קצב. ותנינן, אית ביה, רזין עלאין, ודוגמיהון, ואית ביה תלת רתיכין, דוגמת עלאין קדישין, רזין דתלת אתוותא, דשמהן קדישי, עלאין תלת, רתיכין, תלתא אתוותא, ארבע

פָּרְשִׁיּוֹת שַׁלִּיט עַל אַרְבַּע, וְעַל כָּךְ, רָזָא דְשִׁי"ן דִּתְלַת כִּתְרִין, וְשִׁי"ן דְּאַרְבַּע כִּתְרִין, תְּלָתָא מְלָכִין שַׁלִּיטִין בְּגוּפָא, תְּפִילִּין עֲלוֹי קוּדְשָׁא בְּרִיךְ הוּא לְעֵילָּא, אִלֵּין תְּפִלִּין דְּרֵישָׁא, תְּפִילִּין דִּדְרוֹעָא אַרְבַּע פָּרְשִׁיָּין.

קצג. לִבָּא, רָכִיב דּוּגְמָא דִּרְתִיכָא תַּתָּאָה, וְתַתָּאָה רָכִיב. עוֹד תָּנִינָן, דָּא רְכִיבָא דִּדְרוֹעָא לְתַתָּא. וְלִבָּא רָכִיב דּוּגְמָא דְּאִיהוּ לְתַתָּא, וְאִתְמַסְרוּן בִּידֵיהּ לְאַעֲלָאָה לוֹן כָּל וְזִילֵי שְׁמַיָּא, כָּךְ לִבָּא הוּא רָכִיב לְתַתָּא, וְאִתְמַסְרוּ בִּידוֹי כָּל אֵבָרֵי גּוּפָא.

קצד. וְעֵילָּא מִנֵּיהּ אַרְבַּע פָּרְשִׁיָּין עַל מוֹחָא דְּרֵישָׁא אִיהוּ, אֲבָל קב"ה, שַׁלִּיטָא עִלָּאָה מַלְכָּא מִכֹּלָּא. וְרָזָא דְּחָכְמְתָא דָּא, הוּא, כְּגַוְונָא דְּמַקְדְּשָׁא דִּכְתִיב, וַעֲשֵׂה כְּרוּב אֶחָד מִקָּצָה מִזֶּה וּכְרוּב אֶחָד מִקָּצָה מִזֶּה, וַעֲלַיְיהוּ דְּיוֹרֵיהּ דְּמַלְכָּא, בְּאַרְבַּע אַתְוָון, תְּרֵין רְתִיכִין.

קצה. וּכְהַאי גַּוְונָא, לִבָּא וּמוֹחָא, לִבָּא מִכָּאן, וּמוֹחָא מִכָּאן, וַעֲלַיְיהוּ מְדוֹרֵיהּ דְּקוּדְשָׁא בְּרִיךְ הוּא, בְּאַרְבַּע פָּרְשִׁיָּין. א"ר אֶלְעָזָר, מִכָּאן וּלְהָלְאָה רָזֵי דְּכִתְרֵי אַתְווָתָא, וּפָרְשִׁיָּין בְּגוּפַיְיהוּ וּרְצוּעוֹתֵיהוֹן, הֲלָכָה לְמֹשֶׁה מִסִּינַי, וּרְמִיזָא דִּלְהוֹן אִתְגְּלֵי, וְטַעְמָא דְּכֹלָּא בִּתְלַת עֲשַׂר מְכִילָן.

קצו. אָמַר רִבִּי יְהוּדָה אִלְמָלֵא לָא אָתֵינָא, אֶלָּא בְּדִיל רָזָא דָּא דַּיי. אָמְרוּ לֵיהּ, זַכָּאָה וְזוֹלָקָךְ לְעָלְמָא דְּאָתֵי דְּכָל רָז לָא אָנִיס לָךְ. אָמְרוּ לֵיהּ אָתֵינָא קַמֵּיהּ דְּמָר, לְמִנְדַּע רָזָא דְּהַאי פְּסוּקָא, וַיֹּסֶף אַבְרָהָם וַיִּקַּח אִשָּׁה וּשְׁמָהּ קְטוּרָה.

קצז. אָמַר, פֵּירוּשָׁא דְּהַאי פְּסוּקָא, כְּמָה דְּגָלוּ וַחֲבְרָנָא, מָארֵי מַתְנִיתִין, דְּכַד נִשְׁמָתָא יֵיתֵי בְּהַהוּא גּוּפָא קַדִּישָׁא דִּילָהּ, הָא מִילַּיָּא הֲווּ, עַל וְזַיָּיבַיָּא, דִּיקוּמוּן וְיִכְשְׁרוּן עוֹבָדִין, וְיִתֵּן לְהוּ מְזִיוָא יְקָרָא דִּילֵיהּ, דְּיִנְדְּעוּן, וִיתוּבוּן, וְיִזְכּוּן זְכוּתָא שְׁלֵימָתָא.

קצח. וְכַד וְזָמָא שְׁלֹמֹה דָּא הֲוָה סַגֵּי וַאֲמַר וּבְכֵן רָאִיתִי רְשָׁעִים קְבוּרִים וָבָאוּ וּמִמְּקוֹם קָדוֹשׁ יְהַלֵּכוּ, שֶׁיָּבוֹאוּ וְיִוזְיוּ, מִמְּקוֹם קָדוֹשׁ. וְתָנִינָן, א"ר אַבָּא א"ר יוֹוזָנָן, כְּתִיב הֲיַהֲפֹךְ כּוּשִׁי עוֹרוֹ וְנָמֵר וְזַבַרְבֻּרֹתָיו, כָּךְ הָרְשָׁעִים, שֶׁלֹּא זָכוּ לָשׁוּב בָּעוֹלָם הַזֶּה, וּלְהַקְטִיר מַעֲשִׂים טוֹבִים, לְעוֹלָם לֹא יַקְטִירוּ בָּעוֹלָם הַבָּא. רְאֵה מַה כְּתִיב, וַיֹּסֶף אַבְרָהָם וַיִּקַּח אִשָּׁה, וְשֶׁרוֹצֶה לַעֲשׂוֹת לָהֶם נְשָׁמָה לְגוּפָם, וּלְקָרְבָם בִּתְשׁוּבָה, כְּד"א וְאֶת הַנֶּפֶשׁ אֲשֶׁר עָשׂוּ בְוזָרָן.

קצט. אָמַר רִבִּי אֶלְעָזָר, תָּא וְזֵזֵי, מַה כְּתִיב, וַתֵּלֶד לוֹ אֶת זִמְרָן וְאֶת יָקְשָׁן, הַרְבֵּה מַעֲשִׂים רָעִים, עַד שֶׁנִּתְגָּרְשִׁים מִן הָעוֹלָם, דִּכְתִיב וַיְשַׁלְּוזֵם מֵעַל יִצְוזָק בְּנוֹ. וַעֲלֵיהֶם נֶאֱמַר וְרַבִּים מִיְשֵׁנֵי אַדְמַת עָפָר יָקִיצוּ וגו', וְעַל הָאֲוזֵרִים נֶאֱמַר וְהַמַּשְׂכִּילִים יַזְהִירוּ כְּזֹהַר הָרָקִיעַ וגו'.

ר. אָמַר, רִבִּי יְהוּדָה הַאי מַשְׁמַע עַל פָּרְשָׁתָא, וּמַשְׁמַע דְּאוֹתוֹ זְמַן נִקְרָא אַבְרָהָם וּבִמְקוֹמוֹ נִקְרֵאת יִצְוזָק, כִּדְקָאֲמָרָן, הה"ד וַיְהִי אַוזֲרֵי מוֹת אַבְרָהָם וַיְבָרֶךְ אֱלֹהִים אֶת יִצְוזָק בְּנוֹ וַיֵּשֶׁב יִצְוזָק עִם בְּאֵר לַוזַי רֹאִי. עִם יְדִיעַת הַוזַי, שֶׁהוּא וזַי הָעוֹלָמִים, לָדַעַת וּלְהַשִּׂיג, מַה שֶּׁלֹּא הִשִּׂיג בָּעוֹלָם הַזֶּה הה"ד כִּי מָלְאָה הָאָרֶץ דֵּעָה אֶת ה' (עַד כָּאן מִדְרָשׁ הַנֶּעְלָם).

רא. רִבִּי יִצְוזָק פָּתַוז וַאֲמַר, וְיָשֹׁב הֶעָפָר עַל הָאָרֶץ כְּשֶׁהָיָה וְהָרוּוזַ תָּשׁוּב אֶל הָאֱלֹהִים אֲשֶׁר נְתָנָהּ. תָּא וְזֵזֵי, כַּד בְּרָא קוּדְשָׁא בְּרִיךְ הוּא לְאָדָם, נָטַל עַפְרֵיהּ מֵאֲתַר דְּמַקְדְּשָׁא, וּבָנָה גּוּפֵיהּ מֵאַרְבַּע סִטְרִין דְּעָלְמָא, דְּכֻלְּהוּ יָהֲבוּ לֵיהּ וְזֵילָא, לְבָתַר אִתְרַק עֲלֵיהּ רוּוזָא דְּוזַיֵּי, כְּד"א וַיִּפַּוז בְּאַפָּיו נִשְׁמַת וזַיִּים וגו'. לְבָתַר קָם וְיָדַע דְּאִיהוּ מֵעֵילָּא וְתַתָּא, וּכְדֵין אִתְדַּבַּק וְיָדַע וְזָכְמָה עִלָּאָה.

רב. כְּגַוְונָא דָא, כָּל בַּר נָשׁ דְּעַלְמָא, אִיהוּ כָּלִיל מֵעֵילָּא וְתַתָּא, וְכָל אִינּוּן דְּיָדְעִין לְאִתְקַדְּשָׁא בְּהַאי עַלְמָא כִּדְקָא יָאוֹת, כַּד אוֹלִידוּ בַּר, מְשִׁיכִין עֲלֵיהּ רוּחַ קַדִּישָׁא, מֵאֲתַר דְּכָל קַדִּישֵׁי נָפְקִין מִנֵּיהּ, וְאִלֵּין אִקְרוּן בְּנִין לְקֻבְּ״ה, בְּגִין דְּגוּפָא אִתְעֲבִיד בִּקְדוּשָּׁה כִּדְקָא יָאוֹת, הָכֵי נָמֵי יָהֲבִין לֵיהּ רוּחָא מֵאֲתַר עִלָּאָה קַדִּישָׁא כִּדְקָא וָזֵי, וְהָא אִתְּמַר.

רג. ת״וז, בְּשַׁעְתָּא דְּזַמִּין בַּר נָשׁ, לְמֵיהַב וְחוּשְׁבַּן עוֹבָדוֹי, עַד לָא יִפּוֹק מֵעַלְמָא, הַהוּא יוֹמָא, יוֹמָא דְּחוּשְׁבַּן אִיהוּ, דְּגוּפָא וְנִשְׁמָתָא יָהֲבֵי וְחוּשְׁבְּנָא. לְבָתַר נִשְׁמָתָא אִתְפָּרְשָׁא מִינֵּיהּ, וְגוּפָא תָּב לְאַרְעָא, וְכֹלָּא תָּב לְאַתְרֵיהּ דְּאִתְנְסִיב מִתַּמָּן, וְהָא אוֹקְמוּהָ, עַד זִמְנָא דְּקֻבְּ״ה זַמִּין לְאַחֲיָיא מֵתַיָּיא, כֹּלָּא גָּנִיז קַמֵּיהּ.

רד. וְהַהוּא גּוּפָא מַמָּשׁ, וְהַהִיא נִשְׁמָתָא מַמָּשׁ, זַמִּין קֻבְּ״ה לְאֲתָבָא לְעַלְמָא כְּמִלְקַדְּמִין, וּלְחַדְּתָא אַנְפֵּי עַלְמָא, הה״ד יִחְיוּ מֵתֶיךָ נְבֵלָתִי יְקוּמוּן. וְהַהִיא נִשְׁמָתָא מַמָּשׁ, גְּנִיזָא קַמֵּי קֻבְּ״ה, וְתָבַת לְאַתְרָהּ, כְּפוּם אָרְחָהָא. כד״א וְהָרוּחַ תָּשׁוּב אֶל הָאֱלֹהִים אֲשֶׁר נְתָנָהּ. וּלְזִמְנָא דְּזַמִּין קֻבְּ״ה לְאַחֲיָיא מֵתַיָּיא זַמִּין אִיהוּ לְאַרְקָא טַלָּא מֵרֵישֵׁיהּ עֲלַיְיהוּ, וּבְהַהוּא טַלָּא יְקוּמוּן כֻּלְּהוּ מֵעַפְרָא.

רה. הה״ד כִּי טַל אוֹרוֹת טַלֶּךָ. מַאי טַל אוֹרוֹת, אוֹרוֹת מַמָּשׁ, מֵאִינּוּן נְהוֹרִין דִּלְעֵילָּא, דְּבְהוֹן זַמִּין לְאַרְקָא חַיִּין לְעַלְמָא, בְּגִין דְּאִילָנָא דְּחַיֵּי, יָרִיק חַיִּין דְּלָא פָּסְקִין לְעָלְמִין, דְּהָא הַשְׁתָּא פָּסְקִין, בְּגִין דְּהָא חִוְיָא בִּישָׁא שָׁלְטָא, וְאִתְכַּסֵּי סִיהֲרָא, וּבְגִין כָּךְ, כִּבְיָכוֹל פָּסְקִין מֵימוֹי, וְחַיִּין לָא שָׁלְטִין בְּעַלְמָא כִּדְקָא יָאוֹת.

רו. וּבְהַהוּא זִמְנָא, הַהוּא יֵצֶר הָרָע, דְּאִיהוּ חִוְיָא בִּישָׁא, יִסְתַּלַּק מֵעַלְמָא, וְיַעֲבַר לֵיהּ קֻבְּ״ה, כְּמָה דְּאַתְּ אָמֵר וְאֶת רוּחַ הַטֻּמְאָה אַעֲבִיר מִן הָאָרֶץ. וּלְבָתַר דְּאִיהוּ יִתְעֲבַר מֵעַלְמָא, סִיהֲרָא לָא אִתְכַּסְיָא, וְנַהֲרָא דְּנָגִיד, וְנָפִיק, לָא יִפָּסְקוּן מַבּוּעוֹי, וּכְדֵין כְּתִיב וְהָיָה אוֹר הַלְּבָנָה כְּאוֹר הַחַמָּה וְאוֹר הַחַמָּה יִהְיֶה שִׁבְעָתַיִם כְּאוֹר שִׁבְעַת הַיָּמִים וגו׳.

רז. אָמַר ר׳ חִזְקִיָּה, אִי תֵּימָא, דְּכָל גּוּפִין דְּעַלְמָא, יְקוּמוּן וְיִתְעָרוּן מֵעַפְרָא, אִינּוּן גּוּפֵי דְּאִתְנְטִיעוּ בְּנִשְׁמָתָא חֲדָא, מַה תְּהֵא מִנַּיְיהוּ. א״ר יוֹסֵי, אִינּוּן גּוּפִין, דְּלָא זָכוּ וְלָא אַצְלָחוּ, הֲרֵי אִינּוּן כְּלָא הֲווּ, כְּמָה דַּהֲווּ עֵץ יָבֵשׁ בְּהַהִיא עַלְמָא, הָכֵי נָמֵי בְּהַהוּא זִמְנָא, וְגוּפָא בַּתְרָאָה, דְּאִתְנְטַע וְאַצְלַח, וְנָטַל שָׁרָשׁוֹי, כִּדְקָא יָאוֹת, יָקוּם.

רח. וַעֲלֵיהּ כְּתִיב וְהָיָה כְּעֵץ שָׁתוּל עַל מַיִם וגו׳, וְהָיָה עָלֵהוּ רַעֲנָן וגו׳. דַּעֲבַד אִיבִּין, וְנָטַע שָׁרָשִׁין, וְאַצְלַח כִּדְקָא יָאוֹת. וְעַל הַהוּא גּוּפָא קַדְמָאָה, דְּלָא עֲבַד אִיבִּין, וְלָא נָטַע שָׁרָשִׁין, כְּתִיב וְהָיָה כְּעַרְעָר בָּעֲרָבָה וְלֹא יִרְאֶה כִּי יָבֹא טוֹב וגו׳. כִּי יָבֹא טוֹב, דָּא תְּחִיַּית הַמֵּתִים.

רט. וְיִתְנְהִיר הַהוּא נְהוֹרָא, דְּזַמִּין לְאַנְהָרָא לְהוּ לְצַדִּיקַיָּא, דַּהֲוָה גָּנִיז קַמֵּיהּ, מִיּוֹמָא דְּאִתְבְּרֵי עַלְמָא, דִּכְתִיב, וַיַּרְא אֱלֹהִים אֶת הָאוֹר כִּי טוֹב. וּכְדֵין, זַמִּין קֻבְּ״ה לְאַחֲיָיא מֵתַיָּיא, וּכְתִיב וְזָרְחָה לָכֶם יִרְאֵי שְׁמִי שֶׁמֶשׁ צְדָקָה וגו׳, וּכְדֵין יִתְגַּבַּר טוֹב בְּעַלְמָא, וְהַהוּא דְּאִתְקְרֵי רַע, יִתְעֲבַר מֵעַלְמָא, כְּדַאֲמָרָן. וּכְדֵין אִינּוּן גּוּפִין קַדְמָאֵי, לֶהֱווּ כְּלָא הֲווּ.

רי. אָמַר רַבִּי יִצְחָק זַמִּין קֻבְּ״ה לְאַרְקָא עֲלַיְיהוּ, עַל אִינּוּן גּוּפִין, רוּחִין אָחֳרָנִין, וְאִי זָכָאן בְּהוֹן, יְקוּמוּן בְּעַלְמָא כִּדְקָא יָאוֹת, וְאִי לָאו, יְהוֹן קִטְמָא, תְּחוֹת רַגְלֵיהוֹן דְּצַדִּיקַיָּא, דִּכְתִיב וְרַבִּים מִיְּשֵׁנֵי אַדְמַת עָפָר יָקִיצוּ וגו׳. וְכֹלָּא אִתְקַם, וְאִתְעֲתַד קַמֵּי קֻבְּ״ה, וְכֻלְּהוּ בְּמִנְיָינָא הֲווּ, כד״א הַמּוֹצִיא בְמִסְפָּר צְבָאָם וגו׳.

ריא. תָּא חֲזֵי, הָא אִתְּמַר, כָּל אִינּוּן מֵתִין דִּבְאַרְעָא דְּיִשְׂרָאֵל, יְקוּמוּן בְּקַדְמֵיתָא, בְּגִין, דְּקֻבְּ״ה יִתְעַר עֲלַיְיהוּ, וִיוֹקִים לוֹן, עֲלַיְיהוּ כְּתִיב יִחְיוּ מֵתֶיךָ, אִלֵּין אִינּוּן דִּי בְּאַרְעָא דְּיִשְׂרָאֵל.

נְבֵלָתִי יְקוּמוּן, אִלֵּין אִינּוּן דִּבְגוֹ אַרְעָא אָחֳרָנִין, דְּלָא כְּתִיב בְּהוּ תְּחִיָּיה, אֶלָּא קִימָה. דְּהָא רוּחָא דְּחַיֵּי, לָא תַּשְׁרֵי אֶלָּא בְּאַרְעָא קַדִּישָׁא דְּיִשְׂרָאֵל, וּבְגִין כָּךְ, כְּתִיב בְּהוּ, יִחְיוּ מֵתֶיךָ, וְאִינּוּן דִּלְבַר, יִתְבְּרֵי גּוּפָא דִּלְהוֹן, וִיקוּמוּן גּוּפָא, בְּלָא רוּחָא, וּלְבָתַר יִתְגַּלְגְּלוּן תְּחוֹת עַפְרָא, עַד דִּימְטוּן לְא"י, וְתַמָּן יְקַבְּלוּן נִשְׁמָתָא, וְלָא בִּרְשׁוּ אָחֳרָא, בְּגִין דְּיִתְקַיְּימוּן בְּעָלְמָא כִּדְקָא חֲזֵי.

ריב. רִבִּי אֶלְעָזָר וְרִבִּי יֵיסָא, הֲווּ יַתְבֵי לֵילְיָא חַד, וְעָסְקֵי בְּאוֹרַיְיתָא. אָמַר רִבִּי אֶלְעָזָר, תָּא חֲזֵי, בְּשַׁעֲתָא דְּקוּדְשָׁא בְּרִיךְ הוּא, זַמִּין לְאַחֲיָיא מֵתַיָּיא, כָּל אִינּוּן נִשְׁמָתִין דְּיִתְעָרוּן קַמֵּיהּ, כֻּלְּהוּ קָיְימִין, דְּיוֹקְנִין דְּיוֹקְנִין קַמֵּיהּ, בְּהַהוּא דְּיוֹקְנָא מַמָּשׁ, דַּהֲווּ בְּהַאי עָלְמָא, וְנָחֵית לוֹן קוּדְשָׁא בְּרִיךְ הוּא, וְיִקְרֵי לוֹן בִּשְׁמָהָן, כְּמָה דְּאַתְּ אָמֵר לְכֻלָּם בְּשֵׁם יִקְרָא. וְכָל נִשְׁמָתָא תֵּיעוֹל לְדוּכְתָּהּ, וִיקוּמוּן בְּקִיּוּמָא בְּעָלְמָא כִּדְקָא חֲזֵי, וּכְדֵין יְהֵא עָלְמָא שְׁלִים, וְעַל הַהוּא זִמְנָא כְּתִיב, וְחֶרְפַּת עַמּוֹ יָסִיר וגו', מַאי וְחֶרְפַּת עַמּוֹ יָסִיר. דָּא יֵצֶר הָרָע, דְּאַחְשִׁיךְ אַנְפֵּי בִּרְיָין, וְשַׁלִּיט בְּהוּ.

ריג. אָמַר רִבִּי יוֹסֵי, הָא חָמִינָן, כָּל זִמְנָא דְּבַר נָשׁ קָאִים בְּרוּחָא דָּא. לָאו אִיהוּ מְסָאָב, נָפְקָא נִשְׁמָתֵיהּ מִנֵּיהּ, אִיהוּ מְסָאָב. אָמַר לֵיהּ וַדַּאי הָכֵי הוּא וְהָכֵי אִתְּמַר, דְּהָא הַהוּא יֵצֶר הָרָע, כַּד נָטִיל רוּחָא דְּבַר נָשׁ, סָאִיב לֵיהּ וְאִשְׁתָּאַר גּוּפָא מְסָאָב, וּשְׁאָר עַמִּין עע"ז, כַּד אִינּוּן בְּחַיֵּיהוֹן אִינּוּן מְסָאֲבִין, דְּהָא מִסִּטְרָא מְסָאֲבָא אִית לוֹן נִשְׁמָתִין, וְכַד אִתְרִיק מִנֵּיהּ הַהוּא מְסָאֲבוּ, אִשְׁתָּאַר גּוּפָא בְּלָא מְסָאֲבוּ כְּלָל.

ריד. בְּגִין כָּךְ מַאן דְּאִתְדַּבַּק בְּאִתְּתָא דִּשְׁאָר עַמִּין עע"ז, אִסְתָּאַב אִיהוּ. וְהַהוּא בְּרָא דְּאַתְיְלִיד לֵיהּ, יְקַבֵּל עֲלֵיהּ רוּחַ מְסָאֲבָא. וְאִי תֵּימָא, הָא בְּסִטְרָא דַּאֲבוֹי מִיִּשְׂרָאֵל קָא אַתְיָא, אַמַּאי יְקַבֵּל עֲלֵיהּ רוּחַ מְסָאֲבָא. תָּא חֲזֵי, דְּהָא בְּקַדְמֵיתָא אִסְתָּאַב אֲבוֹי, בְּשַׁעֲתָא דְּאִתְדַּבַּק בְּהַהִיא אִתְּתָא, דְּאִיהִי מְסָאֲבָא, וְכֵיוָן דְּאָב אִיהוּ אִסְתָּאַב, בְּהַהִיא אִתְּתָא דְּאִיהִי מְסָאֲבָא, כָּל שֶׁכֵּן דְּאִיהוּ בְּרָא דְּאִתְיְלִיד מִנָּהּ, יְקַבֵּל עֲלֵיהּ רוּחַ מְסָאֲבָא. וְלָא עוֹד, אֶלָּא דְּעָבַר עַל אוֹרַיְיתָא דִּכְתִיב, כִּי לֹא תִשְׁתַּחֲוֶה לְאֵל אַחֵר כִּי ה' קַנָּא שְׁמוֹ, בְּגִין דְּקַנֵּי עַל הַאי בְּרִית קַדִּישָׁא.

רטו. אָמַר רִבִּי אֶלְעָזָר, תָּא חֲזֵי, דְּהָא אִתְּמַר, דְּכֵיוָן דְּיָדַע אַבְרָהָם אָבִינוּ חָכְמְתָא, בָּעָא לְהִתְפָּרְשָׁא מִכָּל שְׁאָר עַמִּין, וְלָא לְאִתְדַּבְּקָא בְּהוּ, וּבְגִין כָּךְ כְּתִיב, וְאַשְׁבִּיעֲךָ בַּה' אֱלֹקֵי הַשָּׁמַיִם וֵאלֹקֵי הָאָרֶץ אֲשֶׁר לֹא תִקַּח אִשָּׁה לִבְנִי מִבְּנוֹת הַכְּנַעֲנִי וגו', מִבְּנוֹת הַכְּנַעֲנִי וַדַּאי רָזָא אִיהוּ, כְּד"א וּבָעַל בַּת אֵל נֵכָר. אֲשֶׁר אָנֹכִי יוֹשֵׁב בְּקִרְבּוֹ, אָנֹכִי דַּיְיקָא, כְּתִיב הָכָא אֲשֶׁר אָנֹכִי, וּכְתִיב הָתָם אָנֹכִי עָשִׂיתִי אֶרֶץ. וְכָל דָּא, בְּגִין דְּלָא לְאִסְתָּאֲבָא בְּהוּ.

רטז. תָּא חֲזֵי, הַאי מַאן דְּאָעִיל הַאי בְּרִית קַדִּישָׁא, בְּהַהִיא אִתְּתָא דִּשְׁאָר עַמִּין עע"ז, גָּרִים לְאִסְתָּאֲבָא אֲתַר אָחֳרָא, וְעַל דָּא כְּתִיב תַּחַת שָׁלֹשׁ רָגְזָה אֶרֶץ וגו'. וְאע"ג דְּאוֹמֵי לֵיהּ בְּהַאי בְּרִית, לָא אַבְטַח בֵּיהּ אַבְרָהָם, עַד דְּצַלֵּי צְלוֹתֵיהּ קַמֵּי קב"ה, וְאָמַר ה' אֱלֹקֵי הַשָּׁמַיִם וגו' הוּא יִשְׁלַח מַלְאָכוֹ, וַדַּאי דָּא מַלְאַךְ הַבְּרִית, בְּגִין דְּיִתְנְטִיר הַאי בְּרִית, וְלָא יִתְחַלֵּל בֵּין אִינּוּן עַמִּין.

ריז. רַק אֶת בְּנִי לֹא תָשֵׁב שָׁמָּה. מ"ט, בְּגִין דְּיָדַע אַבְרָהָם, דְּהָא בְּכֻלְּהוּ, לָא הֲוָה מַאן דְּאִשְׁתְּמוֹדַע לֵיהּ לְקב"ה, בַּר אִיהוּ בִּלְחוֹדוֹי, וְלָא בָּעָא דִּלְהֲווּ מְדוֹרֵיהּ דְּיִצְחָק בֵּינַיְיהוּ, אֶלָּא דִּיהֵא מְדוֹרֵיהּ עִמֵּיהּ, וְיִצְחָק יוֹלִיף מִנֵּיהּ תָּדִיר אָרְחוֹי דְּקב"ה וְלָא יִסְטֵי לִימִינָא וְלִשְׂמָאלָא. וְעַל דָּא לָא בָּעָא אַבְרָהָם דִּלְהֱוֵי מְדוֹרֵיהּ דְּיִצְחָק תַּמָּן.

ריז. אָמַר רַבִּי יֵיסָא, וַדַּאי זְכוּתֵיהּ דְּאַבְרָהָם, אָעֲרַע קַמֵּיהּ דְּהַהוּא עַבְדָּא, דְּהַהוּא יוֹמָא נָפַק, וְהַהוּא יוֹמָא מָטָא לְעֵינָא דְּמַיָּא, דִּכְתִיב וָאָבֹא הַיּוֹם אֶל הָעָיִן. וְהָא אוֹקְמוּהָ.

ריח. רַבִּי אֶלְעָזָר פָּתַח וַאֲמַר, גַּל עֵינַי וְאַבִּיטָה נִפְלָאוֹת מִתּוֹרָתֶךָ. כַּמָּה אִינּוּן בְּנֵי נָשָׁא טִפְּשִׁין, דְּלָא יָדְעִין, וְלָא מִסְתַּכְּלִין, לְאִשְׁתַּדְּלָא בְּאוֹרַיְיתָא, בְּגִין דְּאוֹרַיְיתָא, כָּל חַיִּין וְכָל חֵירוּ, וְכָל טוּב, בְּעָלְמָא דֵּין וּבְעָלְמָא דְּאָתֵי. חַיִּין אִינּוּן בְּעָלְמָא דֵּין, דְּיִזְכּוּן לְיוֹמִין שְׁלֵמִין, בְּהַאי עָלְמָא, כְּד"א אֶת מִסְפַּר יָמֶיךָ אֲמַלֵּא. וּלְיוֹמִין אֲרִיכִין בְּעָלְמָא דְּאָתֵי. בְּגִין דְּאִינּוּן חַיִּין שְׁלֵימִין, אִינּוּן חַיִּין דְּחֶדְוָה חַיֵּי בְּלָא עֲצִיבוּ, חַיִּין דְּאִינּוּן חַיִּין, חֵירוּ בְּעָלְמָא דֵּין, חֵירוּ דְּכֹלָּא, דְּכָל מַאן דְּאִשְׁתַּדַּל בְּאוֹרַיְיתָא, לָא יָכְלִין לְשַׁלְטָאָה עֲלוֹי כָּל עַמִּין דְּעָלְמָא.

רכ. וְאִי תֵּימָא אִינּוּן בְּנֵי שְׁמַד. גְּזֵרָה הִיא מִלְּעֵילָּא, כְּגוֹן רַבִּי עֲקִיבָא וַחֲבֵרוֹי, וְכָךְ סָלִיק בְּמַחֲשָׁבָה. חֵירוּ דְּמַלְאַךְ הַמָּוֶת, דְּלָא יָכִיל לְשַׁלְטָאָה עֲלוֹי, וְהָכֵי הוּא וַדַּאי, דְּאִי אָדָם הֲוָה אִתְדַּבַּק בְּאִילָנָא דְּחַיֵּי, דְּאִיהוּ אוֹרַיְיתָא, לָא גָּרֵים מוֹתָא לֵיהּ וּלְכָל עָלְמָא. וּבְגִין כָּךְ, כַּד יָהַב קֻבָּ"ה אוֹרַיְיתָא לְיִשְׂרָאֵל, מַה כְּתִיב בָּהּ חָרוּת עַל הַלֻּחֹת וְהָא אוֹקְמוּהָ. וְאִלְמָלֵא אִינּוּן לָא חָטוּ וְשָׁבְקוּ אִילָנָא דְּחַיֵּי, לָא גָּרְמוּ מוֹתָא לְעָלְמָא כְּמִלְּקַדְּמִין. וְקֻבָּ"ה אֲמַר אֲנִי אָמַרְתִּי אֱלֹהִים אַתֶּם וּבְנֵי עֶלְיוֹן כֻּלְּכֶם. חֲבַלְתּוּן גַּרְמֵיכוֹן, אָכֵן כְּאָדָם תְּמוּתוּן וְגוֹ'. וְעַל דָּא, כָּל מַאן דְּאִשְׁתַּדַּל בְּאוֹרַיְיתָא, לָא יָכִיל לְשַׁלְטָאָה עֲלוֹי הַהוּא חִוְיָא בִּישָׁא, דְּאַחְשִׁיךְ עָלְמָא.

רכא. אָמַר רַבִּי יֵיסָא, אִי הָכֵי, מֹשֶׁה אַמַּאי מִית, דְּאִי הָכֵי כֵּיוָן דְּלָא חָב לָא יְמוּת. אֲמַר לֵיהּ, וַדַּאי מִית, אֲבָל לָא שָׁלְטָא בֵּיהּ קָאָמְרִינָן, אֶלָּא לָא מִית עַל יְדוֹי, וְלָא אִסְתָּאַב בֵּיהּ, וְלָא מִית וַדַּאי, אֶלָּא אִתְדַּבַּק בִּשְׁכִינְתָּא, וְאָזִיל לְחַיֵּי עָלְמָא.

רכב. וְהַאי חַי אִקְרֵי, כְּמָה דְּאוֹקִימְנָא, דִּכְתִיב, וּבְנָיָהוּ בֶּן יְהוֹיָדָע בֶּן אִישׁ חַי וְגוֹ'. וְעַל דָּא, כָּל מַאן דְּאִשְׁתַּדַּל בְּאוֹרַיְיתָא, חֵירוּ אִית לֵיהּ מִכֹּלָּא, בְּעָלְמָא דֵּין, מִשִּׁעְבּוּדָא דִּשְׁאָר עַמִּין עעכו"ם, חֵירוּ בְּעָלְמָא דְּאָתֵי, בְּגִין דְּלָא יִתְבְּעוּן מִנֵּיהּ דִּינָא בְּהַהוּא עָלְמָא כְּלָל.

רכג. תָּא חֲזֵי, בְּאוֹרַיְיתָא כַּמָּה רָזִין עִלָּאִין סְתִימִין, אִית בָּהּ, בְּגִין כָּךְ כְּתִיב יְקָרָה הִיא מִפְּנִינִים. כַּמָּה גְּנִיזִין טְמִירִין אִית בָּהּ, וְעַל דָּא כַּד אִסְתַּכַּל דָּוִד, בְּרוּחָא דְּחָכְמְתָא, וְיָדַע כַּמָּה פְּלִיאָן נָפְקִין מֵאוֹרַיְיתָא, פָּתַח וַאֲמַר, גַּל עֵינַי וְאַבִּיטָה נִפְלָאוֹת מִתּוֹרָתֶךָ.

רכד. תָּא חֲזֵי, וַיְהִי הוּא טֶרֶם כִּלָּה לְדַבֵּר וְהִנֵּה רִבְקָה יֹצֵאת. יוֹצֵאת, בָּאָה מִבָּעֵי לֵיהּ, מַאי יוֹצֵאת. דְּקֻבָּ"ה אַפִּיק לָהּ, מִכָּל אִינּוּן בְּנֵי מָתָא, דְּכֻלְּהוּ חַיָּבִין, וְהִיא יוֹצֵאת מִכְּלָלָא דִּלְהוֹן. וַתֵּרֶד הָעַיְנָה, כְּתִיב בְּה"א, רָזָא אִיהוּ, דְּאִעֲרַעַת תַּמָּן בֵּירָא דְּמָרְיָם, וּבְגִין כָּךְ, כְּתִיב הָעַיְנָה בְּה"א, וּסְלִיקוּ לָהּ מַיָּא.

רכה. דָּבָר אַחֵר, וְהִנֵּה רִבְקָה יֹצֵאת, כְּמָה דִּכְתִיב, יֹצְאוֹת לִשְׁאוֹב מַיִם, אַמַּאי יוֹצְאוֹת, וְלָא הוֹלְכוֹת, וְלָא בָּאוֹת. אֶלָּא בְּגִין דִּטְמִירִין הֲווֹ כָּל יוֹמָא, וּבְהַהִיא שַׁעְתָּא, נָפְקִין לְשָׁאֲבָא מַיָּא, וְסִימָנָא נָקִיט בִּידֵיהּ.

רכו. תָּא חֲזֵי, כַּד מָטָא עַבְדָּא לְחָרָן וְאַשְׁכַּח לָהּ לְרִבְקָה לְעֵת עֶרֶב, הֲוָה עִידָן צְלוֹתָא דְּמִנְחָה. בְּהַהִיא שַׁעְתָּא, דְּמָטָא יִצְחָק לְצַלָּאָה צְלוֹתָא דְּמִנְחָה, בְּהַהִיא שַׁעְתָּא מָטָא עַבְדָּא לְגַבָּהּ דְּרִבְקָה. וּבְהַהִיא שַׁעְתָּא, דְּמָטָא יִצְחָק, לִצְלוֹתָא דְּמִנְחָה כְּמִלְּקַדְּמִין, מָטַאת רִבְקָה לְגַבֵּיהּ. לְאִשְׁתַּכְּחָא כֹּלָּא בְּאַתְרֵיהּ דְּאִצְטְרִיךְ, כִּדְקָא יָאוֹת, וְכֹלָּא מָטָא בְּרָזָא דְּחָכְמְתָא, וְעַל דָּא, אָתָא הַהוּא עַבְדָּא, לִבְאֵר הַמַּיִם, רָזָא דִּכְתִיב מַעְיַן גַּנִּים בְּאֵר מַיִם חַיִּים וְנוֹזְלִים מִן לְבָנוֹן. וְאוֹקִימְנָא, וְכֹלָּא רָזָא אִיהוּ.

רכז. רבי שמעון הוה אתי לטבריה, והוה עמיה רבי אבא. אמר רבי שמעון לרבי אבא, נזיל, דהא אנן זמינן, דבר נש חד, ימטי השתא לגבן ומלין חדתין בפומיה, ואינון מלין דאורייתא. אמר רבי אבא, הא ידענא, דבכל אתר דמר אזיל, קודשא בריך הוא משדר ליה מלאכין, טסין בגדפין לאשתעשעא ביה.

רכח. עד דהוו אזלי, סליק רבי שמעון עינוי, וחמא בר נש, דהוה רהיט ואזיל. יתבו רבי שמעון ורבי אבא. כד מטא גבייהו, אמר ליה רבי שמעון, מאן אנת. אמר ליה יודאי אנא, ומקפוטקיא קאתינא, ואנא אזילנא אטיטריה דבר יוחאי, דאתמנון חבריא במלין ידיען, ושדרוני גביה. אמר ליה אימא ברי. אמר ליה אנת בר יוחאי. אמר ליה אנא בר יוחאי.

רכט. אמר ליה הא אוקימנא דלא יפסיק בר נש בצלותיה, ביניה לבין כותלא, כמה דכתיב ויסב חזקיהו פניו אל הקיר וגו'. ומאן דצלי, אסיר למעבר ארבע אמות סמיך ליה, ואוקמוה להני ארבע אמות לכל סטר, בר לקמיה. ואוקמוה, דלא יצלי בר נש, אחורי רביה וכו' ואתמנון בכל הני מילי.

רל. פתח ואמר שמעה תפלתי ה' ושועתי האזינה אל דמעתי אל תחרש. מאי טעמא שמעה, ולא שמע, באתר חד כתיב שמע ה' וחנני וגו', ובאתר אחרא שמעה. אלא, בכל אתר, לזמנין שמע לדכורא, ולזמנין שמעה לנוקבא. שמעה: כמה דאת אמר שמעה ה' צדק וגו'. שמע: כד"א שמע ה' וחנני. שמע בני. הסכת ושמע.

רלא. והכא שמעה תפלתי ה', בגין דהאי דרגא, דמקבלא כל צלותין דעלמא. והא תנינן, דעבדא מנייהו עטרה, ושוי לה ברישא דצדיק חי עולמים, דכתיב ברכות לראש צדיק. ועל דא שמעה תפלתי ה'.

רלב. שמעה תפלתי ה', דא צלותא די בלחש. ושועתי האזינה, דא צלותא, דארים בר נש קליה בעקתיה, כד"א ותעל שועתם אל האלקים. ומהו שועתם, אלא דבצלותיה, ארים קליה, וזקיף עינוי לעילא, כד"א ושוע אל ההר. וצלותא דא מתבר תרעין, ודפיק לון לאעלא צלותיה. אל דמעתי אל תחרש, דא אעיל קמי מלכא, ולית תרעא דקאים קמיה, ולעולם לא אהדרו דמעין בריקניא.

רלג. תו הא כתיב הכא תלת דרגין, תפלה, שועה, דמעה, לקביל אלין תלת אחרנין: כי גר אנכי עמך, לבתר תושב, לבתר ככל אבותי, עקרא דעלמא.

רלד. תא חזי, צלותא דבר נש מעומד, בגין דתרי צלותא נינהו: חד מיושב, וחד מעומד, ואינון חד. לקביל תרין דרגין: תפלה של יד ותפלה של ראש. לגבי יום ולילה, וכלא חד. אוף הכא, תפלה מיושב לגבי תפלה של יד, לאתקין לה כמה דאתקין לכלה, וקשיט לה לאעלא לחופה, הכי נמי מקשטין לה, ברזא דרתיכאה ומשירייהא, יוצר משרתים ואשר משרתיו, והאופנים וחיות הקדש וכו'.

רלה. ועל דא צלותא מיושב כיון דעאלת לגבי מלכא עלאה, ואיהו אתי לקבלא לה, כדין אנן קיימין קמי מלכא עלאה, דהא כדין דכורא אתחבר בנוקבא, ובגין כך לא יפסיק בין גאולה לתפלה.

רלו. ובגין דבר נש קאים קמי מלכא עלאה, נטל ארבע אמות לצלותיה, ואוקמוה דבשיעורא דסורטא דיוצר כלא. וכל מה דאתי בסטרא דדכורא, בעי ליה לאיניש למיקם בקיומיה ואזדקף. כגוונא דא, כד איהו כרע כרע בברוך, וכד איהו זקיף, זקיף בשם, בגין לאחזאה שבחא דדכורא על נוקבא.

רלז. וְתָא חֲזֵי, דְּהָא אוּקְמוּהָ, לָא יְצַלֵּי בַּר נָשׁ אֲחוֹרֵי רַבֵּיהּ, וְאִתְּמָר, כְּמָה דִכְתִּיב, אֶת ה' אֱלֹקֶיךָ תִּירָא. אֶת לְאַכְלְלָא דְּבָעֵי לְמִדְחַל מֵרַבֵּיהּ כְּמוֹרָא דִשְׁכִינְתָּא, וּדְחִילוּ דְּתַלְמִיד, רַבֵּיהּ אִיהוּ. בְּגִין כָּךְ, בְּשַׁעְתָּא דִצְלוֹתָא, לָא יְשַׁוֵּי הַהוּא מוֹרָא לְקַמֵּיהּ, אֶלָּא מוֹרָא דְקֻבְּ"ה בִּלְחוֹדוֹי, וְלָא מוֹרָא אַחֲרָא.

רלח. וְתָא חֲזֵי, צְלוֹתָא דְמִנְחָה, אַתְקִין לֵיהּ יִצְחָק. וַדַּאי כְּמָה דְאַתְקִין אַבְרָהָם צְלוֹתָא דְצַפְרָא, לְקַבֵּל הַהוּא דַרְגָּא דְאִתְדַּבַּק בֵּיהּ. וְכֵן יִצְחָק, אַתְקִין צְלוֹתָא דְמִנְחָה, לָקֳבֵל הַהוּא דַרְגָּא דְאִתְדַּבַּק בֵּיהּ. וְעַ"ד צְלוֹתָא דְמִנְחָה, מִכִּי נָטֵי שִׁמְשָׁא לְנַחֲתָא בְּדַרְגוֹי לִסְטַר מַעֲרָב.

רלט. דְּהָא עַד לָא נָטָה שִׁמְשָׁא לְצַד מַעֲרָב, אִקְרֵי יוֹם, מִצַּפְרָא עַד הַהוּא זִמְנָא, דִּכְתִּיב וְחֶסֶד אֵל כָּל הַיּוֹם. וְאִי תֵימָא עַד חֲשֵׁכָה, ת"ח, דִּכְתִּיב אוֹי נָא לָנוּ כִּי פָנָה הַיּוֹם כִּי יִנָּטוּ צִלְלֵי עָרֶב. כִּי פָּנָה הַיּוֹם, לָקֳבֵל צְלוֹתָא דְצַפְרָא, דִּכְתִּיב וְחֶסֶד אֵל כָּל הַיּוֹם, דְּהָא כְּדֵין, שִׁמְשָׁא אִיהוּ לִסְטַר מִזְרָח, כֵּיוָן דְּנָטָה שִׁמְשָׁא, וְנַחֲתָא לִסְטַר מַעֲרָב, הָא כְּדֵין אִיהוּ זְמַן צְלוֹתָא דְמִנְחָה, וּכְבָר פָּנָה הַיּוֹם, וְאָתֵי צִלְלֵי עָרֶב, וְאִתְעַר דִּינָא קַשְׁיָא בְּעָלְמָא.

רמ. וּפָנָה הַיּוֹם, דְּאִיהוּ דַרְגָּא דְחֶסֶ"ד, וְנָטוּ צִלְלֵי עָרֶב, דְּאִינוּן דַּרְגָּא דְדִינָא קַשְׁיָא, וּכְדֵין אִתְחֲרַב בֵּי מַקְדְּשָׁא, וְאִתּוֹקַד הֵיכָלָא. וְעַ"ד תָּנִינָן, דִּיהֵא ב"נ זָהִיר בִּצְלוֹתָא דְמִנְחָה, דְּאִיהוּ זִמְנָא דְדִינָא קַשְׁיָא, שַׁרְיָא בְּעָלְמָא.

רמא. יַעֲקֹב אַתְקִין צְלוֹתָא דְעַרְבִית, דְּהָא אִיהוּ אַתְקִין לָהּ, וְזָן לָהּ, בְּכָל מַה דְּאִצְטְרִיךְ, וַדַּאי, וא"ו אַתְקִין לְה"א, וְה"א אִתְזָנַת מִן וא"ו, דְּלֵית לָהּ נְהוֹרָא מִגַּרְמָהּ כְּלָל.

רמב. וּבְגִ"כ, תְּפִלַּת עַרְבִית רְשׁוּת, דְּהָא אִתְכְּלִילַת בִּצְלוֹתָא דְיוֹמָא, בְּגִין לְאִתְנַהֲרָא, וְהַשְׁתָּא לָאו זִמְנָא אִיהוּ. וְאוּקִימְנָא לָהּ, דְּהָא לָא אִתְגַּלְיָא נְהוֹרָא דִימָמָא, דְיַנְהִיר לָהּ, וְאִיהִי שָׁלְטָא בַּחֲשׁוֹכָא, עַד זִמְנָא דְפַלְגוּת לֵילְיָא, דְּאִשְׁתַּעְשַׁע קֻבְּ"ה עִם צַדִּיקַיָּא, בְּגִנְתָּא דְעֵדֶן, וּכְדֵין אִיהוּ זִמְנָא לְאִשְׁתַּעְשְׁעָא בַּר נָשׁ בְּאוֹרַיְיתָא, כְּמָה דְאִתְּמָר.

רמג. תָּא חֲזֵי, דָּוִד אָתָא, וַאֲמַר אִלֵּין תְּלַת זִמְנִין דִצְלוֹתֵי, דִּכְתִּיב עֶרֶב וָבֹקֶר וְצָהֳרַיִם, הָא תְּלָתָא, וְאִיהוּ לָא צַלֵּי, אֶלָּא תְּרֵי מִנַּיְיהוּ, דִּכְתִּיב אָשִׂיחָה וְאֶהֱמֶה, וְלָא יַתִּיר, דָּא לִצְלוֹתָא דְצַפְרָא, וְדָא לִצְלוֹתָא דְמִנְחָה, בְּגִין כָּךְ אָשִׂיחָה וְאֶהֱמֶה דַּיְיקָא, בְּצַפְרָא, דְּאִיהוּ שַׁעְתָּא דְחֶסֶד, סַגֵּי לֵיהּ בְּחֶסֶד בְּאָשִׂיחָה, וּבְמִנְחָה, דְּהוּא שַׁעְתָּא דְדִינָא קַשְׁיָא, בָּעֵי הֲמָיָה, וּבְגִין כָּךְ וְאֶהֱמֶה, וּלְבָתַר כַּד אִתְפְּלִיג לֵילְיָא, הֲוָה קָם בְּשִׁירִין וְתוּשְׁבְּחָן, כִּדְקָא יָאוּת, דִּכְתִּיב וּבַלַּיְלָה שִׁירֹה עִמִּי, וְהָא אִתְּמָר.

רמד. קָם ר' שִׁמְעוֹן וַאֲזָלוּ. אֲזַל הַהוּא ב"נ בַּהֲדַיְיהוּ, עַד טְבֶרְיָה. עַד דַּהֲווּ אָזְלוּ, אָמַר רִבִּי שִׁמְעוֹן, תָּא חֲזֵי, תְּפִלּוֹת כְּנֶגֶד תְּמִידִין, תִּקְּנוּם רַבָּנָן דְּאַנְשֵׁי כְּנֶסֶת הַגְּדוֹלָה, בְּגִין דְּאַשְׁכְּחָן תְּרֵי, דִּכְתִּיב אֶת הַכֶּבֶשׂ אֶחָד תַּעֲשֶׂה בַבֹּקֶר וְאֵת הַכֶּבֶשׂ הַשֵּׁנִי תַּעֲשֶׂה בֵּין הָעַרְבָּיִם. וְאִינוּן מִתְקָרְבִין בְּהַנֵּי תְּרֵי זִמְנֵי דְיוֹמָא, דְּאִינוּן זִמְנִין לִצְלוֹתָא.

רמה. אָמַר הַהוּא גַּבְרָא הָא בְקַדְמֵיתָא, אָבוֹת תִּקְּנוּם לְהַנֵּי צְלוֹתֵי, וּמַה דְּאַתְקִינוּ אַבְרָהָם וְיִצְחָק, הוּא עִקָּרָא, וּמַה דְּאַתְקִין יַעֲקֹב, דְּאִיהוּ שְׁבָחָא דַאֲבָהָן, אַמַּאי אִיהוּ רְשׁוּת, וְלָא עִקָּרָא כְּהַנֵּי.

רמו. אָמַר רִבִּי שִׁמְעוֹן, הָא אִתְּמָר. אֲבָל תָּא חֲזֵי, הַנֵּי תְּרֵי זִמְנֵי, דִּתְרֵי צְלוֹתֵי לָאו אִינוּן, אֶלָּא לְחַבְּרָא לְיַעֲקֹב בְּעַדְבֵיהּ, כֵּיוָן דְּאִתְחַבְּרוּ דָּא בְּדָא, אֲנַן לָא צְרִיכִין יַתִּיר, דְּכֵיוָן דְּאִתְיְהִיבַת אִתְּתָא בֵּין תְּרֵין דְּרוֹעִין, וְאִתְחַבְּרַת בְּגוּפָא, לָא אִצְטְרִיךְ יַתִּיר, וְעַל דָּא אֲנַן בָּעְיָין לְאִתְעָרָא תְּרֵין דְּרוֹעִין, בְּגִין דְּאִתְיְהִיבַת בֵּינַיְיהוּ, כֵּיוָן דְּאִיהִי בֵּינַיְיהוּ, גּוּפָא וְאִתְּתָא

מִכַּלַּיְיהוּ בִּלְחוֹדוֹי, דְּלָא לְאַדְכָּרָא.

רמז. וּבְגִין כָּךְ, יַעֲקֹב מְשַׁמֵּשׁ בַּמָּרוֹם תָּנִינָן, מַאי בַּמָּרוֹם. כְּמָה דְּאַתְּ אָמֵר וְאַתָּה מָרוֹם לְעוֹלָם ה'. וְכֹלָּא אִיהוּ רָזָא לְיָדְעֵי מִדִּין. אָתוּ רִבִּי אַבָּא, וְהַהוּא יוּדָאי, וְנָשְׁקוּ יְדוֹי. אֲמַר רִבִּי אַבָּא, עַד יוֹמָא דֵּין, לָא קָאִימְנָא בְּמִלָּה דָּא, בַּר הַשְׁתָּא. זַכָּאָה חוּלָקִי, דְּזָכֵינָא לְמִשְׁמַע לֵיהּ.

רמוז. וַיְבִיאֶהָ יִצְחָק הָאֹהֱלָה שָׂרָה אִמּוֹ. א"ר יוֹסֵי, הַאי קְרָא קַשְׁיָא, הָאֹהֱלָה, לְאֹהֶל שָׂרָה אִמּוֹ מִבָּעֵי לֵיהּ, מַאי הָאֹהֱלָה. דְּאַהְדְּרַת תַּמָּן שְׁכִינְתָּא, בְּגִין דְּכָל זִמְנָא דְּשָׂרָה קַיְימָא בְּעָלְמָא, שְׁכִינְתָּא לָא אַעֲדֵי מִינָהּ, וּשְׁרַגָּא הֲוָה דְלֵיקַת, מֵעֶרֶב שַׁבָּת לְעֶרֶב שַׁבָּת, וַהֲוָה נָהִיר כָּל אִינּוּן יוֹמֵי דְּשַׁבַּתָּא, בָּתַר דְּמִיתַת, כָּבְתָה הַהִיא שְׁרַגָּא, כֵּיוָן דְּאָתַת רִבְקָה, אַהְדְּרַת שְׁכִינְתָּא, וּשְׁרַגָּא אַדְלֵיקַת. שָׂרָה אִמּוֹ: דְּדַמְיָא לְשָׂרָה בְּכָל עוֹבָדָהָא.

רמט. רִבִּי יְהוּדָה אֲמַר כְּמָה דְּדְיוֹקְנֵיהּ דְּיִצְחָק, הֲוָה כִּדְיוֹקְנֵיהּ דְּאַבְרָהָם, וְכָל מַאן דְּחָמֵי לְיִצְחָק, אֲמַר דָּא אַבְרָהָם, וַדַּאי, אַבְרָהָם הוֹלִיד אֶת יִצְחָק, הָכֵי נָמֵי רִבְקָה, דְּיוֹקְנָהּ מַמָּשׁ הֲוַת דְּיוֹקְנָא דְּשָׂרָה, וּבְגִין כָּךְ שָׂרָה אִמּוֹ וַדַּאי.

רנ. אֲמַר רִבִּי אֶלְעָזָר, בְּכֹלָּא הָכֵי הוּא, אֲבָל תָּא חֲזֵי, רָזָא אִיהוּ, דְּאַף עַל גַּב דְּשָׂרָה מִיתַת, דְּיוֹקְנָהּ לָא אַעֲדֵי מִן בֵּיתָא וְלָא אִתְחֲזֵי תַּמָּן, מִיּוֹמָא דְּמִיתַת, עַד דְּאָתַת רִבְקָה, כֵּיוָן דְּעָאלַת רִבְקָה, אִתְחֲזִיאַת דְּיוֹקְנָא דְּשָׂרָה, דִּכְתִּיב וַיְבִיאֶהָ יִצְחָק הָאֹהֱלָה וגו', מִיָּד שָׂרָה אִמּוֹ אִתְחֲזִיאַת תַּמָּן, וְלָא הֲוָה חָמֵי לָהּ בַּר יִצְחָק בִּלְחוֹדוֹי, כַּד עָאִיל תַּמָּן, וְעַל דָּא וַיִּנָּחֵם יִצְחָק אַחֲרֵי אִמּוֹ. דְּאִמּוֹ אִתְחֲזִיאַת וְאִזְדַּמְּנָא בְּבֵיתָא, וְעַל דָּא לָא כְּתִיב אַחֲרֵי מִיתַת אִמּוֹ, אֶלָּא אַחֲרֵי אִמּוֹ.

רנא. רִבִּי שִׁמְעוֹן אֲמַר, מַאי שְׁנָא דִּכְתִּיב בֵּיהּ בְּיִצְחָק, וַיִּקַּח אֶת רִבְקָה וַתְּהִי לוֹ לְאִשָּׁה וַיֶּאֱהָבֶהָ. כֵּיוָן דַּאֲמַר וַתְּהִי לוֹ לְאִשָּׁה, לָא יָדַעְנָא דְּהוּא רָחִים לָהּ, דְּהָא כָּל בְּנֵי עָלְמָא רַחֲמֵי לִנְשַׁיְיהוּ. מַאי שְׁנָא בְּיִצְחָק, דִּכְתִּיב בֵּיהּ וַיֶּאֱהָבֶהָ.

רנב. אֶלָּא וַדַּאי אִתְעָרוּתָא דִּרְחִימוּ דִּדְכוּרָא לְגַבֵּי אִתְּתָא, לָאו אִיהוּ אֶלָּא שְׂמָאלָא, דִּכְתִּיב שְׂמֹאלוֹ תַּחַת לְרֹאשִׁי. וְחֹשֶׁךְ וְלַיְלָה כְּחַד אִינּוּן, וּשְׂמָאלָא אִתְעַר רְחִימוּ תָּדִיר, לְגַבֵּי נוּקְבָא, וְאָחִיד בָּהּ, וְעַל דָּא אַף עַל גַּב דְּאַבְרָהָם רָחִים לָהּ לְשָׂרָה, לָא כְּתִיב בֵּיהּ וַיֶּאֱהָבֶהָ, אֶלָּא בְּיִצְחָק. וְאִי תֵּימָא וַיֶּאֱהַב יַעֲקֹב אֶת רָחֵל, סִטְרָא דְּיִצְחָק, דַּהֲוָה בֵּיהּ, קָעָבִיד לֵיהּ.

רנג. תָּא חֲזֵי, אַבְרָהָם כַּד זָמְנָא לְשָׂרָה, הֲוָה מְחַבֵּק לָהּ, וְלָא יַתִּיר, אֲבָל יִצְחָק דְּאִיהוּ בַּעֲלָהּ, אָחִיד בָּהּ, וְשַׁוֵּי דְּרוֹעֵיהּ תְּחוֹת רֵישָׁהּ, דִּכְתִּיב שְׂמֹאלוֹ תַּחַת לְרֹאשִׁי וִימִינוֹ תְּחַבְּקֵנִי. לְבָתַר אָתָא יַעֲקֹב, וְשַׁמֵּשׁ עַרְסָא, וְאוֹלִיד תְּרֵיסַר שְׁבָטִין, כֹּלָּא כִּדְקָא יָאוֹת.

רנד. וְתָא חֲזֵי, אֲבָהָן כֻּלְּהוּ בְּרָזָא חֲדָא אִנּוּן, וְכֻלְּהוּ שִׁמְּשׁוּ בְּאַרְבַּע נָשִׁין, כָּל חַד מִנַּיְיהוּ. אַבְרָהָם בְּאַרְבַּע: שָׂרָה, וְהָגָר, וּתְרֵי פִּלַּגְשִׁים. דִּכְתִּיב וְלִבְנֵי הַפִּלַגְשִׁים אֲשֶׁר לְאַבְרָהָם, פִּלַגְשִׁים תְּרֵי, הָא אַרְבַּע.

רנה. יִצְחָק בְּרָזָא דְּאַרְבַּע, דִּסְטִירוּ דְּרִבְקָה, דִּכְתִּיב וַיִּקַּח אֶת רִבְקָה חַד, וַתְּהִי לוֹ לְאִשָּׁה תְּרֵי, וַיֶּאֱהָבֶהָ תְּלַת, וַיִּנָּחֵם יִצְחָק אַחֲרֵי אִמּוֹ הָא אַרְבַּע. לָקֳבֵל דָּא, הֲווֹ לְיַעֲקֹב, אַרְבַּע נָשִׁין. וְכֹלָּא בְּרָזָא חֲדָא.

רנו. רִבִּי חִיָּיא אֲמַר, אַבְרָהָם וְיִצְחָק, שִׁמְּשׁוּ כָּל חַד בְּאִתְּתָא חֲדָא, בְּרָזָא דְּקוּדְשָׁא. אַבְרָהָם בְּשָׂרָה, יִצְחָק בְּרִבְקָה, וְלָקֳבֵל תַּרְוַויְיהוּ, הֲוֵי אַרְבַּע נָשִׁין לְיַעֲקֹב, בִּתְרֵין חוּלָקִין. רִבִּי שִׁמְעוֹן אֲמַר סְלִיקוּ מִלִּין לְאַתְרַיְיהוּ. דְּהָא כֹּלָּא בְּרָזָא קַדִּישָׁא אִתְעֲבַד,

וכלא ברזא חדא.

רנו. ויסף אברהם ויקח אשה ושמה קטורה. קטורה דא היא הגר. דהא תנינן, בתר דאתפרשא הגר מניה דאברהם, וטעת בתר גלולי דאבוה, לבתר, אתקשרא בעובדין דכשרן, ובגין כך, אשתני שמה, ואקרי קטורה, בעובדין דכשרן, ושדר אברהם, ונסבה ליה לאנתו. מכאן דשנוי שמא מכפר חובין, ועל דא אשתני שמה.

רנז. ויסף אברהם, מאי ויסף, אי תימא דעל שרה איהו דאוסיף, לאו הכי. אלא ביומהא דשרה, אזדווג בהדה זמנא חדא, ולבתר תריך לה, על עסקי דישמעאל, ולבתר ויסף כמלקדמין, זמנא אחרא, על מה דנסיב לה בקדמיתא. וכפום דשני עובדהא, הכי נמי שני שמה.

רנט. תא חזי, דאמר רבי אלעזר, ויביאה יצחק האהלה שרה אמו. דאתגליא דיוקנא דשרה, ויצחק אתנחם, אחרי דאתגליא אמו, ודיוקנהא הוה חמי כל יומא. ואברהם אע"ג דאינסיב, לא עאל בההוא ביתא, ולא אעיל לה להאי אתתא תמן, בגין דשפוחה לא תירש גברתה. ובאהל דשרה, לא אתחזי אתתא אחרא, אלא רבקה.

רס. ואברהם אף על גב דהוה ידע דדיוקנא דשרה אתגלייא תמן, שבקיה ליצחק ההוא אהל, למחמי דיוקנא דאמיה כל יומא. יצחק, ולא אברהם, הדא הוא דכתיב ויתן אברהם את כל אשר לו ליצחק. את כל אשר לו דייקא, דא ההוא דיוקנא דשרה בההוא משכנא.

רסא. דבר אחר, ויתן אברהם את כל אשר לו ליצחק, רזא דמהימנותא עלאה, לאתדבקא, יצחק בדרגא דחולקיה כדקא יאות. תא חזי, הכא אתכליל אשא במיא ודאי, אשא נטיל מיא, משמע ויתן אברהם את כל אשר לו ליצחק, דא מיא דאתכליל באשא, ובקדמיתא, אתכליל כחדא אשא במיא. אימתי, בשעתא דעקד ליה ליצחק, למעבד ביה דינא, כדין אתכליל אשא במיא. והשתא אתכלילו מיא באשא, למהוי כלא רזא דמהימנותא עלאה.

רסב. ולבני הפילגשים אשר לאברהם נתן אברהם מתנות. מאי מתנות. אלין סטרי דרגין תתאין, דאינון שמהן דסטרי רוח מסאבא, בגין לאשלמא דרגין, ואסתלק יצחק על כלא, במהימנותא עלאה כדקא חזי.

רסג. בני הפילגשים אלין הוו בני קטורה, פלגש בקדמיתא, ופלגש השתא. ר' חייא אמר, פילגים ממש. וישלחם מעל יצחק בנו, דלא לשלטאה לגביה דיצחק. בעודנו חי, בעוד דהוה אברהם חי וקיים בעלמא, דלא יקטרגון ליה לבתר, ובגין דיתתקן יצחק בסטר דינא קשיא עלאה, לאתתקפא על כלהו, וכלהו אתכפיין קמיה. קדמה אל ארץ קדם, בגין דתמן אינון סטרי חרשי מסאבי.

רסד. תא חזי, כתיב ותרב חכמת שלמה מחכמת כל בני קדם. אלין אינון דהוו מבני בני פילגשים דאברהם, והא אוקימנא, דהא באינון הררי קדם, אינון דאולפין חרשין לבני נשא, ומההיא ארץ קדם, נפקו: לבן, ובעור, ובלעם בנו, וכלהו חרשי, והא אוקמוה.

רסה. רבי חזקיה פתח ואמר, מי נתן למשיסה יעקב וישראל לבוזזים הלא ה' וגו'. תא חזי, מזמנא דאתחרב בי מקדשא, ברכאן לא שריין בעלמא, ואתמנעו, כביכול, אתמנעו מעילא ותתא, וכל אינון שאר דרגין, תתאין מתתקפי ואזלי ושלטי עלייהו דישראל, בגין דאינון גרמו בחוביייהו.

רסו. הַאי קְרָא לָא אִתְיַישְּׁבָן מִלֵּיהּ, דִּכְתִּיב מִי נָתַן לִמְשִׁיסָּה יַעֲקֹב כֵּיוָן דַּאֲמַר מִי נָתַן לִמְשִׁיסָּה יַעֲקֹב וְיִשְׂרָאֵל, מַהוּ וְחָטָאנוּ לוֹ, וְחָטְאוּ לוֹ מִבָּעֵי לֵיהּ, וְאִי אֲמַר וְחָטָאנוּ לוֹ, מַאי וְלֹא אָבוּ, וְלֹא אָבִינוּ מִבָּעֵי לֵיהּ.

רסז. אֶלָּא, בְּשַׁעְתָּא דְּאִתְחָרַב מַקְדְּשָׁא, וְאִתּוֹקַד הֵיכָלָא, וְעַמָּא אִתְגְּלֵי, בָּעְיָא שְׁכִינְתָּא לְאִתְעַקְּרָא מִדּוּכְתָּהּ, וּלְמֵיהַךְ עִמְּהוֹן בְּגָלוּתָא, אֲמָרָה אֵיהַךְ בְּקַדְמֵיתָא לְמֶחֱזֵי בֵּיתָאִי וְהֵיכָלָאִי, וְאֶפְקוֹד עַל דּוּכְתֵּי דְּכַהֲנֵי וְלֵיוָאֵי, דַּהֲווּ פָּלְחִין בְּבֵיתָאִי.

רסח. אֲמַר רִבִּי אֶלְעָזָר, בְּהַהִיא שַׁעְתָּא, אִסְתַּכְּלַת כְּנֶסֶת יִשְׂרָאֵל לְעֵילָּא, וְחָמַאת דְּבַעֲלָהּ אִסְתַּלַּק מִנָּהּ לְעֵילָּא לְעֵילָּא, נָחֲתַת לְתַתָּא, עָאלַת בְּבֵיתָא, וְאִסְתַּכְּלַת בְּכָל אִינּוּן דּוּכְתֵּי, וְאִשְׁתְּמַע קָלָא, לְעֵילָּא לְעֵילָּא, וְאִשְׁתְּמַע קָלָא לְתַתָּא, הֲדָא הוּא דִּכְתִּיב קוֹל בְּרָמָה נִשְׁמָע נְהִי בְּכִי תַמְרוּרִים רָחֵל מְבַכָּה עַל בָּנֶיהָ וְגוֹ', וְאוֹקְמוּהָ.

רסט. כֵּיוָן דְּעָאלַת בְּגָלוּתָא, אִסְתַּכְּלַת בְּעַמָּא, וְחָמַאת דְּדָחֲקֵי לוֹן, וְרָמְסֵי לוֹן בְּגָלוּתָא, בֵּין רַגְלַיְיהוּ דִּשְׁאַר עַמִּין, כְּדֵין אֲמַרַת מִי נָתַן לִמְשִׁסָּה יַעֲקֹב וְגוֹ'. וְאִינּוּן אָמְרִין, הֲלֹא ה' זוּ חָטָאנוּ לוֹ. וְהִיא אֲמָרַת וְלֹא אָבוּ בִדְרָכָיו הָלוֹךְ וְלֹא שָׁמְעוּ בְּתוֹרָתוֹ.

רע. וּבְשַׁעְתָּא דְּזַמִּין קוּדְשָׁא בְּרִיךְ הוּא, לְמִפְקַד עַל עַמֵּיהּ, כְּנֶסֶת יִשְׂרָאֵל תֵּיתוּב מִן גָּלוּתָא בְּקַדְמֵיתָא, תְּהַךְ לְבֵיתָא, בְּגִין דְּבֵית הַמִּקְדָּשׁ יִתְבְּנֵי בְּקַדְמֵיתָא, וְיֵימָא לָהּ קוּדְשָׁא בְּרִיךְ הוּא, קוּמִי מֵעַפְרָא. הִיא תָבַת וְאָמְרָה, לְאָן אֲתַר אֵיהַךְ, בֵּיתָאִי חָרַב, הֵיכָלִי אִתּוֹקַד בְּנוּרָא. עַד דְּקוּדְשָׁא בְּרִיךְ הוּא, יִבְנֵי בֵּי מַקְדְּשָׁא בְּקַדְמֵיתָא, וִיתַקֵּין הֵיכָלָא, וְיִבְנֵי קַרְתָּא דִּירוּשְׁלֵם, וּלְבָתַר יוֹקִים לָהּ מֵעַפְרָא. הֲדָא הוּא דִכְתִּיב, א. בּוֹנֵה יְרוּשָׁלַיִם ה' וְגוֹ'. בּוֹנֵה יְרוּשָׁלַיִם בְּקַדְמֵיתָא, וּלְבָתַר נִדְחֵי יִשְׂרָאֵל יְכַנֵּס, וְיֵימָא לָהּ הִתְנַעֲרִי מֵעָפָר קוּמִי שְׁבִי יְרוּשָׁלַיִם וְגוֹ'. וְיִתְכַּנֵּישׁ גָּלוּתְהוֹן דְּיִשְׂרָאֵל. הֲדָא הוּא דִכְתִּיב בּוֹנֵה יְרוּשָׁלַיִם ה' בְּקַדְמֵיתָא, וּלְבָתַר נִדְחֵי יִשְׂרָאֵל יְכַנֵּס. וּכְדֵין הָרוֹפֵא לִשְׁבוּרֵי לֵב וּמְחַבֵּשׁ לְעַצְּבוֹתָם, דָּא תְּחִיַּית הַמֵּתִים. וּכְתִיב וְאֶת רוּחִי אֶתֵּן בְּקִרְבְּכֶם וְעָשִׂיתִי אֵת אֲשֶׁר בְּחֻקַּי תֵּלֵכוּ וְגוֹ'.

בָּרוּךְ ה' לְעוֹלָם אָמֵן וְאָמֵן:

TOLDOT
תּוֹלְדוֹת

א. וְאֵלֶּה תּוֹלְדוֹת יִצְחָק וְגוֹ'. פָּתַח ר' חִיָּיא וְאָמַר מִי יְמַלֵּל גְּבוּרוֹת יְיָ יַשְׁמִיעַ כָּל תְּהִלָּתוֹ, תָּ"ח, בָּעָא קָבָּ"ה וְסָלִיק בִּרְעוּתָא קַמֵּיהּ לְמִבְרֵי עָלְמָא, הֲוָה מִסְתַּכֵּל בְּאוֹרַיְיתָא, וּבָרָא לֵיהּ, וּבְכָל עוֹבָדָא וְעוֹבָדָא דְּבָרָא קָבָּ"ה בְּעָלְמָא, הֲוָה מִסְתַּכֵּל בְּאוֹרַיְיתָא, וּבָרָא לֵיהּ, הֲדָא הוּא דִּכְתִיב, וָאֶהְיֶה אֶצְלוֹ אָמוֹן וְאֶהְיֶה שַׁעֲשׁוּעִים יוֹם אַל תִּקְרֵי אָמוֹן, אֶלָּא אוּמָן.

ב. כַּד בָּעָא לְמִבְרֵי אָדָם אָמְרָה תּוֹרָה קַמֵּיהּ, אִי בַּ"נ יִתְבְּרֵי, וּלְבָתַר יְחֶטֵי, וְאַנְתְּ תַּדוּן לֵיהּ, אַמַּאי יְהוֹן עוֹבָדֵי יָדָךְ לְמַגָּנָא, דְּהָא לָא יֵיכוּל לְמִסְבַּל דִּינָךְ, אָמַר לָהּ קָבָּ"ה, הָא אַתְקֵינָת תְּשׁוּבָה, עַד לָא בָּרָאתִי עָלְמָא, אָמַר קָבָּ"ה לְעָלְמָא, בְּשַׁעְתָּא דְּעֲבַד לֵיהּ, וּבָרָא לְאָדָם, אָ"ל עָלְמָא עָלְמָא, אַנְתְּ וְנִימוּסָךְ, לָא קַיְימִין אֶלָּא עַל אוֹרַיְיתָא. וּבְגִין כַּ"ךְ בָּרָאתִי לֵיהּ לְאָדָם בָּךְ, בְּגִין דְּיִתְעַסַּק בָּהּ. וְאִי לָאו, הָא אֲנָא אַהֲדַר לָךְ, לְתֹהוּ וָבֹהוּ וְכֹלָּא בְּגִינֵיהּ דְּאָדָם קַיְימָא, הֲדָ"ד אָנֹכִי עָשִׂיתִי אֶרֶץ וְאָדָם עָלֶיהָ בָרָאתִי. וְאוֹרַיְיתָא קָיְימָא וּמַכְרְזָא קַמַּיְיהוּ דִּבְנֵי נָשָׁא, בְּגִין דְּיִתְעַסְּקוּ וְיִשְׁתַּדְּלוּ בָּהּ וְלֵית מַאן דְּיַרְכִּין אוּדְנֵיהּ.

ג. תָּ"ח כָּל מַאן דְּאִשְׁתַּדַּל בְּאוֹרַיְיתָא אִיהוּ קַיֵּים עָלְמָא, וְקַיֵּים כָּל עוֹבָדָא וְעוֹבָדָא עַל תִּקּוּנֵיהּ כַּדְקָא יָאוֹת, וְלֵית לָךְ כָּל שַׁיְיפָא וְשַׁיְיפָא דְּקַיְימָא בֵּיהּ בְּבַר נָשׁ, דְּלָא הֲוֵי לְקָבְלֵיהּ בְּרִיָּה בְּעָלְמָא. דְּהָא כְּמָה דְּבַר נָשׁ אִיהוּ מִתְפַּלַּג שַׁיְיפִין, וְכֻלְּהוּ קַיְימִין דַּרְגִּין עַל דַּרְגִּין מִתַּתְקָנָן אִלֵּין עַל אִלֵּין וְכֻלְּהוּ חַד גּוּפָא, הָכֵי נַמֵי עָלְמָא, כָּל אִינּוּן בִּרְיָין כֻּלְּהוּ שַׁיְיפִין שַׁיְיפִין, וְקַיְימִין אִלֵּין עַל אִלֵּין, וְכַד מִתְתַּקְנָן כֻּלְּהוּ, הָא גּוּפָא מַמָּשׁ. וְכֹלָּא כְּגַוְונָא דְּאוֹרַיְיתָא, דְּהָא אוֹרַיְיתָא כֹּלָּא, שַׁיְיפִין וּפִרְקִין, וְקַיְימִין אִלֵּין עַל אִלֵּין, וְכַד מִתְתַּקְנָן כֻּלְּהוּ, אִתְעֲבִידוּ חַד גּוּפָא. כֵּיוָן דְּאִסְתַּכֵּל דָּוִד בְּעוֹבָדָא דָא, פָּתַח וְאָמַר מָה רַבּוּ מַעֲשֶׂיךָ יְיָ כֻּלָּם בְּחָכְמָה עָשִׂיתָ מָלְאָה הָאָרֶץ קִנְיָנֶךָ.

ד. בְּאוֹרַיְיתָא אִינּוּן כָּל רָזִין עִלָּאִין וְחֲתִימִין, דְּלָא יָכְלִין לְאִתְדַּבְּקָא, בְּאוֹרַיְיתָא כָּל אִינּוּן מִלִּין עִלָּאִין, דְּאִתְגַּלְיָין וְלָא אִתְגַּלְיָין, בְּאוֹרַיְיתָא אִינּוּן כָּל מִלִּין דִּלְעֵילָּא וּלְתַתָּא, כָּל מִלִּין דְּעָלְמָא דֵּין, וְכָל מִלִּין דְּעָלְמָא דְּאָתֵי בְּאוֹרַיְיתָא אִינּוּן, וְלֵית מַאן דְּיִשְׁגַּח וְיַדַע לוֹן, וּבְגִין כַּךְ כְּתִיב, מִי יְמַלֵּל גְּבוּרוֹת יְיָ יַשְׁמִיעַ כָּל תְּהִלָּתוֹ.

ה. תָּ"ח אֲתָא שְׁלֹמֹה וּבָעָא לְמֵיקָם עַל מִלּוּי דְּאוֹרַיְיתָא, וְעַל דִּקְדּוּקֵי אוֹרַיְיתָא, וְלָא יָכִיל, אָמַר אָמַרְתִּי אֶחְכָּמָה וְהִיא רְחוֹקָה מִמֶּנִּי. דָּוִד אָמַר, גַּל עֵינַי וְאַבִּיטָה נִפְלָאוֹת מִתּוֹרָתֶךָ. תָּא וְחֲזֵי כְּתִיב בִּשְׁלֹמֹה וַיְדַבֵּר שְׁלֹשֶׁת אֲלָפִים מָשָׁל וַיְהִי שִׁירוֹ חֲמִשָּׁה וָאֶלֶף. וְהָא אוּקְמוּהָ. דַּחֲמֵשָׁה וְאֶלֶף טַעֲמִים, הֲווֹ בְּכָל מָשָׁל וּמָשָׁל דַּהֲוָה אָמַר. וּמַה שְׁלֹמֹה. דְּאִיהוּ בָּשָׂר וָדָם, כַּךְ הֲווֹ בְּמִלּוּי. מִלִּין דְּאוֹרַיְיתָא דְּקָאָמַר קָבָּ"ה, עַל אַחַת כַּמָּה וְכַמָּה, דְּבְכָל מִלָּה וּמִלָּה, אִית בָּהּ כַּמָּה מְשָׁלִים, כַּמָּה שִׁירִין, כַּמָּה תּוּשְׁבְּחָן, כַּמָּה רָזִין עִלָּאִין, כַּמָּה חָכְמָאן, וְעַל דָּא כְּתִיב מִי יְמַלֵּל גְּבוּרוֹת יְיָ.

ו. תָּא וְחֲזֵי, מַה כְּתִיב לְעֵילָּא, וְאֵלֶּה תּוֹלְדוֹת יִשְׁמָעֵאל, דְּאִינּוּן תְּרֵיסַר נְשִׂיאִין, לְבָתַר אָמַר וְאֵלֶּה תּוֹלְדוֹת יִצְחָק, ס"ה, דְּכֵיוָן דִּכְתִיב בֵּיהּ בְּיִשְׁמָעֵאל דְּאוֹלִיד תְּרֵיסַר נְשִׂיאִין,

וְיִצְחָק אוֹלִיד תְּרֵין בְּנִין, דְּדָא אִסְתַּלַּק, וְדָא לָא אִסְתַּלַּק, עַל דָּא כְּתִיב מִי יְמַלֵּל גְּבוּרוֹת יי', דָּא יִצְחָק, וְיִצְחָק אַפִּיק לֵיהּ לְיַעֲקֹב, דַּהֲוָה אִיהוּ בִּלְחוֹדוֹי, יַתִּיר מִכֻּלְּהוּ, דְּאוֹלִיד תְּרֵיסַר שִׁבְטִין, קִיּוּמָא דִּלְעֵילָּא וְתַתָּא, אֲבָל יִצְחָק לְעֵילָּא בִּקְדוּשָּׁה עִלָּאָה וְיִשְׁמָעֵאל לְתַתָּא, וְעַל דָּא כְּתִיב, מִי יְמַלֵּל גְּבוּרוֹת יי' יַשְׁמִיעַ כָּל תְּהִלָּתוֹ, דָּא יַעֲקֹב כַּד אִתְדַּבַּק שִׁמְשָׁא בְּסִיהֲרָא, כַּמָּה כֹּכְבַיָּא נְהִירִין מִנַּיְיהוּ.

ז. וְאֵלֶּה תּוֹלְדוֹת יִצְחָק בֶּן אַבְרָהָם. אֲמַר רִבִּי יוֹסֵי, מַאי שְׁנָא דְּעַד הָכָא, לָא כְּתִיב בֶּן אַבְרָהָם, וְהַשְׁתָּא אֲמַר, אֶלָּא אע"ג דִּכְתִיב וַיְבָרֶךְ אֱלֹהִים אֶת יִצְחָק בְּנוֹ, הַשְׁתָּא דְּמִית אַבְרָהָם, דְּיוֹקְנֵיהּ הֲוָה בֵּיהּ, וְאִשְׁתְּאַר בֵּיהּ בְּיִצְחָק, דְּכָל מַאן דְּחָמֵי לְיִצְחָק, הֲוָה אֲמַר דָּא אַבְרָהָם וַדַּאי, וַהֲוָה סָהִיד וַאֲמַר אַבְרָהָם הוֹלִיד אֶת יִצְחָק.

ח. ר' יִצְחָק קָם לֵילְיָא חַד לְמִלְעֵי בְּאוֹרַיְיתָא, וְר' יְהוּדָה קָם בְּקֵסְרוֹי, בְּהַהִיא שַׁעְתָּא. אֲמַר ר' יְהוּדָה, אֵיקוּם וְאֵיזִיל לְגַבֵּי רִבִּי יִצְחָק, וְאִלְעֵי בְּאוֹרַיְיתָא וְנִתְחַבַּר כַּחֲדָא אֲזַל עִמֵּיהּ וְחִזְקִיָּה בְּרֵיהּ, דַּהֲוָה רַבְיָא, כַּד קָרִיב אַבָּבָא, שָׁמַע לֵיהּ לְרִבִּי יִצְחָק, דַּהֲוָה אֲמַר, וַיְהִי אַחֲרֵי מוֹת אַבְרָהָם וַיְבָרֶךְ אֱלֹקִים אֶת יִצְחָק בְּנוֹ וַיֵּשֶׁב יִצְחָק עִם בְּאֵר לַחַי רוֹאִי, הַאי קְרָא, לָאו רֵישֵׁיהּ סֵיפֵיהּ וְלָאו סֵיפֵיהּ רֵישֵׁיהּ, מַאי שְׁנָא דְּקוּדְשָׁא בְּרִיךְ הוּא אִצְטְרִיךְ לְבָרְכָא לֵיהּ לְיִצְחָק, בְּגִין דְּאַבְרָהָם לָא בָּרְכֵיהּ. מַאי טַעֲמָא, מִשּׁוּם דְּלָא יִתְבָּרֵךְ עֵשָׂו, וְעַ"ד סְלִיקוּ אִינּוּן בִּרְכָאן לְקוּדְשָׁא בְּרִיךְ הוּא, וְאוֹקְמוּהָ. וַיֵּשֶׁב יִצְחָק עִם בְּאֵר לַחַי רֹאִי, מַאי לַחַי רֹאִי, אֶלָּא דְּאִתְחַבַּר בָּהּ בִּשְׁכִינְתָּא, בֵּירָא דְּמַלְאָךְ קַיְּימָא אִתְחֲזֵי עֲלָהּ, כְּתַרְגּוּמוֹ וּבְגִין כָּךְ בָּרְכֵיהּ.

ט. אַדְהָכֵי, בָּטַשׁ ר' יְהוּדָה אַבָּבָא, וְעָאל, וְאִתְחַבָּרוּ אֲמַר ר' יִצְחָק, הַשְׁתָּא זִוּוּגָא דִּשְׁכִינְתָּא בַּהֲדָן. אֲמַר רִבִּי יְהוּדָה, הַאי בְּאֵר לַחַי רוֹאִי דְּקָאֲמַרְתְּ שַׁפִּיר, אֲבָל בְּמִלָּה אִשְׁתְּמַע. פָּתַח וַאֲמַר מַעְיַן גַּנִּים בְּאֵר מַיִם חַיִּים וְנוֹזְלִים מִן לְבָנוֹן, הַאי קְרָא אִתְּמַר אֲבָל הָא אוֹקְמוּהָ, מַעְיַן גַּנִּים דָּא אַבְרָהָם בְּאֵר מַיִם חַיִּים דָּא יִצְחָק, וְנוֹזְלִים מִן לְבָנוֹן דָּא יַעֲקֹב. בְּאֵר מַיִם חַיִּים דָּא יִצְחָק, הַיְינוּ דִּכְתִיב וַיֵּשֶׁב יִצְחָק עִם בְּאֵר לַחַי רֹאִי. וּמַאי בְּאֵר, דָּא שְׁכִינְתָּא, לַחַי דָּא חַי הָעוֹלָמִים, צַדִּיק חַי הָעוֹלָמִים וְלֵית לְאַפְרְשָׁא לוֹן, חַי הוּא בִּתְרֵי עָלְמִין, חַי לְעֵילָּא, דְּאִיהוּ עָלְמָא עִלָּאָה, חַי לְגַבֵּי עָלְמָא תַּתָּאָה, וְעָלְמָא תַּתָּאָה בְּגִינֵיהּ קַיְּימָא וְנָהֲרָא.

י. ת"ח, סִיהֲרָא לָא אִתְנְהִירַת, אֶלָּא כַּד חָזְיָא לֵיהּ לְשִׁמְשָׁא, וְכֵיוָן דְּחָזְיָא לֵיהּ, אִתְנְהִיר. וְעַ"ד הַאי בְּאֵר לַחַי רוֹאִי וַדַּאי, וּכְדֵין אִתְנְהֲרָא, וְקַיְּימָא בְּמַיִין חַיִּין, לַחַי רֹאִי, בְּגִין לְאִתְמַלְיָא וּלְאִתְנַהֲרָא מֵהַאי חַי.

יא. תָּא חֲזֵי, כְּתִיב וּבְנָיָהוּ בֶּן יְהוֹיָדָע בֶּן אִישׁ חַי דַּהֲוָה צַדִּיק, וְנָהִיר לְדָרֵיהּ, כְּמָה דְּחַי דִּלְעֵילָּא, נָהִיר לְעָלְמָא, וּבְכָל זִמְנָא, הַאי בְּאֵר, לַחַי אִסְתַּכַּל וְחָמֵי, בְּגִין לְאִתְנַהֲרָא, כִּדְקָאֲמָרָן. וַיֵּשֶׁב יִצְחָק עִם בְּאֵר לַחַי רֹאִי. הַיְינוּ דִּכְתִיב בְּקַחְתּוֹ אֶת רִבְקָה, וִיתֵיב בַּהֲדָהּ, וְאִתְאֲחִיד עִמָּהּ, וְחֹשֶׁךְ בַּלַּיְלָה, דִּכְתִיב שְׂמֹאלוֹ תַּחַת לְרֹאשִׁי. וְתָא חֲזֵי, יִצְחָק בְּקִרְיַת אַרְבַּע הֲוָה בָּתַר דְּמִית אַבְרָהָם, מַהוּ וַיֵּשֶׁב יִצְחָק עִם בְּאֵר לַחַי רוֹאִי, דְּאִזְדַּוַּוג בֵּיהּ, וְאָחִיד בֵּיהּ בְּהַהוּא בֵּירָא, לְאַתְעָרָא רְחִימוּתָא כִּדְקָאֲמָרָן.

יב. פָּתַח רִבִּי יִצְחָק וַאֲמַר, וְזָרַח הַשֶּׁמֶשׁ וּבָא הַשָּׁמֶשׁ וְאֶל מְקוֹמוֹ שׁוֹאֵף זוֹרֵחַ הוּא שָׁם. וְזָרַח הַשֶּׁמֶשׁ, דָּא שִׁמְשָׁא, דְּנָהִיר לְסִיהֲרָא, דְּכַד אִתְחֲזֵי בַּהֲדָהּ, כְּדֵין נָהֲרָא, וְאִתְנְהִיר וְזָרַח, מֵאֲתַר עִלָּאָה, דְּקַיְּימָא עֲלֵיהּ, מִתַּמָּן זָרַח תָּדִיר. וּבָא הַשֶּׁמֶשׁ, לְאִזְדַּוְּוגָא בַּהֲדָהּ דְּסִיהֲרָא. הוֹלֵךְ אֶל דָּרוֹם, דְּאִיהוּ יְמִינָא, וְשַׁוֵּי תּוּקְפֵּיהּ בֵּיהּ, וּבְגִין דְּתוּקְפֵּיהּ בֵּיהּ, כָּל חֵילָא

דְּגוּפָא בֵּימִינָא הוּא, וּבֵיהּ תַּלְיָא. וּלְבָתַר סוֹבֵב אֶל צָפוֹן, נָהִיר לְסִטְרָא דָא, וְנָהִיר לְסִטְרָא דָא. סוֹבֵב סוֹבֵב הוֹלֵךְ הָרוּחַ, בְּקַדְמֵיתָא כְּתִיב שֶׁמֶשׁ, וְהַשְׁתָּא רוּחַ. אֶלָּא כֹּלָּא חַד, וְרָזָא חֲדָא, וְכֹל דָּא, בְּגִין דְּסִיהֲרָא אִתְנַהֲרָא מִנֵּיהּ, וְיִתְחַבְּרוּן תַּרְוַויְיהוּ.

יג. תָּא חֲזֵי, כַּד אֲתָא אַבְרָהָם לְעָלְמָא וְזָבִיק לָהּ לְסִיהֲרָא וְקָרִיב לָהּ. כֵּיוָן דַּאֲתָא יִצְחָק אֲחֵיד בָּהּ, וְאִתְקַף בָּהּ כִּדְקָא יָאוֹת, וּמָשִׁיךְ לָהּ בִּרְחִימוּ, כְּמָה דְּאִתְּמַר, דִּכְתִיב שְׂמֹאלוֹ תַּחַת לְרֹאשִׁי. כֵּיוָן דַּאֲתָא יַעֲקֹב, כְּדֵין אִתְחַבַּר שִׁמְשָׁא בְּסִיהֲרָא, וְאִתְנְהִיר, וְאִשְׁתַּכַּח יַעֲקֹב שָׁלִים בְּכָל סִטְרִין, וְסִיהֲרָא אִתְנְהִירַת, וְאִתְתַּקְּנַת בִּתְרֵיסַר שִׁבְטִין.

יד. פָּתַח רַבִּי יְהוּדָה וְאָמַר הִנֵּה בָּרְכוּ אֶת יְיָ כָּל עַבְדֵי יְיָ, וְגוֹ'. הַאי קְרָא אוֹקְמוּהָ, אֲבָל תָּא חֲזֵי, הִנֵּה בָּרְכוּ אֶת יְיָ, וּמַאן אִינּוּן, דְּיִתְחֲזוּן לְבָרְכָא לֵיהּ לְקַבָּ"ה, כָּל עַבְדֵי יְיָ, בְּגִין דְּכָל בַּר נָשׁ בְּעָלְמָא מִיִּשְׂרָאֵל, אַעַ"ג דְּכֹלָּא יִתְחֲזוּן לְבָרְכָא לֵיהּ לְקַבָּ"ה, בִּרְכָתָא דְּבִגְנַיְיהוּ יִתְבָּרְכוּן עִלָּאִין וְתַתָּאִין מַאן הִיא, הַהִיא דִּבְרַכִין לֵיהּ עַבְדֵי יְיָ, וְלָא כֻּלְּהוּ. וּמַאן אִינּוּן דְּבִרְכָתְהוֹן בִּרְכָתָא, הָעוֹמְדִים בְּבֵית יְיָ בַּלֵּילוֹת, אֵלֵּין דְּקַיְימוּ בְּפַלְגוּת לֵילְיָא, וְאִתְעָרֵי לְמִקְרֵי בְּאוֹרַיְיתָא, אֵלֵּין קַיְימֵי בְּבֵית יְיָ בַּלֵּילוֹת, דְּהָא כְּדֵין קֻבָּ"ה אָתֵי לְאִשְׁתַּעְשְׁעָא עִם צַדִּיקַיָּיא בְּגִנְתָּא דְּעֵדֶן. וַאֲנָן קַיְימֵי הָכָא לְאִתְעָרָא בְּמִלֵּי דְּאוֹרַיְיתָא, נֵימָא בְּמִלֵּי דְּיִצְחָק, דַּאֲנָן בֵּיהּ.

טו. פָּתַח רַבִּי יִצְחָק וְאָמַר. וַיְהִי יִצְחָק בֶּן אַרְבָּעִים שָׁנָה בְּקַחְתּוֹ אֶת רִבְקָה וְגוֹ' בֶּן אַרְבָּעִים שָׁנָה, אַמַּאי אֲתָא לְמִמְנֵי הָכָא, דַּהֲוָה בֶּן אַרְבָּעִים שָׁנָה, כַּד נָסִיב לָהּ לְרִבְקָה, אֶלָּא וַדַּאי, הָא אִתְכְּלִיל יִצְחָק בְּצָפוֹן וְדָרוֹם, בְּאֶשָּׁא וּמַיָּא, וּכְדֵין, הֲוָה יִצְחָק בֶּן אַרְבָּעִים שָׁנָה בְּקַחְתּוֹ אֶת רִבְקָה. כְּמַרְאֵה הַקֶּשֶׁת, יָרוֹק וְחִוָּור סוּמָק. בַּת שֶׁלֹּשׁ שָׁנִים אֲחֵיד בָּהּ כַּד אֲחֵיד בָּהּ בְּרִבְקָה, וְכַד אוֹלִיד, אוֹלִיד בֶּן שִׁתִּין, לְאוֹלְדָא כִּדְקָא יָאוֹת, בְּגִין דְּיִפּוּק יַעֲקֹב שָׁלִים, מִבֶּן שִׁתִּין שָׁנָה כִּדְקָא יָאוֹת, וְכֻלְּהוּ אֲחֵיד לְהוּ יַעֲקֹב לְבָתַר, וְאִתְעֲבֵיד גְּבַר שָׁלִים.

טז. בַּת בְּתוּאֵל הָאֲרַמִּי מִפַּדַּן אֲרָם אֲחוֹת לָבָן הָאֲרַמִּי, מַאי אֵכְפַּת לָן כּוֹלֵי הַאי, דְּהָא כְּבָר אִתְּמַר וּבְתוּאֵל יָלַד אֶת רִבְקָה וְגוֹ', וְהַשְׁתָּא אָמַר בַּת בְּתוּאֵל הָאֲרַמִּי, וּלְבָתַר מִפַּדַּן אֲרָם, וּלְבָתַר אֲחוֹת לָבָן הָאֲרַמִּי, אֶלָּא אוֹקְמוּהָ, דַּהֲוָת בֵּין רְשָׁעִים וְאִיהִי לָא עָבְדַת כְּעוֹבָדַיְיהוּ, דַּהֲוָת בַּת בְּתוּאֵל וּמִפַּדַּן אֲרָם, וַאֲחוֹת לָבָן, וְכֻלְּהוּ חַיָּיבִין לְאַבְאָשָׁא, וְהִיא סַלְקָא עוֹבָדִין דְּכַשְׁרָן, וְלָא עָבְדַת כְּעוֹבָדַיְיהוּ.

יז. הַשְׁתָּא אִית לְאִסְתַּכְּלָא, אִי רִבְקָה הֲוַת בַּת עֶשְׂרִין שְׁנִין, אוֹ יַתִּיר, אוֹ בַּת שְׁלַע עֶשְׂרֵה, כְּדֵין הוּא שְׁבָחָא דִּילָהּ, דְּלָא עָבְדַת כְּעוֹבָדַיְיהוּ, אֲבָל עַד כְּעָן בַּת שְׁלֹשׁ שָׁנִים הֲוַת, מַאי שְׁבָחָא דִּילָהּ. אָ"ר יְהוּדָה בַּת שָׁלֹשׁ שָׁנִים הֲוַת, וַעֲבִידַת לְעוֹבָדָא כָּל הַהוּא עוֹבָדָא.

יח. אָמַר רַבִּי יִצְחָק, אַעַ"ג דְּכוֹלֵי הַאי עָבְדַת, לָא יָדַעְנָא הַאי עוֹבָדָא אִי אִינּוּן כְּשֵׁרָאן, אוֹ לַאו. אֶלָּא, תָּא חֲזֵי, כְּתִיב כְּשׁוֹשַׁנָּה בֵּין הַחוֹחִים כֵּן רַעֲיָתִי בֵּין הַבָּנוֹת: דָּא כְּנֶסֶת יִשְׂרָאֵל, דְּאִיהִי בֵּין אוּכְלוּסְהָא, כְּוַורְדָּא בֵּין כּוּבִין וְרָזָא דְּמִלָּה, יִצְחָק אָתֵי מִסִּטְרָא דְּאַבְרָהָם דְּאִיהוּ חֶסֶד עִלָּאָה, וַעֲבִיד חֶסֶד עִם כָּל בִּרְיָין, וְאַעַ"ג דְּאִיהוּ דִּינָא קַשְׁיָא. וְרִבְקָה אָתַת מִסִּטְרָא דְּדִינָא קַשְׁיָא, וְאִסְתַּלְּקַת מִבֵּינַיְיהוּ, וְאִתְחַבְּרַת בְּיִצְחָק, דְּהָא רִבְקָה מִסִּטְרָא דְּדִינָא קַשְׁיָא אַתְיָא, וְאַעַ"ג דְּאִיהִי מִסִּטְרָא דְּדִינָא רַפְיָא הֲוַת, וְחוּטָא דְּחֶסֶד תָּלֵי בָּהּ, וְיִצְחָק דִּינָא קַשְׁיָא, וְאִיהִי רַפְיָא, כְּשׁוֹשַׁנָּה בֵּין הַחוֹחִים הֲוִו. וְאִי לָא דְּאִיהִי רַפְיָא, לָא יָכִיל עָלְמָא לְמִסְבַּל דִּינָא קַשְׁיָא דְּיִצְחָק. כְּגַוְונָא דָא, קֻבָּ"ה מְזַוֵּוג זִוּוּגִין בְּעָלְמָא, וְחַד תַּקִּיף

וחד רפיא, בגין לאתתקנא כלא, ויתבסם עלמא.

יט. פתח רבי יהודה אבתריה ואמר, ויעתר יצחק ליי' לנכח אשתו. מהו ויעתר, דקריב ליה קרבנא, וצלי עלה. ומה קרבנא קריב. עולה קריב, דכתיב ויעתר לו יי', כתיב הכא ויעתר לו יי', וכתיב התם ויעתר אלהים לארץ וגו', מה להלן קרבן, אף כאן קרבן. כתיב ויעתר יצחק, וכתיב ויעתר לו, דנפק אשא מלעילא, לקבלא אשא דלתתא.

כ. ד"א ויעתר יצחק, דצלי צלותיה, וחתר חתירה לעילא, לגבי מזלא על בנין, דהא בההוא אתר תליין בנין, דכתיב ותתפלל על ה', וכדין ויעתר לו יי', אל תקרי ויעתר לו, אלא ויחתר לו, חתירה וחתר ליה קב"ה, וקביל ליה, וכדין ותהר רבקה אשתו.

כא. תא חזי, עשרין שנין, אשתהי יצחק עם אתתיה, ולא אולידת, עד דצלי צלותיה בגין דקב"ה אתרעי בצלותהון דצדיקיא, בשעתא דבעאן קמיה צלותהון, על מה דאצטריכו, מאי טעמא, בגין דיתרבי ויתוסף רבות קודשא, לכל מאן דאצטריך בצלותהון דצדיקייא.

כב. תא חזי, אברהם לא צלי קמי קב"ה, דיתן ליה בנין, אע"ג דשרה עקרה הות. ואי תימא, הא כתיב, הן לי לא נתת זרע, ההוא לאו בגין צלותא הוה אלא כמאן דמשתעי קמי מריה. אבל יצחק, צלי על אתתיה, בגין דהא איהו הוה ידע, דלאו איהו עקר, אלא אתתיה, דיצחק הוה ידע ברזא דחכמתא, דיעקב זמין למיפק מניה, בתריסר שבטין, אבל לא ידע, אי בהאי אתתא, אי באחרא, ועל דא לנכח אשתו, ולא לנכח רבקה.

כג. אמר ההוא רביא, בריה דרבי יהודה, אי הכי אמאי לא רחים ליה יצחק ליעקב, כל כך כמו לעשו, הואיל והוה ידע דזמין איהו לקיימא מניה תריסר שבטין. א"ל שפיר קאמרת, אלא כל זינא רחים ליה לזיניה, ואתמשיך ואזיל זינא בתר זיניה.

כד. תא חזי, עשו נפק סומק, כמה דכתיב ויצא הראשון אדמוני כלו וגו', ואיהו זינא דיצחק, דאיהו דינא קשיא דלעילא, ונפק מניה עשו, דינא קשיא לתתא, דדמיא לזיניה, וכל זינא אזיל לזיניה, ועל דא רחים ליה לעשו יתיר מיעקב, כמה דכתיב ויאהב יצחק את עשו כי ציד בפיו. כתיב הכא כי ציד בפיו, וכתיב התם על כן יאמר כנמרד גבור ציד לפני יי'.

כה. א"ר יצחק, כתיב ויתרצצו הבנים בקרבה ותאמר אם כן למה זה אנכי ותלך לדרש את יי', לאן אתר אזלת. לבי מדרשא דשם ועבר. ויתרצצו הבנים בקרבה, דתמן הוה ההוא רשע דעשו אגח קרבא ביה ביעקב. ויתרצצו: אתברו כמה דאמרינן, רצץ את מוחו. אתברו דא עם דא, ואתפלגו. ת"ח, דא סטרא דרוכב נחש, ודא סטרא דרוכב על כרסיא שלימתא קדישא, בסטרא דשמשא, לשמשא בסיהרא.

כו. ותא חזי, בגין דאתמשך עשו אבתריה דההוא נחש, אזיל עמיה יעקב בעקימא, כנחש, דאיהו חכים, ואיהו אזיל בעקימו, כד"א והנחש היה ערום וגו', חכים. ועובדוי דיעקב לגביה, הוו ליה כנחש, והכי אצטריך ליה, בגין לאמשכא ליה לעשו, בתריה דההוא נחש, ויתפרש מניה, ולא יהא ליה חולקא עמיה בעלמא דין ובעלמא דאתי. ותנינן, בא להרגך, אקדים אנת וקטליה. כתיב, בבטן עקב את אחיו דאשרי ליה לתתא, בההוא עקב, הה"ד וידו אוחזת בעקב עשו, דשוי ידוי על ההוא עקב, לאכפיא ליה.

כז. ד"א וידו אוחזת, דלא יכיל למיפק מניה מכל וכל, אלא וידו אוחזת בעקב עשו, דא סיהרא, דאתכסיא נהורא, בגין עקב דעשו, ועל דא אצטריך ליה, למיהך עמיה

בחכמתא, בגין לדחייא ליה לתתא, ויתדבק באתריה.

כח. ויקרא שמו יעקב. קב"ה קרי ליה יעקב ודאי. תא חזי, כתיב הכי קרא שמו יעקב, נקרא שמו לא כתיב, אלא קרא שמו, ויעקבני, ודאי חמא ליה קב"ה, דהא ההוא חויא קדמאה, איהו חכים לאבאשא, כיון דאתא יעקב, אמר הא ודאי חכים לקבליה, ובגין כך קרא ליה יעקב.

כט. הא אוקימנא בכל אתר, ויקרא סתם, האי הוא דרגא בתראה, כמה דכתיב, ויקרא אל משה וגו'. והכא ויקרא שמו יעקב, בכל אתר, שמיה לא אקרי על ידא דב"נ, באתר אחרא מה כתיב, ויקרא לו אל אלהי ישראל קב"ה קרא ליה ליעקב אל. א"ל אנא אלהא בעלאי, ואנת אלהא בתתאי.

ל. ותא חזי, יעקב הוה ידע, דעשו הוה ליה לאתדבקא, בההוא חויא עקימא, ועל דא, בכל עובדוי, אתמשך עליה, כחויא עקימא אחרא, בחכמתא בעקימו, והכי אצטריך. ואתייא דא, כי הא דאמר רבי שמעון, מאי דכתיב, ויברא אלהים את התנינים הגדולים, דא יעקב ועשו. ואת כל נפש החיה הרומשת, אלין שאר דרגין דביניהו, ודאי אתעביד יעקב חכים, לקבליה דההוא חויא אחרא, והכי אצטריך.

לא. ובגין כך, בכל ירחא וירחא, חד שעיר, בגין לאמשכא ליה לאתריה ויתפרש מן סיהרא, וכן ביומי דכפורי, לאקרבא ההוא שעיר, ודא בחכמה, לשלטאה עליה, ולא יכיל לאבאשא, דכתיב, ונשא השעיר עליו את כל עונותם אל ארץ גזרה, ואוקמוה דדא עשו, דאיהו שעיר, וכלא בחכמה וברמאות לגביה. מאי טעמא, משום דכתיב, ועם עקש תתפתל, בגין דאיהו חויא בישא, עקים, רווא וחכים לאבאשא, אסטי לעילא, ואסטי לתתא.

לב. ובגין כך, ישראל מקדמין, וחכמין ליה בחכמה, בעקימו, בגין דלא יכיל לאבאשא, ולשלטאה. ועל דא, יעקב דאיהו ברזא דמהימנותא, כל עובדוי לגבי דעשו, בגין דלא יהב דוכתא ליה, לההוא חויא, לסאבא מקדשא ולא יקריב לגביה ולא ישלוט בעלמא, ועל דא, לא אצטריך ליה לאברהם, לאתנהגא בעוקמא, ולא ליצחק, בגין דעשו, דאיהו סטרא דההוא חויא, עד לא אתא לעלמא. אבל יעקב, דאיהו מאריה דביתא, איבעי ליה, לקיימא לקבליה דההוא חויא, דלא יהיב ליה שלטנותא כלל, לסאבא בי מקדשא דיעקב, ועל דא, אצטריך ליעקב, יתיר מכל בני עלמא, ובגין כך, ישראל קדישין, אתברירו וחולק עדביה דקב"ה, דכתיב, כי חלק יי' עמו יעקב חבל נחלתו.

מדרש הנעלם

לג. ואלה תולדות יצחק בן אברהם אברהם הוליד את יצחק. רבי יצחק פתח, הדודאים נתנו ריח וגו'. ת"ר, לעתיד לבא, הקב"ה מחיה את המתים, וינער אותם מעפרם, שלא יהיו בנין עפר, כמות שהיו בתחלה, שנבראו מעפר ממש, דבר שאינו מתקיים, הה"ד וייצר ה' אלקים את האדם עפר מן האדמה.

לד. ובאותה שעה יתנערו מעפר, מאותו הבנין, ויעמדו בבנין מקוים, להיות להם קיומא, הה"ד התנערי מעפר קומי שבי ירושלים, יתקיימו בקיומא. ויעלו מתחת לארץ, ויקבלו נשמתם בארץ ישראל. באותה שעה, יציף קב"ה, כל מיני ריחין שבג"ע עליהם, הה"ד הדודאים נתנו ריח.

לה. אמר רבי יצחק, אל תקרי הדודאים, אלא הדודים, זהו הגוף והנשמה, שהם

דּוֹדִים וְרֵעִים זֶה עִם זֶה. רַב נַחְמָן אָמַר, דּוּדָאִים מַמָּשׁ, מַה הַדּוּדָאִים מוֹלִידִים אַהֲבָה בָּעוֹלָם, אַף הֵם מוֹלִידִים אַהֲבָה בָּעוֹלָם. וּמַאי נָתְנוּ רֵיחַ, כִּשְׁרוֹן מַעֲשֵׂיהֶם, לָדַעַת וּלְהַכִּיר לְבוֹרְאָם.

לו. וְעַל פְּתָחֵינוּ: אֵלּוּ פִּתְחֵי שָׁמַיִם, שֶׁהֵם פְּתוּחִים לְהוֹרִיד נְשָׁמוֹת לִפְגָרִים. כָּל מְגָדִים: אֵלּוּ הַנְּשָׁמוֹת. חֲדָשִׁים גַּם יְשָׁנִים: אוֹתָם שֶׁיָּצְאוּ נִשְׁמָתָם מֵהַיּוֹם כַּמָּה שָׁנִים, וְאוֹתָם שֶׁיָּצְאוּ נִשְׁמָתָם מִיָּמִים מוּעָטִים, וְזָכוּ בְּכִשְׁרוֹן מַעֲשֵׂיהֶם, לְהִכָּנֵס בָּעוֹלָם הַבָּא, כֻּלָּם עֲתִידִים לֵירֵד בְּבַת אַחַת, לְהִכָּנֵס בַּגּוּפוֹת הַמּוּכָנִים לָהֶם.

לז. אָמַר רַבִּי אַחָא בַּר יַעֲקֹב, בַּת קוֹל יוֹצֵאת וְאוֹמֶרֶת, חֲדָשִׁים גַּם יְשָׁנִים דּוֹדִי צָפַנְתִּי לָךְ. צָפַנְתִּי אוֹתָם, בְּאוֹתָם הָעוֹלָמוֹת. לָךְ: בִּשְׁבִילֵךְ, בִּשְׁבִיל שֶׁאַתָּה גּוּף קָדוֹשׁ וְנָקִי. ד״א הַדּוּדָאִים, אֵלּוּ מַלְאֲכֵי שָׁלוֹם. נָתְנוּ רֵיחַ, אֵלּוּ הַנְּשָׁמוֹת, שֶׁהֵם רֵיחַ הָעוֹלָם. נָתְנוּ: שָׁבְקוּ, כְּד״א וְלֹא נָתַן סִיחוֹן אֶת יִשְׂרָאֵל.

לח. דְּתָאנָא אָמַר רַבִּי יְהוּדָה, שָׁלֹשׁ כִּתּוֹת שֶׁל מַלְאֲכֵי הַשָּׁרֵת, הוֹלְכִים בְּכָל חֹדֶשׁ וּבְכָל שַׁבָּת, לְלַוּוֹת לַנְּשָׁמָה עַד מְקוֹם מַעֲלָתָהּ. וּבְמַאן נוֹקִים עַל פְּתָחֵינוּ כָּל מְגָדִים. אָמַר רַבִּי יְהוּדָה, אֵלּוּ הֵן הַגּוּפוֹת, שֶׁהֵם עוֹמְדִים בְּפִתְחֵי קְבָרוֹת לְקַבֵּל נִשְׁמָתָן. וְדוּמָ״ה נוֹתֵן פִּתְקָא דְּחֻשְׁבְּנָא, וְהוּא מַכְרִיז וְאוֹמֵר, רִבּוֹנוֹ שֶׁל עוֹלָם, חֲדָשִׁים גַּם יְשָׁנִים, אוֹתָם שֶׁנִּקְבְּרוּ מִכַּמָּה יָמִים, וְאוֹתָם שֶׁנִּקְבְּרוּ מִזְּמַן מוּעָט, כֻּלָּם צָפַנְתִּי לָךְ, לְמֵיפַק לְהוּ בְּחוּשְׁבְּנָא.

לט. אָמַר רַב יְהוּדָה אָמַר רַב, עָתִיד הקב״ה, לִשְׂמוֹחַ בְּאוֹתוֹ זְמַן, עִם הַצַּדִּיקִים, לְהַשְׁרוֹת שְׁכִינָתוֹ עִמָּהֶם, וְהַכֹּל יִשְׂמְחוּ בְּאוֹתָהּ שִׂמְחָה, הה״ד יִשְׂמַח ה׳ בְּמַעֲשָׂיו. א״ר יְהוּדָה, עֲתִידִים הַצַּדִּיקִים בְּאוֹתוֹ זְמַן, לִבְרֹא עוֹלָמוֹת, וּלְהַחֲיוֹת מֵתִים. אָמַר לֵיהּ רַבִּי יוֹסֵי, וְהָתְנַן אֵין כָּל חָדָשׁ תַּחַת הַשֶּׁמֶשׁ. א״ל רַבִּי יְהוּדָה, ת״ש, בְּעוֹד שֶׁהָרְשָׁעִים בָּעוֹלָם, וְיִרְבּוּ, כָּל הָעוֹלָם אֵינוֹ בְּקִיּוּם, וּכְשֶׁהַצַּדִּיקִים בָּעוֹלָם, אֲזַי הָעוֹלָם מִתְקַיֵּים. וַעֲתִידִים לְהַחֲיוֹת מֵתִים, כִּדְקָאֲמָרָן, עוֹד יֵשְׁבוּ זְקֵנִים וּזְקֵנוֹת בִּרְחוֹבוֹת יְרוּשָׁלַיִם וְאִישׁ מִשְׁעַנְתּוֹ בְּיָדוֹ מֵרוֹב יָמִים, כִּדְכְתִיב לְעֵיל.

מ. בְּאוֹתוֹ זְמַן, יַשִּׂיגוּ הַצַּדִּיקִים דַּעַת שְׁלֵמָה, דְּאָמַר רַבִּי יוֹסֵי, בְּיוֹמָא דְּיֶחֱדֵי קוּדְשָׁא בְּרִיךְ הוּא בְּעוֹבָדוֹי, זְמִינִין אִינּוּן צַדִּיקַיָּא, לְמִנְדַע לֵיהּ בְּלִבְּהוֹן, וּכְדֵין יִסְגֵּי סָכְלְתָנוּ בְּלִבְּהוֹן, כְּאִילּוּ חָזוּ לֵיהּ בְּעֵינָא, הֲדָא הוּא דִּכְתִיב, וְאָמַר בַּיּוֹם הַהוּא הִנֵּה אֱלֹהֵינוּ זֶה וגו׳. וְשִׂמְחַת הַנְּשָׁמָה בַּגּוּף, יָתֵר מִכּוּלָּם, עַל שֶׁיִּהְיוּ שְׁנֵיהֶם קַיָּימִים, וְיֵדְעוּ וְיַשִּׂיגוּ אֶת בּוֹרְאָם, וְיֵהָנוּ מִזִּיו הַשְּׁכִינָה, וְזֶהוּ הַטּוֹב הַגָּנוּז לַצַּדִּיקִים לֶעָתִיד לָבֹא. הה״ד, וְאֵלֶּה תּוֹלְדוֹת יִצְחָק בֶּן אַבְרָהָם, אֵלּוּ הֵם תּוֹלְדוֹת הַשִּׂמְחָה, וְהַשְּׂחוֹק, שֶׁיְּהֵא בָּעוֹלָם בְּאוֹתוֹ זְמַן. בֶּן אַבְרָהָם, הִיא הַנְּשָׁמָה הַזּוֹכָה לְכָךְ, וְלִהְיוֹת שְׁלֵימָה בְּמַעֲלָתָהּ. אַבְרָהָם הוֹלִיד אֶת יִצְחָק, הַנְּשָׁמָה מוֹלִידָה הַשִּׂמְחָה וְהַשְּׂחוֹק הַזֶּה בָּעוֹלָם.

מא. א״ר יְהוּדָה לְרַבִּי חִיָּיא, הָא דִּתְנִינָן דְּעָתִיד הקב״ה לַעֲשׂוֹת סְעוּדָה לַצַּדִּיקִים לֶעָתִיד לָבֹא, מַאי הִיא. אָמַר לֵיהּ, עַד לָא אָזְלִית קַמֵּי אִינּוּן מַלְאָכִין קַדִּישִׁין, מָארֵי מַתְנִיתִין, הָכִי שְׁמִיעַ לִי, כֵּיוָן דִּשְׁמַעִית הָא דְּאָמַר רַבִּי אֶלְעָזָר, אִתְיַישְׁבָא בְּלִבָּאִי, דְּא״ר אֶלְעָזָר, סְעוּדַת הַצַּדִּיקִים לֶעָתִיד לָבֹא, כְּהַאי דִּכְתִיב וַיֶּחֱזוּ אֶת הָאֱלֹהִים וַיֹּאכְלוּ וַיִּשְׁתּוּ. וְדָא הוּא דִּתְנַן נִיזוֹנִין. וְאָמַר רַבִּי אֶלְעָזָר בְּאֲתַר חַד תָּנִינָן נֶהֱנִין, וּבְאֲתַר אָחֳרָא תָּנִינָן נִיזוֹנִין, מַאי בֵּין הַאי לְהַאי. אֶלָּא הָכִי אֲמַר אַבּוֹי, הַצַּדִּיקִים שֶׁלֹּא זָכוּ כָּל כָּךְ, נֶהֱנִין מֵאוֹתוֹ זִיו, שֶׁלֹּא יַשִּׂיגוּ כָּל כָּךְ, אֲבָל הַצַּדִּיקִים שֶׁזָּכוּ, נִזּוֹנִין, עַד שֶׁיַּשִּׂיגוּ הַשָּׂגָה שְׁלֵמָה. וְאֵין אֲכִילָה

וּשְׁתִיָּה אֶלָּא זוֹ, וְזוֹ הִיא הַסְּעוּדָה וְהָאֲכִילָה. וּמְנָא לָן הָא, מִמֹּשֶׁה, דִּכְתִיב וַיְהִי שָׁם עִם ה׳ אַרְבָּעִים יוֹם וְאַרְבָּעִים לַיְלָה לֶחֶם לֹא אָכַל וּמַיִם לֹא שָׁתָה. מ״ט לֶחֶם לֹא אָכַל, וּמַיִם לֹא שָׁתָה. מִפְּנֵי שֶׁהָיָה נִזּוֹן מִסְּעוּדָה אַחֶרֶת, מֵאוֹתוֹ זִיו שֶׁל מַעְלָה, וּכְהַאי גַּוְונָא סְעוּדָתָן שֶׁל צַדִּיקִים לֶעָתִיד לָבֹא.

מב. אָמַר רִבִּי יְהוּדָה סְעוּדַת הַצַּדִּיקִים לֶעָתִיד לָבֹא, לִשְׂמוֹחַ בְּשִׂמְחָתוֹ, הה״ד יִשְׁמְעוּ עֲנָוִים וְיִשְׂמָחוּ. רַב הוּנָא אָמַר מֵהָכָא, וְיִשְׂמְחוּ כָל חוֹסֵי בָךְ לְעוֹלָם יְרַנֵּנוּ. אָמַר רִבִּי יִצְחָק, הַאי וְהַאי אִיתָא לֶעָתִיד לָבֹא. וְתָאנָא אָמַר רִבִּי יוֹסֵי, יַיִן הַמְשׁוּמָּר בַּעֲנָבָיו, מִשֵּׁשֶׁת יְמֵי בְרֵאשִׁית, אֵלּוּ דְּבָרִים עַתִּיקִים, שֶׁלֹּא נִגְלוּ לְאָדָם, מִיּוֹם שֶׁנִּבְרָא הָעוֹלָם, וַעֲתִידִים לְהִגָּלוֹת לַצַּדִּיקִים לֶעָתִיד לָבֹא, וְזוֹ הִיא הַשְּׁתִיָּה וַאֲכִילָה, וַדַּאי דָא הִיא.

מג. אָמַר רִבִּי יְהוּדָה בְּרִבִּי שָׁלוֹם, א״כ מַהוּ לִוְיָתָן, וּמַהוּ הַשּׁוֹר, דִּכְתִיב, כִּי בוּל הָרִים יִשְׂאוּ לוֹ. אָמַר רִבִּי יוֹסֵי, וְהָא כְתִיב בָּעֵת הַהִיא יִפְקוֹד ה׳ בְּחַרְבּוֹ הַקָּשָׁה וְהַגְּדוֹלָה וְהַחֲזָקָה עַל לִוְיָתָן נָחָשׁ בָּרִיחַ וְעַל לִוְיָתָן נָחָשׁ עֲקַלָּתוֹן וְהָרַג אֶת הַתַּנִּין אֲשֶׁר בַּיָּם. הָא הָכָא תְּלָתָא, אֶלָּא רֶמֶז הוּא, דְּקָא רָמַז עַל מַלְכְוָותָא. אָמַר רִבִּי תַּנְחוּם לֵית לְמֵימַר, עַל מַה דְּאָמְרוּ רַבָּנָן, וַדַּאי כָּךְ הִיא.

מד. אָמַר רִבִּי יִצְחָק, אֲנָא הֲוֵינָא קַמֵּיהּ דְּרִבִּי יְהוֹשֻׁעַ, וְשָׁאִילְנָא הַאי מִלָּה, אֲמַרְנָא הַאי סְעוּדָתָא דְּצַדִּיקַיָּא לֶעָתִיד לָבֹא, אִי כָּךְ הוּא, לָא אִתְיַישְּׁבָא בְּלִבָּאי, דְּהָא אָמַר רִבִּי אֶלְעָזָר, סְעוּדַת הַצַּדִּיקִים לֶעָתִיד לָבֹא, כְּהַאי גַּוְונָא דִּכְתִיב, וַיֶּחֱזוּ אֶת הָאֱלֹהִים וַיֹּאכְלוּ וַיִּשְׁתּוּ. אֲמַר רִבִּי יְהוֹשֻׁעַ שַׁפִּיר קָאָמַר רִבִּי אֶלְעָזָר, וְכָךְ הוּא.

מה. עוֹד אֲמַר רִבִּי יְהוֹשֻׁעַ, הַאי מְהֵימְנוּתָא, דַּאֲמָרוּ רַבָּנָן לְרוּבָּא דְעָלְמָא, דִּזְמִינִין אִינוּן בְּהַאי סְעוּדָתָא דְּלִוְיָתָן וְהַהוּא תּוֹרָא, וּלְמִשְׁתֵּי חַמְרָא טָב, דְּאִתְנְטַר מִכַּד אִתְבְּרֵי עָלְמָא, קְרָא אַשְׁכְּחוּ וְדָרְשׁוּ, דִּכְתִיב וַאֲכַלְתֶּם לַחְמְכֶם לָשׂוֹבַע, דַּאֲמַר רִבִּי זֵירָא, כָּל מִינֵי פִּיתּוּי, פִּתָּה הקב״ה לְיִשְׂרָאֵל, לְהַחֲזִירָם לְמוּטָב, וְדָא הוּא יַתִּיר מִכֻּלְּהוֹן, דַּאֲמַר לְהוּ וַאֲכַלְתֶּם לַחְמְכֶם לָשׂוֹבַע. וּבִקְלָלוֹת, וַאֲכַלְתֶּם וְלֹא תִשְׂבָּעוּ, וְדָא קַשְׁיָא לְהוּ מִכֻּלְּהוּ. מ״ט, דִּכְתִיב מִי יִתֵּן מוּתֵנוּ בְּיַד ה׳ בְּאֶרֶץ מִצְרַיִם וגו׳. אֲמַר רִבִּי זֵירָא, מְלַמֵּד, דְּמִשּׁוּם הָאֲכִילָה מָסְרוּ נַפְשָׁם לָמוּת בְּיָדָם. כֵּיוָן שֶׁרָאָה הקב״ה תַּאֲוָתָם, אָמַר לָהֶם, אִם תִּשְׁמְעוּ לְקוֹל הַמִּצְוֹת, וַאֲכַלְתֶּם לָשׂוֹבַע כְּדֵי לְהָנִיחַ דַּעְתָּם. כה״ג, חָמוּ רַבָּנָן דְּגָלוּתָא אִתְמְשַׁךְ, אִסְתַּכָּמוּ עַל קְרָאֵי דְּאוֹרַיְיתָא, וַאֲמָרוּ דִּזְמִינִין לְמֵיכַל וּלְמֶחֱדֵי בִּסְעוּדָתָא רַבָּה, דִּזַמִּין קוּדְשָׁא בְּרִיךְ הוּא לְמֶעְבַּד לְהוּ, וְעַ״ד רוּבָּא דְעָלְמָא סָבְלוּ גָּלוּתָא בְּגִין הַהִיא סְעוּדָתָא.

מו. אָמַר רִבִּי יוֹחָנָן, לֵית לָן לִסְתּוֹר מְהֵימְנוּתָא דְּכֹלָּא, אֶלָּא לְקַיְּימָא לֵיהּ, דְּהָא אוֹרַיְיתָא אַסְהִידַת עֲלוֹי, דְּהָא אֲנַן יָדְעִין מְהֵימְנוּתָא דְּצַדִּיקַיָּא, וְכִסּוּפָא דִּלְהוֹן מַאי הִיא, דִּכְתִיב נָגִילָה וְנִשְׂמְחָה בָּךְ, וְלֹא בַּאֲכִילָה. נַזְכִּירָה דוֹדֶיךָ מִיַּיִן. וְהַהִיא סְעוּדָתָא דִּזְמִינִין בָּהּ, יְהֵא לָן חוּלָק לְמֶהֱנֵי מִנָּהּ, וְזוֹ הִיא הַשִּׂמְחָה וְהַשְּׂחוֹק. וְאֵלֶּה תּוֹלְדוֹת יִצְחָק, שֶׁיִּצְחֲקוּ הַצַּדִּיקִים לֶעָתִיד לָבוֹא, אַבְרָהָם הוֹלִיד אֶת יִצְחָק, זְכוּת הַנְּשָׁמָה, מוֹלִיד הַשְּׂחוֹק הַזֶּה, וְהַשִּׂמְחָה בָּעוֹלָם.

מז. וַיְהִי יִצְחָק בֶּן אַרְבָּעִים שָׁנָה. רִבִּי בּוּ בְּשֵׁם רִבִּי יוֹסֵי, פָּתַח וַאֲמַר, יִשָּׁקֵנִי מִנְּשִׁיקוֹת פִּיהוּ וגו׳, בְּכַמָּה מַעֲלוֹת נִבְרָא הָעוֹלָם, דְּתָנִינָן אָמַר רִבִּי אַוָּזָא בַּר יַעֲקֹב כָּל מַה שֶּׁבָּרָא קב״ה בְּעוֹלָמוֹת שֶׁלּוֹ, חוּץ מִמֶּנּוּ, הָיוּ בְּשִׁתּוּף. וּמִי אֲמַר רִבִּי אַוָּזָא הָכֵי, חַס וְשָׁלוֹם, דְּהָא בְּמִלָּה דָא יִסְגֵּי פְּלוּגְתָּא בְּעָלְמָא, דְּאִי תֵּימָא הָכֵי, הַמַּלְאָכִים שֶׁהֵם נִבְרָאִים רוּחַ הַקֹּדֶשׁ

מַמָּשׁ, יֹאמַר שֶׁיֵּשׁ שִׁתּוּף בָּהֶם, הָא כָּל אַפַּיָּיא דְּדְהוֹן וְדִידָן שַׁוְיָין.

מז. אָמַר רִבִּי אַבָּא, בְּמִלָּה דָּא יַסְגֵּי פְּלוּגְתָּא בְּעָלְמָא, דְּהָא תְּנַן בְּמַתְנִיתִין דִּידָן, דְּכָל דַּעֲבַד קֻבְּ"ה, עָבַד כְּגוֹן גּוּפָא וְנִשְׁמְתָא, וְאִי תֵּימָא דְּהָא לֵית גּוּפָא לְמַלְאָכִים, כָּךְ הוּא, אֲבָל לֵית אִינּוּן יָכְלִין לְמֶעְבַּד עֲבִידְתָּא, עַד שֶׁיִּשְׁתַּתֵּף בְּהוּ הַהִיא נִשְׁמְתָא קַדִּישָׁא, דְּהִיא סִיּוּעָא דִּלְעֵילָּא, וּבְהַאי גַּוְונָא כָּל מַאי דַּעֲבִיד אִצְטְרִיךְ לְהַהִיא סִיּוּעָא דִּלְעֵילָּא מִנֵּיהּ.

מט. אָמַר רִבִּי יוֹסֵי, בְּהַהִיא שַׁעֲתָא דְּזַמִּין קוּדְשָׁא בְּרִיךְ הוּא לְאַחֲיָיא מֵתַיָּא, וְהָא סוֹפָא כָּל עַקְתִין, בְּאַרְבָּעִים לֶהֱוֵי. וּגְזַר קַיָּים, אַרְבָּעִים יַכֶּנּוּ לֹא יוֹסִיף. סוֹף הֲלִיכָתָם שֶׁל יִשְׂרָאֵל בַּמִּדְבָּר, בִּשְׁנַת הָאַרְבָּעִים. אַרְבָּעִים שָׁנָה, קוֹדֶם תְּחִיַּית הַגּוּף, מַמְתֶּנֶת לוֹ הַנְּשָׁמָה בְּאֶרֶץ יִשְׂרָאֵל. בִּשְׁנַת הָאַרְבָּעִים יְקוּמוּן הַגּוּפוֹת מֵעַפְרָא. בְּאַרְבָּעִים נִכְלָא הַגֶּשֶׁם, הה"ד וַיְהִי הַגֶּשֶׁם עַל הָאָרֶץ אַרְבָּעִים יוֹם, וּכְתִיב וַיְהִי מִקֵּץ אַרְבָּעִים יוֹם וַיִּפְתַּח נֹחַ. זְמַן גְּאוּלָתָם שֶׁל יִשְׂרָאֵל, בִּשְׁנַת הָאַרְבָּעִים הוּא. וּבַחֲמִשִּׁים אָתָא יִשּׁוּב עָלְמָא, דְּהִיא הַיּוֹבֵל. הַחֲזָרַת הַנְּשָׁמָה לַגּוּף, בִּשְׁנַת הָאַרְבָּעִים, שֶׁהִמְתִּינָה לוֹ בְּאֶרֶץ יִשְׂרָאֵל, הֲדָא הוּא דִּכְתִיב וַיְהִי יִצְחָק בֶּן אַרְבָּעִים שָׁנָה, שֶׁהִמְתִּין לַגּוּף. בְּקַחְתּוֹ אֶת רִבְקָה, בְּהִכָּנְסָתָהּ בַּגּוּף הַמְּזוּמָּן לוֹ. בְּאוֹתָהּ שָׁעָה, בְּהִכָּנְסָתָהּ בּוֹ, אֵין תַּאֲוָתָם וְכִסּוּפָם, אֶלָּא לֵיהָנוֹת מִזִּיו הַשְּׁכִינָה, וְלִזּוֹן מִזִּיוָהּ, הה"ד יִשָּׁקֵנִי מִנְּשִׁיקוֹת פִּיהוּ. א"ר אַבָּא, יִשָּׁקֵנִי יְפַרְנְסֵנִי, שֶׁאֵין פַּרְנָסָתָן אֶלָּא לֵיהָנוֹת וְלִזּוֹן מִזִּיוָהּ שֶׁל מַעְלָה. א"ר יוֹסֵי סוֹפֵיהּ דִּקְרָא מוֹכַח דִּכְתִיב כִּי טוֹבִים דּוֹדֶיךָ מִיָּיִן.

נ. בַּת בְּתוּאֵל בַּת בֵּיתוֹ שֶׁל אֵל. רַב הוּנָא אָמַר, לֹא כָּךְ הוּא, וַאֲנָא הֲוֵית בִּכְרַכֵּי הַיָּם, וְשָׁמַעְנָא דַּהֲווּ קָרָאן לְהַהוּא גַּרְמָא דְּשִׁדְרָה, הַהוּא דְּאִשְׁתָּאַר בְּקִבְרָא מִכָּל גּוּפָא, בְּתוּאֵל רַמָּאָה, שָׁאֵלִית עֲלֵיהּ, אָמְרוּ דְּהוּא כְּרֵישָׁא דְּחִוְיָא, דְּאִיהוּ רַמָּאָה, וְהַהוּא גַּרְמָא הוּא רַמָּאָה, מִכָּל שְׁאָר גַּרְמֵי.

נא. דְּתָאנָא אָמַר רִבִּי שִׁמְעוֹן, הַהוּא גַּרְמָא, לָמָּה אִשְׁתָּאַר בְּקִיּוּמָא, יַתִּיר מִכָּל שְׁאָר גַּרְמֵי. מִשּׁוּם דְּאִיהוּ רַמָּאָה, וְלֵית סָבִיל טַעֲמָא דִּמְזוֹנָא דִּבְנֵי נָשָׁא כִּשְׁאָר גַּרְמֵי, וּבְגִין כָּךְ הוּא תַּקִּיף מִכָּל גַּרְמֵי, וְהוּא לֶהֱוֵי עִקָּרָא, דְּגוּפָא אִתְבְּנֵי מִנֵּיהּ. הֲדָא הוּא דִּכְתִיב בַּת בְּתוּאֵל הָאֲרַמִּי.

נב. וְתָאנָא אָמַר רִבִּי שִׁמְעוֹן, הוּא רַמַּאי, וּמֵעוֹלָם רַמַּאי, וְשָׁכֵן יֵצֶר הָרָע, דְּאִיהוּ רַמַּאי. הֲדָא הוּא דִּכְתִיב בַּת בְּתוּאֵל הָאֲרַמִּי גַּרְמָא רַמָּאָה, מִפַּדַּן אֲרָם, מִצֶּמֶד רַמָּאִין, כְּדִתְנַן פַּדָּנָא דְּתוֹרָא שֶׁהוּא צֶמֶד. אֲחוֹת לָבָן, אֲחוֹת יֵצֶר הָרָע הָאֲרַמִּי, כִּדְתְנַן, בִּתְחִלָּה שֶׁהָיָה מְנֻוָּל בְּחַטָּאוֹת בָּזֶה הָעוֹלָם, נִקְרָא לוֹט. לֶעָתִיד לָבֹא, שֶׁלֹּא יְהֵא מְנֻוָּל כִּדְבְקַדְמֵיתָא, כְּמַאן דְּסָחֵי וּמַטְבִּיל מִסַּאֲבוּתֵיהּ, קָרָאן לֵיהּ לָבָן. עַל כָּל פָּנִים אֵין יֵצֶר הָרָע בָּטֵל מִן הָעוֹלָם.

נג. ת"ש, דְּהָכֵי אֲנַן אוֹקִימְנָא בְּמַתְנִיתָא. שְׁתֵּי בְּנוֹת לוֹט, שֶׁהֵן שְׁתֵּי כּוֹחוֹת הַגּוּף, הַמְעוֹרְרוֹת לַיֵּצֶר הָרָע, עַכְשָׁיו שֶׁאֵינוֹ מְנֻוָּל כ"כ, וְנִטְבַּל מִלִּכְלוּכוֹ, נִקְרָא לָבָן, וְאוֹתָן שְׁתֵּי בָּנוֹת אֵינָן בְּטֵלוֹת מַמָּשׁ, הה"ד וּלְלָבָן שְׁתֵּי בָּנוֹת. א"ר יוֹסֵי כָּךְ הוּא, תַּמָּן כְּתִיב בְּכִירָה וּצְעִירָה, וְהָכָא כְּתִיב גְּדוֹלָה וּקְטַנָּה.

נד. א"ר יוֹסֵי, אֲבָל אֵינָן בְּכֹחַ לַעֲשׂוֹת רַע, וּלְהִתְעוֹרֵר לַיצה"ר כְּמִתְּחִלָּה, מַשְׁמַע דִּכְתִיב שֵׁם הַגְּדוֹלָה לֵאָה, שֶׁלְּאָה מִכֹּחָהּ וּמֵרִשְׁעָתָהּ, וְשֵׁם הַקְּטַנָּה רָחֵל, שֶׁאֵין בָּהּ כֹּחַ הַמִּתְעוֹרֵר, כְּמָה דְּאַתְּ אָמֵר וּכְרָחֵל לִפְנֵי גוֹזְזֶיהָ נֶאֱלָמָה. אָמַר רַב הוּנָא, זֶה יצה"ר, וּשְׁתֵּי בְּנוֹתָיו, מִתְחַלְּפוֹת מִכַּמּוֹת שֶׁהָיוּ בָּרִאשׁוֹנָה. בִּתְחִלָּה לוֹט, מְקוּלָּל מְנֻוָּל, עַכְשָׁיו לָבָן, מְלוּבָּן, שֶׁאֵינוֹ

מְקוּלָּל וּמְנוּוָּל בְּנִיווּלוֹ כְּבָרִאשׁוֹנָה. בְּתוֹכָהּ שְׁתֵּי בְּנוֹתָיו וַחֲזָקוֹת, כָּל אַחַת וְאַחַת בְּכוֹחָהּ, וְעַכְשָׁיו שֵׁם הַגְּדוֹלָה לֵאָה: לֵאָה בְּלֹא כֹּחַ, לֵאָה בְּלֹא חִזּוּק. לֵאָה מִמַּעֲשֶׂיהָ הָרִאשׁוֹנִים. וְשֵׁם הַקְּטַנָּה רָחֵל, כִּדְקָאֲמָרָן, וְלֹא כְּמוֹת שֶׁהָיוּ בָּרִאשׁוֹנָה.

נה. א"ר אַחָא בַּר יַעֲקֹב, תָּא חֲזֵי, מַה כְּתִיב, וַיֶּעְתַּר יִצְחָק לַה' לְנֹכַח אִשְׁתּוֹ כִּי עֲקָרָה הִיא. אָמַר רַבִּי אַחָא מִפְּנֵי מָה הִיא עֲקָרָה, מִפְּנֵי שֶׁיֵּצֶר הָרָע אֵינוֹ נִמְצָא בְּכֹחוֹ בָּעוֹלָם, וְעַל כָּךְ אֵין נִמְצָא פְּרִיָּה וּרְבִיָּה, זוּלָתִי בִּתְפִלָּה, מַה כְּתִיב, וַיֵּעָתֶר לוֹ ה', וַתַּהַר רִבְקָה אִשְׁתּוֹ. כֵּיוָן שֶׁמִּתְעוֹרֵר יֵצֶר הָרָע, נִמְצָא פְּרִיָּה וּרְבִיָּה.

נו. אָמַר רַבִּי יוֹסֵי, אִם כֵּן מַה הֶפְרֵשׁ בֵּין הָעוֹלָם הַזֶּה, לְאוֹתוֹ הַזְּמַן, וְעוֹד דְּהָא קְרָא קָאֲמַר, דְּקוּדְשָׁא בְּרִיךְ הוּא עָבִיד. אָמַר רַבִּי אַחָא, כָּךְ הוּא, דְּקוּדְשָׁא בְּרִיךְ הוּא אִתְעַר לֵיהּ לְהַהוּא עִנְיָנָא, דְּצָרִיךְ לְזִוּוּגָא, וְלָא לְכָל שַׁעֲתָא, דִּיהֵא תָּדִיר עִם בַּר נָשׁ כְּמוֹ כְּעַן, דְּאִיהוּ אִשְׁתַּכַּח תָּדִיר, וְחָטְאִין בֵּיהּ בְּנֵי נָשָׁא, אֶלָּא לְהַהוּא זִוּוּגָא בִּלְחוֹדוֹי, וְאִתְעֲרוּתָא הַהִיא, אִתְעֲרוּתָא דְּקוּדְשָׁא בְּרִיךְ הוּא לֶיהֱוֵי, הֲדָא הוּא דִּכְתִיב וַהֲסִירוֹתִי אֶת לֵב הָאֶבֶן מִבְּשַׂרְכֶם וְנָתַתִּי לָכֶם לֵב בָּשָׂר. מַהוּ לֵב בָּשָׂר. אָמַר רַבִּי יְהוּדָה, לֵב לְהוֹצִיא בָּשָׂר, וְלֹא לְדָבָר אַחֵר.

נז. רַבִּי יִצְחָק בְּרַבִּי יוֹסֵי, הֲוָה אָתֵי מִקַּפּוֹטְקִיָּא לְלוֹד, פָּגַע בֵּיהּ רַבִּי יְהוּדָה, א"ל רַבִּי יִצְחָק, תֵּאמַר דְּחַבְרָנָא וְחַכִּימֵי מַתְנִיתָא, אִתְעָרוּ לְהַאי עִנְיָנָא, דְּיֵצֶר הָרָע יִתְנְשֵׁי מִן עַלְמָא, בַּר הַהִיא שַׁעְתָּא לְזִוּוּגָא. א"ל, חַיֶּיךָ הָכֵי אִצְטְרִיךְ יֵצֶר הָרָע לָעוֹלָם, כְּמִטְרָא לָעוֹלָם, דְּאִלְמָלֵא יֵצֶר הָרָע, חֶדְוָותָא דִּשְׁמַעְתָּא לָא לֶיהֱוֵי, אֲבָל לָא מְנוּוָּלָה כְּקַדְמֵיתָא, לְמֶחֱטֵי בֵּיהּ, הה"ד לֹא יָרֵעוּ וְלֹא יַשְׁחִיתוּ בְּכָל הַר קָדְשִׁי וְגוֹ'. אָמַר רַבִּי שִׁמְעוֹן, הוּא לִבָּא, דִּמְדוֹרֵיהּ דְּיֵצֶר הָרָע בֵּיהּ. רַבִּי אֱלִיעֶזֶר אוֹמֵר, לִבָּא טָבָא, בִּנְיָינָא דְּגוּפָא וְנִשְׁמְתָא, וּבְגִין כָּךְ כְּתִיב וְאָהַבְתָּ אֵת ה' אֱלֹהֶיךָ בְּכָל לְבָבְךָ דְּהוּא עִקָּרָא דְּכֹלָּא.

נח. כַּד אֲתָא רַב כַּהֲנָא אֲמַר, הָכֵי אָמְרִין מִשְּׁמַיְהוּ דְּמָארֵי מַתְנִיתָא, תְּרֵי בִּנְיָינִין דְּגוּפָא אִינוּן, כַּבְדָא וְלִבָּא, דַּאֲמַר רַבִּי שִׁמְעוֹן אֲמַר רַבִּי יְהוּדָה, כַּבְדָא וְלִבָּא, אִינוּן מְנַהֲגֵי גוּפָא בְּכָל סִטְרֵי אֵבָרוֹי, מְנַהֲגָא דְּרֵישָׁא מוֹחָא, אֲבָל דְּגוּפָא אִינוּן תְּרֵין, וְקַדְמָאָה הוּא כַּבְדָא, תִּנְיָינָא לִבָּא. וְהַיְינוּ דִּכְתִיב בְּפָרְשָׁתָא, וַיִּתְרוֹצְצוּ הַבָּנִים בְּקִרְבָּהּ אִלֵּין תְּרֵין בִּנְיָינֵי דְּגוּפָא.

נט. מַאי טַעְמָא וַיִּתְרוֹצְצוּ. מִשּׁוּם דְּלִבָּא אִתְנְשֵׁי מִנֵּיהּ יֵצֶר הָרָע. וַיִּתְרוֹצְצוּ וַיִּשְׁלְיוּ מִבָּעֵי לֵיהּ. אֶלָּא אֲמַר רַב הוּנָא, וַיִּתְרוֹצְצוּ וַיִּשָּׁבְרוּ, כְּלוֹמַר, נִשְׁבַּר כּוֹחָם וְחֵילָם. אָמַר רַבִּי יְהוּדָה, הַגּוּף מַהוּ אוֹמֵר, אִם כֵּן לָמָּה זֶּה אָנֹכִי, וְלָמָּה נִבְרֵאשִׁית. מִיָּד וַתֵּלֶךְ לִדְרֹשׁ אֶת ה'.

ס. וַיֹּאמֶר ה' לָהּ שְׁנֵי גוֹיִם בְּבִטְנֵךְ וּשְׁנֵי לְאֻמִּים וְגוֹ'. אֵלּוּ הַשְּׁנֵי גֵּאִים, הַכָּבֵד וְהַלֵּב. רַבִּי יוֹסֵי אָמַר, הַמּוֹחַ וְהַלֵּב. רַבִּי יְהוּדָה אָמַר, הַמּוֹחַ אֵין בִּכְלַל זֶה, מַשְׁמַע דִּכְתִיב בְּבִטְנֵךְ, וְהַמּוֹחַ אֵין בַּבֶּטֶן אֶלָּא בָּרֹאשׁ. וּשְׁנֵי לְאוּמִּים מִמֵּעַיִךְ וְגוֹ', וְרַב יַעֲבוֹד צָעִיר, זֶהוּ הַכָּבֵד, שֶׁהוּא רַב וְגָדוֹל, וְהוּא מְשַׁמֵּשׁ לִפְנֵי הַלֵּב, דְּאָמַר רַבִּי יְהוּדָה, הַכָּבֵד קוֹלֵט הַדָּם, וּמְשַׁמֵּשׁ בּוֹ לִפְנֵי הַלֵּב.

סא. וַיֵּצֵא הָרִאשׁוֹן אַדְמוֹנִי. אָמַר רַב כַּהֲנָא, הַכָּבֵד הוּא הָרִאשׁוֹן וְהוּא אַדְמוֹנִי, לָמָּה הוּא אַדְמוֹנִי, עַל שֶׁבּוֹלֵעַ אֶת הַדָּם תְּחִלָּה. רַבִּי אֱלִיעֶזֶר אוֹמֵר, לָמָּה נִקְרָא שְׁמוֹ רִאשׁוֹן, עַל שֶׁהוּא רִאשׁוֹן, לִבְלוֹעַ הַדָּם, מִכָּל הַמַּאֲכָל, וְהוּא רִאשׁוֹן לַדָּם אֲבָל לֹא לַיְּצִירָה. וּבְמַאן נוֹקִים וְרַב יַעֲבוֹד צָעִיר, עַל שֶׁהוּא רַב וְגָדוֹל בְּשִׁעוּרוֹ מִן הַלֵּב, וְהוּא עוֹבֵד לַלֵּב. אָמַר רַבִּי

אַבָּא, לָמָּה אָתָא פָּרָשָׁתָא דָּא, אֶלָּא לְאַחֲזָאָה לִבְנֵי עָלְמָא, דְּאַף עַל גַּב דְּהַהִיא שְׁלֵימוּתָא
לֵיהֱוֵי בְּאַרְעָא, אָרְחֵיהּ וְטִבְעֵיהּ דְּעָלְמָא לָא אִשְׁתַּנֵּי. רִבִּי יֵיסָא אָמַר בָּא וּרְאֵה הַכָּבֵד הוּא
הַצָּד צַיִד וְהוּא צַיָּד בְּפִיו, וְהַלֵּב הוּא הַחוֹשֵׁב, וְהוּא יוֹשֵׁב אֹהָלִים הֲדָא הוּא דִכְתִיב וְיַעֲקֹב נָזִיד,
וְחוֹשֵׁב מַחֲשָׁבוֹת, נוֹשֵׂא וְנוֹתֵן בַּתּוֹרָה.

סב. וַיָּזֶד יַעֲקֹב נָזִיד. רִבִּי בָּא בְּשֵׁם רִבִּי אֻוזָא אָמַר, לְעוֹלָם טִבְעוֹ שֶׁל עוֹלָם אֵינוֹ
מִשְׁתַּנֶּה, בָּא וּרְאֵה, מַה כְּתִיב, וַיָּזֶד יַעֲקֹב נָזִיד, כְּדִ"א אֲשֶׁר זָדוּ עֲלֵיהֶם, וְתַרְגּוּמוֹ דַּוְשִׁיבוּ.
כְּלוֹמַר, הַלֵּב חוֹשֵׁב וּמְהַרְהֵר בַּתּוֹרָה, בִּידִיעַת בּוֹרְאוֹ, וַיָּבֹא עֵשָׂו מִן הַשָּׂדֶה וְהוּא
עָיֵף. הַכָּבֵד שֶׁדַּרְכּוֹ טִבְעוֹ, לָצֵאת וְלָצוּד צַיִד בְּפִיו לִבְלוֹעַ, וְאֵינוֹ מוֹצֵא, נִקְרָא עָיֵף, וְהוּא
אוֹמֵר לַלֵּב, עַד שֶׁאַתָּה מְהַרְהֵר בִּדְבָרִים אֵלּוּ בְּדִ"ת, הַרְהֵר בָּאֲכִילָה וּבִשְׁתִיָּה, לְקַיֵּים גּוּפָךְ,
הֲדָא הוּא דִכְתִיב, וַיֹּאמֶר עֵשָׂו אֶל יַעֲקֹב הַלְעִיטֵנִי נָא מִן הָאָדֹם הָאָדֹם הַזֶּה, כִּי כֵן דַּרְכִּי לִבְלוֹעַ הַדָּם,
וּלְעַגֵּר לִשְׁאָר הָאֵבָרִים, כִּי עָיֵף אָנֹכִי, בְּלֹא אֲכִילָה וּשְׁתִיָּה. וְהַלֵּב אוֹמֵר, תֵּן לִי הָרִאשׁוֹן
וְהַמּוֹבְחָר מִכָּל מַה שֶׁתִּבְלַע, תֵּן לִי בְכוֹרָתְךָ, הֲדָא הוּא דִכְתִיב מִכְרָה כַיּוֹם אֶת בְּכֹרָתְךָ
לִי, קוֹנְמִיתָא דִתְאֵיבָא, עַד שֶׁהַלֵּב מְהַרְהֵר וְחוֹשֵׁב בַּמַּאֲכָל, בּוֹלֵעַ הַכָּבֵד, דְּאִלְמָלֵי הַהוּא
כִּסּוּפָא וְהִרְהוּרָא דְּלִבָּא בַּמַּאֲכָל, לֹא יוּכַל הַכָּבֵד, וְהָאֵבָרִים לִבְלוֹעַ כֵּן אָמַר רִבִּי יוֹסֵי, כֵּן
דֶּרֶךְ הָעֲבָדִים, שֶׁאֵינָם אוֹכְלִים עַד שֶׁהָאָדוֹן אוֹכֵל.

סג. א"ר יוֹסֵי, כְּתִיב לְאַחַר כֵּן, וְיַעֲקֹב נָתַן לְעֵשָׂו לֶחֶם וּנְזִיד עֲדָשִׁים, מַהוּ עֲדָשִׁים,
סְגַלְגְּלָן כְּגַלְגְּלָתָא, וְגַלְגְּלָא סָבִיב בְּעָלְמָא, כְּלוֹמַר, דְּלָא אִתְגְּנֵי מֵאָרְחֵיהּ. כָּךְ הוּא ב"נ,
בְּהַהוּא זִמְנָא אע"ג דְּכָל הַהוּא טִיבוּ, וִיקָר וּשְׁלֵימוּתָא לֵיהֱוֵי, אָרְחֵיהּ דְּעָלְמָא לְמֵיכַל
וּלְמִשְׁתֵּי לָא יִתְגְּנֵי.

סד. בַּמַּתְנִיתִין, תָּנַן אַרְבַּע רוּחוֹת הָעוֹלָם מְנַשְּׁבָן, וְעָתִיד קָבָּ"ה לְהִתְעוֹרֵר רוּחַ אֶחָד,
לְקַיֵּים הַגּוּף, שֶׁיְהֵא כְּלוּל מִד' רוּחוֹת, הֲהֵ"ד מֵאַרְבַּע רוּחוֹת בֹּאִי הָרוּחַ, בְּאַרְבַּע לָא כְּתִיב,
אֶלָּא מֵאַרְבַּע רוּחוֹת הָעוֹלָם, שֶׁיְהֵא כְּלוּל מֵאַרְבַּעְתָּם. וְתָאנָא, אוֹתוֹ הָרוּחַ, הוּא רוּחַ
הַמּוֹלִיד, הוּא הָרוּחַ הָאוֹכֵל וְשׁוֹתֶה וְאֵין בֵּין הָעוֹלָם הַזֶּה לִימוֹת הַמָּשִׁיחַ, אֶלָּא שִׁעְבּוּד
מַלְכִיּוֹת בִּלְבָד, וְאֵין בֵּין עוֹלָם הַזֶּה, לִתְחִיַּית הַמֵּתִים, אֶלָּא נְקִיּוּת וְהַשָּׂגַת יְדִיעָה. רַב נַחְמָן
אָמַר וַאֲרִיכוּת יָמִים.

סה. אָמַר רַב יוֹסֵף וְכִי יְמוֹת הַמָּשִׁיחַ וּתְחִיַּית הַמֵּתִים לָאו וַד הוּא. א"ל לָא, דִּתְנַן, בֵּית
הַמִּקְדָּשׁ, קוֹדֶם לְקִבּוּץ גָּלֻיּוֹת, קִבּוּץ גָּלֻיּוֹת, קוֹדֶם לִתְחִיַּית הַמֵּתִים, וּתְחִיַּית הַמֵּתִים הוּא
אַחֲרוֹן שֶׁבְּכֻלָּם. מְנָ"ל דִּכְתִיב בּוֹנֵה יְרוּשָׁלַם ה' נִדְחֵי יִשְׂרָאֵל יְכַנֵּס הָרוֹפֵא לִשְׁבוּרֵי לֵב
וּמְחַבֵּשׁ לְעַצְּבוֹתָם. זוֹ הִיא תְחִיַּית הַמֵּתִים, שֶׁהִיא הָרְפוּאָה לִשְׁבוּרֵי לֵב, עַל מֵתֵיהֶם. בּוֹנֶה
יְרוּשָׁלַם תְּחִלָּה, וְאַחֲרָיו נִדְחֵי יִשְׂרָאֵל יְכַנֵּס, וְהָרוֹפֵא לִשְׁבוּרֵי לֵב אַחֲרוֹן עַל הַכֹּל.

סו. תָּנַן, מ' שָׁנָה קוֹדֶם הַקִּבּוּץ גָּלֻיּוֹת, לִתְחִיַּית הַמֵּתִים, כִּדְאַמְרִינָן וַיְהִי יִצְחָק בֶּן
אַרְבָּעִים שָׁנָה. הַאי מ' שָׁנָה. מַאי עֲבִידְתַּיְיהוּ. אָמַר רַב כַּהֲנָא א"ר בְּרוֹקָא, מִקִּבּוּץ גָּלֻיּוֹת
עַד תְּחִיַּית הַמֵּתִים, כַּמָּה צָרוֹת, כַּמָּה מִלְחָמוֹת יִתְעוֹרְרוּ עַל יִשְׂרָאֵל, וְאַשְׁרֵי הַנִּמְלָט מֵהֶם,
דִּכְתִיב בָּעֵת הַהִיא יִמָּלֵט עַמְּךָ כָּל הַנִּמְצָא כָתוּב בַּסֵּפֶר. רִבִּי יְהוּדָה אָמַר מֵהָכָא, יִתְבָּרְרוּ
וְיִתְלַבְּנוּ וְיִצָּרְפוּ רַבִּים. רִבִּי יִצְחָק אָמַר מֵהָכָא, וּצְרַפְתִּים כִּצְרֹף אֶת הַכֶּסֶף וּבְחַנְתִּים כִּבְחֹן
אֶת הַזָּהָב. וּבָאֹתָם הַיָּמִים, יְהֵיוּ ד' יָמִים, אֲשֶׁר יֹאמְרוּ אֵין לִי בָהֶם חֵפֶץ, וּמִשָּׁעָה שֶׁיַּעַבְרוּ
הַצָּרוֹת עַד תְּחִיַּית הַמֵּתִים מ' שָׁנָה.

סז. רַב הוּנָא אָמַר ת"ח כִּי אַרְבָּעִים שָׁנָה הָלְכוּ בְנֵי יִשְׂרָאֵל בַּמִּדְבָּר וְגוֹ' אֲשֶׁר לֹא

שמעו בקול ה', כהאי גוונא הכא. א"ר יוסף, כל אלין וחד מלה אמרו, ולסוף מ' שנה, שהצרות יעברו, והרשעים יכלו, ויחיו המתים שוכני עפר, מ"ט, משום דכתיב לא תקום פעמים צרה, ודי להם במה שעברו. ומזמן תחיית המתים, יתיישב עלמא בישובו, הה"ד ביום ההוא יהיה ה' אחד ושמו אחד.

סח. ר' אלעזר בן ערך, הוה יתיב, והוה קא מצטער בנפשוי טפי, עאל לקמיה רבי יהושע, א"ל, חייו נהירו דבוצינא דעלמא למה חשוכן, אמר ליה, חייו ודחילו סגי עאל בי, דהא אנא חמי מה דאתערו חברנא, מארי מתניתא, דשראת עלייהו רוח קדישין, והוא דאתערו, דבשתיתאי יהא פורקנא שפיר, אבל אנא חמי אורכא יתירא, על אינון דיירא עפרא, דבאלף שתיתאי לזמן ארבע מאות ותמניא שנין מניה, יהיו קיימין כל דיירי עפרא בקיומיהון, ובגיני כך אתערו חבירנא, על פסוקא דקרא לון בני חת, ח"ת, דיתערון לח"ת שנה, והיינו דכתיב בשנת היובל הזאת תשובו איש אל אחוזתו, כשישתלם הזא"ת, שהוא חמשת אלפים וארבע מאות ותמניא, תשובו איש אל אחוזתו, אל נשמתו, שהיא אחוזתו ונחלתו.

סט. א"ר יהושע לא תקשי לך האי, דהא תנינן ג' כתות הן, של צדיקים גמורים, ושל רשעים גמורים, ושל בינונים, צדיקים גמורים יקומון בקימה של מתי ארץ ישראל, מהיום כמה שנים, שהם קודמים בתחלה, בשנת הארבעים של קבוץ גליות, והאחרונים כלם, לזמן ארבע מאות ושמנה שנה, לאלף הששי, כדקאמרן. מאן יזכה להאי ארכא, מאן יתקיים בקיום דתיה בין האי זמנא, ועל דא אצטערנא בנפשאי.

ע. אמר ליה, רבי, הא תנינן, יהי אור, יהי ר"ז. חזר ואמר, בתשובה יתקדם כלא. אמר רבי יהושע, אי לאו דאמרת הכי, אוזסימנא פומין, למצפי פורקנא כל יומא, דכתיב וחסן ישועות, מהו ישועות, אלו המצפים ישועות בכל יום.

עא. מאי הוא דעתוי דרבי אלעזר. היינו דכתיב, ורבים מישני אדמת עפר יקיצו, משמע דכתיב מישני, אלו הם הצדיקים, הנקדמים בחייהם קודם זה. וכמה שנים הם נקדמים, רבי יהודה אומר מאתים ועשר שנים. רבי יצחק אומר, רד"י שנה, דכתיב ויר"ד מיעקב וגו'. יר"ד שנה, נקדמים הצדיקים, לשאר כל אדם. רב נחמן אמר, לפי השיעור שנבלה בעפר. א"ל רבי יוסי, אם כן הרבה תחיות הוו, אלא כל התחיות יהיו באותו הזמן והאי דאתמר בחזון ואמות הדבר וצבא גדול.

עב. ויהי רעב בארץ מלבד הרעב הראשון אשר היה בימי אברהם. רבי אבהו פתח ואמר, עד שהמלך במסבו נרדי נתן ריחו. דתנינן ארבע תקופות, וארבע זמנים משונים זו מזו, יעברו הצדיקים לעתיד לבא. האחד, אותו זמן ישגא החכמה בעולם, וישיגו השגה, מה שלא השיגו בזה העולם, דתנינן, אמר רבי פנחס, השגת הצדיקים לעתיד לבא, יותר ממלאכי השרת דכתיב כמים לים מכסים השני תתעסקון:

(עד כאן מדרש הנעלם)

עג. ויגדלו הנערים. סטרא דאברהם גרים לון לאתגדלא, וזכותיה סייע לון, הוא הוה מחנך לון במצות, דכתיב, כי ידעתיו למען אשר יצוה את בניו וגו', לאסגאה יעקב ועשו. ויגדלו הנערים ויהי עשו איש יודע ציד וגו'. אמר רבי אלעזר, כל חד וחד, אתפרש לארחיה דא לסטרא דמהימנותא, ודא לסטרא דעבודה זרה.

עד. וכן הוה במעוי דרבקה, דתמן כל חד אזיל לסטריה, דכד איהי אשתדלת

בְּעוֹבָדִין דִּכְשָׁרָן, אוֹ עֲבֵרַת סָמִיךְ לַאֲתַר טַב, לְמֶעְבַּד פִּקּוּדֵי דְאוֹרַיְיתָא, הֲוָה יַעֲקֹב וָדַאי, וְדָחִיק לְנָפְקָא, וְכַד הֲוַת אָזְלָא, סָמִיךְ לַאֲתַר ע״ז, הַהוּא רָשָׁע בָּטַשׁ לְנָפְקָא, וְאוֹקְמוּהָ. וּבְגִ״כ, כַּד אִתְבְּרִיאוּ וּנְפָקוּ לְעָלְמָא, כָּל חַד אִתְפְּרַשׁ, וְאָזִיל וְאִתְמְשַׁךְ בְּדוּכְתֵּיהּ. דְּאִתְחֲזֵי לֵיהּ, וְעַל דָּא, וַיִּגְדְּלוּ הַנְּעָרִים וַיְהִי עֵשָׂו אִישׁ יוֹדֵעַ צַיִד וְגו׳.

עה. וַיֶּאֱהַב יִצְחָק אֶת עֵשָׂו כִּי צַיִד בְּפִיו, הָא אוֹקְמוּהָ, דִּכְתִיב, אִישׁ יוֹדֵעַ צַיִד אִישׁ שָׂדֶה. וּכְתִיב הָתָם, הוּא הָיָה גִּבּוֹר צַיִד אִישׁ שָׂדֶה, לְקַפְּחָא לוֹן לִבְנֵי נָשָׁא, וּלְקַטְלָא לוֹן, וְאִיהוּ אֲמַר דַּעֲבִיד צְלוֹתָא, וְצַיִיד לֵיהּ בְּפוּמֵיהּ. אִישׁ שָׂדֶה, בְּגִין דְּחוּלָק עַדְבֵיהּ, לָאו אִיהִי בְּיִשּׁוּבָא, אֶלָּא בַּאֲתַר חָרוּב, בְּמַדְבְּרָא, בְּחַקְלָא, וְעַל דָּא אִישׁ שָׂדֶה.

עו. וְאִי תֵּימָא, הֵיךְ לָא יָדַע יִצְחָק, כָּל עוֹבָדוֹי בִּישִׁין דְּעֵשָׂו, וְהָא שְׁכִינְתָּא הֲוַת עִמֵּיהּ, דְּאִי לָא שַׁרְיָא עִמֵּיהּ שְׁכִינְתָּא, הֵיךְ יָכִיל לְבָרְכָא לֵיהּ לְיַעֲקֹב, בְּשַׁעֲתָא דְּבָרְכֵיהּ. אֶלָּא וַדַּאי, שְׁכִינְתָּא הֲוַת דַּיְירָא עִמֵּיהּ בְּבֵיתָא, וְדַיְירָא עִמֵּיהּ תָּדִיר, אֲבָל לָא אוֹדְעָא לֵיהּ, בְּגִין דְּיִתְבָּרֵךְ יַעֲקֹב בְּלָא דַּעְתֵּיהּ, אֶלָּא בְּדַעְתֵּיהּ דְּקֻבְּ״ה, וְהָכֵי אִצְטְרִיךְ, דִּבְהַהִיא שַׁעְתָּא דְּעָאל יַעֲקֹב קַמֵּי אֲבוּהִי, עָאלַת עִמֵּיהּ שְׁכִינְתָּא, וּכְדֵין חָמָא בְּדַעְתּוֹי יִצְחָק, דְּאִתְחֲזֵי לְבָרְכָא, וְיִתְבְּרִיךְ מִדַּעְתָּא דִּשְׁכִינְתָּא.

עז. ת״ח זִמְנָא חָדָא, הֲוָה יָתִיב ר״ש, וּשְׁאָר חַבְרַיָּיא, עָאל קַמֵּיהּ רִבִּי אֶלְעָזָר בְּרֵיהּ, אֲמָרוּ לֵיהּ לְר׳ שִׁמְעוֹן, מִלְּתָא רַבְתָּא בְּעִינָן לְמִבְעֵי קַמָּךְ, בְּעִנְיָינָא דְּיַעֲקֹב וְעֵשָׂו, אֵיךְ לָא בָּעָא יַעֲקֹב, לְמֵיהַב לְעֵשָׂו, תַּבְשִׁיל דִּטְלוֹפְחִין, עַד דְּזַבִּין לֵיהּ בְּכֵירוּתָא דִּילֵיהּ, וְעוֹד דַּאֲמַר עֵשָׂו לְיִצְחָק אֲבוּהִי, וַיַּעְקְבֵנִי זֶה פַּעֲמַיִם.

עח. אֲמַר לוֹן, בְּהַהִיא שַׁעְתָּא, אַתּוּן חַיָּיבִים לְקַבְּלָא מַלְקוּת, דְּהֶאֱמַנְתּוּן לְפִתְגָּמֵי דְּעֵשָׂו, וְשַׁקַּרְתּוּן לְפִתְגָּמֵי דְּיַעֲקֹב, דְּהָא קְרָא אַסְהִיד עֲלֵיהּ, וְיַעֲקֹב אִישׁ תָּם, וְתוּ כְּתִיב תִּתֵּן אֱמֶת לְיַעֲקֹב. אֶלָּא, כָּךְ הוּא עִנְיָינֵיהּ דְּיַעֲקֹב עִם עֵשָׂו, בְּגִין דְּעֵשָׂו הֲוָה סָנֵי לִבְכֵירוּתָא בְּקַדְמֵיתָא, וַהֲוָה בָּעֵי מִנֵּיהּ דְּיַעֲקֹב, דְּלִסְבָּה לֵיהּ אֲפִילּוּ בְּלָא כֶּסֶף, הה״ד וַיֹּאכַל וַיֵּשְׁתְּ וַיָּקָם וַיֵּלַךְ וַיִּבֶז עֵשָׂו אֶת הַבְּכוֹרָה.

עט. וַיָּזֶד יַעֲקֹב נָזִיד וַיָּבֹא עֵשָׂו מִן הַשָּׂדֶה וְהוּא עָיֵף. אֲמַר רִבִּי אֶלְעָזָר, וַיָּזֶד יַעֲקֹב, הָא אוֹקְמוּהָ דְּהָא בְּגִין אֲבֵלוּתָא דְּאַבְרָהָם הֲוָה, אֲבָל וַיָּזֶד יִצְחָק נָזִיד מִבְּעֵי לֵיהּ, אֶלָּא וַיָּזֶד יַעֲקֹב נָזִיד, דְּאִיהוּ הֲוָה יָדַע עִקָּרָא דִּילֵיהּ, בְּהַהוּא סִטְרָא דְּאִתְדַּבַּק בֵּיהּ, וּבְגִ״כ עֲבַד תַּבְשִׁילִין סוּמְקִין, עֲדָשִׁים, תַּבְשִׁיל סוּמְקָא, דְּתַבְשִׁילָא דָא, מִתְבַּר חֵילָא וְתוּקְפָּא דְּדָמָא סוּמְקָא בְּגִין לְתַבְרָא תּוּקְפֵיהּ וְחֵילֵיהּ, וּבְגִ״כ, עֲבַד לֵיהּ בְּחָכְמְתָא, כְּהַהוּא גַּוְונָא סוּמְקָא.

פ. וְעַל הַהוּא תַּבְשִׁילָא, אוֹדְבַן לֵיהּ לְעַבְדָּא, וְזַבִּין בְּכֵירוּתֵיהּ לְיַעֲקֹב וּבְהַהִיא שַׁעְתָּא יָדַע יַעֲקֹב, דִּבְגִין שָׂעִיר חַד, דְּיִקְרְבוּן יִשְׂרָאֵל לְגַבֵּי דַּרְגָּא דִּילֵיהּ, יִתְהַפַּךְ לְעַבְדָּא לִבְנוֹי, וְלָא יְקַטְרֵג לוֹן, וּבְכֹלָּא אָזַל יַעֲקֹב לְגַבֵּי דְּעֵשָׂו בְּחָכְמָה, בְּגִין הַהוּא דַּרְגָּא וְחַכִּים דְּעֵשָׂו, וְלָא יָכִיל לְשַׁלְטָאָה, וְאִתְכַּפְיָא וְלָא אִסְתָּאַב בֵּיתֵיהּ וְאִיהוּ יָגֵין עֲלֵיהּ.

פא. וַיֹּאמֶר עֵשָׂו אֶל יַעֲקֹב הַלְעִיטֵנִי נָא מִן הָאָדֹם הָאָדֹם הַזֶּה, אַמַּאי כְּתִיב תְּרֵי זִמְנֵי הָאָדוֹם, אֶלָּא, בְּגִין דְּכָל מַה דְּאִית בֵּיהּ אָדוֹם, כד״א וַיֵּצֵא הָרִאשׁוֹן אַדְמוֹנִי. וְתַבְשִׁילוֹ אָדוֹם, דִּכְתִיב מִן הָאָדוֹם הָאָדוֹם הַזֶּה, וְאַרְעָא דִּילֵיהּ אֲדוּמָה, דִּכְתִיב אַרְצָה שֵׂעִיר שְׂדֵה אֱדוֹם, וְגוּבְרִין דִּילֵיהּ אֲדוּמִין, דִּכְתִיב הוּא עֵשָׂו אֲבִי אֱדוֹם, וּמַאן דְּזַמִּין לְאִתְפָּרְעָא מִנֵּיהּ אָדוֹם, דִּכְתִיב דּוֹדִי צַח וְאָדוֹם, וּלְבוּשֵׁיהּ אָדוֹם, דִּכְתִיב מַדּוּעַ אָדוֹם לִלְבוּשֶׁךָ, וּכְתִיב מִי זֶה בָּא מֵאֱדוֹם.

פב. א״ר יְהוּדָה, וְכֵן בְּלָבָן אִתְחֲזֵי הָכֵי, בְּגִין דְּהָא אִיהוּ חַרְשָׁא הֲוָה, כְּמָה דִּכְתִיב

נְחַשְׁתִּי וַיְבָרְכֵנִי יי' בִּגְלָלֶךָ, וְאע"ג דְּיַעֲקֹב אִקְרֵי גְּבַר שְׁלִים, בְּגִ"כ הֲוָה שְׁלִים, עִם מַאן דְּאִצְטְרִיךְ לֵיהּ לְמֵיהַךְ עִמֵּיהּ בְּרַחֲמֵי הֲוָה אָזִיל, וְעִם מַאן דְּאִצְטְרִיךְ לְמֵיהַךְ עִמֵּיהּ בְּדִינָא קַשְׁיָא, וּבַעֲקִימוּ, הֲוָה אָזִיל, בְּגִין דִּתְרֵי חוּלָקֵי הֲווּ בֵּיהּ, וַעֲלֵיהּ כְּתִיב עִם חָסִיד תִּתְחַסָּד, וְעִם עִקֵּשׁ תִּתְפַּתָּל. עִם חָסִיד בְּסִטְרָא דְּחֶסֶ"ד, וְעִם עִקֵּשׁ בְּסִטְרָא דְּדִינָא קַשְׁיָא, כֹּלָּא כִּדְקָא יָאוּת.

פג. וַיְהִי רָעָב בָּאָרֶץ מִלְּבַד הָרָעָב הָרִאשׁוֹן וגו'. ר' יְהוּדָה פָּתַח וְאָמַר, יי' צַדִּיק יִבְחָן וְרָשָׁע וְאוֹהֵב חָמָס שָׂנְאָה נַפְשׁוֹ. כַּמָּה עוֹבָדוֹי דְּקֻבְּ"ה מִתְתַּקְנָן, וְכָל מַה דְּאִיהוּ עָבֵיד, כֹּלָּא עַל דִּינָא וּקְשׁוֹט, כְּמָה דִּכְתִיב הַצּוּר תָּמִים פָּעֳלוֹ כִּי כָל דְּרָכָיו מִשְׁפָּט אֵל אֱמוּנָה וְאֵין עָוֶל צַדִּיק וְיָשָׁר הוּא.

פד. ת"ח, לָא דָּן קֻבְּ"ה לְאָדָם קַדְמָאָה, עַד דְּפַקֵּיד לֵיהּ לְתוֹעַלְתֵּיהּ, דְּלָא יִסְטֵי לִבֵּיהּ וּרְעוּתֵיהּ לְאָרְחָא אָחֳרָא, בְּגִין דְּלָא יִסְתָּאַב, וְאִיהוּ לָא אִסְתְּמַר, וַעֲבַר עַל פִּקּוּדֵי דְּמָארֵיהּ, וּלְבָתַר כֵּן דָּן לֵיהּ דִּינָא.

פה. וְעִם כָּל דָּא, לָא דָּן לֵיהּ, כִּדְקָא חָזֵי לֵיהּ, וְאוֹרִיךְ עִמֵּיהּ רוּגְזֵיהּ, וְאִתְקַיַּים יוֹמָא חַד, דְּאִיהוּ אֶלֶף שְׁנִין, בַּר אִינּוּן שִׁבְעִים שָׁנִים, דְּמָסַר לֵיהּ לְדָוִד מַלְכָּא, דְּלָא הֲוָה לֵיהּ מִגַּרְמֵיהּ כְּלוּם.

פו. כְּגַוְונָא דָּא, לָא דָּן לֵיהּ לְבַ"נ, כְּעוֹבָדוֹי בִּישִׁין דְּאִיהוּ עָבֵיד תָּדִיר, דְּאִי הָכִי, לָא יָכִיל עָלְמָא לְאִתְקַיְּימָא, אֶלָּא קוּדְשָׁא בְּרִיךְ הוּא, אָרִיךְ רוּגְזֵיהּ עִם צַדִּיקַיָּא, וְעִם רַשִּׁיעַיָּא, יַתִּיר מִצַּדִּיקַיָּא, עִם רַשִּׁיעַיָּא, בְּגִין דִּיתוּבוּן בִּתְיוּבְתָּא שְׁלֵימָתָא, דְּיִתְקַיְּימוּן בְּהַאי עָלְמָא, וּבְעָלְמָא דְּאָתֵי, כְּמָה דִּכְתִיב חַי אָנִי נְאֻם יי' וגו' אִם אֶחְפֹּץ וגו' כִּי אִם בְּשׁוּב רָשָׁע מִדַּרְכּוֹ וְחָיָה. וְחָיָה בְּעָלְמָא דֵּין, וְחָיָה בְּעָלְמָא דְּאָתֵי, וְעַל דָּא אוֹרִיךְ רוּגְזֵיהּ לוֹן תָּדִיר. אוֹ בְּגִין דְּיִפּוּק מִנַּיְיהוּ גִּזְעָא טָבָא בְּעָלְמָא, כְּמָה דְּאַפֵּיק אַבְרָהָם מִתֶּרַח, דְּאִיהוּ גִּזְעָא טָבָא, וְשָׁרְשָׁא וְחוּלָקָא טָבָא לְעָלְמָא.

פז. אֲבָל קוּדְשָׁא בְּרִיךְ הוּא מְדַקְדֵּק עִם צַדִּיקַיָּא תָּדִיר, בְּכָל עוֹבָדִין דְּאִינּוּן עָבְדִין בְּגִין דְּיָדַע דְּלָא יִסְטוּן לִימִינָא וּשְׂמָאלָא, וּבְגִ"כ אַבְחִין לוֹן, לָאו בְּגִינֵיהּ, דְּהָא אִיהוּ יָדַע יִצְרָא וְתוּקְפָּא דִּמְהֵימְנוּתָא דִּלְהוֹן, אֶלָּא בְּגִין לְאַרְמָא רֵישַׁיְיהוּ בְּגִינַיְיהוּ.

פח. כְּגַוְונָא דָּא, עָבַד לֵיהּ לְאַבְרָהָם, דִּכְתִיב וְהָאֱלֹהִים נִסָּה אֶת אַבְרָהָם, מַאי נִסָּה, הֲרָמַת נֵס, כְּמָה דְּאַתְּ אָמֵר הָרִימוּ נֵס, שְׂאוּ נֵס, אָרִים דִּגְלָא דִּילֵיהּ בְּכָל עָלְמָא, וְאע"ג דְּהָא אִתְּמָר, בְּגִין דָּא קוּדְשָׁא בְּרִיךְ הוּא אָרִים דִּגְלָא דְּאַבְרָהָם, בְּעֵינַיְיהוּ דְּכֹלָּא, הָדָא הוּא דִּכְתִיב נִסָּה אֶת אַבְרָהָם, אוֹף הָכִי קֻבְּ"ה, בְּגִין לְאַרְמָא דִּגְלָא דְּצַדִּיקַיָּא, אִיהוּ בָּחִין לוֹן, לְאַרְמָא רֵישַׁיְיהוּ בְּכָל עָלְמָא.

פט. צַדִּיק יִבְחָן, מַאי טַעְמָא, אָמַר רִבִּי שִׁמְעוֹן בְּגִין דְּקוּדְשָׁא בְּרִיךְ הוּא, כַּד אִתְרְעֵי בְּהוּ בְּצַדִּיקַיָּא, מַה כְּתִיב, וַיי' חָפֵץ דַּכְּאוֹ הֶחֱלִי. וְאוּקְמוּהָ. אֲבָל בְּגִין דִּרְעוּתָא דְּקוּדְשָׁא בְּרִיךְ הוּא, לָא אִתְרְעֵי, אֶלָּא בְּנִשְׁמָתָא, אֲבָל בְּגוּפָא לָא, דְּהָא נִשְׁמָתָא, אִיהִי דָּמְיָא לְנִשְׁמָתָא דִּלְעֵילָא, וְגוּפָא לָאו אִיהוּ חָזֵי לְאִתְאַחֲדָא לְעֵילָא, וְאַף עַל גַּב דִּדְיוּקְנָא דְּגוּפָא בְּרָזָא עִלָּאָה אִיהוּ.

צ. וְת"ח, בְּזִמְנָא דְּקֻבְּ"ה אִתְרְעֵי בְּנִשְׁמָתֵיהּ דְּבַ"נ, לְאִתְנַהֲרָא בָּהּ, מָחֵי לְגוּפָא, בְּגִין דְּתִשְׁלוֹט נִשְׁמָתָא, דְּהָא בְּעוֹד דְּנִשְׁמָתָא עִם גּוּפָא, נִשְׁמָתָא לָא יָכְלָא לְשַׁלְטָאָה, דְּכַד אִתְּבַר גּוּפָא, נִשְׁמָתָא שָׁלְטָא. צַדִּיק יִבְחָן, מַאי צַדִּיק יִבְחָן, כְּדָ"א אֶבֶן בֹּחַן, הָכִי נָמֵי צַדִּיק

יִבְחָן, אַתְקִיף לֵיהּ, כְּהַאי אֶבֶן בֹּחַן, דְּהִיא פִּנַּת יִקְרַת, הָכִי נָמֵי צַדִּיק יִבְחָן.

צא. וְרָשָׁע וְאוֹהֵב חָמָס שָׂנְאָה נַפְשׁוֹ, מַאי שָׂנְאָה נַפְשׁוֹ, ס״ד דְּקֻדְשָׁא בְּרִיךְ הוּא דְּנַפְשׁוֹ שָׂנְאָה לְהַהוּא רָשָׁע. אֶלָּא, הַהוּא דַּרְגָּא דְּכָל נִשְׁמָתִין תַּלְיָין בֵּיהּ, שָׂנְאָה נַפְשׁוֹ דְּהַהוּא רָשָׁע, דְּלָא בָּעְיָא לָהּ כְּלַל, לָא בָּעְיָא לָהּ לָא בְּעַלְמָא דֵּין וְלָא בְּעַלְמָא דְּאָתֵי, וּבְגִין כָּךְ כְּתִיב, וְרָשָׁע וְאוֹהֵב חָמָס שָׂנְאָה נַפְשׁוֹ, וַדַּאי. ד״א שָׂנְאָה נַפְשׁוֹ, כְּד״א נִשְׁבַּע אֲדֹנָי יֱהֹוִה בְּנַפְשׁוֹ, וּבְגִין כָּךְ צַדִּיק יִבְחָן.

צב. ת״ח, כַּד בָּרָא קב״ה לְאָדָם, פַּקִּיד לֵיהּ, לְאוֹטָבָא לֵיהּ, יְהַב לֵיהּ חָכְמְתָא אִסְתַּלַּק בְּדַרְגּוֹי לְעֵילָּא, כַּד נָחַת לְתַתָּא, חָמָא תֵּיאוּבְתָּא דְּיֵצֶר הָרָע, וְאִתְדַּבַּק בֵּיהּ, וְאִנְשֵׁי כֹּל מַה דְּאִסְתַּלַּק, בִּיקָרָא עִלָּאָה דְּמָרֵיהּ.

צג. אָתָא נֹחַ, בְּקַדְמֵיתָא כְּתִיב נֹחַ אִישׁ צַדִּיק תָּמִים הָיָה, וּלְבָתַר נָחַת לְתַתָּא, וְחָמָא חַמְרָא תַּקִּיף, דְּלָא צָלִיל, מֵחַד יוֹמָא, וְאִשְׁתֵּי מִנֵּיהּ, וְאִשְׁתַּכַּר וְאִתְגַּלֵּי, כְּמָה דִּכְתִיב, וַיֵּשְׁתְּ מִן הַיַּיִן וַיִּשְׁכָּר וַיִּתְגַּל בְּתוֹךְ אָהֳלֹה.

צד. אָתָא אַבְרָהָם, אִסְתַּלַּק בְּחָכְמְתָא, וְאִסְתַּכַּל בִּיקָרָא דְּמָארֵיהּ, לְבָתַר וַיְהִי רָעָב בָּאָרֶץ וַיֵּרֶד אַבְרָם מִצְרַיְמָה לָגוּר שָׁם כִּי כָבֵד הָרָעָב בָּאָרֶץ וגו׳, לְבָתַר מַה כְּתִיב, וַיַּעַל אַבְרָם מִמִּצְרַיִם הוּא וְאִשְׁתּוֹ וְכָל אֲשֶׁר לוֹ וְלוֹט עִמּוֹ הַנֶּגְבָּה, וְאִסְתַּלַּק לְדַרְגֵּיהּ קַדְמָאָה, דַּהֲוָה בֵּיהּ בְּקַדְמֵיתָא, וְעָאל בִּשְׁלָם, וּנְפַק בִּשְׁלָם.

צה. אָתָא יִצְחָק, מַה כְּתִיב, וַיְהִי רָעָב בָּאָרֶץ, מִלְּבַד הָרָעָב הָרִאשׁוֹן וגו׳. וַאֲזַל יִצְחָק וְאִסְתַּלַּק מִתַּמָּן לְבָתַר בִּשְׁלָם, וְכֻלְּהוּ צַדִּיקַיָּיא, כֻּלְּהוּ בָּחִין לוֹן קב״ה, בְּגִין לַאֲרָמָא רֵישַׁיְיהוּ, בְּעַלְמָא דֵּין וּבְעַלְמָא דְּאָתֵי.

צו. וַיִּשְׁאֲלוּ אַנְשֵׁי הַמָּקוֹם לְאִשְׁתּוֹ וַיֹּאמֶר אֲחוֹתִי הִיא, כְּמָה דַּאֲמַר אַבְרָהָם, בְּגִין דִּשְׁכִינְתָּא הֲוָה עִמֵּיהּ, וְעִם אִתְּתֵיהּ, וּבְגִין שְׁכִינְתָּא קָאֲמַר, דִּכְתִיב אֱמוֹר לַחָכְמָה אֲחוֹתִי אָתְּ, וְעַל דָּא אִתְתַּקַּף, וַאֲמַר אֲחוֹתִי הִיא. תּוּ, אַבְרָהָם וְיִצְחָק, הָכִי אִתְחֲזֵי, דְּוַדַּאי בְּגִין קְרָא דִּכְתִיב אֲחוֹתִי רַעְיָתִי יוֹנָתִי תַמָּתִי, וּבְגִ״כ וַדַּאי, אִתְחֲזֵי לוֹן לוֹמַר, אֲחוֹתִי הִיא, וְעַ״ד אִתְתַּקְּפוּ צַדִּיקַיָּיא בֵּיהּ בְּקוּדְשָׁא בְּרִיךְ הוּא.

צז. וַיְהִי כִּי אָרְכוּ לוֹ שָׁם הַיָּמִים וגו׳. אֵת רִבְקָה אִשְׁתּוֹ דַּיְיקָא, דָּא שְׁכִינְתָּא, דַּהֲוַת עִמָּהּ דְּרִבְקָה. ד״א, וְכִי ס״ד דְּיִצְחָק הֲוָה מְשַׁמֵּשׁ עַרְסֵיהּ בִּימָמָא, דְּהָא תָּנֵינָן יִשְׂרָאֵל קַדִּישִׁין אִינּוּן, וְלָא מְשַׁמְּשֵׁי עַרְסַיְיהוּ בִּימָמָא, וְיִצְחָק דַּהֲוָה קַדִּישׁ הֲוָה מְשַׁמֵּשׁ עַרְסֵיהּ בִּימָמָא.

צח. אֶלָּא, וַדַּאי אֲבִימֶלֶךְ חַכִּים הֲוָה, וְאִיהוּ אִסְתַּכַּל בְּאִצְטַגְנִינוּתָא דִּילֵיהּ, דְּאִיהוּ חַלּוֹן, כְּתִיב הָכָא בְּעַד הַחַלּוֹן, וּכְתִיב הָתָם בְּעַד הַחַלּוֹן נִשְׁקְפָה וַתְּיַבֵּב אֵם סִיסְרָא, מַה לְּהַלָּן בְּאִצְטַגְנִינוּתָא, אוּף ה״נ בְּאִצְטַגְנִינוּתָא, וְחָמָא, דְּלָא הֲוָה, כְּמָה דַּהֲוָה אֲמַר יִצְחָק, אֶלָּא וַדַּאי אִיהוּ מְצַחֵק עִמָּהּ, וְאִיהִי אִתְּתֵיהּ. וּכְדֵין וַיִּקְרָא אֲבִימֶלֶךְ לְיִצְחָק וַיֹּאמֶר וגו׳. רִבִּי יוֹסֵי אֲמַר, יָאוּת הֲוָה אֲבִימֶלֶךְ לְמֶעְבַּד לְיִצְחָק, כְּמָה דַּעֲבַד לְאַבְרָהָם, בַּר דְּהָא אוֹכַח לֵיהּ קב״ה בְּקַדְמֵיתָא.

צט. תָּא חֲזֵי, כְּתִיב כִּי אָמַרְתִּי רַק אֵין יִרְאַת אֱלֹהִים בַּמָּקוֹם הַזֶּה, אֲמַר רִבִּי אַבָּא, בְּגִ״כ אֲמַר אֲחוֹתִי הִיא, בְּגִין לְאִתְדַּבְּקָא בִּשְׁכִינְתָּא, דִּכְתִיב אֱמוֹר לַחָכְמָה אֲחוֹתִי אָתְּ. מַאי טַעְמָא, בְּגִין דִּבְהוּ לָא הֲוָה מְהֵימְנוּתָא, דְּאִי מְהֵימְנוּתָא, אִשְׁתַּכַּח בֵּינַיְיהוּ, לָא הֲוָה אִצְטְרִיךְ, אֲבָל מִגּוֹ דְּלָא הֲוָה בֵּינַיְיהוּ מְהֵימְנוּתָא, אֲמַר הָכִי, וּבְגִ״כ אֲמַר כִּי אָמַרְתִּי רַק אֵין יִרְאַת אֱלֹהִים בַּמָּקוֹם הַזֶּה, אֵין יִרְאַת אֱלֹהִים, דָּא מְהֵימְנוּתָא.

ק. אֲמַר רִבִּי אֶלְעָזָר, בְּגִין דְּלָא שַׁרְיָא שְׁכִינְתָּא, לְבַר מֵאַרְעָא קַדִּישָׁא, וְעַל דָּא אֵין

יראת אלהים במקום הזה, דלאו אתריה הוא, ולא שריא הכא, ויצחק אתתקף ביה במהימנותא, דיומא דהדא שכינתא גו אתתיה שריא.

קא. ויצו אבימלך את כל העם לאמר הנוגע באיש הזה ובאשתו מות יומת. תא חזי, כמה אוריך להו קב"ה, לרשיעייא, בגין ההוא טיבו דעבד עם אבהן קמאי, דהא בגין דא לא שליטו בהו ישראל, עד לבתר דרין בתראין, יאות עבד אבימלך, דעבד טיבו עם יצחק, דא"ל הנה ארצי לפניך בטוב בעיניך שב.

קב. רבי יהודה אמר, ווי עלייהו דרשיעייא, דטיבותא דלהון לאו איהו שלים, ת"ח, עפרון בקדמיתא אמר, אדוני שמעני השדה נתתי לך והמערה אשר בו לך נתתיה וגו'. ולבתר אמר, ארץ ארבע מאות שקל כסף וגו', וכתיב וישקול אברהם לעפרון וגו', עובר לסוחר. אוף הכא, כתיב בקדמיתא, הנה ארצי לפניך וגו'. ולבתר אמר לו, לך מעמנו כי עצמת ממנו מאד. אמר ליה רבי אלעזר, דא הוא טיבו דעבד עמיה, דלא נסיב מדיליה אבימלך כלום, ושדריה בכל ממוניה, ולבתר אזל בתריה, למגזר עמיה קיים.

קג. וא"ר אלעזר, יאות עבד יצחק, דהא בגין דידע רזא דחכמתא, אשתדל וחפר בירא דמיין, בגין לאתתקפא במהימנותא כדקא יאות, וכן אברהם, אשתדל וחפר בירא דמיא, יעקב אשכח ליה מתתקן, ויתיב עליה וכלהו אזלו בתריה, ואשתדלו, בגין לאתתקפא במהימנותא שלימתא כדקא יאות.

קד. והשתא ישראל, אתתקפו ביה ברזי דפקודי אורייתא, כגון דכל יומא ויומא אתתקף בר נש בציצית, דאיהו מצוה, ובר נש אתעטף ביה. הכי נמי בתפלי, דמנח ארישיה ובדרועיה, דאינון רזא עלאה, כדקא חזי, בגין דקב"ה אשתכח ביה בבר נש, דאתעטר ביה בתפלוי, ואתעטף בציצית, וכלא רזא דמהימנותא עלאה.

קה. ועל דא, מאן דלא אתעטף בהאי, ולא אתעטר לאתתקפא בתפלי בכל יומא, דמי ליה דלא שריא עמיה מהימנותא, ואתעדי מניה דחילו דמאריה, וצלותיה לאו צלותא כדקא יאות. ובגין כך אבהן הוו מתתקפי גו מהימנותא עלאה, בגין דבירא עלאה דרזא דמהימנותא שלימתא, שריא ביה.

קו. ויעתק משם ויחפר באר אחרת וגו', רבי חייא פתח ואמר ונחך יְיָ׳ תמיד והשביע בצחצחות נפשך ועצמותיך יחליץ וגו'. האי קרא אוקמוה ואתמר. אבל בהאי קרא, ביה אתתקפו מארי מהימנותא, דאבטח לון לעלמא דאתי. ונחך יְיָ׳ תמיד, בהאי עלמא, ובעלמא דאתי. ונחך יְיָ׳, כיון דאמר ונחך יְיָ׳, אמאי תמיד. אלא דא תמיד דבין הערבים, דאיהו אתתקף תחות דרועיה דיצחק, ודא הוא חולקא לעלמא דאתי, מנלן מדוד דכתיב ינחני במעגלי צדק למען שמו.

קז. והשביע בצחצחות נפשך, דא אספקלריא דנהרא, דכל נשמתין אתהנן, לאסתכלא ולאתענגא בגווה. ועצמותיך יחליץ, האי קרא, לאו רישיה סופיה, אי נשמתיה דצדיקא, סלקא לעילא מאי ועצמותיך יחליץ. אלא הא אוקמוה, דא תחיית המתים, דזמין קב"ה לאחייא מתיא, ולאתקנא לון לגרמוי דבר נש, למהוי כקדמיתא, בגופא שלים, ונשמתא אתוספת נהורא גו אספקלריאה דנהרא, לאתנהרא עם גופא, לקיימא שלים כדקא חזי.

קח. ובגין כך כתיב, והיית כגן רוה. מאי כגן רוה, דלא פסקו מימוי עלאין, לעלם ולעלמי עלמין, והאי גינתא אתשקי מניה, ואתרוי מניה תדיר. וכמוצא מים, דא ההוא

נהר, דנגיד ונפיק מעדן, ולא פסקין מימוי לעלמין.

קט. ת"ח, בירא דמיין נבעין, האי איהו רזא עלאה, בגו רזא דמהימנותא, בירא דאית ביה מוצא מים, ואיהו בירא דאתמליא מההוא מוצא מים, ואינון תרין דרגין דאינון חד, דכר ונוקבא כחדא כדקא יאות.

קי. ות"ח, ההוא מוצא מים, וההוא בירא, אינון חד, ואקרי כלא באר, דהא ההוא מקורא דעייל, ולא פסיק לעלמין, ובירא אתמלי. ומאן דאסתכל בבירא דא, אסתכל ברזא עלאה דמהימנותא, ודא הוא סימנא דאבהן, דמשתדלי לחפור בירא דמיא, גו רזא עלאה, ולית לאפרשא בין מקורא ובירא, וכלא חד.

קיא. ויקרא שמה רחובות. (רמיז, דזמינין בנוי, למפלח ולאתקנא האי בירא כדקא חזי, ברזא דקרבנין ועלוון. כגוונא דא, ויניחהו בגן עדן לעבדה ולשמרה, אלין קרבנין ועלוון. ובגין דא, יתפשטון מבועוי לכל סטרין כד"א יפוצו מעינתיך חוצה ברחובות פלגי מים, ובגין כך ויקרא שמה רחובות.

קיב. רבי שמעון פתח ואמר, חכמות בחוץ תרנה ברחובות תתן קולה האי קרא איהו רזא עלאה. מאי חכמות, אלין חכמה עלאה, וחכמתא זעירא דאתכלילת בה בעלאה, ושריא בה.

קיג. בחוץ תרנה. ת"ח, חכמה עלאה, איהי סתימא דכל סתימין, ולא אתיידע, ולאו איהי באתגליא, כד"א לא ידע אנוש ערכה וגו', כד אתפשטת לאתנהרא, אתנהרא ברזא דעלמא דאתי, ועלמא דאתי אתברי מניה, כדתנן עלמא דאתי אתברי ביו"ד, ואתכסיא האי חכמה תמן, ואינון חד, בזמנא דאתעטר כלא ברזא דעלמא דאתי, כדקאמרן, כדין הוא חדוה, לאתנהרא, וכלא בחשאי, דלא אשתמע לבר לעלמין.

קיד. תו בעיא לאתפשטא, ונפיק מהאי אתר, אשא ומיא ורוחא, כמה דאתמר, ואתעביד חד קלא, דנפקא לבר ואשתמע, כמה דאתמר, כדין מתמן ולהלן איהו חוץ, דהא לגו בחשאי איהו, דלא אשתמע לעלמין, השתא דאשתמע רזא, אקרי חוץ, מכאן בעי בר נש לאתקנא בעבידתיה ולשאלא.

קטו. ברחובות, מאן רחובות, דא ההוא רקיעא, דביה כל ככביא דנהרין ואיהו מבועא דמימוי לא פסקין, כד"א, ונהר יוצא מעדן להשקות את הגן, ואיהו רחובות, ותמן תתן קולה, עלאה ותתאה, וכלא חד.

קטז. ובגין דא אמר שלמה, הכן בחוץ מלאכתך ועתדה בשדה לך וגו'. הכן בחוץ, כמה דאתמר. דכתיב בחוץ תרנה, דהא מכאן קיימא עבידא לאתתקנא, ומלה לשאלה, דכתיב, כי שאל נא לימים ראשונים וגו', ולמקצה השמים ועד קצה השמים.

קיז. ועתדה בשדה לך, דא שדה אשר ברכו יי'. ובתר דינדע בר נש רזא דחכמתא, ויתקין גרמיה בה, מה כתיב אחר ובנית ביתך, דא נשמתא דבר נש בגופיה, דיתתקן ויתעביד גבר שלים, ועל דא, כד חפר יצחק ועבד בירא בשלם, לההוא שלם קרי ליה רחובות, וכלא כדקא יאות. זכאין אינון צדיקיא, דעובדיהון לגבי קב"ה לקיימא עלמא. דכתיב כי ישרים ישכנו ארץ, ישכינו ארץ. והא אוקמוה.

קיח. ויהי כי זקן יצחק. אמר רבי שמעון כתיב, ויקרא אלהים לאור יום ולחשך קרא לילה, האי קרא אוקמוה ואתמר. אבל ת"ח, כל עובדוי דקב"ה, כלהו אינון מלין דקשוט, וכלא ברזא עלאה, וכל מלוי דאורייתא, כלהו מלי מהימנותא, ורזין עלאין, כדקא יאות.

קיט. ות"ח, לא זכה יצחק כאברהם, דלא סמו עינוי, ולא כהו. אבל רזא עלאה איהו

הכא, רזא דמהימנותא, כמה דאתמר, דכתיב ויקרא אלהים לאור יום, דא אברהם, דאיהו נהורא דימאמא, ונהורא דיליה אזיל ונהיר, ואתתקף בתקונא דיומא.

קכ. ובגין כך, מה כתיב, ואברהם זקן בא בימים, באינון נהורין דנהרין, ואיהו סיב, כד"א הולך ואור עד נכון היום, ובגין כך, ויקרא אלהים לאור יום. ולחשך קרא לילה, דא יצחק, דאיהי חשך, ואיהו אזיל לקבלא ליליא בגויה, ובג"כ, איהו כד סיב, מה כתיב, ויהי כי זקן יצחק ותכהין עיניו מראות. הכי הוא ודאי, דבעא לאתחשכא, ולאתדבקא בדרגיה כדקא יאות.

קכא. אתא רבי אלעזר בריה, ונשיק ידוי. א"ל שפיר. אברהם נהיר, מסטרא דדרגא דיליה, יצחק אתחשך, מסטרא דדרגא דיליה, יעקב אמאי, דכתיב ועיני ישראל כבדו מזקן. א"ל הכי הוא ודאי, כבדו כתיב, ולא כהו. מזקן כתיב, ולא מזקנו, אלא מזקן, מזקן דיצחק, מההוא סטרא כבדו. לא יוכל לראות, לאסתכלא כדקא חזי, אבל לא כהו. אבל יצחק, כהו ודאי מכל וכל, ואתעביד חשך, דהא כדין אתאחיד ביה לילה, ואתקיים ולחשך קרא לילה.

קכב. ויקרא את עשו בנו הגדול, דאתכליל מסטריה דדינא קשיא ויאמר הנה נא זקנתי לא ידעתי יום מותי. רבי אלעזר פתח ואמר, אשרי אדם עוז לו בך וגו', זכאה ב"נ, דאתתקף ביה בקב"ה וישוי תוקפיה ביה.

קכג. יכול כחנניה מישאל ועזריה, דאתתקפו ואמרו, הן איתי אלהנא די אנחנא פלחין, יכל לשיזבותנא מן אתון נורא יקדתא ומן ידך מלכא ישיזב. ת"ח, דאי לא ישיזב, ולא אתקיים עלייהו קב"ה, אשתכח שמיה דקב"ה, דלא יתקדש בעינייהו דכלא, כמה דאמרו. אלא, כיון דידעו דלא אמרו כדקא יאות, אהדרו ואמרו, והן לא ידיע להוא לך מלכא וגו'. בין ישזיב בין לא ישזיב ידיע להוי לך מלכא וגו'. ותנינן דמלה אודע להו יחזקאל, ושמעו וקבילו מניה, דקב"ה לא אתקיים עלייהו, בגין דיקבלון אגרא. וכדין אהדרו ואמרו, והן לא ידיע להוי לך מלכא וגו'.

קכד. אלא לא יתתקף ב"נ, דיימא קב"ה ישזבקינני, או איהו עביד לי כך וכך, אבל ישוי תוקפיה ביה בקב"ה, דיסייע ליה, כד איהו אשתדל באינון פקודין דאורייתא, ולמיהך בארח קשוט, דכיון דאתי ב"נ לאתדכאה, מסייעין ליה ודאי, ובדא יתתקף ביה בקב"ה, דאיהו יסייע ליה, ויתתקף ביה, דלא ישוי תוקפיה באחרא, ובג"כ עוז לו בך. מסלות בלבבם, דיעביד לביה כדקא יאות, בלא הרהורא אחרא, אלא כהאי מסלה, דאיהי מתיישבא, לאעברא בכל אתר דאצטריך, הכי נמי.

קכה. ד"א אשרי אדם עוז לו בך, עז: כד"א יי' עז לעמו יתן, בגין דאצטריך ליה לב"נ, דיתעסק באורייתא לשמיה דקב"ה, דכל מאן דאתעסק באורייתא, ולא אשתדל לשמה, טב ליה דלא אתברי. מסלות בלבבם, מאי מסלות בלבבם, כד"א סולו לרוכב בערבות ביה שמו. דא ההיא אורייתא, דאיהו אשתדל בה, לארמא ליה לקב"ה, ולמעבד ליה ויטיבא בעלמא.

קכו. ת"ח, יעקב כל עובדוי הוו לשמא דקב"ה, ובגין כך, קב"ה הוה עמיה תדיר, דלא אעדי מניה שכינתא, דהא בשעתא דקרא ליה יצחק, לעשו בריה, יעקב לא הוה תמן, ושכינתא אודעת לה לרבקה, ורבקה אודעת ליה ליעקב.

קכז. רבי יוסי אמר, תא חזי, אי וו"ו בההוא זמנא יתברך עשו, לא ישלוט יעקב

לעלמין. אלא מעם קב"ה הוה, וכלא באתריה אתא, כדקא חזי. תא חזי, ורבקה אוהבת את יעקב כתיב, והא אתמר. ובג"כ, שדרת בגיניה דיעקב, הנה שמעתי את אביך מדבר אל עשו אחיך לאמר.

קכח. ועתה בני שמע בקולי וגו'. בההוא זמנא, ערב פסח הוה, ובעי יצר הרע לאתבערא ולשלטאה סיהרא. רזא דמהימנותא. וע"ד עבדת תרי תבשילין.

קכט. רבי יהודה אמר, רמז הכא, דזמינין בנוי דיעקב, לקרבא שני שעירים, חד ליי', וחד לעזאזל ביומא דכפורי. ובג"כ, קריבת שני גדיי עזים, חד בגין דרגא דלעילא, וחד בגין לכפייא דרגיה דעשו, דלא ישלוט עליה דיעקב, וע"ד שני גדיי עזים, ומתרוייהו טעים יצחק ואכיל.

קל. ויבא לו יין וישת, ויבא לו יין, רמז רמיז, מאתר רחיק קריב ליה. רבי אלעזר אמר, רמז, מההוא יין דכל חדו אשתכח ביה, בגין לחדתא ליה ליצחק, דבעי חדוה, כדקא בעיין חדוה, לחדתא סטרא דליואי, ועל דא ויבא לו יין וישת.

קלא. ותקח רבקה את בגדי עשו וגו', אלין אינון לבושין דרווח עשו מנמרוד, ואלין לבושי יקר, דהוו מן אדם הראשון, ואתו לידא דנמרוד, ובהו הוה צד צידה, נמרוד, דכתיב הוא היה גבור ציד לפני יי' וגו', ועשו נפק לחקלא, ואגח ביה קרבא בנמרוד, וקטל ליה, ונסב אלין לבושין מניה, הה"ד ויבא עשו מן השדה והוא עיף, ואוקמוה, כתיב הכא והוא עיף, וכתיב התם כי עיפה נפשי להרגים. ועשו הוה סליק לון לאינון לבושין, לגבה דרבקה, ובהו הוה נפיק וצד צידה, וההוא יומא לא נטל לון, ונפק לחקלא, ואתעכב תמן. וכד הוה לביש לון עשו, לא הוו סלקין ריחין כלל, כיון דלביש לון יעקב, כדין תבת אבדה לאתרה, וסליקו ריחין, בגין דשופריה דיעקב, שופריה דאדם הוה. ובג"כ אהדרו בההיא שעתא לאתרייהו, וסליקו ריחין.

קלג. אמר רבי יוסי, שופריה דיעקב דאיהו שופריה דאדם איך אפשר, והא תנינן, תפוח עקבו דאדם הראשון, מכהה גלגל חמה, ואי תימא דכך הוה יעקב. א"ל רבי אלעזר, ודאי הכי הוה, בקדמיתא עד לא חב אדם הראשון, לא הוו יכלין כל בריין לאסתכלא בשופריה, כיון דחטא, אשתני שופריה, ונתמאך רומיה, ב. ואתעביד בר מאה אמין. ות"ח, שופריה דאדם הראשון, רזא איהו, דמהימנותא עלאה תליא בההוא שופרא, ובג"כ, ויהי נעם יי' אלהינו עלינו. וכתיב לחזות בנעם יי', ודא הוא שופריה דיעקב ודאי, וכלא רזא עלאה איהו.

קלד. וירח את ריח בגדיו ויברכהו. ת"ח, וירח את ריח הבגדים לא כתיב, אלא ריח בגדיו, כד"א עוטה אור כשלמה נוטה שמים כיריעה. ד"א וירח את ריח בגדיו ויברכהו. דכיון דאלביש לון יעקב, סליקו ריחין בההיא שעתא, ועד דלא ארח ריחין דלבושיה, לא ברכיה, דהא כדין ידע דאתחזי הוא לאתברכא, דאי לא אתחזי לאתברכא, לא סליקו כל הני ריחין קדישין בהדיה, הה"ד וירח את ריח בגדיו ויברכהו.

קלה. ויאמר ראה ריח בני כריח שדה אשר ברכו יי'. ויאמר: מלה סתים הוא. אית דאמרי שכינתא הות, ואית דאמרי יצחק הוה. כריח שדה אשר ברכו יי', מאן שדה, דא שדה דתפוחים. שדה דאבהן עלאין סמיכו ליה ומתקנין ליה.

קלו. ויתן לך האלהים מטל השמים ומשמני הארץ ורב דגן ותירוש. אמר רבי אבא, האי קרא אוקמוה, אבל ת"ח, שיר המעלות אל יי' בצרתה לי קראתי ויענני. כמה שירין

וְתוּשְׁבְּחָן, אֲמַר דָּוִד מַלְכָּא קַמֵּי קֻבָּ"ה, וְכֹלָּא בְּגִין לְאַתְקָנָא דַּרְגֵּיהּ, וּלְמֶעְבַּד לֵיהּ שְׁמָא, כד"א וַיַּעַשׂ דָּוִד שֵׁם, וְשִׁירָתָא דָּא אֲמַר כַּד זִמְנָא עוֹבָדָא דָּא לְיַעֲקֹב.

קלז. רִבִּי אֶלְעָזָר אֲמַר, יַעֲקֹב אֲמַר שִׁירָתָא דָּא, בְּשַׁעְתָּא דְּאֲמַר לֵיהּ אֲבוּי, גְּשָׁה נָּא וַאֲמֻשְׁךָ בְּנִי הַאַתָּה זֶה בְּנִי עֵשָׂו אִם לֹא, כְּדֵין הֲוָה יַעֲקֹב בְּעָאקוּ סַגִּי, דְּדָחִיל דַּאֲבוּי יָדַע לֵיהּ, וְאִשְׁתְּמוֹדַע קַמֵּיהּ. מַה כְּתִיב וְלֹא הִכִּירוֹ כִּי הָיוּ יָדָיו כִּידֵי עֵשָׂו אָחִיו שְׂעִירוֹת וַיְבָרְכֵהוּ. כְּדֵין אֲמַר, אֶל יי' בַּצָּרָתָה לִּי קָרָאתִי וַיַּעֲנֵנִי.

קלח. יי' הַצִּילָה נַפְשִׁי מִשְּׂפַת שֶׁקֶר מִלָּשׁוֹן רְמִיָּה, דָּא הוּא דַּרְגָּא, דְּעֵשָׂו שַׁרְיָא בֵּיהּ, דְּאִיהוּ שְׂפַת שָׁקֶר. שְׂפַת שֶׁקֶר, בְּשַׁעְתָּא דְּאַיְיתֵי הַהוּא חִוְיָא, לְוָוטִין עַל עָלְמָא, וּבַעֲקִימוּ, אַיְיתֵי לְוָוטִין, דְּאִתְלַטְיָא עָלְמָא.

קלט. ת"ח, בְּשַׁעְתָּא דַּאֲמַר יִצְחָק לְעֵשָׂו, וְצֵא הַשָּׂדֶה וְצוּדָה לִּי צָיִדָה, בה"א, וְאוּקְמוּהָ, וְנָפַק עֵשָׂו, בְּגִין דְּיִתְבָּרֵךְ מִיִּצְחָק, דְּקָאֲמַר לֵיהּ, וַאֲבָרֶכְכָה לִפְנֵי יי', דְּאִלּוּ אֲמַר וַאֲבָרֶכְכָה, וְלָא יַתִּיר, יָאוֹת. כֵּיוָן דַּאֲמַר לִפְנֵי יי', בְּהַהִיא שַׁעְתָּא, אִזְדַּעְזַע כֻּרְסֵי יְקָרָא דְּקֻבָּ"ה, אֲמָרָה, וּמַה דִּיפּוּק חִוְיָא מֵאִינוּן לְוָוטִין, וְיִשְׁתָּאַר יַעֲקֹב בְּהוּ.

קמ. בְּהַהִיא שַׁעְתָּא, אִזְדַּמַּן מִיכָאֵל, וַאֲתָא קַמֵּיהּ דְּיַעֲקֹב, וּשְׁכִינְתָּא בַּהֲדֵיהּ, וְיָדַע יִצְחָק, וְחָמָא לְגַן עֵדֶן, בַּהֲדֵיהּ דְּיַעֲקֹב, וּבָרְכֵיהּ קַמֵּיהּ, וְכַד עָאל עֵשָׂו, עָאל בַּהֲדֵיהּ גֵּיהִנָּם, וְעַל דָּא וַיֶּחֱרַד יִצְחָק חֲרָדָה גְּדוֹלָה עַד מְאֹד, דְּחָשַׁב דְּלָא הֲוָה עֵשָׂו בְּהַהוּא סִטְרָא, פָּתַח וַאֲמַר, גַּם בָּרוּךְ יִהְיֶה.

קמא. בְּגִין כָּךְ, אִזְדַּמַּן יַעֲקֹב, בְּחָכְמְתָא וּבַעֲקִימוּ דְּאַיְיתֵי בִּרְכָאן עֲלֵיהּ דְּיַעֲקֹב, דְּאִיהוּ כְּגַוְונָא דְּאָדָם הָרִאשׁוֹן, וְאִתְנְטָלוּ מֵהַהוּא חִוְיָא דְּאִיהוּ שְׂפַת שָׁקֶר. דְּכַמָּה שִׁקְרָא אֲמַר, וְכַמָּה מִלֵּי דְּשִׁקְרָא עֲבַד, בְּגִין לְאַטְעָאָה וּלְאַיְיתָאָה לְוָוטִין עַל עָלְמָא, בְּגִין כָּךְ, אֲתָא יַעֲקֹב בְּחָכְמָה, וְאַטְעֵי לַאֲבוּי, בְּגִין לְאַיְיתָאָה בִּרְכָאן עַל עָלְמָא, וּלְנָטְלָא מִנֵּיהּ, מַה דְּמָנַע מֵעָלְמָא, וּמִדָּה לְקָבֵל מִדָּה הֲוָה, וְע"ד כְּתִיב וַיֶּאֱהַב קְלָלָה וַתְּבוֹאֵהוּ וְלֹא חָפֵץ בִּבְרָכָה וַתִּרְחַק מִמֶּנּוּ. עֲלֵיהּ כְּתִיב, אָרוּר אַתָּה מִכָּל הַבְּהֵמָה וּמִכֹּל חַיַּת הַשָּׂדֶה. וְאִשְׁתָּאַר בֵּיהּ לְדָרֵי דָּרִין, וַאֲתָא יַעֲקֹב וּנְטִיל מִנֵּיהּ בִּרְכָאן.

קמב. וּמִן יוֹמוֹי דְּאָדָם, אִזְדַּמַּן יַעֲקֹב, לְנָטְלָא מֵהַהוּא חִוְיָא, כָּל הָנֵי בִּרְכָאן, וְאִשְׁתָּאַר אִיהוּ בִּלְוָוטִין, וְלָא נָפַק מִנַּיְיהוּ. וְדָוִד אֲמַר בְּרוּחַ קוּדְשָׁא, מַה יִּתֵּן לְךָ וּמַה יֹּסִיף לְךָ לָשׁוֹן רְמִיָּה חִצֵּי גִבּוֹר שְׁנוּנִים. מַה אִיכְפַּת לֵיהּ לְהַהוּא חִוְיָא בִּישָׁא, דְּאַיְיתֵי לְוָוטִין עַל עָלְמָא, כְּמָה דְּאָמְרוּ, נָחָשׁ נוֹשֵׁךְ וּמֵמִית, וְלֵית לֵיהּ הֲנָאָה מִנֵּיהּ.

קמג. לָשׁוֹן רְמִיָּה: דְּרָמֵי לֵיהּ לְאָדָם וּלְאִתְּתֵיהּ, וְאַיְיתֵי בִּישָׁא עֲלֵיהּ, וְעַל עָלְמָא. לְבָתַר אֲתָא יַעֲקֹב, וּנְטִיל מִדִּילֵיהּ כָּל אִינוּן בִּרְכָאן. חִצֵּי גִבּוֹר שְׁנוּנִים, דָּא עֵשָׂו דְּנָטַר דְּבָבוּ לְיַעֲקֹב, עַל אִינוּן בִּרְכָאן, כד"א וַיִּשְׂטֹם עֵשָׂו אֶת יַעֲקֹב עַל הַבְּרָכָה וגו'.

קמד. וְיִתֶּן לְךָ הָאֱלֹהִים מִטַּל הַשָּׁמַיִם וּמִשְׁמַנֵּי הָאָרֶץ, הָא מִלְעֵילָא וּמִתַּתָּא בְּחִבּוּרָא חֲדָא. וְרֹב דָּגָן וְתִירוֹשׁ, הָא אוּקְמוּהָ, אֲבָל כְּדִכְתִיב וְלֹא רָאִיתִי צַדִּיק נֶעֱזָב וְזַרְעוֹ מְבַקֶּשׁ לָחֶם. תָּא חֲזֵי, נַעַר הָיִיתִי וגו' וְאוּקְמוּהָ, הַאי קְרָא שָׂרוֹ שֶׁל עוֹלָם אֲמָרוֹ וכו'. וּבְגִין כָּךְ אֲמַר וְרֹב דָּגָן וְתִירוֹשׁ.

קמה. יַעַבְדוּךָ עַמִּים בְּזִמְנָא דְּשַׁלִּיט שְׁלֹמֹה מַלְכָּא בִּירוּשָׁלַם, דִּכְתִיב וְכָל מַלְכֵי הָאָרֶץ וגו' מְבִיאִים אִישׁ מִנְחָתוֹ וגו'. וְיִשְׁתַּחֲווּ לְךָ לְאוּמִּים, בְּזִמְנָא דְּיֵיתֵי מַלְכָּא מְשִׁיחָא, דִּכְתִיב וְיִשְׁתַּחֲווּ לוֹ כָל מְלָכִים. רִבִּי יְהוּדָה אֲמַר, כֹּלָּא בְּזִמְנָא דְּיֵיתֵי מַלְכָּא מְשִׁיחָא, כְּדִכְתִיב

וְיִשְׁתַּחֲווּ לוֹ כָל מְלָכִים כָּל גּוֹיִם יַעַבְדוּהוּ.

קמו. הֱוֵה גְּבִיר לְאַחֶיךָ, הֱוֵה,וְלָא אֲמַר הֱיֵה, אוֹ תִּהְיֶה. אֶלָּא דָּא רָזָא עִלָּאָה דִּמְהֵימְנוּתָא, דְּאִלֵּין אַתְוָון אִנּוּן רָזֵי דִּמְהֵימְנוּתָא, ה' לְעֵילָּא, וא"ו בְּאֶמְצָעִיתָא, ה' לְבָתַר. וּבְגִין כָּךְ אֲמַר, הֱוֵה גְּבִיר לְאַחֶיךָ, לְשַׁלְטָאָה עֲלַיְיהוּ, וּלְרַדָּאָה לוֹן, בְּזִמְנָא דְּאַתְיָא דָּוִד מַלְכָּא. רִבִּי יוֹסֵי אֲמַר, כֹּלָּא אִיהוּ בְּזִמְנָא דְּיֵיתֵי מַלְכָּא מְשִׁיחָא, דְּהָא בְּגִין דַּעֲבָרוּ יִשְׂרָאֵל עַל פִּתְגָּמֵי אוֹרַיְיתָא, כְּדֵין וּפָרַקְתָּ עֻלּוֹ מֵעַל צַוָּארֶךָ.

קמז. וְיִתֶּן לְךָ הָאֱלֹהִים רִבִּי יוֹסֵי אֲמַר, כָּל הַנֵּי בִּרְכָאן, מִסִּטְרָא דְּחוּלָקֵיהּ דְּיַעֲקֹב הֲווֹ, וּמִדִּילֵיהּ נָטַל, וְאִלֵּין בִּרְכָאן, הֲוָה קָא בָּעֵי יִצְחָק לְבָרְכָא לֵיהּ לְעֵשָׂו, וּבְגִין כָּךְ עֲבַד קב"ה, וְגָרַם לֵיהּ לְיַעֲקֹב, לְנַטְלָא מִדִּילֵיהּ.

קמח. תָּא חֲזֵי, בְּשַׁעְתָּא דְּהַהוּא נָחָשׁ, אַיְיתֵי לְווֹטִין עַל עָלְמָא, וְאִתְלַטְיָא אַרְעָא, מַה כְּתִיב, וּלְאָדָם אָמַר כִּי שָׁמַעְתָּ לְקוֹל אִשְׁתְּךָ וגו', אֲרוּרָה הָאֲדָמָה בַּעֲבוּרֶךָ וגו', דְּלָא תְּהֵא עָבְדָא פֵּירִין וְאִיבִּין כְּדְקָא יָאוֹת, לְקָבֵל דָּא, וּמִשְׁמַנֵּי הָאָרֶץ. בְּעִצָּבוֹן תֹּאכֲלֶנָּה, לָקֳבֵל דָּא מִטַּל הַשָּׁמַיִם. וְקוֹץ וְדַרְדַּר תַּצְמִיחַ לָךְ, לָקֳבֵל דָּא, וְרוֹב דָּגָן וְתִירוֹשׁ. בְּזֵעַת אַפֶּךָ תֹּאכַל לֶחֶם, לָקֳבֵל דָּא, יַעַבְדוּךָ עַמִּים וְיִשְׁתַּחֲווּ לְךָ לְאוּמִּים, דְּאִינּוּן יַעַבְדוּן אַרְעָא, וְיִפְלְחוּן בְּחַקְלָא, כד"א וּבְנֵי נֵכָר אִכָּרֵיכֶם וְכוֹרְמֵיכֶם. וְכֹלָּא נָטַל יַעֲקֹב, דָּא לָקֳבֵל דָּא, וּמִדִּילֵיהּ נָטַל. וְקב"ה גָּרִים לֵיהּ לְיַעֲקֹב, דְּיִטוֹל הַנֵּי בִּרְכָאן, לְאִתְדַּבְּקָא בְּאַתְרֵיהּ וְחוּלָקֵיהּ, וְעֵשָׂו לְאִתְדַּבְּקָא בְּאַתְרֵיהּ וְחוּלָקֵיהּ.

קמט. אֲמַר ר' חִזְקִיָּה, וְהָא חָמִינָן, דְּמִשְׁמַנֵּי הָאָרֶץ וְטַל הַשָּׁמַיִם, אִינּוּן בִּרְכָאן נָטַל עֵשָׂו לְבָתַר, כד"א הִנֵּה מִשְׁמַנֵּי הָאָרֶץ יִהְיֶה מוֹשָׁבֶךָ וְטַל הַשָּׁמַיִם מֵעָל.

קנ. אֲמַר רִבִּי שִׁמְעוֹן, לָאו הַאי כְּהַאי, וְלָא דָּא כְּדָא, כַּמָּה אִתְפָּרְשָׁאן דַּרְגִּין, בְּיַעֲקֹב כְּתִיב, וְיִתֶּן לְךָ הָאֱלֹהִים, וּבְדָא כְּתִיב יִהְיֶה. בְּיַעֲקֹב כְּתִיב, מִטַּל הַשָּׁמַיִם וּמִשְׁמַנֵּי הָאָרֶץ, בְּעֵשָׂו כְּתִיב מִשְׁמַנֵּי הָאָרֶץ וְטַל הַשָּׁמַיִם, דְּהָא לָאו דָּא אִיהוּ כְּדָא.

קנא. וְדַרְגִּין אִתְפָּרְשָׁן כַּמָּה וְכַמָּה. בְּגִין דִּבְדָא דְּיַעֲקֹב כְּתִיב בֵּיהּ, וְיִתֶּן לְךָ הָאֱלֹהִים מִטַּל הַשָּׁמַיִם, דָּא טַל עִלָּאָה דְּנָגִיד מֵעַתִּיק יוֹמִין, דְּאִקְרֵי טַל הַשָּׁמַיִם, הַשָּׁמַיִם דִּלְעֵילָּא, טַל דְּנָגִיד בְּדַרְגָּא דְּשָׁמַיִם, וּמִתְמַן לְחַקְל תַּפּוּחִין קַדִּישִׁין. וּמִשְׁמַנֵּי הָאָרֶץ, הָאָרֶץ: דָּא אֶרֶץ הַחַיִּים דִּלְעֵילָּא, וְיָרִית לָהּ בְּאַרְעָא דִּלְעֵילָּא, וּבַשָּׁמַיִם דִּלְעֵילָּא. וּלְעֵשָׂו בְּאַרְעָא דְּהָכָא לְתַתָּא, וּבַשָּׁמַיִם דְּהָכָא לְתַתָּא. יַעֲקֹב לְעֵילָּא לְעֵילָּא. עֵשָׂו לְתַתָּא לְתַתָּא.

קנב. תּוּ, יַעֲקֹב לְעֵילָּא וְתַתָּא, וְעֵשָׂו לְתַתָּא. וְאע"ג דִּכְתִיב וְהָיָה כַּאֲשֶׁר תָּרִיד וּפָרַקְתָּ עֻלּוֹ מֵעַל צַוָּארֶךָ. מֵהַאי דְּהָכָא לְתַתָּא, אֲבָל לְעֵילָּא לָא כְּלוּם, דִּכְתִיב כִּי חֵלֶק יְיָ' עַמּוֹ יַעֲקֹב חֶבֶל נַחֲלָתוֹ. תָּא חֲזֵי, בְּשַׁעְתָּא דְּשָׁרוּ לְנַטְלָא בִּרְכָאן דִּלְהוֹן, יַעֲקֹב וְעֵשָׂו. יַעֲקֹב נָטַל חוּלָקֵיהּ דִּלְעֵילָּא, וְעֵשָׂו נָטִיל חוּלָקֵיהּ לְתַתָּא.

קנג. רִבִּי יוֹסֵי בְּרִבִּי שִׁמְעוֹן בֶּן לָקוּנְיָא אֲמַר לְרִבִּי אֶלְעָזָר, כְּלוּם שָׁמַעְתָּ מֵאָבִיךָ, אַמַּאי לָא אִתְקַיְּימוּ בִּרְכָאן, דְּבָרְכֵיהּ יִצְחָק לְיַעֲקֹב, וְאִינּוּן בִּרְכָאן דְּבָרִיךְ יִצְחָק לְעֵשָׂו, אִתְקַיְּימוּ כֻּלְּהוּ.

קנד. א"ל, כָּל אִינּוּן בִּרְכָאן מִתְקַיְּימֵי, וּבִרְכָאן אָחֳרָנִין דְּבָרְכֵיהּ קב"ה לְיַעֲקֹב. אֲבָל מִיָּד, יַעֲקֹב נָטַל לְעֵילָּא, וְעֵשָׂו נָטִיל לְתַתָּא. לְבָתַר, כַּד יְקוּם מַלְכָּא מְשִׁיחָא, יִטּוֹל יַעֲקֹב לְעֵילָּא וְתַתָּא, וְיִתְאֲבֵיד עֵשָׂו מִכֹּלָּא, וְלָא יְהֵא לֵיהּ חוּלָקָא וְאַחֲסָנָא וְדוּכְרָנָא בְּעָלְמָא, כד"א, וְהָיָה בֵית יַעֲקֹב אֵשׁ וּבֵית יוֹסֵף לֶהָבָה וּבֵית עֵשָׂו לְקַשׁ וגו'. בְּגִין דְּיִתְאֲבֵיד עֵשָׂו

מִכֹּלָּא, וְיָרִית יַעֲקֹב תְּרֵין עָלְמִין, עָלְמָא דֵּין וְעָלְמָא דְּאָתֵי.

קנה. וּבְהַאי זִמְנָא כְּתִיב וְעָלוּ מוֹשִׁיעִים בְּהַר צִיּוֹן לִשְׁפֹּט אֶת הַר עֵשָׂו וְהָיְתָה לַיי״ הַמְּלוּכָה. הַהוּא מַלְכוּ דְעֵשָׂו, דְּנָטַל בְּהַאי עָלְמָא, יְהֵא לֵיהּ לְקֻבְּ"ה בִּלְחוֹדוֹי. וְכִי הַשְׁתָּא לָאו אִיהִי מַלְכוּ מִקֻּבְּ"ה אֶלָּא אע"ג דְּשַׁלִּיט קֻבְּ"ה לְעֵילָּא וְתַתָּא, הָא יְהַב לוֹן לִשְׁאָר עַמִּין, לְכָל חַד וְחַד, חוּלָק וְאַחְסַנְתָּא בְּהַאי עָלְמָא, לְאִשְׁתַּמְּשָׁא בֵּיהּ, וּבְהַהִיא זִמְנָא, יִטּוֹל מִכֻּלְּהוּ מַלְכוּתָא, וּתְהֵא דִּילֵיהּ כֹּלָּא, דִּכְתִיב וְהָיְתָה לַיי״ הַמְּלוּכָה, לֵיהּ בִּלְחוֹדוֹי, דִּכְתִיב וְהָיָה יי״ לְמֶלֶךְ עַל כָּל הָאָרֶץ בַּיּוֹם הַהוּא יִהְיֶה יי״ אֶחָד וּשְׁמוֹ אֶחָד.

קנו. וַיְהִי אַךְ יָצֹא יָצָא יַעֲקֹב וגו'. רִבִּי שִׁמְעוֹן אָמַר, אַךְ יָצֹא יָצָא, תְּרֵי יְצִיאוֹת הָכָא לָמָּה. אֶלָּא חַד דִּשְׁכִינְתָּא, וְחַד דְּיַעֲקֹב, דְּהָא כַּד עָאל יַעֲקֹב, שְׁכִינְתָּא עָאלַת עִמֵּיהּ, וְקָמֵי שְׁכִינְתָּא אִתְבָּרַךְ, דְּיִצְחָק הֲוָה אָמַר בִּרְכָאן, וּשְׁכִינְתָּא אוֹדֵי לְהוּ עֲלַיְיהוּ. וְכַד נָפַק יַעֲקֹב, שְׁכִינְתָּא נָפְקַת עִמֵּיהּ, הֲדָא הוּא דִכְתִיב אַךְ יָצֹא יָצָא יַעֲקֹב, תְּרֵי יְצִיאוֹת כְּחַד.

קנז. וְעֵשָׂו אָחִיו בָּא מִצֵּידוֹ. מִן הַצַּיִד לָא כְּתִיב, אֶלָּא מִצֵּידוֹ, דְּאִיהוּ צֵידָה דִּילֵיהּ, דְּלָא הֲוָה בֵּיהּ בְּרָכָה, וְרוּחַ הַקֹּדֶשׁ צָוְוחָה וְאָמְרָה, אַל תִּלְחַם אֶת לֶחֶם רַע עָיִן.

קנח. וַיַּעַשׂ גַּם הוּא מַטְעַמִּים וגו'. יָקוּם אָבִי, דִּבּוּרֵיהּ, הֲוָה בְּעַזּוּת, בְּתַקִּיפוּ רוּחָא, מִלָּה דְּלֵית בָּהּ טַעֲמָא, יָקוּם אָבִי. ת"ח, מַה בֵּין יַעֲקֹב לְעֵשָׂו, יַעֲקֹב אָמַר בְּכִסּוּפָא דְּאַבוֹי, בַּעֲנָוָה, מַה כְּתִיב וַיָּבֹא אֶל אָבִיו וַיֹּאמֶר אָבִי. מַה בֵּין הַאי לְהַאי, אֶלָּא, דְּלָא בָּעָא לְאִזְדַּעְזְעָא לֵיהּ, מַלִּיל בִּלְשׁוֹן תַּחֲנוּנִים, קוּם נָא שְׁבָה וְאָכְלָה מִצֵּידִי. וְעֵשָׂו אָמַר, יָקוּם אָבִי, כְּמַאן דְּלָא מַלִּיל עִמֵּיהּ.

קנט. ת"ח, בְּשַׁעֲתָא דְּעָאל עֵשָׂו, עָאל עִמֵּיהּ גֵּיהִנָּם, אִזְדַּעְזַע יִצְחָק, וְדָחִיל. דִּכְתִיב וַיֶּחֱרַד יִצְחָק חֲרָדָה גְּדוֹלָה עַד מְאֹד. כֵּיוָן דִּכְתִיב וַיֶּחֱרַד יִצְחָק חֲרָדָה גְּדוֹלָה דַּי מַהוּ עַד מְאֹד. אֶלָּא, דְּלָא הֲוָה דְּחִילוּ וְאֵימְתָא. דְּנָפַל עָלֵיהּ דְּיִצְחָק, רַבְּתָא, מִיּוֹמֵי דְּאִתְבְּרֵי, וַאֲפִי' בְּהַהִיא שַׁעֲתָא, דְּאִתְעֲקַד יִצְחָק עַל גַּבֵּי מַדְבְּחָא, וְחָמָא סַכִּינָא עָלֵיהּ, לָא אִזְדַּעְזַע, כְּהַהִיא שַׁעֲתָא, דְּעָאל עֵשָׂו, וְחָמָא גֵּיהִנָּם דְּעָאל עִמֵּיהּ, כְּדֵין אָמַר, בְּטֶרֶם תָּבֹא וָאֲבָרְכֵהוּ גַּם בָּרוּךְ יִהְיֶה, בְּגִין דְּחָמִית שְׁכִינְתָּא דְּאוֹדֵי עַל אִינּוּן בִּרְכָאן.

קס. דָּבָר אַחֵר, יִצְחָק אָמַר וָאֲבָרְכֵהוּ, נָפַק קָלָא וְאָמַר, גַּם בָּרוּךְ יִהְיֶה, בָּעָא יִצְחָק לְמֵילַט לֵיהּ לְיַעֲקֹב, אָמַר לֵיהּ קֻבְּ"ה, יִצְחָק, גַּרְמָךְ אַנְּא לַיִיט, דְּהָא כְּבָר אֲמַרְתְּ לֵיהּ, אוֹרְרֶיךָ אָרוּר וּמְבָרְכֶיךָ בָּרוּךְ.

קסא. ת"ח כֹּלָּא אוֹדוּ עַל אִינּוּן בִּרְכָאן, עִלָּאֵי וְתַתָּאֵי, וַאֲפִילּוּ אִיהוּ חוּלָק עַדְבֵיהּ דְּעֵשָׂו, אוֹדֵי עֲלַיְיהוּ, וּבָרְכֵיהּ אִיהוּ, וְאוֹדֵי עַל אִינּוּן בִּרְכָאן, וְסַלְקֵיהּ עַל רֵישֵׁיהּ לְעֵילָּא.

קסב. מְנָלָן, דִּכְתִיב וַיֹּאמֶר שַׁלְּחֵנִי כִּי עָלָה הַשָּׁחַר וַיֹּאמֶר לֹא אֲשַׁלֵּחֲךָ כִּי אִם בֵּרַכְתָּנִי. וַיֹּאמֶר שַׁלְּחֵנִי, בְּגִין דְּאִתְתַּקִּיף בֵּיהּ יַעֲקֹב. וְכִי הֵיךְ יָכִיל ב"נ דְּאִיהוּ גּוּפָא וּבִשְׂרָא, לְאִתְתַּקְּפָא בֵּיהּ בְּמַלְאָכָא, דְּאִיהוּ רוּחַ מַמָּשׁ, דִּכְתִיב עוֹשֶׂה מַלְאָכָיו רוּחוֹת מְשָׁרְתָיו אֵשׁ לוֹהֵט.

קסג. אֶלָּא, מִכָּאן דְּמַלְאֲכֵי שְׁלִיחֵי דְּקֻבְּ"ה, כַּד אִינּוּן נָחֲתִין לְהַאי עָלְמָא גְּלִימִין, וְאִתְגְּלִימוּ, וּמִתְלַבְּשִׁין בְּגוּפָא, כְּגַוְונָא דְּהַאי עָלְמָא, בְּגִין דְּהָכִי אִתְחֲזֵי, דְּלָא לְהַשְׁנָאָה מִמִּנְהָגָא דְּהַהוּא אֲתַר דְּאָזִיל תַּמָּן.

קסד. וְהָא אִתְּמַר, דְּמֹשֶׁה כַּד סָלִיק לְעֵילָּא, מַה כְּתִיב וַיְהִי שָׁם עִם יי״ אַרְבָּעִים יוֹם וְאַרְבָּעִים לַיְלָה לֶחֶם לֹא אָכַל וּמַיִם לֹא שָׁתָה, בְּגִין מִנְהָגָא, דְּלָא לְהַשְׁנָאָה מֵהַהוּא אֲתַר

דְּאָזִיל לְתַמָּן, וְאִינּוּן מַלְאָכִין כַּד נָחֲתוּ לְתַתָּא כְּתִיב וְהוּא עוֹמֵד עֲלֵיהֶם תַּחַת הָעֵץ וַיֹּאכֵלוּ. וְכֵן הָכָא, הַאי מַלְאָכָא, כַּד נָחֵת לְתַתָּא, לָא אִתְאֲבַק עִמֵּיהּ דְּיַעֲקֹב, אֶלָּא מִגּוֹ דַּהֲוָה אִתְלַבַּשׁ בְּגוּפָא כְּגַוְונָא דְּהַאי עַלְמָא. וְעַל דָּא אִתְאֲבַק יַעֲקֹב בַּהֲדֵיהּ, כָּל הַהוּא לֵילְיָא.

קסה. תָּא חֲזֵי, בְּגִין דְּשָׁלְטָנוּתָא דְּהַנֵּי, לָאו אִיהוּ אֶלָּא בְּלֵילְיָא וַדַּאי, וּבְגִין כָּךְ, שָׁלְטָנוּתָא דְּעֵשָׂו, לָאו אִיהוּ אֶלָּא בְּגָלוּתָא, דְּאִיהוּ לַיְלָה, וְעַל דָּא בְּלֵילְיָא אִתְתַּקַּף עִמֵּיהּ דְּיַעֲקֹב, וְאִתְאֲבַק עִמֵּהּ. וְכַד אֲתָא צַפְרָא, אִתְחֲלַשׁ חֵילֵיהּ, וְלָא יָכִיל, וּכְדֵין אִתְתַּקַּף יַעֲקֹב, בְּגִין דְּיַעֲקֹב, שָׁלְטָנוּתֵיהּ בִּימָמָא.

קסו. וּבְגִין כָּךְ, כְּתִיב מַשָּׂא דּוּמָה אֵלַי קֹרֵא מִשֵּׂעִיר שֹׁמֵר מַה מִלַּיְלָה שֹׁמֵר מַה מִלֵּיל. דְּהָא כְּדֵין שׁוּלְטָנוּתֵיהּ דִּידֵיהּ דְּעֵשָׂו, דְּאִיהִי שֵׂעִיר, בַּלַּיְלָה אִיהוּ, וּבְגִין כָּךְ אִתְחֲלַשׁ, כַּד אֲתָא צַפְרָא, וּכְדֵין וַיֹּאמֶר שַׁלְּחֵנִי כִּי עָלָה הַשָּׁחַר.

קסז. וַיֹּאמֶר לֹא אֲשַׁלֵּחֲךָ כִּי אִם בֵּרַכְתָּנִי, כִּי אִם בֵּרַכְתָּנִי, כִּי אִם תְּבָרְכֵנִי מִבָּעֵי לֵיהּ מַאי כִּי אִם בֵּרַכְתָּנִי. אִם אוֹדֵית, עַל אִינּוּן בִּרְכָאן דְּבָרְכַנִי אַבָּא, וְלָא תֶּהֱוֵי מְקַטְרְגָא לִי בְּגִינַּיְיהוּ, מַה כְּתִיב, וַיֹּאמֶר לֹא יַעֲקֹב יֵאָמֵר עוֹד שִׁמְךָ כִּי אִם יִשְׂרָאֵל וְגוֹ', אֲמַאי יִשְׂרָאֵל, א"ל בַּעַל כָּרְחָךְ אִית לָן לְשַׁמְּשָׁא לָךְ, דְּהָא אַנְתְּ אִתְעַטְרַת בְּחֵילָךְ, לְעֵילָּא בְּדַרְגָּא עִלָּאָה, יִשְׂרָאֵל יְהֵא שְׁמָךְ וַדַּאי.

קסח. כִּי שָׂרִיתָ עִם אֱלֹהִים, מַאי עִם אֱלֹהִים, ס"ד דַּעֲלֵיהּ הֲוָה אָמַר, אֶלָּא אֲמַר לֵיהּ, שָׂרִיתָ לְאִתְחַבְּרָא וּלְאִזְדַּוְּוגָא עִם אֱלֹהִים בְּחִבּוּרָא, בְּזִוּוּגָא דְּשִׁמְשָׁא וְסִיהֲרָא, וְעַ"ד לָא כְּתִיב אֶת אֱלֹהִים, אֶלָּא עִם אֱלֹהִים, בְּחִבּוּרָא וְזִוּוּגָא חֲדָא.

קסט. ד"א, וַיֹּאמֶר: כְּד"א וַיֹּאמֶר אִם שָׁמוֹעַ תִּשְׁמַע לְקוֹל יי' אֱלֹהֶיךָ, אוּף הָכָא, וַיֹּאמֶר לֹא יֵאָמֵר עוֹד שִׁמְךָ יַעֲקֹב כִּי אִם יִשְׂרָאֵל, כְּדֵין אִתְעַטַּר יַעֲקֹב בְּדַרְגֵּיהּ, לְמֶהֱוֵי כְּלָלָא דַּאֲבָהָן. מַה כְּתִיב, וַיְבָרֶךְ אֹתוֹ שָׁם. מַאי וַיְבָרֶךְ אֹתוֹ שָׁם, דְּאוֹדֵי לֵיהּ עַל כֻּלְּהוּ בִּרְכָאן, דְּבָרְכֵיהּ אֲבוּי.

קע. רִבִּי שִׁמְעוֹן פָּתַח וַאֲמַר, בִּרְצוֹת יי' דַּרְכֵי אִישׁ גַּם אוֹיְבָיו יַשְׁלִים אִתּוֹ, תָּא חֲזֵי, כַּמָּה אִית לֵיהּ לְבַר נָשׁ, לְאִתְתַּקְנָא שְׁבִילוֹי, בֵּיהּ בְּקֻדְשָׁא בְּרִיךְ הוּא, בְּגִין לְמֶעְבַּד פִּקּוּדֵי דְּאוֹרַיְיתָא, דְּהָא אוֹקְמוּהָ, דְּוַדַּאי תְּרֵין מַלְאָכִין שְׁלִיחָן, אִית לְבַר נָשׁ מִלְּעֵילָּא, לְאִזְדַּוְּוגָא בַּהֲדֵיהּ, חַד לִימִינָא, וְחַד לִשְׂמָאלָא, וְאִינּוּן סַהֲדִין בֵּיהּ בְּבַר נָשׁ, בְּכָל מַה דְּאִיהוּ עָבִיד, אִינּוּן מִשְׁתַּכְּחֵי תַּמָּן, וְקָרֵינָן לוֹן יֵצֶר טוֹב וְיֵצֶר רָע.

קעא. אָתֵי בַּר נָשׁ לְאִתְדַּכָּאָה, וּלְאִשְׁתַּדְּלָא בְּפִקּוּדֵי דְּאוֹרַיְיתָא, הַהוּא יֵצֶר טוֹב דְּאִזְדַּוַּוג בֵּיהּ, כְּבָר אִיהוּ אִתְתַּקַּף עַל יֵצֶר הָרָע, וְאִשְׁתְּלִים בַּהֲדֵיהּ, וְאִתְהַפִּיךְ לֵיהּ לְעַבְדָּא. וְכַד בַּר נָשׁ אָזִיל לְאִסְתָּאֲבָא, הַהוּא יֵצֶר הָרָע, אִתְתַּקַּף וְאִתְגַּבַּר עַל הַהוּא יֵצֶר טוֹב, וְהָא אוֹקִימְנָא, וַדַּאי כַּד הַהוּא בַּר נָשׁ אָתֵי לְאִתְדַּכָּאָה, כַּמָּה תַּקִּיף אִתְתַּקַּף בַּר נָשׁ, כַּד אִתְגַּבְּרָא הַהוּא יֵצֶר טוֹב כְּדֵין אוֹיְבָיו יַשְׁלִים אִתּוֹ, דְּהַהוּא יֵצֶר הָרָע אִתְכַּפְיָא קַמֵּיהּ דְּיֵצֶר טוֹב. וְעַל דָּא אֲמַר שְׁלֹמֹה, טוֹב נִקְלֶה וְעֶבֶד לוֹ, מַאי וְעֶבֶד לוֹ, דָּא יֵצֶר הָרָע. וּכְדֵין כַּד אָזִיל בַּר נָשׁ בְּפִקּוּדֵי אוֹרַיְיתָא, כְּדֵין גַּם אוֹיְבָיו יַשְׁלִים אִתּוֹ, דָּא יֵצֶר הָרָע, וְדַאֲתָא מִסִּטְרוֹי.

קעב. תָּא חֲזֵי, בְּגִין דְּיַעֲקֹב, אַבְטַח בֵּיהּ בְּקֻדְשָׁא בְּרִיךְ הוּא, וְכָל אָרְחוֹי הֲווֹ לִשְׁמֵיהּ, עַל דָּא אוֹיְבָיו יַשְׁלִים אִתּוֹ. וְדָא סמאל, חֵילָא וְתוּקְפָּא דְּעֵשָׂו, דְּאַשְׁלִים עִמֵּיהּ דְּיַעֲקֹב, וּבְגִין דְּאַשְׁלִים עִמֵּיהּ דְּיַעֲקֹב, וְאוֹדֵי לֵיהּ עַל אִינּוּן בִּרְכָאן, כְּדֵין אַשְׁלִים עִמֵּיהּ עֵשָׂו, וְעַד דְּלָא אִשְׁתְּלִים

עִמֵּיהּ יַעֲקֹב, לְגַבֵּי הַהוּא מְמַנָּא דְּאִתְפַּקַּד עָלֵיהּ, לָא אַשְׁלִים עִמֵּיהּ עֵשָׂו, בְּגִין כָּךְ, בְּכָל אֲתַר תּוּקְפָּא דִּלְתַתָּא, תַּלְיָא בְּתוּקְפָּא דִּלְעֵילָא.

קעג. וַיֶּחֱרַד יִצְחָק חֲרָדָה גְּדוֹלָה עַד מְאֹד וַיֹּאמֶר מִי אֵיפֹה. מִי אֵיפֹה: מַאי מִי אֵיפֹה, מִי הוּא זֶה מִבָּעֵי לֵיהּ, אֶלָּא מִי אֵיפֹה, דְּקַיְּימָא שְׁכִינְתָּא תַּמָּן, כַּד בָּרִיךְ לֵיהּ יִצְחָק לְיַעֲקֹב, וְעַל דָּא אֲמַר, מִי אֵיפֹה, מַאן הוּא דְּקָאִים הָכָא, וְאוֹדֵי עַל אִינּוּן בִּרְכָאן, דְּבָרְכֵית לֵיהּ, וַדַּאי גַּם בָּרוּךְ יִהְיֶה. דְּהָא קֻבְּ"ה אַסְתַּכַּם בְּאִינּוּן בִּרְכָאן.

קעד. רִבִּי יְהוּדָה אֲמַר, בְּגִין הַהִיא חֲרָדָה דְּאַחֲרִיד יַעֲקֹב, לְיִצְחָק אֲבוֹי, אִתְעֲנַשׁ יַעֲקֹב, בְּעוֹנְשָׁא דְּיוֹסֵף, דְּחָרַד חֲרָדָה כְּהַאי, בְּשַׁעְתָּא דַּאֲמָרוּ לֵיהּ,, זֹאת מָצָאנוּ. יִצְחָק אֲמַר מִי אֵיפֹה. בְּאֵיפֹה אִתְעֲנַשׁ יַעֲקֹב, דִּכְתִּיב אֵיפֹה הֵם רוֹעִים, וְתַמָּן יוֹסֵף אִתְאֲבִיד, וְאִתְעֲנֵישׁ יַעֲקֹב. וְאַע"ג דְּקֻבְּ"ה אַסְתַּכַּם עַל יְדוֹי, בְּאִינּוּן בִּרְכָאן, אִיהוּ אִתְעֲנַשׁ בְּאֵיפֹה, דִּכְתִּיב אֵיפֹה הֵם רוֹעִים. וּמִתַּמָּן אִתְאֲבִיד מִנֵּיהּ, וְאִתְעֲנַשׁ כָּל הַהוּא עוֹנְשָׁא.

קעה. וַיֶּחֱרַד יִצְחָק חֲרָדָה גְּדוֹלָה, מַאי גְּדוֹלָה, כְּתִיב הָכָא גְּדוֹלָה, וּכְתִיב הָתָם וְאֶת הָאֵשׁ הַגְּדוֹלָה הַזֹּאת וגו', דְּעָאל עִמֵּיהּ גֵּיהִנֹּם. עַד מְאֹד. מַאי עַד מְאֹד. כְּתִיב הָכָא מְאֹד, וּכְתִיב הָתָם וְהִנֵּה טוֹב מְאֹד, דָּא מַלְאַךְ הַמָּוֶת, כְּדֵין אֲמַר מִי אֵיפֹה.

קעו. כִּשְׁמוֹעַ עֵשָׂו אֶת דִּבְרֵי אָבִיו וגו'. אֲמַר רִבִּי חִיָּיא, כַּמָּה בִּישִׁין עָבְדוּ אִינּוּן דִּמְעִין, דִּבְכָה וְאַפִּיק עֵשָׂו קַמֵּי אֲבוֹי, בְּגִין דְּיִתְבָּרֵךְ מִנֵּיהּ, בְּגִין דַּהֲוָה חָשִׁיב מִלָּה דַּאֲבוֹי יַתִּיר. א. הֲכִי קָרָא שְׁמוֹ, יַעֲקֹב. הֲכִי קָרָא שְׁמוֹ, קָרָא שְׁמוֹ הַהוּא דְּקָרָא לֵיהּ, אַפִּיק צִיצָא דְּרוּקָא, בְּגִין קַלָּנָא. הֲכִי נִקְרָא שְׁמוֹ לָא כְּתִיב, אֶלָּא קָרָא שְׁמוֹ.

קעז. וַיַּעְקְבֵנִי זֶה פַעֲמַיִם. זֶה. מַהוּ זֶה, וַיַּעְקְבֵנִי פַּעֲמַיִם מִבָּעֵי לֵיהּ. אֶלָּא, מִלָּה חַד הֲוֵי תְּרֵי זִמְנֵי, בְּכוֹרָתִי, אַהֲדַר לֵיהּ זִמְנָא אָחֳרָא בִּרְכָתִי, זֶה הוּא תְּרֵי זִמְנִין. כְּגַוְונָא דָּא, כִּי עַתָּה שַׁבְנוּ זֶה פַעֲמָיִם, מִלָּה חַד, תְּרֵין זִמְנִין. חַד דְּהָא אַהֲדַרְנָא לֵיהּ, וְלָא נֶהֱוֵי בְּכִסּוּפָא קַמֵּיהּ דְּהַהוּא בַּר נָשׁ. שַׁבְנוּ: בֹּשְׁנוּ. אֲנַן בְּכִסּוּפָא מִנֵּיהּ, וּכְבַר אַהֲדַרְנָא.

קעח. כְּגַוְונָא דָּא, אֲמַר אִיּוֹב, וְתַחְשְׁבֵנִי לְאוֹיֵב לָךְ, אַהֲדַר אִיּוֹב: אוֹיֵב. וְאוֹקְמוּהָ דִּכְתִּיב אֲשֶׁר בִּסְעָרָה יְשׁוּפֵנִי וגו', אֲמַר לְפָנָיו, רבש"ע, שֶׁמָּא רוּחַ סְעָרָה עָבְרָה לְפָנֶיךָ. וְהָכָא בְּכוֹרָתִי לָקָח וְהִנֵּה עַתָּה אַהֲדַר מִלָּה וּנְטִיל בִּרְכָתִי.

קעט. הֵן גְּבִיר שַׂמְתִּיו לָךְ וגו', וּלְכָה אֵפוֹא מָה אֶעֱשֶׂה בְּנִי. וּלְכָה אֵיפוֹא, לֵית קַיְּימָא הָכָא, מַאן דְּמִסְתַּכַּם עִמָּךְ. מָה אֶעֱשֶׂה בְּנִי. כְּדֵין, בָּרְכֵיהּ בְּהַאי עָלְמָא, וְאִסְתַּכַּל בְּדַרְגֵּיהּ, וַאֲמַר וְעַל חַרְבְּךָ תִחְיֶה, דְּהָא הָכִי אִתְחֲזֵי לָךְ לְאוֹשָׁדָא דָּמִין, וּלְמֶעְבַּד קְרָבִין, וְעַל דָּא אֲמַר מָה אֶעֱשֶׂה בְּנִי.

קפ. רִבִּי אֶלְעָזָר אֲמַר, וּלְךָ אֵיפֹה מָה אֶעֱשֶׂה, כֵּיוָן דַּאֲמַר הַאי, אַמַּאי בְּנִי. אֶלָּא אֲמַר לֵיהּ, וּלְךָ אֵיפֹה מָה אֶעֱשֶׂה, דְּאַנְתְּ בְּדִינָא וּבְחוּרְבָּא וּבִדְמָא חֲזֵינָא לָךְ, וּלְאָחִיךָ בְּאֹרַח שְׁלִים. אֶלָּא בְּנִי, בְּנִי וַדַּאי, אֲנָא גָּרִימְנָא לָךְ, בְּגִין דְּאַנְתְּ בְּנִי. וְעַל דָּא עַל חַרְבְּךָ תִחְיֶה וְאֶת אָחִיךָ תַּעֲבֹד. וַעֲדַיִין לָא אִתְקַיַּים, דְּהָא לָא פְּלַח לֵיהּ עֵשָׂו לְיַעֲקֹב. בְּגִין דְּיַעֲקֹב לָא בָּעָא לֵיהּ הַשְׁתָּא, וְאִיהוּ אַהֲדַר וְקָרָא לֵיהּ אֲדֹנִי כַּמָּה זִמְנֵי, בְּגִין דְּאִסְתַּכַּל לְמֵרָחוֹק, וְסָלֵיק לֵיהּ, לְסוֹף יוֹמַיָּא, כְּדְקָאֲמָרָן.

קפא. רִבִּי חִיָּיא וְרִבִּי יוֹסֵי הֲווּ אָזְלֵי בְּאָרְחָא, עַד דַּהֲווּ אָזְלֵי, חָמוּ לֵיהּ לְרִבִּי יוֹסֵי סָבָא, דַּהֲוָה אָזִיל בַּתְרַיְיהוּ יָתְבוּ, עַד דְּמָטָא לְגַבַּיְיהוּ. כֵּיוָן דְּמָטָא לְגַבַּיְיהוּ, אֲמָרוּ הַשְׁתָּא אָרְחָא מִתְתַּקְּנָא קַמָּן, אָזְלוּ, אֲמַר רִבִּי חִיָּיא עֵת לַעֲשׂוֹת לַיְיָ'. פָּתַח רִבִּי יוֹסֵי וַאֲמַר, פִּיהָ פָּתְחָה

בְּחָכְמָה וְתוֹרַת וָחֶסֶד עַל לְשׁוֹנָהּ. פִּיהָ פָּתְחָה בְחָכְמָה, דָּא כ"י, וְתוֹרַת וָחֶסֶד עַל לְשׁוֹנָהּ אִלֵּין אִינּוּן יִשְׂרָאֵל, דְּאִינּוּן לִישְׁנָא דְּאוֹרַיְיתָא, דְּמִשְׁתָּעֵי בָּהּ יוֹמֵי וְלֵילֵי.

קפב. פִּיהָ פָּתְחָה בְחָכְמָה, דָּא ב' דִּבְרֵאשִׁית, וְאוּקְמוּהָ. וְתוֹרַת וָחֶסֶד עַל לְשׁוֹנָהּ דָּא אַבְרָהָם, דְּבֵיהּ בָּרָא עָלְמָא, וּבֵיהּ מִשְׁתָּעֵי תָּדִיר. ב' סָתִים מֵהַאי גִּיסָא, וּפְתִיחָה מֵהַאי גִּיסָא סְתִימָא מֵהַאי גִּיסָא, כד"א וְרָאִיתָ אֶת אֲחוֹרָי. פְּתִיחָא מֵהַאי גִּיסָא, בְּגִין לְאַנְהָרָא אַנְפָּהָא לְגַבֵּי עֵילָּא, וּפְתִיחָא מֵהַאי גִּיסָא, בְּגִין לְקַבְּלָא מִלְּעֵילָּא, וְאִיהִי אַכְסַדְרָה לְקַבְּלָא. וּבְגִין כָּךְ קַיְימָא בְּרֵישָׁא דְּאוֹרַיְיתָא וְאִתְמַלְיָא לְבָתַר, פִּיהָ פָּתְחָה בְחָכְמָה, בְּחָכְמָה וַדַּאי, דִּכְתִּיב בְּרֵאשִׁית בָּרָא אֱלֹהִים, כְּתַרְגּוּמוֹ. וְתוֹרַת וָחֶסֶד עַל לְשׁוֹנָהּ, דְּהָא לְבָתַר מִשְׁתָּעֵי וַאֲמַר וַיֹּאמֶר אֱלֹהִים יְהִי אוֹר וַיְהִי אוֹר. פִּיהָ פָּתְחָה בְחָכְמָה, דָּא ה' דִּשְׁמָא קַדִּישָׁא, דְּכֹלָּא בָּהּ, וְאִיהִי סָתִים וְגַלְיָא, כְּלִילָא דְּעֵילָּא וְתַתָּא, רָזָא דְּעֵילָּא וְתַתָּא.

קפג. פִּיהָ פָּתְחָה בְחָכְמָה, בְּגִין דְּאִיהִי סְתִימָא דְּלָא אִתְיְידַע כְּלַל, דִּכְתִּיב וְנֶעֶלְמָה מֵעֵינֵי כָל חָי וּמֵעוֹף הַשָּׁמַיִם נִסְתָּרָה. וְכַד שָׁארֵי לְאִתְפַּשְּׁטָא, בְּחָכְמָה דְּאִתְדַּבַּק בָּהּ, וְאִיהִי בְּגַוָּוהּ, אַפִּיקַת קָלָא, דְּאִיהִי תּוֹרַת וָחֶסֶד.

קפד. פִּיהָ פָּתְחָה בְחָכְמָה, דָּא ה"א בַּתְרָאָה, דְּאִיהוּ דִּבּוּר, וּמִלָּה תַּלְיָא בְּחָכְמָה. וְתוֹרַת וָחֶסֶד עַל לְשׁוֹנָהּ. דָּא קוֹל דְּקַיְימָא עַל דִּבּוּר, לְאַנְהָגָא לֵיהּ. וְתוֹרַת וָחֶסֶד, דָּא יַעֲקֹב, דְּאִיהוּ עַל לְשׁוֹנָהּ, לְאַנְהָגָא מִלָּה, וּלְאַחֲדָא לָהּ, דְּהָא לֵית דִּבּוּר בְּלָא קוֹל, וְאוּקְמוּהָ.

קפה. פָּתַח רִבִּי חִיָּיא אֲבַתְרֵיהּ וַאֲמַר, אֲנִי חָכְמָה שָׁכַנְתִּי עָרְמָה וְדַעַת מְזִמּוֹת אֶמְצָא. אֲנִי חָכְמָה, דָּא כ"י. שָׁכַנְתִּי עָרְמָה, דָּא יַעֲקֹב, דְּאִיהוּ חַכִּים, וְדַעַת מְזִמּוֹת אֶמְצָא, דָּא יִצְחָק, דַּהֲוָה לֵיהּ דַּעַת מְזִמּוֹת, לְבָרְכָא לֵיהּ לְעֵשָׂו. וּבְגִין דְּחָכְמָה אִשְׁתַּתַּף בַּהֲדֵיהּ דְּיַעֲקֹב, דְּאִיהוּ עָרְמָה, וְדַעַת מְזִמּוֹת אֶמְצָא, דְּאִתְבָּרֵךְ יַעֲקֹב מֵאֲבוֹי, וְשָׁרוּ עֲלֵיהּ כָּל אִינּוּן בִּרְכָאן, וְאִתְקַיָּימוּ בֵּיהּ וּבִבְנוֹי, לְעָלַם וּלְעָלְמֵי עָלְמִין.

קפו. מֵאִינּוּן אִתְקַיָּימוּ בְּהַאי עָלְמָא, וְכֻלְּהוּ יִתְקַיְּימוּן, לִזְמְנָא דְּמַלְכָּא מְשִׁיחָא, דִּכְדֵין יְהוֹן יִשְׂרָאֵל גּוֹי אֶחָד בָּאָרֶץ, וְעַם אֶחָד לְקֻבְּ"הַ, הה"ד וְעָשִׂיתִי אֹתָם לְגוֹי אֶחָד בָּאָרֶץ. וְיִשְׁלְטוּן לְעֵילָּא וְתַתָּא, דִּכְתִּיב וַאֲרוּ עִם עֲנָנֵי שְׁמַיָּא כְּבַר אֱנָשׁ אָתֵה, דָּא מַלְכָּא מְשִׁיחָא, דִּכְתִּיב וּבְיוֹמֵיהוֹן דִּי מַלְכַיָּא אִנּוּן יְקִים אֱלָהּ שְׁמַיָּא מַלְכוּ וְגוֹ'. וְעַ"ד בָּעָא יַעֲקֹב, דְּיִסְתַּלְּקוּן בִּרְכוֹי לְהַהוּא זִמְנָא דְּאָתֵי, וְלָא נָטַל לוֹן לְאַלְתַּר.

קפז. פָּתַח רִבִּי יֵיסָא אֲבַתְרֵיהּ וַאֲמַר, וְאַתָּה אַל תִּירָא עַבְדִּי יַעֲקֹב נְאֻם יְיָ' וְאַל תֵּחַת יִשְׂרָאֵל וְגוֹ'. הַאי קְרָא אוּקְמוּהָ. אֲבָל בְּהַהִיא שַׁעֲתָא, דִּנְפַק יַעֲקֹב מִקַּמֵּי אֲבוֹי, בְּאִינּוּן בִּרְכָאן, אִסְתַּכַּל בְּנַפְשֵׁיהּ, אֲמַר, הָא אִלֵּין בִּרְכָאן, בָּעֵינָא לְסַלְּקָא לוֹן לְבָתַר, לַאֲרִיכוּ יוֹמִין, וַהֲוָה דָּחִיל וּמִסְתַּפֵּי, נְפַק קָלָא וַאֲמַר, וְאַתָּה אַל תִּירָא עַבְדִּי יַעֲקֹב נְאֻם יְיָ' כִּי אִתְּךָ אָנִי, לָא אֶשְׁבּוֹק לָךְ בְּהַאי עָלְמָא. כִּי הִנְנִי מוֹשִׁיעֲךָ מֵרָחוֹק, לְהַהוּא זִמְנָא דְּאַנְתְּ סָלֵיק לוֹן, לְאִינּוּן בִּרְכָאן.

קפח. וְאֶת זַרְעֲךָ מֵאֶרֶץ שִׁבְיָם, דְּאע"ג דְּהַשְׁתָּא נָטֵיל בִּרְכוֹי עֵשָׂו, וְיִשְׁתַּעְבְּדוּן בִּבְנָךְ, אֲנָא אַפֵּיק לוֹן מִידוֹי, וּכְדֵין יִשְׁתַּעְבְּדוּן בָּנָיךְ בֵּיהּ. וְשָׁב יַעֲקֹב, לְאִינּוּן בִּרְכָאן, וְשָׁב יַעֲקֹב, דָּא שְׁכִינְתָּא. וְשָׁב יַעֲקֹב וַדַּאי. וְשָׁקַט וְשַׁאֲנָן, כְּמָה דְּאוּקְמוּהָ, מֵאִינּוּן מַלְכְוָון: מִבָּבֶל, מִמָּדַי, וּמִיָּוָן, וּמֵאֱדוֹם. דְּאִינְהוּ הֲווֹ דְּאִשְׁתַּעְבְּדוּ בְּהוֹ בְּיִשְׂרָאֵל. וְאֵין מַחֲרִיד, לְעָלַם וּלְעָלְמֵי עָלְמַיָּא.

קפט. אֲזָלוּ, עַד דַּהֲווֹ אָזְלֵי, א"ר יוֹסֵי, וַדַּאי, כָּל מַה דְּעָבֵיד קֻבְּ"הַ בְּאַרְעָא, כֹּלָּא הֲוָה

בְּרָזָא דְּחָכְמְתָא, וְכֹלָּא בְּגִין לְאַחֲזָאָה חָכְמְתָא עִלָּאָה, לְהוּ לְב"נ, בְּגִין דְּיִלְפוּן מֵהַהוּא עוֹבָדָא, רָזִין דְּחָכְמְתָא, וְכֹלָּא אִינּוּן כִּדְקָא יָאוּת, וְעוֹבָדוֹי כֻּלְּהוּ, אוֹרְחוֹי דְּאוֹרַיְיתָא, בְּגִין דְּאוֹרְחוֹי דְּאוֹרַיְיתָא, אִינּוּן אָרְחוֹי דְּקֻדְשָׁא בְּרִיךְ הוּא, וְלֵית מִלָּה זְעֵירָא, דְּלֵית בָּהּ כַּמָּה אוֹרְחִין וּשְׁבִילִין, וְרָזִין דְּחָכְמְתָא עִלָּאָה.

קצ. ת"ח, דְּהָא רַבִּי יוֹחָנָן בֶּן זַכַּאי הֲוָה אָמַר, תְּלַת מְאָה הֲלָכוֹת פְּסוּקוֹת, בְּרָזָא דְּחָכְמְתָא עִלָּאָה, בְּפָסוּק וְשֵׁם אִשְׁתּוֹ מְהֵיטַבְאֵל בַּת מַטְרֵד בַּת מֵי זָהָב, וְלָא גַּלֵּי לוֹן, אֶלָּא לְרַבִּי אֱלִיעֶזֶר, דַּהֲוָה עִמֵּיהּ, בְּגִין לְמִנְדַּע, דְּכַמָּה רָזִין עִלָּאִין אִינּוּן, בְּכָל עוֹבָדָא וְעוֹבָדָא, דְּאִיהִי בְּאוֹרַיְיתָא, וּבְכָל מִלָּה וּמִלָּה, וְחָכְמְתָא אִיהִי, וְאוֹרַיְיתָא דִּקְשׁוֹט, בְּגִין כָּךְ אִינּוּן מִלִּין דְּאוֹרַיְיתָא, מִלִּין קַדִּישִׁין אִינּוּן, לְאַחֲזָאָה מִינָּהּ נִפְלָאוֹת, כד"א, גַּל עֵינַי וְאַבִּיטָה נִפְלָאוֹת מִתּוֹרָתֶךָ.

קצא. ת"ח, בְּשַׁעְתָּא דְּעָקִים הַהוּא חִוְיָא, לְאָדָם וּלְאִתְּתֵיהּ, דְּאַקְרִיב לְאִתְּתָא, וְאַטִּיל בָּהּ זוּהֲמָא, וְאִתְפַּתָּא בֵּיהּ אָדָם, כְּדֵין אִסְתָּאַב עָלְמָא, וְאִתְלַטְיָא אַרְעָא בְּגִינֵיהּ, וְגָרֵים מוֹתָא לְכָל עָלְמָא, וְקַיְּימָא עָלְמָא לְאִתְפָּרְעָא מִנֵּיהּ, עַד דְּאָתָא אִילָנָא דְּחַיֵּי, וְכַפֵּי עַל אָדָם, וְכַפְיָיא לֵיהּ לְהַהוּא נָחָשׁ דְּלָא יִשְׁלוֹט לְעָלְמִין, עַל זַרְעָא דְּיַעֲקֹב.

קצב. דְּהָא בְּזִמְנָא דְּאַקְרִיבוּ יִשְׂרָאֵל שָׂעִיר, הֲוָה אִתְכַּפְיָא הַהוּא נָחָשׁ וְאִתְהַפַּךְ לְעַבְדָּא, כְּמָה דְּאִתְּמָר. וְעַל דָּא אַקְרִיב יַעֲקֹב לַאֲבוּי, תְּרֵין שְׂעִירִין חַד, לְאַכְפְּיָא לְעֵשָׂו, דְּאִיהוּ שָׂעִיר, וְחַד, בְּגִין דַּרְגָּא דַּהֲוָה תָּלֵי בֵּיהּ עֵשָׂו וְאִתְדַּבַּק בֵּיהּ וְאִתְּמָר.

קצג. וּבְגִין כָּךְ קַיְּימָא עָלְמָא, עַד דְּתֵיתֵי אִתְּתָא, כְּגַוְונָא דְּחַוָּה, וּבַר נָשׁ כְּגַוְונָא דְּאָדָם, וְיַעֲקִימוּ וְיַחְכִּימוּ לֵיהּ לְהַהוּא חִוְיָא בִּישָׁא וְהַהוּא דְּרָכִיב עָלֵיהּ וְכֹלָּא אִתְּמָר.

קצד. פָּתַח וְאָמַר, וַיְהִי עֵשָׂו אִישׁ יוֹדֵעַ צַיִד אִישׁ שָׂדֶה, וְהָא אִתְּמָר וְיַעֲקֹב אִישׁ תָּם יוֹשֵׁב אֹהָלִים. אִישׁ תָּם: גְּבַר שְׁלִים, כְּתַרְגּוּמוֹ. יוֹשֵׁב אֹהָלִים, אַמַּאי אִיהוּ תָּם, בְּגִין דְּאִיהוּ יוֹשֵׁב אֹהָלִים, דְּאָחִיד לִתְרֵין סִטְרִין, לְאַבְרָהָם וּלְיִצְחָק. וְעַ"ד, יַעֲקֹב בְּסִטְרָא דְּיִצְחָק אָתָא לְגַבֵּי דְּעֵשָׂו, כְּמָה דְּאִתְּמָר, דִּכְתִיב, עִם חָסִיד תִּתְחַסָּד וְעִם עִקֵּשׁ תִּתַּפָּל. וְכַד אָתָא עִם בִּרְכָאן, בְּסִיּוּעָא דִּלְעֵילָּא קָא אָתָא, בְּסִיּוּעָא דְּאַבְרָהָם וְיִצְחָק, וּבְגִין כָּךְ בְּחָכְמְתָא הֲוָה, כְּמָה דְּאִתְּמָר.

קצה. ת"ח, כַּד יַעֲקֹב אִתְעַר, לְגַבֵּי סמא"ל, דַּרְגָּא דְּעֵשָׂו, וְקַבִּיל עָלֵיהּ לְיַעֲקֹב, וְיַעֲקֹב נָצַח לֵיהּ, בְּכַמָּה סִטְרִין, נָצַח לְחִוְיָא, בְּחָכְמְתָא, וּבְעָקִימוּ, וְלָא אִתְנְצַח, בַּר בִּשְׂעִיר. וְאע"ג דְּכֹלָּא חַד, נָצַח כְּמוֹ כֵן לְסמא"ל, בְּנִצְחוֹנָא אָחֳרָא, וְנִצְּחֵיהּ, הה"ד וַיֵּאָבֵק אִישׁ עִמּוֹ עַד עֲלוֹת הַשָּׁחַר. וַיַּרְא כִּי לֹא יָכוֹל לוֹ.

קצו. ת"ח, זְכוּתֵיהּ דְּיַעֲקֹב כַּמָּה הֲוָה, דְּאִיהוּ אָתָא, וּבָעָא לְאַעֲבָרָא לֵיהּ מֵעָלְמָא, וְהַהוּא לֵילְיָא, הֲוַת לֵילְיָא דְּאִתְבְּרֵי בֵּיהּ סִיהֲרָא, וְיַעֲקֹב אִשְׁתָּאַר בִּלְחוֹדוֹי, דְּלָא הֲוָה עִמֵּיהּ אָחֳרָא, דִּתְנַן לָא יִפּוּק ב"נ יְחִידָאי בְּלֵילְיָא, וכ"ש בְּלֵילְיָא דְּאִתְבְּרִיאוּ בֵּיהּ נְהוֹרִין, דְּהָא סִיהֲרָא אִיהִי חַסְרָא, דִּכְתִיב יְהִי מְאֹרֹ"ת חָסֵר, וְהַהוּא לֵילְיָא, אִשְׁתָּאַר בִּלְחוֹדוֹי, בְּגִין דְּכַד סִיהֲרָא חַסְרָא, חִוְיָא בִּישָׁא אִתְתַּקַּף וְשָׁלְטָא, וּכְדֵין אָתָא סמא"ל, וְקַטְרִיג לֵיהּ, וּבָעָא לְאוֹבָדָא לֵיהּ מֵעָלְמָא.

קצז. וְיַעֲקֹב הֲוָה תַּקִּיף בְּכָל סִטְרִין, בְּסִטְרָא דְּיִצְחָק, וּבְסִטְרָא דְּאַבְרָהָם, דְּאִינּוּן הֲווֹ תְּקִיפוּ דְּיַעֲקֹב. אָתָא לִימִינָא וְחָמָא לְאַבְרָהָם, תַּקִּיף בְּתְקִיפוּ דְּיוֹמָא, בְּסִטְרָא דִּימִינָא דְּחֶסֶד. אָתָא לִשְׂמָאלָא, וְחָמָא לְיִצְחָק, תַּקִּיף בְּדִינָא קַשְׁיָא. אָתָא לְגוּפָא, וְחָמָא לְיַעֲקֹב,

תַּקִּיף מִתְּרֵין סִטְרִין אִלֵּין, דְּסַחֲרָן לֵיהּ, חַד מִכָּאן, וְחַד מִכָּאן, כְּדֵין, וַיַּרְא כִּי לֹא יָכוֹל לוֹ וַיִּגַּע בְּכַף יְרֵכוֹ דְּאִיהוּ אֲתַר לְבַר מִגּוּפָא, וְאִיהוּ חַד עַמּוּדָא דְּגוּפָא, כְּדֵין וַתֵּקַע כַּף יֶרֶךְ יַעֲקֹב בְּהֵאָבְקוֹ עִמּוֹ וְגוֹ'.

קצח. כֵּיוָן דְּאִתְעַר צַפְרָא, וַעֲבַר לֵילְיָא, אִתְתַּקַּף יַעֲקֹב, וְאִתְחַלָּשׁ חֵילֵיהּ דְּסמא"ל, כְּדֵין אֲמַר שַׁלְּחֵנִי, דְּמָטָא זִמְנָא, לוֹמַר שִׁירָתָא דְּצַפְרָא, וּבָעֵי לְמֵיזַל, וְאוֹדֵי לֵיהּ, עַל אִינּוּן בִּרְכָאן, וְאוֹסִיף לֵיהּ בִּרְכְתָא אָחֳרָא, דִּכְתִיב וַיְבָרֶךְ אֹתוֹ שָׁם.

קצט. ת"ח, כַּמָּה בִּרְכָאן, אִתְבָּרֵךְ יַעֲקֹב, חַד דַּאֲבוֹי, בְּהַהוּא עֲקִימוּ, וְרָוַוח כָּל אִינּוּן בִּרְכָאן. וְחַד דִּשְׁכִינְתָּא דְּבָרִיךְ לֵיהּ קֻבָּ"ה, כַּד הֲוָה אָתֵי מִלָּבָן, דִּכְתִיב וַיְבָרֶךְ אֱלֹהִים אֶת יַעֲקֹב. וְחַד, דְּבָרְכֵיהּ לֵיהּ הַהוּא מַלְאָכָא, מְמַנָּא דְּעֵשָׂו. וְחַד, בִּרְכָה אָחֳרָא, דְּבָרְכֵיהּ לֵיהּ אֲבוּהָ, כַּד הֲוָה אָזִיל לְפַדַּן אֲרָם, דִּכְתִיב וְאֵל שַׁדַּי יְבָרֵךְ אֹתְךָ וְגוֹ'.

ר. בְּהַהוּא זִמְנָא, דְּחָמָא יַעֲקֹב גַּרְמֵיהּ, בְּכָל הַנֵּי בִּרְכָאן, אֲמַר, בְּמַאן בִּרְכְתָא דְּמִנַּיְיהוּ אֶשְׁתַּמֵּשׁ הַשְׁתָּא. אֲמַר, בַּחֲלָשָׁא מִנַּיְיהוּ אֶשְׁתַּמֵּשׁ הַשְׁתָּא, וּמַאן אִיהוּ, דָּא בַּתְרַיְיתָא, דְּבָרְכֵיהּ אֲבוּהָ, וְאַע"ג דְּאִיהִי תַּקִּיפָא, אֲמַר, לָאו אִיהִי תַּקִּיפָא, בְּשָׁלְטָנוּתָא דְּהַאי עָלְמָא כְּקַדְמָאָה.

רא. אֲמַר יַעֲקֹב, אֶטּוֹל הַשְׁתָּא דָּא וְאֶשְׁתַּמֵּשׁ בָּהּ, וַאֲסַלֵּק כָּל אִינּוּן אָחֳרָנִין, לְזִמְנָא דְּאִצְטְרִיךְ לִי, וְלִבְנָאי בַּתְרָאי. אֵימָתַי, בְּזִמְנָא דְּיִתְכַּנְּשׁוּן כָּל עַמְמַיָּא, לְאוֹבָדָא בָּנַי מֵעָלְמָא, דִּכְתִיב כָּל גּוֹיִם סְבָבוּנִי בְּשֵׁם יי' כִּי אֲמִילַם. סַבּוּנִי גַם סְבָבוּנִי וְגוֹ'. סַבּוּנִי כִדְבוֹרִים וְגוֹ'. הָא הָכָא תְּלָתָא, לְגַבֵּי תְּלָתָא דְּאִשְׁתָּאֲרוּ. חַד, אִינּוּן בִּרְכָאן קַדְמָאֵי, דַּאֲבוּהָ. תְּרֵין, אִינּוּן בִּרְכָאן, דְּבָרְכֵיהּ קוּדְשָׁא בְּרִיךְ הוּא. תְּלַת, אִינּוּן בִּרְכָאן, דְּבָרְכֵיהּ הַהוּא מַלְאָכָא.

רב. אֲמַר יַעֲקֹב, לְהָתָם אִצְטְרִיכוּ, לְגַבֵּי מַלְכִּין וְכָל עַמִּין דְּכָל עָלְמָא, וַאֲסַלִּיק לוֹן לְהָתָם, וְהַשְׁתָּא לְגַבֵּי דְּעֵשָׂו, דַּי לִי בְּהַאי. לְמַלְכָּא, דַּהֲווֹ לֵיהּ כַּמָּה לִגְיוֹנִין תַּקִּיפִין, כַּמָּה מָארֵי מְגִיחֵי קְרָבָא, לְאַגָּחָא קְרָבִין, דְּזַמִּינִין לְגַבֵּי מַלְכִּין תַּקִּיפִין, לְאַגָּחָא בְּהוּ קְרָבָא. אַדְּהָכֵי שָׁמַע עַל לִסְטִים חַד קַפָּחָא, אֲמַר, הַנֵּי בְּנֵי תַּרְעֵי, יְהֲכוּן תַּמָּן. א"ל, מִכָּל לִגְיוֹנִין דִּילָךְ, לֵית אַנְתְּ מְשַׁדֵּר הָתָם, אֶלָּא אִלֵּין. אֲמַר, לְגַבֵּי הַהוּא לִסְטִים, דַּי בְּאִלֵּין, דְּהָא כָּל לִגְיוֹנוֹתַי, וּמָארֵי קְרָבָא, אֶסְתַּלַּק לְגַבֵּי אִינּוּן מַלְכִּין תַּקִּיפִין, בְּיוֹמָא דִּקְרָבָא, דְּאִצְטְרִיכוּ לִי, לֶיהֱווֹ.

רג. אוּף הָכֵי, יַעֲקֹב אֲמַר לְגַבֵּי עֵשָׂו, דַּי לִי הַשְׁתָּא בְּאִלֵּין בִּרְכָאן. אֲבָל לְהַהוּא זִמְנָא, דְּאִצְטְרִיכוּ לִבְנַי, לְגַבֵּי כָּל מַלְכִּין וְשַׁלִּיטִין דְּכָל עָלְמָא, אֲסַלֵּק לוֹן.

רד. כַּד יִמְטֵי הַהוּא זִמְנָא, יִתְעָרוּן אִינּוּן בִּרְכָאן, מִכָּל סִטְרִין, וְיִתְקַיַּים עָלְמָא עַל קִיּוּמֵיהּ כִּדְקָא יָאוּת, וּמֵהַהוּא יוֹמָא וּלְהַלְאָה, יְקוּם מַלְכוּתָא דָּא עַל כָּל שְׁאָר מַלְכוּ אָחֳרָא, כְּמָה דְּאוֹקְמוּהָ, דִּכְתִיב תַּדִּק וְתָסֵף כָּל אִלֵּין מַלְכְוָתָא וְהִיא תְּקוּם לְעָלְמַיָּא. וְהַיְינוּ הַהִיא אַבְנָא, דְּאִתְגְּזֶרֶת מִן טוּרָא דִּי לָא בִידַיִן, כְּד"א מִשָּׁם רוֹעֶה אֶבֶן יִשְׂרָאֵל, מַאן אֶבֶן דָּא. דָּא כְּנֶסֶת יִשְׂרָאֵל, כְּמָה דְּאַתְּ אָמֵר וְהָאֶבֶן הַזֹּאת אֲשֶׁר שַׂמְתִּי מַצֵּבָה וְגוֹ'.

רה. ר' חִיָּיא אֲמַר, מֵהָכָא שְׁאָר יָשׁוּב שְׁאָר יַעֲקֹב, אִלֵּין בִּרְכָאן אָחֳרָנִין, דְּאִשְׁתָּאֲרוּ, וּכְתִיב, וְהָיָה שְׁאֵרִית יַעֲקֹב בַּגּוֹיִם בְּקֶרֶב עַמִּים רַבִּים בַּגּוֹיִם כֻּלְּהוּ, וְלֹא בְעֵשָׂו בִּלְחוּדֵיהּ, וּכְתִיב וְהָיָה שְׁאֵרִית וְגוֹ', כְּטַל מֵאֵת יי'.

רו. פָּתַח ר' יֵיסָא וַאֲמַר בֵּן יְכַבֵּד אָב וְעֶבֶד אֲדוֹנָיו, בֵּן: דָּא עֵשָׂו דְּלָא הֲוָה ב"נ בְּעָלְמָא, דְּיוֹקִיר לַאֲבוֹי, כְּמָה דְּאוֹקִיר עֵשָׂו לַאֲבוֹי. וְהַהוּא יְקִירוּ דְּאוֹקִיר לֵיהּ אַשְׁלֵיט לֵיהּ בְּהַאי

עַלְמָא.

רו. וְעֶבֶד אֲדוֹנָיו: דָּא אֱלִיעֶזֶר עֶבֶד אַבְרָהָם וְאוֹקְמוּהָ, דְּהָא ב"נ דַּהֲוָה אָתֵי לְזַוָּרָן, בְּכַמָּה עוּתְרָא, וְכַמָּה מַתְּנָן וּנְבַזְבְּזִין, וּגְמַלִּין טְעִינָן, דְּלָא אֲמַר לִבְתוּאֵל וְלָבָן, דְּאִיהוּ רְחִימוֹי דְּאַבְרָהָם, אוֹ ב"נ אוּזְרָא, דְּאָתֵי בְּפִיּוּסָא דְּאַבְרָהָם, אֶלָּא עַד לָא יְמַלֵּל מִלּוֹי מַה כְּתִיב, וַיֹּאמֶר עֶבֶד אַבְרָהָם אָנֹכִי, וּלְבָתַר אֲדֹנִי אֲדֹנִי, בְּגִין דְּיוֹקִיר לֵיהּ לְאַבְרָהָם, הַהוּא יְקָרָא, וְהַהוּא טִיבוּ, אוֹרִיךְ לֵיהּ לְכַמָּה זִמְנִין.

רוז. כָּךְ עֵשָׂו, הַהוּא יְקָרָא דְּאוֹקִיר לֵיהּ לַאֲבוֹי, אוֹרִיךְ לֵיהּ כָּל הָנֵי זִמְנִין דְּיִשְׁלוֹט בְּעַלְמָא דָּא, וְאִינוּן דִּמְעִין, אוֹרִידוּ לוֹן לְיִשְׂרָאֵל בְּשִׁעְבּוּדָא דִּילֵיהּ עַד דִּיתוּבוּן יִשְׂרָאֵל לְקֻבָּ"ה, בִּבְכִיָּה וּבְדִמְעִין, דִּכְתִיב בִּבְכִי יָבֹאוּ וגו', וּכְדֵין כְּתִיב, וְעָלוּ מוֹשִׁיעִים בְּהַר צִיּוֹן לִשְׁפֹּט אֶת הַר עֵשָׂו וְהָיְתָה לַיְיָ הַמְּלוּכָה.

בָּרוּךְ יְיָ לְעוֹלָם אָמֵן וְאָמֵן.

Vayetze

ויצא

א. וַיֵּצֵא יַעֲקֹב מִבְּאֵר שֶׁבַע וַיֵּלֶךְ חָרָנָה. ר' חִיָּיא פָּתַח וְאָמַר, וְזָרַח הַשֶּׁמֶשׁ וּבָא הַשֶּׁמֶשׁ וְאֶל מְקוֹמוֹ שׁוֹאֵף זוֹרֵחַ הוּא שָׁם, הַאי קְרָא אוּקְמוּהָ. אֲבָל וְזָרַח הַשֶּׁמֶשׁ, דָּא יַעֲקֹב, כַּד הֲוָה בִּבְאֵר שֶׁבַע. וּבָא הַשֶּׁמֶשׁ, כַּד אֲזַל לְחָרָן, דִּכְתִיב וַיֵּלֶךְ עַם כִּי בָא הַשֶּׁמֶשׁ. וְאֶל מְקוֹמוֹ שׁוֹאֵף זוֹרֵחַ, דִּכְתִיב וַיִּשְׁכַּב בַּמָּקוֹם הַהוּא.

ב. וְת"ח, שִׁמְשָׁא אע"ג דְּנָהִיר לְכָל עָלְמָא, מַטְלָנוֹי בִּתְרֵין סִטְרִין אִינוּן, כד"א הוֹלֵךְ אֶל דָּרוֹם וְסוֹבֵב אֶל צָפוֹן, בְּגִין דְּדָא יְמִינָא, וְדָא שְׂמָאלָא. וְנָגֵיד וְנָפִיק כָּל יוֹמָא מִסִּטְרָא דְּמִזְרָח, וְאָזִיל לְסִטְרָא דְּדָרוֹם, וּלְבָתַר לְסִטְרָא דְּצָפוֹן וּמִסִּטְרָא דְּצָפוֹן, לְסִטְרָא דְּמַעֲרָב, וּכְדֵין שִׁמְשָׁא אִתְכַּנִּישׁ, וְאָזִיל לְגַבֵּי מַעֲרָב. נָפִיק מִמִּזְרָח: דִּכְתִיב וַיֵּצֵא יַעֲקֹב מִבְּאֵר שֶׁבַע. וְאָזִיל לְמַעֲרָב: דִּכְתִיב וַיֵּלֶךְ חָרָנָה.

ג. רַבִּי שִׁמְעוֹן אָמַר, נָפִיק מִכְּלָלָא דְּאַרְעָא דְּיִשְׂרָאֵל, דִּכְתִיב וַיֵּצֵא יַעֲקֹב מִבְּאֵר שֶׁבַע. וְאָזַל לִרְשׁוּ אָחֳרָא, דִּכְתִיב וַיֵּלֶךְ חָרָנָה. נָפִיק מִמִּזְרָח, דִּכְתִיב וַיֵּצֵא יַעֲקֹב מִבְּאֵר שֶׁבַע, דָּא שִׁמְשָׁה, דְּנָטִיל מֵעוּמְקָא עִלָּאָה, נְהִירוּ דְּנָהִיר, וְאָזִיל לְמַעֲרָב, דִּכְתִיב וַיֵּלֶךְ חָרָנָה, אֲתַר דְּדִינָא וְרוּגְזָא תַּמָּן.

ד. ר' יוֹסֵי, מוֹקֵי הַאי קְרָא, בְּגָלוּתָא, בְּקַדְמֵיתָא הֲוָה נָצִית בְּעוּמְקָא עִלָּאָה וְיַעֲקֹב הֲוָה נָטִיל לֵיהּ, וְאָזִיל לְגַבֵּי בְּאֵר שֶׁבַע, דָּא דַּוְזִפְרוּהַ שָׂרִים, דַּהֲוָה נָהִיר מִתַּמָּן, וְאַשְׁלִים לְהַהוּא בְּאֵר בְּכָל שְׁלִימוּ. וּבְיוֹמֵי דְּגָלוּתָא, נָטִיל מֵהַאי בְּאֵר שֶׁבַע, וְאָזִיל לְגַבֵּי חָרָנָה, דִּכְתִיב וַיֵּלֶךְ חָרָנָה, כְּלוֹמַר וְחָרוֹן אַף, וּמַאי הִיא וְחָרוֹן אַפּוֹ דְּקָב"ה, דַּרְגָּא בִּישָׁא, אַרְעָא דִּרְשׁוּ אָחֳרָא.

ה. אָמַר ר' חִיָּיא, כַּד אֲזִיל שִׁמְשָׁא לְמַעֲרָב, הַאי מַעֲרָב, אִקְרֵי מְקוֹמוֹ דְּשִׁמְשָׁא, כּוּרְסַיָּיא דִּילֵיהּ, אֲתַר דְּשַׁרְיָא עֲלֵיהּ, ההד"א וְאֶל מְקוֹמוֹ שׁוֹאֵף זוֹרֵחַ הוּא שָׁם, דְּאָזִיל לְגַבֵּיהּ, לְאַנְהֲרָא עֲלֵיהּ, וְנָטִיל כָּל נְהוֹרִין, וְכָנִישׁ לוֹן לְגַבֵּיהּ.

ו. וְהַיְינוּ כְּמָה דִּתְנִינָן, קָב"ה דְּנָטִיל כָּל כִּתְרִין עִלָּאִין, וּמַאן נִינְהוּ, רָזָא דְּאַבָּא עִלָּאָה, וְרָזָא דְּאִמָּא עִלָּאָה. וְאִינוּן תְּפִלִּין שֶׁבָּרֹאשׁ כְּמָה דִּתְנִינָן כֹּהֵן גָּדוֹל נָטִיל בְּרֹאשׁ. וּלְבָתַר דְּנָטִיל אַבָּא וְאִמָּא, נָטִיל יְמִינָא וּשְׂמָאלָא, וְאִשְׁתְּכַח דְּנָטִיל כֹּלָּא.

ז. ר"א אָמַר, תִּפְאֶרֶת יִשְׂרָאֵל נָטִיל כֹּלָּא, וְכַד אִתְבְּסַּמְכָא כְּנֶסֶת יִשְׂרָאֵל לְעֵילָּא, נָטְלָא אוּף הָכָא כֹּלָּא, עָלְמָא דְּדִכְרָא דְּקָב"ה, וְכֵן עָלְמָא. וְנוּקְבָּא דְּקָב"ה, כְּמָה דְּנָפְקֵי כָּל נְהוֹרִין מֵהַאי עָלְמָא, הָכֵי נָמֵי נָטִיל כֹּלָּא הַאי עָלְמָא, דְּהָא דָּא כְּגַוְונָא דָּא, וּבְגִין כָּךְ בְּאֵר שֶׁבַע דָּא יוֹבְלָא, בְּאֵר שֶׁבַע דָּא אִיהִי שְׁמִטָּה. וְשִׁמְשָׁא לָא נָהִיר, אֶלָּא מִיּוֹבְלָא, וּבְגִין כָּךְ וַיֵּצֵא יַעֲקֹב מִבְּאֵר שֶׁבַע וַיֵּלֶךְ חָרָנָה, דָּא מַעֲרָב, דְּאִיהִי שְׁמִטָּה.

ח. ר"ע אָמַר, וַיֵּצֵא יַעֲקֹב מִבְּאֵר שֶׁבַע, דָּא מַעֲרָב, שְׁנַת הַשְּׁמִטָּה. וַיֵּלֶךְ חָרָנָה, דָּא שְׁנַת עָרְלָה, בְּגִין דְּנָפַק מֵרְשׁוּ קַדִּישָׁא לִרְשׁוּ אָחֳרָא, דַּהֲוָה עָרִיק מֵאֵחוֹי, כְּמָה דְּאִתְּמַר. וְכַד מָטָא לְבֵית אֵל, דְּאִיהוּ בִּרְשׁוּ קַדִּישָׁא, מַה דִּכְתִיב וַיִּפְגַּע בַּמָּקוֹם.

ט. מַאן מָקוֹם. רַבִּי חִיָּיא אָמַר, דָּא הוּא מְקוֹמוֹ דְּקָאֲמַרָן, דִּכְתִיב וְאֶל מְקוֹמוֹ שׁוֹאֵף. וַיֵּלֶךְ עַם כִּי בָא הַשֶּׁמֶשׁ. כד"א שׁוֹאֵף זוֹרֵחַ הוּא שָׁם, דְּהָא בְּגִין לְאַנְהֲרָא לֵיהּ קָאַתְיָא.

י. וַיִּקַּח מֵאַבְנֵי הַמָּקוֹם. אַבְנֵי הַמָּקוֹם לָא כְּתִיב, אֶלָּא מֵאַבְנֵי הַמָּקוֹם, אִלֵּין אִינּוּן אַבְנֵי יְקָר, מַרְגְּלָאן טָבָאן, דְּאִינּוּן תְּרֵיסַר אַבְנִין עִלָּאִין, כְּמָה דִּכְתִּיב שְׁתֵּים עֶשְׂרֵה אֲבָנִים, וּתְחוֹת אִלֵּין, תְּרֵיסַר אֶלֶף, וְרִבְוָון, אַבְנֵי פְּסִילָן, וְכֻלְּהוּ אִקְרוּן אַבְנִין, בְּגִין כָּךְ מֵאַבְנֵי הַמָּקוֹם, וְלָא אַבְנֵי הַמָּקוֹם דָּא הוּא מָקוֹם דְּקָאֲמַר.

יא. וַיָּשֶׂם מְרַאֲשֹׁתָיו, מְרַאֲשׁוֹתָיו דְּמַאן. אֶלָּא מְרַאֲשׁוֹתָיו דְּהַהוּא מָקוֹם. מַאי מְרַאֲשׁוֹתָיו. אִי תֵּימָא כְּמַאן דְּשַׁוֵּי תְּחוֹת רֵישֵׁיהּ, לָא. אֶלָּא מְרַאֲשׁוֹתָיו, לְאַרְבַּע סִטְרִין דְּעָלְמָא, תְּלַת אַבְנִין לִסְטַר. צָפוֹן, וּתְלַת לִסְטַר מַעֲרָב, וּתְלַת לִסְטַר דָּרוֹם, וּתְלַת לִסְטַר מִזְרָח, וְהַהוּא מָקוֹם עֲלַיְיהוּ לְאִתְתַּקְּנָא בְּהוּ.

יב. וּכְדֵין וַיִּשְׁכַּב בַּמָּקוֹם הַהוּא. וַיִּשְׁכַּב, י"ב מַרְגְּלָאן לְתַתָּא, וְכָל אִינּוּן דַּרְגִּין דְּאִינּוּן עַל הַאי מָקוֹם הָא אִינּוּן כ"ב, כֵּיוָן דְּאִתְתַּקַּן עַרְסָא, שָׁכִיב בֵּיהּ, מַאן שָׁכִיב בָּהּ, שִׁמְשָׁא. וְעַ"ד כְּתִיב בְּיַעֲקֹב, וַיֵּשֶׁב עַל הַמִּטָּה, דְּהָא לֵיהּ אִתְחֲזֵי, וְלָא לְאָחֳרָא, וְעַ"ד וַיִּשְׁכַּב בַּמָּקוֹם הַהוּא. וּבְגִ"כ כְּתִיב, וְזָרַח הַשֶּׁמֶשׁ וּבָא הַשֶּׁמֶשׁ.

סִתְרֵי תּוֹרָה

יג. וְזָרַח הַשֶּׁמֶשׁ וּבָא הַשָּׁמֶשׁ. מַאי קָא חָמָא שְׁלֹמֹה מַלְכָּא, דְּשֵׁירוּתָא דְּסִפְרָא דְּחָכְמְתָא דִּילֵיהּ מֵהָכָא אִיהוּ. אֶלָּא אָמַר ר' אֶלְעָזָר, שְׁלֹמֹה מַלְכָּא, הַאי סִפְרָא, אוֹקִים לֵיהּ עַל שֶׁבַע הֲבָלִים, וְעָלְמָא קָאִים עֲלַיְיהוּ. וְאִינּוּן עַמּוּדִין וְסָמְכִין, קִיּוּמָא דְּעָלְמָא. דִּבְגִ"כ אִקְרוּן הֲבָלִים, מַה גּוּפָא, לָא אִתְקַיַּים בְּלָא הֶבֶל, אוּף הָכֵי עָלְמָא, לָא אִתְקַיַּים אֶלָּא עַל הֲבָלִים, דְּאָמַר שְׁלֹמֹה מַלְכָּא. וְאִינּוּן שֶׁבַע, דִּכְתִּיב: הֲבֵל הֲבָלִים אָמַר קֹהֶלֶת הֲבֵל הֲבָלִים הַכֹּל הָבֶל, הָא שֶׁבַע.

יד. וְאִי תֵּימָא, אִי הָכֵי דְּאִינּוּן מַרְגְּלָאן טָבָאן דְּעָלְמָא קַיְּימָא עֲלַיְיהוּ, הָא בַּאֲתַר אָחֳרָא כְּתִיב הֲבָלִים בִּישִׁין, וְאִינּוּן סְתִירוּ דְּעָלְמָא, כְּגוֹן זֶה הֶבֶל וָחֳלִי רַע הוּא. זֶה הֶבֶל וּרְעוּת רוּחַ. אֶלָּא וַדַּאי אע"ג דְּהָנֵי שֶׁבַע הֲבָלִים, דְּאִינּוּן קַדִּישִׁין קִיּוּמָא דְּעָלְמָא, אִית לָקֳבֵל הָנֵי ז' הֲבָלִים דְּכָל דִּינִין דְּעָלְמָא נָפְקִין, וּמִנַּיְיהוּ מִתְפַּשְּׁטִין. וְאִקְרוּן הֲבָלִים אָחֳרָנִין, לְאַלְקָאָה בְּנֵי נָשָׁא, וּלְאַתְקְנָא לוֹן, דִּיְהָכוּן בְּאֹרַח מֵישָׁר, וְאִקְרוּן הֶבֶל דְּשַׁרְיָא בְּהוּ וָחֳלִי רָע, הֶבֶל דְּאִיהוּ רְעוּת רוּחַ. וְאִינּוּן קִיּוּמָא, דִּבְגִינַיְיהוּ בְּנֵי נָשָׁא אָזְלִין בְּאֹרַח מֵישָׁר, וְדַחֲלוּ מִקֻּבְּ"ה, וְעַל דָּא סַגִּיאִין אִינּוּן הֲבָלִים דְּמִתְפַּשְּׁטֵי מֵהָנֵי שֶׁבַע.

טו. וְשֵׁירוּתָא דְּאִיהוּ אָמַר, רָזָא דְּשִׁמְשָׁא, דְּאִיהוּ הֶבֶל, דְּקַיֵּים עָלְמָא, וְאִיהוּ רָזָא לְאַעֲלָא בַּר נָשׁ לְגוֹ מְהֵימְנוּתָא עִלָּאָה דְּקֻבְּ"ה. וּבְגִ"כ, כָּל מַה דִּתְחוֹת הַאי דַּרְגָּא, לָאו אִיהוּ רָזָא דִּמְהֵימְנוּתָא, וְעַ"ד כְּתִיב, וְאֵין יִתְרוֹן תַּחַת הַשָּׁמֶשׁ בְּכָל אֲשֶׁר נַעֲשָׂה תַּחַת הַשָּׁמֶשׁ, דְּהָא תְּחוֹת הַאי, לָא אִצְטְרִיךְ לְאִתְדַּבְּקָא.

טז. שִׁמְשָׁא בְּסִיהֲרָא, וַדַּאי אִינּוּן בְּלָא פֵּרוּדָא, וְסִיהֲרָא אע"ג דְּאִיהוּ תְּחוֹת שִׁמְשָׁא, כֹּלָּא אִיהוּ שִׁמְשָׁא, בְּלָא פֵּרוּדָא. וּתְחוֹת הַאי, כֹּלָּא אִיהוּ רְעוּת רוּחַ, וְאָסִיר לְאִתְדַּבְּקָא בֵּיהּ.

יז. וַיֵּצֵא יַעֲקֹב, בְּקִטְרָא דִּסְתִימוּ, מִגּוֹ סִתְרָא סְתִימָא נָפְקָא, זֹהַר אַסְפַּקְלַרְיָאה דִּנְהָרָא, כְּלִילָא מִתְּרֵין גַּוְונִין, דְּמִתְחַבְּרָן כַּחֲדָא, כֵּיוָן דְּאִלֵּין אִתְכְּלִילוּ דָּא בְּדָא, אִתְחֲזוּן בֵּיהּ כָּל גַּוְונִין. אַרְגְּמָן אִיהוּ, כָּל וְזִיוּ דִּנְהוֹרִין, בֵּיהּ כְּלִילָן. רָצוֹא וָשׁוֹב, אִינּוּן נְהוֹרִין, לָא מִתְעַכְּבָן לְמֶחֱמֵי, וּגְבוּרָא וַדָּאי אִתְחַבְּרָן בְּהַהוּא זֹהַר.

יח. בְּהַאי זֹהַ"ר שָׁארֵי מַאן דְּשָׁארֵי, שְׁמָא אִיהוּ, לְהַהוּא דִּסְתִים דְּלָא יְדִיעַ כְּלָל, קוֹל יַעֲקֹב אִקְרֵי, בְּהַאי אִתְחֲזֵי מְהֵימְנוּתָא דְּכֹלָּא. הַהוּא דִּסְתִים וְלָא יְדִיעַ כְּלָל, בְּהַאי שַׁרְיָא

ידו"ד. שלימו דכל סטרין איהו, עלאה ותתאה, הכא אשתכח, יעקב שלימו דאבהן דאחיד מכל סטרין. זה"ר דא, על ברירו דשמא דא אקרי, דכתיב יעקב אשר בחרתיך. תרין שמהן אקרי, יעקב וישראל, בקדמיתא יעקב, ולבתר ישראל.

יט. סתרא דסתרא דא, כד הוה בקדמיתא בהאי סופא דמחשבה, דאיהו פרושא דאורייתא דבכתב, ואיהי תורה שבעל פה, ועל דא אקרי באר, שנאמר הואיל משה באר את התורה, בא"ר איהו לההוא דאקרי שבע, דכתיב ויבנהו שבע שנים. והיינו קול גדול.

כ. ודא סופא דמחשבה, בא"ר שבע איהו. ויעקב עאל בהאי רישא למהימנותא, כיון דאתדבק במהימנותא דא, אצטריך ליה לאתבחנא, בההוא אתר דאתבחנו אבהן דיליה, דעאלו בשלם ונפקו בשלם.

כא. אדם עאל ולא אסתמר, ואתפתא אבתרה, וחטא בההיא אשת זנונים, נחש קדמאה. נח עאל, ולא אסתמר, ואתפתא אבתרה, וחטא, דכתיב וישת מן היין וישכר ויתגל בתוך אהלה. אברהם עאל ונפק דכתיב וירד אברם מצרימה, וכתיב ויעל אברם ממצרים. יצחק עאל ונפק, דכתיב וילך יצחק אל אבימלך מלך פלשתים גררה, וכתיב ויעל משם באר שבע.

כב. יעקב כיון דעאל במהימנותא, אצטריך למיעל מנחתא להיא סטרא, בגין דמאן דאשתזיב מתמן איהו רחימא ובחירא דקב"ה. מאי כתיב, ויצא יעקב מבאר שבע, סתרא דרזא דמהימנותא. וילך חרנה, סטרא דאשת זנונים, אשה מנאפת.

כג. סתרא דסתרין, מגו דתוקפא דטיהרא דיצחק, מגו דורדיא דחמרא, נפק חד נעיצו קטירא, כליל חד דכר ונוקבא, סומקא כוורדא, מתפרשן לכמה סטרין ושבילין. דכורא אקרי סמא"ל, נוקביה כלילא בגויה תדיר. כמה דאיהו בסטר קדושה, הכי נמי בסטרא אחרא, דכר ונוקבא כלילן דא בדא. נוקבא דסמא"ל, נחש, אקרי: אשת זנונים, קץ כל בשר, קץ הימים.

כד. תרין רוחין בישין מתדבקן כחדא, רוחא דדכורא דקיק. רוחא דנוקבא, בכמה אורחין ושבילין מתפרשא, ומתדבקא בההוא רוחא דדכורא. קשיטת גרמה בכמה תכשיטין, כזונה, מרווקא קיימת בריש אורחין ושבילין, לפתאה בני נשא.

כה. שטיא דקריב בהדה, אתקיפת ביה, ונשקת ליה, מסכת ליה חמרא דדורדיא, דמרורת פתנים. כיון דשתי, אסטי אבתרה, לבתר דחמאת ליה סטי אבתרה, מאורחא דקשוט, אפשיטת גרמה, מכל אינון תקונין דהות מתתקנא לגבי דההוא שטיא.

כו. תקונין דילה, לפתאה לבני נשא: שערהא מתקנן סומקן כוורדא, אנפהא חוורין וסומקין, באודנהא תליין שיתא תקונין אטונא דמצרים, תליין על קדלהא כל חילי דארעא דקדם, פיה מתתקנא בפתיחו דקיק יאה בתקונהא, לישנא חדידא כחרבא, שעיען מלהא כמשחא, שפוותהא יאן סומקין כוורדא, מתיקו בכל מתיקו דעלמא, ארגוונא לבישת, אתתקנת בארבעין תקונין, חסר חד.

כז. שטיא סטי אבתרהא, ושתי מכסא דחמרא, ועביד בה זיאופין, ואסטי אבתרה. מה עבדת, שבקת ליה נאים בערסא, וסלקת לעילא, ואלשינת עליה, ונטלא רשו, ונחתא, אתער ההוא שטיא, וחשיב לחייכא בהדה כקדמיתא, והיא אעדיאת תקונהא מינה, ואתהדרת גיבר תקיף קאים לקבליה, לביש לבושא דנורא מלהטא, בדחילו תקיף

מרתתא גרמא ונפשא. מליא דעיינין דילך, וחרבא שננא בידיה, טיפין מרירן תליין מההוא חרבא, קטיל ליה לההוא שטיא, וארמי ליה לגו גיהנם.

כח. יעקב נחת לגבה, ואזל לאתרה, שנאמר וילך חרנה, וחמא כל תקון ביתא, ואשתזיב מינה. דכורא דילה סמא"ל, אבאיש קמיה, ונחת לאגחא ביה קרבא, ולא יכיל ליה, דכתיב ויאבק איש עמו וגו'. כדין אשתזיב מכלא, ואשתלים בשלימו, ואסתלק בדרגא שלים, ואתקרי ישראל. כדין סליק בדרגא עלאה, ואשתלים בכלא, והוה עמודא דאמצעיתא, ועליה כתיב והבריח התכון וגו'.

כט. מהו ויגע בכף ירכו, ליה לא יכיל, אבל נגע בכף ירכו, דאינהו נדב ואביהוא, דנפקו מן ירכו דאהרן, ועל יעקב כתיב והבריח התיכון בתוך הקרשים מבריח מן הקצה אל הקצה.

תוספתא

ל. בני עלמא, רחימי עלאה, הורמנא דבורייכי, קריבו שמעו, מאן וזכימי בכו, מארי דעיינין בסוכלתנו, ליתי ולינדע, בשעתא דרישא וחוורא נטיל תלת אתוון, וגליף לון, בגלופא בגלופין, חד א', וחד י', וחד ן', ואתגליף אי"ן, רישא עלאה דכלא, טמירא דכל טמירין, י' סליקו דרעותא הוי, אשתכלל מרישא לעילא, ונחת לתתא, נפק ואפיק תלתין ותרין שבילין, עד דאתגליפו בין אבני יקר דמתלהטן. ואתקשרו באות נו"ן, דאיהו דכר ונוקבא, תרין רחימין. קשורא תקיפא, בהו אשתכללו, ושמא קדישא בהו אתקשר, מנייהו אשתכחו מזונא לכלא, אשתכללו עלמין.

לא. ועל דא אתגליף ן' פשוטה, כללא דתרין: נ' כפופה נוקבא וחדא, י' דאיהי רעותא דאפיק שבילין, בטש בין אתוון, ועבד רקיעא דיעקב, בין תרין רחין, ואטיל ביני שייפי מלולי, עד דנחת להאי נ', דאיהי כפופה, וחברו לה כחדא, צפון ודרום, לבתר אתקשרו כחדא. האי נ' כפופה, באר שבע אקרי, ואתמלי מיעקב, לאשקאה כל עדרי ענא, וע"ד ויצא יעקב מבאר שבע וילך חרנה. תו, מבאר שבע לעילא, דהא מינה נפיק, לבתר אזיל לאשקאה לחרנה, דאיהו בירא דלתתא, וחרון אף ה', וחרב ה', דינא, בי דינא, אלקים. וע"ד אלקים באו גוים בנחלתך. (עד כאן תוספתא).

לב. רבי יצחק הוה יתיב יומא חד, קמי מערתא דאפיקותא, אעבר חד בר נש, ותרין בנין עמיה, והוה אמר חד לחד, דא תוקפא דשמשא, מסטרא דדרום איהו, ועלמא לא אתקיים אלא על רוח, בגין דרוח, איהו קיומא שלימו דכל סטרין, ואלמלא דאיהו קיימא בשלימו, לא יכיל עלמא לאתקיימא.

לג. א"ל אחוה זעירא, אלמלא יעקב, לא אתקיים עלמא. ת"ח, בשעתא דייחדו בנוי יחודא דלעילא, ואמרו שמע ישראל יי' אלהינו יי' אחד, דא הוא שלימו עלאה, לאתיחדא ביחודא חד, כדי אתחבר יעקב אבוהון, ונטיל ביתיה, ויתיב ביה בחבורא חדא עם אבהן, לאתחברא דכר ונוקבא כחדא.

לד. אמר רבי יצחק, אשתתף בהדייהו, ואשמע מאי קאמרי, אזל בהדייהו. פתח ההוא בר נש ואמר, קומה יי' למנוחתך אתה וארון עזך. קומה יי' למנוחתך, כמאן דאמר, יקום מלכא, לבי נייחא דמשכניה.

לה. תרין אינון הוו דאמרו קומה יי', משה ודוד, משה אמר, קומה יי' ויפוצו אויביך. ודוד אמר, קומה יי' למנוחתך. מאי איכא בינייהו. אלא משה כמאן דפקיד לביתיה

קָאֲמַר, מֹשֶׁה פַּקִּיד לֵהּ, לְאַגְּנָא קְרָבָא, לְקַבֵּיל שַׂנְאוּי. דָּוִד זַמִּין לֵיהּ לְנַיְיחָא, כְּמָה דִּמְזַמִּין לְמָרֵיהּ זַמִּין לְמַלְכָּא וּלְמַטְרוֹנִיתָא עִמֵּיהּ, הה"ד קוּמָה יי' לִמְנוּחָתֶךָ אַתָּה וַאֲרוֹן עֻזֶּךָ, בְּגִין דְּלָא לְאַפְרָשָׁא לוֹן.

לו. כֹּהֲנֶיךָ יִלְבְּשׁוּ צֶדֶק וַחֲסִידֶיךָ יְרַנֵּנוּ. מִכָּאן אוֹלִיפְנָא, דְּמַאן דִּמְזַמֵּן לְמַלְכָּא, יְשַׁנֵּי עוֹבָדוֹי בְּגִין לְמֵיהַב חֶדְוָה לְמַלְכָּא, אִי אַרְוָוחֵיהּ דְּמַלְכָּא, דְּהָדָאן לֵיהּ בִּדְיוֹטֵי הֶדְיוֹטֵי, יְסַדֵּר קַמֵּיהּ בִּדְיוֹטֵי רוֹפִינוּס וּפַרְדַּשְׁכֵי, וְאִי לָאו, לָאו אִיהוּ בִּדְיוֹטָא דְּמַלְכָּא.

לז. ת"ח, דָּוִד זַמִּין לֵיהּ לְמַלְכָּא וּלְמַטְרוֹנִיתָא לְנַיְיחָא, מָה עֲבַד, שַׁנֵּי בִּדְיוֹטֵי דְּמַלְכָּא, בְּגִין רוֹפִינוּס. וּמַאן נִינְהוּ, דִּכְתִיב כֹּהֲנֶיךָ יִלְבְּשׁוּ צֶדֶק וַחֲסִידֶיךָ יְרַנֵּנוּ, לְוָיֶיךָ יְרַנְּנוּ מִבָּעֵי לֵיהּ, דְּהָא לֵיוָאֵי, אִינּוּן בִּדְיוֹטֵי מַלְכָּא, וְהַשְׁתָּא דָּוִד דְּזַמִּין לֵיהּ לְנַיְיחָא, עֲבַד כַּהֲנֵי וַחֲסִידֵי, דְּלֶיהֱווּ אִינּוּן בִּדְיוֹטֵי מַלְכָּא.

לח. א"ל קב"ה, דָּוִד, לָא בְּעֵינָא לְאַטְרָחָא עָלָךְ. אֲמַר לֵיהּ דָּוִד, מָארֵי, כַּד אַנְתְּ בְּהֵיכָלָךְ, אַתְּ עָבֵיד רְעוּתָךְ, הַשְׁתָּא דְּזַמִּינְנָא לָךְ, בִּרְעוּתִי קַיְימָא מִלָּה, לְאַקְרְבָא אִלֵּין, דְּאִינּוּן חֲשִׁיבֵי יַתִּיר, אע"ג דְּלָאו אַרְוָוחַיְיהוּ בְּהַאי.

לט. מִכָּאן אוֹלִיפְנָא, דְּמַאן דְּאִיהוּ בְּבֵיתֵיהּ, יְסַדֵּר אוֹרְחוֹי וְעוֹבָדוֹי כִּרְעוּתֵיהּ, אִי מְזַמְּנִין לֵיהּ, יַעֲבֵיד רְעוּתֵיהּ דְּאוּשְׁפִּיזֵיהּ, כְּמָה דִּמְסַדֵּר עֲלוֹי, דְּהָא דָּוִד אַחְלַף לֵיוָאֵי וְסַדַּר כַּהֲנֵי, וְקב"ה אוֹקִים מִלָּה כִּרְעוּתֵיהּ.

מ. אֲמַר דָּוִד, בַּעֲבוּר דָּוִד עַבְדֶּךָ אַל תָּשֵׁב פְּנֵי מְשִׁיחֶךָ סִדּוּרָא דְּקָא סַדַּרְנָא, לָא יְתוּב לַאֲחוֹרָא. א"ל קב"ה, דָּוִד, חַיֶּיךָ, אֲפִלּוּ בְּמָאנִין דִּילִי לָא אִשְׁתַּמַּשׁ, אֶלָּא בְּמָאנִין דִּילָךְ. וְלָא זָז קב"ה מִתַּמָּן, עַד דְּיָהִיב לֵיהּ נִבְזְבְּזָן וּמַתְּנָן, דִּכְתִיב נִשְׁבַּע יי' לְדָוִד אֱמֶת לֹא יָשׁוּב מִמֶּנָּה מִפְּרִי בִטְנְךָ אָשִׁית לְכִסֵּא לָךְ. אֲתָא רִבִּי יִצְחָק וּנְשָׁקֵיהּ, אֲמַר אִי לָא אֲתֵינָא לְהַאי אָרְחָא, אֶלָּא לְמִשְׁמַע דָּא דַּיִי.

מא. פָּתַח וַחֲד בְּרֵיהּ וַאֲמַר, וַיֵּצֵא יַעֲקֹב מִבְּאֵר שָׁבַע וַיֵּלֶךְ חָרָנָה, הַיְינוּ דִּכְתִיב עַל כֵּן יַעֲזָב אִישׁ אֶת אָבִיו וְאֶת אִמּוֹ וְדָבַק בְּאִשְׁתּוֹ. ד"א וַיֵּצֵא יַעֲקֹב מִבְּאֵר שָׁבַע וַיֵּלֶךְ חָרָנָה, רָמַז כַּד נָפְקוּ יִשְׂרָאֵל מִבֵּי מַקְדְּשָׁא, וְאִתְגָּלוּ בֵּינֵי עַמְמַיָּא, כד"א וַיֵּצֵא מִן בַּת צִיּוֹן כָּל הֲדָרָהּ, וּכְתִיב גָּלְתָה יְהוּדָה מֵעֹנִי וְגוֹ'.

מב. פָּתַח אִיהוּ אָחֳרָא זְעִירָא וַאֲמַר, וַיִּפְגַּע בַּמָּקוֹם וַיָּלֶן שָׁם כִּי בָא הַשֶּׁמֶשׁ וְגוֹ', מַאי וַיִּפְגַּע בַּמָּקוֹם, לְמַלְכָּא דְּאָזִיל לְבֵי מַטְרוֹנִיתָא, בָּעֵי לְמִפְגַּע לָהּ וּלְבַסְּמָא לָהּ בְּמִלִּין, בְּגִין דְּלָא תִשְׁתַּכַּח גַּבֵּיהּ כְּהֶפְקֵירָא. וְלָא עוֹד, אֶלָּא דַּאֲפִילּוּ אִית לֵיהּ עַרְסָא דְּדַהֲבָא, וּכְסוּתוֹתֵי מְרַקְמָאן בְּאַפַּלְטִירָא, לְמֵיבַת בְּהוּ, וְאִיהִי מְתַקְּנָא עַרְסֵיהּ בְּאַבְנִין, בְּאַרְעָא, וּבְקִיסְטְרָא דְּתִיבְנָא, יִשְׁבּוֹק דִּידֵיהּ, וְיֵבִית בְּהוּ, לְמֵיהַב לָהּ נַיְיחָא, וּבְגִין דִּיהֵא רְעוּתָא דִּלְהוֹן כַּחֲדָא, בִּדְלָא אֲנִיסוּ. כְּמָה דְּאוֹלִיפְנָא הָכָא, דְּכֵיוָן דְּאָזַל לְגַבָּהּ מַה כְּתִיב, וַיִּקַּח מֵאַבְנֵי הַמָּקוֹם וַיָּשֶׂם מְרַאֲשֹׁתָיו וַיִּשְׁכַּב בַּמָּקוֹם הַהוּא, בְּגִין לְמֵיהַב לָהּ נַיְיחָא, דַּאֲפִילּוּ אַבְנֵי בֵּיתָא, רְחִימִין קַמֵּיהּ, לְמֵיבַת בְּהוּ.

מג. בָּכָה רִבִּי יִצְחָק, וְחָדֵי, אֲמַר מַרְגְּלָאן אִלֵּין, תְּחוֹת יְדַיְיכוּ, וְלָא אָזִיל בְּתַרַיְיכוּ. אֲמָרוּ לֵיהּ אַתְּ תֵּיזִיל לְאוֹרְחָךְ, וַאֲנַן נֵיעוֹל לְמָתָא, לְהִלּוּלָא דְּהַאי בְּרִי. אֲמַר רִבִּי יִצְחָק, הַשְׁתָּא אִית לִי לְמֵהַךְ לְאָרְחִי. אָזִיל לֵיהּ, וְסַדַּר מִלִּין קַמֵּיהּ דְּרִבִּי שִׁמְעוֹן. אֲמַר רִבִּי שִׁמְעוֹן וַדַּאי שַׁפִּיר קָאֲמָרוּ, וְכֹלָּא בְּקב"ה אִתְּמַר. אֲמַר, מִלִּין אִלֵּין, מִבְּנֵי בְּנוֹי דְּרִבִּי צָדוֹק וְחָלְשָׁא נִינְהוּ. מַאי טַעְמָא אִקְרֵי חָלְשָׁא, בְּגִין דְּאַרְבְּעִין שְׁנִין אִתְעַנֵּי עַל יְרוּשְׁלֵם, דְּלָא יִתְחָרַב

ביומוי, והוה פריש על כל מלה ומלה דאורייתא, רזי עלאין, ויהיב בהו ארחא לבני עלמא, לאתנהגא בהו.

מד. אמר רבי יצחק, לא הוו יומין זעירין, עד דאערענא בההוא בר נש, ובריה זעירא עמיה. אמינא ליה, אן הוא ברך אורחא. א"ל, עבידנא ליה הלולא, ואשתאר בדביתהו. כיון דאשתמודע בי, א"ל חייך, דלא זמיננא לך, להלולא דברי, בגין תלת מלין: חד, דלא ידענא בך, ולא אשתמודענא לך, דהכי מזמנין ליה לבר נש, כפום יקריה, ודילמא אנת גברא רבא, ואפגים יקרך. וחד, דילמא אנת אזיל בארחך בבהילו, ולא אטרוח עלך. וחד, דלא תכסיף קמי אנשי דחבורא, דאורחא דילן, דכל אינון דאכלי לפתורא דחתן וכלה, כלהו יהבי נבזבזן ומתנן לון. אמינא ליה, קב"ה ידין לך לטב. אמינא ליה, מה שמך, א"ל צדוק זוטא. בההוא שעתא, אוליפנא מניה, תליסר רזין עלאין באורייתא, ומן בריה תלת, חד בנבואה, וחד בחלמא.

מה. ואמר מה בין נבואה לחלמא. נבואה בעלמא דדכורא איהו, וחלמא בעלמא דנוקבא, ומהאי להאי, כשיתא דרגין נחתא. נבואה בימינא ובשמאלא, וחלמא בשמאלא. וחלמא מתפרשא לכמה דרגין לתתא, בגין כך חלמא איהו בכל עלמא, אבל כפום דרגיה, הכי חמי, כפום בר נש, הכי דרגיה, נבואה לא אתפשטא אלא באתריה.

מו. תא חזי מה כתיב ויחלום והנה סלם מוצב ארצה וראשו מגיע השמימה והנה מלאכי אלהים עלים וירדים בו. פתח ואמר, היה היה דבר ה' אל יחזקאל בן בוזי הכהן בארץ כשדים על נהר כבר ותהי עליו שם יד ה'. היה היה, נבואה לשעתה היתה, דאצטריך על גלותא בגין דשכינתא נחתת בהו בישראל בגלותא, וחמא יחזקאל מה דחמא, לפום שעתא, ואע"ג דלא אתחזי ההוא אתר להאי, בגיני כך היה היה. מאי היה היה. אלא היה לעילא, היה לתתא. דכתיב סלם מוצב ארצה וראשו מגיע השמימה, נטיל לעילא ונטיל לתתא. היה היה, חד לעילא, וחד לתתא.

מז. תא חזי, האי סלם בתרי עלמין אתתקף, בעילא ותתא. בארץ כשדים על נהר כבר. בארץ כשדים: באתר דגלותא שריא ביה, ועכ"ד על נהר כבר. מאי נהר כבר. אלא דהוה כבר, מקדמת דנא, דשכינתא שריא עלוי, דכתיב ונהר יוצא מעדן להשקות את הגן וגו'. ודא הוא נהרא חד, מאינון ארבע נהרין, ובגין דשריא עלוי מקדמת דנא, והוה עלוי כבר, שריא ביה השתא, ואתגלי ליה ליחזקאל.

מח. תא חזי ויחלום, וכי יעקב קדישא, דאיהו שלימא דאבהן, בחלמא אתגלי עלוי, ובאתר דא קדישא לא חמא אלא בחלמא. אלא יעקב בההוא זמנא, לא הוה נסיב, ויצחק הוה קיים. ואי תימא והא לבתר דאתנסיב כתיב וארא בחלום. תמן אתר גרים, ויצחק הוה קיים, ועל דא כתיב ביה וחלום.

מט. ולבתר דאתא לארעא קדישא, עם שבטין, ואשתלים להון עקרת הבית, ואם הבנים שמחה, כתיב וירא אלהים אל יעקב וגו'. וכתיב ויאמר אלהים לישראל במראות הלילה, הכא לא כתיב ביה וחלום דהא מדרגא אוחרא עלאה הוה.

נ. ת"ח, וחלמא איהו ע"י דגבריאל, דאיהו לתתא, בדרגא א. שתיתאה מנבואה. מראה: על ידא דההוא דרגא, דההיא חיה, דשלטא בליליא. ואי תימא, הא כתיב גבריאל הבן להלז את המראה. הכי הוא ודאי, דמראה מלוי סתימין יתיר, ובחלמא פריש יתיר, ופריש סתימין דמראה, וע"ד אתפקד גבריאל, דיפרש מלוי דמראה, דאיהו

סְתִים יַתִּיר.

נא. וְעַ"ד כְּתִיב בְּמַרְאָה, וַיַּרְא, וָאֵרָא, מַאי טַעְמָא, בְּגִין דְּמַרְאָה אִיהוּ, כְּהַאי מַרְאָה, דְּאִתְחֲזֵי, כָּל דְּיוֹקְנִין בְּגַוֵּיהּ, בְּגִינֵי כָּךְ וָאֵרָא, אַחֲמִית דְּיוֹקְנֵיהּ, בְּאֵל שַׁדָּי, דְּאִיהוּ מַרְאָה, דְּאִתְחֲמֵי דְּיוֹקְנָא אָחֳרָא בְּגַוֵּיהּ, וְכָל דְּיוֹקְנִין עִלָּאִין בֵּיהּ אִתְחֲזוּן.

נב. בְּגִינֵי כָּךְ, יַעֲקֹב בְּהַהוּא זִמְנָא, כְּתִיב, וַיַּחֲלֹם וְהִנֵּה סֻלָּם מֻצָּב אַרְצָה, מַהוּ סֻלָּם, דַּרְגָּא דִּשְׁאָר דַּרְגִּין בֵּיהּ תַּלְיָין, וְהוּא יְסוֹד דְּעָלְמָא. וְרֹאשׁוֹ מַגִּיעַ הַשָּׁמַיְמָה, הָכֵי הוּא, לְאִתְקַשְּׁרָא בַּהֲדֵיהּ. וְרֹאשׁוֹ מַגִּיעַ הַשָּׁמַיְמָה, מַאן רֹאשׁוֹ. רֹאשׁוֹ דְּהַהוּא סֻלָּם. וּמַאן אִיהוּ, דָּא דִּכְתִּיב בֵּיהּ רֹאשׁ הַמִּטָּה, בְּגִין דְּאִיהוּ רֹאשׁ לְהַאי מִטָּה וּמִנֵּהּ נָהִיר. מַגִּיעַ הַשָּׁמַיְמָה, בְּגִין דְּאִיהוּ סִיּוּמָא דְּגוּפָא, וְקָאֵים בֵּין עִלָּאָה וְתַתָּאָה, כְּמָה דִּבְרִית אִיהוּ סִיּוּמָא דְּגוּפָא, וְקָאֵים בֵּין יַרְכִין וְגוּפָא, וְעַל דָּא מַגִּיעַ הַשָּׁמַיְמָה.

נג. וְהִנֵּה מַלְאֲכֵי אֱלֹהִים עוֹלִים וְיוֹרְדִים בּוֹ, אִלֵּין מְמַנָּן דְּכָל עַמִּין, דְּאִינוּן סָלְקִין וְנַחְתִּין בְּהַאי סֻלָּם, כַּד יִשְׂרָאֵל וְחָטָאן, מָאִיךְ הַאי סֻלָּם וְסָלְקִין אִינְהוּ מְמַנָּן, וְכַד יִשְׂרָאֵל מִתְכַּשְּׁרָן עוֹבָדַיְיהוּ, אִסְתַּלַּק הַאי סֻלָּם, וְכֻלְּהוּ מְמַנֵּי נַחְתֵּי לְתַתָּא, וְאִתְעֲבַר שׁוּלְטָנוּתָא דִּלְהוֹן, כֹּלָּא בְּהַאי סֻלָּם קַיְּימָא. הָכָא חָמָא יַעֲקֹב בְּחֶלְמֵיהּ, שָׁלְטָנוּתָא דְּעֵשָׂו, וְשָׁלְטָנוּתָא דִּשְׁאָר עַמִּין.

נד. ד"א וְהִנֵּה מַלְאֲכֵי אֱלֹהִים עוֹלִים וְיוֹרְדִים בּוֹ. בְּמַאן, בְּהַהוּא רֹאשׁוֹ, דְּהַהוּא סֻלָּם. דְּכַד אִסְתַּלַּק רֹאשׁוֹ מִנֵּיהּ, סֻלָּם אִתְכַּפְיָא וְסָלְקִין כֻּלְּהוּ מְמַנָּן, וְכַד אִתְחַבַּר רֹאשׁוֹ בְּהַהוּא סֻלָּם, אִסְתַּלַּק, וְכֻלְּהוּ מְמַנָּן נַחְתִּין. וְכֹלָּא חַד מִלָּה.

נה. כְּתִיב נִרְאָה ה' אֶל שְׁלֹמֹה בַּחֲלוֹם הַלָּיְלָה וַיֹּאמֶר אֱלֹהִים שְׁאַל מָה אֶתֶּן לָךְ. וְאִי תֵּימָא הָכָא בַּחֲלוֹם, וְכִי מָה רְשׁוּ אִית לֵיהּ לַחֲלוֹם בְּהַאי. אֶלָּא הָכָא אִתְכְּלִיל דַּרְגָּא בְּדַרְגָּא, דַּרְגָּא עִלָּאָה בְּדַרְגָּא תַּתָּאָה, בְּגִין דְּעַד כְּעַן, שְׁלֹמֹה לָא הֲוָה שְׁלִים, כֵּיוָן דְּאִשְׁתְּלִים, כְּתִיב וַה' נָתַן וְחָכְמָה לִשְׁלֹמֹה. וּכְתִיב וַתֵּרֶב וְחָכְמַת שְׁלֹמֹה. דְּקַיְּימָא סִיהֲרָא בְּאַשְׁלָמוּתָא, וּבֵי מַקְדְּשָׁא אִתְבְּנֵי. וּכְדֵין, הֲוָה חָמֵי שְׁלֹמֹה, עֵינָא בְּעֵינָא וְחָכְמְתָא, וְלָא אִצְטְרִיךְ לְחֶלְמָא.

נו. לְבָתַר דְּחָטָא, אִצְטְרִיךְ לֵיהּ לְחֶלְמָא כְּקַדְמֵיתָא, וְעַל דָּא כְּתִיב הַנִּרְאָה אֵלָיו פַּעֲמַיִם, וְכִי פַּעֲמַיִם הֲוָה וְלָא יַתִּיר. אֶלָּא סִטְרָא דְּחֶלְמָא הֲוָה לֵיהּ פַּעֲמַיִם, סִטְרָא דְּחָכְמְתָא כָּל יוֹמָא הֲוָה.

נז. וְעִם כָּל דָּא, סִטְרָא דְּחֶלְמָא, הֲוָה יַתִּיר עַל כָּל שְׁאָר בְּנֵי נָשָׁא, בְּגִין דְּאִתְכְּלִיל דַּרְגָּא בְּדַרְגָּא, מַרְאָ"ה בְּמַרְאָ"ה. וְהָא הַשְׁתָּא בְּסוֹף יוֹמוֹי וְחָשִׁיךְ יַתִּיר, וְדָא, בְּגִין דְּחָטָא, וְסִיהֲרָא קַיְּימָא לְאִתְפַּגְמָא. מַאי טַעְמָא, בְּגִין דְּלָא נָטִיר בְּרִית קַדִּישָׁא, בְּאִשְׁתַּדְּלוּתֵיהּ בְּנָשִׁים נָכְרִיּוֹת. וְדָא הוּא תְּנַאי דַּעֲבַד קֻבְּ"ה עִם דָּוִד, דִּכְתִּיב אִם יִשְׁמְרוּ בָנֶיךָ בְּרִיתִי וְגוֹ'. גַּם בְּנֵיהֶם עֲדֵי עַד יֵשְׁבוּ לְכִסֵּא לָךְ.

נח. מַאי עֲדֵי עַד. הַיְינוּ דִּכְתִּיב, כִּימֵי הַשָּׁמַיִם עַל הָאָרֶץ. וּבְגִין דִּשְׁלֹמֹה לָא נָטַר הַאי בְּרִית כִּדְקָא יָאוּת, שָׁרְיָא סִיהֲרָא לְאִתְפַּגְמָא, וְעַל דָּא, בְּסוֹפָא אִצְטְרִיךְ חֶלְמָא, וְכֵן יַעֲקֹב אִצְטְרִיךְ לֵיהּ לְחֶלְמָא כְּדְאֲמָרָן.

נט. וְהִנֵּה ה' נִצָּב עָלָיו וְגוֹ'. הָכָא חָמָא יַעֲקֹב. קְשׁוּרָא דִּמְהֵימְנוּתָא כַּחֲדָא. נִצָּב עָלָיו, כְּד"א נְצִיב מֶלַח. תְּלָא, דְּכָל דַּרְגִּין קַיְּימִין כֻּלְּהוּ כַּחֲדָא עַל הַהוּא סֻלָּם, לְאִתְקַשְּׁרָא כֹּלָּא בַּחֲדָא קִשְׁרָא. בְּגִין דְּאִתְיְהֵיב הַהוּא סֻלָּם בֵּין תְּרֵין סִטְרִין, הה"ד אֲנִי ה' אֱלֹהֵי אַבְרָהָם אָבִיךָ וֵאלֹהֵי יִצְחָק הָאָרֶץ וְגוֹ', אִלֵּין אִנּוּן תְּרֵין סִטְרִין, בִּימִינָא וּשְׂמָאלָא.

ס. ד"א וְהִנֵּה ה' נִצָּב עָלָיו, עֲלֵיהּ דְּיַעֲקֹב, לְמֶהֱוֵי כֹּלָּא רְתִיכָא קַדִּישָׁא, יְמִינָא וּשְׂמָאלָא,

וְיַעֲקֹב בְּגַוַּויְהוּ, כְּנֶסֶת יִשְׂרָאֵל לְאִתְקַשְּׁרָא, בֵּינַייְהוּ, הה"ד אֲנִי ה' אֱלֹהֵי אַבְרָהָם אָבִיךָ
וֵאלֹהֵי יִצְחָק. מְנָלָן דְּיַעֲקֹב בְּאֶמְצָעִיתָא, מַשְׁמַע דִּכְתִיב, אֱלֹהֵי אַבְרָהָם אָבִיךָ וֵאלֹהֵי יִצְחָק,
וְלָא כְּתִיב אֱלֹהֵי יִצְחָק אָבִיךָ. דְּכֵיוָן דְּאִתְקַשַּׁר בֵּיהּ בְּאַבְרָהָם, אִשְׁתְּכַח דְּאִיהוּ
בְּאֶמְצָעִיתָא. וּלְבָתַר הָאָרֶץ אֲשֶׁר אַתָּה שׁוֹכֵב עָלֶיהָ, הָא כֹּלָּא רְתִיכָא וַדַּאי קַדִּישָׁא.
וְהָכָא וְזִמְנָא דִּיהֱוֵי שְׁלִימוּ דַּאֲבָהָן.

סא. תָּא וַחֲזֵי, אֱלֹהֵי אַבְרָהָם אָבִיךָ, דְּכֵיוָן דְּאָמַר אַבְרָהָם אָבִיךָ, וַדַּאי אִיהוּ
בְּאֶמְצָעִיתָא, וֵאלֹהֵי יִצְחָק, הָכָא אִתְרְמִיז, דְּקָשִׁיר לִתְרֵין סִטְרִין, וְאָחִיד לוֹן. קָשִׁיר לְסִטְרָא
חַד, דִּכְתִיב אַבְרָהָם אָבִיךָ. וְקָשִׁיר לְסִטְרָא אָחֳרָא, דִּכְתִיב וֵאלֹהֵי יִצְחָק, תּוֹסֶפֶת וא"ו
לְגַבֵּי יִצְחָק, לְאַחֲזָאָה דְּיַעֲקֹב אָחִיד לִתְרֵין סִטְרִין.

סב. וְעַד דְּיַעֲקֹב לָא אִתְנְסִיב, לָא אִתְמַר בְּאִתְגַּלְיָא יַתִּיר, וְאִתְמַר בְּאִתְגַּלְיָא, לְמַאן
דְּיָדַע אוֹרְחוֹי דְּאוֹרַיְיתָא. לְבָתַר דְּאִתְנְסִיב וְאוֹלִיד, אִתְמַר לֵיהּ בְּאִתְגַּלְיָא, הה"ד וַיַּצֶּב שָׁם
מִזְבֵּחַ וַיִּקְרָא לוֹ אֵל אֱלֹהֵי יִשְׂרָאֵל. מֵהָכָא אוֹלִיפְנָא, מַאן דְּלָא אִשְׁתְּלִים לְתַתָּא, לָא
אִשְׁתְּלִים לְעֵילָּא, שָׁאנֵי יַעֲקֹב, דְּאִשְׁתְּלִים לְעֵילָּא וְתַתָּא, אֲבָל לָא בְּאִתְגַּלְיָא.

סג. וְאִי תֵּימָא דְּאִשְׁתְּלִים בְּהַהִיא שַׁעְתָּא, לָא. אֶלָּא וְזִמְנָא דְּיִשְׁתְּלִים לְבָתַר זִמְנָא. וְאִי
תֵּימָא הָא כְּתִיב וְהִנֵּה אָנֹכִי עִמָּךְ וּשְׁמַרְתִּיךָ בְּכֹל אֲשֶׁר תֵּלֵךְ. אֶלָּא, אַשְׁגָּחוּתָא דְּקֻבְּ"הּ,
וּנְטִירוּ דִּילֵיהּ, לָא אִשְׁתְּבִיק מִנֵּיהּ דְּיַעֲקֹב לְעָלְמִין, בְּכָל מַה דְּאִצְטְרִיךְ לֵיהּ, בְּהַאי עָלְמָא,
אֲבָל בְּעָלְמָא עִלָּאָה עַד דְּאִשְׁתְּלִים.

סד. וַיִּיקַץ יַעֲקֹב מִשְּׁנָתוֹ וַיֹּאמֶר אָכֵן יֵשׁ ה' בַּמָּקוֹם הַזֶּה וְאָנֹכִי לֹא יָדָעְתִּי. וְכִי תְּוָוהָא
הוּא דְּלָא יָדַע. אֶלָּא מַאי וְאָנֹכִי לֹא יָדָעְתִּי, כְּד"א וּפְנֵי ה' לֹא חִלִּיתִי. אָמַר, וְכִי כָּל הַאי
אִתְגְּלֵי לִי, וְלָא אִסְתַּכַּלְנָא לְמִנְדַּע אָנֹכִי, וּלְמֵיעַל תְּחוֹת גַּדְפֵי דִּשְׁכִינְתָּא, לְמֶהֱוֵי שְׁלִים.

סה. ת"ח, כְּתִיב וַתֹּאמֶר אִם כֵּן לָמָּה זֶה אָנֹכִי, כָּל יוֹמָא וְיוֹמָא, וְזִמְנָאת רִבְקָה נְהוֹרָא
דִּשְׁכִינְתָּא, דַּהֲוָה שְׁכִינְתָּא בְּמַשְׁכְּנָהָא, וְצַלִּיאַת תַּמָּן. כֵּיוָן דְּוַזְמַנַּת עָאקוּ דִּילָהּ בִּמְעָהָא,
מַה כְּתִיב וַתֵּלֶךְ לִדְרֹשׁ אֶת ה', נָפְקַת מִדַּרְגָּא דָּא, לְדַרְגָּא אָחֳרָא, דְּאִיהוּ הוי"ה. בְּגִינֵי כָּךְ
אָמַר יַעֲקֹב, וְכִי כָּל כָּךְ וְזִמְנָא, וְאָנֹכִי לֹא יָדָעְתִּי, בְּגִין דַּהֲוָה בִּלְחוֹדוֹי, וְלָא עָאל תְּחוֹת
גַּדְפֵי דִּשְׁכִינְתָּא.

סו. מִיָּד וַיִּירָא וַיֹּאמַר מַה נּוֹרָא הַמָּקוֹם הַזֶּה. מִלָּה דָּא לִתְרֵין סִטְרִין אִיהוּ. מַה נּוֹרָא
הַמָּקוֹם הַזֶּה, חַד עַל הַהוּא מָקוֹם דְּקָאָמַר בְּקַדְמֵיתָא. וְחַד עַל אָת קַיָּימָא קַדִּישָׁא, דְּלָא
בָּעְיָא לְאִתְבַּטְּלָא.

סז. וְאע"ג דְּאִינּוּן תְּרֵי סִטְרֵי, חַד הוּא. אָמַר אֵין זֶה כִּי אִם בֵּית אֱלֹהִים, אֵין זֶה, לְמֶהֱוֵי
בָּטִיל. אֵין זֶה, לְאִשְׁתַּכְּחָא בִּלְחוֹדוֹי, קַיָּימָא דִּילֵיהּ לָאו אִיהוּ, אֶלָּא בֵּית אֱלֹהִים, לְאִשְׁתַּמְּשָׁא
בֵּיהּ, וּלְמֶעְבַּד בֵּיהּ פֵּירִין, וּלְאַרְקָא בֵּיהּ בִּרְכָאן, מִכֹּל שַׁיְיפֵי גּוּפָא, דְּהַאי הוּא תַּרְעָא, דְּכָל
גּוּפָא, הה"ד וְזֶה שַׁעַר הַשָּׁמָיִם, דָּא תַּרְעָא דְּגוּפָא וַדַּאי, תַּרְעָא אִיהוּ, לְאַרְקָא בִּרְכָאן לְתַתָּא,
אָחִיד לְעֵילָּא, וְאָחִיד לְתַתָּא. אָחִיד לְעֵילָּא, דִּכְתִיב וְזֶה שַׁעַר הַשָּׁמָיִם. לְתַתָּא, דִּכְתִיב אֵין זֶה
כִּי אִם בֵּית אֱלֹהִים. וְעַל דָּא וַיִּירָא וַיֹּאמַר מַה נּוֹרָא הַמָּקוֹם הַזֶּה, וּבְנֵי נָשָׁא לָא מַשְׁגִּיחִין בִּיקָרָא
דִּבֵיהּ, לְמֶהֱוֵי בֵּיהּ שְׁלִים, לְעֵילָּא וְתַתָּא. אֲתָא אָבוֹי וּנְשָׁקֵיהּ.

סח. אָמַר רַבִּי יִצְחָק, כַּד מִלִּין אִינּוּן שְׁמַעְנָא מִפּוּמֵיהּ בְּכִינָא, וַאֲמֵינָא בְּרִיךְ רַחֲמָנָא, דְּלָא
בָּטִיל מֵעָלְמָא, וְחָכְמְתָא עִלָּאָה. אָזְלִינָא עִמְּהוֹן עַד תְּלַת פַּרְסֵי, עַד דְּעָאלְנָא עִמְּהוֹן לְמָתָא. לָא
סִפִּיקוּ לְמֵיעַל, עַד דְּשַׁדֵּךְ הַהוּא בַּר נַשׁ לִבְרֵיהּ, וְאָמְרוּ לֵיהּ, מִלִּיךְ לָא יְהוֹן לְבַטָּלָה.

סט. אֲמֵינָא, הָא דְּאָמַר רִבִּי שִׁמְעוֹן, דְּמִלִּין אִלֵּין, כֻּלְּהוּ בְּרָזָא דְּחָכְמְתָא נִינְהוּ, וּלְאַחֲזָאָה מִלִּין אָחֳרָנִין. כַּד סַדַּרְנָא מִלִּין קַמֵּיהּ דְּר' שִׁמְעוֹן, א"ל, לָא תֵּימָא דְּמִלִּין אִלֵּין, דִּינוֹקָא נִינְהוּ, אֶלָּא מִלִּין דְּרָזִין עִלָּאִין נִינְהוּ, וְכֹלָּא בְּרָזָא דְּחָכְמְתָא רְשִׁימִין.

סִתְרֵי תוֹרָה

ע. וַיַּחֲלוֹם וְהִנֵּה סֻלָּם מֻצָּב אַרְצָה וְרֹאשׁוֹ מַגִּיעַ הַשָּׁמַיְמָה. חֶלְמָא, מַדְרֵגָא שְׁתִיתָאָה, מֵאִינוּן דַּרְגִּין תְּרֵין דִּנְבוּאָה עַד הַהוּא דַּרְגָּא, שִׁית דַּרְגִּין אִינוּן, וְעַל דָּא, חֶלְמָא, חַד מִשִּׁתִּין דַּרְגִּין דִּנְבוּאָה. סֻלָּם, חָמָא בְּנוֹי דְּזַמִּינִין לְקַבְּלָא אוֹרַיְיתָא, בְּטוּרָא דְסִינַי. סֻלָּם: דָּא סִינַי. בְּגִין דְּאִיהוּ נָעִיץ בְּאַרְעָא, וְחָשִׁיב בִּסְלִיקוּ לִשְׁמַיָּא. וְכָל רְתִיכִין וּמַשִּׁרְיָין עִלָּאִין, כֻּלְּהוּ נָחֲתֵי תַּמָּן בַּהֲדֵי קוּדְשָׁא בְּרִיךְ הוּא, כַּד יָהֵיב לוֹן אוֹרַיְיתָא

עא. וְכֹלָּא חָמָא. חָמָא מַטַטְרוֹן, סָבָא דְבֵיתָא, דְשַׁלִּיט בְּכָל דִּילֵיהּ. דְּאִיהוּ קָאֵי בְּשָׁלְטָנוּ עַל עַלְמָא. בְּשׁוּלְטָנוּ בְּשֵׁם שד"י. וְסָלֵיק לְעֵילָּא, בִּסְלִיקוּ דִשְׁמָא דְּמָרֵיהּ הוי"ה, אֲתַר דְּיַעֲקֹב אִשְׁתְּלִים בֵּיהּ לְבָתַר. וְרֹאשׁוֹ, דְּשֵׁם שַׁדַּי, אִיהוּ י', וְדָא מַגִּיעַ הַשָּׁמַיְמָה. כֵּיוָן דְּמָטֵי וְסָלֵיק אֶת דָּא, לְהַהוּא אֲתַר, אִשְׁתְּלִים וְאִתְקְרֵי בְּהַהוּא שְׁמָא דְּמָארֵיהּ הוי"ה.

עב. וְהִנֵּה מַלְאֲכֵי אֱלֹקִים עוֹלִים וְיֹרְדִים בּוֹ, אִינוּן מַלְאָכִין קַדִּישִׁין, דְּקָרֵבִין לְמַלְכוּתָא סָלְקִין, וְאִינוּן אָחֳרָנִין דְּלָא קָרֵבִין, הֵם נָחֲתֵי.

עג. וְתוּ, בּוֹ סָלְקֵי וְנָחֲתֵי, כַּד אִיהוּ סָלֵיק, סָלְקִין בַּהֲדֵיהּ, כַּד נָחֵית, נָחֲתִין בַּהֲדֵיהּ. מַלְאֲכֵי אֱלֹהִים, תְּרֵיסַר מַרְגְּלִיטָאן טָבָאן, וְאִינוּן: מִיכָאֵל קדמיאל, פדא"ל, גבריא"ל, צדקיא"ל, וחסדיא"ל, רפא"ל, רזיא"ל, סטורי"ה, נוריא"ל. יפיא"ל, ענא"ל, אַלְפֵי שִׁנְאָן, שִׁנְאָ"ן: שׁוֹ"ר, נֶשֶׁ"ר, אַרְיֵ"ה, ן' אָדָם כָּלִיל דְּכַר וְנוּקְבָא. וְאִינוּן סָלְקֵי, כַּד אִיהוּ סָלֵיק, וְאִלֵּין נָחֲתֵי, כַּד אִיהוּ נָחֵית.

עד. וְתוּ, כָּל אִינוּן דְּשַׁלְטֵי בְּשָׁלְטָנוּ דְּהַאי עַלְמָא, עַל יְדֵיהּ סָלְקִין, וְכָל אִקִּינוּן דְּנָחֲתֵי עַל יְדֵיהּ נָחֲתֵי, כֻּלְּהוּ בְּהַאי סֻלָּם. הוי"ה שָׁלְטָא עַל כֹּלָּא, דִּכְתִּיב וְהִנֵּה ה' נִצָּב עָלָיו. כַּד אִתְעַר, כְּתִיב, אֵין זֶה כִּי אִם בֵּית אֱלֹהִים וְזֶה שַׁעַר הַשָּׁמָיִם. בֵּית אֱלֹהִים וַדַּאי. וְאִיהוּ תַּרְעָא לְאָעֳלָא לְגוֹ, דִּכְתִּיב פִּתְחוּ לִי שַׁעֲרֵי צֶדֶק אָבֹא בָם אוֹדֶה יָהּ. זֶה הַשַּׁעַר לַה'. וְזֶה שַׁעַר הַשָּׁמַיִם כֹּלָּא חַד.

(עַד כָּאן סִתְרֵי תוֹרָה).

עה. וַיִּדַּר יַעֲקֹב נֶדֶר לֵאמֹר אִם יִהְיֶה אֱלֹהִים עִמָּדִי וגו', אָמַר רִבִּי יְהוּדָה כֵּיוָן דְּכָל הַאי אַבְטַח לֵיהּ קוּדְשָׁא בְּרִיךְ הוּא, אַמַּאי לָא הֶאֱמִין, דְּאָמַר אִם יִהְיֶה אֱלֹהִים עִמָּדִי וגו', אֶלָּא, אָמַר יַעֲקֹב, חֶלְמָא חָלַמְנָא, וְחֶלְמִין מִנַּיְיהוּ קְשׁוֹט, וּמִנַּיְיהוּ לָא קְשׁוֹט, וְאִם יִתְקַיֵּים, הָא יְדַעְנָא דְּחֶלְמָא קְשׁוֹט הוּא, וְעַל דָּא אָמַר אִם יִהְיֶה אֱלֹהִים וגו', כְּמָה דְּחָלַמְנָא, וְהָיָה יי' לִי לֵאלֹהִים, אֲנָא אֵהָא מָשִׁיךְ בִּרְכָאן, מִמַּבּוּעָא דְּנַחֲלָא דְּכֹלָּא, לַאֲתַר דָּא, דְּאִקְרֵי אֱלֹהִים.

עו. תָּא חֲזֵי יִשְׂרָאֵל דְּאִיהוּ בְּאֶמְצָעִיתָא, כֹּלָּא נָטֵיל הוּא בְּקַדְמֵיתָא, מִמְּקוֹרָא דְּכֹלָּא, וּלְבָתַר דְּיִמְטֵי לֵיהּ, מִנֵּיהּ, נָגֵיד וְאַמְשֵׁיךְ לְהַאי אֲתַר, מַשְׁמַע דִּכְתִּיב, וְהָיָה יי' לִי בְּקַדְמֵיתָא, וּלְבָתַר כֹּלָּא לֵאלֹהִים. כְּמָה דֵּאלֹהִים, יְהֵא נָטֵיר וְעָבֵיד לִי, כָּל אִלֵּין טָבָאן, אוּף אֲנָא, אֵהָא מָשֵׁיךְ לֵיהּ מֵאֲתַר דִּילִי, כָּל אִינוּן בִּרְכָאן, וְיִתְחַבַּר קִשְׁרָא דְּכֹלָּא בֵּיהּ. אֵימָתַי, וְשַׁבְתִּי בְשָׁלוֹם אֶל בֵּית אָבִי, כַּד אֱהֵא יָתֵיב בְּדַרְגָּא דִּילִי, וֶאֱהֵא יָתֵיב בְּדַרְגָּא דְּשָׁלוֹם, לְתַקְּנָא בֵּית אָבִי, וְשַׁבְתִּי בְשָׁלוֹם דַּיְיקָא, כְּדֵין וְהָיָה יי' לִי לֵאלֹהִים.

עז. ד"א ושבתי בשלום אל בית אבי, דתמן הוא ארעא קדישא, תמן אשתלים. והיה יי' לי לאלהים. באתר דא, אסלק מדרגא דא, לדרגא אוחרא כדקא יאות, ותמן אפלח פולחניה.

עח. רבי חייא פתח ואמר, דברי עונות גברו מני פשעינו אתה תכפרם. הא קרא קשיא, דלאו סופיה רישיה, ולאו רישיה סופיה. אלא דוד בעא על גרמיה, ולבתר בעיא על כלא. דברי עונות גברו מני. אמר דוד, אנא ידענא בגרמי דחובנא, אבל כמה חייבין אינון בעלמא, דאתגברו חובייהו עלייהו, יתיר מני. הואיל וכן, לי ולהון, פשעינו אתה תכפרם.

עט. תא חזי, בשעתא דחייבין סגיאין בעלמא, אינון סלקין, עד ההוא אתר, דספרי דחייביא אתפתחו, כד"א דינא יתיב וספרין פתיחו, וההוא ספר דינא עלה קיימא, בגיני כך, דברי עונות גברו מני, ועל דא פשעינו אתה תכפרם.

פ. יעקב, כוונא דא בגין כך לא הימין, אי תימא דלא הימין בקב"ה, לא. אלא, דלא הימין ביה בגרמיה, דילמא יחוב, וההוא חובא, ימנע ליה, דלא יתוב בשלם, ויסתלק נטירו מניה, ובגין כך, לא הימין בגרמיה. והיה יי' לי לאלהים, אפילו רחמי, כד איתוב בשלם, אשוי לקבלי לדינא, בגין דאנא פלח קמיה תדיר.

פא. אמר רבי אחא, אמר יעקב, השתא אצטריכנא לדינא, כד איתוב לבית אבא, אתכלילנא בדינא, ואתקשר ביה. אמר רבי יוסי, לאו הכי, אלא אמר, השתא אם יהיה אלהים עמדי, דינא אצטריכנא לנטרא לי, עד דאיתוב בשלם לבית אבא, אבל כיון דאיתוב בשלם, אתכלילנא רחמי בדינא, ואתקשר בקשורא מהימנא, לאכללא כלא כחד. והאבן הזאת אשר שמתי מצבה יהיה בית אלהים. דהא כדין יהא כלא קשורא חדא, והאי אבן אתברכא מימינא ומשמאלא, אתברכא מעילא ומתתא, בגין דאתן מעשרא מכלא.

פב. אמר רבי אבא, הא כתיב ויקח מאבני המקום. ואי תימא דאבנא דא, עלאה דא, על כמה אבנין לאתר מותביה, למשרי עלייהו, והא כתיב והאבן הזאת אשר שמתי מצבה, עליונה מבעי ליה. בגין דאמר אין זה כי אם בית אלהים, הכא ארים לה, קמא עלאה, בגין דתלא כל שבחא דזה בה, דאין זה לקיימא כי אם בית אלהים. ושפיר. ועל דא אשר שמתי מצבה כתיב.

פג. יהיה בית אלהים לעלמין, בית אלהים, בית יי' מבעי ליה, כד"א לכונן את בית יי'. וכן בית יי' נלך. אלא, אתר דבי דינא איהו מתרין סטרין עלאין, מסטרא דיובלא, דאיהו אלהים חיים. ומסטרא דיצחק אלהים.

פד. אמר רבי אלעזר, יובלא, אע"ג דדינין מתערין מינה, וכלהו רחמי, כל חידו מינה נפקין, והוא חדוותא דכלא. אלא בית אלהים, סטרא דדינא קשיא, אי לטב, בסטרא דשמאלא, אתער ביה רחימותא, כמה דאת אמר, שמאלו תחת לראשי. אי לביש, בסטרא דשמאלא, אתער ביה דינא קשיא, כמה דאת אמר, מצפון תפתח הרעה על כל יושבי הארץ, ודאי בית אלהים. רבי שמעון אמר, בית אלהים היינו דכתיב קרית מלך רב. אית מלך סתם, ואית מלך רב, ודאי עלמא עלאה, מלך רב איהו, ודא הוא קרית מלך רב.

פה. רבי חייא ורבי חזקיה, הוו יתבי תחות אילני, דחקל אונו, אדמוך רבי חייא, וחמא ליה לאליהו, אמר מקסטיטורא דמה, וחקלא נהיר. אמר, השתא אתינא לאודעא,

דִּירוּשְׁלֵם קָרֵיב אִיהוּ לְאִתְחֳרְבָא, וְכָל אִינּוּן קַרְתִּין דְּחַכִּימַיָּא, בְּגִין דִּירוּשְׁלֵם דִּינָא אִיהוּ, וְעַל דִּינָא קָיְימָא, וְעַל דִּינָא אִתְחָרַב, וְהָא, אִתְיְהֵיב רְשׁוּ לְסמא"ל עֲלָהּ, וְעַל תַּקִּיפֵי עָלְמָא, וְאָתֵינָא לְאוֹדְעָא לְחַכִּימַיָּא דִּילְמָא יוֹרְכוּן שְׁנֵי דִּירוּשְׁלֵם, דְּהָא כָּל זִמְנָא דְּאוֹרַיְיתָא אִשְׁתַּכַּח בָּהּ, הִיא קָיְימָא, בְּגִין דְּאוֹרַיְיתָא אִילָנָא דְּחַיֵּי דְּקָיְימֵי עֲלָהּ, כָּל זִמְנָא דְּאוֹרַיְיתָא אִתְעַר לְתַתָּא אִילָנָא דְּחַיֵּי לָא אַעֲדֵי לְעֵילָא, פָּסַק אוֹרַיְיתָא לְתַתָּא אִילָנָא דְּחַיֵּי אִסְתַּלַּק מֵעָלְמָא.

פו. וְעַל דָּא, כָּל זִמְנָא דְּחַכִּימַיָּא יֶהֶדְרוּן בָּהּ בְּאוֹרַיְיתָא, לָא יָכֵיל סמא"ל בְּהוּ, דְּהָא כְּתִיב הַקּוֹל קוֹל יַעֲקֹב וְהַיָּדַיִם יְדֵי עֵשָׂו, דָּא הוּא אוֹרַיְיתָא עִלָּאָה, דְּאִקְרֵי קוֹל יַעֲקֹב, בְּעוֹד דְּהַהוּא קוֹל לָא פָּסַק, דִּבּוּר שָׁלְטָא וְיָכְלָא, וְעַל דָּא לָא אִצְטְרִיךְ אוֹרַיְיתָא לְמִפְסַק. וְאִתְעַר רִבִּי חִיָּיא, וַאֲזָלוּ וַאֲמָרוּ מִלָּה דָּא, לְחַכִּימַיָּא.

פז. אֲמַר רִבִּי יֵיסָא, כֻּלָּא יָדְעִין דָּא, וְהָכֵי הוּא, דִּכְתִּיב אִם ה' לֹא יִשְׁמָר עִיר שָׁוְא שָׁקַד שׁוֹמֵר, אִלֵּין אִנּוּן דְּמִשְׁתַּדְּלִין בְּאוֹרַיְיתָא, קַרְתָּא קַדִּישָׁא קָיְימָא עֲלַיְיהוּ, וְלָא עַל גַּבְרִין תַּקִּיפִין דְּעָלְמָא, הַיְינוּ דִּכְתִּיב אִם ה' לֹא יִשְׁמָר עִיר וְגוֹ'.

פח. וַיַּרְא וְהִנֵּה בְאֵר בַּשָּׂדֶה וְגוֹ'. ר' יְהוּדָה פָּתַח וַאֲמַר, מִזְמוֹר לְדָוִד בְּבָרְחוֹ מִפְּנֵי אַבְשָׁלוֹם בְּנוֹ. הַאי קְרָא אִתְּעָרוּ בֵּיהּ חַבְרַיָּא. אֲבָל מִזְמוֹר לְדָוִד, אַמַּאי קָאֲמַר שִׁירָה, אִי בְּגִין דִּבְרֵיהּ אִיהוּ דְּקָם עֲלֵיהּ, קִינָה יַתִּיר מִבָּעֵי לֵיהּ, דְּהָא אַבְאִישׁ עֲלוֹי דְּבַר נָשׁ זְעֵיר מִקְּרִיבוֹי, מִדְּאַחֲרָא סַגֵּי. אֶלָּא, מִזְמוֹר לְדָוִד, אֲמַר שִׁירָה, וְהָכֵי בָּעֵי דָּוִד, דְּחָשֵׁיב דְּקֻדְשָׁא בְּרִיךְ הוּא סָלֵיק לֵיהּ חוֹבוֹי, לְהַהוּא עָלְמָא, כֵּיוָן דְּחָמָא, דְּהָכָא בְּהַאי עָלְמָא, בָּעֵי לְמִגְבֵּיהּ מִנֵּיהּ, חָדֵי.

פט. תּוּ, דְּחָמָא דְּעִלָּאֵי מִנֵּיהּ הֲווּ בְּעָלְמָא, דְּקָא בָּרְחוּ, וְכֻלְּהוּ בִּלְחוֹדַיְיהוּ. יַעֲקֹב עָרַק, דִּכְתִּיב וַיִּבְרַח יַעֲקֹב שְׂדֵה אֲרָם, וְעָרַק בִּלְחוֹדוֹי. מֹשֶׁה עָרַק דִּכְתִּיב וַיִּבְרַח מֹשֶׁה מִפְּנֵי פַרְעֹה, וְעָרַק בִּלְחוֹדוֹי. וְדָוִד בָּרַח, כָּל אִינּוּן שׁוּלְטָנֵי אַרְעָא, וְכָל אִינּוּן גִּבָּרֵי אַרְעָא, וְרֵישַׁיְיהוּ דְּיִשְׂרָאֵל, כֻּלְּהוּ עָרְקִין עִמֵּיהּ, וְסַחֲרִין לֵיהּ, מִימִינֵיהּ וּמִשְּׂמָאלֵיהּ, לְנַטְרָא לֵיהּ מִכָּל סִטְרִין, כֵּיוָן דְּחָמָא שִׁבְחָא דָּא, אֲמַר שִׁירָתָא.

צ. וַאֲמַר רִבִּי יְהוּדָה, כֻּלְּהוּ אִעְרְעוּ בְּהַאי בְּאֵר. וְדָוִד אַמַּאי לָא אַעֲרַע בֵּיהּ. אֶלָּא, דָּוִד מָארֵי דְּבָבוֹ, הֲוָה לְקַבְלֵיהּ, בְּהַהוּא זִמְנָא, וּבְגִין כָּךְ, לָא אַעֲרַע בֵּיהּ. לְיַעֲקֹב וּמֹשֶׁה, בְּחֶדְוָה קַבֵּיל לוֹן הַאי בְּאֵר, וּבָעָא לְאִתְקָרְבָא בַּהֲדַיְיהוּ, וְעַל דָּא כֵּיוָן דְּחָמָא לוֹן הַאי בְּאֵר סַלִּיקוּ מַיָּא לְגַבַּיְיהוּ, כְּאִתְּתָא דְּחַדְיָאת עִם בַּעְלָהּ.

צא. וְאִי תֵּימָא הָא אֵלִיָּהוּ בָּרַח, וְלָא אַעֲרַע בֵּיהּ, אַמַּאי. אֶלָּא, אֵלִיָּהוּ לְתַתָּא מִן בְּאֵר הוּא, וְלָא לְעֵילָא, כְּמָה דַּהֲווּ מֹשֶׁה וְיַעֲקֹב, וּבְגִין כָּךְ, מַלְאָךְ אִיהוּ, וַעֲבֵיד שְׁלִיחוּתָא, וּבְגִין דְּיַעֲקֹב וּמֹשֶׁה, לְעֵילָא אִינּוּן מִן הַבְּאֵר, בְּאֵר חָדֵי לְגַבַּיְיהוּ, וְסָלֵיק לְקַבְלָא לוֹן, כְּאִתְּתָא דְּחַדָאת לְגַבֵּי בַּעְלָהּ, וּמְקַבְּלָא לֵיהּ.

צב. וַיַּרְא וְהִנֵּה בְאֵר בַּשָּׂדֶה, רָזָא אִיהוּ, דְּחָמָא הַאי בְּאֵר לְעֵילָא, דָּא כְּגַוְונָא דָּא, כְּתִיב שְׁלֹשָׁה עֶדְרֵי צֹאן רוֹבְצִים עָלֶיהָ, אִי אִינּוּן שְׁלֹשָׁה, אַמַּאי כְּתִיב, וְנֶאֶסְפוּ שָׁמָּה כָל הָעֲדָרִים. אֶלָּא, אִינּוּן שְׁלֹשָׁה: דָּרוֹם, מִזְרָח, צָפוֹן. דָּרוֹם מֵהַאי סִטְרָא, וְצָפוֹן מֵהַאי סִטְרָא, וּמִזְרָח בֵּינַיְיהוּ, וְאִלֵּין קָיְימִין עַל הַאי בְּאֵר, וַאֲחִידָן לֵיהּ, וּמַלְיָין לֵיהּ, מַאי טַעְמָא, בְּגִין, כִּי מִן הַבְּאֵר הַהִיא יַשְׁקוּ הָעֲדָרִים. הַיְינוּ דִּכְתִּיב, יַשְׁקוּ כָּל חַיְתוֹ שָׂדָי.

צג. וְנֶאֶסְפוּ שָׁמָּה כָל הָעֲדָרִים, הַיְינוּ דִּכְתִּיב, כָּל הַנְּחָלִים הוֹלְכִים אֶל הַיָּם. וְגָלְלוּ אֶת הָאֶבֶן, מַעֲבִירִין מִינָּהּ תְּקִיפוּ דְּדִינָא קַשְׁיָא, הַהוּא דְּגָלִיד וְקָרִישׁ, דִּכְדֵין אִקְרֵי אֶבֶן, וְלָא נָפְקֵי מִינָּהּ

מַיָּא לְבַר. וְכַד אִינּוּן נַזְלִין אַתְיָין, אִתְתָּקַף דָּרוֹם, דְּאִיהוּ יְמִינָא, וְלָא יָכְלָא צָפוֹן לְמִקְרַשׁ מַיִין, כְּהַאי נַהֲרָא, כַּד מֵימוֹי סַגִּיאִין, לָא גְּלִידִין וְקָרְשֵׁי מַיָּא, כְּנַהֲרָא דְּמֵימוֹי זְעִירִין.

צד. וְעַל דָּא, כַּד אִינּוּן נַזְלִין אַתְיָין, אִתְתָּקַף דָּרוֹם, דְּאִיהוּ יְמִינָא, וּמַיִין אִשְׁתַּרְיָין, וְנָגְדִין וְאַשְׁקְיָין עֲדָרַיָּא, כְּמָה דְּאֲמָרָן דִּכְתִיב יַשְׁקוּ כָּל חַיְתוֹ שָׂדָי. וְהֵשִׁיבוּ אֶת הָאֶבֶן עַל פִּי הַבְּאֵר, לִמְקוֹמָהּ, בְּגִין דְּעָלְמָא אִצְטְרִיךְ דִּינָא דִּילֵהּ, דְּתֶהֱוֵי בְּדִינָא, לְאוֹכָחָא בֵּיהּ חַיָּיבַיָּא.

צה. ת"ח, יַעֲקֹב כַּד הֲוָה יָתֵיב עַל בֵּירָא, וְחָמָא מַיָּא דְּסַלְקִין לְגַבֵּיהּ, יָדַע דְּתַמָּן תִּזְדַּמַּן לֵיהּ אִתְּתֵיהּ. וְכֵן בְּמֹשֶׁה, כַּד יָתֵיב עַל בֵּירָא, כֵּיוָן דְּחָמָא דְּמַיָּא סַלְקִין לְגַבֵּיהּ, יָדַע דְּאִתְּתֵיהּ אִזְדַּמְּנַת לֵיהּ תַּמָּן, וְהָכִי הֲוָה לֵיהּ לְיַעֲקֹב, דְּתַמָּן אִזְדַּמְּנַת לֵיהּ אִתְּתֵיהּ, כְּמָה דִּכְתִיב עוֹדֶנּוּ מְדַבֵּר עִמָּם וְרָחֵל בָּאָה עִם הַצֹּאן, וַיְהִי כַּאֲשֶׁר רָאָה יַעֲקֹב אֶת רָחֵל וְגוֹ'. מֹשֶׁה, דִּכְתִיב וַיָּבֹאוּ הָרוֹעִים וַיְגָרְשׁוּם וְגוֹ', וְתַמָּן אִזְדַּמְּנַת לֵיהּ צִפּוֹרָה, בְּגִין דְּהַהוּא בְּאֵר גָּרְמָא לוֹן.

צו. ת"ח הַאי בְּאֵר, שֶׁבַע זִמְנִין, כְּתִיב בְּפָרְשָׁתָא דָּא, בְּגִין דְּאִיהוּ רֶמֶז לְשֶׁבַע. וְהָכִי אִקְרֵי בְּאֵר שֶׁבַע, בְּאֵר דָּא, אִדְכַּר שֶׁבַע זִמְנִין, בְּפָרְשָׁתָא דָּא, דִּכְתִיב: וַיַּרְא וְהִנֵּה בְאֵר בַּשָּׂדֶה. כִּי מִן הַבְּאֵר הַהִיא. וְהָאֶבֶן גְּדוֹלָה עַל פִּי הַבְּאֵר. וְנֶאֶסְפוּ שָׁמָּה כָל הָעֲדָרִים וְגוֹ' מֵעַל פִּי הַבְּאֵר. וְהִשְׁקוּ אֶת הַצֹּאן וְהֵשִׁיבוּ אֶת הָאֶבֶן עַל פִּי הַבְּאֵר. וְגָלְלוּ אֶת הָאֶבֶן מֵעַל פִּי הַבְּאֵר. וַיָּגֶל אֶת הָאֶבֶן מֵעַל פִּי הַבְּאֵר. הָא שִׁבְעָה. וּבְוַדַּאי דְּהָכִי הוּא.

צז. בְּמֹשֶׁה לָא כְּתִיב אֶלָּא זִמְנָא וְחָדָא, דִּכְתִיב וַיֵּשֶׁב בְּאֶרֶץ מִדְיָן וַיֵּשֶׁב עַל הַבְּאֵר. בְּגִין דְּמֹשֶׁה, אִתְפְּרַשׁ מִכֹּל וָכֹל, מִבֵּיתָא דִּלְתַתָּא, וְיַעֲקֹב לָא אִתְפְּרַשׁ כְּלָל. בְּמֹשֶׁה חַד, כְּמָה דִּכְתִיב, אַחַת הִיא יוֹנָתִי תַמָּתִי. אַחַת הִיא לְאִמָּהּ. וּבְגִין כָּךְ מֹשֶׁה מָארֵיהּ דְּבֵיתָא הֲוָה, וְאִסְתַּלַּק לְעֵילָא, בְּמֹשֶׁה כְּתִיב וַיֵּשֶׁב עַל הַבְּאֵר, בְּיַעֲקֹב וַיַּרְא וְהִנֵּה בְאֵר בַּשָּׂדֶה, וְלָא כְּתִיב וַיֵּשֶׁב עַל הַבְּאֵר.

סִתְרֵי תּוֹרָה

צח. וַיַּרְא וְהִנֵּה בְאֵר בַּשָּׂדֶה וְהִנֵּה שָׁם שְׁלֹשָׁה עֶדְרֵי צֹאן רוֹבְצִים עָלֶיהָ. בְּאֵר: דַּרְגָּא דַּאֲדוֹן כָּל הָאָרֶץ. בַּשָּׂדֶה: חֲקַל, תַּפּוּחִין קַדִּישִׁין. שְׁלֹשָׁה עֶדְרֵי צֹאן: תְּלַת דַּרְגִּין עִלָּאִין קַדִּישִׁין, מִתְתַּקְּנָן עַל הַהוּא בֵּירָא, וְאִינּוּן: נֶצַ"ח וְהוֹ"ד וִיסוֹדָא דְּעָלְמָא. וְאִלֵּין מָשְׁכִין מַיָּא מִלְּעֵילָא, וּמַלְיָין לְהַאי בֵּירָא.

צט. בְּגִין דְּהַהוּא מְקוֹרָא, יְסוֹדָא דְּעָלְמָא, כַּד שָׁארֵי בְּגוֹ הַהוּא בֵּירָא, עָבִיד פֵּירֵי, וְנָבִיעַ תָּדִיר, וְאִתְמַלְיָא הַהוּא בֵּירָא מִנֵּיהּ. כֵּיוָן דְּאִתְמַלְיָא, וַדַּאי כִּי מִן הַבְּאֵר הַהִיא יַשְׁקוּ הָעֲדָרִים, אִלֵּין אִינּוּן כָּל אוֹכְלוּסִין, וּמַשִּׁרְיָין קַדִּישִׁין, דְּכֻלְּהוּ שַׁקְיָין וְשָׁתָאן מֵהַהוּא בֵּירָא, וְכָל חַד וְחַד כְּמָה דְּאִתְחֲזֵי לֵיהּ.

ק. וְהָאֶבֶן גְּדוֹלָה עַל פִּי הַבְּאֵר. דָּא אֶבֶן, דְּמִינָהּ כָּשְׁלֵי בְּנֵי עָלְמָא, אֶבֶן נֶגֶף וְצוּר מִכְשׁוֹל, דְּקַיְּימָא תָּדִיר עַל פִּי הַאי בְּאֵר, עַל מֵימְרֵיהּ, לְמִתְבַּע דִּינָא דְּכָל עָלְמָא, דְּלָא יְזוּזוּת מְזוֹנָא וְטַב לְעָלְמָא.

קא. וְנֶאֶסְפוּ שָׁמָּה כָל הָעֲדָרִים, וְנֶאֶסְפוּ שָׁמָּה הָעֲדָרִים, לָא כְּתִיב, אֶלָּא כָל הָעֲדָרִים, מַשִּׁרְיָין קַדִּישִׁין לְעֵילָא, וּמַשִּׁרְיָין קַדִּישִׁין לְתַתָּא, אִלֵּין בְּשִׁירִין וְתוּשְׁבְּחָן לְעֵילָא, וְאִלֵּין בִּצְלוֹתִין וּבָעוּתִין לְתַתָּא, אִלֵּין וְאִלֵּין מִיַּד וְגָלְלוּ אֶת הָאֶבֶן מֵעַל פִּי הַבְּאֵר, מְגַנְדְּרִין לָהּ, וּמַעַבְרִין לָהּ מִן קוּדְשָׁא וְאִסְתַּלִּיק מִן דִּינָא. מִיַּד וְהִשְׁקוּ אֶת הַצֹּאן, נָטְלוּ מַלְאֲכֵי עִלָּאֵי לְעֵילָא, וְנָטְלֵי יִשְׂרָאֵל לְתַתָּא.

קב. לְבָתַר וְהֵשִׁיבוּ אֶת הָאֶבֶן, עַל מֵימְרָא, דְּהַאי בְּאֵר, לְאִתְעַטְּרָא קַמֵּיהּ, וּלְמִתְבַּע דִּינָא דְעַלְמָא, לְאִתְנַהֲגָא עַלְמָא בְּדִינָא, וְהָכֵי אִצְטְרִיךְ דְּהָא לָא יָכֵיל עַלְמָא לְמֵיקַם אֶלָּא עַל דִּינָא, לְמֶהֱוֵי כֹּלָּא בְּקְשׁוֹט וְזָכוּ.

קג. כֵּיוָן דְּאִשְׁתְּלִים יַעֲקֹב, לָא אִצְטְרִיךְ לְהַאי אֶבֶן סִיּוּעָא אָחֳרָא, מַה כְּתִיב וַיִּגַּשׁ יַעֲקֹב וַיָּגֶל אֶת הָאֶבֶן. וַיָּגֶל וְגָלְלוֹ, וְלָא כְּתִיב וַיָּסַר וֶהֱסִירוֹ. אֶלָּא וְגָלְלוֹ, הַיְינוּ עִרְבּוּבָא דְּשָׂטָן, דִּמְעַרְבְּבִין לֵיהּ, דְּלָא יָכֵיל לְקַטְרְגָא.

קד. וְיַעֲקֹב בִּלְחוֹדֵיהּ, לָא אִצְטְרִיךְ לְסִיּוּעָא אָחֳרָא, אֶלָּא אִיהוּ בִּלְחוֹדֵיהּ, דְּהָא שְׁלִימוּ דַּאֲבָהָתָא הֲוָה יַעֲקֹב, דְּכֵיוָן דְּיָכֵיל בֵּיהּ בְּעֵשָׂו בְּהַאי עַלְמָא יָכֵיל לְעֵילָּא. וּבְכֹלָּא אִצְטְרִיךְ עוֹבָדָא.

קה. תְּרֵין עַלְמִין אַחְסִין יַעֲקֹב, וְחַד עַלְמָא דְאִתְגַּלְיָא, וְחַד עַלְמָא דְאִתְכַּסְיָא כְּגַוְונָא דִּלְהוֹן מַמָּשׁ, מֵחַד נָפְקוּ שִׁית שִׁבְטִין, וּמֵחַד נָפְקוּ תְּרֵין שִׁבְטִין. עַלְמָא דְאִתְכַּסְיָא אַפֵּיק שִׁית סִטְרִין, עַלְמָא דְאִתְגַּלְיָא אַפֵּיק תְּרֵין, וְאִינּוּן תְּרֵין כְּרוּבִין דִּתְחוֹתָהּ, וְיַעֲקֹב בֵּין תְּרֵין עָלְמִין אִשְׁתַּכַּח, בְּדְיוֹקְנָא דִּלְהוֹן מַמָּשׁ, וּבְגִין כָּךְ, כָּל מִלּוֹי דְּלֵאָה, הֲווּ בְּאִתְכַּסְיָא, וּדְרָחֵל בְּאִתְגַּלְיָא.

תּוֹסֶפְתָּא

קו. וַיַּרְא וְהִנֵּה בְאֵר בַּשָּׂדֶה. רִבִּי אֶלְעָזָר אָמַר, כְּתִיב שִׁמְעוּ אֵלַי רוֹדְפֵי צֶדֶק, אִינּוּן דְּתָבְעֵי רָזָא דִּמְהֵימְנוּתָא, אִינּוּן דְּאִתְדַּבְּקוּ בִּקְשׁוּרָא דִּמְהֵימְנוּתָא, אִינּוּן דְּיָדְעִין אָרְחוֹי דְּמַלְכָּא עִלָּאָה.

קז. כַּד סְלִיקוּ תְּרֵין, וְנָפְקוּ לְקַדְּמוּת וְחַד, מְקַבְּלִין לֵיהּ, בֵּין תְּרֵין דְּרוֹעִין. תְּרֵי נָחֲתֵי לְתַתָּא, תְּרֵין אִינּוּן, וְחַד בֵּינַיְיהוּ. תְּרֵין אִלֵּין מוֹתְבָא דִּנְבִיאֵי, אֲתַר דְּיַנְקֵי בֵּיהּ, וְחַד בֵּינַיְיהוּ, דְּאִיהוּ אִתְחַבַּר בְּכֹלָּא, הוּא נָטֵיל כֹּלָּא.

קח. הַהוּא בֵּירָא קַדִּישָׁא קָאִים תְּחוֹתַיְיהוּ, וְקָלָא דְּתַפּוּחִין קַדִּישִׁין אִיהוּ. מֵהַאי בֵּירָא מִתְשַׁקְיָין עֶדְרַיָּא, כָּל אִינּוּן רְתִיכִין, כָּל אִינּוּן מָארֵי גַּדְפִּין. ג' קַיְימִין רְבִיעִין עַל הַאי בֵּירָא, הַאי בֵּירָא מִנַּיְיהוּ אִתְמְלֵי, הה"ד כִּי מִן הַבְּאֵר הַהִיא יַשְׁקוּ הָעֲדָרִים וְגוֹ'. דָּא, אדנ"י אִתְקְרֵי, עַל דָּא כְּתִיב, אֲדֹנָי אֱלֹהִים אַתָּה הַחִלּוֹתָ, וּכְתִיב וְהָאֵר פָּנֶיךָ עַל מִקְדָּשְׁךָ הַשָּׁמֵם לְמַעַן אֲדֹנָי. אֲדוֹן כָּל הָאָרֶץ, הה"ד הִנֵּה אֲרוֹן הַבְּרִית אֲדוֹן כָּל הָאָרֶץ.

קט. דָּבָר אַחֵר וַיֵּצֵא יַעֲקֹב מִבְּאֵר שָׁבַע וַיֵּלֶךְ חָרָנָה, רִבִּי אַבָּא פָּתַח וְאָמַר, אַשְׁרֵי שֹׁמְרֵי מִשְׁפָּט עֹשֵׂה צְדָקָה בְכָל עֵת. אַשְׁרֵי שׁוֹמְרֵי מִשְׁפָּט, זַכָּאִין אִינּוּן יִשְׂרָאֵל, דְּקוּדְשָׁא בְּרִיךְ הוּא יְהַב לוֹן אוֹרַיְיתָא דִּקְשׁוֹט, לְאִשְׁתַּדְּלָא בָּהּ יְמָמָא וְלֵילֵי, דְּהָא כָּל מַאן דְּאִשְׁתַּדַּל בְּאוֹרַיְיתָא, אִית לֵיהּ חֵירוּ מִכֹּלָּא, חֵירוּ מִן מוֹתָא, דְּלָא יָכְלָא לְשַׁלְטָאָה עֲלֵיהּ, וְהָא אוֹקְמוּהָ, בְּגִין דְּכָל מַאן דְּאִשְׁתַּדַּל בְּאוֹרַיְיתָא, וְאִתְאַחִיד בָּהּ, אִתְאַחִיד בְּאִילָנָא דְּחַיֵּי, וְאִי אַרְפֵּי גַּרְמֵיהּ מֵאִילָנָא דְּחַיֵּי, הָא אִילָנָא דְּמוֹתָא שַׁרְיָא עֲלוֹי, וְאִתְאַחִיד בֵּיהּ, הה"ד, הִתְרַפִּיתָ בְּיוֹם צָרָה צַר כֹּחֶכָה. הִתְרַפִּיתָ: אִי אַרְפֵּי יְדוֹי מֵאוֹרַיְיתָא.

קי. בְּיוֹם צָרָה צַר כֹּחֶכָה, מַאי צַר כֹּחֶכָה. צַר כֹּחַ כֹּה, דְּהָא אִיהִי תָּדִיר לִימִינָא, וְנָטִירוּ דִּילָהּ תָּדִיר עַל ב"נ, כַּד אָזִיל בְּאוֹרְחוֹי דְּאוֹרַיְיתָא, וּכְדֵין דָּחֵי לֵיהּ לְרָע לְבַר דְּלָא יִקְרַב לְגַבֵּיהּ דְּב"נ, וְלָא יָכֵיל לְקַטְרְגָא לֵיהּ. וְכַד ב"נ אַסְטֵי מֵאָרְחוֹי דְּאוֹרַיְיתָא, וְאִתְרַפֵּי מִנָּהּ, כְּדֵין צַר כֹּחַ כֹּה, בְּגִין דְּהַהוּא רַע, דְּאִיהוּ שְׂמָאלָא, שַׁלִּיט עֲלֵיהּ דְּבַר נָשׁ, וְדָחֵי לֵיהּ לְהַאי כֹּה לְבַר, עַד דְּדָחִיק לֵיהּ אֲתַר בְּעָקוּ.

קיא. ד"א צַר כֹּחֶכָה, דְּכַד ב"נ אָחִיד בְּאָרְחֵי דְּאוֹרַיְיתָא, אִתְרְחִים לְעֵילָּא, וְאִתְרְחִים

לְתַתָּא, וּרְוִיזְמָא דְקֻב"ה הֲוֵי, כְּד"א וַיְיָ' אֲהֵבוֹ, דַּהֲוָה רְוִיזְמוֹי דְקֻב"ה, וְרָוִיז לֵיהּ. וְכַד ב"נ אַסְטֵי מֵאָרְחוֵי דְאוֹרַיְיתָא, כְּדֵין צַר כּוֹז מַה, צַר דִּילֵיהּ, וּמָארֵי דְבָבוֹ אִיהוּ לְגַבֵּיהּ, וְשַׁלִּיט עֲלוֹי הַהוּא דְאִקְרֵי רַע. עַד דְּמְקַטְרֵג בֵּיהּ בְּהַאי עָלְמָא, וּבְעָלְמָא דְאָתֵי.

קי"ב. ת"ח, הַאי רַע, דְאִיהוּ יֵצֶר הָרַע, שַׁלִּיט עַל עָלְמָא, בְּכַמָּה סִטְרִין, וְכַמָּה שׁוּלְטָנוּ אִית לֵיהּ בְּעָלְמָא, וְאִיהוּ חִוְיָא תַּקִּיפָא, דְּחָב בֵּיהּ אָדָם, וְכַשְׁלִין בֵּיהּ בְּנֵי עָלְמָא, וּמָשְׁכֵי לֵיהּ עֲלַיְיהוּ, עַד דְּאַפִּיק לוֹן נִשְׁמָתַיְיהוּ.

קי"ג. ות"ח, כַּד אִיהוּ שַׁלִּיט, שַׁלִּיט עַל גּוּפָא, וְכֵיוָן דְּעַל גּוּפָא שַׁלִּיט, נִשְׁמָתָא נָפְקָא מִנֵּיהּ, בְּגִין דְּגוּפָא אִסְתָּאַב, וְנִשְׁמָתָא סָלְקָא. וְלָא שַׁלִּיט עֲלֵיהּ, עַד דְּנָטֵיל רְשׁוּ. וְכַמָּה אִינּוּן דְאַתְיָין מִסִּטְרֵיהּ, וְשָׁלְטִין עַל עָלְמָא. וְהָא תָּנִינָן דְּכָל עוֹבָדִין דְּעָלְמָא דְאִתְעֲבִידוּ, וְשָׁלְטֵי בְּהוּ, וְאִית לֵיהּ מְמַנָּן וְשַׁמָּשִׁין, כֻּלְּהוּ שַׁמְשִׁין בְּעוֹבָדִין דְּעָלְמָא.

קי"ד. וְעַל דָּא אִיהוּ קֵץ דִּשְׂמָאלָא, וְהָא אוֹקְמוּהָ, דְאִית קֵץ לִימִינָא, וְאִית קֵץ לִשְׂמָאלָא, וְהַאי קֵץ דִּשְׂמָאלָא, אִיהוּ קֵץ כָּל בָּשָׂר. קֵץ כָּל בָּשָׂר אִקְרֵי, קֵץ כָּל רוּחָא לָא אִקְרֵי, וְרָזָא דְמִלָּה, דָּא אִיהוּ קֵץ וְדָא אִיהוּ קֵץ, דָּא קֵץ עַל בִּשְׂרָא וְדָא עַל רוּחָא, בְּגִין כָּךְ, דָּא פְּנִימָאֵי, וְדָא חִיצוֹן. דָּא יְמִינָא, וְדָא שְׂמָאלָא. דָּא קַדִּישָׁא, וְדָא מְסָאֲבָא. וְהָא אוֹקְמוּהָ.

קט"ו. וְת"ח, רָזָא עִלָּאָה קַדִּישָׁא דִּמְהֵימְנוּתָא, רָזָא דְּעָלְמָא דִּדְכוּרָא, וְעָלְמָא דְּנוּקְבָא, וְכָל קְדוּשָּׁא דְּקַדִּישִׁין בֵּיהּ, וְכָל רָזֵי דִּמְהֵימְנוּתָא מֵהָכָא נָפְקוּ, וְכָל חַיִּין, וְכָל חֵירוּ, וְכָל טָבִין, וְכָל נְהוֹרִין מֵהָכָא אִינּוּן, וְכָל בִּרְכָאן וְטַלֵּי נִדְבָאן וְכָל רְוִיזְמוּ דִּרְוִיזְמוּתָא כֹּלָּא מִסִּטְרָא דָּא, רָזָא דְּדָרוֹם.

קט"ז. מִסִּטְרָא דְּצָפוֹן, מִתְפַּשְּׁטֵי דַּרְגִּין, עַד דְּמָטָא לְתַתָּא קַסְטוּפָא דְּדַהֲבָא, בְּסִטְרָא מְסָאֲבָא, לִכְלוּכָא דִּמְסָאַב, וְאָחִיד לְהַאי לְעֵילָא, וְאָחִיד לְהַאי לְתַתָּא, וְהָכָא מִזְדַּוְּגֵי דְּכַר וְנוּקְבָא כַּחֲדָא, וְאִינּוּן רוֹכֵב נָחָשׁ, רָזָא דִּדְכַר וְנוּקְבָא, וְרָזָא דָּא עֲזָאֵ"ל.

קי"ז. וּמֵהָכָא מִתְפָּרְשִׁין דַּרְגִּין, וְנָפְקִין כַּמָּה סִטְרִין לְעָלְמָא, דְּמִתְפַּשְּׁטִין מֵהָכָא, וְשָׁלְטִין עַל עָלְמָא, וְכֻלְּהוּ סִטְרֵי מְסָאֲבָא, וְרַבְרְבִין מְמַנָּן, גּוֹ עָלְמָא, תָּא חֲזֵי עֵשָׂו כַּד נָפַק לְעָלְמָא, כּוּלֵיהּ סוּמָקָא כְּוַרְדָּא, בְּשַׂעֲרָא כְּגַוְונָא דְּשָׂעִיר, וּמִתַּמָּן אַלּוּפִין, מְמַנָּן תְּרֵיסִין, דְּשָׁלְטִין בְּעָלְמָא, וְהָא אוֹקְמוּהָ.

קי"ח. תָּא חֲזֵי, אַשְׁרֵי שׁוֹמְרֵי מִשְׁפָּט, דְּנָטְרֵי מְהֵימְנוּתָא, דְּקוּדְשָׁא בְּרִיךְ הוּא, בְּגִין דְּקוּדְשָׁא בְּרִיךְ הוּא, אִיהוּ מִשְׁפָּט, וּבָעֵי לֵיהּ לְבַר נָשׁ, לְנַטְרָא, דְּלָא יִסְטֵי לְאוֹרְחָא אָחֳרָא, אֶלָּא דְּיְהֵא נָטֵיר מִשְׁפָּט בְּגִין דְּקוּדְשָׁא בְּרִיךְ הוּא אִיהוּ מִשְׁפָּט, דְּכָל אָרְחוֹי מִשְׁפָּט.

קי"ט. עוֹשֵׂה צְדָקָה בְּכָל עֵת, וְכִי בְּכָל עֵת, יָכִיל בַּר נָשׁ, לְמֶעְבַּד צְדָקָה. אֶלָּא, מַאן דְּיִשְׁתַּדֵּל בְּאוֹרְחוֹי דְאוֹרַיְיתָא, וְעָבֵיד צְדָקָה, עִם אִינּוּן דְּאִצְטְרִיכוּ לָהּ, דְּכָל מַאן דְּעָבֵיד צְדָקָה עִם מִסְכְּנָא, אַסְגֵּי הַהִיא צְדָקָה לְעֵילָא וְתַתָּא.

ק"כ. תָּא חֲזֵי, מַאן דְּאִשְׁתַּדַּל בִּצְדָקָה, הַהִיא צְדָקָה דְּעָבֵיד, סָלִיק לְעֵילָא, וּמָטָא לְעֵילָא, לְהַהוּא אַתְרָא דְּיַעֲקֹב, דְּאִיהוּ רְתִיכָא עִלָּאָה, וְאַמְשִׁיךְ בִּרְכָאן, לְהַהוּא אֲתַר, מִמַּבּוּעָא דְּכָל מַבּוּעִין, וּמֵהַהִיא צְדָקָה, אַמְשֵׁיךְ וְאַרְבֵּי בִּרְכָאן, לְכָל אִינּוּן תַּתָּאֵי, וּלְכָל רְתִיכִין, וּלְכָל חֵילִין, וְכֻלְּהוּ אִתְבָּרְכָאן, וְאִתּוֹסְפָן נְהוֹרִין, כִּדְקָא יָאוּת, בְּגִין דְּכֻלְּהוּ אִקְרוּ עֵת, וְדָא הוּא דִכְתִיב, עוֹשֵׂה צְדָקָה בְּכָל עֵת.

קכ"א. תָּא חֲזֵי, בְּזִמְנָא דַּהֲווּ יִשְׂרָאֵל, בְּאַרְעָא קַדִּישָׁא, אִינּוּן הֲווּ מָשְׁכֵי בִּרְכָאן, מִלְּעֵילָּא לְתַתָּא, וְכַד נָפְקוּ יִשְׂרָאֵל, מֵאַרְעָא קַדִּישָׁא, עָאלוּ תְּחוֹת רְשׁוּ אָחֳרָא, וּבִרְכָאן

אתמנעו מעלמא.

קכב. תא חזי, יעקב הוה תחות רשו קדישא, כיון דנפק מארעא, עאל ברשו אחרא, ועד לא עאל תחות רשו אחרא, אתגלי עליה קודשא בריך הוא בחלמא, וחמא כל מה דחמא, ואזלו עמיה מלאכין קדישין, עד דיתיב על בירא, וכיון דיתיב על בירא, סליקו מיא לגביה, וכן הוה משה, דמתמן אזדמנת ליה אתתיה. רזא דמלה, בירא לא סלקא, אלא כד חמא קשרא דיליה, לאתחברא בהדיה.

קכג. ואמר רבי אבא, כל הני קראי קשיין אהדדי, בקדמיתא כתיב ויצא יעקב מבאר שבע וילך חרנה, ולבן בחרן הוה יתיב, אמאי נטיל מתמן, דכתיב וישא יעקב רגליו וילך ארצה בני קדם. ומנלן דבחרן הוה דיוריה דלבן, דכתיב ויאמר להם יעקב אחי מאין אתם ויאמרו מחרן אנחנו. ויאמר הידעתם את לבן בן נחור ויאמרו ידענו. משמע דדיוריה דלבן, בחרן הוה.

קכד. אלא, יעקב אמר, אנא בעינא למיעל בשכינתא, בגין דבעינא לאזדווגא. אבא כד אתנסיב, ושדר לעבדא, אשכחו עינא דמיא, וכדין אזדמנת ליה לאבא אתתא, והא באתר דא, לא אשכחנא, לא עינא, ולא בירא, ולא מיא, ומיד וישא יעקב רגליו וילך ארצה בני קדם, ותמן אזדמנת ליה בירא, כדקאמרן, ואזדמנת ליה אתתיה

קכה. רבי אלעזר אמר, חרן, תמן הוה ודאי, והאי בירא בחקלא הוה, דאי לאו הכי, אמאי כתיב ותרץ ותגד לאביה, אלא בגין דההוא סמיך למתא.

קכו. ואמר רבי אלעזר, יעקב דאזדמנת ליה על בירא אתתא, אמאי לא אזדמנת ליה לאה, דהא קיימא ליה ליעקב, כל אינון שבטין. אלא לאה, לא בעא קודשא בריך הוא, לזווגא ליה ליעקב באתגליא, דכתיב ויהי בבקר והנה היא לאה, דהא קודם לכן לא אתגליא מלה.

קכז. ותו, בגין לאמשכא עינא ולבא דיעקב, בשפירו דרחל, למעבד דיוריה תמן, ובגינה אזדווגת ליה לאה, ואוקימת כל אינון שבטין. במה ידע יעקב מאן היא רחל. אלא דאינון רעיין אמרו ליה, דכתיב והנה רחל בתו באה עם הצאן.

קכח. תא חזי מה כתיב, ויאמר אעבדך שבע שנים ברחל בתך הקטנה, וכי מה דעתיה דיעקב, דלא קאמר עשר ירחין, או שתא וחדא, אלא שבע שנים אמאי. אלא יעקב בחכמתא עבד, בגין דלא יימרון, דבגין תיאובתא דשפירו דרחל עבד, אלא בגין חכמתא, דסיהרא בת שבע שנין, היא, וכלהו שבע שנין עלאין, שרו עליה דיעקב, עד לא נסיב לה לרחל למיתב גבה כדקא יאות, דהא יעקב נטל כלהו בקדמיתא, ולבתר אתא לגבה, בגין לאשתכחא איהו שמים, ואיהי ארץ.

קכט. ורזא דמלה, ויהיו בעיניו כימים אחדים, מאי כימים אחדים, אלא, כלהו שבע שנין, שקיל לון בעיניו, כאינון עלאין, דאינון אחדין דלא מתפרשאן, וכלהו חד, דמתקשרן דא בדא. באהבתו אותה, לאשתכחא כגוונא עלאה.

קל. תא חזי, דאפילו לבן רמז ליה באינון שבע, ולא ידע מאי קאמר, דפתח ואמר טוב, דכתיב טוב תתי וגו'. אמר רבי אבא, הכי הוא ודאי, פלחו שבע שנין לאזדווגא בשמטה. אמר רבי אלעזר, תא חזי, בכל אתר יובלא סתים, דלא אתגליא, ושמטה אתגליא.

קלא. תא חזי, בשעתא דיעקב פלחו שבע שנין קדמאין, נפקא קלא ואמר, יעקב, מן העולם ועד העולם כתיב, עולם סתים דלעילא יובלא מתמן שירותא. דאלין דאינון

סתימין, דלא אתגליא לון מן יובלא אינון, בגין כך אסתימו, מיעקב, דלא ידע, דחשב דהא מן שמטה אינון, ובגין דיעבד שירותא מעולם דלעילא, אתכסיין מניה, בגין דיובלא איהו סתים, ולבתר דעברו שני יובלא דאתכסייא, עבד שני שמטה דאתגליין, ואתעטר בתרין עלמין ואוזיד לון.

קלב. ת"ח, לאה אולידת שית בנין וברתא וחדא. והכי אתחזי, דהא שית סטרין, קיימין עלה ואלין שית, וברתא וחדא, ברזא עלאה נפקא.

קלג. רחל אולידת תרין צדיקים. והכי אתחזי, הא שמטה, דבין תרי צדיקי יתבא לעלמין, דכתיב צדיקים יירשו ארץ, צדיק לעילא, וצדיק לתתא. צדיק לעילא, מניה נגדן מיין עלאין. צדיק לתתא, מניה נבעא נוקבא, מיא לגבי דכורא, בתיאובתא שלים. צדיק מסטרא דא, וצדיק מסטרא דא, כמא דדכורא לעילא, יתיב בין תרי נוקבי, הכי נמי נוקבא לתתא, יתבא בין תרי צדיקי.

קלד. ועל דא, יוסף ובנימין, תרין צדיקין נינהו. יוסף זכה למהוי צדיק לעילא בגין דנטר את קיימא. בנימין איהו צדיק לתתא, לאתעטרא שמטה, בין תרי צדיקי: יוסף הצדיק, ובנימין הצדיק.

קלה. וכי בנימין צדיק הוה, אין, דכל יומוי, לא חטא בהאי את קיימא. ואע"ג דלא אזדמן ליה עובדא כיוסף, אי הכי אמאי אקרי צדיק. אלא כל יומוי דיעקב הוה באבלא דיוסף, לא שמש ערסיה. ואי תימא דכד אתנטיל יוסף מיעקב, רביא הוה ולא נסיב, ואת אמרת דלא שמש ערסיה, אלא אע"ג דאזדווג לבתר לא בעא לשמשא ערסיה.

קלו. ואנן הכי תנן, בשעה דשאיל יוסף לבנימין, אמר ליה אית לך אינתו. א"ל אין. א"ל אית לך בנין, א"ל אין. והיך אקרון, א"ל על שום אחוי וכו' גרא ונעמן וגו' דכתיב ובני בנימין בלע ובכר וגו', ואת אמרת דלא שמש.

קלז. א"ל אין, דהא בההיא שעתא לא הוו ליה, ואי תימא ובני בנימין בלע ובכר, כד עאלו למצרים, הכי הוא ודאי, דכל זמנא דאתאבל יעקב על יוסף לא שמש ערסיה, ואוליד בנין. ואמר בנימין, הא יוסף אחוי, את קיימא דאבא הוה, דהא ברית סיומא דגופא איהו, כיון דאיהו אתאביד, אנא אהא נטיר אתריה דאחוי.

קלח. ואי תימא הא בההוא זמנא דאתאביד לא הוה צדיק, דצדיק לא הוה עד דאערע עובדא ביה. אלא, כלהו הוו ידעי מיעקב, דיעקב הוה ידע, דאתר דא ירית יוסף, ובגיני כך אוריך בלבן כ"כ, עד דיסתיים גופא, ומאן הוא סיומא דגופא, ברית. ועל דא כתיב, ויהי כאשר ילדה רחל את יוסף וגו', דהא ודאי השתא אשתלים גופא, כיון דגופא אשתלים בעינא למיזל. ובגיני כך, בנימן ידע, ונטר אורחיה דאחוי.

קלט. כיון דאתא ליוסף, ואשתכח, בנימין הדר לביתיה, ושמש ערסיה ואוליד בנין. ועל דא קב"ה עביד ליה צדיק לתתא, ויוסף צדיק לעילא, ובגיני כך, רחל תרין בנין אולידת, ולאה שית בנין וברתא.

קמ. ועל דא, אינון שבע שנין קדמאי אתכסיין, דלא ידע בהו יעקב בגין דהוו דיובלא, ואינון דשמטה אתגליין, ובשמטה דאתגליא, פלח ליובלא דאתכסיא, דכתיב ויעבד יעקב ברחל שבע שנים. שבע שנים סתם, ברחל פלח שבע שנין עלאין, ואתאחיד בהו בתרי עלמין. מכאן אוליפנא, מגו דאתגליא, אתי בר נש לסתימאה.

קמא. ואי תימא, אי הכי דשנין קדמאי מיובלא אינון, הא ביובלא כתיב שבע שנים,

שֶׁבַע פְּעָמִים, שֶׁבַע שָׁנִים שְׁכִיחֵי, שֶׁבַע פְּעָמִים אָן אִינּוּן. אֶלָּא, אִינּוּן שִׁבְעָה יוֹמִין דְּנָטַר בְּהִלּוּלָא דְּלֵאָה אַשְׁלִימוּ וְחוּשְׁבְּנָא, דְּהָא כָּל יוֹמָא פַּעַם אַחַת אִקְרֵי, דִּכְתִּיב שֶׁבַע בַּיּוֹם הִלַּלְתִּיךָ עַל מִשְׁפְּטֵי צִדְקֶךָ. וְכָל שִׁבְעָה אִשְׁתְּלִים בְּשִׁבְעָה יוֹמִין, ז' בְּכָל יוֹמָא, דְּאִקְרֵי פַּעַם אַחַת.

קמב. וּבְרָחֵל לָא הֲוָה כֵּן, דְּלָא נָטַר ז' יוֹמִין, אֶלָּא שֶׁבַע שְׁנִין דְּפָלַח לְבָתַר. וְאִי תֵּימָא, אִי הָכֵי, שְׁנִין דִּשְׁמִטָּה הֲוָה לֵיהּ לְמִפְלַח קוֹדֶם, וּלְבָתַר לְאִזְדַּוְּוגָא בִּשְׁמִטָּה. אֶלָּא כֵּיוָן דְּקַבֵּיל עֲלֵיהּ לְמִפְלַח, כְּאִילּוּ פָּלַח לוֹן. אֲתָא רִבִּי אַבָּא וּנְשָׁקֵיהּ. אָמַר בְּרִיךְ רַחֲמָנָא דְּזָכֵינָא לְהַאי קְרָא, עַל הַהוּא אֲתַר כְּתִיב ה' חָפֵץ לְמַעַן צִדְקוֹ יַגְדִּיל תּוֹרָה וְיַאְדִּיר.

קמג. תּוּ א"ר אֶלְעָזָר, הָא דְּאִתְּמַר, לֵאָה אוֹלִידַת שִׁית בְּנִין וּבְרַתָּא חֲדָא, הָכֵי הוּא וַדַּאי, רָחֵל תְּרֵי בְּנִין וַדַּאי, בְּנֵי שְׁפָחוֹת אַרְבְּעָה, תִּקּוּנָא דִּלְהוֹן הֵיךְ קָיְימֵי. אֶלָּא אִינּוּן אַרְבַּע קְשָׁרִים דְּאִקְרוּן אֲחוֹרִים, דִּכְתִּיב וְכָל אֲחוֹרֵיהֶם בָּיְתָה.

קמד. דְּהָא בִּדְרוֹעָא יְמִינָא, תְּלַת קִשְׁרִין אֲבָל קִשְׁרָא חַד בְּאֶמְצָעִיתָא דְּאִיהוּ רַב וְאִיהוּ אָחוֹר, דְּאִשְׁתְּאַר לְבַר. וְכֵן חַד בִּדְרוֹעָא שְׂמָאלָא, וְכֵן חַד בְּיַרְכָא יְמִינָא, וְכֵן חַד בְּיַרְכָא שְׂמָאלָא, וְכַד אִתְתַּקַּן כֹּלָּא, אִשְׁתַּכָּחוּ כֻּלְּהוּ בָּיְתָה, לְקַיְּימָא קְרָא דִּכְתִּיב וְכָל אֲחוֹרֵיהֶם בָּיְתָה.

קמה. כָּל שְׁאָר קִשּׁוּרִין, כֻּלְּהוּ אִתַּחֲזְיָין בְּמֵישַׁר וְאִלֵּין נָפְקִין, לְבַר מִדְּרוֹעִין, וּלְבַר מִיַּרְכִין, לְאִתְחֲזָאָה בִּבְנֵי הַשְּׁפָחוֹת, דְּאַף עַל גַּב דְּאִינּוּן בְּמִנְיָינָא, לָא חֲשִׁיבֵי כִּבְנֵי רָחֵל וְלֵאָה. וּבְגִינֵי כָּךְ נָפְקֵי לְבַר.

קמו. ד"א אִלֵּין אִינּוּן אַרְבַּע, דְּכָל שְׁאָר קִשְׁרִין נָטְלֵי בְּגִינַיְיהוּ, וְאִלֵּין נָטְלֵי לוֹן. אָמַר רִבִּי אַבָּא, הָכֵי הוּא וַדַּאי, וְעַ"ד כֹּלָּא מִתְתַּקַּן כַּחֲדָא.

קמז. וַיַּרְא ה' כִּי שְׂנוּאָה לֵאָה וגו'. ר' אֶלְעָזָר פָּתַח, מוֹשִׁיבִי עֲקֶרֶת הַבַּיִת אֵם הַבָּנִים שְׂמֵחָה הַלְלוּיָהּ. מוֹשִׁיבִי עֲקֶרֶת הַבַּיִת, דָּא רָחֵל, דְּאִיהִי עִקָּרָא דְּבֵיתָא. אֵם הַבָּנִים שְׂמֵחָה, דָּא לֵאָה.

קמח. דָּבָר אַחֵר, מוֹשִׁיבִי עֲקֶרֶת הַבַּיִת, דָּא שְׁמִטָּה, דְּאִיהִי עִקָּרָא, דְּהַאי עָלְמָא, עֲלֵיהּ אִתְדַּבַּר. אֵם הַבָּנִים שְׂמֵחָה, דָּא יוֹבְלָא, דְּכָל חֵידוּ, וְכָל חֶדְוָה דְּכֻלְּהוּ עָלְמִין בֵּיהּ תַּלְיָין. וְהַאי קְרָא, כְּלָלָא דְּכֹלָּא הוּא, בְּגִין דְּהַאי כְּלִיל כֹּלָּא, בְּרָזָא קַדִּישָׁא, וְעַל דָּא, סִיּוּמָא דִּקְרָא הַלְלוּיָהּ.

קמט. וַיַּרְא ה' כִּי שְׂנוּאָה לֵאָה, וְכִי אַמַּאי הִיא שְׂנוּאָה, וְהָא בְּנֵי שְׂנוּאָה, לָאו בְּנֵי מַעַלְיָא נִינְהוּ, וַחֲזֵינָן דְּכָל אִינּוּן בְּנֵי מַעֲלֵי, מִלֵּאָה נָפְקוּ, וְאַתְּ אָמְרַתְּ כִּי שְׂנוּאָה לֵאָה. אֶלָּא, וַדַּאי יוֹבְלָא אִיהוּ תָּדִיר עָלְמָא דְּאִתְכַּסְיָא, וְכָל מִלּוֹי לָאו בְּאִתְגַּלְיָא נִינְהוּ, וּבְגִין כָּךְ, יַעֲקֹב אִתְכַּסְיָין מִנֵּיהּ כָּל עוֹבָדוֹי.

קנ. תָּא חֲזֵי, עָלְמָא תַּתָּאָה בְּאִתְגַּלְיָא אִיהוּ, וְהוּא שֵׁירוּתָא דְּכֹלָּא, לְסַלְקָא בְּדַרְגּוֹי, כְּמָה דְּחָכְמָה עִלָּאָה, הוּא שֵׁירוּתָא דְּכֹלָּא, הָכֵי נָמֵי עָלְמָא תַּתָּאָה, חָכְמָה אִיהוּ, וְהִיא שֵׁירוּתָא דְּכֹלָּא, וּבְגִין כָּךְ, קָרֵינָן אַתָּה, בְּגִין דְּאִיהוּ שְׁמִטָּה, וְאִתְגַּלְיָא.

קנא. וְעָלְמָא עִלָּאָה, דְּאִיהוּ יוֹבְלָא, קָרֵינָא, הוּא, דְּכָל מִלּוֹי בְּאִתְכַּסְיָא אִינּוּן. וְרָזָא דְּמִלָּה דְּלֵאָה, דִּכְתִּיב וַיִּשְׁכַּב עִמָּהּ בַּלַּיְלָה הוּא. וְעַ"ד כְּתִיב ג. וְעָבַד הַלֵּוִי הוּא. בְּגִין לְאַמְשָׁכָא מִנֵּיהּ בִּרְכָאן לְכֹלָּא. הוּא: עָלְמָא עִלָּאָה דְּאִתְכַּסְיָא תָּדִיר, וְיַעֲקֹב בְּמָה דְּאִתְכַּסְיָא, לָא אִתְדַּבַּק בִּרְעוּתֵיהּ, אֶלָּא בְּמָה דְּאִתְגַּלְיָא, וְרָזָא דָּא דִּכְתִּיב וְדָבַק בְּאִשְׁתּוֹ.

קנב. וַיַּרְא ה' כִּי שְׂנוּאָה לֵאָה. מֵהָכָא, דְּסָאנֵי ב"נ עֶרְיָין דְּאִמֵּיהּ, וְיִתְיַיחֵד ב"נ עִם אִמֵּיהּ

בכל אתר, ולא יתוּשש, והא אתערו, בן מתיחד עם אמו. וכלא אתכסי מיעקב, דעלמא עלאה לא אתגליא כלל.

קנג. תא חזי, בגיניה דיעקב, אתקיים עלמא, ואי תימא הא בגיניה דאברהם, כד"א בהבראם, אל תקרי בהבראם אלא באברהם. אלא בגיניה דיעקב אתקיים אברהם, דכתיב כה אמר ה' אל בית יעקב אשר פדה את אברהם. ומקדמת דנא, הוה קודשא בריך הוא בני עלמין וחריב לון, כיון דאתא יעקב מניה אשתכללו עלמין, ולא אתחרבו כקדמיתא, הדא הוא דכתיב, כה אמר ה' בראך יעקב ויוצרך ישראל וגו'.

קנד. ת"ח מה כתיב, בני בכורי ישראל, וכתיב שלח את בני ויעבדני, ישראל אקרי בן לקודשא בריך הוא, בגין דאתדבק ביה, כמה דאת אמר מה שמו ומה שם בנו כי תדע.

קנה. לאה, כד אולידת לראובן מה כתיב, ותקרא את שמו ראובן, ראובן סתם, בגין דאתכליל בתלת סטרין מתחברן כחדא שמעון ולוי. מאי טעמא לוי, כד"א ליות, וחבורא דכל סטרין.

קנו. אמר רבי יהודה, מהכא, דכתיב יתר שאת ויתר עז, כתרגומו בכירותא, כהונתא, ומלכותא. ומלכו בסטרא דגבורה איהו, ועל דא ראובן סתם.

קנז. אמר רבי אבא ראו בן סתם, דאתכליל בשמעון ולוי. לאה הכי הוה דעתה. דכתיב הפעם ילוה אישי אלי כי ילדתי לו שלשה בנים. בגין דההוה תלתא דמתחברן כחדא.

קנח. ותא חזי, דהכא הוא, דהא רתיכא עלאה, אבהן ודוד מלכא דאתחבר בהו, וכלהו ארבע אינון רתיכין עלאין, רזא דשמא קדישא, ועל דא, ראובן שמעון לוי, לבתר יהודה דירית מלכו, ועל דא, כלהו באתר דא.

קנט. וכתיב הפעם אודה את ה' וגו' ותעמד מלדת, בגין דהכא אשתכללו ארבע סמכין. הפעם אודה את ה', מ"ט אמרה אודה את ה' בהאי, ולאו בכלהו. אלא מהכא, כל זמנא דכנסת ישראל בגלותא, שמא קדישא לאו שלים הוא, תא חזי, אף על גב דתלת בנין הוו עד דאולידת ליהודה, לא שלים כרסייא, ובגיני כך הפעם אודה את ה', ולא בכלהו, ועל דא ותעמד מלדת. מאי ותעמד, דקיימא כרסייא על סמכוהי.

קס. ותעמד, דהא עד הכא, ותעמד ביחודא וחד, מכאן ולתתא עלמא דפרודא איהו. ואי תימא אינון תרין בנין דאולידת לבתר, כגוונא דא. לא, דהא אינון תרין באלין אתחברו, בגין דשית סטרין דעלמא כחדא אינון.

קסא. ותא חזי, כלהו תריסר שבטין, תקוני דכנסת ישראל בהאי עלמא ניהו: לאתתקנא נהורא עלאה אוכמא כמה דאתחזי, ולאתתבא עקרא דכלא לאתריה. כלהו עלמין כגוונא חד קיימי, ובהאי אשתכליל עלמא תתאה כגוונא דעלמא דלעילא.

קסב. יששכר וזבולון, הכא אשתכללו שית בנין, שית סטרין דעלמא. כגוונא דא, בני השפחות אינון ארבע, ואתחברו באלין, ואלין ארבע קשרין דמתחברן בהו, ואוקמוה, ועל דא כתיב וכל אחוריהם ביתה, אף על גב דבני שפחות ניהו, ביתה.

קסג. רבי חזקיה אמר, אי הכי, הא אתמר כל מה דאוליד עלמא תתאה, פרודא איהו, דהא כתיב ומשם יפרד, מה תימא ביוסף ובנימין, אי תימא דעלמא חד בהני, לאו איהו, דהא לא נפקו מעלמא עלאה, ועלמא תתאה מה דאולידת אולידת לתתא ולא

לְעֵילָא, וְאִי הָכֵי פְּרוּדָא אִיהוּ.

קסד. אֲתָא רִבִּי אַבָּא וּנְשָׁקֵיהּ. אֲמַר לֵיהּ מִלָּה דָא סְתִים אִיהוּ, דְּהָא עָלְמָא עִלָּאָה אִתְתַּקַּן בִּתְרֵיסַר דְּאִינּוּן מִדִּילֵיהּ. אֲבָל תָּא וַחֲזֵי רָזָא דְמִלָּה, בְּכָל זִמְנָא צַדִּיק מֵעָלְמָא תַּתָּאָה נָפֵיק וְעָיֵיל, בֵּיהּ עָיֵיל, וּמִנֵּיהּ נָפֵיק, וּבְגִין כָּךְ, אִתְבְּנֵי בְּאֲתַר דָּא, וְעִקָּרָא הוּא לְעֵילָא, וְעִקָּרָא הוּא לְתַתָּא, וּבְעָלְמָא תַּתָּאָה אִיהוּ תָּדִיר, לְעוֹלָם, כְּתִיב וַיְהִי בְּצֵאת נַפְשָׁהּ כִּי מֵתָה.

קסה. ת״ח בְּהַאי עָלְמָא תַּתָּאָה, צַדִּיק בֵּיהּ עָיֵיל, וּמִנֵּיהּ נָפֵיק, כַּד עָיֵיל, אִיהוּ בְּרָזָא דְיוֹסֵף הַצַּדִּיק, כַּד נָפֵיק בְּרָזָא דְבִנְיָמִין הה״ד, וַיְהִי בְּצֵאת נַפְשָׁהּ כִּי מֵתָה, מַאן נַפְשָׁהּ, דָּא צַדִּיק דְּנָפֵיק מִנָּהּ.

קסו. וְדָא בִּנְיָמִין, נִקְרָא בֶּן אוֹנִי, דַּחֲשִׁיבַת דְּאוֹלִידַת לְתַתָּא, בְּעָלְמָא דְּפֵרוּדָא, וְאִשְׁתָּאֲרוּ חַד סְרֵי בְּאִינּוּן לְעֵילָא, מַה כְּתִיב וְאָבִיו קָרָא לוֹ בִּנְיָמִין בֶּן יָמִין, דְּהָא אִסְתַּלַּק לְעֵילָא, בְּעָלְמָא עִלָּאָה, דְּכַד אִתְאֲבִיד יוֹסֵף, בִּנְיָמִין אַשְׁלִים אַתְרֵיהּ. וְעַ״ד צַדִּיק בְּעָלְמָא תַּתָּאָה עָיֵיל וְנָפֵק, בְּגִין כָּךְ יוֹסֵף וּבִנְיָמִין וְכֻלְּהוּ תְּרֵיסַר, כְּגַוְונָא דִלְעֵילָא בְּיִחוּדָא חַד.

קסז. הַפַּעַם אוֹדֶה אֶת ה׳, רִבִּי שִׁמְעוֹן פָּתַח וַאֲמַר, אוֹדֶה ה׳ בְּכָל לֵבָב בְּסוֹד יְשָׁרִים וְעֵדָה, בְּכָל לֵבָב, בְּכָל לֵב מִבָּעֵי לֵיהּ. אֶלָּא, דָּוִד בְּרָזָא עִלָּאָה דִּשְׁמָא קַדִּישָׁא, קָא בָּעֵי לֵיהּ לְאוֹדָאָה לֵיהּ לְקוּדְשָׁא בְּרִיךְ הוּא, אוֹדֶה ה׳ בְּכָל לֵבָב בְּיֵצֶר טוֹב וּבְיֵצֶר רָע, וְאִלֵּין תְּרֵין סִטְרִין, חַד יְמִינָא וְחַד שְׂמָאלָא.

קסח. בְּסוֹד יְשָׁרִים וְעֵדָה, אִלֵּין אִינּוּן שְׁאָר סִטְרִין, דְּהַאי עָלְמָא, דְּהָא לֵבָב, כְּגַוְונָא דְּדָרוֹם וְצָפוֹן. בְּסוֹד יְשָׁרִים: אִלֵּין אִינּוּן שְׁאָר סִטְרֵי עָלְמָא, דְּאִינּוּן שִׁ״ית כְּגַוְונָא דִּלְעֵילָא. וְעֵדָה: דָּא הוּא אֲתַר דִּיהוּדָה, וּכְתִיב וְעֵדוֹתִי זוֹ אֲלַמְּדֵם.

קסט. וּכְתִיב וִיהוּדָה עוֹד רָד עִם אֵל וגו׳. כְּתִיב אוֹדְךָ בְּכָל לִבִּי נֶגֶד אֱלֹהִים אֲזַמְּרֶךָּ, הָכָא בַּאֲתַר חַד קָאֲמַר, דִּכְתִיב נֶגֶד אֱלֹהִים אֲזַמְּרֶךָּ. דְּהָא לְגַבֵּי הַאי דַּרְגָּא קָאֲמַר שִׁירָתָא, לְחַבְּרָא לֵיהּ בִּימִינָא.

קע. ת״ח יְהוּדָה אָחִיד בְּכָל סִטְרִין, אָחִיד בְּדָרוֹם, וְאָחִיד בְּמִזְרָח, דְּהָא אִיהוּ מִסְּטַר שְׂמָאלָא קָא אַתְיָא, וְשֵׁירוּתֵיהּ בְּצָפוֹן, וְאָחִיד בְּדָרוֹם, בְּגִין דְּאִיהוּ אָזֵיל לִימִינָא, וְאִתְאַחִיד בְּגוּפָא, בְּגִ״כ הַפַּעַם אוֹדֶה אֶת ה׳. וַתַּעֲמֹד מִלֶּדֶת, וַתַּעֲמֹד, דְּקַיְימָא בְּקִיּוּמָא דְקַיְימָא כִּדְקָא יָאוּת, דְּהָא אִתְתַּקַּן כֻּלָּא רְתִיכָא קַדִּישָׁא.

קעא. ר׳ שִׁמְעוֹן נָפַק לְקַרְיָיתָא, אִזְדַּמַּן לֵיהּ ר׳ אַבָּא, וְר׳ חִיָּיא, וְר׳ יוֹסֵי, כֵּיוָן דְּחָמָא לוֹן, אֲמַר חַדְתּוּתֵי דְּאוֹרַיְיתָא אִצְטְרִיךְ הָכָא, יָתְבוּ תְּלָתָא אִלֵּין, כַּד בָּעָא לְמֵיזַל, פָּתַח כָּל חַד וְחַד קְרָא.

קעב. רִבִּי אַבָּא פָּתַח וַאֲמַר וַה׳ אָמַר אֶל אַבְרָם אַחֲרֵי הִפָּרֶד לוֹט מֵעִמּוֹ וגו׳, שָׂא נָא עֵינֶיךָ וּרְאֵה וגו׳. וְכִי לְפוּם חֵיזוּ דְאַבְרָהָם יָרִית אַרְעָא וְלָא יַתִּיר, עַד כַּמָּה חָמֵי בַּר נָשׁ, תְּלַת פַּרְסֵי, אוֹ אַרְבַּע, אוֹ חָמֵשׁ פַּרְסֵי, וְאִיהוּ אֲמַר כִּי אֶת כָּל הָאָרֶץ אֲשֶׁר אַתָּה רוֹאֶה וגו׳.

קעג. אֶלָּא, כֵּיוָן דְּאַרְבַּע סִטְרִין דְּעָלְמָא חָמֵי, כָּל אַרְעָא חָמֵי, דְּהָא אַרְבַּע סִטְרֵי דְעָלְמָא, כְּלָלָא דְכָל עָלְמָא. תּוּ, זָקַף לֵיהּ קוּדְשָׁא בְּרִיךְ הוּא עַל אַרְעָא דְיִשְׂרָאֵל, וְאַחְמֵי לֵיהּ, דְּאִיהִי קְשִׁירָא בְּסִטְרֵי דְעָלְמָא, וַהֲוָה חָמֵי כֹּלָּא. כְּגַוְונָא דָא, מַאן דְּחָמֵי לֵיהּ, לְרַבִּי שִׁמְעוֹן, כָּל עָלְמָא חָמֵי, וְחֶדְוָותָא דְעֵילָא וְתַתָּא.

קעד. פָּתַח רִבִּי חִיָּיא וַאֲמַר הָאָרֶץ אֲשֶׁר אַתָּה שׁוֹכֵב עָלֶיהָ לְךָ אֶתְּנֶנָּה וּלְזַרְעֶךָ, וְכִי

הַהוּא אֲתַר בִּלְחוֹדוֹי, אַבְטַח לֵיהּ קב"ה, דְּהָא אַרְבַּע אַמִּין, אוֹ חַמְשָׁא הֲווֹ, וְלָא יַתִּיר. אֶלָּא, בְּזִמְנָא הַהוּא, בְּאִינּוּן אַרְבַּע אַמִּין, כָּפִיל לֵיהּ קב"ה, כָּל אַרְעָא דְּיִשְׂרָאֵל, אִשְׁתַּכַּח הַהוּא אֲתַר, כְּלָלָא דְּכָל אַרְעָא, וּמָה הַהוּא אֲתַר אִיהוּ כְּלָלָא דְּכָל אַרְעָא, רִבִּי שִׁמְעוֹן דְּאִיהוּ בּוֹצִינָא דְּכָל אַרְעָא, עַל אַחַת כַּמָּה וְכַמָּה, דְּשָׁקִיל כְּכָל עָלְמָא.

קעה. פָּתַח רִבִּי יוֹסֵי וְאָמַר, הַפַּעַם אוֹדֶה אֶת ה', וְכָל בְּכֻלְּהוּ דְּאוֹלִידַת, לָא אִתְחֲזֵי לְאוֹדָאָה לֵיהּ לְקב"ה, אֶלָּא בְּהַאי. אֶלָּא יְהוּדָה אִיהוּ בְּרָא רְבִיעָאָה לְכֻרְסְיָיא, וְאִיהוּ אַשְׁלִים לְכֻרְסְיָיא, וּבְגִין כָּךְ, יְהוּדָה בִּלְחוֹדוֹי, תִּקּוּנָא דְּכֻרְסְיָיא וּסְמִיכָא דְּכֻלְּהוּ סְמִיכִין. רִבִּי שִׁמְעוֹן דְּנָהִיר כָּל עָלְמָא בְּאוֹרַיְיתָא וְכַמָּה בּוֹצִינִין נָהֲרִין בְּגִינֵיהּ, עַל אַחַת כַּמָּה וְכַמָּה.

סִתְרֵי תּוֹרָה

קעו. מַתְנִיתִין. בְּנֵי עֶלְיוֹן, קַדִּישֵׁי עֶלְיוֹנִין, בְּרִיכָן דְּעָלְמָא, מַחְזָא דְּאַגְוָונָא, כִּנְשׁוּ לְמִנְדַּע, הָא צִפְּרָא נְהִירַת בְּכָל יוֹמָא, אִתְעַר בְּגִנְתָא. שַׁלְהוֹבָא דְּנוּרָא, בִּגְדַפָּהָא. בִּידָהָא, תְּלָתָא מַגְרוֹפִין שְׁנִינָן כְּחַרְבָּא. מַפְתְּחָן גְּנִיזִין, בִּידָא יְמִינָא.

קעז. קָרֵי בְּחֵיל וְאָמַר, מַאן מִנְּכוֹן דִּי נְהִירוּ אַנְפּוֹי, דִּי עָאל וּנְפַק וְאִתְתַּקִּיף בְּאִילָנָא דְּחַיֵּי, מְטָא בְּעַנְפּוֹי, אָחִיד בְּשָׁרְשׁוֹי, אָכִיל מֵאִיבֵּיהּ מָתִיק מִדּוּבְשָׁא, יָהִיב חַיִּין לְנַפְשָׁא, אַסְוָותָא לְגַרְמֵיהּ.

קעח. אִסְתְּמַר, מֵהַרְהוּרָא בִּישָׁא, מֵהַרְהוּרָא דִּמְשַׁקֵּר בְּאִילָנָא דְּחַיֵּי, מְסָאִיב נַהֲרָא וְנַחֲלָא מְקוֹרָא דְּיִשְׂרָאֵל, דְּיָהִיב מוֹתָא לְנַפְשָׁא, וְתַבִּירוּ לְגַרְמֵיהּ לֵית לֵיהּ קִיּוּמָא כְּלַל.

קעט. הַרְהוּרָא דִּמְסָאִיב הַהוּא מְקוֹרָא דִּילֵיהּ, עָבֵיד אִילָנָא דְּשִׁקְרָא, בְּגִין דְּהַהוּא הַרְהוּרָא סַלְקָא, וְאַזְלָא נַפְשָׁא תְּחוֹת נַפְשָׁא. אִילָנָא דְּחַיֵּי אִסְתַּלָּק, וְאִילָנָא דְּמוֹתָא אִתְתַּקִּיף בֵּיהּ, נַפְשָׁא מִתַּמָּן מָשִׁיךְ.

קפ. ווי לֵיהּ, דְּאִתְעַקַּר בְּהַהוּא הַרְהוּרָא, מִגּוֹ אִילָנָא דְּחַיֵּי, וְאִתְדַּבַּק בְּאִילָנָא דְּמוֹתָא. עַנְפִּין לֵית בֵּיהּ, לָא חָמֵא טָבָא לְעָלְמִין, יְבֵשָׁא אִיהוּ בְּלָא לַחְוּתָא כְּלַל, אִנְבֵּיהּ מָרִיר כְּלַעֲנָה, עָלֵיהּ אִתְּמַר וְהָיָה כְּעַרְעָר בָּעֲרָבָה וְלֹא יִרְאֶה כִּי יָבֹא טוֹב וְגוֹ'.

קפא. בְּגִין דְּהַרְהוּרָא טָבָא סָלִיק לְעֵילָא, אָחִיד בְּאִילָנָא דְּחַיֵּי, אִתְקִיף בְּעַנְפּוֹי, אָכִיל מֵאִנְבֵּיהּ, כָּל קַדּוּשִׁין וְכָל בִּרְכָאן נָפְקִין מִנֵּיהּ, אַסְוָון וְחַיִּין לְנַפְשֵׁיהּ וְאַסְוָותָא לְגַרְמֵיהּ, עָלֵיהּ אִתְּמַר וְהָיָה כְּעֵץ שָׁתוּל עַל מַיִם וְעַל יוּבַל יְשַׁלַּח שָׁרָשָׁיו וְלֹא יִרְאֶה כִּי יָבֹא חוֹם וְגוֹ'.

קפב. כָּל מִלִּין דְּעָלְמָא, אָזְלִין בָּתַר מַחֲשָׁבָה וְהַרְהוּרָא, וְע"ד וְהִתְקַדִּשְׁתֶּם וִהְיִיתֶם קְדוֹשִׁים, בְּגִין דְּכָל קִדּוּשִׁין דְּעָלְמָא אַפִּיק וּמָשִׁיךְ בְּהַרְהוּרָא טָבָא.

קפג. מַאן דְּאִסְתָּאַב בְּהַרְהוּרָא בִּישָׁא, כַּד אָתֵי לְאִזְדַּוְּוגָא בְּאִתְּתֵיהּ וְשַׁוֵּי רְעוּתֵיהּ וְהַרְהוּרֵיהּ בְּאִתְּתָא אָחֳרָא, וְזָרַע זַרְעָא בְּהַרְהוּרָא אָחֳרָא, דָּא הוּא דְּאַחְלִיף דַּרְגִּין, עִלָּאִין דִּלְעֵילָא, דַּרְגָּא דְּקוּדְשָׁא, בְּגִין דַּרְגָּא דִּמְסָאֲבָא. כְּמָה דְּהַרְהוּרָא דִּילֵיהּ עָבֵיד חִלּוּפִין לְתַתָּא, אוּף הָכִי עָבֵד חִלּוּפִין לְעֵילָא.

קפד. כְּמָה דְּגוּפָא דְּהַהוּא בְּרָא דְּיוֹלִיד, אִקְרֵי בֶּן תְּמוּרָה, אוּף הָכִי בְּנַפְשָׁא בֶּן תְּמוּרָה אִקְרֵי. דְּהָא לָא מָשִׁיךְ מְשִׁיכוּ קַדִּישָׁא בְּהַהוּא הַרְהוּרָא, וְנַפְשָׁא דִּילֵיהּ אִתְחַלַּף בְּדַרְגָּא אָחֳרָא.

קפה. יַעֲקֹב שְׁלִימָא דְּכֹלָּא, גַּלֵּי קַמֵּי קב"ה דְּכָל אָרְחוֹי בְּקְשׁוֹט הֲווֹ, וְהַרְהוּרָא דִּקְשׁוֹט הִרְהֵר תָּדִיר בְּכֹלָּא, בְּהַהוּא לֵילְיָא דְּמְשַׁמֵּשׁ בְּאִתְּתֵיהּ בְּלֵאָה, הַרְהוּרָא דִּילֵיהּ בְּרָחֵל הֲוַת, מְשַׁמֵּשׁ בְּלֵאָה וְחָשִׁיב בְּרָחֵל, וּמְקוֹרָא דִּילֵיהּ בְּהַהוּא הַרְהוּרָא דִּילֵיהּ אָזְלָא.

קפו. וְלָאו לְדַעְתָּא, דְּהָא לָא הֲוָה יָדַע, בְּגִין כָּךְ, לָא סָלִיק רְאוּבֵן בִּשְׁמָא. קב"ה דַּהֲוָה

יָדַע, אַחְזֵי לֵיהּ, וַאֲמַר רְאוּ בֵּן דְּאִתְיְלִיד בְּעָלְמָא. וְעַ"ד כְּתִיב אִם יִסָּתֵר אִישׁ בַּמִּסְתָּרִים וַאֲנִי לֹא אֶרְאֶנּוּ, אַל תִּקְרֵי אֶרְאֶנּוּ, אֶלָּא אַרְאֶנּוּ, דְּיִסְתַּכְּלוּן בֵּיהּ, וּבְגִין דְּאִתְגְּלֵי קַמֵּיהּ דְּקֻבְּ"ה, דְּהָא לָאו לְדַעְתָּא הֲוָה וּבְאֹרַח קְשׁוֹט הִרְהֵר בִּרְעוּתֵיהּ יַעֲקֹב, לָא אִיפְּסַל מִגּוֹ שִׁבְטִין קַדִּישִׁין, דְּאִי לָאו הָכִי הֲוָה אִיפְּסַל.

קפו. וּבְגִין דְּהִרְהוּרָא עִקָּרָא אִיהוּ, וְעָבֵיד עוֹבָדָא, קֻבְּ"ה דַּהֲוָה יָדַע הַהוּא הִרְהוּרָא, בְּאֲתַר דְּאִתְדַּבְקָא. בְּהַהִיא טִפָּה קַדְמָאָה, אִסְתַּמַּר לֵיהּ בְּכֵירוּתָא, דִּכְתִּיב כִּי הוּא הַבְּכוֹר וְגוֹ', נִתְּנָה בְּכוֹרָתוֹ לְיוֹסֵף, בְּהַהוּא אֲתַר דְּהִרְהוּרָא אָזְלָא וְאִתְדַּבַּק בְּהַהִיא טִפָּה, תַּמָּן אִתְדַּבַּק וְאִתְמְסַר הַהוּא בְּכוֹרָה, וְאִתְנְטִילַת בְּכוֹרָה מֵרְאוּבֵן, וְאִתְמְסַר בְּאֲתַר דְּהִרְהוּרָא אִתְדַּבַּק בָּהּ, בְּרָחֵל הִרְהֵר וְאִתְדַּבַּק רְעוּתָא, בְּרָחֵל אִתְדַּבַּק בְּכֵירוּתָא, וְכֹלָּא אִתְהֲדַר בָּתַר הִרְהוּרָא וּמַחֲשָׁבָה.

קפז. כְּגַוְונָא דָא, הִרְהוּרָא וּמַחֲשָׁבָה, עָבֵיד עוֹבָדָא, וְאִתְמְשַׁךְ מְשִׁיכוּ, בְּכָל מַה דְּאִתְדַּבַּק בַּר נָשׁ בְּסִתְרָא, דִּכְתִּיב לֹא תִהְיֶה אֵשֶׁת הַמֵּת הַחוּצָה לְאִישׁ זָר, יְבָמָהּ יָבֹא עָלֶיהָ, וְהָכָא אִצְטְרִיךְ הִרְהוּרָא וּרְעוּתָא לְאִתְדַּבְקָא, וּבְהַהוּא רְעוּתָא וּמַחֲשָׁבָה, מָשִׁיךְ מְשִׁיכוּ, וְעָבֵיד עוֹבָדָא דְּאִצְטְרִיךְ, וְלָא יִשְׁתֵּצֵי שְׁמָא דְּמִיתָא מֵעָלְמָא.

קפח. וְסִתְרָא דָא אִם יָשִׂים אֵלָיו לִבּוֹ רוּחוֹ וְנִשְׁמָתוֹ אֵלָיו יֶאֱסֹף, דְּהָא וַדַּאי רְעוּתָא וּמַחֲשָׁבָה, מָשִׁיךְ מְשִׁיכוּ, וְעָבֵיד עוֹבָדָא בְּכָל מַה דְּאִצְטְרִיךְ. וְעַל דָא, בִּצְלוֹתָא אִצְטְרִיךְ רְעוּתָא וְהִרְהוּרָא לְכַוְּונָא, וְכֵן בְּכָל אִינּוּן פּוּלְחָנִין דְּקֻבְּ"ה, הִרְהוּרָא וּמַחֲשָׁבָה עָבֵיד עוֹבָדָא, וּמָשִׁיךְ מְשִׁיכוּ בְּכָל מַה דְּאִצְטְרִיךְ. (ע"כ ס"ת)

קצ. וַיֵּלֶךְ רְאוּבֵן בִּימֵי קְצִיר חִטִּים וַיִּמְצָא דוּדָאִים בַּשָּׂדֶה. רִבִּי יִצְחָק פָּתַח וַאֲמַר, מָה רַבּוּ מַעֲשֶׂיךָ ה' כֻּלָּם בְּחָכְמָה עָשִׂיתָ מָלְאָה הָאָרֶץ קִנְיָנֶךָ. הַאי קְרָא אוֹקְמוּהָ, בְּכַמָּה אֲתַר. אֶלָּא, מַאן יָכִיל לְמִמְנֵי עוֹבָדוֹי דְּקֻבְּ"ה. דְּהָא כַּמָּה חֵילִין וּמַשִׁרְיָין, מְשַׁנְיָין דָּא מִן דָּא, דְּלֵית לוֹן חוּשְׁבְּנָא, וְכֻלְּהוּ בְּזִמְנָא חֲדָא, כְּמַרְזְפָא דְּאַפִּיק זִיקִין לְכָל סִטְרִין, בְּזִמְנָא חֲדָא, כָּךְ קֻבְּ"ה, אַפִּיק כַּמָּה זִינִין וּמַשִׁרְיָין, מְשַׁנְיָין דָּא מִן דָּא, דְּלֵית לוֹן חוּשְׁבְּנָא וְכֻלְּהוּ בְּזִמְנָא חֲדָא.

קצא. תָּא חֲזֵי, בְּדִבּוּרָא וּבְרוּחָא כַּחֲדָא, אִתְעֲבֵיד עָלְמָא, דִּכְתִּיב בִּדְבַר ה' שָׁמַיִם נַעֲשׂוּ וּבְרוּחַ פִּיו כָּל צְבָאָם. בִּדְבַר ה': דָּא דִּבּוּרָא. וּבְרוּחַ פִּיו: דָּא רוּחָא. דָּא בְּלָא דָא לָא אָזִיל, וְאִתְכְּלִיל דָּא בְּדָא, וְנָפֵיק מִנַּיְיהוּ, כַּמָּה חֵילִין, לְחֵילִין, וּמַשִׁרְיָין לְמַשִׁרְיָין, וְכֹלָּא בְּזִמְנָא חֲדָא.

קצב. ת"ח כַּד בָּעָא קֻבְּ"ה לְמִבְרֵי עָלְמִין, אַפִּיק חַד נְהוֹרָא סְתִימָאָה, דְּמִן הַהוּא נְהוֹרָא, נָפְקִין וְנָהֲרִין כָּל אִינּוּן נְהוֹרִין דְּאִתְגַּלְיָין, וּמֵהַהוּא נְהוֹרָא, נָפְקִין וְאִתְפַּשְּׁטוּ, וְאִתְעֲבִידוּ שְׁאָר נְהוֹרִין וְאִיהוּ עָלְמָא עִלָּאָה.

קצג. תוּ, אִתְפַּשַּׁט הַאי נְהוֹרָא עִלָּאָה, וְעָבֵיד אוּמָנָא, נְהוֹרָא דְּלָא נָהִיר, וְעָבֵיד עָלְמָא תַּתָּאָה. וּבְגִין דְּאִיהוּ נְהוֹרָא דְּלָא נָהִיר, בָּעֵי לְאִתְקַשְּׁרָא לְעֵילָּא, בָּעֵי לְאִתְקַשְּׁרָא לְתַתָּא, וּבְקִשּׁוּרָא דִּלְתַתָּא, אִתְקַשַּׁר לְאִתְנְהָרָא בְּקִשּׁוּרָא דִּלְעֵילָּא.

קצד. וְהַאי נְהוֹרָא דְּלָא נָהִיר, בְּקִשּׁוּרָא דִּלְעֵילָּא, אַפִּיק כָּל חֵילִין, וּמַשִׁרְיָין, לְזִינִין סַגִּיאִין, הֲדָא הוּא דִּכְתִּיב מָה רַבּוּ מַעֲשֶׂיךָ ה' כֻּלָּם בְּחָכְמָה עָשִׂיתָ וְגוֹ'.

קצה. וְכָל מַה דִּי בְּאַרְעָא, הָכֵי נָמֵי לְעֵילָּא. וְלֵית לָךְ מִלָּה זְעֵירָא, בְּהַאי עָלְמָא, דְּלָא תַלְיָיא בְּמִלָּה אָחֳרָא עִלָּאָה דְּאִתְפַּקְּדָא עֲלֵיהּ לְעֵילָּא, בְּגִין דְּכַד אִתְעַר הַאי לְתַתָּא, אִתְעַר הַהוּא דְּאִתְפַּקְּדָא עֲלֵיהּ לְעֵילָּא, דְּכֹלָּא אִתְאֲחַד דָּא בְּדָא.

קצו. תָּא חֲזֵי כְּתִיב, תְּנִי נָא לִי מִדּוּדָאֵי בְּנֵךְ. לָאו דּוּדָאִים אוֹלִידוּ לָהּ לְרָחֵל, אֶלָּא

קוּדְשָׁא בְּרִיךְ הוּא, קָא גָּלֵיל מִלָּה, עַל יְדֵי דְּאִינּוּן דּוּדָאִים, בְּגִין דִּיפּוּק יִשָּׂשׁכָר, דְּאִזְדְּ
בְּאוֹרַיְיתָא יַתִּיר מִכֻּלְּהוּ שִׁבְטִין, בְּגִין דְּהָא רָחֵל אַחְזִיאַת בֵּיהּ בְּיַעֲקֹב, לָא שַׁבְקַת לֵיהּ לְגַבֵּי
לֵאָה, הֲדָא הוּא דִכְתִיב הַמְעַט קַחְתֵּךְ אֶת אִישִׁי, וּכְתִיב לָכֵן יִשְׁכַּב עִמָּךְ הַלַּיְלָה תַּחַת
דּוּדָאֵי בְּנֵךְ.

קצ"ח. אִינּוּן גָּרְמוּ, דִּיפּוּק יִשָּׂשׁכָר לְעָלְמָא, בְּגִין דְּסָלֵיק רֵיוָוא דְּאוֹרַיְיתָא, קַמֵּי קוּדְשָׁא
בְּרִיךְ הוּא, הֲדָא הוּא דִכְתִיב הַדּוּדָאִים נָתְנוּ רֵיחַ וְגוֹ'. וּכְתִיב וַיִּשְׁכַּב עִמָּהּ בַּלַּיְלָה הוּא:
הוּא וַדַּאי, וְהָא אוּקְמוּהָ, דְּעָלְמָא עִלָּאָה: הוּא, דְּסָתִים וְלָא גַּלְיָא, בְּגִין דְּהָא אוֹרַיְיתָא
מֵעָלְמָא עִלָּאָה נָפְקַת.

קצ"ז. וּבְכָל אֲתָר, עָלְמָא עִלָּאָה: הוּא, דְּלָא אִתְגַּלְיָא, וְהָא אִתְּמַר, וְעָבֵד הַלֵּוִי הוּא,
בְּגִין לְאַמְשָׁכָא מִנֵּיהּ בִּרְכָאן לְכֹלָּא, וְיִשָּׂשׁכָר בֵּיהּ אִתְאֲחִיד, וְעַל דָּא קָרֵינָן עֵץ הַחַיִּים,
אִילָנָא דְּאִינּוּן חַיִּין עִלָּאִין, דְּאִקְרֵי הוּא וְלָא אַתָּה.

קצ"ט. וְאִי תֵימָא דְּאֵלֵּין דּוּדָאִים פָּתְחוּ מֵעָהָא דִּרְחֵל. לָאו, דְּהָא כְּתִיב, וַיִּשְׁמַע אֵלֶיהָ
אֱלֹהִים וַיִּפְתַּח אֶת רַחְמָהּ, קוּדְשָׁא בְּרִיךְ הוּא, וְלָא מִלָּה אָחֳרָא, בְּגִין דְּאִינּוּן דּוּדָאִים,
אע"ג דְּחֵילָא דִּלְהוֹן לְעֵילָּא, בַּהַהוּא וֵילָא דִּלְהוֹן, לָא אִתְמַנֵּי פְּקִידָא דִּבְנִין, דְּהָא בְּגִין
בְּמַזָּלָא תַּלְיָין, וְלָאו בְּמִלָּה אָחֳרָא.

ר. וְאִי תֵימָא דְּהָא אִינּוּן לְמִגְּנָא אִתְבְּרִיאוּ, לָאו, דְּהָא אֲפִילוּ לְמִלָּה דָּא, סִיּוּעָא אִינּוּן
לְאִינּוּן דְּמִתְעַבְּרֵי, וְלָאו אִינּוּן עִקָּרָן. וְלָא אִתְגְּזַר עֲלַיְיהוּ אֶלָּא בְּמַזָּלָא.

סִתְרֵי תוֹרָה

רא. וַיֵּלֶךְ רְאוּבֵן בִּימֵי קְצִיר חִטִּים וַיִּמְצָא דוּדָאִים בַּשָּׂדֶה וְגוֹ'. תָּנָן, כּוֹס שֶׁל בְּרָכָה,
לָא אִתְבָּרְכָא, אֶלָּא בִּסְטַר יְמִינָא, וּבְגִין כַּךְ, בְּעוֹד דְּאִתְעַר יְמִינָא לְגַבֵּי כּוֹס שֶׁל
בְּרָכָה, שְׂמָאלָא לָא תְסַיֵּיעַ תַּמָּן, דְּהָא יְמִינָא, אַשְׁכַּח עִילָה בְּהַהוּא כּוֹס, לְאִתְעֲרָא
לְגַבֵּי עָלְמָא עִלָּאָה.

רב. וְסִתְרָא דָא, וַיֵּלֶךְ רְאוּבֵן, דָּא סִטְרָא דְּדָרוֹם, בְּג"כ דְּגָלֵיהּ בַּדָּרוֹם, דְּאִיהוּ
רֵישָׁא לִתְרֵיסַר תְּחוּמִין, וְתִיאוּבְתֵּיהּ דִּסְטַר דָּרוֹם, לְאַשְׁכְּחָא עִילָה וּתְקָרוּבָא
לְמַטְרוֹנִיתָא לְבָרְכָא לָהּ.

רג. מַה כְּתִיב, וַיִּמְצָא דוּדָאִים בַּשָּׂדֶה, אָזַל לְחוֹפְשָׂא בְּכָל אִינּוּן גִּנְזִין דִּילָהּ, וְאַשְׁכַּח
בְּהַאי שָׂדֶה, אִינּוּן דּוּדָאִים, וַעֲלַיְיהוּ אִתְּמַר הַדּוּדָאִים נָתְנוּ רֵיחַ, וְאִינּוּן תְּרֵין כְּרוּבִים,
דְּאִינּוּן תִּקּוּנִין דִּילָהּ, לְאִתְעֲרָא אִתְעֲרוּ לְעֵילָּא, דְּהָא בְּכָל אִינּוּן תִּקּוּנִין דְּהַאי שָׂדֶה, לֵית
תִּקּוּנָא דְּיִתְעַר לְגַבֵּי עֵילָּא, בַּר כְּרוּבִים.

רד. סְטַר דָּרוֹם, אֵימָתַי אִתְעַר לְגַבָּהּ, לְאַשְׁכְּחָא עִילָה לְבָרְכָה לָהּ. בִּימֵי קְצִיר חִטִּים,
בְּזִמְנָא דִּפְלִיגַת וְחוֹלָק שְׁלָלָא לְאֻכְלוֹסָהָא, וְכֻלְּהוּ חַצְדֵּי וְחַקְלָא. מִיָּד וַיָּבֹא אוֹתָם אֶל לֵאָה
אִמּוֹ, סָלֵיק רֵיוָוא, וְאִתְעֲרוּ דִּלְהוֹן לְגַבֵּי עָלְמָא עִלָּאָה, עָלְמָא דְּאִתְכַּסְיָא, בְּגִין דְּאִתְעַר
בִּרְכָאן לְעָלְמָא תַּתָּאָה.

רה. וְכַד אִתְבָּרְכָא, אִינּוּן דּוּדָאִים נַקְטִין, וְיָהֲבִין לְכָל עָלְמִין, דִּכְתִיב הַדּוּדָאִים נָתְנוּ
רֵיחַ וְעַל פִּתְחֵינוּ כָּל מְגָדִים. כַּד אִינּוּן נָתְנוּ רֵיחַ, הַהוּא רֵיוָוא נָקֵיט לֵיהּ סְטַר דָּרוֹם,
לְאִתְעֲרָא לְגַבֵּי עָלְמָא עִלָּאָה, מִיָּד עַל פִּתְחֵינוּ כָּל מְגָדִים, וְכָל טוּבָא לָא וָסִיר מֵעָלְמָא.

רו. עָלְמָא תַּתָּאָה לָא אִתְעַר לְגַבֵּי עָלְמָא עִלָּאָה, אֶלָּא כַּד אִינּוּן דּוּדָאִים יָהֲבִין רֵיוָוא
לִימִינָא, כֵּיוָן דְּאִינּוּן יָהֲבִין רֵיוָוא לִימִינָא, וִימִינָא אִתְעַר לְגַבֵּי עָלְמָא עִלָּאָה, מִיָּד עָלְמָא תַּתָּאָה

אִתְעַר לְשָׁאֲלָא מַה דְּאִצְטְרִיךְ. מַה כְּתִיב, וַתֹּאמֶר רָחֵל אֶל לֵאָה תְּנִי נָא לִי מִדּוּדָאֵי בְּנֵךְ, הַב לִי בִּרְכָאן, מֵהַהוּא אִתְעֲרוּ, דְּאִינּוּן דּוּדָאִים, דְּאִתְעַר לְגַבֵּי סְטַר יְמִינָא.

רז. כְּדֵין עָלְמָא עִלָּאָה בְּחֶדְוָה, בְּשַׁעֲשׁוּעַ, אָתֵיב לְגַבָּהּ, וַאֲמָרַת הַמְעַט קַחְתֵּךְ אֶת אִישִׁי, כְּאִמָּא לְגַבֵּי בְּרַתָּא. וְאִי הָכֵי בַּעְלָהּ דְּעָלְמָא עִלָּאָה יַעֲקֹב אִיהוּ. לָאו הָכֵי, אֶלָּא תֵּיאוּבְתָּא דְאַבָּא תָּדִיר, לָאו אִיהוּ, אֶלָּא לְגַבֵּי בְּרַתָּא דָּא, דְּהַאי בַּת, רְחִימוּ דִּילֵיהּ לְגַבָּהּ תָּדִיר, בְּגִין דְּאִיהִי בַּת יְחִידָאָה בֵּין שִׁית בְּנִין, וּלְכָל אִינּוּן שִׁית בְּנִין, פָּלִיג לוֹן חוּלָקִין וּנְבִזְבְּזָן וּמַתְּנָן, וְלָהּ לָא פָּלִיג, וְלֵית לָהּ יְרוּתָא כְּלוּם, וְעַל כָּל דָּא, אִיהוּ אַשְׁגַּח בָּהּ בְּתֵיאוּבְתָּא וּרְחִימוּ יַתִּיר מִכֹּלָּא.

רח. בִּרְחִימוּ דִּילֵיהּ קָרָא לָהּ בַּת, לָא סָפִיק לֵיהּ דָּא וְקָרָא לָהּ אָחוֹת, לָא סָפִיק לֵיהּ דָּא, קָרָא לָהּ אֵם בְּשׁוּם אִמֵּיהּ, לָא סָפִיק לֵיהּ דָּא, קָרָא לָהּ בִּשְׁמֵיהּ, דִּכְתִּיב וְהַחָכְמָה מֵאַיִן תִּמָּצֵא, וְחָכְמָה וַדַּאי. וְעַל דָּא, עָלְמָא עִלָּאָה אֲמָרַת לְגַבָּהּ, הַמְעַט קַחְתֵּךְ אֶת אִישִׁי, דְּכָל רְחִימוּ דִּילֵיהּ אִתְמְשַׁךְ לָךְ לְגַבָּךְ וְעַל דָּא. בְּשַׁעֲשׁוּעָא וּרְחִימוּ אִימָּא לְגַבֵּי בְּרַתָּא.

רט. מַה אֲתֵיבַת אִיהִי, לָכֵן יִשְׁכַּב עִמָּךְ הַלַּיְלָה. בְּכָל אֲתַר לָכֵן שְׁבוּעָה אִיהִי. יִשְׁכַּב, מַהוּ יִשְׁכַּב. אֶלָּא שְׁכִיבָה בְּכָל אֲתַר תִּקּוּנָא דְּנוּקְבָא לְגַבֵּי דְּכוּרָא, לְאָעֳלָא בָּהּ צִיּוּרָא דְּאַתְוָון כֻּלְּהוּ, וְדָא אִיהוּ יִשְׁכַּב, י״ש כ״ב. י״ש דָּא אִיהוּ עָלְמָא עִלָּאָה, כ״ב, רָזָא דְּאוֹרַיְיתָא נְקוּדָה טְמִירָא, דְּאִתְעַר לְגַבָּהּ כ״ב אַתְוָון, וְדָא הוּא יִשְׁכַּב, י״ש עָלְמָא דְּאָתֵי, דִּכְתִּיב לְהַנְחִיל אוֹהֲבַי יֵשׁ. כ״ב נְקוּדָה עִלָּאָה דְּאָעִיל כָּל כ״ב אַתְוָון. רָזָא דְּכָל אוֹרַיְיתָא.

רי. וְדָא הוּא יִשְׁכַּב, יִשְׁכַּב עִמָּךְ יַעֲקֹב לָא כְּתִיב, אֶלָּא יִשְׁכַּב עִמָּךְ. הַהוּא טְמִירָא דְּאִתְחֲזֵי לְאִתְעָרָא לְגַבָּךְ, וְכֹלָּא בְּאִתְעֲרוּ דְּאִינּוּן דּוּדָאִים, וְכֹלָּא כְּתִיב בִּרְחִימוּ.

ריא. וַיָּבֹא יַעֲקֹב מִן הַשָּׂדֶה בָּעֶרֶב. וַיָּבֹא יַעֲקֹב, דָּא תִּפְאֶרֶת קַדִּישָׁא, מֵהַהוּא שָׂדֶה דְּנָקִיט כָּל בִּרְכָאן, דִּכְתִּיב בֵּיהּ אֲשֶׁר בֵּרְכוֹ יְיָ׳. בָּעֶרֶב, אַמַּאי בָּעֶרֶב, אֶלָּא בָּעֶרֶב, דִּכְתִּיב וַיֵּצֵא יִצְחָק לָשׂוּחַ בַּשָּׂדֶה לִפְנוֹת עָרֶב. בְּזִמְנָא דְּאִתְעַר יִצְחָק אֲבוֹי לְגַבֵּי הַאי שָׂדֶה, וְנָקִיט לֵיהּ, דְּהָא יִצְחָק לָא אִתְעַר לְגַבֵּי הַאי שָׂדֶה, כֵּיוָן דְּאִסְתַּלַּק יַעֲקֹב מִתַּמָּן בָּעֶרֶב, שָׁבִיק הַאי שָׂדֶה לְיִצְחָק אֲבוֹי, וְאִיהוּ סָלִיק בְּהַהִיא זִמְנָא לְגַבֵּי עֵילָּא.

ריב. מַה כְּתִיב וַתֵּצֵא לֵאָה לִקְרָאתוֹ. אִמָּא עִלָּאָה, לְגַבֵּי בְּרָא יְחִידָא. וַתֹּאמֶר אֵלַי תָּבוֹא, תְּחוֹת גַּדְפַּאי, לְבָרְכָא לָךְ, וּלְרַוָּאָה לָךְ בְּתַפְנוּקִין וְעִדּוּנִין עִלָּאִין. הָא עִדָּן רַעֲוָא וְעִנּוּגָא לְמֵיהַב לָךְ נִיחָא דְּרוּחָא עִלָּאָה, לְגַבֵּי הַהוּא שָׂדֶה, עַד לָא יִתּוֹקַד בְּתוּקְפָּא דְּיִצְחָק.

ריג. כֵּיוָן דְּנַקְטָא לְיַעֲקֹב תְּחוֹת גַּדְפָהָא, כְּדֵין וַיִּשְׁכַּב עִמָּהּ בַּלַּיְלָה הוּא. הוּא: דִּסְתִים מִכֹּלָּא. הוּא: דְּכָל בִּרְכָאן וְכָל קְדוּשִׁין נָפְקֵי מִתַּמָּן. יַעֲקֹב לָא כְּתִיב אֶלָּא הוּא: מַאן דְּאִתְחֲזֵי לְאִתְעָרָא לְגַבָּהּ.

ריד. וְעַד דְּלָא זַמִּין לְגַבָּהּ תְּחוֹת גַּדְפָהָא, מַאן דְּנָקִיט אִינּוּן קַדִּישָׁאן וּבִרְכָאן לָא אִתְמְלֵי מִנְּקוּדָה טְמִירָא, הַהוּא עָלְמָא עִלָּאָה. וְע״ד דּוּדָאִים מִתְעָרֵי כֹּלָּא, וְכֹלָּא כְּגַוְונָא דְּרָזָא עִלָּאָה. רְאוּבֵן מַאי רְאוּבֵן, קב״ה שַׁוֵּי שְׁמָהָן בְּאַרְעָא, דִּכְתִּיב לְכוּ חֲזוּ מִפְעֲלוֹת יְיָ׳ אֲשֶׁר שָׂם שַׁמּוֹת בָּאָרֶץ. (עַד כָּאן סִתְרֵי תּוֹרָה).

רטו. וַתֵּצֵא לֵאָה לִקְרָאתוֹ וַתֹּאמֶר אֵלַי תָּבוֹא וְגוֹ׳. הַאי מִלָּה חֲצִיפוּתָא אִיהוּ. לָאו אִיהוּ הָכֵי, אֶלָּא מֵהָכָא אוֹלִיפְנָא, עִנְוְותָנוּתָא דְּלֵאָה, דְּלָא אַמְרָה קַמֵּי אֲחָתָהּ מִדֵּי, וְאִיהִי אַקְדִּימַת לְאוֹרְחָא, וְאָמְרָה לֵיהּ בְּחַשָּׁאִי, וְאוֹדְעָא לֵיהּ. דְּהָא בִּרְשׁוּתָא דְּרָחֵל הֲוָה, דִּכְתִּיב כִּי שָׂכֹר שְׂכַרְתִּיךָ, מֵרָחֵל נְטִילַת רְשׁוּ, וּבְגִין דְּלָא יַבְאִישׁ בְּעֵינָהָא דְּרָחֵל, א״ל לְבַר, וְלָא

בְּבֵיתָא.

רטז. וְלָא עוֹד אֶלָּא פִּתְוָוא מִשְׁכְּבָא דְּלֵאָה, נָפְקַת לְבַר, וְעַיְילַת לֵיהּ לְיַעֲקֹב בְּפִתְוָוא דִּלְבַר, עַד לָא יֵיעוֹל לְמִשְׁכְּבָא דְּרָחֵל. מַאי טַעְמָא, בְּגִין דְּלָא תֵּימָא מִלָּה קַמֵּי דְּרָחֵל, וְלָא תּוֹזִיף קַמֵּי אֲחָתָהָא. וְלָא עוֹד, אֶלָּא אֲמָרָה לֵאָה, אִי יֵיעוֹל יַעֲקֹב, בְּמִשְׁכְּבָא דְּרָחֵל, לָאו דִּין הוּא לְאַפָּקֵיהּ מִתַּמָּן, בְּגִ"כ אַקְדִּימַת לֵיהּ לְבַר.

ריז. וְכָל הַאי לָמָּה, אֶלָּא לֵאָה רְעוּתָא דְּקוּדְשָׁא אִתְעָרַת בָּהּ, וְיָדְעַת דְּכָל הָנֵי שִׁבְטִין עִלָּאִין, כֻּלְּהוּ קַדִּישִׁין יִפְקוּן מִנָּהּ, וְדָחֲקַת שַׁעֲתָא, בַּחֲבִיבוּתָא לְקוּדְשָׁא בְּרִיךְ הוּא, וּבְגִין כָּךְ הִיא קָרָאת לוֹן שְׁמָהָן, בְּרָזָא דְּחָכְמְתָא.

ריח. ר' חִיָּיא וְר' יוֹסֵי, הֲווֹ אָזְלֵי בְּאוֹרְחָא, אֲמַר רַבִּי יוֹסֵי לְר' חִיָּיא, בְּכָל זִמְנָא דְּאָזְלִינָן בְּאוֹרְחָא, וְלָעֵינָן בְּאוֹרַיְיתָא, קֻבּ"ה מְרַחֵישׁ לָן נִסִּין, וְהַשְׁתָּא אוֹרְחָא דָּא אֲרִיךְ לָן, נִתְעַסַּק בְּאוֹרַיְיתָא, וְקֻבּ"ה יִזְדַּוֵּוג בַּהֲדָן.

ריט. פָּתַח רַבִּי חִיָּיא וְאָמַר, בָּרִאשׁוֹן בְּאַרְבָּעָה עָשָׂר יוֹם לַחֹדֶשׁ בָּעֶרֶב תֹּאכְלוּ מַצּוֹת, וּכְתִיב שִׁבְעַת יָמִים תֹּאכַל עָלָיו מַצּוֹת לֶחֶם עֹנִי, לֶחֶם עֹנִי כְּתִיב, הַאי מִלָּה אִתְעָרוּ בָּהּ חַבְרַיָּיא. אֲבָל ת"ח, כַּד הֲווֹ יִשְׂרָאֵל בְּמִצְרַיִם, הֲווֹ בִּרְשׁוּתָא אָחֳרָא, כַּד בָּעָא קֻבּ"ה לְקָרְבָא לוֹן לְגַבֵּיהּ, יְהַב לוֹן אֲתַר דְּלֶחֶם עֹנִי. לֶחֶם עָנִי, מַאן עָנִי, דָּא דָּוִד מַלְכָּא, דִּכְתִּיב בֵּיהּ כִּי עָנִי וְאֶבְיוֹן אָנִי.

רכ. וְהַאי לֶחֶם עֹנִי אִקְרֵי מַצָּה, נוּקְבָא בְּלָא דְּכוּרָא, מִסְכְּנוּתָא הֲוֵי, אִתְקְרִיבוּ לְגַבֵּי מַצָּה בְּקַדְמֵיתָא, כֵּיוָן דְּקָרִיבוּ לוֹן יַתִּיר, עַיֵּיל לוֹן קוּדְשָׁא בְּרִיךְ הוּא, בְּדַרְגִּין אָחֳרָנִין, וְאִתְחַבַּר דְּכוּרָא בְּנוּקְבָא. וּכְדֵין, מַצָּה כַּד אִתְחַבְּרַת בִּדְכוּרָא, אִקְרֵי מִצְוָה, בְּתוֹסֶפֶת וא"ו, הה"ד כִּי הַמִּצְוָה הַזֹּאת, בְּגִינֵי כָּךְ, מַצָּה בְּקַדְמֵיתָא, וּלְבָתַר מִצְוָה.

רכא. עַד דַּהֲווֹ אָזְלֵי, שָׁמְעוּ חַד קָלָא דְּאָמַר, טוּפְסְרָא דְּקַטְנוּן, עָקִימָן בְּאוֹרְחָא, סְטוּ לְעֵילָא, לָא תֶּחֱזוּן בְּקוּסְטְרָא דְּקַטְרָא דִּלְתָתָא. אֲמַר רַבִּי יוֹסֵי, שְׁמַע מִינָּהּ, דְּקֻבּ"ה בָּעֵי לְנַטְרָא אוֹרְחִין. סְלִיקוּ לְעֵילָא, וְעָאלוּ בְּחַד טוּרָא, בֵּין טַנְרִין תַּקִּיפִין, אָמְרוּ, הוֹאִיל וְקֻבּ"ה בָּעָא בְּאוֹרְחָא דָּא, מִלָּה נֶחֱמֵי, אוֹ נִיסָא אִתְרְחִישׁ לָן.

רכב. אָזְלֵי, יָתְבֵי גַּבֵּי בְּקִיעֵי דְּטַנְרָא. סָלִיק לוֹן חַד בַּר נָשׁ, תָּוְוהוּ, א"ר יוֹסֵי מַאן אַנְתְּ. אֲמַר מֵאֱנָשֵׁי אַרְקָא אֲנָא, אֲמַר לֵיהּ, וְתַמָּן אִית בְּנֵי נָשָׁא, אֲמַר אִין, וְזָרְעִין וְחַצְדִין, מִנַּיְיהוּ בְּחֵיזוּ אָחֳרָא מִשַּׁנְיָין מִנָּאֵי, וּסְלִיקְנָא גַּבַּיְיכוּ, לְמִנְדַּע מִנַּיְיכוּ, מַה שְּׁמֵיהּ דְּאַרְעָא דְּאַתּוּן בָּהּ.

רכג. אֲמַר לֵיהּ, אֶרֶץ, בְּגִין דְּהָכָא אֶרֶץ הַחַיִּים שַׁרְיָא, דִּכְתִּיב אֶרֶץ מִמֶּנָּה יֵצֵא לָחֶם, מֵהַאי יֵצֵא לֶחֶם, בִּשְׁאַר אַרְעָא לָא יֵצֵא לֶחֶם, וְאִי נָפִיק, לָאו מִשִּׁבְעַת הַמִּינִין. אַדְּהָכֵי עָאל לְאַתְרֵיהּ. תָּוְוהוּ, אָמְרוּ וַדַּאי קֻבּ"ה בָּעֵי לְאִתְעָרָא לָן בְּמִלָּה.

רכד. אֲמַר רַבִּי חִיָּיא, וַדַּאי עַל הַאי קְרָא דַּאֲמֵרַת, דְּכִירְנָא דְּאוֹלִיפְנָא מִסָּבָאֵי, חַד מִלָּה עִלָּאָה, בְּפֶסַח, דִּיהַב לוֹן קוּדְשָׁא בְּרִיךְ הוּא לְיִשְׂרָאֵל לֶחֶם דָּא, מֵאַרְעָא דְּחַיֵּי, וּלְבָתַר לֶחֶם מִן הַשָּׁמַיִם, לֶחֶם דָּא, וְהָא אוֹקִימְנָא מִלָּה.

רכה. תּוּ הֲוָה אֲמַר, דְּבַר נָשׁ, כַּד נָפִיק לְהַאי עָלְמָא, לָא יָדַע מִדֵּי, עַד דְּאַטְעִים נַהֲמָא, כֵּיוָן דְּאָכֵיל נַהֲמָא, אִתְעַר לְמִנְדַּע וּלְאִשְׁתְּמוֹדְעָא. כָּךְ כַּד נָפְקוּ יִשְׂרָאֵל מִמִּצְרַיִם, לָא הֲווֹ יָדְעֵי מִדֵּי, עַד דְּאַטְעִים לוֹ קֻבּ"ה לֶחֶם מֵהַאי אֶרֶץ, דִּכְתִּיב אֶרֶץ מִמֶּנָּה יֵצֵא לָחֶם, וּכְדֵין עָאלוּ יִשְׂרָאֵל, לְמִנְדַּע, וּלְאִשְׁתְּמוֹדְעָא לֵיהּ לְקֻבּ"ה. וִינוּקָא לָא יָדַע, וְלָא אִשְׁתְּמוֹדְעָא, עַד דְּטָעִים נַהֲמָא דְּהַאי עָלְמָא.

רכו. יִשְׂרָאֵל לָא יָדְעוּ, וְלָא אִשְׁתְּמוֹדְעוּ בְּמִלִּין דִּלְעֵילָא, עַד דְּאָכְלוּ לֶחֶם עִלָּאָה, וּכְדֵין

יִדְעוּ וְאִשְׁתְּמוֹדְעוּ בְּהַהוּא אֲתַר, וּבְעָא קֻבָּ"ה דְּיִנְדְּעוּן יִשְׂרָאֵל יַתִּיר, בְּהַהוּא אֲתַר, דְּאִתְחֲזֵי לְהַאי אֶרֶץ, וְלָא יָכִילוּ, עַד דְּטָעֲמוּ לֶחֶם, מֵהַהוּא אֲתַר, וּמַאן אִיהוּ, שָׁמַיִם, דִּכְתִיב הִנְנִי מַמְטִיר לָכֶם לֶחֶם מִן הַשָּׁמָיִם, וּכְדֵין יָדְעוּ וְאִסְתַּכְּלוּ בְּהַהוּא אֲתַר, וְעַד דְּאָכְלוּ לֶחֶם מֵהַהוּא אֲתַר, לָא יָדְעוּ מִדֵּי וְלָא אִשְׁתְּמוֹדְעוּ.

רכז. אָתָא ר' יוֹסֵי וּנְשָׁקֵיהּ. אָמַר, וַדַּאי עַל דָּא אִתְּעַר לוֹן קֻבָּ"ה בְּהַאי, וְעַל דָּא שֵׁירוּתָא דְּיִשְׂרָאֵל לְמִנְדַּע, לֶחֶם הֲוָה. קָמוּ וְאָזְלוּ, עַד דַּהֲווֹ אָזְלֵי, חָמוּ תְּרֵי דַּרְמוֹסְקִין, וְחַד דְּכַר וְחַד נוּקְבָא. אָמַר רִבִּי יוֹסֵי, לֵית לָךְ מִלָּה בְּעָלְמָא, דְּלָא הֲוֵי דְּכַר וְנוּקְבָא, וְכָל מַה דִּי בְּאַרְעָא, הָכֵי נָמֵי בְּיַמָּא.

רכח. פָּתַח רִבִּי יוֹסֵי וְאָמַר, וַיָּבֹא יַעֲקֹב מִן הַשָּׂדֶה בָּעֶרֶב וַתֵּצֵא לֵאָה לִקְרָאתוֹ וְגוֹ', וַתֵּצֵא לֵאָה לִקְרָאתוֹ, מְנָא יָדְעַת, הָא אַמָרוּ דְּגָעָא וַחֲמָרֵיהּ, וְלֵאָה יָדְעַת, וְנָפְקַת לֵיהּ, וְגָרֵים לֵיהּ, דְּנָפַק מִנָּהּ יִשָּׂשׂכָר, הֲדָ"ד יִשָּׂשׂכָר, אַל תִּקְרֵי שָׂכָר, אֶלָּא גָּרַם דַּחֲמָרָא גָּרְמָא לֵיהּ. אַמָרַת לֵאָה, וַדַּאי יָדַעְנָא דְּאִי יֵיעוֹל יַעֲקֹב בִּמְשׁוֹכְנָא דְּרָחֵל, לֵית לִי לְאַפָּקָא לֵיהּ, אֶלָּא גָּרַם אוֹרִיךְ לֵיהּ הָכָא, וְיֵיעוֹל בִּמְשׁוֹכְנָי.

רכט. כִּי שָׂכֹר שְׂכַרְתִּיךָ בְּדוּדָאֵי בְּנִי, מַאי בְּדוּדָאֵי לֵיהּ לְיַעֲקֹב עַל דָּא, אֶלֵּין מְסַיְיעִין לְאוֹלָדָא. וְיַעֲקֹב הֲוָה יָדַע, דְּמִלָּה לָא קַיְימָא בְּדוּדָאֵים, אֶלָּא לְעֵילָא.

רל. פָּתַח וְאָמַר, מוֹשִׁיבִי עֲקֶרֶת הַבַּיִת אֵם הַבָּנִים שְׂמֵחָה הַלְלוּיָהּ. אָמַר רִבִּי וַיָּיא רָזָא דִּקְדוּשָׁא קָאָמַר, מוֹשִׁיבִי עֲקֶרֶת הַבַּיִת, דָּא רָחֵל. אֵם הַבָּנִים שְׂמֵחָה, דָּא לֵאָה. מוֹשִׁיבִי עֲקֶרֶת הַבַּיִת, דָּא עָלְמָא תַּתָּאָה. אֵם הַבָּנִים שְׂמֵחָה, דָּא עָלְמָא עִלָּאָה, בְּגִינֵי כָּךְ הַלְלוּיָהּ.

רלא. אָ"ר יְהוּדָה, כָּל אֶלֵּין שִׁבְטִין, תִּקּוּנִין דִּלְתַתָּא אִינוּן, וְכֻלְּהוֹ כְּגַוְונָא דִּלְעֵילָא. ת"ח, כִּי שָׂכֹר שְׂכַרְתִּיךָ, לְנַסָּבָא מִנֵּיהּ גּוּפָא, וּמַאן אִיהוּ תוֹרָה. שָׂכֹר שְׂכַרְתִּיךָ, לָךְ, לְגוּפָךְ מַמָּשׁ. שָׂכֹר. שְׂכַרְתִּיךָ, לְאוֹלָדָא דְּיוֹקְנָךְ.

רלב. מֵהָכָא, מַאן דְּלָעֵי בְּאוֹרַיְיתָא, אוֹחֵיס עָלְמָא דְּאָתֵי, וְאַחֲסִין אַחֲסָנְתָּא דְּיַעֲקֹב. אוֹחֵיס עָלְמָא דְּאָתֵי, דִּכְתִיב יִשָּׂשׂכָר יֵשׁ שָׂכָר, כִּי יֵשׁ שָׂכָר לִפְעֻלָּתֵךְ. וּכְתִיב לְהַנְחִיל אֹהֲבַי יֵשׁ וְאֹצְרֹתֵיהֶם אֲמַלֵּא.

רלג. כִּי יָלַדְתִּי לוֹ שִׁשָּׁה בָּנִים. אָמַר רִבִּי וְחִזְקִיָּה, אֶלֵּין עֵילָא וְתַתָּא וְאַרְבַּע סִטְרִין דְּעָלְמָא. וּמַאן דְּאָרִיךְ בְּאֶחָד, בָּעֵי לֵיהּ לְאַמְלָכָא לְקֻבָּ"ה לְעֵילָא וְתַתָּא, וּלְאַרְבַּע סִטְרֵי דְּעָלְמָא, וְהַיְינוּ אֶחָד.

רלד. אָ"ר וְחִזְקִיָּה, כְּתִיב עַל הָרֵי בָתֶר, וּכְתִיב עַל הָרֵי בְשָׂמִים, מַאן אִינוּן הָרֵי בְשָׂמִים. אֶלֵּין שִׁית בְּנִין דִּלְאָה, דְּאַכְלַלָן שִׁית אָחֳרָנִין, וְאִינוּן תְּרֵיסָר, וְאִינוּן שִׁית, בְּגִין דְּכָל חַד כָּלִיל בְּחַבְרֵיהּ, וְלֵאָה עֲלַיְיהוּ, לְקַיְימָא אֵם הַבָּנִים שְׂמֵחָה הַלְלוּיָהּ.

רלה. וְעַל דָּא הָכָא כְּתִיב לֹא תִקְוָה הָאֵם עַל הַבָּנִים, בְּגִין דְּאִיהוּ עָלְמָא דְּאִתְכַּסְיָא, וְלָא אִתְגַּלְיָא, וְעַ"ד שַׁלֵּחַ תְּשַׁלַּח אֶת הָאֵם וְאֶת הַבָּנִים תִּקַּח לָךְ. בְּגִין דְּאִיהוּ עָלְמָא דְּאִתְכַּסְיָא, וְלָא אִתְגַּלְיָא כְּלָל.

רלו. וְאֶת הַבָּנִים תִּקַּח לָךְ, הַיְינוּ דִּכְתִיב כִּי שְׁאַל נָא לְיָמִים רִאשׁוֹנִים וְגוֹ' וּלְמִקְצֵה הַשָּׁמַיִם וְעַד קְצֵה הַשָּׁמָיִם. וְכָל הַנֵּי, אִקְרוּן הָרֵי בְשָׂמִים, מִכָּאן וּלְתַתָּא אִקְרוּן הָרֵי בָתֶר, דִּכְתִיב וּמִשָּׁם יִפָּרֵד, וְהָיָה לְאַרְבָּעָה רָאשִׁים, טוּרֵי דְּפֵרוּדָא.

רלז. אָמַר רִבִּי יֵיסָא, בְּנֵי הָעִבוֹת, קְשִׁירוּ אַרְבַּע קְשָׁרִין, דְּאִצְטְרִיכוּ לְתִקּוּנָא. וְאָמַר רִבִּי אֶלְעָזָר, דִּבְגִין כָּךְ נָפְקֵי לְבַר אִינּוּן קְשָׁרִין, וְאַ"ע"ג דְּכֻלְּהוֹ חַד, וּמִכָּאן וּלְהָלְאָה

כלהו וחד, באורח מישר ועל דא, כלהו שבטין סלקין בסהדותא דלעילא, הדא הוא דכתיב, ששם עלו שבטים שבטי יה עדות לישראל להודות לשם ה'.

רלח. ואמר רבי אלעזר, כתיב ויהי כאשר ילדה רחל את יוסף וגו', מה חמא יעקב למיהך לאורחיה, כך אתיליד יוסף, ועד לא אתיליד יוסף, לא בעא למיהך לאורחיה, הא אוקמוה, דחמא דאתיליד שטנא דעשו.

רלט. ותא חזי, יוסף אשלים דוכתיה בתריה ויוסף זכי ליה, דאקרי צדיק, והכא סיומא דגופא. כיון דחמא יעקב, דאשתלים גופא, בעא גופא למהך לאורחיה, וסיומא דגופא הוא ברית. ועם כל דא בנימן אשלים וחושבנא, דביה אשתלימו תריסר.

רמ. ואי תימא, וכי לא הוה ידע יעקב, דעד כען לא אשתלימו שבטין, אף על גב דאתיליד יוסף, מאי טעמא לא אוריך עד דיתיליד בנימין, וישתלימו שבטין. אלא, יעקב בחכמתא עבד, ומלה ידע, אמר, ודאי אי אשתלימו הכא כלהו שבטין, הא ידענא, דתקונא דלעילא שריא עלייהו כדקא יאות, ובארעא דא, לא ליבעי דישתלימו, אלא בארעא קדישא.

רמא. תא חזי, דהכי הוא, דכלהו תריסר שבטין, תקונא דעלמא תתאה נינהו, וכיון דאתיליד בנימין, מיתת רחל, ונטלא דוכתא האי עלמא תתאה, לאתתקנא בהו. ועד לא אתיליד בנימין, אלא בארעא קדישא, הדא הוא דכתיב, ואני בבאי מפדן מתה עלי רחל בארץ כנען בדרך, ותמן מיתת רחל ונטלא דוכתא, האי עלמא תתאה, לאתישבא בביתא שלימתא, וכל זמנא דרחל קיימא, עלמא תתאה לא אתתקנא בהו, מיתת רחל נטלא, ביתא בשלימו.

רמב. ואי תימא, לאה אמאי לא מיתת, בההוא זמנא. אלא בגין דביתא בעלמא תתאה איהו, וכלא מניה הוו לאתתקנא, ולאו מעלמא עלאה, ובג"כ לא מיתת בההיא שעתא. וכל עובדוי דלאה באתכסיא אינון, בגין דעלמא עלאה איהו באתכסיא, ולאו באתגליא, ובגין כך לא אדכר מיתתה דלאה, כמיתתה דרחל.

רמג. ותא חזי, דהכי הוא ודאי. בגין דעלמא עלאה, כל מלוי באתכסיא, ועלמא תתאה כל מלוי באתגליא בג"כ, אתכסיא לאה במערתא דכפלתא, ורחל בגלויא דאורחא, דא בסתרא, ודא באתגליא. ובאתכסיא עלמא עלאה אתרשים, דכתיב ותאמר לאה באשרי כי אשרוני בנות, ובגין כך קרא שמיה אשר.

רמד. ובגין דא, כלא וחד, דהא כלא הוי מעלמא עלאה. הכי נמי, ובכל אתר, תרין עלמין, דא באתגליא, ודא באתכסיא, ואנן לא מברכינן לקודשא בריך הוא, אלא בתרין עלמין, דכתיב ברוך ה' אלהי ישראל מן העולם ועד העולם. בגיני כך, עלמא עלאה קרינן הו"א, וקרינן לעלמא תתאה, את"ה, בגין דאיהו ברוך מעלמא עלאה, על ידא דצדיק, הדא הוא דכתיב ברוך ה' מציון שוכן ירושלם וגו'. ודאי מציון איהו ברוך.

רמה. תא חזי, כגוונא דא ה' ה' תרין עלמין נינהו, דא באתגליא, ודא באתכסיא, ועל דא פסיק טעמא בגווייהו, ומעלמא דא, עד עלמא דא, כלא וחד.

רמו. ויהי כאשר ילדה רחל את יוסף וגו', אמר רבי יהודה, תא חזי, שלימותא דיעקב, דלא בעא למיזל אלא ברשותיה דלבן. ואי תימא, זמנא אחרינא אמאי לא אזיל ברשותיה. אלא בגין דדחיל יעקב, דלא ישבוק ליה, וישתלימו תריסר שבטין, בארעא אחרא. ועל דא כיון דחמא, דמטא שעתא דבנימין, ברח, כמה דאת אמר, ויברח הוא,

וְכָל אֲשֶׁר לוֹ.

רמז. דְּכֵיוָן דְּאִתְיְלִיד בִּנְיָמִין, אִתְקַשְּׁרַת שְׁכִינְתָּא בְּכֻלְּהוּ שִׁבְטִין, וְנַטְלָא בֵּיתָא בְּכֻלְּהוּ. וְיַעֲקֹב הֲוָה יָדַע בְּרָזָא דְּחָכְמְתָא, דְּכַד יִשְׁתַּלִּימוּ תְּרֵיסַר שִׁבְטִין, דִּשְׁכִינְתָּא תִּתְקַשַּׁט וְתִתְקַשַּׁר בְּהוּ, וְרָחֵל תָּמוּת, וְאִיהִי נַטְלָא בֵּיתָא.

רמח. תָּא חֲזֵי, הָכֵי אוֹלִיפְנָא, עַלְמָא תַּתָּאָה אִתְחֲזֵי לֵיהּ לְיַעֲקֹב, כְּמָה דְּאִתְחֲזֵי לְמֹשֶׁה, אֶלָּא דְּלָא יְכֵילַת, עַד דַּהֲווּ תְּרֵיסַר שִׁבְטִין בְּבֵיתָא, לְאִתְקַשְּׁרָא בְּהוּ, וּכְדֵין אִתְדַּכְיָאַת רָחֵל, וְנַטְלָא אִיהִי בֵּיתָא בְּכֻלְּהוּ שִׁבְטִין, וַהֲוַת עִקָּרָא דְּבֵיתָא, וּכְדֵין מוֹשִׁיבִי עֲקֶרֶת הַבַּיִת וַדַּאי.

רמט. אָמַר יַעֲקֹב, הָא מָטָא זִמְנָא, דְּאִשְׁתְּלִימוּ תְּרֵיסַר שִׁבְטִין, וַדַּאי עַלְמָא דִּלְעֵילָא יְזוּת הוּא לְבֵיתָא, לְאִתְקַשְּׁרָא בְּהוּ, וּמִסְכְּנוּתָא דָּא אִתְדַּחְיָיא קַמֵּיהּ, אִי תָּמוּת הָכָא, לָא אֶפּוֹק מֵהָכָא לְעָלְמִין, וְלָא עוֹד, אֶלָּא בְּאַרְעָא דָּא, לָא אִתְחֲזֵי לְאַשְׁלָמָא בֵּיתָא, בְּגִין כָּךְ וַיְהִי כַּאֲשֶׁר יָלְדָה וגו', עַד לָא אִשְׁתַּלִּימוּ שִׁבְטִין.

רנ. שָׁמַע ר"ש, אָמַר, וַדַּאי כָּל מִלּוֹי דְּרַבִּי יְהוּדָה שַׁפִּיר, וְדָא סָלֵיק עַל כֹּלָּא. וְאִי תֵּימָא אַמַּאי לָא אֲזַל לֵיהּ לְאוֹרְחֵיהּ מִיָּד, אֶלָּא, כָּל זְמַן דְּרָחֵל לָא מִתְעַבְּרָא מִבִּנְיָמִין, אִתְעַכַּב תַּמָּן, כֵּיוָן דְּמָטָא זִמְנָא דְּבִנְיָמִין, עָרַק, וְלָא בָּעָא רְשׁוּתָא, בְּגִין דְּלָא יִתְעַכֵּב תַּמָּן, וְיִתְחַבַּר יַעֲקֹב בְּכוּלְּהוּ שִׁבְטִין, בְּאַתְרָא דְּאִצְטְרִיךְ.

רנא. רִבִּי אַבָּא פָּתַח, וַיֵּלֶךְ מֹשֶׁה וַיָּשָׁב אֶל יֶתֶר חוֹתְנוֹ וגו'. תָּא חֲזֵי, מֹשֶׁה רָעֵי עָנָא דְּיִתְרוֹ חָמוּי הֲוָה, וְדִיּוּרֵיהּ הֲוָה בֵּיהּ, וְכַד בָּעֵי לְמֵיזַל, לָא אֲזַל אֶלָּא בִּרְשׁוּתָא דִּידֵיהּ, וְיַעֲקֹב דַּהֲוָה שְׁלִים, וְדִיּוּרֵיהּ הֲוָה תָּדִיר עִמֵּיהּ דְּלָבָן, אַמַּאי לָא בָּעָא רְשׁוּתָא מִנֵּיהּ. אֶלָּא הָא אִתְמַר דְּלָא יְגַלְגֵּל לָבָן, עִמֵּיהּ גִּלְגּוּלִין, וְיִשְׁתָּאַר תַּמָּן, דְּהָא בְּקַדְמֵיתָא אֲמַר לֵיהּ, וּמִיַּד גַּלְגֵּל עֲלֵיהּ גִּלְגּוּלִין, וְאִשְׁתָּאַר תַּמָּן, וְהַשְׁתָּא דָּחִיל מִנֵּיהּ.

רנב. אֲבָל יִתְרוֹ, לָא הֲוָה הָכֵי לְגַבֵּי מֹשֶׁה. בְּגִין דְּלָבָן חָרָשָׁא הֲוָה, וּבְחָרָשָׁא הֲוָה כָּל עוֹבָדוֹי, לְגַבֵּי דְּיַעֲקֹב, וְהַשְׁתָּא לָא בָּעָא יַעֲקֹב לְאִתְעַכְּבָא תַּמָּן, דְּהָא קֻבְּ"ה א"ל שׁוּב אֶל אֶרֶץ אֲבוֹתֶיךָ וגו', וְע"ד לָא בָּעָא לְאִתְעַכְּבָא וּלְמִישְׁבַּק פִּקּוּדָא דְּמָרֵיהּ.

רנג. תָּא חֲזֵי כְּתִיב וַיִּזְכֹּר אֱלֹהִים אֶת רָחֵל וגו', פָּתַח וַאֲמַר, לַמְנַצֵּחַ לִבְנֵי קֹרַח עַל עֲלָמוֹת שִׁיר. הַאי קְרָא, אִית לְאִסְתַּכְּלָא בֵּיהּ, דְּרָזָא דְּחָכְמְתָא אִיהוּ, וְכָל הַנֵּי שִׁירִין וְתוּשְׁבְּחָן, דַּהֲווּ אָמְרֵי בְּנֵי קֹרַח, כֻּלְּהוּ מוֹדְתִין אִינּוּן שִׁירִין וְתוּשְׁבְּחָן דַּהֲווּ מִלְּקַדְמִין, וְכֵן כָּל אִינּוּן שִׁירִין וְתוּשְׁבְּחָן דַּאֲמַר דָּוִד, וְכָל אִינּוּן דַּהֲווּ עִמֵּיהּ, כֻּלְּהוּ הֲווּ בְּרָזָא עִלָּאָה, בְּרָזָא דְּחָכְמְתָא.

רנד. תָּא חֲזֵי עֲבַד קוּדְשָׁא בְּרִיךְ הוּא עַלְמָא תַּתָּאָה כְּגַוְונָא דְּעַלְמָא עִלָּאָה, וְכָל אִינּוּן סִדְרִין דְּסִדְּרוּ דָּוִד וּשְׁלֹמֹה בְּרֵיהּ, וְכָל אִינּוּן נְבִיאֵי קְשׁוֹט כֻּלְּהוּ סִדְּרוּ כְּגַוְונָא דִּלְעֵילָא.

רנה. תָּא חֲזֵי, כְּגַוְונָא דְּאִיכָּא מִשְׁמָרוֹת בְּאַרְעָא, הָכֵי נָמֵי בִּרְקִיעָא, דִּמְזַמְּרֵי לְמָרַיְיהוּ, וְאָמְרֵי שִׁירָתָא תָּדִיר. וְכֻלְּהוּ קַיְימִין אִלֵּין לָקֳבֵל אִלֵּין, וְכֹלָּא בְּסִדְרָן דְּשִׁירִין וְתוּשְׁבְּחָן, וְהָא אוּקְמוּהָ חַבְרַיָּיא.

רנו. עֲלָמוֹת שִׁיר, מַאי עֲלָמוֹת שִׁיר. אֶלָּא כְּמָה דְּאַתְּ אָמֵר, שִׁשִּׁים הֵמָּה מְלָכוֹת וּשְׁמוֹנִים פִּלַגְשִׁים וַעֲלָמוֹת אֵין מִסְפָּר. מַאי וַעֲלָמוֹת אֵין מִסְפָּר. כְּד"א הֲיֵשׁ מִסְפָּר לִגְדוּדָיו. וּבְגִין דְּלֵית חוּשְׁבְּנָא, כְּתִיב וַעֲלָמוֹת אֵין מִסְפָּר.

רנז. וְכֻלְּהוּ שׁוּרִין שׁוּרִין, מְסַחֲרָן סִדְרִין, אִלֵּין לָקֳבֵיל אִלֵּין, לְזַמְּרָא וּלְשַׁבְּחָא לְמָרֵיהוֹן, וְאִלֵּין

אינון עלמות שיר. ובגין דאית עלמות דלא מזמרין כאלין, אלין אקרון עלמות שיר.

רנח. תלת סדרין מתפרשן לכל סטר, לד' סטרי עלמא, ובכל סדרא וסדרא, דאיהי לכל סטר, תלת סדרין אוחרנין. סדרא קדמאה דלסטר מזרח, תלת סדרין אינון, ואינון תשעה סדרין, בגין דכל סדרא מאינון תלת, אית ליה תלת סדרין, ואשתכחו דאינון תשעה, וכמה אלף ורבבן תחותייהו.

רנט. הני סדרין תשעה, כולהו מתנהגי באתוון רשימין, וכל סדרא אסתכי לאינון אתוון רשימין, ומתחברן כלהו, ואמרי שירתא, וכד אינון אתוון פרחי גו אוירא דרווחא דממנא על כלא, כדין אינון נטלי, ושירתא אתבסם, וחד את אתבטש מתתא והוא את סלקא ונחתא ותרין אתוון פרחי עלייהו, והאי את מתתא, סלקא סדרא מתתא לעילא, ואתחבר בהו, ואתעבידו תלת אתוון, כלהו לפום אתוון יה"ו, דאינון תלת גו אספקלריא המאירה. מאילין אתפרשו תלת סדרין, ואינון תרין אתוון, וההוא את דסלקא, מתחברא עמהון ואינון תלת.

רס. תא חזי, אינון תרי אתוון עלאין, דסלקין באוירא, אינון כלילן דא בדא, רחמי בדינא, ובגין כך אינון תרין, ואינון מעלמא עלאה, ברזא דדכורא, והאי דסלקא ואתחברא עמהון איהי נוקבא, ואתכלילת בתרוייהו. כגוונא דנוקבא אתכלילת בתרי סטרי, בימינא ובשמאלא, ואתחברת בהו, הכי נמי האי את נוקבא, דאתחברת בתרי אתוון אחרנין, ואינון בתרין סטרין, אלין עלאין, ודא לתתא, וכלא איהו חד, דכר ונוקבא. דכד אתברי עלמא, דאינון אתוון מעלמא עלאה נינהו, דאינון אולידו כל עובדין לתתא, כגוונא דלהון ממש, ובגין כך מאן דידע לון ואזדהר בהו, רחים לעילא ורחים לתתא.

רסא. רבי שמעון אמר, אלין אתוון כלהו, דכר ונוקבא, לאתכללא כחדא ברזא דמיין עלאין ומיין תתאין, וכלא חד, ודא איהו יחודא שלים. ובגין כך, מאן דידע להו, ואזדהר בהו, זכאה איהו וחולקיה בהאי עלמא, ובעלמא דאתי, בגין דאיהו עקרא דיחודא שלים כדקא יאות, תלת תלת מסטרא דא ומסטרא דא, ביחודא חדא בשלימו דכלא. וכלהו רזא דסדרא עלאה כדקא חזי, כגוונא דלעילא, דההוא סדרא תלת תלת ברזא חדא.

רסב. סדרא תניינא, דלסטר דרום, תלת סדרין אינון לההוא סטרא, וכל סדרא וסדרא תלת תלת, ואינון תשעה, כמה דאתמר. ואתוון אתפלגו הכי. לכל סטרי, לאתחברא כלא כחד, בגין דאית אתוון ברזא דנוקבא, ואתוון ברזא דדכורא, ואתחברו כלהו כחדא, והוו חד, ברזא דשמא קדישא שלים, ולגבייהו סדרין ממנן, תלת תלת, כמה דאתמר. וכלא נפקא מסדרא דאבהן דלעילא, כסדרא דאתתקנא אתוון דשמא קדישא יה"ו, כמה דאתמר. הני סדרין כלהו, מתנהגי באלין אתוון ידיען, ונטלי בהו, וכמה חיילין ורבוון כלהו לתתא, דנטלי ואתנהגי בסדרא דא.

רסג. סדרא תליתאה, דלסטר צפון, בתלת סדרין אינון לההוא סטרא, ואינון תשעה, ובתלת סטרין תלת תלת לכל סטר, אינון תשעה, ואינון סדרין מתלת סטרין כמה דאתמר.

רסד. שבעה ועשרים, ברזא דאתוון דאינון שבעה ועשרין. ואע"ג דאינון תרין ועשרין, שלימו דאתוון אינון שבעה ועשרין. והכי סדורא דסדרין אלין, שבעה ועשרין, לתלת תלת סדרין לכל סטר, ואשתכחו אלין ג' מהאי סטרא דאינון ט', ואלין תלת מהאי סטרא

דְּאִינּוּן תִּשְׁעָה, וְאִלֵּין תְּלַת דְּהַאי סִטְרָא דְּאִינּוּן תִּשְׁעָה. אִשְׁתַּכְּחוּ כֻּלְּהוּ שִׁבְעָה וְעֶשְׂרִין.

רסה. וְרָזָא דְּאִלֵּין שִׁבְעָה וְעֶשְׂרִין, אִינּוּן תִּשְׁעָה אַתְוָון דְּאִינּוּן בְּרָזָא דְּנוּקְבֵי, לְאִתְחַבְּרָא בְּהוּ נוּקְבָא, עִם אִינּוּן תְּמַנֵּי סְרֵי סִטְרֵי אֻחֲרָנִין, בְּרָזָא דִּדְכַר, וְכֹלָּא אִיהוּ כִּדְקָא חֲזֵי.

רסו. תָּא חֲזֵי, כְּגַוְונָא דְּאִינּוּן אַתְוָון עִלָּאִין דְּעַלְמָא עִלָּאָה, הָכֵי נָמֵי אַתְוָון אֻחֲרָנִין לְתַתָּא, אַתְוָון עִלָּאִין רַבְרְבִין, וְאַתְוָון תַּתָּאִין זְעִירִין, וְכֹלָּא דָּא כְּגַוְונָא דָּא, וְכָל הַנֵּי רָזִין, בְּרָזָא דִּדְכַר וְנוּקְבָא, כֹּלָּא חַד בִּשְׁלִימוּ.

רסז. וַיִּזְכֹּר אֱלֹהִים אֶת רָחֵל, דְּהָא בְּמַזָּלָא תַּלְיָא, וּבְגִין כָּךְ כְּתִיב בָּהּ זְכִירָה. וַה' פָּקַד אֶת שָׂרָה, לָאו מִמַּזָּלָא הֲוָה, וְאִי תֵּימָא דְּהָא בְּנִין בְּמַזָּלָא תַּלְיָין, וְלָא לְתַתָּא, הָכָא בְּשָׂרָה לָאו בְּמַזָּלָא הֲוָה. אֶלָּא וַה' כְּתִיב, כֹּלָּא כַּחֲדָא.

רסח. אִי הָכֵי אַמַּאי כְּתִיב פְּקִידָה, אֶלָּא וַדַּאי זְכִירָה, הֲוַת מִקַּדְמַת דְּנָא, וְאִתְמְסַר מַפְתְּחָא דָּא לְתַתָּא, כְּמָה דִּכְתִיב וְאֶת בְּרִיתִי אָקִים אֶת יִצְחָק אֲשֶׁר תֵּלֵד לְךָ שָׂרָה לַמּוֹעֵד הַזֶּה וְגוֹ'. וּלְבָתַר כְּגַוְונָא דָּא, וְכֵיוָן דְּאִדְכַּר, בְּרָזָא דִּלְעֵילָא, לְבָתַר אִתְּמַר בְּרָזָא דְּנוּקְבָא פְּקִידָה, לְמֶהֱוֵי כְּלָלָא דְּכֹלָּא כַּחֲדָא.

רסט. וַיִּזְכֹּר אֱלֹהִים אֶת רָחֵל. ר' חִיָּיא פָּתַח וַאֲמַר וְגַם אֲנִי שָׁמַעְתִּי אֶת נַאֲקַת בְּנֵי יִשְׂרָאֵל אֲשֶׁר מִצְרַיִם מַעֲבִידִים אֹתָם וָאֶזְכֹּר אֶת בְּרִיתִי. וָאֶזְכֹּר הָא זְכִירָה, בְּגִין דְּאִיהוּ לְעֵילָא, דְּהַאי מַזָּלָא דְּאִיהוּ בִּדְכוּרָא, אֲתָא עַל פְּקִידָה דְּאִיהוּ בְּגָלוּתָא לְתַתָּא בְּנוּקְבָא. כְּגַוְונָא דָּא וַיִּזְכֹּר אֱלֹהִים אֶת רָחֵל, כְּמָה דְּאַתְּ אָמֵר וָאֶזְכֹּר אֶת בְּרִיתִי.

רע. תָּא חֲזֵי, כְּתִיב פָּקֹד פָּקַדְתִּי אֶתְכֶם, וְכִי פָּקֹד פָּקַדְתִּי, וְהָא פְּקִידָה בְּנוּקְבָא קַיְּימָא, וּבְהַהוּא זִמְנָא בְּגָלוּתָא הֲוַת, וְאִיהִי אֲמִירַת פָּקֹד פָּקַדְתִּי. אֶלָּא הָכָא אִית לְאִסְתַּכָּלָא, וְרָזָא דְּחָכְמְתָא הָכָא וְאִיהִי בְּגָלוּתָא הֵיךְ אִתְחֲזֵי לְמֹשֶׁה הָכָא, וְהֵיךְ אֲמִירַת פָּקֹד פָּקַדְתִּי.

רעא. אֶלָּא הָכֵי אוּלִיפְנָא שִׁמְשָׁא כַּד נָהִיר, אִיהוּ בִּשְׁמַיָּא, וְתוּקְפֵיהּ וְחֵילֵיהּ שַׁלְטָא עַל אַרְעָא בְּכָל אֲתַר. כְּגַוְונָא דָּא מְלֹא כָל הָאָרֶץ כְּבוֹדוֹ, בְּזִמְנָא דְּמַקְדְּשָׁא קָאִים, מְלֹא כָל הָאָרֶץ כְּבוֹדוֹ, דָּא אַרְעָא קַדִּישָׁא. וְהַשְׁתָּא דְּיִשְׂרָאֵל בְּגָלוּתָא, אִיהִי לְעֵילָא, וְתוּקְפָּא סְחֲרָא לְהוּ לְיִשְׂרָאֵל, לְאַגָּנָא עֲלַיְיהוּ, וְאַע"ג דְּאִינּוּן בְּאַרְעָא אָחֳרָא.

רעב. וְתָא חֲזֵי שְׁכִינְתָּא לְתַתָּא, וּשְׁכִינְתָּא לְעֵילָא. שְׁכִינְתָּא לְעֵילָא בִּתְרֵיסַר תְּחוּמֵי רְתִיכִין קַדִּישִׁין, וּתְרֵיסַר חֵיוָון עִלָּאִין, שְׁכִינְתָּא לְתַתָּא, בִּתְרֵיסַר שִׁבְטִין קַדִּישִׁין, וּכְדֵין אִתְכְּלִילַת שְׁכִינְתָּא לְעֵילָא וְתַתָּא, וְכֹלָּא, בְּחַד זִמְנָא כַּחֲדָא, וְאַע"ג דִּבְזִמְנָא דְּיִשְׂרָאֵל בְּגָלוּתָא לְתַתָּא, לָא אִתְתַּקְּנַת לְעֵילָא, הָכֵי נָמֵי לָא אִתְתַּקְּנַת, בְּגִין דִּלְתַתָּא לָא אִתְתַּקְּנַת, וְדָא הוּא בְּגָלוּתָא עִמְּהוֹן דְּיִשְׂרָאֵל, דְּאִיהִי בְּגָלוּתָא עִמְּהוֹן.

רעג. בְּמָה אִתְתַּקְּנַת, לְמַלְכָּא דְּמִית בְּרֵיהּ, מָה עֲבַד כָּפָא לֵיהּ לְעַרְסֵיהּ עַל אֶבְלָא דִּבְרֵיהּ, וְלָא אַתְקֵין לֵיהּ לְעַרְסֵיהּ, אֶלָּא נָטַל כּוּבִין וְדַרְדְּרִין, וְאַטִּיל תְּחוֹת עַרְסֵיהּ, וּשְׁכִיב עֲלֵיהּ, כָּךְ קֻבְּ"ה, כֵּיוָן דְּאִתְגְּלוּ יִשְׂרָאֵל, וְאִתְחֲרֵב מַקְדְּשָׁא, נָטַל כּוּבִין וְדַרְדְּרִין וְשַׁוֵּי תְּחוֹתֵיהּ, הֲדָא הוּא דִּכְתִיב וַיֵּרָא מַלְאַךְ ה' אֵלָיו בְּלַבַּת אֵשׁ מִתּוֹךְ הַסְּנֶה. בְּגִין דְּיִשְׂרָאֵל הֲווּ בְּגָלוּתָא.

רעד. פָּקֹד פָּקַדְתִּי אֶתְכֶם, מַאן דְּלָא קַיְּימָא בִּרְשׁוּתֵיהּ, מַה פַּקֵּיד, וּמַה עֲבֵיד אֶלָּא פָּקֹד מִלְּעֵילָא, פָּקַדְתִּי מִלְּתַתָּא, מַאי טַעְמָא, בְּגִין דְּהַאי זְכִירָה הֲוַת עֲלָהּ מִקַּדְמַת דְּנָא, דִּכְתִיב וָאֶזְכֹּר אֶת בְּרִיתִי, כֵּיוָן דִּכְתִיב וָאֶזְכֹּר, הָא זְכִירָה אִתְמְנָא עֲלָהּ, וּבְגִ"כ אֲמִירַת לְבָתַר פָּקֹד פָּקַדְתִּי דְּהָא סִימָנָא נָקְטַת מִקַּדְמַת דְּנָא. כְּגַוְונָא דָּא שָׂרָה דִּכְתִיב וַה' פָּקַד

את שָׂרָה. אֲבָל הָכָא רָוַוח, דְּלָא אַדְכָּרַת מִקַּדְמַת דְּנָא, לָא אִתְּמַר בָּהּ פְּקִידָה, אֶלָּא זְכִירָה, וְכֹלָּא בִּזְכִירָה אִיהוּ, בְּרָזָא דְּמַזָּלָא.

עֹרה. רַבִּי יְהוּדָה וְרַבִּי חִזְקִיָּה, הֲווֹ אָזְלֵי מִקַּפּוֹטְקִיָא לְלוֹד, וַהֲוָה רַבִּי יְהוּדָה רָכִיב, וְרַבִּי חִזְקִיָּה עַל רַגְלוֹי, אַדְּהָכִי נָחַת רַבִּי יְהוּדָה, אָמַר מִכָּאן וּלְהָלְאָה נִתְעַסֵּק בְּאוֹרַיְיתָא, כְּמָה דִּכְתִּיב הָבוּ גֹדֶל לֵאלֹהֵינוּ.

רעו. א"ל אִלּוּ הֲוֵינָא תְּלָתָא, יָאוּת הוּא, דְּחַד יֵימָא, וּתְרֵין יְתִיבוּ לֵיהּ. א"ל, הָנֵי מִלֵּי בְּבִרְכָאן, בְּגִין דְּאַדְכַּר חַד שְׁמָא דְּקֻבְ"ה, וּתְרֵין יְתִיבוּ לֵיהּ. הה"ד כִּי שֵׁם ה' אֶקְרָא הָבוּ גֹדֶל לֵאלֹהֵינוּ. כִּי שֵׁם ה' אֶקְרָא, דָּא חַד דִּמְבָרֵךְ, הָבוּ גֹדֶל לֵאלֹהֵינוּ, אִלֵּין תְּרֵין אָחֳרָנִין. אֲבָל בְּאוֹרַיְיתָא אֲפִילּוּ תְּרֵי יָתְבֵי וְיָהֲבֵי רִבּוּ וְתוּקְפָּא דְּשִׁבְחָא דְּאוֹרַיְיתָא לְקוּדְשָׁא בְּרִיךְ הוּא.

רעז. אָמַר לֵיהּ רַבִּי חִזְקִיָּה, לְגַבֵּי בִּרְכָאן, אַמַּאי תְּלַת. אָמַר לֵיהּ, הָא אוֹקְמוּהָ וְאִתְּמַר, דִּכְתִּיב הָבוּ גֹדֶל לֵאלֹהֵינוּ. אֲבָל רָזָא דְּמִלָּה הָכָא, דְּהָא כָּל רָזִין דְּבִרְכָאן הָכֵי אִיהוּ, וְחַד לְבָרְכָא, וּתְרֵין לְאָתָבָא, בְּגִין דְּיִסְתַּלַּק שְׁבָחָא דְּקוּדְשָׁא בְּרִיךְ הוּא, בְּרָזָא דִּתְלָתָא, וְחַד מְבָרֵךְ, וּתְרֵין דְּאוֹדוּ, וְדָא הוּא קִיוּמָא דְּבִרְכָאן, וּבְרָזָא עִלָּאָה כִּדְקָא יָאוּת, וּבְרָזָא דִּתְלַת כְּמָה דְּאוֹקְמוּהָ.

רעח. עַד דַּהֲווֹ אָזְלֵי, א"ר יְהוּדָה, תָּנֵינָן, אִית זְכִירָה לְטַב, וְאִית זְכִירָה לְבִישׁ, אִית פְּקִידָה לְטַב, וְאִית פְּקִידָה לְבִישׁ. אִית זְכִירָה לְטַב: כְּמָה דְּאוֹקְמוּהָ, דִּכְתִּיב וְזָכַרְתִּי לָהֶם בְּרִית רִאשׁוֹנִים וְגוֹ'. וַיִּזְכֹּר אֱלֹהִים אֶת נֹחַ. וַיִּזְכֹּר אֱלֹהִים אֶת בְּרִיתוֹ. וְאִית זְכִירָה לְבִישׁ: דִּכְתִּיב וַיִּזְכֹּר כִּי בָשָׂר הֵמָּה רוּחַ הוֹלֵךְ וְלֹא יָשׁוּב. פְּקִידָה לְטַב: דִּכְתִּיב פָּקֹד פָּקַדְתִּי אֶתְכֶם. פְּקִידָה לְבִישׁ: דִּכְתִּיב וּפָקַדְתִּי בְשֵׁבֶט פִּשְׁעָם וּבִנְגָעִים עֲוֹנָם. וְכֻלְּהוּ רָזִין עִלָּאִין.

רעט. כָּל הָנֵי זְכִירָה וּפְקִידָה לְטַב, אִלֵּין אִינּוּן דַּרְגִּין יְדִיעָן, רָזָא דִּמְהֵימְנוּתָא, דְּכַר וְנוּקְבָא, רָזָא חֲדָא, זְכִירָה וּפְקִידָה, וְאִלֵּין אִינּוּן לְטַב. זְכִירָה וּפְקִידָה לְבִישׁ, אִלֵּין אִינּוּן רָזָא דְּסִטְרָא אָחֳרָא, דְּקַיְּימָא בְּרָזָא דֵּאלֹהִים אֲחֵרִים, דְּכַר וְנוּקְבָא כַּחֲדָא, זְכִירָה בְּהַאי, וּפְקִידָה בְּהַאי, וְאִלֵּין אִינּוּן דְּקַיְּימִין תָּדִיר לְבִישׁ. וְאִלֵּין לָקֳבֵיל אִלֵּין. מֵהָכָא נָפְקֵי כָּל רָזֵי דִּמְהֵימְנוּתָא, וְכָל קַדִּישִׁין עִלָּאִין, כְּמָה דְּאוֹקְמוּהָ. וּמֵהָכָא נָפְקֵי כָּל זִינִין בִּישִׁין, וְכָל מוֹתָא, וְכָל סִטְרִין וְזִינִין בִּישִׁין בְּעָלְמָא וְאוֹקְמוּהָ. וְדָא בְּהִפּוּכָא מִן דָּא.

רפ. אָמַר רַבִּי חִזְקִיָּה, הָכֵי הוּא וַדַּאי, זַכָּאָה אִיהוּ, מַאן דְּחוּלָקֵיהּ אִתְקַיָּים בְּסִטְרָא טָבָא, וְלָא יַרְכִּין גַּרְמֵיהּ לְסִטְרָא אָחֳרָא, וְיִשְׁתְּזֵיב מִנַּיְיהוּ. אָמַר לֵיהּ רַבִּי יְהוּדָה, הָכֵי הוּא וַדַּאי, וְזַכָּאָה מַאן דְּיָכִיל לְאִשְׁתְּזָבָא מִנֵּיהּ מֵהַהוּא סִטְרָא, וְזַכָּאִין אִינּוּן צַדִּיקַיָּא, דְּיָכְלֵי לְאִשְׁתְּזָבָא מִנַּיְיהוּ, וּלְאַגָּחָא קְרָבָא בְּהַהוּא סִטְרָא. אָמַר רַבִּי חִזְקִיָּה בַּמֶּה, פָּתַח וְאָמַר, כִּי בְתַחְבּוּלוֹת תַּעֲשֶׂה לְךָ מִלְחָמָה וְגוֹ', מַאן מִלְחָמָה, דָּא מִלְחָמָה דְּהַהוּא סִטְרָא בִּישָׁא, דְּאִצְטְרִיךְ ב"נ לְאַגָּחָא בֵּיהּ קְרָבָא, וּלְשַׁלְטָאָה עָלוֹי, וּלְאִשְׁתְּזָבָא מִנֵּיהּ.

רפא. תָּא חֲזֵי, דְּיַעֲקֹב הָכֵי אִשְׁתַּדַּל לְגַבֵּי עֵשָׂו, בְּגִין הַהוּא סִטְרָא דִּילֵיהּ, לְאִתְחַכְּמָא עָלוֹי, וּלְמֵיזַל עִמֵּיהּ בְּעָקִימוּ, בְּכָל מַה דְּאִצְטְרִיךְ, בְּגִין לְשַׁלְטָאָה עֲלוֹי בְּרֵישָׁא וְסוֹפָא, וְכֹלָּא כִּדְקָא יָאוּת. וְרֵישָׁא וְסוֹפָא כַּחֲדָא, דָּא כְּגַוְונָא דָא, כְּמָה דִּכְתִּיב, בְּכֹרָתִי, וּלְבָתַר בִּרְכָתִי, שֵׁירוּתָא וְסוֹפָא כַּחֲדָא, דָּא כְּגַוְונָא דָא, בְּגִין לְשַׁלְטָאָה עָלוֹי בְּאוֹרַח מֵישַׁר כִּדְקָא חֲזֵי לֵיהּ, וּבְגִ"כ זַכָּאָה אִיהוּ, מַאן דְּאִשְׁתְּזֵיב מִנַּיְיהוּ, וְיָכִיל לְשַׁלְטָאָה עָלַיְיהוּ.

רפב. ת"ח, זְכִירָה וּפְקִידָה לְטַב, אִינּוּן כַּחֲדָא בְּרָזָא דִּמְהֵימְנוּתָא, וְזַכָּאָה אִיהוּ מַאן

דְּאִשְׁתַּדַּל בָּתַר מְהֵימְנוּתָא, כְּד״א אַחֲרֵי ה׳ יֵלְכוּ כְּאַרְיֵה יִשְׁאָג וגו׳. אָמַר רִבִּי חִזְקִיָּה הָכֵי הוּא וַדַּאי.

רפג. ות״ח, ב״נ כַּד צַלֵּי צְלוֹתֵיהּ, לָא יֵימָא עֲלֵיהּ זָכְרֵנוּ וּפָקְדֵנִי. בְּגִין דְּאִיכָּא זְכִירָה וּפְקִידָה לְטַב, וּזְכִירָה וּפְקִידָה לְבִישׁ, וְזַמִּינִין לְנַטְלָא מִלָּה מִן פּוּמָא, וְאַתְיָין לְאַדְכָּרָא חוֹבוֹי דְּבַר נָשׁ וּלְעַנְשָׁא לֵיהּ. בַּר אִי אִיהוּ זַכָּאָה שְׁלִים, דְּכַד בַּדְקֵי חוֹבוֹי הַהִיא זְכִירָה וּפְקִידָה לְבִישׁ, לָא יִשְׁכְּחוּן לוֹן, כְּגוֹן עֶזְרָא דְּאָמַר זָכְרָה לִּי אֱלֹהַי לְטוֹבָה.

רפד. דְּהָא בְּכָל אֲתַר, דְּבַר נָשׁ צַלֵּי צְלוֹתֵיהּ, יַכְלִיל גַּרְמֵיהּ בֵּין סַגִּיאִין בִּכְלָלָא דְּסַגִּיאִין. וְתָא חֲזֵי שׁוּנַמִּית, כַּד אָמַר לָהּ אֱלִישָׁע, הֲיֵשׁ לְדַבֶּר לָךְ אֶל הַמֶּלֶךְ אוֹ אֶל שַׂר הַצָּבָא. הֲיֵשׁ לְדַבֶּר לָךְ אֶל הַמֶּלֶךְ, הַהוּא יוֹמָא, יוֹם טוֹב דְּרֹאשׁ הַשָּׁנָה הֲוָה, וְהַהוּא יוֹמָא דְּמַלְכוּתָא דִּרְקִיעָא שַׁלְטָא לְמֵידַן עָלְמָא, וְקב״ה אִקְרֵי מֶלֶךְ הַמִּשְׁפָּט בְּהַהוּא זִמְנָא. וּבְגִין כָּךְ אָמַר לָהּ, הֲיֵשׁ לְדַבֶּר לָךְ אֶל הַמֶּלֶךְ.

רפה. מַה כְּתִיב, וַתֹּאמֶר בְּתוֹךְ עַמִּי אָנֹכִי יוֹשָׁבֶת. מַאי קָאָמְרָה, לָא בָּעֵינָא, לְמֶהֱוֵי רְשִׁימָאָה לְעֵילָא, אֶלָּא לְאַעֲלָאָה רֵישָׁאִי בֵּין סַגִּיאִין, וְלָא לְאַפָּקָא מִכְּלָלָא דִּלְהוֹן. וְכָךְ בָּעֵי לֵיהּ לְבַר נָשׁ, לְאִתְכְּלָלָא בִּכְלָלָא דְּסַגִּיאִין וְלָא לְאִתְיַיחֲדָא בִּלְחוֹדוֹי, בְּגִין דְּלָא יַשְׁגְּחוּן עֲלֵיהּ, לְאַדְכָּרָא חוֹבוֹי כִּדְקָאֲמָרָן

רפו. פָּתַח רִבִּי יְהוּדָה וְאָמַר הֲנִגְלוּ לְךָ שַׁעֲרֵי מָוֶת וְשַׁעֲרֵי צַלְמָוֶת תִּרְאֶה. הַאי קְרָא, קב״ה אֲמַר לֵיהּ לְאִיּוֹב, כַּד חָמָא, דְּאִיּוֹב דָּחִיק גַּרְמֵיהּ עַל דִּינוֹי דְּקב״ה. תָּא חֲזֵי, אִיּוֹב אֲמַר הֵן יִקְטְלֵנִי לוֹ אֲיַחֵל, כְּתִיב לָא בְּאל״ף, וְקָרֵינָן לוֹ בְּוא״ו, וְכֹלָּא אִיהוּ.

רפז. א״ל קב״ה, וְכִי אֲנָא קָטִיל בְּנֵי נָשָׁא, הֲנִגְלוּ לְךָ שַׁעֲרֵי מָוֶת וְשַׁעֲרֵי צַלְמָוֶת תִּרְאֶה, כַּמָּה תַּרְעִין אִינּוּן פְּתִיחָן בְּהַהוּא סִטְרָא. וּמוֹתָא שַׁלְטָא עֲלַיְיהוּ, וְכֻלְּהוּ סְתִימִין מִבְּנֵי נָשָׁא, וְלָא יָדְעִין אִינּוּן שְׁעָרִים.

רפח. וְשַׁעֲרֵי צַלְמָוֶת תִּרְאֶה. מַאן אִינּוּן שַׁעֲרֵי מָוֶת וּמַאן אִינּוּן שַׁעֲרֵי צַלְמָוֶת. אֶלָּא מָוֶת וְצַלְמָוֶת כַּחֲדָא אִינּוּן, וְזִוּוּגָא חֲדָא אִינּוּן. מָוֶת הָא אִתְּמַר, דָּא מַלְאַךְ הַמָּוֶת, וְהָא אוֹקְמוּהָ. צַלְמָוֶת: צֵל מָוֶת. הַאי אִיהוּ מַאן דְּרָכִיב עֲלֵיהּ, וְאִיהוּ צִלָּא דְּדִילֵיהּ, וְתוֹקְפָּא דִּילֵיהּ, לְאִזְדַּוְּגָא כַּחֲדָא, בְּקִשּׁוּרָא חַד וְאִינּוּן חַד.

רפט. וְכָל אִינּוּן דַּרְגִּין דְּנָפְקֵי מִנַּיְיהוּ, וּמִתְקַשְּׁרָן בְּהוּ אִינּוּן שְׁעָרִים דִּלְהוֹן, כְּמָה דִּלְעֵילָא, כְּמָה דְּאַתְּ אָמֵר, שְׂאוּ שְׁעָרִים רָאשֵׁיכֶם וגו׳. וְאִלֵּין אִיקְרוּ נַהֲרִין וְנַחֲלִין, שִׁית סִטְרִין דְּעָלְמָא. אוּף הָכֵי אִינּוּן שַׁעֲרֵי מָוֶת, וְשַׁעֲרֵי צַלְמָוֶת מִסִּטְרָא אָחֳרָא, דַּרְגִּין יְדִיעָן דְּשָׁלְטִין בְּעָלְמָא, שַׁעֲרֵי מָוֶת, וְשַׁעֲרֵי צַלְמָוֶת, דָּא נוּקְבָא, וְדָא דְּכוּרָא, וְתַרְוַויְיהוּ כַּחֲדָא.

רצ. וְעַל דָּא, אֲמַר קוּדְשָׁא ב״ה לְאִיּוֹב, בְּגִין כָּל אִינּוּן מִלִּין, דְּאִיהוּ אָמַר כָּלָה עָנָן וַיֵּלַךְ כֵּן יוֹרֵד שְׁאוֹל לֹא יַעֲלֶה, וְכָל אִינּוּן שְׁאָר מִלִּין. אֲמַר קוּדְשָׁא ב״ה הֲנִגְלוּ לְךָ שַׁעֲרֵי מָוֶת, לְמִנְדַּע דְּהָא כֻּלְּהוּ בִּרְשׁוּתִי, וְכֻלְּהוּ זְמִינִין לְאִתְבַּעֲרָא מֵעָלְמָא, דִּכְתִיב בִּלַּע הַמָּוֶת לָנֶצַח וגו׳.

רצא. תָּא חֲזֵי, וַיִּזְכֹּר אֱלֹהִים אֶת רָחֵל וַיִּשְׁמַע אֵלֶיהָ אֱלֹהִים וַיִּפְתַּח אֶת רַחְמָהּ. תְּרֵי זִמְנִין, אֱלֹהִים אֱלֹהִים, אַמַּאי, אֶלָּא, חַד מֵעָלְמָא דִּדְכוּרָא, וְחַד מֵעָלְמָא דְּנוּקְבָא, בְּגִין דִּבְמַזָּלָא תַּלְיָא מִלְּתָא.

רצב. וְכַד אִתְעָרַת רָחֵל בִּשְׁמָא דָּא, דִּכְתִיב יֹסֵף ה׳ לִי בֵּן אַחֵר, יָדַע יַעֲקֹב, דְּדְאִיהִי אִתְחַזְיָיא לְאַשְׁלָמָא כֻּלְּהוּ שִׁבְטִין, וְלָא תִתְקַיֵּים בְּעָלְמָא, בְּגִין כָּךְ בָּעָא לְמֵיזַל, וְלָא יָכִיל,

וְכַד מָטָא זִמְנָא דְּבִנְיָמִין, עָרַק וְאָזַל לֵיהּ, בְּגִין דְּבְאַרְעָא אָחֳרָא לָא יִשְׁתְּלִים בֵּיתָא, לְאִתְקַשְּׁרָא עָלְמָא קַדִּישָׁא בֵּיהּ.

רצג. וְהַיְינוּ דִּכְתִיב וַיֹּאמֶר ה' אֶל יַעֲקֹב שׁוּב אֶל אֶרֶץ אֲבוֹתֶיךָ וּלְמוֹלַדְתֶּךָ וְאֶהְיֶה עִמָּךְ. מַאי וְאֶהְיֶה עִמָּךְ, אֶלָּא אֲמַר לֵיהּ, עַד הָכָא, רָחֵל הֲוַת עִמָּךְ עִקְּרָא דְּבֵיתָא, מִכָּאן וּלְהָלְאָה, אֲנָא אֱהֵא עִמָּךְ, וְאֶטּוֹל בֵּיתָא בַּהֲדָךְ, בִּתְרֵיסַר שִׁבְטִין. וְהַיְינוּ דִּכְתִיב, וַאֲנִי בְּבֹאִי מִפַּדָּן מֵתָה עָלַי רָחֵל. עָלַי הֲוָה, וּבְגִינִי הֲוָה מִלָּה, דְּאִתְדְּווֹיָא אִיהִי, וְאַתְיָא דִּיּוּרָא אָחֳרָא, וְנָטְלָא בֵּיתָא בְּגִינִי לְדַיְּירָא עִמִּי.

רצד. וַיֹּאמַר נָקְבָה שְׂכָרְךָ עָלַי וְאֶתֵּנָה, מַאי נָקְבָה. אָמַר רַבִּי יִצְחָק, הַהוּא רָשָׁע אָמַר, אֲנָא חָמֵי, דְּיַעֲקֹב לָא אִסְתַּכַּל אֶלָּא בְּנוּקְבֵי, וּבְגִין כָּךְ יִפְלַח לִי, אָמַר נָקְבָה שְׂכָרְךָ, הָא נְקֵבָה, דְּאִיהוּ שְׂכָרְךָ, כַּד בְּקַדְמֵיתָא. וְאֶתֵּנָה, אֵימָא מַאן נְקֵבָה אִסְתַּכַּלְתְּ בָּהּ, וְאֶתְּנָהּ, וּפְלַח לִי בְּגִינָהּ.

רצה. וַיֹּאמֶר יַעֲקֹב לֹא תִתֶּן לִי מְאוּמָה, אָמַר יַעֲקֹב וְחָלִילָה, דְּהָא אֲנָא כָּל מַה דַּעֲבִידְנָא, לְשֵׁם יְקָרָא דְּמַלְכָּא קַדִּישָׁא עֲבִידְנָא, וְעַל דָּא לֹא תִתֶּן לִי מְאוּמָה, דְּהָא לָאו דַּעְתָּאִי בְּהַאי, אֶלָּא אִם תַּעֲשֶׂה לִי הַדָּבָר הַזֶּה וְגוֹ'.

רצו. וַיָּסַר בַּיּוֹם הַהוּא אֶת הַתְּיָשִׁים. רַבִּי אֶלְעָזָר פָּתַח וְאָמַר, יְיָ' מִי יָגוּר בְּאָהֳלֶךָ וְגוֹ', הָא אוּקְמוּהָ, וְאוּקְמוּהָ חַבְרַיָּיא, הוֹלֵךְ תָּמִים, דָּא אַבְרָהָם. דִּכַד אִתְגְּזַר, תָּמִים אִקְרֵי. וּפוֹעֵל צֶדֶק, דָּא יִצְחָק. וְדוֹבֵר אֱמֶת, דָּא יַעֲקֹב. וַדַּאי יַעֲקֹב בֶּאֱמֶת אִתְדַּבַּק, אִי הוּא בֶּאֱמֶת אִתְדַּבַּק, מ"ט עָבֵד עִם לָבָן כְּגַוְונָא דָּא.

רצז. אֶלָּא, יַעֲקֹב בָּחִין שַׁעְתָּא דְּמַזְלֵיהּ הֲוָה. דְּשָׁרֵי לֵיהּ לְאִינָשׁ, לְמִבְחַן שַׁעְתֵּיהּ, עַד לָא יָתוּב לְאַרְעֵיהּ, וְאִי מַזְלֵיהּ קָאִים בְּמַה דַּעֲבִיד שַׁפִּיר, וְאִי לָאו לָא יוֹשִׁיט רַגְלוֹי, עַד דְּיִסְלַק לְגַבֵּיהּ.

רוצח. ת"ח כְּתִיב וְעָנְתָה בִּי צִדְקָתִי בְּיוֹם מָחָר וְגוֹ', דְּהָא אִיהוּ לָא עָבַד בְּגִין דְּיִטּוֹל מִדִּילֵיהּ לְמַגָּנָא, אֶלָּא כֹּלָּא בְּקוּשְׁטָא וּשְׁלִימוּ דִּרְעוּתָא וְלָא עוֹד אֶלָּא דְּאִיהוּ נָטֵיל רְשׁוּ מִלָּבָן, וְעַ"ד כְּתִיב נִחַשְׁתִּי וַיְבָרְכֵנִי יְיָ' בִּגְלָלֶךָ. כַּמָּה זַרְעִין וְזִינִין עָבַד לָבָן, וּבָחִין מַזְלֵיהּ, בְּגִינֵיהּ דְּיַעֲקֹב, וַהֲוָה אִשְׁתְּכַח בְּגִינֵיהּ דְּיַעֲקֹב, מְאָה עָאנָא כָּל יַרְווֹזָא, וּמְאָה אִמְּרִין, וּמְאָה עִזִּין יַתִּיר עַל עָאנֵיהּ.

רצט. ר' אַבָּא אָמַר, אֶלֶף עָאנִין, וְאֶלֶף אִמְּרִין, וְאֶלֶף עִזִּין, הֲוָה מַיְיתֵי לֵיהּ יַעֲקֹב יַתִּיר בְּכָל יַרְווֹזָא וְיַרְווֹזָא, הה"ד כִּי מְעַט אֲשֶׁר הָיָה לְךָ לְפָנַי וַיִּפְרֹץ לָרֹב וַיְבָרֶךְ יְיָ' אוֹתְךָ לְרַגְלִי, וּבִרְכְתָא דִּלְעֵילָּא לָאו אִיהוּ, פָּחוֹת מֵאֶלֶף, מִכָּל זִינָא וְזִינָא, מֵעָאנִין אֶלֶף אִשְׁתְּכָחוּ, מֵאִמְּרִין אֶלֶף אִשְׁתְּכָחוּ, מֵעִזִּין אֶלֶף אִשְׁתְּכָחוּ, עַל כָּל מַה דְּשַׁרְיָא בִּרְכְתָא דִּלְעֵילָּא, לָא פָּחוֹת מֵאֶלֶף, עַד דִּבְגִינֵיהּ דְּיַעֲקֹב, אִסְתַּלַּק לָבָן לְכַמָּה עוּתְרָא.

ש. וְכַד בָּעָא יַעֲקֹב לְנַטְלָא אַגְרֵיהּ, לָא אַשְׁכַּח אֶלָּא עֲשָׂרָה מִכָּל זִינָא וְזִינָא, וְיַעֲקֹב וְחָשִׁיב לֵיהּ לְעוּתְרָא סַגִּי. וְחָמֵי כַּמָּה נָטֵיל מִדִּילֵיהּ, מִמָּה דַּהֲוָה יָהֵיב אִיהוּ בִּזְכוּתֵיהּ לְלָבָן. וְכָל דָּא דְּסָלִיק בֵּיהּ יַעֲקֹב, לָא הֲוָה, אֶלָּא בִּזְרוֹעַ דְּאִינּוּן מַקְלוֹת, דְּשַׁוֵּי לְגַבֵּי עָנָא.

שא. ת"ח כַּמָּה טְרָחוּ הַהוּא שְׁלִימָא דְּיַעֲקֹב, אֲבַתְרֵיהּ דְּלָבָן. כְּתִיב, וַיָּשֶׂם דֶּרֶךְ שְׁלֹשֶׁת יָמִים וְגוֹ', וַהֲוָה אַיְיתֵי לֵיהּ כָּל הַאי עוּתְרָא, וְעִם כָּל דָּא, לָא בָּעָא לָבָן דִּיְהֵא אַגְרֵיהּ דְּיַעֲקֹב הָכֵי, אֶלָּא נָטַל עֲשָׂרָה מִן דָּא, וַעֲשָׂרָה מִן דָּא, וְיָהַב לֵיהּ, וַאֲמַר לֵיהּ, טוֹל הָנֵי, וְאִי יוֹלִידוּ כְּמָה דַּאֲמִירַת, בְּהַאי גַּוְונָא יְהֵא אַגְרָךְ, הה"ד וַתַּחֲלֵף אֶת מַשְׂכֻּרְתִּי עֲשֶׂרֶת מוֹנִים, עֲשָׂרָה מִן

דָּא וַעֲשָׂרָה מִן דָּא, וּכְתִיב וַאֲבִיכֶן הֵתֶל בִּי וְהֶחֱלִיף אֶת מַשְׂכֻּרְתִּי עֲשֶׂרֶת מוֹנִים. אִשְׁתַּדַּל בָּתַר קֻבָּ"ה, וּבָרְכֵיהּ. וּמִכָּל מַה דְּשַׁוֵּי לָבָן עִמֵּיהּ דְּיַעֲקֹב, אַהֲדַר בְּמִלּוֹלֵיהּ, וּנְטִיל מִיַּעֲקֹב כֹּלָּא, עַד דְּקֻבָּ"ה חָס עֲלֵיהּ, וּנְטַל מִדִּילֵיהּ בִּזְרוֹעַ.

שב. אָמַר רִבִּי אֶלְעָזָר כָּל הַנֵּי קְרָאֵי, לְאַחֲזָאָה חָכְמְתָא קָא אַתְיָין, דְּתָנִינָן מִלִּין דִּלְעֵילָּא, מִנְּהוֹן תַּלְיָין בְּעוֹבָדָא, וּמִנְּהוֹן בְּמִלּוּלָא, וּמִנְּהוֹן בִּרְעוּתָא דְּלִבָּא. וּמַאן דְּבָעֵי לְאַמְשָׁכָא בִּרְכָאן, בִּצְלוֹתָא, בְּמִלּוּלָא, וּרְעוּתָא. וּמִנְּהוֹן דְּלָא בִּצְלוֹתָא, אֶלָּא בְּעוֹבָדָא תַּלְיָין.

שג. ת"ח יַעֲקֹב שְׁלִים, כָּל מַה דַּעֲבַד, בְּחָכְמְתָא עָבִיד, כְּתִיב וַיַּצֵּג אֶת הַמַּקְלוֹת אֲשֶׁר פִּצֵּל בָּרְהָטִים בְּשִׁקְתוֹת הַמָּיִם, כֹּלָּא בְּחָכְמְתָא, לְאַמְשָׁכָא בִּרְכָאן, מִמַּבּוּעָא דְּכֹלָּא, לְכֻלְּהוּ דַּרְגִּין עִלָּאִין, דְּאִינּוּן חוּלָקֵיהּ וְעַדְבֵיהּ.

דש. אֶת הַמַּקְלוֹת. מַאן מַקְלוֹת, אִלֵּין דַּרְגִּין דְּאִינּוּן בֵּי דִּינָא. אֲשֶׁר פִּצֵּל, דְּאַעֲבַר מִנְּהוֹן דִּינָא. בָּרְהָטִים: הַיְינוּ דִּכְתִיב מֶלֶךְ אָסוּר בָּרְהָטִים, דְּהָא מֵהַהוּא מֶלֶךְ, אַתְיָין בִּרְכָאן לְכֻלְּהוּ עָלְמִין.

שה. ד"א מֶלֶךְ אָסוּר בָּרְהָטִים, מֶלֶךְ דָּא, אָסוּר וְקָשׁוּר בְּאִינּוּן רְהָטִין עִלָּאִין, דְּמִנַּיְיהוּ אִשְׁתַּקְיָין כֹּלָּא, מִמֶּלֶךְ עִלָּאָה. בְּשִׁקְתוֹת הַמָּיִם: אִלֵּין אִינּוּן, נַחֲלִין דְּנָפְקִין וְאַתְיָין, עַד דְּמָטוּ לַאֲתַר דְּמִתְכַּנְשֵׁי תַּמָּן. אֲשֶׁר תָּבֹאןָ הַצֹּאן לִשְׁתּוֹת, כְּד"א יַשְׁקוּ כָּל חַיְתוֹ שָׂדָי יִשְׁבְּרוּ פְרָאִים צְמָאָם. וּבְהַהוּא אֲתַר, דְּמִתְכַּנְשֵׁי תַּמָּן מַיָּא, כֻּלְּהוּ אַתְיָין לְאַשְׁקָאָה מִנֵּיהּ.

שו. וַיֵּחַמְנָה, מַאי וַיֵּחַמְנָה. ת"ח בְּשַׁעֲתָא דְּרוּחַ צָפוֹן נָשִׁיב, מַיִין גְּלִידִין, וְלָא נָגְדִין לְבַר, וְלָא אִשְׁתַּקְיָין, בְּגִין דְּדִינָא תַּלְיָא, וּקְרִירוּ דְּצָפוֹן גְּלִיד מַיָּא. וְכַד אִתְעַר רוּחַ דָּרוֹם, מִתְחַמְּמֵי מַיָּא, וְאִתְעֲבַר גְּלִידוּ דִּלְהוֹן, וְנָגְדִין, כְּדֵין אִתְשַׁקְיָין כֹּלָּא. בְּגִין דַּחֲמִימוּ דְּדָרוֹם, שָׁרָאן מַיָּא, וְכֻלְּהוּ מִתְחַמְּמֵי וְחָדָאן לְמִשְׁתֵּי מֵהַהוּא קְרִירוּ דְּצָפוֹן, דַּהֲוָה לוֹן בְּקַדְמֵיתָא, הה"ד וַיֵּחַמְנָה. וַיֵּחַמְנָה, וְלָא כְּתִיב וַיֵּחֱמוּ. אֶלָּא דְּאִינּוּן כֻּלְּהוּ נוּקְבֵי.

שז. וְעַל דָּא אִתְכַּוַּון יַעֲקֹב, לְמֶעְבַּד עוֹבָדָא בְּחָכְמְתָא, וְדָא הוּא דִּכְתִיב וַיִּקַּח לוֹ יַעֲקֹב מַקַּל לִבְנֶה לַח וגו'. פָּתַח וְאָמַר כִּי יַעֲקֹב בָּחַר לוֹ יָהּ יִשְׂרָאֵל לִסְגֻלָּתוֹ, ת"ח כִּי יַעֲקֹב בָּחַר לוֹ יָהּ, עַד כָּאן לָא יְדַעְנָא מַאן בָּרֵיר לְמַאן, אִי קֻבָּ"ה בָּרֵיר לֵיהּ לְיַעֲקֹב, אִי יַעֲקֹב בָּרֵיר לֵיהּ לְקֻבָּ"ה. אֶלָּא מִמַּה דְּגַלֵּי קְרָא, יְדַעְנָא דְּקֻבָּ"ה נְטִיל לֵיהּ לְיַעֲקֹב לְעַדְבֵיהּ, דִּכְתִיב כִּי חֵלֶק יי' עַמּוֹ יַעֲקֹב חֶבֶל נַחֲלָתוֹ.

שח. תָּא חֲזֵי, הָכֵי נָמֵי יַעֲקֹב, בֵּירַר אַחְסַנְתֵּיהּ וְעַדְבֵיהּ לְחוּלָקֵיהּ, וְסָלֵיק לְעֵילָּא מִכָּל דַּרְגִּין, וּנְטִיל לֵיהּ לְעַדְבֵיהּ. מַקַּל לִבְנֶה לַח, הַיְינוּ דַּרְגָּא חִוָּורָא, דִּסְטַר יְמִינָא. וְלוּז וְעַרְמוֹן, הַיְינוּ דַּרְגָּא סוּמָקָא, דִּסְטַר שְׂמָאלָא.

שט. וַיְפַצֵּל בָּהֵן פְּצָלוֹת לְבָנוֹת, דְּאַעֲבַר דִּינָא מִן דָּא, וְאִתְחַבַּר לֵיהּ בִּימִינָא, וְהוּא עָאל בֵּינַיְיהוּ, וּנְטִיל לוֹן כַּחֲדָא וְאִתְעָבֵיד כֹּלָּא חַד, בִּתְרֵי גַּוְונֵי. וְעִם כָּל דָּא, מַחְשֹׂף הַלָּבָן, דְּיִתְגַּלֵּי חִוָּורָא עַל סוּמָקָא. וְכָל דָּא לְמַאי, לְאַמְשָׁכָא לְדַרְגָּא דָּא דְּעַדְבֵיהּ בִּרְכָאן מִמַּבּוּעָא דְּכֹלָּא, וּלְשַׁוָּאָה לְדַרְגָּא דָּא דְּאִיהוּ תְּלָתָא כַּחֲדָא.

שי. בָּרְהָטִים בְּשִׁקְתוֹת הַמָּיִם, כְּמָה דְּאוֹקִימְנָא, וּכְדֵין בְּעוֹבָדָא דָּא דְּחָכְמְתָא, נָגְדִין בִּרְכָאן לְתַתָּא, וּמִתְשַׁקְיָין כֻּלְּהוּ עָלְמִין, וְשַׁרְיָין עֲלֵיהּ בִּרְכָאן, כְּמָה דְּאוֹקְמוּהָ, דִּכְתִיב בַּבֹּקֶר יֹאכַל עַד וגו', וּלְבָתַר מִכָּאן, וְלָעֶרֶב יְחַלֵּק שָׁלָל, לְאִתְבָּרְכָא כֻּלְּהוּ עָלְמִין לְתַתָּא. וְיַעֲקֹב נָטַל חוּלָקֵיהּ, מֵאִינּוּן בִּרְכָאן, דְּשַׁרְיָין עֲלֵיהּ לְתַתָּא, בְּגִין דְּאִיהוּ חוּלָקֵיהּ וְעַדְבָא דְּקוּדְשָׁא בְּרִיךְ הוּא.

סִתְרֵי תּוֹרָה

שיא. ויקח לו יעקב מקל לבנה וגו', מתניתין, רעותא דעובדא, קטרי דמהימנותא, קל קלא דקליא, אתער מעילא לתתא, אנן פתיחין עייני הריגן. גלגלא אסחר מעילא לכמה סטרין, קל נעימותא אתער. אתערו ניימין דמיכין, דשינתא בחוריהון, ולא ידעי, ולא מסתכלן, ולא וזמאן אטימין אודנין, כבדין דלבא, ניימין, ולא ידעין. אורייתא קיימא קמייהו, ולא משגיחין ולא ידעי במה מסתכלן, וזמאן ולא וזמאן. אורייתא רמאת קלין אסתכלו טפשין, פתחו עיינין, ותנדעון. לית מאן דישגח, ולית מאן דירכין אודניה, עד מה תהון בגו חשוכא דרעותייהו. אסתכלו למנדע, ואתגלי לכון נהורא דנהיר.

שיב. בזמנא דיעקב שלימא, מגו עאקו דארעא ורשו אוחרא, בגו דרגין נוכראין, דוזה לכלהו, ובריר וזולק עדביה ואחסנתיה, נהורא מגו חשוכא, וחכמתא מגו טפשותא, ואוקיר ליה למאריה, כד הוה קאים בגו רשותא דאל זר. ע"ד כתיב לא עתה יבוש יעקב ולא עתה פניו יחורו. (ע"כ ס"ת)

תוספתא

שיג. קוטרא דקוטרא דכיא, הוה סליק לגו לגו, עד לא אשכח אתר בית מותבא, ההוא אתר לאו אתר, לאו אשתכח לעילא ותתא, מכלא אתאביד, אבדון הוי מכלא, אבדון דכורא, סמא"ל דנפק מהתוכא דתוקפא דיצחק. ומות נוקבא דיליה, נחש קדמאה, אשת זנונים, דכתיב רגליה יורדות מות. ואלין תרין: אבדון ומות, שמעו תוקפא דהורמנו דמלכא.

שיד. רזא וסתרא סתימא עלאה טמיר מכלא, טמיר מרעיונין והרהורין, מניה נפק את י', נקודה עלאה. מהאי נקודה עלאה, נפק כלא, אמשיך ואפיק ה', אמא עלאה, דאשקי לכלא. מהאי נפיק ו', רזא דשית, דאוחיד לכל סטרין, דאיהו: מקל לבנה לוז, ולוז, וערמון.

שטו. תרין דרועין דאוחידן ביה, אלין נפקי ואוחידו בה"א תתאה, לחברא משכונא כחד, ולמהוי וזד. כדין, תליסר מכילן, הוו וזד. וחוורא אתגליף על גוונין וסליק על גוון כלהו, הה"ד מחשף הלבן, וכדין אקרי יי' אחד ושמו אחד. וכדין יי' רועי לא אחסר. וכתיב בנאות דשא ירביצני על מי מנוחות ינהלני נפשי ישובב וגו'. (ע"כ תוספתא)

סתרי תורה

שטז. ויקח לו יעקב, בריר ליה לחולקיה לעדביה, מקל לבנה לוז, סטרא דימינא, גוון חוור, לוז: סטרא איהו דמים. ולוז: דא סטרא דשמאלא, סומקא כוורדא. וערמון: כליל דא בדא. וכלהו אוחיד ימינא וחוורא בגווניה, וסלקא בהו. דכתיב מחשף הלבן, דאע"ג דאוחיד לתרין סטרין, נטל חולקיה לסטר ימינא, ואגליף בכלא, בהאי סטרא ובהאי סטרא, כדין אקרי גבר שלים, שלים בכלא.

שיז. מה כתיב בתריה, והיה בכל יחם הצאן המקשרות ושם יעקב את המקלות וגו'. סתרא דסתרין, לחכימי לבא אתמסר, בגו משריין עלאין קדישין אית דרגין עלאין, אלין על אלין, אלין פנימאין, ואלין לבר. אינון פנימאין מתקשרין במלכא קדישא, ומתקשרין בישראל, בנין קדישין לקב"ה, ואלין אקרון הצאן המקשרות, משריין דאינון מקשרות, עילא ותתא.

שיח. בשעתא דתיאובתא דלהון, לגבי זהרא עלאה דלעילא, עמודא דאמצעיתא, יעקב שלימא נטל אינון מקלות, תפלין דרישא, ברהטים: אתר ודוכתא, לדיורי תפלין. ומהכא נטלי נהורא וזיווא, כל וזילין ומשריין עלאין, אינון דמתקשרן לעילא, ומתקשרן

לְתַתָּא, כֵּיוָן דְּאִינּוּן נָטְלֵי מִגּוֹ רְהָטִין שִׁקֲתוֹת הַמַּיִם, כְּדֵין, אִינּוּן הֲווֹ מְקוֹרִין וּמַבּוּעִין, לְנַחֲתָא לְתַתָּא, וּלְמֵיהַב לְכֹלָּא.

שיט. וּבְגִ"כ, אַפְרֵישׁ יַעֲקֹב, בֵּין דַּרְגִּין עִלָּאִין קַדִּישִׁין, לְדַרְגִּין אוּחֲרָנִין, דִּשְׁאָר עַמְמִין, כְּד"א וַיָּשֶׂת לוֹ עֲדָרִים לְבַדּוֹ וְלֹא שָׁתָם עַל צֹאן לָבָן. עֲדָרִים אַפְרֵישׁ לֵיהּ לְגַרְמֵיהּ, דְּלָא יְהֵא לֵיהּ חוּלַק בִּשְׁאָר עַמְמִין, כְּמָה דְּאַפְרֵישׁ לֵיהּ, דַּרְגֵּי דִּמְהֵימְנוּתָא לְעֵילָּא, לְחוּלָקֵיהּ וְעַדְבֵיהּ, הָכֵי אִצְטְרִיךְ לְאַפְרָשָׁא, דַּרְגִּין דְּמַשִׁרְיָין קַדִּישִׁין לְתַתָּא, לְקַשְׁרָא לוֹן בַּהֲדֵיהּ, בְּאִינּוּן הֵיכָלִין דְּמַטְרוֹנִיתָא.

שכ. וְכֻלְּהוּ רְשִׁימִין, בִּרְשִׁימוּ דְּמַלְכָּא עִלָּאָה. כְּמָה דְּיִשְׂרָאֵל, רְשִׁימִין לְתַתָּא, בֵּין כָּל שְׁאָר עַמְמִין, אוּף דַּרְגִּין דְּמַשִׁרְיָין עִלָּאִין, רְשִׁימִין אִינּוּן לְחוּלָקֵיהּ לְקֻבְּ"ה, בֵּין כָּל שְׁאָר וְזֵילִין, וּמַשִׁרְיָין עִלָּאִין. וְע"ד בָּרֵיר יַעֲקֹב לְחוּלָקֵיהּ וְעַדְבֵיהּ, בְּרָזָא דִּמְהֵימְנוּתָא, אוּף הָכֵי קֻבְּ"ה, בָּרֵיר לֵיהּ, מִכָּל שְׁאָר וְזֵילִין וּמַשִׁרְיָין דְּעָלְמָא.

שכא. וּמַשִׁרְיָין עִלָּאִין, מִתְפָּרְשָׁאן אִלֵּין מֵאִלֵּין. בְּשַׁעְתָּא דְּזָהֲרָא דְּנוּרָא בִּנְהִירוּ דִּשְׁכִינְתָּא אִתְגַּלְּיָא, כָּל אִינּוּן דַּרְגִּין אוּחֲרָנִין, אִתְכַּסְפָן, וּמִתְעַטְּפֵי מֵהַהוּא זָהֳרָא וְלָא יָכְלוּ לְקָרְבָא לְגַבֵּיהּ. וְכָל אִינּוּן דַּרְגִּין קַדִּישִׁין, דְּאִינּוּן תִּקּוּנָא דִּילֵיהּ, בְּשַׁעְתָּא דְּאִתְגַּלְּיָא הַהוּא זָהֳרָא, מִיָּד וַדַּאן, וְסַלְּקָן לְאִתְקָרְבָא בַּהֲדֵיהּ, וּלְאִתְקַשְּׁרָא לְגַבֵּיהּ, וְאִיהוּ בְּהוּ אִתְתַּקְּנַת, וְסִתְרָא דָּא וְהָיָה הָעֲטוּפִים לְלָבָן וְהַקְּשׁוּרִים לְיַעֲקֹב.

שכב. וְאִצְטְרִיךְ לְבָרְרָא וּלְאִתְפָּרְשָׁא דַּרְגִּין קַדִּישִׁין דְּחוּלָקֵיהּ. מֵאִינּוּן דַּרְגִּין דִּשְׁאָר עַמִּין, וּבְכֹלָּא אִצְטְרִיךְ יַעֲקֹב קַדִּישָׁא וְע"ד קֻבְּ"ה כְּתִיב בְּאוֹרַיְיתָא, מְהֵימְנוּתָא דִּילֵיהּ, בְּגוֹ סִתְרֵי מִלִּין אִלֵּין. זַכָּאָה חוּלָקֵיהּ. (ע"כ ס"ת)

שכג. רִבִּי יֵיסָא, זוּטָא, הֲוָה שְׁכִיחַ קַמֵּיהּ דְּרַ"שׁ, אֲמַר לֵיהּ, הַאי דִּכְתִּיב בְּרָכוֹת לְרֹאשׁ צַדִּיק, לְצַדִּיק מִבְּעֵי לֵיהּ, מַאי לְרֹאשׁ צַדִּיק. אֲמַר לֵיהּ, רֹאשׁ צַדִּיק: דָּא הִיא עֲטָרָה קַדִּישָׁא, וְאוֹקְמוּהָ. תּוּ, רֹאשׁ צַדִּיק, דָּא יַעֲקֹב, דְּאִיהוּ נָטֵיל בִּרְכָאן, וְנָגֵּיד לוֹן לְצַדִּיק, וּמִתַּמָּן אִזְדְּרִיקוּ לְכָל עֵיבַר, וּמִתְבָּרְכָן כֻּלְּהוּ עָלְמִין.

שכד. אֲבָל הָא אוֹקִימְנָא, בְּרָכוֹת לְרֹאשׁ צַדִּיק, צַדִּיק אִקְרֵי, הַהוּא אֲתַר דִּבְרִית, דְּמִנֵּיהּ נָפְקִין מַבּוּעִין לְבַר, נוּקְבָא דְּקִיסְטָא, דְּחוּמְרָא נָפֵיק מִנֵּיהּ אִיהוּ רֵישָׁא, כָּךְ רֹאשׁ צַדִּיק, הַהוּא אֲתַר, כַּד זָרִיק מַבּוּעִין לְנוּקְבָא, אִקְרֵי רֹאשׁ צַדִּיק. צַדִּיק אִיהוּ רֹאשׁ בְּגִין דְּכָל בִּרְכָאן בֵּיהּ שַׁרְיָין.

שכה. תּוּ, הַהוּא בַּר נָשׁ, דְּזָכֵי לְמִנְטַר אֶת קַיָּימָא קַדִּישָׁא, וְעָבֵיד פִּקּוּדֵי דְּאוֹרַיְיתָא, צַדִּיק אִקְרֵי, וּמֵרֵישֵׁיהּ וְעַד רַגְלוֹי הָכֵי אִקְרֵי. וְכַד בִּרְכָאן נַגְדִין לְעָלְמָא, שַׁרְיָין עַל רֵישֵׁיהּ, וּמִנֵּיהּ קָיְימֵי בִּרְכָאן לְעָלְמָא, בִּבְנִין קַדִּישִׁין זַכָּאִין דְּאוֹקִים.

שכו. רִבִּי יֵיסָא תּוּ שָׁאִיל וַאֲמַר, כְּתִיב נַעַר הָיִיתִי גַּם זָקַנְתִּי וגו'. הַאי קְרָא אוֹקְמוּהָ דְּשָׂרוּ דְּעָלְמָא אֲמָרוֹ, אִיהוּ אֲמָרוֹ בְּחָכְמְתָא, יַתִּיר מִמַּה דְּחָשְׁבִין בְּנֵי נָשָׁא. אֲמַר לֵיהּ בְּרִי יָאוּת הוּא, דְּהָא בְּיִחוּדָא קַדִּישָׁא אִתְּמַר נַעַר הָיִיתִי גַּם זָקַנְתִּי.

שכז. וְהָכֵי הוּא. וְלֹא רָאִיתִי צַדִּיק נֶעֱזָב, דָּא הוּא שִׁבְחָא דְּיִחוּדָא, דְּלָא אִשְׁתַּכַּח יוֹם בְּלָא לַיְלָה, דְּהָא לַיְלָה בֵּיהּ אִשְׁתַּכַּח תְּדִירָא, וְצַדִּיק אָחִיד לְעֵילָּא, וְאָחִיד לְתַתָּא.

שכח. וְזַרְעוֹ מְבַקֵּשׁ לָחֶם, מַאי הוּא. אֶלָּא, בְּשַׁעְתָּא דְּזָרִיק וְאִתְנְגִיד זַרְעָא, לָא תָבַע לְנוּקְבָא, דְּהָא בַּהֲדֵיהּ שַׁרְיָא, דְּלָא הִתְפָּרְשָׁא מִנֵּיהּ לְעָלְמִין, וְזַמִּינָא הִיא לְגַבֵּיהּ, דְּהָא זַרְעָא לָא נָגִּיד, אֶלָּא בְּשַׁעְתָּא דְּנוּקְבָא זְמִינָא, וְתֵיאוּבְתָא דִּתְרַוַויְיהוּ כַּחֲדָא בִּדְבוּקָא וְחַד

דְּלָא מִתְפָּרְשָׁן, וְע"ד לָא אִצְטְרִיךְ לְמִתְבַּע עָלָהּ.

שכט. אֲמַר לֵיהּ, וּבִזְמְנָא דְּגָלוּתָא לָאו הָכִי. א"ל זַרְעוֹ כְּתִיב, וְלָאו אִיהוּ, אֵימָתַי נָפִיק, כַּד נוּקְבָא בְּדִבּוּקָא וַחֲדָ עִם דְּכוּרָא. וְאִי תֵּימָא לֹא רָאִיתִי צַדִּיק נֶעֱזָב, בִּזְמְנָא דְּגָלוּתָא מַאי הִיא.

של. אֶלָּא, הָא אָזִיל לְעֵילָּא. וְלָא נֶעֱזָב לְעָלְמִין, בִּזְמְנָא אָחֳרָא, לֹא נֶעֱזָב מִנּוּקְבָא, אָזִיל לְעֵילָּא, וְאָזִיל לְתַתָּא, אָזִיל לְעֵילָּא, בִּזְמְנָא דְּגָלוּתָא. בִּזְמְנָא אָחֳרָא, אָזִיל לִתְרֵין סִטְרִין, לְעֵילָּא וְתַתָּא, וּלְעוֹלָם אֵינוֹ נֶעֱזָב.

שלא. כְּתִיב וַיִּתֵּן אֹתָם אֱלֹהִים בִּרְקִיעַ הַשָּׁמַיִם, דָּא צַדִּיק, וְאַף עַל גַּב דְּאִתְּמַר בִּרְקִיעַ הַשָּׁמַיִם, אֶלָּא בִּרְקִיעַ הַשָּׁמַיִם וַדַּאי, דְּאִיהוּ סִיּוּמָא דְּגוּפָא.

שלב. תָּא חֲזֵי תְּרֵין רְקִיעִין אִינּוּן, וְאִינּוּן שֵׁירוּתָא וְסִיּוּמָא, דָּא כְּגַוְונָא דָּא. שֵׁירוּתָא רְקִיעָא תְּמִינָאָה, בֵּיהּ שַׁקִּיעָן כָּל כֹּכְבַיָּא, זְעִירִין וְרַבְרְבִין, וְדָא הוּא רְקִיעָא עִלָּאָה סְתִימָאָה, דְּקָאֵים כֹּלָּא, וּמִנֵּיהּ נָפִיק כֹּלָּא, וְאִיהוּ תְּמִינָאָה, מִתַּתָּא לְעֵילָּא, וְהוּא שֵׁירוּתָא, לְאַפָּקָא מִנֵּיהּ כֹּלָּא.

שלג. כָּךְ אִיהוּ רְקִיעָא תְּמִינָאָה מֵעֵילָּא לְתַתָּא, דְּבֵיהּ שַׁקִּיעָן כָּל כֹּכְבַיָּא, כָּל נְהוֹרִין וּבוֹצִינִין. וְהוּא נָטִיל כֹּלָּא וְדָא סִיּוּמָא דְּכֹלָּא. כְּמָה דְּהַהוּא רְקִיעָא תְּמִינָאָה, דְּאִיהוּ שֵׁירוּתָא דְּכֹלָּא, תַּלְיָין בֵּיהּ כָּל נְהוֹרִין, וְנָטִיל לוֹן, וּמִנֵּיהּ נָפְקֵי, הָכִי נָמֵי הַאי, אִיהוּ רְקִיעָא תְּמִינָאָה, תַּלְיָין בֵּיהּ כָּל נְהוֹרִין, וְנָטִיל לוֹן, וּמִנֵּיהּ נָפְקוּ לְכֻלְּהוּ עָלְמִין.

שלד. שֵׁירוּתָא וְסִיּוּמָא, כְּגַוְונָא חַד קַיְימֵי, וְעַל דָּא, אִיהוּ נָהָר דְּנָגִיד וְנָפִיק, וְלָא פָּסְקֵי מֵימוֹי לְעָלְמִין, כֹּלָּא לְמֶהֱוֵי סִיּוּמָא כְּשֵׁירוּתָא, וּבְגִין כָּךְ וַיִּתֵּן אֹתָם אֱלֹהִים בִּרְקִיעַ הַשָּׁמַיִם, וְלָמָּה, לְהָאִיר עַל הָאָרֶץ.

שלה. וְאַף עַל גַּב דְּאִתְּמַר כֹּלָּא כְּגַוְונָא חֲדָא קַיְימֵי, וְדָא הוּא בְּרָזָא דְּמִלָּה, מַה בֵּין הַאי לְהַאי. אֶלָּא, דָּא אוֹקִים וְזָן לְעָלְמָא עִלָּאָה דְּאִיהוּ בֵּיהּ, וּלְכָל אִינּוּן סִטְרִין עִלָּאִין, וְדָא אוֹקִים וְזָן לְעָלְמָא תַּתָּאָה, וּלְכָל אִינּוּן סִטְרִין תַּתָּאִין.

שלו. וְאִי תֵּימָא, עָלְמָא דִּלְעֵילָּא, מַאן אִיהוּ, וְהָא הַהוּא רְקִיעָא תְּמִינָאָה עִלָּאָה סְתִימָאָה, עָלְמָא דִּלְעֵילָּא אִיהוּ, וְהָכִי אִקְרֵי, דְּהָא תְּרֵין עָלְמִין נִינְהוּ כְּמָה דְּאִתְּמַר. אֶלָּא, אִיהוּ עָלְמָא עִלָּאָה, וְכָל אִינּוּן דְּנָפְקֵי מִנֵּיהּ, עַל שְׁמֵיהּ אִקְרוּן, וְאִינּוּן דְּנָפְקֵי מֵעָלְמָא תַּתָּאָה, עַל שְׁמֵיהּ אִקְרוּן, וְכָל הַאי וְהַאי כֹּלָּא חַד, בָּרִיךְ הוּא לְעָלַם וּלְעָלְמֵי עָלְמִין.

שלז. ת"ח יִשְׂבְּעוּ עֲצֵי ה' אַרְזֵי לְבָנוֹן אֲשֶׁר נָטָע. מַאן לְבָנוֹן. הָא אוֹקְמוּהָ וְאִתְּמַר, הַאי קְרָא אֲשֶׁר שָׁם צִפֳּרִים יְקַנֵּנוּ חֲסִידָה בְּרוֹשִׁים בֵּיתָהּ. אֲשֶׁר שָׁם צִפֳּרִים יְקַנֵּנוּ, בְּאָן אֲתַר, בַּלְּבָנוֹן. וְאִלֵּין אִינּוּן תְּרֵין צִפֳּרִים, דְּקָאֲמָרָן בְּכַמָּה אֲתַר, וּמֵאִלֵּין, אִתְפָּרְשָׁן כַּמָּה צִפֳּרִין אָחֳרָנִין, אֲבָל אִלֵּין עִלָּאִין, וְנָפְקִין מִלְּבָנוֹן, דְּאִיהוּ לְעֵילָּא, וְרָזָא דְּמִלָּה, וּלְלָבָן שְׁתֵּי בָנוֹת וגו'.

שלח. וַחֲסִידָה בְּרוֹשִׁים בֵּיתָהּ, בְּאִינּוּן שִׁית בְּנִין עִלָּאִין, שִׁית סִטְרִין דְּעָלְמָא, כְּמָה דְּאִתְּמַר. אַמַּאי אִקְרֵי חֲסִידָה. אֶלָּא, הַאי עָלְמָא עִלָּאָה, אַע"ג דְּנוּקְבָא אִיהִי, קָרִינָן לָהּ דְּכַר, דִּכַד אִתְפַּשַּׁט, כָּל טִיבוּ, וְכָל נְהִירוּ, מִנֵּיהּ נָפִיק.

שלט. וּבְגִין כָּךְ דְּאִיהִי חֲסִידָה, נָפִיק מִנָּהּ חֶסֶ"ד, דְּאִיהוּ נְהוֹרָא קַדְמָאָה, דִּכְתִיב וַיֹּאמֶר אֱלֹהִים יְהִי אוֹר. וְעַל דָּא בְּרוֹשִׁים בֵּיתָהּ. בְּרוֹשִׁים: אַל תִּקְרֵי בְּרוֹשִׁים, אֶלָּא בְּרָאשִׁים. דְּהָא עָלְמָא אָחֳרָא, בְּתַתָּאִין בֵּיתָהּ, וְאִיהִי בֵּי דִּינָא דְּעָלְמָא. וּלְזִמְנִין אִקְרֵי כְּגַוְונָא דִּלְעֵילָּא, בְּכָל אִינּוּן שְׁמָהָן.

שמ. וְעַל אֲתַר דָּא כְּתִיב, וַיִּנָּחֶם יי' וַיִּתְעַצֵּב אֶל לִבּוֹ. וְחָרוֹן אַף יי'. דְּהָא בַּאֲתַר דָּא

תַּלְיָא, דְּהָא כָּל מַה דִּלְעֵילָּא, כֹּלָּא אִיהוּ בִּנְהִירוּ, וַחֲזְיָין לְכָל סִטְרִין, וְעַל דָּא תָּנִינָן, אֵין עַצְבוּת לִפְנֵי הַמָּקוֹם, לִפְנֵי דַּיְיקָא, וְעַל דָּא כְּתִיב עִבְדוּ אֶת יְיָ׳ בְּשִׂמְחָה בֹּאוּ לְפָנָיו בִּרְנָנָה. עִבְדוּ אֶת יְיָ׳ בְּשִׂמְחָה, לָקֳבֵיל עָלְמָא עִלָּאָה, בֹּאוּ לְפָנָיו בִּרְנָנָה לָקֳבֵיל עָלְמָא תַּתָּאָה. זַכָּאִין אִינּוּן יִשְׂרָאֵל, בְּעָלְמָא דֵּין וּבְעָלְמָא דְּאָתֵי, בְּגִין כָּךְ כְּתִיב, אַשְׁרֶיךָ יִשְׂרָאֵל מִי כָמוֹךָ עַם נוֹשַׁע בַּיְיָ׳ מָגֵן עֶזְרֶךָ וַאֲשֶׁר חֶרֶב גַּאֲוָתֶךָ וְיִכָּחֲשׁוּ וְגוֹ׳.

שמא. וַיַּצֵּג אֶת הַמַּקְלוֹת אֲשֶׁר פִּצֵּל בָּרְהָטִים וְגוֹ׳. פָּתַח ר׳ אֶלְעָזָר וַאֲמַר, אִם חָכַמְתָּ חָכַמְתָּ לָּךְ וְלַצְתָּ לְבַדְּךָ תִשָּׂא. אִם חָכַמְתָּ חָכַמְתָּ לָּךְ, ת״ח, וַוי לְאִינּוּן חַיָּיבֵי עָלְמָא, דְּלָא יָדְעִין, וְלָא מַשְׁגִּיחִין, בְּמִלֵּי דְּאוֹרַיְיתָא. וְכַד אִינּוּן מַשְׁגִּיחִין בָּהּ, בְּגִין דְּלֵית לוֹן סָכְלְתָנוּ, מִלִּין דְּאוֹרַיְיתָא דַּמְיָין בְּעַיְינַיְיהוּ, כְּאִילוּ כֻּלְּהוּ מִלֵּי רֵיקָנְיָא, וְלֵית בְּהוּ תּוֹעַלְתָּא, וְכֹלָּא בְּגִין דְּאִינּוּן רֵיקָנִין מִדַּעְתָּא וְסָכְלְתָנוּ. דְּהָא כָּל מִילֵּי דְּאוֹרַיְיתָא, כֻּלְּהוּ מִלִּין עִלָּאִין וְיַקִּירִין, וְכָל מִלָּה וּמִלָּה כְּתִיב בָּהּ יְקָרָה הִיא מִפְּנִינִים, וְכָל חֲפָצִים לֹא יִשְׁווּ בָהּ.

שמב. וְכָל אִינּוּן טִפְּשִׁין, אֲטִימִין דְּלִבָּא, כַּד חָמָאן מִלֵּי דְּאוֹרַיְיתָא, לָא דַּי לוֹן דְּלָא יָדְעֵי, אֶלָּא דְּאִינּוּן אָמְרֵי, דְּאִינְהוּ מִלִּין פְּגִימִין, מִלֵּי דְּלֵית בְּהוּ תּוֹעַלְתָּא. וַוי לוֹן, כַּד יִתְבַּע לוֹן קב״ה, עֶלְבּוֹנָא דְּאוֹרַיְיתָא, וְיִתְעַנְשׁוּן עוֹנְשָׁא דְּמָרְדֵי בְּמָארֵיהוֹן.

שמג. מַה כְּתִיב בְּאוֹרַיְיתָא, כִּי לֹא דָבָר רֵק הוּא מִכֶּם, וְאִי אִיהוּ רֵק מִכֶּם אִיהוּ, דְּהָא אוֹרַיְיתָא כֹּלָּא, מַלְיָיא מִכָּל אַבְנִין טָבִין, וּמַרְגְּלָאן יַקִּירִין, מִכָּל טָבִין דְּעָלְמָא, כד״א וְכָל חֲפָצִים לֹא יִשְׁווּ בָהּ, וְהֵיךְ יֵימְרוּן דְּאִיהִי רֵיקָנְיָא.

שמד. וּשְׁלֹמֹה מַלְכָּא אֲמַר, אִם חָכַמְתָּ חָכַמְתָּ לָּךְ, דְּכַד יִתְחַכַּם בַּר נָשׁ בְּאוֹרַיְיתָא,תּוֹעַלְתָּא דִּילֵיהּ אִיהוּ, דְּהָא בְּאוֹרַיְיתָא לָא יָכִיל לְאוֹסְפָא, אֲפִילּוּ אוֹת אַחַת. וְלַצְתָּ לְבַדְּךָ תִשָּׂא, דְּהָא אוֹרַיְיתָא, לָא יִגָּרַע מִשְּׁבָחָהּ כְּלוּם, וְלֵיצָנוּתָא, דִּילֵיהּ אִיהוּ, וְאִשְׁתְּאַר בֵּיהּ, לְאוֹבָדָא לֵיהּ מֵהַאי עָלְמָא וּמֵעָלְמָא דְּאָתֵי.

שמה. ת״ח, כַּד אַתְוָון עִלָּאִין, מִתְחַבְּרָן כֻּלְּהוּ, בְּהַאי דַּרְגָּא, סוֹפָא דְּכָל דַּרְגִּין קַדִּישִׁין עִלָּאִין, וְאִתְמַלְיָא מִנַּיְיהוּ, וְאִתְבָּרְכָא מֵעָלְמָא עִלָּאָה, כְּדֵין, הַאי דַּרְגָּא קָיְימָא, לְאַשְׁקָאָה לְכֻלְּהוּ עֶדְרִין, כָּל חַד וְחַד כִּדְקָא חֲזֵי לֵיהּ, וְכָל חַד וְחַד אִתְשַׁקְיָ מִן דִּינָא וְרַחֲמֵי.

שמו. ת״ח, מַה כְּתִיב, וַיַּצֵּג אֶת הַמַּקְלוֹת אֲשֶׁר פִּצֵּל בָּרְהָטִים וְגוֹ׳, דְּיַעֲקֹב בָּעָא לְאַתְקְנָא תְּפִלָּה שֶׁל עַרְבִית, וּלְאַנְהָרָא לְסִיהֲרָא, וּלְאַשְׁקָאָה וּלְבָרְכָא לָהּ מִכָּל סִטְרִין, דִּכְתִיב וַיַּצֵּג אֶת הַמַּקְלוֹת. אִלֵּין דִּינִין וּגְבוּרָן, דְּנָפְקֵי מִגְּבוּרָה דִּלְעֵילָּא.

שמז. וְיַעֲקֹב כַּד בָּעָא לְאַתְקְנָא לְהַאי דַּרְגָּא, סָלִיק לְכָל אִינּוּן דִּינִין וּגְבוּרָן מִינָהּ, וְאוֹקִים לוֹן בָּרְהָטִים, בְּאִינּוּן רְהָטִים אַרְבַּע, דְּקַיְימֵי תְּחוֹת הַאי בְּאֵר חֲפָרוּהָ שָׂרִים, דְּאִתְמַלְיָא מֵאִינּוּן נַחֲלִין וּמַבּוּעִין עִלָּאִין, בְּגִין דְּכַד נָפְקִין מַיִין, מֵהַאי בְּאֵר קַדִּישָׁא, אִלֵּין אַרְבַּע נָטְלֵי כֹּלָּא, וְעַל דָּא אִקְרוּן רְהָטִים, וּמִתַּמָּן אַתְיָין כֹּלָּא לְמִשְׁתֵּי.

שמח. וְאִינּוּן דִּינִין וּגְבוּרָן, כֻּלְּהוּ קַיְימֵי תַּמָּן, לְנַטְלָא לְכָל חַד וְחַד כִּדְקָא חֲזֵי לֵיהּ. אֲשֶׁר תָּבֹאנָה הַצֹּאן לִשְׁתּוֹת לְנֹכַח הַצֹּאן, אִלֵּין לָקֳבֵיל אִלֵּין. וַיֵּחַמְנָה, מַאי וַיֵּחַמְנָה, דְּכַד מִתְעַטְּרָן בְּדִינָא, מִתְחַמְּמִין בְּהַהוּא דִּינָא, וְאָזְלִין וְשָׁאטִין בְּעָלְמָא, וּמְעַיְינֵי בְּאָרְחַיְיהוּ דִּבְנֵי נָשָׁא, הֵן לְטַב הֵן לְבִישׁ.

שמט. ת״ח, מַה כְּתִיב בַּתְרֵיהּ, וַיֶּחֱמוּ הַצֹּאן אֶל הַמַּקְלוֹת, בְּגִין דְּאִינּוּן מַקְלוֹת הֲווּ מִתְחַמְּמָן, וּמַשְׁגִּיחִין בְּדִינֵי עָלְמָא, וְאִתְפַּקְדָן עֲלֵיהּ, וְאִתְדָּנוּ בְּנֵי נָשָׁא עֲלַיְיהוּ, כד״א בִּגְזֵרַת עִירִין פִּתְגָּמָא וּמֵאמַר קַדִּישִׁין שְׁאֶלְתָּא וְגוֹ׳.

שנ. רִבִּי חִיָּיא פָּתַח וְאָמַר, דָּבְקָה נַפְשִׁי אַחֲרֶיךָ בִּי תָּמְכָה יְמִינֶךָ, הַאי קְרָא אִית לְאִסְתַּכְּלָא בֵּיהּ, דָּבְקָה נַפְשִׁי אַחֲרֶיךָ, בְּגִין דְּדָוִד מַלְכָּא, הֲוָה מִתְדַּבֵּק נַפְשֵׁיהּ תָּדִיר, אֲבַתְרֵיהּ דְּקֻבְּ"ה, וְלָא חָיֵישׁ לְמִלִּין אָחֳרָנִין דְּעָלְמָא, אֶלָּא לְאִתְדַּבְּקָא נַפְשֵׁיהּ וּרְעוּתֵיהּ בֵּיהּ, וְכֵיוָן דְּאִיהוּ הֲוָה מִתְדַּבֵּק בְּקֻבְּ"ה, הֲוָה תָּמִיךְ בֵּיהּ וְלָא שָׁבְקֵיהּ. מִכָּאן, לְבַר נָשׁ כַּד אָתָא לְאִתְדַּבְּקָא בְּקֻבְּ"ה, קֻבְּ"ה אָחִיד בֵּיהּ, וְלָא שָׁבִיק לֵיהּ.

שנא. ד"א דָּבְקָה נַפְשִׁי אַחֲרֶיךָ, לְאִתְעַטְּרָא דַּרְגֵּיהּ לְעֵילָּא, דְּהָא כַּד אִתְדַּבַּק הַהוּא דַּרְגָּא בְּדַרְגִּין עִלָּאִין לְסַלְּקָא בַּתְרַיְיהוּ, כְּדֵין יְמִינָא אָחִיד בֵּיהּ לְסַלְּקָא לֵיהּ, וּלְחַבְּרָא לֵיהּ, בְּחִבּוּרָא חַד כִּדְקָא יָאוּת, כד"א וְתֹאחֲזֵנִי יְמִינֶךָ, וּכְתִיב וִימִינוֹ תְּחַבְּקֵנִי, וְעַל דָּא בִּי תָּמְכָה יְמִינֶךָ.

שנב. וְכַד אָחִיד בֵּיהּ בְּקֻבְּ"ה, כְּדֵין כְּתִיב שְׂמֹאלוֹ תַּחַת לְרֹאשִׁי וִימִינוֹ תְּחַבְּקֵנִי, וְאִיהוּ יִחוּדָא חַד, וְחִבּוּרָא חַד, וְכַד אִיהוּ חִבּוּרָא חַד, כְּדֵין אִתְמַלְיָא הַהוּא דַּרְגָּא דִּילֵיהּ, וְאִתְבָּרְכָא.

שנג. וְכַד אִתְמַלְיָין כָּל אִינּוּן רְהָטִין, אִתְמַלְיָין לְאַרְבַּע סִטְרִין דְּעָלְמָא, וְכֻלְּהוּ עֲדָרַיָּא אִשְׁתַּקְיָין, כָּל חַד וְחַד לְסִטְרֵיהּ. וְכַד אָתָא יַעֲקֹב, לְאַתְקְנָא הַאי דַּרְגָּא, בָּרִיר לֵיהּ סִטְרָא דִּימִינָא, דְּאִתְחֲזֵי לֵיהּ, וְסִטְרָא אָחֳרָא דְּלָא אִתְחֲזֵי לֵיהּ אִתְפָּרְשַׁת מִינֵּיהּ, כְּמָה דִּכְתִיב, וַיָּשֶׁת לוֹ עֲדָרִים לְבַדּוֹ וְלֹא שָׁתָם עַל צֹאן לָבָן. לְבַדּוֹ: הֲוָה בִּלְחוֹדוֹי, דְּלָא יִשְׁתַּמֵּשׁ בְּטַעֲוָן אָחֳרָנִין דְּבְסִטְרִין אָחֳרָנִין. זַכָּאָה חוּלָקְהוֹן דְּיִשְׂרָאֵל, דַּעֲלַיְיהוּ כְּתִיב כִּי עַם קָדוֹשׁ אַתָּה לַיְיָ' אֱלֹהֶיךָ וּבְךָ בָּחַר יְיָ' וגו'.

שנד. וְתָא חֲזֵי, יַעֲקֹב אִיהוּ תּוּשְׁבַּחְתָּא דַּאֲבָהָן, וְאִיהוּ כְּלָלָא דְּכֻלְּהוּ, וּבְגִין דְּאִיהוּ כְּלָלָא דְּכֹלָּא, בְּגִ"כ אִיהוּ קָאִים לְאַנְהָרָא לְסִיהֲרָא, דְּיַעֲקֹב אִיהוּ קָאִים לְאַתְקְנָא לִתְפִלַּת עַרְבִית.

שנה. וְכָל הַהוּא תִּקּוּנָא, אִיהוּ כִּדְקָא חֲזֵי לֵיהּ, כָּל אִינּוּן סִטְרִין קַדִּישִׁין כֻּלְּהוּ בְּתִקּוּנָא אַתְקִין בְּסִטְרוֹי, וְאַפְרֵישׁ חוּלָקֵיהּ, מֵחוּלָקָא דִּשְׁאָר עַמִּין. אִלֵּין סִטְרִין עִלָּאִין קַדִּישִׁין בִּקְדוּשָּׁה עִלָּאָה, וְאִלֵּין סִטְרִין מְסָאֲבִין, בִּמְסָאֲבָן דִּמְסָאֲבוּתָא.

שנו. וְהָא אוֹקִימְנָא, דִּכְתִיב וַיָּשֶׁת לוֹ עֲדָרִים לְבַדּוֹ. וַיָּשֶׁת לוֹ: דְּאַתְקִין תִּקּוּנִין לִמְהֵימְנוּתָא. לְבַדּוֹ: כד"א וּבְךָ בָּחַר יְיָ' לִהְיוֹת לוֹ לְעַם סְגֻלָּה מִכֹּל הָעַמִּים. וְלֹא שָׁתָם עַל צֹאן לָבָן, דְּלָא שַׁוֵּי חוּלָקֵיהּ וְעַדְבֵיהּ עִמְּהוֹן.

שנז. וְעַל דָּא יַעֲקֹב שְׁלִימוּ דַּאֲבָהָן, אַתְקִין רָזָא דִּמְהֵימְנוּתָא, וְאַפְרֵישׁ חוּלָקֵיהּ וְעַדְבֵיהּ, מֵחוּלָקָא וְעַדְבָא דִּשְׁאָר עַמִּין. וְעַל דָּא כְּתִיב, וְאַתֶּם הַדְּבֵקִים בַּיְיָ' אֱלֹהֵיכֶם חַיִּים כֻּלְּכֶם הַיּוֹם.

שנח. רִבִּי אַבָּא אָמַר, זַכָּאָה חוּלָקְהוֹן דְּיִשְׂרָאֵל, דְּאִינּוּן עִלָּאִין עַל עַמִּין עכו"ם, בְּגִין דְּדַרְגָּא דִּלְהוֹן לְעֵילָּא, וְדַרְגִּין דְּעַמִּין עכו"ם לְתַתָּא, אִלֵּין בְּסִטְרָא דִּקְדוּשָּׁה, וְאִלֵּין בְּסִטְרָא דִּמְסָאֲבָא, אִלֵּין לִימִינָא, וְאִלֵּין לִשְׂמָאלָא.

שנט. כֵּיוָן דְּאִתְחָרַב בֵּי מַקְדְּשָׁא, מַה כְּתִיב, הֵשִׁיב אָחוֹר יְמִינוֹ מִפְּנֵי אוֹיֵב, וּבְגִין כָּךְ כְּתִיב, הוֹשִׁיעָה יְמִינְךָ וַעֲנֵנִי. וּשְׂמָאלָא אִתְגַּבַּר וּמְסָאֲבָא אִתְתַּקַּף, עַד דְּיִבְנֵי קֻבְּ"ה בֵּי מַקְדְּשָׁא, וְיַתְקִין עָלְמָא עַל תִּקּוּנוֹי, וִיהַדְרוּן מִלֵּיהּ כִּדְקָא יָאוּת וְיִתְעֲבַר סִטְרָא מְסָאֲבָא מִן עָלְמָא. וְהָא אִתְּמַר, דִּכְתִיב וְאֶת רוּחַ הַטֻּמְאָה אַעֲבִיר מִן הָאָרֶץ וגו', וּכְתִיב בִּלַּע הַמָּוֶת לָנֶצַח וגו'.

שס. וְיִשְׁתְּאַר קֻבְּ"ה בִּלְחוֹדוֹי, כְּמָה דִּכְתִיב, וְהָאֱלִילִים כָּלִיל יַחֲלֹף, וּכְתִיב וְנִשְׂגַּב יְיָ'

לְבַדּוֹ בַּיּוֹם הַהוּא. הוּא בִּלְחוֹדוֹי, כְּמָה דִּכְתִּיב, וְאֵין עִמּוֹ אֵל נֵכָר, בְּגִין דְּיִשְׁתְּצֵי וְיִכְלֶא מְסָאֳבָא מֵעָלְמָא, וְלָא יִשְׁתְּאַר לְעֵילָּא וְתַתָּא, אֶלָּא קֻבְּ"ה בִּלְחוֹדוֹי, וְיִשְׂרָאֵל לְפוּלְחָנֵיהּ, עַם קַדִּישׁ, וְיִתְקְרֵי קַדִּישׁ, דִּכְתִּיב, וְהָיָה הַנִּשְׁאָר בְּצִיּוֹן וְהַנּוֹתָר בִּירוּשָׁלַיִם קָדוֹשׁ יֵאָמֶר לוֹ כָּל הַכָּתוּב לַחַיִּים בִּירוּשָׁלָיִם. וּכְדֵין יְהֵא מַלְכָּא יְחִידָאי, לְעֵילָּא וְתַתָּא, וְעַמָּא יְחִידָאָה לְפוּלְחָנֵיהּ, כְּמָה דִּכְתִּיב וּמִי כְּעַמְּךָ יִשְׂרָאֵל גּוֹי אֶחָד בָּאָרֶץ.

שסא. רַבִּי יִצְחָק וְר' יֵיסָא, הֲווֹ אָזְלֵי בְּאָרְחָא, אֲמַר רַבִּי יֵיסָא, הָא שְׁכִינְתָּא לְגַבָּן נִתְעַסַּק בְּמִלֵּי דְּאוֹרַיְיתָא, דְּכָל מַאן דְּעָסִיק בְּמִלֵּי דְּאוֹרַיְיתָא וְיִשְׁתְּדַל בָּהּ, זָכֵי לְאַמְשָׁכָא לֵיהּ בַּהֲדֵיהּ.

שסב. פָּתַח רַבִּי יִצְחָק וַאֲמַר, חַי יְיָ' וּבָרוּךְ צוּרִי וְיָרוּם אֱלֹהֵי יִשְׁעִי, הַאי קְרָא אִיהוּ רָזָא. חַי יְיָ', וְכִי לָא יָדַעְנָא דְּקֻבְּ"ה אִקְרֵי חַי, אֶלָּא אֲפִילּוּ צַדִּיק, אִיהוּ אִקְרֵי חַי, דְּהָא חַי, צַדִּיק אִיהוּ לְעֵילָּא, וְצַדִּיק אִיהוּ לְתַתָּא. לְעֵילָּא קֻבְּ"ה אִקְרֵי חַי. לְתַתָּא צַדִּיק אִקְרֵי חַי, דִּכְתִּיב וּבְנָיָהוּ בֶּן יְהוֹיָדָע בֶּן אִישׁ חַי, אַמַּאי אִקְרֵי חַי בְּגִין דְּאִיהוּ צַדִּיק, דְּהָא צַדִּיק חַי אִקְרֵי, חַי הָעוֹלָמִים. וּבָרוּךְ צוּרִי, כֹּלָּא חַד, חַי וּבָרוּךְ, דְּלָא מִתְפָּרְשֵׁי מֵהֲדָדֵי, דְּכַד מִתְחַבְּרִין כַּחֲדָא, אִקְרֵי בְּאֵר מַיִם חַיִּים. דָּא נָבִיעַ לְגוֹ, וְדָא אִתְמַלְיָא מִנֵּיהּ.

שסג. וְיָרוּם אֱלֹהֵי יִשְׁעִי, דָּא עַלְמָא עִלָּאָה, דְּאִיהוּ רָם וְנִשָּׂא, רָם עַל כֹּלָּא, דְּהָא מִינֵּיהּ נָפִיק כֹּלָּא, וְכָל נְבִיעוּ דְּנָבִיעַ, לְאִתְמַלְיָא בֵּירָא, כִּדְקָא יָאוּת, וּמִתַּמָּן אִתְבָּרְכָא, לְאַנְהָרָא לְכָל אִינּוּן דִּלְתַתָּא, וְכַד אִתְמַלְיָיא, כֹּלָּא כִּדְקָא יָאוּת, כְּדֵין וְיָרוּם אֱלֹהֵי יִשְׁעִי.

שסד. פָּתַח רַבִּי יֵיסָא וַאֲמַר, לֹא יִגְרַע מִצַּדִּיק עֵינָיו וְאֶת מְלָכִים לַכִּסֵּא וַיֹּשִׁיבֵם לָנֶצַח וַיִּגְבָּהוּ, ת"ח, כַּד חַיָּיבַיָּא לָא שַׁלְטִין בְּעַלְמָא, וְאִתְאֲבִידוּ מִינֵּיהּ, כְּדֵין צֶדֶק אִיהוּ שַׁלִּיט בְּעַלְמָא, הה"ד לֹא יְחַיֶּה רָשָׁע וּמִשְׁפַּט עֲנִיִּים יִתֵּן, מַה כְּתִיב בַּתְרֵיהּ, לֹא יִגְרַע מִצַּדִּיק עֵינָיו, מַהוּ עֵינָיו, כְּד"א עֵינֵי יְיָ' אֶל צַדִּיקִים.

שסה. וְאֶת מְלָכִים לַכִּסֵּא, אִלֵּין אִינּוּן מְלָכִין שַׁלִּיטִין, דְּאִתְאַחֲדָן לַכִּסֵּא, וַיֹּשִׁיבֵם לָנֶצַח, דְּאִתְקַיְּימוּ בְּכָרְסְיָיא, בְּקִיּוּמָא שְׁלִים. וַיִּגְבָּהוּ, אַמַּאי וַיִּגְבָּהוּ, לְשַׁלְטָאָה בְּעַלְמָא, וְיִתְקַיֵּים, כָּרְסְיָיא עַל סָמְכוֹהִי. דָּבָר אַחֵר וַיִּגְבָּהוּ, דְּנָטְלֵי כָּרְסְיָיא, וְזָקְפִין לָהּ לְעֵילָּא, לְאִתְאַחֲדָא בְּאַתְרֵיהּ כִּדְקָא יָאוּת, וּכְדֵין כֹּלָּא יְחוּדָא חֲדָא.

שסו. עַד דַּהֲווֹ אָזְלֵי, חָמוּ חַד ב"נ, דַּהֲוָה אָתֵי, וְחַד יְנוּקָא עִמֵּיהּ, רָכִיב עַל כַּתְפֵּיהּ, אֲמַר רַבִּי יִצְחָק, וַדַּאי הַאי ב"נ יוּדָאי אִיהוּ, וּבְגִין לְזַכָּאָה לִבְנֵי נָשָׁא קָא אָתֵי. אֲמַר רַבִּי יֵיסָא, נִזְכֶּה אֲנַן בְּקַדְמִיתָא בֵּיהּ.

שסז. כַּד מָטָא לְגַבַּיְיהוּ, אֲמַר רַבִּי יֵיסָא אַן קִיסְתָּא דְּטַרִימָא בְּקִירְטוּי דְּאוֹרְחָא, אֲמַר בְּגִין דְּיִזְכּוּן בְּנֵי נָשָׁא, דְּהָא תְּרֵין בְּנִין אִית לִי, וַאֲתָא טוּרְנָא לְמָתָא, וְאִשְׁתַּבּוּ, וְהָאִידְנָא אָזִילְנָא, בְּגִין דְּיִזְכּוּן בְּהוּ בְּנֵי נָשָׁא. זָכוּ בַּהֲדֵיהּ, וִיהָבוּ לֵיהּ לְמֵיכַל.

שסח. אַדְהָכֵי פָּתַח הַהוּא יוּדָאי וַאֲמַר, אֶת קָרְבָּנִי לַחְמִי לְאִשַּׁי וְגוֹ'. קָרְבָּנָא דְּקֻבְּ"ה בְּכָל יוֹמָא, בְּגִין לְמֵיזַן עַלְמָא, וּלְמֵיהַב סִפּוּקָא לְעֵילָּא וְתַתָּא, דְּהָא בְּאִתְעֲרוּתָא דִּלְתַתָּא, אִתְעַר לְעֵילָּא, וּבְדָא מִסְתַּפְּקִין כָּל חַד וְחַד כִּדְקָא יָאוּת.

שסט. אֶת קָרְבָּנִי לַחְמִי, הֲדָא הוּא דִּכְתִּיב, אָכַלְתִּי יַעְרִי עִם דִּבְשִׁי שָׁתִיתִי יֵינִי עִם חֲלָבִי. לְאִשַּׁי: הֲדָא הוּא דִּכְתִּיב, אִכְלוּ רֵעִים וְגוֹ', וּמַה קֻבְּ"ה פָּקִיד לְאַתְעָרָא מְזוֹנָא לְעֵילָּא בְּגִין לְאַתְעָרָא מְזוֹנָא לְתַתָּא מֵהַהוּא מְזוֹנָא, מַאן דְּיָהִיב מְזוֹנָא לְקַיְּימָא נַפְשָׁא, עַל אַחַת כַּמָּה וְכַמָּה, דְּקֻבְּ"ה בָּרִיךְ לֵיהּ, וְיִתְעַר לֵיהּ מְזוֹנָא דִּלְעֵילָּא, וְיִתְבָּרַךְ עַלְמָא בְּגִינֵיהּ.

שע. אמר רבי יצחק, ודאי רזא דא כדקא חזי, ושפיר קאמר. אמר רבי ייסא, ודאי על דא אמרו, דלא יזלזל בר נש, לשום ב"נ אחרא בעלמא, בתרי גווני זכינא להאי בר נש.

שעא. פתח ואמר, האי קרא אמר רבי אלעזר את קרבני לחמי לאשי, את קרבני, רזא דכנסת ישראל, דכתיב את, את דייקא. קרבני: דא איהו קרבנא, וקשורא לאתקשרא. לחמי: דא מזונא, דאתי מלעילא, באתערותא דלתתא. לאשי: לאתכללא שאר חילין אחרנין, דאצטריכו לאתזנא, כל חד וחד כדקא חזי ליה. ריח ניחחי: דא רעותא וקשורא, דאתאחדא כלא, ברזא דעלמא עלאה.

שעב. תשמרו להקריב לי במועדו, מאן מועדו, בזמן דאתער אברהם, למעבד רעותיה, דכתיב וישכם אברהם בבקר. ובזמנא דאתעקד יצחק על גבי מדבחא, דההיא שעתא, בין הערבים הוה. ואמר רבי ייסא, אי הכי, האי דכתיב במועדו, במועדים מבעי ליה. א"ל, ההיא שעתא, אתכליל אשא במיא, ומיא באשא, ובגין כך כתיב במועדו.

שעג. ת"ח, בכל קרבנין, לא כתיב כמה דכתיב הכא, תשמרו להקריב לי. תשמרו: רזא דשמור, דאיהו צריכא לקרבא לגבי עילא, דכתיב תשמרו להקריב לי במועדו, בימינא ושמאלא, כמה דאתמר, באברהם ויצחק, וכלא ברזא עלאה.

שעד. אמר רבי ייסא אלמלא לא אתינא הכא, אלא למשמע מלין אלין, די. זכאין אינון ישראל, בעלמא דין, ובעלמא דאתי. על דא כתיב ועמך כלם צדיקים לעולם ירשו ארץ נצר מטעי מעשה ידי להתפאר.

שעה. ולבן הלך לגזוז את צאנו וגו'. אמר רבי יוסי מאן תרפים, אלא ע"ז הוו, ואמאי אקרי תרפים, לגנאי הוה, כמה דתנינן במקום התורף. ומנלן דע"ז הוו, דכתיב למה גנבת את אלהי. וכתיב עם אשר תמצא את אלהיך וגו'. ולבן חרשא דכל חרשין דעלמא הוה, ובהאי הוה ידע בכל מאן דבעי למנדע.

שעו. אמר רבי חייא, בקסם אתעביד. רבי יוסי אומר בנחש. אמר רבי יהודה, לא אתעבידו, אלא בשעתי ידיען. ואמאי אקרי תרפים. בגין דבטשי האי שעתא, והאי שעתא ארפי ידא, כמה דאת אמר רב עתה הרף ידך.

שעז. אומנא כד עביד ליה, ההוא דידע רגעי ושעתי קאים עליה, ואמר, השתא ארפי, והשתא עביד. ולא תשכח עבידתא דאצטריך דירפון מינה אלא האי. ואיהו מליל תדיר, ויהיב עיטין בישין לאבאשא לנפשיה דבר נש.

שעח. ורחל דחילת, בגין דיהב עיטא לאבאשא ליה ליעקב, ובגין בזיונא דע"ז, שוי לון תחותה, עד דלא יכיל למללא. דהא כד איהו מתתקן למללא, מכבדין ומרביצין קמיה, והשתא מה כתיב, ותשב עליהם. דכר ונוקבא הוו, ופולחנין סגיאין קא עבדין, עד לא ממללן. ובגיני כך, אתעכב לבן תלת יומין, דלא ידע דערק יעקב, דכתיב ויגד ללבן ביום השלישי כי ברח יעקב.

שעט. ואמר רבי יהודה, זמין גרמיה בתרין מלין, אזדרז בכל חרשין דהוה ליה, ואזדרז בזיינין, בגין לאובדא ליה מן עלמא, דכתיב ארמי אבד אבי. כיון דחמא קב"ה, דבעא לאובדא ליעקב, מה כתיב השמר לך פן תדבר עם יעקב מטוב עד רע. והיינו דכתיב יש לאל ידי לעשות עמכם רע. במה אתרחיץ, בחרשין דהוו בידיה.

שפ. תָּא חֲזֵי, לָבָן אֲזַל בְּיוֹמָא חַד, אָרְחוֹ שִׁבְעָה יָמִים דְּאֲזַל יַעֲקֹב, בְּגִין לְאַעֲקָרָא לֵיהּ מִן עָלְמָא. חַד, עַל דְּאֲזַל. וְחַד, עַל אִינּוּן תְּרָפִים. וְאע״ג דְּרָחֵל אִיהִי עָבְדַת, לְאַעֲקָרָא לֵיהּ לַאֲבוּהָ מִבָּתַר ע״ז, אִתְעַנְּשַׁת, דְּלָא רְבִיאַת לֵיהּ לְבִנְיָמִן, וְלָא קַיְימָא בַּהֲדֵיהּ שַׁעֲתָא חֲדָא, בְּגִין צַעֲרָא דַּאֲבוּהָ, אַף עַל גַּב דְּאִתְכַּוְּונַת לְטַב.

שפא. רַבִּי יִצְחָק אָמַר, כָּל הַהִיא תּוֹכַחְתָּא דַּהֲוָה לֵיהּ לְיַעֲקֹב בְּלָבָן, אַהֲדַר לֵיהּ לְלָבָן, לְאוֹדָאָה לֵיהּ לְקֻבְּ״ה, דִּכְתִּיב רְאֵה אֱלֹהִים עֵד בֵּינִי וּבֵינֶךָ. ת״ח, כְּתִיב אֱלֹהֵי אַבְרָהָם וֵאלֹהֵי נָחוֹר יִשְׁפְּטוּ בֵינֵינוּ. אַהֲדַר הַהוּא רָשָׁע לְתַקְלֵיהּ, כֵּיוָן דַּאֲמַר אֱלֹהֵי אַבְרָהָם, אַהֲדַר וַאֲמַר וֵאלֹהֵי נָחוֹר.

שפב. וַיִּשָּׁבַע יַעֲקֹב בְּפַחַד אָבִיו יִצְחָק, מַאי טַעֲמָא בְּפַחַד יִצְחָק, וְלָא בֵּאלֹהֵי אַבְרָהָם. אֶלָּא, דְּלָא בָּעָא לְאַטְרְחָא לִימִינָא, בְּגִינֵיהּ דְּלָבָן. וְלָא עוֹד, אֶלָּא דְּלָא לְבָעֵי לֵיהּ לְאִינִישׁ, אע״ג דְּאוֹמֵי בְּקוּשְׁטָא, לְאוֹמָאָה בְּאַתַר עִלָּאָה דְּכֹלָּא.

שפג. א״ר יוֹסֵי, וַדַּאי לְקַיְּימָא כִּדְקָא יָאוּת, אוֹמֵי יַעֲקֹב כָּךְ, וְהָכִי אִתְחֲזֵי, וְיַעֲקֹב אַשְׁגַּח בְּמִלָּה, אָמַר, הָא אִיהוּ אָמַר אֱלֹהֵי אַבְרָהָם, וְשָׁבַק לְאַבָּא, אֲנָא אַשְׁלִים כֹּלָּא, מִיָּד וַיִּשָּׁבַע יַעֲקֹב בְּפַחַד אָבִיו יִצְחָק. ד״א, לְאִתְכַּלְלָא בְּדִינָא, לְמֵיקָם עֲלֵיהּ דְּלָבָן.

שפד. וְיַעֲקֹב הָלַךְ לְדַרְכּוֹ וַיִּפְגְּעוּ בוֹ מַלְאֲכֵי אֱלֹקִים. רַבִּי אַבָּא פָּתַח וַאֲמַר זָכָר וּנְקֵבָה בְּרָאָם וגו׳, כַּמָּה אִית לָן לְאִסְתַּכְּלָא בְּמִלֵּי דְּאוֹרַיְיתָא, וַוי לוֹן, לְאִינּוּן אֲטִימֵי לִבָּא, וּסְתִימִין עַיְינִין, הָא אוֹרַיְיתָא קָארֵי קַמַּיְיהוּ, לְכוּ לַחֲמוּ בְלַחְמִי וּשְׁתוּ בְּיַיִן מָסָכְתִּי. מִי פֶּתִי יָסוּר הֵנָּה חֲסַר לֵב אָמְרָה לוֹ, וְלֵית מַאן דְּיַשְׁגַּח.

שפה. ת״ח, הַאי קְרָא, אִית בֵּיהּ רָזִין עִלָּאִין, אִיהוּ לְגוֹ, וְאִיהוּ לְבַר. זָכָר וּנְקֵבָה בְּרָאָם, אִשְׁתְּמַע לְהַאי גַּוְונָא, וְאִשְׁתְּמַע לְהַאי גַּוְונָא, וְאִשְׁתְּמַע דְּשִׁמְשָׁא וְסִיהֲרָא בְּחִבּוּרָא חֲדָא אִינּוּן, דִּכְתִּיב בְּרָאָם, כְּמָה דְּאַתְּ אָמֵר שֶׁמֶשׁ יָרֵחַ עָמַד זְבֻלָה. וְאִשְׁתְּמַע, דְּאָדָם וְחַוָּה, כַּחֲדָא אִתְבְּרִיאוּ, בְּזִוּוּגָא חַד, וְכֵיוָן דְּאִשְׁתַּכְּחוּ בְּזִוּוּגָא חַד, מִיָּד וַיְבָרֶךְ אוֹתָם, דְּלֵית בִּרְכָתָא שַׁרְיָא, אֶלָּא בְּאַתַר דְּאִשְׁתַּכְּחוּ דְּכַר וְנוּקְבָא.

שפו. תָּא חֲזֵי, כַּד נָפַק יַעֲקֹב לְמֵיהַךְ לְחָרָן, בִּלְחוֹדוֹי הֲוָה, דְּלָא אִתְנְסִיב, מַה כְּתִיב וַיִּפְגַּע בַּמָּקוֹם וגו׳, וְלָא אֲתִיבוּ לֵיהּ, אֶלָּא בְּחֶלְמָא, הַשְׁתָּא דְּאִנְסִיב, וַהֲוָה אָתֵי בְּכֻלְּהוּ שִׁבְטִין, כִּבְיָכוֹל מַשִּׁרְיָין עִלָּאִין, פָּגְעִין בֵּיהּ, וְאִתְחֲזוּ לֵיהּ, דִּכְתִּיב וַיִּפְגְּעוּ בוֹ, אִינּוּן אַהַדְרוּ לְמִפְגַּע בֵּיהּ. בְּקַדְמֵיתָא אִיהוּ וַיִּפְגַּע בַּמָּקוֹם, הַשְׁתָּא אִינּוּן וַיִּפְגְּעוּ בוֹ.

שפז. בְּגִין דִּבְגִינֵיהּ דְּיַעֲקֹב, וּבְאִינּוּן שִׁבְטִין, אִתְשַׁקְיָין אִינּוּן, מִמַּיָּא דְּיַמָּא רַבָּא, וְלָא עוֹד, אֶלָּא בְּקַדְמֵיתָא בְּלַיְלָה בְּחֶלְמָא. הַשְׁתָּא בְּחֵיזוּ דְּעֵינָא, וּבִימָמָא. הה״ד וַיֹּאמֶר יַעֲקֹב כַּאֲשֶׁר רָאָם מַחֲנֵה אֱלֹהִים זֶה וגו׳.

שפח. בַּמֶּה אִשְׁתְּמוֹדַע לוֹן, אֶלָּא חָמָא, דְּאִינּוּן הֲווֹ, אִינּוּן דְּחָמָא בְּחֶלְמָא, בְּגִינֵי כָּךְ קָרָא לוֹן מַחֲנָיִם, מַשִּׁרְיָין דְּאִתְחֲזוּ לְעֵילָּא, וּמַשִּׁרְיָין דְּאִתְחֲזוּ לְתַתָּא.

שפט. אַמַּאי אִתְגַּלִּיאוּ לְמִפְגַּע לֵיהּ. אֶלָּא שְׁכִינְתָּא אָזְלָא לְגַבֵּיהּ, לְנַטְלָא לְבֵיתֵיהּ, וּמְחַכָּא לֵיהּ לְבִנְיָמִן, לְנַטְלָא בֵּיתָא עִמֵּיהּ דְּיַעֲקֹב כִּדְקָא יָאוּת, וּכְדֵין כְּתִיב וְשָׁב יַעֲקֹב וְשָׁקַט וְשַׁאֲנָן וְאֵין מַחֲרִיד. בילא״ו.

סִתְרֵי תּוֹרָה

שצ. וְיַעֲקֹב הָלַךְ לְדַרְכּוֹ וַיִּפְגְּעוּ בוֹ מַלְאֲכֵי אֱלֹקִים. מַתְנִיתִין, תּוֹקְפֵי דְּהוֹרְמְנֵי, זְקִיפִין מִלְּעֵילָּא, וְשִׁנְּנָא דְּחַרְבָּא דְּמִלַּהֲטָא מִמַּנָּא עַל כָּל חֵילִין וּמַשִּׁרְיָין.

שצא. הַהוּא וַחַרְבָּא מְלַהֲטָא, הִיא וַחַרְבָּא סוּמְקָא, דִּכְתִיב וְחֶרֶב לַיְיָ מָלְאָה דָם, הַהוּא וַחַרְבָּא, דְּתַלְיָא בֵּיהּ הַפּוּכָא, אִינוּן דְּמִתְהַפְּכֵי לְכַמָּה גַּוְונִין, הוּא נַשְׁיִין, הוּא גּוּבְרִין, בִּסְטְרִין סַגִּיאִין, מִתְפָּרְשִׁין גַּוְונִין אֻחֲרָנִין לְכַמָּה דַּרְגִּין.

שצב. מִסִּטְרָא דְּאִילָנָא דְּחַיֵּי, נָפְקֵי אִינוּן, דְּמִתְיַיחֲדֵי בְּיִחוּדָא בְּקִשּׁוּרָא. קַדִּישִׁין אִלֵּין, אִשְׁתְּאָבָן תָּדִיר מִטַּל הַשָּׁמַיִם, שְׁמֵיהּ דֶּאֱלֹקִים, אִתְתַּקַּן בְּהוּ. בְּאַרְבַּע סִטְרִין דְּעָלְמָא, אִתְעֲבִידוּ סַמְכִין דְּכָרְסְיָיא, כֻּלְּהוּ מַרְגְּלִיטִין, שַׁיְּיפִין וְסַמְכִין, לָא מִתְפָּרְשִׁין לְעַלְמָא, מִגּוֹ דָּא שְׁמָא, אִינוּן קִשּׁוּרִין דְּיַעֲקֹב, דְּבָרִיר לְחוּלָקֵיהּ, וּמִתְקַשְּׁרָן בִּשְׁמָא דָא, כֻּלְּהוּ נָפְקוּ בְּיַעֲקֹב.

שצג. כַּד נָפַק לְמֵיזַל לְאָרְחֵיהּ, לְאַרְבַּע סִטְרִין אַקִּיפוּ לֵיהּ, לְאַרְבַּע זָוְויָן דְּעָלְמָא נָטְרוּ לֵיהּ, בְּשַׁעְתָּא קַלָּה אִתְרְגִישׁ מֵאִילָנָא לְעֵילָא, לְמִיטַר אִילָנָא דִּלְתַתָּא, וּכְדֵין וַיֹּאמֶר יַעֲקֹב כַּאֲשֶׁר רָאָם מַחֲנֵה אֱלֹקִים זֶה. כְּדֵין וַיִּקְרָא שֵׁם הַמָּקוֹם הַהוּא מַחֲנָיִם.

שצד. אָמַר ר' יְהוּדָה, תָּא חֲזֵי שְׁלֵמוּתֵיהּ דְּיַעֲקֹב, דְּלָא בָּעֵי לְמֵיזַל אֶלָּא בִּרְשׁוּתֵיהּ דְּלָבָן, וְאִי תֵּימָא, זִמְנָא אָחֳרָא אַמַּאי לָא, אֶלָּא בְּגִין דְּדָחִיל יַעֲקֹב, דְּלָא יִשְׁבּוֹק לֵיהּ, וְיִשְׁתַּלִּימוּ תְּרֵיסַר שִׁבְטִין בְּאַרְעָא אָחֳרָא, וְע"ד כֵּיוָן דְּחָמָא דְּמָטָא שַׁעְתָּא דְּבִנְיָמִין, בָּרַח, כד"א וַיִּבְרַח הוּא וְכָל אֲשֶׁר לוֹ. דְּכֵיוָן דְּאִתְיְלִיד בִּנְיָמִן, אִתְקַשַּׁר שְׁכִינְתָּא בְּכֻלְּהוּ שִׁבְטִין, וְנָטַל בֵּיתָא בְּהוּ. וְיַעֲקֹב הֲוָה יָדַע בְּרָזָא דְּחָכְמְתָא, דְּכַד יִשְׁתַּלִּימוּ תְּרֵיסַר שִׁבְטִין, דִּשְׁכִינְתָּא תִּתְקַשַּׁר בְּהוּ, וְרָחֵל תָּמוּת, וְאִיהִי נָטְלָא בֵּיתָא.

שצה. וְתָא חֲזֵי, הָכֵי אוֹלִיפְנָא, עָלְמָא תַּתָּאָה, אִתְחֲזֵי לֵיהּ לְיַעֲקֹב, כְּמָה דְּאִתְחֲזֵי לֵיהּ לְמֹשֶׁה, אֶלָּא דְּלָא יְכֵילַת, עַד דַּהֲווּ י"ב שִׁבְטִין בְּבֵיתָא, לְאִתְקַשְּׁרָא בְּהוּ. וּכְדֵין, אִתְדַּחְיַית רָחֵל, וְנָטְלַת אִיהִי בֵּיתָא, בְּכֻלְּהוּ שִׁבְטִין, וַהֲוַת עִקָּרָא דְּבֵיתָא, וּכְדֵין מוֹשִׁיבִי עֲקֶרֶת הַבַּיִת, אָמַר יַעֲקֹב, הָא מָטָא זִמְנָא דְּיִשְׁתַּלִּימוּ י"ב שִׁבְטִין, וַדַּאי עָלְמָא דִּלְעֵילָא יְיחוּת לֵיהּ לְבֵיתָא, וְאִתְקַשְּׁרָא בְּהוּ, וּמִסְכַּנְתָּא דָא אִתְדַּחְיָיא קַמֵּיהּ, אִי תֵּימוּת הָכָא, לָא אֶפּוֹק מִכָּאן לְעָלְמִין. וְלָא עוֹד, אֶלָּא בְּאַרְעָא דָא, לָא אִתְחֲזֵי לְאַשְׁלָמָא בֵּיתָא, בְּגִין כָּךְ, וַיְהִי כַּאֲשֶׁר יָלְדָה רָחֵל אֶת יוֹסֵף, עַד לָא יִשְׁתַּלִּימוּ שִׁבְטִין.

שצו. שְׁמַע רִבִּי שִׁמְעוֹן, אָמַר, וַדַּאי כָּל מִלּוֹי דְּרִבִּי יְהוּדָה שַׁפִּיר, וְדָא סָלִיק עַל כֹּלָּא. וְאִי תֵּימָא, אַמַּאי לָא אָזַל לֵיהּ לְאָרְחֵיהּ מִיָּד. אֶלָּא, כָּל זִמְנָא דְּרָחֵל לָא מִתְעַבְּרָא מִבִּנְיָמִן, אִתְעַכַּב תַּמָּן, כֵּיוָן דְּמָטָא זִמְנָא דְּבִנְיָמִן. עָרַק, וְלָא בָּעָא רְשׁוּתָא, בְּגִין דְּלָא יִתְעַכַּב תַּמָּן, וְאִתְחַבַּר יַעֲקֹב בְּכֻלְּהוּ שִׁבְטִין, בַּאֲתַר דְּאִצְטְרִיךְ.

VAYISHLACH

וישלח

א. וישלח יעקב מלאכים וגו'. רבי יהודה פתח, כי מלאכיו יצוה לך לשמרך בכל דרכיך, האי קרא אוקמוה חברייא, דהא בשעתא דבר נש אתי לעלמא, מיד אזדמן בהדיה יצר הרע, דאיהו מקטרג ליה לבר נש תדיר, כד"א לפתח חטאת רובץ. מאי חטאת רובץ, דא יצר הרע.

ב. ודוד הכי קרייה חטאת, דכתיב וחטאתי נגדי תמיד, בגין דאיהו עביד ליה לבר נש כל יומא למחטי קמי מריה, ויצר הרע דא, לא אתעדי מבר נש, מיומא דאתיליד בר נש לעלמין. ויצר הטוב אתי לבר נש, מיומא דאתי לאתדכאה.

ג. ואימתי אתי בר נש לאתדכאה, כד איהו בר תליסר שנין, כדין אזדווג בר נש בתרווייהו, חד מימינא, וחד משמאלא, יצר טוב לימינא, ויצר רע לשמאלא. ואלין אינון תרין מלאכין ממש, ממנן, ואינון משתכחין תדיר בהדיה דבר נש.

ד. אתי ב"נ לאתדכאה, ההוא יצר הרע אתכפיא קמיה, ושליט ימינא על שמאלא, ותרווייהו מזדווגין, לנטרא ליה לב"נ, בכל ארחוי דהוא עביד, הדא הוא דכתיב כי מלאכיו יצוה לך לשמרך בכל דרכיך.

ה. רבי אלעזר, מוקים ליה להאי קרא ביעקב, דקב"ה אזמין בהדיה מלאכין משריין ממנן, בגין דהא איהו אתי שלים, בשבטין עלאין, כלהו שלמין כדקא יאות, כמה דאתמר ויעקב הלך לדרכו ויפגעו בו מלאכי אלקים, ואתמר. והכא כיון דאשתזיב מניה דלבן, והא אתפרש מניה כדין אזדווגת עמיה שכינתא, ואתו משריין קדישין לסחרא ליה, וכדין ויאמר יעקב כאשר ראם וגו'. ומאינון מלאכין שדר ליה לעשו, הה"ד וישלח יעקב מלאכים, מלאכים ממש הוו ודאי.

ו. פתח רבי יצחק ואמר, כתיב חונה מלאך ה' סביב ליראיו ויחלצם, הא אוקמוה. אבל באתר חד כתיב, כי מלאכיו יצוה לך, מלאכיו סגיאין, והכא חד, דכתיב חונה מלאך ה' סביב ליראיו ויחלצם. אלא כי מלאכיו יצוה לך, אלין שאר מלאכין. מלאך ה' סביב, דא שכינתא, כד"א וירא מלאך ה' אליו בלבת אש מתוך הסנה. ובג"כ, חונה מלאך ה' סביב ליראיו, לאקפא ליה בכל סטרין, בגין לשזבא ליה. וכד שכינתא שריא בגויה דב"נ, כמה משריין קדישין, כלהו אזדמנו לתמן.

ז. ת"ח, כד דוד מלכא אשתזיב מאכיש מלך גת, כדין אמר האי, בגין דשכינתא סחרא ליה, ואשתזיב מניהו, מאכיש ומעמיה, כל אינון דאתקיפו ביה, מה כתיב, ויתהולל בידם, אמאי ויתהולל, וישתגע מבעי ליה, כד"א כי הבאתם את זה להשתגע עלי.

ח. אלא, אהדר על ההוא מלה דאמר דוד בקדמיתא, דכתיב כי קנאתי בהוללים וגו'. א"ל קב"ה, חייך, עדיין אנת אצטריך להאי, כיון דעאל לבי אכיש, ואתקיפו ביה, מה כתיב ויתהולל בידם, כאינון הוללים דקני בקדמיתא, וכדין אתיא שכינתא, ושריא סחרניה דדוד.

ט. ואי תימא שכינתא לא שריא אלא באחסנתיה, דאיהי ארעא קדישא. ודאי לא

שריא, בגין לינקא מניה, אבל לאגנא שריא. והכא כד אתא יעקב מבי לבן, כלהו משריין קדישין סחרן ליה, ולא אשתאר בלחודוי.

י. א"ר חזקיה, אי הכי, אמאי כתיב, ויותר יעקב לבדו וגו'. אמר רבי יהודה, בגין דאעיל גרמיה לסכנה, והוה חמי להא סכנה בעינוי, אינון אתפרשו מניה, וכדין אמר קטנתי מכל החסדים ומכל האמת, אלין אינון משריין קדישין, דאתפרשו מניה.

יא. רבי יצחק אמר, בגין לשבקא ליה עם ההוא ממנא דעשו, דברשותא עלאה הוה אתי. ואלין אזלי למימר שירתא, דמטא זמנייהו לשבחא ליה לקב"ה בההיא שעתא, ולבתר אהדרו, הה"ד קטנתי מכל החסדים ומכל האמת אשר עשית את עבדך וגו', ועתה הייתי לשני מחנות, מחנה שכינתא וכל ביתיה, לשני מחנות, דהוה שלים מכל סטרין, מתרין חולקין, חוור וסומק.

יב. רבי אלעזר אמר, הא אתמר, ההוא ליליא שולטנותא דסטרא דעשו הוה בההיא שעתא, דהא כתיב יהי מארת חסר, ובגין כך ויותר יעקב לבדו, דאשתאר יעקב דאיהו שמשא בלחודוי, דאתכסיא סיהרא מן שמשא, ואע"ג דנטירו דקב"ה לא אתעדי מניה מכל וכל, וע"ד לא יכול לו, דכתיב וירא כי לא יכול לו.

יג. אסתכל לימינא, וחמא לאברהם, אסתכל לשמאלא, וחמא ליצחק, אסתכל בגופא, וחמא דאתכליל מסטרא דא, ואתכליל מסטרא דא, כדין ויגע בכף ירכו, בחד עמודא דסמיך לגופא, דאיהו לבר מן גופא.

יד. ובג"כ חונה מלאך ה' סביב ליראיו ויחלצם, אקיף ליה בכל סטרוי, בגין לשזבא ליה, וכד שרא שכינתא בגויה, כמה חילין ומשריין אתו בהדיה, ומאינון מלאכין שדר לגביה דעשו.

טו. וישלח יעקב מלאכים, אמר רבי אבא, וכי אמאי אתער איהו לגביה דעשו, ותב הוה ליה לאשתוקי מניה. אלא, אמר יעקב, ידענא, דעשו חייש ליה ליקרא דאבא, ולעלם לא ארגיז קמיה, והא ידענא, הואיל ואבא קיים לא מסתפינא מניה, אבל השתא דאבא קאים, בעינא לאתפייס עמיה, מיד וישלח יעקב מלאכים לפניו.

טז. וישלח יעקב מלאכים, ר"ש פתח ואמר, טוב נקלה ועבד לו ממתכבד וחסר לחם, האי קרא, על יצר הרע אתמר, בגין דאיהו מקטרגא תדיר לגבי בני נשא, ויצר הרע, איהו ארים לביה ורעותיה דבר נש בגאותא, ואזיל אבתריה, מסלסל שעריה וברישיה, עד דאיהו אתגאי עליה, ומשיך ליה לגיהנם.

יז. אבל טוב נקלה, ההוא דלא אזיל אבתריה דיצר הרע, ולא אתגאי כלל, ומאיך רוחיה ולביה ורעותיה לגבי קב"ה, וכדין ההוא יצר הרע, מתהפך לעבד לו, דלא יכיל לשלטאה עלוי, וההוא בר נש שליט עלוי, כמה דאת אמר ואתה תמשל בו.

יח. ממתכבד: כמה דאמרן דאיהו אוקיר גרמיה, מסלסל בשעריה, אתגאי ברוחיה, ואיהו חסר לחם, חסר מהימנותא, כד"א לחם אלהיו וגו' לחם אלהיהם הם מקריבים וגו'.

יט. דבר אחר, טוב נקלה, דא יעקב, דמאיך רוחיה לגביה דעשו, בגין דלבתר ליהוי עבד לו, וישלוט עלוי, ויתקיים ביה, יעבדוך עמים וישתחוו לך לאומים וגו', ועדין לא הוה זמניה כלל, אלא בגין דסליק ליה יעקב, לבתר יומיא, ועל דא הוה מיד נקלה, ולבתר, ההוא דאיהו מתכבד, יהא עבד לו, ההוא דאיהו חסר לחם, יהא עבדא, להוא דיהבו ליה רוב דגן ותירוש.

כ. ת"ח, על דא, בגין דידע יעקב, דאצטריך ליה השתא, אתהפך ליה נקלה. ויותר

וְחָכְמָה וַעֲקִימוּ עֲבַד בְּדָא, מִכֹּל מַה דַּעֲבַד לְגַבֵּי דְּעֵשָׂו, דְּאִילוּ הֲוָה יָדַע עֵשָׂו וְחָכְמָה דָּא, יִקְטִיל לֵיהּ לְגַרְמֵיהּ, וְלָא יֵיתֵי לְדָא, אֲבָל כֹּלָּא עֲבַד בְּחָכְמְתָא, וַעֲלֵיהּ אֲמַרָה חַנָּה, ה' יֵחַתּוּ מְרִיבָיו וגו' וְיִתֶּן עֹז לְמַלְכּוֹ וגו'.

כא. וַיְצַו אֹתָם לֵאמֹר כֹּה תֹאמְרוּן לַאדֹנִי לְעֵשָׂו כֹּה אָמַר עַבְדְּךָ יַעֲקֹב עִם לָבָן גַּרְתִּי וָאֵחַר עַד עָתָּה. מִיָּד פְּתַח יַעֲקֹב, לְאִתְהַפְּכָא לֵיהּ לְעַבְדָּא, בְּגִין דְּלָא יִסְתַּכַּל עֵשָׂו בְּאִינּוּן בִּרְכָאן דְּבָרְכֵיהּ אֲבוֹי, דְּהָא יַעֲקֹב סָלֵיק לוֹן לְבָתַר, כִּדְקָא אֲמָרָן.

כב. אֲמַר רִבִּי יְהוּדָה, מַאי חָמָא יַעֲקֹב דְּשַׁדַּר לֵיהּ לְעֵשָׂו, וַאֲמַר עִם לָבָן גַּרְתִּי, וְכִי מַה עָבֵיד בִּשְׁלִיחוּתֵיהּ דְּעֵשָׂו, מִלָּה דָּא. אֶלָּא לָבָן הָאֲרַמִּי, קָלֵיהּ אָזֵיל בְּעָלְמָא, דְּלָא הֲוָה ב"נ דְּיִשְׁתְּזֵיב מִנֵּיהּ דְּהוּא הֲוָה חָרָשׁ בְּחָרָשִׁין, וְרַב בְּקוֹסְמִין, וַאֲבוֹי דִּבְעוֹר הֲוָה, וּבְעוֹר אֲבוֹי דְּבִלְעָם, דִּכְתִיב בִּלְעָם בֶּן בְּעוֹר הַקּוֹסֵם, וְלָבָן חָכָם בְּחָרָשִׁין וְקוֹסְמִין יַתִּיר מִכֻּלְּהוּ, וְעִם כָּל דָּא לָא יָכֵיל בְּיַעֲקֹב. וּבָעָא לְאוֹבָדָא לְיַעֲקֹב, בְּכַמָּה זַיְינִין, הה"ד אֲרַמִּי אוֹבֵד אָבִי.

כג. אֲמַר רִבִּי אַבָּא, כּוּלֵּי עָלְמָא הֲווֹ יָדְעֵי, דְּלָבָן הֲוָה רַב חַכִּימִין וְחָרָשִׁין וְקוֹסְמִין, וּמַאן דְּבָעֵי לְאוֹבָדָא בְּחָרָשׁוֹי, לָא אִשְׁתְּזֵיב מִנֵּיהּ, וְכָל מַה דְּיָדַע בִּלְעָם, מִנֵּיהּ הֲוָה. וּכְתִיב בֵּיהּ בְּבִלְעָם כִּי יָדַעְתִּי אֵת אֲשֶׁר תְּבָרֵךְ מְבֹרָךְ וַאֲשֶׁר תָּאֹר יוּאָר. וְכוּלֵּי עָלְמָא הֲווֹ מִסְתַּפֵּי מִלָּבָן וּמֵחָרָשׁוֹי, וּמִלָּה קַדְמָאָה דְּשַׁדַּר יַעֲקֹב לְעֵשָׂו, אֲמַר עִם לָבָן גַּרְתִּי. וְאִי תֵּימָא דִּזְעֵיר הֲוָה, יֶרַח אוּשְׁתָּא. לָאו הָכִי, אֶלָּא וָאֵחַר עַד עָתָּה, עֶשְׂרִין שְׁנִין אִתְאַחֲרִית עִמֵּיהּ.

כד. וְאִי תֵּימָא דְּלָא סָלֵיק בְּיָדֵי כְּלוּם, וַיְהִי לִי שׁוֹר וַחֲמוֹר, אִינּוּן תְּרֵין גּוֹזְרֵי דִּינִין, דְּכַד מִתְחַבְּרָן תַּרְוַויְיהוּ כַּחֲדָא, לָא מִתְחַבְּרָן אֶלָּא לְאַבְאָשָׁא עָלְמָא, וּבְגִין כָּךְ כְּתִיב לֹא תַחֲרֹשׁ בְּשׁוֹר וּבַחֲמוֹר יַחְדָּו.

כה. צֹאן וְעֶבֶד וְשִׁפְחָה: אִלֵּין אִינּוּן כִּתְרֵי תַּתָּאֵי דְּקָטַל קב"ה בְּמִצְרַיִם, בְּכוֹר בְּהֵמָה, בְּכוֹר הַשְּׁבִי, בְּכוֹר הַשִּׁפְחָה, הה"ד צֹאן וְעֶבֶד וְשִׁפְחָה. מִיָּד מִסְתַּפֵּי הֲוָה עֵשָׂו, וּנְפַק לְקַדְמוּתֵיהּ, וּדְחִילוּ הֲוָה לֵיהּ מִיַּעֲקֹב, כְּמָה דַּהֲוָה לֵיהּ לְיַעֲקֹב מֵעֵשָׂו.

כו. לְב"נ דַּהֲוָה אָזֵיל בְּאוֹרְחָא, עַד דַּהֲוָה אָזֵיל, שָׁמַע עַל חַד לִסְטִים דַּהֲוָה כָּמַן בְּאָרְחָא, פָּגַע בֵּיהּ ב"נ אָחֳרָא. א"ל מִמַּאן אַנְתְּ, א"ל מִפְּלוֹנִי לִגְיוֹן אֲנָא, א"ל סְטֵי לָךְ מִגַּבָּאי, דְּכָל מַאן דְּקָרֵיב בַּהֲדָאי, חַד חִוְיָא אֲנָא מַיְיתֵי, וְקָטֵיל לֵיהּ. אֲזַל הַהוּא ב"נ לְהַהוּא לִגְיוֹן, א"ל חַד ב"נ אָתֵי, וְכָל מַאן דִּי קָרֵיב בַּהֲדֵיהּ, נָשְׁכֵיהּ חַד חִוְיָא, דְּהוּא מַיְיתֵי וּמַיִּית.

כז. שָׁמַע הַהוּא לִגְיוֹן וְדָחִיל. אֲמַר, יָאוּת דְּאֵיזִיל לְקִבְלֵיהּ, וְאִתְפַּיֵּיס בַּהֲדֵיהּ. עַד דְּחָמָא לֵיהּ הַהוּא ב"נ, אֲמַר וַוי, דְּהַשְׁתָּא יִקְטְלִינֵיהּ הַהוּא לִגְיוֹן, שָׁארֵי סָגִיד וְכָרַע לְקִבְלֵיהּ, אֲמַר הַהוּא לִגְיוֹן, אִלְמָלֵא הֲוָה לֵיהּ בִּידֵיהּ חִוְיָא לְקַטְלָא, לָא סָגִיד כּוּלֵּי הַאי לְקִבְלִי, שָׁארֵי לִגְיוֹנָא לְאִתְגָּאָה, אֲמַר הוֹאִיל וְכָל כָּךְ כָּרַע לְקִבְלִי, לָא אֶקְטְלִינֵיהּ.

כח. כָּךְ אֲמַר יַעֲקֹב, עִם לָבָן גַּרְתִּי וָאֵחַר עַד עָתָּה, עֶשְׂרִין שְׁנִין אִתְאַחֲרִית עִמֵּיהּ, וַאֲנָא מַיְיתֵי חִוְיָא, לְקַטְלָא בְּנֵי נָשָׁא. שָׁמַע עֵשָׂו, אֲמַר וַוי, מַאן יָקוּם קַמֵּיהּ, דְּהַשְׁתָּא יִקְטְלִינֵיהּ יַעֲקֹב בְּפוּמֵיהּ, שָׁארֵי נָפֵיק לְקַדְמוּתֵיהּ, לְאִתְפַּיְּיסָא עִמֵּיהּ.

כט. כֵּיוָן דְּחָמָא לֵיהּ, מַה כְּתִיב וַיִּירָא יַעֲקֹב מְאֹד וַיֵּצֶר לוֹ, כֵּיוָן דְּקָרֵיב בַּהֲדֵיהּ, שָׁארֵי כָּרַע וְסָגִיד לְקִבְלֵיהּ, הֲדָא הוּא דִּכְתִיב, וַיִּשְׁתַּחוּ אַרְצָה שֶׁבַע פְּעָמִים עַד גִּשְׁתּוֹ עַד אָחִיו. אֲמַר עֵשָׂו, אִלְמָלֵא כָּל כָּךְ הֲוָה עִמֵּיהּ, לָא סָגִיד לְקִבְלִי, שָׁארֵי לְאִתְגָּאָה.

ל. ת"ח, מַה כְּתִיב בְּבִלְעָם, וַיָּבֹא אֱלֹהִים אֶל בִּלְעָם לַיְלָה. בְּלָבָן כְּתִיב, וַיָּבֹא אֱלֹהִים

אֶל לָבָן הָאֲרַמִּי בַּחֲלוֹם הַלָּיְלָה וַיֹּאמֶר לוֹ הִשָּׁמֶר לְךָ פֶּן תְּדַבֵּר עִם יַעֲקֹב מִטּוֹב וגו'. פֶּן תְּדַבֵּר, פֶּן תַּעֲשֶׂה לְיַעֲקֹב רָעָה מִבָּעֵי לֵיהּ. אֶלָּא, לָבָן לָא רָדַף אֲבַתְרֵיהּ דְּיַעֲקֹב, בְּחֵילָא דְּגוּבְרִין, לַאֲגָחָא בֵּיהּ קְרָבָא, דְּהָא חֵילָא דְּיַעֲקֹב וּבְנוֹי, רַב מִנֵּיהּ, אֶלָּא לְמִקְטְלֵיהּ בְּפוּמֵיהּ, וּלְשֵׁיצָאָה כֹּלָּא. הֲדָא הוּא דִכְתִיב, אֲרַמִּי אוֹבֵד אָבִי, וּבְגִין כָּךְ, פֶּן תְּדַבֵּר, וְלָא כְּתִיב פֶּן תַּעֲשֶׂה. וּכְתִיב יֶשׁ לְאֵל יָדִי לַעֲשׂוֹת, מְנָּא הֲוָה יָדַע, דִּיכָלְתָּא הֲוָה בִּידֵיהּ. אֶלָּא, כְּמָה דְאִתְּמַר, אֱלֹהֵי אֲבִיכֶם אֶמֶשׁ אָמַר אֵלַי וגו'.

לא. וְדָא הוּא סַהֲדוּתָא, דְּפָקִיד קוּדְשָׁא בְּרִיךְ הוּא לְאַסְהֲדָא, דִּכְתִיב וְעָנִיתָ וְאָמַרְתָּ לִפְנֵי ה' אֱלֹהֶיךָ אֲרַמִּי אוֹבֵד אָבִי וגו'. וְעָנִיתָ: כְּד"א לֹא תַעֲנֶה בְרֵעֲךָ. עֲנֵה בְּאָחוּ.

לב. כְּתִיב בֵּיהּ בְּבִלְעָם, וְלֹא הָלַךְ כְּפַעַם בְּפַעַם לִקְרַאת נְחָשִׁים, דְּהָכֵי הוּא אָרְחֵיהּ, דְּאִיהוּ הֲוָה מְנַחֵשׁ. בְּלָבָן כְּתִיב, נִחַשְׁתִּי, דְּאִשְׁתְּמוֹדַע בְּחַרְשׁוֹי וּבְקִסְמוֹי, בְּעִסְקָא דְּיַעֲקֹב, וְכַד בָּעָא לְאוֹבָדָא לְיַעֲקֹב, בְּנִחְשָׁא וּבְחַרְשָׁא דִּילֵיהּ בָּעָא לְאוֹבְדֵיהּ, וְלָא שַׁבְקֵיהּ קוּדְשָׁא בְּרִיךְ הוּא.

לג. וְהַיְינוּ דְּאָמַר בִּלְעָם בַּר בְּרֵיהּ, כִּי לֹא נַחַשׁ בְּיַעֲקֹב וְלֹא קֶסֶם בְּיִשְׂרָאֵל, מַאן יָכִיל לְהוֹן, דְּהָא סָבַאי בָּעָא לְאוֹבָדָא לַאֲבוּהוֹן, בְּנִחוּשִׁים וּבְקִסָּמִים דִּילֵיהּ, וְלָא סְלִיקָא בִּידוֹי, דְּלָא שַׁבְקֵיהּ לְלַטְיָא, הה"ד כִּי לֹא נַחַשׁ בְּיַעֲקֹב וְלֹא קֶסֶם בְּיִשְׂרָאֵל.

לד. וּבְכֻלְּהוּ עֲשָׂרָה זִינֵי חַרְשִׁין וְקוּסְמִין, דְּקוּזְטְפֵי דְּכִתְרִין תַּתָּאִין, עֲבַד לָבָן לְקַבְלֵיהּ דְּיַעֲקֹב, וְלָא יָכִיל, הה"ד וַתַּחֲלֵף אֶת מַשְׂכֻּרְתִּי עֲשֶׂרֶת מוֹנִים, דְּכֻלְּהוּ עֲבַד לָבָן לְקַבְלֵיהּ, וְלָא סַלִּיקוּ בִּידוֹי לְאַבְאָשָׁא לֵיהּ, דִּכְתִיב וְהֶחֱלִף אֶת מַשְׂכֻּרְתִּי עֲשֶׂרֶת מוֹנִים, וְלֹא נְתָנוֹ אֱלֹהִים לְהָרַע עִמָּדִי. מַאי מוֹנִים, כְּתַרְגּוּם זִינִין, וּכְתִיב לַשְּׂעִירִים אֲשֶׁר הֵם זוֹנִים אַחֲרֵיהֶם. מוֹנִים: מִינִים כְּמַשְׁמָעוֹ. וַעֲשָׂרָה זִינִין אִינּוּן, דְּחַרְשִׁין וְקוּסְמִין בְּכִתְרִין תַּתָּאִין, וְכֻלְּהוּ עֲבַד לְקַבְלֵיהּ.

לה. עֲשָׂרָה זִינִין אִינּוּן: דִּכְתִיב, קוֹסֵם, קְסָמִים, מְעוֹנֵן, וּמְנַחֵשׁ, וּמְכַשֵּׁף, וְחוֹבֵר חָבֶר, וְשׁוֹאֵל אוֹב, וְיִדְּעוֹנִי, וְדוֹרֵשׁ אֶל הַמֵּתִים, הָא עֲשָׂרָה אִינּוּן.

לו. אָמַר רַבִּי יוֹסֵי, נַחַשׁ וְקֶסֶם, תְּרֵי זִינֵי אִינּוּן, וּבְדַרְגָּא חַד סַלְקִין, וְכַד אֲתָא בִּלְעָם, בְּקֶסֶם עֲבַד לְקַבְלֵיהוֹן דְּיִשְׂרָאֵל, וְהַיְינוּ דִּכְתִיב וּקְסָמִים בְּיָדָם. וּלְקַבְלֵיהּ דְּיַעֲקֹב אֲתָא לָבָן בְּנַחַשׁ, הַאי וְהַאי לָא סַלִּיקוּ בִּידַיְיהוּ, הֲדָא הוּא דִכְתִיב, כִּי לֹא נַחַשׁ בְּיַעֲקֹב וְלֹא קֶסֶם בְּיִשְׂרָאֵל. כִּי לֹא נַחַשׁ בְּיַעֲקֹב, בְּקַדְמֵיתָא, בְּיוֹמוֹי דְּלָבָן. וְלֹא קֶסֶם בְּיִשְׂרָאֵל, לְבָתַר, בְּיוֹמוֹי דְּבִלְעָם.

לז. אָמַר בִּלְעָם לְבָלָק, תָּא חֲזֵי, מַאן יָכִיל לְהוֹן, דְּכָל קִסְמִין וְחַרְשִׁין דִּבְכִתְרִין דִּילָן, מִקְּיָפָא דְּמַלְכוּתָא דִּלְעֵילָּא, מִתְעַטְּרָן וְהוּא אִתְקַשַּׁר בְּהוּ, דִּכְתִיב יי' אֱלֹהָיו עִמּוֹ וּתְרוּעַת מֶלֶךְ בּוֹ.

לח. א"ר יְהוּדָה, ח"ו דַּהֲוָה יָדַע בִּלְעָם בִּקְדוּשָׁה דִּלְעֵילָּא כְּלַל, דְּהָא קב"ה, לָא אִתְרְעֵי בְּעַם וְלִישָׁן אָחֳרָא, דְּיִשְׁתַּמֵּשׁ בִּיקָרֵיהּ, אֶלָּא בְּנוֹי קַדִּישִׁין, וְאָמַר וְהִתְקַדִּשְׁתֶּם וִהְיִיתֶם קְדוֹשִׁים, מַאן דְּאִינּוּן קַדִּישִׁין, יִשְׁתַּמְּשׁוּן בִּקְדוּשָׁה, יִשְׂרָאֵל אִינּוּן קַדִּישִׁין, דִּכְתִיב כִּי עַם קָדוֹשׁ אַתָּה. אַתָּה קָדוֹשׁ, וְלָא עַם אָחֳרָא.

לט. מַאן דְּאִינּוּן מְסָאֲבִין, מְסָאֲבוּ אִזְדַּמַּן לוֹן לְאִסְתַּאֲבָא, עָלֵיהּ כְּתִיב טָמֵא הוּא בָּדָד יֵשֵׁב מִחוּץ לַמַּחֲנֶה מוֹשָׁבוֹ, וּמְסָאֲבָא לִמְסָאֲבָא קָרֵי דִּכְתִיב וְטָמֵא טָמֵא יִקְרָא, מַאן דְּאִיהוּ טָמֵא, לְטָמֵא יִקְרָא, כֹּלָּא אָזִיל בָּתַר זִינֵיהּ.

מ. אָמַר רַבִּי יִצְחָק, יָאוֹת הוּא לְיַעֲקֹב, דַּהֲוָה קַדִּישָׁא, לוֹמַר דְּאִסְתָּאַב בְּלָבָן וּבְחַרְשׁוֹי,

אוֹ שִׁבְחָא הוּא דִּילֵיהּ. אֲמַר לֵיהּ רִבִּי יוֹסֵי, אע״ג דְּקָאֲמַר ר׳ יְהוּדָה, אֲנָא מְסַיַּיע לָךְ, דְּהָא כְּתִיב אָנֹכִי עֵשָׂו בְּכוֹרֶךָ, וְכִי יָאוּת הוּא לְצַדִּיקָא כְּיַעֲקֹב לְמוֹזְלַף שְׁמֵיהּ בִּשְׁמָא דְּמִסָּאֲבָא, אֶלָּא אָנֹכִי, פָּסְקָא טַעֲמָא, וַאֲמַר אָנֹכִי: מַאן דַּאֲנָא, אֲבָל עֵשָׂו בְּכוֹרֶךָ, וְהָא אוֹקְמוּהָ.

מא. אוּף הָכָא, וַיְהִי לִי שׁוֹר וַחֲמוֹר, לוֹמַר, לָא תְּשַׁוֵּי לִבָּךְ וּרְעוּתָךְ לְהַהִיא בִּרְכָתָא, דְּבָרֵיךְ לִי אַבָּא, דְּאִתְקַיַּים בִּי, הוּא בָּרֵיךְ לִי, הֱוֵה גְּבִיר לְאַחֶיךָ וְיִשְׁתַּחֲווּ לְךָ בְּנֵי אִמֶּךָ, בְּגִין כָּךְ עַבְדְּךָ יַעֲקֹב לַאדֹנִי לְעֵשָׂו. הוּא בָּרֵיךְ לִי בְּרוֹב דָּגָן וְתִירוֹשׁ, הָא לָא אִתְקַיַּים בִּי, דְּלָא אוֹצַרְנָא לוֹן, אֶלָּא וַיְהִי לִי שׁוֹר וַחֲמוֹר צֹאן וְעֶבֶד, רָעֵי עָנָא בְּחַקְלָא. הוּא בָּרֵיךְ לִי מִטַּל הַשָּׁמַיִם וּמִשְׁמַנֵּי הָאָרֶץ. הָא לָא אִתְקַיַּים בִּי, בְּגִין דְּהָא עִם לָבָן גַּרְתִּי, כְּגִיּוֹרָא, דְּלָא הֲוָה לִי בֵּיתָא וַדָּאי, כָּל שֶׁכֵּן מִשְׁמַנֵּי הָאָרֶץ. וְכָל דָּא, בְּגִין דְּלָא יִסְתַּכַּל בֵּיהּ בְּיַעֲקֹב, עַל אִינּוּן בִּרְכָאן, וִיקַטְרֵג עִמֵּיהּ.

מב. רִבִּי אַבָּא אֲמַר, כְּתִיב בֵּיהּ בְּיַעֲקֹב, אִישׁ תָּם יוֹשֵׁב אֹהָלִים גְּבַר שְׁלִים, בְּגִין דְּאִיהוּ יָתִיב בִּתְרֵין מַשְׁכְּנִין עִלָּאִין, וְאַשְׁלִים לְהַאי גִּיסָא, וּלְהַאי גִּיסָא, וְאִיהוּ לָא אֲמַר דְּאִסְתָּאַב בַּחֲרָשׁוֹי, אֲבָל עַל מַה דְּקָאֲמַר רִבִּי יְהוּדָה, בְּגִין דְּלִבּוֹי שְׁלִים, עַל טִיבוּ וּקְשׁוֹט דְּעָבֵיד לֵיהּ קוּדְשָׁא בְּרִיךְ הוּא, דְּכָל עָלְמָא יָדְעֵי עוֹבָדוֹי דְּלָבָן מַאן אִינּוּן, וּמַאן יָכֵיל לְאִשְׁתֵּזָבָא מִקַּטְרוּגָא דִּילֵיהּ, דְּבָעֵי לְאוֹבָדָא לִי, וְקוּדְשָׁא בְּרִיךְ הוּא שֵׁזְבַנִי מִנֵּיהּ. וְכֹלָּא הֲוָה, בְּגִין דְּלָא יִסְתַּכַּל בֵּיהּ עֵשָׂו, דְּאִתְקַיְּימוּ בֵּיהּ אִינּוּן בִּרְכָאן, וְלָא יִנְטַר לֵיהּ דְּבָבוּ, וְעַל דָּא כְּתִיב, כִּי יְשָׁרִים דַּרְכֵי יְיָ׳ וְגוֹ׳, וּכְתִיב תָּמִים תִּהְיֶה עִם יְיָ׳ אֱלֹהֶיךָ.

מג. וַיָּשׁוּבוּ הַמַּלְאָכִים אֶל יַעֲקֹב לֵאמֹר בָּאנוּ אֶל אָחִיךָ אֶל עֵשָׂו וְגַם הוֹלֵךְ לִקְרָאתְךָ וְאַרְבַּע מֵאוֹת אִישׁ עִמּוֹ. כֵּיוָן דַּאֲמַר בָּאנוּ אֶל אָחִיךָ, לָא יָדַעְנָא דְּאִיהוּ עֵשָׂו, וְכִי אַחִין אָחֳרָנִין הֲווֹ לְיַעֲקֹב. אֶלָּא בָּאנוּ אֶל אָחִיךָ, וְאִי תֵּימָא, דְּהָדַר בִּתְשׁוּבָה, וְאָזֵיל בְּאֹרַח מִתַּקְנָא, לָאו הָכֵי, אֶלָּא עֵשָׂו הָרָשָׁע כִּדְמֵעִיקָרָא. וְגַם הוֹלֵךְ לִקְרָאתְךָ, וְאִי תֵּימָא דְּאִיהוּ בִּלְחוֹדוֹי אָזֵיל, לָאו, אֶלָּא אַרְבַּע מֵאוֹת אִישׁ עִמּוֹ.

מד. וְכָל כָּךְ לָמָּה אֲמָרוּ לֵיהּ, בְּגִין דְּקוּדְשָׁא בְּרִיךְ הוּא אִתְרְעֵי תָּדִיר בִּצְלוֹתְהוֹן דְּצַדִּיקַיָּא, וּמִתְעַטֵּר בִּצְלוֹתְהוֹן, כְּדַאֲמָרִינָן דְּהַהוּא מַלְאָכָא דִּמְמַנָּא עַל צְלוֹתְהוֹן דְּיִשְׂרָאֵל, סַנְדַּלְפוֹן שְׁמֵיהּ, נָטֵיל כָּל אִינּוּן צְלוֹתִין וְעָבֵיד מִנַּיְיהוּ עֲטָרָה לְחַי הָעוֹלָמִים וְאוֹקְמוּהָ, וְכָל שֶׁכֵּן צְלוֹתְהוֹן דְּצַדִּיקַיָּא, דְּקוּדְשָׁא בְּרִיךְ הוּא אִתְרְעֵי בְּהוּ, וְאִתְעָבְדָן עֲטָרָה, לְאִתְעַטְּרָא בְּאִינּוּן צְלוֹתִין לְקוּדְשָׁא בְּרִיךְ הוּא. וְאִי תֵּימָא, מַשִּׁרְיָין קַדִּישִׁין הֲווֹ אַתְיָין עִמֵּיהּ, אַמַּאי דָּחִיל. אֶלָּא צַדִּיקַיָּיא לָא סַמְכִין עַל זְכוּתַיְיהוּ, אֶלָּא עַל צְלוֹתְהוֹן וּבָעוּתְהוֹן לְגַבֵּי מָארֵיהוֹן.

מה. ת״ח, דַּאֲמַר ר״ש, צְלוֹתָא דְּסַגִּיאִין, סָלֵיק קָמֵי קוּדְשָׁא בְּרִיךְ הוּא, וּמִתְעַטֵּר בְּהַהוּא צְלוֹתָא, בְּגִין דְּסַלְקָא בְּגַוְונִין סַגִּיאִין, וְאִתְכְּלִילַת מִכַּמָּה סִטְרִין, וּבְגִין דְּאִתְכְּלִילַת מִכַּמָּה גַּוְונִין, אִתְעֲבִידַת עֲטָרָה, וּמַנְחָא עַל רֵישָׁא דְּצַדִּיק חַי הָעוֹלָמִים, וּצְלוֹתָא דְּיָחִיד, לָאו אִיהִי כְּלִילָא, וְלָאו אִיהִי אֶלָּא בְּגַוְון חַד, וְעַל דָּא, צְלוֹתָא דְּיָחִיד לָאו אִיהוּ מִתְתַּקְנָא לְאִתְקַבְּלָא כִּצְלוֹתָא דְּסַגִּיאִין. ת״ח, יַעֲקֹב כָּלֵיל הֲוָה, וְעַל דָּא צְלוֹתֵיהּ תָּאֵיב לָהּ קוּדְשָׁא בְּרִיךְ הוּא. מַה כְּתִיב וַיִּירָא יַעֲקֹב מְאֹד וַיֵּצֶר לוֹ.

מו. רִבִּי יְהוּדָה פָּתַח וַאֲמַר, אַשְׁרֵי אָדָם מְפַחֵד תָּמִיד וּמַקְשֶׁה לִבּוֹ יִפּוֹל בְּרָעָה. זַכָּאִין אִינּוּן יִשְׂרָאֵל, דְּקוּדְשָׁא בְּרִיךְ הוּא אִתְרְעֵי בְּהוּ, וִיהַב לוֹן אוֹרַיְיתָא דִּקְשׁוֹט, בְּגִין לְמִזְכֵּי בָּהּ לְחַיֵּי עָלְמָא, דְּכָל מַאן דְּאִשְׁתַּדַּל בְּאוֹרַיְיתָא, קוּדְשָׁא בְּרִיךְ הוּא מָשֵׁיךְ עֲלֵיהּ חַיִּין עִלָּאִין, וְאָעֵיל לֵיהּ, לְחַיֵּי עָלְמָא דְּאָתֵי, דִּכְתִּיב כִּי הוּא חַיֶּיךָ וְאֹרֶךְ יָמֶיךָ. וּכְתִיב וּבַדָּבָר הַזֶּה תַּאֲרִיכוּ יָמִים, חַיִּין בְּהַאי

עָלְמָא, וְזַיִין בְּעָלְמָא דְאָתֵי

מז. רִבִּי אֶלְעָזָר אָמַר, כְּמַאן דְּאִשְׁתַּדַּל בְּאוֹרַיְיתָא לִשְׁמָהּ, לָאו מִיתָתֵיהּ עַל יְדָא דְיֵצֶר הָרָע, בְּגִין דְּאִתְתַּקִּיף בְּאִילָנָא דְחַיֵּי, וְלָא אַרְפֵּי מִנֵּיהּ, וּבְגִין כָּךְ, צַדִּיקַיָּא דְמִשְׁתַּדְּלֵי בְּאוֹרַיְיתָא, לָא מִסְתַּאֲבֵי גּוּפָא דִלְהוֹן, דְּלָא שָׁרָא עֲלַיְיהוּ רוּחַ מְסָאֲבָא.

מח. יַעֲקֹב אִילָנָא דְחַיֵּי הֲוָה, אַמַּאי דָחִיל, דְּהָא לָא יָכוֹל לְשַׁלְטָאָה עָלוֹי. וְעוֹד, דְּהָא כְתִיב וְהִנֵּה אָנֹכִי עִמָּךְ וְגוֹ', אַמַּאי הֲוָה דָחִיל. וְתוּ דְּהָא כְתִיב וַיִּפְגְּעוּ בוֹ מַלְאֲכֵי אֱלֹהִים, אִי מַשִּׁרְיָין קַדִּישִׁין הֲווּ עִמֵּיהּ, אַמַּאי הֲוָה דָחִיל.

מט. אֶלָּא, כֹּלָּא יָאוֹת הֲוָה, וְיַעֲקֹב לָא הֲוָה בָּעֵי לְמִסְמַךְ עַל נִיסָּא דְקוּדְשָׁא בְּרִיךְ הוּא, בְּגִין דְּחָשִׁיב דְּלָאו אִיהוּ כְּדַאי, דְּקוּדְשָׁא בְּרִיךְ הוּא יַעֲבִיד לֵיהּ נִיסָּא, מַאי טַעְמָא, בְּגִין דְּלָא פָּלַח לַאֲבוֹי וּלְאִמֵּיהּ כִּדְקָא יָאוֹת, וְלָא אִשְׁתַּדַּל בְּאוֹרַיְיתָא, וְנָטַל תְּרֵי אִתְּתָא, וְאַף עַל גַּב דְּכֹלָּא אִתְּמַר, וְעִם כָּל דָּא, בָּעֵי לֵיהּ לְבַר נָשׁ לְמִדְחַל תָּדִיר, וּלְצַלָּאָה קַמֵּי קוּדְשָׁא בְּרִיךְ הוּא בִּצְלוֹתָא, דִּכְתִיב אַשְׁרֵי אָדָם מְפַחֵד תָּמִיד. וְהָא אוֹקְמוּהָ.

נ. תָּא חֲזֵי, צְלוֹתָא דַאֲבָהָן קַיִּימוּ עָלְמָא, וְכָל בְּנֵי עָלְמָא, עֲלַיְיהוּ קַיְימֵי וְסָמְכִין, לְעָלַם וּלְעָלְמֵי עָלְמִין לָא אִתְנְשֵׁי זְכוּתָא דַאֲבָהָן, בְּגִין דִּזְכוּתָא דַאֲבָהָן, אִיהוּ קִיּוּמָא דְעֵילָא וְתַתָּא, וְקִיּוּמָא דְיַעֲקֹב, אִיהוּ קִיּוּמָא שְׁלִים, יַתִּיר מִכֻּלְּהוּ, וּבְגִין כָּךְ, בְּשַׁעְתָּא דְעָאקוּ לִבְנוֹי דְיַעֲקֹב, קוּדְשָׁא בְּרִיךְ הוּא אַחְזֵי קַמֵּיהּ דְיוֹקְנָא דְיַעֲקֹב, וְחָיֵיס עַל עָלְמָא, כְּדָבָר אַחֵר וְזָכַרְתִּי אֶת בְּרִיתִי יַעֲקוֹב. יַעֲקוֹ"ב בְּוָא"ו, אַמַּאי בְּוָא"ו, בְּגִין דְּאִיהוּ דְיוֹקְנָא דְיַעֲקֹב מַמָּשׁ.

נא. תָּא חֲזֵי, כָּל מַאן דְּחָמֵי לֵיהּ לְיַעֲקֹב, כְּמַאן דְּאִסְתַּכַּל בְּאַסְפַּקְלַרְיָאה דְּנַהֲרָא, וְהָא אִתְּמַר. דְּשׁוּפְרֵיהּ דְיַעֲקֹב, כְּשׁוּפְרֵיהּ דְּאָדָם קַדְמָאָה. אָמַר רִבִּי יֵיסָא, אֲנָא שְׁמַעְנָא, דְּכָל מַאן דְּאִסְתַּכַּל בְּחֶלְמֵיהּ, וְחָמָא לֵיהּ לְיַעֲקֹב, מִקַּסְטַר בְּקוּסְפוֹי, חַיִּין אִתּוֹסְפָן לֵיהּ.

נב. רַבִּי שִׁמְעוֹן אָמַר, הָא אִתְּמַר, דְּדָוִד מַלְכָּא, עַד לָא הֲוָה, לָא הֲווּ לֵיהּ חַיִּים כְּלָל, בַּר דְּאָדָם קַדְמָאָה, יְהַב לֵיהּ שַׁבְעִין שְׁנִין מִדִּילֵיהּ, וְכָךְ הֲוָה קִיּוּמֵיהּ דְּדָוִד מַלְכָּא, שַׁבְעִין שְׁנִין הֲווּ. וְקִיּוּמָא דְאָדָם קַדְמָאָה, אֶלֶף שְׁנִין וְחַסַּר שַׁבְעִין. אִשְׁתַּכְּחוּ בְּהָנֵי אֶלֶף שְׁנִין קַדְמָאֵי, אָדָם הָרִאשׁוֹן, וְדָוִד מַלְכָּא.

נג. פָּתַח וְאָמַר חַיִּים שָׁאַל מִמְּךָ נָתַתָּה לּוֹ אֹרֶךְ יָמִים עוֹלָם וָעֶד. חַיִּים שָׁאַל מִמְּךָ, דָּא דָוִד מַלְכָּא, דְּהָא כַּד בְּרָא קוּדְשָׁא בְּרִיךְ הוּא גִּנְתָּא דְעֵדֶן, אַטִּיל בֵּיהּ נִשְׁמָתָא דְדָוִד מַלְכָּא, וְאִסְתַּכַּל בֵּיהּ, וְחָמֵי דְּלֵית לֵיהּ חַיִּים מִדִּילֵיהּ כְּלוּם, וְקַיְימָא קַמֵּיהּ כָּל יוֹמָא, כֵּיוָן דְּבָרָא אָדָם הָרִאשׁוֹן, אָמַר הָא וַדַּאי קִיּוּמֵיהּ, וּמֵאָדָם קַדְמָאָה, הֲווּ שַׁבְעִין שְׁנִין, דְּאִתְקַיַּים דָּוִד מַלְכָּא בְּעָלְמָא.

נד. תּוּ, אֲבָהָן שָׁבְקוּ לֵיהּ מֵחַיֵּיהוֹן, כָּל חַד וְחַד, אַבְרָהָם שָׁבַק לֵיהּ, וְכֵן יַעֲקֹב, וְיוֹסֵף. יִצְחָק לָא שָׁבַק לֵיהּ כְּלוּם, בְּגִין דְּדָוִד מַלְכָּא, מִסִּטְרֵיהּ קָא אָתָא.

נה. וַדַּאי אַבְרָהָם שָׁבַק לֵיהּ חָמֵשׁ שְׁנִין, דַּהֲוָה לֵיהּ לְאִתְקַיְּימָא מֵאָה וּתְמָנִין שְׁנִין, וְאִתְקַיַּים מֵאָה וְשַׁבְעִין וְחָמֵשׁ שְׁנִין, וְחַסְרִין חָמֵשׁ. יַעֲקֹב הֲוָה לֵיהּ לְאִתְקַיְּימָא בְּעָלְמָא כְּיוֹמֵי דְאַבְרָהָם, וְלָא אִתְקַיַּים, אֶלָּא מֵאָה וְאַרְבְּעִין וְשֶׁבַע שְׁנִין, וְחַסְרִים תְּמַנְיָא וְעֶשְׂרִין. אִשְׁתַּכְּחוּ דְּאַבְרָהָם וְיַעֲקֹב שָׁבְקוּ לֵיהּ מֵחַיֵּיהוֹן תְּלָתִין וּתְלַת שְׁנִין. יוֹסֵף דְּאִתְקַיַּים מֵאָה וְעֶשֶׂר שְׁנִין, הֲוָה לֵיהּ לְאִתְקַיְּימָא מֵאָה וְאַרְבְּעִין וְשֶׁבַע שְׁנִין, כְּיוֹמֵי דְיַעֲקֹב, וְחָסַר מִנְּהוֹן תְּלָתִין וְשֶׁבַע שְׁנִין. הָא שַׁבְעִין שְׁנִין, דִּשְׁבָקוּ לֵיהּ לְדָוִד מַלְכָּא, לְאִתְקַיְּימָא בְּהוֹן, וּבְהוּ אִתְקַיַּים דָּוִד, בְּכָל אִינוּן שְׁנִין דִּשְׁבָקוּ לֵיהּ אֲבָהָן.

נו. וְאִי תֵּימָא, יִצְחָק אַמַּאי לָא שָׁבַק לֵיהּ כְּלוּם כְּהָנֵי, בְּגִין דְּאִיהוּ חֹשֶׁךְ, וְדָוִד מִסִּטְרָא

דְּחֹשֶׁךְ קָא אָתָא, וּמַאן דְּאִיהוּ בְּחֹשֶׁךְ, לֵית לֵיהּ נְהוֹרָא כְּלַל, וְלֵית לֵיהּ חַיִּים, וּבְגִ"כ לָא הֲוֵי לְדָוִד חַיִּים כְּלַל. אֲבָל אִלֵּין דַּהֲווֹ לְהוֹן נְהוֹרָא, נְהִירוּ לֵיהּ לְדָוִד מַלְכָּא, וּמִנַּיְיהוּ אִצְטְרִיךְ לְאַנְהָרָא, וּלְמֶהֱוֵי לֵיהּ חַיִּים, דְּהָא מִסִּטְרָא דְּחֹשֶׁךְ לֵית לֵיהּ חַיִּים כְּלַל, וְעַל דָּא לָא אָתָא יִצְחָק בְּחוּשְׁבְּנָא.

נז. וְאִי תֵּימָא, יוֹסֵף אַמַּאי יַתִּיר מִכֻּלְּהוּ. אֶלָּא וַדַּאי יוֹסֵף בִּלְחוֹדוֹי, כְּכֻלְּהוּ. בְּגִין דְּאִקְרֵי צַדִּיק, וְדָא הוּא דְּאַנְהִיר לְסִיהֲרָא, יַתִּיר מִכֻּלְּהוּ. וּבְגִ"כ, הַאי שָׁבַק לֵיהּ לְדָוִד מַלְכָּא יַתִּיר מִכֻּלְּהוּ חַיִּין, דִּכְתִיב וַיִּתֵּן אֹתָם אֱלֹהִים בִּרְקִיעַ הַשָּׁמַיִם לְהָאִיר עַל הָאָרֶץ.

נח. ת"ח, יַעֲקֹב, צְלוֹתֵיהּ אַגִּין לֵיהּ מֵעֵשָׂו, בְּגִין דְּבָעָא לְסַלְקָא זְכוּתֵיהּ, לִבְנוֹי אֲבַתְרֵיהּ, וְלָא לְאַפָּקָא לֵיהּ הַשְׁתָּא לְגַבֵּיהּ דְּעֵשָׂו. וְעַל דָּא, צַלֵּי צְלוֹתֵיהּ לְקֻבְּ"ה, וְלָא אִסְתְּמִיךְ עַל זְכוּתֵיהּ, לְשֵׁיזָבָא לֵיהּ בְּגִינֵיהּ.

נט. וַיֹּאמֶר אִם יָבֹא עֵשָׂו אֶל הַמַּחֲנֶה הָאַחַת וְהִכָּהוּ וְהָיָה הַמַּחֲנֶה הַנִּשְׁאָר לִפְלֵיטָה. ת"ח, מַה כְּתִיב וַיַּחַץ אֶת הָעָם אֲשֶׁר אִתּוֹ וְאֶת הַצֹּאן וְאֶת הַבָּקָר וְהַגְּמַלִּים לִשְׁנֵי מַחֲנוֹת. אַמַּאי לִשְׁנֵי מַחֲנוֹת. בְּגִין דַּאֲמַר, אִם יָבֹא עֵשָׂו אֶל הַמַּחֲנֶה הָאַחַת וְהִכָּהוּ וְהָיָה הַמַּחֲנֶה הַנִּשְׁאָר לִפְלֵיטָה.

ס. תָּא חֲזֵי, שְׁכִינְתָּא לָא עֲדִיאַת מֵאֹהֶל לֵאָה, וּמֵאֹהֶל רָחֵל, אֲמַר יַעֲקֹב, יְדַעְנָא דְּהָא נְטִירוּ לוֹ לְאִלֵּין מִן קֻבְּ"ה. מָה עֲבַד, וַיָּשֶׂם אֶת הַשְּׁפָחוֹת וְאֶת יַלְדֵיהֶן רִאשׁוֹנָה, אֲמַר, אִם יִקְטִיל עֵשָׂו, לְאִלֵּין יִקְטִיל, אֲבָל אִלֵּין, לָא מִסְתְּפֵינָא מִנַּיְיהוּ, בְּגִין דִּשְׁכִינְתָּא עִמְּהוֹן, וְעַל דָּא וְהָיָה הַמַּחֲנֶה הַנִּשְׁאָר לִפְלֵיטָה. כֵּיוָן דַּעֲבִיד הַאי, אַתְקִין צְלוֹתֵיהּ עֲלַיְיהוּ, מַה כְּתִיב, וַיֹּאמֶר יַעֲקֹב אֱלֹהֵי אָבִי אַבְרָהָם וֵאלֹהֵי אָבִי יִצְחָק יְיָ' הָאוֹמֵר אֵלַי שׁוּב לְאַרְצְךָ וּלְמוֹלַדְתְּךָ וְאֵיטִיבָה עִמָּךְ.

סא. רִבִּי יוֹסֵי פָּתַח וַאֲמַר, תְּפִלָּה לְעָנִי כִי יַעֲטֹף וְלִפְנֵי יְיָ' יִשְׁפֹּךְ שִׂיחוֹ. הַאי קְרָא אוֹקְמוּהָ בְּכַמָּה אֲתַר. אֶלָּא דָּוִד מַלְכָּא אֲמַר דָּא, כַּד אִסְתַּכַּל וְחָמָא בְּמִלֵּי דְּמִסְכְּנָא, וְאִסְתַּכַּל בֵּיהּ, כַּד הֲוָה אָזִיל וְעָרַק מִקַּמֵּי שָׁאוּל, אֲמַר דָּא תְּפִלָּה לְעָנִי, דָּא הוּא צְלוֹתָא, דְּבָעֵי מִסְכְּנָא קַמֵּי קֻבְּ"ה, וְדָא צְלוֹתָא, דְּאַקְדִּימַת לְכָל צְלוֹתְהוֹן דְּעָלְמָא.

סב. כְּתִיב הָכָא תְּפִלָּה לְעָנִי, וּכְתִיב הָתָם תְּפִלָּה לְמֹשֶׁה אִישׁ הָאֱלֹהִים, מַה בֵּין הַאי לְהַאי. אֶלָּא, דָּא תְּפִלָּה שֶׁל יַד, וְדָא תְּפִלָּה שֶׁל רֹאשׁ, וְלֵית לְאַפְרָשָׁא בֵּין הַאי תְּפִלָּה לְעָנִי, וּבֵין תְּפִלָּה לְמֹשֶׁה, וְתַרְוַויְיהוּ שְׁקִילִין כַּחֲדָא.

סג. וְעַל דָּא צְלוֹתָא דְּעָנִי, אַקְדִּימַת קַמֵּי קֻבְּ"ה, מִכָּל צְלוֹתִין דְּעָלְמָא, בְּגִין דִּכְתִיב, כִּי לֹא בָזָה וְלֹא שִׁקַּץ עֱנוּת עָנִי וגו'. ת"ח, תְּפִלָּה לְעָנִי, דָּא תְּפִלָּה שֶׁל יַד, דְּעָנִי אִתְדַּבַּק בְּמִסְכְּנוּתֵיהּ, כְּמַאן דְּלֵית לֵיהּ מִגַּרְמֵיהּ כְּלוּם.

סד. דָּבָר אַחֵר, תְּפִלָּה: דָּא מֹשֶׁה. לְעָנִי: דָּא דָּוִד. כִּי יַעֲטֹף: כַּד אִתְכַּסְיָא סִיהֲרָא, וְאִתְכַּסֵּי שִׁמְשָׁא מִינָהּ. וְלִפְנֵי ה' יִשְׁפֹּךְ שִׂיחוֹ: בְּגִין לְאִתְחַבְּרָא בַּהֲדֵי שִׁמְשָׁא.

סה. ת"ח, צְלוֹתָא דְּכָל בְּנֵי נָשָׁא, צְלוֹתָא. וּצְלוֹתָא דְּמִסְכְּנָא, אִיהִי צְלוֹתָא דְּקַיְימָא קַמֵּיהּ דְּקֻבְּ"ה, וְתָבַר תַּרְעִין וּפִתְחִין, וְעָאלַת לְאִתְקַבְּלָא קַמֵּיהּ, הה"ד וְהָיָה כִּי יִצְעַק אֵלַי וְשָׁמַעְתִּי כִּי חַנּוּן אָנִי וּכְתִיב שָׁמֹעַ אֶשְׁמַע צַעֲקָתוֹ. וְלִפְנֵי ה' יִשְׁפֹּךְ שִׂיחוֹ, כְּמַאן דְּמִתְרַעֵם עַל דִּינוֹי דְּקֻבְּ"ה.

סו. אֲמַר רִבִּי אֶלְעָזָר, צְלוֹתְהוֹן דְּצַדִּיקַיָּיא חֶדְוְותָא לְכ"י לְאִתְעַטְּרָא קַמֵּיהּ קֻבְּ"ה, בְּגִ"כ, חֲבִיבָא הוּא יַתִּיר קַמֵּיהּ קֻבְּ"ה, וּבְגִ"כ קֻבְּ"ה תָּאִיב לִצְלוֹתְהוֹן דְּצַדִּיקַיָּיא בְּשַׁעְתָּא

דאצטריך לון, בגין דידעי לרצויי למריהון.

סז. מה כתיב ביה ביעקב, אלהי אבי אברהם ואלהי אבי יצחק ה' האומר אלי שוב וגו', אעטר ואקשר בקשורא חדא, כדקא חזי. אלהי אבי אברהם, לימינא, ואלהי אבי יצחק, לשמאלא. האומר אלי, הכא תלי מלה, לאתעטרא לאתריה בינייהו. שוב לארצך ולמולדתך ואיטיבה עמך.

סח. קטנתי מכל החסדים, אמאי הוה אצטריך האי עם האי. אלא, אמר יעקב, את אבטחת לי לאוטבא עמי, ואנא ידענא, דכל עובדך כלהו על תנאי, הא אנא לית בי זכותא, דהא קטנתי מכל החסדים ומכל האמת אשר עשית את עבדך, וכל מה דעבדת לי עד יומא, לאו בגין זכותאי הוה, אלא בגינך הוא דעבדת לי, וההוא טיבו וקשוט בגינך הוה. דהא כד עברנא בקדמיתא, דהיינא אזיל מקמי דעשו, יחידאי עברנא ליה לההוא נהרא, ואנת עבדית עמי טיבו וקשוט, והא אנא השתא, מעבר ליה בתרי משריין, אינון תרין משריין דהפליג.

סט. עד הכא סדורא דשבחא דמריה, מכאן ולהלאה בעא מה דאצטריך ליה. לאחזאה לכל בני עלמא, דאצטריך ליה לבר נש, לסדרא שבחא דמאריה בקדמיתא, ולבתר יבעי בעותיה, דהכי עבד יעקב, בקדמיתא סדר שבחא דמריה, ולבתר דסדר שבחא, אמר בעותיה דאצטריך ליה.

ע. הה"ד הצילני נא מיד אחי מיד עשו כי ירא אנכי אתו פן יבא והכני אם על בנים. מכאן, מאן דצלי צלותיה, דבעי לפרשא מלוי כדקא יאות. הצילני נא, ואי תימא, דהא שזבת לי מלבן. מיד אחי. ואי תימא, קריבין אוחרנין סתם, אחין אקרון. מיד עשו. מ"ט בגין לפרשא מלה כדקא יאות. ואי תימא, אנא אמאי אצטריך, כי ירא אנכי אתו פן יבא והכני. בגין לאשתמודעא מלה לעילא, ולפרשא לה כדקא יאות, ולא יסתים מלה.

עא. ואתה אמרת היטב איטיב עמך וגו'. ואתה אמרת היטב איטיב, מאי ואתה. כד"א, ואתה מחיה את כלם, אוף הכא ואתה אמרת.

עב. תא חזי, דוד מלכא אמר, יהיו לרצון אמרי פי: אלין מלין דאתפרשן. והגיון לבי: אלין מלין דסתימן, דלא יכיל בר נש לפרשא לון בפומיה, דא הוא הגיון, דאיהו בלבא, דלא יכיל לאתפרשא.

עג. ועל דא אצטריך מלה, לאתפרשא בפומא, ומלה דתליא בלבא, וכלא רזא איהו, חד לקבל דרגא תתאה, וחד לקבל דרגא עלאה. מלה דאתפרשא, לקבל דרגא תתאה, דאצטריך לאתפרשא. ההוא דתליא בלבא, איהו לקבל דרגא פנימאה יתיר, וכלא כחדא איהו. ועל דא אמר יהיו לרצון אמרי פי והגיון לבי לפניך וגו'.

עד. כגוונא דא אמר יעקב, בקדמיתא פריש מלה כדקא יאות, ולבתר סתים מלה, דאיהי תליא בהגיונא דלבא, דלא אצטריך לפרשא, דכתיב ושמתי את זרעך כחול הים אשר לא יספר מרב. הכא איהו מלה, דתליא בלבא, דלא אצטריך לפרשא. וכן אצטריך כדקאמרן, בגין ליחדא יחודא שלים, כדקא יאות. זכאין אינון צדיקיא, דידעי לסדרא שבחא דמאריהון כדקא יאות. ולמבעי בעותהון, ובגין כך כתיב, ויאמר לי עבדי אתה ישראל אשר בך אתפאר.

עה. ויותר יעקב לבדו וגו'. רבי חייא פתח ואמר לא תאנה אליך רעה ונגע לא יקרב באהלך, תא חזי, כד ברא קב"ה עלמא, עבד בכל יומא ויומא עבידתיה דאתחזי ליה,

וְהָא אוֹקְמוּהָ. וְאִתְּמַר, בְּיוֹמָא רְבִיעָאָה עֲבַד נְהוֹרִין, וּכְדֵין אִתְבְּרֵי סִיהֲרָא וְחָסֵר, נְהוֹרָא דְּאַזְעִירַת גַּרְמָהּ, וּבְגִין דְּאִיהִי מְאֹרֹת וְחָסֵר וא״ו, אִתְיְהִיב דּוּכְתָּא, לְשַׁלְטָאָה כָּל רוּחִין וְשֵׁדִין, וְעִלְעוֹלִין וּמַזִּיקִין וְכָל רוּחֵי מְסָאֲבֵי.

עו. כֻּלְּהוּ סַלְקִין וְשָׁאטִין בְּעָלְמָא לְאַסְטָאָה, וְאִתְמַנּוּן בְּדוּכְתֵּי דְּאִתְחֲרִיבוּ, וּבְחַקְלִין תַּקִּיפִין, וּבְמַדְבְּרִין וְחָרִיבִין. וְכֻלְּהוּ מִסִּטְרֵי רוּחַ מְסָאֲבָא. וְהָא אִתְּמָר, דְּהָא רוּחַ מְסָאֲבָא דְּאַתְיָא מִנָּחָשׁ עֲקִימָאָה, אִיהוּ רוּחַ מְסָאֲבָא מַמָּשׁ. וְאִיהוּ אִתְמַנָּא בְּעָלְמָא, לְאַסְטָאָה בַּר נָשׁ לְגַבֵּיהּ, וְעַל דָּא יֵצֶר הָרָע שַׁלִּיט בְּעָלְמָא.

עז. וְאִיהוּ אִתְמַנֵּי לְגַבַּיְיהוּ דִּבְנֵי נָשָׁא, וְאִשְׁתַּכַּח עִמְּהוֹן, וּבַעֲקִימוּ וּבְתִסְקוֹפִין אָתֵי לְגַבַּיְיהוּ, לְאַסְטָאָה לוֹן, מֵאָרְחוֹי דְּקֻבְּ״הַ, כְּמָה דְּאַסְטֵי לְאָדָם קַדְמָאָה, וְגָרֵים מוֹתָא לְכָל עָלְמָא, הָכֵי נָמֵי אַסְטֵי לְהוּ לִבְנֵי נָשָׁא, וְגָרֵים לוֹן לְאִסְתָּאֲבָא.

עח. וּמַאן דְּאָתֵי לְאִסְתָּאֲבָא, אִיהוּ מָשִׁיךְ עֲלֵיהּ הַהוּא רוּחַ מְסָאֲבָא, וְאִתְדַּבַּק בַּהֲדֵיהּ, וְכַמָּה אִינּוּן דְּזַמִּינִין לְסָאֲבָא לֵיהּ, וּמְסָאֲבִין לֵיהּ, וְאִיהוּ מְסָאַב וְסָאֲבִין לֵיהּ בְּהַאי עָלְמָא, וּבְהַהוּא עָלְמָא. וְהָא אִתְּמַר.

עט. וּבְשַׁעֲתָא דְּאָתֵי בַּר נָשׁ לְאִתְדַּכָּאָה, הַהוּא רוּחַ מְסָאֲבָא אִתְכַּפְיָיא קַמֵּיהּ, וְלָא יָכִיל לְשַׁלְטָאָה עֲלוֹי, וּכְדֵין כְּתִיב, לֹא תְאֻנֶּה אֵלֶיךָ רָעָה וְנֶגַע לֹא יִקְרַב בְּאָהֳלֶךָ. אָמַר ר׳ יוֹסֵי, לֹא תְאֻנֶּה אֵלֶיךָ רָעָה, דָּא לִילִית, וְנֶגַע לֹא יִקְרַב בְּאָהֳלֶךָ, אִלֵּין שְׁאָר מַזִּיקִין, וְהָא אוֹקְמוּהָ וְאִתְּמַר.

פ. רִבִּי אֶלְעָזָר אָמַר, הָא אֲמָרָן, דְּלָא יִפּוֹק בַּר נָשׁ יְחִידָאָה בְּלֵילְיָא, וְכָל שֶׁכֵּן, בְּזִמְנָא דְּסִיהֲרָא אִתְבְּרִיאַת, וַהֲוָה וְחָסֵרָה, וְאוֹקְמוּהָ. דְּהָא כְּדֵין, רוּחָא מְסָאֲבָא שַׁלְטָא, וְדָא הוּא רוּחַ רָעָה, מַאן רָעָה, דָּא חִוְיָא בִּישָׁא. וְנֶגַע, דָּא הוּא מַאן דְּרָכֵיב עַל חִוְיָא. רָעָה, וְנֶגַע, כַּחֲדָא אִינּוּן.

פא. וְאע״ג דְּתָנֵינָן, דְּנֶגַע אִלֵּין נִגְעֵי בְּנֵי אָדָם, דְּנָפְקוּ מֵאָדָם, דְּהָא כָּל אִינּוּן שְׁנִין, דְּלָא קָרֵיב אָדָם עִם אִתְּתֵיהּ, רוּחֵי מְסָאֲבֵי הֲווּ קָא אַתְיָין, וּמִתְחַמְּמָן מִנֵּיהּ, וְאוֹלִידָן מִנֵּיהּ, וְהַנֵּי אִקְרוּן נִגְעֵי בְּנֵי אָדָם.

פב. וְהָא אִתְּמַר, דְּכַד בַּר נָשׁ בְּחֶלְמֵיהּ, וְלָא שַׁלִּיט בְּגוּפֵיהּ, וְגוּפָא אִשְׁתַּכַּךְ, רוּחַ מְסָאֲבָא אַתְיָיא וְשַׁרְיָא עֲלֵיהּ, וְאִית זִמְנִין, דְּרוּחֵי נוּקְבִין מְסָאֲבִין, אַתְיָין וְקָרְבָן בַּהֲדֵיהּ, וּמָשְׁכִין לֵיהּ בַּהֲדַיְיהוּ, וּמִתְחַמְּמָן מִנֵּיהּ, וְאוֹלִידוּ לְבָתַר רוּחִין וּמַזִּיקִין, וּלְזִמְנִין אִתְחַזְיָין כְּחֵיזוּ בְּנֵי נָשָׁא, בַּר דְּלֵית לוֹן שַׂעֲרֵי בְּרֵישָׁא.

פג. וּבְכֹלָּא אִית לֵיהּ לְב״נ לְאִסְתַּמְּרָא מִקַּמַּיְיהוּ, בְּגִין דְּיֵהַךְ בְּאָרְחוֹי דְּאוֹרַיְיתָא, וְלָא יִסְתָּאַב בַּהֲדַיְיהוּ, דְּהָא לֵית לָךְ מַאן דְּנָאִים בְּלֵילְיָא בְּעַרְסֵיהּ דְּלָא טָעִים טַעְמָא דְּמוֹתָא, וְנָפְקַת נִשְׁמָתֵיהּ מִנֵּיהּ, וְכֵיוָן דְּאִשְׁתָּאַר גּוּפָא בְּלָא נִשְׁמְתָא קַדִּישָׁא, רוּחַ מְסָאֲבָא זַמִּין וְשַׁרְיָא עֲלֵיהּ וְאִסְתָּאַב, וְהָא אוֹקִימְנָא מִלָּה, דְּלֵית לֵיהּ לְבַר נָשׁ, לְאַעֲבָרָא יְדוֹי עַל עֵינוֹי בְּצַפְרָא, בְּגִין דְּהָא רוּחָא מְסָאֲבָא שַׁרְיָא עֲלַיְיהוּ וכו׳, וְהָא אִתְּמַר.

פד. תָּא חֲזֵי, דְּהָא יַעֲקֹב, אַף עַל גַּב דְּאִתְרְחִים קַמֵּיהּ קֻבְּ״הַ, בְּגִין דְּאִשְׁתָּאַר בִּלְחוֹדוֹי, רוּחָא אָחֳרָא הֲוָה זַמִּין לְאִזְדַּוְּוגָא בַּהֲדֵיהּ.

פה. רִבִּי שִׁמְעוֹן אָמַר, תָּא חֲזֵי, מַה כְּתִיב בֵּיהּ בְּהַהוּא רָשָׁע דְּבִלְעָם, וַיֵּלֶךְ שֶׁפִי, מַהוּ שֶׁפִי, יְחִידָאי. כְּמָה דְּאַתְּ אָמֵר שְׁפִיפוֹן עֲלֵי אֹרַח, כְּהַאי חִוְיָא דְּאָזֵיל יְחִידָאי, וְכָמִין עֲלֵי אָרְחִין וּשְׁבִילִין, הָכֵי נָמֵי בִּלְעָם, הֲוָה אָזֵיל יְחִידָאי, מַאי טַעְמָא, בְּגִין לְאַמְשָׁכָא עֲלֵיהּ

רוּחָא מִסָּאֳבָא, דְּכָל מַאן דְּאָזִיל יְחִידָאי בִּזְמַנִּין יְדִיעָן, אֲפִילּוּ בְּמָתָא, בְּאַתְרִין יְדִיעָן, מָשֵׁיךְ עֲלֵיהּ רוּחָא מִסָּאֳבָא.

פו. בְּג"כ, בְּכָל זִמְנָא, לָא יְהַךְ בַּר נָשׁ יְחִידָאי בְּאָרְחָא וּבְמָתָא, אֶלָּא בַּאֲתַר דִּבְנֵי נָשָׁא אָזְלִין וְתָבִין וּמִשְׁתַּכְּחִין תַּמָּן, וְעַל דָּא לָא יְהַךְ בַּר נָשׁ יְחִידָאי בְּלֵילְיָא, הוֹאִיל וּבְנֵי נָשָׁא לָא מִשְׁתַּכְּחֵי, וְהַיְינוּ טַעְמָא, דְּלָא תָלִין נִבְלָתוֹ עַל הָעֵץ, דְּלָא לְקַיְּימָא גּוּפָא מִיתָא בְּלָא רוּחָא, עַל אַרְעָא בְּלֵילְיָא. בְּגִין כָּךְ הַהוּא רָשָׁע דְּבִלְעָם, הֲוָה אָזִיל יְחִידָאי, כְּהַאי נָחָשׁ, כְּמָה דְּאוֹקְמוּהָ.

פז. וַיֵּאָבֵק אִישׁ עִמּוֹ, מַאי וַיֵּאָבֵק. רַבִּי שִׁמְעוֹן אֲמַר, מִן אָבָק. אָבָק טָפֵל לֶעָפָר, מַה בֵּין עָפָר לְאָבָק. דָּא אָבָק דְּאִשְׁתְּאַר מִן נוּרָא, וְלָא עֲבַד אִיבִּין לְעָלְמִין. עָפָר: דְּכָל אִיבִּין נָפְקֵי מִנֵּיהּ, וְאִיהוּ כְּלָלָא, בְּעֵילָּא וְתַתָּא.

פח. אֲמַר רַבִּי יְהוּדָה, אִי הָכֵי, מַאי מְקִימִי מֵעָפָר דָּל. א"ל כְּמַשְׁמָעוֹ, אֲבָל בְּהַאי גַּוְונָא, מֵקִים מֵעָפָר דָּל, בְּגִין דְּלֵית לֵיהּ מִגַּרְמֵיהּ כְּלוּם, וּמֵהַהוּא עַפְרָא נָפַק דַּל, דְּלֵית לֵיהּ כְּלוּם, וּמֵהַהוּא עָפָר, כָּל אִיבִּין וְכָל טִיבוּ דְּעָלְמָא נָפְקֵי מִנֵּיהּ, וּבֵיהּ אִתְעֲבִידוּ כָּל עוֹבָדִין דְּעָלְמָא, כְּמָה דִּכְתִיב הַכֹּל הָיָה מִן הֶעָפָר וְהַכֹּל שָׁב אֶל הֶעָפָר, וְתָנֵינָן הַכֹּל הָיָה מִן הֶעָפָר, וַאֲפִילּוּ גַּלְגַּל חַמָּה. אֲבָל אָבָק, לָא עָבִיד פֵּירִין וְאִיבִּין לְעָלְמִין, וּבְג"כ וַיֵּאָבֵק אִישׁ, דְּאַתְיָא בְּהַהוּא אָבָק, וְרָכִיב עֲלֵיהּ, בְּגִין לְקַטְרְגָא לֵיהּ לְיַעֲקֹב.

פט. עַד עֲלוֹת הַשָּׁחַר, דְּאִתְעֲבַר שׁוּלְטָנוּתֵיהּ וְאִתְחַלַּף, וְכָךְ הוּא לְזִמְנָא דְּאָתֵי, בְּגִין דְּגָלוּתָא הַשְׁתָּא, כְּלֵילְיָא דַּמְיָא, וְאִיהוּ לֵילְיָא, וְשַׁלְטָא הַהוּא אָבָק עַל יִשְׂרָאֵל, וְאִינוּן שְׁכִיבֵי לְעַפְרָא, עַד דְּיִסְתַּלַּק נְהוֹרָא, וְיִתְנְהַר יְמָמָא, וּכְדֵין יִשְׁלְטוּן יִשְׂרָאֵל, וּלְהוֹן יִתְיְהִיב מַלְכוּתָא, דְּאִינוּן קַדִּישֵׁי עֶלְיוֹנִין, כד"א וּמַלְכוּתָא וְשָׁלְטָנָא וּרְבוּתָא דִּי מַלְכְוָת תְּחוֹת כָּל שְׁמַיָּא יְהִיבַת לְעַם קַדִּישֵׁי עֶלְיוֹנִין מַלְכוּתֵהּ מַלְכוּת עָלַם וְכָל שָׁלְטָנַיָּא לֵהּ יִפְלְחוּן וְיִשְׁתַּמְּעוּן.

צ. וַיֹּאמֶר שַׁלְּחֵנִי כִּי עָלָה הַשָּׁחַר וַיֹּאמֶר לֹא אֲשַׁלֵּחֲךָ כִּי אִם בֵּרַכְתָּנִי. רַבִּי יְהוּדָה פָּתַח וַאֲמַר, מִי זֹאת הַנִּשְׁקָפָה כְּמוֹ שָׁחַר יָפָה כַלְּבָנָה בָּרָה כַּחַמָּה אֲיֻמָּה כַּנִּדְגָּלוֹת. הַאי קְרָא אוֹקְמוּהָ וְאִתְּמַר, אֲבָל מִי זֹאת הַנִּשְׁקָפָה, אִלֵּין אִינוּן יִשְׂרָאֵל, בְּזִמְנָא דְּקֻבְּ"ה יוֹקִים לוֹן, וְיַפֵּיק מִן גָּלוּתָא, כְּדֵין יִפְתַּח לוֹן פִּתְחָא דִּנְהוֹרָא, דַּקִּיק זְעֵיר, וּלְבָתַר פִּתְחָא אַחֲרִינָא, דְּאִיהוּ רַב מִינֵּיהּ, עַד דְּקוּדְשָׁא בְּרִיךְ הוּא יִפְתַּח לוֹן תַּרְעִין עִלָּאִין, פְּתִיחִין לְאַרְבַּע רוּחֵי עָלְמָא.

צא. וְכֵן כָּל מַה דְּעָבִיד קֻבְּ"ה לְיִשְׂרָאֵל, וּלְצַדִּיקַיָּיא דִּי בְהוֹ, הָכֵי כֻּלְּהוּ, וְלָאו בְּזִמְנָא חֲדָא. לְב"נ דְּאִתְיְהִיב בַּחֲשׁוֹכָא, וְדִיוּרֵיהּ הֲוָה בַּחֲשׁוֹכָא תָּדִיר, כַּד יִבְעוּן לְאַנְהָרָא לֵיהּ, בַּעְיָין לְאַפְתְּחָא לֵיהּ נְהוֹרָא זְעֵירְתָּא, כְּעֵינָא דְּמַחֲטָא, וּלְבָתַר רַב מִנֵּיהּ, וּכְדֵין בְּכָל זִמְנָא, עַד דְּיִנְהֲרוּן לֵיהּ כָּל נְהוֹרָא, כִּדְקָא יָאוֹת.

צב. כָּךְ אִינוּן יִשְׂרָאֵל, כד"א מְעַט מְעַט אֲגָרְשֶׁנּוּ מִפָּנֶיךָ עַד אֲשֶׁר תִּפְרֶה וגו'. וְכֵן לְמַאן דְּאָתֵי אַסְוָותָא, לָאו אִיהוּ בְּשַׁעְתָּא חֲדָא, אֶלָּא זְעֵיר זְעֵיר, עַד דְּיִתְתַּקַּף. אֲבָל לְעֵשָׂו, לָאו הָכֵי, אֶלָּא בְּזִמְנָא חֲדָא נָהִיר לֵיהּ, וְאִתְאֲבִיד מִנֵּיהּ זְעֵיר זְעֵיר, עַד דְּיִתְתַּקְּפוּן יִשְׂרָאֵל, וִישֵׁיצוּן לֵיהּ מִכֹּלָּא, מֵעָלְמָא דֵּין וּמֵעָלְמָא דְּאָתֵי. וּבְגִין דְּנָהִיר בְּשַׁעְתָּא חֲדָא, הֲוָה לֵיהּ שֵׁיצִיאוּ מִכֹּלָּא. אֲבָל יִשְׂרָאֵל, נְהוֹרָא דִּלְהוֹן זְעֵיר זְעֵיר, עַד דְּיִתְתַּקְּפוּן, וְיַנְהִיר לוֹן קֻבְּ"ה לְעָלְמִין.

צג. וְכֹלָּא שָׁאֲלֵי לוֹן וְאָמְרֵי, מִי זֹאת הַנִּשְׁקָפָה כְּמוֹ שָׁחַר, אִיהוּ קַדְרוּתָא דְּצַפְרָא, וְדָא אִיהוּ נְהוֹרָא דַּקִּיק. וּלְבָתַר יָפָה כַלְּבָנָה, בְּגִין דְּסִיהֲרָא, נְהוֹרָא דִּילָהּ נָהִיר יַתִּיר מִשַּׁחַר.

וּלְבָתַר בָּרָה כַּחַמָּה, בְּגִין דִּנְהוֹרֵיהּ, תַּקִּיף וְנָהִיר יַתִּיר מִסִּיהֲרָא. וּלְבָתַר אֲיֻמָּה כַּנִּדְגָּלוֹת, תַּקִּיפָא בִּנְהוֹרָא תַּקִּיף, כִּדְקָא יָאוּת.

צד. ת"ח, בְּעוֹד דְּאִתְחֲשַׁךְ יְמָמָא, וְאִתְכַּסְיָא נְהוֹרָא, וְאָתֵי צַפְרָא, יִתְנְהַר בְּקַדְמֵיתָא זְעֵיר זְעֵיר, עַד דְּיִתְרַבֵּי נְהוֹרָא כִּדְקָא יָאוּת, דְּהָא כֵּיוָן דְּקֻבְּ"ה יִתְעַר לְאַנְהָרָא לָהּ לִכְנֶסֶת יִשְׂרָאֵל, יִתְנְהִיר בְּקַדְמֵיתָא כְּמוֹ שַׁחַר, דְּאִיהִי אוּכְמָא, וּלְבָתַר יָפָה כַּלְּבָנָה, וּלְבָתַר בָּרָה כַּחַמָּה. וּלְבָתַר אֲיֻמָּה כַּנִּדְגָּלוֹת, כְּמָה דְּאִתְּמַר.

צה. וְתָא חֲזֵי, כֵּיוָן דְּאִסְתַּלַּק צַפְרָא, דְּהָא לָא כְּתִיב כִּי בָא הַשָּׁחַר, אֶלָּא כִּי עָלָה, דְּהָא בִּזְמְנָא כִּי בָא הַשָּׁחַר, כְּדֵין אִתְתַּקַּף הַהוּא מְמַנָּא, וְאַכִּישׁ לֵיהּ לְיַעֲקֹב, בְּגִין דְּהַהוּא מְמַנָּא אַכִּישׁ לְיַעֲקֹב, לְמֵיהַב תַּקִּיפוּ לְאִתְתַּקְּפָא לְעֵשָׂו.

צו. וְכַד סָלִיק הַהוּא אוּכְמָא דְּשַׁחַר, אָתָא נְהוֹרָא, וְאִתְתַּקַּף יַעֲקֹב, דְּהָא כְּדֵין מָטָא זִמְנֵיהּ לְאִתְנְהָרָא, מַה כְּתִיב, וַיִּזְרַח לוֹ הַשֶּׁמֶשׁ כַּאֲשֶׁר עָבַר אֶת פְּנוּאֵל וְהוּא צוֹלֵעַ עַל יְרֵכוֹ. וַיִּזְרַח לוֹ הַשֶּׁמֶשׁ, דְּהָא כְּדֵין זִמְנָא לְאִתְנְהָרָא.

צז. וְהוּא צוֹלֵעַ עַל יְרֵכוֹ. כְּדֵין אִיהוּ רֶמֶז, דְּהָא בְּעוֹד דְּיִשְׂרָאֵל בְּגָלוּתָא, וְסָבְלִין כְּאֵבִין וְצַעֲרִין, וְכַמָּה בִּישִׁין, כַּד אִתְנְהִיר לוֹן יְמָמָא, וְיֵיתֵי לוֹן נַיְיחָא, כְּדֵין יִסְתַּכְּלוּן, וְיִכְאֲבוּן בְּגַרְמַיְיהוּ, מִכַּמָּה בִּישִׁין וְצַעֲרִין, דְּסָבְלוּ, וְיִתְמְהוּ עֲלַיְיהוּ, בְּגִין כָּךְ וַיִּזְרַח לוֹ הַשֶּׁמֶשׁ. דְּהַהוּא זִמְנָא דְּנַיְיחָא, וּכְדֵין וְהוּא צוֹלֵעַ עַל יְרֵכוֹ, אִתְכָּאַב וְצָעִיר גַּרְמֵיהּ, עַל מַה דְּעָבַר.

צח. וְאִיהוּ כַּד אִסְתַּלַּק קַדְרוּתָא דְּשַׁחֲרָא, כְּדֵין אִתְתַּקַּף וְאִתְאֲחִיד בֵּיהּ, דְּכַד אִתְחַלַּשׁ חֵילֵיהּ, דְּלֵית לֵיהּ שׁוּלְטָנוּתָא אֶלָּא בְּלֵילְיָא, וְיַעֲקֹב שָׁלְטָנוּתֵיהּ בִּימָמָא. וְעַל דָּא אֲמַר, וַיֹּאמֶר שַׁלְּחֵנִי כִּי עָלָה הַשָּׁחַר, דְּהָא אֲנָא בִּרְשׁוּתָךְ קָאִימְנָא, וְהָא אִתְּמַר וְאוֹקְמוּהָ.

צט. עַל כֵּן לֹא יֹאכְלוּ בְנֵי יִשְׂרָאֵל אֶת גִּיד הַנָּשֶׁה וגו', כִּי נָגַע בְּכַף יֶרֶךְ יַעֲקֹב בְּגִיד הַנָּשֶׁה, דַּאֲפִילּוּ בַּהֲנָאָה אָסִיר, וַאֲפִילּוּ לְיַהֲבֵיהּ לְכַלְבָּא. וְאַמַּאי אִקְרֵי גִּיד הַנָּשֶׁה. כְּלוֹמַר, גִּיד דְּאִיהוּ מְנַשֶּׁה לִבְנֵי נָשָׁא, מִפּוּלְחָנָא דְּמָארֵיהוֹן, וְתַמָּן הוּא יֵצֶר הָרָע רְבִיעַ.

ק. וְכֵיוָן דְּאִתְדַּבַּק עִם יַעֲקֹב, לָא אַשְׁכַּח אֲתַר דְּיָכִיל לְאִתְגַּבְּרָא עֲלֵיהּ דְּיַעֲקֹב, בְּגִין דְּכָל שַׁיְיפֵי גּוּפָא סַיְיעֵי לְיַעֲקֹב, וְכֻלְּהוּ הֲווֹ תַּקִּיפִין, וְלָא הֲוֵי בְּהוֹן חוּלְשָׁא, מָה עֲבַד, וַיִּגַּע בְּכַף יְרֵכוֹ בְּגִיד הַנָּשֶׁה, בְּזִינֵיהּ, בְּיֵצֶר הָרָע דְּאִיהוּ זִינֵיהּ וְאַתְרֵיהּ, וּמִתַּמָּן אָתֵי יֵצֶר הָרָע עַל בְּנֵי נָשָׁא.

קא. וּבְגִין כָּךְ אֲמִירָה אוֹרַיְיתָא לֹא יֹאכְלוּ בְנֵי יִשְׂרָאֵל אֶת גִּיד הַנָּשֶׁה. כְּמָה דַּאֲמָרוּ חַבְרַיָּיא, בְּשַׁיְיפִין דְּבַר נָשׁ, דִּרְמִיזִין לְעֵילָּא, אִי טַב טַב, וְאִי בִּישׁ בִּישׁ, וּבְגִין כָּךְ, כָּל שַׁיְיפָא מַתְקִיף שַׁיְיפָא, וַדַּאי גִּיד הַנָּשֶׁה מַתְקִיף לְיֵצֶר הָרָע, דְּהוּא זִינֵיהּ, וּבְנֵי יִשְׂרָאֵל לָא יֹאכְלוּ לֵיהּ, דְּלָאו אִינּוּן מִסִּטְרֵיהּ וּמִזִּינֵיהּ, אֲבָל עַמִּין עע"ז, יֹאכְלוּ לֵיהּ, דְּאִיהוּ מִסִּטְרָא וּמִזִּינָא דְּמַלְאָכָא דִּלְהוֹן, דְּאִיהוּ סמא"ל, בְּגִין לְתַקְּפָא לִבְהוֹן.

קב. בְּגִין דְּאִית בְּבַר נָשׁ, רמ"ח שַׁיְיפִין, לָקֳבֵל רמ"ח פִּקּוּדִין דְּאוֹרַיְיתָא, דְּאִינּוּן לְמֶעְבַּד אִתְיְהִיבוּ, וְלָקֳבֵל רמ"ח מַלְאָכִין, דְּאִתְלַבְּשַׁת בְּהוֹן שְׁכִינְתָּא, וּשְׁמָא דִּלְהוֹן כִּשְׁמָא דְּמָארֵיהוֹן.

קג. וְאִית בְּבַר נָשׁ שס"ה גִּידִין, וּלְקָבְלֵיהוֹן שס"ה פִּקּוּדִין, דְּלָאו אִינּוּן, אִתְיְהִיבוּ לְמֶעְבַּד, וְלָקֳבֵל שס"ה יוֹמֵי שַׁתָּא, וְהָא תִּשְׁעָה בְּאָב חַד מִנַּיְהוּ, דְּאִיהוּ לָקֳבֵל סמא"ל, דְּאִיהוּ חַד מֵאִינּוּן שס"ה מַלְאָכִין, וּבג"כ אֲמִירָה אוֹרַיְיתָא, לֹא יֹאכְלוּ בְנֵי יִשְׂרָאֵל אֶת גִּיד הַנָּשֶׁה, א"ת לְאַסְגָּאָה תִּשְׁעָה בְּאָב, דְּלָא אָכְלִין בֵּיהּ, וְלָא שָׁתִין.

קד. וּבְגִין כָּךְ חָזָא קֻבְּ"ה כֹּלָּא, וְנִרְמַז בְּהוֹן רֶמֶז לְיַעֲקֹב, וַיֵּאָבֵק אִישׁ עִמּוֹ, בְּכָל יוֹמֵי

שתא, ובכל שייפין דיעקב, ולא אשכח בר ההוא גיד הנשה, מיד תשש חיליה דיעקב, וביומי שתא אשכח יום תשעה באב, דביה אתתקף ואתגזר דינא עלנא, ואתחרב בי מקדשא, וכל מאן דאכיל בתשעה באב, כאילו אכיל גיד הנשה. ר' חייא אמר, אלמלא לא אתחלש חילא דא דיעקב, הוה אתקיים יעקב לגביה, ואתבר חילא דעשו, לעילא ותתא.

קה. רבי שמעון פתח ואמר, כמראה הקשת אשר יהיה בענן ביום הגשם כן מראה הנגה סביב הוא מראה דמות כבוד יי' ואראה ואפל על פני וגו'. האי קרא אתמא. אבל ת"ח, דהא כתיב ולא קם נביא עוד בישראל כמשה. מה בין משה לשאר נביאי עלמא. משה אסתכל באספקלריאה דנהרא, שאר נביאי, לא הוו מסתכלי, אלא באספקלריאה דלא נהרא. משה הוה שמע וקאים על רגלוי, וחיליה אתתקף, והוה ידע מלה על בורייה, כמה דכתיב ומראה ולא בחידות. שאר נביאי, הוו נפלי על אנפייהו, ואתחלש חילא דלהון, ולא הוו יכלי לקיימא על בורייה דמלה, מאן גרם לון דא, בגין דכתיב, כי נגע בכף ירך יעקב והוא צולע על ירכו.

קו. וכל אינון נביאין, לא יכילו לקיימא, על מה דזמין קב"ה למעבד ליה לעשו, בר עובדיה נביאה, דהוה גיורא, דאתי מסטרא דעשו, דא קאים בקיומיה עליה דעשו, ולא אתחלש חיליה.

קז. וע"ד כל שאר נביאי, אתחלש תוקפייהו, ולא הוו יכלין לאתקיימא, לקבלא מלה על בורייה כדקא יאות, מאי טעמא, בגין כי נגע בכף ירך יעקב בגין הנשה, דנסיב ושאיב כל חילא דירכא, ועל דא אתבר חילא דירכא, ואשתאר צולע על ירכו, דהא כל נביאין דעלמא, לא יכילו לאדבקא ולקיימא ביה. ת"ח, נביאין כלהו, בר משה, לא קיימו בתוקפייהו כדקא חזי.

קח. ומאן דלעי באורייתא, ולית מאן דסמיך ליה, ולא אשתכח מאן דאטיל מלאי לכיסיה לאתתקפא, על דא, אורייתא קא משתכחא בכל דרא ודרא, ואתחלש תוקפא דאורייתא כל יומא ויומא, בגין דלית לון לאינון דלעאן בה, על מה דסמכין, ומלכו חייבא אתתקף בכל יומא ויומא. כמה גרים חובא דא, ובגין דלית מאן דאסמיך לאורייתא כדקא יאות, אינון סמכין חלשין, וגרמין לאתתקפא, לההוא דלית ליה שוקין ורגלין לקיימא עלייהו.

קט. פתח ואמר, ויאמר יי' אלהים אל הנחש כי עשית זאת ארור אתה מכל הבהמה וגו', על גחונך תלך. מאי על גחונך תלך. דאתברו סמכין דיליה, וקציצו רגלוי, ולית ליה על מה דקאים. כד ישראל לא בעאן לסמכא ליה לאורייתא, אינון יהבין ליה, סמכין ושוקין, לקיימא ולאתתקפא בהו.

קי. ת"ח, כמה עקימו וחכימו, אתחכם בההוא ליליא, ההוא דרכיב נחש, לקבליה דיעקב, דהא איהו הוה ידע, דכתיב הקול קול יעקב והידים ידי עשו, ואי פסיק קלא דיעקב, כדין והידים ידי עשו, בגין כך, אסתכל לכל סטרין, לאבאשא ליה ליעקב, ולאפסקא קליה.

קיא. וחמא ליה תקיף בכלא. דרועין מסטרא דא ומסטרא דא, דאינון תקפין. גופא, דאתתקף בינייהו, וחמא תוקפא דאורייתא, ואתתקף בכלא, כדי וירא כי לא יכול לו. מה עבד, מיד ויגע בכף ירכו, דאתחכם לקבליה, אמר כיון דאתברו סמכין דאורייתא,

מִיָּד אוֹרַיְיתָא לָא אִתְתַּקַּף, וּכְדֵין יִתְקַיֵּים מַה דַּאֲמַר אֲבוּהוֹן, הַקּוֹל קוֹל יַעֲקֹב וְהַיָּדַיִם יְדֵי עֵשָׂו. וְהָיָה כַּאֲשֶׁר תָּרִיד וּפָרַקְתָּ עֻלּוֹ מֵעַל צַוָּארֶךָ.

קי״ב. וּבְדָא אִתְחַכַּם לְקִבְלֵיהּ דְּיַעֲקֹב, דְּהָא בְּגִין דְּיִתְבַּר חֵילָא דְאוֹרַיְיתָא, אֲזִיל וְאִתְתַּקַּף עֵשָׂו. וְכַד חָמָא דְּלָא יָכִיל לָהּ לְאוֹרַיְיתָא, כְּדֵין חָלִישׁ תּוּקְפָּא, דְּאִינּוּן דְּסָמְכִין לָהּ, וְכַד לָא יִשְׁתַּכְּחוּ מַאן דְּסָמִיךְ לְאוֹרַיְיתָא כְּדֵין לָא יְהֵא קוֹל קוֹל יַעֲקֹב, וִיהוֹן יָדַיִם יְדֵי עֵשָׂו.

קי״ג. וְכַד חָמָא יַעֲקֹב הָכֵי, כַּד סָלִיק צַפְרָא, אַתְקִיף בֵּיהּ, וְאִתְגַּבַּר עֲלֵיהּ, עַד דְּאִיהוּ בָּרִיךְ לֵיהּ, וְאוֹדֵי לֵיהּ עַל אִינּוּן בִּרְכָאן, וַאֲמַר לֵיהּ, לֹא יַעֲקֹב יֵאָמֵר עוֹד שִׁמְךָ כִּי אִם יִשְׂרָאֵל, לָאו יַעֲקֹב בַּעֲקִימוּ, אֶלָּא בְּגַאֲוֹתָא וְתוּקְפָּא, דְּלֵית מַאן דְּיָכֵיל לָךְ.

קי״ד. וְת״ח, מֵהַאי נָחָשׁ, כַּמָּה חֵילִין מִתְפָּרְשָׁן לְכָל סְטַר, וְאִשְׁתַּכְּחוּ בְּעָלְמָא לְגַבֵּי בְּנֵי נָשָׁא. וּבְעִינָן לְקַיְּימָא לְהַהוּא גִּיד הַנָּשֶׁה, דְּאע״ג דְּקָרֵיב בֵּיהּ הַהוּא דְּרָכֵיב עַל חִוְיָא, קַיָּים אִיהוּ, וְאִתְקַיַּים בְּגַוָּון וְלָא אִתְּבַר.

קט״ו. וְחֵילָא בְּעִינָן לְאִתְתַּקְפָא בְּעָלְמָא, וּלְאַחֲזָאָה כִּי שָׂרִיתָ עִם אֱלֹהִים וְעִם אֲנָשִׁים וַתּוּכָל. וְכַד חָמֵי, דְּהָא לָא אִתְּבַר, וְלָא אִתְאֲכִיל הַהוּא אֲתַר, כְּדֵין אִתְּבַר חֵילֵיהּ וְתוּקְפֵּיהּ, וְלָא יָכֵיל לְאַבְאָשָׁא לִבְנוֹי דְּיַעֲקֹב. וְעַל דָּא, לָא בְּעִינָן לְמֵיהַב דּוּכְתָּא לִבְרִיָּיתָא דְעַלְמָא, לְמֵיכַל לֵיהּ, וְלָא לְאִתְהֲנָאָה מִינֵּיהּ כְּלָל.

קט״ז. ר׳ יֵיסָא סָבָא דָּרַשׁ, כִּי נָגַע בְּכַף יֶרֶךְ יַעֲקֹב. כְּתִיב הָכָא כִּי נָגַע בְּכַף, וּכְתִיב הָתָם, כָּל הַנּוֹגֵעַ בְּמֵת בְּנֶפֶשׁ הָאָדָם וְגוֹ׳. מַה לְהַלָּן מְסָאֲבָא, אוּף הָכָא נָמֵי מְסָאֲבָא, דְּסָאֵיב הַהוּא אֲתַר, וּמֵאֲתַר מְסָאֲבָא, לֵית לָן לְאִתְהֲנָאָה מִנֵּיהּ כְּלַל, כ״ש בַּאֲתַר דְּקָרֵיב הַהוּא סְטַר מְסָאֲבָא, וְאוֹרַיְיתָא לָא קָאֲמַר, אֶלָּא כִּי נָגַע, וּכְתִיב וַיִּגַּע בְּכַף יְרֵכוֹ, כְּד״א וְכֹל אֲשֶׁר יִגַּע בּוֹ הַטָּמֵא יִטְמָא, בְּרִיךְ רַחֲמָנָא, דְּיָהֵיב אוֹרַיְיתָא לְיִשְׂרָאֵל, לְמִזְכֵּי בָהּ בְּעָלְמָא דֵּין וּבְעָלְמָא דְאָתֵי, כְּמָה דִּכְתִּיב אֹרֶךְ יָמִים בִּימִינָהּ בִּשְׂמֹאלָהּ עֹשֶׁר וְכָבוֹד.

קי״ז. וְהוּא עָבַר לִפְנֵיהֶם וַיִּשְׁתַּחוּ אַרְצָה שֶׁבַע פְּעָמִים עַד גִּשְׁתּוֹ עַד אָחִיו. ר׳ אֶלְעָזָר פָּתַח וַאֲמַר כִּי לֹא תִשְׁתַּחֲוֶה לְאֵל אַחֵר כִּי ה׳ קַנָּא שְׁמוֹ. וְכִי יַעֲקֹב דְּאִיהוּ שְׁלִימָא דַּאֲבָהָן, דְּאִתְבְּרִיר חוּלָקָא שְׁלִימָתָא לְקֻב״ה, וְאִיהוּ אִתְקְרֵיב לְגַבֵּיהּ יַתִּיר, הֵיךְ סָגִיד לֵיהּ לְהַהוּא רָשָׁע דְּעֵשָׂו, דְּאִיהוּ בְּסִטְרָא דְּאֵל אַחֵר, וּמַאן דְּסָגִיד לֵיהּ, סָגִיד לְאֵל אַחֵר. אִי תֵּימָא, בְּגִין דַּאֲמָרוּ תַּעְלָא בְּעִדָּנֵיהּ סְגִיד לֵיהּ, לָאו הָכֵי, דְּהָא עֵשָׂו כְּאֵל אַחֵר הֲוָה, וְיַעֲקֹב לָא יִסְגּוֹד לְהַהוּא סִטְרָא, וּלְהַהוּא חוּלָקָא כְּלַל.

קי״ח. אֶלָּא, כְּתִיב וַאֲמַרְתֶּם כֹּה לֶחָי וְאַתָּה שָׁלוֹם וּבֵיתְךָ שָׁלוֹם וְכֹל אֲשֶׁר לְךָ שָׁלוֹם. וְהָא אִתְּמַר, דְּאָסִיר לְאַקְדּוּמֵי לְהוּ שְׁלָם לְרַשִׁיעַיָּא, וְכֵיוָן דְּאָסִיר, הֵיכִי אַשְׁכַּחְנָא דְּדָוִד אֲמַר הַאי קְרָא לְנָבָל, אֶלָּא הָא אוֹקְמוּהָ דִּלְקֻב״ה קָאֲמַר, בְּגִין לְקַשְּׁרָא לֵיהּ לְחָי. וְחָשִׁיב נָבָל דַּעֲלֵיהּ קָאֲמַר.

קי״ט. כְּגַוְונָא דָא, וַיִּשְׁתַּחוּ יִשְׂרָאֵל עַל רֹאשׁ הַמִּטָּה, וְכִי לְגַבֵּי דִּבְרֵיהּ סְגִיד. אֶלָּא לְאַתְרֵיהּ דִּשְׁכִינְתָּא קָא כָּרַע וְסָגֵיד, אוּף הָכָא, וְהוּא עָבַר לִפְנֵיהֶם, מַאי וְהוּא, דָּא שְׁכִינְתָּא עִלָּאָה, דַּהֲוָה אָזְלָא קַמֵּיהּ, וְדָא הוּא נְטִירוּ עִלָּאָה. כֵּיוָן דְּחָמָא יַעֲקֹב, אֲמַר, הָא עִידָּן לְסָגְדָא לְגַבֵּיהּ דְּקֻב״ה, דַּהֲוָה אָזִיל קַמֵּיהּ.

ק״כ. כָּרַע וְסָגִיד שֶׁבַע זִמְנִין, עַד גִּשְׁתּוֹ עַד אָחִיו, וְלָא כְּתִיב וַיִּשְׁתַּחוּ לְעֵשָׂו, אֶלָּא כֵּיוָן דְּחָמָא דְּהָא קֻב״ה אָזַל קַמֵּיהּ, כְּדֵין סָגִיד לְקִבְלֵיהּ, בְּגִין דְּלָא לְמֵיהַב יְקָר לְמִסְגַּד לְאָחֳרָא בַּר מִנֵּיהּ, וְכֹלָּא אִיהוּ כִּדְקָא יָאוּת. זַכָּאִין אִינּוּן צַדִּיקַיָּא, דְּכָל עוֹבָדֵיהוֹן דְּקָא עָבְדֵי, בְּגִין

יקרא דמאריהון איהו, ובגין דלא יסטון לימינא ולשמאלא.

קכא. וירץ עשו לקראתו ויחבקהו ויפל על צוארו. צוארו כתיב וחסר. וישקהו ויבכו. ר' יצחק אמר, והרשעים כים נגרש כי השקט לא יוכל ויגרשו מימיו רפש וטיט, האי קרא אתמר. ומלי דאורייתא, כמה רזין עלאין אית בהו, משניין דא מן דא וכלא חד.

קכב. והרשעים כים נגרש כי השקט לא יוכל, דא עשו, דכל עובדוי ברשיעו ובחיובא, דהא כד אתא לגביה דיעקב, עובדוי לא הוו בשלם, ויפול על צוארו חד, צוארו דא ירושלים, דאיהו צוארו דכל עלמא. ויפל על צוארו, ולא על צואריו, בגין דתרין זמנין אתחריב בי מקדשא, חד מבבל, וחד מזרעיה דעשו, דאפיל גרמיה עליה זמנא חדא, וחריב ליה, ועל דא ויפל על צוארו, חד.

קכג. וישקהו נקוד לעיל, דלא נשקיה ברעותיה, ותנן מאי דכתיב ונעתרות נשיקות שונא, דא בלעם כד בריך לון לישראל, דהא לא בריך לון ברעותא דלבא, אוף הכא נעתרות נשיקות שונא, דא עשו.

קכד. אמר רבי יוסי, כתיב קומה ה' הושיעני אלהי כי הכית את כל אויבי לחי שני רשעים שברת. ותנן אל תקרי שברת, אלא שרבבת, דהא אסגיאו שינוי, וחשיב לנשכא ליה וכו'.

קכה. ועל דא ויבכו, דא בכי, ודא בכי, ואוקמוה חבריא. ת"ח כמה הוה לביה ורעותיה דעשו לגבי דיעקב, דהא אפילו בההוא שעתא, חשיב, לארך דיומין, למעבד ליה בישין, ולקטרגא ליה, ועל דא ויבכו, דא הוה בכי, דלא הוה חשיב לאשתזבא מן ידוי, ודא הוה בכי, בגין דאבוי הוה קיים, ולא יכיל ליה.

קכו. אמר רבי אבא, ודאי אתחלש רוגזיה דעשו, בשעתא דחמא ליה ליעקב. מאי טעמא, בגין דהא אסתכם בהדיה ההוא ממנא דעשו, ועל דא לא יכיל עשו לשלטאה ברוגזיה, דהכי כל מלין דהאי עלמא, תליין לעילא, וכד אסתכמו לעילא בקדמיתא, אסתכמו לתתא, שלטנותא לאו איהו לתתא, עד דאתיהיב שלטנותא לעילא, וכלא דא בדא תליא.

קכז. יעבר נא אדני לפני עבדו ואני אתנהלה לאטי וגו'. אמר רבי אלעזר, היינו דקאמרינן בקדמיתא, דיעקב לא בעא השתא, אינון ברכאן קדמאי דברכיה אבוי, ועדיין לא אתקיימו ביה אפילו חד מנייהו, בגין דסליק לון לסוף יומיא, בשעתא דאצטריכו לבנוי, לגבי כל עמין דעלמא.

קכח. ובגין כך, בשעתא דאמר עשו, נסעה ונלכה, ונפלוג האי עלמא כחדא, ונשלוט כחדא. מה אמר, יעבר נא אדני לפני עבדו, יקדים עשו שלטניה השתא בהאי עלמא. יעבר נא, כד"א ויעבור מלכם לפניהם וה' בראשם, אקדים אנת שולטנותך בקדמיתא בהאי עלמא, ואני אתנהלה לאטי, אנא אסלק גרמי, לההוא עלמא דאתי, ולסוף יומיא, לאינון יומיא דאזלין לאט.

קכט. לרגל המלאכה, מאן מלאכה. דא אספקלריא דלא נהרא, דבה אתעביד עבידתא דעלמא. אשר לפני, דא היא מן קדם ה', בכל אתר. ולרגל הילדים, דא הוא רזא דכרובים, לאחזאה רזא דמהימנותא, דאיהו אתדבק בהו.

קל. עד אשר אבא אל אדני שעירה, אנא אסבול גלותא דילך, עד דייתי ויטי זמנא דילי, לשלטאה על הר עשו, כד"א ועלו מושיעים בהר ציון לשפט את הר עשו, וכדין

וְהָיְתָה לָהּ הַמְּלוּכָה.

קלא. וְיַעֲקֹב נָסַע סֻכֹּתָה וַיִּבֶן לוֹ בָּיִת וּלְמִקְנֵהוּ עָשָׂה סֻכֹּת עַל כֵּן קָרָא שֵׁם הַמָּקוֹם סֻכּוֹת. רִבִּי חִיָּיא פָּתַח וְאָמַר שִׁיר הַמַּעֲלוֹת לִשְׁלֹמֹה אִם ה' לֹא יִבְנֶה בַיִת וגו', אִם ה' לֹא יִשְׁמָר עִיר וגו'. תָּא חֲזֵי בְּשַׁעֲתָא דְּסָלִיק בִּרְעוּתָא דְּקֻבְּ"ה, לְמִבְרֵי עָלְמָא, אַפִּיק מִבּוּצִינָא דְּקַרְדִינוּתָא, חַד קְטוּרָא, וְאִתְלְהִיט מִגּוֹ חֲשׁוֹכָא, וְאִשְׁתָּאַר בְּסָלִיקוּ. וְנָחֲתָא לְתַתָּא, הַהִיא חֲשֵׁכָה, לָהִיט בְּמֵאָה שְׁבִילִין, אוֹרְחִין דְּקִיקִין, רַבְרְבָן, וְאִתְעֲבֵיד בֵּיתָא דְּעָלְמָא.

קלב. הַאי בֵּיתָא, אִיהוּ גּוֹ אֶמְצָעִיתָא דְּכֹלָּא, כַּמָּה פִּתְחִין וְאִדְּרִין לֵיהּ, סְחוֹר סְחוֹר דּוּכְתִּין עִלָּאִין קַדִּישִׁין, תַּמָּן מְקַנְּנֵי צִפָּרֵי שְׁמַיָּא, כָּל חַד וְחַד לִזְנֵיהּ, בְּגַוֵּיהּ נָפִיק חַד אִילָנָא רַבְרְבָא וְתַקִּיף, עַפְיֵיהּ וְאִנְבֵּיהּ סַגִּי, מְזוֹנָא לְכֹלָּא בֵּיהּ, הַהוּא אִילָנָא סָלִיק לַעֲנָנֵי שְׁמַיָּא, וְאִתְטְמַר בֵּין תְּלַת טוּרִין מִתְּחוֹת אִלֵּין תְּלַת טוּרִין, נָפִיק, סָלִיק לְעֵילָא, נָחִית לְתַתָּא.

קלג. הַאי בֵּיתָא אִתְשַׁקְיָיא מִנֵּיהּ, וְגָנִיז בְּגַוֵּיהּ כַּמָּה גִּנְזִין עִלָּאִין דְּלָא אִתְיְדָעוּ, בְּדָא אִתְבְּנֵי הַאי בֵּיתָא, וְאִשְׁתַּכְלַל. הַהוּא אִילָנָא אִתְגַּלְיָיא בִּימָמָא, וְאִתְכַּסְיָא בְּלֵילְיָא, וְהַאי בֵּיתָא שָׁלְטָא בְּלֵילְיָא, וְאִתְכַּסְיָא בִּימָמָא.

קלד. בְּשַׁעֲתָא דְּעָאל חֲשׁוֹכָא וְאִתְקְטֵיר בֵּיהּ שָׁלְטָא, וְכָל פִּתְחִין סְתִימִין מִכָּל סִטְרִין, כְּדֵין כַּמָּה רוּחִין פָּרְחִין בַּאֲוִירָא, תָּאֵיבִין לְמִנְדַּע וּלְמֵיעַל בֵּיהּ, וְעָאלִין בֵּין אִינּוּן צִפּוֹרִין, וְנַטְלִין סַהֲדוּתָא, וְשָׁטָאן, וְחָמָאן מַה דְּחָמָאן.

קלה. עַד דְּאִתְּעַר הַהוּא חֲשׁוֹכָא דְּאִתְקְטֵיר בֵּיהּ, וְאַפִּיק חַד שַׁלְהוֹבָא. וּבָטַשׁ בְּכָל פַּטִּישִׁין תַּקִּיפִין, וּפָתַח פִּתְחִין, וּבָקַע טִנָּרִין, סַלְקָא וְנָחֲתָא הַהוּא שַׁלְהוֹבָא, וּבָטַשׁ בְּעָלְמָא, וְאִתְּעַר קָלִין לְעֵילָּא וְתַתָּא.

קלו. כְּדֵין חַד כָּרוֹזָא סָלִיק וְאִתְקְטֵיר בַּאֲוִירָא, וְקָרֵי, הַהוּא אֲוִירָא נָפְקָא מִגּוֹ עַמּוּדָא דְּעַנְנָא דְּמַדְבְּחָא פְּנִימָאָה, וְכַד נָפְקָא, אִתְפַּשַּׁט בְּאַרְבַּע סִטְרֵי עָלְמָא. אֶלֶף אַלְפִין קַיְימִין מִסִּטְרָא דְּאִיהוּ שְׂמָאלָא, וְרִבּוֹא רִבְוָון קַיְימִין מִסִּטְרָא דְּאִיהוּ יְמִינָא, וְכָרוֹזָא קָאִים בְּקִיּוּמֵיהּ. קָרָא בְּחַיִל וְאַכְרִיז, כְּדֵין כַּמָּה אִינּוּן דִּמְתַקְּנֵי שִׁירָתָא, וּפָלְחִין פּוּלְחָנָא, וּתְרֵין פִּתְחִין פְּתִיחוּ, חַד לְסִטַר דָּרוֹמָא, וְחַד לְסִטַר צָפוֹן.

קלז. סַלְקָא הַאי בֵּיתָא, וְאִתְיְהִיבַת וְאִתְקְטְרַת בֵּין תְּרֵין סִטְרִין, וְשָׁירִין מְזַמְּרָן, וְתוּשְׁבְּחָן סַלְקִין. כְּדֵין עָאל מַאן דְּעָאל בִּלְחִישָׁא, וּבֵיתָא מִתְלַהֲטָא בְּשִׁית נְהוֹרִין, נְהִירִין זִיוָא לְכָל סְטַר, וְנַהֲרִין דְּבוּסְמָא נָפְקִין, וְאִתְשַׁקְיָין כָּל חֵיוַת בָּרָא, כְּד"א יַשְׁקוּ כָּל חַיְתוֹ שָׂדָי יִשְׁבְּרוּ פְרָאִים צְמָאָם וגו'. וְזַמְרִין עַד דְּסַלְקָא צַפְרָא, וְכַד סַלְקָא צַפְרָא, כְּדֵין כֹּכְבַיָּא וּמַזְלֵי שְׁמַיָּא וְחֵילֵיהוֹן, כֻּלְּהוֹן מְשַׁבְּחָן וְאָמְרֵי שִׁירָתָא, כְּד"א בְּרָן יַחַד כֹּכְבֵי בֹקֶר וַיָּרִיעוּ כָּל בְּנֵי אֱלֹהִים.

קלח. תָּא חֲזֵי, אִם ה' לֹא יִבְנֶה בַיִת שָׁוְא עָמְלוּ בוֹנָיו בּוֹ. אִם ה' לֹא יִשְׁמָר עִיר שָׁוְא שָׁקַד שׁוֹמֵר. אִם ה' וגו', דָּא מַלְכָּא עִלָּאָה דְּאִיהוּ בּוֹנֶה לְהַאי בֵּיתָא תָּדִיר, וְאַתְקִין לֵיהּ, אֵימָתַי, כַּד סַלְקִין רְעוּתִין פּוּלְחָנִין מִתַּתָּא כַּדְקָא יָאוּת.

קלט. אִם ה' לֹא יִשְׁמָר עִיר, אֵימָתַי, בְּשַׁעֲתָא דְּאִתְחֲשַׁךְ לֵילְיָא, וְסִטְרִין מְזַיְּינִין שָׁרָאן וְשָׁטָאן בְּעָלְמָא, וּפִתְחִין סְתִימִין, וְאִתְנְטֵיר מִכָּל סִטְרִין, דְּלָא יִקְרַב בֵּיהּ עָרֵל וּמְסָאֲבָא, כְּד"א לֹא יוֹסִיף יָבֹא בָךְ עוֹד עָרֵל וְטָמֵא, דִּזְמִין קֻבְּ"ה לְאַעֲבָרָא לוֹן מֵעָלְמָא.

קמ. מַאן עָרֵל וּמַאן טָמֵא. אֶלָּא כֹּלָּא חַד, עָרֵל וְטָמֵא, דָּא הוּא דְּאִתְפַּתָּא בֵּיהּ וְאָזִיל אֲבַתְרֵיהּ אָדָם וְאִנְתְּתֵיהּ, וְגָרִימוּ מוֹתָא לְכָל עָלְמָא. וְאִיהוּ דִּמְסָאֵיב הַאי בֵּיתָא, עַד הַהוּא

זמנא, דיעבר ליה קב"ה מעלמא, בג"כ אם ה' לא ישמר עיר שוא ודאי.

קמא. ת"ח ויעקב נסע סכתה, אתנטיל לקבלא וזולקיה דמהימנותא. מה כתיב לעילא, וישב ביום ההוא עשו לדרכו שעירה, וכתיב ויעקב נסע סכתה. אלא כל חד אתפרש לסטרא דיליה, עשו לסטרא דשעיר, מאן שעיר, דא היא אשה זרה אל נכר. ויעקב נסע סכתה, דא מהימנותא עלאה.

קמב. ויבן לו בית, כד"א בית יעקב. א"ר אלעזר, דאתקין תפלת ערבית כדקא יאות. ולמקנהו עשה סכת, שאר סכת לנטרא לון, ודא הוא וזולקיה.

קמג. וכדין ויבא יעקב שלם. שלם מכלא, ואוקמוה. וכתיב ויהי בשלם סכו וגו', ואוקמוה, וכלא רזא חדא, כדין אתחבר עמיה מהימנותא, כד הוה שלים, כד אתעטר בדוכתיה דאתחזי ליה. וכדין האי סכה, אתעטרת בהדיה, דהוה שלים מאבהן, דהוה שלים מבנוי, ודא הוא שלם, שלם לעילא, שלם לתתא, שלם בשמיא, שלם בארעא. שלם לעילא: דאיהו כללא דאבהן, תפארת ישראל. שלם לתתא: בבנוי קדישין. שלים בשמיא, שלים בארעא, וכדין ויהי בשלם סכו, ואוקמוה.

קמד. מיד מה כתיב ותצא דינה בת לאה, ואוקמוה חבריא. ת"ח, כמה דרגין וסטרין מתפרשן לעילא, וכלהו משניין דא מן דא. וזיוון משניין אלין מאלין, אלין מקטרגין לשלטאה על אלין, ולמטרף טרפין כל חד וחד לזיניה.

קמה. מסטרא דרוחא מסאבא כמה דרגין מתפרשין, וכלהו כמן לקטרגא, אלין לקביל אלין, דהא כתיב לא תחרש בשור ובחמר יחדו, דכד קא מתחברן מקטרגי עלמא.

קמו. ותא חזי, תיאובתא דדרגין מסאבין, לאו איהו, אלא לקטרגא בסטרין קדישין. יעקב דאיהו קדישא, כלהו כמן ליה, וקטרגו בהדיה. בקדמיתא נשכיה חויא, כמה דאת אמר ויגע בכף ירכו, השתא נשכיה חמור.

קמז. תמן איהו קאים לגבי חויא, השתא, שמעון ולוי, דאתו מסטרא דדינא קשיא, קיימו לגביה דחמור, ושליטו עלוי בכל סטרין, ואתכפיא קמייהו, כד"א ואת חמור ואת שכם בנו הרגו לפי חרב, ושמעון דהוה מזליה שור, אתא על חמור וקטרג ביה, בגין דלא יתחברון כחדא, ואשתכח איהו מקטרגא דיליה.

קמח. וכלהו אתי לקטרגא ליה ליעקב ואשתזיב, ולבתר איהו שליט עלייהו. לבתר אתא שור, ואשתלים בחמורים, דכלהו מסטרא דחמור, יוסף דאיהו שור, ומצרים דאינון חמורים, דכתיב בהו אשר בשר חמורים בשרם.

קמט. ועל דא, לבתר, בני יעקב נפלו בין אינון חמורים, בגין דאזדווג שור בהדייהו, ונשכו לון גרמייא ובשרא, עד דאתער לוי כמלקדמין, ותבר לאינון חמורים, לכפיא לון, ותבר תוקפהון מעלמא, ואפיק לשור מתמן, הדא הוא דכתיב ויקח משה את עצמות יוסף עמו.

קנ. ת"ח, כד אתא שמעון בקדמיתא על ההוא חמור, אתער עליהון דם דאתגזרו, ולבתר ויהרגו כל זכר. כגוונא דא, עבד קב"ה על ידא דלוי, דא משה, באינון חמורים במצרים, בקדמיתא דם, ולבתר ויהרג יי' כל בכור בארץ מצרים וגו', הכא בהאי חמור כתיב, ואת כל חילם ואת כל טפם ואת כל בהמתם וגו'. התם באינון חמורים כתיב, כלי כסף וכלי זהב ושמלות, וכתיב וגם ערב רב עלה אתם וצאן ובקר וגו'.

קנא. ושמעון ולוי, דא קאים לגבי האי חמור, ודא קאים לגבי כל אינון חמורים, כלהו

בָּעֵי לְאִשְׁתַּתְּפָא בַּהֲדֵיהּ דְּיַעֲקֹב קַדִּישָׁא, וְאִתְתַּקְנוּ לְנִשְׁכָּא לֵיהּ, וְאִיהוּ בִּבְנוֹי קָאִים לְגַבַּיְיהוּ, וְכַיֵּיף לוֹן תְּחוֹתֵיהּ.

קנב. הַשְׁתָּא דְּעֵשָׂו נָשִׁיךְ לֵיהּ וְלִבְנוֹי, מַאן יָקוּם לְגַבֵּיהּ. יַעֲקֹב וְיוֹסֵף, דָּא מִסִּטְרָא דָּא, וְדָא מִסִּטְרָא דָּא, דִּכְתִיב וְהָיָה בֵית יַעֲקֹב אֵשׁ וּבֵית יוֹסֵף לֶהָבָה וּבֵית עֵשָׂו לְקַשׁ וגו'.

קנג. וַיִּסָּעוּ וַיְהִי חִתַּת אֱלֹהִים עַל הֶעָרִים אֲשֶׁר סְבִיבוֹתֵיהֶם וְלֹא רָדְפוּ אַחֲרֵי בְּנֵי יַעֲקֹב. אָמַר רִבִּי יוֹסֵי, כֻּלְּהוּ הֲווּ מִתְכַּנְּשֵׁי, וְכַד הֲווּ חָגְרֵי זַיְינֵי קְרָבָא, הֲווּ מִרְתְּתֵי, וְשַׁבְקִין לוֹן, וּבְגִין כָּךְ וְלֹא רָדְפוּ אַחֲרֵי בְּנֵי יַעֲקֹב.

קנד. הָסִירוּ אֶת אֱלֹהֵי הַנֵּכָר וגו'. הָסִירוּ אֶת אֱלֹהֵי הַנֵּכָר, אִלֵּין אִינּוּן דְּנָטְלוּ מִשְּׁכֶם, מָאנֵי כַּסְפָּא וְדַהֲבָא, דַּהֲוָה חָקִיק עֲלַיְיהוּ טַעֲוָא דִּלְהוֹן. רִבִּי יְהוּדָה אָמַר, טַעֲוָון הֲווּ מִכַּסְפָּא וְדַהֲבָא, וְיַעֲקֹב אַטְמִין לוֹן תַּמָּן, בְּגִין דְּלָא יִתְהֲנוּן מִסִּטְרָא דַּעֲבוֹדָה זָרָה, דְּאָסִיר לֵיהּ לְבַר נָשׁ, לְאִתְהֲנֵי מִנֵּיהּ לְעָלְמִין.

קנה. רִבִּי יְהוּדָה וְרִבִּי חִזְקִיָּה הֲווּ אָזְלֵי בְּאָרְחָא, אָמַר רִבִּי חִזְקִיָּה לְרִבִּי יְהוּדָה, מַאי דִּכְתִיב וַיִּקַּח אֶת עֲטֶרֶת מַלְכָּם מֵעַל רֹאשׁוֹ וּמִשְׁקָלָהּ כִּכַּר זָהָב וְאֶבֶן יְקָרָה וַתְּהִי עַל רֹאשׁ דָּוִד. וְתָנִינָן, שִׁקּוּץ בְּנֵי עַמּוֹן מִלְכֹּם שְׁמֵיהּ, וְדָא הוּא עֲטֶרֶת מַלְכָּם. מ"ט וַתְּהִי עַל רֹאשׁ דָּוִד. וּמַאי טַעְמָא כְּתִיב שִׁקּוּץ, דְּהָא בִּשְׁאָר טַעֲוָון עַמְמַיָּא עע"ז כְּתִיב אֱלֹהֵי הָעַמִּים, אֱלֹהִים אֲחֵרִים, אֵל נֵכָר, אֵל אַחֵר, וּבְהַאי אָמַר שִׁקּוּץ וַדַּאי.

קנו. א"ל וּבְכָל טַעֲוָון עַמְמַיָּא עע"ז, הָכִי קָרָא לוֹן קב"ה, דִּכְתִיב וַתִּרְאוּ אֶת שִׁקּוּצֵיהֶם וְאֵת גִּלּוּלֵיהֶם. וּמַה דְּאָמַר וַיִּקַּח אֶת עֲטֶרֶת מַלְכָּם דְּאִיהוּ מִלְכּוֹם, הָכִי הוּא וַדַּאי, אֶלָּא אִיתַי הַגִּתִּי, עַד דְּלָא אִתְגַּיַּיר, כְּדֵין אִיהוּ תָּבַר לָהּ לְהַהוּא עֲטֶרֶת, דְּאִיהוּ מִלְכּוֹם, הַהוּא דְּיוֹקְנָא דַּהֲוָה חָקִיק עֲלָהּ, וּפָגִים לָהּ, כְּדֵין אִיהוּ עָבַד לָהּ הֶיתֵּר, לְאִתְהֲנֵי מִנָּהּ, וַהֲוַת עַל רֵישֵׁיהּ. וְתָא חֲזֵי, שִׁקּוּץ בְּנֵי עַמּוֹן, חַד חִוְיָא, בְּסוּרְטָא, הֲוָה חָקִיק עַל הַהוּא כִּתְרָא, וּבְגִין כָּךְ אִקְרֵי שִׁקּוּץ וְזוּהֲמָא.

קנז. רִבִּי יִצְחָק אָמַר, הָסִירוּ אֶת אֱלֹהֵי הַנֵּכָר, אִלֵּין שְׁאָר נָשִׁין, דַּהֲווּ מַיְיתֵי בְּגַוַּויְיהוּ, כָּל נִבְזְבְּזָן דִּלְהוֹן, וְעַל דָּא כְּתִיב, וַיִּתְּנוּ אֶל יַעֲקֹב אֵת כָּל אֱלֹהֵי הַנֵּכָר, אִלֵּין נָשִׁין, כָּל נִבְזְבְּזָן, וְכָל טַעֲוָון דְּדַהֲבָא וְכַסְפָּא. וַיִּטְמוֹן אוֹתָם יַעֲקֹב בְּגִין דְּלָא יִתְהֲנוּן מִסִּטְרָא דַּעֲבוֹדָה זָרָה כְּלָל.

קנח. תָּא חֲזֵי, דְּיַעֲקֹב גְּבַר שְׁלִים בְּכֹלָּא הֲוָה, וַהֲוָה מִתְדַּבַּק בֵּיהּ בְּקב"ה, מַה כְּתִיב וְנָקוּמָה וְנַעֲלֶה בֵּית אֵל וְאֶעֱשֶׂה שָּׁם מִזְבֵּחַ לָאֵל הָעוֹנֶה אוֹתִי בְּיוֹם צָרָתִי וַיְהִי עִמָּדִי בַּדֶּרֶךְ אֲשֶׁר הָלָכְתִּי, מִיָּד וַיִּתְּנוּ אֶל יַעֲקֹב. מִכָּאן דְּבָעֵי בַּר נָשׁ, לְשַׁבָּחָא לְקב"ה וּלְאוֹדָאָה לֵיהּ, עַל נִסִּין וְעַל טָבָאן דְּעָבַד עִמֵּיהּ, הה"ד וַיְהִי עִמָּדִי בַּדֶּרֶךְ אֲשֶׁר הָלָכְתִּי.

קנט. ת"ח, בְּקַדְמֵיתָא כְּתִיב וְנָקוּמָה וְנַעֲלֶה בֵית אֵל וגו', אַכְלִיל בְּנוֹי בַּהֲדֵיהּ. וּלְבָתַר כְּתִיב וְאֶעֱשֶׂה שָׁם מִזְבֵּחַ, וְלָא כְּתִיב וְנַעֲשֶׂה. דְּאַפִּיק לוֹן מִכְּלָלָא דָּא, מַאי טַעְמָא, בְּגִין דְּעָלֵיהּ הֲוָה מִלָּה. יַעֲקֹב אַתְקִין תְּפִלַּת עַרְבִית וַדַּאי, וְאִיהוּ עָבַד מַדְבְּחָא, וְעָלֵיהּ הֲוָה מִלָּה, וּבְגִין דְּאִיהוּ עָבַר כָּל אִינּוּן עָקְתִין מִן יוֹמָא דְּעָרַק קַמֵּיהּ דַּאֲחוּהָ, דִּכְתִיב וַיְהִי עִמָּדִי בַּדֶּרֶךְ אֲשֶׁר הָלָכְתִּי, וְאִינּוּן אָתוּ לְבָתַר לְעָלְמָא, וְעַל דָּא לָא אָעֵיל לוֹן בַּהֲדֵיהּ.

קס. רִבִּי אֶלְעָזָר אָמַר, מִכָּאן מַאן דְּיִתְעֲבִיד לֵיהּ נִסָּא, אִיהוּ בָּעֵי לְאוֹדָאָה. מַאן דְּאָכִיל נַהֲמָא בִּפְתוֹרָא, אִיהוּ בָּעֵי לְבָרְכָא, וְלָא אַחֲרָא דְּלָא אָכִיל מִידֵי.

קסא. וַיִּבֶן שָׁם מִזְבֵּחַ וגו', תָּא חֲזֵי, כְּתִיב וַיִּבֶן שָׁם מִזְבֵּחַ, וְלָא כְּתִיב דְּאַסִּיק עֲלֵיהּ נִסְכִּין

וְעָלָן, אֶלָּא בְּגִין דְּאַתְקִין הַהוּא דַּרְגָּא, דְּאִתְחֲזֵי לְאִתְתַּקְּנָא. מִזְבֵּחַ לַה': לְאִתְקְנָא דַּרְגָּא תַּתָּאָה, לְחַבְּרָא לֵיהּ בְּדַרְגָּא עִלָּאָה,וע"ד וַיִּבֶן שָׁם מִזְבֵּחַ: דָּא דַּרְגָּא תַּתָּאָה. לַה': דָּא דַּרְגָּא עִלָּאָה. וַיִּקְרָא לַמָּקוֹם אֵל בֵּית אֵל, שְׁמָא דָּא, כִּשְׁמָא עִלָּאָה, בְּגִין דְּכַד אִתְנְהִירָא, כְּדֵין כְּאִמָּהּ בְּתָהּ, וְכֹלָּא חַד.

קסב. כִּי שָׁם נִגְלוּ אֵלָיו הָאֱלֹהִים, בְּגִין דְּאִינּוּן לָא אִשְׁתַּכְּחוּ, אֶלָּא בִּשְׁכִינְתָּא, דְּהָא שַׁבְעִין הֲווּ, דְּאִינּוּן מִשְׁתַּכְּחֵי תָּדִיר בַּהֲדֵי שְׁכִינְתָּא, וְשַׁבְעִין קָתֶדְרָאֵי סַחֲרָנֵיהּ דִּשְׁכִינְתָּא, וְע"ד כִּי שָׁם נִגְלוּ אֵלָיו הָאֱלֹהִים, בְּאַתְרָא דָּא דְּאִתְגַּלְיָא, דְּהָא כְּתִיב וְהִנֵּה ה' נִצָּב עָלָיו.

קסג. וַיַּעַל מֵעָלָיו אֱלֹהִים בַּמָּקוֹם אֲשֶׁר דִּבֶּר אִתּוֹ, רִבִּי שִׁמְעוֹן אָמַר מִכָּאן דְּאִתְעֲבֵיד רְתִיכָא קַדִּישָׁא, בַּהֲדֵי אֲבָהָן. וְתָא חֲזֵי, יַעֲקֹב אִיהוּ רְתִיכָא קַדִּישָׁא עִלָּאָה, דְּקַיְּימָא לְאַנְהָרָא לְסִיהֲרָא, וְאִיהוּ רְתִיכָא בִּלְחוֹדוֹי, הֲדָא הוּא דִכְתִיב וַיַּעַל מֵעָלָיו אֱלֹהִים.

קסד. פָּתַח וְאָמַר, כִּי מִי גּוֹי גָּדוֹל אֲשֶׁר לוֹ אֱלֹהִים קְרוֹבִים אֵלָיו כַּה' אֱלֹקֵינוּ בְּכָל קָרְאֵנוּ אֵלָיו. תָּא חֲזֵי, כַּמָּה אִינּוּן חֲבִיבִין יִשְׂרָאֵל קַמֵּי קוּדְשָׁא בְּרִיךְ הוּא, דְּלֵית לָךְ עַם וְלִישָּׁן בְּכָל עַמִּין עע"ז דְּעָלְמָא, דְּאִית לֵיהּ אֱלָהָא דְּיִשְׁמַע לוֹן, כְּמָה דְּקוּדְשָׁא בְּרִיךְ הוּא זַמִּין לְקַבְּלָא צְלוֹתְהוֹן וּבָעוּתְהוֹן דְּיִשְׂרָאֵל, בְּכָל שַׁעְתָּא דְּאִצְטְרִיךְ לוֹן לְמִשְׁמַע צְלוֹתָא, דְּאִינּוּן בָּעָאן, בְּגִין הַהוּא דַּרְגָּא דִּלְהוֹן.

קסה. תָּא חֲזֵי, יַעֲקֹב קָרֵי לֵיהּ קוּדְשָׁא בְּרִיךְ הוּא יִשְׂרָאֵל, דִּכְתִיב לֹא יִקָּרֵא שִׁמְךָ עוֹד יַעֲקֹב כִּי אִם יִשְׂרָאֵל יִהְיֶה שְׁמֶךָ, וַיִּקְרָא אֶת שְׁמוֹ, מַאן וַיִּקְרָא. דָּא שְׁכִינְתָּא, כְּד"א וַיִּקְרָא אֶל מֹשֶׁה. וַיֹּאמֶר לוֹ אֱלֹהִים.

קסו. לְעֵיל אוֹקִימְנָא, יִשְׂרָאֵל, דְּהָא אִשְׁתְּלִים בְּכֹלָּא כִּדְקָא יָאוּת, וּכְדֵין אִסְתַּלַּק בְּדַרְגֵּיהּ, וְאִשְׁתְּלִים בִּשְׁמָא דָּא, וְעַל דָּא וַיִּקְרָא אֶת שְׁמוֹ יִשְׂרָאֵל וְהָא אִתְּמַר.

קסז. רִבִּי אֶלְעָזָר וְרִבִּי יוֹסֵי הֲווּ אָזְלֵי בְּאָרְחָא, אָמַר רִבִּי יוֹסֵי לְר' אֶלְעָזָר, וַדַּאי הָא דְּאָמַרְתְּ דְּיַעֲקֹב שְׁלִימָא דַּאֲבָהָן אִיהוּ, וְאִיהוּ אֲחִיד לְכָל סִטְרִין וְקָרָא שְׁמֵיהּ יִשְׂרָאֵל, וּכְתִיב לֹא יִקָּרֵא שִׁמְךָ עוֹד יַעֲקֹב כִּי אִם יִשְׂרָאֵל יִהְיֶה שְׁמֶךָ. וּכְתִיב וַיִּקְרָא אֶת שְׁמוֹ יִשְׂרָאֵל. אַמַּאי אַהֲדַר קוּדְשָׁא בְּרִיךְ הוּא וְקָרָא לֵיהּ יַעֲקֹב בְּכַמָּה זִמְנִין, וְכֹלָּא קָרוֹן לֵיהּ יַעֲקֹב כְּמִלְּקַדְמִין, אִי הָכֵי, מַהוּ וְלֹא יִקָּרֵא שִׁמְךָ עוֹד יַעֲקֹב.

קסח. א"ל שַׁפִּיר קָא אָמַרְתְּ. פָּתַח וְאָמַר, ה' כַּגִּבּוֹר יֵצֵא כְּאִישׁ מִלְחָמוֹת יָעִיר קִנְאָה, הַאי קְרָא אוֹקְמוּהָ. אֲבָל ת"ח, כַּגִּבּוֹר יֵצֵא, גִּבּוֹר מִבָּעֵי לֵיהּ. כְּאִישׁ מִלְחָמוֹת, אִישׁ מִלְחָמוֹת מִבָּעֵי לֵיהּ.

קסט. אֶלָּא הָא אִתְּמַר, ה' בְּכָל אֲתַר, רַחֲמֵי אִיהוּ וַדַּאי. קוּדְשָׁא בְּרִיךְ הוּא ה' שְׁמֵיהּ אִיהוּ, דִּכְתִיב אֲנִי ה' הוּא שְׁמִי, וְזִמְנִין דִּלְזִמְנִין אִתְקְרֵי שְׁמֵיהּ אֱלֹקִים, וְהוּא דִּינָא בְּכָל אֲתַר. אֶלָּא, בְּזִמְנָא דְּאַסְגִּיאוּ זַכָּאִין בְּעָלְמָא, ה' שְׁמֵיהּ, וְאִתְקְרֵי בִּשְׁמָא דְּרַחֲמֵי. וּבְזִמְנָא דְּאַסְגִּיאוּ חַיָּיבִין בְּעָלְמָא, אֱלֹקִים שְׁמֵיהּ, וְאִתְקְרֵי בִּשְׁמָא דֶּאֱלֹקִים. כָּךְ, בְּזִמְנָא דְּיַעֲקֹב לָא הֲוָה בֵּין שַׂנְאִין, וְלָא הֲוָה בְּאַרְעָא אָחֳרָא, קָרֵי לֵיהּ יִשְׂרָאֵל, וְכַד הֲוָה בֵּין שַׂנְאִין, אוֹ בְּאַרְעָא אָחֳרָא, קָרֵי לֵיהּ יַעֲקֹב.

קע. א"ל, עֲדַיִין לָא אִתְיַישְּׁבָא מִלָּה, דִּכְתִיב לֹא יִקָּרֵא, וְהָא אֲנַן קָרֵינָן לֵיהּ. וּמַאי דְּאָמַרְתְּ דְּכַד הֲוָה בֵּין שַׂנְאִין, אוֹ בְּאַרְעָא אָחֳרָא, קָרֵי לֵיהּ יַעֲקֹב, ת"ח, כְּתִיב וַיֵּשֶׁב יַעֲקֹב בְּאֶרֶץ מְגוּרֵי אָבִיו בְּאֶרֶץ כְּנָעַן, וְהָא לָא הֲוָה בְּאַרְעָא אָחֳרָא.

קעא. א"ל, הָא בְּקַדְמֵיתָא אִתְּמַר, כְּמָה דְּקוּדְשָׁא בְּרִיךְ הוּא, לִזְמָנִין אִתְקְרֵי ה', וְלִזְמָנִין אִתְקְרֵי

אֱלֹקִים, הָכִי נָמֵי, לְזִמְנִין אִקְרֵי יִשְׂרָאֵל, וּלְזִמְנִין אִקְרֵי יַעֲקֹב, וְכֹלָּא בְּדַרְגִּין יְדִיעָן. וּמַה דְּאִתְּמַר יִקָּרֵא שִׁמְךָ עוֹד יַעֲקֹב, לְאִתְיַישְּׁבָא בִּשְׁמָא דָּא.

קעב. א"ל, אִי הָכִי, הָא כְּתִיב וְלֹא יִקָּרֵא עוֹד אֶת שִׁמְךָ אַבְרָם וְהָיָה שִׁמְךָ אַבְרָהָם. א"ל, הָתָם כְּתִיב וְהָיָה, וְעַל דָּא קַיְימָא בְּהַהוּא שְׁמָא, אֲבָל הָכָא לָא כְּתִיב וְהָיָה, אֶלָּא כִּי אִם יִשְׂרָאֵל יִהְיֶה שְׁמֶךָ, וְלָא כְּתִיב וְהָיָה שִׁמְךָ יִשְׂרָאֵל, וַאֲפִילּוּ בְּזִמְנָא וְחָדָא סַגֵּי לֵיהּ, כ"ש דִּלְזִמְנִין כָּךְ וּלְזִמְנִין כָּךְ. וְכַד אִתְעַטְּרוּ בְּנוֹי בְּכַהֲנֵי וְלֵיוָאֵי, וְאִסְתַּלָּקוּ בְּדַרְגִּין עִלָּאִין, כְּדֵין אִתְעַטַּר בִּשְׁמָא דָא תָּדִיר.

קעג. עַד דַּהֲווּ אָזְלֵי, א"ל רִבִּי יוֹסֵי לְרִבִּי אֶלְעָזָר, הָא אִתְּמַר דְּכַד מִיתַת רָחֵל, נָטְלָא בֵּיתָא מַאן דְּאִצְטְרִיךְ, לְאִתְתַּקְּנָא בִּתְרֵיסַר שִׁבְטִין, כִּדְקָא יָאוּת, אַמַּאי מִיתַת רָחֵל מִיָּד, א"ל, הָא לְמֶהֱוֵי שְׁכִינְתָּא מִתְעַטְּרָא כִּדְקָא יָאוּת, וּלְמֶהֱוֵי אֵם הַבָּנִים שְׂמֵחָה. וּבֵיהּ שַׁרְיָא לְנַטְלָא בֵּיתָא וּלְאִתְתַּקְּנָא. וְעַ"ד, בִּנְיָמִין הוּא תָּדִיר בְּמַעֲרָב, וְלָא בְּסִטְרָא אָחֳרָא.

קעד. וּבֵיהּ שַׁרְיָא לְאִתְתַּקְּנָא, בִּתְרֵיסַר שִׁבְטִין, וּבֵיהּ שַׁרְיָא מַלְכוּתָא דִּרְקִיעָא, לְאִשְׁתְּמוֹדְעָא בְּאַרְעָא. וְרָזָא דָא, בְּכָל שֵׁירוּתָא, דְּאַתְיָא לְאִשְׁתְּמוֹדְעָא, בְּקַשְׁיוּ אִיהוּ, וְעַל דָּא אִית בָּהּ דִּינָא דְּמוֹתָא, וּמִתַּמָּן אִתְיַישְּׁבַת.

קעה. הָכָא כַּד בָּעָא לְאִתְתַּקְּנָא, וּלְנַטְלָא בֵּיתָא, אִתְעֲבֵיד דִּינָא בְּרָחֵל, וּבָתַר כֵּן אִתְתַּקְּנַת לְאִתְיַישְּׁבָא. כַּד בָּעָא לְאִשְׁתְּמוֹדְעָא מַלְכוּתָא בְּאַרְעָא, שַׁרְיָא בְּדִינָא, וְלָא אִתְיַישְּׁבַת מַלְכוּתָא בְּדוּכְתָּא כִּדְקָא יָאוּת, עַד דְּאִתְעַר דִּינָא בְּשָׁאוּל, לְפוּם עוֹבָדוֹי, וּלְבָתַר אִתְיַישְּׁבַת מַלְכוּתָא וְאִתְתַּקְּנַת.

קעו. ת"ח, כָּל שֵׁירוּתָא תַּקִּיף, וּלְבָתַר נַיְיחָא. בְּרֹאשׁ הַשָּׁנָה, שֵׁירוּתָא תַּקִּיף. דְּכָל עַלְמָא אִתְדָּן, כָּל חַד וְחַד לְפוּם עוֹבָדוֹי, וּלְבָתַר נַיְיחָא, סְלִיחָה וְכִפּוּרֵי. בְּגִין דְּשֵׁירוּתָא אִיהוּ מִשְּׂמָאלָא, וְעַל דָּא דִּינוֹי תַּקִּיפִין, וּלְבָתַר אִתְעַר יְמִינָא, וְעַל דָּא הֲוֵי נַיְיחָא.

קעז. וּלְזִמְנָא דְּאָתֵי, זַמִּין קב"ה, לְאִתְעָרָא בְּנַיְיחָא עַל שְׁאָר עַמִּין עכו"ם, וּלְבָתַר יִתְתַּקַּף עֲלַיְיהוּ בְּדִינָא קַשְׁיָא, הה"ד ה' כַּגִּבּוֹר יֵצֵא כְּאִישׁ מִלְחָמוֹת יָעִיר קִנְאָה יָרִיעַ אַף יִצְרִיחַ עַל אוֹיְבָיו יִתְגַּבָּר. ה' בְּקַדְמֵיתָא, דְּאִיהוּ רַחֲמֵי, וּלְבָתַר כַּגִּבּוֹר, וְלָא גִּבּוֹר, וּלְבָתַר כְּאִישׁ מִלְחָמוֹת, וְלָא אִישׁ מִלְחָמוֹת, לְבָתַר אִתְגַּלֵּי תּוּקְפָּא עֲלַיְיהוּ, וְיִתְתַּקַּף לְשֵׁיצָאָה לוֹן, דִּכְתִיב יָרִיעַ אַף יַצְרִיחַ עַל אוֹיְבָיו יִתְגַּבָּר. וּכְתִיב וְיָצָא ה' וְנִלְחַם בַּגּוֹיִם הָהֵם כְּיוֹם הִלָּחֲמוֹ בְּיוֹם קְרָב. וּכְתִיב מִי זֶה בָּא מֵאֱדוֹם חֲמוּץ בְּגָדִים מִבָּצְרָה וגו'.

קעח. וַיְהִי בְּצֵאת נַפְשָׁהּ כִּי מֵתָה וַתִּקְרָא שְׁמוֹ בֶּן אוֹנִי וְאָבִיו קָרָא לוֹ בִנְיָמִן. רִבִּי יְהוּדָה פָּתַח וְאָמַר, טוֹב ה' לְמָעוֹז בְּיוֹם צָרָה וְיוֹדֵעַ חוֹסֵי בוֹ. זַכָּאָה חוּלָקֵיהּ דְּבַר נָשׁ, דְּאִתְתַּקַּף בֵּיהּ בְּקוּדְשָׁא בּ"ה, בְּגִין דְּתוּקְפָּא דְּקוּדְשָׁא בְּרִיךְ הוּא, אִיהוּ תּוּקְפָּא, וְאוֹקְמוּהָ. טוֹב ה', כְּד"א טוֹב ה' לַכֹּל. לְמָעוֹז דָּא הוּא תּוּקְפָּא, דְּאִית בֵּיהּ יְשׁוּעוֹת. דִּכְתִיב וּמָעוֹז יְשׁוּעוֹת מְשִׁיחוֹ הוּא. בְּיוֹם צָרָה: בְּיוֹמָא דְּעָקוּ, דְּעָקִין שְׁאָר עַמִּין לְיִשְׂרָאֵל.

קעט. תָּא חֲזֵי, מַה כְּתִיב, הִתְרַפִּיתָ בְּיוֹם צָרָה צַר כֹּחֶכָה. מַאי הִתְרַפִּיתָ. מַאן דְּאִתְרַפֵּי יְדוֹי מִקב"ה, דְּלָא לְאִתְתַּקְּפָא בֵּיהּ. וְהֵיךְ יִתְתַּקַּף ב"נ בֵּיהּ בְּקב"ה. יִתְקִיף בְּאוֹרַיְיתָא, דְּכָל מַאן דְּאִתְתַּקַּף בְּאוֹרַיְיתָא, אִתְתַּקַּף בְּאִילָנָא דְּחַיֵּי, כִּבְיָכוֹל, יָהֵב תּוּקְפָּא לִכְנֶסֶת יִשְׂרָאֵל לְאִתְתַּקְּפָא.

קפ. וְאִי הוּא יִתְרַפֵּא מֵאוֹרַיְיתָא, מַה כְּתִיב, הִתְרַפִּיתָ, אִי אִיהוּ אִתְרַפֵּי מִן אוֹרַיְיתָא, בְּיוֹם צָרָה צַר כֹּחֶכָה, בְּיוֹמָא דְּיֵיתֵי לֵיהּ עָקוּ, כִּבְיָכוֹל דָּחִיק לָהּ לִשְׁכִינְתָּא, דְּאִיהוּ חֵילָא דְּעַלְמָא.

קפא. ד"א צַר כֹּחֶכָה, ת"ח, בְּשַׁעְתָּא דְּבַר נָשׁ אִתְרַפֵּי מֵאוֹרַיְיתָא, וְאָזֵיל בְּאָרְחָא דְּלָא

כשרא, כמה בעלי דבבו זמינין ליה, למהוי ליה קטיגורין ביומא דעקו. ואפילו נשמתיה דב"נ, דאיהו חילא ותוקפא דיליה, איהו מארי דבבו לקבליה, דכתיב צר כחכה, בגין דאיהו צר לגביה.

קפב. אמר רבי אבא, בשעתא דב"נ אזיל בארחוי דאורייתא, וכל ארחוי מתתקנן כדקא יאות, כמה סניגורין קיימין עליה, לאדכרא ליה לטב. פתח ואמר, אם יש עליו מלאך מליץ אחד מני אלף להגיד לאדם ישרו ויחננו ויאמר פדעהו מרדת שחת מצאתי כפר. הני קראי אית לאסתכלא בהו, וכי לא אתגלי כלא קמי קב"ה, דאיהו צריך למלאכא, דיימא קמיה טב או ביש.

קפג. אלא ודאי אצטריך, דכד אית ליה לבר נש סניגורין, לאדכרא זכו דיליה קמיה, ולא אית ליה קטיגורין, כדין ויחננו ויאמר פדעהו מרדת שחת מצאתי כפר.

קפד. ת"ח, בהאי קרא תשכח ברירא דמלה, כתיב אם יש עליו מלאך, אי לא כתיב יתיר, יאות הוא. אבל מלאך מליץ אחד מני אלף כתיב, ומאן איהו. דא הוא מלאך, דממנא עמיה דב"נ, בסטר שמאלא, דכתיב יפל מצדך אלף, ודא הוא סטרא דשמאלא, דכתיב בתריה ורבבה מימינך.

קפה. אבל אחד מני אלף, דא הוא יצר הרע, דאיהו אחד מאינון אלף, דהוו לסטר שמאלא, בגין דאיהו סליק לעילא, ונטיל רשו. וע"ד, אי ב"נ אזיל בארח קשוט, ההוא יצר הרע, איהו עבד לו, כמה דאתמר דכתיב טוב נקלה ועבד לו, כדין איהו סליק, ואתעביד סניגורא, ואמר קמי קב"ה זכו עליה דב"נ. כדין קב"ה אמר, פדעהו מרדת שחת.

קפו. ועם כל דא, לא אהדר בריקניא, בגין דאתיהיב ליה אחרא, לשלטאה עלוי, וליטול נשמתיה מניה, בגין דאקדים חובוי דההוא בר נש, ואיהו כפר על האי, הדא הוא דכתיב מצאתי כפר למפדי ליה.

קפז. ד"א מצאתי כפר, ההוא זכו דאמרת, איהו עליה כפר, למפדי ליה. דלא ייחות לגיהנם, ולא ימות. ועל דא מבעי ליה לב"נ, למיהך בארח קשוט, ובגין דיהא ליה ההוא קטיגורא, סניגורא.

קפח. כגוונא דא, ישראל ביומא דכפורי, דיהבי ליה שעיר, ואתעסיקו בהדיה, עד דאתהדר עבד להו, וסליק וסהיד סהדותא קמי קב"ה, ואתעביד להו סניגורא. ועל דא אמר שלמה, אם רעב שנאך האכילהו לחם ואם צמא השקהו מים. ועל האי יצר הרע אתמר.

קפט. ובגין דא, ביום צרה, כד ב"נ אתרפי מאורייתא, כביכול דחיק ליה קב"ה, בהדיה דההוא יצר הרע, דאיהו אתעביד קטיגורא. צר כחכה: צר כח כה, בגין דאתקרב קמיה לקטרגא, ואתחלש חילא.

קצ. תא חזי, טוב יי' למעוז ביום צרה, מאי ביום צרה. דא יעקב כד אתא עליה עשו, לקטרגא ליה. ויודע חוסי בו, כד אתא עליה עקו דדינא.

קצא. ותא חזי, לית מקטרגא אשתכח עליה דבר נש, אלא בזמנא דסכנה, ותא חזי, בגין דיעקב אחר נדריה, דנדיר קמי קודשא ב"ה, אתתקף דינא על ידא דמקטרגא, דקטריג עליה דיעקב, ובעא דינא בשעתא דסכנה, דהות רחל בה, אמר קמיה קב"ה, והא יעקב נדר נדריה ולא שלים, והא איהו תקיף מכלא, בעותרא, ובבנין, בכל מה

דְּאִצְטְרִיךְ, וְלָא שְׁלִים נִדְרֵיהּ דְּנָדַר קַמָּךְ, וְלָא נָסֵבַת עוֹנְשָׁא מִנֵּיהּ, מִיָּד וַתֵּלֶד רָחֵל וַתְּקַשׁ בְּלִדְתָּהּ. מַאי וַתְּקַשׁ. דְּאִתְקַשְׁיָא דִּינָא לְעֵילָא, גַּבֵּי מַלְאַךְ הַמָּוֶת.

קצב. וְאִתְעֲנַשׁ יַעֲקֹב בְּהַאי, מַאי טַעְמָא. בְּגִין דִּכְתִּיב, וְאִם אֵין לְךָ לְשַׁלֵּם לָמָּה יִקַּח מִשְׁכָּבְךָ מִתַּחְתֶּיךָ, וְעַל דָּא מִיתַת רָחֵל, וְאִתְמְסַר דִּינָא, עַל יְדָא דְּמַלְאַךְ הַמָּוֶת.

קצג. וְתָא חֲזֵי, בְּשַׁעְתָּא דְּאָתָא עֵשָׂו, מָה עֲבַד, וַיָּשֶׂם אֶת הַשְּׁפָחוֹת וְאֶת יַלְדֵיהֶן רִאשׁוֹנָה וְאֶת לֵאָה וִילָדֶיהָ אַחֲרוֹנִים וְאֶת רָחֵל וְאֶת יוֹסֵף אַחֲרוֹנִים, מַאי טַעְמָא, בְּגִין דְּדָחִיל עֲלָהּ דְּרָחֵל, דְּלָא יִסְתַּכַּל הַהוּא רָשָׁע, בְּשַׁפִּירוּ דִּילָהּ, וְלָא יְקַטְרֵג לֵיהּ עֲלָהּ.

קצד. ת״ו, מַה כְּתִיב, וַתִּגַּשְׁןָ הַשְּׁפָחוֹת הֵנָּה וְיַלְדֵיהֶן וַתִּשְׁתַּחֲוֶיןָ וַתִּגַּשׁ גַּם לֵאָה וִילָדֶיהָ וַיִּשְׁתַּחֲווּ, נָשִׁין מִקַּמֵּי גּוּבְרִין. אֲבָל בְּרָחֵל מַה כְּתִיב, וְאַחַר נִגַּשׁ יוֹסֵף וְרָחֵל, וְיוֹסֵף מִקַּמֵּי אִמֵּיהּ, וְאִיהוּ חָפָא עֲלָהּ, וְעַל דָּא כְּתִיב, בֵּן פֹּרָת יוֹסֵף בֵּן פֹּרָת עֲלֵי עָיִן, דְּאַסְגֵּי גּוּפֵיהּ, וְחָפָא עַל אִמֵּיהּ. עֲלֵי עָיִן: עֲלֵי עֵינָא דְּהַהוּא רָשָׁע.

קצה. וְהָכָא אִתְעַנְשַׁת עַל יְדָא דְּיֵצֶר הָרָע, דְּקַטְרֵג בְּשַׁעְתָּא דְּסַכָּנָה, וְאִתְעֲנַשׁ יַעֲקֹב, עַל נִדְרָא דְּלָא שְׁלִים, וְדָא קַשְׁיָא לֵיהּ לְיַעֲקֹב, מִכָּל עָקוּ דַּעֲבָרוּ עֲלֵיהּ. וּמִנָּלָן דִּבְגִינֵיהּ דְּיַעֲקֹב הֲוָה, דִּכְתִּיב מֵתָה עָלַי רָחֵל: עָלַי וַדַּאי, עַל דְּאַחֲרִית נִדְרֵי.

קצו. רִבִּי יוֹסֵי אָמַר, כְּתִיב קִלְלַת חִנָּם לֹא תָבֹא. וְאוֹקְמוּהָ לוֹ בְּוי״ו, דְּאִי קִלְלַת צַדִּיקָא הִיא, אֲפִילוּ דְּלָא אִתְכַּוַּן בָּהּ, כֵּיוָן דְּנָפְקָא מִפּוּמֵיהּ, נָטַל לָהּ הַהוּא יֵצֶר הָרָע, וְקַטְרֵג בָּהּ בְּשַׁעְתָּא דְּסַכָּנָה.

קצז. יַעֲקֹב אָמַר, עִם אֲשֶׁר תִּמְצָא אֶת אֱלֹהֶיךָ לֹא יִחְיֶה. וְאַע״ג דְּאִיהוּ לָא הֲוָה יָדַע, נָטִיל לָהּ לְהַהִיא מִלָּה הַהוּא שָׂטָן, דְּאִשְׁתַּכַּח גַּבַּיְיהוּ תָּדִיר בִּבְנֵי נָשָׁא. וְעַל דָּא תָּנֵינָן, לְעוֹלָם לֹא יִפְתַּח בַּר נָשׁ פּוּמֵיהּ לְשָׂטָנָא, בְּגִין דְּנָטִיל הַהִיא מִלָּה, וְקַטְרֵג בָּהּ, לְעֵילָא וְתַתָּא, כָּל שֶׁכֵּן מִלָּה דְּחָכָם, אוֹ מִלָּה דְּצַדִּיקָא, וְעַל תְּרֵין אִלֵּין אִתְעַנְשַׁת רָחֵל.

קצח. וַיְהִי בְּצֵאת נַפְשָׁהּ כִּי מֵתָה. אָמַר רִבִּי אַבָּא, וְכִי כֵּיוָן דְּאָמַר וַיְהִי בְּצֵאת נַפְשָׁהּ, לָא יָדַעְנָא כִּי מֵתָה. אֶלָּא אִצְטְרִיךְ, בְּגִין דְּלָא אַהֲדָרַת לְגוּפָא יַתִּיר, וּמִיתַת רָחֵל מִיתַת גּוּפָא, בְּגִין דְּאִית בְּנֵי נָשָׁא, דְּנָפְקֵי נִשְׁמָתַיְיהוּ וְאַהַדְרָן לְאַתְרַיְיהוּ, וּכְדָ״א, וַתָּשָׁב נַפְשׁוֹ אֵלָיו, וַיֵּצֵא לִבָּם, נַפְשִׁי יָצְאָה בְדַבְּרוֹ, לֹא נוֹתְרָה בּוֹ נְשָׁמָה. אֲבָל הַאי, נָפְקַת נִשְׁמָתָהּ, וְלָא אִתְהַדְּרַת לְאַתְרָהּ, וּמִיתַת רָחֵל.

קצט. וַתִּקְרָא שְׁמוֹ בֶּן אוֹנִי. דְּקַשְׁיוּ דְּדִינָא דְּאִתְגְּזַר עֲלָהּ. וְיַעֲקֹב אַהֲדַר לֵיהּ, וְקָשִׁיר לֵיהּ בִּימִינָא, בְּגִין דְּמַעֲרָב אִצְטְרִיךְ לְקַשְׁרָא לֵיהּ לִימִינָא, וְאַע״ג דְּאִיהוּ בֶּן אוֹנִי, סִטְרָא דְּדִינָא קַשְׁיָא, בֶּן יָמִין אִיהוּ, דְּהָא בִּימִינָא אִתְקַשְּׁרַת.

ר. וְאִתְקַבְּרַת בְּאָרְחָא, כְּמָה דְּאִתְּמַר, הַאי אִתְגַּלְיָא מִיתָתָהּ וּקְבוּרָתָהּ, אֲבָל לֵאָה לָא אִתְגַּלְיָא מִיתָתָהּ וּקְבוּרָתָהּ. וְאַף עַל גַּב דְּהָנֵי אַרְבַּע אִמָּהָן רָזָא אִית לוֹן, וְהָא אוֹקְמוּהָ.

רא. וַיַּצֵּב יַעֲקֹב מַצֵּבָה עַל קְבוּרָתָהּ, אָמַר רִבִּי יוֹסֵי, מַאי טַעְמָא. בְּגִין דְּלָא אִתְכַּסְיָא אַתְרָהּ, עַד יוֹמָא דִּזְמִין קוּדְשָׁא בְּרִיךְ הוּא, לְאַחֲיָיא מֵתַיָּיא, כְּמָה דְּאִתְּמַר, עַד הַיּוֹם, עַד הַהוּא יוֹמָא מַמָּשׁ.

רב. רִבִּי יְהוּדָה אָמַר, עַד יוֹמָא, דְּתִתְהַדַּר שְׁכִינְתָּא בְּגָלוּתְהוֹן דְּיִשְׂרָאֵל, בְּהַהוּא אֲתַר, כְּדָ״א וְיֵשׁ תִּקְוָה לְאַחֲרִיתֵךְ נְאֻם יי׳ וְשָׁבוּ בָנִים לִגְבוּלָם. וְדָא אוֹמָאָה, דְּאוֹמֵי לָהּ קֻבָּ״ה. וּזְמִינִין יִשְׂרָאֵל, כַּד יְתוּבוּן מִן גָּלוּתָא, לְקַיְּימָא עַל הַהִיא קְבוּרָה דְּרָחֵל, וּלְמִבְכֵּי תַּמָּן, כְּמָה דְּאִיהִי בָּכַאת עַל גָּלוּתְהוֹן דְּיִשְׂרָאֵל, וְעַל דָּא כְּתִיב, בִּבְכִי יָבֹאוּ וּבְתַחֲנוּנִים אוֹבִילֵם וְגו׳.

וּכְתִיב כִּי יֵשׁ שָׂכָר לִפְעוּלָתֵךְ. וּבְהַהִיא שַׁעְתָּא, זְמִינַת רָחֵל, דְּאִיהִי בְּאָרְחָא, לְמֶהֱוֵי בְּהוּ בְּיִשְׂרָאֵל, וְעִם שְׁכִינְתָּא, וְאוֹקְמוּהָ חַבְרַיָּיא.

רג. וַיְהִי בִּשְׁכֹּן יִשְׂרָאֵל בָּאָרֶץ הַהִוא וַיֵּלֶךְ רְאוּבֵן וַיִּשְׁכַּב אֶת בִּלְהָה פִּלֶגֶשׁ אָבִיו וַיִּשְׁמַע יִשְׂרָאֵל וַיִּהְיוּ בְנֵי יַעֲקֹב שְׁנֵים עָשָׂר. רִבִּי אֶלְעָזָר אָמַר, וַיְהִי בִּשְׁכֹּן יִשְׂרָאֵל בָּאָרֶץ הַהִיא, דְּהָא לֵאָה וְרָחֵל מִיתוּ, וְנָטְלָא בֵּיתָא מַאן דְּנָטִיל.

רד. וְכִי סַלְקָא דַעְתָּךְ, דִּרְאוּבֵן אָזִיל וְשָׁכִיב בַּהֲדָהּ דְּבִלְהָה. אֶלָּא, כָּל יוֹמָא דְּלֵאָה וְרָחֵל, שְׁכִינְתָּא שַׁרְיָיא עֲלַיְיהוּ, וְהַשְׁתָּא דְּמִיתוּ, שְׁכִינְתָּא לָא אִתְפָּרְשַׁת מִן בֵּיתָא, וְשַׁרְיָא בְּבֵיתָא בְּמַשְׁכְּנָא דְּבִלְהָה, וְאַף עַל גַּב דִּשְׁכִינְתָּא בָּעְיָא לְנַטְלָא בֵּיתָא כִּדְקָא יָאוּת, אִלְמָלֵא יַעֲקֹב, לָא אִשְׁתַּכַּח בְּזִוּוּגָא דְּכַר וְנוּקְבָא, לָא שַׁרְיָא שְׁכִינְתָּא בְּאִתְגַּלְיָא בְּבֵיתָא, וְעַל דָּא קַיְּימָא שְׁכִינְתָּא בְּמַשְׁכְּנָא דְּבִלְהָה.

רה. וַאֲתָא רְאוּבֵן, וּבְגִין דְּזִמְנָא דְּבִלְהָה יָרְתָא אַתְרָא דְּאִמֵּיהּ, אָזַל וּבִלְבֵּל עַרְסָא, וְעַל דְּקַיְּימָא שְׁכִינְתָּא עֲלָהּ, כְּתִיב בֵּיהּ וַיִּשְׁכַּב אֶת בִּלְהָה. ר' יֵיסָא אָמַר, דְּנָאִים עַל הַהוּא עַרְסָא, וְלָא חָיֵישׁ לִיקָרָא דִּשְׁכִינְתָּא. וּבְגִין כָּךְ, לָא אִתְפְּגִים מֵחוּשְׁבְּנָא דְּשִׁבְטִין, וַאֲתָא קְרָא וְעָבֵיד חוּשְׁבְּנָא, בְּגִין כָּךְ כְּתִיב, בְּכוֹר יַעֲקֹב רְאוּבֵן, וְאִיהוּ עָבֵיד קְרָא רֵישָׁא דְּכָל שִׁבְטִין.

רו. ר' יְהוּדָה פָּתַח וְאָמַר, כִּי יְשָׁרִים דַּרְכֵי יְיָ' וגו', כָּל אָרְחוֹי דְּקֻבָּ"ה, כֻּלְּהוּ יְשָׁרִים, וְאָרְחוֹי קְשׁוֹט, וּבְנֵי עָלְמָא לָא יָדְעִין, וְלָא מַשְׁגִּיחִין עַל מַה אִינּוּן קַיְימִין. וְעַל דָּא, וְצַדִּיקִים יֵלְכוּ בָם, בְּגִין דְּאִינּוּן יָדְעִין אָרְחוֹי דְּקֻבָּ"ה, וּמִשְׁתַּדְּלֵי בְּאוֹרַיְיתָא, דְּכָל מַאן דְּאִשְׁתַּדַּל בְּאוֹרַיְיתָא, אִיהוּ יָדַע, וְאָזִיל בְּהוּ, דְּלָא סָטֵי לִימִינָא וְלִשְׂמָאלָא.

רז. וּפוֹשְׁעִים יִכָּשְׁלוּ בָם, אִלֵּין אִינּוּן חַיָּיבִין, דְּלָא מִשְׁתַּדְּלֵי בְּאוֹרַיְיתָא, וְלָא מִסְתַּכְּלָן בְּאָרְחוֹי דְּקֻבָּ"ה, וְלָא יָדְעִין לְאָן אוֹרְחוֹי אָזְלִין, וּבְגִין דְּלָא יָדְעֵי לְאִסְתַּכְּלָא, וְלָא מִשְׁתַּדְּלֵי בְּאוֹרַיְיתָא, אִינּוּן כָּשְׁלֵי בְּהוּ, בְּאִינּוּן אָרְחוֹי, בְּהַאי עָלְמָא, וּבְעָלְמָא דְּאָתֵי.

רח. ת"ח כָּל בַּר נָשׁ דְּאִשְׁתַּדַּל בְּאוֹרַיְיתָא כַּד נָפִיק מֵהַאי עָלְמָא, נִשְׁמָתֵיהּ סַלְקָא בְּאִינּוּן אָרְחִין וּשְׁבִילִין דְּאוֹרַיְיתָא, וְאִינּוּן אָרְחִין וּשְׁבִילִין דְּאוֹרַיְיתָא יְדִיעָן אִינּוּן, וְאִינּוּן דְּיָדְעֵי אָרְחוֹי דְּאוֹרַיְיתָא בְּהַאי עָלְמָא, יְהָכוּן בְּהוּ בְּהַהוּא עָלְמָא, כַּד יִפְקוּן מֵהַאי עָלְמָא.

רט. וְאִי לָא אִשְׁתַּדְּלוּ בְּאוֹרַיְיתָא בְּהַאי עָלְמָא, וְלָא יָדְעִין אָרְחִין וּשְׁבִילִין, כַּד יִפְקוּן מֵהַאי עָלְמָא, לָא יָדְעוּן לְמֵיהַךְ בְּאִינּוּן אָרְחִין וּשְׁבִילִין, וְכָשְׁלִין בְּהוּ, כְּדֵין יְהַךְ בְּאָרְחִין אָחֳרָנִין, דְּלָאו אִינּוּן אָרְחִין דְּאוֹרַיְיתָא, וְיִתְעָרוּן לֵיהּ בְּכַמָּה דִּינִין, וְאִתְעֲנַשׁ בְּהוּ.

רי. וּמַאן דְּאִשְׁתַּדַּל בְּאוֹרַיְיתָא, מַה כְּתִיב, בְּשָׁכְבְּךָ תִּשְׁמוֹר עָלֶיךָ וַהֲקִיצוֹתָ הִיא תְשִׂיחֶךָ. בְּשָׁכְבְּךָ: בְּקִבְרָא, אוֹרַיְיתָא תִּנְטוֹר עָלָךְ מִדִּינָא דְּהַהוּא עָלְמָא. וַהֲקִיצוֹתָ: כַּד קוּדְשָׁא בְּרִיךְ הוּא, יִתְעַר רוּחִין וְנִשְׁמָתִין, לְאַחֲיָיא מֵתַיָּא, כְּדֵין הִיא תְשִׂיחֶךָ, הִיא תְּהֵא סַנֵּיגוֹרְיָא עַל גּוּפָא, בְּגִין דִּיקוּמוּן אִינּוּן גּוּפִין, דְּאִשְׁתַּדְּלוּ בְּאוֹרַיְיתָא כִּדְקָא יָאוּת, וְאִלֵּין אִינּוּן דִּיקוּמוּן בְּקַדְמֵיתָא לְחַיֵּי עָלְמָא, כד"א וְרַבִּים מִיְּשֵׁנֵי אַדְמַת עָפָר יָקִיצוּ אֵלֶּה לְחַיֵּי עוֹלָם וגו', וְאִלֵּין אִינּוּן לְחַיֵּי עוֹלָם, בְּגִין דְּאִתְעַסְּקוּ בְּחַיֵּי עוֹלָם, דְּאִיהִי אוֹרַיְיתָא.

ריא. וְתָא חֲזֵי, כָּל אִינּוּן דְּאִשְׁתַּדְּלוּ בְּאוֹרַיְיתָא, הַהוּא גּוּפָא יִתְקַיָּים, וְאוֹרַיְיתָא תַּגִּין עֲלֵיהּ, מַאי טַעְמָא, בְּגִין דִּבְהַהִיא שַׁעְתָּא, יִתְעַר קוּדְשָׁא בְּרִיךְ הוּא חַד רוּחָא, דִּכְלִיל מֵאַרְבַּע רוּחִין, וְהַהוּא רוּחָא דִּכְלִיל מֵאַרְבַּע רוּחִין, אִזְדַּמַּן לְכָל אִינּוּן דְּאִשְׁתַּדְּלוּ בְּאוֹרַיְיתָא, לְאַחֲיָיא לוֹן בְּהַאי רוּחָא, בְּגִין דְּיִתְקַיְּימוּן לְעָלְמִין.

ריב. וְאִי תֵּימָא, הָא כְּתִיב, מֵאַרְבַּע רוּחוֹת בֹּאִי הָרוּחַ, אַמַּאי לָא אִתְקַיְּימוּ, דְּהָא כֻּלְּהוּ

מִיתוּ כְּמִלְּקַדְמִין. תָּא חֲזֵי, הַהוּא זִמְנָא, דְּאוֹקִים קוּדְשָׁא בְּרִיךְ הוּא עַל יְדָא דִּיחֶזְקֵאל, אִינּוּן מֵתַיָּיא, הַהוּא רוּחָא, אַף עַל גַּב דַּהֲוָה מֵאַרְבַּע רוּחַיָּיא, לָא נָחִית לְקַיְּימָא לוֹן בְּקִיּוּמָא, אֶלָּא לְאַחֲזָאָה, דְּזַמִּין קוּדְשָׁא בְּרִיךְ הוּא לְאַחֲיָיא מֵתַיָּיא בְּהַהוּא גַּוְונָא, וּלְקַיְּימָא לוֹן בְּרוּחָא דְּאִתְכְּלִיל בְּהַאי גַּוְונָא. וְאַף עַל גַּב דְּאַהַדְרוּ גַּרְמִין, בְּהַהִיא שַׁעְתָּא כְּמָה דַּהֲוָה. קוּדְשָׁא בְּרִיךְ הוּא בָּעָא לְאַחֲזָאָה לְכָל עָלְמָא, דְּאִיהוּ זַמִּין לְאַחֲיָיא מֵתַיָּיא, בְּגִין דְּקוּדְשָׁא בְּרִיךְ הוּא, זַמִּין לְקַיְּימָא לְהוּ קִיּוּמָא שְׁלִים בְּעָלְמָא כְּדְקָא יָאוּת, וְאִינּוּן דְּאִשְׁתַּדְּלוּ בְּאוֹרַיְיתָא בְּהַאי עָלְמָא, הִיא קַיְּימָא עֲלֵיהּ דְּבַר נָשׁ, וְאִתְעֲבִידַת סַנֵּיגוֹרְיָא, קַמֵּי דְּקוּדְשָׁא בְּרִיךְ הוּא.

ריג. ר"ש אָמַר כָּל אִינּוּן מִלִּין דְּאוֹרַיְיתָא, וְכָל הַהִיא אוֹרַיְיתָא, דְּאִשְׁתַּדַּל בָּהּ בַּר נָשׁ בְּהַאי עָלְמָא, אִינּוּן מִלִּין, וְהַהִיא אוֹרַיְיתָא, קַיְּימָא קַמֵּי קוּדְשָׁא בְּרִיךְ הוּא, וַאֲמָרַת קַמֵּיהּ, וְהִיא אֲרִימַת קָלִין, וְלָא אִשְׁתְּכָכַת, וּלְהַהוּא זִמְנָא, אִיהִי תָּשִׁיזַ וְתֵימָא, כְּפוּם דְּאִתְדַּבַּק בַּר נָשׁ, וְאִשְׁתַּדַּל בְּהַאי עָלְמָא, וְעַל דָּא אִינּוּן יְקוּמוּן בְּקִיּוּמָא שְׁלִים לְחַיֵּי עָלְמָא כְּדְקָאֲמָרָן, וּבְגִין כָּךְ כִּי יְשָׁרִים דַּרְכֵי יְיָ' וְצַדִּיקִים יֵלְכוּ בָם וּפוֹשְׁעִים יִכָּשְׁלוּ בָם.

ריד. ר' חִיָּיא פָּתַח וַאֲמַר, וְעֵלִי זָקֵן מְאֹד וְשָׁמַע אֵת אֲשֶׁר יַעֲשׂוּן בָּנָיו לְכָל יִשְׂרָאֵל וְאֵת אֲשֶׁר יִשְׁכְּבֻן אֶת הַנָּשִׁים הַצּוֹבְאוֹת פֶּתַח אֹהֶל מוֹעֵד. וְכִי ס"ד, דְּכַהֲנֵי יְיָ', דְּיַעַבְדוּן עֲבִידְתָּא דָּא, וְהָא מִקַּדְמַת דְּנָא אִתְּמַר, וּפְרִישַׁת אוֹרַיְיתָא הַהוּא חוֹבָא דִּלְהוֹן, דִּכְתִּיב כִּי נִאֲצוּ הָאֲנָשִׁים אֵת מִנְחַת יְיָ'. וּכְתִיב וּמִשְׁפַּט הַכֹּהֲנִים מֵאֵת הָעָם כָּל אִישׁ זוֹבֵחַ זֶבַח וגו', וּכְתִיב גַּם בְּטֶרֶם יַקְטִירוּן אֶת הַחֵלֶב וּבָא נַעַר הַכֹּהֵן וְאָמַר לָאִישׁ הַזּוֹבֵחַ תְּנָה לִצְלוֹת לַכֹּהֵן וגו'. וּכְתִיב וְאָמַר לוֹ כִּי עַתָּה תִתֵּן וְאִם לֹא לָקַחְתִּי בְחָזְקָה. וְעַל דָּא וַתְּהִי חַטַּאת הַנְּעָרִים גְּדוֹלָה מְאֹד וגו'. וְכָל דָּא לָא הֲווּ נָטְלִין, אֶלָּא מֵאִינּוּן חוּלָקִין, דַּהֲווּ לְהוּ לְכַהֲנֵי לְמֵיכַל מִנֵּיהּ, וְעַל דַּהֲוָה קְלִיל קָרְבְּנָא בְּעֵינַיְיהוּ אִתְעֲנָשׁוּ, וְהָכָא אֲמַר אֵת אֲשֶׁר יִשְׁכְּבוּן אֶת הַנָּשִׁים הַצּוֹבְאוֹת.

רטו. אֶלָּא, ח"ו דַּהֲווּ עָבְדוּ עֲבֵירָה דָּא, כ"ש בְּאַתְרָא קַדִּישָׁא הַהוּא, דְּלָא יְקוּמוּן כָּל יִשְׂרָאֵל וְיִקְטְלוּן לְהוֹן. אֶלָּא, בְּגִין דַּהֲווּ מְעַכְּבֵי לוֹן לְאָעֳלָא לְמַקְדְּשָׁא, וּמְוָאן בִּידַיְהוֹן, דְּלָא לְאָעֳלָא לְמִצְלֵי צְלוֹתָא, עַד דְּקוּרְבָּנַיָּא אִתְעֲבִידוּ, בְּגִין דְּאִינּוּן לָא מַיְיתִין קָרְבָּנִין לְמֵיטַל חוּלָקָא מִנַּיְיהוּ, וּבְגִין כָּךְ מְעַכְּבִין לוֹן. וּבְגִין כָּךְ, אִינּוּן נָשִׁים הֲווּ בָּעָאן מִנַּיְיהוּ לְאָעֳלָא תַּמָּן, וְעַל דָּא כְּתִיב אֵת אֲשֶׁר יִשְׁכְּבוּן אֶת הַנָּשִׁים, דִּמְעַכְּבֵי לוֹן כְּדְקָאֲמָרָן.

רטז. כְּגַוְונָא דָּא וַיִּשְׁכַּב אֶת בִּלְהָה, חַס וְשָׁלוֹם דְּאִיהוּ שָׁכַב עִמָּהּ, אֶלָּא בְּגִין דְּעָכַב לָהּ לְשַׁמָּשָׁא בְּאֲבוֹי שִׁמּוּשָׁא דְּמִצְוָה, וְדָא הוּא בִּלְבּוּלָא דְּעַרְסָא. וַעֲבַד לְקַבֵּיל שְׁכִינְתָּא עֲבִידְתָּא דָּא, דִּבְכָל אֲתַר דְּשִׁמּוּשָׁא דְּמִצְוָה אִשְׁתַּכַּח, שְׁכִינְתָּא שַׁרְיָא עַל הַהוּא אֲתַר, וְאִשְׁתַּכַּח תַּמָּן, וּמַאן דְּגָרִים לְעַכָּבָא שִׁמּוּשָׁא דְּמִצְוָה, גָּרִים דְּיִסְתַּלַּק שְׁכִינְתָּא מֵעָלְמָא, וְעַל דָּא כְּתִיב כִּי עָלִיתָ מִשְׁכְּבֵי אָבִיךָ אָז חִלַּלְתָּ יְצוּעִי עָלָה. וּבְגִין דָּא כְּתִיב וַיִּשְׁכַּב אֶת בִּלְהָה פִּלֶגֶשׁ אָבִיו וַיִּשְׁמַע יִשְׂרָאֵל וַיִּהְיוּ בְנֵי יַעֲקֹב שְׁנֵים עָשָׂר, כֻּלְּהוּ הֲווּ בְּמִנְיָינָא, וְלָא גָּרַע מִזְּכוּתָא דִּלְהוֹן כְּלוּם.

ריז. רַבִּי אֶלְעָזָר אֲמַר, מ"ט בְּקַדְמֵיתָא יִשְׂרָאֵל, וּלְבָתַר יַעֲקֹב, דִּכְתִּיב וַיִּשְׁמַע יִשְׂרָאֵל וַיִּהְיוּ בְנֵי יַעֲקֹב שְׁנֵים עָשָׂר. אֶלָּא, כַּד אָתָא רְאוּבֵן, וּבִלְבֵּל הַהוּא עַרְסָא, אֲמַר, וּמַה תְּרֵיסַר שִׁבְטִין הֲווּ לֵיהּ לְאַבָּא לְקַיְּימָא בְּעָלְמָא, וְלָא יַתִּיר, וְהַשְׁתָּא בָּעֵי לְאוֹלָדָא בְּנִין, דִּילְמָא אֲנָן פְּגִימִין, דְּאִיהוּ בָּעֵי לְאוֹלָדָא אָחֳרָנִין כְּמִלְּקַדְמִין. מִיָּד בִּלְבֵּל הַהוּא עַרְסָא, וְאִתְעַכַּב הַהוּא שִׁמּוּשָׁא, כְּאִילּוּ עֲבַד קְלָנָא לְגַבֵּי שְׁכִינְתָּא, דְּשַׁרְיָא עַל הַהוּא עַרְסָא. וְעַל

דָּא כְּתִיב, וַיִּשְׁמַע יִשְׂרָאֵל, דְּהָא בִּשְׁמָא דָּא, אִסְתַּלַּק גּוֹ תְּרֵיסַר דְּאִתְכַּסְיָין, דְּאִינּוּן תְּרֵיסַר נַהֲרֵי אֲפַרְסְמוֹנָא דַּכְיָא.

ריח. וַיִּהְיוּ בְנֵי יַעֲקֹב שְׁנֵים עָשָׂר, אִלֵּין תְּרֵיסַר שִׁבְטִין, דִּשְׁכִינְתָּא אִתְתַּקְּנַת בְּהוּ, וּמַאן אִינּוּן, אִלֵּין דְּאוֹרַיְיתָא אַהַדְרַת, וְעָבֵיד לוֹן חוּשְׁבְּנָא כְּמִלְּקַדְּמִין, כֻּלְּהוּ קַדִּישִׁין, כֻּלְּהוּ אִתְחֲזְיָין לְגַבֵּי שְׁכִינְתָּא, לְאִסְתַּכְּלָא בִּקְדוּשָׁה דְּמָארֵיהוֹן, דְּאִילוּ עָבַד הַהוּא עוֹבָדָא, לָא יֵיתֵי רְאוּבֵן בְּמִנְיָינָא.

ריט. וְעִם כָּל דָּא אִתְעֲנַשׁ, דְּאִתְנְטִיל בְּכוֹרָתֵיהּ מִנֵּיהּ, וְאִתְיְהִיב לְיוֹסֵף, כד"א וּבְנֵי רְאוּבֵן בְּכוֹר יִשְׂרָאֵל כִּי הוּא הַבְּכוֹר וּבְחַלְּלוֹ יְצוּעֵי אָבִיו נִתְּנָה בְּכוֹרָתוֹ לְיוֹסֵף. ת"ח לֶהֱוֵא שְׁמֵיהּ דַּיְיָ אֱלָהָא מְבָרַךְ מִן עָלְמָא וְעַד עָלְמָא דִּי כָּל מַעֲבָדוֹהִי קְשׁוֹט וְאָרְחָתֵיהּ דִּין, וְכָל מַה דְּאִיהוּ עָבֵיד, כֹּלָּא אִיהוּ בְּחָכְמְתָא עִלָּאָה.

רכ. ת"ח, כַּמָּה גָּרִים עוֹבָדָא דְּבַר נָשׁ, דְּהָא כָּל מַאי דְּאִיהוּ עָבֵיד, כֹּלָּא אִתְרְשִׁים וְקַיְּימָא קַמֵּי דְּקוּדְשָׁא בְּרִיךְ הוּא, דְּהָא יַעֲקֹב בְּשַׁעְתָּא דְּעָאל לְגַבֵּהּ דְּלֵאָה, כָּל הַהוּא לֵילְיָא, רְעוּתֵיהּ וְלִבֵּיהּ הֲוָה בְּרָחֵל, דְּחָשִׁיב דְּרָחֵל אִיהִי, וּמֵהַהוּא שִׁמּוּשָׁא וְטִפָּה קַדְמָאָה וּמֵהַהוּא רְעוּתָא, אִתְעַבְּרַת לֵאָה, וְאוּקְמוּהָ, דְּהָא אִלְמָלֵא דְּיַעֲקֹב לָא יָדַע, לָא יִסְתַּלֵּיק רְאוּבֵן בְּחוּשְׁבָּנָא. וְעַל דָּא לָא אִסְתַּלַּק בִּשְׁמָא יְדִיעָא, אֶלָּא שְׁמֵיהּ סְתָם רְאוּבֵן.

רכא. וְעִם כָּל דָּא, אַהֲדַר עוֹבָדָא לְאַתְרֵיהּ, כְּמָה דְּהַהוּא רְעוּתָא קַדְמָאָה אִתְעֲבִידַת בְּרָחֵל, הַהוּא רְעוּתָא אִתְהַדְרַת בָּהּ, דְּהָא בְּכוֹרָתֵיהּ אַהֲדַרַת לְיוֹסֵף בּוּכְרָא דְּרָחֵל, אֲתַר דִּרְעוּתָא הֲוַת בְּרָחֵל, וְכֹלָּא סָלֵיק בְּאַתְרֵיהּ, בְּגִין דְּכָל עוֹבָדוֹי דְּקוּדְשָׁא בְּרִיךְ הוּא כֻּלְּהוּ קְשׁוֹט וְכוּ'.

רכב. רִבִּי חִזְקִיָּה אִשְׁכְּחֵיהּ יוֹמָא חַד לְרִבִּי יוֹסֵי, דַּהֲוָה מְסַטְמֵיט סַפְסִינָא גּוֹ קִטְרֵי דְּנוּרָא, וַהֲוָה סָלֵיק קִטּוּרָא דִּתְנָנָא לְעֵילָּא. א"ל, אִלּוּ קְטוֹרָא דִּתְנָנָא דְּקָרְבְּנָא, דַּהֲוָה סָלֵיק עַל גַּבֵּי מַדְבְּחָא, הֲוָה סָלֵיק תָּדִיר כִּי הַאי גַּוְונָא, לָא שַׁרְיָא רוּגְזָא בְּעָלְמָא, וְיִשְׂרָאֵל לָא אִתְגְּלֵי מֵעַל אַרְעָא.

רכג. פָּתַח ר' יוֹסֵי וְאָמַר, מִי זֹאת עוֹלָה מִן הַמִּדְבָּר כְּתִימְרוֹת עָשָׁן מְקֻטֶּרֶת מוֹר וּלְבוֹנָה מִכֹּל אַבְקַת רוֹכֵל. מִי זֹאת עוֹלָה. ת"ח, בִּזְמְנָא דַּהֲווּ יִשְׂרָאֵל אָזְלֵי בְּמַדְבְּרָא, שְׁכִינְתָּא אָזְלָא קַמַּיְיהוּ, וְאִינְהוּ הֲווּ אָזְלֵי אַבַּתְרָהּ, דִּכְתִיב וַה' הוֹלֵךְ לִפְנֵיהֶם יוֹמָם בְּעַמּוּד עָנָן לַנְחוֹתָם הַדֶּרֶךְ וְלַיְלָה בְּעַמּוּד אֵשׁ לְהָאִיר לָהֶם וגו'. וּבְגִין כָּךְ כְּתִיב, כֹּה אָמַר ה' זָכַרְתִּי לָךְ חֶסֶד נְעוּרַיִךְ אַהֲבַת כְּלוּלֹתָיִךְ לֶכְתֵּךְ אַחֲרַי בַּמִּדְבָּר וגו'.

רכד. וּשְׁכִינְתָּא הֲוַת אָזְלָא, וְכֻלְּהוּ עֲנָנֵי יְקָר בַּהֲדָהּ. וְכַד הֲוָה שְׁכִינְתָּא נָטְלָה, הֲווּ נָטְלִין, כְּמָה דִּכְתִיב וּבְהֵעָלוֹת הֶעָנָן מֵעַל הָאֹהֶל וְאַחֲרֵי כֵן יִסְעוּ בְּנֵי יִשְׂרָאֵל וגו'. וְכַד אִיהִי סַלְקָא, הַהוּא עֲנָנָא סַלְקָא עַד לְעֵילָּא, וְכָל בְּנֵי עָלְמָא חָמָאן, וְשָׁאֲלֵי וְאָמְרֵי, מִי זֹאת עוֹלָה מִן הַמִּדְבָּר כְּתִימְרוֹת עָשָׁן.

רכה. הַהוּא עֲנָנָא דִּשְׁכִינְתָּא אִתְחֲזְיָא עָשָׁן, מ"ט אִיהִי עָשָׁן, בְּגִין דְּנוּרָא דְּאַדְלִיק אַבְרָהָם וְיִצְחָק בְּרֵיהּ, הֲוָה אָחִיד בָּהּ, וְלָא אַעֲדֵי מִינָּהּ, וְכַד אִתְאַחֲדַת הַהוּא נוּרָא בְּגַוָּוהּ, הֲוָה סָלֵיק תְּנָנָא.

רכו. וְעִם כָּל דָּא, מְקֻטֶּרֶת מוֹר וּלְבוֹנָה, מַאי מְקֻטֶּרֶת, מִתְקַטְּרָא בִּתְרֵין סִטְרִין אַחֲרָנִין, עֲנָנָא דְּאַבְרָהָם לִימִינָא, עֲנָנָא דְּיִצְחָק לִשְׂמָאלָא, מִכֹּל אַבְקַת רוֹכֵל, דָּא יַעֲקֹב.

רכז. דָּבָר אַחֵר, מִכֹּל אַבְקַת רוֹכֵל דָּא יוֹסֵף הַצַּדִּיק, בְּגִין דַּאֲרוֹנָא דְּיוֹסֵף, הֲוָה אָזִיל

לגביה, אמאי רוכל, בגין דהוה רכיל לאחוי לגביה דאבוי. דבר אחר אמאי רוכל, אלא מה חזינא דא, קטירי דקוסטרי, ואבקי דפולמי, כלהו בידיה, הכי נמי יוסף, איהו קיומא דאורייתא, בגין דאיהו קיים לה, בגין דכל פקודי אורייתא, מתקשרן בנטירו דברית קדישא.

רכח. ועל דא, שכינתא מתקטרא, באברהם יצחק ויעקב ויוסף, כחדא אינון, ודיוקנא חדא להו, הדא הוא דכתיב, אלה תולדות יעקב יוסף. ובגין כך, מכל אבקת רוכל, בגין דמאתר דנהרא דנגיד ונפיק, אשתקייא כלא, ונהירו כל אנפין.

רכט. ות"ח, כד הוו ישראל בארעא, והוו מקריבין קרבנין, כלהו הוו מתקרבין לגבי קב"ה כדקא יאות, וכד קרבנא אתעביד, ותננא סליק בארח מישר, כדין הוו ידעי, דתננא דמדבחא אדליק בוצינא, דאתחזיא לאדלקא, וכל אנפין נהירין ובוצינין דלקין.

רל. ומיומא, דאתחריב בי מקדשא, לית לך יומא ויומא, דלית ביה זעימו ורוגזא, כד"א ואל זועם בכל יום, ואתפרש חדוה מעילא ומתתא, וישראל אזלין בגלותא, ואינון ברשו דטעוון אחרנין, וכדין אתקיים קרא דכתיב, ועבדת שם אלהים אחרים.

רלא. וכל דא למה, בגין דכתיב, תחת אשר לא עבדת את יי' אלהיך בשמחה ובטוב לבב מרוב כל, מאי מרוב כל. הכא מרוב כל, והתם בחוסר כל.

רלב. עד דיתער קב"ה ויפרוק לון מביני עממיא, כמא דאת אמר, ושב יי' אלהיך את שבותך ורחמך ושב וקבצך מכל העמים אשר הפיצך יי' אלהיך שמה. וכתיב אם יהיה נדחך בקצה השמים משם יקבצך וגו'.

רלג. ואלה תולדות עשו הוא אדום. תא חזי, בחיי יצחק, לא אתמנון בני דעשו, כמה דאתמנון בני דיעקב, דהא עד לא מית יצחק אתמנון, אבל בעשו מה כתיב, ויגוע יצחק וימת ויאסף אל עמיו זקן ושבע ימים ויקברו אתו עשו ויעקב בניו, בתריה מה כתיב ואלה תולדות עשו הוא אדום. מאי טעמא, בגין דהא בחולקיה ובאחסנתיה ועדביה, לאו איהו, אלא יעקב ובנוי. ובגין כך, יעקב ובנוי, אינון חולקיה דקב"ה, ועאלין בחושבנא. אבל עשו, דלאו איהו בחולקא דבסטר דמהימנותא, עביד חושבניה, לבתר דמית יצחק, ואתפרש חולקיה דאתר אחרא.

רלד. ת"ח, לבתר דמית יצחק, ועשו אתפרש לסטריה, מה כתיב ויקח עשו את נשיו וגו', מפני יעקב אחיו, דשבק ליה ליעקב, קרן ורווח, שעבודא דמצרים וארעא, וזבין ליה חולקיה מן מערתא דכפלתא, ואזל ליה מן ארעא, ומן מהימנותא, ומחולקיה, דאזל ליה מכלא.

רלה. תא חזי, כמה הוה חולקיה דיעקב טבא בכלא, בגין דלא אשתאר עשו בהדיה, ואתפרש מניה, ואזל ליה לחולקיה ולעדביה, ואשתאר יעקב אחיד באחסנת אבוי, ובאחסנת אבהתוי, ועל דא וילך אל ארץ מפני יעקב אחיו, מאי מפני יעקב אחיו. דלא בעא חולקיה, ואחסנתיה ועדבא דמהימנותא דיליה. זכאה חולקיה דיעקב, עליה כתיב, כי חלק ה' עמו יעקב חבל נחלתו.

רלו. ואלה המלכים אשר מלכו בארץ אדום לפני מלך מלך לבני ישראל. רבי ייסא פתח ואמר, הנה קטן נתתיך בגוים בזוי אתה מאד. ת"ח, כד עבד קב"ה עלמא, ופליג ארעא, לשבעה תחומי, פליגין לקביל שבעין רברבין ממנן, וקב"ה פליג לון לשבעין עמין, כל חד וחד כדקא חזי ליה, כד"א בהנחל עליון גוים בהפרידו בני אדם יצב גבולות

עַמִּים.

רלז. וּמִכָּלְּהוּ רַבְרְבָן מְמַנָּן, דְּאִתְמַסְרוּ לִשְׁאָר עַמִּין, לָא אִית בְּהוּ בְּזוּי קַמֵּיהּ, כִּמְמַנָּא דְּעֵשָׂו. מ״ט, בְּגִין דְּסִטְרָא דְּעֵשָׂו, סִטְרָא מִסְּאֲבָא אִיהוּ, וְסִטְרָא דִּמְסָּאֲבָא אִיהוּ קְלָנָא קַמֵּיהּ קֻבְּ״ה, מֵאִינּוּן דַּרְגִּין זְעִירִין, דְּבָתַר רֵיוְזָא, סְרִיקְתָּא דְּקוּסְטְרֵי סוּמְקֵי קָא אַתְיָא, וְעַל דָּא, הִנֵּה קָטֹן נְתַתִּיךָ בַּגּוֹיִם בָּזוּי אַתָּה מְאֹד. דִּכְתִיב עַל גְּחוֹנְךָ תֵלֵךְ וְעָפָר תֹּאכַל כָּל יְמֵי חַיֶּיךָ. מְאֹד: כְּד״א אָרוּר אַתָּה מִכָּל הַבְּהֵמָה וּמִכֹּל חַיַּת הַשָּׂדֶה.

רלח. ת״ח, בְּדַרְגִּין תַּתָּאִין, אִית דַּרְגִּין עַל דַּרְגִּין, כֻּלְּהוּ מְשַׁנְּיָין דָּא מִן דָּא, וְכֻלְּהוּ דַּרְגִּין, קַפְטִירִין אִלֵּין, וּקְשִׁירִין אִלֵּין בְּאִלֵּין, וּמַלְכוּ אִתְפָּרַשׁ דָּא מִן דָּא, וּמַלְכוּ אִתְקַשַּׁר בְּמַלְכוּ. דָּא עָיֵיל, וְדָא סָלִיק, אֲחִידָן בְּקִשְׁרָא חֲדָא.

רלט. הַהוּא קִשְׁרָא, מִשְׁחָתָא חֲדָא לֵיהּ, וּתְלַת קִשְׁרִין לְהַהִיא מִשְׁחָתָא, בְּכָל קִשְׁרָא וְקִשְׁרָא, וְחַד עִטְרָא, וּבְכָל עִטְרָא וְעִטְרָא, וְחַד קַפְסוּרָא.

רמ. וְאִתְמַנָּא בְּעִטּוּרָא דִּלְעֵילָא, וְאִתְמַנָּא וְנָוְיָית לְתַתָּא, עַד דְּאִתְקַשְּׁרוּ בֵּיהּ, כֹּכְבַיָּא וּמַזָּלֵי, כָּל וְחַד וְחַד אִתְפָּרַשׁ בֵּיהּ, וְחַד כֹּכָבָא, וְחַד מַזָּלָא, וְכָל כֹּכְבַיָּא זְמִינִין אִינּוּן, בְּאִינּוּן דַּרְגִּין דִּלְעֵילָא. וְעַל דָּא, כָּל דַּרְגָּא וְדַרְגָּא, אִתְעַטַּר בְּאַתְרִין יְדִיעָן כִּדְקָא חֲזֵי.

רמא. וְכַד מִתְפָּרְשָׁן דַּרְגִּין, אִשְׁתְּכַח קְטוּרָא דְּפוּסְתְּקָא, עַד דְּאִתְקַשְׁרָא בְּסִטְרָא דְּאִתְחֲזֵי לוֹן, וְסִטְרֵי דְּדַרְגֵּי מִסָּאֲבֵי, דְּאִינּוּן בְּסִטַר שְׂמָאלָא, כֻּלְּהוּ מִתְפָּרְשָׁן, לְכַמָּה אָרְחִין וּשְׁבִילִין, מִסִּטְרֵי גְּבוּרָן סוּמְקָן. וּבְגִ״כ, תַּלְיָין גְּבוּרָן לְתַתָּא, לְאֶלֶף אַלְפִין, וְרִבּוּ רִבְבָן, וְעַל דָּא הִנֵּה קָטֹן נְתַתִּיךָ בַּגּוֹיִם בָּזוּי אַתָּה מְאֹד, כִּדְקָאֲמָרָן.

רמב. ת״ח, וְאֵלֶּה הַמְּלָכִים אֲשֶׁר מָלְכוּ בְּאֶרֶץ אֱדוֹם, בְּאֶרֶץ: בְּסִטְרָא דְּדַרְגָּא דִּילֵיהּ, דְּאִיהוּ דַּרְגָּא דְּעֵשָׂו, דִּכְתִיב עֵשָׂו הוּא אֱדוֹם, וְכֻלְּהוּ קָאַתוּ מִסִּטְרָא דְּרוּחַ מִסָּאֲבָא. לִפְנֵי מְלָךְ מֶלֶךְ לִבְנֵי יִשְׂרָאֵל, בְּגִין דְּאִינּוּן דַּרְגִּין דְּקַיְימִין בֵּי תַּרְעֵי לְתַתָּא קַדְמָאֵי, וּבְגִ״כ אֲמַר יַעֲקֹב, יַעֲבָר נָא אֲדֹנִי לִפְנֵי עַבְדּוֹ, בְּגִין דַּרְגִּין דִּילֵיהּ, קַדְמָאִין אִינּוּן לְאֶעָלָא, וּבְגִין כָּךְ, לִפְנֵי מְלָךְ מֶלֶךְ לִבְנֵי יִשְׂרָאֵל, דְּעַד כְּעָן לָא מָטָא זִמְנָא דְּמַלְכוּ שְׁמַיָּא לְשַׁלְטָאָה, וּלְאִתְאַחֲדָא בִּבְנֵי יִשְׂרָאֵל, וּבְגִין כָּךְ אֲמַר, יַעֲבָר נָא אֲדֹנִי לִפְנֵי עַבְדּוֹ.

רמג. וְכַד שְׁלִימוּ אִלֵּין דַּרְגִּין בְּקַדְמֵיתָא, לְבָתַר אִתְּעַר מַלְכוּ שְׁמַיָּא, לְשַׁלְטָאָה עַל תַּתָּאֵי. וְכַד שָׁרָא, שָׁרָא בִּזְעִירָא דְּכָל שִׁבְטִין, דְּאִיהוּ בִּנְיָמִין, כְּד״א שָׁם בִּנְיָמִין צָעִיר רוֹדֵם וְגוֹ׳. וּבֵיהּ שָׁארֵי לְאִתְעָרָא מַלְכוּתָא, לְבָתַר אָתָא מַלְכוּתָא בְּאַתְרֵיהּ וְאִתְקַיַּים בְּהַהִיא, דְּלָא תַעֲדֵּי לְעָלְמִין.

רמד. רִבִּי חִיָּיא פָּתַח וַאֲמַר, וְעַתָּה שְׁמַע יַעֲקֹב עַבְדִּי וְיִשְׂרָאֵל בָּחַרְתִּי בוֹ. כֹּה אָמַר ה׳ עֹשֶׂךָ וְיֹצֶרְךָ מִבֶּטֶן יַעְזְרֶךָּ אַל תִּירָא עַבְדִּי יַעֲקֹב וִישֻׁרוּן בָּחַרְתִּי בוֹ. תָּא חֲזֵי, כַּמָּה אַבְטַח לוֹן קֻבְּ״ה לְיִשְׂרָאֵל בְּכַמָּה אֲתַר, לְמִזְכֵּי לְהוּ לְעָלְמָא דְּאָתֵי, דְּהָא לָא אִתְרְעֵי לְחוּלְקֵיהּ לְכָל עַם וְלִישָׁן, בַּר לְיִשְׂרָאֵל בִּלְחוֹדוֹי. וּבְגִ״כ, יְהַב לוֹן אוֹרַיְיתָא דִּקְשׁוֹט. לְמִזְכֵּי בָהּ, וּלְמִנְדַּע אָרְחוֹי דְּקֻבְּ״ה, בְּגִין דְּיִרְתוּן אַרְעָא קַדִּישָׁא. דְּכָל מַאן דְּזָכֵי בְּהַאי אַרְעָא קַדִּישָׁא, אִית לֵיהּ חוּלָקָא לְעָלְמָא דְּאָתֵי, כְּד״א וְעַמֵּךְ כֻּלָּם צַדִּיקִים לְעוֹלָם יִירְשׁוּ אָרֶץ. וְהָא אִתְּמַר.

רמה. תְּלַת דַּרְגִּין הָכָא, בְּקַדְמֵיתָא יַעֲקֹב, וּלְבָתַר יִשְׂרָאֵל, וּלְבָתַר יְשׁוּרוּן. ת״ח, יַעֲקֹב הָא אוֹקְמוּהָ. יִשְׂרָאֵל, אוֹף הָכִי נָמֵי. וְאַעֲ״ג דְּדַרְגִּין אִינּוּן וְחַד.

רמו. יְשׁוּרוּן, אַמַּאי אִקְרוּן יִשְׂרָאֵל בִּשְׁמָא דָּא. אֶלָּא, יִשְׂרָאֵל וִישׁוּרוּן כֹּלָּא וְחַד, יְשׁוּרוּן: כְּד״א יָשָׁר עַל אֲנָשִׁים, בְּגִין דְּנָטִיל שׁוּרָה, לְהַאי סִטְרָא, וּלְהַאי סִטְרָא, וּבְגִין אִינּוּן תְּרֵין

שׁוּרִין, אִקְרֵי יְשׁוּרוּן, וְדָא הוּא יִשְׂרָאֵל.

רמז. יִשְׂרָאֵל, עַל דְּנָטִיל רְבוּ וְתוּקְפָּא מִכֹּלָּא. יְשׁוּרוּן, עַל אִינּוּן ווֹלָקֵי תְּרֵין סִטְרִין, תְּרֵין שׁוּרִין, כְּדְקָא אֲמָרָן, וְכֹלָּא וַחַד.

רמוז. וְאִינּוּן שְׁמָהָן כֻּלְּהוּ, סָלְקֵי לְוַחַד. יַעֲקֹב עַבְדִּי, זִמְנִין דְּאִיהוּ עֶבֶד, כְּעַבְדָּא דְּאִית לֵיהּ פְּקוּדָא דְּמָארֵיהּ, וּלְמֶעְבַּד רְעוּתֵיהּ. וְכֵן יִשְׂרָאֵל בָּחַרְתִּי בוֹ, לְאַשְׁרָאָה עֲלֵיהּ, וְכֹלָּא בְּרָזָא עִלָּאָה אִיהוּ. כְּתִיב בֹּרַאֲךָ יַעֲקֹב וְיֹצֶרְךָ יִשְׂרָאֵל, וּכְתִיב כֹּה אָמַר ה' עֹשֶׂךָ, כָּל אִלֵּין דַּרְגִּין סָלְקִין לְוַחַד, וְהָא אִתְּמָר, בּוֹרֵ"א, יוֹצֵ"ר. עוֹשֶׂ"ה. וְכֻלְּהוּ דַּרְגִּין, אִלֵּין עַל אִלֵּין וְכֻלְּהוּ וַחַד.

רמט. זַכָּאָה ווֹלַקֵהוֹן דְּיִשְׂרָאֵל, דְּקֻדְשָׁא בְּרִיךְ הוּא אִתְרְעֵי בְּהוּ, מִכָּל עַמִּין עעכו"ם, בְּגִין דִּבְכֻלְּהוּ כְּתִיב, הֶבֶל הֵמָּה מַעֲשֵׂה תַּעְתֻּעִים בְּעֵת פְּקֻדָּתָם יֹאבֵדוּ, בְּשַׁעְתָּא דְּקֻדְשָׁא בְּרִיךְ הוּא זַמִּין, לְבַעֲרָא לוֹן מִן עַלְמָא, וְיִשְׁתָּאַר הוּא בִּלְחוֹדוֹי, כְּד"א וְנִשְׂגַּב ה' לְבַדּוֹ בַּיּוֹם הַהוּא.

רנ. רִבִּי יְהוּדָה פָּתַח וְאָמַר, אַל תִּירְאִי תּוֹלַעַת יַעֲקֹב מְתֵי יִשְׂרָאֵל אֲנִי עֲזַרְתִּיךְ נְאֻם ה' וְגֹאֲלֵךְ קְדוֹשׁ יִשְׂרָאֵל. ת"ח, כָּל עַמִּין עעכו"ם דְּעַלְמָא, קֻדְשָׁא בְּרִיךְ הוּא יָהַב לוֹן לְמְמַנָּן שַׁלְטָנִין יְדִיעִין, כְּמָה דְּאִתְּמָר. וְכֻלְּהוּ אָזְלֵי בָּתַר אֱלָהֲהוֹן, כְּמָה דִּכְתִיב כִּי כָּל הָעַמִּים יֵלְכוּ אִישׁ בְּשֵׁם אֱלֹהָיו. וְכֻלְּהוּ אוֹשְׁדִין דָּמִין, וּמַגִּיחִין קְרָבָא גָּזְלִין, קַפְחִין וּמְנָאֲפִין וְאִתְעָרְבֵי בְּכַמָּה עוֹבָדִין לְבִישׁ, וְאִתְתַּקָּפוּ בְּחֵילֵיהוֹן לְאַבְאָשָׁא.

רנא. וְיִשְׂרָאֵל, לֵית לוֹן תּוּקְפָּא וְחֵילָא לְנַצְחָאָה לוֹן בַּר בְּפוּמְהוֹן, כְּתוֹלַעְתָּא דָא, דְּלֵית לָהּ תּוּקְפָּא וְחֵילָא אֶלָּא בְּפוּמָא, וּבְפוּמָא מְתַבַּר כֹּלָּא, וְעַל דָּא אִקְרוּן יִשְׂרָאֵל תּוֹלַעַת.

רנב. תּוּ אַל תִּירְאִי תּוֹלַעַת יַעֲקֹב, מַה תּוֹלַעַת, לֵית לִבְרִיָּה דְּעַלְמָא כְּהַאי תּוֹלַעַת דְּמֶשִׁי דְּסִיסְטְרָא, דְּמִנָּהּ נָפְקֵי כָּל לְבוּשֵׁי יְקָר, טִיסְטְרֵי דְּמַלְכִין, לְבָתַר זָרַע זַרְעִין וּמִית, וּלְבָתַר מֵהַהוּא זַרְעָא דְּאִשְׁתָּאַר מִנֵּיהּ אִתְקַיַּים כְּמִלְקַדְמִין, וְהָא אִיהוּ בְּקִיּוּמָא. כָּךְ יִשְׂרָאֵל אִינּוּן כְּהַאי תּוֹלַעַת, דְּאע"ג דְּמֵתִין, יִתְהַדְּרוּן וְיִתְקַיְּימוּן בְּעַלְמָא כְּמִלְקַדְּמִין.

רנג. וְהָא אִתְּמָר כִּי כַּחוֹמֶר בְּיַד הַיּוֹצֵר כֵּן אַתֶּם בְּיָדִי בֵּית יִשְׂרָאֵל. מַאי כַּחוֹמֶר. אֶלָּא דָא הוּא חוֹמֶר דְּהַהוּא זְכוּכִית, דְּאַף עַל גַּב דְּאִתְּבַר, אִתְתַּקַּן, וְאִית לֵיהּ תַּקָּנָה כְּמִלְקַדְמִין.

רנד. מְתֵי יִשְׂרָאֵל, דָא אִילָנָא דְּחַיֵּי, דִּבְגִין דְּיִשְׂרָאֵל אִינּוּן אִתְדַּבְּקוּ בְּאִילָנָא דְּחַיֵּי, בְּגִין כָּךְ יְהֵא חַיִּין לְהוֹן, וִיקוּמוּן מֵעַפְרָא, וְיִתְקַיְּימוּן בְּעַלְמָא, וִיהוֹן לְעַם וַחַד, לְמִפְלַח לֵיהּ לְקֻדְשָׁא בְּרִיךְ הוּא, כְּד"א לִקְרֹא כֻלָּם בְּשֵׁם יי' לְעָבְדוֹ שְׁכֶם אֶחָד.

רנה. רִבִּי אֶלְעָזָר, וְרִבִּי יִצְחָק, הֲווּ אָזְלֵי בְּאָרְחָא, וּמָטָא זִמְנָא דְּק"ש, וְקָם ר' אֶלְעָזָר וְקָרָא ק"ש, וְצַלֵּי צְלוֹתֵיהּ. לְבָתַר, אֲמַר לֵיהּ רִבִּי יִצְחָק, וְהָא תָּנֵינָן, דְּעַד לָא יִפּוֹק בַּר נָשׁ לְאָרְחָא, אִבָּעֵי לֵיהּ לְנַטְלָא רְשׁוּ מִמָּארֵיהּ, וּלְצַלֵּי צְלוֹתֵיהּ.

רנו. אֲמַר לֵיהּ, בְּגִין דְּכַד נָפֵיקְנָא, לָא הֲוָה זְמַן צְלוֹתָא, וְלָא מָטָא זִמְנָא דְּק"ש, הַשְׁתָּא דְּשִׁמְשָׁא נָהִיר, צַלֵּינָא, אֲבָל עַד לָא נָפַקְנָא לְאָרְחָא, בָּעֵינָא בָּעוּתָא מִנֵּיהּ, וְאִמַּלְּכְנָא בֵּיהּ, אֲבָל צְלוֹתָא דָא, לָא צַלֵּינָא.

רנז. דְּהָא אֲנָא אִשְׁתַּדַּלְנָא בְּאוֹרַיְיתָא מִפַּלְגּוּת לֵילְיָא, וְכַד אָתָא צַפְרָא, עַד כְּעָן, לָא הֲוָה עִדָּנָא לְצַלֵּי צְלוֹתָא, בְּגִין דְּהַהִיא שַׁעְתָּא דְּקַדְרוּתָא דְּצַפְרָא אִשְׁתְּכַח, אִתְּתָא מִשְׁתָּעְיָא בְּבַעְלָהּ, וְאִינּוּן בְּרָזָא כַּחֲדָא, דְּבָעְיָא אִיהִי לְמֵיהַךְ לְמַשְׁכְּנָא בְּעוּלֵמְתָּהָא דְּיָתְבֵי בַּהֲדָהּ, וּבְגִין כָּךְ לָא בָּעֵי לֵיהּ לְבַר נָשׁ, לְמִפְסַק מִלַּיְיהוּ דְּמִתְחַבְּרָן כַּחֲדָא, וּלְאַעֲלָא מִלָּה

אַחֲרָא בֵּינַיְיהוּ.

רנח. וְהַשְׁתָּא דְּנָהִיר שִׁמְשָׁא, הוּא עִדָּן צְלוֹתָא לְצַלָּאָה, כְּמָה דְּאוֹקְמוּהָ, דִּכְתִּיב יִירָאוּךָ עִם שָׁמֶשׁ. מַהוּ עִם שָׁמֶשׁ, לְנַטְרָא נְהוֹרָא דְּשִׁמְשָׁא בַּהֲדָן, לְאַנְהֲרָא לָהּ, דְּהָא יִרְאָה בַּהֲדֵי שִׁמְשָׁא אִצְטְרִיךְ, וְלָא לְאַפְרְשָׁא לוֹן. וְכַד לָא נָהִיר יְמָמָא, לָאו הוּא יִרְאָה בַּהֲדֵי שִׁמְשָׁא, וּצְרִיכָא לְחַבְּרָא לוֹן כַּחֲדָא. וְדָא הוּא עִם שָׁמֶשׁ.

רנט. אָזְלֵי, כַּד מָטוּ וַחַד בֵּי חֲקַל, יָתְבוּ. זָקְפוּ עֵינַיְיהוּ, וְחָמָא לֵיהּ לְטוּרָא, דַּהֲווּ סָלְקוּ בְּרוּמֵיהּ, בִּרְיָין מְשַׁנְיָין, דְּחִיל רִבִּי יִצְחָק, אָמַר לֵיהּ רִבִּי אֶלְעָזָר, אַמַּאי דְּחֵילַת. אָמַר לֵיהּ, וְחָמֵינָא דְּהַאי טוּרָא אִיהוּ תַּקִּיף, וְחָמֵינָא אִלֵּין בִּרְיָין, דְּאִינוּן מְשַׁנְיָין. וּדְחִילְנָא דְּלָא יְקַטְרְגוּ לוֹן, א"ל, מַאן דְּדָחִיל, מֵחֲטָאוֹי דְּבִידֵיהּ אִית לֵיהּ לְמִדְחַל, תָּא חֲזֵי, לָאו אִלֵּין, מֵאִינוּן בִּרְיָין תַּקִּיפִין, דַּהֲווּ מִשְׁתַּכְּחִין בְּטוּרַיָּא.

רס. פָּתַח וְאָמַר, וְאֵלֶּה בְנֵי צִבְעוֹן וְאַיָּה וַעֲנָה וגו', הוּא עֲנָה אֲשֶׁר מָצָא אֶת הַיֵּמִם וגו', הַאי קְרָא אוֹקְמוּהָ, אֲבָל תָּא חֲזֵי, לָאו אִלֵּין אִינוּן, דִּכְתִּיב בְּהוּ, הָאֵימִים לְפָנִים יָשְׁבוּ בָהּ וגו', וּבְנֵי עֵשָׂו יִירָשׁוּם וגו'.

רסא. אֲבָל אִלֵּין דְּקָאָמַר קְרָא, אֲשֶׁר מָצָא אֶת הַיֵּמִם בַּמִּדְבָּר, יֵמִם כְּתִיב. אִלֵּין הֲווּ בִּרְיָין מְשַׁנְיָין. דְּכַד הֲוָה אִתְתָּרַךְ קַיִן, מֵעַל אַפֵּי אַרְעָא, כְּדִכְתִיב הֵן גֵּרַשְׁתָּ אֹתִי הַיּוֹם מֵעַל פְּנֵי הָאֲדָמָה וּמִפָּנֶיךָ אֶסָּתֵר, וּכְתִיב וַיֵּשֶׁב בְּאֶרֶץ נוֹד, וְאוֹקְמוּהָ.

רסב. מִבְּנֵי בְּנוֹי, בְּסִטְרָא דְּרוּחִין וְעִלְעוּלִין וּמַזִּיקִין, וְאִלֵּין קַיְימוּ, דְּהָא כַּד בָּעָא לְאִתְקַדְּשָׁא יוֹמָא דְּשַׁבַּתָּא, אִתְבְּרוּן מֵהַהוּא סִטְרָא, רוּחִין, קַיְימִין טְסִירִין בְּלָא גּוּפָא, וְאִלֵּין לָאו אִינוּן מִיּוֹמָא דְּשַׁבַּתָּא, וְלָא מִיּוֹמָא שְׁתִיתָאָה, וְאִשְׁתָּאֲרוּ אִלֵּין תְּרֵין יוֹמִין בְּהוּ בְּסַפְקָא, וּבְגִין כָּךְ לָא אִתְקַיְּימוּ, לָא מֵהַאי, וְלָא מֵהַאי.

רסג. וַאֲזָלוּ וְאִתְפַּשְׁטוּ בְּהַהוּא סִטְרָא דְּקַיִן, וְאִגְלִימוּ בְּהַהוּא סִטְרָא, וְלָא אִתְגְּלִימוּ לְאִתְקַיְּימָא, וְאִקְרוּן יֵמִ"ם וְחָסֵר, דְּלָא אִתְקַיְּימוּ, לָא בְּיוֹמָא דָּא, וְלָא בְּיוֹמָא דָּא, וְאִתְחֲזוּן לִבְנֵי נָשָׁא. וְאִיהוּ אַשְׁכַּח לוֹן, וְאוֹלְפֵי לֵיהּ, לְאַיְיתָאָה מַמְזֵרִין לְעָלְמָא. וְאִינוּן אָזְלֵי בֵּינֵי טוּרַיָּא, וְקַיְימִין בְּגוּפָא, זִמְנָא וְחָדָא בְּיוֹמָא, וּלְבָתַר מִתְפַּשְּׁטֵי מִנֵּיהּ.

רסד. תָּא חֲזֵי, עֲנָה דָּא, אִיהוּ מַמְזֵרָא הֲוָה, דְּאָתָא צִבְעוֹן עַל אִמֵּיהּ, וְאוֹלִיד מַמְזֵרָא, וְדָא אָתָא, מִסִּטְרָא דְּרוּחַ מִסָּאֲבָא, דְּאִתְדַּבַּק בֵּיהּ. וּבְגִ"כ, אַשְׁכַּח לוֹן, וַהֲווּ אוֹלְפֵי לֵיהּ, כָּל זִינִין, דְּסִטַר מִסָּאֲבָא בְּגִין דָּא.

רסה. וְת"ח, אִלֵּין, אִינוּן וְכַמָּה אָחֳרָנִין, מִתְפָּרְשָׁן אִלֵּין מֵאִלֵּין, כֻּלְּהוּ אַתְיָין מֵהַהוּא סִטְרָא, וְאָזְלֵי בְּמַדְבְּרָא, וְאִתְחֲזוּן תַּמָּן, בְּגִין בְּמַדְבְּרָא אֲתַר חָרוּב, וְאִיהוּ בֵּי מוֹתְבָא דִּלְהוֹן. וְעִם כָּל דָּא, כָּל ב"נ, דְּאָזִיל בְּאוֹרְחוֹי דְּקֻבְּ"ה, וְדָחִיל לֵיהּ לְקֻבְּ"ה, לָא מִסְתַּפֵּי מִנַּיְיהוּ. אָזְלוּ וְעָאלוּ בְּטוּרָא.

רסו. אָמַר רִבִּי יִצְחָק, כְּגַוְונָא דָּא, כָּל אִינוּן טוּרִין וְחָרוּבִין, אֲתַר בֵּי מוֹתְבָא דִּלְהוֹן. א"ל, הָכֵי הוּא, וְכָל אִינוּן דְּמִשְׁתַּדְּלֵי בְּאוֹרַיְיתָא, עֲלַיְיהוּ כְּתִיב יְיָ' יִשְׁמָרְךָ מִכָּל רָע יִשְׁמֹר אֶת נַפְשֶׁךָ יְיָ' יִשְׁמָר צֵאתְךָ וּבוֹאֶךָ מֵעַתָּה וְעַד עוֹלָם.

רסז. פָּתַח רִבִּי אֶלְעָזָר וְאָמַר, הַלְלוּיָהּ אוֹדֶה יְיָ' בְּכָל לֵבָב בְּסוֹד יְשָׁרִים וְעֵדָה, הַאי קְרָא אוֹקְמוּהָ, אֲבָל ת"ח, דָּוִד מַלְכָּא, כָּל יוֹמוֹי, הֲוָה מִשְׁתַּדֵּל בְּפוּלְחָנָא דְּקֻבְּ"ה, וַהֲוָה קָם בְּפַלְגוּת לֵילְיָא, וּמְשַׁבַּח וּמוֹדֶה בְּשִׁירִין וְתוּשְׁבְּחָן, בְּגִין לְאִתְתַּקְּנָא דּוּכְתֵּיהּ בְּמַלְכוּ דִּלְעֵילָּא.

רסח. דְּכַד אִתְעַר רוּחַ צָפוֹן, בְּפַלְגוּת לֵילְיָא, הֲוָה יָדַע, דְּקֻבְּ"ה בְּהַהִיא שַׁעֲתָא, יִתְעַר

בְּגִנְּתָא דְעֵדֶן, לְאִשְׁתַּעְשַׁע עִם צַדִּיקַיָּיא, וְאִיהוּ הֲוָה קָם בְּהַהִיא שַׁעְתָּא, וְאִתְגַּבַּר בְּשִׁירִין וְתוּשְׁבְּחָן, עַד דְּסָלִיק צַפְרָא.

רסט. בְּגִין, דְּכַד קֻדְשָׁא בְּרִיךְ הוּא אִשְׁתְּכַח בְּגִנְּתָא דְעֵדֶן, הָא אוּקִימְנָא, דְּאִיהוּ, וְכָל צַדִּיקַיָּיא דִּבְגִנְּתָא, כֻּלְּהוּ צַיְיתֵי לְקָלֵיהּ, כְּדִכְתִיב וַחֲבֵרִים מַקְשִׁיבִים לְקוֹלֵךְ הַשְׁמִיעִנִי. וְלָא עוֹד, אֶלָּא דְחוּטָא דְחֶסֶד, מָשִׁיךְ עֲלֵיהּ בִּימָמָא, כְּמָה דְּאִתְּמַר, דִּכְתִיב יוֹמָם יְצַוֶּה יְיָ' חַסְדּוֹ וּבַלַּיְלָה שִׁירֹה עִמִּי. וְלָא עוֹד, אֶלָּא דְּאִינּוּן מִלִּין דְּאוֹרַיְיתָא, דְּאִיהוּ אֲמַר, כֻּלְּהוּ סָלְקִין, וּמִתְעַטְּרִין קַמֵּי קֻדְשָׁא בְּרִיךְ הוּא, וּבְגִין כָּךְ, דָּוִד מַלְכָּא, הֲוָה מִשְׁתַּדֵּל בְּלֵילְיָא בְּפוּלְחָנָא דְמָארֵיהּ.

ער. ת"ח, הַלְלוּיָהּ, בְּכָל אִינּוּן שִׁירִין וְתוּשְׁבְּחָן, דְּקָאֲמַר דָּוִד, הָא תָּנֵינָן, דִּלְעֵילָּא מִכֻּלְּהוֹן, הוּא הַלְלוּיָהּ, וְאוֹקְמוּהָ, מַאי טַעְמָא, בְּגִין דְּכָלֵיל שְׁמָא וְשִׁבְחָא כַּחֲדָא. מַאי שְׁמָא וְשִׁבְחָא. שְׁמָא: דָּא יָ"הּ. שִׁבְחָא מַאן אִיהוּ, אֶלָּא דָּא כ"י, דְּאִיהוּ מִתְקַנְּנָא שִׁבְחָא תָּדִיר לְקֻדְשָׁא בְּרִיךְ הוּא, וְלָא אִשְׁתַּכְּכַת, כד"א אֱלֹהִים אַל דֳּמִי לָךְ אַל תֶּחֱרַשׁ וְאַל תִּשְׁקֹט אֵל. בְּגִין, דְּסִדּוּרָא דְּשִׁבְחָא, אִיהִי מְסַדְּרַת, וּמְשַׁבַּחַת תָּדִיר לְגַבֵּיהּ, וּבְגִין כָּךְ שְׁמָא וְשִׁבְחָא כַּחֲדָא.

רעא. אוֹדֶה יְיָ' בְּכָל לֵבָב, כְּמָה דְּאוֹקְמוּהָ, בְּיֵצֶר הַטּוֹב וּבְיֵצֶר הָרָע, בְּגִין דְּאִינּוּן מִשְׁתַּכְּחֵי תָּדִיר לְגַבֵּיהּ דְּב"נ, כד"א בְּכָל לְבָבְךָ, וְאוֹקְמוּהָ.

ערב. בְּסוֹד יְשָׁרִים, אִלֵּין אִינּוּן יִשְׂרָאֵל, דְּכָל דַּרְגִּין בְּהוּ מִתְעַטְּרָן, כַּהֲנֵי, וְלֵיוָאֵי, צַדִּיקֵי וַחֲסִידֵי, יְשָׁרִים. וְעֵדָה: כד"א נִצָּב בַּעֲדַת אֵל. וְאִינּוּן רָזָא, דְּקוּדְשָׁא בְּרִיךְ הוּא אִתְעַטַּר בְּהוּ.

רעג. וּבְגִ"כ, בָּעֵי ב"נ, לְשַׁבְּחָא לֵיהּ לְקֻדְשָׁא בְּרִיךְ הוּא תָּדִיר, בְּגִין דְּאִיהוּ אִתְרְעֵי בְּשִׁירִין וְתוּשְׁבְּחָן, וּמַאן דְּיָדַע לְשַׁבְּחָא לֵיהּ לְקֻדְשָׁא בְּרִיךְ הוּא כִּדְקָא יָאוּת, קֻדְשָׁא בְּרִיךְ הוּא קַבֵּיל צְלוֹתֵיהּ, וְשֵׁזִיב לֵיהּ, הה"ד אֲשַׂגְּבֵהוּ כִּי יָדַע שְׁמִי וגו' אֹרֶךְ יָמִים וגו'.

רעד. פָּתַח ר' יוֹסֵי וַאֲמַר, אַתָּה סֵתֶר לִי מִצַּר תִּצְּרֵנִי רָנֵּי פַלֵּט תְּסוֹבְבֵנִי סֶלָה, אַתָּה סֵתֶר לִי, דָּא קֻדְשָׁא בְּרִיךְ הוּא, דְּאִיהוּ סִתְרָא וּמָגֵן לְב"נ, דְּאָזִיל בְּאָרְחֵי דְּאוֹרַיְיתָא, וְאִיהוּ אִסְתַּתַּר בְּצִלָּא דְגַדְפוֹי, דְּלָא יָכְלִין לְאַבְאָשָׁא לֵיהּ. מִצַּר תִּצְּרֵנִי, מֵעֵילָּא וּמִתַּתָּא, לְעֵילָּא אִית לֵיהּ לְבַר נָשׁ, מָארֵי דְּדָבוּ, לְתַתָּא אוּף הָכֵי נָמֵי, וּמַאן אִיהוּ דָּא יֵצֶר הָרָע, דְּאִיהוּ צַר לְעֵילָּא, וְצַר לְתַתָּא, וְאִלְמָלֵא יֵצֶר הָרָע, לָא אִשְׁתַּכַּח מָארֵי דְּדָבוּ לְבַר נָשׁ בְּעָלְמָא, בְּגִין כָּךְ, מִצַּר תִּצְּרֵנִי.

רעה. רָנֵּי פַלֵּט תְּסוֹבְבֵנִי סֶלָה, יְסוֹבְבֵנִי סֶלָה, מִבָּעֵי לֵיהּ, מַאי תְּסוֹבְבֵנִי. אִלֵּין אִינּוּן שִׁירִין, דְּאִית בְּהוּ דַּרְגִּין לְהַצָּלָה, תְּסוֹבְבֵנִי בְּהוּ, לְשֵׁזָבָא לִי בְּאָרְחָא. וְהַאי קְרָא אִיהוּ כְּסִדְרָא, וְאִיהוּ לְמַפְרֵעַ, מֵהַאי גִּיסָא, וּמֵהַאי גִּיסָא.

רעו. ת"ח, בְּאִלֵּין שִׁירִין וְתוּשְׁבְּחָן דְּקָאֲמַר דָּוִד, אִית בְּהוֹן רָזִין, וּמִלִּין עִלָּאִין, בְּרָזֵי דְחָכְמְתָא, בְּגִין דְּכֻלְּהוּ בְּרוּחַ קוּדְשָׁא אִתְאֲמָרוּ, דַּהֲוָה שָׁרֵא רוּחַ קוּדְשָׁא עֲלֵיהּ דְּדָוִד, וַהֲוָה אֲמַר שִׁירָתָא, וּבְגִ"כ, כֻּלְּהוּ בְּרָזֵי דְחָכְמְתָא אִתְאֲמָרוּ.

רעז. פָּתַח ר' אֶלְעָזָר וַאֲמַר, דָּחֹה דְחִיתַנִי לִנְפֹּל וַה' עֲזָרָנִי, דָּחֹה דְחִיתַנִי, דָּחֹה דְחוּנִי מִבָּעֵי לֵיהּ, מַאי דָּחֹה דְחִיתַנִי. אֶלָּא, דָּא סִטְרָא אָחֳרָא, דְּדַחְיָיא לֵיהּ לְב"נ תָּדִיר, וּבָעֵי לְדַחְיָיא לֵיהּ, וּלְאַסְטָאָה לֵיהּ, מֵעִם קֻדְשָׁא בְּרִיךְ הוּא, וְדָא הוּא יצה"ר, דְּאִשְׁתַּכַּח לְגַבֵּיהּ ב"נ תָּדִיר, וּלְקַבְלֵיהּ אַהֲדַר דָּוִד וַאֲמַר, דָּחֹה דְחִיתַנִי לִנְפּוֹל, בְּגִין דְּאִיהוּ הֲוָה אִשְׁתַּדֵּל לְגַבֵּיהּ, בְּכָל אִינּוּן עָקְתִין, לְאַסְטָאָה לֵיהּ מֵעִם קֻדְשָׁא בְּרִיךְ הוּא, וַעֲלֵיהּ אֲמַר דָּוִד, דָּחֹה דְחִיתַנִי לִנְפּוֹל, בַּגֵּיהִנֹּם. וַה' עֲזָרָנִי, דְּלָא אִתְמַסַּרְנָא בִּידָךְ.

רעח. וְע"ד אִית לֵיהּ לְב"נ לְאִזְדַּהֲרָא מִנֵּיהּ, בְּגִין דְּלָא יִשְׁלוֹט עֲלֵיהּ, וְקֻדְשָׁא בְּרִיךְ הוּא כְּדֵין נָטִיר

לֵיהּ בְּכָל אָרְחוֹי. דִּכְתִיב אָז תֵּלֵךְ לָבֶטַח דַּרְכֶּךָ וְרַגְלְךָ לֹא תִגּוֹף בְּלֶכְתְּךָ לֹא יֵצַר צַעֲדֶךָ וְאִם תָּרוּץ לֹא תִכָּשֵׁל. וּכְתִיב וְאֹרַח צַדִּיקִים כְּאוֹר נֹגַהּ הוֹלֵךְ וָאוֹר עַד נְכוֹן הַיּוֹם, אָמַר ר׳ יְהוּדָה, זַכָּאִין אִינּוּן יִשְׂרָאֵל, דְּקֻבְּ״ה נָטִיר לוֹן, בְּעָלְמָא דֵין, וּבְעָלְמָא דְאָתֵי, דִּכְתִיב וְעַמֵּךְ כֻּלָּם צַדִּיקִים לְעוֹלָם יִירְשׁוּ אָרֶץ.

בָּרוּךְ ה׳ לְעוֹלָם אָמֵן וְאָמֵן.

VAYESHEV

וַיֵּשֶׁב

א. וַיֵּשֶׁב יַעֲקֹב בְּאֶרֶץ מְגוּרֵי אָבִיו בְּאֶרֶץ כְּנָעַן. רִבִּי חִיָּיא פָּתַח וְאָמַר, רַבּוֹת רָעוֹת צַדִּיק וּמִכֻּלָּם יַצִּילֶנּוּ יְיָ'. ת"ח, כַּמָּה מְקַטְרְגִין אִית לֵיהּ לְבַ"נ, מִיּוֹמָא דְּקֻבְּ"ה יָהַב בֵּיהּ נִשְׁמְתָא בְּהַאי עָלְמָא, דְּכֵיוָן דְּנָפִיק ב"נ לַאֲוִירָא דְעָלְמָא, מִיָּד אִזְדַּמַּן לְאִשְׁתַּתְּפָא בַּהֲדֵיהּ יֵצֶר הָרָע, כְּמָה דְאִתְּמַר, דִּכְתִּיב לַפֶּתַח חַטָּאת רוֹבֵץ וגו'. וּכְדֵין אִשְׁתַּתַּף בַּהֲדֵיהּ יֵצֶר הָרָע.

ב. וְת"ח דְּהָכֵי הוּא, דְּהָא בְּעִירֵי, מִיּוֹמָא דְּאִתְיַלִּידוּ, כֻּלְּהוּ נָטְרֵי גַּרְמַיְיהוּ, וְעָרְקִין מִן גּוֹ נוּרָא, וּמִן כָּל אַתְרִין בִּישִׁין. וּבַר נָשׁ, מִיָּד אָתֵי לַאֲרְמָא גַּרְמֵיהּ גּוֹ נוּרָא, בְּגִין דְּיֵצֶר הָרָע שָׁארֵי בְּגַוֵּיהּ, וּמִיָּד אַסְטֵי לֵיהּ לְאָרְחָא בִּישָׁא.

ג. וְאוּקִימְנָא, דִּכְתִּיב טוֹב יֶלֶד מִסְכֵּן וְחָכָם מִמֶּלֶךְ זָקֵן וּכְסִיל אֲשֶׁר לֹא יָדַע לְהִזָּהֵר עוֹד. טוֹב יֶלֶד: דָּא הוּא יֵצֶר טוֹב, דְּהוּא יֶלֶד, מִיּוֹמִין זְעִירִין עִמֵּיהּ דְּבַ"נ, דְּהָא מִתְּלֵיסַר שְׁנִין וְאֵילָךְ, כְּמָה דְאִתְּמַר.

ד. מִמֶּלֶךְ זָקֵן וּכְסִיל, מִמֶּלֶךְ: דָּא הוּא יֵצֶר הָרָע, דְּאִיהוּ אִקְרֵי מֶלֶךְ, וְשַׁלִּיט בְּעָלְמָא עַל בְּנֵי נָשָׁא. זָקֵן וּכְסִיל, דְּאִיהוּ זָקֵן וַדַּאי, כְּמָה דְאוּקְמוּהָ, דְּכַד אִתְיְלִיד ב"נ וְנָפִיק לַאֲוִירָא דְעָלְמָא, אִיהוּ אִזְדַּמַּן עִמֵּיהּ דְּבַ"נ, וְע"ד אִיהוּ מֶלֶךְ זָקֵן וּכְסִיל.

ה. אֲשֶׁר לֹא יָדַע לְהִזָּהֵר עוֹד, לְהַזְהִיר לָא כְּתִיב, אֶלָּא לְהִזָּהֵר, בְּגִין דְּאִיהוּ כְּסִיל, וַעֲלֵיהּ אֲמַר שְׁלֹמֹה ע"ה, וְהַכְּסִיל בַּחֹשֶׁךְ הוֹלֵךְ, דְּהָא מִסּוּסִיתָא דְחוֹשֶׁךְ קָא אַתְיָא, וְלֵית לֵיהּ נְהוֹרָא לְעָלְמִין.

ו. רִבִּי שִׁמְעוֹן אֲמַר, ת"ח, כְּתִיב טוֹב יֶלֶד מִסְכֵּן וְחָכָם, מַאן יֶלֶד מִסְכֵּן, הָא אוּקְמוּהָ וְאִתְּמַר, דְּאִיהוּ יֵצֶר טוֹב, אֲבָל טוֹב יֶלֶד, הה"ד נַעַר הָיִיתִי גַּם זָקַנְתִּי, וְדָא הוּא נַעַר, דְּאִיהוּ יֶלֶד. מִסְכֵּן: דְּלֵית לֵיהּ מִגַּרְמֵיהּ כְּלוּם. וְאַמַּאי אִקְרֵי נַעַר. בְּגִין דְּאִית לֵיהּ חִדּוּתָא דְסִיהֲרָא, דְּמִתְחַדְּשָׁא תָּדִיר, וְתָדִיר אִיהוּ יֶלֶד מִסְכֵּן, כְּמָה דַּאֲמָרָן. וְחָכָם: בְּגִין דְּחָכְמָה שַׁרְיָא בֵּיהּ.

ז. מִמֶּלֶךְ זָקֵן, דָּא הוּא יֵצֶר הָרָע, כְּמָה דְאִתְּמַר, דְּהָא מִן יוֹמָא דַּהֲוָה, לָא נָפַק מִמְּסָאֲבוּתֵיהּ לְעָלְמִין, וְאִיהוּ כְּסִיל, דְּכָל אָרְחוֹי אִינוּן לְאָרַח בִּישָׁא, וְאָזִיל וְסָטֵי לִבְנֵי נָשָׁא, וְלָא יָדַע לְאִזְדַּהֲרָא, וְאִיהוּ אָתֵי עִם ב"נ בְּתַסְקוּפִין, בְּגִין לְאַסְטָאָה לוֹן מֵאֹרַח טָבָא, לְאֹרַח בִּישָׁא.

ח. ת"ח, עַל דָּא אַקְדִּים עִם בַּר נָשׁ בְּיוֹמָא דְּאִתְיְלִיד, בְּגִין דִּיְהֵימִין לֵיהּ, דְּהָא כַּד אָתֵי יֵצֶר טוֹב, לָא יָכִיל ב"נ לְמְהֵימְנָא לֵיהּ, וְדָמֵי עֲלֵיהּ כְּמַטוּלָא, כְּגַוְונָא דָּא תָּנִינָן, מַאן הוּא רָשָׁע עָרוּם, דָּא הוּא מַאן דְּאַקְדִּים לְאַטְעָנָא מִלּוֹי לְקַמֵּי דַּיָּינָא, עַד לָא יֵיתֵי חַבְרֵיהּ מָארֵי דְדִינָא, כְּד"א צַדִּיק הָרִאשׁוֹן בְּרִיבוֹ וגו'.

ט. כְּגַוְונָא דָּא הַאי רָשָׁע עָרוּם, כְּד"א וְהַנָּחָשׁ הָיָה עָרוּם, וְהוּא אַקְדִּים וְשָׁרֵי עִמֵּיהּ דְּבַ"נ, עַד לָא יֵיתֵי חַבְרֵיהּ לְאַשְׁרָאָה עֲלֵיהּ. וּבְגִין דְּאִיהוּ אַקְדִּים, וְהָא אַטְעִין טַעֲנָתֵיהּ עִמֵּיהּ, כַּד אָתֵי חַבְרֵיהּ דְּאִיהוּ יֵצֶר הַטּוֹב, אַבְאִישׁ לֵיהּ לְבַ"נ בַּהֲדֵיהּ, וְלָא יָכִיל לְזַקְפָא רֵישֵׁיהּ, כְּאִילוּ אַטְעִין עַל

כִּתְפֵיהּ, כָּל מְטוֹלִין דְּעָלְמָא, בְּגִין הַהוּא רָשָׁע עָרוּם דְּאַקְדִּים עִמֵּיהּ, וְע"ד אָמַר שְׁלֹמֹה וְחָכְמַת הַמִּסְכֵּן בְּזוּיָה, וּדְבָרָיו אֵינָם נִשְׁמָעִים, בְּגִין דְּהָא אַקְדִּים אָחֳרָא.

י. וְע"ד, כָּל דַּיָּינָא דְּקַבֵּיל מִבַּר נָשׁ מִלָּה, עַד לָא יֵיתֵי חַבְרֵיהּ, כְּאִילּוּ מְקַבֵּל עָלֵיהּ טָעֲוָא אָחֳרָא לֶאֱלָהוּתָא, אֶלָּא וּבָא רֵעֵהוּ וַחֲקָרוֹ, וְדָא הוּא אֹרַח דְּבַר נָשׁ זַכָּאָה, דְּהָא ב"נ זַכָּאָה, דָּא הוּא דְּלָא הֵימִין לְהַהוּא רָשָׁע עָרוּם דְּיֵצֶר הָרָע, עַד דְּיֵיתֵי חַבְרֵיהּ דְּאִיהוּ יֵצֶר טוֹב. וּבְגִין דָּא, בְּנֵי נָשָׁא אִינּוּן כְּשֵׁלִין לְעָלְמָא דְּאָתֵי.

יא. אֲבָל הַהוּא זַכָּאָה, דְּאִיהוּ דָּחִיל לְמָארֵיהּ, כַּמָּה בִּישִׁין סָבִיל בְּהַאי עָלְמָא, בְּגִין דְּלָא יְהֵימַן, וְלָא יִשְׁתַּתַּף בְּהַהוּא יֵצֶר הָרָע, וְקוּדְשָׁא בְּרִיךְ הוּא שֵׁזִיב לֵיהּ מִכֻּלְּהוּ, הה"ד רַבּוֹת רָעוֹת צַדִּיק וּמִכֻּלָּם יַצִּילֶנּוּ יְיָ'. רַבּוֹת רָעוֹת לַצַּדִּיק לָא כְּתִיב אֶלָּא צַדִּיק, בְּגִין דְּקוּדְשָׁא בְּרִיךְ הוּא אִתְרְעֵי בֵּיהּ, וּבְגִ"כ, קוּדְשָׁא בְּרִיךְ הוּא אִתְרְעֵי בְּהַהוּא ב"נ, וְשֵׁזִיב לֵיהּ מִכֹּלָּא, בְּהַאי עָלְמָא וּבְעָלְמָא דְּאָתֵי, זַכָּאָה חוּלָקֵיהּ.

יב. ת"ח, כַּמָּה בִּישִׁין עָבְרוּ עָלֵיהּ דְּיַעֲקֹב, בְּגִין דְּלָא יִתְדַּבַּק בְּהַהוּא יֵצֶר הָרָע, וְיִתְרַחֵק מֵחוּלָקֵיהּ, וּבְגִ"כ סָבִיל כַּמָּה עָנְשִׁין, כַּמָּה בִּישִׁין, וְלָא שָׁקִיט. פָּתַח וְאָמַר, לֹא שָׁלַוְתִּי וְלֹא שָׁקַטְתִּי וְלֹא נָחְתִּי וַיָּבֹא רֹגֶז. ת"ח, כַּמָּה בִּישִׁין סָבְלִין צַדִּיקַיָּא בְּהַאי עָלְמָא, בִּישִׁין עַל בִּישִׁין, כְּאֵבִין עַל כְּאֵבִין, בְּגִין לְמִזְכֵּי לוֹן לְעָלְמָא דְּאָתֵי.

יג. יַעֲקֹב כַּמָּה סָבִיל, בִּישִׁין עַל בִּישִׁין תָּדִיר, כְּד"א לֹא שָׁלַוְתִּי: בְּבֵיתָא דְּלָבָן, וְלָא יָכֵילְנָא לְאִשְׁתֵּזָבָא מִנֵּיהּ. וְלֹא שָׁקַטְתִּי: מֵעֵשָׂו, מֵהַהוּא צַעֲרָא דְּצַעַר לִי, הַהוּא מְמַנָּא דִּילֵיהּ, וּלְבָתַר דְּחִילוּ דְּעֵשָׂו. וְלֹא נָחְתִּי: מִן דִּינָה, וּמִן שְׁכֶם.

יד. וַיָּבֹא רֹגֶז: דָּא רוּגְזָא וְעִרְבּוּבְיָא דְּיוֹסֵף, דְּאִיהוּ קַשְׁיָא מִכֻּלְּהוּ, מִגּוֹ רְחִימוּתָא דְּיַעֲקֹב לְגַבֵּי דְּיוֹסֵף, דְּאִיהוּ רָזָא דִּבְרִית, עָאל בְּמִצְרַיִם, בְּגִין דִּלְבָתַר כְּתִיב, וָאֶזְכֹּר אֶת בְּרִיתִי לְאִשְׁתַּכְּחָא שְׁכִינְתָּא תַּמָּן בַּהֲדֵיהּ.

טו. וַיֵּשֶׁב יַעֲקֹב בְּאֶרֶץ מְגוּרֵי אָבִיו בְּאֶרֶץ כְּנָעַן, רִבִּי יוֹסֵי פָּתַח הַצַּדִּיק אָבַד וְאֵין אִישׁ שָׂם עַל לֵב וְאַנְשֵׁי חֶסֶד נֶאֱסָפִים בְּאֵין מֵבִין כִּי מִפְּנֵי הָרָעָה נֶאֱסַף הַצַּדִּיק. הַצַּדִּיק אָבַד, בְּזִמְנָא דְּקוּדְשָׁא בְּרִיךְ הוּא אַשְׁגַּח בְּעָלְמָא, וְלָא הֲוֵי עָלְמָא כִּדְקָא יָאוֹת, וְאִזְדַּמַּן דִּינָא לְשַׁרְיָא עַל עָלְמָא, כְּדֵין קוּדְשָׁא בְּרִיךְ הוּא, נָטֵיל זַכָּאָה דְּאִשְׁתַּכַּח בֵּינַיְיהוּ, בְּגִין דְּיִשְׁרֵי דִּינָא עַל כֻּלְּהוּ אָחֳרָנִין, וְלָא יִשְׁתַּכַּח מַאן דְּיָגִין עָלַיְיהוּ.

טז. דְּהָא כָּל זִמְנָא דְּזַכָּאָה שָׁארֵי בְּעָלְמָא, דִּינָא לָא יָכֵיל לְשַׁלְטָאָה עַל עָלְמָא. מְנָלָן מִמֹּשֶׁה, דִּכְתִיב וַיֹּאמֶר לְהַשְׁמִידָם לוּלֵי מֹשֶׁה בְחִירוֹ עָמַד בַּפֶּרֶץ לְפָנָיו וְגוֹ'. וּבְגִין כָּךְ, קוּדְשָׁא בְּרִיךְ הוּא, נָטֵיל לְזַכָּאָה מִבֵּינַיְיהוּ, וְסָלֵיק לֵיהּ מֵעָלְמָא, וּכְדֵין אִתְפְּרַע וְגָבֵי דִּילֵיהּ. סוֹפֵיהּ דִּקְרָא, כִּי מִפְּנֵי הָרָעָה נֶאֱסַף הַצַּדִּיק, עַד דְּלָא יֵיתֵי רָעָה לְשַׁלְטָאָה עַל עָלְמָא, נֶאֱסַף הַצַּדִּיק. דָּבָר אַחֵר, כִּי מִפְּנֵי הָרָעָה: דָּא יֵצֶר הָרָע.

יז. ת"ח, יַעֲקֹב שְׁלִימוּ דַּאֲבָהָן הֲוָה, וְאִיהוּ קָאֵי לְקַיְּימָא בְּגָלוּתָא, אֲבָל מִגּוֹ דְּאִיהוּ צַדִּיק, אִתְעַכַּב דִּינָא, דְּלָא שַׁלְטָא בְּעָלְמָא, דְּהָא כָּל יוֹמֵי דְּיַעֲקֹב, לָא שָׁרָא דִּינָא עַל עָלְמָא, וְכַפְנָא אִתְבַּטְּלַת.

יח. וְאוּף הָכֵי בְּיוֹמוֹי דְּיוֹסֵף, דְּאִיהוּ דְּיוּקְנָא דַּאֲבוֹי, לָא שָׁרָא גָּלוּתָא, בְּגִין דְּאִיהוּ אָגִין עָלַיְיהוּ, כָּל יוֹמוֹי, כֵּיוָן דְּאִיהוּ מִית, מִיַּד שָׁרָא עֲלַיְיהוּ גָּלוּתָא, כְּד"א וַיָּמָת יוֹסֵף וְגוֹ', וּסְמִיךְ לֵיהּ, הָבָה נִתְחַכְּמָה לוֹ. וּכְתִיב וַיְמָרְרוּ אֶת חַיֵּיהֶם בַּעֲבוֹדָה קָשָׁה בְּחוֹמֶר וּבִלְבֵנִים וְגוֹ'.

יט. כְּגַוְונָא דָּא, בְּכָל אֲתַר דְּשַׁרְיָא זַכָּאָה בְּעָלְמָא, בְּגִינֵיהּ קוּדְשָׁא בְּרִיךְ הוּא יָגִין עַל

עַלְמָא, וְכָל זִמְנָא דְּאִיהוּ קַיָּים, דִּינָא לָא שַׁרְיָא עַל עַלְמָא, וְהָא אִתְּמָר.

כ. תָּא חֲזֵי, וַיֵּשֶׁב יַעֲקֹב בְּאֶרֶץ מְגוּרֵי אָבִיו, מַאי מְגוּרֵי אָבִיו, כד״א מָגוֹר מִסָּבִיב, דְּכָל יוֹמוֹי הֲוָה דָּחִיל וַהֲוָה בִּדְחִילוּ. וַיֵּשֶׁב יַעֲקֹב בְּאֶרֶץ מְגוּרֵי אָבִיו. רִבִּי אֶלְעָזָר אָמַר, דְּאִתְקַשַּׁר וְיָתִיב, בְּהַהוּא אֲתַר דְּאִתְאֲחִיד בְּחוֹשֶׁךְ. אֶרֶץ מְגוּרֵי אָבִיו דַּיְיקָא. בְּאֶרֶץ כְּנָעַן, אִתְקַשַּׁר אַתְרָא בְּאַתְרֵיהּ. מְגוּרֵי אָבִיו: דָּא דִּינָא קַשְׁיָא. בְּאֶרֶץ מְגוּרֵי אָבִיו, כְּמָה דְּאִתְּמָר הַהוּא דִּינָא רַפְיָא, דְּאִיהִי אֶרֶץ, דְּאִתְאֲחִיד מִן דִּינָא קַשְׁיָא, וּבֵיהּ אִתְיַשַּׁב יַעֲקֹב, וְאִתְאֲחִיד בֵּיהּ.

כא. אֵלֶּה תּוֹלְדוֹת יַעֲקֹב יוֹסֵף וגו׳, בָּתַר דְּאִתְיַשַּׁב יוֹסֵף בְּיַעֲקֹב, וְאִזְדַּוַּוג שִׁמְשָׁא בְּסִיהֲרָא, כְּדֵין שָׁרָא לְמֶעְבַּד תּוֹלְדוֹת, וּמַאן אִיהוּ דַּעֲבֵיד תּוֹלְדוֹת, אַהֲדַר וַאֲמַר יוֹסֵף, דְּהָא הַהוּא נָהָר דְּנָגִיד וְנָפִיק, אִיהוּ עֲבֵיד תּוֹלְדוֹת, בְּגִין דְּלָא פָּסְקִין מֵימוֹי לְעָלְמִין, וְאִיהוּ עֲבֵיד תּוֹלְדוֹת בְּהַאי אֶרֶץ, וּמִנֵּיהּ נָפְקִין תּוֹלְדוֹת לְעַלְמָא.

כב. דְּהָא שִׁמְשָׁא, אע״ג דְּאִתְקְרַב בְּסִיהֲרָא, לָא עֲבֵיד אִיבִּין, בַּר הַהוּא דַּרְגָּא דְּאִקְרֵי צַדִּי״ק, וְיוֹסֵף אִיהוּ דַּרְגָּא דְּיַעֲקֹב לְמֶעְבַּד אִיבִּין, וּלְאַפָּקָא תּוֹלָדִין לְעַלְמָא, וּבְגִין כָּךְ כְּתִיב, אֵלֶּה תּוֹלְדוֹת יַעֲקֹב יוֹסֵף.

כג. אֵלֶּה תּוֹלְדוֹת יַעֲקֹב יוֹסֵף, כָּל מַאן דַּהֲוָה מִסְתַּכֵּל בִּדְיוֹקְנָא דְּיוֹסֵף, הֲוָה אָמַר, דְּדָא הוּא דְּיוֹקְנָא דְּיַעֲקֹב. ת״ח, דִּבְכֻלְּהוּ בְּנֵי יַעֲקֹב, לָא כְּתִיב אֵלֶּה תּוֹלְדוֹת יַעֲקֹב רְאוּבֵן, בַּר יוֹסֵף, דִּדְיוֹקְנֵיהּ דָּמֵי, לִדְיוֹקְנָא דַּאֲבוּי.

כד. בֶּן שְׁבַע עֶשְׂרֵה שָׁנָה. אָמַר רִבִּי אַבָּא, רָמַז לֵיהּ קוּדְשָׁא בְּרִיךְ הוּא דְּהָא כַּד אִתְאֲבֵיד מִנֵּיהּ יוֹסֵף, בֶּן שְׁבַע עֶשְׂרֵה שְׁנִין הֲוָה, וְכָל אִינּוּן יוֹמִין דְּאִשְׁתָּאֲרוּ, דְּלָא חָמָא לֵיהּ לְיוֹסֵף, הֲוָה בָּכֵי עַל אִינּוּן שְׁבַע עֶשְׂרֵה שְׁנִין, וְכַמָּה דַּהֲוָה בָּכֵי עֲלֵיהּ, קוּדְשָׁא בְּרִיךְ הוּא יְהַב לֵיהּ, שְׁבַע עֶשְׂרֵה שְׁנִין אָחֳרָנִין, דְּאִתְקַיָּים בְּאַרְעָא דְּמִצְרַיִם, בְּחֶדְוָו בִּיקָרָא וּבִשְׁלִימוּ דְּכֹלָּא, בְּרֵיהּ יוֹסֵף הֲוָה מַלְכָּא, וְכָל בְּנוֹי קַמֵּיהּ הֲווּ, אִינּוּן שְׁבַע עֶשְׂרֵה שְׁנִין, הֲווּ חַיִּין לְגַבֵּיהּ, וּבְג״כ בֶּן שְׁבַע עֶשְׂרֵה שָׁנָה הֲוָה אִיהוּ, כַּד אִתְאֲבֵיד מִנֵּיהּ.

כה. רִבִּי חִיָּיא פָּתַח וַאֲמַר, לָכֵן אַנְשֵׁי לֵבָב שִׁמְעוּ לִי חָלִלָה לָאֵל מֵרֶשַׁע וְשַׁדַּי מֵעָוֶל. כִּי פֹעַל אָדָם יְשַׁלֶּם לוֹ וּכְאֹרַח אִישׁ יַמְצִאֶנּוּ. תָּא חֲזֵי, כַּד בָּרָא קב״ה עַלְמָא, עֲבַד לֵיהּ עַל דִּינָא, וְעַל דִּינָא אִתְקַיָּים, וְכָל עוֹבָדִין דְּעַלְמָא, אִינּוּן קַיְימִין בְּדִינָא, בַּר דְּקב״ה בְּגִין לְקַיְּימָא עַלְמָא וְלָא יִתְאֲבֵיד, פָּרִישׂ עֲלֵיהּ רַחֲמֵי, וְאִינּוּן רַחֲמֵי מְעַכְּבֵי לְדִינָא, דְּלָא יִשְׁתְּצֵי עַלְמָא, וְעַל רַחֲמֵי אִתְנְהִיג עַלְמָא, וְאִתְקַיָּים בְּגִינַיְיהוּ.

כו. וְאִי תֵּימָא דְּקוּדְשָׁא בְּרִיךְ הוּא עֲבֵיד דִּינָא בְּבַר נָשׁ בְּלָא דִּינָא, הָא אִתְּמָר, דְּכַד דִּינָא שַׁרְיָא עֲלֵיהּ דְּבַר נָשׁ, כַּד אִיהוּ זַכָּאָה, בְּגִין רְחִימוּתָא דְּקב״ה בֵּיהּ אִיהִי, כְּמָה דְּאִתְּמָר, דְּהָא קב״ה רָחִים עֲלֵיהּ בִּרְחִימוּ, לְקָרְבָא לֵיהּ לְגַבֵּיהּ, מִתַּבַּר גּוּפָא, בְּגִין לְשַׁלְטָאָה נִשְׁמָתָא, וּכְדֵין אִתְקְרֵיב בַּר נָשׁ לְגַבֵּיהּ בִּרְחִימוּ, כִּדְקָא יָאוּת. וְנִשְׁמָתָא שַׁלְטָא, וְגוּפָא אִתְחַלָּשׁ.

כז. וּבַעְיָא גּוּפָא חַלְשָׁא, וְנַפְשָׁא תַּקִּיפָא, דְּדָאִתְתַּקַּף בְּתָקִיפוּ, וּכְדֵין אִיהוּ רְחִימָא דְּקב״ה. כְּמָה דַּאֲמָרוּ חַבְרַיָּיא, יְהַב קב״ה לְצַדִּיק צַעֲרָא בְּעַלְמָא דֵּין, בְּגִין לְמִזְכֵּי לֵיהּ לְעַלְמָא דְּאָתֵי.

כח. וְכַד נִשְׁמָתָא חַלְשָׁא, וְגוּפָא תַּקִּיפָא, אִיהוּ שַׂנְאֵיהּ דְּקב״ה, דְּלָא אִתְרְעֵי בֵּיהּ, לָא יָהֵיב לֵיהּ צַעֲרָא בְּהַאי עַלְמָא, אֶלָּא אוֹרְחוֹי מִתְתַּקְּנָן, וְהוּא בִּשְׁלִימוּ יַתִּיר, בְּגִין דְּאִי עָבַד

צְדָקָה, אוֹ טִיבוּ, קב"ה מְשַׁלֵּם לֵיהּ אַגְרֵיהּ בְּהַאי עָלְמָא, וְלָא יֶהֱוֵי לֵיהּ חוּלָק בְּהַהוּא עָלְמָא, וְדָא הוּא דְּתַרְגֵּם אוּנְקְלוּס וּמְשַׁלֵּם לְשׂוֹנְאָיו וגו', וּמְשַׁלֵּם לְשַׂנְאוֹהִי טַבְוָן דְּאִינּוּן וגו', וּבְגִ"כ הַהוּא זַכָּאָה דְּאִתְּבַר תָּדִיר, אִיהוּ רְחִימָא דְקב"ה, וְהָנֵי מִילֵי, כַּד בָּדַק וְלָא אַשְׁכַּח חוֹבָא בִּידֵיהּ, דְּאִתְעֲנַשׁ עֲלֵיהּ.

כט. הָכָא אִית לְאִסְתַּכָּלָא בְּכַמָּה סִטְרִין, חַד, דְּהָא תָּנִינָן דִּשְׁכִינְתָּא לָא שַׁרְיָא בַּאֲתַר עֲצִיבוּ, אֶלָּא בַּאֲתַר דְּאִית בֵּיהּ חֶדְוָה, אִי חֶדְוָה לֵית בֵּיהּ, לָא שַׁרְיָא שְׁכִינְתָּא בְּהַהוּא אֲתַר, כד"א וְעַתָּה קְחוּ לִי מְנַגֵּן וְהָיָה כְּנַגֵּן הַמְנַגֵּן וַתְּהִי עָלָיו רוּחַ אֱלֹהִים, דְּהָא שְׁכִינְתָּא, וַדַּאי לָא שַׁרְיָא בַּאֲתַר עֲצִיבוּ. מְנָלָן, מִיַּעֲקֹב, דִּבְגִין דַּהֲוָה עָצִיב עֲלֵיהּ דְּיוֹסֵף, אִסְתַּלְּקַת שְׁכִינְתָּא מִנֵּיהּ, כֵּיוָן דְּאָתָא לֵיהּ חֶדְוָה דִּבְשׂוֹרָה דְּיוֹסֵף, מִיָּד וַתְּחִי רוּחַ יַעֲקֹב אֲבִיהֶם. הָכָא בְּהַאי זַכָּאָה דְּאִתְּבַר, כֵּיוָן דְּאִיהוּ חַלָּשָׁא. וְאִתְּבַר בְּמַכְאוֹבִין, אָן הוּא חֶדְוָה, דְּהָא אִיהוּ בַּעֲצִיבוּ, וְלֵית עִמֵּיהּ חֶדְוָה כְּלָל.

ל. וְחַד, דְּהָא חָמִינָן, כַּמָּה רְחִימִין הֲווּ צַדִּיקַיָּא קַמֵּי קוּדְשָׁא בְּרִיךְ הוּא, וְלָא אִתְּבָרוּ בְּמַרְעִין, וְלָא בְּמַכְאוֹבִין, וְלָא אִתְחַלַּשׁ גּוּפָא דִּלְהוֹן לְעָלְמִין, אַמַּאי לָאו אִלֵּין כְּאִלֵּין, דְּאִלֵּין אִתְּבָרוּ, וְאִלֵּין קָיְימֵי בְּגוּפַיְיהוּ, כִּדְקָא יָאוּת.

לא. וְא"ת, דְּהָא אִלֵּין דְּקָיְימוּ בְּקִיּוּמָא כִּדְקָא יָאוּת, בְּגִין דְּאִינּוּן צַדִּיקֵי בְּנֵי צַדִּיקֵי אִינְהוּ, כְּמָה דְּאוֹקְמוּהָ, וְאִלֵּין אַחֲרָנִין, צַדִּיקֵי, וְלָאו בְּנֵי צַדִּיקֵי, הָא קָא חָמִינָן, צַדִּיקֵי בְּנֵי צַדִּיקֵי, דְּהָא אֲבוֹי הֲדֵין זַכָּאָה בַּר זַכָּאָה, וְאִיהוּ זַכָּאָה, אַמַּאי אִתְּבַר גּוּפֵיהּ בְּמַכְאוֹבִין, וְכָל יוֹמוֹי בְּצַעֲרָא.

לב. אֶלָּא הָכָא רָזָא אִיהוּ, דְּהָא כָּל עוֹבָדוֹי דְּקב"ה בְּקְשׁוֹט וְזַכּוּ א. כִּי פֹעַל אָדָם יְשַׁלֶּם לוֹ וּכְאֹרַח אִישׁ יַמְצִיאֶנּוּ. אַשְׁכַּחְנָא בְּסִפְרֵי קַדְמָאֵי, רָזָא חָדָא, וּלְגַבֵּיהּ רָזָא אָחֳרָא, וְחַד דְּאִיהוּ תְּרֵין, דְּהָא אִית זִמְנִין, דְּסִיהֲרָא אִיהִי בִּפְגִּימוּ, וְשַׁרְיָא בְּדִינָא, וְשִׁמְשָׁא לָא אִשְׁתַּכַּח גַּבָּהּ, וּבְכָל זִמְנָא וּבְכָל שַׁעְתָּא, אִית לָהּ לְאַפָּקָא נִשְׁמָתִין בִּבְנֵי נָשָׁא, כְּמָה דְּלָקְטָא בְּקַדְמֵיתָא, וְאַפִּיקַת לוֹן הַשְׁתָּא, בְּזִמְנָא דְּאִיהִי קָיְימָא בְּדִינָא, הַאי מַאן דְּנָקִיט לָהּ בְּהַהוּא זִמְנָא, לֶהֱוֵי תָּדִיר בִּגְרִיעוּתָא, וּמִסְכֵּנוּתָא אָזְלָא לְגַבֵּיהּ, וְאִתְּבַר תָּדִיר בְּדִינָא, כָּל יוֹמוֹי דְּבַר נָשׁ, בֵּין חַיָּיבָא, בֵּין זַכָּאָה, בַּר דִּצְלוֹתָא, בָּטִיל כָּל גְּזֵרֵי דִּינִין, וְיָכִיל לְסַלְּקָא בִּצְלוֹתָא.

לג. וְהַהוּא זִמְנָא דְּקָיְימָא הַהוּא דַּרְגָּא בִּשְׁלִימוּ, וְהַהוּא נָהָר דְּנָגִיד וְנָפִיק אִשְׁתַּמַּשׁ בָּהּ, כְּדֵין הַהוּא נִשְׁמָתָא, דְּנָפְקַת וְאִתְדַּבְּקַת בֵּיהּ בְּהַהוּא ב"נ, הַהוּא בַּר נָשׁ אִשְׁתַּלִּים בְּכֹלָּא, בְּעוּתְרָא, בִּבְנִין, בִּשְׁלִימוּ דְּגוּפָא.

לד. וְכֹלָּא בְּגִין הַהוּא מַזָּלָא, דְּנָגִיד וְנָפִיק, וְאִתְחַבַּר בְּהַהוּא דַּרְגָּא, לְאִשְׁתַּלְמָא בֵּיהּ, וּלְאִתְבָּרְכָא מִנֵּיהּ, וְעַל דָּא, כֹּלָּא בְּמַזָּלָא תַּלְיָא מִלְּתָא. וְעַל דָּא תָּנִינָן, בְּנֵי חַיֵּי וּמְזוֹנֵי, לָאו בִּזְכוּתָא תַּלְיָא מִלְּתָא, אֶלָּא בְּמַזָּלָא תַּלְיָא מִלְּתָא, דְּהָא בִּזְכוּתָא לָאו אִיהוּ, אֶלָּא עַד דְּאִתְמַלְיָא וְאִתְנְהִיר מִן מַזָּלָא.

לה. וּבְגִין כָּךְ, כָּל אִינּוּן דְּאִתְּבָרוּ בְּהַאי עָלְמָא, וְאִינּוּן זַכָּאֵי קְשׁוֹט, כֻּלְּהוּ אִתְּבָרוּ בְּהַאי עָלְמָא, וְאִתְדָּנוּ בְּדִינָא, מ"ט, בְּגִין דְּהַהִיא נַפְשָׁא גָּרְמָא לְהוּ, וְעַל דָּא, חָיֵיס עֲלַיְיהוּ קוּדְשָׁא בְּרִיךְ הוּא לְעָלְמָא דְּאָתֵי.

לו. רִבִּי אֶלְעָזָר אָמַר, כָּל מַה דְּעָבִיד קב"ה, בְּדִינָא אִיהוּ, בְּגִין לְדַכָּאָה לְהַהִיא נַפְשָׁא, לְאַיְיתָאָה לָהּ לְעָלְמָא דְּאָתֵי, דְּכָל עוֹבָדוֹי דְּקב"ה, אִינּוּן בְּדִינָא וּקְשׁוֹט, וּבְגִין לְאַעֲבָרָא

מִנֵּיהּ הַהוּא זוּהֲמָא, דְּקַבֵּילַת בְּהַאי עַלְמָא, וְעַ"ד אִתְּבַר הַהוּא גּוּפָא וְאִתְדְּכִיאַת נַפְשָׁא, וּבְגִּין כָּךְ, קֻבְּ"ה עָבֵיד לְהַהוּא זַכָּאָה, דְּיִסְבּוֹל יִסּוּרִין וּמַכְאוֹבִין בְּהַאי עַלְמָא, וְיִתְנַקֵּי מִכֹּלָּא וְיִזְכֶּה לְחַיֵּי עָלְמָא. וְעַל דָּא כְּתִיב יְיָ' צַדִּיק יִבְחָן וַדַּאי וְהָא אִתְּמָר.

לז. ר"ש פָּתַח, אַךְ אֶל הַפָּרֹכֶת לֹא יָבֹא וְאֶל הַמִּזְבֵּחַ לֹא יִגַּשׁ כִּי מוּם בּוֹ וְלֹא יְחַלֵּל אֶת מִקְדָּשַׁי כִּי אֲנִי יְיָ' מְקַדְּשׁוֹ. אַךְ אֶל הַפָּרֹכֶת לֹא יָבֹא. ת"ח, בְּהַהִיא שַׁעֲתָא דְּהַהוּא נָהָר דְּנָגִיד וְנָפִיק אַפִּיק כָּל אִינּוּן נִשְׁמָתִין, וְאִתְעֲבָרַת נוּקְבָא, כֻּלְּהוּ קַיְימִין לְגוֹ, בְּקוּרְטָא דִּלְגוֹ בְּסִיטוֹ קוּרְטָא.

לח. וְכַד סִיהֲרָא אִתְפְּגִים, בְּהַהוּא סִטְרָא דְּחִוְיָא בִּישָׁא, כְּדֵין כָּל אִינּוּן נִשְׁמָתִין דְּנָפְקִין, אע"ג דְּכֻלְּהוּ דַּכְיָין, וְכֻלְּהוּ קַדִּישִׁין, הוֹאִיל וְנָפְלוּ בְּפְגִימוּ, בְּכָל אִינּוּן אֲתַרֵי דְּמָטוּ אִינּוּן נִשְׁמָתִין, כֻּלְּהוּ אִתְּבָרוּ, וְאִתְפְּגִימוּ בְּכַמָּה צַעֲרִין, בְּכַמָּה כְּאֵבִין, וְאִילֵין אִינּוּן דְּאִתְרְעֵי בְּהוֹ קֻבְּ"ה, לְבָתַר דְּאִתְּבָרוּ, וְאע"ג דְּנִשְׁמָתִין בַּעֲצִיבוּ, וְלָא בְּחֶדְוָון.

לט. רָזָא דְּמִלָּה שַׁרְיָין כְּגַוְונָא דִּלְעֵילָּא, גּוּפָא אִתְפְּגִים, וְנִשְׁמָתָא לְגוֹ כְּגַוְונָא דִּלְעֵילָּא, וְדָא כְּגַוְונָא דְּדָא, וּבְגִּין כָּךְ, אִלֵּין אִינּוּן דְּבָעְיָין לְחַדְתּוּתֵי בְּחַדְתּוּתָא דְּסִיהֲרָא, וְעַל אִלֵּין כְּתִיב וְהָיָה מִדֵּי חֹדֶשׁ בְּחָדְשׁוֹ וּמִדֵּי שַׁבָּת בְּשַׁבַּתּוֹ יָבֹא כָל בָּשָׂר לְהִשְׁתַּחֲוֹת לְפָנַי אָמַר יְיָ', כָּל בָּשָׂר וַדַּאי, דְּאִלֵּין יִתְחַדְּתוּן בְּכֹלָּא. וּבָעְיָין לְחַדְתּוּתֵי בְּחַדְתּוּתָא דְּסִיהֲרָא.

מ. וְאִלֵּין אִינּוּן בְּשׁוּתָּפוּתָא וַדָּא בְּסִיהֲרָא, פְּגִימִין בְּהַהוּא פְּגִימוּ דִּילָהּ, וּבְגִּין כָּךְ אִיהִי שַׁרְיָא בְּגַוַויְיהוּ תָּדִיר, דְּלָא שָׁבְקָא לוֹן, כְּד"א וְאֶת דַּכָּא וּשְׁפַל רוּחַ, וּכְתִיב קָרוֹב יְיָ' לְנִשְׁבְּרֵי לֵב, לְאִינּוּן דְּסָבְלֵי עִם סִיהֲרָא הַהוּא פְּגִימוּ, אִינּוּן קְרִיבִין לָהּ תָּדִיר, וְעַל דָּא לְהַחֲיוֹת לֵב נִדְכָּאִים, בְּאִינּוּן חַיִּים דְּאַתְיָין לָהּ לְאִתְחַדְּתָא, יְהֵא לוֹן חוּלָקְהוֹן, אִינּוּן דְּסָבְלֵי עִמָּהּ, יִתְחַדְּתוּן עִמָּהּ.

מא. וְאִלֵּין אִקְרוּן יִסּוּרִין שֶׁל אַהֲבָה, שֶׁל אַהֲבָה אִינּוּן, וְלָא מִנֵּיהּ דְּהַהוּא ב"נ. שֶׁל אַהֲבָה אִינּוּן, דְּאִתְפַּגַּם נְהוֹרָא שֶׁל אַהֲבָה זוּטָא, דְּאִתְחַזְיָיא מֵאַהֲבָה רַבָּה. בְּגִּין כָּךְ אִלֵּין אִינּוּן וַחֲבֵרִים מְשׁוּתָּפִים בַּהֲדָהּ. זַכָּאָה חוּלָקְהוֹן בְּעַלְמָא דֵּין, וּבְעַלְמָא דְּאָתֵי, דְּאִינּוּן זָכוּ לְהַאי, לְמֶהֱוֵי וַחֲבֵרִים בַּהֲדָהּ, עֲלַיְיהוּ כְּתִיב לְמַעַן אַחַי וְרֵעָי וְגוֹ'.

מב. פָּתַח וְאָמַר, הִנֵּה יַשְׂכִּיל עַבְדִּי יָרוּם וְנִשָּׂא וְגָבַהּ מְאֹד. זַכָּאָה חוּלָקְהוֹן דְּצַדִּיקַיָּיא, דְּקֻבְּ"ה גַּלֵּי לוֹן אָרְחֵי דְּאוֹרַיְיתָא, לְמֵהַךְ בְּהוֹ. ת"ח, הַאי קְרָא רָזָא עִלָּאָה אִיהוּ, הִנֵּה יַשְׂכִּיל עַבְדִּי וְאוּקְמוּהָ. אֲבָל ת"ח, כַּד בְּרָא קֻבְּ"ה עַלְמָא, עֲבַד לָהּ לְסִיהֲרָא, וְאַזְעַר לָהּ נְהוֹרָהָא, דְּהָא לֵית לָהּ מִגַּרְמָהּ כְּלוּם, וּבְגִּין דְּאַזְעִירַת גַּרְמָהּ, אִתְנְהָרָא בְּגִין שִׁמְשָׁא, וּבְתוּקְפָּא דִּנְהוֹרִין עִלָּאִין.

מג. וּבְזִמְנָא דַּהֲוָה בֵּי מַקְדְּשָׁא קַיָּים, יִשְׂרָאֵל הֲווּ מִשְׁתַּדְּלִין בְּקוּרְבָּנִין וְעִלָּוָון, וּפוּלְחָנִין דַּהֲווּ עָבְדִין, כַּהֲנֵי וְלֵיוָאֵי וְיִשְׂרְאֵלֵי, בְּגִּין לְקַשְּׁרָא קִשְׁרִין וּלְאַנְהֲרָא נְהוֹרִין.

מד. וּלְבָתַר דְּאִתְחָרַב בֵּי מַקְדְּשָׁא, אִתְחֲשַׁךְ נְהוֹרָא, וְסִיהֲרָא לָא אִתְנְהִירַת מִן שִׁמְשָׁא, וְשִׁמְשָׁא אִסְתַּלַּק מִנָּהּ, וְלָא אִתְנְהָרָא, וְלֵית לָךְ יוֹמָא, דְּלָא שָׁלְטָא בֵּיהּ לָוְוטִין, וְצַעֲרִין וּכְאֵבִין, כְּמָה דְּאִתְּמָר.

מה. וּבְהַהוּא זִמְנָא, דְּמָטֵי זִמְנָא דְּסִיהֲרָא לְאִתְנְהָרָא, מַה כְּתִיב, הִנֵּה יַשְׂכִּיל עַבְדִּי, עֲלֵיהּ דְּסִיהֲרָא אִתְּמָר, הִנֵּה יַשְׂכִּיל עַבְדִּי, דָּא הוּא רָזָא דִּמְהֵימְנוּתָא. הִנֵּה יַשְׂכִּיל: דְּאִתְעַר אִתְעֲרוּתָא לְעֵילָּא, כְּמַאן דְּאָרַח רֵיחָא, וְאָתֵי לְאִתְעֲרָא וּלְאִסְתַּכְּלָא.

מו. יָרוּם: מִסִּטְרָא דִּנְהוֹרָא עִלָּאָה דְּכָל נְהוֹרִין. יָרוּם: כְּד"א וְלָכֵן יָרוּם לְרַחֶמְכֶם.

וְנִשָּׂא: מִסִּטְרָא דְּאַבְרָהָם. וְגָבַהּ: מִסִּטְרָא דְּיִצְחָק. מְאֹד: מִסִּטְרָא דְּיַעֲקֹב. וְאַף עַל גַּב דְּאוּקְמוּהָ, וְכֹלָּא וְחַד בְּרָזָא דְּחָכְמְתָא.

מז. וּבְהַהוּא זִמְנָא, יִתְעַר קֻבָּ"ה אִתְעֲרוּתָא עִלָּאָה, לְאַנְהָרָא לָהּ לְסִיהֲרָא כִּדְקָא יָאוֹת, כְּד"א וְהָיָה אוֹר הַלְּבָנָה כְּאוֹר הַחַמָּה וְאוֹר הַחַמָּה יִהְיֶה שִׁבְעָתַיִם כְּאוֹר שִׁבְעַת הַיָּמִים. וּבְגִין כָּךְ יִתּוֹסֵף בָּהּ רוּחַ עִלָּאָה, וּבְגִין כָּךְ יִתְעָרוּן כְּדֵין כָּל אִינּוּן מֵיתַיָא דְּאִינּוּן גּוֹ עַפְרָא.

מח. וְדָא הוּא עַבְדִּי, רָזָא דְּמַפְתְּחָן דְּמָארֵיהּ בִּידֵיהּ, כְּד"א וַיֹּאמֶר אַבְרָהָם אֶל עַבְדּוֹ, דָּא סִיהֲרָא כְּמָה דְּאִתְּמַר, מְטַטְרוֹ"ן דְּאִיהוּ עֶבֶד שְׁלִיחָא דְּמָארֵיהּ.

מט. זְקַן בֵּיתוֹ, כְּד"א נַעַר הָיִיתִי גַּם זָקַנְתִּי. הַמּוֹשֵׁל בְּכָל אֲשֶׁר לוֹ, בְּגִין דְּכָל גְּוָונִין אִתְחֲזוּן בֵּיהּ, יָרוֹ"ק, וְחִוָּו"ר, וְסוּמָ"ק.

נ. שִׂים נָא יָדְךָ תַּחַת יְרֵכִי, דָּא הוּא צַדִּיק, רָזָא דְּמִילָה, קְיוּמָא דְּעָלְמָא, דְּהָא כְּדֵין, הַאי עֶבֶד מְמַנָּא בְּרָזָא עִלָּאָה, לְאַחֲזָיָיא לוֹן לְדַיָּירֵי עַפְרָא, וְיִתְעֲבִיד שְׁלִיחָא בִּרְזָא דִּלְעֵילָא, וּלְאַתָבָא רוּחִין וְנִשְׁמָתִין לְאַתְרַיְיהוּ, לְאִינּוּן גּוּפֵי דְּאִתְבְּלוּ וְאִתְרְקָבוּ תְּחוֹת עַפְרָא.

נא. וְאַשְׁבִּיעֲךָ בַּיְיָ' אֱלֹהֵי הַשָּׁמַיִם. וְאַשְׁבִּיעֲךָ, מַאי וְאַשְׁבִּיעֲךָ. לְאִתְלַבְּשָׁא בְּרָזָא דְּשֶׁבַע נְהוֹרִין עִלָּאִין, דְּאִינּוּן רָזָא דִּשְׁלִימוּ עִלָּאָה. אֲשֶׁר לֹא תִקַּח אִשָּׁה דָּא הוּא גּוּפָא דִּתְחוֹת עַפְרָא, דְּאִית לֵיהּ קִיּוּמָא לַאֲקָמָא מֵעַפְרָא, דְּכָל אִינּוּן דְּאִתְקְבָרוּ בָהּ, וְזָכוּ לְאִתְקַבְּרָא בְּאַרְעָא דְּיִשְׂרָאֵל, אִינּוּן יִתְעָרוּן בְּקַדְמֵיתָא, כְּמָה דְּאוּקִימְנָא, דִּכְתִיב יִחְיוּ מֵתֶיךָ, בְּקַדְמֵיתָא אִלֵּין מֵתִין דְּאַרְעָא דְּיִשְׂרָאֵל. נְבֵלָתִי יְקוּמוּן, אִינּוּן מֵתִין דִּשְׁאָר אַרְעָאן. וְעַל דָּא, לְאִינּוּן גּוּפֵיהוֹן דְּיִשְׂרָאֵל דְּאִתְקְבָרוּ תַּמָּן, וְלָא לְגוּפֵי דִּשְׁאָר עַמִּין עע"ז, דְּאִסְתָּאֲבָא אַרְעָא מִינַּיְיהוּ.

נב. וְעַל דָּא אֲשֶׁר לֹא תִקַּח אִשָּׁה לִבְנִי. מַאי לִבְנִי. דְּכָל נִשְׁמָתִין דְּעָלְמָא דְּנָפְקֵי מֵהַהוּא נָהָר דְּנָגִיד וְנָפִיק, אִינּוּן בְּנִין לְקֻבָּ"ה, וְעַל דָּא אֲשֶׁר לֹא תִקַּח אִשָּׁה: דָּא גּוּפָא. לִבְנִי: דָּא נִשְׁמָתָא. מִבְּנוֹת הַכְּנַעֲנִי: אִלֵּין גּוּפִין דְּעַמִּין עע"ז, דִּזְמִין קֻבָּ"ה לְנַעֲרָא לוֹן מֵאַרְעָא קַדִּישָׁא, כְּד"א וְיִנָּעֲרוּ רְשָׁעִים מִמֶּנָּה. כְּמַאן דִּמְנַעֵר טַלִּיתָא מִזּוּהֲמָא דִּילָהּ.

נג. כִּי אֶל אַרְצִי וְאֶל מוֹלַדְתִּי תֵּלֵךְ. אַרְצִי: דָּא הִיא אַרְעָא קַדִּישָׁא, דְּאִיהוּ קַדְמָאָה לְכָל שְׁאָר אַרְעִין, כְּמָה דְּאִתְּמַר. וְעַ"ד כִּי אֶל אַרְצִי וְאֶל מוֹלַדְתִּי, כֵּיוָן דְּאָמַר אֶל אַרְצִי, מַהוּ וְאֶל מוֹלַדְתִּי, אֶלָּא אֶל אַרְצִי, כְּמָה דְּאִתְּמַר, וְאֶל מוֹלַדְתִּי אִלֵּין אִינּוּן יִשְׂרָאֵל.

נד. ת"ח, מַה כְּתִיב, וַיִּקַּח הָעֶבֶד, כְּמָה דְּאִתְּמַר. עֲשָׂרָה גְמַלִּים: אִלֵּין אִינּוּן עֲשָׂרָה דַּרְגִּין, דְּהַאי עֶבֶד שָׁלְטָא עֲלַיְיהוּ, כְּגַוְונָא דִּלְעֵילָא. מִגְּמַלֵּי אֲדֹנָיו: דְּאִינּוּן כְּהַהוּא גַּוְונָא מַמָּשׁ, כְּמָה דְּאִתְּמַר, וְהַאי עֶבֶד שָׁלְטָא וְאִתְתַּקַּן בְּהוּ.

נה. וְכָל טוּב אֲדֹנָיו בְּיָדוֹ: כָּל הַהוּא טִיבוּ רֵיחִין עִלָּאִין, דְּנָפְקֵי מִגּוֹ אִינּוּן נְהוֹרִין וּבוֹצִינִין עִלָּאִין. וְכָל טוּב אֲדֹנָיו, הַהוּא שִׁמּוּשָׁא דְּשִׁמְשָׁא, דְּאִתְמַשְּׁכָא בָּהּ בְּסִיהֲרָא.

נו. וַיָּקָם וַיֵּלֶךְ אֶל אֲרַם נַהֲרַיִם: דָּא אֲתַר דְּאַרְעָא קַדִּישָׁא, דִּבְכַת תַּמָּן רָחֵל, כַּד חָרִיב בֵּי מַקְדְּשָׁא. וַיַּבְרֵךְ הַגְּמַלִּים מִחוּץ לָעִיר אֶל בְּאֵר הַמָּיִם, לְאִתְתַּקְּפָא חֵילָהָא בְּתוּקְפָּהָא כִּדְקָא יָאוֹת, עַד לָא תֵּיעוּל לַאֲקָמָא לוֹן לְאִינּוּן גּוּפִין.

נז. לְעֵת עֶרֶב, מַאי לְעֵת עֶרֶב. דָּא עֶרֶב שַׁבָּת, דְּאִיהוּ זִמְנָא דְּאֶלֶף שְׁתִיתָאָה. לְעֵת עֶרֶב: כְּד"א, וְלַעֲבוֹדָתוֹ עֲדֵי עָרֶב. וּכְתִיב כִּי יִנָּטוּ צִלְלֵי עָרֶב.

נח. לְעֵת צֵאת הַשֹּׁאֲבוֹת: דְּהַהוּא זִמְנָא, זְמִינִין לְמֵיקָם וּלְאַחֲזָיָיא בְּקַדְמֵיתָא, מִכָּל שְׁאָר בְּנֵי עָלְמָא, אִינּוּן דְּשָׁאֲבֵי מֵימוֹי דְּאוֹרַיְיתָא, בְּגִין דְּאִתְעַסְּקוּ לְשָׁאֲבָא מִמֵּימֵי דְּאוֹרַיְיתָא,

וְאִתְתַּקְּפוּ בְּאִילָנָא דְחַיֵּי, וְאִינּוּן יִפְקוּן בְּקַדְמֵיתָא, דְּאִילָנָא דְחַיֵּי גָּרְמָא לוֹן דְּיִקּוּמוּן בְּקַדְמֵיתָא, כְּמָא דְּאִתְּמָר.

נט. וּבְנוֹת אַנְשֵׁי הָעִיר יוֹצְאוֹת, מַאי יוֹצְאוֹת. כְּד״א, וְאֶרֶץ רְפָאִים תַּפִּיל, דְּזַמִּינָא אַרְעָא לְמִפְלַט מִנָּהּ, כָּל גּוּפִין דְּאִינּוּן בְּגַוָּוהּ, וְעַל דָּא כְּתִיב יוֹצְאוֹת. לִשְׁאוֹב מָיִם: לְנַטְלָא נִשְׁמָתָא, וּלְקַבְּלָא לָהּ כִּדְקָא יָאוֹת, מְתַקְנָא מֵאַתְרָהּ, כִּדְקָא חָזֵי.

ס. וְהָיָה הַנַּעֲרָה אֲשֶׁר אֹמַר אֵלֶיהָ הַטִּי נָא כַדֵּךְ וְאֶשְׁתֶּה, בְּגִין דְּהָא אִתְּמָר, דְּכָל אִינּוּן נִשְׁמָתִין דְּעַלְמָא, דְּאִתְקַיְּימוּ בְּהַאי עַלְמָא, וְאִשְׁתַּדְּלוּ לְמִנְדַּע לְמָארֵיהוֹן בְּרָזָא דְּחָכְמְתָא עִלָּאָה, אִיהִי סָלְקַת וְאִתְקַיְּימַת בְּדַרְגָּא עִלָּאָה, עַל כָּל אִינּוּן דְּלָא אִתְדַּבְקוּ, וְלָא יָדְעוּ, וְאִינּוּן אִתְקַיְּימוּן בְּקַדְמֵיתָא. וְדָא הוּא שְׁאֶלְתָּא, דְּקָאִים הַהוּא עֶבֶד לְמִנְדַּע וּלְמִשְׁאַל, בַּמֶּה אִתְעַסְקַת הַהִיא נִשְׁמָתָא, בְּהַאי עָלְמָא.

סא. וְאָמְרָה אֵלַי גַּם אַתָּה שְׁתֵה, אַנְתְּ בָּעֵי לְמִשְׁתֵּי וּלְאַשְׁקָאָה בְּקַדְמֵיתָא וּבָתַר וְגַם לִגְמַלֶּיךָ אַשְׁקֶה, בְּגִין דְּכָל אִינּוּן שְׁאָר רְתִיכִין, אע״ג דְּאִתְשַׁקְיָין מֵהַאי דַּרְגָּא, כֻּלְּהוּ אִתְשַׁקְיָין מִפּוּלְחָנָא דְצַדִּיקַיָּיא, דְּיָדְעֵי פּוּלְחָנָא דְמָארֵיהוֹן כִּדְקָא יָאוֹת. דְּצַדִּיקַיָּיא יָדְעֵי לְסַפְּקָא לְכָל דַּרְגָּא וְדַרְגָּא כִּדְקָא יָאוֹת, וְעַל דָּא וְגַם לִגְמַלֶּיךָ אַשְׁקֶה, וַדַּאי הִיא הָאִשָּׁה אֲשֶׁר הוֹכִיחַ יְיָ׳ לְבֶן אֲדֹנִי. וַדַּאי הַהִיא אִיהוּ גּוּפָא, דְּאִזְדַּמַּן לְהַהִיא נִשְׁמְתָא עִלָּאָה.

סב. תָּא חֲזֵי, דְּהָא אִתְּמָר דְּתֵיאוּבְתָּא דִּדְכוּרָא לְגַבֵּי נוּקְבָא, עָבֵיד נִשְׁמָתָא, וְתֵיאוּבְתָּא דְּנוּקְבָא לְגַבֵּי דְכוּרָא, סָלְקָא וְאִתְעָרַב בַּהֲדָהּ דִּלְעֵילָא, וְאִתְכְּלֵיל דָּא בְּדָא, וְעָבֵיד נִשְׁמָתָא, וּבְגִין כַּךְ הִיא הָאִשָּׁה, דָּא הוּא גּוּפָא וַדַּאי, דְּאִיהוּ זְמִינָא, לְהַהוּא רְעוּתָא דְּנִשְׁמָתָא, דְּנָפְקָא מִן דְּכוּרָא.

סג. וְאִינּוּן גּוּפִין זְמִינִין לְאַתְעָרָא בְּקַדְמֵיתָא כְּדַאֲמָרָן. וּלְבָתַר דְּאִלֵּין יְקוּמוּן, יְקוּמוּן כָּל אוּחֲרָנִין דִּבְשְׁאָר אַרְעָאן, וְיִתְקַיְּימוּן בְּקִיּוּמָא שְׁלִים, וְיִתְחַדְּתוּן בְּחַדְתּוּתָא דְּסִיהֲרָא, וְיִתְחַדֵּשׁ עַלְמָא כְּמִלְּקַדְמִין, וּכְדֵין כְּתִיב בְּהַהוּא זִמְנָא יִשְׂמַח יְיָ׳ בְּמַעֲשָׂיו.

סד. וּבְגִין כָּךְ, הִנֵּה יַשְׂכִּיל עַבְדִּי, לְאַהְדְּרָא נִשְׁמָתִין כָּל חַד וְחַד לְאַתְרֵיהּ. יָרוּם וְנִשָּׂא וְגָבַהּ מְאֹד, מִסִּטְרָא דְּכָל אִינּוּן דַּרְגִּין עִלָּאִין כְּדְקָאֲמָרָן.

סה. כַּאֲשֶׁר שָׁמְמוּ עָלֶיךָ רַבִּים כֵּן מִשְׁחַת מֵאִישׁ מַרְאֵהוּ וְתֹאֲרוֹ מִבְּנֵי אָדָם, תָּא חֲזֵי, דְּהָא אִתְּמָר, דְּכַד אִתְחָרַב בֵּי מַקְדְּשָׁא, וּשְׁכִינְתָּא אִתְגְּלֵי בְּגוֹ אַרְעָאן נוּכְרָאִין בֵּינַיְיהוּ, מַה כְּתִיב, הֵן אֶרְאֶלָּם צָעֲקוּ חוּצָה מַלְאֲכֵי שָׁלוֹם מַר יִבְכָּיוּן, כֻּלְּהוּ בְּכוּ עַל דָּא, וְקַשִּׁירוּ בְּכִיָה וְאֶבְלָא, וְכָל דָּא עֲלָהּ דִּשְׁכִינְתָּא דְּאִתְגַּלְיָיא מֵאַתְרָהּ, וְכַמָּה דְּאִיהִי מִשְׁתַּנְּיָית מִכְּמָה דַּהֲוַת, אוּף הָכֵי בַּעֲלָהּ, לָא נָהִיר נְהוֹרֵיהּ, וְאִשְׁתַּנֵּי מִכְּמָה דַּהֲוָה, דִּכְתִיב וְחָשַׁךְ הַשֶּׁמֶשׁ בְּצֵאתוֹ, וְעַל דָּא כְּתִיב כֵּן מִשְׁחַת מֵאִישׁ מַרְאֵהוּ.

סו. ד״א כֵּן מִשְׁחַת מֵאִישׁ מַרְאֵהוּ, מֵהַאי עֶבֶד, דְּאִשְׁתַּנֵּי דְּיוֹקְנֵיהּ וּגְוָונֵיהּ מִכְּמָה דַּהֲוָה. ד״א כֵּן מִשְׁחַת מֵאִישׁ מַרְאֵהוּ, כְּד״א אַלְבִּישׁ שָׁמַיִם קַדְרוּת וְשַׂק אָשִׂים כְּסוּתָם. דְּהָא מִיּוֹמָא דְּאִתְחָרַב בֵּי מַקְדְּשָׁא, לָא קַיְּימוּ שָׁמַיִם בִּנְהוֹרָא דִּלְהוֹן, וְרָזָא דְּמִלָּה, בִּרְכָאן לָא שַׁרְיָין, אֶלָּא בַּאֲתַר דְּאִשְׁתַּכָּחוּ דְּכַר וְנוּקְבָא, וְאוּקְמוּהָ כְּד״א זָכָר וּנְקֵבָה בְּרָאָם וַיְבָרֶךְ אֹתָם. וּבְגִין כַּךְ מִשְׁחַת מֵאִישׁ מַרְאֵהוּ.

סז. וְדָא הוּא כְּמָה דִּכְתִיב, הַצַּדִּיק אָבַד, אָבוּד אוֹ נֶאֱבַד, לָא נֶאֱמַר, אֶלָּא אָבַד, דְּלָא שַׁרְיָין בִּרְכָאן, אֶלָּא בַּאֲתַר דְּאִשְׁתַּכָּחוּ דְּכַר וְנוּקְבָה כַּחֲדָא, כְּמָה דְּאִתְּמָר.

סח. בְּגִין דָּא, בְּהַהוּא זִמְנָא, דְּלָא אִשְׁתַּכַּח. דְּכוּרָא בַּהֲדָהּ, וּכְדֵין כָּל אִינּוּן נִשְׁמָתִין

דְּנַפְקֵי, כֻּלְּהוּ הֲווֹ לְהוּ עֲנוּיָא, מִכַּמָּה דַּהֲווֹ בְּזִמְנָא דְּשִׁמְעֵא אִתְגַּוֵּור בְּסִיהָרָא, כְּמָה דְּאִתְּמַר. וְעַל דָּא אֵלֶּה תּוֹלְדוֹת יַעֲקֹב יוֹסֵף וְגוֹ' וְאִתְּמַר.

סט. וְהוּא נַעַר, בְּגִין דְּלָא מִתְפָּרְשִׁין לְעָלְמִין, צַדִּי"ק וְצֶדֶ"ק כַּחֲדָא אִינּוּן, כְּמָה דְּאִיהִי אִתְקְרִיאַת בִּשְׁמָא דִּדְכוּרָא, הָכֵי נַמֵּי אִתְקְרֵי אִיהוּ, בִּשְׁמָא דִּילָהּ, דִּכְתִיב וְהוּא נַעַר.

ע. אֶת בְּנֵי בִלְהָה וְאֶת בְּנֵי זִלְפָּה, בְּכַלְּהוּ קָיְימָא לְזֻוְּוגָא לוֹן כְּדְקָא יָאוֹת, וּלְאִשְׁתַּעַשְׁעָא לוֹן בּוֹזְוַגָא דִּילָהּ. דִּכַלְּהוּ עַנְפִין, וְכָלְהוּ עָלַהּ, כַּלְּהוּ אִתְבָּרְכָן בּוֹזְוַּגָה דִּילָהּ.

עא. אֵלֶּה תּוֹלְדוֹת יַעֲקֹב יוֹסֵף, כְּמָה דְּאִתְּמַר, דְּכָל דְּיוּקְנָא דְּיַעֲקֹב, הֲוָה בֵּיהּ בְּיוֹסֵף, וְכָל מַה דְּאִירַע לְהַאי, אִירַע לְהַאי, וְתַרְוַוייְהוּ כַּחֲדָא אָזְלֵי, דְּדָא הוּא רָזָא דְּוָא"ו, דְּאָזְלֵי תַּרְוַוייְהוּ כַּחֲדָא, בְּגִין דְּאִינּוּן רָזָא וְדָא, וּדְיוּקְנָא וְדָא.

עב. וַיָּבֵא יוֹסֵף אֶת דִּבָּתָם רָעָה, הָא אוּקְמוּהָ, דַּהֲוָה אָמַר לְאֲבוֹי עֲלַיְיהוּ, דַּהֲווֹ אָכְלֵי עֵיפָא מִבַּעֲלֵי חַיִין, כַּד אִינּוּן וַיִּין. וַיָּבֵא יוֹסֵף אֶת דִּבָּתָם רָעָה, וְכִי הָא בִּמְנַיְינָא הֲווֹ, אִינּוּן בְּנֵי שִׁפְחוֹת, הֵיךְ הֲווֹ מִזְדַּלְזְלִין בְּהוֹן בְּנֵי לֵאָה וְהֵיךְ הֲווֹ אָכְלִין אֵבָר מִן הַחַי, וַהֲווֹ עָבְרִין עַל פְּקוּדָא דְּמָארֵיהוֹן, דְּהָא פָּקִיד עַל בְּנֵי נֹחַ עַל פְּקוּדָא דָּא, כְּד"א אַךְ בָּשָׂר בְּנַפְשׁוֹ דְּדָמוֹ לֹא תֹּאכֵלוּ, וְאִינּוּן הֲווֹ אָכְלֵי לֵיהּ, וְעָבְרִין עַל פְּקוּדָא דְּמָארֵיהוֹן. אֶלָּא, יוֹסֵף הֲוָה קָאֲמַר, וְעַל דָּא אִתְעֲנַע.

עג. רַבִּי יְהוּדָה אָמַר, אֶת דִּבָּתָם רָעָה, כְּמָה דְּאוּקִימְנָא, דְּיַהֲבֵי עֵינַיְיהוּ בִּבְנוֹת אַרְעָא, וְדָא הוּא דִּבָּתָם רָעָה לֵינָקָא לְכָל אִינּוּן דַּרְגִּין דְּלָא קַדִּישִׁין, דְּאַתְיָין מִסִּטְרָא מְסָאֲבָא.

עד. וְיִשְׂרָאֵל אָהַב אֶת יוֹסֵף מִכָּל בָּנָיו כִּי בֶן זְקֻנִים הוּא לוֹ וְעָשָׂה לוֹ כְּתֹנֶת פַּסִּים. רַבִּי אֶלְעָזָר פָּתַח וְאָמַר, לֵךְ עַמִּי בֹּא בַחֲדָרֶיךָ, וּסְגֹר דְּלָתְךָ בַּעֲדֶךָ, חֲבִי כִמְעַט רֶגַע עַד יַעֲבָר זָעַם. לֵךְ עַמִּי בֹּא בַחֲדָרֶיךָ, תָּא חֲזֵי, כַּמָּה קב"ה רָחִים לוֹ לְיִשְׂרָאֵל, וּבְגִין רְחִימוּתָא דִּלְהוֹן, דִּרְחִים לוֹן עַל כָּל עַמִּין עעכו"ם, אַזְהַר לוֹן, וּבָעֵי לְנַטְּרָא לוֹן, בְּכָל מַה דְּאִינּוּן עָבְדִין.

עה. תָּא חֲזֵי, תְּלַת זִמְנִין אִית בְּיוֹמָא, דְּדִינָא שַׁרְיָא בְּעָלְמָא, וְכַד אָתֵי הַהוּא זִמְנָא, מִבָּעֵי לֵיהּ לְבַר נָשׁ, לְאִזְדַּהֲרָא, וּלְאִסְתַּמְּרָא, דְּלָא יִפְגַּע בֵּיהּ הַהוּא דִּינָא, וְאִינּוּן זִמְנִין יְדִיעָן, וְהָא אוּקְמוּהָ.

עו. בְּגִין דְּהָא כַּד סָלֵיק צַפְרָא, אַבְרָהָם אִתְעַר בְּעָלְמָא, וְאָזְוִיד לֵיהּ לְדִינָא לְקַשְׁרָא לֵיהּ בַּהֲדֵיהּ, וּבְשֵׁירוּתָא דְּתִלְתָא שַׁעֵי קַמַּיְיתָא, נָטֵיל דִּינָא מֵאַתְרֵיהּ, לְאַתְעַרָא בֵּיהּ בְּיַעֲקֹב, עַד דְּאִתְעַר צְלוֹתָא דְּמִנְחָה, דְּאַהֲדָר דִּינָא לְאַתְרֵיהּ, וְאִתְעַר דִּינָא דִלְתַתָּא, לְאִתְקַשְׁרָא בְּדִינָא דִּלְעֵילָּא, דְּהָא כְּדֵין אִתְקְשַׁר דִּינָא בְּדִינָא, וּבָעֵי לְאַהֲדָרָא.

עז. תּוּ, כַּד דִּינָא אִתְעַר בְּעָלְמָא, וּמוֹתָא אִשְׁתַּכַח בְּמָתָא, לָא לִיבָּעֵי לֵיהּ לְבַר נָשׁ לְמֵיהַךְ יְחִידָאי בְּשׁוּקָא, וְהָא אוּקִימְנָא מִלֵּי, אֶלָּא בָּעֵי לְאַסְגְּרָא גַרְמֵיהּ, דְּלָא יִפּוֹק לְבַר, כְּמָה דְּאוּקְמוּהָ בְּנֹחַ, דְּאַסְגַּר גַּרְמֵיהּ בְּתֵיבוּתָא, דְּלָא יִשְׁתְּכַח קַמֵּי מְחַבְּלָא.

עח. וְעַל דָּא, לֵךְ עַמִּי בֹּא בַחֲדָרֶיךָ, אַסְגַּר גַּרְמָךְ. וּסְגֹר דְּלָתְךָ בַּעֲדֶךָ, דְּלָא יִתְחֲזֵי קַמֵּיהּ דִּמְחַבְּלָא. חֲבִי כִמְעַט רֶגַע עַד יַעֲבֹר זָעַם, דִּבָתַר דְּאַעֲבַר דִּינָא לֵית לֵיהּ רְשׁוּ לִמְחַבְּלָא לְחַבָּלָא.

עט. תָּא חֲזֵי, דְּקב"ה בְּגִין רְחִימוּתָא דְּאִיהוּ רָחֵים לוֹן לְיִשְׂרָאֵל, וְקָרֵיב לוֹן לְגַבֵּיהּ, כָּל שְׁאָר עַמִּין עעכו"ם שָׂנְאִין לוֹן לְיִשְׂרָאֵל, בְּגִין דְּאִינּוּן מִתְרַחֲקִין, וְיִשְׂרָאֵל קְרֵיבִין.

פ. וְתָא חֲזֵי, בְּגִין רְחִימוּתָא דִּרְחִים לְיוֹסֵף יַעֲקֹב לְיוֹסֵף יַתִּיר מֵאֶחוֹי, אע"ג דְּכֻלְּהוּ הֲווֹ לֵיהּ אַזְוִין, מַה כְּתִיב וַיִּתְנַכְּלוּ אֹתוֹ לַהֲמִיתוֹ, כָּל שֵׁכֵן עַמִּין עַמִּין עוֹבְדֵי עֲבוֹדַת כּוֹכָבִים וּמַזָּלוֹת לְיִשְׂרָאֵל.

פא. תָּא חֲזֵי כַּמָּה גָּרֵים לֵיהּ הַהוּא רְחִימוּתָא דִּרְחִים לֵיהּ יַתִּיר, דְּגָרַם לֵיהּ דְּאִתְגְּלֵי

413

מֵאֲבוֹי, וְאִתְגְּלֵי אֲבוֹי בַּהֲדֵיהּ, וְגָרַם לְהוֹ גָּלוּתָא, וְלִשְׁכִינְתָּא דְּאִתְגַּלְיָא בֵּינַיְיהוּ, וְאע״ג דְּאִתְגְּזֵירַת גְּזֵרָה, וְאוּקְמוּהָ דְּבְגִין כְּתֹנֶת פַּסִּים דַּעֲבַד לֵיהּ יַתִּיר, מַה כְּתִיב וַיִּרְאוּ אֶחָיו.

פב. וַיַּחֲלֹם יוֹסֵף חֲלוֹם וגו׳, רִבִּי חִיָּיא פָּתַח וַאֲמַר, וַיֹּאמֶר שִׁמְעוּ נָא דְבָרָי אִם יִהְיֶה נְבִיאֲכֶם יי׳ בַּמַּרְאָה אֵלָיו אֶתְוַדָּע בַּחֲלוֹם אֲדַבֶּר בּוֹ. ת״ח, כַּמָּה דַּרְגִּין לְדַרְגִּין עֲבַד קב״ה, וְכֻלְּהוּ קַיְימֵי דָּא עַל דָּא, דַּרְגָּא עַל דַּרְגָּא, דָּא לְעֵיל מִן דָּא, וְכֻלְּהוּ יַנְקִין אִלֵּין מִן אִלֵּין, כִּדְקָא חָזֵי לוֹן, אִלֵּין מִימִינָא וְאִלֵּין מִשְּׂמָאלָא, וְכֻלְּהוּ אִתְמַנָּן אִלֵּין עַל אִלֵּין, כֹּלָּא כִּדְקָא יָאוּת.

פג. ת״ח, כָּל נְבִיאֵי דְּעָלְמָא כֻּלְּהוּ יַנְקֵי מִסִּטְרָא חָדָא, מִגּוֹ תְּרֵין דַּרְגִּין יְדִיעָן, וְאִינּוּן דַּרְגִּין הֲווֹ אִתְחֲזְיָין בְּגוֹ אַסְפַּקְלַרְיָא דְּלָא נַהֲרָא, דִּכְתִיב בַּמַּרְאָה אֵלָיו אֶתְוַדָּע, מַאי הוּא מַרְאָה, כְּמָה דְּאִתְּמַר חֵיזוּ דְּכָל גַּוְונִין אִתְחֲזְיָין בְּגַוֵּיהּ, וְדָא הִיא אַסְפַּקְלַרְיָא דְּלָא נַהֲרָא. בַּחֲלוֹם אֲדַבֶּר בּוֹ, דָּא הוּא חַד מִשִּׁתִּין בִּנְבוּאָה, כְּמָה דְּאוּקְמוּהָ, וְאִיהוּ דַּרְגָּא שְׁתִיתָאָה מֵהַהוּא דַּרְגָּא דִּנְבוּאָה, וְאִיהוּ דַּרְגָּא דְּגַבְרִיאֵל, דִּמְמַנָּא עַל חֶלְמָא, וְהָא אִתְּמַר.

פד. ת״ח, כָּל חֶלְמָא דְּאִיהוּ כִּדְקָא יָאוּת, מֵהַאי דַּרְגָּא קָא אַתְיָא, וְעַל דָּא, לֵית לָךְ חֶלְמָא, דְּלָא יִתְעָרְבוּן עִמֵּיהּ מִלִּין כְּדִיבִין, כְּמָה דְּאוּקִימְנָא, וּבְגִּ״כ, מִנַּיְיהוּ קְשׁוֹט, וּמִנַּיְיהוּ כְּדִיבָן, וְלֵית לָךְ חֶלְמָא, דְּלָא אִית בֵּיהּ מֵהַאי גִּיסָא וּמֵהַאי גִּיסָא.

פה. וּבְגִּין דְּאִית בֵּיהּ בְּחֶלְמָא כֹּלָּא כְּדַאֲמָרָן, כָּל חֶלְמִין דְּעָלְמָא, אָזְלִין בָּתַר פִּשְׁרָא דְּפוּמָא, וְאוּקְמוּהָ דִּכְתִיב, וַיְהִי כַּאֲשֶׁר פָּתַר לָנוּ כֵּן הָיָה, מ״ט, בְּגִין דְּאִית בֵּיהּ בְּחֶלְמָא כְּדִיבוּ וּקְשׁוֹט, וּמִלָּה שַׁלְטָא עַל כֹּלָּא, וּבְגִּ״כ, בָּעֵי חֶלְמָא פִּשְׁרָא טָבָא. רִבִּי יְהוּדָה אֲמַר, בְּגִין דְּכָל חֶלְמָא, מִדַּרְגָּא דִּלְתַתָּא אִיהוּ, וְדִבּוּר שַׁלְטָא עֲלֵיהּ, וּבְגִין כָּךְ כָּל חֶלְמָא אָזְלָא בָּתַר פִּשְׁרָא.

פו. פָּתַח וַאֲמַר, בַּחֲלוֹם חֶזְיוֹן לַיְלָה בִּנְפֹל תַּרְדֵּמָה עַל אֲנָשִׁים בִּתְנוּמוֹת עֲלֵי מִשְׁכָּב אָז יִגְלֶה אֹזֶן אֲנָשִׁים וּבְמוֹסָרָם יַחְתֹּם. ת״ח, כַּד סָלִיק בַּר נָשׁ לְעַרְסֵיהּ, מִבָּעֵי לֵיהּ, לְאַמְלָכָא עֲלֵיהּ מַלְכוּתָא דִּשְׁמַיָּא בְּקַדְמֵיתָא, וּלְבָתַר יֵימָא חַד פְּסוּקָא דְּרַחֲמֵי, וְאוּקְמוּהָ חַבְרַיָּיא, בְּגִין דְּהָא כַּד בַּר נָשׁ נָאִים עַל עַרְסֵיהּ, הָא נִשְׁמָתֵיהּ נָפְקָא מִנֵּיהּ, וְאָזְלָא וְשָׁטְיָא לְעֵילָא, כָּל חַד וְחַד כְּפוּם אָרְחֵיהּ וְהָכִי סָלִיקַת, כְּמָה דְּאִתְּמַר.

פז. מַה כְּתִיב בַּחֲלוֹם חֶזְיוֹן לַיְלָה, כַּד בְּנֵי נָשָׁא שָׁכְבֵי בְּעַרְסַיְיהוּ נַיְימִין, וְנִשְׁמָתָא נָפְקַת מִנַּיְיהוּ, הה״ד בִּתְנוּמוֹת עֲלֵי מִשְׁכָּב, אָז יִגְלֶה אֹזֶן אֲנָשִׁים, וּכְדֵין קב״ה אוֹדַע לָהּ לְנִשְׁמָתָא, בְּהַהוּא דַּרְגָּא דְּקַיְימָא עַל חֶלְמָא, אִינּוּן מִלִּין דִּזְמִינִין לְמֵיתֵי עַל עָלְמָא, אוֹ אִינּוּן מִלִּין, כְּפוּם אִינּוּן הִרְהוּרִין דְּלִבֵּיהּ, בְּגִין דְּבַר נָשׁ נָטִיל אָרְחָא דְּתוֹכָחֵי דְּעָלְמָא.

פח. בְּגִין דְּהָא לָא מוֹדְעִין לֵיהּ לְבַר נָשׁ, בְּעוֹד דְּאִיהוּ קָאִים בְּתוֹקְפָא דְּגוּפָא, כִּדְקָאֲמָרָן, אֶלָּא מַלְאָכָא אוֹדַע לְנִשְׁמָתָא, וְנִשְׁמָתָא לְבַר נָשׁ, וְהַהוּא חֶלְמָא אִיהוּ מִלְּעֵילָּא, כַּד נִשְׁמָתִין נָפְקִין מִגּוּפֵי, וְסַלְקִין כָּל חַד וְחַד כְּפוּם אָרְחֵיהּ.

פט. וְכַמָּה דַּרְגִּין עַל דַּרְגִּין, בְּרָזָא דְּחֶלְמָא, כֻּלְּהוּ בְּרָזָא דְּחָכְמְתָא. וְת״ח, חֲלוֹם דַּרְגָּא חָדָא, מַרְאָה דַּרְגָּא חָדָא, נְבוּאָה דַּרְגָּא חָדָא, וְכֻלְּהוּ דַּרְגִּין לְדַרְגִּין אִלֵּין עַל אִלֵּין.

צ. וַיַּחֲלֹם יוֹסֵף חֲלוֹם וַיַּגֵּד לְאֶחָיו וַיּוֹסִפוּ עוֹד שְׂנֹא אֹתוֹ, עַל חֲלוֹמוֹתָיו. מֵהָכָא, דְּלָא מִבָּעֵי לֵיהּ לְבַר נָשׁ לְמֵימַר חֶלְמֵיהּ, בַּר לְהַהוּא בַּר נָשׁ דְּרָחִים לֵיהּ, וְאִי לָאו, אִיהוּ גָּרִים לֵיהּ, דְּאִי הַהוּא חֶלְמָא מִתְהַפֵּךְ לְגַוְונָא אָחֳרָא, אִיהוּ גָּרִים לְסַלְּקָא.

צא. תָּא חֲזֵי, דְּיוֹסֵף אִיהוּ אֲמַר חֶלְמָא לַאֲחוֹהִי, וְעַל דָּא גָּרְמוּ לֵיהּ לְסַלְּקָא חֶלְמֵיהּ,

תְּרֵין וְעֶשְׂרִין שְׁנִין דְּאִתְעַכַּב, רִבִּי יוֹסֵי אֲמַר, מְנָלָן, דִּכְתִיב וַיּוֹסִיפוּ עוֹד שְׂנֹא אוֹתוֹ, מַאי שְׂנֹא אוֹתוֹ, דְּגָרְמוּ לֵיהּ קִטְרוּגִין בְּדָא.

צב. מַה כְּתִיב וַיֹּאמֶר אֲלֵיהֶם שִׁמְעוּ נָא הַחֲלוֹם הַזֶּה אֲשֶׁר חָלָמְתִּי, דְּבָעָא מִנַּיְיהוּ דְּיִשְׁמְעוּן לֵיהּ. וְאִיהוּ אוֹדַע לְהוּ הַהוּא חֶלְמָא, דְּאִלְמָלֵא אִינוּן דְּאַהֲפָכוּ לֵיהּ לְגַוְונָא אָחֳרָא, הָכֵי אִתְקַיַּים, וְאִינוּן אֲתִיבוּ וַאֲמָרוּ הֲמָלֹךְ תִּמְלֹךְ עָלֵינוּ אִם מָשׁוֹל תִּמְשֹׁל בָּנוּ, מִיָּד אֲמָרוּ לֵיהּ פִּשְׁרָא דְּחֶלְמָא, וְגָזְרוּ גְּזֵרָה, וּבְגִין כָּךְ וַיּוֹסִיפוּ עוֹד שְׂנֹא אוֹתוֹ.

צג. ר' חִיָּיא וְרִבִּי יוֹסֵי, הֲווּ שְׁכִיחֵי קַמֵּיהּ דְּר' שִׁמְעוֹן, אֲמַר רִבִּי חִיָּיא, הָא תָּנִינָן חֶלְמָא דְּלָא אִתְפַּשַּׁר, כְּאִגַּרְתָּא דְּלָא מִתְקַרְיָא, אִי בְּגִין דְּאִתְקַיַּים וְאִיהוּ לָא יָדַע, אוֹ דְּלָא אִתְקַיַּים כְּלַל. אֲמַר לֵיהּ אִתְקַיַּים וְלָא אִתְיְידַע, דְּהָא הַהוּא חֶלְמָא, חֵילָא תַּלְיָא עֲלֵיהּ, וְאִיהוּ לָא אִתְיְדַע, וְלָא יְדִיעַ אִי אִתְקַיַּים, אִי לָא אִתְקַיַּים.

צד. וְלֵית לָךְ מִלָּה בְּעָלְמָא, דְּעַד לָא יֵיתֵי לְעָלְמָא, דְּלָאו אִיהוּ תַּלְיָיא בְּחֶלְמָא, אוֹ עַל יְדָא דְּכָרוֹזָא, דְּהָא אִתְּמַר, דְּכָל מִלָּה וּמִלָּה עַד לָא יֵיתֵי לְעָלְמָא, מַכְרְזֵי עֲלֵיהּ בִּרְקִיעַ, וּמִתַּמָּן אִתְפַּשַּׁט בְּעָלְמָא, וְאִתְיְהִיב עַל יְדָא דְּכָרוֹזָא, וְכֹלָּא בְּגִין דִּכְתִיב כִּי לֹא יַעֲשֶׂה יי' אֱלֹהִים דָּבָר כִּי אִם גָּלָה סוֹדוֹ אֶל עֲבָדָיו הַנְּבִיאִים, בְּזִמְנָא דִּנְבִיאִים אִשְׁתַּכָּחוּ בְּעָלְמָא, וְאִי לָאו, אע"ג דִּנְבוּאָה לָא שַׁרְיָא, וַחֲכִימֵי עֲדִיפֵי מִנְּבִיאִים, וְאִי לָא, אִתְיְהִיב בְּחֶלְמָא, וְאִי לָאו, בְּצִפֳּרֵי שְׁמַיָּא מִשְׁתַּכְּחֵי מִלָּה, וְהָא אוֹקְמוּהָ.

צה. וַיֵּלְכוּ אֶחָיו לִרְעוֹת אֶת צֹאן אֲבִיהֶם בִּשְׁכֶם. רִבִּי שִׁמְעוֹן אֲמַר, לִרְעוֹת צֹאן אֲבִיהֶם מִבָּעֵי לֵיהּ, מַאי אֶ"ת. נָקוּד מִלְעֵילָא, לְאַסְגָּאָה עִמְּהוֹן שְׁכִינְתָּא, דְּאִיהִי עִמְּהוֹן שַׁרְיָיא, בְּגִין דְּאִינוּן הֲווּ עֲשָׂרָה, דְּהָא יוֹסֵף לָא הֲוָה עִמְּהוֹן, וּבִנְיָמִין אִיהוּ זְעִיר בְּבֵיתָא, וּבְגִין כָּךְ אִינוּן הֲווּ עֲשָׂרָה, וְכַד אָזְלוּ, הֲוַת שְׁכִינְתָּא בֵּינַיְיהוּ, וְעַל דָּא נָקוּד מִלְעֵילָא.

צו. וּבְגִ"כ בְּזִמְנָא דְּזַבִּינוּ לֵיהּ לְיוֹסֵף, אִשְׁתַּתָּפוּ כֻּלְּהוּ בַּהֲדֵי שְׁכִינְתָּא, וְאַשְׁתִּיפוּ לָהּ בַּהֲדַיְיהוּ, כַּד עֲבִידוּ אוֹמָאָה, וְעַד דְּאִתְגַּלְיָיא מִלָּה דְּיוֹסֵף, לָא שַׁרְיָא שְׁכִינְתָּא עֲלֵיהּ דְּיַעֲקֹב.

צז. וְאִי תֵּימָא דִּשְׁכִינְתָּא לָא אִשְׁתַּכְּחַת עִמְּהוֹן, ת"ח, דִּכְתִיב שֶׁשָּׁם עָלוּ שְׁבָטִים שִׁבְטֵי יָהּ עֵדוּת לְיִשְׂרָאֵל לְהוֹדוֹת לְשֵׁם יי', כֻּלְּהוּ צַדִּיקֵי וַחֲסִידֵי, קִיּוּמָא דְּכָל עָלְמָא, קִיּוּמָא אִינוּן לְעֵילָא וְתַתָּא.

צח. פָּתַח וַאֲמַר שָׂמַחְתִּי בְּאוֹמְרִים לִי בֵּית יי' נֵלֵךְ. הַאי קְרָא אוֹקְמוּהָ, דְּדָוִד הֲוָה עִם לִבֵּיהּ לְמִבְנֵי בֵּיתָא, כְּדָ"א וַיְהִי עִם לְבַב דָּוִד אָבִי לִבְנוֹת בַּיִת לְשֵׁם יי' וגו'. וּלְבָתַר מַה כְּתִיב, רַק אַתָּה לֹא תִבְנֶה הַבָּיִת כִּי אִם בִּנְךָ הַיּוֹצֵא מֵחֲלָצֶיךָ הוּא יִבְנֶה הַבַּיִת לִשְׁמִי, וְכָל יִשְׂרָאֵל הֲווּ יָדְעֵי דָּא, וַהֲווּ אָמְרוּ, אֵימָתַי יָמוּת דָּוִד, וְיָקוּם שְׁלֹמֹה בְּרֵיהּ וְיִבְנֶה בֵּיתָא, וּכְדֵין עוֹמְדוֹת הָיוּ רַגְלֵינוּ בִּשְׁעָרַיִךְ יְרוּשָׁלָיִם, כְּדֵין נִיסַּק וְנַקְרִיב תַּמָּן קָרְבָּנִין.

צט. וְעִם כָּל דָּא, אע"ג דַּהֲווּ אָמְרוּ אֵימָתַי יָמוּת סָבָא דָּא, כְּדֵין שָׂמַחְתִּי וְחֶדְוָה הֲוָה לִי, בְּגִין בְּרִי, דַּהֲווּ אָמְרֵי דִּבְרִי יָקוּם תְּחוֹתִי, לְמִגְמַר פִּקּוּדָא לְמִבְנֵי בֵּיתָא, כְּדֵין שָׁרֵי וְשַׁבַּח לָהּ, וַאֲמַר יְרוּשָׁלַיִם הַבְּנוּיָה כְּעִיר שֶׁחֻבְּרָה לָּהּ יַחְדָּו.

ק. תְּנַן, עֲבַד קב"ה יְרוּשָׁלַיִם לְתַתָּא, כְּגַוְונָא דִּלְעֵילָא, וְדָא מִתְתַּקְּנָא, לָקֳבֵל דָּא, דִּכְתִיב מָכוֹן לְשִׁבְתְּךָ פָּעַלְתָּ יי'. הַבְּנוּיָה: דְּזַמִּין קב"ה לְנַחֲתָא לָהּ יְרוּשָׁלַיִם דִּלְעֵילָא כִּדְקָא יָאוּת, וּבְגִין כָּךְ הַבְּנוּיָה. שֶׁחֻבְּרָה לָּהּ יַחְדָּו, וְהָא אוֹקְמוּהָ, שֶׁחֻבְּרָה שֶׁחֻבְּרוּ מִבָּעֵי לֵיהּ. אֶלָּא דְּאִתְחַבְּרַת אִמָּא בִּבְרַתָּא, וַהֲווּ כַּחֲדָא, וְאוֹקְמוּהָ.

קא. וְאִתְּמַר. שֶׁשָּׁם עָלוּ שְׁבָטִים, אִלֵּין אִינוּן קִיּוּמָא דְּעָלְמָא, וְתִקּוּנָא דְּעָלְמָא תַּתָּאָה,

ולא תימא דעלמא תתאה בלחודוי, אלא אפילו דעלמא עלאה, דכתיב שבטי יה עדות לישראל, לישראל דייקא, בגין דאינון קיומא לתתא, סהדותא אינון לעילא, וכלא להודות לשם יי', לאודאה שמיה דקב"ה, לכל סטרין, דכתיב להודות לשם יי'.

קב. וימצאהו איש והנה תעה בשדה וישאלהו האיש לאמר מה תבקש. מה כתיב לעילא, ויאמר ישראל אל יוסף הלוא אחיך רעים בשכם לכה ואשלחך אליהם. וכי יעקב שלימא, דהוה רחים ליה ליוסף מכל בנוי, והוא ידע דכל אחוי הוו סנאין ליה, אמאי שדר ליה לגבייהו, אלא איהו לא חשיד עלייהו, דהוה ידע דכלהו הוו זכאין, ולא חשיד לון, אלא גרים קב"ה כל דא, בגין לקיימא גזרה דגזר בין הבתרים.

קג. אשכחנא בספרי קדמאי, דבעיין אלין בני יעקב, לשלטאה עלוי, עד לא יחות למצרים, דאילו הוא יחות למצרים ואינון לא שלטו ביה בקדמיתא, יכלי מצראי לשלטאה לעלמין עלייהו דישראל, ואתקיימא ביה ביוסף, דאזדבן לעבדא, ואינון שלטו עלוי, ואע"ג דיוסף הוה מלכא לבתר, ומצראי הוו עבדין ליה, אשתכחו ישראל דשלטו על כלהו.

קד. ת"ח, דיוסף דאיהו ברית עלאה, כל זמנא דאתקיים ברית, שכינתא אתקיים בהדייהו דישראל בשלם, כדקא יאות, כיון דאסתלק יוסף ברית עלאה מעלמא, כדין ברית, שכינתא, וישראל כלהו בגלותא נפקו, והא אוקימנא דכתיב, ויקם מלך חדש על מצרים אשר לא ידע את יוסף, וכלא הוה מעם קודשא בריך הוא, כדקא יאות.

קה. ת"ח, וימצאהו איש, דא גבריא"ל, ואוקמוה כתיב הכא וימצאהו איש, וכתיב התם והאיש גבריאל אשר ראיתי בחזון בתחלה. והנה תועה, בכלא תועה, דאבטח על אחוי, דהוה מתבע אחוה דלהון, ולא אשכח, ותבע להו, ולא אשכח. ועל דא תועה בכלא, ועל דא וישאלהו האיש לאמר מה תבקש.

קו. ויאמר את אחי אנכי מבקש וגו'. ויאמר האיש נסעו מזה וגו' ר' יהודה פתח, מי יתנך כאח לי יונק שדי אמי אמצאך בחוץ אשקך גם לא יבוזו לי. האי קרא אוקמוה חבריא, אבל האי קרא, כנסת ישראל אמרו למלכא דשלמא דיליה, מי יתנך כאח לי, כיוסף על אחוי, דאמר ועתה אל תיראו אנכי אכלכל אתכם ואת טפכם, יהב לון מזונא, וזן להו בכפנא. בגין כך מי יתנך כאח לי.

קז. ד"א מי יתנך כאח לי, דא יוסף לגבה דשכינתא, דאתאחד עמה ואתדבק בהדה. יונק שדי אמי, דהא כדין אחוה ושלימו בהדייהו. אמצאך בחוץ, גו גלותא, דאיהו בארעא אחרא. אשקך, בגין לאתדבקא רוחא ברוחא. גם לא יבוזו לי, אף על גב דאנא בארעא אחרא.

קח. תא חזי, דיוסף אע"ג דאחוי לא הוו ליה כאחין, כד נפל בידייהו, איהו הוה לון כאחא, כד נפלו בידיה, והא אוקמוה דכתיב וינחם אותם וידבר על לבם, בכלא דבר על לבייהו.

קט. ותא חזי מה כתיב, ויאמרו איש אל אחיו, דא שמעון ולוי, דאינון הוו אחין ודאי בכלא, בגין דקא אתו מסטרא דדינא קשיא, ובגין כך, רוגזא דלהון, איהו רוגזא דקטלא בעלמא, כד"א ארור אפם כי עז ועברתם כי קשתה.

קי. ת"ח רזא דמלה, אית רוגזא ואית רוגזא. אית רוגזא דאיהו מברכא מעילא ומתתא, ואקרי ברוך, כמה דאתמר דכתיב ברוך אברם לאל עליון קונה שמים וארץ,

וְהָא אוֹקְמוּהָ. וְאִית רוּגְזָא, דְּאִיהִי אִתְלַטְיָא לְעֵילָּא וְתַתָּא, כְּמָה דְּאִתְּמַר דְּאִקְרֵי אָרוּר, דִּכְתִּיב אָרוּר אַתָּה מִכָּל הַבְּהֵמָה וּמִכֹּל חַיַּת הַשָּׂדֶה. אָרוּר אַפָּם כִּי עָז.

קי״א. וְעַל רָזָא דָּא, אִית תְּרֵין טוּרִין, דִּכְתִּיב וְנָתַתָּה אֶת הַבְּרָכָה עַל הַר גְּרִזִּים וְאֶת הַקְּלָלָה עַל הַר עֵיבָל, לָקֳבֵיל אִלֵּין תְּרֵין דַּרְגִּין, וְעַל דָּא, דָּא אִקְרֵי אָרוּר וְדָא אִקְרֵי בָּרוּךְ, וְשִׁמְעוֹן וְלֵוִי אִינּוּן מִסִּטְרָא דְּדִינָא קַשְׁיָא, וּמִן סִטְרָא דְּדִינָא קַשְׁיָא תַּקִּיפָא, נָפְקַת רוּגְזָא דְּאִתְלַטְיָא.

קי״ב. וְתָא חֲזֵי, מִסִּטְרָא דְּדִינָא קַשְׁיָא, נָפְקֵי רוּגְזָא לִתְרֵי סִטְרִין, חַד דְּאִתְבָּרַךְ, וְחַד דְּאִתְלַטְיָא. חַד בָּרוּךְ, וְחַד אָרוּר. כְּגַוְונָא דָּא, מִסִּטְרָא דְּיִצְחָק, נָפְקוּ תְּרֵין בְּנִין, חַד מְבוֹרָךְ וְחַד דְּאִתְלַטְיָא לְעֵילָּא וְתַתָּא, דָּא אִתְפָּרַשׁ לְסִטְרֵיהּ, וְדָא אִתְפָּרַשׁ לְסִטְרֵיהּ, דָּא דְּיוּרֵיהּ בְּאַרְעָא קַדִּישָׁא, וְדָא דְּיוּרֵיהּ בְּטוּרָא דְּשֵׂעִיר, דִּכְתִּיב אִישׁ יוֹדֵעַ צַיִד אִישׁ שָׂדֶה. דָּא אַתְרֵיהּ בְּאֲתַר דְּמַדְבְּרָא וְחָרְבָא וְשִׁמָּמָה, וְדָא יוֹשֵׁב אֹהָלִים. וְכֹלָּא כְּגַוְונָא דְּאִיצְטְרִיךְ.

קי״ג. וּבְגִּ״כ, תְּרֵין דַּרְגִּין אִינּוּן: בָּרוּךְ וְאָרוּר, דָּא לְסִטְרֵיהּ, וְדָא לְסִטְרֵיהּ, מֵהַאי נָפְקִין כָּל בִּרְכָאן דְּעָלְמִין לְעֵילָּא וְתַתָּא, וְכָל טִיבוּ, וְכָל נְהִירוּ, וְכָל פּוּרְקָן, וְכָל שֵׁיזָבוּתָא. וּמֵהַאי נָפְקִין, כָּל לְוָוטִין, וְכָל חָרְבָא, וְכָל דָּמָא, וְכָל שִׁמָּמָא, וְכָל בִּישִׁין, וְכָל מְסָאֲבוּ דְּעָלְמָא.

קי״ד. ר״ש פָּתַח וַאֲמַר, אֶרְחַץ בְּנִקָּיוֹן כַּפָּי וַאֲסוֹבְבָה אֶת מִזְבַּחֲךָ ה׳, הַאי קְרָא אוֹקְמוּהָ. אֲבָל ת״ח רָזָא דְּמִלָּה הָכָא, דְּהָא לֵית לָךְ בַּר נָשׁ בְּעָלְמָא, דְּלָא טָעִים טַעֲמָא דְּמוֹתָא בְּלֵילְיָא, וְרוּחַ מְסָאֲבָא שַׁרְיָא עַל הַהוּא גּוּפָא, מַאי טַעֲמָא, בְּגִין דְּנִשְׁמָתָא קַדִּישָׁא, אִסְתַּלְּקַת מִנֵּיהּ דְּבַר נָשׁ, וְנָפְקַת מִנֵּיהּ. וְעַל דְּנִשְׁמָתָא קַדִּישָׁא נָפְקַת וְאִסְתַּלְּקַת מִנֵּיהּ, שַׁרְיָא רוּחָא מְסָאֲבָא עַל הַהוּא גּוּפָא, וְאִסְתָּאַב.

קט״ו. וְכַד נִשְׁמְתָא אִתְהַדְּרַת לְגוּפָא, אִתְעֲבַר הַהוּא זוּהֲמָא, וְהָא אִתְּמַר דְּיָדוֹי דְּבַר נָשׁ, זוּהֲמָא דִּמְסָאֲבוּ אִשְׁתָּאַר בְּהוּ, וְעַל דָּא לָא יַעֲבַר יְדוֹי עַל עֵינוֹי, בְּגִין דְּהַהוּא רוּחַ מְסָאֲבָא שַׁרְיָא עֲלוֹי, עַד דְּנָטִיל לוֹן, וְכַד נָטִיל יְדוֹי כִּדְקָא יָאוּת, כְּדֵין אִתְקַדַּשׁ, וְאִקְרֵי קָדוֹשׁ.

קט״ז. וְהֵיךְ בָּעֵי לְאִתְקַדְּשָׁא. בָּעֵי חַד כְּלִי לְתַתָּא, וְחַד כְּלִי מִלְּעֵילָּא, בְּגִין דְּיִתְקַדַּשׁ מֵהַהוּא דִּלְעֵילָּא, וְהַהוּא דִּלְתַתָּא דְּיָתִיב בְּזוּהֲמָא דִּמְסָאֲבוּ בֵּיהּ, וְדָא כְּלִי לְקַבְּלָא מְסָאֲבוּ, וְדָא לְאִתְקַדְּשָׁא מִנֵּיהּ, דָּא בָּרוּךְ, וְדָא אָרוּר, וְלָא בָּעְיָין אִינּוּן מַיִין דְּזוּהֲמָא, לְאוֹשְׁדָא לוֹן בְּבֵיתָא, דְּלָא יִקְרַב בְּהוּ בַּר נָשׁ, דְּהָא בְּהוּ מִתְכַּנְשֵׁי סִטְרָא דִּלְהוֹן, וְיָכִיל לְקַבְּלָא נְזָקָא מֵאִינּוּן מַיִין מְסָאֲבִין.

קי״ז. וְעַד דְּיִתְעֲבַר זוּהֲמָא מִן יְדוֹי, לָא יְבָרֵךְ, וְאוֹקִימְנָא. וּבְגִין כָּךְ, בַּר נָשׁ עַד לָא יְקַדֵּשׁ יְדוֹי בְּצַפְרָא, אִקְרֵי טָמֵא, כֵּיוָן דְּאִתְקַדַּשׁ אִקְרֵי טָהוֹר, וּבְגִין כָּךְ, לָא יִטּוֹל, אֶלָּא מִן יְדָא דְּאִדְכֵּי בְּקַדְמֵיתָא, דִּכְתִּיב וְהִזָּה הַטָּהוֹר עַל הַטָּמֵא דָּא אִקְרֵי טָהוֹר, וְדָא אִקְרֵי טָמֵא.

קי״ח. בְּגִין כָּךְ, חַד כְּלִי לְעֵילָּא, וְחַד כְּלִי לְתַתָּא, דָּא קַדִּישָׁא, וְדָא מְסָאֲבָא. וּמֵאִינּוּן מַיִין אָסִיר לְמֶעְבַּד בְּהוּ מִידֵי, אֶלָּא בָּעֵי לְאוֹשְׁדָא לוֹן, בַּאֲתַר דִּבְנֵי נָשָׁא לָא עָבְרִין עֲלַיְיהוּ, וְלָא א. יְבִית לוֹן בְּבֵיתָא, דְּהָא כֵּיוָן דְּאִתּוֹשְׁדָן בְּאַרְעָא, רוּחָא מְסָאֲבָא אִשְׁתְּכַח תַּמָּן, וְיָכִיל לְנָזְקָא, וְאִי חָפַר לוֹן מְדְרוֹן תְּחוֹת אַרְעָא דְּלָא יִתְחֲזוּן, שַׁפִּיר.

קי״ט. וְלָא יָהִיב לוֹן לְנָשֵׁי חַרְשַׁיָּא, דְּיָכְלוּן לְאַבְאָשָׁא בְּהוּ לִבְנֵי נָשָׁא, בְּגִין דְּאִינּוּן מַיִין דְּאִתְלַטְיָין, וְקב״ה בָּעֵי לְדַכְּאָה לוֹן לְיִשְׂרָאֵל, וּלְמֶהֱוֵי קַדִּישִׁין, דִּכְתִּיב וְזָרַקְתִּי עֲלֵיכֶם מַיִם טְהוֹרִים וּטְהַרְתֶּם מִכֹּל טֻמְאוֹתֵיכֶם וּמִכָּל גִּלּוּלֵיכֶם אֲטַהֵר אֶתְכֶם.

קכ. וַיִּקָּחֻהוּ וַיַּשְׁלִכוּ אֹתוֹ הַבֹּרָה וְהַבּוֹר רֵק אֵין בּוֹ מָיִם. רַבִּי יְהוּדָה פָּתַח וַאֲמַר, תּוֹרַת

ה' תְּמִימָה מְשִׁיבַת נָפֶשׁ. כַּמָּה אִית לוֹן לִבְנֵי נָשָׁא לְאִשְׁתַּדְּלָא בְּאוֹרַיְיתָא, דְּכָל מַאן דְּאִשְׁתַּדַּל בְּאוֹרַיְיתָא, לֶהֱוֵי לֵיהּ חַיִּים בְּעַלְמָא דֵּין, וּבְעַלְמָא דְּאָתֵי, וְזָכֵי בִּתְרֵין עָלְמִין, וַאֲפִילּוּ מַאן דְּאִשְׁתַּדַּל בְּאוֹרַיְיתָא, וְלָא יִשְׁתַּדַּל בָּהּ לִשְׁמָהּ, כִּדְקָא יָאוּת, זָכֵי לַאֲגַר טַב בְּעַלְמָא דֵּין, וְלָא דַּיְינִין לֵיהּ בְּהַהוּא עַלְמָא.

קכא. וְתָא חֲזֵי, כְּתִיב אֹרֶךְ יָמִים בִּימִינָהּ בִּשְׂמֹאלָהּ עֹשֶׁר וְכָבוֹד. אֹרֶךְ יָמִים, בְּהַהוּא דְּאִשְׁתַּדַּל בְּאוֹרַיְיתָא לִשְׁמָהּ, דְּאִית לֵיהּ אֹרֶךְ יָמִים בְּהַהוּא עַלְמָא, דְּבֵיהּ אוּרְכָא דְּיוֹמִין, וְאִינּוּן יוֹמִין, אִינּוּן יוֹמִין וַדַּאי, תַּמָּן אִיהוּ רְוָוחָא דִּקְדוּשָׁא דִּלְעֵילָּא, דְּאִתְרְוַוח בַּר נָשׁ בְּהַאי עַלְמָא לְאִשְׁתַּדְּלָא בְּאוֹרַיְיתָא, לְאִתְתַּקְפָא בְּהַהוּא עַלְמָא, בִּשְׂמֹאלָהּ עוֹשֶׁר וְכָבוֹד, אֲגַר טַב וְשַׁלְוָה אִית לֵיהּ בְּהַאי עַלְמָא.

קכב. וְכָל מַאן דְּיִשְׁתַּדַּל בְּאוֹרַיְיתָא לִשְׁמָהּ, כַּד נָפֵיק מֵהַאי עַלְמָא, אוֹרַיְיתָא אָזְלָא קַמֵּיהּ, וְאַכְרְזַת קַמֵּיהּ, וְאַגִּינַת עֲלֵיהּ, דְּלָא יִקְרְבוּן בַּהֲדֵיהּ מָארֵיהוֹן דְּדִינָא. כַּד שָׁכֵיב גּוּפָא בְּקִבְרָא, הִיא נָטְרַת לֵיהּ. כַּד נִשְׁמָתָא אָזְלָא לְאִסְתַּלְּקָא לְמֵיתַב לְאַתְרָהּ, אִיהִי אָזְלָא קַמָּהּ דְּהַהִיא נִשְׁמָתָא, וְכַמָּה תַּרְעִין אִתְּבָרוּ מִקַּמָּהּ דְּאוֹרַיְיתָא, עַד דְּעָאלַת לְדוּכְתָהּ, וְקַיְימָא עֲלֵיהּ דְּב"נ, עַד דְּיִתְעַר, בְּזִמְנָא דְּיְקוּמוּן מֵתַיָּיא דְּעַלְמָא, וְאִיהִי מַלְּפָא סַנֵּיגוֹרְיָא עֲלֵיהּ.

קכג. הה"ד בְּהִתְהַלֶּכְךָ תַּנְחֶה אֹתָךְ בְּשָׁכְבְּךָ תִּשְׁמֹר עָלֶיךָ וַהֲקִיצוֹתָ הִיא תְשִׂיחֶךָ. בְּהִתְהַלֶּכְךָ תַּנְחֶה אֹתָךְ, כְּמָה דְּאִתְּמַר. בְּשָׁכְבְּךָ תִּשְׁמֹר עָלֶיךָ, בְּשַׁעֲתָא דְּשָׁכֵיב גּוּפָא בְּקִבְרָא, דְּהָא כְּדֵין בְּהַהוּא זִמְנָא, אִתְדָּן גּוּפָא בְּקִבְרָא, וּכְדֵין אוֹרַיְיתָא אַגִּינַת עֲלֵיהּ. וַהֲקִיצוֹתָ הִיא תְשִׂיחֶךָ, כְּמָא דְּאִתְּמַר, בְּזִמְנָא דְּיִתְעָרוּן מֵתֵי עַלְמָא מִן עַפְרָא. הִיא תְשִׂיחֶךָ, לְמֶהֱוֵי סַנֵּיגוֹרְיָא עֲלָךְ.

קכד. רִבִּי אֶלְעָזָר אֲמַר, הִיא תְשִׂיחֶךָ. מַאי הִיא תְשִׂיחֶךָ. בְּגִין, דְּאע"ג דְּהַשְׁתָּא יְקוּמוּן מֵעַפְרָא, אוֹרַיְיתָא לָא יִתְנְשֵׁי מִנַּהוֹן, דְּהָא כְּדֵין יִנְדְּעוּן כָּל הַהִיא אוֹרַיְיתָא דִּשְׁבָקוּ, כַּד אִסְתַּלְּקוּ מֵהַאי עַלְמָא, הַהִיא אוֹרַיְיתָא נְטִירָא מֵהַהוּא זִמְנָא, וְתֵיעוֹל בְּמֵעַיְיהוּ כְּמִלְּקַדְמִין, וְאִיהִי תְּמַלֵּל בְּמֵעַיְיהוּ.

קכה. וְכָל מִלִּין מִתְתַּקְנָן יַתִּיר מִכְּמָה דַּהֲווּ בְּקַדְמֵיתָא, דְּהָא כָּל אִינּוּן מִלִּין, דְּאִיהוּ לָא יָכִיל לְאַדְבְּקָא לוֹ כִּדְקָא יָאוּת, וְאִיהוּ אִשְׁתַּדַּל בְּהוּ, וְלָא אִתְדַּבַּק בְּהוּ, כֻּלְּהוּ עָאלִין בְּמֵעוֹי מִתְתַּקְנָן, וְאוֹרַיְיתָא תְּמַלֵּל בֵּיהּ, הה"ד וַהֲקִיצוֹתָ הִיא תְשִׂיחֶךָ. רִבִּי יְהוּדָה אֲמַר, כְּגַוְונָא דָּא, כָּל מַאן דְּאִשְׁתַּדַּל בְּאוֹרַיְיתָא בְּהַאי עַלְמָא, זָכֵי לְאִשְׁתַּדְּלָא בָּהּ לְעַלְמָא דְּאָתֵי, וְהָא אִתְּמַר.

קכו. ת"ח, הַהוּא ב"נ דְּלָא זָכֵי לְאִשְׁתַּדְּלָא בְּהַאי עַלְמָא בְּאוֹרַיְיתָא, וְאִיהוּ אָזִיל בַּחֲשׁוֹכָא, כַּד נָפֵיק מֵהַאי עַלְמָא, נָטְלִין לֵיהּ, וְעָאלִין לֵיהּ לַגֵּיהִנֹּם, אֲתַר תַּתָּאָה, דְּלָא יְהֵא מְרַחֵם עֲלֵיהּ, דְּאִקְרֵי בּוֹר שָׁאוֹן, טִיט הַיָּוֵן, כְּד"א, וַיַּעֲלֵנִי מִבּוֹר שָׁאוֹן מִטִּיט הַיָּוֵן וַיָּקֶם עַל סֶלַע רַגְלַי כּוֹנֵן אֲשׁוּרָי.

קכז. וּבְגִין כָּךְ, הַהוּא דְּלָא אִשְׁתַּדַּל בְּאוֹרַיְיתָא בְּהַאי עַלְמָא, וְאִתְטַנַּף בְּטִנּוּפֵי עַלְמָא, מַה כְּתִיב, וַיִּקָּחֻהוּ וַיַּשְׁלִיכוּ אֹתוֹ הַבֹּרָה, דָּא הוּא גֵּיהִנֹּם, אֲתַר דְּדַיְינִין לְהוֹ, לְאִינּוּן דְּלָא אִשְׁתַּדְּלוּ בְּאוֹרַיְיתָא, וְהַבּוֹר רֵק, כְּמָה דְּאִיהוּ הֲוָה רֵק, מַאי טַעְמָא, בְּגִין דְּלָא הֲוָה בֵּיהּ מַיִם.

קכח. וְתָא חֲזֵי כַּמָּה הוּא עוֹנְשָׁא דְּאוֹרַיְיתָא, דְּהָא לָא אִתְגְּלוּ יִשְׂרָאֵל מֵאַרְעָא קַדִּישָׁא, אֶלָּא בְּגִין דְּאִסְתַּלְּקוּ מֵאוֹרַיְיתָא, וְאִשְׁתְּבָקוּ מִינָּהּ, הה"ד, מִי הָאִישׁ הֶחָכָם וְיָבֵן אֶת זֹאת וגו', עַל מָה אָבְדָה הָאָרֶץ וגו'. וַיֹּאמֶר ה' עַל עָזְבָם אֶת תּוֹרָתִי וגו'. רִבִּי יוֹסֵי אֲמַר מֵהָכָא,

לָכֵן גָּלָה עַמִּי מִבְּלִי דָעַת.

קכט. בְּגִין כָּךְ, כֹּלָּא קַיְּימָא עַל קִיּוּמָא דְּאוֹרַיְיתָא, וְעָלְמָא לָא אִתְקַיַּים בְּקִיּוּמֵיהּ, אֶלָּא בְּאוֹרַיְיתָא, דְּאִיהוּ קִיּוּמָא דְּעָלְמִין, עֵילָּא וְתַתָּא, דִּכְתִיב, אִם לֹא בְרִיתִי יוֹמָם וָלָיְלָה חֻקּוֹת שָׁמַיִם וָאָרֶץ לֹא שָׂמְתִּי.

קל. וַיִּקָּחֻהוּ וַיַּשְׁלִכוּ אוֹתוֹ הַבּוֹרָה, רָמַז, עַל דְּאַרְמִיאוּ לֵיהּ לְגוֹ מִצְרָאֵי, אֲתַר דְּלָא אִשְׁתַּכַּח רָזָא דִּמְהֵימְנוּתָא כְּלָל. רַבִּי יִצְחָק אָמַר, אִי נְחָשִׁין וְעַקְרַבִּין הֲווֹ בֵּיהּ, אַמַּאי כְּתִיב בִּרְאוּבֵן, לְמַעַן הַצִּיל אוֹתוֹ מִיָּדָם לַהֲשִׁיבוֹ אֶל אָבִיו, וְכִי לָא חָיֵישׁ רְאוּבֵן לְהַאי, דְּהָא אִינוּן נְחָשִׁין וְעַקְרַבִּין יַזְּקוּן לֵיהּ, וְאֵיךְ אָמַר לַהֲשִׁיבוֹ אֶל אָבִיו, וּכְתִיב לְמַעַן הַצִּיל אוֹתוֹ.

קלא. אֶלָּא, חָמָא רְאוּבֵן, דִּנְזָקָא אִשְׁתַּכַּח בִּידַיְיהוּ דַּאֲחוֹי, בְּגִין דְּיָדַע כַּמָּה שַׂנְאִין לֵיהּ, וּרְעוּתָא דִּלְהוֹן לְקַטְלָא לֵיהּ, אָמַר רְאוּבֵן, טַב לְמִנְפַּל לֵיהּ לְגוֹ גּוּבָא דִּנְחָשִׁין וְעַקְרַבִּין, וְלָא יִתְמְסַר בִּידָא דְּשַׂנְאוֹי, דְּלָא מְרַחֲמֵי עֲלֵיהּ. מִכָּאן אָמְרוּ, יַפִּיל ב"נ גַּרְמֵיהּ לְאֶשָּׁא, אוֹ לְגוּבָא דִּנְחָשִׁין וְעַקְרַבִּין, וְלָא יִתְמְסַר בִּידָא דְּשַׂנְאוֹי.

קלב. בְּגִין, דְּהָכָא אֲתַר דִּנְחָשִׁים וְעַקְרַבִּים, אִי אִיהוּ צַדִּיקָא, קֻבְּ"ה יַרְחִישׁ לֵיהּ נִיסָא, וּלְזִמְנִין דִּזְכוּ דַּאֲבָהָן מְסַיְּיעִין לֵיהּ לְב"נ, וְיִשְׁתְּזִיב מִנַּיְיהוּ, אֲבָל כֵּיוָן דְּיִתְמְסַר בִּידָא דְּשַׂנְאוֹי, זְעִירִין אִינוּן דְּיָכְלִין לְאִשְׁתֵּזָבָא.

קלג. וּבְגִין כָּךְ אָמַר לְמַעַן הַצִּיל אוֹתוֹ מִיָּדָם. מִיָּדָם דַּיְיקָא, וְלָא כְּתִיב לְמַעַן הַצִּיל אוֹתוֹ וְתוּ לָא, אֶלָּא אָמַר רְאוּבֵן, יִשְׁתְּזִיב מִן יְדַיְיהוּ, וְאִי יְמוּת בְּגוּבָא יְמוּת, וּבְגִין כָּךְ כְּתִיב וַיִּשְׁמַע רְאוּבֵן וַיַּצִּלֵהוּ מִיָּדָם.

קלד. ת"ח, כַּמָּה חֲסִידוּתֵיהּ דִּרְאוּבֵן, דִּבְגִין דְּיָדַע, דְּשִׁמְעוֹן וְלֵוִי, שׁוּתָּפוּתָא וַחֲכִימוּתָא וְחַבְרוּתָא דִּלְהוֹן קַשְׁיָא אִינוּן, דְּכַד אִתְחַבָּרוּ בִּשְׁכֶם, קָטְלוּ כָּל דְּכוּרָא, לָא דַּי לוֹן, אֶלָּא דְּנָטְלִין נָשִׁין וָטַף, וְכַסְפָּא וְדַהֲבָא, וְכָל בְּעִירֵי, וְכָל מָאנֵי דִּיקָר, וְכָל מַאן דְּאִשְׁתַּכַּח בְּקַרְתָּא, וְלָא דַּי כָּל דָּא, אֶלָּא דַּאֲפִילּוּ כָּל מַה דִּבְחַקְלָא נָטְלוּ, דִּכְתִיב וְאֶת אֲשֶׁר בָּעִיר וְאֶת אֲשֶׁר בַּשָּׂדֶה לָקָחוּ.

קלה. אָמַר, וּמַה קַרְתָּא רַבְּתָא כִּי הַאי, לָא אִשְׁתְּזִיב מִנְּהוֹן, אִלְמָלֵא רַבְיָא דָּא יִפּוֹל בִּידַיְיהוּ, לָא יַשְׁאֲרוּן מִנֵּיהּ אוּמְצָא בְּעָלְמָא, וְעַל דָּא אָמַר, טַב לְאִשְׁתֵּזָבָא מִנַּיְיהוּ, דְּלָא יַשְׁאֲרוּן מִנֵּיהּ אִשְׁתָּאֲרוּתָא בְּעָלְמָא, וְלָא יֶחֱזֵי אַבָּא מִנֵּיהּ כְּלוּם לְעָלְמִין.

קלו. וְהָכָא, אִי יְמוּת, לָא יָכְלִין לֵיהּ, וְיִשְׁתָּאַר כָּל גּוּפֵיהּ שְׁלִים, וַאֲתִיב לֵיהּ לְאַבָּא שְׁלִים, וְעַל דָּא לְמַעַן הַצִּיל אוֹתוֹ מִיָּדָם לַהֲשִׁיבוֹ אֶל אָבִיו, אע"ג דִּימוּת הָתָם. וּבְגִין כָּךְ אָמַר הַיֶּלֶד אֵינֶנּוּ, וְלָא אָמַר אֵינֶנּוּ חַי, אֶלָּא אָמַר אֵינֶנּוּ אֲפִילּוּ מֵת.

קלז. ת"ח, מַאי דַּעֲבַד, דְּאִיהוּ בְּחָכְמְתָא הֲוָה, שָׁתִיף גַּרְמֵיהּ בַּהֲדַיְיהוּ, דִּכְתִיב לֹא נַכֶּנּוּ נָפֶשׁ, וְלָא כְּתִיב לָא תַכּוּהוּ, וְאִיהוּ לָא הֲוָה תַּמָּן, כַּד אוֹדְבַּן יוֹסֵף, דְּהָא כֻּלְּהוּ מְשַׁמְּשֵׁי לַאֲבוּהוֹן, כָּל חַד וְחַד יוֹמָא חַד, וְהַהוּא יוֹמָא דִּרְאוּבֵן הֲוָה, וְע"ד בָּעָא, דִּבְהַהוּא יוֹמָא דַּהֲוָה שִׁמּוּשָׁא דִּילֵיהּ, לָא יִתְאֲבִיד יוֹסֵף, וּבְג"כ כְּתִיב, וַיָּשָׁב רְאוּבֵן אֶל הַבּוֹר וְהִנֵּה אֵין יוֹסֵף בַּבּוֹר וַיִּקְרַע אֶת בְּגָדָיו. וְהִנֵּה אֵין יוֹסֵף דַּיְיקָא, אֲפִילּוּ מֵית, מִיָּד וַיָּשָׁב אֶל אֶחָיו וַיֹּאמַר הַיֶּלֶד אֵינֶנּוּ.

קלח. וַאֲפִילּוּ רְאוּבֵן, לָא יָדַע מֵהַהוּא זְבִינָא דְּיוֹסֵף, וְהָא אוֹקְמוּהָ דְּאִשְׁתַּתֵּיף בְּהוּ שְׁכִינְתָּא, וְע"ד, לָא יָדַע רְאוּבֵן, מֵהַהוּא זְבִינָא דְּיוֹסֵף, וְלָא אִתְגַּלְיָיא לֵיהּ, עַד הַהוּא זִמְנָא, דְּאִתְגַּלֵּי יוֹסֵף לַאֲחוֹהִי.

קלט. ת"ח, כַּמָּה גָּרִים לֵיהּ לִרְאוּבֵן, בְּגִין דְּאִיהוּ אִשְׁתַּדַּל לַאֲחָיָיא לֵיהּ לְיוֹסֵף, מַה

כְּתִיב, יְחִי רְאוּבֵן וְאַל יָמוֹת וגו'. דְּהָא בְּגִין דָּא אע"ג דְּיָדַע דְּאִשְׁתְּקִיל בְּכֵירוּתֵיהּ מִנֵּיהּ, וְאִתְיְהִיב לְיוֹסֵף, אִשְׁתַּדַּל לְאַחֲזָיָא לֵיהּ, וְצַלֵּי מֹשֶׁה וַאֲמַר, יְחִי רְאוּבֵן וְאַל יָמוֹת, וְאִתְקַיַּים בְּעַלְמָא דֵּין, וְאִתְקַיַּים בְּעַלְמָא דְּאָתֵי. מַאי טַעְמָא, בְּגִין דָּא, וּבְגִין דַּעֲבַד תְּשׁוּבָה מֵהַהוּא עוֹבָדָא. דְּכָל מַאן דְּעָבֵיד תְּשׁוּבָה, קוּדְשָׁא בְּרִיךְ הוּא קַיֵּים לֵיהּ, בְּעַלְמָא דֵּין, וּבְעַלְמָא דְּאָתֵי.

קמ. ת"ח, מַה כְּתִיב וַיִּקְחוּ אֶת כְּתֹנֶת יוֹסֵף וגו', הָא אוּקְמוּהָ, דִּבְגִין דִּדְמָא דְּשָׂעִיר, דַּמְיָא לִדְמָא דְּב"נ. אֲבָל ת"ח, אע"ג דְּמִלָּה אַתְיָא כִּדְקָא וָזֵי, קב"ה מְדַקְדֵּק בְּצַדִּיקַיָּיא, אֲפִילּוּ כְּחוּט הַשַּׂעֲרָה.

קמא. יַעֲקֹב עָבַד עוֹבָדָא כִּדְקָא יָאוֹת, בְּמַאי בְּגִין דְּאַקְרֵיב לְגַבֵּי אֲבוֹי שָׂעִיר, דְּאִיהוּ סִטְרָא דְּדִינָא קַשְׁיָא, וְעִם כָּל דָּא, בְּגִין דְּאִיהוּ אַקְרֵיב שָׂעִיר, וְאַכְחֵישׁ לֵיהּ לַאֲבוֹי, דְּאִיהוּ סִטְרָא דִּילֵיהּ, אִתְעֲנַשׁ בְּהַאי שָׂעִיר אָחֳרָא, דְּאַקְרִיבוּ לֵיהּ בְּנוֹי דְּמָא דִּילֵיהּ.

קמב. בְּאִיהוּ כְּתִיב, וְאֵת עוֹרֹת גְּדָיֵי הָעִזִּים הִלְבִּישָׁה עַל יָדָיו וְעַל חֶלְקַת צַוָּארָיו, בְּגִין כָּךְ וַיִּטְבְּלוּ אֶת הַכֻּתֹּנֶת בַּדָּם, אַקְרִיבוּ לֵיהּ כְּתוּנְתָּא, לְאַכְחָשָׁא לֵיהּ, וְכֹלָּא דָּא לָקֳבֵל דָּא, אִיהוּ גָּרִים דִּכְתִּיב וַיֶּחֱרַד יִצְחָק חֲרָדָה גְּדוֹלָה עַד מְאֹד, בְּגִין כָּךְ גָּרְמוּ לֵיהּ, דְּחָרַד וַחֲרָדָה, בְּהַהוּא זִמְנָא, דִּכְתִּיב הַכֶּר נָא הַכְּתֹנֶת בִּנְךָ הִיא אִם לֹא.

קמג. רִבִּי חִיָּיא אֲמַר, בֵּיהּ כְּתִיב, הַאַתָּה זֶה בְּנִי עֵשָׂו אִם לֹא. לֵיהּ כְּתִיב, הַכְּתֹנֶת בִּנְךָ הִיא אִם לֹא. וּבְגִ"כ, קב"ה מְדַקְדֵּק בְּהוּ בְּצַדִּיקַיָּא, בְּכָל מַה דְּאִינּוּן עָבְדִין.

קמד. רִבִּי אַבָּא אֲמַר, כֵּיוָן דְּחָמוּ כֻּלְּהוּ שִׁבְטִין, הַהוּא צַעֲרָא דַּאֲבוּהוֹן, אִתְנְחָמוּ וַדַּאי, וִיהִיבוּ גַּרְמַיְיהוּ עֲלֵיהּ דְּיוֹסֵף, דְּיִפְדּוּן לֵיהּ, אִלְמָלֵא יִשְׁכְּחוּן לֵיהּ, כֵּיוָן דְּחָמוּ דְּלָא יָכִילוּ, אַהֲדָרוּ לְגַבֵּיהּ דִּיהוּדָה, וְאַעֲבָרוּ לֵיהּ מֵעַלַּיְיהוּ, בְּגִין דְּאִיהוּ הֲוָה מַלְכָּא עֲלַיְיהוּ, אַעֲבָרוּהוּ מֵעַלַּיְיהוּ, מַה כְּתִיב וַיְהִי בָּעֵת הַהִיא וַיֵּרֶד יְהוּדָה וגו'.

קמה. רִבִּי יְהוּדָה פְּתַח וַאֲמַר, וַיַּרְעֵם בַּשָּׁמַיִם יְיָ' וְעֶלְיוֹן יִתֵּן קוֹלוֹ בָּרָד וְגַחֲלֵי אֵשׁ. ת"ח, כַּד בָּרָא קב"ה עָלְמָא, אַתְקִין לֵיהּ שִׁבְעָה סַמְכִין, עַל מַה דְּקַיְימָא, וְכֻלְּהוּ סַמְכִין, קַיְימֵי בְּחַד סָמְכָא יְחִידָאי, וְהָא אוּקְמוּהָ דִּכְתִּיב חָכְמוֹת בָּנְתָה בֵיתָהּ חָצְבָה עַמּוּדֶיהָ שִׁבְעָה, וְאִלֵּין כֻּלְּהוּ, אִינּוּן קַיְימֵי בְּחַד דַּרְגָּא מִנַּיְיהוּ, דְּאִקְרֵי צַדִּיק יְסוֹד עוֹלָם.

קמו. וְעַלְמָא כַּד אִתְבְּרֵי, מֵהַהוּא אֲתַר אִתְבְּרֵי, דְּאִיהוּ שִׁכְלוּלָא דְּעַלְמָא וְתִקּוּנוֹי, דְּאִיהוּ חַד נְקוּדָה דְּעַלְמָא, וְאֶמְצָעִיתָא דְּכֹלָּא, וּמַאן אִיהוּ, צִיּוֹן, דִּכְתִּיב מִזְמוֹר לְאָסָף אֵל אֱלֹהִים יְיָ' דִּבֶּר וַיִּקְרָא אָרֶץ מִמִּזְרַח שֶׁמֶשׁ עַד מְבוֹאוֹ. וּמֵאָן אֲתַר, מִצִּיּוֹן, דִּכְתִּיב מִצִּיּוֹן מִכְלַל יֹפִי אֱלֹהִים הוֹפִיעַ, מֵהַהוּא אֲתַר, דְּאִיהוּ סִטְרָא דְּשִׁכְלוּלָא דִּמְהֵימְנוּתָא שְׁלֵימוּתָא כִּדְקָא יָאוֹת, וְצִיּוֹן תַּקִּיפוּ וּנְקוּדָה דְּכָל עָלְמָא, וּמֵהַהוּא אֲתַר אִשְׁתַּכְלַל כָּל עָלְמָא וְאִתְעֲבֵיד, וּמִגַּוֵּיהּ כָּל עָלְמָא אִתְּזָן.

קמז. וְת"ח, וַיַּרְעֵם בַּשָּׁמַיִם ה' וְעֶלְיוֹן יִתֵּן קוֹלוֹ וגו', כֵּיוָן דַּאֲמַר וַיַּרְעֵם בַּשָּׁמַיִם ה' אַמַּאי כְּתִיב וְעֶלְיוֹן יִתֵּן קוֹלוֹ, הָא הָכָא רָזָא דִּמְהֵימְנוּתָא דַּאֲמִינָא דְּצִיּוֹן אִיהוּ שִׁכְלוּלָא וְשַׁפִּירוּ דְּעַלְמָא, וְעַלְמָא מִנֵּיהּ אִתְּזָן, בְּגִין דִּתְרֵין דַּרְגִּין אִינּוּן, וְאִינּוּן חַד, אִינּוּן: צִיּוֹן וִירוּשָׁלַם, דָּא דִּינָא, וְדָא רַחֲמֵי, וְתַרְוַויְיהוּ חַד, מֵהָכָא דִּינָא וּמֵהָכָא רַחֲמֵי.

קמח. מֵעֵילָּא לְעֵילָּא נָפְקָא קוֹל דְּאִשְׁתְּמַע, לְבָתַר דְּהַהוּא קוֹל נָפְקָא וְאִשְׁתְּמַע, נָפְקֵי דִּינִין, וְאָרְחֵי דְּדִינָא וְרַחֲמֵי נָפְקִין וּמִתְפָּרְשָׁן מִתַּמָּן, וַיַּרְעֵם בַּשָּׁמַיִם ה', דָּא בֵּי דִּינָא בְּרַחֲמֵי.

וְעֶלְיוֹן: אע"ג דְּלָא אִשְׁתַּכַּח וְלָא אִתְיְדַע, כֵּיוָן דְּהַהוּא קוֹל נָפִיק, כְּדֵין אִשְׁתַּכַּח כֹּלָּא, דִּינָא וְרַחֲמֵי, הה"ד וְעֶלְיוֹן יִתֵּן קוֹלוֹ, כֵּיוָן דְּיָהִיב קוֹלוֹ, כְּדֵין בָּרָד וְגַחֲלֵי אֵשׁ, מַיָּא וְאֶשָּׁא.

קמט. ת"ח, בְּשַׁעְתָּא דְּאִתְיְלִיד יְהוּדָה, מַה כְּתִיב, וַתַּעֲמֹד מִלֶּדֶת, בְּגִין דְּדָא הוּא יְסוֹדָא רְבִיעָאָה מֵאִינּוּן אַרְבַּע, דְּאִינּוּן רְתִיכָא עִלָּאָה, סַמְכָא חַד, מֵאִינּוּן אַרְבַּע סַמְכִין, מַה כְּתִיב בֵּיהּ, וַיְהִי בָּעֵת הַהִיא וַיֵּרֶד יְהוּדָה מֵאֵת אֶחָיו דַּהֲוָה מַלְכָּא עֲלַיְיהוּ, מַאי טַעְמָא, בְּגִין דְּיוֹסֵף נָחֲתוּ לֵיהּ לְמִצְרַיִם כְּדְקָאֲמָרָן.

קנ. וַיַּרְא שָׁם יְהוּדָה בַּת אִישׁ כְּנַעֲנִי. וְכִי כְּנַעֲנִי הֲוָה, אֶלָּא הָא אוֹקְמוּהָ חַבְרַיָּיא. וַתַּהַר וַתֵּלֶד בֵּן וַיִּקְרָא אֶת שְׁמוֹ עֵר, תְּלַת בְּנִין הֲווּ לֵיהּ לִיהוּדָה, וְלָא אִשְׁתָּאֲרוּ מִנַּיְיהוּ בַּר חַד, וְדָא הוּא שֵׁלָה.

קנא. רִבִּי אֶלְעָזָר, וְרִבִּי יוֹסֵי, וְרִבִּי חִיָּיא, הֲווּ אָזְלֵי בְּאָרְחָא. אֲמַר רִבִּי יוֹסֵי לְרִבִּי אֶלְעָזָר, אַמַּאי כְּתִיב בִּבְנוֹי דִּיהוּדָה בְּקַדְמָאָה, וַיִּקְרָא אֶת שְׁמוֹ עֵר, וּבִתְרֵין אָחֳרָנִין כְּתִיב, וַתִּקְרָא אֶת שְׁמוֹ אוֹנָן, וַתִּקְרָא אֶת שְׁמוֹ שֵׁלָה

קנב. א"ל תָּא חֲזֵי, הַאי פָּרְשָׁתָא רָזָא עִלָּאָה אִיהוּ, וְכֹלָּא אִיהוּ כִּדְקָא חָזֵי. וַיֵּרֶד יְהוּדָה מֵאֵת אֶחָיו, דְּהָא אִתְכַּסְיָא סִיהֲרָא, וְנָחֲתַת מִדַּרְגָּא דִּתְקָנָא, לְגוֹ דַּרְגָּא אָחֳרָא דְּאִתְחַבַּר בֵּיהּ חִוְיָא, כד"א וַיֵּט עַד אִישׁ עֲדֻלָּמִי וּשְׁמוֹ חִירָה.

קנג. וַתַּהַר וַתֵּלֶד בֵּן וַיִּקְרָא אֶת שְׁמוֹ עֵר, וְאִיהוּ רַע, וְכֹלָּא חַד, דְּאַתְיָא מִסִּטְרָא דְּיֵצֶר הָרָע. וּבְגִין כָּךְ כְּתִיב, וַיִּקְרָא אֶת שְׁמוֹ, וְלָא כְּתִיב וַיִּקְרָא שְׁמוֹ בְּיַעֲקֹב כְּתִיב, וַיִּקְרָא שְׁמוֹ, דְּקֻבְּ"ה קָרָא לֵיהּ יַעֲקֹב, וְהָכָא אֶ"ת, לְאַסְגָּאָה דַּרְגָּא אָחֳרָא דְּזוּהֲמָא דִּמְסָאֲבָא אִתְיְלִיד, וְדָא הוּא עֵר רַע, וְכֹלָּא חַד.

קנד. לְבָתַר לָא אִתְבַּסַּם אַתְרָא, עַד דְּאַתְיָא שֵׁלָה, דַּהֲוָה עִקָּרָא דְּכֻלְּהוּ. מַה כְּתִיב וַיְהִי עֵר בְּכוֹר יְהוּדָה רַע בְּעֵינֵי ה', כְּתִיב הָכָא רַע, וּכְתִיב הָתָם, כִּי יֵצֶר לֵב הָאָדָם רַע מִנְּעוּרָיו, רַע: דְּאוֹשִׁיד דָּמִין, אוֹשִׁיד זַרְעָא עַל אַרְעָא, וּבְגִין כָּךְ וַיְמִיתֵהוּ ה', מַה כְּתִיב בַּתְרֵיהּ, וַיֹּאמֶר יְהוּדָה לְאוֹנָן בֹּא אֶל אֵשֶׁת אָחִיךָ וגו'.

קנה. וַיֹּאמֶר יְהוּדָה לְאוֹנָן בֹּא אֶל אֵשֶׁת אָחִיךָ וגו'. רִבִּי שִׁמְעוֹן פָּתַח וַאֲמַר הַעִירוֹתִי מִצָּפוֹן וַיַּאת מִמִּזְרַח שֶׁמֶשׁ יִקְרָא בִשְׁמִי וְיָבֹא סְגָנִים כְּמוֹ חֹמֶר וּכְמוֹ יוֹצֵר יִרְמָס טִיט. ת"ח, כַּמָּה אִינּוּן בְּנֵי נָשָׁא טִפְּשִׁין, דְּלָא יָדְעִין וְלָא מִסְתַּכְּלִין לְמִנְדַּע אָרְחוֹי דְּקֻבְּ"ה, דְּהָא כֻּלְּהוּ נַיְימִין, דְּלָא מִתְעָרֵי, שֵׁינְתָא בְּחוֹרֵיהוֹן.

קנו. ת"ח, קֻבְּ"ה עָבַד לֵיהּ לְבַר נָשׁ, כְּגַוְונָא דִּלְעֵילָּא, כֹּלָּא אִיהוּ בְּחָכְמְתָא, דְּלֵית לָךְ שַׁיְיפָא וְשַׁיְיפָא בְּב"נ, דְּלָא קַיְימָא בְּחָכְמְתָא עִלָּאָה, דְּהָא כֵּיוָן דְּאִתְתַּקַּן כָּל גּוּפָא, בְּשַׁיְיפוֹי כִּדְקָא יָאוּת, קֻבְּ"ה אִשְׁתַּתַּף בַּהֲדֵיהּ, וְאָעִיל בֵּיהּ נִשְׁמְתָא קַדִּישָׁא, בְּגִין לְאוֹלָפָא לֵיהּ לְבַר נָשׁ, לְמֵהַךְ בְּאָרְחוֹי דְּאוֹרַיְיתָא, וּלְמִיטַּר פִּקּוּדוֹי, בְּגִין דְּיִתְתַּקַּן בַּר נָשׁ כִּדְקָא יָאוּת.

קנז. וּבְגִין דְּאִית בֵּיהּ נִשְׁמְתָא קַדִּישָׁא, מִבָּעֵי לֵיהּ לְבַר נָשׁ, לְאַסְגָּאָה דְּיוֹקְנָא דְּמַלְכָּא עִלָּאָה בְּעָלְמָא. וְרָזָא דָּא, דְּהָא הַהוּא נָהָר דְּנָגִיד וְנָפִיק, לָא פָּסְקָן מֵימוֹי לְעָלְמִין, וְעַל דָּא מִבָּעֵי לֵיהּ לְבַר נָשׁ, דְּלָא יַפְסִיק נַהֲרָא וּמְקוֹרָא דִּילֵיהּ בְּהַאי עָלְמָא. וְכָל זִמְנָא דְּבַר נָשׁ לָא יַצְלַח בְּהַאי עָלְמָא קֻבְּ"ה עָקַר לֵיהּ, וְנָטַע לֵיהּ בְּכַמָּה זִמְנִין כְּמִלְּקַדְמִין.

קנח. ת"ח מַה כְּתִיב, הַעִירוֹתִי מִצָּפוֹן וַיַּאת, הַעִירוֹתִי: דָּא אִתְעָרוּתָא, דְּזִוּוּגָא דְּבַר נָשׁ בְּהַאי עָלְמָא, דְּאִיהוּ אִתְעָרוּתָא מִסִּטְרָא דְּצָפוֹן. וַיַּאת: דָּא הִיא נִשְׁמְתָא קַדִּישָׁא, דְּאַתְיָא מִלְּעֵילָּא, וְקֻבְּ"ה מְשַׁדַּר לָהּ מִלְּעֵילָּא, אַתְיָא בְּהַאי עָלְמָא, וְעָאלַת בְּגוֹ בְּנֵי

נָשָׁא, כְּדְקָאֲמָרָן.

קנט. מִמִּזְרַח שֶׁמֶשׁ: דָּא אֲתַר דְּהַהוּא נָהָר דְּנָגִיד וְנָפִיק, דְּמִתַּמָּן נָפְקַת נִשְׁמָתָא, וְאִתְנְהִירַת. וַיָּבֹא סְגָנִים. אִלֵּין אִינּוּן חֵילִין דְּעָלְמָא, דְּאַתְיָין בְּגִין הַהוּא אִתְעֲרוּתָא דְּנִשְׁמָתִין. כְּמוֹ חוֹמֶר כְּגַוְונָא דְּאִתְעַר בַּר נָשׁ, בְּגוּפָא.

קס. דְּהָא בְּגִין דָּא, קֻבָּ"ה עָבִיד זִוּוּגִין, וְאַטִּיל נִשְׁמָתִין בְּעָלְמָא, וְחַבְרוּתָא אִשְׁתַּכַּח לְעֵילָּא וְתַתָּא, וּמְקוֹרָא דְּכֹלָּא הוּא בָּרוּךְ. וּבְגִ"כ, קֻבָּ"ה עֲבַד לֵיהּ לְבַר נָשׁ, בְּגִין לְאִשְׁתַּדְּלָא בְּאָרְחוֹי, וְלָא יַפְסִיק מְקוֹרֵיהּ וּמַבּוּעָא דִּילֵיהּ לְעָלְמִין.

קסא. וְכָל מַאן דְּפָסִיק מְקוֹרֵיהּ, כַּד נָפִיק מֵהַאי עָלְמָא, הַהוּא בַּר נָשׁ לָא עָאל בְּפַרְגּוֹדָא, וְלָא נָטִיל חוּלָק בְּהַהוּא עָלְמָא. ת"ח, כְּתִיב לֹא תֹהוּ בְרָאָהּ לָשֶׁבֶת יְצָרָהּ, דְּקֻבָּ"ה בְּגִין דָּא עֲבַד לֵיהּ לְבַר נָשׁ כִּדְקָא יָאוֹת, כְּדַאֲמָרָן, וְקֻבָּ"ה, עֲבַד טִיבוּ עִם עָלְמָא. תָּא חֲזֵי, מַה כְּתִיב, וַיֹּסֶף אַבְרָהָם וַיִּקַּח אִשָּׁה וּשְׁמָהּ קְטוּרָה, רָזָא, דְּנִשְׁמָתָא אָתַת לְאִתְתַּקְּנָא, כְּמִלְּקַדְמִין.

קסב. תָּא חֲזֵי, הַהוּא גּוּפָא, מַה כְּתִיב, וַה' חָפֵץ דַּכְּאוֹ הֶחֱלִי אִם תָּשִׂים אָשָׁם נַפְשׁוֹ יִרְאֶה זֶרַע יַאֲרִיךְ יָמִים וְחֵפֶץ ה' בְּיָדוֹ יִצְלָח. וַה' חָפֵץ דַּכְּאוֹ, הַאי קְרָא אִית לְאִסְתַּכָּלָה בֵּיהּ, אַמַּאי חָפֵץ, בְּגִין דְּיִתְדַּכֵּי. אִם תָּשִׂים אָשָׁם, אִם יָשִׂים אָשָׁם מִבְּעֵי לֵיהּ, מַאי אִם תָּשִׂים. אֶלָּא לְנִשְׁמָתָא אַהְדַּר מִלָּה, אִי הַהִיא נִשְׁמָתָא בַּעְיָא לְאִתְתַּקְּנָא כִּדְקָא יָאוֹת, יִרְאֶה זֶרַע, בְּגִין דְּהַהִיא נִשְׁמָתָא אָזְלַת וְשָׁאטַת, וְאִיהִי זְמִינָא לְאָעֳלָא בְּהַהוּא זֶרַע, דְּאִתְעַסַּק בָּהּ בַּר נָשׁ בִּפְרִיָּה וּרְבִיָּה, וּכְדֵין יַאֲרִיךְ יָמִים, וְחֵפֶץ ה' דָּא אוֹרַיְיתָא, בְּיָדֵיהּ אַצְלַח.

קסג. ת"ח, אע"ג דְּבַר נָשׁ אִשְׁתַּדַּל בְּאוֹרַיְיתָא יְמָמָא וְלֵילְיָא, וּמְקוֹרֵיהּ וּמַבּוּעֵיהּ קַיְּימָא בֵּיהּ לְמַגָּנָא, לֵית לֵיהּ אֲתַר לְאָעֳלָא לְפַרְגּוֹדָא, וְהָא אִתְּמָר, דְּבֵירָא דְּמַיָּא, אִי הַהוּא מְקוֹרָא וּמַבּוּעָא לָא עָאל בֵּיהּ, לָאו אִיהוּ בְּאֵר, דְּבֵירָא וּמְקוֹרָא כַּחֲדָא אִינּוּן, וְרָזָא וַדַּאי אִיהוּ וְאוֹקִימְנָא.

קסד. כְּתִיב, שָׁוְא לָכֶם מַשְׁכִּימֵי קוּם מְאַחֲרֵי שֶׁבֶת אוֹכְלֵי לֶחֶם הָעֲצָבִים כֵּן יִתֵּן לִידִידוֹ שֵׁנָה. ת"ח, כַּמָּה חֲבִיבִין אִינּוּן מִלֵּי דְּאוֹרַיְיתָא, דְּכָל מִלָּה וּמִלָּה דְּאוֹרַיְיתָא, אִית בֵּיהּ רָזִין עִלָּאִין קַדִּישִׁין, וְהָא אִתְּמָר, דְּכַד יָהַב קֻבָּ"ה אוֹרַיְיתָא לְיִשְׂרָאֵל, כָּל גִּנְזִין עִלָּאִין קַדִּישִׁין, כֻּלְּהוּ יָהַב לְהוּ בְּאוֹרַיְיתָא, וְכֻלְּהוּ אִתְיְיהִיבוּ לְהוּ לְיִשְׂרָאֵל, בְּשַׁעְתָּא דְּקַבִּילוּ אוֹרַיְיתָא בְּסִינַי.

קסה. ת"ח, שָׁוְא לָכֶם מַשְׁכִּימֵי קוּם, אִלֵּין אִינּוּן יְחִידִים דְּאִשְׁתַּכָּחוּ דְּלָאו אִינּוּן דְּכַר וְנוּקְבָא כִּדְקָא יָאוֹת, וְאַקְדְּמָן בְּצַפְרָא לַעֲבִידְתַּיְהוּ, כְּמָה דְּאַתְּ אָמֵר, יֵשׁ אֶחָד וְאֵין שֵׁנִי וְגוֹ', וְאֵין קֵץ לְכָל עֲמָלוֹ. מְאַחֲרֵי שֶׁבֶת: מְאַחֲרִין נַיְיחָא, כְּמָה דְּאַתְּ אָמֵר, כִּי בוֹ שָׁבַת, בְּגִין דְּאִתְּתָא לְגַבֵּי בַּר נָשׁ, אִיהִי נַיְיחָא לְגַבֵּיהּ וַדַּאי.

קסו. אוֹכְלֵי לֶחֶם הָעֲצָבִים, מַאי לֶחֶם הָעֲצָבִים, דְּכַד בַּר נָשׁ אִית לֵיהּ בְּנִין, הַהוּא נַהֲמָא דְּאָכִיל, אָכִיל לֵיהּ בְּחֶדְוָה, וּבִרְעוּתָא דְּלִבָּא, וְהַהוּא דְּלֵית לֵיהּ בְּנִין, הַהוּא נַהֲמָא דְּאָכִיל, אִיהוּ נַהֲמָא דְּעַצִּיבוּ. וְאִלֵּין אִינּוּן אוֹכְלֵי לֶחֶם הָעֲצָבִים וַדַּאי.

קסז. כֵּן יִתֵּן לִידִידוֹ, מַאי יִתֵּן לִידִידוֹ, דָּא הוּא דִּמְקוֹרֵיהּ מְבָרַךְ, דְּקֻבָּ"ה יָהַב לֵיהּ שֵׁינָה בְּהַהוּא עָלְמָא, כד"א וְשָׁכַבְתָּ וְעָרְבָה שְׁנָתֶךָ. בְּגִין דְּאִית לֵיהּ חוּלָקָא בְּעָלְמָא דְּאָתֵי, בְּגִין דְּהַהוּא בַּר נָשׁ שָׁכִיב, וְיִתְהֲנֵי בְּהַהוּא עָלְמָא דְּאָתֵי כִּדְקָא יָאוֹת.

קסח. יֵשׁ אֶחָד וְאֵין שֵׁנִי וְגוֹ'. יֵשׁ אֶחָד: דָּא הוּא בַּר נָשׁ דְּאִיהוּ יְחִידָאי בְּעָלְמָא, לָא

יְחִידָאי כַּדְקָא יָאוֹת, אֶלָּא דְּאִיהוּ בְּלָא זוּוּגָא. וְאֵין עֵנִי: דְּלֵית עִמֵּיהּ סָמֶךְ. גַּם בֵּן דְּיוֹקִים עִמֵּיהּ בְּיִשְׂרָאֵל לָא עָבַק. וְאָוֵיו לְאַיְיתָאָה לֵיהּ לְתִקּוּנָא.

קס"ט. וְאֵין קֵץ לְכָל עֲמָלוֹ, דְּאִיהוּ עָמֵל תָּדִיר, דְּאַקְדִּים יְמָמָא וְלֵילְיָא. גַּם עֵינוֹ לֹא תִשְׂבַּע עֹשֶׁר, וְלֵית לֵיהּ לִבָּא לְאִשְׁתְּזָבָא, וּלְמֵימַר לְמִי אֲנִי עָמֵל, וּמְחַסֵּר אֶת נַפְשִׁי מִטּוֹבָה. וְאִי תֵימָא דְּבְגִין וְיֵיכוּל וְיִשְׁתֵּי יַתִּיר, וְיַעֲבַד מְשֵׁתְיָא בְּכָל יוֹמָא תָּדִיר, לָאו הָכִי, דְּהָא נַפְשָׁא לָא אִתְהֲנֵי מִנֵּיהּ, אֶלָּא וַדַּאי אִיהוּ מְחַסֵּר לְנַפְשֵׁיהּ, מִטּוּבוּ דִּנְהוֹרָא דְּעָלְמָא דְּאָתֵי, בְּגִין דְּדָא הִיא נַפְשָׁא וְסָרָא, דְּלָא אִשְׁתְּלִימַת כַּדְקָא יָאוֹת. ת"ח, כַּמָּה חָס קָבָּ"ה עַל עוֹבָדוֹי, בְּגִין דְּקָא בָּעֵי דְּיִתְתַּקָּן, וְלָא יִתְאֲבֵיד מֵהַהוּא עָלְמָא דְּאָתֵי, כְּדְקָאָמְרָן.

ק"ע. רִבִּי חִיָּיא בָּעָא, הַאי דְּאִיהוּ זַכָּאָה שְׁלִימָא, וְאִשְׁתַּדַּל בְּאוֹרַיְיתָא יוֹמֵי וְלֵילֵי, וְכָל עוֹבָדוֹי לִשְׁמָא דְקָבָּ"ה, וְלָא זָכָה לִבְנִין בְּהַאי עָלְמָא, בְּגִין דְּאִשְׁתַּדַּל בֵּיהּ וְלָא זָכָה, אוֹ דַּהֲווֹ לֵיהּ וּמִיתוּ, מַה אִינּוּן לְעָלְמָא דְּאָתֵי. אָ"ל רִבִּי יוֹסֵי, עוֹבָדוֹי, וְהַהִיא אוֹרַיְיתָא, קָא מְגִינָן עֲלֵיהּ, לְהַהוּא עָלְמָא.

קע"א. אָמַר רִבִּי יִצְחָק, עֲלַיְיהוּ, וְעַל אִינּוּן זַכָּאֵי קְשׁוֹט, עֲלַיְיהוּ כְּתִיב, כֹּה אָמַר ה' לַסָּרִיסִים אֲשֶׁר יִשְׁמְרוּ אֶת שַׁבְּתוֹתַי וּבָחֲרוּ בַּאֲשֶׁר חָפָצְתִּי וּמַחֲזִיקִים בִּבְרִיתִי, מַה כְּתִיב בַּתְרֵיהּ וְנָתַתִּי לָהֶם בְּבֵיתִי וּבְחוֹמוֹתַי יָד וָשֵׁם טוֹב מִבָּנִים וּמִבָּנוֹת שֵׁם עוֹלָם אֶתֶּן לוֹ אֲשֶׁר לֹא יִכָּרֵת, בְּגִין דְּאִלֵּין אִית לוֹן חוּלָקָא לְעָלְמָא דְּאָתֵי. אָמַר לֵיהּ רִבִּי יוֹסֵי, יָאוֹת הוּא וְעַפִּיר.

קע"ב. ת"ח, זַכָּאָה שְׁלִים דַּהֲווֹ כָּל אִלֵּין בֵּיהּ, וְאִשְׁתְּלִים כַּדְקָא יָאוֹת, וּמִית בְּלָא בְּנִין, וְהָא קָא יָרִית דּוּכְתֵּיהּ בְּהַהוּא עָלְמָא, אִתְּתֵיהּ בַּעְיָא לִיבוּמֵי, אוֹ לָא. אִי תֵימָא דְּלִבְעֵי לִיבוּמֵי, הָא בְּרֵיקַנְיָא אִיהוּ, דְּהָא אַתְרֵיהּ קָא יָרִית בְּהַהוּא עָלְמָא.

קע"ג. אֶלָּא, וַדַּאי בַּעְיָא לִיבוּמֵי, בְּגִין דְּלָא יְדַעְינָן אִי הֲוָה שְׁלִים בְּעוֹבָדוֹי אִי לָאו. וְהִיא אִי אִתְיַיבְּמַת, לָא הֲוָה בְּרֵיקַנְיָא, בְּגִין דְּאַתָּר אִית לֵיהּ לְקָבָּ"ה, דְּהָא בַּר נָשׁ הֲוָה בְּעָלְמָא, וּמִית בְּלָא בְּנִין, וּפוּרְקָא לָא הֲוֵי לֵיהּ בְּעָלְמָא, כֵּיוָן דְּמִית הַאי זַכָּאָה שְׁלִים, וְאִתְּתֵיהּ אִתְיַיבְּמַת, וְאֵיהוּ אַתְרֵיהּ יָרִית, אָתָא הַהוּא בַּר נָשׁ וְאִשְׁתְּלִים הָכָא, וּבֵין כָּךְ וּבֵין כָּךְ, קָבָּ"ה אַתָּר וְמָיִת לֵיהּ לְעָלְמָא, עַד דְּיֵימוּת הַאי זַכָּאָה שְׁלִים, וְיִשְׁתְּלִים אֵיהוּ בְּעָלְמָא, הֲדָא הוּא כִּי בְּעִיר מִקְלָטוֹ יֵשֵׁב עַד מוֹת הַכֹּהֵן הַגָּדוֹל וְגוֹ'.

קע"ד. וְדָא הוּא דִּתְנֵינָן, בְּגִין וּמִנְיָין אִינּוּן לְצַדִּיקַיָּא בְּמִיתַתְהוֹן, בְּחַיֵּיהוֹן לָא זְכוּ, וּבְמִיתַתְהוֹן זְכוּ, וּבְגִין כָּךְ כָּל עוֹבָדוֹי דְקָבָּ"ה כֻּלְּהוּ קְשׁוֹט וְזַכּוּ, וְחַיֵּיס עַל כֹּלָּא.

קע"ה. פָּתַח וְאָמַר טוֹבִים הַשְּׁנַיִם מִן הָאֶחָד אֲשֶׁר יֵשׁ לָהֶם שָׂכָר טוֹב בַּעֲמָלָם, אִלֵּין אִינּוּן דְּמִתְעַסְּקִין בְּהַאי עָלְמָא, לְאוֹלָדָא בְּנִין, דְּאִינּוּן בְּנִין דְּעָבְקוּ, בְּגִינֵיהוֹן אִית לוֹן אֲגַר טַב בְּהַאי עָלְמָא, וּבְגִינֵיהוֹן יָרְתִין אֲבָהָן דִּלְהוֹן, וְחוּלָקָא בְּהַהוּא עָלְמָא, וְאוֹקִימְנָה.

קע"ו. ת"ח, קָבָּ"ה נָטַע אִילָנִין בְּהַאי עָלְמָא, אִי אַצְלְחוּ יָאוֹת, לָא אַעֲקַר לוֹן, וְשָׁתַל לוֹן, אֲפִילּוּ כַּמָּה זִמְנִין, וּבְגִין כָּךְ, כָּל אָרְחוֹי דְקָבָּ"ה, כֻּלְּהוּ לְטַב וּלְאַתְקְנָא עָלְמָא.

קע"ז. בֹּא אֶל אֵשֶׁת אָחִיךָ וְיַבֵּם אוֹתָהּ וְהָקֵם זֶרַע, דְּהָא יְהוּדָה וְכֻלְּהוּ הֲווֹ יָדְעֵי דָא, וְעִקָּרָא דְּמִלְּתָא, וְהָקֵם זֶרַע, בְּגִין דְּהַהוּא זֶרַע, אִצְטְרִיךְ לְאַתְתַּקְּנָא מִלָּה, וּלְמִגְלַם גּוֹלְמָא, לְתִקּוּנָא, דְּלָא יִתְפְּרַע גַּזְעָא מְשׁוֹרְשֵׁיהּ כַּדְקָא יָאוֹת, הֲדָא הוּא דִכְתִיב וְאָדָם עַל עָפָר יָשׁוּב.

קע"ח. וְכַד מִתְתַּקָּן לְבָתַר כַּדְקָא יָאוֹת, אִלֵּין מִשְׁתַּבְּחִין בְּהַהוּא עָלְמָא, בְּגִין דְּקָבָּ"ה אַתְרְעֵי בְּהוֹ, וּבְגִין כָּךְ כְּתִיב, וְשַׁבֵּחַ אֲנִי אֶת הַמֵּתִים שֶׁכְּבָר מֵתוּ דְּיַיקָא, מִן הַחַיִּים

אֲשֶׁר הָמָּה וְחַיִּים עָדֶנָּה. מַאי עָדֶנָּה. כְּד"א אַחֲרֵי בְּלֹתִי הָיְתָה לִּי עֶדְנָה. וּכְתִיב יָשׁוּב
לִימֵי עֲלוּמָיו.

קְעָט. וְטוֹב מִשְׁנֵיהֶם אֵת אֲשֶׁר עֲדֶן לֹא הָיָה לֹא רָאָה אֶת הַמַּעֲשֶׂה הָרָע אֲשֶׁר
נַעֲשָׂה תַּחַת הַשֶּׁמֶשׁ. וְטוֹב מִשְּׁנֵיהֶם אֵת אֲשֶׁר עֲדֶן לֹא הָיָה, דְּלָא שָׁב לִימֵי עֲלוּמָיו, וְלָא
אִצְטְרִיךְ לְאִתְתַּקְּנָא, וְלָא סָבִיל חוֹבִין קַדְמָאֵי, בְּגִין דְּקֻבְּ"ה יָהַב לֵיהּ אֲתָר מְתַקְנָא בְּהַהוּא
עָלְמָא, כִּדְקָא יָאוֹת.

קְפ. ת"ח. מַה כְּתִיב, וּבְכֵן רָאִיתִי רְשָׁעִים קְבוּרִים וְגוֹ', כְּמָה דְּאִתְּמַר, בְּגִין דְּקֻבְּ"ה
עָבִיד טִיבוּ, וְלָא בָּעָא לְשֵׁיצָאָה עָלְמָא, אֶלָּא כְּמָה דְּאִתְּמַר, וְכָל אֲרְחוֹי כֻּלְּהוּ קְשׁוֹט וְזָכוּ,
לְאוֹטָבָא לְהוּ בְּהַאי עָלְמָא, וּבְעָלְמָא דְּאָתֵי. זַכָּאָה וְחוּלָקֵהוֹן דְּצַדִּיקַיָּיא, דְּאִינּוּן אָזְלֵי בְּאֹרַח
קְשׁוֹט, עֲלַיְיהוּ כְּתִיב, צַדִּיקִים יִרְשׁוּ אָרֶץ.

קְפָא. וַיֵּרַע בְּעֵינֵי ה' אֲשֶׁר עָשָׂה וַיָּמֶת גַּם אֹתוֹ. רִבִּי וְוַיְיא פָּתַח בְּבֹקֶר זְרַע אֶת זַרְעֶךָ
וְלָעֶרֶב אַל תַּנַּח יָדֶךָ וְגוֹ'. ת"ח, כַּמָּה אִתְחֲזֵי לֵיהּ לְבַּ"נ, לְאַדְהֲרָא מֵחוֹבוֹי וּלְאָדְכָּרָא
בְּעוֹבְדוֹי קַמֵּי קֻבְּ"ה, בְּגִין דְּכַמָּה עִלָּאִין וְכַמָּה מְמַנָּן אִינּוּן בְּעָלְמָא, דְּאִינּוּן אָזְלִין וְשָׁיְיטָן,
וּזְמָאן עוֹבָדֵיהוֹן דִּבְנֵי נָשָׁא, וְסָהֲדִין עֲלוֹי, וְכֹלָּא בְּסִפְרָא כְּתִיבִין.

קְפָב. וְת"ח, בְּכָל אִינּוּן חוֹבִין דְּאִסְתָּאַב בְּהוּ בַּ"נ בְּהַאי עָלְמָא, דָּא אִיהוּ חוֹבָא
דְּאִסְתָּאַב בֵּיהּ בַּ"נ יַתִּיר בְּהַאי עָלְמָא, וּבְעָלְמָא דְּאָתֵי, מַאן דְּאוֹשִׁיד זַרְעֵיהּ בְּרֵיקַנְיָא,
וְאַפִּיק זַרְעָא לְמַגָּנָא, בִּידָא אוֹ בְּרַגְלָא וְאִסְתָּאַב בֵּיהּ, כְּמָה דְאַתְּ אָמַר כִּי לֹא אֵל חָפֵץ
רֶשַׁע אָתָּה לֹא יְגֻרְךָ רָע.

קְפָג. בְּגַ"ד, לָא עָאל לְפַרְגּוֹדָא, וְלָא וַזְמֵי סֵבֶר אַפֵּי עַתִּיק יוֹמִין, כְּמָה דִּתְנִינָן, כְּתִיב
הָכָא לֹא יְגֻרְךָ רָע, וּכְתִיב וַיְהִי עֵר בְּכוֹר יְהוּדָה רַע בְּעֵינֵי ה', וּבְגַּ"כ כְּתִיב, יְדֵיכֶם דָּמִים
מָלֵאוּ. זַכָּאָה וְחוּלָקֵיהּ דְּבַּ"נ דְּדָחִיל לְמָארֵיהּ, וְיְהֵא נָטִיר מֵאָרְחוֹי בִּישָׁא, וְיְדַכֵּי גַרְמֵיהּ,
לְאִשְׁתַּדְּלָא בִּדְחִילוּ דְּמָארֵיהּ.

קְפָד. ת"ח, בַּבֹּקֶר זְרַע אֶת זַרְעֶךָ, הַאי קְרָא אוֹקְמוּהַ, בַּבֹּקֶר: דָּא הוּא, בְּזִמְנָא דְּבַר
נָשׁ אִתְקַיַּים בְּחֵילֵיהּ, וְיְהֵא בְּעוּלֵימוֹ, כְּדֵין אִשְׁתַּדַּל לְאוֹלָדָא בְּגִין, בְּאִיתְּתָא דַּחֲזֵי לֵיהּ,
דִּכְתִיב בַּבֹּקֶר זְרַע אֶת זַרְעֶךָ.

קְפָה. דְּהָא כְּדֵין זִמְנָא אִיהוּ, כְּד"א, כְּחִצִּים בְּיַד גִּבּוֹר כֵּן בְּנֵי הַנְּעוּרִים, בְּגִין דְּיָכִיל
לְמֵילַף לְהוּ אָרְחוֹי דְּקֻבְּ"ה, וִיהֵא לֵיהּ אַגְרָא טָבָא לְעָלְמָא דְּאָתֵי, דִּכְתִיב אַשְׁרֵי הַגֶּבֶר
אֲשֶׁר מִלֵּא אֶת אַשְׁפָּתוֹ מֵהֶם לֹא יֵבשׁוּ כִּי יְדַבְּרוּ אֶת אוֹיְבִים בַּשָּׁעַר. לֹא יֵבשׁוּ בְּהַהוּא
עָלְמָא, בְּזִמְנָא דְּמָארֵיהוֹן דְּדִינָא יֵיתוֹן לְקַטְרְגָא עֲלוֹי, דְּלֵית לָךְ אַגְרָא טָבָא בְּהַהוּא
עָלְמָא, כְּהַהוּא דְּאוֹלִיף לֵיהּ לִבְרֵיהּ דְּחִילוּ דְּמָארֵיהּ, בְּאָרְחוֹי דְּאוֹרַיְיתָא.

קְפוּ. ת"ח, מַה אָמַר בְּאַבְרָהָם דִּכְתִיב כִּי יְדַעְתִּיו לְמַעַן אֲשֶׁר יְצַוֶּה אֶת בָּנָיו וְאֶת בֵּיתוֹ
אַחֲרָיו וְשָׁמְרוּ דֶּרֶךְ ה' לַעֲשׂוֹת צְדָקָה וּמִשְׁפָּט, וְעַל דָּא הַהוּא זְכוּ קַיְימָא לֵיהּ בְּהַהוּא
עָלְמָא, לְגַבֵּי כָּל מָארֵיהוֹן דְּדִינָא.

קְפָז. וּבְגַ"כ בַּבֹּקֶר זְרַע אֶת זַרְעֶךָ וְלָעֶרֶב אַל תַּנַּח יָדֶךָ אֲפִילוּ בְּיוֹמֵי דְּסִבְתָא, דְּאִיהוּ זִמְנָא
דְּסִיב בַּ"נ, מַה כְּתִיב אַל תַּנַּח יָדֶךָ, לָא יִשְׁבּוֹק מִלְּאוֹלָדָא בְּהַאי עָלְמָא, מַאי טַעְמָא, בְּגִין
דְּלָא תֵּדַע אֵיזֶה יִכְשָׁר הֲזֶה אוֹ זֶה לִפְנֵי הָאֱלֹהִים, בְּגִין דְּיְקוּמוּן בְּגִינֵיהּ בְּהַהוּא עָלְמָא.

קְפָח. וְעַל דָּא כְּתִיב, הִנֵּה נַחֲלַת ה' בָּנִים, דָּא צְרוֹרָא דְּנִשְׁמָתָא, סִטְרָא דְּעָלְמָא
דְּאָתֵי, וְלְהַאי נַחֲלָה. מַאן זָכֵי לֵיהּ לִבַּר נָשׁ לְאַעֲלָא בְּהַהוּא נַחֲלַת ה', בָּנִים, אִינּוּן בְּנִין,

זְכָאן לֵיהּ לְנַחֲלַת הּ, וְעַל דָּא זַכָּאָה הַהוּא בַּר נָשׁ, דְּזָכֵי לוֹן דְּיֵילִיף לוֹן אָרְחוֹי דְּאוֹרַיְיתָא, כְּמָה דְּאִתְּמָר.

קפּ"ט. וַתָּסַר בִּגְדֵי אַלְמְנוּתָהּ מֵעָלֶיהָ וְגוֹ׳, תָּא חֲזֵי, תָּמָר בַּת כֹּהֵן הֲוַת, וְכִי ס"ד דְּאִיהִי אָזְלָא בְּגִין לְאַנְגָּאָה עִם חֲמוּהָ, דְּהָא אִיהִי צְנִיעוּתָא אִשְׁתְּכַחַת בָּהּ תָּדִיר. אֶלָּא אִיהִי צַדֶּקֶת הֲוַת, וּבְחָכְמָה עָבְדַת הַאי, דְּהָא אִיהִי לָא אַפְקִירַת גַּרְמָהּ לְגַבֵּיהּ, אֶלָּא בְּגִין דְּאִיהִי יָדְעַת וְחָכְמְתָא אִסְתַּכְּלַת, וְע"ד אָתַת אִיהִי לְגַבֵּיהּ, לְמֶעְבַּד טִיבוּ וּקְשׁוֹט, וְעַל דָּא אָתַת וְאִשְׁתַּדְּלַת בְּעִסְקָא דָא.

צ. תָּא חֲזֵי, בְּגִין דְּאִיהִי יָדְעַת יְדִיעָה, וְאִשְׁתַּדְּלַת בְּעִסְקָא דָא, קֻדְשָׁא בְּרִיךְ הוּא עָבַד סִיּוּעָא תַּמָּן בְּהַהוּא עוֹבָדָא, וְאִתְעֲבָרַת מִיָּד, וְכֹלָּא הֲוָה מִנֵּיהּ. וְאִי תֵּימָא, אַמַּאי לָא אַיְיתֵי קֻדְשָׁא בְּרִיךְ הוּא אִינוּן בְּנִין מֵאִתְּתָא אוֹחֲרָא, אַמַּאי מִן דָּא. אֶלָּא, וַדַּאי אִיהִי אִצְטְרִיכָא לְעוֹבָדָא דָא, וְלָא אִתְּתָא אוֹחֲרָא.

צ"א. תְּרֵין נְשִׁין הֲווֹ, דְּמִנַּיְיהוּ אִתְבְּנִיוּ זַרְעָא דִיהוּדָה, וַאֲתוֹ מִנַּיְיהוּ דָּוִד מַלְכָּא, וּשְׁלֹמֹה מַלְכָּא, וּמַלְכָּא מְשִׁיחָא. וְאִלֵּין תְּרֵין נְשִׁין, דָּא כְּגַוְונָא דְּדָא, תָּמָר וְרוּת, דְּמִיתוּ בַּעֲלֵיְיהוּ בְּקַדְמֵיתָא, וְאִינּוּן אִשְׁתַּדְּלוּ לְעוֹבָדָא דָא.

צ"ב. תָּמָר אִשְׁתַּדְּלַת לְגַבֵּי חֲמוּהָ, דְּאִיהוּ קָרִיב יַתִּיר לִבְנֵי דְּמִיתוּ, מַאי טַעְמָא אִיהִי אִשְׁתַּדְּלַת לְגַבֵּיהּ, דִּכְתִיב כִּי רָאֲתָה כִּי גָּדַל שֵׁלָה וְהִיא לֹא נִתְּנָה לוֹ לְאִשָּׁה. וּבְגִין דָּא, אִשְׁתַּדְּלַת בְּעוֹבָדָא דָא, לְגַבֵּי חֲמוּהָ.

צ"ג. רוּת מִית בַּעֲלָהּ, וּלְבָתַר אִשְׁתַּדְּלַת בְּעוֹבָדָא דָא, לְגַבֵּיהּ דְּבוֹעַז, דִּכְתִיב, וַתִּגַל מַרְגְּלוֹתָיו וַתִּשְׁכָּב, וְאִשְׁתַּדְּלַת בַּהֲדֵיהּ, וּלְבָתַר אוֹלִידַת לֵיהּ לְעוֹבֵד. וְאִי תֵּימָא אַמַּאי לָא נָפִיק עוֹבֵד מֵאִתְּתָא אוֹחֲרָא, אֶלָּא וַדַּאי הִיא אִצְטְרִיכַת וְלָא אִתְּתָא אוֹחֲרָא. וּמֵחֲרִין אִלֵּין אִתְבְּנֵי וְאִשְׁתַּכְלֵל זַרְעָא דִיהוּדָה, וְתַרְוַיְיהוּ בְּכַשְׁרוּת עָבְדוּ, לְמֶעְבַּד טִיבוּ עִם אִינוּן מֵיתַיָּא, לְאִתְתַּקְּנָא עָלְמָא לְבָתַר.

צ"ד. וְדָא הוּא כְּמָה דְּאִתְּמָר, וְשַׁבֵּחַ אֲנִי אֶת הַמֵּתִים שֶׁכְּבָר מֵתוּ, דְּהָא כַּד הֲווֹ חַיָּין בְּקַדְמֵיתָא לָא הֲוָה בְּהוֹן שְׁבָחָא, וְתַרְוַיְיהוּ אִשְׁתַּדְּלוּ לְמֶעְבַּד טִיבוּ וּקְשׁוֹט עִם אִינוּן מֵיתַיָּא, וְקֻדְשָׁא בְּרִיךְ הוּא סַיֵּיע בְּהַהוּא עוֹבָדָא, וְכֹלָּא הֲוָה כְּדְקָא יָאוֹת, זַכָּאָה אִיהוּ מַאן דְּאִשְׁתַּדַּל בְּאוֹרַיְיתָא יְמָמָא וְלֵילְיָא, כְּד"א, וְהָגִיתָ בּוֹ יוֹמָם וָלַיְלָה לְמַעַן תִּשְׁמֹר לַעֲשׂוֹת כְּכָל הַכָּתוּב בּוֹ כִּי אָז תַּצְלִיחַ אֶת דְּרָכֶךָ וְגוֹ׳.

ק"ה. וְיוֹסֵף הוּרַד מִצְרָיְמָה וַיִּקְנֵהוּ פּוֹטִיפַר וְגוֹ׳. מַאי הוּרַד. דְּאִסְתַּכַּם קֻדְשָׁא בְּרִיךְ הוּא בְּהַהוּא עוֹבָדָא, לְקַיְּימָא גְּזֵרָה דִּילֵיהּ דִּגְזַר בֵּין הַבְּתָרִים, דִּכְתִיב יָדֹעַ תֵּדַע כִּי גֵר יִהְיֶה זַרְעֲךָ וְגוֹ׳. וַיִּקְנֵהוּ פוֹטִיפַר לְסִטַר וַחֲטָאָה קָנָה לֵיהּ.

ק"ו. פָּתַח וְאָמַר, הָאוֹמֵר לַחֶרֶס וְלֹא יִזְרָח וּבְעַד כּוֹכָבִים יַחְתֹּם. ת"ח שִׁבְעָה כֹּכְבַיָּא עָבַד קֻדְשָׁא בְּרִיךְ הוּא בִּרְקִיעָא, וְכָל רְקִיעָא וּרְקִיעָא, אִית בֵּיהּ כַּמָה שַׁמָּשִׁין מְמַנָּן, לְשַׁמְּשָׁא לֵיהּ לְקֻדְשָׁא בְּרִיךְ הוּא.

ק"ז. בְּגִין דְּלֵית לָךְ עֲשָׂבָא, אוֹ מִמַנָּא, דְּלֵית לֵיהּ פּוֹלְוָונָא וְשַׁמּוּשָׁא לְמָארֵיהּ, וְקָיְימֵי כָּל חַד וָחַד, עַל הַהוּא שַׁמּוּשָׁא דְּאִתְפַּקְּדָא בֵּיהּ, וְכָל חַד יָדַע עֲבִידְתֵּיהּ לְשַׁמְּשָׁא.

ק"ח. מִנְּהוֹן מְשַׁמְּשֵׁי בְּעִלְיוֹותָא דְּמָרֵיהוֹן, וְאִתְפַּקְּדָן בְּעָלְמָא עַל כָּל עוֹבָדֵיהוֹן דִּבְנֵי נָשָׁא, וּמִנְּהוֹן דְּקָא מְשַׁבְּחָן לֵיהּ, וְאִינּוּן אִתְפַּקְּדָן עַל שִׁירָתָא, וְאַע"ג דְּאִינּוּן אִתְפַּקְּדָן בְּהַאי, לֵית לָךְ כָּל חֵילָא בִּשְׁמַיָּא, וְכֹכְבִין וּמַזָּלֵי, דְּכֻלְּהוּ לָא מְשַׁבְּחָן לֵיהּ לְקֻדְשָׁא בְּרִיךְ הוּא.

ק"ט. דְּהָא בְּשַׁעְתָא דְּעָאל לֵילְיָא, כְּדֵין אִתְפָּרְעָן תְּלַת סִטְרִין מְשַׁרְיָין, לִתְלַת סִטְרֵי

425

עָלְמָא, וּבְכָל סִטְרָא וְסִטְרָא, אֶלֶף אַלְפִין, וְרִבּוֹא, וְכֻלְּהוּ מְמַנָּן עַל שִׁירָתָא.

ר. תְּלַת מַשִּׁרְיָין אִינּוּן, וְחַד חֵיוָתָא קַדִּישָׁא מְמַנָּא עֲלַיְיהוּ, וְקַיְּימָא עֲלַיְיהוּ, וְכֻלְּהוּ קָא מְשַׁבְּחָן לֵיהּ לְקֻבְּ"ה, עַד דְּאָתֵי צַפְרָא, כַּד אָתֵי צַפְרָא, כָּל אִינּוּן דִּבְסִטְרָא דָּרוֹם, וְכָל כֹּכְבַיָּא דְּנָהֲרֵי, כֻּלְּהוּ מְשַׁבְּחָן, וְאָמְרֵי שִׁירָתָא לְקֻבְּ"ה, כְּד"א, בְּרָן יַחַד כֹּכְבֵי בֹקֶר וַיָּרִיעוּ כָּל בְּנֵי אֱלֹהִים. בְּרָן יַחַד כֹּכְבֵי בֹקֶר, אִלֵּין כֹּכְבַיָּא דִּבְסִטְרָא דָּרוֹם, כְּד"א וַיַּשְׁכֵּם אַבְרָהָם בַּבֹּקֶר. וַיָּרִיעוּ כָּל בְּנֵי אֱלֹהִים, אִלֵּין אִינּוּן, דִּבְסִטְרָא שְׂמָאלָא, דְּאִתְכְּלִילוּ בִּימִינָא.

רא. וּכְדֵין צַפְרָא נָהִיר, וְיִשְׂרָאֵל נָטְלֵי שִׁירָתָא, וּמְשַׁבְּחָן לֵיהּ לְקֻבְּ"ה, בִּימָמָא, תְּלַת זִמְנִין בִּימָמָא, לָקֳבֵל תְּלַת זִמְנִין דְּלֵילְיָא, וְקַיְימִין אִלֵּין לָקֳבֵיל אִלֵּין, עַד דְּיִסְתַּלַּק יְקָרָא דְּקֻבְּ"ה, בִּימָמָא וּבְלֵילְיָא כִּדְקָא יָאוּת, וְקֻבְּ"ה אִסְתַּלַּק בְּהוּ בְּשִׁית אִלֵּין.

רב. הַהִיא חֵיוָתָא קַדִּישָׁא, דְּקַיְּימָא עֲלַיְיהוּ לְעֵילָּא, קַיְּימָא עַל יִשְׂרָאֵל לְתַתָּא, בְּגִין לְאַתְקָנָא כֹּלָּא כִּדְקָא יָאוּת, מַה כְּתִיב בָּהּ, וַתָּקָם בְּעוֹד לַיְלָה וַתִּתֵּן טֶרֶף לְבֵיתָהּ וְחֹק לְנַעֲרוֹתֶיהָ. וַתִּתֵּן טֶרֶף לְבֵיתָהּ אִלֵּין אִינּוּן מַשִּׁירְיָין דִּלְעֵילָּא, וְחֹק לְנַעֲרוֹתֶיהָ, אִלֵּין מַשִּׁרְיָין דְּיִשְׂרָאֵל לְתַתָּא, וּבְגִ"כ יְקָרָא דְּקֻבְּ"ה אִסְתַּלַּק מִכָּל סִטְרִין, מֵעֵילָּא וּמִתַּתָּא. וְעַל דָּא כֹּלָּא הוּא בִּרְשׁוּתֵיהּ קַיְּימָא, וְכֹלָּא אִיהוּ בִּרְעוּתֵיהּ.

רג. הָאוֹמֵר לַחֶרֶס וְלֹא יִזְרָח. רַבִּי שִׁמְעוֹן אָמַר, דָּא יוֹסֵף. וּבְעַד כּוֹכָבִים יַחְתּוֹם, אִלֵּין אִינּוּן אֲחוֹי, דִּכְתִּיב בְּהוּ, וְאַחַד עָשָׂר כּוֹכָבִים מִשְׁתַּחֲוִים לִי. ד"א הָאוֹמֵר לַחֶרֶס, דָּא יַעֲקֹב, בְּשַׁעֲתָא דַּאֲמָרוּ לוֹ הַכֶּר נָא. וְלֹא יִזְרָח, בְּשַׁעֲתָא דְּאִסְתַּלְּקַת שְׁכִינְתָּא מִנֵּיהּ. וּבְעַד כֹּכָבִים יַחְתּוֹם, בְּגִין בְּנוֹי, אִתְחַתַּם וְאִסְתְּתִים נְהוֹרָא דִּילֵיהּ, שִׁמְשָׁא אִתְחֲשַׁךְ, וְכֹכְבַיָּא לָא נְהִירוּ, בְּגִין דְּיוֹסֵף אִתְפְּרַשׁ מֵאֲבוֹי. וְת"ח מֵהַהוּא יוֹמָא דְּהַהוּא עוֹבָדָא דְּיוֹסֵף, אִתְפְּרַשׁ יַעֲקֹב מִשִּׁמּוּשָׁא דְּעַרְסָא, וְאִשְׁתְּאַר אֲבֵלָא, עַד הַהוּא יוֹמָא דְּאִתְבַּשַּׂר בְּשׂוֹרָה דְּיוֹסֵף.

רד. וַיְהִי ה' אֶת יוֹסֵף וַיְהִי אִישׁ מַצְלִיחַ וַיְהִי בְּבֵית אֲדוֹנָיו וגו'. רַבִּי יוֹסֵי פָּתַח, כִּי ה' אֹהֵב מִשְׁפָּט וְלֹא יַעֲזֹב אֶת חֲסִידָיו לְעוֹלָם נִשְׁמָרוּ. הַאי קְרָא אוֹקְמוּהָ בְּאַבְרָהָם, אֶת חֲסִידָיו, חֲסִידוֹ כְּתִיב, וְהָא אִתְּמַר.

רה. ת"ח, בְּכָל אֲתַר דְּצַדִּיקַיָּא אָזְלֵי, קֻבְּ"ה נָטִיר לוֹן, וְלָא שָׁבֵיק לוֹן. דָּוִד אָמַר, גַּם כִּי אֵלֵךְ בְּגֵיא צַלְמָוֶת לֹא אִירָא רָע כִּי אַתָּה עִמָּדִי שִׁבְטְךָ וּמִשְׁעַנְתֶּךָ וגו', בְּכָל אֲתַר דְּצַדִּיקַיָּא אָזְלֵי, שְׁכִינְתָּא אָזְלָא עִמְּהוֹן, וְלָא שָׁבֵיק לוֹן.

רו. יוֹסֵף אָזַל בְּגֵיא צַלְמָוֶת, וְנָחֲתוּ לֵיהּ לְמִצְרַיִם, שְׁכִינְתָּא הֲוַת עִמֵּיהּ, הה"ד, וַיְהִי ה' אֶת יוֹסֵף, וּבְגִין דַּהֲוַת עִמֵּיהּ שְׁכִינְתָּא, בְּכָל מַה דַּהֲוָה עָבֵיד, הֲוָה מַצְלַח בִּידֵיהּ. דַּאֲפִילוּ מַאי דַּהֲוָה בִּידֵיהּ, וַהֲוָה תָּבַע לֵיהּ מָארֵיהּ בְּגַוְונָא אָחֳרָא, הֲוָה מִתְהַפֵּךְ בִּידֵיהּ, לְהַהוּא גַּוְונָא דִּרְעוּתָא דְּמָארֵיהּ הֲוָה רָעֵי בֵּיהּ, כְּד"א וַיַּרְא אֲדוֹנָיו כִּי ה' אִתּוֹ וְכָל אֲשֶׁר הוּא עוֹשֶׂה ה' מַצְלִיחַ בְּיָדוֹ, מַצְלִיחַ בְּיָדוֹ וַדַּאי, כִּי ה' אִתּוֹ.

רז. ת"ח, וַיֵּדַע אֲדֹנָיו כִּי ה' אִתּוֹ לָא כְּתִיב, אֶלָּא וַיַּרְא אֲדֹנָיו, דְּהָא בְּעֵינוֹי הֲוָה חָמֵי, עוֹבָדָא דְּנִסִּין בְּכָל יוֹמָא, דְּקֻבְּ"ה עָבֵיד בִּידֵיהּ, וְעַל דָּא וַיְבָרֶךְ ה' אֶת בֵּית הַמִּצְרִי בִּגְלַל יוֹסֵף. קֻבְּ"ה נָטֵיר לוֹן לְצַדִּיקַיָּא, וּבְגִינֵיהוֹן נָטַר לוֹן לְרַשִּׁיעַיָּא, דְּהָא רַשִּׁיעַיָּא מִתְבָּרְכִין בְּגִינֵיהוֹן דְּצַדִּיקַיָּא. כְּגַוְונָא דָּא, כְּתִיב וַיְבָרֶךְ ה' אֶת בֵּית עוֹבֵד אֱדוֹם הַגִּתִּי בַּעֲבוּר אֲרוֹן הָאֱלֹקִים.

רח. צַדִּיקַיָּא, אָחֳרָנִין מִתְבָּרְכִין בְּגִינַיְיהוּ, וְאִינּוּן לָא יָכְלוּ לְאִשְׁתֵּזָבָא בִּזְכוּתַיְיהוּ, וְהָא אוֹקְמוּהָ. יוֹסֵף אִתְבָּרֵךְ מָארֵיהּ בְּגִינֵיהּ, וְאִיהוּ לָא יָכִיל לְאִשְׁתֵּזָבָא בִּזְכוּתֵיהּ מִנֵּיהּ, וּלְנָפְקָא

לוזירו.

רט. ולבתר אעיל ליה בבית הסהר, כד"א ענו בכבל רגלו ברזל באה נפשו, עד דלבתר קב"ה אפיק ליה לוזירו, ושלטיה על כל ארעא דמצרים. ובג"כ כתיב, ולא יעזב את חסידיו לעולם נשמרו, וחסידו כתיב ואתמר, וקב"ה אגין עלייהו דצדיקיא, בעלמא דין ובעלמא דאתי, דכתיב וישמחו כל חוסי בך לעולם ירננו ותסך עלימו ויעלצו בך אוהבי שמך.

ר. ויהי אחר הדברים האלה ותשא אשת אדניו את עיניה אל יוסף. רבי חייא פתח ואמר, ברכו ה' מלאכיו גבורי כח עושי דברו לשמוע בקול דברו. ת"ח, כמה אצטריך ליה לבר נש לאסתמרא מחוביו, ולמיהך בארח מתתקנא, בגין דלא יסטי ליה ההוא יצר הרע, דאיהו מקטרגא ליה כל יומא ויומא, כמה דאתמר.

ריא. ובגין דאיהו מקטרגא ליה תדיר, בעי בר נש לאתתקפא עליה, ולאסתלקא עליה, באתר תקיפו, דבעי למהוי גבר עליה, ולאשתתפא באתר דגבורה, בגין דכד ב"נ אתקף עליה, כדין איהו בסטר גבורה, ואתדבק ביה לאתתקפא, ובגין דההוא יצר הרע תקיף, בעי ב"נ דיהא תקיף מיניה.

ריב. ואלין בני נשא דאתתקפו עליה, אקרון גבורי כח, לאשתכחא זינא עם זיניה, ואלין אינון מלאכיו דקב"ה, דאתיין מסטרא דגבורה קשיא, לאתתקפא עליה, גבורי כח עושי דברו. ברכו ה' מלאכיו, כיוסף, דאקרי צדיק וגבור ונטר ברית קדישא דאתרשים בגויה.

ריג. רבי אלעזר אמר, ויהי אחר הדברים האלה, מאי היא, הא אוקמוה, אתר דא דיצה"ר מקטרג, דאיהו דרגא אחר הדברים. בגין דיוסף יהב ליה דוכתא לקטרגא, דהוה יוסף מסלסל בשעריה, ואתקין גרמיה, וקשיט ליה, כדין אתיהיב דוכתא ליצה"ר לקטרגא, דאמר ומה אבוי דאיהו מתאבל עליה, ויוסף מקשיט גרמיה, ומסלסל בשעריה, כדין אתגרי ביה דובא וקטריג ליה.

ריד. ויהי אחר הדברים האלה. תא חזי, בזמנא דקב"ה אשגח ביה בעלמא, למידן יתיה, ואשכח חייבין בעלמא, מה כתיב, ועצר את השמים ולא יהיה מטר והאדמה לא תתן את יבולה, וכדין ואבדתם מהרה, דהא בגין חובין דבני נשא, שמיא וארעא אתעצרו, ולא נהגי נמוסיהון כדקא יאות.

רטו. ותא חזי, אינון דלא נטרו להאי קיימא דקודשא, גרמי פרישו בין ישראל לאבוהון דבשמיא, בגין דכתיב וסרתם ועבדתם אלהים אחרים והשתחויתם להם, וכתיב ועצר את השמים ולא יהיה מטר. דהאי איהו כמאן דסגיד לאלהא אחרא, דמשקר בהאי את קיימא קדישא.

רטז. וכד קיימא קדישא אתנטיר בעלמא כדקא יאות, כדין קב"ה יהיב ברכאן לעילא, לאתרקא בעלמא, כד"א, גשם נדבות תניף אלהים נחלתך ונלאה אתה כוננתה. גשם נדבות, דא גשם דרעותא, כד אתרעי קב"ה בכנסת ישראל, ובעי לארקא לה ברכאן, כדין נחלתך ונלאה אתה כוננתה.

ריז. נחלתך: אינון ישראל, דאינון אחסנתיה דקב"ה, כד"א, יעקב חבל נחלתו. ונלאה: דא כנסת ישראל, דאיהי נלאה בארעא אחרא, דאיהי צחיא למשתי, וכדין איהי נלאה. וכד ההוא גשם דרעותא אתיהיב, כדין אתה כוננתה.

ריח. ועל דא, שמיא וארעא, וכל חיליהון, כלהו קיימא על קיימא דא, דכתיב אם

לֹא בְרִיתִי יוֹמָם וָלַיְלָה חֻקּוֹת שָׁמַיִם וָאָרֶץ לֹא שָׂמְתִּי. וּבְגִין כָּךְ, בָּעֵי לְאִזְדַּהֲרָא בְּדָא, וְהָא אוֹקְמוּהָ. וּבְגִין כָּךְ כְּתִיב, וַיְהִי יוֹסֵף יְפֵה תֹאַר וִיפֵה מַרְאֶה, וּבַתְרֵיהּ כְּתִיב וַתִּשָּׂא אֵשֶׁת אֲדֹנָיו אֶת עֵינֶיהָ אֶל יוֹסֵף.

ריט. וַיְהִי כְּדַבְּרָהּ אֶל יוֹסֵף יוֹם יוֹם. רִבִּי אֶלְעָזָר פָּתַח וְאָמַר, לִשְׁמָרְךָ מֵאֵשֶׁת רָע וְגוֹ', זַכָּאִין אִינּוּן צַדִּיקַיָּא, דְּיָדְעֵי אָרְחוֹי דְּקֻבְּ"הַ, לְמֵיזַל בְּהוּ, בְּגִין דְּאִינּוּן מִשְׁתַּדְּלֵי בְּאוֹרַיְיתָא יְמָמָא וְלֵילְיָא, דְּכָל מַאן דְּאִשְׁתַּדַּל בְּאוֹרַיְיתָא יוֹמֵי וְלֵילֵי, אַחְסִין תְּרֵין עָלְמִין: עָלְמָא עִלָּאָה, וְעָלְמָא. תַּתָּאָה. אַחְסִין הַאי עָלְמָא, אַף עַל גַּב דְּלָא אִתְעַסַּק בָּהּ בַּר נָשׁ לִשְׁמָהּ, וְאַחְסִין הַהוּא עָלְמָא עִלָּאָה, כַּד אִתְעַסַּק בָּהּ בַּר נָשׁ לִשְׁמָהּ

רכ. תָּא חֲזֵי, מַה כְּתִיב אֹרֶךְ יָמִים בִּימִינָהּ בִּשְׂמֹאלָהּ עֹשֶׁר וְכָבוֹד, אֹרֶךְ יָמִים בִּימִינָהּ, מַאן דְּאָזִיל לִימִינָא דְּאוֹרַיְיתָא, אַרְכָא דְּחַיִּין אִיהוּ לְעָלְמָא דְּאָתֵי, דְּזָכֵי תַּמָּן לִיקָרָא דְּאוֹרַיְיתָא, דְּאִיהוּ יְקָרָא וְכִתְרָא, לְאִתְעַטְּרָא עַל כֹּלָּא, דְּכִתְרָא דְּאוֹרַיְיתָא בְּהַהוּא עָלְמָא אִיהוּ. בִּשְׂמֹאלָהּ עֹשֶׁר וְכָבוֹד, בְּהַאי עָלְמָא, דְּאַף עַל גַּב דְּלָא אִתְעַסַּק בָּהּ לִשְׁמָהּ, זָכֵי בְּהַאי עָלְמָא בְּעוּתְרָא וִיקָרָא.

רכא. דְּהָא רִבִּי חִיָּיא, כַּד אָתָא מֵהָתָם, לְאַרְעָא דְּיִשְׂרָאֵל קָרָא בְּאוֹרַיְיתָא, עַד דַּהֲווּ אַנְפּוֹי נְהִירִין כְּשִׁמְשָׁא, וְכַד הֲווּ קַיְּימִין קַמֵּיהּ כָּל אִינּוּן דְּלָעָאן בְּאוֹרַיְיתָא, הֲוָה אָמַר, דָּא אִשְׁתַּדַּל בְּאוֹרַיְיתָא לִשְׁמָהּ, וְדָא לָא אִשְׁתַּדַּל לִשְׁמָהּ, וַהֲוָה צַלֵּי עַל הַהוּא דְּאִתְעַסַּק לִשְׁמָהּ, דְּלֶיהֱוֵי הָכֵי תָּדִיר, וְיִזְכֵּי לְעָלְמָא דְּאָתֵי, וְצַלֵּי עַל הַהוּא דְּלָא אִתְעַסַּק בָּהּ לִשְׁמָהּ, דְּיֵיתֵי לְאִתְעַסְּקָא בָּהּ לִשְׁמָהּ, וְיִזְכֵּי לְחַיֵּי עָלְמָא.

רכב. יוֹמָא חַד, חָמָא חַד תַּלְמִיד, דַּהֲוָה לָעֵי בְּאוֹרַיְיתָא, וְאַנְפּוֹי מוֹרִיקָן, אָמַר וַדַּאי מְהַרְהֵר בְּחֶטְאָה אִיהוּ דָּנָא, אָחִיד לֵיהּ לְקַמֵּיהּ, וְאַמְשִׁיךְ עָלֵיהּ בְּמִלִּין דְּאוֹרַיְיתָא, עַד דְּאִתְיַישַּׁב רוּחֵיהּ בְּגַוֵּיהּ, מִן הַהוּא יוֹמָא וּלְהָלְאָה, שַׁוֵּי עַל רוּחֵיהּ, דְּלָא יִרְדּוֹף בָּתַר אִינּוּן הִרְהוּרִין בִּישִׁין, וְיִשְׁתַּדַּל בְּאוֹרַיְיתָא לִשְׁמָהּ.

רכג. אָמַר רִבִּי יוֹסֵי, כַּד חָמֵי בּ"נ דְּהִרְהוּרִין בִּישִׁין אַתְיָין לְגַבֵּיהּ, יִתְעַסַּק בְּאוֹרַיְיתָא, וּכְדֵין יִתְעַבְרוּן מִנֵּיהּ. אָמַר רִבִּי אֶלְעָזָר, כַּד הַהוּא סִטְרָא בִּישָׁא אָתֵי לְמִפְתֵּי לֵיהּ לְבַר נָשׁ, יְהֵא מָשֵׁיךְ לֵיהּ לְגַבֵּי אוֹרַיְיתָא, וְיִתְפְּרַשׁ מִנֵּיהּ.

רכד. תָּא חֲזֵי, דְּהָא תָּנִינָן, דְּכַד הַאי סִטְרָא בִּישָׁא. קַיְּימָא קַמֵּיהּ דְּקֻבְּ"הַ, לְאַסְטָאָה עַל עָלְמָא, בְּגִין עוֹבָדִין בִּישִׁין. קֻבְּ"הַ חָס עַל עָלְמָא, וְיָהֵיב עֵיטָא לִבְנֵי נָשָׁא, לְאִשְׁתֵּזָבָא מִנֵּיהּ, וְלָא יָכִיל לְשַׁלְטָאָה עֲלֵיהוֹן, וְלָא עַל עוֹבָדֵיהוֹן, וּמַאי אִיהוּ עֵיטָא, לְאִשְׁתַּדְּלָא בְּאוֹרַיְיתָא, וְאִשְׁתֵּזְבוּ מִנֵּיהּ, מְנָלָן, דִּכְתִיב כִּי נֵר מִצְוָה וְתוֹרָה אוֹר וְדֶרֶךְ חַיִּים תּוֹכְחוֹת מוּסָר, מַה כְּתִיב בַּתְרֵיהּ לִשְׁמָרְךָ מֵאֵשֶׁת רָע מֵחֶלְקַת לָשׁוֹן נָכְרִיָּה.

רכה. וְדָא הוּא סִטְרָא מִסְאֲבָא, סִטְרָא אָחֳרָא, דְּאִיהִי קַיְּימָא תָּדִיר קַמֵּיהּ קֻבְּ"הַ, לְאַסְטָאָה עַל חוֹבֵיהוֹן דִּבְנֵי נָשָׁא, וְקַיְּימָא תָּדִיר לְאַסְטָאָה לְתַתָּא לִבְנֵי נָשָׁא. קַיְּימָא תָּדִיר לְעֵילָּא, בְּגִין לְאַדְכָּרָא חוֹבֵיהוֹן דִּבְנֵי נָשָׁא, וּלְאַסְטָאָה לוֹן עַל עוֹבָדֵיהוֹן, וּבְגִין דְּאִתְיְהִיבוּ בִּרְשׁוּתֵיהּ, כְּמָה דְּעֲבַד לֵיהּ לְאִיּוֹב.

רכו. וְכֵן קַיְּימָא עֲלַיְיהוּ לְאַסְטָאָה, וּלְאַדְכָּרָא חוֹבֵיהוֹן, בְּכָל מַה דְּעָבְדוּ, בְּאִינּוּן זִמְנִין דְּקֻבְּ"הַ קַיְּימָא עֲלַיְיהוּ בְּדִינָא, כְּדֵין קָאִים לְאַסְטָאָה לוֹן, וּלְאַדְכָּרָא חוֹבֵיהוֹן, וְקֻבְּ"הַ חָס עֲלַיְיהוּ דְּיִשְׂרָאֵל, וְיָהַב לוֹן עֵיטָא לְאִשְׁתֵּזָבָא מִנֵּיהּ, וּבַמֶּה, בַּשּׁוֹפָר בְּיוֹמָא דְּרֹאשׁ הַשָּׁנָה, וּבְיוֹמָא דְּכִפּוּרֵי בְּשָׂעִיר הַמִּשְׁתַּלֵּחַ, דְּיָהֲבִין לֵיהּ, בְּגִין לְאִתְפָּרְשָׁא מִנַּיְיהוּ, וּלְאִשְׁתַּדְּלָא

בְּהַהוּא ווּלְקֵיהּ, וְהָא אוֹקְמוּהָ.

רכז. תָּא חֲזֵי, מַה כְּתִיב, רַגְלֶיהָ יוֹרְדוֹת מָוֶת שְׁאוֹל צְעָדֶיהָ יִתְמוֹכוּ. וּבְרָזָא דִּמְהֵימְנוּתָא מַה כְּתִיב דְּרָכֶיהָ דַּרְכֵי נוֹעַם וְכָל נְתִיבוֹתֶיהָ שָׁלוֹם. וְאִלֵּין אִינּוּן אָרְחִין וּשְׁבִילִין דְּאוֹרַיְיתָא, וְכֹלָּא חַד, הַאי שָׁלוֹם, וְהַאי מָוֶת, וְכֹלָּא הַפּוּכָן דָּא מִן דָּא.

רכח. זַכָּאָה ווּלְקֵהוֹן דְּיִשְׂרָאֵל, דְּאִינּוּן מִתְדַּבְּקִין בֵּיהּ בְּקֻבְּ"ה כִּדְקָא חֲזֵי, וְיָהֵיב לוֹן עֵיטָא לְאִשְׁתֵּזָבָא מִכָּל סִטְרִין אָחֳרָנִין דְּעַלְמָא, בְּגִין דְּאִינּוּן עַמָּא קַדִּישָׁא לְאַחְסַנְתֵּיהּ ווּלְקֵיהּ, וְעַל דָּא יָהֵיב לוֹן עֵיטָא בְּכֹלָּא. זַכָּאִין אִינּוּן בְּעַלְמָא דֵּין, וּבְעַלְמָא דְּאָתֵי.

רכט. ת"ח, כַּד הַאי סִטְרָא בִּישָׁא, נָחִית וְשָׁאט בְּעַלְמָא, וְחָמֵי עוֹבָדִין דִּבְנֵי נָשָׁא, דְּאִינּוּן כֻּלְּהוּ סָטָאן אָרְחַיְיהוּ בְּעַלְמָא, סָלֵיק לְעֵילָּא, וְאַסְטֵין לוֹן, וְאִלְמָלֵא דְּקֻבְּ"ה חָיֵיס עַל עוֹבָדֵי יְדוֹי, לָא יִשְׁתָּאֲרוּן בְּעַלְמָא.

רל. מַה כְּתִיב וַיְהִי כְּדַבְּרָהּ אֶל יוֹסֵף יוֹם יוֹם. כְּדַבְּרָהּ: דְּסָלְקָא וְסָאטֵי בְּכָל יוֹמָא וְיוֹמָא, וַאֲמַר קַמֵּי קֻבְּ"ה, כַּמָּה בִּישִׁין, כַּמָּה דִּלְטוּרִין, בְּגִין לְשֵׁיצָאָה בְּנֵי עַלְמָא.

רלא. מַה כְּתִיב, וְלֹא שָׁמַע אֵלֶיהָ לִשְׁכַּב אֶצְלָהּ לִהְיוֹת עִמָּהּ. וְלֹא שָׁמַע אֵלֶיהָ, בְּגִין דְּאִיהוּ חָיֵיס עַל עַלְמָא. לִשְׁכַּב אֶצְלָהּ, מַהוּ לִשְׁכַּב אֶצְלָהּ. בְּגִין לְנַסְבָא שָׁלְטָנוּ, לְשַׁלְטָאָה עַל עַלְמָא, וְשָׁלְטָנוּ לָא שָׁלְטָא, עַד דְּאִתְיְהֵיב לֵיהּ רְשׁוּ.

רלב. ד"א לִשְׁכַּב אֶצְלָהּ: כְּד"א וּלְאִישׁ אֲשֶׁר יִשְׁכַּב עִם טְמֵאָה. לִהְיוֹת עִמָּהּ: לְמֵיהַב לָהּ רְבוּ, וּבִרְכָאן, וְסִיַּיעְתָּא, דְּאִלְמָלֵא סִיּוּעָא הֲוָה לָהּ מִלְּעֵילָּא, לָא אִשְׁתָּאַר בְּעַלְמָא אֲפִילּוּ חַד, אֲבָל בְּגִין דְּקֻבְּ"ה חָיֵיס עַל עַלְמָא, אִשְׁתָּאַר עַלְמָא בְּקִיּוּמֵיהּ.

רלג. ר' אַבָּא אֲמַר, כֹּלָּא אִיהוּ אָרְחָא חֲדָא, אֲבָל יִצְה"ר, הוּא דְּקָא אָזֵיל וּמְפַתֵּי לוֹן לִבְנֵי נָשָׁא, בְּגִין לְאַסְטָאָה אָרְחַיְיהוּ, וּלְאִתְדַּבְּקָא בְּהוּ, בְּכָל יוֹמָא וְיוֹמָא, וּבְכָל עִידָן וְעִידָן, סָטֵי לֵיהּ לְבַ"נ, מֵאָרְחָא דִּקְשׁוֹט, בְּגִין לְדַחְיָיא לֵיהּ, מֵאָרְחָא דְּחַיֵּי, לְאַמְשָׁכָא לֵיהּ לַגֵּיהִנֹּם.

רלד. זַכָּאָה אִיהוּ, מַאן דְּעָבֵיד וְנָטֵיר אָרְחוֹי וּשְׁבִילוֹי, בְּגִין דְּלָא יִתְדַּבַּק בֵּיהּ, הַיְינוּ דִּכְתִיב וַיְהִי כְּדַבְּרָהּ אֶל יוֹסֵף יוֹם יוֹם וְלֹא שָׁמַע אֵלֶיהָ, כַּמָּה דְּאִיהִי אֲמָרַת לֵיהּ בְּכָל יוֹמָא, דְּהָא רוּחַ מְסָאֲבָא, יֵצֶר הָרָע, אִיהוּ מְפַתֵּי לֵיהּ לְבַ"נ, בְּכָל יוֹמָא, לִשְׁכַּב אֶצְלָהּ, גּוֹ גֵּיהִנֹּם, וּלְאִתְדָּנָא תַּמָּן, לִהְיוֹת עִמָּהּ.

רלה. תָּא חֲזֵי, כַּד בַּ"נ אִתְדַּבַּק בְּהַהוּא סִטְרָא, אִתְמְשַׁךְ אֲבַתְרָהּ, וְאִסְתָּאַב עִמָּהּ בְּהַאי עַלְמָא, וְאִסְתָּאַב עִמָּהּ בְּעַלְמָא אָחֳרָא. תָּא חֲזֵי, הַאי סִטְרָא מְסָאֲבָא, מְנֻוּוְּלָא אִיהוּ, לִכְלוּכָא אִיהוּ, כְּדִכְתִיב, צֵא תֹּאמַר לוֹ, צוֹאָה מַמָּשׁ, וּבֵיהּ אִתְדָּן מַאן דְּאַסְטֵי אָרְחוֹי מִן אוֹרַיְיתָא, וּבֵיהּ אִתְדָּנוּ אִינּוּן חַיָּיבִין דְּעַלְמָא, דְּלֵית לוֹן מְהֵימְנוּתָא בְּקוּדְשָׁא בְּרִיךְ הוּא.

רלו. מַה כְּתִיב וַיְהִי כְּהַיּוֹם הַזֶּה וַיָּבֹא הַבַּיְתָה לַעֲשׂוֹת מְלַאכְתּוֹ וְאֵין אִישׁ מֵאַנְשֵׁי הַבַּיִת שָׁם בַּבָּיִת. וַיְהִי כְּהַיּוֹם הַזֶּה: יוֹמָא דְּיִצְה"ר שָׁלְטָא בְּעַלְמָא, וְנָחְתָא לְאַסְטָאָה לִבְנֵי נָשָׁא. אֵימָתַי, יוֹמָא דְּאָתֵי בַּר נָשׁ לְאַתָּבָא בְּתִיּוּבְתָּא עַל חוֹבוֹי, אוֹ לְאִשְׁתַּדְּלָא בְּאוֹרַיְיתָא, וּלְמֶעְבַּד פִּקּוּדֵי דְּאוֹרַיְיתָא, וּכְדֵין בְּהַהוּא זִמְנָא נָחְתָא, בְּגִין לְאַסְטָאָה לִבְנֵי עַלְמָא.

רלז. וַיָּבֹא הַבַּיְתָה לַעֲשׂוֹת מְלַאכְתּוֹ, בְּגִין לְאִשְׁתַּדְּלָא בְּאוֹרַיְיתָא, וּלְמֶעְבַּד פִּקּוּדֵי דְּאוֹרַיְיתָא, דְּאִיהוּ מְלַאכְתּוֹ דְּבַר נָשׁ בְּהַאי עַלְמָא, וְכֵיוָן דַּעֲבִידְתָּא דְּבַ"נ בְּהַאי עַלְמָא, הוּא עֲבִידְתָּא דְּקֻבְּ"ה, בָּעֵי לֵיהּ לְבַ"נ, לְמֶהֱוֵי תַּקִּיפָא כְּאַרְיָא בְּכָל סִטְרוֹי, בְּגִין דְּלָא יִשְׁלוֹט עֲלוֹי סִטְרָא אָחֳרָא, וְלָא יָכֵיל לְמִפְתֵּי לֵיהּ, מַה כְּתִיב וְאֵין אִישׁ, לֵית גְּבַר דְּיֵקוּם לְקִבְלֵיהּ דְּיֵצֶר הָרָע, וִיגַח בֵּיהּ קְרָבָא כִּדְקָא יָאוֹת.

רלח. מַאי אוּרְחֵיהּ דְּיֵצֶר הָרָע, כֵּיוָן דְּחָמֵי דְּלֵית בַּר נָשׁ קָאֵים לְקִבְלֵיהּ, וּלְאַגָּחָא בֵּיהּ

קְרָבָא, מִיָּד, וַתִּתְפְּשֵׂהוּ בְּבִגְדוֹ לֵאמֹר שִׁכְבָה עִמִּי. וַתִּתְפְּשֵׂהוּ בְּבִגְדוֹ, בְּגִין דְּכַד שַׁלִּיט יֵצֶה"ר עֲלֵיהּ דְּבַר נָשׁ, אַתְקִין לֵיהּ, וְקַשִּׁיט לֵיהּ לְבוּשׁוֹי, מְסַלְסֵל בְּשַׂעֲרֵיהּ, הה"ד וַתִּתְפְּשֵׂהוּ בְּבִגְדוֹ לֵאמֹר שִׁכְבָה עִמִּי: אִתְדַּבַּק עִמִּי.

רלט. מַאן דְּאִיהוּ זַכָּאָה, אִתְתַּקַּף לְקִבְלֵיהּ, וְאַגַּח בֵּיהּ קְרָבָא, מַה כְּתִיב, וַיַּעֲזֹב בִּגְדוֹ בְּיָדָהּ וַיָּנָס וַיֵּצֵא הַחוּצָה, יִשְׁבּוֹק לֵיהּ, וְיִתְתַּקַּף לְקִבְלֵיהּ. וְיֵעֲרוֹק מִנֵּיהּ, בְּגִין לְאִשְׁתֵּזָבָא מִנֵּיהּ, וְלָא יִשְׁלוֹט עֲלוֹי.

רמ. אָמַר רִבִּי יִצְחָק, זִמְנִין אִינּוּן צַדִּיקַיָּא, לְמֶחֱזֵי לְיֵצֶר הָרָע, כְּחַד טוּרָא רַבְרְבָא, וְיִתְמְהוּן, וְיֵימְרוּן אֵיךְ יָכֵילְנָא לְאַכְפְּיָא, לֵיהּ לְטוּרָא רַבְרְבָא הָדֵין עִלָּאָה. וּזְמִינִין רַשִּׁיעַיָּא, לְמֶחֱזֵי לֵיהּ לְיֵצֶר הָרָע, דַּקִּיק כְּחוּטָא דְּשַׂעֲרָא, וְיִתְמְהוּן וְיֵימְרוּן, הֵיךְ לָא יָכֵילְנָא לְאַכְפְּיָא לְחוּטָא דְּשַׂעֲרָא כְּדָא דַּקִּיק, אִלֵּין יִבְכּוּן, וְאִלֵּין יִבְכּוּן, וְקוּדְשָׁא בְּרִיךְ הוּא יְבַעַר לֵיהּ מֵעַלְמָא, וְיִכּוֹס לֵיהּ לְעֵינַיְיהוּ, וְלָא יִשְׁלוֹט עוֹד בְּעַלְמָא, וְיֶחֱמוּן צַדִּיקַיָּא וְיֶחֱדוּן, כְּדָ"א, אַךְ צַדִּיקִים יוֹדוּ לִשְׁמֶךָ יֵשְׁבוּ יְשָׁרִים אֶת פָּנֶיךָ.

רמא. וַיְהִי אַחַר הַדְּבָרִים הָאֵלֶּה חָטְאוּ מַשְׁקֵה מֶלֶךְ מִצְרַיִם וגו'. ר' יְהוּדָה פָּתַח הֲיִשְׁאַג אַרְיֵה בַּיַּעַר וְטֶרֶף אֵין לוֹ הֲיִתֵּן כְּפִיר קוֹלוֹ מִמְּעוֹנָתוֹ בִּלְתִּי אִם לָכָד. הֲיִשְׁאַג אַרְיֵה בַּיַּעַר, ת"ח כַּמָּה אִית לוֹן לִבְנֵי נָשָׁא, לְאִשְׁגְּחָא בְּפוּלְחָנָא דְּקוּדְשָׁא בְּרִיךְ הוּא, דְּכָל מַאן דְּאִשְׁתַּדַּל בְּאוֹרַיְיתָא, וּבְפוּלְחָנָא דְּקוּדְשָׁא בְּרִיךְ הוּא, דַּחֲלְתֵיהּ וְאֵימָתֵיהּ הוּא עַל כֹּלָּא.

רמב. דְּהָא כַּד בָּרָא קוּדְשָׁא בְּרִיךְ הוּא עַלְמָא, עָבֵד כָּל בִּרְיָין דְּעַלְמָא, כָּל חַד וְחַד בִּדְיוֹקְנֵיהּ כִּדְקָא חָזֵי לֵיהּ, וּלְבָתַר בָּרָא לֵיהּ לְבַר נָשׁ, בִּדְיוֹקְנָא עִלָּאָה, וְשַׁלְטֵיהּ עַל כֻּלְּהוּ, בִּדְיוֹקְנָא דָּא, דְּכָל זִמְנָא דְּבַר נָשׁ קָאֵי בְּעַלְמָא, כָּל אִינּוּן בִּרְיָין דְּעַלְמָא זָקְפִין רֵישָׁא, וּמִסְתַּכְּלָן בִּדְיוֹקְנָא עִלָּאָה דְּבַר נָשׁ, כְּדֵין כֻּלְּהוּ דַּחֲלִין וְזָעִין מִקַּמֵּיהּ, כְּדָ"א וּמוֹרַאֲכֶם וְחִתְּכֶם יִהְיֶה עַל כָּל חַיַּת הָאָרֶץ וְעַל כָּל עוֹף הַשָּׁמַיִם וגו', וְהָנֵי מִילֵי, כַּד מִסְתַּכְּלָן וְחָמָאן בֵּיהּ, הַאי דְּיוֹקְנָא, וְנִשְׁמָתָא בֵּיהּ.

רמג. אָמַר ר' אֶלְעָזָר, אע"ג דְּנִשְׁמָתָא לָאו בֵּיהּ, צַדִּיקַיָּא לָא מִשְׁתַּנְיָין, מִכְּמָה דַּהֲוָה דְּיוֹקְנֵהוֹן בְּקַדְמֵיתָא, וְכַד בַּר נָשׁ לָא אָזֵיל בְּאָרְחוֹי דְּאוֹרַיְיתָא, הַאי דְּיוֹקְנָא קַדִּישָׁא אִתְחַלַּף לֵיהּ, וּכְדֵין חֵיוַת בְּרָא, וְעוֹפָא דִּשְׁמַיָּא, יָכְלִין לְשַׁלְטָאָה עֲלֵיהּ, בְּגִין דְּאִתְחַלַּף לֵיהּ הַאי דְּיוֹקְנָא קַדִּישָׁא, אִתְחַלַּף לֵיהּ הַאי דְּיוֹקְנָא דְּבַר נָשׁ.

רמד. וְת"ח, קוּדְשָׁא בְּרִיךְ הוּא אַחְלַף עוֹבָדִין דִּלְעֵילָּא וְתַתָּא, בְּגִין לְאַהֲדָרָא מִלִּין לְאַתְרַיְיהוּ, וּלְאִשְׁתַּכְּחָא רְעוּתֵיהּ בְּכָל עוֹבָדֵי דְּעַלְמָא. דָּנִיֵּאל לָא אִשְׁתַּנֵּי דְּיוֹקְנֵיהּ, כַּד אַפִּילוּ לֵיהּ בְּגוֹבָא דְּאַרְיָוָתָא, וּבְגִין כַּךְ אִשְׁתֵּזִיב. א"ר חִזְקִיָּה, אִי הָכֵי, הָא כְּתִיב אֱלָהִי שְׁלַח מַלְאֲכֵיהּ וּסְגַר פּוּם אַרְיָוָתָא וְלָא חַבְּלוּנִי, מַשְׁמַע דִּבְגִין מַלְאָכָא דְּאַסְגַּר לְפוּמַיְיהוּ, לָא אִתְחַבַּל.

רמה. א"ל, בְּגִין דָּא, לָא אִתְחַבַּל, דְּהָא הַהוּא דְּיוֹקְנֵיהּ דְּבַר נָשׁ זַכָּאָה, אִיהוּ מַלְאָכָא מַמָּשׁ, דְּסָגִיר פּוּמָא, וְקָשִׁיר לוֹן, לְנַטְרָא לֵיהּ, דְּלָא יְחַבְּלוּן לֵיהּ, וּבְגִין כַּךְ, אֱלָהִי שְׁלַח מַלְאֲכֵיהּ, הַהוּא דְּכָל דְּיוֹקְנִין דְּעַלְמָא מִתְחַקְּקָן בֵּיהּ, וְאִיהוּ אַתְקִיף דְּיוֹקְנִי בִּי, וְלָא יָכִילוּ לְשַׁלְטָאָה בִּי, וּסְגַר פּוּמַיְיהוּ, וְע"ד שְׁלַח מַלְאֲכֵיהּ וַדַּאי.

רמו. וְהַאי מַלְאֲכָא, הַהוּא דְּכָל דְּיוֹקְנִין מִתְחַקְּקָן בֵּיהּ. דִּכְתִיב יָדִין בַּגּוֹיִם מָלֵא גְוִיּוֹת, אִיהוּ דְּלָא אִשְׁתַּנֵּי קַמֵּיהּ כָּל דְּיוֹקְנִין דְּעַלְמָא, וְעַל דָּא מִבָּעֵי לֵיהּ לב"נ, לְאִסְתַּמְּרָא אָרְחוֹי וּשְׁבִילוֹי, בְּגִין דְּלָא יֶחֱטָא קַמֵּיהּ דְּמָארֵיהּ, וְיִתְקַיַּים בִּדְיוֹקְנָא דְּאָדָם.

רמז. ת"ח, יְחֶזְקֵאל נָטַר פּוּמֵיהּ מִמַּאֲכְלֵי דְּאִיסוּרֵי, דִּכְתִיב וְלֹא בָא בְּפִי בְּשַׂר פִּגּוּל,

זָכָה וְאִקְרֵי בֶּן אָדָם. דָּנִיֵּאל מַה כְּתִיב בֵּיהּ, וַיָּשֶׂם דָּנִיֵּאל עַל לִבּוֹ אֲשֶׁר לֹא יִתְגָּאַל בְּפַת בַּג הַמֶּלֶךְ וּבְיֵין מִשְׁתָּיו, זָכָה הוּא, וְאִתְקַיַּים בִּדְיוֹקְנֵיהּ דְּאָדָם, בְּגִין דְּכָל מִלִּין דְּעַלְמָא, כֻּלְּהוּ דַּחֲלִין מִקַּמֵּי דְּיוֹקְנָא דְּאָדָם, דְּאִיהוּ שַׁלִּיטָא עַל כֻּלְּהוּ, וְאִיהוּ מַלְכָּא עַל כֹּלָּא.

רמח. א״ר יוֹסֵי, בְּגִין דָּא, אִצְטְרִיךְ לֵיהּ לְבַ״נ, לְאִסְתַּמְּרָא מֵחוֹבוֹי, וְלָא יִסְטֵי לִימִינָא וְלִשְׂמָאלָא. וְעִם כָּל דָּא, בָּעֵי לֵיהּ לְבַ״נ, לְמִבְדַּק בְּחוֹבוֹי, בְּכָל יוֹמָא וְיוֹמָא, דְּהָא כַּד בַּ״נ קָאִים מֵעַרְסֵיהּ, תְּרֵין סַהֲדִין קַיְּימִין קַמֵּיהּ, וְאָזְלֵי בַּהֲדֵיהּ, כָּל יוֹמָא.

רמט. בָּעֵי בַּר נָשׁ לְמֵיקַם, אִינּוּן סַהֲדֵי אָמְרִין לֵיהּ, בְּשַׁעְתָּא דְּאַפְתַּח עֵינוֹי, עֵינֶיךָ לְנֹכַח יַבִּיטוּ וְעַפְעַפֶּיךָ יַיְשִׁירוּ נֶגְדֶּךָ. קָם וְאַתְקִין רַגְלוֹי לְמֵהַךְ, אִינּוּן סַהֲדִין אָמְרִין לֵיהּ, פַּלֵּס מַעְגַּל רַגְלֶךָ וגו׳. וְעַל דָּא כַּד אָזֵיל בַּ״נ, בְּכָל יוֹמָא, בָּעֵי לֵיהּ לְאִסְתַּמְּרָא מֵחוֹבוֹי.

רנ. בְּכָל יוֹמָא וְיוֹמָא, כַּד אָתֵי לֵילְיָא, בָּעֵי לְאִסְתַּכְּלָא, וּלְמִבְדַּק, בְּכָל מַה דַּעֲבַד כָּל הַהוּא יוֹמָא, בְּגִין דְּיִיתוּב מִנַּיְיהוּ, וְיִסְתַּכַּל בְּהוּ תָּדִיר, בְּגִין דְּיִיתוּב קַמֵּי מָארֵיהּ, כְּמָה דְּאַתְּ אָמֵר וְחַטָּאתִי נֶגְדִּי תָמִיד, בְּגִין דְּיִיתוּב מִנַּיְיהוּ.

רנא. וְת״ח, בִּזְמַנָּא דַּהֲווּ יִשְׂרָאֵל בְּאַרְעָא קַדִּישָׁא, לָא אִשְׁתַּכַּח בִּידַיְיהוּ חוֹבָא, כְּמָה דְּאוֹקְמוּהָ, בְּגִין דְּאִינּוּן קָרְבְּנִין, דַּהֲווּ מְקָרְבִין בְּכָל יוֹמָא, הֲווּ מְכַפְּרֵי עֲלַיְיהוּ. הַשְׁתָּא דְּאִתְגָּלוּן יִשְׂרָאֵל מֵאַרְעָא, וְלֵית מַאן דִּמְכַפֵּר עֲלַיְיהוּ, אוֹרַיְיתָא הִיא מְכַפְּרָא עֲלַיְיהוּ, וְעוֹבָדִין דְּכַשְׁרָן, בְּגִין דִּשְׁכִינְתָּא עִמְּהוֹן בְּגָלוּתָא, וּמַאן דְּאִיהוּ לָא מִסְתַּכַּל בְּאָרְחוֹי דְּקֻבְּ״ה, גָּרִים לִשְׁכִינְתָּא לְאִתְכַּפְיָא בְּגוֹ עַפְרָא, כְּדָ״א יַשְׁפִּילֶנָּה יַשְׁפִּילָהּ עַד אֶרֶץ וגו׳.

רנב. א״ר יִצְחָק, וְכֵן מַאן דְּאִשְׁתַּדַּל בְּאוֹרַיְיתָא, וּבְעוֹבָדִין דְּכַשְׁרָן, גָּרִים לָהּ לכנ״י, לַאֲרָמָא רֵישָׁא בְּגוֹ גָּלוּתָא. זַכָּאָה חוּלָקֵיהוֹן, דְּאִינּוּן דְּמִשְׁתַּדְּלֵי בְּאוֹרַיְיתָא יְמָמָא וְלֵילֵי.

רנג. ת״ח, גִּלְגֵּל קֻבְּ״ה גִּלְגּוּלִין בְּעָלְמָא, בְּגִין לַאֲרָמָא רֵישָׁא דְּצַדִּיקַיָּיא, דְּהָא בְּגִין דִּיָרִים יוֹסֵף רֵישֵׁיהּ בְּעָלְמָא, עַל דְּאִשְׁתַּכַּח זַכָּאָה קַמֵּיהּ, אַרְגִּיז רִבּוֹנָא עַל עַבְדּוֹי, כְּדָ״א חָטְאוּ מַשְׁקֵה מֶלֶךְ מִצְרַיִם וְהָאוֹפֶה לַאֲדוֹנֵיהֶם לְמֶלֶךְ מִצְרָיִם, וְכֹלָּא בְּגִין לַאֲרָמָא רֵישָׁא דְּיוֹסֵף זַכָּאָה. וְת״ח, עַל יְדָא דְּחֶלְמָא, אִתְכַּפְיָיא מֵעִם אֲחוֹי, וְעַל יְדָא דְּחֶלְמָא אִתְרַבֵּי עַל אֲחוֹי, וְאִתְרַבֵּי עַל כָּל עָלְמָא.

רנד. וַיַּחַלְמוּ חֲלוֹם שְׁנֵיהֶם אִישׁ חֲלוֹמוֹ בְּלַיְלָה אֶחָד אִישׁ כְּפִתְרוֹן וגו׳, ת״ח, דְּהָא אִתְּמַר דְּכָל חֶלְמִין אָזְלִין בָּתַר פּוּמָא, יוֹסֵף כַּד פָּשַׁר לְהוּ חֶלְמָא, אַמַּאי פָּשַׁר לְהַאי פִּשְׁרָא טָבָא, וּלְהַאי פִּשְׁרָא בִּישָׁא. אֶלָּא, אִינּוּן חֶלְמִין עֲלֵיהּ דְּיוֹסֵף הֲוָה, וּבְגִין דְּיָדַע מִלָּה עַל עִקָּרָא וְשָׁרְשָׁא דִּילָהּ, בְּגִין כָּךְ פָּשַׁר חֶלְמָא לְהוּ כְּמָה דְּאִצְטְרִיךְ. לְכָל חַד וְחַד פָּשַׁר לְהוֹן פִּשְׁרָא, לְאַהֲדָרָא מִלָּה עַל אַתְרֵיהּ.

רנה. מַה כְּתִיב וַיֹּאמֶר אֲלֵיהֶם יוֹסֵף הֲלֹא לֵאלֹהִים פִּתְרוֹנִים סַפְּרוּ נָא לִי, מַאי טַעְמָא, בְּגִין דְּהָכֵי מִבָּעֵי לֵיהּ לְמִפְשַׁר חֶלְמָא, לְפַקְדָא פִּשְׁרָא לְקֻבְּ״ה, בְּגִין דְּתַמָּן אִיהוּ קִיּוּמָא דְּכֹלָּא, וּבֵיהּ קַיְּימָא פִּשְׁרָא.

רנו. ת״ח, הָא אִתְּמָר, דְּדַרְגָּא דְּחֶלְמָא לְתַתָּא אִיהוּ, וְאִיהוּ דַּרְגָּא שְׁתִיתָאָה, בְּגִין דְּהָא מֵאֲתַר דִּנְבוּאָה שָׁרְיָא, עַד הַאי דַּרְגָּא דְּחֶלְמָא, שִׁיתָא דַּרְגִּין אִינּוּן, וְסַלְקָא פִּשְׁרָא מִדַּרְגָּא דְּחֶלְמָא, לְדַרְגָּא אָחֳרָא. וְחֶלְמָא אִיהוּ דַּרְגָּא דִּלְתַתָּא, וּפִשְׁרָא קַיְּימָא עֲלַיְיהוּ, וּפִשְׁרָא קַיְּימָא בְּדִבּוּר, וְעַל דָּא בְּדִבּוּר קַיְּימָא מִלָּה, דִּכְתִיב הֲלֹא לֵאלֹהִים פִּתְרוֹנִים, הֲלֹא לֵאלֹהִים וַדַּאי.

רנז. תָּא חֲזֵי מַה כְּתִיב וַיְסַפֵּר שַׂר הַמַּשְׁקִים אֶת חֲלוֹמוֹ לְיוֹסֵף וגו׳. רִבִּי אֶלְעָזָר פָּתַח

וַאֲמַר, וַיְהִי בְעָבְרָם וְאֵלִיָּהוּ אָמַר אֶל אֱלִישָׁע שְׁאַל מָה אֶעֱשֶׂה לָּךְ בְּטֶרֶם אֶלָּקַח מֵעִמָּךְ וַיֹּאמֶר אֱלִישָׁע וִיהִי נָא פִּי שְׁנַיִם בְּרוּחֲךָ אֵלָי. הָכָא אִית לְאִסְתַּכְּלָא, וְהַאי קְרָא תְּוָהָא אִיהוּ, וְאֵלִיָּהוּ אָמַר אֶל אֱלִישָׁע שְׁאַל מָה אֶעֱשֶׂה לָּךְ, וְכִי בִּרְשׁוּתֵיהּ קַיְימָא, וְהָא בִּרְשׁוּתֵיהּ דְּקֻדְשָׁא בְּרִיךְ הוּא אִיהוּ. וְתוּ, דֶּאֱלִישָׁע הָכֵי נָמֵי אִיהוּ הֲוָה יָדַע, מַאי טַעְמָא אָמַר, וִיהִי נָא פִּי שְׁנַיִם בְּרוּחֲךָ אֵלָי.

רנ״ח. אֶלָּא וַדַּאי, מַאן דְּאָחִיד בִּשְׁמַיָּא וְאַרְעָא, וְכָל עָלְמִין, הֵיךְ לָא יְהֵא בִּרְשׁוּתֵיהּ דָּא, וַדַּאי אֵלִיָּהוּ, וּשְׁאָר צַדִּיקִים, קֻדְשָׁא בְּרִיךְ הוּא עָבֵיד רְעוּתְהוֹן דְּצַדִּיקַיָּיא תָּדִיר, דִּכְתִּיב, רְצוֹן יְרֵאָיו יַעֲשֶׂה, וְכָל שֶׁכֵּן דְּהַהוּא רוּחָא קַדִּישָׁא, דִּי עֲלֵיהּ, יָרֵית לֵיהּ לְצַדִּיקָא דֶּאֱלִישָׁע, דַּהֲוָה שַׁמָּשָׁא דִּילֵיהּ, וְהָא קֻדְשָׁא בְּרִיךְ הוּא אָמַר לֵיהּ וְאֶת אֱלִישָׁע בֶּן שָׁפָט מֵאָבֵל מְחוֹלָה תִּמְשַׁח לְנָבִיא תַּחְתֶּיךָ, וְעַל דָּא הֲוָה לֵיהּ לֶאֱלִישָׁע לְיָרְתָא לֵיהּ.

רנ״ט. פִּי שְׁנַיִם בְּרוּחֲךָ, מַאי פִּי שְׁנַיִם בְּרוּחֲךָ אֵלַי, וְכִי סַלְקָא דַּעְתָּךְ, דְּעַל חַד תְּרֵין שָׁאֵיל, וּמַה דְּלָא הֲוָה בִּרְשׁוּתֵיהּ, הֵיךְ שָׁאַל מִינֵּיהּ. אֶלָּא, אִיהוּ לָא שָׁאֵיל רוּחַ עַל חַד תְּרֵין, אֶלָּא הָכֵי שָׁאַל מִינֵּיהּ, בְּהַהוּא רוּחָא דַּהֲוָה לֵיהּ, דְּיַעֲבֵיד תְּרֵין נִסִּין בְּעָלְמָא, בְּהַהוּא רוּחָא.

ר״ס. מַה כְּתִיב וַיֹּאמֶר הִקְשִׁיתָ לִשְׁאוֹל אִם תִּרְאֶה אוֹתִי לֻקָּח מֵאִתָּךְ יְהִי לְךָ כֵן וְאִם אַיִן לֹא יִהְיֶה. מַאי טַעְמָא אִם תִּרְאֶה אוֹתִי. אֶלָּא, אֲמַר לֵיהּ, אִם תֵּיכוּל לְמֵיקַם עַל עִקָּרָא דְּרוּחָא דְּשַׁבְקְנָא לָךְ, בְּשַׁעְתָּא דְּאִתְנְסִיבְנָא מִינָּךְ, יְהֵא לָךְ כְּדֵין, דְּהָא כָּל הַהוּא עִקָּרָא דְּרוּחָא בְּשַׁעְתָּא דְּיִסְתַּכֵּל בֵּיהּ, כַּד חָמֵי לֵיהּ לְאֵלִיָּהוּ, יֶהֱוֵי דְּבֵיקוּתָא בֵּיהּ, כְּדְקָא יָאוֹת.

רס״א. תָּא חֲזֵי, הַאי מַאן דְּאִסְתַּכַּל בְּמָה דְּאוֹלִיף מֵרַבֵּיהּ, וְחָמֵי לֵיהּ בְּהַהוּא חָכְמְתָא, יָכֵיל לְאִתּוֹסְפָא בְּהַהוּא רוּחָא יַתִּיר. תָּא חֲזֵי, דְּהָא יוֹסֵף בְּכָל מַה דְּאִיהוּ עָבֵיד, הֲוֵי חָמֵי בְּרוּחָא דְּחָכְמְתָא, לְהַהוּא דְּיוֹקְנָא דַּאֲבוֹי, הֲוָה מִסְתַּכַּל. וּבְגִין כָּךְ הֲוָה מִסְתַּיְּיעָא לֵיהּ מִלְּתָא, וְאִתּוֹסְפָא לֵיהּ רוּחָא אָחֳרָא, בִּנְהִירוּ עִלָּאָה יַתִּיר.

רס״ב. בְּשַׁעְתָּא דַּאֲמַר לֵיהּ הַהוּא רָשָׁע, וְהִנֵּה גֶּפֶן לְפָנָי, אוֹדַעְזַע יוֹסֵף, דְּלָא הֲוָה יָדַע עַל מַה תֵּיתֵי מִלָּה, כֵּיוָן דַּאֲמַר וּבַגֶּפֶן שְׁלֹשָׁה שָׂרִיגִם, מִיַּד אִתְּעַר רוּחֵיהּ, וְאִתּוֹסַף בִּנְהִירוּ, וְאִסְתַּכַּל בִּדְיוֹקְנָא דַּאֲבוֹי, כְּדֵין אִתְנְהִיר רוּחֵיהּ, וְיָדַע מִלָּה.

רס״ג. מַה כְּתִיב, וּבַגֶּפֶן שְׁלֹשָׁה שָׂרִיגִם. אֲמַר יוֹסֵף, הָא וַדַּאי בְּשׂוֹרָה דְּחֶדְוָה בִּשְׁלִימוּ אִיהוּ, מַאי טַעְמָא, בְּגִין דְּהַאי גֶּפֶן עַל כְּנֶסֶת יִשְׂרָאֵל אִתְחֲזֵי לֵיהּ, וְאִתְבַּשַּׂר יוֹסֵף בְּהַאי. וּבַגֶּפֶן שְׁלֹשָׁה שָׂרִיגִם: אִלֵּין אִינּוּן תְּלָתָא דַּרְגִּין עִלָּאִין, דְּנָפְקֵי מֵהַאי גֶּפֶן, כַּהֲנֵי לְוָאֵי וְיִשְׂרְאֵלֵי.

רס״ד. וְהִיא כְפוֹרַחַת עָלְתָה נִצָּהּ, דְּהָא בְּגִינַיְיהוּ, סַלְקָא כְּנֶסֶת יִשְׂרָאֵל, וְאִתְבָּרְכַת מֵעִם מַלְכָּא עִלָּאָה. הִבְשִׁילוּ אַשְׁכְּלוֹתֶיהָ עֲנָבִים, אִלֵּין אִינּוּן צַדִּיקַיָּא דְּעָלְמָא, דְּאִינּוּן כַּעֲנָבִים מְבוּשָּׁלִים כִּדְקָא חֲזֵי. ד״א הִבְשִׁילוּ אַשְׁכְּלוֹתֶיהָ עֲנָבִים, דָּא הוּא יַיִן דְּאִתְנְטִיר בַּעֲנָבַיְיהוּ, מִשֵּׁשֶׁת יְמֵי בְּרֵאשִׁית.

רס״ה. עַד הָכָא אִתְבַּשַּׂר יוֹסֵף בְּחֶלְמֵיהּ, מִכָּאן וּלְהָלְאָה חֶלְמָא אִיהוּ דִּילֵיהּ, בְּגִין דְּאִית חֶלְמִין לֵיהּ, וּלְאַחֲרָנִין. וָאֶקַּח אֶת הָעֲנָבִים, דְּאִיהוּ לֵיהּ לְגַרְמֵיהּ.

רס״ו. תָּנִינָן, הַאי מַאן דְּחָמֵי עִנְבִין חִוָּורִין בְּחֶלְמָא, סִימָן יָפֶה לוֹ, אוּכְמֵי לָא, מַאי טַעְמָא, בְּגִין דְּאִיהוּ רָזָא דִּתְרֵין דַּרְגִּין יְדִיעָן, אִינּוּן אוּכְמֵי וְחִוָּורֵי, הַאי אִיהוּ טַב, וְהַאי אִיהוּ דְּלָא טַב, וְכֻלְּהוּ עִנְבִין בְּרָזָא דִּמְהֵימְנוּתָא תַּלְיָין, וְעַ״ד מִתְפָּרְשָׁן בְּחָכְמְתָא, הֵן לְטַב, הֵן לְבִישׁ, אִלֵּין צְרִיכִין רַחֲמֵי, וְאִלֵּין אַשְׁגָּחוּתָא דְּרַחֲמֵי.

רס״ז. ת״ח, אָדָם הָרִאשׁוֹן, אִנְתְּתֵיהּ סָחֲטָא לֵיהּ עִנְבִין, וּגְרִימַת לֵיהּ מוֹתָא, וּלְכָל יִשְׂרָאֵל,

וּלְכָל עַלְמָא. נָח אֲתָא לְהָנֵי עִנְבִין, וְלָא אִתְנְטַר כִּדְקָא יָאוּת, מַה כְּתִיב, וַיֵּשְׁתְּ מִן הַיַּיִן וַיִּשְׁכָּר וַיִּתְגַּל בְּתוֹךְ אָהֳלֹה, בְּהֵ"א. בְּנֵי אַהֲרֹן, שָׁתוּ חַמְרָא מִנַּיְיהוּ, וְקָרִיבוּ קָרְבָּנָא בְּהַהוּא חַמְרָא, וּמִיתוּ, וְהָא אִתְּמָר. וּבְגִ"כ כְּתִיב, עֲנָבֵימוֹ עִנְּבֵי רֹאשׁ אַשְׁכְּלוֹת מְרוֹרוֹת לָמוֹ, בְּגִין דְּאִינּוּן עִנְבִין גָּרְמֵי הַאי.

רסוז. חָמָא עִנְבִין, דְּאִינּוּן טָבִין, בְּהַהוּא כֶּרֶם, דְּקָא סָלְקִין נַיְיחָא וְרֵיחָא בְּדַרְגִּין שְׁלֵימִין, כִּדְקָא יָאוּת. וְעַ"ד יוֹסֵף יָדַע מִלָּה, וְאִסְתַּכַּל בְּעִקָּרָא, וּפָשַׁר חֶלְמָא עַל בּוּרְיֵיה. בְּגִין דְּאִתְבַּשַּׂר בְּהַהוּא חֶלְמָא, כִּדְקָא יָאוּת. וּבְגִין כָּךְ פָּשַׁר פִּשְׁרָא לְטַב, וְאִתְקַיַּים הָכֵי.

רסט. מַה כְּתִיב. וַיַּרְא שַׂר הָאוֹפִים כִּי טוֹב פָּתָר וַיֹּאמֶר אֶל יוֹסֵף אַף אֲנִי בַּחֲלוֹמִי וְהִנֵּה שְׁלֹשָׁה סַלֵּי חֹרִי עַל רֹאשִׁי. ת"ח, אֲרוּרִין אִינּוּן רַשִׁיעַיָּא, דְּכָל עוֹבָדֵיהוֹן כֻּלְּהוֹן לְבִישׁ, וְכָל אִינּוּן מִלִּין דְּאִינּוּן אָמְרִין, כֻּלְּהוּ לְבִישׁ, וּלְאַבְאָשָׁא.

ער. כֵּיוָן דִּפְתַח פּוּמֵיהּ בְּאַף, מִיַּד דָּחִיל יוֹסֵף, וְיָדַע דְּכָל מִלּוֹי אִינּוּן לְאַבְאָשָׁא, וּבְשׂוּרָה דְּבִישׁ בְּפוּמֵיהּ. וְהִנֵּה שְׁלֹשָׁה סַלֵּי חֹרִי עַל רֹאשִׁי, כְּדֵין יָדַע יוֹסֵף, דְּאִתְבַּשַּׂר עַל חֲרִיבוּ דְּבֵי מַקְדְּשָׁא, וְיִשְׂרָאֵל בְּגָלוּתָא, דְּיִתְגַּלּוּן מֵאַרְעָא קַדִּישָׁא.

רעא. וְחָמֵי מַה כְּתִיב, וּבַסַּל הָעֶלְיוֹן מִכֹּל מַאֲכַל פַּרְעֹה מַעֲשֵׂה אֹפֶה וְהָעוֹף אֹכֵל אֹתָם מִן הַסַּל מֵעַל רֹאשִׁי אִלֵּין אִינּוּן שְׁאָר עַמִּין, דְּמִתְכַּנְשֵׁי עֲלַיְיהוּ דְּיִשְׂרָאֵל, וְקָטְלֵי לוֹן, וְחָרְבֵי בֵּיתַיְיהוּ, וּמְפַזְּרֵי לוֹן לְאַרְבַּע סִטְרֵי דְּעַלְמָא, וְכֹלָּא אִסְתַּכַּל יוֹסֵף, וְיָדַע דְּהַהוּא חֶלְמָא עַל יִשְׂרָאֵל, כַּד יְהוֹן בְּחוֹבָא קַמֵּי מַלְכָּא, מִיַּד פָּשַׁר לֵיהּ פִּשְׁרָא לְבִישׁ, וְאִתְקַיַּים בֵּיהּ.

ערב. וְת"ח, תְּרֵין דַּרְגִּין אִלֵּין, דְּקָא חָמָא הַאי, וְחָמָא הַאי, דָּא חָמָא כַּד סָלִיק, וְקָא שַׁלִּיט דַּרְגָּא עִלָּאָה, וְאִתְנְהִיר סִהֲרָא. וְדָא חָמָא, דְּאִתְחֲשַׁךְ וְשַׁלִּיט עֲלָהּ חִוְיָא בִּישָׁא, וּבְגִ"כ אִסְתַּכַּל יוֹסֵף בְּהַהוּא חֶלְמָא, וּפָשַׁר לֵיהּ פִּשְׁרָא לְבִישׁ. וְעַ"ד, כֹּלָּא בְּפִשְׁרָא קַיְּימָא, וְדָא וְדָא חָמוּ, בְּאִלֵּין תְּרֵין דַּרְגִּין, דְּשַׁלִּיט דָּא, וְשַׁלִּיט דָּא.

רעג. רַבִּי יְהוּדָה פָּתַח, לֵב טָהוֹר בְּרָא לִי אֱלֹקִים וְרוּחַ נָכוֹן חַדֵּשׁ בְּקִרְבִּי, הַאי קְרָא אוֹקְמוּהָ, אֲבָל לֵב טָהוֹר, כְּדָ"א, וְנָתַתָּ לְעַבְדְּךָ לֵב שׁוֹמֵעַ וגו', וּכְתִיב וְטוֹב לֵב מִשְׁתֶּה תָּמִיד, וּבְגִין כָּךְ לֵב טָהוֹר וַדַּאי.

רעד. וְרוּחַ נָכוֹן חַדֵּשׁ בְּקִרְבִּי, דָּא הוּא רוּחַ נָכוֹן וַדַּאי כְּדָ"א, וְרוּחַ אֱלֹקִים מְרַחֶפֶת עַל פְּנֵי הַמָּיִם, וְאִתְּעָרוּ, זֶה רוּחוֹ שֶׁל מָשִׁיחַ, וְאִתְּעָרוּ, וְרוּחַ חֲדָשָׁה אֶתֵּן בְּקִרְבְּכֶם, וְצַלֵּי דָּוִד, הַהוּא רוּחַ נָכוֹן, חַדֵּשׁ בְּקִרְבִּי.

ערה. בְּגִין דְּאִית מִסִּטְרָא אָחֳרָא, לֵב טָמֵא, וְרוּחַ עִוְעִים, דְּאַסְטֵי לִבְנֵי עַלְמָא, וְדָא הוּא רוּחַ טֻמְאָה, דְּאִקְרֵי רוּחַ עִוְעִים, כְּדָ"א, ה' מָסַךְ בְּקִרְבָּהּ רוּחַ עִוְעִים, וְעַל דָּא וְרוּחַ נָכוֹן חַדֵּשׁ בְּקִרְבִּי. מַאי חָדָשׁ. דָּא חִדּוּשָׁא דְּסִיהֲרָא, בְּשַׁעֲתָא דְּאִתְחַדַּשׁ סִיהֲרָא, דָּוִד מֶלֶךְ יִשְׂרָאֵל חַי וְקַיָּים וּבְגִין כָּךְ חָדָשׁ.

רעו. רַבִּי אֶלְעָזָר, וְרַבִּי יוֹסֵי הֲווּ אָזְלֵי בְּאָרְחָא, אֲמַר רַבִּי יוֹסֵי לְר' אֶלְעָזָר, הַאי דִּכְתִיב, וַיֵּצֵא הָרוּחַ וַיַּעֲמֹד לִפְנֵי ה' וַיֹּאמֶר אֲנִי אֲפַתֶּנּוּ וַיֹּאמֶר ה' אֵלָיו בַּמָּה וַיֹּאמֶר אֵצֵא וְהָיִיתִי רוּחַ שֶׁקֶר בְּפִי כָּל נְבִיאָיו וַיֹּאמֶר תְּפַתֶּה וְגַם תּוּכָל צֵא וַעֲשֵׂה כֵן. וְתָנִינָן, דְּהָוָה רוּחַ נָבוֹת הַיִּזְרְעֵאלִי, וְכִי נִשְׁמָתִין, כֵּיוָן דְּסָלְקִין וְקַיְּימִין לְעֵילָא, אִינּוּן יָכְלִין לְאַהֲדָרָא בְּהַאי עַלְמָא, וּמִלָּה תְּמִיהָה, דַּאֲמַר אֵצֵא וְהָיִיתִי רוּחַ שֶׁקֶר בְּפִי וגו'.

רעז. וְתוּ מַ"ט אִתְעֲנַשׁ עֲלֵיהּ אַחְאָב, דְּהָא דִּינָא דְּאוֹרַיְיתָא, דְּשַׁוֵּי שְׁמוּאֵל, קַמַּיְיהוּ דְּיִשְׂרָאֵל, הָכֵי הוּא. דִּכְתִיב, אֶת שְׂדוֹתֵיכֶם וְכַרְמֵיכֶם וְזֵיתֵיכֶם הַטּוֹבִים יִקָּח, וְאִי אַחְאָב

נָטְלוֹ הַהוּא כֶּרֶם בְּנָבוֹת, דִּינָא הֲוָה. וְתוּ דַּהֲוָה יָהֵיב לֵיהּ כַּרְמָא אָחֳרָא, אוֹ דַּהֲבָא, וְלָא בָּעָא.

רעח. א״ל יָאוֹת שְׁאַלְתְּ, ת״ח, הַאי רוּחַ דְּקָאָמְרוּ דְּאִיהוּ רוּחַ דְּנָבוֹת, הָכָא אִית לְאִסְתַּכָּלָא, וְכִי רוּחָא דְּנָבוֹת, יָכֵיל לְסַלְּקָא וּלְקַיְּימָא קַמֵּיהּ דְּקֻב״ה, לְמִתְבַּע שִׁקְרָא, דִּכְתִּיב וַיֵּצֵא הָרוּחַ. וְאִי צַדִּיקָא הוּא, אֵיךְ יִבְעֵי שִׁקְרָא בְּהַהוּא עַלְמָא, דְּאִיהוּ עַלְמָא דִּקְשׁוֹט, וּמַה בְּהַאי עַלְמָא, לָא בָּעֵי זַכָּאָה שִׁקְרָא, בְּהַהוּא עַלְמָא לָא כ״ש. וְאִי לָאו זַכָּאָה אִיהוּ, הֵיךְ יָכֵיל לְקַיְּימָא קַמֵּי קוּדְשָׁא בְּרִיךְ הוּא.

רעט. אֶלָּא וַדַּאי נָבוֹת לָאו זַכָּאָה הֲוָה כ״כ, לְקַיְּימָא קַמֵּי קֻב״ה, אֶלָּא רוּחָא אָחֳרָא הֲוָה, דְּשַׁלְטָא בְּעַלְמָא, דְּדָא הוּא רוּחָא דְּקַיְּימָא תָּדִיר, וְסַלְּקָא קַמֵּי קֻב״ה, וְדָא הוּא דְּאַסְטֵי לִבְנֵי עַלְמָא בְּשִׁקְרָא, וּמַאן דְּאִיהוּ רָגִיל בְּשִׁקְרָא, אִשְׁתַּדַּל תָּדִיר בְּשִׁקְרָא, וְעַל דָּא אֲמַר אֵצֵא וְהָיִיתִי רוּחַ שֶׁקֶר וגו׳, וְעַ״ד קֻב״ה א״ל צֵא, וַעֲשֵׂה כֵן, פּוֹק מֵהָכָא, כְּמָה דְּאוּקְמוּהָ דִּכְתִּיב, דּוֹבֵר שְׁקָרִים לֹא יִכּוֹן לְנֶגֶד עֵינָי. וּבְגִין דָּא אִיהוּ רוּחַ שֶׁקֶר וַדַּאי.

רפ. וְתוּ. עַל מַה דְּקָטַל לֵיהּ לְנָבוֹת, וְנָטַל כַּרְמָא דִּילֵיהּ, קְטוֹלָא אַמַּאי קָטֵיל לֵיהּ. אֶלָּא עַל דְּקָטֵיל לֵיהּ בְּלָא דִּינָא אִתְעֲנַשׁ. קָטַל לֵיהּ בְּלָא דִּינָא, וְנָסֵיב כַּרְמָא דִּילֵיהּ. וּבְגִ״כ כְּתִיב, הֲרָצַחְתָּ וְגַם יָרָשְׁתָּ, וְעַ״ד אִתְעֲנַשׁ. וְתָא חֲזֵי, כַּמָּה אִינּוּן בְּנֵי נָשָׁא בְּעַלְמָא, דְּאַסְטֵי לוֹן הַאי רוּחַ שִׁקְרָא בְּשִׁקְרָא, וְשַׁלִּיט אִיהוּ בְּעַלְמָא, בְּכַמָּה סִטְרִין, וּבְכַמָּה עוֹבָדִין וְהָא אוּקִימְנָא מִלֵּי.

רפא. וְעַ״ד, דָּוִד מַלְכָּא בָּעָא לְאִסְתַּמְרָא מִנֵּיהּ, וּבָעָא לְאַפָּקָא מִגּוֹ מִסָּאֲבוּ, דִּכְתִּיב לֵב טָהוֹר בְּרָא לִי אֱלֹהִים וְרוּחַ נָכוֹן חַדֵּשׁ בְּקִרְבִּי, דָּא הוּא רוּחַ נָכוֹן, וְאָחֳרָא אִיהוּ רוּחַ שֶׁקֶר, וְעַ״ד תְּרֵין דַּרְגִּין אִינּוּן, חַד קַדִּישָׁא, וְחַד מִסָּאֲבָא.

רפב. פָּתַח וַאֲמַר, וַה׳ נָתַן קוֹלוֹ לִפְנֵי חֵילוֹ כִּי רַב מְאֹד מַחֲנֵהוּ וְכִי עָצוּם עוֹשֵׂה דְבָרוֹ וגו׳, הַאי קְרָא אוּקְמוּהָ. אֲבָל וַה׳, בְּכָל אֲתַר הוּא וּבֵי דִּינֵיהּ. נָתַן קוֹלוֹ דָּא הוּא קָלָא, דִּכְתִּיב, קוֹל דְּבָרִים, וּכְתִיב הָתָם, לֹא אִישׁ דְּבָרִים, מַאן אִישׁ דְּבָרִים. כְּד״א אִישׁ הָאֱלֹהִים. לִפְנֵי חֵילוֹ. אִלֵּין אִינּוּן יִשְׂרָאֵל.

רפג. כִּי רַב מַחֲנֵהוּ: כְּד״א הֲיֵשׁ מִסְפָּר לִגְדוּדָיו, דְּכַמָּה מְמַנָּן וְשַׁלִּיטָן אִית לֵיהּ לְקֻב״ה, וְכֻלְּהוּ קַיְימֵי לְאַסְטָאָה עֲלַיְיהוּ דְּיִשְׂרָאֵל. וְעַל דָּא קֻב״ה אַזְמִין קַמַּיְיהוּ דְּיִשְׂרָאֵל, בְּגִין לְנַטְרָא לְהוּ, וְלָא יָכִילוּ לְקַטְרְגָא לְהוּ.

רפד. כִּי עָצוּם עוֹשֵׂה דְבָרוֹ, מַאן עָצוּם, דָּא הוּא זַכָּאָה, הַהוּא דְּאִשְׁתַּדַּל בְּאוֹרַיְיתָא קַדִּישָׁא, יְמָמָא וְלֵילֵי. ד״א, כִּי עָצוּם, דָּא הוּא מְקַטְרְגָא, דְּאִשְׁתַּכַּח קַמֵּי קֻב״ה, וְאִיהוּ תַּקִּיפָא כְּפַרְזְלָא. תַּקִּיפָא כְּטִינָרָא. עוֹשֵׂה דְבָרוֹ: דְּנָטֵיל רְשׁוּת מִלְּעֵילָא וְנָטֵיל נִשְׁמָתָא מִתַּתָּא.

רפה. כִּי גָדוֹל יוֹם ה׳ וְנוֹרָא מְאֹד וּמִי יְכִילֶנּוּ, דְּאִיהוּ שַׁלִּיט עַל כֹּלָּא, וְעִלָּאָה וְתַקִּיפָא עַל כֻּלְּהוּ, וְכֻלְּהוּ תְּחוֹת שָׁלְטָנֵיהּ. זַכָּאִין אִינּוּן צַדִּיקַיָּיא דְּקֻב״ה אִתְרְעֵי בְּהוּ תָּדִיר, לְזַכָּאָה לוֹן לְעַלְמָא דְּאָתֵי, וּלְמֶחֱדֵי לְהוּ בְּחֶידוּ דְּצַדִּיקַיָּיא, דִּזְמִינִין לְמֶחֱדֵי בֵּיהּ בְּקֻב״ה, דִּכְתִּיב, וְיִשְׂמְחוּ כָל חוֹסֵי בָךְ לְעוֹלָם יְרַנֵּנוּ וְתָסֵךְ עָלֵימוֹ וְיַעְלְצוּ בְךָ אוֹהֲבֵי שְׁמֶךָ.

בָּרוּךְ ה׳ לְעוֹלָם אָמֵן וְאָמֵן.

MIKETZ

מקץ

א. ויהי מקץ, רבי חייא פתח ואמר, קץ שם לחשך ולכל תכלית הוא חוקר אבן אפל וצלמות, האי קרא אתמר, קץ שם לחשך, דא איהו קץ דשמאלא, דאיהו שאט בעלמא, ושאט לעילא, וקיימא קמי קב"ה, ואסטי, וקטריג על עלמא, והא אתמר. ולכל תכלית הוא חוקר, דהא כל עובדוי לאו אינון לטב, אלא לשיצאה תדיר, ולמעבד כליה בעלמא.

ב. אבן אפל וצלמות, דא אבן נגף, דבה כשלין חייבין, וקיימא בהאי דאקרי, ארץ עפתה כמו אפל. ת"ח אית ארץ חיים לעילא, והאי איהו ארץ ישראל. ואית ארץ לתתא ונקרא אפל וצלמות, אפל דנפקא מארץ עפתה. מאי אבן אפל וצלמות, דא הוא קץ, דאיהו מסטרא דחשך, זוהמא דדהבא, והא אתמר.

ג. תא חזי, כמה אית לון לבני נשא, לאסתכלא בפולחנא דקב"ה, ולאשתדלא באורייתא, יממא ולילי, בגין דינדעון ויסתכלון בפולחניה, דהא אורייתא איהי מכרזא בכל יומא קמיה דבר נש ואמרה, מי פתי יסור הנה חסר לב ואמרה לו, והא אוקימנא מלי.

ד. וכד בר נש אשתדל באורייתא, ואתדבק בה, זכי לאתתקפא באילנא דחיי, דכתיב עץ חיים וגו'. ותא חזי, כד בר נש אתתקף באילנא דחיי בהאי עלמא, אתתקף ביה לעלמא דאתי, דהא כד נשמתין נפקין מהאי עלמא, הכי אתתקנן להו דרגין לעלמא דאתי.

ה. ת"ח, אילנא דחיי, איהו בכמה דרגין מתפרשן דא מן דא, וכלהו חד. דהא באילנא דחיי, אית דרגין אלין על אלין, ענפין, ועלין, קליפין, גופא דאילנא, שרשין. וכלא הוא אילנא. כגוונא דא, כל מאן דאשתדל באורייתא, איהו אתתקן ואתתקף באילנא דחיי.

ו. וכל בני דמהימנותא ישראל, כלהון מתתקפין באילנא דחיי, כלהו אחידין באילנא ממש, מנהון בההוא גופא דביה, מנהון אחידן בענפין, מנהון בעלין, מנהון בשרשין, אשתכחו דכלהו אחידן באילנא דחיי. ואינון דמשתדלין באורייתא כלהו אחידן בגופא דאילנא. ובגין כך, מאן דאשתדל באורייתא, איהו אחיד בכלא, והא אוקמוה ואתמר.

ז. ויהי מקץ, מאי מקץ. רבי שמעון אמר, אתר דלית בה זכירה. ודא הוא קץ דשמאלא, מאי טעמא, בגין דכתיב כי אם זכרתני אתך כאשר ייטב לך. וכי הכי אתחזי ליה ליוסף צדיקא, דאיהו אמר כי אם זכרתני אתך, אלא כיון דאסתכל יוסף בחלמיה, אמר ודאי חלמא דזכירה איהו, ואיהו טעה בהאי, דהא ביה בקודשא בריך הוי כלא.

ח. וע"ד אתר דהוה ביה נשיו קם קמיה, מה כתיב ולא זכר שר המשקים את יוסף וישכחהו. כיון דאמר ולא זכר שר המשקים, מהו וישכחהו. אלא וישכחהו אתר דאית ביה שכחה, ודא הוא קץ דסטרא דחשך. שנתים ימים, מאי שנתים. דתב דרגא, לדרגא דאית ביה זכירה.

ט. ופרעה חולם והנה עומד על היאר, דא חלמא דיוסף הוה, בגין דכל נהר דיוסף

הַצַּדִּיק אִיהוּ, וְרָזָא דָּא הֲוֵי, הַאי בַּר מַאן דְּחָזְמֵי נָהָר בְּחֶלְמֵיהּ, וְחָמֵי שָׁלוֹם, דִּכְתִיב הִנְנִי נוֹטֶה אֵלֶיהָ כְּנָהָר שָׁלוֹם.

י. וַיְהִי מִקֵּץ שְׁנָתָיִם. רַבִּי חִיָּיא פָּתַח וְאָמַר, מֶלֶךְ בְּמִשְׁפָּט יַעֲמִיד אָרֶץ וְאִישׁ תְּרוּמוֹת יֶהֶרְסֶנָּה, תָּא וַחֲזֵי, כַּד בָּרָא קָבָּ"ה עַלְמָא עִלָּאָה, אַתְקִין כֹּלָּא כִּדְקָא יָאוֹת, וְאַפִּיק נְהוֹרִין עִלָּאִין מִנְהַרִין לְכָל סִטְרִין, וְכֹלָּא אִיהוּ חַד, וּבָרָא שָׁמַיִם דִּלְעֵילָּא, וְאֶרֶץ דִּלְעֵילָּא, לְאִתְתַּקְנָא כֻּלְּהוּ כַּחֲדָא, לְתוֹעַלְתָּא דִּלְתַתָּאֵי.

יא. תָּ"ח, מֶלֶךְ בְּמִשְׁפָּט יַעֲמִיד אָרֶץ, מַאן מֶלֶךְ. דָּא קָבָּ"ה. בְּמִשְׁפָּט: דָּא יַעֲקֹב, דְּאִיהוּ קַיְימָא דְּאַרְעָא, וְעַל דָּא ו' אִתְיְהִיב בֵּין ה' עִלָּאָה, ה' תַּתָּאָה אִתְּזָנַת מִן ו', דְּקִיּוּמָא דְּאַרְעָא אִיהוּ בְּמִשְׁפָּט, דְּהָא מִשְׁפָּט יַעֲמִיד אָרֶץ בְּכָל תִּקּוּנוֹי, וְזָן לָהּ.

יב. ד"א, מֶלֶךְ. דָּא קָבָּ"ה: בְּמִשְׁפָּט. דָּא יוֹסֵף, דִּכְתִיב וְכָל הָאָרֶץ בָּאוּ מִצְרַיְמָה לִשְׁבֹּר אֶל יוֹסֵף, וּבְגִין דִּקָבָּ"ה אִתְרְעֵי בֵּיהּ בְּיַעֲקֹב, עֲבַד לֵיהּ לְיוֹסֵף שַׁלִּיטָא עַל אַרְעָא.

יג. רַבִּי יוֹסֵי אָמַר, מֶלֶךְ. דָּא יוֹסֵף. בְּמִשְׁפָּט יַעֲמִיד אָרֶץ: דָּא יַעֲקֹב, דְּהָא עַד לָא אָתָא יַעֲקֹב לְמִצְרַיִם, לָא הֲוָה קִיּוּמָא בְּאַרְעָא, מִגּוֹ כַּפְנָא. כֵּיוָן דַּאֲתָא יַעֲקֹב לְמִצְרַיִם, בִּזְכוּתֵיהּ אִסְתַּלַּק כַּפְנָא, וְאִתְקַיַּים אַרְעָא.

יד. ד"א מֶלֶךְ בְּמִשְׁפָּט יַעֲמִיד אָרֶץ: דָּא דָּוִד מַלְכָּא, דִּכְתִיב וַיְהִי דָוִד עֹשֶׂה מִשְׁפָּט וּצְדָקָה לְכָל עַמּוֹ, וְאִיהוּ קַיָּים אַרְעָא, וּבִזְכוּתֵיהּ קַיְימָא לְבָתַר דִּנָא. וְאִישׁ תְּרוּמוֹת יֶהֶרְסֶנָּה: דָּא רְחַבְעָם.

טו. תָּא וַחֲזֵי, קָבָּ"ה בְּגִינֵיהוֹן דְּצַדִּיקַיָּיא, אַע"ג דְּפוּרְעָנוּתָא אִתְגְּזַר עַל עַלְמָא, מִתְעַכְּבָא בְּגִינֵיהוֹן, וְלָא שַׁלְטָא עַל עַלְמָא. כָּל יוֹמוֹי דְּדָוִד מַלְכָּא, אִתְקְיְימָא אַרְעָא בְּגִינֵיהּ, לְבָתַר דְּמִית אִתְקַיְּימָא בִּזְכוּתֵיהּ, דִּכְתִיב וְגַנּוֹתִי עַל הָעִיר הַזֹּאת לְהוֹשִׁיעָהּ לְמַעֲנִי וּלְמַעַן דָּוִד עַבְדִּי. כְּגַוְונָא דָּא, כָּל יוֹמוֹי דְּיַעֲקֹב, וְכָל יוֹמוֹי דְּיוֹסֵף, לָא שַׁלְטָא פוּרְעָנוּתָא בְּעַלְמָא.

טז. תָּא וַחֲזֵי בְּמִשְׁפָּט יַעֲמִיד אָרֶץ: דָּא יוֹסֵף. וְאִישׁ תְּרוּמוֹת יֶהֶרְסֶנָּה: דָּא פַּרְעֹה, דְּהָא בְּגִין דְּאַקְשֵׁי לִבֵּיהּ לְגַבֵּי דְקָבָּ"ה, וְחָרִיב אַרְעָא דְמִצְרַיִם, וּבְקַדְמֵיתָא עַל יְדָא דְּיוֹסֵף אִתְקַיַּים אַרְעָא, בְּהַהוּא וַיְהִי מִקֵּץ שְׁנָתַיִם יָמִים וְגוֹ'.

יז. וַיְהִי מִקֵּץ וְגוֹ'. ר' אֶלְעָזָר פָּתַח וְאָמַר, וַזִּי ה', וְזִּי וּבָרוּךְ צוּרִי וְיָרוּם אֱלֹהֵי יִשְׁעִי. אֱלֹהֵי כְּתִיב, בְּוָי"ו. הַאי קְרָא אִית לְאִסְתַּכְּלָא בֵּיהּ, וְזִּי ה': דָּא וַזִּי צַדִּיקָא יְסוֹדָא דְעַלְמָא, דְּאִקְרֵי וַזִּי דְּעָלְמִין. וּבָרוּךְ צוּרִי: דָּא הוּא דִכְתִיב בָּרוּךְ ה' צוּרִי, וְדָא עַלְמָא דְאִתְקַיַּים עֲלֵיהּ צַדִּיקָא דָּא. וְיָרוּם אֱלֹהֵי יִשְׁעִי. וְיָרוּם: דָּא עַלְמָא עִלָּאָה. אֱלֹהֵי בּוָא"ו. אֱלֹהֵי בּוָא"ו: דָּא עָלְמִין, כְּד"א הַשָּׁמַיִם שָׁמַיִם לַה'.

יח. תָּ"ח בָּרוּךְ אֲדֹנָ"י יוֹם יוֹם יַעֲמָס לָנוּ, בָּרוּךְ אֲדֹנָ"י, בְּאַלֶּ"ף דָּלֶ"ת נוּ"ן יוּ"ד, וְהַאי קְרָא רָזָא דְחָכְמְתָא אִיהוּ. יוֹם יוֹם: אִלֵּין שְׁנָתַיִם יָמִים, כְּד"א וַיְהִי מִקֵּץ שְׁנָתַיִם יָמִים. וּפַרְעֹה חֹלֵם וְהִנֵּה עֹמֵד עַל הַיְאֹר, רָזָא אִיהוּ, כְּמָה דְּאִתְּמַר דָּא יוֹסֵף, דְּנָהָר דָּא, יוֹסֵף הַצַּדִּיק הוּא.

יט. וְהִנֵּה מִן הַיְאֹר עֹלוֹת שֶׁבַע פָּרוֹת יְפוֹת מַרְאֶה וּבְרִיאֹת בָּשָׂר וַתִּרְעֶינָה בָּאָחוּ. וְהִנֵּה מִן הַיְאֹר, דְּהָא מִנָּהָר דָּא אִתְבָּרְכָאן כָּל אִינוּן דַּרְגִּין דִּלְתַתָּא, בְּגִין דְּהַהוּא נָהָר דְּנַגְּיד וְנָפִיק, אִיהוּ אַשְׁקֵי וְזָן לְכֹלָּא, וְיוֹסֵף אִיהוּ נָהָר, לְאִתְבָּרְכָא כָּל אַרְעָא דְמִצְרַיִם בְּגִינֵיהּ.

כ. וְתָ"ח, הַהוּא נָהָר שֶׁבַע דַּרְגִּין אִתְשַׁקְיָין וְאִתְבָּרְכָן מִנֵּיהּ, וְאִלֵּין אִינוּן יְפוֹת מַרְאֶה

וּבְרִיאוֹת בָּשָׂר. וַתִּרְעֶינָה בָּאָחוּ: בְּחִבּוּרָא בְּאַחֲוָותָא דְּלָא אִשְׁתַּכַּח בְּהוּ פֵּרוּדָא, וְכֻלְּהוּ לְשַׁבְחָא קַיְימִין, דְּהָא כָּל הָנֵי דַּרְגִּין שֶׁבַע דְּקָאַמְרָן, רָזָא אִיהוּ, כְּד"א וְאֵת שֶׁבַע הַנְּעָרוֹת הָרְאוּיוֹת לָתֶת לָהּ מִבֵּית הַמֶּלֶךְ וגו'. וְע"ד שֶׁבַע פָּרוֹת יְפוֹת מַרְאֶה, וּלְקֳבֵל דָּא כְּתִיב, שִׁבְעַת הַסָּרִיסִים הַמְשָׁרְתִים אֶת פְּנֵי הַמֶּלֶךְ וגו'.

כא. רִבִּי יִצְחָק אָמַר, שֶׁבַע פָּרוֹת הַטּוֹבוֹת, דַּרְגִּין אִינּוּן עִלָּאִין עַל אָחֳרָנִין. וְשֶׁבַע הַפָּרוֹת הָרָעוֹת, דַּרְגִּין אָחֳרָנִין דִּלְתַתָּא. אִלֵּין מִסִּטְרָא דִּקְדוּשָּׁה, וְאִלֵּין מִסִּטְרָא דִּמְסָאֲבָא.

כב. שֶׁבַע הַשִּׁבֳּלִים, רִבִּי יְהוּדָה אָמַר, אִלֵּי קַדְמָאֵי, אִינּוּן טָבִין, בְּגִין דְּאִינּוּן מִסִּטְרָא דִּימִינָא, דִּכְתִיב בֵּיהּ כִּי טוֹב, וְאִלֵּין בִּישִׁין אִינּוּן לְתַתָּא מִנַּיְיהוּ. שֶׁבַע הַשִּׁבֳּלִים אִינּוּן מִסִּטְרָא דְּדָכְיוּ, וְאִלֵּין מִסִּטְרָא דִּמְסָאֲבוּ, וְכֻלְּהוּ דַּרְגִּין קַיְימִין אִלֵּין עַל אִלֵּין, וְאִלֵּין לָקֳבֵל אִלֵּין, וְכֻלְּהוּ קָא חָמָא פַּרְעֹה בְּחֶלְמֵיהּ.

כג. א"ר יֵיסָא, וְכִי לְהַהוּא חַיָּיבָא דְּפַרְעֹה אַחְזְיָין לֵיהּ כָּל הָנֵי. א"ל ר' יְהוּדָה, כְּגַוְונָא דִּלְהוֹן חָמָא, דִּכְמָה דַּרְגִּין עַל דַּרְגִּין, אִלֵּין לָקֳבֵל אִלֵּין, וְאִלֵּין עַל אִלֵּין, וְאִיהוּ חָמָא בְּאִינּוּן דַּרְגִּין דִּלְתַתָּא.

כד. וְהָא תָּנִינָן, דְּהָא כְּמָה דְּאִיהוּ בַּר נָשׁ, הָכִי אַחְזוּ לֵיהּ בְּחֶלְמֵיהּ, וְהָכִי חָמֵי, וְנִשְׁמָתָא הָכִי סַלְקַת לְאִשְׁתְּמוֹדְעָא, כָּל חַד וְחַד כְּפוּם דַּרְגֵּיהּ כִּדְקָא חָזֵי לֵיהּ, וּבְגִין כָּךְ פַּרְעֹה חָמָא כִּדְקָא חָזֵי לֵיהּ, וְלָא יַתִּיר.

כה. וַיְהִי מִקֵּץ וגו', רִבִּי חִזְקִיָּה פָּתַח וְאָמַר לַכֹּל זְמָן וְעֵת לְכָל חֵפֶץ תַּחַת הַשָּׁמָיִם. ת"ח, כָּל מַה דַּעֲבַד קֻבְּ"ה לְתַתָּא, לְכֹלָּא שַׁוֵּי זִמְנָא וּזְמַן קָצוּב, זְמַן שַׁוֵּי לִנְהוֹרָא וְלַחֲשׁוֹכָא, זִמְנָא שַׁוֵּי לִנְהוֹרָא דִּשְׁאָר עַמִּין, דְּאִינּוּן שַׁלְטִין הַשְׁתָּא עַל עָלְמָא. וְזִמְנָא שַׁוֵּי לַחֲשׁוֹכָא, דְּאִיהוּ גָּלוּתָא דְּיִשְׂרָאֵל, תְּחוֹת שֻׁלְטָנוּתָא דִּלְהוֹן, וְזִמְנָא שַׁוֵּי קֻבְּ"ה לְכֹלָּא, בְּגִ"כ לַכֹּל זְמָן וְעֵת לְכָל חֵפֶץ. מַאי וְעֵת לְכָל חֵפֶץ. זִמְנָא וְעִדָּן הוּא לְכֹלָּא, לְכָל הַהוּא רְעוּתָא דְּאִשְׁתַּכַּח לְתַתָּא.

כו. ד"א וְעֵת לְכָל חֵפֶץ, מַאי עֵת. כִּדְכְתִיב עֵת לַעֲשׂוֹת לַיְיָ הֵפֵרוּ תּוֹרָתֶךָ. וּכְתִיב וְאַל יָבֹא בְכָל עֵת אֶל הַקֹּדֶשׁ. וְאִיהוּ דַּרְגָּא מִמַּנָּא, וְהָא אוֹקְמוּהָ. וּבְגִ"כ עֵת אִיהוּ מְמַנָּא, לְכָל חֵפֶץ תַּחַת הַשָּׁמָיִם. וַיְהִי מִקֵּץ שְׁנָתַיִם יָמִים, מִסִּטְרָא דְּהַהוּא קֵץ דְּחוֹשֶׁךְ, חָמָא פַּרְעֹה בְּחֶלְמֵיהּ, וּמִתַּמָּן יָדַע וְאִתְגְּלֵי לֵיהּ הַהוּא חֶלְמָא.

כז. וַיְהִי בַבֹּקֶר וַתִּפָּעֶם רוּחוֹ וַיִּשְׁלַח וַיִּקְרָא אֶת כָּל חַרְטֻמֵּי מִצְרַיִם וְאֶת כָּל חֲכָמֶיהָ וגו'. וַתִּפָּעֶם רוּחוֹ. מַאי וַתִּפָּעֶם. רִבִּי יוֹסֵי אָמַר, הָא אוֹקְמוּהָ בְּפַרְעֹה כְּתִיב וַתִּפָּעֶם, וּבִנְבוּכַדְנֶצַּר כְּתִיב וַתִּתְפָּעֶם, וְאוֹקְמוּהָ, דְּהָא בְּפַרְעֹה כְּתִיב וַתִּפָּעֶם, בְּגִין דַּהֲוָה יָדַע חֶלְמָא, וּפִשְׁרָא לָא הֲוָה יָדַע, אֲבָל נְבוּכַדְנֶצַּר, חָמָא חֶלְמָא, וְחָמָא פִּשְׁרָא, וְאִתְנְשֵׁי כֹּלָּא מִנֵּיהּ.

כח. אֲבָל ת"ח, וַתִּפָּעֶם רוּחוֹ, כְּד"א לְפַעֲמוֹ, דַּהֲוָה אָתֵי רוּחָא וְאָזֵיל, וְאָתֵי וְאָזֵיל וְלָא הֲוָה מִתְיַישְׁבָא עִמֵּיהּ עֲדַיִין כִּדְקָא יָאוּת, וְעַל דָּא כְּתִיב וַתָּחֶל רוּחַ יְיָ לְפַעֲמוֹ, דִּכְדֵין הֲוָה שֵׁירוּתָא, אוּף הָכָא רוּחֵיהּ אִתְּעַר בֵּיהּ, וְאָזֵיל וְאִתְּעַר, וְלָא הֲוָה מִתְיַישְׁבָא עִמֵּיהּ לְמִנְדַּע. נְבוּכַדְנֶצַּר וַתִּתְפָּעֶם רוּחוֹ, בְּאִתְעֲרוּתָא הֲוָה אִתְּעַר עַל חַד תְּרֵין, וְאָזְלִין, וְתַיְיבִין, וְדָא הוּא כְּד"א כְּפַעַם בְּפַעַם, פַּעַם בְּהַאי, וּפַעַם בְּהַאי, וְלָא מִתְיַישְׁבָא דַּעְתֵּיהּ וְרוּחֵיהּ.

כט. וַיִּשְׁלַח וַיִּקְרָא אֶת כָּל חַרְטוּמֵי מִצְרַיִם, אִלֵּין חַרְשִׁין. וְאֶת כָּל חֲכָמֶיהָ, אִלֵּין חַכִּימִין בְּטַיְירָא, וְכֻלְּהוּ הֲווּ מִסְתַּכְּלָן לְמִנְדַּע וְלָא יָכִילוּ לְאַדְבְּקָא.

ל. אָמַר רִבִּי יִצְחָק, אע"ג דְּאִתְּמַר דְּלָא אַחְזְיָין לֵיהּ לְבַר נָשׁ אֶלָּא בְּהַהוּא דַּרְגָּא דִּילֵיהּ, שָׁאנֵי לְמַלְכִים, דְּאַחְזְיָין לוֹן מִלִּין עִלָּאִין, וּמְשַׁנְיָין מִבְּנֵי נָשָׁא אָחֳרָנִין, כְּמָה דְּמַלְכָּא דַּרְגֵּיהּ

עִלָּאָה עַל כָּל שְׁאָר אַוְזָרְנִין, הָכֵי נָמֵי אִתְחֲזִיאָ לֵיהּ בְּדַרְגָּא עִלָּאָה עַל כָּל שְׁאָר אַוְזָרְנִין, כְּדְּ"א אֶת אֲשֶׁר הָאֱלֹהִים עוֹשֶׂה הִרְאָה אֶת פַּרְעֹה. אֲבָל לִשְׁאָר בְּנֵי נָשָׁא לָא גָּלֵי לוֹן קָבְּ"ה, מַה דְּאִיהוּ עָבֵד, בַּר לִנְבִיאֵי, אוֹ לַחֲסִידֵי, אוֹ לַחֲכִּימֵי דָרָא, וְהָא אוּקְמוּהָ.

לא. ת"ח, כְּתִיב אוֹתִי הֵשִׁיב עַל כַּנִּי וְאוֹתוֹ תָלָה, מִכָּאן דְּחֶלְמָא אָזִיל בָּתַר פִּישְׁרָא, הֵשִׁיב עַל כַּנִּי מַאן, אֶלָּא דָּא יוֹסֵף. וְאוֹתוֹ תָלָה, בְּהַהוּא פִּישְׁרָא דְּקָא פָּשַׁר לֵיהּ, וּכְתִיב וַיְהִי כַּאֲשֶׁר פָּתַר לָנוּ כֵּן הָיָה.

לב. וַיִּשְׁלַח פַּרְעֹה וַיִּקְרָא אֶת יוֹסֵף וַיְרִיצֻהוּ מִן הַבּוֹר וְגוֹ'. רַבִּי אַבָּא פָּתַח וַאֲמַר רוֹצֶה יְיָ אֶת יְרֵאָיו אֶת הַמְיַחֲלִים לְחַסְדּוֹ. כַּמָּה קָבְּ"ה, אִתְרְעֵי בְּהוֹן בְּצַדִּיקַיָּא, בְּגִין דְּצַדִּיקַיָּא אִינוּן עָבְדִין שְׁלָמָא לְעֵילָּא, וְעָבְדֵי שְׁלָמָא לְתַתָּא, וְאַעֲלִין כַּלָּה בְּבַעֲלָהּ, וּבְגִין כָּךְ קָבְּ"ה אִתְרְעֵי בְּהוֹן, בְּאִנּוּן דְּדַחֲלִין לֵיהּ וְעָבְדִין רְעוּתֵיהּ.

לג. לַמְיַחֲלִים לְחַסְדּוֹ, מַאן אִינוּן מְיַחֲלִים לְחַסְדּוֹ, הֲוֵי אֵימָא אִינּוּן דְּמִשְׁתַּדְּלֵי בְּאוֹרַיְיתָא בְּלֵילְיָא, וְאִשְׁתַּתְּפוּ בַּהֲדֵי שְׁכִינְתָּא, וְכַד אָתֵי צַפְרָא, אִינּוּן מְוַזְכָאן לְחַסְדּוֹ, וְהָא אוּקְמוּהָ, בְּזִמְנָא דְּבַר נָשׁ אִשְׁתַּדַּל בְּאוֹרַיְיתָא בְּלֵילְיָא, חוּטָא דְּחֶסֶד אִתְמְשִׁיךְ עֲלֵיהּ בִּימָמָא, כְּדִכְתִּיב יוֹמָם יְצַוֶּה יְיָ חַסְדּוֹ וּבַלַּיְלָה שִׁירֹה עִמִּי. מַאי טַעְמָא יוֹמָם יְצַוֶּה יְיָ חַסְדּוֹ, מִשּׁוּם דְּבַלַּיְלָה שִׁירֹה עִמִּי. וּבְגִין כָּךְ, רוֹצֶה יְיָ אֶת יְרֵאָיו כְּתִיב, וְלָא בִּירֵאָיו, כְּמַאן דְּרָעֵי בִּרְעוּתֵיהּ לְאוֹחֲרָא, וְאִתְרְעֵי לֵיהּ לְאִתְפַּיְיסָא בַּהֲדֵיהּ, וּבְגִין כָּךְ רוֹצֶה יְיָ אֶת יְרֵאָיו, וְלָא בִּירֵאָיו.

לד. כְּגַוְונָא דָא, יוֹסֵף הֲוָה עָצִיב בַּעֲצִיבוּ דְּרוּחָא, בַּעֲצִיבוּ דְּלִבָּא, דַּהֲוָה אָסִיר תַּמָּן, כֵּיוָן דְּשָׁדַר פַּרְעֹה בְּגִינֵיהּ מַה כְּתִיב, וַיְרִיצֻהוּ אִתְפַּיְיסוּ לֵיהּ, וְאַהֲדָרוּ לֵיהּ מִלִּין דְּחֶדְוָה, מִלִּין לְמֶחֱדֵי לִבָּא, בְּגִין דַּהֲוָה עָצִיב מִן בֵּירָא. ת"ח, בְּקַדְמֵיתָא נָפַל בְּבֵירָא, בְּבֵירָא אִסְתַּלַּק לְבָתַר.

לה. רַבִּי שִׁמְעוֹן אָמַר, עַד לָא אֵירַע לְיוֹסֵף הַהוּא עוֹבָדָא, לָא אִקְרֵי צַדִּיק, כֵּיוָן דְּנָטַר הַהוּא בְּרִית קַיָּימָא, אִקְרֵי צַדִּיק, וְהַהוּא דַּרְגָּא דִּבְרִית קַדִּישָׁא אִתְעַטַּר בַּהֲדֵיהּ, וּמַאי דַּהֲוָה בְּקַדְמֵיתָא, אִסְתַּלַּק בַּהֲדֵיהּ, וּכְתִיב וַיְרִיצֻהוּ מִן הַבּוֹר, אִסְתַּלַּק מִן דָּא, וְאִתְעַטַּר בְּבְאֵר מַיִם חַיִּים.

לו. וַיִּשְׁלַח פַּרְעֹה וַיִּקְרָא אֶת יוֹסֵף, לִקְרָא לְיוֹסֵף מִבְּעֵי לֵיהּ. אֶלָּא וַיִּקְרָא אֶת יוֹסֵף: דָּא קָבְּ"ה, דִּכְתִּיב עַד עֵת בֹּא דְּבָרוֹ, עַד עֵת בֹּא דְּבָרוֹ, הַהַ"ד אִמְרַת יְיָ צְרָפָתְהוּ. עַד עֵת בֹּא דְּבָרוֹ, הַהַ"ד וַיִּקְרָא אֶת יוֹסֵף, כְּתִיב הָכָא וַיִּקְרָא אֶת יוֹסֵף, וּכְתִיב הָתָם וַיִּקְרָא אֶל מֹשֶׁה. וַיִּגַּלַּח וַיְחַלֵּף שִׂמְלֹתָיו, בְּגִין יְקָרָא דְּמַלְכָּא, וְהָא אוּקְמוּהָ.

לו. ר' אֶלְעָזָר פָּתַח, וַיָּבֹא יִשְׂרָאֵל מִצְרַיִם וְיַעֲקֹב גָּר בְּאֶרֶץ חָם. ת"ח, דְּקָבְּ"ה מְגַלְגֵּל גִּלְגּוּלִין בְּעָלְמָא, וּמְקַיֵּים אֶסְרִין וְקַיּוּמִין, בְּגִין לְקַיְּימָא קַיָּימָא וּגְזֵרָה דְּאִיהוּ גָּזַר.

לז. דְּהָא תְּנַן, אַלְמָלֵא וַזִיבוּ וְרוּחֵוּמוּ דִּרְחֵוּם קָבְּ"ה לְאַבָהָן, הֲוָה אִתְחֲזֵי לְנַחְתֵּי יַעֲקֹב לְמִצְרַיִם בְּשַׁלְשְׁלֵי דְּפַרְזְלָא, וּבִרְחֵוּמוּ דִּלְהוֹן, סָלְטֵיהּ לְיוֹסֵף בְּרֵיהּ, וְעָבַד לֵיהּ מַלְכָּא דְּשַׁלְטָא עַל כָּל אַרְעָא, וְנָוֵזחוּ כֻּלְּהוּ שִׁבְטִין בִּיקָרָא, וְיַעֲקֹב כְּמַלְכָּא.

לט. ת"ח, מַה כְּתִיב וַיָּבֹא יִשְׂרָאֵל וְיַעֲקֹב גָּר בְּאֶרֶץ חָם, כֵּיוָן דִּכְתִיב וַיָּבֹא יִשְׂרָאֵל מִצְרַיִם, לָא יָדַעֲנָא דְּיַעֲקֹב גָּר בְּאֶרֶץ חָם, אֲמַאי אִצְטְרִיךְ הָא. אֶלָּא וַיָּבֹא יִשְׂרָאֵל מִצְרַיִם: דָּא קָבְּ"ה. וְיַעֲקֹב גָּר בְּאֶרֶץ חָם: דָּא יַעֲקֹב, דְּהָא בְּגִינֵיהּ דְּיַעֲקֹב וּבְנוֹי, אָתָא שְׁכִינְתָּא לְמִצְרַיִם, וְקָבְּ"ה גַּלְגֵּל גִּלְגּוּלִין, וְאַוְזֵית לֵיהּ לְיוֹסֵף בְּקַדְמֵיתָא, דִּבְזַכְוָותֵיהּ אִתְקַיַּים

בְּרִית בַּהֲדֵיהּ, וְשַׁלְטֵיהּ עַל כָּל אַרְעָא.

מ. מַה כְּתִיב, שָׁלַח מֶלֶךְ וַיַּתִּירֵהוּ מוֹשֵׁל עַמִּים וַיְפַתְּחֵהוּ. ר' שִׁמְעוֹן אָמַר, כְּתִיב יְיָ' מַתִּיר אֲסוּרִים וגו', וְהָכָא כְּתִיב, שָׁלַח מֶלֶךְ וַיַּתִּירֵהוּ, אַמַּאי מוֹשֵׁל עַמִּים וַיְפַתְּחֵהוּ. אֶלָּא שָׁלַח מֶלֶךְ: דָּא קב"ה. מוֹשֵׁל עַמִּים: דָּא קב"ה. שָׁלַח מֶלֶךְ, מֶלֶךְ עִלָּאָה שָׁלַח וַיַּתִּירֵהוּ, וּמַאן אִיהוּ דְּשָׁלַח, דָּא מַלְאָךְ הַגּוֹאֵל, דְּאִיהוּ מוֹשֵׁל עַמִּים, דְּאִיהוּ מוֹשֵׁל עַל תַּתָּאֵי. וְכֹלָּא מֵעִם קוּדְשָׁא בְּרִיךְ הוּא אִיהוּ.

מא. וַיְרִיצֻהוּ חָסֵר וא"ו, וּמַאן אִיהוּ, דָּא קב"ה. בְּגִין דְּהָא לֵית מַאן דְּאָסִיר וּפָתַח, בַּר קב"ה, דִּכְתִּיב יִסְגֹּר עַל אִישׁ וְלֹא יִפָּתֵחַ. וּכְתִיב וְהוּא יַשְׁקִיט וּמִי יַרְשִׁיעַ וְיַסְתֵּר פָּנִים וּמִי יְשׁוּרֶנּוּ וְעַל גּוֹי וְעַל אָדָם יָחַד, דְּהָא כֹּלָּא בֵּיהּ, וּכְתִיב וּכְמִצְבְּיֵהּ עָבֵד בְּחֵיל שְׁמַיָּא. וְדָאֲרֵי אַרְעָא וְלָא אִיתַי דִּי יְמַחֵא בִידֵיהּ וְיֵאמַר לֵיהּ מָה עֲבַדְתְּ, וּבְגִין כָּךְ כְּתִיב וַיְרִיצֻהוּ מִן הַבּוֹר וגו'.

מב. מַאי וַיְרִיצֻהוּ. כד"א יֶעְתַּר אֶל אֱלוֹהַּ וַיִּרְצֵהוּ, כְּגַוְונָא דָּא וַיְרִיצֻהוּ מִן הַבּוֹר, וּלְבָתַר וַיָּבֹא אֶל פַּרְעֹה. ד"א וַיְרִיצֻהוּ, דְּאַמְשִׁיךְ עֲלֵיהּ חוּטָא דְּחֶסֶד, לְמֵיהַב לֵיהּ חִנָּא קַמֵּיהּ דְּפַרְעֹה, אֱלֹהִים יַעֲנֶה אֶת שְׁלוֹם פַּרְעֹה, בְּגִין לְאַקְדָּמָא לֵיהּ שְׁלָם, וּלְמִפְתַּח בִּשְׁלָם.

מג. רִבִּי אַבָּא אָמַר, ת"ח, בְּהַהוּא רָשָׁע דְּפַרְעֹה, דְּאִיהוּ אֲמַר, לֹא יָדַעְתִּי אֶת ה', וּפַרְעֹה חַכִּים הֲוָה מִכָּל חַרָשׁוֹי, אֶלָּא וַדַּאי שְׁמָא דֵּאלֹהִים הֲוָה יָדַע, דְּהָא כְּתִיב הֲנִמְצָא כָזֶה אִישׁ אֲשֶׁר רוּחַ אֱלֹקִים בּוֹ. וּבְגִין דְּמֹשֶׁה לָא אָתָא לְגַבֵּיהּ אֶלָּא בִּשְׁמָא דַּה', וְלֹא בִּשְׁמָא דֵּאלֹהִים, וְדָא הֲוָה קַשְׁיָא קַמֵּיהּ מִכֹּלָּא, דְּאִיהוּ הֲוָה יָדַע דְּהָא שְׁמָא דָּא אִיהוּ שַׁלִּיט בְּאַרְעָא, וּבִשְׁמָא דַּה' לָא הֲוָה יָדַע, וְעַל דָּא קַשְׁיָא קַמֵּיהּ שְׁמָא דָּא.

מד. וְדָא הוּא דִּכְתִּיב וַיְחַזֵּק ה' אֶת לֵב פַּרְעֹה, דְּמִלָּה דָּא הֲוָה אַתְקִיף לִבֵּיהּ, וְאַקְשֵׁי לֵיהּ, וְעַל דָּא מֹשֶׁה לָא אוֹדַע לֵיהּ מִלָּה דִּשְׁמָא אָחֳרָא, אֶלָּא שְׁמָא דַּה' בִּלְחוֹדוֹי, וְאוֹקְמוּהָ.

מה. פָּתַח וַאֲמַר מִי כַּה' אֱלֹקֵינוּ הַמַּגְבִּיהִי לָשָׁבֶת וגו' מִי כַּה' אֱלֹקֵינוּ הַמַּגְבִּיהִי לָשָׁבֶת, דְּאִסְתַּלַּק מֵעַל כָּרְסֵי יְקָרֵיהּ, וְלָא אִתְגַּלֵּי לְתַתָּא, בְּשַׁעְתָּא דְּלָא אִשְׁתַּכְּחוּ זַכָּאִין בְּעָלְמָא, הָא אִיהוּ אִסְתַּלַּק מִנַּיְיהוּ, וְלָא אִתְגַּלֵּי לְהוּ. הַמַּשְׁפִּילִי לִרְאוֹת, בְּשַׁעְתָּא דְּזַכָּאִין אִינּוּן דְּאִשְׁתַּכְּחוּ בְּעָלְמָא. קב"ה נָחִית בְּדַרְגּוֹי לְקַבְּלְהוֹן דְּתַתָּאֵי, לְאַשְׁגָּחָא עַל עָלְמָא, לְאוֹטָבָא לְהוּ.

מו. דְּהָא כַּד זַכָּאִין לָא אִשְׁתַּכְּחוּ בְּעָלְמָא, אִיהוּ אִסְתַּלַּק, וְאַסְתִּיר אַנְפִּין מִנַּיְיהוּ, וְלָא אַשְׁגַּח עֲלַיְיהוּ, בְּגִין דְּצַדִּיקַיָּא אִינּוּן יְסוֹדָא וְקִיּוּמָא דְּעָלְמָא, דִּכְתִּיב וְצַדִּיק יְסוֹד עוֹלָם.

מז. וְעַל דָּא קב"ה לָא גַּלֵּי שְׁמֵיהּ קַדִּישָׁא, בַּר לְיִשְׂרָאֵל בִּלְחוֹדוֹי, דְּאִינּוּן חוּלָק עַדְבֵיהּ וְאַחְסַנְתֵּיהּ, וְעָלְמָא פָּלֵיג לֵיהּ קב"ה, לְמְמַנָּן תְּרֵיסִין, וְהָא אִתְּמָר דִּכְתִּיב בְּהַנְחֵל עֶלְיוֹן גּוֹיִם וגו'. וּכְתִיב כִּי חֵלֶק ה' עַמּוֹ יַעֲקֹב חֶבֶל נַחֲלָתוֹ.

מח. רִבִּי חִיָּיא וְרִבִּי יוֹסֵי הֲווּ אָזְלֵי בְּאָרְחָא, א"ר יוֹסֵי לְרִבִּי חִיָּיא תַּוְוהְנָא עַל הַאי דְּקָאֲמַר שְׁלֹמֹה, כָּל מִלּוֹי סְתִימִין וְלָא אִתְיְידָעוּן, דְּהָא קֹהֶלֶת סְתִים סְתִימִין.

מט. פָּתַח וַאֲמַר כָּל הַדְּבָרִים יְגֵעִים לֹא יוּכַל אִישׁ לְדַבֵּר לֹא תִשְׂבַּע עַיִן לִרְאוֹת וְלֹא תִמָּלֵא אֹזֶן מִשְּׁמוֹעַ, כָּל הַדְּבָרִים יְגֵעִים. וְכִי כָּל הַדְּבָרִים יְגֵעִים אִינּוּן לְמַלָּלָא, דְּקָאֲמַר לֹא יוּכַל אִישׁ לְדַבֵּר. וְלֹא תִשְׂבַּע עַיִן לִרְאוֹת. וְלֹא תִמָּלֵא אֹזֶן מִשְּׁמוֹעַ, מ"ט אִלֵּין. אֶלָּא בְּגִין דִּתְרֵין מִנְּהוֹן, וְאִינּוּן עַיְינִין וְאוּדְנִין, לָא קַיְימִין בִּרְשׁוּתֵיהּ דְּבַר נָשׁ, וּפוּמָא אִיהוּ בִּרְשׁוּתֵיהּ, וְכָל אִלֵּין תְּלַת לָא יָכְלִין לְאַשְׁלָמָא כֹּלָּא, וּלְאַדְבְּקָא כֹּלָּא.

נ. אֲמַר ר' חִיָּיא, הָכֵי הוּא, דְּדִבּוּרָא דְּבַר נָשׁ לָא יָכֵיל לְמַלָּלָא, וְעַיְינִין לְמֶחֱמֵי, וְאוּדְנִין

לְמִשְׁמַע, וְאֵין כָּל וְחָדָשׁ תַּחַת הַשָּׁמֶשׁ. וְת״ח אִפִּי׳ בִּרְיָין וְקַסְטוֹרִין, דַּעֲבַד קֻבְּ״ה תַּחַת הַשָּׁמֶשׁ, לָא יָכְלִין לְמַלָּלָא כָּל מִלִּין דְּעַלְמָא, וְעַיְנָא לָא יָכֵיל. לְמִשְׁלַט וּלְמֶחֱמֵי, וְאוּדְנָא לְמִשְׁמַע. וּבְגִ״כ שְׁלֹמֹה דַּהֲוָה יָדַע כָּל מִלָּה, הֲוָה אֲמַר דָּא.

נא. וְת״ח, כָּל עוֹבָדִין דְּעַלְמָא, בְּכַמָּה קַסְטִרִין תַּלְיָין, וְכָל בְּנֵי עַלְמָא לָא יָדְעִין, וְלָא מַשְׁגִּיחִין עַל מַה קָיְימֵי בְּעַלְמָא, וַאֲפִילּוּ שְׁלֹמֹה מַלְכָּא, דַּהֲוָה וְחָכָמִים מִכָּל בְּנֵי עַלְמָא, לָא יָכֵיל לְקָיְימָא בְּהוּ.

נב. פָּתַח וַאֲמַר, אֶת הַכֹּל עָשָׂה יָפֶה בְעִתּוֹ גַּם אֶת הָעוֹלָם, נָתַן בְּלִבָּם מִבְּלִי אֲשֶׁר לֹא יִמְצָא הָאָדָם אֶת הַמַּעֲשֶׂה אֲשֶׁר עָשָׂה הָאֱלֹקִים וגו׳. ת״ח, זַכָּאִין אִינּוּן דְּמִשְׁתַּדְּלֵי בְּאוֹרַיְיתָא וְיָדְעֵי לְאִסְתַּכְּלָא בִּרְוָזָא דְּחָכְמְתָא. אֶת הַכֹּל עָשָׂה יָפֶה בְעִתּוֹ, כָּל עוֹבָדִין דַּעֲבַד קֻבְּ״ה בְּעַלְמָא, בְּכָל עוֹבָדָא וְעוֹבָדָא, אִית דַּרְגָּא מְמַנָּא עַל הַהוּא עוֹבָדָא בְּעַלְמָא, הֵן לְטַב הֵן לְבִישׁ. מִנְּהוֹן דַּרְגִּין לִימִינָא, וּמִנְּהוֹן דַּרְגִּין לִשְׂמָאלָא, אָזֵיל בַּר נָשׁ לִימִינָא, הַהוּא עוֹבָדָא דְּעָבֵיד, הַהוּא דַּרְגָּא מְמַנָּא לְהַהוּא סִטְרָא, וְעָבֵיד לֵיהּ סִיּוּעָא, וְכַמָּה אִינּוּן דִּמְסַיְּיעֵי לֵיהּ. אָזַל בַּר נָשׁ לִשְׂמָאלָא, וְעָבֵיד עוֹבָדוֹי, הַהוּא עוֹבָדָא דְּעָבֵיד, מְמַנָּא אִיהוּ לְהַהוּא סִטְרָא, וְקָא מְקַטְרֵג לֵיהּ, וְאוֹבִיל לֵיהּ לְהַהוּא סִטְרָא, וְאַסְטֵי לֵיהּ. וּבְגִ״כ, הַהוּא עוֹבָדָא דְּעָבֵיד בַּר נָשׁ כִּדְקָא וְחָזֵי, הַהוּא מְמַנָּא דִּסְטַר יְמִינָא, קָא מְסַיֵּיעַ לֵיהּ, וְדָא הוּא בְּעִתּוֹ, יָפֶה בְּעִתּוֹ, דְּהַהוּא עוֹבָדָא מִתְקַשְּׁרָא בְּעִתּוֹ, כִּדְקָא וְחָזֵי לֵיהּ.

נג. גַּם אֶת הָעוֹלָם נָתַן בְּלִבָּם. כָּל עַלְמָא, וְכָל עוֹבָדוֹי דְּעַלְמָא, לָאו אִינּוּן אֶלָּא בִּרְעוּתָא דְּלִבָּא, כַּד סָלֵיק בִּרְעוּתָא דְּבַר נָשׁ. זַכָּאִין אִנּוּן צַדִּיקַיָּא דְּאַמְשִׁיכוּ עוֹבָדִין טָבִין, לְאוֹטָבָא לוֹן, וּלְכָל עַלְמָא, וְאִינּוּן יָדְעִין לְאִתְדַּבְּקָא בְּעֵת שָׁלוֹם, וּבְחֵילָא דִּצְדָקָה דְּעָבְדִין לְתַתָּא, אִינּוּן מָשְׁכִין לְהַהוּא דַּרְגָּא דְּאִקְרֵי כֹּל, לְאַנְהָרָא בְּעִתּוֹ.

נד. וַוי לוֹן לְחַיָּיבַיָּא, דְּלָא יָדְעִין עֵת דְּהַהוּא עוֹבָדָא, וְלָא מַשְׁגִּיחִין לְמֶעְבַּד עוֹבָדֵיהוֹן בְּעַלְמָא עַל תִּקּוּנָא דְּאִצְטְרִיךְ לֵיהּ לְעַלְמָא, וּלְאַתְקָנָא עוֹבָדָא בְּהַהוּא דַּרְגָּא דְּאִתְחֲזֵי לֵיהּ, מַאי טַעְמָא, בְּגִין דְּלָא יָדְעִין.

נה. וְעַל דָּא אִתְיְיהֵב כֹּלָּא בִּרְעוּתְהוֹן דִּבְנֵי נָשָׁא, דִּכְתִיב מִבְּלִי אֲשֶׁר לֹא יִמְצָא הָאָדָם אֶת הַמַּעֲשֶׂה אֲשֶׁר עָשָׂה הָאֱלֹקִים מֵרֹאשׁ וְעַד סוֹף, וּבְגִין כָּךְ דְּאִינּוּן עוֹבְדִין לָא אִתְעֲבִידוּ לְאַתְקָנָא בְּדַרְגַּיְיהוּ כִּדְקָחְזֵי, דְּיִתְכְּלֵיל עוֹבָדָא דָּא בְּדַרְגָּא דָּא, כֹּלָּא כְּתִקּוּנָא אֶלָּא כְּפוּם רְעוּתָא דְּבַר נָשׁ, מַה כְּתִיב בַּתְרֵיהּ יָדַעְתִּי כִּי אֵין טוֹב בָּם כִּי אִם לִשְׂמוֹחַ וְלַעֲשׂוֹת טוֹב בְּחַיָּיו. יָדַעְתִּי כִּי אֵין טוֹב בָּם, בְּאִינּוּן עוֹבָדִין, דְּלָא אִתְעֲבִידוּ כִּדְקָא יָאוֹת, כִּי אִם לִשְׂמוֹחַ, בְּכָל מַה דְּיֵיתֵי עֲלוֹי, וּלְמֵיהַב הוֹדָאָה לְקֻבְּ״ה, וְלַעֲשׂוֹת טוֹב בְּחַיָּיו, דְּהָא אִי הַהוּא עוֹבָדָא גָּרִים לֵיהּ בִּישָׁא, בְּגִין הַהוּא דַּרְגָּא דְּקָא מְמַנָּא עֲלוֹי, אִית לֵיהּ לְמֶחֱדֵי בֵּיהּ, וּלְאוֹדָאָה עֲלֵיהּ, דְּאִיהוּ גָּרִים לֵיהּ לְנַפְשֵׁיהּ, וְאִיהוּ אָזֵיל בְּלָא יְדִיעָא, כְּצִיפֳּרָא דָּא בְּגוֹ קוֹסְטִירָא.

נו. וְכָל דָּא מְנָלָן, דִּכְתִיב כִּי גַּם לֹא יֵדַע הָאָדָם אֶת עִתּוֹ, כַּדָּגִים הַנֶּאֱחָזִים בִּמְצוֹדָה רָעָה וְכַצִּפֳּרִים הָאֲחוּזוֹת בַּפָּח כָּהֵם יוּקָשִׁים בְּנֵי הָאָדָם לְעֵת רָעָה כְּשֶׁתִּפּוֹל עֲלֵיהֶם פִּתְאוֹם. כִּי גַּם לֹא יֵדַע הָאָדָם אֶת עִתּוֹ. מַאי עִתּוֹ, עִתּוֹ דְּהַהוּא עוֹבָדָא דְּקָא עָבֵיד, כְּמָה דְּאַתְּ אָמֵר, אֶת הַכֹּל עָשָׂה יָפֶה בְעִתּוֹ, וּבְגִ״כ אִינּוּן כַּצִּפֳּרִים הָאֲחוּזוֹת בַּפָּח. וּבְגִ״כ זַכָּאִין אִינּוּן דְּמִשְׁתַּדְּלֵי בְּאוֹרַיְיתָא, וְיָדְעֵי אוֹרְחוֹי וּשְׁבִילוֹי דְּאוֹרַיְיתָא דְּמַלְכָּא עִלָּאָה, לְמֵיהַךְ בָּהּ בְּאֹרַח קְשׁוֹט.

נז. וְתָא וְחָזֵי, לְעוֹלָם אַל יִפְתַּח בַּר נַשׁ פּוּמֵיהּ לְבִישׁ, דְּאִיהוּ לָא יָדַע מַאן נָטֵיל הַהִיא

מִלָּה, וְכַד לָא יָדַע בַּר נָשׁ אִתְכְּשַׁל בָּהּ, וְצַדִּיקַיָּא כַּד פַּתְחֵי פּוּמַיְיהוּ כֻּלְּהוּ שְׁלָם. ת"ח, יוֹסֵף כַּד שָׁרָא לְמַלְּלָא לְפַרְעֹה, מַה כְּתִיב, אֱלֹהִים יַעֲנֶה אֶת שְׁלוֹם פַּרְעֹה. אָמַר רַבִּי יְהוּדָה, הָא אִתְּמַר, דְּקֻדְשָׁא בְּרִיךְ הוּא חָס עַל שְׁלָמָא דְּמַלְכוּתָא, כְּד"א וַיְצַוֵּם אֶל בְּנֵי יִשְׂרָאֵל וְאֶל פַּרְעֹה מֶלֶךְ מִצְרָיִם וְאוֹקְמוּהָ.

נח. רַבִּי חִיָּיא אָמַר, פַּרְעֹה בָּעָא לְנַסָּאָה לֵיהּ לְיוֹסֵף, וְאַחְלַף לֵיהּ חֶלְמָא, וְיוֹסֵף בְּגִין דַּהֲוָה יָדַע דַּרְגִּין, אִסְתַּכַּל בְּכָל מִלָּה וּמִלָּה, וַאֲמַר כָּךְ וְחָמֵיתָא, כָּל מִלָּה וּמִלָּה כִּדְקָא חָזֵי.

נט. הה"ד, וַיֹּאמֶר פַּרְעֹה אֶל יוֹסֵף אַחֲרֵי הוֹדִיעַ אֱלֹהִים אוֹתְךָ אֶת כָּל זֹאת אֵין נָבוֹן וְחָכָם כָּמוֹךָ. אַחֲרֵי הוֹדִיעַ אֱלֹהִים, אַחֲרֵי הָיִיתָ בְּהַהִיא שַׁעֲתָא דְּחָלְמִית חֶלְמָא, תַּמָּן הָיִיתָ שְׁכִיחַ. וּבְגִין כָּךְ אָמַר אֶת כָּל זֹאת יָדַעְתְּ חֶלְמָא הֵיךְ הֲוָה וְיָדַעְתְּ פִּשְׁרֵיהּ.

ס. א"ר יִצְחָק, אִי הָכֵי יוֹסֵף אָמַר כֹּלָּא, חֶלְמָא וּפִשְׁרָא, כְּדָנִיֵּאל דְּאָמַר חֶלְמָא וּפִשְׁרֵיהּ. א"ל לָאו הַאי כְּהַאי, יוֹסֵף אִסְתַּכַּל מִגּוֹ מִלּוֹלָא דְּפַרְעֹה, דַּהֲוָה אָמַר בְּדַרְגִּין יְדִיעָן, וְחָמָא לֵיהּ דְּקָא טָעָה, וא"ל לָאו הָכֵי, אֶלָּא הָכֵי הוּא, בְּגִין דְּדַרְגִּין כְּסִדְרָן אַתְיָין. אֲבָל דָּנִיֵּאל, לָא אִסְתַּכַּל מִגּוֹ מִלּוֹלָא דִּנְבוּכַדְנֶצַּר כְּלוּם. וְכֹלָּא קָאָמַר לֵיהּ חֶלְמָא וּפִשְׁרֵיהּ.

סא. מַה כְּתִיב בְּדָנִיֵּאל, אֱדַיִן לְדָנִיֵּאל בְּחֶזְוָא דִּי לֵילְיָא רָזָא גֲלִי. בְּחֶזְוָא דִּי לֵילְיָא, מַאן חֶזְוָא דִּי לֵילְיָא, דָּא גַּבְרִיאֵל, דְּאִיהוּ חֶזְוָא חֵיזוּ מִן חֵיזוּ.

סב. ת"ח, מַה כְּתִיב וְהִנֵּה כְּבוֹד אֱלֹהֵי יִשְׂרָאֵל בָּא מִדֶּרֶךְ הַקָּדִים וְקוֹלוֹ כְּקוֹל מַיִם רַבִּים. וְהָאָרֶץ הֵאִירָה מִכְּבוֹדוֹ, מַה כְּתִיב בַּתְרֵיהּ, וּכְמַרְאֵה הַמַּרְאֶה אֲשֶׁר רָאִיתִי בְּבֹאִי לְשַׁחֵת אֶת הָעִיר וּמַרְאוֹת כַּמַּרְאֶה אֲשֶׁר רָאִיתִי עַל נְהַר כְּבָר וָאֶפֹּל עַל פָּנָי. כָּל אִלֵּין מַרְאוֹת, אִינּוּן שִׁית, דְּאִינּוּן מַרְאוֹת, וְחֵיזוּ דְּחֶזְוָא, וְחֵיזוּ אִית לֵיהּ, לְאִתְחֲזָאָה בֵּיהּ גַּוְונִין דִּלְעֵילָּא, וְאִתְחֲזוּן בְּהַהוּא חֵיזוּ, וְאִית חֵיזוּ לְחֵיזוּ, וְחֵיזוּ לְחֵיזוּ, דָּא עַל דָּא, וְכֻלְּהוּ קַיְימִין בְּדַרְגִּין יְדִיעָן וְשַׁלְטֵי, וְאִקְרוּן חֵיזוּ דְּלֵילְיָא, וּבְהוּ מִתְפָּרְשִׁין כָּל חֶלְמִין דְּעָלְמָא, וְאִלֵּין אִינּוּן כְּגַוְונָא דִּלְעֵילָּא, עֲלַיְיהוּ.

סג. וּבְגִין כָּךְ, דָּנִיֵּאל בְּחֶזְוָא דְּלֵילְיָא רָזָא גֲּלִי. אִתְגְּלֵי לָא כְּתִיב, אֶלָּא רָזָא גֲּלִי, וְחַד מֵאִלֵּין דַּרְגִּין, גַּלֵּי לֵיהּ הַהוּא חֶלְמָא וּפִשְׁרֵיהּ. אֲבָל יוֹסֵף, מִגּוֹ מִלּוֹי דְּפַרְעֹה, אִסְתַּכַּל בְּדַרְגִּין עִלָּאִין וְקָאָמַר.

סד. וּבְגִין כָּךְ פַּקְדֵיהּ עַל כָּל אַרְעָא דְּמִצְרַיִם, בְּגִין דְּקֻדְשָׁא בְּרִיךְ הוּא, מִדִּילֵיהּ דְּיוֹסֵף קָא יָהֵיב לֵיהּ, פּוּמָא דְּלָא נָשַׁק לַעֲבֵירָה, כְּתִיב וְעַל פִּיךָ יִשַּׁק כָּל עַמִּי. יְדָא דְּלָא קָרֵיב לַעֲבֵירָה, כְּתִיב וַיִּתֵּן אוֹתָהּ עַל יַד יוֹסֵף. צַוָּאר דְּלָא קָרֵיב לַעֲבֵירָה, כְּתִיב וַיָּשֶׂם רְבִיד הַזָּהָב עַל צַוָּארוֹ. גּוּפָא דְּלָא קָרֵיב לַעֲבֵירָה, וַיַּלְבֵּשׁ אוֹתוֹ בִּגְדֵי שֵׁשׁ. רֶגֶל דְּלָא רָכֵיב לַעֲבֵירָה, כְּתִיב וַיַּרְכֵּב אוֹתוֹ בְּמִרְכֶּבֶת הַמִּשְׁנֶה אֲשֶׁר לוֹ. הַמַּחֲשָׁבָה דְּלָא חָשַׁב, נִקְרָא נָבוֹן וְחָכָם. לֵב שֶׁלֹּא הִרְהֵר, וַיִּקְרְאוּ לְפָנָיו אַבְרֵךְ. וְכֹלָּא מִדִּילֵיהּ נָטַל.

סה. מַה כְּתִיב, וַיֵּצֵא יוֹסֵף מִלִּפְנֵי פַרְעֹה וַיַּעֲבֹר בְּכָל אֶרֶץ מִצְרָיִם. אָמַר רַבִּי חִזְקִיָּה, מַאי טַעְמָא וַיַּעֲבוֹר בְּכָל אֶרֶץ מִצְרַיִם. בְּגִין לְשַׁלְטָאָה, דְּמַכְרְזֵי קַמֵּי הָכֵי, וּבְגִין לְמִכְנַשׁ עִבּוּרָא, בְּכָל אֲתַר וַאֲתַר. רַבִּי אֶלְעָזָר אָמַר, כָּנַשׁ יוֹסֵף עִיבּוּר, בְּכָל אֲתַר, בְּגִין דְּלָא יִתְרַקַּב.

סו. אָמַר רַבִּי שִׁמְעוֹן, כָּל מַה דְּעָבֵד קֻדְשָׁא בְּרִיךְ הוּא, כֹּלָּא אִיהוּ לְגַלְגְּלָא גִּלְגּוּלִין, בְּגִין דְּבָעֵי לְקַיְּימָא קִיּוּמָא. ת"ח, כַּד בָּרָא קֻדְשָׁא בְּרִיךְ הוּא עָלְמָא, אַיְיתֵי כָּל מַה דְּאִצְטְרִיךְ עָלְמָא בְּקַדְמֵיתָא, וּלְבָתַר אַיְיתֵי לֵיהּ לְבַר נָשׁ לְעָלְמָא, וְאַשְׁכַּח מְזוֹנָא.

סז. כְּגַוְונָא דָּא, קֻדְשָׁא בְּרִיךְ הוּא אָמַר לְאַבְרָהָם, יָדֹעַ תֵּדַע כִּי גֵר יִהְיֶה זַרְעֲךָ בְּאֶרֶץ לֹא לָהֶם

וגו', וְאַחֲרֵי כֵן יֵצְאוּ בִּרְכוּשׁ גָּדוֹל, כַּד אָתָא יוֹסֵף לְאַרְעָא דְּמִצְרַיִם, לָא אִשְׁתְּכַח בָּהּ רְכוּשׁ גָּדוֹל, גַּלְגֵּל גַּלְגּוּלִין, וְאַיְיתֵי כַּפְנָא עַל עָלְמָא, וְכָל עָלְמָא הֲווֹ מַיְיתִין כַּסְפָּא וְדַהֲבָא לְמִצְרַיִם, וְאִתְמְלֵי כָּל אַרְעָא דְּמִצְרַיִם כַּסְפָּא וְדַהֲבָא. לְבָתַר דְּאִתְתַּקַּן כֹּלָּא רְכוּשׁ גָּדוֹל, אַיְיתֵי יַעֲקֹב לְמִצְרַיִם.

סח. הָכִי אָרְחוֹי דְּקֻבְּ"ה, בְּקַדְמֵיתָא בָּארֵי אַסְוָותָא, וּלְבָתַר מָחֵי, כָּךְ בְּקַדְמֵיתָא אַתְקִין רְכוּשׁ גָּדוֹל, וּלְבָתַר אַיְיתֵי לוֹן לְגָלוּתָא, וְע"ד גַּלְגֵּל גַּלְגּוּלִין, וְאַיְיתֵי כַּפְנָא עַל כָּל עָלְמָא, בְּגִין דְּלֶיהֱוֵי מַיְיתִין כַּסְפָּא וְדַהֲבָא כָּל עָלְמָא לְמִצְרַיִם.

סט. תָּא חֲזֵי, בְּגִין יוֹסֵף דְּאִיהוּ צַדִּיק, אִיהִי גָּרִים עוּתְרָא כַּסְפָּא וְדַהֲבָא, לְנַטְלָא יִשְׂרָאֵל, כְּדִכְתִּיב וַיּוֹצִיאֵם בְּכֶסֶף וְזָהָב וְאֵין בִּשְׁבָטָיו כּוֹשֵׁל. וּמִן יְדָא דְּצַדִּיק אָתָא דָּא לְיִשְׂרָאֵל, וְכֹלָּא לְמִזְכֵּי לוֹן לְעָלְמָא דְּאָתֵי.

ע. פָּתַח וְאָמַר רְאֵה חַיִּים עִם אִשָּׁה אֲשֶׁר אָהַבְתָּ וגו'. תָּא חֲזֵי, הַאי קְרָא בְּרָזָא עִלָּאָה אִיהוּ, וְאוּקְמוּהָ. רְאֵה חַיִּים: אִלֵּין חַיִּין דְּעָלְמָא דְּאָתֵי, דְּזַכָּאָה הוּא בַּר נָשׁ דְּזָכֵי בֵּיהּ כִּדְקָא יָאוּת.

עא. עִם אִשָּׁה אֲשֶׁר אָהַבְתָּ: דָּא כְּנֶסֶת יִשְׂרָאֵל, בְּגִין דְּבָהּ כְּתִיב אַהֲבָה, דִּכְתִּיב וְאַהֲבַת עוֹלָם אֲהַבְתִּיךְ, אֵימָתַי. בְּשַׁעְתָּא דְּסִטְרָא דִּימִינָא אָחִיד בָּהּ, דִּכְתִּיב עַל כֵּן מְשַׁכְתִּיךְ חָסֶד.

עב. כָּל יְמֵי חַיֵּי הֶבְלֶךָ, בְּגִין דְּאִיהִי אִתְקַשְּׁרַת בַּחַיִּים, וְאִיהִי עוֹלָם דְּחַיִּין שַׁרְיָין בֵּיהּ. דְּהָא עָלְמָא דָּא, לָא שַׁרְיָין בֵּיהּ חַיִּים, בְּגִין דְּאִינּוּן תַּחַת הַשֶּׁמֶשׁ, וְלָא מָטָאו הָכָא אִינּוּן נְהוֹרִין דְּהַהוּא שִׁמְשָׁא, וְאִסְתַּלָּקוּ מֵעָלְמָא, מִיּוֹמָא דְּאִתְחָרִיב בֵּי מַקְדְּשָׁא, דִּכְתִּיב וְחָשַׁךְ הַשֶּׁמֶשׁ בְּצֵאתוֹ וגו'. מַאי וְחָשַׁךְ הַשֶּׁמֶשׁ, דְּסָלִיק נְהוֹרֵיהּ, וְלָא נָהִיר, כד"א הַצַּדִּיק אָבַד וגו'.

עג. כִּי הוּא חֶלְקְךָ בַּחַיִּים, דָּא הוּא שִׁמְשָׁא בְּסִיהֲרָא, וּבְעְיָין לְמֵיעַל סִיהֲרָא בְּשִׁמְשָׁא וְשִׁמְשָׁא בְּסִיהֲרָא, דְּלָא לְאַפְרְשָׁא לוֹן, וְדָא הוּא חוּלָקָא דְּבַר נָשׁ, לְמֵיעַל בְּהוּ לְעָלְמָא דְּאָתֵי.

עד. מַה כְּתִיב בַּתְרֵיהּ, כֹּל אֲשֶׁר תִּמְצָא יָדְךָ לַעֲשׂוֹת בְּכֹחֲךָ עֲשֵׂה כִּי אֵין מַעֲשֶׂה וְחֶשְׁבּוֹן וְדַעַת וְחָכְמָה בִּשְׁאוֹל אֲשֶׁר אַתָּה הוֹלֵךְ שָׁמָּה, הַאי קְרָא אִית לְאִסְתַּכְּלָא בֵּיהּ, כֹּל אֲשֶׁר תִּמְצָא יָדְךָ לַעֲשׂוֹת, וְכִי הוּתְּרָה רְצוּעָה, לְמֶעְבַּד בַּר נָשׁ כָּל מַה דְּיָכִיל. אֶלָּא, לַעֲשׂוֹת בְּכֹחֲךָ כְּתִיב, מַאי בְּכֹחֲךָ. דָּא נִשְׁמָתֵיהּ דְּבַ"נ, דְּאִיהִי חֵילָא דְּבַ"נ, לְמִזְכֵּי בָהּ לְעָלְמָא דֵּין, וּלְעָלְמָא דְּאָתֵי.

עה. ד"א בְּכֹחֲךָ: דָּא הִיא אִשָּׁה דְּקָאֲמָרָן, דְּאִיהִי חֵילָא לְאִתְתַּקְּפָא בָּהּ, בְּעָלְמָא דֵּין, וּבְעָלְמָא דְּאָתֵי, וּבָעֵי בַּר נָשׁ לְמִזְכֵּי בָהּ בְּהַאי עָלְמָא, בְּהַאי חֵילָא, בְּגִין דְּיִתְתַּקַּף בָּהּ בְּהַהוּא עָלְמָא.

עו. מַאי טַעְמָא. בְּגִין דִּלְבָתַר דְּיִפּוֹק בַּר נָשׁ מֵהַאי עָלְמָא, לֵית בֵּיהּ חֵילָא לְמֶעְבַּד מִדִּי, וְלוֹמַר הַשְׁתָּא מִכָּאן וּלְהָלְאָה אַעֲבִיד עוֹבָדִין טָבִין, דְּוַדַּאי אֵין מַעֲשֶׂה וְחֶשְׁבּוֹן וְדַעַת וְחָכְמָה בִּשְׁאוֹל אֲשֶׁר וגו'. אִי לָא זָכֵי בַּר נָשׁ בְּהַאי עָלְמָא, לָא יִזְכֵּי בֵּיהּ לְבָתַר בְּהַהוּא עָלְמָא, וְאוּקְמוּהָ מַאן דְּלָא אַתְקִין זְוָודִין לְמֵיהַךְ מֵהַאי עָלְמָא, לָא יֵיכוּל בְּהַהוּא עָלְמָא, וְאִית עוֹבָדִין טָבִין דְּעָבִיד בַּר נָשׁ בְּהַאי עָלְמָא, דְּיֵיכוּל מִנַּיְיהוּ הָכָא, וְכֹלָּא אִשְׁתְּאַר לְעָלְמָא דְּאָתֵי, וּלְאִתְזְנָא מִנַּיְיהוּ.

עז. תָּא חֲזֵי, יוֹסֵף זָכָה בְּהַאי עָלְמָא, וְזָכָה בְּעָלְמָא דְּאָתֵי, בְּגִין דְּבָעָא לְאִתְאַחֲדָא בְּאִשָּׁה

יִרְאַת יי', כד"א וְחַטֹּאתִי לֵאלֹהִים, וּבְגִין כָּךְ זָכָה לְמִשְׁלַט בְּהַאי עָלְמָא, וְזָכָה לוֹן לְיִשְׂרָאֵל.

עח. מַה כְּתִיב וַיְלַקֵּט יוֹסֵף אֶת כָּל הַכֶּסֶף, וְהָכִי אִתְחֲזֵי, דְּהָא הַהוּא נָהָר דְּנָגִיד וְנָפִיק, אִיהוּ לָקִיט כֹּלָּא, וְכָל עוּתְרָא בֵּיהּ קַיְּימָא. וְדָא הִיא רָזָא דִּכְתִיב, וַיִּתֵּן אֹתָם אֱלֹהִים בִּרְקִיעַ הַשָּׁמַיִם, וְכֹלָּא אִיהוּ כִּדְקָא יָאוּת, וַדַּאי יוֹסֵף בָּעֵי לְמִשְׁלַט עַל מַלְכוּתָא.

עט. ת"ח, כְּתִיב וַיַּרְכֵּב אֹתוֹ בְּמִרְכֶּבֶת הַמִּשְׁנֶה, מַאן מִרְכֶּבֶת הַמִּשְׁנֶה. קב"ה עָבִיד לֵיהּ לְצַדִּיק שַׁלִּיטָא, בְּגִין דְּהָא מִנֵּיהּ אִתְּזָן עָלְמָא, וְאִצְטְרִיךְ לְאִתְּזָנָא, וְקב"ה אִית לֵיהּ רְתִיכָא עִלָּאָה, וְאִית לֵיהּ רְתִיכָא תַּתָּאָה, רְתִיכָא תַּתָּאָה אִיהִי מִרְכֶּבֶת הַמִּשְׁנֶה, וְיוֹסֵף צַדִּיק אִקְרֵי וְלֵיהּ אִתְחֲזֵי לְמֶהֱוֵי רָכִיב עַל מִרְכֶּבֶת הַמִּשְׁנֶה אֲשֶׁר לוֹ לְקב"ה, וְכֹלָּא אִיהוּ בְּרָזָא עִלָּאָה, לְמֶהֱוֵי כְּגַוְונָא דִּלְעֵילָּא.

פ. ת"ח, וַיִּקְרְאוּ לְפָנָיו אַבְרֵךְ, מַאי אַבְרֵךְ. קְשִׁירוּ דְּאִתְקְשַׁר שִׁמְשָׁא בְּסִיהֲרָא, וְכֹלָּא כַּרְעִין לְקַבֵּל אֲתַר דָּא. וְנָתוֹן אֹתוֹ עַל כָּל עָלְמָא, וְכֻלְּהוּ אוֹדָן לְגַבֵּיהּ, וּבְגִין דָּא כֹּלָּא בְּרָזָא עִלָּאָה אִיהוּ.

פא. ת"ח, קב"ה עָבַד מַלְכוּתָא דְּאַרְעָא, כְּעֵין מַלְכוּתָא דִּרְקִיעָא, וְכֹלָּא דָּא כְּגַוְונָא דָּא. וְכָל מַה דְּאִתְעֲבִיד בְּאַרְעָא קַיְּימָא קַמֵּי קב"ה בְּקַדְמֵיתָא. ת"ח, מַלְכוּתָא קַדִּישָׁא, לָא קַבִּיל מַלְכוּתָא שְׁלִימָתָא, עַד דְּאִתְחַבַּר בַּאֲבָהָן, בְּגִין דְּקב"ה עָבַד לָהּ לְמַלְכוּ עִלָּאָה, לְאִתְנַהֲרָא מֵרָזָא דַּאֲבָהָן.

פב. וְכַד יוֹסֵף הַצַּדִּיק נָחַת לְמִצְרַיִם בְּקַדְמֵיתָא, אִיהוּ מָשִׁיךְ לָהּ לִשְׁכִינְתָּא לְבָתַר עִמֵּיהּ, דְּהָא שְׁכִינְתָּא לָא אָזְלָא אֶלָּא בָּתַר צַדִּיק, וּבְגִ"כ אִתְמְשַׁךְ יוֹסֵף לְמִצְרַיִם בְּקַדְמֵיתָא, וְנָטִיל כָּל עוּתְרָא דְּעָלְמָא כִּדְקָא יָאוּת, וּלְבָתַר נָחֲתַת שְׁכִינְתָּא לְמִצְרַיִם, וְכֻלְּהוּ שִׁבְטִין בַּהֲדָהּ.

פג. וּבְגִינֵי כָּךְ, יוֹסֵף דְּנָטַר לֵיהּ לִבְרִית, זָכָה לְאִתְעַטְּרָא בְּאַתְרֵיהּ, וְזָכָה לְמַלְכוּתָא דִּלְעֵילָּא, וּלְמַלְכוּתָא דִּלְתַתָּא, וְעַל דָּא כָּל מַאן דְּנָטַר בְּרִית קַדִּישָׁא, כְּאִלּוּ קַיֵּים אוֹרַיְיתָא קַדִּישָׁא כּוּלָּהּ, דְּהָא בְּרִית שָׁקִיל כְּכָל אוֹרַיְיתָא.

פד. וַיַּרְא יַעֲקֹב כִּי יֶשׁ שֶׁבֶר בְּמִצְרַיִם וַיֹּאמֶר יַעֲקֹב לְבָנָיו וגו'. ר' חִיָּיא פָּתַח וְאָמַר, מַשָּׂא דְּבַר יי' עַל יִשְׂרָאֵל נְאֻם יי' נוֹטֶה שָׁמַיִם וְיוֹסֵד אָרֶץ וְיוֹצֵר רוּחַ אָדָם בְּקִרְבּוֹ, הַאי קְרָא אִית לְאִסְתַּכְּלָא בֵּיהּ, מַשָּׂא דְּבַר יי', בְּכָל הָנֵי אֲתַר דְּקָאָמַר מַשָּׂא, מַשָּׂא אַמַּאי. אֶלָּא, בְּכָל אֲתַר דְּאִיהוּ עַל דִּינָא דִּשְׁאָר עַמִּין וְאָמַר מַשָּׂא, לְטַב. בְּכָל אֲתַר דְּאִיהוּ עַל יִשְׂרָאֵל וְאָמַר מַשָּׂא, לְבִישׁ.

פה. בְּכָל אֲתַר דְּאִיהוּ עַל דִּינָא דִּשְׁאָר עַמִּין, לְטַב, בְּגִין דְּמַשָּׂא מְטוּלָא אִיהוּ, כִּבְיָכוֹל מְטוּלָא אִיהוּ עָלֵיהּ דְּקב"ה, שְׁלוֹם דְּעַמִּין עכו"ם, וְכַד אִתְגְּזַר דִּינָא עָלַיְיהוּ מַעֲבַר מִנֵּיהּ הַהוּא מְטוּלָא דְּאִיהוּ סָבִיל עָלַיְיהוּ. בְּכָל אֲתַר דְּדִינָא אִתְגְּזַר עָלַיְיהוּ דְּיִשְׂרָאֵל, וְאָמַר מַשָּׂא, כִּבְיָכוֹל מְטוּלָא אִיהוּ עָלֵיהּ דְּקב"ה, וּבְגִין כָּךְ, מַשָּׂא מֵהַאי גִּיסָא, וּמֵהַאי גִּיסָא, מְטוּלָא אִיהוּ.

פו. כֵּיוָן דְּאָמַר נוֹטֶה שָׁמַיִם וְיוֹסֵד אָרֶץ, אַמַּאי אִצְטְרִיךְ וְיוֹצֵר רוּחַ אָדָם בְּקִרְבּוֹ, וְכִי לָא הֲוֵינָא יָדְעֵי, דְּאִיהוּ יוֹצֵר רוּחַ אָדָם, אֶלָּא לְאַחֲזָאָה דַּרְגָּא יְדִיעָא, דְּכָל רוּחִין וְנִשְׁמָתִין דְּעָלְמָא, בְּהַהוּא דַּרְגָּא קַיְּימִין.

פז. ר"ש אָמַר, הַאי קְרָא קַשְׁיָא, אִי אָמַר וְיוֹצֵר רוּחַ אָדָם וְלָא יַתִּיר יָאוּת, אֲבָל בְּקִרְבּוֹ מַהוּ. אֶלָּא רָזָא אִיהוּ בִּתְרֵין סִטְרִין, דְּהָא מֵהַהוּא נָהָר דְּנָגִיד וְנָפִיק, מִתַּמָּן נָפְקֵי

וּפָרְחֵי נִשְׁמָתִין כֻּלְּהוּ, וְאִתְכְּנִישׁוּ בַּאֲתַר חָד, וְהַהוּא דַּרְגָּא אִיהוּ יוֹצֵר רוּחַ אָדָם בְּקִרְבּוֹ, וְהַאי כְּאִתְּתָא דְּאִתְעַבְּרָא מִן דְּכוּרָא, וְהַהוּא וְלָדָא, צָרַת לָהּ בִּמְעָהָא. עַד דְּאִצְטַיַּיר כֹּלָּא בְּצִיּוּרָא שְׁלִימוּ בִּמְעָהָא, כָּךְ וְיוֹצֵר רוּחַ אָדָם בְּקִרְבּוֹ, בְּקִרְבּוֹ קַיְימָא, עַד דְּאִתְבְּרֵי בַּר נָשׁ בְּעַלְמָא וְיָהֵב לֵיהּ.

פח. ד"א, וְיוֹצֵר רוּחַ אָדָם בְּקִרְבּוֹ, בְּקִרְבּוֹ דְּאָדָם מַמָּשׁ. בְּגִין דְּכַד אִתְבְּרֵי ב"נ, וְקוּדְשָׁא בְּרִיךְ הוּא יָהַב לֵיהּ נִשְׁמָתֵיהּ, וְנָפִיק לַאֲוִירָא דְּעַלְמָא, הַהוּא רוּחָא דִּבְגַוֵּיהּ, לָא אַשְׁכַּח גּוּפָא לְאִתְפַּשְּׁטָא בְּגַוֵּיהּ, וְקַיְימָא בְּסִטְרָא חַד בְּגַוֵּיהּ.

פט. וְכַד בַּר נָשׁ אִתְפַּשַּׁט גּוּפֵיהּ, הַהוּא רוּחָא אִתְפַּשַּׁט, וְיָהֵיב בֵּיהּ חֵילָא, וְכֵן כְּגַוְונָא דְּגוּפָא אִתְרַבֵּי, הָכֵי רוּחָא יָהֵיב חֵילָא בֵּיהּ, לְאִתְתַּקְּפָא בַּר נַשׁ בַּהֲדֵיהּ, וּבְגִין כָּךְ יוֹצֵר רוּחַ אָדָם בְּקִרְבּוֹ מַמָּשׁ.

צ. וְאִי תֵּימָא יוֹצֵר רוּחַ אָדָם מַהוּ, בְּגִין דְּהַהוּא רוּחָא, אִצְטְרִיךְ חֵילָא דִּלְעֵילָּא יַתִּיר לְאִסְתַּיְּיעָא בַּהֲדֵיהּ, וְעַל דָּא קוּדְשָׁא בְּרִיךְ הוּא אִיהוּ יוֹצֵר רוּחַ אָדָם בְּקִרְבּוֹ, וְיָהֵיב לֵיהּ סִיּוּעָא בְּבַר נָשׁ.

צא. ת"ח, כַּד הַהוּא רוּחָא אִצְטְרִיךְ סִיּוּעָא, כְּגַוְונָא דְּאִיהוּ הַהוּא בַּר נָשׁ, וּכְגַוְונָא דְּהַהוּא גּוּפָא אִתְתַּקַּן, הָכֵי נָמֵי הַהוּא רוּחָא מִתְקְנִין לֵיהּ, וְאוֹסְפִין לֵיהּ רוּחָא לְאִתְתַּקְּנָא, וְדָא הוּא יוֹצֵר רוּחַ אָדָם בְּקִרְבּוֹ.

צב. וְת"ח כֵּיוָן דְּאִתְאֲבֵיד יוֹסֵף מֵאֲבוּי, יַעֲקֹב אֲבֵיד הַהוּא תּוֹסֶפֶת רוּחָא דַּהֲוָה לֵיהּ, וְאִסְתַּלְּקַת מִנֵּיהּ שְׁכִינְתָּא, לְבָתַר מַה כְּתִיב וַתְּחִי רוּחַ יַעֲקֹב אֲבִיהֶם, וְכִי עַד הַשְׁתָּא מֵית הֲוָה. אֶלָּא הַהוּא תּוֹסֶפֶת רוּחָא אִסְתַּלַּק מִנֵּיהּ שְׁכִינְתָּא, וְלָא הֲוָה בְּגַוֵּיהּ, בְּגִין דְּעַצְבוּנָא דַּהֲוָה בֵּיהּ גָּרְמָא לֵיהּ, לָא הֲוָה רוּחֵיהּ בְּקִיּוּמֵיהּ, וּבְגִין כָּךְ וַתְּחִי רוּחַ יַעֲקֹב אֲבִיהֶם.

צג. וְהָכָא כְּתִיב וַיַּרְא יַעֲקֹב, דְּעַד כְּעַן לָא אִתְבַּשַּׂר, מְנָא הֲוָה יָדַע, אֶלָּא וַיַּרְא יַעֲקֹב, דְּחָמָא לְכָל דַּיָּירֵי אַרְעָא דְּאָזְלֵי לְמִצְרַיִם, וּמַיְיתָן עֲבוּרָא.

צד. ר' יִצְחָק אֲמַר, ת"ח, דָּוִד מַלְכָּא, זָכָה לְאִתְחַבְּרָא בַּאֲבָהָן, וְיָרֵית דּוּכְתֵּיהּ בְּגַוַּויְיהוּ. הה"ד, אֶבֶן מָאֲסוּ הַבּוֹנִים הָיְתָה לְרֹאשׁ פִּנָּה.

צה. ר' יֵיסָא וְר' חִזְקִיָּה הֲווּ אָזְלֵי מִקַּפּוֹטְקִיָּא לְלוֹד, וַהֲוָה עִמְּהוֹן חַד יוּדָאי, בְּמָטוֹל דְּקַפְטִירָא דְּחַמְרָא, עַד דַּהֲווּ אָזְלֵי אֲמַר ר' יֵיסָא לְר' חִזְקִיָּה, אַפְתַּח פּוּמָךְ, וְאֵימָא חַד מִלָּה, מֵאִינּוּן מִילֵי מַעַלְיָיתָא דְּאוֹרַיְיתָא, דְּאַתְּ אֲמַר בְּכָל יוֹמָא קַמֵּי בּוֹצִינָא קַדִּישָׁא.

צו. פָּתַח וַאֲמַר, דְּרָכֶיהָ דַּרְכֵי נוֹעַם וְכָל נְתִיבוֹתֶיהָ שָׁלוֹם. דְּרָכֶיהָ דַּרְכֵי נֹעַם, אִלֵּין אָרְחִין דְּאוֹרַיְיתָא, דְּמַאן דְּאָזִיל בְּאָרְחֵי דְּאוֹרַיְיתָא, קוּדְשָׁא בְּרִיךְ הוּא אַשְׁרֵי עֲלֵיהּ נְעִימוּתָא דִּשְׁכִינְתָּא, דִּי לָא תַעֲדֵי מִנֵּיהּ לְעָלְמִין. וְכָל נְתִיבוֹתֶיהָ שָׁלוֹם, דְּכֻלְּהוּ נְתִיבִין דְּאוֹרַיְיתָא כֻּלְּהוּ שְׁלָם, שְׁלָם לֵיהּ לְעֵילָּא, שְׁלָם לֵיהּ לְתַתָּא, שְׁלָם לֵיהּ בְּעַלְמָא דֵּין, שְׁלָם לֵיהּ בְּעַלְמָא דְּאָתֵי.

צז. אֲמַר הַהוּא יוּדָאי, אִסִירָא בְּקִיסְטְרָא בְּהַאי קְרָא אִשְׁתַּכַּח, אֲמָרוּ לֵיהּ מְנָּן לָךְ, אֲמַר לוֹן מֵאַבָּא שְׁמַעְנָא, וְאוֹלִיפְנָא הָכָא בְּהַאי קְרָא מִלָּה. פָּתַח וַאֲמַר, הַאי קְרָא בִּתְרֵין גַּוְונִין אִיהוּ, וּבִתְרֵין סִטְרִין, קָרֵי בֵּיהּ דְּרָכִים, וְקָרֵי בֵּיהּ נְתִיבוֹת, קָרֵי בֵּיהּ נֹעַם, וְקָרֵי בֵּיהּ שָׁלוֹם. מַאן דְּרָכִים, וּמַאן נְתִיבוֹת. מַאן נֹעַם, וּמַאן שָׁלוֹם.

צח. אֶלָּא דְּרָכֶיהָ דַּרְכֵי נֹעַם. הַיְינוּ דִּכְתִיב הַנּוֹתֵן בַּיָּם דָּרֶךְ, דְּהָא בְּכָל אֲתַר דְּאִקְרֵי בְּאוֹרַיְיתָא דֶּרֶךְ, הוּא אוֹרַח פְּתִיחָא לְכֹלָּא, כְּהַאי אָרְחָא, דְּאִיהוּ פָּתִיחַ לְכָל בַּר נָשׁ, כָּךְ דְּרָכֶיהָ דַּרְכֵי נֹעַם, אִילֵּין דְּרָכִים דְּאִינּוּן פְּתִיחָן מֵאֲבָהָן, דְּכָרָאן בְּיַמָּא רַבָּא, וְעָאלִין בְּגַוֵּיהּ,

וּמֵאִינּוּן אוֹרְחִין מִתְפַּתְּחִין לְכָל עֵיבַר וּלְכָל סִטְרֵי עָלְמָא.

צט. וְהַאי נֹעַם: הוּא נְעִימוּ דְּנָפַק מֵעַלְמָא דְּאָתֵי, וּמֵעַלְמָא דְּאָתֵי נָהֲרִין כָּל בּוּצִינִין, וּמִתְפַּרְשָׁן לְכָל עֵיבַר, וְהַהוּא טִיבוּ וְהַהוּא נְהוֹרָא דְּעַלְמָא דְּאָתֵי, דְּיָנְקִין אֲבָהָן, אִקְרֵי נֹעַם. ד"א, עַלְמָא דְּאָתֵי אִקְרֵי נֹעַם, וְכַד אִתְעַר עַלְמָא דְּאָתֵי, כָּל חֵדוּ, וְכָל טִיבוּ, וְכָל נְהוֹרִין, וְכָל חֵירוּ דְּעַלְמָא אִתְעַר, וּבְגִינֵי כָּךְ אִקְרֵי נֹעַם.

ק. וְעַל דָּא תָּנִינָן, חַיָּיבִין דְּגֵיהִנֹּם, בְּשַׁעְתָא דְּעָאל שַׁבַּתָּא, נַיְיחִין כֻּלְּהוּ, וְאִית לְהוּ חֵירוּת וְנַיְיחָא. בְּשַׁעְתָא דְּנָפִיק שַׁבַּתָּא, אִית לָן לְאַתְעָרָא חֵידוּ עִלָּאָה עֲלָנָא, דְּנִשְׁתְּזִיב מֵהַהוּא עוֹנְשָׁא דְּחַיָּיבַיָּא דְּאִתְדָּנוּ מֵהַהִיא שַׁעְתָּא וּלְהָלְאָה. וְאִית לָן לְאִתְעָרָא וְלֵימָא, וִיהִי נֹעַם יְיָ׳ אֱלֹקֵינוּ עָלֵינוּ, דָּא הוּא נֹעַם עִלָּאָה, חֵידוּ דְּכֹלָּא, וְעַל דָּא דְּרָכֶיהָ דַּרְכֵי נֹעַם.

קא. וְכָל נְתִיבוֹתֶיהָ שָׁלוֹם, מַאן נְתִיבוֹתֶיהָ. אִלֵּין אִינּוּן שְׁבִילִין דְּנָפְקִין מִלְּעֵילָּא, וְכֻלְּהוּ נָקִיט לוֹן בְּרִית יְחִידָאִי, דְּאִיהוּ אִקְרֵי שָׁלוֹם, שְׁלָמָא דְּבֵיתָא, וְאָעֵיל לוֹן לְיַמָּא רַבָּא, כַּד אִיהוּ בְּתוּקְפֵּיהּ, וּכְדֵין יָהֵיב לֵיהּ שְׁלָמָא, הה"ד וְכָל נְתִיבוֹתֶיהָ שָׁלוֹם. ת"ח, יוֹסֵף בְּרִית שָׁלוֹם הֲוָה, וַהֲוָה בְּמִצְרַיִם מַלְכָּא, וְשַׁלִּיט עַל אַרְעָא, וְיַעֲקֹב בְּגִין דְּאִסְתַּלַּק מִנֵּיהּ שְׁכִינְתָּא, לָא הֲוָה יָדַע.

קב. וְעִם כָּל דָּא, יַעֲקֹב הֲוָה לֵיהּ תַּבְרָא, בְּגִין לְמִזְבַּן עִבּוּרָא בְּמִצְרַיִם, וְחָמָא דְּאִיהוּ תְּבִירָא עַל תְּבִירָא, דְּיֵיחֲתוּן בְּנוֹי לְמִצְרַיִם, וַיֹּאמֶר יַעֲקֹב לְבָנָיו לָמָּה תִּתְרָאוּ, בְּגִין דְּלָא תַּחֲזְמוּן גּוּפַיְיכוּ, אֶלָּא כִּרְעֵבִין, כְּגוּבְרִין דְּלֵית לוֹן שָׂבְעָא.

קג. אָמַר ר׳ חִזְקִיָּה, וַדַּאי רָזָא הָכָא, דְּהָא בְּכָל זִמְנָא דְּצַעֲרָא אִיהוּ בְּעַלְמָא, לָא בָּעֵי בַּר נָשׁ, לְאַחֲזָאָה גַּרְמֵיהּ בְּשׁוּקָא, בְּגִין דְּלָא יִתָּפֵס בְּחוֹבוֹי, וְעַל דָּא אָמַר לָמָּה תִּתְרָאוּ, וְהָא אִתְמָר.

קד. ד"א וַיַּרְא יַעֲקֹב כִּי יֶשׁ שֶׁבֶר בְּמִצְרַיִם, עִבּוּר מַמָּשׁ, דְּהָא קב"ה ע"ד שַׁדַּר כַּפְנָא בְּעַלְמָא, בְּגִין לְנַחֲתָא לְיַעֲקֹב וּבְנוֹי לְתַמָּן, וְעַל דָּא חָמָא בְּנֵי אַרְעָא, דַּהֲווּ מַיְיתִין מִתַּמָּן עִבּוּר.

קה. וַיַּרְא יַעֲקֹב כִּי יֶשׁ שֶׁבֶר בְּצָרִים, בְּשַׁעְתָא דְּמִית יִצְחָק, אָתוּ יַעֲקֹב וְעֵשָׂו לְמִפְלַג, וְעֵשָׂו נָפַק מֵחוּלָקֵיהּ דְּאַרְעָא וּמִכֹּלָּא, וְיַעֲקֹב דְּיִסְבּוֹל גָּלוּתָא יִטּוֹל כֹּלָּא, וְעַל דָּא חָמָא, הַהוּא תְּבִירָא דַּהֲוָה לֵיהּ בְּמִצְרַיִם, הוּא וּבְנוֹי, לְמִסְבַּל גָּלוּתָא, וְעַל דָּא וַיֹּאמֶר יַעֲקֹב לְבָנָיו לָמָּה תִּתְרָאוּ. מִקַּמֵּי דִּינָא דִּלְעֵילָּא, דְּלָא יִשְׁתַּכְּחוּ עֲלַיְיכוּ מְקַטְרְגָא. וַיֹּאמֶר הִנֵּה שָׁמַעְתִּי כִּי יֶשׁ שֶׁבֶר בְּמִצְרַיִם רְדוּ שָׁמָּה, הָא אוֹקְמוּהָ רד"ו, וְחוּשְׁבַּן דָּא הֲווֹ יִשְׂרָאֵל בְּמִצְרַיִם.

קו. וְיוֹסֵף הוּא הַשַּׁלִּיט עַל הָאָרֶץ וגו׳, ר׳ יֵיסָא פָּתַח וְאָמַר, וְעַתָּה יָרוּם רֹאשִׁי עַל אוֹיְבַי סְבִיבוֹתַי וְאֶזְבְּחָה בְאָהֳלוֹ זִבְחֵי תְרוּעָה אָשִׁירָה וַאֲזַמְּרָה לַיְיָ׳. ת"ח, כַּד קב"ה אִתְרְעֵי בֵּיהּ בְּבַר נָשׁ, זָקִיף לֵיהּ עַל כָּל בְּנֵי עַלְמָא, וְעָבֵיד לֵיהּ רֵישָׁא דְּכֹלָּא, וְכֻלְּהוּ שָׂנְאוֹי אִתְכַּפְיָין תְּחוֹתוֹי.

קז. דָּוִד מַלְכָּא, שָׂנְאוּ לֵיהּ אֲחוֹי, דָּחוּ לֵיהּ מִנַּיְיהוּ, קב"ה אָרִים לֵיהּ, עַל כָּל בְּנֵי עַלְמָא, אָתָא חֲמוֹי עָרַק מִקַּמֵּיהּ, קב"ה אָרִים לֵיהּ, עַל כָּל מַלְכוּתֵיהּ, וְכֻלְּהוּ הֲווֹ כָּרְעִין וְסָגְדִין קַמֵּיהּ. וְיוֹסֵף דָּחוּ לֵיהּ אֲחוֹי, לְבָתַר כֻּלְּהוּ כָּרְעוּ וְסָגִידוּ קַמֵּיהּ, הה"ד וַיָּבֹאוּ אֲחֵי יוֹסֵף וַיִּשְׁתַּחֲווּ לוֹ אַפַּיִם אָרְצָה.

קח. ד"א, וְעַתָּה יָרוּם רֹאשִׁי, מַאי וְעַתָּה, כְּמוֹ וְאַתָּה. ר׳ יְהוּדָה אָמַר, הָא אִתְמָר, עֵת

דְּאִיהוּ דַּרְגָּא עִלָּאָה, וּמַאן אִיהוּ הַהוּא עֵת. דָּא ה"א, וְאִקְרֵי עַתָּה, וְעַתָּה: דָּא אִיהוּ וּבֵי דִּינָהּ.

קט. יָרוּם רֹאשִׁי, לַאֲרָמָא לָהּ, בִּיקָרָא וּמַלְכוּתָא. עַל אוֹיְבַי סְבִיבוֹתַי, אִלֵּין שְׁאָר מַלְכֵי אַרְעָא. וְאֶזְבְּחָה בְאָהֳלוֹ, דָּא יְרוּשָׁלַם, בְּאָהֳלוֹ דָּא אֹהֶל מוֹעֵד. זִבְחֵי תְרוּעָה, לְמִשְׁמַע כָּל עַלְמָא. אָשִׁירָה וַאֲזַמְּרָה, מֵהַהוּא סִטְרָא דִּתְרוּעָה הִיא, דְּהָא מִתַּמָּן, מֵהַהוּא סִטְרָא דִּתְרוּעָה, הִיא אַתְיָא שִׁירָה וְתוּשְׁבַּחְתָּא.

קי. ד"א, וְעַתָּה יָרוּם רֹאשִׁי, דָּא כְּנֶסֶת יִשְׂרָאֵל. עַל אוֹיְבַי סְבִיבוֹתַי, דָּא עֵשָׂו וְכָל אֲפַרְכִין דִּילֵיהּ. וְאֶזְבְּחָה בְאָהֳלוֹ, אִלֵּין יִשְׂרָאֵל. זִבְחֵי תְרוּעָה, דִּכְתִיב זִבְחֵי אֱלֹקִים רוּחַ נִשְׁבָּרָה, בְּגִין לְאַעֲבָרָא דִּינָא מֵעַלְמָא. אָשִׁירָה וַאֲזַמְּרָה, לְאוֹדָאָה וּלְשַׁבְּחָא לְקוּדְשָׁא בְּרִיךְ הוּא, בְּלָא פְּסִיקוּ לְעוֹלָם.

קיא. ד"א, וְעַתָּה יָרוּם רֹאשִׁי, בְּכֹלָּא, יֵצֶר טוֹב עַל יֵצֶר רָע, דִּכְתִיב עַל אוֹיְבַי סְבִיבוֹתַי, דָּא יֵצֶר הָרָע, דְּאִיהוּ סַחֲרָנֵיהּ דְּבַר נָשׁ, וְאִיהוּ שָׂנְאֵיהּ בְּכֹלָּא. וְאֶזְבְּחָה בְאָהֳלוֹ זִבְחֵי תְרוּעָה, דָּא אוֹרַיְיתָא, דְּאִתְיְהִיבַת מִסִּטְרָא דְאֶשָּׁא, כְּדִכְתִיב מִימִינוֹ אֵשׁ דָּת לָמוֹ, דְּהָא בְּגִין אוֹרַיְיתָא, יָרוּם רֵישֵׁיהּ, וְאִתְבְּרוּ כָּל שָׂנְאוֹי קָדָמוֹי, כְּדִכְתִיב תַּכְרִיעַ קָמַי תַּחְתָּי.

קיב. ד"א וְעַתָּה יָרוּם רֹאשִׁי, לְאִתְכַּלְּלָא בַּאֲבָהָן, דְּהָא דָּוִד מַלְכָּא, אִית לֵיהּ לְאִתְדַּבְּקָא בַּאֲבָהָן, וּכְדֵין יִתְרוֹמֵם וְסָלִיק לְעֵילָא, וְאִיהוּ בְּחַד קִשּׁוּרָא בְּהוּ. עַל אוֹיְבַי סְבִיבוֹתַי, אִלֵּין אִינּוּן דִּבְסִטַר שְׂמָאלָא, כֻּלְּהוּ מָארֵי דִּינִין, דְּמִתְכַּוְּנִין לְחַבָּלָא, וּכְדֵין שִׁמְשָׁא אִתְחַבַּר בְּסִיהֲרָא, וַהֲוֵי כֹּלָּא חַד.

קיג. ת"ח, כְּתִיב וְיוֹסֵף הוּא הַשַּׁלִּיט עַל הָאָרֶץ, דָּא שִׁמְשָׁא דְּשַׁלִּיט בְּסִיהֲרָא, וְנָהִיר לָהּ, וְזָן לָהּ. הוּא הַמַּשְׁבִּיר לְכָל עַם הָאָרֶץ, דְּהָא הַהוּא נָהָר דְּנָגִיד וְנָפִיק, מִנֵּיהּ אִתְּזָנוּ כֻּלְּהוּ, וּמִתַּמָּן פָּרְחִין נִשְׁמָתִין לְכֹלָּא, וּבְגִין דָּא כֻּלְּהוּ סָגְדִין לְגַבֵּיהּ דְּהַהוּא אֲתַר, דְּהָא לֵית לָךְ מִלָּה בְּעַלְמָא, דְּלָא תָּלֵי בְּמַזָּלָא וְאוֹקְמוּהָ.

קיד. וַיַּכֵּר יוֹסֵף אֶת אֶחָיו וְהֵם לֹא הִכִּירֻהוּ. רִבִּי אֶלְעָזָר פָּתַח וַאֲמַר, לָמָּה אִירָא בִּימֵי רָע עֲוֹן עֲקֵבַי יְסֻבֵּנִי. ת"ח, תְּלַת אִינּוּן דְּדָחֲלִין וְלָא יָדְעִין מִמַּה דָּחֲלִין, וְאוֹקְמוּהָ, אֲבָל אִית מַאן דְּדָחִיל, וְלָא יָדַע מִמַּה אִיהוּ דָּחֵיל, בְּגִין אִינּוּן חֶטְאֵי, דְּלָא יָדַע דְּאִינּוּן חַטָּאִין, וְלָא אַשְׁגַּח בְּהוּ, וְאִיהוּ דָּחֵיל מִיּוֹמֵי רָע.

קטו. מַאן אִינּוּן יְמֵי רָע, אִלֵּין אִינּוּן יוֹמִין דְּאִינּוּן אִזְדַּמְּנָן בְּהַהוּא רָע, וּמַאן אִינּוּן, דָּא יֵצֶר הָרָע, דְּאִיהוּ אִקְרֵי רָע, וְאִית לֵיהּ יוֹמִין יְדִיעָן, דְּאִתְיְהִיב לֵיהּ רְשׁוּ בְּעַלְמָא, לְאַסְטָאָה לְכָל אִינּוּן דִּמְסָאֲבֵי אָרְחַיְיהוּ, דְּמַאן דְּאָתֵי לְאִסְתָּאֲבָא מְסָאֲבֵי לֵיהּ. וְאִלֵּין אִינּוּן אִקְרוּן יְמֵי רָע, וְאִלֵּין מְמַנָּן עַל אִינּוּן חוֹבִין דְּדָשִׁין בְּהוּ בְּנֵי נָשָׁא בַּעֲקֵבַיְיהוּ.

קטז. תָּא חֲזֵי, כָּל אִינּוּן דִּמְסָאֲבֵי אָרְחַיְיהוּ, כַּמָּה חַבִּילֵי טְהִירִין, אִזְדַּמְּנָן לְגַבַּיְיהוּ, וּמְסָאֲבֵי לְהוּ. בְּאָרְחָא דְּבָעֵי בַּר נָשׁ לְמֵיהַךְ, בְּהַהוּא אָרְחָא מְדַבְּרִין לֵיהּ מַמָּשׁ, אָתֵי בַּר נָשׁ לְאִתְדַּכָּאָה, כַּמָּה אִינּוּן דִּמְסַיְּיעִין לֵיהּ.

קיז. הָא תָּנֵינָן, דְּכַד בַּר נָשׁ קָם בְּצַפְרָא, בָּעֵי לְאַסְחָאָה יְדוֹי, מִגּוֹ נַטְלָא דְמַיָּא, דְּאִיהוּ מָאנָא לִיטּוֹל מִנֵּיהּ מַיָּא, מִגּוֹ מַאן דְּאַסְחֵי יְדוֹי בְּקַדְמֵיתָא, כְּמָה דְּאוֹקְמוּהָ. וְתָא חֲזֵי, בְּגִין נַטְלָא דָא, אוֹקִימְנָא מִלָּה.

קיח. וְתוּ, דְּבָעְיָא לֵיהּ לְבַר נָשׁ, לְנַטְלָא יְדָא יְמִינָא בִּשְׂמָאלָא, בְּגִין לְשַׁלְטָאָה יְמִינָא עַל שְׂמָאלָא, וְיִסְתַּחֵי יְמִינָא מִן שְׂמָאלָא, וּבְגִין כָּךְ אִיהוּ נְטִילָא, וְעַל דָּא, מַאן דְּנָטֵיל יְדוֹי, יִטּוֹל יְמִינָא בִּשְׂמָאלָא, לְאַשְׁלָטָא יְמִינָא עַל שְׂמָאלָא, בְּגִין דְּלָא יְהֵיב דּוּכְתָּא לְיֵצֶר הָרָע

לְשַׁלְטָאָה כְּלַל, וְהָא אוּקִימְנָא.

קיט. ת"ח, בְּשַׁעְתָּא דְּדִינָא בִּישָׁא שַׁלְטָא, לָא אָתֵיב יְדֵיהּ מִלְּאַבְאָשָׁא, וּבְשַׁעְתָּא דִּימִינָא שַׁלְטָא עַל עַמִּין עעכו"ם, לְתַבְרָא לוֹן, חָיֵיס קב"ה עֲלַיְיהוּ, וְלָא שָׁצֵי לוֹן.

קכ. וּבְגִין כָּךְ, כָּל מַאן דְּאִיהוּ חָטֵי, בְּאִינּוּן חֶטְאִין דְּדָשׁ בְּהוּ בְּרַגְלוֹי, לָא יָדַע בְּהוּ, וְדָחֵיל תְּדִירָא. דָּוִד מַלְכָּא הֲוָה אִסְתַּמַּר תָּדִיר, מֵחוֹבִין אִלֵּין, וְכַד הֲוָה נָפִיק לִקְרָבָא, הֲוָה מְפַשְׁפֵּשׁ לוֹן, וְעַל דָּא לָא דָחֵיל לַאֲגָחָא עִמְּהוֹן קְרָבָא.

קכא. וְת"ח, אַרְבַּע מַלְכִין הֲווֹ, מַאן דְּשָׁאֵיל דָּא, לָא שָׁאֵיל דָּא. דָּוִד אָמַר, אֶרְדּוֹף אוֹיְבַי וְאַשִּׂיגֵם וְלֹא אָשׁוּב עַד כַּלּוֹתָם, מַאי טַעְמָא בְּגִין דַּהֲוָה אִסְתַּמַּר מֵאִלֵּין חוֹבִין, וְלָא יָהֵיב דּוּכְתָּא לְשַׂנְאוֹי לְשַׁלְטָאָה, וְעַל דָּא בָּעֵי לְמִרְדַּף אֲבַתְרַיְיהוּ תָּדִיר. וְלָא יִרְדְּפוּן אִינּוּן אֲבַתְרֵיהּ, לְמִתְבַּע חוֹבוֹי, וְיִפּוֹל בִּידַיְיהוּ.

קכב. אָסָא הֲוָה דָּחֵיל יַתִּיר, אַף עַל גַּב דַּהֲוָה מְפַשְׁפֵּשׁ בְּחֶטְאוֹי, וְלָא כְּדָוִד מַלְכָּא, אִיהוּ בָּעֵי לְמִרְדַּף אֲבַתְרַיְיהוּ, וְלָא יַגִּיחַ לוֹן, וְיִקְטוֹל לוֹן קוּדְשָׁא ב"ה, וְכָךְ הֲוָה, דִּכְתִיב וַיִּרְדְּפֵם אָסָא וְהָעָם אֲשֶׁר עִמּוֹ וגו', וּכְתִיב וַיִּגֹּף ה' אֶת הַכּוּשִׁים לִפְנֵי אָסָא וְלִפְנֵי יְהוּדָה וַיָּנוּסוּ הַכּוּשִׁים. דָּוִד מַה כְּתִיב בֵּיהּ וַיַּכֵּם דָּוִד מֵהַנֶּשֶׁף וְעַד הָעֶרֶב לְמָחֳרָתָם, אֲבָל אָסָא אִיהוּ רָדִיף וְקב"ה מָחֵי.

קכג. יְהוֹשָׁפָט מֶלֶךְ יְהוּדָה, אוּף הָכִי נָמֵי הֲוָה שָׁאֵיל, וְאָמַר, לָא יָכֵילְנָא לְמִרְדַּף, וְלָא לְקַטְלָא, אֶלָּא אֲנָא אֲזַמֵּר, וְאַתְּ קְטֵיל לוֹן, בְּגִין דְּלָא הֲוָה מְפַשְׁפֵּשׁ כָּל כָּךְ כְּאָסָא, וְקב"ה עֲבַד לֵיהּ הָכִי, דִּכְתִיב וּבְעֵת הֵחֵלּוּ בְרִנָּה וּתְהִלָּה נָתַן ה' מְאָרְבִים עַל בְּנֵי עַמּוֹן מוֹאָב וְהַר שֵׂעִיר הַבָּאִים לִיהוּדָה וַיִּנָּגֵפוּ.

קכד. וְחִזְקִיָּה מֶלֶךְ יְהוּדָה, אוּף הָכִי נָמֵי אָמַר, אֲנָא לָא יָכֵילְנָא, לָא לְזַמְּרָא, וְלָא לְמִרְדַּף, וְלָא לַאֲגָחָא קְרָבָא, בְּגִין דְּדָחֵיל מֵאִלֵּין חוֹבִין דְּקָאֲמָרָן, מַה כְּתִיב, וַיְהִי בַּלַּיְלָה הַהוּא וַיֵּצֵא מַלְאַךְ ה' וַיַּךְ בְּמַחֲנֵה אַשּׁוּר מֵאָה וּשְׁמוֹנִים וַחֲמִשָּׁה אָלֶף וַיַּשְׁכִּימוּ בַבֹּקֶר וְהִנֵּה כֻלָּם פְּגָרִים מֵתִים, וְחִזְקִיָּה הֲוָה יָתִיב בְּבֵיתֵיהּ, וְשָׁכִיב בְּעַרְסֵיהּ, וְקוּדְשָׁא בְּרִיךְ הוּא קָטֵיל לוֹן.

קכה. וּמַה צַדִּיקִים אִלֵּין, הֲווֹ דָּחֲלִין מֵאִלֵּין חוֹבִין, שְׁאַר בְּנֵי עָלְמָא עַל אַחַת כַּמָּה וְכַמָּה. בְּגִין כָּךְ, אִית לֵיהּ לְבַר נָשׁ לְאִסְתַּמְּרָא מֵאִלֵּין חוֹבִין, וּלְפַשְׁפְּשָׁא בְּהוֹן כְּדְקָאֲמָרָן, בְּגִין דְּלָא יִשְׁלְטוּן עֲלוֹי אִינּוּן יְמֵי רָע, דְּלָא מְרַחֲמֵי עֲלֵיהּ.

קכו. ת"ח, וַיַּכֵּר יוֹסֵף אֶת אֶחָיו, בְּשַׁעְתָּא דְּנָפְלוּ בִּידֵיהּ, אִיהוּ רְחִים עֲלַיְיהוּ, בְּגִין דְּאִיהוּ שְׁלִים, וְהֵם לֹא הִכִּירוּהוּ, דְּאִינּוּן שִׁמְעוֹן וְלֵוִי, אָתוּ מִסִּטְרָא דְּדִינָא קַשְׁיָא, וְעַל דָּא לָא רָחִימוּ עֲלֵיהּ, דְּהָא כָּל אִינּוּן מָארֵיהוֹן דְּדִינָא קַשְׁיָא, לָא מְרַחֲמֵי עֲלַיְיהוּ דִּבְנֵי נָשָׁא, בְּשַׁעְתָּא דְּנָפְלֵי בִּידַיְיהוּ.

קכז. וּבְג"כ אָמַר דָּוִד, לָמָּה אִירָא. יָרֵאתִי לָא כְּתִיב, אֶלָּא אִירָא, דְּאִית לִי לְמִדְחַל מֵאִינּוּן יְמֵי רָע, כְּדְקָאֲמָרָן. עֲוֹן עֲקֵבַי יְסֻבֵּנִי, מַאן עֲקֵבַי, אִלֵּין אִינּוּן בְּרָזָא דִּמְהֵימְנוּתָא, דִּכְתִיב, וְיָדוֹ אוֹחֶזֶת בַּעֲקֵב עֵשָׂו, דָּא הוּא עֲקִיבָא, וְאִינּוּן עֲקִיבִין דְּמִסְתַּכְּלִין בְּהוּ תָּדִיר, בְּהַהוּא חוֹבָא דְּדָשׁ בֵּיהּ בַּר נָשׁ תָּדִיר בַּעֲקֵבוֹי.

קכח. ת"ח, מַה כְּתִיב הוֹי מוֹשְׁכֵי הֶעָוֹן בְּחַבְלֵי הַשָּׁוְא וְכַעֲבוֹת הָעֲגָלָה חַטָּאָה. בְּחַבְלֵי הַשָּׁוְא: דְּדָשׁ בֵּיהּ בַּעֲקָבָא, וְלָא חָיֵישׁ עֲלֵיהּ, וּלְבָתַר אִתְתַּקַּף וְאִתְעֲבֵיד כַּעֲבוֹת הָעֲגָלָה, וְאִתְתַּקַּף הַהוּא חֶטְאָה, וְאַסְטֵי לֵיהּ בְּהַאי עָלְמָא, וּבְעַלְמָא דְּאָתֵי.

קכט. זַכָּאִין אִינּוּן צַדִּיקַיָּיא, דְּיָדְעִין לְאִסְתַּמְּרָא מֵחוֹבֵיהוֹן, וְאִינּוּן מְפַשְׁפְּשִׁין תָּדִיר

בְּעוֹבָדַיְיהוּ, בְּגִין דְּלָא יִשְׁתַּכְּחוּן עֲלַיְיהוּ מְקַטְרְגָא בְּהַאי עָלְמָא, וְלָא יִסְטוּן עֲלַיְיהוּ לְעָלְמָא דְּאָתֵי, דְּהָא אוֹרַיְיתָא מְתַקְּנָא לְהוּ אָרְחִין וּשְׁבִילִין לְמֵיהַךְ בְּהוּ, דִּכְתִיב דְּרָכֶיהָ דַּרְכֵי נֹעַם וְכָל נְתִיבוֹתֶיהָ שָׁלוֹם.

קל. וַיִּזְכֹּר יוֹסֵף אֵת הַחֲלוֹמוֹת אֲשֶׁר חָלַם לָהֶם וגו'. רִבִּי חִיָּיא פָּתַח וְאָמַר, בִּנְפֹל אוֹיִבְךָ אַל תִּשְׂמָח וּבִכָּשְׁלוֹ אַל יָגֵל לִבֶּךָ. ת"ח, קֻדְשָׁא בְּרִיךְ הוּא עָבַד לֵיהּ לְבַּר נָשׁ, דְּיִזְכֵּי לִיקָרָא דִּילֵיהּ, וּלְשַׁמְּשָׁא קַמֵּיהּ תְּדִירָא, וּלְאִשְׁתַּדְּלָא בְּאוֹרַיְיתָא יְמָמָא וְלֵילֵי, בְּגִין דְּקוּדְשָׁא בְּרִיךְ הוּא אִתְרְעֵי בֵּהּ בְּאוֹרַיְיתָא תָּדִיר.

קלא. וְכֵיוָן דְּבָרָא קֻדְשָׁא בְּרִיךְ הוּא לְאָדָם, יְהַב קַמֵּיהּ אוֹרַיְיתָא, וְאוֹלִיף לֵיהּ בָּהּ לְמִנְדַּע אָרְחָהָא. מְנָלָן, דִּכְתִיב אָז רָאָהּ וַיְסַפְּרָהּ הֱכִינָהּ וְגַם חֲקָרָהּ. וּלְבָתַר, וַיֹּאמֶר לָאָדָם הֵן יִרְאַת ה' הִיא חָכְמָה וְסוּר מֵרָע בִּינָה. כֵּיוָן דְּאִסְתַּכַּל בָּהּ, וְלָא נָטִיר לָהּ, עָבַר עַל פִּקּוּדָא דְּמָארֵיהּ, וְאִתְפַּס בְּחוֹבֵיהּ.

קלב. וְכָל אִינּוּן דְּעָבְרוּ עַל מִלָּה חֲדָא דְּאוֹרַיְיתָא, אִתְפָּסוּ בָּהּ. שְׁלֹמֹה מַלְכָּא, דְּאִתְחַכַּם עַל כָּל בְּנֵי עָלְמָא, עָבַר עַל מִלָּה חֲדָא דְּאוֹרַיְיתָא, וְגָרִים לֵיהּ לְאִתְעֲבָרָא מַלְכוּתֵיהּ מִנֵּיהּ, וּלְאִתְפַּלְגָא מַלְכוּתָא מִן בְּנוֹי, מַאן דְּאַעֲבַר עַל אוֹרַיְיתָא עַל אַחַת כַּמָּה וְכַמָּה.

קלג. וְיוֹסֵף דַּהֲוָה יָדַע אוֹרַיְיתָא, וַאֲחוֹי נָפְלוּ בִּידֵיהּ, אַמַּאי גִּלְגֵּל עֲלַיְיהוּ כָּל גִּלְגּוּלָא דָּא, וְהָא אִיהוּ יָדַע אוֹרַיְיתָא דְּאוֹלִיף לֵיהּ אֲבוֹי. אֶלָּא, ח"ו דְּיוֹסֵף גִּלְגֵּל עֲלַיְיהוּ גִּלְגּוּלִין לְנַקְמָא מִנַּיְיהוּ, אֶלָּא כָּל דָּא לָא עָבַד, אֶלָּא לְאַיְיתָאָה לַאֲחוּהָ בִּנְיָמִן לְגַבֵּיהּ, דְּתֵיאוּבְתֵּיהּ הֲוָה לְגַבֵּיהּ, וְאִיהוּ לָא שָׁבַק לַאֲחוֹי לְמִנְפַּל, דְּהָא כְּתִיב וַיְצַו יוֹסֵף וַיְמַלְאוּ אֶת כְּלֵיהֶם בָּר וגו', וְכָל דָּא בְּגִין דְּלָא יִנְפְּלוּן.

קלד. ר' יְהוּדָה אָמַר, כַּד בָּרָא קֻדְשָׁא בְּרִיךְ הוּא לְסִיהֲרָא, הֲוָה אִסְתַּכַּל בָּהּ תָּדִיר, כְּדִכְתִיב, תָּמִיד עֵינֵי ה' אֱלֹהֶיךָ בָּהּ, אַשְׁגָּחוּתָא דִּילֵיהּ בָּהּ תָּדִיר, וּכְתִיב אָז רָאָהּ: דְּהָא שִׁמְשָׁא בְּאַשְׁגָּחוּתָא דִּילֵיהּ בָּהּ, אִתְנְהִיר. וַיְסַפְּרָהּ, מַאי וַיְסַפְּרָהּ, כְּמָא דְּאַתְּ אָמֵר מְקוֹם סַפִּיר אֲבָנֶיהָ.

קלה. הֱכִינָהּ: דְּאִיהִי יָתְבָא בְּתִקּוּנָא, בִּתְרֵיסַר תְּחוּמִין, מִתְפַּלְגָא בְּשַׁבְעִין קְסִירִין, אַתְקֵין לָהּ בְּשִׁבְעָה סַמְכִין עִלָּאִין, לְאִתְנַהֲרָא וּלְיַתְבָא עַל שְׁלִימוּ. וְגַם חֲקָרָהּ: לְאַשְׁגָּחָא עֲלָהּ תָּדִיר, זִמְנָא בָּתַר זִמְנָא, דְּלָא פָּסִיק לְעָלְמִין.

קלו. וּלְבָתַר אַזְהַר לֵיהּ לְבַּר נָשׁ, וַאֲמַר, וַיֹּאמֶר לָאָדָם הֵן יִרְאַת ה' הִיא חָכְמָה וְסוּר מֵרָע בִּינָה, דְּהַאי מִתְעַטְּרָא עַל תַּתָּאֵי, לְדַחֲלָא, וּלְמִנְדַּע לֵיהּ לְקֻדְשָׁא בְּרִיךְ הוּא בְּגִינָהּ. וְסוּר מֵרָע בִּינָה, בְּרִירוּ מִפְּסֹלוּתָא, דְּלָא לְמִקְרַב בַּהֲדֵיהּ, וּכְדֵין אַשְׁגָּחוּתָא דְּבִינָה, לְמִנְדַּע וּלְאִסְתַּכְּלָא בִּיקָרָא דְּמַלְכָּא עִלָּאָה.

קלז. רִבִּי יוֹסֵי קָם בְּלֵילְיָא חַד, לְאִשְׁתַּדְּלָא בְּאוֹרַיְיתָא, וַהֲוָה תַּמָּן עִמֵּיהּ חַד יוּדָאי, דְּאָעֲרַע בֵּיהּ בְּהַהוּא בֵּיתָא. פָּתַח ר' יוֹסֵי וַאֲמַר, לֹא יוֹעִילוּ אוֹצְרוֹת רֶשַׁע וּצְדָקָה תַּצִּיל מִמָּוֶת. לֹא יוֹעִילוּ אוֹצְרוֹת רֶשַׁע, אִלֵּין אִינּוּן דְּלָא מִשְׁתַּדְּלֵי בְּאוֹרַיְיתָא, וְאָזְלֵי בָּתַר מִלֵּי דְּעָלְמָא, וּלְמִכְנַשׁ אוֹצְרִין דְּחִיוּבָא, מַה כְּתִיב וְאָבַד הָעֹשֶׁר הַהוּא בְּעִנְיַן רָע, בְּגִין דְּאִינּוּן אוֹצְרוֹת רֶשַׁע.

קלח. וּצְדָקָה תַּצִּיל מִמָּוֶת, אִלֵּין דְּמִשְׁתַּדְּלֵי בְּאוֹרַיְיתָא, וְיָדְעִין אוֹרְחָהָא לְאִשְׁתַּדְּלָא בָּהּ, דְּהָא אוֹרַיְיתָא עֵץ חַיִּים אִקְרֵי, וְאִתְקְרִיאַת צְדָקָה, דִּכְתִיב וּצְדָקָה תִּהְיֶה לָּנוּ. דָּבָר

אחר, וצדקה תציל ממות, דא צדקה ממש, ובתרין גוונין איהו, ובתרין סטרין, קרי ביה אורייתא, וקרי ביה צדקה, וכלא חד.

קלט. אמר ההוא יודאי, וקרי ביה שלום, אמר רבי יוסי, הכי הוא ודאי דאקרי שלום. קם ההוא יודאי, ואשתתף בהדיה, פתח ההוא יודאי ואמר, עובד אדמתו ישבע לחם ומרדף רקים ישבע ריש. האי קרא קשיא, וכי שלמה מלכא דאיהו חכים מכל בני עלמא, היך אמר דישתדל בר נש למפלח ארעא, ולאשתדלא אבתריה, וישבוק חיי עלמא.

קמ. אלא רזא איהו. פתח ואמר, ויקח ה' אלקים את האדם וינחהו בגן עדן לעבדה ולשמרה, ואוקמוה ברזא דקרבנין איהו. ת"ח, לעבדה: דא מלכא עלאה. ולשמרה: דא מלכא תתאה. עלמא עלאה, ועלמא תתאה. לעבדה ברזא דזכור, ולשמרה ברזא דשמור.

קמא. ובג"כ, עובד אדמתו דא גן עדן, דאצטריך למעבד ולמפלח, ולאמשכא לה ברכאן מלעילא, וכד אתברכא ואתמשכא לה ברכאן מלעילא, איהו נמי אתברך בהדה. ת"ח, דכהנא דמברך, מתברך. כד"א ואני אברכם. ובגין כך, עובד אדמתו ישבע לחם, דא הוא מזונא דלעילא. ומרדף רקים: מאן דיתדבק בסטרא אחרא, דאיהו מרדף רקים. ישבע ריש ודאי. אמר רבי יוסי, זכאה אנת, דזכית להאי מלה.

קמב. תו פתח ואמר קרא אבתריה, איש אמונות רב ברכות, דא הוא בר נש, דמהימנותא דקב"ה ביה, כגון רבי ייסא סבא, דאע"ג דהוה ליה מיכלא דההוא יומא למיכל, לא הוה מתקין ליה, עד דשאיל מזוניה קמי מלכא קדישא, לבתר דצלי צלותיה, ושאיל מזוניה קמי מלכא, כדין הוה מתקין, והוה אמר תדיר, לא נתקין, עד דינתנון מבי מלכא.

קמג. ואץ להעשיר לא ינקה, בגין דלא בעא לאשתדלא באורייתא, דאיהי חיין דעלמא דין, וחיין דעלמא דאתי, השתא דאיהי שעתא לאשתדלא באורייתא, נשתדל.

קמד. פתח ההוא גברא ברזא דחלמא ואמר, ויזכור יוסף את החלומות אשר חלם להם וגו'. ויזכור יוסף את החלומות, וכי יוסף אמאי אדכר לון אינון חלומות דחלם להו. ומה סגיא ליה אלו לא אדכר להו, דהא יוסף חכים הוה, וכתיב כל ערום יעשה בדעת וכסיל יפרש אולת.

קמה. אבל, כיון דחמא דאינון אתו, וסגדי ליה אפין על ארעא, כדין אדכר ממה דחלם להו, כד הוה עמהון, דכתיב והנה קמה אלמתי וגם נצבה והנה תסבינה אלמותיכם ותשתחוין לאלמתי, בשעתא דחמא דכרעין אחוי קמיה, דכתיב ויבאו אחי יוסף וישתחוו לו אפים ארצה, כדין ויזכור יוסף את החלומות אשר חלם, דהא חלמא דהוו קיימי.

קמו. תו, ויזכור יוסף את החלומות אשר חלם, אדכר לון, בגין דלית נשיו קמי קב"ה, דהא חלמא דאיהו טבא, בעי ב"נ לאדכרא ליה, דלא יתנשי, וכדין אתקיים, דהא כמה דאתנשי קמיה דבר נש, הכי אתנשי עליה.

קמז. ת"ח, חלמא דלא אתפשר, כאגרתא דלא מתקריא, ות"ח, בגין דלא אדכר, כמאן דלא ידע ליה, ועל דא, מאן דאתנשי מניה חלמא, ולא ידע ליה, לא קיימא עליה לאתקיימא, ובגין דא, יוסף הוה דכיר חלמיה, בגין דלא יתנשי חלמא

מניה לעלם, והוה מוחכה ליה תדיר. ויאמר אליהם מרגלים אתם, איהו דכיר חלמא, אבל מלה לא אמר לון, אלא מרגלים אתם.

קמז. פתח ר' יוסי ואמר, כי בא החלום ברוב ענין וקול כסיל ברוב דברים. כי בא החלום ברוב ענין, הא אוקמוה דכמה אינון סמיכין בחלמא, ומבמנן דרגין על דרגין, עד דחלמין מנהון קשוט כלהו, ומנהון דאית בהון קשוט וכדיבו. אבל לאינון זכאי קשוט, לא אתגלי לון מלין כדיבן כלום אלא כלהו קשוט.

קמט. ת"ח, דניאל מה כתיב ביה, אדין לדניאל בחזוא די ליליא. רזא גלי, וכתיב דניאל חלם חזה וחזוי ראשה על משכביה באדין חלמא כתב. ואי אית ביה מלין כדיבן, אמאי איכתיב בין כתובים. אלא אינון זכאי קשוט, בשעתא דנשמתהון סלקין, לא מתחברן בהו, אלא מלין קדישין, דאודעין ליה מלי דקשוט, מלין קיימן, דלא משקרן לעלמין.

קנ. ואי תימא, הא תנן, דדוד מלכא, לא חמא חלמא טבא, הא אשתמע דהוה חמי דוד מלין דלא קשוט. אלא ודאי, כל יומוי הוה משתדל לאושדא דמין, ואגח קרבין, וכל חלמוי לא הוו, אלא חלמין בישין, וחורבא ושוממותא ודמא ואושידו דדמין, ולא חלמא דשלם.

קנא. ואי תימא, לבר נש טב אחזיאו ליה חלמא בישא, הכי הוא ודאי, כל אינון בישין דזמינין לאתדבקא, על אינון דעברי על פתגמי דאורייתא, ואינון עונשין דזמינין לאתענשא בההוא עלמא, כלהו חמי, בגין דבכל שעתא יהא דחילו דמריה עליה, והא אתערו, דכתיב והאלקים עשה שייראו מלפניו, זה חלום רע. ועל דא, לההוא זכאה, אחזיו ליה חלמא בישא, כמה דאתמר.

קנב. ת"ח, דהא תנינן, דההוא בר נש, דחמי חלמא, בעי ליה למפתח פומיה ביה, קמי בני נשא דרחמי ליה, בגין דיסתלק רעותא דלהון לגביה לטב, ויפתחון פומייהו לטב, וישתכח רעותא ומלה כלא לטב. רעותא דאיהי מחשבה, שרותא דכלא, ומלה דאיהי סיומא דכלא. ועל דא אשתכח דהא שלימו איהו ברזא עלאה, ובגין כך אתקיים כלא, ובעינן רוזמין דבר נש לאתקיימא בההוא פשרא טבא, וכלא איהו כדקא יאות.

קנג. ובגין כך, קב"ה אודע ליה לבר נש, כל חד וחד, בההוא דרגא דיליה, כמה דאיהו, ובההוא גוונא דכל חד וחד אמר דיהא חלמא. אמר ההוא יודאי, ודאי דחלמא לאו איהו אלא לבר נש זכאה, דאיהו חמא חלמא כדקא חזי.

קנד. ות"ח, דכד בר נש נאים על ערסיה, נשמתיה נפקא ושטיא בעלמא לעילא, ועאלת באתרא דעאלת, וכמה חבילי טהירין, קיימין ואזלין בעלמא, ופגעין בה בההיא נשמתא, אי זכאה היא, סלקא לעילא וחמאת מה דחמאת, ואי לאו, אתאחדת בההוא סטרא, ומודיעין לה מלין כדיבן, או מלין דזמינין למיתי לזמן קריב, וכד אתער ההיא נשמתא דביה, איהי מודעא ליה מה דחמאת.

קנה. ועל דא, לבר נש דלאו איהו זכאה, מודיעין ליה חלמא טבא, דלאו איהו קשוט, כלא בגין לאסטאה ליה, מההוא ארח קשוט, כיון דאיהו אסטי אורחיה מארח קשוט, מסאבין ליה. דכל מאן דאתי לאתדכאה, מדכאין ליה, ומאן דאתי לאסתאבא, מסאבין ליה, הא ודאי אתמר הכי.

קנו. יתבו עד דסליק צפרא, אמר רבי יוסי, ודאי לא זכר שמיה דיוסף, באינון דגלים,

דִּכְתִיב דֶּגֶל מַחֲנֵה אֶפְרַיִם, וְלָא כְּתִיב דֶּגֶל מַחֲנֵה יוֹסֵף, בְּגִין דְּאִתְגָּאֵי עַל אֲחוֹי, וְהָא אִתְּמַר.

קנז. אָמַר הַהוּא יוּדָאי, וַדַּאי שְׁמַעְנָא, דְּיוֹסֵף אִיהוּ בְּעָלְמָא דִּדְכוּרָא, וְכֻלְּהוּ שִׁבְטִין בְּעָלְמָא דְּנוּקְבָא אִינּוּן, וְעַל דָּא לָא אִתְכְּלִיל יוֹסֵף עִמְּהוֹן, בְּגִין דְּאִיהוּ בְּעָלְמָא דִּדְכוּרָא עִמְּהוֹן.

קנח. מַה כְּתִיב, כֻּלָּנוּ בְּנֵי אִישׁ אֶחָד נָחְנוּ, נַחְנוּ, אֲנַחְנוּ מִבָּעֵי לֵיהּ. אַמַּאי חָסֵר א'. אֶלָּא, בְּגִין דְּרָזָא דִּבְרִית לָא אִשְׁתַּכַּח עִמְּהוֹן, אִסְתַּלַּק מִתַּמָּן א', דְּהָא א' דְּכוּרָא אִיהוּ, וְעַל דָּא ב' אִיהִי נוּקְבָא, א' דְּכוּרָא. וּבְגִין דָּא, אִסְתַּלַּק א' מִתַּמָּן, וְאִשְׁתְּאָרוּ אִינּוּן נוּקְבֵי, לְגַבֵּי שְׁכִינְתָּא.

קנט. וּלְבָתַר אֲמָרוּ, כֵּנִים אֲנַחְנוּ, אִתּוֹסַף א', אֲמָרוּ וְלָא יָדְעֵי מַה קָאֲמָרוּ, בְּגִין דְּיוֹסֵף אִשְׁתַּכַּח תַּמָּן, וְאַשְׁלִימוּ מִלָּה, וַאֲמָרוּ אֲנַחְנוּ, מְנָלָן, דִּכְתִיב וַיֹּאמְרוּ שְׁנֵים עָשָׂר עֲבָדֶיךָ אַחִים אֲנַחְנוּ, וְיוֹסֵף אִיהוּ בְּחוּשְׁבְּנָא, כַּד עָאל בְּחוּשְׁבְּנָא, אֲמָרוּ אֲנַחְנוּ, וְכַד לָא עָאל בְּחוּשְׁבְּנָא, אֲמָרוּ נַחְנוּ.

קס. אָמַר רִבִּי יוֹסֵי, כָּל הָנֵי מִלִּין דְּקָאֲמָרָן הָכָא, קב"ה אִתְרְעֵי בְּהוּ, דְּהָא שְׁכִינְתָּא לָא אַעֲדֵי מֵהָכָא, כִּדְכְתִיב אָז נִדְבְּרוּ יִרְאֵי יְיָ' אִישׁ אֶל רֵעֵהוּ וַיַּקְשֵׁב יְיָ' וַיִּשְׁמָע וַיִּכָּתֵב סֵפֶר זִכָּרוֹן לְפָנָיו לְיִרְאֵי יְיָ' וּלְחוֹשְׁבֵי שְׁמוֹ.

קסא. וַיֶּאֱסֹף אוֹתָם אֶל מִשְׁמָר שְׁלֹשֶׁת יָמִים. אָמַר רִבִּי אֶלְעָזָר, הָנֵי תְּלַת יוֹמִין אַמַּאי. אֶלָּא הָנֵי תְּלַת יוֹמִין, לָקֳבֵיל תְּלַת יוֹמִין דִּשְׁכֶם, דִּכְתִיב וַיְהִי בַיּוֹם הַשְּׁלִישִׁי בִּהְיוֹתָם כֹּאֲבִים.

קסב. ת"ח מַה כְּתִיב בֵּיהּ, וַיֹּאמֶר אֲלֵיהֶם יוֹסֵף בַּיּוֹם הַשְּׁלִישִׁי זֹאת עֲשׂוּ וִחְיוּ. לְאַחֲזָאָה, דָּא עָבַד אִיהוּ, כְּמָה דְּאִינּוּן עָבְדוּ בִּשְׁכֶם, דִּגְרָמוּ לְאַנְשֵׁי שְׁכֶם לְקַבְּלָא עֲלַיְיהוּ הַאי זֹאת, רָזָא דִּבְרִית, וּלְבָתַר דַּעֲבָדוּ קִיּוּמָא דָּא, קְטִילוּ לוֹן, וְלָא אִשְׁתְּאַר מִנְּהוֹן חַד, וְאִיהוּ מַה כְּתִיב, זֹאת עֲשׂוּ וִחְיוּ, מ"ט בְּגִין דְּאֶת הָאֱלֹקִים אֲנִי יָרֵא, נָטִיר קְיָימָא, וְכָל גִּלְגּוּלָא דָּא לָא הֲוָה, אֶלָּא בְּגִינֵיהּ דְּבִנְיָמִין.

קסג. וַיֹּאמְרוּ אִישׁ אֶל אָחִיו אֲבָל אֲשֵׁמִים אֲנַחְנוּ עַל אָחִינוּ וגו'. וַיֹּאמְרוּ אִישׁ אֶל אָחִיו: דָּא שִׁמְעוֹן וְלֵוִי, כְּמָה דַּהֲוָה בְּקַדְמֵיתָא, דִּכְתִיב וַיֹּאמְרוּ אִישׁ אֶל אָחִיו הִנֵּה בַּעַל הַחֲלֹמוֹת הַלָּזֶה בָּא, מַה לְהַלָּן שִׁמְעוֹן וְלֵוִי, אוּף הָכָא שִׁמְעוֹן וְלֵוִי.

קסד. תָּא חֲזֵי, מַאן אִישׁ. וּמַאן אָחִיו. אֶלָּא אִישׁ: דָּא שִׁמְעוֹן, כְּתִיב הָכָא אִישׁ, וּכְתִיב הָתָם וְהִנֵּה אִישׁ מִבְּנֵי יִשְׂרָאֵל בָּא, מַה לְהַלָּן מִשִּׁמְעוֹן, אוּף הָכָא נָמֵי שִׁמְעוֹן. וּבְגִין דְּאַהֲדַר בִּתְשׁוּבָה, בָּכָה וְאִתְנְחַם עַל דָּא, וַאֲמַר לְלֵוִי, אֲבָל אֲשֵׁמִים אֲנַחְנוּ, עַל דָּא אִתְבְּנֵי מַזָּלֵיהּ שׁוֹר, כְּגַוְונָא דְּמַזָּלֵיהּ דְּיוֹסֵף שׁוֹר, דִּכְתִיב בְּכוֹר שׁוֹרוֹ הָדָר לוֹ, וּמַזָּלֵיהּ דְּשִׁמְעוֹן שׁוֹר אִיהוּ.

קסה. וְעַל דָּא וַיִּקַּח מֵאִתָּם אֶת שִׁמְעוֹן, בְּגִין דְּלָא יְקַטְרֵג בַּהֲדֵיהּ דְּלֵוִי, בְּגִין דְּשִׁמְעוֹן וְלֵוִי, כַּד מִתְחַבְּרָן תַּרְוַויְהוּ, יָכְלֵי לְקַטְרְגָא. וַיֶּאֱסֹר אוֹתוֹ לְעֵינֵיהֶם, הָא אוֹקְמוּהָ, לְעֵינֵיהֶם אֲסָרוֹ, וּלְבָתַר דְּנָפְקוּ הֲוָה מַאֲכִיל לֵיהּ, וּמַשְׁקֵי לֵיהּ.

קסו. וְאִי תֵּימָא דִּרְעוּתָא דְּיוֹסֵף אִיהוּ, בְּגִין דִּכְתִיב אִם רָעֵב שׂוֹנַאֲךָ הַאֲכִילֵהוּ לָחֶם וְאִם צָמֵא הַשְׁקֵהוּ מָיִם, אִי הָכֵי יוֹסֵף דְּאִיהוּ זַכָּאָה, הֵיכִי עָבִיד הָכֵי, דְּהָא כְּתִיב כִּי גֶחָלִים אַתָּה חוֹתֶה עַל רֹאשׁוֹ וַיְיָ' יְשַׁלֶּם לָךְ.

קסז. אֶלָּא, ח"ו דְּיוֹסֵף לְהָכֵי הוּא דְּחָיֵישׁ, אֶלָּא כְּבַר נָשׁ לַאֲחוֹי, הָכֵי נָמֵי הֲוָה עָבִיד,

אִתְנְהִיג עִמֵּיהּ בְּאַחֲוָה, וְלָא בְּגַוְונָא אָחֳרָא, וְלָא עִמֵּיהּ בִּלְחוֹדוֹי, אֶלָּא עִם כָּל אֲחוֹי, כְּמָה דִכְתִיב וַיְצַו יוֹסֵף וַיְמַלְאוּ אֶת כְּלֵיהֶם בָּר וּלְהָשִׁיב כַּסְפֵּיהֶם אִישׁ אֶל שַׂקּוֹ וְלָתֵת לָהֶם צֵדָה לַדָּרֶךְ וַיַּעַשׂ לָהֶם כֵּן, בְּגִין לְאַנְהָגָא עִמְּהוֹן בְּאַחֲוָה.

קסוז. רִבִּי יוֹסֵי פָּתַח וַאֲמַר, אִם שְׁלֵמִים וְכֵן רַבִּים וְכֵן נָגֹזּוּ וְעָבָר וְעִנִּיתִךְ לֹא אֲעַנֵּךְ עוֹד, הַאי קְרָא אוֹקְמוּהָ, דְּכַד עַמָּא כֻּלְּהוּ אִית בְּהוּ שְׁלָם, וְלָא אִית בְּהוּ מָארֵי דְּדָבוֹ, קֻבְּ"ה חָיֵיס עֲלַיְיהוּ, וְדִינָא לָא שָׁלְטָא בְּהוּ, וְאַעְ"ג דְּכֻלְּהוּ פָּלְחֵי לְכוּ"ם, וְאִינוּן בִּשְׁלָם, דִּינָא לָא שַׁלִּיט עֲלַיְיהוּ, וְאוֹקְמוּהָ דִּכְתִיב חֲבוּר עֲצַבִּים אֶפְרַיִם הַנַּח לוֹ.

קסט. וְכֵן נָגֹזּוּ וְעָבָר, מַאי וְכֵן נָגֹזּוּ, וְנָגֹזּוּ מִבָּעֵי לֵיהּ. אֶלָּא, דָּא הוּא רֵישָׁא דִּקְרָא דְּאִיהוּ שְׁלָם, אוּף הָכָא שְׁלָם, וּמַאי אִיהוּ, דָּא צְדָקָה, בְּגִין דִּצְדָקָה דָּא הוּא שָׁלוֹם, וּמַאן דְּאַסְגֵּי בִּצְדָקָה, אַסְגֵּי שְׁלָם לְעֵילָּא, וְאַסְגֵּי שְׁלָם לְתַתָּא, וּבְגִין כָּךְ נָגֹזּוּ וְעָבָר, דְּגָזֵי מִמּוֹנְהוֹן בִּצְדָקָה. וְעָבָר, וְעָבְרוּ מִבָּעֵי לֵיהּ, מַאי וְעָבָר. אֶלָּא דָּא הוּא דִּינָא דְּרוּגְזָא, כְּד"א עַד יַעֲבָר זָעַם, עָבַר דִּינָא מֵעֲלַיְיהוּ.

קע. ד"א, כֹּה אָמַר יְיָ' אִם שְׁלֵמִים, אִלֵּין יִשְׂרָאֵל, דְּקֻבְּ"ה יָהַב לוֹן בְּרִית קַיָּימָא לְנַטְרָא לֵיהּ תָּדִיר, וּלְמֶהֱוֵי בֵּיהּ בַּר נָשׁ שְׁלִים בְּכָל סִטְרִין לְעֵילָּא וְתַתָּא. וְאִי לָא נָטִיר לֵיהּ בַּר נָשׁ תָּדִיר, הָא אִיהוּ פָּגִים, פָּגוּם בְּכֹלָּא, מְנָלָן, דִּכְתִיב הִתְהַלֵּךְ לְפָנַי וֶהְיֵה תָמִים, מַאי תָּמִים. שְׁלִים. דְּעַד לָא אִתְקַיַּים בֵּיהּ בְּרִית, אִיהוּ פָּגִים.

קעא. וּבְגִין כָּךְ אִם שְׁלֵמִים וְכֵן רַבִּים, אִם שְׁלֵמִים דְּנָטְרֵי פִּקּוּדָא דָּא, לְמֶהֱוֵי שְׁלֵימִין, דְּלָא יְהוֹן פְּגִימִין, וְכֵן רַבִּים: יִפְשׁוּן וְיִסְגּוּן בֵּיהּ, בְּגִין דְּנִשְׁמָתִין לָא נָפְקֵי לְעַלְמָא, אֶלָּא בְּהַאי בְּרִית. וְכֵן נָגֹזּוּ, הַאי אִם שְׁלֵמִים דְּנָטְרֵי לֵיהּ תָּדִיר, נָגֹזּוּ מַאן דְּאִתְגְּזַר וְקַבֵּל עֲלֵיהּ קְיָימָא דָּא. וְעָבָר, מַאי וְעָבָר. הַהוּא זוּהֲמָא דְּעָרְלָה, דַּהֲוָה בֵּיהּ בְּקַדְמֵיתָא.

קעב. ד"א כֹּה אָמַר יְיָ' אִם שְׁלֵמִים וְכֵן רַבִּים, אִלֵּין בְּנֵי יַעֲקֹב, דְּהָא כָּל זִמְנָא דַּהֲווֹ לְגַבֵּיהּ דְּיוֹסֵף, אִינוּן שְׁלֵמִים, דְּקַיְּימֵי בַּהֲדֵיהּ דִּבְרִית. וְכֵן נָגֹזּוּ, דְּאָזְלוּ וְשָׁבְקוּ לֵיהּ לְיוֹסֵף וּלְשִׁמְעוֹן. וְעָבָר, כְּדֵין דִּינָא שַׁרְיָא בְּגִינַיְיהוּ, כְּד"א וְעָבַר יְיָ' לִנְגּוֹף אֶת מִצְרַיִם.

קעג. ת"ח, אִית דִּינָא קַשְׁיָא, וְאִית דִּינָא רַפְיָא. דִּינָא קַשְׁיָא תַּקִּיף, דִּינָא רַפְיָא וַחֲלָשׁ, וְכַד יָנְקָא הַאי דִּינָא רַפְיָא, מִדִּינָא קַשְׁיָא, כְּדֵין אִתְתַּקַּף, וְאִיהוּ תַּקִּיף.

קעד. בְּשַׁעְתָּא דְּאִתְעֲבֵיד דִּינָא עַל יִשְׂרָאֵל, אִתְעֲבֵיד בְּהַאי דִּינָא רַפְיָא, וְלָא אִתְתַּקַּף בְּהַהוּא דִּינָא קַשְׁיָא, וְכַד דִּינָא אִתְעֲבֵיד עֲלַיְיהוּ דְּעַמִּין עעכו"ם, אִתְתַּקַּף הַאי דִּינָא רַפְיָא, בְּדִינָא קַשְׁיָא דִּלְעֵילָּא, בְּגִין לְאִתְתַּקְּפָא, הה"ד, וְעָבַר ה' לִנְגּוֹף אֶת מִצְרַיִם. וְעָבַר: דְּאִתְמְלֵי עֶבְרָה וָזַעַם, וְאִתְתַּקַּף בְּדִינָא קַשְׁיָא, אוּף הָכָא וְעָבָר. וְת"ח, בְּשַׁעְתָּא דְּמִתְכַּנְּשֵׁי עֲשָׂרָה בְּבֵי כְּנִישְׁתָּא, וְחַד מִנַּיְיהוּ אִשְׁתְּמִיט, כְּדֵין קוּדְשָׁא בְּרִיךְ הוּא אַרְגִּיז עֲלֵיהּ.

קעה. ד"א וְכֵן נָגֹזּוּ, כַּד מִתְעַבְּרֵי מִנַּיְיהוּ אִינוּן עוֹבָדִין בִּישִׁין, כְּדֵין וְעָבָר, מַאי וְעָבָר, ר' שִׁמְעוֹן אֲמַר בְּזִמְנָא דְּנִשְׁמָתָא נָפְקַת מֵהַאי עַלְמָא, בְּכַמָּה דִּינִין אִתְדָּנַת, עַד לָא תֵּיעוֹל לְאַתְרָהּ, לְבָתַר, כָּל אִינוּן נִשְׁמָתִין אִית לוֹן לְמֶעֱבַר, בְּהָהוּא נְהַר דִּינוּר דְּנָגִיד וְנָפִיק, וּלְאִסְתַּחֲאָה תַּמָּן, וּמַאן אִיהוּ דְּיָקוּם תַּמָּן, וְיַעֲבַר בְּלָא דְּחִילוּ, כְּד"א מִי יַעֲלֶה בְּהַר ה' וגו', וְנִשְׁמָתָא דְּזַכָּאָה אַעֲבַר בְּלָא דְּחִילוּ וְיָקוּם בִּמְקוֹם קָדְשׁוֹ.

קעו. וּמַאן דְּאִשְׁתַּדַּל בִּצְדָקָה בְּהַאי עַלְמָא, וְיָהֵיב מִמָּמוֹנֵיהּ בִּצְדָקָה, כְּדֵין וְעָבַר בְּהַהוּא אֲתַר, וְלָא דָּחִיל, וְכָרוֹזָא קָרֵי לָהּ לְהַהִיא נִשְׁמָתָא, וְעִנִּיתִךְ לֹא אֲעַנֵּךְ עוֹד, מַאן דְּזָכָה לְמֶעֱבַר בְּהַאי, לֵית לֵיהּ דִּינָא יַתִּיר כְּלָל.

קעז. תָּא חֲזֵי, כָּל דָּא דְּיוֹסֵף עִם אֲחוֹי, וְכָל הָנֵי מִילֵּי, אַמַּאי אִצְטְרִיךְ, אֶלָּא אוֹרַיְיתָא

דקשוט, איהי אורייתא, וכל ארחהא ארחין קדישין, ולית לך מלה באורייתא דלאו אית בה רזין עלאין וקדישין, וארחין לבני נשא לאתתקפא בהו.

קעח. פתח ואמר, אל תאמר אשלמה רע וגו'. תא חזי, קב"ה עביד ליה לבר נש, לאתתקפא בה באורייתא, ולמיהך בארח קשוט, ולסטר ימינא, ולא יהך לסטר שמאלא. ובגין דבעי להו למיהך לסטר ימינא, אית לון לאסגאה רחימו דא עם דא, ולא יהא דבבו דא עם דא, בגין דלא לאכחשא ימינא, דאיהו אתר דישראל מתדבקן ביה.

קעט. ותא חזי, בג"כ איהו יצר טוב ויצר רע, וישראל בעיין לאתתקפא ליצר טוב על יצר רע, באינון עובדין דכשרן, ואי סטי בר נש לשמאלא, כדין אתתקף יצר רע על יצר טוב, ומאן דהוה פגים, אשלים ליה בחטאוי, דהא לא אשתלים דא מנוולא, אלא בחטאין דבני נשא.

קפ. ובג"כ בעי בר נש לאזדהרא, דלא ישתלים ההוא יצר רע בחטאוי, ויסתמר תדיר, דהא יצר טוב בעי לאשלמא ליה בשלימות תדיר, ולא יצר הרע. ובגין כך אל תאמר אשלמה רע קוה אל ה' ויושע לך.

קפא. ד"א אל תאמר אשלמה רע, כדכתיב ומשלמי רעה תחת טובה, למען דשלים ליה טובה, דלא ישלים ליה רע, בגין דכתיב משיב רעה תחת טובה לא תמוש רעה מביתו, אפילו למאן דאשלימו ליה בישין, לא אית ליה לאשלמא בישא, וזלף ההוא בישו דשלימו ליה, אלא קוה לה' ויושע לך.

קפב. והאי קרא אוקמוה, ביוסף זכאה, דלא בעא לאשלמא בישא לאחוי, בשעתא דנפלו בידוי. קוה לה' ויושע לך, בגין דהוא הוה דחיל לקב"ה, דכתיב זאת עשו וחיו וגו', ואיהו תדיר הוה מחכה לקב"ה.

קפג. ר' אבא פתח ואמר, מים עמוקים עצה בלב איש ואיש תבונה ידלנה. מים עמוקים עצה בלב איש, דא קב"ה, בגין דאיהו עביד עצות, דאייתי טעמין לגלגלא גלגולין על עלמא על ידא דיוסף, לקיימא ההוא גזרה, דגזר כפנא על ארעא. ואיש תבונה ידלנה, דא יוסף, דגלי אינון עמיקין, דגזר קודשא בריך הוא על עלמא.

קפד. ת"ח, יוסף לא די ליה דאיהו לא שלים בישא לאחוי, אלא דעבד עמהון טיבו וקשוט, וכך ארחיהון דזכאי תדיר, בגין דא קב"ה חייס עלייהו תדיר, בעלמא דין ובעלמא דאתי.

קפה. מים עמוקים עצה בלב איש, דא יהודה, והא אוקמוה, בשעתא דאתקריב לגביה דיוסף, על עסקא דבנימין. ואיש תבונה ידלנה דא יוסף.

קפו. ר' אבא הוה יתיב אתרעא דאבבא דלוד, חמא חד בר נש דהוה אתי, ויתיב בחד קולטא דתלא דארעא, והוה לאי מארחא, ויתיב ונאים תמן, אדהכי חמי חד חויא, דהוה אתי לגביה, נפק קוסטפא דגורדנא, וקטיל ליה לחויא. כד אתער ההוא בר נש, חמא ההוא חויא לקבליה, דהוה מית, אזדקף ההוא בר נש, ונפל ההוא קולטא לעומקא דתחותוי ואשתזיב.

קפז. אתא ר' אבא לגביה, א"ל אימא לי מאן עובדך, דהא קב"ה רחיש לך אלין תרין נסין, לאו אינון למגנא.

קפח. א"ל ההוא בר נש, בכל יומאי לא אשלים לי בר נש בישא בעלמא, דלא אתפייסנא בהדיה, ומחילנא ליה. ותו, אי לא יכילנא לאתפייסא בהדיה, לא סליקנא לערסי, עד דמחילנא ליה, ולכל אינון דמצערו לי, ולא חיישנא כל יומא לההוא בישא

דְּאַשְׁלִים לִי. וְלָאו דַּי לִי דָּא, אֶלָּא דְּמֵהַהוּא יוֹמָא וּלְהָלְאָה, אִשְׁתַּדְּלְנָא לְמֶעְבַּד עִמְּהוֹן טָבָא.

קפט. בָּכָה ר' אַבָּא וַאֲמַר, יַתִּיר עוֹבָדוֹי דְּדֵין מִיּוֹסֵף, דְּיוֹסֵף הֲווֹ אֲחוֹי וַדַּאי, וַהֲוָה לֵיהּ לְרַחֲמָא עֲלוֹי, אֲבָל מַה דַּעֲבֵיד דָּא, יַתִּיר הוּא מִיּוֹסֵף, יָאוּת הוּא דְּקוּדְשָׁא בְּרִיךְ הוּא יְרַחֵישׁ לֵיהּ נִיסָּא עַל נִיסָּא.

קצ. פָּתַח וַאֲמַר, הוֹלֵךְ בַּתֹּם יֵלֶךְ בֶּטַח וּמְעַקֵּשׁ דְּרָכָיו יִוָּדֵעַ. הוֹלֵךְ בַּתּוֹם יֵלֶךְ בֶּטַח, דָּא הַהוּא בַּר נָשׁ, דְּאָזִיל בְּאָרְחִין דְּאוֹרַיְיתָא. יֵלֶךְ בֶּטַח, דְּלָא יָכִילוּ נִזְקֵי דְּעַלְמָא לְאַבְאָשָׁא לֵיהּ. וּמְעַקֵּשׁ דְּרָכָיו יִוָּדֵעַ, מַאן יִוָּדֵעַ. דָּא הוּא מַאן דְּאַסְטֵי מֵאָרְחָא דִּקְשׁוֹט, וּבָעֵי גַּבֵּי דְּחַבְרֵיהּ. יִוָּדֵעַ, מַהוּ יִוָּדֵעַ: יִשְׁתְּמוֹדַע אִיהוּ בְּעֵינַיְיהוּ דְּכָל מָארֵי דְּדִינָא, דְּלָא יִתְאֲבֵיד מִנַּיְיהוּ דְּיוֹקְנָא דְּהַהוּא בַּר נָשׁ, בְּגִין לְאַיְיתָאָה לֵיהּ לְאַתְרָא דְּיִנְקְמוּן מִנֵּיהּ, וּבְגִין כָּךְ יִוָּדֵעַ.

קצא. וְתָא וַחֲזֵי, הַהוּא דְּאָזִיל בְּאֹרַח קְשׁוֹט, קב"ה חָפֵי עֲלֵיהּ, בְּגִין דְּלָא אִתְיְדַע, וְלָא אִשְׁתְּמוֹדַע, לְגַבֵּי מָארֵיהוֹן דְּדִינָא, אֲבָל מְעַקֵּשׁ דְּרָכָיו יִוָּדֵעַ, וְיִשְׁתְּמוֹדַע לְגַבַּיְיהוּ. זַכָּאִין אִינּוּן בְּנֵי נָשָׁא דְּאָזְלֵי בְּאֹרַח קְשׁוֹט, וְאָזְלֵי לְרוּחְצָן עַל עַלְמָא, דְּלָא דָּחֲלֵי אִינּוּן בְּעַלְמָא דֵּין, וְלָא בְּעַלְמָא דְּאָתֵי.

קצב. וַיִּירְאוּ הָאֲנָשִׁים כִּי הוּבְאוּ בֵּית יוֹסֵף. ר' יוֹסֵי אֲמַר, וַוי לוֹן, לִבְנֵי נָשָׁא, דְּלָא יָדְעֵי וְלָא מִסְתַּכְּלִין בְּאָרְחֵי דְּאוֹרַיְיתָא, וַוי לוֹן, בְּשַׁעְתָּא דְּקב"ה יֵיתֵי לְמִתְבַּע לוֹן דִּינָא עַל עוֹבָדֵיהוֹן, וְיֵקוּם גּוּפָא וְנַפְשָׁא, לְמֵיהַב חוּשְׁבְּנָא מִכָּל עוֹבָדֵיהוֹן, עַד לָא יִתְפָּרְשׁוּן נַפְשָׁא מִן גּוּפָא.

קצג. וְהַהוּא יוֹמָא, יוֹמָא דְּדִינָא אִיהוּ, יוֹמָא דְּסִפְרִין פְּתִיחָן, וּמָארֵיהוֹן דְּדִינָא קָיְימִין, בְּגִין דְּהַהוּא זִמְנָא קַיְּימָא נָחָשׁ בְּקִיּוּמֵיהּ, לְנַשְׁכָא לֵיהּ, וְכָל שַׁיְיפֵי מִתְרַגְּשִׁין לְגַבֵּיהּ, וְנִשְׁמָתָא אִתְפָּרְשָׁא מִן גּוּפָא, וְאָזְלָא וְשַׁטְיָא, וְלָא יָדְעַת לְאָן אָרְחָא תְּהַךְ, וּלְאָן אֲתַר סַלְקִין לָהּ.

קצד. וַוי לְהַהוּא יוֹמָא, יוֹמָא דְּרוּגְזָא וְנָאִיצוּ הַהוּא יוֹמָא, בְּגִ"כ אִבָּעֵי לֵיהּ לְבַ"נ, לְאַרְגָּזָא יִצְרֵיהּ כָּל יוֹמָא, לְאַדְכָּרָא קַמֵּיהּ הַהוּא יוֹמָא, דְּיֵיקוּם בְּדִינָא דְּמַלְכָּא, דְּקָא עָאלִין לֵיהּ תְּחוֹת אַרְעָא לְאִתְרַקְּבָא, וְנִשְׁמָתָא אִתְפָּרְשָׁא מִנֵּיהּ.

קצה. וּתְנַן, לְעוֹלָם יַרְגִּיז אָדָם יֵצֶר טוֹב עַל יֵצֶר הָרָע, וְיִשְׁתַּדֵּל אֲבַתְרֵיהּ, אִי אָזֵיל מִנֵּיהּ יָאוּת, וְאִי לָאו יִשְׁתַּדֵּל בְּאוֹרַיְיתָא, דְּהָא לֵית לָךְ מִלָּה לְתַבְרָא יֵצֶר הָרָע אֶלָּא אוֹרַיְיתָא. אִי אָזֵיל מוּטָב, וְאִי לָאו יַדְכַּר לֵיהּ יוֹמָא דְּמוֹתָא, בְּגִין לְתַבְרָא לֵיהּ.

קצו. הָכָא אִית לְאִסְתַּכְּלָא, דְּהָא דָּא הוּא יֵצֶר הָרָע, וְדָא הוּא מַלְאַךְ הַמָּוֶת, וְכִי מַלְאַךְ הַמָּוֶת מִתְּבַר מִקַּמֵּי יוֹמָא דְּמוֹתָא, וְהָא אִיהוּ קָטוֹלָא דִּבְנֵי נָשָׁא הֲוֵי, וְאִשְׁתְּמַע דְּחֶדְוָה הוּא דִּילֵיהּ, וּבְגִין כָּךְ אַסְטֵי לוֹן לִבְנֵי נָשָׁא תָּדִיר, בְּגִין לְאַמְשָׁכָא לוֹן לְדָא.

קצז. אֶלָּא וַדַּאי מַה דְּאִתְּמַר דְּיִדְכּוֹר לֵיהּ בַּר נָשׁ הַהוּא יוֹמָא דְּמוֹתָא, וַדַּאי הָכִי הוּא, בְּגִין דְּמִתְּבַר לִבָּא דְּבַר נָשׁ, דְּהָא יֵצֶר הָרָע לָא שַׁרְיָא, אֶלָּא בַּאֲתַר דְּאִשְׁתַּכַּח חֶדְוָה דְּחַמְרָא, וְגַסּוּתָא דְּרוּחָא, וְכַד אִשְׁתַּכַּח רוּחָא תְּבִירָא, כְּדֵין אִתְפָּרַשׁ מִנֵּיהּ, וְלָא שַׁרְיָא בַּהֲדֵיהּ, וּבְגִין כָּךְ בָּעֵי לְאַדְכָּרָא לֵיהּ יוֹמָא דְּמוֹתָא, וְיִתְּבַר גּוּפֵיהּ, וְאִיהוּ אָזֵיל לֵיהּ.

קצח. תָּא חֲזֵי, יֵצֶר טוֹב בָּעֵי חֶדְוָה דְּאוֹרַיְיתָא, וְיֵצֶר רָע חֶדְוָה דְּחַמְרָא, וְנִיאוּפִין וְגַסּוּתָא דְּרוּחָא, וּבְגִין כָּךְ בָּעֵי בַּר נָשׁ לְאַרְגָּזָא תָּדִיר, מֵהַהוּא יוֹמָא רַבָּא, יוֹמָא דְּדִינָא, יוֹמָא

דְּחוּשְׁבְּנָא, דְּלֵית לֵיהּ לְבַר נָשׁ לַאֲגָנָא עֲלֵיהּ, אֶלָּא עוֹבָדוֹי דְּכַשְׁרָן, דְּאִיהוּ עָבֵיד בְּהַאי עַלְמָא, בְּגִין דְּיָגִינוּ עֲלֵיהּ בְּהַהִיא שַׁעְתָּא.

קצט. תָּא חֲזֵי, וַיִּירְאוּ הָאֲנָשִׁים כִּי הוּבְאוּ בֵּית יוֹסֵף, וּמַה כֻּלְּהוּ הֲווֹ גִּיבָּרִין, כֻּלְּהוּ תַּקִּיפִין, וְחַד עוּלֵימָא דְּאַיְיתֵי לוֹן לְבֵיתָא דְּיוֹסֵף, דַּחֲלוּ. כַּד יֵיתֵי קוּדְשָׁא בְּרִיךְ הוּא לְמִתְבַּע לֵיהּ לְדִינָא לְבַר נָשׁ, עַל אַחַת כַּמָּה וְכַמָּה.

ר. בְּגִין כָּךְ, בָּעֵי לֵיהּ לְבַר נָשׁ, לְאִזְדַּהֲרָא בְּהַאי עַלְמָא, לְאִתְתַּקְּפָא בֵּיהּ בְּקוּדְשָׁא בְּרִיךְ הוּא, וְיַשְׁוֵי בֵּיהּ רְעוּתֵיהּ, דְּאַף עַל גַּב דְּאִיהוּ חָטֵי, אִי יֶהְדַּר מִנֵּיהּ, בִּתְיוּבְתָּא שְׁלֵימָתָא, הָא תַּקִּיף אִיהוּ, וְיִתְתַּקַּף בֵּיהּ בְּקוּדְשָׁא בְּרִיךְ הוּא, כְּאִילּוּ לָא חָטָא.

רא. דְּהָא שִׁבְטִין, בְּגִין דְּחָטוּ עַל גְּנֵיבַת יוֹסֵף, הֲווֹ דַּחֲלִין, דְּאִלְמָלֵא לָא חָטוּ, לָא הֲווֹ דַּחֲלִין כְּלַל, בְּגִין דְּחוֹבוֹי דְּבַר נָשׁ מְתַבְּרִין לִבֵּיהּ, וְלֵית לֵיהּ חֵילָא כְּלַל, מַאי טַעְמָא, דְּהָא הַהוּא יֵצֶר הַטּוֹב אִתְבַּר עִמֵּיהּ, וְלֵית לֵיהּ חֵילָא לְאִתְתַּקְּפָא עַל הַהוּא יֵצֶר הָרָע. וְעַל דָּא כְּתִיב, מִי הָאִישׁ הַיָּרֵא וְרַךְ הַלֵּבָב, הַיָּרֵא מֵחוֹבִין דְּבִידוֹי, דְּאִינּוּן תְּבִירָא דְּלִבָּא דְּבַר נָשׁ.

רב. וְתָא חֲזֵי, לְכַמָּה דָּרִין אִתְפְּרַע קוּדְשָׁא בְּרִיךְ הוּא, מֵאִינּוּן חוֹבִין דְּשִׁבְטִין, דְּהָא לָא אִתְאֲבֵיד מִקַּמֵּיהּ דְּקוּדְשָׁא בְּרִיךְ הוּא כְּלוּם, וְאִתְפְּרַע מִדָּרָא לְדָרָא, וְדִינָא קַיְּימָא קַמֵּיהּ תָּדִיר, עַד דְּאִתְפְּרַע, וְשָׁרֵי דִּינָא בַּאֲתַר דְּאִצְטְרִיךְ.

רג. מְנָלָן, מֵחִזְקִיָּהוּ. חִזְקִיָּהוּ חָב הַהוּא חוֹבָא, דְּגַלֵּי סְתִירִין דְּקוּדְשָׁא בְּרִיךְ הוּא, לִשְׁאָר עַמִּין עעכו"ם, דְּלָא הֲוָה אִצְטְרִיךְ לְגַלָּאָה, וְקוּדְשָׁא בְּרִיךְ הוּא שַׁדַּר לֵיהּ לִישַׁעְיָהוּ, וַאֲמַר לֵיהּ, הִנֵּה יָמִים בָּאִים וְנִשָּׂא כָּל אֲשֶׁר בְּבֵיתֶךָ וַאֲשֶׁר אָצְרוּ אֲבוֹתֶיךָ עַד הַיּוֹם הַזֶּה וְגוֹ'.

רד. תָּא חֲזֵי, כַּמָּה גָּרִים הַהוּא חוֹבָא, בְּגִין דְּגַלֵּי מַה דַּהֲוָה סָתִים, דְּכֵיוָן דְּאִתְגְּלֵי, אִתְיְהֵיב דּוּכְתָּא לַאֲתַר אָחֳרָא דְּלָא אִצְטְרִיךְ, לְשַׁלְטָאָה עֲלֵיהּ, בְּגִין כָּךְ לָאו בְּרָכָה שַׁרְיָא, אֶלָּא בַּאֲתַר סְתִים. וְאוּקְמוּהָ, מַה דְּאִיהוּ סָתִים, בְּרָכָה שַׁרְיָא עֲלוֹי, כֵּיוָן דְּאִתְגְּלֵי אִתְיְהֵיב דּוּכְתָּא, לַאֲתַר אָחֳרָא לְשַׁלְטָאָה עֲלוֹי.

רה. כְּתִיב כָּל מְכַבְּדֶיהָ הִזִּילוּהָ כִּי רָאוּ עֶרְוָתָהּ וְאוּקְמוּהָ. אֲבָל כָּל מְכַבְּדֶיהָ הִזִּילוּהָ, דָּא הוּא מַלְכוּת בָּבֶל, דְּהָא מִתַּמָּן אִשְׁתַּדַּר דּוֹרוֹן לִירוּשְׁלֵם דִּכְתִיב בָּעֵת הַהִיא שָׁלַח מְרוֹדַךְ בַּלְאֲדָן בֶּן בַּלְאֲדָן מֶלֶךְ בָּבֶל סְפָרִים וּמִנְחָה אֶל חִזְקִיָּהוּ.

רו. וּמַה כְּתִיב בְּהוּ, שְׁלָם לְחִזְקִיָּהוּ מֶלֶךְ יְהוּדָה, וּשְׁלָם לֶאֱלָהָא רַבָּא וּשְׁלָם לִירוּשְׁלֵם, כֵּיוָן דְּנָפַק פִּתְקֵיהּ מִנֵּיהּ, אַהֲדַר לְלִבֵּיהּ וַאֲמַר, לָא יָאוֹת עֲבַדִית לְאַקְדָּמָא שְׁלָמָא דְּעַבְדָּא, לִשְׁלָמָא דְּמָארֵיהּ, קָם מִכּוּרְסְיֵהּ, וּפָסַע ג' פְּסִיעָן, וְאַהֲדַר פִּתְקֵיהּ, וּכְתַב אָחֳרָנִין תְּחוֹתַיְיהוּ, וְכָתַב הָכֵי, שְׁלָם לֶאֱלָהָא רַבָּא, שְׁלָם לִירוּשְׁלֵם, וּשְׁלָם לְחִזְקִיָּה, וְדָא הוּא מְכַבְּדֶיהָ.

רז. וּלְבָתַר הִזִּילוּהָ, מַאי טַעְמָא הִזִּילוּהָ. בְּגִין כִּי רָאוּ עֶרְוָתָהּ, דְּאַחֲזֵי לוֹן חִזְקִיָּה, דְּאִלְמָלֵא כָּךְ לָא הִזִּילוּהָ לְבָתַר. מִגּוֹ דַּהֲוָה זַכָּאָה חִזְקִיָּהוּ יַתִּיר, אִתְעַכַּב מִלָּה מִלְּאַיְיתָאָה, וְלָא אָתָא בְּיוֹמוֹי, דִּכְתִיב כִּי יִהְיֶה שָׁלוֹם וֶאֱמֶת בְּיָמַי. וּלְבָתַר פָּקִיד הַהוּא חוֹבָא, לִבְנוֹי אֲבַתְרֵיהּ.

רח. כְּגַוְונָא דָּא, הַהוּא חוֹבָא דְּשִׁבְטִין, קָאִים עַד לְבָתַר, בְּגִין דְּדִינָא דִּלְעֵילָא, לָא יָכֵיל לְשַׁלְטָאָה עֲלַיְיהוּ, עַד דְּאִשְׁתַּכַּח שַׁעְתָּא לְאִתְפְּרָעָא, וְאִתְפְּרַע מִינַּיְיהוּ, וּבְגִין כָּךְ, כָּל מַאן דְּאִית חוֹבִין בִּידוֹי, דָּחִיל תָּדִיר, כְּדָבָר אַחֵר וּפָחַדְתְּ לַיְלָה וְיוֹמָם וְגוֹ', וְעַל דָּא וַיִּירְאוּ הָאֲנָשִׁים כִּי הוּבְאוּ וְגוֹ'.

רט. וַיִּשָּׂא עֵינָיו וַיַּרְא אֶת בִּנְיָמִין אָחִיו בֶּן אִמּוֹ וְגוֹ'. רִבִּי חִיָּיא פָּתַח וַאֲמַר, תּוֹחֶלֶת מְמוּשָּׁכָה מַחֲלָה לֵב וְעֵץ חַיִּים תַּאֲוָה בָאָה, דָּא הוּא דִּתְנַן, דְּלֵית לֵיהּ לְבַר נָשׁ, לְאִסְתַּכָּלָא

בְּבָעוּתֵיהּ לְגַבֵּי קֻבּ"ה, אִי אָתֵי, אִי לָא אָתֵי, מ"ט. בְּגִין דְּאִי אִיהוּ אִסְתַּכַּל בֵּיהּ, כַּמָּה מָארֵיהוֹן דְּדִינָא, אָתוּ לְאִסְתַּכְּלָא בֵּיהּ בְּעוֹבָדוֹי.

רי. וְרָזָא אִיהוּ, דְּהָא הַהוּא אִסְתַּכְּלוּתָא, דְּאִיהוּ מִסְתַּכֵּל בְּהַהוּא בָּעוּתָא, גָּרִים לֵיהּ לְמַוחֲלַת לֵב, מַאי מְוחָלָה לֵב. דָּא אִיהוּ מַאן דְּקָאִים תָּדִיר, עֲלֵיהּ דְּבַר נָשׁ, לְאַסְטָאָה לְעֵילָּא וְתַתָּא.

ריא. וְעֵץ חַיִּים תַּאֲוָה בָאָה, תָּנִינָן, מַאן דְּבָעֵי דְּקֻבּ"ה יְקַבֵּל צְלוֹתֵיהּ. יִשְׁתַּדֵּל בְּאוֹרַיְיתָא, דְּאִיהִי עֵץ חַיִּים, וּכְדֵין תַּאֲוָה בָאָה, מַאן תַּאֲוָה. דָּא הוּא דַּרְגָּא דְּכָל צְלוֹתִין דְּעָלְמָא בִּידֵיהּ, וְעָאִיל לוֹן קַמֵּי מַלְכָּא עִלָּאָה. כְּתִיב הָכָא בָאָה, וּכְתִיב הָתָם בָּעֶרֶב הִיא בָאָה, וְדָא הוּא תַּאֲוָה בָאָה, בָּאָה קַמֵּי מַלְכָּא עִלָּאָה, לְאַשְׁלָמָא רְעוּתָא דְּהַהוּא בַּר נָשׁ.

ריב. ד"א תּוֹחֶלֶת מְמוּשָּׁכָה מַחֲלָה לֵב, דָּא הוּא אֲתַר, דְּאִתְיְיהֵיב הַהִיא מִלָּה, בַּאֲתַר אָחֳרָא, דְּלָא אִצְטְרִיךְ, וְאִתְמַשְׁכָא עַד דְּאִתְיְיהֵיב מִיָּדָא לְיָדָא, וּלְזִמְנִין דְּלָא יֵיתֵי, מ"ט, בְּגִין דְּאִתְפַּשְּׁטָא וְאִתְמַשְׁכָא בְּכָל אִינּוּן מְמַנָּן, לְנַוְחָתָא לֵיהּ לְעָלְמָא.

ריג. וְעֵץ חַיִּים תַּאֲוָה בָאָה, דָּא הוּא תּוֹחֶלֶת, דְּלָא אִתְמַשְׁכָא בְּגִין אִינּוּן מְמַנָּן רְתִיכִין, אֶלָּא דְּקֻבּ"ה יָהֵיב לֵיהּ לְאַלְתַּר, בְּגִין דְּכַד אִתְמַשְׁכָא בֵּין אִינּוּן מְמַנָּן רְתִיכִין, כַּמָּה אִינּוּן מָארֵיהוֹן דְּדִינָא, דְּאִתְיְיהֵיב לוֹן רְשׁוּתָא, לְעַיְּינָא וּלְאִסְתַּכְּלָא בְּדִינֵיהּ, עַד לָא יָנְתְּנוּ לֵיהּ, וּמַה דְּנָפִיק מִבֵּי מַלְכָּא וְאִתְיְיהֵיב לֵיהּ לְב"נ, בֵּין דְּזָכֵי, בֵּין דְּלָא זָכֵי, אִתְיְיהֵיב מִיַּד, וְדָא הוּא עֵץ וְחַיִּים תַּאֲוָה בָאָה.

ריד. ד"א תּוֹחֶלֶת מְמוּשָּׁכָה, דָּא יַעֲקֹב, דְּאִתְמַשְׁכָא לֵיהּ תּוֹחַלְתָּא דְּיוֹסֵף עַד זְמַן אָרִיךְ. וְעֵץ וְחַיִּים תַּאֲוָה בָאָה, דָּא הוּא בִּנְיָמִן, דְּהָא מִזִּמְנָא דְּתָבַע לֵיהּ יוֹסֵף, עַד הַהוּא זִמְנָא דְּאָתָא לְגַבֵּיהּ, לָא הֲוָה אֶלָּא זִמְנָא זְעִיר, דְּלָא אִתְמַשְׁכָא הַהוּא זִמְנָא, הה"ד וַיִּשָּׂא עֵינָיו וַיַּרְא אֶת בִּנְיָמִין אָחִיו בֶּן אִמּוֹ. מַאי בֶּן אִמּוֹ. דִּדְיוֹקְנֵיהּ דְּאִמֵּיהּ הֲוָה בֵּיהּ, וַהֲוָה דָּמֵי דְּיוֹקְנֵיהּ לִדְיוֹקְנָא דְּרָחֵל, בְּגִ"כ כְּתִיב וַיִּשָּׂא עֵינָיו וַיַּרְא אֶת בִּנְיָמִן אָחִיו בֶּן אִמּוֹ.

רטו. רִבִּי יוֹסֵי אָמַר, וְהָא כְּתִיב בְּקַדְמֵיתָא, וַיַּרְא יוֹסֵף אִתָּם אֶת בִּנְיָמִן, וְהַשְׁתָּא כְּתִיב, וַיִּשָּׂא עֵינָיו וַיַּרְא אֶת בִּנְיָמִין אָחִיו, מַאי רְאִיָּה הָכָא. אֶלָּא חָמָא בְּרוּחָא דְּקוּדְשָׁא לְבִנְיָמִן, דְּחוּלָקֵיהּ הֲוָה עִמְּהוֹן בְּאַרְעָא, וּבְחוּלָקֵיהּ דְּבִנְיָמִן וִיהוּדָה תִּשְׁרֵי שְׁכִינְתָּא, דְּהָא חָמָא לֵיהּ לִיהוּדָה וּבִנְיָמִן דִּבְחוּלָקְהוֹן הֲוָה מַקְדְּשָׁא, וְדָא הוּא וַיַּרְא יוֹסֵף אִתָּם אֶת בִּנְיָמִן, לֵיהּ חָמָא עִמְּהוֹן, וְיוֹסֵף דַּהֲוָה אֲחוּהָ לָא חָמָא עִמְּהוֹן, בְּהַהוּא חוּלָקָא.

רטז. אוּף הָכָא, וַיִּשָּׂא עֵינָיו וַיַּרְא אֶת בִּנְיָמִין אָחִיו בֶּן אִמּוֹ. מַה כְּתִיב בַּתְרֵיהּ, וַיְמַהֵר יוֹסֵף כִּי נִכְמְרוּ רַחֲמָיו אֶל אָחִיו וַיְבַקֵּשׁ לִבְכּוֹת וַיָּבֹא הַחַדְרָה וַיֵּבְךְּ שָׁמָּה.

ריז. רִבִּי חִזְקִיָּה פָּתַח וְאָמַר, מַשָּׂא גֵּיא חִזָּיוֹן מַה לָּךְ אֵיפֹה כִּי עָלִית כֻּלָּךְ לַגַּגּוֹת. ת"ח, הָא אוֹקְמוּהָ, בְּזִמְנָא דְּאִתְחָרִיב בֵּי מַקְדְּשָׁא, וַהֲווּ מוֹקְדִין לֵיהּ בְּנוּרָא, סַלִּיקוּ כָּל אִינּוּן כַּהֲנֵי עַל כּוֹתְלֵיהוֹן דְּמַקְדְּשָׁא, וְכָל מַפְתְּחָן בִּידַיְיהוּ, וַאֲמָרוּ, עַד הָכָא הֲוֵינָא גִּזְבָּרִין דִּילָךְ, מִכָּאן וְאֵילָךְ טוֹל דִּילָךְ.

ריח. אֲבָל ת"ח, גֵּיא חִזָּיוֹן: דָּא שְׁכִינְתָּא, דַּהֲוַת בְּמַקְדְּשָׁא, וְכָל בְּנֵי עָלְמָא, מִינָהּ הֲווּ יָנְקִין, יָנִיקוּ דִּנְבוּאָה. דְּאַע"ג דְּכָל נְבִיאִין, קָא הֲווּ מִתְנַבְּאִין מֵאֲתַר אָחֳרָא, מִגַּוָּהּ הֲווּ יָנְקִין נְבוּאָתְהוֹן, וְעַ"ד אִתְקְרֵי אִיהִי גֵּיא חִזָּיוֹן. חִזָּיוֹן: הָא אוֹקְמוּהָ, דְּאִיהוּ חֵיזוּ, דְּכָל גַּוְונִין עִלָּאִין.

ריט. מַה לָּךְ אֵיפֹה כִּי עָלִית כֻּלָּךְ לַגַּגּוֹת, דְּהָא כַּד אִתְחָרַב מַקְדְּשָׁא, שְׁכִינְתָּא אָתָאת, וְסָלִיקַת בְּכָל אִינּוּן אַתְרִין, דַּהֲוָה מְדוֹרָהּ בְּהוּ בְּקַדְמֵיתָא, וַהֲוַת בָּכַת עַל בֵּית מְדוֹרָהּ, וְעַל

ישראל דאזלו בגלותא, ועל כל אינון צדיקי וחסידי, דהוו תמן ואתאבידו, ומנלן, דכתיב כה אמר יי' קול ברמה נשמע נהי בכי תמרורים רחל מבכה על בניה, והא אתמר. וכדין קב"ה שאיל לה לשכינתא, ואמר לה, מה לך איפה כי עלית כלך לגגות.

רכ. מהו כלך, דהא כי עלית סגיא, מהו כלך. לאכללא בהדה כל חילין וכל רתיכין אוחרנין, דכלהו בכו עמה, על חרבן בי מקדשא.

רכא. ובג"כ מה לך איפה, אמרה קמיה, וכי בני בגלותא, ומקדשא אתוקדא, ואנא מה לי הכא, שריאת ואמרת, תשואות מלאה עיר הומיה קריה עליזה חלליך לא חללי חרב ולא מתי מלחמה על כן אמרתי שעו מני אמרר בבכי וגו'. והא אוקימנא, דקב"ה אמר לה, כה אמר יי' מנעי קולך מבכי וגו'.

רכב. ותא חזי, מיומא דאתחריב בי מקדשא, לא הוה יומא, דלא אשתכח ביה לווטין, בגין דכד בי מקדשא הוה קיים, הוו ישראל פלחין פולחנין וקרבין עלוון וקרבנין, ושכינתא שריא בבי מקדשא עלייהו, כאמא דרביעא על בניא, והוו כל אנפין נהירין, עד דאשתכחו ברכאן לעילא ותתא, ולא הוה יומא, דלא אשתכח ביה ברכאן וחדוון, והוו ישראל שראן לרוחצן בארעא, וכל עלמא הוה אתזן בגינייהו.

רכג. השתא דאתחריב בי מקדשא, ושכינתא עמהון בגלותא, לית לך יומא דלא אשתכח ביה לווטין, ועלמא אתלטיא, וחדוון לא אשתכחו לעילא ותתא.

רכד. וזמין קב"ה, לאקמא לה לכנסת ישראל מעפרא, כמה דאתמר, ולמחדי עלמא בכלא, כד"א והביאותים אל הר קדשי ושמחתים בבית תפלתי וגו' וכתיב בבכי יבואו ובתחנונים אובילם. כמה דבקדמיתא, דכתיב בכה תבכה בלילה ודמעתה על לחיה, הכי נמי לבתר, בבכי יתהדרון, דכתיב בבכי יבאו וגו'.

רכה. הבקר אור והאנשים שלחו המה וחמוריהם, רבי אלעזר אמר, הכא אית לאסתכלה, אי אינון הוו אזלי ואשתדרו, מה לן למכתב באורייתא, המה וחמוריהם. אלא בגין דכתיב, ולקחת אותנו לעבדים ואת חמורינו, בגין כך, והאנשים שלחו המה וחמוריהם, בגין דלא ישתארון אינון וחמוריהון, כדקאמרו.

רכו. פתח ואמר, וישכם אברהם בבקר ויחבש את חמורו וגו', ההוא בקר דאברהם הוה נהיר, לקיימא עלייהו בזכותיה, כדין זכותא דאברהם קיימא עלייהו, ואזלו בשלם, ואשתזיבו מן דינא, בגין דההיא שעתא, קיימא עלייהו דינא, לאתפרעא מנייהו, בר דזכותא דההוא בקר דאברהם, אגין עלייהו, ואשתלחו מן דינא, דלא שליט עלייהו בההוא זמנא.

רכז. רבי יהודה פתח, וכאור בקר יזרח שמש, דא הוא נהורא, דההוא בקר דאברהם. יזרח שמש: דא הוא שמשא דיעקב, דכתיב ויזרח לו השמש. בקר לא עבות, דההוא בקר לא איהו עבות כל כך, אלא מנגה ממטר, נגה ממטר: איהו מטרא דאתי מסטרא דיצחק, דההוא מטרא אפיק דשא מארץ.

רכח. ד"א וכאור בקר, בההוא נהירו דבקר דאברהם, יזרח שמש: דא הוא יעקב, דנהירו דיליה, כנהירו דההוא בקר. בקר לא עבות, בגין דההוא בקר, לאו איהו חשוך, אלא נהיר, דהא בשעתא דאתי בקר, לא שלטא דינא כלל, אלא כלא נהיר, בסטרא דאברהם. מנגה ממטר: דא הוא סטרא דיוסף הצדיק, דאיהו אמטיר על ארעא, לאפקא דשאה, וכל טיבו דעלמא.

רכט. אמר ר"ש, תא חזי, בשעתא דליליא עאל, ופריש גדפוי על עלמא, כמה גרדיני

טְהִירִין, זְמִינִין לְנַפְקָא, וּלְשַׁלְטָאָה בְּעָלְמָא, וְכַמָּה מָארֵיהוֹן דְּדִינִין, מִתְעָרִין בְּכַמָּה סִטְרִין לְזִנַיְיהוּ, וְשָׁלְטֵי עַל עָלְמָא, כֵּיוָן דְּאָתֵי צַפְרָא וְנָהִיר, כֻּלְּהוּ מִסְתַּלְּקֵי, וְלָא שָׁלְטֵי, וְכָל חַד וְחַד עָאל לְדוּכְתֵּיהּ, וְתָב לְאַתְרֵיהּ.

רל. כד"א הַבֹּקֶר אוֹר, דָּא בֹּקֶר דְּאַבְרָהָם. וְהָאֲנָשִׁים שֻׁלְּחוּ, אִלֵּין מָארֵיהוֹן דְּדִינָא, דַּהֲווּ שָׁלְטִין בְּלֵילְיָא. הֵמָּה וַחֲמוֹרֵיהֶם אִינוּן גַּרְדִּינֵי נִימוּסִין, דְּאַתְיָין מִסִּטְרָא דִּמְסָאֲבָא, דְּלָאו אִינוּן קַדִּישִׁין, וְלָא שָׁלְטִין, וְלָא אִתְחֲזוּן, מִכִּי אָתֵי צַפְרָא. וְאִינוּן מִסִּטְרָא דְּאִינוּן חֲמָרֵי, גַּרְדִּינֵי נִימוּסִין דְּקָאֲמָרוּ.

רלא. דְּהָא לֵית לָךְ דַּרְגִּין עִלָּאִין. דְּלָא אִיתָאִי בְּהוּ יְמִינָא וּשְׂמָאלָא, רַחֲמֵי וְדִינָא, דַּרְגִּין עַל דַּרְגִּין קַדִּישִׁין, מִסִּטְרָא דִּקְדוּשָּׁה, וּמְסָאֲבִין, מִסִּטְרָא דִּמְסָאֲבָא, וְכֻלְּהוּ דַּרְגִּין עַל דַּרְגִּין, אִלֵּין עַל אִלֵּין.

רלב. וּבְכָל אֲתַר דְּבֹקֶר דְּאַבְרָהָם אִתְּעַר בְּעָלְמָא, כֻּלְּהוּ מִתְעַבְרֵי, וְלָא שָׁלְטֵי, בְּגִין דְּלֵית לוֹן לְקַיְּימָא בִּסְטַר יְמִינָא, אֶלָּא בִּסְטַר שְׂמָאלָא. וְקָבּ"ה עָבַד יְמָמָא וְלֵילְיָא, לְאַנְהָגָא כָּל חַד וְחַד לְסִטְרֵיהּ כִּדְקָא חָזֵי לֵיהּ, זַכָּאָה חוּלָקֵיהוֹן דְּיִשְׂרָאֵל, בְּעָלְמָא דֵּין, וּבְעָלְמָא דְּאָתֵי.

רלג. רִבִּי חִיָּיא פָּתַח וַאֲמַר, וְזָרְחָה לָכֶם יִרְאֵי שְׁמִי שֶׁמֶשׁ צְדָקָה וּמַרְפֵּא בִּכְנָפֶיהָ. ת"ח, זַמִּין קָבּ"ה לְאַנְהָרָא לוֹן לְיִשְׂרָאֵל, הַהוּא שִׁמְשָׁא, דִּגְנִיז קָבּ"ה, מִיּוֹמָא דְּאִתְבְּרֵי עָלְמָא, מִקַּמֵּי רַשִּׁיעֵי דְּעָלְמָא, כְּמָה דִּכְתִיב, וַיִּמָּנַע מֵרְשָׁעִים אוֹרָם.

רלד. וְהַהוּא נְהוֹרָא גְּנִיז לֵיהּ קָבּ"ה, דְּכַד נָפַק בְּקַדְמֵיתָא, הֲוָה נָהִיר מִסַּיְיפֵי עָלְמָא, וְעַד סַיְיפֵי עָלְמָא, כֵּיוָן דְּאִסְתַּכַּל בְּדָרֵיהּ דֶּאֱנוֹשׁ וּבְדָרֵיהּ דְּמַבּוּל, וּבְדָרֵיהּ דְּהַפְלָגָה, וּבְכָל אִינוּן חַיָּיבַיָּא, גָּנִיז לֵיהּ לְהַהוּא נְהוֹרָא.

רלה. כֵּיוָן דְּאָתָא יַעֲקֹב, וְאִתְדַּבַּק בְּהַהוּא מְמַנָּא רַבְרְבָא דְּעֵשָׂו, וְאַכִּישׁ לֵיהּ בְּיַרְכָא דִּילֵיהּ, וַהֲוָה נָכֵי, כְּדֵין מַה כְּתִיב, וַיִּזְרַח לוֹ הַשֶּׁמֶשׁ, מַאן שֶׁמֶשׁ הַהוּא שִׁמְשָׁא דִּגְנִיז, בְּגִין דְּאִית בֵּיהּ אַסְוָותָא, לְאִתְּסָאָה לֵיהּ מֵאַרְכּוּבְתֵּיהּ, וּלְבָתַר אִתְּסֵי בְּהַהוּא שִׁמְשָׁא, דִּכְתִיב, וַיָּבֹא יַעֲקֹב שָׁלֵם, שָׁלֵם בְּגוּפֵיהּ דְּאִתְּסֵי.

רלו. וְעַל דָּא, זַמִּין קָבּ"ה, לְגַלָּאָה הַהוּא שִׁמְשָׁא, וּלְאַנְהָרָא לֵיהּ לְיִשְׂרָאֵל, דִּכְתִיב וְזָרְחָה לָכֶם יִרְאֵי שְׁמִי שֶׁמֶשׁ צְדָקָה, מַאי שֶׁמֶשׁ צְדָקָה. דָּא שִׁמְשָׁא דְּיַעֲקֹב, דְּאִתְּסֵי בֵּיהּ. וּמַרְפֵּא בִּכְנָפֶיהָ, דְּהַהוּא שִׁמְשָׁא, יִתְּסוּן כֻּלְּהוּ, בְּגִין דְּהָא בְּזִמְנָא דִּיקוּמוּן יִשְׂרָאֵל מֵעַפְרָא, כַּמָּה חִגְּרִין, וְכַמָּה סוּמִין, יְהוֹן בְּהוֹן, וּכְדֵין קָבּ"ה יַנְהִיר לוֹן הַהוּא שִׁמְשָׁא לְאִתְּסָאָה בָּהּ, דִּכְתִיב וּמַרְפֵּא בִּכְנָפֶיהָ.

רלז. וּכְדֵין, יִתְנְהִיר הַהוּא שִׁמְשָׁא, מִסַּיְיפֵי עָלְמָא, עַד סַיְיפֵי עָלְמָא, וּלְיִשְׂרָאֵל יְהֵא אַסְוָותָא, וְעַמִּין עעכו"ם בֵּיהּ יִתּוֹקְדוּן, אֲבָל לְיִשְׂרָאֵל מַה כְּתִיב, אָז יִבָּקַע כַּשַּׁחַר אוֹרֶךָ וַאֲרֻכָתְךָ מְהֵרָה תִצְמָח וְהָלַךְ לְפָנֶיךָ צִדְקֶךָ כְּבוֹד יי' יַאַסְפֶךָ.

רלח. אַהַדְרְנָא לְמִילֵי קַדְמָאֵי: וּלְיוֹסֵף יֻלַּד שְׁנֵי בָנִים בְּטֶרֶם תָּבוֹא שְׁנַת הָרָעָב וגו'. ר' יִצְחָק פָּתַח, וְהָיָה שְׁאֵרִית יַעֲקֹב בַּגּוֹיִם בְּקֶרֶב עַמִּים רַבִּים כְּטַל מֵאֵת ה' כִּרְבִיבִים עֲלֵי עֵשֶׂב אֲשֶׁר לֹא יְקַוֶּה לְאִישׁ וְלֹא יְיַחֵל לִבְנֵי אָדָם. ת"ח, בְּכָל יוֹמָא וְיוֹמָא, כַּד נְהוֹרָא סָלְקָא, אִתְּעַר חַד צִיפֳּרָא, בְּאִילָנָא דְּגִנְתָא דְּעֵדֶן, וְקָרֵי תְּלַת זִמְנִין, וְשַׁרְבִיטָא יִזְדַּקַּף, וְכָרוֹזָא קָרֵי בְּחַיִל, לְכוֹן אָמְרִין, הוּרְמְנֵי דְּבוּרַיְירֵי, מַאן מִנְּכוֹן דְּחָזְמֵי וְלָא חָזְמֵי. דְּקַיְּימָא בְּעָלְמָא, וְלָא יָדְעֵי עַל מַה קַיְּימֵי, לָא מַשְׁגִּיחִין בִּיקָרָא דְּמָארֵיהוֹן, אוֹרַיְיתָא קַיְּימָא

קָמַיְיהוּ, וְלָא מִשְׁתַּדְּלֵי בָּהּ, טַב לוֹן דְּלָא יִבְרוּן, עַל מַה יְקוּמוּן, בְּלָא סָכְלְתָנוּ. וַוי לוֹן, כַּד יִתְעָרוּן יוֹמֵי דְּרַע עֲלַיְיהוּ, וְיִטַרְדוּן לְהוֹן מֵעָלְמָא.

רלט. מַאן אִינּוּן יוֹמִין דְּרַע, אִי סַלְקָא דַּעְתָּךְ דְּאִינּוּן יוֹמִין דְּסִיבוּ, לָאו הָכֵי, דְּהָא יוֹמֵי דְּסִיבוּ, אִי זָכֵה בִּבְנִין, וּבְנֵי בְּנִין, יוֹמֵי דְּטַב אִינּוּן, מַאן אִינּוּן יוֹמִין דְּרַע.

רמ. אֶלָּא אִינּוּן, כְּמָה דְּאִתְּמַר, דִּכְתִיב וּזְכוֹר אֶת בּוֹרְאֶךָ בִּימֵי בְּחוּרוֹתֶיךָ עַד אֲשֶׁר לֹא יָבֹאוּ יְמֵי הָרָעָה, לָאו אִינּוּן יוֹמִין דְּסִיבוּ, אֶלָּא רָזָא דְּמִלָּה, כַּד בָּרָא קֻבְּ"ה עָלְמָא, בָּרָא לֵיהּ בְּאַתְוָון דְּאוֹרַיְיתָא, וְכָל אֶת וְאֶת עָאלַת קַמֵּיהּ, עַד דְּאִתְקְיָימוּ כֻּלְּהוּ אַתְוָון בְּאַת בֵּי"ת. וְכָל אִינּוּן אַלְפָא בֵּיתוֹת, דְּאִתְגַּלְגְּלוּ אַתְוָון, כֻּלְּהוּ קַיְימֵי לְמִבְרֵי עָלְמָא.

רמא. כֵּיוָן דְּאִתְגַּלְגְּלוּ, וְאִתְחַבָּרוּ תְּרֵין אַתְוָון אִלֵּין ט"ר כַּחֲדָא, סַלְקָא טֵי"ת, וְלָא אִתְיַישְׁבַת, עַד דְּנָעַר בָּהּ קֻבְּ"ה, וַאֲמַר לָהּ טֵי"ת טֵי"ת, עַל מָה אַתְּ סַלְקָא, וְלָא אִתְיַישְׁבַת בְּדוּכְתֵּיךְ, אֲמָרָה קַמֵּיהּ, וְכִי עֲבַדְתְּ לִי לְמֶהֱוֵי אֶת בְּרֵישָׁא דְּטוֹב, דְּהָא אוֹרַיְיתָא פָּתַח בִּי כִּי טוֹב, הֵיךְ אֲנָא מִתְחַבְּרָא לְאִתְיַישְּׁבָא בְּאַת רַע.

רמב. אֲמַר לָהּ, תּוּב לְאַתְרֵיךְ, דְּהָא אַתְּ צְרִיךְ לָהּ, דְּהָא ב"נ דַּאֲנָא בָּעֵי לְמִבְרֵי בְּכוֹן, תַּרְוַויְיכוּ אִתְכְּלִיל כַּחֲדָא, וְיִתְבְּרֵי, אֲבָל אַתְּ לִימִינָא, וְאִיהִי לִשְׂמָאלָא. וּכְדֵין, תָּבוּ וְאִתְיַישְׁבוּ דָּא בְּדָא כַּחֲדָא.

רמג. בְּהַהוּא שַׁעֲתָא פָּרִישׁ לוֹן קֻבְּ"ה, וּבָרָא לוֹן לְכָל חַד וְחַד, יוֹמִין וְשָׁנִין יְדִיעָן, אִלֵּין לִימִינָא וְאִלֵּין לִשְׂמָאלָא. אִלֵּין דִּימִינָא, אִתְקְרוּן יְמֵי הַטּוֹב, וְאִלֵּין דִּשְׂמָאלָא אִתְקְרוּן יְמֵי הָרָעָה, וְעַ"ד אֲמַר שְׁלֹמֹה, עַד אֲשֶׁר לֹא יָבֹאוּ יְמֵי הָרָעָה, דְּאִלֵּין מְסַחֲרִין לֵיהּ לְבַ"נ, בְּחוֹבוֹי דְּאִיהוּ עָבִיד. כֵּיוָן דְּאִתְחַבְּרוּ יוֹמִין דְּטוֹב, וְיוֹמִין דְּרַע, כְּדֵין תָּבוּ וְאִתְיַישְׁבוּ, לְאִתְכַּלְּלָא בְּהוּ בְּבַר נָשׁ.

רמד. וּבְגִין כָּךְ אֲמַר דָּוִד, לָמָּה אִירָא בִּימֵי רָע עֲוֹן עֲקֵבַי יְסֻבֵּנִי, יְמֵי רַע וַדַּאי, וְרָזָא דָּא, אִלֵּין אִקְרוּן יְמֵי רָעָב, שְׁנִין דְּרָעָב, וְאִלֵּין אִקְרוּן יְמֵי שָׂבָע, שְׁנֵי שָׂבָע.

רמה. וְרָזָא דְּמִלָּה, דְּלָא לַאֲפָקָא מַבּוּעָא דִּבְרִית קַדִּישָׁא, בְּיוֹמֵי רָעָב, בִּשְׁנַת הָרָעָב, וּבְגִ"כ יוֹסֵף דְּאִיהוּ רָזָא דִּבְרִית, סָתִים מַבּוּעֵיהּ בִּשְׁנַת הָרָעָב, וְלָא יָהַב לֵיהּ דּוּכְתָּא לְאַסְגָּאָה בְּעָלְמָא, וְדָא בָּעֵי לֵיהּ לְבַ"נ, דְּכַד שָׁלְטָא שְׁנַת הָרָעָב, דְּיִסְתִּים מַבּוּעָא דִּבְרִית קַדִּישָׁא דִּילֵיהּ, בְּגִין דְּלָא יָהַב לֵיהּ דּוּכְתָּא לְאַסְגָּאָה בְּעָלְמָא.

רמו. רִבִּי שִׁמְעוֹן אֲמַר, רָזָא דָּא אִיהוּ רָזָא עִלָּאָה, בְּהַהִיא שְׁנַת הָרָעָב, כֵּיוָן דְּאִיהִי שָׁלְטָא, בָּעֵי לְאַסְתָּמָא מַבּוּעֵיהּ, בְּגִין דְּאִי לָא סָתִים לֵיהּ, גָּרִים לְאַמְשָׁכָא רוּחָא לְהַהוּא וַלְדָּא מֵהַהוּא סִטְרָא, וְיָהֵיב דּוּכְתָּא לְהַהוּא סִטְרָא, לְמִפְשֵׁי בְּעָלְמָא, סִטְרָא דִּמְסָאֲבָא בְּסִטְרָא דְּקוּדְשָׁא, וְתוּ רָזָא, דִּכְתִיב תַּחַת שָׁלֹשׁ רָגְזָה אֶרֶץ וְגוֹ'.

רמז. וּבְגִ"כ, יוֹסֵף צַדִּיקָא, רָזָא דִּבְרִית, סָלִיק וְסָתִים מַבּוּעֵיהּ, בִּשְׁנַת הָרָעָב, דְּלָא לְאִתְעָרְבָא בַּהֲדָהּ כְּלַל, וּלְמֵיהַב לָהּ דּוּכְתָּא, וּמַאן דְּאַפְתַּח מַבּוּעֵיהּ בְּהַהוּא זִמְנָא, עֲלֵיהּ כְּתִיב בַּה' בָּגָדוּ כִּי בָנִים זָרִים יָלָדוּ עַתָּה יֹאכְלֵם וְגוֹ'. דְּהָא אִלֵּין אִקְרוּן בָּנִים זָרִים וַדַּאי. בַּה' בָּגָדוּ וַדַּאי. וּבְגִ"כ, זַכָּאָה חוּלָקְהוֹן דְּיִשְׂרָאֵל קַדִּישִׁין, דְּלָא אִתְחַלְּפוּ דּוּכְתָּא קַדִּישָׁא, בְּדוּכְתָּא מְסָאֲבָא.

רמח. וְעַ"ד כְּתִיב, וּלְיוֹסֵף יֻלַּד שְׁנֵי בָנִים בְּטֶרֶם תָּבוֹא שְׁנַת הָרָעָב, דְּהָא מֵהַהוּא זִמְנָא דְּשָׁלְטָא שְׁנַת הָרָעָב, אַסְתִּים מַבּוּעֵיהּ, וְסָלִיק מְקוֹרֵיהּ, דְּלָא לְמֵיהַב בְּנִין לְסִטְרָא מְסָאֲבָא, וְלָא לְאַחְלְפָא דּוּכְתָּא דְּקוּדְשָׁא, בְּדוּכְתָּא דִּמְסָאֲבָא, וּבָעֵי ב"נ לְנַטְּרָא

לְמָארֵיהּ דְּקוּדְשָׁא, כַּד יֵיתֵי וְיִשְׁלוֹט כִּדְכְתִיב וְחִכִּיתִי לַה' הַמַּסְתִּיר פָּנָיו מִבֵּית יַעֲקֹב וְקִוֵּיתִי לוֹ.

רמט. זַכָּאִין אִינוּן צַדִּיקַיָּא, דְּיָדְעִין אוֹרְחוֹי דְּקֻבָּ"ה, וְנָטְרֵי פִּקּוּדֵי דְּאוֹרַיְיתָא, לְמֵיהַךְ בְּהוּ, דִּכְתִיב, כִּי יְשָׁרִים דַּרְכֵי ה' וְצַדִּיקִים יֵלְכוּ בָם וּפוֹשְׁעִים יִכָּשְׁלוּ בָם. וּכְתִיב וְאַתֶּם הַדְּבֵקִים בַּה' אֱלֹהֵיכֶם חַיִּים כֻּלְּכֶם הַיּוֹם.

רנ. וּבְגִ"ד, קֻבָּ"ה אַזְהַר לְהוּ לְיִשְׂרָאֵל לְאִתְקַדְּשָׁא, דִּכְתִיב וִהְיִיתֶם קְדוֹשִׁים כִּי קָדוֹשׁ אֲנִי. מַאן אֲנִי. דָּא קוּדְשָׁא בְּרִיךְ הוּא, מַלְכוּת שָׁמַיִם קַדִּישָׁא. מַלְכוּתָא אַחֲרָא דְּעַכּוּ"ם, אִקְרֵי אַחֵר, דִּכְתִיב כִּי לֹא תִשְׁתַּחֲוֶה לְאֵל אַחֵר כִּי ה' קַנָּא שְׁמוֹ.

רנא. וְת"ח, אֲנִי: שָׁלְטָנוּ דְּעָלְמָא דֵּין, וְעָלְמָא דְּאָתֵי, וְכֹלָּא בֵּיהּ תַּלְיָא. אַחֵר: סִטְרָא מְסָאֲבָא, אַחֵר, סִטְרָא אָחֳרָא בְּסִטְרָא מְסָאֲבָא, וְשׁוּלְטָנוּ דִּילֵיהּ בְּהַאי עָלְמָא, וְלֵית לֵיהּ בְּעָלְמָא דְּאָתֵי כְּלוּם, וּבְגִ"ד מַאן דְּאִתְדַּבַּק בְּהַאי אֲנִי, אִית לֵיהּ חוּלָקָא בְּעָלְמָא דֵּין, וּבְעָלְמָא דְּאָתֵי.

רנב. וּמַאן דְּאִתְדַּבַּק בְּהַאי אַחֵר, אִתְאֲבִיד מֵהַהוּא עָלְמָא, וְלֵית לֵיהּ חוּלָקָא בְּעָלְמָא דְּאָתֵי, וְאִית לֵיהּ חוּלָקָא בְּהַאי עָלְמָא, בִּמְסָאֲבוּ, בְּגִין דְּהַהוּא מַלְכוּ אַחֲרָא עַכּוּ"ם, כַּמָּה אִינוּן תְּרֵיסִין גַּרְדִּינִין מְמַנָּן בֵּיהּ, לְשַׁלְטָאָה בְּהַאי עָלְמָא.

רנג. וּבְגִינֵי כָּךְ, אֱלִישָׁע אַחֵר, דְּנָחַת וְאִתְדַּבַּק בְּהַאי דַּרְגָּא, אִתְטְרִיד מֵהַהוּא עָלְמָא דְּאָתֵי, וְלָא אִתְיְיהִיב לֵיהּ רְשׁוּ לְמֶהְדַּר בִּתְיוּבְתָּא, וְאִתְטְרִיד מֵהַהוּא עָלְמָא, וְעַל דָּא אִקְרֵי אַחֵר.

רנד. וּבְגִ"כ, בָּעֵי ב"נ לְאִתְפָּרְשָׁא מִכָּל סִטְרִין, דְּלָא לְאִסְתָּאֲבָא, בְּהַהוּא סִטְרָא, לְמִזְכֵּי בְּהַאי עָלְמָא, וּבְעָלְמָא דְּאָתֵי, וְע"ד, דָּא בְּרָכָה, וְדָא קְלָלָה, דָּא שֶׂבַע, וְדָא רָעָב, כֹּלָּא בְּהִפּוּכָא דָּא מִן דָּא. וְהָא אוֹקִימְנָא.

רנה. וּבְגִ"כ, בְּהַהוּא זִמְנָא דִּשְׁנַת הָרָעָב, לֵית לֵיהּ לְב"נ, לְאִתְחֲזָאָה בְּשׁוּקָא, וְלָא לְאִתְפַּתְּחָא מַבּוּעֵיהּ לְאוֹלָדָא, לְמֵיהַב בְּנִין לְאֵל אַחֵר, וְהָא אִתְּמַר.

רנו. זַכָּאָה אִיהוּ ב"נ, דְּאִסְתַּמַּר לְמֵיהַךְ בְּאֹרַח קְשׁוֹט, וּלְאִתְדַּבְּקָא בְּמָארֵיהּ תָּדִיר, דִּכְתִיב וּבוֹ תִדְבָּק. וּבִשְׁמוֹ תִּשָּׁבֵעַ, וּבוֹ תִשָּׁבֵעַ לָא כְתִיב, אֶלָּא וּבִשְׁמוֹ, מַאי תִּשָּׁבֵעַ. כְּמָה דְּאוֹקִימְנָא, לְמֶהֱוֵי מִתְדַּבֵּק בְּרָזָא דִּמְהֵימְנוּתָא.

רנז. שִׁבְעָה דַּרְגִּין לְעֵילָא עִלָּאִין עַל כֹּלָּא, רָזָא דִּשְׁלִימוּ דִּמְהֵימְנוּתָא, וְרָזָא דְּשִׁבְעָה דַּרְגִּין דִּלְתַתָּא מִנַּיְיהוּ, דְּאִינוּן חִבּוּרָא חַד, וְקִשּׁוּרָא חַד, אִלֵּין בְּאִלֵּין, לְמֶהֱוֵי כֻּלְּהוּ חַד, וּבְגִ"כ כְּתִיב, שִׁבְעַת יָמִים וְשִׁבְעַת יָמִים, י"ד יוֹם, וְכֹלָּא חַד, וְקִשּׁוּרָא חַד, וְע"ד כְּתִיב וּבִשְׁמוֹ תִּשָּׁבֵעַ, מִלְּעֵילָּא וּמִתַּתָּא.

רנח. וּמַאן דְּמִיַּיחֵד אִלֵּין בְּאִלֵּין, עָלֵיהּ כְּתִיב יִפְתַּח ה' לְךָ אֶת אוֹצָרוֹ הַטּוֹב אֶת הַשָּׁמַיִם, אִלֵּין אוֹצָרִין דִּלְעֵילָּא וְתַתָּא. שִׁבְעַת יָמִים וְשִׁבְעַת יָמִים כֻּלְּהוּ חַד, דִּכְתִיב אֶת אוֹצָרוֹ הַטּוֹב אֶת הַשָּׁמַיִם, אוֹצָרוֹ חַד, וְאִיהוּ אֶת הַשָּׁמַיִם, שִׁבְעָה וְשִׁבְעָה מוּצָקוֹת, וְאִינוּן חַד.

רנט. רִבִּי חִיָּיא וְרִבִּי יוֹסֵי, הֲווֹ אָזְלֵי בְּאָרְחָא, אַדְּהָכִי חָמוּ חַד ב"נ, דַּהֲוָה אָתֵי, מִתְעַטֵּף בְּעִטּוּפָא דְּמִצְוָה, וּכְלֵי זַיְינִין קְטוּרִין תְּחוֹתוֹי, אָמַר רִבִּי חִיָּיא, ב"נ דֵּין, חַד מִתְּרֵין אִית בֵּיהּ, אוֹ זַכָּאָה שְׁלִים אִיהוּ, אוֹ לְרַמָּאָה בְּנֵי עָלְמָא אִיהוּ.

רס. אָמַר לֵיהּ רִבִּי יוֹסֵי, הָא חֲסִידֵי עֶלְיוֹנִין אָמְרוּ, הֱוֵי דָּן לְכָל ב"נ לִזְכוּ. הָא תָּנֵינָן, בַּר

נָשׁ דְּנָפֵיק לְאָרְחָא, יִתְכַּוֵּין לִתְלַת מִלִּין, לְדוּרוֹן, לִקְרָבָא, לִצְלוֹתָא. מְנָלָן מִיַּעֲקֹב, דְּהָא לִתְלַת אִלֵּין אִתְכַּוֵּון, וְזָרֵיז גַּרְמֵיהּ לְדוּרוֹן, לִקְרָבָא, לִצְלוֹתָא. וְהַאי ב"נ, אָזֵיל בְּאָרְחָא אִיהוּ, הָא בֵּיהּ עֲטוּפָא דְּמִצְוָה, לִצְלוֹתָא. וְהָא בֵּיהּ כְּלֵי זַיְינִין, לִקְרָבָא. כֵּיוָן דִּתְרֵין אִלֵּין אִית בֵּיהּ, תְּלִיתָאֵי לָא לְמִרְדַּף אֲבַתְרָהּ.

רסא. כַּד קָרֵיב לְגַבַּיְיהוּ, יַהֲבוּ לֵיהּ שְׁלָם, וְלָא אָתֵי לוֹן. אֲמַר רִבִּי חִיָּיא, הָא חַד מֵאִינּוּן תְּלַת, דְּאִתְחֲזְיָין לְמֶהֱוֵי בֵּיהּ, לֵית בֵּיהּ, דְּהָא לָא אַתְקִין גַּרְמֵיהּ לְדוּרוֹן, וּבְדוּרוֹת שְׁלָמָא כָּלֵיל בֵּיהּ. אֲמַר רִבִּי יוֹסֵי, דִּילְמָא אִיהוּ מִשְׁתַּדֵּל בִּצְלוֹתֵיהּ, אוֹ מַרְחֵישׁ תַּלְמוּדֵיהּ. בְּגִין דְּלָא יְעַקַּר לֵיהּ.

רסב. אַזְלֵי כַּחֲדָא, וְלָא מַלֵּיל הַהוּא ב"נ, בַּהֲדַיְיהוּ. לְבָתַר אִשְׁתְּמִיטוּ רִבִּי חִיָּיא וְרִבִּי יוֹסֵי, וְאִשְׁתַּדָּלוּ בְּאוֹרַיְיתָא. כֵּיוָן דְּחָמָא הַהוּא ב"נ, דַּהֲווּ מִשְׁתַּדְּלֵי בְּאוֹרַיְיתָא, קָרֵיב לְגַבַּיְיהוּ, וְיָהֵיב לוֹן שְׁלָם.

רסג. אֲמַר לוֹן, רַבּוֹתַי, בַּמֶּה חֲשַׁדְתּוּן לִי, כַּד יַהֲבִיתוּ לִי שְׁלָם, וְלָא אֲתִיבְנָא לְכוּ, א"ל ר' יוֹסֵי, דִּילְמָא צְלוֹתָא הֲוֵית אֲמַר, אוֹ מַרְחֵישׁ בְּתַלְמוּדָךְ. אֲמַר לוֹ, קוּדְשָׁא בְּרִיךְ הוּא יְדִין לְכוּ לְכַף זְכוּ.

רסד. אֲבָל אֵימָא לְכוּ, יוֹמָא חַד הֲוֵינָא אָזֵיל בְּאָרְחָא, אַשְׁכַּחְנָא חַד ב"נ, וְאַקְדֵּימְנָא לֵיהּ שְׁלָם, וְהַהוּא גַּבְרָא הֲוָה לִסְטִים, וְקָם עָלַי, וְצָעַר לִי, וְאִלְמָלֵא דְּאִתְתַּקַּפְנָא בֵּיהּ אִצְטָעַרְנָא. מֵהַהוּא יוֹמָא נְדַרְנָא, דְּלָא לְאַקְדָּמָא שְׁלָם, בַּר לְב"נ זַכָּאָה, אֶלָּא אִי יָדַעְנָא בֵּיהּ בְּקַדְמֵיתָא, בְּגִין דְּיָכֵיל לְצַעֲרָא לִי, וְיִתַּתְקַף בִּי בְּחֵילָא, בְּגִין דְּאָסִיר לְאַקְדָּמָא שְׁלָם לְב"נ חַיָּיבָא, דִּכְתִיב אֵין שָׁלוֹם אָמַר ה' לָרְשָׁעִים.

רסה. וְהַהִיא שַׁעְתָּא דְּחָמֵינָא לְכוּ, וִיהַבִיתוּ לִי שְׁלָם, וְלָא אֲתֵיבְנָא לְכוּ, חֲשֵׁידְנָא לְכוּ, בְּגִין דְּלָא חָמֵינָא בְּכוּ מִצְוָה דְּאִתְחֲזֵי לְבַר, וַהֲוֵינָא כְּמוֹ כֵן מְהַדַּר תַּלְמוּדָאִי, אֲבָל הַשְׁתָּא דְּחָמֵינָא בְּכוּ, דְּאַתּוּן זַכָּאִין, הָא אָרְחָא מִתְתַּקְנָא קֳדָמַי.

רסו. פָּתַח וַאֲמַר, מִזְמוֹר לְאָסָף אַךְ טוֹב לְיִשְׂרָאֵל אֱלֹהִים לְבָרֵי לֵבָב. ת"ח, קב"ה עָבַד יְמִינָא, וְעָבַד שְׂמָאלָא, לְאַנְהָגָא עָלְמָא, וְחַד אִקְרֵי טוֹב, וְחַד אִקְרֵי רָע, וּבִתְרֵין אִלֵּין אִתְכְּלֵיל בַּר נָשׁ, וְאִתְקְרֵיב בְּכֹלָּא.

רסז. וְהַהוּא רַע דְּאִיהוּ שְׂמָאלָא, אִתְכְּלִילוּ בֵּיהּ עַמִּין עעכו"ם, וְאִתְיְהֵיב בְּסִטְרָא דִּלְהוֹן, בְּגִין דְּאִינּוּן עַרְלֵי לִבָּא, וְעַרְלֵי בִּשְׂרָא, וּלְאִתְחַלְּלָא בֵּיהּ. אֲבָל בְּיִשְׂרָאֵל מַה כְּתִיב, אַךְ טוֹב לְיִשְׂרָאֵל.

רסח. וְאִי תֵּימָא לְכֻלְּהוּ, לָאו, אֶלָּא לְאִינּוּן דְּלָא אִתְחַלְּלֵי בַּהֲדֵי הַהוּא רָע, דִּכְתִיב לְבָרֵי לֵבָב, בְּגִין דְּדָא טוֹב, וְדָא רַע, טוֹב לְיִשְׂרָאֵל בִּלְחוֹדַיְיהוּ, וְרַע לְעַמִּין עעכו"ם. אַךְ טוֹב לְיִשְׂרָאֵל, בְּגִין לְאִדַּבְּקָא בֵּיהּ, וּבְהַאי אִתְדַּבְּקוּ יִשְׂרָאֵל, בְּרָזָא עִלָּאָה, בְּרָזָא דִּמְהֵימְנוּתָא, לְמֶהֱוֵי כֹּלָּא חַד. אֲמַר רִבִּי יוֹסֵי זַכָּאִין אֲנַן, דְּלָא שַׁבַּשְׁנָא בָּךְ, וְהָא קב"ה שַׁדְּרָךְ לְגַבָּן.

רסט. אֲמַר רִבִּי יוֹסֵי, בְּגִין דְּטוֹב הוּא לְיִשְׂרָאֵל, יִשְׂרָאֵל אִית לוֹן חוּלָקָא בְּעָלְמָא דֵין, וּבְעָלְמָא דְּאָתֵי לְמֶחֱמֵי עֵינָא בְּעֵינָא זִיווּ יְקָרָא, כְּמָה דִּכְתִיב, כִּי עַיִן בְּעַיִן יִרְאוּ בְּשׁוּב ה' צִיּוֹן.

בָּרוּךְ ה' לְעוֹלָם אָמֵן וְאָמֵן.

Vayigash

וַיִּגַּשׁ

א. וַיִּגַּשׁ אֵלָיו יְהוּדָה וְגוֹ', רַבִּי אֶלְעָזָר פָּתַח, כִּי אַתָּה אָבִינוּ כִּי אַבְרָהָם לֹא יְדָעָנוּ וְיִשְׂרָאֵל לֹא יַכִּירָנוּ אַתָּה ה' אָבִינוּ גּוֹאֲלֵנוּ מֵעוֹלָם שְׁמֶךָ. הַאי קְרָא אוּקְמוּהָ, אֲבָל תָּא חֲזֵי, כַּד בָּרָא קוּדְשָׁא בְּרִיךְ הוּא עָלְמָא, כָּל יוֹמָא וְיוֹמָא, עָבִיד עֲבִידְתָּא, כְּדְקָא חֲזֵי, בְּכָל יוֹמָא וְיוֹמָא כְּמָה דְּאִצְטְרִיךְ, כֵּיוָן דְּאָתָא יוֹמָא שְׁתִיתָאָה, וְאִצְטְרִיךְ לְמִבְרֵי אָדָם, אָתַת אוֹרַיְיתָא קָמֵיהּ, אָמְרָה הַאי אָדָם דְּאַתְּ בָּעֵי לְמִבְרֵי, זַמִּין הוּא לְאַרְגְּזָא קָמָךְ, אִלְמָלֵא לָא תַּאֲרִיךְ רוּגְזָא, טַב לֵיהּ דְּלָא יִתְבְּרֵי. אָמַר לָהּ קָבָּ"ה, וְכִי א. לְמַגָּנָא אִתְקְרֵינָא אֶרֶךְ אַפַּיִם.

ב. אֶלָּא, כְּכְכְלָא בְּאוֹרַיְיתָא אִתְבְּרֵי, וְכָלָּא בְּאוֹרַיְיתָא אִשְׁתַּכְלִיל, בְּגִין דְּעַד לָא בָּרָא קָבָּ"ה עָלְמָא, אַתְיָין כָּל אַתְוָון קָמֵיהּ, וְעָאלוּ כָּל חַד וְחַד לְמִפְרָע.

ג. עָאלַת תי"ו, אָמְרָה קָמֵיהּ, רְעוּתָךְ לְמִבְרֵי בִּי עָלְמָא, א"ל לָאו, דְּבָךְ זְמִינִין כַּמָה צַדִּיקַיָּא לְמֵימַת, דִּכְתִיב וְהִתְוֵית תָּיו עַל מִצְחוֹת הָאֲנָשִׁים וְגוֹ'. וְתָנִינָן, דִּכְתִיב וּמִמִּקְדָּשִׁי תָּחֵלּוּ אַל תִּקְרֵי מִמִּקְדָּשִׁי אֶלָּא מִמְּקוּדָּשַׁי וּבְגִין כָּךְ עָלְמָא לָא יִתְבְּרֵי בָּךְ.

ד. עָאלוּ תְּלַת אַתְוָון: שִׁי"ן, קוֹ"ף, רֵי"שׁ, כָּל חַד וְחַד בִּלְחוֹדוֹי, א"ל קָבָּ"ה, לָאו אַתּוּן כְּדַאי, לְמִבְרֵי בְּכוּ עָלְמָא, דְּהָא אַתּוּן אַתְוָון דְּאִתְקְרֵי בְּכוּ שֶׁקֶר, וְשֶׁקֶר לָא אִיהוּ כְּדַאי לְמֵיקָם קָמַאי, וְהָא אוּקְמוּהָ.

ה. וְעָאלוּ פ"א צד"י, וְכֵן כֻּלְּהוּ, עַד דְּמָטוּ אַתְוָון לְאָת כ"ף, כֵּיוָן דְּנָחַת כ"ף מֵעַל כּוּרְסְיָא, אוּדְעָזְעוּ עִלָּאֵי וְתַתָּאֵי כו', עַד דְּאִתְקַיָּים כָּלָּא בָּאת בֵּי"ת, דְּאִיהוּ סִימָן בְּרָכָה, וּבֵיהּ אִשְׁתַּכְלֵל עָלְמָא וְאִתְבְּרֵי.

ו. וְאִי תֵּימָא, דְּאָלֶ"ף אִיהוּ רֵישָׁא דְּכָל אַתְוָון, יָאוֹת אִיהוּ, אֶלָּא בְּגִין דְּאִתְקְרֵי בֵּיהּ אָרוּר, וּבְגִ"ד לָא אִתְבְּרֵי בֵּיהּ עָלְמָא, אע"ג דְּאָלֶ"ף אִיהוּ אָת דְּרָזָא עִלָּאָה, בְּגִין דְּלָא לְמֵיהַב דּוּכְתָּא לְסִטְרָא אַחֲרָא, דְּאִקְרֵי אָרוּר, לָא אִתְבְּרֵי בֵּיהּ עָלְמָא, וְאִשְׁתַּכְלִיל בְּבֵי"ת עָלְמָא, וּבֵיהּ אִתְבְּרֵי.

ז. תָּ"ח, כִּי אַתָּה אָבִינוּ, בְּגִין דְּהַאי עָלְמָא, בְּהַאי דַרְגָּא אִשְׁתַּכְלֵל וְאִתְבְּרֵי, וּבַר נָשׁ בֵּיהּ אִתְבְּרֵי, וְנָפַק לְעָלְמָא.

וו. כִּי אַבְרָהָם לֹא יְדָעָנוּ, דְּהָא אע"ג דְּבֵיהּ קַיְימָא דְעָלְמָא, לָא אִשְׁתַּדַּל עֲלָךְ, כְּמָה דְּאִשְׁתַּדַּל עַל יִשְׁמָעֵאל, דְּאָמַר לוּ יִשְׁמָעֵאל יִחְיֶה לְפָנֶיךָ. וְיִשְׂרָאֵל לֹא יַכִּירָנוּ, בְּגִין דְּכָל בִּרְכָאן דְּאִצְטְרִיךְ לְבָרְכָא לִבְנוֹי, שָׁבַק לְהַאי דַרְגָּא לְבָרְכָא כֻּלְּהוּ.

ט. אַתָּה ה' אָבִינוּ, דְּהָא אַנְתְּ קַיְּימָת עֲלָן תָּדִיר לְבָרְכָא, וּלְאַשְׁגָּחָא עֲלָן, כְּאַבָּא דְּאַשְׁגַּח עַל בְּנִין, בְּכָל מַה דְּאִצְטְרִיךְ לוֹן. גּוֹאֲלֵנוּ מֵעוֹלָם שְׁמֶךָ, דְּהָא אַנְתְּ הוּא גּוֹאֵל, דְּהָכֵי אִתְקְרֵי הַמַּלְאָךְ הַגּוֹאֵל, וְדָא גּוֹאֲלֵנוּ מֵעוֹלָם שְׁמֶךָ וַדַּאי. תָּנִינָן אֵין מַפְסִיקִין בֵּין גְּאוּלָה לִתְפִלָּה, כְּמָה דְּלָא מַפְסִיקִין בֵּין תְּפִלָּה שֶׁל יָד, לִתְפִלָּה שֶׁל רֹאשׁ, דְּבָעֵי לְמֶחֱזֵי דְּכֹלָּא חַד, וְהָא אוּקְמוּהָ.

י. רַבִּי יִצְחָק וְרַבִּי יְהוּדָה, הֲווֹ יַתְבֵי לֵילְיָא חַד וְלָעָאן בְּאוֹרַיְיתָא, אָמַר ר' יִצְחָק לְרַבִּי

יְהוּדָה, הָא תָּנֵינָן דְּכַד בָּרָא קֻבָּ"ה עָלְמָא, עָבַד עָלְמָא תַּתָּאָה, כְּגַוְונָא דְעָלְמָא עִלָּאָה. וְכֹלָּא דָּא לָקֳבֵל דָּא. וְאִיהוּ יְקָרֵיהּ לְעֵילָּא וְתַתָּא.

יא. אָמַר רַבִּי יְהוּדָה, הָכֵי הוּא וַדַּאי, וּבָרָא עַל כֹּלָּא, הַהֲ"ד אָנֹכִי עָשִׂיתִי אֶרֶץ וְאָדָם עָלֶיהָ בָרָאתִי, אָנֹכִי עָשִׂיתִי אֶרֶץ וַדַּאי, מַ"ט עָשִׂיתִי אֶרֶץ, בְּגִין דְּאָדָם עָלֶיהָ בָרָאתִי, דְּאִיהוּ קִיּוּמָא דְעָלְמָא, לְמֶהֱוֵי כֹלָּא בְּשְׁלִימוּ חַד.

יב. פָּתַח וְאָמַר, כֹּה אָמַר הָאֵל ה' בּוֹרֵא הַשָּׁמַיִם וְנוֹטֵיהֶם רוֹקַע הָאָרֶץ וְצֶאֱצָאֶיהָ נֹתֵן נְשָׁמָה לָעָם עָלֶיהָ וְרוּחַ לַהוֹלְכִים בָּהּ. הַאי קְרָא אוּקְמוּהָ, אֲבָל כֹּה אָמַר הָאֵל ה' בּוֹרֵא הַשָּׁמַיִם וְנוֹטֵיהֶם, דָּא קֻבָּ"ה, לְעֵילָּא לְעֵילָּא, דְּאִיהוּ בּוֹרֵא הַשָּׁמַיִם, וְאַתְקִין לֵיהּ תָּדִיר, בְּכָל זִמְנָא. רוֹקַע הָאָרֶץ וְצֶאֱצָאֶיהָ, דָּא אַרְעָא קַדִּישָׁא, צְרוֹרָא דְחַיֵּי. נֹתֵן נְשָׁמָה לָעָם עָלֶיהָ. הָאָרֶץ דָּא הִיא דִיהָבָה נְשָׁמָה וְגוֹ'.

יג. אָמַר רַבִּי יִצְחָק, כֹּלָּא אִיהוּ לְעֵילָּא, דְּהָא מִתַּמָּן נָפְקָא נִשְׁמָתָא דְחַיֵּי, לְהַאי אֶרֶץ. וְהַאי אֶרֶץ, נָקְטָא נִשְׁמָתָא לְמֵיהַב לְכֹלָּא, בְּגִין דְּהַהוּא נָהָר דְּנַגֵּיד וְנָפִיק, אִיהוּ יָהִיב וְעָיֵיל נִשְׁמָתִין לְהַאי אֶרֶץ, וְאִיהִי נָקְטָא לוֹן, וְיָהֲבָא לְכֹלָּא.

יד. תָּ"ח, כַּד בָּרָא קֻבָּ"ה לֵיהּ לְאָדָם, אַכְנֵישׁ עַפְרֵיהּ, מֵאַרְבַּע סִטְרִין דְּעָלְמָא, וְעָבַד גַּרְמֵיהּ בַּאֲתַר דְּמַקְדְּשָׁא לְתַתָּא, וְאַמְשִׁיךְ עָלֵיהּ נִשְׁמָתָא דְחַיֵּי מִבֵּי מַקְדְּשָׁא לְעֵילָּא.

טו. וְנִשְׁמָתָא אִיהִי כְּלִילָא בִּתְלַת דַּרְגִּין, וְעַל דָּא תְּלַת שְׁמָהָן אִינּוּן לְנִשְׁמָתָא, כְּגַוְונָא דְּרָזָא עִלָּאָה, נֶפֶ"שׁ, רוּ"חַ, נְשָׁמָ"ה. נֶפֶשׁ, הָא אוּקְמוּהָ, דְּאִיהִי תַּתָּאָה מִכֹּלָּא. רוּחַ, אִיהוּ קִיּוּמָא, דְּשַׁלְטָא עַל נֶפֶשׁ, וְאִיהוּ דַרְגָּא עִלָּאָה עָלָהּ, לְקַיְּימָא עָלָהּ בְּכֹלָּא, כְּדְקָא חֲזֵי. נְשָׁמָה, אִיהִי קִיּוּמָא עִלָּאָה עַל כֹּלָּא, דַּרְגָּא קַדִּישָׁא, וְשַׁלְטָא עַל כֹּלָּא, עִלָּאָה עַל כֹּלְּהוּ.

טז. וְאִלֵּין תְּלַת דַּרְגִּין, כְּלִילָן בְּהוּ בִּבְנֵי נָשָׁא, לְאִינּוּן דְּזָכָאן לְפוּלְחָנָא דְּמָארֵיהוֹן. דְּהָא בְּקַדְמֵיתָא אִית בֵּיהּ נֶפֶשׁ, וְאִיהוּ תִּקּוּנָא קַדִּישָׁא לְאִתְתַּקְּנָא בָּהּ בַּר נָשׁ. כֵּיוָן דְּאָתֵי בַּר נָשׁ לְאִתְדַּכָּאָה בְּהַאי דַרְגָּא, אִתְתַּקַּן לְאִתְעַטְּרָא בְּרוּחַ, דְּאִיהוּ דַּרְגָּא קַדִּישָׁא דְּשַׁרְיָא עַל נֶפֶשׁ לְאִתְעַטְּרָא בֵּיהּ בַּר נָשׁ, הַהוּא דְזָכֵי.

יז. כֵּיוָן דְּאִסְתַּלַּק בְּהוֹ: בְּנֶפֶשׁ וְרוּחַ, וְעָאל וְאִתְתַּקַּן בְּפוּלְחָנָא דְּמָארֵיהּ כִּדְקָא יָאוֹת, כְּדֵי שַׁרְיָא עָלֵיהּ נְשָׁמָה, דַּרְגָּא עִלָּאָה קַדִּישָׁא, דְּשַׁלְטָא עַל כֹּלָּא, בְּגִין לְאִתְעַטְּרָא בְּדַרְגָּא עִלָּאָה קַדִּישָׁא, וּכְדֵין אִיהוּ שְׁלִימָא דְכֹלָּא, שָׁלִים בְּכָל סִטְרִין, לְמִזְכֵּי בְּעָלְמָא דְּאָתֵי, וְאִיהוּ רְחִימָא דְּקֻבָּ"ה, כְּדָ"א לְהַנְחִיל אוֹהֲבַי יֵשׁ, מַאן אִינּוּן אוֹהֲבַי, אִלֵּין אִינּוּן דְּנִשְׁמָתָא קַדִּישָׁא בְּהוֹ.

יח. אָמַר ר' יְהוּדָה, אִי הָכֵי הָא כְּתִיב, כָּל אֲשֶׁר נִשְׁמַת רוּחַ חַיִּים בְּאַפָּיו וְגוֹ'. אָ"ל הָכֵי הוּא וַדַּאי, דְּהָא לָא אִשְׁתָּאַר בְּהוֹ, מִכָּל אִינּוּן דַּהֲווֹ בְּהוֹ נִשְׁמָתָא קַדִּישָׁא, כְּגוֹן חֲנוֹךְ, יֶרֶד, וְכֻלְּהוּ צַדִּיקַיָּא, בְּגִין לְאַגָּנָא עַל אַרְעָא, דְּלָא יִשְׁתְּצֵי בְּגִינַיְיהוּ, הַהֲ"ד כָּל אֲשֶׁר נִשְׁמַת רוּחַ חַיִּים בְּאַפָּיו מִכֹּל אֲשֶׁר בֶּחָרָבָה מֵתוּ, כְּבָר מֵתוּ, וְאִסְתַּלָּקוּ מֵעָלְמָא, וְלָא אִשְׁתָּאַר מִנְּהוֹן מַאן דְּיָגֵין עַל עָלְמָא, בְּהַהוּא זִמְנָא.

יט. תָּ"ח, כֹּלָּא אִינּוּן דַּרְגִּין, אִלֵּין עַל אִלֵּין, נֶפֶ"שׁ, רוּ"חַ, נְשָׁמָ"ה, דַּרְגָּא עַל דַּרְגָּא. נֶפֶשׁ בְּקַדְמֵיתָא, וְאִיהִי דַרְגָּא תַתָּאָה, כְּדְקָאֲמָרָן. רוּחַ לְבָתַר, דְּשַׁרְיָא עַל נֶפֶשׁ, וְקַיְּימָא עֲלָהּ. נְשָׁמָה, דַּרְגָּא דְּסַלְקָא עַל כֹּלָּא, וְאוּקְמוּהָ.

כ. נֶפֶשׁ: דָּא נֶפֶשׁ דָּוִד, וְאִיהִי דְּקַיְּימָא לְקַבְּלָא נֶפֶשׁ, מֵהַהוּא נָהָר דְּנַגֵּיד וְנָפִיק. רוּחַ: דָּא רוּחַ דְּקַיְּימָא עֲלֵיהּ דְּנַפְשָׁא, וְלֵית קִיּוּמָא לְנֶפֶשׁ, אֶלָּא בְּרוּחַ, וְדָא אִיהוּ רוּחַ, דְּשַׁרְיָא

בֵּין אֶשָּׁא וּמַיָּא, וּמֵהָכָא אִתְזָן הַאי נֶפֶשׁ.

כא. רוּחַ, קַיְּימָא בְּקִיּוּמָא דְּדַרְגָּא אוּחֲרָא עִלָּאָה, דְּאִקְרֵי נְשָׁמָה, דְּהָא מִתַּמָּן נָפְקֵי נֶפֶשׁ וְרוּחַ. מִתַּמָּן אִתְזָן רוּחַ, וְכַד נָטֵיל רוּחַ, כְּדֵין נָטְלָא נֶפֶשׁ, וְכֹלָּא חַד, וְאִתְקְרִיבוּ דָּא בְּדָא, נֶפֶשׁ אִתְקְרֵיב בְּרוּחַ, וְרוּחַ אִתְקְרֵיב בִּנְשָׁמָה, וְכֹלָּא חַד.

כב. תָּא חֲזֵי, וַיִּגַּשׁ אֵלָיו, תְּקְרוּבְתָּא דְּעַלְמָא בְּעַלְמָא, לְאִתְאַחֲדָא דָּא בְּדָא, לְמֶהֱוֵי כֹּלָּא חַד, בְּגִין דִּיהוּדָה אִיהוּ מֶלֶךְ, וְיוֹסֵף מֶלֶךְ, אִתְקְרִיבוּ דָּא בְּדָא, וְאִתְאֲחִידוּ דָּא בְּדָא.

כג. ר' יְהוּדָה פָּתַח וְאָמַר, כִּי הִנֵּה הַמְּלָכִים נוֹעֲדוּ, דָּא יְהוּדָה וְיוֹסֵף, בְּגִין דְּתַרְוַויְיהוּ מַלְכִּים, וְאִתְקְרִיבוּ דָּא בְּדָא, לְאִתְווֹכְּחָא תַּרְוַויְיהוּ כַּחֲדָא בְּגִין דִּיהוּדָה אִתְעָרֵב בֵּיהּ בְּבִנְיָמִן, וַהֲוָה עָרֵב לְגַבֵּיהּ דַּאֲבוֹי בֵּיהּ, בְּהַאי עַלְמָא, וּבְעַלְמָא דְּאָתֵי. וְעַל דָּא אִתְקְרֵיב קַמֵּיהּ דְּיוֹסֵף, לְאִתְווֹכְּחָא עִמֵּיהּ, עַל עִסְקָא דְּבִנְיָמִין, דְּלָא לְמֶהֱוֵי בְּנִדּוּי, בְּהַאי עַלְמָא, וּבְעַלְמָא דְּאָתֵי, כְּד"א אָנֹכִי אֶעֶרְבֶנּוּ מִיָּדִי תְּבַקְשֶׁנּוּ אִם לֹא הֲבִיאֹתִיו אֵלֶיךָ וְהִצַּגְתִּיו לְפָנֶיךָ וְחָטָאתִי לְאָבִי כָּל הַיָּמִים, בְּהַאי עַלְמָא, וּבְעַלְמָא דְּאָתֵי.

כד. וְעַל דָּא, כִּי הִנֵּה הַמְּלָכִים נוֹעֲדוּ עָבְרוּ יַחְדָּיו, אִתְרְגִּיזוּ כַּחֲדָא, וְאִתְרְגִּיזוּ דָּא בְּדָא, בְּגִינֵיהּ דְּבִנְיָמִן. מַה כְּתִיב, הֵמָּה רָאוּ כֵּן תָּמָהוּ נִבְהֲלוּ נֶחְפָּזוּ רְעָדָה אֲחָזָתַם שָׁם, לְכָל אִינוּן דַּהֲווּ תַּמָּן.

כה. וְחִיל כַּיּוֹלֵדָה, בְּגִין דַּהֲווּ דַּחֲלִין, לְקַטְלָא, וּלְאִתְקַטְלָא, וְכֹלָּא בְּגִינֵיהּ דְּבִנְיָמִן, דְּהָא יוֹסֵף אִזְדַּבַּן בְּגִינֵיהּ דִּיהוּדָה, וְאִתְאֲבֵיד מֵאֲבוֹי. וְהַשְׁתָּא אִתְעָרֵב בֵּיהּ בְּבִנְיָמִין, וְדָחִיל דְּלָא יִתְאֲבֵיד, וּבְגִין כָּךְ וַיִּגַּשׁ אֵלָיו יְהוּדָה.

כו. ד"א, כִּי הִנֵּה הַמְּלָכִים נוֹעֲדוּ, דָּא יְהוּדָה וְיוֹסֵף, דְּאִזְדַּמְּנוּ לְאִתְווֹכְּחָא דָּא עִם דָּא, לְאִתְווֹכְּחָא תַּרְוַויְיהוּ כַּחֲדָא, בְּגִין דִּיהוּדָה הֲוָה מֶלֶךְ, וְיוֹסֵף הֲוָה מֶלֶךְ, וְתַרְוַויְיהוּ אָתוּ כַּחֲדָא, לְאִתְווֹכְּחָא דָּא עִם דָּא. דָּא עַל בִּנְיָמִן, וְדָא עַל בִּנְיָמִן.

כז. כִּי הִנֵּה הַמְּלָכִים, אָמַר ר' יְהוּדָה, רָזָא דִּמְהֵימְנוּתָא הָכָא, דְּהָא כַּד רְעוּתָא אִשְׁתַּכַּח, וְקִשּׁוּרָא אִתְעֲטַּר כַּחֲדָא, כְּדֵין תְּרֵין עָלְמִין מִתְקַשְּׁרָן כַּחֲדָא, וְאִזְדַּמְּנָן כַּחֲדָא. דָּא לְאַפְתָּחָא אוֹצָרָא, וְדָא לְלַקְּטָא וּלְמִכְנַשׁ בְּגַוֵּיהּ, וּכְדֵין כִּי הִנֵּה הַמְּלָכִים נוֹעֲדוּ, תְּרֵין עָלְמִין קַדִּישִׁין, עָלְמָא עִלָּאָה, וְעַלְמָא תַּתָּאָה.

כח. עָבְרוּ יַחְדָּיו, רָזָא דְּמִלָּה, דְּכַד מִתְחַבְּרָן כַּחֲדָא, כְּדֵין עָבְרוּ יַחְדָּיו, בְּגִין דְּכָל חִיּוּבִין דְּעַלְמָא, לָא אִתְעַבְרָן לְאִתְכַּפְיָא, עַד דְּמִתְחַבְּרָן כַּחֲדָא, כְּדִכְתִּיב וְעוֹבֵר עַל פֶּשַׁע, וְע"ד עָבְרוּ יַחְדָּיו, עָבְרוּ: אִינוּן חוֹבִין אִתְכַּפָּרוּ, בְּגִין דְּהָא כְּדֵין כָּל אַנְפִּין נְהִירִין, וְכָל חוֹבִין אִתְעֲבָרוּ.

כט. ר' חִיָּיא אָמַר, רָזָא דָּא בְּתִקּוּנָא דְּקָרְבְּנָא אִיהוּ, דְּהָא כַּד קָרְבְּנָא אִתְקְרֵיב, וְכֹלָּא מִסְתַּפְּקִין, וְכָל חַד וְחַד כִּדְקָא חָזֵי לֵיהּ, כְּדֵין אִתְקַשַּׁר כֹּלָּא כַּחֲדָא, וְכָל אַנְפִּין נְהִירִין, וְקִשּׁוּרָא חַד אִשְׁתַּכַּח, וּכְדֵין הַמְּלָכִים נוֹעֲדוּ, וְאִזְדַּמְּנוּ כַּחֲדָא, לְכַפָּרָא עַל חוֹבִין, לְאַעֲבָרָא עֲלַיְיהוּ, וּכְדֵין הַמְּלָכִים נוֹעֲדוּ, וְאִתְקַשְּׁרָן כַּחֲדָא, עָבְרוּ יַחְדָּיו, לְאַנְהָרָא כָּל אַנְפִּין, וּלְמֶהֱוֵי כֹּלָּא רְעוּתָא חֲדָא.

ל. הֵמָּה רָאוּ כֵּן תָּמָהוּ, ס"ד דְּאִינוּן מְלָכִים, אֶלָּא אִלֵּין מָארֵיהוֹן דְּדִינִין, דְּחֶדְוָה דִּלְהוֹן לְמֶעְבַּד הַהוּא דִּינָא, דְּאִתְפַּקְדוּ עֲלֵיהּ, וּכְדֵין, כַּד מְלָכִים אִזְדַּמְּנוּ תַּרְוַויְיהוּ בִּרְעוּתָא חֲדָא, כְּדֵין הֵמָּה רָאוּ הַהוּא רְעוּתָא דִּתְרֵין עָלְמִין, כֵּן תָּמָהוּ נִבְהֲלוּ נֶחְפָּזוּ, בְּגִין דְּכֻלְּהוּ מָארֵי

דְּדִינָא אִתְכַּפְיָין וּמִתְעַבְּרָן מֵעַלְמָא, וְלָא יָכְלֵי לְשַׁלְטָאָה, וּכְדֵין מִתְעַבְּרִין קִיּוּמֵיהוֹן, מְעַבְּרִין שָׁלְטָנֵיהוֹן.

לא. ר' אֶלְעָזָר אֲמַר וַיִּגַּשׁ אֵלָיו יְהוּדָה, מ"ט יְהוּדָה. בְּגִין דְּהָכֵי אִצְטְרִיךְ, דְּאִיהוּ עָרַב, כד"א כִּי עַבְדְּךָ עָרַב אֶת הַנַּעַר, וְרָזָא דְמִלָּה, יְהוּדָה וְיוֹסֵף הָכֵי אִצְטְרִיכוּ לְאִתְקָרְבָא כַּחֲדָא, בְּגִין דְּיוֹסֵף אִיהוּ צַדִּיק, יְהוּדָה אִיהוּ מֶלֶךְ, וְעַל דָּא וַיִּגַּשׁ אֵלָיו יְהוּדָה, בְּגִין דְּקוּרְבָא דִלְהוֹן, דְּאִתְקְרִיבוּ כַּחֲדָא, גָּרַם כַּמָּה טָבִין לְעַלְמָא, גָּרַם שְׁלָמָא לְכֻלְּהוּ שִׁבְטִין, גָּרַם שְׁלָמָא בֵּינַיְיהוּ, גָּרַם לְיַעֲקֹב דְּאִתְקַיַּים רוּחָא דִילֵיהּ, כד"א וַתְּחִי רוּחַ יַעֲקֹב אֲבִיהֶם, וְעַל דָּא קְרִיבוּ דְּדָא עִם דָּא אִצְטְרִיךְ, בְּכֻלְּהוּ סִטְרִין, לְעֵילָּא וְתַתָּא.

לב. ר' אַבָּא פָּתַח וַאֲמַר, יְפֵה נוֹף מְשׂוֹשׂ כָּל הָאָרֶץ הַר צִיּוֹן יַרְכְּתֵי צָפוֹן קִרְיַת מֶלֶךְ רָב. הַאי קְרָא רָזָא דִמְהֵימְנוּתָא אִיהוּ. יְפֵה נוֹף: דָּא אִיהוּ יוֹסֵף הַצַּדִּיק, דִּכְתִּיב בֵּיהּ, וַיְהִי יוֹסֵף יְפֵה תֹאַר וִיפֵה מַרְאֶה. מְשׂוֹשׂ כָּל הָאָרֶץ: אִיהוּ חֶדְוָה וְחֵידוּ, לְעֵילָּא וְתַתָּא. הַר צִיּוֹן יַרְכְּתֵי צָפוֹן, בְּגִין דִּבְזְוִולְקֵיהּ קָאִים מַשְׁכְּנָא דְשִׁילֹה, הַר צִיּוֹן דָּא יְרוּשָׁלַיִם. יַרְכְּתֵי צָפוֹן, הָכֵי הוּא וַדַּאי לְעֵילָּא וְתַתָּא.

לג. קִרְיַת מֶלֶךְ רָב, אֲתַר אִיהוּ מְתַקְנָא, לְקָבֵיל מֶלֶךְ רָב, דָּא מַלְכָּא עִלָּאָה דְּכֹלָּא, קֹדֶשׁ הַקֳּדָשִׁים, דְּהָא מִתַּמָּן אַתְיָא כָּל נְהִירוּ, וְכָל בִּרְכָאן, וְכָל חֵידוּ דְּכֹלָּא, דְּהָא מִתַּמָּן נְהָרִין כָּל אַנְפִּין, וּבֵי מַקְדְּשָׁא אִתְבָּרְכָא מִתַּמָּן, וְכַד אִיהִי מִתְבָּרְכָא, מִתַּמָּן נָפְקֵי בִּרְכָאן לְכָל עַלְמָא, דְּהָא כָּל עַלְמָא מִתַּמָּן אִתְבָּרְכָא.

לד. ר' יְהוּדָה וְר' יוֹסֵי, אִעֲרָעוּ בִּכְפַר חָנָן, עַד דַּהֲווּ יָתְבֵי בֵּי אוּשְׁפִּיזַיְיהוּ, אָתָא חַד בַּר נָשׁ, וְחַד מְטוֹלָא דְחַמְרָא קַמֵּיהּ, וְעָאל בְּבֵיתָא. אַדְּהָכֵי, אֲמַר ר' יְהוּדָה לְרִבִּי יוֹסֵי, הָא תָּנִינָן, דְּדָוִד מַלְכָּא הֲוָה מִתְנַמְנֵם כְּסוּס, וְשֵׁינְתֵיהּ זְעֵיר, הֵיךְ הֲוָה קָם בְּפַלְגּוּת לֵילְיָה, הַאי שִׁיעוּרָא זְעֵיר אִיהוּ, וְלָא הֲוָה אִתְעַר אֲפִילּוּ בִּתְלָתוּת לֵילְיָא.

לה. אֲמַר לֵיהּ, בְּשַׁעְתָּא דְּעָאל לֵילְיָא, הֲוָה יָתִיב עִם כָּל רַבְרְבֵי בֵּיתֵיהּ, וְדָאִין דִּינָא, וְעָסִיק בְּמִלֵּי דְאוֹרַיְיתָא, וּלְבָתַר הֲוָה נָאִים שֵׁינְתֵיהּ עַד פַּלְגּוּת לֵילְיָה, וְקָם בְּפַלְגּוּת לֵילְיָא, וְאִתְעַר, וְאִשְׁתַּדַּל בְּפוּלְחָנָא דְמָארֵיהּ, בְּשִׁירִין וְתוּשְׁבְּחָן.

לו. אַדְּהָכֵי אֲמַר הַהוּא בַּר נָשׁ, וְכִי הַאי מִלָּה דְקָאַמְרִיתוּ, הָכֵי הוּא, רָזָא דְמִלָּה הָכָא, דְּהָא דָוִד מַלְכָּא חַי וְקַיָּים, לְעָלַם וּלְעָלְמֵי עָלְמִין, וְדָוִד מַלְכָּא, הֲוָה נָטִיר כָּל יוֹמוֹי, דְּלָא יִטְעַם טַעַם מִיתָה, בְּגִין דְּשֵׁינְתָא חַד מִשִּׁתִּין בְּמִיתָה אִיהוּ, וְדָוִד בְּגִין דּוּכְתֵּיהּ דְּאִיהוּ חַי, לָא הֲוָה נָאִים, אֶלָּא שִׁיתִּין נִשְׁמֵי, דְּעַד שִׁתִּין נִשְׁמֵי וְחָסֵר חַד, אִיהוּ חַי, מִתַּמָּן וּלְהָלְאָה, טָעִים ב"נ, טַעֲמָא דְמוֹתָא, וְשַׁלִּיט בֵּיהּ סִטְרָא דְרוּחַ מְסָאֲבָא.

לז. וְדָא הֲוָה נָטִיר דָּוִד מַלְכָּא, דְּלָא יִטְעַם טַעֲמָא דְמוֹתָא, וְשַׁלִּיט בֵּיהּ סִטְרָא דְרוּחָא אָחֳרָא, בְּגִין דְּשִׁתִּין נִשְׁמֵי וְחָסֵר חַד, אִיהוּ רָזָא דְחַיִּים דִּלְעֵילָּא, עַד שִׁתִּין נִשְׁמֵי, דְּאִינּוּן שִׁתִּין נִשְׁמֵי עִלָּאִין, וְאִילֵין רָזָא דִלְהוֹן, דְּתַלְיָין בְּהוֹן חַיֵּי, וּמִכָּאן וּלְתַתָּא, רָזָא דְמוֹתָא הוּא.

לח. וְע"ד, דָּוִד מַלְכָּא, הֲוָה מְשַׁעֵר שִׁעוּרָא דְלֵילְיָא, בְּגִין דְּיִתְקַיַּים בַּחַיִּים, דְּלָא יִשְׁלוֹט בֵּיהּ טַעֲמָא דְמוֹתָא. וְכַד אִתְפְּלִיג לֵילְיָא, הֲוָה דָּוִד מִתְקַיַּים בְּאַתְרֵיהּ, בְּגִין דְּכַד אִתְעַר פַּלְגּוּ לֵילְיָא, וְכִתְרָא קַדִּישָׁא אִתְעַר, בָּעָא דְּלָא לְאִשְׁכְּחָא לֵיהּ לְדָוִד, מִתְקַשַּׁר בַּאֲתַר אָחֳרָא, בַּאֲתַר דְּמוֹתָא.

לט. בְּגִין דְּכַד אִתְפְּלִיג לֵילְיָא, וּקְדוּשָּׁה עִלָּאָה אִתְעַר, וּבַר נָשׁ דְּנָאִים בְּעַרְסֵיהּ, וְלָא אִתְעַר לְאַשְׁגְּחָא בִּיקָרָא דְמָארֵיהּ, הָא אִיהוּ אִתְקַשַּׁר בְּרָזָא דְמוֹתָא, וּמִתְדַּבַּק בַּאֲתַר

אֻוחֳרָא, וְעַל דָּא, דָּוִד מַלְכָּא, הֲוָה קָאִים לְאַשְׁגָּחָא בִּיקָרָא דְּמָארֵיהּ תָּדִיר, וַוי לְגַבֵּי וַוי, וְלָא נָאִים בְּשֵׁינְתָא, לְטָעֲמָא טַעֲמָא דְּמוֹתָא, וּבְגִין כָּךְ, הֲוָה מִתְנַמְנֵם כְּסוּס, שִׁתִּין נִשְׁמֵי, וְלָא בִּשְׁלִימוּ.

מ. אָתוּ רִבִּי יְהוּדָה וְרִבִּי יוֹסֵי, וּנְשָׁקוּהָ, אֲמָרוּ לֵיהּ, מַה שְּׁמָךְ, א"ל חִזְקִיָּה, א"ל יִתְיַישַּׁר חֵילָךְ, וְיִתְתַּקַּף אוֹרַיְיתָךְ, יָתִיבוּ, אֲמַר רִבִּי יְהוּדָה, הוֹאִיל וְשָׁרֵית, אֵימָא לָן מֵהַנֵּי רָזִין עִלָּאִין דְּקָאֲמַרְתְּ.

מא. פָּתַח וַאֲמַר, ה' בְּחָכְמָה יָסַד אֶרֶץ כּוֹנֵן שָׁמַיִם בִּתְבוּנָה. תָּא חֲזֵי, כַּד בָּרָא קוּדְשָׁא בְּרִיךְ הוּא עָלְמָא, חָמָא דְּלָא יָכִיל לְאִתְקַיְּימָא, עַד דְּבָרָא אוֹרַיְיתָא, בְּגִין דְּמִנָּהּ נָפְקִין כָּל נִמּוּסִין עִלָּאִין וְתַתָּאִין, וּבָהּ קַיְימֵי עִלָּאֵי וְתַתָּאֵי, הה"ד ה' בְּחָכְמָה יָסַד אֶרֶץ כּוֹנֵן שָׁמַיִם בִּתְבוּנָה, דְּהָא בְּחָכְמָה קַיְימִין כָּל קִיּוּמִין דְּעָלְמָא, וְכֻלְּהוּ נָפְקֵי מִגַּוָּהּ.

מב. ד"א ה' בְּחָכְמָה יָסַד אֶרֶץ, עָלְמָא עִלָּאָה לָא אִתְבְּרֵי, אֶלָּא מִגּוֹ חָכְמָה, וְעָלְמָא תַּתָּאָה לָא אִתְבְּרֵי, אֶלָּא מִגּוֹ חָכְמָה תַּתָּאָה, וְכֻלְּהוּ נָפְקָן מִגּוֹ חָכְמָה עִלָּאָה, וּמִגּוֹ חָכְמָה תַּתָּאָה. כּוֹנֵן שָׁמַיִם בִּתְבוּנָה. כּוֹנֵן, מַאי כּוֹנֵן. אֶלָּא, כּוֹנֵן כָּל יוֹמָא וְיוֹמָא, וְלָא פָּסִיק, וְלָא אִתְתַּקַּן בִּזְמְנָא חֲדָא, אֶלָּא בְּכָל יוֹמָא וְיוֹמָא אַתְקִין לֵיהּ.

מג. וְהַיְינוּ רָזָא דִּכְתִיב, וְשָׁמַיִם לֹא זַכּוּ בְעֵינָיו. וְכִי ס"ד, דְּגְרִיעוּתָא אִיהוּ מִשָּׁמַיִם, אֶלָּא חֲשִׁיבוּ מִשָּׁמַיִם אִיהוּ, בְּגִין חֲבִיבוּ וּרְעוּ סַגְיָא, דְּקוּדְשָׁא בְּרִיךְ הוּא רָעֵי בְּהוּ, וַחֲבִיבוּתֵיהוּ לְגַבֵּיהּ, דְּהָא אע"ג דְּאִיהוּ מַתְקִין לוֹן כָּל יוֹמָא וְיוֹמָא, לָא דָּמֵי בְּעֵינוֹי דְּאִינּוּן מִתְתַּקְּנָן כִּדְקָא יָאוּת, בְּגִין דִּרְחִימוּתָא דִּלְהוֹן לְגַבֵּיהּ, וּרְעוּתֵיהּ לְאַנְהָרָא לוֹן תָּדִיר, בְּלָא פְּסִיקוּ, דְּהָא עָלְמָא דְּאָתֵי, אַפִּיק נְהוֹרִין זְהִירִין, כָּל יוֹמָא וְיוֹמָא תָּדִיר בְּלָא פְּסִיקוּ, בְּגִין לְאַנְהָרָא לוֹן תָּדִיר, וְעַל דָּא לֹא זַכּוּ בְעֵינָיו, לֹא זַכּוּ בִּלְחוּדוֹי לָא כְתִיב, אֶלָּא לֹא זַכּוּ בְעֵינָיו, וּבְגִין כָּךְ, כּוֹנֵן שָׁמַיִם בִּתְבוּנָה.

מד. מַאן שָׁמַיִם. דָּא הוּא רָזָא דַּאֲבָהָן, וְרָזָא דַּאֲבָהָן דָּא הוּא יַעֲקֹב, דְּאִיהוּ כְּלָלָא דִּלְהוֹן, בְּגִין דְּיַעֲקֹב תּוּשְׁבַּחְתָּא דַּאֲבָהָן אִיהוּ, וְאִיהוּ קַיְימָא לְאַנְהָרָא עַל עָלְמָא.

מה. וּבְגִין דְּאִיהוּ אִסְתַּלַּק גּוֹ עָלְמָא דְּאָתֵי, נָפַק מִנֵּיהּ עַנְפָא חֲדָא, שַׁפִּירָא בְּזִיווֹ, וְכָל נְהוֹרִין מִינֵּיהּ נָפְקִין, וְכָל שִׂבְעָא, וּמְשַׁח רְבוּ, לְאַנְהָרָא לְאַרְעָא, וּמַאן אִיהוּ. דָּא יוֹסֵף הַצַּדִּיק, דְּאִיהוּ יָהֵיב שִׂבְעָא לְכָל עָלְמָא, וְעָלְמָא מִנֵּיהּ אִתְזָן. וּבְגִין כָּךְ, קוּדְשָׁא בְּרִיךְ הוּא כָּל מַה דְּעָבַד בְּעָלְמָא, כֹּלָּא אִיהוּ בְּרָזָא עִלָּאָה, וְכֹלָּא כִּדְקָא חָזֵי.

מו. אַדְהָכֵי, אָתָא רִבִּי אֶלְעָזָר, כֵּיוָן דְּחָמָא לוֹן, אֲמַר וַדַּאי שְׁכִינְתָּא הָכָא, בְּמַאי עַסְקִיתוּ. אֲמָרוּ לֵיהּ, כָּל עוֹבָדָא. אֲמַר, וַדַּאי שַׁפִּיר קָאֲמַר, אֲבָל אִינּוּן שִׁתִּין נִשְׁמֵי, וַדַּאי שִׁתִּין נִשְׁמֵי אִינּוּן דְּחַיִּין, בֵּין לְעֵילָא בֵּין לְתַתָּא, מִכָּאן וּלְהָלְאָה, אִיכָּא שִׁתִּין נִשְׁמִין אָחֳרָנִין, דְּאִינּוּן כֻּלְּהוּ מִסִּטְרָא דְּמוֹתָא, וְדַרְגָּא דְּמוֹתָא עֲלַיְיהוּ, וְאִקְרוּן דּוֹרְמִיטָא, וְכֻלְּהוּ טַעֲמָא דְּמוֹתָא.

מז. וּבְגִין כָּךְ, דָּוִד מַלְכָּא, הֲוָה אִיהוּ מִתְדַּבֵּק בְּאִינּוּן שִׁתִּין נִשְׁמִין דְּחַיִּין, וּמִתַּמָּן וּלְהָלְאָה לָא נָאִים כְּלַל, הה"ד אִם אֶתֵּן שְׁנָת לְעֵינָי לְעַפְעַפַּי תְּנוּמָה, וְעַל דָּא, שַׁפִּיר קָאֲמַר, בְּגִין דְּיִקּוּם דָּוִד חַי, בְּסִטְרָא דְּחַיֵּי, וְלָא בְּסִטְרָא דְּמוֹתָא. יָתְבוּ כֻּלְּהוּ, וְאִשְׁתַּדְּלוּ בְּאוֹרַיְיתָא, וְאִתְחַבָּרוּ כַּחֲדָא.

מח. פָּתַח רִבִּי אֶלְעָזָר וַאֲמַר, ה' אֱלֹהֵי יְשׁוּעָתִי יוֹם צָעַקְתִּי בַלַּיְלָה נֶגְדֶּךָ. ת"ח, דָּוִד מַלְכָּא, הֲוָה קָם בְּפַלְגּוּת לֵילְיָא, וְאִשְׁתַּדַּל בְּאוֹרַיְיתָא, בְּשִׁירִין וְתוּשְׁבְּחָן, לְחֶדְוָה דְּמַלְכָּא

וּמַטְרוֹנִיתָא, וְדָא הֲוָה חֶדְוָה דִמְהֵימְנוּתָא בְּאַרְעָא, בְּגִין דְּהַאי אִיהוּ שְׁבָחָא דִמְהֵימְנוּתָא, דְּאִתְחֲזֵי בְּאַרְעָא.

מט. דְּהָא לְעֵילָא פָּתְחֵי בְּחֶדְוָה שִׁירָתָא, כַּמָּה מַלְאָכִין עִלָּאִין, בְּכַמָּה זִינִין, דְּקָא מְשַׁבְּחָן בְּלֵילְיָא בְּכָל סִטְרִין. כה״ג לְתַתָּא בְּאַרְעָא, מַאן דִּמְשַׁבַּח לֵיהּ לְקוּב״ה בְּאַרְעָא בְּלֵילְיָא, רָעֵי בֵּיהּ קב״ה, וְכָל אִינּוּן מַלְאָכִין קַדִּישִׁין, דְּקָא מְשַׁבְּחָן לֵיהּ לְקב״ה, כֻּלְּהוּ צַיְיתִין לְהַהוּא דְקָא מְשַׁבַּח לֵיהּ בְּלֵילְיָא בְּאַרְעָא, דְּהַאי תּוּשְׁבַּחְתָּא אִיהוּ בִּשְׁלִימוּ, לְסַלְּקָא יְקָרֵי דְּקב״ה מִתַּתָּא, וּלְזַמְּרָא בְּחֶדְוָה דְּיִחוּדָא.

נ. תָּא חֲזֵי, דָּוִד מַלְכָּא כְּתַב, ה׳ אֱלֹהֵי יְשׁוּעָתִי וגו׳, ה׳ אֱלֹהֵי יְשׁוּעָתִי, אֵימָתַי אִיהוּ יְשׁוּעָתִי. בְּהַהוּא יוֹמָא, דְּאַקְדֵּימִית תּוּשְׁבַּחְתָּא בְּלֵילְיָא לְגַבָּךְ, כְּדֵין אִיהוּ יְשׁוּעָתִי בִּימָמָא.

נא. ות״ח, דְּהָא בְּלֵילְיָא, מַאן דִּמְשַׁבַּח לְמָארֵיהּ, בְּתוּשְׁבַּחְתָּא דְּאוֹרַיְיתָא כְּדֵין אַתְקַף בְּתָקִיפוּ בִּימָמָא, בְּסִטְרָא דִּימִינָא, דְּהָא חוּטָא חַד, נַפְקָא מִסִּטְרָא דִּימִינָא, וּכְדֵין אִתְמְשַׁךְ עֲלֵיהּ, וְאִתְתַּקַּף בֵּיהּ, וְע״ד אֲמַר ה׳ אֱלֹהֵי יְשׁוּעָתִי יוֹם צָעַקְתִּי וגו׳.

נב. וּבְגִ״כ אֲמַר, לֹא הַמֵּתִים יְהַלְלוּ יָהּ. לֹא הַמֵּתִים, בְּגִין דְּאִצְטְרִיךְ לְשַׁבְחָא, וְחַי לְחַי. וּמֵית לְחַי לָאו הָכֵי, דִּכְתִּיב לֹא הַמֵּתִים יְהַלְלוּ יָהּ, וַאֲנַחְנוּ נְבָרֵךְ יָהּ, דְּהָא אֲנַן חַיִּין, וְלֵית לָן חוּלָקָא בְּסִטְרָא דְּמוֹתָא כְּלָל. וְחִזְקִיָּהוּ אֲמַר, חַי חַי הוּא יוֹדֶךָ כָּמוֹנִי, בְּגִין דְּחַי אִתְקְרַב לְחַי. דָּוִד מַלְכָּא אִיהוּ חַי, וְקוּרְבָא דִּילֵיהּ לְחַי הָעוֹלָמִים. וּמַאן דְּאִתְקְרֵיב לְגַבֵּיהּ, אִיהוּ חַי, דִּכְתִּיב וְאַתֶּם הַדְּבֵקִים בַּה׳ אֱלֹהֵיכֶם חַיִּים כֻּלְּכֶם הַיּוֹם, וּכְתִיב, וּבְנָיָהוּ בֶּן יְהוֹיָדָע בֶּן אִישׁ חַי רַב פְּעָלִים מִקַּבְצְאֵל.

נג. פָּתַח הַהוּא יוּדָאי אֲבַתְרֵיהּ, וַאֲמַר, וְאָכַלְתָּ וְשָׂבָעְתָּ וּבֵרַכְתָּ אֶת ה׳ אֱלֹקֶיךָ, וְכִי לָא מְבָרְכִינָן לֵיהּ לְקב״ה, עַד לָא נֵיכוּל, וְהָא אִית לָן לְאַקְדּוּמֵי בְּצַפְרָא, וּלְסַדּוּרֵי שְׁבָחָא דִּילֵיהּ כִּדְקָא יָאוּת, וּלְבָרְכָא בִּשְׁמֵיהּ, עַד לָא יְבָרֵךְ לְאוֹחֲרָא בְּעָלְמָא, וּכְתִיב לֹא תֹאכְלוּ עַל הַדָּם, אָסוּר לֵיהּ לְמֵיכַל, עַד לָא יְבָרֵךְ לְמָארֵיהּ, וְהַשְׁתָּא כְּתִיב וְאָכַלְתָּ וְשָׂבָעְתָּ וּבֵרַכְתָּ.

נד. אֶלָּא, דָּא בִּרְכְתָא דִּצְלוֹתָא דְּיִחוּדָא, וְדָא בִּרְכְתָא דִּמְזוֹנָא, לְאַחֲזָאָה לְגַבֵּי דַּרְגָּא דִּמְהֵימְנוּתָא, שָׂבַע כִּדְקָא יָאוּת. וּכְדֵין בָּעֵי לְבָרְכָא לֵיהּ כִּדְקָא יָאוּת, דְּהַהוּא דַּרְגָּא דִּמְהֵימְנוּתָא, יִתְרְוֵי, וִיבָרֵךְ, וְיִתְמַלְּיָא חֵידוּ מֵחַיִּין דִּלְעֵילָּא, כְּמָה דְּאִצְטְרִיךְ, בְּגִין לְמֵיהַב לָן מְזוֹנֵי.

נה. דְּהָא קָשִׁין מְזוֹנָא דְבַר נָשׁ קַמֵּי קב״ה, כִּקְרִיעַת יַם סוּף, מ״ט. בְּגִין, דִּמְזוֹנָא דְּעָלְמָא דִּלְעֵילָּא הוּא, דִּתְנַן בָּנֵי חַיֵּי וּמְזוֹנֵי וכו׳, וּבְגִין כָּךְ, קַשְׁיָין קַמֵּיהּ מְזוֹנֵי דְּעָלְמָא, דְּהָא בְּמַזָּלָא תַּלְיָא מִילְתָא, דְּמִנֵּיהּ נָפְקֵי מְזוֹנֵי, וְחַיֵּי, וּבָנֵי, וּבְגִין כָּךְ קָשִׁין קַמֵּיהּ מְזוֹנֵי דְּעָלְמָא, דְּהָא לָאו בִּרְשׁוּתֵיהּ קַיְימָא, עַד דְּיִתְבָּרֵךְ אִיהוּ.

נו. כְּגַוְונָא דָא זִוּוּגִין דְּעָלְמָא, קָשִׁין קַמֵּיהּ, וְכֹלָּא בְּגִין דְּרָקִיעַ וִילוֹן, לָא מְשַׁמֵּשׁ כְּלוּם. וְכ״ש אִלֵּין מִלִּין דְּקַיְימִין לְעֵילָּא בַּאֲתַר אוֹחֲרָא, וְעַל דָּא אִצְטְרִיךְ לְאִתְבָּרְכָא.

נז. ת״ח כָּל זִוּוּגִין דְּעָלְמָא, קָשִׁין קַמֵּיהּ הַאי דַּרְגָּא, בְּגִין דְּכַד הַאי זִוּוּגָא קַדִּישָׁא אִשְׁתַּכַּח, כָּל נִשְׁמָתִין נָפְקִין, מִגּוֹ הַאי מַזָּלָא לְעֵילָּא, דְּאִיהוּ הַהוּא נָהָר דְּנָגִיד וְנָפִיק, וְכַד תֵּיאוּבְתָּא אִשְׁתַּכַּח מִלְּרַע לְעֵילָּא, כְּדֵין פָּרְחִין נִשְׁמָתִין, וְאִתְיְיהִיבוּ כֻּלְּהוּ כְּלִילָן דְּכַר וְנוּקְבָא כַּחֲדָא, בְּהַאי דַּרְגָּא. וּלְבָתַר אִיהוּ פָּרֵישׁ לוֹן, כָּל חַד וְחַד לְאַתְרֵיהּ כִּדְקָא חָזֵי לֵיהּ. וּלְבָתַר קָשִׁין קַמֵּי הַאי דַּרְגָּא, לְחַבְּרָא לוֹן כְּקַדְמֵיתָא, בְּגִין דְּלָא מִתְחַבְּרָן, בַּר כְּאִינּוּן

אָרְחֵי דְּב"נ וְכֹלָּא לְעֵילָּא תַּלְיָין.

נח. וְעַל דָּא קָשִׁין קַמֵּיהּ כִּקְרִיעַת יַם סוּף, דְּהָא קְרִיעַת יַמָּא, לְאִתְפַּתְּחָא בֵּיהּ שְׁבִילִין, לְעֵילָּא אִיהוּ, וּכְמָה דְּמִתְפַּתְּחִין שְׁבִילִין וְאוֹרְחִין בֵּיהּ, הָכֵי אִתְבְּקַע וְאִתְפַּתַּח.

נט. וּבְגִּ"כ, כֹּלָּא תַּלְיָא לְעֵילָּא, וּבְעְיָן לְבָרְכָא לֵיהּ, וּלְמֵיהַב לֵיהּ תּוֹקְפָּא מִתַּתָּא, בְּגִין דְּיִתְבָּרְכָא מִלְּעֵילָּא, וְיִתְתַּקַּף כְּדְקָא חָזֵי, וְעַל דָּא כְּתִיב, וּבֵרַכְתָּ אֶת ה', אֶת דַּיְיקָא.

ס. וּלְגַבֵּי הַאי אֲתַר, אִצְטְרִיךְ לְאַחֲזָאָה קַמֵּיהּ, שַׂבְעָא וּנְהִירוּ דְּאַנְפִּין, וּלְגַבֵּי סִטְרָא אָחֳרָא, בְּזִמְנָא דְּאִיהִי שָׁלְטָא בְּעַלְמָא, בָּעֵי לְאַחֲזָאָה קַמֵּיהּ כַּפְנָא, דְּהַהוּא דַּרְגָּא רָעֵב אִיהוּ, וְאִתְחֲזֵי לְאַחֲזָאָה קַמֵּיהּ כַּפְנָא, וְלָא שׂוֹבְעָא, הוֹאִיל וְשָׂבַע לָא שָׁלְטָא בְּעַלְמָא, וְעַל דָּא, וְאָכַלְתָּ וְשָׂבָעְתָּ וּבֵרַכְתָּ אֶת ה' אֱלֹקֶיךָ. אֲמַר רִבִּי אֶלְעָזָר, הָכֵי הוּא וַדַּאי, וְהָכֵי אִצְטְרִיךְ.

סא. אֲמַר רִבִּי יְהוּדָה, זַכָּאִין אִינּוּן צַדִּיקַיָּיא, דְּקוּרְבָא דִּלְהוֹן אִיהוּ שְׁלָמָא בְּעַלְמָא, בְּגִין דְּיָדְעֵי לְיַיחֲדָא יִחוּדָא, וּמְקָרְבֵי קוּרְבָא, לְאַסְגָּאָה שְׁלָמָא בְּעַלְמָא, דְּהָא יוֹסֵף וִיהוּדָה עַד לָא אִתְקְרִיבוּ דָּא עִם דָּא, לָא הֲוָה שְׁלָמָא, כֵּיוָן דְּאִתְקְרִיבוּ יוֹסֵף וִיהוּדָה כַּחֲדָא, כְּדֵין אַסְגִּיאוּ שְׁלָמָא בְּעַלְמָא, וְחֵידוּ אִתּוֹסַף לְעֵילָּא וְתַתָּא, כְּמָה דְּקוּרְבָא דִּיהוּדָה וְיוֹסֵף, וְכֻלְּהוּ שִׁבְטִין אִשְׁתַּכְּחוּ כַּחֲדָא בֵּיהּ בְּיוֹסֵף, וְהַהוּא קוּרְבָא אַסְגֵּי שְׁלָמָא בְּעַלְמָא, כְּמָה דְּאוֹקִימְנָא דִּכְתִּיב וַיִּגַּשׁ אֵלָיו יְהוּדָה.

סב. וְלֹא יָכוֹל יוֹסֵף לְהִתְאַפֵּק לְכֹל הַנִּצָּבִים עָלָיו וגו', רִבִּי חִיָּיא פָּתַח וַאֲמַר, פִּזַּר נָתַן לָאֶבְיוֹנִים צִדְקָתוֹ עוֹמֶדֶת לָעַד קַרְנוֹ תָּרוּם בְּכָבוֹד. תָּא חֲזֵי, קוּדְשָׁא בְּרִיךְ הוּא בָּרָא עַלְמָא, וְאַשְׁלִיט עֲלֵיהּ לְאָדָם, דִּיהֵא מַלְכָּא עַל כֹּלָּא.

סג. וְהַאי בַּר נָשׁ, מִתְפָּרְשָׁן מִנֵּיהּ בְּעַלְמָא, כַּמָּה זִינִין, מִנְּהוֹן צַדִּיקַיָּא, וּמִנְּהוֹן רַשִׁיעַיָּא, מִנְּהוֹן טִפְּשִׁין, וּמִנְּהוֹן חַכִּימִין, וְכֻלְּהוּ אִתְקַיְּימוּ בְּעַלְמָא, עֲתִירִין וּמִסְכְּנִין. וְכֻלְּהוּ בְּגִין לְמִזְכֵּי אִלֵּין בְּאִלֵּין, לְמִזְכֵּי צַדִּיקַיָּא עִם רַשִׁיעַיָּא, לְמִזְכֵּי חַכִּימִין עִם טִפְּשִׁין, לְמִזְכֵּי עֲתִירִין עִם מִסְכְּנִין דְּהָא בְּגִין כָּךְ, זָכֵי בַּר נָשׁ לְחַיֵּי עַלְמָא, וְאִתְקַשַּׁר בְּאִילָנָא דְּחַיֵּי. וְלָא עוֹד, אֶלָּא דְּהָא צְדָקָה דְּאִיהוּ עָבֵיד, קָאִים לְעָלְמִין, דִּכְתִּיב וְצִדְקָתוֹ עוֹמֶדֶת לָעַד.

סד. פִּזַּר נָתַן לָאֶבְיוֹנִים. רִבִּי אֶלְעָזָר אֲמַר, כַּד בָּרָא קֻבָּ"ה עַלְמָא, קָאִים לֵיהּ עַל סַמְכָא חַד, וְצַדִּיק שְׁמֵיהּ, וְהַאי צַדִּיק אִיהוּ קִיּוּמָא דְּעַלְמָא, וְדָא אִיהוּ דְּאַשְׁקֵי, וְזָן לְכֹלָּא. דִּכְתִּיב וְנָהָר יוֹצֵא מֵעֵדֶן לְהַשְׁקוֹת אֶת הַגָּן וּמִשָּׁם יִפָּרֵד וְהָיָה לְאַרְבָּעָה רָאשִׁים.

סה. וּמִשָּׁם יִפָּרֵד, מַהוּ יִפָּרֵד. אֶלָּא, הַהוּא מְזוֹנָא וּמַשְׁקְיָא דְּהַהוּא נָהָר, נָטֵיל גִּנְתָּא כֹּלָּא, וּלְבָתַר אִתְבַּדַּר הַהוּא מַשְׁקְיָא, לְד' סִטְרִין דְּעַלְמָא, וְכַמָּה אִינּוּן דִּמְצַפָּאן לְאִתְשַׁקְיָיא וּלְאִתְזָנָא מִתַּמָּן, כְּד"א עֵינֵי כֹל אֵלֶיךָ יְשַׂבֵּרוּ וְאַתָּה נוֹתֵן לָהֶם אֶת אָכְלָם בְּעִתּוֹ. וּבְגִּ"כ פִּזַּר נָתַן לָאֶבְיוֹנִים, דָּא צַדִּיק. צִדְקָתוֹ עוֹמֶדֶת לָעַד, דָּא כנ"י. דִּבְגִין כָּךְ, אִיהִי קַיְּימָא בְּרָזָא דִּשְׁלָם, בְּקִיּוּמָא שְׁלִים רָשָׁע יִרְאֶה וְכָעַס, דָּא מַלְכוּת עכו"ם.

סו. תָּא חֲזֵי, מַלְכוּת שָׁמַיִם, אִיהִי בֵּי מַקְדְּשָׁא, לְקַיְּימָא כָּל מִסְכְּנֵי, בְּגוֹ צִלָּא דִּשְׁרוּתָא דִּשְׁכִינְתָּא, וְצַדִּיק דָּא אִיהוּ אִקְרֵי גַּבָּאי צְדָקָה, לְמֵיזַן וּלְמֵיזַן לְכֹלָּא, דִּכְתִּיב פִּזַּר נָתַן לָאֶבְיוֹנִים, בְּגִין כָּךְ, גַּבָּאֵי צְדָקָה, נָטְלֵי אַגְרָא, לָקֳבֵיל כֻּלְּהוּ דְּיָהֲבֵי צְדָקָה.

סז. ת"ח, וְלֹא יָכוֹל יוֹסֵף לְהִתְאַפֵּק לְכָל הַנִּצָּבִים, אִלֵּין אִינּוּן, כָּל דְּקַיְּימֵי, לְאִתְזָנָא וּלְאִתְשַׁקְיָיא מִנֵּיהּ. וְלֹא עָמַד אִישׁ אִתּוֹ בְּהִתְוַדַּע יוֹסֵף אֶל אֶחָיו. אִתּוֹ: דָּא כְּנֶסֶת יִשְׂרָאֵל. אֶחָיו: אִלֵּין שְׁאָר רְתִיכִין וְחַיָּילִין, דִּכְתִּיב בְּהוּ לְמַעַן אַחַי וְרֵעָי. ד"א וְלֹא עָמַד אִישׁ אִתּוֹ,

בזמנא דקב"ה אתי לאזדווגא בכנ"י. בהתודע יוסף אל אחיו, בזמנא דקב"ה הוה מתחבר בהו בישראל, בגין דאינון נטלי בלחודייהו, ולא חבורא דעמין עכו"ם בהדייהו, בגין כך ביום השמיני עצרת תהיה לכם, דהא בזמנא דא, איהו קב"ה בלחודוי, בחבורא חדא עם ישראל, דכתיב בהו אחי ורעי כמה דאוקמוה.

סח. רבי ייסא פתח קרא, בזמנא דקב"ה יוקים לה לכנסת ישראל מעפרא, ויבעי לאנקמא נקמתא מעממיא עכו"ם, כדין כתיב ומעמים אין איש אתי, וכתיב הכא, ולא עמד איש אתו בהתודע יוסף אל אחיו, כמה דאת אמר ויטלם וינשאם כל ימי עולם.

סט. ולא יכול יוסף להתאפק, רבי חזקיה פתח ואמר, שיר המעלות אליך נשאתי את עיני היושבי בשמים, האי קרא אוקמוה ואתמר, אבל תא חזי, אליך נשאתי את עיני, וכתיב אשא עיני אל ההרים. אלא, דא לעילא, ודא לתתא. אשא עיני אל ההרים, דא לעילא, בגין לאמשכא ברכאן מעילא לתתא, מאלין הרים עלאין, לאמשכא מנייהו ברכאן לכנסת ישראל, דאתברכא מנייהו. אליך נשאתי את עיני, למצפי ולזכאה לאינון ברכאן דנחתו מתמן לתתא.

ע. היושבי בשמים, דכל תוקפהא, וחילאה, וקיומהא, איהו בשמים, בגין דכד יובלא, אפתח מבועי דכל אינון תרעין, כלהו קיימי בשמים, וכיון דשמים נטיל כל אינון נהורין דנפקי מיובלא, כדין איהו זן ואשקי לה לכנסת ישראל, על ידא דצדיק חד.

עא. וכיון דדא אתער לגבה, כמה אינון דקיימן בכל סטרין, לאתשקאה ולאתברכא מתמן, כד"א הכפירים שואגים לטרף ולבקש מאל אכלם. וכדין, איהי סלקא ברזא דרזין כדקא חזי, ומקבלא עדונין מבעלה כדקא יאות, וכלהו דקיימין בכל סטרין עמדי בלחודייהו, כד"א ולא עמד איש אתו, דכתיב ויקרא הוציאו כל איש מעלי, ולבתר דאיהי מקבלא עדונין מבעלה, כלהו אתשקיין לבתר, ואתזנו, כד"א ישקו כל חיתו שדי ישברו פראים צמאם.

עב. רבי יוסי פתח קרא באליהו, דכתיב ויקרא אל ה' ויאמר ה' אלהי הגם על האלמנה אשר אני מתגורר עמה הרעות להמית את בנה. תא חזי, תרי הוו דקאמרין מלין לקביל קב"ה, משה ואליהו, משה אמר, למה הרעות לעם הזה. ואליהו אמר, הרעות להמית את בנה, ותרוייהו מלה חדא קאמרו.

עג. מ"ט. אלא רזא איהו, משה אמר, למה הרעות, מאי טעמא. אלא, בגין דאתיהיב רשו לסטרא אחרא לשלטאה עלייהו דישראל, הרעות: יהבת רשו לסטרא אחרא דרע, למשלט עלייהו. אליהו אמר הרעות יהבת רשו לסטרא דרע, ליטול נשמתא דדא, ודא הוא הרעות, וכלא רזא חדא.

עד. תא חזי, אליהו אמר, הגם על האלמנה אשר אני מתגורר עמה, בגין דקב"ה אמר ליה לאליהו, הנה צויתי שם אשה אלמנה לכלכלך, וכל מאן דזן ומפרנס למאן דאצטריך ליה, וכ"ש ביומא דכפנא, הא אתאחיד באילנא דחיי, וגרים ליה חיים ולבנוי, והא אוקימנא. והשתא אליהו אמר, כל מאן דקיים נפשא בעלמא, זכי ליה חיים, וזכי לאתאחדא באילנא דחיי, והשתא שלטא אילנא דמותא סטרא דרע, על האלמנה דאנת פקדית למיזן לי, בגין כך הרעות.

עה. ואי תימא דרע לא אתעביד לבר נש מעם קב"ה. ת"ח, בזמנא דבר נש אזיל

לימינא, נטירו דקב"ה תדיר לגביה, ולא יכיל סטרא אחרא לשלטאה עליה, והאי רע אתכפיא קמיה, ולא יכיל לשלטאה. וכיון דנטירא דקב"ה אתעברא מניה, בגין דאיהו אתדבק ברע, כדין ההוא רע, כיון דחמי דלאו עמיה נטירו, כדין שליט עליה, ואתי לשיצאה ליה, וכדין אתיהיב ליה רשו, ונטיל נשמתיה.

עו. משה אמר למה הרעות, דאתיהיב ליה רשו לסטרא דרע, למשלט עלייהו דישראל, למהוי בשעבודא דיליה. דבר אחר למה הרעות, דחמא כמה מנהון דהוו מתין, ואתמסרו בסטרא דרע.

עז. תא חזי, בשעתא דטוב אתער, דאיהו ימינא, כל חידו, וכל טיבו, וכל ברכאן משתכחן, וכלא בחשאי איהו, כמה דאוקמוה, דאמרי בשכמל"ו בחשאי, ורזא דא בגין דאיהו כדין יחודא כדקא חזי.

עח. אמר רבי חייא, וכי אליהו, כיון דאיהו גזר, וקודשא בריך הוא מקיים, ואיהו גזיר על שמיא, דלא לאחתא מטרא וטלא, היך דחיל איהו מאיזבל, דשדרת ליה, דכתיב כי כעת מחר אשים את נפשך כנפש אחד מהם, ומיד דחיל וערק על נפשיה.

עט. א"ל רבי יוסי, הא אוקמוה, דצדיקיא, לא בעאן לאטרחא למאריהון, באתר דנזקא אשתכחת לעינא. כגוונא דשמואל, דכתיב איך אלך ושמע שאול והרגני, א"ל עגלת בקר תקח בידך, בגין דצדיקיא, לא בעאן לאטרחא למאריהון, באתר דנזקא אשתכח. אוף הכי אליהו, כיון דחמא דנזקא אשתכח, לא בעי לאטרחא למאריה.

פ. א"ל אנא מלה שמענא, דהא באליהו לא כתיב ביה ויירא וילך אל נפשו, אלא וירא, ראיה חמא, ומה חמא, אלא חמא, דהא מכמה שנין אזל בתריה מלאך המות, ולא אתמסר בידיה, והשתא וילך אל נפשו, מאי וילך אל נפשו, אזל לקיומא דנפשא, ומאן איהו אילנא דחיי לאתדבקא תמן.

פא. תא חזי, כלהו כתיב את נפשו, והכא כתיב אל נפשו, ורזא דא שמענא, דאמר ר"ש, כל נשמתין דעלמא, כלהו נפקי מההוא נהר דנגיד ונפיק, וכלהו נקיט לון, ההוא צרורא דחייא, וכד נוקבא אתעברת מן דכורא, כלהו בתיאובתא דתרין סטרין, בתיאובתא דנוקבא לגבי דכורא, וכד תיאובתא דדכורא נפקא ברעותא, כדין אינון נשמתין בקיומא יתיר, בגין דכלא בתיאובתא ורעו דאילנא דחייא. ואליהו, בגין דהוה מההוא רעותא, יתיר מבר נש אחרא, אתקיים.

פב. ובגין כך אל נפשו כתיב, ולא כתיב את נפשו, דהא את נפשו דא היא נוקבא. ואי תימא ואל האשה אמר, כללא דדכר ונוקבא, כד היא בגו דכורא, כדין ואל האשה אמר. את האשה, נוקבא בלחודהא, ולא דדכורא. כגוונא דא אל נפשו, דכר בלחודוי, את נפשו נוקבא בלחודהא ולא כלילו דדכורא. ובגין דאיהו מסטרא דדכורא, יתיר מכל בני עלמא, אתקיים בקיומיה יתיר, ולא מית כשאר בני עלמא, בגין דכלא איהו מאילנא דחיי, ולא מגו עפרא, ובגין דא אסתלק לעילא, ולא מית כארח כל בני עלמא, דכתיב ויעל אליהו בסערה השמים.

פג. תא חזי, מה כתיב והנה רכב אש וסוסי אש וגו', דהא כדין אתפשט גופא מן רוחא, ואסתלק דלא כשאר ארח בני עלמא, ואשתאר מלאכא קדישא, כשאר קדישי עליונין, ועביד שליחותא בעלמא, והא אוקמוה, דנסין דעבד קודשא בריך הוא בעלמא, על ידיה אתעבידן.

פד. ותא חזי, מה כתיב וישאל את נפשו, בקדמיתא וילך אל נפשו, כמה דאתמר

בְּקִיוּמָא, וְהָכָא אֶת נַפְשׁוֹ לָמוּת, אִילָנָא דְּבֵיהּ שַׁרְיָא מוֹתָא, וְתַמָּן אִתְגְּלֵי עֲלֵיהּ קב"ה, כְּמָה דִּכְתִיב צֵא וְעָמַדְתָּ בָהָר. מַה כְּתִיב בַּתְרֵיהּ, וְאַחַר הָרַעַשׁ אֵשׁ לֹא בָאֵשׁ ה' וְאַחַר הָאֵשׁ קוֹל דְּמָמָה דַקָּה, דָּא הוּא אֲתַר פְּנִימָאָה דְּכֹלָּא, דְּמִנֵּיהּ נָפְקִין כָּל נְהוֹרִין.

פה. מַה כְּתִיב וַיְהִי כִּשְׁמֹעַ אֵלִיָּהוּ וַיָּלֶט פָּנָיו בְּאַדַּרְתּוֹ וְהִנֵּה אֵלָיו קוֹל וַיֹּאמֶר מַה לְּךָ פֹה אֵלִיָּהוּ וַיֹּאמֶר קַנֹּא קִנֵּאתִי, א"ל קב"ה עַד מָתַי אַתָּה מְקַנֵּא לִי, טַרְקַת גַּלָּא דְּלָא יָכִיל לְשַׁלְטָאָה בָּךְ מוֹתָא לְעָלְמָא, וְעָלְמָא לָא יָכִיל לְמִסְבְּלָךְ עִם בָּנַי, א"ל כִּי עָזְבוּ בְרִיתְךָ בְּנֵי יִשְׂרָאֵל וְגוֹ'. אֲמַר לֵיהּ וְחַיֶּיךָ, דִּבְכָל אֲתַר דִּבְנַי יְקַיְּימוּ קְיָים קַדִּישָׁא, אַנְתְּ תְּהֵא זַמִּין תַּמָּן.

פו. ת"ז, מַה גָּרַם הַהִיא מִלָּה דְּאֵלִיָּהוּ, דִּכְתִיב וְהִשְׁאַרְתִּי בְיִשְׂרָאֵל שִׁבְעַת אֲלָפִים כָּל הַבִּרְכַּיִם אֲשֶׁר לֹא כָרְעוּ לַבַּעַל וְכָל הַפֶּה אֲשֶׁר לֹא נָשַׁק לוֹ. אֲמַר לֵיהּ קב"ה, מִכָּאן וּלְהָלְאָה, דְּלָא יָכִיל עָלְמָא לְמִסְבְּלָךְ עִם בָּנַי, וְאֶת אֱלִישָׁע בֶּן שָׁפָט מֵאָבֵל מְחוֹלָה תִּמְשַׁח לְנָבִיא תַּחְתֶּיךָ, יְהֵא נְבִיאָה אָחֳרָא לְגַבֵּי בָּנַי, וְאַנְתְּ תִּסְתַּלַּק לְאַתְרָךְ.

פז. ות"ז, כָּל הַהוּא בַּר נָשׁ, דִּמְקַנֵּי לֵיהּ לְקב"ה, לָא יָכִיל מַלְאֲכָא דְּמוֹתָא לְשַׁלְטָאָה בֵּיהּ, כִּשְׁאַר בְּנֵי נָשָׁא, וְיִתְקַיֵּים בֵּיהּ שָׁלוֹם, וְהָא אוּקְמוּהָ, כְּמָה דְּאִתְּמַר בְּפִנְחָס, לָכֵן אֱמוֹר הִנְנִי נוֹתֵן לוֹ אֶת בְּרִיתִי שָׁלוֹם.

פח. וַיִּפֹּל עַל צַוְּארֵי בִנְיָמִן אָחִיו וַיֵּבְךְּ וּבִנְיָמִן בָּכָה עַל צַוָּארָיו. רִבִּי יִצְחָק אֲמַר, הָא אוּקְמוּהָ, דְּבָכָה עַל מִקְדָּשׁ רִאשׁוֹן וְעַל מִקְדָּשׁ שֵׁנִי.

פט. פָּתַח וַאֲמַר, כְּמִגְדַּל דָּוִיד צַוָּארֵךְ בָּנוּי לְתַלְפִּיּוֹת אֶלֶף הַמָּגֵן תָּלוּי עָלָיו כֹּל שִׁלְטֵי הַגִּבּוֹרִים. כְּמִגְדַּל דָּוִד, מַאן מִגְדַּל דָּוִד. דָּא מִגְדַּל דָּוִד וַדַּאי, דִּבְנָה לֵיהּ דָּוִד, וְסָלִיק לֵיהּ גּוֹ יְרוּשָׁלַיִם. אֶלָּא כְּמִגְדַּל דָּוִד, דָּא יְרוּשָׁלֵם דִּלְעֵילָא, דִּכְתִיב בֵּיהּ, מִגְדַּל עֹז שֵׁם ה' בּוֹ יָרוּץ צַדִּיק וְנִשְׂגָּב, מַאן נִשְׂגָּב. אֶלָּא הַהוּא מִגְדַּל נִשְׂגָּב, בְּגִין דְּבֵיהּ יָרוּץ צַדִּיק.

צ. צַוָּארֵךְ: דָּא בֵּית מַקְדְּשָׁא דִּלְתַתָּא, דְּאִיהוּ קָאִים בְּתִקּוּנָא דְּשַׁפִּירוּ, כְּקִדְלָא לְגוּפָא. מַה צַוָּאר, אִיהוּ שַׁפִּירוּ דְּכָל גּוּפָא, הָכֵי נָמֵי בֵּי מַקְדְּשָׁא, אִיהוּ שַׁפִּירוּ דְּכָל עָלְמָא.

צא. בָּנוּי לְתַלְפִּיּוֹת, תִּלָּא דְּכָל בְּנֵי עָלְמָא הֲווֹ מִסְתַּכְּלָן בֵּיהּ, וְהָכֵי אוּקְמוּהָ, תַּלְפִּיּוֹת: תֵּל דְּכָל פִּיּוֹת דְּעָלְמָא מְשַׁבְּחָן וּמְצַלָּאן לְגַבֵּיהּ.

צב. אֶלֶף הַמָּגֵן תָּלוּי עָלָיו, אִלֵּין אֶלֶף תִּקּוּנִין, דְּמִתְתַּקְּנִין בֵּיהּ כִּדְקָא יָאוּת. כֹּל שִׁלְטֵי הַגִּבּוֹרִים, דְּכֻלְּהוּ קָא אַתְיָין מִסִּטְרָא דְּדִינָא קַשְׁיָא.

צג. מַה צַוָּאר כָּל תִּקּוּנִין דְּאִתְּתָא בֵּיהּ תַּלְיָין, כָּךְ בְּמַקְדְּשָׁא, כָּל תִּקּוּנִין דְּעָלְמָא, בֵּיהּ תַּלְיָין וְשַׁרְיָין. וְהָא אוּקְמוּהָ, דִּכְתִיב עַל צַוָּארֵנוּ נִרְדָּפְנוּ, עַל בֵּי מַקְדְּשָׁא, דְּאִיהוּ צַוָּאר וְשַׁפִּירוּ דְּכָל עָלְמָא. נִרְדָּפְנוּ, יָגַעְנוּ, לְמִבְנֵי לֵיהּ תְּרֵין זִמְנִין, וְלֹא הוּנַח לָנוּ, דְּהָא לָא שָׁבְקוּהָ לָן, וְאִתְחָרַב וְלָא אִתְבְּנֵי לְבָתַר.

צד. מַה צַוָּאר, כֵּיוָן דְּאִשְׁתֵּצֵי, כָּל גּוּפָא אִשְׁתֵּצֵי עִמֵּיהּ, הָכֵי נָמֵי בֵּי מַקְדְּשָׁא, כֵּיוָן דְּאִיהוּ אִשְׁתֵּצֵי וְאִתְחֲשַׁךְ, כָּל עָלְמָא הָכֵי נָמֵי אִתְחֲשַׁךְ, וְלָא נָהִיר שִׁמְשָׁא, וְלָא שְׁמַיָּא וְאַרְעָא וְכֹכְבַיָּא.

צה. בְּגִין כָּךְ, בָּכָה יוֹסֵף עַל דָּא. וּלְבָתַר דְּבָכָה עַל דָּא, בָּכָה עַל שִׁבְטִין דְּאִתְגְּלוּ, כַּד אִתְחֲרִיב בֵּי מַקְדְּשָׁא, כֻּלְּהוּ שִׁבְטִין אִתְגְּלוּ מִיָּד, וְאִתְבַּדְּרוּ בֵּינֵי עַמְמַיָּא, הה"ד וַיְנַשֵּׁק לְכָל אֶחָיו וַיֵּבְךְּ עֲלֵיהֶם, עֲלֵיהֶם וַדַּאי.

צו. עַל כֻּלְּהוּ בָּכָה, עַל בֵּי מַקְדְּשָׁא דְּאִתְחָרִיב תְּרֵין זִמְנִין, וְעַל אֲחוֹי עֲשֶׂרֶת הַשְּׁבָטִים, דְּאִתְגְּלוּ בְּגָלוּתָא, וְאִתְבַּדְּרוּן בֵּינֵי עַמְמַיָּא. וְאַחֲרֵי כֵן דִּבְּרוּ אֶחָיו אִתּוֹ, וְלָא כְּתִיב וַיִּבְכּוּ,

דְּהָא אִיהוּ בָּכָה, דְּנָצְנְצָה בֵּיהּ רוּחָא קַדִּישָׁא, וְאִינוּן לָא בָּכוּ, דְּלָא שַׁרְיָא עֲלַיְיהוּ רוּחָא קוּדְשָׁא.

צו. וְהַקֹּל נִשְׁמַע בֵּית פַּרְעֹה. רְבִּי אַבָּא פָּתַח וְאָמַר נִכְסְפָה וְגַם כָּלְתָה נַפְשִׁי לְחַצְרוֹת ה' לִבִּי וּבְשָׂרִי יְרַנְּנוּ אֶל אֵל חָי. תָּא חֲזֵי, כָּל בַּר נָשׁ דְּיְצַלֵּי צְלוֹתֵיהּ, קַמֵּי מָארֵיהּ, אִצְטְרִיךְ לֵיהּ, לְאַקְדָּמָא לֵיהּ בִּרְכָאן, בְּכָל יוֹמָא וְיוֹמָא, וּלְצַלֵּי צְלוֹתֵיהּ קַמֵּי מָארֵיהּ, בְּזִמְנָא דְּאִצְטְרִיךְ.

צז. בְּצַפְרָא, לְאַחֲזָרָא בִּימִינָא דְּקֻבָּ"ה. בִּמְנוּחָה, לְאַחֲזָרָא בִּשְׂמָאלָא. וּצְלוֹתָא וּבָעוּתָא, אִצְטְרִיךְ לֵיהּ לְבַר נָשׁ, בְּכָל יוֹמָא וְיוֹמָא, בְּגִין לְאִתְאַחֲדָא בֵּיהּ, וְאוֹקִימְנָא, מַאן דְּיְצַלֵּי צְלוֹתֵיהּ, קַמֵּי מָארֵיהּ, אִצְטְרִיךְ לֵיהּ, דְּלָא לְמִשְׁמַע קָלֵיהּ, וּמַאן דְּאַשְׁמַע קָלֵיהּ בִּצְלוֹתֵיהּ, צְלוֹתֵיהּ לָא אִשְׁתְּמַע.

צט. מַאי טַעְמָא. בְּגִין דִּצְלוֹתָא, לָא אִיהִי הַהִיא קָלָא דְּאִשְׁתְּמַע, דְּהַהוּא קוֹל דְּאִשְׁתְּמַע לָאו הִיא צְלוֹתָא. וּמַאן אִיהִי צְלוֹתָא. דָּא קָלָא אָחֳרָא, דְּתַלְיָא בְּקָלָא דְּאִשְׁתְּמַע, וּמַאן הוּא קָלָא דְּאִשְׁתְּמַע. דָּא הַהוּא קוֹל דְּהוּא בּוֹא"ו, דָּא הַהוּא קֹל בְּלָא וא"ו.

ק. וּבְגִין כָּךְ, לָא אִצְטְרִיךְ לֵיהּ לְבַר נָשׁ, לְמִשְׁמַע קָלֵיהּ בִּצְלוֹתֵיהּ, אֶלָּא לְצַלָּאָה בְּלֹוֹחֵשׁ, בְּהַהוּא קָלָא דְּלָא אִשְׁתְּמַע, וְדָא הִיא צְלוֹתָא דְּאִתְקַבְּלַת תָּדִיר, וְסִימָנֶיךְ וְהַקֹּל נִשְׁמָע, קֹל בְּלָא וא"ו, נִשְׁמַע. דָּא הִיא צְלוֹתָא דְּהִיא בַּחֲוַשַׁאי, וְקוֹלָהּ לֹא יִשָּׁמֵעַ, דָּא הִיא צְלוֹתָא דְּקֻבָּ"ה קָבִיל, כַּד אִתְעֲבֵיד גּוֹ רְעוּתָא, וְכַוָּונָה, וְתִקּוּנָא כְּדְקָא יָאוֹת, וְלִיוַחֲדָא יִחוּדָא כְּדְקָא חֲמֵיהּ יָאוֹת בְּכָל יוֹמָא.

קא. רְבִּי אֶלְעָזָר אָמַר, קָלָא בַּחֲשַׁאי, דָּא הִיא קָלָא עִלָּאָה, דְּכָל קָלִין נָפְקִין מִתַּמָּן. אֲבָל קֹל בְּלָא ו, דָּא הִיא צְלוֹתָא דִּלְתַתָּא, דְּאִיהִי אָזְלָא לְאִסְתַּלְּקָא בּוֹא"ו, וּלְאִתְחַבְּרָא בֵּיהּ.

קב. תָּא חֲזֵי, וְהַקֹּל נִשְׁמַע, דָּא הוּא קֹל בְּלָא וא"ו, דָּא הִיא קָלָא, דְּבְבֵאַת עַל מִקְדָּשׁ רִאשׁוֹן, וְעַל מִקְדָּשׁ שֵׁנִי. נִשְׁמַע. כְּמָה דְּאַתְּ אָמַר, קוֹל בְּרָמָה נִשְׁמַע. בְּרָמָה, מַאי בְּרָמָה. דָּא הוּא עָלְמָא עִלָּאָה, עָלְמָא דְּאָתֵי, וְסִימָנֶיךְ מִן הָרָמָה וְעַד בֵּית אֵל, מִן הָעוֹלָם וְעַד הָעוֹלָם, הָכָא בְּרָמָה, דָּא עָלְמָא עִלָּאָה, דְּהָא בְּהַהִיא שַׁעְתָּא, דִּי בְּרָמָה נִשְׁמַע, כְּדֵין מַה כְּתִיב, וַיִּקְרָא ה' אֱלֹקִים צְבָאוֹת בַּיּוֹם הַהוּא לִבְכִי וּלְמִסְפֵּד וְגוֹ'.

קג. וְהַקֹּל נִשְׁמַע, לְעֵילָּא לְעֵילָּא. מ"ט. בְּגִין, דְּוא"ו אִתְרַחֲוָוק וְאִסְתַּלַּק מִנֵּיהּ, וּכְדֵין רָחֵל מְבַכָּה עַל בָּנֶיהָ מֵאֲנָה לְהִנָּחֵם עַל בָּנֶיהָ כִּי אֵינֶנּוּ. כִּי אֵינָם, כִּי אֵינֶנּוּ מִבְּעֵי לֵיהּ. אֶלָּא כִּי אֵינֶנּוּ, וְהָא אוֹקִימְנָא, כִּי אֵינֶנּוּ, דְּבְעֵילָּה לָא אִשְׁתְּכַח עִמָּהּ, דְּאִלְמָלֵא בַּעֲלָהּ יִשְׁתַּכַּח עִמָּהּ. תִּתְנַחֵם עֲלַיְיהוּ, דְּהָא כְּדֵין בְּנָהָא, לָא יַהֲרוֹן בְּגָלוּתָא, וּבְגִין דְּאֵינֶנּוּ, לָאו אִיהִי מִתְנַחֲמָא עַל בְּנָהָא, בְּגִין דְּבִנְהָא אִתְרַחֲוָזְקוּ מִנָּהּ, עַל דְּאֵינֶנּוּ עִמָּהּ.

קד. תָּא חֲזֵי בֵּית פַּרְעֹה, דָּא הוּא סִימָנֶיךְ לְעֵילָּא, בֵּיתָא דְּאִתְפְּרָעוּ וְאִתְגַּלְיָין וְאַתְגַּלְּיָין מִנֵּיהּ כָּל נְהוֹרִין, וְכָל בּוּצִינִין, וְכָל מַה דְּהֲוָה סָתִים, מִתַּמָּן אִתְגְּלֵי, וּבְגִּינֵי כַּךְ, קֻבָּ"ה אַפִּיק כָּל נְהוֹרִין, וְכָל בּוּצִינִין, בְּגִין לְאַנְהֲרָא לְהַהוּא קוֹל, דְּאִקְרֵי קֹל בְּלָא וא"ו.

קה. תָּא חֲזֵי כַּד יָקִים קֻבָּ"ה לְהַאי קֹל מֵעַפְרָא, וְיִתְחֲזַר דָּא מַה דְּאִתְעֲבֵיד מִנַּיְיהוּ בְּזִמְנָא דִּצְלוֹתָא, יִתְהֲדַר וְיִתְעֲדְּנוּן בִּנְהוֹרִין עִלָּאִין, דְּאִתּוֹסְפָן מִגּוֹ עָלְמָא עִלָּאָה, כְּדָּא וְהָיָה בַּיּוֹם הַהוּא יִתָּקַע בְּשׁוֹפָר גָּדוֹל וּבָאוּ הָאוֹבְדִים בְּאֶרֶץ אַשּׁוּר וְהַנִּדָּחִים בְּאֶרֶץ מִצְרַיִם וְהִשְׁתַּחֲווּ לַה' בְּהַר הַקֹּדֶשׁ בִּירוּשָׁלִָם.

קו. וְאַתָּה צֻוֵּיתָה זֹאת עֲשׂוּ קְחוּ לָכֶם מֵאֶרֶץ מִצְרַיִם וְגוֹ'. רְבִּי וַיְיסָא פָּתַח, שִׂמְחוּ אֶת יְרוּשָׁלִַם וְגִילוּ בָהּ כָּל אוֹהֲבֶיהָ שִׂישׂוּ אִתָּהּ מָשׂוֹשׂ וְגוֹ'. תָּא חֲזֵי, כַּד אִתְחֲרַב בֵּי מִקְדְּשָׁא,

וְגָרְמוּ וְחוֹבִין, וְאִתְגְּלוּ יִשְׂרָאֵל מֵאַרְעָא, אִסְתַּלָּק קוּדְשָׁא בְּרִיךְ הוּא לְעֵילָּא לְעֵילָּא, וְלָא אַשְׁגַּח עַל וְחָרוּב בֵּי מַקְדְּשָׁא, וְעַל עַמֵּיהּ דְּאִתְגְּלוּ, וּכְדֵין שְׁכִינְתָּא אִתְגַּלְיָיא עִמְּהוֹן.

קז. כַּד נָזַת, אַשְׁגַּח עַל בֵּיתֵיהּ דְּאִתּוֹקַד, אִסְתַּכַּל עַל עַמֵּיהּ, וְהָא אִתְגְּלֵי, עַאל עַל מַטְרוֹנִיתָא, וְאִתְהַדְּרַכַת, כְּדֵין וַיִּקְרָא ה' אֱלֹקִים צְבָאוֹת בַּיּוֹם הַהוּא לִבְכִי וּלְמִסְפֵּד וּלְקָרְחָה וְלַחֲגֹר שָׂק, וְהִיא גַּם הִיא מַה כְּתִיב בָּהּ, אֱלִי כִבְתוּלָה חֲגֻרַת שַׂק עַל בַּעַל נְעוּרֶיהָ, כְּדְ"א כִּי אֵינֶנּוּ, בְּגִין דְּאִסְתַּלָּק מִינָהּ, וְאַשְׁתְּכַח פֵּרוּדָא.

קח. וַאֲפִילּוּ שְׁמַיָּא וְאַרְעָא, כֻּלְּהוּ אִתְאַבְּלוּ, דִּכְתִיב אַלְבִּישׁ שָׁמַיִם קַדְרוּת וְשַׂק אָשִׂים כְּסוּתָם. מַלְאֲכֵי עִלָּאֵי, כֻּלְּהוּ אִתְאַבְּלוּ עֲלֵיהּ, דִּכְתִיב הֵן אֶרְאֶלָּם צָעֲקוּ חֻצָה וּמַלְאֲכֵי שָׁלוֹם מַר יִבְכָּיוּן. שִׁמְשָׁא וְסִיהֲרָא אִתְאַבְּלוּ, וְחָשְׁכוּ נְהוֹרֵיהוֹן, דִּכְתִיב הֶחֱשָׁךְ וְזָרַח הַשֶּׁמֶשׁ בְּצֵאתוֹ וְגו', וְכֹלָּא עִלָּאֵי וְתַתָּאֵי, בָּכוּ עֲלָהּ וְאִתְאַבְּלוּ. מַ"ט, בְּגִין דְּשַׁלְטָא עֲלָהּ סִטְרָא אוֹחֲרָא, דְּשַׁלְטָא עַל אַרְעָא קַדִּישָׁא.

קט. פָּתַח וַאֲמַר, וְאַתָּה בֶן אָדָם כֹּה אָמַר ה' אֱלֹקִים לְאַדְמַת יִשְׂרָאֵל קֵץ בָּא הַקֵּץ עַל אַרְבַּע כַּנְפוֹת הָאָרֶץ, הַאי קְרָא רָזָא עִלָּאָה אִיהוּ, לְאַדְמַת יִשְׂרָאֵל קֵץ מַאי אִיהוּ, וְכִי אַדְמַת יִשְׂרָאֵל קֵץ הִיא. אֶלָּא הָכִי הוּא וַדַּאי וְאִתְמָר, קֵץ אִיהוּ לִימִינָא, קֵץ אִיהוּ לִשְׂמָאלָא. קֵץ לִימִינָא: דִּכְתִיב לְקֵץ הַיָּמִין. קֵץ לִשְׂמָאלָא: דִּכְתִיב קֵץ שָׂם לַחוֹשֶׁךְ וּלְכָל תַּכְלִית הוּא חוֹקֵר, וְדָא הוּא, קֵץ כָּל בָּשָׂר, כְּמָה דְאִתְּמָר.

קי. קֵץ דִּימִינָא, הַיְינוּ דִּכְתִיב לְאַדְמַת יִשְׂרָאֵל קֵץ. בָּא הַקֵּץ, דָּא קֵץ דִּשְׂמָאלָא. קֵץ דִּימִינָא: דָּא קֵץ דְּיֵצֶר הַטּוֹב. קֵץ דִּשְׂמָאלָא: דָּא קֵץ דְּיֵצֶר הָרָע, וְדָא אִיהוּ, דְּכַד וְחוֹבִין גָּרְמוּ וְאִתְגַּבְּרוּ, אִתְגְּזַר וְאִתְיְיהִיב שֻׁלְטָנָא לְמַלְכוּת הָרְשָׁעָה לְשַׁלְּטָאָה, וּלְחָרְבָא בֵּיתֵיהּ וּמַקְדְּשֵׁיהּ, וְדָא הוּא דִכְתִיב, כֹּה אָמַר ה' אֱלֹקִים רָעָה אַחַת רָעָה הִנֵּה בָאָה, וְכֹלָּא וָזְ.

קיא. וּבְגַ"כ, אִתְאַבְּלוּ עִלָּאֵי וְתַתָּאֵי, עַל דְּאִתְיְיהִיב שֻׁלְטָנוּ לְהַאי קֵץ דִּשְׂמָאלָא, וּבְגִין כָּךְ, כֵּיוָן דְּמַלְכוּ קַדִּישָׁא, מַלְכוּת שָׁמַיִם אִתְכַּפְיָא, וּמַלְכוּת וַיָּיבָא אִתְגַּבָּר, אִית לֵיהּ לְכָל בַּר נָשׁ, לְאִתְאַבְּלָא עִמָּהּ, וּלְאִתְכַּפְיָא עִמָּהּ, וּבְגִין דְּכַד אִיהִי יִזְדְּקְפָא, וְעָלְמָא יִתְוֹדֵי, יִתְוֹדֵי אִיהוּ בַּהֲדָהּ, דִּכְתִיב וַיֵּשֶׁב עֵשָׂו וְאַתָּה מַשְׁמִיעַ כָּל הַמִּתְאַבְּלִים עָלֶיהָ.

קיב. תָּא חֲזֵי, כְּתִיב בְּהוּ בְּמִצְרַיִם, עֶגְלָה יְפֵיפִיָּה מִצְרַיִם, וְרָזָא דְעֶגְלָה דָּא, הֲווֹ יִשְׂרָאֵל תַּחוֹת שֻׁלְטָנֵיהּ, כַּמָּה זִמְנִין, וְכַמָּה שְׁנִין, וּבְגִין דִּזְמִינִין יִשְׂרָאֵל לְשַׁלְּטָאָה לְבָתַר עֲלָהּ, אִתְרְמִיז לוֹן הַעֲשָׂתָא עֶגְלוֹת.

קיג. רִבִּי אֶלְעָזָר אָמַר, רְמָזוֹ רָמְזוּ לֵיהּ יוֹסֵף לְיַעֲקֹב, עַל עֶגְלָה עֲרוּפָה, דְּהָא בְּהַהוּא פִּרְקָא אִתְפְּרַשׁ מִנֵּיהּ. וְאוֹקִמוּהָ, עֶגְלָה עֲרוּפָה, דְּאִיהִי אַתְיָא עַל דְּאִשְׁתְּכַח קְטוֹלָא, וְלָא אִתְיְדַע מַאן קָטִיל לֵיהּ, וּבְגִין דְּלָא יֵשְׁלְטוּן עַל אַרְעָא רוּחִין בִּישִׁין דְּלָא אִצְטְרִיכוּ, יַהֲבִין הַאי עֶגְלָה לְתִקּוּנָא, בְּגִין דְּלָא יִשְׁתְּמוֹדְעוּן לְגַבֵּיהּ, וְלָא יֵשְׁלְטוּ עֲלַיְיהוּ.

קיד. תּ"ח, כָּל בְּנֵי נָשָׁא כֻּלְּהוּ עָבְרִין עַ"י דְּמַלְאַךְ הַמָּוֶת, בַּר מֵהַאי, דְּאַקְדִּימוּ לֵיהּ בְּנֵי נָשָׁא, עַד לָא יִמְטֵי זִמְנָא, לְשַׁלְּטָאָה בֵּיהּ, וּלְיטוֹל רְשׁוּ, דְּהָא לָא שַׁלִּיט בְּבַר נָשׁ, עַד דְּנָטִיל רְשׁוּ.

קטו. וּבְגַ"כ, אִית לֵיהּ דִּינָא לְשַׁלְּטָאָה, עַל הַהוּא אֲתַר, כְּמָה דְאַתְּ אָמַר, לֹא נוֹדַע מִי הִכָּהוּ, הֲ"נ אִית לֵיהּ דִּינָא דְּלָא אִתְיְדַע, בְּגִין לְקָטְרְנָא עַל הַהוּא אֲתַר, וְעַ"ד וְלָקְחוּ זִקְנֵי הָעִיר הַהִיא עֶגְלַת בָּקָר וְגו'. בְּגִין לְאַעְבְּרָא דִּינֵיהּ דְּהַהוּא דִּינָא אַחַר, וּלְאִתְתַּקְּנָא דְּלָא יֵשְׁלוֹט בֵּיהּ מְקַטְרְגָא, וּלְאִשְׁתֵּזָבָא מִנֵּיהּ.

קטז. תָּא חֲזֵי, יוֹסֵף כַּד אִתְפְּרַשׁ מֵאֲבוֹי, בְּלָא לְוָיָה, וּבְלָא אֲכִילָה אִשְׁתַּדַּר, וַהֲוָה מַה

דַּהֲוָה, וְכַד אֲמַר יַעֲקֹב, טָרוֹף טוֹרַף יוֹסֵף, אֲמַר כִּי אֵרֵד אֶל בְּנִי אָבֵל שְׁאוֹלָה, דַּאֲנָא גְּרִימְנָא לֵיהּ. וְתוּ, דַּהֲוֵינָא יָדַע דַּאֲחוֹי סַנְיָין לֵיהּ, וְשַׁדַּרְנָא לֵיהּ, וְרֶמֶז קָא רָמִיז לֵיהּ.

קיז. א"ל רִבִּי יְהוּדָה, אִינּוּן עֲגָלוֹת ע"פ פַּרְעֹה שַׁדַּר לוֹן, דִּכְתִּיב וַיִּתֵּן לָהֶם יוֹסֵף עֲגָלוֹת עַל פִּי פַּרְעֹה. א"ל, דְּיוּקָא דְּמִלָּה, דִּכְתִּיב וְאַתָּה צֻוֵּיתָה זֹאת עֲשׂוּ. וְאַתָּה צֻוֵּיתָה דַּיְיקָא, וּבְג"כ כְּתִיב בְּהַ"א, מַשְׁמַע דְּיוֹסֵף תָּבַע לוֹן, וּבְג"כ וַיִּתֵּן לָהֶם יוֹסֵף עֲגָלוֹת עַל פִּי פַּרְעֹה. וְיַעֲקֹב לָא אִתְקַיַּים בְּמִלָּה, עַד דְּחָמָא לוֹן, דִּכְתִּיב וַיַּרְא אֶת הָעֲגָלוֹת אֲשֶׁר שָׁלַח יוֹסֵף לָשֵׂאת אוֹתוֹ וַתְּחִי רוּחַ יַעֲקֹב אֲבִיהֶם.

קיח. אר"ש, בְּקַדְמֵיתָא וַתְּחִי רוּחַ יַעֲקֹב, וּלְבָתַר וַיֹּאמֶר יִשְׂרָאֵל רַב עוֹד יוֹסֵף בְּנִי חָי. אֶלָּא בְּקַדְמֵיתָא קָרֵי לֵיהּ אוֹרַיְיתָא יַעֲקֹב, בְּגִין שׁוּתָּפוּתָא, דְּאִשְׁתַּתְּפוּ שְׁכִינְתָּא בְּהַהוּא חֵרֶם, כַּד אוֹדַבַּן יוֹסֵף, וְהַשְׁתָּא דִּשְׁכִינְתָּא סָלְקָא, כְּדֵין אִיהוּ, וַתְּחִי רוּחַ יַעֲקֹב אֲבִיהֶם, וְדָא הוּא רָזָא דִּשְׁכִינְתָּא, וּבָתַר דְּאִיהִי קַיְימָא בְּקִיּוּמָא, כְּדֵין דַּרְגָּא דִּלְעֵילָּא, אִתְעֲבַר לְגַבָּהּ, דַּרְגָּא דְּאִיהוּ יִשְׂרָאֵל. מִכָּאן, דְּדַרְגָּא דִּלְעֵילָּא, לָא אִתְעַר לְעֵילָּא, עַד דְּאִתְעַר בְּקַדְמֵיתָא לְתַתָּא, דְּהָא הָכָא וַתְּחִי רוּחַ יַעֲקֹב בְּקַדְמֵיתָא, וּלְבָתַר וַיֹּאמֶר יִשְׂרָאֵל.

קיט. וַיֹּאמֶר אֱלֹקִים לְיִשְׂרָאֵל בְּמַרְאֹת הַלַּיְלָה, בְּמַרְאַת כְּתִיב. תָּא חֲזֵי, וַיִּזְבַּח זְבָחִים לֵאלֹהֵי אָבִיו יִצְחָק בְּקַדְמֵיתָא, בְּגִין לְאִתְעָרָא שְׂמָאלָא, בְּרָזָא דִּרְחִימוּ, וּכְדֵין וַיֹּאמֶר אֱלֹקִים לְיִשְׂרָאֵל בְּמַרְאוֹת הַלַּיְלָה, בְּהַאי דַּרְגָּא דְּקָאֲמָרָן, דְּאִיהִי מַרְאוֹת הַלַּיְלָה.

קכ. וַיֹּאמֶר אָנֹכִי הָאֵל אֱלֹקֵי אָבִיךָ, מַאי טַעְמָא. בְּגִין דְּסִטְרָא דִּקְדוּשָּׁה דִּלְעֵילָּא, הָכִי הוּא, דְּהָא סִטְרָא דִּמְסָאֲבָא, לָא אַדְכַּר שְׁמָא דְּקֻבְּ"ה, וְכָל סְטַר דִּקְדוּשָּׁה אַדְכַּר בִּשְׁמֵיהּ. אָנֹכִי אֵרֵד עִמְּךָ מִצְרַיְמָה וְגוֹ', מִכָּאן, דִּשְׁכִינְתָּא נָחֲתַת עִמֵּיהּ בְּגָלוּתָא, וּבְכָל אֲתַר דְּיִשְׂרָאֵל אִתְגָּלוּ, שְׁכִינְתָּא אִתְגַּלְיָא עִמְּהוֹן, וְהָא אוֹקְמוּהָ.

קכא. ת"ח, כַּמָּה עֲגָלוֹת הֲווֹ. שִׁית. כְּדָ"א שֵׁשׁ עֶגְלוֹת צָב. ד"א, שִׁיתִּין הֲווֹ, וְכֹלָּא רָזָא וְחָדָא. בְּקַדְמֵיתָא כְּתִיב בָּעֲגָלוֹת אֲשֶׁר שָׁלַח יוֹסֵף, וּלְבַסּוֹף אֲשֶׁר שָׁלַח פַּרְעֹה. אֶלָּא, כֻּלְּהוּ דְּשַׁדַּר יוֹסֵף, הֲווֹ בְּחוּשְׁבְּנָא כִּדְקָא חֲזֵי, וְאִינּוּן דְּשַׁדַּר פַּרְעֹה יַתִּיר מִנַּיְיהוּ, לָא הֲווֹ בְּרָזָא דָא, וְלָא הֲווֹ בְּחוּשְׁבְּנָא.

קכב. וְאִלֵּין וְאִלֵּין קָאתוּ, בְּגִין כָּךְ, אֲשֶׁר שָׁלַח יוֹסֵף, אֲשֶׁר שָׁלַח פַּרְעֹה, וְכַד יִפְקוּן יִשְׂרָאֵל מִן גָּלוּתָא מַה כְּתִיב, וְהֵבִיאוּ אֶת כָּל אֲחֵיכֶם מִכָּל הַגּוֹיִם מִנְחָה לַה' וְגוֹ'.

קכג. וַיֶּאְסֹר יוֹסֵף מֶרְכַּבְתּוֹ, ר' יִצְחָק פָּתַח וַאֲמַר, וּדְמוּת עַל רָאשֵׁי הַחַיָּה רָקִיעַ כְּעֵין הַקֶּרַח הַנּוֹרָא נָטוּי עַל רָאשֵׁיהֶם מִלְמָעְלָה, הַאי קְרָא אוֹקְמוּהָ, אֲבָל תָּא חֲזֵי, אִית חַיָּה, לְעֵילָּא מִן חַיָּה, וְאִית חַיָּה קַדִּישָׁא, דְּקַיְימָא עַל רֵישׁ חֵיוָתָא.

קכד. וְאִית חַיָּה עִלָּאָה, לְעֵילָּא עַל כָּל שְׁאָר חֵיוָתָא, וְהַאי חַיָּה שָׁלְטָא עַל כֻּלְּהוּ, בְּגִין דְּכַד הַאי חֵיוָתָא, יָהֲבָא וְנָהֲרָא לְכֻלְּהוּ, כְּדֵין כֻּלְּהוּ נָטְלִין לְמַטְלָנוֹי, וִיהִיבַת דָּא לְדָא, וְשָׁלְטָא דָא עַל דָּא.

קכה. וְאִית חֵיוָתָא לְעֵילָּא עַל תַּתָּאֵי, עַל שְׁאָר חֵיוָתָא לְתַתָּא, וְכֻלְּהוּ אִתְּזָנוּ מִינָהּ, וְד' סִטְרֵי דְּעַלְמָא רְשִׁימִין בָּהּ, אַנְפִּין נְהִירִין יְדִיעָן לְכָל סְטַר, וְאִיהִי סָלְקָא עַל ד' סִטְרֵי, וְהָא אוֹקְמוּהָ, דְּאִינּוּן ג' לִסְטַר דָּא, וְג' לִסְטַר דָּא, וְכֵן לְד' סִטְרִין דְּעַלְמָא.

קכו. וְאִית רָקִיעַ לְעֵילָּא מִן רָקִיעַ, וְהַאי רָקִיעַ דְּשָׁלְטָא עֲלַיְיהוּ, כֻּלְּהוּ מִסְתַּכְּלָן לְגַבֵּיהּ, מַה כְּתִיב, וְתַחַת הָרָקִיעַ כַּנְפֵיהֶם יְשָׁרוֹת אִשָּׁה אֶל אֲחוֹתָהּ וְגוֹ', בְּגִין, דְּכֻלְּהוּ שַׁלְטִין עַל מַה דְּאִתְפְּקָדוּ, וּשְׁלִיחוּ דְּקוּסְטָא דְּקוּפְטְרָא בְּהוּ.

קכז. וְאִינּוּן לְכָל סְטַר תִּשְׁעָה, לְד' סִטְרִין דְּעַלְמָא, וְאִינּוּן ל"ו בְּחוּשְׁבְּנָא, וְכַד מִתְחַבְּרָן

כֻּלְּהוּ, אִתְעֲבִידוּ רְשִׁימָא וְחָדָא, בְּרָזָא דִשְׁמָא וְחָדָא, בְּיִחוּדָא שְׁלִים כִּדְקָחָזֵי.

קכח. וְכַד מִתְתַּקְּנֵי לְגַבֵּי כָּרְסְיָא, מַה כְּתִיב וּמִמַּעַל לָרָקִיעַ אֲשֶׁר עַל רֹאשָׁם כְּמַרְאֵה אֶבֶן סַפִּיר דְּמוּת כִּסֵּא וְעַל דְּמוּת הַכִּסֵּא דְּמוּת כְּמַרְאֵה אָדָם עָלָיו מִלְמָעְלָה, וְהָא אוֹקִימְנָא דְּהַאי אֶבֶן טָבָא בְּכָרְסְיָא, דְּקָיְימָא עַל ד' קָיְימִין, וְעַל הַהוּא כָּרְסְיָא דְּיוֹקְנָא דְאָדָם, לְאִתְחַבְּרָא בֵּיהּ כַּחֲדָא, וּלְאִתְבָּרְכָא כִּדְקָא יָאוּת.

קכט. וְכַד אִיהִי מִתְתַּקְנָא לְגַבֵּיהּ דְּאָדָם, לְמֶהֱוֵי כֹּלָּא רְתִיכָא וְחָדָא, לְהַאי אָדָם, כְּדֵין כְּתִיב, וַיֶּאְסֹר יוֹסֵף מֶרְכַּבְתּוֹ דָא צַדִּיק, וַיַּעַל לִקְרַאת יִשְׂרָאֵל אָבִיו גֹּשְׁנָה. לִקְרַאת יִשְׂרָאֵל: דָא רָזָא דְאָדָם. גֹּשְׁנָה: תִּקְרוּבְתָּא וְחָדָא, לְאִתְקָרְבָא כַּחֲדָא, בְּקָרְבְּנָא וְחָדָא, וְיִחוּדָא וְחָדָא.

קל. וַיֵּרָא אֵלָיו, דְּכַד אִתְחֲזֵי שִׁמְשָׁא בְּסִיהֲרָא, כְּדֵין נָהִיר סִיהֲרָא, וְאַנְהִיר לְכֻלְּהוּ דִלְתַתָּא, וְכֵן כְּגַוְונָא דָא, כָּל זִמְנָא דִקְדוּשָּׁה דִלְעֵילָא, שָׁרָא עַל מַקְדְּשָׁא דִלְתַתָּא, אִתְנְהִיר בֵּי מַקְדְּשָׁא, וְקָיְימָא בִּשְׁלִימוּתֵיהּ, וְכַד אִסְתַּלַּק מִנֵּיהּ, וְאִתְחָרֵיב בֵּי מַקְדְּשָׁא, כְּדֵין, וַיֵּבְךְּ עַל צַוָּארָיו עוֹד, דְּבָכוֹן כֹּלָּא, עַל מַקְדְּשָׁא דְאִתְחָרֵיב. עוֹד, מַאי עוֹד. דָא גָלוּתָא בַּתְרָאָה.

קלא. כְּדֵין כֵּיוָן דְּחָמָא יַעֲקֹב וְאִסְתַּכַּל, דְּהָא תִקּוּנָא דִלְתַתָּא, אִשְׁתַּכְלֵל כְּגַוְונָא דִלְעֵילָא, כְּדֵין אֲמַר אָמוּתָה הַפָּעַם וגו'. כִּי עוֹדְךָ חָי, דְּאִתְקָיְימַת בְּרָזָא דִבְרִית קַדִּישָׁא, דְּאִקְרֵי חַי הָעוֹלָמִים, וּבְגִין כָּךְ כִּי עוֹדְךָ חָי. וְע"ד בְּקַדְמֵיתָא אֲמַר, רַב עוֹד יוֹסֵף בְּנִי חָי, דְּאִצְטְרִיךְ לְמֵיקַם בְּרָזָא דְחַי, וְהָא אִתְּמַר.

קלב. תָּא חֲזֵי, מַה כְּתִיב, וַיְבָרֶךְ יַעֲקֹב אֶת פַּרְעֹה, אֲמַר רִבִּי יוֹסֵי, פַּרְעֹה אע"ג דְּאוֹקְמוּהָ בְּרָזָא אוּחֲרָא, סָמַךְ דְּקָא סַמְכִינָן בְּעָלְמָא.

קלג. אֲבָל תָּא חֲזֵי, לְסוּסָתִי בְּרִכְבֵי פַרְעֹה דִמִּיתִיךְ רַעְיָתִי, תָּא חֲזֵי, אִית רְתִיכִין לִשְׂמָאלָא, בְּרָזָא דְסִטְרָא אָחֳרָא, וְאִית רְתִיכִין לִימִינָא, בְּרָזָא דִלְעֵילָא דִקְדוּשָּׁה, וְאִלֵּין לָקֳבֵל אִלֵּין, אִלֵּין דְּרַחֲמֵי, וְאִלֵּין דְּדִינָא.

קלד. וְכַד קֻבְּ"ה עָבַד דִּינָא בְּמִצְרָאֵי, כָּל דִּינָא דְעָבִיד, כְּהַהוּא גַוְונָא, דְּאִינוּן רְתִיכִין מַמָּשׁ, וּכְגַוְונָא דִּילֵיהּ דְּהַהוּא סִטְרָא מַמָּשׁ, מַה הַהוּא סִטְרָא קָטִיל וְאַפֵּיק נִשְׁמָתִין, אוּף קֻבְּ"ה עָבֵיד בְּהַהוּא גַוְונָא מַמָּשׁ, דִּכְתִיב וַיַּהֲרֹג ה' כָּל בְּכוֹר, וְכֵן כֹּלָּא בְּמִצְרַיִם, בְּהַהוּא גַוְונָא מַמָּשׁ, וּבְגִין כָּךְ דִמִּיתִיךְ רַעְיָתִי, כְּגַוְונָא דִילֵהּ מַמָּשׁ לְקַטְלָא, דִּכְתִיב כִּי אֲנִי ה' אֲנִי הוּא וְלֹא אַחֵר. וּלְזִמְנָא דְאָתֵי מַה כְּתִיב, מִי זֶה בָּא מֵאֱדוֹם חֲמוּץ בְּגָדִים מִבָּצְרָה וגו'.

קלה. תָּא חֲזֵי, מַה כְּתִיב וַיֵּשֶׁב יִשְׂרָאֵל בְּאֶרֶץ מִצְרַיִם בְּאֶרֶץ גֹּשֶׁן וַיֵּאָחֲזוּ בָהּ וַיִּפְרוּ וַיִּרְבּוּ מְאֹד. וַיֵּאָחֲזוּ בָהּ, אַחְסָנַת עָלְמִין. וַיֵּאָחֲזוּ בָהּ, דְּהָא לְהוֹן אִתְחֲזֵי, כְּמָה דְאוֹקְמוּהָ. וַיִּפְרוּ וַיִּרְבּוּ מְאֹד, וַדַּאי, דְּהָא צַעֲרָא לָא שָׁרָאת בְּהוּ, וְקָיְימֵי בְּתַפְנוּקֵי עָלְמָא, וּבְגִין כָּךְ וַיִּפְרוּ וַיִּרְבּוּ מְאֹד.

בָּרוּךְ יי' לְעוֹלָם אָמֵן וְאָמֵן

VAYECHI

וַיְחִי

א. וַיְחִי יַעֲקֹב בְּאֶרֶץ מִצְרַיִם שְׁבַע עֶשְׂרֵה שָׁנָה וגו'. אָמַר רַבִּי יוֹסֵי, לִבָּא וְחָמָא בִּנְבוּאָה, בְּמִצְרַיִם, דִּיהוֹן בְּנוֹהִי בְּכַמָּה גָּלָוון, עַד הָכָא, וְעַד עִדָּנָא דְּקֵץ מְשִׁיחָא.

ב. וְלָא מָטָא לִנְבוּאָה דְּוַיְחִי, אֶלָּא בְּמִצְרַיִם, וְהִיא נְבוּאָתָא מְעַלְּיָיתָא, לָא אִתְנַבִּיאוּ דְּכַוָּותָהּ, וְלָא מָטָא לְהוֹ שׁוּם אֱינִישׁ מִן בְּנֵי נְבִיאָה, אֶלָּא הוּא וּמֹשֶׁה, בְּמֹשֶׁה כְּתִיב, כִּי לֹא יִרְאַנִי הָאָדָם וָחָי. בְּיַעֲקֹב כְּתִיב, וַיְחִי יַעֲקֹב. וַיְחִי: נְבוּאָתָהּ דְּנַחֲתָא מֵאַסְפַּקְלַרְיָאה דְּנַהֲרָא.

ג. בָּעֵי לְמֵימַר נְבוּאָן דְּגָלוּתָא דְּעַרְעָן לִבְנוֹהִי בְּאַרְעָא דִּכְנַעַן, וּבְכָל אַרְעָא דְּאִתּוֹתַב בָּהּ, מֵאַרְעָא דְּמִצְרַיִם הֲוָה תְּבִיר לִבֵּיהּ, דִּכְתִיב כִּי יֶשׁ שֶׁבֶר בְּמִצְרַיִם.

ד. וְעַ"ד מָטָא וַיְחִי יַעֲקֹב בְּמִצְרַיִם, וְלָא הֲוָה חָדֵי, כִּי בְּאַרְעָא הַהִיא סְפֵיקָן דְּעַמִּין, סַפִּרִין דְּכוּרְסֵי יְקָרָא, וְלָא מָטָא לְהוֹן שׁוּם אֱינִישׁ, לָא מִן עִלָּאָה, וְלָא מִן תַּתָּאָה, אֶלָּא וז"י, וְרָזָא דָּא, כִּי לֹא יִרְאַנִי הָאָדָם וָחָי.

ה. כַּמָּה הוּא רָזָא עִלָּאָה בְּדָא קְרָא, וַאֲנָן וְחַבְרַיָּיא תְּמֵיהִין עֲלַיְיהוּ, עַל וַיְחִי דְּדָכוּר עִמֵּיהּ יַעֲקֹב, הֲוָה לֵיהּ לְמֵימַר קַמֵּי יִשְׂרָאֵל. יִשְׂרָאֵל מְנַיִן, דִּכְתִיב קֹדֶשׁ יִשְׂרָאֵל לַה' רֵאשִׁית וגו'. בְּנִי בְּכוֹרִי יִשְׂרָאֵל. רַבִּי אֶלְעָזָר בְּרֵיהּ דְּרַבִּי שִׁמְעוֹן אָמַר, וְכִי לָא אָמַר קְרָא, וַיִּמְכֹּר אֶת בְּכוֹרָתוֹ לְיַעֲקֹב.

ו. אָמַר רַבִּי שִׁמְעוֹן אֲבוּהָ, בְּעִידָּנָא דַּהֲווּ יִשְׂרָאֵל קְשִׁיטִין וְזַכָּאִין וְעָבְדִין זְכוּ, וְלָא הֲווּ רְתִיתִין יִשְׂרָאֵל, אֶלָּא יַעֲקֹב לְחוּדֵיהּ. בְּדִין טָבָאן דְּעָבְדִין, הֲוָה לְמֶעְבַּד לְהוֹ טָבָאן סַגִּיאִין דָּא בְּדָא.

ז. מִדְּחָבוּ, וְאִתְגַּלְיָאוּ עַל חוֹבֵיהוֹן, וְעַל עוֹבָדֵיהוֹן בִּישִׁין, לָא הֲווּ סָבְלִין יָתֵיהּ, דְּלָא יֶהֶוְיִין לְעַלְמָא, בְּקוּשְׁטָא עַל חוֹבֵיהוֹן, וְעַל דָּא אָתֵי מְכִילְתָּא דְּרַחֲמֵי וְדִינָא לְחוּד, יִשְׂרָאֵל, וְיַהֲבִית יָתְהוֹן בְּאַרְעָא גָּלוּתְהוֹן.

ח. יָאוּת בָּעֵי בְּרִי, אֲבָל אֱינִישׁ מִסְתַּכֵּל וְיִנְדַּע יָתֵיהּ, יַעֲקֹב דְּמִתְלַכֵּף עִם וַיְחִי, קֹדֶשׁ. וְעַל דְּנָא רָזָא אָמְרִין, יַעֲקֹב בָּחַר יָתֵיהּ סַפִּירָא בְּכוּרְסֵי יְקָרָא.

ט. רַבִּי שִׁמְעוֹן פָּתַח וְאָמַר, וְאֶת דַּכָּא וּשְׁפַל רוּחַ לְהַחֲיוֹת רוּחַ שְׁפָלִים וּלְהַחֲיוֹת לֵב נִדְכָּאִים. לֵב נִדְכָּאִים: דָּא יַעֲקֹב, כְּד"א, תְּחוֹת מִן דַּרְגָּא נְחִיתַת עֲלוֹהִי נְבִיאִין בִּרְכָאן בְּמִצְרַיִם.

י. תָּנָא א"ר אַבָּא, לִבָּא וְחָמָא, דְּיַעֲקֹב דַּהֲוָה בְּמִצְרַיִם לֵית נְבוּאָתֵיהּ מַעַלְיוּתָא. אַרְעָא סַגִּיאָה.

יא. תָּא חֲזֵי, לָא זָכֵי לְבָרֵךְ לְחַד מִבְּנוֹהִי, וְלָא הֲוָה בִּידֵיהּ רְוָחָא לְבָרֵךְ, אֶלָּא בְּמִצְרַיִם, כַּד בָּרֵיךְ יַתְהוֹן כָּל חַד וְחַד בְּרָזָא. וְרָזָא וַיַּרְא יַעֲקֹב כִּי יֶשׁ שֶׁבֶר בְּמִצְרַיִם וַיֹּאמֶר יַעֲקֹב לְבָנָיו לָמָּה תִּתְרָאוּ. תָּא חֲזֵי, דְּלָא אִתְיְיהִיבַת נְבוּאָתָא, אֶלָּא לְתַבִּירֵי לִבָּא, כְּד"א רְדוּ שָׁמָּה וְשִׁבְרוּ לָנוּ מִשָּׁם וְנִחְיֶה וְלֹא נָמוּת.

יב. אָמַר רַבִּי יוֹסֵי, תְּחוֹת כֻּרְסֵי יְקָרָא קַדִּישָׁא, יַעֲקֹב סַפִּיר, דְּאִיהִי מְכִילְתָּא דְּדִינָא

לסטריה, אתא אמר לא יעקב יאמר עוד שמך כי אם ישראל כי שרית עם אלקים ועם אנשים ותוכל. את משכנו, דיעקב חזא לסטריה מכילתא דדינא, ויזרח לו השמש כאשר עבר את פנואל וגו', ורזא דמלה אוי לנו כי פנה היום כי ינטו צללי ערב.

יג. רבי שמעון אמר, כד אתגליאו מן ירושלם, ואעדיאו תדירא, וסאיב מסנאה ית היכלא, בעדנא ההיא לא סובלת מלכותא לישראל על חוביהון, אלא ישראל, בגין דהיא מתרי גיסא: רחמי ודינא.

יד. ומלה דלא יעקב יאמר עוד שמך כי אם ישראל, כד אתפריש בסביריה, ישראל יעקב עלאה דא מן דא, ובגיניהון הוה חוטרא דמשה גליפא מתרין סטרוי משמיה קדישא, חד רחמי בדינא, וחד דינא בדינא.

טו. ורזא לא הביט און ביעקב ולא ראה עמל בישראל, מדאנן בגלותא, דחיקן בין שנאי, ואסתליקת מטרוניתא מן מלכא, ואתרחיקת מניה, הוא ישרי שכינתא ביננא ויפרקיננא, ורזא כה אמר ה' מלך ישראל וגואלו ה' צבאות. ויחי וחי, כה אמר ה' השמים כסאי והארץ הדום רגלי.

טז. בגין עלאה, שת"י רגלי חי, כל"י רבתא י' זעירתא, לחו' תיו, ו"י לו, ו"ד לי, הדא הוא דנפיק מעלאה.

יז. תחות כרסיה יקרא, מאבן טבא, בארץ מצרים, היינו דכתיב ונגף ה' את מצרים וגו', ב' פרישא. כי טל אורות טלך א' פרישא.

יח. ובגין דא מתלף כחדא, ב' פרישא גלותא, א' פרישא קדמייתא. תא חזי, מאי דכתיב בית יעקב לכו ונלכה באור ה', בגלותא, אתוון דאתגזר עליהון, על חוביהון, בקושטא בדינא הוו, באורייתא תקנתא, ותפקון מן חמרא טינא, דהיא גלותא, ותהכו לנהרא דיי'.

יט. א' ר"ץ בארץ, אתצפי אתא בתיגנא דספרא דאורייתא. ואינון אתפלגין בארץ, לא' ר"ץ. את משכנו בתיגנא דספרא דאורייתא, ר"ץ מתלפין כחדא גלותא. מאי גלותא דמצראי ארבע מאה שנין הוה אמר לאברהם, דיהא גלותא לבנוהי במצראי, וכי הוית מניתא יתהון מאתן ותשעין שנין הוו.

כ. תא חזי וימת יוסף בן מאה ועשר שנים. ר"ש פתח ואמר, הנה העלמה הרה ויולדת בן וקראת שמו עמנואל, עדוי ולידה, דאתמלי לגלויאן, ועקתן סגיאין, ועדן בישין, ואע"ג דיהו באלין מטרוניתא אודעזעת ואתרחקת מן בעלה, תהא עמנא בגלותא, בן מאה ועשר הוה גלופא דאתוסף, יתרעי למימר והוה עבר מן גלותא מאה ועשר שנין, ומאתן ותשעין, הוי ארבע מאה שנין, ולא אתמני גלותא דיעקב, אלא מדמית יוסף, והיינו דא ע"ג דא דאמר ומעת הוסר התמיד ולתת שקוץ שומם וגו'.

כא. ויהיו ימי יעקב שני חייו שבע שנים וארבעים ומאת שנה, הכא רזא בגלותא במניינא, תקונתא יהון בנייא דאתגליין במכילתא דדינא, תלתא גלוון, קדמאה דמצראי, דאתמתל בשבע שנין. רבי חייא פתח ואמר, השבעתי אתכם בנות ירושלים בצבאות או באילות וגו'.

כב. ר' שמעון אמר, מהכא, מרחוק ה' נראה לי ואהבת עולם אהבתיך וגו', הכא רזא בגלותא תקנתא יהון בנוהי דישראל, משתרי גלייא, ויתרעי למימר, יהון בנייא קדישא, דאתגליין על חוביהון בדינא שנין סגיאין יהא, שבע כחטאתיכם, כי שבעתים יוקם קין,

בְּגָלוּתָא קַדְמָאָה דְּמִצְרַאֵי, דְּהִיא זְעִירָא.

כג. תִּנְיָינָא, גָּלוּתָא דְּשׁוֹפְטִים, דְּאִתְמְתַל לְאַרְבָּעִים שְׁנִין, בְּשֶׁבַע דְּאִינְהוּ סַגִּיאֵי מִנֵּיהּ.

כד. תְּלִיתָאֵי, גָּלוּתָא דַּאֲנַן בֵּיהּ, אֲרִיכָא, דְּאִתְמְתַל לְמֵאָה שְׁנִין, לְאַרְבְּעִין.

כה. וַיִּקְרְבוּ יְמֵי יִשְׂרָאֵל לָמוּת. רִבִּי חִזְקִיָּה אֲמַר, חֲמָא דָּא עָקְתָא דְּגָלוּתָא, דַּהֲוָה עָרְעָן לִבְנוֹהִי, קְרִיבָא אַנְפְּשֵׁיהּ וּדְחִיקַת לְמֵמַת, לָא אִשְׁתְּאַר חַי, כַּד הֲוָה נָחֵית מַדְרְגִּין, בְּדִיל חוֹבֵיהוֹן דְּיִשְׂרָאֵל, לָא נָחֵית עִמְּהוֹן בְּגָלוּתָא, זַכָּאָה חוּלָקֵהוֹן, דְּאִי לָא נָחֵית עִמְּהוֹן בְּגָלוּתָא, אִשְׁתְּאֲרָן בֵּינֵי עַמְמַיָּא, וְאַתְּ אֲמִרַתְּ מַדּוּעַ בָּאתִי וְאֵין אִישׁ קָרָאתִי וְאֵין עוֹנֶה. וְאֵין עוֹנֶה: דָּא יִשְׂרָאֵל, בָּאתִי וְאֵין אִישׁ: דָּא שְׁכִינָה. הֲקָצוֹר קָצְרָה יָדִי מִפְּדוּת וְאִם אֵין בִּי כֹחַ לְהַצִּיל הֵן בְּגַעֲרָתִי אַחֲרִיב יָם אָשִׂים נְהָרוֹת מִדְבָּר, קוּדְשָׁא בְּרִיךְ הוּא יָהַב חוּלָקָא לְיִשְׂרָאֵל, דְּלָא יִשְׁלוֹט רַבְרְבָנָא אָחֳרָא בְּהוֹן, נָחֲתוּ לְגָלוּתָא שְׁכִינְתָּא עִמְּהוֹן וְהוּא רָחִיק מִמַּטְרוֹנִיתָא.

כו. וַיִּקְרָא לִבְנוֹ לְיוֹסֵף וַיֹּאמֶר לוֹ אִם נָא מָצָאתִי חֵן בְּעֵינֶיךָ, חָקַר יָת בְּנוֹהִי כֻּלְּהוֹן, וַאֲמַר לְהוֹן, עַקְתָּן סַגִּיאִין, בִּישִׁין רַבְרְבִין, חָמֵית לְמֵיעַל לִבְרֵיכוֹן אַשְׁכְּחָן רַחֲמֵי עִלָּאֵי.

כז. וְאִי אַתּוּן בָּעָאן לְמֵיפַּק מִכָּל עָקְתָא, קַיְּימוּ לִי, וַהֲבוּ בֵּינָנָא רִבּוֹן עָלְמָא וְתַעַבְדוּן קְשׁוֹט וְדִינָא, וְתֶהֱוֵי כַּאֲבָהָתְכוֹן, וּפִקִּידֵי בְּכָל דָּר וְדָר דְּיֵיתֵי בַּתְרֵיכוֹן, וְאִי אַתּוּן בָּעָאן לְמֶעְבַּד הָכֵי, תִּפְקוּן מִכָּל עָקְתָא דְּיֵיתֵי עֲלֵיכוֹן.

כח. רִבִּי שִׁמְעוֹן אֲמַר, וְהַצִּיגוּ בַשַּׁעַר מִשְׁפָּט אוּלַי יֶחֱנַן ה' אֱלֹהֵי צְבָאוֹת שְׁאֵרִית יוֹסֵף. דְּאִתְקְרִיאוּ בְּנוֹהִי יִשְׂרָאֵל כֻּלְּהוֹן יוֹסֵף.

כט. וְאִי תַּעַבְדוּן הָכֵי, לָא תִקְבְּרוּן חַד מִן בְּרִי, אֶלָּא אַתִּי תְתוּבוּן לְאַרְעֲכוֹן בִּשְׁלָמָא.

ל. הה"ד שִׂים נָא יָדְךָ תַּחַת יְרֵכִי, מַהוּ יָדְךָ. פָּתַח וַאֲמַר חֲגוֹר חַרְבְּךָ עַל יָרֵךְ גִּבּוֹר הוֹדְךָ וַהֲדָרֶךָ, סַיְיפָא דְּקָאֵי בָּהּ חֶסֶד וֶאֱמֶת, תְּרֵין סְפִירָן, וְלָא שָׁבְקִין דָּא לְדָא, וְע"ד אֲמַר חֶסֶד וֶאֱמֶת יְקַדְּמוּ פָנֶיךָ, פְּנֵי ה' חֶלְקָם, וְאִי הֲווּ טָבָאן בְּנוֹהִי, וַעֲבִידוּ מַה דְּקַיְּימוּ, לָא מִית חַד מִבְּנַיְיהוּ בְּמִצְרָאֵי, דְּכָל טַב וְטַב דְּגָזִיר שְׁמָא דֶּאֱלָהָא עַל אֵינָשָׁא, לָא הֲוֵי, אֶלָּא עַל דִּידְהוֹן טָבִין, וְאִי לָא, לָא, כְּמָה דַּאֲמַר דָּוִד, לְמַעַן יָקִים ה' אֶת דְּבָרוֹ אֲשֶׁר דִּבֶּר עָלַי לֵאמֹר אִם יִשְׁמְרוּ בָנֶיךָ אֶת דַּרְכָּם לָלֶכֶת לְפָנַי בֶּאֱמֶת. וְאִי לָא, לָא מַיְיתֵי בִּרְכָאן דַּאֲמַר עֲלֵיהוֹן.

לא. תָּא חֲזֵי, כַּמָּה הוּא עָדִיף רַוְוחָא דְּאַבָּא מֵרַוְוחָא דִּבְרָא, דְּרַוְוחָא דְּאַבָּא הוּא רַוְוחָא דִּבְרָא, רַוְוחָא מֵרַוְוחָא סַלְקָא, וְאִי סַיְיעַת אֲוִירָא אָחֳרָא בְּרַוְוחָא, לָא נָפִיק שְׁלִים, דְּהָא חַסִּיר הוּא, בְּהַאי אֲוִירָא, וְהַיְינוּ פֶּרֶה לִמֻּד מִדְבָּר בְּאַוַּת נַפְשָׁהּ שָׁאֲפָה רוּחַ.

לב. תָּנָא רַב הַמְנוּנָא סָבָא אֲזַל לְקַפּוֹטְקַיָּא, עָאל לְקַמַּיְיהוּ, רַב יֵיסָא סָבָא, א"ל בְּמַאי עַסְקִיתוּ, וַי לֵיהּ, וַי לְנַפְשֵׁיהּ, אִי אִשְׁתְּלַף רַוְוחָא דִּמְסָאֲבָא דְּאִשְׁתַּכַּח עִמֵּיהּ, וְאוֹרֵית לֵיהּ לִבְרֵיהּ, וְהַאי אִיהוּ דְּקוּדְשָׁא בְּרִיךְ הוּא לֵית לֵיהּ חוּלָקָא, שָׁבֵיק לֵיהּ חוּלָקָא שָׁבֵיק לֵיהּ לְשֵׁיצָאָה לֵיהּ לְעָלְמָא דְּאָתֵי, א"ל מנ"ל הָא, א"ל הָכָא אוֹלִיפְנָא, דְּהַאי יְרוּתָא בִּישְׁתָּא, אַחְסְנִין כֻּלְּהוּ בְּנוֹ אִי לָא יְתוּבוּן, דְּהָא לֵית מִלָּה קַיְּימָא קַמֵּי תְּשׁוּבָה. וַאֲנָא הָכֵי אוֹלִיפְנָא, דְּהָא אַסְווּתָא דָא, יַהֲבוּ לִי זִמְנָא חֲדָא, דַּהֲוֵינָא רָשִׁים בְּאַנְפַּי, וְיוֹמָא חַד הֲוֵינָא אָזֵיל בְּאָרְחָא, וְעַרְעָנָא בְּחַד זַכָּאָה, וְעַל יְדוֹי אִתְעֲבַר מִנַּאי, הַהוּא רְשִׁימָא, א"ל מַה שְּׁמָךְ, א"ל אֶלְעָזָר, וְקָרֵינָא לֵיהּ אֶלְעָזָר אָחֳרָא, א"ל בְּרִיךְ רַחֲמָנָא דְּזַמֵּינָא לָךְ, זַכָּאָה חוּלָקָךְ בְּעָלְמָא דֵּין, וּבְעָלְמָא דְּאָתֵי.

לג. וַיֹּאמֶר הִשָּׁבְעָה לִי וגו'. רִבִּי חִזְקִיָּה פָּתַח וַאֲמַר, נִשְׁבַּע ה' בִּימִינוֹ וּבִזְרוֹעַ עֻזּוֹ, קַיֵּים

קוּדְשָׁא בְּרִיךְ הוּא, דְּיִפּוֹק לְיִשְׂרָאֵל מִן גָּלוּתָא דִּלְהוֹן, וְדָא קַיֵּים לְהוֹן, קְיָים, דְּלָא יִשְׁבּוֹק לוֹן בְּאַרַע שַׂנְאֵיהוֹן.

לג. וַיֹּאמֶר שַׁלְּחֵנִי כִּי עָלָה הַשָּׁחַר וַיֹּאמֶר לֹא אֲשַׁלֵּחֲךָ כִּי אִם בֵּרַכְתָּנִי. מַאן בֵּרַכְתָּנִי. יְהַב לוֹן גָּלוּתָא, וְקַיֵּים לוֹן, דְּיִפְקוּן מִנֵּיהּ.

לה. תָּנָא, זַמִּין קוּדְשָׁא בְּרִיךְ הוּא לִבְרֵיהוֹן דְּיִשְׂרָאֵל, דִּיהוֹן כָּל חַד וְחַד תְּחוֹת כָּרְסֵיהּ, וִיהוֹן מַעַלְיָין מִכָּל עִלָּאֵי, בְּגִין דָּא תִּשְׁכַּח וא"ו אֲרִיכָא, קַיֵּים קוּדְשָׁא בְּרִיךְ הוּא לִשְׁלֵמוּתָא דְּו' דְּר"א וּבְגִין שִׁתָּא וַיִּשְׁתַּחוּ יִשְׂרָאֵל עַל רֹאשׁ הַמִּטָּה, סְגִיד יִשְׂרָאֵל, דְּלֵיתֵי מְשִׁיחָא, בְּסוֹף מִנְיָינָא דָּא, וְתִשְׁרֵי שְׁכִינְתָּא עִמְּהוֹן.

לו. וַיְהִי אַחֲרֵי הַדְּבָרִים הָאֵלֶּה וַיֹּאמֶר לְיוֹסֵף הִנֵּה אָבִיךָ חוֹלֶה וְגוֹ'. מַתְנִיתִין, א"ר חִזְקִיָּה, לָא אָתָא קְרָא לְאַשְׁמוּעִינָן דְּעָבַד, אֶלָּא אָתָא קְרָא לְאַתְיָא מַה דְּיֶהֱוֵי בְּסוֹף גָּלוּתָא, כָּל אִלֵּין לְסוֹף מִנְיָינָא דְּאִתְמְנֵי, צָבֵי לְמֵימַר דְּיֵיתֵי מְשִׁיחָא, וְיֵימָא לֵיהּ אָבוּךְ דְּבִשְׁמַיָּא בְּהֵיל לְסִבַר אַפָּךְ, סָפִין לְקִצָּא דִּמְשִׁיחָא, יְהֵא רַעֲוָא מִן אֱלָהָא דִּשְׁמַיָּא, דְּיִסַּב בְּרֵיהּ דְּאַסְגִּיאוּ בְּגָלוּתָא, וּמִדְּאִתְנַשִּׁיאוּ בְּהוּ, דְּנַשֵּׁי יַתְהוֹן קוּדְשָׁא בְּרִיךְ הוּא בְּחוֹבֵיהוֹן בְּקוּשְׁטָא.

לז. כַּד אָתָא רַבִּי אַבָּא אֲמַר, לָאו לִדְרָשָׁא קָא אַתְיָא, וְחָשׁוּב רָזָא דְּמִלְּתָא יוֹסֵף ה' לִי בֵּן אַחֵר, כִּדְפָרִישְׁנָא לְעֵיל, הַאי שְׁמֵיהּ קַדִּישָׁא בְּיוֹסֵף, יה"ו יֵאמַר, הָא אֲבוּךְ מָארֵי עָלְמָא דְּאָתֵי, לְמֶעְבַּד טָבָא לִבְרֵיהּ, דְּיִפְקוּן מִן גָּלוּתָא דִּלְהוֹן, וְאִי אַתְּ לָא רָעֵי בְּקוּשְׁטָךְ, רְבוּעָא ידו"ד אֶחָד יַעֲבֵד יָתָךְ, וְיָדַע דְּתֵיתוּב מַטְרוֹנִיתָא לְאַתְרָא.

לח. דְּאַבָהָתָנָא אִינוּן רְתִיכִין דִּלְעֵילָא, וַיַּעַל אֱלֹקִים מֵעַל אַבְרָהָם, אֲבָהָן שׁוּקֵי עָלְמָא, תִּתֵּן אֱמֶת לְיַעֲקֹב חֶסֶד לְאַבְרָהָם, תָּנָא דְּיֵיתֵי מְשִׁיחָא.

לט. רַבִּי יוֹסֵי פָּתַח וַאֲמַר, וְהָיָה יוֹם אֶחָד הוּא יִוָּדַע לַה' לֹא יוֹם וְלֹא לָיְלָה וְהָיָה לְעֵת עֶרֶב יִהְיֶה אוֹר, רוֹצֶה לְמֵימַר, תְּרֵין מַעֲרָעִין בִּישִׁין דְּאָתָן לִבְנוֹהִי לְמֶהֱוֵי בְּגָלוּתָא בְּאַרַע שַׂנְאֵיהוֹן, וְלָא יִסְתַּכֵּי בְּהוֹן, כַּמָּה שְׁנִין סַגִּיאִין, עַל חוֹבֵיהוֹן בְּקוּשְׁטָא, הָכֵי יְזַנּוּ יַתְהוֹן בְּאַרַע שַׂנְאֵיהוֹן. וְיִסַּב בְּנַיְיהוּ דְּאַרַע לְהוֹן בִּישִׁין אִלֵּין, וְיִדַּבֵּר לְהוֹן לְאַרַע טַב כְּפֵירוּשָׁא דִּקְרָא.

מ. וַהֲוָה תְּרֵי רַבְרְבָן סַגִּיאִין מַעַלְיָיאן הֲוָה מְתַרְכָן תְּחוֹת כָּרְסֵי יְקָרָא, דְּאַפַּטְרוֹפָּא דְּיִשְׂרָאֵל מִכִּילְתָּא וַחֲמִישָׁאָה, בְּדִיל דִּיהוֹן בְּגָלוּתָא כָּל עִדָּנָא הָדֵין, וְאַרַע דְּנַשֵּׁי יַתְהוֹן בְּאַרַע שַׂנְאֵיהוֹן.

מא. וְהוּא תְּרֵין מִכִּילָתָן, בְּתְרֵין סָפִין, נָפַק וְחָדָא וּמַלֵּיל לְקַבֵּל רִבּוֹן עָלְמָא, וְיָהֵיב לֵיהּ רְשׁוּ דִּימַלֵּל כָּל מַאן דְּבָעֵי, וְחָזֵי בְּיִשְׂרָאֵל מִן גִּיסָא וְחָדָא לְמִגְזַר בְּהוֹן בְּיִשְׂרָאֵל, דְּיִפְקוּן מִן גָּלוּתָא, בְּדִין אֲבָהָתְהוֹן. וּמִן גִּיסָא אַחֲרִינָא, רָעָא לְמִגְזַר עֲלֵיהוֹן, בְּדִיל חוֹבֵיהוֹן, דַּאֲמָרוּ עֲלַיְיהוּ בִּישָׁא סַגִּיאָה הָא ד' מִכִּילָתָן, וְלָא הֲוָה בְּהוֹן מִכִּילְתָּא וַחֲמִישָׁאָה אַפַּטְרוֹפָּא דְּיִשְׂרָאֵל, וּמַלִּילוּ כָּל דִּרְעוּ.

מב. עַד דְּמָטָא לְוָתְהוֹן מִכִּילְתָּא וַחֲמִישָׁאָה, וַהֲוָה בְּכָרְסֵי יְקָרָא מִן שְׁמָא קַדִּישָׁא, וַאֲמַר עַל בְּנוֹהִי דְּיִשְׂרָאֵל טַב, וְלָא הֲווֹ רַתְיָין תְּרֵין מִכִּילָתָן קַמַּיְיתָא לְמַלָּלָא קַמֵּיהּ, בְּדִין מִכִּילְתָּא וַחֲמִישָׁאָה, דְּאִתְמְתַל לְלֵילְיָא, וְנָפַק לִנְהוֹרָא דִּלְהוֹן, וְעַ"ד פָּתַח, וְהָיָה יוֹם אֶחָד הוּא יִוָּדַע לַה' לֹא יוֹם וְלֹא לָיְלָה וְהָיָה לְעֵת עֶרֶב יִהְיֶה אוֹר.

מג. תָּנֵינָא וַיִּקְרָא אֱלֹקִים לָאוֹר יוֹם וְלַחֹשֶׁךְ קָרָא לָיְלָה, וְהָתָם אֲמַר וְחֹשֶׁךְ עַל פְּנֵי תְהוֹם, וְקַשְׁיָא דִּידֵיהּ אַדִּידֵיהּ, אָתָא רַבִּי אֶלְעָזָר לְר"ש אֲבוֹי, וא"ל אַבָּא מָארִי, מַאי דָּא, א"ל, מִבְּרֵאשִׁית עַד ו' דּוֹרוֹת בָּרָא ידו"ד אֶחָד, צָבֵי לְמֵימַר, ו' דִּשְׁמֵיהּ, יְהַב בֵּיהּ רוּחַ

וְחָכְמָה, עַד הָכָא לָא הֲוָה מִנְּדַע מַהוּ חוֹשֶׁךְ. קָם רַבִּי אֶלְעָזָר וּנְשַׁק יְדוֹי דְּאֲבוֹי.

מד. קָם ר׳ אַבָּא וְשָׁאַל, מַאי חוֹשֶׁךְ. אִסְתַּחֲרוּ חַבְרַיָּא וְלָא מָטוּ מַאי דְּשָׁאֲלוּ, עֲבָדוּ עוֹבָדָא, וּמָטָא קָלָא מִן קֳדָם רִבּוֹן עָלְמָא, בְּהָא קְרָא, אֶרֶץ עֵיפָתָה וגו׳ צַלְמָוֶת וְלֹא סְדָרִים, וַתּוֹפַע כְּמוֹ אוֹפֶל, גֵּיהִנֹּם מִקַּמֵּי דְּאִתְבְּרֵי עָלְמָא, הֲוָה גָּנִיז לְרַשִּׁיעַיָּא, וַוי לְהוֹן לְחַיָּיבַיָּא, דִּיהוֹן כַּד יַעֲבִיד אֱלָהָא יַת אִלֵּין, כִּי הִנֵּה הַחוֹשֶׁךְ יְכַסֶּה אֶרֶץ וַעֲרָפֶל לְאוּמִּים וְעָלֶיךָ יִזְרַח יי׳ וּכְבוֹדוֹ עָלַיִךְ יֵרָאֶה, זַכָּאָה חוּלְקֵהוֹן דְּיִשְׂרָאֵל, דְּקוּדְשָׁא בְּרִיךְ הוּא לָא בָּרָא לְהוֹן דָּא, אַשְׁרֵי הָעָם שֶׁכָּכָה לּוֹ אַשְׁרֵי הָעָם שֶׁיי׳ אֱלֹהָיו.

מה. וַיַּגֵּד לְיַעֲקֹב וַיֹּאמֶר הִנֵּה בִּנְךָ יוֹסֵף בָּא אֵלֶיךָ. רִבִּי יוֹסֵי אָמַר, מַלְאָכָא הוּא, דַּהֲוָה עָתִיד לְמֵימַר טַב עַל בְּנֵי יִשְׂרָאֵל, כַּד יְתִיבוּן לְקוּדְשָׁא בְּרִיךְ הוּא, בְּכָל עָקְתְהוֹן, כַּד יֵיתֵי קִצָּא דִּמְשִׁיחָא, בְּכָל עָקְתָא דְּתֵיתֵי עֲלַיְיהוּ, יֵימְרוּן לִמְכִילְתָא בְּרִיךְ אָתֵי לְוָתָךְ, וְיִתְפָּרְקוּן טָבָאי.

מו. זַכָּאָה חוּלְקֵהוֹן דְּיִשְׂרָאֵל, דְּאִתְקְרִיאוּ בְּנוֹי דְּקוּדְשָׁא בְּרִיךְ הוּא, דְּאִינּוּן כְּמַלְאָכַיָּיא, וַיָּרִיעוּ כָּל בְּנֵי אֱלֹקִים, הוי״ה מַאי.

מז. תָּא חֲזֵי, מִנַּיִן שֶׁקָּרָא קוּדְשָׁא בְּרִיךְ הוּא לְיַעֲקֹב א״ל, אַתְּ תְּהֵא בְּתַתָּאָה, וַאֲנָא אֱהֵא אֱלָהָא בְּעִלָּאָה, מַאי קָא מַיְירֵי. וַיַּעַל אֱלֹהִים מֵעַל אַבְרָהָם, אֲבָהָתָן אִינּוּן רְתִיכָאן דְּקוּדְשָׁא בְּרִיךְ הוּא. תָּנָא, תִּתֵּן אֱמֶת לְיַעֲקֹב חֶסֶד לְאַבְרָהָם, הָא תְּרֵין סְפִירָן, בִּתְרֵין רְתִיכָן, רַבְרְבָן עִלָּאִין.

מח. תְּלִיתָאָה יִצְחָק, מַאי וַיִּשָּׁבַע יַעֲקֹב בְּפַחַד אָבִיו יִצְחָק. וּבְגִין פַּחַד יִצְחָק דַּהֲוָה סְפִירָה, וְקוּדְשָׁא בְּרִיךְ הוּא דְּהוּא כֻּרְסֵי יְקָרָא רְתִיכָא עִלָּאָה, וּסְפִירָה דְּיִצְחָק הִיא מֵעִלָּאָה, מְפָרְשָׁא יַתִּיר מִכָּל סְפִירָן דַּאֲבָהָתָא, הה״ד וַיִּשָּׁבַע יַעֲקֹב בְּפַחַד אָבִיו יִצְחָק.

מט. ר׳ אַבָּא פָּתַח וַאֲמַר, אֱלֹהֵי אַבְרָהָם וֵאלֹהֵי נָחוֹר יִשְׁפְּטוּ בֵינֵינוּ אֱלֹהֵי אֲבִיהֶם, וַיִּשָּׁבַע יַעֲקֹב בְּפַחַד אָבִיו יִצְחָק, מֵהַאי קְרָא אַתְּ יָכִיל לְמִנְדַּע דָּא.

נ. וַיִּתְחַזֵּק יִשְׂרָאֵל וַיֵּשֶׁב עַל הַמִּטָּה, וְרָזָא דִּקְרָא, בָּעֵת הַהִיא יַעֲמוֹד מִיכָאֵל הַשַּׂר הַגָּדוֹל הָעוֹמֵד עַל בְּנֵי עַמְּךָ וְהָיְתָה עֵת צָרָה. ר״ש אָמַר, דָּא גְּבוּרַת יְדָא דְּמִיכָאֵל רַבְרְבָא. וַיֵּשֶׁב עַל הַמִּטָּה: כַּמָּה לֵיהּ הֲוָה מִקַּדְמַת דְּנָא סָגִיד. לְמַאן הֲוָה סָגִיד, סָגִיד לְעַרְסָא, הֲוָה עַרְסָא פְּתִיחָא מִנֵּיהּ. לְמָהוּלְתָא הֲוָה סָגִיד, דְּהָא הֲוַת חֲבִיבָא מִינֵּיהּ.

נא. כִּי חִלֵּל יְהוּדָה קֹדֶשׁ ה׳ אֲשֶׁר אָהֵב וּבָעַל בַּת אֵל נֵכָר, כַּד אִסְתַּלַּק זִוְיהּ מִנֵּיהּ עַל חוֹבֵיהוֹן, לָא הֲוָה לֵיהּ לְמֵיקַם קַמֵּיהּ, וְאִתְרְכַת מַטְרוֹנִיתָא מִן מַלְכָּא, בְּדִיל דְּלָא יָכְלָא לְשַׁבְקָא לָהּ לִבְרָהָא בֵּין עַמִּין לְמִקְטַלְהוֹן, וַהֲוָה בְּאַרְעָא קַדִּישָׁא הוּא, בְּהָא דִּיהוֹן עַמִּין נוּכְרָאִין מִן עַמֵּיהּ. צָבֵי לְמֵימַר, עָאל שְׁכִינְתָּא בֵּינַיְיהוּ בְּגָלוּתָא, וְעִדָּנָא דְּלָא הֲוָה בְּאַרְעָא, וְהִיא בְּאַרַע עַמְמִין, בְּזִוָּא דְּיִשְׂרָאֵל, אִסְתַּמְּרוּ עַמְמַיָּא דִּי בְּסוֹחֲרָנֵיהוֹן.

נב. תָּאנָא, אֲמַר רִבִּי יוֹסֵי, תְּרֵין רַבְרְבִין הֲווּ תְּחוֹת כֻּרְסֵי יְקָרָא קַדִּישָׁא, וְהָא שְׁמֵיהּ חַד מֵאִינּוּן, עַרְסָא, דַּהֲוָה שָׁרֵי בְּגַוֵּיהּ דְּהֵיכָלָא. וְהָא אֲנַן בְּגָלוּתָא, לָא אִשְׁתָּאַר בֵּינָנָא אֶלָּא דָּא דְּזִינֵיהּ, וְהוּא חָתוּם מִן שְׁמֵיהּ דְּקוּדְשָׁא בְּרִיךְ הוּא.

נג. הה״ד הִנֵּה אָנֹכִי שׁוֹלֵחַ מַלְאָךְ לְפָנֶיךָ לִשְׁמָרְךָ וגו׳, לָא לְמַלָּלָא הָכֵי, אֶלָּא עָלְמָא דְּאָתֵי, כַּד פְּרִישְׁנָא בְּאַתְרֵיהּ וְהִיא צָרְרָא בְּאָרְחָא, אֲנָא שָׁרֵינָא שְׁכִינְתָּא בֵּינֵיכוֹן לְנַטְרָא לְכוֹן בְּגָלוּתָא וְהִיא נָטְרַת יַתְכוֹן, עַד דְּתֵיתֵי יַתְכוֹן לְאַרְעֲכוֹן, כְּמָה דַּהֲוֵיתוּן מִקַּדְמַת דְּנָא. אֲשֶׁר הֲכִינוֹתִי, מוּתָבָן הֲוָה מִקַּדְמַת דְּנָא.

נד. דָּא שְׁכִינְתָּא מִן מטטרו״ן. וְאִתְרְכַת מַטְרוֹנִיתָא מִן מַלְכָּא, עַד דְּתֵיתוּב לְאַתְרָהָא,

וחזא כי רק עוג מלך הבשן נשאר מיתר הרפאים הנה ערשו ערש ברזל הלא הוא ברבת בני עמון, כדפרישנא באתריה.

נה. וארחזא, דאתמתל לגלותא, נטר יתהון בגלותא, על עקתא דתתי עליכון, עד דייתי וייעול יתכון לארעא, דקיים לאבהתכון דאתנטרת.

נו. רברבא תניינא הוא, דהוא תחות כרסי קדישא, דשרי בגויה דהיכלא הוא נוריאל. דהא רברבא דישראל דאתמני עליהון, בכל עידן דהות מטרוניתא עם מלכא, הוה נפיק ועאל קדמיהון, מטטרו"ן. והוא, קביל פולחנהון לקודשא בריך הוא, כנורא. כד אתבטיל נורא ואתגליאו, אסתלק זיוה, ואסתלקא מטרוניתא מן מלכא.

נז. ר' שמעון פתח ואמר ליני הלילה והיה בבקר אם יגאלך טוב יגאל, אמר ר' יוסי, שליט רחמי על דינא. וירא אלקים את האור כי טוב, טוב ואור שוין, דהוא מבועוי דנחלין, דנפק מנהון ימא ונחלא דבעלמא.

נח. תנא אמר ר"ש, זמנא חדא סליקנא ונחיתנא לאנהרא במבועי דנחלין, וסליק בתראי ר' אבא, אמר לי במאי עסקיתו, א"ל בהאי קרא דכל הנחלים הולכים אל הים והים איננו מלא, מזייה אתבריאו כל רברביא דמן עלמא, ומן זייה אתנביעו כל נחליא, נחליא דאינון בהאי קרא, דלא מלא בהאי גלותא, דהא חשוכא ואפלה, וחבתא דאמא עביד להו, ואי לאו, נחלא לא עביד לברתיה. הא לא הוה שלים עד דייתי גיסא אוחרא, דלא הוה בגלותא.

נט. ושמהן דאתקריאת יד, היא מבועא לכלא, ותשכח יד הוי"ה, הן לא קצרת יד הוי"ה, דלא אדכר ידא אלא בשמא.

ס. אתא רבי אלעזר, ושאל לר"ש אבוי, ובכה וא"ל, גלי לי האי רזא אבא מארי. א"ל בהאי קרא אתגלי לך, כי יד על כס יה מלחמה ליי', כס בגין הוי"ה, שליט רחמי על דינא. צבי למימר, יהא רעוא דיהא לעלמא באתר גבורה, יד רבתא דהות במצרים, ואי לאו הוו בדיני.

סא. וכד ייתי משיחא, ייתי בחדותו בידא רבתא, ויגיח קרבא בעמלק. בחוזק יד הוציאך ה' ממצרים, וכד ייתי שמא דיד בתוקפא ידא לחודיה, הוא בדינא, דיגיח קרבא בעמלק, ליתי משיחא. ר' אלעזר מסייע, ויצא יי' ונלחם בגוים ההם כיום הלחמו ביום קרב.

סב. תא חזי כמה היא ידא רבתא דמטא להאי ידא עלאה, ובדא ידא נפקו ממצרים, בגין דמנייניהון שוין, מני י' לי', ד' לד', שוין דא לדא, שמא דידא רבתא, ושמא דידא עלאה, דיפקון כחדא, אינון שוין באתוותהון דמנייניהון כמנייניהון, דקבלא תרין יד, תרין כחדא.

סג. כיצד לא אתמנעו דא מן דא, ולא שוין. אתפרש תרין אלין דבאתוותהון יד סייען בעיינא, תרין לא בעיניהון מתפרש. מאלין אתבריאו שמיא וארעא ודעמיה. (בעגול העליון) י' לי', ד' לד'.

(בעגול ב' שבתוך העליון בימין העגול) י' לי', ו' לו' לד' ד'. (ובשמאלו) לד' ד', לל' ל', לת' ת'.

(בעגול ג' שבתוך הב' בימין העגול) ד' לד' ל' לל' לת' ת'. (ובשמאלו) לל' ל', למ' מ', לד' ד', לת' ת', לו' ו'.

(במרכז אלו העגולים) ו' למעלה, (ומתחתיו) י"ה י"ה (ומתחתיהם) שדי, (ומתחתיו)

מֶרְכָּבָה דַּאֲבָהָן יִשְׂרָאֵל.

וְאִינּוּן סְפִירָא קַדְמָאָה: דְּהִיא כִּתְרָא עִלָּאָה. תִּנְיָינָא: בְּכָל מָקוֹם עֵינֵי ה' צוֹפוֹת רָעִים וְטוֹבִים. תְּלִיתָאָה: הֵם מְסַיְּיעָתָן לִשְׁמָא וְחַד ו' דְּעָבֵד כַּמָּה אָתְוָון בְּאַרְעָא דְּמִצְרַיִם.

סד. וַיֹּאמֶר יַעֲקֹב אֶל יוֹסֵף אֵל שַׁדַּי נִרְאָה אֵלַי בְּלוּז בְּאֶרֶץ כְּנָעַן. ר' אַבָּא אָמַר, לוּז דָּא יְרוּשָׁלַםִ עִלָּאָה, דְּאַשְׁרָאָה שְׁכִינְתָּא בֵּינָהָא, אָמַר יַעֲקֹב עִלָּאָה לְתַתָּא, הַב לִי בִּרְכָתָא דְּהוּא בָּעֵי, לְאַנְפֵּישׁ יָתְכוֹן אֲנָא, וּלְמֵיתַן יַת אַרְעָא לִבְנֵיכוֹן. לוּז זוֹ יְרוּשָׁלַםִ עִלָּאָה, קוּדְשָׁא בְּרִיךְ הוּא, הַב בִּרְכָתָא דְּהַוְיָין בְּרָכָה דָּא עַל יְדֵיהּ, בְּאַרְעָא קַדִּישָׁא, אֲבָל בָּרָא, לְאַרְעָא אָחֳרָא, לָא יְהֵא בִּרְכָתָא.

סה. ר' אֶלְעָזָר פָּתַח וְאָמַר, מְבָרֵךְ רֵעֵהוּ בְּקוֹל גָּדוֹל בַּבֹּקֶר הַשְׁכֵּם קְלָלָה תֵּחָשֶׁב לוֹ, קוּדְשָׁא בְּרִיךְ הוּא קָרָא לְיִשְׂרָאֵל אַחִים וְרֵעִים, מַאי בִּרְכָתָא יְהַב לוֹן, דִּיהוֹן הַאי עַמָּא דַּכְיָא תְּחוֹת יְדֵיהּ, וּלְמֶהֱוֵי עֲלֵיהוֹן נָטִיר.

סו. זַכָּאָה חוּלָקְהוֹן דְּהַאי עַמָּא דַּכְיָא, דְּהוּא עֲלֵיהוֹן, דְּאִקְרֵי בָּנִים וַחֲבִיבִים יַתִּיר מֵעִלָּאָה, כְּתִיב בָּנִים אַתֶּם לַה', כֹּלָּא בְּגִין דָּא. מַאי הוּא, בְּגִין דְּאִשְׁתְּלִים שְׁמָא בְּזִוּוּתָמָא דִּלְהוֹן, דְּאִינּוּן גְּזִירִין.

סז. תָּא חֲזֵי, בְּאַנְפּוֹי דְּאִינָשָׁא שְׁמָא דְקוּדְשָׁא בְּרִיךְ הוּא, וְחַסְרָא יו"ד מִנֵּיהּ, וְלָא אִשְׁתְּלִים, אָתָא אַבְרָהָם וְחָבִיב לְקוּדְשָׁא בְּרִיךְ הוּא, וא"ל בָּךְ אִשְׁתְּלִים שְׁמָא, וְאִתְגְּזַר, וְאִשְׁתְּלִים שְׁמָא בְּיו"ד דְּמִילָה. בְּאַנְפּוֹי דְּאִנָשָׁא שי"ן דְּשד"י, וד', וְחָסֵר יו"ד, אִשְׁתְּלִים בְּיו"ד דְּמִילָה, וּכְדֵין אִקְרוּן בָּנִים לַה', בְּנִין קַדִּישִׁין.

סח. וְכַד מְסָאֲבִין לֵיהּ לְהַאי אָת קַיָּימָא קַדִּישָׁא, וְעָאִיל לֵיהּ לִרְשׁוּ אָחֳרָא, סָלִיק מִנֵּיהּ הַאי קַדִּישָׁא דְּזִוּוּתָמָא, וְהוּא כְּמָה דְּחָרִיב עָלְמָא, וְסָאִיב זִוּוּתָמָא, דְּאִשְׁתְּלִים בֵּיהּ שְׁמָא דְקוּדְשָׁא בְּרִיךְ הוּא, וְהָא הוּא חָרִיב עָלְמָא.

סט. ר' אַבָּא הֲוָה אָזִיל מִקַּפּוּטְקִיָּא, וַהֲוָה עִמֵּיהּ רִבִּי יוֹסֵי, עַד דַּהֲווּ אָזְלֵי, חָמוּ חַד ב"נ דַּהֲוָה אָתֵי, וּרְשִׁימָא חַד בְּאַנְפּוֹי, אֲבָל וַוי לוֹן לְחַיָּיבַיָּא, דִּימוּתוּן בְּלָא תְּשׁוּבָה, דְּלָא יַעֲדֵי מִנֵּיהּ רְשִׁימָא, לָא בְּעָלְמָא דֵּין, וְלָא בְּעָלְמָא דְּאָתֵי.

ע. וַיֹּאמֶר אֵלַי הִנְנִי מַפְרְךָ וְהִרְבִּיתִךָ. רִבִּי אַבָּא פָּתַח וְאָמַר, הַאי קְרָא לֹא עַתָּה יֵבוֹשׁ יַעֲקֹב וְלֹא עַתָּה פָּנָיו יֶחֱוָרוּ. וְכִי אִינִישׁ דְּאָמַר טַב לְב"נ כְּוָותֵיהּ. אִי לָא יַשְׁלִים מַה דְּאָמַר, אַפּוֹהִי מִתְבַּיְּישָׁן, עאכ"ו מִן עִלָּאֵי לְב"נ, דְּאִי לָא מַיְיתֵי כָּל טַב דְּאָמַר עַל בְּנוֹהִי, אַנְפּוֹהִי מִתְבַּיְּישָׁן.

עא. אָמַר קוּדְשָׁא בְּרִיךְ הוּא לֵיהּ, אֲנָא יִשְׂרָאֵל עִלָּאָה, דַּאֲנָא מַפְשֵׁינָךְ וְאַסְגֵּינָךְ. הַאי בִּרְכָתָא דְּיָהֵיב לִי, וְאֶתֵּן יַת אַרְעָא הָדָא לִבְרִיכוֹן, לָא הֲוָה בְּאַרְעָא, לָא הֲוָה עִמְּהוֹן. כַּד יֵיתֵי קִיצָּא דִּמְשִׁיחָא וְיִשְׁתְּלִים, אָמַר קוּדְשָׁא בְּרִיךְ הוּא, לֹא עַתָּה יֵבוֹשׁ יַעֲקֹב, כְּעָן אַנְפּוֹי דְּיַעֲקֹב דִּלְעֵילָּא, לָא מִתְבַּיְּישָׁן מִדְּאָמַר לְהוֹן וְנָתַתִּי, אֲרֵי עַד כְּעָן לָא הֲוֵי בִּידֵיהּ, וַהֲווּ אַנְפּוֹהִי מִתְבַּיְּישָׁן, כְּעָן דִּילֵיהּ מְסַתַּיֵּיעַ מִן קֳדָם מָארֵי שְׁמַיָּא וְאַרְעָא.

עב. כְּמָה דְּאַמְרִינָן, אֲגוֹנָא דַּעֲמָלֵק, כַּד יִשְׁתְּלִים קִיצָּא, לָא יְהֵא אֶלָּא בְּתֻקּוֹף יְדָא, כְּמָה דַּהֲוַיִת בְּיוֹם קְרָב, וְיָצָא ה' וְנִלְחַם בַּגּוֹיִם הָהֵם, דִּידֵיהּ וְלָא אָחֳרָא.

עג. וְעַתָּה שְׁנֵי בָנֶיךָ הַנּוֹלָדִים לְךָ, דָּא יִשְׂרָאֵל לְתַתָּא, דְּאַתְרֵיהוֹן בְּגָלוּתָא, בְּנוֹי דְקוּדְשָׁא בְּרִיךְ הוּא, דְּאִתְיְילִידוּ בֵּינֵי עַמְמַיָּא. תָּנָא א"ר יוֹסֵי, יִשְׂרָאֵל, כַּד יְהוֹן בְּאַרְעָא קַדִּישָׁא דְּיִשְׂרָאֵל, דָּר בְּאַרְעָא, כַּד יֵיתֵי מְשִׁיחָא, יְהוֹן עִם אֲחוּהוֹן דִּילְהוֹן בְּאַתְרֵיהוֹן, דְּלָא

אתקרי גלות, אלא למאן דאיהו דר בארעא נוכראה, אינון אתקריין גלין.

עד. וזכרתי את בריתי יעקוב, ואו"ו יתירה, תיתי וא"ו דאסתלקת כד אתחריב ביתא, ותהא סיועא ליעקב, כד יהא דא, ויהא לברא קדישא ארעא אחסנת עלם, ויהון בנוהי בארעהון, דדארו מקדמת דנא, זכאה וחולקהון.

עה. כען בריא, דהוה ערען להון, דאתגליאו מן לבר לארעא ואתנשיאו, ואנפישו, ויימא יעקב עלאה לתתא, ברי דילך דאינון לבר לארעא דאתיילידו בגלותא, בכל ארעא וארעא, עד דאנא איעול למצראי, ואעביד להון דינא, על חוביהון, לאו אנא מסקית ברך, דאתבריאו בגלותא, לבר לארעא בארעא רחיקא, ואע"ג דאינון סגיאין, ואתנשיאו, דילי אינון, כד חזיתי דא גלותא דלהון, ואסיתי לכיביהון, ושמעית קליהון.
ראובן: כי ראה ה' את עניי. שמעון: כי שמע ה' כי שנואה אנכי, וחשיב בלבך, כאילו יהויין קדמי אינון, ומדנתוב ממצראי, מלמעבד דינא, נסיק יתהון מארע גלותא.

עו. רבי אבא אמר, מהכא והביאו את כל אחיכם מכל הגוים מנחה לה', צבי למימר, כד יהא קודשא בריך הוא בדינא במצראי, בעדנא ההיא ייתון כל עממיא מנחה, כד שמעו שמועה דקודשא בריך הוא, היינו ונהרו אליו כל הגוים.

עז. תנא, אמר רבי שמעון, עתיד קודשא בריך הוא למיעבד לכל זכאה וזכאה, חופה בירושלם, קול ששון וקול שמחה קול חתן וקול כלה, כד תיתוב מטרוניתא למלכא, ועביד לה ארוסין, הה"ד צאינה וראינה וגו' ביום חתנתו וביום שמחת לבו. ביום חתונתו זה מתן תורה, וביום שמחת לבו זה בנין בית המקדש, שיבנה במהרה בימינו.

עח. ומולדתך אשר הולדת אחריהם לך יהיו, דא ישראל לתתא, לאבהן, דאינון רתיכין, תהא שמהתהון ברזא דאתיילידו לבתר דנן, על שמא דאחיהון יהון אתקרון באחסנא דלהון.

עט. תאנא, אמר רבי שמעון, ומולדתך: דא ירושלים דלתתא, מולדת בית בפרשת עריות, ירושלים לתתא, גוברין דאתיילידו דא ירושלים, בתר דנא, דיתובון עלמא למארי שמיא בירושלים, כד אתגיירו לא אתקרון אלא על שמהן, דהוא בר ישראל, ולא יתקרון כד אבהתהון, גיורא מקפוטקיא, אלא בשמא ישראל.

פ. לך יהיו: צבי למימר, על שמיהון דישראל יתקרון, על שם אחיהון יקראו בנחלתם, וכד תבו יתוסנון אלין עם ישראל בארעא, ויסב כל שבטא ושבטא, דידיה וגוברין מנהון, כל חדא לפום מנייניה.

פא. ואני בבאי מפדן מתה עלי רחל בדרך וגו', רבי אבא פתח, כה אמר ה' קול ברמה נשמע וגו', מה כתיב בתריה, כה אמר ה' מנעי קולך מבכי ועיניך מדמעה כי יש שכר לפעולתך וגו' ושבו בנים לגבולם לא אמר וישובו, אלא ושבו, כבר שבו.

פב. תא חזי אמר רבי אלעזר, בשעתא דיהא דינא על טורא, תתעטר מטרוניתא על טורא, והיא סברת דבניהון אבדין בדינא, ורזא רני עקרה לא ילדה פצחי רנה וצהלי וגו', תנא, סגיין יהון בני כרסייא, מן דידה, הה"ד כי רבים בני שוממה מבני בעולה, תיתוב מטרוניתא לבעלה, ביום ההוא יהיה ה' אחד ושמו אחד.

פג. מן קדמת דנא, תימא מטרוניתא לקודשא בריך הוא בנייא דילי אן. יימא לה בדינא. היא תסבר דאבדין בדינא, ובכה על דינא לבנייא דידה, כי ארי סגי אית לך למיסב מני בדלהון, דהות עמהון, והא תבו מארעא דשנאה.

פד. וכי לא הוה ידע יוסף דמיתה אמיה, תמן הוה עמה כד מיתה. אלא יאמר ישראל

עִלָּאָה, כַּד נַיְיתֵי מִפֻּרְקָנֵיהוֹן דְּיִשְׂרָאֵל, תִּתְעַר מַטְרוֹנִיתָא, וְתִתְעַר כ"י, וְתִגַּח קְרָבָא עִם עַמְמִין, וִימוּתוּן מִנְּהוֹן, וְיִתְקָרְבוּן בִּזְעֵיר לְמֵיתֵי אַרְעָא, יֵימַר לָהּ קוּדְשָׁא בְּרִיךְ הוּא, כַּד הִיא בְּכָה, לָא תִּדְחֲלִי, אַגְרָא לְהוֹן בְּנַיְיא דְּמִיתָן עַל שְׁמִי, אָחֳרָנִין הָא תָּבוּ, אִינּוּן יְתוּבוּן לְוָזֵי מֵיתַיָּיא.

פה. מֵתָה עָלַי רָחֵל, מֵתָה עַל יִיחוּד שְׁמָא דְקוּדְשָׁא בְּרִיךְ הוּא, וְע"ד אִתְּמַר בְּעוֹד כִּבְרַת אֶרֶץ לָבֹא, דְּמִיתוּ עַל יִיחוּד שְׁמָא דְקוּדְשָׁא בְּרִיךְ הוּא, לְבַר לְאַרְעָא, בְּאַרְעָא דָא, לָא יָמוּת וַחַד מִנְּהוֹן.

פו. תָּנָא, א"ר אַבָּא, עֲתִידִין יִשְׂרָאֵל לְאַגָּחָא קְרָבָא בְּאָרְחָא דְאֶפְרָת, וִימוּתוּן עַמָּא סַגְיָא מִנְּהוֹן, וּבָתַר כֵּן לְוָזֵי מֵיתַיָּא יְקוּמוּן, וְיַתִּיר שָׁלְטָנָא יְהֵא לְכוֹן דְּמִיתִין בְּאָרְחָא הָדֵין, מִכָּל דְּיֶהֱוֵא קַדְמֵיהוֹן בִּירוּשְׁלֵם.

פז. וְלָמָּה אִתְקְרֵי שְׁמָא דְּאַתְרָא קַדִּישָׁא, דְּאַתְרָא הָדֵין לֶחֶם, בְּגִין דְּהוּא מִן שְׁמָא דְקוּדְשָׁא בְּרִיךְ הוּא בֵּיהּ, דִּימוּתוּן תַּמָּן עַל שְׁמֵיהּ, י"ד: דִּימוּתוּן תַּמָּן עַל שְׁמֵיהּ י"ה, לֶחֶם בְּגָלוּתָא, בְּגִין דְּהוּא מִן שְׁמֵיהּ דְקוּדְשָׁא בְּרִיךְ הוּא.

פח. וַיַּרְא יִשְׂרָאֵל אֶת בְּנֵי יוֹסֵף וַיֹּאמֶר מִי אֵלֶּה. רִבִּי אַבָּא פָּתַח וְאָמַרְתְּ בִּלְבָבֵךְ מִי יָלַד לִי אֶת אֵלֶּה, מַאי קָא מַיְירֵי, יִשְׂרָאֵל לְתַתָּא, וְחָזֵי דְּיֵיתוּן בְּנוֹהִי דְּיִשְׂרָאֵל קַדְמֵיהּ, כַּד יֵיתוּן מֵעֵילָם וּמִשִּׁנְעָר וּמֵחֲמָת וּמֵאִיֵּי הַיָּם וְאַכְנְשׁוּ כֻּלְּהוּ וִיהוֹן סַגִּיאִין, תֵּימָא שְׁכִינְתָּא מֵאָן אִינּוּן כֻּלְּהוֹן, וְלָא בְּהוֹן פְּסוּל מִבְּנֵי נוּכְרָאָה, יֵימְרוּן לֵיהּ, אֲנַחְנָא כַּלָּנָא מְבָרַךְ, וְלֵית בְּנָא נוּכְרָאָה בַּהֲדָן, דְּיִתְפָּרְשׁוּן דָּא מִן דָּא וְכָרַת לְהוֹן כַּחֲדָא, וְיִתְגַּיְּירוּן, יְתוּבוּן גִּיּוֹרִין עִם יִשְׂרָאֵל, וִיהוֹן כַּחֲדָא.

פט. תָּנָא, קָשִׁים גֵּרִים לְיִשְׂרָאֵל כְּסַפַּחַת בְּעוֹר הַחַי, לְאַרְעֲהוֹן. כְּתִיב כִּי יְרַחֵם ה' אֶת יַעֲקֹב וּבָחַר עוֹד בְּיִשְׂרָאֵל וְנִלְוָה הַגֵּר עֲלֵיהֶם וְנִסְפְּחוּ עַל בֵּית יַעֲקֹב, כַּד יְתוּבוּן לְאַרְעֲהוֹן בְּרָיָא, וִיהֶוְיָין רְחִימוּ בְּהוֹן, יִהְיֶה ה' אֶחָד וּשְׁמוֹ אֶחָד, יִתְלַוּוּן גִּיּוֹרִין עִם יִשְׂרָאֵל וִיהֶוְיָין לְהוֹן כְּעוֹמְקָא בְּבִשְׂרֵיהוֹן.

צ. וְכָל כָּךְ לָמָּה. ת"ש, אֲמַר רִבִּי שִׁמְעוֹן, עַל תְּחוּמִין דְּאַרְעָא, דְּכָל וַחַד יְהֵא רַעֲוָא לְמֵידַר בְּאַרְעָא דְּיִשְׂרָאֵל, וְתִסְתָּעַר דִּיּוֹרִין. כְּתִיב וִיתֵדוֹתַיִךְ חַזֵּקִי, צָבֵי לְמֵימַר, סִיכְיָא דְּהַוְיָין עָמֹק מֵעִקָּרָא, אַתְקֵיף יַתְהוֹן, וְסַיַּיע יַתְהוֹן יַתִּיר מִשְּׁאָר עַמְמִין, כִּבְיָכוֹל, דְּאַתְּ סָכֵי לְאִתְתַּקְפָא יַתְהוֹן, בְּכָל עַמְמַיָּא אָחֳרָא. וִיהוֹן סַגִּיאִין.

צא. וַיֹּאמֶר יוֹסֵף אֶל אָבִיו בָּנַי הֵם אֲשֶׁר נָתַן לִי אֱלֹקִים בָּזֶה, רִבִּי שִׁמְעוֹן תָּאנֵי, מֵהָכָא, וְזֹאת הַתּוֹרָה אֲשֶׁר שָׂם מֹשֶׁה לִפְנֵי בְּנֵי יִשְׂרָאֵל, יֹאמַר יִשְׂרָאֵל לְתַתָּא, כַּד יִשְׂרָאֵל עֲלֵיהוֹן לְעֵילָא, בָּנַי אִינּוּן, דִּיהַב לִי קוּדְשָׁא בְּרִיךְ הוּא אוֹרַיְיתָא, כַּמָּה יַתְהוֹן וְנִימוּסֵיהוֹן קְשִׁיטִין, בְּנִימוּסֵי אוֹרַיְיתָא דְּאִתְיְהִיבַת לְהוֹן. תָּא וַחֲזֵי כַּד יְהוֹן יִשְׂרָאֵל תְּחוֹת גַּדְפֵּי שְׁכִינְתָּא, אוֹרַיְיתָא דִּלְהוֹן אִתְקְרִיאַת זֶה, הה"ד זֶה אֵלִי וְאַנְוֵהוּ, וּבְכָל עִדָּן דְּלָא הֲוָה דָּוִד מְמַלֵּל תְּחוֹת גַּדְפֵּי שְׁכִינְתָּא דָּא מִלְּתָא, אֶלָּא אִתְנַבֵּי מַה דְּלֶיהֱוֵי, אִתְקְרֵינָא זֹאת.

צב. רַב נַחְמָן אֲמַר מֵהָכָא, אִם תַּחֲנֶה עָלַי מַחֲנֶה לֹא יִירָא לִבִּי וגו' בְּזֹאת אֲנִי בוֹטֵחַ, זֹאת דָּא אוֹרַיְיתָא תְּהֵא לְיֵיתֵי מְשִׁיחָא, וּבְג"ד, וְקוֹל הַתּוֹר נִשְׁמַע בְּאַרְצֵנוּ, עַל מָה אִתְמְתְלַת אוֹרַיְיתָא לְגוֹזָלָא, מַה גּוֹזָלָא קָלֵיהּ עָרֵב, אַף פִּתְגָּמֵי אוֹרַיְיתָא קָלֵיהּ עָרֵב, וְדָא קָלָא יְהֵא לְיֵיתֵי מְשִׁיחָא, לְיוֹמָא דְּדִינָא.

צג. תָּנָא הַנִּצָּנִים נִרְאוּ בָאָרֶץ עֵת הַזָּמִיר הִגִּיעַ וְקוֹל הַתּוֹר נִשְׁמַע בְּאַרְצֵנוּ. הַנִּצָּנִים: דָּא

אֲבָהָתָן דְּמֶרְכָּבָה, דְּמִן עַלְמָא יְקוּמוּן וְיִתְחֲזוּ.

צד. עֵת הַזָּמִיר הִגִּיעַ, תּוּשְׁבַּחְתָּא דְּיִשַׁבְּחוּן לֵיוָאֵי, כַּד יְתוּבוּן לְפוּלְחָנֵיהוֹן כִּדְבְקַדְמֵיתָא. וְקוֹל הַתּוֹר, אֲשֶׁר נָתַן לִי אֱלֹקִים בָּזֶה, פִּתְגָּמֵי דְּאוֹרַיְיתָא, דְּאִינוּן עֲרֵבִין כְּקָלָא דְּתוֹרָא, דָּא זָ"ה.

צה. מַאי קָא מַיְירֵי, וְרָזָא דְּמִלְּתָא, בְּעִדָּנָא דְּלָא תֶהֱוְיָין תְּוּזוֹת גַּדְפֵּי שְׁכִינְתָּא, א' דִּלְזֹאת נְזִית, וְהוּא מִתְּזוֹזוֹת לִכְלָא, וּסְלִיקַת ה', דְּזֶה אֵלִי וְאַנְוֵהוּ, מִדְּזָרַב בֵּיתָא, דְּה"א, לָא יָכְלָא לְדוּר וּלְמֶהֱוֵי בֵּין עַמְמִין עכו"ם, ה"א קַדִּישָׁא וַזְתוּכָא מִן שְׁמָא. כַּד יְתוּבוּן יִשְׂרָאֵל לְאַרְעֲהוֹן, ה"א קַדִּישָׁא דְּהוּא וַזְתוּכָא מִן שְׁמָא דְקוּדְשָׁא בְּרִיךְ הוּא, תֵּיתוּב בָּזֶה וְיִפּוּק מִיּוּמָא דְּדִינָא, וְהָא תְּקַבֵּל תַּקַּנְתָּא. ה"א אֶלֶף: ה"א עֲדִיפַת בִּקְדוּשָּׁה, א' עֲדִיפַת לְאַתְוָון.

צו. ר' אַבָּא פָּתַח וַאֲמַר, מִי מָדַד בְּשָׁעֳלוֹ מַיִם וְשָׁמַיִם בַּזֶּרֶת תִּכֵּן, זֶה תּוֹר: שָׁוִין כִּבְיָכוֹל, ז' לְר', ר' לַת', ו' לְה', זַרְתָּא דְקוּדְשָׁא בְּרִיךְ הוּא, בְּשִׁית מְאָה וְשִׁבְעִין שְׁנִין, מֵהָכָא מִן שְׁמַיָּא, וְעַד אַרְעָא, כֵּיצַד זָ"ה תּוֹ"ר, זֶרֶת ו"ה ה"ו תר"ז, אִתְקַדְּמַת ה' לוֹ. וְאִתְקַדְּמַת ו' לַת', ת' לְר', ר' לְז', רָבוּעַ יִהְיֶה כָּפוּל זֶרֶת אָרְכּוֹ וְזֶרֶת רָחְבּוֹ כָּפוּל.

צז. וַיֹּאמֶר קוּם נָא אֵלַי וַאֲבָרֲכֵם, יֹאמַר מִדְּהֲווֹ בְּפִתְגָּמֵי אוֹרַיְיתָא מִתְעַסְקִין, וַהֲוָה דָּא מִכִּילְתָּא בֵּין וַזְכִּימֵיהוֹ, אֲבָרֲכִינוּן, וְרָזָא וַיֹּאמֶר אֵלָיו מַה שְּׁמֶךָ וַיֹּאמֶר יַעֲקֹב. וַיֹּאמֶר לָמָּה זֶה תִּשְׁאַל לִשְׁמִי, מַה עִנְיָינָא דָא, לְעִנְיָינָא קַדְמֵיתָא דְּקַמֵּיהּ, כִּדְפָרֵישְׁנָא בְּאַתְרֵיהּ.

צח. וְרָזָא אָוְזֶרָא, וַיִּשְׁאַל יַעֲקֹב וגו' וַיֹּאמֶר לָמָּה זֶה תִּשְׁאַל לִשְׁמִי וַיְבָרֶךְ אוֹתוֹ שָׁם, הָא לָא עָתִיד, אֶלָּא בִּזְכוּתָא דְּזֶה, לְבָרְכֵהוֹן.

צט. וְרָזָא סַגִּיאָה תְּנֵינָא, בְּאַתְרָה דְּהַאי קְרָא, אֲבָל לָא אָתֵינָא לְקַמָּךְ, אֶלָּא לְאַשְׁמוּעִינָן הַאי קְרָא דַּאֲמַרְנָא, מִקַּמֵּיהּ דַּאֲמִינָא לָךְ דְּאִתְקְרִיאַת אוֹרַיְיתָא זֶה, כְּתִיב זֶה סִינַי מִפְּנֵי ה' אֱלֹהֵי יִשְׂרָאֵל, כַּד אִתְיְיהִיבַת אוֹרַיְיתָא עַל יְדָא דְּמֹשֶׁה, כִּי זֶה מֹשֶׁה הָאִישׁ זֶה אֵלִי וְאַנְוֵהוּ, אוֹרַיְיתָא הֲוָה נָוְזְתַת, מִן קַמֵּי אֱלָהָא דְּיִשְׂרָאֵל.

ק. וְעֵינֵי יִשְׂרָאֵל כָּבְדוּ מִזֹּקֶן וגו', תָּאנֵי ר' וִזזְקִיָּה, דָּא יִשְׂרָאֵל לְתַתָּא, וּבְגִין דָּא, לָא אַתְּ מַשְׁכַּוז דְּכַוָּותֵיהּ, וְכַד יְהוֹן בְּגָלוּתָא כָּל זִמְנָא וְזֵרוּבָא הֲדִין, סִיבוּ, לָא יָכְלִין לְמֶוֱזֵי אַפֵּי שְׁכִינְתָּא, עַד דְּתֵיתֵי רוּוָזא אָוְזֶרָא בְּהוֹן.

קא. מִקַּדְמַת דְּנָא אִסְתָּאִיבוּ בְּאֶרֶץ עַמְמַיָּא, וְלָא הֲווֹ בְּנִימוּסֵי אוֹרַיְיתָא. כַּמָּה דִּיהוֹן כָּהִיל לְמֵיהַךְ, וְתָבוּ עִדָּנָא סַגֵּי בֵּינֵי נָכְרָאִין, דָּרָא בָּתַר דָּרָא, וְאוֹלִיפוּ מִן אָרְוָזיְהוֹן, כַּד יְתוּבוּן אַפֵּי שְׁכִינְתָּא לְאַרְעֲהוֹן, בְּקַדְמֵיתָא לָא יָכְלִין לְמֶוֱזֵמֵי אַפֵּי שְׁכִינְתָּא, עַד דְּיָהֵיב קוּדְשָׁא בְּרִיךְ הוּא רוּוָזא דִּילֵיהּ לְהוֹן.

קב. ר' וִזיָּיא פָּתַח, וְאֶת רוּוזִי אֶתֵּן בְּקִרְבְּכֶם, לְבָתַר וְעָשִׂיתִי אֵת אֲשֶׁר בְּוזֻקַּי תֵּלֵכוּ וּמִשְׁפָּטַי תִּשְׁמְרוּ וַעֲשִׂיתֶם, מִן בָּתַר דְּיָהֵב רוּוזִין בְּכוֹן וּקְדוּשָּׁה, בְּנִימוּסֵי תְּהַכוּן וְתִתְהַכוּן.

קג. לֹא יוּכַל לִרְאוֹת, רִבִּי אַבָּא פָּתַח וַאֲמַר, בְּאוֹר פְּנֵי מֶלֶךְ וַזיִּים וּרְצוֹנוֹ כְּעָב מַלְקוֹשׁ, כַּד יִסְבְּרוּן אַפֵּי שְׁכִינְתָּא דְּקוּדְשָׁא בְּרִיךְ הוּא, וְיִתְעַסְקוּן בְּאִינוּן רְתִיכִין דְּמִנְּהוֹן וַזיּוּן דְּעָלְמָא.

קד. תָּא וְזֵזֵי, לָא תִשְׁכַּוז בְּהַנֵּי קְרָאֵי כֻּלְּהוֹן לִישְׁנָא, אֶלָּא לְאִינִישׁ, וְלָא אַתְּ מַשְׁכַּוז בְּהַנֵּי קְרָאֵי בְּקוּדְשָׁא בְּרִיךְ הוּא, בְּגִין כַּד יְתוּבוּן לְאַרְעֲהוֹן, וְיַהֵב קוּדְשָׁא בְּרִיךְ הוּא רוּוַז וְזָכְמְתָא בְּהוֹן, לִישְׁנָא דִּלְהוֹן תֶּהֶוְיָין תְּדִיר בְּקוּדְשָׁא בְּרִיךְ הוּא, גַּם לְשׁוֹנִי כָּל הַיּוֹם תֶּהְגֶּה צִדְקָתֶךָ.

עַד כָּאן סִתְרֵי תוֹרָה

קה. וַיְחִי יַעֲקֹב וגו', ר' חִיָּיא פָּתַח וַאֲמַר, וְעַמֵּךְ כֻּלָּם צַדִּיקִים לְעוֹלָם יִירְשׁוּ אָרֶץ וגו', זַכָּאִין אִינּוּן יִשְׂרָאֵל, יַתִּיר מִכָּל עַמִּין עכו"ם, דְּקוּדְשָׁא בְּרִיךְ הוּא קָרָא לוֹן צַדִּיקִים. לְאַחְסָנָא לוֹן יְרוּתַת עָלְמִין בְּעָלְמָא דְּאָתֵי, לְאִתְעַנְּגָא בְּהַהוּא עָלְמָא, כְּמָה דִּכְתִּיב אָז תִּתְעַנַּג עַל ה'. מַאי טַעְמָא. בְּגִין דְּמִתְדַּבְּקִין בְּגוּפָא דְּמַלְכָּא, דִּכְתִּיב וְאַתֶּם הַדְּבֵקִים בַּה' אֱלֹהֵיכֶם חַיִּים כֻּלְּכֶם הַיּוֹם.

קו. רִבִּי יִצְחָק פָּתַח וַאֲמַר, וְעַמֵּךְ כֻּלָּם צַדִּיקִים לְעוֹלָם יִירְשׁוּ אָרֶץ, הַאי קְרָא רָזָא עִלָּאָה אִיהוּ, בֵּין מְחַצְּדֵי חַקְלָא, דְּהָא בְּרָזָא דְּאַגַּדְתָּא, תָּנֵי רִבִּי שִׁמְעוֹן, דְּאַחְסָנַת יְרוּתָא עִלָּאָה. דְּהַהִיא אֶרֶץ, לֵית מַאן דְּיָרִית לָהּ, בַּר הַהוּא דְּאִקְרֵי צַדִּיק, דְּהָא מַטְרוֹנִיתָא בֵּיהּ אִתְדַּבְּקַת לְאִתְבַּסְּמָא, וְצַדִּיק יָרִית לְמַטְרוֹנִיתָא וַדַּאי.

קז. אוּף הָכָא, בַּחֲבִיבוּתָא דְּקוּדְשָׁא בְּרִיךְ הוּא לְיִשְׂרָאֵל, אֲמַר וְעַמֵּךְ כֻּלָּם צַדִּיקִים, וּבְגִ"כ לְעוֹלָם יִירְשׁוּ אָרֶץ, אִתְחֲזוּן לְיָרְתָא לְמַטְרוֹנִיתָא, מַאי טַעְמָא אִקְרוּן צַדִּיקִים, ומ"ט יָרְתִין לְמַטְרוֹנִיתָא. בְּגִין דְּאִתְגְּזָרוּ, כְּמָה דְּתָנֵינָן, כָּל מַאן דְּאִתְגְּזַר, וְעָיֵיל בְּהַאי אַחְסָנָא, וְנָטִיר לְהַאי בְּרִית, עָאל וְאִתְדַּבַּק בְּגוּפָא דְּמַלְכָּא, וְעָאל בְּהַאי צַדִּיק, וּבְגִינֵי כָּךְ אִקְרוּן צַדִּיקִים, וְעַל דָּא לְעוֹלָם יִירְשׁוּ אָרֶץ. מַאי אָרֶץ. דָּא אֶרֶץ הַחַיִּים.

קח. אַהֲדַר וַאֲמַר, נֵצֶר מַטָּעַי מַעֲשֵׂה יָדַי לְהִתְפָּאֵר. נֵצֶר מַטָּעַי: עַנְפָּא מֵאִינּוּן עַנְפִּין, דְּנָטַע קוּדְשָׁא בְּרִיךְ הוּא, כַּד בָּרָא עָלְמָא, דִּכְתִּיב וַיִּטַּע ה' אֱלֹקִים גַּן בְּעֵדֶן מִקֶּדֶם, וְהַאי אֶרֶץ חַד מִנַּיְיהוּ, בְּגִינֵי כָּךְ נֵצֶר מַטָּעַי מַעֲשֵׂה יָדַי לְהִתְפָּאֵר.

קט. ד"א וְעַמֵּךְ כֻּלָּם צַדִּיקִים, דָּא יַעֲקֹב וּבְנוֹי, דְּנָחֲתוּ לְמִצְרַיִם בֵּין עַם קָשֵׁי קְדָל, וְאִשְׁתְּכָחוּ כֻּלְּהוּ זַכָּאִין, וּבְגִ"כ כְּתִיב, לְעוֹלָם יִירְשׁוּ אֶרֶץ דְּמִתַּמָּן סְלִיקוּ לְיָרְתָא אַרְעָא קַדִּישָׁא.

קי. וַיְחִי יַעֲקֹב בְּאֶרֶץ מִצְרַיִם, אַמַּאי פַּרְשָׁתָא דָּא סְתִימָא. רִבִּי יַעֲקֹב אֲמַר, בְּשַׁעְתָּא דְּמִית יַעֲקֹב, אִסְתִּימוּ עֵינֵיהוֹן דְּיִשְׂרָאֵל. רִבִּי יְהוּדָה אֲמַר, דִּכְדֵין נָחֲתוּ לְגָלוּתָא, וְאִשְׁתַּעְבִּידוּ בְּהוֹן.

קיא. רִבִּי שִׁמְעוֹן אֲמַר, מַה כְּתִיב לְעֵילָא, וַיֵּשֶׁב יִשְׂרָאֵל בְּאֶרֶץ מִצְרַיִם בְּאֶרֶץ גּשֶׁן וַיֵּאָחֲזוּ בָהּ וַיִּפְרוּ וַיִּרְבּוּ מְאֹד. וּכְתִיב וַיְחִי יַעֲקֹב, דְּלָא אִתְחֲזֵי לְאַפְרְשָׁא בֵּין דָּא לְדָא, מָה אִינּוּן קַיְימֵי בְּתַפְנוּקִין דְּמַלְכִּין, וְקַבִּילוּ עִנּוּגָא וְכִסּוּפִין לְגַרְמַיְיהוּ, אוּף יַעֲקֹב נָמֵי, קַיֵּים בְּתַפְנוּקֵי מַלְכִּין, בְּעִנּוּגָא וְכִסּוּפָא לְגַרְמֵיהּ, לָא אִתְפְּרַשׁ דָּא מִן דָּא.

קיב. וְהָכָא אִקְרֵי וַיְחִי. דְּהָא כָּל יוֹמוֹי לָא אִקְרֵי וַיְחִי, בְּגִין דְּכָל יוֹמוֹי בְּצַעֲרָא הֲווֹ, בְּצַעֲרָא אִשְׁתַּכְּחָן, עֲלֵיהּ כְּתִיב, לֹא שָׁלַוְתִּי וְלֹא שָׁקַטְתִּי וְלֹא נָחְתִּי וַיָּבֹא רֹגֶז. בָּתַר דְּנָחַת לְמִצְרַיִם, אִקְרֵי וַיְחִי: חָמָא לִבְרֵיהּ מַלְכָּא, חָמָא לְכָל בְּנוֹי זַכָּאִין צַדִּיקִין, וְכֻלְּהוּ בְּתַעֲנוּגֵי וְתַפְנוּקֵי עָלְמָא, וְהוּא יָתִיב בֵּינַיְיהוּ כַּחֲמַר טַב דְּיָתִיב עַל דּוּרְדְּיֵיהּ, כְּדֵין אִקְרֵי וַיְחִי יַעֲקֹב, וְלָא פָּרֵישׁ בֵּין וַיִּפְרוּ וַיִּרְבּוּ מְאֹד לְוַיְחִי יַעֲקֹב וְהָכֵי אִתְחֲזֵי.

קיג. שְׁבַע עֶשְׂרֵה שָׁנָה, מַאי טַעְמָא שְׁבַע עֶשְׂרֵה שָׁנָה. אֶלָּא אר"ש, כָּל יוֹמוֹי דְּיַעֲקֹב בְּצַעֲרָא הֲווֹ, בְּצַעֲרָא אַעֲבַר לוֹן בְּקַדְמֵיתָא, כֵּיוָן דְּחָמָא לְיוֹסֵף, וַהֲוָה קָאִים קַמֵּיהּ, כַּד יַעֲקֹב מִסְתַּכֵּל בְּיוֹסֵף, הֲוָה אִשְׁתְּלִים בְּנַפְשֵׁיהּ, כְּאִילוּ חָמָא לְאִמֵּיהּ דְּיוֹסֵף, דְּשַׁפִּירוּ דְּיוֹסֵף דָּמֵי לְשַׁפִּירוּ דְּרָחֵל, וַהֲוָה דָּמֵי בְּגַרְמֵיהּ, כְּמָה דְּלָא אַעֲבַר עֲלֵיהּ צַעֲרָא בְּיוֹמוֹי.

קיד. וְכַד יוֹסֵף אִתְפְּרַשׁ מִנֵּיהּ, כְּדֵין אִתְקַיַּים, לֹא שָׁלַוְתִּי וְלֹא שָׁקַטְתִּי וְלֹא נָחְתִּי וַיָּבֹא רֹגֶז, דְּדָא קַשְׁיָא לֵיהּ לְיַעֲקֹב מִכָּל מַה דַּעֲבַר, וּבְזִמְנָא דְּאִתְפְּרַשׁ יוֹסֵף מִנֵּיהּ, מַה כְּתִיב, יוֹסֵף בֶּן שְׁבַע עֶשְׂרֵה שָׁנָה הָיָה רוֹעֶה וגו', וְכָל יוֹמִין דְּיַעֲקֹב, לָא הֲוָה לֵיהּ צַעֲרָא כְּהַאי,

וַהֲוָה בָּכֵי כָּל יוֹמָא, לְאִינּוּן שְׁבַע עֶשְׂרֵה שָׁנָה דְּיוֹסֵף.

קטו. מַאי קָאַתִיבוּ לֵיהּ, וְיוֹסֵף יָשִׁית יָדוֹ עַל עֵינֶיךָ, הָא לָךְ שְׁבַע עֶשְׂרֵה שָׁנָה אָחֳרָנִין, בְּעִנּוּגִין וְתַפְנוּקִין וַהֲנָאוֹת וְכִסּוּפִין, הה"ד וַיְחִי יַעֲקֹב בְּאֶרֶץ מִצְרַיִם שְׁבַע עֶשְׂרֵה שָׁנָה וגו'. תָּנָא כָּל אִינּוּן שְׁנִין, שְׁכִינְתָּא יְקָרָא דְּקוּדְשָׁא בְּרִיךְ הוּא, עִמֵּיהּ אִשְׁתַּכְחָא, וּבְגִין כָּךְ וַחַיִּים אִקְרוּן.

קטז. תָּא חֲזֵי, כְּתִיב וַתְּחִי רוּחַ יַעֲקֹב אֲבִיהֶם, אִתְחֲזֵי דְּהָא בְּקַדְמֵיתָא מֵית הֲוָה הַהוּא רוּחָא דִּילֵיהּ, וְלָא הֲוָה מִתְכַּוֵּין לְקַבְּלָא רוּחָא אָחֳרָא, דְּהָא רוּחָא דִּלְעֵילָּא, לָא שַׁרְיָא בְּרֵיקָנְיָא. אָמַר רַבִּי יוֹסֵי, שְׁכִינְתָּא לָא שַׁרְיָא, אֶלָּא בְּאֲתַר שְׁלִים, וְלָא בְּאֲתַר חָסֵר, וְלָא בַּאֲתַר פָּגִים, וְלָא בַּאֲתַר עָצִיב, אֶלָּא בַּאֲתַר דְּאִתְכַּוֵּון, בַּאֲתַר חֶדְוָה, וּבְגִ"כ, כָּל אִינּוּן שְׁנִין דְּיוֹסֵף אִתְפְּרַשׁ מֵאֲבוֹי, וְיַעֲקֹב הֲוָה עָצִיב, לָא שַׁרְיָא בֵּיהּ שְׁכִינְתָּא.

קיז. תָּנָא אָמַר רַבִּי אֶלְעָזָר, אָמַר רַבִּי אַבָּא, כְּתִיב עִבְדוּ אֶת ה' בְּשִׂמְחָה בֹּאוּ לְפָנָיו בִּרְנָנָה, לְאַפָּקָא, דְּלֵית פּוּלְחָנָא דְקוּדְשָׁא בְּרִיךְ הוּא, אֶלָּא מִגּוֹ חֶדְוָה. דְּאָמַר רַבִּי אֶלְעָזָר לֵית שְׁכִינְתָּא שַׁרְיָא, מִגּוֹ עַצְבוּת, דִּכְתִיב וְעַתָּה קְחוּ לִי מְנַגֵּן וְהָיָה כְּנַגֵּן הַמְנַגֵּן, מְנַגֵּן בִּמְנַגֵּן תְּלַת זִמְנֵי אַמַּאי. בְּגִין לְאַתְעָרָא רוּחָא מִשְּׁלִימוּתָא דְּכֹלָּא, דְּהוּא רוּחַ שְׁלִימָא.

קיח. אָמַר רַבִּי אַבָּא, תַּמָּן תָּנִינָן, מֵאַרְבַּע סִטְרִין כֹּלָּא אִשְׁתַּכַּח, וְכָל שָׁרְשִׁין דְּעֶלָּאִין וְתַתָּאִין בְּהוּ אֲחִידָן, וְתָנָא, דָּא עָיֵיל, וְדָא נָפִיק, דָּא סָתִים, וְדָא פָּרִישׁ, אִתְאֲחַד חַד בְּחַבְרְתֵּהּ, וְאִינּוּן אֲבָהָן דְּכֹלָּא.

קיט. ר"ש אָמַר, רַק בַּאֲבוֹתֶיךָ חָשַׁק ה', כְּתִיב בַּאֲבוֹתֶיךָ, מַמָּשׁ תְּלָתָא, וּמַשְׁמַע דִּכְתִיב רַק, רַק מַמָּשׁ, וּמֵאִלֵּין מִתְפָּרְשָׁן וּמִתְאַחֲדָן כָּל שְׁאַר אָחֳרָנִין, וְסַלְקִין שְׁמָא לְאִתְעַטְּרָא.

קכ. תָּנָא אָמַר ר' יוֹסֵי, מִן יוֹמָא דְּאִסְתַּלַּק ר"ש מִן מְעַרְתָּא, מִלִּין לָא אִתְכַּסְיָין מִן חַבְרַיָּא, וְרָזִין עִלָּאִין הֲווֹ מִסְתַּכְּלָן, וְאִתְגַּלְיָין מִבֵּינַיְיהוּ, כְּאִלּוּ אִתְיְיהִיבוּ הַהִיא שַׁעֲתָא בְּטוּרָא דְּסִינַי, בָּתַר דְּשָׁכִיב כְּתִיב, וַיִּסָּכְרוּ מַעְיְנוֹת תְּהוֹם וַאֲרֻבּוֹת הַשָּׁמַיִם, וַהֲווֹ חַבְרַיָּיא מְרַחֲשָׁן מִלֵּי, וְלָא מִתְקַיְּימֵי בְּהוּ.

קכא. דְּיוֹמָא חַד הֲוָה יָתִיב ר' יְהוּדָה, אַפִּתְחָא דִּטְבֶרְיָה, וְחָמָא תְּרֵי גַּמְלֵי, דְּסַלְקֵי קְטִפִירָא מֵעִלְוֵי דְּכִתְפִין, נָפַל מְטוּלָא דִּקְטִפִירָא, וַאֲתוּ צִפְּרֵי וְעַד לָא מָטוּ עֲלַיְיהוּ, אִתְבַּקָּעוּ.

קכב. לְבָתַר אֲתוּ כַּמָּה צִפְּרִין, וַהֲווֹ אָזְלֵי עֲלַיְיהוּ, וְשָׁרוּ לוֹן בְּטַרְטִישָׁא, וְלָא מִתְבַּקְּעִין, וַהֲווֹ צָוְוחִין לוֹן, וְלָא הֲווֹ מִתְפָּרְשָׁן, שָׁמְעוּ חַד קָלָא, עִטְרָא דְּעִטְרִין בְּקַדְרִין שַׁרְיָא, וּמָרֵיהּ לְבַר.

קכג. עַד דַּהֲוָה יָתִיב, עָבַר חַד גַּבְרָא, אִשְׁגַּח בְּהוּ, אָמַר, לָא קַיָּים דָּא, הָא דִּכְתִיב וַיֵּרֶד הָעַיִט עַל הַפְּגָרִים וַיַּשֵּׁב אוֹתָם אַבְרָם. אָמַר רַבִּי יְהוּדָה, וְהָא עֲבִידְנָא וְלָא אִתְפָּרְשָׁן, אַהְדַּר רֵישֵׁיהּ הַהוּא גַּבְרָא וְאָמַר, עַד לָא מָרִיט דָּא, רֵישֵׁיהּ דְּמָרֵיהּ, וְעַד לָא גָּלִישׁ לְמַטְרוֹנִיתָא. רְהַט אֲבַתְרֵיהּ תְּלַת מִלִּין, וְלָא אָמַר לֵיהּ, חָלַשׁ דַּעְתֵּיהּ דְּרַבִּי יְהוּדָה.

קכד. יוֹמָא חַד, אַדְמוּךְ תְּחוֹת אִילָנָא, וְחָמָא בְּחֶלְמֵיהּ, ד' גַּדְפִּין מִתְתַּקְנָן, וְסָלִיק רַבִּי שִׁמְעוֹן עֲלַיְיהוּ, וְס"ת עִמֵּיהּ, וְלָא שָׁבִיק כָּל סִפְרֵי רָזִין עִלָּאִין וְאַגַּדְתָּא, דְּלָא סָלִיק לוֹן בַּהֲדֵיהּ, וְסָלִיק לְהוֹן לִרְקִיעָא, וְחָמָא דְּמִתְכַּסְיָא מֵעֵינָא, וְלָא אִתְגַּלְיָא.

קכה. כַּד אִתְעַר, אָמַר, וַדַּאי מִדְּשָׁכִיב ר' שִׁמְעוֹן, חָכְמְתָא אִסְתַּלְּקַת מֵאַרְעָא, וַוי

לדרא, דהאי אבנא טבא, דהוו מתזנן מניה, וסמכין עליה עלאין ותתאין, אתאביד מנייהו.

קכו. אתא לגביה דר' אבא, סח ליה, סליק רבי אבא ידוי על רישיה, ובכה ואמר, ר"ש ריחייא דטחנין מניה מנא טבא כל יומא, ולקטין ליה, כמה דכתיב, הממעיט אסף עשרה חמרים, והשתא ריחייא ומנא אסתלקו ולא אשתאר בעלמא מיניה, בר כמה דכתיב, קח צנצנת אחת ותן שמה מלא העומר מן והנח אותו לפני ה' למשמרת. ואלו באתגלייא לא כתיב, אלא למשמרת: לאצנעותא. השתא מאן יכיל לגלאה רזין, ומאן ינדע לון.

קכז. לחיש ליה לרבי יהודה בלחישו, ודאי ההוא גברא דחמית, אליהו הוה, ולא בעא לגלאה רזין, בגין דתנדע שבחא דר"ש, דהוה ביומוי, ויבכון דרא עלוי. א"ל, די למבכי בכיה עליה.

קכח. ר' יהודה, הוה בכי כל יומא עלוי, דהא אערא עמיה באדרא קדישא דר"ש, ושאר חבריא, א"ל ווי דלא אסתלקנא ההוא יומא עם אינון תלתא דאסתלקו, ולא לחמי דרא דא, דהא אתהפך.

קכט. א"ל, רבי אימא לי, כתיב והם יקחו את הזהב ואת התכלת ואת הארגמן ואת תולעת השני ואת השש, ואילו כסף לא כתיב, והא כתיב זהב וכסף, א"ל והא נמי נחשת, דכסף ונחשת במשכנא הוו, והכא לא. אלא אי לא דגלי בוצינא קדישא באתריה, לא אצטריכנא לגלאה.

קל. פתח ואמר, לי הכסף ולי הזהב נאם ה', היינו דכתיב השמים שמים לה'.

קלא. בכמה אתר אסתכלנא באלין מאני דקודשא, דכתיב בגדי קדש הם, וכתיב ועשו בגדי קדש, מאי קדושה הכא, אלא הכי תנינן, קדושה אינון בכל אתר. וכתיב בגדי קדש הם. ועשית בגדי קדש, כגוונא דלעילא.

קלב. דתניא כהן גדול לעילא, כהן גדול לתתא, לבושין דיקר לעילא, לבושין דיקר לתתא, ומה דלא אמר כסף ונחשת, לאתר אחרא אסתליקו, דכתיב כל עמודי החצר סביב מחושקים כסף וגו', וכתיב ואדניהם נחשת, דאינון מאני שמושא, לאשתמשא משכנא בהו.

קלג. אבל הכא באלין לבושין דיקר, לא בעי לאשתמשא בהו ב"נ אחרא, בר מכהנא רבא, דרבו משח קודשא על רישיה, דכתיב ועשית בגדי קדש לאהרן אחיך לכבוד ולתפארת, דבאינון לבושין דמי לגוונא דלעילא.

קלד. תניא, ויקרבו ימי ישראל למות א"ר יהודה, ווי לעלמא, דהא בני נשא לא חמאן ולא שמען, ולא ידעין דהא כל יומא ויומא, קלא דכרוזא אשתמע, במאתן וחמשין עלמין.

קלה. תנא, עלמא חדא, אשתמודע לעילא, וכד כרוזא נפיק, ההוא עלמא מזדעזעא ומתחלחלא, נפקי תרין צפרין, דאסתלקו מההוא עלמא, דמדוריהון תחות אילנא דחיזו דחיי ומותא ביה.

קלו. נפקא חד צפורא לסטר דרומא, וחד צפורא לסטר צפונא, וחד צפורא כד נהיר יממא, וחד כד אתחשך יממא, כל חד וחד קרי ומכרזא, מה דשמעין מההוא כרוזא.

קלז. לבתר בעו לאסתלקא לאתרייהו, ומשתמטי רגלייהו, בנוקבא דתהומא רבא,

וּמִתְלַכְּדָן בְּגַוֵּיהּ, עַד דְּאִתְפַּלִּיג לֵילְיָא. כַּד אִתְפְּלִיג לֵילְיָא, כָּרוֹזָא קָרֵי, וְכַצִּפֳּרִים הָאֲחֻזוֹת בַּפָּח כָּהֵם יוּקָשִׁים בְּנֵי הָאָדָם.

קלח. א"ר יְהוּדָה, בְּשַׁעְתָּא דְּמִתְלַכְּדָן רַגְלוֹי דְּבַר נָשָׁא, וְיוֹמוֹי אִתְקְרִיבוּ, הַהוּא יוֹמָא, אִתְקְרֵי יוֹם ה', לַאֲתָבָא רוּחֵיהּ לֵיהּ. תָּנָא בְּהַהִיא שַׁעְתָּא, פַּקְדָא הַהוּא כִּתְרָא קַדִּישָׁא, עַל רוּחֵיהּ, וּמַאן אִיהוּ, דִּכְתִיב יְמֵי שְׁנוֹתֵינוּ בָהֶם שִׁבְעִים שָׁנָה. וְהִיא כִּתְרָא שְׁבִיעָאָה דְּכֹלָּא.

קלט. וְאִם מִסִּטְרָא דִּגְבוּרָה קָאָתֵי, כְּתִיב, וְאִם בִּגְבוּרוֹת שְׁמוֹנִים שָׁנָה, דְּכִתְרָא דִּגְבוּרָה תְּמִינָאָה הֲוֵי, מִכָּאן וּלְהָלְאָה, לֵית אֲתַר לְאִתְמַשְּׁכָא, כְּמָה דְּאַתְּ אָמֵר, וְרָהְבָּם עָמָל וָאָוֶן, בְּאֲתַר דְּלָא הֲוֵי יְסוֹדָא, בִּנְיָינָא לָא אִתְקַיָּים.

קמ. א"ר יְהוּדָה, זַכָּאִין אִינּוּן צַדִּיקַיָּא, כַּד קוּדְשָׁא בְּרִיךְ הוּא בָּעֵא לַאֲתָבָא רוּחֵיהּ לֵיהּ, וּלְשָׁאֲבָא הַהוּא רוּחָא בְּגַוֵּיהּ. דְּתַנְיָא, בְּשַׁעְתָּא דְּקוּדְשָׁא בְּרִיךְ הוּא בָּעֵא לַאֲתָבָא רוּחֵיהּ לֵיהּ, אִי זַכָּאָה הוּא הַהוּא רוּחָא, מַה כְּתִיב, וְהָרוּחַ תָּשׁוּב אֶל הָאֱלֹקִים אֲשֶׁר נְתָנָהּ.

קמא. וְאִי לָא אִשְׁתַּכַּח זַכָּאָה, וַוי לְהַהוּא רוּחָא, דְּבָעֵי לְאִסְתַּחֲאָה בְּנוּרָא דְּדָלֵיק, וּלְאִתְתַּקְּנָא בְּגִין לְאִשְׁתָּאֲבָא בְּגוּפָא דְּמַלְכָּא, וְאִי לָא אִתְתַּקְּנַת, וַוי לְהַהוּא רוּחָא, דְּמִתְגַּלְגְּלָא כְּאַבְנָא בְּקוּסְפִיתָא, דִּכְתִיב וְאֵת נֶפֶשׁ אֹיְבֶיךָ יְקַלְּעֶנָּה בְּתוֹךְ כַּף הַקָּלַע. תַּנְיָא, אִי הַהוּא רוּחָא זָכֵי, כַּמָּה טָבִין גְּנִיזִין לֵיהּ בְּהַהוּא עָלְמָא, דִּכְתִיב עַיִן לֹא רָאָתָה אֱלֹקִים זוּלָתְךָ יַעֲשֶׂה לִמְחַכֵּה לוֹ.

קמב. א"ר יוֹסֵי, כַּד הַהוּא בַּר נָשׁ אִתְקְרִיבוּ יוֹמוֹי, תְּלָתִין יוֹמִין מַכְרִיזֵי עֲלוֹי בְּעָלְמָא וַאֲפִילּוּ צִפְּרֵי שְׁמַיָּא מַכְרִיזִין עֲלוֹי, וְאִי זַכָּאָה הוּא, תְּלָתִין יוֹמִין מַכְרִיזִין עֲלוֹי בֵּין צַדִּיקַיָּא, בְּגִנְתָּא דְּעֵדֶן.

קמג. תָּנָא, כָּל אִינּוּן תְּלָתִין יוֹמִין, נִשְׁמָתֵיהּ נָפְקַת מִנֵּיהּ בְּכָל לֵילְיָא, וְסָלְקַת וְחָמֵאת דּוּכְתָּהּ בְּהַהוּא עָלְמָא, וְהַהוּא ב"נ לָא יָדַע, וְלָא אַשְׁגַּח, וְלָא שַׁלִּיט בְּנִשְׁמָתֵיהּ, כָּל אִינּוּן תְּלָתִין יוֹמִין, כְּמָה דַּהֲוָה בְּקַדְמֵיתָא, דִּכְתִיב אֵין אָדָם שַׁלִּיט בָּרוּחַ לִכְלוֹא אֶת הָרוּחַ וְגוֹ'. א"ר יְהוּדָה, מִכַּד שָׁרָאן אִינּוּן תְּלָתִין יוֹמִין, צַלְמָא דְּב"נ אִתְחֲשַׁךְ, וּדְיוּקְנָא דְּאִתְחֲזֵי בְּאַרְעָא אִתְמְנַעַת.

קמד. ר' יִצְחָק, הֲוָה יָתִיב יוֹמָא חַד, אַפִּתְחָא דְּר' יְהוּדָה, וַהֲוָה עָצִיב, נָפִיק ר' יְהוּדָה, אַשְׁכְּחֵיהּ לְתַרְעֵיהּ, דַּהֲוָה יָתִיב וְעָצִיב, א"ל מַאן יוֹמָא דֵּין מִשְּׁאַר יוֹמִין.

קמה. א"ל, אָתֵינָא לְגַבָּךְ, לְמִבְעֵי מִינָּךְ תְּלַת מִלִּין: חַד, דְּכַד תֵּימָא מִלֵּי דְּאוֹרַיְיתָא, וְתַדְכַּר מֵאִינּוּן מִלִּין דַּאֲנָא אֲמֵינָא, דְּתֵימָא לוֹן מִשְּׁמִי, בְּגִין לְאַדְכְּרָא שְׁמִי. וְחַד דִּתְזַכֵּי לְיוֹסֵף בְּרִי בְּאוֹרַיְיתָא. וְחַד, דְּתֵיזִיל לְקִבְרִי כָּל ז' יוֹמִין, וְתִבְעֵי בָּעוּתִיךְ עֲלָי.

קמו. א"ל מְנָא לָךְ. א"ל, הָא נִשְׁמָתִי אִסְתַּלְּקַת מִינִּי בְּכָל לֵילְיָא, וְלָא אַנְהִיר לִי בְּחֶלְמָא, כְּמָה דַּהֲוָה בְּקַדְמֵיתָא, וְעוֹד דְּכַד אֲנָא מְצַלֵּינָא, וּמָטֵינָא לְשׁוֹמֵעַ תְּפִלָּה, אַשְׁגַּחְנָא בְּצוּלְמִי דִּילִי בְּכוֹתְלָא, וְלָא חֲמֵינָא לֵיהּ, וַאֲמֵינָא דְּהוֹאִיל וְצַלְמָא אִתְעֲבַר וְלָא אִתְחֲזֵי, דְּהָא כָּרוֹזָא נָפִיק וְכָרִיז, דִּכְתִיב אַךְ בְּצֶלֶם יִתְהַלֶּךְ אִישׁ, כָּל זִמְנָא דְּצוּלְמָא דְּבַר נָשׁ לָא יִתְעֲבַר מִנֵּיהּ, יִתְהַלֶּךְ אִישׁ, וְרוּחֵיהּ אִתְקַיְּימָא בְּגַוֵּיהּ, אִתְעֲבַר צוּלְמָא דְּבַר נָשׁ וְלָא אִתְחֲזֵי, אִתְעֲבַר מֵהַאי עָלְמָא.

קמז. א"ל וּמֵהָכָא, דִּכְתִיב כִּי צֵל יָמֵינוּ עֲלֵי אָרֶץ. א"ל, כָּל אִלֵּין מִלִּין דְּאַתְּ בָּעֵי עֲבִידְנָא, אֲבָל בָּעֵינָא מִינָּךְ דִּבְהַהוּא עָלְמָא, תִּבְרֵיר דּוּכְתָּאי גַּבָּךְ, כְּמָה דַּהֲוֵינָא בְּהַאי עָלְמָא. בָּכָה רַבִּי יִצְחָק וַאֲמַר, בְּמָטוּ מִינָּךְ, דְּלָא תִּתְפְּרַשׁ מִנָּאי כָּל אִלֵּין יוֹמִין.

קמח. אֲזָלוּ לְגַבֵּיהּ דְּרַבִּי שִׁמְעוֹן, אַשְׁכְּחוּהוּ דַּהֲוָה לָעֵי בְּאוֹרַיְיתָא, זָקִיף עֵינוֹי ר"ש,

וְחָמָא לְרִבִּי יִצְחָק, וְחָמָא לְמַלְאַךְ הַמָּוֶת דְּרָהִיט קַמֵּיהּ, וְרָקִיד קַמֵּיהּ. קָם רִבִּי שִׁמְעוֹן, אָחִיד בִּידֵיהּ דְּרִבִּי יִצְחָק, אֲמַר, גּוֹזַרְנָא, מַאן דְּרָגִיל לְמֵיעַל, יֵיעוֹל. וּמַאן דְּלָא רָגִיל לְמֵיעָאל, לָא יֵיעוֹל. עָאלוּ רִבִּי יִצְחָק וְרִבִּי יְהוּדָה, קָטִיר מַלְאַךְ הַמָּוֶת לְבַר.

קמט. אַשְׁגַּח ר"ש, וְחָמָא, דְּעַד כְּעַן לָא מָטָא עִדָּנָא, דְּהָא עַד תְּמַנְיָא שַׁעְתֵּי דְּיוֹמָא הֲוָה זִמְנָא, אוֹתְבֵיהּ קַמֵּי ר"ש, וַהֲוָה לָעֵי לֵיהּ בְּאוֹרַיְיתָא. אר"ש לְרִבִּי אֶלְעָזָר בְּרֵיהּ, תִּיב אַפִּתְחָא וּמַה דְּתֶחֱמֵי, לָא תִשְׁתָּעֵי בַּהֲדֵיהּ, וְאִי יִבְעֵי לְמֵיעָאל הָכָא, אוֹמֵי אוֹמָאָה דְּלָא לֵיעוֹל.

קנ. אֲמַר ר"ש לְרִבִּי יִצְחָק, חָמֵית דְּיוֹקְנָא דַּאֲבוּךְ יוֹמָא דָא, אוֹ לָא. דְּהָא, תָּנִינָן, בְּשַׁעְתָּא דְּבַר נָשׁ אִסְתַּלַּק מֵעָלְמָא, אֲבוֹי וְקָרִיבוֹי מִשְׁתַּכְּחִין תַּמָּן עִמֵּיהּ, וְחָמָא לוֹן וְאִשְׁתְּמוֹדַע לוֹן, וְכָל אִינּוּן דַּהֲוָה מְדוֹרֵיהּ גַּבַּיְיהוּ בְּהַהוּא עָלְמָא בְּדַרְגָּא חַד, כֻּלְּהוּ מִתְכַּנְּשֵׁי וּמִשְׁתַּכְּחֵי עִמֵּיהּ, וְאָזְלִין עִם נִשְׁמָתֵיהּ, עַד אֲתַר דְּתִשְׁרֵי בְּאַתְרֵיהּ. אֲמַר, עַד כְּעָן לָא חֲמֵינָא.

קנא. אַדְּהָכֵי קָם ר' שִׁמְעוֹן וַאֲמַר, מָארֵי דְּעָלְמָא, אִשְׁתְּמוֹדַע רִבִּי יִצְחָק לְגַבָּן, וּמֵאִינּוּן שִׁבְעָה עַיְינִין דְּהָכָא הוּא, הָא אֲחִידְנָא בֵּיהּ, וְהַב לִי. נָפַק קָלָא וַאֲמַר, כּוּרְסְיָיא דְּמָארֵיהּ קָרִיבָא בְּגַדְפוֹי דְּר' שִׁמְעוֹן, הָא דִּידָךְ הוּא, וְעִמָּךְ תַּיְיתֵיהּ, בְּזִמְנָא דְּתֵיעוֹל לְמִשְׁרֵי בְּכוּרְסְיָךְ. אֲמַר ר"ש וַדַּאי.

קנב. אַדְּהָכֵי, חָמָא רִבִּי אֶלְעָזָר, דַּהֲוָה אִסְתַּלֵּיק מַלְאַךְ הַמָּוֶת, וַאֲמַר, לֵית קוֹפְטְרָא דְּטִיפְסָא, בְּאֲתַר דְּרִבִּי שִׁמְעוֹן בֶּן יוֹחָאי שְׁכִיחַ. אֲמַר רִבִּי שִׁמְעוֹן לְרִבִּי אֶלְעָזָר בְּרֵיהּ, עוֹל הָכָא, וְאָחִיד בֵּיהּ בְּרִבִּי יִצְחָק, דְּהָא חֲמֵינָא בֵּיהּ דְּמִסְתָּפֵי, עָאל רִבִּי אֶלְעָזָר, וְאָחִיד בֵּיהּ. וְרִבִּי שִׁמְעוֹן אַהֲדַר אַנְפֵּיהּ וְלָעֵי בְּאוֹרַיְיתָא.

קנג. נַיִּים רִבִּי יִצְחָק, וְחָמָא לַאֲבוֹי, א"ל בְּרִי, זַכָּאָה חוּלָקָךְ, בְּעָלְמָא דֵּין, וּבְעָלְמָא דְּאָתֵי, דְּהָא בֵּין טַרְפֵּי אִילָנָא דְּחַיֵּי דְּגִנְּתָא דְּעֵדֶן, אִתְיְהִיב אִילָנָא רַבָּא וְתַקִּיף בִּתְרֵין עָלְמִין, ר"ש בֶּן יוֹחָאי הוּא, דְּהָא הוּא אָחִיד לָךְ בְּעַנְפּוֹי, זַכָּאָה חוּלָקָךְ בְּרִי.

קנד. אֲמַר לֵיהּ אַבָּא, וּמַה אֲנָא הָתָם, אֲמַר לֵיהּ תְּלַת יוֹמִין הֲווֹ דְּחָפוּ אִדְּרָא דְּמִשְׁכְּבָךְ, וְתַקִּינוּ לָךְ כַּוִּין פְּתִיחָן, לְאַנְהָרָא לָךְ מֵאַרְבַּע סִטְרִין דְּעָלְמָא, וַאֲנָא חֲמֵינָא דּוּכְתָּךְ וְחָדֵינָא, דַּאֲמֵינָא זַכָּאָה חוּלָקָךְ בְּרִי. בַּר דְּעַד כְּעָן, בְּרָךְ לָא זָכֵי בְּאוֹרַיְיתָא.

קנה. וְהָא הַשְׁתָּא הֲוֵי זְמִינִין לְמֵיתֵי גַּבָּךְ, תְּרֵיסַר צַדִּיקַיָּא דְּחַבְרַיָּיא, וְעַד דַּהֲוֵינָא נָפְקֵי, אִתְּעַר קָלָא בְּכֻלְּהוּ עָלְמִין, מַאן חַבְרִין דְּקַיְּימִין הָכָא, אִתְעַטְּרוּ, בְּגִינֵיהּ דְּרִבִּי שִׁמְעוֹן, שְׁאֶלְתָּא שָׁאֵיל, וְאִתְיְיהִיב לֵיהּ.

קנו. וְלָא דָא בִּלְחוֹדוֹי, דְּהָא שַׁבְעִין דּוּכְתֵּי מִתְעַטְּרָן הָכָא דִּילֵיהּ. וְכָל דּוּכְתָּא וְדוּכְתָּא, פִּתְחִין פְּתִיחָן לְשַׁבְעִין עָלְמִין, וְכָל עָלְמָא וְעָלְמָא, אִתְפְּתַח לְע' רְהִיטִין, וְכָל רְהִיטָא וּרְהִיטָא, אִתְפְּתַח לְשַׁבְעִין כִּתְרִין עִלָּאִין, וּמִתַּמָּן אִתְפְּתָחוּ אָרְחִין לְעַתִּיקָא, סְתִימָאָה דְּכֹלָּא, לְמֶחֱמֵי בְּהַהוּא נְעִימוּתָא עִלָּאָה דְּנַהֲרָא, וּמְהַנְיָא לְכֹלָּא, כְּמָה דְּאַתְּ אָמֵר, לַחֲזוֹת בְּנֹעַם ה' וּלְבַקֵּר בְּהֵיכָלוֹ, מַהוּ וּלְבַקֵּר בְּהֵיכָלוֹ, הַיְינוּ דִּכְתִיב בְּכָל בֵּיתִי נֶאֱמָן הוּא.

קנז. אֲמַר לֵיהּ אַבָּא, כַּמָּה זִמְנָא יְהִיבוּ לִי בְּהַאי עָלְמָא, א"ל לֵית לִי רְשׁוּתָא, וְלָא מוֹדְעֵי לֵיהּ לְבַר נָשׁ, אֲבָל בְּהִלּוּלָא רַבָּא דְּר' שִׁמְעוֹן, תְּהֵא מְתַקֵּן פָּתוֹרֵיהּ, כְּד"א צְאֶינָה וּרְאֶינָה בְּנוֹת צִיּוֹן בַּמֶּלֶךְ שְׁלֹמֹה בָּעֲטָרָה שֶׁעִטְּרָה לוֹ אִמּוֹ בְּיוֹם חֲתֻנָּתוֹ וּבְיוֹם שִׂמְחַת לִבּוֹ.

קנח. אַדְּהָכֵי אִתְּעַר רִבִּי יִצְחָק, וַהֲוָה חָיֵיךְ, וְאַנְפּוֹי נְהִירִין, וְחָמָא רִבִּי שִׁמְעוֹן, וְאִסְתַּכַּל

בְּאַנְפּוֹי, א"ל מִלָּה וַדָּאִי שְׁמַעְתָּא, אֲמַר לֵיהּ וַדַּאי, סָח לֵיהּ, אִשְׁתְּטַח קַמֵּיהּ דְּרַבִּי שִׁמְעוֹן.

קנט. תָּאנָא, מֵהַהוּא יוֹמָא, הֲוָה רַבִּי יִצְחָק אָחִיד לִבְרֵיהּ בִּידֵיהּ, וְלָעֵי לֵיהּ בְּאוֹרַיְיתָא, וְלָא הֲוָה שַׁבְקֵיהּ. כַּד הֲוָה עָאל קַמֵּיהּ דְּרַבִּי שִׁמְעוֹן, אוֹתְבֵיהּ לִבְרֵיהּ לְבַר, וְיָתֵיב קַמֵּיהּ דְּרַבִּי שִׁמְעוֹן, וַהֲוָה קָרֵי קַמֵּיהּ ה' עָשְׁקָה לִּי עָרְבֵנִי.

קס. תָּנָא, בְּהַהוּא יוֹמָא תַּקִּיפָא וּדְחִילוּ דְּבַר נָשׁ, כַּד מָטֵי זִמְנֵיהּ לְאִסְתַּלְּקָא מֵעָלְמָא, אַרְבַּע סִטְרִין דְּעָלְמָא קָיְימִין בְּדִינָא תַּקִּיפָא, וּמִתְעָרִין דִּינִין מֵאַרְבַּע סִטְרֵי עָלְמָא. וְאַרְבַּע קִשּׁוּרִין נָצָאן, וְקְטָטוּתָא אִשְׁתַּכַּח בֵּינַיְיהוּ, וּבָעְיָין לְאִתְפָּרְשָׁא כָּל חַד לְסִטְרוֹי.

קסא. כָּרוֹזָא נָפֵיק וּמַכְרְזָא בְּהַהוּא עָלְמָא, וְאִשְׁתְּמַע בְּמָאתָן וְשַׁבְעִין עָלְמִין, אִי זַכָּאָה הוּא, כֻּלְּהוּ עָלְמִין חַדָּאן לְקַדְמוּתֵיהּ, וְאִי לָאו וַוי לְהַהוּא בַּר נָשׁ, וּלְחוּלָקֵיהּ.

קסב. תָּנָא, בְּהַהוּא זִמְנָא דְּכָרוֹזָא כָּרֵיז, כְּדֵין נָפַק חַד שַׁלְהוֹבָא מִסְּטַר צָפוֹן, וְאָזְלָא וְאִתּוֹקַד בִּנְהַר דִּינוּר, וּמִתְפָּרְשָׁא לְאַרְבַּע סִטְרֵי עָלְמָא, וְאוֹקִיד נִשְׁמַתְהוֹן דְּחַיָּיבַיָּא.

קסג. וְנָפַק הַהוּא שַׁלְהוֹבָא, וְסַלְקָא וְנַחְתָּא בְּעָלְמָא, וְהַהוּא שַׁלְהוֹבָא מָטָא בְּגַדְפּוֹי דְּתַרְנְגוֹלָא אוּכְמָא, וּבָטַשׁ בְּגַדְפּוֹי, וְקָרֵי, בְּפִתְחָא בֵּין תַּרְעֵי.

קסד. זִמְנָא קַדְמָאָה קָרֵי וַאֲמַר, הִנֵּה יוֹם ה' בָּא בּוֹעֵר כַּתַּנּוּר וְגוֹ'. זִמְנָא תִּנְיָינָא קָרֵי וַאֲמַר, כִּי הִנֵּה יוֹצֵר הָרִים וּבוֹרֵא רוּחַ וּמַגִּיד לְאָדָם מַה שֵּׂחוֹ. וְהַהִיא שַׁעְתָּא, יָתֵיב בַּר נָשׁ בְּעוֹבָדוֹי, דְּסָהֲדִין קַמֵּיהּ, וְהוּא אוֹדֵי עֲלַיְיהוּ. זִמְנָא תְּלִיתָאָה, כַּד בָּעְיָין לְאַפָּקָא נִשְׁמָתֵיהּ מִנֵּיהּ, קָרֵי תַּרְנְגוֹלָא וַאֲמַר, מִי לֹא יִירָאֲךָ מֶלֶךְ הַגּוֹיִם כִּי לְךָ יָאָתָה וְגוֹ'.

קסה. אֲמַר רַבִּי יוֹסֵי, תַּרְנְגוֹלָא אוּכְמָא לְמַאי נָפְקָא. אֲמַר לֵיהּ רַבִּי יְהוּדָה, כָּל מַה דַּעֲבַד קוּדְשָׁא בְּרִיךְ הוּא בְּאַרְעָא, כֻּלְּהוּ רָמִיז בְּחָכְמָה, בַּר דִּבְנֵי נָשָׁא לָא יָדְעֵי, הה"ד מָה רַבּוּ מַעֲשֶׂיךָ ה' כֻּלָּם בְּחָכְמָה עָשִׂיתָ מָלְאָה הָאָרֶץ קִנְיָנֶךָ, וּמִשּׁוּם דְּאִתְעֲבִידוּ בְּחָכְמָה, כֻּלְּהוּ רְמִיזִין בְּחָכְמָה.

קסו. וְתַרְנְגוֹלָא אוּכְמָא, תָּנִינָן, לֵית דִּינָא שַׁרְיָא, אֶלָּא בַּאֲתַר דְּהוּא זִינֵיהּ, וְאוּכְמָא מִסִּטְרָא דְּדִינָא קָאָתֵי, וּבְגִין כָּךְ, בְּפַלְגוּת לֵילְיָא מַמָּשׁ, כַּד רוּחָא דְּסִטְרָא דְּצָפוֹן אִתְּעַר, חַד שַׁלְהוֹבָא נָפֵיק, וּבָטַשׁ תְּחוֹת גַּדְפּוֹי דְּתַרְנְגוֹלָא, וְקָרֵי. וְכ"ש בְּתַרְנְגוֹלָא אוּכְמָא, דְּאִתְכַּוַּון יַתִּיר מֵאוּחְרָא.

קסז. אוּף הָכָא, בְּשַׁעְתָּא דְּדִינָא דְּבַר נָשׁ יִתְּעַר, שָׁארֵי וְקָרֵי לֵיהּ, וְלֵית דְּיָדַע לֵיהּ, בַּר הַהוּא בַּר נָשׁ דְּשָׁכִיב, דְּתָנִינָן בְּשַׁעְתָּא דְּבַר נָשׁ שָׁכִיב, וְדִינָא שַׁרְיָא עֲלֵיהּ, לְנַפָּקָא מֵהַאי עָלְמָא, אִתּוֹסַף רוּחָא עִלָּאָה בֵּיהּ, מַה דְּלָא הֲוָה בְּיוֹמוֹי, וְכֵיוָן דְּשַׁרְיָא עֲלוֹי וְאִתְדַּבַּק בֵּיהּ, חָמֵי מַה דְּלָא זָכָה בְּיוֹמוֹי, מִשּׁוּם דְּאִתּוֹסַף בֵּיהּ הַהוּא רוּחָא, וְכַד אִתּוֹסַף בֵּיהּ וְחָמָא, כְּדֵין נָפֵיק מֵהַאי עָלְמָא, הה"ד תּוֹסֵף רוּחָם יִגְוָעוּן וְאֶל עֲפָרָם יְשׁוּבוּן. כְּדֵין כְּתִיב, כִּי לֹא יִרְאַנִי הָאָדָם וָחָי, בְּחַיֵּיהוֹן לָא זָכָאן, בְּמִיתַתְהוֹן זָכָאן.

קסח. תָּאנָא, בְּשַׁעְתָּא דְּבַר נָשׁ מִית, אִתְיְהִיב לֵיהּ רְשׁוּתָא לְמֶחֱמֵי, וְחָמֵי גַּבֵּיהּ, קָרִיבוֹי וַחֲבָרוֹי מֵהַהוּא עָלְמָא, וְאִשְׁתְּמוֹדַע לְהוּ, וְכֻלְּהוּ גְּלִיפִין בְּדְיוֹקְנֵיהוֹן, כְּמָה דַּהֲווּ בְּהַאי עָלְמָא, אִי זַכָּאָה הַהוּא בַּר נָשׁ, כֻּלְּהוּ חַדָּאן קַמֵּיהּ, וּמַקְדְּמֵי לֵיהּ שְׁלָם.

קסט. וְאִי זַכָּאָה לָא הֲוֵי, לָא אִשְׁתְּמוֹדְעָן גַּבֵּיהּ, בַּר מֵאִינּוּן חַיָּיבַיָּא, דְּטָרְדִין לוֹן בְּכָל יוֹמָא בַּגֵּיהִנָּם, וְכֻלְּהוּ עֲצִיבִין, וּפָתְחִין בְּוַוי, וּמְסַיְּימִין בְּוַוי, וְסָלֵיק עֵינוֹי, וְחָמָא לוֹן כְּטִיסָא דְּמִסְתַּלְּקָא מִן נוּרָא, אוּף הָכֵי הוּא פָּתַח וַוי.

קע. תַּנְיָא, בְּשַׁעְתָּא דְּנָפַק נִשְׁמָתֵיהּ דְּבַר נָשׁ, אָזְלִין כֻּלְּהוּ קָרִיבוֹי וַחֲבָרוֹי דְּהַהוּא

עַלְמָא עִם נִשְׁמָתֵיהּ, וּמַחְזְיָין לֵיהּ אַתְרָא דְעִדּוּנָא, וְאַתְרָא דְעוֹנְשָׁא, אִי זַכָּאָה הֲוֵי, וְחָמֵי דוּכְתֵּיהּ, וְסָלִיק וְיָתִיב, וְאִתְעֲדַן בְּעִדּוּנָא עִלָּאָה דְּהַהוּא עָלְמָא. וְאִי לָא הֲוֵי זַכָּאָה, אִשְׁתְּאָרַת הַהִיא נִשְׁמָתָא בְּהַאי עַלְמָא, עַד דְּאִתְטְמִיר גּוּפָא בְּאַרְעָא. כֵּיוָן דְּאִתְטְמַר, כַּמָּה גַּרְדִּינִין דְּנִמּוּסִין אַחֲדָן בֵּיהּ, עַד דְּמָטָא לְדוּמָ"ה, וְעָאלִין לֵיהּ בְּמָדוֹרוֹי דְּגֵיהִנָּם.

קעא. אֲמַר ר' יְהוּדָה, כָּל ז' יוֹמִין, נִשְׁמָתָא אָזְלָא מִבֵּיתֵיהּ לְקִבְרֵיהּ, וּמִקִּבְרֵיהּ לְבֵיתֵיהּ, וְאִתְאַבְּלַת עֲלוֹי דְּגוּפָא, דִּכְתִּיב אַךְ בְּשָׂרוֹ עָלָיו יִכְאָב וְנַפְשׁוֹ עָלָיו תֶּאֱבָל. אָזְלָא וְיָתְבָא בְּבֵיתֵיהּ, וְחָמֵי לְכֻלְּהוּ עֲצִיבִין וּמִתְאַבְּלָא.

קעב. תָּנָא, בָּתַר ז' יוֹמִין, גּוּפָא הֲוֵי כְּמָה דַּהֲוָה, וְנִשְׁמָתֵיהּ עָאלַת לְדוּכְתָּא, עָאלַת לִמְעַרְתָּא דְּכַפֵּלְתָּא, וְחָמַאת מַה דְּחָמַאת, וְעָאלַת לַאֲתַר דְּעָאלַת, עַד דְּמָטַת לְגַ"ע, וְעַרְעַת לִכְרוּבִים, וְשָׁנָן דְּחַרְבָּא, דִּי בְּגַ"ע דִּלְתַתָּא. אִי זַכָּאָה הוּא דְּתֵיעוֹל, עָאלַת.

קעג. תָּאנָא, אַרְבַּע סַמְכִין זְמִינִין, וְחַד דְּיוֹקְנָא דְגוּפָא בִּידַיְיהוּ, מִתְלַבְּשָׁא בֵּיהּ בְּחֶדְוָותָא וְיָתִיבַת בְּהַהוּא מָדוֹרָא דְּגַ"ע דִּלְתַתָּא, עַד זִמְנָא דְּאִתְגְּזַר עֲלָהּ, לְבָתַר כְּרוֹזָא קָרֵי.

קעד. וְעַמּוּדָא דִּתְלַת גַּוְונֵי אִזְדַּמַּן, וְהַהוּא עַמּוּדָא אִתְקְרֵי, מְכוֹן הַר צִיּוֹן דִּכְתִּיב וּבָרָא ה' עַל מְכוֹן הַר צִיּוֹן וְעַל מִקְרָאֶיהָ עָנָן יוֹמָם וְעָשָׁן וגו'. סָלְקָא בְּהַהוּא עַמּוּדָא, לְפִתְחָא דְּצֶדֶק, דְּצִיּוֹן וִירוּשָׁלַ‍ִם בֵּיהּ.

קעה. אִי זָכֵי לְסַלְקָא יַתִּיר, טַב חוּלָקֵיהּ וְעַדְבֵיהּ, לְאִתְדַּבְּקָא בְּגוֹ גּוּפָא דְּמַלְכָּא, וְאִי לָא זָכֵי לְסַלְקָא יַתִּיר, כְּתִיב וְהָיָה הַנִּשְׁאָר בְּצִיּוֹן וְהַנּוֹתָר בִּירוּשָׁלַ‍ִם קָדוֹשׁ יֵאָמֶר לוֹ, וְאִי זָכֵי לְסַלְקָא יַתִּיר, זַכָּאָה הוּא, דְּזָכֵי לִיקָרָא דְּמַלְכָּא, וּלְאִתְעַדְּנָא בְּעִדּוּנָא עִלָּאָה, דִּלְעֵילָּא מֵאֲתַר דְּאִקְרֵי שָׁמַיִם, דִּכְתִּיב אָז תִּתְעַנַּג עַל ה', עַל ה' דַּיְיקָא. זַכָּאָה חוּלָקֵיהּ דְּמַאן דְּזָכֵי לְחֶסֶד דָּא, דִּכְתִּיב כִּי גָּדוֹל מֵעַל שָׁמַיִם חַסְדֶּךָ.

קעו. וְכִי עַל הַשָּׁמַיִם הוּא, וְהָא כְּתִיב כִּי גָּדוֹל עַד שָׁמַיִם חַסְדֶּךָ. אֲמַר ר' יוֹסֵי, אִית חֶסֶד, וְאִית חֶסֶד, חֶסֶד עִלָּאָה, וְחֶסֶד תַּתָּאָה, חֶסֶד עִלָּאָה מֵעַל שָׁמַיִם הוּא. חֶסֶד תַּתָּאָה, הוּא דִּכְתִּיב, חַסְדֵי דָוִד הַנֶּאֱמָנִים, וּבְהַנֵּי כְּתִיב עַד שָׁמַיִם.

קעז. תַּנְיָא, אֲמַר ר' יִצְחָק, כְּתִיב אֵם הַבָּנִים שְׂמֵחָה הַלְלוּיָהּ, אִמָּא יְדִיעָא, הַבָּנִים מַאן אִינּוּן. אֲמַר ר"ש, הָא תָּנִינָן, תְּרֵין בְּנִין אִית לְקוּדְשָׁא בְּרִיךְ הוּא, חַד דְּכַר וְחַד נוּקְבָא. דְּכַר, יַהֲבֵיהּ לְיַעֲקֹב, דִּכְתִּיב בְּנִי בְּכוֹרִי יִשְׂרָאֵל, וּכְתִיב, יִשְׂרָאֵל אֲשֶׁר בְּךָ אֶתְפָּאָר. בַּת, יַהֲבָהּ לְאַבְרָהָם, דִּכְתִּיב, וַה' בֵּרַךְ אֶת אַבְרָהָם בַּכֹּל, בַּת הָיְתָה לוֹ לְאַבְרָהָם, וּבַכֹּל שְׁמָהּ.

קעח. וְאִמָּא רְבִיעָא עֲלַיְיהוּ, דְּיָנְקָא לְהוּ, וְעַל הַאי כְּתִיב, לֹא תִקַּח הָאֵם עַל הַבָּנִים. וְתָנִינָן, לָא יַסְגֵּי ב"נ חוֹבוֹי לְתַתָּא, בְּגִין דְּיִסְתַּלַּק אִמָּא מֵעַל בְּנִין, וּכְתִיב, אִמְּךָ הִיא לֹא תְגַלֶּה עֶרְוָתָהּ, וַוי לְמַאן דְּגַלֵּי עֶרְיָיתָא.

קעט. וְכַד תָּיְיבִין בְּנֵי עַלְמָא, וְאַסְגִּין בְּזָכוּתָא קַמֵּי קוּדְשָׁא בְּרִיךְ הוּא, וְאִמָּא תָּבַת וְכַסְיָא עַל בְּנִין, כְּדֵין אִתְקְרֵי תְּשׁוּבָה. מַאי תְּשׁוּבָה. דָּא תְּשׁוּבָה דְּאִמָּא, דְּתָבַת בְּקִיּוּמָהָא, וּכְדֵין כְּתִיב אֵם הַבָּנִים שְׂמֵחָה, אֵם הַבָּנִים וַדַּאי. וְעַ"ד, לָא לִפְטַר אִינִישׁ מִפְּרִיָּה וּרְבִיָּה, עַד דְּאוֹלִיד בֵּן וּבַת.

קפ. תַּנְיָא אֲמַר ר' יִצְחָק, כְּתִיב לַחֲזוֹת בְּנֹעַם ה' וּלְבַקֵּר בְּהֵיכָלוֹ, תֵּיאוּבְתָּא דְּצַדִּיקַיָּא לְמֶחֱמֵי דָּא, וְאַתְּ אֲמַרְתְּ עַל ה'. אֲמַר ר"ש, כֹּלָּא חַד, מַשְׁמַע דִּכְתִּיב נֹעַם ה', דְּאַתְיָא מֵעַתִּיקָא קַדִּישָׁא לְהַאי שָׁמַיִם, וְתֵיאוּבְתָּא דְּצַדִּיקַיָּא כָּךְ הוּא וַדַּאי, וְעַל הַשָּׁמַיִם כְּתִיב, אָז

תִּתְעַנַּג עַל ה'. זַכָּאָה ווּלְקֵיהּ מַאן דְּזָכֵי. וַדַּאי זְעִירִין אִינוּן.

קפא. תָּנִינָן, אר"ש, כְּתִיב בְּנֵי אִמִּי נִחֲרוּ בִי שָׂמֻנִי נוֹטֵרָה אֶת הַכְּרָמִים, בְּנֵי אִמִּי, כְּמָה דִכְתִיב, הִשְׁלִיךְ מִשָּׁמַיִם אֶרֶץ, דְּכַד בָּעָא קוּדְשָׁא בְּרִיךְ הוּא לְמֶחֱרְבָא בֵּיתֵיהּ דִּלְתַתָּא, וּלְאַגְלָאָה יִשְׂרָאֵל בֵּינֵי עַמְמַיָּא, אַעֲבַר קוּדְשָׁא בְּרִיךְ הוּא מִקַּמֵּיהּ לְהַאי אֶרֶץ, וְאִתְרַחֲקָא מִנֵּיהּ, כְּדִכְתִיב וַתֵּתַצַּב אֲחוֹתוֹ מֵרָחוֹק. וְכַד הַאי אֶרֶץ אִתְרַחֲקָא מִשָּׁמַיִם דִּלְעֵילָּא, הַאי אֶרֶץ דִּלְתַתָּא אִתְחָרְבָא, וְיִשְׂרָאֵל אִתְפַּזְּרוּ בֵּינֵי עַמְמַיָּא, אָמְרָה כ"י, מַאן גָּרִים לִי הַאי, וּמַאן עָבֵיד לִי הַאי, בְּנֵי אִמִּי דְּנִחֲרוּ בִי, וְאִתְרַחֲקוּ מִנִּי, בְּנֵי אִמִּי וַדַּאי.

קפב. רִבִּי יוֹסֵי הֲוָה אָזִיל בְּאָרְחָא, וַהֲוָה עִמֵּיהּ רִבִּי חִיָּיא בַּר רַב, עַד דַּהֲווּ אָזְלֵי, אֲמַר רִבִּי יוֹסֵי לְרִבִּי חִיָּיא, חָמֵיתָא מַה דַּאֲנָא חָמֵית. אֲמַר לֵיהּ, חָמֵינָא גַּבְרָא חַד בְּנַהֲרָא, וְצִפְּרָא חַד עַל רֵישֵׁיהּ, וְעָלְעָא בְּפוּמֵיהּ דְּצִפּוֹרָא, וְאָכְלָא וְרָפְסָא בְּרַגְלוֹי, וְהַהוּא גַּבְרָא רָמֵי קָלִין וְצָוַוח, וְלָא יָדַעְנָא מַאי קָאָמַר.

קפג. אֲמַר, נִקְרַב גַּבֵּיהּ, וְנִשְׁמַע. אֲמַר מִסְתְּפֵינָא לְמִקְרַב. א"ל, וְכִי ב"נ הוּא בַּאֲתַר דָּא, אֶלָּא רְמִיזָא דְּחָכְמְתָא, דְּרָמִיז לָן קוּדְשָׁא בְּרִיךְ הוּא. קָרִיבוּ גַּבֵּיהּ, שָׁמְעוּ דַּהֲוָה אֲמַר, עוֹטְרָא עוֹטְרָא, תְּרֵין בְּנִין שַׁרְיָין לְבַר, לָא נָח וְלָא נַיְיחָא, עַד דְּצִפְּרָא בְּקִיסְרָא רְמִיו.

קפד. בָּכָה ר' יוֹסֵי וַאֲמַר, הַיְינוּ דִּתְנִינָן, בְּנֵי אִמִּי נִחֲרוּ בִי וגו', מ"ט. בְּגִין דְּכַרְמִי שֶׁלִּי לֹא נָטָרְתִּי.

קפה. אֲמַר וַדַּאי גָּלוּתָא אִתְמְשַׁךְ, וְעַל דָּא צִפְּרֵי שְׁמַיָּא לָא אַעֲדִיו, עַד דִּי שָׁלְטָנוּתָא דְּעַמִּין עעכו"ם אַעֲדִיאוּ מִן עָלְמָא, וְאֵימָתַי. עַד דְּיִמְטֵי יוֹמָא, דְּקוּדְשָׁא בְּרִיךְ הוּא אִתְּעַר דִּינוֹי בְּעָלְמָא, דִּכְתִיב וְהָיָה יוֹם אֶחָד הוּא יִוָּדַע לַה' לֹא יוֹם וְלֹא לָיְלָה.

קפו. עַד דַּהֲווּ אָזְלִין, שָׁמְעוּ חַד קָלָא דַּהֲוָה אֲמַר, אוֹקִידָא דְּקוּפְטִירָא מָטָא בְּדִינוֹי, נָפַק חַד שַׁלְהוֹבָא, וְאוֹקִיד לְהַהוּא צִפּוֹרָא. אֲמַר וַדַּאי, כְּמָה דִכְתִיב, וִיהִיבַת לִיקֵדַת אֶשָּׁא.

קפז. א"ר יוֹסֵי, לָא אַגְלֵי קוּדְשָׁא בְּרִיךְ הוּא לְיִשְׂרָאֵל, אֶלָּא בְּזִמְנָא דְּלָא אִשְׁתַּכַּח מְהֵימְנוּתָא בֵּינַיְיהוּ, כַּד אִתְמְנַע מְהֵימְנוּתָא בֵּינַיְיהוּ, כִּבְיָכוֹל, הָכֵי אִשְׁתַּכַּח בְּכֹלָּא, דִּכְתִיב וְכֻפַּר בְּרִיתְכֶם אֶת מָוֶת.

קפח. א"ר חִיָּיא, מַאי דִּכְתִיב, בִּלַּע הַמָּוֶת לָנֶצַח. א"ל, כַּד יִתְעַר קוּדְשָׁא בְּרִיךְ הוּא יְמִינָא דִּילֵיהּ, אִתְמְנַע מוֹתָא מִן עָלְמָא, וְלָא יִתְעַר הַאי יְמִינָא, אֶלָּא כַּד יִתְעָרוּן יִשְׂרָאֵל בִּימִינָא דְּקוּדְשָׁא בְּרִיךְ הוּא, וּמַאי נִיהוּ תּוֹרָה, דִּכְתִיב בָּהּ, מִימִינוֹ אֵשׁ דָּת לָמוֹ, בְּהַהוּא זִמְנָא, יְמִין ה' עוֹשָׂה חָיִל וגו', לֹא אָמוּת כִּי אֶחְיֶה וַאֲסַפֵּר מַעֲשֵׂי יָהּ.

קפט. תָּנָא, הַהוּא זַכָּאָה דְּקוּדְשָׁא בְּרִיךְ הוּא אִתְרְעֵי בֵּיהּ, וְכָרוֹזָא קָרֵי עֲלֵיהּ, ל' יוֹמִין, בֵּינֵי צַדִּיקַיָּיא בְּגִנְתָא דְעֵדֶן, כֻּלְּהוּ צַדִּיקַיָּא חָדָאן, כֻּלְּהוּ צַדִּיקַיָּיא אַתְיָין, וּמְעַטְּרָן דּוּכְתֵּיהּ דְּהַהוּא צַדִּיקָא, עַד דְּיֵיתֵי לְמֵידַר דִּיוּרֵיהּ בֵּינַיְיהוּ.

קצ. וְאִי חַיָּיבָא הוּא, כָּרוֹזָא קָרֵי עֲלֵיהּ בְּגֵיהִנֹּם תְּלָתִין יוֹמִין, וְכֻלְּהוּ חַיָּיבַיָּא, כֻּלְּהוּ עֲצִיבִין.

קצא. כֻּלְּהוּ פָּתְחִין וַוי, דְּהָא דִּינָא חַדְתָּא אִתְּעַר הַשְׁתָּא, בְּגִינֵיהּ דִּפְלַנְיָא כַּמָּה גַּרְדִּינִין דִּנְמוּסִין מִזְדַּמְּנִין לְקַבְּלֵיהּ, וּלְאַקְדָּמָא לֵיהּ וַוי, אוֹי לָרָשָׁע אוֹי לִשְׁכֵנוֹ, וְכֻלְּהוּ פָּתְחִין וְאָמְרִין, אוֹי לְרָשָׁע רָע כִּי גְּמוּל יָדָיו יֵעָשֶׂה לוֹ. מַאי גְּמוּל יָדָיו. אֲמַר ר' יִצְחָק. לְאַכְלָלָא,

מַאן דְּזַנֵּי בִּידוֹי, לְאַפָּקָא, וּלְוַזְבְּלָא זַרְעֵיהּ בְּרֵיקָנְיָא.

קצ״ב. דְּהָא תָּנֵינָן, כָּל מַאן דְּאַפִּיק זַרְעֵיהּ בְּרֵיקָנְיָא, אִקְרֵי רַע, וְלָא חָמֵי אַפֵּי שְׁכִינְתָּא, דִּכְתִיב כִּי לֹא אֵל וָפֵץ רֶשַׁע אָתָּה לֹא יְגוּרְךָ רָע, וּכְתִיב וַיְהִי עֵר בְּכוֹר יְהוּדָה רַע, אוּף הָכָא, אוֹי לְרָשָׁע רָע, וַוי לְהַהוּא דְּאִיהוּ רַע, דְּעָבַד גַּרְמֵיהּ רַע, כִּי גְמוּל יָדָיו יֵעָשֶׂה לּוֹ, לְאַכְלְלָא, מַאן דְּזַנֵּי בִּידוֹי, לְאַפָּקָא וּלְוַזְבְּלָא זַרְעֵיהּ בְּרֵיקָנְיָא, וְלָהֵאי טַרְדִין בְּהַהוּא עָלְמָא יַתִּיר מִכֹּלָּא.

קצ״ג. תָּא חֲזֵי, דְּהָא כְּתִיב אוֹי לְרָשָׁע, כֵּיוָן דִּכְתִיב אוֹי לְרָשָׁע, אַמַּאי רָע. אֶלָּא כְּמָה דְּאֲמֵינָא, דְּעָבַד גַּרְמֵיהּ רַע. וּכְתִיב לֹא יְגוּרְךָ רָע. וְכֻלְּהוּ סַלְקִין, וְהַאי לָא סָלֵיק, וְאִי תֵימָא שְׁאָר חַיָּיבִין דְּקַטְלוּ בְּנֵי נָשָׁא. תָּא חֲזֵי, כֻּלְּהוּ סַלְקִין, וְהוּא לָא סָלֵיק, מ״ט, אִינּוּן קְטִילוּ בְּנֵי נָשָׁא אָחֳרָא, וְהַאי קָטִיל בְּנוֹי מַמָּשׁ, אוֹשִׁיד דָּמִין סַגִּיאִין. תָּא חֲזֵי, בִּשְׁאָר חַיָּיבֵי עָלְמָא, לָא כְּתִיב וַיֵּרַע בְּעֵינֵי ה׳, וְכָאן כְּתִיב, וַיֵּרַע בְּעֵינֵי ה׳ אֲשֶׁר עָשָׂה. מ״ט, מִשּׁוּם דִּכְתִיב וְשִׁחֵת אַרְצָה.

קצ״ד. תָּנֵינָן, אָמַר ר׳ יְהוּדָה, לֵית לָךְ חוֹבָא בְּעָלְמָא דְּלָא אִית לֵיהּ תְּשׁוּבָה, בַּר מֵהַאי, וְלֵית לָךְ חַיָּיבַיָּא דְּלָא חָמָאן אַפֵּי שְׁכִינְתָּא, בַּר מֵהַאי, דִּכְתִיב לֹא יְגוּרְךָ רָע כְּלָל. א״ר יִצְחָק, זַכָּאִין אִינּוּן צַדִּיקַיָּא, בְּעָלְמָא דֵין, וּבְעָלְמָא דְּאָתֵי, עֲלַיְיהוּ כְּתִיב, מַאי לְעוֹלָם יִירְשׁוּ אָרֶץ. וְעַמֵּךְ כֻּלָּם צַדִּיקִים לְעוֹלָם יִירְשׁוּ אָרֶץ. מַאי לְעוֹלָם יִירְשׁוּ אָרֶץ, א״ר יְהוּדָה, כְּמָה דִּכְתִיב אֶתְהַלֵּךְ לִפְנֵי ה׳ בְּאַרְצוֹת הַחַיִּים.

קצ״ה. וַיְחִי יַעֲקֹב בְּגַוַּויְיהוּ. ע״ד לְבָעֵי לֵיהּ לְבַר נָשׁ דְּלָא לְאִתְעָרְבָא צוּלְמָא דִּילֵיהּ בְּצוּלְמָא דְּעוֹבְדֵי כּוֹכָבִים וּמַזָּלוֹת, בְּגִין דְּהַאי קַדִּישָׁא, וְהַאי מְסָאֲבָא.

קצ״ו. תָּא חֲזֵי, מַה בֵּין יִשְׂרָאֵל לְעַמִּין עכו״ם, דְּיִשְׂרָאֵל כַּד אִשְׁתְּכָחוּ ב״נ מִיֵּית הוּא מְסָאַב לְכָל גּוּפָא, וּבֵיתָא מִסְאֲבָא, וְגוּפָא דְעכו״ם, לָא מְסָאִיב לְאָחֳרָא, וְגוּפֵיהּ לָא מִסְאֲבָא כַּד אִיהוּ מִיֵּית, מ״ט.

קצ״ז. יִשְׂרָאֵל בְּשַׁעְתָּא דְּאִיהוּ מִיֵּית כָּל קְדִישֵׁי דְּמָארֵיהּ דְּמִתְעַבְּרָן מִנֵּיהּ, אִתְעַבַּר מִנֵּיהּ הַאי צוּלְמָא קַדִּישָׁא, וְאִתְעַבַּר מִנֵּיהּ הַאי רוּחַ קוּדְשָׁא, אִשְׁתָּאַר גּוּפָא מִסְאֲבָא.

קצ״ח. אֲבָל עכו״ם עוֹבֵד ע״ז, לֵית לֵיהּ הָכִי, דִּבְחֲזֵי דִּמְסָאַב בְּכָל סִטְרִין, צוּלְמָא דִּילֵיהּ מְסָאֲבָא, וְרוּחָא דִּילֵיהּ מִסְאֲבָא, וּבְגִין דְּסוֹאֲבוּתֵי אִלֵּין עָרְיָין בְּגַוֵּיהּ, אָסִיר לְמִקְרַב לְגַבֵּיהּ, כֵּיוָן דְּמִית, נָפְקֵי כָּל אִלֵּין מִסְאֲבוּתָא וְאִשְׁתָּאַר גּוּפָא בְּלָא מִסְאֲבוּתָא לְסוֹאֲבָא.

קצ״ט. וְאע״ג דְּגוּפָא דִּלְהוֹן מִסְאֲבָא, בֵּין בְּחַיֵּיהוֹן וּבֵין בְּמִיתַתְהוֹן, אֲבָל בְּחַיֵּיהוֹן דְּכָל אִינּוּן מִסְאֲבִין אִשְׁתְּכָחוּ לְגַבַּיְיהוּ, אִית לוֹן מֵעֵילָּא לְסוֹאֲבָא לְאָחֳרָנֵי, בְּמִיתַתְהוֹן דְּנָפְקֵי כָּל אִינּוּן מִסְאֲבִין מִנֵּיהוּ, לָא יָכְלִין לְסָאֲבָא. וּדְיִשְׂרָאֵל, יָכִיל לְסָאֲבָא לְאָחֳרָנֵי, בְּגִין דְּכָל קַדִּישִׁין נָפְקִין מִנֵּיהּ וְשָׁרְיָא עֲלֵיהּ סִטְרָא אָחֳרָא.

ר. תָּא חֲזֵי, הַאי צֶלֶם קַדִּישָׁא, כַּד אָזִיל ב״נ וְאִתְרַבֵּי, וְאִתְעֲבֵיד מֵהַאי פַּרְצוּפָא דְּיוּקְנָה דִּילֵיהּ, אִתְעֲבֵיד צוּלְמָא אָחֳרָא, וּמִתְחַבְּרָן כַּחֲדָא, וְדָא נָטִיל לְדָא, בְּשַׁעְתָּא דְּאִשְׁתְּכָחוּ תְּרֵין צוּלְמִין, נָטִיר הוּא ב״נ, וְגוּפָא דִּילֵיהּ בְּקִיּוּמָא, וְרוּחֵיהּ שַׁרְיָא בְּגַוֵּיהּ.

רא. בְּשַׁעְתָּא דְּקָרִיבוּ יוֹמוֹי, מִתְעַבְּרָן מִנֵּיהּ, וְדָא סָלֵיק לְדָא, וְאִשְׁתָּאַר בַּר נָשׁ בְּלָא נְטִירוּ, כְּדֵין עַד עֵיפּוּ הַיּוֹם וְנָסוּ הַצְּלָלִים: תְּרֵי.

רב. תָּא חֲזֵי, כַּד אִתְעַר דִּינָא בְּעָלְמָא, דְּהַקּוּדְשָׁא בְּרִיךְ הוּא יָתִיב עַל כֻּרְסֵי דְּדִינָא לְמֵידַן עָלְמָא, בָּעֵי ב״נ לְאִתְעָרָא תְּשׁוּבָה, דְּהָא הַהוּא יוֹמָא, פַּתְקִין

כתיבו, ומשתכחי כלהו באומתא הא כתיבין, אי זכי ב"נ דייתוב קמי מאריה, קרעין פתקין דעליה.

רג. לבתר קודשא בריך הוא זמין קמיה דב"נ, יומא דכפורי יומא דתשובה, אי תב מחטאוי טב. ואי לא, פקיד מלכא למחתם פתקין, ווי דהא תשובה בעיא לאסתלקא מניה.

רד. אי זכי בתשובה, ולא שלימתא כדקא יאות, תליין ליה עד ההוא יומא בתראה דעצרת, דהוא תמינאה לחג, ואי עבד תשובה שלימתא לקמי מאריה, אתקרעו. ואי לא זכי, אינון פתקין נפקין מבי מלכא, ואתמסרן בידוי דסנטירא, ודינא מתעביד, ופתקין לא מהדרן תו לבי מלכא.

רה. כדין צולמין אתעברו מניה, ולא משתכחין עמיה, כיון דמתעברן מניה, הא ודאי טופסקא דמלכא יעבר עליה, ויטעום כסא דמותא. ובההוא ליליא דחגא בתראה, סנטירין זמינין, ופתקין נטלין, בתר דנטלי לון, צולמין מתעברן, ולא משתכחין בהו ידי, ואי משתכחין בהו ידי, דינא גריעא, או יעבר עלוי דינא מרעין בישין, בגריעותא דלהון, והא אוקימנא להא.

רו. ובספרי קדמאי אמרי יתיר, כד רישא אגרע, וישתכחו גופא, בריה, או אנתתיה, ישתכחו, והוא יסתלק. וה"מ, כד לא אהדר כל ההוא זמנא בתיובתא, אבל אי אהדר, טעמא דמותא יטעם, ויתסי.

רז. ואי גופא לא אתחזי, וישתכח רישא, אינון סלקין, והוא אתקיים. וה"מ, כד בריה זעירא ברשותיה.

רח. ואי ידוי פגימו, עבידתא דידוי פגימין. רגלוי, מרעין רדפין עליה. ערק צולמא ואהדר, ערק ואהדר, עליה כתיב, בבקר תאמר מי יתן ערב, והאי כד נהרא סיהרא, ולילא אתתקן בנהורא.

רט. אבל זכאי וחסידי, בכל יומא ויומא מסתכלי בלבייהו, כאלו ההוא יומא מסתלקי מעלמא, ועבדין תיובתא שלימתא קמי מאריהון, ולא יצטרכון למלה אחרא, זכאה חולקהון, בעלמא דין, ובעלמא דאתי.

רי. תא חזי כל הנקרא בשמי, כמה עלאין עובדי מלכא קדישא, דהא באינון עובדי דאיהו עביד לתתא, קטיר לון במלין עלאין דלעילא, וכד נטלין לון לתתא, ועבדי בהו עובדא, אתער ההוא עובדא דלעילא דקטיר בה, כגון אזובא, עץ ארז, והא אוקימנא מלי.

ריא. ואית מנייהו דאחידן בשמא קדישא, כגון לולב, ואתרוג, הדס, וערבה, דכלהו אחידן בשמא קדישא, לעילא. ועל דא תנינן, לאחזאה לון, ולמעבד בהו עובדא, בגין לאתערא ההוא דרגא דאחיד ביה. ועל דא תנינן, במלין ועובדא בעיין לאחזאה מלה, בגין לאתערא מלה אחרא.

ריב. הה"ד כל הנקרא בשמי ולכבודי: לאתערא יקרי, בראתיו: לייחדא לי. יצרתיו: למעבד ביה עובדא. אף עשיתיו: לאתערא ביה חילא דלעילא.

ריג. ד"א, כל הנקרא בשמי: היינו דכתיב פרי עץ הדר. ולכבודי בראתיו: היינו כפות תמרים. יצרתיו: היינו וענף עץ עבות. אף עשיתיו: היינו וערבי נחל.

ריד. ותקונא דהאי דאמר קרא, ולקחתם לכם ביום הראשון, דייקא דהוא חמישאה

עַל עֵשָׂו.

רטו. אֲבָל בַּיּוֹם הָרִאשׁוֹן, הַהוּא יוֹם רִאשׁוֹן מַאן הוּא. אֶלָּא יוֹם דְּנָפֵיק רִאשׁוֹן, לְנַטְלָא בְּמַבּוּעֵי דְּמַיִין נָבִיעִין, וַאֲנַן בָּעְיָין לְאַמְשָׁכָא לֵיהּ לְעָלְמָא.

רטז. מְתַל לְמַלְכָּא דְּקָטַר בְּנֵי נָשָׁא בְּקִטְרוֹי, אִמֵּיהּ מַטְרוֹנִיתָא אָתַת, וַאֲפֵיקַת לוֹן לְחֵירוּת, וּמַלְכָּא אַשְׁגַּח לִיקָרָא דִּילָהּ, וִיהַב לוֹן בִּידָהָא. אַשְׁכָּחַת לוֹן כַּפְיָין וְצַוְחִין, אֲמָרַת, הָא אֲפֵיקַת לוֹן לְחֵירוּ, אַיְיתֵי לוֹן מֵיכְלָא וּמִשְׁתְּיָא.

ריז. כָּךְ, הָא יוה"כ אַפֵּיק לְכֹלָּא לְחֵירוּ, וַאֲנַן כַּפְנֵי מְזוֹנָא קָאִימְנָא, וְצַוְחִינָן לְמִשְׁתְּיָא, הִיא עֲטָרֶת לְמַלְכָּא בְּעִטְרוֹי. בְּהַאי יוֹמָא יְדַעְנָא, דְּהָא מַיִין נָבִיעִין עִמָּהּ שַׁרְיָין, שָׁאֵילְנָא לְמִשְׁתְּיָא, לְמַאן דְּאַפֵּיק לוֹן לְחֵירוּ, וְעַל דָּא קָרֵינָן לֵיהּ יוֹם רִאשׁוֹן.

ריח. דָּא בְּסִפְרָא דְּאַגַּדְתָּא וְשַׁפִּיר הוּא. אֲבָל בְּהַאי יוֹמָא, לְאַבְרָהָם שֵׁירוּתָא דְּכֹלָּא, אִי בַּעֲנָנֵי יְקָר הוּא שֵׁירוּתָא, אִי בְּמַיָּא הוּא שֵׁירוּתָא, דְּאַבְרָהָם שָׁארֵי לְמֶחְפְּרֵי בֵּירֵי דְּמַיָּא.

ריט. פְּרִי עֵץ הָדָר: דָּא בֵּירָא דְּיִצְחָק, דְּיִצְחָק אַהֲדַר לֵיהּ לְקוּדְשָׁא בְּרִיךְ הוּא וְקָרָא לֵיהּ עֵץ הָדָר, פְּרִי דְּהַאי עֵץ הָדָר יְדִיעָא. כַּפּוֹת תְּמָרִים: דִּכְתִיב, צַדִּיק כַּתָּמָר יִפְרָח, וְלָא אִשְׁתַּכַּח בֵּינַיְיהוּ פְּרוּדָא, וְע"ד לָא כְתִיב וְכַפּוֹת, אֶלָּא כַּפּוֹת, בְּגִין דְּלָא סָלֵיק דָּא בְּלָא דָּא, וּבְהַאי אִתְמַלְיָא הַאי בְּאֵר, מִבְּאֵר מַיִם עִלָּאִין נָבִיעִין, הַהוּא אִתְמַלֵּי בְּקַדְמֵיתָא, וּמִנֵּיהּ אִתְמַלְיָיא בֵּירָא, עַד דְּאִיהוּ נָבִיעוּ לְכֹלָּא.

רכ. וַעֲנַף עֵץ עָבוֹת: דָּא עַנְפָּא דְּאִילָנָא רַבְרְבָא, דְּאִתְקֵיף וְאִשְׁתָּרְשָׁא בְּשָׁרְשׁוֹי, אִתְעֲבֵיד אִילָנָא עִלָּאָה עַל כֹּלָּא, דְּאָחֵיד בְּכָל סִטְרֵיהּ, עֲנַף דְּאִיהוּ עֵץ עָבוֹת, עֵץ דְּאָחֵיד לְעָבוֹת, דְּהָא מֵהַאי נָטַל יְסוֹדָא דְּעָלְמָא, וְאִתְמַלְיָא לְאַרְקָא בְּבֵירָא, הַאי הוּא עָלְמָא אַרְקָא דְּשַׁקְיוּתָא.

רכא. וְעַרְבֵי נַחַל: תְּרֵי אִינּוּן, תְּרֵין נַחֲלִין דְּמַיָּיא אִתְכְּנִישׁ בְּהוּ, לְאַרְקָא לְצַדִּיק. ד"א, וְעַרְבֵי נַחַל: אִלֵּין אִינּוּן גְּבוּרָן, דַּאֲחִידָן בֵּיהּ בְּיִצְחָק, דְּאַתְיָין מִסִּטְרָא דְּהַהוּא נַחַל עִלָּאָה, וְלָא מִסִּטְרָא דְּאַבָּא. בְּגִ"כ, כֹּלָּא יָאֵי, וְלָא בְּסִימָא לְפֵירִין, וְלָא עָבֵיד פֵּירִין.

רכב. וְעַרְבֵי נַחַל: תְּרֵין קַיְימִין, דְּגוּפָא קַיְימָא עֲלַיְיהוּ, אֲבָל וְעַרְבֵי נַחַל וַדַּאי, כְּמָה דְּאִתְּמָר, וְאִלֵּין אִינּוּן כֻּלְּהוּ לְאַרְקָא מַיָּיא לְבֵירָא.

רכג. ד"א, וּלְקַחְתֶּם לָכֶם בַּיּוֹם הָרִאשׁוֹן פְּרִי עֵץ הָדָר: דָּא אַבְרָהָם. כַּפֹּת תְּמָרִים: דָּא יִצְחָק. וַעֲנַף עֵץ עָבוֹת: דָּא יַעֲקֹב. וְעַרְבֵי נַחַל: אִלֵּין אִינּוּן תְּרֵין דַּרְגִּין דַּאֲמָרָן.

רכד. וּמַאן דְּמַתְנֵי הַאי, בְּגִין דְּעֵץ עָבוֹת דָּא יַעֲקֹב, דְּאָחֵיד לְכֻלְּהוּ וְחַלְקִין, וַדַּאי דָּא יַעֲקֹב. אֲבָל הָא אוֹקִימְנָא, פְּרִי עֵץ הָדָר, דָּא בֵּירָא דְּיִצְחָק, דָּא גְּבוּרָה תַּתָּאָה. כַּפֹּת תְּמָרִים. כַּפֹּת וְחָסֵר, קְשׁוּרָא דְּאִתְקַשַּׁר בְּבֵירָא, כְּד"א כַּפִּיתוּ בְּסַרְבָּלֵיהוֹן, בְּגִין דְּאִלֵּין לָא סָלְקִין דָּא בְּלָא דָּא. וַעֲנַף עֵץ עָבוֹת, עַנְפָּא הוּא עִלָּאָה, דְּאִתְעֲבֵיד עֵץ עָבוֹת, וְאָחֵיד לְכָל סִטְרָא, כְּמָה דְּאִתְּמָר. עַרְבֵי נַחַל דָּא יִצְחָק, בְּכָל סִטְרֵי, דַּאֲחִידָן בְּסִטְרָא דְּנַחְלָא, וְלָא בְּסִטְרָא דְּאַבָּא. דְּתָנֵינָן, אע"ג דִּבְהַאי נַחַל דִּינָא לָא אִשְׁתַּכַּח בֵּיהּ, דִּינִין מִתְעָרִין מִנֵּיהּ.

רכה. וְרַב הַמְנוּנָא סָבָא פָּרֵישׁ, וְעַרְבֵי נַחַל, אִינּוּן תְּרֵין קַיְימִין דְּקָאֲמָרָן, דְּמַיָּיא נָפְקֵי מִנַּיְיהוּ, וְשַׁפִּיר. אֲבָל תָּא וַחֲזֵי, הָא חָזֵינָן דִּתְרֵין דַּרְגִּין אִלֵּין דְּקַיְימֵי עַל דַּרְגָּא דְּצַדִּיק, אִיבָּא וּכְנִישׁוּ דְּבִרְכָאן נָפְקֵי מִנַּיְיהוּ, וְעַרְבֵי נַחַל לָא נָפְקֵי מִנַּיְיהוּ, אִיבָּא, וְלָא טַעְמָא, וְלָא רֵיחָא, וְהָא אוֹקִימְנָא וְכֹלָּא שַׁפִּיר.

רכו. וְעַל דָּא אֶתְרוֹג בִּשְׂמָאלָא, לָקֳבֵיל לִבָּא, לוּלָב בִּימִינָא, כַּפֹּת בְּכֹלָּא, וְקָטֵיר

בְּכֹלָּא, דְּהָא צַדִּיק כַּפּוֹת הוּא בְּכָל סִטְרִין, וְקָטִיר בְּכֹלָּא. וְדָא הוּא קְשׁוּרָא דִּמְהֵימְנוּתָא.

רכז. וּבְסִפְרָא דְּאַגַּדְתָּא שַׁפִּיר קָאָמַר, דְּכָל אִלֵּין אִינּוּן אוּשְׁפִּיזִין, דְּזַמִּינִין עַמָּא קַדִּישָׁא בְּהַאי יוֹמָא, דְּבַעְיָין לְאַשְׁכְּחָא לְהוּ, כֵּיוָן דְּזַמִּין לוֹן, וּבְהוּ בָּעֵי ב"נ לְמַלְכָּא בָּעוּתֵיהּ, זַכָּאִין אִינּוּן יִשְׂרָאֵל דְּיָדְעִין אָרְחוֹי דְּמַלְכָּא קַדִּישָׁא, וְיָדְעִין אָרְחוֹי דְּאוֹרַיְיתָא, לְמֵהַךְ בְּאוֹרַח קְשׁוֹט, לְמִזְכֵּי בְּהוּ בְּעָלְמָא דֵּין וּבְעָלְמָא דְּאָתֵי.

רכח. בְּיוֹמָא דָּא נָפְקֵי יִשְׂרָאֵל, בְּסִימָנִין רְשִׁימִין מִגּוֹ מַלְכָּא, בְּגִין דְּאִינּוּן נָצְחִין דִּינָא, וּמַאי סִימָנִין אִינּוּן, סִימָנֵי מְהֵימְנוּתָא, וְחוֹתָמָא דְּמַלְכָּא עִלָּאָה. לִתְרֵי בְּנֵי נָשָׁא, דְּעָאלוּ קָדָם מַלְכָּא לְדִינָא וְלָא יָדְעֵי עָלְמָא מַאן מִנַּיְיהוּ נָצַח, נָפַק וַחַד לְגִיּוֹן מִבֵּי מַלְכָּא, שָׁאִילוּ לוֹ, אֲמַר לוֹן, מַאן דְּיִפּוֹק וּבִידוֹי סִימָנִין דְּמַלְכָּא, הוּא נָצַח.

רכט. כָּךְ, כּוֹלֵי עָלְמָא עָאלִין לְדִינָא, קֳדָם מַלְכָּא עִלָּאָה, וְדָאִין לוֹן מִיּוֹמָא דְּר"ה וְיוֹם הַכִּפּוּרִים, עַד וְחָמֵשׁ סְרֵי יוֹמִין לִירַחָא, וּבֵין כָּךְ אִשְׁתַּכְּחוּ יִשְׂרָאֵל זַכָּאִין כֻּלְּהוּ בִּתְיוּבְתָּא, טָרְחִין בְּסֻכָּה וְלוּלָב וְאֶתְרוֹג, וְלָא יָדְעֵי מַאן נָצַח דִּינָא, מַלְאֲכֵי עִלָּאֵי שָׁאֲלוּ מַאן נָצַח דִּינָא. קוּדְשָׁא בְּרִיךְ הוּא א"ל, אִינּוּן דְּמַפְּקֵי בִּידַיְיהוּ סִימָנִין דִּילִי, אִינּוּן נָצְחִין דִּינָא.

רל. בְּהַאי יוֹמָא, נָפְקֵי יִשְׂרָאֵל בִּרְשִׁימוּ דְּמַלְכָּא, בְּתוּשְׁבַּחְתָּא דְּהַלֵּילָא, עָאלִין בְּסֻכָּה, אֶתְרוֹג בִּשְׂמָאלָא, לוּלָב בִּימִינָא, וְחָמָאן כֻּלְּהוּ, דְּיִשְׂרָאֵל רְשִׁימִין בִּרְשִׁימִין דְּמַלְכָּא קַדִּישָׁא, פָּתְחֵי וְאָמְרֵי, אַשְׁרֵי הָעָם שֶׁכָּכָה לּוֹ אַשְׁרֵי הָעָם שֶׁה' אֱלֹהָיו.

רלא. עַד כָּאן חֶדְוְותָא דְּכֹלָּא, וְחֶדְוְותָא דְּאוּשְׁפִּיזִין, וַאֲפִילּוּ אוּמּוֹת הָעוֹלָם וְחָדָאן בְּחֶדְוְותָא, וּמִתְבָּרְכִין מִנָּהּ, וְעַל דָּא קָרְבָּנִין בְּכָל יוֹמָא עֲלַיְיהוּ, לְאַטָּלָא עֲלַיְיהוּ שְׁלָם, וְיִתְבָּרְכוּן מִינָן. מִכָּאן וּלְהָלְאָה, יוֹמָא וַחַד, דְּמַלְכָּא עִלָּאָה, דְּחָדֵי בְּהוּ בְּיִשְׂרָאֵל, דִּכְתִּיב בַּיּוֹם הַשְּׁמִינִי עֲצֶרֶת תִּהְיֶה לָכֶם, דְּהָא יוֹמָא דָּא מִן מַלְכָּא בִּלְחוֹדוֹי, וְחֶדְוְותָא דִּילֵיהּ בְּיִשְׂרָאֵל, לְמַלְכָּא דְּזַמִּין אוּשְׁפִּיזִין וכו'.

רלב. ר"ש פָּתַח וַאֲמַר, אֲנִי חֲבַצֶּלֶת הַשָּׁרוֹן שׁוֹשַׁנַּת הָעֲמָקִים, כַּמָּה חֲבִיבָה כְּנֶסֶת יִשְׂרָאֵל קַמֵּי קוּדְשָׁא בְּרִיךְ הוּא, דְּקוּדְשָׁא בְּרִיךְ הוּא מְשַׁבַּח לָהּ, וְהִיא מְשַׁבַּחַת לֵיהּ תָּדִיר, וְכַמָּה מְשַׁבְּחָן וּמְזַמְּרִין אַזְמִינַת לֵיהּ תָּדִיר לְקוּדְשָׁא בְּרִיךְ הוּא, זַכָּאָה חוּלָקֵהוֹן דְּיִשְׂרָאֵל, דְּאַחֲזִידָן בֵּיהּ בְּעַדְבָא דְּחוּלָקָא קַדִּישָׁא, כְּמָה דִּכְתִּיב כִּי חֵלֶק ה' עַמּוֹ וגו'.

רלג. אֲנִי חֲבַצֶּלֶת הַשָּׁרוֹן, דָּא כְּנֶסֶת יִשְׂרָאֵל, דְּקַיְימָא בְּשַׁפִּירוּ דְּנוֹי בְּגִנְתָּא דְּעֵדֶן. הַשָּׁרוֹן: דְּהִיא שָׁרָה וּמְשַׁבַּחַת לְמַלְכָּא עִלָּאָה.

רלד. ד"א אֲנִי חֲבַצֶּלֶת הַשָּׁרוֹן, דְּבָעְיָא לְאַשְׁקָאָה מִשַּׁקְיוּ דְּנַחֲלָא עֲמִיקָא, מַבּוּעָא דְּנַחֲלִין, כְּד"א וְהָיָה הַשָּׁרָב לַאֲגַם. שׁוֹשַׁנַּת הָעֲמָקִים: דְּקַיְימָא בַּעֲמִיקְתָא דְּכֹלָּא. מַאן אִינּוּן עֲמָקִים. כְּד"א מִמַּעֲמַקִּים קְרָאתִיךָ ה'. חֲבַצֶּלֶת הַשָּׁרוֹן. וַחֲבַצֶּלֶת, מֵהַהוּא אֲתַר, דְּשַׁקְיוּ דְּנַחֲלִין נָפְקִין, וְלָא פָּסְקִין לְעָלְמִין. שׁוֹשַׁנַּת הָעֲמָקִים: שׁוֹשַׁנָּה מֵהַהוּא אֲתַר דְּאִקְרֵי עֲמִיקָא דְּכֹלָּא, סָתִים מִכָּל סִטְרִין.

רלה. תָּא חֲזֵי בְּקַדְמֵיתָא יְרוֹקָא כַּחֲבַצֶּלֶת, דְּטַרְפִּין דִּילָהּ יְרוֹקִין, לְבָתַר שׁוֹשַׁנַּת סוּמְקָא בִּגְוָונִין חִוָּורִין. שׁוֹשַׁנָּה בְּשִׁית טַרְפִּין, שׁוֹשַׁנַּת: דְּאִשְׁתַּנִּיאַת מִגַּוְונָא לְגַוְונָא, וְשַׁנִּיאַת גַּוְונָהָא.

רלו. שׁוֹשַׁנַּת: בְּקַדְמֵיתָא חֲבַצֶּלֶת, בְּעִדָּנָא דְּבָעְיָא לְאִזְדַּוְּוגָא בֵּיהּ בְּמַלְכָּא, אִקְרֵי חֲבַצֶּלֶת, בָּתַר דְּאִתְדַּבְּקַת בֵּיהּ בְּמַלְכָּא בְּאִינּוּן נְשִׁיקִין, אִקְרֵי שׁוֹשַׁנַּת, בְּגִין דִּכְתִּיב שִׂפְתוֹתָיו שׁוֹשַׁנִּים. שׁוֹשַׁנַּת הָעֲמָקִים דְּהִיא מְשַׁנְּיָיא גַּוְונָהָא, זִמְנִין לְטַב, וְזִמְנִין לְבִישׁ, זִמְנִין

לרחמי, זמנא לדינא.

רלז. ותרא האשה כי טוב העץ למאכל וכי תאוה הוא לעינים. תא חזי, דהא בני נשא לא מסתכלין, ולא ידעין, ולא משגיחין, בשעתא דברא קודשא בריך הוא לאדם, ואוקיר ליה ביקירו עלאה, בעא מניה לאתדבקא ביה בגין דישתכח יחידאי, ובלבא יחידאי, ובאתר דדבקותא יחידאי, דלא אשתני, ולא מתהפך לעלמין, בההוא קשורא יחידא, דכלא ביה אתקשר, הדא הוא דכתיב ועץ החיים בתוך הגן.

רלח. לבתר סטו מארחא דמהימנותא, ושבקו אילנא יחידאי, עלאה מכל אילנין, ואתו לאתדבקא, באתר דמשתני, ומתהפך מגוונא לגוונא ומטב לביש ומביש לטב, ונחתי מעילא לתתא, ואתדבקו לתתא, בשנויין סגיאין, ושבקו אילנא יחידאה, עלאה מכל אילנין, הה"ד אשר עשה האלקים את האדם ישר וגו'.

רלט. ודאי כדין אתהפך לבייהו, בההוא סטרא ממש, זמנין לטב, זמנין לביש, זמנין לרחמי, זמנין לדינא, בהאי מלה דאתדבקו בה ודאי, בקשו חשבונות רבים, ואתדבקו בהו.

רמ. א"ל קודשא בריך הוא, אדם, שבקת חיי ואתדבקת במותא. חיי: דכתיב ועץ החיים בתוך הגן, דאקרי חיים, דמאן דאחיד ביה, לא טעים מותא לעלמין. אתדבקת באילנא אחרא, הא ודאי מותא הוא לקבלך, הה"ד רגליה יורדות מות, וכתיב ומוצא אני מר ממות את האשה, ודאי באתר דמותא אתדבק, ושבק אתר דחיי, בגין כך אתגזר עליה, ועל כל עלמא, מותא.

רמא. אי הוא חטא, כל עלמא מה חטו. אי תימא, דכל עלמא אכלי מאילנא דא, ואתרמי לכלא. לאו הכי. אלא בשעתא דאדם קאים על רגלוי, חמו ליה בריין כלהו, ודחילו מקמיה, והוו נטלין אבתריה, כעבדין בתר מלכא, והוא אמר לון, אנא ואתון, באו נשתחוה ונכרעה וגו'. ואזלו כלהו אבתריה, כיון דחזו דאדם סגיד להאי אתר, ואתדבק ביה, כלהו אתמשכו אבתריה וגרים מותא לכל עלמא.

רמב. וכדין אשתני אדם לכמה גוונין, זמנין דינא, זמנין רחמי זמנין מותא, זמנין חיי, ולא קאים בקיומא תדיר בחד מנייהו, בגין דההוא אתר גרים ליה. ועל דא אקרי, חרב המתהפכת: המתהפכת מסטרא דא, לסטרא דא, מטב לביש, מרחמי לדינא, משלם לקרבא, מתהפכת היא בכלא, טב ורע דכתיב ועץ הדעת טוב ורע.

רמג. ומלכא עלאה, לרחמא על עובדוי, אוכח ליה, וא"ל, ומעץ הדעת טוב ורע לא תאכל ממנו וגו', והוא לא קביל מניה, ואתמשך בתר אתתיה, ואתתרך לעלמין, דהא אתתא לאתרא סלקא ולא יתיר, ואתתא גרים מותא לכלא.

רמד. תא חזי, לעלמא דאתי כתיב, כי כימי העץ ימי עמי, כימי העץ, ההוא דאשתמודעא, ביה זמנא, כתיב, בלע המות לנצח ומחה ה' אלהים דמעה מעל כל פנים וחרפת עמו יסיר מעל כל הארץ וגו'.

רמה. ויקרבו ימי ישראל למות. תאנא, א"ר חייא, כתיב ויחי יעקב בארץ מצרים שבע עשרה שנה, התם בקיומיה יעקב, והכא במיתתיה ישראל, דכתיב ויקרבו ימי ישראל למות. א"ר יוסי, הכי הוא ודאי, דהא לא כתיב ויקרב יום ישראל למות, אלא ימי, וכי בכמה יומי מית ב"נ, והא בשעתא חדא, ברגעא חדא, מית ונפיק מעלמא.

רמו. אלא הכי תאנא, כד קודשא בריך הוא בעי לאתבא רוחיה ליה, כל אינון יומין

דְּקָאִים ב"נ בְּהַאי עָלְמָא, אִתְפַּקְדָן קַמֵּיהּ, וְעָאלִין בְּחוּשְׁבְּנָא, וְכַד אִתְקְרִיבוּ קַמֵּיהּ לְמֵיעַל בְּחוּשְׁבְּנָא, מִית ב"נ, וְאַתִיב קוּדְשָׁא בְּרִיךְ הוּא רוּחֵיהּ לֵיהּ, הַהוּא הֶבֶל דְּאַפִּיק וְנָפַח בֵּיהּ, אוֹתְבֵיהּ לְגַבֵּיהּ.

רמז. זַכָּאָה חוּלָקֵיהּ דְּהַהוּא ב"נ, דְּיוֹמוֹי אִתְקְרִיבוּ גַּבֵּי מַלְכָּא. בְּלָא כִּסּוּפָא, וְלָא דָּחֵי יוֹמָא מִנַּיְיהוּ לְבַר, דְּיִשְׁכְּחוּן בְּהַהוּא יוֹמָא, דְּאִתְעֲבֵיד בֵּיהּ חוֹבָא, בְּגִין כָּךְ, כְּתִיב בְּצַדִּיקַיָּא קְרִיבָה, מִשּׁוּם דְּקָרִיבוּ יוֹמוֹי קַמֵּי מַלְכָּא, בְּלָא כִּסּוּפָא.

רמח. וַוי לְרַשִּׁיעַיָּא, דְּלָא כְּתִיב בְּהוּ קְרִיבָה, וְהֵיךְ יִקְרְבוּן יוֹמֵי קַמֵּי מַלְכָּא, דְּהָא כָּל יוֹמוֹי בְּחוֹבֵי עָלְמָא אִשְׁתַּכְּחוּ, וּבְגִינֵי כָּךְ לָא יִקְרְבוּן קַמֵּי מַלְכָּא, וְלָא יִתְמְנוּן קַמֵּיהּ, וְלָא יִדְכְּרוּ לְעֵילָא, אֶלָּא אִינוּן שֵׁצִיאָן מִגַּרְמַיְיהוּ, עֲלַיְיהוּ כְּתִיב, דֶּרֶךְ רְשָׁעִים כָּאֲפֵלָה לֹא יָדְעוּ בַּמֶּה יִכָּשֵׁלוּ.

רמט. וְהָכָא וַיִּקְרְבוּ יְמֵי יִשְׂרָאֵל וַדַּאי, בְּלָא כִּסּוּפָא, בִּשְׁלִימוּתָא, בְּחֶדְוָותָא שְׁלִים, וּבְגִינֵי כָּךְ, יְמֵי יִשְׂרָאֵל, דְּהֲוָה שְׁלִים יַתִּיר יִשְׂרָאֵל מִיַּעֲקֹב. וְאִי תֵּימָא, וְהָא כְּתִיב וְיַעֲקֹב אִישׁ תָּם: שְׁלִים. שְׁלִים הֲוָה, וְלָא שְׁלִים בְּדַרְגָּא עִלָּאָה כְּיִשְׂרָאֵל.

רנ. תַּנְיָא, אָמַר רִבִּי יוֹסֵי, בְּשַׁעֲתָא דְּיוֹמוֹי דְּבַר נָשׁ אִתְפַּקְּדָן קַמֵּי מַלְכָּא, אִית זַכָּאָה דְּאִתְפַּקְּדָן יוֹמוֹי, וּרְחִיקִין מִקַּמֵּי מַלְכָּא, וְאִית זַכָּאָה, דְּכַד מִתְפַּקְּדָן יוֹמוֹי, קְרִיבִין וּסְמִיכִין לְמַלְכָּא, וְלָא מִתְרַחֲקִין, בְּלָא כִּסּוּפָא עָאלִין, וְקָרֵיבִין לְמַלְכָּא, זַכָּאָה חוּלָקְהוֹן, הה"ד וַיִּקְרְבוּ יְמֵי יִשְׂרָאֵל לָמוּת.

רנא. וַיִּקְרָא לִבְנוֹ לְיוֹסֵף, אָמַר רִבִּי יִצְחָק, וְכִי שְׁאָר שִׁבְטִין לָאו בְּנוֹי אִינוּן. אֶלָּא אָמַר רִבִּי אַבָּא, יוֹסֵף בְּנוֹ הֲוָה יַתִּיר מִכֻּלְּהוּ, דְּתָנֵינָן בְּשַׁעֲתָא דְּאִנְתְּתֵיהּ דְּפוֹטִיפַר דָּחֲקַת לֵיהּ לְיוֹסֵף, מַה כְּתִיב, וַיָּבֹא הַבַּיְתָה לַעֲשׂוֹת מְלַאכְתּוֹ וְאֵין אִישׁ מֵאַנְשֵׁי הַבַּיִת. הַאי קְרָא הָכֵי מִבָּעֵי לֵיהּ, וְאֵין אִישׁ בַּבַּיִת מַהוּ מֵאַנְשֵׁי הַבַּיִת. אֶלָּא לְאַכְלְלָא דְּיוֹקְנָא דְּיַעֲקֹב, דְּהֲוָה תַּמָּן, וְאִשְׁתַּכַּח תַּמָּן, וּבְגִינֵי כָּךְ מֵאַנְשֵׁי הַבַּיִת, אֲבָל אִישׁ אָחֳרָא הֲוָה תַּמָּן. כֵּיוָן דְּסָלֵיק יוֹסֵף עֵינוֹי, וְחָמָא דְּיוֹקְנָא דַּאֲבוֹי, יָתִיב בְּקִיּוּמֵיהּ, וְתָב לַאֲחוֹרָא.

רנב. תָּא חֲזֵי, מַה כְּתִיב, וַיְמָאֵן וַיֹּאמֶר אֶל אֵשֶׁת אֲדֹנָיו. א"ל קוּדְשָׁא בְּרִיךְ הוּא אַנְתְּ אֲמַרְתְּ וַיְמָאֵן וַיֹּאמֶר. חַיֶּיךָ, וַיְמָאֵן וַיֹּאמֶר אָחֳרָא, יֵיתֵי לְבָרְכָא לִבְנָךְ, וְיִתְבָּרְכוּן בֵּיהּ, הֲדָא הוּא דִּכְתִיב וַיְמָאֵן אָבִיו וַיֹּאמֶר יָדַעְתִּי בְנִי יָדַעְתִּי.

רנג. כֵּיוָן דַּאֲמַר יָדַעְתִּי בְנִי, אַמַּאי אָמַר יָדַעְתִּי אָחֳרָא. אֶלָּא, אָמַר יָדַעְתִּי בְנִי, בְּזִמְנָא דְּקַיְּימַת בְּגוּפָךְ דְּאַתְּ בְּרִי, כַּד חָמֵית דְּיוֹקְנָא דִּילִי, וְתָבַת בְּקִיּוּמָךְ, וּבְגִינֵי כָּךְ כְּתִיב, יָדַעְתִּי בְנִי, יָדַעְתִּי, עַל מַה דַּאֲמַרְתְּ דְּדָא הוּא בּוּכְרָא, גַּם הוּא יִהְיֶה לְּעָם וְגַם הוּא יִגְדָּל, וְהָכָא בְּגִין כָּךְ כְּתִיב, וַיִּקְרָא לִבְנוֹ לְיוֹסֵף, לִבְנוֹ לְיוֹסֵף מַמָּשׁ.

רנד. ד"א וַיִּקְרָא לִבְנוֹ לְיוֹסֵף, דִּבְדְיוֹקְנָא חַד הֲווּ מִתְחַזְיָין, דְּכָל מַאן דְּחָמֵי לְיוֹסֵף, הֲוָה אַסְהִיד דִּבְרֵיהּ דְּיַעֲקֹב הֲוָה. רִבִּי יוֹסֵי אָמַר, כֹּלָּא הָכֵי הוּא. וְעוֹד דְּיוֹסֵף זָן לֵיהּ וְלִבְנוֹי בְּסִבְתוּתֵיהּ, וּבְגִינֵי כָּךְ בְּנוֹ מַמָּשׁ, יַתִּיר מִכֻּלְּהוּ. וַיִּקְרָא לִבְנוֹ לְיוֹסֵף אַמַּאי לְיוֹסֵף, וְלָא לְאָחֳרָא. מִשּׁוּם דִּרְשׁוּתָא הֲוָה בִּידֵיהּ לְסַלְּקֵיהּ מִתַּמָּן.

רנה. רִבִּי יוֹסֵי אָמַר, כֵּיוָן דְּיַעֲקֹב הֲוָה יָדַע דִּבְנוֹי יִשְׁתַּעְבְּדוּן בְּגָלוּתָא תַּמָּן בְּמִצְרַיִם, אַמַּאי לָא אִתְקְבַר תַּמָּן, בְּגִין דְּיָגִין זְכוּתֵיהּ עַל בְּנוֹי, אַמַּאי בָּעָא לְאִסְתַּלְּקָא מִתַּמָּן, וְהָא כְּתִיב כְּרַחֵם אָב עַל בָּנִים, אָן הוּא רַחֲמָנוּתָא.

רנו. אֶלָּא, הָכֵי תָּאנָא, בְּשַׁעֲתָא דַּהֲוָה נָחִית יַעֲקֹב לְמִצְרַיִם, הֲוָה דָּחִיל, הֲוָה אָמַר,

דִּילְמָא וְח״ו יִשְׁתַּצּוּן בָּנַי בֵּינֵי עַמְמַיָּא, וְדִילְמָא קוּדְשָׁא בְּרִיךְ הוּא יְסַלֵּק שְׁכִינְתֵּיהּ מִינַּי כְּקַדְמֵיתָא, מַה כְּתִיב וַיֹּאמֶר אֱלֹקִים אֶל יַעֲקֹב וגו'. אַל תִּירָא מֵרְדָה מִצְרַיְמָה כִּי לְגוֹי גָּדוֹל אֲשִׂימְךָ שָׁם. וּמַה דַּאֲמַרְתְּ דִּילְמָא אֲסַלֵּק שְׁכִינְתִּי מִבֵּינָךְ, אָנֹכִי אֵרֵד עִמְּךָ מִצְרַיְמָה.

רנז. אֲמַר עוֹד, דָּחֵילְנָא דִּילְמָא אִתְקְבַר תַּמָּן, וְלָא אֶזְכֶּה עִם אֲבָהָתַי, א״ל וְאָנֹכִי אַעַלְךָ גַּם עָלֹה. אַעַלְךָ: מִמִּצְרַיִם. גַּם עָלֹה: לְאִתְקַבְרָאָה בְּקִבְרָא דַּאֲבָהָתָךְ.

רנח. בְּגִינֵי כָּךְ, בָּעָא לְסַלְּקָא גַּרְמֵיהּ מִמִּצְרַיִם, חַד, דְּלָא יַעַבְדוּן מִנֵּיהּ דַּחֲלָא, דְּהָא חָמָא דְּקוּדְשָׁא בְּרִיךְ הוּא זַמִּין לְאִתְפְּרָעָא מִדַּחֲלֵיהוֹן. וְחַד, דְּחָמָא דִּשְׁכִינְתָּא יְשַׁוֵּי מְדוֹרֵיהּ בֵּין בְּנוֹי בְּגָלוּתָא, וְחַד, בְּגִין דְּיֶהֱוֵי גּוּפֵיהּ דַּיָּיר בֵּין גּוּפַיְיהוּ דַּאֲבָהָתוֹי לְאִתְכַּלְּלָא בֵּינַיְיהוּ, וְלָא יִתְמְנֵי עִם חַיָּיבַיָּא דְּמִצְרָאֵי.

רנט. וְתָנֵינָן, גּוּפָא דְּיַעֲקֹב, אִתְמְשִׁיךְ מִשּׁוּפְרוֹי דְּאָדָם הָרִאשׁוֹן, וַהֲוָה דְּיוֹקְנֵיהּ דְּיַעֲקֹב, דְּיוֹקְנָא עִלָּאָה קַדִּישָׁא, דְּיוֹקְנָא דְּכוּרְסְיָא קַדִּישָׁא, וְלָא בָּעָא לְאִתְקְבָרָא בֵּינֵי חַיָּיבַיָּא, וְרָזָא דְּמִלָּה, דְּבַאֲבָהָן לֵית פֵּרוּדָא כְּלַל, וְעַל דָּא כְּתִיב וְשָׁכַבְתִּי עִם אֲבוֹתַי.

רס. וַיִּקְרָא לִבְנוֹ לְיוֹסֵף, בְּנוֹ: בְּחַד דְּיוֹקְנָא דְּאַנְפִּין, בְּגִין דִּבְרְעוּתָא דְּרוּחָא וְלִבָּא, אוֹלִיד לֵיהּ יַתִּיר מִכֻּלְּהוּ. תָּא חֲזֵי, מַה כְּתִיב הַמְעַט קַחְתֵּךְ אֶת אִישִׁי, דְּכָל רְעוּתָא דְּיַעֲקֹב בְּרָחֵל הֲוָה, וּבְגִין כָּךְ וַיִּקְרָא לִבְנוֹ לְיוֹסֵף.

רסא. תָּאנָא, ר' שִׁמְעוֹן פָּתַח וַאֲמַר, הַנִּסְתָּרוֹת לַה' אֱלֹקֵינוּ וגו'. הַנִּסְתָּרוֹת לַה' אֱלֹקֵינוּ, תָּא חֲזֵי, כַּמָּה אִית לֵיהּ לְבַר נָשׁ, לְאִזְדַּהֲרָא מֵחוֹבוֹי, וּלְאִסְתַּכְּלָא דְּלָא יַעֲבַר עַל רְעוּתֵיהּ דְּמָארֵיהּ, דְּתָנֵינָן, כָּל מַה דְּבַר נָשׁ עָבֵיד בְּהַאי עָלְמָא, בְּסִפְרָא כְּתִיבוּ אִינּוּן עוֹבָדִין, וְעָאלִין בְּחוּשְׁבְּנָא קַמֵּי מַלְכָּא קַדִּישָׁא, וְכֹלָּא אִתְגַּלְיָיא קַמֵּיהּ, הה״ד אִם יִסָּתֵר אִישׁ בַּמִּסְתָּרִים וַאֲנִי לֹא אֶרְאֶנּוּ נְאֻם ה'. אִי הָכֵי, אֵיךְ לָא יִסְתַּמַּר בַּר נָשׁ מִלְּמֵיחַב קַמֵּיהּ דְּמָארֵיהּ, וְתָנֵינָן, אֲפִילּוּ הַהוּא מַה דְּחָשֵׁיב בַּר נָשׁ וְאִסְתַּלַּק בִּרְעוּתֵיהּ, כֹּלָּא אִשְׁתַּכַּח קַמֵּי קוּדְשָׁא בְּרִיךְ הוּא, וְלָא אִתְאֲבִיד מִנֵּיהּ.

רסב. תָּא חֲזֵי, בְּהַהוּא לֵילְיָא דְּעָאלַת לֵאָה לְגַבֵּיהּ דְּיַעֲקֹב, וְיָהֲבַת לֵיהּ אִינּוּן סִימָנִין, דְּיָהַב יַעֲקֹב לְרָחֵל, סָלִיק בִּרְעוּתֵיהּ דְּאִיהִי רָחֵל, וְשַׁמֵּשׁ שִׁמּוּשָׁא בָּהּ, וְהַהִיא טִפָּה קַדְמֵיתָא דְּיַעֲקֹב הֲוַת, דִּכְתִּיב כֹּחִי וְרֵאשִׁית אוֹנִי, וְסָבַר דְּאִיהִי רָחֵל. קוּדְשָׁא בְּרִיךְ הוּא דְּאִיהוּ גָּלֵי עֲמִיקָתָא וּמְסַתְּרָתָא, וְיָדַע מַה בַּחֲשׁוֹכָא, סָלִיק הַהוּא רְעוּתָא לְאַתְרֵיהּ, וּבְכֵירוּתָא דִּרְאוּבֵן אִסְתַּלַּק לְיוֹסֵף. מַאי טַעְמָא, מִשּׁוּם דְּהָא דְּרָחֵל הֲוַת, הַהִיא טִפָּה קַדְמֵיתָא דְּנָפְקַת מִיַּעֲקֹב, וּבְגִין דַּהֲוַת דִּילָהּ, הַהוּא בְּכֵירוּתָא מַמָּשׁ דִּרְאוּבֵן, יָרֵית יוֹסֵף, וְרָחֵל יָרְתָה לְהַהוּא דִּילָהּ.

רסד. וּבְגִין כָּךְ, רָזָא דְּמִלָּה, לָא אִסְתַּלַּק רְאוּבֵן בִּשְׁמָא כִּשְׁאָר שִׁבְטִין, אֶלָּא רְאוּבֵן, כְּלוֹמַר חֲמוּ בַּר: רְאוּ בֵּן סְתָם, וְהַאי בֵּן לָא אִתְיְדַע שְׁמֵיהּ, וְעַל דָּא לָא קָרְיָא לֵאָה בְּנִי בְּהַאי שְׁמָא, וְלָא אִקְרֵי רְאוּ בְּנִי, דְּהָא לֵאָה יָדְעַת עוֹבָדָא.

רסד. וְתָנֵינָן, גָּלֵי קַמֵּי קוּדְשָׁא בְּרִיךְ הוּא, דְּיַעֲקֹב לָאו רְעוּתֵיהּ לְמֵיחַב קַמֵּיהּ בְּהַאי, וְלָא אִסְתַּכַּל בִּרְעוּתָא בְּאִתְּתָא אָחֳרָא בְּהַהִיא שַׁעְתָּא, כִּשְׁאָר חַיָּיבֵי עָלְמָא, וְעַל כָּךְ כְּתִיב וַיִּהְיוּ בְנֵי יַעֲקֹב שְׁנֵים עָשָׂר, דְּהָא בְּנַיְיהוּ דִּשְׁאָר חַיָּיבֵי עָלְמָא, דְּעָבְדִין הַהוּא עוֹבָדָא, בִּשְׁמָא אָחֳרָא אִקְרוּן. וְהָא יְדִיעָא מִלָּה דָּא לְגַבֵּי חַבְרַיָּא, וּבְגִינֵי כָּךְ וַיִּקְרָא לִבְנוֹ לְיוֹסֵף, בְּנוֹ מַמָּשׁ, מִשֵּׁירוּתָא וְסִיּוּמָא בְּנוֹ הֲוָה.

רסה. תָּאנָא, א״ר יוֹסֵי, בַּמֶּה אוֹמֵי לֵיהּ יַעֲקֹב לְיוֹסֵף, דִּכְתִּיב שִׂים נָא יָדְךָ תַּחַת יְרֵכִי.

אֶלָּא בְּהַהוּא אָת קַיְּימָא, דַּהֲוָה רָשִׁים בְּבִשְׂרֵיהּ, דְּדָא וְשֵׁיבוּתָא דַּאֲבָהָן יַתִּיר מִכֹּלָּא, וְהַאי בְּרִית, רָזָא דְּיוֹסֵף אִיהוּ.

רסו. אר״ע, בְּאַבְרָהָם וּבְיַעֲקֹב, כְּתִיב, שִׂים נָא יָדְךָ תַּחַת יְרֵכִי, תְּחוֹת יְרֵכִי, כְּלוֹמַר, בְּהַהוּא אֲתַר דִּרְמִיזָא בִּשְׁמָא קַדִּישָׁא, וְאַפֵּיק זַרְעָא קַדִּישָׁא מְהֵימְנָא לְעָלְמָא. בִּיצְחָק לָא כְּתִיב, בְּגִין דְּנָפֵיק מִנֵּיהּ עֵשָׂו.

רסז. תּוּ, מ״ט הָכָא, שִׂים נָא יָדְךָ תַּחַת יְרֵכִי אַל נָא תִקְבְּרֵנִי בְּמִצְרָיִם. אֶלָּא אֲמַר לֵיהּ יַעֲקֹב לְיוֹסֵף, בְּהַאי רְשִׁימָא קַדִּישָׁא אוֹמֵי לִי, דְּאַפֵּיק זַרְעָא קַדִּישָׁא מְהֵימְנָא לְעָלְמָא, וְאִתְנְטֵיר, וְלָא אִסְתָּאַב לְעָלְמִין, דְּלָא יִתְקַבַּר בֵּין אִנּוּן מְסָאֲבִין, דְּלָא נָטְרוּ לֵיהּ לְעָלְמִין, דִּכְתִיב בְּהוּ, אֲשֶׁר בְּשַׂר חֲמוֹרִים בְּשָׂרָם וְזִרְמַת סוּסִים זִרְמָתָם.

רסח. וְאִי תֵימָא, הָא יוֹסֵף דְּנָטֵיר לֵיהּ עַל כֹּלָּא, אַמַּאי אִתְקַבַּר בֵּינַיְיהוּ. אֶלָּא תָּנֵינָן, כְּתִיב הָיֹה הָיָה דְּבַר ה' אֶל יְחֶזְקֵאל בֶּן בּוּזִי הַכֹּהֵן בְּאֶרֶץ כַּשְׂדִּים עַל נְהַר כְּבָר, וְהָא תָּנֵינָן, דִּשְׁכִינְתָּא לָא שַׁרְיָא אֶלָּא בְּאַרְעָא דְּיִשְׂרָאֵל, אַמַּאי הָכָא שְׁכִינְתָּא. אֶלָּא עַל נְהַר כְּבָר כְּתִיב, וּכְתִיב וַתְּהִי עָלָיו שָׁם יַד ה'. אוֹף הָכָא, יוֹסֵף בְּמַיָא אִתְרְמֵי אֲרוֹנָא דִּילֵיהּ, אָמַר קוּדְשָׁא בְּרִיךְ הוּא, אִי יוֹסֵף אִסְתַּלָּק מֵהָכָא, גָּלוּתָא לָא אִתְקַיַּים, אֶלָּא תְּהֵא קְבוּרְתֵּיהּ בַּאֲתַר דְּלָא יִסְתָּאַב, וְיִסְבְּלוּן בְּנֵי יִשְׂרָאֵל גָּלוּתָא.

רסט. תָּאנָא, אֲמַר רַבִּי יוֹסֵי, וְאַמַּאי יַעֲקֹב, דְּהָא בְּכֹלָּא אִתְתַּקַּן לְכָרְסַיָּא קַדִּישָׁא בַּאֲבָהָן, אֲמַר, אִי הָכֵי יִתְקַבַּר, הֵיךְ גּוּפָא דָּא אֲחִידָא בַּאֲבָהָתָא, וַאֲפִילוּ בִּמְעַרְתָּא דְּאִתְקַבַּר תַּמָּן אִקְרֵי כְּפֵילְתָּא, בְּגִין דְּכָל מִלָּה דִּכְפֵילְתָּא הוּא תְּרֵין וְזַד, אוֹף מְעַרְתָּא תְּרֵין וְזַד.

ער. וְתָא וְזֵי אֲבָהָתָא זָכוּ לְאִתְקַבְּרָא תַּמָּן, אִינּוּן וְזוּגַיְיהוּ. יַעֲקֹב הוּא וְלֵאָה, מ״ט רָחֵל לָא, וְהָא כְּתִיב וְרָחֵל עֲקָרָה, דְּאִיהִי עִקָּרָא דְּבֵיתָא. אֶלָּא, לֵאָה זָכְתָה בֵּיהּ, לְאַפָּקָא שִׁית שִׁבְטִין, מִגִּזְעָא קַדִּישָׁא בְּעָלְמָא יַתִּיר, וּבְגִינֵי כָּךְ, אִתְיַיהֲבַת עִמֵּיהּ לְזוּגָא בִּמְעַרְתָּא.

ערא. א״ר יְהוּדָה לֵאָה כָּל יוֹמָהָא, הֲוַת בְּפָרָשַׁת אוֹרְחִין קַיְּימָא, וּבָכַת בְּגִינֵיהּ דְּיַעֲקֹב, כַּד שְׁמַעַת דְּאִיהוּ צַדִּיקָא, וּצְלוֹתָא אַקְדָּמַת לֵיהּ, וְהַיְינוּ דִּכְתִיב וְעֵינֵי לֵאָה רַכּוֹת, כְּמָה דְּאוֹקִימְנָא, דְּמִקְדָּמַת וְיָתְבַת בְּפָרָשַׁת אוֹרְחִין לְמִשְׁאַל.

ערב. רָחֵל לָא נָפְקַת לְאוֹרְחִין לְעָלְמָא. בְּגִינֵי כָּךְ זָכְתָה לֵאָה לְאִתְקַבְּרָא עִמֵּיהּ. וְרָחֵל קַיְימַת קְבוּרָתָהּ בְּפָרָשַׁת אוֹרְחִין וְאִתְקַבְּרַת תַּמָּן, הה״ד וַאֲנִי בְּבֹאִי מִפַּדָּן מֵתָה עָלַי רָחֵל, מֵהוּ עָלַי. עָלַי וַדַּאי, כְּלוֹמַר בְּגִינִי, בְּאֶרֶץ כְּנַעַן בַּדֶּרֶךְ: בְּגִינִי מִיתַת בַּדֶּרֶךְ, דְּלָא נָפְקַת בְּגִינֵי לְעָלְמִין כְּאוֹזוֹתָהּ.

ערג. בנ״כ, לֵאָה דְּנָפְקַת וּבָכַת בְּפָרָשַׁת אוֹרְחִין בְּגִינֵיהּ דְּיַעֲקֹב, זָכְתָה לְאִתְקַבְּרָא עִמֵּיהּ. רָחֵל דְּלָא בָּעָאת לְמֵיפַק וּלְמִשְׁאַל בַּהֲדֵיהּ, בנ״כ קְבוּרָתָהּ בְּפָרָשַׁת אוֹרְחִין. וְרָזָא דְמִלָּה, הָא אוֹקִימְנָא וְאִתְּמַר, דָּא בְּאִתְגַּלְיָא, וְדָא בְּאִתְכַּסְיָא.

ערד. וְתָא וְזֵי, דְּתַנְיָא, דְּמֵעֵין סַגִּיאִין שָׂדִיאַת הַהִיא צַדֶּקֶת לֵאָה, בְּגִין לְמֶהֱוֵי וְחוּלְקֵיהּ דְּיַעֲקֹב, וְלָא בְּהַהוּא רָשָׁע דְּעֵשָׂו, וְהַיְינוּ דִּתְנָינָן, כָּל בַּר נָשׁ, דְּאוֹשִׁיד דְּמֵעֵין קַמֵּיהּ דְּקוּדְשָׁא בְּרִיךְ הוּא, אע״ג דְּאִתְגְּזַר עֲלֵיהּ עוֹנָשָׁא, יִתְקְרַע, וְלָא יָכִיל הַהוּא עוֹנָשָׁא לְשׁוּלְטָאָה בֵּיהּ. מְנָלָן, מִלֵּאָה, דְּהָא לֵאָה אִתְגְּזַר לְמֶהֱוֵי וְחוּלְקָא דְּעֵשָׂו, וְהִיא בִּבְעוּתָא אַקְדִּימַת לֵיהּ לְיַעֲקֹב, וְלָא אִתְיְיהִיבַת לֵיהּ לְעֵשָׂו.

רהע. אֲמַר רַבִּי וְחִיָּיא, וְשָׁכַבְתִּי עִם אֲבֹתַי וְגו'. רַבִּי יִצְחָק פָּתַח וַאֲמַר, מַה יִּתְרוֹן לָאָדָם

בְּכָל עֲמָלוֹ שֶׁיַּעֲמוֹל תַּחַת הַשָּׁמֶשׁ. בְּכַמָּה אֲתַר אִתְּמַר דְּאִסְתַּכַּלְנָא בְּמִלּוֹי דִּשְׁלֹמֹה וְאִתְחֲזֵי מִלּוֹי סְתִימִין, אֲבָל כֻּלְּהוּ מִלֵּי דִּשְׁלֹמֹה, כֻּלְּהוּ אִקְרוּן בְּחָכְמְתָא.

רעו. דְּתַנְיָא כְּתִיב, וַתֵּרֶב חָכְמַת שְׁלֹמֹה, בְּיוֹמוֹי דִּשְׁלֹמֹה מַלְכָּא, קָיְימָא סִיהֲרָא בְּאַשְׁלְמוּתָא, וְהַיְינוּ דִּכְתִיב, וַתֵּרֶב חָכְמַת שְׁלֹמֹה מֵחָכְמַת כָּל בְּנֵי קֶדֶם, תַּמָּן תָּנֵינָן, מַאן אִינוּן בְּנֵי קֶדֶם, הָא אוֹקְמוּהָ, אֲבָל חָכְמַת בְּנֵי קֶדֶם, הִיא חָכְמְתָא דְּיָרְתוּ מֵאַבְרָהָם.

רעז. דְּתַנְיָא כְּתִיב, וַיִּתֵּן אַבְרָהָם אֶת כָּל אֲשֶׁר לוֹ לְיִצְחָק. מַאי אֶת כָּל אֲשֶׁר לוֹ. דָּא חָכְמְתָא עִלָּאָה דַּהֲוָה יָדַע בִּשְׁמָא קַדִּישָׁא דְּקוּדְשָׁא בְּרִיךְ הוּא, וּמַשְׁמַע אֶת אֶת כָּל אֲשֶׁר לוֹ, דַּהֲוָה דִּילֵיהּ. כִּדְתָנֵינָן בְּהַהִיא בַּת דַּהֲוַת לֵיהּ לְאַבְרָהָם, וּבַכֹּל שְׁמָהּ.

רעח. וְלִבְנֵי הַפִּילַגְשִׁים אֲשֶׁר לְאַבְרָהָם נָתַן אַבְרָהָם מַתָּנוֹת וְגוֹ'. דִּיהַב לְהוֹ. מִילִּין יְדִיעָאן, בְּכִתְרִין תַּתָּאִין, וּבְאָן אֲתַר אַשְׁרֵי לוֹן, אֶל אֶרֶץ קֶדֶם. וּמִתַּמָּן יָרִיתוּ בְּנֵי קֶדֶם חָכְמְתָא, וְהַיְינוּ דִּכְתִיב מֵחָכְמַת כָּל בְּנֵי קֶדֶם.

רעט. תָּאנָא יוֹמָא חַד הֲוָה אָתֵי רַבִּי שִׁמְעוֹן מִקַּפּוֹטְקְיָא לְלוֹד, וַהֲוָה עִמֵּיהּ ר' אַבָּא, וְר' יְהוּדָה, ר' אַבָּא הֲוָה לָאֵי, וַהֲוָה רָהִיט אֲבַתְרֵיהּ דְּר' שִׁמְעוֹן, דַּהֲוָה רָכִיב, אָמַר רַבִּי אַבָּא, וַדַּאי אַחֲרֵי ה' יֵלְכוּ כְּאַרְיֵה יִשְׁאָג.

רפ. נָחַת ר' שִׁמְעוֹן, א"ל, וַדַּאי כְּתִיב, וָאֵשֵׁב בָּהָר אַרְבָּעִים יוֹם וְאַרְבָּעִים לַיְלָה, וַדַּאי חָכְמְתָא לָא מִתְיַישְּׁבָא, אֶלָּא כַּד ב"נ יָתִיב, וְלָא אָזִיל, אֶלָּא קָאִים בְּקִיּוּמֵיהּ. וְהָא אוֹקִימְנָא מִלֵּי עַל מַה כְּתִיב וָאֵשֵׁב. הַשְׁתָּא בְּנַיְיחָא תַּלְיָא מִילְּתָא. יָתְבוּ.

רפא. אָמַר רַבִּי אַבָּא, כְּתִיב וַתֵּרֶב חָכְמַת שְׁלֹמֹה מֵחָכְמַת כָּל בְּנֵי קֶדֶם וּמִכֹּל חָכְמַת מִצְרָיִם. מַאי הִיא חָכְמַת שְׁלֹמֹה. וּמַאי הִיא חָכְמַת מִצְרָיִם. וּמַאי הִיא חָכְמַת כָּל בְּנֵי קֶדֶם. א"ל תָּא חֲזֵי בְּכַמָּה אֲתַר אוֹקְמוּהָ בְּהַהוּא שְׁמָא, דְּסִיהֲרָא כַּד אִתְבָּרְכָא מִכֹּלָּא, כְּתִיב וַתֵּרֶב. בְּיוֹמוֹי דִּשְׁלֹמֹה, דְּאִתְרַבִּיאַת וְאִתְבָּרְכַת וְקָיְימָא בְּאַשְׁלְמוּתָא.

רפב. וְתָנֵינָן, אֶלֶף טוּרִין מִתְרַבְרְבִין קַמָּהּ, וְכֻלְּהוּ נְשִׁיבָא חַד הֲווּ לְקַמָּהּ. אֶלֶף נַהֲרִין סַגִּיאִין לָהּ, וּבִגְמִיעָא חֲדָא גָּמְעָא לוֹן.

רפג. טוּפְרָהָא מֵאַחֲדָא לְאֶלֶף וְשַׁבְעִין עֵיבַר. יְדָהָא אַחִידָן, לְאַרְבַּע וְעֶשְׂרִין אֶלֶף עֵיבַר, לֵית דְּנָפִיק מִנָּהּ לְסִטַר הַאי, וְלֵית דְּנָפִיק מִנָּהּ לְסִטַר אָחֳרָא. כַּמָּה וְכַמָּה אֶלֶף תְּרֵיסִין, מִתְאַחֲדִין בְּשַׂעֲרָהָא.

רפד. עוּלֵימָא, דְּאוֹרְכֵיהּ מֵרֵישָׁא דְּעָלְמָא, לְסַיְיפֵי דְּעָלְמָא, נָפִיק בֵּין רַגְלָהָא, בְּשִׁתִּין פּוּלְסֵי דְּנוּרָא מִתְלַבַּשׁ, בְּגַוְונֵי דָּא אִתְמַנָּא עַל תַּתָּאֵי מֵאַרְבַּע סִטְרָהָא. דָּא אִיהוּ נַעַר, דְּאָחִיד שִׁית מְאָה וּתְלַת עֲשַׂר מַפְתְּחָן עִלָּאִין, מִסִּטְרָא דְּאִמָּא, וְכֻלְּהוּ מַפְתְּחָן עִלָּאִין, בְּשִׁנְּנָא דְּחַרְבָּא דְּחָגִיר בְּחַרְצֵיהּ תַּלְיָין.

רפה. הַהוּא נַעַר, קָרוּן לֵיהּ חֲנוֹךְ בֶּן יֶרֶד, בְּאִינוּן בְּרַיְיתֵי, דִּכְתִיב חֲנוֹךְ לַנַּעַר עַל פִּי דַרְכּוֹ. וְאִי תֵּימָא מַתְנִיתִין הִיא, וְלָא בְּרַיְיתָא, בְּמַתְנִיתָא דִּילָן אוֹקִימְנָא מִילֵּי, וְהָא אִתְּמַר, וְכֹלָּא מִלְּתָא חֲדָא אִסְתַּכָּלוּ. תְּחוֹתֵיהּ תִּטְלַל חֵיוַת בָּרָא, דְּתַנְיָא, כְּמָה דְּיִשְׂרָאֵל קַדִּישָׁא עִלָּאָה, אִקְרֵי בֵּן לְאִמֵּיהּ, דִּכְתִיב כִּי בֵן הָיִיתִי לְאָבִי רַךְ וְיָחִיד לִפְנֵי אִמִּי, וּכְתִיב בְּנִי בְכוֹרִי יִשְׂרָאֵל, הָכִי נָמֵי לְתַתָּא, דָּא אִקְרֵי נַעַר לְאִמֵּיהּ, דִּכְתִיב כִּי נַעַר יִשְׂרָאֵל וָאוֹהֲבֵהוּ, וּבְכַמָּה גַּוְונִין אִקְרֵי בֶּן יֶרֶד, וְהָא אוֹקִימְנָא. אֲבָל תָּא חֲזֵי בֶּן יֶרֶד מַמָּשׁ, דְּתָנֵינָן, עֶשֶׂר יְרִידוֹת יָרְדָה שְׁכִינָה לְאַרְעָא, וְכֻלְּהוּ אוֹקְמוּהָ חַבְרַיָּיא וְאִתְּמַר. וּתְחוֹת הַאי, כַּמָּה חֵיוָתָא קָיְימִין, דְּאִקְרוּן חֵיוַת בָּרָא מַמָּשׁ.

רפו. תְּחוֹת אִינוּן חֵיוָתָא, מִתְאַחֲדָן שַׂעֲרָהָא דְּסִיהֲרָא, דְּאִקְרוּן כֹּכְבַיָּא דְּשַׁרְבִיטָא,

דְּשַׁרְבִיט מַמָּשׁ, מָארֵי דְּמֵדִין, מָארֵי דְּמַתְקְלָא, מָארֵי דְּקַשְׁיוּ, מָארֵי דְּחוּצְפָּא. וְכֻלְּהוּ אִקְרוּן מָארֵי דְּאַרְגְּוָונָא, יְדָהָא וְרַגְלָהָא אֲחִידָן בְּהַאי, כְּאַרְיֵה תַּקִּיפָא דְּאָחִיד עַל טַרְפֵּיהּ, וְע״ד כְּתִיב וְטָרַף וְאֵין מַצִּיל.

רפז. טוּפְרָהָא: כָּל אִינוּן דְּאַדְכְּרִין חוֹבֵי בְּנֵי נָשָׁא, וְכָתְבִין וְרָשְׁמִין חוֹבַיְיהוּ, בְּתְקִיפוּ דְּדִינָא קַשְׁיָא, וְע״ד כְּתִיב חַטַּאת יְהוּדָה כְּתוּבָה בְּעֵט בַּרְזֶל בְּצִפּוֹרֶן שָׁמִיר. מַהוּ שָׁמִיר. הַהוּא דְּרָשִׁים וְנָקִיב אַבְנָא, וּפָסִיק לָהּ לְכָל סִטְרָא.

רפח. זוּהֲמָא דְּטוּפְרָהָא: כָּל אִינוּן דְּלָא מִתְדַּבְּקִין בְּגוּפָא דְּמַלְכָּא, וְיָנְקִין מִסִּטְרָא דְּמִסְאֲבוּתָא, כַּד שָׁארֵי סִיהֲרָא בִּפְגִּימוּ.

רפט. וּבְגִין דִּשְׁלֹמֹה מַלְכָּא יָרְתָא לְסִיהֲרָא בִּשְׁלֵימוּתָא, בָּעֵי לְיָרְתָא לָהּ בִּפְגִימוּתָא, וְע״ד אִשְׁתַּדַּל לְמֵידַע, בְּדַעְתָּא דְּרוּחִין וְשֵׁדִין, לְמֵירַת סִיהֲרָא בְּכָל סִטְרָא.

רצ. וּבְיוֹמוֹי דִּשְׁלֹמֹה מַלְכָּא, בְּכֹלָּא אִתְנְהִיר סִיהֲרָא, הה״ד וַתֵּרֶב חָכְמַת שְׁלֹמֹה, וַתֵּרֶב דַּיְיקָא. מֵחָכְמַת כָּל בְּנֵי קֶדֶם, רָזָא עִלָּאָה הוּא, כְּמָה דִּכְתִּיב, וְאֵלֶּה הַמְּלָכִים אֲשֶׁר מָלְכוּ בְּאֶרֶץ אֱדוֹם וגו׳. וְאִלֵּין אִקְרוּן בְּנֵי קֶדֶם, דְּכֻלְּהוּ לָא אִתְקְיָימוּ, בַּר מֵהַאי דִּכְלִילָא דְּכַר וְנוּקְבָא, דְּאִקְרֵי הֲדַר, דִּכְתִּיב וַיִּמְלוֹךְ תַּחְתָּיו הֲדַר וגו׳.

רצא. וְתָאנָא, דְּאע״ג דְּאִתְקְיִימַת, לָא אִתְנְהִירַת בְּאַשְׁלָמוּתָא, עַד דַּאֲתָא שְׁלֹמֹה, דְּאִתְחֲזֵי לְקַבְּלָהָא, כְּמָה דְּאוֹקִימְנָא, דְּבג״כ אִמֵּיהּ בַּת שֶׁבַע הֲוַת.

רצב. וּמִכָּל חָכְמַת מִצְרָיִם: דָּא חָכְמָה תַּתָּאָה, דְּאִקְרֵי שִׁפְחָה דְּבָתַר רֵיחַיָּא, וְכֹלָּא אִתְכְּלִילַת הַאי חָכְמָה דִּשְׁלֹמֹה, חָכְמַת בְּנֵי קֶדֶם, וְחָכְמַת מִצְרַיִם. א״ר אַבָּא, בְּרִיךְ רַחֲמָנָא, דְּשָׁאֵילְנָא קַמָּךְ מִלָּה דָּא, דְּהָא בְּכָל הַנֵּי מִילֵי זָכֵינָא. אֲמַר ר״ש, מִלִּין אִלֵּין, הָא אוֹקִימְנָא לוֹן, וְהָא אִתְּמָרוּ.

רצג. תָּאנָא, מַה יִּתְרוֹן לָאָדָם בְּכָל עֲמָלוֹ, יָכוֹל אַף עֲמָלָהּ דְּאוֹרַיְיתָא, ת״ל שֶׁיַּעֲמוֹל תַּחַת הַשָּׁמֶשׁ. שָׁאנֵי עֲמָלָהּ דְּאוֹרַיְיתָא, דִּלְעֵילָּא מִן שִׁמְשָׁא הוּא. רִבִּי חִיָּיא אֲמַר, אַף עֲמָלָהּ דְּאוֹרַיְיתָא, דְּאִיהוּ עָמֵל בְּגִינֵיהוֹן דִּבְנֵי נָשָׁא, אוֹ בְּגִין יְקָרָא דִּילֵיהּ, הַאי תַּחַת הַשֶּׁמֶשׁ כְּתִיב, דְּהָא לָא סָלֵיק לְעֵילָּא. תַּנְיָא אֲמַר ר׳ אֶלְעָזָר, אֲפִילּוּ אִי ב״נ קַיָּים אֶלֶף שְׁנִין, הַהוּא יוֹמָא דְּאִסְתַּלַּק מֵעָלְמָא, דָּמֵי לֵיהּ כְּאִילּוּ לָא אִתְקַיַּים בַּר יוֹמָא חַד.

רצד. וְשָׁכַבְתִּי עִם אֲבוֹתַי, זַכָּאָה חוּלָקֵהוֹן דַּאֲבָהָתָא, דְּקוּדְשָׁא בְּרִיךְ הוּא עָבֵיד לוֹן רְתִיכָא קַדִּישָׁא לְעֵילָּא, וְאִתְרְעֵי בְּהוּ, לְאִתְעַטְּרָא עִמְּהוֹן, הה״ד רַק בַּאֲבוֹתֶיךָ חָשַׁק ה׳ וגו׳. א״ר אֶלְעָזָר, יַעֲקֹב הֲוָה יָדַע, דְּהָא עִטּוּרָא דִּילֵיהּ בַּאֲבָהָתֵיהּ הוּא, דְּהָא עִטּוּרָא דַּאֲבָהָן עִמֵּיהּ הוּא, וְהוּא עִמְּהוֹן. וְעַל דָּא בְּאַתְוָון גְּלִיפִין תָּנֵינָן, תְּלַת קִשְׁרִין, תְּרֵין קִשְׁרִין חַד מֵהַאי סִטְרָא, וְחַד מֵהַאי סִטְרָא, וְחַד דְּכָלֵיל לוֹן. וְדָא הוּא דְּתָנֵינָן, וְהַבְּרִיחַ הַתִּיכוֹן בְּתוֹךְ הַקְּרָשִׁים מַבְרִיחַ מִן הַקָּצֶה אֶל הַקָּצֶה, וְהַהוּא קִשְׁרָא דִּבְאֶמְצָעִיתָא, אָחִיד לְהַאי סִטְרָא, וּלְהַאי סִטְרָא. וְעַל הַאי כְּתִיב, וְשָׁכַבְתִּי עִם אֲבוֹתַי וַדַּאי.

רצה. וְשָׁכַבְתִּי עִם אֲבוֹתַי וגו׳, רִבִּי יְהוּדָה פָּתַח וַאֲמַר, הַחֵרְשִׁים שְׁמָעוּ וְהַעִוְרִים הַבִּיטוּ לִרְאוֹת. הַחֵרְשִׁים שְׁמָעוּ, אִלֵּין בְּנֵי נָשָׁא, דְּלָא צַיְיתִין לְמִלּוּלֵי אוֹרַיְיתָא, וְלָא פָּקְחִין אוּדְנַיְיהוּ, לְמִשְׁמַע לְפִקּוּדֵי דְּמָארֵיהוֹן. וְהַעִוְרִים: דְּלָא מִסְתַּכְּלִין לְמִנְדַּע עַל מָה אִינוּן קַיְימִין, דְּהָא בְּכָל יוֹמָא וְיוֹמָא כָּרוֹזָא נָפֵיק וְקָרֵי, וְלֵית מַאן דְּיַשְׁגַּח.

רצו. דְּתַנְיָא, אִינוּן יוֹמִין דְּב״נ כַּד אִתְבְּרֵי, בְּהַהוּא יוֹמָא דְּנָפַק לְעָלְמָא, כֻּלְּהוּ קַיְימִין בְּקִיּוּמַיְיהוּ, וְאָזְלִין וְטָאסִין בְּעָלְמָא, נָחֲתִין וְאַזְהֲרָן לְב״נ, כָּל יוֹמָא וְיוֹמָא בִּלְחוֹדוֹי, וְכַד הַהוּא

יוֹמָא אָתֵי, וְאַזְהַר לֵיהּ, וּבַר נָשׁ עָבֵיד בְּהַהוּא יוֹמָא, וְחוֹבָא קַמֵּי מָארֵיהּ, הַהוּא יוֹמָא סָלֵיק בְּכִסּוּפָא, וְאַסְהֵיד סַהֲדוּתָא, וְקָאִים בִּלְחוֹדוֹי לְבַר.

רצז. וְתָאנָא, בָּתַר דְּקָאִים בִּלְחוֹדוֹי, יָתֵיב, עַד דְּהַדַר בַּר נָשׁ עָבֵיד מִנֵּיהּ תְּשׁוּבָה. זָכָה, תָּב הַהוּא יוֹמָא לְאַתְרֵיהּ. לָא זָכָה, הַהוּא יוֹמָא נָחֵית, וְאִשְׁתַּתַּף בְּהַהוּא רוּחָא דִּלְבַר, וְתָב לְבֵיתֵיהּ, וְאִתְתַּקַּן בִּדְיוֹקְנֵיהּ דְּהַהוּא בַּר נָשׁ מַמָּשׁ, בְּגִין לְאַבְאָשָׁא לֵיהּ, וְדַיֵּיר עִמֵּיהּ בְּבֵיתָא. וְאִית דְּדִיוּרָא לְטַב אִי הוּא זָכֵי. וְאִי לָאו, דִּיוּרֵיהּ עִמֵּיהּ לְבִישׁ.

רצח. בֵּין כָּךְ וּבֵין כָּךְ, אִתְפַּקְדָן אִינּוּן יוֹמִין וַחֲסֵרִים, וְלָא עָאלִין בְּמִנְיָינָא דְּאִינּוּן דְּאִשְׁתָּאֲרוּ. וַוי לְהַהוּא בַּר נָשׁ, דְּגָרַע יוֹמוֹי קַמֵּי מַלְכָּא קַדִּישָׁא, וְלָא שָׁבֵיק לְעֵילָּא יוֹמִין, לְאִתְעַטְּרָא בְּהוּ בְּהַהוּא עָלְמָא, וּלְאִתְקָרְבָא בַּהֲדַיְיהוּ קַמֵּי מַלְכָּא קַדִּישָׁא.

רצט. תָּא חֲזֵי, כַּד קְרֵיבוּ אִינּוּן יוֹמִין קַמֵּי מַלְכָּא קַדִּישָׁא, אִי הוּא זַכָּאָה, הַאי, בַּר נָשׁ דְּנָפֵיק מֵעָלְמָא, סָלֵיק וְעָאל בְּאִינּוּן יוֹמִין, וְאִינּוּן לְבוּשֵׁי יְקָר, דְּמִתְלַבְּשָׁא בֵּיהּ נִשְׁמָתֵיהּ. וְאִינּוּן יוֹמִין הֲווּ, דְּזָכָה בְּהוּ, וְלָא חָב בְּהוּ.

ש. וַוי לְהַהוּא דְּגָרַע יוֹמוֹי לְעֵילָּא, דְּכַד בָּעָאן לְאַלְבָּשָׁא לֵיהּ בְּיוֹמוֹי, אִינּוּן יוֹמִין דְּפָגִּים אִיהוּ בְּחוֹבוֹי, חָסְרִין מֵהַהוּא לְבוּשָׁא, וְאִתְלַבַּשׁ בְּמָנָא חֲסֵרָא. כ״ש אִי סַגִּיאִין אִינּוּן, וְלָא לֶהֱוֵי לֵיהּ לְב״נ בַּמֶּה דְּאִתְלַבַּשׁ בְּהַהוּא עָלְמָא, כְּדֵין וַוי לֵיהּ, וַוי לְנַפְשֵׁיהּ, דְּדַיְינִין לֵיהּ בַּגֵּיהִנֹּם, עַל אִינּוּן יוֹמִין, יוֹמִין עַל יוֹמִין, יוֹמִין עַל חַד תְּרֵין. דְּכַד נָפֵיק מֵהַאי עָלְמָא, לָא אַשְׁכַּח יוֹמִין דְּאִתְלַבַּשׁ בְּהוּ, וְלָא הֲוֵי לֵיהּ לְבוּשָׁא בַּמֶּה דְּאִתְכַּסֵּי. זַכָּאִין אִינּוּן צַדִּיקַיָּא, דְּיוֹמֵיהוֹן כֻּלְּהוֹן טְמִירִין אִינּוּן לְגַבֵּיהּ דְּמַלְכָּא קַדִּישָׁא, וְאִתְעֲבֵיד מִנַּיְיהוּ לְבוּשֵׁי יְקָר, לְאִתְלַבְּשָׁא בְּהוּ, בְּעָלְמָא דְּאָתֵי.

שא. תָּנֵינָן בְּרָזָא דְּמַתְנִיתִין, מַאי דִּכְתִיב, וַיֵּדְעוּ כִּי עֵרוּמִּים הֵם, יְדִיעָה יָדְעֵי מַמָּשׁ, דְּהַהוּא לְבוּשָׁא דִּיקָר, דְּאִתְעֲבֵיד מֵאִינּוּן יוֹמִין, גָּרַע מִנַּיְיהוּ, וְלָא אִשְׁתָּאַר יוֹמָא מֵאִינּוּן יוֹמִין לְאִתְלַבְּשָׁא בֵּיהּ. הה״ד גָּלְמִי רָאוּ עֵינֶיךָ וְעַל סִפְרְךָ כֻּלָּם יִכָּתֵבוּ. יָמִים יוּצָּרוּ. יָמִים יוּצָּרוּ וַדַּאי, וְלֹא אֶחָד בָּהֶם, דְּהָא לָא אִשְׁתָּאַר חַד מִנַּיְיהוּ לְאִתְלַבְּשָׁא בְּהוּ. עַד דְּאִשְׁתַּדַּל אָדָם, וְעָבַד תְּשׁוּבָה, וְקוּדְשָׁא בְּרִיךְ הוּא קַבֵּיל לֵיהּ, וְעָבֵיד לֵיהּ מָאנָא לְבוּשָׁא אָחֳרָנִין, וְלָא מִן יוֹמוֹי, הה״ד וַיַּעַשׂ ה׳ אֱלֹקִים לְאָדָם וּלְאִשְׁתּוֹ כָּתְנוֹת עוֹר וַיַּלְבִּשֵׁם.

שב. תָּא חֲזֵי, בְּאַבְרָהָם דְּזָכָה, מַה כְּתִיב בָּא בַּיָּמִים, מִשּׁוּם דְּזָכָה. כַּד אִסְתַּלַּק מֵהַאי עָלְמָא, בְּאִינּוּן יוֹמִין מַמָּשׁ דִּילֵיהּ, עָאל וְאִתְלַבַּשׁ בְּהוּ, וְלָא גָּרַע מֵהַהוּא לְבוּשׁ יְקָר כְּלוּם, דִּכְתִיב בָּא בַּיָּמִים. בְּאִיּוֹב מַה כְּתִיב, וַיֹּאמֶר עָרוֹם יָצָאתִי מִבֶּטֶן אִמִּי וְעָרוֹם אָשׁוּב שָׁמָּה, דְּהָא לָא אִשְׁתָּאַר לְבוּשָׁא לְאִתְלַבְּשָׁא בֵּיהּ.

שג. תָּנָא, זַכָּאִין אִינּוּן צַדִּיקַיָּא, דְּיוֹמֵיהוֹן זַכָּאִין, וְאִשְׁתָּאֲרוּ לְעָלְמָא דְּאָתֵי, וְכַד נָפְקִין, מִתְחַבְּרָן כֻּלְּהוּ, וְאִתְעֲבִידוּ לְבוּשֵׁי יְקָר, לְאִתְלַבְּשָׁא בֵּיהּ, וּבְהַהוּא לְבוּשָׁא, זָכָאן לְאִתְעַנְּגָא מֵעִנּוּגָא דְּעָלְמָא דְּאָתֵי, וּבְהַהוּא לְבוּשָׁא, זְמִינִין לְאַחֲיָיא וּלְמֵיקָם. וְכָל אִינּוּן דְּאִית לְהוּ לְבוּשָׁא יְקוּמוּן, הה״ד וְיִתְיַצְּבוּ כְּמוֹ לְבוּשׁ. וַוי לְאִינּוּן חַיָּיבֵי עָלְמָא, דְּיוֹמֵיהוֹן בְּחוֹבֵיהוֹן חַסְרִין, וְלָא אִשְׁתָּאַר מִנַּיְיהוּ, בַּמֶּה דְּאִתְכַּסְיָין, כַּד יִפְקוּן מֵעָלְמָא.

שד. תָּאנָא, כָּל אִינּוּן זַכָּאִין, דְּזָכוּ לְאִתְלַבְּשָׁא בִּלְבוּשׁ יְקָר בְּיוֹמֵיהוֹן, מִתְעַטְּרָן בְּהַהוּא עָלְמָא, מֵעִטּוּרֵי דְּמִתְעַטְּרֵי בְּהוּ אֲבָהָן, מֵהַהוּא נַחַל דְּנָגֵיד וְנָפֵיק לְגִנְּתָא דְּעֵדֶן, הה״ד וְנָחֲךָ ה׳ תָּמִיד וְהִשְׂבִּיעַ בְּצַחְצָחוֹת נַפְשֶׁךָ וגו׳. וְאִינּוּן חַיָּיבֵי עָלְמָא, דְּלָא זָכוּ לְאִתְלַבְּשָׁא בִּלְבוּשָׁא דְּיוֹמֵיהוֹן, עֲלַיְיהוּ כְּתִיב וְהָיָה כְּעַרְעָר בָּעֲרָבָה וְלֹא יִרְאֶה כִּי יָבֹא טוֹב וְשָׁכַן חֲרֵרִים

בְּמִדְבָּר.

שה. אָמַר רִבִּי יִצְחָק, זַכָּאָה חוּלָקֵיהּ דְּיַעֲקֹב, דִּרְחֲצָנוּ יַתִּיר הֲוָה לֵיהּ, דִּכְתִיב וְשָׁכַבְתִּי עִם אֲבוֹתַי. דְּאִזְכֵּי בְּהוּ וְלָא בְּאָחֳרָא. דְּאִזְכֵּי בְּהוּ, לְאִתְלַבְּשָׁא בְּיוֹמִין דִּילֵיהּ, וּבְיוֹמִין דִּלְהוֹן.

שו. רִבִּי יְהוּדָה אָמַר, כְּתִיב וַיָּרַח אֶת רֵיחַ בְּגָדָיו וַיְבָרְכֵהוּ. בְּגָדָיו. בִּגְדֵי עֵשָׂו מִבָּעֵי לֵיהּ. דְּהָא לָאו דִּידֵיהּ הֲווֹ, אֶלָּא דְּעֵשָׂו הֲווֹ הַנְהוּ בְּגָדִים, דִּכְתִיב וַתִּקַּח רִבְקָה אֶת בִּגְדֵי עֵשָׂו בְּנָהּ הַגָּדוֹל הַחֲמוּדוֹת, בִּגְדֵי עֵשָׂו כְּתִיב, וְהָכָא רֵיחַ בְּגָדָיו, דְּיַעֲקֹב מַשְׁמַע.

שז. אֶלָּא, הָכֵי אוֹקִימְנָא, וַיָּרַח: כְּלוֹמַר, אִסְתַּכַּל לְהָלְאָה, וְאָרַח רֵיחָא דִּלְבוּשׁוֹי דְּהַהוּא עַלְמָא, כְּדֵין בָּרְכֵיהּ. וְעַל דָּא כְּתִיב, רְאֵה רֵיחַ בְּנִי כְּרֵיחַ שָׂדֶה, דָּא הוּא חֲקַל דְּתַפּוּחִין קַדִּישִׁין, אָמַר, הוֹאִיל וְזָכִית בְּאִינּוּן לְבוּשֵׁי יְקָר, וְיִתֶּן לְךָ הָאֱלֹהִים מִטַּל הַשָּׁמַיִם, מַאי מַשְׁמַע, בְּגִין דְּבְהַהוּא חֲקַל דְּתַפּוּחִין קַדִּישִׁין, נָטִיל טַלָּא כָּל יוֹמָא, מֵהַהוּא אֲתַר דְּאִקְרֵי שָׁמַיִם, דִּכְתִיב מִטַּל הַשָּׁמַיִם.

שח. אָמַר רִבִּי יוֹסֵי, בְּכֹלָּא בָּרְכֵיהּ, מִטַּל הַשָּׁמַיִם וּמִשְׁמַנֵּי הָאָרֶץ. מ״ט, בְּגִין דְּוַיָּרַח אֶת רֵיחַ בְּגָדָיו. בְּגָדָיו מַמָּשׁ, כְּמָה דְּאוֹקִימְנָא. תָּנָא, אֶלֶף וַחֲמֵשׁ מֵאָה רֵיחִין, סָלְקִין בְּכָל יוֹמָא מִגּ״ע, דְּמִתְבַּסְּמֵי בְּהוּ אִינּוּן לְבוּשִׁין דִּיקָר דְּהַהוּא עַלְמָא, דְּמִתְעַטְּרָן מִן יוֹמוֹי דְּבַר נָשׁ.

שט. אָמַר רִבִּי יְהוּדָה, כַּמָּה לְבוּשִׁין אִינּוּן. אָמַר רִבִּי אֶלְעָזָר, טוּרֵי דְּעָלְמָא, עַל דָּא פְּלִיגוּ, אֲבָל תְּלָתָא אִינּוּן. חַד דְּמִתְלַבְּשֵׁי בְּהַהוּא לְבוּשָׁא, רוּחָא דִּבְגִנְּתָא דְּעֵדֶן דְּאַרְעָא. וְחַד יְקָרָא מִכֹּלָּא, דְּמִתְלַבְּשָׁא בֵּיהּ נִשְׁמְתָא בְּגוֹ צְרוֹרָא דְּחַיֵּי, בֵּין פּוֹרְפִּירָא דְּמַלְכָּא. וְחַד לְבוּשָׁא דִּלְבַר, דְּקָאִים וְלָא קָאִים, אִתְחֲזֵי וְלָא אִתְחֲזֵי, בְּהַאי מִתְלַבְּשָׁא בֵּיהּ נַפְשָׁא, וְאָזְלָא וְשָׁטָא בְּעַלְמָא.

שי. וּבְכָל רֵישׁ יַרְחֵי וְשַׁבַּתָּא, אָזְלַת וְאִתְקַשְּׁרַת בְּרוּחָא דִּבְגִנְּתָא דְּעֵדֶן דְּאַרְעָא, דְּקָיְימָא בֵּין פַּרְגּוֹדָא יַקִּירָא, וּמִנֵּיהּ אוֹלִיף וְיָדַע מַה דְּיָדַע, וְשָׁט וְאוֹדַע לֵיהּ בְּעַלְמָא.

שיא. תָּנָא, בִּתְרֵין קִשּׁוּרִין אִתְקַשַּׁר נַפְשָׁא, בְּכָל רֵישׁ יַרְחָא וְשַׁבַּתָּא, בְּקִשּׁוּרָא דְּרוּחָא, דִּי בֵּין רֵיחֵי בּוּסְמִין דִּבְגִנְּתָא דְּעֵדֶן דְּאַרְעָא, וּמִתַּמָּן אָזִיל וְשָׁאט, וְאִתְקַשַּׁר עִם רוּחָא בְּנִשְׁמְתָא דִּצְרִירָא בִּצְרוֹרָא דְּחַיֵּי, וּמִתְרַוְּיָא וּמִתְזָנַת מֵאִינּוּן זִיוִין יְקָרִין, דְּהַאי סִטְרָא, וְדְהַאי סִטְרָא, הה״ד וְנָחֲךָ ה׳ תָּמִיד תָּמִיד דַּיְיקָא.

שיב. וְהִשְׂבִּיעַ בְּצַחְצָחוֹת נַפְשֶׁךָ. מַהוּ בְּצַחְצָחוֹת. אֶלָּא צַחוּתָא חַד, כַּד אִתְקַשַּׁר בְּרוּחָא דִּבְגִנְּתָא דִּלְתַתָּא, צַחוּתָא דִּלְגוֹ מִן צַחוּתָא, כַּד מִתְקַשְּׁרָן בְּנִשְׁמְתָא דִּלְעֵילָא, בִּצְרוֹרָא דְּחַיֵּי, וְהַיְינוּ בְּצַחוּ חַד, צַחוּת תְּרֵין, דְּאִינּוּן לְעֵילָא לְעֵילָא, בִּיקִירוּ דְּנִשְׁמְתָא וַדַּאי, כְּלוֹמַר צַחְצָחוֹת, מַאן יָרְית דָּא, נַפְשֶׁךָ. נַפְשֶׁךָ מַמָּשׁ. זַכָּאָה חוּלָקֵיהוֹן דְּצַדִּיקַיָּיא.

שיג. אר״ש, כַּד אֲנָא בֵּין אִינּוּן חַבְרַיָּיא דְּבָבֶל, מִתְכַּנְּשֵׁי גַּבָּאי, וְאוֹלְפֵי מִלֵּי בְּאִתְגַּלְיָיא, וְאִינּוּן עַיְילֵי לוֹן בְּגוּשְׁפַּנְקָא דְּפַרְזְלָא תַּקִּיפָא, סְתִימָא מִכָּל סִטְרִין. כַּמָּה זִמְנִין אוֹלִיפְנָא לוֹן אָרְחוֹי דְּגִנְּתָא דְּמַלְכָּא, אוֹרְחוֹי דְּמַלְכָּא.

שיד. כַּמָּה זִמְנִין אוֹלִיפְנָא לוֹן, כָּל אִנּוּן דַּרְגִּין דְּצַדִּיקַיָּא, דִּבְהַהוּא עַלְמָא, וְכֻלְּהוּ מִסְתַּפֵּי לְמֵימַר מִלִּין אִלֵּין, אֶלָּא לָעָאן בְּגִמְגּוּמָא, בְּגִינֵי כָּךְ פְּסִילוּסִין אִקְרוּן, כְּהַהוּא פְּסִילוּתָא דִּמְגַמְגֵּם בְּפוּמֵיהּ.

שטו. אֲבָל לִזְכוּתָא דְּאִינְנָא לְהוּ, הוֹאִיל וּמִסְתְּפֵי, דְּהָא אֲוִירָא קַדִּישָׁא, וְרוּחָא קַדִּישָׁא, אִתְעֲדֵי מִנַּיְיהוּ, וְיָנְקֵי מֵאֲוִירָא וְרוּחָא דִּרְשׁוּתָא אָחֳרָא. וְלָא עוֹד אֶלָּא דְּקֶשֶׁת

אִתְחֲזֵי עֲלַיְיהוּ, וְלָאו אִינּוּן כְּדַאי לְמֶחֱמֵי סֵבֶר אַנְפּוֹי דְּאֵלִיָּהוּ, כָּל שֶׁכֵּן סֵבֶר אַנְפִּין אָחֳרָנִין.

שטז. אֲבָל דָּא מְהֵנְיָא לְהוּ, דַּאֲנָא שְׁכִיחַ בְּעַלְמָא וַאֲנָא סָמְכָא בְּעַלְמָא, דְּהָא בְּחַיַּי לָא יָתֵיב עַלְמָא בְּצַעֲרָא, וְלָא אִתְדָּן בְּדִינָא דִּלְעֵילָא, בַּתְרָאי לָא יָקוּם דָּרָא כְּדָרָא דָּא. וְזַמִּין עַלְמָא דְּלָא יִשְׁתַּכַּח מַאן דְּיָגֵין עֲלַיְיהוּ, וְכָל אַנְפִּין וְחַצִּיפִין יִשְׁתַּכְּחוּן בֵּין לְעֵילָא בֵּין לְתַתָּא, לְעֵילָא: בְּחוֹבַיְיהוּ דִּלְתַתָּא, וְחֲצִיפוּתָא דִּלְהוֹן.

שיז. וְזַמִּינִין בְּנֵי עַלְמָא, דִּצְווֹחִין, וְלֵית מַאן דְּיַשְׁגַּח עֲלַיְיהוּ, יְהַדְרוּן רֵישָׁא לְכָל סִטְרֵי עַלְמָא, וְלָא יְתוּבוּן בְּאַסְוָותָא. אֲבָל חַד אָסוּתָא אַשְׁכְּחָנָא לְהוּ בְּעַלְמָא, וְלָא יַתִּיר, בְּהַהוּא אֲתַר דְּיִשְׁתַּכְּחוּן אִינּוּן דְּלָעָאן בְּאוֹרַיְיתָא, וְאִשְׁתַּכַּח בֵּינַיְיהוּ סֵפֶר תּוֹרָה דְּלָא מִשְׁתַּקַּר בֵּיהּ, כַּד מַפְּקֵי הַאי, בְּגִינֵיהּ מִתְעָרֵי עִלָּאֵי וְתַתָּאֵי. וְכָל שֶׁכֵּן אִי אַכְתִּיב בֵּיהּ שְׁמָא קַדִּישָׁא כִּדְקָא חָזֵי, וְהָא אוֹלִיפְנָא מִלָּה.

שיח. וַוי לְדָרָא דְּאִתְגַּלְיָיא בֵּינַיְיהוּ סֵפֶר תּוֹרָה, וְלָא מִתְעָרֵי עֲלֵיהּ לְעֵילָא וְתַתָּא. מַאן אִתְעַר עֲלֵיהּ בְּשַׁעְתָּא דְּעַלְמָא בְּצַעֲרָא טְפֵי, וְאִצְטְרִיךְ עַלְמָא לְמִטְרָא, וְאִצְטְרִיךְ לְאַגְלָאָה סֵפֶר תּוֹרָה יַתִּיר בְּדוֹחֲקָא דְּעַלְמָא.

שיט. דְּכַד עַלְמָא בְּצַעֲרָא, וּבָעָאן בְּנֵי נָשָׁא רַחֲמִין עֲלֵי קִבְרֵי, כֻּלְּהוּ מֵתִין מִתְעָרִין עֲלֵיהּ, דְּהָא נַפְשָׁא אַקְדִּימַת וּמוֹדְעָא לְרוּחָא, דְּהָא ס"ת אִשְׁתַּכַּח בְּגָלוּתָא, דְּאִיגְּלֵי בְּדוֹחֲקָא דְּעַלְמָא, וְחַיָּיא אָתָאן וּבָעָאן רַחֲמֵי.

שכ. כְּדֵין רוּחָא מוֹדְעָא לְנִשְׁמָה, וְנִשְׁמָה לְקוּדְשָׁא בְּרִיךְ הוּא, וּכְדֵין קוּדְשָׁא בְּרִיךְ הוּא אִתְעַר, וְחָס עַל עַלְמָא, וְדָא עַל גָּלוּתָא דְּס"ת מֵאַתְרֵיהּ, וְחַיָּיא אָתִין לְמִבְעֵי רַחֲמֵי עַל קִבְרֵי מֵתַיָּיא. וַוי לְדָרָא, אִי אִצְטְרִיךְ ס"ת לְאַגְלָאָה לֵיהּ מֵאֲתַר לַאֲתַר, אֲפִילּוּ מִבֵּי כְּנִישְׁתָּא לְבֵי כְּנִישְׁתָּא, דְּהָא לָא אִשְׁתַּכַּח בֵּינַיְיהוּ עַל מַה יַשְׁגְּחוּן עֲלַיְיהוּ.

שכא. וְדָא לָא יָדְעִין כֻּלְּהוּ בְּנֵי נָשָׁא, דְּהָא שְׁכִינְתָּא כַּד אִתְגַּלְיָיא, גָּלוּתָא בַּתְרָאָה, עַד לָא תִסְתַּלַּק לְעֵילָא, מַה כְּתִיב מִי יִתְּנֵנִי בַמִּדְבָּר מְלוֹן אוֹרְחִים. לְבָתַר בְּזִמְנָא דְּדוֹחֲקָא אִשְׁתַּכַּח טְפֵי בְּעַלְמָא, תַּמָּן אִשְׁתַּכְחַת, וּבְגָלוּתָא דְּס"ת, תַּמָּן הִיא, וְכֻלָּא מִתְעָרִין עֲלֵיהּ, עִלָּאֵי וְתַתָּאֵי.

שכב. אָמַר רִבִּי שִׁמְעוֹן, אִי הַנֵּי בַּבְלָאֵי טִפְשָׁאֵי, יִנְדְּעוּן מִלִּין דְּרָזֵי דְּחָכְמְתָא, עַל מַה קָאִים עַלְמָא, וְסָמְכוֹי עַל מַה קָא מִתְרַגְּשָׁן, כַּד יִשְׁתַּכַּח בְּדוֹחֲקָא, יִנְדְּעוּן שִׁבְחָא דְּרַב יֵיבָא סָבָא. כַּד אִשְׁתַּכַּח בֵּינַיְיהוּ, וְלָא הֲווּ יָדְעֵי שִׁבְחֵיהּ. וְהָא אַשְׁכַּחְנָא מִלּוֹי מִתְקַשְּׁרָן בְּמִלּוֹי דִּשְׁלֹמֹה מַלְכָּא, בְּרָזָא עִלָּאָה דְּחָכְמְתָא, וְאִינּוּן לָא הֲווּ יָדְעֵי שִׁבְחֵיהּ.

שכג. וְהַשְׁתָּא אָזְלִין בָּתַר מִלֵּי דְּחָכְמְתָא, וְלֵית מַאן דְּקָאִים עֲלָהּ, וְלֵית מַאן דְּקָרֵי. וְעִם כָּל דָּא, אִית בֵּינַיְיהוּ פִּקְחִין בְּעִבּוּרָא דְּשַׁתָּא, וּבִקְבִיעוּתָא דְּיַרְחֵי, אע"ג דְּלָא אִתְיְיהִיב לְהוּ, וְלָא אִתְמְסַר בִּידַיְיהוּ.

שכד. תָּנֵינָן, תְּרֵיסַר יַרְחֵי, הַאי נֶפֶשׁ אִיהִי מִתְקַשְּׁרָא בְּגוּפָא בְּקִבְרָא, וְאִתְדָּנוּ בְּדִינָא כַּחֲדָא, בַּר הַהִיא נֶפֶשׁ דְּצַדִּיקַיָּיא, כְּמָה דְּאוֹקְמוּהָ, וְזַמִּינָא בְּקִבְרָא, וְיָדַע בְּצַעֲרָא דִּילֵיהּ, וּבְצַעֲרָא דְּחַיֵּי יָדַע, וְלָא אִשְׁתַּדַּלַת עֲלַיְיהוּ.

שכה. וּלְבָתַר תְּרֵיסַר יַרְחֵי, אִתְלַבַּשׁ בִּלְבוּשָׁא חַד, וְאָזֵיל וְשָׁאט בְּעַלְמָא, וְיָדַע מִן רוּחָא מַה דְּיָדַע, וְאִשְׁתַּדַּל צַעֲרָא לְעַלְמָא, וּלְמִבְעֵי רַחֲמֵי. וּלְמִנְדַּע צַעֲרָא דְּחַיֵּי.

שכו. וּמַאן אִתְעַר לְכָל הַאי, בְּזִמְנָא דְּאִית זַכָּאָה, דְּאוֹדַע לְהוּ כִּדְקָא יָאוּת, וְהַהוּא

זַכָּאָה אִשְׁתְּמוֹדַע בֵּינַיְיהוּ. דְּתַנְיָא, זַכָּאָה כַּד אִשְׁתָּאַר בְּעָלְמָא, בֵּין חַיָּיא, וּבֵין מֵיתַיָּא אִשְׁתְּמוֹדַע, דְּהָא כָּל יוֹמָא מַכְרְזֵי עֲלֵיהּ בֵּינַיְיהוּ, וְכַד צַעֲרָא טָפֵי בְּעָלְמָא, וְהוּא לָא יָכֵיל לְאַגָּנָא עַל דָּרָא, הוּא אוֹדַע לְהוּ צַעֲרָא דְעָלְמָא.

שכז. וְכַד לָא אִשְׁתַּכַּח זַכָּאָה דְּמַכְרְזֵי עֲלֵיהּ בֵּינַיְיהוּ, וְלָא אִשְׁתַּכַּח מַאן דְּאִתְעַר לְהוּ בְּצַעֲרָא דְעָלְמָא, אֶלָּא ס"ת. כְּדֵין עִלָּאֵי וְתַתָּאֵי מִתְעָרִין עֲלֵיהּ, וּצְרִיכִין כֻּלָּא דְיִשְׁתַּכְּחוּן בְּהַהִיא זִמְנָא בִּתְשׁוּבָה, וְאִי לָא מִשְׁתַּכְּחֵי, הָא מָארֵי דְדִינָא אִתְעָרוּן עֲלַיְיהוּ, וַאֲפִילּוּ רוּחַ דְּגִנְתָּא דְעֵדֶן, מִתְעָרִין עֲלַיְיהוּ, בְּגִינֵיהּ דְסֵפֶר תּוֹרָה, כְּדְאִתְּמַר.

שכח. תָּאנָא, וְשָׁכַבְתִּי עִם אֲבוֹתַי: בְּגוּפָא, בְּנַפְשָׁא, בְּרוּחָא, בְּנִשְׁמָתָא, בִּרְתִיכָא וְדַרְגָּא, בְּדַרְגָּא עִלָּאָה. א"ר יְהוּדָה, כַּמָּה אֲטִימִין מִכֹּלָּא בְּנֵי עָלְמָא, דְּלָא יָדְעֵי, וְלָא מַשְׁגִּיחֵי, וְלָא שָׁמְעֵי, וְלָא מִסְתַּכְּלֵי בְּמִלֵּי דְעָלְמָא. וְהֵיךְ קוּדְשָׁא בְּרִיךְ הוּא מִשְׁתַּכַּח עֲלַיְיהוּ בְּרַחֲמִין, בְּכָל זִמְנָא וְעִידָן, וְלֵית מַאן דְיַשְׁגַּח.

שכט. תְּלַת זִמְנִין בְּיוֹמָא, עָאל רוּחָא וְחָדָא בִּמְעַרְתָּא דְכַפֶּלְתָּא, וְנָשֵׁיב בְּקִבְרֵי אֲבָהָתָא, וְאִתַּסְיָין כָּל גַּרְמִין, וְקַיְימֵי בְּקִיּוּמָא, וְהַהוּא רוּחָא נָגִיד טַלָּא מִלְעֵילָא, מֵרֵישָׁא דְמַלְכָּא, אֲתַר דְמִשְׁתַּכְּחֵי אֲבָהָן עִלָּאֵי. וְכַד מָטֵי הַהוּא טַלָּא מִנַּיְיהוּ, מִתְעָרִין אֲבָהָן דִּלְתַתָּא.

של. וְתָאנָא, נָחֵית הַהוּא טַלָּא בְּדַרְגִּין יְדִיעָן, דַּרְגָּא בָּתַר דַּרְגָּא, וּמָטֵי לְגַן עֵדֶן דִּלְתַתָּא. וּמֵהַהוּא טַלָּא, אִתַּסְחוּ בְּבוּסְמִין דְּגִנְתָּא דְעֵדֶן, וְאִתְעַר רוּחָא וְחָדָא, דְּכָלֵיל בִּתְרֵין אוּחֲרָנִין וְסָלֵיק וְשָׁאט בֵּינֵי בּוּסְמִין, וְעָיֵיל בְּפִתְחָא דִמְעַרְתָּא, כְּדֵין מִתְעָרִין אֲבָהָן, אִינוּן וְזִיווּגָן, וּבָעָאן רַחֲמֵי עַל בְּנוֹי.

שלא. וְכַד אִשְׁתַּכַּח עָלְמָא בְּצַעֲרָא, בְּגִין דְּאִינוּן דְּמִיכִין עַל חוֹבֵי עָלְמָא, וְהַהוּא טַלָּא לָא אִתְנְגִיד, וְלָא אִשְׁתַּכַּח, עַד דְּאִתְעַר ס"ת, כְּדֵקָא חָזֵי בְּעָלְמָא, וְנַפְשָׁא אוֹדְעָא לְרוּחָא, וְרוּחָא לְנִשְׁמָתָא, וְנִשְׁמָתָא לְקוּדְשָׁא בְּרִיךְ הוּא, כְּדֵין, יָתֵיב מַלְכָּא בְּכֻרְסְיָיא דְרַחֲמֵי, וְנָגִיד מֵעַתִּיקָא קַדִּישָׁא עִלָּאָה, נְגִידוּ דְטַלָּא דְבְדוּלְחָא, וּמָטֵי לְרֵישָׁא דְמַלְכָּא, וּמִתְבָּרְכִין אֲבָהָן, וְנָגִיד הַהוּא טַלָּא, לְאִינוּן דְּמִיכִין, וּכְדֵין מִתְחַבְּרָן כֻּלְּהוּ, וְחָיֵיס קוּדְשָׁא בְּרִיךְ הוּא עַל עָלְמָא. וְתָאנָא, לָא חָיֵיס קוּדְשָׁא ב"ה עַל עָלְמָא, עַד דְּאוֹדַע לַאֲבָהָן וּבְגִינַיְיהוּ עָלְמָא אִתְבָּרְכָא. א"ר יוֹסֵי, וַדַּאי הָכֵי הוּא, וְהָא אַשְׁכַּחְנָא מִלֵּי בְּסִפְרָא דִשְׁלֹמֹה מַלְכָּא, הַהוּא עִלָּאָה, דְּקָרָא לֵיהּ עֵיטָא דְחָכְמְתָא דְכֹלָּא.

שלב. וְרַב הַמְנוּנָא, הָכֵי גַּלֵּי וַאֲמַר, דְּהָא אַחְזְיוּ לֵיהּ, דְּיַתִּיר עֲבִידַת רָחֵל, דְּקַיְימָא בְּפָרָשַׁת אוּרְחִין, בְּכָל זִמְנָא דְאִצְטְרִיךְ עָלְמָא, מִכֻּלְּהוּ, וְרָזָא דְמִלָּה, אָרוֹן וְכַפֹּרֶת וּכְרוּבִים, בְּחוּלְקָא דְבִנְיָמִן, דְּאִתְיְלֵיד בְּאוֹרְחָא, וּשְׁכִינְתָּא עַל כֹּלָּא.

שלג. וַיִּשְׁתַּחוּ יִשְׂרָאֵל עַל רֹאשׁ הַמִּטָּה, מַאן רֹאשׁ הַמִּטָּה. דָּא שְׁכִינְתָּא. אר"ש, וְח"ו. אֶלָּא לְדִידֵיהּ כָּרַע וְסָגֵיד. תָּא חֲזֵי, מִטָּה: דָּא שְׁכִינְתָּא. דִּכְתִיב הִנֵּה מִטָּתוֹ שֶׁלִּשְׁלֹמֹה. רֹאשׁ הַמִּטָּה מַאן הוּא. דָּא יְסוֹדָא דְעָלְמָא, דְּהוּא רֵישָׁא דְעַרְסָא קַדִּישָׁא. עַל רֹאשׁ: דָּא יִשְׂרָאֵל, דְּקָאִים עַל רֹאשׁ הַמִּטָּה, בְּגִינֵי כָּךְ, יִשְׂרָאֵל לְדִידֵיהּ קָא סָגֵיד.

שלד. וְאִי תֵימָא, הָא בְּהַהוּא זִמְנָא, לָא הֲוָה מָרַע, דְּהָא לְבָתַר כְּתִיב, וַיְהִי אַחֲרֵי הַדְּבָרִים הָאֵלֶּה וַיֹּאמֶר לְיוֹסֵף הִנֵּה אָבִיךָ חוֹלֶה, וּבְשַׁעְתָּא דְסָגֵיד, לָא הֲוָה חוֹלֶה, וְעַל דְּיָדַע, דְּהָא בְּהַהוּא זִמְנָא, סָלֵיק בְּדַרְגָּא עִלָּאָה קַדִּישָׁא כֻּרְסְיָיא שְׁלֵימָתָא, בְּגִינֵי כָּךְ סָגֵיד לְהַהוּא רְתִיכָא, כֻּרְסְיָיא עִלָּאָה, שְׁלִימוּ דְאִילָנָא רַבְרְבָא וְתַקִּיף, דְּאִקְרֵי עַל שְׁמֵיהּ. וְעַל דָּא, וַיִּשְׁתַּחוּ יִשְׂרָאֵל עַל רֹאשׁ הַמִּטָּה וַדַּאי, דְּהָא אִסְתַּלַּק לְאַתְרֵיהּ

וְאִתְעַטַּר בְּעִטְרוֹי דְּמַלְכָּא קַדִּישָׁא.

שלה. וַיֹּאמֶר הִשָּׁבְעָה לִי וַיִּשָּׁבַע לוֹ וַיִּשְׁתַּחוּ יִשְׂרָאֵל עַל רֹאשׁ הַמִּטָּה, רִבִּי חִיָּיא פָּתַח וְאָמַר, כָּל זֹה נִסִּיתִי בַחָכְמָה אָמַרְתִּי אֶחְכָּמָה וְהִיא רְחוֹקָה מִמֶּנִּי. הָא תָּנֵינָן, שְׁלֹמֹה מַלְכָּא, יָרִית סִיהֲרָא מִכָּל סִטְרוֹי, וּבְיוֹמוֹי קַיְּימָא בִּשְׁלֵימוּתָא, הַהִיא סִיהֲרָא דְּאִתְבָּרְכָא מִכֹּלָּא, וְכַד בָּעָא לְמֵיקָם עַל נִימוּסֵי אוֹרַיְיתָא, אָמַר אָמַרְתִּי אֶחְכָּמָה וְגוֹ'.

שלו. אָמַר רִבִּי יְהוּדָה, יַעֲקֹב אָמַר, וְשָׁכַבְתִּי עִם אֲבוֹתַי וּנְשָׂאתַנִי מִמִּצְרַיִם וּקְבַרְתַּנִי בִּקְבוּרָתָם, תַּמָּן תָּנֵינָן, מַאן דְּנָפַק נִשְׁמָתֵיהּ, בִּרְשׁוּתָא אָחֳרָא, וְגוּפָא דִּילֵיהּ אִתְקַבַּר בְּאַרְעָא קַדִּישָׁא, עֲלֵיהּ כְּתִיב וַתָּבֹאוּ וַתְּטַמְּאוּ אֶת אַרְצִי וְנַחֲלָתִי שַׂמְתֶּם לְתוֹעֵבָה, וְיַעֲקֹב אָמַר וּקְבַרְתַּנִי בִּקְבוּרָתָם, וְנִשְׁמָתֵיהּ נָפְקָא בִּרְשׁוּתָא אָחֳרָא.

שלז. א"ר יְהוּדָה, שָׁאנֵי יַעֲקֹב, דִּשְׁכִינְתָּא הֲוַת אֲחִידַת בֵּיהּ, וְאִתְדַּבְקַת בֵּיהּ, הה"ד אָנֹכִי אֵרֵד עִמְּךָ מִצְרַיְמָה, לְדַיְּירָא עִמָּךְ בְּגָלוּתָא. וְאָנֹכִי אַעַלְךָ גַּם עָלֹה, לְאִזְדַּוְּוגָא בֵּי נִשְׁמָתָךְ, וּלְאִתְקַבְּרָא גּוּפָךְ בְּקִבְרֵי אֲבָהָתָךְ, מַאי קָא מַיְירֵי, אע"ג דְּקָא נָפְקַת נִשְׁמָתֵיהּ בִּרְשׁוּתָא אָחֳרָא.

שלח. וְיוֹסֵף יָשִׁית יָדוֹ עַל עֵינֶיךָ, יוֹסֵף וַדַּאי, דְּהָא הוּא בּוּכְרָא דְּהִרְהוּרָא דְּלִבָּא, בּוּכְרָא דְּטִפָּה קַדְמָאָה הֲוַת, כְּדְאִתְּמַר. וּבְגִין דְּיָדַע קוּדְשָׁא בְּרִיךְ הוּא טְמִירָא דָּא, אִתְבַּשַּׂר לֵיהּ בְּיוֹסֵף, דְּהָא כָּל רְחִימוּתָא בֵּיהּ תַּלְיָא.

שלט. יָשִׁית יָדוֹ עַל עֵינֶיךָ, מַאי קָא מַיְירֵי. א"ר יֵיסָא, בְּגִין יְקָרָא דְּיַעֲקֹב, וּלְאִתְבַּשְּׂרָא דְּהָא יוֹסֵף קַיָּים, וְיִשְׁתַּכַּח עֲלֵיהּ בְּמִיתָתֵיהּ. רִבִּי חִזְקִיָּה אָמַר, מִלָּה אוֹלִיפְנָא, וְדַחֵילְנָא לְגַלָּאָה, וּבְעוֹבָדֵי עָלְמָא חָכְמְתָא אִשְׁתַּכַּח. אָתָא רִבִּי אַבָּא, בָּטַשׁ בֵּיהּ, אֲמַר אֵימָא מִילָּךְ, חֲזֵין זַיְינָךְ, בְּיוֹמוֹי דְּרִבִּי שִׁמְעוֹן מִלִּין אִתְגַּלְיָין.

שמ. אָמַר, אוֹלִיפְנָא מִפִּרְקִין דְּרַב יֵיסָא סָבָא, בְּנִמּוּסֵי עָלְמָא, בַּר נָשׁ דְּזָכֵי לְבַר בְּהַאי עָלְמָא, לִיבָעֵי לֵיהּ לְנַגְּדָא עַפְרָא עַל עֵינוֹי כַּד אִתְקַבַּר, וְדָא הוּא יְקָרָא דִּילֵיהּ, לְאַחֲזָאָה דְּעָלְמָא אַסְתִּים מִנֵּיהּ, וְהוּא יָרִית לֵיהּ לְעָלְמָא תְּחוֹתוֹי.

שמא. בְּגִין דְּעֵינוֹי דְּבַר נָשׁ, חֵיזוּ דְּעָלְמָא בֵּיהּ אִתְחֲזֵי, וְכָל גַּוְונִין הָכֵי אִינּוּן דְּאַסְחָרוּ, חִוְּורָא דְּבֵיהּ, הוּא יַמָּא רַבָּא אוֹקְיָנוּס, דְּאַסְחַר כָּל עָלְמָא בְּכָל סִטְרֵי, גַּוְונָא אָחֳרָא הוּא יַבֶּשְׁתָּא, דְּאַפִּיקוּ מַיָּא, וְיַבֶּשְׁתָּא קָאִים בֵּין מַיָּא, הָכֵי הוּא גַּוְונָא בֵּין מַיָּא.

שמב. גַּוְונָא אָחֳרָא תְּלִיתָאָה, הִיא בְּמְצִיעוּתָא דְּבֵיהּ, דָּא יְרוּשָׁלַיִם, דְּהִיא אֶמְצָעוּתָא דְּעָלְמָא. גַּוְונָא רְבִיעָאָה, הִיא חֵיזוּ דְּכָל עֵינָא, וְאִקְרֵי בַּת עַיִן, דִּבְהַהוּא בַּת עַיִן, אִתְחֲזֵי פַּרְצוּפָא, וְחֵיזוּ יְקָרָא מִכֹּלָּא דָּא צִיּוֹן, דְּאִיהִי נְקוּדָה אֶמְצָעוּתָא מִכֹּלָּא, דְּחֵיזוּ דְּכָל עָלְמָא תַּמָּן אִתְחֲזֵי, וְתַמָּן שַׁרְיָא שְׁכִינְתָּא, דְּהִיא שַׁפִּירוּ דְּכֹלָּא, וְחֵיזוּ דְּכֹלָּא, וְעֵינָא דָּא הוּא יְרוּתַת עָלְמָא. וּבְגִינֵי כָּךְ, הַאי שָׁבִיק לֵיהּ, וְהַאי נָטִיל לֵיהּ, וְיָרִית לֵיהּ.

שמג. א"ל שַׁפִּיר קָאֲמַרְתְּ, אֲבָל מִלָּה סְתִימָא אִיהוּ יַתִּיר, וּבְנֵי עָלְמָא לָא יָדְעִין, וְלָא מִסְתַּכְּלָן, דְּהָא בְּשַׁעְתָּא דְּבַר נָשׁ נָפִיק מֵעָלְמָא. נַפְשָׁא דִּילֵיהּ טְמִירָא עִמֵּיהּ, וְעַד לָא נָפְקַת, עֵינוֹי דְּב"נ חָמוּ מַה דְּחָמוּ, כְּמָה דְּאוֹקִימְנָא דִּכְתִיב כִּי לֹא יִרְאַנִי הָאָדָם וָחָי. בְּחַיֵּיהוֹן לָא חָמָאן, אֲבָל בְּמִיתַתְהוֹן חָמָאן.

שמד. וְעֵינוֹי פְּקִיחָן מֵהַהוּא חֵיזוּ דְּחָמָא, וְאִינּוּן דְּקַיְימִין עֲלֵיהּ, בָּעָא לְשַׁוָּאָה יְדָא עַל עֵינוֹי, וּלְאַסְתָּמָא עֵינוֹי, בְּגִין הַהוּא דְּאוֹלִיפְנָא בְּרָזָא דְּנִמּוּסֵי עָלְמָא, דִּבְשַׁעְתָּא דְּאִשְׁתָּאֲרוּ עֵינוֹי פְּקִיחָן, מֵהַהוּא חֵיזוּ יַקִּירָא דְּחָמָא, אִי זָכֵי לְבַר, בְּרָא קָדִים לְשַׁוָּאָה יְדֵיהּ עַל עֵינוֹי

וּלְאַסְתָּמָא לוֹן, כְּמָה דִּכְתִּיב וְיוֹסֵף יָשִׁית יָדוֹ עַל עֵינֶיךָ. בְּגִין, דְּהָא חֵיזוּ אָחֳרָא דְּלָא קַדִּישָׁא אִזְדַּמְּנַת לְקַבְלֵיהּ, וְעֵינָא דְּחָמָא הַשְׁתָּא חֵיזוּ קַדִּישָׁא עִלָּאָה, לָא יִסְתַּכַּל בְּחֵיזוּ אָחֳרָא.

שמה. וְעוֹד, דְּהַהוּא נֶפֶשׁ סְמִיכַת לְקַבְלֵיהּ בְּבֵיתָא, וְאִי אִשְׁתָּאַר עֵינָא פְּקִיחָא, וְהַהוּא חֵיזוּ אָחֳרָא יִשְׁרֵי עַל עֵינוֹי, בְּכָל מַה דְּאִסְתַּכַּל אִתְלַטְיָא, וְלָאו יְקָרָא דְּעֵינָא הוּא, וְכָל שֶׁכֵּן מִקְּרִיבוֹי, וְכָל שֶׁכֵּן מִן מִיתָא, דְּלָאו יְקָרָא דִּילֵיהּ לְאִסְתַּכְּלָא בַּמֶּה דְּלָא אִצְטְרִיךְ, וּלְאַשְׁרַיָא עַל עֵינוֹי מִלָּה אָחֳרָא, לְבָתַר אִתְכַּסְיָא בְּעַפְרָא, וְהָא אִתְעָרוּ חַבְרַיָא עַל דִּינָא דְּקִבְרָא מַהוּ. וִיקָרָא הוּא, דְּיִסְתְּיֵים עֵינָא מִן כֹּלָּא, עַל יְדָא דִּבְרֵיהּ דְּשָׁבַק בְּעָלְמָא.

שמו. תָּא חֲזֵי, כָּל שִׁבְעָה יוֹמִין, נַפְשָׁא אָזְלָא מִבֵּיתָא לְקִבְרָא, וּמִקִּבְרָא לְבֵיתָא, וְאִתְאַבְּלַת עֲלֵיהּ, וּתְלַת זִמְנִין בְּיוֹמָא, אִתְדָּנוּ כַּחֲדָא נַפְשָׁא וְגוּפָא, וְלֵית מַאן דְּיָדַע בְּעָלְמָא, וְיַשְׁגַּח לְאַתְעָרָא לִבָּא.

שמז. לְבָתַר, גּוּפָא אִתְטְרִיד, וְנַפְשָׁא אָזְלָא וְאִסְתַּחְיָא בְּגֵיהִנָּם, וְנָפְקָא וְשָׁטָא בְּעָלְמָא, וּמְבַקְּרָא לְקִבְרֵיהּ, עַד דְּמִתְלַבְּשָׁא בַּמֶּה דְּאִתְלַבְּשָׁא.

שמח. לְבָתַר תְּרֵיסַר יַרְחֵי, נַיְיחִין כֹּלָּא, גּוּפָא שָׁבִיךְ בְּעַפְרָא. נַפְשָׁא אִתְצְרִיר וְאִתְנְהִיר בְּרוּחָא, בְּמָאנָא דְּאִתְלַבֵּשׁ. רוּחָא אִתְעַנַּג בְּגִנְתָּא דְּעֵדֶן. נִשְׁמָתָא סָלְקָא לִצְרוֹרָא דְּעִנּוּגָא דְּכָל עִנּוּגִין. וְכֹלָּא אִתְקַשַּׁר דָּא בְּדָא לִזְמַנִּין יְדִיעָן.

שמט. תָּא חֲזֵי, וַוי לוֹן לִבְנֵי נָשָׁא, דְּלָא מִסְתַּכְּלִין, וְלָא יָדְעִין, וְלָא אִשְׁתְּמוֹדְעָן, עַל מַה קָיְימֵי, וְיִתְנְשֵׁי מִנַּיְיהוּ, לְמֶעְבַּד פִּקּוּדֵי אוֹרַיְיתָא. דְּאִית פִּקּוּדֵי אוֹרַיְיתָא, דְּעָבְדֵי לְבוּשׁ יְקָר לְעֵילָּא, וְאִית פִּקּוּדֵי אוֹרַיְיתָא, דְּעָבְדֵי לְבוּשׁ יְקָר לְתַתָּא, וְאִית פִּקּוּדֵי אוֹרַיְיתָא, דְּעָבְדֵי לְבוּשֵׁי יְקָר לְהַאי עָלְמָא, וְכֹלָּא אִצְטְרִיכָן לֵיהּ לב"נ, וּמִן יוֹמוֹי מַמָּשׁ, כֻּלְּהוּ מִתְתַּקְּנָן, כְּמָה דְּאוֹקִימְנָא.

שנ. רִבִּי יְהוּדָה סָבָא, אִתְרְגִּישׁ בְּדַעְתֵּיהּ יוֹמָא חַד, וְאַחֲזוּ לֵיהּ בְּחֶלְמֵיהּ, חַד דְּיוֹקְנָא מִנְּהוֹרָא דִּילֵיהּ, תַּקִּיף, דְּאִזְדַּהַר לְאַרְבַּע סִטְרִין, א"ל מַאי הַאי. א"ל, לְבוּשָׁא דִּילָךְ הוּא, לְדִיּוּרָא דְּהָכָא, וּמֵהַהוּא יוֹמָא הֲוָה חָדֵי.

שנא. א"ר יְהוּדָה, כָּל יוֹמָא וְיוֹמָא, רוּחִין דְּצַדִּיקַיָּיא יָתְבִין בִּלְבוּשַׁיְיהוּ, שׁוּרִין שׁוּרִין בְּגִנְתָּא דְּעֵדֶן, וּמְשַׁבְּחָן לְקוּדְשָׁא בְּרִיךְ הוּא, בִּיקָרָא עִלָּאָה, הה"ד אַךְ צַדִּיקִים יוֹדוּ לִשְׁמֶךָ יֵשְׁבוּ יְשָׁרִים אֶת פָּנֶיךָ. א"ר אַבָּא, בְּקַדְמֵיתָא מַה כְּתִיב וַיִּשְׁתַּחוּ יִשְׂרָאֵל וגו', כְּמָה דְּאוֹקִימְנָא, מַאן מִטָּה, דָּא כ"י. רֹאשׁ הַמִּטָּה: דָּא צַדִּיק. עַל רֹאשׁ הַמִּטָּה: דָּא מַלְכָּא קַדִּישָׁא, דִּשְׁלָמָא כֹּלָּה דִּילֵיהּ, כְּמָה דִּכְתִּיב הִנֵּה מִטָּתוֹ שֶׁלִּשְׁלֹמֹה. דְּיַעֲקֹב לְדִידֵיהּ קָא סָגִיד, לְהַהוּא דְּקָאִים עַל רֹאשׁ הַמִּטָּה, יִשְׂרָאֵל שְׁמֵיהּ, בְּגִינֵי כָּךְ, וַיִּשְׁתַּחוּ יִשְׂרָאֵל עַל רֹאשׁ הַמִּטָּה.

שנב. לְבָתַר, כֵּיוָן דְּיָדַע יַעֲקֹב, דְּהָא בְּדַרְגָּא עִלָּאָה אִשְׁתְּלִים, וְדַרְגָּא דִּילֵיהּ הוּא לְעֵילָּא עִם אֲבָהָתָא, וְהוּא בִּלְחוּדוֹי תִּקּוּנָא שְׁלִימָתָא, אַחְסִין לִבֵּיהּ, וְחָדֵי וְאִתְתַּקַּף בִּרְעוּתָא עִלָּאָה דְּקוּדְשָׁא בְּרִיךְ הוּא בֵּיהּ, מַה כְּתִיב בֵּיהּ וַיִּתְחַזֵּק יִשְׂרָאֵל וַיֵּשֶׁב עַל הַמִּטָּה, עַל הַמִּטָּה מַמָּשׁ, דְּהָא בְּדַרְגָּא עִלָּאָה יַתִּיר אִשְׁתְּלִים, זַכָּאָה חוּלָקֵיהּ.

שנג. תָּאנָא, אָמַר ר' יְהוּדָה, בְּמַתְנִיתָא דִּילָן אוֹקִימְנָא, הָא דִּתְנִינָן בְּאַרְבָּעָה פְּרָקִים בַּשָּׁנָה הָעוֹלָם נִדּוֹן, בַּפֶּסַח עַל הַתְּבוּאָה, בַּעֲצֶרֶת עַל פֵּירוֹת הָאִילָן, בְּרֹאשׁ הַשָּׁנָה כָּל בָּאֵי הָעוֹלָם עוֹבְרִים לְפָנָיו כִּבְנֵי מָרוֹן, וּבֶחָג נִדּוֹנִין עַל הַמַּיִם, הָא אוֹקִימְנָא מִלֵּי, וְרָזָא דְּמַתְנִיתָא

אוקימנא, בפסח על התבואה וכו', לקביל רתיכא עלאה, רזא דאבהן, ודוד מלכא. בפסח על התבואה, דהכי הוא ממש, והא אוקימנא מלה דא, על מה אתייא מצה בפסח, והא דינא הוא, דינא דמלכותא דינא, ודא שירותא, דשריאו ישראל למיעל בחולקא קדישא דקודשא בריך הוא, ולבערא מנייהו חמץ, דאיהו טעון אחרנין, די ממנן על עמין עכו"ם, דאקרון אלהים אחרים, אלהי נכר, ואקרון חמץ, יצר הרע, ולמיעל במצה, חולקא קדישא דקודשא בריך הוא. בגין כך, בפסח נדונין על התבואה, ואוקימנא דעלמא אתדן על דינא דה"א.

שנד. בעצרת על פירות האילן. פירות האילן, פירות האילנות מבעי ליה, מאן פירות האילן. אלא, דא הוא אילנא רברבא ותקיף לעילא. פירות האילן, כמה דכתיב, אני כברוש רענן ממני פריך נמצא.

שנה. בראש השנה עוברין לפניו כבני מרון, תנא ראש השנה, דא הוא רישא דשתא דמלכא, ומאן הוא ראש השנה, דא יצחק, דאקרי ראש, דאיהו חד רישא דמלכא, אתר דאקרי שנה, בגיני כך כל באי עולם עוברין לפניו כבני מרון, ועל דא תנינן, בראש השנה, דהא ברישא דשתא שארי יצחק.

שנו. ובחג נדונין על המים, דא הוא שירותא דימינא דמלכא, ועל דא חדוותא דמיא אשתכח בכלא, בשעתא דנסכי מיא, ושאבי לון, בגין דמים דא ידיעא. ועל דא בארבעה פרקים אלין, כלא משתכחין.

שנז. אמר רבי יוסי, כד יסתכלון מלי, כלא אשתכח בהני פרקין, אברהם יצחק ויעקב, דוד מלכא, ובהני עלמא אתדן, ובארבע פרקין בני נשא אתדנו, ביומין דאשתכחו בעלמא, ובכל יומא ויומא, ספרין פתיחן, ועובדין כתיבין, ולית מאן דישגח, ולית מאן דירכין אודניה, ואורייתא אסהידת ביה בכל יומא, וקלא קרי בחילא, מי פתי יסור הנה חסר לב אמרה לו, ולית מאן דיציית לקליה.

שמח. תאנא בשעתא דבר נש קאים בצפרא, סהדין קיימין לקבליה, וסהדין ביה, והוא לא אשגח. נשמתא אסהידת עליה, בכל עדן, ובכל שעתא, אי אציית יאות, ואי לאו, הא ספרין פתיחן, ועובדין כתיבין. אמר ר' חייא, זכאין אינון צדיקייא, דלא מסתפו מן דינא, לא בעלמא דין, ולא בעלמא דאתי, הה"ד וצדיקים ככפיר יבטח. וכתיב צדיקים יירשו ארץ.

שנט. רבי חזקיה פתח ואמר ויהי השמש לבא ותרדמה נפלה על אברם וגו', האי קרא אוקמוה, אבל דא יומא דדינא קשיא, דאפקי ליה לב"נ מהאי עלמא. דתניא, זמנא דמטא, דבר נש נפיק מהאי עלמא, ההוא זמנא יומא דדינא רבא, דאתחשך שמשא מן סיהרא, כמה דכתיב, עד אשר לא תחשך השמש, דא נשמתא קדישא, דאתמנעת מבר נש, תלתין יומין, עד לא יפוק מעלמא, וחמא דצולמא דאתמנעת מניה ולא אתחזי.

שס. מאי טעמא אתמנעת מניה. בגין דנשמתא קדישא סלקת, ואתעברת מניה, ולא אתחזי. דלא תימא, דכד מית בר נש ואתחלש, האי נשמתא אתעברת מניה, אלא כד איהו בחייו, בתוקפיה, אתעברת מניה האי נשמתא, ולא נהרא לרוחא, ורוחא לא נהיר לנפשא, כדין צולמא אתעברת מניה, ולא נהיר ליה. מההוא יומא, כלא מכרזי עליה, ואפילו צפרי שמיא. מאי טעמא. בגין דנשמתא הא סלקא מניה, ורוחא לא נהיר לנפשא, כדין נפשא אתחלשת, ומיכלא וכל תיאובתא דגופא, סלקא מניה ואתעבר.

שסא. ואמר רבי יהודה, ואפילו כל זמנא דנפיל איניש בבי מרעיה, ולא יכיל לצלאה,

נשמתא אתעברת וסלקא מניה, וכדין לא נהיר רוחא לנפשא, עד דדיינין דיניה דבר נש. ואי דיינין ליה לבר נש לטב, כדין נשמתא אתהדרת לאתרה, ונהירא לכלא. הא בזמנא דקיימא מלה בדינא. ובזמנא דלא קיימא מלה בדינא, תלתין יומין אקדימת נשמתא לכלא, וצולמא אתעבר מניה.

שסב. תאנא, בזמנא דדיינין ליה לבר נש לעילא, סלקין לנשמתיה לבי דינא, ודיינין על מימרהא, והיא אסהידת בכלא, ואסהידת בכל רעיוני דבר נש, ובעובדין לא אסהידת, דהא כלהו בספרא כתיבין. וכלהו דיינין ליה לב"נ, בההיא שעתא דדיינין ליה לב"נ לעילא, כדין דוחקא דגופא אשתכחו, יתיר משאר זמניא.

שסג. אי דיינין ליה לטב, כדין ארפין מניה. וזיעא אתבקע על גופא, ונשמתא אהדרת לבתר, ונהרא לכלא. ולא סליק בר נש מבי מרעיה לעלמין, עד דדיינין דיניה לעילא. ואי תימא, הא כמה חייבי עלמא, כמה רשיעי עלמא, קיימין בקיומייהו. אלא, קודשא בריך הוא אשגח בדיניה דב"נ, אע"ג דהשתא לא זכי, והוא חמי דהא לבתר זכי, דאין ליה לטב. או לזמנין דאוליד בר, דיהוי זכאה בעלמא, וע"ד קודשא בריך הוא דאין ליה לטב.

שסד. וכל עובדוי ודינוי דקודשא בריך הוא לטב, ובכלא אשגח, כמה דכתיב חי אני נאם ה' וגו' אם אחפוץ במות הרשע כי אם בשוב רשע מדרכו. ובגין דא, כל אינון חייבי עלמא, דקיימין בקיומייהו, קודשא בריך הוא דאין לון לטב.

שסה. ולזמנין, דאינון מרעין אשתלימו זמנייהו, מלמשרי תמן, כד"א וחלאים רעים ונאמנים, דעבדו מהימנותא, דכד שריאן עליה דבר נש מסתלקי מניה לבתר דאשלימו זמנייהו, בין לצדיקייא, בין לחייביא, וכלא אתעבד בדינא כדקאמרן.

שסו. וירא ישראל את בני יוסף ויאמר מי אלה, אמר ר' יצחק, האי קרא קשיא, דכתיב וירא ישראל, וכתיב ועיני ישראל כבדו מזוקן לא יוכל לראות, אי לא יוכל לראות, מהו וירא ישראל. אלא דחמא ברוח קודשא, אינון בני יוסף, דאינון ירבעם וחבריו, דירבעם עבד תרין עגלי זהב, ואמר אלה אלהיך ישראל. ובגין כך, מי אלה, מאן הוא דזמין למימר אלה אלהיך לטעון אחרן, ובגין כך וירא ישראל את בני יוסף.

שסז. מכאן, דצדיקייא חמאן עובדא למרחוק, וקודשא בריך הוא מעטר לון בעטרא דיליה, מה קודשא בריך הוא חמי למרחוק, כמה דכתיב וירא אלקים את כל אשר עשה והנה טוב מאד, דקודשא בריך הוא חמא כל עובדין, עד לא יעבד לון, וכלהו אעברו קמיה.

שסח. כגוונא דא, כל דרין דעלמא, מסייפי עלמא, עד סייפי עלמא, כלהו אתעתדו וקיימו קמיה עד לא ייתון לעלמא, קורא הדורות מראש, עד לא אתברי עלמא. בגין דכל נשמתין דנחתין לעלמא, עד לא ייחתון, כלהו קיימי קמיה דקודשא בריך הוא, בדיוקנא דקיימי בהאי עלמא, ואקרון בשמהן, דכתיב לכלם בשם יקרא.

שסט. אוף הכי צדיקייא, קודשא ב"ה אחמי לון כל דרין דעלמא, עד לא ייתון וישתכחון בעלמא. מ"ל מאדם דהוה קדמאה. דקודשא בריך הוא אחמי ליה כל אינון דרין עד לא ייתון, כדכתיב זה ספר תולדות, דתנינן, אחמי ליה, כל אינון דרין דזמינין למיתי לעלמא. וכן למשה, דכתיב ויראהו ה' את כל הארץ, דקודשא בריך הוא אחמי ליה, כל דרין דעלמא, וכל אינון מנהיגי עלמא, וכל שאר נביאי, עד לא ייתון לעלמא.

שע. אוף הכא, וירא ישראל את בני יוסף, חמא למרחוק, ואזדעזע, ואמר מי אלה,

וְהַאי קְרָא אַשְׁלִים לִתְרֵין סִטְרִין, לְהַאי סִטְרָא, וּלְהַאי סִטְרָא. וְע״ד אָתֵיב יוֹסֵף וַאֲמַר, בָּנַי הֵם אֲשֶׁר נָתַן לִי אֱלֹהִים בָּזֶה. וּמנ״ל דְּקוּדְשָׁא בְּרִיךְ הוּא אַחְזֵי לֵיהּ בְּרוּחָא דְקוּדְשָׁא. דִּכְתִּיב וְהִנֵּה הֶרְאָה אוֹתִי אֱלֹקִים גַּם אֶת זַרְעֶךָ. גַּם, לְאַסְגָּאָה אִינּוּן דְּנָפְקִין מִנֵּיהּ כִּדְקָאֲמָרָן.

שעא. וַיְבָרֶךְ אֶת יוֹסֵף וַיֹּאמַר הָאֱלֹקִים אֲשֶׁר וְגוֹ׳, בְּהַאי קְרָא אִית לְאִסְתַּכְּלָא בֵּיהּ, וַיְבָרֶךְ אֶת יוֹסֵף, דְּלָא אַשְׁכְּחָן הָכָא בְּרָכָה דְּבָרִיךְ לֵיהּ לְיוֹסֵף אֶלָּא לִבְנוֹי, אִי לִבְנוֹי, וַיְבָרְכֵם מִבָּעֵי לֵיהּ, מַהוּ וַיְבָרֶךְ אֶת יוֹסֵף, וְלָא אַשְׁכְּחָן הָכָא דְּאִתְבְּרִיךְ יוֹסֵף.

שעב. א״ר יוֹסֵי, אֶת דַּיְיקָא, כְּתִיב אֶת יוֹסֵף, בִּרְכְתָא דִּבְנוֹי הֲוָה, וְכַד אִתְבָּרְכָאן בְּנוֹי, אִיהוּ מִתְבָּרֵךְ, דְּבִרְכְתָא דִּבְנוֹי דְּבַר נָשׁ בִּרְכָתֵיהּ אִיהִי.

שעג. א״ר אֶלְעָזָר, וַיְבָרֶךְ אֶת יוֹסֵף, אֶת דַּיְיקָא, דְּבָרִיךְ לְאָת קַיְּימָא, רָזָא דִּבְרִית דְּנָטַר יוֹסֵף, וּבְגִ״כ אִקְרֵי צַדִּיק, אֶת דְּיוֹסֵף, רָזָא דִּבְרִית דְּקַיְּימָא בַּהֲדֵיהּ דְּיוֹסֵף.

שעד. הָאֱלֹקִים אֲשֶׁר הִתְהַלְּכוּ אֲבוֹתַי לְפָנָיו. הָאֱלֹקִים: דָּא רָזָא דִּבְרִית קַדִּישָׁא, קַיְּימָא קַדִּישָׁא. אֲבוֹתַי לְפָנָיו, דַּיְיקָא לְפָנָיו, דְּאִינּוּן קַדְמָאֵי עִלָּאֵי, מִקַּמֵּי רָזָא דְּנָא, אַבְרָהָם וְיִצְחָק, דְּהָא מִנַּהוֹן אִתְזָן וְיָנְקָא הַהוּא אֲתַר.

שעה. הָאֱלֹקִים הָרוֹעֶה אוֹתִי, מַאי טַעְמָא זִמְנָא אָחֳרָא הָאֱלֹקִים. אֶלָּא רָזָא עִלָּאָה אִיהוּ, וְהָכָא בָּרִיךְ לְהַהוּא אֲתַר, בְּרָזָא דֶּאֱלֹקִים חַיִּים, מְקוֹרָא דְּחַיֵּי, דְּמִנֵּיהּ נָפְקִין בִּרְכָאן, וּבְגִין דָּא אַדְכַּר גַּרְמֵיהּ בְּהַאי אֲתַר, וַאֲמַר הָאֱלֹקִים הָרוֹעֶה אוֹתִי, בְּגִין דְּכָל בִּרְכָאן דְּנָגְדֵי מִמְּקוֹרָא דְּחַיֵּי, יַעֲקֹב נָטֵיל לוֹן, וְכֵיוָן דְּנָטֵיל לוֹן אִיהוּ, הַאי אֲתַר נָטַל בִּרְכָאן, וְכֹלָּא אִיהוּ תַּלְיָיא בְּדִבּוּרָא, וְעַל דָּא וַיְבָרֶךְ אֶת יוֹסֵף כְּתִיב.

שעו. בְּגִין כָּךְ, בְּכָל אֲתַר דְּבִרְכָאן אִצְטְרִיכוּ לְבָרְכָא, בָּעֵי קוּדְשָׁא בְּרִיךְ הוּא לְאִתְבָּרְכָא בְּקַדְמֵיתָא, וּלְבָתַר אִתְבָּרְכוּ אָחֳרָנִין, וְאִי קוּדְשָׁא בְּרִיךְ הוּא לָא אִתְבָּרֵיךְ בְּקַדְמֵיתָא, אִינּוּן בִּרְכָאן לָא מִתְקַיְּימִין.

שעז. וְאִי תֵּימָא, הָא יַעֲקֹב, דְּבָרְכֵיהּ אֲבוֹהָ, וְלָא בָּרְכֵיהּ לְקוּדְשָׁא בְּרִיךְ הוּא בְּקַדְמֵיתָא. תָּא חֲזֵי , בְּשַׁעֲתָא דְּבָרֵיךְ יִצְחָק לְיַעֲקֹב, לָא בָּרְכֵיהּ, עַד דְּבָרֵיךְ לְקוּדְשָׁא בְּרִיךְ הוּא בְּקַדְמֵיתָא, כֵּיוָן דְּבָרֵיךְ לְקוּדְשָׁא בְּרִיךְ הוּא בְּקַדְמֵיתָא, בָּרְכֵיהּ לְיַעֲקֹב. מנ״ל, דִּכְתִּיב וַיֹּאמֶר רְאֵה רֵיחַ בְּנִי כְּרֵיחַ שָׂדֶה אֲשֶׁר בֵּרֲכוֹ ה׳, הָכָא קַיֵּים בְּרָכָה לְקוּדְשָׁא בְּרִיךְ הוּא, דִּכְתִּיב אֲשֶׁר בֵּרֲכוֹ ה׳, אִתְבָּרֵךְ בְּקִיּוּמָא דְּבִרְכָאן, וּלְבָתַר כְּתִיב בַּתְרֵיהּ, וְיִתֶּן לְךָ וְגוֹ׳. כֵּיוָן דְּהַהוּא שָׂדֶה אִתְקַיַּים בְּקַיְּימָא דְּבִרְכָאן, דְּנָפְקֵי מִינֵּיהּ בִּרְכָאן, לְבָתַר דְּאִיהוּ אִתְקַיַּים בְּבִרְכוֹי. כְּגַוְונָא דָּא בָּרֵיךְ יַעֲקֹב בְּקַדְמֵיתָא לְקוּדְשָׁא בְּרִיךְ הוּא, וּלְבָתַר בָּרֵיךְ לִבְנוֹי. תָּא חֲזֵי, בְּצַפְרָא בָּעֵי ב״נ לְאַקְדָּמָא בִּרְכָאן לְקוּדְשָׁא בְּרִיךְ הוּא, וּלְבָתַר לִשְׁאָר בְּנֵי עַלְמָא, וְהָא אוֹקִימְנָא דִּכְתִּיב בַּבֹּקֶר יֹאכַל עַד וְגוֹ׳.

שעח. וְתָא חֲזֵי, כַּד בָּעָא יַעֲקֹב לְבָרְכָא לְאִינּוּן בְּנֵי יוֹסֵף, חָמָא בְּרוּחַ קוּדְשָׁא, דְּזַמִּין לְנָפְקָא מֵאֶפְרַיִם יָרָבְעָם בֶּן נְבָט, פָּתַח וַאֲמַר מִי אֵלֶּה. מַאי שְׁנָא דַּאֲמַר בַּעֲבוֹדָה דָּא דְּסִטְרָא דַּע״ז אֵלֶּה אֱלֹהֶיךָ יִשְׂרָאֵל. אֶלָּא רָזָא אִיהוּ, כָּל אִינּוּן סִטְרִין דְּהַהוּא חִוְיָא בִּישָׁא, וּמִסִּטְרָא דְּהַהוּא רוּחַ מְסָאֲבָא הַהוּא חִוְיָא וְאִית מַאן דְּרָכֵיב עֲלֵיהּ, וְכַד מִזְדַּוְּוגָן, אִקְרוּן אֵלֶּה. וְאִינּוּן מִזְדַּמְּנִין בְּעַלְמָא, בְּכָל אִינּוּן סִטְרִין דִּלְהוֹן.

שעט. וְרוּחַ דְּקוּדְשָׁא אִקְרֵי זֹאת, דְּאִיהוּ רָזָא דִּבְרִית, רְשִׁימָא קַדִּישָׁא דְּאִשְׁתַּכַּח תָּדִיר בְּב״נ, וְכֵן זֶה אֵלִי וְאַנְוֵהוּ, זֶה ה׳. אֲבָל אִלֵּין, אִקְרוּן אֵלֶּה, וְעַל דָּא כְּתִיב אֵלֶּה אֱלֹהֶיךָ

יִשְׂרָאֵל.

שפ. וּבְג"כ כְּתִיב גַּם אֵלֶּה תִשְׁכַּחְנָה, וְאָנֹכִי רָזָא דְּזֹאת, לֹא אֶשְׁכָּחֵךְ, וּכְתִיב עַל אֵלֶּה אֲנִי בוֹכִיָּה, דְּהַהוּא חוֹבָא גָּרְמָא לוֹן לְמִבְכֵּי כַּמָּה בְּכִיָּין. ד"א עַל אֵלֶּה אֲנִי, מ"ט. בְּגִין דְּאִתְיְיהִיב רְשׁוּ לַאֲתַר דָּא לְשַׁלְטָאָה עַל יִשְׂרָאֵל, וּלְחָרְבָא בֵּי מַקְדְּשָׁא, וּבְגִין דְּאִתְיְיהִיב לוֹן רְשׁוּ לְשַׁלְטָאָה, אֲנִי בוֹכִיָּה, דָּא רוּחַ קוּדְשָׁא דְּאִקְרֵי אֲנִי.

שפא. וְאִי תֵימָא, הָא כְּתִיב אֵלֶּה דִּבְרֵי הַבְּרִית. הָכִי הוּא וַדַּאי, דְּכָל אִלֵּין לָא מִתְקַיְּימֵי, אֶלָּא מִגּוֹ אֵלֶּה, דְּתַמָּן כָּל לְוָוטִין שַׁרְיָין, כְּמָה דְּאוֹקִימְנָא דְּאִיהוּ אָרוּר, וּבְגִין דָּא אַקְדִּים וַאֲמַר אֵלֶּה, דְּקַיְּימָא לְמַאן דְּעָבַר דִּבְרֵי הַבְּרִית.

שפב. אֵלֶּה הַמִּצְוֹת אֲשֶׁר צִוָּה ה', בְּגִין דְּכָל פִּקּוּדָא דְּאוֹרַיְיתָא לְאִתְדַּכְּאָה ב"נ, וְלָא יִסְטֵי מֵאוֹרְחָא דָּא, וְיִסְתַּמַּר מִתַּמָּן, וְיִתְפְּרַשׁ מִנַּיְיהוּ. וְאִי תֵימָא אֵלֶּה תּוֹלְדוֹת נֹחַ. הָכִי הוּא וַדַּאי, דְּהָא נָפַק חָם, דְּאִיהוּ אֲבִי כְנַעַן, וּכְתִיב אָרוּר כְּנָעַן וְאִיהוּ רָזָא דָּא דְּאֵלֶּה.

שפג. וְעַ"ד כְּתִיב וַיֹּאמְרוּ אֵלֶּה אֱלֹהֶיךָ יִשְׂרָאֵל, וְכָל הָנֵי הַתּוּכָא סוּסְפִיתָא דְּדַהֲבָא. אַהֲרֹן קָרִיב דַּהֲבָא, דְּאִיהוּ סִטְרָא דִּילֵיהּ, דְּכָלִיל אִיהוּ בְּתוּקְפָּא דְּאֶשָּׁא, וְכֹלָּא חַד, וְסִטְרָא דָּא דַּהֲבָא וְאֶשָּׁא. רוּחַ מִסְאֲבָא, דְּאִשְׁתַּכַּח תָּדִיר בְּמַדְבְּרָא, אַשְׁכַּח אֲתַר בְּהַהוּא זִמְנָא, לְאִתְתַּקְּפָא בֵּיהּ.

שפד. וּמַה דַּהֲווּ יִשְׂרָאֵל דְּכַיָּין מֵהַהוּא זוּהֲמָא קַדְמָאָה דְּאַטִּיל בְּעָלְמָא, דְּגָרִים מוֹתָא לְעָלְמָא, כַּד קָמוּ עַל טוּרָא דְּסִינַי, לְבָתַר אַהַדְרוּ, וְגָרִים לוֹ כְּמִלְּקַדְמִין, לְסָאֲבָא לוֹן, וּלְאִתְתַּקְּפָא עֲלַיְיהוּ, וְגָרִים לוֹן מוֹתָא, וּלְכָל עָלְמָא, לְדָרֵיהוֹן בַּתְרַיְיהוּ, הה"ד אֲנִי אָמַרְתִּי אֱלֹקִים אַתֶּם וגו' אָכֵן כְּאָדָם וגו'.

שפה. וְעַ"ד כַּד חָמָא יַעֲקֹב לְיָרָבְעָם בֶּן נְבָט דַּעֲבַד כו"ם, וַאֲמַר אֵלֶּה אֱלֹהֶיךָ, אִזְדַּעְזַע, וַאֲמַר מִי אֵלֶּה, כַּד בָּעָא לְבָתַר לְבָרְכָא לוֹן, בָּרִיךְ לֵיהּ לִשְׁכִינְתָּא בְּקַדְמֵיתָא, וּלְבָתַר בָּרִיךְ לִבְנוֹי, כֵּיוָן דְּבָרִיךְ לְקוּדְשָׁא בְּרִיךְ הוּא בְּקַדְמֵיתָא, לְבָתַר מֵהַהוּא אֲתַר דְּבָרִיךְ בְּקַדְמֵיתָא, בָּרִיךְ לוֹן, הה"ד הַמַּלְאָךְ הַגּוֹאֵל אוֹתִי מִכָּל רָע וגו'.

שפו. רִבִּי יְהוּדָה פָּתַח וַאֲמַר, וַיַּסֵּב חִזְקִיָּהוּ פָּנָיו אֶל הַקִּיר וַיִּתְפַּלֵּל אֶל ה'. הָא אוֹקְמוּהָ, דְּלָא לִצְלֵי ב"נ אֶלָּא סָמוּךְ לְכוֹתְלָא, וְלָא יְהֵא מִלָּה וְחָצִיץ בֵּינֵיהּ לְבֵין כּוֹתְלָא, דִּכְתִיב וַיַּסֵּב חִזְקִיָּהוּ פָּנָיו אֶל הַקִּיר. מַאי שְׁנָא בְּכֻלְּהוּ דְּצַלֵּי צְלוֹתָא, דְּלָא כְּתִיב בְּהוּ וַיַּסֵּב פָּנָיו אֶל הַקִּיר, דְּהָא דַּי לֵיהּ דְּיֵימָא וַיִּתְפַּלֵּל אֶל ה', דְּהָא מַאן דְּמַצְלֵי צְלוֹתָא, אִיהוּ כַּוֵּון דַּעְתֵּיהּ כִּדְקָא יָאוּת, דְּהָא כְּתִיב בְּמֹשֶׁה, וַיִּתְפַּלֵּל מֹשֶׁה אֶל ה', וַיִּצְעַק מֹשֶׁה אֶל ה' וְלָא כְּתִיב וַיַּסֵּב פָּנָיו, הָכָא בְּחִזְקִיָּהוּ, מ"ט וַיַּסֵּב חִזְקִיָּהוּ פָּנָיו אֶל הַקִּיר, וּלְבָתַר וַיִּתְפַּלֵּל.

שפז. אֶלָּא רָזָא דְּמִלָּה אִיהוּ, דְּתָנִינָן, חִזְקִיָּה בְּהַהוּא זִמְנָא לָא הֲוָה נָסִיב, וְלָא הֲוָה לֵיהּ אִנְתּוּ, וְלָא אוֹלִיד בְּנִין, מַה כְּתִיב וַיָּבֹא אֵלָיו וגו' כִּי מֵת אַתָּה וְלֹא תִחְיֶה, וְתָנִינָן כִּי מֵת אַתָּה בְּעוֹה"ז, וְלֹא תִחְיֶה בְּעוֹלָם הַבָּא, מ"ט. בְּגִין דְּלָא אוֹלִיד בְּנִין.

שפח. דְּכָל מַאן דְּלָא אִשְׁתַּדַּל לְאוֹלָדָא בְּנִין בְּהַאי עָלְמָא, לָא מִתְקַיֵּים בְּעָלְמָא דְּאָתֵי, וְלָא יְהֵא לֵיהּ חוּלָקָא בְּהַהוּא עָלְמָא, וְאִתְתָּרְכַת נִשְׁמָתֵיהּ בְּעָלְמָא, וְלָא אַשְׁכָּחַת נַיְיחָא בַּאֲתַר דְּעָלְמָא, וְדָא הוּא עוֹנְשָׁא דִּכְתִיב בְּאוֹרַיְיתָא, עֲרִירִים יָמוּתוּ, וּמִתַּרְגְּמִינָן בְּלָא וְלַד, בְּגִין דְּמַאן דְּאִיהוּ בְּלָא וְלַד, כַּד אָזִיל בְּהַהוּא עָלְמָא. מֵית הוּא תַּמָּן, מֵית בְּעָלְמָא דֵּין, וּבְעָלְמָא דְּאָתֵי, וְעַ"ד כְּתִיב כִּי מֵת אַתָּה וְלֹא תִחְיֶה.

שפט. וְלָא עוֹד, אֶלָּא דִּשְׁכִינְתָּא לָא שַׁרְיָא עֲלוֹי כְּלָל, כְּדֵין כְּתִיב וַיַּסֵּב חִזְקִיָּהוּ פָּנָיו

אֶל הַקִּיר, אוּלִיפְנָא דְּשַׁוֵּי רַעֲיוֹנוֹי, וְכַוֵּון אַנְפּוֹהִי לְמֵיסַב אִתְּתָא, בְּגִין דְּתַשְׁרֵי עֲלוֹי שְׁכִינְתָּא, רָזָא דְּקִיר.

שצ. וּבְג״כ כְּתִיב לְבָתַר, וַיִּתְפַּלֵּל אֶל ה׳, מִכָּאן אוּלִיפְנָא, דְּמַאן דְּאִית בֵּיהּ חוֹבָא, וּבָעֵי לְמִבְעֵי רַחֲמֵי עֲלוֹי, יְכַוֵּין אַנְפּוֹי וְרַעֲיוֹנוֹי, לְאַתְקָנָא גַּרְמֵיהּ מֵהַהוּא חוֹבָא, וּלְבָתַר יִבְעֵי צְלוֹתָא, כְּד״א נַחְפְּשָׂה דְרָכֵינוּ וְנַחְקוֹרָה בְּקַדְמֵיתָא, וּלְבָתַר וְנָשׁוּבָה. אוּף הָכָא, כֵּיוָן דְּיָדַע חִזְקִיָּהוּ חוֹבֵיהּ, מַה כְּתִיב וַיַּסֵּב חִזְקִיָּהוּ פָּנָיו אֶל הַקִּיר, שַׁוֵּי אַנְפּוֹי לְאַתְקָנָא לְגַבֵּי שְׁכִינְתָּא, דְּהָא לְגַבֵּי אֲתַר דָּא חָב.

שצא. בְּגִין דִּשְׁכִינְתָּא כָּל נוּקְבֵי דְעַלְמָא קַיְימִין בְּסִתְרָהָא, מַאן דְּאִית לֵיהּ נוּקְבָא, שַׁרְיָא אִיהִי לְגַבֵּיהּ, וּמַאן דְּלֵית לֵיהּ, לָא שַׁרְיָא לְגַבֵּיהּ, וְעַל דָּא אַתְקַן גַּרְמֵיהּ לְגַבָּהּ לְאַתְקָנָא, וְשַׁוֵּי עֲלֵיהּ לְאִתְנַסְּבָא, וּלְבָתַר וַיִּתְפַּלֵּל אֶל יי׳.

שצב. קִיר: דָּא הוּא אֲדוֹן כָּל הָאָרֶץ, וְדָא שְׁכִינְתָּא, כְּד״א הִנֵּה אֲרוֹן הַבְּרִית אֲדוֹן כָּל הָאָרֶץ. קִיר: כְּד״א מְקַרְקַר קִיר וְשׁוֹעַ. קַרְקוּרָא וּנְהִימָא דְּקִיר, דְּאִיהוּ אָדוֹן, כַּד אִתְחָרֵיב בֵּי מַקְדְּשָׁא, כְּד״א רָחֵל מְבַכָּה עַל בָּנֶיהָ, וְהָא אוֹקִימְנָא, וּבְגִין כָּךְ וַיַּסֵּב חִזְקִיָּהוּ פָּנָיו אֶל הַקִּיר.

שצג. תָּא חֲזֵי , בִּצְלוֹתָא מַה כְּתִיב, אָנָּא יי׳ זְכָר נָא אֵת אֲשֶׁר הִתְהַלַּכְתִּי לְפָנֶיךָ, רָמַז הָכָא, דְּנָטַר בְּרִית קַדִּישָׁא, וְלָא סָאִיב לֵיהּ, וְנָטַר לֵיהּ כִּדְקָא יָאוּת, כְּתִיב הָכָא הִתְהַלַּכְתִּי לְפָנֶיךָ, וּכְתִיב הָתָם הִתְהַלֵּךְ לְפָנַי וֶהְיֵה תָמִים וְאֶתְּנָה בְרִיתִי בֵּינִי וּבֵינֶךָ, דְּנָטַר בְּרִית קַדִּישָׁא כִּדְקָא יָאוּת. בֶּאֱמֶת וּבְלֵב שָׁלֵם, דְּאִתְכַּוֵּון בְּכָל אִינּוּן רָזֵי מְהֵימְנוּתָא דִּכְלִילָן בֶּאֱמֶת.

שצד. וְהַטּוֹב בְּעֵינֶיךָ עָשִׂיתִי, דְּסָמַךְ גְּאוּלָה לִתְפִלָּה, וְהָא אוֹקִימְנָא. וְהָא אוֹקְמוּהָ חַבְרַיָּיא, דְּאִתְכַּוֵּון לְיַיחֲדָא יִחוּדָא כִּדְקָא יָאוּת, וּבְגִין כָּךְ, וַיֵּבְךְּ חִזְקִיָּהוּ בְּכִי גָּדוֹל, דְּלֵית תַּרְעָא דְּקַיְימָא קַמֵּי דִּמְעִין. גְּאוּלָה: דָּא הוּא מַלְאָךְ הַגּוֹאֵל, דְּדָא אִיהוּ דְּאִשְׁתַּכַּח בְּכָל פּוּרְקָנָא דְעַלְמָא, וְהָא אוֹקִימְנָא.

שצה. הַמַּלְאָךְ הַגּוֹאֵל אוֹתִי מִכָּל רָע. ר׳ אֶלְעָזָר אָמַר, כֵּיוָן דְּבָרֵיךְ יַעֲקֹב וְאִתְכַּוֵּון מִתַּתָּא לְעֵילָּא, כְּדֵין אַמְשִׁיךְ מֵעֵילָּא לְתַתָּא, דִּכְתִיב הָאֱלֹקִים הָרוֹעֶה אוֹתִי, כֵּיוָן דְּאִיהוּ נָטִיל, יָהִיב בִּרְכָאן לְהַאי אֲתַר, כֵּיוָן דְּאַמְטֵי בִּרְכָאן לְהַאי אֲתַר, כְּדֵין פָּתַח וַאֲמַר הַמַּלְאָךְ הַגּוֹאֵל וגו׳.

שצו. פָּתַח וַאֲמַר כִּי הַכְּרוּבִים פּוֹרְשֵׂי כְנָפַיִם אֶל מְקוֹם הָאָרוֹן וגו׳. תָּא חֲזֵי, כְּרוּבִים בְּאָת וּבְנִיסָא הֲווֹ קַיְימֵי, תְּלַת זִמְנִין בְּיוֹמָא הֲווֹ פָּרְשֵׂי גַּדְפֵּיהוֹן, וְסָכְכֵי עַל אֲרוֹנָא לְתַתָּא, דִּכְתִיב פּוֹרְשֵׂי כְנָפַיִם, פְּרוּשֵׂי לָא כְתִיב, אֶלָּא פּוֹרְשֵׂי.

שצז. וְתָא חֲזֵי קוּדְשָׁא בְּרִיךְ הוּא עָבֵיד לְתַתָּא כְּגַוְונָא דִּלְעֵילָּא, כְּרוּבִים: דְּיוֹקְנָא דִּלְהוֹן כְּחֵיזוּ רַבְיָין, וְקַיְימִין תְּחוֹת הַאי אֲתַר, מִימִינָא וּמִשְּׂמָאלָא, וְאִלֵּין אִתְבָּרְכָן בְּקַדְמֵיתָא, מֵהַנְהוּ בִּרְכָאן דְּנָגְדָן מֵעֵילָּא, וּמֵהָכָא נַגְדֵי בִּרְכָאן לְתַתָּא.

שצח. וְעַ״ד כְּתִיב הַמַּלְאָךְ הַגּוֹאֵל אוֹתִי מִכָּל רָע. אוֹתִי: דְּנָטִיל בִּרְכָאן מִגַּוְונִין דִּלְעֵילָּא, וְכֵיוָן דְּאִיהוּ נָטִיל, יְבָרֵךְ אֶת הַנְּעָרִים, דָּא רָזָא דִּכְרוּבִים, דְּמִנַּיְיהוּ נַגְדֵי בִּרְכָאן מֵעֵילָּאֵי לְתַתָּאֵי.

שצט. הַמַּלְאָךְ הַגּוֹאֵל אוֹתִי מִכָּל רָע יְבָרֵךְ אֶת הַנְּעָרִים וגו׳. ר׳ חִיָּיא פָּתַח וַאֲמַר, בַּיִת וָהוֹן נַחֲלַת אָבוֹת, וְכִי נַחֲלַת אָבוֹת אִינְהוּ, וְהָא קוּדְשָׁא בְּרִיךְ הוּא יָהִיב כֹּלָּא לְב״נ. אֶלָּא,

דְּכֵיוָן דְּאַזְּמִין בֵּיתָא לְבַר נָשׁ וּמָמוֹנָא, לִזְמְנִין דְּיִזְדַּמֵּן כַּלָּה לִבְרֵיהּ, וְהָא אַחְסָנָא דַּאֲבוֹת. אֲבָל וּמֵיי' אִשָּׁה מַשְׂכָּלֶת, בְּגִין דְּאִתְּתָא, כַּד אַזְמִין לָהּ ב"נ, מֵעִם קוּדְשָׁא בְּרִיךְ הוּא אַזְמִין לָהּ, דְּהָא לָא יַזְמִין לָהּ קוּדְשָׁא בְּרִיךְ הוּא לְב"נ, אֶלָּא כַּד מַכְרִיזִין עֲלֵיהּ בִּרְקִיעָא.

ת. דְּקוּדְשָׁא בְּרִיךְ הוּא מְזַוֵּוג זִוּוּגִין, עַד לָא יֵיתוּן לְעָלְמָא. וְכַד זָכוּ בְּנֵי נָשָׁא לְפוּם עוֹבָדֵיהוֹן, הָכֵי יַהֲבֵי לוֹן אִתְּתָא, וְכֹלָּא אִתְגַּלְיָין קַמֵּיהּ דְּקוּדְשָׁא בְּרִיךְ הוּא, וּלְפוּם עוֹבָדִין דְּזַכָּאִין, הָכֵי מְזַוֵּוג זִוּוּגִין.

תא. וּלְזִמְנִין דְּקָא סְלִיקוּ בִּקְלִיטִין, וְאַסְטֵי הַהוּא ב"נ אָרְחֵיהּ, סָלִיק זִוּוּגֵיהּ לְאָחֳרָא, עַד דְּיִכְשַׁר עוֹבָדוֹי, וְכַד יִכְשַׁר עוֹבָדוֹי, אוֹ דְּמָטֵי זִמְנֵיהּ, אִתְהָדַר גֶּבֶר מִקַּמֵּי גְּבַר, וְאָתֵי הַאי וְנָטֵיל דִּילֵיהּ. וְדָא קָשֵׁי קַמֵּי קוּדְשָׁא בְּרִיךְ הוּא מִכֹּלָּא לְדַחְיָא בַּר נָשׁ מִקַּמֵּי גַּבְרָא אָחֳרָא, וּבְגִין כַּךְ קוּדְשָׁא בְּרִיךְ הוּא אִיהוּ יָהֵיב אִתְּתָא לְב"נ, וּמִנֵּיהּ אַתְיָין זִוּוּגִין. וְע"ד וּמֵיי' אִשָּׁה מַשְׂכָּלֶת.

תב. בְּגִין כַּךְ, קוּדְשָׁא בְּרִיךְ הוּא יָהֵיב כַּלָּה לְבַר נָשׁ. וְאִי תֵּימָא אִשָּׁה מַשְׂכָּלֶת וְלָא אָחֳרָא. תָּא חֲזֵי, אע"ג דְּקוּדְשָׁא בְּרִיךְ הוּא אַזְמִין טָבָאן לְב"נ לְמֵיהַב לֵיהּ, וְהוּא אַסְטֵי אָרְחוֹי מֵעִם קוּדְשָׁא בְּרִיךְ הוּא לְגַבֵּי סִטְרָא אָחֳרָא, מֵהַהוּא סִטְרָא אָחֳרָא דְּאִתְדַּבַּק בֵּיהּ, יֵיתֵי לֵיהּ מַאן דְּיֵיתֵי, בְּכָל קִטְרוּגִין, וְכָל בִּישִׁין, וְלָא אַתְיָין לֵיהּ מֵעִם קוּדְשָׁא בְּרִיךְ הוּא, אֶלָּא מֵהַהוּא סִטְרָא בִּישָׁא דְּאִתְדַּבַּק בֵּיהּ, בְּאִינּוּן עוֹבָדִין דְּעָבֵד.

תג. וְעַל דָּא, אִתְּתָא דְּלָאו אִיהִי מַשְׂכֶּלֶת, קָרָא ע"ד שְׁלֹמֹה, וּמוֹצֶא אֲנִי מַר מִמָּוֶת אֶת הָאִשָּׁה. בְּגִין דְּחוֹבוֹי דְּב"נ, הוּא מָשֵׁיךְ עֲלֵיהּ, בְּאִינּוּן עוֹבָדִין דְּעָבֵד. וְעַל דָּא כַּד קוּדְשָׁא בְּרִיךְ הוּא אִתְרְעֵי בֵּיהּ בְּבַר נָשׁ, בְּגִין עוֹבָדוֹי דְּכַשְׁרָן, אִיהוּ אַזְמִין לֵיהּ אִנְתּוּ דְּאִיהִי מַשְׂכֶּלֶת, וּפָרֵיק לֵיהּ בְּפוּרְקָן, מִגּוֹ סִטְרָא אָחֳרָא.

תד. וְעַל דָּא אֲמַר יַעֲקֹב, הַמַּלְאָךְ הַגּוֹאֵל אוֹתִי מִכָּל רָע. מַאי מִכָּל רָע, דְּלָא אִזְדַּמְּנַת לִי אִתְּתָא, דְּאִיהִי מִגּוֹ סִטְרָא אָחֳרָא, וְלָא אִעֲרַע פְּסוּל בְּזַרְעִי, דְּכֻלְּהוּ צַדִּיקֵי וּשְׁלֵימֵי בִּשְׁלִימוּ, בְּגִין דְּאִתְפְּרַק מִכָּל רָע, וְיַעֲקֹב לָא אִתְדַּבַּק בְּהַהוּא סִטְרָא אָחֳרָא כְּלָל.

תה. וְעַל דָּא, הַמַּלְאָךְ הַגּוֹאֵל אוֹתִי מִכָּל רָע יְבָרֵךְ אֶת הַנְּעָרִים. מ"ט אִתְחֲזוּ לְאִתְבָּרְכָא, בְּגִין דְּנָטִיר יוֹסֵף, אֶת קַיְּימָא קַדִּישָׁא, וְעַל דָּא אֲמַר יוֹסֵף בָּנַי הֵם אֲשֶׁר נָתַן לִי אֱלֹקִים בָּזֶה, אַחְזֵי לֵיהּ רָזָא דִּבְרִית דְּנָטַר לֵיהּ, וּבְגִין דְּנָטַר לֵיהּ אִתְחֲזוּ לְאִתְבָּרְכָא וְאִתְחֲזֵי אִיהוּ לְבִרְכָאן סַגִּיאִין, בְּגִין דָּא לְכֻלְּהוּ יְהַב בִּרְכָא חַד, וּלְיוֹסֵף בִּרְכָאן סַגִּיאִין, מַשְׁמַע דִּכְתִיב בִּרְכוֹת אָבִיךָ גָּבְרוּ עַל בִּרְכוֹת הוֹרַי וְגוֹ', בִּרְכוֹת שָׁדַיִם וָרָחַם תִּהְיֶיןָ לְרֹאשׁ יוֹסֵף.

תו. ר' יְהוּדָה פָּתַח וַאֲמַר, אֵלֶיךָ נָשָׂאתִי אֶת עֵינַי הַיּוֹשְׁבִי בַּשָּׁמָיִם, הַאי קְרָא אוֹקְמוּהָ, אֲבָל תָּא חֲזֵי, צְלוֹתָא דְּב"נ דְּאִתְכַּוַּון בָּהּ, אִיהוּ לְעֵילָּא לְעוּמְקָא עִלָּאָה, דְּמִתַּמָּן נָגְדֵי כָּל בִּרְכָאן וְכָל חֵירוּ, וּמִתַּמָּן נָפְקֵי לְקַיְּימָא כֹּלָּא.

תז. וְעַל דָּא יַתִּיר יו"ד, בְּגִין דְּלָא פָּסֵיק יו"ד, מֵאֲתַר דָּא לְעָלְמִין, וּבְגִין דָּא כְּתִיב, הַיּוֹשְׁבִי בַּשָּׁמָיִם, אָחִיד לְעֵילָּא, בְּרָזָא דְּחָכְמְתָא עִלָּאָה, וְאָחִיד לְתַתָּא דְּיָתֵיב עַל כָּרְסְיָא דַּאֲבָהָן, יָתֵיב עַל כָּרְסְיָא דְּאִקְרֵי שָׁמַיִם, וּבְגִין כַּךְ הַיּוֹשְׁבִי בַּשָּׁמָיִם כְּתִיב.

תח. וּמֵהָכָא, כַּד בִּרְכָאן נָגְדֵי מֵעֵילָּא מֵעוּמְקָא דָּא, כֻּלְּהוּ נָטֵיל לוֹן הַאי אֲתַר דְּאִקְרֵי שָׁמַיִם, וּמֵהַאי נָגְדֵי לְתַתָּא, עַד דְּמָטוּ לְצַדִּיקַיָּיא קַיָּימָא דְּעָלְמָא, וּמֵהָכָא מִתְבָּרְכִין כָּל אִינּוּן חַיָּילִין, וְכָל אִינּוּן מַשִּׁרְיָין לִזְנַיְיהוּ, וְהָא אוֹקְמוּהָ.

תט. תָּא חֲזֵי, בְּשַׁבְעִין וּתְרֵין נְהוֹרִין, אִסְתַּלַּק עֲטָרָא דְּכָל מַשִּׁרְיָין, עִגּוּלָא דְּעָלְמָא,

בְּשַׁבְעִין דּוּכְתֵּי, וְחַד עִגּוּלָא לְכֻלְּהוּ, בְּגוֹ הַהוּא עִגּוּלָא נְקוּדָה וְדָא דְּקַיְּימָא בְּאֶמְצָעִיתָא, מֵהַאי נְקוּדָה, אִתְּזָנַת כָּל הַהוּא עִגּוּלָא, בֵּית קֹדֶשׁ הַקֳּדָשִׁים, אִיהוּ אֲתַר לְהַהוּא רוּחָא דְּכָל רוּחִין, אִתְטַמַּר בְּגַוֵּיהּ, הַאי טְמִירוּ אִיהוּ בְּגוֹ וְחִילָהָא, טְמִירָא אִיהוּ בְּגוֹ לְגוֹ, כַּד סַלְקָא דָא, כֻּלָּא סַלְקִין אֲבַתְרָהּ, הה"ד מָשְׁכֵנִי אַחֲרֶיךָ נָּרוּצָה.

תי. ר' חִזְקִיָּה וְר' יוֹסֵי וְר' יְהוּדָה הֲווּ אָזְלֵי בְּאוֹרְחָא, א"ר יוֹסֵי, כָּל חַד וְחַד מִינָן, לֵימָא מִלֵּי דְּאוֹרַיְיתָא. פָּתַח ר' יְהוּדָה וַאֲמַר, אַל תִּזְכָּר לָנוּ עֲוֹנוֹת רִאשׁוֹנִים מַהֵר יְקַדְּמוּנוּ וגו'. תָּא חֲזֵי, קוּדְשָׁא בְּרִיךְ הוּא, בִּרְחִימוּתָא דְּיִשְׂרָאֵל, רָחִים לוֹן, דְּאִינּוּן עֲדְבֵיהּ וְאַחֲסַנְתֵּיהּ, לָא מִסְתַּכַּל אֲחֳרָא בְּדִינַיְיהוּ, בַּר אִיהוּ בִּלְחוֹדֵיהּ, וְכֵיוָן דְּאִיהוּ מִסְתַּכַּל בְּדִינַיְיהוּ, אִתְמְלֵי עֲלַיְיהוּ רַחֲמִין, בְּגִין דְּאִיהוּ כְּאָב דְּרָחִים עַל בָּנִים, כְּד"א כְּרַחֵם אָב עַל בָּנִים רִחַם ה' וגו'. וְכֵיוָן דְּאִשְׁתַּכַּח לוֹן חוֹבִין, מַעֲבָר לוֹן רִאשׁוֹן רִאשׁוֹן, עַד דְּאַעֲבַר לוֹן לְכֻלְּהוּ מִקַּמֵּיהּ, וְכֵיוָן דְּאַעֲבַר לוֹן מִקַּמֵּיהּ, לָא אִשְׁתָּאַר עֲלַיְיהוּ חוֹבִין לְמֵיהַב שָׁלְטָנוּ לְסִטְרָא אָחֳרָא דְּדִינָא עֲלַיְיהוּ.

תיא. אָתֵי לְמֵיחַב קַמֵּיהּ כִּדְבְקַדְמֵיתָא, אִינּוּן חוֹבִין קַדְמָאֵי דְּאַעֲבַר מִקַּמֵּיהּ חֲשֵׁיב עֲלַיְיהוּ, וְעַ"ד כְּתִיב אַל תִּזְכָּר לָנוּ עֲוֹנוֹת רִאשׁוֹנִים מַהֵר יְקַדְּמוּנוּ רַחֲמֶיךָ וגו'. דְּאִי רַחֲמֶיךָ לָא יַקְדִּימוּ עֲלַיְיהוּ דְּיִשְׂרָאֵל, לָא יָכְלִין לְקַיְּימָא בְּעָלְמָא. בְּגִין, דְּכַמָּה אִינּוּן מָארֵי דְּדִינָא קַשְׁיָא, מָארֵי תְּרֵיסִין, וְכַמָּה דִּלְטוּרִין דְּקַיְימֵי עֲלַיְיהוּ, דְּיִשְׂרָאֵל לְעֵילָא, וְאִלְמָלֵא דְּאַקְדִּים קוּדְשָׁא ב"ה רַחֲמִים עֲלַיְיהוּ דְּיִשְׂרָאֵל, עַד לָא יַשְׁגַּח בְּדִינֵיהוֹן, לָא יָכְלִין לְקַיְּימָא בְּעָלְמָא. וְעַל דָּא מַהֵר יְקַדְּמוּנוּ רַחֲמֶיךָ כִּי דַלּוֹנוּ מְאֹד, דַּלּוּתָא דְּעוֹבָדִין טָבִין, דַּלּוּתָא דְּעוֹבָדִין דְּכַשְׁרָן.

תיב. תָּא חֲזֵי אִלְמָלֵי יִסְגְּלוּן יִשְׂרָאֵל עוֹבָדִין דְּכַשְׁרָן קַמֵּי קוּדְשָׁא בְּרִיךְ הוּא, לָא הֲווּ קָאִימוּ עֲלֵיהּ עַמִּין עעכו"ם בְּעָלְמָא, אֲבָל יִשְׂרָאֵל אִינּוּן גָּרְמִין לִשְׁאָר עַמִּין עכו"ם לְזַקְפָא רֵישַׁיְיהוּ בְּעָלְמָא, דְּאִלְמָלֵי יִשְׂרָאֵל לָא יְהוֹן חָטָאן קַמֵּי קוּדְשָׁא בְּרִיךְ הוּא שְׁאָר עַמִּין עכו"ם אִתְכַּפְיָין קַמַּיְיהוּ.

תיג. וְתָא חֲזֵי, אִלְמָלֵא דְּאַמְשִׁיכוּ יִשְׂרָאֵל בְּעוֹבָדִין בִּישִׁין, לְסִטַר אָחֳרָא בְּאַרְעָא קַדִּישָׁא, הָא אִתְּמַר, דְּלָא שָׁלְטוּ שְׁאָר עַמִּין עעכו"ם בְּאַרְעָא קַדִּישָׁא, וְלָא אִתְגָּלוּ מֵעַל אַרְעָא, וְעַל דָּא כְּתִיב, כִּי דַלּוֹנוּ מְאֹד, דְּלֵית לָן עוֹבָדִין דְּכַשְׁרָן כִּדְקָא חֲזֵי, וּבְגִין כָּךְ כִּי דַלּוֹנוּ מְאֹד מַהֵר יְקַדְּמוּנוּ רַחֲמֶיךָ.

תיד. רִבִּי יוֹסֵי פָּתַח וַאֲמַר, עִבְדוּ אֶת ה' בְּיִרְאָה וְגִילוּ בִּרְעָדָה, וּכְתִיב עִבְדוּ אֶת ה' בְּשִׂמְחָה בֹּאוּ לְפָנָיו בִּרְנָנָה. תָּא חֲזֵי, כָּל ב"נ דְּאָתֵי לְמִפְלַח לֵיהּ לְקוּדְשָׁא בְּרִיךְ הוּא, בְּצַפְרָא וּבְפַנְיָא בָּעֵי לְמִפְלַח לֵיהּ לְקוּדְשָׁא בְּרִיךְ הוּא.

תטו. בְּצַפְרָא, כַּד סַלִּיק נְהוֹרָא, וְאִתְעָרוּתָא דְּסִטַר יְמִינָא אִתְּעַר בְּעָלְמָא, כְּדֵין בָּעֵי בַּר נָשׁ, לְאִתְקַשְּׁרָא בִּימִינָא דְּקוּדְשָׁא בְּרִיךְ הוּא, וּלְמִפְלַח קַמֵּיהּ בְּפוּלְחָנָא דִּצְלוֹתָא. בְּגִין דִּצְלוֹתָא אַחֲסִין תּוּקְפָּא לְעֵילָא, וְאַמְשִׁיךְ בִּרְכָאן מֵעוּמְקָא עִלָּאָה, לְכֻלְּהוּ עָלְמִין, וּמִתַּמָּן אַמְשִׁיךְ בִּרְכָאן לְתַתָּאֵי, וְאִשְׁתַּכְחוּ עִלָּאִין וְתַתָּאִין מִתְבָּרְכָאן, בְּהַהוּא פוּלְחָנָא דִּצְלוֹתָא.

תטז. פּוּלְחָנָא דִּצְלוֹתָא, דְּקָא בָּעֵי בַּר נָשׁ לְמִפְלַח קַמֵּי קוּדְשָׁא בְּרִיךְ הוּא, בְּשִׂמְחָה וּבִרְנָנָה, לְאַכְלְלָא לִכְנֶסֶת יִשְׂרָאֵל בֵּינַיְיהוּ, וּלְבָתַר לְיַיחֲדָא יִחוּדָא כִּדְקָא חֲזֵי, דִּכְתִיב דְּעוּ כִּי ה' הוּא אֱלֹקִים, דָּא רָזָא דְּיִחוּדָא בְּרָזָא דְּפוּלְחָנָא.

תיז. וְעִם כָּל דָּא, בָּעֵי בַּר נָשׁ לְמִפְלַח קַמֵּיהּ דְּקוּדְשָׁא בְּרִיךְ הוּא בְּחֶדְוָה, וּלְאַחֲזָאָה

וְחֶדְוָה בְּפוּלְחָנֵיהּ, וְאִלֵּין תְּרֵין שִׂמְחָה וּרְנָנָה, לָקֳבֵל תְּרֵין אִלֵּין, תְּרֵין צְלוֹתִין, תְּרֵין קוּרְבְּנִין לְיוֹמָא לָקֳבֵל תְּרֵין אִלֵּין, דְּאִינוּן שִׂמְחָה וּרְנָנָה, שִׂמְחָה בְּצַפְרָא, וּרְנָנָה בְּרַמְשָׁא, וְעַל דָּא אֶת הַכֶּבֶשׂ אֶחָד תַּעֲשֶׂה בַבֹּקֶר וְאֵת הַכֶּבֶשׂ הַשֵּׁנִי תַּעֲשֶׂה בֵּין הָעַרְבָּיִם.

תיז. וְעַל דָּא, צְלוֹתָא דְעַרְבִית רְשׁוּת אִיהִי, בְּגִין דְּהַהִיא שַׁעֲתָא מְחַלֵּק טַרְפָּא לְכָל חֵילָהָא, וְלָאו שַׁעֲתָא לְאַדְכָּרָא אֶלָּא לְמֵיהַב מְזוֹנָא. בִּימָמָא הִיא מִתְבָּרֶכֶת מִתְּרֵין סִטְרִין אִלֵּין, בְּצַפְרָא וּבְרַמְשָׁא מִגּוֹ שִׂמְחָה וּרְנָנָה, וּבְלֵילְיָא פַּלִּיג בִּרְכָאן לְכֹלָּא כִּדְקָא חָזֵי, הה"ד וַתָּקָם בְּעוֹד לַיְלָה וַתִּתֵּן טֶרֶף לְבֵיתָהּ וגו'.

תיט. פָּתַח רִבִּי חִזְקִיָּה וְאָמַר, תִּכּוֹן תְּפִלָּתִי קְטֹרֶת לְפָנֶיךָ מַשְׂאַת כַּפַּי מִנְחַת עָרֶב. אַמַּאי מִנְחַת עֶרֶב וְלָא צְלוֹתָא דְצַפְרָא, דְּלָא כְתִיב תִּכּוֹן תְּפִלָּתִי בַּבֹּקֶר. אֶלָּא הָכֵי אִתְּמַר, תִּכּוֹן תְּפִלָּתִי קְטֹרֶת לְפָנֶיךָ, קְטֹרֶת לָא אַתְיָא אֶלָּא עַל חֶדְוָה, הה"ד שֶׁמֶן וּקְטֹרֶת יְשַׂמַּח לֵב. וְעַ"ד כַּהֲנָא כַּד אַדְלִיק בּוֹצִינִין, הֲוָה מַקְרִיב קְטֹרֶת, כד"א בְּהֵיטִיבוֹ אֶת הַנֵּרוֹת יַקְטִירֶנָּה וּבְהַעֲלֹת אַהֲרֹן אֶת הַנֵּרוֹת בֵּין הָעַרְבַּיִם יַקְטִירֶנָּה. בְּצַפְרָא: עַל חֶדְוָה, דְּשַׁעֲתָא גָּרִים. בְּרַמְשָׁא: לְמֶחֱדֵי סְטַר שְׂמָאלָא, וְהָכֵי אִתְחָזֵי. וּלְעָלַם לָא אָתֵי אֶלָּא עַל חֶדְוָה.

תכ. וְתָא חֲזֵי קְטֹרֶת מְקַשֵּׁר קִשְׁרִין, וְאַנְהִיר לְעֵילָא וְתַתָּא, וְדָא אַעֲבַר מוֹתָא וְקִטְרוּגָא וְרוּגְזָא, דְּלָא יָכִיל לְשַׁלְטָאָה בְּעָלְמָא, כְּמָה דִכְתִיב וַיֹּאמֶר מֹשֶׁה אֶל אַהֲרֹן קַח אֶת הַמַּחְתָּה וְתֶן עָלֶיהָ אֵשׁ מֵעַל הַמִּזְבֵּחַ וְשִׂים קְטֹרֶת וְהוֹלֵךְ מְהֵרָה וגו'. לְבָתַר דָּא כְתִיב וַיָּרָץ וגו', וַיְכַפֵּר עַל הָעָם, וּכְתִיב וַיַּעֲמֹד בֵּין הַמֵּתִים וּבֵין הַחַיִּים וַתֵּעָצַר הַמַּגֵּפָה. בְּגִין דְּלָא יָכְלִין כָּל סִטְרִין בִּישִׁין וְכָל מְקַטְרְגִין לְמֵיקַם קַמֵּי קְטֹרֶת, וְעַל דָּא אִיהוּ חֶדְוָה דְכֹלָּא וְקִשּׁוּרָא דְכֹלָּא.

תכא. וּבְשַׁעֲתָא דְמִנְחָה, דְּדִינָא שַׁרְיָא בְּעָלְמָא, אִתְכַּוֵּן דָּוִד בְּהַהוּא צְלוֹתָא, דִּכְתִיב תִּכּוֹן תְּפִלָּתִי קְטֹרֶת לְפָנֶיךָ וגו'. וְהַאי צְלוֹתָא דְסָלִיק, יַעֲבַר רוּגְזָא דְדִינָא קַשְׁיָא, דְּשַׁלִּיט הַשְׁתָּא בְּהַאי זִמְנָא, בְּהַהוּא קְטֹרֶת, דְּדָחֵי וְאַעֲבַר קַמֵּיהּ כָּל רוּגְזָא, וְכָל קִטְרוּגָא דְעָלְמָא, הַיְינוּ דִכְתִיב מִנְחַת עָרֶב, דְּדִינָא תַּלְיָא בְּעָלְמָא.

תכב. תָּא חֲזֵי, כַּד אִתְחָרַב בֵּי מַקְדְּשָׁא, בְּשַׁעֲתָא דְאִתּוֹקַד, זְמַן מִנְחָה הֲוָה, וְעַל דָּא כְתִיב, אוֹי לָנוּ כִּי פָנָה הַיּוֹם כִּי יִנָּטוּ צִלְלֵי עָרֶב. מַאן צִלְלֵי עָרֶב. אִינוּן מְקַטְרְגִין דְעָלְמָא, וְרוּגְזֵי דְדִינִין, דִּזְמִינִין בְּהַהִיא שַׁעֲתָא. וְעַ"ד תָּנֵינָן, דְּבָעֵי בַּר נָשׁ לְכַוְּונָא דַעְתֵּיהּ, בִּצְלוֹתָא דְמִנְחָה. בְּכֻלְּהוּ צְלוֹתָא בָּעֵי בַּר נָשׁ לְכַוְּונָא דַעְתֵּיהּ, וּבְהַאי צְלוֹתָא יַתִּיר מִכֻּלְּהוּ, בְּגִין דְּדִינָא שַׁרְיָא בְּעָלְמָא. וְעַ"ד זְמַן צְלוֹתָא דְמִנְחָה, יִצְחָק תַּקִּין לֵיהּ, וְהָא אוֹקְמוּהָ.

תכג. עַד דַּהֲווּ אָזְלֵי, אָעֲלוּ בְּחַד טוּרָא, א"ר יוֹסֵי, הַאי טוּרָא דַחֲלָא, נֵהַךְ וְלָא נִתְעַכֵּב הָכָא, בְּגִין דְּטוּרָא דִּדְחִילָא הוּא. אָמַר רִבִּי יְהוּדָה, אִי הֲוָה חַד, הֲוָה אֲמֵינָא הָכֵי, דְּהָא תָּנֵינָן דְּמַאן דְּאָזִיל יְחִידָאי בְּאוֹרְחָא אִתְחַיַּיב בְּנַפְשֵׁיהּ, אֲבָל תְּלָתָא לָא, וְכָל חַד וְחַד מִינָן, אִתְחֲזֵי דְּלָא תַעֲדֵי מִינָן שְׁכִינְתָּא.

תכד. א"ר יוֹסֵי, הָא תָּנֵינָן דְּלָא יִסְמוֹךְ בַּר נָשׁ עַל נִסָּא. מְנָלָן. מִשְּׁמוּאֵל, דִּכְתִיב אֵיךְ אֵלֵךְ וְשָׁמַע שָׁאוּל וַהֲרָגָנִי, וְהָא אִתְחֲזֵי שְׁמוּאֵל יַתִּיר מִינָן. אָמַר לֵיהּ, אֲפִילוּ הָכֵי, אִיהוּ הֲוָה חַד, וְהֶזֵּיקָא אִשְׁתַּכַּח לְעֵינָא. אֲבָל אֲנָן תְּלָתָא, וְהֶזֵּיקָא לָא אִשְׁתַּכַּח לְעֵינָא. דְּאִי מִשּׁוּם מַזִּיקִין. הָא תָּנֵינָן, דִּלְתְלָתָא לָא מִתְחֲזֵי, וְלָא מַזְּקֵי, וְאִי מִשּׁוּם לִסְטִים, לָא מִשְׁתַּכְּחֵי הָכָא, דְּהָא רָחִיק מִיִּשּׁוּבָא הַאי טוּרָא, וּבְנֵי נָשָׁא לָא מִשְׁתַּכְּחֵי הָכָא, בְּרַם דְּחִילוּ הוּא, דְּחֵיוָון בָּרָא דְמִשְׁתַּכְּחִין הָכָא.

תכה. פָּתַח וְאָמַר הַמַּלְאָךְ הַגֹּאֵל אוֹתִי מִכָּל רָע, הַאי קְרָא אִית לְאִסְתַּכָּלָא בֵּיהּ,

הַגּוֹאֵל, אֲשֶׁר גָּאַל מִבָּעֵי לֵיהּ, מַאי הַגּוֹאֵל. בְּגִין דְּהוּא מִשְׁתַּכַּח תָּדִיר לְגַבֵּי בְּנֵי נָשָׁא, וְלָא אַעֲדֵי מִבַּ"נ זַכָּאָה לְעָלְמִין. תָּא חֲזֵי, הַמַּלְאָךְ הַגּוֹאֵל אוֹתִי דָּא שְׁכִינְתָּא, דְּאָזִיל עִמֵּיהּ דְּבַ"נ תָּדִיר, וְלָא אַעֲדֵי מִנֵּיהּ, כַּד בַּ"נ נָטִיר פִּקּוּדֵי אוֹרַיְיתָא. וְעַ"ד יִזְדְּהַר בַּר נָשׁ, דְּלָא יִפּוֹק יְחִידָאי בְּאוֹרְחָא, מַאי יְחִידָאי. דְּיִזְדְּהַר בַּ"נ לְמִטַּר פִּקּוּדֵי דְּאוֹרַיְיתָא, בְּגִין דְּלָא תַּעֲדֵי מִנֵּיהּ שְׁכִינְתָּא, וְיִצְטְרִךְ לְמֵיזַל יְחִידָאי, בְּלָא זִוּוּגָא דִּשְׁכִינְתָּא.

תכו. תָּא חֲזֵי, כַּד נָפִיק בַּר נָשׁ לְאוֹרְחָא, יְסַדֵּר צְלוֹתָא קַמֵּי מָארֵיהּ, בְּגִין לְאַמְשָׁכָא עֲלֵיהּ שְׁכִינְתָּא, וּלְבָתַר יִפּוֹק לְאוֹרְחָא, וְיִשְׁתְּכַח זִוּוּגָא דִּשְׁכִינְתָּא, לְמִפְרַק לֵיהּ בְּאוֹרְחָא, וּלְשֵׁזָבָא לֵיהּ, בְּכָל מַה דְּאִצְטְרִיךְ.

תכז. מַה כְּתִיב בְּיַעֲקֹב, אִם יִהְיֶה אֱלֹקִים עִמָּדִי, דָּא זִוּוּגָא דִּשְׁכִינְתָּא. וּשְׁמָרַנִי בַּדֶּרֶךְ הַזֶּה, לְמִפְרַק לִי מִכֹּלָּא, וְיַעֲקֹב יְחִידָאי הֲוָה בְּהַהוּא זִמְנָא, וּשְׁכִינְתָּא אָזְלַת קַמֵּיהּ, כָּל שֶׁכֵּן חַבְרַיָּיא דְּאִית בֵּינַיְיהוּ מִלִּין דְּאוֹרַיְיתָא, עַל אַחַת כַּמָּה וְכַמָּה.

תכח. א"ר יוֹסֵי, מַאי נַעֲבִיד, אִי נִתְעַכֵּב הָכָא, הָא יוֹמָא מָאִיךְ לְמֵיעַל, אִי נֵהַךְ לְעֵילָּא, טוּרָא רַב אִיהוּ, וּדְחִילוּ דְּחֵיוָון וַהֲקָלָא דְּחֵילְנָא. א"ר יְהוּדָה, תַּוָּוהְנָא עָלָךְ ר' יוֹסֵי. א"ל הָא תָּנִינָן דְּלָא יִסְמוֹךְ בַּר נָשׁ עַל נִיסָא, דְּקוּדְשָׁא בְּרִיךְ הוּא לָא יַרְחִישׁ נִיסָא בְּכָל שַׁעְתָּא. א"ל ה"מ יְחִידָאי, אֲבָל אֲנַחְנָא תְּלָתָא, וּמִלֵּי אוֹרַיְיתָא בֵּינָנָא, וּשְׁכִינְתָּא עִמָּנָא, לָא דָּחֵילְנָא.

תכט. עַד דַּהֲווֹ אָזְלֵי, חָמוּ לְעֵילָּא בְּטוּרָא, טִנָּרָא חַד, וְחַד מְעַרְתָּא בְּגַוֵּיהּ. א"ר יְהוּדָה, נֵיהַךְ וְנֵיסַק לְהַהוּא טִינָּרָא, דַּאֲנָא חָמֵי וְחָדָא מְעַרְתָּא תַּמָּן. סְלִיקוּ לְתַמָּן, וְחָמוּ הַהִיא מְעַרְתָּא. א"ר יוֹסֵי, דָּחֵילְנָא, דִּילְמָא הַהִיא מְעַרְתָּא אֲתַר דִּלְחֵיוָון אִיהוּ, וְלָא יִפְגְּעוּ לוֹן הָכָא.

תל. א"ר יְהוּדָה לְר' חִזְקִיָּה, הָא חָמֵינָא דְּר' יוֹסֵי דָּחִיל אִיהוּ, אִי תֵּימָא בְּגִין דְּאִיהוּ חַטָּאָה, דְּכָל מַאן דְּדָחִיל, חַטָּאָה אִיהוּ, דִּכְתִיב פָּחֲדוּ בְצִיּוֹן חַטָּאִים, הָא לָאו אִיהוּ חַטָּאָה, וּכְתִיב וְצַדִּיקִים כִּכְפִיר יִבְטָח. א"ר יוֹסֵי, בְּגִין דְּנִזְקָא שְׁכִיחַ.

תלא. א"ל אִי נִזְקָא שְׁכִיחַ, הָכֵי הוּא, אֲבָל הָכָא לָא אִשְׁתְּכַח נִזְקָא, וּלְבָתַר דַּאֲנָן נֵיעוֹל לִמְעַרְתָּא, לָא לֵיעוֹל נִזְקָא, לְצַעֲרָא לָן. עָאלוּ לִמְעַרְתָּא, א"ר יְהוּדָה, נִפְלוֹג לֵילְיָא לִתְלַת מִשְׁמָרוֹת דַּהֲוֵי לֵילְיָא, כָּל חַד וְחַד מִנָּן, לֵיקוּם עַל קִיּוּמֵיהּ, בְּהַנֵּי תְּלַת סִטְרֵי לֵילְיָא, וְלָא נִדְמוֹךְ.

תלב. פָּתַח ר' יְהוּדָה וַאֲמַר, מַשְׂכִּיל לְאֵיתָן הָאֶזְרָחִי, הַאי תּוּשְׁבַּחְתָּא אַבְרָהָם אָבִינוּ אֲמָרָהּ בְּשַׁעְתָּא דְּאִשְׁתַּדַּל בְּפוּלְחָנָא דְּקוּדְשָׁא בְּרִיךְ הוּא, וְעָבִיד חֶסֶד עִם בְּנֵי עָלְמָא, דְּיִשְׁתְּמוֹדְעוּן כֹּלָּא לְקוּדְשָׁא בְּרִיךְ הוּא, דְּקוּדְשָׁא בְּרִיךְ הוּא שַׁלִּיט עַל אַרְעָא. וְאִקְרֵי אֵיתָן. בְּגִין, דְּאִתְקַף בְּתַקִּיפוּ בֵּיהּ בְּקוּדְשָׁא בְּרִיךְ הוּא.

תלג. חַסְדֵי ה' עוֹלָם אָשִׁירָה, וְכִי מִסִּטְרָא דַּחֲסָדִים אָתְיָין לְזַמְרָא, אֶלָּא הָכָא אִתְכְּלִיל סִטְרָא דִּשְׂמָאלָא בִּימִינָא, וְעַ"ד קוּדְשָׁא בְּרִיךְ הוּא נַסֵּי לְאַבְרָהָם, וּבָחִין לֵיהּ, וְהָא אִתְּמַר דְּיִצְחָק בַּר תְּלָתִין וּשְׁבַע שְׁנִין הֲוָה בְּהַהוּא זִמְנָא, מַאי נִסָּה אֶת אַבְרָהָם, נִסָּה אֶת יִצְחָק מִבָּעֵי לֵיהּ. אֶלָּא נִסָּה אֶת אַבְרָהָם, דְּיִשְׁתְּכַח בְּדִינָא, וּלְאִתְכַּלְלָא בְּדִינָא, דְּיִשְׁתְּכַח שְׁלִים כִּדְקָא יָאוּת, וְעַ"ד חַסְדֵי ה' עוֹלָם אָשִׁירָה.

תלד. ד"א חַסְדֵי ה' עוֹלָם אָשִׁירָה, אִינּוּן חֲסָדִים, דְּקוּדְשָׁא בְּרִיךְ הוּא עָבִיד עִם עָלְמָא. לְדוֹר וָדוֹר אוֹדִיעַ אֱמוּנָתְךָ בְּפִי, טִיבוּ וּקְשׁוֹט, דְּעָבִיד עִם כֹּלָּא. לְדוֹר וָדוֹר אוֹדִיעַ אֱמוּנָתְךָ, דָּא מְהֵימְנוּתָא דְּקוּדְשָׁא בְּרִיךְ הוּא דְּאוֹדַע אַבְרָהָם בְּעָלְמָא, וְאַדְכַּר לֵיהּ

בְּפוּמָא דְּכָל בִּרְיָין, וְעַל דָּא אוֹדִיעַ אֱמוּנָתְךָ בְּפִי.

תלה. וְקוּדְשָׁא בְּרִיךְ הוּא אוֹדַע לֵיהּ לְאַבְרָהָם רָזָא דִּמְהֵימְנוּתָא, וְכַד יָדַע רָזָא דִּמְהֵימְנוּתָא, יָדַע דְּאִיהוּ עִיקָּרָא וְקִיּוּמָא דְּעָלְמָא, דִּבְגִינֵיהּ אִתְבְּרֵי עָלְמָא, וְאִתְקַיַּים, הה"ד כִּי אָמַרְתִּי עוֹלָם חֶסֶד יִבָּנֶה וגו'. דְּכַד בָּרָא קוּדְשָׁא בְּרִיךְ הוּא עָלְמָא, וְחָמָא דְּלָא יָכִיל לְמֵיקַם, עַד דְּאוֹשִׁיט יְמִינָא עֲלֵיהּ וְאִתְקַיַּים, וְאִי לָאו דְּאוֹשִׁיט יְמִינָא עֲלֵיהּ, לָא אִתְקַיַּים, בְּגִין דְּעָלְמָא דָּא בְּדִינָא אִתְבְּרֵי, וְהָא אוֹקִימְנָא.

תלו. וְאִתְּמַר בְּרֵאשִׁית, וְרָזָא כְּלָלָא וַדַּאי, תְּרֵין גַּוְונִין הָכָא, בְּרֵאשִׁית, אע"ג דְּאֲמָרָן שֵׁירוּתָא מִתַּתָּא לְעֵילָּא, רֵאשִׁית הָכִי נָמֵי מֵעֵילָּא לְתַתָּא, וְקָאֲמְרִינָן ב' רֵאשִׁית, כִּדְקָאֲמְרִינָן בֵּית קֹדֶשׁ הַקֳּדָשִׁים, דְּהַאי אִתְיְיהִיבַת לְהַהוּא רֵאשִׁית, וּמִכָּּה כְּלִילָא אִיהִי כַּחֲדָא.

תלז. וּבְהַאי ב"ת אִתְבְּרֵי עָלְמָא דָא, וְלָא אִתְקַיַּים אֶלָּא בִּימִינָא, וְהָא אוֹקְמוּהָ בְּהִבָּרְאָם: בְּאַבְרָהָם כְּתִיב, וּבְגִין כָּךְ, אָמַרְתִּי עוֹלָם חֶסֶד יִבָּנֶה. וּבִנְיָנָא קַדְמָאָה דְּעָלְמָא, הַהוּא נְהוֹרָא דְּיוֹמָא קַדְמָאָה, הֲוָה בֵּיהּ לְקַיְּימָא. וּלְבָתַר בְּיוֹמָא תִּנְיָנָא, בִּשְׂמָאלָא. וּבְהָנֵהוּ אִתְקַן שָׁמַיִם, וּכְתִיב שָׁמַיִם תָּכִין אֱמוּנָתְךָ בָהֶם.

תלח. ד"א שָׁמַיִם תָּכִין אֱמוּנָתְךָ בָהֶם, שָׁמַיִם בְּאִינּוּן חֲסָדִים אִתַּקְנוּ, וְרָזָא דֶּאֱמוּנָה אִתְקָנַת בְּהוּ, דְּלֵית תִּקּוּנָהָא אֶלָּא מִגּוֹ שָׁמַיִם.

תלט. כָּרַתִּי בְרִית לִבְחִירִי, דָּא הוּא רָזָא דִּמְהֵימְנוּתָא. ד"א, דָּא אִיהוּ צַדִּיק דְּמִינֵּיהּ נָפְקִין בִּרְכָאן לְכֻלְּהוּ תַּתָּאֵי, וְכָל זִיוּוּן קַדִּישָׁן, כֻּלְּהוּ אִתְבָּרְכָאן, מִן הַהוּא נְגִידוּ דְּנָגִיד לְתַתָּאֵי, וּבְגִין כָּךְ כְּתִיב, כָּרַתִּי בְרִית לִבְחִירִי.

תמ. נִשְׁבַּעְתִּי לְדָוִד עַבְדִּי, דָּא רָזָא דִּמְהֵימְנוּתָא, דְּאִיהוּ קַיְּימָא תָּדִיר בְּצַדִּיק דָּא, קִיּוּמָא דְּעָלְמָא, דְּלָא יִתְבַּדְּרוּן לְעָלְמִין, בַּר בְּזִמְנָא דְּגָלוּתָא, דִּנְגִידוּ דְּבִרְכָאן אִתְמְנָעוּ, וְרָזָא דִּמְהֵימְנוּתָא לָא אִשְׁתַּלִּים, וְכָל וְחָדְוָון אִתְמְנָעוּ. וְכַד עָיֵיל לֵילְיָא, מֵהַהוּא זִמְנָא, וְחֶדְוָון לָא עָאלוּ קָמֵי מַלְכָּא.

תמא. וְאע"ג דְּחֶדְוָון לָא אִתְעָרוּ, אֲבָל לְבַר קַיְּימֵי וּמְזַמְּרֵי שִׁירָתָא, וְכַד אִתְפְּלִיג לֵילְיָא, וְאִתְּעָרוּתָא סַלְקָא מִתַּתָּא לְעֵילָּא, כְּדֵין קוּדְשָׁא בְּרִיךְ הוּא אַתְעַר כָּל וְזִילֵי שְׁמַיָּא לִבְכִיָּה, וּבָעַט בִּרְקִיעָא, וְאִזְדַּעְזְעָן עִלָּאֵי וְתַתָּאֵי.

תמב. וְלֵית נַיְיחָא קָמֵיהּ, בַּר בְּזִמְנָא דְּמִתְעָרֵי לְתַתָּא בְּאוֹרַיְיתָא, כְּדֵין, קוּדְשָׁא בְּרִיךְ הוּא, וְכָל אִינּוּן נִשְׁמָתִין דְּצַדִּיקַיָּא, כֻּלְּהוּ צַיְיתִין וְחָדָיִין לְהַהוּא קָלָא וּכְדֵין נַיְיחָא. קָמֵיהּ אִשְׁתַּכַּח. בְּגִין דְּמִיּוֹמָא דְּאִתְחָרִיב מַקְדְּשָׁא לְתַתָּא, אוֹמֵי קוּדְשָׁא בְּרִיךְ הוּא, דְּלָא יֵיעוֹל בְּגוֹ יְרוּשָׁלֵם דִּלְעֵילָּא, עַד דְּיֵיעֲלוּן יִשְׂרָאֵל לִירוּשָׁלֵם דִּלְתַתָּא, דִּכְתִיב בְּקִרְבְּךָ קָדוֹשׁ וְלֹא אָבוֹא בְּעִיר, וְהָא אוֹקְמוּהָ חַבְרַיָּיא.

תמג. וְכָל אִינּוּן מְזַמְּרֵי, קַיְימֵי לְבַר, וְאָמְרֵי שִׁירָתָא, בִּתְלַת פַּלְגֵי לֵילְיָא, וְכֻלְּהוּ מְשַׁבְּחָן בְּתוּשְׁבְּחָתָן יְדִיעָאן, וְכֻלְּהוּ וְזִילֵי שְׁמַיָּא, כֻּלְּהוּ מִתְעָרֵי בְּלֵילְיָא, וְיִשְׂרָאֵל בִּימָמָא, וּקְדוּשָּׁה לָא מְקַדְּשֵׁי לְעֵילָּא, עַד דִּמְקַדְּשֵׁי יִשְׂרָאֵל לְתַתָּא, וּכְדֵין כָּל וְזִילֵי שְׁמַיָּא מְקַדְּשֵׁי שְׁמָא קַדִּישָׁא כַּחֲדָא. וְעַ"ד יִשְׂרָאֵל קַדִּישִׁין, מִתְקַדְּשִׁין מֵעִלָּאֵי וְתַתָּאֵי כַּחֲדָא, הה"ד קְדוֹשִׁים תִּהְיוּ כִּי קָדוֹשׁ אֲנִי ה' אֱלֹהֵיכֶם.

תמד. פָּתַח ר' יוֹסֵי וְאָמַר, עַל מָה אֲדָנֶיהָ הָטְבָּעוּ, הַאי קְרָא קוּדְשָׁא בְּרִיךְ הוּא א"ל, בְּגִין דְּכַד בָּרָא עָלְמָא, לָא בָּרָא לֵיהּ אֶלָּא עַל סַמְכִין, דְּאִינּוּן ז' סַמְכִין דְּעָלְמָא, כַּד"א

וְזַצְבָה עַמּוּדֶיהָ שִׁבְעָה, וְאִינּוּן סָמְכִין לָא אִתְיְידַע עַל מָה קָיְימִין.

תמה. בְּגִין דְּאִיהוּ רָזָא עֲמִיקָא סְתִימָא דְּכֹל סְתִימִין, וְעַלְמָא לָא אִתְבְּרֵי, עַד דְּנָטַל אַבְנָא וְזָרָא, וְאִיהוּ אַבְנָא דְּאִתְקְרֵי אֶבֶן שְׁתִיָּה, וְנָטַל לָהּ קוּדְשָׁא בְּרִיךְ הוּא, וְזָרַק לָהּ לְגוֹ תְּהוֹמָא, וְאִתְנְעִיץ מֵעֵילָא לְתַתָּא, וּמִנֵּיהּ אִשְׁתִּיל עָלְמָא, וְאִיהִי נְקוּדָה אֶמְצָעִיתָא דְּעָלְמָא, וּבְהַאי נְקוּדָה קָיְימָא קֹדֶשׁ הַקֳּדָשִׁים, הה״ד אוֹ מִי יָרָה אֶבֶן פִּנָּתָהּ, כְּד״א אֶבֶן בֹּחַן פִּנַּת יִקְרַת, וּכְתִיב אֶבֶן מָאֲסוּ הַבּוֹנִים הָיְתָה לְרֹאשׁ פִּנָּה.

תמו. תָּא חֲזֵי, הַאי אֶבֶן, אִתְבְּרֵי מֵאֶשָּׁא וּמֵרוּחָא וּמִמַּיָּא, וְאִתְגְּלִיד מִכֻּלְּהוּ, וְאִתְעֲבֵיד אַבְנָא וְזָרָא, וְקָיְימָא עַל תְּהוֹמֵי, וּלְזִמְנִין נָבְעִין מִנֵּיהּ מַיָּא, וְאִתְמַלְיָין תְּהוֹמֵי, וְהַאי אַבְנָא קָיְימָא לְאָת בְּאֶמְצָעִיתָא דְּעָלְמָא, וְהַאי אִיהוּ אֶבֶן דְּקַיֵּים וְאַשְׁתִּיל יַעֲקֹב, שְׁתִילוּ וְקִיּוּמָא דְּעָלְמָא, הה״ד וַיִּקַּח יַעֲקֹב אֶבֶן וַיְרִימֶהָ מַצֵּבָה.

תמז. וְהָאֶבֶן הַזֹּאת אֲשֶׁר שַׂמְתִּי מַצֵּבָה וגו׳, וְכִי הַאי אֶבֶן שַׁוֵּי לֵיהּ יַעֲקֹב, וְהָא הַאי אֶבֶן אִתְבְּרֵי בְּקַדְמֵיתָא, כַּד בָּרָא קוּדְשָׁא בְּרִיךְ הוּא עָלְמָא. אֶלָּא דְּשַׁוֵּי לָהּ קִיּוּמָא דִּלְעֵילָא וְתַתָּא, וְעַל דָּא אֲשֶׁר שַׂמְתִּי מַצֵּבָה כְּתִיב, מַאי אֲשֶׁר שַׂמְתִּי. דִּכְתִיב יִהְיֶה בֵּית אֱלֹקִים, דְּשַׁוֵּי מְדוֹרָא דִּלְעֵילָא הָכָא.

תמח. תָּא חֲזֵי הַאי אֶבֶן אִית עֲלָהּ שִׁבְעָה עֵינַיִם, כְּד״א עַל אֶבֶן אַחַת שִׁבְעָה עֵינָיִם, עַל מָה אִתְקְרִיאַת שְׁתִיָּה. חַד דְּמִנָּהּ אִשְׁתִּיל עָלְמָא. וְחַד, שְׁתִיָּה. שָׁת יָהּ, דְּשַׁוֵּי קוּדְשָׁא בְּרִיךְ הוּא לָהּ, לְאִתְבָּרְכָא מִנָּהּ עָלְמָא, בְּגִין דְּעָלְמָא מִנָּהּ מִתְבָּרְכָא.

תמט. וְתָא חֲזֵי בְּשַׁעְתָּא דְּעָאל שִׁמְשָׁא, הָנֵי כְּרוּבִים דְּקָיְימִין בְּהַאי דּוּכְתָּא, וַהֲווּ יָתְבֵי בְּאָת, הֲווּ אַקִּישָׁן גַּדְפַּיְיהוּ לְעֵיל, וּפָרְשֵׂי לוֹן, וְאִשְׁתְּמַע קוֹל נִגּוּנָא דְּגַדְפַּיְיהוּ לְעֵילָא, וּכְדֵין שָׁרָאן לְנַגְּנָא אִינּוּן מַלְאָכִין, דְּאָמְרֵי שִׁירָתָא בְּשֵׁירוּתָא דְּלֵילְיָא, בְּגִין דְּיִסְתַּלַּק יְקָרֵיהּ דְּקוּדְשָׁא בְּרִיךְ הוּא, מִתַּתָּא לְעֵילָא. וּמַאי שִׁירָתָא הֲווּ אָמְרוּ, הַהוּא נִגּוּנָא דְּגַדְפַּיְיהוּ דִּכְרוּבִים, הִנֵּה בָּרְכוּ אֶת ה׳ כָּל עַבְדֵי ה׳ וגו׳, שְׂאוּ יְדֵיכֶם קֹדֶשׁ וגו׳, וּכְדֵין אִיהוּ שִׁירָתָא לְאִינּוּן מַלְאֲכֵי עִלָּאֵי לְזַמְּרָא.

תנ. בְּמִשְׁמַרְתָּא תִּנְיָינָא, הָנֵי כְּרוּבִים אַקִּישֵׁי גַּדְפַּיְיהוּ לְעֵילָא, וְאִשְׁתְּמַע קוֹל נִגּוּנָא דִּלְהוֹן, וּכְדֵין שָׁרָאן לְנַגְּנָא אִינּוּן מַלְאָכִין דְּקָיְימִין בְּמִשְׁמַרְתָּא תִּנְיָינָא, וּמַאי שִׁירָתָא הֲווּ אָמְרֵי בְּהַאי שַׁעְתָּא, נִגּוּנָא דְּגַדְפַּיְיהוּ דִּכְרוּבִים, הַבּוֹטְחִים בַּה׳ כְּהַר צִיּוֹן לֹא יִמּוֹט וגו׳. וּכְדֵין אִיהוּ שֵׁירוּתָא לְאִינּוּן דְּקָיְימֵי בְּהַאי מִשְׁמָרָה תִּנְיָינָא לְנַגְּנָא.

תנא. בְּמִשְׁמָרָה תְּלִיתָאָה, הָנֵי כְּרוּבִים אַקִּישׁוּ גַּדְפַּיְיהוּ, וְאָמְרֵי שִׁירָתָא, וּמַאי הִיא. הַלְלוּיָהּ הַלְלוּ עַבְדֵי ה׳ וגו׳, יְהִי שֵׁם ה׳ מְבוֹרָךְ וגו׳, מִמִּזְרַח שֶׁמֶשׁ וגו׳. כְּדֵין אִינּוּן מַלְאָכִין דְּקָיְימֵי בְּמִשְׁמָרָה תְּלִיתָאָה, כֻּלְּהוּ אָמְרֵי שִׁירָתָא.

תנב. וְכֻלְּהוּ כּוֹכְבֵי וּמַזָּלֵי דִּבְרְקִיעָא, פָּתְחֵי שִׁירָתָא, כְּמָה דִּכְתִיב, בְּרָן יַחַד כּוֹכְבֵי בֹקֶר וַיָּרִיעוּ כָּל בְּנֵי אֱלֹקִים. וּכְתִיב הַלְלוּהוּ כָּל כּוֹכְבֵי אוֹר, דְּהָא אִינּוּן כֹּכְבֵי דִּנְהוֹרָא, מְנַגְּנָן עַל נְהוֹרָא.

תנג. כַּד אָתֵי צַפְרָא, וּכְדֵין נָטְלֵי שִׁירָתָא אֲבַתְרַיְיהוּ דְּיִשְׂרָאֵל לְתַתָּא, וְסָלְקָא יְקָרֵיהּ דְּקוּדְשָׁא בְּרִיךְ הוּא, מִתַּתָּא וּמִלְעֵילָא, יִשְׂרָאֵל לְתַתָּא בִּימָמָא, וּמַלְאֲכֵי עִלָּאֵי לְעֵילָא, בְּלֵילְיָא, וּכְדֵין אִשְׁתְּלִים שְׁמָא קַדִּישָׁא בְּכָל סִטְרִין.

תנד. וְהַאי אֶבֶן דְּקָאֲמַר, כֻּלְּהוּ מַלְאֲכֵי עִלָּאֵי, וְיִשְׂרָאֵל לְתַתָּא, כֻּלְּהוּ אִתְקָפוּ בְּהַאי אֶבֶן, וְאִיהִי סָלְקָא לְעֵילָא, לְאִתְעַטְּרָא גּוֹ אֲבָהָן בִּימָמָא. וּבְלֵילְיָא, קוּדְשָׁא בְּרִיךְ הוּא אָתֵי

לְאִשְׁתַּעְשְׁעָא עִם צַדִּיקַיָּא בְּגִנְּתָא דְעֵדֶן.

תנה. זַכָּאִין אִינּוּן כָּל דְּקַיְּימֵי בְּקִיּוּמַיְיהוּ, וּמִשְׁתַּדְּלִין בְּאוֹרַיְיתָא בְּלֵילְיָא, בְּגִין דְּקוּדְשָׁא בְּרִיךְ הוּא, וְכָל אִינּוּן צַדִּיקַיָּיא דְּבְגִנְּתָא דְעֵדֶן, שָׁמְעוּ קָלַיְיהוּ דִּבְנֵי נָשָׁא, אִינּוּן דְּמִשְׁתַּדְּלֵי בְּאוֹרַיְיתָא, כְּמָה דִכְתִיב הַיּוֹשֶׁבֶת בַּגַּנִּים וְגוֹ'.

תנו. תָּא חֲזֵי, הַאי אֶבֶן, אִיהוּ אֶבֶן טָבָא, וְדָא הוּא רָזָא דִכְתִיב וּמִלֵּאתָ בוֹ מִלֻּאַת אֶבֶן אַרְבָּעָה טוּרֵי אָבֶן. וְאִלֵּין אִינּוּן סִדְרִין דְּאֶבֶן טָבָא, אַשְׁלְמוּתָא דְּאֶבֶן יְקָרָה, בְּגִין דְּאִית אֶבֶן אָחֳרָא. דִּכְתִיב וַהֲסִירוֹתִי אֶת לֵב הָאֶבֶן וְגוֹ', וּכְתִיב וְאֶת רוּחִי אֶתֵּן בְּקִרְבְּכֶם. וְהַאי אִיהוּ אֶבֶן בֹּחַן פִּנַּת יִקְרַת וְאוֹקְמוּהָ.

תנז. וְעַל רָזָא דָא כְּתִיב, לוּחוֹת הָאֶבֶן, דְּאִינּוּן לוּחוֹת אִתְגְּזָרוּ מֵהָכָא, וְע"ד אִקְרוּן עַל שְׁמֵיהּ דְּהַאי אֶבֶן, וְהַאי הוּא רָזָא דִכְתִיב, מִשָּׁם רוֹעֶה אֶבֶן יִשְׂרָאֵל כְּמָה דְּאִתְּמָר.

תנח. פָּתַח ר' חִזְקִיָּה וַאֲמַר, וְהָאֲבָנִים תִּהְיֶין עַל שְׁמוֹת בְּנֵי יִשְׂרָאֵל שְׁתֵּים עֶשְׂרֵה, אִלֵּין אַבְנֵי יְקָרִין עִלָּאִין, דְּאִתְקְרוּן אַבְנֵי הַמָּקוֹם, כד"א וַיִּקַּח מֵאַבְנֵי הַמָּקוֹם. וְהָא אוֹקְמוּהָ. וְהָאֲבָנִים עַל שְׁמוֹת בְּנֵי יִשְׂרָאֵל, כְּמָה דְּאִית י"ב שְׁבָטִים לְתַתָּא, הָכֵי נָמֵי לְעֵילָּא תְּרֵיסַר שִׁבְטִין, וְאִינּוּן תְּרֵיסַר אַבְנִין יַקִּירִין, וּכְתִיב שֶׁשָּׁם עָלוּ שְׁבָטִים וְגוֹ', עֵדוּת לְיִשְׂרָאֵל דָּא יִשְׂרָאֵל, רָזָא דִּלְעֵילָּא, וְכֻלְּהוּ לְהוֹדוֹת לְשֵׁם ה', וְע"ד וְהָאֲבָנִים תִּהְיֶין עַל שְׁמוֹת בְּנֵי יִשְׂרָאֵל.

תנט. וּכְמָה דְּאִית י"ב שָׁעֵי בְּיִמָמָא, הָכֵי אִית י"ב שָׁעֵי בְּלֵילְיָא, בְּיוֹמָא לְעֵילָּא, בְּלֵילְיָא לְתַתָּא, כֹּלָּא דָא לָקֳבֵל דָּא, הָנֵי י"ב שָׁעֵי דְּבְלֵילְיָא מִתְפַּלְּגֵי לִתְלַת פַּלְגָּאן, וְכַמָּה מְמַנֵּי תְּרֵיסַר קַיְּימֵי תְּחוֹתַיְיהוּ, דַּרְגִּין עַל דַּרְגִּין, כֻּלְּהוּ מְמַנָּן בְּלֵילְיָא, וְנָטְלֵי טַרְפָּא בְּקַדְמֵיתָא.

תס. וּכְדֵין כַּד אִתְפְּלִיג לֵילְיָא, קַיְימִין תְּרֵין סִדְרִין מִסִּטְרָא דָא, וּתְרֵין סִדְרִין מִסִּטְרָא אָחֳרָא, וְרוּחָא עִלָּאָה נָפַק בֵּינַיְיהוּ, וּכְדֵין כָּל אִינּוּן אִלָּנִין דִּבְגִנְּתָא דְעֵדֶן, כֻּלְּהוּ פָּתְחֵי שִׁירָתָא, וְקוּדְשָׁא בְּרִיךְ הוּא עָאל בְּגִנְּתָא דְעֵדֶן, הה"ד אָז יְרַנְּנוּ וְגוֹ' כִּי בָא לִשְׁפּוֹט אֶת הָאָרֶץ, כְּמָה דִכְתִיב, וְשָׁפַט בְּצֶדֶק דַּלִּים. בְּגִין דְּמִשְׁפָּט עָאל בֵּינַיְיהוּ וְאִתְמַלְיָא מִנֵּיהּ גַּן עֵדֶן.

תסא. וְרוּחָא דְצָפוֹן אִתְּעַר בְּעָלְמָא, וְחֶדְוָה אִשְׁתְּכַח וְנָשִׁיב הַהוּא רוּחָא בְּאִינּוּן בּוּסְמִין, וְסַלְּקִין רֵיחִין לְעֵילָּא, וּמִתְעַטְּרִין צַדִּיקַיָּא בְּעִטְרַיְיהוּ, וּמִתְהַנָּן מִגּוֹ זִיוָא דְּאַסְפַּקְלַרְיָאה דְּנְהֲרָא.

תסב. זַכָּאִין אִינּוּן צַדִּיקַיָּא, דְּזָכָאן לְהַהוּא נְהוֹרָא עִלָּאָה, וְהַהוּא נְהוֹרָא דְּאַסְפַּקְלַרְיָאה דְּנְהֲרָא, נָהִיר לְכָל סִטְרִין, וְכָל חַד וְחַד מֵאִלֵּין צַדִּיקַיָּא, נָטִיל לְחוּלָקֵיהּ כִּדְקָא חָזֵי לֵיהּ, וַהֲוָה נָטִיל כָּל חַד וְחַד כְּפוּם עוֹבָדוֹי דְּעָבַד בְּהַאי עָלְמָא, אִית מִנְהוֹן דְּמִתְכַּסְּפֵי, מֵהַהוּא נְהִירוּ דְּנָטִיל חַבְרֵיהּ יַתִּיר וְנָהִיר, וְהָא אוֹקְמוּהָ.

תסג. וְחוּלָקֵיהּ דְּלֵילְיָא, מִכַּד שָׁארֵי לֵילְיָא לְמֵיעָל. כַּמָּה גַּרְדִּינֵי נִמּוּסִין מִתְעָרִין, וְשָׁטָאן בְּעָלְמָא, וּפִתְחִין סְתִימִין, וּלְבָתַר כְּמָה זִינִין לְזִינַיְיהוּ, כְּמָה דְּאוֹקִימְנָא. וּכְדֵין כַּד אִתְפְּלִיג לֵילְיָא, סִטְרָא דְצָפוֹן נָחִית מֵעֵילָּא לְתַתָּא, וְאַחִיד בֵּיהּ בְּלֵילְיָא, עַד תְּרֵין חוּלָקִין דְּלֵילְיָא.

תסד. וּלְבָתַר סִטְרָא דְּדָרוֹם אִתְּעַר, עַד דְּאָתֵי צַפְרָא, וְכַד אָתֵי צַפְרָא, כְּדֵין דָּרוֹם וְצָפוֹן אַחִידוּ בֵיהּ, וּכְדֵין אָתָאן יִשְׂרָאֵל לְתַתָּא, סַלְּקִין לָהּ בִּצְלוֹתְהוֹן וּבְעוּתְהוֹן לְעֵילָּא, עַד דְּסַלְּקָא וְאִתְגְּנִיזַת בֵּינַיְיהוּ, וְנָטְלָא בִּרְכָאן מֵרֵישָׁא דְּכָל רֵישִׁין.

תסה. וְאִתְבָּרְכָא מֵהַהוּא טַלָּא דְּאִתְמְשְׁכָא מִלְּעֵילָּא, וּמֵהַהוּא טַלָּא פָּרִישׂ לְכַמָּה

סְטְרִין, וְכַמָּה רַבְוָון אִתְזָנוּ מִנֵּיהּ מֵהַהוּא טַלָּא, וּמִנֵּיהּ עֲתִידִין לְאַחֲיָיא מֵיתַיָּיא, הה״ד הָקִיצוּ וְרַנְּנוּ שׁוֹכְנֵי עָפָר כִּי טַל אוֹרוֹת טַלֶּךָ, טַלָּא מֵאִינּוּן נְהוֹרִין עִלָּאִין דְּנָהֲרִין לְעֵילָּא.

תסו. עַד דַּהֲווּ יָתְבֵי אִתְפְּלִיג לֵילְיָא, א״ל ר׳ יְהוּדָה לְר׳ יוֹסֵי, הַשְׁתָּא רוּחָא דְּצָפוֹן אִתְּעַר, וְלֵילְיָא אִתְפְּלַג, וְהַשְׁתָּא עִדָּנָא דְּקוּדְשָׁא ב״ה תָּאִיב לְקָלְהוֹן דְּצַדִּיקַיָּא בְּהַאי עַלְמָא, אִינּוּן דְּמִשְׁתַּדְּלֵי בְּאוֹרַיְיתָא, הַשְׁתָּא קוּדְשָׁא בְּרִיךְ הוּא צַיִּית לָן, בְּהַאי אֲתַר, לָא נִפְסוֹק מִלֵּי דְּאוֹרַיְיתָא.

תסז. פְּתַח וַאֲמַר, הַמַּלְאָךְ הַגּוֹאֵל אוֹתִי מִכָּל רָע, הָא אִתְּמַר וְאוֹקְמוּהָ. אֲבָל תָּא חֲזֵי, כְּתִיב הִנֵּה אָנֹכִי שׁוֹלֵחַ מַלְאָךְ וגו׳, דָּא הוּא מַלְאָךְ דְּאִיהוּ פָּרוֹקָא דְּעַלְמָא, נְטִירוּ דִּבְנֵי נָשָׁא, וְהַאי אִיהוּ דְּאַזְמִין בִּרְכָאן לְכָל עַלְמָא, בְּגִין דְּאִיהוּ נָטִיל לוֹן בְּקַדְמֵיתָא, וּלְבָתַר אִיהוּ אַזְמִין לוֹן בְּעַלְמָא, וּבְגִין דָּא כְּתִיב, הִנֵּה אָנֹכִי שׁוֹלֵחַ מַלְאָךְ לְפָנֶיךָ. וְשִׁלַּחְתִּי לְפָנֶיךָ מַלְאָךְ.

תסח. וְהַאי אִיהוּ מַלְאָךְ, דִּלְזִמְנִין דְּכַר, וּלְזִמְנִין נוּקְבָא, וְהָכֵי אִיהוּ, דְּבִזְמְנָא דְּאִיהוּ אַזְמִין בִּרְכָאן לְעַלְמָא, כְּדֵין אִיהוּ דְּכַר, וְאִקְרֵי דְּכַר. כִּדְכוּרָא דְּאַזְמִין בִּרְכָאן לְנוּקְבָא. הָכֵי אִיהוּ אַזְמִין בִּרְכָאן לְעַלְמָא. וּבִזְמְנָא דְּקַיְּימָא בְּדִינָא עַל עַלְמָא, כְּדֵין אִקְרֵי נוּקְבָא, כְּנוּקְבָא דְּאִיהִי עוּבָּרָא, הָכֵי אִיהוּ אִתְמְלֵי מִן דִּינָא, וּכְדֵין אִקְרֵי נוּקְבָא. וְעַל דָּא לִזְמְנִין אִקְרֵי דְּכוּרָא, וּלְזִמְנִין אִקְרֵי נוּקְבָא, וְכֹלָּא רָזָא חֲדָא.

תסט. כְּגַוְונָא דָּא כְּתִיב, וְאֵת לַהַט הַחֶרֶב הַמִּתְהַפֶּכֶת, מַלְאָכִין אִית שְׁלִיחָן בְּעַלְמָא, דְּמִתְהַפְּכִין לְכַמָּה גַּוְונִין, לִזְמְנִין נוּקְבֵי, לִזְמְנִין דְּכוּרֵי, לִזְמְנִין דִּינָא, לִזְמְנִין רַחֲמֵי, וְכֹלָּא בְּחַד גַּוְונָא. כְּגַוְונָא דָּא הַאי מַלְאָךְ, בְּגַוְונִין סַגִּיאִין אִיהוּ, וְכָל גַּוְונִין דְּעַלְמָא, כֻּלְּהוּ אִיתְנָהוּ בְּהַאי אֲתַר. וְרָזָא דָּא כְּמַרְאֵה הַקֶּשֶׁת אֲשֶׁר יִהְיֶה בֶעָנָן בְּיוֹם הַגֶּשֶׁם כֵּן מַרְאֵה הַנֹּגַהּ סָבִיב הוּא מַרְאֵה דְּמוּת כְּבוֹד ה׳. וּכְמָה דְּאִית בֵּיהּ כָּל אִינּוּן גַּוְונִין, הָכֵי נָמֵי אַנְהִיג לְכָל עַלְמָא.

תּוֹסֶפְתָּא

תע. רְוִיחֵי עִלָּאֵי, מָארֵי דְּסָכְלְתָנוּ אִסְתַּכָּלוּ, הוֹרְמָנֵי יָדְעָן בְּקוּלְפֵי דְּסִיכְתָא, קְרִיבוּ לְמִנְדַּע, מַאן מִנְכוֹן מָארֵי דְּעַיְינִין בְּסָכְלְתָנוּ, וְיָדַע בְּשַׁעֲתָא דְּסָלִיק בִּרְעוּתָא דְּרָזָא דְּרָזִין, לְאַפָּקָא תְּלַת גַּוְונִין כַּחֲדָא כְּלִילָן, וְאִינּוּן: חִוּוֹר וְסוּמָק וְיָרוֹק, תְּלַת גַּוְונִין כַּחֲדָא אִשְׁתַּלִּיבָאן דָּא עִם דָּא, מִזְדַּוְּוגָן דָּא עִם דָּא, מִגְּרוֹפְיָא תַּתָּאָה אִצְטַבַּע, וְנָפְקָא מִגּוֹ גַּוְונִין אִלֵּין.

תעא. וְכָל גַּוְונִין אִלֵּין, אִתְחֲזוּן בְּהַאי, וְחֵיזוּ אִיהוּ לְאִסְתַּכָּלָא, כְּעֵינָא דִּבְדוּלְחָא אִתְחֲזֵי בְּשַׁעְתָּא, כְּגַוְונָא דְּבָטַשׁ בְּגַוֵּיהּ, הָכֵי אִתְחֲזֵי לְבַר, אִלֵּין תְּלַת גַּוְונִין סַחֲרָן לְהַאי, וְגַוְונָא אָזְלָא סָלְקָא וְנָחֲתָא, קַסְטוֹרִין דְּקִטְרָא קְבִיעֵי בְּגַוֵּיהּ.

תעב. גַּוְונִין סַחֲרִין כְּלִילָן כַּחֲדָא, סָלְקִין לָהּ לְעֵילָּא בִּימָמָא, וְנָחֲתָא בְּלֵילְיָא, שְׁרַגָּא דְּדָלִיק אִתְחֲזֵי בְּלֵילְיָא, בִּימָמָא אִסְתַּתְּרַת נְהוֹרָא, טְמִירָא בְּמָאתָן וְאַרְבְּעִין וּתְמַנְיָא עָלְמִין, כֻּלְּהוּ אָזְלִין לְגַוֵּיהּ מִלְּעֵילָּא לְתַתָּא, גּוֹ תְּלַת מְאָה וְשִׁתִּין וְחָמֵשׁ שַׁיְיפִין גְּנִיזָא וְאִתְכַּסְיָא לְתַתָּא.

תעג. מַאן דִּמְפַשְׁפֵּשׁ לְאַשְׁכְּחָא לָהּ, יִתְבַּר גַּדְפִּין קְלִיפִין טְמִירִין, וְיִפְתַּח תַּרְעִין, מַאן דְּזָכֵי לְמֵיחֱמֵי, יֶחֱמֵי גּוֹ יְדִיעָה וְסָכְלְתָנוּ, כְּמַאן דְּחָמֵי בָּתַר כּוֹתְלָא. בַּר מִן מֹשֶׁה נְבִיאָה, מְהֵימְנָא עִלָּאָה, דַּהֲוָה חָמֵי לֵיהּ עֵינָא בְּעֵינָא, לְעֵילָּא בַּאֲתַר דְּלָא אִתְיְידַע.

תעד. מַאן דְּלָא זָכֵי, דָּחֵי לֵיהּ לְבַר, כַּמָּה חֲבִילֵי טְהִירִין אִזְדַּמְנוּ לְגַבֵּיהּ, אִזְדַּמְנָן נָפְקֵי עֲלֵיהּ, וְאַפְּקוּ לֵיהּ דְּלָא יִסְתַּכַּל בְּעִנּוּגָא דְּמַלְכָּא, וַוי לוֹן לְאִינּוּן חַיָּיבִין דְּעַלְמָא, דְּלָא זָכָאן לְאִסְתַּכָּלָא, כד״א וְלֹא יָבֹאוּ לִרְאוֹת כְּבַלַּע אֶת הַקֹּדֶשׁ וגו׳.

תעה. אָמַר רִבִּי יְהוּדָה, מִסְתַּכֵּל הֲוֵינָא, וְהָא מִגּוֹ זְהִירִין אִלֵּין, מִסְתַּכְּלָן נִשְׁמָתְהוֹן

דצדיקיא, כד אתדבקו בהאי אתר, מגו זהירו אלין מסתכלין נשמתהון דצדיקיא. אינון גוונין, סלקין ואתכלילן כחדא. זכאה איהו מאן דידע לאכללא ולייחדא כלהו כחדא, לאתקנא כלא באתר דאצטריך לעילא לעילא, וכדין אתנטיר בר נש בהאי עלמא, ובעלמא דאתי.

ע"כ תוספתא

תעו. פתח רבי יוסי ואמר, ועז מלך משפט אהב אתה כוננת מישרים וגו', ועז מלך משפט אהב, דא קודשא בריך הוא. ועז מלך: תוקפא דאתקף קודשא בריך הוא, לאו איהו אלא במשפט, דהא במשפט אתקיים ארעא, כד"א מלך במשפט יעמיד ארץ.

תעז. ובגין כך, ועז מלך משפט אהב, ולא אתתקנת כנסת ישראל אלא במשפט, בגין דמתמן אתזנת, וכל ברכאן דנטלא, מתמן נטלא. ובגין כך ועז מלך משפט אהב, כל תאיבו, וכל רחימו דילה לקביל משפט. אתה כוננת מישרים, רזא דתרין כרובים לתתא, דאינון תקונא ויישובא דעלמא, והא אתמר.

תעח. רבי חזקיה פתח ואמר, הללו יה הללו עבדי ה' הללו את שם ה', האי קרא אית לאסתכלא ביה, כיון דאמר הללויה, אמאי הללו עבדי ה', ולבתר הללו את שם ה'. אלא הכי תנינן, מאן דמשבח לאחרא, אצטריך לשבחא ליה כפום יקריה, וכפום יקריה הכי אצטריך שבחיה, ותנינן מאן דמשבח לאחרא, בשבחא דלית ביה, הוא גלי גנותיה, וצבי לגלאה ליה, ועל דא, מאן דעביד הספדא על בר נש, אצטריך כפום יקריה, ולא יתיר, דמגו שבחיה אתי לגנותיה, ובכלא שבחא אצטריך כפום יקריה.

תעט. תא חזי, הללויה: הכא אית שבחא עלאה דמארי דכלא, אתר דלא שלטא ביה עינא למנדע ולאסתכלא, דאיהו טמירא דכל טמירין, ומאן איהו. י"ה, שמא עלאה על כלא.

תפ. ובג"כ הללויה: שבחא ושמא כחדא, כלילן כחדא, והכא סתים מלה דאמר הללויה, ולא אמר מאן הללויה, למאן אמרו הללו, אלא כמה די"ה סתים, הכי שבחא דשבחוי סתים אינון, דמשבחי לא ידענא מאן אינון, והכי אצטריך למהוי כלא סתים, ברזא עלאה, ולבתר דסתים ברזא עלאה, גלי ואמר, הללו עבדי ה' הללו את שם ה', בגין דדא איהו אתר, דלא סתים, כההוא עלאה טמירא דכל טמירין, דא הוא אתר דאקרי שם, כד"א אשר נקרא שם שם ה'.

תפא. קדמאה סתים דלא גליא, תניינא סתים וגליא, ובגין דקיימא באתגלייא, אמר אינון דקא משבחי להוא אתר מאן אינון, וקאמר דאינון עבדי ה', דאתחזון לשבחא לאתר דא.

תפב. יהי שם ה' מבורך, מאי שנא דקאמר יהי. אלא יהי, רזא דאמשכותא מההוא אתר עלאה, דאיהו סתים דקאמרן, דאיהו י"ה, עד רזא דברית, דאיהו יו"ד תתאה, כגוונא דיו"ד עלאה, שירותא כסופא.

תפג. ובגין כך יהי, רזא דאמשכותא מטמירא דכל טמירין, עד דרגא תתאה, ובמלה דא אתקיים כל עובדא דבראשית, כד"א יהי״ רקיע, יהי״ מאורות, יהי״ אור.

תפד. בכל אינון עובדין דלעילא כתיב יהי, בכל אינון עובדין דלתתא, לא כתיב יהי״, בגין דרזא דא דאיהו אמשכותא מרזא עלאה, סתימין דכל סתימין, לא אתקיים אלא במלין עלאי דלעילא, ולא אתמר באינון מלין תתאין דלתתא.

תפה. ובדא מתברך שמא קדישא בכלא, ועל דא כתיב יהי שם יי' מבורך וגו'.

מִמִּזְרַח שֶׁמֶשׁ עַד מְבוֹאוֹ, דָּא אֲתַר עִלָּאָה, דְּהָא נָהִיר מִנֵּיהּ שִׁמְשָׁא, וְנָהֵיר לְכֹלָּא, וְדָא הוּא אֲתַר דְּרֵישָׁא עִלָּאָה סְתִימָאָה.

תפו. וְעַד מְבוֹאוֹ: דָּא הוּא אֲתַר קִשְׁרָא, דְּאִתְקַשַּׁר בֵּיהּ מְהֵימְנוּתָא כִּדְקָא יָאוּת, וּמִתַּמָּן נָפְקָן בִּרְכָאן לְכֹלָּא, וְעַלְמָא מֵהָכָא אִתְזָן, כְּמָה דְּאִתְּמַר, וּבְגִין כָּךְ קִיְּימָא הַאי אֲתַר לְאִתְּזָנָא מֵעֵילָּא, וּלְאִתְבָּרְכָא מִתַּמָּן, וְכֹלָּא קַיְּימָא בְּאִתְעֲרוּתָא דִּלְתַתָּא, דְּמִתְעָרֵי אִינּוּן עַבְדֵי יי', כַּד מְבָרְכֵי שְׁמָא קַדִּישָׁא, כִּדְקָאֲמָרָן. וּבְגִין כָּךְ דְּאִיהוּ בְּאִתְגַּלְיָיא, כְּתִיב הַלְלוּ עַבְדֵי יי' הַלְלוּ אֶת שֵׁם יי'.

תפז. אַדְהָכֵי הֲוָה נָהִיר צַפְרָא, נָפְקוּ מִן מְעַרְתָּא, וּבְהַהוּא לֵילְיָא לָא דְּמִיכוּ, אָזְלוּ בְּאָרְחָא, כַּד נָפְקוּ מֵאִינּוּן טוּרִין, יָתְבוּ וְצַלּוּ צְלוֹתָא, מָטוּ לְחַד כְּפַר, וְיָתְבוּ תַּמָּן כָּל הַהוּא יוֹמָא, בְּהַהוּא לֵילְיָא נָמוּ, עַד דַּהֲוָה פַּלְגוּת לֵילְיָא קָמוּ, לְאִתְעַסְקָא בְּאוֹרַיְיתָא.

תפח. פָּתַח רִבִּי יְהוּדָה וַאֲמַר וַיְבָרְכֵם בַּיּוֹם הַהוּא לֵאמוֹר בְּךָ יְבָרֵךְ יִשְׂרָאֵל וְגוֹ', וַיְבָרְכֵם בַּיּוֹם הַהוּא, מַאי בַּיּוֹם הַהוּא, דְּהָא סַגֵּי דְּקָאֲמַר וַיְבָרְכֵם. וְתוּ, כָּל לֵאמֹר כְּתִיב וָחֵסֵר, וְהָכָא לֵאמוֹר בְּוי"ו כְּתִיב, מַאי שְׁנָא.

תפט. אֶלָּא רָזָא אִיהוּ, וַיְבָרְכֵם בַּיּוֹם הַהוּא, מַאי בַּיּוֹם הַהוּא, רָזָא דְּדַרְגָּא דְּאִתְמַנָּא עַל בִּרְכָאן לְעֵילָּא. יוֹם הַהוּא: יוֹם מֵהַהוּא אֲתַר עִלָּאָה, דְּאִקְרֵי הוּא, וְהַאי יוֹם הַהוּא, דְּלֵית פֵּרוּדָא בֵּין יוֹם וּבֵין הוּא, וּבְכָל אֲתַר הַיּוֹם הַהוּא, דָּא תְּרֵין דַּרְגִּין, דַּרְגָּא עִלָּאָה וְתַתָּאָה דְּאִינּוּן כַּחֲדָא.

תצ. וּבְגִין כָּךְ, כַּד בָּעָא יַעֲקֹב לְבָרְכָא לִבְנוֹי דְּיוֹסֵף, בָּרֵיךְ לוֹן בְּיִחוּדָא דִּלְעֵילָּא וְתַתָּא כֻּלְּהוּ כַּחֲדָא, בְּגִין דְּיִתְקַיְּימוּן בִּרְכָתְהוֹן, וּלְבָתַר כָּלֵיל כֹּלָּא כַּחֲדָא, וַאֲמַר בְּךָ יְבָרֵךְ יִשְׂרָאֵל. מַאי בְּךָ. וַדַּאי דָּא רָזָא דְּיִחוּדָא, בְּקַדְמֵיתָא מִתַּתָּא לְעֵילָּא, וּלְבָתַר נָחֵית לְאֶמְצָעִיתָא, וּלְתַתָּא. לֵאמוֹר בְּוא"ו הָא אֶמְצָעִיתָא. וּלְבָתַר נָחֵית לְתַתָּא בְּךָ. וְהָכֵי הוּא יָאוּת כִּדְקָא יָאוּת, מִתַּתָּא לְעֵילָּא, וּמֵעֵילָּא לְתַתָּא.

תצא. בְּךָ יְבָרֵךְ יִשְׂרָאֵל, מַאי יִשְׂרָאֵל, יִשְׂרָאֵל סָבָא, יְבוֹרַךְ יִשְׂרָאֵל לָא כְּתִיב, אֶלָּא יְבָרֵךְ, דְּהָא יִשְׂרָאֵל נָטֵיל בִּרְכָאן מִלְּעֵילָּא, וּלְבָתַר אִיהוּ מְבָרֵךְ לְכֹלָּא, בְּהַאי דַּרְגָּא תַּתָּאָה דַּיְיקָא, דְּקָאֲמַר בְּךָ יְבָרֵךְ יִשְׂרָאֵל לֵאמוֹר.

תצב. יְשִׂימְךָ אֱלֹהִים כְּאֶפְרַיִם וְכִמְנַשֶּׁה, אַקְדִּים לֵיהּ לְאֶפְרַיִם בְּקַדְמֵיתָא, בְּגִין דְּאֶפְרַיִם עַל שְׁמָא דְּיִשְׂרָאֵל אִקְרֵי. מנ"ל. מֵהָא, דְּכַד שִׁבְטָא דְּאֶפְרַיִם נָפַק, עַד לָא אִשְׁתְּלִים זִמְנָא דְּשִׁעְבּוּדָא דְּמִצְרַיִם, דְּחָזוֹ שַׁעֲתָא וְנָפְקוּ מִן גָּלוּתָא, קָמוּ עֲלַיְיהוּ שַׂנְאֵיהוֹן וְקַטְלוּ לוֹן, וּכְתִיב בֶּן אָדָם הָעֲצָמוֹת הָאֵלֶּה כָּל בֵּית יִשְׂרָאֵל הֵמָּה, מַשְׁמַע דִּכְתִיב כָּל בֵּית יִשְׂרָאֵל הֵמָּה, וְעַל דָּא אַקְדִּים לְאֶפְרַיִם קֳדָם מְנַשֶּׁה. בְּגִין כָּךְ אֶפְרַיִם מְטוֹלֵיהּ לִסְטַר מַעֲרָב, וּמַטְלָנוֹי הֲוָה.

תצג. תָּא חֲזֵי, בִּרְכָתָא דְּבָרֵיךְ לִבְנֵי יוֹסֵף, אַמַּאי אַקְדִּים לוֹן בִּרְכָאן, עַד לָא יְבָרֵךְ לִבְנוֹי. אֶלָּא מִכָּאן, דַּחֲבִיבוּתָא דִּבְנֵי בְּנוֹי, חָבִיב עֲלֵיהּ דב"נ יַתִּיר מִבְּנוֹי, וּבְגִין כָּךְ, אַקְדִּים חֲבִיבוּתָא דִּבְנֵי בְּנוֹי קוֹדֶם לִבְנוֹי, לְבָרְכָא לוֹן בְּקַדְמֵיתָא.

תצד. וַיְבָרְכֵם בַּיּוֹם הַהוּא לֵאמוֹר, ר' יוֹסֵי פָּתַח וַאֲמַר, יי' זְכָרָנוּ יְבָרֵךְ יְבָרֵךְ אֶת בֵּית יִשְׂרָאֵל וְגוֹ', יי' זְכָרָנוּ יְבָרֵךְ: אִלֵּין גּוּבְרִין. יְבָרֵךְ אֶת בֵּית יִשְׂרָאֵל: אִלֵּין נָשִׁין. בְּגִין דִּדְכוּרִין בָּעְיָין לְאִתְבָּרְכָא בְּקַדְמֵיתָא, וּלְבָתַר נָשִׁין, וְנָשִׁין לָא מִתְבָּרְכָן אֶלָּא מִבִּרְכָתְהוֹן דִּדְכוּרִין, דְּכַד דְּכוּרִין מִתְבָּרְכָן כְּדֵין נָשִׁין מִתְבָּרְכָן. וְאִי תֵּימָא מֵהָא, דִּכְתִיב וְכִפֶּר בַּעֲדוֹ וּבְעַד בֵּיתוֹ,

דבעי לכפרא עליה בקדמיתא, ולבתר על ביתיה, בגין דמתברכא מניה.

תצה. תא חזי, דנשין לא מתברכן אלא מגוברין, כד אתברכן אינון בקדמיתא, ומהאי ברכתא מתברכן. אלא במאי אוקימנא יברך את בית ישראל, אלא קודשא בריך הוא יהב תוספת ברכאן לדכורא דנסיב, בגין דמתברכא מיניה אתתא וכן בכל אתר, יהיב קודשא בריך הוא תוספת ברכאן לדכורא דנסיב, בגין דמתברכא מההוא תוספת דברכאן. כיון דאנסיב ב"נ יהיב ליה תרין חולקין, חד ליה וחד לנוקביה, ואיהו, נטיל כלא, חולקיה וחולק נוקביה.

תצו. תא חזי ויברכם ביום ההוא, לבתר לאמור בוא"ו, הכא אתרמיזא ברא בוכרא, בני בכורי ישראל, וכתיב ואפרים בכורי הוא, ועל דא תוספת וא"ו.

תצז. ר' חזקיה פתח, גלמי ראו עיניך ועל ספרך כלם יכתבו וגו', האי קרא אוקמוה בכמה אתר. אבל תא חזי, כל אינון נשמתין דהוו מיומא דאתברי עלמא, כלהו קיימי קמי קודשא בריך הוא עד לא נחתו לעלמא, בההוא דיוקנא ממש דאתחזון לבתר בעלמא, וההוא חיזו דגופא דבר נש דקאים בהאי עלמא, הכי קאים לעילא.

תצח. ובשעתא דנשמתא דא זמינא לאחתא בעלמא, ההיא נשמתא בההיא דיוקנא ממש דקיימא בהאי עלמא, הכי קאים קמי קודשא בריך הוא, ואומי לה קודשא בריך הוא דיטור פקודי אורייתא, ולא יעבר על קיימין.

תצט. ומנ"ל דקיימין קמיה, דכתיב חי יי' אשר עמדתי לפניו, עמדתי ודאי, והא אוקמוה. ובג"כ גלמי ראו עיניך, עד לא יתחזי בעלמא. ועל ספרך כלם יכתבו, דהא כל נשמתין, בההוא דיוקנא דלהון, כלהו בספרא כתיבין. ימים יצרו, הא אוקמוה יצרו ודאי, ולא אחד בהם, בהאי עלמא למיקם בקיומא דמאריהון, כדקא חזי.

תק. תא חזי, יומין דב"נ, כד זכי בהאי עלמא בעובדין טבאן, יומין דיליה אתברכאן לעילא, מההוא אתר דאיהו מדת יומוי. פתח ואמר הודיעני יי' קצי ומדת ימי מה היא וגו', האי קרא אוקמוה, אבל תא חזי, קצי: דא קץ הימין, דאיהו מתקשר ביה בדוד. ומדת ימי מה היא, דא איהו דאתמני ממש על יומוי.

תקא. א"ר יהודה, הא שמענא מר' שמעון, דהאי קרא אתמר, על אינון יומין דאתגזרו עלוי מאדם קדמאה, דאינון ע'. דהא אתמר, דחיין כלל לא הוו ליה, אלא דיהיב ליה אדם מאינון יומין דיליה, שבעין שנין.

תקב. ורזא דא, וילון לא משמש כלום, וסיהרא לא נהרת מגרמה כלל, ושבעין שנין נהרין לה, בכל סטרהא. ואינון חיי דוד סתם. ועל דא בעא דוד לקודשא בריך הוא, למנדע רזא דא, על מה לית לה חיין לסיהרא מגרמה, ולמנדע עקרא דילה.

תקג. ומדת ימי מה היא, דא הוא דרגא עלאה סתימא, דאיהו קיימא על כל אינון יומין, דאינון חיין דילה, אתר דנהיר לכלא. אדעה מה חדל אני: אמר דוד: אנדע על מה חדל אנא נהורא מגרמי, ואתמנע מני, כשאר כל אינון נהוראין עלאין דאית לון חיין לכלהו, ואנא על מה אנא חדל, ועל מה אתמנע מני. ודא הוא דבעא דוד למנדע, ולא אתייהיב ליה רשותא למנדע.

תקד. תא חזי, כל ברכאן עלאין, כלהו אתמסרו להאי דרגא, לברכא לכלא. ואע"ג דלית לה נהורא מגרמה, כל ברכאן, וכל חידו, וכל טיבו, כלהו קיימין בה, ומנה נפקי, ועל דא אתקריאת כוס של ברכה. ואקרי ברכה ממש, כמה דכתיב ברכת ה' היא

תַּעֲשִׁיר, וְעַל דָּא כְּתִיב וּמָלֵא בִּרְכַּת ה' יָם וְדָרוֹם יְרָשָׁה.

תקה. וּבְגִין כָּךְ אִית לָהּ בְּכֻלְּהוּ שִׁיּוּר, וּמִכֻּלְּהוּ אִתְמַלְיָא, וּמִכֻּלְּהוּ אִית בָּהּ, וְאִתְבָּרְכָא מִכָּל אִינּוּן בִּרְכָאן עִלָּאִין, וְאִתְמְסָרוּ לָהּ בִּרְכָאן לְבָרְכָא, מְנָלָן, דַּאֲמַר רִבִּי יִצְחָק, יַעֲקֹב בָּרֵיךְ לִבְנוֹי דְּיוֹסֵף, מֵאֲתַר דָּא דְּכָל בִּרְכָאן אִתְמְסָרוּ בִּידֵיהּ לְבָרְכָא, כְּד"א וֶהְיֵה בְּרָכָה, מִכָּאן וּלְהָלְאָה בִּרְכָאן אִתְמְסָרוּ בְּיָדֶךָ.

תקו. תָּא חֲזֵי, כְּגַוְונָא דָּא אֲנַן מְבָרְכָן וּמְשַׁבְּחִין לִשְׁמָא דָּא, וְעַ"ד הַלֵּילָא, דְּאִינּוּן יוֹמִין דְּקָאַמְרֵי הַלֵּילָא. דַּאֲמַר רִבִּי חִיָּיא בְּהַלֵּילָא צְרִיכִין ג' דַּרְגִּין, וַחֲסִידִים, צַדִּיקִים, וְיִשְׂרְאֵלִים. וַחֲסִידִים, מִסִּטְרָא דִּימִינָא, צַדִּיקִים מִסִּטְרָא דִּשְׂמָאלָא, וְיִשְׂרָאֵל מִכָּל אִינּוּן סִטְרִין, בְּגִין דְּיִשְׂרָאֵל כְּלִילָן מִכֻּלְּהוּ, וְעַל דָּא אִסְתַּלַּק תּוּשְׁבַּחְתָּא דְּקוּדְשָׁא בְּרִיךְ הוּא מִכֹּלָּא, וְכֵן בְּכָל אֲתַר דְּיִשְׂרָאֵל מְשַׁבְּחָן לֵיהּ לְקוּדְשָׁא בְּרִיךְ הוּא מִתַּתָּא, אִסְתַּלַּק יְקָרֵיהּ בְּכֹלָּא.

תּוֹסֶפְתָּא

תקז. קָל גַּלְגַּלָּא מִתְגַּלְגְּלָא מִתַּתָּא לְעֵילָא, רְתִיכָהָא טוּרְקָהָא אָזְלִין וּמִתְגַּלְגְּלֵי. קָל נְעִימוּתָא סַלְקָא, וְנָחְתָא, אָזְלָא וְשַׁטְיָא בְּעָלְמָא. קָל שׁוֹפָרָא נָגִיד בְּעוּמְקֵי דַּרְגֵּי אַסְחַר גַּלְגַּלָּא סוּחֲרָנָהָא.

תקח. יָתְבִין תְּרֵין מַגְרוֹפִין, מִימִינָא וּמִשְּׂמָאלָא, בִּתְרֵין גַּוְונִין מִשְׁתָּאֲבִין דָּא בְּדָא, דָּא חִוָּור וְדָא סוּמָק, וְתַרְוַויְיהוּ סָחֲרִין גַּלְגַּלָּא לְעֵילָא, אַסְחַר לִימִינָא חִוָּורָא סַלְקָא, וְאַסְחַר לִשְׂמָאלָא סוּמָקָא נָחְתָא. וְגַלְגַּלָּא אַסְחַר תָּדִיר וְלָא שָׁכִיךְ.

תקט. תְּרֵין צִפֳּרִין סַלְקִין, דְּקָא מְצַפְצְפָן, חַד לְסִטַר דָּרוֹם, וְחַד לְסִטַר צָפוֹן. פָּרְחִין בַּאֲוִירָא צִפְצוּפָא, וְקָל נְעִימוּ דְּגַלְגַּלָּא מִתְחַבְּרָן כַּחֲדָא, כְּדֵין מִזְמוֹר שִׁיר לְיוֹם הַשַּׁבָּת. וְכָל בִּרְכָאן נָגְדִין בִּלְחִישׁוּ בְּדָא נְעִימוּ, מִגּוֹ רְחִימוּ דְּקוֹל שׁוֹפָרָא.

תקי. לְקַבְּלָא אִינּוּן בִּרְכָאן, נָחֲתִין מִלְּעֵילָא לְתַתָּא, וְאִתְגְּנִיזוּ כַּחֲדָא בְּגוֹ עוּמְקָא דְּבֵירָא, נְבִיעוּ דְּבֵירָא דְּלָא פָּסְקָא בִּלְחִישׁוּ, עַד דְּאִתְמַלְיָא הַהוּא גַּלְגַּלָּא סַחֲרָא.

תקיא. אִינּוּן תְּרֵין מַגְרוֹפִין סָחֲרָן, חַד דִּימִינָא, קָרֵא בְּחַיִל וַאֲמַר, זְהִירוּ דְּזָהֲרִין דְּסַלְקָא וְנָחֲתָא, תְּרֵי אַלְפֵי עָלְמִי"ן אוֹדְהָרוּ. עָלְמָא דְּאֶמְצָעִיתָא בְּגַוַויְיהוּ, אוֹדְהַר בְּזוֹהֲרָא דְּמָארָךְ. כָּל אִינּוּן מָארֵי דְּעַיְינִין, אִסְתַּכְּלוּ וּפְקָחוּ עֵינֵיכוֹן, וְתִזְכוֹן לְהַאי נְהִירוּ, לְהַאי עִדּוּנָא, אִלֵּין אִינּוּן בִּרְכָאן דְּנָגְדֵי מִלְּעֵילָא, מַאן דְּזָכֵי, גַּלְגַּלָּא סַלְקָא אַסְחַר לִימִינָא, וְאַנְגִּיד וְאַמְשִׁיךְ לְהַהוּא דְּזָכֵי, וְאִתְעַדַּן מֵאִלֵּין בִּרְכָאן עִלָּאִין דְּזָהֲרָן, זַכָּאִין אִינּוּן דְּזָכָאן בְּהוּ.

תקיב. וְכַד לָא זָכֵי, גַּלְגַּלָּא אַסְחַר, וְהַהוּא מַגְרוֹפָא דִּלְסִטַר שְׂמָאלָא, אַסְחַר וְנָחִית לְתַתָּא, וְאַמְשִׁיךְ דִּינָא עַל הַאי דְּלָא זָכֵי, וְקָלָא נָפְקַת, וַוי לְאִינּוּן חַיָּיבִין דְּלָא זָכוּ. מֵהַהוּא סִטְרָא, נָפִיק אֶשָּׁא דְּשַׁלְהוֹבָא דְּדָלִיק, דְּשָׁארֵי עַל רֵישַׁיְיהוּ דְּחַיָּיבַיָּא. זַכָּאִין אִינּוּן, כָּל אִינּוּן דַּאֲזָלוּ בְּאוֹרַח קְשׁוֹט בְּהַאי עָלְמָא, לְמִזְכֵּי לְהַהוּא נְהוֹרָא עִלָּאָה, בִּרְכָאן דְּצַחְצָחָן, כְּמָה דְּאַתְּ אָמֵר וְהִשְׂבִּיעַ בְּצַחְצָחוֹת נַפְשֶׁךָ.

עד כאן תוספתא

תקיג. וַיִּקְרָא יַעֲקֹב אֶל בָּנָיו וַיֹּאמֶר הֵאָסְפוּ וגו', רִבִּי אַבָּא פְּתַח וַאֲמַר, פָּנָה אֶל תְּפִלַּת הָעַרְעָר וְלֹא בָזָה אֶת תְּפִלָּתָם, הַאי קְרָא אוּקְמוּהָ, וְאַקְשׁוּ בֵּיהּ חַבְרַיָּיא, פָּנָה, הִקְשִׁיב מִבָּעֵי לֵיהּ, אוֹ שָׁמַע, מַאי פָּנָה.

תקיד. אֶלָּא כָּל צְלוֹתִין דְּעָלְמָא צְלוֹתִין. וּצְלוֹתָא דְּיָחִיד, לָא עָאל קַמֵּי מַלְכָּא קַדִּישָׁא, אֶלָּא בְּחֵילָא תַּקִּיפָא. דְּעַד לָא עָאלַת הַהִיא צְלוֹתָא לְאִתְעַטְּרָא בְּדוּכְתָהּ, אַשְׁגַּח בָּהּ

קוּדְשָׁא בְּרִיךְ הוּא, וְאִסְתְּכֵי בָּהּ, וְאִסְתְּכֵי בְּחוֹבוֹי וּבִזְכוּתֵיהּ דְּהַהוּא ב״נ, מַה דְּלָא עָבֵיד כֵּן בִּצְלוֹתָא דְסַגִּיאִין, דִּצְלוֹתָא דְסַגִּיאִין כַּמָּה אִינּוּן צְלוֹתִין דְּלָא מִן זַכָּאִין אִינּוּן, וְעָאלִין כֻּלְּהוּ קַמֵּי קוּדְשָׁא בְּרִיךְ הוּא, וְלָא אַשְׁגַּח בְּחוֹבַיְיהוּ.

תקטו. בְּגִ״כ, פָּנָה אֶל תְּפִלַּת הָעַרְעָר, מְהַפֵּךְ וְאִסְתְּכֵי בָּהּ, וְאִסְתְּכֵי בָּהּ בְּמָה רְעוּתָא אִתְעֲבֵיד, וּמַאן הַהוּא ב״נ דְּצַלֵּי צְלוֹתָא דָא, וּמַאן אִינּוּן עוֹבָדוֹי. בְּגִ״כ, לִיבָּעֵי לֵיהּ לְב״נ, דִּלְצַלֵּי צְלוֹתָא בְּצִבּוּרָא. מַאי טַעְמָא, בְּגִין דְּלָא בָזָה אֶת תְּפִלָּתָם, אע״ג דְּלָאו כֻּלְּהוּ בְּכַוָּונָה וּרְעוּתָא דְלִבָּא.

תקטז. ד״א פָּנָה אֶל תְּפִלַּת הָעַרְעָר, דָּא יְחִידָאי דְּאִתְכְּלֵיל בְּסַגִּיאִין. וּמַאן הוּא יְחִידָאי דְּאִתְכְּלֵיל בְּסַגִּיאִין, הֱוֵי אֵימָא דָא יַעֲקֹב, דְּאִיהוּ כָּלֵיל בִּתְרֵין סִטְרִין, וְקָרָא לִבְנוֹי, וְצַלֵּי צְלוֹתֵיהּ עֲלַיְיהוּ. מַאן צְלוֹתָא דְּיִתְקַבְּלוּן בִּשְׁלִימוּ לְעֵילָא, צְלוֹתָא דְלָא יִשְׁתֵּצוּן בְּגָלוּתָא.

תקיז. בְּהַאי שַׁעֲתָא דְּיַעֲקֹב קָרָא לוֹן, אִסְתַּלַּק מִנֵּיהּ שְׁכִינְתָּא, וְהָא אוֹקְמוּהָ. וְתָא חֲזֵי, בְּשַׁעֲתָא דְּיַעֲקֹב הֲוָה קָארֵי לִבְנוֹי, אִזְדַּמְּנוּ אַבְרָהָם וְיִצְחָק תַּמָּן, וּשְׁכִינְתָּא עַל גַּבַּיְיהוּ. וּשְׁכִינְתָּא הֲוָה חָדֵי בֵּיהּ בְּיַעֲקֹב, לְאִתְחַבְּרָא בַּאֲבָהָן, לְאִתְקַשְּׁרָא עִם נַפְשַׁיְיהוּ כַּחֲדָא, לְמֶהֱוֵי רְתִיכָא.

תקיח. בְּשַׁעֲתָא דְּפָתַח יַעֲקֹב, וַאֲמַר הֵאָסְפוּ וְאַגִּידָה לָכֶם אֵת אֲשֶׁר יִקְרָא אֶתְכֶם בְּאַחֲרִית הַיָּמִים, בְּאַחֲרִית: דָּא שְׁכִינְתָּא, כִּבְיָכוֹל יָהַב עֲצִיבוּ בֵּיהּ, וְאִסְתַּלַּק. וּלְבָתַר אַהַדְרוּ לָהּ בְּנוֹי, בְּיִחוּדֵי דְמִלַּיְיהוּ, וּפָתְחוּ וְאָמְרוּ שְׁמַע יִשְׂרָאֵל וגו׳. בְּהַהִיא שַׁעֲתָא קָאִים לָהּ יַעֲקֹב, וַאֲמַר בשכמל״ו, וְאִתְיַישְׁבַת שְׁכִינְתָּא בְּדוּכְתָהּ.

תקיט. וַיִּקְרָא יַעֲקֹב, מַאי קְרִיאָה הָכָא. אֶלָּא קְרִיאָה, לְקַיְּימָא דוּכְתַּיְיהוּ, לְקַיְּימָא לוֹן לְעֵילָא וְתַתָּא. תָּא חֲזֵי, בְּכָל אֲתַר קְרִיאָה בְּהַאי גַּוְונָא, דִּכְתִּיב וַיִּקְרָא מֹשֶׁה לְהוֹשֵׁעַ בִּן נוּן יְהוֹשֻׁעַ, לְקַיְּימָא דוּכְתֵּיהּ, בַּאֲתַר דְּאִצְטְרִיךְ, וּלְקַשְּׁרָא לֵיהּ. וְכֵן וַיִּקְרָא שְׁמוֹ יַעֲקֹב. וּכְתִיב וַיִּקְרָא לוֹ אֵל אֱלֹהֵי יִשְׂרָאֵל, קוּדְשָׁא בְּרִיךְ הוּא קַיֵּים לֵיהּ לַאֲתַר דָּא בִּשְׁמָא דָא. קְרִיאָה לְקִיּוּמָא קָא אַתְיָא.

תקכ. אִי תֵּימָא וְיִקְרְאוּ אֶל אֱלֹקִים, קָרָאתִי מִצָּרָה לִי אֶל ה׳, הָכֵי הוּא וַדַּאי, לְקַשְּׁרָא וּלְקַיְּימָא קִיּוּמָא לְעֵילָא, וּמַאן אִיהוּ, סִדּוּרָא דִּשְׁבָחָא דְמָארֵיהּ, וְכָל אִינּוּן מִלִּין דְּבָעָאן קַמֵּי מָארֵיהּ, קִיּוּמָא יָהֵיב לֵיהּ לְמָארֵיהּ, דְּאַחֲזֵי דְּבֵיהּ תַּלְיָא כֹּלָּא, וְלָא בַּאֲתַר אָחֳרָא, הָא כֹּלָּא קַיֵּים קִיּוּמָא. כה״ג וַיִּקְרָא יַעֲקֹב אֶל בָּנָיו, קַיֵּים לוֹן בְּקִיּוּמָא שְׁלִים. כְּגַוְונָא דָא וַיִּקְרָא אֶל מֹשֶׁה, אִתְקַיֵּים בְּקִיּוּמֵיהּ.

תקכא. אֲמַר רִבִּי יִצְחָק, א׳ דְּוַיִּקְרָא, אַמַּאי הִיא זְעֵירָא. א״ל, אִתְקַיֵּים מֹשֶׁה בִּשְׁלִימוּ, וְלָא בְּכֹלָּא, דְּהָא אִסְתַּלַּק מֵאִתְּתֵיהּ. בְּסִפְרֵי קַדְמָאֵי אָמְרֵי לִשְׁבָחָא, וַאֲנַן הָכֵי תָּנֵינָן, מַאי דְּאִסְתַּלַּק לְעֵילָא, יִתְקַשַּׁר לְעֵילָא וּלְתַתָּא, וּכְדֵין, אִיהוּ שְׁלִים. תוּ, אָלֶ״ף זְעֵירָא מֵאֲתַר זְעֵירָא הֲוָה, זְעֵירָא דְּאִיהוּ רַב בְּאִתְחַבְּרוּתֵיהּ לְעֵילָא.

תקכב. וַיֹּאמֶר, מַאי וַיֹּאמֶר. הָא אוֹקְמוּהָ, וְאָמַרְתָּ בִּלְבָבֶךָ, אֲמִירָה בַּחֲשַׁאי. הֵאָסְפוּ, אִסְפוּ מִבָּעֵי לֵיהּ, כְּד״א אִסְפוּ לִי חֲסִידָי. אֶלָּא קַיִּים לָן הֵאָסְפוּ מֵאֲתַר דִּלְעֵילָא הוּא. הֵאָסְפוּ בְּקִשּׁוּרָא שְׁלִים בְּיִחוּדָא חַד. וְאַגִּידָה לָכֶם, מַאי וְאַגִּידָה, רָזָא דְּחָכְמְתָא אִיהוּ.

תקכג. רִבִּי יוֹסֵי שָׁאִיל לְר״ש, א״ל, וְאַגִּידָה, אוֹ וַיַּגֵּד, אוֹ וַיַּגִּידוּ, וְכֵן כֻּלְּהוּ, דְּתָנֵינָן דְּרָזָא דְּחָכְמְתָא אִיהִי, אַמַּאי בְּמִלָּה דָא אִיהוּ רָזָא דְּחָכְמְתָא. א״ל, בְּגִין דְּאִיהוּ מִלָּה דְּאַתְיָא בְּגִימ״ל דָלֶ״ת בְּלָא פֵּרוּדָא, וְהַאי אִיהוּ רָזָא דְּחָכְמְתָא. מִלָּה דְּאַתְיָא בִּשְׁלִימוּ בְּרָזָא

דְּאַתְוָון, הָכֵי הוּא, כַּד אִינּוּן בְּחָכְמְתָא, אֲבָל דָּלֶ״ת בְּלָא גִּימֶ״ל, לָאו הוּא שְׁלִימוּ, וְכֵן גִּימֶ״ל בְּלָא דָּלֶ״ת. דְּהָא דָּא בְּדָא אִתְקַשְּׁרוּ בְּלָא פֵּרוּדָא, וּמַאן דְּאַפְרֵישׁ לוֹן, גָּרֵים לְגַרְמֵיהּ מוֹתָא, וְרָזָא דָּא חוֹבָא דְּאָדָם.

תקכד. בְּגַ״כ, הוּא מִלָּה דְּרָזָא דְּחָכְמְתָא, וְאע״ג דְּאִית יו״ד לְזִמְנִין בֵּין גִּימֶ״ל לְדָלֶ״ת, לָאו הֲוֵי פֵּרוּדָא, וְכֹלָּא קִשּׁוּרָא חֲדָא, וְעַ״ד מִלָּה דָּא הָכֵי הוּא וַדַּאי, וְאַגִּידָה לָכֶם, רָזָא דְּחָכְמְתָא, בָּעָא לְגַלָּאָה סוֹפָא דְּכָל עוֹבָדֵיהוֹן דְּיִשְׂרָאֵל.

תקכה. וְאִי תֵּימָא, דְּלָא גָּלֵי מַאי דְּבָעָא לְגַלָּאָה, א״ה אַמַּאי כְּתִיב בְּאוֹרַיְיתָא מִלָּה דְּיַעֲקֹב שְׁלֵימָא, וְאִתְפְּגִים לְבָתַר, וְלָא אִשְׁתְּלִים מִלָּה. אֶלָּא וַדַּאי אִשְׁתְּלִים, כָּל מַה דְּאִצְטְרִיךְ לְגַלָּאָה גַּלֵּי וְסָתֵים, אֲמַר מִלָּה וְגַלֵּי לְבַר וְסָתֵים לְגוֹ. וּמִלָּה דְּאוֹרַיְיתָא לָא אִתְפְּגִים לְעָלְמִין.

תקכו. וְכֹלָּא הוּא סָתֵים בֵּיהּ בְּאוֹרַיְיתָא, בְּגִין דְּאוֹרַיְיתָא הוּא שְׁלִימוּ דְּכֹלָּא, שְׁלִימוּ דִּלְעֵילָּא וְתַתָּא, וְלָא אִית מִלָּה אוֹ אָת בְּאוֹרַיְיתָא פְּגִימוּ, וְיַעֲקֹב כָּל מַה דְּאִצְטְרִיךְ לֵיהּ לְמֵימַר אֲמַר, אֲבָל גַּלֵּי וְסָתֵים, וְלָא פָּגִים מִכָּל מַה דְּבָעָא אֲפִילוּ אוֹת אַחַת.

תקכז. רִבִּי יְהוּדָה וְר׳ יוֹסֵי, הֲווֹ יַתְבֵי יוֹמָא חַד אַפִּתְחָא דְּלוֹד. אֲמַר רִבִּי יוֹסֵי לְרִבִּי יְהוּדָה, הָא דְּחָמִינָן דְּיַעֲקֹב בָּרֵיךְ לִבְנוֹי, חָמִינָן מִמַּה דִּכְתִיב, וַיְבָרֶךְ אוֹתָם, אֲבָל אָן בִּרְכָתָא דִּלְהוֹן. א״ל כֹּלָּא בִּרְכָאן אִינּוּן דְּבָרֵיךְ לְהוּ, כְּגוֹן, יְהוּדָה אַתָּה יוֹדוּךָ אַחֶיךָ. דָּן יָדִין עַמּוֹ. מֵאָשֵׁר שְׁמֵנָה לַחְמוֹ. וְכֵן כֻּלְּהוּ.

תקכח. אֲבָל מַה דְּבָעֵי לְגַלֵּי לוֹן לָא גַּלֵּי, דְּבָעָא לְגַלָּאָה לְהוּ אֶת הַקֵּץ. וְהָא אוֹקְמוּהָ, דְּאִית קֵץ לִימִינָא, וְאִית קֵץ לִשְׂמָאלָא, וּבָעָא לְגַלָּאָה לוֹן אֶת הַקֵּץ, בְּגִין לְאִסְתַּמְּרָא וּלְאִתְדַּכְּאָה מֵעָרְלָה. וּמַאן דְּגַלֵּי לוֹן אִתְיְדַע וְאִתְגַּלֵּי, עַד דְּעָאלוּ לְאַרְעָא קַדִּישָׁא, אֲבָל מִלִּין אָחֳרָנִין לָאו אִינּוּן בְּאִתְגַּלְיָיא, וּסְתִימִין אִינּוּן בְּאוֹרַיְיתָא, בְּהַאי פָּרְשָׁתָא דְּיַעֲקֹב, וּבְאִינּוּן בִּרְכָאן.

תקכט. פָּתַח וַאֲמַר, רְאוּבֵן בְּכֹרִי אַתָּה כֹּחִי וְרֵאשִׁית אוֹנִי, מַאי קָא חָמָא יַעֲקֹב לְמִפְתַּח בִּרְאוּבֵן, לִיפְתַּח בִּיהוּדָה, דְּאִיהוּ קַדְמָאָה לְכָל מַשִּׁרְיָין, וְאִיהוּ מַלְכָּא, וְחָמִינָן דְּלָא בָּרְכֵיהּ וְסָלִיק בִּרְכָאן מִנֵּיהּ, עַד דְּאָתָא מֹשֶׁה וְצַלֵּי צְלוֹתָא עֲלֵיהּ, כְּמָה דְּאַתְּ אָמֵר יְחִי רְאוּבֵן וְאַל יָמוֹת.

תקל. אֲבָל וַדַּאי בָּרְכֵיהּ, וְסָלְקָא הַהוּא בִּרְכְתָא לְאַתְרֵיהּ. לְבַר נָשׁ דַּהֲוָה לֵיהּ בַּר, כַּד מָטָא זִמְנֵיהּ לְאִסְתַּלְּקָא מֵעַלְמָא, אָתָא מַלְכָּא עֲלֵיהּ, אֲמַר, הָא כָּל מָמוֹנָא דִּילִי, לֶיהֱוֵי בִּידָא דְּמַלְכָּא נָטִיר לִבְרָאי. כַּד חָמֵי מַלְכָּא דִּבְרֵי אִתְחֲזֵי, יָהֵיב לֵיהּ. כָּךְ יַעֲקֹב אֲמַר, רְאוּבֵן בְּכֹרִי אַתָּה, רְחִימָא דִּמְעַיי אַנְתְּ, אֲבָל בִּרְכָאן דִּילָךְ יִסְתַּלְּקוּן בִּידָא דְּמַלְכָּא קַדִּישָׁא, עַד דְּיִתְחֲמֵי בָּךְ, בְּגִין דַּאֲזַלְתְּ לְקָבֵל אַפָּךְ וגו׳, כְּתַרְגּוּמוֹ.

תקלא. רְאוּבֵן בְּכוֹרִי אַתָּה וגו׳. רִבִּי אֶלְעָזָר פָּתַח וַאֲמַר, וַיֹּאמֶר אֵלַי הִנָּבֵא אֶל הָרוּחַ וגו׳. כַּמָּה אֲטִימִין אִינּוּן בְּנֵי נָשָׁא, דְּלָא יָדְעִין וְלָא מַשְׁגִּיחִין בִּיקָרָא דְּמַלְכָּא, דְּהָא אוֹרַיְיתָא אַכְרִיז עֲלַיְיהוּ בְּכָל יוֹמָא, וְלֵית מַאן דְּצַיֵּית אוּדְנֵיהּ לְקַבְּלֵיהּ. הַאי קְרָא קַשְׁיָא, כֵּיוָן דִּכְתִיב הִנָּבֵא אֶל הָרוּחַ, אַמַּאי זִמְנָא אָחֳרָא הִנָּבֵא בֶּן אָדָם וְאָמַרְתָּ אֶל הָרוּחַ.

תקלב. אֶלָּא מִכָּאן אוֹלִיפְנָא רָזָא דְּחָכְמְתָא, תְּרֵין קָיְימִין הָכָא, חַד לְאִתְעָרָא מִתַּתָּא לְעֵילָּא, דְּאִי לָא מִתְעָרִין לְתַתָּא, לָא מִתְעָרִין לְעֵילָּא, וּבְאִתְעֲרוּתָא דִּלְתַתָּא אִתְעַר לְעֵילָּא. הִנָּבֵא אֶל הָרוּחַ מִתַּתָּא לְעֵילָּא. הִנָּבֵא בֶּן אָדָם וְאָמַרְתָּ אֶל הָרוּחַ,

מֵעֵילָא לְתַתָּא.

תקלג. דְּהָא אֲפִילּוּ לְעֵילָא, בְּאִתְעֲרוּתָא דִּלְתַתָּא, נָקִיט הַהוּא עִלָּאָה מֵעִלָּאָה מִנֵּיהּ. כְּגוֹן הַאי קְרָא, כֹּה אָמַר ה' מֵאַרְבַּע רוּחוֹת בֹּאִי הָרוּחַ, מֵאַרְבַּע רוּחוֹת, דָּא דָּרוֹם וּמִזְרָח וְצָפוֹן וּמַעֲרָב, וְרוּחַ אַתְיָא מִמַּעֲרָב, בְּאִתְחַבְּרוּתָא דְּאִלֵּין אָחֳרָנִין, כְּד"א כָּרוּהָ נְדִיבֵי הָעָם וגו'.

תקלד. וּמֵהָכָא נָפְקִין רוּחִין וְנִשְׁמָתִין לִבְנֵי עָלְמָא לְאִצְטַיְּירָא בְּהוּ. וּפַחֵי: כְּד"א וַיִּפַּח בְּאַפָּיו נִשְׁמַת חַיִּים, תָּא חֲזֵי, נָקִיט מֵהַאי גִּיסָא, וְיָהִיב בְּגִיסָא אָחֳרָא, וְעַל דָּא כָּל הַנְּחָלִים הוֹלְכִים אֶל הַיָּם וְהַיָּם אֵינֶנּוּ מָלֵא. אַמַּאי אֵינֶנּוּ מָלֵא, בְּגִין דְּנָקִיט וְיָהִיב, אָעִיל וְאַפִּיק.

תקלה. רַבִּי אֶלְעָזָר שָׁאִיל שְׁאֶלְתָּא לר"ש, אָמַר, הוֹאִיל וְקוּדְשָׁא בְּרִיךְ הוּא גָּלֵי קַמֵּיהּ, דִּבְנֵי נָשָׁא יְמוּתוּן, אַמַּאי נָחִית נִשְׁמָתִין לְעָלְמָא, וְאַמַּאי אִצְטְרִיךְ לֵיהּ. א"ל שְׁאֶלְתָּא דָּא קַמַּיְיהוּ דְּרַבָּנָן שָׁאִילוּ כַּמָּה וְכַמָּה, וְאוֹקְמוּהָ. אֲבָל קוּדְשָׁא בְּרִיךְ הוּא יָהִיב נִשְׁמָתִין דְּנָחֲתִין לְהַאי עָלְמָא, לְאִשְׁתְּמוֹדְעָא יְקָרֵיהּ, וְנָקִיט לוֹן לְבָתַר, אִי הָכֵי אַמַּאי נָחֲתוּ.

תקלו. אֶלָּא, רָזָא דָּא, הָכֵי הוּא. פָּתַח וַאֲמַר, שְׁתֵה מַיִם מִבּוֹרֶךָ וְנוֹזְלִים מִתּוֹךְ בְּאֵרֶךָ, הָא אוֹקִימְנָא, בּוֹר: אֲתַר דְּלָא נָבִיעַ מִגַּרְמֵיהּ, וְאֵימָתַי נָבְעִין הָנֵי מַיָּא, בְּשַׁעְתָּא דְּאִשְׁתְּלִים נִשְׁמָתָא בְּהַאי עָלְמָא, כַּד סָלְקָא לְהַהוּא אֲתַר דְּאִתְקַשַּׁר בֵּיהּ, כְּדֵין הוּא שְׁלִים, מִכָּל סִטְרִין מִתַּתָּא וּמֵעֵילָא.

תקלז. וְכַד נִשְׁמָתָא סָלְקָא, כְּדֵין אִתְעַר תֵּיאוּבְתָּא דְּנוּקְבָא לְגַבֵּי דְּכוּרָא, וּכְדֵין נָבְעִין מַיָּא מִתַּתָּא לְעֵילָא, וּבוֹר, אִתְעֲבִיד בְּאֵר, מַיִין נָבִיעָן, וּכְדֵין אִתְחַבְּרוּתָא וְיִחוּדָא וְתֵיאוּבְתָּא וְרַעֲוָא אִשְׁתַּכַּח, דְּהָא בְּנִשְׁמָתָא דְּצַדִּיקָא אִשְׁתְּלִים הַהוּא אֲתַר, וְאִתְעַר חֲבִיבוּתָא וּרְעוּתָא לְעֵילָא, וְאִתְחַבַּר כַּחֲדָא.

תקלח. רְאוּבֵן בְּכֹרִי אַתָּה, הָכֵי הוּא וַדַּאי, טִפָּה קַדְמָאָה דְּיַעֲקֹב הֲוָה, וּרְעוּתֵיהּ בַּאֲתַר אָחֳרָא הֲוָה כְּמָה דְּאִתְּמַר. תָּא חֲזֵי, רְאוּבֵן וְכֻלְּהוּ שִׁבְטִין תְּרֵיסַר, כֻּלְּהוּ אִתְאַחֲדָן בִּשְׁכִינְתָּא, וְכַד חָמָא יַעֲקֹב לִשְׁכִינְתָּא עַל גַּבֵּיהּ, קָרָא לִבְנוֹי תְּרֵיסַר לְאִתְחַבְּרָא בָּהּ.

תקלט. וְתָא חֲזֵי, עַרְסָא שְׁלֵימְתָּא לָא אִשְׁתַּכַּח, מִן יוֹמָא דְּאִתְבְּרֵי עָלְמָא, כְּהַהִיא שַׁעְתָּא דְּבָעָא יַעֲקֹב לְאִסְתַּלְּקָא מֵעָלְמָא, אַבְרָהָם מִימִינֵיהּ, יִצְחָק מִשְּׂמָאלֵיהּ, יַעֲקֹב הֲוָה שָׁכִיב בֵּינַיְיהוּ, שְׁכִינְתָּא קַמֵּיהּ. כֵּיוָן דְּחָמָא יַעֲקֹב כָּךְ, קָרָא לִבְנוֹי, וְאָחִיד לוֹן סְחֲרָנֵיהּ דִּשְׁכִינְתָּא, וְסַדַּר לוֹן בְּסִדּוּרָא שְׁלִים.

תקמ. מנ"ל דְּסַדַּר לוֹן סַחֲרָנֵיהּ דִּשְׁכִינְתָּא, דִּכְתִיב הֵאָסְפוּ, וּכְדֵין אִשְׁתַּכַּח תַּמָּן שְׁלִימוּ דְּכֹלָּא, וְכַמָּה רְתִיכִין עִלָּאִין סַחֲרָנַיְיהוּ. פָּתְחֵי וְאָמְרֵי, לְךָ ה' הַגְּדוּלָּה וְהַגְּבוּרָה וגו', כְּדֵין אִתְכְּנִישׁ שִׁמְשָׁא לְגַבֵּיהּ דְּסִיהֲרָא, וְאִתְקְרִיב מִזְרָח בְּמַעֲרָב, הה"ד וַיֶּאֱסֹף רַגְלָיו אֶל הַמִּטָּה, וְאִתְנְהִיר סִיהֲרָא, וְאִשְׁתַּכַּח בִּשְׁלִימוּ, וּכְדֵין וַדַּאי תָּנֵינָן, יַעֲקֹב אָבִינוּ לָא מִית. כֵּיוָן דְּחָמָא יַעֲקֹב סִטְרָא שְׁלִים, מַה דְּלָא אִשְׁתַּכַּח הָכֵי לְבַר נָשׁ אָחֳרָא, חָדֵי, וְשַׁבַּח לֵיהּ לְקוּדְשָׁא בְּרִיךְ הוּא, וּפָתַח וּבָרִיךְ לִבְנוֹי, כָּל חַד וְחַד כִּדְקָא יָאוּת לֵיהּ.

תקמא. ר' יוֹסֵי וְרַבִּי יֵיסָא הֲווּ אָזְלֵי בְּאָרְחָא, אָמַר ר' יֵיסָא הָא וַדַּאי תָּנֵינָן, כָּל בְּנוֹי דְּיַעֲקֹב אִתְתַּקָּנוּ בְּסִדּוּרָא שְׁלִים, וְאִתְבָּרְכוּ כָּל חַד וְחַד כִּדְקָא יָאוּת לֵיהּ, מַאי קָא נֵימָא בְּהַאי קְרָא, דִּכְתִיב מֵאָשֵׁר שְׁמֵנָה לַחְמוֹ וגו'. א"ל לָא יְדַעְנָא, בְּגִין דְּלָא שְׁמַעְנָא בֵּיהּ מִבּוּצִינָא קַדִּישָׁא, אֶלָּא אַנְתְּ וַאֲנָא נֵיזִיל לְגַבֵּי בּוּצִינָא קַדִּישָׁא. אָזְלֵי כַּד מָטוּ לְגַבֵּי דְּרַבִּי שִׁמְעוֹן, אֲמָרוּ מִלָּה, וְשָׁאִילוּ שְׁאֶלְתָּא, אָמַר לוֹן, וַדַּאי רָזָא דְּחָכְמְתָא הוּא.

תקמב. פָּתַח וַאֲמַר, אֲשֶׁר יָשַׁב לְחוֹף יַמִּים וְעַל מִפְרָצָיו יִשְׁכּוֹן, אַמַּאי יָתִיב תַּמָּן. אֶלָּא

מַאן דְּיָתֵיב בְּשִׂפְתָא דְּיַמָּא, אִשְׁתַּמֵּשׁ בְּתַפְנוּקֵי עַלְמָא, וְהָכָא אָשֵׁר דָּא פִּתְוָזא עִלָּאָה דְּצַדִּיק כַּד אִתְבָּרְכָא לְאַרְקָא בִּרְכָאן בְּעַלְמָא. וְהַאי פִּתְוָזא אִשְׁתְּמוֹדַע תָּדִיר בִּרְכָאן דְּעַלְמָא, וְאִקְרֵי אָשֵׁר, וְדָא הוּא עַמּוּדָא מֵאִינּוּן דְּקָאִים עַלְמָא עֲלַיְיהוּ.

תקמג. וְהַהוּא אֲתַר דְּאִקְרֵי לֶוֶזם עוֹנִי, מֵהַהוּא אֲתַר אִתְקִין, הה"ד מֵאָשֵׁר שְׁמֵנָה לַוְזמוֹ, מַה דַּהֲוָה לַוְזמָא דְּמִסְכֵּנָא, אִתְהַדַּר לֶוֶזם פַּנָּג. בְּגִין דְּאָרִיק וְאַרְמֵי בֵּיהּ בִּרְכָאן וְתַפְנוּקִין, וְסוֹפָא דִּקְרָא אוֹכַוז, וְהוּא יִתֵּן מַעֲדַנֵּי מֶלֶךְ. מַאן מֶלֶךְ, דָּא כְּנֶסֶת יִשְׂרָאֵל, דְּמִנָּהּ אִתְּזָן בְּתַפְנוּקֵי עַלְמָא, וְדָא יָהֵיב לְהַאי מֶלֶךְ כָּל בִּרְכָאן, כָּל וֵזידוּ, וְכָל טִיבוּ, הוּא יָהֵיב, וּמִנָּהּ נָפְקֵי. אֲמַרוּ, אִי לָא אֲתֵינָא לְעַלְמָא, אֶלָּא לְמִנְדַּע דָּא טַב לָן.

תקמד. רְאוּבֵן בּוּכְרָא דְּיַעֲקֹב הֲוָה, אֲמַר רִבִּי וִזיָּיא, לֵיהּ הֲוָה אִתְוָזזֵי כֹּלָּא, וְאִתְעֲבַר מִינֵּהּ כֹּלָּא, וְאִתְיְהֵיב מַלְכוּ לִיהוּדָה, בְּכֵירוּתָא לְיוֹסֵף, כְּהוּנָּתָא לְלֵוִי, הה"ד פַּוַזז כַּמַּיִם אַל תּוֹתַר: לָא תִּשְׁתְּאַר בְּהוּ. וּמַה דַּאֲמַר כֹּוזִי וְרֵאשִׁית אוֹנִי, הָכָא בָּרְכֵיהּ וּפַקְדֵיהּ לְקוּדְשָׁא בְּרִיךְ הוּא.

תקמה. לִרְוִזימָא דְּמַלְכָּא, יוֹמָא וַזד אַעֲבַר בְּרֵיהּ בְּשׁוּקָא, אֲמַר לְמַלְכָּא, דָּא הוּא בְּרִי, וַדַּאי רְוִזימָא דְּנַפְשָׁאי, שָׁמַע מַלְכָּא, וְיָדַע דְּהָא שָׁאֵיל עַל בְּרֵיהּ. כָּךְ יַעֲקֹב, אֲמַר רְאוּבֵן בְּכוֹרִי אַתָּה כֹּוזִי וגו', הָכָא פַּקְדֵיהּ לְמַלְכָּא.

תקמו. פַּוַזז כַּמַּיִם אַל תּוֹתַר, הָכָא אֲמַר מַה דְּאִעֲרַע לֵיהּ, דְּלָא אִשְׁתְּאַר בְּאַרְעָא, וְשַׁדֵּי לֵיהּ לְבַר מֵאַרְעָא. לְקָבֵל דָּא, וַזד מְמַנָּא מִסִּטְרָא דְּמַשְׁכְּנָא לְעֵילָּא, דִּי מְמַנָּא תְּוזוֹת יְדָא דְּמִיכָאֵל, וְאָבְדֵי לָהּ תְּוזוֹת יְדָא דְּגַבְרִי"אֵל. וּמִיכָאֵל הוּא רֵישָׁא בְּכָל אֲתַר מִסִּטְרָא דְּוֶזסֶ"ד, וְגַבְרִיאֵל מִסִּטְרָא דִּשְׂמָאלָא דִּגְבוּרָ"ה. וִיהוּדָה עוֹד רָד עִם אֵל, סְטַר גְּבוּרָה, בֵּי דִינָא אִקְרֵי, וְסָמִיךְ לֵיהּ רְאוּבֵן, אע"ג דְּמַלְכוּ הֲוָה דִּיהוּדָה, רְאוּבֵן סָמוּךְ לְקִבְלֵיהּ הֲוָה.

תקמז. אר"ש, זְמִינִין אִינּוּן בְּנֵי רְאוּבֵן, לַאֲגָוָזא תְּרֵין קְרָבִין בְּגוֹ אַרְעָא. תָּא וְזזֵי, כְּתִיב כֹּוזִי, בְּגָלוּתָא דְּמִצְרַיִם. וְרֵאשִׁית אוֹנִי, דְּאִינּוּן הֲווֹ קַדְמָאִין לְגַבֵּי אֲוזוּהוֹן לִקְרָבָא. יֶתֶר שְׂאֵת, לְגָלוּתָא דְּאַשּׁוּר, דְּמִתַּמָּן גָּלוּ בְּנֵי גָד וּבְנֵי רְאוּבֵן קַדְמָאֵי מִכֻּלְּהוּ, וְסָבְלֵי כַּמָּה בִּישִׁין, וְכַמָּה עִנּוּיִין סָבְלוּ, וְלָא תָּבוּ עַד כְּעָן.

תקמח. וְיֶתֶר עָז לִזְמְנָא דְּמַלְכָּא מְשִׁיוָזא יִתְעַר בְּעַלְמָא, אִינּוּן יִפְקוּן וְיַגִּיוזוּן קְרָבִין בְּעַלְמָא, וְיִנַּצְּוזוּן, וְיִתַּקְּפוּן עַל עַמְמַיָּא, וּבְנֵי עַלְמָא יִדְוַזלוּן מִנַּיְיהוּ וְיִרְתְּתוּן קַמַּיְיהוּ, וְיַוְזשִׁיבוּ לְאִתְגַּבְּרָא בְּמַלְכוּתָא, וְלָא יִשְׁתָּאֲרוּן בֵּיהּ, הה"ד פַּוַזז כַּמַּיִם אַל תּוֹתַר, מ"ט לָא יִשְׁתָּאֲרוּן בֵּיהּ, וַאֲפִילוּ בְּסִטְרָא וַזד דְּעַלְמָא, בְּגִין כִּי עָלִיתָ מִשְׁכְּבֵי אָבִיךָ, דִּזְמִינִין לַאֲעָלָא וּלְאַגָּוָזא קְרָבִין בְּגוֹ אַרְעָא קַדִּישָׁא, מִשְׁכְּבֵי אָבִיךָ דַּיְיקָא, זוֹ יְרוּשָׁלַם.

תקמט. תָּא וְזזֵי, בְּאַרְבַּע סִטְרֵי עַלְמָא, אִתְבַּדְּרוּ בְּנֵי רְאוּבֵן בְּגָלוּתָא, לְקִבְלֵיהוֹן דְּכָל יִשְׂרָאֵל, דְּאִתְגָּלוּ בְּגָלוּתָא אַרְבַּע זִמְנִין, בְּאַרְבַּע סִטְרֵי עַלְמָא, הה"ד, כֹּוזִי וַזד, וְרֵאשִׁית אוֹנִי תְּרֵי, יֶתֶר שְׂאֵת תְּלַת, וְיֶתֶר עָז אַרְבָּעָה. כְּגַוְונָא דָּא זְמִינִין אִינּוּן לַאֲגָוָזא קְרָבָא בְּאַרְבַּע סִטְרֵי עַלְמָא, וּלְמִשְׁלַט בִּקְרָבַיְיהוּ עַל כֹּלָּא, וְיִנַּצְּוזוּן עֲמָמִין סַגִּיאִין, וְיִשְׁלְטוּן עֲלַיְיהוּ.

תקנ. פַּוַזז כַּמַּיִם אַל תּוֹתַר כִּי עָלִיתָ מִשְׁכְּבֵי אָבִיךָ, הָכָא אִתְרְמִיז עַל הִרְהוּרָא קַדְמָאָה דַּהֲוָה לֵיהּ לְיַעֲקֹב. בְּהַאי טִפָּה קַדְמָאָה בְּרָוֵזל, דְּאִלְמָלֵא הִרְהוּרָא דְּהַהִיא טִפָּה הֲוָה בְּאַתְרָהּ, אִשְׁתָּאַר רְאוּבֵן בְּכֹלָּא, אֲבָל פַּוַזז כַּמַּיִם אַל תּוֹתַר כִּי עָלִיתָ מִשְׁכְּבֵי אָבִיךָ, עָלִיתָ, בְּהִרְהוּרָא אָוֳזרָא, אָז וִזלַּלְתָּ וגו'.

תקנא. דָּבָר אַוזֵר, פַּוַזז כַּמַּיִם אַל תּוֹתַר, דְּהָא כַּד יַגִּיוזוּן קְרָבָא בְּנֵי רְאוּבֵן בְּעַלְמָא,

וִינַצְּחוּן עַמְמִין סַגִּיאִין, לָא יִשְׁתָּאֲרוּן בְּמַלְכוּתָא, מ"ט, כִּי עָלִיתָ מִשְׁכְּבֵי, דְּזַמִּינִין לְאַגָּחָא קְרָבָא בְּאַרְעָא קַדִּישָׁא דַּיְיקָא, דִּכְתִּיב כִּי עָלִיתָ מִשְׁכְּבֵי אָבִיךָ דָּא יְרוּשָׁלַםִ. מִשְׁכְּבֵי, מִשְׁכַּב מִבָּעֵי לֵיהּ. אֶלָּא, אָבִיךָ דָּא יִשְׂרָאֵל סָבָא, מִשְׁכְּבֵי אָבִיךָ וְלָא מִשְׁכַּב, בְּגִין דְּהָא בִּתְרֵי זִמְנֵי אִתְבְּנֵי יְרוּשָׁלַםִ, וּתְלִיתָאָה לִזְמְנָא דְּמַלְכָּא מְשִׁיחָא. וְעַל דָּא מִשְׁכְּבֵי אָבִיךָ. וְהָכָא אִתְגַּלְיָיא בִּרְכָה, וּמַאי דַּהֲוָה בְּהַהוּא זִמְנָא, וּמַה דַּהֲוָה כַּד עָאלוּ יִשְׂרָאֵל לְאַרְעָא, וּמַה דִּיְהֵא בִּזְמְנָא דְּמַלְכָּא מְשִׁיחָא בְּעוֹבָדָא דִּרְאוּבֵן.

תקנב. שִׁמְעוֹן וְלֵוִי אַחִים, אָמַר ר' יִצְחָק, הָכָא אֲחִיד לוֹן, בְּסִטְרָא שְׂמָאלָא דִּשְׁכִינְתָּא. דְּזִמְנָא עוֹבְדִין דְּדִינָא קַשְׁיָא, דְּלָא יָכִיל עָלְמָא לְמִסְבַּל. אָמַר ר' יוֹסֵי, בִּרְכְתָא דִּלְהוֹן אָן הִיא. אָמַר רִבִּי יִצְחָק, שִׁמְעוֹן לָא אִתְחֲזֵי לְהַאי, דְּזִמְנָא לֵיהּ כַּמָּה עוֹבְדִין בִּישִׁין. וְלֵוִי דְּאָתֵי מִסִּטְרָא דְּדִינָא קַשְׁיָא, וּבִרְכְתָא לָא תַּלְיָא בֵּיהּ, וַאֲפִילּוּ כַּד אָתָא מֹשֶׁה, לָא תָּלֵי בִּרְכָתֵיהּ בֵּיהּ, דִּכְתִּיב בָּרֵךְ ה' חֵילוֹ וּפֹעַל יָדָיו תִּרְצֶה, בְּקוּדְשָׁא בְּרִיךְ הוּא תַּלְיָיא.

תקנג. תָּא חֲזֵי כְּתִיב זֶה הַיָּם גָּדוֹל וּרְחַב יָדַיִם שָׁם רֶמֶשׂ וְאֵין מִסְפָּר חַיּוֹת קְטַנּוֹת עִם גְּדוֹלוֹת. זֶה הַיָּם גָּדוֹל, דָּא שְׁכִינְתָּא, דְּקַיְימָא עֲלֵיהּ דְּיַעֲקֹב, כַּד בָּעָא לְאִסְתַּלְּקָא מֵעָלְמָא. וּרְחַב יָדַיִם, דְּהָא כָּל עָלְמָא אִמְלֵי וְאִשְׁתְּלִים וְאִתְצַמְצַם תַּמָּן. שָׁם רֶמֶשׂ וְאֵין מִסְפָּר, דְּכַמָּה מַלְאֲכֵי עִלָּאֵי וְקַדִּישָׁאֵי אִשְׁתְּכָחוּ תַּמָּן. חַיּוֹת קְטַנּוֹת עִם גְּדוֹלוֹת, אִלֵּין אִינּוּן י"ב שְׁבָטִין, בְּנוֹי דְּיַעֲקֹב, דְּאִשְׁתְּכָחוּ בְּהוֹן בִּשְׁלִימוּ, חַד אַיָּלָה, וְחַד זְאֵב, וְחַד אֲרִי, וְחַד טָלֶה. אָמַר רִבִּי יִצְחָק, אַרְיֵה וְחַד, וְטָלֶה וְחַד, וְחַד זְאֵב, וְחַד גְּדִי, וְכֵן כֻּלְּהוּ, לְאִשְׁתַּכְּחָא חַיּוֹת קְטַנּוֹת עִם גְּדוֹלוֹת.

תקנד. רִבִּי יְהוּדָה אָמַר, כֻּלְּהוּ שַׁפִּיר, אֲבָל יְהוּדָה אַרְיֵה, שִׁמְעוֹן שׁוֹר, וְהָא אוּקְמוּהָ וְחַבְרַיָּיא דַּהֲווּ מִשְׁגִּיחִין דָּא לָקֳבֵל דָּא, דָּא מִימִינָא, וְדָא מִשְּׂמָאלָא. לְתוֹרָא דְּעוֹבָדוֹי בִּישִׁין, אָמְרוּ נְצַיֵּיר אִקּוּנִין דְּאַרְיֵה בְּקוֹפְטֵיהּ, וְיִסְתַּכַּל בְּדָא וְיִדְחַל מִנֵּיהּ, כָּךְ שִׁמְעוֹן שׁוֹר, יְהוּדָה אַרְיֵה.

תקנה. שִׁמְעוֹן לָא זָכָה לְבִרְכָאן, אֶלָּא טָפֵל לֵיהּ מֹשֶׁה בִּיהוּדָה, כְּתִיב הָכָא שְׁמַע ה' קוֹל יְהוּדָה, וּכְתִיב הָתָם כִּי שָׁמַע ה' כִּי שְׂנוּאָה אָנֹכִי. א"ר יְהוּדָה, שִׁמְעוֹן וְלֵוִי, אֲבוּהוֹן סָלִיק לוֹן לְמֹשֶׁה. א"ל ר' יוֹסֵי, מ"ט אֲבוּהוֹן סָלִיק לוֹן לְמֹשֶׁה. א"ל, אַף אֲנָן נְסַלִּיק לֵיהּ לְבוּצִינָא קַדִּישָׁא עִלָּאָה.

תקנו. אָתוּ שָׁאֲלוּ לֵיהּ לְר"ש, אָמַר כַּמָּה חֲבִיבִין מִלִּין אִטְפְּווּ בִּידוֹי וּבָכָה, אָמַר מַאן יְגַלֵּי לָךְ מְהֵימְנָא קַדִּישָׁא, אִסְתַּלְּקַת בְּחַיָּיךְ עַל בְּנֵי נָשָׁא, אִסְתַּלְּקַת בְּמוֹתָךְ, וְאִסְתַּיֵּים דְּיוֹקְנָךְ. מַפְתְּחָן דְּמָארָךְ אִתְמְסָרוּ בִּידָךְ תָּדִיר.

תקנז. תָּא חֲזֵי, יַעֲקֹב הֲוָה לֵיהּ אַרְבַּע נָשִׁין, וְאוֹלִיד בְּנִין מִכֻּלְּהוּ, וְאִשְׁתְּלִים בִּנְשׁוֹי. כַּד בָּעָא יַעֲקֹב לְאִסְתַּלְּקָא, שְׁכִינְתָּא קַיְימֵי עֲלוֹי, בָּעָא לְבָרוּכֵי לְאִלֵּין, וְלָא יָכִיל, מִקַּמֵּי שְׁכִינְתָּא דְּדָחִיל, אָמַר, הֵיךְ אַעֲבִיד, דְּהָא תַּרְוַויְיהוּ מִסִּטְרָא דְּדִינָא קַשְׁיָא קָא אַתְיָין, אִי אַתְקִיף בִּשְׁכִינְתָּא לָא יָכִילְנָא, דְּהָא אַרְבַּע נָשִׁין הֲווּ לִי, וְאִשְׁתְּלִימְנָא בְּהוֹן, אֶלָּא אֲסַלַּק לוֹן לְמָארֵי דְּבֵיתָא, דְּהָא בֵּיתָא בִּרְעוּתֵיהּ קַיְימָא, וּמַה דְּבָעֵי יַעְבֵּיד.

תקנח. כָּךְ יַעֲקֹב אָמַר, וְחוּלָקִין דִּנְשִׁין וּבְנִין הָא נְסַבִית בְּהַאי עָלְמָא, וְאִשְׁתַּלַּמְנָא, הֵיךְ אַתְקִיף בְּמַטְרוֹנִיתָא יַתִּיר, אֶלָּא אֲסַלַּק מִלִּין לְמָארֵי מַטְרוֹנִיתָא, וְהוּא יַעֲבֵד מַה דְּבָעֵי, וְלָא יִדְחַל.

תקנט. תָּא חֲזֵי מַה כְּתִיב, וְזֹאת הַבְּרָכָה אֲשֶׁר בֵּרַךְ מֹשֶׁה אִישׁ הָאֱלֹקִים, מָארֵיהּ

דְּבֵיתָא, מָארֵיהּ דְּמַטְרוֹנִיתָא. כְּמָה דִּכְתִיב אִישָׁהּ יְקִימֶנּוּ וְאִישָׁהּ יְפֵרֶנּוּ. דְּהָא כַּלַּת מֹשֶׁה כְּתִיב. וְעַל דָּא, מֹשֶׁה בָּרִיךְ מַאן דְּבָעָא וְלָא דָּחִיל, כִּדְאוֹקִימְנָא. וּבְגִין כָּךְ אֲמַר יַעֲקֹב, הָא וְזִמְנִין דִּבְנֵי אִלֵּין בְּסִטְרָא דְּדִינָא קַשְׁיָא, יֵיתֵי מָארֵיהּ דְּבֵיתָא וִיבָרֵךְ לוֹן.

תקס. מֹשֶׁה וַדַּאי אִישׁ הָאֱלֹקִים הֲוָה, וּרְעוּתֵיהּ עָבֵיד בְּבֵיתֵיהּ, כְּד"א אִישָׁהּ יְקִימֶנּוּ. הה"ד וַיֹּאמֶר מֹשֶׁה קוּמָה ה'. וְאִישָׁהּ יְפֵרֶנּוּ, הה"ד וּבְנֻחֹה יֹאמַר שׁוּבָה ה'. וַדַּאי רְעוּתֵיהּ עָבֵד מָארֵיהּ דְּבֵיתָא וְלֵית דְּיִמְחֵי בִּידֵיהּ. כְּבַר נָשׁ דְּגָזַר עַל אִנְתְּתֵיהּ, וְעָבְדָא רְעוּתֵיהּ. וְעַל דָּא יַעֲקֹב אע"ג דַּהֲוָה אָחִיד בְּאִילָנָא דְּחַיֵּי, לָא הֲוָה מָארֵי דְּבֵיתָא, אֶלָּא לְתַתָּא, מֹשֶׁה הוּא לְעֵילָּא, בְּגִין כָּךְ סָלֵיק לוֹן לְמָארֵיהּ דְּבֵיתָא.

תקסא. בְּסוֹדָם אַל תָּבֹא נַפְשִׁי וגו', ר' אַבָּא פָּתַח וַאֲמַר סוֹד יְיָ' לִירֵאָיו וגו'. סוֹד יְיָ' לִירֵאָיו, רָזָא עִלָּאָה דְּאוֹרַיְיתָא, לָא יָהֵיב קוּדְשָׁא בְּרִיךְ הוּא אֶלָּא לְאִינוּן דְּדָחֲלֵי חַטָּאָה. וּמַאן דְּאִינוּן דְּדָחֲלֵי חַטָּאָה אִתְגַּלֵּי לוֹן רָזָא עִלָּאָה דְּאוֹרַיְיתָא, וּמַאן אִיהוּ, רָזָא עִלָּאָה דְּאוֹרַיְיתָא, הֱוֵי אֵימָא, דָּא אָת קַיָּימָא קַדִּישָׁא, דְּאִקְרֵי סוֹד ה' בְּרִית קֹדֶשׁ.

תקסב. שִׁמְעוֹן וְלֵוִי, אַטְרִיחוּ גַּרְמַיְיהוּ עַל הַאי סוֹד, בְּאַנְשֵׁי שְׁכֶם, דְּיִגְזְרוּן גַּרְמַיְיהוּ וִיקַבְּלוּ עֲלוֹן הַאי סוֹד. וְקָרָא אַסְהִיד בְּמִרְמָה. תּוּ בְּעוֹבָדָא דְּזִמְרִי בֶּן סָלוּא, דְּפָסַל הַאי סוֹד. וְיַעֲקֹב אֲמַר בְּסוֹדָם אַל תָּבֹא נַפְשִׁי. מַאי נַפְשִׁי. דָּא נַפְשָׁא דְּעָאלַת וְאִתְאַחֲדַת בִּבְרִית עִלָּאָה לְעֵילָּא, וְאִקְרֵי נֶפֶשׁ צְרוֹרָא דְּחַיֵּי.

תקסג. בִּקְהָלָם אַל תֵּחַד כְּבוֹדִי. הָא אוֹקְמוּהָ, כְּד"א וַיַּקְהֵל עֲלֵיהֶם קֹרַח. אַל תֵּחַד כְּבוֹדִי, דָּא כְּבוֹד יִשְׂרָאֵל סְתָם. וְעַ"ד לָא בָּרִיךְ לוֹן אֲבוּהוֹן, בְּגִין דְּסָלֵיק לוֹן לְמֹשֶׁה. ר' חִיָּיא אֲמַר מֵהַנֵּי קְרָאֵי מַשְׁמַע דְּלָא אִתְאֲחִיד דָּא בְּדָא, וְאִצְטְרִיךְ הָכֵי. וְעַ"ד אִית בֵּיהּ כְּלָּא, וְלֵית לָךְ דָּרָא בְּעָלְמָא, דְּלָא נָחֲתָא דִּינָא דִּלְהוֹן לְקַטְרְגָא בְּעָלְמָא וְאַסְגִּיאוּ מְהַדְּרֵי עַל פִּתְחַיְיהוּ דִּבְנֵי נָשָׁא, הָא לָךְ כְּלָּא.

תקסד. יְהוּדָה אַתָּה יוֹדוּךָ אַחֶיךָ יָדְךָ בְּעֹרֶף אוֹיְבֶיךָ וגו'. ר' יוֹסֵי פָּתַח עָשָׂה יָרֵחַ לְמוֹעֲדִים וגו'. עָשָׂה יָרֵחַ בְּגִין לְקַדְּשָׁא בֵּיהּ רֵישׁ יַרְחִין, וְרֵישׁ שַׁתִּין. וּלְעָלְמִין סִיהֲרָא לָא נָהִיר אֶלָּא מִשִּׁמְשָׁא, וְכַד שִׁמְשָׁא שַׁלִּיט, סִיהֲרָא לָא שָׁלְטָא, כַּד אִתְכְּנִישׁ שִׁמְשָׁא, כְּדֵין סִיהֲרָא שָׁלְטָא, וְלֵית חוּשְׁבַּן לְסִיהֲרָא אֶלָּא כַּד אִתְכְּנִישׁ שִׁמְשָׁא.

תקסה. וּתְרַוַויְיהוּ עָבֵד קוּדְשָׁא בְּרִיךְ הוּא לְאַנְהָרָא, הה"ד וַיִּתֵּן אוֹתָם אֱלֹקִים בִּרְקִיעַ הַשָּׁמַיִם לְהָאִיר עַל הָאָרֶץ וגו'. וְהָיוּ לְאוֹתוֹת, אִלֵּין שַׁבָּתוֹת, דִּכְתִיב כִּי אוֹת הִיא. וּלְמוֹעֲדִים, אִינוּן י"ט. וּלְיָמִים, אִלֵּין רֵישֵׁי יַרְחִין. וּלְשָׁנִים, אִלֵּין רֵישֵׁי שְׁנִין. דִּלְהֱווֹן אוּמּוֹת הָעוֹלָם עָבְדִין וְחָשְׁבִין לְשִׁמְשָׁא, וְיִשְׂרָאֵל לְסִיהֲרָא.

תקסו. וְאוּלְמָא הָא, כִּי הָא דְּאָמַר ר' אֶלְעָזָר, כְּתִיב הִרְבִּיתָ הַגּוֹי לוֹ הִגְדַּלְתָּ הַשִּׂמְחָה. הִרְבִּיתָ הַגּוֹי, אִלֵּין יִשְׂרָאֵל, דִּכְתִיב בְּהוּ כִּי מִי גּוֹי גָּדוֹל. וּכְתִיב גּוֹי אֶחָד בָּאָרֶץ. לוֹ: בְּגִינֵיהּ. הִגְדַּלְתָּ הַשִּׂמְחָה, דָּא סִיהֲרָא, דְּאִתְרַבִּיאַת בִּנְהוֹרָא בְּגִינֵיהוֹן דְּיִשְׂרָאֵל. אוּמּוֹת הָעוֹלָם לְשִׁמְשָׁא, וְיִשְׂרָאֵל לְסִיהֲרָא, הֵי מִנַּיְיהוּ עָדִיף. וַדַּאי סִיהֲרָא לְעֵילָּא, וְשִׁמְשָׁא דְּאוּמּוֹת הָעוֹלָם, תְּחוֹת הַאי סִיהֲרָא הוּא, וְהַהוּא שִׁמְשָׁא מֵהַאי סִיהֲרָא נָהִיר. וְחָמֵי מַה בֵּין יִשְׂרָאֵל, לְהוּ. יִשְׂרָאֵל אֲחִידוּ בְּסִיהֲרָא, וְאִשְׁתַּלְשְׁלוּ בְּשִׁמְשָׁא עִלָּאָה, וְאִתְאַחֲדוּ בַּאֲתַר דְּנָהִירָא מִשִּׁמְשָׁא עִלָּאָה, וּמִתְדַּבְּקָן בֵּיהּ, דִּכְתִיב וְאַתֶּם הַדְּבֵקִים בַּיְיָ' אֱלֹהֵיכֶם חַיִּים כֻּלְּכֶם הַיּוֹם.

תקסז. יְהוּדָה אַתָּה וגו'. ר' שִׁמְעוֹן אֲמַר, מַלְכוּ לִיהוּדָה אִתְקַיַּים, וְהַיְינוּ דְּאָמְרִינָן, מַאי דִּכְתִיב, הַפַּעַם אוֹדֶה אֶת ה', בְּגִין דְּאִיהוּ רְבִיעָאָה, אוֹדֶה אֶת ה', בְּגִין דְּאִיהוּ רַגְלָא

רְבִיעָאָה לְכֻרְסַיָא. יָהֹ"ו, דָּא רְשִׁימָא דִּשְׁמָא עִלָּאָה, וּבַמֶּה אִשְׁתְּלִים, בֵּה"א, וְהַיְינוּ ה"א
בַּתְרָאָה דִּשְׁמָא קַדִּישָׁא, שְׁמָא קַדִּישָׁא שְׁלִים בְּאַתְווֹי, וְכָשֵׁר דְּאַוְזֵיד לוֹן, עַל דָּא יוֹדוּךָ
אַחֶיךָ, דְּמַלְכוּ לָךְ אִתְחֲזֵיָא לְאִתְקַיְימָא וַדַּאי. וִיהוּדָה עַד רַד עִם אֵל וְעִם קְדוֹשִׁים נֶאֱמָן,
מַאן קְדוֹשִׁים, אִלֵּין קְדוֹשִׁים עֶלְיוֹנִין, דְּכֻלְּהוּ אוֹדָן לְגַבֵּיה, וְשַׁוְיוּהֵ נֶאֱמָן, בְּגִין כָּךְ הוּא
קַדְמָאָה בְּכֹלָּא, הוּא מַלְכָּא עַל כֹּלָּא.

תקסח. ר"ע פָּתַח וַאֲמַר, כָּל כְּבוּדָּה בַת מֶלֶךְ פְּנִימָה, דָּא כְנֶ"י, כְּבוּדָּה:
בְּגִין דְּאִיהוּ כָּבוֹד, דָּא עַל דָּא, דָּא דְכַר, וְדָא נוּקְבָא, וְאִתְקְרֵי כְבוּדָּה. בַת מֶלֶךְ, הַיְינוּ
בַת שֶׁבַע, בַת קוֹל דְּאִיהוּ קוֹל גָּדוֹל, וְהַאי מֶלֶךְ עִלָּאָה הוּא. פְּנִימָה: בְּגִין דְּאִית מֶלֶךְ דְּלָא
אִיהוּ כְּוָותֵיה, וְהַאי כְּבוּדָּה בַת מֶלֶךְ.

תקסט. מִמִּשְׁבְּצוֹת זָהָב לְבוּשָׁהּ, בְּגִין דְּאִתְלַבְּשַׁת וְאִתְאַוְזָדַת בִּגְבוּרָתָא עִלָּאָה, וְהַאי,
אוֹף נָמֵי מֶלֶךְ אָחֳרֵי, וּבְגִינָה קַיְימָא אַרְעָא, אֵימָתַי, בְּשַׁעְתָּא דְּאִתְאַוְזָדַת בְּמִשְׁפָּט, כַּד"א
מֶלֶךְ בְּמִשְׁפָּט יַעֲמִיד אָרֶץ. וְדָא קָרֵינָן מַלְכוּ דִשְׁמַיָא, וִיהוּדָה אִתְאַוְזֵיד בָּהּ, וְיָרִית
מַלְכוּתָא דְבְאַרְעָא.

תקע. ר' יְהוּדָה וְר' יִצְחָק הֲווֹ קָאֳזְלֵי בְּאָרְחָא. אֲמַר ר' יִצְחָק, נִפְתַּח בְּמִלֵּי דְאוֹרַיְיתָא
וְנֵיזִיל. פָּתַח ר' יִצְחָק וַאֲמַר, וַיְּגָרֶשׁ אֶת הָאָדָם וַיַּשְׁכֵּן מִקֶּדֶם לְג"ע וְגוֹ'. הַאי קְרָא אוּקְמוּהָ
חַבְרַיָיא. אֲבָל וַיְּגָרֶשׁ, כְּד"ג דְּגָרִישׁ לְאַנְתְּתֵיה, אֶת הָאָדָם דַּיְיקָא.

תקעא. תָּא וַחֲזֵי, רָזָא דְמִלָּה, אָדָם בַּמֶּה דְּחָטָא אִתְפַּס, וְגָרִים מוֹתָא לֵיה וּלְכָל עָלְמָא,
וְגָרִים לְהַהוּא אִילָנָא דְחָטָא בֵּיה, תֵּירוּכִין, לְאִתְתַּרְכָא בֵּיה, וּלְאִתְתַּרְכָא בְּנוֹי לְעָלְמִין. הֲה"ד
וַיְגָרֶשׁ אֶת הָאָדָם, אֶת דַּיְיקָא, כְּמָה דִכְתִיב וַיַּרְאֶה אֶת ה', אוֹף הָכִי אֶת הָאָדָם.

תקעב. וַיַּשְׁכֵּן מִקֶּדֶם לְג"ע וְגוֹ', הַאי לְתַתָּא. וּכְמָה דִכְרוּבִים לְעֵילָּא, אִית כְּרוּבִים
לְתַתָּא, וְהַאי אִילָנָא אַשְׁרֵי עֲלַיְיהוּ. וְאֶת לַהַט הַחֶרֶב הַמִּתְהַפֶּכֶת, אִינוּן טַפְסֵי דְּשַׁלְהוֹבֵי
דְאֶשָּׁא, מֵהַהוּא דִמְתַלְהֲטָא. הַמִּתְהַפֶּכֶת, דָּא הַאי וַרְבָּא, דְּיַנְקָא בִּתְרֵין סִטְרִין,
וְאִתְהַפְּכָא מִסִּטְרָא דָא לְסִטְרָא אָחֳרָא. ד"א הַמִּתְהַפֶּכֶת, דָּא לַהַט אִינוּן טַפְסֵי דְּשַׁלְהוֹבָא
דְקָאֲמָרָן, דְּמִתְהַפְּכָן, לְזִמְנִין גּוּבְרִין וּלְזִמְנִין נָשִׁין וּמִתְהַפְּכָן מִדּוּכְתַּיְיהוּ לְכֹלָּא, וְכָל דָּא,
לִשְׁמוֹר אֶת דֶּרֶךְ עֵץ הַחַיִּים. מַאן דֶּרֶךְ. כְּד"א הַנּוֹתֵן בַּיָּם דָּרֶךְ.

תקעג. אֲמַר ר' יְהוּדָה שַׁפִּיר, וְהָכִי הוּא וַדַּאי, דְּגָרִים אָדָם לְהַהוּא אִילָנָא דְחָטָא
בֵּיה, לְאִתְתַּרְכָא, וַאֲפִילוּ שְׁאָר בְּנֵי עָלְמָא נָמֵי, כְּד"א וּבְפִשְׁעֵיכֶם שֻׁלְּחָה אִמְּכֶם, אֲבָל
שַׁפִּיר קָאֲמָרַת, דְּהָא מְדוֹכְתֵּיה בְּשִׁמְעֵא, דִּכְתִיב וַיְגָרֶשׁ אֶת הָאָדָם, בְּגִין דְּדָא שְׁלִימוּ
דְּאָדָם הוּא.

תקעד. וּמֵהַהוּא יוֹמָא אִתְפְּגַּם סִיהֲרָא, עַד דְּאָתָא נֹחַ וְעָאל בְּתֵיבוּתָא. אָתוּ וְזַיְיבָא
וְאִתְפְּגַּם. עַד דְּאָתָא אַבְרָהָם, וְקַיְּימָא בְּשְׁלִימוּ דְּיַעֲקֹב וּבְנוֹי. וְאָתָא יְהוּדָה וְאַוְזֵיד בֵּיה,
וְאִתְקַף בְּמַלְכוּתָא, וְאַוְזְסִין לֵיה אַוְזְסָנַת עָלְמִין, הוּא וְכָל בְּנוֹי בַּתְרוֹי, הֲה"ד יְהוּדָה אַתָּה יוֹדוּךָ
אַחֶיךָ. וַדַּאי בְּשַׁעְתָּא דְּקַיְימוּ יִשְׂרָאֵל עַל יַמָּא, דְּכֻלְּהוּ אוֹדִי עַל לֵיה, וְנָוְזתוּ אַבַּתְרֵיה בְּיַמָּא.

תקעה. יָדְךָ בְּעֹרֶף אֹיְבֶיךָ, כְּד"א יְהוּדָה יַעֲלֶה. יִשְׁתַּחֲווּ לְךָ בְּנֵי אָבִיךָ, כְּלָלָא דְכָל אִינוּן
שְׁאָר שִׁבְטִין, בְּגִין דָּא בְּנֵי אָבִיךָ, וְלָא בְּנֵי אִמֶּךָ, בְּנֵי אָבִיךָ, הָא כֻּלְּהוּ שְׁאָר שִׁבְטִין, דְּאַף
עַל גַּב דְּאִתְפְּלִיג לִתְרֵין מַלְכְוָון, כַּד הֲווֹ סָלְקִין לִירוּשְׁלַיִם, הֲווֹ סַגְּדִין וְכָרְעָן לְמַלְכָּא
דְבִירוּשְׁלַיִם, בְּגִין דְּמַלְכוּתָא דִּירוּשְׁלַיִם, מִמַּלְכוּתָא קַדִּישָׁא מִנֵּיהּ הֲוָה.

תקעו. יִשְׁתַּחֲווּ לְךָ, וְלָא כְתִיב וְיִשְׁתַּחֲווּ, דְּאִי כְתִיב וְיִשְׁתַּחֲווּ, לְאוֹסָפָא לִשְׁאָר עַמִּין,

וַיִּשְׁתַּחֲווּ לָא כְּתִיב, אֶלָּא בְּזִמְנָא דְּיֵיתֵי מַלְכָּא מְשִׁיחָא, דִּכְתִּיב שָׂרִים וְיִשְׁתַּחֲווּ, הַשְׁתָּא דְּאָמַר יִשְׁתַּחֲווּ, לְאַחֲזָאָה דְּיִשְׂרָאֵל כֻּלְּהוּ בִּלְחוֹדַיְיהוּ, כֻּלְּהוּ יִפְלְחוּן לְרֵישָׁא דְּגוֹלָה, לְרֹאשׁ דְּבָבֶל, וְלָא שְׁאָר עַמִּין.

תקעז. גּוּר אַרְיֵה יְהוּדָה, בְּקַדְמֵיתָא גּוּר, וּלְבָתַר אַרְיֵה, וְרָזָא דְּמִלָּה בְּקַדְמֵיתָא נַעַר, וּלְבָתַר אִישׁ, יְיָ' אִישׁ מִלְחָמָה. מִטֶּרֶף בְּנִי עָלִיתָ, מַאי מִטֶּרֶף. לְאַכְלָלָא מַלְאַךְ הַמָּוֶת, דְּאִיהוּ קַיְימָא עַל טֶרֶף, לְשֵׁיצָאָה בְּנֵי עָלְמָא, וְלָא מְשֵׁזִיב, כְּד"א וְטָרַף וְאֵין מַצִּיל. וּמֵהַהוּא טֶרֶף אִסְתַּלְּקַת שְׁכִינְתָּא.

תקעח. כָּרַע: בְּגָלוּתָא דְּבָבֶל. רָבַץ: בְּגָלוּתָא דֶּאֱדוֹם. כְּאַרְיֵה: דְּאִיהוּ תַּקִּיפָא. וּכְלָבִיא: דְּאִיהוּ תַּקִּיפָא יַתִּיר, כָּךְ יִשְׂרָאֵל תַּקִּיפִין אִינּוּן דִּבְנֵי עָלְמָא עכו"ם, מְפַתִּין וְדָחֲקִין לוֹן, וְאִינּוּן קַיְימֵי בְּדָתֵיהוֹן וּבְנִימוּסֵיהוֹן כְּאַרְיֵה וּכְלָבִיא.

תקעט. כָּךְ שְׁכִינְתָּא, דְּאע"ג דִּכְתִיב, נָפְלָה לֹא תוֹסִיף קוּם בְּתוּלַת יִשְׂרָאֵל, הִיא תַּקִּיפָא כְּאַרְיֵה וּכְלָבִיא בְּהַאי נְפִילָה. מַה אַרְיֵה וְלָבִיא לָא נָפְלִין, אֶלָּא בְּגִין לְמִטְרַף טַרְפָּא, וּלְשַׁלְטָאָה, דְּהָא מֵרָחִיק אָרַח טַרְפֵּיהּ, וּמִשַּׁעְתָּא דְּאָרַח נָפַל, וְלָא קָם עַד דְּדָלֵיג עַל טַרְפֵּיהּ וְאָכֵיל לָהּ, כָּךְ שְׁכִינְתָּא לָא נָפְלָה אֶלָּא כְּאַרְיֵה וּכְלָבִיא, בְּגִין לְנַקְמָא מֵעַמִּין עכו"ם, וּלְדַלְּגָא עֲלַיְיהוּ, כְּמָא דְּאַתְּ אָמֵר צוֹעֶה בְּרוֹב כֹּחוֹ.

תקפ. מִי יְקִימֶנּוּ, הוּא לָא יָקוּם לְנַקְמָא מִנַּיְיהוּ נוּקְמָא זְעֵירָא, אֶלָּא מִי יְקִימֶנּוּ. מִי כְּד"א, מִי יִרְפָּא לָךְ, וְהוּא אִיהוּ עָלְמָא עִלָּאָה, דְּבֵיהּ שָׁלְטָנוּתָא לְאִתַּקְּפָא לְכֹלָּא. וּכְתִיב, מִבֶּטֶן מִי יָצָא הַקֶּרַח וְאוּקְמוּהָ.

תקפא. לֹא יָסוּר שֵׁבֶט מִיהוּדָה וגו', אוּקְמוּהָ חַבְרַיָּא, אֲבָל עַד כִּי יָבֹא שִׁילֹ"ה בְּה"א, בְּגִין דְּשָׁאַר בֹּו, לְאַחֲזָאָה הָכָא רָזָא דִּשְׁמָא קַדִּישָׁא י"ה, בַּאֲתַר אָחֳרָא שִׁילוֹ בְּלָא ה', בַּאֲתַר אָחֳרָא שִׁלֹה בְּלָא י', וְהָכָא שִׁילֹ"ה בְּיו"ד ה"א, רָזָא דִּשְׁמָא קַדִּישָׁא עִלָּאָה, דִּשְׁכִינְתָּא תָּקוּם בִּשְׁמָא דְּי"ה וְאִיהוּ רָזָא מ"י, כִּדְקָאֲמִרָן.

תקפב. אֹסְרִי לַגֶּפֶן עִירֹה וְלַשּׂרֵקָה בְּנִי אֲתֹנוֹ וגו'. רִבִּי חִיָּיא פָּתַח, ה' יִשְׁמָרְךָ מִכָּל רָע יִשְׁמוֹר אֶת נַפְשֶׁךָ, כֵּיוָן דְּאָמַר ה' יִשְׁמָרְךָ מִכָּל רָע, אַמַּאי יִשְׁמוֹר אֶת נַפְשֶׁךָ. אֶלָּא ה' יִשְׁמָרְךָ מִכָּל רָע, בְּהַאי עָלְמָא. יִשְׁמוֹר אֶת נַפְשֶׁךָ בְּהַהוּא עָלְמָא.

תקפג. שְׁמִירָה דְּהַאי עָלְמָא הוּא, לְמֶהֱוֵי נָטִיר ב"נ, מִכַּמָּה זִינִין בִּישִׁין מְקַטְרְגִין, דְּאָזְלִין לְקַטְרְגָא בְּנֵי נָשָׁא בְּעָלְמָא, וּלְאִתְדַּבְּקָא בְּהוּ. בְּהַהוּא עָלְמָא מַאי הוּא, כְּמָה דַּאֲמָרָן, כַּד נָפֵיק ב"נ מֵהַאי עָלְמָא, אִי אִיהוּ זָכֵי, נִשְׁמָתָא דִּילֵיהּ סָלְקָא וְאִתְעַטְּרַת בְּאַתְרֵיהּ. וְאִי לָא, כַּמָּה חֲבִילִין טְרִיקִין אִזְדַּמְּנָן, לְאַנְגְּדָא לֵיהּ לַגֵּיהִנֹּם, וּלְאַמְסְרָא לֵיהּ בִּידָא דְּדוּמָה, דְּאִתְמְסָרָא לִמְמַנָּא עַל גֵּיהִנֹּם, וּתְלֵיסַר אֶלֶף רִבּוֹא מְמַנָּן עִמֵּיהּ, וְכֻלְּהוּ אִזְדַּמְּנָן עַל נַפְשַׁיְיהוּ דְּחַיָּיבַיָּא.

תקפד. תָּא חֲזֵי, שִׁבְעָה מָדוֹרִין אִית בֵּיהּ בַּגֵּיהִנֹּם, וְשִׁבְעָה פִּתְחִין. וְנִשְׁמָתָא דְּחַיָּיבַיָּא עָאלַת, וְכַמָּה טְרִיקִין, טְהִירִין, נְטוּרֵי תַּרְעֵי, וַעֲלַיְיהוּ חַד מְמַנָּא בְּכָל תַּרְעָא וְתַרְעָא, וְנִשְׁמָתְהוֹן דְּחַיָּיבַיָּא אִתְמַסְרוּן לְאִינּוּן מְמַנָּן, עַל יְדָא דְּדוּמָה, כֵּיוָן דְּאִתְמַסְרָן בִּידַיְיהוּ, סָתְמִין תַּרְעִין דְּאֶשָּׁא דְּמִתְלַהֲטָא.

תקפה. דְּהָא תַּרְעִין בָּתַר תַּרְעִין הֲווּ, תַּרְעִין כֻּלְּהוּ פְּתִיחִין וּסְתִימִין, אִינּוּן דִּלְבַר פְּתִיחִין, דִּלְגוֹ סְתִימִין. וּבְכָל שַׁבָּת וְשַׁבָּת כֻּלְּהוּ פְּתִיחִין, וְנָפְקִין חַיָּיבַיָּא עַד אִינּוּן פִּתְחִין דִּלְבַר, וּפָגְעִין נִשְׁמָתִין אָחֳרָנִין, דְּמִתְעַכְּבִין בְּפִתְחִין דִּלְבַר. כַּד נָפַק שַׁבַּתָּא, כְּרוֹזָא קָאֵי בְּכָל

פִּתְוָא וּפִתְוָא, וַאֲמַר יָשׁוּבוּ רְשָׁעִים לִשְׁאוֹלָה וגו'. תָּא וַחֲזֵי, נִשְׁמָתִין דְּצַדִּיקַיָּא, קוּדְשָׁא בְּרִיךְ הוּא נָטִיר לוֹן, דְּלָא יִתְמַסְרוּן בִּידָא דְּדוּמָה, דְּהוּא מְמַנָּא, הה"ד, יְשָׁמַר צֵאתְךָ וּבוֹאֶךָ וּכְתִיב יִשְׁמוֹר אֶת נַפְשֶׁךָ.

תקפו. אֹסְרִי לַגֶּפֶן עִירֹה. מַאי גֶּפֶן, דָּא כְּנֶסֶת יִשְׂרָאֵל, כְּד"א גֶּפֶן מִמִּצְרַיִם תַּסִּיעַ. וּכְתִיב אֶשְׁתְּךָ כְּגֶפֶן פּוֹרִיָּה, אֶשְׁתְּךָ, כְּהַאי גֶּפֶן קַדִּישָׁא. א"ר יוֹסֵי, הַאי גֶּפֶן, דִּמְבָרְכִינָן בֵּיהּ בּוֹרֵא פְּרִי הַגָּפֶן. בּוֹרֵא, הַיְינוּ דִּכְתִיב, עֵץ עוֹשֶׂה פְּרִי. פְּרִי הַגֶּפֶן, דָּא עֵץ פְּרִי. עוֹשֶׂה פְּרִי, דְּכַר, עֵץ פְּרִי דָּא נוּקְבָא. בְּגִינֵי כָּךְ, בּוֹרֵא פְּרִי הַגֶּפֶן דָּא דְּכַר וְנוּקְבָא כַּחֲדָא.

תקפז. אֹסְרִי לַגֶּפֶן עִירֹה, דָּא מַלְכָּא מְשִׁיחָא, דְּזַמִּין לְשַׁלְטָאָה עַל כָּל חֵילֵי עַמְמַיָּא, חֵילִין דִּי מְמַנָּן עַל עַמִּין עעכו"ם, וְאִינּוּן תּוֹקְפָּא דִּלְהוֹן לְאִתְתַּקְּפָא, וְזַמִּין מַלְכָּא מְשִׁיחָא לְאִתְגַּבְּרָא עֲלַיְיהוּ.

תקפח. בְּגִין דְּהַאי גֶּפֶן, שַׁלִּיט עַל כָּל אִלֵּין כִּתְרִין תַּתָּאִין, דְּשַׁלְטֵי בְּהוֹ עַמְמַיָּא עעכו"ם, הַאי נָצַח לְעֵילָּא. יִשְׂרָאֵל, דְּאִינּוּן שֹׂרֵקָה, יְשֵׁיצוּן וְיִנַּצְּחוּן חֵילִין אָחֳרָנִין לְתַתָּא, וְעַל כֻּלְּהוּ יִתְגַּבַּר מַלְכָּא מְשִׁיחָא. הה"ד עָנִי וְרוֹכֵב עַל חֲמוֹר וְעַל עַיִר. עַיִר וַחֲמוֹר תְּרֵין כִּתְרִין אִינּוּן, דְּשַׁלְטֵי בְּהוֹ עַמְמַיָּא עעכו"ם, וְאִינּוּן מִסְּטַר שְׂמָאלָא סִטְרָא דְּחוֹל.

תקפט. וּמַה דְּאָמַר עָנִי, וְכִי מַלְכָּא מְשִׁיחָא עָנִי אִקְרֵי. אֶלָּא הָכִי אָמַר ר"ש, בְּגִין דְּלֵית לֵיהּ מִדִּילֵיהּ וְקָרֵינָן לֵיהּ מֶלֶךְ הַמָּשִׁיחַ. דָּא הוּא סִיהֲרָא קַדִּישָׁא לְעֵילָּא, דְּלֵית לָהּ נְהוֹרָא אֶלָּא מִשִּׁמְשָׁא.

תקצ. מַלְכָּא מְשִׁיחָא דָּא, יִשְׁלוֹט בְּשָׁלְטָנֵיהּ, יִתְיַיחֵד בְּדוּכְתֵּיהּ, וּכְדֵין הִנֵּה מַלְכֵּךְ יָבֹא לָךְ סְתָם. אִי לְתַתָּא עָנִי הוּא, דְּהָא בְּסִטְרָא דְּסִיהֲרָא הוּא. אִי לְעֵילָּא עָנִי, אַסְפַּקְלַרְיָא דְּלָא נָהֲרָא. לֶחֶם עֹנִי. וְעִם כָּל דָּא, רוֹכֵב עַל חֲמוֹר וְעַל עַיִר, תּוֹקְפָּא דְּעַמִּין עעכו"ם, לְאַכְפְּיָיא תְּחוֹתֵיהּ, וְיִתְתַּקַּף קוּדְשָׁא בְּרִיךְ הוּא בְּדוּכְתֵּיהּ.

תקצא. כִּבֵּס בַּיַּיִן לְבוּשׁוֹ, כְּד"א מִי זֶה בָּא מֵאֱדוֹם חֲמוּץ בְּגָדִים מִבָּצְרָה, וּכְתִיב פּוּרָה דָּרַכְתִּי לְבַדִּי וגו'. כִּבֵּס בַּיַּיִן דָּא סְטַר גְּבוּרָה, דִּינָא קַשְׁיָא, לְמֶהֱוֵי עַל עַמְמַיָּא עעכו"ם, וּבְדַם עֲנָבִים סוּתֹה, דָּא אִילָנָא לְתַתָּא, בֵּי דִּינָא דְּאִקְרֵי עֲנָבִים, וְיֵינָא אִתְמְסַר בְּדַם עֲנָבִים, בְּגִין לְאִתְלַבְּשָׁא בִּתְרַוַויְיהוּ, לְתַבְרָא תְּחוֹתֵיהּ כָּל שְׁאָר עַמִּין עעכו"ם וּמַלְכִין דְּעָלְמָא.

תקצב. ר' יוֹסֵי פָּתַח וַאֲמַר אֹסְרִי לַגֶּפֶן עִירֹה. וּכְתִיב וּבַגֶּפֶן שְׁלֹשָׁה שָׂרִיגִם וְהִיא כְפֹרַחַת עָלְתָה נִצָּהּ. תָּא חֲזֵי, כַּמָּה אֲטִימִין אִינּוּן בְּנֵי נָשָׁא, דְּלָא יָדְעִין וְלָא מַשְׁגִּיחִין בִּיקָרָא דְּמָארֵיהוֹן, וְלָא מִסְתַּכְּלֵי בְּמִלֵּי דְאוֹרַיְיתָא, וְלָא יָדְעֵי אָרְחַיְיהוּ בַּמֶּה יִתָּפְסוּן, דִּכְתִיב דֶּרֶךְ רְשָׁעִים כָּאֲפֵלָה לֹא יָדְעוּ בַּמֶּה יִכָּשֵׁלוּ.

תקצג. בְּזִמְנָא קַדְמָאָה הֲוַת נְבוּאָה שַׁרְיָא עֲלַיְיהוּ דִּבְנֵי נָשָׁא, וַהֲווּ יָדְעִין וּמִסְתַּכְּלֵי לְמִנְדַּע בִּיקָרָא עִלָּאָה. כֵּיוָן דְּפָסְקָא נְבוּאָה מִנַּיְיהוּ, הֲווּ מִשְׁתַּמְּשֵׁי בְּבַת קוֹל. הַשְׁתָּא פָּסְקָא נְבוּאָה וּפָסְקָא בַּת קוֹל, וְלָא מִשְׁתַּמְּשֵׁי בְּנֵי נָשָׁא אֶלָּא בְּחֶלְמָא.

תקצד. וְחֶלְמָא דַּרְגָּא תַּתָּאָה הוּא לְבַר, דְּהָא תָּנֵינָן חֶלְמָא אֶחָד מִשִּׁשִּׁים לִנְבוּאָה. מַאי טַעְמָא, בְּגִין דְּאַתְיָיא מִדַּרְגָּא שְׁתִיתָאָה לְתַתָּא, וְהָא אִתְּמַר. תָּא חֲזֵי, חֶלְמָא לְכֹלָּא אִתְחֲזֵי, בְּגִין דְּחֶלְמָא מִסְּטַר שְׂמָאלָא אַתְיָיא, וְנָחֲתָא בְּכַמָּה דַּרְגִּין, וְאִתְחֲזֵי חֶלְמָא, אֲפִילּוּ לְחַיָּיבַיָּא. וַאֲפִילּוּ לְעעכו"ם.

תקצה. בְּגִין דְּזִמְנִין, נָקְטִין חֶלְמָא וְשָׁמְעִין הָנֵי זִינֵי בִּישִׁין, וּמוֹדְעִין לִבְנֵי נָשָׁא, מִנַּיְיהוּ

דחזייכן בבני נשא, ומודיעין לון מלין כדיבין. ולזמנין מלין דקשוט דשמעין. ולזמנין דאינון שלוחין לחייביא, ומודעי לון מלין עלאין.

תקצו. האי רשע מאי כתיב ביה, וחמא חלמא דקשוט, דכתיב ובגפן שלשה שריגים. מאי גפן. דא כנסת ישראל, דכתיב הבט משמים וראה ופקוד גפן זאת. משמים, דהא מאתר דא אתרמי, כד"א השליך משמים ארץ. ופקוד גפן זאת, גפן דהיא זאת, ודאי.

תקצז. שלשה שריגים, כד"א שלשה עדרי צאן רובצים עליה. והיא כפורחת, דכתיב, ותרב וחכמת שלמה, דאתנהיר סיהרא. עלתה נצה, דא ירושלים דלתתא. ד"א עלתה נצה, לעילא, ההוא דרגא דקיימא עלה ויניק לה, כד"א אשר זרעו בו על הארץ. הבשילו אשכלותיה ענבים, לנטרא בהו יין דמנטרא.

תקצח. וחמי כמה וחמא ההוא רשע, מה כתיב, וכוס פרעה בידי ואקח את הענבים ואשחט אותם. הכא וחמא ההוא כוס תרעלה, יניקא דבי דינא, דנפיק מאינון ענבים דאתייהיב לפרעה ושתי ליה, כמה דהוה בגיניהון דישראל. כיון דשמע יוסף דא, חדי, וידע מלה דקשוט בהאי חלמא. בגיני כך פשר ליה חלמא לטב, על דבשר ליוסף בהאי.

תקצט. תא חזי, אסרי לגפן עירה, דאתכפיין תחות האי גפן כל אינון חילין תקיפין דעמין עע"ז, כדאמרן, בגין האי גפן, אתקשר ואתכפייא ההוא חילא דלהון. ואתמר.

תר. ר' שמעון אמר, אית גפן, ואית גפן. אית גפן קדישא עלאה, ואית גפן דאקרי, גפן סדום, ואית גפן נכריה בת אל נכר. בגין כך כתיב גפן זאת, ההיא דאקרי כלה זרע אמת. שורק אלו ישראל, דנפקי מהאי גפן. כד חבו ישראל, ושבקו להאי גפן, מה כתיב, כי מגפן סדום גפנם וגו'. ובגין כך אית גפן ואית גפן.

תרא. ר' יהודה ור' יצחק הוו אזלי בארחא. א"ר יהודה לר' יצחק, ניזיל בהאי חקל, דהוא ארח מיישר יתיר. אזלו. עד דהוו אזלי, אמר רבי יהודה, כתיב לא תירא לביתה משלג כי כל ביתה לבוש שנים. האי קרא, רבי חזקיה וחברנא אוקים ביה, דאמר, דינא דחייבי דגיהנם תריסר ירחין, פלגא מנייהו בחמה ופלגא מנייהו בתלגא.

תרב. בשעתא דעאלין לנורא, אינון אמרי דא הוא ודאי גיהנם, עאלין לתלגא, אמרי דא חריפא דסיתוא דקודשא בריך הוא. שראן ואמרין וה, ולבתר אמרין ווי. ודוד אמר ויעלני מבור שאון מטיט היון ויקם וגו'. מאתר דאמרי וה, ולבתר ווי.

תרג. והיכן משתלמי נפשייהו, בשלג, כד"א, בפרש שדי מלכים בה תשלג בצלמון. יכול אף ישראל כן, ת"ל לא תירא לביתה משלג. מ"ט. בגין דכל ביתה לבוש שנים. אל תקרי שנים אלא שנים: כגון מילה ופריעה, ציצית ותפילין, מזוזה ונר חנוכה כו'.

תרד. תא חזי, לא תירא לביתה משלג, דא כנסת ישראל, דאיהי כל ביתה לבוש שנים, כמה דאמרן, דכתיב חמוץ בגדים וגו', לבושא דדינא קשיא, לאתפרעא מעמין עע"ז, וזמין קודשא בריך הוא למלבש לבושא סומקא, וחרבא סומקא, ולאתפרעא מן סומקא. לבושא סומקא, דכתיב, חמוץ בגדים, וכתיב מדוע אדום ללבושך. סייפא סומקא, דכתיב חרב לה' מלאה דם. ולאתפרעא מן סומקא, דכתיב כי זבח לה' בבצרה וגו'. תו, כי כל ביתה לבוש שנים דהא מסטרא דדינא קשיא קא אתייא.

תרה. א"ר יצחק, ודאי הכי הוא, אלא כל ביתה לבוש שנים, מאי שנים, אלין שנים קדמוניות, בגין דאיהי אתכלילת מכלהו, ויניקא מכל סטרין, כדכתיב כל הנחלים הולכים אל הים.

תרו. עד דהוו אזלי, פגעו ביה בההוא ינוקא, דהוה אזיל לקפוטקיא בקסטירא

דזמרא, וחד סבא רכיב. אמר ההוא סבא לההוא ינוקא, ברי, אימא לי קראיך. אמר ליה, קראי לאו חד הוא, אלא זוות לתתא, או ארכב לקמך, ואימא לך. אמר ליה, לא בעינא, אנא סבא ואנת רביא, דאתקל גרמי בהדך. אמר ליה, אי הכי אמאי שאלת קראי. אמר ליה, בגין דנייזל באורחא. אמר תיפח רוחיה דההוא סבא, דהוא רכיב ולא ידע מלה, ואמר דלא יתקל בהדי, אתפרש מההוא סבא, ואזיל ליה באורחא.

תרז. כד מטו ר' יהודה ור' יצחק, קריב לגבייהו שאילו ליה, וסחו לון עובדא, אמר ליה ר' יהודה, שפיר קא עבדת, זיל בהדן, ונתיב הכא, ונשמע מלה מפומך. אמר לון, לאי אנא, דלא אכילנא יומא דין. אפיקו נהמא, ויהיבו ליה. אתרחיש לון ניסא, ואשכחו חד נביעא דמיא דקיק תחות אילנא, שתי מנייהו, ואינון שתו ויתיבו.

תרח. פתח ההוא ינוקא ואמר, לדוד אל תתחר במרעים אל תקנא בעושי עולה. לדוד, אי שירתא לא קאמר, אי תפלה לא קאמר, אלא בכל אתר לדוד סתם, רוח הקדש אמרו.

תרט. אל תתחר במרעים. מאי אל תתחר במרעים, אל תתחבר מבעי ליה. אלא אל תעביד תחרות במרעים, בגין דלא ידעת יסודא דגרמך, ולא תיכול ליה, דילמא איהו אילנא דלא אתעקר לעלמין, ותדחי קמיה.

תרי. ואל תקנא בעושי עולה, דלא תשגח בעובדיהון, ולא תיתי לקנאה עלייהו, דכל מאן דחמי עובדיהון, ולא קני לקודשא בריך הוא, אעבר על תלת לאוין, דכתיב לא יהיה לך אלהים אחרים על פני. לא תעשה לך פסל וכל תמונה. לא תשתחוה להם ולא תעבדם כי אנכי ה' אלהיך אל קנא.

תריא. בג"כ, בעי ליה לב"נ לאתפרשא מנייהו, ולמסטי אורחיה מנייהו, על דא אתפרשנא וסטינא ארחאי. מכאן ולהלאה דאשכחנא לכו, אימא הני קראי קמייכו. פתח ואמר, ויקרא אל משה, הכא אל"ף זעירא אמאי, בגין דהאי קריאה לא הוה בשלימו. מאי טעמא דהא לא הוה אלא במשכנא, ובארעא אחרא, בגין דשלימו לא אשתכח אלא בארעא קדישא.

תריב. תו, הכא שכינתא, התם שלימו דדכר ונוקבא: אדם שת אנוש. אדם: שלימו דכר ונוקבא, הכא, נוקבא. תו סיפא דקרא, וידבר ה' אליו מאהל מועד לאמר, בגין כך אל"ף זעירא.

תריג. תו אל"ף זעירא, מתל למלכא, דהוה יתיב בכרסיה, וכתרא דמלכותא עליה, אקרי מלך עלאה, כד נחית ואזל לבי עבדיה, מלך זוטא אקרי, כך קודשא בריך הוא, כל זמנא דאיהו לעילא על כלא, מלך עלאה אקרי, כיון דנחית מדוריה לתתא, מלך איהו, אבל לאו עלאה כקדמיתא, בגין כך אל"ף זעירא.

תריד. ויקרא: הכי תנינן, זמין ליה להיכליה. מאהל מועד. מאן אהל מועד. אהל דביה תליין מועד וחגא ושבתא למבני, כד"א והיו לאותות ולמועדים, ביה שריא חושבנא למבני. ומאן איהו, סיהרא, כמא דאת אמר אהל בל יצען בל יסע יתדותיו לנצח.

תרטו. לאמר, מאי לאמר. בגין לגלאה, מה דהוה סתים לגו. ובכל אתר לאמר, כד"א וידבר ה' אל משה לאמר, דאתייהיב רשו לגלאה. אבל כלא חד הוא, ושפיר הוא, בגין דהא אתמני לסיהרא ההיא מלה, מאתר דמשה קיימא.

תרטז. וידבר ה', לעילא. אל משה, באמצעיתא. לאמר, בתרייתא, אתר, דאית רשו

לְגַלָּאָה. תו, וַיִּקְרָא אֶל מֹשֶׁה מַה כְּתִיב לְעֵילָּא, וַיָּבִיאוּ אֶת הַמִּשְׁכָּן אֶל מֹשֶׁה וגו'. אַמַּאי אֶל מֹשֶׁה. הָכֵי אָמְרוּ, בְּגִין דְּמֹשֶׁה חָמָא לֵיהּ בְּטוּרָא, וְקוּדְשָׁא בְּרִיךְ הוּא אַחְזֵי לֵיהּ בְּחֵיזוּ דְּעֵינָא, כְּד"א כַּאֲשֶׁר הָרְאָה אוֹתְךָ בָּהָר, וּכְתִיב כַּמַּרְאֶה אֲשֶׁר הֶרְאָה ה' אֶת מֹשֶׁה וגו'. וּכְתִיב וּרְאֵה וַעֲשֵׂה בְּתַבְנִיתָם אֲשֶׁר אַתָּה מָרְאֶה בָּהָר, הַשְׁתָּא אַיְיתִיאוּ לֵיהּ, בְּגִין דְּיֶחֱזֵי, אִי אִיהוּ כְּהַהוּא מַשְׁכְּנָא דְּחָמָא.

תריז. אֲבָל אַמַּאי וַיָּבִיאוּ אֶת הַמִּשְׁכָּן אֶל מֹשֶׁה. אֶלָּא, לְמַלְכָּא דְּבָעָא לְמִבְנֵי פַּלְטְרִין לְמַטְרוֹנִיתָא, פַּקִּיד לְאוּמָנִין הֵיכְלָא דָּא בְּדוּךְ פְּלָן, וְהֵיכְלָא דָּא בְּדוּךְ פְּלָן, הָכָא אֲתַר לְעַרְסָא, וְהָכָא אֲתַר לְנַיְיחָא. כֵּיוָן דַּעֲבִידוּ לוֹן אוּמָנִין, אַחְמִיוּ לְמַלְכָּא. כָּךְ וַיָּבִיאוּ אֶת הַמִּשְׁכָּן אֶל מֹשֶׁה, מָארֵי דְּבֵיתָא, אִישׁ הָאֱלֹקִים, כֵּיוָן דְּאִשְׁתַּכְלַל הֵיכָלָא, מַטְרוֹנִיתָא זְמִינַת לְמַלְכָּא לְהֵיכָלָא, זְמִינַת לְבַעֲלָהּ עִמָּהּ, בְּגִין כָּךְ וַיִּקְרָא אֶל מֹשֶׁה.

תריח. וּבְגִין דְּמֹשֶׁה מָארֵי דְּבֵיתָא אִיהוּ, מַה כְּתִיב, וּמֹשֶׁה יִקַּח אֶת הָאֹהֶל וְנָטָה לוֹ מִחוּץ לַמַּחֲנֶה, מֹשֶׁה דְּאִיהוּ מָארֵי דְּבֵיתָא, עָבֵיד הָכֵי, מַה דְּלֵית רְשׁוּ לְבַר נָשׁ אָחֳרָא לְמֶעְבַּד הָכֵי.

תריט. וַיְדַבֵּר ה' אֵלָיו, דַּרְגָּא אָחֳרָא עִלָּאָה, וּכְדֵין בְּשַׁעְתָּא דְּאִזְדַּמַּן מֹשֶׁה לְמֵיעַל, כְּדֵין פָּתַח וַאֲמַר, אָדָם כִּי יַקְרִיב מִכֶּם. מַאי אָדָם הָכָא. אֶלָּא כַּד אִתְחַבְּרוּ שִׁמְשָׁא וְסִיהֲרָא כַּחֲדָא, פָּתַח וַאֲמַר אָדָם. כְּדִכְתִיב, שֶׁמֶשׁ יָרֵחַ עָמַד זְבוּלָה, עָמַד, וְלָא עָמְדוּ.

תרכ. כִּי יַקְרִיב מִכֶּם, הָכָא אִתְרְמִיז, מַאן דְּיַעֲבִיד פּוּלְחָנָא דְּקָרְבְּנָא שְׁלִים, דְּיִשְׁתַּכַּח דְּכַר וְנוּקְבָא. מַשְׁמַע דִּכְתִיב מִכֶּם, דְּיִשְׁתַּכַּח בְּחֵיזוּ דִּלְכוֹן. קָרְבָּן לַה' דְּאַקְרִיב כֹּלָּא, לְאִתְאַחֲדָא כַּחֲדָא, לְעֵילָּא וְתַתָּא.

תרכא. מִן הַבְּהֵמָה, לְאַחֲזָאָה אָדָם וּבְהֵמָה, כֹּלָּא כַּחֲדָא. מִן הַבָּקָר וּמִן הַצֹּאן, אִלֵּין רְתִיכִין, דְּאִינּוּן דַּכְיָין, דְּכֵיוָן דַּאֲמַר מִן הַבְּהֵמָה, יָכוֹל מִכֹּלָּא, בֵּין דַּכְיָין, בֵּין מְסָאֲבָן, הֲדַר וַאֲמַר מִן הַבָּקָר וּמִן הַצֹּאן.

תרכב. תַּקְרִיבוּ אֶת קָרְבַּנְכֶם. קָרְבָּנִי מִבָּעֵי לֵיהּ, מַאי קָרְבַּנְכֶם. אֶלָּא בְּקַדְמֵיתָא קָרְבָּן לַה', וְהַשְׁתָּא קָרְבַּנְכֶם. קָרְבָּן לַה' אָדָם. קָרְבַּנְכֶם מִן הַבְּהֵמָה מִן הַבָּקָר וּמִן הַצֹּאן: לְאַחֲזָאָה יִחוּדָא מִתַּתָּא לְעֵילָּא, וּמֵעֵילָּא לְתַתָּא. מִתַּתָּא לְעֵילָּא, הַיְינוּ קָרְבָּן לַה'. מֵעֵילָּא לְתַתָּא, הַיְינוּ קָרְבַּנְכֶם.

תרכג. לְמַלְכָּא, דְּאִיהוּ יָתֵיב בְּטוּרְסְקָא עִלָּאָה, לְעֵילָּא לְעֵילָּא, וְכָרְסְיָא אִתְתַּקַּן עַל הַהוּא טוּרְסְקָא, וּמַלְכָּא עִלָּאָה עַל כֹּלָּא. בַּר נָשׁ דְּקָרֵיב דּוֹרוֹנָא לְמַלְכָּא, בָּעָא לְסַלְּקָא מִדַּרְגָּא לְדַרְגָּא, עַד דְּסָלִיק מִתַּתָּא לְעֵילָּא לַאֲתַר דְּמַלְכָּא יָתֵיב, עִלָּאָה עַל כֹּלָּא, וּכְדֵין יָדְעִין דְּהָא סַלְקִין דּוֹרוֹנָא לְמַלְכָּא, וְהַהוּא דּוֹרוֹנָא דְּמַלְכָּא אִיהוּ. נָחֵית דּוֹרוֹנָא מֵעֵילָּא לְתַתָּא, הָא יָדְעִין דְּהַהוּא דּוֹרוֹנָא דְּמַלְכָּא נָחֵית מֵעֵילָּא, לִרְחִימָא דְּמַלְכָּא, דְּאִיהוּ לְתַתָּא.

תרכד. כָּךְ בְּקַדְמֵיתָא, אָדָם סָלֵיק בְּדַרְגּוֹי מִתַּתָּא לְעֵילָּא, וּכְדֵין קָרְבָּן לַה'. מִן הַבְּהֵמָה מִן הַבָּקָר, נָחֵית בְּדַרְגּוֹי מֵעֵילָּא לְתַתָּא, וּכְדֵין קָרְבַּנְכֶם. בְּגִינֵי כָּךְ כְּתִיב, אָכַלְתִּי יַעְרִי עִם דִּבְשִׁי שָׁתִיתִי יֵינִי עִם חֲלָבִי, הַיְינוּ אָדָם וְקָרְבָּן לַה'. אִכְלוּ רֵעִים, הַיְינוּ מִן הַבְּהֵמָה מִן הַבָּקָר וּמִן הַצֹּאן, וּכְדֵין תַּקְרִיבוּ אֶת קָרְבַּנְכֶם.

תרכה. אָתוּ ר' יִצְחָק וְרִבִּי יְהוּדָה, וְנַשְׁקוּהָ עַל רֵישֵׁיהּ, אָמְרוּ, בְּרִיךְ רַחֲמָנָא דְּזָכֵינָא לְמִשְׁמַע דָּא, וּבְרִיךְ רַחֲמָנָא, דְּלָא אִתְאֲבִידוּ מִלִּין אִלֵּין בְּהַהוּא סָבָא. קָמוּ וַאֲזָלוּ, עַד דַּהֲווּ אָזְלֵי, חָמוּ חַד גֶּפֶן נְטִיעַ בְּחַד גִּנְּתָא.

תרכו. פָּתַח הַהוּא יְנוּקָא וַאֲמַר, אֹסְרִי לַגֶּפֶן עִירֹה וְלַשֹּׂרֵקָה בְּנִי אֲתֹנוֹ הַאי קְרָא רָזָא

עִלָּאָה הוּא. אסְרִי, אָסַר מִבָּעֵי לֵיהּ. עִירֹה, עַיִר מִבָּעֵי לֵיהּ. אֶלָּא רָזָא הוּא, לְדַרְדְּקֵי דְאִינּוּן בְּבֵי רַב, לְאִסְתַּמְרָא מֵהַהוּא גִּירָא דְעַיִר, וּשְׁמָא קַדִּישָׁא אִתְכְּלִיל תַּמָּן י"ה.

תרכז. וּכְמָה דְהָכָא אִתְרְמִיז שְׁמָא קַדִּישָׁא, הָכֵי נָמֵי וְלַשֹּׂרֵקָה, שׂוֹרֵק מִבָּעֵי לֵיהּ. בְּנִי בֵּן מִבָּעֵי לֵיהּ. שׂוֹרֵק, כִּדְכְתִיב וְאָנֹכִי נְטַעְתִּיךְ שׂוֹרֵק. בֵּן, כד"א בֶּן אֲתוֹנוֹת. אַמַּאי שׂוֹרֵקָה, וְאַמַּאי בְּנִי.

תרכח. אֶלָּא, כְּמָה דְאִית שְׁמָא קַדִּישָׁא לְאַכְפְּיָא לְעַיִר, הָכֵי נָמֵי, אִית שְׁמָא קַדִּישָׁא, לְאַכְפְּיָא חֵילָא אָחֳרָא, דְאִיהִי חֲמָרָא, דְאִלְמָלֵא דִשְׁמָא קַדִּישָׁא אִתְרְמִיז הָכָא, הֲווּ מְטַרְטְשֵׁי עָלְמָא, י"ה בְּחֵילָא דָא, וי"ה בְּחֵילָא דָא, לְאִסְתַּמְּרָא עָלְמָא מִנַּיְיהוּ, וּלְאִסְתַּמְרָא בַּר נָשׁ, דְלָא יִשְׁלְטוּן בֵּיהּ בְּעָלְמָא.

תרכט. אסְרִי לַגֶּפֶן, מַאי גֶּפֶן. דָּא כְּנֶסֶת יִשְׂרָאֵל, אַמַּאי אִתְקְרִיאַת גֶּפֶן. אֶלָּא מַה גֶּפֶן, לָא מְקַבְּלָא עֲלָהּ נְטִיעָא אָחֳרָא, הָכֵי נָמֵי כְּנֶסֶת יִשְׂרָאֵל, לָא מְקַבְּלָא עֲלָהּ אֶלָּא לְקוּדְשָׁא בְּרִיךְ הוּא, וּבְגִין כְּנֶסֶת יִשְׂרָאֵל, אִתְכַּפְיָין קַמָּהּ כָּל חֵילִין אָחֳרָנִין, וְלָא יָכְלִין לְאַבְאָשָׁא, וּלְשַׁלְטָאָה בְּעָלְמָא, וְעַ"ד אַטִּיל קְרָא שְׁמָא קַדִּישָׁא בֵּינַיְיהוּ, בְּהַאי גִּיסָא וּבְהַאי גִּיסָא. בְּנִי אֲתוֹנוֹ, דְאִתְעַקַּר בְּגִין הַהוּא שׂוֹרֵק, כְּמָה דְאַתְּ אָמֵר, וְאָנֹכִי נְטַעְתִּיךְ שׂוֹרֵק וְגוֹ'.

תרל. כִּבֵּס בַּיַּיִן לְבוּשׁוֹ וְגוֹ', כִּבֵּס, כּוֹבֵס מִבָּעֵי לֵיהּ. אֶלָּא כִּבֵּס, מִיּוֹמָא דְאִתְבְּרֵי עָלְמָא, וּמַאן אִיהוּ דָּא מַלְכָּא מְשִׁיחָא. בַּיַּיִן: סְטַר שְׂמָאלָא. וּבְדַם עֲנָבִים: סְטַר שְׂמָאלָא. לְתַתָּא. וְזַמִּין מַלְכָּא מְשִׁיחָא לְשַׁלְטָאָה לְעֵילָא עַל כָּל חֵילִין אָחֳרָנִין דְעַמִּין עעכו"ם, וּלְתַבְרָא תּוּקְפֵיהוֹן מֵעֵילָא וּמִתַּתָּא.

תרלא. ד"א כִּבֵּס בַּיַּיִן לְבוּשׁוֹ, כְּגַוְונָא דְהַאי חַמְרָא, אַחֲזֵי חֵידוּ, וְכוּלֵּיהּ דִּינָא, הָכֵי נָמֵי מַלְכָּא מְשִׁיחָא, יֶחֱזֵי חֵדוּ לְיִשְׂרָאֵל, וְכוּלֵּיהּ דִּינָא לְעַמִּין עעכו"ם. כְּתִיב וְרוּחַ אֱלֹקִים מְרַחֶפֶת עַל פְּנֵי הַמָּיִם, דָּא רוּחָא דְמַלְכָּא מְשִׁיחָא, וּמִן יוֹמָא דְאִתְבְּרֵי עָלְמָא, אַסְחֵי לְבוּשֵׁיהּ בְּחַמְרָא עִלָּאָה.

תרלב. וְחָמֵי מַה כְּתִיב בַּתְרֵיהּ, חַכְלִילִי עֵינַיִם מִיָּיִן וּלְבֶן שִׁנַּיִם מֵחָלָב, דָּא חַמְרָא עִלָּאָה, דְאוֹרַיְיתָא דְמַרְוֵי, מִנֵּיהּ שָׁתֵי. וּלְבֶן שִׁנַּיִם מֵחָלָב, דְהָא אוֹרַיְיתָא יַיִן וְחָלָב, תּוֹרָה שֶׁבִּכְתָב, וְתוֹרָה שֶׁבְּעַל פֶּה.

תרלג. כְּתִיב וְיַיִן יְשַׂמַּח לְבַב אֱנוֹשׁ לְהַצְהִיל פָּנִים מִשָּׁמֶן, וַדַּאי מֵאֲתַר דְאִתְקְרֵי שָׁמֶן. תָּא חֲזֵי, שֵׁירוּתָא דְחַמְרָא חֶדְוָה, הוּא אֲתַר דְכָל חֵידוּ מִנֵּיהּ נָפְקָא. וְסוֹפֵיהּ דִּינָא, מ"ט. בְּגִין דְסוֹפָא דִילֵיהּ, אֲתַר כְּנִישׁוּ דְכֹלָּא, דִּינָא הוּא, וּבֵיהּ אִתְדַּן עָלְמָא, וְעַל דָּא שֵׁירוּתָא חֶדְוָה, וְסוֹפָא דִינָא, בְּגִינֵי כָּךְ, לְהַצְהִיל פָּנִים מִשָּׁמֶן. מֵאֲתַר דְכָל חֶדְוָה מִנֵּיהּ נָפְקָא.

תרלד. וְלֶחֶם לְבַב אֱנוֹשׁ יִסְעָד, מַאן לֶחֶם. אֶלָּא לֶחֶם עָלְמָא סָעִיד, וְאִי תֵּימָא, דְבֵיהּ תַּלְיָא סְעִידוּ דְעָלְמָא בִּלְחוֹדוֹי, לָאו הָכֵי, דְהָא לֵילְיָא בְּלָא יוֹמָא, לָא אִשְׁתְּכַח, וְלָא בָּעֵי לְאַפְרָשָׁא לוֹן. וּמַאן דְאַפְרִישׁ לוֹן, יִתְפְּרַשׁ מֵחַיִּין, וְהַיְינוּ דִכְתִיב, לְמַעַן הוֹדִיעֲךָ כִּי לֹא עַל הַלֶּחֶם לְבַדּוֹ יִחְיֶה הָאָדָם. בְּגִין דְלָא בָּעֵי לְאִתְפָּרְשָׁא.

תרלה. וְאִי תֵּימָא, דָּוִד הֵיךְ קָאָמַר וְלֶחֶם לְבַב אֱנוֹשׁ יִסְעָד, הוֹאִיל וְלָא תַּלְיָא בֵּיהּ בִּלְחוֹדוֹי סְעִידוּ דְעָלְמָא. אֶלָּא דַּיְיקָא דְמִלָּה, וְלֶחֶם, וא"ו אִיתּוֹסַף, כְּמוֹ וַה', וְעַל דָּא, כֹּלָּא אִשְׁתְּכַח כַּחֲדָא.

תרלו. תָּא חֲזֵי , מַאן דִמְבָרֵךְ עַל מְזוֹנָא, לָא יְבָרֵךְ עַל פְּתוֹרָא רֵיקַנְיָא, וּבָעֵי נַהֲמָא לְאִשְׁתַּכְּחָא עַל פְּתוֹרָא, וְכַסָּא דְחַמְרָא בִּימִינָא, מַאי טַעְמָא, בְּגִין לְקַשְּׁרָא שְׂמָאלָא

בִּימִינָא, וְנַהֲמָא דְּיִתְבָּרֵךְ מִנַּיְיהוּ, וּלְאִתְקַשְּׁרָא בְּהוּ, וּלְמֶהֱוֵי כֹּלָּא חַד קְשׁוּרָא, לְבָרְכָא שְׁמָא קַדִּישָׁא כִּדְקָא יָאוּת. דְּהָא לֶחֶם אִתְקַשַּׁר בְּיַיִן, וְיַיִן בִּימִינָא, וּכְדֵין בִּרְכָאן שַׁרְיָין בְּעָלְמָא, וּפָתוֹרָא אִשְׁתְּלִים כִּדְקָא יָאוּת.

תרלז. א״ר יִצְחָק, אִלְמָלֵא לָא אִזְדַּמַּן לָן אוֹרְחָא דָּא אֶלָּא לְמִשְׁמַע מִלִּין אִלֵּין, דַּי לָן. א״ר יְהוּדָה, יָאוּת הוּא לְהַאי יְנוּקָא, דְּלָא יָדַע כָּל הַאי, וַאֲנָא מִסְתְּפֵינָא עֲלֵיהּ, אִי יִתְקַיַּים בְּעָלְמָא בְּגִין הַאי. א״ר יִצְחָק וְלָמָּה. א״ל, בְּגִין דְּהַאי רַבְיָא יָכִיל לְאִסְתַּכְּלָא, בְּאַתְרָא דְּלֵית רְשׁוּ לְבַר נָשׁ לְאִסְתַּכְּלָא בֵּיהּ, וּמִסְתְּפֵינָא עָלוֹי, דְּעַד לָא יִמְטֵי לְפִרְקוֹי, יַשְׁגַּח וְיִסְתַּכַּל וְיַעַנְשׁוּן לֵיהּ.

תרלח. שָׁמַע הַהוּא יְנוּקָא, אֲמַר לָא מִסְתְּפֵינָא מֵעוֹנְשָׁא לְעָלְמִין, דְּהָא בְּשַׁעֲתָא דְּאִסְתַּלֵּיק אַבָּא מֵעָלְמָא, בָּרֵיךְ לִי וְצַלֵּי עָלַי. וְיָדַעְנָא דִּזְכוּתָא דְּאַבָּא יָגֵין עָלַי. אֲמָרוּ לֵיהּ וּמַאן הוּא אֲבוּךְ. אֲמַר בְּרֵיהּ דְּרַב הַמְנוּנָא סָבָא, נָטְלוּ לֵיהּ, וְאַרְכְּבוּהָ עַל כִּתְפַּיְיהוּ, תְּלַת מִילִין.

תרלט. קָרוּ עֲלֵיהּ, מֵהָאוֹכֵל יָצָא מַאֲכָל וּמֵעַז יָצָא מָתוֹק וְגוֹ׳. אֲמַר לוֹן הַהוּא יְנוּקָא, מִלָּה אַתְיָא לִידַיְיכוּ, פָּרִישׁוּ לָהּ. אֲמָרוּ לֵיהּ, קוּדְשָׁא בְּרִיךְ הוּא זַמִּין לָן אָרְחָא דְּחַיֵּי, אֵימָא אַנְתְּ.

תרמ. פָּתַח וַאֲמַר, מֵהָאוֹכֵל יָצָא מַאֲכָל וּמֵעַז יָצָא מָתוֹק. הַאי קְרָא, אַסְמַכְתָּא אִית לָן בֵּיהּ, מֵהָאוֹכֵל, דָּא צַדִּיק, דִּכְתִיב צַדִּיק אוֹכֵל לְשׂוֹבַע נַפְשׁוֹ, צַדִּיק אוֹכֵל וַדַּאי, וְנָטֵיל כֹּלָּא, אַמַּאי, לְשׂוֹבַע נַפְשׁוֹ, לְמֵיהַב שַׂבְעָא, לְהַהוּא אֲתַר דְּאִקְרֵי נַפְשׁוֹ דְּדָוִד. יָצָא מַאֲכָל, דְּאִלְמָלֵא הַהוּא צַדִּיק, לָא יִפּוֹק מְזוֹנָא לְעָלְמִין, וְלָא יָכִיל עָלְמָא לְקַיְּימָא. וּמֵעַז יָצָא מָתוֹק, דָּא יִצְחָק, דְּבָרֵיךְ לְיַעֲקֹב בְּטַל הַשָּׁמַיִם וּמִשְׁמַנֵּי הָאָרֶץ.

תרמא. תּוּ, אע״ג דְּכֹלָּא חַד, אִלְמָלֵא תּוּקְפָּא דְּדִינָא קַשְׁיָא, לָא נָפְקָא דְּבַשׁ. מַאן דְּבַשׁ. דָּא תּוֹרָה שֶׁבְּעַל פֶּה, דִּכְתִיב וּמְתוּקִים מִדְּבַשׁ וְנֹפֶת צוּפִים. מֵעַז: דָּא תּוֹרָה שֶׁבִּכְתָב, דִּכְתִיב ה׳ עֹז לְעַמּוֹ יִתֵּן. יָצָא מָתוֹק, דָּא תּוֹרָה שֶׁבְּעַל פֶּה.

תרמב. אֲזָלוּ כַּחֲדָא תְּלַת יוֹמִין, עַד דְּמָטוּ לְטוּרְסָא דְּקִירָא דְּאִמֵּיהּ, כֵּיוָן דְּחָזָאת לוֹן אַתְקָנַת בֵּיתָא, וְיָתְבוּ תַּמָּן תְּלַת יוֹמִין אָחֳרָנִין. בָּרְכוּהוּ, וַאֲזָלוּ, וְסַדְּרוּ מִלִּין קַמֵּיהּ דְּרַבִּי שִׁמְעוֹן. אֲמַר, וַדַּאי יְרוּתַת אוֹרַיְיתָא אַחְסִין, וְאִלְמָלֵא זְכוּתָא דַּאֲבָהָן יִתְעֲנַשׁ מִלְּעֵילָּא, אֲבָל קוּדְשָׁא בְּרִיךְ הוּא לְאִינוּן דְּאָזְלִין בָּתַר אוֹרַיְיתָא, אַחְסִינוּ לָהּ אִינוּן וּבְנַיְיהוּ לְעָלְמִין, הה״ד וַאֲנִי זֹאת בְּרִיתִי אוֹתָם אָמַר ה׳ רוּחִי אֲשֶׁר עָלֶיךָ וְגוֹ׳.

תרמג. זְבוּלוּן לְחוֹף יַמִּים יִשְׁכּוֹן וְהוּא לְחוֹף אֳנִיּוֹת וְיַרְכָתוֹ וְגוֹ׳. ר׳ אַבָּא פָּתַח, חֲגוֹר חַרְבְּךָ עַל יָרֵךְ גִּבּוֹר הוֹדְךָ וַהֲדָרֶךָ. וְכִי דָּא הוֹד וְהָדָר, לְמֵיזַן זַיְינָא, וּלְאִזְדַּרְזָא בְּהַאי. מַאן דְּאִשְׁתַּדַּל בְּאוֹרַיְיתָא, וְאַגַּח קְרָבָא בְּאוֹרַיְיתָא, וְזָרִיז גַּרְמֵיהּ בָּהּ, דָּא הוּא שְׁבָחָא, דָּא הוּא הוֹד וְהָדָר, וְאַתְּ אֲמַרְתְּ חֲגוֹר חַרְבְּךָ.

תרמד. אֶלָּא, וַדַּאי עִקָּרָא דְּמִלָּה, אָת קַיָּימָא קַדִּישָׁא, יְהַב קוּדְשָׁא בְּרִיךְ הוּא, וְרָשִׁים לֵיהּ בִּבְנֵי נָשָׁא. בְּגִין דְּיִנְטְרוּן לֵיהּ, וְלָא יִפְגְּמוּן לֵיהּ בִּפְגִּימוּ לְהַאי רְשִׁימָא דְּמַלְכָּא, וּמַאן דְּפָגִים לֵיהּ, הָא קָאֵים לְקַבְלֵיהּ חֶרֶב נוֹקֶמֶת נְקַם בְּרִית, לְנַקְמָא נוּקְמָא דִּבְרִית קַדִּישָׁא, דְּאִתְרְשִׁים בֵּיהּ, וְהוּא פָּגִים לֵיהּ.

תרמה. וּמַאן דְּבָעֵי לְנַטְרָא הַאי אֲתַר, יְזָרֵז וְיִתְקַן גַּרְמֵיהּ, וִישַׁוֵּי לְקַבְלֵיהּ, בְּשַׁעֲתָא דְּיִצְרָא בִּישָׁא יִתְקָף עָלוֹי, לְהַאי חֶרֶב דְּקַיְּימָא עַל יָרֵךְ, לְאִתְפָּרְעָא מִמַּאן דְּפָגִים הַאי

אֲתַר, וּכְדֵין וַדַּאי חֲגוֹר חַרְבְּךָ עַל יָרֵךְ גִּבּוֹר, גִּבּוֹר אִיהוּ, גִּבּוֹר אִתְקְרֵי. וְעַל דָּא הוֹדְךָ וַהֲדָרֶךָ.

תרמו. ד"א חֲגוֹר חַרְבְּךָ עַל יָרֵךְ גִּבּוֹר. מַאן דְּנָפִיק בְּאָרְחָא, יְתַקֵּן גַּרְמֵיהּ בִּצְלוֹתָא דְּמָארֵיהּ, וְיִזְדָּרֵז בְּהַאי צֶדֶק, חֶרֶב עִלָּאָה, בִּצְלוֹתָא וּבְעוּתִין עַד לָא יְפוֹק לְאָרְחָא, כְּדִכְתִיב צֶדֶק לְפָנָיו יְהַלֵּךְ וְיָשֵׂם לְדֶרֶךְ פְּעָמָיו.

תרמז. תָּא חֲזֵי, זְבוּלוּן נָפִיק תְּדִירָא לִשְׁבִילִין, וְאָרְחִין, וְאַגַּח קְרָבִין, וְאִזְדָּרֵז בְּהַאי חֶרֶב עִלָּאָה, בִּצְלוֹתָא וּבְעוּתִין, עַד לָא נָפִיק בְּאָרְחָא, וּכְדֵין נָצַח עַמִּין, וְאִתְתַּקַּף עֲלַיְיהוּ. וְאִי תֵּימָא יְהוּדָה, הָא אִתְתַּקַּן בְּהַאי, לְאַגָּחָא קְרָבִין, וְתִקּוּנִין, בְּהַאי חֶרֶב, אַמַּאי זְבוּלוּן. אֶלָּא, תָּא חֲזֵי, הָנֵי תְּרֵיסַר שִׁבְטִין, כֻּלְּהוּ תִּקּוּנָא דְּמַטְרוֹנִיתָא הֲווּ.

תרמח. תְּרֵין תִּקּוּנִין דְּנוּקְבֵי אֲמַר שְׁלֹמֹה בְּשִׁיר הַשִּׁירִים, חַד לְרַעְיָא עִלָּאָה יוֹבְלָא, וְחַד לְכַלָּה, שְׁנַת הַשְּׁמִיטָה. חַד תִּקּוּנָא לְעֵילָּא, וְחַד תִּקּוּנָא לְתַתָּא. עוֹבָדָא דִּבְרֵאשִׁית, הָכִי הוּא נָמֵי, בְּהָנֵי תְּרֵי אַתְרֵי, חַד עוֹבָדָא לְעֵילָּא, וְחַד עוֹבָדָא לְתַתָּא, וְע"ד פְּתִיחָא דְּאוֹרַיְיתָא בְּב', עוֹבָדָא דִּלְתַתָּא, כְּגַוְונָא דִּלְעֵילָּא, דָּא עֲבַד עָלְמָא עִלָּאָה, וְדָא עֲבַד עָלְמָא תַּתָּאָה. כְּגַוְונָא דָּא, תְּרֵין תִּקּוּנִין דְּנוּקְבֵי קָאֲמַר שְׁלֹמֹה, חַד לְעֵילָּא, וְחַד לְתַתָּא, חַד לְעֵילָּא, בְּתִקּוּנָא עִלָּאָה דִּשְׁמָא קַדִּישָׁא, וְחַד לְתַתָּא, בְּתִקּוּנָא תַּתָּאָה כְּגַוְונָא דִּלְעֵילָּא.

תרמט. תָּא חֲזֵי, זַכָּאָה חוּלָקֵיהּ דְּיַעֲקֹב קַדִּישָׁא, דְּזָכָה לְהַאי. וְהָא אִתְּמַר מִיּוֹמָא דְּאִתְבְּרֵי עָלְמָא, לָא אִשְׁתַּכַּח עַרְסָא שְׁלֵימָתָא כְּעַרְסֵיהּ דְּיַעֲקֹב. וּבְשַׁעְתָּא דְּבָעָא לְאִסְתַּלָּקָא מֵעָלְמָא, כְּדֵין הֲוָה שְׁלִים, בְּכָל סִטְרוֹי, אַבְרָהָם מִימִינֵיהּ, יִצְחָק מִשְּׂמָאלֵיהּ, הוּא בְּאֶמְצָעִיתָא, שְׁכִינְתָּא קַמֵּיהּ, כֵּיוָן דְּחָמָא יַעֲקֹב הַאי, קָרָא לִבְנוֹי, וַאֲמַר לוֹן הֵאָסְפוּ, בְּגִין דְּיִשְׁתַּכְּחוּ תִּקּוּנָא דִּלְעֵילָּא וְתַתָּא.

תרנ. תָּא חֲזֵי רָזָא דְּמִלָּה, תְּרֵין תִּקּוּנִין אִשְׁתַּכְּחוּ תַּמָּן, חַד עִלָּאָה, וְחַד תַּתָּאָה, לְמֶהֱוֵי כֹּלָּא שְׁלִים כִּדְקָא יָאוּת. תִּקּוּנָא עִלָּאָה, תִּקּוּנָא סְתִים וְגַלְיָא, דְּהָא תִּקּוּנָא דְּיוֹבְלָא אִיהוּ, הַהוּא דַּאֲמַר שְׁלֹמֹה בְּשִׁיר הַשִּׁירִים כִּדְקָאֲמָרָן, רֵישָׁא סְתִים הֲוָה דְּלָא אִתְגַּלְיָיא הָכָא, וְלָא יָאוּת לְאִתְגַּלְיָיא. דְּרוֹעִין וְגוּפָא אִתְגַּלְיָין, וְהָא יְדִיעָן. שׁוֹקִין סְתִימוּ וְלָא אִתְגַּלְיָין. מ"ט, בְּגִין דִּנְבוּאָה לָא שַׁרְיָא אֶלָּא בְּאַרְעָא קַדִּישָׁא. וְתִקּוּנָא דָּא סְתִים וְגַלְיָיא.

תרנא. תִּקּוּנָא אָחֳרָא תַּתָּאָה, תִּקּוּנָא דְּכַלָּה דְּקָאֲמַר שְׁלֹמֹה בְּשִׁיר הַשִּׁירִים, הַאי תִּקּוּנָא דְּאִתְגַּלְיָיא יַתִּיר, וְתִקּוּנָא דָּא בִּתְרֵיסַר שִׁבְטִין דְּאִינּוּן תְּחוֹתָהּ, וְתִקּוּנָא דְּגוּפָא דִּילָהּ.

תרנב. פָּתַח ר' אַבָּא וַאֲמַר, וַיַּעַשׂ אֶת הַיָּם מוּצָק וגו'. וּכְתִיב עוֹמֵד עַל שְׁנֵי עָשָׂר בָּקָר שְׁלֹשָׁה פוֹנִים צָפוֹנָה וּשְׁלֹשָׁה פוֹנִים יָמָּה וּשְׁלֹשָׁה פוֹנִים נֶגְבָּה וגו' וְהַיָּם עֲלֵיהֶם מִלְמַעְלָה וגו'. וּכְתִיב וְאֶת הַבָּקָר שְׁנַיִם עָשָׂר תַּחַת הַיָּם. עוֹמֵד עַל שְׁנֵי עָשָׂר בָּקָר, הָכִי הוּא וַדַּאי, דְּדָא יָם מִתְתַּקְּנָא בְּי"ב בִּתְרֵין עָלְמִין, בִּתְרֵיסַר לְעֵילָּא רְתִיכִין מִמַּנָן, לְעֵילָּא בִּתְרֵיסַר, לְתַתָּא תְּרֵיסַר שִׁבְטִין. כֵּיוָן דְּחָמָא יַעֲקֹב תִּקּוּנָא עִלָּאָה, וְחָמָא שְׁכִינְתָּא קָאִים לְקַבְלֵיהּ, בָּעָא לְאַשְׁלְמָא תִּקּוּנָהָא, קָרָא לִבְנוֹהִי תְּרֵיסַר, וַאֲמַר לוֹן הֵאָסְפוּ, אַתְקִינוּ גַּרְמַיְיכוּ לְאַשְׁלְמָא מְהֵימְנוּתָא.

תרנג. תָּא חֲזֵי, תְּרֵיסַר שִׁבְטִין, בְּד' דְּגָלִין, בְּד' סִטְרִין, שְׁלֹשָׁה פוֹנִים צָפוֹנָה וּשְׁלֹשָׁה פוֹנִים יָמָּה וּשְׁלֹשָׁה פוֹנִים נֶגְבָּה וּשְׁלֹשָׁה פוֹנִים מִזְרָחָה וְהַיָּם עֲלֵיהֶם. וְהָכִי הוּא וַדַּאי תְּלַת שִׁבְטִין לְכָל סְטַר, לְד' רוּחֵי עָלְמָא, וּתְלַת שִׁבְטִין לִדְרוֹעָא דִּימִינָא, וּתְלַת שִׁבְטִין לִדְרוֹעָא דִּשְׂמָאלָא, וּתְלַת שִׁבְטִין, לְיַרְכָא יְמִינָא, וּתְלַת שִׁבְטִין לְיַרְכָא שְׂמָאלָא, וְגוּפָא דִּשְׁכִינְתָּא

עֲלַיְיהוּ, הה״ד וְהַיָּם עֲלֵיהֶם.

תרנד. מַאי טַעְמָא תְּלַת שִׁבְטִין לִדְרוֹעָא, וּתְלַת שִׁבְטִין לְיַרְכָא, וְכֵן לְכֹלָּא. אֶלָּא רָזָא דְּמִלָּה, תְּלַת קִשְׁרִין אִינּוּן בִּדְרוֹעָא יְמִינָא, וּתְלַת בִּשְׂמָאלָא, וּתְלַת בְּיַרְכָא יְמִינָא, וּתְלַת קִשְׁרִין בְּיַרְכָא שְׂמָאלָא, אִשְׁתַּכָּחוּ תְּרֵיסַר קִשְׁרִין לְאַרְבַּע סִטְרִין, וְגוּפָא עֲלַיְיהוּ. אִשְׁתַּכָּחוּ תְּרֵיסַר עִם גּוּפָא כְּגַוְונָא דִּלְעֵילָא. מנ״ל, דִּכְתִּיב כָּל אֵלֶּה שִׁבְטֵי יִשְׂרָאֵל שְׁנֵים עָשָׂר, וְזֹאת, בְּגִין דְּבָהּ אִשְׁתְּלִים חוּשְׁבְּנָא, כְּמָה דְּאִתְּמָר וְהַיָּם עֲלֵיהֶם מִלְמָעְלָה.

תרנה. שִׁבְעָה עֵינֵי ה׳ אִינּוּן שִׁבְעָה עֵינֵי הָעֵדָה. שִׁבְעִין סַנְהֶדְרִין. שַׁעֲרָהָא: כְּמָה דִּכְתִּיב, כָּל הַפְּקוּדִים לְמַחֲנֵה יְהוּדָה מְאַת אֶלֶף וגו׳. כָּל הַפְּקוּדִים לְמַחֲנֵה רְאוּבֵן, וְכֵן לְכֻלְּהוּ.

תרנו. וְאִי תֵּימָא, בְּמִצְרַיִם בִּסְלִיקוּ דְּיַעֲקֹב מֵעַלְמָא, דְּאִשְׁתַּכַּח שְׁלִימוּ בְּהַהִיא שַׁעְתָּא, כּוּלֵּי הַאי אָן הוּא. וַדַּאי שִׁבְעִין נַפְשִׁין הֲווּ, וְכָל אִינּוּן דְּאוֹלִידוּ בְּשֶׁבַע עֶשְׂרֵה שְׁנִין, דְּלֵית לוֹן חוּשְׁבְּנָא, כְּמָה דִּכְתִּיב וּבְנֵי יִשְׂרָאֵל פָּרוּ וַיִּשְׁרְצוּ וַיִּרְבּוּ וַיַּעַצְמוּ בִּמְאֹד מְאֹד, וּכְתִיב עָצְמוּ מִשַּׂעֲרוֹת רֹאשִׁי. זַכָּאָה חוּלָקֵיהּ דְּיַעֲקֹב שְׁלֵימָא, דְּהוּא אִשְׁתְּלִים לְעֵילָּא וְתַתָּא.

תרנז. אָמַר ר׳ אֶלְעָזָר, וַדַּאי הָכֵי הוּא, אֲבָל בְּתִקּוּנָא עִלָּאָה דְּיוֹבְלָא, הֵיךְ אִשְׁתַּכַּח כּוּלֵּי הַאי. א״ל, אַרְיָא, כֵּיוָן דְּסַדַּר רַגְלוֹי לְמֵיעָאל בְּכַרְמָא, מַאן אִיהוּ דְּעָיֵיל בַּהֲדֵיהּ.

תרנח. פָּתַח רִבִּי אֶלְעָזָר וַאֲמַר, וְהוּא בְאֶחָד וּמִי יְשִׁיבֶנּוּ וְנַפְשׁוֹ אִוְּתָה וַיָּעַשׂ. הַאי תִּקּוּנָא עִלָּאָה, הוּא כֹּלָּא חַד, לָא הֲוֵי בֵּיהּ פָּרוֹדָא, כְּהַאי תַּתָּאָה, דְּהָא כְּתִיב וּמִשָּׁם יִפָּרֵד וְהָיָה לְאַרְבָּעָה רָאשִׁים. וְאע״ג דְּאִית בֵּיהּ פָּרוֹדָא, כַּד יִסְתַּכְּלוּן מִלֵּי, כֹּלָּא סַלְקָא לְחַד.

תרנט. אֲבָל הַאי תִּקּוּנָא עִלָּאָה דְּיוֹבְלָא, קַיְּימָא עַל תְּרֵיסַר, כְּהַאי תַּתָּאָה, וְאע״ג דְּאִיהוּ חַד, הַאי וְחַד אַשְׁלִים לְכָל סְטַר, בְּהַאי סְטַר, וּבְהַאי סְטַר. אִינּוּן שִׁית סִטְרִין עִלָּאִין תְּרֵיסַר הֲווּ. דְּכָל חַד אוֹזִיף לְחַבְרֵיהּ, וְאִתְכְּלֵיל מִנֵּיהּ, וְאִשְׁתַּכָּחוּ תְּרֵיסַר, וְגוּפָא, וְכֹלָּא קַיְּימָא עַל תְּרֵיסַר. מַאן גּוּפָא, דָּא יַעֲקֹב, וְהָא אִתְּמָר, אֶלָּא רֵישָׁא וְגוּפָא בְּחַד קַיְּימֵי.

תרס. תּוּ תְּרֵיסַר, תְּלַת קִשְׁרִין דִּדְרוֹעָא יְמִינָא וחס״ד חֲסָדִים. תְּלַת קִשְׁרִין דִּדְרוֹעָא שְׂמָאלָא גְּבוּר״ה גְּבוּרוֹת. תְּלַת קִשְׁרִין בְּיַרְכָא יְמִינָא, נצ״ח נְצָחִים. תְּלַת קִשְׁרִין בְּיַרְכָא שְׂמָאלָא, הו״ד וְהוֹדוֹת. הָא תְּרֵיסַר. וְגוּפָא קַיְּימָא עֲלַיְיהוּ הָא תְּלֵיסַר. תּוּ, בִּתְלֵיסַר מְכִילָן אוֹרַיְיתָא אִתְפְּרַשׁ, וְכֹלָּא חַד, מֵעֵילָּא לְתַתָּא בְּיִחוּדָא, עַד הַהוּא אֲתַר דְּקַיְּימָא עַל פָּרוֹדָא.

תרסא. שִׁבְעָה עֵינִין עִלָּאִין, אִלֵּין דִּכְתִּיב, עֵינֵי ה׳ הֵמָּה מְשׁוֹטְטִים דְּכוּרִין, דְּהָא אֲתַר דִּדְכוּרָא אִיהוּ. הָכָא עֵינֵי ה׳ מְשׁוֹטְטוֹת, בְּתִקּוּנֵי שְׁכִינְתָּא לְתַתָּא, אֲתַר דְּנוּקְבָא. שִׁבְעָה עֵינִין עִלָּאִין, לָקֳבֵיל הָא דִּכְתִּיב, לְךָ ה׳ הַגְּדוּלָּה וְהַגְּבוּרָה וגו׳. הַאי אֲתַר, אַשְׁלִים לְכָל סְטַר.

תרסב. תּוּ שַׂעֲרָא, כְּמָה דִּכְתִּיב, מִי יְמַלֵּל גְּבוּרוֹת ה׳. הה״ד, עָצְמוּ מִשַּׂעֲרוֹת רֹאשִׁי. וּכְתִיב חַסְדֵי ה׳ כִּי לֹא תָמְנוּ וגו׳. וְתִקּוּנִין אִלֵּין אִסְתַּלָּקוּ לַאֲתַר אָחֳרָא. וְאע״ג דְּהָכָא אִתְּמָר טְפֵי, וְאִסְתַּלִּיק בְּמַתְקְלָא עִלָּאָה וְתַתָּאָה, וּשְׁלֹמֹה מַלְכָּא אֲמָרָן, וְאִצְטְרִיכְנָא לְפָרְשָׁא לוֹן. זַכָּאָה חוּלָקֵהוֹן דְּצַדִּיקַיָּא יַתִּיר, דְּיָדְעִין אָרְחָא דְקוּדְשָׁא בְּרִיךְ הוּא, וְהָכָא כֹּלָּא אִתְגַּלְיָיא לְיָדְעֵי מִדִּין.

תרסג. א״ר יְהוּדָה, זְבוּלֻן וְיִשָּׂשכָר תְּנַאי עֲבָדוּ, חַד יָתִיב וְלָעֵי בְּאוֹרַיְיתָא, וְחַד נָפִיק וְעָבִיד פְּרַקְמַטְיָא, וְתָמִיךְ לְיִשָּׂשכָר, דִּכְתִּיב וְתוֹמְכֶיהָ מְאוּשָּׁר. וַהֲוָה פָּרִישׂ בְּיַמֵּי לְמֶעְבַּד פְּרַקְמַטְיָא, וְחוּלָקֵיהּ הָכֵי הֲוָה, דְּהָא יַמָּא הֲוָה אַחְסַנְתֵּיהּ.

תרסד. וּבְגִינֵי כָּךְ קָרֵי לֵיהּ יָרֵךְ. דַּרְכֵּיהּ דְּיָרֵךְ לְנַפְקָא וּלְמֵיעַל, הה״ד, שְׂמַח זְבוּלוּן

בְּצֵאתֶךָ וְיִשָּׂשכָר בְּאֹהָלֶיךָ. לְחוֹף יַמִּים יִשְׁכֹּן, בְּאִינוּן פְּרִישֵׁי יַמִּים, לְמֶעְבַּד פְּרַקְמַטְיָא. לְחוֹף יַמִּים, אע"ג דְּחַד יַמָּא הֲוָה לֵיהּ בְּאַחְסַנְתֵּיהּ, בִּתְרֵין יַמִּין שַׁרְיָא.

תרסה. ר' יוֹסֵי אָמַר, כָּל שְׁאָר יַמִּין, הֲווּ מְהַדְּרָן קַרְפּוֹלִין בְּיַמָּא דִּילֵיהּ. וְהוּא לְחוֹף אֳנִיּוֹת, אֲתַר דְּכָל אַרְבִּין מִשְׁתַּכְּחִין לְמֶעְבַּד סְחוֹרְתָא. וְיַרְכָתוֹ, אָמַר ר' חִזְקִיָּה, יַרְכָתֵיהּ דִּילֵיהּ מָטֵי עַל סְפַר צִידוֹן, וְתַחוּמָא פְּרִישׁ לְהַהוּא אֲתַר, וּפְרַקְמַטְיָא דְּכָל מָארֵי סְחוֹרְתָא, סָחֲרִין וְתַיְיבִין בִּסְחוֹרָתַיְיהוּ לְהַהוּא אֲתַר.

תרסו. רַבִּי אַחָא אָמַר, כְּתִיב וְלֹא תַשְׁבִּית מֶלַח בְּרִית אֱלֹהֶיךָ מֵעַל מִנְחָתֶךָ עַל כָּל קָרְבָּנְךָ תַּקְרִיב מֶלַח, וְכִי אַמַּאי מֶלַח. אֶלָּא בְּגִין דְּאִיהוּ מְמָרֵק וּמְבַסֵּם מְרִירָא לְאַטְעָמָא, וְאִי לָאו הֲוֵי מִלְחָא, לָא יָכִיל עָלְמָא לְמִסְבַּל מְרִירָא. הה"ד כִּי כַּאֲשֶׁר מִשְׁפָּטֶיךָ לָאָרֶץ צֶדֶק לָמְדוּ יוֹשְׁבֵי תֵבֵל. וּכְתִיב צֶדֶק וּמִשְׁפָּט מְכוֹן כִּסְאֶךָ.

תרסז. וּמֶלַח אִיהוּ בְּרִית, דְּעָלְמָא קַיְּימָא בֵּיהּ, דִּכְתִיב אִם לֹא בְרִיתִי יוֹמָם וָלַיְלָה חֻקּוֹת שָׁמַיִם וָאָרֶץ לֹא שָׂמְתִּי. בְּגִין כָּךְ, אִקְרֵי בְּרִית אֱלֹהֶיךָ, וְאִקְרֵי יָם הַמֶּלַח, וְיַמָּא אִקְרֵי עַל שְׁמֵיהּ.

תרסח. ר' חִיָּיא אָמַר, כְּתִיב כִּי צַדִּיק ה' צְדָקוֹת אָהֵב, דָּא מִלְחָא בְּיַמָּא. וּמַאן דְּפָרִישׁ לוֹן, גָּרִים לְגַרְמֵיהּ מִיתָה, בְּגִ"כ כְּתִיב, לֹא תַשְׁבִּית מֶלַח, דְּהָא דָּא בְּלָא דָּא לָא אָזְלָא.

תרסט. אָמַר ר' אַחָא, יָם חַד הוּא, וְאִקְרֵי יַמִּים. אֶלָּא אֲתַר אִית בְּיַמָּא דְּאִיהוּ מַיִין צְלִילָן, וַאֲתַר דְּאִית בֵּיהּ מַיִין מְתִיקָן, וַאֲתַר דְּאִית בֵּיהּ מַיִין מְרִירָן, בְּגִ"כ יַמִּים קָרֵינָן, וְעַ"ד לְחוֹף יַמִּים. אָמַר ר' אַבָּא, כָּל שִׁבְטָא וְשִׁבְטָא, וְכָל חַד וְחַד קִשְׁרָא חַד, מֵאִינוּן קִשְׁרִין דְּמִתְחַבְּרָן בְּגוּפָא.

תרע. ר' אַבָּא הֲוָה יָתִיב לֵילְיָא חַד, וְקָם לְמִלְעֵי בְּאוֹרַיְיתָא, עַד דַּהֲוָה יָתִיב, אָתָא רַבִּי יוֹסֵי, וּבָטַשׁ אַפִּתְחָא, אָמַר סִיפְטָא בְּטוֹפְסְרָא קַפְטְלָאֵי שְׁכִיחֵי.

תרעא. יָתְבוּ וְלָעוּ בְּאוֹרַיְיתָא. אַדְּהָכִי קָם בְּרֵיהּ דְּאוּשְׁפִּיזָא, וְיָתִיב קַמַּיְיהוּ, אָמַר לוֹן מַאי דִּכְתִיב וְהַחֲיִיתֶם אֶת אָבִי וְאֶת אִמִּי וגו'. וּכְתִיב וּנְתַתֶּם לִי אוֹת אֱמֶת. מַאי קָא בָּעָאת מִנַּיְיהוּ. א"ר אַבָּא יָאוֹת שָׁאַלְתְּ, אֲבָל אִי שְׁמַעְתְּ מִידֵי אֵימָא בְּרִי. אָמַר תּוּ שְׁאֵלְתָּא, דְּהָא אִינוּן יָהֲבוּ לָהּ מַה דְּלָא בָּעָאת מִנַּיְיהוּ, דִּכְתִיב, אֶת תִּקְוַת חוּט הַשָּׁנִי הַזֶּה תִּקְשְׁרִי בַּחַלּוֹן וגו'.

תרעב. אֶלָּא הָכִי אוֹלִיפְנָא, הִיא בָּעָאת סִימָנָא דְּחַיֵּי, דִּכְתִיב וְהַחֲיִיתֶם אֶת אָבִי וגו', וַאֲמָרָה, סִימָנָא דְּחַיֵּי לָא שַׁרְיָא, אֶלָּא בְּאוֹת אֱמֶת, וּמַאי אִיהוּ אוֹת אֱמֶת, דָּא אָת ו', בְּגִין דְּבֵיהּ שַׁרְיָין חַיִּין. הָכִי אוֹלִיפְנָא, סִימָנָא דְּמֹשֶׁה קָא בָּעָאת, וְאִינוּן אַמַּאי יָהֲבוּ לָהּ תִּקְוַת חוּט הַשָּׁנִי.

תרעג. אֶלָּא אִינוּן אָמְרֵי, מֹשֶׁה הָא אִסְתַּלַּק מֵעָלְמָא, דְּהָא אִתְכְּנִישׁ שִׁמְשָׁא, וְהָא מָטָא זִמְנָא דְּסִיהֲרָא לְמִשְׁלַט, סִימָנָא דְּסִיהֲרָא אִית לָן לְמֵיהַב לָךְ, וּמַאי אִיהוּ. תִּקְוַת חוּט הַשָּׁנִי הַזֶּה, כְּד"א כְּחוּט הַשָּׁנִי שִׂפְתוֹתַיִךְ, סִימָנָא דִּיהוֹשֻׁעַ יְהֵא גַּבָּךְ, בְּגִין דְּשׁוּלְטָנוּתָא דְּסִיהֲרָא הַשְׁתָּא. קָמוּ ר' אַבָּא וְר' יוֹסֵי וּנְשָׁקוּהוּ. אָמְרוּ. וַדַּאי זְמִין אַנְתְּ לְמֶהֱוֵי רֵישׁ מְתִיבְתָּא, אוֹ גַּבְרָא רַבָּא בְּיִשְׂרָאֵל, וּמַנּוּ. רַבִּי בּוּן.

תרעד. תּוּ שָׁאִיל וַאֲמַר, בְּנוֹי דְּיַעֲקֹב כֻּלְּהוּ תְּרֵיסַר שִׁבְטִין, אִתְסַדְּרוּ לְתַתָּא כְּגַוְונָא דִּלְעֵילָא, אַמַּאי אַקְדִּים בְּבִרְכָאן, זְבוּלוּן לְיִשָּׂשכָר תָּדִיר, וְהָא יִשָּׂשכָר אִשְׁתַּדְּלוּתֵיהּ בְּאוֹרַיְיתָא, וְאוֹרַיְיתָא אַקְדִּים בְּכָל אֲתַר, אַמַּאי אַקְדִּים לֵיהּ זְבוּלוּן בְּבִרְכָאן, אֲבוֹי אַקְדִּים

לֵיהּ, מֹשֶׁה אַקְדֵּים לֵיהּ.

תרעה. אֶלָּא זְבוּלוּן זָכָה, עַל דְּאַפִּיק פִּתָּא מִפּוּמֵיהּ, וְיָהַב לְפוּמֵיהּ דְּיִשָּׂשכָר, בְּגִינֵי כָּךְ אַקְדֵּים לֵיהּ בְּבִרְכָאן. מֵהָכָא אוֹלִיפְנָא, מַאן דְּסָעֵיד לְמָרֵיהּ דְּאוֹרַיְיתָא, נָטִיל בִּרְכָאן מֵעֵילָּא וְתַתָּא. וְלָא עוֹד אֶלָּא דְּזָכֵי לְתְרֵי פָּתוֹרֵי, מַה דְּלָא זָכֵי ב"נ אַחֲרָא, זָכֵי לְעוּתְרָא דְּיִתְבָּרֵךְ בְּהַאי עָלְמָא, וְזָכֵי לְמֶהֱוֵי לֵיהּ חוּלָקָא בְּעָלְמָא דְּאָתֵי. הה"ד זְבוּלוּן לְחוֹף יַמִּים יִשְׁכּוֹן וְהוּא לְחוֹף אֳנִיּוֹת. כֵּיוָן דִּכְתִיב לְחוֹף יַמִּים, אַמַּאי וְהוּא לְחוֹף אֳנִיּוֹת. אֶלָּא, לְחוֹף יַמִּים, בְּעָלְמָא דֵּין. לְחוֹף אֳנִיּוֹת, בְּעָלְמָא דְּאָתֵי, כד"א שָׁם אֳנִיּוֹת יְהַלֵּכוּן וגו'. דְּתַמָּן הוּא נְגִידוּ דְּעָלְמָא דְּאָתֵי.

תרעו. פָּתַח וְאָמַר, הִשְׁבַּעְתִּי אֶתְכֶם בְּנוֹת יְרוּשָׁלַ‏ִם אִם תִּמְצְאוּ אֶת דּוֹדִי מַה תַּגִּידוּ לוֹ שֶׁחוֹלַת אַהֲבָה אָנִי. וְכִי מַאן קָרֵיב לְמַלְכָּא כִּכְנֶסֶת יִשְׂרָאֵל, דְּאִיהִי אָמְרַת אִם תִּמְצְאוּ אֶת דּוֹדִי מַה תַּגִּידוּ לוֹ. אֶלָּא בְּנוֹת יְרוּשָׁלַ‏ִם, אִלֵּין אִינּוּן נִשְׁמָתְהוֹן דְּצַדִּיקַיָּיא דְּאִינּוּן קְרֵיבִין לְמַלְכָּא תָּדִיר, וּמוֹדְעִין לְמַלְכָּא בְּכָל יוֹמָא עִסְקוֹי דְּמַטְרוֹנִיתָא.

תרעז. דְּהָכֵי אוֹלִיפְנָא, בְּשַׁעְתָּא דְּנִשְׁמָתָא נָחֲתַת לְעָלְמָא, כְּנֶסֶת יִשְׂרָאֵל, עָאלַת עָלָהּ בְּקִיּוּמָא דְּאוּמָאָה, דְּיֶחֱזֵי לְמַלְכָּא, וְיוֹדַע לֵיהּ רְחִימוּתָא דִּילָהּ לְגַבֵּיהּ, בְּגִין לְאִתְפַּיְּיסָא בַּהֲדֵיהּ.

תרעח. וּבַמֶּה, בְּגִין דְּחוֹבָא עַל ב"נ לְיַחֲדָא שְׁמָא קַדִּישָׁא בְּפוּמָא, בְּלִבָּא בְּנַפְשָׁא, וּלְאִתְקַשְּׁרָא כֹּלָּא, כְּשַׁלְהוֹבָא דְּאִתְקַשְּׁרָא בְּטִיפְסָא, וּבְהַהוּא יִחוּדָא דְּעָבֵיד, גָּרֵים לְאִתְפַּיְּיסָא מַלְכָּא בְּמַטְרוֹנִיתָא, וְאוֹדַע לֵיהּ לְמַלְכָּא רְחִימוּתָא דִּילָהּ לְגַבֵּיהּ.

תרעט. ד"א בְּנוֹת יְרוּשָׁלַ‏ִם, אִלֵּין תְּרֵיסַר שִׁבְטִין. דְּתָנִינָן יְרוּשָׁלַ‏ִם עַל תְּרֵיסַר טוּרִין קַיְּימָא. וּמַאן דַּאֲמַר עַל שִׁבְעָה, לָא קָאֲמַר לְאַשְׁלָמָא שְׁלִימוּ, וְאע"ג דְּכֹלָּא חַד, דְּאִית שִׁבְעָה, וְאִית ד', וְאִית תְּרֵיסַר, וְכֹלָּא חַד.

תרפ. וַדַּאי עַל תְּרֵיסַר טוּרִין קַיְּימָא, תְּלַת טוּרִין לְסִטְרָא דָּא, וּתְלַת טוּרִין לְסִטְרָא דָּא, וְכֵן לְאַרְבַּע זָוְיָין, וּכְדֵין אִתְקְרֵי חַיָּה. כד"א הִיא הַחַיָּה אֲשֶׁר רָאִיתִי תַּחַת אֱלֹהֵי יִשְׂרָאֵל. וְאִלֵּין אִקְרוּן בְּנוֹת יְרוּשָׁלַ‏ִם, בְּגִין דְּקַיְּימָא עֲלַיְיהוּ. וְאִינּוּן סָהֲדֵי סַהֲדוּתָא לְמַלְכָּא עַל כְּנֶסֶת יִשְׂרָאֵל, הה"ד, שִׁבְטֵי יָהּ עֵדוּת לְיִשְׂרָאֵל לְהוֹדוֹת לְשֵׁם יְיָ'. אָמַר רִבִּי יְהוּדָה, זַכָּאָה חוּלָקְהוֹן דְּיִשְׂרָאֵל, דְּיָדְעֵי אוֹרְחוֹי דְּקוּדְשָׁא בְּרִיךְ הוּא, עֲלַיְיהוּ כְּתִיב, כִּי עַם קָדוֹשׁ אַתָּה לַיְיָ' אֱלֹהֶיךָ וּבְךָ בָּחַר יְיָ' וגו'.

תרפא. יִשָּׂשכָר חֲמוֹר גָּרֶם רוֹבֵץ בֵּין הַמִּשְׁפְּתָיִם. אָמַר רִבִּי אֶלְעָזָר, וְכִי יִשָּׂשכָר חֲמוֹר אִקְרֵי. אִי בְּגִין דְּאִשְׁתַּדַּל בְּאוֹרַיְיתָא, נִקְרְיֵיהּ לֵיהּ סוּס אוֹ אַרְיֵה, אוֹ נָמֵר, אַמַּאי חֲמוֹר. אֶלָּא אָמְרוּ, בְּגִין דַּחֲמוֹר נָטִיל מְטוּלָא, וְלָא בָּעֵיט בְּמָארֵיהּ כִּשְׁאָר בְּעִירֵי, וְלָא אִית בֵּיהּ גַּסּוּת הָרוּחַ, וְלָא חָיֵישׁ לְמִשְׁכַּב בַּאֲתַר מִתְתַּקַּן. אוּף הָכֵי יִשָּׂשכָר, דְּאִשְׁתַּדְּלוּתֵיהּ בְּאוֹרַיְיתָא, נָטִיל מְטוּלָא דְּאוֹרַיְיתָא, וְלָא בָּעֵיט בֵּיהּ בְּקוּדְשָׁא בְּרִיךְ הוּא, וְלָא אִית בֵּיהּ גַּסּוּת הָרוּחַ, כַּחֲמוֹר, דְּלָא חָיֵישׁ לִיקָרָא דִּילֵיהּ, אֶלָּא לִיקָרָא דְּמָרֵיהּ. רוֹבֵץ בֵּין הַמִּשְׁפְּתָיִם, כִּדְאַמְרִינָן וְעַל הָאָרֶץ תִּישַׁן, וְחַיֵּי צַעַר תִּחְיֶה, וּבַתּוֹרָה אַתָּה עָמֵל.

תרפב. ד"א יִשָּׂשכָר חֲמוֹר גָּרֶם רוֹבֵץ וגו'. פָּתַח וְאָמַר, לְדָוִד ה' אוֹרִי וְיִשְׁעִי מִמִּי אִירָא יְיָ' מָעוֹז חַיַּי מִמִּי אֶפְחָד, כַּמָּה חֲבִיבִין אִינּוּן מִלִּין דְּאוֹרַיְיתָא, כַּמָּה חֲבִיבִין אִינּוּן דְּמִשְׁתַּדְּלֵי בְּאוֹרַיְיתָא, קַמֵּי קוּדְשָׁא בְּרִיךְ הוּא, דְּכָל מַאן דְּאִשְׁתַּדַּל בְּאוֹרַיְיתָא, לָא דָּחִיל מִפִּגְעֵי עָלְמָא, נָטִיר הוּא לְעֵילָּא, נָטִיר הוּא לְתַתָּא. וְלָא עוֹד, אֶלָּא דְּכָפִית לְכָל פִּגְעֵי דְּעָלְמָא,

וְאַחֲזִית לוֹן לְעוּמְקֵי דִּתְהוֹמָא רַבָּא.

תרפג. תָּא חֲזֵי, בְּשַׁעְתָּא דְּעָאל לֵילְיָא, פְּתוּחִין סְתִימִין, וְכַלְבֵּי וַחֲמָרֵי שָׁרְיָין וְשָׁטָאן בְּעָלְמָא, וְאִתְיְיהִיבַת רְשׁוּ לְחַבָּלָא, וְכָל בְּנֵי עָלְמָא נַיְימֵי בְּעַרְסַיְיהוּ, וְנִשְׁמָתְהוֹן דְּצַדִּיקַיָּיא סָלְקִין לְאִתְעַנְּגָא לְעֵילָא. כַּד אִתְּעַר רוּחַ צָפוֹן, וְאִתְפְּלִיג לֵילְיָא, אִתְעֲרוּתָא קַדִּישָׁא אִתְּעַר בְּעָלְמָא, וְאִתְּמַר בְּכַמָּה דּוּכְתֵּי.

תרפד. זַכָּאָה חוּלָקֵיהּ דְּהַהוּא ב"נ, דְּאִיהוּ קָאִים בְּהַהִיא שַׁעְתָּא, וְאִשְׁתַּדַּל בְּאוֹרַיְיתָא, כֵּיוָן דְּאִיהוּ פָּתַח בְּאוֹרַיְיתָא, כָּל אִינּוּן זִינִין בִּישִׁין אָעֵיל לוֹן בְּנוּקְבֵי דִּתְהוֹמָא רַבָּה, וְכָפֵית לֵיהּ לַחֲמוֹר, וְנָחֵית לֵיהּ בְּטַפְסְרֵי דִּתְחוֹת עַפְרָא, דְּחוֹהֲמֵי קִסְרָא.

תרפה. בְּגִינֵי כָּךְ, יִשָּׂשכָר, דְּאִשְׁתַּדְּלוּתֵיהּ בְּאוֹרַיְיתָא, כָּפֵית לֵיהּ לַחֲמוֹר, וְנָחֵית לֵיהּ. מֵהַהוּא גֶּרֶם הַמַּעֲלוֹת, דְּאִיהוּ סָלֵיק לְנִזְקָא עָלְמָא, וְשַׁוֵּי מָדוֹרֵיהּ בֵּין הַמִּשְׁפְּתָיִם, בֵּין חוֹהֲמֵי דְּטַפְסְרֵי דְּעַפְרָא.

תרפו. תָּא חֲזֵי, מַה כְּתִיב, וַיַּרְא מְנֻחָה כִּי טוֹב וְאֶת הָאָרֶץ כִּי נָעֵמָה וַיֵּט שִׁכְמוֹ לִסְבּוֹל וַיְהִי לְמַס עוֹבֵד. וַיַּרְא מְנֻחָה כִּי טוֹב, דָּא תּוֹרָה שֶׁבִּכְתָב. וְאֶת הָאָרֶץ כִּי נָעֵמָה, דָּא תּוֹרָה שֶׁבְּעַ"פ. וַיֵּט שִׁכְמוֹ לִסְבּוֹל, לְמִסְבַּל עוּלָא דְּאוֹרַיְיתָא, וּלְדַבְקָא בָּהּ יוֹמֵי וְלֵילֵי. וַיְהִי לְמַס עוֹבֵד, לְמֶהֱוֵי פָּלַח לְקוּדְשָׁא בְּרִיךְ הוּא, וּלְאִתְדַּבְּקָא בֵּיהּ, וּלְאַתָּשָׁא גַּרְמֵיהּ בָּהּ.

תרפז. ר"ש וְר' יוֹסֵי וְר' חִיָּיא, הֲווֹ קָא אָזְלֵי מִגָּלִילָא עִלָּאָה לִטְבֶרְיָה, אר"ש, נֵיהַךְ וְנִשְׁתַּדַּל בְּאוֹרַיְיתָא, דְּכָל מַאן דְּיָדַע לְאִשְׁתַּדְּלָא בְּאוֹרַיְיתָא, וְלָא אִשְׁתַּדַּל, אִתְחַיָּיב בְּנַפְשֵׁיהּ. וְלָא עוֹד אֶלָּא דְּיַהֲבִין לֵיהּ עוּלָא דְּאַרְעָא, וְשַׁעְבּוּדָא בִּישָׁא, דִּכְתִיב בְּיִשָּׂשכָר, וַיֵּט שִׁכְמוֹ לִסְבּוֹל, מַהוּ וַיֵּט, סָטָא. כְּד"א וַיִּטּוּ אַחֲרֵי הַבָּצַע. מַאן דְּסָטָא אָרְחֵיהּ וְגַרְמֵיהּ, דְּלָא לְמִסְבַּל עוּלָא דְּאוֹרַיְיתָא, מִיָּד וַיְהִי לְמַס עוֹבֵד.

תרפח. פָּתַח ר"ש וַאֲמַר, לְהַנְחִיל אוֹהֲבַי יֵשׁ וְאוֹצְרוֹתֵיהֶם אֲמַלֵּא. זַכָּאִין אִינּוּן בְּנֵי עָלְמָא, אִינּוּן דְּמִשְׁתַּדְּלֵי בְּאוֹרַיְיתָא, דְּכָל מַאן דְּאִשְׁתַּדַּל בְּאוֹרַיְיתָא, אִתְרְחִים לְעֵילָא, וְאִתְרְחִים לְתַתָּא, וְאַחְסִין בְּכָל יוֹמָא, יְרוּתָא דְּעָלְמָא דְּאָתֵי, הה"ד, לְהַנְחִיל אוֹהֲבַי יֵשׁ. מַאי יֵשׁ. דָּא עָלְמָא דְּאָתֵי דְּלָא פָּסַק מֵימוֹי לְעָלְמִין, וְנָטִיל אֲגַר טַב עִלָּאָה, דְּלָא זָכֵי בֵּיהּ ב"נ אָחֳרָא, וּמַאי אִיהוּ. י"ש. וּבְגִינֵי כָּךְ, רָמִיז לָן שְׁמָא דְּיִשָּׂשכָר דְּאִשְׁתַּדַּל בְּאוֹרַיְיתָא, יֵשׁ שָׂכָר. דָּא הוּא אַגְרָא דְּאִינּוּן דְּמִשְׁתַּדְּלֵי בְּאוֹרַיְיתָא, י"ש.

תרפט. כְּתִיב חָזֵה הֲוֵית עַד דִּי כָרְסָוָן רְמִיו וְעַתִּיק יוֹמִין יְתִיב וגו' חָזֵה הֲוֵית עַד דִּי כָרְסָוָן רְמִיו, כַּד אִתְחֲרַב בֵּי מַקְדְּשָׁא, תְּרֵי כָרְסָוָן נָפְלוּ, תְּרֵי לְעֵילָא, תְּרֵי לְתַתָּא. תְּרֵי לְעֵילָא, בְּגִין דְּאִתְרְחִיקַת תַּתָּאָה מֵעִלָּאָה, כָּרְסַיָּיא דְּיַעֲקֹב אִתְרְחִיקַת מִכָּרְסַיָּיא דְּדָוִד. וְכָרְסַיָּיא דְּדָוִד נָפְלַת, הה"ד הִשְׁלִיךְ מִשָּׁמַיִם אֶרֶץ. תְּרֵי כָרְסָוָן לְתַתָּא: יְרוּשָׁלַיִם, וְאִינּוּן מָארֵי דְּאוֹרַיְיתָא. וְכָרְסָוָן דִּלְתַתָּא כְּגַוְונָא דְּכָרְסָוָן דִּלְעֵילָא, מָרֵיהוֹן דְּאוֹרַיְיתָא הַיְינוּ כָּרְסַיָּיא דְּיַעֲקֹב. יְרוּשָׁלַיִם הַיְינוּ כָּרְסַיָּיא דְּדָוִד, וְעַל דָּא כְּתִיב, עַד דִּי כָרְסָוָן, וְלָא כָּרְסְיָא. כָּרְסָוָן סַגִּיאִין נָפְלוּ, וְכֻלְּהוּ לָא נָפְלוּ, אֶלָּא מֵעֶלְבּוֹנָהּ דְּאוֹרַיְיתָא.

תרצ. תָּא חֲזֵי, כַּד אִינּוּן זַכָּאֵי קְשׁוֹט מִשְׁתַּדְּלֵי בְּאוֹרַיְיתָא, כָּל אִינּוּן תּוּקְפִּין דִּשְׁאָר עַמִּין, דִּשְׁאָר חֵילִין, וְכָל חֵילִין דִּלְהוֹן, אִתְכַּפְיָין, וְלָא שָׁלְטֵי בְּעָלְמָא, וְיִשְׂרָאֵל אִזְדַּמַּן עֲלַיְיהוּ לְסַלְקָא לוֹן עַל כֹּלָּא, וְאִי לָא, חֲמוֹר גָּרְמָא לוֹן לְיִשְׂרָאֵל לְמֵיהַךְ בְּגָלוּתָא, וּלְמִנְפַּל בֵּינֵי עַמְמַיָּא, וּלְמִשְׁלַט עֲלַיְיהוּ. וְכָל דָּא אַמַּאי, בְּגִין וַיַּרְא מְנוּחָה כִּי טוֹב, וּמִתַּקְנָא קַמֵּיהּ, וְיָכֵיל לְמִרְוַוח בְּגִינָהּ כַּמָּה טָבִין וְכַמָּה כְּסוּפִין, וְסָטָא אוֹרְחֵיהּ דְּלָא לְמִסְבַּל עוּלָא דְּאוֹרַיְיתָא,

בג"כ ויהי למס עובד.

תרצא. כתיב הדודאים נתנו ריח ועל פתחינו כל מגדים חדשים גם ישנים וגו'. הדודאים נתנו ריח, אלין אינון דאשכח ראובן. כד"א, וימצא דודאים בשדה, ולא אתחדשן מלי דאורייתא, אלא על ידוי בישראל, כד"א ומבני יששכר יודעי בינה לעתים וגו'.

תרצב. ועל פתחינו כל מגדים, אינון גרמו למהוי על פתחינו, על פתחי בתי כנסיות ובתי מדרשות, כל מגדים. חדשים גם ישנים, כמה מלי חדתאן ועתיקין דאורייתא, דאתגליין על ידייהו, לקרבא לישראל לאבוהון דלעילא, הדא הוא דכתיב לדעת מה יעשה ישראל.

תרצג. דודי צפנתי לך, מהכא אוליפנא כל מאן דאשתדל באורייתא כדקא יאות, וידע למחדי מלין, ולחדתותי מלין כדקא יאות, אינון מלין סלקין עד כרסייא דמלכא, וכנסת ישראל פתח לון תרעין, וגניז לון. ובשעתא דעאל קודשא בריך הוא לאשתעשעא עם צדיקייא בגנתא דעדן, אפיקת לון קמיה, וקודשא בריך הוא מסתכל בהו וחדי, כדין קודשא בריך הוא מתעטר בעטרין עלאין, וחדי במטרוניתא, הה"ד, חדשים גם ישנים דודי צפנתי לך. ומההיא שעתא, מלוי כתיבין בספרא, הדא הוא דכתיב, ויכתב ספר זכרון לפניו.

תרצד. זכאה חולקיה, מאן דאשתדל באורייתא כדקא יאות, זכאה הוא בהאי עלמא, וזכאה הוא בעלמא דאתי. עד הכא שולטנותא דיהודה, דרועא דאתכליל בכלא, בחילא דכל סטרין, תלת קשרין דדרועא, לאתגברא על כלא.

תרצה. דן ידין עמו כאחד שבטי ישראל. רבי חייא אמר, האי קרא הכי אית ליה למימר, דן ידין לשבטי ישראל, או דן ידין לשבטי ישראל כאחד, מהו דן ידין עמו. ולבתר כאחד שבטי ישראל.

תרצו. אלא דן, הוא דכתיב ביה, מאסף לכל המחנות, דהוא ירכא שמאלא, ואזיל לבתרייתא. תא חזי כיון דיהודה וראובן נטלין, ליואי וארונא פרשין דגלין, ונטיל דגלא דאפרים דאיהו למערב, ירכא ימינא נטיל, בקפסירי קסטא. ואי תימא, זבולן דאיהו עאל, ונפיק, דכתיב ביה, שמח זבולן בצאתך, וכתיב וירכתו וגו'. אלא ודאי, יהודה אתכליל מכלא.

תרצז. תא חזי, מלכו דלעילא אתכליל מכלא, ויהודה איהו מלכו תתאה. כמה דמלכו עלאה אתכליל מכלא, הכי נמי מלכו תתאה, אתכליל מכלא, מגופא מירכא, בגין לאתגברא בתוקפיה.

תרצח. כתיב מימינ"ו א"ש ד"ת למו, אורייתא מסטרא דגבורה אתייהיב, וגבורה אתכליל בימינא, ובגופא, וירכא, ובכלא. הכי נמי סדרא קדמאה, יהודה איהו, מלכו דאתי מסטר גבורה, ואתכליל בימינא, בגופא, ובירכא, בכלא אתכליל. כמה דמלכו דלעילא, אתכליל מכלא.

תרצט. סדרא תניינא ראובן, דאיהו לסטר דרום, ודרום איהו ימינא, וכל חילא דימינא, יהודה נטיל ליה, בגין דראובן אתעביר מניה מלכו, כד"א פחז כמים אל תותר, ונטיל ליה יהודה, ואתגבר בתוקפא דימינא, דהוה מראובן, וכן כתיב בדוד, נאם יי' לאדני שב לימיני. בגין דשמאלא אתכליל בימינא, ואתתקף בחיליה, הה"ד, ימין יי'

עוֹשֶׂה וְזִיל וגו'. יְהוּדָה וּרְאוּבֵן תְּרֵין דְּרוֹעִין הֲווֹ.

תשׁ. סִדְרָא תְּלִיתָאָה, אֶפְרַיִם, דְּאִיהוּ יַרְכָא יְמִינָא, וְנָטְלָא קַמֵּי שְׂמָאלָא תָּדִיר, וְדָן דְּאִיהוּ יַרְכָא שְׂמָאלָא, נָטִיל לְבַתְרַיְיתָא, וְעַל דָּא הוּא הַמְאַסֵּף לְכָל הַמַּחֲנוֹת לְצִבְאוֹתָם, וְאָזִיל לְבַתְרַיְיתָא.

תשׁא. יְהוּדָה נָטִיל וְחֵילָא בִּתְרֵין דְּרוֹעִין, בְּגִין דִּרְאוּבֵן דְּאִיהוּ יְמִינָא, אִתְאֲבִיד מִנֵּיהּ בְּכֵירוּתָא כְּהוּנָּתָא וּמַלְכוּתָא, וְעַל דָּא כְּתִיב בִּיהוּדָה, יָדָיו רָב לוֹ וְעֵזֶר מִצָּרָיו תִּהְיֶה.

תשׁב. תָּא חֲזֵי, כְּתִיב וַיַּעַשׂ הַמֶּלֶךְ שְׁלֹמֹה כִּסֵּא שֵׁן גָּדוֹל. כָּרְסְיָיא דִּשְׁלֹמֹה, עָבַד לֵיהּ כְּגַוְונָא דִּלְעֵילָּא, וְכָל דְּיוֹקְנִין דִּלְעֵילָּא עָבַד הָכָא. וְעַל דָּא כְּתִיב, וַיֵּשֶׁב שְׁלֹמֹה עַל כִּסֵּא ה' לְמֶלֶךְ, מֶלֶךְ מִלָּה סְתִימָא הוּא. וְכֵן וּשְׁלֹמֹה יָשַׁב עַל כִּסֵּא דָּוִד אָבִיו וַתִּכֹּן מַלְכוּתוֹ מְאֹד, דְּקַיְימָא סִיהֲרָא בְּאַשְׁלָמוּתָא.

תשׁג. דָּן יָדִין עַמּוֹ בְּקַדְמֵיתָא, וּלְבָתַר שִׁבְטֵי יִשְׂרָאֵל כְּאֶחָד: כְּיִחוּדוֹ שֶׁל עוֹלָם כְּמָה דַּהֲוָה בְּשִׁמְשׁוֹן, דְּאִיהוּ יְחִידָאי עָבֵיד דִּינָא בְּעָלְמָא, וְדָאִין וְקָטִיל כַּחֲדָא, וְלָא אִצְטְרִיךְ סֶמֶךְ.

תשׁד. דָּן יָדִין עַמּוֹ. ר' יִצְחָק אָמַר, דָּן, הַיְינוּ חִוְיָא, כָּמִין עַל אוֹרְחִין וּשְׁבִילִין. וְאִי תֵּימָא דְּעַל שִׁמְשׁוֹן בִּלְחוֹדוֹי הוּא. אוּף הָכֵי נָמֵי לְעֵילָּא, דָּא הוּא נָחָשׁ זוּטָא מְאַסֵּף לְכָל הַמַּחֲנוֹת, וְכָמִין לְאוֹרְחִין וּשְׁבִילִין. לְבָתַר, חֵילִין וּמַשִּׁרְיָין מֵהָכָא נָפְקֵי, אִינּוּן דְּכַמְאָן לִבְנֵי נָשָׁא, עַל חוֹבִין, דְּרָאמִין לְהוּ לַאֲחוֹרָא, בָּתַר כַּתְפַּיְיהוּ. אָמַר רִבִּי חִיָּיא, נָחָשׁ הַקַּדְמוֹנִי לְעֵילָּא, עַד דְּלָא יִתְבַּסַּם בְּחוּמְרָא דְּחֶידוּ.

תשׁה. נָחָשׁ עֲלֵי דֶרֶךְ. תָּא חֲזֵי, כְּמָה דְּאִית דֶּרֶךְ לְעֵילָּא, הָכֵי נָמֵי אִית דֶּרֶךְ לְתַתָּא, וּמִתְפָּרְשָׁא יַמָּא, לְכַמָּה אוֹרְחִין בְּכָל סְטַר. וְאִית אוֹרְחָא חַד, דְּאָתֵי וְאַסְגֵּי יַמָּא, וְרַבֵּי נוּנִין בִּישִׁין לִזְנַיְיהוּ, כְּמָה דְּאַפִּיקוּ מַיִין לְתַתָּא, נוּנִין טָבִין, נוּנִין בִּישִׁין, נוּנֵי עוּרְדְעָנַיָּא, כְּגַוְונָא דָּא, נוּנִין בִּישִׁין לִזְנַיְיהוּ.

תשׁו. וְכַד מִשְׁתַּמְּשֵׁי מֵאָרְחָא דְּיַמָּא, אִתְחֲזוּן רַכְבִין עַל סוּסַיְיהוּ. וְאִלְמָלֵא דְּהַאי חִוְיָא, דְּאִיהוּ כָּנֵישׁ לְכָל מַשִּׁרְיָין, כָּמִין לְסוֹף אָרְחִין, וּבָהַדַר לוֹן לַאֲחוֹרָא, הֲווֹ מְטַשְׁטְשֵׁי עָלְמָא. מִסִּטְרָא דְּהָנֵי נָפְקִין חַרְשִׁין לְעָלְמָא. תָּא חֲזֵי, בְּבִלְעָם כְּתִיב, וְלֹא הָלַךְ כְּפַעַם בְּפַעַם לִקְרַאת נְחָשִׁים, בְּגִין דְּאִינּוּן קַיְימִין לְלַחֲשָׁא בְּחַרְשֵׁי עָלְמָא.

תשׁז. וְחָמֵי מַה כְּתִיב, יְהִי דָן נָחָשׁ עֲלֵי דֶרֶךְ. מַאי עֲלֵי דֶרֶךְ. אֶלָּא נָחָשׁ, מַאן דְּאִשְׁתַּדַּל אֲבַתְרֵיהּ, אַכְחִישׁ פַּמַּלְיָא דִּלְעֵילָּא, וּמַאי אִיהוּ, הַהוּא דֶרֶךְ עִלָּאָה דְּנָפַק מִלְּעֵילָּא, כְּד"א הַנּוֹתֵן בַּיָּם דָּרֶךְ וגו'. נָחָשׁ, מַאן דְּאִשְׁתַּדַּל אֲבַתְרֵיהּ, כְּאִילוּ אָזֵיל עַל הַהוּא דֶרֶךְ עִלָּאָה לְאַכְחָשָׁא לֵיהּ, בְּגִין דְּמֵהַהוּא דֶרֶךְ, אִתְּזָנוּ עָלְמִין עִלָּאֵי.

תשׁח. וְאִי תֵּימָא, דָּן, אַמַּאי אִיהוּ בְּדַרְגָּא דָא, אֶלָּא כִּדְכְתִיב, וְאֵת לַהַט הַחֶרֶב הַמִּתְהַפֶּכֶת לִשְׁמוֹר אֶת דֶּרֶךְ עֵץ הַחַיִּים, הָכֵי נָמֵי הַנּוֹשֵׁךְ עִקְּבֵי סוּס וגו', בְּגִין לְנַטְרָא לֵיהּ לְכָל מַשִּׁרְיָין. אָמַר רִבִּי אֶלְעָזָר, תִּקּוּנָא דְּכוּרְסְיָיא אִיהוּ, תָּא חֲזֵי, כָּרְסְיָיא דִּשְׁלֹמֹה מַלְכָּא, חַד חִוְיָא מְרַפְרֵף, בְּקִטּוּרֵי שַׁרְבִיטָא לְעֵילָּא מֵאַרְיָוָתָא.

תשׁט. כְּתִיב וַתָּחֶל רוּחַ ה' לְפַעֲמוֹ בְּמַחֲנֵה דָן וגו'. תָּא חֲזֵי, שִׁמְשׁוֹן נְזִיר עוֹלָם הֲוָה, וּפָרֵישׁ עָלְמָא אִיהוּ, וְאִתְגַּבַּר בֵּיהּ חֵילָא תַּקִּיפָא, וְהוּא הֲוָה חִוְיָא בְּהַאי עָלְמָא, לְקַבֵּל עַמִּין עכו"ם, דְּהָא אַחְסָנַת חוּלָקָא דְּבִרְכְתָא דְּדָן אֲבוּהִי יָרִית, דִּכְתִיב יְהִי דָן נָחָשׁ עֲלֵי דֶרֶךְ וגו'.

תשׁי. אָמַר ר' חִיָּיא, נָחָשׁ יְדִיעָא, שְׁפִיפוֹן מַאי נִיהוּ. א"ל, רָזָא דְּתִקּוּנָא דְּחַרְשִׁין, דְּנָחָשׁ

איהו שפיפון, הכי נמי ההוא רשע דבלעם, בכלא הוה ידע. תא חזי, כתיב וילך שפי, לזמנין בהאי, ולזמנין בהאי.

תשי״א. ואי תימא דן, לאו דרגיה בהאי. הכי הוא ודאי, אלא אתמנא על דרגא דא, למהוי סטרא בתרייתא, ושבחא איהו דיליה, ממנן דמלכא בהאי, וממנא על האי, ויקרא איהו לכל אינון ממנין. וכרסייא דמלכא, בכל אינון ממנן אתתקן, בכל הני ממנן תחותייהו מתפרשן אורחין ודרגין, הן לטב, הן לביש, וכלהו אתאחדן בהני תקוני דכרסייא, ובגיני כך דן לסטר צפון, בנוקבא דתהומא רבא, דסטר צפון כמה חבילי טריקין אזדמנן תמן, וכלהו טפסירא דקסטרא לאבאשא עלמא.

תשי״ב. בגיני כך צלי יעקב ואמר, לישועתך קויתי ה׳. בכל שבטים לא קאמר לישועתך אלא בהאי. בגין דחמא ליה תוקפא תקיפא דחויא, מרחשא דינא לאתגברא.

תשי״ג. ר׳ יוסי ור׳ חזקיה, הוו אזלי למחמי לר״ש בקפוטקיא, אמר רבי חזקיה, האי דאמרינן לעולם יסדר בר נש שבחא דמריה, ולבתר יצלי צלותיה, האי מאן דלביה טריד, ובעי לצלאה צלותיה, ואיהו בעקו, ולא יכיל לסדרא שבחא דמריה כדקא יאות, מאי הוא.

תשי״ד. א״ל, אע״ג דלא יכיל לכוונא לבא ורעותא, סדורא ושבחא דמריה אמאי גרע, אלא יסדר שבחיה דמאריה, אע״ג דלא יכיל לכוונא, ויצלי צלותיה. הה״ד תפלה לדוד שמעה ה׳ צדק הקשיבה רנתי, שמעה ה׳ צדק בקדמיתא, בגין דאיהו סדורא דשבחא דמריה. ולבתר הקשיבה רנתי האזינה תפלתי. מאן דיכיל לסדרא שבחא דמריה, ולא עביד, עליה כתיב, גם כי תרבו תפלה אינני שומע ידיכם וגו׳.

תשט״ו. כתיב את הכבש האחד תעשה בבקר ואת הכבש השני תעשה בין הערבים. תפלות כנגד תמידין תקנום. תא חזי, באתערותא דלתתא, אתער הכי נמי לעילא, ובאתערותא דלעילא, הכי נמי לעילא מניה, עד דמטי אתערותא לאתר דבעיא בוצינא לאדלקא ואדליק, ובאתערותא דתננא דלתתא, אדליק בוצינא לעילא, וכד האי אדליק, כלהו בוצינין אחרנין דלקין, ומתברכאן מניה כלהו עלמין. אשתכח, דאתערותא דקרבנא תקונא דעלמא, וברכאן דעלמין כלהו.

תשט״ז. הא כיצד, שארי תננא לסלקא, אינון דיוקנין קדישין דממנן על עלמא אתתקנן לאתערא, ומתערין לדרגין בכסופא דלעילא, כד״א הכפירים שואגים לטרף וגו׳. אלין אתערין לדרגין עלאין דעלייהו, עד דמטי אתערותא, עד דבעי מלכא לאתחברא במטרוניתא.

תשי״ז. ובכסופא דלתתא, נבעין מיין תתאין, לקבלא מיין עלאין, דהא לא נבעין מיין עלאין, אלא באתערותא דכסופא דלתתא, וכדין תיאובתא אתדבק, ונבעין מיין תתאין לקבל מיין עלאין, ועלמין מתברכאן, ובוצינין כלהו דליקן, ועלאין ותתאין משתכחי בברכאן.

תשי״ח. תא חזי , כהני וליואי, מתערי לאתחברא שמאלא בימינא. אמר ר׳ חזקיה, כלא הכי הוא ודאי, אבל הכי שמענא, כהני וליואי, דא אתער שמאלא, ודא אתער ימינא, בגין דאתחברותא דדכורא לגבי נוקבא, לאו איהו אלא בשמאלא וימינא, כד״א שמאלו תחת לראשי וימינו תחבקני. וכדין אתחבר דכר בנוקבא, ותיאובתא אשתכח, ועלמין מתברכין, ועלאי ותתאי בחידו.

תשי״ט. ועל דא, כהני וליואי, מתערי מלה לתתא, לאתערא כסופא וחביבותא לעילא,

דְּכֹלָּא תַּלְיָא בִּימִינָא וּשְׂמָאלָא, אִשְׁתַּכַּח דְּקָרְבְּנָא יְסוֹדָא דְעָלְמָא, תִּקּוּנָא דְעַלְמָא, וְחֵידוּ דְעִלָּאִין וְתַתָּאִין. אֲמַר ר' יוֹסֵי וַדַּאי שַׁפִּיר קָא אֲמַרְתְּ, וְהָכֵי הוּא, וְהָכֵי שְׁמַעְנָא מִלָּה, וְאַנְשִׁינָא לָהּ, וַאֲנָא שְׁמַעְנָא הָא, וְכֹלָּא בְּחַד סַלְקָא.

תשכ. הַשְׁתָּא צְלוֹתָא בַּאֲתַר דְּקָרְבְּנָא, וּבָעֵי ב"נ לְסַדְּרָא שְׁבָחָא דְמָרֵיהּ כִּדְקָא יָאוּת, וְאִי לָא יְסַדַּר, לָאו צְלוֹתֵיהּ צְלוֹתָא. תָּא חֲזֵי סְדוּרָא שְׁלִים דִּשְׁבָחָא דְקוּדְשָׁא בְּרִיךְ הוּא, מַאן דְּיָדַע לְיַחֲדָא שְׁמָא קַדִּישָׁא כִּדְקָא יָאוּת, דִּבְהַאי מִתְעָרִין עִלָּאִין וְתַתָּאִין, וְנַגְדֵּי בִּרְכָאן לְכֻלְּהוּ עָלְמִין.

תשכא. א"ר חִזְקִיָּה, לָא אַשְׁרֵי קוּדְשָׁא בְּרִיךְ הוּא לְיִשְׂרָאֵל בְּגָלוּתָא בֵּינֵי עַמְמַיָּא, אֶלָּא בְּגִין דְּיִתְבָּרְכוּן שְׁאָר עַמִּין בְּגִינֵיהוֹן, דְּהָא אִינוּן נַגְדִּין בִּרְכָאן מִלְעֵילָא לְתַתָּא כָּל יוֹמָא.

תשכב. אֲזָלוּ, עַד דַּהֲווּ אָזְלֵי, חָמוּ חַד חִוְיָא דַּהֲוָה קָמִסְתַּחַר בְּאָרְחָא. סָטוּ מֵאָרְחָא. אָתָא ב"נ אָחֳרָא לְגַבַּיְיהוּ, קָטֵיל לֵיהּ חִוְיָא. אַהַדְרוּ רֵישַׁיְיהוּ, וְחָמוּ לֵיהּ, לְהַהוּא ב"נ דְמִית. אָמְרוּ, וַדַּאי הַהוּא נָחָשׁ, שְׁלִיחוּתָא דְמָרֵיהּ קָא עָבִיד. בְּרִיךְ רַחֲמָנָא דְשֵׁיזְבִינָנָא.

תשכג. פָּתַח רִבִּי יוֹסֵי וַאֲמַר, יְהִי דָן נָחָשׁ עֲלֵי דֶרֶךְ. אֵימָתַי הֲוָה דָן נָחָשׁ, בְּיוֹמוֹי דְיָרָבְעָם, דִּכְתִיב וְאֶת הָאֶחָד נָתַן בְּדָן אַמַּאי אִתְיְיהִיב תַּמָּן עֲלֵי דֶרֶךְ. עַל הַהוּא אָרַח, דְּיִתְמְנַע דְּלָא יִסְלְקוּן לִירוּשָׁלַםִ. וְדָא דָן, הֲוָה לוֹן נָחָשׁ לְיִשְׂרָאֵל עֲלֵי דֶרֶךְ, עֲלֵי דֶרֶךְ וַדַּאי, כד"א וַיִּוָּעַץ הַמֶּלֶךְ וגו'. שְׁפִיפוֹן עֲלֵי אֹרַח. דְּעָקִיץ לוֹן לְיִשְׂרָאֵל. וְכֹלָּא לָא הֲוָה אֶלָּא עֲלֵי דֶרֶךְ, וַעֲלֵי אוֹרְחָא, לְאִתְמְנָעָא מִיִּשְׂרָאֵל דְּלָא יִסְלְקוּן לִירוּשָׁלַםִ, לְמֵיחַג חַגַּיְיהוּ, וּלְקָרְבָא קָרְבָּנִין וְעִלָּוָון, לְמִפְלַח תַּמָּן.

תשכד. תָּא חֲזֵי בְּשַׁעְתָּא דְמָטוּ בִּרְכָאן לִידָא דְמֹשֶׁה, לְבָרְכָא לְכֻלְּהוּ שְׁבָטִים, חָמָא לְדָן דַּהֲוָה קָטִיר בְּחִוְיָא, אַהֲדַר קָטַר לֵיהּ בְּאַרְיָא, הֲדָא הוּא דִכְתִיב וּלְדָן אָמַר דָּן גּוּר אַרְיֵה יְזַנֵּק מִן הַבָּשָׁן. מ"ט, בְּגִין דְּיְהֵא שֵׁירוּתָא וְסוֹפָא דְּד' דִּגְלִין קָטִיר בִּיהוּדָה דְאִיהוּ מַלְכָּא, כד"א, גּוּר אַרְיֵה יְהוּדָה, וְהוּא שֵׁירוּתָא דְּדִגְלִין, וְסוֹפָא דְּדִגְלִין דָּן, דִּכְתִיב דָּן גּוּר אַרְיֵה וגו', לְמֶהֱוֵי שֵׁירוּתָא וְסוֹפָא קָטִיר בְּחַד אֲתַר.

תשכה. לִישׁוּעָתְךָ קִוִּיתִי ה', רִבִּי חִיָּיא אֲמַר, כד"א וְהוּא יָחֵל לְהוֹשִׁיעַ אֶת יִשְׂרָאֵל מִיַּד פְּלִשְׁתִּים. אֲמַר ר' אַחָא, וְכִי אַמַּאי קִוִּיתִי וְהָא סָלִיק הֲוָה יַעֲקֹב מֵעַלְמָא בְּהַהוּא זִמְנָא מִכַּמָּה שְׁנִין, אַמַּאי אֲמַר דְּאִיהוּ מְחַכֶּה לְהַהוּא יְשׁוּעָה. אֶלָּא וַדַּאי רָזָא דְמִלָּה, כִּדְכְתִיב, וְהָיָה כַּאֲשֶׁר יָרִים מֹשֶׁה יָדוֹ וְגָבַר יִשְׂרָאֵל, יִשְׂרָאֵל סְתָם. אוּף הָכָא וְהוּא יָחֵל לְהוֹשִׁיעַ אֶת יִשְׂרָאֵל, יִשְׂרָאֵל סְתָם. בְּגִינֵי כָּךְ אֲמַר, לִישׁוּעָתְךָ קִוִּיתִי ה'. אֲמַר ר' חִיָּיא. וַדַּאי הָכֵי הוּא, וְשַׁפִּיר. זַכָּאָה חוּלָקֵהוֹן דְּצַדִּיקַיָּיא, דְּיָדְעֵי לְאִשְׁתַּדְּלָא בְּאוֹרַיְיתָא, לְמִזְכֵּי בָהּ לְחַיֵּין דִּלְעֵילָא. כד"א כִּי הִיא חַיֶּיךָ וְאוֹרֶךְ יָמֶיךָ לָשֶׁבֶת עַל הָאֲדָמָה וגו'.

תשכו. גָּד גְּדוּד יְגוּדֶנּוּ וְהוּא יָגוּד עָקֵב. רִבִּי יֵיסָא אֲמַר, מִגָּד אִשְׁתְּמַע, דְּהָא חֵילִין יִפְקוּן לַאֲגָחָא קְרָבָא, מַשְׁמַע דִּכְתִיב גָּד, בְּכָל אֲתַר גִּימ"ל דָּל"ת, חֵילִין וּמַשִּׁרְיָין נָפְקֵי מִנַּיְיהוּ. דְּהָא גִּימ"ל יָהִיב, וְדָל"ת לָקִיט. וּמֵהָכָא כַּמָּה חֵילִין, וְכַמָּה מַשִּׁרְיָין, תַּלְיָין בְּהוּ.

תשכז. תָּא חֲזֵי, הַהוּא נָהָר דְּנָגִיד וְנָפִיק מֵעֵדֶן, לָא פָּסְקִין מֵימוֹי לְעָלְמִין, וְהוּא אַשְׁלִים לְמִסְכְּנֵי, וְעַל דָּא, קַיְימֵי כַּמָּה חֵילִין, וְכַמָּה מַשִּׁרְיָין, וְאִתְזָנוּ מֵהָכָא. וְעַל דָּא גָּד, דָּא אַפִּיק וְיָהִיב, וְדָא לָקִיט וְנָקִיט, וְאִתְזַן בֵּיתָא, וְכָל אֲנָשֵׁי בֵּיתָא.

תשכח. א"ר יִצְחָק, אִלְמָלֵא דַּהֲוֵי גָּד מִבְּנֵי שְׁפָחוֹת, שַׁעְתָּא קַיְימָא לֵיהּ לְאַשְׁלָמָא יַתִּיר מִכֹּלָּא, הה"ד בָּא גָד קְרִי, וּכְתִיב בְּגָד חָסֵר אָלֶ"ף, דְּהָא שַׁעְתָּא קַיְימָא בִּשְׁלִימוּ, וְאִסְתַּלַּק

מִנֵּיהּ, הה"ד, אוּזֵי בְּגָדוֹ כְּמוֹ נָחַל, בְּגִין דְּהַהוּא נָהָר דְּנָגִיד, אִסְתַּלַּק בְּהַהִיא שַׁעְתָּא, וּכְתִיב בָּגָד וְחָסֵר אָלֶ"ף, וְעַל דָּא, לָא זָכָה בְּאַרְעָא קַדִּישָׁא וְאִסְתַּלַּק מִינָהּ.

תשכט. ר' יְהוּדָה אָמַר, מְנַיִן לִרְאוּבֵן דַּהֲוָה כְּהַאי גַּוְונָא, כְּדִכְתִיב פַּחַז כַּמַּיִם אַל תּוֹתַר דְּאִסְתַּלְּקוּ מַיִין, וְלָא נְגִידוּ, וְהָא אִתְּמַר בַּמֶּה אַפְגִּים. וְתַרְוַויְיהוּ לָא זָכוּ בְּאַרְעָא קַדִּישָׁא, וְאֵזִילִין וּמַשִׁירְיָין אַפִּיקוּ לְאַחְסָנָא לְהוּ לְיִשְׂרָאֵל אַרְעָא. תָּא חֲזֵי, מַה דְּאִתְפְּגִים בָּגָד, אִשְׁתְּלִים בְּאָשֵׁר, הה"ד מֵאָשֵׁר שְׁמֵנָה לַחְמוֹ וְהוּא יִתֵּן מַעֲדַנֵּי מֶלֶךְ. הַשְׁתָּא אַשְׁלִים גִּימ"ל לְדָלֶ"ת.

תשל. ר' אֶלְעָזָר וְרִבִּי אַבָּא, אִשְׁתְּמִיטוּ בִּמְעַרְתָּא דְּלוֹד, דְּעָאלוּ קַמֵּי תּוֹקְפָּא דְּשִׁמְשָׁא, דַּהֲווּ אָזְלֵי בְּאָרְחָא. אָמַר רִבִּי אַבָּא נַסְחַר הַאי מְעַרְתָּא בְּמִלֵּי דְּאוֹרַיְיתָא. פָּתַח ר' אֶלְעָזָר וְאָמַר, שִׂימֵנִי כַחוֹתָם עַל לִבֶּךָ כַּחוֹתָם עַל זְרוֹעֶךָ וְגו', רְשָׁפֶיהָ רִשְׁפֵּי אֵשׁ שַׁלְהֶבֶת יָהּ, הַאי קְרָא אִתְעַרְנָא בֵּיהּ, אֲבָל לֵילְיָא חַד הֲוָה, כַּד הֲוֵינָא קָאִים קַמֵּי אַבָּא, וְשָׁמַעְנָא מִנֵּיהּ מִלָּה, דְּלֵית שְׁלִימוּ וּרְעוּתָא וְכִסּוּפָא דִּכְנֶסֶת יִשְׂרָאֵל בְּקוּדְשָׁא בְּרִיךְ הוּא, אֶלָּא בְּנִשְׁמָתְהוֹן דְּצַדִּיקַיָּיא, דְּאִינּוּן מִתְעָרֵי נְבִיעוּ דְּמַיָּא תַּתָּאֵי, לְקַבְלֵי עִלָּאֵי, וּבְהַהִיא שַׁעְתָּא שְׁלִימוּ דִּרְעוּתָא וְכִסּוּפָא בִּדְבִיקוּ וְחָדָא, לְמֶעְבַּד פֵּירִין.

תשלא. תָּא חֲזֵי , בָּתַר דְּאִתְדַּבְּקוּ דָּא בְּדָא, וְהִיא קַבֵּילַת רְעוּתָא, הִיא אֲמָרַת שִׂימֵנִי כַחוֹתָם עַל לִבֶּךָ, אַמַּאי כַּחוֹתָם. אֶלָּא אָרְחֵיהּ דְּחוֹתָם, כֵּיוָן דְּאִתְדַּבַּק בַּאֲתַר חַד, אע"ג דְּאִתְעֲדֵי מִינֵּיהּ, הָא אִשְׁתָּאַר רְשִׁימוּ בְּהַהוּא אֲתַר, וְלָא אַעֲדֵי מִנֵּיהּ, דְּכָל רְשִׁימוּ, וְכָל דְּיוֹקְנָא דִּילֵיהּ, בֵּיהּ אִשְׁתָּאַר. כָּךְ אָמְרָה כְּנֶסֶת יִשְׂרָאֵל, הָא אִתְדַּבַּקְנָא בָּךְ, אע"ג דְּאִתְעֲדֵי מִינָּךְ וְאָזִיל בְּגָלוּתָא, שִׂימֵנִי כַחוֹתָם עַל לִבֶּךָ, בְּגִין דְּיִשְׁתָּאַר כָּל דְּיוֹקְנִי בָּךְ, כְּהַאי חוֹתָם דְּיִשְׁתָּאַר כָּל דְּיוֹקְנֵיהּ, בְּהַהוּא אֲתַר דְּאִתְדַּבַּק בֵּיהּ.

תשלב. כִּי עַזָּה כַמָּוֶת אַהֲבָה, תַּקִּיפָא הִיא, כְּפְרִישׁוּ דְּרוּחָא מִן גּוּפָא. דְּתָנֵינָן, בְּשַׁעְתָּא דְּב"נ מָטֵי לְאִסְתַּלָּקָא מִן עָלְמָא וְחָמֵי מַה דְּחָמֵי, רוּחָא אָזְלָא בְּכָל שַׁיְיפֵי דְּגוּפָא וְסָלֵיק גַּלְגַּלוֹי, כְּמַאן דְּאָזִיל בְּיַמָּא בְּלָא שַׁיְיטִין, סָלֵיק וְנָחֵית וְלָא מְהַנְיָא לֵיהּ, אָתָא וְאִשְׁתָּאֵיל מִכָּל שַׁיְיפֵי גּוּפָא, וְלֵית תַּקִּיפוּ כְּיוֹמָא דְּפָרִישׁ רוּחָא מִן גּוּפָא. כָּךְ תַּקִּיפוּ דִּרְחִימוּ דִּכְנ"י לְגַבֵּי קוּדְשָׁא בְּרִיךְ הוּא, כְּתַקִּיפוּ דְּמוֹתָא, בְּשַׁעְתָּא דְּבָעֵי רוּחָא לְאִתְפָּרְשָׁא מִן גּוּפָא.

תשלג. קָשָׁה כִשְׁאוֹל קִנְאָה, כָּל מַאן דְּרָחִים, וְלָא קָשִׁיר עִמֵּיהּ קִנְאָה, לָאו רְחִימוּתֵיהּ רְחִימוּתָא, כֵּיוָן דְּקַנֵּי, הָא רְחִימוּתָא אִשְׁתְּלִים. מִכָּאן אוֹלִיפְנָא דְּבָעֵי ב"נ לְקַנְּאָה לְאִנְתְּתֵיהּ, בְּגִין דְּיִתְקַשַּׁר עִמָּהּ רְחִימוּתָא שְׁלִים, דְּהָא מִגּוֹ כָּךְ לָא יָהֵיב עֵינוֹי בְּאִתְּתָא אָחֳרָא. מַהוּ קָשָׁה כִשְׁאוֹל. אֶלָּא, מַה שְׁאוֹל קַשְׁיָא בְּעֵינַיְיהוּ דְּחַיָּיבִין לְמֵיחַת בֵּיהּ, כָּךְ קִנְאָה קַשְׁיָא בְּעֵינַיְיהוּ דְּמַאן דְּרָחִים וְקַנֵּי, לְאִתְפָּרְשָׁא מֵרְחִימוּתָא.

תשלד. ד"א קָשָׁה כִשְׁאוֹל קִנְאָה, מַה שְׁאוֹל, בְּשַׁעְתָּא דְּנָחֲתִין לוֹן לְחַיָּיבַיָּא בֵּיהּ, מוֹדִיעִין לוֹן חוֹבַיְיהוּ עַל מַה נָחֲתִין לֵיהּ, וְקַשְׁיָא לְהוּ. כָּךְ, מַאן דְּקַנֵּי, הוּא תָּבַע עַל חוֹבֵיהּ, וְחָשֵׁיב כַּמָּה עוֹבָדִין, וּכְדֵין קְשׁוּרָא דִּרְחִימוּתָא אִתְקַשַּׁר בֵּיהּ.

תשלה. רְשָׁפֶיהָ רִשְׁפֵּי אֵשׁ שַׁלְהֶבֶת יָהּ, מַאן שַׁלְהֶבֶת יָהּ, דָּא שַׁלְהוֹבָא דְּאִתּוֹקְדָא וְנַפְקָא מִגּוֹ שׁוֹפָר, דְּאִיהוּ אִתְעַר וְאוֹקִיד, וּמַאן אִיהוּ, שְׂמָאלָא. הה"ד שְׂמֹאלוֹ תַּחַת לְרֹאשִׁי. דָּא אוֹקִיד שַׁלְהוֹבָא דִּרְחִימוּ דִּכְנֶסֶת יִשְׂרָאֵל, לְגַבֵּי קוּדְשָׁא בְּרִיךְ הוּא.

תשלו. וּבְגִינֵי כָּךְ, מַיִם רַבִּים לֹא יוּכְלוּ לְכַבּוֹת אֶת הָאַהֲבָה. דְּהָא כַּד אָתֵי יְמִינָא דְּאִיהוּ מַיִם, אוֹסִיף יְקִידוּ דִּרְחִימוּתָא, וְלָא כָּבֵי שַׁלְהוֹבָא דִּשְׂמָאלָא, כְּד"א וִימִינוֹ תְּחַבְּקֵנִי,

הַאי אִיהוּ מַיִם רַבִּים לֹא יוּכְלוּ לְכַבּוֹת אֶת הָאַהֲבָה, וְכֵן כֹּלָּא כְּהַאי גַּוְונָא.

תשלז. עַד דַּהֲוָה יָתִיב, שָׁמְעוּ קָלֵיהּ דְּרַבִּי שִׁמְעוֹן, דַּהֲוָה אָתֵי בְּאוֹרְחָא, הוּא וְרַבִּי יְהוּדָה וְרַבִּי יִצְחָק. קָרִיב לִמְעַרְתָּא, נָפְקוּ רַבִּי אֶלְעָזָר וְרַבִּי אַבָּא. אָמַר רַבִּי שִׁמְעוֹן, מִכּוֹתְלֵי דִּמְעַרְתָּא חֲמֵינָא, דִּשְׁכִינְתָּא הָכָא. יָתְבוּ. אָמַר ר׳ שִׁמְעוֹן בְּמַאי עַסְקִיתּוּ. אָמַר ר׳ אַבָּא, בִּרְחִימוּתָא דִּכְנֶסֶת יִשְׂרָאֵל לְגַבֵּי קוּדְשָׁא בְּרִיךְ הוּא, וְר״א פָּרִישׁ הַאי קְרָא בִּכְנֶסֶת יִשְׂרָאֵל, שִׂימֵנִי כַחוֹתָם עַל לִבֶּךָ וְגוֹ׳. אָמַר לֵיהּ, אֶלְעָזָר בִּרְחִימוּ עִלָּאָה וְקִשּׁוּרָא דַּחֲבִיבוּתָא אִסְתַּכַּלְתְּ.

תשלח. אִשְׁתִּיק רַבִּי שִׁמְעוֹן שַׁעְתָּא, אָמַר בְּכָל אֲתַר בְּעֵייָא שְׁתִיקוּ, בַּר שְׁתִיקוּ דְּאוֹרַיְיתָא. גְּנִיזָא חֲדָא אִית לִי גְּנִיזָא, וְלָא בָּעֵינָא דְּיִתְאֲבִיד מִנַּייכוּ, וְהִיא מִלָּה עִלָּאָה, וְאַשְׁכַּחְנָא לָהּ בְּסִפְרָא דְּרַב הַמְנוּנָא סָבָא.

תשלט. תָּא חֲזֵי, בְּכָל אֲתַר דְּכוּרָא רָדִיף בָּתַר נוּקְבָא, וְאִתְּעַר לְגַבָּהּ רְחִימוּתָא, וְהָכָא אַשְׁכַּחְנָא, דְּהִיא אִתְעָרַת רְחִימוּתָא וְרָדְפָה אֲבַתְרֵיהּ, וְאוֹרְחֵיהּ דְּעָלְמָא, דְּלֵית שְׁבָחָא דְּנוּקְבָא, לְמִרְדַּף בַּתְרֵיהּ דִּדְכוּרָא. אֶלָּא, מִלָּה סְתִימָא הִיא, וּמִלָּה עִלָּאָה דְּבֵי גִּנְזַיָּא דְּמַלְכָּא.

תשמ. תָּא חֲזֵי, תְּלַת נִשְׁמָתִין אִינּוּן, וְאִינּוּן סַלְקִין בְּדַרְגִּין עִלָּאִין יְדִיעָן, וְעַל דְּאִינּוּן תְּלָתָא אַרְבַּע אִינּוּן. חַד נִשְׁמְתָא עִלָּאָה דְּלָא אִתְּפַס, וְלָא אִתְּעַר בֵּיהּ גִּזְבָּרָא דִּקְרְטִיטָאָה עִלָּאָה, כָּל שֶׁכֵּן תַּתָּאָה. וְהַאי נִשְׁמְתָא לְכָל נִשְׁמָתִין, וְהוּא סָתִים, וְלָא אִתְגַּלְיָא לְעָלְמִין, וְלָא אִתְיְידַע, וְכֻלְּהוּ בֵּיהּ תַּלְיָין.

תשמא. וְהַאי אִתְעַטַּף בְּעִטּוּפָא דְּזִהֲרָא דְּכַרְמְלָא, בְּגוֹ זְהִירוּתָא וְנָטִיף טִפִּין טִפִּין מַרְגְּלָאן. וְאִתְקַשְּׁרוּ כֻּלְּהוּ כְּחַד, כְּקִשְׁרִין דְּשַׁיְיפֵי דְּגוּפָא חַד. וְהוּא אָעִיל בְּגַוַּויְיהוּ, וְאַחֲזֵי בְּהוּ עֲבִידְתֵּיהּ. הוּא וְאִינּוּן חַד הוּא, וְלֵית בְּהוּ פְּרִישׁוּ. הַאי נִשְׁמְתָא עִלָּאָה טְמִירוּ דְּכֹלָּא.

תשמב. נִשְׁמְתָא אָחֳרָא, נוּקְבָא דְּמִטַּמְּרָא בְּגוֹ חֵילָהָא, וְהִיא נִשְׁמְתָא לְהוֹן, וּמִנַּיְיהוּ אִתְיְדַע גּוּפָא, לְאַחֲזָאָה בְּהוּ עֲבִידְתָּא לְכָל עָלְמָא, כְּגוּפָא דְּאִיהוּ מָאנָא לְנִשְׁמְתָא, לְמֶעְבַּד בֵּיהּ עֲבִידְתָּא, וְאִלֵּין כְּגַוְונָא דְּאִינּוּן קִשְׁרִין טְמִירִין דִּלְעֵילָא.

תשמג. נִשְׁמְתָא אָחֳרָא, הִיא, נִשְׁמָתְהוֹן דְּצַדִּיקַיָּא לְתַתָּא. נִשְׁמָתְהוֹן דְּצַדִּיקַיָּא אַתְיָין מֵאִינּוּן נִשְׁמָתִין עִלָּאִין, מִנִּשְׁמְתָא דְּנוּקְבָא, וּמִנִּשְׁמְתָא דִּדְכוּרָא. וּבְגִין כָּךְ, נִשְׁמָתִין דְּצַדִּיקַיָּא עִלָּאִין, עַל כָּל אִינּוּן חֵילִין וּמַשִּׁרְיָין דִּלְעֵילָא.

תשמד. וְאִי תֵּימָא, הָא עִלָּאִין אִינּוּן מִתְּרֵין סִטְרִין, אַמַּאי נַחְתִּין לְהַאי עָלְמָא, וְאַמַּאי אִסְתַּלְּקוּ מִנֵּיהּ. לְמַלְכָּא דְּאִתְיְלִיד לֵיהּ בַּר, שַׁדַּר לֵיהּ לְחַד כְּפַר, לְמִרְבֵּי לֵיהּ, וּלְגַדְּלָא לֵיהּ, עַד דְּיִתְרַבֵּי, וְיוֹלְפוּן לֵיהּ אָרְחֵי דְּהֵיכְלָא דְּמַלְכָּא. שָׁמַע מַלְכָּא, דְּהָא בְּרֵיהּ רַב וְאִתְרַבֵּי. מַה עָבַד בִּרְחִימוּ דִּבְרֵיהּ, מְשַׁדַּר לָהּ לְמַטְרוֹנִיתָא אִמֵּיהּ בְּגִינֵיהּ, וְאָעִיל לְהֵיכְלֵיהּ, וְחָדֵי עִמֵּיהּ כָּל יוֹמָא.

תשמה. כַּךְ קוּדְשָׁא בְּרִיךְ הוּא, אוֹלִיד בַּר בְּמַטְרוֹנִיתָא, וּמַאי אִיהוּ נִשְׁמְתָא עִלָּאָה קַדִּישָׁא, שַׁדַּר לֵיהּ לִכְפַר, לְהַאי עָלְמָא, דְּיִתְרַבֵּי בֵּיהּ, וְיוֹלְפוּן לֵיהּ אוֹרְחֵי דְּהֵיכְלָא דְּמַלְכָּא, כֵּיוָן דְּיָדַע מַלְכָּא דְּהָא בְּרֵיהּ אִתְרַבֵּי בְּהַאי כְּפַר, וְעִדָּן הוּא לְמַיְיתֵי לֵיהּ לְהֵיכְלֵיהּ. עָבַד בִּרְחִימוּ דִּבְרֵיהּ, מְשַׁדַּר לְמַטְרוֹנִיתָא בְּגִינֵיהּ וְאָעִיל לֵיהּ לְהֵיכְלֵיהּ. נִשְׁמְתָא לָא סַלְקָא מֵהַאי עָלְמָא, עַד דְּאָתַת מַטְרוֹנִיתָא בְּגִינָהּ, וְאָעִילַת לָהּ בְּהֵיכְלָא דְּמַלְכָּא, וְיָתִיבַת תַּמָּן לְעָלְמִין.

תשמו. וְעִם כָּל דָּא, אוֹרְחָא דְּעָלְמָא, דְּאִינּוּן בְּנֵי כְּפַר, בָּכָאן עַל פְּרִישׁוּ דִּבְרֵיהּ

דְּמַלְכָּא מִנַּיְיהוּ. וְחַד פִּקּוּדָא הֲוָה תַּמָּן, אֲמַר לוֹן עַל מָה אַתּוּן בְּכָאן, וְכִי לָאו בְּרֵיהּ דְּמַלְכָּא אִיהוּ, וְלָא אִתְחֲזֵי לְמֵידַר יַתִּיר בֵּינַיְיכוּ, אֶלָּא בְּהֵיכְלָא דַּאֲבוֹי. כָּךְ מֹשֶׁה, דַּהֲוָה פִּקּוּדָא, וַחֲמָא בְּנֵי כְּפַר דַּהֲוָה בְּכָאן. עַל דָּא אֲמַר, בָּנִים אַתֶּם לַיְיָ' אֱלֹהֵיכֶם לֹא תִתְגֹּדְדוּ.

תשמז. תָּא חֲזֵי, אִילוּ הֲווֹ יָדְעִין כֻּלְּהוּ צַדִּיקַיָּיא הָאי, הֲווֹ חַדָאן הַהוּא יוֹמָא דְּמָטֵי לוֹן לְאִסְתַּלְּקָא מֵהַאי עָלְמָא, וְכִי לָאו יְקָרָא עִלָּאָה הוּא, דְּמַטְרוֹנִיתָא אָתַת בְּגִינַיְיהוּ, וּלְאוֹבָלָא לוֹן לְהֵיכָלָא לְמַלְכָּא, לְמֶחֱדֵי בְּהוּ מַלְכָּא כָּל יוֹמָא, דְּהָא קוּדְשָׁא בְּרִיךְ הוּא לָא אִשְׁתַּעְשַׁע אֶלָּא בְּנִשְׁמַתְהוֹן דְּצַדִּיקַיָּא.

תשמח. תָּא חֲזֵי, אִתְעֲרוּתָא דִּרְחִימוּ דכנ"י, לְגַבֵּי קוּדְשָׁא בְּרִיךְ הוּא, נִשְׁמַתְהוֹן דְּצַדִּיקַיָּא לְתַתָּא, מִתְעָרִין לָהּ, בְּגִין דְּאִינוּן אַתְיָין מִסִּטְרָא דְּמַלְכָּא, מִסִּטְרָא דִּדְכוּרָא, וְאִתְעֲרוּתָא דָּא מָטֵי לְנוּקְבָא מִסִּטְרָא דִּדְכוּרָא, וְאִתְעַר רְחִימוּתָא. אִשְׁתַּכַּח, דִּדְכוּרָא אִתְעַר חֲבִיבוּ וּרְחִימוּתָא לְנוּקְבָא, וּכְדֵין נוּקְבָא אִתְקַשְּׁרַת בִּרְחִימוּתָא, לְגַבֵּי דְּכוּרָא.

תשמט. כְּהַאי גַּוְונָא, תֵּיאוּבְתָּא דְּנוּקְבָא, לְמֶשְׁדֵּי מַיִין תַּתָּאִין לְקָבֵל מַיִין עִלָּאִין, לָאו אִיהוּ, אֶלָּא בְּנִשְׁמַתְהוֹן דְּצַדִּיקַיָּא. זַכָּאִין אִינוּן צַדִּיקַיָּא בְּהַאי עָלְמָא, וּבְעָלְמָא דְּאָתֵי, דַּעֲלַיְיהוּ קַיְימִין עִלָּאִין וְתַתָּאִין. וְעַל דָּא וְצַדִּיק יְסוֹד עוֹלָם כְּתִיב סְתָם.

תשנ. וְרָזָא דְּכֹלָּא, צַדִּיק, אִיהוּ יְסוֹדָא דִּלְעֵילָּא, וְאִיהוּ יְסוֹדָא לְתַתָּא, וּכְנֶסֶת יִשְׂרָאֵל אִתְכְּלִילַת מִצַּדִּיק, מִלְּעֵילָּא וּמִתַּתָּא, צַדִּיק מֵהַאי סִטְרָא, וְצַדִּיק מֵהַאי סִטְרָא, יַרְתִּין לָהּ, הה"ד צַדִּיקִים יִרְשׁוּ אָרֶץ. יִרְשׁוּ אָרֶץ וַדַּאי. תָּא חֲזֵי, צַדִּיק אַחְסִין לָהּ לְהַאי אֶרֶץ, וְאָרִיק עָלָהּ בִּרְכָאן בְּכָל יוֹמָא, וְיָהִיב לָהּ תַּפְנוּקִין וְעִדּוּנִין, בִּנְגִידוּ עִלָּאָה דְּנָגִיד עָלָהּ, וְהָא אוֹקִימְנָא מִלָּה.

תשנא. וְרָזָא דִּכְתִיב מֵאָשֵׁר שְׁמֵנָה לַחְמוֹ וְהוּא יִתֵּן מַעֲדַנֵּי מֶלֶךְ. וְעִם כָּל דָּא, מִלָּה אַחֲרָא, כְּמָה דִּכְתִיב, רָאוּהָ בָנוֹת וַיְאַשְּׁרוּהָ, וְעַל דָּא אָמְרָה לֵאָה, בְּאָשְׁרִי כִּי אִשְּׁרוּנִי בָּנוֹת וְכֹלָּא שַׁפִּיר. וְתָא חֲזֵי מֵעָלְמָא דְּאָתֵי, אִתְמְשִׁיךְ וְנָגִיד לְהַאי צַדִּיק, לְמֵיהַב תַּפְנוּקִין וְעִדּוּנִין לְהַאי אֶרֶץ, דְּאִיהוּ לֶחֶם עוֹנִי, וְאִתְעֲבִיד לֶחֶם פַּנַּג, הֲדָא הוּא דִכְתִיב, מֵאָשֵׁר שְׁמֵנָה לַחְמוֹ וְהוּא יִתֵּן מַעֲדַנֵּי מֶלֶךְ וַדַּאי, וְהָא אוֹקִימְנָא.

תשנב. תָּא חֲזֵי, מֵאָשֵׁר שְׁמֵנָה לַחְמוֹ. דָּא הוּא אֲתַר דְּכֹלָּא מְאַשְּׁרִין לֵיהּ, וּמַאי אִיהוּ. עָלְמָא דְּאָתֵי, דְּעִלָּאֵי וְתַתָּאֵי מְאַשְּׁרִין לֵיהּ, וּמְכַסְּפִין לֵיהּ. שְׁמֵנָה לַחְמוֹ, מַאן. עַד כָּאן לָא פָּרֵישׁ מַאן הוּא אֲתַר. אֶלָּא, אִית לֶחֶם, וְאִית לֶחֶם, כְּמָה דְּאִית אִילָנָא, וְאִית אִילָנָא, אִית אִילָנָא דְּחַיֵּי, וְאִית אִילָנָא דְּתַלְיָיא בֵּיהּ מוֹתָא. אִית לֶחֶם דְּאִקְרֵי לֶחֶם עוֹנִי, וְאִית לֶחֶם דְּאִקְרֵי לֶחֶם פַּנַּג. וּמַאן אִיהוּ. דָּא ו', וְדָא הוּא לַחְמ"וֹ: לֶח"ם ו', וְעַל דָּא כְּתִיב הִנְנִי מַמְטִיר לָכֶם לֶחֶם מִן הַשָּׁמַיִם, מִן הַשָּׁמַיִם וַדַּאי.

תשנג. וְעַל דָּא, מֵאָשֵׁר שְׁמֵנָה לַחְמוֹ, לֶחֶם ו', דְּהָא מִינֵּיהּ אִתְזָן הַאי אִילָנָא, וְהוּא מְעַטְּרָא לֵיהּ, כְּדִכְתִיב בָּעֲטָרָה שֶׁעִטְּרָה לוֹ אִמּוֹ. וְכַד אִיהוּ נָקִיט, וַדַּאי הוּא יִתֵּן מַעֲדַנֵּי מֶלֶךְ. וּמַאן מֶלֶךְ. דָּא כְּנֶסֶת יִשְׂרָאֵל, דְּהָא מִנֵּיהּ אִתְזָנַת, וְהוּא יָהִיב לָהּ עַל יְדָא דְּצַדִּיק, דַּרְגָּא קַדִּישָׁא אָת קַיָּימָא. וּמֵהָכָא לִשְׁאָר דַּרְגִּין דִּלְתַתָּא, וְכֻלְּהוּ כְּגַוְונָא דִּלְעֵילָּא.

תשנד. בְּסִפְרָא דְּרַב הַמְנוּנָא סָבָא, אֲמַר הָכֵי, מֵאָשֵׁר שְׁמֵנָה לַחְמוֹ, דָּא לֶחֶם שַׁבָּת, דְּאִיהוּ פַּנַּג, עַל חַד תְּרֵין, כְּדִכְתִיב לָקְטוּ לֶחֶם מִשְׁנֶה. מַאי לֶחֶם מִשְׁנֶה. אֶלָּא, תְּרֵי לֶחֶם: לֶחֶם מִן הַשָּׁמַיִם, וְלֶחֶם מִן הָאָרֶץ, דָּא הוּא לֶחֶם פַּנַּג, וְדָא הוּא לֶחֶם דְּמִסְכֵּנָא, וּבְשַׁבָּת אִתְכְּלִיל לֶחֶם תַּתָּאָה, בְּלֶחֶם עִלָּאָה, וְאִתְבָּרֵךְ הַאי, בְּגִינֵי הַאי, וְאִיהוּ לֶחֶם מִשְׁנֶה.

תשנה. וְתוּ הֲוָה אֲמַר, לֶחֶם מִשְׁנֶה דְּשַׁבָּת, נָקִיט מִשַּׁבָּת עִלָּאָה, דְּאִיהוּ נָגִיד וְאַנְהִיר

לְכֹלָּא, וְאִתְחַבַּר לֶחֶם בְּלֶחֶם, וְאִיהוּ מִשְׁנֶה. וּבְכָל אֲתַר, רָזָא דְלֶחֶם, נוּקְבָא הִיא, בְּגִין כָּךְ שְׁמֵנָה כְּתִיב וְלָא שָׁמֵן. וּכְתִיב כִּי אִם הַלֶּחֶם אֲשֶׁר הוּא אוֹכֵל, דָא אִנְתְּתֵיהּ.

תשנו. וְאִי תֵּימָא וְהַלֶּחֶם אָזַל מִכֵּלֵינוּ, וְלָא כְּתִיב אָזְלַת. שְׁאָר מְזוֹנָא לֶחֶם קָרִינָן לֵיהּ, וְאִשְׁתְּמוֹדְעָן מִלִּין, מַאן הוּא שְׁאָר מְזוֹנָא, וּמַאן הוּא לֶחֶם מַמָּשׁ. לֶחֶם דִּלְעֵילָא, בְּכָל אֲתַר דְּכַר, לֶחֶם תַּתָּאָה, בְּכָל אֲתַר נוּקְבָא. וַאֲנָן אַשְׁכְּחָנָא דִּזְמְנִין כְּתִיב דְּכַר, וּלְזִמְנִין נוּקְבָא, וְכֹלָּא חַד מִלָּה, הַאי כְּהַאי, וְשַׁפִּיר כֹּלָּא.

תשנז. תָּא חֲזֵי, אָשֵׁר, רָשִׁים לְעֵילָּא, וְרָשִׁים לְתַתָּא, בְּתִקּוּנֵי כַּלָּה, וְכֻלְּהוּ תְּרֵיסַר שִׁבְטִין יַמָּא קָאִים עֲלַיְיהוּ, וְאִתְתַּקַּן בְּהוּ, הה"ד וְהַיָּם עֲלֵיהֶם מִלְמָעְלָה. וְרָזָא דְמִלָּה, אִתְתַּקַּן לְעֵילָּא, וְאִתְתַּקַּן לְתַתָּא בְּאַרְעָא. אִתְתַּקַּן לְעֵילָּא בְּתִקּוּנִין יְדִיעָן, כְּגַוְונָא דְעָלְמָא עִלָּאָה. וְאִתְתַּקַּן לְתַתָּא בְּהָנֵי תְּרֵיסַר שִׁבְטִין כְּגַוְונָא דִלְעֵילָּא וְע"ד שְׁכִינְתָּא לְעֵילָּא וּשְׁכִינְתָּא לְתַתָּא בְּגִינַיְיהוּ דְיִשְׂרָאֵל, וּבִתְרֵיסַר שִׁבְטִין אִתְכְּלִילַת וְאִתְתַּקְּנַת. אָשֵׁר בְּתִקּוּנָהָא קַיְימָא, כִּשְׁאָר שִׁבְטִין.

תשנח. וְאִי לָאו דְגָלֵי מֹשֶׁה, לָא אִתְיְידַע, דִּכְתִיב וְטוֹבֵל בַּשֶּׁמֶן רַגְלוֹ. לְאַחֲזָאָה אָן הוּא קִשְׁרָא דִילֵיהּ בְּאַתְרֵיהּ, דְאִיהוּ נָגִיד הַהוּא מְשַׁח רְבוּת מִלְּעֵילָּא, בְּגִינֵי כָּךְ כְּתִיב, בָּרוּךְ מִבָּנִים אָשֵׁר וגו'.

תשנט. ר"ש פָּתַח וַאֲמַר, נַפְתָּלִי אַיָּלָה שְׁלוּחָה הַנּוֹתֵן אִמְרֵי שָׁפֶר. הָא אִתְּמַר, דְּעָלְמָא עִלָּאָה עָלְמָא דִדְכוּרָא אִיהוּ, כֵּיוָן דְסַלְקָא מִלָּה מִכְּנֶסֶת יִשְׂרָאֵל וּלְעֵילָּא, כֹּלָּא הוּא דְכַר. מְנָלָן, מֵעוֹלָה, אַמַּאי אִתְקְרֵי עוֹלָה, בְּגִין דְסַלְקָא לְעֵילָּא מִן נוּקְבָא. וּבְגִינֵי כָּךְ, עוֹלָה זָכָר תָּמִים יַקְרִיבֶנּוּ וגו'.

תשס. אַמַּאי תָּמִים, וְכִי פִּסְקֵי פִּסְקֵי בָּעֵינָן לֵיהּ, דַּאֲמַר תָּמִים, מַהוּ תָּמִים. אֶלָּא, כִּדְכְתִיב הִתְהַלֵּךְ לְפָנַי וֶהְיֵה תָמִים. אֵימָתַי תָּמִים, בְּשַׁעֲתָא דְאִתְגְּזַר, דְּהָא דְכוּרָא לָא הֲוֵי, וְלָא אִשְׁתְּמוֹדַע, אֶלָּא בְּהַהוּא אֲתַר דְאִקְרֵי תָמִים, וּמַאן אִיהוּ, דָא אָת קַיָּימָא, דְבֵיהּ אִשְׁתְּמוֹדַע דְכוּרָא מִן נוּקְבָא, כִּדְכְתִיב אִישׁ צַדִּיק תָּמִים הָיָה. בְּגִינֵי כָּךְ זָכָר תָּמִים, דְאִשְׁתְּמוֹדַע בֵּיהּ הַאי שַׁיְיפָא, וְלָא יְסָרְסוּן לֵיהּ.

תשסא. וְאִי תֵּימָא, הָא כְּתִיב, נְקֵבָה תְּמִימָה. הָכִי הוּא וַדַּאי, כְּמָה דְאִקְרֵי צַדִּיק תָּמִים, כָּךְ אִקְרֵי צֶדֶק תְּמִימָה. בְּגִין דְכֹלָּא, נָטְלָא מִנֵּיהּ, בְּגִינֵי כָּךְ, עוֹלָה דְסַלְקָא מִן נוּקְבָא לִדְכוּרָא, וּמֵהַאי אֲתַר וּלְעֵילָּא, כֹּלָּא הוּא דְכוּרָא. וּמִן נוּקְבָא וּלְתַתָּא, כֹּלָּא הוּא נוּקְבָא, וְהָא אוֹקִימְנָא.

תשסב. וְאִי תֵּימָא, הָכֵי נָמֵי נוּקְבָא דִלְעֵילָּא. אֶלָּא, סִיּוּמָא דְגוּפָא אַחֲזֵי עַל כָּל גּוּפָא דְאִיהוּ דְכַר, רֵישָׁא דְגוּפָא נוּקְבָא, עַד דְנָוְוית לְסִיּוּמָא, וְכַד סִיּוּמָא אִתְחֲזֵי, הָא עָבֵיד כֹּלָּא דְכַר. אֲבָל הָכָא, רֵישָׁא וְסוֹפָא נוּקְבָא, דְהָא כָּל תִּקּוּן גּוּפָא נוּקְבָא.

תשסג. תָּא חֲזֵי, חַד רָזָא עִלָּאָה אִית בְּמִלָּה דָא, דְּהָא זִמְנִין דְיַעֲקֹב בָּרִיךְ לְיוֹסֵף בְּגוֹ אֲחוֹהִי, כֵּיוָן דְמַנֵּי קוּדְשָׁא בְּרִיךְ הוּא אַרְבַּע דְּגָלִים בִּשְׁכִינְתָּא, בִּתְרֵיסַר שִׁבְטִין לְאִתְתַּקְּנָא בְּהוּ, גָּרַע מִנַּיְיהוּ לְיוֹסֵף, וְשַׁוֵּי לְאֶפְרַיִם בְּאַתְרֵיהּ. מ"ט אִסְתַּלַּק יוֹסֵף מִנַּיְיהוּ, אִי תֵּימָא בְּגִין חוֹבוֹי, לָאו הָכֵי, דְהָא זַכָּאָה אִיהוּ.

תשסד. אֶלָּא, רָזָא דְמִלָּה, יוֹסֵף רְשִׁימָא דִדְכוּרָא הֲוָה, דִּכְתִיב בֵּן פֹּרָת יוֹסֵף בֵּן פֹּרָת עֲלֵי עָיִן. וּכְתִיב מִשָּׁם רוֹעֶה אֶבֶן יִשְׂרָאֵל, מִתַּמָּן אִתְּזָן, הַאי אֶבֶן יִשְׂרָאֵל. אֶבֶן: דָא כְּנֶסֶת יִשְׂרָאֵל, וַעֲלָהּ אֲמַר דָּוִד אֶבֶן מָאֲסוּ הַבּוֹנִים הָיְתָה לְרֹאשׁ פִּנָּה. וּבְגִין דְיוֹסֵף אִיהוּ רְשִׁימוּ

דִּדְכוּרָא, אִקְרֵי יוֹסֵף הַצַּדִּיק, דְּהָא אִיהוּ צַדִּיק וַדַּאי, מִשָּׁם רוֹעֶה אֶבֶן יִשְׂרָאֵל.

תשסה. וּבְגִין דְּכָל תִּקּוּנֵי שְׁכִינְתָּא אִינּוּן נוּקְבָן, אִסְתַּלַּק יוֹסֵף מִתַּמָּן, וְאִתְמַנֵּי תְּחוֹתֵיהּ אֶפְרַיִם, וְאִיהוּ נוּקְבָא לְתִקּוּנָהָא. וּבְגִין דְּאִיהוּ הָכֵי, אִתְמַנֵּי לִסְטַר מַעֲרָב, אֲתַר דְּנוּקְבָא שַׁרְיָא, וְהַהוּא רְשִׁימוּ דְּאִיהוּ דְּכוּרָא, אִסְתַּלַּק מִתִּקּוּנָהָא, בְּגִין דְּאִיהוּ עָלְמָא דְּנוּקְבָא, וְלָא עָלְמָא דִּדְכוּרָא, וְכָל תִּקּוּנָהָא בָּעְיָין נוּקְבֵי.

תשסו. וּבְגִין כָּךְ, יוֹסֵף דְּאִיהוּ צַדִּיק, אִסְתַּלַּק מִתִּקּוּנָהָא, וְאִתְמַנֵּי אֶפְרַיִם תְּחוֹתֵיהּ. וְעַ"ד, כֻּלְּהוּ תְּרֵיסַר שִׁבְטִין, תִּקּוּנֵי שְׁכִינְתָּא אִינּוּן, וְכֻלְּהוּ בָּעְיָין כְּגַוְונָא דִּלְעֵילָא, בַּר דַּרְגָּא דְּצַדִּיק, דְּאִיהוּ עָבֵיד כָּל שַׁיְיפִין דְּכַר, וְלָא בָּעֵי לְאַכְחָשָׁא לֵיהּ.

תשסז. נַפְתָּלִי אַיָּלָה שְׁלוּחָה הַנּוֹתֵן אִמְרֵי שָׁפֶר, הַיְינוּ דִּכְתִּיב וּמִדְבָּרֵךְ נָאוֶה, בְּגִין דְּקוֹל מַדְבַּר לֵיהּ לְדִבּוּר, וְלֵית קוֹל בְּלָא דִּבּוּר, וְהַהוּא קוֹל אִשְׁתַּלַּח מֵאֲתַר עֲמִיקָא דִּלְעֵילָא, וּשְׁלִיחַ מִקַּמֵּיהּ, לְאַנְהָגָא לְדִבּוּר, דְּהָא לֵית קוֹל בְּלָא דִּבּוּר, וְלָא דִּבּוּר בְּלָא קוֹל, וְדָא כְּלָל דִּצְרִיךְ לִפְרָט, וּפְרָט דִּצְרִיךְ לִכְלָל, וְדָא קוֹל נָפְקָא מִדָּרוֹם, וּמַדְבַּר לְמַעֲרָב, יָרֵית לִתְרֵין סִטְרִין, וְדָא הוּא דִּכְתִּיב, וּלְנַפְתָּלִי אָמַר וְגוֹ', יָם וְדָרוֹם יְרָשָׁה, לְעֵילָא דְּכַר, לְתַתָּא נוּקְבָא, בְּגִין כָּךְ נַפְתָּלִי אַיָּלָה שְׁלוּחָה נוּקְבָא לְתַתָּא. כְּגַוְונָא דָּא דְּכַר לְעֵילָא, דִּכְתִּיב הַנּוֹתֵן אִמְרֵי שָׁפֶר, הַנּוֹתֵן כְּתִיב, וְלָא הַנּוֹתֶנֶת.

תשסח. תָּא חֲזֵי, מַחֲשָׁבָה רֵאשִׁיתָא דְּכֹלָּא, וּבְגִין דְּאִיהִי מַחֲשָׁבָה, אִיהִי לְגוֹ סְתִימָא וְלָא אִתְיְידַע. כַּד אִתְפַּשַּׁט הַאי מַחֲשָׁבָה יַתִּיר, אַתְיָא לַאֲתַר דְּרוּחָא שַׁרְיָא, וְכַד מָטֵי לְהַהוּא אֲתַר אִקְרֵי בִּינָ"ה, וְהָא לָאו סָתִים כִּדְקַדְמֵיתָא, וְאַע"ג דְּאִיהוּ סָתִים, הַאי רוּחָא אִתְפַּשַּׁט, וְאַפֵּיק קָלָא, כָּלִיל מֵאֶשָּׁא וּמַיָּא וְרוּחָא, דְּאִינּוּן צָפוֹן וְדָרוֹם וּמִזְרָח. וְהַאי קָלָא, כְּלָלָא דְּכָל שְׁאַר חֵילִין, וְקָלָא דָּא מַדְבַּר לְדִבּוּר, וְדָא יָהֵיב מִלָּה בְּתִקּוּנָא, בְּגִין דְּקוֹל אִשְׁתַּלַּח מֵאֲתַר דְּרוּחָא, וְאָתֵי לְדַבְּרָא מִלָּה, לְאַפָּקָא מִלִּין תְּרִיצִין.

תשסט. וְכַד תִּסְתַּכֵּל בְּדַרְגִּין, הוּא מַחֲשָׁבָה, הוּא בִּינָה, הוּא קוֹל, הוּא דִּבּוּר, וְכֹלָּא חַד, וְהִיא הִיא מַחֲשָׁבָה, רֵאשִׁיתָא דְּכֹלָּא, וְלָא הֲוֵי פֵּרוּד, אֶלָּא כֹּלָּא חַד, וְקִשּׁוּרָא חַד, דְּאִיהוּ מַחֲשָׁבָה מַמָּשׁ אִתְקַשַּׁר בְּאַיִן, וְלָא אִתְפָּרַשׁ לְעָלְמִין, וְדָא הוּא ה' אֶחָד וּשְׁמוֹ אֶחָד. וְעַל דָּא, הַנּוֹתֵן אִמְרֵי שָׁפֶר כְּתִיב, דָּא גּוּפָא.

תשע. סִיּוּמָא דְּגוּפָא, דָּא הוּא דִּכְתִּיב בֵּן פּוֹרָת יוֹסֵף בֵּן פּוֹרָת עֲלֵי עָיִן, אַמַּאי תְּרֵי זִמְנֵי. אֶלָּא בֵּן פּוֹרָת לְעֵילָא. בֵּן פּוֹרָת לְתַתָּא. וְאַמַּאי לָאו אִיהוּ בֵּן פּוֹרָת לְתַתָּא, בְּתִקּוּנֵי מַטְרוֹנִיתָא. בְּגִין דְּבָנוֹת צָעֲדָה, לְמֶהֱוֵי עֲלֵי שׁוּר, דְּבָעְיָין בָּנוֹת לְתִקּוּנָהָא וְלָא בָּנִים. כְּד"א רַבּוֹת בָּנוֹת עָשׂוּ חָיִל וְגוֹ'. רַבּוֹת בָּנוֹת עָשׂוּ חָיִל, אִלֵּין תְּרֵיסַר שִׁבְטִין.

תשעא. תָּא חֲזֵי, מַלְכוּתָא קַדִּישָׁא, לָא קַבֵּיל מַלְכוּתָא קַדִּישָׁא שְׁלֵימָתָא, עַד דְּאִתְחַבַּר בַּאֲבָהָן, וְכַד אִתְחַבַּר בַּאֲבָהָן, אִתְבְּנֵי בִּנְיָינָא שְׁלֵימָא מֵעָלְמָא עִלָּאָה, דְּאִיהוּ עָלְמָא דִּדְכוּרָא, וְעָלְמָא עִלָּאָה אִקְרֵי ז' שְׁנִין, בְּגִין דְּכֻלְּהוּ ז' שְׁנִין בֵּיהּ.

תשעב. וְסִימָנֵיךְ וַיִּבְנֵהוּ שֶׁבַע שָׁנִים, דָּא עָלְמָא עִלָּאָה, וְלָא כְּתִיב בְּשֶׁבַע שָׁנִים, כְּד"א כִּי שֵׁשֶׁת יָמִים עָשָׂה ה' אֶת הַשָּׁמַיִם וְאֶת הָאָרֶץ, וְלָא כְּתִיב בְּשֵׁשֶׁת וּכְתִיב אֵלֶּה תּוֹלְדוֹת הַשָּׁמַיִם וְהָאָרֶץ בְּהִבָּרְאָם: בְּאַבְרָהָם. וְאַבְרָהָם, ז' יָמִים אִקְרֵי, וּבֵיהּ אִתְבְּנֵי עָלְמָא עִלָּאָה, וְאִלֵּין אִקְרוּן עָלְמָא דִּדְכוּרָא.

תשעג. כְּגַוְונָא דָּא לְתַתָּא, אִית ז' שְׁנִין, רָזָא דְּעָלְמָא תַּתָּאָה, וְרָזָא דָּא, דִּכְתִּיב ז' יָמִים וְז' יָמִים י"ד יוֹם. דְּכֵיוָן דַּאֲמַר שִׁבְעַת יָמִים וְשִׁבְעַת יָמִים, לָא יָדַעְנָא דְּאַרְבֵּיסַר אִינּוּן.

אֶלָּא, לְאַחֲזָאָה עָלְמָא עִלָּאָה, וְעָלְמָא תַּתָּאָה. וְאִינּוּן שִׁבְעַת יָמִים וְשִׁבְעַת יָמִים. אִלֵּין דְּכוּרִין, וְאִלֵּין נוּקְבִין. אִלֵּין נוּקְבֵי הַאי עָלְמָא עִלָּיהוּ, דִּכְתִיב רַבּוֹת בָּנוֹת עָשׂוּ חָיִל, אִלֵּין תְּרֵיסַר שִׁבְטִין, דְּאִינּוּן עָשׂוּ חָיִל, כְּדִכְתִיב כָּל הַפְּקוּדִים לְמַחֲנֵה יְהוּדָה וגו', וְכֵן כֻּלְּהוּ.

תשע"ד. וְאִי תֵּימָא רַבּוֹת, וְהָא תְּרֵיסַר אִינּוּן, וְלָא יַתִּיר, בַּר הַהוּא חַיִל דְּעָבְדוּ, מַאי רַבּוֹת. אֶלָּא כְּמָה דִּכְתִיב, זַעֲקַת סְדוֹם וַעֲמוֹרָה כִּי רָבָּה, כְּמוֹ גָּדְלָה. וְכֵן רַבּוֹת גְּדוֹלוֹת, עִלָּאִין, וְרַבְרְבִין עַל כֹּלָּא. וְאִלֵּין אִקְרוּן חַיּוֹת גְּדוֹלוֹת. עָשׂוּ חָיִל, הַהוּא חַיִל דְּעָבְדוּ דְּסַמִּיכִין עֲלַיְיהוּ, אִקְרוּן חַיּוֹת קְטַנּוֹת, עִם גְּדוֹלוֹת, לְאִתְחַבְּרָא כַּחֲדָא, לְאִתְתַּקְּנָא בְּהוּ מַטְרוֹנִיתָא, לְמֶהֱוֵי בְּהוּ עִלָּאִין וְתַתָּאִין, כְּד"א לִוְיָתָן זֶה יָצַרְתָּ לְשַׂחֶק בּוֹ, בְּגִּינֵי כָּךְ רַבּוֹת בָּנוֹת עָשׂוּ חָיִל.

תשע"ה. וְעַל דָּא בָּנוֹת צָעֲדָה עֲלֵי שׁוּר. בָּנוֹת צָעֲדָה, צָעֲדוֹת מִבָּעֵי לֵיהּ, אֶלָּא הַהוּא עַיִן דִּכְתִיב לְעֵילָּא, וּמַאן אִיהוּ, עֵין מִשְׁפָּט, וְאִיהוּ קָאִים עֲלֵי עַיִן, וְאִיהוּ עַיִן, צָעֲדָה, וּפָסְעַת לְמֵיטַל בָּנוֹת לְתִקּוּנָהָא, וְהַיְינוּ בָּנוֹת צָעֲדָה, וְלָא בָּנִים, בָּנוֹת צָעֲדָה, אִסְתַּכְּלַת לְתִקּוּנָהָא, וְלָא בָּנִים. וַיְמָרְרוּהוּ וָרֹבּוּ, בְּאִסְתַּכְּלוּתָא דִּרְחִימוּ לְגַבֵּיהּ, כְּדִכְתִיב הָסֵבִּי עֵינַיִךְ מִנֶּגְדִּי שֶׁהֵם הִרְהִיבוּנִי. וְעַל דָּא וַיִּשְׂטְמוּהוּ בַּעֲלֵי חִצִּים.

תשע"ו. וַתֵּשֶׁב בְּאֵיתָן קַשְׁתּוֹ דָּא קֶשֶׁת. מַה קֶשֶׁת. דָּא בַּת זוּגוֹ. בְּאֵיתָן: תּוּקְפָּא אַלְבִּישַׁת עָלוֹי, דְּלָא אַחְלְשַׁת וְחֵילָא, דְּהָא יָדְעַת דְּיוֹסֵף לָא יִסְטֵי בְּהַהוּא דַּרְגָּא, דְּאַת קַיְּימָא דִּילֵיהּ, לִימִינָא וְלִשְׂמָאלָא.

תשע"ז. וַיָּפֹזּוּ, מַאי וַיָּפֹזּוּ. אֶלָּא כְּדִכְתִיב הַנֶּחֱמָדִים מִזָּהָב וּמִפָּז רָב. וּכְתִיב וּתְמוּרָתָהּ כְּלִי פָז. אִתְיַיקָּרוּ דְּרוֹעוֹי בְּמַרְגָּלִיתָא עִלָּאָה. מִידֵי אֲבִיר יַעֲקֹב, מֵאִינּוּן תְּרֵין סִטְרִין, דְּאִתְתְּקִיף בְּהוּ יַעֲקֹב. מִשָּׁם רוֹעֶה אֶבֶן יִשְׂרָאֵל, מִתַּמָּן אִתְזָן הַהוּא אֶבֶן יְקָרָא, כְּדְקָאֲמָרָן. תּוּ, מֵאִינּוּן תְּרֵיסַר סִטְרִין, אִתְזָן הַהוּא אֶבֶן יְקָרָא, דְּאִינּוּן צָפוֹן וְדָרוֹם, וְהִיא אִתְיְהֲבַת בֵּינַיְיהוּ, וְאִתְבָּרְכָא מִנַּיְיהוּ, וְאִתְזְנָא מִנְּהוֹן עַל יְדָא דְּצַדִּיק.

תשע"ח. תָּא חֲזֵי, לְיוֹסֵף אִתּוֹסַף לֵיהּ בִּרְכָה אָחֳרָא, כְּד"א מֵאֵל אָבִיךָ וְיַעְזְרֶךָּ וגו', הַאי קְרָא קַשְׁיָא, מֵאֵל אָבִיךָ, אֵל אָבִיךָ יַעְזְרֶךָּ מִבָּעֵי לֵיהּ. מַאי מֵאֵל אָבִיךָ וּלְבָתַר יַעְזְרֶךָּ. וְאֵת שַׁדַּי, וְאֵל שַׁדַּי מִבָּעֵי לֵיהּ, כְּמָה דִּכְתִיב וְאֵל שַׁדַּי יִתֵּן לָכֶם רַחֲמִים לִפְנֵי הָאִישׁ. וִיבָרְכֶךָּ, יְבָרֶכְךָ מִבָּעֵי לֵיהּ.

תשע"ט. אֶלָּא אוֹסִיף לֵיהּ לְעֵילָּא וְתַתָּא. אוֹסִיף לֵיהּ לְעֵילָּא, מֵאֵל אָבִיךָ, דְּאִיהוּ אַחְסָנָא עִלָּאָה, אֲתַר דְּאִקְרֵי שָׁמַיִם. וְיַעְזְרֶךָּ, בְּגִין דְּלָא יַחְלִיף הַאי אֲתַר, לַאֲתַר אָחֳרָא, וְסִיּוּעָא דִּילֵיהּ לֶיהֱוֵי מֵאֲתַר דָּא, וְלָא מֵאָחֳרָא.

תשפ. וְאֵת שַׁדַּי, מַהוּ וְאֵת שַׁדַּי, אֶלָּא, אִיהוּ דַּרְגָּא אָחֳרָא תַּתָּאָה, דְּהָא תָּנִינָן, בְּכָל אֲתַר אֶת ה', דָּא שְׁכִינְתָּא, כְּמוֹ וָאֵרָא אֶת ה', אֶת לְרַבּוֹת. וְאֵת לְאַכְלְלָא יוֹם בְּלַיְלָה, וְלַיְלָה בְּיוֹם, כְּדִכְתִיב וְאֵת שַׁדַּ"י, דְּהָא מִתַּמָּן נָפְקִין בִּרְכָאן לְבָרְכָא עָלְמִין.

תשפא. תּוּ, אַמַּאי לָא קָאֲמַר וְאֵל שַׁדַּי, דְּהָא ה"נ מַשְׁמַע כִּדְקָאֲמָרִינָן, דִּכְתִיב וְאֵל שַׁדַּי יִתֵּן לָכֶם רַחֲמִים, כֹּלָּא אֲתַר וְחַד הוּא, אַמַּאי שָׁבַק ל' וְכָתַב ת'. אֶלָּא רָזָא אִיהוּ, דְּכַד אִינּוּן שְׁבִילִין נָפְקִין מֵעֵילָּא, כְּלָלָא דְּאוֹרַיְיתָא, אוֹסִיף שָׁמַיִם, כְּד"א אֶת הַשָּׁמַיִם, כְּלָלָא דְּכ"ב אַתְוָון. וּמֵהָכָא נָפְקֵי לְתוֹרָה שֶׁבְּע"פ דְּאִקְרֵי אֶרֶץ, כִּדְקָאֲמָרִינָן וְאֵת הָאָרֶץ, כְּלָלָא דְּכ"ב אַתְוָון. וְשָׁמַיִם כָּלִיל כֹּלָּא כַּחֲדָא, וּכְדֵין מִתְעַטְּרָא סִיהֲרָא בְּכֹלָּא, וְיָתְבָא בְּאַשְׁלְמוּתָא, וּבִרְכָאן נַגְדִין כְּדֵין מִתַּמָּן, וְעַל דָּא וְאֵת שַׁדַּי.

תשפב. וִיבָרְכֶךָּ, בְּגִין דִּיהֵא לֵיהּ קִיּוּם תָּדִיר וְיַתִּיר, דְּהָא בְּכָל אֲתַר דְּאִית בֵּיהּ וא"ו,

תּוֹסֶפֶת אִית לֵיהּ, וְקִיּוּמָא. עַד כָּאן כְּלָל, וּלְבָתַר עָבֵיד פְּרַט, דִּכְתִיב בִּרְכוֹת שָׁמַיִם וגו׳.

תשפג. בִּרְכוֹת אָבִיךָ גָּבְרוּ עַל בִּרְכוֹת הוֹרַי. בִּרְכוֹת אָבִיךָ גָּבְרוּ וַדַּאי, דְּהָא יַעֲקֹב אַחְסִין שְׁבָחָא דְּכֹלָּא, יַתִּיר מֵאֲבָהָן, דְּהָא הוּא שְׁלִים הֲוָה בְּכֹלָּא. וְכֹלָּא יָהַב לֵיהּ לְיוֹסֵף, מ״ט. בְּגִין דְּהָכֵי אִתְחֲזֵי, דְּהָא צַדִּיק כֹּלָּא נָטִיל, וְאַחְסִין כֹּלָּא כַּחֲדָא, וְכָל בִּרְכָאן בֵּיהּ שַׁרְיָין. הוּא אָרִיק בִּרְכָאן מֵרֵישָׁא לְעֵילָּא, וְכָל שַׁיְיפֵי גּוּפָא כֻּלְּהוּ אִתְתַּקְנָן, לַאֲרָקָא בֵּיהּ בִּרְכָאן, וּכְדֵין אִתְעֲבֵיד נָהָר דְּנָפֵיק מֵעֵדֶן.

תשפד. מַאי מֵעֵדֶן, אֶלָּא, בְּכָל שַׁעֲתָא דְּכָל שַׁיְיפִין יָתְבִין בְּקִשּׁוּרָא וְחֶדְוָה, וְאִינּוּן בְּעִדּוּנָא דְּתֵיאוּבְתָּא מֵרֵישָׁא לְעֵילָּא וּלְתַתָּא, וְכֻלְּהוּ מֵעִדּוּנָא וְתֵיאוּבְתָּא דִּלְהוֹן, מְרִיקִין בֵּיהּ, וְאִתְעֲבֵיד נָהָר דְּנָגִיד וְנָפֵיק מֵעֵדֶן וַדַּאי. תּוּ מֵעֵדֶן מֵחָכְמָה עִלָּאָה, נָגִיד כֹּלָּא לְאִתְמַשְׁכָא, וְעָבֵיד נַהֲרָא, וְאִתְמַשְׁכָא עַד דְּמָטֵי לְהַאי דַּרְגָּא, וּכְדֵין כֹּלָּא בְּבִרְכָאן, וְכֹלָּא חַד.

תשפה. עַד תַּאֲוַת גִּבְעוֹת עוֹלָם, תֵּיאוּבְתָּא דְּאִינּוּן גִּבְעוֹת עוֹלָם. וּמַאי נִינְהוּ. תְּרֵי נוּקְבֵי, חַד לְעֵילָּא, וְחַד לְתַתָּא, דְּכָל חַד אִקְרֵי עוֹלָם. וְתֵיאוּבְתָּא דְּכָל שַׁיְיפֵי גּוּפָא, בְּאִינּוּן תְּרֵין אִמָּהָן. תֵּיאוּבְתָּא לְיַנְקָא מֵאִמָּא עִלָּאָה. תֵּיאוּבְתָּא לְאִתְקַשְּׁרָא בְּאִמָּא תַּתָּאָה. וְתֵיאוּבְתָּא דְּכֹלָּא חַד, בְּגִין כָּךְ כֻּלְּהוּ, תִּהְיֶינָה לְרֹאשׁ יוֹסֵף וגו׳, לְאִתְבָּרְכָא הַהוּא דַּרְגָּא דְּצַדִּיק, וּלְנַטְלָא כֹּלָּא, כִּדְקָא חֲזֵי.

תשפו. זַכָּאִין אִינּוּן דְּאִקְרוּן צַדִּיקִים, דְּהָא צַדִּיק לָא אִקְרֵי, אֶלָּא מַאן דְּנָטֵיר הַאי דַּרְגָּא, הַאי אָת קַיָּימָא קַדִּישָׁא. זַכָּאִין אִינּוּן בְּעָלְמָא דֵּין, וּבְעָלְמָא דְּאָתֵי. נָפְקוּ מִן מְעַרְתָּא, אֲמַר ר׳ שִׁמְעוֹן, כָּל חַד וְחַד לֵימָא מִלָּה, וְנֵיהַךְ בְּאָרְחָא.

תשפז. פָּתַח ר׳ אֶלְעָזָר קְרָא אֲבַתְרֵיהּ, בִּנְיָמִין זְאֵב יִטְרָף וגו׳. בִּנְיָמִין זְאֵב יִטְרָף, זְאֵב אַמַּאי. אֶלָּא בְּגִין דְּהָכֵי אִתְרְשִׁים בְּכֻרְסְיָיא, דְּהָא כָּל חֵיוָון רַבְרְבִין זְעִירִין רְשִׁימִין תַּמָּן, כְּמָה דִּכְתִיב חַיּוֹת קְטַנּוֹת עִם גְּדוֹלוֹת. וְכֻרְסְיָיא דַּעֲבַד שְׁלֹמֹה, הָכֵי אִתְרְשִׁים, כְּגַוְונָא דִּלְעֵילָּא.

תשפח. תּוּ זְאֵב יִטְרָף, דְּהָא מַדְבְּחָא בְּחוּלָקֵיהּ הֲוָה. וּמַדְבְּחָא אִיהוּ זְאֵב. דְּאִי תֵּימָא בִּנְיָמִין אִיהוּ זְאֵב, לָאו הָכֵי, אֶלָּא מַדְבְּחָא דַּהֲוָה בְּחוּלָקֵיהּ, הוּא זְאֵב, דַּהֲוָה אָכִיל בִּשְׂרָא כָּל יוֹמָא וּבִנְיָמִין הֲוָה זָן לֵיהּ, בְּגִין דְּהָא בְּחוּלָקֵיהּ הֲוָה, כִּבְיָכוֹל אִיהוּ מְפַרְנֵס וְזָן לְהַאי זְאֵב. תּוּ זְאֵב יִטְרָף, זְאֵב יָזוּן. וּמַאן אִיהוּ, אִלֵּין מָארֵי דְּדָבוּ, דְּאִינּוּן קַיְימֵי לְעֵילָּא לְקַטְרְגָא, וְכֻלְּהוּ אִתְהֲנוּ וְאִתְתַּקְנָן מִקֻּרְבְּנָא, וּמִתְעָרֵי אִתְעֲרוּתָא לְעֵילָּא.

תשפט. בַּבֹּקֶר יֹאכַל עַד וְלָעֶרֶב יְחַלֵּק שָׁלָל. מַאי בַּבֹּקֶר יֹאכַל עַד. אֶלָּא בְּצַפְרָא, דְּאַבְרָהָם אִתְעַר בְּעָלְמָא, וְשַׁעֲתָא דִּרְעֲוָא אִשְׁתְּכַח, קֻרְבְּנָא עָבֵיד אִתְעֲרוּתָא וְנַיְיחָא וְסַלְּקָא עַד ע״ד, הַהוּא אֲתַר, דִּכְתִיב וְשַׁבְתָּ עַד ה׳ אֱלֹהֶיךָ.

תשצ. תּוּ בַּבֹּקֶר, מַאי בַּבֹּקֶר, דָּא אַבְרָהָם כִּדְקָאֲמָרָן, דִּכְתִיב וַיַּשְׁכֵּם אַבְרָהָם בַּבֹּקֶר, בִּזְמְנָא דִּרְעֲוָא אִשְׁתְּכַח, בְּהַהִיא שַׁעֲתָא לָא הֲוָה אָכִיל קֻרְבְּנָא אָחֳרָא, וּמַאן הֲוָה אָכִיל, הַהוּא אֲתַר דְּאִקְרֵי ע״ד, וְאִיהוּ כֻּרְסְיָיא עִלָּאָה, דְּאִיהוּ עֲדֵי עַד, כְּדִכְתִיב עֲדֵי עַד וגו׳.

תשצא. וּזְמַן אֲכִילָה, בְּצַפְרָא דְּעַ״ד הוּא, וְהַאי עַד, לְעֵילָּא, דִּכְתִיב בִּטְחוּ בַיְיָ׳ עֲדֵי עַד. וּבַבֹּקֶר, הַיְינוּ קָרְבַּן לַה׳, וַדַּאי. יֹאכַל עַד, וְלָא אָחֳרָא.

תשצב. תְּנָנָא סָלֵיק, וְאִתְעֲרוּתָא דִּרְחִימוּ קָשִׁיר, וְאִתְעַר לְעֵילָּא וְקַיְימָא דָּא לְקָבֵל דָּא, וְנוּרָא דָּלֵיק, וְאַנְהִיר בְּהַאי אִתְעֲרוּתָא דִּלְתַתָּא. וְכַהֲנָא אִתְעַר, וְלֵיוָאֵי מְשַׁבְּחָן, וְאַחְזְיָין

וַיְדוּ, וּכְדֵין וַזְמְרָא אִתְנְסַךְ, לְאִתְקַשְּׁרָא בְּמַיָא, וְזַמְרָא נָהִיר וְאַוְזֵי וַיְדוּ, בְּגִינֵי כָּךְ, וַזְמְרָא טַב לְתַתָּא, לְאַחֲזָאָה וַיְדוּ, לְזַמְרָא אָוְזָרָא דִּלְעֵילָא, וְכֹלָּא אִתְעַר, לְאִתְקַשְּׁרָא שְׂמָאלָא בִּימִינָא.

תשצג. וְלֶוֶם דְּאִיהוּ סֹלֶת, מַלְכוּתָא דְּאִתְעַר אִתְעֲרוּתָא, נַקְטִין לָהּ שְׂמָאלָא בִּימִינָא, וּמְקַשְּׁרֵי לָהּ בְּגוּפָא, וּכְדֵין נָגִיד מִשְׁחָא עִלָּאָה, וְלַקְטָא לֵיהּ, עַל יְדָא דְּצַדִּי"ק. וְעַ"ד בָּעֵי לְמֶעְבַּד אִתְעֲרוּתָא דְּסֹלֶת בְּמִשְׁחָא, וְאִתְקַשַּׁר כֹּלָּא כַּחֲדָא, וּכְדֵין עִדּוּנָא וְנַיְיחָא דְּיִחוּדָא וַחֵד, וְלַקְטִין עִדּוּנָא וְנַיְיחָא דְּיִחוּדָא, כָּל אִינוּן כִּתְרִין, וְאִתְקַשַּׁר דָּא בְּדָא, וְאִתְנְהִיר סִיהֲרָא, וְאִתְקַשְּׁרָא בְּשִׁמְשָׁא, וְיָתִיב כֹּלָּא בְּעִדּוּנָא.

תשצד. וּכְדֵין קָרְבָּן לַיְיָ', וְלָא לְאָוְזֳרָא, וְעַל דָּא, בַּבֹּקֶר יֹאכַל עַד, וְלָא לְאָוְזֳרָא, יֹאכַל עַד, וְיִתְעֲדָן וְיִתְקַשַּׁר בְּקִשּׁוּרֵיהּ בְּקַדְמֵיתָא. אֵימָתַי, בַּבֹּקֶר. דְּבָעֵי לְאִתְבָּרְכָא שְׁמָא קַדִּישָׁא בְּקַדְמֵיתָא, וּלְבָתַר יִתְבָּרְכוּן אָוְזֳרָנִין.

תשצה. וְעַל דָּא, אָסִיר לֵיהּ לְבַ"נ לְבָרְכָא לְחַבְרֵיהּ בְּצַפְרָא, עַד דִּיבָרֵךְ לְקוּדְשָׁא בְּרִיךְ הוּא, דְּאִיהוּ בָּעֵי לְאִתְבָּרְכָא בְּרֵישָׁא, וְהַיְינוּ בַּבֹּקֶר יֹאכַל עַד. וּלְבָתַר יִתְבָּרְכוּן אָוְזֳרָנִין, וְלָעֶרֶב יְחַלֵּק שָׁלָל. דְּהָא קָרְבָּנוֹת דַּהֲוָה בְּרֵישָׁא, כֹּלָּא אִתְקְרַב לְקוּדְשָׁא בְּרִיךְ הוּא, וְאִתְעֲרוּתָא סַלְקָא תַּמָּן. וּבְגִין דְּהָא הוּא אִתְבָּרַךְ, הֲוָה מְקַשַּׁר קִשְׁרִין לְכָל שְׁאָר וַזֵילִין עִלָּאִין, וּמַפְלִיג לוֹן בִּרְכָאן, לְכָל וַזֵד וְוַזֵד כִּדְקָא וְוַזֵי וְיָאוֹת לֵיהּ, וּמִתְבַּסְמָן עָלְמִין, וְאִתְבָּרְכָאן עִלָּאִין וְתַתָּאִין.

תשצו. וְהַיְינוּ רָזָא דִּכְתִיב, אָכַלְתִּי יַעְרִי עִם דִּבְשִׁי וגו', בְּקַדְמֵיתָא, לְבָתַר פָּלֵיג לְכֻלְּהוּ, וְאָמַר אִכְלוּ רֵעִים שְׁתוּ וְשִׁכְרוּ דּוֹדִים. אָרֵיק בִּרְכָאן לְכֻלְּהוּ, וּמַפְלִיג לוֹן, לְכָל וַזֵד וְוַזֵד כִּדְקָא וְוַזֵי לֵיהּ, וְעַל דָּא וְלָעֶרֶב יְחַלֵּק שָׁלָל. דְּהָא שְׁמָא קַדִּישָׁא יִתְבָּרַךְ בְּקַדְמֵיתָא, וְהַשְׁתָּא פָּלֵיג בִּרְכָאן לְכֻלְּהוּ עָלְמִין. דְּלָא תֵּימָא דְּקָרְבָּנָא מִתְקָרֵיב לוֹן, וְלָא לְשׁוּם וַזֵילָא אָוְזֳרָא, אֶלָּא כֹּלָּא מִתְקָרֵב לְקוּדְשָׁא בְּרִיךְ הוּא, וְהוּא אָרֵיק בִּרְכָאן, וּמַפְלֵיג בִּרְכָאן לְכֻלְּהוּ עָלְמִין, וּבְגִין כָּךְ קָרְבָּן לַיְיָ', וְלָא לְאָוְזֳרָא.

תשצז. אָמַר ר"ש, בְּרִי, שַׁפִּיר קָא אֲמַרְתְּ. תּוּ אִתְעֲרוּתָא אָוְזֳרָא דְּקָרְבָּנָא, כֹּלָּא בְּגִין לְאַמְשָׁכָא בִּרְכָאן, וּלְאַתְעָרָא בִּרְכָאן, דְּיִתְבָּרְכוּן כֻּלְּהוּ עָלְמִין. בְּקַדְמֵיתָא קָרְבָּן לַיְיָ', וְלָא לְאָוְזֳרָא, הַשְׁתָּא תַּקְרִיבוּ אֶת קָרְבַּנְכֶם, דְּיִתְקַשְּׁרוּן כֻּלְּהוּ עָלְמִין כַּחֲדָא, וְיִתְחַבְּרָן וְיִתְבָּרְכוּן עִלָּאֵי וְתַתָּאֵי.

תשצח. פָּתַח רִבִּי אַבָּא, וַאֲמַר קְרָא אֲבַתְרֵיהּ, כָּל אֵלֶּה שִׁבְטֵי יִשְׂרָאֵל שְׁנֵים עָשָׂר וגו', כָּל אֵלֶּה שִׁבְטֵי יִשְׂרָאֵל, אֵלֶּה שִׁבְטֵי יִשְׂרָאֵל מִבָּעֵי לֵיהּ, מַאי כָּל אֵלֶּה. אֶלָּא, לְאַחֲבְרָא לוֹן, בַּאֲתַר דְּכָל בִּרְכָאן מְרִיקִין תַּמָּן. שְׁנֵים עָשָׂר. שְׁנֵים עָשָׂר וַדַּאי, קִשְׁרִין דְּתִקּוּנֵי מַטְרוֹנִיתָא, וְאִיהִי אִתְחַבְּרַת בַּהֲדַיְיהוּ, הה"ד שְׁנֵים עָשָׂר. וְזֹאת אֲשֶׁר דִּבֶּר לָהֶם אֲבִיהֶם וַיְבָרֶךְ אוֹתָם, דְּהָא בַּאֲתַר דָּא, דִּבּוּר שַׁרְיָא.

תשצט. תּוּ אֲשֶׁר דִּבֶּר, הָכָא קִשְׁרָא וַזֵד, לְאִתְחַבְּרָא מִתַּתָּא לְעֵילָא, וּמֵעֵילָא לְתַתָּא. מִתַּתָּא, בְּאִלֵּין תְּרֵיסַר שִׁבְטִין, וְזֹאת, אִתְחַבְּרָא בַּהֲדַיְיהוּ. אֲשֶׁר דִּבֶּר, הָא וַזִבּוּרָא דְּכַר וְנוּקְבָא, קִשּׁוּרָא לִתְרֵין סִטְרִין, מִתַּתָּא וּמִלְּעֵילָא, לְסוֹף קָשַׁר לוֹן בַּאֲתַר דִּלְעֵילָא, דְּכַר וְנוּקְבָא כַּחֲדָא. הה"ד אִישׁ אֲשֶׁר כְּבִרְכָתוֹ וגו'. מַאי כְּבִרְכָתוֹ. אֶלָּא כְּבִרְכָתוֹ בַּת זוּגוֹ. אִישׁ אֲשֶׁר כְּבִרְכָתוֹ תַּרְוַויְיהוּ כַּחֲדָא.

תת. פָּתַח וַאֲמַר, יְבָרֶכְךָ יי' מִצִּיּוֹן וּרְאֵה בְּטוּב יְרוּשָׁלַיִם וגו', יְבָרֶכְךָ יי' מִצִּיּוֹן, דְּמִנֵּיהּ

נָפְקִין בִּרְכָאן, לְאַשְׁקָאָה לְגִּינְתָא, וְהוּא כָּלִיל כָּל בִּרְכָאן, וְיָהֵיב לָהּ, וּלְבָתַר וּרְאֵה בְּטוּב יְרוּשָׁלָ‍ִם. לְאַחֲזָאָה דְּכָל בִּרְכָאן אַתְיָין מִדְּכַר וְנוּקְבָא. כְּגַוְונָא דָּא יְבָרֶכְךָ יי' וְיִשְׁמְרֶךָ. יְבָרֶכְךָ יי' מִדְּכוּרָא. וְיִשְׁמְרֶךָ מִנּוּקְבָא. יְבָרֶכְךָ יי' מִזָּכוֹר. וְיִשְׁמְרֶךָ מִשָּׁמוֹר. וְכֹלָּא וְחַד מִלָּה, בְּגִין דְּמִתַּרְוַויְיהוּ נָפְקִין בִּרְכָאן לְעָלְמִין. וְעַל דָּא, אִישׁ אֲשֶׁר כְּבִרְכָתוֹ בֵּרַךְ אוֹתָם.

תתא. ר' יְהוּדָה פָּתַח קְרָא וַאֲמַר, וַיְכַל יַעֲקֹב לְצַוּוֹת אֶת בָּנָיו וגו'. וַיְכַל יַעֲקֹב לְצַוּוֹת אֶת בָּנָיו, לְצַוּוֹת, לְבָרֵךְ מִבָּעֵי לֵיהּ. אֶלָּא דְּפַקִּיד לוֹן לְגַבֵּי שְׁכִינְתָּא, לְאִתְקַשְּׁרָא בַּהֲדָהּ. תּוּ, דְּפַקִּיד לוֹן עַל עִסְקֵי מְעַרְתָּא, דְּהִיא קְרִיבָא לְגַן עֵדֶן, דְּתַמָּן הוּא אָדָם הָרִאשׁוֹן קָבוּר.

תתב. תָּא חֲזֵי, הַהוּא אֲתַר אִקְרֵי קִרְיַת אַרְבַּע. מ"ט. בְּגִין דְּתַמָּן אִתְקְבָרוּ אַרְבַּע זוּגוֹת: אָדָם וְחַוָּה. אַבְרָהָם וְשָׂרָה. יִצְחָק וְרִבְקָה. יַעֲקֹב וְלֵאָה. הָא קוּשְׁיָא הָכָא, דְּתָנֵינָן, אֲבָהָן אִינּוּן רְתִיכָא קַדִּישָׁא, וּרְתִיכָא לָאו פָּחוֹת מֵאַרְבַּע, וְתָנֵינָן קוּדְשָׁא בְּרִיךְ הוּא אִתְחַבַּר לְמַלְכָּא דָּוִד בַּהֲדַיְיהוּ, וְאִתְעֲבִידוּ רְתִיכָא שְׁלִימְתָא, הה"ד, אֶבֶן מָאֲסוּ הַבּוֹנִים וגו'. דְּדָוִד מַלְכָּא אִתְחַבַּר לְמֶהֱוֵי רְתִיכָא שְׁלִימְתָא בַּהֲדַיְיהוּ. אִי הָכֵי דָּוִד בָּעְיָא לְאִתְקְבָרָא בְּגוֹ אֲבָהָן, וְיֶהֱוֵי קִרְיַת אַרְבַּע בַּהֲדֵיהּ, מ"ט לָא אִתְקְבַר בַּהֲדַיְיהוּ.

תתג. אֶלָּא, דָּוִד מַלְכָּא אֲתַר מִתְתַּקַּן הֲוָה לֵיהּ כִּדְקָא יָאוֹת, וּמַאן הוּא. צִיּוֹן, לְאִתְחַבְּרָא לֵיהּ כַּחֲדָא. וְאָדָם דְּאִתְקְבַר בְּגוֹ אֲבָהָן, הָא אִינּוּן אִתְקְבָרוּ בַּהֲדֵיהּ, בְּגִין דְּאִיהוּ מֶלֶךְ קַדְמָאָה הֲוָה, וְאִתְעֲבַר מִנֵּיהּ מַלְכוּ, וְאִתְיְהַב לְדָוִד מַלְכָּא, וּמִיּוֹמוֹי דְּאָדָם, אִתְקַיָּים דָּוִד מַלְכָּא, דְּאָדָם אֶלֶף שְׁנִין אִתְגְּזַר עָלוֹי, וְאִתְעֲבָרוּ מִנֵּיהּ שַׁבְעִין שְׁנִין, יוֹמוֹי דְּדָוִד מַלְכָּא, וְהוּא יָהֵיב לוֹן, וַאֲבָהָן הֵיךְ יְקוּמוּן עַד דְּיֵיתֵי דָּוִד מַלְכָּא, אֶלָּא זָכָה לְאַתְרֵיהּ, כִּדְקָא חֲזֵי לֵיהּ, בְּגִינֵי כָּךְ לָא אִתְקְבַר לְגַבֵּי אֲבָהָן.

תתד. תּוּ, אֲבָהָן בַּאֲתַר דִּדְכוּרָא שַׁרְיָין, וְדָוִד בַּאֲתַר דְּנוּקְבָא, וַאֲבָהָן נוּקְבָן אִתְקְבָרוּ בַּהֲדַיְיהוּ. וְדָוִד אִתְקְבַר וְאִתְחַבַּר בַּאֲתַר דִּדְכוּרָא, מִלָּה כִּדְקָא חֲזֵי לֵיהּ.

תתה. וַיֶּאֱסֹף רַגְלָיו אֶל הַמִּטָּה, בְּגִין דְּהָא אִיהוּ בַּאֲתַר דְּחַיִּין יָתֵיב. כַּד בָּעָא לְאִסְתַּלָּקָא מֵעָלְמָא, נָחֵית רַגְלוֹי לְגַבֵּי מִטָּה, וְאִתְכְּנִישׁ וְאִסְתַּלַּק מֵעָלְמָא, הֲדָא הוּא דִּכְתִּיב וַיִּגְוַע וַיֵּאָסֶף אֶל עַמָּיו.

תתו. פָּתַח וַאֲמַר, נִכְסְפָה וְגַם כָּלְתָה נַפְשִׁי לְחַצְרוֹת ה', מִלָּה דָּא הָא אוּקְמוּהָ חַבְרַיָּיא, אֲבָל תָּא חֲזֵי, אִית מָדוֹרִין תַּתָּאִין, וְאִית מָדוֹרִין עִלָּאִין, בְּעִלָּאִין לָאו שַׁרְיָין תַּמָּן, וּמַאן אִינּוּן, אִינּוּן בָּתֵּי גַּוָּאֵי, וּבָתֵּי בְּרָאֵי. אִינּוּן אִקְרוּן חַצְרוֹת ה', בְּגִין דְּאִינּוּן קַיְימֵי בִּרְחִימוּ וְתֵיאוּבְתָּא לְגַבֵּי נוּקְבָא. תָּא חֲזֵי, כַּד נִשְׁמְתָא סַלְקָא אִתְעַר כֹּלָּא לְגַבֵּי נוּקְבָא, דְּהָא אִיהִי אִתְאַחֲדַת בְּתֵיאוּבְתָּא שְׁלִימְתָא וְאִתְקַשְּׁרַת בֵּיהּ.

תתז. יַעֲקֹב לָא מִית, בְּגִ"כ לָא אִתְּמַר בֵּיהּ מוֹתָא, אֶלָּא וַיִּגְוַע וַיֵּאָסֶף אֶל עַמָּיו. וְחָמֵי מַה כְּתִיב, וַיֶּאֱסֹף רַגְלָיו אֶל הַמִּטָּה, דְּאִתְכְּנִישׁ שִׁמְשָׁא לְגַבֵּי סִיהֲרָא, שִׁמְשָׁא לָא מִית, אֶלָּא אִתְכְּנִישׁ מֵעָלְמָא, וְאָזִיל לְגַבֵּי סִיהֲרָא.

תתח. תָּא חֲזֵי, בְּשַׁעְתָּא דְּאִתְכְּנִישׁ יַעֲקֹב, אִתְנְהִיר סִיהֲרָא, וְתֵיאוּבְתָּא דְּשִׁמְשָׁא עִלָּאָה אִתְעַר לְגַבָּהּ, בְּגִין דְּשִׁמְשָׁא כַּד סָלִיק, אִתְעַר שִׁמְשָׁא אָחֳרָא, וְאִתְדַּבַּק דָּא בְּדָא, וְאִתְנְהִיר סִיהֲרָא.

תתט. אֲמַר ר"שׁ, שַׁפִּיר קָא אֲמַרְתְּ, אֲבָל הָא אִתְּמַר, דְּעִלָּאָה עָלְמָא דִּדְכוּרָא, אִתְקַשַּׁר בְּתַתָּאָה, דְּאִיהוּ עָלְמָא דְּנוּקְבָא, וְתַתָּאָה אִתְקַשַּׁר בְּעִלָּאָה, וְכֹלָּא דָּא כְּגַוְונָא דָּא.

תתי. וְהָא אִתְּמַר תְּרֵין עָלְמִין נִינְהוּ, כְּדִכְתִיב מִן הָעוֹלָם וְעַד הָעוֹלָם. וְאַע"ג דִּתְרֵין

נוּקְבֵי נִינְהוּ, וְחַד מִתְתַּקַּן בִּדְכוּרָא, וְחַד בְּנוּקְבָא. דָא שֶׁבַע, וְדָא בַּת שֶׁבַע. דָא אֵם, וְדָא אֵם, דָא אִקְרֵי אֵם הַבָּנִים. וְדָא אִקְרֵי אֵם שְׁלֹמֹה, כְּדִכְתִיב צְאֶנָה וּרְאֶנָה בְּנוֹת צִיּוֹן בַּמֶּלֶךְ שְׁלֹמֹה וגו'. בַּמֶּלֶךְ שְׁלֹמֹה, בַּמֶּלֶךְ דְּכָל שְׁלָמָא דִילֵיהּ. דָא אֵם שְׁלֹמֹה, כְּדִכְתִיב, בַּת שֶׁבַע אֵם שְׁלֹמֹה.

תתיא. וּכְתִיב וַתֵּרֶב חָכְמַת שְׁלֹמֹה. וְחָכְמַת שְׁלֹמֹה, דָא אֵם שְׁלֹמֹה, דִּכְתִיב דִּבְרֵי לְמוּאֵל מֶלֶךְ מַשָּׂא אֲשֶׁר יִסְּרַתּוּ אִמּוֹ. דִּבְרֵי לְמוּאֵל מֶלֶךְ, הַאי קְרָא לָאו אִתְיְידַע מַהוּ סְתִימָא דִילֵיהּ. אֶלָּא, דִּבְרֵי לְמוּאֵל מֶלֶךְ: דְּבָרִים דְּאִתְמָר בְּגִין אֵל דְּאִיהוּ מֶלֶךְ, וּמַאן אִיהוּ. דָא אֵל זוֹעֵם בְּכָל יוֹם. וְאֵל שַׁדַּי. כְּמָה דְּאִתְמָר.

תתיב. לְמוּאֵל כְּד"א לְמוֹ פִּי. לְמוּאֵל מֶלֶךְ, דְּאִיהוּ בַּת שֶׁבַע. מַשָּׂא אֲשֶׁר יִסְּרַתּוּ אִמּוֹ, כַּד אִתְגְּלֵי עֲלוֹי בְּגִבְעוֹן, בְּחֶלְמָא דְלֵילְיָא.

תתיג. תָּא חֲזֵי יַעֲקֹב אִתְכְּנִישׁ לְגַבֵּי סִיהֲרָא, וְעָבֵיד בָּהּ פֵּירִין לְעָלְמָא. וְלֵית לָךְ דָּרָא בְּעָלְמָא, דְּלָא אִית בֵּיהּ אִיבָּא דְיַעֲקֹב, בְּגִין, דְּהָא אִיהוּ אִתְעַר אִתְעֲרוּתָא לְעֵילָא, בְּגִין דִּכְתִיב, וַיֶּאֱסֹף רַגְלָיו אֶל הַמִּטָּה, דְּאִיהוּ מִטָּתֵיהּ דְּיַעֲקֹב וַדַּאי.

תתיד. זַכָּאָה חוּלָקֵיהּ דְּיַעֲקֹב, דְּהָא אִשְׁתְּלִים לְעֵילָא וְתַתָּא, דִּכְתִיב וְאַתָּה אַל תִּירָא עַבְדִּי יַעֲקֹב נְאֻם ה' וגו' כִּי אִתְּךָ אָנִי. כִּי אִתִּי אַתָּה לָא אִתְמָר, אֶלָּא כִּי אִתְּךָ אָנִי, וְהָא אִתְמָר.

תתטו. רִבִּי יִצְחָק פָּתַח וְאָמַר, וַיָּבֹאוּ עַד גֹּרֶן הָאָטָד וגו', וּכְתִיב וַיַּרְא יוֹשֵׁב הָאָרֶץ הַכְּנַעֲנִי אֶת הָאֵבֶל בְּגֹרֶן הָאָטָד וגו'. הָנֵי קְרָאֵי אִית לְאִסְתַּכְּלָא בְּהוּ, מַאי אִיכְפַּת לָן דְּאִינּוּן אָתוּ עַד גֹּרֶן הָאָטָד. וּמ"ט אִתְכַּנַּת אֲבֵלוּתָא דָא לְמִצְרַיִם, דְּהָא אֵבֶל יִשְׂרָאֵל מִבָּעֵי לֵיהּ, מ"ט לְמִצְרַיִם.

תתטז. אֶלָּא, הָכֵי אֲמָרוּ, כָּל הַהוּא זִמְנָא דַּהֲוָה יַעֲקֹב בְּמִצְרַיִם, אִתְבָּרַךְ אַרְעָא בְּגִינֵיהּ, וְנִילוּס הֲוָה נָפֵיק וְאַשְׁקֵי אַרְעָא, וְעוֹד דְּפָסַק כַּפְנָא בְּגִינֵיהּ דְּיַעֲקֹב. וְעַל דָּא, מִצְרָאֵי עֲבָדוּ אֲבֵלוּתָא, וְאִתְכַּנֵּי עֲלַיְיהוּ.

תתיז. פָּתַח וְאָמַר, מִי יְמַלֵּל גְּבוּרוֹת ה' יַשְׁמִיעַ כָּל תְּהִלָּתוֹ, הַאי קְרָא אוֹקְמוּהָ. אֲבָל מַהוּ יְמַלֵּל יְדַבֵּר מִבָּעֵי לֵיהּ. וְאִי תֵּימָא דְּאָרְחֵיהּ דִּקְרָא הָכֵי הוּא, דְּהָא קְרָאֵי אִינּוּן הָכֵי. לָא. דְּכֻלְּהוּ לְאַחֲזָאָה מִלָּה קָא אַתְיָין. אוּף הָכָא, לְאַחֲזָאָה מִלָּה קָא אַתְיָא, מִי יְמַלֵּל: כְּדִכְתִיב וְקָטַפְתָּ מְלִילוֹת. גְּבוּרוֹת ה', בְּגִין דְּסַגִּיאִין אִינּוּן, דְּהָא כָּל גְּזֵרָא דְּדִינָא, מִתַּמָּן קָא אַתְיָא, וְעַל דָּא, מַאן אִיהוּ דְּיִסְלַק וְיַעֲבַר גְּזֵרָה חָדָא, מֵאִינּוּן גְּבוּרָאן דְּעָבֵיד קוּדְשָׁא בְּרִיךְ הוּא.

תתיח. תּוּ, מִי יְמַלֵּל, וִידַבֵּר, כֹּלָּא חַד. יְדַבֵּר, דְּהָא כַּמָּה וְכַמָּה גְּבוּרָאן אִינּוּן, דְּלֵית לוֹן חוּשְׁבָּנָא, כַּמָּה מָארֵי דְּדִינִין, כַּמָּה מָארֵי תְּרֵיסִין, כַּמָּה גַּרְדִּינֵי נִמּוּסִין, וּמִלּוּלָא לָא יָכֵיל לְמַלָּלָא לוֹן.

תתיט. וּבַמֶּה יְדִיעָן, כֻּלְּהוּ בְּהַגָּדָה, דְּאִית בֵּיהּ רָזָא דְּחָכְמְתָא, דְּהָא בְּמִלּוּלָא וּבַאֲמִירָה לָא יָכֵיל לְמַלָּלָא לוֹן. לְמִנְדַּע לוֹן, אֲבָל בְּהַגָּדָה יְדִיעָן, כְּמָה דִּכְתִיב, דּוֹר לְדוֹר יְשַׁבַּח מַעֲשֶׂיךָ וּגְבוּרוֹתֶיךָ יַגִּידוּ, בְּרָזָא דָא יְדִיעָן, אֲבָל גְּבוּרָתֶךָ דְּהִיא גְּבוּרָה תַּתָּאָה, יְדַבֵּרוּ, דִּכְתִיב וּגְבוּרָתְךָ יְדַבֵּרוּ.

תתכ. יַשְׁמִיעַ כָּל תְּהִלָּתוֹ, דְּסַגִּיאִין אִינּוּן דִּינִין, דְּאִשְׁתְּמוֹדְעָן וּמִתְחַבְּרָן בִּתְהִלָּה, וְכַמָּה חֵילִין, וְכַמָּה מַשִּׁירְיָין דְּמִתְחַבְּרָן בָּהּ, כְּדִכְתִיב, הֲיֵשׁ מִסְפָּר לִגְדוּדָיו, וְעַל דָא, מַאן יָכֵיל לְאִשְׁתְּמַע כָּל תְּהִלָּתוֹ.

תתכא. תָּא חֲזֵי, מִצְרָאֵי כֻּלְּהוּ חַכִּימִין הֲווֹ, וּמִסִּטְרָא דִּגְבוּרָה קָא נָפְקֵי, כַּמָּה חֵילִין

וְכַמָּה מַשִּׁירְיָין, וְכַמָּה דַּרְגִּין עַל דַּרְגִּין, עַד דְּמָטוּ לְגַבֵּי דַּרְגִּין תַּתָּאִין, וּמִצְרָאֵי הֲווֹ חָרָשִׁין וַחֲכִּימִין בְּהוּ, וְיָדְעִין סְתִימִין דְּעַלְמָא, וְאִסְתַּכָּלוּ הָא, דְּבִזְמְנָא דְּיַעֲקֹב קַיָּים בְּעַלְמָא, לָא אִית עַמָּא דְּשַׁלְטָא עַל בְּנוֹי, וְיָדְעוּ דְּהָא יִשְׁתַּעְבְּדוּ בְּהוּ בְּיִשְׂרָאֵל זִמְנִין סַגִּיאִין.

תתכב. כֵּיוָן דְּמִית יַעֲקֹב וַדַּאי, אִסְתַּכָּלוּ מַה יְּהֵא בְּסוֹפָא, עַד דְּמָטוּ לְגֹרֶן הָאָטָד, דְּאִיהוּ גְּזֵרָא דְּדִינָא שַׁלִּיטָא, אָטָ״ד בְּגִי׳ יַד, כְּד״א וַיַּרְא יִשְׂרָאֵל אֶת הַיָּד הַגְּדוֹלָה וגו׳, כֵּיוָן דְּמָטוּ לַאֲתַר דָּא, חָמוּ גְּבוּרָאן דְּנָפְקֵי מֵהַאי אָטָד. אַמַּאי אִקְרֵי אָטָד. אֶלָּא, מַה אָטָד נָפְקֵי כּוּבִין לְהַאי סִטְרָא וּלְהַאי סִטְרָא, הָכִי נָמֵי יַ״ד, נָפְקֵי מִינָּהּ אֶצְבְּעָאן, לְהַאי סִטְרָא וּלְהַאי סִטְרָא, וְכָל אֶצְבְּעָא וְאֶצְבְּעָא סַלִּיק בְּכַמָּה גְּבוּרָאן, בְּכַמָּה דִּינִין, וּבְכַמָּה נִמּוּסִין, כְּדֵין וַיִּסְפְּדוּ שָׁם מִסְפֵּד גָּדוֹל וְכָבֵד מְאֹד עַל כֵּן קָרָא שְׁמָהּ אָבֵל מִצְרָיִם, וַדַּאי אֵבֶל כָּבֵד זֶה לְמִצְרַיִם, וְלָא לְאוֹחֲרָא.

תתכג. ר״ש פָּרֵישׁ פָּרְשָׁתָא. נָפְקֵי מִגּוֹ מְעַרְתָּא, אֲמַר חָמֵינָא דְּיוֹמָא דֵּין יִנְפּוֹל בֵּיתָא בְּמָתָא, וְיַעַדְרוּן תְּרֵי רוּמָאֵי מְקַטְרְגִין. אִי אֲנָא בְּמָתָא לָא יִנְפּוֹל בֵּיתָא. אַהַדְרוּ לְגוֹ מְעַרְתָּא יָתְבוּ.

תתכד. פָּתַח ר״ש וַאֲמַר, צַהֲלִי קוֹלֵךְ בַּת גַּלִּים וגו׳ צַהֲלִי קוֹלֵךְ, הַאי קְרָא לִכְנֶסֶת יִשְׂרָאֵל אִתְּמַר, בְּגִין דְּאִיהִי מְשַׁבַּחַת לֵיהּ לְקוּדְשָׁא בְּרִיךְ הוּא, בְּקָלָא מְשַׁבְּחָא, וְעַל דָּא צַהֲלִי קוֹלֵךְ. מֵהָכָא אוֹלִיפְנָא, כָּל מַאן דְּבָעֵי לְשַׁבְּחָא לְקוּדְשָׁא בְּרִיךְ הוּא בְּקָלָא, בָּעְיָא לֵיהּ קָלָא נְעִימוּתָא, דְּיֶעֱרַב לְאוּדְנִין דְּשָׁמְעִין לֵיהּ, וְאִי לָאו, לָא יָקוּם לַאֲרָמָא קָלָא.

תתכה. תָּא חֲזֵי, לֵיוָאֵי דְּאַתְיָין מִסִּטְרָא דָּא, דִּכְתִּיב, וּמִבֶּן חֲמִשִּׁים שָׁנָה יָשׁוּב מִצְּבָא הָעֲבוֹדָה וגו׳. מ״ט. בְּגִין דְּקָלֵיהּ נָמִיךְ, וְלָא יֶעֱרַב לְאוּדְנִין, כִּשְׁאָר חַבְרוֹי, כְּדֵין מְעַבְרִין לֵיהּ מֵהַאי צְבָא הָעֲבוֹדָה דִּלְעֵילָּא, דְּקַיְימִין לְנַגְּנָא לְגַבֵּי הַאי עֲבוֹדָה, וְלִיקְרָא שְׁמָא קַדִּישָׁא כִּדְקָא חֲזֵי.

תתכו. חֵילִין לְעֵילָּא, חֵילִין וּמַשִּׁרְיָין לְגַבֵּי תַּתָּאֵי, לְשַׁבְּחָא שְׁמָא קַדִּישָׁא, וּלְזַמְּרָא לוֹן. וּבְגִינֵי כָּךְ יָשׁוּב מִצְּבָא הָעֲבוֹדָה, וּבְגִין דִּכְנ״י קָא מְשַׁבְּחָא לֵיהּ לְקוּדְשָׁא בְּרִיךְ הוּא, אֲמַר קְרָא, צַהֲלִי קוֹלֵךְ בַּת גַּלִּים, בַּת אֲבָהָן.

תתכז. תּוּ, בַּת גַּלִּים, עַלְמָא דְּאָתֵי אִקְרֵי גַּלִּים, בְּגִין דְּכֹלָּא קַיְימָא בֵּיהּ, וְאִתְכְּלִיל בֵּיהּ תִּלֵּי תִּלִּים, וְנַפְקָא מִנֵּיהּ לְכֹלָּא. תּוּ בַּת גַּלִּים, כְּדִכְתִּיב, גַּל נָעוּל, וְכָל אִינּוּן גַּלִּים וּמַבּוּעִין, כֻּלְּהוּ נָפְקֵי מֵעַלְמָא דְּאָתֵי, וּכְנֶסֶת יִשְׂרָאֵל אִיהִי בַּת גַּלִּים.

תתכח. תָּא חֲזֵי, הַאי קְרָא קַשְׁיָא, בְּקַדְמֵיתָא כְּתִיב צַהֲלִי קוֹלֵךְ, דְּהוּא בְּגִין לְזַמְּרָא וְלַאֲרָמָא קָלָא, וּלְבָתַר כְּתִיב, הַקְשִׁיבִי, אִי הָכִי אַמַּאי צַהֲלִי קוֹלֵךְ, כֵּיוָן דִּכְתִיב הַקְשִׁיבִי. אֶלָּא, צַהֲלִי, בְּגִין לְשַׁבְּחָא וּלְזַמְּרָא. תָּא חֲזֵי, אִי יִשְׂרָאֵל שָׁרָאן לְשַׁבְּחָא וּלְזַמְּרָא לְקוּדְשָׁא בְּרִיךְ הוּא, כְּדֵין כְּתִיב הַקְשִׁיבִי, מ״ט, בְּגִין דְּיִשְׂרָאֵל אִינּוּן מְשַׁבְּחָן וּמְזַמְּרָן בְּגִינָהּ לְקוּדְשָׁא בְּרִיךְ הוּא, וְעַל דָּא כְּתִיב צַהֲלִי קוֹלֵךְ, וּכְתִיב הַקְשִׁיבִי.

תתכט. לַיְשָׁה: בְּגִין דְּאַתְיָא מִסִּטְרָא דִּגְבוּרָה, כְּד״א לַיִשׁ גִּבּוֹר בַּבְּהֵמָה. וְהַאי לַיְשָׁה, גְּבוּרָה, לְתַבְּרָא חֵילִין וְתוּקְפִין. עֲנִיָּה עֲנָתוֹת, בְּגִין דְּאִיהִי אַסְפַּקְלַרְיָא דְּלָא נַהֲרָא, עֲנִיָּה וַדַּאי, לֵית לָהּ נְהוֹרָא לְסִיהֲרָא מִגַּרְמָהּ, אֶלָּא מַה דְּיָהֵיב לָהּ שִׁמְשָׁא.

תתל. עֲנָתוֹת אִיהוּ חֲקַל, כְּפַר וְחַד, וְשָׁרְיָין בֵּיהּ כַּהֲנֵי מִסְכְּנֵי, דְּאַהַדְרָן עַל פִּתְחִין, וְלֵית מַאן דְּיַשְׁגַּח בְּהוּ, בְּגִין דְּכָל אִינּוּן בְּנֵי הַהוּא כְּפָרָא, קְלִיסִין הֲווֹ בְּעֵינַיְיהוּ דְּעַמָּא, וּבֵיתַיְיהוּ רֵיקָנְיָין יַתִּיר מִכָּל עַמָּא, בַּר מַה דְּיָהֲבִין לוֹן, כְּמִסְכְּנֵי קְלִיסִין דְּעַמָּא. בְּגִין כָּךְ, סִיהֲרָא לֵית

לה נהורא מגרמיה, אלא בשעתא דאתחבר עמה שמשא אתנהיר.

תתלא. תא חזי, דכתיב, ולאביתר הכהן אמר המלך ענתות לך על שדך כי איש מות אתה. וכי על דזמין ליה אדוניהו, איש מות אקרי. אלא, בגין דההוה מאתר מסכנא, דאידבק ביה סיהרא, דאיהי עניה ענתות.

תתלב. ואי תימא, וכי התענית בכל אשר התענה אבי, בגיני כך זכאה דלא קטיל ליה. אלא אביתר, בגין דההוה מאתר מסכנא, זכה ביה דוד, עד לא סליק למלכו, כד הוה מכמאן ליה שאול, והוי ארחוי כמסכנא, אביתר כגוונא דא, ולזמנא דשלט שלמה, סיהרא קיימא באשלמותא, והוה בחדוותא דעתירו, דכלא הוה ליה, לא זכה ביה אביתר.

תתלג. ודאי שדה ענתות, רזא דמלה הוה, וירמיה דקני ליה, כלא הוה, בגין לאחסנא רזא עלאה. תא חזי, כך שלטא סיהרא, שדה תפוחים אקרי, כך איהו במסכנו, שדה ענתות. בגיני כך, תושבחתא דלתתא, עביד ליה עתירו, ושלימותא.

תתלד. כמה דדוד, כל יומוי אשתדל למעבד שלימו לה, ולנגנא זמרי, לזמרא ולשבחא לתתא, וכד דוד אסתליק מעלמא, שביק לה בשלימו, ושלמה נטל לה בעותרא, בשלימותא, דהא סיהרא נפקא ממסכנו, ועאלת לעותרא, דבהך עותרא, שלט על כל מלכי ארעא.

תתלה. ועל דא אין כסף נחשב בימי שלמה. אלא כלא דהב, דאתרבי דהב, ובההוא זמנא כתיב, ועפרות זהב לו, דהא עפר דלעילא, הוה מסתכל ביה שמשא, ובאסתכלותא דשמשא ותוקפיה, עפרא עביד ואסגי דהב.

תתלו. תא חזי, מטורי דנהירו, דתוקפא דשמשא תמן, עפרא דארעא ביני טורי, כלהו עבדי דהב, ואלמלא חיוון בישין דרביאו תמן, בני נשא לא הוו מסכני, בגין דתוקפא דשמשא אסגי דהב.

תתלז. בג"כ, ביומוי דשלמה, אין כסף נחשב למאומה, דהא תקיפא דשמשא אסתכל בעפרא, ואסגי ליה דהב. ועוד דההוא עפרא סטרא דדינא איהו, כד אסתכל ביה שמשא, נטל תוקפא ואתרבי דהבא. כיון דאסתכל שלמה בה, שבח ואכריז ואמר, הכל היה מן העפר וגו'.

תתלח. ועכ"ד שלמה לא אצטריך לנגנא כדוד, אלא שירתא דאיהו רחימי דעותרא, דהוא נהירו ורחימו דכל תושבחן דעלמא ביה הוו, תושבחתא דמטרוניתא כד יתבא בכרסיא לקבליה דמלכא קאמר.

תתלט. כתיב ויתן המלך את הכסף בירושלים כאבנים, בגין דכלא הוה דהב, ועפרא אתקשר בשמאלא, בסטרא דרחימו, כד"א שמאלו תחת לראשי, ושמשא אתדבק בההיא, ולא אתעדי מינה.

תתמ. שלמה טעה בהאי, דהא חמא דאתקריב סיהרא בשמשא, וימינא מחבקא, ושמאלא תחות רישא, כיון דאתקריבו דא בדא, אמר הא אתקריבו כחדא, ימינא מה הכא, דהא ימינא לאו איהו אלא בגין לקרבא, כיון דאתקריבו דא בדא למאי אצטריך, מיד אין כסף נחשב בימי שלמה.

תתמא. א"ל קודשא בריך הוא, אנת דחית ימינא, חייך, אנת תצטרך לחסד בני נשא, ולא תשכח. מיד סטא שמשא מלקבל סיהרא, וסיהרא שריא לאתחשכא, והוה שלמה

מְהַדַּר עַל פִּתְחִין, וְאָמַר, אֲנִי קֹהֶלֶת, וְלָא הֲוָה מַאן דְּיַעֲבֵד עִמֵּיהּ חֶסֶד, מ״ט, בְּגִין דְּדָוִד יְמִינָא, וְלָא חֲשִׁיב לֵיהּ, הה״ד, אֵין כֶּסֶף נֶחְשָׁב בִּימֵי שְׁלֹמֹה לִמְאוּמָה.

תתמב. וְע״ד, כָּל דְּאַסְגֵּי תּוּשְׁבְּחָן לְגַבֵּי קוּדְשָׁא בְּרִיךְ הוּא, אַסְגֵּי שְׁלָמָא לְעֵילָּא, בְּגִינֵי כָּךְ הַקְשִׁיבִי לַיְשָׁה. כְּתִיב לַיִשׁ אוֹבֵד מִבְּלִי טֶרֶף וגו׳, לַיִשׁ הַיְינוּ לַיְשָׁה, כְּדִכְתִיב, וְזָקֵן וּזְקֵנָה. אוֹבֵד: כְּדִכְתִיב, וּבָאוּ הָאוֹבְדִים. מִבְּלִי טָרֶף: בְּגִין, דְּאִיהִי תָּבְעָה עָלֶיהָ לְמֵיהַב, כְּדִכְתִיב, וַתָּקָם בְּעוֹד לַיְלָה וַתִּתֵּן טֶרֶף לְבֵיתָהּ.

תתמג. וּבְנֵי לָבִיא יִתְפָּרָדוּ. בְּגִין, דְּכֻלְּהוּ וַזַּיְלִין, כַּד אִיהִי יְהִיבַת, לְהוֹן טֶרֶף, כֻּלְּהוּ מִתְחַבְּרָן כַּחֲדָא, וְיָנְקִין כַּחַד. וְכַד אִיהִי יָתְבָא מִבְּלִי טֶרֶף, דְּגָרַם גָּלוּתָא, וַדַּאי בְּנֵי לָבִיא יִתְפָּרָדוּ, מִתְפָּרְשָׁן כֻּלְּהוּ, לְכַמָּה סִטְרִין וְאָרְחִין, בְּגִין לְאַשְׁכְּחָא לְמֶעְבַּד דִּינָא. וְע״ד, בִּזְמְנָא דְּקָרְבְּנָא אִתְעֲבֵיד, כֻּלָּא מִתְתַּקְּנָן, וּמִתְקָרְבִין כַּחֲדָא, כְּדְקָאֲמָרָן, הַשְׁתָּא דְּקָרְבְּנָא לָא אִתְעֲבֵיד, וַדַּאי בְּנֵי לָבִיא יִתְפָּרָדוּ, וּבְגִינֵי כָּךְ, לֵית לָךְ יוֹם דְּלָא אִשְׁתְּכַח בֵּיהּ דִּינָא, דְּהָא לָא מִתְעָרִין עִלָּאִין וְתַתָּאִין בִּשְׁלִימוּ עִלָּאָה כִּדְקָאֲמָרָן.

תתמד. תָּא חֲזֵי, הַשְׁתָּא צְלוֹתָא דְּב״נ, אִתְעַר שְׁלִימוּ, לְעֵילָּא וְתַתָּא, וּבְבִרְכָתָא דְּבָרֵיךְ לְקוּדְשָׁא בְּרִיךְ הוּא, מִתְבָּרְכִין עִלָּאִין וְתַתָּאִין. וְע״ד בִּצְלוֹתָא דְּיִשְׂרָאֵל מִתְבָּרְכָאן עָלְמִין. מַאן דִּמְבָרֵךְ לֵיהּ לְקוּדְשָׁא בְּרִיךְ הוּא, יִתְבָּרַךְ. מַאן דְּלָא בָּרֵיךְ לְקוּדְשָׁא בְּרִיךְ הוּא, לָא יִתְבָּרַךְ. הֲדָא הוּא דִּכְתִיב כִּי מְכַבְּדַי אֲכַבֵּד וּבוֹזַי יֵקָלּוּ.

תתמה. רַב הַמְנוּנָא סָבָא, כָּסָא דְּבִרְכָתָא לָא יָהִיב לֵיהּ לְב״נ אָחֳרָא לְבָרְכָא, אֶלָּא אִיהוּ אַקְדִּים וְנָטֵיל לֵיהּ בִּתְרֵי יְדוֹי וּמְבָרֵךְ. וְהָא אֲמָרָן, דְּבָעֵי לְנַטְלָא לֵיהּ בִּימִינָא וּבִשְׂמָאלָא, וְאע״ג דְּכֹלָּא אִתְעָרוּ בֵּיהּ, שַׁפִּיר הוּא, אֲבָל כָּסָא דִּבְרָכָה הָכִי אִצְטְרִיךְ כּוֹס, דִּכְתִיב כּוֹס יְשׁוּעוֹת אֶשָּׂא, דְּהָא בְּהַאי כּוֹס, אִתְנְגִידוּ בִּרְכָאן, מֵאִינוּן יְשׁוּעוֹת דִּלְעֵילָּא, וְהוּא נָטֵיל לוֹן, וְכָנִישׁ לוֹן לְגַבֵּיהּ, וְתַמָּן אִתְנְטִיר חַמְרָא עִלָּאָה, וְאִתְכְּנִישׁ בְּהַהוּא כּוֹס, וּבְעִינָן לְבָרְכָא לֵיהּ בִּימִינָא, וּבִשְׂמָאלָא, וְחַמְרָא דְּאִיהוּ בְּהַאי כּוֹס כָּנִישׁ, דְּיִתְבָּרְכוּן כַּחֲדָא, וּבְעִינָן לְבָרְכָא פָּתוֹרָא, דְּלָא תְּהֵא רֵיקַנְיָא מִנַּהֲמָא וְחַמְרָא כֹּלָּא כַּחֲדָא.

תתמו. תָּא חֲזֵי, כְּנֶסֶת יִשְׂרָאֵל, כּוֹס שֶׁל בְּרָכָה אִקְרֵי, וְכֵיוָן דְּאִיהוּ כּוֹס שֶׁל בְּרָכָה, בְּעִינָן יְמִינָא וּשְׂמָאלָא לְנַטְלָא לֵיהּ, וְהַהוּא כּוֹס אִתְיְיהִיב בֵּין יְמִינָא וּשְׂמָאלָא, וּבָעֵי דְּאִתְמַלְיָא חַמְרָא, בְּגִין חַמְרָא דְּאוֹרַיְיתָא, דְּאִיהוּ נָפִיק מֵעָלְמָא דְּאָתֵי.

תתמז. וְתָא חֲזֵי, כּוֹס שֶׁל בְּרָכָה, בְּהַאי אִתְגַּלְיָין מִלִּין עִלָּאִין, הָכָא דְּאָנָן בִּמְעַרְתָּא, אִימָא הָכָא אִתְגַּלְיָיא רָזָא דִּרְתִיכָא קַדִּישָׁא, כּוֹס שֶׁל בְּרָכָה בָּעֵי לְקַבְּלָא לֵיהּ בִּימִינָא וּשְׂמָאלָא, דָּא צָפוֹן וְדָרוֹם, וְכוֹס שֶׁל בְּרָכָה דִּיהֵא נָטֵיל בְּרָכָה מִנַּיְיהוּ. מַאן כּוֹס שֶׁל בְּרָכָה, דָּא מִטָּתוֹ שֶׁלִּשְׁלֹמֹה, דִּבְעִינָן דְּאִתְיְיהִיב בֵּין צָפוֹן לְדָרוֹם, וּבָעֵי לְאַנָּחָא לָהּ בִּימִינָא, וְגוּפָא דְּיִתְתַּקַּן בַּהֲדַיְיהוּ, וְיַשְׁגַּח בֵּיהּ בְּהַהוּא כּוֹס, לְבָרְכָא לֵיהּ בְּאַרְבַּע בִּרְכָאן, בְּגִין דִּכְתִיב, תָּמִיד עֵינֵי ה׳ אֱלֹהֶיךָ בָּהּ וגו׳. אִשְׁתַּכַּח בְּכוֹס שֶׁל בְּרָכָה, רָזָא דִּמְהֵימְנוּתָא, צָפוֹן וְדָרוֹם וּמִזְרָח וּמַעֲרָב, הָא רְתִיכָא קַדִּישָׁא כִּדְקָא חֲזֵי לֵיהּ.

תתמח. וּפָתוֹרָא בְּנַהֲמָא, בְּגִין דְּיִתְבָּרְכָא הַהוּא לֶחֶם דִּלְתַתָּא, וְיִתְבָּרַךְ לֶחֶם עוֹנִי, וִיהֵא לֶחֶם פַּנַּג, וְהָא אוֹקִימְנָא. וְיִשְׁתַּכַּח דִּכְנֶסֶת יִשְׂרָאֵל מִתְבָּרְכָא בְּד׳ סִטְרֵי עָלְמָא, לְעֵילָּא וְתַתָּא. וְכוֹס שֶׁל בְּרָכָה, לְאִתְחַבְּרָא דָּוִד מַלְכָּא בַּאֲבָהָן, וְיִתְבָּרַךְ לְתַתָּא, דְּיִתְבָּרַךְ פָּתוֹרָא דְּב״נ, לְאִשְׁתַּכְּחָא בֵּיהּ מְזוֹנָא תָּדִיר.

תתמט. קָמוּ כֻּלְּהוּ וּנְשָׁקוּ יְדוֹי, אֲמָרוּ בְּרִיךְ רַחֲמָנָא דְּאָעֵילְנָא הָכָא, וּשְׁמַעְנָא מִלִּין

אִלֵּין. נָפְקוּ מִן מְעַרְתָּא, וַאֲזָלוּ, כַּד עָאלוּ בְּמָתָא, וְחָמוּ עִטְרָא דִּבְנֵי נָשָׁא דְּמִיתוּ, דְּנָפַל בֵּיתָא עֲלַיְיהוּ, יָתְבוּ וְחָמוּ דְּקָא סָפְדֵי לְאִינּוּן דְּמִיתוּ, עִם אִינּוּן רוֹמָאֵי.

תתנ. פָּתַח רַבִּי שִׁמְעוֹן וְאָמַר, וַיָּבֹאוּ עַד גֹּרֶן הָאָטָד, מַאן גֹּרֶן הָאָטָד. אֶלָּא, הָכָא אִתְרְמִיז שָׁלְטָנוּתָא דְּמִצְרָאֵי דְּאִתְעֲדֵי. גֹּרֶן הָאָטָד, דָּא מְמַנָּא שׁוּלְטָנָא דְּמִצְרָאֵי, דְּאִתְעֲדֵי מִקַּמֵּי שׁוּלְטָנוּתָא דְּיִשְׂרָאֵל, דְּהָא חָמוּ גּוֹרֶן כְּד"א מְלוּבָּשִׁים בְּגָדִ"ים בְּגֹּרֶן, וְע"ד וַיִּסְפְּדוּ שָׁם מִסְפֵּד גָּדוֹל וְכָבֵד מְאֹד וגו'.

תתנא. עַל כֵּן קָרָא שְׁמָהּ אָבֵל מִצְרַיִם עַד הַיּוֹם הַזֶּה, דְּוַדַּאי מִמִּצְרַיִם הֲוָה, אוּף הָכָא לָאו דְּיוּדָאֵי נִינְהוּ אִלֵּין בָּכְיָין, אע"ג דְּמִיתוּ בֵּיהּ יוּדָאֵי, וְאִלֵּין יוּדָאֵי, אִלְמָלֵא הֲווּ יוּדָאֵי, לָא מִיתוּ, וְכֵיוָן דְּמִיתוּ, קוּדְשָׁא בְּרִיךְ הוּא מְכַפֵּר חוֹבַיְיהוּ.

תתנב. אָמַר ר"ש תָּא חֲזֵי, דְּיַעֲקֹב אע"ג דְּנָפְקַת נִשְׁמָתֵיהּ בְּמִצְרַיִם, לָאו בִּרְשׁוּתָא אָחֳרָא נָפְקַת, מ"ט, כְּמָה דְּאִתְּמַר דְּלָא הֲוָה מִיּוֹמָא דְּאִתְבְּרֵי עָלְמָא, עַרְסָא שְׁלֵימָתָא, כְּהַהוּא עַרְסָא דְּיַעֲקֹב. בְּשַׁעְתָּא דַּהֲוָה סָלֵיק מֵעָלְמָא נִשְׁמָתֵיהּ מִיָּד אִתְקְשַׁר בְּאַתְרֵיהּ, וְהָא אוֹקִימְנָא.

תתנג. תָּא חֲזֵי, כַּד הֲוָה עָאל יַעֲקֹב בִּמְעַרְתָּא, כָּל רֵיחִין דְּגִנְּתָא דְּעֵדֶן אִשְׁתַּכְּחוּ בִּמְעַרְתָּא, וּמְעַרְתָּא סַלְקָא נְהוֹרָא, וְשְׁרָגָא חַד דָּלִיק. וְכַד עָאלוּ אֲבָהָן לְגַבֵּי דְּיַעֲקֹב לְמִצְרַיִם, לְאִשְׁתַּכְּחָא עִמֵּיהּ, אִסְתַּלַּק נְהוֹרָא דִּשְׁרָגָא, כֵּיוָן דְּעָאל יַעֲקֹב בִּמְעַרְתָּא, הַדְרָא שְׁרָגָא לְאַתְרֵיהּ, כְּדֵין אִשְׁתְּלִים מְעַרְתָּא מִכָּל מַה דְּאִצְטְרִיךְ.

תתנד. וְעַד יוֹמֵי עָלְמָא, לָא קַבֵּילַת מְעַרְתָּא ב"נ אָחֳרָא, וְלָא תְּקַבֵּל. וְנִשְׁמָתִין דְּזַכָּאִן אַעְבְּרָן מִקַּמַּיְיהוּ בְּבֵי מְעַרְתָּא, בְּגִין דְּיִתְעֲרוּן, וְחָמִין זַרְעָא דְּשָׁבְקוּ בְּעָלְמָא, וְיֶחֱדוּ קַמֵּי קוּדְשָׁא בְּרִיךְ הוּא.

תתנה. אָמַר ר' אַבָּא, וַחֲנִיטָא דְּיַעֲקֹב מַאי אִיהוּ, א"ל זִיל שְׁאִיל לְאַסְיָא. תָּא חֲזֵי, כְּתִיב וַיְצַו יוֹסֵף אֶת עֲבָדָיו אֶת הָרֹפְאִים לַחֲנוֹט אֶת אָבִיו וַיַּחַנְטוּ הָרוֹפְאִים אֶת יִשְׂרָאֵל, ס"ד כִּשְׁאָר בְּנֵי נָשָׁא הֲוָה וַחֲנִיטָא דָּא. אִי תֵּימָא בְּגִין אוֹרְחָא הוּא דַּעֲבָדוּ, הָא כְּתִיב וַיָּמָת יוֹסֵף בֶּן וגו' וַיִּישֶׂם בָּאָרוֹן בְּמִצְרָיִם, הָא לָא אָזְלוּ עִמֵּיהּ בְּאָרְחָא, דְּהָא תַּמָּן אִתְקְבַר, וּכְתִיב וַיַּחַנְטוּ אוֹתוֹ.

תתנו. אֶלָּא, אָרְחָא דְּמַלְכִין אִינּוּן, בְּגִין לְקַיְּימָא גּוּפַיְיהוּ, וְחָנְטֵי לוֹן בִּמְשַׁח רְבוּת, עִלָּאָה עַל כָּל מִשְׁחִין, מְעוֹרָב בְּבוּסְמִין, וְשָׁאִיב לֵיהּ בְּגוּפָא, יוֹמָא בָּתַר יוֹמָא, בְּהַהוּא מִשְׁחָא טָבָא, אַרְבְּעִין יוֹמִין, דִּכְתִיב וַיִּמְלְאוּ לוֹ אַרְבָּעִים יוֹם כִּי כֵּן יִמְלְאוּ יְמֵי הַחֲנֻטִים. בָּתַר דְּאִשְׁתְּלִים דָּא, קַיְימָא גּוּפָא שְׁלִים זִמְנִין סַגִּיאִין.

תתנז. בְּגִין דְּכָל הַהוּא אַרְעָא דִּכְנַעַן, וְאַרְעָא דְּמִצְרַיִם, מְכַלָּה גּוּפָא וּמְרַקֵּב לֵיהּ לִזְמַן זְעֵיר, מִכָּל שְׁאָר אַרְעָא, וּבְגִין לְקַיְּימָא גּוּפָא עָבְדֵי דָּא, וְעָבְדֵי וַחֲנִיטָא דָּא מִגּוֹ וּמִבְּרָא. מִגּוֹ דְּשָׁוְיָין הַהוּא מִשְׁחָא עַל טִבּוּרָא, וְהוּא עָאל בְּטִבּוּרָא לְגוֹ, וְאִשְׁתְּאִיב בְּמֵעוֹי, וְקָאֵים לֵיהּ לְגוּפָא מִגּוֹ וּמִבְּרָא לִזְמְנִין סַגִּיאִין.

תתנח. וְיַעֲקֹב הָכֵי הֲוָה בְּקִיּוּמָא דְּגוּפָא, וְהָכֵי אִצְטְרִיךְ, דְּגוּפָא דַּאֲבָהָן אִיהוּ, וַהֲוָה בְּקִיּוּמָא בְּגוּפָא וְנַפְשָׁא. כְּגַוְונָא דָּא לְיוֹסֵף, דְּאִיהוּ דּוּגְמָא דְּגוּפָא, וּבְקִיּוּמָא דְּגוּפָא וְנַפְשָׁא הוּא. בְּקִיּוּמָא דְּגוּפָא, דִּכְתִיב וַיַּחַנְטוּ אוֹתוֹ, בְּקִיּוּמָא דְּנַפְשָׁא, דִּכְתִיב וַיִּישֶׂם בָּאָרוֹן בְּמִצְרָיִם.

תתנט. וּתְנִינָן תְּרֵי יוּדִ"ין אַמַּאי. אֶלָּא, יוֹסֵף נָטַר לֵיהּ בְּרִית לְתַתָּא, וְנָטִיר לֵיהּ בְּרִית

דִּלְעֵילָא, אִסְתַּלַּק מֵעַלְמָא, אִתְשַׁוֵּי בִּתְרֵי אֲרוֹנֵי, בְּאָרוֹן לְתַתָּא, וּבְאָרוֹן לְעֵילָא. אָרוֹן דִּלְעֵילָא מַאן אִיהוּ. אֶלָּא, כְּד״א הִנֵּה אֲרוֹן הַבְּרִית אֲדוֹן כָּל הָאָרֶץ, דְּאָרוֹן דִּלְעֵילָא אֲרוֹן הַבְּרִית אִקְרֵי, דְּהָא לָא יָרֵית לֵיהּ אֶלָּא מַאן דְּנָטַר בְּרִית, וּבְגִין דְּיוֹסֵף נָטַר לֵיהּ לִבְרִית, אִתְשַׁוֵּי בִּתְרֵי אֲרוֹנֵי.

תתס. וַיִּישֶׂם בָּאָרוֹן בְּמִצְרָיִם, הָכֵי הוּא וַדַּאי. וּקְרָא אוֹכַח רָזָא אָזְדָא דְּאַף עַל גַּב דְּנָפְקַת נִשְׁמָתֵיהּ בִּרְשׁוּ אָזְדָא, אִתְקַשַּׁר בִּשְׁכִינְתָּא, הֲדָא הוּא דִּכְתִיב, וַיִּישֶׂם בָּאָרוֹן, לְעֵילָא וּלְתַתָּא, בְּגִין דַּהֲוָה צַדִּיק, דְּכָל צַדִּיק יָרֵית אַרְעָא קַדִּישָׁא עִלָּאָה, כְּד״א וְעַמֵּךְ כֻּלָּם צַדִּיקִים לְעוֹלָם יִרְשׁוּ אָרֶץ נֵצֶר מַטָּעַי מַעֲשֵׂה יָדַי לְהִתְפָּאֵר.

בָּרוּךְ ה׳ לְעוֹלָם אָמֵן וְאָמֵן.

סְלִיק סֵפֶר בְּרֵאשִׁית

SHEMOT

שְׁמוֹת

א. וְאֵלֶּה שְׁמוֹת בְּנֵי יִשְׂרָאֵל הַבָּאִים מִצְרָיְמָה אֵת יַעֲקֹב אִישׁ וּבֵיתוֹ בָּאוּ, וְהַמַּשְׂכִּילִים יַזְהִירוּ כְּזֹהַר הָרָקִיעַ וּמַצְדִּיקֵי הָרַבִּים כַּכּוֹכָבִים לְעוֹלָם וָעֶד וְהַמַּשְׂכִּילִים: אִלֵּין אִינּוּן דְּמִסְתַּכְּלֵי בְּרָזָא דְּחָכְמְתָא. יַזְהִירוּ: נַהֲרִין, וְנָצְצִין בְּזִיוָא דְּחָכְמְתָא עִלָּאָה. כְּזֹהַר: נְהִירוּ וּנְצִיצוּ דְּנַהֲרָא דְּנָפִיק מֵעֵדֶן. וְדָא אִיהוּ רָזָא סְתִימָא, דְּאִקְרֵי רָקִיעַ. בֵּיהּ קַיְימִין כּוֹכְבַיָּא וּמַזָּלֵי שִׁמְשָׁא וְסִיהֲרָא, וְכָל אִינּוּן בּוֹצִינִין דִּנְהוֹרָא.

ב. זֹהַר דְּהַאי רָקִיעַ נָהִיר בִּנְהִירוּ עַל גִּנְתָּא. וְאִילָנָא דְּחַיֵּי קָיִים בְּמְצִיעוּת גִּנְתָּא. דְּעַנְפּוֹי חַפְיָין עַל כָּל אִינּוּן דְּיוֹקְנִין וְאִילָנִין וּבוּסְמִין דִּבְגִנְתָּא, בְּמָאנִין דְּכַשְׁרָן. וּתְטַלְלִין תְּחוֹתֵיהּ כָּל חֵיוַת בָּרָא. וְכָל צִפֳּרֵי שְׁמַיָּא יְדוּרוּן תְּחוֹת אִינּוּן עַנְפִּין.

ג. זֹהַר אִיבָּא דְּאִילָנָא, יָהִיב חַיִּין לְכֹלָּא. קִיּוּמֵיהּ לְעָלַם וּלְעָלְמֵי עָלְמִין סִטְרָא אַחֲרָא לָא שַׁרְיָא בֵּיהּ, אֶלָּא סִטְרָא דִּקְדוּשָּׁה. זַכָּאָה חוּלָקֵיהוֹן אִינּוּן דְּטַעֲמִין מִנֵּיהּ, אִינּוּן קַיְימִין לְעָלַם וּלְעָלְמֵי עָלְמִין. אִלֵּין אִקְרוּן מַשְׂכִּילִים, וְזַכָּאן חַיִּין בְּהַאי עָלְמָא, וְחַיִּין בְּעָלְמָא דְּאָתֵי.

ד. זֹהַר אִילָנָא דָּא, זַקְפָא לְעֵילָא לְעֵילָא. חֲמֵשׁ מְאָה פַּרְסֵי הִלּוּכֵיהּ, שִׁתִּין רִבּוֹא אִיהוּ, בִּפְשִׁיטוּתֵיהּ. בְּהַאי אִילָנָא, קַיְּימָא חַד זֹהֲרָא, כָּל גַּוְונִין קַיְימִין בֵּיהּ אִינּוּן גַּוְונִין סָלְקִין וְנַחְתִּין, לָא מִתְיַשְּׁבֵי בְּדוּכְתָּא אַחֲרָא בַּר בְּהַהוּא אִילָנָא.

ה. כַּד נַפְקֵי מִנֵּיהּ לְאִתְחֲזָאָה בְּגוֹ זֹהַר דְּלָא נַהֲרָא, מִתְיַשְּׁבָן וְלָא מִתְיַשְּׁבָן, קַיְימָן וְלָא קַיְימָן, בְּגִין דְּלָא מִתְיַשְּׁבָן בַּאֲתַר אַחֲרָא. מֵאִילָנָא דָּא נַפְקֵי תְּרֵיסַר שְׁבָטִין. דְּמִתְחַבְּרָן בֵּיהּ, וְאִינּוּן נַחְתּוּ בְּהַאי זֹהַר דְּלָא נַהֲרָא, לְגוֹ גָּלוּתָא דְּמִצְרַיִם, בְּכַמָּה מַשִּׁירְיָין עִלָּאִין, הה"ד וְאֵלֶּה שְׁמוֹת בְּנֵי יִשְׂרָאֵל וְגוֹ'.

ו. רִבִּי שִׁמְעוֹן פָּתַח, הָיֹה הָיָה דְּבַר ה', הָיֹה הָיָה תְּרֵי זִמְנֵי אַמַּאי. וְתוּ אִית לְשָׁאֲלָה, אִי יְחֶזְקֵאל נְבִיאָה מְהֵימְנָא הֲוָה, אַמַּאי גַּלֵּי כָּל מַה דְּחָמָא, מַאן דְּמַלְכָּא אָעִיל לֵיהּ בְּהֵיכָלֵיהּ אִית לֵיהּ לְגַלָּאָה רָזִין דְּחָמֵי. אֶלָּא וַדַּאי יְחֶזְקֵאל נְבִיאָה מְהֵימְנָא הֲוָה, וְכָל מַה דְּחָמָא בִּמְהֵימָנוּתָא אִיהוּ, וּבִרְשׁוּתָא דְּקֻבְּ"ה גַּלֵּי כָּל מַה דְּגַלֵּי, וְכֹלָּא אִצְטְרִיךְ.

ז. אָמַר ר"ש, מַאן דְּרָגִיל לְמִסְבַּל צַעֲרָא אַע"ג דְּאָתֵי לְפוּם שַׁעֲתָא צַעֲרָא, סָבִיל מִטַּלְנוֹי, וְלָא חָיִישׁ, אֲבָל מַאן דְּלָא רָגִיל בְּצַעַר, וַהֲוָה כָּל יוֹמוֹי בְּתַפְנוּקִין וְעִידוּנִין, וְאָתֵי לֵיהּ צַעֲרָא, דָּא אִיהוּ צַעֲרָא שְׁלִים, וְעַל דָּא אִצְטְרִיךְ לְמִבְכֵּי.

ח. כַּךְ יִשְׂרָאֵל, כַּד נַחְתּוּ לְמִצְרַיִם, רְגִילִין בְּצַעֲרָא הֲווּ, דְּהָא כָּל יוֹמוֹי דְּהַהוּא זַכָּאָה אֲבוּהוֹן בְּצַעֲרָא הֲוָה, וְעַל דָּא סָבְלוּ גָּלוּתָא כַּדְקָא יָאוּת. אֲבָל גָּלוּתָא דְּבָבֶל הַהוּא הֲוָה צַעֲרָא שְׁלִים, הַהוּא הֲוָה צַעֲרָא דְּעִלָּאִין וְתַתָּאִין בָּכָאן עָלֵיהּ.

ט. עִלָּאִין: דִּכְתִּיב, הֵן אֶרְאֶלָּם צָעֲקוּ חוּצָה וְגוֹ'. תַּתָּאִין: דִּכְתִּיב, עַל נַהֲרוֹת בָּבֶל

שָׁם יָשַׁבְנוּ וְגוֹ' כֻּלְּהוֹן בָּכוּ עַל גָּלוּתָא דְּבָבֶל. מ"ט. בְּגִין דַּהֲווּ בְּתַפְנוּקֵי מַלְכִּין דִּכְתִּיב

בְּנֵי צִיּוֹן הַיְקָרִים וְגוֹ'.

י. דְּתָנֵן אָמַר רַבִּי יִצְחָק, מַאי דִּכְתִּיב עַל הֶהָרִים אֶשָּׂא בְכִי וָנֶהִי. אֶלָּא, אִלֵּין אִינּוּן טוּרַיָּא רַמָּיָא דְּעָלְמִין. וּמַאן אִינּוּן טוּרַיָּא רַמָּיָא, אִינּוּן, בְּנֵי צִיּוֹן הַיְקָרִים הַמְסוּלָּאִים בַּפָּז וְהַשְׁתָּא הֲווֹ נָחְתִּין בְּגָלוּתָא, בְּרֵיחַיָּא עַל קְדָלֵיהוֹן וִידֵיהוֹן מְהַדְּקָן לַאֲחוֹרָא. וְכַד עָאלוּ בְּגָלוּתָא בְּבָבֶל, וְחָשִׁיבוּ דְּהָא לֵית לְהוּ קִיּוּמָא לְעָלְמִין, דְּהָא קֻבָּ"ה שָׁבִיק לוֹן, וְלָא יַשְׁגַּח בְּהוֹן לְעָלְמִין.

יא. וְתָנֵינָן, אָמַר רַבִּי שִׁמְעוֹן, בְּהַהִיא שַׁעֲתָא קָרָא קוּדְשָׁא בְּרִיךְ הוּא לְכָל פָּמַלְיָא דִּילֵיהּ, וְכָל רְתִיכִין קַדִּישִׁין, וְכָל חֵילֵיהּ וּמַשִׁרְיָיתֵיהּ, וְרַבְרְבָנוֹי, וְכָל חֵילָא דִּשְׁמַיָּא, וְאָמַר לוֹן, מַה אַתּוּן עָבְדִין הָכָא, וּמַה בְּנֵי רְחִימָאי בְּגָלוּתָא דְּבָבֶל, וְאַתּוּן הָכָא, קוּמוּ וְחוּתוּ כֻּלְּכוֹן לְבָבֶל, וַאֲנָא עִמְּכוֹן. הֲדָא הוּא דִּכְתִּיב, כֹּה אָמַר ה' לְמַעַנְכֶם שִׁלַּחְתִּי בָבֶלָה וְגוֹ'. לְמַעַנְכֶם שִׁלַּחְתִּי בָבֶלָה, דָּא קוּדְשָׁא בְּרִיךְ הוּא. וְהוֹרַדְתִּי בְרִיחִים כֻּלָּם, אִלֵּין כָּל רְתִיכִין וּמַשִׁרְיָין עִלָּאִין.

יב. כַּד נָחְתוּ לְבָבֶל, אִתְפַּתְּחוּ שְׁמַיָּא, וְשָׁרְאַת רוּחַ נְבוּאָה קַדִּישָׁא עַל יְחֶזְקֵאל, וְחָמָא כָּל מַה דְּחָמָא, וְאָמַר לוֹן לְיִשְׂרָאֵל, הָא מָארֵיכוֹן הָכָא, וְכָל חֵילֵי שְׁמַיָּא וּרְתִיכוֹ, דְּאָתוּ לְמֵידַר בֵּינַיְיכוֹן. לָא הֵימְנוּהוּ, עַד דְּאִצְטְרִיךְ לְגַלָּאָה כָּל מַה דְּחָמָא, וָאֵרֶא כָּךְ, וָאֵרֶא כָּךְ. וְאִי גַּלֵּי יַתִּיר, מַה דְּגַלֵּי כֹּלָּא אִצְטְרִיךְ. כֵּיוָן דְּחָמוּ יִשְׂרָאֵל כָּךְ, חָדוּ. וְכַד שָׁמְעוּ מִלִּין מִפּוּמֵיהּ דִּיחֶזְקֵאל, לָא חַיִישׁוּ עַל גָּלוּתְהוֹן כְּלָל, דְּהָא יָדְעוּ דְּקֻבָּ"ה לָא שָׁבִיק לוֹן. וְכָל מַה דְּגַלֵּי בִּרְשׁוּתָא גַּלֵּי.

יג. וְתָנֵינָן בְּכָל אֲתַר דְּיִשְׂרָאֵל גָּלוּ, תַּמָּן שְׁכִינְתָּא גָּלְתָה עִמְּהוֹן, וְהָכָא בְּגָלוּתָא דְּמִצְרַיִם מַה כְּתִיב, וְאֵלֶּה שְׁמוֹת בְּנֵי יִשְׂרָאֵל וְגוֹ'. כֵּיוָן דִּכְתִּיב בְּנֵי יִשְׂרָאֵל, מַהוּ אֶת יַעֲקֹב, הַבָּאִים אִתּוֹ אִצְטְרִיךְ לְמֵימַר. אֶלָּא, אֵלֶּה שְׁמוֹת בְּנֵי יִשְׂרָאֵל אִינּוּן רְתִיכִין וּמַשִׁרְיָין עִלָּאִין, דְּנָחְתּוּ עִם יַעֲקֹב, בַּהֲדֵי שְׁכִינְתָּא, בְּגָלוּתָא דְּמִצְרַיִם

יד. וְאֵלֶּה שְׁמוֹת בְּנֵי יִשְׂרָאֵל הַבָּאִים מִצְרַיְמָה אֵת יַעֲקֹב אִישׁ וּבֵיתוֹ בָּאוּ. רַבִּי חִיָּיא פָּתַח אִתִּי מִלְּבָנוֹן כַּלָּה אִתִּי מִלְּבָנוֹן תָּבוֹאִי תָּשׁוּרִי מֵרֹאשׁ אֲמָנָה מֵרֹאשׁ שְׂנִיר וְחֶרְמוֹן מִמְּעוֹנוֹת אֲרָיוֹת מֵהַרְרֵי נְמֵרִים. הַאי קְרָא עַל כְּנֶסֶת יִשְׂרָאֵל אִתְּמַר, בְּשַׁעֲתָא דְּנָפְקוּ יִשְׂרָאֵל מִמִּצְרַיִם, וְקָרִיבוּ לְטוּרָא דְסִינַי לְקַבְּלָא אוֹרַיְיתָא, אָמַר לָהּ קוּדְשָׁא בְּרִיךְ הוּא, אִתִּי מִלְּבָנוֹן: מִן הַהוּא עִדּוּנָא עִלָּאָה קָא אָתָאת. כַּלָּה: שְׁלֵימְתָא, כְּהַאי סִיהֲרָא דְּאִשְׁתַּלִּימַת מִן שִׁמְשָׁא בְּכָל נְהוֹרָא וּנְצִיצוּ, אִתִּי מִלְּבָנוֹן תָּבוֹאִי, בְּגִין לְקַבְּלָא בָּנַיִךְ אוֹרַיְיתָא.

טו. תָּשׁוּרִי מֵרֹאשׁ אֲמָנָה, תָּשׁוּרִי: כד"א וּתְשׁוּרָה אֵין לְהָבִיא. תְּקַבִּיל תִּקְרוּבְתָּא עַל בָּנַיִךְ. מֵרֹאשׁ אֲמָנָה: מֵרֵאשִׁיתָא דְּעָאלוּ בִּמְהֵימְנוּתָא עִלָּאָה, וְאָמְרוּ כֹּל אֲשֶׁר דִּבֶּר ה' נַעֲשֶׂה וְנִשְׁמָע, וַהֲווֹ בְּמַתְקְלָא חֲדָא כְּמַלְאָכִין עִלָּאִין, דְּהָכִי כְּתִיב בְּהוּ, בָּרְכוּ ה' מַלְאָכָיו גִּבּוֹרֵי כֹחַ עוֹשֵׂי דְבָרוֹ לִשְׁמוֹעַ בְּקוֹל דְּבָרוֹ. כְּדֵין קַבִּילַת כְּנֶסֶת יִשְׂרָאֵל תְּשׁוּרָה.

טז. מֵרֹאשׁ שְׂנִיר וְחֶרְמוֹן: דָּא טוּרָא דְסִינַי, דְּקָרִיבוּ לְגַבֵּיהּ, וְאִתְעַתְּדוּ תְּחוֹתֵיהּ. דִּכְתִּיב, וַיִּתְיַצְּבוּ בְּתַחְתִּית הָהָר. מִמְּעוֹנוֹת אֲרָיוֹת: אִלֵּין בְּנֵי שֵׂעִיר דְּקֻבָּ"ה זַמִּין לוֹן בְּאוֹרַיְיתָא, וְלָא בָּעוּ לְקַבְּלָהּ, מֵהַרְרֵי נְמֵרִים: אִלֵּין בְּנֵי יִשְׁמָעֵאל. דִּכְתִּיב ה' מִסִּינַי בָּא וְזָרַח מִשֵּׂעִיר לָמוֹ הוֹפִיעַ מֵהַר פָּארָן וְאָתָא מֵרִבְבוֹת קֹדֶשׁ.

יז. מַאי וְאָתָא מֵרִבְבוֹת קֹדֶשׁ. דְּתָנֵינָן, כַּד בָּעָא קֻבָּ"ה לְמֵיהַב אוֹרַיְיתָא לְיִשְׂרָאֵל,

אָתוּ מְשִׁירִין דְּמַלְאָכִין עִלָּאִין, פָּתְחוּ וְאָמְרוּ, ה' אֲדוֹנֵינוּ מָה אַדִּיר שִׁמְךָ בְּכָל הָאָרֶץ
אֲשֶׁר תְּנָה הוֹדְךָ עַל הַשָּׁמָיִם, בָּעָאן דְּיִתְיְהִיב לוֹן אוֹרַיְיתָא.

יח. אָמַר לוֹן קוּדְשָׁא בְּרִיךְ הוּא, וְכִי אִית בְּכוֹן מוֹתָא, דִּכְתִיב, אָדָם כִּי יָמוּת בְּאֹהֶל. וְכִי יִהְיֶה
בָּאִישׁ וְחָטָא מִשְׁפַּט מָוֶת וְהוּמָת. חַטָּא אִית בֵּינַיְיכוּ, וְכִי אַתּוּן בָּעָאן לְדִינָא. אִית בֵּינַיְיכוּ
גֶּזֶל. אוֹ גְּנֵבָה, דִּכְתִיב, לֹא תִגְנֹב. אִית בֵּינַיְיכוּ נְעִין דִּכְתִיב, לֹא תִנְאָף. אִית בֵּינַיְיכוּ
שִׁקְרָא, דִּכְתִיב, לֹא תַעֲנֶה בְּרֵעֲךָ עֵד שָׁקֶר. אִית בֵּינַיְיכוּ וְחִמְדָּה, דִּכְתִיב, לֹא תַחְמוֹד.
מַה אַתּוּן בָּעָאן אוֹרַיְיתָא. מִיָּד פָּתְחוּ וְאָמְרוּ, ה' אֲדוֹנֵינוּ מָה אַדִּיר שִׁמְךָ בְּכָל הָאָרֶץ.
וְאִלּוּ אֲשֶׁר תְּנָה הוֹדְךָ עַל הַשָּׁמָיִם לָא כְּתִיב. וע"ד וְאָתָא מֵרִבְבֹת קֹדֶשׁ, כְּדֵין מִימִינוֹ
אֵשׁ דָּת לָמוֹ.

יט. ר' יוֹסֵי אוֹקִים לְהַאי קְרָא, כַּד נָוְזָתָא שְׁכִינְתָּא בְּגָלוּתָא דְּמִצְרַיִם. ור"ש אָמַר,
הַאי קְרָא, עַל רָזָא דְּיִחוּדָא דִּמְהֵימְנוּתָא אִתְמַר, קוֹל אָמַר לְדִבּוּר
אָתֵי, בְּגִין דְּהָא קוֹל אָתֵי לְדִבּוּר, וּמְדַבֵּר לָהּ בַּהֲדֵיהּ, לְמֶהֱוֵי כַּחֲדָא בְּלָא פֵּרוּדָא כְּלָל.
בְּגִין דְּקוֹל אִיהוּ כְּלָל. ועד דִּבּוּר אִיהוּ פְרָט. וע"ד כְּלָל אִצְטְרִיךְ לִפְרָט, וּפְרָט אִצְטְרִיךְ
לִכְלָל. דְּהָא לֵית קוֹל בְּלָא דִּבּוּר, וְלֵית דִּבּוּר בְּלָא קוֹל. ועד אָתֵי מִלְּבָנוֹן כַּלָּה וְגוֹ',
דְּעֶקְרָא דְּתַרְוַויְיהוּ מִלְּבָנוֹן קָא אַתְיָין.

כ. תְּשׁוּעֹרֵי מֵרֹאשׁ אֲמָנָה: דָּא אִיהוּ גָּרוֹן, דְּמִתַּמָּן נַפְקָא רוּחָא לְאִשְׁתַּלְמָא כֹּלָּא, מֵרָזָא
דִּלְבָנוֹן סָתִים וְגָנִיז. מֵרֹאשׁ שְׂנִיר וְחֶרְמוֹן: דָּא אִיהוּ לִישָׁנָא רֵישָׁא וְאֶמְצָעִיתָא, דִּבְאֶמְצָעִיתָא
לַדִּבּוּר. מִמְּעֹנוֹת אֲרָיוֹת: אִלֵּין אִינּוּן עַיְנִין. מֵהַרְרֵי נְמֵרִים: אִלֵּין אִינּוּן שִׂפְוָון, שְׁלִימוּ
דְּאִשְׁתַּלְּמִין בְּהוּ דִּבּוּר.

כא. וְאֵלֶּה שְׁמוֹת בְּנֵי יִשְׂרָאֵל. רַבִּי וַזַּיָּיא פָּתַח, אַל תִּלְחַם אֶת לֶחֶם רַע עַיִן וְאַל
תִּתְאָו לְמַטְעַמֹּתָיו. אַל תִּלְחַם אֶת לֶחֶם רַע עַיִן, בְּגִין דְּנַהֲמָא אוֹ הֲנָאָה דְּהַהוּא בַּר נָשׁ
דְּהֲוֵי רַע עַיִן, לָאו אִיהוּ כְּדַאי לְמֵיכַל וּלְאִתְהֲנֵי מִנֵּיהּ. דְּאִי כַּד נָוְזָתוּ יִשְׂרָאֵל לְמִצְרַיִם,
לָא יָטְעֲמוּן נַהֲמָא דְּמִצְרָאֵי, לָא אִשְׁתַּבְּקוּ בְּגָלוּתָא, וְלָא יָעִיקוּן לוֹן מִצְרָאֵי.

כב. אָמַר לֵיהּ רַבִּי יִצְחָק, וְהָא גְּזֵרָה אִתְגְּזַר. א"ל, כֹּלָּא אִיהוּ כְּדַקָּא יָאוּת, דְּהָא לָא
אִתְגְּזַר בְּמִצְרַיִם דַּוְוקָא, דְּהָא לָא כְּתִיב כִּי יִהְיֶה גֵר זַרְעֲךָ בְּאֶרֶץ מִצְרַיִם, אֶלָּא בְּאֶרֶץ
לֹא לָהֶם, וַאֲפִילוּ בְּאַרְעָא אָחֳרָא.

כג. אָמַר ר' יִצְחָק, מַאן דְּאִיהוּ בַּעַל נֶפֶשׁ, דְּמֵיכָלֵיהּ יַתִּיר מִשְׁאָר בְּנֵי נָשָׁא, אוֹ מַאן
דְּהוּא אָזִיל בָּתַר מֵעוֹי, אִי אִעֲרַע בְּהַהוּא רַע עַיִן, יְכוּס גַּרְמֵיהּ וְלָא יֵיכוּל מִנַּהֲמָא
דִּילֵיהּ, דְּלֵית נַהֲמָא בִּישָׁא בְּעָלְמָא, בַּר מֵהַהוּא לֶחֶם רַע עַיִן, מַה כְּתִיב כִּי לֹא יוּכְלוּן
הַמִּצְרִים לֶאֱכֹל אֶת הָעִבְרִים לֶחֶם כִּי תוֹעֵבָה הִיא לְמִצְרָיִם, הָא לָךְ לֶחֶם רַע עַיִן,

כד. תְּלָתָא אִינּוּן דְּדָוְוזִין שְׁכִינְתָּא מֵעָלְמָא, וְגַרְמִין, דְּדִיּוּרֵיהּ דְּקוּדְשָׁא בְּרִיךְ הוּא
לָא הֲוֵי בְּעָלְמָא, וּבְנֵי נָשָׁא צַוְוחִין וְלָא אִשְׁתְּמַע קָלֵיהוֹן. וְאִלֵּין אִינּוּן דְּשַׁכְבֵי בְּנִדָּה,
בְּגִין דְּלֵית מְסָאֲבוּ תַּקִּיף בְּעָלְמָא בַּר מְסָאֲבוּ דְּנִדָּה. מְסָאֲבוּ דְּנִדָּה קַשְׁיָא מִכָּל מְסָאֲבוּ
דְּעָלְמָא, אִסְתָּאַב אִיהוּ, וְכָל דְּמִתְקָרְבִין בַּהֲדֵיהּ יִסְתָּאֲבוּן עִמֵּיהּ, בְּכָל אֲתָר דְּאָזְלִין
אִתְדַּוְּוזְיָיא שְׁכִינְתָּא מִן קַמַּיְיהוּ.

כה. וְלֹא עוֹד, אֶלָּא דְּגָרִים מַרְעִין בִּישִׁין עַל גַּרְמֵיהּ, וְעַל הַהוּא זַרְעָא דְּיוֹלִיד, דְּכֵיוָן
דְּיִקְרַב ב"נ לְגַבֵּי נִדָּה, הַהוּא מְסָאֲבוּ דָּלִיג עֲלוֹי, וְיִשְׁתָּאַר בְּכָל עַיְיפִין דִּילֵיהּ, וְזַרְעָא
דְּיוֹלִיד בְּהַהוּא שַׁעֲתָא, מֵשְׁכִין עֲלוֹי רוּחַ מְסָאֲבוּ. וְכָל יוֹמוֹי יְהֵא בִּמְסָאֲבוּ, דְּהָא בִּנְיָינָא

וִיסוֹדָא דִּילֵיהּ אִיהוּ בְּמִסְאֲבוּ רַב וְתַקִּיף מִכָּל מִסְאֲבָא דְּעָלְמָא, דְּמִיָּד דְּקָרִיב ב"נ לְגַבֵּי נִדָּה, הַהוּא מִסְאֲבוּ דָּלִיג עֲלוֹי, דִּכְתִיב, וּתְהִי נִדָּתָהּ עָלָיו.

כו. מַאן דְּשָׁכִיב בְּבַת אֵל נֵכָר, דְּאָעִיל בְּרִית קוֹדֶשׁ וְאָת קַיָּימָא בִּרְשׁוּ אוֹחֲרָא, דִּכְתִיב, וּבָעַל בַּת אֵל נֵכָר. וְתָנִינָן, לֵית קִנְאָה קָמֵי קוּבַּ"ה, בַּר קִנְאָה דִּבְרִית קַדִּישָׁא, דְּאִיהוּ קַיָּימָא דִּשְׁמָא קַדִּישָׁא, וְרָזָא דִּמְהֵימְנוּתָא. מַה כְּתִיב וַיָּחֶל הָעָם לִזְנוֹת אֶל בְּנוֹת מוֹאָב מִיָּד וַיִּחַר אַף ה' בְּיִשְׂרָאֵל.

כז. רֵישֵׁי עַמָּא דְּיָדְעוּ וְלָא מָווּ בִּידַיְיהוּ, אִתְעַנְּשׁוּ בְּקַדְמֵיתָא, דִּכְתִיב, קַח אֶת כָּל רָאשֵׁי הָעָם וְהוֹקַע אוֹתָם לַה' נֶגֶד הַשָּׁמֶשׁ. רִבִּי אַבָּא אָמַר, מַאי נֶגֶד הַשָּׁמֶשׁ. נֶגֶד הַבְּרִית דְּאִקְרֵי שֶׁמֶשׁ, וַעֲלֵיהּ אִתְּמַר כִּי שֶׁמֶשׁ וּמָגֵן ה' אֱלֹהִים. שֶׁמֶשׁ וּמָגֵן: דָּא בְּרִית קַדִּישָׁא. מַה שֶּׁמֶשׁ זָרַח וְאַנְהִיר עַל עָלְמָא, אוֹף הָכִי בְּרִית קַדִּישָׁא זָרַח וְאַנְהִיר גּוּפָא דְּב"נ. מָגֵן: מַה מָגֵן אִיהוּ לְאַגָּנָא עֲלֵיהּ דְּב"נ, אוֹף הָכִי בְּרִית קַדִּישָׁא מָגֵן עֲלֵיהּ דְּב"נ, וּמַאן דְּנָטִיר לֵיהּ, לֵית נִזְקָא בְּעָלְמָא, דְּיָכִיל לְמִקְרַב בַּהֲדֵיהּ וְדָא הוּא נֶגֶד הַשָּׁמֶשׁ.

כח. רֵישֵׁי עַמָּא, יִתְפְּסוּן בְּכָל דָּרָא וְדָרָא בְּחוֹבָא דָּא, אִי יַדְעִין וְלָא מְקַנְּאִין לֵיהּ. בְּגִין דְּחוֹבָא דָּא עֲלַיְיהוּ, לְקַנְּאָה לֵיהּ לְקוּבַּ"ה בְּהַאי בְּרִית, מַאן דְּאָעִיל קְדוּשָׁה דָּא בִּרְשׁוּתָא אוֹחֲרָא, עֲלֵיהּ כְּתִיב לֹא יִהְיֶה לְךָ אֱלֹהִים אֲחֵרִים עַל פָּנָי. לֹא תִשְׁתַּחֲוֶה לָהֶם וְלֹא תָעָבְדֵם כִּי אָנֹכִי ה' אֱלֹהֶיךָ אֵל קַנָּא וְכֹלָּא קִנְאָה וְדָא. וע"ד אִתְּדְּחֲזַיָּיא שְׁכִינְתָּא מִקַּמֵיהּ. מַאן דִּמְשַׁקֵּר בִּבְרִית קַדִּישָׁא דְּוָחֲתִים בְּבִשְׂרֵיהּ דְּב"נ, כְּאִילּוּ מְשַׁקֵּר בִּשְׁמָא דְּקוּבַּ"ה, מַאן דִּמְשַׁקֵּר וְוָחֲתָם דְּמַלְכָּא, מְשַׁקֵּר בֵּיהּ בְּמַלְכָּא, לֵית לֵיהּ חוּלָקָא בֵּאלָהָא דְּיִשְׂרָאֵל, אִי לָא בְּחֵילָא דְּתִיוּבְתָּא תָּדִיר.

כט. ר' יוֹסֵי פָּתַח וְאָמַר, וַיִּשְׁכְּחוּ אֶת ה' אֱלֹהֵיהֶם וְגו', וַיַּעַזְבוּ אֶת ה'. מַאי וַיִּשְׁכְּחוּ וַיַּעֲזֹבוּ. דְּדָווּ מִגַּוַּויְיהוּ בְּרִית קַיָּימָא קַדִּישָׁא, הֲווּ גַּזְרִין וְלָא פָּרְעִין, עַד דְּאָתַת דְּבוֹרָה וְגָזְרֵיבַת בְּהַאי לְכָל יִשְׂרָאֵל כְּמָה דִּכְתִיב, בִּפְרוֹעַ פְּרָעוֹת בְּיִשְׂרָאֵל בְּהִתְנַדֵּב עָם בָּרְכוּ ה'.

ל. מַאן דְּקָטִיל בְּנוֹי, הַהוּא עוֹבָדָא דְּמִתְעַבְּרָא אִתְּחַזֵּיהּ, וְגָרִים לְקָטְלָא לֵיהּ בְּמִגְעֲתָא, דְּסָתִיר בִּנְיָינָא דְּקוּבַּ"ה וְאוּמָנוּתָא דִּילֵיהּ. אִית מַאן דְּקָטִיל ב"נ. וְהַאי קָטִיל בְּנוֹי.

לא. תְּלָתָא בִּישִׁין עָבֵיד דְּכָל עָלְמָא לָא יָכִיל לְמִסְבַּל, וְעַל דָּא עָלְמָא מִתְמוֹגְגָא זְעֵיר זְעֵיר, וְלָא יָדִיעַ, וְקוּבַּ"ה אִסְתַּלַּק מֵעָלְמָא, וְחַרְבָּא וְכַפְנָא וּמוֹתָנָא אַתְיָין עַל עָלְמָא. וְאִלֵּין אִינּוּן: קָטִיל בְּנוֹי, סָתִיר בִּנְיָינָא דְּמַלְכָּא. דִּוְחֵי שְׁכִינְתָּא, דְּאַזְלָא וּמְטַטְטָא בְּעָלְמָא, וְלָא אַשְׁכְּחַת נַיְיחָא. וְעַל אִלֵּין, רוּחָא דְּקוּדְשָׁא בָּכֵיהּ. וְעָלְמָא אַתְדָּן בְּכָל הַנֵּי דִּינִין. וַוי לְהַהוּא ב"נ, וַוי לֵיהּ, טָב לֵיהּ דְּלָא יִתְבְּרֵי בְּעָלְמָא.

לב. וְכַאֲין אִינּוּן יִשְׂרָאֵל, דְּאע"ג דַּהֲווּ בְּגָלוּתָא דְּמִצְרַיִם, אִסְתַּמְּרוּ מִכָּל הַנֵּי תְּלָתָא, מִנִּדָּה, וּמִבַּת אֵל נֵכָר, וּמִקְטוֹל זַרְעָא, וְאִשְׁתַּדְּלוּ בְּפַרְהֶסְיָא בִּפְרִיָּה וּרְבִיָּה. דְּאַף עַל גַּב דִּגְזֵרָה אִתְגְּזָרַת כָּל הַבֵּן הַיִּלּוֹד הַיְאוֹרָה תַּשְׁלִיכֻהוּ, לָא אִשְׁתְּכַח בֵּינַיְיהוּ מַאן דְּקָטִיל עוֹבָּרָא בִּמְעָהָא דְּאִתְּתָא, כ"ש לְבָתַר. וּבִזְכוּתָא דָּא נָפְקוּ יִשְׂרָאֵל מִן גָּלוּתָא.

לג. מִנִּדָּה: דְּתָנֵי רִבִּי חִיָּיא מַאי דִּכְתִיב וַיַּעַשׂ אֶת הַכִּיּוֹר נְחֹשֶׁת וְאֶת כַּנּוֹ נְחֹשֶׁת בְּמַרְאֹת הַצֹּבְאֹת. מִפְּנֵי מַה זָכוּ לְהַאי, בְּגִין דְּאִסְתַּמְּרוּ גַּרְמַיְיהוּ בְּגָלוּתָא דְּמִצְרַיִם, דִּלְבָתַר דְּאִתְדַּכְּיָין הֲווּ אַתְיָין מִתְקַשְּׁטָן וּמִסְתַּכְּלָן בְּמַרְאָה בְּבַעֲלֵיהוֹן, וּמְעוֹרְרָן לוֹן בִּפְרִיָּה וּרְבִיָּה.

לד. מִבַּת אֵל נֵכָר, דִּכְתִּיב, יָצְאוּ כָּל צִבְאוֹת ה' וְגוֹ'. וּכְתִיב שִׁבְטֵי יָהּ עֵדוּת לְיִשְׂרָאֵל. עֵדוּת לְיִשְׂרָאֵל וַדַּאי. וְאֵלֶּה שְׁמוֹת בְּנֵי יִשְׂרָאֵל. שִׁבְטֵי בְּנֵי יִשְׂרָאֵל. דַּבֵּר אֶל בְּנֵי יִשְׂרָאֵל.

לה. וְאִי תֵּימָא וְהָא כְּתִיב וְהוּא בֶּן אִישׁ מִצְרִי. הָא וַדַּאי וַדַּאי הֲוָה, וּפִרְסְמוּ קְרָא, דִּכְתִּיב, וְהוּא בֶּן אִישׁ מִצְרִי וְגוֹ' וְשֵׁם אִמּוֹ שְׁלוֹמִית בַּת דִּבְרִי לְמַטֵּה דָן. פְּרִיָּה וְרִבְיָה דִּכְתִּיב וּבְנֵי יִשְׂרָאֵל פָּרוּ וַיִּשְׁרְצוּ וַיִּרְבּוּ וְגוֹ'. וּמִכָּל הָנֵי אִסְתַּמָּרוּ יִשְׂרָאֵל. בְּנֵי יִשְׂרָאֵל עָאלוּ, בְּנֵי יִשְׂרָאֵל נָפְקוּ, הה"ד וְאֵלֶּה שְׁמוֹת בְּנֵי יִשְׂרָאֵל וְגוֹ'.

לו. וְאֵלֶּה שְׁמוֹת בְּנֵי יִשְׂרָאֵל. רִבִּי אֶלְעָזָר וְרִבִּי יוֹסֵי הֲווּ אָזְלֵי בְּאוֹרְחָא, עַד דַּהֲווּ אַזְלֵי, אָמַר רִבִּי אֶלְעָזָר לְרִבִּי יוֹסֵי, אַפְתַּח פּוּמָךְ, וְיִנְהֲרוּן מִילָךְ אָמַר לֵיהּ נִיחָא קַמֵּיהּ דְּמַר, דְּאֶשְׁאַל מִלָּה וְחָדָא דְּקַשְׁיָא לִי, הָא שְׁמַעְנָא מִבּוֹצִינָא קַדִּישָׁא, דַּהֲוָה אָמַר, וְאֵלֶּה שְׁמוֹת בְּנֵי יִשְׂרָאֵל, יִשְׂרָאֵל סָבָא. כָּל אִינּוּן וְאֵילִין וּמַשִּׁרְיָין דַּהֲווּ נַחְתִּין לְגָלוּתָא בַּהֲדֵי יַעֲקֹב, דִּכְתִּיב, אֶת יַעֲקֹב. מַהוּ דִּכְתִּיב אִישׁ וּבֵיתוֹ בָּאוּ. אָמַר לֵיהּ, וַדַּאי הָכִי הוּא. אֶלָּא הָא תָּנִינָן, כָּל דִּמְקַבֵּל מֵאָחֳרָא, אִיהוּ בֵּיתָא מֵהַהוּא דְּיָהִיב, וְעַל דָּא אִישׁ וּבֵיתוֹ בָּאוּ.

לז. פָּתַח רִבִּי אֶלְעָזָר וְאָמַר, וַיְהִי כְּכַלּוֹת שְׁלֹמֹה לִבְנוֹת אֶת בֵּית ה' וְאֶת בֵּית הַמֶּלֶךְ וְגוֹ'. וְכִי כֵּיוָן דְּאָמַר אֶת בֵּית ה', מַהוּ וְאֶת בֵּית הַמֶּלֶךְ, אִי בְּגִין שְׁלֹמֹה אִתְּמַר, לָאו הָכִי, אֶלָּא אֶת בֵּית ה' דָּא בֵּית הַמִּקְדָּשׁ, וְאֶת בֵּית הַמֶּלֶךְ דָּא קֹדֶשׁ הַקֳּדָשִׁים.

לח. בֵּית ה' דְּאִיהוּ בֵּית הַמִּקְדָּשׁ כְּגוֹן: עֲזָרוֹת וּלְשָׁכוֹת וּבֵית הָאוּלָם וְהַדְּבִיר, דָּא בֵּית הַמִּקְדָּשׁ, וַדַּאי אִקְרֵי בֵּית ה'. בֵּית הַמֶּלֶךְ: דָּא קֹדֶשׁ הַקֳּדָשִׁים, דְּאִיהוּ פְּנִימָאָה דְּכֹלָּא, הַמֶּלֶךְ סְתָם. מֶלֶךְ דָּא, אע"ג דְּאִיהוּ מֶלֶךְ עִלָּאָה, אִיהוּ נוּקְבָא לְגַבֵּי נְקוּדָה עִלָּאָה, סְתִימָא דְּכֹלָּא. ואע"ג דְּאִיהוּ נוּקְבָא, אִיהוּ דְּכוּרָא לְגַבֵּי מֶלֶךְ דִּלְתַתָּא, וּבְגִין כָּךְ כֹּלָּא כְּגַוְונָא דָּא וְעַל דָּא, תַּתָּאֵי, בְּרָזָא דָּא כְּתִיב בְּהוּ, אִישׁ וּבֵיתוֹ בָּאוּ.

לט. וְאֵלֶּה שְׁמוֹת, רִבִּי יוֹסֵי פָּתַח וְאָמַר, גַּן נָעוּל אֲחוֹתִי כַלָּה גַּל נָעוּל מַעְיָן חָתוּם. גַּן נָעוּל: דָּא כְּנֶסֶת יִשְׂרָאֵל שֶׁהִיא גַּן נָעוּל. דְּאָמַר רִבִּי אֶלְעָזָר, מַה הַגַּן הַזֶּה צָרִיךְ לִשְׁמוֹר, לַעֲדוֹר, וּלְהַשְׁקוֹת, וְלִזְמוֹר. כָּךְ כְּנֶסֶת יִשְׂרָאֵל, צְרִיכָה לַעֲדוֹר, וְלִשְׁמוֹר, וּלְהַשְׁקוֹת, וְלִזְמוֹר, וְנִקְרֵאת גַּן, וְנִקְרֵאת כֶּרֶם, מַה הַכֶּרֶם הַזֶּה צָרִיךְ לַעֲדוֹר וּלְהַשְׁקוֹת וְלִזְמוֹר וְלַחְפּוֹר, כָּךְ יִשְׂרָאֵל, הֲדָא הוּא דִּכְתִּיב, כִּי כֶרֶם ה' צְבָאוֹת בֵּית יִשְׂרָאֵל וּכְתִיב, וַיְעַזְּקֵהוּ וַיְסַקְּלֵהוּ וְגוֹ'.

תוספתא

מ. מַתְנִיתִין: אָמַר רִבִּי שִׁמְעוֹן, אֲנַן פְּתוּחִין עַיְינָא וְזִמְנָא, גַּלְגַּלֵּי רְתִיכָתָא קַדִּישָׁתָא נַטְלִין בְּמַטַלְנוֹי, וְקַל שִׁירָתָא בְּסִימָא לְאוּדְנִין, יָאֶה לְלִבָּא, סַלְקָא וְנַחְתָּא, אַזְלָא וְלָא נַטְלָא, מִזְדַּעְזְעִין אֶלֶף אַלְפִּין, וְרִבּוֹא רִבְבָן וּפַתְחִין שִׁירָתָא מִלְּרַע לְעֵילָא.

מא. לְקָל נְעִימוּתָא הַהוּא, קַיְימִין מַאן דְּקַיְימִין, וּמִתְכַּנְּפִין בִּכְנוּפְיָא לְסִטְרָא דִּימִינָא, אַרְבַּע מְאָה וְחַמְשִׁין אַלְפִין מָארֵי דְּעַיְינִין. וְזִמְנָא וְלָא וְזִמְנָא, קַיְימִין בְּקִיּוּמֵיהוֹן. תְּרֵין סִטְרִין אָחֳרָנִין אִתְחֲזוּרוּ בְּגִינַיְהוּ. וּלְסִטְרָא דִּשְׂמָאלָא מָאתָן וְחַמְשִׁין אַלְפִין.

מב. אִינּוּן מָארֵיהוֹן דְּיַבָּבָא, מְיַבְּבִין וּמְיַלְּלִין מֵאֲתַר בֵּית מוֹתְבֵיהוֹן, פַּתְחִין בְּדִינָא וּמְסַיְּימִין בְּדִינָא. מְיַבְּבִין תִּנְיָינוּת, וְדִינָא יָתִיב, וְסִפְרִין פְּתִיחוּ. בֵּיהּ שַׁעֲתָא, סָלִיק מָארֵיהּ דְּדִינָא, דְּקָאִים עֲלַיְיהוּ, וְיָתִיב בְּכוּרְסְיָיא דְּדִינָא, וְשִׁירָתָא אִשְׁתְּכַךְ, עַד לָא תִּסְתַּיַּים דִּינָא.

מג. סְחֳרָן מָארֵי דְּעַיְינִין דִּלְסִטְרָא יְמִינָא, וְעִמְּהוֹן תַּמְנֵיסַר אַלְפִּין אַחֲרָנִין תַּקִּיפִין, וְלָא מְיַבְּבִין וְלָא מְיַלְּלִין פַּתְחִין שִׁירָתָא, מִזְדַּעְזְעָן מָאתָן וַחֲמִשִּׁין אַלְפִּין מָארֵי דִּיבָבָא.

מד. תָּקַע תִּנְיָינוּת וְלָא מְיַבְּבִין נָטִיל פַּטְרוֹנָא, מֵהַהוּא כּוּרְסַיָּא וְיָתִיב בְּכוּרְסַיָּא דְּווּתְרָנוּתָא. בֵּיהּ זִמְנָא הוּא מִדְכַּר שְׁמָא קַדִּישָׁא עִלָּאָה רַבָּא, דִּבְהַהוּא שְׁמָא חַיִּים לְכֹלָּא.

מה. פָּתַח וְאָמַר זִמְנָא וְחָדָא יו"ד ה"א וא"ו ה"א כד"א וַיִּקְרָא בְשֵׁם יְהֹוָה. פַּתְחִין כְּקַדְמֵיתָא מָארֵי גַּלְגַּלֵּי קַדִּישִׁין. וְאֶלֶף אַלְפִּין, וְרִבּוֹא רִבְבָן, וְאַמְרֵי שִׁירָתָא, מְשַׁבְּחִין וְאָמְרִין, בְּרִיךְ יְקָרָא דה' מֵאֲתַר בֵּית שְׁכִינְתֵּיהּ.

מו. אַתְיָא הַהוּא גִּנְתָא, דְּאִיהִי טְמִירָא בְּמָאתָן וַחֲמִשִּׁין עָלְמִין, הוּא שְׁכִינְתָּא יְקָרָא בְּזִיוֵהּ, דְּנָפִיק מִזִּיוָא לְזִיוָא, וְזִיוֵהּ נָגִיד מִנֵּיהּ, לְד' סִטְרִין רֵישִׁין, לְקַיְּימָא, מֵהַהוּא זִיוָא אִתְמְשַׁךְ לְכֻלְּהוּ דְּאִינּוּן לְתַתָּא, וְהַהִיא אִקְרֵי גִּנְתָא דְּעֵדֶן.

מז. פָּתַח תִּנְיָינוּת הַהוּא סָבָא, פַּטְרוֹנָא דְּכֹלָּא וּמִדְכַּר שְׁמֵיהּ יו"ד ה"א וא"ו ה"א, וְכֻלְּהוּ פַּתְחֵי בִּתְלֵיסַר מְכִילָן דְּרַחֲמֵי. מַאן חָמֵי כָּל אִלֵּין תַּקִּיפִין, רָאמִין דְּרָאמִין, תַּקִּיפִין דְּתַקִּיפִין, רְתִיכִין קַדִּישִׁין, וּשְׁמַיָּא, וְכָל חֵילֵיהוֹן, מִזְדַּעְזְעִין וּמִתְחַלְחֲלָן בְּאֵימְתָא סַגְיָא, מְשַׁבְּחָן שְׁמָא קַדִּישָׁא, וְאַמְרִין שִׁירָתָא. זַכָּאִין אִינּוּן נִשְׁמָתְהוֹן דְּצַדִּיקַיָּיא, דְּאִינּוּן בְּהַהוּא עִדּוּנָא, וְיַדְעִין דָּא, עַל הַאי אִתְּמַר מִי לֹא יִירָאֲךָ מֶלֶךְ הַגּוֹיִם כִּי לְךָ יָאָתָה וְגוֹ'.

(ע"כ תוספתא)

מח. אָמַר רִבִּי שִׁמְעוֹן, כַּד נַחְתַּת שְׁכִינְתָּא לְמִצְרַיִם, נַחְתַּת חַיָּה חֲדָא, דִּשְׁמָהּ יִשְׂרָאֵל, בְּדִיּוּקְנָא דְּהַהוּא סָבָא, וְאַרְבְּעִין וּתְרֵין שַׁמָּשִׁין קַדִּישִׁין עִמֵּיהּ, וְכָל חַד וְחַד אָת קַדִּישָׁא עִמֵּיהּ, מִשְּׁמָא קַדִּישָׁא, וְכֻלְּהוּ נַחְתָּן עִם יַעֲקֹב לְמִצְרַיִם, הֲדָא הוּא דִּכְתִּיב, וְאֵלֶּה שְׁמוֹת בְּנֵי יִשְׂרָאֵל הַבָּאִים מִצְרַיְמָה אֵת יַעֲקֹב. א"ר יִצְחָק, מִמַּשְׁמַע דְּקָאָמַר בְּנֵי יִשְׂרָאֵל, וַאֲחַר כָּךְ אֵת יַעֲקֹב, וְלָא נֶאֱמַר אִתּוֹ.

מט. שָׁאַל רִבִּי יְהוּדָה לְרִבִּי אֶלְעָזָר בר"ש, כֵּיוָן דְּשַׁמְעַת מֵאָבוּךְ, פָּרָשַׁת וְאֵלֶּה שְׁמוֹת בְּרָזָא עִלָּאָה, מַאי קָאָמַר אִישׁ וּבֵיתוֹ בָּאוּ. אָמַר לֵיהּ, הַהוּא מִלָּה דַּהֲוָה אָמַר אַבָּא, אִינּוּן הֲווּ מַלְאָכִין עִלָּאִין, דְּאִינּוּן לְעֵילָּא עַל תַּתָּאֵי מִנְהוֹן, הַיְינוּ דִּכְתִּיב אִישׁ וּבֵיתוֹ בָּאוּ, וְהָכִי אָמַר אַבָּא, כָּל אִינּוּן מַלְאָכִין דְּבְדַרְגָּא עִלָּאָה, אִקְרוּן גּוּבְרִין דּוּכְרִין, וְאִינּוּן דְּבְדַרְגָּא תַּתָּאָה מִנְּהוֹן, אִתְקְרוּן נוּקְבָתָא בֵּית, דְּאִתְּתָא נוּקְבָא דִּמְקַבְּלָא מִן דְּכוּרָא.

נ. רִבִּי יִצְחָק הֲוָה קָאִים קָמֵיהּ דְּרִבִּי אֶלְעָזָר בַּר רִבִּי שִׁמְעוֹן, אָמַר לֵיהּ שְׁכִינְתָּא נַחְתַּת לְמִצְרַיִם עִם יַעֲקֹב. א"ל וְלָא, וְהָא כְּתִיב אָנֹכִי אֵרֵד עִמְּךָ. אָמַר לֵיהּ תָּא חֲזֵי, שְׁכִינְתָּא נַחְתַּת לְמִצְרַיִם אֶת יַעֲקֹב וְשִׁית מְאָה אַלְפִּין רְתִיכִין קַדִּישִׁין עִמָּהּ, וְהַיְינוּ דִּכְתִּיב כְּשֵׁשׁ מֵאוֹת אֶלֶף רַגְלִי, תָּנֵינָן שִׁית מְאָה אַלְפִּין רְתִיכִין קַדִּישִׁין נַחְתּוּ עִם יַעֲקֹב לְמִצְרַיִם, וְכֻלְּהוּ סְלִיקוּ מִתַּמָּן, כַּד נָפְקוּ יִשְׂרָאֵל מִמִּצְרַיִם. הֲדָא הוּא דִּכְתִּיב, וַיִּסְעוּ בְּנֵי יִשְׂרָאֵל מֵרַעְמְסֵס סֻכּוֹתָה כְּשֵׁשׁ מֵאוֹת אֶלֶף רַגְלִי וְגוֹ'. שֵׁשׁ מֵאוֹת לֹא נֶאֱמַר, אֶלָּא כְּשֵׁשׁ מֵאוֹת, כְּגַוְונָא דְּנָפְקוּ אִלֵּין, כָּךְ נָפְקוּ אִלֵּין.

נא. וְתָא חֲזֵי רָזָא דְּמִלָּה, בְּעִדָּנָא דְּנָפְקוּ אִלֵּין רְתִיכִין קַדִּישִׁין, מַשִּׁירְיָיתָא קַדִּישָׁתָא, חָמוּ יִשְׂרָאֵל וְיָדְעוּ, דַּהֲווּ מִתְעַכְּבִין בְּגִינֵיהוֹן, וְכֻלְּהוּ בְּהִילוּ דְּעָבְדוּ יִשְׂרָאֵל, בְּגִינֵיהוֹן הֲוָה, וְהַיְינוּ דִּכְתִּיב וְלֹא יָכְלוּ לְהִתְמַהְמֵהַּ, הֲוָה לֵיהּ לְמֵימַר וְלֹא רָצוּ לְהִתְמַהְמֵהַּ אֲבָל לָא כְּתִיב אֶלָּא וְלֹא יָכְלוּ. וְאִתְיְידַעוּ מַמָּשׁ, דְּכֻלְּהוּ בְּנֵי יִשְׂרָאֵל, הֲווּ בְּנֵי יִשְׂרָאֵל דִּרְקִיעָא, וְהַיְינוּ דִּכְתִּיב, בְּנֵי יִשְׂרָאֵל הַבָּאִים מִצְרַיְמָה אֵת יַעֲקֹב, וְעַל דָּא לָא נֶאֱמַר

וְאֵלֶּה שְׁמוֹת בְּנֵי יִשְׂרָאֵל הַבָּאִים מִצְרָיְמָה אִתּוֹ, אֶלָּא וְאֵלֶּה שְׁמוֹת בְּנֵי יִשְׂרָאֵל הַבָּאִים מִצְרָיְמָה אֵת יַעֲקֹב, הַבָּאִים מִצְרָיְמָה בְּקַדְמֵיתָא וְעִם מִי, אֵת יַעֲקֹב.

נב. א"ר יְהוּדָה, ק"ו, וּמַה כַּד אִשְׁתְּזִיב יַעֲקֹב מִלָּבָן, כְּתִיב, וְיַעֲקֹב הָלַךְ לְדַרְכּוֹ וַיִּפְגְּעוּ בוֹ מַלְאֲכֵי אֱלֹהִים. כַּד נָחַת בְּגָלוּתָא, וְקוּדְשָׁא בְּ"ה אָמַר, אָנֹכִי אֵרֵד עִמְּךָ מִצְרַיְמָה, לָאו דִּינָא, הוֹאִיל וּפַטְרוֹנָא נָחֲתָא דְּיֵיחֲתוּן שַׁמָּשׁוֹי עִמֵּיהּ, הַיְינוּ דִּכְתִיב הַבָּאִים מִצְרָיְמָה אֵת יַעֲקֹב. רִבִּי יַעֲקֹב דִּכְפַר חָנָן אָמַר מִשְּׁמֵיהּ דְּר' אַבָּא, מַאן אִינּוּן בְּנֵי יִשְׂרָאֵל דְּהָכָא. אִינּוּן דְּאִתְקְרוּן בְּנֵי יִשְׂרָאֵל מַמָּשׁ.

נג. ר' אַבָּא פָּתַח וְאָמַר, לְכוּ חֲזוּ מִפְעֲלוֹת יְיָ' אֲשֶׁר שָׂם שַׁמּוֹת בָּאָרֶץ. אַל תִּקְרֵי שַׁמּוֹת. אֶלָּא שֵׁמוֹת. וְאַזְלָא הָא כְּהָא דְּאָמַר ר' חִיָּיא, כְּגַוְונָא דְּרְקִיעָא, עָבַד קב"ה בְּאַרְעָא בִּרְקִיעַ אִית שְׁמָהָן קַדִּישִׁין, בְּאַרְעָא אִית שְׁמָהָן קַדִּישִׁין.

נד. אָמַר רִבִּי יְהוּדָה בְּהַהוּא יוֹמָא דְּנָחַת יַעֲקֹב לְמִצְרַיִם, נַחְתּוּ עִמֵּיהּ שִׁתִּין רִבּוֹא דְּמַלְאֲכֵי עִלָּאֵי. ר' יְהוּדָה פָּתַח, הִנֵּה מִטָּתוֹ שֶׁלִּשְׁלֹמֹה שִׁשִּׁים גִּבּוֹרִים סָבִיב וְגוֹ' קוֹזְמִיטִין דְּגְלִיפִין בְּקַלְדִּיטָא, סְחֲרָן בְּדוּכְתֵּיהּ קוֹזְמִיטִין בְּשְׁבִיעָאָה, גְּלִיפִין בְּשְׁתִיתָאָה, הה"ד, שִׁשִּׁים גִּבּוֹרִים סָבִיב לָהּ.

נה. הִנֵּה מִטָּתוֹ: דָּא אִיהִי שְׁכִינְתָּא. שֶׁלִּשְׁלֹמֹה: מַלְכָּא דִּשְׁלָמָא דִּילֵיהּ. שִׁשִּׁים גִּבּוֹרִים סָבִיב לָהּ: אִלֵּין אִינּוּן שִׁתִּין רִבּוֹא דְּמַלְאֲכֵי עִלָּאֵי, דְּאִינּוּן מֵחֵילָא דִּשְׁכִינְתָּא, דְּנָחֲתַת עִם יַעֲקֹב לְמִצְרַיִם. מִגִּבּוֹרֵי יִשְׂרָאֵל: יִשְׂרָאֵל דִּלְעֵילָא, הה"ד וְאֵלֶּה שְׁמוֹת בְּנֵי יִשְׂרָאֵל וְגוֹ', אִישׁ וּבֵיתוֹ בָּאוּ: אִינּוּן וְנִימוּסֵיהוֹן.

נו. ר' חִיָּיא הֲוָה אָזִיל מֵאוּשָׁא לְלוּד, וַהֲוָה רָכִיב עַל חֲמָרָא, וַהֲוָה ר' יוֹסֵי עִמֵּיהּ, נָחִית ר' חִיָּיא, וְשַׁקְלֵיהּ בִּידוֹי לר' יוֹסֵי, א"ל, אִי בְּנֵי עָלְמָא יָדְעִין יְקָרָא סַגִּיאָה דְּיַעֲקֹב, בְּשַׁעְתָּא דא"ל קב"ה, אָנֹכִי אֵרֵד עִמְּךָ מִצְרַיְמָה, הֲווּ מְלַחֲכֵי עַפְרָא, תְּלַת פַּרְסֵי קָרִיב לְקִבְרֵיהּ, דְּהָכִי מְפָרְשֵׁי מָרָנָא רַבְרְבֵי עָלְמָא, מָארֵיהוֹן דְּמַתְנִיתָא, כְּתִיב וַיֵּצֵא מֹשֶׁה לִקְרַאת חוֹתְנוֹ, אַהֲרֹן חָמָא לְמֹשֶׁה דְּנָפַק, וְנָפַק עִמֵּיהּ, וְאֶלְעָזָר וּנְשִׂיאֵי וְסָבֵי נַפְקוּ עִמֵּיהּ, רָאשֵׁי אֲבָהָן, וּמוֹעַרְעֵי כְּנִשְׁתָּא, וְכָל יִשְׂרָאֵל נַפְקוּ עִמְּהוֹן, אִשְׁתְּכְחוּ דְּכָל יִשְׂרָאֵל כֻּלְּהוּ, נָפְקוּ לְקַבְלֵיהּ דְּיִתְרוֹ, מַאן חָמָא לְמֹשֶׁה דְּנָפִיק וְלָא יִפּוּק, לְאַהֲרֹן וּלְרַבְרְבֵי דְּנָפְקֵי, וְלָא יִפּוּק. אִשְׁתְּכַח, דִּבְגִין מֹשֶׁה נַפְקוּ כּוּלְּהוֹן. וּמַה, אִי בְּגִין מֹשֶׁה כָּךְ, בְּגִין קב"ה, כַּד אָמַר אָנֹכִי אֵרֵד עִמְּךָ מִצְרַיְמָה, עאכ"ו.

נז. עַד דַּהֲווּ אָזְלֵי, פָּגַע בְּהוּ ר' אַבָּא. א"ר יוֹסֵי, הָא שְׁכִינְתָּא הָכָא, דְּחָד מִמָּאֲרֵיהוֹן דְּמַתְנִיתִין עִמָּנָא. אָמַר ר' אַבָּא, בְּמַאי עַסְקִיתוּ. א"ר יוֹסֵי, בְּהַאי קְרָא, דִּכְתִיב אָנֹכִי אֵרֵד עִמְּךָ מִצְרַיְמָה וְגוֹ'. כַּד נָחַת יַעֲקֹב לְמִצְרַיִם, דִּכְתִיב, וְאֵלֶּה שְׁמוֹת בְּנֵי יִשְׂרָאֵל הַבָּאִים מִצְרָיְמָה, אֵת אוֹלִיף, דְּכֻלְּהוּ נַחְתּוּ עִם יַעֲקֹב לְמִצְרַיִם.

נח. א"ל ר' אַבָּא, וַדַּאי לְחוּד הֲוַת. פָּתַח וְאָמַר הָיֹה הָיָה דְבַר יְיָ' אֶל יְחֶזְקֵאל בֶּן בּוּזִי הַכֹּהֵן בְּאֶרֶץ כַּשְׂדִּים עַל נְהַר כְּבָר. תְּלַת פְּלוּגְתָּן הָכָא. וַדַּאי, דְּתַנְיָא, אֵין שְׁכִינָה שׁוֹרָה בְּחוּצָה לָאָרֶץ. וַוַדַּאי, דְּלָא הֲוָה מְהֵימָן כְּמֹשֶׁה, דִּכְתִיב בֵּיהּ, בְּכָל בֵּיתִי נֶאֱמָן הוּא, וְהוּא, גַּלֵּי וּפַרְסֵם כָּל גִּנְזַיָּיא דְּמַלְכָּא. וַוַדַּאי, דְּאִתְחָזֵי כְּמַאן דְּלָא שְׁלִים בְּדַעְתֵּיהּ.

נט. אֶלָּא הָכִי אַסִּיקְנָא בְּמַתְנִיתָא דִּילָן, ח"ו דְּהָא יְחֶזְקֵאל נְבִיאָה שְׁלִימָא הֲוָה, וּבִרְשׁוּתָא דקב"ה גַּלֵּי כָּל מַה דְּגַלֵּי. וְכֻלְּהוּ אִצְטְרִיךְ דְּיִגַּלֵּי וְיִפַּרְסֵם, עַל חַד תְּרֵין מִמַּה דְּגַלֵּי, דְּהָכִי תְּנַן, מַאן דְּרָגִיל לְמִסְבַּל צַעֲרָא וְכוּ'. וְכֹלָּא אִצְטְרִיךְ, וּמֵעָלְמִין לָא שָׁבִיק

קֻבְּ"ה לְיִשְׂרָאֵל בְּגָלוּתָא, עַד דַּהֲוָה אָתֵי לְמֵידַר דִּיוּרֵיהּ עִמְּהוֹן, כָּל שֶׁכֵּן בְּיַעֲקֹב, דַּהֲוָה נָחִית בְּגָלוּתָא, וְקֻבְּ"ה וּשְׁכִינְתֵּיהּ, וְקַדִּישִׁין עִלָּאִין, וּרְתִיכִין, דְּנָחְתוּ כֻּלְּהוּ עִם יַעֲקֹב, הה"ד הַבָּאִים מִצְרַיְמָה אֵת יַעֲקֹב.

ס. ר' אַבָּא פָּתַח וְאָמַר, אִתִּי מִלְּבָנוֹן כַּלָּה אִתִּי מִלְּבָנוֹן תָּבוֹאִי ת"ח וַוי לוֹן בְּנֵי נָשָׁא, דְּלָא יָדְעִין, וְלָא מַשְׁגִּיחִין בְּפוּלְחָנָא דְּמָארֵיהוֹן, דְּתַנְיָא א"ר יִצְחָק, בְּכָל יוֹמָא וְיוֹמָא בַּת קוֹל נָפְקַת מִטּוּרָא דְּחוֹרֵב, וְאָמַר, וַוי לוֹן לִבְנֵי נָשָׁא מִפּוּלְחָנָא דְּמָארֵיהוֹן, וַוי לוֹן לִבְנֵי נָשָׁא מֵעֶלְבּוֹנָהּ דְּאוֹרַיְיתָא. דְּאָמַר ר' יְהוּדָה, כָּל מַאן דְּאִשְׁתַּדַּל בְּאוֹרַיְיתָא בְּהַאי עָלְמָא, וּמְסַגֵּל עוֹבָדִין טָבִין יָרִית עָלְמָא שְׁלֵימָא. וְכָל מַאן דְּלָא אִשְׁתַּדַּל בְּאוֹרַיְיתָא בְּהַאי עָלְמָא, וְלָא עָבֵיד עוֹבָדִין טָבִין, לָא יָרִית לָא הַאי וְלָא הַאי. וְהָא תְּנַן, אִית מַאן דְּיָרִית עָלְמֵיהּ כְּפוּם אַתְרֵיהּ, וּכְפוּם מַה דְּחָזֵי לֵיהּ. א"ר יִצְחָק, לָא תְּנַן, אֶלָּא מַאן דְּלֵית לֵיהּ עוֹבָדִין טָבִין כְּלָל.

סא. א"ר יְהוּדָה, אִלְמָלֵי הֲווּ יָדְעִין בְּנֵי נָשָׁא, רְחִימוּתָא דְּרָחִים קֻבְּ"ה לְיִשְׂרָאֵל, הֲווּ שָׁאֲגִין כִּכְפִירַיָּא לְמִרְדַּף אֲבַתְרֵיהּ. דְּתַנְיָא, בְּשַׁעְתָּא דְּנָחַת יַעֲקֹב לְמִצְרַיִם, קָרָא קֻבְּ"ה לְפָמַלְיָא דִּילֵיהּ אָמַר לְהוֹן, כֻּלְּכוֹן נַחְתּוּ לְמִצְרַיִם, וַאֲנָא אֵיחוֹת עִמְּכוֹן. אָמְרָה שְׁכִינְתָּא רִבּוֹנָא דְּעָלְמָא, אִית צְבָאוֹת בְּלָא מַלְכָּא, אָמַר לָהּ, אִתִּי מִלְּבָנוֹן כַּלָּה, מִלְּבָנוֹן: מֵאַתְרָא דְּעֵדֶן, דִּמְלוּבָּן בְּכָל עוֹבָדוֹי. כַּלָּה: דָּא שְׁכִינְתָּא, דְּהִיא כַּלָּה בְּחוּפָּה. וְאִזְלָא הָא כְּהָא דְּתַנְיָא א"ר יְהוּדָה, מַאי דִּכְתִיב, וַיְהִי בְּיוֹם כַּלֹּת מֹשֶׁה, כַּלַּת כְּתִיב, בְּיוֹמָא דְּעָאלַת כַּלָּה לַחוּפָּה, וּשְׁכִינְתָּא דָּא הִיא כַּלָּה.

סב. אִתִּי מִלְּבָנוֹן תָּבוֹאִי, מֵאֲתַר בֵּי מַקְדְּשָׁא דִּלְעֵילָּא. תָּשׁוּרִי מֵרֹאשׁ אֲמָנָה, מֵרֵישָׁא דְּמַאן. מֵרָאשֵׁיהוֹן דִּבְנֵי מְהֵימְנוּתָא. וּמַאן נִינְהוּ. יַעֲקֹב וּבְנוֹי. מֵרֹאשׁ שְׂנִיר וְחֶרְמוֹן, דְּאִינּוּן עֲתִידִין לְקַבְּלָא אוֹרַיְיתָא דִּילִי, מִטּוּרָא דְּחֶרְמוֹן, וּלְאַגָּנָא עֲלַיְיהוּ בְּגָלוּתְהוֹן. מִמְּעוֹנוֹת אֲרָיוֹת: אִלֵּין אִינּוּן עַמִּין עעכו"ם, דְּדַמְיָין לְאַרְיָוָותָא וּנְמֵרִין, דִּמְעַנִּין לְהוֹן בְּכָל פּוּלְחָנָא דְּקַשְׁיָא.

סג. ר' אַבָּא אָמַר, אִתִּי מִלְּבָנוֹן כַּלָּה וְגוֹ'. וְכִי מִלְּבָנוֹן אָתַת, וַהֲלֹא לַלְּבָנוֹן עוֹלָה. אֶלָּא א"ר אַבָּא, בְּשַׁעְתָּא דְּנָחֲתַת שְׁכִינְתָּא לְמִצְרַיִם, נָחֲתוּ בַּהֲדָהּ שִׁתִּין רִבּוֹא שֶׁל מַלְאֲכֵי הַשָּׁרֵת, וְקֻבְּ"ה בְּקַדְמֵיתָא הה"ד וַיַּעֲבוֹר מַלְכָּם לִפְנֵיהֶם וַה' בְּרֹאשָׁם.

סד. ר' יִצְחָק אָמַר, אִתִּי מִלְּבָנוֹן כַּלָּה, דָּא אִיהִי שְׁכִינְתָּא. אִתִּי מִלְּבָנוֹן תָּבֹאִי, מֵאֲתַר בֵּי מַקְדְּשָׁא דִּלְעֵילָּא. תָּשׁוּרִי מֵרֹאשׁ אֲמָנָה, מֵאֲתַר בֵּי מַקְדְּשָׁא דִּלְעֵילָּא, וּמֵאֲתַר בֵּי מַקְדְּשָׁא דִּלְתַתָּא דְּאָמַר ר' יְהוּדָה, מֵעוֹלָם לֹא זָזָה שְׁכִינְתָּא מִכּוֹתְלֵי דְּמַעֲרָבָא, דְּבֵי מַקְדְּשָׁא, דִּכְתִיב, הִנֵּה זֶה עוֹמֵד אַחַר כָּתְלֵנוּ. וְהוּא רֹאשׁ אֲמָנָה לְכָל עָלְמָא. מֵרֹאשׁ שְׂנִיר וְחֶרְמוֹן מֵאַתְרָא דְּאוֹרַיְיתָא נָפְקַת לְעָלְמָא, וְלָמָּה. לְאַגָּנָא עַל יִשְׂרָאֵל, מִמְּעוֹנוֹת אֲרָיוֹת: אִלֵּין עַמִּין עעכו"ם. ר' יוּדָן אוֹמֵר, מִמְּעוֹנוֹת אֲרָיוֹת: אִלֵּין אִינּוּן ת"ח, דְּעַסְקֵי בְּאוֹרַיְיתָא בִּמְעוֹנוֹת הַמִּדְרָשׁוֹת, וּבְבָתֵּי כְּנֵסִיּוֹת, דְּאִינּוּן אַרְיָוָן וּנְמֵרִים בְּאוֹרַיְיתָא.

סה. ר' חִיָּיא הֲוָה יָתִיב קָמֵיהּ דר"ש, א"ל, מַה חָמַת אוֹרַיְיתָא לְמִמְנֵי בְּנוֹי דְּיַעֲקֹב, דְּאִינּוּן תְּרֵיסַר בְּקַדְמֵיתָא, וּלְבָתַר כֵּן שִׁבְעִים דִּכְתִיב כָּל הַנֶּפֶשׁ לְבֵית יַעֲקֹב הַבָּאָה מִצְרַיְמָה שִׁבְעִים. וּמ"ט שִׁבְעִים וְלָא יַתִּיר. א"ל, לָקֳבֵיל ע' אוּמִין, דְּאִינּוּן בְּעָלְמָא, וְאִינּוּן הֲווּ אוּמָה יְחִידָאָה לְקַבֵּל כֻּלְּהוֹן.

סו. וְתוּ א"ל, ת"ח, קַלְדִּיטִין דְּנָהֲרִין עַנְפִּין יַתְבִּין בְּמַטַּלְנַיְיהוּ, מִמָּנָן עַל שַׁבְעִין עַמְמִין, נָפְקִין מִתְרֵיסַר גְּלִיפִין קְטוּרִין דְּאִסְתַּחֲרָן בְּמַטַּלְנַיְיהוּ, לְמִתְקְלָן לְאַרְבַּע רוּחֵי עָלְמָא, הה"ד, יַצֵּב גְּבוּלוֹת עַמִּים לְמִסְפַּר בְּנֵי יִשְׂרָאֵל. וְהַיְינוּ דִּכְתִּיב, כִּי כְּאַרְבַּע רוּחוֹת הַשָּׁמַיִם פֵּרַשְׂתִּי אֶתְכֶם, לְאַחֲזָאָה דְּאִינּוּן קַיְימִין בְּגִין יִשְׂרָאֵל. בְּאַרְבַּע לָא נֶאֱמַר, אֶלָּא כְּאַרְבַּע. כְּמָה דְּאִי אֶפְשָׁר לְעָלְמָא בְּלָא אַרְבַּע רוּחוֹת כַּךְ אִי אֶפְשָׁר לְעָלְמָא בְּלָא יִשְׂרָאֵל.

סז. וַיָּקָם מֶלֶךְ חָדָשׁ. ר' אַבָּא פָּתַח אַשְׁרֵיכֶם זוֹרְעֵי עַל כָּל מָיִם מְשַׁלְּחֵי רֶגֶל הַשּׁוֹר וְהַחֲמוֹר, זַכָּאִין אִינּוּן יִשְׂרָאֵל, דְּקב"ה אִתְרְעֵי בְּהוּ מִכָּל שְׁאַר עַמִּין, וְקָרִיב לוֹן לְגַבֵּיהּ, דִּכְתִּיב, וּבְךָ בָּחַר יְיָ' לִהְיוֹת לוֹ לְעַם סְגֻלָּה וְגוֹ', וּכְתִיב כִּי חֵלֶק יְיָ' עַמּוֹ יַעֲקֹב חֶבֶל נַחֲלָתוֹ, יִשְׂרָאֵל מִתְדַּבְּקִין בֵּיהּ בְּקב"ה, דִּכְתִּיב וְאַתֶּם הַדְּבֵקִים בַּייָ' אֱלֹהֵיכֶם חַיִּים כֻּלְּכֶם הַיּוֹם.

סח. וְעַ"ד זַכָּאִין אִינּוּן קָמֵיהּ, בְּגִין דְּאִינּוּן זַרְעִין עַל כָּל מָיִם. מַאי עַל כָּל מָיִם. דְּזַרְעִין לִצְדָקָה. וּמַאן דְּזָרַע לִצְדָקָה, כְּתִיב בֵּיהּ כִּי גָּדוֹל מֵעַל שָׁמַיִם חַסְדֶּךָ. מֵעַל שָׁמַיִם: עַל כָּל מַיִם אִיהוּ הֲוֵי, וּמַאן אִיהוּ מֵעַל שָׁמַיִם. דָּא עָלְמָא דְּאָתֵי. וְיִשְׂרָאֵל זָרְעֵי זַרְעָא עַל כָּל מַיִם.

סט. בְּסִפְרָא דְּרַב יֵיבָא סָבָא הָכִי אָמַר, כְּתִיב בִּגְזֵרַת עִירִין פִּתְגָּמָא וּמֵאמַר קַדִּישִׁין שְׁאֵלְתָא, כָּל דִּינִין דְּהַאי עָלְמָא, וְכָל שְׁאֵלְתִּין, וְכָל גְּזֵרִין, כֻּלְּהוּ קַיְימֵי בְּחַד הֵיכָלָא, דְּתַמָּן ע"ב סַנְהֶדְרִין מְעַיְינִין בְּדִינִין דְּעָלְמָא. וְהַהוּא הֵיכָלָא אִקְרֵי הֵיכַל זְכוּתָא, בְּגִין, דְּכַד דַּיְינִין דִּינָא, מְהַפְּכִין בִּזְכוּתָא דְּבַר נָשׁ בְּקַדְמֵיתָא.

ע. מַה דְּלָאו הָכִי, בְּדַרְגָּא דְּהַהוּא סִטְרָא אַחֲרָא, דְּתַמָּן אִיהוּ אֲתַר דְּאִקְרֵי חוֹב"ה, בְּגִין דְּכָל עוֹבָדוֹי דְּהַהוּא אֲתַר, דְּנָחָשׁ אֵשֶׁת זְנוּנִים, לָא אִיהוּ אֶלָּא לְמֶהֱפַּךְ בְּחוֹבָה דְּב"נ, וּלְמִלְשַׁן עַבְדָּא לְמָארֵיהּ.

עא. אִינּוּן דְּהֵיכָלָא דִּזְכוּתָא, אִקְרוּן מַיִם מְתוּקִים, מַיִם צְלוּלִין. אִינּוּן דְּהֵיכָלָא דְּחוֹבָה, אִקְרוּן מַיִין מְרִירִין, מֵי הַמָּרִים הַמְאָרְרִים. בְּהַהוּא הֵיכָלָא דִּזְכוּתָא, לָא קַיְימֵי אִלֵּין תְּלַת: בְּנֵי, חַיֵּי, וּמְזוֹנֵי. וְלָאו בְּהַהוּא אֲתַר דְּחוֹבָה, לָא בְּמַיִם מְתִיקָן וּצְלִילָן, וְלָאו בְּמַיִם מְרִירִין מְלַטְטִין.

עב. וְעַל דָּא, יִשְׂרָאֵל זַרְעֵי עַל כָּל מַיִם, זַרְעָא קַדִּישָׁא דְּאוֹלִידוּ עַל כָּל מַיִם, אִיהוּ, דְּהָא לָאו נָכוֹן זַרְעָא דִּילְהוֹן אֶלָּא לְעֵילָּא. וְעַ"ד אוֹקְמוּהָ מ"מ, בְּנֵי חַיֵּי וּמְזוֹנֵי, לָאו בִּזְכוּתָא תַּלְיָא מִלְּתָא, אֶלָּא בְּמַזָּלָא קַדִּישָׁא תַּלְיָא מִלְּתָא, וַאֲתַר דָּא עַל כָּל מַיָּא אִיהוּ.

עג. מְשַׁלְּחֵי רֶגֶל הַשּׁוֹר וְהַחֲמוֹר, דְּלָא אִית לוֹן בְּהַהוּא סִטְרָא בִּישָׁא כְּלוּם, וּמְשַׁדְּרָן מִנַּיְיהוּ כָּל חוּלָקִין בִּישִׁין, וּמִתְדַּבְּקִין בְּהַהוּא סִטְרָא טָבָא, דְּכָל קַדִּישִׁין עִלָּאִין, שׁוֹר וַחֲמוֹר כַּד מִזְדַּוְּגָן כַּחֲדָא, תְּרֵין פִּגְעִין בִּישִׁין אִינּוּן לְעָלְמָא. שׁוֹר: סִטְרָא דְּדִינָא קַשְׁיָא אִיהוּ, וְאִתְדַּבְּקוּתָא דְּסִטְרָא קַדִּישָׁא אִיהוּ. וַחֲמוֹר: כַּד אִזְדַּוַּג בַּהֲדֵיהּ, דְּאִיהוּ מִסִּטְרָא אַחֲרָא, תְּרֵין פִּגְעִין בִּישִׁין אִינּוּן לְעָלְמָא.

עד. וְעַל דָּא, שִׁמְעוֹן תּוּקְפָּא דְּדִינָא קַשְׁיָא הֲוָה בֵּיהּ, וְכַד מִזְדַּוְּגָן כַּחֲדָא, לָא יָכִיל עָלְמָא לְמִסְבַּל, וּבְגִין כַּךְ, לֹא תַחֲרוֹשׁ בְּשׁוֹר וּבַחֲמוֹר יַחְדָּו. וְעַל דָּא, שָׁדַר יַעֲקֹב לְעֵשָׂו מִלָּה דָּא, דִּכְתִּיב, וַיְהִי לִי שׁוֹר וַחֲמוֹר. וְאִי לָאו דְּמָאִיךְ יַעֲקֹב גַּרְמֵיהּ, דְּחִילוּ סַגְיָא נָפַל בֵּיהּ בְּעֵשָׂו.

עה. וַיָּקָם מֶלֶךְ חָדָשׁ עַל מִצְרָיִם. בְּסִפְרָא דְּרַב הַמְנוּנָא סָבָא הָכִי אִתְּמַר, מַאי דִּכְתִּיב וַיָּקָם מֶלֶךְ חָדָשׁ עַל מִצְרָיִם, ת״ח, כָּל עַמִּין דְּעָלְמָא, וְכָל מַלְכִּין דְּעָלְמָא, לָא אִתְתַּקְפוּ בְּשׁוּלְטָנֵיהוֹן, אֶלָּא בְּגִינַיְיהוּ דְּיִשְׂרָאֵל, מִצְרַיִם לָא הֲווּ שַׁלְטִין עַל כָּל עָלְמָא, עַד דְּאָתוּ יִשְׂרָאֵל, וְעָאלוּ תַּמָּן בְּגָלוּתָא, כְּדֵין אִתְתַּקְפוּ עַל שְׁאָר עַמִּין דְּעָלְמָא. בָּבֶל לָא אִתְתַּקְפוּ עַל כָּל עַמִּין דְּעָלְמָא, אֶלָּא בְּגִין דְּיִשְׂרָאֵל דִּלְהֶוְיָין בְּגָלוּתְהוֹן. אֱדוֹם לָא אִתְתַּקְפוּ עַל כָּל עַמִּין דְּעָלְמָא אֶלָּא בְּגִינַיְיהוּ דְּיִשְׂרָאֵל, דִּלְהֶוְיָין בְּגָלוּתְהוֹן. דְּהָא עַמִּין אִלֵּין בְּשִׁפְלוּתָא הֲווּ בִּשְׁאָר עַמִּין, וּמְאִיכִין הֲווּ מִכֻּלְּהוּ, וּבְגִין יִשְׂרָאֵל אִתְתַּקָּפוּ.

עו. מִצְרַיִם: דִּכְתִּיב מִבֵּית עֲבָדִים. עֲבָדִים אִקְרוּן מַמָּשׁ, דְּהָא מִצְרַיִם בְּשִׁפְלוּתָא דִּשְׁאָר עַמִּין הֲווּ. בָּבֶל: דִּכְתִּיב, הֵן אֶרֶץ כַּשְׂדִּים זֶה הָעָם לֹא הָיָה. אֱדוֹם: דִּכְתִּיב הִנֵּה קָטֹן נְתַתִּיךָ בַּגּוֹיִם בָּזוּי אַתָּה מְאֹד.

עז. וְכֻלְּהוּ לָא נָטְלוּ תּוּקְפָּא אֶלָּא בְּגִינַיְיהוּ דְּיִשְׂרָאֵל. דְּכַד יִשְׂרָאֵל בְּגָלוּתְהוֹן מִיָּד מִתְתַּקְּפֵי עַל כָּל שְׁאָר עַמִּין דְּעָלְמָא. מ״ט, בְּגִין דְּיִשְׂרָאֵל אִינּוּן בִּלְחוּדַיְיהוּ, לָקֳבֵל כָּל עַמִּין דְּעָלְמָא. כַּד עָאלוּ יִשְׂרָאֵל בְּגָלוּתָא דְּמִצְרַיִם, מִיָּד הֲוָה קִימָה לְמִצְרַיִם, וְאִתְתַּקַּף שׁוּלְטָנוּתָא דִּלְהוֹן לְעֵילָּא עַל כָּל שְׁאָר עַמִּין, דִּכְתִּיב וַיָּקָם מֶלֶךְ חָדָשׁ עַל מִצְרָיִם, וַיָּקָם: קִימָה הֲוָה לוֹן, דְּאִתְתַּקַּף וְקָם הַהוּא מְמַנָּא שׁוּלְטָנָא דְּמִצְרַיִם, וְאִתְיְיהִיב לֵיהּ תּוּקְפָּא וְשַׁלְטָנוּתָא, עַל כָּל מְמַנָּן דִּשְׁאָר עַמִּין דְּהָא בְּקַדְמֵיתָא אִית שׁוּלְטָנוּתָא לְהַהוּא מְמַנָּא דִּלְעֵילָּא, וּלְבָתַר לְעַמָּא דִּילֵיהּ דִּלְתַתָּא. וּבְגִין כָּךְ, וַיָּקָם מֶלֶךְ חָדָשׁ עַל מִצְרָיִם. דָּא הוּא מְמַנָּא דִּלְהוֹן, חָדָשׁ הֲוָה, דְּעַד יוֹמָא הָדֵין לָא הֲוָה לֵיהּ שׁוּלְטָנָא עַל שְׁאָר עַמִּין, וְהַשְׁתָּא אִתְקַם לְשַׁלְטָאָה עַל כָּל שְׁאָר עַמִּין דְּעָלְמָא, וּכְדֵין אִתְקַיַּים תַּחַת שָׁלֹשׁ רָגְזָה אֶרֶץ תַּחַת עֶבֶד כִּי יִמְלוֹךְ.

עח. ר׳ חִיָּיא אָמַר, תְּלָתִין יוֹמִין עַד לָא יֵיתֵי תּוּקְפָּא לְעַמָּא בְּאַרְעָא, אוֹ עַד לָא תֵּיתֵי תְּבִירוּ לְעַמָּא בְּאַרְעָא, מַכְרְזֵי בְּעָלְמָא הַהוּא מִלָּה, וְלִזְמְנִין דְּאִתְמְסַר הַהוּא מִלָּה בְּפוּמָא דְּרַבְיֵיא, וְלִזְמְנִין לְאִינּוּן בְּנֵי נָשָׁא דְּלֵית בְּהוּ דַּעְתָּא וְלִזְמְנִין מסרהַהוּא מִלָּה אִתְמְסַר בְּפוּמָא דְּעוֹפֵי וּמַכְרְזֵי בְּעָלְמָא, וְלֵית מַאן דְּיַשְׁגַּח בְּהוּ. כַּד עַמָּא זַכָּאִין, אִתְמְסַר הַהוּא מִלָּה לְאִינּוּן רֵישִׁין זַכָּאִין דְּעָלְמָא, בְּגִין דְּיוֹדְעוּ לוֹן, וְיִתוּבוּן לְמָארֵיהוֹן, וְכַד לָאו אִינּוּן זַכָּאִין, הָוֵי כִּדְקָאַמְרָן.

עט. ר׳ אֶלְעָזָר, הֲוָה יָתִיב יוֹמָא חַד אַתַּרְעָא דְּלוֹד, וַהֲוָה יָתִיב עִמֵּיהּ רַבִּי אַבָּא, וְרַבִּי יְהוּדָה, וְרַבִּי יוֹסֵי. א״ר יוֹסֵי אֵימָא לְכוּ, מַה דְּחָמֵית יוֹמָא דָּא בְּצַפְרָא קָמֵית בִּנְהוֹרָא, וְחָמֵית חַד עוֹפָא, דַּהֲוָה טָאִיס זָקִיף לְעֵילָּא תְּלַת זִמְנֵי, וּמָאִיךְ וַחֲדָא, וַהֲוָה אָמַר, עִלָּאֵי עִלָּאֵי, בְּיוֹמָא דָּא טָסֵי רְקִיעִין תְּלַת מְמַנָּן זְקִפִין שַׁלְטָנִין עַל אַרְעָא, וְחַד יָתִיב דְּלָא יָתִיב, אַעְבָּרוּ לֵיהּ בְּנוּרָא דְּדָלִיק, מְעַבְּרִין קַיְימֵיהּ, מְעַבְּרִין שָׁלְטָנֵיהּ, תְּלַת סָמְכִין שַׁלִּיטִין עִלָּאִין, קַיְימִין עַל עָלְמָא.

פ. רְמֵינָא לְהַהוּא עוֹפָא קָלָא, אֲמֵינָא לֵיהּ עוֹפָא עוֹפָא, אֵימָא לִי תְּלַת דְּקַיְימִין מְמַנָּן, וְחַד דִּמְעַבְּרִין שָׁלְטָנֵיהּ, מַאן אִינּוּן. רָמָא לִי תְּלַת גִּירִין אִלֵּין מִגַּדְפָּא יְמִינָא, וְדֵין וַחֲד מִשְּׂמָאלָא, וְלָא יָדַעְנָא מַאי רְמִיזָא.

פא. נָסִיב לְהוּ רַבִּי אֶלְעָזָר, נָחֵית לְהוּ לִנְחִירוֹי, נָפַק דָּמָא מִנְּחִירוֹי. אָמַר, וַדַּאי תְּלַת שָׁלְטָנֵי עַמְמִין קַיְימִין בְּרוּמֵי בְּאַרְעָא, וּזְמִינִין לְמֶעְבַּד גְּזֵרִין בִּישִׁין לְיִשְׂרָאֵל, מִסִּטְרָא דְּרוֹמָאֵי. נָסִיב הַהוּא גִּירָא דְּמִגַּדְפָּא שְׂמָאלָא, אָרַח, וְנָפַק אֶשָּׁתָא אוּכְמָא מִנֵּיהּ, אָמַר

שׁוּלְטָנָא דְּמִצְרָאֵי אַעְדִּיאוּ וְזַמִּין וְחַד מַלְכָּא דְּרוֹמָאֵי, לְאַעְבְּרָא בְּכָל אַרְעָא דְּמִצְרַיִם, וּלְמִנָּאָה בְּמִצְרַיִם רַבְרְבֵי תְּרִיסִין, וְסָתִיר בִּנְיָן, וּבָנֵי סְתִירִין. רָמָא לוֹן ר' אֶלְעָזָר לְאַרְעָא, נַפְלוּ אִלֵּין תְּלַת עַל וְחַד דְּמִסְטְרָא שְׂמָאלָא.

פב. עַד דַּהֲווּ יָתְבֵי, אַעְבַּר וְחַד יָנוּקָא, וַהֲוָה קָארֵי מַשָּׂא מִצְרָיִם הִנֵּה ה' רוֹכֵב עַל עָב קַל וּבָא מִצְרַיִם. אַעְבַּר תִּנְיָינָא וְחַבְרֵיהּ, וְאָמַר, וְאֶרֶץ מִצְרַיִם תִּהְיֶה שְׁמָמָה. אַעְבַּר תְּלִיתָאָה וְחַבְרֵיהּ, וְאָמַר, וְאָבְדָה וְחָכְמַת מִצְרַיִם. וְזִמּוּ הַהוּא גִּירָא דְּגַרְדְּפָא שְׂמָאלָא דְּאִתּוֹקַד, וּתְלַת אַוֹרְזִין דַּהֲווּ עָלֵיהּ לָא אִתּוֹקְדָן.

פג. א"ר אֶלְעָזָר, הַאי דְּעוֹפָא, וְהַאי דַּרְדְּקֵי כֹּלָּא הוּא וְחַד, וְכֹלָּא נְבוּאָה עִלָּאָה הוּא, וּבָעָא קוּדְשָׁא בְּרִיךְ הוּא לְאַחֲזָאָה לָן, סִתְרֵי עִלָּאֵי דְּהוּא עָבִיד, הה"ד כִּי לֹא יַעֲשֶׂה ה' אֱלֹהִים דָּבָר כִּי אִם גָּלָה סוֹדוֹ אֶל עֲבָדָיו הַנְּבִיאִים.

פד. וְחַכִּימֵי עֲדִיפֵי מִנְּבִיאֵי בְּכָל זִמְנָא, דְּהָא לִנְבִיאֵי לִזְמָנִין שָׁרַת עֲלַיְיהוּ רוּחַ קוּדְשָׁא, וּלְזִמְנִין לָא, וְחַכִּימִין לָא אַעְדֵי מִנְּהוֹן רוּחַ קוּדְשָׁא אֲפִילּוּ רִגְעָא וְחָדָא, דְּיַדְעִין מַה דִּי לְעֵילָּא וְתַתָּא, וְלָא בָּעוּ לְגַלָּאָה. א"ר יוֹסֵי כֹּלָּא וְחָכְמְתָא, וְחָכְמְתָא דר' אֶלְעָזָר יַתִּיר מִכֻּלְּהוּ. רַבִּי אַבָּא אָמַר, אִלְמָלֵא לָא הֲווּ חַכִּימִין, לָא הֲווּ יַדְעִין בְּנֵי נָשָׁא, מַהוּ אוֹרַיְיתָא, וּמַה פִּקּוּדֵי דְּמָארֵי עָלְמָא, וְלָא אִתְפָּרְשָׁא רוּחָא דִּבְנֵי נָשָׁא, מֵרוּחָא דִּבְעִירָא.

פה. א"ר יִצְחָק, כַּד אַיְיתֵי קוּדְשָׁא בְּרִיךְ הוּא דִּינָא עַל עַמָּא, בְּקַדְמֵיתָא עָבִיד דִּינָא, בְּהַהוּא מְמָנָא דִּמְמַנָּא עֲלַיְיהוּ לְעֵילָּא, דִּכְתִיב יִפְקוֹד ה' עַל צְבָא הַמָּרוֹם בַּמָּרוֹם וְעַל מַלְכֵי הָאֲדָמָה עַל הָאֲדָמָה.

פו. בְּמַאי דִּינָא אִתְדָּן הַהוּא מְמָנָא דִּלְעֵילָּא. אַעְבְּרוּ לֵיהּ בְּהַהוּא נְהַר דִּינוּר דְּנָגִיד וְנָפִיק, וּכְדֵין אַעְדִּיוּ הַהוּא שׁוּלְטָנוּתָא דִּילֵיהּ, וּמִיַּד מַכְרִיזֵי עָלֵיהּ בִּרְקִיעָא, שׁוּלְטָנוּתָא דִּמְמַנָּא פְּלַנְיָא אַעְדִּיוּ מִנֵּיהּ, עַד דִּמְטֵי הַהוּא קָלָא בְּכָל אִינּוּן רְקִיעִין עַד דִּמְטֵי בְּאִינּוּן דְּשַׁלְטִין בְּהַאי עָלְמָא, וְנָפִיק קָלָא וְאַכְרִיז בְּכָל עָלְמָא, עַד דִּמְטֵי לְעוֹפֵי וְלִינוּקֵי, וּלְאִינּוּן טִפְּשִׁין דִּבְנֵי נָשָׁא דְּלָא יַדְעִין.

פז. וַיָּקָם מֶלֶךְ חָדָשׁ. רַבִּי חִיָּיא אָמַר, מֶלֶךְ חָדָשׁ, וְחָדָשׁ מַמָּשׁ הֲוָה. רַבִּי יוֹסֵי אָמַר דַּהֲוָה מְחַדֵּשׁ גְּזֵירִין, דְּלָא חִידֵּשׁ מַלְכָּא אַחֲרָא מִקַּדְמַת דְּנָא. אֲשֶׁר לֹא יָדַע אֶת יוֹסֵף. כָּל הַהוּא טִיבוּ, דְּעָבַד יוֹסֵף בְּאַרְעָא דְּמִצְרַיִם, דִּכְתִיב, וַיָּבֵא יוֹסֵף אֶת כָּל הַכֶּסֶף בֵּיתָה פַרְעֹה. וְקַיֵּים לוֹן בִּשְׁנֵי כַפְנָא, כָּל הַאי לָא דָּכִיר, וְעָבֵד גַּרְמֵיהּ דְּלָא יָדַע בֵּיהּ.

פח. רַבִּי יוֹסֵי וְרַבִּי יְהוּדָה, הֲווּ יָתְבֵי וְלָעָאן בְּאוֹרַיְיתָא קַמֵּיהּ דר"ש, אָמַר רַבִּי יְהוּדָה, הַאי דִּכְתִיב וַיָּקָם מֶלֶךְ וְחָדָשׁ עַל מִצְרַיִם, וְתָנֵינָן, דְּאִיהוּ קָם מִגַּרְמֵיהּ, מַה דַּהֲוָה שָׁפָל, קָם, וְלָא אִתְחֲזֵי לְמַלְכָּא, וּבְעוּתְרָא קָם. אָמַר רַבִּי שִׁמְעוֹן, כֹּלָּא הָכִי הוּא, כְּגַוְונָא דַּאֲחַשְׁוֵרוֹשׁ דְּלָא אִתְחֲזֵי לְמַלְכָּא, וְקָם מִגַּרְמֵיהּ, וְקָם בְּעוּתְרָא, וּבָעָא לְאוֹבָדָא לְיִשְׂרָאֵל מֵעָלְמָא, אוּף הָכָא, הַאי לָא אִתְחֲזֵי לְמַלְכָּא, וְקָם מִגַּרְמֵיהּ, וּבָעָא לְאוֹבָדָא לְיִשְׂרָאֵל מֵעָלְמָא, דִּכְתִיב וַיֹּאמֶר אֶל עַמּוֹ וְגוֹ', הָבָה נִתְחַכְּמָה לוֹ וְגוֹ', וְכַד הֲוָה קָם מַלְכָּא לְעֵילָּא, קָם מַלְכָּא לְתַתָּא.

פט. רַבִּי אֶלְעָזָר וְרַבִּי אַבָּא וְרַבִּי יוֹסֵי, הֲווּ אָזְלֵי מִטִּבֶּרְיָא לְצִפּוֹרִי, עַד דַּהֲווּ אַזְלֵי, פָּגַע בְּהוּ וְחַד יוּדָאֵי, פָּתַח וְאָמַר, מַשָּׂא מִצְרָיִם הִנֵּה ה' רוֹכֵב עַל עָב קַל וּבָא מִצְרַיִם וְנָעוּ אֱלִילֵי מִצְרַיִם מִפָּנָיו. ת"ח, כָּל מַלְכִין דְּעָלְמָא, וְכָל עַמִּין דְּעָלְמָא, לָא חֲשִׁיבֵי כְּלוּם

קָמֵי קב"ה, דִּכְתִּיב, וְכָל דַּיָּרֵי אַרְעָא כְּלָא חֲשִׁיבִין וּכְמִצְבְּיֵהּ עָבֵיד בְּחֵיל שְׁמַיָּא. וְהָכָא בְּמִצְרַיִם, אַף עַל גַּב דְּכָל אִינּוּן גִּבּוֹרָאן, וְדַרְעָא מְרַמְמָא גַּלֵּי קוּדְשָׁא ב"ה בְּמִצְרַיִם, מַה כְּתִיב הִנֵּה ה' רוֹכֵב עַל עָב קַל וּבָא מִצְרַיִם. מַאי שְׁנָא, בְּכָל עַמִּין דְּעָלְמָא, דְּלָא הֲוָה הָכִי, דְּהָא קב"ה גָּזַר גְּזֵרָה וְאִתְעֲבֵיד, וְהָכָא אִיהוּ אָתָא, דִּכְתִּיב וּבָא מִצְרַיִם. וּכְתִיב, וְעָבַרְתִּי בְּאֶרֶץ מִצְרַיִם וְגוֹ' אֲנִי ה'.

צ. אֶלָּא, בְּגִין דְּמַלְכָּא הֲוָה אָתֵי, לְאַפָּקָא לְמַטְרוֹנִיתָא דַּהֲוַת תַּמָּן. וּבְגִין יְקָרָא דְּמַטְרוֹנִיתָא הֲוָה אָתֵי. וְעַל דָּא הֲוָה קב"ה בָּעֵי בִּיקָרָהּ, וְאָתֵי לְגַבָּהּ לַאֲקָמָא לָהּ, וּלְמֵיהַב לָהּ יְדָא, וּלְזַקְפָא לָהּ, כְּמָה דְּזַמִּין קב"ה לְמֶעְבַּד בְּסוֹף גָּלוּתָא דֶּאֱדוֹם.

צא. אָמַר רִבִּי יֵיסָא, אִי הָכִי, דִּבְגִין דְּמַטְרוֹנִיתָא הֲוָה, הָא בְּגָלוּתָא דְּבָבֶל, מַטְרוֹנִיתָא תַּמָּן הֲוַת, אֲמַאי לָא הֲוָה כַּךְ. אָמַר לֵיהּ, הָא תָּנֵינָן, דְּחוֹטְאָה גָּרַם, דְּנָטְלוּ נָשִׁים נָכְרִיּוֹת, וְאָעִילוּ בְּרִית קַיָּימָא קַדִּישָׁא בִּרְשׁוּתָא אָחֳרָא. וּבְגִין כַּךְ אִתְאֲבִידוּ מִנַּהוֹן נִסִּין, וְאָתְוָון, דְּאִתְחָזֵי לְמֶעְבַּד לְהוּ, מַה דְּלָא הֲוָה הָכִי בְּגָלוּתָא דְּמִצְרַיִם, דְּכֻלְּהוּ הֲווֹ שִׁבְטֵי יָהּ, בְּנֵי יִשְׂרָאֵל עָאלוּ, בְּנֵי יִשְׂרָאֵל נָפְקוּ.

צב. בְּגָלוּתָא דֶּאֱדוֹם, בָּעֵי קב"ה לְאִתְיַקְּרָא בְּעָלְמָא, וּלְמֵיתֵי אִיהוּ לַאֲקָמָא לְמַטְרוֹנִיתָא, וּלְנַעֲרָא לָהּ מֵעַפְרָא. וַוי לְמַאן דְּיֶעֱרַע תַּמָּן קָמֵיהּ, בְּשַׁעֲתָא דְּיֵימָא הִתְנַעֲרִי מֵעָפָר קוּמִי שְׁבִי יְרוּשָׁלַיִם הִתְפַּתְּחִי מוֹסְרֵי צַוָּארֵךְ. מַאן הוּא מַלְכָּא וְעַמָּא דְּיֵיקוּם קָמֵיהּ.

צג. וְנָעוּ אֱלִילֵי מִצְרַיִם מִפָּנָיו, לָאו עַל אַבְנִין וְאָעִין אִתְּמַר, אֶלָּא עַל כָּל אִינּוּן דַּרְגִּין מְמַנָּן עִלָּאִין, וְעַל אִינּוּן פּוּלְחָנִין תַּתָּאִין דִּלְהוֹן. וּבְכָל אֲתַר דְּגָלוּ יִשְׂרָאֵל, קוּדְשָׁא בְּרִיךְ הוּא בָּעֵי עֲלַיְיהוּ, וְאִתְקְבִיל מֵאִינּוּן עַמִּין.

צד. ת"ח, מַה כְּתִיב, כֹּה אָמַר ה' מִצְרַיִם יָרַד עַמִּי בָרִאשׁוֹנָה לָגוּר שָׁם וְאַשּׁוּר בְּאֶפֶס עֲשָׁקוֹ תּוּרְעֲמָא דְּאִתְרַעַם קוּדְשָׁא בְּרִיךְ הוּא עַל אַשּׁוּר, וְאָמַר, חָזְמוּ מַה עָבַד לִי אַשּׁוּר, דְּהָא מִצְרַיִם דַּאֲנָא עֲבָדִית בְּהוּ כָּל אִינּוּן דִּינִין, וְעַמִּי נַחְתּוּ תַּמָּן, לְדַיְירָא בֵּינַיְיהוּ, וְקַבְּלוּם מִצְרָאֵי בֵּינַיְיהוּ, וְיָהֲבוּ לוֹן שְׁפַר אַרְעָא אֶרֶץ גּוֹשֶׁן, ואע"ג דְּאָעִיקוּ לוֹן בְּגָלוּתָא, לָא אַעְדוּ אַרְעָא מִנַּהוֹן, דִּכְתִּיב, רַק בְּאֶרֶץ גּוֹשֶׁן אֲשֶׁר שָׁם בְּנֵי יִשְׂרָאֵל וְגוֹ'. וּמֵיטַב אַרְעָא דְּמִצְרַיִם הֲוָה, דִּכְתִּיב בְּמֵיטַב הָאָרֶץ בְּאֶרֶץ רַעְמְסֵס. וְתוּ, דְּלָא אַעְדוּ מִדִּלְהוֹן כְּלוּם, דִּכְתִּיב וּמִמִּקְנֵה בְּנֵי יִשְׂרָאֵל וְגוֹ'. ועכ"ד אִתְדָּנוּ בְּכַמָּה דִּינִין.

צה. אֲבָל אַשּׁוּר בְּאֶפֶס עֲשָׁקוֹ, אַטִּיל לוֹן בְּאַרְעָא דְּסַיְיפֵי עָלְמָא, וְנָטַל לוֹן אַרְעָא דִּלְהוֹן. וּמַה מִצְרָאֵי, דְּעָבְדֵי כָּל הָנֵי טָבָאן לְיִשְׂרָאֵל, אִתְדָּנוּ בְּכָל אִינּוּן דִּינִין. אַשּׁוּר וֶאֱדוֹם וּשְׁאַר עַמִּין, דִּמְעִיקִין לוֹן, וְקַטְלִין לוֹן, וְנַטְלִין לוֹן מָמוֹנֵיהוֹן, עאכ"ו דקב"ה בָּעֵי לְיַקְּרָא שְׁמֵיהּ עֲלַיְיהוּ, דִּכְתִּיב וְהִתְגַּדִּלְתִּי וְהִתְקַדִּשְׁתִּי וְנוֹדַעְתִּי. הָתָם בְּמִצְרַיִם בְּמַלְכָּא חַד, וְהָכָא בְּכָל מַלְכִין דְּעָלְמָא.

צו. רִבִּי שִׁמְעוֹן זָקַף יְדוֹי וּבָכָה, וְאָמַר, וַוי מַאן דְּיִזְדַּמַּן בְּהַהוּא זִמְנָא, וְזַכָּאָה חוּלָקֵיהּ מַאן דְּיִזְדַּמַּן וְיִשְׁתַּכַּח בְּהַהוּא זִמְנָא, וַוי מַאן דְּיִזְדַּמַּן בְּהַהוּא זִמְנָא, בְּגִין דְּכַד יֵיתֵי קוּדְשָׁא בְּרִיךְ הוּא לְפַקְדָא לְאַיַּלְתָּא, יִסְתַּכַּל מַאן אִינּוּן דְּקַיְימִין בַּהֲדָהּ, בְּכָל אִינּוּן דְּמִשְׁתַּכְּחֵי עִמָּהּ, בְּכָל עוֹבָדוֹי דְּכָל חַד וְחַד, וְלָא יִשְׁתַּכַּח זַכָּאי. דִּכְתִּיב, וְאַבִּיט וְאֵין עוֹזֵר. וְכַמָּה עָקְתִין עַל עָקְתִין לְיִשְׂרָאֵל.

צז. זַכָּאָה מַאן דְּיִזְדַּמַּן וְיִשְׁתַּכַּח בְּהַהוּא זִמְנָא, בְּגִין דְּהַהוּא דְּיִתְקַיַּים בְּהַהוּא זִמְנָא

בִּמְהֵימְנוּתָא, יִזְכֶּה לְהַהוּא נְהִירוּ דְּחֶדְוָה דְּמַלְכָּא. וְעַל הַהוּא זִמְנָא כְּתִיב, וּצְרַפְתִּים כִּצְרוֹף אֶת הַכֶּסֶף וּבְחַנְתִּים כִּבְחוֹן אֶת הַזָּהָב וְגוֹ'.

צח. לְבָתַר דְּאִינּוּן עַקְתִּין מִתְעָרֵי עַל יִשְׂרָאֵל, וְכָל עַמִּין וּמַלְכֵיהוֹן יִתְיַיעֲטוּן כַּחֲדָא עֲלַיְיהוּ, וּמִתְעָרֵי כַּמָּה גְּזֵרִין בִּישִׁין, כֻּלְּהוּ סַלְקֵי בְּעֵיטָא חֲדָא עֲלַיְיהוּ, וְיֵיתוּן עַקְתָּא עַל עַקְתָּא, בַּתְרַיְיתָא מִשְׁכְּחָן קַמַּיְיתָא. כְּדֵין יִתְחֲזֵי חַד עַמּוּדָא דְּאֶשָּׁא, קָאִים מֵעֵילָּא לְתַתָּא, אַרְבְּעִין יוֹמִין, וְכָל עַמִּין דְּעָלְמָא חָמָאן לֵיהּ.

צט. בְּהַהוּא זִמְנָא, יִתְעַר מַלְכָּא מְשִׁיחָא, לְנָפְקָא מִגּוֹ גִּנְתָּא דְּעֵדֶן, מֵהַהוּא אֲתָר דְּאִתְקְרֵי קַ"ן צִפּוֹ"ר, וְיִתְעַר בְּאַרְעָא דְּגָלִיל, וְהַהוּא יוֹמָא דְּיִפּוּק לְתַמָּן, יִתְרְגַז כָּל עָלְמָא, וְכָל בְּנֵי עָלְמָא מִתְחַבְּאִין גּוֹ מְעָרְתֵי וְטִנָּרֵי, דְּלָא יְחַשְׁבוּן לְאִשְׁתְּזָבָא. וְעַל הַהוּא זִמְנָא כְּתִיב, וּבָאוּ בִּמְעָרוֹת צֻרִים וּבִמְחִלּוֹת עָפָר מִפְּנֵי פַּחַד ה' וּמֵהֲדַר גְּאוֹנוֹ בְּקוּמוֹ לַעֲרוֹץ הָאָרֶץ.

ק. מִפְּנֵי פַּחַד ה', דָּא הַהוּא רְגִיזוּ דְּכָל עָלְמָא. וּמֵהֲדַר גְּאוֹנוֹ, דָּא מָשִׁיחַ. בְּקוּמוֹ לַעֲרוֹץ הָאָרֶץ, כַּד יְקוּם וְיִתְגְּלֵי בְּאַרְעָא דְּגָלִיל, בְּגִין דְּאִיהוּ הוּא אֲתָר קַדְמָאָה דְּאִתְחָרַב בְּאַרְעָא קַדִּישָׁא, ובג"כ, יִתְגְּלֵי תַּמָּן קַדְמָאָה לְכָל אֲתָר, וּמִתַּמָּן יִתְעַר קְרָבִין לְכָל עָלְמָא.

קא. לְבָתַר אַרְבְּעִין יוֹמִין, דְּעַמּוּדָא יְקוּם מֵאַרְעָא לִשְׁמַיָּא, לְעֵינֵיהוֹן דְּכָל עָלְמָא, וּמָשִׁיחַ יִתְגְּלֵי, יְקוּם מִסְּטַר מִזְרָח, וְחַד כּוֹכָבָא מְלַהֲטָא בְּכָל גַּוְונִין, וְשִׁבְעָה כּוֹכָבִין אָחֳרָנִין דְּסַחֲרָן לְהַהוּא כּוֹכָבָא, וְיַגִּיחוּן בֵּיהּ קְרָבָא בְּכָל סִטְרִין, תְּלַת זִמְנִין בְּיוֹמָא, עַד שַׁבְעִין יוֹמִין, וְכָל בְּנֵי עָלְמָא חָמָאן.

קב. וְהַהוּא כּוֹכָבָא, יַגִּיחַ בְּהוּ קְרָבָא, בְּטִיסִין דְּנוּרָא, מְלַהֲטִין מְנַצְּצִין לְכָל עֵבֶר, וּבָטַשׁ בְּהוּ, עַד דְּבָלַע לוֹן, בְּכָל רַמְשָׁא וְרַמְשָׁא, וּבְיוֹמָא אַפִּיק לוֹן. וְיַגִּיחוּן קְרָבָא לְעֵינֵיהוֹן דְּכָל עָלְמָא, וְכֵן בְּכָל יוֹמָא, עַד שַׁבְעִין יוֹמִין. לְבָתַר שַׁבְעִין יוֹמִין, יִתְגְּנִיז הַהוּא כּוֹכָבָא, וְיִתְגְּנִיז מָשִׁיחַ, עַד תְּרֵיסַר יַרְחִין, וְיִתְהַדַּר הַהוּא עַמּוּדָא דְּאֶשָּׁא כְּמִלְּקַדְמִין, וּבֵיהּ יִתְגְּנִיז מָשִׁיחַ, וְהַהוּא עַמּוּדָא לָא יִתְחֲזֵי.

קג. לְבָתַר תְּרֵיסַר יַרְחִין, יִסְלְקוּן לֵיהּ לְמָשִׁיחַ, בְּהַהוּא עַמּוּדָא, לְגוֹ רְקִיעָא, וְתַמָּן יְקַבֵּל תּוֹקְפָא וְעִטְרָא דְּמַלְכוּתָא. וְכַד נָחִית, יִתְחֲזֵי הַהוּא עַמּוּדָא דְּאֶשָּׁא כְּמִלְּקַדְמִין, לְעֵינֵיהוֹן דְּכָל עָלְמָא, וְיִתְגְּלֵי לְבָתַר מָשִׁיחַ, וְיִתְכַּנְּשׁוּן לְגַבֵּיהּ עַמִּין סַגִּיאִין, וְיִתְעַר קְרָבִין בְּכָל עָלְמָא. וּבְהַהוּא זִמְנָא יִתְעַר קוּדְשָׁא בְּרִיךְ הוּא גְּבוּרְתֵּיהּ לְכָל עַמִּין דְּעָלְמָא, וּמַלְכָּא מְשִׁיחָא יִתְיְדַע בְּכָל עָלְמָא, וְכָל מַלְכִין דְּעָלְמָא יִתְעָרוּן לְאִתְחַבְּרָא לְאַגָּחָא קְרָבָא בֵּיהּ.

קד. וְכַמָּה מִפְּרִיצֵי יְהוּדָאִין יִתְהַפְּכוּ לְאַהֲדְרָא לְגַבַּיְיהוּ, וְיֵיתוּן עִמְּהוֹן, לְאַגָּחָא קְרָבָא עַל מַלְכָּא מְשִׁיחָא. כְּדֵין יִתְחֲשַׁךְ כָּל עָלְמָא חֲמֵשׁ עֶשְׂרֵה יוֹמִין, וְסַגִּיאִין מֵעַמָּא דְּיִשְׂרָאֵל יְהוֹן מֵתִין בְּהַהוּא חֲשׁוֹכָא. וְעַל דָּא כְּתִיב, כִּי הִנֵּה הַחֹשֶׁךְ יְכַסֶּה אֶרֶץ וַעֲרָפֶל לְאֻמִּים.

קה. פָּתַח וְאָמַר כִּי יִקָּרֵא קַן צִפּוֹר לְפָנֶיךָ בַּדֶּרֶךְ בְּכָל עֵץ אוֹ עַל הָאָרֶץ אֶפְרוֹחִים אוֹ בֵיצִים וְהָאֵם רוֹבֶצֶת וְגוֹ', שַׁלֵּחַ תְּשַׁלַּח אֶת הָאֵם וְגוֹ', הַאי קְרָא אוֹקִימְנָא לֵיהּ, וְאִיהוּ חַד מִפִּקּוּדֵי אוֹרַיְיתָא גְּנִיזִין, וַאֲנָן אִית לָן בֵּיהּ רָזֵי דְּאוֹרַיְיתָא גְּנִיזִין, שְׁבִילִין וְאָרְחִין יְדִיעָן לְחַבְרַיָּיא, בְּאִינּוּן תְּלָתִין וּתְרֵין שְׁבִילִין דְּאוֹרַיְיתָא.

קו. אָמַר רִבִּי שִׁמְעוֹן לְרִבִּי אֶלְעָזָר בְּרֵיהּ, אֶלְעָזָר, בְּזִמְנָא דְּיִתְעַר מַלְכָּא מְשִׁיחָא, כַּמָּה אָתִין וְנִסִּין אָחֳרָנִין יִתְעָרוּן בְּעָלְמָא. תָּא חֲזֵי, בְּגִנְתָא דְּעֵדֶן דִּלְתַתָּא, אִית אֲתַר חַד גָּנִיז וְטָמִיר דְּלָא אִתְיְדַע, וְאִיהוּ מְרֻקְמָא בְּכַמָּה גַּוְונִין, וּבֵיהּ גְּנִיזִין אֶלֶף הֵיכָלִין דְּכִסּוּפִין. וְלֵית מַאן דְּעָיֵיל בְּהוּ, בַּר מָשִׁיחַ, דְּאִיהוּ קָאִים תָּדִיר בְּגִנְתָא דְּעֵדֶן.

קז. וְכָל גִּנְתָּא מְסַחֲרָא בִּרְתִיכִין סַגִּיאִין דְּצַדִּיקַיָּא, וּמָשִׁיחַ קָאִים עֲלַיְיהוּ, וְעַל כַּמָּה חֵילִין וּמַשִּׁירְיָין דְּנִשְׁמָתִין דְּצַדִּיקַיָּא תַּמָּן, וּבְרָאשֵׁי יַרְחֵי, וּבְזִמְנֵי, וּבְשַׁבְּתֵי, מָשִׁיחַ עָאל בְּהַהוּא אֲתָר לְאִשְׁתַּעְשְׁעָא בְּכָל אִינּוּן הֵיכָלִין.

קח. לְגוֹ לְגוֹ מִכָּל אִינּוּן הֵיכָלִין, אִית אֲתָר אַחֲרָא טָמִיר וְגָנִיז דְּלָא אִתְיְדַע כְּלָל, וְאִקְרֵי עֵדֶן. וְלֵית מַאן דְּיָכִיל לְמִנְדַּע בֵּיהּ. וּמָשִׁיחַ אִגְנִיז לְבַר, סַחֲרָנֵיהּ דְּהַהוּא אֲתָר, עַד דְּאִתְגְּלֵי לֵיהּ חַד אֲתָר. דְּאִקְרֵי קַן צִפּוֹר, וְאִיהוּ אֲתָר דְּכָרִיז עָלֵיהּ הַהוּא צִפּוֹר. דְּאִתְעַר בְּגִנְתָא דְּעֵדֶן בְּכָל יוֹמָא.

קט. וּבְהַהוּא אֲתָר, מְרֻקְמָן דְּיוֹקְנִין דְּכָל שְׁאַר עַמִּין, דְּאִתְכְּנָשׁוּ עֲלַיְיהוּ דְּיִשְׂרָאֵל לְאַבְאָשָׁא לוֹן. עָאל בְּהַהוּא אֲתָר, זָקִיף עֵינוֹי, וְחָזֵי אֲבָהָן, דְּעָאלִין בְּחָרְבַּן בֵּית אֱלָהָא, עַד דְּחָמֵי לְרָחֵל דְּדִמְעָהָא בְּאַנְפָּהָא, וְקוּדְשָׁא בְּרִיךְ הוּא מְנַחֵם לָהּ, וְלָא צְבִיאַת לְקַבְּלָא תַּנְחוּמִין, כְּמָה דְּאַתְּ אָמַר, מֵאֲנָה לְהִנָּחֵם עַל בָּנֶיהָ. כְּדֵין. מָשִׁיחַ אָרִים קָלֵיהּ וּבָכֵי, וְאִזְדַּעְזַע כָּל גִּנְתָא דְּעֵדֶן, וְכָל אִינּוּן צַדִּיקַיָּא דְּתַמָּן גָּעוּ וּבָכוּ עִמֵּיהּ.

קי. גָּעֵי וּבָכֵי זִמְנָא תִּנְיָינָא, וְאִזְדַּעְזַע הַהוּא רְקִיעַ דְּעַל גַּבֵּי גִּנְתָא, אֶלֶף וְחָמֵשׁ מֵאָה רִבּוֹא מַשִּׁרְיָין עִלָּאִין, עַד דְּמָטֵי לְגוֹ כֻּרְסְיָיא עִלָּאָה. כְּדֵין, קוּדְשָׁא בְּרִיךְ הוּא רָמִיז לְהַהוּא צִפְּרָא, וְעָאל לְהַהוּא קַן דִּילָהּ, וְיָתְבָא לְגַבֵּי מָשִׁיחַ, וְקָרֵי מַה דְּקָרֵי, וְאִתְעַר מַה דְּאִתְעַר.

קיא. עַד דְּמִגּוֹ כֻּרְסְיָיא קַדִּישָׁא, אִתְקְרֵי תְּלַת זִמְנִין הַהוּא קַן צִפּוֹר, וּמָשִׁיחַ, וְכֹלָּא סַלְּקִין לְעֵילָּא, וְאוֹמֵי לוֹן קוּדְשָׁא בְּרִיךְ הוּא, לְאַעְבְּרָא מַלְכוּ חַיָּיבָא מִן עָלְמָא, עַל יְדָא דְּמָשִׁיחַ, וּלְנָקְמָא נַקְמִין דְּיִשְׂרָאֵל. וְכָל אִינּוּן טַבְוָון, דְּזָמִין קוּדְשָׁא בְּרִיךְ הוּא לְמֶעְבַּד לְעַמֵּיהּ. וְתָב הַהוּא קַן צִפּוֹר וּמָשִׁיחַ לְדוּכְתֵּיהּ. וְתָב מָשִׁיחַ וְאִתְגְּנִיז גּוֹ הַהוּא אֲתָר כְּמִלְּקַדְמִין.

קיב. וּבְזִמְנָא דְּיִתְעַר קוּדְשָׁא בְּרִיךְ הוּא לְאַתְקְנָא עָלְמִין, וְאִתְנְהִירוּ אַתְוָון דִּשְׁמֵיהּ בִּשְׁלִימוּ, יו"ד בְּהֵ"א, וָא"ו בְּהֵ"א, לְמֶהֱוֵי כֹּלָּא בִּשְׁלִימוּ חַד. כְּדֵין יִתְעַר חַד כֹּכָבָא דְּחִיזְלָא, בְּאֶמְצַע רְקִיעָא, כְּגַוָּן אַרְגְּוָונָא, לָהִיט וְנָצִיץ בִּימָמָא לְעֵינֵיהוֹן דְּכָל עָלְמָא.

קיג. וְיִקּוּם חַד שַׁלְהוֹבָא דְּאֶשָּׁא מִסִּטְרָא דְּצָפוֹן, גּוֹ רְקִיעָא, וְיִקּוּם דָּא לָקֳבֵל דָּא אַרְבְּעִין יוֹמִין וְיִתְבָּהֲלוּן כָּל בְּנֵי עָלְמָא. לְסוֹף אַרְבְּעִין יוֹמִין, יַגִּיחוּן קְרָבָא, כֹּכָבָא וְשַׁלְהוֹבָא, לְעֵינֵיהוֹן דְּכֹלָּא, וְיִתְפָּשַׁט הַהוּא שַׁלְהוֹבָא בִּיקִידוּ דְּאֶשָּׁא, מִסִּטְרָא דְּצָפוֹן, גּוֹ רְקִיעָא, וְיַחֲשׁוֹב לְמִבְלַע הַהוּא כֹּכָבָא, וְכַמָּה שַׁלִּיטִין וּמַלְכִּין וְאוּמַיָּא וְעַמְמַיָּא, יִתְבָּהֲלוּן מֵהַאי.

קיד. כְּדֵין יִסְתַּלַּק הַהוּא כֹּכָבָא לְסִטַר דָּרוֹם, וְיִשְׁלוֹט עַל הַהוּא שַׁלְהוֹבָא, וְהַהוּא שַׁלְהוֹבָא יִתְבְּלַע זְעֵיר זְעֵיר בִּרְקִיעָא, מִקָּמֵי הַהוּא כֹּכָבָא, עַד דְּלָא יִתְחֲזֵי כְּלָל. כְּדֵין, הַהוּא כֹּכָבָא יַעֲבֵיד אוֹרְחִין בִּרְקִיעַ, בִּתְרֵיסַר תְּחוּמִין, וְקַיְימִין אִינּוּן נְהוֹרִין בִּרְקִיעָא תְּרֵיסַר יוֹמִין.

קטו. לְבָתַר תְּרֵיסַר יוֹמִין יִזְדַּעְזְעוּן כָּל בְּנֵי עָלְמָא, וְיִתְחַשַּׁךְ שִׁמְשָׁא בְּפַלְגּוּת יוֹמָא,

כְּמָה דְּאִתְחַשַּׁךְ יוֹמָא דְּאִתְחֲרַב בֵּי מַקְדְּשָׁא, עַד דְּלָא יִתְחֲזוּן שְׁמַיָּא וְאַרְעָא. וְיִתְעַר חַד קָלָא בְּרַעַם וְזִיקִין, וְאִתְחַלְחֲלָא אַרְעָא מֵהַהוּא קָלָא, וְכַמָּה חֵילִין וּמַשִׁירְיָין יְמוּתוּן מִנֵּיהּ.

קטז. וְהַהוּא יוֹמָא, יִתְעַר בְּקַרְתָּא דְּרוֹמִי רַבְּתָא, חַד שַׁלְהוֹבָא דְּאֶשָּׁא, בְּהַהוּא קָלָא דְּיִתְעַר בְּכָל עָלְמָא. וְיוֹקִיד כַּמָּה מַגְדְּלִין, וְכַמָּה הֵיכָלִין, וְכַמָּה מִגְדָּלִין יִפְּלוּן, וְכַמָּה פַּרְדַּשְׁכֵי וְרַבְרְבֵי יִפְּלוּן בְּהַהוּא יוֹמָא וְכֻלְּהוּ, יִתְכַּנְּשׁוּן עָלָהּ לְבִישׁ. וְכָל בְּנֵי עָלְמָא לָא יַכְלִין לְאִשְׁתְּזָבָא.

קיז. מֵהַהוּא יוֹמָא, עַד תְּרֵיסַר יַרְחִין, יִתְיַעֲטוּן כָּל מַלְכַיָּא, וְיִגְזְרוּן כַּמָּה גְּזֵרוֹת, וְכַמָּה שְׁמָדוֹת עַל יִשְׂרָאֵל, וְיִצְלְחוּן בְּהוֹן, כְּמָה דְּאִתְּמַר זַכָּאָה אִיהוּ מַאן דְּיִעְרַע תַּמָּן, וְזַכָּאָה אִיהוּ מַאן דְּלָא יִעֲרַע תַּמָּן וְכָל עָלְמָא יְהֵא בְּעִרְבּוּבְיָא סַגְיָא.

קיח. לְסוֹף תְּרֵיסַר יַרְחֵי, יָקוּם שֵׁבֶט מִיִּשְׂרָאֵל, דָּא מַלְכָּא מְשִׁיחָא, דְּיִתְעַר גּוֹ גִּנְתָּא דְּעֵדֶן. וְכָל אִינּוּן צַדִּיקַיָּא יַעַטְרוּן לֵיהּ תַּמָּן, וְיַחְגְּרוּן לֵיהּ מָאנֵי זַיְינָא, בְּאַתְוָון רְשִׁימָן דְּמָאנֵי דִּשְׁמָא קַדִּישָׁא.

קיט. וְקָלָא יִתְפּוֹצֵץ בְּעַנְפֵּי אִילָנִין דְּגִנְתָּא, קָרֵי בְּחַיִל, וְאָמַר, אִתְעֲרוּ קַדִּישֵׁי עֶלְיוֹנִין, קוּמוּ מִקָּמֵי מְשִׁיחָא, הָא עִדָּנָא לְאִתְחַבְּרָא אִיתְּתָא בְּבַעְלָהּ, וּבַעְלָהּ בָּעֵי לְנַקְמָא לָהּ נוּקְמִין דְּעָלְמָא, וּלְאַקָּמָא לָהּ, וּלְאַנְעָרָה לָהּ מֵעַפְרָא.

קכ. כְּדֵין יְקוּמוּן כֻּלְּהוּ, וְיַחְגְּרוּן לֵיהּ כְּמִלְּקַדְמִין מָאנֵי זַיְינֵיהּ, אַבְרָהָם מִימִינֵיהּ, יִצְחָק מִשְּׂמָאלֵיהּ, יַעֲקֹב קָמֵיהּ, מֹשֶׁה רַעְיָא מְהֵימְנָא, עַל כָּל אִלֵּין צַדִּיקַיָּא, אָזִיל וְרָקִיד גּוֹ גִּנְתָּא דְּעֵדֶן.

קכא. כֵּיוָן דְּאִתְקַן מָשִׁיחַ, עַל יְדָא דְּצַדִּיקַיָּא בְּגִנְתָּא דְּעֵדֶן. יֵיעוֹל בְּהַהוּא דּוּכְתָּא דְּאִקְרֵי קַ"ן צִפּוֹ"ר כְּמִלְּקַדְמִין, וְחָמֵי תַּמָּן הַהוּא דְּיוֹקְנָא דְּחָרְבַּן בֵּית מַקְדְּשָׁא, וְכֻלְּהוּ צַדִּיקַיָּא דְּאִתְקְטָלוּ בֵּיהּ. כְּדֵין נָטִיל מִתַּמָּן עֶשֶׂר, לְבוּשִׁין, וְאִינּוּן אִקְרוּן. עֶשֶׂר לְבוּשֵׁי קִנְאָה. וְיִתְגְּנִיז תַּמָּן אַרְבְּעִין יוֹמִין, דְּלָא אִתְגַּלְיָא כְּלָל.

קכב. לְסוֹף אַרְבְּעִין יוֹמִין, קָלָא חַד יִתְעַר, וְיִתְקְרֵי מִגּוֹ כּוּרְסְיָּא עִלָּאָה, הַהוּא קַ"ן צִפּוֹ"ר בְּמַלְכָּא מְשִׁיחָא דְּאִתְגְּנִיז בֵּיהּ. וּכְדֵין סַלְּקִין לֵיהּ לְעֵילָא, וְקוּדְשָׁא בְּרִיךְ הוּא חָמֵי לֵיהּ לְמַלְכָּא מְשִׁיחָא, מִתְלַבַּשׁ בִּלְבוּשָׁא נוּקְמָא, וְחָגִיר מָאנֵי זַיְינֵי נָטִיל לֵיהּ, וְנָשִׁיק לֵיהּ עַל רֵישֵׁיהּ.

קכג. כְּדֵין, מִזְדַּעְזְעָן ג' מְאָה וְתִשְׁעִין רְקִיעִין, וְאַרְמִיז קוּדְשָׁא בְּרִיךְ הוּא לְחַד רְקִיעָא מֵאִינּוּן דַּהֲוָה גָּנִיז מִשֵּׁשֶׁת יְמֵי בְּרֵאשִׁית, וְאַפִּיק מֵחַד הֵיכְלָא דִּבְהַהוּא רְקִיעָא חַד כִּתְרָא גְּלִיפָא, מְחַקְּקָא בִּשְׁמָהָן קַדִּישִׁין. בְּהַהוּא עִטְרָא אִתְעַטַּר קוּדְשָׁא בְּרִיךְ הוּא, כַּד עָבְרוּ יִשְׂרָאֵל יַת יַמָּא, לְמֵיטַל נוּקְמִין מִכָּל רְתִיכֵי פַּרְעֹה וּפָרָשׁוֹי, וְאַעֲטַר לֵיהּ לְמַלְכָּא מְשִׁיחָא.

קכד. כֵּיוָן דְּאִתְעַטַּר וְאִתְתָּקַן בְּכָל הָנֵי תִּקּוּנִין, נָטִיל לֵיהּ קב"ה וְנָשִׁיק לֵיהּ כְּמִלְּקַדְמִין. מַאן חָמֵי, רְתִיכִין קַדִּישִׁין, וּמַשִׁרְיָין עִלָּאִין, דְּסָחֲרִין לֵיהּ, וְיָהֲבִין לֵיהּ מַתָּנָן וּנְבִזְבְּזָן סַגִּיאִין, וְיִתְעַטָּר מִכֻּלְּהוּ.

קכה. עָאל תַּמָּן בְּחַד הֵיכְלָא, וְחָמֵי כָּל אִינּוּן מַלְאֲכֵי עִלָּאֵי, דְּאִקְרוּן אֲבֵלֵי צִיּוֹן, אִינּוּן דְּבָכוּ עַל חָרְבַּן בֵּי מַקְדְּשָׁא, וּבָכָאן תָּדִיר, וְאִינּוּן יַהֲבִין לֵיהּ חַד פּוּרְפִּירָא סוּמָקָא, לְמֶעְבַּד נוּקְמִין. כְּדֵין, קוּדְשָׁא בְּרִיךְ הוּא גָּנִיז לֵיהּ בְּהַהוּא קַן צִפּוֹר, וְאִתְכַּסֵּי תַּמָּן תְּלָתִין יוֹמִין.

קכו. לְבָתַר תְּלָתִין יוֹמִין, בְּהַהוּא קַן צִפּוֹר, יֶהֱוֵי מִתְעַטַּר בְּכָל אִינּוּן תִּקּוּנִין מֵעֵילָּא וּמִתַּתָּא, כַּמָּה מַשִּׁרְיָין קַדִּישִׁין סַחֲרָנֵיהּ, וְיֶהֱזְמוּן כָּל עָלְמָא, וְחַד נְהִירוּ, תָּלֵי מֵרְקִיעָא לְאַרְעָא, וְיֵקוּם שִׁבְעָה יוֹמִין, וְכָל בְּנֵי עָלְמָא יִתְמְהוּן וְיִתְבַּהֲלוּן, וְלָא יִנְדְּעוּן כְּלַל, בַּר אִינּוּן חַכִּימִין, דְּיַדְעִין בְּרָזִין אִלֵּין, זַכָּאָה חוּלָקֵיהוֹן.

קכז. וְכָל אִינּוּן שִׁבְעָה יוֹמִין יִתְעַטָּר בְּאַרְעָא, בְּהַהוּא קַ"ן צִפּוֹ"ר. בְּאָן אֲתָר. בַּדֶּרֶךְ, דָּא קְבוּרַת רָחֵל, דְּאִיהִי קַיְּימָא בְּפָרָשַׁת אוֹרְחִין. וִיבַשֵּׂר לָהּ, וִינַחֵם לָהּ, וּכְדֵין תְּקַבֵּל תַּנְחוּמִין, וְתָקוּם וְתְנַשִּׁיק לֵיהּ.

קכח. לְבָתַר יֵקוּם הַהוּא נְהִירוּ מֵהַהוּא אֲתָר, וְשָׁרֵי בִּירִיחוֹ קַרְתָּא דְּאִילָנֵי. בְּכָל עֵץ דָּא יְרִיחוֹ. אוֹ עַל הָאָרֶץ, דָּא יְרוּשְׁלַיִם. וִיהֵא גָּנִיז בְּהַהוּא נְהִירוּ דְּקַ"ן צִפּוֹ"ר תְּרֵיסַר יַרְחֵי.

קכט. בָּתַר תְּרֵיסַר יַרְחֵי, יִזְדְּקַף הַהוּא נְהִירוּ בֵּין שְׁמַיָּא וְאַרְעָא, וְיִשְׁרֵי בְּאַרְעָא דְּגָלִיל, דְּתַמָּן הֲוָה שֵׁירוּתָא דְּגָלוּתָא דְּיִשְׂרָאֵל. וְתַמָּן יִתְגְּלֵי מֵהַהוּא נְהִירוּ דְּקַן צִפּוֹר, וְתָב לְאַתְרֵיהּ. וְהַהוּא יוֹמָא יִזְדַּעְזַע כָּל אַרְעָא כְּמִלְּקַדְמִין, מִסַּיְּיפֵי שְׁמַיָּא עַד סַיְּיפֵי שְׁמַיָּא, וּכְדֵין יֶחֱזוּן כָּל עָלְמָא, דְּהָא אִתְגְּלֵי מַלְכָּא מְשִׁיחָא, בְּאַרְעָא דְּגָלִיל.

קל. וְיִתְכַּנְּשׁוּן לֵיהּ כָּל אִינּוּן דְּלָעָאן בְּאוֹרַיְיתָא, וְאִינּוּן זְעִירִין בְּעָלְמָא. וּבִזְכוּת יְנוּקֵי דְּבֵי רַב, יִתְתַּקַּף וְחֵילֵיהּ לְאִתְגַּבְּרָא, וְרָזָא דָּא אֶפְרוֹחִים. וְאִי לָא יִשְׁתַּכְּחוּן אִלֵּין, הָא יְנוּקֵי דְּיַתְבִין בְּתוּקְפָּא דְּאִמְּהוֹן וְיַנְקֵי, כד"א, גְּמוּלֵי מֵחָלָב עַתִּיקֵי מִשָּׁדָיִם. וְהַיְינוּ אוֹ בֵּיצִים, דִּבְגִּין אִלֵּין, שַׁרְיָא שְׁכִינְתָּא עִמְּהוֹן דְּיִשְׂרָאֵל בְּגָלוּתָא.

קלא. דְּהָא חַכִּימִין זְעִירִין אִינּוּן דְּיִשְׁתַּכְּחוּן בְּהַהוּא זִמְנָא, וְהַיְינוּ וְהָאֵם רוֹבֶצֶת עַל הָאֶפְרוֹחִים אוֹ עַל הַבֵּיצִים, לֹא תִקַּח הָאֵם עַל הַבָּנִים וְיִתְעַכַּב עַד תְּרֵיסַר יַרְחִין אַחֲרָנִין. לְבָתַר, יֵיתֵי בַּעְלָהּ, וִיוֹקִים לָהּ מֵעַפְרָא, כד"א, אָקִים אֶת סֻכַּת דָּוִד הַנֹּפֶלֶת.

קלב. בְּהַהוּא יוֹמָא, מַלְכָּא מְשִׁיחָא שָׁארֵי וְיִכְנוֹשׁ גָּלוּתָא, מִסַּיְּיפֵי עָלְמָא עַד סַיְּיפֵי עָלְמָא, כד"א אִם יִהְיֶה נִדַּחֲךָ בִּקְצֵה הַשָּׁמַיִם וְגוֹ'. מֵהַהוּא יוֹמָא, כָּל אָתִין וְנִסִּין וּגְבוּרָאן דַּעֲבַד קוּדְשָׁא בְּרִיךְ הוּא בְּמִצְרַיִם, יַעֲבִיד לוֹן לְיִשְׂרָאֵל, כד"א כִּימֵי צֵאתְךָ מֵאֶרֶץ מִצְרָיִם אַרְאֶנּוּ נִפְלָאוֹת.

קלג. אר"ש, אֶלְעָזָר בְּרִי, כָּל אִלֵּין מִלִּין תִּשְׁכַּח בְּרָזָא דִּתְלָתִין וּתְרֵין שְׁבִילִין דִּבִשְׁמָא קַדִּישָׁא, וְעַד דְּנִסִּין אִלֵּין לָא יִתְעָרוּן בְּעָלְמָא, לָא יִשְׁתְּלִים רָזָא דִּשְׁמָא קַדִּישָׁא, וְלָא תִתְעַר לְאַהֲבָה, כד"א הִשְׁבַּעְתִּי אֶתְכֶם בְּנוֹת יְרוּשָׁלַיִם בִּצְבָאוֹת. בִּצְבָאוֹת: דָּא מַלְכָּא מְשִׁיחָא דְּאִקְרֵי צְבָאוֹת. אוֹ בְּאַיְלוֹת הַשָּׂדֶה שְׁאָר חֵילִין וּמַשִּׁרְיָין דִּלְתַתָּא. אִם תָּעִירוּ וְאִם תְּעוֹרְרוּ אֶת הָאַהֲבָה: דָּא יְמִינָא דקוּדְשָׁא בְּרִיךְ הוּא, דְּאִקְרֵי אַהֲבָ"ה. עַד שֶׁתֶּחְפָּץ הַהִיא דְּשְׁכִיבַת לְעַפְרָא, וְיהֵא רְעוּתָא דְּמַלְכָּא בָּהּ. זַכָּאָה אִיהוּ מַאן דְּיִזְכֵּי לְהַהוּא דָּרָא, זַכָּאָה אִיהוּ בְּעָלְמָא דֵּין, וְזַכָּאָה אִיהוּ בְּעָלְמָא דְּאָתֵי.

קלד. ר' שִׁמְעוֹן אָרִים יְדוֹי בִּצְלוֹ לְקוּדְשָׁא בְּרִיךְ הוּא, וְצַלֵּי צְלוֹתֵיהּ, לְבָתַר דְּצַלֵּי צְלוֹתֵיהּ, אָתוּ ר' אֶלְעָזָר בְּרֵיהּ, וְר' אַבָּא וְיָתְבוּ קָמֵיהּ. עַד דַּהֲווּ יַתְבֵי קָמֵיהּ, חָמוּ חַד נְהִירוּ דִּימָמָא דְּאִתְחֲשַׁךְ, וְאִשְׁתַּקַּע חַד צִנּוֹרָא דְּשַׁלְהוֹבָא דְּאֶשָּׁא גּוֹ יַמָּא דִּטְבֶרְיָה, וְאִזְדַּעְזַע כָּל הַהוּא אֲתָר.

קלה. אר"ש, וַדַּאי הַשְׁתָּא הוּא עִדָּנָא, דקוּדְשָׁא בְּרִיךְ הוּא אִדְכַּר לִבְנוֹי, וְאָחֱזִית תְּרֵין דִּמְעִין לְגוֹ יַמָּא רַבָּא. וְכַד נַחְתִּין, פַּגְעִין בְּהַאי צִנּוֹרָא דְּשַׁלְהוֹבָא דְּאֶשָּׁא, וְיִשְׁתַּקְעוּ דָּא בְּדָא

בַּיַּמָּא. בָּכָה ר"ש וּבָכוּ וַחֲבְרַיָּיא.

קלו. אר"ש, הָא אִתְעֲרָנָא בְּרָזֵי דְּאַתְוָון דִּשְׁמָא קַדִּישָׁא, בְּסִתְרָא דְּאִתְעָרוּתָא דִּילֵיהּ, לְגַבֵּי בְּנוֹי, אֲבָל הַשְׁתָּא, אִית לִי לְגַלָּאָה, מַה דְּלָא אִתְיְהִיב רְשׁוּ לְבַ"נ אַחֲרָא לְגַלָּאָה. אֶלָּא זְכוּ דְּדָרָא דָא, יְקַיֵּים עָלְמָא עַד דְּיֵיתֵי מַלְכָּא מְשִׁיחָא. אר"ש לר' אֶלְעָזָר בְּרֵיהּ וּלְרַבִּי אַבָּא, קוּמוּ בְּקִיּוּמַיְיכוּ. קָמוּ ר' אֶלְעָזָר ור' אַבָּא. בָּכָה ר"ש זִמְנָא אַחֲרָא, אָמַר וַוי מַאן יְקוּם בְּמַה דְּחָזֵינָא גָּלוּתָא יִתְמְשַׁךְ, מַאן יָכִיל לְמִסְבַּל.

קלז. אוּף אִיהוּ קָם וְאָמַר ה' אֱלֹהֵינוּ בְּעָלוּנוּ אֲדֹנִים זוּלָתֶךָ לְבַד בְּךָ נַזְכִּיר שְׁמֶךָ הַאי קְרָא אוּקְמוּהָ. אֲבָל בְּהַאי קְרָא אִית רָזָא עִלָּאָה, גּוֹ מְהֵימָנוּתָא. ה' אֱלֹהֵינוּ: דָא הוּא שֵׁירוּתָא דְּרָזִין עִלָּאִין, אֲתַר דְּמִתַּמָּן נָפְקִין כָּל נְהִירוּ דִּשְׁרָגִּין כֻּלְּהוּ לְאַדְלְקָא. וְתַמָּן תַּלְיָא כָּל רָזָא דִּמְהֵימָנוּתָא, שְׁמָא דָא שַׁלִּיט עַל כֹּלָּא.

קלח. בְּעָלוּנוּ אֲדֹנִים זוּלָתֶךָ. דְּהָא עַמָּא דְּיִשְׂרָאֵל, לֵית מַאן דְּשַׁלִּיט עָלֵיהּ בַּר שְׁמָא עִלָּאָה דָא. וְהַשְׁתָּא בְּגָלוּתָא שַׁלִּיט עָלֵיהּ סִטְרָא אַחֲרָא.

קלט. לְבַד בְּךָ נַזְכִּיר שְׁמֶךָ. רָזָא דִּשְׁמָא קַדִּישָׁא, כְּלָלָא דְּעֶשְׂרִין וּתְרֵין אַתְוָון, וכנ"י לָא מִתְבָּרְכָא אֶלָּא מִגּוֹ שְׁמָא דָא דְּאִקְרֵי בְּךָ, כד"א אֲשֶׁר נִשְׁבַּעְתָּ לָהֶם בָּךְ בְּךָ יְבָרֵךְ יִשְׂרָאֵל. כִּי בְּךָ אָרוּץ גְּדוּד. וּבִזְמְנָא דִּשְׁלִימוּ אִשְׁתְּכַח, לָא הֲוָה מִתְפָּרַשׁ דָא מִן דָא. וְאָסִיר לְאַפְרְשָׁא דָא מִן דָא, אִתְּתָא מִבַּעְלָהּ, לָאו בִּרְעִיוֹנֵי, וְלָאו בִּדְכִירוּ, בְּגִין דְּלָא לְאַחֲזָאָה פְּרוּדָא, וְהַשְׁתָּא בְּגָלוּתָא פְּרוּדָא אִשְׁתְּכַח, דְּמִגּוֹ עָאקוּ דְּכָל זִמְנָא וְזִמְנָא, אֲנָן עָבְדִין פְּרוּדָא, לְאַדְכְּרָא הַהוּא שֵׁם, בַּר מִבַּעְלָהּ, בְּגִין דְּאִיהִי שְׁכִיבַת לְעַפְרָא, וְהַיְינוּ לְבַד בְּךָ נַזְכִּיר שְׁמֶךָ.

קמ. בַּר מִבַּעְלָהּ, אֲנָן דַּכְרִין לְהַאי שֵׁם בִּפְרוּדָא, בְּגִין דַּאֲנָן רְחִיקִין מִינָךְ, וְשַׁלְטִין אַחֲרָנִין עֲלָן, וּשְׁמָךְ אִיהוּ בִּפְרוּדָא מִן שְׁמָא דְּאִקְרֵי בְּךָ, וְהַאי בְּיוֹמֵי דְּגָלוּתָא.

קמא. בְּגִין דְּגָלוּתָא קַדְמָאָה הֲוָה מִבַּיִת רִאשׁוֹן, וּבַיִת רִאשׁוֹן הוּא רָזָא דְּה' קַדְמָאָה, וְלָקֳבֵל ע' שְׁנִין דִּילָהּ, גָּלוּתָא דְּבַיִת רִאשׁוֹן הֲוָה ע' שְׁנִין, וְאִינּוּן ע' שְׁנִין לָא אִשְׁתְּכַחַת אִימָּא רְבִיעָא עָלַיְיהוּ, וַהֲוָה פֵּרוּדָא מִן שְׁמָא עִלָּאָה, רָזָא דְּה' עִלָּאָה. וּכְדֵין י"ד, רָזָא עִלָּאָה, אִסְתַּלָּק לְעֵילָּא לְעֵילָּא לְאֵין סוֹף, וּבַיִת רִאשׁוֹן עִלָּאָה קַדִּישָׁא, לָא נָבִיעַ נְבִיעוּ דְּמַיִין וַחַיִין, דְּהָא מְקוֹרָא דִּילָהּ אִסְתַּלָּק.

קמב. וְאִיהִי ע' שְׁנִין בְּגָלוּתָא, בְּגִין דְּאִיהִי ז' שְׁנִין אִקְרֵי, כד"א וַיִּבְנֵהוּ שֶׁבַע שָׁנִים. וְאִי תֵּימָא, דִּשְׁלָטָא מַלְכוּת בָּבֶל לְעֵילָּא בְּרָזָא דְּע' שְׁנִין, וַדַּאי. אֶלָּא בְּזִמְנָא דַּהֲוָה בֵּי מַקְדְּשָׁא קַיָּים, נְהוֹרָא וּנְבִיעוּ דְּאִמָּא עִלָּאָה, הֲוָה נָהִיר וְנָזִית לְתַתָּא. כֵּיוָן דְּחָטוּ יִשְׂרָאֵל, וְאִתְחָרַב מַקְדְּשָׁא, וְשָׁלְטָא מַלְכוּת בָּבֶל, הֲוָה חָפֵי, וְאַחְשִׁיךְ הַהוּא נְהִירוּ, וְחַתָּאֵי קַדִּישִׁין לָא הֲווּ נְהִירִין.

קמג. כֵּיוָן דְּחַתָּאֵי לָא הֲווּ נְהִירִין, בְּגִין שָׁלְטָנוּ דְּמַלְכוּתָא דְּבָבֶל. אִסְתַּלָּק הַהוּא נְהוֹרָא, וְהַהוּא מַבּוּעָא עִלָּאָה דַּהֲוָה נָבִיעַ רָזָא דְּי', אִסְתַּלָּק לְעֵילָּא לְעֵילָּא בְּאֵין סוֹף, כְּדֵין אִינּוּן ע' שְׁנִין לָא הֲווּ נְהִירִין, בְּגִין הַהוּא נְהִירוּ דְּאִתְמְנַע. וְדָא הוּא וַדַּאי גָּלוּתָא דְּע' שְׁנִין.

קמד. כֵּיוָן דְּאַעֲדִיאוּ שָׁלְטָנוּ דְּבָבֶל, וְשָׁרִיאַת ה"א תַּתָּאָה לְאַנְהָרָא. יִשְׂרָאֵל כֻּלְּהוּ, לָא אַהַדְרוּ לְאַדְכָּאָה לְמֶהֱוֵי סְגוּלָּה שְׁלֵימָתָא כְּמִלְּקַדְמִין, אֶלָּא זְעֵיר זְעֵיר, וְכֵיוָן דִּשְׁלִימוּ לָא אִשְׁתְּכַח, כְּדֵין, י' נְבִיעוּ עִלָּאָה לָא נָזִית כ"כ לְאַנְהָרָא, כְּמָה דַּהֲוָה

כְּמִלְּקַדְּמִין, אֶלָּא זְעֵיר זְעֵיר בְּעִרְבּוּבְיָא, דְּלָא הֲווֹ דַּכְיָין כְּמִלְּקַדְּמִין כְּמָה דְּאִתְחֲזֵי, וְעַל כָּךְ נְבִיעוּ עִלָּאָה, וְלָא נָבִיעַ, וְלָא נָהִיר, אֶלָּא דְּאַהֲדָר לְאַנְהָרָא זְעֵיר זְעֵיר, מִגּוֹ דְּוַחֲקָא דִּשְׁמָא.

קמה. וע"ד, אִתְגָּרוּ בְּהוּ בְּיִשְׂרָאֵל קְרָבִין סַגִּיאִין, עַד דְּהַחוֹשֶׁךְ יְכַסֶּה אֶרֶץ, וְה' תַּתָּאָה אִתְחֲשָׁךְ, וְנָפְלַת לְאַרְעָא, וּנְבִיעוּ עִלָּאָה אִסְתַּלָּק כְּמִלְּקַדְּמִין, בְּגִין דְּמַלְכוּת אֱדוֹם אִתְתַּקַּף, וְיִשְׂרָאֵל אַהַדְרוּ לְסַרְחָנַיְיהוּ.

קמו. וע"ד, ה' בַּיִת שֵׁנִי אִתְחָרַב, וְכָל אִינּוּן תְּרֵיסַר שִׁבְטִין דִּילָהּ, כְּחוּשְׁבַּן מַשִׁרְיָין דִּלְהוֹן, אִינּוּן בְּגָלוּתָא דְּמַלְכוּת אֱדוֹם. וּנְבִיעוּ עִלָּאָה, אִסְתַּלָּק מֵהַהוּא נְבִיעוּ, דְּקַיְּימָא עָלָהּ, כד"א, הַצַּדִּיק אָבָד, אֲבַד הַהוּא נְבִיעוּ דִּמְקוֹרָא עִלָּאָה, דַּהֲוָה נָגִּיד וּמָשִׁיךְ מִלְּעֵילָּא.

קמז. וּכְדֵין הֲוָה פְּרוּדָא בְּהֵ"א, בַּיִת שֵׁנִי, וְאִיהִי בְּגָלוּתָא דֶּאֱדוֹם, בְּכָל אִינּוּן תְּרֵיסַר שִׁבְטִין וּמַשִׁרְיָין דִּילְהוֹן, תְּרֵיסַר שִׁבְטִין סַלְקִין לְחוּשְׁבַּן סַגִּ"י, וְעַל דְּרָזָא דְּה' הֲוָה בְּהוּ, בְּכָל הַהוּא חוּשְׁבָּנָא, גָּלוּתָא אִתְמְשַׁךְ.

קמח. רָזָא דְּרָזִין לְחַכִּימֵי לִבָּא אִתְמְסַר. י' שִׁבְטִין אֶלֶף שְׁנִין, תְּרֵין שִׁבְטִין מָאתַן שְׁנִין. שָׁארוּ דִּמְעִין לְמִנְפַּל, פָּתַח וְאָמַר, בָּכוֹ תִבְכֶּה בַּלַּיְלָה וְדִמְעָתָהּ עַל לֶחֱיָהּ. לְסוֹף תְּרֵיסַר שִׁבְטִין דְּגָלוּתָא, לֵילְיָא יִתְחֲשַׁךְ לְיִשְׂרָאֵל, עַד דְּיִתְעַר וָא"ו, לִזְמַן שִׁתִּין וְשִׁית שְׁנִין.

קמט. לְבָתַר תְּרֵיסַר שִׁבְטִין, דְּאִינּוּן אֶלֶף וּמָאתַן שְׁנִין דְּגָלוּתָא, וּלְבָתַר שִׁתִּין וְשִׁית שְׁנִין בְּחֲשׁוֹכָא דְּלֵילְיָא, כְּדֵין, וְזָכַרְתִּי אֶת בְּרִיתִי יַעֲקֹב. דָּא אִתְעֲרוּתָא דְּאָת ו', דְּאִיהוּ נֶפֶשׁ דְּבֵית יַעֲקֹב. וְרָזָא דָּא, כָּל הַנֶּפֶשׁ הַבָּאָה לְיַעֲקֹב מִצְרַיְמָה וְגוֹ' שִׁשִּׁים וָשֵׁשׁ, וְאִיהוּ ו', נֶפֶשׁ דְּבַיִת שֵׁנִי, רָזָא דְּה' תַּתָּאָה, וְדָא ו' רָזָא דְּשִׁשִּׁים וָשֵׁשׁ, שִׁשִּׁים: לְאִתְעֲרוּתָא דְּיַעֲקֹב. וְשֵׁשׁ: לְאִתְעֲרוּתָא דְּיוֹסֵף. וע"ד אִיהוּ וָ"ו, דְּאִנּוּן תְּרֵין בְּחִבּוּרָא חֲדָא, וְרָזָא חֲדָא.

קנ. מִתַּמָּן וּלְהָלְאָה, יִתְעַר קוּדְשָׁא בְּרִיךְ הוּא לְאִינּוּן נִסִּין וְאָתִין דְּקָאֲמָרָן, וְיִתְעָרוּן עַל יִשְׂרָאֵל אִינּוּן עָקְתִין דְּקָאֲמָרָן, וּכְדֵין, וְאַף אֶת בְּרִיתִי יִצְחָק. וּלְבָתַר כַּד יַגִּיחַ מַלְכָּא מְשִׁיחָא קְרָבִין בְּכָל עָלְמָא בִּימִינָא דְּקוּדְשָׁא בְּרִיךְ הוּא, כד"א יְמִינְךָ ה' נֶאְדָּרִי בַּכֹּחַ. כְּדֵין, וְאַף אֶת בְּרִיתִי אַבְרָהָם אֶזְכֹּר, וּלְבָתַר וְהָאָרֶץ אֶזְכֹּר, דָּא ה' בַּתְרָאָה, בְּהַהוּא זִמְנָא כְּתִיב, וְהָיָה ה' לְמֶלֶךְ עַל כָּל הָאָרֶץ בַּיּוֹם הַהוּא יִהְיֶה ה' אֶחָד וּשְׁמוֹ אֶחָד.

קנא. לְסוֹף שִׁתִּין וְשִׁית שְׁנִין אַחֲרָנִין, דְּאִינּוּן מֵאָה וּתְלָתִין וּתְרֵין שְׁנִין, יִתְחֲזוּן אַתְוָון בִּשְׁמָא קַדִּישָׁא, גְּלִיפָן בִּשְׁלִימוּ, עֵילָּא וְתַתָּא כַּדְקָא יָאוֹת. וְרָזָא דָּא ה"ה עִלָּאָה וְתַתָּאָה, וְכָל אִינּוּן שְׁבִילִין, דְּאִינּוּן תְּלָתִין וּתְרֵין שְׁנִין דִּכְלִילָן בְּרָזָא דְּאָת ו"ה, ו"ה, רָזָא דִּשְׁלִימוּ דְּמֵאָה וּתְלָתִין וּתְרֵין.

קנב. לְסוֹף מֵאָה וּתְלָתִין וּתְרֵין שְׁנִין אַחֲרָנִין, יִתְקַיֵּים, לֶאֱחוֹז בְּכַנְפוֹת הָאָרֶץ וְיִנָּעֲרוּ רְשָׁעִים מִמֶּנָּה. וְיִתְדַּכֵּי אַרְעָא קַדִּישָׁא. וְקוּדְשָׁא בְּרִיךְ הוּא יִתְעַר מֵתַיָּיא דְּאַרְעָא קַדִּישָׁא, וִיקוּמוּן חַיָּילִין חַיָּילִין בְּאַרְעָא דְּגָלִיל.

קנג. וּכְדֵין יִתְעַר סְתִימוּ דִּנְבִיעוּ עִלָּאָה אָת י', וְיִתְקַיְּימוּן תְּלָתִין וּתְרֵין שְׁבִילִין בִּשְׁלִימוּ, לְנַגְדָּא לְתַתָּא, וְיִתְקַיְּימוּן אַתְוָון דִּשְׁמָא קַדִּישָׁא כֻּלְּהוּ בְּקִיּוּמַיְיהוּ ידו"ד, דְּעַד כְּעַן לָא יְהוֹן בִּשְׁלִימוּ.

קנד. עַד זְמַן דְּיִנְגִּיד וְיִתְמְשַׁךְ הַהוּא נְבִיעוּ עִלָּאָה, בְּחִבּוּרָא דְּאַתְוָון, גּוֹ ה' בַּתְרָאָה,

וְדָא אִיהוּ לְסוֹף תַּשְׁלוּם מֵאָה וְאַרְבְּעִין וְאַרְבְּעָה שְׁנִין אֲוַרְנִין דְּיִשְׁתַּלְמוּן. וְיִתְעָרוּן שְׁאָר מִתֵּי יִשְׂרָאֵל דִּבְשְׁאָר אַרְעָאן.

קנה. דְּיִשְׁתַּכְּחוּ כָּל דָּא בְּחֻשְׁבַּן וה"ת, דְּאִתְיְישִׁיב עָלְמָא וְיִתְבַּסַּם, וְיִתְעֲבַר סִטְרָא אָחֳרָא מֵעָלְמָא. וה"א תַּתָּאָה תִּתְמַלֵּי מִגּוֹ נְבִיעוּ עִלָּאָה, וְתִתְעַטַּר וְתִתְנְהִיר בִּשְׁלִימוּ. וּכְדֵין כְּתִיב, וְהָיָה אוֹר הַלְּבָנָה כְּאוֹר הַחַמָּה וְאוֹר הַחַמָּה יִהְיֶה שִׁבְעָתַיִם.

קנו. עַד דִּיְהֵא שַׁבָּת לָהּ, לְאַלְקָטָא נַפְשִׁין בְּתַעֲנוּגֵי קְדוּשָׁא, כָּל הַהוּא אֶלֶף שְׁבִיעָאָה, וְדָא אִיהוּ אִתְעָרוּתָא דְּרוּחִין קַדִּישִׁין, דְּעַמָּא דְּיִשְׂרָאֵל, לְאִתְלַבְּשָׁא לְבָתַר שַׁבָּת, בְּגוּפִין אֲוַרְנִין קַדִּישִׁין, לְאִתְקְרֵי קַדִּישִׁין, דִּכְתִּיב, וְהָיָה הַנִּשְׁאָר בְּצִיּוֹן וְהַנּוֹתָר בִּירוּשָׁלִַם קָדוֹשׁ יֵאָמֶר לוֹ. עַד כָּאן מִלִּין דִּרְזִין סְתִימִין.

קנז. וַיָּקָם מֶלֶךְ חָדָשׁ. ר' יוֹסֵי אָמַר, בְּכָל יוֹמָא, קוּדְשָׁא בְּרִיךְ הוּא עָבִיד מַלְאָכִין שְׁלִיחָן עַל עָלְמָא, דִּכְתִּיב, עוֹשֶׂה מַלְאָכָיו רוּחוֹת. עָשָׂה לָא כְּתִיב, אֶלָּא עוֹשֶׂה, בְּגִין דְּכָל יוֹמָא וְיוֹמָא עוֹשֶׂה. וּבְהַהוּא זִמְנָא אִתְמַנָּא מְמַנָּא חַד עַל מִצְרַיִם, וְדָא אִיהוּ דִּכְתִּיב וַיָּקָם מֶלֶךְ חָדָשׁ, חָדָשׁ וַדַּאי.

קנח. אֲשֶׁר לֹא יָדַע אֶת יוֹסֵף: דְּהָא מֵאֲתַר דְּפִרוּדָא הֲוֵי, כד"א, וּמִשָּׁם יִפָּרֵד וְקַדְמָאָה מֵהַהוּא פְּרוּדָא, נַהֲרָא דְּמִצְרַיִם אִיהוּ. וּבְגִין כָּךְ אֲשֶׁר לֹא יָדַע אֶת יוֹסֵף, אֲתַר דְּכָל יִחוּדָא שַׁרְיָא בֵּיהּ, דְּאִקְרֵי צַדִּיק.

קנט. ר' אֶלְעָזָר ור' יוֹסֵי הֲווּ אָזְלֵי בְּאוֹרְחָא, וְקַדִּימוּ בִּנְהוֹרָא לְמֵיזַל. חָמוּ חַד כּוֹכָבָא דַּהֲוָה רָהִיט מִסִּטְרָא דָּא, וְכוֹכָבָא אָחֳרָא מִסִּטְרָא דָּא. א"ר אֶלְעָזָר, הַשְׁתָּא מָטָא זִמְנָא דְּכוֹכְבֵי בֹּקֶר לְשַׁבְּחָא לְמָארֵיהוֹן, וְרָהֲטֵי מִדְּחִילוּ וְאֵימְתָא דְּמָארֵיהוֹן, לְשַׁבְּחָא וּלְזַמְּרָא לֵיהּ, הה"ד, בְּרָן יַחַד כּוֹכְבֵי בֹקֶר וַיָּרִיעוּ כָּל בְּנֵי אֱלֹהִים. בְּגִין דְּכֻלְּהוּ בְּיִחוּדָא וַדַּאי קָא מְשַׁבְּחָן לֵיהּ.

קס. פָּתַח וְאָמַר, לַמְנַצֵּחַ עַל אַיֶּלֶת הַשַּׁחַר מִזְמוֹר לְדָוִד. אַיֶּלֶת הַשַּׁחַר: דְּכַד נְהִירוּ אַנְפּוֹי דְּמִזְרָח, וְאִתְפְּרַשָׁא חֲשׁוֹכָא דְּלֵילְיָא, חַד מְמַנָּא אִית לִסְטַר מִזְרָח, וּמָשִׁיךְ חַד חוּטָא דִּנְהִירוּ דִּסְטַר דָּרוֹם, עַד דְּאָתֵי וְנָפִיק שִׁמְשָׁא, וּבָקַע בְּאִינּוּן כַּוֵּי רְקִיעָא, וְאַנְהִיר עָלְמָא, וְהַהוּא חוּטָא אַפְרִישׁ חֲשׁוֹכָא דְּלֵילְיָא.

קסא. כְּדֵין אַיַּלְתָּא דְּשַׁחֲרָא אָתֵי, וְאָתֵי נְהִירוּ אוּכָמָא בְּקַדְרוּ, לְאִתְחַבְּרָא בִּימָמָא, וְנָהִיר יְמָמָא. וּנְהִירוּ דִּימָמָא, כָּלִיל וְשָׁאִיב בְּגַוֵּיהּ, לְהַהוּא אַיַּלְתָּא וְעַל הַאי אַיַּלְתָּא, כַּד אִתְפְּרַשׁ מִיּוֹמָא, לְבָתַר דְּכָלִיל לָהּ, אָמַר דָּוִד שִׁירָתָא, דִּכְתִּיב לַמְנַצֵּחַ עַל אַיֶּלֶת הַשַּׁחַר.

קסב. וּמַאי קָא אָמַר אֵלִי אֵלִי לָמָה עֲזַבְתָּנִי. דְּהָא אִתְפְּרַשׁ אַיַּלְתָּא דְּשַׁחֲרָא, מִנְּהִירוּ דִּימָמָא. עַד דַּהֲווּ אָזְלֵי, נָהִיר יְמָמָא, וּמָטָא עִידָּן צְלוֹתָא, א"ר אֶלְעָזָר, נְצַלֵּי צְלוֹתָא וְנֵיזִיל, יָתְבוּ וְצַלּוּ. לְבָתַר קָמוּ וְאָזְלוּ.

קסג. פָּתַח ר' אֶלְעָזָר וְאָמַר יֵשׁ הֶבֶל אֲשֶׁר נַעֲשָׂה עַל הָאָרֶץ אֲשֶׁר יֵשׁ צַדִּיקִים אֲשֶׁר מַגִּיעַ אֲלֵיהֶם כְּמַעֲשֵׂה הָרְשָׁעִים וְגוֹ' אָמַרְתִּי שֶׁגַּם זֶה הָבֶל. הַאי קְרָא אוּקְמוּהָ וְאִתְּמַר, אֲבָל יֵשׁ הֶבֶל, שְׁלֹמֹה מַלְכָּא עָבֵד סִפְרָא דָּא, וְאוּקִים לֵיהּ עַל שִׁבְעָה הֲבָלִים, דְּעָלְמָא קַיְּימָא עֲלַיְיהוּ.

קסד. וְאִינּוּן שִׁבְעָה עַמּוּדִין סַמְכִין דְּעָלְמָא, לָקֳבֵל שִׁבְעָה רְקִיעִים, וְאִלֵּין אִינּוּן: וִילוֹ"ן. רְקִי"עַ. שְׁחָקִי"ם זְבוּ"ל. מָעוֹ"ן. מָכוֹ"ן. עֲרָבוֹ"ת. וּלְקָבְלַיְיהוּ הֲבֵל הֲבָלִים אָמַר קֹהֶלֶת הֲבֵל הֲבָלִים הַכֹּל הָבֶל.

קסה. כְּמָה דְּאִינּוּן שִׁבְעָה רְקִיעִין, וְאִית אַחֲרָנִין דְּדַבְקֵי בְּהוּ, וּמִתְפַּשְּׁטֵי וְנַפְקֵי מִנַּיְיהוּ, הָכִי נָמֵי אִית הֲבָלִים אַחֲרָנִין, דְּמִתְפַּשְּׁטֵי וְנַפְקֵי מֵאִלֵּין, וְכֻלְּהוּ אָמַר שְׁלֹמֹה.

קסו. וְהָכָא רָזָא דְּחָכְמְתָא אִית בֵּיהּ. יֵשׁ הֶבֶל, דְּנַפְקָא מֵאִינּוּן הֲבָלִים עִלָּאִין, דְּעָלְמָא קַיְּימָא עֲלַיְיהוּ, וְדָא נַעֲשָׂה עַל הָאָרֶץ, וְאִתְקַיַּים בְּקִיּוּמֵיהּ, וְאִתְתַּקַּף בְּתוּקְפֵיהּ בְּעוֹבָדֵי אַרְעָא, וּבִסְלִיקוּ דְּסַלְּקָא מֵאַרְעָא, וְדָא אִתְמַנָּא עַל אַרְעָא, וְכָל תּוּקְפָּא וְקִיּוּמָא דִּילֵיהּ, בְּאִינּוּן נִשְׁמָתִין דְּצַדִּיקַיָּא, דְּאִתְלְקִיטוּ מֵאַרְעָא, כַּד אִינּוּן זַכָּאִין, עַד לָא סָרְחוּ, בְּעוֹד דְּיָהֲבֵי רֵיחָא טָב, כְּגוֹן חֲנוֹךְ, דִּכְתִּיב בֵּיהּ, וְאֵינֶנּוּ כִּי לָקַח אוֹתוֹ אֱלֹהִים. וְנָטַל לֵיהּ עַד לָא מָטָא זִמְנֵיהּ, וְאִשְׁתַּעֲשַׁע בֵּיהּ, וְכֵן שְׁאַר זַכָּאִין דְּעָלְמָא.

קסז. דְּתָנֵינָן, עַל תְּרֵין מִלִּין, צַדִּיקַיָּא מִסְתַּלְּקֵי מֵעָלְמָא, עַד לָא יִמְטֵי זִמְנַיְיהוּ, חַד, עַל חוֹבֵי דָּרָא, דְּכַד אַסְגִּיאוּ חַיָּיבַיָּא בְּעָלְמָא, אִינּוּן זַכָּאִין דְּמִשְׁתַּכְּחֵי בֵּינַיְיהוּ, אִתְפְּסוּן בְּחוֹבֵיהוֹן, וְחַד כַּד אִתְגְּלֵי קָמֵי קב"ה דְּיִסְרְחוּן לְבָתַר, סָלִיק לוֹן מֵעָלְמָא, עַד לָא מָטָא זִמְנַיְיהוּ, הה"ד, אֲשֶׁר יֵשׁ צַדִּיקִים אֲשֶׁר מַגִּיעַ אֲלֵיהֶם כְּמַעֲשֵׂה הָרְשָׁעִים, מָטֵי עֲלַיְיהוּ דִּינָא דִּלְעֵילָּא, כְּאִלּוּ עָבְדוּ חוֹבִין וְעוֹבָדִין דְּרַשִׁיעַיָּיא.

קסח. דְּהָא זִמְנָא חֲדָא, שָׁאִיל רִבִּי יוֹסֵי ב"ר יַעֲקֹב, אִישׁ כְּפַר אוֹנוֹ בְּזִמְנָא דְּרִבִּי עֲקִיבָא וְחַבְרוֹי אִסְתַּלָּקוּ מֵעָלְמָא, וּמִיתוּ בְּהַהוּא גַּוְונָא, לְרִבִּי מֵאִיר, אָמַר לֵיהּ, וְכִי כְּתִיב דָּא בְּכָל אוֹרַיְיתָא כֻּלָּהּ, אָמַר לֵיהּ וְלָא, וְהָא אָמַר שְׁלֹמֹה, אֲשֶׁר יֵשׁ צַדִּיקִים אֲשֶׁר מַגִּיעַ אֲלֵיהֶם כְּמַעֲשֵׂה הָרְשָׁעִים. מָטֵי עֲלַיְיהוּ דִּינָא מִלְּעֵילָּא, כְּאִלּוּ עָבְדוּ חוֹבִין וְעוֹבָדִין דְּרַשִׁיעַיָּיא. וְיֵשׁ רְשָׁעִים שֶׁמַּגִּיעַ אֲלֵיהֶם כְּמַעֲשֵׂה הַצַּדִּיקִים, יַתְבֵי בְּשֶׁקֶט וּשְׁלֵם בְּהַאי עָלְמָא, דִּינָא לָא מָטָא עֲלַיְיהוּ, כְּאִלּוּ עָבְדוּ עוֹבָדִין דְּצַדִּיקַיָּיא.

קסט. אֲמַאי, אִי בְּגִין דְּאִתְגְּלֵי קָמֵי קוּדְשָׁא בְּרִיךְ הוּא, דִּיתוּבוּן בְּתִיּוּבְתָּא, אוֹ דְּיִפּוּק מִנַּיְיהוּ זַרְעָא, דִּיְהֵא קְשׁוֹט בְּעָלְמָא, כְּגוֹן תֶּרַח דְּנָפַק מִנֵּיהּ זַרְעָא דִּקְשׁוֹט, אַבְרָהָם. אָחָז, דְּנָפַק מִנֵּיהּ חִזְקִיָּהוּ. וּשְׁאַר חַיָּיבִין דְּעָלְמָא. וּבְגִין כַּךְ, בְּסִטְרָא דָּא, וּבְסִטְרָא דָּא, הֶבֶל דְּקָאַמְרָן, נַעֲשָׂה וְאִתְתַּקַּף עַל הָאָרֶץ, כִּדְקָאַמְרָן.

קע. ד"א יֵשׁ הֶבֶל אֲשֶׁר נַעֲשָׂה עַל הָאָרֶץ, כִּדְקָאַמְרָן דְּאִתְתַּקַּף עַל עָלְמָא. בְּמַאי, בְּגִין דְּיֵשׁ צַדִּיקִים אֲשֶׁר מַגִּיעַ אֲלֵיהֶם כְּמַעֲשֵׂה הָרְשָׁעִים, מָטָאן לִידַיְיהוּ כְּאִינּוּן עוֹבָדִין דְּחַיָּיבַיָּא, כְּגוֹן בַּת עַ"ז, אוֹ חַד מֵאִינּוּן עוֹבָדִין, דְּאִינּוּן מִמַּעֲשֵׂה הָרְשָׁעִים, וְאִינּוּן קַיְּימֵי בְּקִיּוּמַיְיהוּ, מִדְּחִילוּ דְּמָארֵיהוֹן, וְלָא בָּעָאן לְאִסְתַּאֲבָא, כְּגוֹן כַּמָּה זַכָּאֵי קְשׁוֹט דְּמָטוּ לִידַיְיהוּ כְּעוֹבָדִין אִלֵּין, וְאִינּוּן גִּבּוֹרֵי כֹּחַ, דְּעַבְדֵי רְעוּתָא דְּמָארֵיהוֹן, וְלָא חָטְאוּ. וְעַל דָּא, הֶבֶל נַעֲשָׂה עַל הָאָרֶץ וְאִתְתַּקַּף בְּתוּקְפֵיהּ.

קעא. וְיֵשׁ רְשָׁעִים שֶׁמַּגִּיעַ אֲלֵיהֶם כְּמַעֲשֵׂה הַצַּדִּיקִים, מָטֵי לִידַיְיהוּ חַד מִצְוָה, דְּאִיהוּ עוֹבָדָא דְּצַדִּיקַיָּא, וְזַכָּאן בָּהּ, וְעַבְדִין יָתָהּ. כְּגוֹן לִסְטִים מִקַּפּוֹזָא הֲוָה מִשְׁתַּכַּח בְּטוּרַיָּיא, בַּהֲדֵי אִינּוּן לִסְטִים עַ"ז, וְכַד הֲוָה יוּדָאי אַעֲבַר תַּמָּן, הֲוָה מְשֵׁזִיב לֵיהּ, וְנָטִיר לֵיהּ מִנַּיְיהוּ, וַהֲוָה קָרֵי עָלֵיהּ רִבִּי עֲקִיבָא, יֵשׁ רְשָׁעִים אֲשֶׁר מַגִּיעַ אֲלֵיהֶם כְּמַעֲשֵׂה הַצַּדִּיקִים.

קעב. וּכְגוֹן הַהוּא חַיָּיבָא, דַּהֲוָה בְּשִׁבְבוּתֵיהּ דְּרִבִּי חִיָּיא, דְּלֵילְיָא חַד פָּגַע בָּהּ בְּהַהִיא אִתְּתָא דַּהֲוַת אַזְלַת לְבֵי בְּרַתָּהּ. בָּעָא לְמִתְקַף בָּהּ, אָמְרָה לֵיהּ, בְּמָטוּ מִינָּךְ, אוֹקִיר לְמָרָךְ, וְלָא תֶּחֱטָא גַּבָּאי. שַׁבְקָהּ וְלָא חָב בָּהּ. הֱוֵי אוֹמֵר, וְיֵשׁ רְשָׁעִים אֲשֶׁר מַגִּיעַ אֲלֵיהֶם כְּמַעֲשֵׂה הַצַּדִּיקִים אָמַרְתִּי שֶׁגַּם זֶה הָבֶל, כְּמָה דְּאִתְתַּקַּף הַהוּא הֶבֶל,

בַּהֲדֵי אִינּוּן צַדִּיקַיָּא, דְּמָטוּ לִידַיְיהוּ עוֹבְדֵי דְּחַיָּיבַיָּא, וְלָא חָטָאן. אוּף הָכִי, אִתְתַּקַּף בַּהֲדֵי אִינּוּן חַיָּיבַיָּא, דְּמָטֵי לִידַיְיהוּ עוֹבָדֵי דְּאִינּוּן צַדִּיקַיָּא, וְעַבְדֵי לְהוּ.

קעג. דְּתָנֵינָן עָבֵד קוּדְשָׁא בְּרִיךְ הוּא צַדִּיקִים וּרְשָׁעִים בְּעָלְמָא. וְכַמָּה דְּאִתְיְיקַר אִיהוּ בְּעָלְמָא, בְּעוֹבְדֵי דְּצַדִּיקַיָּא, הָכִי נָמֵי אִתְיְיקַר אִיהוּ בְּרַשִׁיעַיָּיא, כַּד עַבְדֵי עוֹבָדָא טָבָא בְּעָלְמָא. כְּמָה דְּאַתְּ אָמֵר, אֶת הַכֹּל עָשָׂה יָפֶה בְעִתּוֹ. וַוי לְחַיָּיבָא, כַּד עָבֵיד גַּרְמֵיהּ רַע, וְאִתְתָּקַף בְּחוֹבֵיהּ, כְּמָה דְּאַתְּ אָמֵר, אוֹי לְרָשָׁע רָע וְגוֹ'.

קעד. תּוּ פָּתַח וְאָמַר, אֶת הַכֹּל רָאִיתִי בִּימֵי הֶבְלִי וְגוֹ'. הַאי קְרָא אוּף הָכִי אוּקְמוּהָ חַבְרַיָּיא, אֲבָל כַּד אִתְיְהִיב חָכְמָה לִשְׁלֹמֹה, חָמָא כּוֹלָּא, בִּזְמְנָא דְּשַׁלְטָא סִיהֲרָא, יֵשׁ צַדִּיק דָּא עַמּוּדָא דְעָלְמָא. אוֹבֵד: כד"א, הַצַּדִּיק אָבָד, בִּזְמְנָא דְּגָלוּתָא בְּצִדְקוֹ: בְּגִין דְּהִיא שְׁכִיבַת לְעַפְרָא, צֶדֶק דָּא, כָּל זִמְנָא דְּיִשְׂרָאֵל בְּגָלוּתָא, אִיהִי עִמְּהוֹן בְּגָלוּתָא, וּבְגִין כָּךְ, צַדִּיק אוֹבֵד בְּצִדְקוֹ. דְּהָא לָא מָטָאן לְגַבֵּיהּ אִינּוּן בִּרְכָאן עִלָּאִין.

קעה. וְיֵשׁ רָשָׁע מַאֲרִיךְ בְּרָעָתוֹ, דָּא סמאל, דְּאוֹרִיךְ שֶׁקֶט וְשַׁלְוָה לֶאֱדוֹם, בְּמַאי בְּרָעָתוֹ. בְּהַהִיא רָעָה אִתְתֵיהּ, נָחָשׁ תַּקִּיפָא, דְּהָא לָא מָטָא עָלַיְיהוּ שֶׁקֶט וְשַׁלְוָה, אֶלָּא בְּגִין דְּאִתְדַּבַּק בְּהַהִיא נוּקְבָא. כְּגַוְונָא דָּא לִשְׁאַר מַלְכָוָון, עַד דְּקֻדְשָׁא בְּרִיךְ הוּא יָקִים מֵעַפְרָא, לְהַהִיא סוּכַּת דָּוִד הַנּוֹפֶלֶת, דִּכְתִיב אָקִים אֶת סֻכַּת דָּוִד הַנֹּפֶלֶת.

קעו. וַיֵּלֶךְ אִישׁ מִבֵּית לֵוִי. רִבִּי יוֹסֵי פָּתַח דּוֹדִי יָרַד לְגַנּוֹ לַעֲרוּגוֹת הַבּוֹשֶׂם וְגוֹ'. לְגַנּוֹ: דָּא כְּנֶסֶת יִשְׂרָאֵל, בְּגִין דְּהִיא עֲרוּגַת הַבּוֹשֶׂם, דְּאִיהִי כְּלִילָא מִכָּל זִינֵי בּוּסְמִין וְרֵיחִין דְּעָלְמָא דְּאָתֵי. בְּשַׁעֲתָא דְּקוּדְשָׁא בְּרִיךְ הוּא נָחִית לְגִנְתָּא דָּא כָּל אִינּוּן נִשְׁמָתְהוֹן דְּצַדִּיקַיָּא, מִתְעַטְּרָן תַּמָּן, כֻּלְּהוּ יָהֲבֵי רֵיחָא, כמד"א וְרֵיחַ שְׁמָנַיִךְ מִכָּל בְּשָׂמִים, אִלֵּין אִינּוּן נִשְׁמָתְהוֹן דְּצַדִּיקַיָּא, דְּאָמַר רִבִּי יִצְחָק, כָּל אִינּוּן נִשְׁמָתִין דְּצַדִּיקַיָּא, דַּהֲווּ בְּהַאי עָלְמָא, וְכָל אִינּוּן נִשְׁמָתִין, דִּזְמִינִין לְנַחְתָּא לְהַאי עָלְמָא, כֻּלְּהוּ בְּגִנְתָּא דָּא קַיְימִין.

קעז. בְּגִנְתָּא דִּי בְּאַרְעָא, כֻּלְּהוּ קַיְימִין בְּדִיוּקְנָא וְצִיּוּרָא דַּהֲווּ קַיְימִין בְּהַאי עָלְמָא, וְסִתְרָא וְרָזָא דָּא אִתְמְסַר לְחַכִּימֵי. רוּחָא דְּנָחִית לִבְנֵי נָשָׁא, דְּאִיהוּ מִסִּטְרָא דְּנוּקְבָא, מִתְגַּלְּפָא תָּדִיר בְּגִלּוּפָא כְּהַאי חוֹתָם. צִיּוּרָא דְּגוּפָא דְּבַר נָשׁ בְּהַאי עָלְמָא, בָּלִיט לְבַר, וְרוּחָא אִתְגְּלִיף לְגוֹ. כַּד אִתְפָּשַׁט רוּחָא מִן גּוּפָא, הַהוּא רוּחַ בָּלִיט בְּגִנְתָּא דְּאַרְעָא, בְּצִיּוּרָא וּדְיוּקְנָא דְּגוּפֵיהּ מַמָּשׁ דִּבְהַאי עָלְמָא, בְּגִין דַּהֲוָה תָּדִיר כַּחוֹתָם.

קעח. וְעַל דָּא אָמְרָה אִיהִי, שִׂימֵנִי כַחוֹתָם, מַה חוֹתָם גָּלִיף בְּגִלּוּפָא לְגוֹ, וְאִתְצַיָּיר בְּצִיּוּרָא בְּלִיטָא לְבַר. אוּף הָכִי אִיהִי רוּחָא, דַּהֲוָה מִסִּטְרָא דִּילָהּ, כְּהַאי גַּוְונָא מַמָּשׁ בְּהַאי עָלְמָא, גָּלִיף בְּגִלּוּפָא לְגוֹ, וְכַד אִתְפָּשַׁט מִן גּוּפָא, וְעָאל בְּגִנְתָּא דְּאַרְעָא, אֲוִירָא דְּתַמָּן בָּלִיט הַהוּא גִּלּוּפָא לְאִתְצַיְּירָא לְבַר, וְאִתְצַיָּיר בְּצִיּוּרָא בְּלִיטָא לְבַר, כְּגַוְונָא דְּצִיּוּרָא דְּגוּפָא בְּהַאי עָלְמָא.

קעט. נִשְׁמָתָא, דְּאִיהִי מֵאִילָנָא דְּחַיֵּיא, אִתְצַיָּיר תַּמָּן לְעֵילָא, בְּהַהוּא צְרוֹרָא דְּחַיֵּי, לְאִתְעַנְּגָא בְּנוֹעַם יְיָ', כְּמָה דְּאַתְּ אָמֵר לַחֲזוֹת בְּנוֹעַם יְיָ' וּלְבַקֵּר בְּהֵיכָלוֹ.

קפ. וַיֵּלֶךְ אִישׁ מִבֵּית לֵוִי, דָּא גַּבְרִיאֵל, כמד"א וְהָאִישׁ גַּבְרִיאֵל אֲשֶׁר רָאִיתִי בֶחָזוֹן וְגוֹ'. מִבֵּית לֵוִי: דָּא כנ"י, דְּאַתְיָא מִסִּטְרָא דִּשְׂמָאלָא. וַיִּקַּח אֶת בַּת לֵוִי דָּא נִשְׁמָתָא.

קפא. דְּתָנֵינָן, בְּשַׁעֲתָא דְּאִתְיְילִיד גּוּפָא דְּצַדִּיק, בְּהַאי עָלְמָא, קוּדְשָׁא בְּרִיךְ הוּא קָרֵי לֵיהּ לְגַבְרִיאֵל, וְנָטִיל הַהִיא נִשְׁמְתָא דִּי בְּגִנְתָּא, וְנַחְתָּא לָהּ לְהַאי גּוּפָא דְּצַדִּיקַיָּא, דְּאִתְיְילִיד בְּהַאי עָלְמָא, וְאִיהִי אִתְפְּקַד עָלָהּ וְנָטִיר לָהּ.

קפב. וְאִי תֵּימָא, הַהוּא מַלְאָכָא דְּאִתְמְנָא עַל רוּחֵיהוֹן דְּצַדִּיקַיָּא, לַיְלָה שְׁמֵיהּ, וְאַתְּ

אֲמָרַת דְּאִיהוּ גַּבְרִיאֵל. הָכִי הוּא וַדַּאי, בְּגִין דְּאָתֵי מִסִּטְרָא דִּשְׂמָאלָא, וְכָל מַאן דְּאָתֵי מִסִּטְרָא דִּשְׂמָאלָא הָכִי אִקְרֵי.

קפג. וַיֵּלֶךְ אִישׁ: דָּא עַמְרָם. וַיִּקַּח אֶת בַּת לֵוִי: דָּא יוֹכֶבֶד. וּבַת קוֹל נַחְתַּת וְאַמְרַת לֵיהּ לְאִזְדַּוְּוגָא בָּהּ, דְּהָא קָרִיב זִמְנָא דְּפוּרְקָנָא דְּיִשְׂרָאֵל, עַל יְדָא דְּבְרָא דְּאִתְיְלִיד מִנַּיְיהוּ.

קפד. וְקֻבְּ"ה סַיַּיע בֵּיהּ, דְּתַנְיָא, שְׁכִינְתָּא שַׁרְיָא עַל עַרְסַיְיהוּ וּרְעוּתָא דִּלְהוֹן בִּדְבֵקוּתָא וַחֲדָא, הֲוָה בָּהּ בִּשְׁכִינְתָּא, וְע"ד, לָא אִתְעֲדֵי שְׁכִינְתָּא, מֵהַהוּא בְּרָא דְּאוֹלִידוּ לְקַיְּימָא, דִּכְתִיב וְהִתְקַדִּשְׁתֶּם וִהְיִיתֶם קְדוֹשִׁים. ב"נ דְּמִקַדֵּשׁ גַּרְמֵיהּ מִלְּרַע, קֻבְּ"ה מְקַדֵּשׁ לֵיהּ לְעֵילָא, כְּמָה דִּרְעוּתָא דִּלְהוֹן הֲוָה בִּדְבֵקוּתָא דִּשְׁכִינְתָּא. הָכִי אִתְדַּבְּקָא שְׁכִינְתָּא, בְּהַהוּא עוֹבָדָא מַמָּשׁ דְּעָבְדוּ.

קפה. א"ר יִצְחָק, זַכָּאִין אִינּוּן צַדִּיקַיָּא דִּרְעוּתָא דִּלְהוֹן בִּדְבֵקוּתָא דְּקֻבְּ"ה תָּדִיר, וּכְמָה דְּאִינּוּן מִתְדַּבְּקִין בֵּיהּ תָּדִיר, הָכִי נָמֵי אִיהוּ אִתְדַּבַּק בְּהוּ, וְלָא שָׁבִיק לוֹן לְעָלְמִין. וַוי לְרַשִׁיעַיָּיא, דִּרְעוּתָא דִּלְהוֹן, וּדְבֵקוּתָא דִּלְהוֹן, מִתְרַחֲקָא מִנֵּיהּ. וְלָא דֵּי לְהוּ דְּמִתְרַחֲקָן מִנֵּיהּ, אֶלָּא דְּמִתְדַּבְּקָן בְּסִטְרָא אַחֲרָא. תָּא חֲזֵי, עַמְרָם דְּאִתְדַּבַּק בֵּיהּ בְּקֻבְּ"ה. נָפַק מִנֵּיהּ מֹשֶׁה, דְּקוּדְשָׁא בְּרִיךְ הוּא לָא אַעֲדֵי מִנֵּיהּ לְעָלְמִין, וּשְׁכִינְתָּא אִתְדַּבְּקַת בַּהֲדֵיהּ תָּדִיר, זַכָּאָה חוּלָקֵיהּ.

קפו. וַתַּהַר הָאִשָּׁה וַתֵּלֶד בֵּן וַתֵּרֶא אוֹתוֹ כִּי טוֹב הוּא. מַאי כִּי טוֹב הוּא. אָמַר רִבִּי חִיָּיא, דְּאִתְיְילִיד מָהוּל. בְּגִין, דְּרָזָא דִּבְרִית, טוֹב אִקְרֵי, דִּכְתִיב אִמְרוּ צַדִּיק כִּי טוֹב.

קפז. רִבִּי יוֹסֵי אָמַר, נְהִירוּ דִּשְׁכִינְתָּא דְּנָהִיר בֵּיהּ חָמָאת, דִּבְשַׁעֲתָא דְּאִתְיְלִיד אִתְמַלְיָא כָּל בֵּיתָא נְהוֹרָא, דִּכְתִיב וַתֵּרֶא אוֹתוֹ כִּי טוֹב הוּא, וּכְתִיב וַיַּרְא אֱלֹהִים אֶת הָאוֹר כִּי טוֹב. וְעַל דָּא כִּי טוֹב הוּא כְּתִיב, וְכֹלָּא הֲוָה.

קפח. וַתִּצְפְּנֵהוּ שְׁלֹשָׁה יְרָחִים, ג' יַרְחִים מַאי קָא מַיְירֵי. אָמַר ר' יְהוּדָה, רֶמֶז הוּא דְּקָא רָמַז, דְּלָא אִשְׁתְּמוֹדַע מֹשֶׁה בְּזִהֲרָא עִלָּאָה, עַד ג' יַרְחִים. דִּכְתִיב בַּחֹדֶשׁ הַשְּׁלִישִׁי, דְּהָא כְּדֵין אִתְיְהִיבַת תּוֹרָה עַל יְדוֹי, וּשְׁכִינְתָּא אִתְגַּלְיָא, וְשַׁרְיָא עֲלוֹי לְעֵינַיְיהוֹן דְּכֹלָּא, דִּכְתִיב וּמֹשֶׁה עָלָה אֶל הָאֱלֹהִים וַיִּקְרָא אֵלָיו יְיָ', וְלֹא יָכְלָה עוֹד הַצְּפִינוֹ, דְּעַד הַהוּא שַׁעְתָּא, לָא אִשְׁתְּמוֹדַע מִלּוֹלֵיהּ בְּקוּדְשָׁא ב"ה, וּכְתִיב מֹשֶׁה יְדַבֵּר וְהָאֱלֹהִים יַעֲנֶנּוּ בְקוֹל.

קפט. וַתִּקַּח לוֹ תֵּבַת גֹּמֶא, רֶמֶז עַל הָאָרוֹן, דִּלְוּחוֹת קַיְּימָא עָאלִין בְּגַוֵּיהּ, תֵּיבַת גּוֹמֶא, אֲרוֹן הַבְּרִית אִיהוּ. וַתַּחְמְרָה בַחֵמָר וּבַזָּפֶת דְּהָא הָאָרוֹן הֲוָה מְחוּפֶּה מִלְּגָו וּמִלְּבַר. רִבִּי יְהוּדָה אָמַר, דָּא הִיא אוֹרַיְיתָא, דְּהֶחֱמִירָה קֻבְּ"ה בְּמִצְוֹת עֲשֵׂה וּבְמִצְוֹת לֹא תַעֲשֶׂה.

קצ. וַתָּשֶׂם בָּהּ אֶת הַיֶּלֶד, אֵלּוּ יִשְׂרָאֵל, כד"א כִּי נַעַר יִשְׂרָאֵל וָאֹהֲבֵהוּ. וַתָּשֶׂם בַּסּוּף דְּלָא הֲווּ פִּקּוּדֵי אוֹרַיְיתָא וְחוּמְרָא לְמֶעְבַּד, עַד סוֹף, דְּעָאלוּ יִשְׂרָאֵל לְאַרְעָא, לְסוֹף אַרְבְּעִין שְׁנִין. עַל שְׂפַת הַיְאוֹר: עַל מֵימְרָא דְּאִינּוּן דְּמוֹרִים אוֹרַיְיתָא וְחוּקָּה לְיִשְׂרָאֵל.

קצא. ד"א וַיֵּלֶךְ אִישׁ, דָּא קוּדְשָׁא בְּרִיךְ הוּא, דִּכְתִיב יְיָ' אִישׁ מִלְחָמָה. מִבֵּית לֵוִי, דָּא קֻבְּ"ה, אֲתַר דְּחָכְמָה עִלָּאָה, וְהַהוּא נָהָר, מִתְחַבְּרָן כַּחֲדָא, וְלָא מִתְפָּרְשִׁין לְעָלְמִין. מִבֵּית לֵוִי דְּאַשְׁרֵי לִוְיָתָן לְחַיְידוּ בְּעָלְמָא, הה"ד, לִוְיָתָן זֶה יָצַרְתָּ לְשַׂחֶק בּוֹ. וַיִּקַּח אֶת בַּת לֵוִי, דָּא קֻבְּ"ה, אֲתַר דִּנְהִירוּ דְּסִיהֲרָא נָהִיר.

קצב. וַתַּהַר הָאִשָּׁה וַתֵּלֶד בֵּן. הָאִשָּׁה וַדַּאי, כד"א לְזֹאת יִקָּרֵא אִשָּׁה. בְּקַדְמֵיתָא בַּת לֵוִי, וְהָכִי הוּא וַדַּאי, וְכִי בַּת לֵוִי בְּקַדְמֵיתָא, וְהַשְׁתָּא אִשָּׁה. אֶלָּא הָכִי הוּא וַדַּאי, וְהָכִי אוֹלִיפְנָא, אִתְּתָא עַד לָא אִזְדַּוְּוגַת, אִתְקְרִיאַת בַּת פְּלוֹנִי, בָּתַר דְּאִזְדַּוְּוגַת אִתְקְרִיאַת אִשָּׁה. וְהָכָא, בַּת, וְאִשָּׁה, וְכַלָּה, וַחֲד דַּרְגָּא אִיהוּ.

קצג. וַתִּצְפְּנֵהוּ שְׁלֹשָׁה יְרָחִים. אִלֵּין תְּלַת יַרְחִין, דְּדִינָא קַשְׁיָא שַׁרְיָא בְּעָלְמָא וּמָאי נִינְהוּ. תַּמּוּז, אָב, טֵבֵת, מַאי מַשְׁמַע. דְּעַד לָא נָחַת מֹשֶׁה לְעָלְמָא, שְׁכִינְתָּא הֲוָה אִיהוּ לְעֵילָּא, וְעַל דָּא אִזְדַּוְּוגַת בֵּיהּ שְׁכִינְתָּא, מִיּוֹמָא דְּאִתְיְלִיד. מִכָּאן אָמַר רִבִּי שִׁמְעוֹן, רוּחַיְיהוּ דְּצַדִּיקַיָּא, שְׁכִיחִין אִינּוּן לְעֵילָּא, עַד לָא יֶחֱתוּן לְעָלְמָא.

קצד. וְלֹא יָכְלָה עוֹד הַצְּפִינוֹ וְגוֹ'. מַאי וַתִּקַּח לוֹ תֵּבַת גֹּמֶא. דְּחָפַת לֵיהּ בְּסִימָנָהָא, לְמֶהֱוֵי נָטִיר מֵאִינּוּן נוּנֵי יַמָּא, דְּשָׁאטִין בְּיַמָּא רַבָּא, דִּכְתִּיב שָׁם רֶמֶשׂ וְאֵין מִסְפָּר. וְהִיא וְחָפַת לֵיהּ, לְמֶהֱוֵי נָטִיר מִנַּיְיהוּ, בְּחוֹפוּ יַקִּירָא, דִּתְרֵין גַּוְונִין חִוָּור וְאוּכָם, וְאָנַח לֵיהּ לְמֹשֶׁה בֵּינַיְיהוּ, דְּיִשְׁתְּמוֹדַע עִמְּהוֹן, בְּגִין דְּזַמִּין לְסַלְּקָא בֵּינַיְיהוּ זִמְנָא אָחֳרָא, לְקַבְּלָא אוֹרַיְיתָא.

קצה. וַתֵּרֶד בַּת פַּרְעֹה לִרְחֹץ עַל הַיְאוֹר. דָּא אִיהִי דְּאַתְיָא מִסִּטְרָא דִּשְׂמָאלָא דְּדִינָא קַשְׁיָא, כְּמָה דְּאַתְּ אָמֵר, לִרְחוֹץ עַל הַיְאוֹר, עַל הַיְאוֹר דַּיְיקָא, וְלֹא עַל הַיָּם.

קצו. וְאִי תֵּימָא, וְהָא כְּתִיב, וּמַטְּךָ אֲשֶׁר הִכִּיתָ בּוֹ אֶת הַיְאוֹר, וּמֹשֶׁה לָא מָחָא אֶלָּא יַמָּא, וְקַרְיֵיהּ יְאוֹר. אֶלָּא יְאוֹר הֲוָה דְּמָחָא אַהֲרֹן ע"י דְּמֹשֶׁה, וְשַׁוְיֵיהּ קְרָא דְּאִיהוּ עָבֵיד.

קצז. כה"ג, וַיִּמָּלֵא שִׁבְעַת יָמִים אַחֲרֵי הַכּוֹת ה' אֶת הַיְאוֹר. וְאַהֲרֹן הִכָּהוּ. אֶלָּא עַל דְּאָתָא מִסִּטְרָא דְּקוּדְשָׁא בְּרִיךְ הוּא, קַרְיֵיהּ קְרָא אַחֲרֵי הַכּוֹת ה', לְבָתַר קַרְיֵיהּ בִּשְׁמָא דְּמֹשֶׁה. וְנַעֲרוֹתֶיהָ הוֹלְכוֹת עַל יַד הַיְאוֹר, אִלֵּין שְׁאַר מַשִּׁרְיָין דְּאַתְיָין מִסִּטְרָא דָּא.

קצח. וַתִּפְתַּח וַתִּרְאֵהוּ אֶת הַיֶּלֶד. וַתִּרְאֵהוּ וַתֵּרֶא מִבָּעֵי לֵיהּ. מַאי וַתִּרְאֵהוּ. אָמַר רִבִּי שִׁמְעוֹן, לֵית לָךְ מִלָּה בְּאוֹרַיְיתָא, דְּלֵית בָּהּ רָזִין עִלָּאִין וְיַקִּירִין. אֶלָּא הָכִי אוֹלִיפְנָא, רְשִׁימָא דְּמַלְכָּא וּמַטְרוֹנִיתָא אִשְׁתְּכַח בֵּיהּ, וְאִיהוּ רְשִׁימָא דְּוָא"ו הֵ"א. וּמִיַּד וַתַּחְמוֹל עָלָיו וְגוֹ'. עַד כָּאן לְעֵילָּא, מִכָּאן וּלְהָלְאָה לְתַתָּא, בַּר מֵהַאי קְרָא.

קצט. וַתֵּתַצַּב אֲחוֹתוֹ מֵרָחוֹק וְגוֹ'. וַתֵּתַצַּב אֲחוֹתוֹ, אֲחוֹתוֹ דְּמַאן. אֲחוֹתֵיהּ, דְּהַהוּא דְּקָרָא לִכְנֶסֶת יִשְׂרָאֵל אֲחוֹתִי. כְּמָה דְּאַתְּ אָמֵר, פִּתְחִי לִי אֲחוֹתִי רַעְיָתִי. מֵרָחוֹק: כְּמָה דְּאַתְּ אָמַר מֵרָחוֹק ה' נִרְאָה לִי.

ר. מַשְׁמַע, דְּאִינּוּן זַכָּאִין, עַד לָא נַחְתּוּ לְעָלְמָא, אִשְׁתְּמוֹדְעָאן אִינּוּן לְעֵילָּא, לְגַבֵּי כֹּלָּא, וְכָל שֶׁכֵּן מֹשֶׁה. וּמַשְׁמַע נָמֵי, דְּנִשְׁמָתְהוֹן דְּצַדִּיקַיָּא, אִתְמַשְׁכוּ מֵאֲתַר עִלָּאָה, כְּמָה דְּאוֹקִימְנָא. וְרָזָא דְּמִלָּה אוֹלִיפְנָא, דְּמַשְׁמַע, דְּאָב וָאֵם אִית לְנִשְׁמָתָא, כְּמָה דְּאִית אָב וָאֵם לְגוּפָא בְּאַרְעָא, וּמַשְׁמַע, דִּבְכָל סִטְרִין, בֵּין לְעֵילָּא, בֵּין לְתַתָּא, מִדְּכַר וְנוּקְבָא אַתְיָין כֹּלָּא וּמִשְׁתַּכְחֵי. וְהָא אוּקְמוּהָ רָזָא, דִּכְתִּיב, תּוֹצֵא הָאָרֶץ נֶפֶשׁ חַיָּה. הָאָרֶץ: דָּא כְּנֶסֶת יִשְׂרָאֵל. נֶפֶשׁ חַיָּה: נַפְשָׁא דְּאָדָם קַדְמָאָה עִלָּאָה, כְּמָה דְּאִתְּמַר. אָתָא רִבִּי אַבָּא וְנַשְׁקֵיהּ. אָמַר וַדַּאי שַׁפִּיר קָאֲמַרְתְּ, וְהָכִי הוּא וַדַּאי זַכָּאָה חוּלָקֵיהּ דְּמֹשֶׁה נְבִיאָה מְהֵימְנָא, עַל כָּל שְׁאַר נְבִיאֵי עָלְמָא.

רא. ד"א וַתֵּתַצַּב אֲחוֹתוֹ דָּא הִיא חָכְמָה, כְּמָה דְּאַתְּ אָמַר, אֱמוֹר לַחָכְמָה אֲחוֹתִי אָתְּ. אָמַר רִבִּי יִצְחָק, מֵעוֹלָם לָא אִתְעֲדִיאַת גְּזֵרַת דִּינָא מֵעָלְמָא, דְּהָא בְּכָל שַׁעְתָּא דַּהֲווּ יִשְׂרָאֵל חָטָאן, הֲוָה דִּינָא מְקַטְרְגָא עִמְּהוֹן, וּכְדֵין, וַתֵּתַצַּב אֲחוֹתוֹ מֵרָחוֹק. כְּמָה דְּאַתְּ אָמַר מֵרָחוֹק ה' נִרְאָה לִי.

רב. וַתֵּרֶד בַּת פַּרְעֹה לִרְחוֹץ עַל הַיְאוֹר. בְּשַׁעֲתָא דַּהֲווּ פַּסְקֵי יִשְׂרָאֵל מֵאוֹרַיְיתָא, מִיָּד וַתֵּרֶד בַּת פַּרְעֹה לִרְחוֹץ עַל הַיְאוֹר. הֲוַת נָחֲתַת מִדַּת הַדִּין, לְאִסְתַּחֲאָה מִדְּמָא דְּיִשְׂרָאֵל, עַל עֶלְבּוֹנָהּ דְּאוֹרַיְיתָא. וְנַעֲרוֹתֶיהָ הוֹלְכוֹת עַל יַד הַיְאוֹר, אִלֵּין אוּמַיָּא, דְּאִינּוּן אַזְלִין וְרַדְפִין אֲבַתְרַיְיהוּ, עַל יַד הַיְאוֹר, עַל סִבַּת עֶלְבּוֹנָהּ דְּאוֹרַיְיתָא, וְאִינּוּן דְּמוֹרִים בָּהּ, דְּרָפוּ יְדַיְיהוּ מִינָּהּ.

רג. א"ר יְהוּדָה, כָּל מִלִּין דְּעָלְמָא, תַּלְיָין בִּתְשׁוּבָה, וּבִצְלוֹתָא דְּצַלֵּי ב"נ לְקָבּ"ה, וְכָל שֶׁכֵּן, מַאן דְּאוֹשִׁיד דִּמְעִין בִּצְלוֹתֵיהּ, דְּלֵית לָךְ תַּרְעָא, דְּלָא עָאלִין אִינּוּן דִּמְעִין. מַה כְּתִיב וַתִּפְתַּח וַתִּרְאֵהוּ אֶת הַיֶּלֶד. וַתִּפְתַּח, דָּא שְׁכִינְתָּא, דְּקַיְּימָא עֲלַיְיהוּ דְּיִשְׂרָאֵל, כְּאִימָּא עַל בְּנִין, וְהִיא פְּתוּחָה תָּדִיר בִּזְכוּתֵיהוֹן דְּיִשְׂרָאֵל.

רד. כֵּיוָן שֶׁפָּתְחָה, וַתִּרְאֵהוּ אֶת הַיֶּלֶד, יֶלֶד שַׁעֲשׁוּעִים. דְּאִינּוּן יִשְׂרָאֵל, דְּמִתְחַטְּאָן קָמֵי מַלְכֵּיהוֹן בְּכֹלָּא, וּמִיָּד דְּמִתְחַנְּנָן קָמֵי קֻבּ"ה, הַדְרֵי בִּתְשׁוּבָה, וּבָכָאן קָמֵיהּ, כִּבְרָא דְּבָכֵי קָמֵי אֲבוֹי, מַה כְּתִיב, וְהִנֵּה נַעַר בּוֹכֶה. כֵּיוָן דְּבָכֵי, אִתְעֲדוּ כָּל גְּזָרִין בִּישִׁין דְּעָלְמָא, מַה כְּתִיב וַתַּחְמוֹל עָלָיו, אִתְּעַר עֲלוֹי בְּרַחֲמִים, וּמְרַחֵם לֵיהּ.

רה. וַתֹּאמֶר מִיַּלְדֵי הָעִבְרִים זֶה, דְּאִינּוּן רַכֵּי לִבָּא, וְלָא מִיַּלְדֵי הָעכו"ם, דְּאִינּוּן קְשֵׁי קְדַל, וּקְשֵׁי לִבָּא. מִיַּלְדֵי הָעִבְרִים רַכֵּי לִבָּא מֵאֲבָהָן וּמֵאִמָּהָן לְאָתָבָא קָמֵי מָארֵיהוֹן. וַתִּקְרָא אֶת אֵם הַיֶּלֶד. שֶׁהָיְתָה בּוֹכָה, הה"ד, קוֹל בְּרָמָה נִשְׁמָע נְהִי בְּכִי תַמְרוּרִים רָחֵל מְבַכָּה עַל בָּנֶיהָ וְגוֹ', הוּא בּוֹכֶה וְאֵם הַיֶּלֶד הִיא בּוֹכָה.

רו. א"ר יְהוּדָה, לִזְמְנָא דְּאָתֵי מַה כְּתִיב, בִּבְכִי יָבוֹאוּ וּבְתַחֲנוּנִים וְגוֹ'. מַהוּ בִּבְכִי יָבוֹאוּ. בִּזְכוּת בְּכִי דְּאֵם הַיֶּלֶד, שֶׁהִיא רָחֵל, יָבוֹאוּ וְיִתְכַּנְּשׁוּן מִן גָּלוּתָא. וְאָמַר רַבִּי יִצְחָק, פּוּרְקָנָא דְּיִשְׂרָאֵל לָא תַּלְיָא אֶלָּא בִּבְכִי, כַּד יִשְׁתַּלְמוּן וְיִכְלוּן, בְּכִי דִּמְעוֹת דְּבָכָה עֵשָׂו קָמֵי אָבִיו, דִּכְתִּיב וַיִּשָּׂא עֵשָׂו קוֹלוֹ וַיֵּבְךְּ. וְאִינּוּן דִּמְעִין, אַחֲזִיתוּ לְיִשְׂרָאֵל בְּגָלוּתֵיהּ. כֵּיוָן דְּיִכְלוּן אִינּוּן דִּמְעִין בִּבְכִיָּה דְּיִשְׂרָאֵל, יִפְקוּן מִגָּלוּתֵיהּ, הה"ד בִּבְכִי יָבוֹאוּ וּבְתַחֲנוּנִים אוֹבִילֵם.

רז. וַיִּפֶן כֹּה וָכֹה. חָמָא בְּאִלֵּין נ' אַתְוָון, דְּמְיַיחֲדִין לֵיהּ יִשְׂרָאֵל בְּכָל יוֹמָא, שְׁמַע יִשְׂרָאֵל פַּעֲמַיִם, דְּאִית בְּהוֹן כ"ה כ"ה תְּרֵי זִמְנֵי, וְלָא חָמָא בֵּיהּ. וַיִּפֶן כֹּה וָכֹה וְגוֹ'. כֹּה וָכֹה, אָמַר רַבִּי אַבָּא, כֹּה חָמָא, אִי הֲוֵי בֵּיהּ עוֹבָדִין דְּכַשְׁרָן. וְכֹה אִי זַמִּין לְנָפְקָא מִנֵּיהּ בְּרָא מְעַלְיָא, מִיָּד וַיַּרְא כִּי אֵין אִישׁ. חָמָא בְּרוּחַ קוּדְשָׁא, דְּלָא זַמִּין לְנָפְקָא מִנֵּיהּ בְּרָא מְעַלְיָא.

רח. דְּאָמַר רַבִּי אַבָּא, כַּמָּה חַיָּיבִין אִינּוּן בְּעָלְמָא, דְּמַפְּקֵי בְּנֵי מְעַלְיָא, יַתִּיר מֵאִינּוּן זַכָּאִין. וְהַהוּא בְּרָא מְעַלְיָא דְּנָפַק מִן חַיָּיבָא, אִיהוּ מְעַלְיָא יַתִּיר, לְמֶהֱוֵי טָהוֹר מִטָּמֵא. נְהוֹרָא מִגּוֹ חֲשׁוֹכָא. חָכְמְתָא מִגּוֹ טִפְּשׁוּתָא. וְדָא אִיהוּ מְעַלְיָא מִכֹּלָּא.

רט. וַיַּרְא דְּהָכָא, כֹּלָּא בְּרוּחַ קוּדְשָׁא אִסְתָּכַּל וְחָמָא, וּבְגִין כָּךְ אִסְתָּכַּל בֵּיהּ וְקָטַל לֵיהּ, וקב"ה סַבֵּב כֹּלָּא, לְמֵהַךְ לְהַהוּא בֵּירָא, כְּמָה דְּאָזַל יַעֲקֹב לְגַבֵּי הַהוּא בֵּירָא, דִּכְתִּיב, וַיֵּשֶׁב עַל הַבְּאֵר. בְּיַעֲקֹב כְּתִיב, וַיַּרְא וְהִנֵּה בְאֵר. בְּמֹשֶׁה כְּתִיב, וַיֵּשֶׁב בְּאֶרֶץ מִדְיָן וַיֵּשֶׁב עַל הַבְּאֵר. בְּגִין דְּמֹשֶׁה וְיַעֲקֹב, אע"ג דְּבְדַרְגָּא חֲדָא הֲווּ, אִסְתַּלַּק מֹשֶׁה בְּהַאי יַתִּיר מִנֵּיהּ.

רי. רַבִּי יוֹסֵי וְרַבִּי יִצְחָק הֲווּ אַזְלֵי בְּאוֹרְחָא. אָמַר רַבִּי יוֹסֵי, הַהוּא בְּאֵר דְּחָמָא יַעֲקֹב, וְחָמָא מֹשֶׁה, אִי דָּא הֲוָה הַהוּא בֵּירָא, דְּחָפַר אַבְרָהָם וְיִצְחָק. א"ל לָאו. אֶלָּא,

בשעתא דאתברי עלמא, אתברי האי בירא. ובערב שבת בין השמשות, אתברי פומא דיליה, והאי איהו באר דזמנו יעקב ומשה.

ריא. מתניתין. אינון דרדפי קשוט, אינון דתבעי רזא דמהימנותא. אינון דאתדבקו בקשורא מהימנא. אינון דידעין אורחוי דמלכא עלאה. קריבו שמעו.

ריב. כד סליקו תרין, ונפקו לקדמות חד, מקבלין ליה בין תרין דרועין. תרין נחתי לתתא תרין אינון, וחד ביניהו. תרין אלין מותבא דנביאי ינקין בהו. וחד ביניהו, וחבורא איהו דכלא, איהו נטיל מכלא.

ריג. ההוא בירא קדישא, קאים תחותייהו, וקלא דתפוחין קדישין איהו מהאי בירא אתשקיין עדרייא, כל אינון רתיכין, כל אינון מארי דגדפין. תלת קיימין רביעין על האי בירא. האי בירא מנייהו אתמלי. אדנ"י אתקרי, על דא כתיב, אדני יי' אתה החלות וגו'. וכתיב והאר פניך על מקדשך השמם למען אדני, אדון כל הארץ, הה"ד הנה ארון הברית אדון כל הארץ. ביה גניז חד מקורא קדישא, דנביע ביה תדיר, ואמלי ליה, יי' צבאות אקרי. בריך הוא לעלם ולעלמי עלמין. (ע"כ תוספתא.

ריד. ולכהן מדין שבע בנות ותבאנה ותדלנה וגו'. א"ר יהודה, אי בירא דא, איהו בירא דיעקב, הא כתיב ביה, ונאספו שמה כל העדרים וגללו וגו'. והכא בנות יתרו לא אצטריכו להאי. אלא ותבאנה ותדלנה בלא טורח אחרא.

רטו. א"ר חייא, יעקב אעדי לה מן בירא, דהא כתיב, כד מתכנשי תמן כל עדריא, והשיבו את האבן. וביעקב, לא כתיב וישב את האבן, דהא לא אצטריך לבתר כן, דהא בקדמיתא מיא לא הוו סלקין, כיון דאתא יעקב, סליקו מיא לגביה, וההוא אבנא, לא הוה על פום בירא, ובגין כך ותבאנה ותדלנה.

רטז. ר' אלעזר ור' אבא הוו אזלי מטבריא לצפרי. עד דהוו אזלי, פגע בהו חד יודאי, אתחבר בהדייהו, א"ר אלעזר, כל חד לימא מלה דאורייתא.

ריז. פתח איהו ואמר, ויאמר אלי הנבא בן אדם הנבא אל הרוח ואמרת אל הרוח וגו'. מהאי קרא ידענא, אתר דהרוח נפקא מניה, וכי יכיל הוה יחזקאל לנבאה על הרוח, והא כתיב אין אדם שליט ברוח לכלוא את הרוח. אלא, בר נש לא יכיל לשלטאה ברוח, אבל קודשא בריך הוא איהו שליט בכלא, ועל מימריה הוה מתנבי יחזקאל. ותו דהא רוח הוה בגופא בהאי עלמא, ובגין כך אתנבי עליה, מארבע רוחות בואי הרוח, מההוא אתר דאתחום בסמכוי בארבע סטרין דעלמא.

ריח. דליג ההוא יודאי קמיה, אמר ליה רבי אלעזר, מאי חמית. אמר מלה חמינא. אמר ליה מאי היא. אמר ליה רוח בני אדם, אי אתלבש בג"ע בלבושא דדיוקנא בגופא דהאי עלמא, הוה ליה למכתב, כה אמר ה' מג"ע בואי הרוח, מהו מארבע רוחות.

ריט. א"ל, רוחא לא נחתא להאי עלמא, עד דסלקא מגנתא דארעא, לגו כורסייא, דקיימא על ארבע סמכין. כיון דסלקא תמן, אשתאבא מגו ההוא כורסייא דמלכא, ונחתא להאי עלמא, גופא אתנטיל מארבע סטרי עלמא, רוח אוף הכי אתנטיל מארבע סטרי דכורסייא, דמתתקנא עלייהו.

רכ. אמר ליה ההוא בר נש, דליגא דקא דליגנא קמייכו, מלה חמינא מהאי סטרא. בגין דיומא חדא הוינא אזיל במדברא, וחמינא אילנא חד דמרגג למחזי, וחד מערתא תחותיה, קריבנא גביה וחמינא ההיא מערתא, דסלקא ריחין מכל זיני ריחין

דְּעָלְמָא. אִתְתַּקְּפְנָא בְּגַרְמַאי וְאָעִילְנָא בְּהַהִיא מְעַרְתָּא, וְנַחֲזִיתְנָא בְּדַרְגִּין יְדִיעָן בְּגוֹ דּוּכְתָּא חֲדָא, דַּהֲווּ בֵּיהּ אִלָּנִין סַגִּיאִין וְרֵיחִין וּבוּסְמִין, דְּלָא יָכִילְנָא לְמִסְבַּל.

רכא. וְתַמָּן חֲמֵינָא חַד בַּר נָשׁ, וְשַׁרְבִיטָא חַד בִּידֵיהּ. וַהֲוָה קָאִים בְּחַד פִּתְחָא, כֵּיוָן דְּחָמָא לִי, תָּוַהּ וְקָם לְגַבָּאי. אָמַר לִי, מָה אַתְּ הָכָא, וּמַאן אַתְּ, אֲנָא דְּחִילְנָא סַגְּיָא, אֲמֵינָא לֵיהּ, מָארֵי מִן חַבְרַיָּיא אֲנָא, כַּךְ וְכַךְ חֲמֵינָא בְּמַדְבְּרָא, וְעָאלְנָא בְּהַאי מְעַרְתָּא, וְנַחֲזִיתְנָא הָכָא.

רכב. אָמַר לִי, הוֹאִיל וּמִן חַבְרַיָּיא אַנְתְּ, טוֹל הַאי קִיטְרָא דִּכְתָבָא, וְהַב לֵיהּ לְחַבְרַיָּיא, אִינּוּן דְּיַדְעִין רָזִין דְּרוּחֵיהוֹן דְּצַדִּיקַיָּא, בָּטַשׁ בִּי בְּהַהוּא שַׁרְבִיטָא, וְדָמִיכְנָא. אַדְּהָכִי, חֲמֵינָא כַּמָּה חֵילִין וּמַשִּׁירְיָין גּוֹ שֵׁינָתָא, דַּהֲווּ אַתְיָין בְּאוֹרְחָא, לְהַהוּא דּוּכְתָּא. וְהַהוּא גַּבְרָא בָּטַשׁ בְּהַהוּא שַׁרְבִיטָא, וְאָמַר בְּאוֹרְחָא דְּאִילָנֵי זִילוּ. אַדְּהָכִי דַּהֲווּ אַזְלֵי, פָּרְחֵי בַּאֲוִירָא וְסַלְקֵי, וְלָא יָדַעְנָא לְאָן אֲתַר. וּשְׁמַעְנָא קָלִין דְּמַשִּׁירְיָין סַגִּיאִין, וְלָא יָדַעְנָא מַאן אִינְהוּ. אִתְּעַרְנָא, וְלָא חֲמֵינָא מִידִי, וְדָחִילְנָא בְּהַהוּא אֲתַר.

רכג. אַדְּהָכִי, חֲמֵינָא לְהַהוּא בַּר נָשׁ, אָמַר לִי, חָמֵית מִידִי, אֲמֵינָא לֵיהּ, חֲמֵינָא גּוֹ שֵׁינָתָא כַּךְ וְכַךְ. אָמַר, בְּהַהוּא אָרְחָא אַזְלֵי רוּחֵיהוֹן דְּצַדִּיקַיָּא, גּוֹ גִּנְּתָא דְּעֵדֶן לְאָעָלָא תַּמָּן. וּמַה דִּשְׁמַעְתְּ מִנַּיְיהוּ, הוּא, דְּקַיְּימֵי בְּגִנְתָּא בְּדִיוּקְנָא דְּהַאי עָלְמָא וְחַדָּאן בְּרוּחֵיהוֹן דְּצַדִּיקַיָּא דְּעָאלִין תַּמָּן.

רכד. וּכְמָה דְּגוּפָא אִתְבְּנֵי בְּהַאי עָלְמָא, מִקִּטּוּרָא דְּאַרְבַּע יְסוֹדֵי, וְאִתְצַיָּיר בְּהַאי עָלְמָא. אוּף הָכִי רוּחָא, אִתְצַיָּיר בְּגִינְּתָא, מִקִּטּוּרָא דְּאַרְבַּע רוּחִין דְּקַיְּימָא בְּגִנְּתָא, וְהַהוּא רוּחָא, אִתְלַבְּשָׁא תַּמָּן, וּמִתְצַיְּירַת מִנַּיְיהוּ, בְּצִיּוּרָא דְּדִיוּקְנָא דְּגוּפָא, דְּאִתְצַיָּיר בְּהַאי עָלְמָא. וְאִלְמָלֵא אִינּוּן אַרְבַּע רוּחִין, דְּאִינּוּן אֲוִירִין דְּגִנְּתָא, רוּחָא לָא מִתְצַיְּירָא בְּצִיּוּרָא כְּלָל, וְלָא אִתְלַבְּשָׁא בְּהוּ.

רכה. אִינּוּן ד' רוּחִין, קְטִירִין אִלֵּין בְּאִלֵּין כַּחֲדָא, וְהַהוּא רוּחַ אִתְצַיָּיר וְאִתְלָבַשׁ בְּהוּ, כְּגַוְונָא דְּגוּפָא אִתְצַיָּיר בְּקִטּוּרֵי, דְּד' יְסוֹדֵי עָלְמָא. וּבְגִין כַּךְ, מֵאַרְבַּע רוּחוֹת בּוֹאִי הָרוּחַ, מֵאִינּוּן אַרְבַּע רוּחִין דְּג"ע, דְּאִתְלַבְּשָׁא וְאִתְצַיְּירֶת בְּהוּ, וְהַשְׁתָּא טוֹל הַאי קִיטְרָא דִּכְתָבָא וְזִיל לְאָרְחָךְ, וְהַב לֵיהּ לְחַבְרַיָּיא.

רכו. אָתָא רִבִּי אֶלְעָזָר, וְאִינּוּן חַבְרַיָּיא, וְנַשְּׁקוּהוּ בְּרֵישֵׁיהּ, א"ר אֶלְעָזָר, בְּרִיךְ רַחֲמָנָא, דְּשַׁדְּרָךְ הָכָא, דְּוַדַּאי דָּא הוּא בְּרִירָא דְּמִלָּה, וְקוּדְשָׁא בְּרִיךְ הוּא אַזְמִין לְפוּמֵי הַאי קְרָא. יְהַב לוֹן הַהוּא קִיטְרָא דִּכְתָבָא, כֵּיוָן דְּנָטַל לֵיהּ רִבִּי אֶלְעָזָר, וּפָתַח לֵיהּ, נָפַק אֲפוּתָא דְּאֶשָּׁא, וְאַסְחַר לֵיהּ, וְחָמָא בֵּיהּ מַה דְּחָמָא, וּפָרַח מִן יְדוֹי.

רכז. בָּכָה ר' אֶלְעָזָר, וְאָמַר מַאן יָכִיל לְקַיְּימָא בְּגִנְזַיָּיא דְּמַלְכָּא, ה' מִי יָגוּר בְּאָהֳלֶךָ מִי יִשְׁכּוֹן בְּהַר קָדְשֶׁךָ. זַכָּאָה הַאי אוֹרְחָא, וְהַהִיא שַׁעֲתָא דְּאִעֲרַעְנָא בָּךְ. וּמֵהַהוּא יוֹמָא הֲוָה חַדֵּי רִבִּי אֶלְעָזָר, וְלָא אָמַר כְּלוּם לְחַבְרַיָּיא, עַד דַּהֲווּ אַזְלֵי, פָּגְעוּ בְּחַד בֵּירָא דְּמַיָּא, קַיְּימוּ עָלֵיהּ, וְשָׁתוּ מִן מַיָּא.

רכח. א"ר אֶלְעָזָר, זַכָּאָה חוּלָקֵיהוֹן דְּצַדִּיקַיָּא, יַעֲקֹב עָרַק מִקָּמֵי אֲחוּי, וְאִזְדַּמַּן לֵיהּ בֵּירָא, כֵּיוָן דְּבֵירָא חָמָא לֵיהּ, מַיָּא אִשְׁתְּמוֹדְעוּ לְמָארֵיהוֹן, וְסַלְקִין לְגַבֵּיהּ, וְחַדוּ בַּהֲדֵיהּ, וְתַמָּן אִזְדַּוְּוגַת לֵיהּ בַּת זוּגֵיהּ. מֹשֶׁה עָרַק מִקָּמֵי פַּרְעֹה, וְאִזְדַּמַּן לֵיהּ הַהוּא בֵּירָא, וּמַיִין חָמוּ לֵיהּ, וְאִשְׁתְּמוֹדְעוּ לְמָארֵיהוֹן, וְסַלְקוּ לְגַבֵּיהּ, וְתַמָּן אִזְדַּוְּוגַת לֵיהּ בַּת זוּגֵיהּ.

רכט. מַה בֵּין מֹשֶׁה לְיַעֲקֹב, יַעֲקֹב כְּתִיב בֵּיהּ, וַיְהִי כַּאֲשֶׁר רָאָה יַעֲקֹב אֶת רָחֵל וְגוֹ'.

וַיִּגַּשׁ יַעֲקֹב וַיָּגֶל אֶת הָאֶבֶן וְגוֹ'. מֹשֶׁה מַה כְּתִיב בֵּיהּ, וַיָּבֹאוּ הָרוֹעִים וַיְגָרְשׁוּם וַיָּקָם מֹשֶׁה וַיּוֹשִׁיעָן וְגוֹ'. בְּוַדַּאי יָדַע הֲוָה מֹשֶׁה, כֵּיוָן דְּחָמָא מַיָּא דְּסַלְּקִין לְגַבֵּיהּ, דְּתַמָּן תִּזְדָּמַן לֵיהּ בַּת זוּגֵיהּ. וְתוּ, דְּהָא רוּחַ קוּדְשָׁא, לָא אִתְעֲדֵי מִנֵּיהּ לְעָלְמִין וּבֵיהּ הֲוָה יָדַע, דְּצִפּוֹרָה תֶּהֱוֵי בַּת זוּגֵיהּ. אָמַר מֹשֶׁה, וַדַּאי יַעֲקֹב אָתָא לְהָכָא, וּמַיָּא סְלִיקוּ לְגַבֵּיהּ, אִזְדַּמַּן לֵיהּ בַּר נָשׁ דְּאַכְנִישׁ לֵיהּ לְבֵיתֵיהּ, וְיָהַב לֵיהּ כָּל מַה דְּאִצְטְרִיךְ. אֲנָא אוֹף הָכִי.

רל. אָמַר הַהוּא בַּר נָשׁ, הָכִי אוֹלִיפְנָא, דְּיִתְרוֹ כּוֹמֶר לְכו"ם הֲוָה. כֵּיוָן דְּחָמָא דְּכו"ם לֵית בָּהּ מַמָּשׁוּ. אִתְפָּרַשׁ מִפּוּלְחָנָא דִּילֵהּ. קָמוּ עַמָּא וְנַדּוּהוּ. כֵּיוָן דְּחָמָא בְּנָתֵיהּ, הֲווּ מִתָּרְכָן לוֹן, דְּהָא בְּקַדְמֵיתָא אִינּוּן הֲווּ רַעֲאָן עָאנֵיהּ. כֵּיוָן דְּחָזְמוּ מֹשֶׁה בְּרוּחַ קוּדְשָׁא, דְּעַל מִלָּה דְּכו"ם הֲווּ עַבְדֵי, מִיַּד וַיָּקָם מֹשֶׁה וַיּוֹשִׁיעָן וַיַּשְׁק אֶת צֹאנָם. וְאִתְעֲבִיד קַנָּאָה לְקוּדְשָׁא בְּרִיךְ הוּא בְּכֹלָּא.

רלא. אָמַר לֵיהּ רַבִּי אֶלְעָזָר, אַנְתְּ לְגַבָּן, וְלָא יָדַעְנָא שְׁמָךְ. אָמַר, אֲנָא יוֹעֶזֶר בֶּן יַעֲקֹב. אָתוּ חַבְרַיָּיא וְנַשְּׁקוּהוּ, אָמְרוּ, וּמַה אַנְתְּ לְגַבָּן, וְלָא הֲוֵינָן יָדְעִין בָּךְ. אָזְלוּ כַּחֲדָא כָּל הַהוּא יוֹמָא לְיוֹמָא אָחֳרָא אוֹפוּהוּ תְּלַת מִילִין, וְאָזִיל לְאוֹרְחֵיהּ.

רלב. וַתֹּאמַרְןָ אִישׁ מִצְרִי הִצִּילָנוּ. רַבִּי חִיָּיא אָמַר, הָא אוֹקְמוּהָ חַבְרַיָּיא, דְּנִצְנְצָא בְּהוּ רוּחַ קוּדְשָׁא, וְאָמְרוּ, וְלָא יָדְעוּ מַה אָמְרוּ. לְבַר נָשׁ, דַּהֲוָה יָתִיב בְּמַדְבְּרָא, וַהֲווּ יוֹמִין דְּלָא אָכַל בִּשְׂרָא. יוֹמָא חַד אָתָא דּוּבָא לְנַטְלָא חַד אִימְרָא, עָרַק אִימְרָא, וְדוּבָא אֲבַתְרֵיהּ, עַד דְּמָטוּ לְגַבֵּי הַהוּא בַּר נָשׁ לְמַדְבְּרָא, חָמָא אִימְרָא, וְאַתְקִיף בֵּיהּ וּשְׁחָטֵיהּ וְאָכַל בִּשְׂרָא.

רלג. ד"א וְאֵלֶּה שְׁמוֹת בְּנֵי יִשְׂרָאֵל. רַבִּי יְהוּדָה פָּתַח וְאָמַר, שְׁחוֹרָה אֲנִי וְנָאוָה וְגוֹ', שְׁחוֹרָה אֲנִי וְנָאוָה, דָּא כְּנֶסֶת יִשְׂרָאֵל, דְּהִיא שְׁחוֹרָה מִן גָּלוּתָא, וְנָאוָה, דְּהִיא נָאוָה בְּאוֹרַיְיתָא, וּבְפִקּוּדִין, וּבְעוֹבָדִין דְּכַשְׁרָן. בְּנוֹת יְרוּשָׁלַםִ, דְּעַל דָּא, זַכָּאִין לְיָרְתָאָה יְרוּשָׁלֵם דִּלְעֵילָּא. כְּאָהֳלֵי קֵדָר, אַף עַל גַּב דְּהִיא קוֹדֶרֶת בְּגָלוּתָא, בְּעוֹבָדִין הִיא כִּירִיעוֹת שְׁלֹמֹה, כִּירִיעוֹת, דְּמַלְכָּא דִּשְׁלָמָא כֹּלָּא דִּילֵיהּ.

רלד. רַבִּי חִיָּיא רַבָּא, הֲוָה אָזִיל לְגַבֵּי מָארֵיהוֹן דְּמַתְנִיתָא, לְמֵילַף מִנַּיְיהוּ. אָזַל לְגַבֵּי רַבִּי שִׁמְעוֹן בֶּן יוֹחָאי, וְחָמָא פַּרְגּוֹד חַד, דַּהֲוָה פָּסִיק בְּבֵיתָא. תָּוָה רַבִּי חִיָּיא, אָמַר, אֶשְׁמַע מִלָּה מִפּוּמֵיהּ מֵהָכָא.

רלה. שָׁמַע דַּהֲוָה אָמַר, בְּרַח דּוֹדִי וּדְמֵה לְךָ לִצְבִי אוֹ לְעוֹפֶר הָאַיָּלִים. כָּל כִּסּוּפָא דְּכִסִּיפוּ יִשְׂרָאֵל מִקּב"ה הוּא, דְּאָר"שׁ, תַּאֲוָתָם שֶׁל יִשְׂרָאֵל, שֶׁיִּהְיֶה הקב"ה לֹא הוֹלֵךְ וְלֹא מִתְרַחֵק, אֶלָּא בּוֹרֵחַ כַּצְּבִי אוֹ כְּעוֹפֶר הָאַיָּלִים.

רלו. מ"ט, אר"שׁ, אֵין חַיָּה בָּעוֹלָם עוֹשָׂה כְּמוֹ הַצְּבִי אוֹ כְּעוֹפֶר הָאַיָּלִים, בִּזְמַן שֶׁהוּא בּוֹרֵחַ הוֹלֵךְ מְעַט מְעַט, וּמַחֲזִיר אֶת רֹאשׁוֹ לַמָּקוֹם שֶׁיָּצָא מִמֶּנּוּ, וּלְעוֹלָם תָּמִיד הוּא מַחֲזִיר אֶת רֹאשׁוֹ לַאֲחוֹרָיו. כָּךְ אָמְרוּ יִשְׂרָאֵל, רבש"ע, אִם אָנוּ גּוֹרְמִים שֶׁתִּסְתַּלֵּק מִבֵּינֵינוּ, יְהִי רָצוֹן, שֶׁתִּבְרַח כְּמוֹ הַצְּבִי אוֹ כְּמוֹ עוֹפֶר הָאַיָּלִים, שֶׁהוּא בּוֹרֵחַ וּמַחֲזִיר אֶת רֹאשׁוֹ לַמָּקוֹם שֶׁהִנִּיחַ, הה"ד, וְאַף גַּם זֹאת בִּהְיוֹתָם בְּאֶרֶץ אוֹיְבֵיהֶם לֹא מְאַסְתִּים וְלֹא גְּעַלְתִּים לְכַלּוֹתָם. ד"א, הַצְּבִי כְּשֶׁהוּא יָשֵׁן, הוּא יָשֵׁן בְּעַיִן אַחַת, וְהָאַחֶרֶת הוּא נֵעוֹר, כָּךְ אָמְרוּ יִשְׂרָאֵל לקב"ה, עֲשֵׂה כְּמוֹ הַצְּבִי, שֶׁהִנֵּה לֹא יָנוּם וְלֹא יִישָׁן שׁוֹמֵר יִשְׂרָאֵל.

רלז. שָׁמַע רַבִּי חִיָּיא וְאָמַר, אִי עִלָּאִין עַסְקִין בְּבֵיתָא, וַאֲנָא יָתִיב אַבְרַאי, בָּכָה. שָׁמַע ר"שׁ וְאָמַר, וַדַּאי שְׁכִינְתָּא לְבָרָא, מַאן יִפּוּק. אָמַר רַבִּי אֶלְעָזָר בְּרֵיהּ. אִי אֲנָא קָלֵינָא, לָא קָלֵינָא דְּהָא שְׁכִינְתָּא בְּרָא מִנָּנָא, לֵיעוּל שְׁכִינְתָּא, וְתֶיהֱוֵי אֶשָּׁתָא שְׁלֵימָתָא.

שָׁמַע קָלָא דְּאָמַר, עַד לָא סַמְכִין אִסְתְּמָכוּ, וְתַרְעִין לָא אִתְתְּקָנוּ, וּמְזוֹטְרֵי דְּבוּסְמַיָּא דְּעֵדֶן דִּכְעָן הוּא, לָא נָפַק ר' אֶלְעָזָר.

רלח. יָתִיב רִבִּי חִיָּיא, בָּכָה וְאִתְגְּנַח, פָּתַח וְאָמַר, סֹב דְּמֵה לְךָ דוֹדִי לִצְבִי אוֹ לְעֹפֶר הָאַיָּלִים. אִתְפְּתַח תַּרְעָא דְּפַרְגּוֹדָא, לָא עָיֵיל רִבִּי חִיָּיא, זָקִיף רִבִּי שִׁמְעוֹן עֵינוֹי וְאָמַר, ש"מ אִתְיְהִיב רְשׁוּתָא לְמַאן דְּאִיהוּ אַבְרָאֵי וַאֲנָן לְגוֹ. קָם רִבִּי שִׁמְעוֹן, אָזַל אֶשָּׁא מִדּוּכְתֵּיהּ, עַד דּוּכְתָּא דְּרִבִּי חִיָּיא, אָמַר רִבִּי שִׁמְעוֹן, קוּזְטִיפָא דִּנְהוֹרָא דְּקַלִּיטְרָא לְבַר, וַאֲנָא הָכָא לְגוֹ, אִתְאַלַּם פּוּמֵיהּ דְּרִבִּי חִיָּיא.

רלט. כֵּיוָן דְּעָאל לְגוֹ, מָאִיךְ עֵינוֹי, וְלָא זָקִיף רֵישֵׁיהּ. אָמַר רִבִּי שִׁמְעוֹן לְרִבִּי אֶלְעָזָר בְּרֵיהּ, קוּם אַעְבַּר יְדָךְ אֲפוּמֵיהּ, דְּלָא יָדַע בְּהַאי, דְּלָא רָגִיל בֵּיהּ. קָם רִבִּי אֶלְעָזָר, אַעְבַּר יְדֵיהּ אֲפוּמֵיהּ דְּרִבִּי חִיָּיא, פָּתַח פּוּמֵיהּ רִבִּי חִיָּיא, וְאָמַר, חָמָא עֵינָא מַה דְּלָא חֲמֵינָא, אִזְדְּקַף דְּלָא חֲשִׁיבְנָא, טָב לְמֵימַת בְּאֶשָּׁא דְּדַהֲבָא טָבָא דָּלִיק.

רמ. בְּאֲתַר דִּשְׁבִיבִין זַרְקִין לְכָל עִיבַר, וְכָל שְׁבִיבָא וּשְׁבִיבָא, סָלִיק לִתְלַת מְאָה וְשַׁבְעִין רְתִיכִין. וְכָל רְתִיכָא, אִתְפְּרַשׁ לְאֶלֶף אַלְפִין, וְרִבּוֹא רִבְוָון, עַד דְּמָטוּ לְעַתִּיק יוֹמִין, דְּיָתִיב עַל כֻּרְסְיָיא, וְכֻרְסְיָיא מִזְדַּעְזְעָא מִנֵּיהּ, לְמָאתָן וְשִׁתִּין עָלְמִין.

רמא. עַד דְּמָטָא לַאֲתַר עִדּוּנָא דְּצַדִּיקַיָּיא, עַד דְּאִשְׁתְּמַע בְּכָל רְקִיעִין, וְכָל עִלָּאִין וְתַתָּאִין, וְכֻלְּהוּ בִּזְמְנָא חֲדָא, תַּוְהִין וְאַמְרִין, הָדֵין הוּא רִבִּי שִׁמְעוֹן בֶּן יוֹחָאי, דַּהֲוָה מַרְעִישׁ כֹּלָּא, מַאן יָכִיל לְמֵיקָם קָמֵיהּ. דֵּין הוּא רשב"י, דִּבְשַׁעֲתָא דְּפָתַח פּוּמֵיהּ לְמִשְׁרֵי לְמִלְעֵי בְּאוֹרַייְתָא, צַיְיתִין לְקָלֵיהּ, כָּל כֻּרְסְוָון וְכָל רְקִיעִין וְכָל רְתִיכִין, וְכָל אִינּוּן דִּמְשַׁבְּחֵי לְמָרֵיהוֹן.

רמב. לֵית דְּפַתְחִין וְלֵית דִּמְסַיְּימִין, כֻּלְּהוּ מִשְׁתַּכְּחִין, עַד לָא אִשְׁתְּמַע בְּכָל רְקִיעַיָּא דִּלְעֵילָּא וְתַתָּא, פִּטְרָא. כַּד מְסַיֵּים רִבִּי שִׁמְעוֹן לְמִלְעֵי בְּאוֹרַייְתָא, מַאן חָמֵי שִׁירִין, מַאן חָמֵי חֶדְוָתָא, דִּמְשַׁבְּחִין לְמָרֵיהוֹן, מַאן חָמֵי קָלִין דְּאַזְלִין בְּכֻלְּהוּ רְקִיעִין. אַתְיָין כֻּלְּהוּ בְּגִינֵיהּ דר"ש, וְכַרְעִין וְסַגְדִין קַמֵּי דְּמָרֵיהוֹן, סַלְּקִין רֵיחִין דְּבוּסְמִין דְּעֵדֶן, עַד עַתִּיק יוֹמִין, וְכָל הַאי בְּגִינֵיהּ דר"ש.

רמג. פָּתַח רִבִּי שִׁמְעוֹן פּוּמֵיהּ וְאָמַר, שִׁית דַּרְגִּין נַחְתּוּ עִמֵּיהּ דְּיַעֲקֹב לְמִצְרַיִם וְכָל חַד וְחַד עֲשָׂרָה אֶלֶף רִבּוֹא. וְלָקֳבְלֵיהוֹן שִׁית דַּרְגִּין לְיִשְׂרָאֵל. וְלָקֳבְלֵיהוֹן שִׁית דַּרְגִּין לְכֻרְסְיָיא דִּלְעֵילָּא. וְלָקֳבְלֵיהוֹן שִׁית דַּרְגִּין לְכֻרְסְיָיא דִּלְתַתָּא. דִּכְתִיב שֵׁשׁ מַעֲלוֹת לַכִּסֵּא. הה"ד רְבָבָה כְּצֶמַח הַשָּׂדֶה נְתַתִּיךְ וְגוֹ', הֲרֵי שִׁית. וְלָקֳבְלֵיהוֹן כְּתִיב, וּבְנֵי יִשְׂרָאֵל פָּרוּ וַיִּשְׁרְצוּ וַיִּרְבּוּ וַיַּעַצְמוּ וְגוֹ'.

רמד. ת"ח, כָּל חַד וְחַד סָלִיק לַעֲשָׂרָה, וַהֲווּ שִׁתִּין, וְאִינּוּן שִׁתִּין גִּבְרִין דִּבְסַחֲרָנֵי שְׁכִינְתָּא, וְאִינּוּן שִׁתִּין רִבְּבָן, דְּנַפְקוּ עִם יִשְׂרָאֵל מִגָּלוּתָא, וּדְעָאלוּ עִם יַעֲקֹב בְּגָלוּתָא.

רמה. א"ל ר' חִיָּיא, וְהָא הֲווּ שִׁבְעָה, וְסַלְּקִין לְשַׁבְעִין, א"ל ר' שִׁמְעוֹן, שַׁבְעִין לָאו מֵהָכָא, וְאִי ס"ד שִׁבְעָה, הָא כְּתִיב וְשִׁשָּׁה קָנִים יוֹצְאִים מִצִּדֶּיהָ שְׁלֹשָׁה קְנֵי מְנוֹרָה וְגוֹ'. וְקָנֶה הָאֶחָד הָאֶמְצָעִי לָאו בְּחוּשְׁבְּנָא, דִּכְתִיב אֶל מוּל פְּנֵי הַמְּנוֹרָה יָאִירוּ וְגוֹ'.

רמו. עַד דַּהֲווּ יַתְבֵי, אר"א לְרִבִּי שִׁמְעוֹן אֲבוּי, מֶה חָמָא קב"ה, לְנַחְתָּא יִשְׂרָאֵל, לְמִצְרַיִם בְּגָלוּתָא. א"ל חֲדָא שְׁאֵלְתָּא אַתְּ שָׁאִיל, אוֹ תְּרֵין. א"ל תְּרֵין. גָּלוּתָא לָמָה. וּלְמִצְרַיִם לָמָה. א"ל תְּרֵין אִינּוּן וְאִתְחֲזָרוּ לְחַד. א"ל קוּם בְּקִיּוּמָךְ בְּגִינָךְ יִתְקַיַּים לְעֵילָּא, מִשְּׁמָךְ הַאי מִלָּה, אֵימָא בְּרִי אֵימָא.

רמז. פָּתַח וְאָמַר שִׁשִּׁים הֵמָּה מְלָכוֹת וּשְׁמוֹנִים פִּילַגְשִׁים. שִׁשִּׁים הֵמָּה מְלָכוֹת, אִינּוּן גַּבְרַיָּא דִּלְעֵילָּא מִסִּטְרָא דִּגְבוּרָא דְּאִתְאַחֲדָן בִּגְלִיפִין, דְּחֵיוָתָא קַדִּישָׁא דְּיִשְׂרָאֵל. וּשְׁמוֹנִים פִּילַגְשִׁים, מִמְּנָן בִּגְלִיפוֹי דִּתְחוֹתוֹי. וַעֲלָמוֹת אֵין מִסְפָּר, כד״א הֲיֵשׁ מִסְפָּר לִגְדוּדָיו. וְעִם כָּל דָּא כְּתִיב, אַחַת הִיא יוֹנָתִי תַמָּתִי אַחַת הִיא לְאִמָּהּ, דָּא הִיא שְׁכִינְתָּא קַדִּישָׁא דְּנָפְקָא מִתְּרֵיסַר זִהֲרָא, דְּזִהֲרָא דְּנָהִיר לְכֹלָּא, וְאִיהִי אִתְקְרֵי אִמָּא.

רמח. כְּגַוְונָא דָּא עָבִיד קב״ה בְּאַרְעָא, זָרִיק לְכָל עַמִּין לְכָל עִיבָר, וּמַנֵּי עֲלֵיהֶן רַבְרְבֵי, הה״ד אֲשֶׁר חָלַק ה׳ אֱלֹהֶיךָ אוֹתָם לְכֹל הָעַמִּים, וְהוּא נָסִיב לְחוּלָקֵיהּ כְּנִשְׁתָּא דְּיִשְׂרָאֵל, הה״ד כִּי חֵלֶק ה׳ עַמּוֹ יַעֲקֹב חֶבֶל נַחֲלָתוֹ. וְקָרָא לָהּ אַחַת הִיא יוֹנָתִי תַמָּתִי אַחַת הִיא לְאִמָּהּ, דָּא הִיא שְׁכִינַת יְקָרֵיהּ, דְּאַשְׁרֵי בֵּינַיְיהוּ, אַחַת הִיא וּמְיוּחֶדֶת לֵיהּ. רָאוּהָ בָנוֹת וַיְאַשְּׁרוּהָ, כד״א רַבּוֹת בָּנוֹת עָשׂוּ חָיִל וְאַתְּ עָלִית עַל כֻּלָּנָה. מְלָכוֹת וּפִילַגְשִׁים וַיְהַלְלוּהָ, אִלֵּין רַבְרְבֵי עַמִּין דְּאִתְפַּקְדָן עֲלַיְיהוּ.

רמט. וְעוֹד רָזָא דְּמִלָּה הִיא דִּתְנַן בַּעֲשָׂרָה מַאֲמָרוֹת נִבְרָא הָעוֹלָם, וְכַד תִּסְתַּכַּל תְּלָתָא אִינּוּן, וְעָלְמָא בְּהוּ אִתְבְּרֵי, בְּחָכְמָה וּבִתְבוּנָה וּבְדַעַת, וְעָלְמָא לָא אִתְבְּרֵי אֶלָּא בְּגִינַיְיהוּ דְּיִשְׂרָאֵל, כַּד בָּעָא לְקַיְּימָא עָלְמָא, עָבַד לְאַבְרָהָם בְּרָזָא דְּחָכְמָה. לְיִצְחָק, בְּרָזָא דִּתְבוּנָה. לְיַעֲקֹב בְּרָזָא דְּדַעַת. וּבְהַאי אִתְקְרֵי, וּבְדַעַת חֲדָרִים יִמָּלְאוּ. וּבְהַהִיא שַׁעֲתָא אִשְׁתַּכְלַל כָּל עָלְמָא. וּמִדְּאִתְיְלִידוּ לְיַעֲקֹב תְּרֵיסַר שִׁבְטִין, אִשְׁתַּכְלַל כֹּלָּא, כְּגַוְונָא דִּלְעֵילָּא.

רנ. כַּד חָמָא קב״ה חֶדְוָותָא סַגִּיאָה דְּהַאי עָלְמָא תַּתָּאָה, דְּאִשְׁתַּכְלַל כְּגַוְונָא דִּלְעֵילָּא, אָמַר, דִּילְמָא ח״ו יִתְעָרְבוּן בִּשְׁאַר עַמְמִין, וְיִשְׁתָּאַר פְּגִימוּתָא בְּכֻלְּהוּ עָלְמִין. מָה עָבַד קב״ה, טַלְטֵל לְכֻלְּהוּ מֵהָכָא לְהָכָא, עַד דְּנַחְתּוּ לְמִצְרַיִם, לְמֵידַר דִּיוּרֵיהוֹן בְּעַם קְשֵׁי קְדָל, דִּמְבַזִּין נִמּוּסֵיהוֹן, וּמְבַזִּין לְהוֹן לְאִתְחַתְּנָא בְּהוּ, וּלְאִתְעָרְבָא בַּהֲדַיְיהוּ, וְחָשִׁיבוּ לְהוֹן עַבְדִין. גּוּבְרִין גָּעֲלָן בְּהוֹן, נוּקְבְתָא גָּעֲלָן בְּהוֹן עַד דְּאִשְׁתַּכְלַל כֹּלָּא בְּזַרְעָא קַדִּישָׁא, וּבֵין כַּךְ וּבֵין כַּךְ שָׁלִים חוֹבָא דִּשְׁאַר עַמִּין, דִּכְתִּיב כִּי לֹא שָׁלֵם עֲוֹן הָאֱמוֹרִי עַד הֵנָּה. וְכַד נָפְקוּ, נָפְקוּ זַכָּאִין קַדִּישִׁין, דִּכְתִּיב שִׁבְטֵי יָהּ עֵדוּת לְיִשְׂרָאֵל. אָתָא ר׳ שִׁמְעוֹן וּנְשָׁקֵיהּ בְּרֵישֵׁיהּ, א״ל קָאִים בְּרִי בְּקִיּוּמָךְ, דִּשְׁעֲתָא קַיְּימָא לָךְ.

רנא. יָתִיב ר׳ שִׁמְעוֹן, ור׳ אֶלְעָזָר בְּרֵיהּ קָאִים וּמְפָרֵשׁ מִלֵּי דְּרָזֵי דְּחָכְמְתָא, וַהֲווּ אַנְפּוֹי נְהִירִין כְּשִׁמְשָׁא. וּמִלִּין מִתְבַּדְּרִין וְטָאסִין בִּרְקִיעָא. יָתְבוּ תְּרֵין יוֹמִין דְּלָא אָכְלוּ וְלָא שָׁתוּ, וְלָא הֲווּ יָדְעִין אִי הֲוָה יְמָמָא אוֹ לֵילְיָא. כַּד נָפְקוּ, יָדְעוּ דַּהֲווּ תְּרֵין יוֹמִין דְּלָא טָעֲמוּ מִידִי. קָרָא עַל דָּא רִבִּי שִׁמְעוֹן, וַיְהִי שָׁם עִם ה׳ אַרְבָּעִים יוֹם וְאַרְבָּעִים לַיְלָה לֶחֶם לֹא אָכַל וְגוֹ׳. וּמָה אִי אֲנָן בְּשַׁעֲתָא חֲדָא כָּךְ, מֹשֶׁה, דִּקְרָא אַסְהִיד בֵּיהּ, וַיְהִי שָׁם עִם ה׳ אַרְבָּעִים יוֹם וְגוֹ׳, עַל אַחַת כַּמָּה וְכַמָּה.

רנב. כַּד אָתָא רִבִּי חִיָּיא קַמֵּיהּ דְּרִבִּי, וְסָח לֵיהּ עוּבְדָא, תָּוָה רִבִּי, וְאָמַר לֵיהּ ר׳ שִׁמְעוֹן בֶּן גַּמְלִיאֵל אַבּוֹי, בְּרִי, ר׳ שִׁמְעוֹן בֶּן יוֹחָאי אַרְיָא, וְרִבִּי אֶלְעָזָר בְּרֵיהּ אַרְיָא, וְלָאו ר׳ שִׁמְעוֹן כִּשְׁאַר אַרְיָוָותָא, עָלֵיהּ כְּתִיב אַרְיֵה שָׁאָג מִי לֹא יִירָא וְגוֹ׳. וּמָה עָלְמִין דִּלְעֵילָּא מִזְדַּעְזְעִין מִינֵּיהּ, אֲנָן עאכ״ו. גַּבְרָא דְּלָא גָּזַר תַּעֲנִיתָא לְעָלְמִין עַל מָה דְּשָׁאִיל וּבָעֵי, אֶלָּא הוּא גָּזַר, קב״ה מְקַיֵּים. קב״ה גּוֹזֵר, וְאִיהוּ מְבַטֵּל. וְהַיְינוּ דִּתְנָן, מַאי דִּכְתִּיב מוֹשֵׁל בָּאָדָם צַדִּיק מוֹשֵׁל יִרְאַת אֱלֹהִים, הקב״ה מוֹשֵׁל בָּאָדָם, וּמִי מוֹשֵׁל בְּהקב״ה, צַדִּיק. דְּאִיהוּ גּוֹזֵר גְּזֵרָה, וְהַצַּדִּיק מְבַטְּלָהּ.

רנג. תנן, אמר ר' יהודה, אין לך דבר בחביבותא קמי קב"ה, כמו תפלתן של צדיקים, ואף על גב דניחא ליה, זמנין דעביד בעותהון, וזמנין דלא עביד.

רנד. ת"ר, זמנא חדא הוה עלמא צריכא למטרא, אתא רבי אליעזר, וגזר ארבעין תעניתא, ולא אתא מטרא, צלי צלותא, ולא אתא מטרא. אתא רבי עקיבא, וקם וצלי, אמר משיב הרוח, ונשב זיקא, אמר ומוריד הגשם, ואתא מטרא. חלש דעתיה דרבי אליעזר, אסתכל רבי עקיבא באנפוי.

רנה. קם רבי עקיבא קמי עמא ואמר, אמשול לכם משל, למה הדבר דומה, רבי אליעזר דמי לרחימא דמלכא, דרחים ליה יתיר, וכד עאל קמי מלכא, ניחא ליה, ולא בעי למיתן ליה בעותיה בבהילו, כי היכי דלא ליתפרש מניה, דניחא ליה דלישתעי בהדיה. ואנא דמי לעבדא דמלכא, דבעא בעותיה קמיה, ולא בעי מלכא דליעול לתרעי פלטרין, וכ"ש דלישתעי בהדיה, אמר מלכא, הבו ליה בעותיה בבהילו, ולא ליעול הכא. כך רבי אליעזר איהו רחימא דמלכא, ואנא עבדא, ובעי מלכא לאשתעי בהדיה כל יומא, ולא יתפריש מניה. ואנא, לא בעי מלכא דאיעול תרעי דפלטרין. נח דעתיה דרבי אליעזר.

רנו. א"ל, עקיבא, תא ואימא לך מלתא, דאתחזיא לי בחלמא האי פסוקא, דכתיב, ואתה אל תתפלל בעד העם הזה ואל תשא בעדם רנה ותפלה ואל תפגע בי. תא חזי, תריסר טורי אפרסמונא, עאל. ההוא דלביש חושנא ואפודא, ובעא מן קודשא בריך הוא, למיחס על עלמא ועד האידנא תלי איהו. אי הכי אמאי חלש דעתיה דרבי אליעזר. משום בני נשא, דלא ידעין בהאי.

רנז. אמר רבי אליעזר תמני סרי טורי אפרסמונא עלאין, עאלין נשמתהון דצדיקיא, וארבעין ותשעה ריחין, סלקין בכל יומא, עד ההוא אתר דאתקרי עדן, די לקבל דא, אתיהיבת אורייתא, במ"ט פנים טמא, ובמ"ט פנים טהור. מ"ט אתוון בשמהן דשבטי. מ"ט יומין לקבלא אורייתא. מ"ט יומין קדישין עלאין קיימין, למיטל רשותא בכל יומא מאבנין זהירין, דגליפאן בההוא חושנא.

רנח. וההוא דלביש חושנא, יתיב בכרסייא קדישא יקירא, דארבע סמכין קיימין מסתכלין בחושנא, על מימריה עאלין, ועל מימריה נפקין, זקפן עינין ומסתכלין לעילא, וחמאן ציצא, דלהיט בשית מאה ועשרין עיבר, ושמא קדישא עלאה, גליף עלוי, מזדעזען ומתחלחלן. קטירי בסטרוי דימינא קדישא, דשמאלא נטיל בידוי סמכי שמיא, עליל לון, וגלי לון. הדא הוא דכתיב, ונגולו כספר השמים.

רנט. א"ל ר' עקיבא, מהו דכתיב, אל גנת אגוז ירדתי. א"ל תא חזי, ההוא גנתא נפקא מעדן, ודא היא שכינתא. אגוז: דא היא רתיכא עלאה קדישא, דאינון ארבע רישין דנהרין, דמתפרשן מן גנתא, כהאי אגוזא, דאינון ארבע רישין קדישין לגו. ומאי דאמר ירדתי, כמה דתנן, ירד פלוני למרכבה.

רס. א"ל ר' עקיבא, אי הכי, הוה ליה למימר, לאגוז ירדתי, מהו אל גנת אגוז ירדתי. א"ל, משום דהיא שבחא דאגוזא. מה אגוזא, טמירא וסתימא מכל סטרוי, כך רתיכא דנפקא מגנתא, סתימא מכל סטרוי. מה אינון ארבע קרישין די באגוזא, מתחברן בהאי גיסא, ומתפרשן מהאי גיסא. כך רתיכא, מתחברן באחדותא בחדוותא בשלימותא, ומתפרש כל חד בעברוי, על מה דאתמני הה"ד, הוא הסובב

אֶת כָּל אֶרֶץ הַחֲוִילָה הוּא הַהוֹלֵךְ קִדְמַת אַשּׁוּר, וְכֵן כּוּלָם.

רסא. אָמַר רַבִּי עֲקִיבָא, הַאי לְכַלְכּוּכָא דְּהִיא בִּקְלִיפּוֹי דְּאֱגוֹזָא, לְמַאי רְמִיזָא. אָמַר לֵיהּ, אע"ג דְּאוֹרַיְיתָא לָא גַּלֵּי לֵיהּ, בְּהַאי גַּלֵּי.

רסב. ת"ח, שְׁקֵדִים, מִנְּהוֹן מְרִירָן, וּמִנְּהוֹן מְתִיקָן, וּרְמִיזָא אִית לוֹן, אִית מָארֵי דְּדִינָא קַשְׁיָא, וְאִית מָארֵי דְּשֵׁירוּתָא, אֲבָל כָּל רְמִיזָא דְּגַלֵּי בְּאוֹרַיְיתָא וְחָזֵינָן דְּדִינָא הֲוֵי, וְהָכִי הוּא לְיִרְמְיָהוּ, אַחֲזוּ לֵיהּ בְּדִינָא, דִּכְתִיב, מַקֵּל שָׁקֵד אֲנִי רוֹאֶה. מַאי שָׁקֵד. שְׁקֵדִים מַמָּשׁ. וְכֵן בְּמַטֵּה אַהֲרֹן, וַיִּגְמוֹל שְׁקֵדִים. וּמִן תֵּיבוּתָא מַמָּשׁ, אִשְׁתְּמַע, דְּהוּא דִּינָא קַשְׁיָא. דִּכְתִיב, וַיִּשְׁקוֹד ה' עַל הָרָעָה. וְכֵן שׁוֹקֵד אֲנִי עַל דְּבָרִי, וְכֵן כּוּלָם. אָמַר לֵיהּ ר' עֲקִיבָא, מַשְׁמַע כָּל מַה דְּעָבֵד קוּדְשָׁא בְּרִיךְ הוּא, לְמֵילַף מִנֵּיהּ וְחָכְמְתָא סַגִּיאָה, דִּכְתִיב כֹּל פָּעַל ה' לַמַּעֲנֵהוּ. ר' אֶלְעָזָר אָמַר מֵהָכָא, דִּכְתִיב, וַיַּרְא אֱלֹהִים אֶת כָּל אֲשֶׁר עָשָׂה וְהִנֵּה טוֹב מְאֹד. מַהוּ מְאֹד. לְמֵילַף מִנֵּיהּ וְחָכְמְתָא עִלָּאָה.

רסג. א"ר יְהוּדָה, מַאי דִּכְתִיב, גַּם אֶת זֶה לְעֻמַּת זֶה עָשָׂה הָאֱלֹהִים. כְּגַוְונָא דִּרְקִיעָא, עָבֵד קב"ה בְּאַרְעָא, וְכֻלְּהוּ רְמִיזָא לְמַה דִּלְעֵילָּא. דְּכַד הֲוָה וְחָמֵי ר' אַבָּא, חַד אִילָנָא, דְּאִבֵּיהּ אִתְעֲבִיד עוֹפָא דְּפָרַח מִנֵּיהּ, הֲוָה בָּכֵי וְאָמַר, אִי הֲווּ בְּנֵי נָשָׁא יַדְעֵי לְמַאי רְמִיזָאן, הֲווּ מְבַזְּעָן מַלְבּוּשַׁיְיהוּ עַד טַבּוּרֵיהוֹן, לְמַאי דְּאִתְנְשֵׁי וְחָכְמָה מִנְּהוֹן. כ"ש בִּשְׁאָר מַה דְּעָבֵד קב"ה בְּאַרְעָא.

רסד. כִּדְאָמַר ר' יוֹסֵי, אִלָּנִין, אִינּוּן דְּאִתְחֲזוּ מִנְּהוֹן וְחָכְמְתָא, כְּגוֹן חֲרוּבָא, דִּקְלָא, פִּסְתּוּקָא, וְכַדּוֹמֶה לוֹן, כֻּלְּהוּ בְּחַד רְכִיבָא אִתְרְכָבוּ. כָּל אִינּוּן דְּעָבְדִין פֵּירִין, בַּר מִתַּפּוּחִין, רָזָא וְחָדָא אִינּוּן, בַּר שְׁבִילִין דְּאִתְפָּרְשָׁן.

רסה. כָּל אִינּוּן דְּלָא עָבְדִין פֵּירִין, וְאִינּוּן רַבְרְבִין, בַּר מֵעַרְבִין דְּנַחְלָא, דְּאִית לְהוּ רָזָא בִּלְחוֹדוֹי כְּגַוְונָא דִּלְעֵילָּא, מְזוֹן יְנִיקָא יְנִיקוּ, וְכָל חַד מֵאִינּוּן דְּאִינְהוּ זוּטְרֵי, בַּר מֵאֵזוֹבָא, מֵאִימָא וְחָדָא אִתְיְלִידוּ.

רסו. כָּל עִשְׂבִּין דְּאַרְעָא, דְּאִתְמְנֵי עֲלַיְיהוּ רַבְרְבִין תַּקִּיפִין בִּשְׁמַיָּא. כָּל חַד וְחַד רָזָא בִּלְחוֹדוֹי, כְּגַוְונָא דִּלְעֵילָּא, וּבְגִין כָּךְ כְּתִיב, שָׂדְךָ לֹא תִזְרַע כִּלְאָיִם. דְּכָל חַד וְחַד עָאל בִּלְחוֹדוֹי, וְנָפִיק בִּלְחוֹדוֹי, הה"ד, הֲיָדַעְתָּ חֻקּוֹת שָׁמַיִם אִם תָּשִׂים מִשְׁטָרוֹ בָאָרֶץ. וּכְתִיב לְכֻלָּם בְּשֵׁם יִקְרָא. וּמַה בְּכָל מַה, דִּבְעָלְמָא רָזָא בִּלְחוֹדוֹי וְלָא בָּעָא קב"ה לְגַלָּאָה לוֹן, וּלְעַרְבְּבָא לוֹן, וּקְרָאן בִּשְׁמָהָן. בְּנֵי יַעֲקֹב דְּאִינּוּן שִׁבְטִין קַדִּישִׁין, דְּאִינּוּן קִיּוּמָא דְּעָלְמָא, עַל אַחַת כַּמָּה וְכַמָּה, הה"ד וְאֵלֶּה שְׁמוֹת בְּנֵי יִשְׂרָאֵל.

רסז. ר' יוֹסֵי בַּר' יְהוּדָה אָמַר, אִילּוּ נֶאֱמַר אֵלֶּה שְׁמוֹת, מַשְׁמַע דְּהָכִי הוּא. הַשְׁתָּא דִּכְתִיב וְאֵלֶּה שְׁמוֹת, מַשְׁמַע דְּעַל הָרִאשׁוֹנִים מוֹסִיף, מַה הָרִאשׁוֹנִים בְּנֵי יַעֲקֹב, אַף כָּאן בְּנֵי יַעֲקֹב.

רסח. א"ר יְהוּדָה, ו"ו, בְּשַׁעֲתָא דְּאָמַר קב"ה, אָנֹכִי אֵרֵד עִמְּךָ מִצְרַיְמָה, ס"ד דִּשְׁכִינְתָּא תֵּיחוֹת עִמֵּיהּ בְּהַהִיא שַׁעֲתָא מַמָּשׁ, אֶלָּא, בְּשַׁעֲתָא דַּהֲוַת יְרִידָה לִבְנוֹהִי, נָחֲתַת שְׁכִינְתָּא, הה"ד, אָנֹכִי אֵרֵד עִמְּךָ מִצְרַיְמָה, וְאָנֹכִי אַעַלְךָ גַם עָלֹה, כָּל זִמְנָא דִּיהֵא לָךְ עֲלִיָּה, כִּבְיָכוֹל עֲלִיָּיה אִית לִי, וּבְשַׁעֲתָא דִּיהֵא לָךְ יְרִידָה, כִּבְיָכוֹל אָנֹכִי אֵרֵד עִמְּךָ. וְעַד דְּמִית יוֹסֵף וְכָל אֲחוֹי, וַהֲוַת לוֹן יְרִידָה, קָמַת שְׁכִינְתָּא וְנָחֲתַת עִמְּהוֹן, כְּמָה דְּנָחֲתוּ אִלֵּין, כָּךְ נָחֲתוּ אִלֵּין.

רסט. אָמַר ר' יוֹסֵי בַּר' יְהוּדָה, מַה כְּתִיב לְעֵיל מִנֵּיהּ, וַיָּמָת יוֹסֵף בֶּן מֵאָה וָעֶשֶׂר

שָׁנִים וְגוֹ׳, בְּהַהִיא שַׁעֲתָא דְּמִית יוֹסֵף, וְכֻלְּהוּ שִׁבְטִין, וַהֲוָה לוֹן יְרִידָה, נַחְתּוּ בְּנֵי יִשְׂרָאֵל בְּגָלוּתָא, וּשְׁכִינְתָּא וּמַלְאֲכֵי עִלָּאֵי נַחְתּוּ עִמְּהוֹן, הה״ד, וְאֵלֶּה שְׁמוֹת בְּנֵי יִשְׂרָאֵל, דְּאִינּוּן אִתּוֹסְפוּ עַל קַדְמָאֵי לְמֵיוַת בְּגָלוּתָא.

ער. א״ל, אִי הָכִי, יַעֲקֹב הֲוָה מִית אוֹ לָא. א״ל מִית. א״ל, וּמַהוּ דִּכְתִיב הַבָּאִים מִצְרָיְמָה אֵת יַעֲקֹב, אִי בְּחַיֵּי, אֵימָא אֵת יַעֲקֹב, וְאִי בָּתַר דְּמִית, אַפִּיק מִתַּמָּן אֵת יַעֲקֹב. אֶלָּא תָּא וַחֲזֵי, לָא אָמַר קְרָא הַיּוֹרְדִים מִצְרָיְמָה אֵת יַעֲקֹב, דְּעַד כְּעַן לָא הֲוַת יְרִידָה לְיַעֲקֹב, אֶלָּא הַבָּאִים, אוֹלִיפְנָא דְּאָתוּ עִמֵּיהּ דְּיַעֲקֹב, וְאָזְלוּ לְהוֹן, עַד דְּנַחְתּוּ אִלֵּין בְּגָלוּתָא, נַחְתּוּ אִלֵּין עִמְּהוֹן, הה״ד וְאֵלֶּה שְׁמוֹת וְגוֹ׳.

רעא. ר׳ דּוֹסְתָּאֵי אָמַר, בְּכָל יוֹמָא וְיוֹמָא הֲווֹ אַתְיָין, וְאַזְלִין לוֹן, הה״ד הַבָּאִים מִצְרַיְמָה, וְלָא כְּתִיב אֲשֶׁר בָּאוּ, וְהַיְינוּ דִּכְתִיב הַבָּאִים מִצְרָיְמָה בְּקַדְמֵיתָא אֵת יַעֲקֹב. וּלְבָתַר כַּד הֲוַת לוֹן יְרִידָה אִישׁ וּבֵיתוֹ בָּאוּ. ות״ח, בְּנֵי יַעֲקֹב כֻּלְּהוּ הֲווּ מֵתִין בְּהַהוּא זִמְנָא וְנַחְתּוּ אִלֵּין וְאִלֵּין.

רבע. רִבִּי יוֹסֵי וְרִבִּי אֶלְעָזָר אָמְרוּ, הַאי פַּרְשָׁתָא מִלִּין עִלָּאִין אִית בָּהּ, דִּתְנַן, בְּשַׁעֲתָא דְּנַחְתּוּ אִלֵּין רְתִיכִין וּמַשִּׁרְיָין קַדִּישִׁין, דְּיוֹקְנֵיהוֹן דְּשִׁבְטִין, דִּגְלִיפִין לְעֵילָא, כֻּלְּהוּ עָאלְן לְמֵידָר עִמְּהוֹן. הה״ד, אִישׁ וּבֵיתוֹ בָּאוּ, וּכְתִיב רְאוּבֵן שִׁמְעוֹן לֵוִי.

רעג. ד״א וְאֵלֶּה שְׁמוֹת בְּנֵי יִשְׂרָאֵל הַבָּאִים מִצְרַיְמָה אֵת יַעֲקֹב וְגוֹ׳. אִתְהֲדַר פַּרְשְׁתָא דָּא, לְמָה דא״ר יוֹסֵי בְּרִבִּי יְהוּדָה, וְכֹלָּא הֲוָה.

רעד. ות״ח, רִבִּי אֶלְעָזָר בֶּן עֲרָךְ, כַּד הֲוָה מָטֵי לְהַאי פָּסוּק, הֲוָה בָּכֵי, דְּתַנְיָא, א״ר אֶלְעָזָר בֶּן עֲרָךְ, בְּשַׁעֲתָא דְּאָזְלוּ יִשְׂרָאֵל בְּגָלוּתָא, אִתְכְּנָשׁוּ כֻּלְּהוּ נִשְׁמָתְהוֹן דְּשִׁבְטִין, לִמְעַרְתָּא דְּכַפֶּלְתָּא, צָווּחוּ וְאָמְרוּ: סָבָא סָבָא, כְּאֵבָא דִּבְנִין לָאו בְּלָאוּתָא דְּעָלְמָא דֵּין, בָּנֶיךָ כֻּלְּהוּ מִשְׁתַּעְבְּדִין בְּקַשְׁיוּ, עַם אַחֲרָן עַבְדִּין בְּהוּ נוּקְמִין דְּעָלְמָא.

רהע. בְּהַהִיא שַׁעֲתָא, אִתְּעַר רוּחֵיהּ דְּהַהוּא סָבָא, רְשׁוּתָא שָׁאִיל, וְנַחֲתַת, קָרָא קב״ה לְכָל רְתִיכוֹי וּמַשִּׁרְיָיתֵיהּ, וּמַלְכֵּיהוֹן בְּרָאשֵׁיהוֹן. וְנַחְתּוּ כֻּלְּהוּ עִם יַעֲקֹב וְעִם שִׁבְטוֹהִי. שִׁבְטִין נַחְתּוּ חַיִּין עִם אֲבוּהוֹן, וְשִׁבְטִין נַחְתּוּ מֵתִים עִם אֲבוּהוֹן, הה״ד וְאֵלֶּה שְׁמוֹת בְּנֵי יִשְׂרָאֵל הַבָּאִים מִצְרַיְמָה וְגוֹ׳ וּכְתִיב רְאוּבֵן שִׁמְעוֹן לֵוִי וְגוֹ׳. ות״ח, מֵתִים הֲווֹ, וְנַחְתּוּ, וּכְתִיב וְיוֹסֵף הָיָה בְמִצְרָיִם. אָמַר רִבִּי אַבָּא, בְּהַאי אִתְקְרֵי כְּרַחֵם אָב עַל בָּנִים.

רעו. רִבִּי יְהוּדָה בַּר שָׁלוֹם, הֲוָה אָזִיל בְּאוֹרְחָא, וְרִבִּי אַבָּא הֲוָה עִמֵּיהּ, עָאלוּ לְחַד אַתְרָא, וּבָתוּ תַּמָּן, אָכְלוּ, כַּד בָּעוּ לְמִשְׁכַּב, שָׁווּ רֵישַׁיְיהוֹן בְּהַהוּא תִּלָּא דְּאַרְעָא, דַּהֲוָה חַד קִבְרָא תַּמָּן, עַד דְּלָא דְּמִיכוּ, קָרָא חַד קָלָא מִן קִבְרָא, אָמַר זַרְעָא לְאַרְעָא אַזְלָא, תְּרֵיסַר שְׁנִין הֲוָה דְּלָא אִתְּעָרִית, בַּר הַאִידָּנָא, דִּפַרְצוּפָא דִּבְרִי וַחֲמֵינָא הָכָא.

רעז. א״ר יְהוּדָה, מַאן אַתְּ. א״ל יוּדָאי אֲנָא, וַאֲנָא יָתִיב נְזִיפָא, דַּאֲנָא לָא יָכִילְנָא לְמֵיעַל, בְּגִין הַהוּא צַעֲרָא דִּבְרִי, דִּגְנָבֵיהּ הַהוּא עכו״ם, כַּד אִיהוּ הֲוָה זְעֵירָא, וְאַלְקֵי לֵיהּ כָּל יוֹמָא, וְצַעֲרָא דִּילֵיהּ דָּחֵי לִי לְמֵיעָאל בְּדוּכְתָּאי, וּבְהַאי אַתְרָא לָא אִתְּעָרִית, בַּר הָאִידָּנָא.

רעח. אָמַר לֵיהּ וְאַתּוּן יַדְעִין בְּצַעֲרָא דְּחַיֵּי. א״ל, שָׁרֵי קִבְרִי, אִי לָאו בָּעוּתָא דִּילָן עַל חַיֵּי, לָא יִתְקַיְּימוּן פַּלְגּוּת יוֹמָא בְּעָלְמָא, וְהָאִידָּנָא אִתְּעָרִית הָכָא, דַּהֲווֹ אַמְרִין לִי כָּל יוֹמָא, דִּלְעֲגָלָא יֵיתֵי בְּרִי הָכָא, וְלָא יַדְעְנָא אִי בְּחַיֵּי אִי בְּמוֹתָא.

רעט. א״ל רִבִּי יְהוּדָה, מַאי עֲבִידְתַּיְיכוּ בְּהַהוּא עָלְמָא. אִתְרְגִישׁ קִבְרָא, וְאָמַר,

אֲזִילוּ קוּמוּ, דְּהָאִידָּנָא יִלְקוּן לִבְרִי, תַּוְוהוּ, וְעָרְקוּ מִתַּמָּן כִּפַלְגּוּת מִיל, יָתְבוּ עַד דְּנָהִיר צַפְרָא. קָמוּ לְמֵיזַל, וְחָמוּ חַד בַּר נָשׁ, דַּהֲוָה רָהִיט וְעָרַק, וַהֲוָה שָׁתִית דָּמָא אֲכַתְפּוֹי, אוֹחֲדוּ בֵּיהּ, וְסָחוּ לְהוּ עוֹבָדָא, אָמְרוּ לֵיהּ מַה שְּׁמָךְ. אָמַר לְהוּ, לַחְמָא בַּר לֵיוָאֵי. אָמְרוּ, וּמַה לֵיוָאֵי בַּר לַחְמָא הֲוָה הַהוּא מֵיתָא, וּמִסְתְּפֵינָא לְאִשְׁתַּעְוֵי יַתִּיר בַּהֲדֵיהּ. לָא אֲהַדְרוּ. אָמַר רִבִּי אַבָּא, הַאי דְּאָמְרוּ, דִּצְלוֹתְהוֹן דְּמֵתַיָּא, מְגִינָן עַל חַיֵּי. מְנָלָן. דִּכְתִּיב וַיַּעֲלוּ בַנֶּגֶב וַיָּבֹא עַד חֶבְרוֹן.

רפ. א"ר יְהוּדָה, ת"ח, תְּרֵין נִדְרִין נָדַר קב"ה לְיַעֲקֹב. חַד, דְּיֵיחוּת עִמֵּיהּ לְמֵידַר עִמֵּיהּ בְּגָלוּתָא, וְחַד דְּיַסְקִינֵיהּ מִקִּבְרֵיהּ, לְמֶחֱמֵי חֶדְוָותָא דְּסִיַּיעְתָּא קַדִּישָׁא דְּדַיְירֵי עִם בְּנוֹהִי, הה"ד, אָנֹכִי אֵרֵד עִמְּךָ מִצְרַיְמָה אָנֹכִי אֵרֵד עִמְּךָ בְּגָלוּתָא. וְאָנֹכִי אַעַלְךָ גַּם עָלֹה, כד"א וְהַעֲלֵיתִי אֶתְכֶם מִקִּבְרוֹתֵיכֶם עַמִּי. וּכְתִיב שֶׁשָּׁם עָלוּ שְׁבָטִים וְגוֹ'.

רפא. ד"א וַיָּקָם מֶלֶךְ חָדָשׁ עַל מִצְרָיִם וְגוֹ', אר"ש, בְּהַהוּא יוֹמָא, אִתְיְהִיב לֵיהּ רְשׁוּתָא לְשָׂרוֹ שֶׁל מִצְרַיִם, עַל כָּל שְׁאַר עַמִּין, דְּתָנָא, עַד דְּלָא מִית יוֹסֵף, לָא אִתְיְהִיב שָׁלְטָנוּ לְשָׁלְטָנָא דְּמִצְרַיִם עַל יִשְׂרָאֵל, כֵּיוָן דְּמִית יוֹסֵף, כְּדֵין וַיָּקָם מֶלֶךְ חָדָשׁ עַל מִצְרָיִם, וַיָּקָם: כְּמַאן דַּהֲוָה מָאִיךְ וְקָם.

רפב. רִבִּי יִצְחָק פָּתַח, עַד שֶׁהַמֶּלֶךְ בִּמְסִבּוֹ נִרְדִּי נָתַן רֵיחוֹ. עַד שֶׁהַמֶּלֶךְ: דָּא קב"ה. הה"ד, כֹּה אָמַר יְיָ' מֶלֶךְ יִשְׂרָאֵל. וּכְתִיב וַיְהִי בִישֻׁרוּן מֶלֶךְ. בִּמְסִבּוֹ: בֵּין כַּנְפֵי הַכְּרוּבִים. נִרְדִּי נָתַן רֵיחוֹ, דְּגָרְמוּ לְאִסְתַּלְּקָא מִבֵּינַיְיהוּ.

רפג. ד"א, עַד שֶׁהַמֶּלֶךְ בִּמְסִבּוֹ, בְּעוֹד דְּקב"ה הֲוָה יָהִיב אוֹרַיְיתָא לְיִשְׂרָאֵל, דִּכְתִּיב וַיְהִי שָׁם עִם ה' אַרְבָּעִים יוֹם וְאַרְבָּעִים לַיְלָה לֶחֶם לֹא אָכַל וְגוֹ'. בְּעוֹד דַּהֲוָה כָּתִיב אוֹרַיְיתָא לְיִשְׂרָאֵל, שָׁבְקוּ רֵיחַיְיהוּ טָב, וְאָמְרוּ אֵלֶּה אֱלֹהֶיךָ יִשְׂרָאֵל.

רפד. ד"א עַד שֶׁהַמֶּלֶךְ בִּמְסִבּוֹ, בְּעוֹד דַּהֲוָה קב"ה נָחִית עַל טוּרָא דְּסִינַי, לְמֵיהַב אוֹרַיְיתָא לְיִשְׂרָאֵל, נִרְדִּי נָתַן רֵיחוֹ, דִּכְתִּיב נַעֲשֶׂה וְנִשְׁמָע.

רפה. רִבִּי תַּנְחוּם אָמַר, כָּל אוּמָה וְאוּמָה אִית לָהּ שַׂר לְעֵילָּא, וְכַד קב"ה יָהִיב שָׁלְטָנוּתָא לְדֵין, אַנְחִית לְדֵין, וְכַד יָהִיב שָׁלְטָנוּתָא לְהַהוּא שַׂר, לֵית לֵיהּ שָׁלְטָנוּתָא, אֶלָּא בְּגִין יִשְׂרָאֵל, הה"ד הָיוּ צָרֶיהָ לְרֹאשׁ.

רפו. רִבִּי יִצְחָק אָמַר, יִשְׂרָאֵל אִינּוּן לָקֳבֵיל כָּל שְׁאַר אוּמִין דְּעָלְמָא, מַה שְּׁאַר עַמִּין אִינּוּן שִׁבְעִים, אוּף יִשְׂרָאֵל אִינּוּן שִׁבְעִים, הה"ד, כָּל הַנֶּפֶשׁ לְבֵית יַעֲקֹב הַבָּאָה מִצְרַיְמָה שִׁבְעִים. וּמַאן דְּשָׁלִיט עַל יִשְׂרָאֵל, כְּאִילּוּ שָׁלִיט עַל כָּל עָלְמָא.

רפז. רִבִּי אַבָּא אָמַר מֵהָכָא, וּבְנֵי יִשְׂרָאֵל פָּרוּ וַיִּשְׁרְצוּ וְגוֹ', הָא שִׁבְעָה. וְכָל דַּרְגָּא לַעֲשָׂרָה, הָא שִׁבְעִים. מַה כְּתִיב בַּתְרֵיהּ, וַיָּקָם מֶלֶךְ חָדָשׁ עַל מִצְרָיִם.

רפח. אָמַר רַב הוּנָא, אַמַּאי אִשְׁתַּעֲבִידוּ יִשְׂרָאֵל בְּכָל הָאוּמִין, בְּגִין דְּיִשְׁתְּאַר בְּהוֹן עָלְמָא, דְּאִינּוּן לָקֳבֵיל כָּל עָלְמָא, וּכְתִיב, בַּיּוֹם הַהוּא יִהְיֶה ה' אֶחָד וּשְׁמוֹ אֶחָד. וּמַה הוּא חַד, אוּף יִשְׂרָאֵל חַד, דִּכְתִּיב גּוֹי אֶחָד בָּאָרֶץ. מַה שְּׁמֵיהּ חַד, וְנִתְפְּרַשׁ בְּע', אוּף יִשְׂרָאֵל חַד, וְנִתְפְּרַשׁ בְּשַׁבְעִין.

רפט. רִבִּי יְהוּדָה פָּתַח, תַּחַת שָׁלֹשׁ רָגְזָה אֶרֶץ וְגוֹ', תַּחַת עֶבֶד כִּי יִמְלוֹךְ, דְּתַנְיָא לֵית לָךְ אוּמָא מְכִיכָא וּקְלִילָא וּנְבִזַּית קָמֵי קוּדְשָׁא בְּרִיךְ הוּא, כְּוָותַיְיהוּ דְּמִצְרָאֵי, וְיָהִיב לוֹן קוּדְשָׁא בְּרִיךְ הוּא שָׁלְטָנוּתָא בְּגִינַיְיהוּ דְּיִשְׂרָאֵל. וְשִׁפְחָה כִּי תִירַשׁ גְּבִירְתָּהּ, דָּא הָגָר, דְּאוֹלִידַת לְיִשְׁמָעֵאל, שֶׁעָשָׂה כַּמָּה רָעוֹת לְיִשְׂרָאֵל, וְשָׁלַט בָּהֶם, וְעִינָּה אוֹתָם בְּכָל מִינֵי

ענויין, וגזר עליהם כמה שמדות, ועד היום הם שולטים עליהם, ואינם מניחים להם לעמוד בדתם. ואין לך גלות קשה לישראל כמו גלות ישמעאל.

רצ. ר' יהושע הוה סליק לירושלם, והוה אזיל באורחא, וחמא חד ערבאה, דהוה אזיל באורחא, וברי' עמיה. פגעו ביודאי חד. אמר לבריה, האי יודאי געלא, דמאיס ביה מריה. נוול ליה, ורקיק ליה בדיקניה ז' זמנין, דאיהו מזרעא דראמין, דאנא ידענא דמשעבדן בהו שבעין עממין, אזיל בריה ואחיד בדיקניה. אמר רבי יהושע ראמין ראמין, גוזרנא על עלאין, דיחתון לתתא. עד לא סיים אתבלעו באתריהון.

רצא. רבי יצחק פתח, עד שיפוח היום ונסו הצללים וגו', עד שיפוח היום, האי קרא על גלותא דישראל אתמר, דאינון ישתעבדון בגלותא, עד דיסתיים ההוא יומא דשלטנותא דאומין. דתנן, א"ר יצחק, אלף שנין הוא שלטנותא דכל אומין כחדא, עלייהו דישראל. ולית לך אומה דלא ישתעבד בהון. ויומא חדא, הוא לקבליה דכתיב, והיה יום אחד הוא יודע ליי' וגו'.

רצב. ד"א, עד שיפוח היום קדם דיפוח ההוא יומא דאומין. ונסו הצללים, אינון שולטנין דשלטו עלייהו. אלך לי אל הר המור, אמר קב"ה, אלך לי, לנערא האומות מירושלם דהוא הר המור, כמה דכתיב, בהר המוריה אשר בירושלם. ואל גבעת הלבונה, דא בי מקדשא די בציון, דכתיב ביה יפה נוף משוש כל הארץ הר ציון וגו', כד"א, לאחוז בכנפות הארץ וינערו רשעים ממנה. כהאי דאחיד בטלית, לנערא טנופא מנה.

רצג. א"ר יוסי, עתיד קב"ה לאתגלייא בירושלם דלתתא, ולדכאה יתה מטנופי עממיא, עד דלא אשתלים ההוא יומא דאומין. דא"ר חייא, לית שולטנו לאומין עלייהו דישראל, אלא יומא חדא לחוד, דהוא יומו של הקב"ה, והוא אלף שנים. הה"ד, נתני שוממה כל היום דוה. יומא חד לחוד, ולא יתיר.

רצד. א"ר יוסי, אי יתיר ישתעבדון, לא על פום גזרת מלכא הוא, אלא על דלא בעיין למיהדר לקבליה, וכתיב והיה כי יבואו עליך כל הדברים האלה וגו', וכתיב, אם יהיה נדחך בקצה השמים משם יקבצך וגו'.

רצה. ויאמר אל עמו הנה עם בני ישראל. א"ר שמעון ת"ח, דהא על כל פנים מלאכא שלטונא דממנא על מצראי הוה, והכי הוא, דרובא דפרשתא לא אתמר, אלא מלך מצרים סתם, והיינו ממנא רברבא על מצראי. פרעה מלך מצרים, פרעה ממש.

רצו. א"ר שמעון, לפיכך כתיב, ויאמר כלומר אכניס בלבהון מלתא דא, כד"א, כי יי' אמר לו קלל את דוד. מחשבת הלב בלבד. וכן ויאמר המן בלבו, וכן ויאמר בלבו הלבן מאה שנה. אוף הכא נמי, אכניס מחשבתא בלבהון, דאמרו רב ועצום ממנו. מאי ממנו. ר"ל ממנא דילהון, אינון אמרו בלבייהו, דחילא ותוקפא דילהון, רברבא ותקיפא ממנו, משולטנא דילהון.

רצז. ר' יצחק אמר, כל אומין דעלמא, משכין תוקפא משריהון, וישראל נגדין חיליהון מקב"ה, ואינון אתקרון עמא דיי', ולא עמא דשולטניא. ר' יהודה אמר, הכא אתקרון עמו, דכתיב ויאמר אל עמו, והתם כתיב, ראה ראיתי את עני עמי, עמי ממש, ישראל אקרון עם יי', ושאר אומין אקרון, עמו דשולטנא דילהון דכתיב, כי כל העמים ילכו איש בשם אלהיו ואנחנו נלך בשם יי' אלהינו לעולם ועד.

רצ״ח. אָמַר רַבִּי אַבָּא, הַאי פְּסוּקָא, הֲוָה לֵיהּ לְמֵימַר בְּנֵי יִשְׂרָאֵל רַב וְעָצוּם מִמֶּנּוּ, מַהוּ עַם בְּנֵי. אֶלָּא עַם בְּנֵי יִשְׂרָאֵל מַמָּשׁ, מֵהַהוּא יִשְׂרָאֵל דִּלְעֵילָּא, דְּחֲשִׁיבוּ דְּעַם בְּנֵי יִשְׂרָאֵל הֲווּ, וְלָא עַם יְיָ, וּכְתִיב וַיָּקוּצוּ מִפְּנֵי בְּנֵי יִשְׂרָאֵל, וְלָא כְּתִיב מִפְּנֵי עַם בְּנֵי יִשְׂרָאֵל, אֶלָּא מִפְּנֵי בְּנֵי יִשְׂרָאֵל מַמָּשׁ.

רצ״ט. רַבִּי יוֹחָנָן הֲוָה קָאִים קָמֵיהּ דְּר׳ יִצְחָק, אָמַר, מַה חָמָא בָּלָק לְמֵימַר, הִנֵּה עַם יָצָא מִמִּצְרַיִם, וְלֹא אָמַר הִנֵּה עַם בְּנֵי יִשְׂרָאֵל. א״ל ר׳ יִצְחָק, בָּלָק מְכַשֵּׁף גָּדוֹל הָיָה, וְכֵן דֶּרֶךְ הַמְכַשְּׁפִים לְקַוּוֹת הַדָּבָר שֶׁאֵין בּוֹ חֲשָׁדָא, וְכֵן אֵין מַזְכִּירִין לְעוֹלָם שֵׁם אָבִיו שֶׁל אָדָם, אֶלָּא שֵׁם אִמּוֹ, דָּבָר שֶׁאֵין בּוֹ חֲשָׁדָא.

ש׳. דְּכֵן דֶּרֶךְ הַשֵּׁדִים, דִּמְעַיְּינִים בְּהַהוּא מִלָּה דְּקָאַמְרֵי לְהוּ, אִי אִיהוּ כְּדִיבָא, מוֹדִיעִין לֵיהּ מִלִּין כְּדִיבִין, וְאִי הוּא קְשׁוֹט, כָּל מַה דְּאַמְרִין לִזְמְנָא זְעֵירָא קוּשְׁטָא הוּא, כָּל שֶׁכֵּן לְמֶעְבַּד עֲבִידְתָּא. רַבִּי אַוָּא אָמַר, בָּלָק אוֹרְחָא דְּקַלְנָא נָקַט, הִנֵּה עַם יָצָא מִמִּצְרַיִם, כְּלוֹמַר, דְּלֵית אֲנָן יָדְעִין מִמָּאן אִינּוּן.

שא. אָמַר רַבִּי יוֹחָנָן, מִפְּנֵי מַה עַמָּא דְּרַבְרְבִין נְטִירִין, וְעַמָּא דְּקוּדְשָׁא בְּרִיךְ הוּא לָא נְטִירִין. אָמַר רַבִּי יִצְחָק, לָא דָּמֵי מִסְכְּנָא לַעֲתִירָא. מִסְכְּנָא בָּעֵי לְנַטְרָא דִּילֵיהּ, עֲתִירָא לָא נָטִיר דִּילֵיהּ, וְכָל שֶׁכֵּן דְּיִשְׂרָאֵל, אִינּוּן מִמַּלְכָּא דְּרַוְוחִים קְשׁוֹט וְדִינָא. וְדִינָא קַדְמָאָה עָבִיד בְּגוּבְרִין דְּבֵיתֵיהּ, דְּבָעֵי דְּאִינּוּן לֶהֱוֹן נְטִירִין מֵחוֹטְאָה יַתִּיר מִכֻּלְּהוּ הֲדָא הוּא דִּכְתִּיב, רַק אֶתְכֶם יָדַעְתִּי מִכֹּל מִשְׁפְּחוֹת הָאֲדָמָה וְגוֹ׳.

שב. רַבִּי יוֹסֵי נָפַק לְאוֹרְחָא, וַהֲוָה רַבִּי אַוָּא בַּר יַעֲקֹב אָזִיל עִמֵּיהּ, עַד דַּהֲווּ אַזְלֵי שָׁתִיק רַבִּי יוֹסֵי, וְהִרְהֵר בְּמִלֵּי דְּעָלְמָא. וְרַבִּי אַוָּא הִרְהֵר בְּמִלֵּי דְּאוֹרַיְיתָא. חָמָא רַבִּי יוֹסֵי חַד חִוְיָא, דַּהֲוָה רָהִיט אֲבַתְרֵיהּ. אָמַר רַבִּי יוֹסֵי לְרַבִּי אַוָּא, חָזֵית הַאי חִוְיָא דְּרָהִיט אֲבַתְרָאי. אָמַר לֵיהּ רַבִּי אַוָּא, אֲנָא לָא חֲמֵינָא לֵיהּ. רָהַט רַבִּי יוֹסֵי וְחִוְיָא אֲבַתְרוֹי. נָפַל רַבִּי יוֹסֵי, וְדָמָא שָׁתַת וְנָחַת מִזּוּטְמוֹי, שָׁמַע דַּהֲווּ אָמְרִין, רַק אֶתְכֶם יָדַעְתִּי מִכֹּל מִשְׁפְּחוֹת הָאֲדָמָה וְגוֹ׳, אָמַר רַבִּי יוֹסֵי, וּמָה עַל שַׁעֲתָא חֲדָא כַּךְ, מַאן דְּמִתְיָיאֵשׁ מִנָּהּ עַל אַחַת כַּמָּה וְכַמָּה.

שג. פָּתַח וְאָמַר, כִּי ה׳ אֱלֹהֶיךָ בֵּרַכְךָ בְּכֹל מַעֲשֵׂה יָדֶךָ יָדַע לֶכְתְּךָ וְגוֹ׳ הַמּוֹלִיכְךָ וְגוֹ׳, נָחָשׁ שָׂרָף וְעַקְרָב וְגוֹ׳, נָחָשׁ שָׂרָף לָמָּה הָכָא. אֶלָּא, לְקַוּוֹת עוֹנֶשׁ מִיִּשְׂרָאֵל, כָּל זְמַן שֶׁמִּתְפָּרְשִׁין מִן עֵץ הַחַיִּים. דִּכְתִּיב כִּי הוּא חַיֶּיךָ וְאוֹרֶךְ יָמֶיךָ.

שד. תָּא חֲזֵי, אָמַר רַבִּי חִיָּיא, כְּתִיב חוֹשֵׂךְ שִׁבְטוֹ שׂוֹנֵא בְנוֹ וְגוֹ׳. וּכְתִיב אָהַבְתִּי אֶתְכֶם אָמַר ה׳. וּכְתִיב, וְאֶת עֵשָׂו שָׂנֵאתִי. מַהוּ שָׂנֵאתִי, דִּכְתִּיב חוֹשֵׂךְ שִׁבְטוֹ שׂוֹנֵא בְנוֹ. כְּלוֹמַר שְׂנֵאתִי אוֹתוֹ, וְעַל כֵּן חָשַׂכְתִּי שֵׁבֶט מֵהֶם, כָּל שֶׁכֵּן וְכָל שֶׁכֵּן תַּלְמִידֵי חֲכָמִים, דְּלָא בָּעֵי קבּ״ה דְּיִתְפָּרְשׁוּן מֵעֵץ הַחַיִּים אֲפִילוּ רִגְעָא חֲדָא.

שה. וַיֹּאמֶר אֶל עַמּוֹ. יְהַב לְהוֹן עֵיטָא, לְמֶעְבַּד עִמְּהוֹן בִּישָׁא. אָמַר רַבִּי תַּנְחוּם, יַדְעִין הֲווּ מִצְרָאֵי בְּאִצְטַגְנִינוּת דִּלְהוֹן, שֶׁסּוֹפָן לִמְלְקֵי בְּגִין יִשְׂרָאֵל, וּלְכַךְ אַקְדִּים שׁוּלְטָנָא דִּלְהוֹן, לְמֶעְבַּד עִמְּהוֹן בִּישׁ.

שו. רַבִּי יִצְחָק פָּגַע בְּהַהוּא טוּרָא, וְחָמָא חַד בַּר נָשׁ דַּהֲוָה נָאִים תְּחוֹת חַד אִילָן. יָתִיב תַּמָּן, אַדְּהָכִי יָתִיב, חָמָא אַרְעָא דְּמִתְחַלְחְלָא, וְאִתְּבַר הַהוּא אִילָנָא, וְנָפַל, וְחָמָא בְּקִיעִין גּוּמִין בְּאַרְעָא, וְאַרְעָא סַלְקָא וְנָחְתָּא.

שז. אִתְּעַר הַהוּא גַּבְרָא, צָוַוח לְקַבְלֵיהּ דְּרַבִּי יִצְחָק, וְאָמַר לֵיהּ יוּדָאי יוּדָאי, בְּכֵי

וְנָהִים, דְּהַאִידָּנָא מְקִימִין בִּרְקִיעָא וַחַד רַבְרְבָא מְמַנָּא שׁוּלְטָנָא עִלָּאָה, וְהוּא זַמִּין לְמֶעְבַּד עִמְּכוֹן בִּישׁ סַגֵּי, וְהַאי רִגְשָׁא דְּאַרְעָא בְּגִינֵיכוֹן הֲוָה. דְּכָל זִמְנָא דְּרִגְשָׁא אַרְעָא, כַּד קָם מְמַנָּא, דְּיַעֲבִיד עִמְּכוֹן בִּישָׁא.

שח. תָּוָוה רַבִּי יִצְחָק וְאָמַר, וַדַּאי כְּתִיב, תַּחַת שָׁלֹשׁ רָגְזָה אֶרֶץ, וּכְתִיב תַּחַת עֶבֶד כִּי יִמְלוֹךְ. מְמַנָּא דַּהֲוָה תְּחוֹת שׁוּלְטָנָא אַחֲרָא, וּמָלִיךְ, וְיָהֲבִין לֵיהּ שׁוּלְטָנָא, וְכ"שׁ כַּד שָׁלִיט בְּיִשְׂרָאֵל.

שט. א"ר חָמָא בַּר גּוּרְיָא, כַּד אֲנַח לְיִשְׂרָאֵל תְּחוֹת שׁוּלְטָנוּתָא דְּאוּמִין, יָתִיב וְגָעֵי וּבָכֵי, הֲדָא הוּא דִּכְתִיב, בְּמִסְתָּרִים תִּבְכֶּה נַפְשִׁי. אָמַר רַבִּי יוֹסֵי, בְּמִסְתָּרִים דַּיְיקָא.

שי. רַבִּי יְהוּדָה עָאל לְגַבֵּיהּ דְּרַבִּי אֶלְעָזָר, אַשְׁכְּחֵיהּ דַּהֲוָה יָתִיב, וִידֵיהּ בְּפוּמֵיהּ, וַהֲוָה עֲצִיב. אָמַר לֵיהּ, בְּמָאי קָא עָסִיק מָר. אָמַר לֵיהּ דִּכְתִיב, בְּאוֹר פְּנֵי מֶלֶךְ חַיִּים. אִי תַּרְנָא עֲצִיב, וְכ"שׁ דְּגָעֵי וּבָכֵי, שַׁמָּשׁוֹי מַאי עַבְדֵי, הֲדָא הוּא דִּכְתִיב, הֵן אֶרְאֶלָּם צָעֲקוּ חוּצָה. מַאי חוּצָה. מָרֵיהוֹן בְּגוֹ, וְאִינּוּן לְבַר. מָרֵיהוֹן בְּבָתֵּי גַּוָּאֵי, וְאִינּוּן בְּבָתֵּי בָּרָאֵי. בָּתֵּי גַּוָּאֵי מַאי אִינּוּן. אָמַר רַבִּי יִצְחָק, אִינּוּן מֵעֲשָׂרָה כִּתְרֵי מַלְכָּא.

שיא. מַלְאֲכֵי שָׁלוֹם מַר יִבְכָּיוּן, וְכִי יֵשׁ מַלְאָכִים שֶׁאֵינָם שֶׁל שָׁלוֹם. אָמַר לֵיהּ אִין. תָּא חֲזֵי, אִית מָארֵי דְּדִינָא קַשְׁיָא, וְאִית מָארֵי דְּדִינָא דְּלָא קַשְׁיָא, וְאִית מָארֵי דִּינָא וְרַחֲמָנוּתָא. וְאִית מָארֵי דְּרַחֲמָנוּתָא דְּלֵית בְּהוּ דִּינָא כְּלַל. וְאִלֵּין אִתְקְרוּן מַלְאֲכֵי שָׁלוֹם. וְעַל אִינּוּן דִּלְתַתָּא, כְּתִיב, אַלְבִּישׁ שָׁמַיִם קַדְרוּת וְשַׂק אָשִׂים כְּסוּתָם. וּכְתִיב וְנָמַקּוּ כָּל צְבָא הַשָּׁמַיִם.

שיב. אִי הָכִי, כָּל אִינּוּן שׁוּלְטָנִין דִּמְמַנָּן עַל שְׁאַר עַמִּין, כַּד חָמָאן לְמָרֵיהוֹן עָצִיב, לְמָאי עַבְדִּין פֻּרְקָא לִבְנוֹהִי. א"ר אֶלְעָזָר, לָא עַבְדֵי אֶלָּא מַאי דְּאִתְפְּקָדוּ, וּרְעוּתָא דְּמָרֵיהוֹן עַבְדִּין.

שיג. ר' דּוֹסְתָּאִי אָמַר בְּעִדָּנָא דְּאִתְמַסְרָן בְּנוֹי דְּקוּדְשָׁא בְּ"ה, לְשׁוּלְטָנֵי עֲמָמִין, מִתְכַּנְּפִין תְּרֵיסַר בָּתֵּי דִּינִין, וּמִשְׁתַּקְעָן גּוֹ תְּהוֹמָא רַבָּה, גָּעֵי תַּרְנָא, גָּעִין, וְרַהֲטָן וְנַחְתִּין תְּרֵין דִּמְעִין לִשְׁקִיעָא דְּיַמָּא רַבָּה, הה"ד מִשְׁפָּטֶיךָ תְּהוֹם רַבָּה. וּמִתְגַּלְגְּלָן עִלָּאִין לְתַתָּא, אִתְבַּקְעָן תַּתָּאִין, וְנַחְתִּין מָאתָן וְאַרְבְּעִין דַּרְגִּין הה"ד אַרְיֵה שָׁאַג מִי לֹא יִירָא.

שיד. תָּנָא, בְּשַׁעֲתָא דִּמְסַר קוּדְשָׁא בְּרִיךְ הוּא קב"ה לְיִשְׂרָאֵל לְשָׂרָא דְּמִצְרָאֵי, גָּזַר עֲלַיְיהוּ ז' גְּזֵרוֹת, שֶׁיִּשְׁתַּעְבְּדוּ בְּהוֹן מִצְרָאֵי. הה"ד וַיְמָרְרוּ אֶת חַיֵּיהֶם בַּעֲבוֹדָה קָשָׁה בְּחוֹמֶר וּבִלְבֵנִים וְגוֹ'. וּלְקָבְלֵיהוֹן שִׁבְעָה לְטָב, וּבְנֵי יִשְׂרָאֵל פָּרוּ, וַיִּשְׁרְצוּ, וַיִּרְבּוּ, וַיַּעַצְמוּ, בִּמְאֹד, מְאֹד, וַתִּמָּלֵא הָאָרֶץ אוֹתָם.

שטו. הָבָה נִתְחַכְּמָה לוֹ. רַבִּי יוֹסֵי אָמַר, אֵין הָבָה אֶלָּא לָשׁוֹן הַזְמָנָה, לְמֶעְבַּד דִּינָא. כְּמָה דְּאַתְּ אָמֵר, הָבָה נֵרְדָה. הָבָה תָמִים. אָמַר רַבִּי יוֹחָנָן, הָבָה כּוּלָּם, לְשׁוֹן הַסְכָּמָה וְהַזְמָנָה. כְּמוֹ הָבָה נִבְנֶה לָּנוּ עִיר. הָבוּ לָכֶם עֵצָה. הָבוּ לַה' בְּנֵי אֵלִים.

שטז. רַבִּי יִצְחָק אָמַר, הָבָה נִתְחַכְּמָה לוֹ נֶהֱוֵי בְּהַסְכָּמַת דִּינָא לְגַבֵּיהּ. פֶּן יִרְבֶּה, וְרוּחַ הַקֹּדֶשׁ אוֹמֶרֶת כֵּן יִרְבֶּה, וְכֵן יִפְרוֹץ. וּמַלְאֲכֵי הַשָּׁרֵת הֲווֹ לְהוּ לְשֹׂכִים וְלִצְנִינִים הה"ד, וַיָּקוּצוּ מִפְּנֵי בְּנֵי יִשְׂרָאֵל. דַּהֲווֹ מִתְעַקְּצֵי מִמַּלְאֲכֵי הַשָּׁרֵת, כְּהָנֵי קוֹצֵי דְּמִתְעַקְּצֵי בְּהוּ אִינְשֵׁי.

שיז. א"ר יוּדָאי א"ר יִצְחָק, מַה הֲוָה מַחֲשַׁבְתְּהוֹן דְּמִצְרָאֵי, דְּמִמְנַע מִיִּשְׂרָאֵל פְּרִיָּה וּרְבִיָּה, וְשׁוּלְטָנָא דִּמְמַנָּא עֲלֵיהוֹן דְּאָעִיל בְּלִבְּהוֹן כַּךְ. אֶלָּא, אָמַר לְהוֹן, הֲווֹ יַדְעִין, דְּזַמִּין

בְּרָא וַדָּאי לְמֵיפַּק מִיִּשְׂרָאֵל, דְּיִתְעֲבֵיד דִּינָא בֶּאֱלָהַיְהוֹן עַל יְדֵיהּ.

שיח. דְּאָמַר רַבִּי יוֹחָנָן, בְּשָׁעָה שֶׁאָמַר מֹשֶׁה, וּבְכָל אֱלֹהֵי מִצְרַיִם אֶעֱשֶׂה שְׁפָטִים הָלַךְ דּוּמָה שָׂרוֹ שֶׁל מִצְרַיִם, ד' מֵאוֹת פַּרְסָה. אָמַר לֵיהּ קב"ה, גְּזֵרָה נִגְזְרָה לְפָנַי, דִּכְתִּיב יִפְקֹד יְיָ' עַל צְבָא הַמָּרוֹם בַּמָּרוֹם וְגוֹ'. בְּאוֹתָהּ שָׁעָה נִטְּלָה הַשְּׂרָרָה מִמֶּנּוּ, וְנִתְמַנָּה דּוּמָה שַׂר שֶׁל גֵּיהִנָּם, לָדוּן שָׁם נַפְשׁוֹת הָרְשָׁעִים. וְרַבִּי יְהוּדָה אוֹמֵר עַל הַמֵּתִים נִתְמַנָּה.

שיט. אָמַר רַבִּי חֲנִינָא, כְּתִיב וּבֵאלֹהֵיהֶם עָשָׂה יְיָ' שְׁפָטִים. וְכִי בֶּאֱלֹהַּ שֶׁל כֶּסֶף, וְשֶׁל זָהָב, וְשֶׁל עֵץ, וְשֶׁל אֶבֶן, יֵשׁ שְׁפָטִים. אֶלָּא אָמַר רַבִּי יוֹסֵי, שֶׁל כֶּסֶף וְשֶׁל זָהָב הָיוּ נִתָּכִים מֵאֲלֵיהֶם, וְשֶׁל עֵץ מִתְרַקְּבִין.

שכ. אָמַר רַבִּי אֶלְעָזָר, אֱלוֹהַּ שֶׁל מִצְרַיִם שֶׂה הָיָה, וְצִוָּה הקב"ה לַעֲשׂוֹת בּוֹ שְׁפָטִים, לִשְׂרוֹף אוֹתוֹ בָּאֵשׁ, כְּמָה דְּאַתְּ אָמֵר, פְּסִילֵי אֱלֹהֵיהֶם תִּשְׂרְפוּן בָּאֵשׁ. כְּדֵי שֶׁיְּהֵא רֵיחוֹ נוֹדֵף. וְעוֹד, רֹאשׁוֹ עַל כְּרָעָיו וְעַל קִרְבּוֹ. וְעוֹד, שֶׁעַצְמוֹתָיו מוּשְׁלָכִים בַּשּׁוּק. וְזֹאת הָיְתָה לְמִצְרַיִם קָשֶׁה מִכּוּלָּן, הֲדָא הוּא דִּכְתִּיב, שְׁפָטִים.

שכא. אָמַר רַבִּי יְהוּדָה בֵּאלֹהֵיהֶם מַמָּשׁ וְזֶהוּ שַׂר שֶׁלָּהֶם, לְקַיֵּים, יִפְקוֹד ה' עַל צְבָא הַמָּרוֹם בַּמָּרוֹם וְעַל מַלְכֵי הָאֲדָמָה עַל הָאֲדָמָה. וְכָל זֶה הָיוּ יוֹדְעִים הַחֲכָמִים שֶׁבָּהֶם, וכ"ש שַׂר שֶׁלָּהֶם. עַל כֵּן כְּתִיב, הָבָה נִתְחַכְּמָה לוֹ.

שכב. רַבִּי יוֹחָנָן אָמַר, הַרְבֵּה ע"ז הָיוּ בְּמִצְרַיִם, וְנִילוּס אֱלוֹהַּ שֶׁלָּהֶם הָיָה, וּבְכָל אֱלֹהֵיהֶם הָיָה הוּא, וּבְכוּלָּם עָשָׂה ה' שְׁפָטִים. אָמַר רַבִּי אַבָּא, הָא דְּר' יוֹחָנָן דַּיְיקָא, וּפְשִׁיטָא, מִשּׁוּם דֶּאֱלֹהֵיהֶם נִלְקִים בַּתְּחִלָּה, וְאח"כ הָאוּמָה, וְכֵן נִילוּס נִלְקָה בַּתְּחִלָּה, וְהָעֵצִים וְהָאֲבָנִים, הה"ד וַיְהִי הַדָּם בְּכָל אֶרֶץ מִצְרַיִם וּבָעֵצִים וּבָאֲבָנִים, שֶׁהָיוּ לָהֶם אֱלָהוּת מַמָּשׁ. וְאָמַר רַבִּי יִצְחָק, עַל צְבָא הַמָּרוֹם בַּמָּרוֹם כְּתִיב, וְנִילוּס לֹא הָיָה בַּמָּרוֹם. א"ר יוֹחָנָן, רוֹב מֵימָיו כְּדוּגְמָתָן בַּמָּרוֹם. אָמַר רַבִּי יִצְחָק, שַׂר שֶׁלָּהֶם נִלְקָה בַּתְּחִלָּה, וְאח"כ שְׁאָר אֱלֹהֵיהֶם.

שכג. רַבִּי שִׁמְעוֹן בְּרַבִּי יוֹסֵי אוֹמֵר, לָקוּת אוּמָה שֶׁל מִצְרַיִם מַמָּשׁ, לֹא הָיָה אֶלָּא בַּיָּם, דִּכְתִּיב, לֹא נִשְׁאַר בָּהֶם עַד אֶחָד. וְקוֹדֶם זֶה, נַעֲשָׂה שְׁפָטִים בֵּאלֹהֵיהֶם. וע"ד כְּתִיב, הָבָה נִתְחַכְּמָה לוֹ פֶּן יִרְבֶּה וְהָיָה כִּי תִקְרֶאנָה. וְנִתְנַבְּאוּ עַל הֶעָתִיד, כְּפִי מַה שֶּׁאֵירַע לָהֶם. וְנוֹסַף גַּם הוּא עַל שׂוֹנְאֵינוּ, נִבְּאוּ עַל מַזָּלוֹת עֶלְיוֹנִים, שֶׁיִּהְיוּ שְׁרוּיִים בְּתוֹכָם. וְנִלְחַם בָּנוּ, נִבְּאוּ עַל מַה דִּכְתִּיב ה' יִלָּחֵם לָכֶם וְגוֹ'. וְעָלָה מִן הָאָרֶץ, כְּמָה דְּאַתְּ אָמֵר וּבְנֵי יִשְׂרָאֵל יוֹצְאִים בְּיָד רָמָה.

שכד. וַיֵּלֶךְ אִישׁ מִבֵּית לֵוִי וַיִּקַּח אֶת בַּת לֵוִי. רַבִּי אֶלְעָזָר פָּתַח, שִׁיר הַשִּׁירִים אֲשֶׁר לִשְׁלֹמֹה. תָּנָא, כְּשֶׁבָּרָא הַקָּדוֹשׁ בָּרוּךְ הוּא אֶת עוֹלָמוֹ, עָלָה בְּחֵפֶץ לְפָנָיו, וּבָרָא אֶת הַשָּׁמַיִם בִּימִינוֹ וְהָאָרֶץ בִּשְׂמֹאלוֹ, וְעָלָה בְּחֵפֶץ לְפָנָיו, לִנְהוֹג הַיּוֹם וְהַלַּיְלָה. וּבָרָא הַמַּלְאָכִים הַמְמוּנִּים בְּחַסְדּוֹ, בַּיּוֹם. וּבָרָא הַמַּלְאָכִים הַמְמוּנִּים לוֹמַר שִׁירָה בַּלַּיְלָה. הֲדָא הוּא דִּכְתִּיב, יוֹמָם יְצַוֶּה יְיָ' חַסְדּוֹ וּבַלַּיְלָה שִׁירֹה עִמִּי. אֵלּוּ מִיָּמִין, וְאֵלּוּ מִשְּׂמֹאל, אֵלּוּ מַקְשִׁיבִים שִׁירַת הַיּוֹם, שִׁירָתָם שֶׁל יִשְׂרָאֵל קָדוֹשׁ. רַבִּי יִצְחָק אָמַר, אוֹתָם שֶׁאוֹמְרִים שִׁירָה בַּלַּיְלָה, מַקְשִׁיבִים שִׁירָתָם שֶׁל יִשְׂרָאֵל בַּיּוֹם, הֲדָא הוּא דִּכְתִּיב, חֲבֵרִים מַקְשִׁיבִים לְקוֹלֵךְ.

שכה. אָמַר רַבִּי שִׁמְעוֹן, כַּת אַחַת, כְּלוּלָה מִשָּׁלֹשׁ כִּתּוֹת, אוֹמֶרֶת שִׁירָה בַּלַּיְלָה. הה"ד, וַתָּקָם בְּעוֹד לַיְלָה וַתִּתֵּן טֶרֶף לְבֵיתָהּ.

שכו. אָמַר רִבִּי אֶלְעָזָר, עֲשָׂרָה דְּבָרִים נִבְרְאוּ בְּיוֹם רִאשׁוֹן, מֵהֶם מִדַּת לַיְלָה, וּמֵהֶם מִדַּת יוֹם, וְעַל מִדַּת לַיְלָה כְּתִיב, וַתָּקָם בְּעוֹד לַיְלָה וַתִּתֵּן טֶרֶף לְבֵיתָהּ. כד"א, אַפּוֹ טָרָף. וּכְתִיב, וְטָרַף וְאֵין מַצִּיל. וְחֹק לְנַעֲרוֹתֶיהָ, כְּמָה דְּאַתְּ אָמַר חֹק וּמִשְׁפָּט. חֻקָּיו וּמִשְׁפָּטָיו. כִּי חֹק לְיִשְׂרָאֵל הוּא מִשְׁפָּט וְגוֹ'. מִכָּאן שֶׁמָּה"ד שׁוֹלֶטֶת בַּלַּיְלָה.

שכז. וְתָנָא, אֵלּוּ הָאוֹמְרִים שִׁירָה בַּלַּיְלָה, אֵלּוּ הֵם שָׁרִים עַל כָּל בַּעֲלֵי שִׁיר. וּכְשֶׁפּוֹתְחִין הַחַיִּים שִׁירָה, מוֹסִיפִים הָעֶלְיוֹנִים כֹּחַ, לָדַעַת וּלְהַכִּיר וּלְהַשִּׂיג מַה שֶּׁלֹּא הִשִּׂיגוּ. שָׁמַיִם וָאָרֶץ, מוֹסִיפִין כֹּחַ בְּהַאי שִׁירָה.

שכח. אָמַר רִבִּי נְחֶמְיָה, אַשְׁרֵי הַזּוֹכֶה לָדַעַת בְּאוֹתוֹ שִׁיר, דְּתַנְיָא הַזּוֹכֶה בְּאוֹתוֹ שִׁיר, יָדַע בְּעִנְיְנֵי הַתּוֹרָה וְהַחָכְמָה, וְיַאֲזִין וְיַחֲקוֹר וְיוֹסִיף כֹּחַ וּגְבוּרָה בַּמֶּה שֶּׁהָיָה, וּבַמֶּה שֶּׁעָתִיד לִהְיוֹת, וּבָזֶה זָכָה שְׁלֹמֹה לָדַעַת.

שכט. דְּתָנֵי רִבִּי שִׁמְעוֹן, דָּוִד ע"ה, יָדַע בָּזֶה, וְתִקֵּן שִׁירִים וְתוּשְׁבָּחוֹת הַרְבֵּה, וְרָמַז בָּהֶם הָעֲתִידוֹת לָבוֹא, וְהוֹסִיף כֹּחַ וּגְבוּרָה בְּרוּחַ הַקּוֹדֶשׁ. יָדַע בְּעִנְיְנֵי הַתּוֹרָה וְהַחָכְמָה, וְאִזֵּן וְחִקֵּר וְהוֹסִיף כֹּחַ וּגְבוּרָה בִּלְשׁוֹן הַקּוֹדֶשׁ.

של. וּשְׁלֹמֹה זָכָה יוֹתֵר בְּאוֹתוֹ הַשִּׁיר, וְיָדַע הַחָכְמָה, וְאִזֵּן וְחִקֵּר וְתִקֵּן מְשָׁלִים הַרְבֵּה, וְעָשָׂה סֵפֶר מֵאוֹתוֹ הַשִּׁיר מַמָּשׁ, וְהַיְינוּ דִּכְתִיב, עָשִׂיתִי לִי שָׁרִים וְשָׁרוֹת. כְּלוֹמַר, קָנִיתִי לִי לָדַעַת שִׁיר, מֵאוֹתָן הַשִּׁירִים הָעֶלְיוֹנִים, וַאֲשֶׁר תַּחְתָּם. וְהַיְינוּ דִּכְתִיב, שִׁיר הַשִּׁירִים, כְּלוֹמַר, שִׁיר, שֶׁל אוֹתָם שָׁרִים שֶׁל מַעְלָה. שִׁיר, שֶׁכּוֹלֵל כָּל עִנְיְנֵי הַתּוֹרָה וְהַחָכְמָה, וְכֹחַ וּגְבוּרָה, בַּמֶּה שֶּׁהָיָה, וְעָתִיד לִהְיוֹת, שִׁיר שֶׁהַשָּׁרִים שֶׁל מַעְלָה מְשׁוֹרְרִים.

שלא. א"ר אֶלְעָזָר, אֵלּוּ הַשָּׁרִים, עָמְדוּ, עַד שֶׁנּוֹלַד לֵוִי, אֲבָל מִשֶּׁנּוֹלַד לֵוִי וְאֵילָךְ אָמְרוּ שִׁיר. כֵּיוָן שֶׁנּוֹלַד מֹשֶׁה וְנִמְשַׁח אַהֲרֹן, וְנִתְקַדְּשׁוּ הַלְוִיִּם, נִשְׁלָם הַשִּׁיר, וְעָמְדוּ עַל מִשְׁמְרוֹתָם.

שלב. וְאָמַר רִבִּי אֶלְעָזָר, בְּאוֹתָהּ שָׁעָה שֶׁנּוֹלַד לֵוִי, פָּתְחוּ לְמַעְלָה וְאָמְרוּ, מִי יִתֶּנְךָ כְּאָח לִי יוֹנֵק שְׁדֵי אִמִּי אֶמְצָאֲךָ בַחוּץ אֶשָּׁקְךָ גַּם לֹא יָבוּזוּ לִי. כֵּיוָן שֶׁיָּצְאוּ מִשֵּׁבֶט לֵוִי הַמְשׁוֹרְרִים שֶׁל מַטָּה, וְנִתְקַדְּשׁוּ כּוּלָּם, וְעָמְדוּ עַל מִשְׁמְרוֹתָם, וְנִתְקַדְּשׁוּ אֵלֶּה לְנוֹכַח אֵלֶּה, וַחֲבֵרִים כְּאֶחָד, וְהָעוֹלָמוֹת אֶחָד, וּמֶלֶךְ אֶחָד שׁוֹכֵן עֲלֵיהֶם, בָּא שְׁלֹמֹה, וְעָשָׂה סֵפֶר מֵאוֹתוֹ שִׁיר שֶׁל אוֹתָם שָׁרִים, וְנִסְתַּם הַחָכְמָה בּוֹ.

שלג. א"ר יְהוּדָה, לָמָּה נִקְרְאוּ הַשָּׁרִים שֶׁל מַטָּה לְוִיִּים, עַל שֶׁנִּלְוִים וְנֶחְבָּרִים לְמַעְלָה כְּאֶחָד. וְהַשּׁוֹמֵעַ, נִלְוָה וְנִדְבָּק נַפְשׁוֹ לְמַעְלָה. וע"כ אָמְרָה לֵאָה, יִלָּוֶה אִישִׁי אֵלַי. רִבִּי תַּנְחוּם אָמַר, שֶׁבַּכֹּל נִלְוָה זֶרַע לֵוִי עִם הַשְּׁכִינָה, בְּמֹשֶׁה וְאַהֲרֹן וּמִרְיָם, וּבְכָל זַרְעוֹ אַחֲרָיו, וְהֵם הַנִּלְוִים אֶל ה' לְשָׁרְתוֹ.

שלד. ת"ח, בְּשָׁעָה שֶׁעָמְדוּ הַמְשׁוֹרְרִים לְמַעְלָה, לֹא עָמְדוּ עַל מִשְׁמַרְתָּם, עַד שֶׁנּוֹלְדוּ שְׁלֹשָׁה הָאַחִים: מֹשֶׁה, אַהֲרֹן, וּמִרְיָם. תֵּינַח מֹשֶׁה וְאַהֲרֹן, מִרְיָם לָמָּה. אָמַר רִבִּי יוֹסֵי, הה"ד, וְשָׁרוֹת. כד"א, וַתַּעַן לָהֶם מִרְיָם.

שלה. תָּאנָא, בְּאוֹתָהּ שָׁעָה שֶׁנּוֹלַד לֵוִי, נְטָלוֹ הקב"ה, וּבְחָרוֹ מִכָּל אֶחָיו וְהוֹשִׁיבוֹ בָּאָרֶץ, וְהוֹלִיד לִקְהָת, וּקְהָת הוֹלִיד לְעַמְרָם, וְהוּא הוֹלִיד לְאַהֲרֹן וּמִרְיָם. פֵּירַשׁ מֵאִשְׁתּוֹ, וְהֶחֱזִירָהּ, בְּאוֹתָהּ שָׁעָה הָיוּ הַמְשׁוֹרְרִים שֶׁל מַעְלָה עוֹמְדִים וּמְשׁוֹרְרִים, גָּעַר בָּהֶם הקב"ה, וְנִשְׁתַּכֵּךְ הַשִּׁיר, עַד שֶׁנָּטָה קַו יְמִינוֹ, וְהוֹשִׁיט לְעַמְרָם.

שלו. מ"ט נִקְרָא עַמְרָם. שֶׁיָּצָא מִמֶּנּוּ עַם רָם עַל כָּל רָמִים, וְלֹא נִזְכַּר שְׁמוֹ. מ"ט לֹא

נִזְכַּר שְׁמוֹ. רַבִּי יְהוּדָה אָמַר בְּשֵׁם רַבִּי אֲבָהוּ, מִפְּנֵי שֶׁבִּצְנִעָא הָלַךְ, וּבִצְנִעָא וָזַר לְאִשְׁתּוֹ, כְּדֵי שֶׁלֹּא יַכִּירוּ בּוֹ, הה״ד וַיֵּלֶךְ אִישׁ, וְלֹא נֶאֱמַר וַיֵּלֶךְ עַמְרָם בְּפַרְהֶסְיָא. וַיִּקַּח אֶת בַּת לֵוִי, אַף הִיא בִּצְנִעָא וָזְרָה, וְלֹא נִזְכְּרָה שְׁמָהּ.

שלז. וַיֵּלֶךְ אִישׁ. רַבִּי אֲבָהוּ אָמַר, וַיֵּלֶךְ אִישׁ, זֶה גַּבְרִיאֵל. דִּכְתִיב, וְהָאִישׁ גַּבְרִיאֵל. שֶׁהָלַךְ הוּא וְהֶחֱזִירָהּ לְעַמְרָם. רַבִּי יְהוּדָה אָמַר, עַמְרָם מַמָּשׁ הָיָה, וְלֹא נִזְכַּר שְׁמוֹ, מִפְּנֵי שֶׁהֲלִיכָה זוֹ לֹא הָיְתָה מִמֶּנּוּ לְהִזְדַּוֵּג לְאִשְׁתּוֹ, אֶלָּא מִלְמַעְלָה.

שלח. רַבִּי יִצְחָק אָמַר, בְּאַהֲרֹן וּמִרְיָם לֹא נֶאֱמַר זִוּוּג אֲבוֹתָם בַּתּוֹרָה, וּבְמֹשֶׁה כְּתִיב וַיִּקַּח אֶת בַּת לֵוִי, לְהוֹרוֹת, שֶׁהַשְּׁכִינָה נִקְרֵאת עַל שֵׁם לֵוִי. וְלֹא הָיָה עַמְרָם רָאוּי לְהוֹלִיד לְמֹשֶׁה, עַד שֶׁנָּטַל חֵלֶק בַּשְּׁכִינָה, וְהוֹלִיד לְמֹשֶׁה. הֲדָא הוּא דִּכְתִיב, וַיִּקַּח אֶת בַּת לֵוִי. וּלְפִיכָךְ כְּתִיב, וַתֵּרֶא אוֹתוֹ כִּי טוֹב הוּא.

שלט. רַבִּי אֶלְעָזָר אָמַר, זָכָה עַמְרָם שֶׁיָּצָא מִמֶּנּוּ בֵּן, שֶׁזָּכָה לְקוֹל גָּדוֹל, דִּכְתִיב וְהָאֱלֹהִים יַעֲנֶנּוּ בְקוֹל. וְעַמְרָם זָכָה לְבַת קוֹל, דִּכְתִיב וַיִּקַּח אֶת בַּת לֵוִי. כְּלוֹמַר, בַּת קוֹל. וּלְפִיכָךְ כְּתִיב וַיֵּלֶךְ. כְּלוֹמַר, שֶׁהָלַךְ לְמַדְרֵגָה זוֹ. תָּאנָא, כְּשֶׁנּוֹלַד מֹשֶׁה, יִיחֵד הקב״ה שְׁמוֹ עָלָיו, דִּכְתִיב וַתֵּרֶא אוֹתוֹ כִּי טוֹב הוּא. וּכְתִיב, טוֹב ה׳ לַכֹּל. וּכְתִיב, טַעֲמוּ וּרְאוּ כִּי טוֹב ה׳.

שמ. וַיְהִי בַיָּמִים הָרַבִּים הָהֵם. רַבִּי יְהוֹשֻׁעַ דְּסִכְנִין אָמַר, וַיְהִי בַיָּמִים הָרַבִּים הָהֵם, סוֹף גָּלוּתָם הָיָה, שֶׁהָיוּ יִשְׂרָאֵל מְשׁוּעְבָּדִים בְּכָל עֲבוֹדָה. בַּיָּמִים הָרַבִּים הָהֵם, שֶׁהָיוּ רַבִּים לְיִשְׂרָאֵל בְּמִצְרַיִם, וְכֵיוָן שֶׁנִּשְׁתַּלֵּם קֵץ גָּלוּתָם, מַה כְּתִיב, וַיָּמָת מֶלֶךְ מִצְרַיִם. מ״ט. שֶׁהוּרַד שַׂר מִצְרַיִם מִמַּעֲלָתוֹ, וְנָפַל מִגַּאֲוָתוֹ. וְכֵיוָן שֶׁנָּפַל מֶלֶךְ מִצְרַיִם, שֶׁהוּא שַׂר שֶׁלָּהֶן, זָכַר הקב״ה לְיִשְׂרָאֵל, וְשָׁמַע תְּפִלָּתָם.

שמא. אָמַר רַבִּי יְהוּדָה, בֹּא וּרְאֵה שֶׁכָּךְ הוּא, שֶׁכָּל זְמַן שֶׁהַשַּׂר שֶׁלָּהֶם נִתְּנָה לוֹ שְׂרָרָה עַל יִשְׂרָאֵל, לֹא נִשְׁמַע צַעֲקָתָם שֶׁל יִשְׂרָאֵל, כֵּיוָן שֶׁנָּפַל הַשַּׂר שֶׁלָּהֶם, כְּתִיב וַיָּמָת מֶלֶךְ מִצְרַיִם, וּמִיָּד וַיֵּאָנְחוּ בְנֵי יִשְׂרָאֵל מִן הָעֲבוֹדָה וַיִּזְעָקוּ וַתַּעַל שַׁוְעָתָם אֶל הָאֱלֹהִים. שֶׁעַד אוֹתָהּ שָׁעָה לֹא נַעֲנוּ בְּצַעֲקָתָם.

שמב. אָמַר רַבִּי אֶלְעָזָר, בֹּא וּרְאֵה רַחֲמָנוּתוֹ שֶׁל הַקָּדוֹשׁ בָּרוּךְ הוּא, כְּשֶׁהוּא מְרַחֵם עַל יִשְׂרָאֵל, כּוֹפֶה לְמִדה״ד, וּמוֹרִידָהּ, וּמְרַחֵם עֲלֵיהֶם. וְהַיְינוּ דִּתְנַן, שֶׁהַקָּדוֹשׁ בָּרוּךְ הוּא מוֹרִיד שְׁתֵּי דְּמָעוֹת לַיָּם הַגָּדוֹל. מַאן אִינּוּן שְׁתֵּי דְּמָעוֹת. אָמַר רַבִּי יוֹסֵי, לָאו מִלָּא בְּרִירָא הִיא, דְּהָא א״ל לְאוֹבָא טַמְיָא, דְּהוּא כַּדִּיב, וּמִלֵּיהּ כַּדִּיבָן.

שמג. א״ר אֶלְעָזָר, לָאו בָּתַר אוֹבָא טַמְיָא אָזְלִינָן, דִּבְרִירָא דְּמִלָּה הוּא, דִּתְנָן, בַּעֲשָׂרָה כִּתְרֵי מַלְכָּא, אִית תְּרֵין דִּמְעִין לקב״ה, וְהֵן שְׁתֵּי מִדּוֹת דִּין, שֶׁהַדִּין בָּא מִשְּׁתֵּיהֶן, כד״א, שְׁתַּיִם הֵנָּה קֹרְאֹתַיִךְ. וּכְשֶׁהקב״ה זוֹכֵר אֶת בָּנָיו, הוּא מוֹרִיד אוֹתָם לַיָּם הַגָּדוֹל, שֶׁהוּא יָם הַחָכְמָה לְהַמְתִּיקָן, וְהוֹפֵךְ מִדַּת הַדִּין לְמִדַּת רַחֲמִים, וּמְרַחֵם עֲלַיְיהוּ. א״ר יְהוּדָה, שְׁתֵּי דְּמָעוֹת, שֶׁמֵּהֶם בָּאִים הַדְּמָעוֹת, מֵהֶם בָּא הַדִּין.

שדמ. א״ר יְהוּדָה כְּתִיב, וְהִנֵּה מִצְרַיִם נֹסֵעַ אַחֲרֵיהֶם. וא״ר יוֹסֵי זֶה שַׂר שֶׁל מִצְרַיִם, הוּא, וְאַתְּ אָמַרְתְּ וַיָּמָת מֶלֶךְ מִצְרַיִם, זֶה שַׂר שֶׁל מִצְרַיִם. א״ר יִצְחָק, הַאי מִלָּה קָא מְסַיֵּיעַ לְהַהוּא דִּלְעֵילָא, כְּתִיב הָכָא וְהִנֵּה מִצְרַיִם, וּכְתִיב הָתָם וַיָּמָת מֶלֶךְ מִצְרַיִם. מְלַמֵּד דְּעַכְשָׁיו לֹא הָיָה מֶלֶךְ, דְּהוֹרִידוּהוּ מִגְּדוּלָתוֹ. וּלְפִיכָךְ כְּתִיב, וְהִנֵּה מִצְרַיִם, וְלֹא כְּתִיב מֶלֶךְ מִצְרַיִם. וּמַה דְּאָמַר וַיָּמָת. כד״א כִּי מֵתוּ כָּל הָאֲנָשִׁים הַמְבַקְשִׁים אֶת נַפְשֶׁךָ.

שמה. א״ר יִצְחָק א״ר יְהוֹשֻׁעַ, בֹּא וּרְאֵה, כָּל מַלְכֵי מִצְרַיִם פַּרְעֹה שְׁמָם. וּבְכָאן לֹא נֶאֱמַר אֶלָּא מֶלֶךְ מִצְרַיִם סְתָם. וּבִמְקוֹמוֹ פַּרְעֹה, וְהוּא פַּרְעֹה מַמָּשׁ. ת״ח, בְּעוֹד דְּאִית שׁוּלְטָנוּתָא דִּלְעֵילָּא, אִית שׁוּלְטָנוּתָא בְּעַמָּא דִּלְתַתָּא, אִתְעֲדֵי שׁוּלְטָנוּתָא דִּלְעֵילָּא, אִתְעֲדֵי שׁוּלְטָנוּתָא דִּלְתַתָּא.

שמו. א״ר יוֹסֵי, כְּתִיב הִנֵּה יוֹם בָּא לַיְיָ׳ וְגוֹ׳ וְהָיָה יוֹם אֶחָד הוּא יִוָּדַע לַיְיָ׳ וְגוֹ׳. וְכִי שְׁאַר יוֹמִין לָאו אִינּוּן דִּילֵיהּ. אֶלָּא אָמַר רִבִּי אַבָּא, מְלַמֵּד, שֶׁשְּׁאָר הַיָּמִים, נְתָנִים לַשָּׂרִים, וְאוֹתוֹ יוֹם, אֵינוֹ שֶׁל הַשָּׂרִים, אֶלָּא שֶׁל הקב״ה, כְּדֵי לַעֲשׂוֹת דִּין בְּעכו״ם. מִפְּנֵי שֶׁבְּאוֹתוֹ יוֹם, יִפְּלוּ כָּל הַשָּׂרִים מִמַּעֲלָתָם. וע״ד כְּתִיב, וְנִשְׂגַּב ה׳ לְבַדּוֹ בַּיּוֹם הַהוּא. שֶׁאוֹתוֹ יוֹם לֹא יִהְיֶה מַעֲלָה לַשָּׂרִים.

שמז. א״ר אַבָּא, כְּשֶׁהַקָּבָּ״ה עוֹשֶׂה דִּין בַּשָּׂרִים שֶׁל מַעְלָה, מַה כְּתִיב, כִּי רִוְּתָה בַשָּׁמַיִם חַרְבִּי. וְכִי חֶרֶב אִית לַיְיָ׳. אֶלָּא אָמַר רִבִּי יִצְחָק, חֶרֶב אִית לֵיהּ, דִּכְתִיב, חֶרֶב לַיְיָ׳ מָלְאָה דָם. וּכְתִיב וּבְחַרְבּוֹ אֶת כָּל בָּשָׂר.

שמח. א״ר אַבָּא, הַחֶרֶב הַזֶּה הוּא הַדִּין שֶׁעוֹשֶׂה, דִּכְתִיב, וַיַּרְא אֶת מַלְאַךְ ה׳ עוֹמֵד בֵּין הָאָרֶץ וּבֵין הַשָּׁמַיִם וְחַרְבּוֹ שְׁלוּפָה בְּיָדוֹ. וְכִי חֶרֶב שְׁלוּפָה הָיְתָה בְּיַד הַמַּלְאָךְ, אֶלָּא, שֶׁהָיְתָה הָרְשׁוּת נְתוּנָה בְּיָדוֹ לַעֲשׂוֹת דִּין.

שמט. וְהָא אָמַר רִיבָ״ל, אָמַר לִי מַלְאַךְ הַמָּוֶת, אִי לָאו דְּחַיֵּיסְנָא לִיקָרָא דִּבְרִיָּיתָא, פָּרַעְנָא לְהוּ בֵּית הַשְּׁחִיטָה, כַּבְּהֵמָה. א״ר אַבָּא, כֹּלָּא מִשּׁוּם דְּאִתְיְיהִיב רְשׁוּתָא בִּידֵיהּ, לְמֶעְבַּד גְּמַר דִּינָא, הה״ד, וְחַרְבּוֹ שְׁלוּפָה בְּיָדוֹ, הָרְשׁוּת נְתוּנָה בְּיָדוֹ לַעֲשׂוֹת דִּין. אִי הָכִי מַאי וַיָּשֶׁב חַרְבּוֹ אֶל נְדָנָהּ. אָמַר רִבִּי אַבָּא, שֶׁנֶּחֱזַר הַדִּין לְבַעַל הַדִּין, וְהָרְשׁוּת לְמִי שֶׁהָרְשׁוּת שֶׁלּוֹ.

שנ. וַיֵּאָנְחוּ בְּנֵי יִשְׂרָאֵל, וַיִּתְאַנְּחוּ לֹא כְּתִיב, אֶלָּא וַיֵּאָנְחוּ, כְּלוֹמַר, נִתְאַנְּחוּ לוֹ לְמַעְלָה שֶׁהָאֲנָחָה הָיְתָה בִּשְׁבִילָם לְמַעְלָה.

שנא. ר׳ בְּרֶכְיָה אָמַר, בְּנֵי יִשְׂרָאֵל דִּלְעֵילָּא הֲוו, וּמַאן אִינּוּן בְּנֵי יִשְׂרָאֵל. אִינּוּן דְּאִתְקְרוּן בְּנֵי פּוּלְחָנָא. כְּלוֹמַר, אוֹתָם שֶׁהֵם מִן הָעֲבוֹדָה שֶׁל מַעְלָה. וַתַּעַל שַׁוְעָתָם אֶל הָאֱלֹהִים, שֶׁעַד אוֹתָהּ שָׁעָה לֹא עָלְתָה שַׁוְעָתָם לְפָנָיו.

שנב. א״ר יִצְחָק כַּד עָבֵיד קָבָ״ה דִּינָא בְּפָמַלְיָיא שֶׁל מַעְלָה, הַהוּא דִּינָא מַאי הֲוֵי. אָמַר רִבִּי אֶלְעָזָר, מַעְבַּר לְהוּ בְּהַהוּא נְהַר דִּינוּר, וְאַעְבַּר לוֹן מִשּׁוּלְטָנֵיהוֹן, וּמְנֵי שׁוּלְטָנִין אַחֲרָנִין דִּשְׁאַר עַמִּין. א״ל וְהָא כְּתִיב מְשָׁרְתָיו אֵשׁ לוֹהֵט. א״ל, אִית אֶשָּׁא תַּקִּיפָא מֵאֶשָּׁא, וְאִית אֶשָּׁא דְּדָחְיָא אֶשָּׁא.

שנג. אָמַר רִבִּי יִצְחָק, תְּלַת עִנְיָינֵי הָכָא: אֲנָחָה, שַׁוְעָה, צְעָקָה. וְכָל חַד מִתְפָּרְשָׁא מֵאַחֲרָא. אֲנָחָה: כְּתִיב, וַיֵּאָנְחוּ בְּנֵי יִשְׂרָאֵל. צְעָקָה: דִּכְתִיב, וַיִּצְעָקוּ. שַׁוְעָה: דִּכְתִיב, וַתַּעַל שַׁוְעָתָם. וְכָל חַד בִּלְחוֹדוֹי מִתְפָּרְשָׁא, וְכֻלְּהוּ עָבְדוּ יִשְׂרָאֵל. אָמַר רִבִּי יְהוּדָה, צְעָקָה וְשַׁוְעָה עָבְדוּ, אֲנָחָה לֹא עָבְדוּ, מַשְׁמַע מִדִּכְתִיב וַיֵּאָנְחוּ וּלְמַעְלָה הָיְתָה הָאֲנָחָה בִּשְׁבִילָם.

שנד. צְעָקָה וְשַׁוְעָה בְּמַאי אִתְפָּרְשָׁן, אָמַר רִבִּי יִצְחָק, אֵין לָךְ שַׁוְעָה, אֶלָּא בַּתְּפִלָּה. שֶׁנֶּאֱמַר, שִׁמְעָה תְפִלָּתִי יְיָ׳ וְשַׁוְעָתִי הַאֲזִינָה. אֵלֶיךָ יְיָ׳ שִׁוַּעְתִּי. שִׁוַּעְתִּי אֵלֶיךָ וַתִּרְפָּאֵנִי. צְעָקָה שֶׁצּוֹעֵק וְאֵינוֹ אוֹמֵר כְּלוּם. אָמַר רִבִּי יְהוּדָה, הִלְכָּךְ גְּדוֹלָה צְעָקָה מִכּוּלָּן, שֶׁצְּעָקָה הִיא בַּלֵּב. הה״ד, צָעַק לִבָּם אֶל יְיָ׳. צְעָקָה וּזְעָקָה דָּבָר אֶחָד הוּא, וְזֶה קְרוֹבָה לְהקָבָ״ה, יוֹתֵר מִתְּפִלָּה וַאֲנָחָה, דִּכְתִיב כִּי אִם צָעוֹק יִצְעַק אֵלַי שָׁמֹעַ אֶשְׁמַע צַעֲקָתוֹ.

שנה. אָמַר רַבִּי בֶּרֶכְיָה, בְּשָׁעָה שֶׁאָמַר הקב"ה לִשְׁמוּאֵל, נִחַמְתִּי כִּי הִמְלַכְתִּי אֶת שָׁאוּל לְמֶלֶךְ. מַה כְּתִיב, וַיִּחַר לִשְׁמוּאֵל, וַיִּזְעַק אֶל יְיָ' כָּל הַלָּיְלָה. הַנִּיחַ הַכֹּל, וְלָקַח צְעָקָה, מִשּׁוּם דְּהִיא קְרוֹבָה לקב"ה יַתִּיר מִכֻּלְּהוּ, הה"ד, וְעַתָּה הִנֵּה צַעֲקַת בְּנֵי יִשְׂרָאֵל בָּאָה אֵלָי.

שנו. ת"ר, הַאי מַאן דְּצַלֵּי וּבָכֵי וְצָוַוח, עַד לָא יָכִיל לְמִרְחַשׁ בְּשִׂפְוָותֵיהּ, הַאי צְלוֹתָא שְׁלֵימָתָא דְּהִיא בְּלִבָּא, וּלְעוֹלָם לָא הַדְרָא רֵיקָנְיָא. אָמַר רַבִּי יְהוּדָה, גְּדוֹלָה צְעָקָה, שֶׁקּוֹרֵעַ גְּזַר דִּינוֹ שֶׁל אָדָם מִכָּל יָמָיו.

שנז. רַבִּי יִצְחָק אָמַר, גְּדוֹלָה צְעָקָה, שֶׁמּוֹשֶׁלֶת עַל מִדַּת הַדִּין שֶׁל מַעְלָה. רַבִּי יוֹסֵי אָמַר, גְּדוֹלָה צְעָקָה, שֶׁמּוֹשֶׁלֶת בעוה"ז ובעוה"ב. בִּשְׁבִיל צְעָקָה נוֹחֵל הָאָדָם העוה"ז והעוה"ב, דִּכְתִיב, וַיִּצְעֲקוּ אֶל ה' בַּצַּר לָהֶם מִמְּצוּקוֹתֵיהֶם יַצִּילֵם.

שנח. וּמֹשֶׁה הָיָה רוֹעֶה אֶת צֹאן יִתְרוֹ חוֹתְנוֹ כֹּהֵן מִדְיָן. רַבִּי שִׁמְעוֹן פָּתַח, דּוֹדִי לִי וַאֲנִי לוֹ הָרוֹעֶה בַּשּׁוֹשַׁנִּים. אר"ש, אוֹי לָהֶם לַבְּרִיּוֹת, שֶׁאֵינָם מַשְׁגִּיחִים וְאֵינָם יוֹדְעִים, בְּשָׁעָה שֶׁעָלָה בְּמַחֲשָׁבָה לִפְנֵי הַקָּדוֹשׁ ב"ה, לִבְרוֹא עוֹלָמוֹ, כָּל הָעוֹלָמוֹת עָלוּ בְּמַחֲשָׁבָה אַחַת, וּבְמַחֲשָׁבָה זוֹ נִבְרְאוּ כּוּלָּם, הה"ד, כֻּלָּם בְּחָכְמָה עָשִׂיתָ. וּבְמַחֲשָׁבָה זוֹ, שֶׁהִיא הַחָכְמָה, נִבְרָא הָעוֹלָם הַזֶּה, וְהָעוֹלָם שֶׁל מַעְלָה.

שנט. נָטָה יְמִינוֹ, וּבָרָא הָעוֹלָם שֶׁל מַעְלָה. נָטָה שְׂמֹאלוֹ, וּבָרָא הָעוֹלָם הַזֶּה, הה"ד, אַף יָדִי יָסְדָה אֶרֶץ וִימִינִי טִפְּחָה שָׁמָיִם. קוֹרֵא אֲנִי אֲלֵיהֶם יַעַמְדוּ יַחְדָּו. וְכֻלָּם בְּרֶגַע אַחַת נִבְרְאוּ, וְעָשָׂה הָעוֹלָם הַזֶּה, כְּנֶגֶד הָעוֹלָם שֶׁל מַעְלָה. וְכָל מַה שֶּׁיֵּשׁ לְמַעְלָה, כְּדוּגְמָתוֹ לְמַטָּה. וְכָל מַה שֶּׁיֵּשׁ לְמַטָּה, כְּדוּגְמָתוֹ בַּיָּם. וְהַכֹּל אֶחָד. בָּרָא בָּעֶלְיוֹנִים הַמַּלְאָכִים, בָּרָא בעוה"ז בְּנֵי אָדָם, בָּרָא בַּיָּם לִוְיָתָן, כד"א לְחַבֵּר אֶת הָאֹהֶל לִהְיוֹת אֶחָד.

שס. כְּתִיב בָּאָדָם, כִּי בְּצֶלֶם אֱלֹהִים עָשָׂה אֶת הָאָדָם. וּכְתִיב, וַתְּחַסְּרֵהוּ מְּעַט מֵאֱלֹהִים. אִי בְּנֵי נָשָׁא יַקִּירִין בְּעוֹבָדוֹי כָּל הַאי, וְאִינּוּן מִתְאַבְּדִין מֵעָפָר דְּבֵירָא, בְּמָּה אַתְיָין לְשָׁאֲבָא מִנֵּיהּ. וּבָחַר בָּעֶלְיוֹנִים, וּבָחַר בְּיִשְׂרָאֵל, לָעֶלְיוֹנִים לֹא קָרָא בָּנִים, לַתַּחְתּוֹנִים קָרָא בָּנִים. הה"ד בָּנִים אַתֶּם לַה' אֱלֹהֵיכֶם. הוּא קָרָא לָהֶם בָּנִים, וְהֵם קָרְאוּ לוֹ אָב, דִּכְתִיב כִּי אַתָּה אָבִינוּ. וּכְתִיב דּוֹדִי לִי וַאֲנִי לוֹ. הוּא בָּחַר בִּי, וַאֲנִי בָּחַרְתִּי בּוֹ.

שסא. הָרוֹעֶה בַּשּׁוֹשַׁנִּים, הוּא רוֹעֶה בַּשּׁוֹשַׁנִּים, אע"פ שֶׁהַקּוֹצִים סָבִיב לָהֶם, וְאֵין אַחֵר יָכוֹל לִרְעוֹת בַּשּׁוֹשַׁנִּים כְּמוֹתוֹ. ד"א הָרוֹעֶה בַּשּׁוֹשַׁנִּים, מַה שּׁוֹשָׁן זֶה הוּא אָדוֹם, וּמֵימָיו לְבָנִים, כָּךְ הקב"ה, מַנְהִיג עוֹלָמוֹ, ממה"ד למה"ר. וּכְתִיב אִם יִהְיוּ חֲטָאֵיכֶם כַּשָּׁנִים כַּשֶּׁלֶג יַלְבִּינוּ.

שסב. רַבִּי אַבָּא הֲוָה אָזִיל בְּאוֹרְחָא, וַהֲוָה עִמֵּיהּ רַבִּי יִצְחָק. אַדְהָכִי אַזְלֵי, פָּגַע בְּאִינּוּן וְרָדִים, נָטַל חַד רַבִּי אַבָּא בִּידוֹי וַהֲוָה אָזִיל. פָּגַע בְּהוּ רַבִּי יוֹסֵי, אָמַר וַדַּאי שְׁכִינְתָּא הָכָא, וַאֲנָא חֲמֵינָא בִּידוֹי דְּרַבִּי אַבָּא, לְמֵילַף חָכְמְתָא סַגִּיאָה, דְּהָא יָדַעְנָא, דְּרַבִּי אַבָּא לָא נָטַל הַאי, אֶלָּא לְאַחֲזָאָה חָכְמְתָא.

שסג. אָמַר רַבִּי אַבָּא, תִּיב בְּרִי תִּיב. יָתְבוּ. אָרַח רַבִּי אַבָּא בְּהַהוּא וַרְדָא, אָמַר, וַדַּאי אֵין הָעוֹלָם מִתְקַיֵּים אֶלָּא עַל הָרֵיחַ. דְּהָא חֲזֵינָא דְּלֵית נַפְשָׁא מִתְקַיְּימָא אֶלָּא עַל רֵיחָא. וְעַל דָּא, הֲדַס בְּמוֹצָאֵי שַׁבָּת.

שסד. פָּתַח וְאָמַר דּוֹדִי לִי וַאֲנִי לוֹ הָרוֹעֶה בַּשּׁוֹשַׁנִּים. מִי גָּרַם לִי, שֶׁאֲנִי לְדוֹדִי וְדוֹדִי

לִי, מִפְּנֵי שֶׁהוּא מַנְהִיג עוֹלָמוֹ בַּשּׁוֹשַׁנִּים. מַה שּׁוֹשָׁן יֵשׁ בּוֹ רֵיחַ, וְהוּא אָדוֹם, מוֹצִּיקִין אוֹתוֹ, וְהוּא מִתְהַפֵּךְ לַלָּבָן, וּלְעוֹלָם רֵיחוֹ לֹא זָז. כַּךְ הקב"ה, מַנְהִיג עוֹלָמוֹ בְּדֶרֶךְ זֶה, שֶׁאִלְמָלֵא כֵּן לֹא יִתְקַיֵּים הָעוֹלָם בִּשְׁבִיל הָאָדָם הַחוֹטֵא. וְהַחוֹטֵא נִקְרָא אָדוֹם, כְּמָה דְּאַתְּ אָמַר, אִם יִהְיוּ חֲטָאֵיכֶם כַּשָּׁנִים כַּשֶּׁלֶג יַלְבִּינוּ, מַקְרִיב קָרְבָּנוֹ לָאֵשׁ שֶׁהוּא אָדוֹם. זוֹרֵק הַדָּם, סָבִיב לַמִּזְבֵּחַ שֶׁהוּא אָדוֹם. מִדַּת הַדִּין אָדוֹם, מוֹצִּיקִין אוֹתוֹ, וְעוֹלֶה הֶעָשָׁן כֻּלּוֹ לָבָן, וְאָז הָאָדוֹם נֶהְפַּךְ לְלָבָן, נֶהְפַּךְ מִדַּת הַדִּין לְמִדַּת הָרַחֲמִים.

שסה. וְתָא חֲזֵי, כָּל מדה"ד, אֵין צָרִיךְ הָרֵיחַ שֶׁלּוֹ, אֶלָּא מִצַּד אוֹדֶם. וְהַיְינוּ דְּאָמַר רַבִּי יְהוּדָה, מַה דִּכְתִיב, וַיִּתְגּוֹדְדוּ כְּמִשְׁפָּטָם וְגוֹ' עַד שְׁפָךְ דָּם עֲלֵיהֶם. אֶלָּא הָיוּ יוֹדְעִים, שֶׁלֹּא יַשִּׂיגוּ מִמִּדַּת הַדִּין כִּרְצוֹנָם, זוּלָתִי בָּאוֹדֶם.

שסו. אָמַר רַבִּי יִצְחָק, וְעוֹד, אוֹדֶם וְלָבָן נִקְרַב לְעוֹלָם, וְהָרֵיחַ עוֹלֶה מִשְּׁתֵּיהֶן. מַה הַשּׁוֹשָׁן אָדוֹם וְלָבָן, כַּךְ רֵיחַ הַקָּרְבָּן. וְהַקָּרְבָּן, מֵאָדוֹם וְלָבָן. בֹּא וּרְאֵה מֵרֵיחַ הַקְּטוֹרֶת, שֶׁהַשָּׁמָנִים, מֵהֶם אֲדוּמִים, וּמֵהֶם לְבָנִים, כְּגוֹן הַלְּבוֹנָה, שֶׁהוּא לָבָן, מָר דְּרוֹר אָדוֹם, וְהָרֵיחַ עוֹלֶה מֵאָדוֹם וְלָבָן. וע"כ מַנְהִיג עוֹלָמוֹ בַּשּׁוֹשַׁנִּים, שֶׁהוּא אָדוֹם וְלָבָן. וּכְתִיב לְהַקְרִיב לִי חֵלֶב וָדָם.

שסז. כְּנֶגֶד זֶה, אָדָם מַקְרִיב חֶלְבּוֹ וְדָמוֹ, וּמִתְכַּפֵּר לוֹ, זֶה אָדוֹם, וְזֶה לָבָן. מַה הַשּׁוֹשָׁן שֶׁהוּא אָדוֹם וְהוּא לָבָן, אֵין מוֹצִּיקִין אוֹתוֹ לַחֲזוֹר כֻּלּוֹ לָבָן, אֶלָּא בָּאֵשׁ. כַּךְ הַקָּרְבָּן אֵין מוֹצִּיקִין אוֹתוֹ לַחֲזוֹר כֻּלּוֹ לָבָן, אֶלָּא בָּאֵשׁ. עַכְשָׁיו, מִי שֶׁיּוֹשֵׁב בְּתַעֲנִיתוֹ, וּמַקְרִיב חֶלְבּוֹ וְדָמוֹ, אֵינוֹ נִצְמָק לַחֲזוֹר כֻּלּוֹ לָבָן, אֶלָּא בָּאֵשׁ. דאר"י, מִתּוֹךְ תַּעֲנִיתוֹ שֶׁל אָדָם, מַחֲלִישִׁין אֵבָרָיו, וְגוֹבֵר עָלָיו הָאֵשׁ, וּבְאוֹתָהּ שָׁעָה, צָרִיךְ לְהַקְרִיב חֶלְבּוֹ וְדָמוֹ בְּאוֹתוֹ הָאֵשׁ, וְהוּא הַנִּקְרָא מִזְבַּח כַּפָּרָה.

שסח. וְהַיְינוּ דְּרַבִּי אֶלְעָזָר, כַּד הֲוָה יָתִיב בְּתַעֲנִיתָא, הֲוָה מְצַלֵּי וְאָמַר, גָּלוּי וְיָדוּעַ לְפָנֶיךָ ה' אֱלֹהַי וֵאלֹהֵי אֲבוֹתַי, שֶׁהִקְרַבְתִּי לְפָנֶיךָ חֶלְבִּי וְדָמִי, וְהִרְתַּחְתִּי אוֹתָם בַּחֲמִימוּת חוּלְשַׁת גּוּפִי, יְהִי רָצוֹן מִלְּפָנֶיךָ, שֶׁיְּהֵא הָרֵיחַ הָעוֹלֶה מִפִּי בְּשָׁעָה זוֹ, כְּרֵיחַ הָעוֹלֶה מֵהַקָּרְבָּן בָּאֵשׁ הַמִּזְבֵּחַ, וְתִרְצֵנִי.

שסט. נִמְצָא, שֶׁאָדָם הוּא מַקְרִיב בְּתַעֲנִיתוֹ הַחֵלֶב וְהַדָּם, וְהָרֵיחַ שֶׁעוֹלֶה מִפִּיו, הוּא מִזְבַּח כַּפָּרָה, וּלְפִיכָךְ תִּקְּנוּ הַתְּפִלָּה בִּמְקוֹם הַקָּרְבָּן, וּבִלְבַד שֶׁיִּתְכַּוֵּין לְמָה דְּאַמָרָן. אָמַר רַבִּי יִצְחָק, מִכָּאן וּלְהַלְאָה כְּתִיב, כָּל דָּבָר אֲשֶׁר יָבוֹא בָאֵשׁ תַּעֲבִירוּ בָאֵשׁ וְטָהֵר. אָמַר רַבִּי יוֹסֵי, כְּשֶׁהָיָה בֵּית הַמִּקְדָּשׁ קַיָּים, אָדָם מַקְרִיב קָרְבָּנוֹ בְּעִנְיָן זֶה, וּמִתְכַּפֵּר לוֹ. עַכְשָׁיו, תְּפִלָּתוֹ שֶׁל אָדָם מְכַפֵּר לוֹ בִּמְקוֹם הַקָּרְבָּן, כִּי הַאי גַּוְונָא.

שע. דָּבָר אַחֵר, דּוֹדִי לִי וַאֲנִי לוֹ הָרוֹעֶה בַּשּׁוֹשַׁנִּים. מַה הַשּׁוֹשַׁנִּים קוֹצִין מְצוּיִין בְּתוֹכָם, אַף הַקָּדוֹשׁ בָּרוּךְ הוּא, מַנְהִיג עוֹלָמוֹ בְּצַדִּיקִים וּרְשָׁעִים. מַה הַשּׁוֹשַׁנִּים, אִלְמָלֵא הַקּוֹצִים, אֵין הַשּׁוֹשַׁנִּים מִתְקַיְּימִין. כַּךְ אִלְמָלֵא הָרְשָׁעִים, אֵין הַצַּדִּיקִים נִיכָּרִים. דְּאָמַר רַבִּי יְהוּדָה, בְּמָה הַצַּדִּיקִים נִיכָּרִים, מִתּוֹךְ שֶׁיֵּשׁ רְשָׁעִים, דְּאִלְמָלֵא רְשָׁעִים אֵין הַצַּדִּיקִים נִיכָּרִים. ד"א הָרוֹעֶה בַּשּׁוֹשַׁנִּים, הַמַּנְהִיג עוֹלָמוֹ בְּשֵׁשׁ שָׁנִים, וְהַשְּׁבִיעִית שַׁבָּת לַה'. ד"א בַּשּׁוֹשַׁנִּים, בְּאוֹתָם שֶׁשּׁוֹנִים בַּתּוֹרָה.

שעא. וּמֹשֶׁה הָיָה רוֹעֶה אֶת צֹאן יִתְרוֹ חוֹתְנוֹ כֹּהֵן מִדְיָן. רַבִּי חִיָּיא פָּתַח וְאָמַר, מִזְמוֹר לְדָוִד יְיָ' רוֹעִי לֹא אֶחְסָר. כְּלוֹמַר, יְיָ' רוֹעִי: יְיָ' הָרוֹעֶה שֶׁלִּי. מַה הָרוֹעֶה מַנְהִיג אֶת הַצֹּאן, וּמוֹלִיכָם לְמִרְעֶה טוֹב, לְמִרְעֶה שָׁמֵן, בִּמְקוֹם נַחֲלֵי מַיִם, מְיַשֵּׁר הֲלִיכָתָן בְּצֶדֶק

וּבְמִשְׁפָּט. אַף הַקָּדוֹשׁ בָּרוּךְ הוּא, כְּתִיב בִּנְאוֹת דֶּשֶׁא יַרְבִּיצֵנִי עַל מֵי מְנוּחוֹת יְנַהֲלֵנִי נַפְשִׁי יְשׁוֹבֵב.

שעב. אָמַר רַבִּי יוֹסֵי, דֶּרֶךְ הָרוֹעֶה, לִנְהוֹג בְּצֶדֶק אֶת צֹאנוֹ, לְהַרְחִיקָם מִן הַגָּזֵל, לְהַנְהִיגָם בְּמִישׁוֹר, וְהַשֵּׁבֶט בְּיָדוֹ שֶׁלֹּא יַטּוּ יָמִין וּשְׂמֹאל. כָּךְ הַקָּדוֹשׁ בָּרוּךְ הוּא, הוּא רוֹעֶה אֶת יִשְׂרָאֵל לְהַנְהִיגָם בְּמִישׁוֹר, וּבְכָל עֵת הַשֵּׁבֶט בְּיָדוֹ שֶׁלֹּא יַטּוּ יָמִין וּשְׂמֹאל.

שעג. דָּבָר אַחֵר וּמֹשֶׁה הָיָה רוֹעֶה, אָמַר רַבִּי יוֹסֵי, תֵּדַע לְךָ, שֶׁכָּל זְמַן שֶׁהָרוֹעֶה וְחָכָם לְנַהֵל אֶת צֹאנוֹ, הוּא מוּכָן לְקַבֵּל עוֹל מַלְכוּת שָׁמַיִם. אִם הָרוֹעֶה שׁוֹטֶה, עָלָיו נִקְרָא תִּקְוָה לִכְסִיל מִמֶּנּוּ.

שעד. אָמַר רַבִּי יְהוּדָה, מֹשֶׁה וְחָכָם הָיָה, וּבָקִי לִנְהוֹג אֶת צֹאנוֹ. בֹּא וּרְאֵה, מִדָּוִד, שֶׁנֶּאֱמַר וְהִנֵּה רוֹעֶה בַּצֹּאן. לְלַמֶּדְךָ שֶׁדָּוִד וְחָכָם גָּדוֹל הָיָה, וְהָיָה רוֹעֶה צֹאנוֹ כַּדִּין וְכַשּׁוּרָה. לְפִיכָךְ, עֲשָׂהוּ הקב"ה מֶלֶךְ עַל כָּל יִשְׂרָאֵל. וְלָמָּה צֹאן וְלֹא בָּקָר. אָמַר רַבִּי יְהוּדָה, יִשְׂרָאֵל נִקְרָאִים צֹאן. שֶׁנֶּאֱמַר, וְאַתֵּן צֹאנִי צֹאן מַרְעִיתִי אָדָם אַתֶּם. וּכְתִיב, כְּצֹאן קָדָשִׁים כְּצֹאן יְרוּשָׁלַיִם.

שעה. מַה הַצֹּאן, כְּשֶׁיִּקָּרְבוּ עַל הַמִּזְבֵּחַ, בִּשְׁבִילָם זוֹכֶה לְחַיֵּי הָעוֹלָם הַבָּא. כָּךְ הַמַּנְהִיג לְיִשְׂרָאֵל כַּדִּין וְכַשּׁוּרָה, בִּשְׁבִילָם זוֹכֶה לְחַיֵּי הָעוֹלָם הַבָּא. וְעוֹד, הָרוֹעֶה אֶת הַצֹּאן, כְּשֶׁהַצֹּאן יוֹלֶדֶת, הָרוֹעֶה נוֹטֵל אוֹתָם טְלָאִים בְּחֵיקוֹ, כְּדֵי שֶׁלֹּא יִלְאוּ וְיִגְּעוּ, וּמוֹלִיכָם אַחֲרֵי אִמּוֹתָם, וּמְרַחֵם עֲלֵיהֶם. כָּךְ הַמַּנְהִיג לְיִשְׂרָאֵל, צָרִיךְ לְהַנְהִילָם בְּרַחֲמִים, וְלֹא בְּאַכְזָרִיּוּת. וְכֵן אָמַר מֹשֶׁה, כִּי תֹאמַר אֵלַי, שָׂאֵהוּ בְחֵיקֶךָ וְגוֹ'.

שעו. מַה הָרוֹעֶה אֶת הַצֹּאן, כְּשֶׁהוּא רוֹעֶה טוֹב, מַצִּיל אֶת הַצֹּאן מִן הַזְּאֵבִים, וּמִן הָאֲרָיוֹת. כָּךְ הַמַּנְהִיג לְיִשְׂרָאֵל, אִם הוּא טוֹב, מַצִּילָן מִן הָעַכּוּ"ם, וּמִדִּין שֶׁל מַטָּה, וּמִדִּין שֶׁל מַעְלָה, וּמַדְרִיכָן לְחַיֵּי הָעוֹלָם הַבָּא. כָּךְ מֹשֶׁה, רוֹעֶה נֶאֱמָן הָיָה, וְרָאָה הקב"ה, שֶׁכְּדַאי הוּא לִרְעוֹת אֶת יִשְׂרָאֵל, בְּאוֹתוֹ הַדִּין מַמָּשׁ, שֶׁהָיָה רוֹעֶה אֶת הַצֹּאן, לַכְּשָׂבִים, כְּפִי הָרָאוּי לָהֶן. וְהַנְּקֵבוֹת כְּפִי הָרָאוּי לָהֶן

שעז. וּלְפִיכָךְ כְּתִיב, וּמֹשֶׁה הָיָה רוֹעֶה אֶת צֹאן יִתְרוֹ חוֹתְנוֹ, וְלֹא שֶׁלּוֹ, דְּאָמַר רַבִּי יוֹסֵי, וְכִי מַה שֶּׁנָּתַן אֶת צִפּוֹרָה בִּתּוֹ לְמֹשֶׁה, לֹא נָתַן לוֹ צֹאן וּבָקָר, וַהֲלֹא יִתְרוֹ עָשִׁיר הָיָה. אֶלָּא מֹשֶׁה לֹא הָיָה רוֹעֶה אֶת צֹאנוֹ, כְּדֵי שֶׁלֹּא יֹאמְרוּ בִּשְׁבִיל שֶׁהָיָה צֹאנוֹ עִמּוֹ, הָיָה רוֹעֶה אוֹתָן בְּטוֹב. וְלָכֵן כְּתִיב אֶת צֹאן יִתְרוֹ חוֹתְנוֹ, וְלֹא אֶת שֶׁלּוֹ. כֹּהֵן מִדְיָן, רַבִּי תַּנְחוּם אָמַר, אַף עַל גַּב שֶׁהָיָה עוֹבֵד כו"ם, בִּשְׁבִיל שֶׁעָשָׂה עִמּוֹ חֶסֶד, הָיָה רוֹעֶה צֹאנוֹ כַּדִּין וְכַשּׁוּרָה, בְּמִרְעֶה טוֹב שָׁמֵן וְדָשֵׁן.

שעח. וַיִּנְהַג אֶת הַצֹּאן אַחַר הַמִּדְבָּר. רַבִּי יוֹסֵי אָמַר, מֹשֶׁה, מִיּוֹם שֶׁנּוֹלַד, לֹא זָזָה מִמֶּנּוּ רוּחַ הַקּוֹדֶשׁ. רָאָה בְּרוּחַ הַקּוֹדֶשׁ, שֶׁאוֹתוֹ מִדְבָּר הָיָה קָדוֹשׁ, וּמוּכָן לְקַבֵּל עוֹל מַלְכוּת שָׁמַיִם עָלָיו. מֶה עָשָׂה, הִנְהִיג אֶת הַצֹּאן אַחַר הַמִּדְבָּר. רַבִּי יִצְחָק אָמַר, אַחַר הַמִּדְבָּר עכ"פ, וְלֹא בַּמִּדְבָּר, שֶׁלֹּא רָצָה שֶׁיִּכָּנְסוּ בְּתוֹכוֹ, אֶלָּא הִרְחִיקָם אַחַר הַמִּדְבָּר.

שעט. וַיָּבֹא אֶל הַר הָאֱלֹהִים חֹרֵבָה, הוּא לְבַדּוֹ בְּלֹא צֹאן. אר"י, הַאי אַבְנָא, דִּמְקַבְּלָא פַּרְזְלָא, כַּד חָזְמֵי לֵיהּ, מְדַלְּגָא עִילוֹי. כָּךְ מֹשֶׁה וְהַר סִינַי, כְּשֶׁנִּרְאוּ זֶה עִם זֶה, דִּלֵּג עָלָיו. הה"ד, וַיָּבֹא אֶל הַר הָאֱלֹהִים חֹרֵבָה.

שפ. א"ר אַבָּא, מוּכָנִים הָיוּ מִשֵּׁשֶׁת יְמֵי בְּרֵאשִׁית, זֶה עִם זֶה. וְאוֹתוֹ הַיּוֹם, נִתְרַגֵּשׁ הָהָר לְמוּל מֹשֶׁה. וְכֵיוָן שֶׁרָאָהוּ שֶׁנִּכְנַס לְתוֹכוֹ, וְדִלֵּג בּוֹ, עָמַד הָהָר. מְלַמֵּד, שֶׁשְּׂמֵחִים הָיוּ זֶה עִם זֶה.

שפא. א"ר יַנָּאי, יוֹדֵעַ הָיָה מֹשֶׁה, שֶׁאוֹתוֹ הַר, הַר הָאֱלֹהִים הוּא. דִּכְתִּיב וַיָּבֹא אֶל הַר הָאֱלֹהִים. דִּתְנַן, מָה רָאָה מֹשֶׁה בְּאוֹתוֹ הַר, רָאָה עוֹפוֹת שֶׁהָיוּ פּוֹרְחִים, וּפוֹרְשִׂים כַּנְפֵיהֶם וְלֹא הָיוּ נִכְנָסִים בּוֹ.

שפב. רִבִּי יִצְחָק אוֹמֵר, רָאָה הָעוֹפוֹת פּוֹרְחִים וְטָסִים מִשָּׁם, וְנוֹפְלִים לְרַגְלָיו שֶׁל מֹשֶׁה, מִיַּד הִרְגִּישׁ בָּעִנְיָן, וְהֶעֱמִיד אֶת הַצֹּאן אַחַר הַמִּדְבָּר, וְהוּא נִכְנַס לְבַדּוֹ.

שפג. וַיֵּרָא מַלְאַךְ ה' אֵלָיו בְּלַבַּת אֵשׁ מִתּוֹךְ הַסְּנֶה. רִבִּי תַּנְחוּם אוֹמֵר, שְׁעַת הַמִּנְחָה הָיְתָה, שֶׁמִּדַּת הַדִּין שׁוֹלֶטֶת בּוֹ. רִבִּי יוֹחָנָן אָמַר, וְהָא כְּתִיב, יוֹמָם יְצַוֶּה יְיָ' חַסְדּוֹ. מִדַּת חֶסֶד קָאָמַר, וְלֹא מה"ד. אָמַר רִבִּי יִצְחָק, מִשֶּׁיּוֹצֵא הָאוֹר, עַד שֶׁנּוֹטֶה לָרֶדֶת, נִקְרָא יוֹם, וְהוּא מִדַּת חֶסֶד. מִשֶּׁנּוֹטֶה לָרֶדֶת, נִקְרָא עֶרֶב, וְהוּא מה"ד. וְהַיְינוּ דִּכְתִּיב, וַיִּקְרָא אֱלֹהִים לָאוֹר יוֹם.

שפד. א"ר יוֹחָנָן, שְׁעַת הַמִּנְחָה הוּא, מו' שָׁעוֹת וּלְמַטָּה. דְּתַנְיָא ר' יִצְחָק אוֹמֵר, מ"ד בֵּין הָעַרְבַּיִם תֹּאכְלוּ בָשָׂר וּבַבֹּקֶר תִּשְׂבְּעוּ לָחֶם. בֵּין הָעַרְבַּיִם, דְּהוּא שַׁעֲתָא דְּדִינָא תֹּאכְלוּ בָּשָׂר. וּכְתִיב, הַבָּשָׂר עוֹדֶנּוּ בֵּין שִׁנֵּיהֶם וְאַף יְיָ' חָרָה בָעָם. מִשּׁוּם, דְּבֵין הָעַרְבַּיִם, דִּינָא דְּמַלְכוּתָא שָׁלִיט. וּבַבֹּקֶר תִּשְׂבְּעוּ לָחֶם, מִשּׁוּם דְּאִקְרֵי חֶסֶד הַהוּא שַׁעֲתָא, וּכְתִיב, חֶסֶד אֵל כָּל הַיּוֹם. וּכְתִיב, וַיִּקְרָא אֱלֹהִים לָאוֹר יוֹם. דְּאִיהוּ מִצַּפְרָא.

שפה. רִבִּי תַּנְחוּם אוֹמֵר, דָּא סוּמָק, וְדָא חִוָּור. סוּמָק: בֵּין הָעַרְבַּיִם. דִּכְתִּיב, בֵּין הָעַרְבַּיִם תֹּאכְלוּ בָּשָׂר. וְחִוּוֹרָא: בְּצַפְרָא. דִּכְתִּיב, וּבַבֹּקֶר תִּשְׂבְּעוּ לָחֶם. רִבִּי יִצְחָק אָמַר, כְּתִיב, וְשָׁחֲטוּ אוֹתוֹ כֹּל קְהַל עֲדַת יִשְׂרָאֵל בֵּין הָעַרְבַּיִם וְגוֹ'. דְּהוּא שַׁעֲתָא לְמֶעְבַּד דִּינָא. רִבִּי יְהוּדָה אָמַר, יַלְפִינָן מִשְּׁנֵי כְּבָשִׂים שֶׁבְּכָל יוֹם, הָאֶחָד מִתְקָרֵב כְּנֶגֶד מִדַּת הַחֶסֶד, וְהַב' כְּנֶגֶד מה"ד.

שפו. וא"ר יְהוּדָה, מ"ד, אֶת הַכֶּבֶשׂ הָאֶחָד תַּעֲשֶׂה בַבֹּקֶר, וְלָא כְּתִיב אֶת הַכֶּבֶשׂ הָרִאשׁוֹן, אֶלָּא אֶת הַכֶּבֶשׂ הָאֶחָד, מְיוּחָד, כְּנֶגֶד מִדַּת הַחֶסֶד. דִּבְכָל מָקוֹם, שֵׁנִי, לֹא נֶאֱמַר בּוֹ כִּי טוֹב.

שפז. רִבִּי תַּנְחוּם אָמַר, לְפִיכָךְ, יִצְחָק תִּקֵּן תְּפִלַּת הַמִּנְחָה, שֶׁהוּא כְּנֶגֶד מה"ד. א"ר יִצְחָק, מִכָּאן, אוֹי לָנוּ כִּי פָנָה הַיּוֹם כִּי יִנָּטוּ צִלְלֵי עָרֶב. כִּי פָנָה הַיּוֹם: זֶה מִדַּת הַחֶסֶד. כִּי יִנָּטוּ צִלְלֵי עָרֶב: שֶׁכְּבָר גָּבַר מה"ד. אַבְרָהָם תִּקֵּן תְּפִלַּת שַׁחֲרִית, כְּנֶגֶד מִדַּת הַחֶסֶד.

שפח. ת"ר, בְּהַהִיא שַׁעֲתָא דְּעָאל מֹשֶׁה לְטוּרָא דְּסִינַי, מ"ט אִתְגְּלֵי לֵיהּ בְּשַׁלְהוֹבֵי אֶשָּׁתָא, דְּהוּא דִּינָא. א"ר יַעֲקֹב כְּעֵין שַׁעֲתָא הֲוָה גָּרִים. ר' יוֹסֵי אָמַר, כֹּלָּא לְחָד גְּוָונָא אִשְׁתְּרָשָׁא. כְּתִיב, וַיָּבֹא אֶל הַר הָאֱלֹהִים חֹרֵבָה. וּכְתִיב, וּבְחֹרֵב הִקְצַפְתֶּם אֶת יְיָ'. וּכְתִיב, וַיֵּרָא מַלְאַךְ יְיָ' אֵלָיו בְּלַבַּת אֵשׁ מִתּוֹךְ הַסְּנֶה. מִתּוֹךְ שֶׁהֵם עֲתִידִים לִהְיוֹת כַּסְּנֶה, כְּהַאי דִּכְתִּיב, קוֹצִים כְּסוּחִים בָּאֵשׁ יִצַּתּוּ.

שפט. אָמַר ר' יְהוּדָה, מִכָּאן לָמַדְנוּ, רַחֲמָנוּתוֹ שֶׁל מָקוֹם עַל הָרְשָׁעִים, דִּכְתִּיב, וְהִנֵּה הַסְּנֶה בּוֹעֵר בָּאֵשׁ, לַעֲשׂוֹת בָּהֶם דִּין בָּרְשָׁעִים, וְהַסְּנֶה אֵינֶנּוּ אוּכָּל, אֵין לָהֶם כְּלָיָה. בּוֹעֵר בָּאֵשׁ, עכ"פ רֶמֶז, לָאֵשׁ שֶׁל גֵּיהִנָּם. אֲבָל הַסְּנֶה אֵינֶנּוּ אוּכָּל, לִהְיוֹת בָּהֶם כְּלָיָה.

שצ. ד"א וַיֵּרָא מַלְאַךְ יְיָ' אֵלָיו בְּלַבַּת אֵשׁ. מ"ט לְמֹשֶׁה בְּלַבַּת אֵשׁ, וְלִשְׁאַר נְבִיאִים לָא. א"ר יְהוּדָה, לָאו מֹשֶׁה כִּשְׁאַר נְבִיאִים. דִּתְנַן, מַאן דְּקָרִיב לְאֶשָּׁא בֵּיהּ אִתּוֹקַד, וּמֹשֶׁה קָרִיב לְאֶשָּׁא וְלָא אִתּוֹקַד. דִּכְתִּיב, וּמֹשֶׁה נִגַּשׁ אֶל הָעֲרָפֶל אֲשֶׁר שָׁם הָאֱלֹהִים. וּכְתִיב, וַיֵּרָא מַלְאַךְ יְיָ' אֵלָיו בְּלַבַּת אֵשׁ מִתּוֹךְ הַסְּנֶה.

שצא. רִבִּי אַבָּא אָמַר, הַאי דְּמֹשֶׁה, אִית לְאִסְתַּכְּלָא בֵּיהּ בְּחָכְמְתָא עִלָּאָה, עַל מַה כְּתִיב, כִּי מִן הַמַּיִם מְשִׁיתִיהוּ. מַאן דְּאִתְמְשַׁךְ מִן מַיָּא, לָא דָּחִיל מִנּוּרָא. דְּתַנְיָא אָמַר רִבִּי יְהוּדָה, מֵאֲתַר דְּאִתְגְּזַר מֹשֶׁה, לָא אִתְגְּזַר בַּר נָשׁ אָחֳרָא. א״ר יוֹחָנָן, בַּעֲשָׂרָה דַּרְגִּין אִשְׁתַּכְלָל. דִּכְתִיב, בְּכָל בֵּיתִי נֶאֱמָן הוּא. וְלָא נֶאֱמָן בֵּיתִי. זַכָּאָה חוּלָקֵיהּ דב״נ, דְּמָרֵיהּ אַסְהִיד כְּדֵין עֲלוֹי.

שצב. אָמַר רַב דִּימִי, וְהָא כְּתִיב וְלֹא קָם נָבִיא עוֹד בְּיִשְׂרָאֵל כְּמֹשֶׁה. וְאָמַר רִיבָ״ל, בְּיִשְׂרָאֵל לֹא קָם, אֲבָל בְּאוּה״ע קָם, וּמַנּוּ בִּלְעָם. א״ל, וַדַּאי שַׁפִּיר קָאֲמַרְתְּ, אִשְׁתִּיק. כַּד אָתָא רשב״י, אָתוּ, שָׁאִילוּ קָמֵיהּ הַאי מִלָּה.

שצג. פָּתַח וְאָמַר, קוּטִיפָא דְּקַרְנָטֵי, אִתְעָרְבָא בַּאֲפַרְסְמוֹנָא טָבָא ח״ו. אֶלָּא, וַדַּאי כַּךְ הוּא, בְּאוּה״ע קָם, וּמַנּוּ בִּלְעָם. מֹשֶׁה עוֹבָדוֹי לְעֵילָּא, וּבִלְעָם לְתַתָּא. מֹשֶׁה, אִשְׁתַּמַּשׁ בְּכִתְרָא קַדִּישָׁא דְּמַלְכָּא עִלָּאָה לְעֵילָּא. וּבִלְעָם, אִשְׁתַּמַּשׁ בְּכִתְרִין תַּתָּאִין דְּלָא קַדִּישִׁין לְתַתָּא. וּבְהַהוּא גַּוְונָא מַמָּשׁ כְּתִיב, וְאֶת בִּלְעָם בֶּן בְּעוֹר הַקּוֹסֵם הָרְגוּ בְנֵי יִשְׂרָאֵל בַּחֶרֶב. וְאִי סַלְקָא דַּעְתָּךְ יַתִּיר, זִיל שָׁאִיל לְאַתְנֵיהּ. אָתָא רִבִּי יוֹסֵי, וְנָשַׁק יְדוֹי, אָמַר, הָא חֲמָרָא דְּלִבָּאִי נָפַק לְבַר.

שצד. דְּהָכָא מַשְׁמַע, דְּאִית עִלָּאִין וְתַתָּאִין, יְמִינָא וּשְׂמָאלָא, רַחֲמֵי וְדִינָא, יִשְׂרָאֵל ועכו״ם. יִשְׂרָאֵל, מִשְׁתַּמְּשִׁין בְּכִתְרִין עִלָּאִין קַדִּישִׁין. עכו״ם, בְּכִתְרִין תַּתָּאִין דְּלָא קַדִּישִׁין. אִלֵּין דִּימִינָא, וְאִלֵּין דִּשְׂמָאלָא, ועכ״פ, מִתְפָּרְשִׁין נְבִיאֵי עִלָּאֵי מִנְּבִיאֵי תַּתָּאֵי. נְבִיאֵי דְּקוּדְשָׁא, מִנְּבִיאֵי דְּלָאו דְּקוּדְשָׁא.

שצה. אָמַר רִבִּי יְהוּדָה, כְּגַוְונָא דַּהֲוָה מֹשֶׁה, פָּרִישׁ מִכָּל נְבִיאֵי, בִּנְבוּאָה קַדִּישָׁא עִלָּאָה. כַּךְ הֲוָה בִּלְעָם, פָּרִישׁ מִשְּׁאַר נְבִיאֵי וְחָרְשֵׁי, בִּנְבוּאָה דְּלָאו קַדִּישָׁא לְתַתָּא. ועכ״פ מֹשֶׁה הֲוָה לְעֵילָּא, וּבִלְעָם לְתַתָּא, וְכַמָּה דַּרְגִּין וְדַרְגִּין מִתְפָּרְשִׁין בֵּינַיְיהוּ.

שצו. אָמַר רִבִּי יוֹחָנָן אָמַר רִבִּי יִצְחָק, מֹשֶׁה הֲוָה מְהַרְהֵר וְאוֹמֵר, שֶׁמָּא ח״ו יִשְׂרָאֵל יִכְלוּ בְּהַאי עֲבוֹדָה קָשָׁה, הֲדָא הוּא דִּכְתִיב, וַיַּרְא בְּסִבְלוֹתָם. לְפִיכָךְ, וַיֵּרָא מַלְאַךְ יְיָ׳ אֵלָיו בְּלַבַּת אֵשׁ וְגוֹ׳, וַיַּרְא וְהִנֵּה הַסְּנֶה בּוֹעֵר בָּאֵשׁ וְגוֹ׳. כְּלוֹמַר, מְשׁוּעְבָּדִים הֵם בַּעֲבוֹדָה קָשָׁה, אֲבָל וְהַסְּנֶה אֵינֶנּוּ אוּכָּל. זַכָּאִין אִינּוּן יִשְׂרָאֵל, דְּקוּדְשָׁא בְּרִיךְ הוּא פָּרִישׁ לוֹן מִכָּל עַמִּין, וְקָרָא לוֹן בְּנִין, דִּכְתִיב בָּנִים אַתֶּם לַה׳ אֱלֹהֵיכֶם.

VA'ERA

וארא

א. וַיְדַבֵּר אֱלֹהִים אֶל מֹשֶׁה וַיֹּאמֶר אֵלָיו אֲנִי יְיָ׳ וָאֵרָא אֶל אַבְרָהָם אֶל יִצְחָק וְאֶל יַעֲקֹב בְּאֵל שַׁדָּי וְגוֹ׳. רִבִּי אַבָּא פָּתַח, בִּטְחוּ בַיְיָ׳ עֲדֵי עַד כִּי בְּיָהּ יְיָ׳ צוּר עוֹלָמִים. בִּטְחוּ בַיְיָ׳, כָּל בְּנֵי עָלְמָא בַּעְיָין לְאִתְתַּקְפָא בֵּיהּ בְּקוּדְשָׁא בְּרִיךְ הוּא, וּלְמֶהֱוֵי רְחִיצוּ דִּלְהוֹן בֵּיהּ.

ב. אִי הָכִי מַהוּ עֲדֵי עַד. אֶלָּא, בְּגִין דִּיהֵא תָּקְפָּא דְּבַר נָשׁ, בְּאֲתַר דְּאִיהוּ קִיּוּמָא וְקִשּׁוּרָא דְּכֹלָּא, וְאִקְרֵי עַד, וְהָא אוֹקְמוּהָ, כְּמָה דְּאַתְּ אָמֵר, בַּבֹּקֶר יֹאכַל עַד. וְהַאי עַד, אֲתַר דְּאָחִיד לְכָל סִטְרִין, לְסִטְרָא דָא, וּלְסִטְרָא דָא, לְאִתְקַיְּימָא, וּלְאִתְקַשְּׁרָא קִשְׁרָא, דִּי לָא תַעְדֵּי.

ג. וְהַאי עַד, תִּיאוּבְתָּא דְּכֹלָּא בֵּיהּ, כְּמָה דְּאַתְּ אָמֵר, עַד תַּאֲוַת גִּבְעוֹת עוֹלָם. מַאן אִינּוּן גִּבְעוֹת עוֹלָם. אִלֵּין אִינּוּן תְּרֵין אִמָּהָן נוּקְבֵי, יוֹבֵל, וּשְׁמִטָּה, דְּאִקְרוּן גִּבְעוֹת עוֹלָם. עוֹלָם: כְּמָה דְּאַתְּ אָמֵר, מִן הָעוֹלָם וְעַד הָעוֹלָם.

ד. וְתִיאוּבְתָּא דִּילְהוֹן בְּהַאי עַד, דְּאִיהוּ קִיּוּמָא דְּכָל סִטְרִין. תִּיאוּבְתָּא דְּיוֹבְלָא לְגַבֵּי דְּעַד, לְאַעְטְרָא לֵיהּ, וּלְנַגְדָא עָלֵיהּ בִּרְכָאן, וּלְאַרְקָא עָלֵיהּ מַבּוּעִין מְתִיקִין, הֲדָא הוּא דִכְתִיב, צְאֶינָה וּרְאֶינָה בְּנוֹת צִיּוֹן בַּמֶּלֶךְ שְׁלֹמֹה בַּעֲטָרָה שֶׁעִטְּרָה לוֹ אִמּוֹ. תִּיאוּבְתָּא דִּשְׁמִטָּה, לְאִתְבָּרְכָא מִנֵּיהּ, וּלְאִתְנַהֲרָא מִנֵּיהּ. וַדַּאי הַאי עַד תַּאֲוַת גִּבְעוֹת עוֹלָם אִיהוּ.

ה. בְּגִין כָּךְ, בִּטְחוּ בַיְיָ׳ עֲדֵי עַד, דְּהָא מִתַּמָּן וּלְעֵילָא, אֲתַר טָמִיר וְגָנִיז אִיהוּ, דְּלָא יָכִיל לְאִתְדַּבְּקָא. אֲתָר הוּא, דְּמִנֵּיהּ נָפְקוּ וְאִצְטַיְּירוּ עָלְמִין, הֲדָא הוּא דִכְתִיב, כִּי בְּיָהּ יְיָ׳ צוּר עוֹלָמִים וְהוּא אֲתַר גָּנִיז וְסָתִים, וְעַ״ד בִּטְחוּ בַיְיָ׳ עֲדֵי עַד, עַד הָכָא אִית רְשׁוּ לְכָל ב״נ לְאִסְתַּכְּלָא בֵּיהּ, מִכָּאן וּלְהָלְאָה, לֵית לֵיהּ רְשׁוּ לב״נ לְאִסְתַּכְּלָא בֵּיהּ, דְּהָא אִיהוּ גָּנִיז מִכֹּלָּא, וּמַאן אִיהוּ יָהּ יְדֹוָד. דְּמִתַּמָּן אִצְטַיְּירוּ עָלְמִין כֻּלְּהוּ, וְלֵית מַאן דְּקָאֵים עַל הַהוּא אֲתָר.

ו. א״ר יְהוּדָה, קְרָא אוֹכַח עָלֵיהּ, דִּכְתִיב כִּי שְׁאַל נָא לְיָמִים רִאשׁוֹנִים וְגוֹ׳. עַד הָכָא אִית רְשׁוּ לב״נ לְאִסְתַּכְּלָא, מִכָּאן וּלְהָלְאָה לֵית מַאן דְּיָכִיל לְמֵיקָם עָלֵיהּ.

ז. ד״א בִּטְחוּ בַיְיָ׳ עֲדֵי עַד, כָּל יוֹמוֹי דְּבַר נָשׁ, בָּעֵי לְאִתְתַּקְפָא בֵּיהּ בְּקֻבָּ״ה, וּמַאן דְּשַׁוֵּי בֵּיהּ, בִּטְחוֹנֵיהּ וְתוּקְפֵּיהּ כַּדְקָא יֵאוֹת, לָא יַכְלִין לְאַבְאָשָׁא לֵיהּ, כָּל בְּנֵי עָלְמָא. דְּכָל מַאן דְּשַׁוֵּי תּוּקְפֵּיהּ בִּשְׁמָא קַדִּישָׁא, אִתְקַיָּים בְּעָלְמָא.

ח. מַאי טַעֲמָא, בְּגִין דְּעָלְמָא, בִּשְׁמֵיהּ קַדִּישָׁא אִתְקַיָּים. הה״ד כִּי בְּיָהּ יְיָ׳ צוּר עוֹלָמִים: צַיָּיר עָלְמִין. דְּהָא בִּתְרֵין אַתְוָון, אִתְבְּרוּן עָלְמִין, עָלְמָא דֵין, וְעָלְמָא דְּאָתֵי. עָלְמָא דָא, בְּדִינָא אִתְבְּרֵי, וְעַל דִּינָא קַיְּימָא, הה״ד, בְּרֵאשִׁית בָּרָא אֱלֹהִים. מ״ט, בְּגִין דְּיִתְנַהֲגוּן בְּנֵי נָשָׁא בְּדִינָא, וְלָא יִפְקוּן מֵאוֹרְחָא לְבַר.

ט. תָּא חֲזֵי כְּתִיב וַיְדַבֵּר אֱלֹהִים אֶל מֹשֶׁה, גְּזֵירַת דִּינָא דְּקַיְּימָא עָלֵיהּ, מַה כְּתִיב לְעֵילָא, וַיָּשָׁב מֹשֶׁה אֶל ה׳, וַיֹּאמַר אֲדֹנָ״י, בְּאָלֶ״ף דָּלֶ״ת נוּ״ן יוֹ״ד. וְחָמֵי תּוּקְפָּא דְּמֹשֶׁה, בְּשֵׁירוּתָא דִּנְבִיאוּתֵיהּ, לָא נָח רוּחֵיהּ בְּהַאי אֲתַר, אָמַר, אֲדֹנָי לָמָה הֲרֵעֹתָה לָעָם הַזֶּה

וְגוֹ', וּמֵאָז בָּאתִי אֶל פַּרְעֹה לְדַבֵּר בִּשְׁמֶךָ הֵרַע לָעָם הַזֶּה וְהַצֵּל לֹא הִצַּלְתָּ אֶת עַמֶּךָ. מַאן הוּא דְּיֵימָא כְּדֵין, אֶלָּא מֹשֶׁה, דְּיָדַע, דְּהָא דַּרְגָּא אוּחֲרָא עִלָּאָה זַמִּין לֵיהּ.

י. אָמַר רִבִּי יִצְחָק, בְּשֵׁירוּתָא דְּאִתְיְהִיב לֵיהּ בֵּיתָא, פָּקִיד לָהּ, כְּבַר נָשׁ דְּפָקִיד לְבֵיתֵיהּ, וְאָמַר כָּל מַאן דְּבָעֵי בְּלָא דְּחִילוּ. אוּף הָכִי מֹשֶׁה, לְבֵיתֵיהּ קָאָמַר, וְלָא דָּחִיל.

יא. דָּבָר אַחֵר וַיְדַבֵּר אֱלֹהִים, גְּזֵרַת דִּינָא, וַיֹּאמֶר אֵלָיו אֲנִי יְיָ', דַּרְגָּא אוּחֲרָא דְּרַחֲמֵי. וְהָכָא אִתְקַשַּׁר כּוּלָּא כַּחֲדָא, דִּינָא וְרַחֲמֵי. הֲדָא הוּא דִּכְתִּיב, וַיֹּאמֶר אֵלָיו אֲנִי יְיָ'. אָמַר רִבִּי שִׁמְעוֹן אִי כְּתִיב וַיְדַבֵּר אֱלֹהִים אֶל מֹשֶׁה אֲנִי ה', הֲוֵינָא אָמַר הָכִי. אֶלָּא לָא כְּתִיב, אֶלָּא וַיְדַבֵּר אֱלֹהִים אֶל מֹשֶׁה בְּקַדְמֵיתָא, וּלְבָתַר וַיֹּאמֶר אֵלָיו אֲנִי ה', דְּמַשְׁמַע דַּרְגָּא בָּתַר דַּרְגָּא.

יב. וְאָמַר רִבִּי יוֹסֵי, מֹשֶׁה, אִלְמָלֵא דַּהֲוָה מָארֵיהּ דְּבֵיתָא, אִישׁ הָאֱלֹהִים, אִתְעֲנַשׁ עַל מַה דְּאָמַר, אֲבָל בְּגִינֵי הַאי, לָא אִתְעֲנַשׁ. לְבַר נָשׁ דְּנָפַל לֵיהּ קְטָטָה בִּדְבִיתְהוּ, וְאָמַר לָהּ מִלִּין, שָׁרָאת הִיא לְאִתְרַעֲמָא, כֵּיוָן דְּשָׁארִית מִלָּה, הֲוָה תַּמָּן מַלְכָּא, נָטַל מַלְכָּא מִלָּה, וְהִיא שָׁתְקַת וּפָסְקַת לְמַלְּלָא. אָמַר לֵיהּ מַלְכָּא, וְכִי לָא יָדַעַת דַּאֲנָא הוּא מַלְכָּא, וּמִקַּמָּאי מַלֵּילַת מִלִּין אִלֵּין, כִּבְיָכוֹל אוּף הָכִי מֹשֶׁה, וַיָּשָׁב מֹשֶׁה אֶל יְיָ' וַיֹּאמַר אֲדֹנָי לָמָה הֲרֵעוֹתָה וְגוֹ'. מִיָּד, וַיְדַבֵּר אֱלֹהִים אֶל מֹשֶׁה, שָׁארֵי לְאִתְרַעֲמָא, מִיָּד נָטַל מַלְכָּא מִלָּה וַיֹּאמֶר אֵלָיו אֲנִי יְיָ' וְלָא יָדַעַת דַּאֲנָא הוּא מַלְכָּא, וּמִקַּמָּאי מַלֵּילַת מִלִּין אִלֵּין.

יג. וָאֵרָא אֶל אַבְרָהָם אֶל יִצְחָק וְאֶל יַעֲקֹב בְּאֵל שַׁדָּי. אֲמַאי שַׁנֵּי שְׁמָא הָכָא מֵאִלֵּין דִּלְעֵילָּא. אֶלָּא לְמַלְכָּא, דַּהֲוָה לֵיהּ בְּרַתָּא, דְּלָא אִתְנְסִיבַת, וַהֲוָה לֵיהּ רְחִימָא. כַּד בָּעֵי מַלְכָּא לְמַלְּלָא בְּהַהוּא רְחִימָא, מְשַׁדֵּר לִבְרַתֵּיהּ לְמַלְּלָא עִמֵּיהּ, וַהֲוָה מַלְכָּא עַל יְדָא דִּבְרַתֵּיהּ, מְמַלֵּיל עִמֵּיהּ. אָתָא זִמְנָא דִּבְרַתֵּיהּ לְאִתְנַסְּבָא, הַהוּא יוֹמָא דְּאִתְנְסִיבַת, אָמַר מַלְכָּא, קָרוֹן לָהּ לִבְרַתָּא, קְרוּסְפוּנְיָא מַטְרוּנִיתָא. וְאָמַר לָהּ, עַד הָכָא, מַלֵּילְנָא עַל יְדָךְ, לְמַאן דְּמַלֵּילְנָא מִכָּאן וּלְהָלְאָה אֲנָא אֵימָא לְבַעְלִיךְ, וְהוּא יֵימָא לְמַאן דְּאִצְטְרִיךְ. לְיוֹמִין, אָמַר לָהּ בַּעְלָהּ מִלִּין קָמֵי מַלְכָּא, עַד דְּהִיא שָׁרָאת לְמַלְּלָא, נָטַל מַלְכָּא מִלָּה, אָמַר לֵיהּ, וְלָאו אֲנָא מַלְכָּא, דְּעַד יוֹמָא דָּא לָא מַלֵּיל אֵינָשׁ עִמִּי, אֶלָּא עַל יְדָא דִּבְרַתִּי, וַאֲנָא יָהֵיבְנָא לָךְ בְּרַתִּי, וּמַלֵּילְנָא עִמָּךְ בְּאִתְגַּלְיָא, מַה דְּלָא עֲבֵידְנָא לְאוּחֲרָא.

יד. כַּךְ, וָאֵרָא אֶל אַבְרָהָם אֶל יִצְחָק וְאֶל יַעֲקֹב בְּאֵל שַׁדָּי, כַּד אִיהִי בְּבֵיתִי וְלָא אִתְנְסִיבַת, וְלָא מַלִּילוּ עִמִּי אַנְפִּין בְּאַנְפִּין, כְּמָה דַּעֲבֵידְנָא לָךְ. וְאַתְּ, בְּשֵׁירוּתָא דְּמִלּוּלָךְ, מַלֵּילַת לִבְרַתִּי קָמָאי מִלִּין אִלֵּין, אֶלָּא בְּגִינֵי כַּךְ, וָאֵרָא אֶל אַבְרָהָם אֶל יִצְחָק וְאֶל יַעֲקֹב בְּאֵל שַׁדָּי וּשְׁמִי יְיָ' לֹא נוֹדַעְתִּי לָהֶם, לְמַלְּלָא עִמְּהוֹן בְּדַרְגָּא דָּא דְּעִמָּךְ מַלֵּילְנָא.

טו. רִבִּי יוֹסֵי פָּתַח, לְדָוִד מִזְמוֹר לַיְיָ' הָאָרֶץ וּמְלוֹאָהּ תֵּבֵל וְיוֹשְׁבֵי בָהּ. הָאָרֶץ: דָּא אַרְעָא קַדִּישָׁא דְּיִשְׂרָאֵל, דְּאִיהִי קַיְּימָא לְאִתְשַׁקְיָיא מִנֵּיהּ, וּלְאִתְבָּרְכָא מִנֵּיהּ בְּקַדְמֵיתָא, וּלְבָתַר מִנָּהּ אִתְשַׁקְיָיא עָלְמָא כֻּלָּא. תֵּבֵל וְיוֹשְׁבֵי בָהּ: דָּא שְׁאַר אַרְעָאן, דְּשָׁתְאָן מִינָהּ, מְנָא לָן. דִּכְתִּיב, וְהוּא יִשְׁפּוֹט תֵּבֵל בְּצֶדֶק.

טז. כִּי הוּא עַל יַמִּים יְסָדָהּ, אִלֵּין שִׁבְעָה עַמּוּדִים, דְּאַרְעָא סְמִיכָא עֲלַיְיהוּ. וְאִינּוּן שִׁבְעָה יַמִּים. וְיַם כִּנֶּרֶת שַׁלְטָא עֲלַיְיהוּ. א"ר יְהוּדָה, לָא תֵּימָא דְּשַׁלְטָא עֲלַיְיהוּ, אֶלָּא דְּאִתְמַלְיָיא מִנַּיְיהוּ. וְעַל נְהָרוֹת יְכוֹנְנֶהָ, מַאן אִינּוּן נְהָרוֹת. אֶלָּא, כְּד"א, נָשְׂאוּ נְהָרוֹת קוֹלָם יִשְׂאוּ נְהָרוֹת דָּכְיָם, אִינּוּן נְהָרוֹת, כְּד"א, וְנָהָר יוֹצֵא מֵעֵדֶן לְהַשְׁקוֹת אֶת הַגָּן, וּבְגִין כַּךְ, וְעַל נְהָרוֹת יְכוֹנְנֶהָ.

יז. תָּא חֲזֵי, הַאי אֶרֶץ, אִקְרֵי אֶרֶץ יִשְׂרָאֵל. יַעֲקֹב דְּאִיהוּ יִשְׂרָאֵל, אַמַּאי לָא שָׁלִיט עַל דָּא כְּמֹשֶׁה, דְּהָא כְּתִיב וָאֵרָא אֶל אַבְרָהָם אֶל יִצְחָק וְאֶל יַעֲקֹב בְּאֵל שַׁדָּי וְלָא יַתִּיר.

יח. אֶלָּא, יַעֲקֹב הָא אוֹקִימְנָא, נָטַל בֵּיתָא דִּלְתַתָּא, וְאִשְׁתְּבִיק מִנֵּיהּ בֵּיתָא דִּלְעֵילָּא. וְעִם בֵּיתָא דִּלְתַתָּא, אַתְקִין בֵּיתָא דִּלְעֵילָּא, בִּתְרֵיסַר שְׁבָטִין, בְּשַׁבְעִין עַנְפִּין, וְהָא אוֹקְמוּהָ. מֹשֶׁה, נָטַל בֵּיתָא דִּלְעֵילָּא, וְשָׁבִיק בֵּיתָא דִּלְתַתָּא. וע"ד, כְּתִיב בְּיַעֲקֹב בְּאֵל שַׁדָּי. בְּאֵל שַׁדָּי מַלִּיל עִמֵּיהּ קב"ה, וְלָא יַתִּיר. וּשְׁמִי יְיָ' לֹא נוֹדַעְתִּי לָהֶם, לְמַלְּלָא עִמְּהוֹן בְּדַרְגָּא דָּא דְּאִיהוּ עִלָּאָה.

יט. וָאֵרָא אֶל אַבְרָהָם אֶל יִצְחָק וְאֶל יַעֲקֹב. א"ר חִיָּיא, תּוּשְׁבַּחְתָּן דַּאֲבָהָן יַעֲקֹב הֲוָה, דְּהוּא שְׁלִימוּ דְּכֹלָּא. בְּכֻלְּהוּ כְּתִיב, אֶל אַבְרָהָם, אֶל יִצְחָק, וּבֵיהּ אִתּוֹסָף אָת וַחֲדָא, דִּכְתִּיב, וְאֶל יַעֲקֹב. אִתּוֹסָף בֵּיהּ ו', לְאַחֲזָאָה דְּאִיהוּ שְׁלֵימָא יַתִּיר מִכֻּלְּהוּ. וְעִם כָּל דָּא, לָא זָכָה לְאִשְׁתַּמְּשָׁא בֵּיהּ כְּמֹשֶׁה.

כ. וְגַם הֲקִימֹתִי אֶת בְּרִיתִי אִתָּם לָתֵת לָהֶם אֶת אֶרֶץ כְּנָעַן, בְּגִין דְּאִתְגְּזָרוּ. דְּכָל מַאן דְּאִתְגְּזַר, יָרִית אַרְעָא, דְּהָא לָא יָרִית אַרְעָא, אֶלָּא צַדִּיק, וְכָל מַאן דְּאִתְגְּזַר, אִקְרֵי צַדִּיק. דִּכְתִּיב וְעַמֵּךְ כֻּלָּם צַדִּיקִים לְעוֹלָם יִירְשׁוּ אָרֶץ, כָּל מַאן דְּאִתְגְּזַר, וְנָטִיר הַאי אָת קַיָּימָא, אִקְרֵי צַדִּיק, תָּא חֲזֵי מִן יוֹסֵף, דְּכָל יוֹמוֹי לָא אִקְרֵי צַדִּיק, עַד דְּנָטִיר הַהוּא בְּרִית, אָת קַיָּימָא קַדִּישָׁא. כֵּיוָן דְּנָטַר לֵיהּ, אִקְרֵי צַדִּיק, יוֹסֵף הַצַּדִּיק.

כא. רִבִּי שִׁמְעוֹן הֲוָה יָתִיב יוֹמָא, חַד, וְרִבִּי אֶלְעָזָר בְּרֵיהּ, וְרִבִּי אַבָּא עִמֵּיהּ. א"ר אֶלְעָזָר, הַאי קְרָא דִּכְתִּיב, וָאֵרָא אֶל אַבְרָהָם אֶל יִצְחָק וְאֶל יַעֲקֹב וְגו'. מַהוּ וָאֵרָא, וַאֲדַבֵּר מִבָּעֵי לֵיהּ. אָמַר לֵיהּ, אֶלְעָזָר בְּרִי, רָזָא עִלָּאָה אִיהוּ.

כב. תָּא חֲזֵי, אִית גַּוְונִין דְּמִתְחַזְיָין, וְאִית גַּוְונִין דְּלָא מִתְחַזְיָין. וְאִלֵּין וְאִלֵּין, אִינּוּן רָזָא עִלָּאָה דִּמְהֵימְנוּתָא, וּבְנֵי נָשָׁא לָא יַדְעִין לֵיהּ, וְלָא מִסְתַּכְּלִין בֵּיהּ וְאִלֵּין דְּמִתְחַזְיָין, לָא זָכָה בְּהוּ בַּר נָשׁ, עַד דְּאָתוּ אֲבָהָן, וְקַיְּימוּ עָלַיְיהוּ. וְעַל דָּא כְּתִיב וָאֵרָא, דְּחָמוּ, אִינּוּן גַּוְונִין דְּאִתְגַּלְיָין.

כג. וּמַאן גַּוְונִין דְּאִתְגַּלְיָין. אִינּוּן דְּאֵל שַׁדָּי, דְּאִינּוּן חֵיזוּ דְּגַוְונִין עִלָּאִין, וְאִלֵּין אִתְחַזְיָין. וְגַוְונִין דִּלְעֵילָּא, סְתִימִין דְּלָא אִתְחַזְיָין, לָא קָאֵים אִינִישׁ עָלַיְיהוּ, בַּר מִמֹּשֶׁה. וְעַל דָּא כְּתִיב, וּשְׁמִי יְיָ' לֹא נוֹדַעְתִּי לָהֶם, לָא אִתְגַּלֵּיתִי לוֹן בְּגַוְונִין עִלָּאִין. וְאִי תֵּימָא, דַּאֲבָהָן לָא הֲווֹ יַדְעֵי בְּהוּ. אֶלָּא הֲווֹ יַדְעֵי, מִגּוֹ אִינּוּן דְּאִתְגַּלְיָין.

כד. כְּתִיב וְהַמַּשְׂכִּלִים יַזְהִירוּ כְּזֹהַר הָרָקִיעַ וּמַצְדִּיקֵי הָרַבִּים כַּכּוֹכָבִים לְעוֹלָם וָעֶד. וְהַמַּשְׂכִּילִים יַזְהִירוּ, מַאן אִינּוּן מַשְׂכִּילִים. אֶלָּא דָּא הוּא, הַהוּא חָכָם דְּיִסְתַּכַּל מִגַּרְמֵיהּ מִלִּין, דְּלָא יָכְלִין בְּנֵי נָשָׁא לְמַלְּלָא בְּפוּמָא, וְאִלֵּין אִקְרוּן מַשְׂכִּילִים. יַזְהִירוּ כְּזֹהַר הָרָקִיעַ, מַאן הוּא הָרָקִיעַ. דָּא הוּא רְקִיעַ דְּמֹשֶׁה, דְּקַיְימָא בְּאֶמְצָעִיתָא, וְהַאי זֹהַר דִּילֵיהּ, אִיהוּ סָתִים, וְלָא אִתְגַּלְיָיא מִגָּוֶן דִּילֵיהּ קַיְימָא עַל הַהִיא רְקִיעָא דְּלָא נָהִיר, דְּאִתְחַזְיָין בֵּיהּ גַּוְונִין, וְאִינּוּן גַּוְונִין אע"ג דְּאִתְחַזְיָין בֵּיהּ, לָא זַהֲרֵי כְּזָהֳרָא בְּגִין דְּאִינּוּן גַּוְונִין סְתִימִין.

כה. תָּא חֲזֵי, אַרְבַּע נְהוֹרִין אִינּוּן. תְּלַת מִנַּיְיהוּ סְתִימִין, וְחַד דְּאִתְגַּלְיָיא: נְהוֹרָא דְּנָהִיר. נְהוֹרָא דְּזָהֳרָא. וְאִיהוּ נָהִיר כְּזֹהִירוּ דִּשְׁמַיָּא בְּדַכְיוּ. נְהוֹרָא דְּאַרְגְּוָונָא, דְּנָטִיל כָּל נְהוֹרִין. נְהוֹרָא דְּלָא נָהִיר אִסְתַּכַּל לְגַבֵּי אִלֵּין, וְנָטִיל לוֹן. וְאִתְחַזְיָין אִינּוּן נְהוֹרִין בֵּיהּ, כְּעַשְׁשִׁיתָא, לְקַבֵּל שִׁמְשָׁא.

כו. וְאִלֵּין תְּלַת דְּקָאמְרָן, סְתִימִין וְקַיְימִין עַל הַאי דְּאִתְגַּלְיָיא. וְרָזָא דָא עַיְנָא תָּא חֲזֵי, בְּעַיְנָא אִית תְּלַת גְּוָונִין, דְּאִתְגַּלְיָין רְעִימִין בֵּיהּ, וְכֻלְּהוּ לָא מְזְדַּהֲרֵי, בְּגִין דְּקַיְימֵי בִּנְהוֹרָא דְּלָא נָהִיר. וְאִלֵּין אִינּוּן כְּגַוְונָא דְּאִינּוּן סְתִימִין דְּקַיְימֵי עֲלַיְיהוּ וְאִלֵּין אִינּוּן דְּאִתְחֲזוּן לְאַבָּהָן, לְמִנְדַּע אִינּוּן סְתִימִין דְּמְזְדַּהֲרִין, מִגּוֹ אִלֵּין דְּלָא מְזְדַּהֲרֵי. וְאִינּוּן דְּמְזְדַּהֲרֵי וְאִינּוּן סְתִימִין, אִתְגַּלְיָין לְמֹשֶׁה, בְּהַהוּא רְקִיעָא דִּילֵיהּ. וְאִלֵּין קַיְימֵי, עַל אִינּוּן גְּוָונִין דְּאִתְחֲזוּן בֵּיהּ בְּעַיְנָא.

כז. וְרָזָא דָא סָתִים עֵינָךְ, וְאַסְחַר גַּלְגַּלָךְ, וְיִתְגַּלְיָין אִינּוּן גְּוָונִין דְּנַהֲרִין, דְּמְזְדַּהֲרֵי, וְלָא אִתְיְיהִיב רְשׁוּ לְמֶיחֱמֵי, אֶלָּא בְּעַיְנִין סְתִימִין, בְּגִין דְּאִינּוּן סְתִימִין עִלָּאִין, קַיְימֵי עַל אִינּוּן גְּוָונִין דְּאִתְחֲזוּן, דְּלָא מְזְדַּהֲרֵי.

כח. וְעַל דָּא קָרֵינָן, מֹשֶׁה זָכָה בְּאַסְפַּקְלַרְיָא דְּנַהֲרָא דְּקַיְימָא עַל הַהוּא דְּלָא נָהֲרָא. שְׁאַר בְּנֵי עָלְמָא, בְּהַהוּא אַסְפַּקְלַרְיָא דְּלָא נָהֲרָא. וְאַבָּהָן הֲווֹ חָמָאן מִגּוֹ אִלֵּין גְּוָונִין דְּאִתְגַּלְיָין, אִינּוּן סְתִימִין, דְּקַיְימֵי עֲלַיְיהוּ דְּאִינּוּן דְּלָא נָהֲרִין, וע"ד כְּתִיב, וָאֵרָא אֶל אַבְרָהָם אֶל יִצְחָק וְאֶל יַעֲקֹב בְּאֵל שַׁדָּי, בְּאִינּוּן גְּוָונִין דְּאִתְחֲזוּן.

כט. וּשְׁמִי יְיָ' לֹא נוֹדַעְתִּי לָהֶם, אִלֵּין גְּוָונִין עִלָּאִין סְתִימִין דְּזָהֲרִין, דְּזָכָה בְּהוּ מֹשֶׁה לְאִסְתַּכְּלָא בְּהוֹן. וְרָזָא דָּא, דְּעַיְנָא סָתִים וְגַלְיָא. סָתִים, חָמֵי אַסְפַּקְלַרְיָא דְּנַהֲרָא. אִתְגַּלְיָיא, חָמֵי אַסְפַּקְלַרְיָא דְּלָא נָהֲרָא. וְעַל דָּא, וָאֵרָא, בְּאַסְפַּקְלַרְיָא דְּלָא נָהֲרָא, דְּאִיהוּ בְּאִתְגַּלְיָיא, בֵּיהּ כְּתִיב רְאִיָּה. בְּאַסְפַּקְלַרְיָא דְּנַהֲרָא דְּאִיהוּ בִּסְתִימוּ, כְּתִיב בֵּיהּ יְדִיעָה, דִּכְתִיב לֹא נוֹדַעְתִּי. אָתוּ רִבִּי אֶלְעָזָר וְרִבִּי אַבָּא וְנָשְׁקוּ יְדוֹי. בָּכָה רִבִּי אַבָּא, וְאָמַר, וַוי כַּד תִּסְתַּלַּק מֵעָלְמָא, וְיִשְׁתְּאַר עָלְמָא יָתוֹם מִינָךְ, מָאן יָכִיל לְאַנְהָרָא מִלִּין דְּאוֹרַיְיתָא.

ל. פָּתַח רִבִּי אַבָּא וְאָמַר, וַאֲמַרְתֶּם כֹּה לֶחָי וְאַתָּה שָׁלוֹם וּבֵיתְךָ שָׁלוֹם וְכֹל אֲשֶׁר לְךָ שָׁלוֹם. וַאֲמַרְתֶּם כֹּה לֶחָי, וְכִי דָּוִד לָא הֲוָה יָדַע בֵּיהּ בְּנָבָל, דְּאִיהוּ אָמַר בְּגִינֵיהּ, וַאֲמַרְתֶּם כֹּה לֶחָי, אֶלָּא, הַהוּא יוֹמָא, יוֹמָא טָבָא דר"ה הֲוָה, וקב"ה יָתִיב בְּדִינָא עַל עָלְמָא, וּבְגִין קוּדְשָׁא בְּרִיךְ הוּא קָאמַר, וַאֲמַרְתֶּם כֹּה, לֶחָי, לְקִשְׁרָא כֹּה, דְּכָל חַיִּין בֵּיהּ תַּלְיָין. וְאַתָּה שָׁלוֹם, מַאי וְאַתָּה אַתָּה מִבְּעֵי לֵיהּ. אֶלָּא, וְאַתָּה כְּלָא לקב"ה קָאמַר, בְּגִין לְקִשְׁרָא קִשְׁרָא דִּמְהֵימְנוּתָא וְכַדְקָא יָאוֹת.

לא. מִכָּאן אוֹלִיפְנָא, דְּהָא לְבַר נָשׁ וְזַיְיבָא, אָסוּר לְאַקְדְּמָא לֵיהּ שָׁלַם, וְאִי אִצְטְרִיךְ, יַקְדִּים לֵיהּ כְּדָוִד, דְּבָרִיךְ לֵיהּ לקב"ה, וְאִתְחֲזֵי דִּבְגִינֵיהּ קָאמַר. וְאִי תֵּימָא דְּרַמָּאוּת הֲוָה. לָאו. דְּהָא כָּל מָאן דְּסָלִיק לֵיהּ לקב"ה, וְאִתְחֲזֵי דִּבְגִינֵיהּ קָאמַר, לָאו רַמָּאוּת הוּא. וּמָאן דְּאַקְדִּים שָׁלָם לְזַכָּאָה, כְּאִילּוּ אַקְדִּים לֵיהּ לקב"ה, כ"ש מַר, דְּאִיהוּ שָׁלְמָא לְעֵילָּא וְתַתָּא.

לב. וָאֵרָא אֶל אַבְרָהָם אֶל יִצְחָק וְאֶל יַעֲקֹב בְּאֵל שַׁדָּי וּשְׁמִי יְיָ' לֹא נוֹדַעְתִּי לָהֶם. רִבִּי חִזְקִיָּה פָּתַח, אַשְׁרֵי אָדָם לֹא יַחְשֹׁב ה' לוֹ עָוֹן וְגוֹ'. כַּמָּה אִינּוּן בְּנֵי נָשָׁא אֲטִימִין, דְּלָא יָדְעִין, וְלָא מִסְתַּכְּלָן, עַל מַה קַיְימִין בְּעָלְמָא. דְּהָא קוּדְשָׁא ב"ה כַּד בָּרָא עָלְמָא, עָבֵד לֵיהּ לְבַר נָשׁ בְּדִיּוּקְנָא דִּילֵיהּ, וְאַתְקִין לֵיהּ בְּתִקּוּנוֹי, בְּגִין דְּיִשְׁתַּדַּל בְּאוֹרַיְיתָא, וְיַהֵךְ בְּאוֹרְחוֹי.

לג. דְּהָא כַּד אִתְבְּרֵי אָדָם, מֵעַפְרָא דְּמַקְדְּשָׁא דִּלְתַתָּא אִתְתַּקַּן וְאַרְבַּע סִטְרֵי דְּעָלְמָא, אִתְחַבְּרוּ בְּהַהוּא אֲתַר דְּאִקְרֵי בֵּי מַקְדְּשָׁא. וְאִינּוּן אַרְבַּע סִטְרִין דְּעָלְמָא,

אִתְחַבְּרוּ בְּאַרְבַּע סִטְרִין, דְּאִינּוּן יְסוֹדִין דְּעָלְמָא, אֵ"שׁ רוּ"חַ וּמַיִ"ם וְעָפָ"ר, וְאִתְחַבְּרוּ אַרְבַּע סִטְרִין אִלֵּין, בְּד' יְסוֹדִין דְּעָלְמָא, וְאַתְקִין מִנַּיְיהוּ קוּדְשָׁא בְּרִיךְ הוּא חַד גּוּפָא בְּתִקּוּנָא עִלָּאָה. וְהַאי גּוּפָא, אִתְחַבַּר מִתְּרֵין עָלְמִין, מֵעָלְמָא דָּא תַּתָּאָה, וּמֵעָלְמָא דִּלְעֵילָּא.

לד. אר"ש, ת"ח, ד' קַדְמָאֵי אִינּוּן רָזָא דִּמְהֵימְנוּתָא. וְאִינּוּן אֲבָהָן דְּכֻלְּהוּ עָלְמִין. וְרָזָא דִּרְתִּיכָא עִלָּאָה קַדִּישָׁא. וְאִינּוּן ד' יְסוֹדִין: אֵ"שׁ רוּ"חַ וּמַיִ"ם וְעָפָ"ר. אִלֵּין אִינּוּן רָזָא עִלָּאָה. וּמֵאִינּוּן נָפְקִין, זָהָ"ב וָכֶסֶ"ף וּנְחֹשֶׁ"ת וּבַרְזֶ"ל. וּתְחוֹת אִלֵּין מַתְכָאן אַחֲרָנִין, דְּדַמְיָין לוֹן.

לה. תָּא חֲזֵי. אֵ"שׁ רוּ"חַ וּמַיִ"ם וְעָפָ"ר, אִלֵּין אִינּוּן קַדְמָאֵי וְשָׁרָשִׁין דִּלְעֵילָּא וְתַתָּא, וְתַתָּאִין וְעִלָּאִין עֲלַיְיהוּ קַיְימִין. וְאִלֵּין אִינּוּן אַרְבַּע, לְאַרְבַּע סִטְרֵי עָלְמָא, וְקַיְימִין בְּאַרְבַּע אִלֵּין: צָפוֹ"ן, וְדָרוֹ"ם, וּמִזְרָ"ח, וּמַעֲרָ"ב. אִלֵּין אִינּוּן אַרְבַּע סִטְרִין דְּעָלְמָא, וְקַיְימִין בְּאַרְבַּע אִלֵּין. אֵ"שׁ לְסִטַר צָפוֹ"ן. רוּ"חַ לְסִטַר מִזְרָ"ח. מַיִ"ם לְסִטַר דָּרוֹ"ם. עָפָ"ר לְסִטַר מַעֲרָ"ב. וְאַרְבַּע אִלֵּין, בְּאַרְבַּע אִלֵּין קְטִירִין, וְכֻלְּהוּ חַד, וְאִלֵּין עַבְדֵי אַרְבַּע מַתְכָאן, דְּאִינּוּן זָהָ"ב וָכֶסֶ"ף וּנְחֹשֶׁ"ת וּבַרְזֶ"ל הָא אִינּוּן תְּרֵיסַר, וְכֻלְּהוּ חַד.

לו. תָּא חֲזֵי, אֵשׁ הוּא בִּשְׂמָאלָא, לְסִטַר צָפוֹן, דְּהָא אֵשׁ, תּוֹקְפָּא דַּחֲמִימוּתָא בֵּיהּ, וְיָבִישׁוּ דִּילֵיהּ תַּקִּיף. וְצָפוֹן בְּהִפּוּכָא דִּילֵיהּ הוּא, וְאִתְמְזִיג חַד בְּחַד וְאִיהוּ חַד. מַיִם לִימִינָא, וְהוּא לְסִטַר דָּרוֹם. וְקוּדְשָׁא בְּרִיךְ הוּא, לְחַבְּרָא לוֹן כַּחֲדָא, עָבִיד מִזְגָּא דָּא כְּמִזְגָּא דָּא.

לז. צָפוֹן אִיהוּ קַר וְלַח, אֶשָּׁא חַם וְיָבֵשׁ. אַחְלַף לוֹן לְסִטַר דָּרוֹם. דָּרוֹם, אִיהוּ חַם וְיָבֵשׁ. מַיִם קָרִים וְלַחִים. וְקוּדְשָׁא בְּרִיךְ הוּא מְזִיג לוֹן כְּחַד דְּנָפְקֵי מַיָּא מִדָּרוֹם, וְעָאלִין בְּגוֹ צָפוֹן. וּמִצָּפוֹן נַגְדֵי מַיָּא. נָפִיק אֶשָּׁא מִצָּפוֹן, וְעָאל בְּתוּקְפָּא דְּדָרוֹם, וּמִדָּרוֹם נָפִיק תּוּקְפָּא דַּחֲמִימוּתָא לְעָלְמָא. בְּגִין דְּקוּדְשָׁא בְּרִיךְ הוּא אוֹזִיף דָּא בְּדָא, וְכָל חַד וְחַד אוֹזִיף לְחַבְרֵיהּ מִדִּילֵיהּ כַּדְקָא חֲזֵי לֵיהּ. כְּגַוְונָא דָּא רוּחַ וּמִזְרָח, בְּגִין דְּיוֹזִיף כָּל חַד לְחַבְרֵיהּ, וְאִתְכְּלִיל דָּא בְּדָא, לְאִתְחַבְּרָא כַּחֲדָא.

לח. ת"ח, אֶשָּׁא מִסִּטְרָא דָּא, מַיִם מִסִּטְרָא דָּא. וְאִינּוּן מַחֲלוֹקֶת. עָאל רוּחַ בֵּינַיְיהוּ, וְאָחִיד לִתְרֵין סִטְרִין. הֲדָא הוּא דִּכְתִּיב וְרוּחַ אֱלֹהִים מְרַחֶפֶת עַל פְּנֵי הַמָּיִם. דְּהָא אֶשָּׁא קָאִים לְעֵילָּא בְּסִטְרָא דָּא. וּמַיִם קַיְימֵי. רוּחָא אָעִיל בֵּינַיְיהוּ, וְאָחִיד לִתְרֵין סִטְרִין, וְאַפְרִישׁ מַחֲלוֹקֶת. עָפָר מַיָּא קַיְימֵי עֲלֵיהּ וְרוּחָא וְאֶשָּׁא וּמְקַבְּלָא מִכֻּלְּהוּ, בְּחֵילָא דִּתְלָתָא אִלֵּין דְּקַיְימֵי עֲלָהּ.

לט. ת"ח, רוּחַ וּמִזְרָח. מִזְרָח, חַם וְלַח, רוּחַ, חַם וְלַח אִיהוּ, וּבְגִינֵי כָּךְ, אָחִיד לִתְרֵין סִטְרִין, דְּהָא אֵשׁ חַם וְיָבֵשׁ, וּמַיִם קָרִים וְלַחִים, רוּחַ אִיהוּ חַם וְלַח, סִטְרָא דְּאִיהוּ חַם, אָחִיד בְּאֶשָּׁא. סִטְרָא דְּאִיהוּ לַח, אָחִיד בְּמַיָּא. וְעַל דָּא אַסְכִּים בֵּינַיְיהוּ, וְאַפְרִישׁ מַחֲלוֹקֶת דְּאֶשָּׁא וּמַיָּא.

מ. עָפָר אִיהוּ קַר וְיָבֵשׁ, וע"ד מְקַבֵּל עֲלֵיהּ כֻּלְּהוּ, וְכֻלְּהוּ עַבְדֵי בֵּיהּ עֲבִידְתַּיְיהוּ, וּמְקַבְּלָא מִכֻּלְּהוּ, לְאַפָּקָא בְּחֵילֵיהוֹן מְזוֹנָא לְעָלְמָא. בְּגִין דִּבְמַעֲרָב אִתְאֲחִיד עַפְרָא, דְּאִיהוּ קַר וְיָבֵשׁ. וְסִטְרָא דְּאִיהוּ קַר, אָחִיד בְּצָפוֹן דְּאִיהוּ קַר וְלַח, דְּהָא קְרִירָא אִתְאֲחִיד בִּקְרִירָא. בג"כ צָפוֹן אִתְאֲחִיד בְּמַעֲרָב בְּסִטְרָא דָּא. דָּרוֹם דְּאִיהוּ חַם וְיָבֵשׁ, בְּהַהוּא יְבִישׁוּתָא דִּילֵיהּ, אָחִיד לִיבֵשׁוּתָא דְּמַעֲרָב בְּסִטְרָא אָחֳרָא, וְאִתְאֲחִיד מַעֲרָב בִּתְרֵין סִטְרִין.

מא. וְכֵן אִתְאֲחִיד דָּרוֹם בְּמִזְרָח, דְּהָא חֲמִימוּתָא דְּדָרוֹם, אִתְאֲחִיד בֵּיהּ בַּחֲמִימוּתָא דְּמִזְרָח. וּמִזְרָח אִתְאֲחִיד בְּצָפוֹן דְּהָא לַחוּתָא דִּילֵיהּ אִתְאֲחִיד בְּלַחוּתָא דְּצָפוֹן. הַשְׁתָּא

אִשְׁתְּכַח דְּרוֹמִי"ת מִזְרָחִי"ת. מִזְרָחִי"ת צְפוֹנִי"ת. צְפוֹנִי"ת מַעֲרָבִי"ת. מַעֲרָבִי"ת דְּרוֹמִי"ת וְכֻלְּהוּ כְּלִילָן דָּא בְּדָא, לְאִשְׁתַּלְשְׁלָא חַד בְּחַד.

מב. כְּגַוְונָא דָּא, צָפוֹן עָבֵיד דַּהֲבָא. דְּמִסִּטְרָא דְּתוּקְפָּא דְּאֶשָּׁא, אִתְעָבֵיד דַּהֲבָא. וְהַיְינוּ דִּכְתִיב, מִצָּפוֹן זָהָב יֶאֱתֶה. דְּאֵשׁ אִתְאֲחִיד בֶּעָפָר, וְאִתְעָבֵיד דַּהֲבָא. וְהַיְינוּ דִּכְתִיב, וַעֲפָרוֹת זָהָב לוֹ. וְרָזָא דָּא, שְׁנַיִם כְּרוּבִים זָהָב.

מג. מַיִם אִתְאֲחִיד בֶּעָפָר, וְקָרִירוּתָא בְּלָחוּתָא עָבֵיד כֶּסֶף, הַשְׁתָּא הָא עָפָר אִתְאֲחִיד בִּתְרֵין סִטְרִין, בְּזָהָב וּבְכֶסֶף, וְאִתְיְיהִיב בֵּינַיְיהוּ. רוּחָא אָחִיד לְמַיִם, וְאָחִיד לְאֵשׁ, וְאַפִּיק תְּרֵין כְּחַד, דְּאִיהוּ עֵין נְחֹשֶׁת קָלָל. וְעָפָר דְּקַאמְרָן, כַּד אִיהוּ בִּלְחוֹדוֹי, בִּיבִישׁוּ וּקְרִירוּ דִּילֵיהּ, נָפִיק בַּרְזֶל, וְסִימָנִיךְ, אִם קֵהָה הַבַּרְזֶל וְגוֹ'

מד. וְהַאי עָפָר, אִתְאֲחִיד בְּכֻלְּהוּ, וְכֻלְּהוּ עַבְדִּין בֵּיהּ כְּגַוְונָא דִּלְהוֹן. ת"ח, בְּלָא עָפָר, לֵית זָהָב וָכֶסֶף וּנְחֹשֶׁת, דְּהָא כָּל חַד וְחַד אוֹזִיף לְחַבְרֵיהּ מִדִּילֵיהּ, לְאִתְקַשְּׁרָא דָּא בְּדָא. וְאִתְאֲחִיד עָפָר בְּכֻלְּהוּ, בְּגִין דִּתְרֵין סִטְרִין אֲחִידָן לֵיהּ, אֶשָּׁא וּמַיָּא. וְרוּחָא אִתְקְרִיב בֵּיהּ, בְּגִין אִלֵּין תְּרֵין וְעָבֵיד בֵּיהּ עֲבִידְתָּא.

מה. אִשְׁתְּכַח, דְּכַד אִתְחַבַּר עַפְרָא בַּהֲדַיְיהוּ, עָבֵיד וְאוֹלִיד עַפְרָא אַחֲרָנִין, כְּגַוְונָא דִּלְהוֹן. כְּגַוְונָא דְּזָהָב, אוֹלִיד עַפְרָא סוּסְפִּיתָא יְרוֹקָא, דְּאִיהוּ כְּגַוְונָא דְּדַהֲבָא מַמָּשׁ. כְּגַוְונָא דְּכֶסֶף, אוֹלִיד עוֹפֶרֶת. כְּגַוְונָא דִּנְחֹשֶׁת עִילָּאָה, אוֹלִיד קַסִּיטְרָא דְּאִיהוּ נְחֹשֶׁת זוּטָא. כְּגַוְונָא דְּבַרְזֶל, אוֹלִיד בַּרְזֶל, וְסִימָנָךְ בַּרְזֶל בְּבַרְזֶל יָחַד.

מו. תָּא חֲזֵי, אֵשׁ רוּחַ מַיִם וְעָפָר, כֻּלְּהוּ אֲחִידָן דָּא בְּדָא, וְאִתְקַשְּׁרָן דָּא בְּדָא. וְלָא הֲוֵי בְּהוּ פִּרוּדָא. וְעָפָר דָּא, כַּד אִיהוּ אוֹלִיד לְבָתַר, לָא מִתְקַשְּׁרָן דָּא בְּדָא בְּאִינּוּן עִלָּאֵי, כְּמָה דְּאַתְּ אָמֵר, וּמִשָּׁם יִפָּרֵד וְהָיָה לְאַרְבָּעָה רָאשִׁים, בְּאִלֵּין הֲוֵי פִּרוּדָא.

מז. בְּגִין דְּהָא עָפָר, כַּד אִיהוּ אוֹלִיד בְּחֵילָא דִּתְלַת עִלָּאֵי, אַפִּיק אַרְבְּעָה נַהֲרִין, דְּתַמָּן מִשְׁתַּכְּחֵי אַבְנֵי יְקָר, וּבְאֲתַר חַד אִינּוּן, דִּכְתִיב שָׁם הַבְּדֹלַח וְאֶבֶן הַשֹּׁהַם. וְאִלֵּין אַבְנֵי יְקָר אִינּוּן תְּרֵיסַר, וְאִינּוּן לְאַרְבַּע סִטְרֵי עָלְמָא, לָקֳבֵיל תְּרֵיסַר שִׁבְטִין, דִּכְתִיב וְהָאֲבָנִים תִּהְיֶיןָ עַל שְׁמוֹת בְּנֵי יִשְׂרָאֵל שְׁתֵּים עֶשְׂרֵה עַל שְׁמוֹתָם. וְאִלֵּין תְּרֵיסַר בָּקָר, דְּאִינּוּן תְּחוֹת יַמָּא.

מח. תָּא חֲזֵי, כָּל אַרְבְּעָה סִטְרִין עִלָּאִין דְּקַאמְרָן, אַף עַל גַּב דְּמִתְקַשְּׁרָן דָּא בְּדָא, וְאִינּוּן קִיּוּמָא דִּלְעֵילָּא וְתַתָּא, קִיּוּמָא דְּעָלְמָא יַתִּיר רוּחַ, בְּגִין דְּכֹלָּא קַיְּימָא בְּגִינֵיהּ, וְנַפְשָׁא לָא קַיְּימָא אֶלָּא בְּרוּחָא, דְּאִי גָּרַע רוּחָא אֲפִילוּ רִגְעָא חֲדָא, נַפְשָׁא לָא יָכִילַת לְאִתְקַיְּימָא, וְרָזָא דָּא כְּתִיב, גַּם בְּלֹא דַעַת נֶפֶשׁ לֹא טוֹב. נַפְשָׁא בְּלָא רוּחָא לָאו אִיהוּ טוֹב, וְלָא יַכְלָא לְאִתְקַיְּימָא.

מט. וְתָא חֲזֵי, אִינּוּן תְּרֵיסַר דְּקַאמְרָן, דְּאִינּוּן תְּרֵיסַר אַבְנִין, אִינּוּן תְּרֵיסַר בָּקָר, דִּתְחוֹת יַמָּא. בְּגִין כַּךְ, נָטְלוּ אִינּוּן תְּרֵיסַר נְשִׂיאִים, כָּל הַבָּקָר לָעֹלָה שְׁנֵים עָשָׂר פָּרִים וְגוֹ'. וְכֹלָּא רָזָא עִלָּאָה הוּא, וּמַאן דְּיִשְׁגַּח בְּמִלִּין אִלֵּין, יַשְׁגַּח בְּרָזָא דְּחָכְמְתָא עִלָּאָה, דְּעִקָּר דְּכֹלָּא בֵּיהּ.

נ. אָמַר ר' שִׁמְעוֹן, הָא דְּאָמַר ר' חִזְקִיָּה, דְּכַד בָּרָא קוּדְשָׁא בְּרִיךְ הוּא לְאָדָם, מֵעַפְרָא דְּמַקְדְּשָׁא דִּלְתַתָּא אִתְבְּרֵי, מֵעַפְרָא דְּמַקְדְּשָׁא דִּלְעֵילָּא אִתְיְיהִיב בֵּיהּ נִשְׁמְתָא. כְּמָה דְּכַד אִתְבְּרֵי מֵעַפְרָא דִּלְתַתָּא, אִתְחַבְּרוּ בֵּיהּ תְּלַת סִטְרָא יְסוֹדֵי עָלְמָא. הָכִי נָמֵי כַּד אִתְבְּרֵי מֵעַפְרָא דִּלְעֵילָּא, אִתְחַבְּרוּ בֵּיהּ תְּלַת סִטְרֵי יְסוֹדֵי עָלְמָא,

וְאִשְׁתְּלִים אָדָם. וְהַיְינוּ דִּכְתִיב, אַשְׁרֵי אָדָם לֹא יַחְשֹׁב יְיָ' לוֹ עָוֹן וְאֵין בְּרוּחוֹ רְמִיָּה. אֵימָתַי לֹא יַחְשֹׁב יְיָ' לוֹ עָוֹן, בִּזְמַן דְּאֵין בְּרוּחוֹ רְמִיָּה.

נא. תָּא חֲזֵי, מֹשֶׁה אִשְׁתְּלִים יַתִּיר מֵאֲבָהָן, בְּגִין דְּמַלִּיל עִמֵּיהּ קוּדְשָׁא בְּרִיךְ הוּא, מִדַּרְגָּא עִלָּאָה יַתִּיר מִכֻּלְּהוּ, וּמֹשֶׁה פְּנִימָאָה דְּבֵי מַלְכָּא עִלָּאָה הֲוָה, וְעַל דָּא כְּתִיב, וָאֵרָא אֶל אַבְרָהָם אֶל יִצְחָק וְאֶל יַעֲקֹב וְגוֹ', וְהָא אוֹקִימְנָא מִלֵּי.

נב. לָכֵן אֱמוֹר לִבְנֵי יִשְׂרָאֵל אֲנִי יְיָ' וְהוֹצֵאתִי אֶתְכֶם. רִבִּי יְהוּדָה אָמַר, הַאי קְרָא אַפְּכָא הוּא, דִּכְתִיב וְהוֹצֵאתִי אֶתְכֶם מִתַּחַת סִבְלֹת מִצְרַיִם בְּקַדְמֵיתָא, וּלְבָתַר וְהִצַּלְתִּי אֶתְכֶם מֵעֲבוֹדָתָם, וּלְבָתַר וְגָאַלְתִּי אֶתְכֶם, הֲוָה לֵיהּ לְמֵימַר מֵעִיקָרָא וְגָאַלְתִּי אֶתְכֶם, וּלְבָתַר וְהוֹצֵאתִי אֶתְכֶם. אֶלָּא, עִקָּרָא דְּכֹלָּא בְּקַדְמֵיתָא, דְּבָעָא קב"ה לְבַשְּׂרָא לוֹן בִּשְׁבָחָא דְּכֹלָּא בְּקַדְמֵיתָא.

נג. אָמַר רִבִּי יוֹסֵי, וְהָא שְׁבָחָא דְּכֹלָּא, וְלָקַחְתִּי אֶתְכֶם לִי לְעָם וְהָיִיתִי לָכֶם לֵאלֹהִים, וְאָמַר לֵיהּ לְבָתַר. א"ל, בְּהַהוּא זִמְנָא, לֵית לְהוּ שְׁבָחָא אֶלָּא יְצִיאָה. דְּחָשִׁיבֵי דְּלָא יִפְקוּן מֵעַבְדוּתְהוֹן לְעָלְמִין, בְּגִין דַּהֲווּ חָמָאן תַּמָּן דְּכָל אֲסִירֵי דַּהֲווּ בֵּינַיְיהוּ מְקַשְּׁרוּ לוֹן בְּקִשְׁרָא דְּחַרְשֵׁי, וְלָא יַכְלִין לְנָפְקָא מִבֵּינַיְיהוּ לְעָלְמִין. וּבְגִין כָּךְ, מַה דַּחֲבִיב עֲלַיְיהוּ מִכֹּלָּא, אִתְבַּשְּׂרוּ בֵּיהּ.

נד. וְאִי תֵּימָא אע"ג דְּנָפְקוּ, הָא דִּילְמָא יִזְלוּן בַּתְרַיְיהוּ לְאַבְאָשָׁא לוֹן, כְּתִיב וְהִצַּלְתִּי אֶתְכֶם מֵעֲבוֹדָתָם. וְאִי תֵּימָא הָא יִפְקוּן וְיִשְׁתֵּזְבוּן, וְלָא יְהֵא לוֹן פְּרִיקָא, ת"ל וְגָאַלְתִּי אֶתְכֶם בִּזְרוֹעַ נְטוּיָה. וְאִי תֵּימָא לֹא יְקַבְּלֵם, הָא כְּתִיב וְלָקַחְתִּי. וְאִי תֵּימָא כְּשֶׁיְּקַבְּלֵם לֹא יְבִיאֵם לָאָרֶץ, הָא כְּתִיב וְהֵבֵאתִי אֶתְכֶם וְגוֹ'.

רַעְיָא מְהֵימְנָא

נה. וְלָקַחְתִּי אֶתְכֶם לִי לְעָם וְהָיִיתִי לָכֶם לֵאלֹהִים וִידַעְתֶּם כִּי אֲנִי יְיָ' אֱלֹהֵיכֶם וְגוֹ' פִּקּוּדָא דָּא קַדְמָאָה דְּכָל פִּקּוּדִין. רֵאשִׁיתָא קַדְמָאָה דְּכָל פִּקּוּדִין, לְמִנְדַּע לֵיהּ לְקב"ה בִּכְלָלָא. מַאי בִּכְלָלָא. לְמִנְדַּע דְּאִית שַׁלִּיטָא עִלָּאָה, דְּאִיהוּ רִבּוֹן עָלְמָא, וּבָרָא עָלְמִין כֻּלְּהוּ, שְׁמַיָּא וְאַרְעָא וְכָל חֵילֵיהוֹן. וְדָא אִיהוּ בִּכְלָלָא. וְסוֹפָא דְּכֹלָּא בִּפְרָט, לְמִנְדַּע לֵיהּ בִּפְרָט.

נו. וּכְלָל וּפְרָט אִיהוּ רֵישָׁא וְסוֹפָא רָזָא דְּכַר וְנוּקְבָא כַּחֲדָא, וְאִשְׁתְּכַח בַּר נָשׁ בְּהַאי עָלְמָא, דְּאִתְעַסַּק בִּכְלָל וּפְרָט, בַּר נָשׁ בְּהַאי עָלְמָא אִיהוּ כְּלָל וּפְרָט. תִּקּוּנָא דְּהַאי עָלְמָא, אִיהוּ כְּלָל וּפְרָט. בְּגִ"כ, רֵאשִׁיתָא דְּכֹלָּא, לְמִנְדַּע דְּאִית שַׁלִּיט וְדַיָּין עַל עָלְמָא, וְאִיהוּ רִבּוֹן כָּל עָלְמִין. וּבָרָא לֵיהּ לְבַר נָשׁ מֵעַפְרָא, וְנָפַח בְּאַפּוֹי נִשְׁמְתָא דְּחַיֵּי, וְדָא אִיהוּ בְּאוֹרַח כְּלָל.

נז. כַּד נָפְקוּ יִשְׂרָאֵל מִמִּצְרַיִם, לָא הֲווּ יַדְעֵי לֵיהּ לְקב"ה כֵּיוָן דְּאָתָא מֹשֶׁה לְגַבַּיְיהוּ, פִּקּוּדָא קַדְמָאָה דָּא אוֹלִיף לוֹן, דִּכְתִיב, וִידַעְתֶּם כִּי אֲנִי יְיָ' אֱלֹהֵיכֶם הַמּוֹצִיא אֶתְכֶם וְגוֹ'. וְאִלְמָלֵא פִּקּוּדָא דָּא, לָא הֲווּ יִשְׂרָאֵל מְהֵימְנִין, בְּכָל אִינּוּן נִסִּין וּגְבוּרָן דְּעָבֵד לוֹן בְּמִצְרַיִם. כֵּיוָן דְּיָדְעוּ פִּקּוּדָא דָּא בְּאוֹרַח כְּלָל, אִתְעֲבִידוּ לְהוֹן נִסִּין וּגְבוּרָן.

נח. וּלְסוֹף מ' שְׁנִין, דְּקָא אִשְׁתַּדְּלוּ בְּכָל אִינּוּן פִּקּוּדִין דְּאוֹרַיְיתָא, דְּאוֹלִיף לוֹן מֹשֶׁה, בֵּין אִינּוּן דְּמִתְנַהֲגֵי בְּאַרְעָא בֵּין אִינּוּן דְּמִתְנַהֲגֵי לְבַר מֵאַרְעָא כְּדֵין, אוֹלִיף לוֹן בְּאוֹרַח פְּרָט, הה"ד וְיָדַעְתָּ הַיּוֹם וַהֲשֵׁבֹתָ אֶל לְבָבֶךָ, הַיּוֹם דַּיְיקָא, מַה דְּלָא הֲוָה רְשׁוּ מִקַּדְמַת דְּנָא. כִּי יְיָ' הוּא הָאֱלֹהִים, דָּא בְּאוֹרַח פְּרָט, בְּמִלָּה דָּא, כַּמָּה רָזִין וְסִתְרִין אִית בָּהּ.

וְדָא, וְהַהוּא דְּקַדְמֵיתָא, כֹּלָּא מִלָּה וְחֲדָא, דָּא בִּכְלָל, וְדָא בִּפְרָט.

נט. וְאִי תֵּימָא, הָא כְּתִיב, יִרְאַת יְיָ' רֵאשִׁית דָּעַת. תִּירוּצָא, דָּא בְּאוֹרַח פְּרָט, לְמִנְדַּע מַאן אִיהוּ יִרְאַת יְיָ'. וְאע"ג דְּאִית לֵיהּ לְבַר נָשׁ לְדַחֲלָא מִנֵּיהּ, עַד לָא יִנְדַּע, אֲבָל הָכָא כְּתִיב רֵאשִׁית דַּעַת, לְמִנְדַּע לֵיהּ דְּהָא אִיהוּ רֵאשִׁיתָא, לְמִנְדַּע לֵיהּ בְּאוֹרַח פְּרָט.

ס. בְּגִין כַּךְ, פִּקּוּדָא קַדְמָאָה לְמִנְדַּע לֵיהּ לְקֻבְּ"ה בִּכְלָל וּפְרָט, בְּרֵישָׁא וּבְסוֹפָא. וְרָזָא דָּא אֲנִי רִאשׁוֹן וַאֲנִי אַחֲרוֹן. אֲנִי רִאשׁוֹן בִּכְלָל, וַאֲנִי אַחֲרוֹן בִּפְרָט. וְכֹלָּא בִּכְלָלָא וַחֲדָא, וְרָזָא וַחֲדָא. כֵּיוָן דְּיִנְדַּע דָּא בִּכְלָל, יַשְׁלִים כָּל שַׁיְיפוֹי. וּמַאן אִינּוּן. רמ"ח פִּקּוּדִין, דְּאִינּוּן רמ"ח שַׁיְיפִין דְּבַר נָשׁ. כֵּיוָן דְּאִשְׁתְּלִים בְּהוּ עַל הַאי בִּכְלָל, כְּדֵין יִנְדַּע בְּאוֹרַח פְּרָט, דְּדָא אִיהוּ אַסְוָותָא לְכֻלְּהוּ, וְיִנְדַּע כָּל יוֹמֵי שַׁתָּא, דְּמִתְחַבְּרָן לְמֵיהַב אַסְוָותָא לְכָל שַׁיְיפִין.

סא. וְאִי תֵּימָא, כָּל יוֹמֵי שַׁתָּא, הֵיךְ יַהֲבִין אַסְוָותָא לְכָל שַׁיְיפִין. וַדַּאי הָכִי הוּא עֵילָּא וְתַתָּא, שַׁתָּא וְיוֹמֵי דִּילֵיהּ, יַהֲבִין אַסְוָותָא לְכָל שַׁיְיפִין עֵילָּא וְתַתָּא, דְּשַׁיְיפִין אֲרִיכוּ בִּרְכָאן לְיוֹמֵי שַׁתָּא כְּדֵין אַסְוָותָא וְחַיִּין תַּלְיָין עֲלָן מִלְּעֵילָּא, וְאִתְמַלְיָין מִכֹּלָּא. מַאן גָּרִים לוֹן. יוֹמֵי שַׁתָּא.

סב. אוּף הָכִי נָמֵי לְתַתָּא, כַּד בַּר נָשׁ יַשְׁלִים גּוּפֵיהּ בְּאִינּוּן פִּקּוּדִין דְּאוֹרַיְיתָא לֵית לָךְ כָּל יוֹמָא דְּלָא אַתְיָא לְאִתְבָּרְכָא מִנֵּיהּ, וְכַד אִינּוּן אִתְבָּרְכָאן מִנֵּיהּ, כְּדֵין חַיִּין וְאַסְוָותָא תַּלְיָין עֲלֵיהּ מִלְּעֵילָּא. מַאן גָּרִים לֵיהּ. אִינּוּן יוֹמֵי שַׁתָּא. יוֹמֵי שַׁתָּא, כְּמָה דְּאִתְבָּרְכָאן מִלְּעֵילָּא מֵרָזָא דְּאָדָם. הָכִי נָמֵי אִתְבָּרְכָאן מִתַּתָּא מֵרָזָא דְּאָדָם.

סג. זַכָּאִין אִינּוּן יִשְׂרָאֵל בְּהַאי עָלְמָא, בְּאִלֵּין פִּקּוּדִין דְּאוֹרַיְיתָא, דְּאִקְרוּן אָדָם, דִּכְתִּיב. אָדָם אַתֶּם. אַתֶּם קְרוּיִים אָדָם, ועכו"ם לָא אִקְרוּן אָדָם. וּבְגִין דְּיִשְׂרָאֵל אִקְרֵי אָדָם, אִית לוֹן לְאִשְׁתַּדְּלָא בְּאִינּוּן פִּקּוּדִין דְּאוֹרַיְיתָא, לְמֶהֱוֵי כֹּלָּא וְחַד, בְּרָזָא דְּאָדָם.

סד. כַּד יָהַב קֻבְּ"ה אוֹרַיְיתָא לְיִשְׂרָאֵל עַל טוּרָא דְּסִינַי, מִלָּה קַדְמָאָה אִיהוּ אָנֹכִי, אָנֹכִי סַלְקָא לְרָזִין סַגִּיאִין. וְהָכָא אִיהוּ רָזָא דְּפִקּוּדָא קַדְמָאָה, לְמִנְדַּע לֵיהּ בִּכְלָלָא. בְּגִין דִּכְתִּיב אָנֹכִי, הָא קָא רָמִיז, דְּאִית אֱלָהָא שַׁלִּיטָא עִלָּאָה עַל עָלְמָא, כד"א כִּי יְיָ' אֱלֹהֶיךָ אֵשׁ אוֹכְלָה הוּא, פִּקּוּדָא קַדְמָאָה בִּכְלָל. בִּפְרָט: בְּגִין דִּכְתִּיב, ה' אֱלֹהֶיךָ דָּא פְּרָט, וְדָא כְּלָל וּפְרָט, פִּקּוּדָא קַדְמָאָה, דְּאִצְטְרִיךְ לְמִנְדַּע בְּרֵישָׁא וּבְסוֹפָא, כְּמָה דְּאוֹקִימְנָא. (ע"כ רעיא מהימנא).

סה. וַיְדַבֵּר מֹשֶׁה כֵּן אֶל בְּנֵי יִשְׂרָאֵל וְלֹא שָׁמְעוּ אֶל מֹשֶׁה מִקֹּצֶר רוּחַ. מַאי מִקֹּצֶר רוּחַ. א"ר יְהוּדָה, דְּלָא הֲווּ נְפִישֵׁי, וְלָא הֲווּ לְקִיטֵי רוּחָא. א"ר שִׁמְעוֹן, מִקֹּצֶר רוּחַ: דְּעַד לָא נָפַק יוֹבְלָא, לְמֵיהַב לוֹן נְפִישׁוּ. וְרוּחַ בַּתְרָאָה, עַד לָא שַׁלְטָא לְמֶעְבַּד נִימוּסֵי, וּכְדֵין הֲוָה עָאקוּ דְּרוּחָא. מַאן אִיהוּ. רוּחַ בַּתְרָאָה דְּקָאמְרָן.

סו. ת"ח, כְּתִיב הֵן בְּנֵי יִשְׂרָאֵל לֹא שָׁמְעוּ אֵלַי וְאֵיךְ יִשְׁמָעֵנִי פַרְעֹה וַאֲנִי עֲרַל שְׂפָתָיִם, מַאי וַאֲנִי עֲרַל שְׂפָתָיִם. וְהָא בְּקַדְמֵיתָא כְּתִיב לֹא אִישׁ דְּבָרִים אָנֹכִי וְגוֹ' כִּי כְבַד פֶּה וּכְבַד לָשׁוֹן אָנֹכִי, וְקֻבְּ"ה הֲוָה אוֹתִיב לֵיהּ, מִי שָׂם פֶּה לָאָדָם וְגוֹ', וְהוּא אָמַר וְאָנֹכִי אֶהְיֶה עִם פִּיךָ, ס"ד דְּלָא הֲוָה כֵּן, וְהַשְׁתָּא אָמַר וַאֲנִי עֲרַל שְׂפָתָיִם, אִי הָכִי, אָן הוּא מִלָּה דְּאַבְטַח לֵיהּ קֻבְּ"ה בְּקַדְמֵיתָא.

סז. אֶלָּא רָזָא אִיהוּ, מֹשֶׁה קָלָא, וְדִבּוּר דְּאִיהוּ מִלָּה דִּילֵיהּ, הֲוָה בְּגָלוּתָא, וַהֲוָה אִיהוּ אָטִים לְפָרְשָׁא מִלִּין, וּבְגִין דָּא אָמַר, וְאֵיךְ יִשְׁמָעֵנִי פַרְעֹה, בְּעוֹד דְּמִלָּה דִּילִי אִיהִי

בְּגָלוּתָא דִּילֵיהּ, דְּהָא לֵית לִי מִלָּה. הָא אֲנָא קָלָא גְּרַע, דְּאִיהִי בְּגָלוּתָא, וע"ד, עַטֵּף קב"ה לְאַהֲרֹן בַּהֲדֵיהּ.

סז. ת"ח. כָּל זִמְנָא דְּדִבּוּר הֲוָה בְּגָלוּתָא, קָלָא אִסְתְּלַק מִנֵּיהּ, וּמִלָּה הֲוָה אֲטִים בְּלָא קוֹל, כַּד אָתָא מֹשֶׁה, אָתָא קוֹל. וּמֹשֶׁה הֲוָה קוֹל בְּלָא מִלָּה, בְּגִין דַּהֲוָה בְּגָלוּתָא, וְכָל זִמְנָא דְּדִבּוּר הֲוָה בְּגָלוּתָא, מֹשֶׁה אָזִיל קָלָא בְּלָא דִבּוּר, וְהָכִי אָזִיל עַד דְּקָרִיבוּ לְטוּרָא דְסִינַי, וְאִתְיְהִיבַת אוֹרַיְיתָא, וּבַהֲהוּא זִמְנָא, אִתְחֲבַּר קָלָא בַּדִּבּוּר, וּכְדֵין מִלָּה מַלִּיל, הה"ד, וַיְדַבֵּר אֱלֹהִים אֶת כָּל הַדְּבָרִים הָאֵלֶּה. וּכְדֵין, מֹשֶׁה אִשְׁתְּכַח שְׁלִים בְּמִלָּה כַּדְקָא יָאוּת, קוֹל וְדִבּוּר כַּחֲדָא בִּשְׁלִימוּ.

סט. וְעַל דָּא מֹשֶׁה אִתְרְעִים, דְּמִלָּה גְּרַע מִנֵּיהּ, בַּר הַהוּא זִמְנָא דְּמַלִּילַת לְאִתְרַעֲמָא עֲלוֹי, בְּזִמְנָא דִּכְתִיב, וּמֵאָז בָּאתִי אֶל פַּרְעֹה לְדַבֵּר בִּשְׁמֶךָ, מִיָּד וַיְדַבֵּר אֱלֹהִים אֶל מֹשֶׁה. תָּא וַחֲזֵי דְּהָכִי הוּא דְּשָׁעֲרָא מִלָּה לְמַלְּלָא וּפָסַק לֵהּ, בְּגִין דְּעַד לָא מָטָא זִמְנָא דִּכְתִיב וַיְדַבֵּר אֱלֹהִים וְגוֹ'. וּפָסַק וְאִשְׁלִים קָלָא, הה"ד וַיֹּאמֶר אֵלָיו אֲנִי ה'. בְּגִין דְּדִבּוּר הֲוָה בְּגָלוּתָא, וְלָא מָטָא זִמְנָא לְמַלְּלָא.

ע. בְּגִינֵי כָךְ, מֹשֶׁה לָא הֲוָה שְׁלִים מִלָּה בְּקַדְמֵיתָא, דְּאִיהוּ קוֹל, וְאָתֵי בְּגִין דִּבּוּר, לְאַפְּקָא לֵיהּ מִן גָּלוּתָא. כֵּיוָן דְּנָפַק מִן גָּלוּתָא, וְאִתְחַבָּרוּ קוֹל וְדִבּוּר כַּחֲדָא בְּטוּרָא דְסִינַי, אִשְׁתְּלִים מֹשֶׁה וְאִתְּסֵי, וְאִשְׁתְּכַח קוֹל וְדִבּוּר כַּחֲדָא בִּשְׁלִימוּ.

עא. תָּא וַחֲזֵי, כָּל יוֹמִין דַּהֲוָה מֹשֶׁה בְּמִצְרַיִם, דְּבָעָא לְאַפְּקָא מִלָּה מִן גָּלוּתָא, לָא מַלִּיל מִלָּה, דְּאִיהוּ דִּבּוּר. כֵּיוָן דְּנָפַק מִן גָּלוּתָא, וְאִתְחַבָּר קוֹל בַּדִּבּוּר, הַהוּא מִלָּה דְּאִיהוּ דִּבּוּר, אַנְהִיג וְדִבֵּר לוֹן לְיִשְׂרָאֵל, אֲבָל לָא מַלִּיל, עַד דְּקָרִיבוּ לְטוּרָא דְסִינַי, וּפָתְחוּ בְּאוֹרַיְיתָא, דְּהָכִי אִתְחֲזֵי, וְאִי תֵימָא, כִּי אָמַר אֱלֹהִים פֶּן יִנָּחֵם הָעָם, לָא כְּתִיב כִּי דִבֵּר, אֶלָּא כִּי אָמַר, דְּאִיהוּ רְעוּתָא דְלִבָּא בַּחֲשַׁאי, וְהָא אוּקִימְנָא.

עב. וַיְדַבֵּר אֱלֹהִים אֶל מֹשֶׁה וַיֹּאמֶר אֵלָיו אֲנִי ה'. ר' יְהוּדָה פָּתַח, קַמְתִּי אֲנִי לִפְתּוֹחַ לְדוֹדִי וְדוֹדִי חָמַק עָבָר וְגוֹ'. קַמְתִּי אֲנִי לִפְתּוֹחַ לְדוֹדִי, דָּא קָלָא. תָּא וַחֲזֵי, כְּנֶסֶת יִשְׂרָאֵל כַּד אִיהִי בְּגָלוּתָא, קָלָא אִסְתְּלַק מִנָּהּ, וּמִלָּה אִשְׁתְּכַךְ מִנָּהּ, כְּמָה דְּאַ נֶאֱלַמְתִּי דוּמִיָּה. וְאִי אִתְעַר מִלְּתָא, מַה כְּתִיב, וְדוֹדִי חָמַק עָבָר, דְּהָא קָלָא אִסְתְּלַק מִנָּהּ, וּפָסְקָא מִלָּה. וְעַל דָּא וַיְדַבֵּר אֱלֹהִים אֶל מֹשֶׁה, שָׁרִיאַת לְמַלְּלָא, וּפָסַק וְשָׁתִיק. לְבָתַר אַשְׁלִים קָלָא וְאָמַר וַיֹּאמֶר אֵלָיו אֲנִי ה'.

עג. וָאֵרָא אֶל אַבְרָהָם אֶל יִצְחָק וְאֶל יַעֲקֹב, בְּיַעֲקֹב תּוֹסֶפֶת וא"ו, דְּאִיהוּ שְׁלִימוּ דַאֲבָהָן, כְּמָה דְּאַתְּ אָמַר, אֱלֹהֵי אַבְרָהָם אֱלֹהֵי יִצְחָק וֵאלֹהֵי יַעֲקֹב, בְּיַעֲקֹב תּוֹסֶפֶת וא"ו. אָמַר רַבִּי יוֹסֵי, אִי הָכִי, הָא כְּתִיב אֲנִי ה' אֱלֹהֵי אַבְרָהָם אָבִיךָ וֵאלֹהֵי יִצְחָק, הָא בְּיִצְחָק תּוֹסֶפֶת וא"ו.

עד. אָמַר לֵיהּ, שַׁפִּיר הֲוָה, בְּגִין דְּיַעֲקֹב הֲוָה קַיָּים, וְאַכְלִיל לֵיהּ לְיַעֲקֹב בְּיִצְחָק, דְּאִתְחֲשׁוּכוּ עֵינוֹי, וַהֲוָה כְּמֵת, דְּהָא בְּעוֹד דְּב"נ אִיהוּ קַיָּים בְּהַאי עָלְמָא, לָא אִדְכַּר עֲלוֹי שְׁמָא קַדִּישָׁא, וְעַל דָּא אַכְלִיל לֵיהּ בְּיִצְחָק. הַשְׁתָּא דְּמִית יַעֲקֹב, אָתָא מִלָּה בְּאַתְרֵיהּ. הה"ד וָאֵרָא אֶל אַבְרָהָם אֶל יִצְחָק וְאֶל יַעֲקֹב, בְּתוֹסֶפֶת ו.

עה. בְּאֵל שַׁדָּי: אִתְחֲזֵינָא לְהוֹ, מִגּוֹ אַסְפַּקְלַרְיָא דְּלָא נָהֲרָא. וְלָא אִתְחֲזֵינָא מִגּוֹ אַסְפַּקְלַרְיָא דְּנָהֲרָא. וְאִי תֵימָא דְּהָא אִשְׁתַּמְּשׁוּ בְּנוּקְבָּא בִּלְחוֹד וְלָא יַתִּיר. תָּא וַחֲזֵי דְּלָא אִתְפָּרְשָׁן לְעָלְמִין, הה"ד וְגַם הֲקִמֹתִי אֶת בְּרִיתִי אִתָּם, דְּהָא בְּרִית אִתְחֲבַּר

עִמָּהּ.

עו. מִקב"ה אִית לֵיהּ לְבַר נָשׁ לְמֵילַף, דְּהָא אִיהוּ קָאָמַר דְּלָא פָּרִישׁ לוֹן, דִּכְתִּיב בְּאֵל שַׁדָּי, וּכְתִיב וְגַם הֲקִימוֹתִי אֶת בְּרִיתִי אִתָּם, בְּגִין לְקַיְּימָא קִיּוּמָא בְּיִחוּדָא חַד, וְגַם הֲקִימוֹתִי אֶת בְּרִיתִי אִתָּם וְגוֹ'. הָא אִתְּמַר, מַאן דְּזָכֵי לִבְרִית, יָרִית לְאַרְעָא.

עז. רִבִּי חִיָּיא וְרִבִּי יוֹסֵי, הֲווֹ שְׁכִיחֵי יוֹמָא חַד קַמֵּיהּ דְּרִבִּי שִׁמְעוֹן, פָּתַח רִבִּי שִׁמְעוֹן וְאָמַר, גּוּרוּ לָכֶם מִפְּנֵי חֶרֶב כִּי חֵמָה עֲוֹנוֹת חֶרֶב לְמַעַן תֵּדְעוּן שַׁדּוּן. שַׁדִּין כְּתִיב. גּוּרוּ לָכֶם מִפְּנֵי חֶרֶב, מַאן חֶרֶב. דָּא חֶרֶב נוֹקֶמֶת נְקַם בְּרִית, דְּהָא הַאי חֶרֶב קָאִים לְאִסְתַּכְּלָא מַאן דִּמְשַׁקֵּר בִּבְרִית, דְּכָל מַאן דִּמְשַׁקֵּר בִּבְרִית, נוּקְמָא דְּנַקְמִין מִנֵּיהּ, הַאי חֶרֶב הוּא.

עח. הֲדָא הוּא דִּכְתִּיב, כִּי חֵמָה עֲוֹנוֹת חֶרֶב. מַאי טַעְמָא. בְּגִין דְּמַאן דִּמְשַׁקֵּר בִּבְרִית, פָּרִישׁ תִּיאוּבְתָּא, וְלָא נָטִיל מַאן דְּנָטִיל, וְלָא יָהִיב לְאַתְרֵיהּ, דְּהָא לָא אִתְּעַר לְגַבֵּיהּ אַתְרֵיהּ. וְכָל מַאן דְּנָטִיר לֵיהּ לְהַאי בְּרִית, אִיהוּ גָּרִים לְאִתְעֲרָא לְהַאי בְּרִית לְאַתְרֵיהּ. וְאִתְבָּרְכָאן עִלָּאִין וְתַתָּאִין.

עט. מַאן אִתְּעַר הַאי בְּרִית לְאַתְרֵיהּ. כַּד אִשְׁתַּכְּחוּ זַכָּאִין בְּעָלְמָא. מְנָא לָן, מֵהָכָא, דִּכְתִּיב וְגַם הֲקִימוֹתִי אֶת בְּרִיתִי אִתָּם לָתֵת לָהֶם אֶת אֶרֶץ כְּנָעַן אֵת אֶרֶץ מְגוּרֵיהֶם. מַאי מְגוּרֵיהֶם. כְּמָה דְּאַתְּ אָמֵר גּוּרוּ לָכֶם מִפְּנֵי חֶרֶב. בְּגִין דְּאִיהוּ אֲתַר, דְּאַשְׁדֵּי מָגוֹר בְּעָלְמָא, וְעַל דָּא גּוּרוּ לָכֶם מִפְּנֵי חֶרֶב.

פ. אֲשֶׁר גָּרוּ בָהּ, מִיּוֹמָא דְּאִתְקְרִיבוּ לְגַבֵּי קוּדְשָׁא בְּרִיךְ הוּא, דְּחִילוּ בָּהּ דְּחִילוּ, וּדְחִילוּ עִלָּאָה בָּהּ לְמֵיטַר פִּקּוּדוֹי. דְּאִי בְּהַאי לָא יִשְׁדֵּי דְּחִילוּ עַל רֵישֵׁיהּ דְּבַר נָשׁ, לָא דָּחִיל לֵיהּ לְקוּדְשָׁא בְּרִיךְ הוּא לְעָלְמִין בִּשְׁאַר פִּקּוּדוֹי.

פא. תָּא חֲזֵי, בְּאִתְעֲרוּתָא דִּלְתַתָּא, כַּד אִתְּעָרוּ יִשְׂרָאֵל לְגַבֵּי קוּדְשָׁא בְּרִיךְ הוּא, וְצָווחוּ לְקָבְלֵיהּ, מַה כְּתִיב, וָאֶזְכּוֹר אֶת בְּרִיתִי, דְּהָא בִּבְרִית הֲוֵי זָכוֹר. וּכְדֵין אִתְּעַר תִּיאוּבְתָּא, לְאִתְקַשְּׁרָא כֹּלָּא בְּקִשּׁוּרָא חַד. כֵּיוָן דְּהַאי בְּרִית אִתְּעַר, הָא קִשּׁוּרָא דְּכֹלָּא אִתְּעַר. וָאֶזְכּוֹר אֶת בְּרִיתִי, לְאִזְדַּוְּוגָא לֵיהּ בְּאַתְרֵיהּ. וְעַל דָּא, לָכֵן אֱמוֹר לִבְנֵי יִשְׂרָאֵל אֲנִי ה'.

פב. וַיְדַבֵּר ה' אֶל מֹשֶׁה וְאֶל אַהֲרֹן וַיְצַוֵּם אֶל בְּנֵי יִשְׂרָאֵל וְאֶל פַּרְעֹה מֶלֶךְ מִצְרָיִם. ר' יוֹסֵי אָמַר, אֶל בְּנֵי יִשְׂרָאֵל לְדַבְּרָא לוֹן בְּנַחַת כִּדְקָא חֲזֵי, וְאֶל פַּרְעֹה: לְאַנְהָגָא בֵּיהּ יְקָר, וְאוֹקְמוּהָ.

פג. אָמַר רִבִּי יֵיסָא, אַמַּאי סָמִיךְ הָכָא אֵלֶּה רָאשֵׁי בֵית אֲבוֹתָם. אֶלָּא, אָמַר לֵיהּ קב"ה, דַּבְּרוּ לוֹן לִבְנֵי יִשְׂרָאֵל בְּנַחַת, דְּאַע"ג דְּאִינּוּן יָתְבֵי בְּפוּלְחָנָא קַשְׁיָא, מַלְכִין בְּנֵי מַלְכִין אִינּוּן. וּבְגִין כָּךְ, כְּתִיב, אֵלֶּה רָאשֵׁי בֵית אֲבוֹתָם אִלֵּין דְּאַתְּ חָמֵי, רֵישֵׁי בֵּית אֲבָהָן אִינּוּן.

פד. א"ר חִיָּיא, דְּכֻלְּהוּ לָא שַׁקְּרוּ נִימוּסֵיהוֹן, וְלָא אִתְעָרְבוּ בְּעַמָּא אָחֳרָא אִלֵּין אִינּוּן דְּקַיִּימוּ בִּדְוּכְתַּיְיהוּ קַדִּישָׁא, וְלָא שַׁקְּרוּ לְאִתְעָרְבָא בְּהוּ בְּמִצְרָאֵי. אָמַר רִבִּי אַחָא, בְּגִין לְאַיְיתָאָה לְמֹשֶׁה וּלְאַהֲרֹן, דְּאִינּוּן אִתְחֲזוּן לְאַפָּקָא לְהוּ לְיִשְׂרָאֵל, וּלְמַלְּלָא לְפַרְעֹה, וּלְרַדָּאָה לֵיהּ בְּחוּטְרָא, בְּגִין דִּבְכָל רֵישַׁיְיהוּ דְּיִשְׂרָאֵל, לָא אִשְׁתַּכַּח כְּוָותַיְיהוּ.

פה. תָּא חֲזֵי, וְאֶלְעָזָר בֶּן אַהֲרֹן לָקַח לוֹ מִבְּנוֹת פּוּטִיאֵל לוֹ לְאִשָּׁה וַתֵּלֶד לוֹ אֶת פִּינְחָס אֵלֶּה רָאשֵׁי אֲבוֹת הַלְוִיִּם. וְכִי אֵלֶּה רָאשֵׁי, וְהָא הוּא בִּלְחוֹדוֹי הֲוָה. אֶלָּא, בְּגִין דְּפִינְחָס

קַיֵּים כַּמָּה אַלְפִּין וְרִבְוָון מִיִּשְׂרָאֵל, וְהוּא קַיֵּים לְרָאשֵׁי אֲבָהָן, כְּתִיב בֵּיהּ אֵלֶּה.

פו. תּוּ, וַתֵּלֶד לוֹ אֶת פִּנְחָס אֵלֶּה רָאשֵׁי, אוּבְדָא דְּרֵישֵׁי דְּלֵיוָאֵי אִשְׁתְּכַח בֵּיהּ, וּמַה דְּאִינּוּן גָּרְעוּ וְאִתּוֹקָדוּ, הוּא אַשְׁלִים, וְרָוַוח כְּהוּנָּתָא דִּילְהוֹן, וְשַׁרְיָא בֵּיהּ טַסְטוּקָא דִּתְרַוַויְיהוּ. אוּבְדָא דְּרֵישֵׁי דְּלֵיוָאֵי אִשְׁתְּכַח בֵּיהּ, וּמַאן נִינְהוּ. נָדָב וַאֲבִיהוּא. אִינּוּן פְּרִישׁוּ אֶת קַיְימָא מֵאַתְרֵיהּ, וְהוּא אָתָא וְחָבַר לוֹן. בְּגִין כָּךְ, אִתְיְיהִיב לֵיהּ יָרוּתָא, וְרַוְוחָא דִּתְרַוַויְיהוּ. וְאַדְכַּר הָכָא עַל מַה דְּלֶהֱוֵי לְבָתַר.

פז. וְאִי תֵּימָא, אַמַּאי אַדְכַּר הָכָא פִּינְחָס. אֶלָּא חָמָא קוּדְשָׁא בְּרִיךְ הוּא לְאַהֲרֹן, בְּשַׁעֲתָא דְּאָמַר וָאֶזְכּוֹר אֶת בְּרִיתִי, דִּזְמִינִין תְּרֵין בְּנוֹהִי דְּאַהֲרֹן לְאַפְגָּמָא לֵיהּ לְהַאי בְּרִית, וְהַשְׁתָּא דְּקָא מְשַׁדֵּר לֵיהּ לְמִצְרַיִם, בָּעָא לְאַעְבְּרָא לֵיהּ לְאַהֲרֹן, דְּלָא לְמֵיהַךְ בִּשְׁלִיחוּתָא דָּא. כֵּיוָן דְּחָמָא קוּדְשָׁא בְּרִיךְ הוּא, דְּקָאֵים פִּינְחָס וְקַיֵּים לֵיהּ לְהַאי בְּרִית בְּאַתְרֵיהּ, וְאַתְקִין עֲקִימָא דִּילְהוֹן, מִיָּד הוּא אַהֲרֹן וּמֹשֶׁה. אָמַר קֻבָּ"ה, הַשְׁתָּא הוּא אַהֲרֹן, אִיהוּ אַהֲרֹן דְּקַדְמֵיתָא.

פח. הוּא אַהֲרֹן וּמֹשֶׁה אֲשֶׁר אָמַר ה' לָהֶם הוֹצִיאוּ אֶת בְּנֵי יִשְׂרָאֵל מֵאֶרֶץ מִצְרַיִם וְגוֹ'. הוּא אַהֲרֹן וּמֹשֶׁה. הֵם אַהֲרֹן וּמֹשֶׁה מִבָּעֵי לֵיהּ. אֶלָּא, לְאַכְלְלָא דָּא בְּדָא, רוּחָא בְּמַיָּא. הוּא מֹשֶׁה וְאַהֲרֹן: לְאַכְלְלָא מַיָּא בְּרוּחָא, וְעַל דָּא כְּתִיב הוּא, וְלָא הֵם.

פט. רִבִּי אֶלְעָזָר וְרִבִּי אַבָּא, הֲווּ שְׁכִיחֵי לֵילְיָא חַד בְּבֵי אוּשְׁפִּיזַיְיהוּ בְּלוּד, קָמוּ לְאִשְׁתַּדְּלָא בְּאוֹרַיְיתָא. פָּתַח רִבִּי אֶלְעָזָר וְאָמַר, וְיָדַעְתָּ הַיּוֹם וַהֲשֵׁבֹתָ אֶל לְבָבֶךָ כִּי ה' הוּא הָאֱלֹהִים. הַאי קְרָא הָכִי מִבָּעֵי לֵיהּ. וְיָדַעְתָּ הַיּוֹם כִּי ה' הוּא הָאֱלֹהִים וַהֲשֵׁבֹתָ אֶל לְבָבֶךָ. תּוּ, וַהֲשֵׁבֹתָ אֶל לִבְּךָ מִבָּעֵי לֵיהּ.

צ. אֶלָּא, אָמַר מֹשֶׁה, אִי אַתְּ בָּעֵי לְמֵיקַם עַל דָּא, וּלְמִנְדַּע כִּי ה' הוּא הָאֱלֹהִים, וַהֲשֵׁבֹתָ אֶל לְבָבֶךָ וּכְדֵין תִּנְדַּע לֵיהּ. לְבָבֶךָ: יֵצֶר טוֹב וְיֵצֶר רָע, דְּאִתְכְּלִיל דָּא בְּדָא, וְאִיהוּ חַד, כְּדֵין תִּשְׁכַּח כִּי ה' הוּא הָאֱלֹהִים, דְּהָא אִתְכְּלִיל דָּא בְּדָא, וְאִיהוּ חַד. וְעַל דָּא וַהֲשֵׁבֹתָ אֶל לְבָבֶךָ, לְמִנְדַּע מִלָּה.

צא. תּוּ אָמַר רִבִּי אֶלְעָזָר, וְחַיָּיבִין עַבְדִּין פְּגִימוּתָא לְעֵילָּא, מַאי פְּגִימוּתָא. דִּשְׂמָאלָא לָא אִתְכְּלִיל בִּימִינָא. דְּיֵצֶר רָע לָא אִתְכְּלִיל בְּיֵצֶר טוֹב, בְּגִין חוֹבַיְיהוּ דִּבְנֵי נָשָׁא. וּפְגִימוּ לָא עַבְדֵּי, אֶלָּא לוֹן מַמָּשׁ, הֲדָא הוּא דִּכְתִיב, שִׁחֵת לוֹ לֹא בָּנָיו מוּמָם. כִּבְיָכוֹל עַבְדֵּי וְלָא עַבְדֵּי. עַבְדֵּי: דְּלָא יִתְמְשֵׁךְ עֲלַיְיהוּ בִּרְכָאן דִּלְעֵילָּא, כְּמָה דְּאַתְּ אָמֵר וְעָצַר אֶת הַשָּׁמַיִם וְלֹא יִהְיֶה מָטָר. וְלָא עַבְדֵּי: דְּהָא שְׁמַיָּא נַטְלֵי לוֹן לְגַרְמַיְיהוּ בִּרְכָאן מַאי דְּאִצְטְרִיךְ. וְלָא נַטְלֵי לְאַמְשָׁכָא לְתַתָּא וַדַּאי מוּמָם דְּאִינּוּן חַיָּיבִין אִיהוּ.

צב. תּוּ, לוֹ בּוֹ', דְּלָא אִתְכְּלִיל יְמִינָא בִּשְׂמָאלָא, בְּגִין דְּלָא יִתְמַשְׁכוּן בִּרְכָאן לְתַתָּא. לֹא בְּאָלֶ"ף, דְּהָא לָא נַטְלֵי לְאִתְמַשְׁכָא לְתַתָּאֵי. מַאן גָּרִים דָּא. בְּגִין דְּחַיָּיבִין מַפְרִישִׁין יֵצֶר רָע מִיֵּצֶר טוֹב, וּמִתְדַּבְּקִין בְּיֵצֶר רָע.

צג. תָּא חֲזֵי יְהוּדָה אָתֵי מִסִּטְרָא דִּשְׂמָאלָא, וְאִתְדַּבַּק בִּימִינָא, בְּגִין לְנַצְחָא עַמִּין, וּלְתַבְרָא חֵילֵיהוֹן. דְּאִי לָא אִתְדַּבַּק בִּימִינָא, לָא יִתְבַּר חֵילֵיהוֹן. וְאִי תֵּימָא אַמַּאי בִּימִינָא. וְהָא שְׂמָאלָא אִתְעַר דִּינִין בְּעָלְמָא.

צד. אֶלָּא רָזָא דָּא, בְּשַׁעֲתָא דְּקוּדְשָׁא בְּרִיךְ הוּא דָּן לְהוּ לְיִשְׂרָאֵל, לָא דָּן לְהוּ אֶלָּא מִסִּטְרָא דִּשְׂמָאלָא, בְּגִין דִּיְהֵא דָּחֵי לוֹן בִּשְׂמָאלָא, וּמְקָרֵב בִּימִינָא. אֲבָל לִשְׁאַר עַמִּין, דָּחֵי לוֹן בִּימִינָא, וּמְקָרֵב לוֹן בִּשְׂמָאלָא. וְסִימָנִיךְ גֵּר צֶדֶק, דָּחֵי לוֹן בִּימִינָא, כְּמָה דִּכְתִיב, יְמִינְךָ ה' נֶאְדָּרִי בַּכֹּחַ יְמִינְךָ ה' תִּרְעַץ אוֹיֵב. מְקָרֵב לוֹן בִּשְׂמָאלָא כְּמָה דְּאַמָרָן.

צה. בְּגִינֵי כָּךְ, יְהוּדָה דְּאִיהוּ מִסִּטְרָא שְׂמָאלָא, אִתְדַּבַּק בִּימִינָא, וּמְטַלְנוֹי לִימִינָא.

ואינון דעמיה אתחברו כלהו לימינא. יששכר דלעי באורייתא, דאיהי ימינא, דכתיב, מימינו אש דת למו. זבולון דאיהו תמיך אורייתא ימינא, כד"א שוק הימין. וע"ד יהודה אתקשר מסטרא דא ודא. צפון במים, שמאלא בימינא.

צו. ראובן דחטא לגבי אבוי, שרא בימינא, ואתקשר בשמאלא, ואתדבק ביה. וע"ד, אינון דאשתכחו עמיה, אינון שמאלא. שמעון דאיהו שמאלא מסטרא דשור, דכתיב, ופני שור מהשמאל. גד שוקא שמאלא, כתיב גד גדוד יגודנו והוא יגוד עקב. הכא, אתדבק דרום באשא, ימינא בשמאלא.

צז. וע"ד הא דאמרן והשבות אל לבבך, לאכללא לון כחדא, שמאלא בימינא. כדין תדע כי ה' הוא האלהים. א"ר אבא ודאי הכי הוא, והשתא ידיעא, הוא אהרן ומשה, הוא משה ואהרן, רוחא במיא, ומיא ברוחא, למהוי חד. וע"ד כתיב הוא.

צח. ר' אבא פתח ואמר, ואהבת את ה' אלהיך בכל לבבך ובכל נפשך ובכל מאדך. כהאי גוונא הכא אתרמיז יחודא קדישא, ואזהרה הוא לבר נש, ליחדא שמא קדישא כדקא יאות, ברחימו עלאה. בכל לבבך: דא ימינא ושמאלא דאקרי יצר טוב ויצר רע. ובכל נפשך: דא נפש דוד, דאתיהיבת בינייהו. ובכל מאדך לאכללא לון לעילא באתר דלית ביה שיעורא. הכא הוא יחודא שלים למרחם ליה לקב"ה כדקא יאות.

צט. תו, ובכל מאדך: דא יעקב, דאיהו אחיד לכל סטרין, וכלא הוא יחודא שלים כדקא יאות, בגיני כך, הוא אהרן ומשה הוא משה ואהרן, כלא הוא חד בלא פרודא.

ק. כי ידבר אליכם פרעה לאמר. רבי יהודה פתח ואמר, מה אהבתי תורתך כל היום היא שיחתי. וכתיב, חצות לילה אקום להודות לך על משפטי צדקך. תא חזי, דוד איהו מלכא דישראל, ואצטריך למידן עמא, לדברא לון לישראל, כרעיא דמדבר עאניה דלא יסטון מאורחא דקשוט. הא בלילה כתיב, חצות לילה אקום להודות לך על משפטי צדקך. ואיהו אתעסק באורייתא ובתושבחן דקודשא בריך הוא, עד דאתי צפרא.

קא. ואיהו אתער צפרא, כמה דכתיב, עורה כבודי עורה הנבל וכנור אעירה שחר. כד אתי יממא, אמר האי קרא, מה אהבתי תורתך כל היום היא שיחתי. מאי כל היום היא שיחתי. אלא, מכאן אוליפנא, דכל מאן דישתדל באורייתא, לאשלמא דינא על בורייה, כאילו קיים אורייתא כלא. בג"כ, כל היום היא שיחתי.

קב. תא חזי, ביומא אשתדל באורייתא, לאשלמא דינין. בליליא, אשתדל בשירין ותושבחן, עד דאתי יממא. מ"ט. כל יומא אתעסק לאשלמא דינין, בגין לאכללא שמאלא בימינא. בליליא, בגין לאכללא דרגא דליליא ביממא.

קג. ותא חזי, ביומי דדוד מלכא, הוה מקרב כל אינון חיותו שדי, לגבי ימא. כיון דאתא שלמה, נפק ימא ואתמלי, ואשקי להו. הי מנייהו אתשקיין בקדמיתא. הא אוקמוה. אלין תניניא רברבין עלאין, דכתיב בהו, ומלאו את המים בימים

קד. א"ר אלעזר, בסטרא ימינא עלאה, נפקין תליסר מבועין עלאין, נהרין עמיקין, אלין סלקין, ואלין נחתין, עייל כל חד בחבריה. חד אפיק רישיה, ואעיל ליה בתרין גופין, וחד גופא דנהרא נטיל מימין לעילא, אפריש לתתא אלף יאורין, נפקין לארבע סטרין.

קה. מאינון נהרין מבועין תליסר, מתפרשן תליסר יאורין, עאלין ונטלי מיא, ארבע

מֵאָה וְתִשְׁעִין וְתִשְׁעָה יְאוֹרִין וּפַלְגָּא, מִסִּטְרָא דָא. וְאַרְבַּע מְאָה וְתִשְׁעִין וְתִשְׁעָה יְאוֹרִין וּפַלְגָּא, מִסִּטְרָא דָא בִּשְׂמָאלָא. אִשְׁתְּאַר פַּלְגָּא מִכָּאן, וּפַלְגָּא מִכָּאן, וְאִתְעֲבִיד חַד. דָּא אָעִיל בֵּין יְאוֹרִין, וְאִתְעֲבִיד חֲוְיָא.

קו. רֵישָׁא: סוּמָקָא כְּוַרְדָּא. קַשְׂקַשּׂוֹי: תַּקִּיפִין כְּפַרְזְלָא. גַּדְפּוֹי: גַּדְפִּין שָׁטָאן וְאִתְפָּרְשָׁן לְכָל אִינּוּן יְאוֹרִין. כַּד סָלִיק זַנְבֵיהּ, מָחֵי וּבָטֵשׁ לִשְׁאָר נוּנִין, לֵית מַאן דְּיֵיקוּם קָמֵיהּ.

קז. פּוּמֵיהּ: מְלַהֲטָא אֶשָּׁא. כַּד נָטִיל בְּכָל אִינּוּן יְאוֹרִין, מִזְדַּעְזְעָן שְׁאַר תַּנִּינַיָּיא, וְעַרְקִין וְעָאלִין בְּיַמָּא. חַד לְשַׁבְעִין שְׁנִין רָבִיץ לְסִטְרָא דָא. וְחַד לְשַׁבְעִין שְׁנִין רָבִיץ לְסִטְרָא דָא. אֶלֶף יְאוֹרִין וְחָסֵר וְחַד אִתְמַלְיָין מִנֵּיהּ. דָּא תַּנִּינָא, רָבִיץ בֵּין אִינּוּן יְאוֹרִין.

קח. כַּד נָטִיל נָפַק וְחַד פְּסוּתָא דְּאֶשָּׁא בִּקְלִיפִין, כֻּלְּהוּ קַיְימִין וְזָעֲפִין בְּזַעֲפוֹי, מִתְעָרְבִין אִינּוּן יְאוֹרִין לְעֵין תִּכְלָא אוּכָמָא. וְגַלְגַּלִּין נַטְלִין לְאַרְבַּע סִטְרֵי דְּעָלְמָא. זָקִיף זַנְבֵיהּ, מָחֵי לְעֵילָּא, מָחֵי לְתַתָּא, כֹּלָּא עַרְקִין קָמֵיהּ.

קט. עַד דִּלְסְטַר צָפוֹן, קָם חַד שַׁלְהוֹבָא דְּאֶשָּׁא, וְכָרוֹזָא קָרֵי, אִזְדַּקְפוּ סַבְתִּין אִתְבַּדְּרוּ לְד' זָוְיָין, הָא אִתְּעַר מַאן דְּשַׁוֵּי קוֹלָא, עַל אַנְפּוֹי דְּתַנִּינָא, כְּמָה דְּאִתְּמַר, וְנָתַתִּי חַחִים בִּלְחָיֶיךָ וְגוֹ'. כְּדֵין כֻּלְּהוּ אִתְבַּדְּרוּ. וְנָקְטִין לֵיהּ לְתַנִּינָא, וְנָקְבֵי אַנְפּוֹי בְּסְטַר עִלְעוֹי, וְעָאלִין לֵיהּ לְנוּקְבָא דִּתְהוֹמָא רַבָּא, עַד דְּאִתְבַּר חֵילֵיהּ, כְּדֵין אַהַדְרוּ לֵיהּ לְנַהֲרוֹי.

קי. וְחַד לְשַׁבְעִין שְׁנִין עַבְדִין לֵיהּ כְּדֵין, בְּגִין דְּלָא יְטַשְׁטֵשׁ אַתְרִין דִּרְקִיעִין וְסָמְכַיְיהוּ. וְעָלַיְיהוּ כֹּלָּא אוֹדָן, וּמְבָרְכָאן וְאַמְרִין, בּוֹאוּ נִשְׁתַּחֲוֶה וְנִכְרָעָה נִבְרְכָה לִפְנֵי ה' עוֹשֵׂנוּ.

קיא. תַּנִּינַיָּיא עִלָּאִין לְעֵילָּא קַיְימִין אִינּוּן דְּמִתְבָּרְכָאן, כמד"א וַיְבָרֶךְ אוֹתָם אֱלֹהִים. אִלֵּין שַׁלְטִין עַל כָּל שְׁאַר נוּנִין, דִּכְתִּיב וּמִלְאוּ אֶת הַמַּיִם בַּיַּמִּים. וְעַל דָּא כְּתִיב, מָה רַבּוּ מַעֲשֶׂיךָ ה' כֻּלָּם בְּחָכְמָה עָשִׂיתָ.

תוספתא

קיב. אֶשְׁכּוֹל הַכּוֹפֶר דּוֹדִי לִי. אֶשְׁכּוֹל: דָּא אִימָּא עִלָּאָה. מָה אֶשְׁכּוֹל מִתְקַשֵּׁט בְּכַמָּה עָלִין בְּכַמָּה זְמוֹרוֹת לְיִשְׂרָאֵל דְּאַכְלִין לֵיהּ, הָכִי שְׁכִינְתָּא עִלָּאָה, מִתְקַשְּׁטָא בְּכַמָּה קִשּׁוּטִין דִּשְׁמֹנָה כֵּלִים, מִכַּמָּה קָרְבָּנִין, מִכַּמָּה מִינֵי תַּכְשִׁיטִין דְּכַפָּרָה לִבְנָהָא, וְאִיהִי קָמַת בְּהוֹן קָמֵי מַלְכָּא, וּמִיַּד וּרְאִיתִיהָ לִזְכּוֹר בְּרִית עוֹלָם. וִיהִיבַת לָן שְׁאֶלְתִּין דִּילָהּ, בְּאִלֵּין בִּרְכָאן דְּתַקִּינוּ רַבָּנָן בִּצְלוֹתָא, לְמִשְׁאַל קָמֵי מַלְכָּא.

קיג. בְּהַהוּא זִמְנָא, כָּל דִּינִין דִּשְׁכִינְתָּא תַּתָּאָה, דְּאִיהִי הוה"י אֲדֹנָ"י, מִתְהַפְּכָן לְרַחֲמֵי, כְּגַוְונָא דָא ידו"ד, לְקַיֵּים אִם יִהְיוּ חֲטָאֵיכֶם כַּשָּׁנִים כַּשֶּׁלֶג יַלְבִּינוּ, ידו"ד. אִם יַאְדִּימוּ כַתּוֹלָע. דוד"י. כְּצֶמֶר יִהְיוּ, ידו"ד. כָּל דִּינִין דְּדָא, מִתְלַבְּנִין מִשְּׁכִינְתָּא עִלָּאָה.

קיד. וְאִיהִי שְׁכִינְתָּא דוד"י, לַהַט הַחֶרֶב הַמִּתְהַפֶּכֶת לִשְׁמוֹר אֶת דֶּרֶךְ עֵץ הַחַיִּים. וְאוּקְמוּהָ רַבָּנָן, דְּמִתְהַפְּכָא זִמְנִין רַחֲמֵי, זִמְנִין דִּינָא פְּעָמִים אֲנָשִׁים, פְּעָמִים נָשִׁים. זִמְנִין דִּינָא, כְּגַוְונָא דָא דוד"י. זִמְנִין רַחֲמֵי, כְּגַוְונָא דָא ידו"ד. דְּהָא אִיהוּ מִסִּטְרָא דְּאִילָנָא דְּחַיֵּי, כָּל דִּינִין מִתְהַפְּכִין לְרַחֲמֵי. וּמִסִּטְרָא דְּעֵץ הַדַּעַת טוֹב וָרָע, כָּל רַחֲמֵי מִתְהַפְּכָן לְדִינָא, לְמֵידָן בְּהוּ לְאִינּוּן דְּעָבְרֵי עַל פִּתְגָּמֵי אוֹרַיְיתָא.

קטו. וְעֵץ דָּא בְּעָלְמָא דְּאָתֵי, דְּאִיהוּ בִּינָה, כָּל שְׁמָהָן דְּדִינָא מִתְהַפְּכִין בָּהּ רַחֲמֵי, בְּגִין דָּא אוּקְמוּהָ רַבָּנָן, לֹא כְּהָעוֹלָם הַזֶּה הָעוֹלָם הַבָּא. וּבְגִין דָּא, בִּינָה, אִיהִי לַהַט הַחֶרֶב הַמִּתְהַפֶּכֶת, דְּמִתְהַפֶּכֶת מִדִּינָא לְרַחֲמֵי לְצַדִּיקִים, לְמֵיהַב לוֹן אַגְרָא בְּעָלְמָא

דְּאָתֵי. מַלְכוּת, לַהַט הַחֶרֶב הַמִּתְהַפֶּכֶת, מְרַוְזֵמֵי לְדִינָא, לְמֵידַן בָּהּ לְרַשִׁיעַיָּיא בְּעָלְמָא דִּין.

קטז. אֲבָל מֵעֵץ הַדַּעַת טוֹב וָרָע, דְּאִיהוּ כְּגַוְונָא דְּמַטֶּה, וּמִנַּיְן דְּמִתְהַפְּכִין הַנָּשִׁים לְשֵׁדוֹת, אֲנָשִׁים לְשֵׁדִים. וּבְגִין דָּא, וַיַּגֵּד יַעֲקֹב לְרָחֵל. וּבְגִין דָּא, אוֹקְמוּהָ רַבָּנָן, דְּלֵית לֵיהּ לְבַר נָשׁ לְשַׁמְּשָׁא עִם אִתְּתֵיהּ, עַד דִּמְסַפֵּר עִמָּהּ, שֶׁמָּא נִתְחַלְּפָה לוֹ בְּשֵׁידָה. בְּגִין דְּלַהַט בְּעֵץ הַדַּעַת טוֹב וָרָע, מִתְהַפֶּכֶת מִטּוֹב לְרָע, וְאִי תֵּימָא דִּמְכַשְּׁפֵי פַּרְעֹה, דִּכְתִּיב וַיַּעֲשׂוּ כֵן הַחַרְטֻמִּים בְּלָטֵיהֶם. הֲווּ מְהַפְּכִין אִינּוּן מַטּוֹת דִּלְהוֹן לְנָחָשִׁין. וּמִסִּטְרָא דְּאִלֵּין הִפּוּכִין יָכְלִין לְאִתְהַפְּכָא. (ע״כ תוספתא).

קיז. וְאָמַרְתָּ אֶל אַהֲרֹן קַח אֶת מַטְּךָ. מַאי טַעֲמָא מַטֵּה אַהֲרֹן, וְלָא מַטֵּה מֹשֶׁה. אֶלָּא, הַהוּא דְּמֹשֶׁה אִיהוּ קַדִּישָׁא יַתִּיר, דְּאִתְגְּלִיף בְּגַוְונָא עִלָּאָה בִּשְׁמָא קַדִּישָׁא, וְלָא בָּעֵי קוּדְשָׁא בְּרִיךְ הוּא לְסָאֳבָא לֵיהּ בְּאִינּוּן חַרְטֻמִּין דְּחַרְשַׁיָּא. וְלָא עוֹד, אֶלָּא לְאַכְפְּיָיא לוֹן לְכָל אִינּוּן דְּאַתְיָין מִסִּטְרָא דִּשְׂמָאלָא, בְּגִין דְּאַהֲרֹן אָתָא מִימִינָא, וּשְׂמָאלָא אִתְכַּפְיָיא בִּימִינָא.

קיח. רִבִּי חִיָּיא שָׁאִיל לְרִבִּי יוֹסֵי, הָא גַּלֵּי קָמֵי קוּדְשָׁא בְּרִיךְ הוּא, דְּאִינּוּן חַרְשִׁין יַעַבְדוּן תַּנִּינַיָּיא, מַאי גְּבוּרְתָּא אִיהוּ לְמֶעְבַּד קָמֵי פַּרְעֹה תַּנִּינַיָּיא. א״ל, בְּגִין דְּמִתַּמָּן הוּא שֵׁירוּתָא לְאַלְקָאָה, וּמִשֵּׁירוּתָא דְּתַנִּינָא שָׁארֵי שׁוּלְטָנֵיהּ, כְּדֵין, חָדוּ כּוּלְהוּ חַרְשֵׁי, דְּהָא רֵישׁ וְחָכְמְתָא דְּנָחָשׁ דִּילְהוֹן הָכֵי הֲוָה. מִיָּד אִתְהֲדַר הַהוּא תַּנִּינָא דְּאַהֲרֹן לְאָעָא יְבֵישָׁא, וּבָלַע לוֹן.

קיט. וע״ד תְּוַוהוּ, וְיָדְעוּ דְּשׁוּלְטָנָא עִלָּאָה אִית בְּאַרְעָא, דְּאִינּוּן חָשִׁיבוּ, דְּהָא לְתַתָּא, בַּר מִנַּיְיהוּ לָא אִית שָׁלְטָנָא לְמֶעְבַּד מִידִי, כְּדֵין, וַיִּבְלַע מַטֵּה אַהֲרֹן, מַטֵּה אַהֲרֹן דַּיְיקָא, דְּאִתְהֲדַר לְאָעָא וּבָלַע לוֹן.

קכ. וע״ד עֲבַד אַהֲרֹן תְּרֵין אָתִין, חַד לְעֵילָּא, וְחַד לְתַתָּא. חַד לְעֵילָּא, תַּנִּינָא עִלָּאָה דְּשָׁלְטָא עַל אִינּוּן דִּלְהוֹן. חַד לְתַתָּא, דְּשָׁלִיט אָעָא עַל תַּנִּינָא דִּילְהוֹן. וּפַרְעֹה וְחַכִּים הֲוָה מִכָּל חַרְשׁוֹי, וְאִסְתַּכַּל דְּשָׁלְטָנָא עִלָּאָה שָׁלִיט עַל אַרְעָא, שָׁלִיט לְעֵילָּא שָׁלִיט לְתַתָּא.

קכא. אָמַר רִבִּי יוֹסֵי, אִי תֵּימָא, וְחַרְשַׁיָּא כָּל מַה דְּעָבְדִין לָאו אִיהוּ אֶלָּא בְּחֵיזוּ דְּעֵינָא, דְּהָכֵי אִתְחֲזֵי, וְלָא יַתִּיר, קָא מַשְׁמַע לָן וַיִּהְיוּ דַּיְיקָא, דִּכְתִּיב וַיִּהְיוּ לְתַנִּינִים. וְאָמַר רִבִּי יוֹסֵי, אֲפִילוּ אִינּוּן תַּנִּינַיָּא דִּילְהוֹן אַהַדְרוּ לְמֶהֱוֵי אָעֵי, וְאָעָא דְּאַהֲרֹן בָּלַע לוֹן.

קכב. כְּתִיב, הִנְנִי עָלֶיךָ פַּרְעֹה מֶלֶךְ מִצְרַיִם הַתַּנִּים הַגָּדוֹל הָרוֹבֵץ בְּתוֹךְ יְאוֹרָיו. מִתַּמָּן שֵׁירוּתָא לְתַתָּא בְּשׁוּלְטָנָא דִּילְהוֹן. אֲבָל וְחָכְמְתָא דִּילְהוֹן, לְתַתָּא מִכֻּלְּהוּ דַּרְגִּין אִיהוּ.

קכג. תָּא חֲזֵי, וְחָכְמְתָא דִּילְהוֹן בְּדַרְגִּין תַּתָּאִין, לְאַכְפְּיָין לוֹן לְאִלֵּין דַּרְגִּין בְּדַרְגִּין עִלָּאִין, רֵישֵׁי שׁוּלְטָנוּתְהוֹן וְעִקָּרָא דִּילְהוֹן, לְתַתָּא מֵהַהוּא תַּנִּינָא, וּמִשְׁתַּלְשְׁלָן בְּתַנִּינָא, דְּהָא מִתַּמָּן נָטִיל וְחֵילָא דַּרְגָּא עִלָּאָה דִּילְהוֹן. מַשְׁמַע דִּכְתִּיב, אֲשֶׁר אָמַר הָרְוָחִים.

קכד. רִבִּי חִיָּיא, הֲוָה יָתִיב יוֹמָא חָדָא, אַבָּבָא דְּתַרְעָא דְּאוּשָׁא. חָמָא לֵיהּ לְרִבִּי אֶלְעָזָר חַד קַטְפִירָא טָאסָא גַּבֵּיהּ, אָמַר לֵיהּ לְרִבִּי אֶלְעָזָר, מַשְׁמַע, דַּאֲפִילוּ בְּאוֹרְחָךְ כַּלָּא תְּאִיבִין לְמֵהַךְ אֲבַתְרָךְ. אַהֲדַר רֵישָׁא וְחָמָא לֵיהּ. אָמַר, וַדַּאי שְׁלִיחוּתָא אִית גַּבֵּיהּ. דְּהָא קוּדְשָׁא בְּרִיךְ הוּא בְּכֹלָּא עָבֵיד שְׁלִיחוּתֵיהּ, וְכַמָּה שְׁלִיחָן אִית לֵיהּ לְקוּדְשָׁא בְּרִיךְ הוּא, דְּלָא תֵּימָא מִלִּין דְּאִית בְּהוּ רוּחָא בִּלְחוֹדַיְיהוּ, אֶלָּא אֲפִילוּ אִינּוּן מִלִּין דְּלֵית בְּהוּ רוּחָא.

קכה. פָּתַח וְאָמַר, כִּי אֶבֶן מִקִּיר תִּזְעָק וְכָפִיס מֵעֵץ יַעֲנֶנָּה. כַּמָּה אִית לֵיהּ לְבַר נָשׁ

לְאִזְדַּהֲרָא מֵחוֹבוֹי, דְּלָא יֶחֱטָא קָמֵי קוּדְשָׁא בְּרִיךְ הוּא. וְאִי יֵימָא מַאן יַסְהִיד בֵּיהּ. הָא אַבְנֵי בֵּיתֵיהּ וְאָעֵי בֵּיתֵיהּ יַסְהִידוּ בֵּיהּ. וּלְזִמְנִין דְּקוּדְשָׁא בְּרִיךְ הוּא הוּא עָבֵיד בְּהוּ שְׁלִיחוּתָא. תָּא חֲזֵי חוּטְרָא דְּאַהֲרֹן, דְּאִיהוּ אָעָא יְבֵישָׁא, קוּדְשָׁא בְּרִיךְ הוּא שֵׁירוּתָא דְּנִסִּין עָבֵד בֵּיהּ, וּתְרֵי שְׁלִיחוּתֵי בֵּיהּ אִתְעֲבֵידוּ. חַד דְּאִיהוּ אָעָא יְבֵישָׁא וּבָלַע לְאִינּוּן תַּנִּינַיָּיא דִּילְהוֹן. וְחַד דְּהָא לְשַׁעֲתָא אִתְהַדַּר בְּרוּחָא וְאִתְעֲבֵיד בִּרְיָה.

קכו. אָמַר רִבִּי אֶלְעָזָר, תַּפּוּ רוּחֵיהוֹן, דְּאִינּוּן דְּאַמְרִין, דְּלָא זַמִּין קוּדְשָׁא בְּרִיךְ הוּא לְאַחֲיָיא מֵתַיָּיא, וְהֵיךְ יִתְעֲבֵיד מִנַּיְיהוּ בִּרְיָה חַדְתָּא. יֵיתוּן וְיֶחֱמוּן אִינּוּן טִפְּשָׁאִין חַיָּיבַיָּא, רְחִיקִין מֵאוֹרַיְיתָא, רְחִיקִין מִנֵּיהּ, בִּידֵיהּ דְּאַהֲרֹן הֲוָה חוּטְרָא, אָעָא יְבֵישָׁא, וְקוּדְשָׁא בְּרִיךְ הוּא לְפוּם שַׁעֲתָא אַהְדַּר לֵיהּ בִּרְיָה, מְשַׁנְיָא בְּרוּחָא וְגוּפָא. אִינּוּן גּוּפִין, דַּהֲווּ בְּהוּ רוּחִין וְנִשְׁמָתִין קַדִּישִׁין, וְנָטְרוּ פִּקּוּדֵי אוֹרַיְיתָא, וְאִשְׁתַּדְּלוּ בְּאוֹרַיְיתָא יְמָמָא וְלֵילֵי, וְקוּדְשָׁא בְּרִיךְ הוּא טָמִיר לוֹן בְּעַפְרָא. לְבָתַר, בְּזִמְנָא דְּיוֹחֲדֵי עָלְמָא, עַל אַחַת כַּמָּה וְכַמָּה דְּיַעֲבֵד לְהוּ בִּרְיָה חַדְתָּא.

קכז. אָמַר רִבִּי חִיָּיא, וְלָא עוֹד, אֶלָּא דְּהַהוּא גּוּפָא דַּהֲוָה, יָקוּם. מַשְׁמַע דִּכְתִּיב, יִחְיוּ מֵתֶיךָ, וְלָא כְּתִיב יִבְרָא, מַשְׁמַע דִּבְרִיָּין אִינּוּן אֲבָל יִחְיוּ. דְּהָא גַּרְמָא חַד, יִשְׁתְּאַר מִן גּוּפָא תְּחוֹת אַרְעָא, וְהַהוּא לָא אִתְרְקָב וְלָא אִתְבְּלֵי בְּעַפְרָא לְעָלְמִין, וּבְהַהוּא זִמְנָא, קוּדְשָׁא בְּרִיךְ הוּא יְרַכֵּךְ לֵיהּ, וְיַעֲבִיד לֵיהּ כַּחֲמִירָא בְּעִיסָה, וְיִסְתַּלַּק וְיִתְפַּשַּׁט לְאַרְבַּע זָוְיָין וּמִנֵּיהּ יִשְׁתַּכְלַל גּוּפָא וְכָל שַׁיְיפוֹי. וְקוּדְשָׁא בְּרִיךְ הוּא יָהִיב בֵּיהּ רוּחָא לְבָתַר. אָמַר לֵיהּ רִבִּי אֶלְעָזָר הָכִי הוּא. וְתָא חֲזֵי, הַהוּא גַּרְמָא בְּמָה אִתְרַכַּךְ. בְּטָל. דִּכְתִּיב, כִּי טַל אוֹרוֹת טַלֶּךָ וְגו'.

קכח. וַיֹּאמֶר ה' אֶל מֹשֶׁה אֱמוֹר אֶל אַהֲרֹן קַח מַטְּךָ וּנְטֵה יָדְךָ עַל מֵימֵי מִצְרַיִם עַל נַהֲרוֹתָם עַל יְאוֹרֵיהֶם וְעַל אַגְמֵיהֶם וְעַל כָּל מִקְוֵה מֵימֵיהֶם וְיִהְיוּ דָם וְגו'. אָמַר רִבִּי יְהוּדָה, הַאי קְרָא אִית לְאִסְתַּכְּלָא בֵּיהּ, וְהֵיךְ יָכִיל לְמֵהַךְ לְכָל הָנֵי אַתְרֵי. וְתוּ, דְּהָא כְּתִיב וַיִּמָּלֵא שִׁבְעַת יָמִים אַחֲרֵי הַכּוֹת ה' אֶת הַיְאוֹר. אֶת הַיְאוֹר כְּתִיב, וְאַתְּ אָמַרְתְּ עַל מֵימֵי מִצְרַיִם עַל נַהֲרוֹתָם עַל יְאוֹרֵיהֶם וְעַל אַגְמֵיהֶם.

קכט. אֶלָּא, מֵימֵי מִצְרַיִם נִילוּס הֲוָה. וּמִתַּמָּן אִתְמַלְיָין כָּל אִינּוּן שְׁאַר אַגְמִין וִיאוֹרִין וּמַבּוּעִין וְכָל מֵימִין דִּילְהוֹן. וְעַל דָּא, אַהֲרֹן לָא נָטָה לְמוֹחָאָה אֶלָּא לְנִילוּס בִּלְחוֹדוֹי. וְתָא חֲזֵי דְּהָכִי הוּא, דִּכְתִּיב וְלֹא יָכְלוּ מִצְרַיִם לִשְׁתּוֹת מַיִם מִן הַיְאוֹר.

קל. אָמַר רִבִּי אַבָּא, תָּא חֲזֵי, מַיִין תַּתָּאִין מִתְפָּרְשָׁאן לְכַמָּה סִטְרִין, וּמַיִין עִלָּאִין מִתְכַּנְשֵׁי בְּבֵי כְּנִישׁוּ מַיָּא, דִּכְתִּיב, וַיֹּאמֶר אֱלֹהִים יִקָּווּ הַמַּיִם מִתַּחַת הַשָּׁמַיִם אֶל מָקוֹם אֶחָד. וּכְתִיב וּלְמִקְוֵה הַמַּיִם קָרָא יַמִּים. הַאי קְרָא אוֹקְמוּהָ. וְתָא חֲזֵי, הַהוּא רְקִיעָא דְּאִית בֵּיהּ שִׁמְשָׁא וְסִיהֲרָא כּוֹכְבַיָּא וּמַזָּלֵי, דָּא אִיהוּ בֵּי כְּנִישׁוּת מַיָּא רַבָּא, דְּהוּא נָטִיל כָּל מַיִין, וְאַשְׁקֵי לְאַרְעָא, דְּהִיא עָלְמָא תַּתָּאָה, כֵּיוָן, דְּנָטַל מַיָּא בְּדַר לוֹן, וּפָלִיג לוֹן לְכָל עִיבָר, וּמִתַּמָּן אִתְשַׁקְיָין כֹּלָּא.

קלא. וּבְזִמְנָא דְּדִינָא שַׁרְיָא, עָלְמָא תַּתָּאָה לָא יָנְקָא מִן הַהוּא רְקִיעָא, וְיָנְקָא מִסְּטַר שְׂמָאלָא, וּכְדֵין אִקְרֵי חֶרֶב לַה' מָלְאָה דָם. וַוי לְאִינּוּן דְּיַנְקִין כְּדֵין מִינָהּ, וְאִתְשַׁקְיָין מִינָּהּ, דִּבְהַהוּא זִמְנָא יַמָּא יָנְקָא מִתְּרֵין סִטְרִין, הֲוָה אִתְפְּלַג לִתְרֵין וְחוּלָקִין, חִוָּור וְסוּמָק. וּכְדֵין שָׁדֵי לִיאוֹרָא חוּלָקָא דְּמִצְרַיִם, וְאַלְקֵי לְעֵילָּא וְאַלְקֵי לְתַתָּא. וְעַל דָּא שָׁתָאן יִשְׂרָאֵל מַיָּא. וּמִצְרָאֵי דָּמָא.

קלב. אִי תֵּימָא בְּגִין גִּיעוּלָא הֲוָה וְלָא יַתִּיר. תָּא חֲזֵי, שָׁתָאן דָּמָא וְעָאל לְמֵעַיְיהוּ,

וְאִסְתַּלַּק וּבָקַע, עַד דַּהֲווּ מְזַבְּנִין לוֹן יִשְׂרָאֵל מַיָּא בְּמָמוֹנָא, וּכְדֵין שָׁתָאן מַיָּא בְּגִינֵי כָּךְ שֵׁירוּתָא לְאַלְקָאָה לוֹן הֲוָה דָּמָא.

קלג. רַבִּי יִצְחָק פָּתַח הַאי קְרָא, אֲרוֹמִמְךָ אֱלֹהַי הַמֶּלֶךְ וַאֲבָרְכָה שִׁמְךָ לְעוֹלָם וָעֶד. תָּא חֲזֵי, דָּוִד לְקָבֵיל דַּרְגָּא דִּילֵיהּ קָאָמַר, דִּכְתִּיב אֱלֹהַי דִּידִי. בְּגִין דְּבָעָא לְסַלְּקָא שְׁבָחֵיהּ, וּלְאַעֲלָא לֵיהּ לִנְהוֹרָא עִלָּאָה, לְאִתְעָרְבָא דָּא בְּדָא, לְמֶהֱוֵי כֹּלָּא חַד. בְּגִינֵי כָּךְ, אֲרוֹמִמְךָ אֱלֹהַי הַמֶּלֶךְ וְגוֹ'.

קלד. דְּתַנְיָא, כָּל יוֹמוֹי דְּדָוִד, אִשְׁתַּדַּל לְאַתְקְנָא כּוּרְסְיָיה, וּלְאַנְהֲרָא אַנְפָּהָא, בְּגִין דְּיָגִין עָלֵיהּ וְאִיתְנְהִיר תָּדִיר נְהוֹרָא תַּתָּאָה בִּנְהוֹרָא עִלָּאָה, לְמֶהֱוֵי כֹּלָּא חַד. וְכַד אָתָא שְׁלֹמֹה, אַשְׁכַּח עָלְמָא שְׁלִים, וְסִיהֲרָא דְּאִתְמַלְיָא, וְלָא אִצְטְרִיךְ לְאַטְרְחָא עָלָהּ לְאַנְהָרָא.

קלה. ת"ח, בְּשַׁעֲתָא דְּבָעֵי קָבָּ"ה לְמִיסַב נוּקְמִין מֵעַמִּין עוֹבְדֵי ע"ז, אִתְּעַר שְׂמָאלָא, וְאִתְמַלְיָא סִיהֲרָא מֵהַהוּא סִטְרָא דָּמָא. וּכְדֵין, נָבְעִין מַבּוּעִין וְנַחֲלִין דִּלְתַתָּא, כָּל אִינּוּן דִּלְסִטַר שְׂמָאלָא דָּמָא. וע"ד, דִּינָא דִּילְהוֹן דָּמָא.

קלו. ת"ח, כַּד הַאי דָּמָא אִתְּעַר עַל עַמָּא, הַהוּא דָּמָא דְּקָטוֹלִין אִיהוּ דְּיִתְעַר עֲלַיְיהוּ עַמָּא אָחֳרָא וְקָטִיל לוֹן. אֲבָל בְּמִצְרַיִם, לָא בָּעָא קָבָּ"ה לְאַיְיתָאָה עֲלַיְיהוּ עַמָּא אָחֳרָא לְאַתְעָרָא עֲלַיְיהוּ דָּמָא בְּגִין דְּיִשְׂרָאֵל הֲווּ בֵּינַיְיהוּ, וְלָא יִצְטַעֲרוּן בְּגִין דְּדַיְירִין בְּאַרְעָא דִּילְהוֹן, אֲבָל קָבָּ"ה מָחָא לוֹן בְּדָמָא, בְּנַהֲרִין דִּלְהוֹן, דְּלָא הֲווּ יַכְלִין לְמִשְׁתֵּי.

קלז. וּבְגִין דְּשׁוּלְטָנוּתָא דִּלְהוֹן, שַׁלְטָא בְּהַהוּא נַהֲרָא, פָּקִיד קָבָּ"ה לְשׁוּלְטָנוּתָא דִּלְהוֹן בְּקַדְמֵיתָא, בְּגִין דְּיִלְקֵי דַּחֲלָא דִּלְהוֹן בְּקַדְמֵיתָא, בְּגִין דְּנִילוּס חַד דַּחֲלָא דִּלְהוֹן הֲוָה, וְכֵן שְׁאַר דַּחֲלִין דִּלְהוֹן נָבְעִין דָּמָא. הה"ד וְהָיָה דָם בְּכָל אֶרֶץ מִצְרַיִם וּבָעֵצִים וּבָאֲבָנִים.

קלח. ר' חִיָּיא קָם לֵילְיָא חַד לְמִלְעֵי בְּאוֹרַיְיתָא, וַהֲוָה עִמֵּיהּ ר' יוֹסִי זוּטָא, דַּהֲוָה רַבְיָא. פָּתַח ר' חִיָּיא וְאָמַר, לֵךְ אֱכוֹל בְּשִׂמְחָה לַחְמֶךָ וּשְׁתֵה בְלֶב טוֹב יֵינֶךָ כִּי כְבָר רָצָה הָאֱלֹהִים אֶת מַעֲשֶׂיךָ. מַאי קָא חָמָא שְׁלֹמֹה דְּאָמַר הַאי קְרָא.

קלט. אֶלָּא שְׁלֹמֹה כָּל מִלּוֹי בְּחָכְמָה הֲווּ, וְהַאי דְּאָמַר לֵךְ אֱכוֹל בְּשִׂמְחָה לַחְמֶךָ, בְּשַׁעֲתָא דְּבַר נָשׁ אָזִיל בְּאוֹרְחוֹי דְּקָבָּ"ה, קָבָּ"ה מְקָרֵב לֵיהּ לְגַבֵּיהּ, וְיָהִיב לֵיהּ שַׁלְוָה וְנַיְיחָא, כְּדֵין נַהֲמָא וְחַמְרָא דְּאָכִיל וְשָׁתֵי, בְּחֶדְוָה דְּלִבָּא, בְּגִין דְּקָבָּ"ה אִתְרְעֵי בְּעוֹבָדוֹי. קָם. א"ל הַהוּא רַבְיָא, אִי הָכִי, הָא אֲמַרְתְּ דְּכָל מִלּוֹי דִּשְׁלֹמֹה בְּחָכְמְתָא הֲווּ, אָן הוּא חָכְמְתָא הָכָא. א"ל בְּרִי תִּבְשַּׁל בְּשׁוּלָךְ, וְתֶחֱמֵי הַאי קְרָא. א"ל עַד לָא בְּשִׁילְנָא יָדַעְנָא. א"ל מנ"ל.

קמא. א"ל קָלָא חַד שְׁמַעְנָא מֵאַבָּא, דַּהֲוָה אָמַר בְּהַאי קְרָא, דִּשְׁלֹמֹה קָא אַזְהַר לֵיהּ לב"נ, לְאַעְטְרָא לָהּ לכנ"י בְּשִׂמְחָה, דְּאִיהוּ סִטְרָא דִּימִינָא, וְאִיהוּ נַהֲמָא, דְּיִתְעַטַּר בְּחֶדְוָה. וּלְבָתַר, יִתְעַטַּר בְּחַמְרָא, דְּאִיהוּ שְׂמָאלָא, בְּגִין דְּתִשְׁתַּכַּח בִּמְהֵימְנוּתָא דְּכֹלָּא, וְחֶדְוָותָא שְׁלֵימָתָא, בִּימִינָא וּשְׂמָאלָא, וְכַד תֶּהֱוֵי בֵּין תַּרְוַויְיהוּ כְּדֵין כָּל בִּרְכָאָן שָׁרָאן בְּעָלְמָא. וְכֹל דָּא, כַּד אִתְרְעֵי קָבָּ"ה בְּעוֹבָדֵיהוֹן דִּבְנֵי נָשָׁא, הה"ד כִּי כְבָר רָצָה הָאֱלֹהִים אֶת מַעֲשֶׂיךָ. אָתָא ר' חִיָּיא וְנַשְׁקֵיהּ, אָמַר, חַיֶּיךָ בְּרִי הַאי מִלָּה שְׁבַקְנָא בְּגִינָךְ, וְהַשְׁתָּא יָדַעְנָא, דְּקָבָּ"ה בָּעֵי לְאַעְטְרָא לָךְ בְּאוֹרַיְיתָא.

קמב. תּוּ פָּתַח ר' חִיָּיא וְאָמַר, אֱמוֹר אֶל אַהֲרֹן קַח מַטְּךָ וּנְטֵה יָדְךָ עַל מֵימֵי מִצְרַיִם. מ"ט אַהֲרֹן וְלָא מֹשֶׁה. אֶלָּא, אָמַר קָבָּ"ה, אַהֲרֹן מִיַּיִן קַיְימִין בִּדְוּכְתֵּיהּ, וּשְׂמָאלָא בָּעֵי

לְנַגְדָּא מַיִין מִתַּמָּן, אַהֲרֹן דְּאָתֵי מֵהַהוּא סִטְרָא יִתְּעַר לֵיהּ, וְכַד שְׂמָאלָא נָקִיט לוֹן, אִינּוּן יִתְהַדְּרוּן דָּמָא.

קמג. ת"ח תַּתָּאָה דְּכָל דַּרְגִּין מְוָזא בְּקַדְמֵיתָא. אר"ש מִתַּתָּאָה שָׁרָא קב"ה. וִידָא דִּילֵיהּ, מְוָזא בְּכָל אֶצְבְּעָא וְאֶצְבְּעָא. וְכַד מָטָא לְדַרְגָּא עִלָּאָה דְּכָל דַּרְגִּין, עָבֵד אִיהוּ דִּילֵיהּ, וְעָבַר בְּאַרְעָא דְּמִצְרַיִם, וְקָטַל כֹּלָּא. וּבְגִינֵי כַּךְ קָטַל כָּל בּוּכְרִין בְּאַרְעָא דְּמִצְרַיִם, בְּגִין דְּאִיהוּ דַּרְגָּא עִלָּאָה וּבוּכְרָא דְּכֹלָּא.

קמד. ות"ח, פַּרְעֹה הֲוָה שׁוּלְטָנֵיהּ בְּמַיָּא, דִּכְתִּיב הַתַּנִּים הַגָּדוֹל הָרוֹבֵץ בְּתוֹךְ יְאוֹרָיו, בג"כ אִתְהַפַּךְ נַהֲרֵיהּ בְּדָמָא בְּקַדְמֵיתָא. לְבָתַר צְפַרְדְּעִים דִּמְשַׁמְּטֵי לוֹן בְּקָלִין טְסִירִין מְקַרְקְרִין בְּגוֹ מֵעַיְיהוּ, וְנַפְקֵי מִגּוֹ יְאוֹרָא, וְסַלְקֵי בְּיַבֶּשְׁתָּא וְרָאמִין קָלִין בְּכָל סִטְרִין, עַד דְּאִינּוּן נַפְלִין כְּמֵתִין בְּגוֹ בֵּיתָא.

קמה. וְרָזָא דְּמִלָּה, כָּל אִינּוּן עֶשֶׂר אָתִין דְּעָבֵד קב"ה, כֻּלְּהוּ הֲווּ מִגּוֹ יָדָא תַּקִּיפָא, וְהַהוּא יָדָא אִתְתַּקַּף עַל אִינּוּן דַּרְגִּין כּוּלְּהוּ שֻׁלְטָנוּתָא דִּלְהוֹן, בְּגִין לְבַלְבְּלָא דַּעְתַּיְיהוּ, וְלָא הֲווּ יַדְעֵי לְמֶעְבַּד מִידִי. ת"ח, כָּל אִינּוּן דַּרְגִּין דִּלְהוֹן, כֵּיוָן דְּנַפְקֵי לְמֶעְבַּד מִידִי, דְּאִתְחֲזֵי לְכֹלָּא לָא יַכְלִין לְמֶעְבַּד מִידִי. בְּגִין הַהוּא יָדָא תַּקִּיפָא דְּשַׁרְיָא עֲלַיְיהוּ.

קמו. וְשָׁרַץ הַיְאוֹר צְפַרְדְּעִים וְעָלוּ וּבָאוּ בְּבֵיתֶךָ. ר' שִׁמְעוֹן פָּתַח וְאָמַר, קוֹל בְּרָמָה נִשְׁמָע נְהִי בְּכִי תַמְרוּרִים רָחֵל מְבַכָּה עַל בָּנֶיהָ וְגוֹ'. תָּא חֲזֵי, הַאי קְרָא אוֹקְמוּהָ בְּכַמָּה אֲתַרֵי. וְהַאי קְרָא קַשְׁיָא, רָחֵל מְבַכָּה עַל בָּנֶיהָ, בְּנָהָא דְּרָחֵל יוֹסֵף וּבִנְיָמִין הֲווּ וְלָא יַתִּיר, וְלֵאָה שִׁית שִׁבְטִין הֲווּ דִּילָהּ, אֲמַאי בָּכַת רָחֵל וְלָא לֵאָה.

קמז. אֶלָּא הָכִי אָמְרוּ כְּתִיב, וְעֵינֵי לֵאָה רַכּוֹת. אֲמַאי רַכּוֹת. בְּגִין דְּכָל יוֹמָא נָפְקַת לְפָרָשַׁת אָרְחִין, וְשָׁאֲלַת עַל עֵשָׂו, וַהֲווּ אַמְרִין לָהּ עוֹבָדוֹי דְּהַהוּא רָשָׁע, וְדָחִילַת לְמִנְפַּל בְּגוֹ עַדְבֵיהּ, וַהֲוַת בָּכַת כָּל יוֹמָא, עַד דְּאִתְרַכָּכוּ עֵינָהָא.

קמח. וקב"ה אָמַר, אַנְתְּ בָּכַת בְּגִין הַהוּא צַדִּיקָא, דְּלָא תֶּהֱוֵי בְּעַדְבֵיהּ דְּהַהוּא רָשָׁע. חַיֶּיךָ, אֲחָתָךְ תֵּקוּם בְּפָרָשַׁת אָרְחִין, וְתִבְכֵּי עַל גָּלוּתְהוֹן דְּיִשְׂרָאֵל, וְאַתְּ תֵּקוּם לְגוֹ וְלָא תִבְכֵּי עֲלַיְיהוּ וְרָחֵל אִיהִי בָּכַת עַל גָּלוּתְהוֹן דְּיִשְׂרָאֵל.

קמט. אֲבָל הַאי קְרָא, אִיהוּ עַל מַה דְּאַמָּרָן. אֲבָל רָזָא דְּמִלָּה, דְּרָחֵל וְלֵאָה תְּרֵי עָלְמִין נִינְהוּ. חַד עָלְמָא דְּאִתְכַּסְיָא, וְחַד עָלְמָא דְּאִתְגַּלְיָא. וע"ד, דָּא אִתְקַבְּרַת וְאִתְחֲפִיאַת לְגוֹ בִּמְעַרְתָּא וְאִתְכַּסִּיאַת. וְדָא קַיְימָא בְּפָרָשַׁת אָרְחִין בְּאִתְגַּלְיָא. וְכֹלָּא כְּגַוְונָא עִלָּאָה. וּבְגִין כַּךְ לָא אָעִיל לָהּ יַעֲקֹב בִּמְעַרְתָּא, וְלָא בַּאֲתַר אָחֳרָא, דְּהָא כְּתִיב בְּעוֹד כִּבְרַת אֶרֶץ לָבוֹא אֶפְרָתָה, וְלָא אָעִיל לָהּ לְמָתָא. בְּגִין דַּהֲוָה יָדַע דְּאַתְרָהּ הֲוָה בְּאַתְרָא דְּאִתְגַּלְיָא.

קנ. תָּא חֲזֵי, כְּנֶסֶת יִשְׂרָאֵל הָכִי אִקְרֵי, רָחֵל. כְּמָה דְּאַתְּ אָמֵר, וּכְרָחֵל לִפְנֵי גוֹזְזֶיהָ נֶאֱלָמָה. אֲמַאי נֶאֱלָמָה. דְּכַד שַׁלְטִין שְׁאַר עַמִּין, קָלָא אִתְפְּסַק מִינָהּ, וְהִיא אִתְאַלְּמַת.

קנא. וְדָא הוּא דִּכְתִּיב, קוֹל בְּרָמָה נִשְׁמָע נְהִי בְּכִי תַמְרוּרִים. קוֹל בְּרָמָה נִשְׁמָע דָּא יְרוּשָׁלַיִם לְעֵילָּא. רָחֵל מְבַכָּה עַל בָּנֶיהָ, כָּל זִמְנָא דְּיִשְׂרָאֵל אִינּוּן בְּגָלוּתָא, אִיהִי מְבַכָּה עֲלַיְיהוּ דְּאִיהִי אִימָּא דִּלְהוֹן. מֵאֲנָה לְהִנָּחֵם עַל בָּנֶיהָ. מ"ט. כִּי אֵינֶנּוּ. כִּי אֵינָם מִבָּעֵי לֵיהּ. אֶלָּא, בְּגִין דְּבַעְלָהּ דְּאִיהוּ קוֹל, אִסְתַּלַּק מִינָהּ, וְלָא אִתְחַבַּר בַּהֲדָהּ.

קנב. ות"ח, לָאו שַׁעְתָּא חֲדָא, אִיהִי דְּבָכַת עֲלַיְיהוּ דְּיִשְׂרָאֵל, אֶלָּא בְּכָל זִמְנָא וְזִמְנָא דְּאִינּוּן בְּגָלוּתָא. וּבְגִינֵי כַּךְ, קב"ה גָּרַם לוֹן קָלָא לְמִצְרָאֵי, דִּכְתִּיב וְהָיְתָה צְעָקָה גְדוֹלָה

בְּכָל אֶרֶץ מִצְרַיִם אֲשֶׁר כָּמוֹהוּ לֹא נִהְיְתָה וְגוֹ'. וְזַמִּין לוֹן קָלִין אַחֲרָנִין, בְּאִינּוּן עוּרְדְעָנִין, דְּרָמָאן קָלִין בְּמֵעַיְיהוּ, וַהֲווֹ נַפְלֵי בַּשְּׁוָקֵי כְּמֵתִים.

קנג. וַתַּעַל הַצְפַרְדֵּעַ, וְחָדָא הֲוָת, וְאוֹלִידַת, וְאִתְמַלְיָית אַרְעָא מִינַיְיהוּ. וַהֲווֹ כֻּלְּהוּ מַסְרִין גַּרְמַיְיהוּ לְאֶשָּׁא, דִּכְתִּיב וּבְתַנּוּרֶיךָ וּבְמִשְׁאֲרוֹתֶיךָ, וּמַאי הֲווֹ אָמְרוּ. בָּאנוּ בָאֵשׁ וּבַמַּיִם וַתּוֹצִיאֵנוּ לָרְוָיָה.

וְאִי תֵּימָא, אִי הָכִי, מַאי אִכְפַּת לְהוּ לְמִצְרָאֵי, דְּעָאלִין לְאֶשָּׁא כָּל אִינּוּן עוּרְדְעָנִין. אֶלָּא, כֻּלְּהוּ עָאלִין לְאֶשָּׁא, וְאַזְלִין בְּתַנּוּרָא וְלָא מֵתִים. וְאִינּוּן דְּמֵתִים מַאי קָא עַבְדֵי, נַהֲמָא הֲוָה בְּתַנּוּרָא, וְעָאלִין בְּגוֹ נַהֲמָא, וּמִתְבַּקְעִין, וְנַפְקֵי מִנַּיְיהוּ אַחֲרָנִין, וְאִשְׁתַּאֲבִין בְּנַהֲמָא. אָתוּ לְמֵיכַל מִינָּהּ, הַהוּא פִּתָּא אִתְהַדַּר עוּרְדְעַנְיָא בְּמֵעַיְיהוּ, וְרַקְדָן, וְרָמָאן קָלִין, עַד דַּהֲווֹ מֵתִים. וְדָא קַשְׁיָא לוֹן מִכֹּלָּא. תָּא חֲזֵי, כְּתִיב וְשָׁרַץ הַיְאוֹר צְפַרְדְּעִים וְעָלוּ וּבָאוּ בְּבֵיתֶךָ וּבַחֲדַר מִשְׁכָּבְךָ וְעַל מִטָּתֶךָ. פַּרְעֹה אִיהוּ אַלְקֵי קַדְמָאָה מִכֻּלְּהוּ, וְיַתִּיר מִכֻּלְּהוּ. לֶהֱוֵי שְׁמֵיהּ דִּי אֱלָהָא מְבָרַךְ מִן עָלְמָא וְעַד עָלְמָא, דְּהוּא פָּקִיד עוֹבָדִין דִּבְנֵי נָשָׁא, בְּכָל מַה דְּעַבְדֵי.

קנד. כְּתִיב וַיִּרְאוּ אוֹתָהּ שָׂרֵי פַרְעֹה וַיְהַלְלוּ אוֹתָהּ אֶל פַּרְעֹה וַתֻּקַּח הָאִשָּׁה בֵּית פַּרְעֹה. הַאי קְרָא לְדָרְשָׁא הוּא דְּאָתָא. תְּלַת פַּרְעֹה הָכָא. חַד, בְּהַהוּא זִמְנָא. וְחַד, בְּיוֹמוֹי דְּיוֹסֵף. וְחַד, בְּיוֹמוֹי דְּמֹשֶׁה דְּאַלְקֵי בְּקוֹלְפוֹי.

קנה. פַּרְעֹה קַדְמָאָה, בְּשַׁעֲתָה דְּאִתְנְסִיבַת שָׂרָה לְגַבֵּיהּ, רָמַז לְאוּמָנִין, וְצַיְּירוּ הַהוּא דְּיוֹקְנָא בְּאִדְרֵיהּ, עַל עַרְסֵיהּ בְּכוֹתָלָא, לָא נָח דַּעְתֵּיהּ, עַד דְּעָבְדוּ דְּיוֹקְנָא דְּשָׂרָה בְּנִסִּירוּ, וְכַד סָלִיק לְעַרְסֵיהּ, סָלִיק לָהּ עִמֵּיהּ. כָּל מַלְכָּא דְּאָתָא אֲבַתְרֵיהּ, הֲוָה חָמֵי הַהוּא דְּיוֹקְנָא מְצַיְּירָא צִיּוּרָא, וַהֲווֹ עָאלִין קָמֵיהּ בְּדִיוּזִין, כַּד סָלִיק לְעַרְסֵיהּ הֲוָה אִתְהֲנֵי בְּהַהוּא צִיּוּר. בְּגִין כַּךְ, מַלְכָּא אַלְקֵי הָכָא יַתִּיר מִכֹּלָּא. הַיְינוּ דִּכְתִּיב, וּבַחֲדַר מִשְׁכָּבְךָ וְעַל מִטָּתֶךָ. וּלְבָתַר, וּבְבֵית עֲבָדֶיךָ וּבְעַמֶּךָ. וּבְכֻלְּהוּ לָא כְּתִיב עַל מִטָּתָם, אֶלָּא לֵיהּ בִּלְחוֹדֵיהּ.

קנו. ר' אַבָּא פָּתַח, כָּל הַנְּחָלִים הוֹלְכִים אֶל הַיָּם וְהַיָּם אֵינֶנּוּ מָלֵא אֶל מְקוֹם שֶׁהַנְּחָלִים הוֹלְכִים שָׁם הֵם שָׁבִים לָלָכֶת. הַאי קְרָא אִתְּמַר, וְאַמְרֵי לֵיהּ חַבְרַיָּיא. אֲבָל ת"ח, כַּד אִינּוּן נַחֲלִין עָאלִין לְגוֹ יַמָּא, וְיַמָּא נָקִיט לוֹן, וְשָׁאִיב לוֹן בְּגַוֵּיהּ, בְּגִין דְּקָפָאן מַיָּא בְּגוֹ יַמָּא, וְהַהוּא גְלִידֵי שָׁאִיב כָּל מַיָּא דְּעָאלִין בֵּיהּ, וּלְבָתַר נָפְקִין מַיָּא בְּתוּקְפָּא דְּדָרוֹם, וְאַשְׁקֵי יַת כָּל חֵיוַת בָּרָא, כְּמָד"א יַשְׁקוּ כָּל חַיְתוֹ שָׂדָי.

קנז. וְתָא חֲזֵי, יַמָּא דְּקָפָא שָׁאִיב כָּל מַיָּא, וְאִשְׁתְּרֵי בְּתוּקְפָּא דְּדָרוֹם, כְּמָה דְּאִתְּמַר, וּבְגִין כַּךְ אֵינֶנּוּ מָלֵא, וְאִתְּמַר.

קנח. וְהָא אִתְּעָרוּ בֵּיהּ חַבְרַיָּיא. אֶל מְקוֹם שֶׁהַנְּחָלִים הוֹלְכִים שָׁם הֵם שָׁבִים לָלָכֶת. מַאי טַעֲמָא הֵם שָׁבִים. בְּגִין דְּהַהוּא נָהָר דְּנָגִיד וְנָפִיק מֵעֵדֶן לָא פָּסִיק לְעָלְמִין, וְהוּא אַפִּיק תָּדִיר מַיָּא לְיַמָּא, וְעַל דָּא, מַיִין שָׁבִין לָלֶכֶת, וְתָבִין, וְאַזְלִין וְתָבִין, וְלָא פָּסְקִין לְעָלְמִין. וְכַד אִיהוּ תָּב לָלֶכֶת, בְּגִין לְמֵהַךְ לְאַשְׁקָאָה לְכֹלָּא, וְאָתֵי רוּחַ צָפוֹן וְקָפֵי מַיָּא, וְרוּחָא דְּדָרוֹם דְּאִיהוּ חֲמִימָא, שָׁרֵי לוֹן לְמֵהַךְ לְכָל סְטָר. וְעַל דָּא, הַאי יַמָּא יָתִיב בֵּין תְּרֵי סִטְרֵי אִלֵּין, וּבְגִינַיְיהוּ קַיְּימָא, וְאַרְבִּין אַזְלִין וְנַטְלִין לְכָל סְטָר.

קנט. ת"ח, כַּד מַלְכָּא, אָתֵי לְעַרְסֵיהּ, בְּשַׁעְתָּא דְּאִתְפְּלִיג לֵילְיָא, רוּחָא דְּצָפוֹן אִתְּעַר, דְּאִיהוּ אִתְּעַר חֲבִיבוּתָא לְגַבֵּי מַטְרוֹנִיתָא, דְּאִלְמָלֵא אִתְּעָרוּתָא דְּצָפוֹן, לָא אִתְחַבַּר

מַלְכָּא בַּהֲדָהּ, בְּגִין דִּצְפוֹן שָׁארֵי וְחַבִּיבוּתָא, כְּמָה דְּאִתְּמַר, שְׂמֹאלוֹ תַּחַת לְרֹאשִׁי. וְדָרוֹם חָבִיק בִּרְחִימוּ דִּכְתִּיב וִימִינוֹ תְּחַבְּקֵנִי, כְּדֵין כַּמָּה בְּדִיחִין מִתְעָרִין שִׁירָתָא, עַד דְּאָתֵי צַפְרָא, דִּכְתִּיב, בְּרָן יַחַד כּוֹכְבֵי בֹקֶר וַיָּרִיעוּ כָּל בְּנֵי אֱלֹהִים.

קס. וְכַד אָתֵי צַפְרָא, כֻּלְּהוּ עִלָּאֵי וְתַתָּאֵי אַמְרֵי שִׁירָתָא, וְיִשְׂרָאֵל כְּגַוְונָא דָּא לְתַתָּא, דִּכְתִּיב, הַמַּזְכִּירִים אֶת יְיָ' אַל דֳּמִי לָכֶם. אַל דֳּמִי לָכֶם לְתַתָּא דַּיְיקָא.

קסא. כַּד אִתְפְּלִיג לֵילְיָא, אִינּוּן דְּתִיאוּבְתָּא דִּילְהוֹן לְאַדְכְּרָא תָּדִיר לְקוּדְשָׁא ב"ה, לָא יָהֲבֵי שְׁכִיבוּ לְלִבָּא, וְקַיְימִין לְאַדְכְּרָא לֵיהּ לְקוּדְשָׁא בְּרִיךְ הוּא. כַּד סָלִיק צַפְרָא מַקְדִּימִין לְבֵי כְּנִישְׁתָּא, וּמְשַׁבְּחָאן לֵיהּ לְקוּדְשָׁא ב"ה. וְכֵן בָּתַר פַּלְגּוּת יוֹמָא. וְכֵן בְּלֵילְיָא, כַּד אִתְחֲשָׁךְ וְאִתְדְּבַק לֵילְיָא בְּחָשׁוֹכָא, וּבַת שִׁמְשָׁא. עַל אִלֵּין כְּתִיב הַמַּזְכִּירִים אֶת יְיָ' אַל דֳּמִי לָכֶם. וְדָא עַמָּא קַדִּישָׁא דְּיִשְׂרָאֵל.

קסב. וְעַל דָּא, אַדְכַּר לוֹן קוּדְשָׁא ב"ה בְּמִצְרַיִם, וְסָלִיק עַל פַּרְעֹה, אִלֵּין דְּלָא מִשְׁתַּכְּכֵי יְמָמָא וְלֵילְיָא, וּמַאן אִינּוּן. אוּרְדְּעָנַיָּא, דְּקַלֵּיהוֹן לָא מִשְׁתְּכַךְ תָּדִיר, בְּגִין דְּאַתְקִיף בְּעַמָּא קַדִּישָׁא, דְּלָא מִשְׁתַּכְּכֵי יְמָמָא וְלֵילֵי, לְשַׁבְּחָא לֵיהּ לְקוּדְשָׁא בְּרִיךְ הוּא. וְלָא הֲוָה ב"נ בְּמִצְרַיִם, דְּיָכִיל לְמִשְׁתָּעֵי בַּהֲדֵי הַדָּדֵי. וּמִנַּיְיהוּ אִתְחַבְּלַת אַרְעָא. וּמִקַּלֵּיהוֹן הֲווּ יְנוּקִין וְרַבְיָין מֵתִין.

קסג. וְאִי תֵּימָא הֵיךְ לָא יַכְלִין לְקַטְלָא לוֹן. אֶלָּא, אִי אֲרִים בַּר נָשׁ חוּטְרָא, אוֹ אַבְנָא, לְקַטְלָא חֲדָא, אִתְבַּקְעַת, וְנָפְקִין שִׁית מִינָהּ, מִגּוֹ מְעָהָא, וְאַזְלֵי וְטַרְטְשֵׁי בְּאַרְעָא, עַד דְּהַוֵי, מִתְמַנְּעָ לְמִקְרַב בְּהוּ.

קסד. תָּא חֲזֵי, כַּמָּה נַהֲרִין, כַּמָּה יְאוֹרִין, נַפְקָא מִגּוֹ יַמָּא עִלָּאָה, כַּד אִתְמַשְׁכָן וּמִשְׁתַּרְיָן מַיָּא, וּמִתְפַּלְגִין כַּמָּה נָחֲלִין, לְכַמָּה סִטְרִין, לְכַמָּה יְאוֹרִין, לְכַמָּה נַהֲרִין. וְחוּלָקָא דְּמִמְּנָא דְּסִטְרָא דְּמִצְרַיִם אִינּוּן מַיִין מִרַחֲשָׁן אִלֵּין, דְּלֵית לָךְ מַיִין דְּנָפְקִין מִגּוֹ יַמָּא, דְּלָא מַפְּקֵי נוּנִין לְזִינַיְיהוּ.

קסה. מַאן אִינּוּן נוּנִין. אִינּוּן שְׁלִיחָן בְּעָלְמָא, מְמַנָּן לְמֶעְבַּד רְעוּתָא דְּמָארֵיהוֹן, מְמַנָּן בְּרוּחָא דְּחָכְמְתָא. וְע"ד תָּנֵינָן, אִית מַיִין מְגַדְּלִין חַכִּימִין. וְאִית מַיִין מְגַדְּלִין טִפְּשִׁין. לְפוּם אִינּוּן נַהֲרִין דְּמִתְחַלְּקִין לְכָל סִטְרִין.

קסו. וְהָכָא נַהֲרֵי דְּמִצְרָאֵי, מְגַדְּלִין מָארֵי דְּחָרָשִׁין, נוּנִין בְּסִיטִין, קָפִיטִין בְּעֶשֶׂר דַּרְגִּין דְּחָרָשִׁין, דִּכְתִּיב, קוֹסֵם, קְסָמִים, מְעוֹנֵן, וּמְנַחֵשׁ, וּמְכַשֵּׁף, וְחוֹבֵר חָבֶר, וְשׁוֹאֵל אוֹב, וְיִדְּעוֹנִי, וְדוֹרֵשׁ אֶל הַמֵּתִים. הָא עֶשֶׂר זִינִין דְּחָכְמְתָא דְּחָרָשַׁיָּא.

קסז. וּבְהַהוּא זִמְנָא, אוֹשִׁיט קב"ה אֶצְבְּעָא דִּידֵיהּ, וּבַלְבֵּל אִינּוּן נָחֲלִין נַהֲרִין דְּמִצְרָאֵי, וְאִתְמְנָעוּ אִינּוּן נוּנֵי דְּחָכְמְתָא דִּילְהוֹן. חַד אִתְהַפַּךְ לְדָמָא, וְחַד דְּסָלִיקוּ נוּנֵי קָלִין, בְּלָא תּוֹעַלְתָּא, וְלָא אָתֵי עֲלַיְיהוּ רוּחָא דְּאִינּוּן חָכְמְתָן.

קסח. עָרוֹב: כִּי הַאי גַּוְונָא, דְּעִרְבֵּב לוֹן זִינֵי דְּחָכְמְתָא דִּילְהוֹן, וְלָא יַכְלִין לְאִתְדַּבְּקָא, וְלֹא עוֹד, אֶלָּא אֲפִילוּ דְּהָנֵי דְּאִשְׁתְּכָחוּ בְּאַרְעָא, מְחַבְּלָן לוֹן בְּאַרְעָא, וּמְחַבְּלָן אוֹרְחַיְיהוּ. עָרוֹב, מַאי עָרוֹב. עִרְבּוּבְיָא. כמד"א וּבֶגֶד כִּלְאַיִם. עִרוּבִין: שָׂדְךָ לֹא תִזְרַע כִּלְאָיִם: זִינִין סַגִּיאִין בְּאָרְמוּת יְדָא.

קסט. תָּא חֲזֵי, כַּמָּה חֵילִין אִתְעָרוּ לְעֵילָּא כְּחַד, וּבַלְבֵּל לוֹן קב"ה כַּחֲדָא, בְּגִין לְבַלְבְּלָא חֵילַיְיהוּ תַּקִּיפָא לְעֵילָּא. וְכָל אִינּוּן גְּבוּרָן דְּעָבֵד קב"ה בְּמִצְרַיִם, בִּידָא חֲדָא הֲוָה, דְּאָרִים יְדֵיהּ עֲלַיְיהוּ, לְעֵילָּא וְתַתָּא, וּמִתַּמָּן אִתְאֲבִידַת חָכְמְתָא דְּמִצְרַיִם, דִּכְתִּיב, וְאָבְדָה חָכְמַת חֲכָמָיו וּבִינַת נְבוֹנָיו תִּסְתַּתָּר.

קע"א. וְתָא חֲזֵי, כְּתִיב, וְסַכַּכְתִּי מִצְרַיִם בְּמִצְרַיִם. מִצְרַיִם לְעֵילָּא, בְּמִצְרַיִם לְתַתָּא. בְּגִין דְּאִינּוּן חֲלִין לְעֵילָּא, מִמְּמַנָּן עַל חֲלִין דִּלְתַתָּא, וְאִתְעָרְבוּ כֻּלְהוּ. אִתְעָרְבוּ לְעֵילָּא, דְּלָא הֲווֹ מִצְרָאֵי יַכְלֵי לְאִתְקַשְׁרָא בְּזַוְוּגַיְיהוּ, בְּאִינּוּן דּוּכְתֵּי דַּהֲווֹ מִתְקַשְׁרֵי בְּקַדְמֵיתָא, דְּהָא אִתְבַּלְבְּלוּ. וְעַל דָּא אַיְיתֵי עֲלַיְיהוּ עָרוֹב, וְזַיְינִין דַּהֲווֹ מִתְעָרְבֵי דָּא בְּדָא.

קע"א. בְּנִים, דְּסַלְקָא עַפְרָא דְּאַרְעָא, מֵחֵילָא דִּלְעֵילָּא מִמְּמַנָּא דְּאָזְדְּרַע עֲלָהּ אִיהוּ, וְכֹלָּא הֲוָה כְּגַוְונָא דִּלְעֵילָּא.

קע"ב. וְת"ח, שִׁבְעָה רְקִיעִין עָבַד קָבָּ"ה, כְּגַוְונָא דָּא שִׁבְעָה אַרְעָן. וְאִינּוּן תְּחוּמִין דְּמִתְפָּרְשָׁן בְּדוּכְתַּיְיהוּ. ז' רְקִיעִין לְעֵילָּא, שִׁבְעָה תְּחוּמֵי אַרְעָא לְעֵילָּא, כְּהַאי גַּוְונָא לְתַתָּא מִתְפָּרְשָׁן דַּרְגִּין, ז' רְקִיעִין, וְז' תְּחוּמֵי אַרְעָא. וְהָא אוּקְמוּהוּ חַבְרַיָּיא, בֵּי אַרְעִין כְּסוּפַטָא דָּא עַל דָּא.

קע"ג. וְאִינּוּן ז' תְּחוּמֵי אַרְעָא לְעֵילָּא, כָּל חַד וְחַד מִתְפָּרְשָׁן לְעֶשֶׂר, וְאִינּוּן מִתְפַּלְּגָאן לְע' מְמַנָּן, דִּמְמַנָּן עַל שַׁבְעִין עַמִּין. וְהַהוּא אַרְעָא, תְּחוּמָא דְּכָל עַמָּא וְעַמָּא, סַחֲרָא לְאַרְעָא קַדִּישָׁא דְּיִשְׂרָאֵל. כד"א הִנֵּה מִטָּתוֹ שֶׁלִּשְׁלֹמֹה שִׁשִּׁים גִּבּוֹרִים סָבִיב לָהּ מִגִּבּוֹרֵי יִשְׂרָאֵל וַעֲשָׂרָה בְּגַוְויְיהוּ טְמִירִין, וְאִינּוּן ע' דְּסַחֲרָן אַרְעָא קַדִּישָׁא. וְדָא הוּא לְעֵילָּא, כְּגַוְונָא דָּא לְתַתָּא.

קע"ד. וְת"ח, הַהוּא אַרְעָא, תְּחוּמָא דְּחוּלָקָא דְּמִצְרָאֵי, בְּהַהוּא זִמְנָא, אוֹשִׁיט קָבָּ"ה אֶצְבְּעָא דִּילֵיהּ, וְאִתְיְלִידוּ טַפְסִירִין בְּהַהוּא תְּחוּמָא, וְאִתְבִּשּׁוּ כָּל אִינּוּן תְּחוּמִין דְּרַכִיכוּ מַיָּא. וְכָל יְרוֹקָא דְּמַיִין דְּנַבְּעִין, כְּדֵין לְתַתָּא, אִתְחֲזִיאוּ קָלְמִין בְּעַפְרָא דְּאַרְעָא.

קע"ה. וְהָא אִתְּמַר דְּאַהֲרֹן הֲוָה מָחֵי. אֲבָל בְּגִין דָּא אַהֲרֹן הֲוָה מָחֵי, לְאַחֲזָאָה דִּימִינָא דְּקוּדְשָׁא ב"ה תָּבַר לְשַׂנְאִין, כד"א, יְמִינְךָ יְיָ' תִּרְעַץ אוֹיֵב. כְּגַוְונָא דָּא, זַמִּין קָבָּ"ה לְאַיְיתָאָה עַל קַרְתָּא דְּרוֹמִי רַבְּתָא, דִּכְתִיב וְנֶהֶפְכוּ נְחָלֶיהָ לְזֶפֶת וַעֲפָרָהּ לְגָפְרִית. וְעַל דָּא, כָּל עֲפַר הָאָרֶץ הָיָה כִנִּים בְּכָל אֶרֶץ מִצְרָיִם.

קע"ו. רַבִּי יְהוּדָה וְרַבִּי חִיָּיא, הֲווֹ אַזְלֵי בְּאוֹרְחָא. אָמַר רַבִּי חִיָּיא, חַבְרַיָּיא כַּד אִינּוּן בְּאוֹרְחָא, בַּעְיָין לְמֵהַךְ בְּלִבָּא חַד. וְאִי אִיעָרְעוּ, אוֹ אַזְלֵי בְּגַוַוְיְיהוּ וְזַיְיבֵי עָלְמָא, אוֹ בְּנֵי נָשָׁא דְּלָאו אִינּוּן מֵהֵיכָלָא דְּמַלְכָּא, בָּעוּ לְאִתְפָּרְשָׁא מִנַּיְיהוּ. מְנָא לָן. מִכָּלֵב, דִּכְתִיב, וְעַבְדִּי כָלֵב עֵקֶב הָיְתָה רוּחַ אַחֶרֶת עִמּוֹ וַיְמַלֵּא אַחֲרָי. מַאי רוּחַ אַחֶרֶת. דְּאִתְפָּרַע מֵאִינּוּן מְאַלְלִין, דִּכְתִיב, וַיַּעֲלוּ בַנֶּגֶב וַיָּבֹא עַד חֶבְרוֹן. דְּאִתְפָּרַע מֵאִינּוּן מְאַלְלִין וְאָתָא אִיהוּ בִּלְחוֹדוֹי לְחֶבְרוֹן, לְאִשְׁתַּטְּחָא עַל קִבְרֵי אֲבָהָן.

קע"ז. וְחֶבְרוֹן, אִתְיְהִיב לֵיהּ חוּלָקָא לְאִתְתַּקְּפָא בֵּיהּ, כְּמָה דְּאַתְּ אָמַר, וְלוֹ אֶתֵּן אֶת הָאָרֶץ אֲשֶׁר דָּרַךְ בָּהּ. אֲמַאי יָהִיבוּ לֵיהּ חֶבְרוֹן. אִי בְּגִין דְּאִשְׁתַּטַּח בְּקִבְרֵי אֲבָהָן לְאִשְׁתְּזָבָא מֵהַהוּא עֵיטָא דִּילְהוֹן דְּאִשְׁתַּזִיב. לָא.

קע"ח. אֶלָּא, רָזָא דְּמִלָּה שְׁמַעֲנָא. כְּגַוְונָא דָּא כְּתִיב, וַיִּשְׁאַל דָּוִד בַּיְיָ' לֵאמֹר הַאֶעֱלֶה בְּאַחַת עָרֵי יְהוּדָה וַיֹּאמֶר יְיָ' אֵלָיו עֲלֵה וַיֹּאמֶר דָּוִד אָנָה אֶעֱלֶה וַיֹּאמֶר חֶבְרוֹנָה. הָכָא אִית לְאִסְתַּכְּלָא. כֵּיוָן דְּהָא מִית שָׁאוּל, וְדָוִד בְּיוֹמֵי דְּשָׁאוּל אִתְמְשַׁח לְקַבְּלָא מַלְכוּ. כֵּיוָן דְּמִית שָׁאוּל אֲמַאי לָא אַמְלִיכוּ לֵיהּ לְדָוִד, וְלָא קַבִּיל מַלְכוּ עַל כָּל יִשְׂרָאֵל, וְאָתָא לְחֶבְרוֹן, וּמַלְכוּ קַבִּיל עַל יְהוּדָה בִּלְחוֹדוֹי שֶׁבַע שְׁנִים, וְאִתְעַכַּב תַּמָּן כָּל הָנֵי שֶׁבַע שְׁנִים. וּלְבָתַר דְּמִית אִישׁ בּוֹשֶׁת, קַבִּיל מַלְכוּ עַל כָּל יִשְׂרָאֵל בִּירוּשָׁלַיִם.

קע"ט. אֶלָּא, כֹּלָּא הוּא רָזָא קָמֵי קוּדְשָׁא בְּרִיךְ הוּא. תָּא חֲזֵי, מַלְכוּתָא קַדִּישָׁתָא לָא

קַבִּיל מַלְכוּ שְׁלֵימָתָא, עַד דְּאִתְחַבַּר בַּאֲבָהָן. וְכַד אִתְחַבַּר בְּהוּ, אִתְבְּנֵי בְּבִנְיָינָא שְׁלִימוּ, מֵעָלְמָא עִלָּאָה, וְעָלְמָא עִלָּאָה אִקְרֵי שֶׁבַע שָׁנִים, בְּגִין דְּכֻלְּהוּ בֵּיהּ.

קפ. וְסִימָנָיךְ וַיִּבְנֵהוּ שֶׁבַע שָׁנִים, דָּא עָלְמָא עִלָּאָה. וְלָא כְּתִיב וַיִּבְנֵהוּ בְּשֶׁבַע שָׁנִים. כְּמָה דְּאַתְּ אָמֵר, כִּי שֵׁשֶׁת יָמִים עָשָׂה ה' אֶת הַשָּׁמַיִם וְאֶת הָאָרֶץ. מַאן שֵׁשֶׁת יָמִים, דָּא אַבְרָהָם. דִּכְתִּיב, אֵלֶּה תוֹלְדוֹת הַשָּׁמַיִם וְהָאָרֶץ בְּהִבָּרְאָם בְּאַבְרָהָם. וְאַבְרָהָם שֵׁשֶׁת יָמִים אִקְרֵי. וּבְגִין דְּאִיהוּ שֵׁשֶׁת יָמִים, אִתְבְּנֵי עָלְמָא. בְּהַהוּא גַּוְונָא וַיִּבְנֵהוּ שֶׁבַע שָׁנִים.

קפא. וְתָא וַחֲזֵי, דָּוִד בָּעָא לְאִתְבְּנָאָה בְּמַלְכוּ שְׁלֵימָתָא לְתַתָּא, כְּגַוְונָא דִּלְעֵילָּא, וְלָא אִתְבְּנֵי, עַד דְּאָתָא וְאִתְחַבַּר בַּאֲבָהָן. וְקָאִים שֶׁבַע שָׁנִים לְאִתְבְּנָאָה בְּגַוַויְיהוּ. לְבָתַר שֶׁבַע שָׁנִים, אִתְבְּנֵי בְּכֹלָּא, אִתְמַשְׁכָא מַלְכוּתֵיהּ דִּי לָא תַעְדֵּי לְעָלְמִין. וְאִי לָאו דְּאִתְעֲבַד בְּחֶבְרוֹן לְאִתְחַבְּרָא בְּדוּכְתֵּיהּ, לָא אִתְבְּנֵי מַלְכוּתֵיהּ לְאִתְמַשְׁכָא כַּדְקָא יָאוֹת. כְּהַאי גַּוְונָא כָּלֵב, אִתְנְהִיר בֵּיהּ רוּחָא דְּחָכְמְתָא, וְאָתָא לְחֶבְרוֹן, לְאִתְחַבְּרָא בַּאֲבָהָן, וּלְדוּכְתֵּיהּ אָזֹל, וּלְבָתַר, דּוּכְתֵּיהּ הֲוָה, וְיָרִית לֵיהּ.

קפב. רַבִּי יֵיסָא וְרַבִּי חִזְקִיָּה, הֲווּ אָזְלֵי מִקַּפּוּטְקְיָא לְלוּד, וַהֲוָה עִמְּהוֹן חַד יוּדָאי בְּמָטוּל דְּקַטְפִירָא דַּחֲמָרָא. עַד דַּהֲווּ אָזְלֵי, א"ר יֵיסָא לְרַבִּי חִזְקִיָּה, אַפְתַּח פּוּמָךְ, וְאֵימָא חַד מִלָּה, מֵאִינּוּן מִלֵּי מְעַלְיָיתָא דְּאוֹרַיְיתָא, דְּאַתְּ אֲמַרְתְּ בְּכָל יוֹמָא, קָמֵי בּוּצִינָא קַדִּישָׁא.

קפג. פָּתַח וְאָמַר, דְּרָכֶיהָ דַּרְכֵי נֹעַם וְכָל נְתִיבוֹתֶיהָ שָׁלוֹם. דְּרָכֶיהָ דַּרְכֵי נֹעַם, אִלֵּין אוֹרְחִין דְּאוֹרַיְיתָא, דְּמַאן דְּאָזִיל בְּאוֹרְחֵי דְּאוֹרַיְיתָא, קוּדְשָׁא בְּרִיךְ הוּא, אַשְׁרֵי עָלֵיהּ נְעִימוּתָא דִּשְׁכִינְתָּא, דְּלָא תַעְדֵּי מִנֵּיהּ לְעָלְמִין. וְכָל נְתִיבוֹתֶיהָ שָׁלוֹם, דְּכָל שְׁבִילִין דְּאוֹרַיְיתָא, כּוּלְּהוֹן שְׁלָם. שְׁלָם לֵיהּ לְעֵילָּא, שְׁלָם לֵיהּ לְתַתָּא. שְׁלָם לֵיהּ בְּעָלְמָא דֵּין, שְׁלָם לֵיהּ בְּעָלְמָא דְּאָתֵי.

קפד. אָמַר הַהוּא יוּדָאי אִיסוּרָא בְּקִיסְטְרָא, בְּהַאי קְרָא אִשְׁתְּכַח. א"ל מְנָיִין לָךְ. אָמַר לֵיהּ, מֵאַבָּא שְׁמַעְנָא, וְאוֹלִיפְנָא הָכָא בְּהַאי קְרָא מִלָּה טָבָא.

קפה. פָּתַח וְאָמַר, הַאי קְרָא בִּתְרֵין גַּוְונִין אִיהִי, וּבִתְרֵין סִטְרִין. קָרֵי בֵּיהּ דְּרָכִים, וְקָרֵי בֵּיהּ נְתִיבוֹת. קָרֵי בֵּיהּ נוֹעַם, וְקָרֵי בֵּיהּ שָׁלוֹם. מַאן דְּרָכִים. וּמַאן נְתִיבוֹת. מַאן נֹעַם. וּמַאן שָׁלוֹם.

קפו. אֶלָּא, דְּרָכֶיהָ דַּרְכֵי נֹעַם, הַיְינוּ דִּכְתִּיב, הַנּוֹתֵן בַּיָּם דָּרֶךְ. דְּהָא כָּל אֲתַר דְּאִקְרֵי בְּאוֹרַיְיתָא דֶּרֶךְ, הוּא אוֹרְחָא פְּתִיחָא לְכֹלָּא. כְּהַאי אוֹרְחָא דְּהוּא פָּתִיחַ לְכָל ב"נ. כַּךְ דְּרָכֶיהָ, אִלֵּין דְּרָכִים דְּאִינּוּן פְּתִיחָן מֵאֲבָהָן, דְּכָרָאן בְּיַמָּא רַבָּא, וְעָאלִין בְּגַוֵּיהּ. וְאִינּוּן אוֹרְחִין מִתְפַּתְּחִין לְכָל עִיבַר, וּלְכָל סִטְרֵי עָלְמָא.

קפז. וְהַאי נֹעַם, הוּא נְעִימוּ דְּנָפִיק מֵעָלְמָא דְּאָתֵי, וְנָהִיר לְכָל בּוּצִינִין, וּמִתְפָּרְשִׁין לְכָל עִיבַר, וְהַהוּא טִיבוּ, וּנְהוֹרָא דְּעָלְמָא דְּאָתֵי, דְּיַנְקִין אֲבָהָן, אִקְרֵי נֹעַם. דָּבָר אַחֵר, עָלְמָא דְּאָתֵי, אִקְרֵי נֹעַם. וְכַד אִתְּעַר עָלְמָא דְּאָתֵי, כָּל טִיבוּ, וְכָל חֵידוּ, וְכָל נְהוֹרִין, וְכָל חֵירוּ דְּעָלְמָא אִתְּעַר. וּבְגִינֵי כַּךְ, אִקְרֵי נֹעַם.

קפח. וְעַל דָּא תָּנֵינָן, חַיָּיבִין דְּגֵיהִנָּם, בְּשַׁעֲתָא דְּעָאל שַׁבְּתָא, כֻּלְּהוּ נַיְיחִין, וְאִית לְהוּ חֵידוּ, וְנַיְיחָא בְּשַׁבַּתָּא. כֵּיוָן דְּנָפִיק שַׁבְּתָא, אִית לָן לְאַתְּעָרָא חֵידוּ עִלָּאָה עֲלָנָא, דְּנִשְׁתְּזִיב מֵהַהוּא עוֹנְשָׁא דְּחַיָּיבַיָּא, דְּאִתְדָּנוּ מֵהַהִיא שַׁעֲתָא וּלְהַלְאָה. וְאִית לָן לְאַתְּעָרָא וְלֵימָא, וִיהִי נֹעַם יְיָ' אֱלֹהֵינוּ עָלֵינוּ. דָּא הוּא נֹעַם עִלָּאָה, חֵידוּ דְּכֹלָּא. וְעַל דָּא, דְּרָכֶיהָ דַּרְכֵי נֹעַם וְכָל נְתִיבוֹתֶיהָ שָׁלוֹם.

קפט. מַאן נְתִיבוֹתֶיהָ. אִלֵּין אִינּוּן נְתִיבוֹת וּשְׁבִילִין, דְּנַפְקֵי מִלְּעֵילָּא, וְכֻלְּהוּ נָקִיט לוֹן בְּרִית יְחִידָאֵי, דְּאִיהוּ אִקְרֵי שָׁלוֹם, שְׁלָמָא דְּבֵיתָא, וְעָאִיל לוֹן לְיַמָּא רַבָּא, כַּד אִיהוּ בְּתוּקְפֵיהּ. וּכְדֵין יָהִיב לֵיהּ שְׁלָם. הה"ד וְכָל נְתִיבוֹתֶיהָ שָׁלוֹם. אָתוּ רִבִּי יֵיסָא ור' חִזְקִיָּה, וְנַשְׁקוּ לֵיהּ, אָמְרוּ וּמַה כָּל הָנֵי מִלִּין עִלָּאִין טְמִירִין גַּבָּךְ, וְלָא יָדַעְנָא. אָזְלוּ. כַּד מָטוּ וַחַד בֵּי חֲקַל, וְחָמוּ בְּעִירֵי דְּבֵי וַחֲקַל מֵתִין, אָמְרוּ וַדַּאי דֶּבֶר דִּבְעִירֵי אִית בְּאֲתַר דָּא.

קצ. אָמַר הַהוּא יוּדָאִי, הָא דְּאַמְרִיתוּ דְּקוּדְשָׁא ב"ה קָטַל בְּמִצְרַיִם, כָּל אִינּוּן עָאנֵי, כָּל אִינּוּן בְּעִירֵי. תְּלַת מוֹתָנֵי הֲווֹ בִּבְעִירֵי. וְחַד, דֶּבֶר. וְחַד, אִינּוּן דְּקָטִיל בָּרָד. וְחַד, אִינּוּן בּוּכְרֵי דִּבְעִירֵי.

קצא. וּמַה הֲוָה מוֹתָנָא דִּילְהוֹן. אֶלָּא, הָא, כְּתִיב בְּקַדְמֵיתָא, הִנֵּה יַד יְיָ' הוֹיָה בְּמִקְנְךָ אֲשֶׁר בַּשָּׂדֶה, אֲמַאי בְּכֻלְּהוּ לָא כְּתִיב יַד יְיָ'. אֶלָּא, הָכָא אִיהוּ יָדָא בַּחֲמִשָּׁה אֶצְבְּעָאן. דְּהָא בְּקַדְמֵיתָא כְּתִיב, אֶצְבַּע אֱלֹהִים הִיא. וְהָכָא כֻּלְּהוּ וְחָמֵשׁ אֶצְבְּעָאן, וְכָל אֶצְבְּעָא וְאֶצְבְּעָא, קָטַל זִינָא וְחָדָא. וַחֲמִשָּׁה זִינִין הֲווֹ, דִּכְתִּיב, בַּסּוּסִים, בַּחֲמוֹרִים, בַּגְּמַלִּים, בַּבָּקָר, וּבַצֹּאן. הָא וַחֲמִשָּׁה זִינִין, לַחֲמִשָּׁה אֶצְבְּעָאן, דְּאִקְרוּן יַד. בְּגִינֵי כַּךְ, הִנֵּה יַד יְיָ' הוֹיָה וְגוֹ' דֶּבֶר כָּבֵד מְאֹד. דַּהֲווֹ מֵתִים מִגַּרְמַיְיהוּ, וְאִשְׁתְּכָחוּ מֵתִים.

קצב. בָּתַר דְּלָא אֲהַדְרוּ מִצְרָאֵי, אִינּוּן אַתְוָון מַמָּשׁ, אֲהַדְרוּ וְקָטְלוּ כָּל אִינּוּן דְּאִשְׁתָּאֲרוּ. וְדֶבֶר, אַהֲדָר בָּרָד. מַה בֵּין הַאי לְהַאי. אֶלָּא דָּא בִּנְיָיחוּתָא, וְדָא בְּתְקִיפוּ דְּרוּגְזָא. וּתְרֵין אִלֵּין, הֲווֹ בַּאֲתַר וַחַד, בְּחָמֵשׁ אֶצְבְּעָאן.

קצג. תָּא וַחֲזֵי, דֶּבֶר אַתְוָון דַּהֲווֹ בִּנְיָיחוּתָא, מוֹתָנָא בִּנְיָיחָא, דַּהֲווֹ מֵתִין מִגַּרְמַיְיהוּ. בָּרָד, דְּאִתְהַדְּרוּ אַתְוָון בְּתְקוֹף רוּגְזָא, וְקָטַל כֹּלָּא. יָתְבוּ בְּהַהוּא חֲקַל, וְחָמוּ עָאנֵי דְּאַתְיָין לַאֲתַר וַחַד, וּמֵתִין תַּמָּן, קָם הַהוּא יוּדָאִי לְגַבֵּי הַהוּא אֲתָר, וְחָמָא תְּרֵין קַטְפִירֵי, דְּמַלְיָין אַקּוּסְטְרָא.

קצד. פָּתַח וְאָמַר, כְּתִיב וְאֶעֶשְׂךָ לְגוֹי גָּדוֹל וַאֲבָרֶכְךָ וַאֲגַדְּלָה שְׁמֶךָ וֶהְיֵה בְּרָכָה, הַאי מִלָּה דְּרִבִּי אֶלְעָזָר, דְּאָמַר, וְאֶעֶשְׂךָ לְגוֹי גָּדוֹל, לְקָבֵל לֶךְ לְךָ. וַאֲבָרֶכְךָ, לָקֳבֵל מֵאַרְצְךָ. וַאֲגַדְּלָה שְׁמֶךָ, לָקֳבֵל וּמִמּוֹלַדְתְּךָ. וֶהְיֵה בְּרָכָה, לָקֳבֵל וּמִבֵּית אָבִיךָ. וְדָא לָקֳבֵל דָּא.

קצה. ר' שִׁמְעוֹן אָמַר, רָזָא דְּחָכְמְתָא הָכָא. וְאֶעֶשְׂךָ לְגוֹי גָּדוֹל, לָקֳבֵל סְטַר יְמִינָא. וַאֲבָרֶכְךָ, לָקֳבֵל סְטַר שְׂמָאלָא. וַאֲגַדְּלָה שְׁמֶךָ, לָקֳבֵל סְטַר אֶמְצָעִיתָא. וֶהְיֵה בְּרָכָה, לָקֳבֵל סְטַר אַרְעָא דְּיִשְׂרָאֵל. וְכֹלָּא רָזָא דִּרְתִּיכָא קַדִּישָׁא.

קצו. תָּא וַחֲזֵי, בְּאִתְעָרוּתָא דִּלְתַתָּא, אִתְעַר לְעֵילָּא. וְעַד לָא יִתְעַר לְתַתָּא, לָא יִתְעַר לְעֵילָּא, לְאַשְׁרָאָה עָלֵיהּ. מַה כְּתִיב בְּאַבְרָהָם, וַיֵּצְאוּ אִתָּם מֵאוּר כַּשְׂדִּים. וַיֵּצְאוּ אִתָּם, וַיֵּצְאוּ אִתּוֹ מִבָּעֵי לֵיהּ. דְּהָא כְּתִיב וַיִּקַּח תֶּרַח אֶת אַבְרָם בְּנוֹ וְגוֹ'. מַהוּ וַיֵּצְאוּ אִתָּם. אֶלָּא, תֶּרַח וְלוֹט נָפְקוּ עִם אַבְרָהָם וְשָׂרָה, דְּכֵיוָן דְּאִשְׁתְּזִיב אַבְרָהָם מִן נוּרָא, אִתְהַדַּר תֶּרַח לְמֶעְבַּד רְעוּתֵיהּ. וּבְגִין כַּךְ, וַיֵּצְאוּ אִתָּם. כֵּיוָן דְּאִינּוּן אִתְּעָרוּ בְּקַדְמֵיתָא, א"ל קָבָּ"ה לֶךְ לְךָ.

קצז. רִבִּי שִׁמְעוֹן אָמַר, לֶךְ לְךָ. לְתַקָּנָא לְגַרְמָךְ. מֵאַרְצְךָ, מֵהַהוּא סִטְרָא דְּיִשּׁוּבָא דְּאַתְּ תָּקִיל, דְּאִתְיְלִידַת בֵּיהּ. וּמִמּוֹלַדְתְּךָ, מֵהַהוּא תּוֹלָדָה דִּילָךְ. וּמִבֵּית אָבִיךָ, דְּאַתְּ אַשְׁגַּח בְּשָׁרְשָׁא דִּלְהוֹן. אֶל הָאָרֶץ אֲשֶׁר אַרְאֶךָּ, תַּמָּן אִתְגַּלֵּי לָךְ, מַה דְּאַתְּ בָּעֵי, הַהוּא חֵילָא דְּמְמָנָא עָלָהּ, דְּאִיהוּ עָמִיק וְסָתִים. מִיָּד, וַיֵּלֶךְ אַבְרָם כַּאֲשֶׁר דִּבֶּר אֵלָיו יְיָ'. וַאֲנַן קָא בָּעֵינָן לְמֵהַךְ מֵהָכָא לְמִנְדַּע רָזָא דְּחָכְמְתָא.

קצח. רִבִּי יוֹסֵי וְרִבִּי חִיָּיא הֲווֹ אָזְלֵי בְּאוֹרְחָא. א"ר יוֹסֵי לְרִבִּי חִיָּיא, אֲמַאי אַתְּ שָׁתִיק,

הָא אוּרְחָא לָא אִתְתַּקַּן, אֶלָּא בְּמִלֵּי דְּאוֹרַיְיתָא. אִתְנְגִיד רִבִּי חִיָּיא, וּבָכָה, פָּתַח וְאָמַר, וַתְּהִי שָׂרַי עֲקָרָה אֵין לָהּ וָלָד וַוי עַל דָּא, וַוי עַל הַהוּא זִמְנָא דְּאוֹלִידַת הָגָר לְיִשְׁמָעֵאל.

קצט. א״ל רִבִּי יוֹסֵי, אַמַּאי. וְהָא אוֹלִידַת לְבָתַר, וַהֲוָה לָהּ בְּרָא זַרְעָא קַדִּישָׁא. א״ל, אַתְּ חָמֵי, וַאֲנָא חֲמֵינָא, וְהָכִי שְׁמַעְנָא מִפּוּמוֹי דר״ש מִלָּה, וּבָכֵינָא וַוי עַל הַהוּא זִמְנָא, דִּבְגִין דְּשָׂרָה אִתְעַכְּבַת, כְּתִיב, וַתֹּאמֶר שָׂרַי אֶל אַבְרָם וְגוֹ׳ בֹּא נָא אֶל שִׁפְחָתִי וְגוֹ׳. וְעַל דָּא, קַיְּימָא שַׁעֲתָא לְהָגָר, לְמֵירַת לְשָׂרָה גְּבִירְתָּהּ, וַהֲוָה לָהּ בְּרָא מֵאַבְרָהָם.

ר. וְאַבְרָהָם אָמַר, לוּ יִשְׁמָעֵאל יִחְיֶה לְפָנֶיךָ, ואע״ג דקב״ה הֲוָה מְבַשֵּׂר לֵיהּ עַל יִצְחָק, אִתְדַּבַּק אַבְרָהָם בְּיִשְׁמָעֵאל, עַד דקב״ה אָתִיב לֵיהּ, וּלְיִשְׁמָעֵאל שְׁמַעְתִּיךָ וְגוֹ׳. לְבָתַר אִתְגְּזַר, וְעָאל בְּקַיְּימָא קַדִּישָׁא, עַד לָא יִפּוֹק יִצְחָק לְעָלְמָא.

רא. ות״ח, אַרְבַּע מְאָה שְׁנִין, קַיְּימָא הַהוּא מְמָנָא דִּבְנֵי יִשְׁמָעֵאל, וּבָעָא קָמֵי קב״ה, א״ל, מַאן דְּאִתְגְּזַר אִית לֵיהּ חוּלָקָא בִּשְׁמָךְ. א״ל אִין. א״ל וְהָא יִשְׁמָעֵאל דְּאִתְגְּזַר, אַמַּאי לֵית לֵיהּ חוּלָקָא בָּךְ כְּמוֹ יִצְחָק. א״ל, דָּא אִתְגְּזַר כַּדְקָא יָאוֹת וּכְתִיקוּנוֹי, וְדָא לָאו הָכִי. וְלֹא עוֹד, אֶלָּא דְּאִלֵּין מִתְדַּבְּקִין בִּי כַּדְקָא יָאוֹת, לִתְמַנְיָא יוֹמִין וְאִלֵּין רְחִיקִין מִנִּי עַד כַּמָּה יָמִים. א״ל, וְעִם כָּל דָּא, כֵּיוָן דְּאִתְגְּזַר לָא יְהֵא לֵיהּ אֲגַר טָב בְּגִינֵיהּ.

רב. וַוי עַל הַהוּא זִמְנָא, דְּאִתְיְלִיד יִשְׁמָעֵאל בְּעָלְמָא, וְאִתְגְּזַר. מַה עָבֵד קב״ה, אַרְחִיק לְהוּ לִבְנֵי יִשְׁמָעֵאל, מִדְּבֵקוּתָא דִּלְעֵילָּא, וְיָהַב לְהוּ חוּלָקָא לְתַתָּא בְּאַרְעָא קַדִּישָׁא, בְּגִין הַהוּא גְּזִירוּ דִּבְהוֹן.

רג. וּזְמִינִין בְּנֵי יִשְׁמָעֵאל, לְמִשְׁלַט בְּאַרְעָא קַדִּישָׁא, כַּד אִיהִי רֵיקַנְיָא מִכֹּלָּא, זִמְנָא סַגֵּי, כְּמָה דִּגְזִירוּ דִּלְהוֹן בְּרֵיקַנְיָא בְּלָא שְׁלִימוּ. וְאִינּוּן יְעַכְּבוּן לְהוֹן לבנ״י לְאָתָבָא לְדוּכְתַיְיהוּ, עַד דְּאִשְׁתְּלִים הַהוּא זְכוּתָא דִּבְנֵי יִשְׁמָעֵאל.

רד. וּזְמִינִין בְּנֵי יִשְׁמָעֵאל, לְאַתְעֲרָא קְרָבִין תַּקִּיפִין בְּעָלְמָא, וּלְאִתְכַּנְּשָׁא בְּנֵי אֱדוֹם עֲלַיְיהוּ, וְיִתְעָרוּן קְרָבָא בְּהוּ, חַד עַל יַמָּא, וְחַד עַל יַבֶּשְׁתָּא וְחַד סָמוּךְ לִירוּשְׁלֵים, וְיִשְׁלְטוּן אִלֵּין בְּאִלֵּין, וְאַרְעָא קַדִּישָׁא לָא יִתְמְסַר לִבְנֵי אֱדוֹם.

רה. בְּהַהוּא זִמְנָא, יִתְּעַר עַמָּא חַד מִסַּיְיפֵי עָלְמָא, עַל רוֹמִי חַיָּיבָא, וְיַגִּיחַ בָּהּ קְרָבָא תְּלַת יַרְחִין, וְיִתְכַּנְּשׁוּן תַּמָּן עֲמַמְיָא, וְיִפְּלוּן בִּידַיְיהוּ, עַד דְּיִתְכַּנְּשׁוּן כָּל בְּנֵי אֱדוֹם עָלָהּ, מִכָּל סַיְיפֵי עָלְמָא. וּכְדֵין יִתְּעַר קב״ה עֲלַיְיהוּ, הה״ד כִּי זֶבַח לַיְיָ׳ בְּבָצְרָה וְגוֹ׳. וּלְבָתַר דָּא מַה כְּתִיב, לֶאֱחוֹז בְּכַנְפוֹת הָאָרֶץ וְגוֹ׳ וִישֵׁיצֵי לִבְנֵי יִשְׁמָעֵאל מִינָהּ, וְיִתְבַּר כָּל חֵילִין דִּלְעֵילָּא וְלָא יִשְׁתְּאַר חֵילָא לְעֵילָּא עַל עַמָּא דְּעָלְמָא, אֶלָּא חֵילָא דְּיִשְׂרָאֵל בִּלְחוֹדוֹי. הה״ד, יְיָ׳ צִלְּךָ עַל יַד יְמִינֶךָ.

רו. בְּגִין דִּשְׁמָא קַדִּישָׁא בִּימִינָא, וְאוֹרַיְיתָא בִּימִינָא, וְעַל דָּא בִּימִינָא תַּלְיָא כֹּלָּא וְתָנֵינָן, דִּבְעֵי לְזַקְפָא יְמִינָא עַל שְׂמָאלָא, כְּמָה דְּאוּקְמוּהָ. דִּכְתִיב, מִימִינוֹ אֵשׁ דָּת לָמוֹ. וּבְזִמְנָא דְּאָתֵי, הוֹשִׁיעָה יְמִינְךָ וַעֲנֵנִי. וּבְהַהוּא זִמְנָא כְּתִיב, כִּי אָז אֶהְפּוֹךְ אֶל עַמִּים שָׂפָה בְרוּרָה לִקְרֹא כֻלָּם בְּשֵׁם יְיָ׳ לְעָבְדוֹ שְׁכֶם אֶחָד. וּכְתִיב, בַּיּוֹם הַהוּא יִהְיֶה ה׳ אֶחָד וּשְׁמוֹ אֶחָד.

בָּרוּךְ יְיָ׳ לְעוֹלָם אָמֵן וְאָמֵן:

Bo

בֹּא

א. וַיֹּאמֶר יְיָ אֶל מֹשֶׁה בֹּא אֶל פַּרְעֹה כִּי אֲנִי הִכְבַּדְתִּי אֶת לִבּוֹ וְגוֹ'. רִבִּי יְהוּדָה פָּתַח וְאָמַר, אַשְׁרֵי הָעָם יוֹדְעֵי תְרוּעָה יְיָ' בְּאוֹר פָּנֶיךָ יְהַלֵּכוּן. כַּמָּה אִצְטְרִיכוּ בְּנֵי נָשָׁא, לְמֵהַךְ בְּאָרְחוֹי דְּקוּדְשָׁא בְּרִיךְ הוּא, וּלְמִטַּר פִּקּוּדֵי אוֹרַיְיתָא, בְּגִין דְּיִזְכּוּן בָּהּ לְעָלְמָא דְּאָתֵי, וּלְשֵׁיזָבָא לוֹן מִכָּל קִטְרוּגִין דִּלְעֵילָּא וְתַתָּא. בְּגִין, דְּהָא כַּמָּה דְּאִשְׁתְּכָחוּ מְקַטְרְגִין בְּעָלְמָא לְתַתָּא, הָכִי נָמֵי אִשְׁתְּכָחוּ מְקַטְרְגִין לְעֵילָּא דְּקַיְימֵי עֲלַיְיהוּ דִּבְנֵי נָשָׁא.

ב. אִינּוּן דְּעַבְדִין פִּקּוּדֵי אוֹרַיְיתָא, וְאַזְלֵי בְּאוֹרַח מֵישָׁר, בִּדְחִילוּ דְּמָארֵיהוֹן, כַּמָּה אִינּוּן סַנֵּיגוֹרִין דְּקַיְימִין עֲלַיְיהוּ לְעֵילָּא, כְּמָה דְּאַתְּ אָמַר אִם יֵשׁ עָלָיו מַלְאָךְ מֵלִיץ אֶחָד מִנִּי אָלֶף וְגוֹ'. וּכְתִיב וַיְחֻנֶּנּוּ וַיֹּאמֶר פְּדָעֵהוּ מֵרֶדֶת שַׁחַת מָצָאתִי כֹפֶר. בְּגִין כַּךְ, זַכָּאָה אִיהוּ מַאן דְּנָטִיר פִּקּוּדֵי אוֹרַיְיתָא.

ג. אָמַר לֵיהּ רִבִּי חִיָּיא, אִי הָכִי, אַמַּאי אִצְטְרִיךְ הָכָא מַלְאָךְ דְּלֶיהֱוֵי סַנֵּיגוֹרָא עָלֵיהּ דְּבַר נָשׁ וְהָא כְתִיב כִּי יְיָ' יִהְיֶה בְכִסְלֶךָ וְשָׁמַר רַגְלְךָ מִלָּכֶד, וּכְתִיב יְיָ' יִשְׁמָרְךָ מִכָּל רָע. דְּהָא חָמֵי קוּדְשָׁא בְּרִיךְ הוּא, כָּל מַה דְּבַר נָשׁ עָבֵיד בְּעָלְמָא, הֵן טָב הֵן בִּישׁ. וְכֵן הוּא אוֹמֵר, אִם יִסָּתֵר אִישׁ בַּמִּסְתָּרִים וַאֲנִי לֹא אֶרְאֶנּוּ נְאֻם יְיָ'.

ד. אָמַר לֵיהּ רִבִּי יְהוּדָה, כֹּלָּא הָכִי הוּא וַדַּאי. אֲבָל הָא כְתִיב, וְגַע אֶל עַצְמוֹ וְאֶל בְּשָׂרוֹ. וּכְתִיב, וַתְּסִיתֵנִי בוֹ לְבַלְּעוֹ חִנָּם. לְאַחֲזָאָה דְּהָא רְשׁוּ אִתְמְסַר לְסִטְרָא אַחֲרָא לְקַטְרְגָא, עַל מִלִּין דְּעָלְמָא, וּלְאִתְמַסְרָא בִּידוֹי. וְכָל אִלֵּין אָרְחִין טְמִירִין קָמֵי קוּדְשָׁא בְּרִיךְ הוּא, וְלֵית אַנְתְּ כְּדַאי לְמֵהַךְ אֲבַתְרַיְיהוּ, בְּגִין דְּאִינּוּן נִמּוּסִין דְּקוּדְשָׁא בְּרִיךְ הוּא, וּבְנֵי נָשָׁא לָאו אִינּוּן רַשָּׁאִין לְדַקְדְּקָא אֲבַתְרַיְיהוּ, בַּר אִינּוּן זַכָּאֵי קְשׁוֹט דְּיַדְעִין רָזֵי אוֹרַיְיתָא, וְאַזְלִין בְּאָרְחָא דְּחָכְמְתָא לְמִנְדַּע אִינּוּן מִלִּין סְתִימִין דְּאוֹרַיְיתָא.

ה. רִבִּי אֶלְעָזָר פָּתַח, וַיְהִי הַיּוֹם וַיָּבֹאוּ בְּנֵי הָאֱלֹהִים לְהִתְיַצֵּב עַל יְיָ' וַיָּבֹא גַם הַשָּׂטָן בְּתוֹכָם. וַיְהִי הַיּוֹם: דָּא רֹאשׁ הַשָּׁנָה, דְּקוּדְשָׁא בְּרִיךְ הוּא קָאִים לְמֵידָן עָלְמָא. כְּגַוְונָא דָּא, וַיְהִי הַיּוֹם וַיָּבֹא שָׁמָּה. הַהוּא יוֹמָא יוֹם טוֹב דְּרֹאשׁ הַשָּׁנָה הֲוָה.

ו. וַיָּבֹאוּ בְּנֵי הָאֱלֹהִים, אִלֵּין רַבְרְבִין מְמַנָּן שְׁלִיחָן בְּעָלְמָא, לְאַשְׁגָּחָא בְּעוֹבָדִין דִּבְנֵי נָשָׁא. לְהִתְיַצֵּב עַל ה': כְּמָה דְּאַתְּ אָמֵר, וְכָל צְבָא הַשָּׁמַיִם עוֹמְדִים עָלָיו מִימִינוֹ וּמִשְּׂמֹאלוֹ. אֲבָל לְהִתְיַצֵּב עַל ה' בְּהַאי קְרָא אַשְׁכַּחְנָא רְחִימוּתָא דְּקוּדְשָׁא בְּרִיךְ הוּא עֲלַיְיהוּ דְּיִשְׂרָאֵל. בְּגִין, דְּהָנֵי שְׁלִיחָן, דְּאִינּוּן מְמַנָּן לְאַשְׁגָּחָא עַל עוֹבָדִין דִּבְנֵי נָשָׁא, אַזְלִין וְשָׁאטִין וְנַטְלִין אִינּוּן עוֹבָדִין כֻּלְּהוּ, וּבְיוֹמָא דְּקָאֵי דִּינָא לְמֵיקָם, לְמֵידַן עָלְמָא, אִתְעָבֵידוּ קַטֵּיגוֹרִין לְמֵיקָם עֲלַיְיהוּ דִּבְנֵי נָשָׁא. וְתָא חֲזֵי, מִכָּל עַמִּין דְּעָלְמָא, לָא קַיְימִין לְאַשְׁגָּחָא בְּעוֹבָדֵיהוֹן, בַּר בְּיִשְׂרָאֵל בִּלְחוֹדַיְיהוּ, בְּגִין דְּאִלֵּין בְּנִין לְקוּדְשָׁא בְּרִיךְ הוּא.

ז. וְכַד לָא אִשְׁתְּכָחוּ עוֹבָדִין דְּיִשְׂרָאֵל כַּדְקָא יָאוּת, כִּבְיָכוֹ"ל אִינּוּן מְמַנָּן שְׁלִיחָן, כַּד בָּעָאן לְקַיְּימָא עַל אִינּוּן עוֹבָדִין דְּיִשְׂרָאֵל, עַל ה' וַדַּאי קַיְימִין, דְּהָא כַּד יִשְׂרָאֵל עַבְדִין עוֹבָדִין דְּלָא כַשְׁרָן, כִּבְיָכוֹ"ל מַתִּישִׁין חֵילָא דְּקוּדְשָׁא בְּרִיךְ הוּא. וְכַד עַבְדִין עוֹבָדִין דְּכַשְׁרָן, יָהֲבִין תּוּקְפָּא וְחֵילָא לְקוּדְשָׁא בְּרִיךְ הוּא. וְעַל דָּא כְתִיב, תְּנוּ עֹז לֵאלֹהִים.

בְּמָה. בְּעוֹבָדִין דְּכַשְׁרָן. וְעַל דָּא, בְּהַהוּא יוֹמָא, כֻּלְּהוּ רַבְרְבָן מִמָּנָן אִתְכְּנָשׁוּ עַל ה'. עַל ה' וַדַּאי, דְּהָא כֵּיוָן דְּעַל יִשְׂרָאֵל אִתְכְּנָשׁוּ, עָלֵיהּ אִתְכְּנָשׁוּ.

ח. וַיָּבֹא גַּם הַשָּׂטָן בְּתוֹכָם, גַּם, לְאַסְגָּאָה עֲלַיְיהוּ, דְּכֻלְּהוּ אַתְיָין לְמֶהֱוֵי קַטֵּיגוֹרִין עֲלַיְיהוּ דְּיִשְׂרָאֵל, וְדָא אִתּוֹסָף עֲלַיְיהוּ, בְּגִין דְּאִיהוּ דִּילְטוֹרָא רַבְרְבָא מִכֻּלְּהוּ, קַטֵּיגוֹרָא מִכֻּלְּהוּ, כֵּיוָן דְּחָמָא קוּדְשָׁא בְּרִיךְ הוּא, דְּכֻלְּהוּ אַתְיָין לְקַטְרְגָא. מִיַּד וַיֹּאמֶר יְיָ' אֶל הַשָּׂטָן מֵאַיִן תָּבֹא. וְכִי לָא הֲוָה יָדַע קוּדְשָׁא בְּרִיךְ הוּא, מֵאָן הֲוָה אָתֵי. אֶלָּא לְאַיְיתָאָה עוֹבָדָא לִרְעוּתֵיהּ.

ט. וַיֹּאמֶר יְיָ' אֶל הַשָּׂטָן וְגוֹ' וַיַּעַן הַשָּׂטָן אֶת יְיָ' וַיֹּאמַר מִשּׁוּט בָּאָרֶץ. מִכָּאן אוֹלִיפְנָא, דְּיִשּׁוּבָא דְּאַרְעָא אִתְמְסַר לְסִטְרִין אַחֲרָנִין, בַּר אַרְעָא דְּיִשְׂרָאֵל בִּלְחוֹדָהָא. כֵּיוָן דְּאָמַר מִשּׁוּט בָּאָרֶץ, אַשְׁגַּח קוּדְשָׁא בְּרִיךְ הוּא, דְּבָעֵי לְמֶהֱוֵי דִּלְטוֹרָא עֲלַיְיהוּ דְּיִשְׂרָאֵל. מִיַּד, וַיֹּאמֶר יְיָ' אֶל הַשָּׂטָן הֲשַׂמְתָּ לִבְּךָ עַל עַבְדִּי אִיּוֹב כִּי אֵין כָּמוֹהוּ בָּאָרֶץ.

י. וְחָמָא שַׁעֲתָא לְמֵיהַב לֵיהּ חוּלָקָא, בְּמָה דְּיִתְעֲסַק, וְיִתְפְּרַשׁ מִנַּיְיהוּ דְּיִשְׂרָאֵל, וְהָא אוּקְמוּהָ, לְרַעְיָא דְּבָעָא לְמֶעְבַּר עָאנֵיהּ בְּחַד נַהֲרָא וְכוּ', מִיַּד אִתְעֲסַק בֵּיהּ הַהוּא שָׂטָן, וְלָא קַטְרֵג עֲלַיְיהוּ דְּיִשְׂרָאֵל.

יא. וַיַּעַן הַשָּׂטָן אֶת יְיָ' וַיֹּאמַר הַחִנָּם יָרֵא אִיּוֹב אֱלֹהִים. לָאו תְּוָוהָא לְעַבְדָּא דְּמָארֵיהּ עָבֵיד לֵיהּ כָּל רְעוּתֵיהּ, דְּיֵהָא דָּחִיל לֵיהּ, אַעֲדֵי אַשְׁגָּחוּתָךְ מִנֵּיהּ, וְתֶחֱמֵי אִי דָּחִיל לָךְ וְאִם לָאו.

יב. ת"ח, בְּשַׁעֲתָא דְּעָאקוּ, כַּד אִתְיְיהַב חוּלָקָא וְחַדָּא לְהַאי סְטָר לְאִתְעַסְקָא בֵּיהּ, אִתְפְּרִישׁ לְבָתַר מִכֹּלָּא. כְּגַוְונָא דָּא שָׂעִיר בְּיוֹמָא דְּכִפּוּרֵי. בְּגִין דְּאִתְעֲסַק בֵּיהּ, וְשָׁבִיק לְהוּ לְיִשְׂרָאֵל בְּמַלְכֵיהוֹן, וְהָכָא, מָטָא זִמְנָא לְמֵיטַל חוּלָקָא דָּא, מִכָּל זַרְעָא דְּאַבְרָהָם, בְּסִטְרָא אַחֲרָא. כְּמָה דְּאַתְּ אָמֵר, הִנֵּה יָלְדָה מִלְכָּה גַּם הִיא וְגוֹ' אֶת עוּץ בְּכוֹרוֹ וְגוֹ'.

יג. ות"ח, בְּשַׁעֲתָא דְּאָמַר מִשּׁוּט בָּאָרֶץ, בָּעָא מִינֵּיהּ, לְמֶעְבַּד דִּינָא בְּיִשְׂרָאֵל, דְּהָא דִּינָא הֲוָה לֵיהּ עַל אַבְרָהָם, לְמִתְבַּע מִקּוּדְשָׁא בְּרִיךְ הוּא. בְּגִין, דְּלָא אִתְעֲבֵיד דִּינָא בְּיִצְחָק, כַּד אִתְקְרִיב ע"ג מַדְבְּחָא, דְּהָא לָא הֲוָה לֵיהּ לְאַחְלְפָא קָרְבְּנָא דְּאַזְמִין עַל מַדְבְּחָא, בְּאַחֲרָא, כְּמָה דְּאַתְּ אָמֵר, לֹא יַחֲלִיפֶנּוּ. וְהָכָא קָאִים יִצְחָק עַל גַּבֵּי מַדְבְּחָא, וְלָא אִשְׁתְּלִים מִנֵּיהּ קָרְבְּנָא, וְלָא אִתְעֲבֵיד בֵּיהּ דִּינָא, וּבָעָא דָּא מֵעִם קוּדְשָׁא בְּרִיךְ הוּא, כְּמָה דְּבָעָא דִּינֵיהּ דְּיוֹסֵף לְכַמָּה דָּרִין. וְכָל מַה דְּבָעָא, בְּאוֹרַח דִּינָא בָּעָא.

יד. וּמֵהַהוּא זִמְנָא דְּאִשְׁתְּזִיב יִצְחָק, וְאִתְחַלַּף קָרְבְּנֵיהּ, זַמִּין לֵיהּ קוּדְשָׁא בְּרִיךְ הוּא, לְהַהוּא מְקַטְרְגָא, הַאי לְחוּלָקֵיהּ, כְּמָה דְּאַתְּ אָמֵר הִנֵּה יָלְדָה מִלְכָּה גַּם הִיא וְגוֹ' אֶת עוּץ בְּכוֹרוֹ. וְהָכָא, מָטָא לְמֵיטַל חוּלָקֵיהּ עָלֵיהּ, מִכָּל זַרְעֵיהּ דְּאַבְרָהָם, וְלָא יִקְרַב בְּסִטְרָא אַחֲרָא.

טו. וְכֹלָּא בְּדִינָא אָתָא. כְּמָה דְּאִיהוּ דָּן, הָכִי אִתְּדָן. בְּגִין דְּאִיּוֹב מִקְּרִיבֵי עֵיטָא דְּפַרְעֹה הֲוָה, וְכַד קָם פַּרְעֹה עֲלַיְיהוּ דְּיִשְׂרָאֵל, בָּעָא לְקַטְלָא לוֹן. אָמַר לֵיהּ לָא, אֶלָּא טוֹל מָמוֹנֵהוֹן וּשְׁלוֹט עַל גּוּפֵיהוֹן, בְּפוּלְחָנָא קַשְׁיָא, וְלָא תִקְטוֹל לוֹן. אָמַר לֵיהּ קוּדְשָׁא בְּרִיךְ הוּא, חַיֶּיךָ, בְּהַהוּא דִּינָא מַמָּשׁ, תְּהֵא דָּאִין, מַה כְּתִיב, אוּלָם שְׁלַח נָא יָדְךָ וְגַע אֶל עַצְמוֹ וְאֶל בְּשָׂרוֹ וְגוֹ'. בְּמָה דְּאִיהוּ דָּן, הָכִי אִתְּדָן. ואע"ג דְּבְכֹל שְׁאָר הֲוָה דָּחִיל לְקוּדְשָׁא בְּרִיךְ הוּא.

טז. ת"ח, מַה כְּתִיב, אַךְ אֶת נַפְשׁוֹ שְׁמוֹר. וְאִתְיְהִיב לֵיהּ רְשׁוּ, לְמִשְׁלַט עַל בִּשְׂרָא, בְּגִין רָזָא דִּכְתִיב, קֵץ כָּל בָּשָׂר בָּא לְפָנַי וְאוּקְמוּהָ, בָּא לְפָנַי וַדַּאי, וְדָא אִיהוּ קֵץ כָּל

בשר, ולא רווזא. ואיתמר, דאיהו קץ דאתי מסטרא דחושך, כמה דאת אמר, קץ שם לחושך ולכל תכלית הוא חוקר. ולכל בשרא, בגין דאית קץ אחרא, ואקרי קץ הימין, ודא איהו קץ אחרא, מסטרא דשמאלא, דאיהו חושך. וע"ד אתייהיב ליה רשו בעצמו ובשרו.

יז. ותסיתני בו לבלעו. אי הכי, לאו בדינא הוה, אלא במימר ההוא מקטרגא, דאסית ליה, ואסטי ליה. אלא, כלא בדינא הוה, והכי אמר לו אליהוא, כי פעל אדם ישלם לו וכארח איש ימציאנו. והכי הוה כמה דאתמר, כמה דאיהו גזר, הכי אתגזר עליה.

יח. והאי דאמר ותסיתני בו לבלעו חנם, ותסיתני לבלעו לא כתיב, אלא ותסיתני בו, ביה קיימא בדעתיה, דאיהו חשיב דהא תסיתני, כמה דאמר ועל עצת רשעים הופעת. כגוונא דא, ויפתוהו בפיהם ובלשונם יכזבו לו. ויפתוהו ויכזבו לו. לא כתיב, אלא ויפתוהו בפיהם. בפיהם קיימא מלה דא דהא אתפתה.

יט. א"ר אבא, כלא הוא שפיר, אבל הכי אוליפנא, דתנן, סליק ואסטין. וכי איהו יכיל לאסטנא. אין. דהא איהו מלך זקן וכסיל, דכתיב טוב ילד מסכן וחכם ממלך זקן וכסיל. וע"ד, יכיל לאסטנא לבר נש. מאי טעמא. בגין דאיהו מהימן על עובדוי דבני נשא.

כ. ת"ח, האי בדינא דיחיד, אבל בדינא דעלמא, כתיב, וירד יי' לראות. ארדה נא ואראה. דלא אתייהיב מהימנותא אלא בידיה בלחודוי, דהא לא בעא לאובדא עלמא, על מימר דההוא מקטרגא, דתיאובתיה איהו תדיר לשיצאה. מנלן דכתיב, קץ שם לחשך ולכל תכלית הוא חוקר. לשיצאה כלא, הוא חוקר. ודא איהו קץ כל בשר בא לפני, ודאי בגין לשיצאה.

כא. ות"ח, ויהי היום ויבואו בני האלהים להתיצב על יי'. כמה דאתמר. וההוא יומא, קיימין תרין סטרין, לקבלא בני עלמא. כל אינון דאתיין קמי קודשא בריך הוא בתיובתא ובעובדין טבין, אינון זכין למהוי כתיבין לגביה דההוא סטרא דאיהו חיים, ואפיק תוצאות חיים. ומאן דאיהו מסטריה, אכתיב לחיים. וכל אינון דאתיין בעובדין בישין, אינון כתיבין לההוא סטרא אחרא דאיהו מותא, ואקרי מות, וביה שריא מותא.

כב. ובההוא יומא, קיימין אלין תרין סטרין: חיים, ומות. אית מאן דאכתיב לסטרא דחיים. ואית מאן דאכתיב לסטרא דמות. ולזמנין דעלמא שריא באמצעיתא, אי קיימא חד זכאה בעלמא, דאכרע עלייהו, כלהו קיימין ואכתיבו לחיים. ואי חד חייבא אכרע עלמא, כלהו אכתיבו למיתה.

כג. וההוא זמנא, עלמא הוה קיים באמצעיתא, וההוא מקטרגא בעא לאסטאה. מיד מה כתיב, השמת לבך על עבדי איוב כי אין כמוהו בארץ וגו'. כיון דאשתמודע איהו בלחודוי, מיד אתקיף ביה מקטרגא. וע"ד תנינן, דלא אצטריך ליה לבר נש לאתפרשא מכללא דסגיאין, בגין דלא יתרשים איהו בלחודוי, ולא יקטרגון עליה לעילא.

כד. דכתיב בשונמית, ותאמר בתוך עמי אנכי יושבת. לא בעינא לאפקא גרמי מכללא דסגיאין, בתוך עמי יתיבנא, עד יומא דא, ובתוך עמי, בכללא וחדא אשתמודע לעילא. והכא איוב, כיון דאשתמודע לעילא ואתרשים, מיד אתקיף ביה

מקטרגא, ואמר החנם ירא איוב אלהים, כל מה דדחיל לך ואתתקף, לאו למגנא עביד, הלא אתה שכת בעדו ובעד וגו'. אבל טול כל האי טבא דאנת עבד ליה, ומיד אם לא על פניך יברכך. ישבוק לך, ויתדבק בסטרא אחרא, דהא השתא בפתורך איהו אכיל, סליק פתורך מניה, ונחזי ממאן איהו, ובאן סטרא יתדבק.

כה. מיד, ויאמר יי' אל השטן הנה כל אשר לו בידך. לאחזאה, דדחילו דאיוב לגביה דקודשא בריך הוא, הוא לנטרא עותריה. ומהכא אוליפנא, דכל אינון דדחלין ליה לקודשא בריך הוא, על עותרייהו, או על בנייהו, לאו איהו דחילו כדקא יאות. ועל דא קטרוג ההוא מקטרגא ואמר, החנם ירא איוב אלהים הלא אתה שכת בעדו וגו' מעשה ידיו ברכת. ועל דא איהו דחיל לך ואתייהיב ליה רשו לקטרגא ביה, ולאחזאה, דלא פלח איוב לקודשא בריך הוא ברחימו.

כו. דכיון דאתנסי, נפק מאורחא, ולא קאים בקיומיה, מה כתיב, בכל זאת לא חטא איוב בשפתיו. לא חטא בשפתיו אבל ברעותיה חטא, ולבתר חטא בכלא.

כז. ואי תימא דלא אתנסי בר נש, הא כתיב ה' צדיק יבחן וגו'. ובגין כך אתנסי איוב. ואע"ג דלא קאים בקיומיה כדקא יאות, לא נפק מתחות רשותא דמריה לאתדבקא בסטרא אחרא.

כח. וכמה הוה ההוא נסותא דיליה. תריסר ירחי, שולטנותא דההוא סטרא אחרא. כמה דתנינן, דינא דחייביא בגיהנם י"ב ירחי, ובגין דלא אתדבק בסטרא אחרא כתיב, ויי' ברך את אחרית איוב מראשיתו.

כט. ר' שמעון אמר, האי דאיוב, לאו נסותא איהו דקב"ה, כנסותא דשאר צדיקיא, דהא לא כתיב והאלהים נסה את איוב, כמה דכתיב והאלהים נסה את אברהם. דאברהם, איהו בידיה אקריב לבריה יחידאי דיליה לגבי קב"ה, ואיוב לא יהיב כלום, ולא מסר ליה לקב"ה כלום.

ל. ולא אתמר ליה, דהא גלי קמיה, דלא יכיל לקיימא ביה, אבל אתמסר בידא דמקטרגא. ובדינא דקודשא בריך הוא אתעביד, וקב"ה אתער דינא דא, לההוא מקטרגא לגביה, הה"ד השמת לבך על עבדי איוב וגו'.

לא. פתח ואמר, ויהי מקץ ימים ויבא קין מפרי האדמה. מקץ ימים, ולא מקץ ימין. איהו דהוה לקץ ימין, ואתקריב לקץ ימים. והא אוקימנא, ואתה לך לקץ. ואמר דניאל, לאן קץ, לקץ הימין, או לקץ הימים. עד דא"ל לקץ הימין. וע"ד דוד דחיל ואמר, הודיעני יי' קצי ומדת ימי מה היא, או לקץ הימים או לקץ הימין. והכא מה כתיב ויהי מקץ ימים, ולא מקץ ימין, ובג"כ לא אתקבל קרבניה, דהא מסטרא אחרא הוה.

לב. ת"ח, מה כתיב והבל הביא גם הוא. מאי גם הוא. לאסגאה דא בדא, קרבניה לקב"ה הוה כלא, ועקרא דקרבנא לקב"ה, ויהב חולקא לסטרא אחרא, כד"א ומחלביהן. וקין, עקרא עבד מקץ ימים, רזא דסטרא אחרא, ויהיב חולקא לקב"ה, ועל דא לא אתקבל.

לג. באיוב מה כתיב, והלכו בניו ועשו משתה וגו', ושלחו וקראו לשלשת אחיותיהם לאכל ולשתות עמהם ויהי כי הקיפו ימי המשתה וגו'. ובמשתיא בכל יומא מקטרגא שכיח, ולא יכיל ליה. מנא לן. דכתיב, הלא אתה שכת בעדו ובעד ביתו ובעד כל אשר לו מסביב ולעולם לא יהיב חולקא מכל לגביה, דהא כתיב והעלה

עוֹלוֹת מִסְפַּר כּוּלָּם. עוֹלָה סַלְקָא לְעֵילָּא, וְלָא יָהִיב חוּלָקָא לְסִטְרָא אַחֲרָא. דְּאִלְמָלֵא יָהֵב לֵיהּ חוּלָקָא, לָא יָכִיל לֵיהּ לְבָתַר, וְכָל מַה דְּנָטַל מִדִּילֵיהּ נָטַל.

לד. וְאִי תֵּימָא אֲמַאי אַבְאִישׁ לֵיהּ קֻבְּ"הֽ. אֶלָּא. דְּאִלְמָלֵא יָהֵב לֵיהּ חוּלָקָא, יִפְנֵי אֲרַוְנָא וְיִסְתַּלַּק מֵעַל מַקְדְּשָׁא, וְסִטְרָא דִּקְדוּשָּׁה אִסְתַּלִּיק לְעֵילָּא לְעֵילָּא. וְאִיהוּ לָא עָבֵד כֵּן, וְעַ"ד קֻבְּ"הֽ תָּבַע בְּדִינָא.

לה. ת"ח, כְּמָה דְּאִיהוּ אִתְפָּרַשׁ, וְלָא אַכְלִיל טוֹב וָרָע, אִיהוּ דָּן לֵיהּ בְּהַהוּא גַּוְונָא, יָהִיב לֵיהּ טוֹב, וּלְבָתַר רָע, וּלְבָתַר אַהַדְרֵיהּ לְטוֹב. דְּהָכִי אִתְחֲזֵי לְבַ"נ, לְמִנְדַּע טוֹב, וּלְמִנְדַּע רַע, וּלְאַהַדְרָא גַּרְמֵיהּ לְטוֹב, וְדָא אִיהוּ רָזָא דִּמְהֵימְנוּתָא. ת"ח, אִיּוֹב מֵעַבְדֵי פַּרְעֹה הֲוָה, וְדָא הוּא דִּכְתִיב בֵּיהּ, הַיָּרֵא אֶת דְּבַר יְיָ' מֵעַבְדֵי פַּרְעֹה.

לו. אָמַר רִבִּי שִׁמְעוֹן, הַשְׁתָּא אִית לְגַלָּאָה רָזִין, דְּאִינּוּן מִתְדַּבְּקִין לְעֵילָּא וְתַתָּא, מַה כְּתִיב בֹּא אֶל פַּרְעֹה, לֵךְ אֶל פַּרְעֹה מִבָּעֵי לֵיהּ, מַאי בֹּא. אֶלָּא, דְּעָיֵיל לֵיהּ קֻבְּ"הֽ, אִדָּרִין בָּתַר אִדָּרִין, לְגַבֵּי תַּנִּינָא חֲדָא עִלָּאָה תַּקִּיפָא, דְּכַמָּה דַּרְגִּין מִשְׁתַּלְשְׁלִין מִנֵּיהּ. וּמַאן אִיהוּ. רָזָא דְּהַתַּנִּין הַגָּדוֹל.

לז. וּמֹשֶׁה דָּחִיל מִנֵּיהּ, וְלָא קָרִיב אֶלָּא לְגַבֵּי אִינּוּן יְאוֹרִין, וְאִינּוּן דַּרְגִּין דִּילֵיהּ, אֲבָל לְגַבֵּיהּ דָּחִיל וְלָא קָרִיב, בְּגִין דְּחָמָא לֵיהּ מִשְׁתָּרֵשׁ בְּשָׁרָשִׁין עִלָּאִין.

לח. כֵּיוָן דְּחָמָא קֻבְּ"הֽ דְּדָחִיל מֹשֶׁה, וּשְׁלִיחָן מְמָנָן אַחֲרָנִין לְעֵילָּא, לָא יַכְלִין לְקָרְבָא לְגַבֵּיהּ. אֲמַר קֻבְּ"הֽ, הִנְנִי עָלֶיךָ פַּרְעֹה מֶלֶךְ מִצְרַיִם הַתַּנִּים הַגָּדוֹל הָרוֹבֵץ בְּתוֹךְ יְאוֹרָיו. וְקֻבְּ"הֽ אִצְטְרִיךְ לְאַגָּחָא בֵּיהּ קְרָבָא, וְלָא אַחֲרָא. כְּמָה דְּאַתְּ אָמַר, אֲנִי ה', וְאוּקְמוּהָ רָזָא דְּחָכְמְתָא דְּהַתַּנִּים הַגָּדוֹל הָרוֹבֵץ בְּתוֹךְ יְאוֹרָיו לְאִינּוּן מָארֵי מִדִּין, דְּיַדְעִין בְּרָזִין דְּמָארֵיהוֹן.

לט. פָּתַח ר"ש וְאָמַר, וַיִּבְרָא אֱלֹהִים אֶת הַתַּנִּינִם הַגְּדוֹלִים וְאֵת כָּל נֶפֶשׁ הַחַיָּה הָרוֹמֶשֶׂת אֲשֶׁר שָׁרְצוּ הַמַּיִם לְמִינֵיהֶם. הַאי קְרָא אוּקְמוּהָ לֵיהּ. אֲבָל וַיִּבְרָא אֱלֹהִים אֶת הַתַּנִּינִים הוּא רָזָא דָּא לִוְיָתָן וּבַת זוּגוֹ. תַּנִּינִם חָסֵר כְּתִיב, בְּגִין דְּקָטַל לְנוּקְבָא, וְסַלְקָא קֻבְּ"הֽ לְצַדִּיקַיָּא. וְאוּקְמוּהָ.

מ. הַתַּנִּים הַגָּדוֹל, תֵּשַׁע יְאוֹרִין אִינּוּן, דְּאִיהוּ רָבִיץ בֵּינַיְיהוּ, וְחַד יְאוֹרָא אִיהוּ, דְּמֵימוֹי שְׁכִיכִין, וּבִרְכָאן דְּמֵימִין דְּגִנְּתָא, נָפְלִין בֵּיהּ תְּלַת זִמְנִין בְּשַׁתָּא. וְכַד תְּרֵין זִמְנִין, מִתְבָּרֵךְ הַהוּא יְאוֹרָא וְלָא כָּ"כ, וְכַד חַד לָאו הָכִי.

מא. וְהַאי תַּנִּינָא, עָאל בְּהַהוּא יְאוֹרָא, אִתְתָּקִיף וְאָזִיל וְשָׁאט עָאל גּוֹ יַמָּא, וּבָלַע נוּנִין לְכַמָּה זִינִין, וְשָׁלִיט, וְתָב לְהַהוּא יְאוֹרָא. אִלֵּין תִּשְׁעָה יְאוֹרִין אַזְלִין וְסַלְקִין וְסַחֲרָנֵיהּ כַּמָּה אִלָּנִין וַעֲשָׂבִין לְזִנַיְיהוּ, יְאוֹרָא קַדְמָאָה.

מב. נָפְקָא מִסִּטְרָא שְׂמָאלָא, בְּחַד צִנּוֹרָא דְּנָגִיד וְנָפִיק, תְּלַת טִפִּין, וְכָל טִפָּה וְטִפָּה אִתְפָּרַשׁ לִתְלַת טִפִּין, וְכָל טִפָּה וְטִפָּה אִתְעָבֵיד מִנֵּיהּ יְאוֹרָא חַד, וְאִלֵּין אִינּוּן תִּשְׁעָה יְאוֹרִין, דְּמִתְתַּקְפִין וְאַזְלִין וְשָׁטְאן וְסָחֳרָן בְּכָל אִינּוּן רְקִיעִין.

מג. מִמַּה דְּאִשְׁתְּאַר מֵאִינּוּן טִפִּין כַּד סַיְימִין לְמֵיפַק, אִשְׁתְּאַר טִפָּה חֲדָא, דְּנָפְקָא בִּשְׁכִיכוּ, נָפַל בֵּינַיְיהוּ, וְאִתְעָבֵיד מִנֵּיהּ יְאוֹרָא חֲדָא. הַאי יְאוֹרָא אִיהוּ, הַהוּא דַּאֲמָרָן דְּאָזְלָא בִּשְׁכִיכוּ.

מד. הַאי יְאוֹרָא, כַּד הַהוּא נָהָר דְּנָגִיד וְנָפִיק, אַפִּיק טִפִּין אַחֲרָנִין דְּבִרְכָאן, מִסִּטְרָא דִּימִינָא, מַה דְּאִשְׁתְּאַר מֵאִינּוּן טִפִּין, אִשְׁתְּאַר טִפָּה חֲדָא בִּשְׁכִיכוּ מֵאִינּוּן בִּרְכָאן, וְנָפַל

בְּהַהוּא יְאוֹרָא דְּאִיהוּ שָׁכִיךְ. וְהַאי אִיהוּ יְאוֹרָא דְּעָדִיף מִכֻּלְּהוּ.

מה. כַּד נָפְקִין וּמִתְפָּרְשָׁן אִינּוּן אַרְבַּע נַהֲרִין דְּנָפְקִין מִגִּנְתָּא דְּעֵדֶן, הַהוּא דְּאִקְרֵי פִּישׁוֹן, נָפִיל בְּהַהוּא יְאוֹרָא וְאִתְכְּלִיל בֵּיהּ. וע״ד מַלְכוּת בָּבֶל, אִתְכְּלִיל בְּהַאי. וּפִישׁוֹן אִיהוּ מַלְכוּת בָּבֶל. מִיְאוֹרָא דָּא אִתְזָנוּ וְאִתְמַלְיָין כָּל אִינּוּן יְאוֹרִין אַחֲרָנִין.

מו. בְּכָל יְאוֹרָא וִיאוֹרָא, אַזְלָא וְשָׁאט וַחֲד תַּנִּינָא, וְאִינּוּן תֵּשַׁע. וְכָל וַחֲד וַחֲד נָקִיב נוּקְבָא בְּרֵישֵׁיהּ, כד״א, שִׁבַּרְתָּ רָאשֵׁי תַנִּינִים וְגוֹ׳. וַאֲפִילּוּ הַאי הַתַּנִּין הַגָּדוֹל הָכִי הוּא, בְּגִין דְּכֻלְּהוּ נַפְחִין רוּחִין לְגַבֵּי עֵילָּא וְלָא לְתַתָּא.

מז. כְּתִיב בְּרֵאשִׁית בָּרָא אֱלֹהִים. וּכְתִיב וַיִּבְרָא אֱלֹהִים אֶת הַתַּנִּינִים הַגְּדוֹלִים, בְּכָל עוֹבָדָא דְּאִינּוּן עֶשֶׂר אֲמִירָן, קַיְימִין לְקָבְלַיְיהוּ אִינּוּן עֶשֶׂר יְאוֹרִין. וַחֲד תַּנִּינָא מִתְרַפְרְפָא בְּרוּחָא, לְקַבֵּל כָּל וַחֲד וַחֲד.

מח. וְעַל דָּא, וַחֲד לְשַׁבְעִין שְׁנִין מִזְדַעְזַע עָלְמָא, בְּגִין דְּהַאי הַתַּנִּין הַגָּדוֹל כַּד הוּא סָלִיק סְנַפִּירוֹי וְאִזְדַּעְזַע, כְּדֵין כֻּלְּהוּ מִזְדַּעְזְעָן בְּאִינּוּן יְאוֹרִין, וְכָל עָלְמָא מִזְדַּעְזְעָא, וְאַרְעָא מִתְחַלְחֲלָא, וְכֻלְּהוּ כְּלִילָן בְּהַאי תַּנִּין הַגָּדוֹל.

מט. וְהָאָרֶץ הָיְתָה תוֹהוּ וְגוֹ׳, אָמַר רִבִּי שִׁמְעוֹן, עוֹבָדָא דִּבְרֵאשִׁית, חַבְרַיָּא לָעָאן בֵּיהּ, וְיַדְעִין בֵּיהּ, אֲבָל זְעִירִין אִינּוּן, דְּיַדְעִין לְרַמְזָא עוֹבָדָא דִּבְרֵאשִׁית, בְּרָזָא דְּתַנִּין הַגָּדוֹל. וע״ד תָּנֵינָן, דְּכָל עָלְמָא לָא מִשְׁתַּלְשְׁלָא אֶלָּא עַל סְנַפִּירוֹי דְּדָא.

נ. ת״ח וְהָאָרֶץ הָיְתָה תֹהוּ וָבֹהוּ וְגוֹ׳, תָּנֵינָן הָיְתָה, וְאוּקִימְנָא. בְּגִין דְּבְהַאי יְאוֹרָא קַדְמָאָה דְּקָאמְרָן, כַּד הַאי הַתַּנִּין הַגָּדוֹל עָאל בֵּיהּ, כְּדֵין אִתְמַלְיָיא, וְשָׁאטֵי וְדָעִיךְ נִיצוֹצִין דְּאִתְלְקָטוּ בְּאִינּוּן עָלְמִין דְּאִתְחֲרָבוּ בְּקַדְמֵיתָא.

נא. אִינּוּן תַּנִּינִין אַחֲרָנִין דְּקָאמְרָן, הֲווֹ וְלָא הֲווֹ, אֲמַאי. בְּגִין דְּאִתְחֲלַשׁ חֵילַיְיהוּ דְּלָא יְטַשְׁטְשׁוּן עָלְמָא, בַּר לְשַׁבְעִין שְׁנִין, וַחֲד זִמְנָא, וְאִינּוּן אִתְתְּקָפוּ בְּחֵילָא דְּהַהוּא תַּנִּין הַגָּדוֹל, וְהַאי אִיהוּ בִּלְחוֹדוֹי לְאִתְתַּקְפָא. וְאִלְמָלֵא נוּקְבֵיהּ קַיֶּימֶת לְגַבֵּיהּ, לָא יָכִיל עָלְמָא לְמִסְבַּל לוֹן.

נב. עַד לָא קָטַל קב״ה לְנוּקְבָא, הָאָרֶץ הָיְתָה תֹהוּ. תֹהוּ הָיְתָה. וּלְבָתַר דְּקָטַל לָהּ, הֲוָה בֹּהוּ, שָׁרָאת לְאִתְקַיְּימָא. וְחֹשֶׁךְ עַל. עַד לָא הֲוַת נְהִירָא עוֹבָדָא דְּעָבֵד.

נג. מֶה עָבִיד קב״ה, מָחַץ רֵישֵׁיהּ דִּדְכוּרָא לְעֵילָא, וְאִתְכַּפְיָא, בְּגִין דְּהָא תְּהוֹמָא לְתַתָּא, לָא הֲוָה נָהִיר. מ״ט לָא הֲוָה נָהִיר, בְּגִין דְּהַאי הַתַּנִּין הַגָּדוֹל, הֲוָה נָשִׁיב רוּחָא עַל תְּהוֹמָא, וְאַחְשִׁיךְ לֵיהּ, וְלָא מְרַפְרְפָא לְתַתָּא.

נד. וְעָבַר רוּחָא אַחֲרָא דִּלְעֵילָּא, וְנָשַׁב וּבָטַשׁ בְּהַהוּא רוּחָא, וְשָׁכִיךְ לֵיהּ, הֲדָא הוּא דִּכְתִיב וְרוּחַ אֱלֹהִים מְרַחֶפֶת עַל פְּנֵי הַמָּיִם. וְהַיְינוּ דִּתְנֵינָן, דְּקוּדְשָׁא בְּרִיךְ הוּא בָּטַשׁ רוּחָא בְּרוּחָא, וּבָרָא עָלְמָא.

נה. וַיֹּאמֶר אֱלֹהִים יְהִי אוֹר וַיְהִי אוֹר, נָהִיר נְהִירוּ דִּלְעֵילָּא, וּבָטַשׁ עַל גַּבֵּי רוּחָא דְּנָשִׁיב, וְאִסְתַּלָּק מֵעַל תְּהוֹמָא, וְלָא חָפָא לֵיהּ. כֵּיוָן דִּתְהוֹמָא אִתְנְהִיר, וְאִיהוּ אִסְתַּלָּק, כְּדֵין הֲוָה נְהִירוּ.

נו. דָּא נָהִיר עַל רֵישֵׁיהּ, וּמַיָּא הֲווֹ נָפְקֵי מִגּוֹ אַפּוּתֵיהּ, וְרוּחָא נָשִׁיב לְעֵילָּא. וְנָהִיר מִנְּהִירוּ דָּא, עַד דַּהֲוָה נָחִית נְהוֹרֵיהּ, מְנַצְנְצָא לְשַׁבְעִין וּתְרֵין נְהוֹרִין דְּשִׁמְשָׁא, כֵּיוָן דְּאִינּוּן נְהוֹרִין אִתְרְשִׁימוּ בְּגוֹ שִׁמְשָׁא לְתַתָּא, הֲווֹ חַיָּיבַיָּא דְּעָלְמָא יַדְעִין בְּהוּ, וַהֲווֹ פַּלְחִין לְשִׁמְשָׁא. כֵּיוָן דְּאִסְתַּכַּל קב״ה בְּאִינּוּן חַיָּיבַיָּא, סָלִיק נְהוֹרֵיהּ וְגָנִיז לֵיהּ אֲמַאי גָּנִיז לֵיהּ. בְּגִין דְּהַהוּא תַּנִּין, הֲוָה סָלִיק וְנָחִית, וּבָטַשׁ בְּאִינּוּן יְאוֹרִין, עַד דְּגָנַז לֵיהּ וְלָא אִתְגַּלְיָא.

נז. וְזָרַע לֵיהּ זְרוּעָא בְּחַד צַדִּיק, דְּאִיהוּ גַּנָּנָא דְּגִנְתָּא, וּזְרוּעָא דְּזָרַע בְּגִנְתָּא, בִּגְנִיזוּ בִּטְמִירוּ דְּהַאי אוֹר אִיהוּ.

נח. כַּד הַאי הַתַּנִּין הַגָּדוֹל, וְחָמֵי דְּצָמַח בְּגִנְתָּא זְרוּעָא דְּאוֹר דָּא, כְּדֵין אִתְּעַר לְסִטְרָא אָחֳרָא, לְהַהוּא נָהָר דְּאִקְרֵי גִּיחוֹן. וְאִתְפַּלְּגוּ מֵימוֹי דְּהַאי גִּיחוֹן, וְחַד שְׁבִילָא דִּילֵיהּ, אִיהוּ אָזִיל גּוֹ הַהוּא זְרוּעָא דְּאַצְמַחָא גּוֹ גִּנְתָּא, וְאַנְהִיר בֵּיהּ בְּרִבּוּ הַזְּרוּעָא דָּא, וְאִקְרֵי גִּיחוֹן.

נט. וּמִגּוֹ הַהוּא רִבּוּ דִּזְרוּעָא דָּא, אִסְתַּלַּק לְרִבּוּ דִּשְׁלֹמֹה מַלְכָּא, כַּד אִסְתַּלַּק לְמַלְכוּ, דִּכְתִיב וְהוֹרַדְתֶּם אוֹתוֹ אֶל גִּיחוֹן, וּכְתִיב וּמָשַׁח אוֹתוֹ שָׁם. שָׁם, וְלָא בַּאֲתַר אָחֳרָא, בְּגִין דַּהֲוָה יָדַע דָּוִד מַלְכָּא דָּא, וּמֵימוֹי אַחֲרָנִין אִסְתָּלְקוּ לְמַלְכוּ אָחֳרָא, וְדָא אִיהוּ מַלְכָּא דְּאִיהוּ תַּקִּיפָא.

ס. וְהַאי הַתַּנִּין הַגָּדוֹל, אִתְּעַר לֵיהּ, וְאִסְתַּלַּק סְנַפִּירוֹי דְּהַאי תַּנִּין, בְּהַהוּא נָהָר, לְאִתַּתְקְפָא בֵּיהּ. וְכָל אִינּוּן שְׁאַר יְאוֹרִין כֻּלְּהוּ, סַלְקִין וְנַחְתִּין בְּתָקְפָּא דְּהַאי הַתַּנִּין הַגָּדוֹל, וְתָאַב וְעָאל לְהַהוּא יְאוֹרָא שְׁכִיכָא, וְאִשְׁתְּכַךְ בֵּיהּ.

סא. וּכְדֵין, כַּד הַהוּא אוֹר אִתְגְּנִיז לְעֵילָּא לֵיהּ הַהוּא גַּנָּנָא דְּקָאמְרָן, כְּדֵין נָפַק חֹשֶׁךְ קַדְמָאָה, וּבָטַשׁ עַל רֵישֵׁיהּ, בְּהַהוּא נוּקְבָא דְּאִתְמַתְּחָא בֵּיהּ, וְאִתְפְּרַשׁ חַד חוּטָא, בֵּין הַהוּא נְהִירוּ דְּאוֹר דָּא דְּאִתְגְּנִיז, וּבֵין הַהוּא חֲשׁוֹכָא דְּחֹשֶׁךְ דָּא, דִּכְתִיב, וַיַּבְדֵּל אֱלֹהִים בֵּין הָאוֹר וּבֵין הַחֹשֶׁךְ.

סב. הַאי תַּנִּין, תָּב בְּהַהוּא פְּרִישׁוּ דְּהַאי חוּטָא דְּאַפְרִישׁ, וְאַפְרִישׁ לְאִינּוּן יְאוֹרִין, גּוֹ חֲשׁוֹכָא, וְאִתְפָּרְשׁוּ נוּנִין לִזְנַיְיהוּ אִלֵּין מֵאִלֵּין, בְּהַהוּא פְּרִישׁוּ.

סג. וְכַד אִתְפָּרְשׁוּ מַיִין עִלָּאִין קַדִּישִׁין. כָּל אִינּוּן יְאוֹרִין אִתְפָּרְשׁוּ, וְעָאלוּ לְגוֹ הַהוּא יְאוֹרָא שְׁכִיכָא דְּאִתְבְּרִיר מִכֻּלְּהוּ, וְנָפִיק וְעָאלִין בֵּיהּ תְּלַת זִמְנִין בְּיוֹמָא.

סד. וְכָל אִינּוּן נוּנִין דְּמִגַּדְּלָן גּוֹ אִינּוּן יְאוֹרִין, פְּרִישָׁן אִלֵּין מֵאִלֵּין, וְאִקְרוּן לֵילוֹת, וְאִלֵּין אִינּוּן רָאשִׁין לְכָל אִינּוּן נוּנִין דְּנָפְקִין לְבַר, וְאִלֵּין שַׁלְטִין עַל כֻּלְּהוּ. וְאִלֵּין אִקְרוּן בְּכוֹרֵי מִצְרַיִם, וּמֵהָכָא אִתְבַּדַּר לְבַר בּוּכְרִין, וְכֻלְּהוּ אִתְזָנוּ מִשַּׁקְיוּ דְּאִינּוּן יְאוֹרִין. וְהַאי הַתַּנִּין הַגָּדוֹל, שַׁלְטָא עַל כֻּלְּהוּ.

סה. וְכֹלָּא בִּפְרִישׁוּ דְּמַיִין עִלָּאִין, דִּכְתִיב וִיהִי מַבְדִּיל בֵּין מַיִם לָמָיִם, וְאִתְרְשִׁימוּ מַיִין קַדִּישִׁין עִלָּאִין, וְאִתְפָּרְשׁוּ לְעֵילָּא, וּמַיִין תַּתָּאִין, אִתְפָּרְשׁוּ כֻּלְּהוּ אִלֵּין מֵאִלֵּין, קַדִּישִׁין וּדְלָא קַדִּישִׁין, וְע"ד אִקְרוּן מַלְאָכִין עִלָּאִין פְּרִישָׁן, בְּגִין דְּאִתְפָּרְשׁוּ אִלֵּין מֵאִלֵּין לִזְנַיְיהוּ.

סו. וַיֹּאמֶר אֱלֹהִים תַּדְשֵׁא הָאָרֶץ דֶּשֶׁא עֵשֶׂב מַזְרִיעַ זֶרַע, רָזָא דָּא, כַּד הַאי הַתַּנִּין הַגָּדוֹל, הֲוָה נָשִׁיב רוּחָא בְּהַהוּא נוּקְבָא, וּמְרַפְּרְפָא לְגַבֵּי עֵילָּא, כָּל אִינּוּן עֲשָׂבִין הֲוָה מְהַפֵּךְ לוֹן לִיבִישׁוּ, עַד דְּרוּחָא אָחֳרָא נָשִׁיב בְּהַהוּא רוּחָא, וְשָׁכִיךְ לֵיהּ לְתַתָּא, וַעֲשָׂבִין צָמְחוּ כְּמִלְּקַדְמִין. וְשַׁלְטִין וּמְשַׁבְּחָן וְאוֹדָן קָמֵי קב"ה.

סז. מִסִּטְרָא שְׂמָאלָא, וּלְגוֹ יְאוֹרָא שְׁכִיכָא, נָפְקִין בְּעִירִין לִזְנַיְיהוּ, וְאָזְלִין לְמִקְרַב לְגַבֵּי דְּאִינּוּן עֲשָׂבִין וְלָא יַכְלִין, וְתָבִין לְאַתְרַיְיהוּ. כָּל אִלֵּין יְאוֹרִין אָזְלִין וְשָׁאטִין, עִם הַהוּא תַּנִּינָא דְּשַׁלְטֵי בְּהוּ, וְסַחֲרִין לְאִינּוּן עֲשָׂבִין, וְלָא יַכְלִין. בַּר לִזְמְנִין, דְּרוּחָא עִלָּאָה לָא נָשִׁיב, וְאִיהוּ מְרַפְרְפָא רוּחָא בְּהַהוּא נוּקְבָא דִּלְעֵילָּא, כְּמָה דְּאוֹקִימְנָא, כְּדֵין שַׁלִּיט הַהוּא רוּחָא עַל אִינּוּן עֲשָׂבִין.

סח. וִיאוֹרָא שְׁכִיכָא תָּב לְאַתְרֵיהּ, וְסַלְקָא וְנַחְתָּא. וּבְגִין דְּמֵימוֹי שְׁכִיכִין, אָזִיל בִּשְׁכִיכוּ, וְהַאי הַתַּנִּים הַגָּדוֹל סַלְקָא לְגַבֵּי אִינּוּן יְאוֹרִין, וַעֲשָׂבִין כֻּלְּהוּ מְגַדְּלָן סְחֲרָנֵיהּ

דְּהַהוּא יְאוֹרָא שְׁכִיכָא וְאִלֵּין מְגַדְּלִין בְּכָל עִיבָר, כְּדֵין סַלְקָא הַהוּא תַּנִּינָא וְאִתְרַבֵּי בֵּינַיְיהוּ, וְתָב לְכָל אִינּוּן יְאוֹרִין.

סט. וַיֹּאמֶר אֱלֹהִים יְהִי מְאֹרֹת בִּרְקִיעַ הַשָּׁמַיִם, דָּא אִיהוּ נָחָשׁ בָּרִיחַ. אֲמַאי בָּרִיחַ. בְּגִין דְּסָגִּיר לִתְרֵין סִטְרִין, וְלָא נָפִיק לְעָלְמִין אֶלָּא חַד זִמְנָא לְיוֹבְלָא.

ע. וּבְסִפְרֵי קַדְמָאֵי, דָּא נָחָשׁ עֲקַלָּתוֹן, דְּאִיהוּ בְּעַקִּימוּ תָּדִיר, וְאַיְיתֵי לְוָוטִין עַל עָלְמָא, כַּד הַאי קָם, אִתְּבַר תּוֹקְפֵיהּ דְּהַהוּא תַּנִּינָא, וְלָא יָכִיל לְמֵיקָם, עַד דְּאָבִיד גַּשְׁמֵיהּ. בְּגִין דְּקֻבְּ"ה כָּפִיף לֵיהּ גּוֹ יַמָּא, כַּד עָאל לְגַבֵּיהּ. וְאִיהוּ דָּרַךְ עַל תֻּקְפֵיהּ דְּיַמָּא. וְתֻקְפֵיהּ דְּיַמָּא דָּא, אִיהוּ תַּנִּינָא, כד"א וְדוֹרֵךְ עַל בָּמֳתֵי יָם.

עא. וְכַד הַאי נָחָשׁ קָם, כְּדֵין מַה כְּתִיב, וְהָרַג אֶת הַתַּנִּין אֲשֶׁר בַּיָּם, דָּא אִיהוּ הַתַּנִּין הַגָּדוֹל. וע"ד כְּתִיב, הִנְנִי עָלֶיךָ. וְדָא נָחָשׁ, אִיהוּ מְאֵרַת, בְּלָוָוטִין לְכֹלָּא, בְּגִין דְּאִיהוּ תַּקִּיפָא עָלֵיהּ, בְּתֻקְפֵיהּ דְּהַהוּא נָהָר רַבְרְבָא, דְּאִקְרֵי חִדֶּקֶל, וְהָא אוּקִימְנָא.

עב. הַהוּא נָחָשׁ אִיהִי בְּיַבֶּשְׁתָּא כַּד נָפְקִין דָּא בְּדָא, דָּא דְּבְיַבֶּשְׁתָּא אִתְתְּקַף תָּדִיר, בְּגִין דְּכָל אוֹרְחוֹי וְתֻקְפוֹי בְּיַבֶּשְׁתָּא אִיהוּ, וְאָכִיל אַרְעָא וְעַפְרָא תָּדִיר, כד"א וְעָפָר תֹּאכַל כָּל יְמֵי חַיֶּיךָ. דָּא גַּדִּיל בְּעַפְרָא, וְדָא גַּדִּיל בְּמַיָּא. נָחָשׁ דְּאִתְגַּדִּיל בְּמַיָּא, לָאו תַּקִּיפָא כְּהַאי דְּאִתְגַּדִּיל בְּיַבֶּשְׁתָּא, וע"ד כְּתִיב מְאֵרַת וָחֵסֶר.

עג. וְדָא אִזְדַּמַּן לְגַבֵּי הַהוּא דְּמַיָּא. ואע"ג דְּאִזְדַּמַּן לְגַבֵּיהּ, לָא אָגַח לְגַבֵּיהּ, אֶלָּא קֻבְּ"ה בִּלְחוֹדוֹי, דְּקָטִיל לֵיהּ מִגּוֹ יַמָּא, כְּמָה דְּאוּקִימְנָא בְּגִין גַּסּוּת רוּחָא דְּבֵיהּ, כד"א אֲשֶׁר אָמַר לִי יְאֹרִי וְגוֹ'.

עד. וְעָבַר יְיָ' לִנְגּוֹף אֶת מִצְרַיִם וְגוֹ'. תָּנָא א"ר יוֹסֵי, הַאי קְרָא קַשְׁיָא, וְכִי וְרָאָה אֶת הַדָּם וְאַחַ"כ וּפָסַח, דְּמַשְׁמַע דְּסִימָנָא הוּא דְּעָבֵיד. וְאִי תֵּימָא בְּגִין דָּמָא דְּאִיהוּ מִצְוָה, אֲמַאי לְבַר. וַאֲמַאי בִּתְלַת דּוּכְתֵּי דְּפִתְחָא. וְהָא כְּתִיב הוּא גַּלֵּי עֲמִיקָתָא וְגוֹ'. ומ"ט בָּעָא דְּאִתְגַּלְיָא דָּמָא עַל הַמַּשְׁקוֹף וְעַל שְׁתֵּי הַמְּזוּזוֹת.

עה. אֶלָּא תָּנָא, כְּתִיב, וַיַּרְא יְיָ' וַיִּנְאָץ, וּכְתִיב, וַיַּרְא יְיָ' כִּי רַבָּה רָעַת הָאָדָם בָּאָרֶץ. וְתָנֵינָן לָא אִתְחָזֵי אַשְׁגָּחוּתָא דִּלְעֵילָּא, אֶלָּא כַּד אִתְחָזֵי לְתַתָּא עוֹבָדָא דְּאִתְעֲבֵידוּ עוֹבָדָא מִנֵּיהּ וְעַד דְּעַבְדִּין עַבְדָא לְתַתָּא לָא מַשְׁגִּיחִין לְאַבְאָשָׁא, בַּר הִרְהוּרָא דע"ז, דִּכְתִיב הִשָּׁמְרוּ לָכֶם פֶּן יִפְתֶּה לְבַבְכֶם. וּמִדְּאִתְעֲבֵיד עוֹבָדָא, אַשְׁגָּחוּתָא דִּלְעֵילָּא אִתְּעַר, וּבְגִין כַּךְ, כֹּלָּא, בֵּין לְטָב וּבֵין לְבִישׁ, בְּעוֹבָדָא תַּלְיָא מִלְּתָא.

עו. א"ר יוֹסֵי, כָּל שׁוּקֵי מִצְרַיִם, מַלְיָין טַעֲוָון הֲווֹ, וְעוֹד דְּבְכָל בֵּיתָא וּבֵיתָא, הֲווֹ שְׁכִיחֵי זִינִין, דְּמִתְקַטְרֵי בְּחַרְשַׁיְיהוּ, בְּאִינּוּן כִּתְרִין תַּתָּאִין דִּלְתַתָּא, וּמִתְעָרִין רוּחַ מִסְאֲבָא בְּגַוַויְיהוּ.

עז. וְרָזָא דְּמִלָּה תָּנָא, כְּתִיב, וּלְקַחְתֶּם אֲגֻדַּת אֵזוֹב וּטְבַלְתֶּם בַּדָּם אֲשֶׁר בַּסַּף וְהִגַּעְתֶּם אֶל הַמַּשְׁקוֹף וְאֶל שְׁתֵּי הַמְּזוּזוֹת. אֲגוּדַּת אֵזוֹב לָמָּה. בְּגִין לְבַעֲרָא רוּחַ מִסְאֲבָא מִבֵּינַיְיהוּ, וּלְאַחֲזָאָה בְּפִתְחַיְיהוּ, בְּהָנֵי תְּלַת דּוּכְתֵּי, מְהֵימְנוּתָא שְׁלֵימָתָא. חַד הָכָא, וְחַד הָכָא, וְחַד בְּגַוַויְיהוּ בְּגִין כַּךְ, וּפָסַח יְיָ' עַל הַפֶּתַח וְלֹא יִתֵּן הַמַּשְׁחִית לָבֹא אֶל בָּתֵּיכֶם לִנְגּוֹף, מִשּׁוּם דְּחָמֵי שְׁמָא קַדִּישָׁא רְשִׁים עַל פִּתְחָא.

עח. א"ר יְהוּדָה, אִי הָכִי אֲמַאי דָּמָא, דְּהָא תָּנֵינָן, חִוָּור וְסוּמָק וְחַד דְּכָלִיל בֵּינֵי גַּוְונֵי. א"ל, תְּרֵי דָּמֵי הֲווֹ, חַד דְּמִילָה, וְחַד דְּפִסְחָא. דְּמִילָה רַחֲמֵי. דְּפִסְחָא דִּינָא.

עט. א"ר יְהוּדָה, לָאו הָכִי, אֶלָּא כְּמָה דְּאוֹלִיפְנָא, דְּאַהֲדַר הַהוּא דָּמָא קֻבְּ"ה לְרַחֲמֵי,

כְּאִילּוּ הֲווּ חִוָּור בְּגוֹ גַּוְונֵי הה"ד, וָאֶעֱבוֹר עָלַיִךְ וָאֶרְאֵךְ מִתְבּוֹסֶסֶת בְּדָמָיִךְ וָאוֹמַר לָךְ בְּדָמַיִךְ חֲיִי וְגוֹ'. ואע"ג דַּהֲוָה סוּמָקָא, אִתְהֲדָר לְרַחֲמֵי, דִּכְתִּיב בְּדָמַיִךְ חֲיִי. ובג"כ, רָשִׁים פִּתְחָא בִּתְלַת סִטְרִין, חַד הָכָא, וְחַד הָכָא, וְחַד בֵּינַיְיהוּ.

פ. תָּאנֵי ר' חִזְקִיָּה, תְּרֵין דָּמֵי אִתְחֲזוּ, לְקָבֵל תְּרֵי כִּתְרִין, דְּאִתְחֲזוּ לְעֵילָּא בְּהַהִיא שַׁעֲתָא. א"ר יוֹסֵי, וְחַד כִּתְרָא דִּכְלִילָא בִּתְרֵין סִטְרִין טְמִירִין, בְּרַחֲמֵי וְדִינָא.

פא. אָמַר רִבִּי אַבָּא, בְּכַמָּה אַתְרִין חָס קוּדְשָׁא בְּרִיךְ הוּא עַל בְּנוֹי: עָבֵד בַּר נָשׁ בֵּיתָא, וְקוּדְשָׁא בְּרִיךְ הוּא אָמַר לֵיהּ, כְּתוֹב שְׁמִי, וְשַׁוֵּי לְפִתְחָךְ, וְאַתְּ שָׁרֵי לְגוֹ בֵּיתָא, וַאֲנָא אוֹתִיב לְבַר בְּפִתְחָךְ לְנַטְרָא לָךְ. וְהָכָא אָמַר, רָשִׁים עַל פִּתְחָא רָזָא דִּמְהֵימְנוּתָא דִּילִי, וְאַתְּ שָׁרֵי לְגוֹ בֵּיתָךְ, וַאֲנָא נָטִיר לָךְ לְבַר, דִּכְתִּיב וְאַתֶּם לֹא תֵצְאוּ אִישׁ מִפֶּתַח בֵּיתוֹ עַד בֹּקֶר, וּכְתִיב וְרָאָה אֶת הַדָּם עַל הַמַּשְׁקוֹף וְעַל שְׁתֵּי הַמְּזוּזוֹת וּפָסַח ד' עַל הַפֶּתַח וְלֹא יִתֵּן הַמַּשְׁחִית לָבֹא אֶל בָּתֵּיכֶם לִנְגּוֹף.

פב. תּוּ אָמַר רִבִּי אַבָּא, כְּגַוְונָא דִּשְׁמָא קַדִּישָׁא עֲבָדוּ בְּהַהוּא שַׁעֲתָא. מַה שְּׁמָא קַדִּישָׁא אִתְהֲדָר בְּהַאי שַׁעֲתָא דִּינָא, אוּף הָכִי אִתְהֲדָר הַאי דָּמָא בְּהַאי שַׁעֲתָא דִּינָא, דִּכְתִּיב וְרָאָה אֶת הַדָּם עַל הַמַּשְׁקוֹף וְעַל שְׁתֵּי הַמְּזוּזוֹת, רְשִׁימָא דְּכֻלְּהוּ סוּמָקָא, לְאִתְחֲזָאָה, דְּהָא אִתְהֲדָר בְּדִינָא, לְמֶעְבַּד נוּקְמִין.

פג. וְרָזָא דְּמִלָּה, כְּגַוְונָא דַּהֲוֵי לְעֵילָּא בְּהַהוּא שַׁעֲתָא, כַּד בָּעֵי לְאִתְחֲזָאָה לְתַתָּא, אִי רַחֲמֵי רַחֲמֵי, וְאִי דִּינָא דִּינָא, הֲדָא הוּא דִּכְתִּיב, וּטְבַלְתֶּם בַּדָּם אֲשֶׁר בַּסַּף וְהִגַּעְתֶּם וְגוֹ'. וּלְזִמְנָא דְּאָתֵי כְּתִיב, מִי זֶה בָּא מֵאֱדוֹם חֲמוּץ בְּגָדִים מִבָּצְרָה. דְּזַמִּין לְאַחֲזָאָה כֻּלְּהוּ דִּינָא לְמֶעְבַּד נוּקְמִין.

פד. וְאַתֶּם לֹא תֵצְאוּ אִישׁ מִפֶּתַח בֵּיתוֹ עַד בֹּקֶר. מַאי טַעֲמָא, מִשּׁוּם דְּתָנֵינָן, אָמַר רִבִּי יִצְחָק, לָא לִיבָעֵי לֵיהּ לְאִינַשׁ לְמֵיזַל בְּשׁוּקָא, וּלְאִשְׁתַּכְּחָא בְּשׁוּקָא, בְּזִמְנָא דְּדִינָא תַּלְיָא בְּמָתָא, דְּכֵיוָן דִּרְשׁוּתָא אִתְיְהִיב לִמְחַבְּלָא, מַאן דְּפָגַע בֵּיהּ אִתְּזַק. וְהָכָא מִשּׁוּם דְּדִינָא אִשְׁתַּכַּח, לָא בַּעְיָא לְנָפְקָא לְבַר.

פה. תַּנְיָא אָמַר רִבִּי יוֹסֵי, בְּהַהוּא מַמָּשׁ דְּאִשְׁתְּכַח דִּינָא לְמִצְרָאֵי, בְּהַהוּא מַמָּשׁ אִשְׁתְּכַח רַחֲמֵי לְיִשְׂרָאֵל, הֲדָא הוּא דִּכְתִּיב, וְרָאִיתִי אֶת הַדָּם וּפָסַחְתִּי עֲלֵיכֶם. וְכֵן תָּנָא, בְּכָל אִינוּן כִּתְרִין קַדִּישִׁין דִּלְעֵילָּא, כְּמָה דְּאִשְׁתְּכַח דִּינָא, אִשְׁתְּכַח רַחֲמֵי, וְכֹלָּא בְּשַׁעֲתָא חֲדָא. תָּנָא רִבִּי חִזְקִיָּה, כְּתִיב, וְנָגַף יְיָ' אֶת מִצְרַיִם נָגוֹף וְרָפוֹא. נָגוֹף לְמִצְרַיִם, וְרָפוֹא לְיִשְׂרָאֵל. מַאי וְרָפוֹא. מַאי שֶׁנִּימּוֹלוּ צְרִיכִים רְפוּאָה.

פו. וְתָנָא, בְּאוֹתָהּ שָׁעָה שֶׁנִּגְּפוּ מִצְרָאֵי, בְּאוֹתָהּ שָׁעָה נִתְרַפְּאוּ יִשְׂרָאֵל. דְּתַנְיָא אָמַר רִבִּי יוֹסֵי, מ"ד, וּפָסַח יְיָ' עַל הַפֶּתַח, מַאי עַל הַפֶּתַח. וּפָסַח יְיָ' עֲלֵיכֶם מִבָּעֵי לֵיהּ. אֲבָל עַל הַפֶּתַח, עַל הַפֶּתַח מַמָּשׁ זֶהוּ פֶּתַח הַגּוּף. וְאֵי זֶהוּ פֶּתַח הַגּוּף. הֱוֵי אוֹמֵר זוֹ מִילָה.

פז. רִבִּי שִׁמְעוֹן אָמַר, בְּשַׁעֲתָא דְּאִתְפְּלַג לֵילְיָא, וְכִתְרָא קַדִּישָׁא אִתְּעַר לְגַבֵּהּ דְּכוּרָא. וּמַאן דְּכוּרָא. חֶסֶד עִלָּאָה, דְּמַשְׁמַע, דְּדָא בְּלָא דָא לָא סַלְקָא, וּבְגִין דָּא, דָּא מָחֵי, וְדָא מַסֵּי, וְכֹלָּא בְּשַׁעֲתָא חֲדָא.

פח. וּכְתִיב, וּפָסַח יְיָ' עַל הַפֶּתַח הַיָּדוּעַ. מַאי הַפֶּתַח, מִשּׁוּם דְּאִיהוּ פִּתְחָא וּמְשִׁיכָא דְּרוּחָא וְגוּפָא, וְתָא חֲזֵי, עַד לָא אִתְגְּזַר אַבְרָהָם, הֲוָה אָטִים וְסָתִים מִכָּל סִטְרוֹי. מִדְּאִתְגְּזַר אִתְפְּתַח מִכֹּלָּא, וְלָא הֲוֵי אָטִים וְסָתִים כְּקַדְמֵיתָא.

פט. וְהַיְינוּ רָזָא דְּתָנֵינָן, וְהוּא יֹשֵׁב פֶּתַח הָאֹהֶל. מִשּׁוּם דְּאִתְגַּלְיָיא יו"ד. מַאי קָא

מַיְירֵי. אֶלָּא אָמַר רִבִּי יִצְחָק דְּהוּא אַשְׁרֵי בְּגַלְוִיָא דָא, וְחֶסֶד בְּצֶדֶק. וְדָא הוּא פִּתְחָא, דְּמַשְׁכְּנָא עִלָּאָה קַדִּישָׁא, מַשְׁמַע דִּכְתִּיב הָאֹהֶל, הָאֹהֶל הַיָּדוּעַ.

צ. אָמַר רִבִּי אֶלְעָזָר, כַּד אִתְגַּלְיָיא הַאי יו"ד, אִתְבָּשַׂר, וְאִתְבְּרַךְ בְּפֶתַח הָאֹהֶל, דְּהִיא צֶדֶק, לְאִתְבַּסְמָא בְּחֶסֶ"ד. הֲדָא הוּא דִכְתִּיב, כְּחוֹם הַיּוֹם, דְּהוּא שַׁעֲתָא דְּשַׁלְטָא חֶסֶד, וְחוּלָקָא דְּאַבְרָהָם. ומ"ל דְּהַאי פֶּתַח הָאֹהֶל, אִתְבַּסַּם לְקָבְלֵיהּ דְּאַבְרָהָם. דִּכְתִּיב, וַיְיָ בֵּרַךְ אֶת אַבְרָהָם בַּכֹּל, דְּאִתְבְּסַם בְּחֶסֶ"ד, מִדְּאִתְגַּלְיָיא יו"ד.

צא. אָמַר רִבִּי אַבָּא, וְהוּא יוֹשֵׁב פֶּתַח הָאֹהֶל, כְּמָה דִכְתִּיב וַיְיָ בֵּרַךְ אֶת אַבְרָהָם בַּכֹּל. דָּדָא הוּא פִּתְחָא קַדִּישָׁא, כִּתְרָא עֲשִׂירָאָה. כְּחוֹם הַיּוֹם, כְּמָה דְּאִתְיְיהִיב לֵיהּ כִּתְרָא דְּחֶסֶד, הֲדָא הוּא דִכְתִּיב כְּחוֹם הַיּוֹם. כְּמָה דְּיָתִיב בְּהַאי, כַּךְ יָתִיב בְּהַאי, דְּלָא סָלִיק הַאי בְּלָא הַאי.

צב. ד"א וְעָבַר יְיָ לִנְגּוֹף אֶת מִצְרַיִם. מַאי וְעָבַר. דְּעָבַר עַל שׁוּרֵי דִּינָא דִּכְתְרִין, דַּהֲווּ מִתְקַשְּׁרֵי בְּכִתְרִין אַחֲרָנִין דִּלְעֵילָא, וְשָׁרָא לְהוּ מִקִּיּוּמַיְיהוּ, וְעָבַר עַל אוֹרְחוֹי, בְּגִין לְמֶעְבַּד בְּהוּ דִּינָא, וּלְנַטְרָא לְהוּ לְיִשְׂרָאֵל, וּכְדֵין הוּא, כָּל וְעָבַר, וְעָבַרְתִּי, וַיַּעֲבֹר, דְּקוּדְשָׁא ב"ה אַעְבַּר עַל כָּל אוֹרְחוֹי, אוֹ לְדִינָא, אוֹ לְרַחֲמֵי. הָכָא וְעָבַר, בְּגִין לְמֶעְבַּד דִּינָא, הָתָם וַיַּעֲבֹר, בְּגִין לְרַחֲמָא.

צג. וַיְהִי בַּחֲצִי הַלַּיְלָה וַיְיָ הִכָּה כָל בְּכוֹר וְגוֹ'. ר' חִיָּיא וְר' יוֹסֵי הֲווּ אַזְלֵי מֵאוּשָׁא לְלוּד, וַהֲוָה רִבִּי חִיָּיא רָכִיב בַּחֲמָרָא. אָמַר ר' יוֹסֵי, נֵיתִיב הָכָא וְנַצְלֵי, דְּהָא מָטָא זִמְנָא דִּצְלוֹתָא דְּמִנְחָה, וְתָנֵינָן, לְעוֹלָם יְהֵא אָדָם זָהִיר בִּצְלוֹתָא דְּמִנְחָה. אֲמַאי זָהִיר. מִשּׁוּם דְּהִיא שַׁעֲתָא דְּתַלְיָא דִּינָא וּבָעֵי ב"נ לְכַוְּונָא דַּעְתֵּיהּ, נָחַת ר' חִיָּיא וְצַלֵּי.

צד. עַד דַּהֲווּ אַזְלֵי, נָטָה שִׁמְשָׁא לְמֵיעַל. א"ר חִיָּיא לר' יוֹסֵי אֲמַאי אַתְּ שָׁתִיק. א"ר יוֹסֵי, מִסְתַּכֵּל הֲוֵינָא בְּדַעְתָּאי, דְּלֵית עָלְמָא מִתְקַיְּימָא, אֶלָּא עַל רֵישַׁיְיהוּ דְּעַמָּא. אִי רֵישֵׁי עַמָּא זַכָּאִין, טַב לְעָלְמָא, טַב לְעַמָּא. וְאִי לָא זַכָּאִין, וַוי לְעָלְמָא, וַוי לְעַמָּא.

צה. א"ר חִיָּיא, וַדַּאי כַּךְ הוּא, מְנָלָן. דִּכְתִּיב, רָאִיתִי אֶת כָּל יִשְׂרָאֵל נְפוֹצִים עַל הֶהָרִים כַּצֹּאן אֲשֶׁר אֵין לָהֶן רוֹעֶה וַיֹּאמֶר יְיָ לֹא אֲדוֹנִים לָאֵלֶּה יָשׁוּבוּ אִישׁ לְבֵיתוֹ בְּשָׁלוֹם. יָשׁוּבוּ, יֵשְׁבוּ מִבָּעֵי לֵיהּ. לְבֵיתוֹ, בְּבֵיתוֹ מִבָּעֵי לֵיהּ. דְּהָא בְּאַתְרַיְיהוּ קַיְימֵי.

צו. אֶלָּא הָכִי תָּנֵינָן, אִי רֵישָׁא דְּעַמָּא לָא זָכֵי, עַמָּא מִתְּפְסָן בְּחוֹבֵיהּ. מְנָלָן. דִּכְתִּיב, וַיֹּאמֶר דָּוִד וְגוֹ' הִנֵּה אָנֹכִי חָטָאתִי וְאָנֹכִי הֶעֱוֵיתִי וְאֵלֶּה הַצֹּאן מֶה עָשׂוּ, דָּוִד חָב, וְיִשְׂרָאֵל סָבְלוּ. וְאִי רֵישָׁא דְּעַמָּא מִתְּפַס בְּחוֹבֵיהּ, עַמָּא מִשְׁתֵּזְבָן. דְּהָא דִּינָא לָא שַׁרְיָא עֲלַיְיהוּ. דִּכְתִּיב, וַיֹּאמֶר יְיָ לֹא אֲדוֹנִים לָאֵלֶּה, כְּלוֹמַר, אִלּוּ לָא הֲווּ רֵישִׁין לְעַמָּא, מֵהַאי אוֹרְחָא יָשׁוּבוּ אִישׁ לְבֵיתוֹ בְּשָׁלוֹם. כֻּלְּהוּ מִשְׁתֵּזְבָן, אִי רֵישַׁיְיהוּ מִתְּפְסָן. וַאֲפִילּוּ יְהוֹשָׁפָט אִתְגְּזַר עֲלֵיהּ לְאִתְעַנְשָׁא, מִשּׁוּם דְּאִתְחֲבַּר בְּאַחְאָב. אִי לָאו הַהוּא צְוָוחָא, דִּכְתִּיב, וַיִּזְעַק יְהוֹשָׁפָט.

צז. עַד דַּהֲווּ אַזְלֵי רָמַשׁ לֵילְיָא, אָמְרוּ, מַה נַּעְבִּיד, אִי נֵיזִיל חָשַׁךְ לֵילְיָא, אִי נֵיתִיב דַּחֲלָא הוּא. סָטוּ מֵאוֹרְחָא, יָתְבוּ תְּחוֹת אִילָנָא חַד. וְיָתְבוּ וַהֲווּ אַמְרֵי מִלֵּי דְּאוֹרַיְיתָא, וְלָא דְּמִיכוּ.

צח. בְּפַלְגּוּת לֵילְיָא, חָמוּ חַד אַיַּלְתָּא דְּעָבְרָא קָמַיְיהוּ, וַהֲוַת צָוְוחַת וּרְמִיאַת קָלִין שָׁמְעוּ, קָמוּ ר' חִיָּיא וְר' יוֹסֵי וְאִזְדַעְזָעוּ. שָׁמְעוּ חַד קָלָא דְּמַכְרְזָא וְאָמַר, מִתְעָרִין קוּמוּ. נַיְימִין אִתְעָרוּ. עָלְמִין, אִזְדַּמְּנוּ לְקַדְמוּת מָרֵיכוֹן. דְּהָא מָרֵיכוֹן מַפִּיק לג"ע, דְּאִיהוּ הֵיכָלֵיהּ, לְאִשְׁתַּעְשְׁעָא עִם צַדִּיקַיָּא, דִּכְתִּיב וּבְהֵיכָלוֹ כֻּלּוֹ אוֹמֵר כָּבוֹד.

צט. א"ר חייא, השתא פלגו דליליא ממש. וקלא דא, הוא קלא דנפק, וכאיב אילתא דלעילא ותתא, דכתיב קול יי' יחולל אילות. זכאה חולקנא, דזכינא למשמע דא.

ק. ותא חזי רזא דמלה, בשעתא דקב"ה אתחזי על גנתא, כל גנתא אתכנש, ולא מתפרש מעדן. ומהאי עדן מבועי נפקין, לכמה אורחין ושבילין, והאי גנתא, אתקרי צרורא דחיי, דתמן מתעדנין צדיקיא, מנהירו דעלמא דאתי. ובהאי שעתא, קודשא ב"ה אתגלי עלייהו.

קא. יתבו ר"ח ורבי יוסי, בכמה זמנין שאילנא, האי דכתיב, ויהי בחצי הלילה ויי' הכה כל בכור בארץ מצרים אמאי לא הוה ביממא, דיתגלי לכל פרסומי ניסא, ואמאי מיתו כל אינון חלשי דבתר רחייא, ואינון טלייא דבני ענא, ולא מיתו מלכי ופרדשכי, וגוברי מגיחי קרבא, כמה דהוה בסנחריב, דכתיב ויצא מלאך יי' ויך במחנה אשור וגו'. ותנינן, כלהו מלכין בני מלכין רופינוס ופרדשכי, התם אתחזי גבורתא דחד שליחא דיליה, יתיר מהאי, דהוה יאות למהוי דיליה יתיר.

קב. אמר ליה יאות שאלת, ואנא לא שמענא מידי בהאי, ולא אימא, אבל הא זכינא לכל האי, וארחא אתתקן קמן. אנא שמענא דרשב"י מדכי שוקין דטבריה, ניזיל גביה. יתבו, עד דהוה נהיר יממא. כד סליק נהורא, קמו ואזלי. כד מטו גביה. אשכחוהו, דהוה יתיב, וספרא דאגדתא בידיה.

קג. פתח ואמר, כל הגוים כאין נגדו מאפס ותהו נחשבו לו. כיון דאמר, כל הגוים כאין נגדו, למה כתיב מאפס ותהו נחשבו לו. אלא אוליפנא, דעתייהו דכל עמין דעלמא, דמהימנותא דלהון הוא כאין, דלא אדבקו עלאין ותתאין, ושויין לקבלייהו מהימנותא דשטותא, אבל מאפס ותהו נחשבו לו, כהאי עלעולא, דסחרא ברוחא, ומתגלגלא בקיטא בריקניא, הה"ד וכל דיירי ארעא כלא חשיבין.

קד. עוד פתח ואמר, בראשית ברא אלהים את השמים ואת הארץ, את דא ימינא דקב"ה, ואת דא שמאלא. אוליפנא, דסטא קב"ה ימיניה, וברא ית שמיא, וסטא שמאלא, וברא ית ארעא. הה"ד, אף ידי יסדה ארץ וימיני טפחה שמים קורא אני אליהם יעמדו יחדו.

קה. מהו יעמדו יחדו. ס"ד שמיא וארעא לאו הכי, אלא ימינא ושמאלא דאינון א"ת וא"ת, והיאך יעמדו יחדו. בזאת ההיא, דשלטא בפלגות ליליא, דכלילא א"ת בזאת.

קו. ותנינן, כתיב את הכל עשה יפה בעתו. א"ת, הא דאמרן. הכל, כד"א, ויי' ברך את אברהם בכל. ותאנא, דהיא כתרא דאתקרי זא"ת, דכלילא מא"ת וא"ת. ושלטא בפלגות ליליא, בתרין סטרוי, ברחמי ודינא, רחמי לישראל, ודינא לעמין עכו"ם.

קז. פתח ר' חייא ואמר, אי ניחא קמיה דמר, דנימא חד מלה, על מה דאתינא כתיב, ויהי בחצי הלילה ויי' הכה כל בכור בארץ מצרים. ומהאי דאמר מר, אשתמע דהאי פסוקא בההוא. מלה אתא ואנן אורחא אתתקנא קמן, למיתי למשאל קמך.

קח. פתח ר"ש ואמר, מי כיי' אלהינו המגביהי לשבת וגו'. מי כיי' אלהינו, דסליק ואתעטר לאתישבא בכתרא עלאה קדישא, נהירו על כל בוצינין דנהרו כתרין ועטרין. המשפילי לראות, דנחית בכתרוי, מכתרא לכתרא, מנורא לנורא, מנהירו לנהירו, מבוצינא לבוצינא. לאשגחא בעלאין ותתאין, הה"ד יי' משמים השקיף על בני אדם וגו'.

קט. תָּא חֲזֵי, כְּתִיב, וַיְהִי בַּחֲצִי הַלַּיְלָה. כַּחֲצִי מִבָּעֵי לֵיהּ, אוֹ כַּחֲצוֹת, כְּגַוְונָא דְּאָמַר מֹשֶׁה. וְאִי כְּמָה דְּאַמְרֵי חַבְרַיָּא, דְּלָא יֵימְרוּן אִצְטַגְנִינֵי פַּרְעֹה, מֹשֶׁה בַּדַּאי הוּא. הָא קוּשְׁיָא בְּאַתְרֵיהּ קַיְּימָא, בג' גַּוְונֵי, דַּאֲפִילּוּ יִשְׂרָאֵל יֵימְרוּן הָכִי. וַחֲד, דְּאִי הָכִי הֲוָה לֵיהּ לְמֵימַר וַיֹּאמֶר מֹשֶׁה כַּחֲצוֹת הַלַּיְלָה. אֲמַאי קָאָמַר, כֹּה אָמַר יְיָ' וְגוֹ'. כְּמָה דְּלָא אִתְכַּוָּון שַׁעֲתָא, דְּהָא לָא יִתָּפְסוּן בְּמֹשֶׁה, אֶלָּא בְּפַטְרוֹנָא, בְּגִין דְּאָמַר כֹּה אָמַר יְיָ' וְגוֹ'. תְּרֵי, דְּהָא מֹשֶׁה אָמַר, עַד בְּכוֹר הַשִּׁפְחָה אֲשֶׁר אַחַר הָרֵחָיִם, וְלָא הֲוָה הָכִי, אֶלָּא עַד בְּכוֹר הַשְּׁבִי אֲשֶׁר בְּבֵית הַבּוֹר. עכ"פ אֲפִילּוּ יִשְׂרָאֵל נַמֵּי יֵימְרוּן הָכִי, דְּהָא לָא אִתְבַּרְרוּן מִלֵּי. תְּלַת דְּאִיהוּ אָמַר מִשְּׁמָא דְּפַטְרוֹנָא כַּחֲצוֹת, וּכְתִיב וַיְהִי בַּחֲצִי הַלַּיְלָה.

קי. וְעוֹד, שְׁאֶלְתָּא דִּילְכוֹן, יַתִּיר עַל מָטוֹל דְּלָא יָכִיל בְּעִירָא לְמִסְבַּל. אֲמַאי הֲוָה בְּפַלְגוּת לֵילְיָא, וְלָא בִּימָמָא. וַאֲמַאי מִיתוּ כָּל אִינּוּן חַלָּשִׁין דְּבָתַר רֵחַיָּא. אֶלָּא כֹּלָּא רָזָא עִלָּאָה הוּא, בֵּין מְחַצְּדֵי חַקְלָא, וְכֹלָּא אִתְכְּשַׁר בִּנְבִיאָה מְהֵימְנָא.

קיא. זַכָּאָה חוּלָקֵיהּ דְּמֹשֶׁה, דְּעָלֵיהּ כְּתִיב יָפְיָפִיתָ מִבְּנֵי אָדָם הוּצַק חֵן בְּשִׂפְתוֹתֶיךָ עַל כֵּן בֵּרַכְךָ אֱלֹהִים לְעוֹלָם. אָהַבְתָּ צֶּדֶק וַתִּשְׂנָא רֶשַׁע עַל כֵּן מְשָׁחֲךָ אֱלֹהִים אֱלֹהֶיךָ שֶׁמֶן שָׂשׂוֹן מֵחֲבֵרֶיךָ. יָפְיָפִיתָ מִבְּנֵי אָדָם: מִשֵּׁת וַחֲנוֹךְ הוּצַק חֵן בְּשִׂפְתוֹתֶיךָ: מִנֹּחַ וּבָנָיו. עַל כֵּן מְשָׁחֲךָ אֱלֹהִים אֱלֹהֶיךָ: מֵאַבְרָהָם וְיִצְחָק. שֶׁמֶן שָׂשׂוֹן: מִיַּעֲקֹב. מֵחֲבֵרֶיךָ: מִשְּׁאָר נְבִיאֵי. וְכִי גֶּבֶר דְּסָלִיק בְּדַרְגִּין עִלָּאִין דְּלָא סָלִיק ב"נ אַחֲרָא, לָא יָדַע מַה דְּאָמַר.

קיב. אֶלָּא הָכִי תָּנֵינָן, הַאי כִּתְרָא דְּאִקְרֵי זא"ת, אִתְקְרֵי אִשָּׁ"ה, כד"א, לְזֹאת יִקָּרֵא אִשָּׁה. אֲמַאי. מִשּׁוּם כִּי מֵאִישׁ לֻקְחָה זֹּאת. מַאן הוּא אִישׁ. הַהוּא דְּאִקְרֵי זֶה. וְדָא הוּא אִישׁ דְּכַר, כד"א כִּי זֶה מֹשֶׁה הָאִישׁ. הָאִישׁ הַזֶּה. וְאִקְרֵי אִישׁ זֶה, וְזֶה אִישׁ. וְזֹאת, אִתְנְסִיבַת מִזֶּה דְּאִקְרֵי זָכָר.

קיג. וּבְגִין דָּא, אִיהִי תָּמָר דְּכַר וְנוּקְבָא, דְּלָא סָלִיק דָּא בְּלָא דָּא. תָּמָר: כד"א, כְּתִמְרוֹת עָשָׁן. מַה עָשָׁן, סָלִיק חִוָּור וְאוּכָם, אוּף הָכָא, כֹּלָּא כָּלִיל בָּהּ בְּפַלְגוּת לֵילְיָא, לְמֶעְבַּד נִימוּסוֹי בְּחַד שַׁעֲתָא, חִוָּור לְיִשְׂרָאֵל, וְאוּכָם לעכו"ם.

קיד. וְעוֹד דְּהַאי לֵילְיָא לָא אִתְפְּלַג, לָא עָבֵיד נִימוּסוֹי מ"ל. מֵאַבְרָהָם. דִּכְתִּיב וַיֵּחָלֵק עֲלֵיהֶם לַיְלָה, דְּאִתְפְּלַג לְמֶעְבַּד נִימוּסוֹי. אוּף הָכָא, מֹשֶׁה אָמַר כַּחֲצוֹת, כְּמִפְלַג. דְּמֹשֶׁה יָדַע דְּלָא יַעֲבֵיד נִימוּסוֹי, עַד דְּאִתְפְּלַג.

קטו. וְהָכִי הֲוָה, דְּלָא עָבֵיד לֵילְיָא נִימוּסוֹי, עַד דְּאִתְפְּלַג, בְּפַלְגוּת בַּתְרָאָה, עָבֵד נִימוּסוֹי, הה"ד וַיְהִי בַּחֲצִי הַלַּיְלָה. מַאי בַּחֲצִי. בְּפַלְגוּת בַּתְרָאָה, בְּזִמְנָא דְּאִיהִי שַׁלְטָא, וְאִשְׁתְּכַח הַאי זֹאת, לְמֶעְבַּד נִמּוּסִין תְּדִירָא, וְכָל נִימוּסָא דְּאִתְעֲבֵיד בְּלֵילְיָא, בְּפַלְגוּתָא בַּתְרָאָה אִתְעֲבֵיד.

קטז. וַיְיָ' הִכָּה כָּל בְּכוֹר, וַיְיָ': הוּא וּבֵית דִּינוֹ, וַיְיָ': הוּא וְנִימוּסוֹי. הִכָּה כָּל בְּכוֹר הִכָּה, מֹשֶׁה לָא אָמַר אֶלָּא וּמֵת וְגוֹ', מַהוּ הִכָּה. אֶלָּא, דְּאִתְעַר כֹּה, כְּמָה דְּאַגְזִים מֹשֶׁה, דִּכְתִּיב וְהִנֵּה לֹא שָׁמַעְתָּ עַד כֹּה.

קיז. וְתָאנָא, פַּרְעֹה חַכִּים הֲוָה מִכָּל חַרָשׁוֹי, וְאִסְתַּכַּל בְּהַאי זֹאת, דְּיַעֲבֵיד בֵּיהּ דִּינָא, וְזַמִּין לְחָרְבָא אַרְעֵיהּ, כְּמָה דְּאָמַר מֹשֶׁה, בְּזֹאת תֵּדַע כִּי אֲנִי יְיָ'. וּבְאִיהוּ מַה כְּתִיב, וַיִּפֶן פַּרְעֹה. מַהוּ וַיִּפֶן. דְּאַפְנֵי לִבֵּיהּ מֵהִרְהוּרָא דָּא. כד"א, וַיִּפֶן אַהֲרֹן. וַיָּבֹא אֶל בֵּיתוֹ וְלֹא שָׁת לִבּוֹ גַּם לְזֹאת. גַּם לְרַבּוֹת הַאי דִּזְמִינָא לְחָרְבָא אַרְעֵיהּ, וְלָא שַׁוֵּי לִבֵּיהּ לְקַבְּלֵיהּ דְּזא"ת.

קיח. כָּל בְּכוֹר, אֲפִילּוּ דַּרְגִּין עִלָּאִין וְתַתָּאִין, אִתְבָּרוּ מִשּׁוּלְטָנֵיהוֹן, כָּל אִינּוּן דְּשַׁלְטִין

בְּחָכְמְתָא דִּלְהוֹן, דִּכְתִּיב, בְּאֶרֶץ מִצְרַיִם. וְכֻלְּהוּ דַּרְגִּין, עִלָּאִין וְתַתָּאִין, דְּאִתְבָּרוּ מִשּׁוּלְטָנֵיהוֹן, כֻּלְּהוּ בִּפְסוּקָא אִתְחֲזוּן, דִּכְתִּיב מִבְּכוֹר פַּרְעֹה הַיּוֹשֵׁב עַל כִּסְאוֹ עַד בְּכוֹר הַשִּׁפְחָה אֲשֶׁר אַחַר הָרֵחָיִם וְכֹל בְּכוֹר בְּהֵמָה, הָא כֻּלְּהוּ אִתְחֲזוּן בִּפְסוּקָא.

קיט. סְתָמָא דְּמִלָּה, מִבְּכוֹר פַּרְעֹה הַיּוֹשֵׁב עַל כִּסְאוֹ, כִּתְרָא תַּתָּאָה דְּקַיְּימָא דְּמַלְכוּתָא דִּלְעֵילָּא. עַד בְּכוֹר הַשִּׁפְחָה, כִּתְרָא שְׂמָאלָא, תַּתָּאָה מִינָּהּ, דְּקַיְּימָא מִבָּתַר אַרְבַּע רֵחַיִין, אַרְבַּע מַשִּׁירְיָין. מַשְׁמַע, מִשּׁוּם דִּכְתִּיב אַחַר הָרֵחָיִם, וְלָא מִן הָרֵחָיִם. וְכֹל בְּכוֹר בְּהֵמָה, תַּתָּאִין מִתַּתָּאִין, נוּקְבָא מְנוּקְבְתָא, דְּאִשְׁתְּכָחוּ בְּאַתָּנֵי בִּבְעִירֵי וַחֲמָרֵי, בְּרַבְרְבֵי בּוֹטְרֵי, וּמְקַבְּלִין מִנְּהוֹן גּוּבְרִין וְנוּקְבִין. עַד בְּכוֹר הַשְּׁבִי אֲשֶׁר בְּבֵית הַבּוֹר, אִינּוּן דְּנָפְקִין מִשִּׁפְחָה. דִּי בְּהוֹן עָבְדִין לַאֲסִירֵי, דְּיִשְׁתַּעְבְּדוּן בְּהוֹן לְעָלְמִין, וְלָא יִפְקוּן לְחֵירוּ.

קכ. וּבְרוּחְצָנוּתָא דְּאִלֵּין דַּרְגִּין, סָרִיבוּ מִצְרָאֵי, דִּי בְּהוֹן עָבְדוּ קִשְׁרָא לְיִשְׂרָאֵל, דְּלָא יִפְקוּן מִן עַבְדוּתְהוֹן לְעָלְמִין. וּבְהַאי אִתְחֲזֵי גְּבוּרְתָא וְשָׁלְטָנוּתָא דְּקוּדְשָׁא בְּרִיךְ הוּא, וְדִכְרָנָא דָּא לָא יִשְׁתְּצֵי מִיִּשְׂרָאֵל לְדָרֵי דָּרִין, דְּאִי לָא הֲוָה חֵילָא וּגְבוּרְתָּא דְּקוּדְשָׁא ב"ה, כָּל מַלְכֵי עַמִּין, וְכָל חָרָשֵׁי עָלְמִין, וְחַכִּימֵי עָלְמִין, לָא יִפְקוּן לְיִשְׂרָאֵל מִן עַבְדוּתָא, דְּשָׁרָא קִטְרִין דִּלְהוֹן, וְתָבַר כָּל אִינּוּן כִּתְרִין, בְּגִין לְאַפָּקָא לוֹן. עַל דָּא כְּתִיב, מִי לֹא יִרָאֲךָ מֶלֶךְ הַגּוֹיִם כִּי לְךָ יָאָתָה כִּי בְכָל חַכְמֵי הַגּוֹיִם וּבְכָל מַלְכוּתָם מֵאֵין כָּמוֹךָ.

קכא. בָּכָה ר"ש, אֲרִים קָלֵיהּ וְאִתְנַח, אֲמַר קִנְטוּרָא דְּקִיטְפָא אִשְׁתְּכַח, וְחַשַׁבְתּוּן דְּשַׁבַּח קב"ה כַּמָּה זִמְנִין, אֲשֶׁר הוֹצֵאתִיךָ מֵאֶרֶץ מִצְרַיִם, הוֹצִיאֲךָ יְיָ' אֱלֹהֶיךָ מִמִּצְרַיִם, וַיּוֹצִיאֲךָ יְיָ' אֱלֹהֶיךָ מִשָּׁם, הוֹצֵאתִי אֶת צִבְאוֹתֵיכֶם, זָכוֹר אֶת הַיּוֹם הַזֶּה אֲשֶׁר יְצָאתֶם מִמִּצְרַיִם, וַיּוֹצִיאֲךָ בְּפָנָיו בְּכֹחוֹ הַגָּדוֹל מִמִּצְרָיִם, הוֹצִיא יְיָ' אֶתְכֶם מִזֶּה.

קכב. אֶלָּא תָּאנָא, י' כִּתְרִין, אִינּוּן לְתַתָּא, כְּגַוְונָא דִּלְעֵילָּא, וְכֻלְּהוּ סְתִימִין, בִּתְלָתָא אִלֵּין דְּאַמָרָן. וּתְלַת קִשְׁרִין קְשִׁירוּ בְּהוּ, עַל ג' דַּרְגִּין אִלֵּין דִּבְהוּ עָבְדוּ, דְּיִשְׂרָאֵל לָא יִפְקוּן מִשִּׁעְבּוּדְהוֹן לְעָלְמִין.

קכג. זַכָּאִין אַתּוּן אַבְרָהָם יִצְחָק וְיַעֲקֹב, דִּבְזְכוּתְכוֹן שָׁרִיאוּ קִטְרִין, וְקוּדְשָׁא ב"ה דְּכַר תְּלַת קִטְרֵי מְהֵימְנוּתָא דִּלְכוֹן הה"ד וַיִּזְכֹּר אֱלֹהִים אֶת בְּרִיתוֹ אֶת אַבְרָהָם אֶת יִצְחָק וְאֶת יַעֲקֹב. אֶת אַבְרָהָם, הָא קִשְׁרָא חֲדָא, דְּאַבְרָהָם. אֶת יִצְחָק, הָא קִשְׁרָא תִּנְיָינָא, דְּיִצְחָק. וְאֶת יַעֲקֹב, הָא קִשְׁרָא תְּלִיתָאָה, שְׁלֵימְתָא דְּיַעֲקֹב.

קכד. תָּנָא, כָּל זִמְנִין וְחַגִּין וְשַׁבָּתִין, כֻּלְּהוּ דּוּכְרָנָא לְהַאי, וְעַל הַאי אִתְקַיְּימוּ כֻּלְּהוּ, דְּאַלְמָלֵא הַאי, לָא הֲוָה נְטוּרָא דִּזְמַנִּין וְחַגִּין וְשַׁבָּתִין. וּבְגִינֵי כַּךְ, לָא אִשְׁתְּצֵי דִּכְרָנָא דְּמִצְרַיִם מִכָּל זִמְנִין וְחַגִּין וְשַׁבָּתִין. ת"ח דִּינָא דָּא, הוּא יְסוֹדָא וְשָׁרְשָׁא דְּאוֹרַיְיתָא, וְכָל פִּקּוּדֵי, וְכָל מְהֵימְנוּתָא שְׁלֵימְתָא דְּיִשְׂרָאֵל.

קכה. וְעוֹד אֲמַאי לָא הֲוָה בִּימָמָא דְּשָׁאִילְתּוּ. תָּנֵינָן, כְּתִיב הַיּוֹם אַתֶּם יוֹצְאִים, וּכְתִיב הוֹצִיאֲךָ יְיָ' אֱלֹהֶיךָ מִמִּצְרַיִם לָיְלָה. אֶלָּא תָּאנָא, עִקָּרָא דְּפוּרְקָנָא דְּיִשְׂרָאֵל, לָא הֲוָה אֶלָּא בְּלַיְלָה, דְּלֵילְיָא שָׁרָא קִטְרִין, וְעָבֵד נוּקְמִין, וְיוֹמָא אַפִּיק לוֹן בְּרֵישׁ גַּלֵּי, הֲדָא הוּא דִּכְתִּיב יָצְאוּ בְּנֵי יִשְׂרָאֵל בְּיָד רָמָה לְעֵינֵי כָּל מִצְרָיִם. וּכְתִיב וּמִצְרַיִם מְקַבְּרִים אֵת אֲשֶׁר הִכָּה יְיָ' בָּהֶם כָּל בְּכוֹר, דָּא הוּא פִּרְסוּמֵי נִיסָּא.

קכו. אָתוּ ר' חִיָּיא וְר' יוֹסֵי, אִשְׁתְּטָחוּ קַמֵּיהּ, וְנַשְׁקוּ יְדוֹי. וּבָכוּ וְאָמְרוּ, גְּלִיפִין עִלָּאִין וְתַתָּאִין, זַקְפָן רֵישָׁא בְּגִינָךְ, עָבֵד קוּדְשָׁא בְּרִיךְ הוּא יְרוּשָׁלַיִם לְתַתָּא, כְּגַוְונָא דִּלְעֵילָּא.

עָבֵד שׁוּרֵי קַרְתָּא קַדִּישָׁא וְתַרְעוֹי. מַאן דְּעָיֵיל, לָא עָיֵיל, עַד דְּיִפְתְּחוּן תַּרְעִין. מַאן דְּסָלִיק, לָא סָלִיק, עַד דְּיִתְתַּקְנוּן דַּרְגִּין דְּשׁוּרֵי מַאן יָכִיל לְמִפְתַּח תַּרְעִין דְּקַרְתָּא קַדִּישָׁא, וּמַאן יָכִיל לְאַתְקְנָא דַּרְגִּין דְּשׁוּרֵי, דָּא רשב״י, דְּאִיהוּ פָּתַח תַּרְעִין דְּרָזֵי דְּחָכְמְתָא, וְאִיהוּ אַתְקִין דַּרְגִּין עִלָּאִין, וּכְתִיב יֵרָאֶה כָּל זְכוּרְךָ אֶת פְּנֵי הָאָדוֹן יְיָ׳. מַאן פְּנֵי הָאָדוֹן יְיָ׳, דָּא רשב״י, דְּמַאן דְּאִיהוּ דְּכוּרָא מִן דְּכַרְנָיא, בָּעֵי לְאִתְחֲזָאָה קַמֵּיהּ.

קכז. אָמַר לוֹן, עַד הַשְׁתָּא, לָא סַיְּימְנָא מִלָּה דִּשְׁאֶלְתָּא דִּילְכוֹן, דְּהָא תָּנִינָן, וַיְיָ׳ הִכָּה כָּל בְּכוֹר, כָּל בְּכוֹר סְתָם, כִּדְקָאֲמָרָן. וּבְכֹלָּא הֲוָה כְּמָה דְּאִינּוּן דְּמִיתוּ, אִינּוּן קְטוּרֵי קִטְרִין, דַּהֲווּ מִשְׁתַּמְּשֵׁי בְּחָרָשַׁיְיהוּ בְּאִינּוּן כִּתְרִין. מִנְּהוֹן מִשְׁתַּמְּשֵׁי בְּעִלָּאֵי, וּמִנְּהוֹן בְּתַתָּאֵי, וְאַף עַל גַּב דְּכֻלְּהוּ תַּתָּאִין אִינּוּן. וְכָל אַרְעָא דְּמִצְרַיִם מַלְיָא חֲרָשִׁין הֲוָה. וּכְתִיב כִּי אֵין בַּיִת אֲשֶׁר אֵין שָׁם מֵת.

קכח. וְאִתְעֲבֵיד דִּינָא בְּכֹלָּא, בְּשַׁעֲתָא דְּאִתְכְּנָשׁוּ כֻּלְּהוּ בְּבָתֵּיהוֹן, וְלָא הֲווּ מִתְפַּזְּרֵי בְּמַדְבְּרָא וּבְחַקְלָא, אֶלָּא כֻּלְּהוּ אִשְׁתְּכָחוּ בְּבָתֵּיהוֹן, וְעָבֵד לֵילְיָא דִּינוֹי בְּכֹלָּא בְּהַהִיא שַׁעֲתָא. וְתָנָא הֲוָה נָהִיר לֵילְיָא כְּיוֹמָא דִּתְקוּפָה דְּתַמּוּז, וְחָמָא כָּל עַמָּא דִּינוֹי דְּקֻדְשָׁא בְּרִיךְ הוּא, הה״ד וְלַיְלָה כַּיּוֹם יָאִיר כַּחֲשֵׁיכָה כָּאוֹרָה.

קכט. וּבְשַׁעֲתָא דְּנָפְקוּ אִשְׁתְּכָחוּ כֻּלְּהוֹן מֵתִין בְּשׁוּקִין לְעֵינֵיהוֹן דְּכֹלָּא, בַּעְיָין לְאַקְבְּרָא לְהוּ וְלָא אַשְׁכָּחוּ, וְדָא אַקְשֵׁי לְהוּ מִכֹּלָּא. וְחָמוּ לְיִשְׂרָאֵל נָפְקִין לְעֵינֵיהוֹן בְּחַד גִּיסָא, וְחָמוּ לְמֵיתֵיהוֹן בְּאִידָךְ גִּיסָא. וּבְכֹלָּא הֲוָה פַּרְסוּמֵי נִיסָא, דְּלָא הֲוָה כְּהַאי מִיּוֹמָא דְּאִתְבְּרֵי עָלְמָא.

קל. ת״ח, כְּתִיב לֵיל שִׁמּוּרִים הוּא לַיְיָ׳ לְהוֹצִיאָם וְגו׳, הוּא הַלַּיְלָה הַזֶּה לַיְיָ׳ שִׁמּוּרִים לְכָל בְּנֵי יִשְׂרָאֵל וְגו׳, הַאי פְּסוּקָא קַשְׁיָא כֵּיוָן דְּאָמַר לֵיל, מַהוּ שִׁמּוּרִים, וְלָא שִׁמּוּר, שִׁמּוּר מִבָּעֵי לֵיהּ. וּכְתִיב הוּא הַלַּיְלָה הַזֶּה, לֵיל קָאָמַר בְּקַדְמֵיתָא, וּבָתַר לַיְלָה.

קלא. אֶלָּא הָכִי תָּנֵינָן, כְּתִיב, כִּי יִהְיֶה נַעֲרָה בְתוּלָה. נַעַר כְּתִיב, מ״ט. מִשּׁוּם דְּכָל זְמַן דְּלָא קַבִּילַת דְּכַר, אִתְקְרֵי נַעַר, מִדְּקַבִּילַת דְּכַר, אִתְקְרֵי נַעֲרָה. אוּף הָכָא, לֵיל עַד לָא קַבִּילַת דְּכַר. וְאע״ג דִּכְתִיב בֵּיהּ שִׁמּוּרִים דְּכַר הֲוָה זַמִּין לְאִתְחַבְּרָא עִמָּהּ וּבְשַׁעֲתָא דְּאִתְחֲבַּר עִמָּהּ דְּכַר, כְּתִיב, הוּא הַלַּיְלָה הַזֶּה לַיְיָ׳ שִׁמּוּרִים. שִׁמּוּרִים: דְּכַר וְנוּקְבָא. וּבְגִינֵי כַּךְ כְּתִיב הַלַּיְלָה הַזֶּה.

קלב. וּבַאֲתַר דְּאִשְׁתְּכָחוּ דְּכַר וְנוּקְבָא, לֵית שְׁבָחָא אֶלָּא לִדְכוּרָא. וְהָכִי שַׁבָּחוּ יִשְׂרָאֵל בְּתוּשְׁבְּחָתַיְיהוּ. לִדְכוּרָא וְלָא לְנוּקְבָא, הה״ד, זֶה אֵלִי וְאַנְוֵהוּ. דְּלֵית שְׁבָחָא בַּאֲתַר דִּדְכוּרָא וְנוּקְבָא אִשְׁתְּכָחוּ, אֶלָּא לִדְכוּרָא. וְעַל דָּא מְחַכָּאן יִשְׂרָאֵל, דִּכְתִיב זֶה יְיָ׳ קִוִּינוּ לוֹ נָגִילָה וְנִשְׂמְחָה בִּישׁוּעָתוֹ. מִשּׁוּם דְּהָכִי זַמִּין לְמֶעְבַּד לְהוּ, דִּכְתִיב כִּימֵי צֵאתְךָ מֵאֶרֶץ מִצְרָיִם אַרְאֶנּוּ נִפְלָאוֹת.

קלג. וְרָזָא דָּא הָכִי הוּא, כְּגַוְונָא דְּהָכָא לֵיל וְלַיְלָה, כַּךְ זַמִּין קב״ה לְמֶעְבַּד לְהוּ, דִּכְתִיב שׁוֹמֵר מַה מִלַּיְלָה שׁוֹמֵר מַה מִלֵּיל. מַה לְהַלָּן שְׁמִירָה וְלֵיל, אוּף כָּאן שְׁמִירָה וְלֵיל. מַה לְהַלָּן שְׁמִירָה וְלַיְלָה, אוּף כָּאן שְׁמִירָה וְלַיְלָה.

קלד. וְלַיְלָה אִתְקְרֵי אַגַּב דְּכוּרָא, הה״ד, אָתָא בֹקֶר וְגַם לַיְלָה. בֹּקֶר: כד״א וַיַּשְׁכֵּם אַבְרָהָם בַּבֹּקֶר. דְּהוּא מִדָּתוֹ מַמָּשׁ. וּכְתִיב יְיָ׳ בֹּקֶר תִּשְׁמַע קוֹלִי, בֹּקֶר מַמָּשׁ.

קלה. יָתְבוּ ר׳ חִיָּיא וְר׳ יוֹסֵי, וְאוֹלִיף לְהוּ רָזָא דְּתוֹרַת כֹּהֲנִים, וַהֲווּ מְהַדְּרֵי בְּכָל יוֹמָא וְיָתְבֵי קַמֵּיהּ. חַד יוֹמָא נָפַק ר״ש לְבַר, אָזְלוּ בַּהֲדֵיהּ, מָטוּ לְחַד חַקְלָא יָתְבוּ.

קלו. פָּתַח ר"ש וְאָמַר, תָּא חֲזֵי, כְּתִיב, אֶת הַכֹּל רָאִיתִי בִּימֵי הֶבְלִי יֵשׁ צַדִּיק אוֹבֵד בְּצִדְקוֹ וְיֵשׁ רָשָׁע מַאֲרִיךְ בְּרָעָתוֹ, שְׁלֹמֹה דַּהֲוַת חָכְמְתָא יְתֵירָא עַל כֹּלָּא, מַאי קָאָמַר בְּהַאי קְרָא. אֶלָּא, שְׁלֹמֹה רֶמֶז דְּחָכְמְתָא קָא רָמַז. דְּהָא חֲזֵינָן אוֹרְחוֹי דְּקָב"ה דְּלָאו הָכִי, דְּהָא כְּתִיב, וְלָתֵת לְאִישׁ כִּדְרָכָיו וְכִפְרִי מַעֲלָלָיו. אֶלָּא תְּרֵי עֲנְיָינֵי נִינְהוּ, דְּקָא רָמַז הָכָא.

קלז. דְּתָנֵינָן, כַּד עֵינוֹי דְּקָב"ה בָּעָאן לְאַשְׁגָּחָא בְּעָלְמָא, וּלְעַיְּינָא בֵּיהּ, כְּמָה דִּכְתִּיב כִּי יְיָ' עֵינָיו מְשׁוֹטְטוֹת בְּכָל הָאָרֶץ, וְאַשְׁכְּחָן חַיָּיבִין בְּעָלְמָא, הַהוּא צַדִּיקָא דְּאִשְׁתַּכַּח בְּדָרָא, אִתְפַּס בְּחוֹבַיְיהוּ. וְחַיָּיבַיָּא מַאֲרִיךְ קב"ה רוּגְזֵיהּ עִמְּהוֹן עַד דְּיִתּוּבוּן. וְאִי לָאו, לָא יִשְׁתְּכַּח מַאן דְּיִתְבַּע רַחֲמֵי עֲלַיְיהוּ, הה"ד, יֵשׁ צַדִּיק אוֹבֵד בְּצִדְקוֹ, מִשּׁוּם דְּהַהוּא זַכָּאָה, אִסְתַּלָּק מֵעָלְמָא.

קלח. בְּגִינֵי כַּךְ תָּנֵינָן, לְעוֹלָם אַל יָדוּר אָדָם אֶלָּא בְּמָקוֹם שֶׁאַנְשֵׁי מַעֲשֶׂה דָּרִים בְּתוֹכוֹ. מַאי טַעֲמָא. מִשּׁוּם דְּהָוֵי לְהַאי דִּמְדוֹרֵיהּ בֵּין חַיָּיבַיָּא, דְּהוּא אִתְפַּס בְּחוֹבַיְיהוּ, וְאִי דִּיוּרֵיהּ בֵּין זַכָּאִין, אוֹטִיבִין לֵיהּ בְּגִינַיְיהוּ.

קלט. דְּהָא רַב חַסְדָּא, הֲוָה דִּיוּרֵיהּ בְּקַדְמֵיתָא בֵּינֵי קַפּוֹטְקָאֵי, וַהֲוָה דְּחִיקָא לֵיהּ שַׁעֲתָא, וּמַרְעִין רַדְפִּין אֲבַתְרוֹי. נָטַל וְשַׁוֵּי מְדוֹרֵיהּ בֵּין מָארֵי תְּרִיסִין דְּצִפּוֹרִי, וְסָלִיק, וְזָכָה לְכַמָּה טָבִין, לְכַמָּה עוּתְרָא, לְכַמָּה אוֹרַיְיתָא, וְאָמַר, כָּל הַאי זָכֵינָא, עַל דְּעָאלִית בֵּין אִינּוּן דְּקָב"ה אַשְׁגַּח לְאוֹטָבָא לְהוּ.

קמ. ד"א, אֶת הַכֹּל רָאִיתִי בִּימֵי הֶבְלִי. וְכִי שְׁלֹמֹה, דְּדַרְגִּין עִלָּאִין דְּחָכְמְתָא הֲווֹ בֵּיהּ, עַל כָּל בְּנֵי דָּרָא דִּכְתִּיב וַיֶּחְכַּם מִכָּל הָאָדָם, דִּכְתִּיב וַיֵּשֶׁב שְׁלֹמֹה עַל כִּסֵּא יְיָ' לְמֶלֶךְ, אָמַר בִּימֵי הֶבְלִי. וּכְתִיב, הֲבֵל הֲבָלִים אָמַר קֹהֶלֶת.

קמא. וְתָנָא, ז' שֵׁמוֹת נִקְרָא: שְׁלֹמֹה. יְדִידְיָ"ה, אָגוּר. בִּן יָקֶ"א, אִיתִיאֵ"ל, לְמוּאֵל. קֹהֶלֶת. קֹהֶלֶת כְּנֶגֶד כֻּלָּם. וְכֻלָּם נִקְרָא כְּעֵין שֶׁל מַעְלָה, קֹהֶלֶת כְּנוּפְיָא קַדִּישָׁא דְּבֵי עֲשָׂרָה, בְּגִין כַּךְ קָהָל אֵין פָּחוֹת מֵעֲשָׂרָה. וְקָהָל אֲפִילּוּ מֵאָה, וְקֹהֶלֶת כְּלָלָא דְּכֹלָּא, כמד"א קְהִלַּת יַעֲקֹב.

קמב. וְתָאנָא, שְׁמוֹתָיו עַל שֵׁם הַחָכְמָה אִתְקְרוּן, וּבְגִין כַּךְ ג' סִפְרִין עָבֵד, שִׁיר הַשִּׁירִים. קֹהֶלֶת. מִשְׁלֵי. וְכֻלְּהוּ לְאַשְׁלְמָא חָכְמְתָא. שִׁיר הַשִּׁירִים לָקֳבֵל דְּחֶסֶד. קֹהֶלֶת לָקֳבֵל דְּדִינָא. מִשְׁלֵי לָקֳבֵל דְּרַחֲמֵי. בְּגִין לְאַשְׁלְמָא חָכְמְתָא, וְהוּא עָבֵד כָּל מַה דְּעָבֵד בְּגִין לְאַחֲזָאָה חָכְמְתָא, וּלְקָבֵל דַּרְגָּא עִלָּאָה, וְהוּא אָמַר בִּימֵי הֶבְלִי הֶבֶל הֲבָלִים.

קמג. אֶלָּא, רָזָא דְּהֶבֶל יַקִּירָא הוּא. וְהוּא הֲבַל דְּנָפִיק מִפּוּמָא, וְרָזָא דְּהֶבֶל דְּנָפִיק מִפּוּמָא, קָלָא אִתְעָבֵיד מִנֵּיהּ. וְתָאנָא, אֵין הָעוֹלָם מִתְקַיֵּים אֶלָּא בְּהֶבֶל פִּיהֶם שֶׁל תִּינוֹקוֹת שֶׁל בֵּית רַבָּן שֶׁלֹּא חָטְאוּ מַמָּשׁ. וְהֶבֶל אִתְעָבֵיד בְּרוּחָא וּמַיָּא, וְכָל מַה דְּאִתְעָבֵיד בְּעָלְמָא בְּהֶבֶל אִתְעָבֵיד. וְרָזָא דְּהַאי הֶבֶל שֶׁל תִּינוֹקוֹת אִתְעָבֵיד קָלָא, וְאִתְפַּשַּׁט בְּעָלְמָא, וְאִינּוּן נְטוּרֵי עָלְמָא, וּנְטוּרֵי קַרְתָּא, הה"ד אִם יְיָ' לֹא יִשְׁמָר עִיר וְגוֹ'.

קמד. ות"ח, הוּא הֶבֶל, הוּא קָלָא. מַה בֵּין הַאי לְהַאי. הֲבַל קָאֵים בְּחֵילָא, לְמֵיפַּק קָלָא. קָלָא מַמָּשׁ קָאֵים בְּקִיּוּמֵהּ לְאַפָּקָא מִלָּה. וְהַהוּא הֶבֶל דַּהֲוָה אוּסְנָתֵיהּ דַּאֲבוֹי קָרְיֵיהּ הֶבֶל, וּמִנֵּיהּ חָזָא כָּל מַה דְּחָזָא. ואע"ג דְּסִיּוּעִין סַגִּיאִין מֵעֵילָּא אַחֲרָנִין הֲווֹ לֵיהּ, וּלְאִשְׁתְּמוֹדְעָא מִלָּה, אָמַר בִּימֵי הֶבְלִי. דְּמִלָּה דָּא מִתַּמָּן אָתָא.

קמה. וְרָזָא דְּמִלָּה הַכֹּל הָבֶל אֶת הַכֹּל רָאִיתִי בִּימֵי הֶבְלִי, יֵשׁ צַדִּיק אוֹבֵד בְּצִדְקוֹ, דָּא הוּא רָזָא דְּמִלָּה, דְּגַלֵּי וּפַרְסֵם, דְּכֹלָּא תַּלְיָא בִּימֵי הֶבְלִי, כְּלוֹמַר בִּזְמְנָא דְּהַאי הֶבֶל יַנְקָא מִן דִּינָא, בְּגִין לְמֶעְבַּד דִּינָא, צַדִּיק אוֹבֵד בְּצִדְקוֹ, וּבִזְמְנָא דְּהַאי הֶבֶל יַנְקָא מֵרַחֲמֵי. רָשָׁע מַאֲרִיךְ בְּרָעָתוֹ. וְתַרְוַויְיהוּ תַּלְיָין בְּהַאי הֶבֶל, וּבג"כ כְּתִיב בִּימֵי, וְלָא כְּתִיב בְּיוֹם. וְכֹלָּא תַּלְיָין בִּימֵי הֶבֶל דָּא. מַאן דְּאַעְרַע בְּדִינָא, בְּדִינָא. מַאן דְּאַעְרַע בְּרַחֲמֵי, בְּרַחֲמֵי.

קמו. וְאִי תֵּימָא יֵשׁ צַדִּיק אוֹבֵד וְלָא קָאָמַר אָבוּד. הָכִי הוּא אוֹבֵד מַמָּשׁ. דְּהַהוּא דִּינָא אוֹבֵד לְצַדִּיק מֵעָלְמָא וּמִדָּרָא. וְיֵשׁ רָשָׁע מַאֲרִיךְ בְּרָעָתוֹ, מַאֲרִיךְ מַמָּשׁ, דְּהַהוּא דִּינָא כַּד יַנְקָא מֵרַחֲמֵי, עָבִיד רַחֲמֵי לְהַהוּא רָשָׁע, וּמַאֲרִיךְ לֵיהּ.

קמז. עַד דַּהֲווֹ יָתְבֵי, חָמוּ קְטוֹרָא דַּהֲוָה סָלִיק לְעֵילָּא וְנָחִית לְתַתָּא. אָמַר אִתְעַטְּרוּתָא אִתְעַטַּר בְּטִינָתָא דְּאַרְעָא, מִגּוֹ לְעֵילָּא. אַדְּהָכִי, סָלִיק הַהוּא וְחַקְלָא רֵיחָא, מִכָּל בּוּסְמִין, אָמַר נֵיתִיב הָכָא, דִּשְׁכִינְתָּא גַּבָּן אִתְקַיָּים. בְּגִין כָּךְ, כְּרֵיחַ שָׂדֶה אֲשֶׁר בֵּרְכוֹ יְיָ'.

קמח. פָּתַח וְאָמַר, וַיָּרַח אֶת רֵיחַ בְּגָדָיו וַיְבָרְכֵהוּ וַיֹּאמֶר רְאֵה רֵיחַ בְּנִי וְגוֹ', וַיָּרַח אֶת רֵיחַ בְּגָדָיו, מַשְׁמַע דְּאִינּוּן לְבוּשִׁין הֲווֹ סַלְקִין רֵיחָא טָבָא, דְּלָא אִתְעֲדֵי מִנַּיְיהוּ הַהוּא רֵיחָא. הַשְׁתָּא אִית לְאִסְתַּכְּלָא, כְּתִיב, רֵיחַ בְּגָדָיו, וּכְתִיב רֵיחַ בְּנִי, וְלָא אָמַר רֵיחַ הַבְּגָדִים, אֶלָּא רֵיחַ בְּנִי. אֶלָּא תָּאנָא, כֵּיוָן שֶׁנִּכְנַס יַעֲקֹב, נִכְנַס עִמּוֹ ג"ע. וְתָאנָא, אוֹתָן הַבְּגָדִים הָיוּ שֶׁל אָדָם הָרִאשׁוֹן, דִּכְתִיב, וַיַּעַשׂ יְיָ' אֱלֹהִים לְאָדָם וּלְאִשְׁתּוֹ כָּתְנוֹת עוֹר וַיַּלְבִּישֵׁם, וְהוֹצִיאָם מִגַּ"ע.

קמט. וְאִי תֵּימָא, דִּכְתִיב וַיִּתְפְּרוּ עֲלֵה תְאֵנָה דְּאִינּוּן הֲווֹ, אִי הָכִי, אַמַּאי כְּתִיב וַיַּעַשׂ ה' אֱלֹהִים. וּכְתִיב כָּתְנוֹת עוֹר, הָא לָא הֲווֹ אֶלָּא עֲלֵה תְאֵנָה אֶלָּא כְּתַרְגּוּמוֹ, לְבוּשִׁין דִּיקָר וַהֲווֹ סַלְקִין רֵיחִין מִבּוּסְמָא דְּעֵדֶן.

קנ. וְתַנְיָא, בְּשֵׁם מָלֵא אִתְעֲבֵידוּ, דִּכְתִיב וַיַּעַשׂ ה' אֱלֹהִים. מַה דְּלָא אִתְעֲבֵידוּ בֵּיהּ שְׁמַיָּא וְאַרְעָא. וְלָא. וְהָא כְּתִיב, בְּיוֹם עֲשׂוֹת יְיָ' אֱלֹהִים אֶרֶץ וְשָׁמָיִם. לָא קַשְׁיָא הַאי כַּד אִתְעֲבֵידוּ, לָא אִתְעֲבֵידוּ בְּשֵׁם מָלֵא, בַּר כַּד אִתְקַיְּימוּ, בְּשֵׁם מָלֵא אִתְקַיְּימוּ.

קנא. וּמַה דְּאָמְרוּ דְּאִינּוּן לְבוּשִׁין אָתוּ לְהַהוּא רָשָׁע דְּעֵשָׂו, דְּנָסִיב לוֹ מִן נִמְרוֹד הָכִי אוֹקִימְנָא, וְקַשְׁיָא מִלָּה, דְּאִי הָכִי הָא כְּתִיב לְאָדָם וּלְאִשְׁתּוֹ, לְבוּשִׁין לְאָדָם, וּלְבוּשִׁין לְחַוָּה. לְבוּשִׁין דְּחַוָּה מַה אִתְעֲבֵידוּ. וְתוּ, דְּאִי הָכִי בְּמַאי אִתְקַבְּרוּ, ס"ד דְּאִינּוּן שָׁבְקוּ וְרָאמוּ מִנַּיְיהוּ זֵהָרָא עִלָּאָה, דִּיהִיב לוֹן קוּדְשָׁא בְּרִיךְ הוּא.

קנב. אֶלָּא אִינּוּן לְבוּשִׁין דְּאִתְלַבָּשׁוּ בְּהוּ אָדָם וְאִתְּתֵיהּ, לָא אִתְלַבַּשׁ בְּהוּ ב"נ אָחֳרָא, דְּבְאִינּוּן לְבוּשִׁין דָּמוּ כְּגַוְונָא דִּלְעֵילָּא וְאִי ס"ד, דְּאִינּוּן אִתְלַבָּשׁוּ מִגַּרְמַיְיהוּ בְּהוּ. תָּא חֲזֵי, כְּתִיב וַיַּלְבִּישֵׁם, דְּקֻבָּ"ה אַלְבִּישׁ לוֹן, זַכָּאָה חוּלָקְהוֹן.

קנג. כְּתִיב. ה' אֱלֹהַי גָּדַלְתָּ מְאֹד הוֹד וְהָדָר לָבָשְׁתָּ. וּכְתִיב הוֹד וְהָדָר לְפָנָיו. וּכְתִיב עוֹטֶה אוֹר כַּשַּׂלְמָה וְגוֹ'. כֵּיוָן דְּאִתְלַבַּשׁ עָבַד מַה דַּעֲבַד. מְלַמֵּד, שֶׁנִּתְעַטֵּף קוּדְשָׁא בְּרִיךְ הוּא בְּאוֹר, וּבָרָא יַת שְׁמַיָּא. אֶלָּא בְּמַאי אוֹקִימְנָא הַחֲמוּדוֹת אֲשֶׁר אִתָּהּ בַּבָּיִת. הַחֲמוּדוֹת: בִּגְדֵי מַלְכוּת בְּמֵשִׁי וְזָהָב, וְאָרְחָא דְּעָלְמָא דְּגַנְזֵי לוֹן בְּבוּסְמִין וְרֵיחִין, לִיקָרָא דִּלְבוּשַׁיְיהוֹן.

קנד. תָּא חֲזֵי וַיָּרַח אֶת רֵיחַ בְּגָדָיו, בַּתְּחִלָּה. וְכַד אַרְגִּישׁ, אָמַר רְאֵה רֵיחַ בְּנִי, דְּיָדַע דְּבֵיהּ הֲוָה תַּלְיָא מִלְּתָא, דִּבְגִינֵיהּ סָלִיק רֵיחָא. כְּרֵיחַ שָׂדֶה אֲשֶׁר בֵּרְכוֹ יְיָ', וְכִי מִנַּיִין

הֲוָה יָדַע יִצְחָק רֵיחַ שָׂדֶה אֲשֶׁר בֵּרֲכוֹ יְיָ'.

קנה. אֶלָּא, תְּרֵין מִלִּין אִינּוּן, וְכֹלָּא הוּא חַד. דִּכְתִיב, וַיֵּצֵא יִצְחָק לָשׂוּחַ בַּשָּׂדֶה לִפְנוֹת עָרֶב. וְכִי לָא הֲוָה לֵיהּ בֵּיתָא, אוֹ מָקוֹם אַחֵר לְהִתְפַּלֵּל. אֶלָּא אוֹתָהּ הַשָּׂדֶה הָיָה אֲשֶׁר קָנָה אַבְרָהָם סָמוּךְ לַמְּעָרָה, דִּכְתִיב הַשָּׂדֶה אֲשֶׁר קָנָה אַבְרָהָם מֵאֵת בְּנֵי חֵת. וּבְשַׁעֲתָא דַּהֲוָה יִצְחָק עָאל גַּבֵּיהּ, חָמָא שְׁכִינְתָּא עָלֵיהּ, וְסָלִיק רֵיחִין עִלָּאִין קַדִּישִׁין, וּבְגִינֵי כָּךְ הֲוָה מְצַלֵּי תַּמָּן, וְקָבְעֵיהּ לִצְלוֹתֵיהּ.

קנו. וְאַבְרָהָם אֲמַאי לָא הֲוָה מְצַלֵּי תַּמָּן, מִשּׁוּם דִּקְבִיעוּתָא דְּאַתְרָא אַחֲרָא הֲוָה לֵיהּ בְּקַדְמֵיתָא, וּמִלָּה אַחֲרָא רֵיוָא דְּחָמָא בְּהַר הַמּוֹרִיָּה. וְלָמָּה נִקְרָא מוֹרִיָּה. ע"ש הַמּוֹר הַטּוֹב דַּהֲוָה תַּמָּן.

קנז. וְכֹלָּא הֲוָה, וג"ע דְּעָאל עִמֵּיהּ וּבַרְכֵיהּ. וּבְגִין כָּךְ לָא תָּלָה מִלָּה בִּלְבוּשִׁין, אֶלָּא בְּיַעֲקֹב מַמָּשׁ, דְּחָמָא דְּבֵיהּ הֲוָה תַּלְיָא מִלָּה וְאִתְחַזֵּי, וּזְכוּתֵיהּ סָלִיק לְאִתְבָּרְכָא, וְעָאל עִמֵּיהּ ג"ע. וּבגּ"כ כַּד אִתְרְעַם עֵשָׂו, אָמַר גַּם בָּרוּךְ יִהְיֶה.

קנח. אָמַר רִבִּי יִצְחָק, לָא אִצְטְרִיךְ אוֹרַיְיתָא לְמִכְתַּב אֶלָּא מֵהַחֹדֶשׁ הַזֶּה לָכֶם רָאשׁ חֳדָשִׁים. מַאי טַעֲמָא. מִשּׁוּם דְּשֵׁירוּתָא דְּסִיהֲרָא הֲוֵי, וְעַ"ד אוֹרַיְיתָא הֲוָה אִצְטְרִיךְ לְמִכְתַּב מֵהָכָא, דְּהָא בְּקֻבְּ"ה אִתְקְשַׁר מִלָּה.

קנט. וְלָא קַשְׁיָא, דְּלָא כְּתִיב זֹאת, הַחֹדֶשׁ הַזֹּאת, דְּהָא זֶה וְזֹאת כַּחַד מִתְקַשְּׁרִין וּבַאֲתַר דְּאִית בֵּיהּ דְּכַר וְנוּקְבָא כַּחֲדָא, לֵית שְׁבָחָא אֶלָּא לִדְכוּרָא, וְעַל דָּא רִאשׁוֹן הוּא לָכֶם לְחָדְשֵׁי הַשָּׁנָה, לְחָדְשֵׁי הַשָּׁנָה וַדַּאי. אָמַר רִבִּי יְהוּדָה, לָכֶם תְּרֵי זִמְנֵי לָמָּה. אָמַר רִבִּי יִצְחָק, מִנַּיְיהוּ, אִשְׁתְּמַע יַתִּיר, כְּמָה דִּכְתִיב, כִּי חֵלֶק ה' עַמּוֹ. אִתְקַשְּׁרוּתָא דָּא לָכֶם, וְלָא לִשְׁאָר עַמִּין.

קס. דַּבְּרוּ אֶל כָּל עֲדַת יִשְׂרָאֵל לֵאמֹר בֶּעָשׂוֹר לַחֹדֶשׁ הַזֶּה וְיִקְחוּ לָהֶם אִישׁ שֶׂה וְגוֹ', בֶּעָשׂוֹר, אֲמַאי בֶּעָשׂוֹר. אָמַר רִבִּי אַבָּא, בְּזִמְנָא דְּאַנְהִיר יוֹבְלָא לְסִיהֲרָא, דִּכְתִיב בְּיוֹבְלָא, בֶּעָשׂוֹר לַחֹדֶשׁ הַשְּׁבִיעִי הַזֶּה יוֹם הַכִּפּוּרִים הוּא.

קסא. וְיִקְחוּ לָהֶם אִישׁ שֶׂה לְבֵית אָבוֹת, אֲמַאי, בְּגִין דִּבְזִמְנָא דָּא אִצְטְרִיךְ לְמֵיגַד לֵיהּ. דְּהָא תָּנֵינָן, בְּמִלְּתָא דָּא אִתְבַּר כִּתְרָא תַּתָּאָה, דְּמִתְאַחֲדִין בֵּיהּ כָּל שְׁאַר כִּתְרִין תַּתָּאִין, וְעַל דָּא פָּרִישׁ מֹשֶׁה וְאָמַר, מִשְׁכוּ וּקְחוּ לָכֶם צֹאן, כְּמָה דִּכְתִיב, צֹאן וְעֶבֶד וְשִׁפְחָה.

קסב. אָמַר קוּדְשָׁא בְּרִיךְ הוּא, עֲבִידוּ אַתּוּן עוֹבָדָא לְתַתָּא, וַאֲנָא אִתְבַּר תָּקְפֵיהוֹן לְעֵילָּא, וּכְמָה דְּתַעְבְּדוּן בְּנוּרָא אַתּוּן, דִּכְתִיב כִּי אִם צְלִי אֵשׁ, אֲנָא אוּף הָכִי אַעֲבִיר אוֹתוֹ בָּאֵשׁ בִּנְהַר דִּינוּר.

קסג. אֲמַאי אִתְנְגִיד בַּעֲשָׂרָה, וְאִתְנְכִיס בְּאַרְבָּעָה עָשָׂר. אָמַר רִבִּי אַבָּא בְּדָא אִתְקַשָּׁרוּ יִשְׂרָאֵל אַרְבַּע מֵאָה שְׁנִין. וְאַף עַל גַּב דְּאַרְבַּע מֵאָה שְׁנִין לָא אִשְׁתַּעֲבִידוּ בְּהוּ, מִכָּל מָקוֹם, הוֹאִיל וַהֲוָה זַמִּין לְאִתְקַשְּׁרָא בְּהוּ, אִתְחַשִּׁיב עָלֵיהּ כְּאִלּוּ אִשְׁתַּעֲבִידוּ בְּהוּ כָּל ת' שְׁנִין. בגּ"כ, מְעַכְּבִין לֵיהּ אַרְבַּע יוֹמִין, קְטִירָא בִּרְשׁוּתַיְיהוּ דְּיִשְׂרָאֵל, וּלְבָתַר וְשָׁחֲטוּ אוֹתוֹ כֹּל קְהַל עֲדַת יִשְׂרָאֵל בֵּין הָעַרְבָּיִם.

קסד. אֲמַאי בֵּין הָעַרְבָּיִם. בְּשַׁעֲתָא דְּדִינָא תַּלְיָא, וּבְשַׁעֲתָא דְּאִתְמְסַר מִלָּה דָּא לֵיהּ, עַל יְדוֹי דְּאַבְרָהָם, דִּכְתִיב וַיְהִי הַשֶּׁמֶשׁ בָּאָה וְתַרְדֵּמָה נָפְלָה עַל אַבְרָם וְהִנֵּה אֵימָה חֲשֵׁכָה גְדוֹלָה נוֹפֶלֶת עָלָיו. אֵימָה: כִּתְרָא חֲדָא. חֲשֵׁכָה: כִּתְרָא אַחֲרָא. גְּדוֹלָה: הַאי דְּהִיא רַבְרְבָא מִכֹּלָּא. ואע"ג דְּאוֹקִימְנָא קְרָא דָּא עַל שְׁאַר שִׁעְבּוּדַיְיהוּ דְּיִשְׂרָאֵל,

וְכֹלָּא הֲוָה. כְּגַוְונָא דָא, כִּי מָוֶת אֲמוּרָה, אַתּוּן מִתַּתָּא, וַאֲנָא מֵעֵילָּא.

קסה. תָּנָא, לָא נָפְקוּ יִשְׂרָאֵל מִמִּצְרַיִם, עַד דְּאִתְּבָרוּ כֻּלְּהוּ שׁוּלְטָנִין דִּלְעֵילָּא מִשּׁוּלְטָנֵיהוֹן, וְנַפְקוּ יִשְׂרָאֵל מֵרְשׁוּתְהוֹן, וְאָעִלוּ לִרְשׁוּתָא קַדִּישָׁא עִלָּאָה בִּקוּדְשָׁא בְּרִיךְ הוּא, וְאִתְקְטִירוּ בֵּיהּ, הֲדָא הוּא דִּכְתִּיב, כִּי לִי בְנֵי יִשְׂרָאֵל עֲבָדִים עֲבָדַי הֵם. מַאי טַעֲמָא עֲבָדַי הֵם. אֲשֶׁר הוֹצֵאתִי אוֹתָם מֵאֶרֶץ מִצְרַיִם, דְּאַפִּקִית לְהוּ מֵרְשׁוּתָא אַחֲרָא, וְעָאֲלִית לוֹן בִּרְשׁוּתִי.

קסו. וְהַיְינוּ דְּאָמַר רִבִּי שִׁמְעוֹן, מַאי דִּכְתִּיב, אַךְ בַּיּוֹם הָרִאשׁוֹן תַּשְׁבִּיתוּ שְּׂאוֹר מִבָּתֵּיכֶם כִּי כָּל אוֹכֵל מַחְמֶצֶת. אֲנָא הָכִי אוּקִימְנָא, הַאי שְׂאוֹר, וְהַאי מַחְמֶצֶת, דַּרְגָּא חַד אִינּוּן, וְכֻלְּהוּ חַד. רְשׁוּ אוּחֲרֵי, אִינּוּן שֻׁלְטָנִין, דִּמְמַנָּן עַל שְׁאַר עַמִּין, וְקָרֵינָן לְהוּ יֵצֶר הָרָע, רְשׁוּתָא אַחֲרָא, אֵל נֵכָר, אֱלֹהִים אֲחֵרִים. אוּף הָכִי, שְׂאוֹר, וּמַחְמֶצֶת, וְחָמֵץ, וְכֹלָּא חַד. אָמַר קֻבָּ"ה, כָּל הָנֵי שְׁנֵי, קַיְּימִתּוּ בִּרְשׁוּתָא אַחֲרָא, עַבְדִין לְעַם אַחֲרָא, מִכָּאן וּלְהַלְאָה דְּאַתּוּן בְּנֵי חוֹרִין, אַךְ בַּיּוֹם הָרִאשׁוֹן תַּשְׁבִּיתוּ שְׂאוֹר מִבָּתֵּיכֶם. כָּל מַחְמֶצֶת לֹא תֹאכֵלוּ. וְלֹא יֵרָאֶה לְךָ חָמֵץ.

קסז. אָמַר רִבִּי יְהוּדָה, אִי הָכִי כָּל יְמֵי שַׁתָּא נָמֵי, אֲמַאי שִׁבְעַת יוֹמִין, דִּכְתִּיב שִׁבְעַת יָמִים שְׂאוֹר לֹא יִמָּצֵא בְּבָתֵּיכֶם, שִׁבְעַת יָמִים, וְלָא יַתִּיר. א"ל, כָּל זִמְנָא דְּאִתְחַיַּיב בַּר נָשׁ לְאִתְחֲזָאָה גַּרְמֵיהּ בֶּן חוֹרִין, הָכִי אִצְטְרִיךְ, כָּל זִמְנָא דְּלָא אִתְחַיַּיב לָא אִצְטְרִיךְ.

קסח. לְמַלְכָּא דְּעָבֵד לְחַד בַּר נָשׁ רוּפִינוּס, כָּל אִינּוּן יוֹמִין דְּסָלִיק לְהַאי דַּרְגָּא, חַדֵּי, וְלָבִישׁ לְבוּשֵׁי יְקַר, לְבָתַר לָא אִצְטְרִיךְ. לְשַׁתָּא אַחֲרָא נָטִיר אִינּוּן יוֹמִין דְּסָלִיק לִיקָרוּ דָא, וְלָבַשׁ אִינּוּן לְבוּשִׁין, וְכֵן כָּל שַׁתָּא וְשַׁתָּא כְּהַאי גַּוְונָא יִשְׂרָאֵל, כְּתִיב, שִׁבְעַת יָמִים שְׂאוֹר לֹא יִמָּצֵא, דְּאִינּוּן יוֹמֵי חֶדְוְותָא, יוֹמִין דְּסָלִיקוּ לִיקָרָא דָא, וְנַפְקוּ מִשִּׁעְבּוּדָא אַחֲרָא. וּבְגִין כַּךְ, נַטְרִין בְּכָל שַׁתָּא וְשַׁתָּא, יוֹמִין דְּסָלִיקוּ לְהַאי יְקַר, וְנַפְקוּ מֵרְשׁוּתָא אַחֲרָא, וְעָאלוּ בִּרְשׁוּתָא קַדִּישָׁא, וְעַל דָּא כְּתִיב, שִׁבְעַת יָמִים מַצּוֹת תֹּאכֵלוּ.

קסט. אָמַר רִבִּי שִׁמְעוֹן, מַצַּת כְּתִיב, כמד"א, מַרְאֹת אֱלֹהִים. וְלָמָּה אִתְקְרֵי מַצַּת. דִּינָא קַדִּישָׁא. דִּינָא דְּאִתְאַחֲדָא בִּשְׁמָא קַדִּישָׁא. דִּינָא דְּלָא הֲוָה תַּקִּיפָא כָּל הַהוּא זִמְנָא בְּגַוַויְיהוּ דְּיִשְׂרָאֵל, דְּהָא קַיְּימָא סִיהֲרָא בִּפְגִימוּתָא. וְעַל דְּקַיְּימָא סִיהֲרָא בִּפְגִימוּתָא, לֶחֶם עֹנִי כְּתִיב.

קע. מ"ט קַיְּימָא בִּפְגִימוּתָא. בְּגִין דְּלָא אִתְפְּרָעוּ, וְלָא אִתְגַּלְיָא הַאי אָת קַדִּישָׁא. גְּזִירִין הֲווּ וְלָא אִתְפְּרָעוּ, אֵימָתַי אִתְפְּרָעוּ, בְּשַׁעְתָּא דִּכְתִּיב, שָׂם שָׂם לוֹ חֹק וּמִשְׁפָּט וְשָׁם נִסָּהוּ, ואע"ג דְּאוּקִימְנָא הַאי קְרָא בְּמִלָּה אַחֲרָא, כֹּלָּא הֲוָה וְיָאוֹת.

קעא. וְאִי תֵּימָא דְּבִימֵי יְהוֹשֻׁעַ אִתְפְּרָעוּ. לָאו הָכִי, אֶלָּא אִינּוּן דִּכְתִּיב וְכָל הָעָם הַיִּלוֹדִים בַּמִּדְבָּר בַּדֶּרֶךְ וְגוֹ'. בָּתַר דְּאִתְפְּרָעוּ, אָמַר קוּדְשָׁא בְּרִיךְ הוּא, בְּקַדְמֵיתָא אֲכַלְתּוּן מַצּוֹת, דְּקַיְּימָא סִיהֲרָא בִּפְגִימוּתָא, וְאִקְרֵי לֶחֶם עֹנִי, מִכָּאן וּלְהַלְאָה הַאי לֶחֶם מֵאֲתָר אַחֲרָא לֶהֱוֵי. מַאי הוּא. דִּכְתִּיב הִנְנִי מַמְטִיר לָכֶם לֶחֶם מִן הַשָּׁמַיִם. לָא מִן סִיהֲרָא כְּהַהוּא זִמְנָא, אֶלָּא מִן הַשָּׁמַיִם מַמָּשׁ, כְּמָה דִּכְתִּיב וְיִתֶּן לְךָ הָאֱלֹהִים מִטַּל הַשָּׁמַיִם.

קעב. וְיִשְׂרָאֵל קַדִּישִׁין, נַטְרִין אִינּוּן יוֹמִין דְּעָאלוּ תְּחוֹת גַּדְפוֹי דִּשְׁכִינְתָּא, וְנַטְרִין הַהוּא נַהֲמָא דְּאַתְיָא מִסִּטְרָהָא, וע"ד כְּתִיב, אֶת חַג הַמַּצּוֹת תִּשְׁמֹר וְגוֹ', וּכְתִיב וּשְׁמַרְתֶּם אֶת הַמַּצּוֹת. מַהוּ וּשְׁמַרְתֶּם אֶת הַמַּצּוֹת. כד"א, וּשְׁמַרְתֶּם אֶת בְּרִיתִי. וְכֹלָּא בְּחַד דַּרְגָּא

סַלְקָא וְאִתְאֲחָד.

קעג. וְאִי תֵּימָא מֹשֶׁה הֵיךְ לָא פָּרַע לְהוּ. אֶלָּא, בְּגִין דְּלָא יִתְעַכְּבוּן יִשְׂרָאֵל תַּמָּן עַד דְּיִתְסְּיאוּ, וְעַל דָּא כְּתִיב, שִׁבְעַת יָמִים תֹּאכַל עָלָיו מַצּוֹת לֶחֶם עֹנִי. מ"ט לֶחֶם עֹנִי, מִשּׁוּם כִּי בְחִפָּזוֹן יָצָאתָ וְגוֹ' וּכְתִיב וְלֹא יָכְלוּ לְהִתְמַהְמֵהַּ.

קעד. תָּא חֲזֵי, כַּד עָאלוּ יִשְׂרָאֵל לְאַרְעָא, עָאלוּ גְּזִירִין וְאִתְפְּרָעוּ. וּמַה כְּתִיב, אֶרֶץ אֲשֶׁר לֹא בְמִסְכֵּנֻת תֹּאכַל בָּהּ לֶחֶם. מַאי בְּמִסְכֵּנֻת. לֶחֶם עֹנִי. אֲמַאי אִקְרֵי לֶחֶם עֹנִי. מִשּׁוּם דְּקַיְּימָא סִיהֲרָא בִּפְגִימוּתָא, וְלָא מִתְבָּרְכָא מִשִּׁמְשָׁא, וְלָא מִתְנַהֲרָא מִן שִׁמְשָׁא, כְּמָה דְּאַתְּ אָמֵר, כִּי כֹל בַּשָּׁמַיִם וּבָאָרֶץ, וְלָא אִתְנְהֲרָא מִיּוֹבְלָא. מַאי טַעֲמָא. מִשּׁוּם דְּלָא אִתְפְּרָעוּ. אֲבָל הָכָא, דְּאִתְגְּזָרוּ יִשְׂרָאֵל וְאִתְפְּרָעוּ, לֹא תֶחְסַר כֹּל בָּהּ כְּתִיב, וְעַל דָּא לֹא בְמִסְכֵּנֻת תֹּאכַל בָּהּ לֶחֶם. מַאי טַעֲמָא. מִשּׁוּם דְּלָא תֶחְסַר כ"ל בָּהּ, כְּמָה דְּחָסְרוּ לֵיהּ בְּמִצְרַיִם.

קעה. וּבְכָל שַׁתָּא וְשַׁתָּא דּוּכְרָנָא דְמִצְרַיִם קָא עַבְדֵי יִשְׂרָאֵל, וְאַכְלֵי וְלָא אִשְׁתְּצֵי מִדְּהֵי דָּרִין. וּבְגִין דְּלָא אִתְפְּרָעוּ הָכָא בְּמִצְרַיִם, וְחַסְרוּ לֵיהּ לְהַאי כָּל, וְקַיְּימָא סִיהֲרָא בִּפְגִימוּתָא, וְאִקְרֵי לֶחֶם עֹנִי, עֹנִי: כְּתַרְגּוּמוֹ מִסְכֵּנוּת. וּמַאי דַּאֲכַלוּ לֵיהּ תַּמָּן בְּאַרְעָא, בְּגִין דּוּכְרָנָא דְמִצְרַיִם הֲוֵה, וְהַאי לְדָרֵי דָּרִין, וְלִזְמְנָא דְּאָתֵי כְּתִיב, לֹא יָבֹא עוֹד שִׁמְשֵׁךְ וִירֵחֵךְ וְגוֹ'.

קעו. תָּנָא א"ר שִׁמְעוֹן כְּתִיב בֶּעָשׂוֹר לַחֹדֶשׁ הַזֶּה וְיִקְחוּ לָהֶם וְגוֹ', וּכְתִיב אַךְ בֶּעָשׂוֹר לַחֹדֶשׁ הַשְּׁבִיעִי הַזֶּה יוֹם הַכִּפּוּרִים הוּא, אִשְׁתְּמַע כְּמָה דְּאִתְּמַר, דִּכְתִיב בֶּעָשׂוֹר לַחֹדֶשׁ הַזֶּה. מַאי קָא מַיְּירֵי. אֶלָּא בֶּעָשׂוֹר, מִלָּה דָּא בֶּעָשׂוֹר תַּלְיָא. לַחֹדֶשׁ הַזֶּה בַּחֹדֶשׁ הַזֶּה מִבְּעֵי לֵיהּ. אֶלָּא, כַּד אָתָא נִימוּסָא לְהַאי דַּרְגָּא, כְּתִיב לַחֹדֶשׁ הַזֶּה דַּיְקָא.

קעז. וְיִקְחוּ לָהֶם אִישׁ שֶׂה לְבֵית אָבֹת שֶׂה לַבָּיִת. תָּנָא תְּלַת קִשְׁרִין אִינּוּן, בְּכוֹר בְּהֵמָה, בְּכוֹר הַשְּׁבִי, בְּכוֹר הַשִּׁפְחָה. דְּכָל שְׁאַר מִתְקַשְּׁרֵי בְּהוּ בְּאִלֵּין תְּלַת גַּוְונֵי דִּלְעֵילָא. וּבְהַאי דְּאִתְקְרֵי צֹאן, אִתְקַשַּׁר כֹּלָּא, וְכֹלָּא כָּלִיל בַּצֹּאן, אִתְקַשַּׁר צֹאן בַּצֹּאן, וְלָא יָכִיל לְאִתְפָּרְשָׁא מִקִּטְרוֹי, וּבְהַאי כֻּלְּהוּ אִתְקַשָּׁרוּ, וְעַ"ד כְּתִיב, וְהָיָה לָכֶם לְמִשְׁמֶרֶת, קְטִירוּ לֵיהּ בִּקְטִירוּתָא, וִיהֵא אִתְמְסַר בִּידַיְיכוּ בִּרְשׁוּתְכוֹן, עַד דְּתַנְכְּסוּ לֵיהּ, וְתַעַבְדוּן בֵּיהּ דִּינָא, וְלִזְמְנָא דְּאָתֵי כְּתִיב מִי זֶה בָּא מֵאֱדוֹם. וּכְתִיב, כִּי זֶבַח לַיְיָ בְּבָצְרָה. וּכְתִיב, וְהָיָה יְיָ' לְמֶלֶךְ עַל כָּל הָאָרֶץ בַּיּוֹם הַהוּא יִהְיֶה יְיָ' אֶחָד וּשְׁמוֹ אֶחָד.

רעיא מהימנא

קעח. וַיִּשָּׂא הָעָם אֶת בְּצֵקוֹ טֶרֶם יֶחְמָץ וְגוֹ'. כ"ה פִּקּוּדָא דָּא, לְבַעֵר חָמֵץ. דְּהָא פִּקּוּדָא דָּא, אִתְמְסַר לְהוּ לְיִשְׂרָאֵל וַיִּשָּׂא הָעָם אֶת בְּצֵקוֹ טֶרֶם יֶחְמָץ. וּכְתִיב שְׂאוֹר לֹא יִמָּצֵא בְּבָתֵּיכֶם, וְהָא אוֹקְמוּהָ חַבְרַיָּא, וְרָזָא אוֹקִימְנָא, בֵּין חָמֵץ וּמַצָּה דְּכַמָּה דּוּכְתֵּי, דָּא יֵצֶר רַע, וְדָא יֵצֶר טוֹב.

קעט. כ"ו פִּקּוּדָא בָּתַר דָּא, לְסַפֵּר בִּשְׁבָחָא דִּיצִיאַת מִצְרַיִם, דְּאִיהוּ חִיּוּבָא עַל בַּר נָשׁ, לְאִשְׁתָּעֵי בְּהַאי שְׁבָחָא לְעָלְמִין. הָכִי אוֹקִימְנָא, כָּל בַּר נָשׁ דְּאִשְׁתָּעֵי בִּיצִיאַת מִצְרַיִם, וּבְהַהוּא סִפּוּר חַדֵּי בְּחֶדְוָה, זַמִּין אִיהוּ לְמֶחֱדֵי בִּשְׁכִינְתָּא לְעָלְמָא דְּאָתֵי דְּהוּא חֶדְוּ מִכֹּלָּא, דְּהַאי אִיהוּ בַּר נָשׁ דְּחַדֵּי בְּמָרֵיהּ, וְקֻבָּ"ה חַדֵּי בְּהַהוּא סִפּוּר.

קפ. בֵּיהּ שַׁעֲתָא, כָּנִישׁ קוּדְשָׁא בְּרִיךְ הוּא לְכָל פָּמַלְיָיא דִּילֵיהּ, וְאָמַר לוֹן, זִילוּ וּשְׁמָעוּ סִפּוּרָא דִּשְׁבָחָא דִּילִי, דְּקָא מִשְׁתָּעוּ בָּנַי, וְחַדָּאן בְּפוּרְקָנִי. כְּדֵין כֻּלְּהוּ מִתְכַּנְּשִׁין,

וְאַתְיָין וּמִתְחַבְּרִין בַּהֲדַיְיהוּ דְּיִשְׂרָאֵל, וְשָׁמְעוּ סִפּוּרָא דִּשְׁבָחָא, דְּקָא חַדָּאן בְּחֶדְוָא דְּפוּרְקָנָא דְּמָרֵיהוֹן, כְּדֵין אַתְיָין וְאוֹדָן לֵיהּ לְקוּדְשָׁא בְּרִיךְ הוּא, עַל כָּל אִינּוּן נִסִּין וּגְבוּרָן וְאוֹדָאן לֵיהּ עַל עַמָּא קַדִּישָׁא דְּאִית לֵיהּ בְּאַרְעָא, דְּחַדָּאן בְּחֶדְוָה דְּפוּרְקָנָא דְּמָארֵיהוֹן.

קפא. כְּדֵין אִתּוֹסַף לֵיהּ חֵילָא וּגְבוּרְתָּא לְעֵילָּא, וְיִשְׂרָאֵל בְּהַהוּא סִפּוּרָא יַהֲבֵי חֵילָא לְמָארֵיהוֹן, כְּמַלְכָּא, דְּאִתּוֹסַף חֵילָא וּגְבוּרְתָּא, כַּד מְשַׁבְּחִין גְּבוּרְתֵּיהּ, וְאוֹדָן לֵיהּ, וְכֻלְּהוּ דַּחֲלִין מִקָּמֵיהּ, וְאִסְתַּלַּק יְקָרֵיהּ עַל כֻּלְּהוּ. וּבְגִין כָּךְ, אִית לְשַׁבְּחָא וּלְאִשְׁתָּעֵי בְּסִפּוּר דָּא כְּמָה דְּאִתְּמַר. כְּגַוְונָא דָּא, חוֹבָה אִיהוּ עַל בַּר נָשׁ, לְאִשְׁתָּעֵי תָּדִיר קָמֵי קוּדְשָׁא בְּרִיךְ הוּא, וּלְפַרְסוּמֵי נִיסָּא בְּכָל אִינּוּן נִיסִּין דְּעָבַד.

קפב. וְאִי תֵּימָא, אֲמַאי אִיהוּ חוֹבָתָא, וְהָא קב"ה יָדַע כֹּלָּא, כָּל מַה דַּהֲוָה, וְיֶהֱוֵי לְבָתַר דְּנָא, אֲמַאי פַּרְסוּמָא דָּא קָמֵיהּ, עַל מַה דְּאִיהוּ עָבַד, וְאִיהוּ יָדַע. אֶלָּא וַדַּאי אִצְטְרִיךְ בַּר נָשׁ לְפַרְסוּמֵי נִיסָּא, וּלְאִשְׁתָּעֵי קָמֵיהּ בְּכָל מַה דְּאִיהוּ עָבַד, בְּגִין דְּאִינּוּן מִלִּין סַלְּקִין, וְכָל פָּמַלְיָא דִּלְעֵילָּא מִתְכַּנְּשִׁין, וְחָמָאן לוֹן, וְאוֹדָאן כֻּלְּהוּ לְקב"ה, וְאִסְתַּלַּק יְקָרֵיהּ עֲלַיְיהוּ עֵילָּא וְתַתָּא.

קפג. כְּגַוְונָא דָּא, מַאן דְּאִשְׁתָּעֵי וּמְפָרֵט חֶטְאוֹי עַל כָּל מַה דְּעָבַד, אִי תֵּימָא לְמַאי אִצְטְרִיךְ. אֶלָּא מְקַטְרְגָא קָאִים תָּדִיר קָמֵי קוּדְשָׁא בְּרִיךְ הוּא, בְּגִין לְאִשְׁתָּעֵי וּלְמִתְבַּע חוֹבֵי בְּנֵי נָשָׁא, וּלְמִתְבַּע עֲלַיְיהוּ דִּינָא. כֵּיוָן דְּאַקְדִּים בַּר נָשׁ, וּמְפָרֵיט חֶטְאוֹי, כָּל חַד וְחַד, לָא אַשְׁאִיר פִּתְחָא דְּפוּמָא לְהַהוּא מְקַטְרְגָא, וְלָא יָכִיל לְמִתְבַּע עָלֵיהּ דִּינָא. דְּהָא תָּדִיר תָּבַע דִּינָא בְּקַדְמֵיתָא, וּלְבָתַר מִשְׁתָּעֵי וּמְקַטְרֵג פְּלוֹנִי עָבֵד כַּךְ. וְעַל דָּא, אִצְטְרִיךְ לֵיהּ לְבַר נָשׁ לְאַקְדְּמָא, וּלְפָרֵט חֶטְאוֹי.

קפד. כֵּיוָן דִּמְקַטְרְגָא חָמֵי דָּא, לֵית לֵיהּ פִּתְחָא דְּפוּמָא עָלֵיהּ, וּכְדֵין אִתְפְּרַשׁ מִנֵּיהּ מִכֹּל וָכֹל. אִי תָּב בִּתְיוּבְתָּא יָאוֹת, וְאִי לָאו, הָא מְקַטְרְגָא אִשְׁתְּכַח עָלֵיהּ, וְאָמַר פְּלוֹנִי דְּאָתָא לְקָמָךְ בְּתוּקְפָּא דְּאַפִּין, בָּעִיט בְּמָרֵיהּ, וְחוֹבוֹי כַּךְ וְכָךְ. עַל דָּא יָאוֹת לְאִזְדַּהֲרָא בַּר נָשׁ בְּכָל הָנֵי, בְּגִין דְּיִשְׁתְּכַח עַבְדָּא מְהֵימְנָא קָמֵי קוּדְשָׁא בְּרִיךְ הוּא.

קפה. כ"ז פִּקּוּדָא בָּתַר דָּא, לֶאֱכוֹל מַצָּה בְּפֶסַח, בְּגִין דְּאִיהוּ דּוּכְרָנָא לְדָרֵי דָּרִין, עַל רָזָא דִּמְהֵימְנוּתָא. וְהָא אוּקְמוּהָ, דְּיִשְׂרָאֵל נָפְקוּ בְּהַהוּא זִמְנָא מֵרָזָא דְּטַעֲוָון אַחֲרָן, וְעָאלוּ בְּרָזָא דִּמְהֵימְנוּתָא. וְהָא אוּקְמוּהָ רָזָא דְּנָא בְּכַמָּה דּוּכְתֵּי.

קפו. וַיֹּאמֶר יְיָ' אֶל מֹשֶׁה וְאַהֲרֹן זֹאת חֻקַּת הַפָּסַח וְגוֹ'. כ"ח פִּקּוּדָא דָּא, לְמִשְׁחַט פֶּסַח בֵּין הָעַרְבַּיִם, בְּי"ד בְּנִיסָן, דּוּכְרָנָא דְּהַהוּא פֶּסַח דְּמִצְרַיִם. וְדָא אִיהוּ חוֹבְתָא עַל כֹּלָּא, כְּמָה דְּאַתְּ אָמֵר, וְשָׁחֲטוּ אוֹתוֹ כָּל קְהַל עֲדַת יִשְׂרָאֵל בֵּין הָעַרְבָּיִם.

קפז. פֶּסַח דָּא, אִצְטְרִיךְ לְמֶהֱוֵי נָטִיר, מֵעַשְׂרָה יוֹמִין וּלְהָלְאָה, דִּכְתִּיב בֶּעָשׂוֹר לַחֹדֶשׁ הַזֶּה וְיִקְחוּ לָהֶם וְגוֹ'. מַאי טַעֲמָא. בְּגִין דְּהָא כְּדֵין שָׁרִיאַת סִיהֲרָא לְאַנְהָרָא, מֵעַשְׂרָה יוֹמִין וּלְהָלְאָה, עַד דְּאִשְׁתְּלִים בַּחֲמֵיסַר. וְאַרְבֵּיסַר דְּלֶיהֱוֵי נָכִיס, בְּשַׁעֲתָא דְּדִינָא תַּלְיָא עַל עָלְמָא.

קפח. רָזָא דָּא, לְאַעְבָּרָא זוּהֲמָא, מִקָּמֵי בְּרִית קַדִּישָׁא, וּלְאִתְהֲנָאָה בְּהַהוּא רֵיחָא דְּנָדִיף טְוֵי נוּר. וְעַל דָּא לָא אַתְיָא אֶלָּא עַל שָׂבְעָא. וְעַל דָּא, וְכָל עָרֵל לֹא יֹאכַל בּוֹ. מַאן דְּאִית בֵּיהּ בְּרִית קַדִּישָׁא, יֵיכוֹל בֵּיהּ. מַאן דְּלָא אִית בֵּיהּ בְּרִית קַדִּישָׁא, לָא יֵיכוֹל בֵּיהּ. דְּהַאי מִבְּנֵי בְּרִית אִיהוּ לְתַבְרָא תּוּקְפָּא דְּחֵילָא אַחֲרָא, לְאַעְבָּרָא עָרְלָה מִקָּמֵי

בְּרִית. בְּגִין כָּךְ, הַאי בִּבְנֵי בְּרִית אִיהוּ לְמֶעְבַּד, וְלָא בִּבְנֵי עָרְלָה.

קפט. כַּד אָתָא קוּדְשָׁא בְּרִיךְ הוּא לְמִצְרַיִם, וְחָמָא דָּמָא דְּהַהוּא פֶּסַח, דַּהֲוָה רָשִׁים עַל פִּתְחָא, וְדָמָא דִּבְרִית, הֵיךְ הֲווּ קַיְימִין עַל פִּתְחָא, דִּכְתִּיב, וּלְקַחְתֶּם אֲגֻדַּת אֵזוֹב וּטְבַלְתֶּם בַּדָּם אֲשֶׁר בַּסַּף וְהִגַּעְתֶּם וְגוֹ'. אֲזוֹבָא, הָא אוֹקִימְנָא דְּאִיהוּ מַעֲבַר רוּחִין בִּישִׁין, וְכָל סְטַר רוּחַ בִּישָׁא, מַעֲבַר בְּאִתְעָרוּתָא דִּילֵיהּ, בְּפוּרְקָנָא עִלָּאָה דְּיִשְׂרָאֵל.

קצ. לִזְמְנָא דְּאָתֵי, יַיְתֵי קוּדְשָׁא בְּרִיךְ הוּא לְיֵצֶר הָרָע וְיִכּוֹס לֵיהּ. וְהַשְׁתָּא בְּפוּרְקָנָא דָּא, כְּתִיב וְשָׁחֲטוּ אוֹתוֹ כֹּל קְהַל עֲדַת יִשְׂרָאֵל וְגוֹ'. דּוּכְרָנָא דִּזְמְנָא דְּאָתֵי, בְּהַהוּא פּוּרְקָנָא עִלָּאָה.

קצא. עַל שְׁתֵּי הַמְּזוּזוֹת וְעַל הַמַּשְׁקוֹף בְּהַאי רְשִׁימוּ דְּאָת יו"ד, וּבְהַאי רְשִׁימוּ דְּאָת יו"ד, לְאַחֲזָאָה רְשִׁימוּ דִּבְרִית קַדִּישָׁא, וְאִתְבַּר עָרְלָה מִקַּמֵּי דָּמָא דִּבְרִית, רָשִׁים עַל כֹּלָּא, וְאָתָא דָּמָא עַל דָּמָא. כַּד עָבַר הַהוּא מַשְׁחִית, הֲוָה חָמֵי דָּמָא, וְאִזְדְּקִיף מִבֵּיתָא, כְּמָה דְּאַתְּ אָמֵר וְלֹא יִתֵּן הַמַּשְׁחִית וְגוֹ'.

קצב. אִי קוּדְשָׁא בְּרִיךְ הוּא בִּלְחוֹדוֹי קָטִיל, אַמַּאי כְּתִיב וְלֹא יִתֵּן הַמַּשְׁחִית, דְּמַשְׁמַע דְּמַשְׁחִית הֲוָה אָזִיל וְלָא קוּדְשָׁא בְּרִיךְ הוּא. אֶלָּא וַדַּאי קוּדְשָׁא בְּרִיךְ הוּא הֲוָה קָטִיל, וּמַשְׁחִית הֲוָה אָזִיל לְאַשְׁכְּחָא עִילָּה לְיִשְׂרָאֵל, כֵּיוָן דַּהֲוָה חָמֵי הַהוּא תְּבִירוּ דְּעָרְלָה, בִּתְרֵין סִטְרִין, הֲוָה עָרַק וְאִתְפְּרַשׁ מִנַּיְיהוּ.

קצג. וְעַל דְּקָטַל קב"ה כָּל אִינּוּן בּוּכְרִין דְּהַהוּא סִטְרָא, יָהִיב בּוּכְרִין דְּיִשְׂרָאֵל לְפוּרְקָנָא, דְּלָא יִשְׁכְּחוּ עֲלַיְיהוּ סִטְרָא אַחֲרָא עִילָּה כְּלָל, וּבְכֹלָּא נָטִיר לוֹן לְיִשְׂרָאֵל קב"ה, כְּאַבָּא עַל בְּנִין.

קצד. בְּבַיִת אֶחָד יֵאָכֵל לֹא תוֹצִיא מִן הַבַּיִת וְגוֹ', פִּקּוּדָא כ"ט דָּא, לְמֵיכַל הַאי פֶּסַח. עַל מַצּוֹת וּמְרוֹרִין, מַצּוֹת מַצַּת כְּתִיב. מַאי הַאי לְקַבֵּל הַאי, אֶלָּא לְאַחֲזָאָה גָּלוּתָא דִּשְׁכִינְתָּא עִמְּהוֹן דְּיִשְׂרָאֵל, בְּהַהוּא מְרִירוּ דִּלְהוֹן, דִּכְתִּיב וַיְמָרְרוּ אֶת חַיֵּיהֶם בַּעֲבוֹדָה קָשָׁה וְגוֹ'. וְכַד אָכְלִין לְהַאי פֶּסַח, לְאַחֲזָאָה כָּל הַאי דַּעֲבָדוּ לוֹן בְּמִצְרַיִם, בְּהַהוּא גָּלוּתָא וּבְהַהוּא שִׁעְבּוּדָא.

קצה. מַה כְּתִיב וְעֶצֶם לֹא תִשְׁבְּרוּ בוֹ, לְאַחֲזָאָה בֵּיהּ קְלָנָא, וּבְכָל אִינּוּן טַעֲוָון דְּמִצְרָאֵי. דְּהָא גַּרְמִין הֲווּ רָמָאן בְּשׁוּקָא, וְאָתוּ כַּלְבֵּי וַהֲווּ גָּרְרֵי לוֹן מֵאֲתַר לַאֲתַר, וְדָא קַשְׁיָא לוֹן מִכֹּלָּא, דְּהָא גַּרְמֵי אִינּוּן תִּקּוּנָא דְּגוּפָא, וְדָמֵי לְגַוְונָא אַחֲרָא, וְיִשְׂרָאֵל רָמָאן לוֹן בְּשׁוּקָא אוֹרַח קְלָנָא, וְע"ד כְּתִיב וְעֶצֶם לֹא תִשְׁבְּרוּ בוֹ, אַתּוּן לָא תִשְׁבְּרוּן, אֲבָל כַּלְבֵּי הֲווּ אַתְיָין וּמִתְבַּרִין לֵיהּ.

קצו. תּוּ, מִצְרָאֵי הֲווּ אַתְיָין לְבָתַר, וַהֲווּ חָמָאן אִינּוּן גַּרְמֵי דַּהֲווּ נָטְלֵי כַּלְבֵּי מֵאֲתַר לַאֲתַר, וּמְדַקְקָן לוֹן, וַהֲווּ מִצְרָאֵי טָמְנֵי לוֹן גּוֹ עַפְרָא, בְּגִין כַּלְבֵּי דְּלָא יִשְׁכְּחוּן לוֹן, וְדָא אִיהוּ בִּטּוּלָה דְּעַכּוּ"ם, יַתִּיר, מִסִּטְרָא דִּלְהוֹן. וּבְדָא קב"ה אִסְתַּלַּק בִּיקָרֵיהּ, וְאִתְכַּפְיָין כָּל חֵילִין אַחֲרָנִין, דְּהָא כְּדֵין אִתְכַּפְיָין יַתִּיר, כַּד בַּטִּילוּ אִשְׁתְּכַח מִסִּטְרָא דִּלְהוֹן, וְע"ד יִשְׂרָאֵל לָא מְבַטְּלֵי לוֹן, דִּכְתִּיב וְעֶצֶם לֹא תִשְׁבְּרוּ בוֹ.

קצז. קַדֶּשׁ לִי כָל בְּכוֹר פֶּטֶר רֶחֶם וְגוֹ'. פִּקּוּדָא דָּא לְקַדֵּשׁ בְּכוֹר בְּהֵמָה, וְעַם הָאָרֶץ צָרִיךְ תְּרֵין מִילִין, חַד דִּיהֵא פָּדוּי מִתְּחוֹת שׁוּלְטָנוּתָא דְּיֵצֶר הָרָע, דְּאִיהִי אֲדוֹן דִּילֵיהּ, כְּגַוְונָא דְּאָמַר יַעֲקֹב לְעֵשָׂו, יַעֲבָר נָא אֲדֹנִי לִפְנֵי עַבְדּוֹ. בְּהַאי עָלְמָא. אֲדוֹן מִצַּד חוֹבִין דְּנַפְשִׁין עַל גּוּפָא, כְּמָה דְּאוֹקְמוּהָ, וְחַיָּבָא, יֵצֶר הָרָע שׁוֹפְטוֹ. זַכָּאָה, יֵצֶר הַטּוֹב שׁוֹפְטוֹ. בֵּינוֹנִי זֶה וָזֶה

שׁוֹפְטוֹ. בֵּינוֹנִי, הַיְינוּ אָוֶן דְּיֵצֶר הָרָע, וְאָוֶן דְּיֵצֶר הַטּוֹב, אָוֶן יְהִי לְךָ אֲשֶׁר לָךְ.

קצח. וְכַד זַכְוָון נַפִּישִׁין, רוּחָא תָּבַר תְּרֵין מִשְׁמָרוֹת, דַּחֲמוֹר נוֹעֵר, כְּלָבִים צוֹעֲקִים, וְסָלִיק לְמִשְׁמֶרֶת דְּשַׁחַר, דְּבֵיהּ אָדָם וְאִתְהַדַּר בַּר נָשׁ אֲדוֹן, הה״ד, וַיְהִי לִי שׁוֹר וַחֲמוֹר צֹאן וְעֶבֶד וְשִׁפְחָה, וְסָלִיק לְדַרְגָּא דְּאָדָם, דְּאִתְּמַר בֵּיהּ, וּרְדוּ בִּדְגַת הַיָּם וּבְעוֹף הַשָּׁמַיִם וְגוֹ׳, וּמוֹרַאֲכֶם וְחִתְּכֶם וְגוֹ׳.

קצט. וְכַד זַכְוָון בֵּינוֹנִים, וַיֵּאָבֵק אִישׁ עִמּוֹ, זַכְוָון וְחוֹבִין מִתְחַבְּקָן לְאַגָּחָא קְרָבָא. מִסִּטְרָא דְּזַכְוָון, וַיַּרְא כִּי לֹא יָכוֹל לוֹ. מִסִּטְרָא דְּחוֹבִין, וַיִּגַּע בְּכַף יְרֵכוֹ בְּגִיד הַנָּשֶׁה. נָשֶׁה: לָשׁוֹן כִּי נַשַּׁנִי אֱלֹהִים אֶת כָּל עֲמָלִי וְאִיהוּ לָשׁוֹן נְשִׁיָּה. וְחַד מָדוֹרָא מֵאִינּוּן שִׁבְעָה אַרְעָאן, מַאן דְּנָחִית תַּמָן אִתְנְשֵׁי מִנֵּיהּ אוֹרַיְיתָא.

ר. וְקֹדֶם דְּיֵיתֵי בַּר נָשׁ בְּהַאי עָלְמָא וְיִפּוֹק מֵרֶחֶם אִמֵּיהּ, וַיֵּאָבֵק אִישׁ עִמּוֹ, דָּא גַּבְרִיאֵל, בְּהַהוּא אָבָק דְּעָפָר, דְּאִתְּמַר וַיִּיצֶר יְיָ׳ אֱלֹהִים אֶת הָאָדָם עָפָר מִן הָאֲדָמָה, וְאוֹלִיף לֵיהּ שִׁבְעִים לָשׁוֹן. וּבג״ד, וַיִּיצֶר: וְחַד יֵצֶר הַטּוֹב, דְּאוֹלִיף לֵיהּ שִׁבְעִים לָשׁוֹן. וְחַד, יֵצֶר הָרָע דְּאָבִיק עִמֵּיהּ. דְּאִתְּמַר, כִּי נָגַע בְּכַף יֶרֶךְ יַעֲקֹב בְּגִיד הַנָּשֶׁה, וְאַשְׁכַּח מִנֵּיהּ שִׁבְעִין לָשׁוֹן, דְּאוֹלִיף לֵיהּ יֵצֶר הַטּוֹב.

רא. וְקֹדֶם כָּל דָּא, נַחְתִּין עִמֵּיהּ אַרְבְּעָה מַלְאָכִין, דְּאִתְּמַר בְּהוֹן כִּי מַלְאָכָיו יְצַוֶּה לָּךְ. אִי אִית לֵיהּ זְכוּת אָבוֹת, וְחַד מִיכָאֵל, בִּזְכוּת אַבְרָהָם. וְתִנְיָינָא גַּבְרִיאֵל, בִּזְכוּת יִצְחָק. וּתְלִיתָאָה דְּנָחִית עִמֵּיהּ נוּרִיאֵל, בִּזְכוּתָא דְּיַעֲקֹב. וּרְבִיעָאָה רְפָאֵל, בִּזְכוּתָא דְּאָדָם קַדְמָאָה. וְיֵצֶר הַטּוֹב לְעֵילָּא מִנֵּיהּ.

רב. וְאִי לֵית לֵיהּ זְכוּת, אַזְלֵי עִמֵּיהּ ד׳, עָוֹן, מַשְׁחִית, אַף, וְחֵימָה, וְיֵצֶר הָרָע לְעֵילָּא מִנַּיְיהוּ, לְמֵידָן לֵיהּ לְעָלְמָא דְּאָתֵי. וּבְגִין דָּא אוֹקְמוּהָ, רָשָׁע, יֵצֶר הָרָע שׁוֹפְטוֹ. צַדִּיק, יֵצֶר הַטּוֹב שׁוֹפְטוֹ. בֵּינוֹנִי, זֶה וָזֶה שׁוֹפְטוֹ. וּבְגִין דָּא, אִי אִיהוּ בֵּינוֹנִי, גַּבְרִיאֵל דְּאִיהוּ יֵצֶר הַטּוֹב, וְסָמָאֵ״ל דְּאִיהוּ יֵצֶר הָרָע, זֶה וָזֶה שׁוֹפְטוֹ.

רג. דְּלְכָל בַּר נָשׁ דְּאִית בֵּיהּ אַרְבַּע יְסוֹדִין, אַרְבַּע מַלְאָכִים נַחְתִּין עִמֵּיהּ מִימִינָא, וְאַרְבַּע מִשְּׂמָאלָא. אַרְבַּע מִימִינָא: מִיכָאֵ״ל, גַּבְרִיאֵ״ל, רְפָאֵ״ל, נוּרִיאֵ״ל. וְאַרְבַּע מִשְּׂמָאלָא: עָוֹ״ן, מַשְׁחִי״ת, אַ״ף, וְחֵמָ״ה. מִסִּטְרָא דְּגוּפָא, מְטַטְרוֹ״ן נָחִית עָלֵיהּ מִימִינָא, וְסָמָאֵ״ל מִשְּׂמָאלָא.

רד. וְלֵית בַּר נָשׁ דְּלֵית בֵּיהּ אַרְבַּע יְסוֹדִין, אֲבָל כְּפוּם יְסוֹדָא דְּאַקְדִּים בֵּיהּ, הָכִי מִתְחַזִּילִין אִלֵּין אַרְבַּע. אִי מַזָּל דִּילֵיהּ אַרְיֵ״ה, אַקְדִּים מִיכָאֵ״ל, וַאֲבַתְרֵיהּ גַּבְרִיאֵ״ל וַאֲבַתְרֵיהּ נוּרִיאֵ״ל, וַאֲבַתְרֵהּ רְפָאֵ״ל. וְאִי מַזָּלֵיהּ שׁוֹר, אַקְדִּים גַּבְרִיאֵ״ל, וַאֲבַתְרֵיהּ מִיכָאֵ״ל, וַאֲבַתְרֵיהּ נוּרִיאֵ״ל, וַאֲבַתְרֵיהּ רְפָאֵל. וְאִי מַזָּלֵיהּ נֶשֶׁר, אַקְדִּים נוּרִיאֵ״ל, וַאֲבַתְרֵיהּ מִיכָאֵ״ל, וַאֲבַתְרֵיהּ גַּבְרִיאֵ״ל, וַאֲבַתְרֵיהּ רְפָאֵ״ל. וְאִי מַזָּלֵיהּ אָדָ״ם. אַקְדִּים רְפָאֵ״ל, וַאֲבַתְרֵיהּ מִיכָאֵ״ל, וַאֲבַתְרֵיהּ גַּבְרִיאֵ״ל, וַאֲבַתְרֵיהּ נוּרִיאֵ״ל.

רה. וְאִינּוּן מִסִּטְרָא דִּימִינָא, מִסִּטְרָא דְּמִיכָאֵל, כֻּלְּהוּ אַנְפִּין דִּילֵיהּ, אִינּוּן רַחֲמֵי, בַּעַל גְּמִילוּת חֲסָדִים, אַנְפּוֹי חִוָּורִין, וְהַאי בַּר נָשׁ גּוֹמֵל חֶסֶד. וְחָסִיד, וְחָכָם, אִי אִשְׁתַּדַּל בְּאוֹרַיְיתָא. וְאִי לָאו, בְּהֵפֶךְ, מִסִּטְרָא דְּיֵצֶר הָרָע, גַּזְלָן, טִפֵּשׁ, לֵית בֵּיהּ חֶסֶד. דְּלָא עַם הָאָרֶץ חָסִיד.

רו. מִסִּטְרָא דְּגַבְרִיאֵל, אַרְבַּע אַנְפִּין דִּילֵיהּ דִּינָא, מִדַּת הַדִּין עַל רַשִׁיעַיָּא, וּמִתְגָּרֶה בְּהוּ, כְּמָה דְּאוֹקְמוּהָ, מוּתָּר לְהִתְגָּרוֹת בָּרְשָׁעִים בָּעוֹלָם הַזֶּה. גִּבּוֹר בְּיִצְרֵיהּ, יְרֵא חֵטְא,

דַּיָּין יְהֵא, אִי יִתְעַסַּק בְּאוֹרַיְיתָא, וְגִבּוֹר בְּתַלְמוּדֵיהּ. בְּהִפּוּכָא מִסִּטְרָא דְיֵצֶר הָרָע, מִתְגַּרֶה בְּצַדִּיקַיָּא, דִּינָא קָשֶׁה לוֹן, גִּבּוֹר בַּעֲבֵירָה, לְמֶעְבַּד לֵיהּ, לָאו דָּוִיל וְחַטָּאָה הוּא, וְגַוְונִין דְּאַנְפוֹי סוּמְקִין, עֲשׂוֹ שׁוֹפֵךְ דָּמִים.

רו. מַאן דְּמַזָּלֵיהּ נָשָׁ"ר, לָאו רַחֲמָן סַגִּי, וְלָאו מִדַּת הַדִּין סַגִּי, אֶלָּא בֵּינוֹנִי, בְּיֵצֶר טוֹב בְּמִדַּת טָבִין דִּילֵיהּ, וּבֵינוֹנִי בְּיֵצֶר רָע בְּמִדּוֹת בִּישִׁין, וְלֵיהּ אַנְפִּין וְזַוְונִין וְסוּמְקִין.

רז. מַאן דְּמַזָּלֵיהּ אָדָם, מִסִּטְרָא דְטוֹב, כָּלִיל מִכָּל מִדּוֹת טוֹבוֹת, וְחָסִיד, וְזַכְּאָם, וְגִבּוֹר בַּתּוֹרָה, יְרֵא וְחָטָא, מְמוּלָּא בְּכָל מִדּוֹת טָבִין, וְגַוְון אַנְפּוֹי אוּכָמִין. וּמִסִּטְרָא דְיֵצֶר הָרָע, מְמוּלָּא מִכָּל מִדּוֹת בִּישִׁין.

רט. וְאִי וְחוֹבוֹי דְבַר נָשׁ, נְפִישִׁין שַׁלְטִין עֲלֵיהּ כָּל מְשִׁירְיָין דְּיֵצֶר הָרָע, עַד דְּיִסְתַּלְּקוּ מִנֵּיהּ כֻּלְּהוּ מְשִׁירְיָין דְּיֵצֶר טוֹב, וְאַמְלִיךְ עַל אַבְרִין דִּילֵיהּ, סָמָא"ל וְכָל מַשִׁירְיָיתֵיהּ.

רי. וְאִי נְפִישִׁין זַכְוָון, שַׁלְטִין מְשִׁירְיָין דְּיֵצֶר הַטּוֹב, עַד דְּיִסְתַּלְּקוּ מִנֵּיהּ כָּל מְשִׁירְיָין דְּיֵצֶר הָרָע. וְאַמְלִיךְ עַל כָּל אַבְרִין דִּילֵיהּ, מְשִׁירְיָין דְּיֵצֶר הַטּוֹב, בְּהַהוּא זִמְנָא, שַׁלִּיט עֲלֵיהּ שֵׁם יְדֹ"ד.

ריא. וְאָם הוּא בֵּינוֹנִי, צָבָא הַשָּׁמַיִם עוֹמְדִים עָלָיו מִיְּמִינוֹ וּמִשְּׂמֹאלוֹ, אִלֵּין מַיְימִינִים לִזְכוּת, וְאִלֵּין מַשְׂמְאִילִים לְחוֹבָה, וּמַאן דְּאָלִים גָּבַר. וּבְגִין דָּא אוּקְמוּהּ מָארֵי מַתְנִיתִין, לְעוֹלָם יֵרָאֶה אָדָם עַצְמוֹ כְּאִלּוּ כָּל הָעוֹלָם כּוּלּוֹ תָּלוּי בּוֹ.

ריב. וּמִסִּטְרָא דְּמִיכָאֵל, אִתְקְרֵי בְּכוֹר, דְּדַרְגֵּיהּ כֶּסֶף וְזָהוּרג, וּבְגִין דָּא, פִּדְיוֹן הַבְּכוֹר כֶּסֶף, ה' סְלָעִים, כְּחוּשְׁבַּן ה' דְּאַבְרָהָם, דְּאִי זָוְכִים בַּתּוֹרָה יִתּוֹסַף עֲלֵיהּ י', דְּאִיהוּ קָדֵשׁ, דְּבֵיהּ צָרִיךְ לְקַדֵּשׁ בְּכוֹר בְּהֵמָה, דְּהַיְינוּ קָדֵשׁ יִשְׂרָאֵל לַיְיָ'. וּבֵיהּ צָרִיךְ לְעַשֵּׂר וְלָדוֹת, דְּכָל וָלָד אִיהוּ מִסִּטְרָא דְבֶן י"ה, וְאִיהוּ ו'.

ריג. דְּכָל חֵיוָן דְּאִינּוּן חֵיוַת הַקֹּדֶשׁ, בְּאַתְוָון דִּשְׁמָא קַדִּישָׁא אִתְקְרִיאוּ, הֲדָא הוּא דִּכְתִיב, כֹּל הַנִּקְרָא בִשְׁמִי וְלִכְבוֹדִי בְּרָאתִיו. אֲפִילוּ כָּל בִּרְיָין דְּאִתְבְּרִיאוּ בְּהוֹן, וְלֵית בְּרִיאָה דְּלָא אִתְרְשִׁים בְּהַאי שְׁמָא, בְּגִין לְאִשְׁתְּמוֹדָעָא לְמַאן דְּבָרָא לֵיהּ, וְהַאי יוֹ"ד, אִיהוּ דְּיוּקְנָא דְּרֵישָׁא דְּכָל בִּרְיָין. ה' ה': דְּיוּקְנָא דְה' אֶצְבְּעָאן דְּיַמִינָא, וְה' דִּשְׂמָאלָא. ו' דְּיוּקְנָא דְגוּפָא.

ריד. וּבְגִין דָּא אָמַר, וְאֶל מִי תְדַמְּיוּנִי וְאֶשְׁוֶה יֹאמַר קָדוֹשׁ. לֵית בְּכָל בִּרְיָה דְּאֶשְׁוֶה כְּוָותִי, וְאַף עַל גַּב דְּבָרָאתִי לָהּ כִּדְמוּת אַתְוָון דִּילִי, דְּאֲנָא יָכִיל לְמַחֲאָה הַהִיא צוּרָה, וּלְמֶעְבַּד לָהּ כַּמָּה זִמְנִין, וְלֵית אֱלוֹהַּ אַחֲרָא עֲלֵי דְּיָכִיל לְמִמְחֵי דְּיוּקְנָי' וּבַג"ד כִּי לֹא כְּצוּרֵנוּ צוּרָם וְאוֹיְבֵינוּ פְּלִילִים.

רטו. וְאִי יֵקְשֶׁה ב"נ, דְּהָא כְּתִיב כִּי לֹא רְאִיתֶם כָּל תְּמוּנָה. אִיהוּ יְתָרֵץ לֵיהּ, הַאי תְּמוּנָה וְזִיוָא, דְּהָא כְּתִיב וּתְמוּנַת ה' יַבִּיט. וְלֹא בְּכָל תְּמוּנָה אַחֲרָא דְּבָרָא וְיֵצֶר בְּאַתְוָוי, וּבְגִין דָּא אָמַר, וְאֶל מִי תְדַמְּיוּנִי וְאֶשְׁוֶה וְאֶל מִי תְדַמְּיוּן אֵל וּמַה דְּמוּת תַּעַרְכוּ לוֹ.

רטז. וַאֲפִילוּ הַאי תְּמוּנָה, לֵית לֵיהּ בְּאַתְרֵיהּ, אֶלָּא כַּד נָוֵית לְאַמְלְכָא עַל בִּרְיָין, וְיִתְפַּשַּׁט עֲלַיְיהוּ, יִתְחֲזֵי לוֹן לְכָל וָד, כְּפוּם מַרְאָה וְחֶזְיוֹן וְדִמְיוֹן דִּלְהוֹן, וְהָא אִיהוּ וּבְיַד הַנְּבִיאִים אֲדַמֶּה.

ריז. וּבְגִין דָּא יֵימָא אִיהוּ, אע"ג דְּאֲנָא אֲדַמֶּה אֲדַמֶּה לְכוּ בְּדִיּוּקְנַיְיכוּ, אֶל מִי תְדַמְּיוּנִי וְאֶשְׁוֶה, דְּהָא קֹדֶם דְּבָרָא קָבָּ"ה דְּיוּקְנָא בְּעָלְמָא, וְצַיֵּיר צוּרָה, הֲוָה הוּא יְחִידָאי בְּלָא צוּרָה וְדִמְיוֹן, וּמַאן דְּאַשְׁתְּמוֹדַע לֵיהּ, קֹדֶם בְּרִיאָה, דְּאִיהוּ לְבַר מִדְּיוּקְנָא, אָסוּר

לְמֶעְבַּד לֵיהּ צוּרָה וְדִיוּקְנָא בְּעָלְמָא, לֹא בְּאוֹת ה', וְלֹא בְּאוֹת י' וַאֲפִילוּ בִּשְׁמָא קַדִּישָׁא, וְלֹא בְּשׁוּם אוֹת וּנְקוּדָה בְּעָלְמָא, וְהַאי כִּי לֹא רְאִיתֶם כָּל תְּמוּנָה, מִכָּל דָּבָר דְּאִית בֵּיהּ תְּמוּנָה וְדִמְיוֹן לֹא רְאִיתֶם.

רי"ח. אֲבָל בָּתַר דְּעָבַד הַאי דִּיוּקְנָא דְּמֶרְכָּבָה דְּאָדָם עִלָּאָה, נָחִית תַּמָּן, וְאִתְקְרֵי בְּהַהוּא דִּיוּקְנָא יְדֹוָ"ד, בְּגִין דְּיִשְׁתְּמוֹדְעוּן לֵיהּ בְּמִדּוֹת דִּילֵיהּ, בְּכָל מִדָּה וּמִדָּה, וְקָרָא: אֵל, אֱלֹהִים, שַׁדַּי, צְבָאוֹת, אֶהְיֶ"ה. בְּגִין דְּיִשְׁתְּמוֹדְעוּן לֵיהּ, בְּכָל מִדָּה וּמִדָּה, אֵיךְ יִתְנְהֵג עָלְמָא, בְּחֶסֶ"ד וּבְדִינָא, כְּפוּם עוֹבָדֵיהוֹן דִּבְנֵי נָשָׁא, דְּאִי לֹא יִתְפַּשֵּׁט נְהוֹרֵיהּ עַל כָּל בִּרְיָין, אֵיךְ יִשְׁתְּמוֹדְעוּן לֵיהּ, וְאֵיךְ יִתְקַיֵּים, מְלֹא כָל הָאָרֶץ כְּבוֹדוֹ.

רי"ט. וַוי לֵיהּ, בְּמַאן דְּיְשַׁוֶּה לֵיהּ, לְשׁוּם מִדָּה, וַאֲפִילוּ מֵאִלֵּין מִדּוֹת דִּילֵיהּ, כָּל שֶׁכֵּן לִבְנֵי הָאָדָם, אֲשֶׁר בֶּעָפָר יְסוֹדָם, דְּכָלִים וְנִפְסָדִים. אֶלָּא דְּמִיּוּנָא דִּילֵיהּ, כְּפוּם שׁוּלְטָנוּתֵיהּ עַל הַהִיא מִדָּה, וַאֲפִילוּ עַל כָּל בִּרְיָין. וּלְעֵילָא מֵהַהִיא מִדָּה. וְכַד אִסְתַּלִּיק מִינָהּ, לֵית לֵיהּ מִדָּה, וְלֹא דִמְיוֹן, וְלֹא צוּרָה.

ר"כ. כְּגַוְונָא דְיַמָּא, דְּלֵית בְּמַיָּא דְיַמָּא דְּנָפְקֵי מִינֵּיהּ, תְּפִיסוּ כְּלָל וְלֹא צוּרָה, אֶלָּא דְּאִתְפַּשְׁטוּתָא דְּמַיָּא דְיַמָּא עַל מָאנָא, דְּאִיהוּ אַרְעָא, אִתְעֲבֵיד דִּמְיוֹן, וְיָכִילְנָא לְמֶעְבַּד וְחוּשְׁבַּן תַּמָּן, כְּגוֹן הַמָּקוֹר דְּיַמָּא הָא חַד. נָפִיק מִינֵּיהּ מַעֲיָין, כְּפוּם אִתְפַּשְּׁטוּתָא דִּילֵיהּ מֵהַהוּא עִגּוּלָא דְּאִיהִי י', הָא מָקוֹר חַד, וּמַעֲיָין דְּנָפִיק מִנֵּיהּ הָא תְּרֵין.

רכ"א. לְבָתַר עֲבַד מָאנָא רַבְרְבָא כְּגוֹן מַאן דְּעָבַד וְחָפִירָא רַבְרְבָא וְאִתְמְלֵי מִן מַיָּא, דְּנָפִיק מִן מַעֲיָין. הַהִיא מָאנָא אִתְקְרֵי יָם, וְהוּא מָאנָא תְּלִיתָאָה, וְהַהוּא מָאנָא רַבְרְבָא, וְאִתְפְּלִיג לְז' נְחָלִין, כְּפוּם מָאנִין אֲרִיכִין, הָכִי אִתְפַּשֵּׁט מַיָּא מִן יַמָּא, לְשִׁבְעָה נְחָלִין וְהָא מָקוֹר, וּמַעֲיָין, וְיַמָּא, וְז' נְחָלִין, אִינּוּן י' וְאִי יִתְבַּר אוּמָנָא אִלֵּין מָאנִין דְּתַקִּין, יְהַדְרוּן מַיָּא לְמָקוֹר, וְיִשְׁתָּאֲרוּ מָאנִין תְּבִירִין יְבֵשִׁין בְּלֹא מַיָּא.

רכ"ב. הָכִי עִלַּת הָעִלּוֹת, עֲבֵיד עֶשֶׂר סְפִירוֹת, וְקָרָא לְכֶתֶר מָקוֹר, וּבֵיהּ לֵית סוֹף לְנַבִּיעוּ דִּנְהוֹרֵיהּ. וּבְגִ"ד קָרָא לְגַרְמֵיהּ אֵין סוֹף, וְלֵית לֵיהּ דְּמוּת וְצוּרָה, וְתַמָּן לֵית מָאנָא לְמִתְפַּס לֵיהּ, לְמִנְדַּע בֵּיהּ יְדִיעָא כְּלָל. וּבְגִ"ד אָמְרוּ בֵּיהּ, בַּמּוּפְלָא מִמְּךָ אַל תִּדְרוֹשׁ, וּבַמְכוּסֶה מִמְּךָ אַל תַּחְקוֹר.

רכ"ג. לְבָתַר עֲבַד מָאנָא זְעֵירָא, וְדָא י', וְאִתְמַלְיָא מִנֵּיהּ, וְקָרָא לֵיהּ מַעֲיָן נוֹבֵעַ וְחָכְמָה, וְקָרָא גַרְמֵיהּ בָּהּ וְחָכָם, וּלְהַהוּא מָאנָא קָרָא לֵיהּ וְחָכְמָ"ה. וּלְבָתַר עֲבַד מָאנָא רַבְרְבָא, וְקָרָא לֵיהּ יָם, וְקָרָא לֵיהּ בִּינָה, וְהוּא קָרָא לְגַרְמֵיהּ מֵבִין בָּהּ.

רכ"ד. וְחָכָם מֵעַצְמוֹ, וּמֵבִין מֵעַצְמוֹ, כִּי וְחָכְמָה אִיהוּ לֹא אִתְקְרִיאַת וְחָכְמָה מִגַּרְמָהּ, אֶלָּא בְּגִין הַהוּא וְחָכָם דְּאַמְלֵי לָהּ מִנְּבִיעוּ דִּילֵיהּ. וְאִיהִי לֹא אִתְקְרִיאַת בִּינָה מִגַּרְמָהּ, אֶלָּא ע"ג הַהוּא מֵבִין דְּאַמְלֵי לָהּ מִנֵּיהּ. דְּאִי הֲוָה מִסְתַּלַּק מִנָּהּ, אִשְׁתָּאֲרַת יְבֵשָׁה. הֲה"ד אָזְלוּ מַיִם מִנִּי יָם וְנָהָר יֶחֱרַב וְיָבֵשׁ.

רכ"ה. לְבָתַר וְהַקָּתוּ לְשִׁבְעָה נְחָלִין. וְעָבַד לֵיהּ לְז' מָאנִין יַקִּירִין, וְקָרָא לוֹן: גְּדוּלָּ"ה. גְּבוּרָ"ה. ת"ת. נֶצַ"ח. הוֹ"ד. יְסוֹ"ד. מַלְכוּ"ת. וְקָרָא גַרְמֵיהּ גָּדוֹל בַּגְּדוּלָּ"ה וְוַזֵּיסִ"ל. גִּבּוֹר, בִּגְבוּרָ"ה. מְפוֹאָר, בַּתִּפְאֶרֶ"ת. מָארֵי נִצְחָן קְרָבִין, בְּנֶצַ"ח נִצְחִים. וּבְהוֹ"ד קָרָא שְׁמֵיהּ, הוֹד יוֹצְרֵנוּ. וּבִיסוֹ"ד קָרָא שְׁמֵיהּ צַדִּיק. וִיסוֹ"ד, כֹּלָּא סָמִיךְ בֵּיהּ, כָּל מָאנִין וְכָל עָלְמִין. וּבְמַלְכוּת, קָרָא שְׁמֵיהּ מֶלֶךְ. וְלוֹ הַגְּדֻלָּ"ה וְהַגְּבוּרָ"ה וְהַתִּפְאֶרֶ"ת וְהַנֵּצַ"ח וְהַהוֹ"ד כִּי כֹּ"ל בַּשָּׁמַיִם, דְּאִיהוּ צַדִּי"ק. וְלוֹ הַמַּמְלָכָה: דְּאִיהוּ מַלְכוּ"ת.

רכו. כֹּלָּא בִּרְשׁוּתֵיהּ, לְמֶעֱסַר בְּמָאנִין, וּלְאוֹסָפָא בְּהוֹן נְבִיעוּ, וּלְמֶעֱסַר כְּפוּם רְעוּתֵיהּ בְּהוֹן וְלֵית עֲלֵיהּ אֱלָהָא, דְּיוֹסִיף בֵּיהּ, אוֹ יִגְרַע בֵּיהּ.

רכז. לְבָתַר עָבֵד מְשַׁמְּשִׁין, לְאִלֵּין מָאנִין, כָּרְסְיָיא בְּאַרְבַּע סַמְכִין. וְשִׁית דַּרְגִּין לְכָרְסְיָיא. הָא עֶשֶׂר. וְכֹלָּא אִיהוּ כָּרְסְיָיא. כְּגוֹן כּוֹס דִּבְרָכָה, דְּתַקִּינוּ בּוֹ עֲשָׂרָה דְּבָרִים, בְּגִין תּוֹרָה דְּאִתְיְיהִיבַת בַּעֲשָׂרָה דִּבְרָן. בְּגִין עָלְמָא דְּאִיהוּ מַעֲשֵׂה בְרֵאשִׁית, דְּאִתְבְּרֵי בַּעֲשָׂרָה מַאֲמָרוֹת.

רכח. וְתַקִּין לְכָרְסְיָיא כִּתּוֹת לְשַׁמְּשָׁא לֵיהּ, דְּאִינּוּן מַלְאָכִים. אֶרְאֶלִּים שְׂרָפִים. וְחַיּוֹת אוֹפַנִּים. וְחַשְׁמַלִּים. אֵלִים. אֱלֹהִים. בְּנֵי אֱלֹהִ"ם. אִישִׁי"ם. וּלְאִלֵּין עָבֵיד שַׁמָּשִׁין, סַמָאֵ"ל, וְכָל כִּתּוֹת דִּילֵיהּ, דְּאִינּוּן כַּעֲנָנִים לְמִרְכַּב בְּהוֹן לְנַחְתָּא בְּאַרְעָא, וְאִינּוּן כְּסוּסְיָין לוֹן.

רכט. וּמִנָּלָן דַּעֲנָנִים אִקְרוּן מֶרְכָּבָה. הה"ד, הִנֵּה יְיָ' רוֹכֵב עַל עָב קַל וּבָא מִצְרַיִם. וְדָא מְמָנָא דְּמִצְרַיִם,וּמִיַּד דְּחָזוּ דֶּאֱלָהָא דִּי הוּא מְמָנָא דִּלְהוֹן, חָזוּ לֵיהּ כְּסוּסְיָא, תְּחוֹת מֶרְכַּבְתֵּיהּ דְּקֻבְּ"ה, מִיַּד וְנָעוּ אֱלִילֵי מִצְרַיִם מִפָּנָיו, וּלְבַב מִצְרַיִם יִמַּס, נָעוּ מֵאֱמוּנָה דִּלְהוֹן, וְלִבָּא דִּלְהוֹן נָמֵס כְּדוֹנַג, מֵהַהִיא אֱמוּנָה, וְאַמְרֵי, וְכִי עַד כְּעַן אֱמוּנָה בִּמְמָנָא דִּילָן כְּסוּסְיָא, הֲוָה נָע לִבְּהוֹן מֵאֱמוּנָה דִּלְהוֹן, וְנָמֵס כְּדוֹנַג. וּמִנָּלָן דְּיִמַּס לָשׁוֹן נָמֵס כְּדוֹנַג אִיהוּ כד"א, הָיָה לִבִּי כַּדּוֹנָג נָמֵס בְּתוֹךְ מֵעָי.

רל. וְכָל פֶּטֶר חֲמוֹר תִּפְדֶּה בְשֶׂה וְגוֹ'. פִּקּוּדָא דָּא לִפְדּוֹת פֶּטֶר חֲמוֹר, וְלַעֲרוֹף פֶּטֶר חֲמוֹר, אִם לֹא יִפָּדֶה לֵיהּ. הה"ד וְאִם לֹא תִפְדֶּה וַעֲרַפְתּוֹ. וְרָזָא דָּא יֵצֶ"ה"ר, יָכוֹל לְאַהְדְּרָא בִּתְיוּבְתָּא, וּלְבָתַר לְאַהְדְּרָא יֵצֶר הַטּוֹב, כְּמָה דְּאוֹקְמוּהָ, אִם זָכָה עֵזֶר, אִם לֹא זָכָה כְּנֶגְדּוֹ. בְּגִין דְּאִינּוּן דְּיוּקְנָא, חַד דְּשֶׂה, וְחַד דַּחֲמוֹר, וְאִי זָכָה לְאַהְדְּרָא בִּתְיוּבְתָּא, אע"ג דְּאִיהוּ חֲמוֹר עַם הָאָרֶץ, תִּפְדֶּה מִן גָּלוּתָא בְשֶׂה, דְּאִיהוּ שֶׂה פְּזוּרָה יִשְׂרָאֵל. וְאִי לָא הָדַר בִּתְיוּבְתָּא, וַעֲרַפְתּוֹ, שַׁוֵּי לֵיהּ עַם קְשֵׁה קָדָל, דַּעֲתִידִין לְאִתְמְחָאָה מִן סֵפֶר חַיִּים, דַּעֲלַיְיהוּ אִתְּמַר, מִי אֲשֶׁר חָטָא לִי אֶמְחֶנּוּ מִסִּפְרִי.

רלא. וְהָיָה לְאוֹת עַל יָדְכָה וּלְטוֹטָפוֹת בֵּין עֵינֶיךָ וְגוֹ'. פִּקּוּדָא דָּא, פִּקּוּדָא דְּאִקְרֵי בְּגַוְונָא אַחֲרָא, דְּלָא אִקְרֵי מִצְוָה, אֶלָּא קְדוּשָׁה, וְאִלֵּין אִינּוּן תְּפִילִּין. תְּפִלָּה שֶׁל יַד, וּתְפִלָּה שֶׁל רֹאשׁ. תִּקּוּנָא פְּאֵרָא שַׁפִּירוּ דִּגְוָונִין עִלָּאִין. וְע"ד אִקְרוּן טוֹטָפוֹת, כד"א, יִשְׂרָאֵל אֲשֶׁר בְּךָ אֶתְפָּאָר.

רלב. וּכְתִיב כִּי נַעַר יִשְׂרָאֵל וָאֹהֲבֵהוּ, יִשְׂרָאֵל זוּטָא. שְׁמַע יִשְׂרָאֵל, יִשְׂרָאֵל סָבָא, שַׁפִּירוּ דִּגְוָונִין, עִילָּא וְתַתָּא. יוֹסֵף סָלִיק וְאִתְעֲטַר בִּתְרֵין גַּוְונִין בְּקַדְמֵיתָא נַעֲ"ר וּבְסוֹפָא צַדִּי"ק. כְּמָה יָאָן בֵּיהּ גַּוְונִין לְמֶחֱזֵי, וְרָזָא דָּא וַיְהִי יוֹסֵף יְפֵה תֹאַר וִיפֵה מַרְאֶה. שַׁפִּירָא בִּתְרֵין סִטְרִין, בִּתְרֵין דַּרְגִּין, בִּתְרֵין גַּוְונִין, עִילָּא וְתַתָּא.

רלג. כְּתִיב וְעָשִׂיתָ הַיָּשָׁר וְהַטּוֹב. הַיָּשָׁר: דָּא תְּפִלָּה שֶׁל יַד, לְאַמְשָׁכָא לֵיהּ בִּתְפִילִּין שֶׁל רֹאשׁ, לְאִתְיַיחֲדָא כַּחֲדָא. וּתְפִלָּה שֶׁל יַד, אַקְדִּים לְשֶׁל רֹאשׁ. וְאִצְטְרִיךְ דְּלָא הֲוֵי פְּרוּדָא בֵּינַיְיהוּ כְּלָל.

רלד. מַאן דְּמִתְעַטְּרָא בִּתְפִלִּין, קָאִים בְּרָזָא דְּגַוְונָא עִלָּאָה וְקָאִים בְּאִינּוּן תְּרֵין רָזִין דְּקָאַמְרָן כְּיוֹסֵף, דְּאִקְרֵי נַעַר, וְאִקְרֵי צַדִּיק, בְּרָזָא דְּעֶבֶד נֶאֱמָן, בְּרָזָא דְּבֵן יְחִידָאִי. וְאִלֵּין אִינּוּן תְּפִלָּה שֶׁל יַד, וּתְפִלָּה שֶׁל רֹאשׁ, וְאִינּוּן כְּכֹלָּא חֲדָא בְּלָא פְּרוּדָא.

רלה. אַרְבַּע פָּרָשִׁיָּין דִּתְפִלִּין בְּד' בָּתִּים, בְּאִינּוּן תְּפִלִּין שֶׁל רֹאשׁ. וּכְמָה דְּאִינּוּן ד' פָּרָשִׁיָּין בְּאִינּוּן תְּפִלִּין שֶׁל רֹאשׁ, אוּף הָכִי כֻּלְּהוּ בִּתְפִלִּין שֶׁל יַד בְּבַיִת א'. דְּהָא בִּתְפִלָּה שֶׁל יַד, לֵית לָהּ מִגַּרְמָהּ כְּלוּם, אֶלָּא מַה דְּנַקְטָא מִלְעֵילָּא. וְרָזָא דָּא, כָּל הַנְּחָלִים הוֹלְכִים אֶל

הַיָּם. וּמִגּוֹ דְּנַקְטָא לוֹן מִלְּעֵילָּא, אִקְרֵי תְּפִלָּה, וְאִתְקַדְּשַׁת בִּקְדוּשָּׁתְהוֹן אִקְרֵי קְדוּשָּׁה. וְאִקְרֵי תְּפִלָּה וּכְדֵין אִקְרֵי מַלְכוּת, מַלְכוּת שָׁמַיִם שְׁלֵימָה.

רלו. ד' פָּרְשִׁיָּין, הָא אוּקִימְנָא רָזָא דִּלְהוֹן, בְּכַמָּה דּוּכְתֵּי. אֲבָל פָּרָשָׁה קַדְמָאָה, קַדֶּשׁ לִי כָל בְּכוֹר, דָּא אִיהוּ רָזָא עִלָּאָה, דְּכָלִיל כָּל ד' בָּתִּים, בְּרָזָא דְּנַהִירוּ עִלָּאָה, דְּנָפְקָא מֵאַיִן.

רלז. וְכָל אִינּוּן ד' אִתְרְמִיזוּ הָכָא, קַדֶּשׁ: דָּא קְדוּשָּׁה עִלָּאָה. רָזָא דְּחָכְמְתָא עִלָּאָה, דְּמִתַּמָּן כֹּלָּא אִתְקַדַּשׁ, בְּרָזָא דְּגָנִיזוּ עִלָּאָה, דְּאִתְקְרֵי קֹדֶשׁ. לִי: דָּא בִּינָה, רָזָא דְּעָלְמָא עִלָּאָה, הֵיכְלָא פְּנִימָאָה. כָּ"ל: רָזָא דְּחֶסֶד, בְּכָל דּוּכְתָּא, בֵּין לְעֵילָּא בֵּין לְתַתָּא. בְּכוֹ"ר: דָּא בֵּן בְּכוֹר, דִּכְתִּיב, בְּנִי בְכוֹרִי יִשְׂרָאֵל, וְהַאי בֵּן בְּכוֹר, כָּלִיל כָּל סִטְרִין, וְכָל גַּוְונִין. וּבְגִין כַּךְ, קְרָא כָּלִיל כֻּלְּהוּ אַרְבַּע, בְּרָזָא דְּחָכְמְתָא עִלָּאָה. אֲבָל דָּא בְּאוֹרַח כְּלָל, לְמִנְדַּע דְּכֹלָּא כָּלִיל בְּהַאי, אֲבָל בְּאוֹרַח פְּרָט, כָּל חַד בִּלְחוֹדוֹי, דָּא אִיהוּ פָּרְשְׁתָא קַדְמָאָה, דְּכָלִיל כָּל שְׁאַר פָּרְשִׁיָּין.

רלח. פָּרָשָׁה תִּנְיָינָא, וְהָיָה כִּי יְבִיאֲךָ וְגוֹ', דָּא בִּינָה, דְּהָא בְּפָרְשְׁתָא דָּא, אִיהִי יְצִיאַת מִצְרַיִם, דַּהֲוָה מִסִּטְרָא דְּיוֹבְלָא. וְעַ"ד שֵׁירוּתָא דִּילָהּ וְהָיָ"ה, דְּהָא מִלָּה דָּא אִיהִי בְּיוֹבְלָא. וּבְגִין כַּךְ שְׁמָא דִּילָהּ וְהָיָ"ה, דְּלֵית וְהָיָה אֶלָּא בְּאֲתַר דָּא, דְּאִיהוּ זַמִּין לְאִתְמַשְּׁכָא לְתַתָּא, וּלְאַנְהָרָא בּוֹצִינִין, וּלְאִשְׁתַּכְחָא בְּדַרְגָּא תַּתָּאָה, וְכֹלָּא בְּרָזָא חֲדָא. וּבְגִין דְּאִיהוּ בְּאוֹרַח טָמִיר, לָא אִקְרֵי בְּאִתְגַּלְיָיא בִּשְׁמָא דָּא, אֶלָּא אִתְמְסַר לְחַכִּימִין לְמִנְדַּע. וְעַל דָּא אִתְרְשִׁים בִּשְׁמָא קַדִּישָׁא, בְּמִלָּה דָּא.

רלט. פָּרָשָׁה תְּלִיתָאָה, שְׁמַע, דָּא אִיהוּ רָזָא דִּימִינָא, דְּאִקְרֵי חֶסֶד עִלָּאָה. דְּאִיהוּ קָא מְיַיחֵד יִחוּדָא דְּכֹלָּא לְד' סִטְרִין, וְקוּדְשָׁא בְּרִיךְ הוּא מְסַדֵּר בֵּיהּ, סִדּוּרָא דְּכָל עָלְמָא, וְדָא אִיהוּ דְּקָא מִתְפַּשֵּׁט בְּכָל סִטְרִין, אֲפִילּוּ גּוֹ תְּהוֹמֵי תַּתָּאֵי. בְּדָא קוּדְשָׁא בְּרִיךְ הוּא בָּרָא עָלְמָא, כַּד אִתְעַטָּף קוּדְשָׁא בְּרִיךְ הוּא בְּעִטּוּפָא דִּנְהוֹרָא, וְדָא דְּקָא מְיַיחֵד יִחוּדָא, וּבְגִין כַּךְ, שְׁמַע סָמִיךְ לְוְהָיָ"ה.

רמ. יִחוּדָא דְּכָל יוֹמָא, אִיהוּ, יִחוּדָא לְמִנְדַּע וּלְשַׁוָּאָה רְעוּתָא. יִחוּדָא דָּא הָא אַמָרָן בְּכַמָּה דּוּכְתֵּי, יִחוּדָא דְּכָל יוֹמָא, אִיהוּ יִחוּדָא דִּקְרָא, שְׁמַע יִשְׂרָאֵל יְיָ' אֱלֹהֵינוּ יְיָ' הָא כֻּלְּהוּ חַד, וְעַל דָּא אִקְרֵי אֶחָד. הָא תְּלַת שְׁמָהָן אִינּוּן, הֵיךְ אִינּוּן חַד, וְאַף עַל גַּב דְּקָרֵינָן אֶחָד, הֵיךְ אִינּוּן חַד.

רמא. אֶלָּא, בְּחֶזְיוֹנָא דְּרוּחַ קֻדְשָׁא אִתְיְידַע, וְאִינּוּן בְּחֵיזוּ דְּעֵינָא סְתִימָא, לְמִנְדַּע דִּתְלָתָא אִלֵּין אֶחָד. וְדָא אִיהוּ רָזָא דְּקוֹל דְּאִשְׁתְּמַע, קוֹל אִיהוּ חַד, וְאִיהוּ תְּלָתָא גַּוְונִין, אֶשָּׁא וְרוּחָא וּמַיָּא, וְכֻלְּהוּ חַד, בְּרָזָא דְּקוֹל. אוּף הָכָא: יְיָ' אֱלֹהֵינוּ יְיָ' אִינּוּן חַד. תְּלָתָא גַּוְונִין, וְאִינּוּן חַד.

רמב. וְדָא אִיהוּ קוֹל דְּעָבֵיד בַּר נָשׁ בְּיִחוּדָא, וּלְשַׁוָּאָה רְעוּתֵיהּ בְּיִחוּדָא דְּכֹלָּא, מֵאַיִן סוֹף עַד סוֹפָא דְּכֹלָּא, בְּהַאי קוֹל דְּקָא עָבֵיד בְּהָנֵי תְּלָתָא דְּאִינּוּן חַד. וְדָא אִיהוּ יִחוּדָא דְּכָל יוֹמָא, דְּאִתְגְּלֵי בְּרָזָא דְּרוּחַ קוּדְשָׁא.

רמג. וְכַמָּה גַּוְונִין דְּיִחוּדָא אִתְעֲרוּ, וְכֻלְּהוּ קְשׁוֹט. מַאן דְּעָבֵיד הַאי עָבֵיד. וּמַאן דְּעָבֵיד הַאי עָבֵיד. אֲבָל הַאי יִחוּדָא דְּקָא אֲנַן מִתְעָרֵי מִתַּתָּא, בְּרָזָא דְּקוֹל דְּאִיהוּ חַד דָּא הוּא בְּרִירָא דְּמִלָּה, הַאי בִּכְלָלָא, לְבָתַר פְּרָט, כִּדְקָאַמְרָן.

רמד. פָּרָשָׁה רְבִיעָאָה, הוּא רָזָא דְּדִינָא קַשְׁיָא, הִשָּׁמְרוּ לָכֶם. אִלֵּין אִינּוּן תְּפִלִּין דְּרֵישָׁא. וּתְפִלִּין דִּדְרוֹעָא, כְּגַוְונָא דָּא בְּחַד בֵּיתָא, וְהָא אִתְעָרְנָא בְּהוּ, וְכֻלְּהוּ רָזָא חֲדָא.

רמה. קִשְׁרָא דִּתְפִלִּין דְּרֵישָׁא, אִיהוּ דָּלֶ"ת, וְעַל דָּא כְּתִיב, וְרָאִיתָ אֶת אֲחוֹרָי. וְע"ד אִיהוּ לַאֲחוֹרָא, וְתַמָּן אִתְקַשַּׁר כֹּלָּא בְּקִשְׁרָא וְחָדָא.

רמו. וְאִיהִי, כַּד מַנְּחָת אִלֵּין תְּפִלִּין דִּדְרוֹעָא לְאִתְקַשְּׁרָא, אִית קִשְׁרָא אַחֲרָא, רָזָא דִּבְרִית קַדִּישָׁא, רָזָא דָּא, כְּמָה דְּאִתְעָר בְּכַמָּה דוּכְתֵּי, וְכֹלָּא רָזָא וְחָדָא. זַכָּאִין אִינּוּן יִשְׂרָאֵל דְּיַדְעִין רָזָא דָּא, וְאִצְטְרִיךְ בַּר נָשׁ לַאֲנָחָא לוֹן כָּל יוֹמָא, לְמֶהֱוֵי בִּדְיוֹקְנָא עִלָּאָה, וְעָלֵיהּ כְּתִיב, וְרָאוּ כָּל עַמֵּי הָאָרֶץ כִּי שֵׁם יְיָ' נִקְרָא עָלֶיךָ וְיָרְאוּ מִמֶּךָּ. (ע"כ רעיא מהימנא). בָּרוּךְ יְיָ' לְעוֹלָם אָמֵן וְאָמֵן. יִמְלֹךְ יְיָ' לְעוֹלָם אָמֵן וְאָמֵן.

BESHALACH

בְּשַׁלַּח

א. וַיְהִי בְּשַׁלַּח פַּרְעֹה אֶת הָעָם וְלֹא נָחָם אֱלֹהִים דֶּרֶךְ אֶרֶץ פְּלִשְׁתִּים וְגוֹ'. רִבִּי שִׁמְעוֹן פָּתַח, תְּפִלָּה לַחֲבַקּוּק הַנָּבִיא עַל שִׁגְיוֹנוֹת. הַאי קְרָא קַשְׁיָא, וְאִית לְאִסְתַּכְּלָא בֵּיהּ, מ"ש תְּפִלָּה לַחֲבַקּוּק הַנָּבִיא, יַתִּיר מִכָּל שְׁאַר נְבִיאֵי עָלְמָא, דְּלָא כְּתִיב בְּהוּ תְּפִלָּה לִישַׁעְיָה הַנָּבִיא, אוֹ לְיִרְמְיָה, אוֹ לִיחֶזְקֵאל, אוֹ לְהוֹשֵׁעַ, אוֹ לִשְׁאַר נְבִיאֵי עָלְמָא.

ב. אֶלָּא הָכִי תָּנֵינָן, אֱלִישָׁע זָכָה בְּהַאי עָלְמָא מַה דְּלָא זָכָה נְבִיאָה אָחֳרָא, בַּר מִמֹּשֶׁה. תָּא חֲזֵי, מַאי כְּתִיב, וַיְהִי הַיּוֹם וַיַּעֲבוֹר אֱלִישָׁע אֶל שׁוּנֵם וְשָׁם אִשָּׁה גְּדוֹלָה. מַאי אִשָּׁה גְּדוֹלָה. אֶלָּא גְּדוֹלָה בְּעוֹבָדָהָא, דְּכָל בְּנֵי בֵּיתָא, מִשְׁתַּבְּחִין בָּהּ, וְהִיא עִקָּרָא דְּבֵיתָא, וּבְגִין דְּבַעֲלָהּ לָא הֲוָה שְׁכִיחַ בְּבֵיתָא, לְמֶהֱוֵי עִקָּרָא, לָא הֲוָה אִדְכַּר הוּא, אֶלָּא הִיא.

ג. וְתוּ, וְשָׁם אִשָּׁה גְּדוֹלָה: גְּדוֹלָה עַל כָּל שְׁאַר נְשֵׁי עָלְמָא, דְּהָא שְׁאַר נְשֵׁי עָלְמָא, כַּד זִמְנָא אוּשְׁפִּיזָא בְּבֵיתָא, מִצְטַעֲרָן בֵּיהּ, וְדַחֲקָן בֵּיהּ כָּל שֶׁכֵּן לְאַפָּקָא עָלֵיהּ מָמוֹנָא, וְהִיא חֲדַת בֵּיהּ בְּאוּשְׁפִּיזָא, וּלְאַפָּקָא עָלֵיהּ מָמוֹנָא, כָּל שֶׁכֵּן כֵּיוָן דְּחָמַת לֵיהּ לֶאֱלִישָׁע חֲדַת בֵּיהּ לַחֲדָא. וְעַל דָּא, שְׁבָחָא דְּכֹלָּא דְּאִתְּתָא הִיא, דְּהָא אוּשְׁפִּיזָא דְּבֵיתָא דְּאִתְּתָא הִיא. וּבְגִין כָּךְ וְשָׁם אִשָּׁה גְּדוֹלָה, גְּדוֹלָה עַל שְׁאַר נָשִׁין.

ד. וַתֹּאמֶר אֶל אִישָׁהּ הִנֵּה נָא יָדַעְתִּי כִּי אִישׁ אֱלֹהִים קָדוֹשׁ הוּא, בְּמָה יַדְעָה. אֶלָּא הָא אוּקְמוּהָ חַבְרַיָּא, דְּשׁוֹשִׁיפָא חִוָּורָא זְרִיקַת לֵיהּ בְּעַרְסֵיהּ. וְלָא חָמַת בֵּיהּ קֶרִי מֵעוֹלָם, וְלָא אַעְבָּר זְבוּבָא בְּפָתוֹרֵיהּ.

ה. הָנֵי מִילֵּי קַשְׁיָין, אִי תֵּימָא דְּלָא חָמַת בֵּיהּ קֶרִי, הָא סַגִּיאִין אִינּוּן בְּנֵי נָשָׁא הָכִי בְּעָלְמָא, מַה שְׁנוּיָא הָכָא. וְאִי תֵּימָא דְּלָא עָבַר זְבוּבָא בְּפָתוֹרֵיהּ. אֲמַאי כְּתִיב, הִנֵּה נָא יָדַעְתִּי, וְכִי הִיא יַדְעַת, וְלָא אָחֳרָא, וְהָא כָּל אִינּוּן דְּחָמוּ לֵיהּ אָכִיל בְּפָתוֹרֵיהּ הֲווּ יַדְעֵי.

ו. אֶלָּא שַׁפִּיר קָאַמְרַת, אֲבָל הִנֵּה נָא יָדַעְתִּי, הִיא יַדְעָה, וְלָא אָחֳרָא, בְּגִין דְּהִיא מְתַקְּנַת עַרְסֵיהּ, בְּשַׁעֲתָא דְּשָׁכִיב בְּלֵילְיָא, וּבְשַׁעֲתָא דְּקָאֵים בְּצַפְרָא. וְהַאי דְּקָאַמְרֵי דְּשׁוֹשִׁיפָא חִוָּורָא זְרִיקַת לֵיהּ בְּעַרְסֵיהּ, הָכִי הֲוָה, וּבָהּ יַדְעָה, דְּאָרְחָא דְּעָלְמָא, כֵּיוָן דְּקָאֵים בַּר נָשׁ מֵעַרְסֵיהּ, סָלִיק שׁוֹשִׁיפָא דְּנָאִים בָּהּ, רֵיחָא מְנוּוְלָא. וְהַאי, בְּשַׁעֲתָא דְּסַלְקַת הַהוּא שׁוֹשִׁיפָא מֵעַרְסֵיהּ, הֲוָה סָלִיק רֵיחִין, כְּרֵיחִין דְּגִנְתָּא דְּעֵדֶן. אָמְרָה אִי לָאו דְּקַדִּישָׁא הוּא, וּקְדוּשָׁה דְּמָרֵיהּ עָלֵיהּ, לָא סָלִיק רֵיחָא קַדִּישָׁא הָכִי.

ז. בְּגִינֵי כַּךְ, בָּעֵי לְאִתְפָּרְשָׁא מִן בֵּיתָא, דְּלָא אִזְדְּהַר בַּר נָשׁ כָּל כַּךְ בְּבֵיתָא. אֲבָל אַמְרַת, נַעֲשֶׂה נָא עֲלִיַּית קִיר קְטַנָּה וְנָשִׂים לוֹ שָׁם מִטָּה וְשֻׁלְחָן וְכִסֵּא וּמְנוֹרָה, אַרְבַּע אִלֵּין לָמָּה. אֶלָּא בְּגִין דְּאִינּוּן תִּקּוּנָא דִּכְנֶסֶת יִשְׂרָאֵל, דְּאִתְקְרִיאַת עֲלִיַּית קִיר, וְהָכִי אִתְקְרִיאַת, כְּמָה דִּכְתִיב וַיַּסֵּב חִזְקִיָּה פָּנָיו אֶל הַקִּיר.

ח. מִטָּה וְשֻׁלְחָן וְכִסֵּא וּמְנוֹרָה, לָאו אִינּוּן כְּתִיקוּן דְּשִׁמּוּשָׁא, דְּהָא כִּסֵּא קָא בָּעֵי בְּקַדְמֵיתָא, וּלְבָתַר שֻׁלְחָן, לְבָתַר מְנוֹרָה, לְבָתַר מִטָּה, אֲמַאי אַקְדִּימַת מִטָּה. בְּגִין

דְּהִיא וַחֲבִיבָה עָלֵיהּ יַתִּיר מִכֹּלָּא, וְאַקְדִּים בַּר נָשׁ מַה דְּחָבִיב עָלֵיהּ.

ט. וַיְהִי הַיּוֹם וַיָּבֹא שָׁמָּה. וַיְהִי הַיּוֹם, מַאן הוּא יוֹמָא דָא. אֶלָּא כְּמָה דְּאוֹקְמוּהָ. ות"ז. הַהוּא יוֹמָא, יוֹמָא טָבָא דְּרֹאשׁ הַשָּׁנָה הֲוָה, דְּאִתְפַּקְדוּ בֵּיהּ עֲקָרוֹת דְּעָלְמָא, וְאִתְפַּקְדָן בֵּיהּ בְּנֵי עָלְמָא. קָרָא לַשּׁוּנַמִּית וְאָמַר, הִנֵּה חָרַדְתְּ אֵלֵינוּ אֶת כָּל הַחֲרָדָה הַזֹּאת. בְּגִינֵי כָּךְ, אִצְטְרִיכְנָא לְעַיְינָא יוֹמָא דָא בְּדִינֵי דְעָלְמָא, דְּקוּדְשָׁא בְּרִיךְ הוּא דָּאִין בְּיוֹמָא דָא לְעָלְמָא, וּבְגִין דְּאִתְפָּרַשְׁנָא בִּלְחוֹד בְּאָתָר דָּא, אִצְטְרִיכְנָא לְאִסְתַּכְּלָא בְּרִגְזוֹ דְּעָלְמָא.

י. וּמֶה לַעֲשׂוֹת לָךְ הֲיֵשׁ לְדַבֵּר לָךְ אֶל הַמֶּלֶךְ אוֹ אֶל שַׂר הַצָּבָא. וְכִי מִלָּה דָא לְמָה אִצְטְרִיכָא לְגַבֵּי אִתְּתָא, דְּלָא נָפְקַת וְלָא אָזְלַת וְלָא עָאלַת בְּהֵיכְלָא דְּמַלְכָּא. אֶלָּא, יוֹמָא דָא הֲוָה גָּרִים, דְּכָל בְּנֵי עָלְמָא יַתְבִין בְּדִינָא, וּבְהַהוּא יוֹמָא אִקְרֵי קוּדְשָׁא בְּרִיךְ הוּא מֶלֶךְ. הַמֶּלֶךְ הַמִּשְׁפָּט. אָמַר לָהּ, אִי אַתְּ אִצְטְרִיךְ לָךְ לְגַבֵּי מַלְכָּא עִלָּאָה, עַל עוֹבָדִין דִּי בִּידָךְ.

יא. וַתֹּאמֶר בְּתוֹךְ עַמִּי אָנֹכִי יֹשָׁבֶת. מַאי קָאָמְרַת. אֶלָּא בְּשַׁעְתָּא דְּדִינָא תַּלְיָא בְּעָלְמָא, לָא יִתְפְּרַשׁ בַּר נָשׁ בִּלְחוּדוֹי, וְלָא יִתְרְשִׁים לְעֵילָּא, וְלָא יִשְׁתְּמוֹדְעוּן בֵּיהּ בִּלְחוּדוֹי, דְּהָא בְּזִמְנָא דְּדִינָא תַּלְיָא בְּעָלְמָא, אִינּוּן דְּאִשְׁתְּמוֹדְעוּן וּרְשִׁימִין בִּלְחוֹדַיְיהוּ, אע"ג דְּזַכָּאִין אִינּוּן, אִינּוּן אִתְפְּסָן בְּקַדְמֵיתָא. וְעַל דָּא, לָא לִבָּעֵי לֵיהּ לְאִינִישׁ, לְאִתְפָּרְשָׁא מִבֵּין עַמָּא לְעָלַם, דִּבְכָל זִמְנָא רַחֲמֵי דְּקוּדְשָׁא בְּרִיךְ הוּא עַל עַמָּא כֻּלְּהוּ כַּחֲדָ. וּבְגִינֵי כָּךְ אָמְרָה, בְּתוֹךְ עַמִּי אָנֹכִי יֹשָׁבֶת, וְלָא בָּעִינָא לְאִתְפָּרְשָׁא מִנַּיְיהוּ, כְּמָה דַּעֲבַדְנָא עַד יוֹמָא דֵין.

יב. וַיֹּאמֶר גֵּיחֲזִי אֲבָל בֵּן אֵין לָהּ וְגוֹ'. אָמַר לָהּ אֱלִישָׁע. הָא וַדַּאי שַׁעְתָּא קַיְימָא, דְּהָא יוֹמָא גָּרִים. וַיֹּאמֶר לַמּוֹעֵד הַזֶּה כָּעֵת חַיָּה אַתְּ חוֹבֶקֶת בֵּן. וַתַּהַר הָאִשָּׁה וַתֵּלֶד בֵּן לַמּוֹעֵד הַזֶּה כָּעֵת חַיָּה אֲשֶׁר דִּבֶּר אֵלֶיהָ אֱלִישָׁע. לַמּוֹעֵד וַדַּאי. לְבָתַר מִית. מַאי טַעֲמָא מִית. אֶלָּא בְּגִין דְּאִתְיְהִיב לָהּ, וְלָא לְבַעְלָהּ. וּמֵאָתָר דְּנוּקְבָּא אִתְקְשַׁר, וּמַאן דְּאִתְקְשַׁר בְּנוּקְבָּא, מוֹתָא אִזְדַּמְנַת קַמֵּיהּ. מְנָא לָן דִּלָּהּ אִתְיְהִיב, דִּכְתִּיב אַתְּ חוֹבֶקֶת בֵּן.

יג. תָּא חֲזֵי, בְּאַבְרָהָם כְּתִיב שׁוֹב אָשׁוּב אֵלֶיךָ, וְלָא אֵלֶיהָ, אֵלֶיךָ וַדַּאי, בָּךְ אִתְקְשַׁר, וְלָא בְּנוּקְבָּא. מַאן דְּאָתֵי מִסִּטְרָא דְּנוּקְבָּא, מוֹתָא אַקְדִּים לְרַגְלוֹי. וַתַּעַל וַתַּשְׁכִּיבֵהוּ עַל מִטַּת אִישׁ הָאֱלֹהִים, בְּגִין דְּתַמָּן זִמְנַת קְדוּשָׁה עִלָּאָה מִכֹּלָּא.

יד. וַיֹּאמֶר לָהּ הֲשָׁלוֹם לָךְ הֲשָׁלוֹם לְאִישֵׁךְ הֲשָׁלוֹם לַיָּלֶד. מִכָּאן, דְּהִיא עִקָּרָא דְּבֵיתָא, וְלֹא עוֹד אֶלָּא דְּאִיהִי אָזְלַת אֲבַתְרֵיהּ, וְלָא בַּעְלָהּ. וַיִּגַּשׁ גֵּיחֲזִי לְהָדְפָהּ הָא אוֹקְמוּהָ.

טו. וַיֹּאמֶר אִישׁ הָאֱלֹהִים הַרְפֵּה לָהּ. מַאי שְׁנָא הָכָא דְּאָמַר אִישׁ הָאֱלֹהִים, וְכַד הֲוָה בְּמָתָא אֱלִישָׁע. אֶלָּא הָכָא וַדַּאי אִישׁ הָאֱלֹהִים, דְּהָכָא הוּא דּוּכְתֵּיהּ, וְלָא בְּמָתָא, וְלָא בְּשַׁעְתָּא דַּהֲווּ בְּנֵי נְבִיאֵי קַמֵּיהּ.

טז. וַיְיָ הֶעְלִים מִמֶּנִּי וְגוֹ', כְּמָה דְּאַתְּ אָמַר וַיְיָ הִמְטִיר עַל סְדוֹם וְעַל עֲמוֹרָה, דָּא בֵּי דִּינָא דִּלְתַתָּא. וְלֹא הִגִּיד לִי, מַאי טַעֲמָא לֹא יָדַע אֱלִישָׁע. אֶלָּא אָמַר קוּדְשָׁא בְּרִיךְ הוּא, וּמָה אֲנָא קָטִיל לְהַאי, אִי אִימָא לֵיהּ, לָא יָמוּת, דְּהָא נְבוּזְבְּזָא דִּילֵיהּ הוּא. וַדַּאי אִית לֵיהּ לְמֵימַת, דְּהָא אִתְּמַר, דִּכְתִּיב אַתְּ חוֹבֶקֶת בֵּן, וּמֵאָתָר דְּנוּקְבָּא גָּרִים מוֹתָא, וּבְגִינֵי כָּךְ לָא אָמַר לֵיהּ.

יז. וַיֹּאמֶר לְגֵחֲזִי חֲגוֹר מָתְנֶיךָ וְקַח מִשְׁעַנְתִּי בְּיָדְךָ וָלֵךְ. וְהָא אוֹקְמוּהָ וְאִסְתַּלַּק נִיסָא מִנֵּיהּ. וַחַי יְיָ' וְחֵי נַפְשְׁךָ אִם אֶעֶזְבֶךָּ, אֲמַאי כֵּיוָן דְּגֵיחֲזִי הֲוָה אָזִיל. אֶלָּא הִיא יַדְעַת אָרְחוֹי דְּהַהוּא רָשָׁע דְּגֵיחֲזִי, דְּלָאו אִיהוּ כְּדַאי דְּיִשְׁתְּכַח נִיסָא עַל יְדוֹי.

יח. וַיָּשֶׂם פִּיו עַל פִּיו וְעֵינָיו עַל עֵינָיו וְגוֹ'. אֲמַאי, אֶלָּא דְּאַשְׁגַּח אֱלִישָׁע וְיָדַע דְּאַתְרָא דָּא הוּא דְּגָרִים, דְּאִתְקַשַּׁר בֵּיהּ הַשְׁתָּא. וַיָּשֶׂם פִּיו עַל פִּיו וְעֵינָיו עַל עֵינָיו, לְקַשְּׁרָא לֵיהּ בְּאַתְרָא אָחֳרָא עִלָּאָה, אֲתַר דְּחַיִּין אִשְׁתְּכָחוּ בֵּיהּ.

יט. וְלָא יָכִיל לְאַעְקְרָא לֵיהּ מֵאֲתַר דְּאִתְקַשַּׁר בֵּיהּ בְּקַדְמֵיתָא, אֶלָּא אִתְּעַר רוּחָא חֲדָא מִלְּעֵילָּא, וְאִתְקַשַּׁר בְּהַאי אֲתַר, וְאָתִיב לֵיהּ נַפְשֵׁיהּ. דְּאִי לָאו הָכִי לָא הֲוָה קָאִים לְעָלְמִין. וַיְזוֹרֵר הַנַּעַר עַד שֶׁבַע פְּעָמִים, וְלָא סָלִיק יַתִּיר, כְּמָה דְּאַתְּ אָמֵר יְמֵי שְׁנוֹתֵינוּ בָהֶם שִׁבְעִים שָׁנָה.

כ. וְדָא הוּא חֲבַקּוּק נְבִיאָה, כְּמָה דְּאַתְּ אָמֵר אַתְּ חוֹקֶבֶת בֵּן. אִי הָכִי חָבוּק מִבָּעֵי לֵיהּ, אֲמַאי חֲבַקּוּק תְּרֵי. אֶלָּא, חַד דְּאִמֵּיהּ, וְחַד דֶּאֱלִישָׁע, דְּאִתְחַבַּק עִמֵּיהּ. ד"א תְּרֵי חִבּוּקִין הֲווּ בֵּיהּ, בֵּין לְהַאי סִטְרָא בֵּין לְהַאי סִטְרָא. חִבּוּקָא חֲדָא, הַהוּא אֲתַר דַּהֲוָה תָּלֵי בֵּיהּ בְּקַדְמֵיתָא. חִבּוּקָא אַחֲרִינָא דְּסָלִיק לֵיהּ לְדַרְגִּין עִלָּאִין יַתִּיר, ובג"כ חֲבַקּוּק תְּרֵי.

כא. תְּפִלָּה לַחֲבַקּוּק הַנָּבִיא, מַאי תְּפִלָּה. אֶלָּא דָּא הוּא אֲתַר, דַּהֲוָה קָשִׁיר בֵּיהּ בְּקַדְמֵיתָא, וְדָא הוּא תְּפִלָּה שֶׁל יָד. עַל שִׁגְיוֹנוֹת. דְּהַהוּא יוֹמָא דְּאִתְקַשַּׁר בֵּיהּ, שִׁגְיוֹנוֹת דְּעָלְמָא הֲווּ תַּלְיָין קָמֵי קֻבְּ"ה, וּגְבוּרָה הֲוָה שַׁלִּיט, וְעַ"ד אִתְקַשַּׁר בֵּיהּ הַאי תְּפִלָּה.

כב. ד"א תְּפִלָּה לַחֲבַקּוּק הַנָּבִיא, תְּפִלָּה לַחֲבַקּוּק: בְּגִין חֲבַקּוּק, דְּאִיהוּ עָבִיד בְּגִינֵיהּ. יְיָ' שָׁמַעְתִּי שִׁמְעֲךָ יָרֵאתִי וְגוֹ', ת"ח, כַּד הֲוָה אִתְּעַר עָלֵיהּ רוּחָא דִּנְבוּאָה עַל אֲתַר דָּא דְּהוּא תְּפִלָּה, הֲוָה אָתֵי וַהֲוָה דָּחִיל וּמִזְדַּעְזַע. מַתְלָא אַמְרֵי, מַאן דְּנָשִׁיךְ מִכַּלְבָּא, מִקָּלֵיהּ אִזְדַּעְזַע.

כג. יְיָ' פָּעָלְךָ בְּקֶרֶב שָׁנִים חַיֵּיהוּ, מַאן פָּעָלְךָ. אֶלָּא, עָלֵיהּ קָאָמַר, דְּאִיהוּ פֹּעַל דִּילֵיהּ. בְּקֶרֶב שָׁנִים חַיֵּיהוּ. הַב לֵיהּ חַיִּין לְהַאי פָּעָלְךָ, בְּקֶרֶב שְׁנִין עִלָּאִין. ד"א, חַיֵּיהוּ דְּלָא יָמוּת כַּד בְּקַדְמֵיתָא.

כד. עַל שִׁגְיוֹנוֹת, מַאי עַל שִׁגְיוֹנוֹת, עַל שְׁגִיאוֹת מִבָּעֵי לֵיהּ. כד"א שְׁגִיאוֹת מִי יָבִין. אֶלָּא שִׁגְיוֹנוֹת, כד"א שִׁגָּיוֹן לְדָוִד. זִינֵי תּוּשְׁבְּחָן הֲווּ קָמַיְיהוּ דִּנְבִיאֵי, לְמִישְׁרֵי עֲלַיְיהוּ רוּחַ נְבוּאָה, כד"א וּפָגַעְתָּ חֶבֶל נְבִיאִים יוֹרְדִים מֵהַבָּמָה וְלִפְנֵיהֶם נֵבֶל וְתוֹף וְגוֹ', וּכְתִיב וְעַתָּה קְחוּ לִי מְנַגֵּן וְגוֹ'. וְכָל שֶׁכֵּן חֲבַקּוּק, דְּאִצְטְרִיךְ לֵיהּ יַתִּיר מִכֻּלְּהוֹן, לְנַיְיחָא דְּרוּחָא, וּלְבַסְמָא לְהַהוּא אֲתָר, לְאַמְשָׁכָא עָלֵיהּ רוּחַ נְבוּאָה. וְכֵן כֻּלְּהוּ נְבִיאֵי כְּהַאי גַּוְונָא, בַּר מִמֹּשֶׁה דְּסָלִיק עַל כָּל שְׁאָר נְבִיאֵי דְּעָלְמָא, זַכָּאָה חוּלָקֵיהּ.

כה. ת"ח, כַּד נָפְקוּ יִשְׂרָאֵל מִמִּצְרַיִם, רוּחֵיהוֹן הֲוָה תָּבִיר בְּגַוַויְיהוּ, וַהֲווּ שַׁמְעִין אִינּוּן תּוּשְׁבְּחָן, וְלָא יַכְלִין לְמֶחֱזֵי, וּבְשַׁעֲתָא דְּכֻלְּהוּ אוּכְלוֹסִין וּרְתִיכִין נָפְקוּ בִּשְׁכִינְתָּא, כֻּלְּהוּ אָרִימוּ תּוּשְׁבְּחָן וְשִׁירִין קָמֵי קֻבְּ"ה, וְאִתְּעַר קוּדְשָׁא בְּרִיךְ הוּא רוּחֵיהוֹן דְּיִשְׂרָאֵל, וַהֲווּ שַׁמְעִין אִינּוּן תּוּשְׁבְּחָן, וְקָאִים רוּחֵיהוֹן בְּגַוַויְיהוּ דְּלָא פַּרְחָן.

כו. בַּר נָשׁ כַּד אִיהוּ שָׁבִיק פּוּלְחָנָא, כְּדֵין יָדַע תְּבִירוּ דְּגַרְמוֹי, תְּבִירוּ דְּרוּחֵיהּ. כַּךְ יִשְׂרָאֵל, כַּד נָפְקוּ מִמִּצְרַיִם, כְּדֵין טָעִימוּ טַעֲמָא דְּמוּתָא, וְקֻבְּ"ה אַסֵּי לוֹן, דִּכְתִיב וַיְיָ' הוֹלֵךְ לִפְנֵיהֶם יוֹמָם וְגוֹ'. וְכָל אוֹרְחִין, הֲווּ סַלְקִין רֵיחִין דְּאַסְוָתָא, וְעָאלִין לְגוּפַיְיהוּ

וְאִתְּסַיָּין, וְקָל תּוּשְׁבְּחָן דַּהֲווֹ שַׁמְעִין, הֲווֹ חַדָּאן וְנַיְיחִין בִּרְווֹחַיְיהוּ.

כז. וּפַרְעֹה וְכָל אִינּוּן אוּכְלוּסִין דִּילֵיהּ, הֲווֹ אַזְלֵי בַּתְרַיְיהוּ, לְאוֹזְפָא לוֹן, עַד דְּנַפְקוּ מֵאַרְעָא דְמִצְרַיִם. וְכֵן כָּל אִינּוּן רַבְרְבִין דִּמְמָנָן עֲלֵיהוֹן, וְעַל שְׁאַר עַמִּין, אוֹזִיפוּ לָהּ לִשְׁכִינְתָּא וּלְיִשְׂרָאֵל כֻּלְּהוּ, עַד דְּשָׁארוּ בְּאֵיתָם בִּקְצֵה הַמִּדְבָּר, הה״ד, וַיְהִי בְּשַׁלַּח פַּרְעֹה אֶת הָעָם וְגוֹ׳. כִּי קָרוֹב הוּא, כִּי קָרוֹב הוּא. הַהוּא אוּמָּאָה דְּאוֹמֵי אֲבִימֶלֶךְ לְאַבְרָהָם, עַל הַהוּא טִיבוּ דְּעָבְדוּ פְּלִשְׁתִּים לְאַבְרָהָם, דִּכְתִּיב כַּחֶסֶד אֲשֶׁר עָשִׂיתִי עִמְּךָ תַּעֲשֶׂה עִמָּדִי וְעִם הָאָרֶץ אֲשֶׁר גַּרְתָּה בָּהּ.

כח. וַיְהִי בְּשַׁלַּח פַּרְעֹה אֶת הָעָם, מַה כְּתִיב לְעֵילָא, וַיָּקָם פַּרְעֹה לַיְלָה הוּא וְכָל עֲבָדָיו. תָּא חֲזֵי, נוּקְמָא עִלָּאָה דְּעָבֵד קֻבָּ״ה בְּמִצְרַיִם. תְּלַת מוֹתָנֵי הֲווֹ. חַד, דְּעָבְדוּ בּוּכְרִין בְּמִצְרַיִם, דְּקָטִילוּ כָּל אִינּוּן דְּאִשְׁכָּחוּ. וְחַד, דְּקָטַל קוּבָּ״ה בְּפַלְגּוּת לֵילְיָא. וְחַד, כַּד חָמָא פַּרְעֹה מוֹתָנָא בְּבֵיתֵיהּ בִּבְנוֹי וּבְעַבְדוֹי, קָם וְזָרִיז גַּרְמֵיהּ, וְקָטִיל אֲפַרְכִין וְסַרְכִין, וְכָל דְּאַמְלִיכוּ לֵיהּ לְסָרְבָא בְּעַמָּא עַד דְּאוֹרַיְיתָא אַסְהִידַת עָלֵיהּ דְּאִיהוּ קָם בְּלֵילְיָא מַמָּשׁ. כְּמָה דְּלֵילְיָא קָטַל בּוּכְרִין וְעָבֵד נוּקְמִין, הָכִי קָם פַּרְעֹה בְּאַרְעָא דְמִצְרַיִם, וְקָטַל וְעָבֵד נוּקְמִין בְּסַרְכוֹי, וְאָפַרְכוֹי, וַאֲמַרְכְּלוֹי, וּבְכָל אִינּוּן רַבְרְבִין הה״ד וַיָּקָם פַּרְעֹה לַיְלָה, דְּקָם לְקַטְלָא וּלְשֵׁיצָאָה.

כט. אוֹרְחוֹי דְּכַלְבָּא, כַּד מַחְיָין לֵיהּ בְּאַבְנָא, אִיהוּ אָתֵי וְנָשִׁיךְ לְחַבְרֵיהּ, כָּךְ פַּרְעֹה, לְבָתַר אִיהוּ הֲוָה אָזִיל בְּשׁוּקֵי, וַהֲוָה מַכְרִיז וְאָמַר, קוּמוּ צְאוּ מִתּוֹךְ עַמִּי, אַתּוּן קְטַלְתּוּן לְכָל בְּנֵי מָתָא, אַתּוּן קְטַלְתּוּן סַרְכֵי וְאָפַרְכֵי וְכָל בְּנֵי בֵּיתִי, הה״ד וַיִּקְרָא לְמֹשֶׁה וּלְאַהֲרֹן לַיְלָה. כֵּיוָן דְּבִידְכוֹן הֲוָה כֹּלָּא, וּבֵרַכְתֶּם גַּם אוֹתִי, דְּלָא תִקְטְלוּן לִי. לְבָתַר אִיהוּ בְּגַרְמֵיהּ אוֹזִיף לוֹן, וְאַפִּיק לוֹן מֵאַרְעָא, הה״ד וַיְהִי בְּשַׁלַּח פַּרְעֹה אֶת הָעָם וְגוֹ׳.

ל. וַיַּסֵּב אֱלֹהִים אֶת הָעָם דֶּרֶךְ הַמִּדְבָּר יַם סוּף לְתַקְּנָא אָרְחָא לְאַתְרֵיהּ. ר׳ יְהוּדָה אָמַר, מַאי שְׁנָא כַּד הֲווֹ יִשְׂרָאֵל בְּמִצְרַיִם, דִּכְתִּיב, שַׁלַּח אֶת עַמִּי, כִּי אִם מָאֵן אַתָּה לְשַׁלֵּחַ אֶת עַמִּי, בְּנִי בְכוֹרִי יִשְׂרָאֵל, וּבְהַהוּא זִמְנָא לָא הֲווֹ גְּזִירִין, וְלָא אִתְקְשָׁרוּ בֵּיהּ כַּדְקָא יֵאוֹת. וְהָכָא דַּהֲווֹ גְּזִירִין, וְעָבְדוּ פִּסְחָא, וְאִתְקְשָׁרוּ בֵּיהּ, קָרֵי לוֹן אֶת הָעָם.

לא. אֶלָּא בְּגִין הַהוּא עֵרֶב רַב, דְּאִתְדַּבָּקוּ בְּהוּ, וְאִתְעָרְבוּ בַּהֲדַיְיהוּ, קָרֵי לוֹן אֶת הָעָם סְתָם. כד״א, וַיִּגֹּף יְיָ׳ אֶת הָעָם עַל אֲשֶׁר עָשׂוּ אֶת הָעֵגֶל. וַיִּקָּהֵל הָעָם עַל אַהֲרֹן. וַיַּרְא הָעָם כִּי בֹשֵׁשׁ מֹשֶׁה. וְכֵן כֻּלְּהוּ.

לב. ר׳ יִצְחָק וְר׳ יְהוּדָה הֲווֹ אַזְלֵי מֵאוּשָׁא לְלוּד, וַהֲוָה עִמְּהוֹן יוֹסֵי טַיְּיעָא, בְּקִטְירָא דְגַמְלֵי עֲטוּפִירָא בְּכַתְפַיְיהוּ. עַד דַּהֲווֹ אַזְלֵי, אַשְׁכַּח הַהוּא יוֹסֵי טַיְּיעָא אִנְתּוּ חֲדָא דִּשְׁאַר עַמִּין, דְּקָטִיר בִּירוּקֵי חַקְלָא, אִשְׁתְּמִיט מִנַּיְיהוּ וְאַתְקִיף בָּהּ, וְאָתָא עָלָהּ. תַּוְּהוּ ר׳ יִצְחָק וְר׳ יְהוּדָה, אָמְרוּ נֵיתוּב מֵאָרְחָא דָּא, דְּהָא קוּבָּ״ה בָּעָא לְאַחֲזָאָה לָן, דְּלָא נִתְחַבַּר בַּהֲדֵיהּ. תָּבוּ מֵאָרְחָא, בָּדְקוּ בַּתְרֵיהּ, וְאַשְׁכָּחוּ דִּבְרֵיהּ דְּבַת אֵל נֵכָר הֲוָה, וַאֲבוֹהָ פָּסִיל זַרְעָא הֲוָה. אָמְרוּ, בְּרִיךְ רַחֲמָנָא דְּשֵׁיזִיב לָן.

לג. פָּתַח ר׳ יִצְחָק וְאָמַר אַל תִּתְחַר בַּמְּרֵעִים. מַאן אִינּוּן מְרֵעִים, דְּלָא כְּתִיב וְחַטָּאִים, אוֹ רְשָׁעִים. אֶלָּא מְרֵעִים, דְּאַבְאִישִׁין לְגַרְמַיְיהוּ, וּלְהָנֵי דְּמִתְחַבְּרָן בַּהֲדַיְיהוּ. ר׳ יְהוּדָה אָמַר, מְרֵעִים: אַרְחֵיק גַּרְמָךְ מִמְּרֵעִים דְּלָא תֶּהֱווֹן רֵעִים וַחֲבֵרִים כַּחֲדָא, דְּלָא יַבְאִישׁוּ לָךְ עוֹבָדוֹי, וְתִתְפַּס בְּחֶטְאוֹי.

לד. ת״ח, אִי לָא הֲווֹ אִינּוּן עֵרֶב רַב דְּאִתְחַבְּרוּ בְּהוֹן יִשְׂרָאֵל, לָא אִתְעֲבֵיד הַהוּא עוֹבָדָא, וְלָא מִיתוּ מִיִּשְׂרָאֵל, כָּל אִינּוּן דְּמִיתוּ, וְלָא גָּרִים לוֹן לְיִשְׂרָאֵל כָּל מַה דְּגָרִים.

ות״ו, הַהוּא עוֹבָדָא, וְהַהוּא חוֹבָה מַמָּשׁ, גָּרִים גָּלוּתְהוֹן דְּיִשְׂרָאֵל.

לה. דְּתָנֵינָן, בָּעָא קוּדְשָׁא בְּרִיךְ הוּא, דְּיִשְׁתַּכְּחוּן יִשְׂרָאֵל בְּהַהוּא שַׁעֲתָא כְּמַלְאֲכֵי עִלָּאֵי, וּלְמֶעְבַּד לוֹן חֵירִין מִכֹּלָּא, חֵירִין מִמּוֹתָא, וּלְמֶהֱוֵי חֵירִין מִן שִׁעְבּוּדָא דִּשְׁאַר עַמִּין, כמד״א, חָרוּת עַל הַלּוּחוֹת, אַל תִּקְרֵי חָרוּת, אֶלָּא חֵירוּת.

לו. כֵּיוָן דְּאִתְעֲבֵיד הַהוּא עוֹבָדָא, גָּרִימוּ כֹּלָּא. גָּרִימוּ מוֹתָא, גָּרִימוּ שִׁעְבּוּד מַלְכְּוָון, גָּרִימוּ דְּאִתְּבָרוּ אִינּוּן לוּחֵי קַדְמָאֵי, גָּרִימוּ דְּמִיתוּ מִיִּשְׂרָאֵל, כַּמָּה אַלְפִּין מִנַּיְיהוּ. וְכָל דָּא, בְּגִין אִתְחַבְּרוּתָא דְּאִינּוּן עֵרֶב רַב, דְּאִתְחַבְּרוּ בְּהוּ.

לז. אוּף הָכָא, בְּגִינֵיהוֹן, לָא אִתְקְרוּן בְּנֵי יִשְׂרָאֵל, וְלָא יִשְׂרָאֵל, וְלָא עַמִּי, אֶלָּא הָעָם סְתָם. וְאִי תֵּימָא וַחֲמוּשִׁים עָלוּ בְּנֵי יִשְׂרָאֵל. כַּד הֲווּ סַלְקִין מִמִּצְרַיִם, וְלָא אִתְחַבְּרוּ בַּהֲדַיְיהוּ אִינּוּן עֵרֶב רַב, קָרֵי לוֹן בְּנֵי יִשְׂרָאֵל, כֵּיוָן דְּאִתְחַבְּרוּ בַּהֲדַיְיהוּ, דִּכְתִּיב וְגַם עֵרֶב רַב עָלָה אִתָּם, קָרֵי לוֹן הָעָם.

לח. רִבִּי יוֹסֵי אַקְשֵׁי וְאָמַר, כְּתִיב כִּי אֲשֶׁר רְאִיתֶם אֶת מִצְרַיִם הַיּוֹם לֹא תוֹסִיפוּ לִרְאוֹתָם עוֹד עַד עוֹלָם. אִי הָכִי, כָּל יוֹמָא הֲווּ זַמָּאן לְהַהוּא עֵרֶב רַב. אָמַר רִבִּי יְהוּדָה, עֵרֶב רַב כְּתִיב, וְלָא מִצְרַיִם, דְּהָא כַּמָּה שְׁאַר עַמִּין הֲווּ דַּיְירֵי בְּמִצְרַיִם. וְלָא עוֹד אֶלָּא דְּכֻלְּהוּ אִתְגְּזָרוּ, וְכֵיוָן דְּאִתְגְּזָרוּ, לָא אִקְרוּן מִצְרָאֵי.

לט. וְעַל פּוּמָא דְּמֹשֶׁה קַבִּילוּ לוֹן. וְהַיְינוּ מַה דְּאָמַר הַכָּתוּב, לֵךְ רֵד כִּי שִׁחֵת עַמְּךָ סָרוּ מַהֵר מִן הַדֶּרֶךְ אֲשֶׁר צִוִּיתִם. צִוִּיתָם כְּתִיב. וַחֲמֻשִׁים עָלוּ בְּנֵי יִשְׂרָאֵל מֵאֶרֶץ מִצְרָיִם, חַד מֵחֲמִשָּׁה הֲווּ. וְר׳ יוֹסֵי אוֹמֵר וַחֲמִשָּׁה מִיִּשְׂרָאֵל, וְחַד מִנַּיְיהוּ. רִבִּי יְהוּדָה אוֹמֵר, וַחֲמֻשִׁים: אֶחָד מֵחֲמִשִּׁים.

מ. אר״ש, בְּגִין דְּהַהוּא יוֹבְלָא סָלִיק לוֹן מִמִּצְרַיִם, בְּגִין כָּךְ וַחֲמֻשִׁים עָלוּ בְּנֵי יִשְׂרָאֵל מֵאֶרֶץ מִצְרָיִם. וְאִי לָאו, לָא סְלִיקוּ, וְעַל דָּא אִתְעַכָּבוּ חַמְשִׁין יוֹמִין לְקַבְּלָא אוֹרַיְיתָא. וּמֵהַהוּא אֲתָר נָפְקַת אוֹרַיְיתָא, וְאִתְיְהִיבַת, וְעַל דָּא וַחֲמֻשִׁים חָסֵר. דִּבְגִין דָּא עָלוּ בְּנֵי יִשְׂרָאֵל מֵאֶרֶץ מִצְרָיִם.

מא. וַיִּקַּח מֹשֶׁה אֶת עַצְמוֹת יוֹסֵף וְגוֹ׳. אֲמַאי סָלִיק גַּרְמוֹי. אֶלָּא, בְּגִין דַּהֲוָה רֵישָׁא לְנַחְתָּא לְגָלוּתָא. וְלָא עוֹד, אֶלָּא דְּאִיהוּ סִימָנָא דִּגְאוּלָּה הֲוָה לֵיהּ וְאוֹמֵי לְהוּ לְיִשְׂרָאֵל עַל דָּא, הה״ד כִּי הַשְׁבֵּעַ הִשְׁבִּיעַ אֶת בְּנֵי יִשְׂרָאֵל, וְהָא אִתְּמַר.

מב. זַכָּאָה חוּלָקָא דְּמֹשֶׁה, דְּיִשְׂרָאֵל הֲווּ עַסְקֵי לְמִשְׁאַל מָמוֹנָא מִמִּצְרָאֵי, וּמֹשֶׁה הֲוָה עָסִיק בְּאוּמָאָה דְּיוֹסֵף. וְאִית דְּאַמְרֵי אֲרוֹנָא בְּנִילוּס הֲוָה, וּבִשְׁמָא קַדִּישָׁא סָלִיק לֵיהּ, וְעוֹד אָמַר מֹשֶׁה, יוֹסֵף, הִגִּיעַ זְמַן פּוּרְקָנָא דְּיִשְׂרָאֵל, וְאָמַר עֲלֵה שׁוֹר. וְסָלִיק. וְאִית דְּאַמְרֵי, בֵּין מַלְכֵי מִצְרָאֵי הֲוָה, וּמִתַּמָּן סָלִיק. וְאִית דְּאַמְרֵי, בְּגִין דְּלָא יַעַבְדוּן לֵיהּ ע״ז, שָׁווּ בְּנִילוּס וְסֶרַח בַּת אָשֵׁר חַוִּיאַת לֵיהּ לְמֹשֶׁה.

מג. וַיְיָ׳ הוֹלֵךְ לִפְנֵיהֶם יוֹמָם. רִבִּי יוֹסֵי פָּתַח, לַמְנַצֵּחַ עַל אַיֶּלֶת הַשַּׁחַר מִזְמוֹר לְדָוִד. כַּמָּה חֲבִיבָא אוֹרַיְיתָא קַמֵּיהּ דְּקוּדְשָׁא בְּרִיךְ הוּא, דְּכָל מַאן דְּאִשְׁתָּדַל בְּאוֹרַיְיתָא, רְחִים הוּא לְעֵילָּא, רְחִים הוּא לְתַתָּא, קב״ה אָצִית לֵיהּ לְמִלּוּלוֹי, לָא שָׁבִיק לֵיהּ בְּהַאי עָלְמָא וְלָא שָׁבִיק לֵיהּ בְּעָלְמָא דְּאָתֵי.

מד. וְאוֹרַיְיתָא בָּעֵי לְמִלְעֵי בָּהּ בִּימָמָא וּבְלֵילְיָא, דִּכְתִּיב, וְהָגִיתָ בּוֹ יוֹמָם וָלַיְלָה. וּכְתִיב אִם לֹא בְרִיתִי יוֹמָם וָלַיְלָה וְגוֹ׳. תִּינַח בִּימָמָא, בְּלֵילְיָא אֲמַאי. בְּגִין דִּיְהֵא שְׁכִיחַ לְגַבֵּי שְׁמָא קַדִּישָׁא שְׁלִים. כְּמָה דְּלֵית יוֹמָם בְּלָא לֵילְיָא, וְלָאו אִיהוּ שְׁלִים, אֶלָּא דָּא

עִם דָּא, כָּךְ בָּעֵי אוֹרַיְיתָא, לְאִשְׁתַּכְּחָא עִמֵּיהּ דְּב"נ יוֹמָא וְלֵילְיָא, לְמֶהֱוֵי שְׁלֵימוּתָא לְגַבֵּי דְּב"נ יוֹמָם וָלַיְלָה.

מה. וְהָא אִתְּמַר, דְּעִקָּרָא דְּלֵילְיָא, מִפַּלְגוּתָא וְאֵילָךְ. ואע"ג דְּפַלְגוּ קַדְמִיתָא בִּכְלָלָא דְּלֵילְיָא הוּא, אֲבָל בְּפַלְגוּת לֵילְיָא, קוּדְשָׁא בְּרִיךְ הוּא עָאל בְּגִנְּתָא דְּעֵדֶן, לְאִשְׁתַּעְשְׁעָא עִם צַדִּיקַיָּא, וּכְדֵין, בָּעֵי לֵיהּ לְבַר נָשׁ לְמֵיקַם, וּלְמִלְעֵי בְּאוֹרַיְיתָא.

מו. וְהָא אִתְּמַר, דְּקוּדְשָׁא בְּרִיךְ הוּא וְכָל צַדִּיקַיָּא דִּבְגִנְּתָא דְּעֵדֶן, כֻּלְּהוּ צַיְיתִין לְקָלֵיהּ, הה"ד הַיּוֹשֶׁבֶת בַּגַּנִּים חֲבֵרִים מַקְשִׁיבִים לְקוֹלֵךְ הַשְׁמִיעִנִי, וְהָא אוֹקְמוּהָ, הַיּוֹשֶׁבֶת בַּגַּנִּים: דָּא כְּנֶסֶת יִשְׂרָאֵל, דְּאִיהִי מְשַׁבַּחַת לֵיהּ לְקוּדְשָׁא ב"ה, בְּשִׁבְחָא דְּאוֹרַיְיתָא, בְּלֵילְיָא. זַכָּאָה חוּלָקֵיהּ, מַאן דְּאִשְׁתַּתַּף בַּהֲדָהּ, לְשַׁבְּחָא לֵיהּ לְקוּדְשָׁא ב"ה, בְּשִׁבְחָא דְּאוֹרַיְיתָא.

מז. וְכַד אָתֵי צַפְרָא, כ"י אַתְיָא וּמִשְׁתַּעְשְׁעָא בֵּיהּ בקב"ה, וְאוֹשִׁיט לָהּ לְגַבָּהּ שַׁרְבִיטָא דְּחֶסֶד, וְלָא עָלָהּ בִּלְחוֹדָהָא, אֶלָּא עָלָהּ, וְעַל אִינּוּן דְּמִשְׁתַּתְּפִין בַּהֲדָהּ, וְהָא אִתְּמַר דִּכְתִיב, יוֹמָם יְצַוֶּה יְיָ' חַסְדּוֹ וּבַלַּיְלָה וְגו'. וְעַל דָּא אַיֶּלֶת הַשַּׁחַר אִקְרֵי.

מח. וְאר"ש, בְּשַׁעְתָּא דְּבָעֵי לְאִתְנַהֲרָא צַפְרָא, אִתְחֲשַׁךְ וְאִתְקַדַּר נְהוֹרָא, וְקַדְרוּתָא אִשְׁתַּכַּח. כְּדֵין אִתְחַבְּרַת אִתְּתָא בְּבַעְלָהּ, דְּתָנִינָן, אִשָּׁה מְסַפֶּרֶת עִם בַּעְלָהּ, לְמִשְׁתָּעֵי בַּהֲדֵיהּ, וְעָאלַת לְהֵיכָלֵיהּ.

מט. לְבָתַר כַּד בָּעֵי שִׁמְשָׁא לְמֵיעַל, אִתְנְהִיר וְאָתַת לֵילְיָא, וְנָטִיל לֵיהּ. כְּדֵין כָּל תַּרְעִין סְתִימִין, וַחֲמָרִין נַעֲרִין, וְכַלְבִּין נַבְחִין, כַּד אִתְפְּלַג לֵילְיָא, שָׁארֵי מַלְכָּא לְמֵיקַם, וּמַטְרוֹנִיתָא לְזַמְּרָא, וְאָתֵי מַלְכָּא וְאָקִישׁ לְתַרְעָא דְּהֵיכְלָא, וְאָמַר פִּתְחִי לִי אֲחוֹתִי רַעְיָתִי וְגו'. וּכְדֵין מִשְׁתַּעְשַׁע בְּנִשְׁמָתְהוֹן דְּצַדִּיקַיָּא.

נ. זַכָּאָה חוּלָקֵיהּ דְּהַהוּא, דְּאִתְּעַר הַהוּא זִמְנָא בְּמִלֵּי דְּאוֹרַיְיתָא, בְּגִין דָּא, כָּל אִינּוּן דִּבְנֵי הֵיכְלָא דְּמַטְרוֹנִיתָא, כֻּלְּהוּ בָּעְיָין לְמֵיקַם בְּהַהוּא זִמְנָא, לְשַׁבְּחָא לְמַלְכָּא וְכֻלְּהוּ מְשַׁבְּחָן קָמֵיהּ, וְשִׁבְחָא דְּסָלִיק מֵהַאי עָלְמָא, דָּא דְּאִיהוּ רַוְוחָא, דָּא נַיְיחָא לֵיהּ לְקוּדְשָׁא בְּרִיךְ הוּא מִכֹּלָּא.

נא. כַּד אִסְתַּלִּיק לֵילְיָא, וְאָתֵי צַפְרָא, וְאִתְקַדַּר, כְּדֵין מַלְכָּא וּמַטְרוֹנִיתָא בְּרָזָא בְּחֶדְוָה, וְיָהִיב לָהּ מַתָּנָן, וּלְכָל בְּנֵי הֵיכָלָהּ. זַכָּאָה חוּלָקֵיהּ מַאן דְּאִיהוּ בְּמִנְיָינָא.

נב. וַיְיָ' הוֹלֵךְ לִפְנֵיהֶם יוֹמָם. קוּדְשָׁא בְּרִיךְ הוּא, וּבֵית דִּינֵיהּ. אָמַר רִבִּי יִצְחָק, הַיְינוּ דְּתָנֵינָן, שְׁכִינְתָּא בַּאֲבָהָתָא נָטְלָא. הוֹלֵךְ לִפְנֵיהֶם יוֹמָם: דָּא אַבְרָהָם. בְּעַמּוּד עָנָן: דָּא יִצְחָק. לַנְחוֹתָם הַדֶּרֶךְ: דָּא יַעֲקֹב. דִּכְתִיב בֵּיהּ וְיַעֲקֹב הָלַךְ לְדַרְכּוֹ. וְלַיְלָה בְּעַמּוּד אֵשׁ לְהָאִיר לָהֶם: דָּא דָּוִד מַלְכָּא.

נג. וְכֻלְּהוּ רְתִיכָא עִלָּאָה קַדִּישָׁא, לְמֵהָךְ יִשְׂרָאֵל בִּשְׁלֵימוּתָא דְּכֹלָּא, בְּגִין דְּיֶחֱזוּן אֲבָהָן פּוּרְקָנָא דִּלְהוֹן, דִּכְתִיב וְאָנֹכִי אַעַלְךָ גַּם עָלֹה, עִם הַמֶּרְכָּבָה. וּכְתִיב וַיְיָ' הוֹלֵךְ וְגו', לָלֶכֶת יוֹמָם וָלָיְלָה. וְכִי אַמַּאי הֲווּ אָזְלֵי יוֹמָם וָלַיְלָה, יַהֲכוּן בִּימָמָא, וְלָא יַהֲכוּן בְּלֵילְיָא, כִּבְנֵי אֱנָשָׁא דְּעַרְקִין, כֵּיוָן דְּקוּדְשָׁא בְּרִיךְ הוּא נָטִיר לוֹן, אַמַּאי אָזְלִין בִּימָמָא וּבְלֵילְיָא. אֶלָּא, לְאִשְׁתַּכְּחָא בְּהוּ שְׁלֵימוּתָא דְּכֹלָּא, דְּלֵית שְׁלִימוּ אֶלָּא יוֹם וָלַיְלָה.

נד. א"ר אַבָּא, הָכִי אוֹקִימְנָא, וַיְיָ' הוֹלֵךְ לִפְנֵיהֶם יוֹמָם בְּעַמּוּד עָנָן: דָּא אַבְרָהָם. וְלַיְלָה בְּעַמּוּד אֵשׁ: דָּא יִצְחָק. וְאִי הָכִי יַעֲקֹב אָן הוּא. אֶלָּא בְּמִלָּה קַדְמָאָה אִתְּמַר, וְתַמָּן שָׁארֵי, כְּמָה דִּכְתִיב וַיְיָ'.

נה. וְלַיְלָה בְּעַמּוּד אֵשׁ, הֲוָה נָהִיר, בְּסִטְרָא דָּא וּבְדָא. בְּגִין דְּיִרְדְּפוּן מִצְרָאֵי בַּתְרֵיהוֹן, לְאִתְיַיקְרָא שְׁמָא דְּקוּדְשָׁא ב"ה, בִּרְתִיכוֹי וּפָרָשׁוֹי. בְּגִין לְמֵיזַל יְמָמָא וְלֵילְיָא,

אַסְפַּקְלַרְיָא דְּנָהֲרָא, וּדְלָא נָהֲרָא. וְתוּ, בְּגִין לְאַטְעָאָה לְמִצְרָאֵי דְּיֵימְרוּן מִקְרֶה הוּא, דִּכְתִּיב נוֹאֲלוּ שָׂרֵי צוֹעַן, וּכְתִיב מֵשִׁיב חֲכָמִים אָחוֹר, וְע״ד אַזְלֵי בִּימָמָא וּבְלֵילְיָא.

נו. רִבִּי אַבָּא אָמַר, זַכָּאָה חוּלָקֵהוֹן דְּיִשְׂרָאֵל, דְּקוּדְשָׁא בְּרִיךְ הוּא אַפִּיק לוֹן מִמִּצְרַיִם, לְמֶהֱוֵי חוּלָקֵיהּ וְאַחֲסַנְתֵּיהּ. ות״ח, בְּסִטְרָא דְּיוֹבְלָא, אִשְׁתְּכַח חֵירוּ לְיִשְׂרָאֵל. וְכֵן לִזְמְנָא דְּאָתֵי, דִּכְתִּיב וְהָיָה בַּיּוֹם הַהוּא יִתָּקַע בְּשׁוֹפָר גָּדוֹל וְגוֹ׳.

נז. וּבְגִין הַהוּא יוֹבְלָא עִלָּאָה, אִתְעַכְּבוּ חַמְשִׁין יוֹמִין, לְקַבְּלָא אוֹרַיְיתָא, וּלְמִקְרַב לְטוּרָא דְּסִינַי. וְכֵיוָן דְּאָזְלֵי בִּימָמָא, אָזְלֵי בְּלֵילְיָא, לְמֶהֱוֵי כֹּלָּא חַד יוֹמָא, בֵּין יְמָמָא וְלֵילְיָא, וְלָא אִשְׁתְּכַח פְּרִישׁוּ.

נח. וְלֹא עוֹד, אֶלָּא דְּכֻלְּהוּ בְּנַיְיחָא אַזְלִין, לִרְעוּתָא דְּנַפְשַׁיְיהוּ, בְּיוֹמָא דְּקַבִּילוּ אוֹרַיְיתָא, הֲווֹ חַמְשִׁין יוֹמִין שְׁלֵמִין, יוֹמֵי וְלֵילֵי כַּדְקָא יָאוֹת, דְּלֵית יוֹם בְּלָא לַיְלָה, וְלֵית לַיְלָה בְּלָא יוֹם, וְלַיְלָה וְיוֹם אִקְרֵי יוֹם אֶחָד. וְכֵיוָן דְּאָזְלוּ חַמְשִׁין יוֹמִין שְׁלֵימִין, כְּדֵין שָׁארוּ עָלַיְיהוּ אִינּוּן נ׳ יוֹמִין דְּיוֹבְלָא, וּמִסִּטְרָא דְּיוֹבְלָא אִתְיְיהִיב לְהוּ אוֹרַיְיתָא, וּבְגִ״כ אַזְלִין יוֹמָא וְלֵילְיָא.

נט. וא״ר אַבָּא, כְּתִיב וַיְהִי כִּי זָקֵן יִצְחָק וַתִּכְהֶיןָ עֵינָיו, אַמַּאי. הָא אוֹקִימְנָא, מַאן דְּרָחִים לְחַיָּיבָא, הָכִי הוּא. ות״ח, בְּיִצְחָק אִתְכְּלִיל לֵילְיָא, וְלֵילְיָא לָא בָּהִיר, וְע״ד וַתִּכְהֶיןָ עֵינָיו, וְכֹלָּא חַד.

ס. ר׳ יִצְחָק פָּתַח וְאָמַר, וַיֻּגַּד לְמֶלֶךְ מִצְרַיִם כִּי בָרַח הָעָם, וַיֻּגַּד, מַאן קָאָמַר לֵיהּ. אֶלָּא, הָא אוּקְמוּהָ. אֲבָל חַכִּימוֹי וְחַרְשׁוֹי אִתְכְּנָשׁוּ לְגַבֵּיהּ, וְאוֹדְעוּהוּ כִּי בָרַח הָעָם. וְאַמַּאי קָאמְרוּ דָּא. אֶלָּא חָמוּ בְּחָכְמְתָא דִּלְהוֹן, דַּהֲווֹ אַזְלֵי יְמָמָא וְלֵילְיָא, אָמְרוּ וַדַּאי עַרְקִין אִינּוּן. וְלֹא עוֹד אֶלָּא דְּחָמוּ דְּלָא הֲווֹ אַזְלֵי בְּאוֹרַח מֵישָׁר, כְּמָה דִּכְתִּיב וְיָשׁוּבוּ וְיַחֲנוּ לִפְנֵי פִּי הַחִירוֹת.

סא. וַיִּקַּח שֵׁשׁ מֵאוֹת וְגוֹ׳. שֵׁשׁ מֵאוֹת אַמַּאי. א״ר יוֹסֵי, לָקֳבֵל מִנְיָינָא דְּיִשְׂרָאֵל, דִּכְתִּיב כְּשֵׁשׁ מֵאוֹת אֶלֶף רַגְלִי. בָּחוּר: לָקֳבֵל הַגְּבָרִים דְּאִינּוּן עִקָּרָא דְּכָל יִשְׂרָאֵל. וְכֹל רֶכֶב מִצְרָיִם: שְׁאַר רְתִיכִין, דְּאִינּוּן טְפֵלִין לַאֲחוֹרֵי, לָקֳבֵל הַטַּף דִּכְתִּיב לְבַד מִטָּף. וְכֹלָּא עָבֵיד בְּעֵיטָא דְּחַרְשׁוֹי וְחַכִּימוֹי. וְשָׁלִישִׁים עַל כֻּלּוֹ, כֹּלָּא בְּחָכְמְתָא, לָקֳבֵל דַּרְגִּין עִלָּאִין, תְּרֵין וְחַד. ר׳ יִצְחָק אָמַר, כְּתַרְגּוּמוֹ, וּמְזָרְזִין. זְרִיזִין הֲווֹ בְּכֹלָּא.

סב. וַיִּקַּח שֵׁשׁ מֵאוֹת רֶכֶב בָּחוּר. ר׳ חִיָּיא אָמַר, כְּתִיב יִפְקוֹד יְיָ׳ עַל צְבָא הַמָּרוֹם בַּמָּרוֹם וְעַל מַלְכֵי הָאֲדָמָה עַל הָאֲדָמָה. בִּזְמְנָא דְּקֻבְּ״ה יָהִיב שָׁלְטָנוּתָא לְרַבְרְבֵי עַמִּין לְעֵילָּא, יָהִיב לְהוּ לְעַמָּא דִּלְהוֹן לְתַתָּא. וּבְשַׁעֲתָא דְּנָחִית לוֹן מִדַּרְגַּיְיהוּ דִּלְעֵילָּא, נָחִית לוֹן לְעַמָּא לְתַתָּא, וַיִּקַּח שֵׁשׁ מֵאוֹת רֶכֶב בָּחוּר, הָא מְמַנָּא דִּלְהוֹן, וְאוּקְמוּהָ, דְּדָבַר רְתִיכִין דִּשְׁאַר עַמִּין, וְכֻלְּהוּ נָפְלוּ בְּמַשִּׁרְיָיתָא דְּסִיסְרָא לְבָתַר וְהַיְינוּ בָּחוּר וְכֹל רֶכֶב מִצְרָיִם.

סג. כְּתִיב לְסֻסָתִי בְּרִכְבֵי פַרְעֹה דִּמִּיתִיךְ רַעְיָתִי. תָּא חֲזֵי, כְּדוּגְמַת סוּסְיָא נוּקְבָא, אִתְחֲזֵי לְהוֹן לְסוּסְיָהוֹן דְּפַרְעֹה, וְאוּקְמוּהָ. אֶלָּא לְסוּסָתִי בְּרִכְבֵי פַרְעֹה, תָּא חֲזֵי, פַּרְעֹה בְּשַׁעֲתָא דַּהֲוָה רָדִיף אֲבַתְרַיְיהוּ דְּיִשְׂרָאֵל, מַה עָבֵד, נָטַל סוּסְוָון נוּקְבָן, וְכָפַת לוֹן בִּרְתִיכוֹי בְּקַדְמֵיתָא, וְסוּסִין דּוּכְרָאֵי כָּפַת לוֹן לַאֲחוֹרֵיהוֹן, וַהֲווֹ מְזַיְינִין דּוּכְרֵי לָקֳבֵל נוּקְבֵי, וְנוּקְבֵי לָא בָּעָאן, וְאוֹחָן לְמֵיזַל. כֵּיוָן דְּקָרִיב לְגַבַּיְיהוּ דְּיִשְׂרָאֵל, נָטַל נוּקְבֵי וְשַׁוֵּי לוֹן לַאֲחוֹרֵי, וְסוּסְוָון דּוּכְרִין לְקַדְמִין, לְאַבְאָשָׁא לְיִשְׂרָאֵל, וּלְאַגָּחָא בְּהוּ קְרָבָא.

סד. כְּגַוְונָא דָא, וַיְיָ' הוֹלֵךְ לִפְנֵיהֶם יוֹמָם, וּבָתַר וְזָרְחָה שְׁכִינְתָּא לַאֲחוֹרֵיהוֹן דְּיִשְׂרָאֵל, דִּכְתִּיב וַיִּסַּע מַלְאַךְ הָאֱלֹהִים וְגוֹ'. בְּגִינֵי כַּךְ דּוֹמִיתִיךְ רַעְיָתִי.

סה. וּפַרְעֹה הִקְרִיב, וְהַאי קְרָא הָא אוּקְמוּהָ. דְּאַקְרִיב לְכָל חֵילוֹי וּרְתִיכוֹי, לְאַגָּחָא קְרָבָא. וְתוּ וּפַרְעֹה הִקְרִיב. רִבִּי יוֹסֵי אָמַר, הָא אִתְּמַר דְּקָרִיב לוֹן לִתְשׁוּבָה. וּפַרְעֹה הִקְרִיב.

סו. כְּתִיב יְיָ' בַּצַּר פְּקָדוּךָ צָקוּן לַחַשׁ וְגוֹ'. בַּצַּר פְּקָדוּךָ: לָא פָּקְדִין יִשְׂרָאֵל לְקוּדְשָׁא בְּרִיךְ הוּא, בְּשַׁעֲתָא דְּנַיְיחָא, אֶלָּא בְּשַׁעֲתָא דְּעָקִין לְהוּ, וּכְדֵין כֻּלְּהוּ פָּקְדִין לֵיהּ. צָקוּן לַחַשׁ: וְכֻלְּהוּ צַלָּאן בִּצְלוֹתִין וּבְבָעוּתִין, וְאָרִיקוּ קָמֵיהּ צְלוֹתִין. אֵימָתַי. מוּסָרְךָ לָמוֹ, בְּשַׁעֲתָא דְּפָקִיד לוֹן קוּדְשָׁא בְּרִיךְ הוּא בִּרְצוּעוֹי. כְּדֵין קוּדְשָׁא בְּרִיךְ הוּא קָאִים עָלַיְיהוּ בְּרַחֲמֵי, וְנַיְיחָא קָמֵיהּ הַהוּא קָלָא דִּלְהוֹן, בְּגִין לְאִתְפָּרְעָא מִן שַׂנְאֵיהוֹן, וְאִתְמְלֵי עָלַיְיהוּ בְּרַחֲמֵי.

סז. כְּמָה דְּאוּקִימְנָא, מְתַל לְיוֹנָה עִם הַנֵּץ וְכוּ', כַּךְ יִשְׂרָאֵל הֲווּ קְרִיבִין לְיַמָּא, וַהֲווּ חָמָאן לְיַמָּא קַמַּיְיהוּ,, אָזִיל וְסָעִיר וְגַלְגַּלּוֹהִי זַקְפִין לְעֵילָא, הֲווּ דְּחִילִין. זַקְפוּ עֵינַיְיהוּ וְחָמוּ לְפַרְעֹה וּלְמַשִּׁרְיָיתֵיהּ, וְאַבְנֵי גִּירִין וּבַלִּסְטְרָאִין, כְּדֵין וַיִּירְאוּ מְאֹד. מַה עָבְדוּ, וַיִּצְעֲקוּ בְּנֵי יִשְׂרָאֵל מַאן גָּרִים הַאי דְּקָרִיבוּ יִשְׂרָאֵל לְגַבֵּי אֲבוּהוֹן דִּלְעֵילָא, פַּרְעֹה. הֲדָא הוּא דִּכְתִּיב וּפַרְעֹה הִקְרִיב וְהָא אִתְּמַר.

סח. וַיֹּאמֶר מֹשֶׁה אֶל הָעָם אַל תִּירָאוּ הִתְיַצְּבוּ וּרְאוּ אֶת יְשׁוּעַת יְיָ'. אָמַר רִבִּי שִׁמְעוֹן זַכָּאָה חוּלָקֵיהוֹן דְּיִשְׂרָאֵל, דְּהָא רַעְיָא כְּמֹשֶׁה אָזִיל בְּגַוַויְיהוּ. כְּתִיב וַיִּזְכּוֹר יְמֵי עוֹלָם מֹשֶׁה עַמּוֹ. וַיִּזְכּוֹר יְמֵי עוֹלָם: דָּא קוּדְשָׁא בְּרִיךְ הוּא. מֹשֶׁה עַמּוֹ: שָׁקִיל הֲוָה מֹשֶׁה כְּכָל יִשְׂרָאֵל. וְאוֹלִיפְנָא מֵהָא, כִּי רַעְיָא דְּעַמָּא הוּא מַמָּשׁ עַמָּא כֻּלְּהוּ, אִי אִיהוּ זָכֵי, עַמָּא כֻּלְּהוּ זָכָאן. וְאִי אִיהוּ לָא זָכֵי, עַמָּא כֻּלְּהוּ לָא זָכָאן וְאִתְעֲנָשׁוּ בְּגִינֵיהּ, וְהָא אוּקְמוּהָ.

סט. הִתְיַצְּבוּ וּרְאוּ, לֵית לְכוּ לְאַגָּחָא קְרָבָא, דְּהָא קוּדְשָׁא בְּרִיךְ הוּא, יַגִּיחַ קְרָבָא בְּגִינֵיכוֹן, כְּמָה דְּאַתְּ אָמֵר, יְיָ' יִלָּחֵם לָכֶם וְאַתֶּם תַּחֲרִישׁוּן. תָּא חֲזֵי, הַהוּא לֵילְיָא, כָּנַשׁ קוּדְשָׁא בְּרִיךְ הוּא לְפָמַלְיָא דִּילֵיהּ, וְדָאִין דִּינַיְיהוּ דְּיִשְׂרָאֵל, וְאִלְמָלֵא דְּאַקְדִּימוּ אֲבָהָן עָלַיְיהוּ דְּיִשְׂרָאֵל, לָא אִשְׁתְּזִיבוּ מִן דִּינָא. רִבִּי יְהוּדָה אָמַר, זְכוּתָא דְּיַעֲקֹב אַגִּין עָלַיְיהוּ דְּיִשְׂרָאֵל, הה"ד לוּלֵי יְיָ' שֶׁהָיָה לָנוּ יֹאמַר נָא יִשְׂרָאֵל, יִשְׂרָאֵל סָבָא.

ע. יְיָ' יִלָּחֵם לָכֶם וְאַתֶּם תַּחֲרִישׁוּן. רִבִּי אַבָּא פָּתַח אִם תָּשִׁיב מִשַּׁבָּת רַגְלֶךָ עֲשׂוֹת חֲפָצֶיךָ בְּיוֹם קָדְשִׁי. זַכָּאִין אִינּוּן יִשְׂרָאֵל, דְּקֻבָּ"ה אִתְרְעֵי בְּהוֹן, לְאִתְדַּבְּקָא בְּהוּ, מִכָּל שְׁאַר עַמִּין דְּעָלְמָא, וּמִגּוֹ רְחִימוּתָא דִּלְהוֹן, קָרִיב לוֹן לְגַבֵּיהּ, וְיָהַב לוֹן אוֹרַיְיתָא, וְיָהַב לוֹן שַׁבָּת, דְּאִיהוּ קַדִּישָׁא מִכָּל שְׁאַר יוֹמִין, וְנַיְיחָא מִכֹּלָּא, וְחֶדְוָה דְּכֹלָּא, וְשָׁקִיל שַׁבָּת, לָקֳבֵל אוֹרַיְיתָא כֻּלָּא, וּמַאן דְּנָטִיר שַׁבָּת, כְּאִילוּ נָטִיר אוֹרַיְיתָא כֻּלָּא.

עא. וְקָרָאתָ לַשַּׁבָּת עֹנֶג, עִנּוּגָא דְּכֹלָּא, עִנּוּגָא דְּנַפְשָׁא וְגוּפָא עִנּוּגָא דְּעִלָּאִין וְתַתָּאִין. וְקָרָאתָ לַשַּׁבָּת, מַאי וְקָרָאתָ. דְּיַזְמִין לֵיהּ. כד"א, מִקְרָאֵי קֹדֶשׁ, כְּלוֹמַר, זְמִינִין, כְּמָה דִּמְזַמְּנִין אוּשְׁפִּיזָא לְבֵיתֵיהּ. וְע"ד וְקָרָאתָ לַשַּׁבָּת עֹנֶג, דְּיַזְמִין לֵיהּ, כְּמָה דִּמְזַמְּנִין אוּשְׁפִּיזָא, בְּפָתוֹרָא מְתַקְּנָא, בְּבֵיתָא מְתַקְּנָא כַּדְקָא יָאוּת, בְּמֵיכְלָא וּבְמִשְׁתְּיָא כַּדְקָא יָאוּת, יַתִּיר עַל שְׁאַר יוֹמִין. וְקָרָאתָ לַשַּׁבָּת מִבְּעוֹד יוֹם. לִקְדוֹשׁ יְיָ' מְכוּבָּד: דָּא יוֹם כִּפּוּרִים. תְּרֵי דְּאִינּוּן חַד. וְכִבַּדְתּוֹ מֵעֲשׂוֹת דְּרָכֶיךָ, כְּמָה דְּאוּקִימְנָא.

עב. מִמְּצוֹא חֶפְצְךָ וְדַבֵּר דָּבָר, וְהָא אִתְּמַר, בְּגִין דְּהַהִיא מִלָּה סַלְקָא, וְאִתְעַר מִלָּה

דְּזוֹל לְעֵילָּא. מַאן דְּמִזַּמִּין אוּשְׁפִּיזָא, בֵּיהּ בָּעֵי לְאִשְׁתַּדְּלָא, וְלָא בְּאָחֳרָא.

עג. תָּא חֲזֵי הַהוּא מִלָּה דְּנָפִיק מִפּוּמֵיהּ דְּבַר נָשׁ, סַלְקָא וְאִתְּעַר אִתְעָרוּתָא לְעֵילָּא, אִי לְטָב, אִי לְבִישׁ. וּמַאן דְּיָתִיב בְּעִנּוּגָא דְּשַׁבְּתָא, אָסִיר לֵיהּ לְאִתְעָרָא מִלָּה דְּחוֹל, דְּהָא פָּגִים פְּגִימוּ בְּיוֹמָא קַדִּישָׁא. מַאן דְּיָתִיב בְּהִילּוּלָא דְּמַלְכָּא, לָא יִתְחֲזֵי לְמִשְׁבַּק לְמַלְכָּא, וְיִתְעַסֵּק בְּאַחֲרָא.

עד. וּבְכָל יוֹמָא בָּעֵי לְאַחֲזָאָה עוֹבָדָא, וּלְאִתְעָרָא אִתְעָרוּתָא מִמָּה דְּאִצְטְרִיךְ. וּבְשַׁבָּת, בְּמִלֵּי דִּשְׁמַיָּא, וּבִקְדוּשָּׁה דְּיוֹמָא בָּעֵי לְאִתְעָרָא, וְלָא בְּמִלָּה אַחֲרָא.

עה. תָּא חֲזֵי, הָכָא כַּד אִתְקְרִיב פַּרְעֹה לְאַגָּחָא קְרָבָא בְּהוּ בְּיִשְׂרָאֵל, בְּהַהִיא זִמְנָא, לָא בָּעֵי קוּדְשָׁא בְּרִיךְ הוּא, דְּיִתְעֲרוּן יִשְׂרָאֵל אִתְעָרוּתָא לְתַתָּא כְּלָל, דְּהָא אִתְעָרוּתָא לְעֵילָּא הוּא, דְּהָא אֲבָהָן אַקְדִּימוּ וְאַתְעֲרוּ אִתְעָרוּתָא דָּא לְעֵילָּא, וּזְכוּתָא דִּלְהוֹן קָאִים קַמֵּיהּ, וְלָא בָּעָא קוּדְשָׁא בְּרִיךְ הוּא דְּיִשְׂרָאֵל יִתְעֲרוּן לְתַתָּא כְּלָל. הֲדָא הוּא דִּכְתִּיב יְיָ' יִלָּחֵם לָכֶם וְאַתֶּם תַּחֲרִישׁוּן. תַּחֲרִישׁוּן וַדַּאי, וְלָא תִּתְעֲרוּן מִלָּה, דְּלָא אִצְטְרִיךְ לְכוּ, וְהָכָא אִתְכְּלִיל שְׁמָא קַדִּישָׁא בְּאַתְוָון רְשִׁימָן, וְהָא אִתְעֲרוּ בֵּיהּ חַבְרַיָּיא.

עו. רִבִּי יוֹסֵי וְרִבִּי יְהוּדָה הֲווּ אָזְלֵי בְּאָרְחָא. אָמַר רִבִּי יוֹסֵי לְרִבִּי יְהוּדָה, וַדַּאי תָּנֵינָא, יְיָ', בְּכָל אֲתַר רַחֲמֵי, וְאַף עַל גַּב דְּאַגַּח קְרָבָא, וְעָבֵיד דִּינָא, הַהוּא דִּינָא בְּרַחֲמוּתָא הוּא. וְהָכָא חֲמֵינָא, דִּכְתִּיב יְיָ' יִלָּחֵם לָכֶם, וְלָא אִתְחֲזֵי בְּהַהוּא דִּינָא רַחֲמֵי כְּלָל, דְּהָא כְּתִיב לֹא נִשְׁאַר בָּהֶם עַד אֶחָד.

עז. אָמַר לֵיהּ, מִלָּה דָּא שְׁמַעְנָא מֵרִבִּי שִׁמְעוֹן דְּאָמַר, דַּאֲפִילּוּ הָכָא דִּינָא בְּרַחֲמֵי הֲוָה, דְּחָפָא עֲלֵיהוֹן יַמָּא וּמִיתוּ, וּלְבָתַר אַפִּיק לוֹן יַמָּא, וְקוּדְשָׁא בְּרִיךְ הוּא בָּעָא בִּיקָרֵיהוֹן, וְאִתְקְבָרוּ בְּאַרְעָא, וְלָא בָּעָאת אַרְעָא לְקַבְּלָא לוֹן, עַד דְּאוֹשִׁיט לָהּ קוּדְשָׁא בְּרִיךְ הוּא יְמִינֵיהּ, וְקַבִּילַת לוֹן, הה"ד, נָטִיתָ יְמִינְךָ תִּבְלָעֵמוֹ אָרֶץ. וּבְגִין דָּא, הַאי דִּינָא בְּרַחֲמֵי הֲוָה.

עח. וְעַל דָּא, לָא בָּעָא קוּדְשָׁא בְּרִיךְ הוּא דְּיִתְעֲרוּן יִשְׂרָאֵל מִלָּה בְּעָלְמָא, דְּאִי יִתְעֲרוּן יִשְׂרָאֵל מִלָּה, לָא יִתְעֲרוּן שְׁמָא דְּרַחֲמֵי, וְלָא יִתְעֲבִיד דִּינָא בְּרַחֲמֵי, הֲדָא הוּא דִּכְתִּיב יְיָ' יִלָּחֵם לָכֶם וְאַתֶּם תַּחֲרִישׁוּן, דְּלָא תִּתְעֲרוּן מִידִי. דְּהָא שְׁמָא דְּרַחֲמֵי בָּעֵי לְאִתְעָרָא עֲלַיְיהוּ, לְמֶעְבַּד דִּינָא בְּרַחֲמֵי. וְעַל דָּא בָּעֵי, דְּלָא תַּעַבְדוּן פְּגִימוּ, וְתִתְעֲרוּן מִלָּה אַחֲרָא.

עט. אָמַר לֵיהּ, וְהָא כְּתִיב, וְיָצָא יְיָ' וְנִלְחַם בַּגּוֹיִם הָהֵם. אִי הָכִי דָּא דִּינָא בְּרַחֲמֵי הֲוָה. אָמַר לֵיהּ, הָכִי הֲוָה וַדַּאי, דִּינָא הוּא בְּרַחֲמֵי, דְּמוּתָא דִּלְהוֹן לָא אִשְׁתְּכַח כְּמוֹתָנָא דִּשְׁאַר בְּנֵי עָלְמָא, אֶלָּא חָס עֲלַיְיהוּ קוּדְשָׁא בְּרִיךְ הוּא, דְּלָא יְהוֹן כְּמוֹתָנָא דִּשְׁאַר בְּנֵי עָלְמָא, דְּקָטִילוּ לוֹן, אֶלָּא בְּנַחַת בְּלָא צַעֲרָא, הָא דִּינָא בְּרַחֲמֵי אִיהוּ.

פ. וּבְכָל אֲתַר, שְׁמָא דָּא, דִּינָא בְּרַחֲמֵי אִיהוּ, בַּר אֲתַר חַד, דִּכְתִּיב יְיָ' כַּגִּבּוֹר יֵצֵא וְגוֹ'. וְכִי כַּגִּבּוֹר וְלֹא גִּבּוֹר. אֶלָּא יְשַׁנֵּי לְבוּשׁוֹי, וְיִלְבַּשׁ לְבוּשִׁין אַחֲרָנִין. כְּאִישׁ מִלְחָמוֹת, יְשַׁנֵּי זִינֵיהּ.

פא. וְעִם כָּל דָּא, דִּינָא הוּא יַתִּיר, אֲבָל רַחֲמֵי בֵּיהּ, כְּמָה דִּכְתִּיב, כַּגִּבּוֹר, וְלֹא גִּבּוֹר. כְּאִישׁ מִלְחָמוֹת, וְלֹא אִישׁ מִלְחָמוֹת. דְּוַדַּאי אַף עַל גַּב דְּעָבֵיד דִּינָא, חָס עַל עוֹבָדוֹי, וְעַל דָּא, יְיָ' יִלָּחֵם לָכֶם וַדַּאי וְאַתֶּם תַּחֲרִישׁוּן. זַכָּאָה חוּלָקֵהוֹן דְּיִשְׂרָאֵל, דְּקוּדְשָׁא בְּרִיךְ הוּא בָּרִיר לוֹן לְחוּלָקֵיהּ וְאַחֲסַנְתֵּיהּ, דִּכְתִּיב כִּי חֵלֶק יְיָ' עַמּוֹ יַעֲקֹב חֶבֶל נַחֲלָתוֹ.

פב. וַיֹּאמֶר יְיָ' אֶל מֹשֶׁה מַה תִּצְעַק אֵלָי. מִלָּה דָא הוּא אוֹקְמוּהָ בְּסִפְרָא דִּצְנִיעוּתָא, וְתַמָּן הוּא רָזָא דִּילֵיהּ, וַיֹּאמֶר יְיָ' אֶל מֹשֶׁה. ר' יְהוּדָה פָּתַח וְאָמַר, וַיִּתְפַּלֵּל יוֹנָה אֶל יְיָ' אֱלֹהָיו מִמְּעֵי הַדָּגָה, מַה כְּתִיב לְעֵילָּא, וַיְמַן יְיָ' דָּג גָּדוֹל. וַיְמַן: כמד"א וַיְמַן לָהֶם הַמֶּלֶךְ דְּבַר יוֹם בְּיוֹמוֹ. אֲשֶׁר מִנָּה אֶת מַאֲכַלְכֶם.

פג. אֲבָל הַאי קְרָא הָכִי מִבָּעֵי לֵיהּ, וַיְמַן יְיָ' אֶת יוֹנָה לַדָּג, דְּהוּא מָנָה הוּא דִּמְשַׁדֵּר לֵיהּ. אֶלָּא וַדַּאי, הַהוּא דָּג הוּא הֲוָה מָנָה לְיוֹנָה, לְנַטְרָא לֵיהּ מִן שְׁאַר נוּנֵי יַמָּא, וְיֶהֱוֵי גָּנִיז בְּגַוֵּיהּ. וְכֵיוָן דְּאַעֲלֵיהּ בְּגַוֵּיהּ, וְחָמָא יוֹנָה בִּמְעוֹי, פּוּתְיָא דַּאֲתַר דִּמְעוֹי כְּמוֹ הֵיכָלָא רַבְרְבָא, וּתְרֵין עֵינוֹי דְּהַהוּא נוּנָא, דְּנָהֲרִין כְּשִׁמְשָׁא, וְאֶבֶן טָבָא הֲוָה בִּמְעוֹי, דְּנָהִיר לֵיהּ, וַהֲוָה חָמֵי כָּל מַה דִּי בְּיַמָּא וּבִתְהוֹמוֹי.

פד. וְאִי תֵּימָא, אִי הָכִי, מַאי דִּכְתִּיב קָרָאתִי מִצָּרָה לִי, הָא לָא אִתְחֲזֵי, דְּכָל הַאי רְוָוחָא הֲוָה לֵיהּ. אֶלָּא וַדַּאי, כֵּיוָן דְּאַחְמֵי לֵיהּ הַהוּא נוּנָא, כָּל מַה דִּי בְּיַמָּא וּבִתְהוֹמוֹי, מִית, דְּלָא יָכִיל תְּלַת יוֹמִין לְמִסְבַּל. כְּדֵין עָקַת לֵיהּ לְיוֹנָה.

פה. דְּאָמַר רִבִּי אֶלְעָזָר, כֵּיוָן דְּחָמָא יוֹנָה כָּל הַהוּא רְוָוחָא, הֲוָה חַדֵּי. אָמַר קוּדְשָׁא בְּרִיךְ הוּא, וּמַה תִּבְעֵי יַתִּיר, לְהָא אֲעֵילְנָא לָךְ הָכָא. מָה עֲבַד, קָטַל לְהַהוּא נוּנָא וּמִית, וְכָל שְׁאַר נוּנֵי יַמָּא, הֲווֹ סַחֲרֵי סְחֲרָנֵיהּ דְּהַהוּא נוּנָא, דָּא נָשִׁיךְ לֵיהּ מֵהַאי גִּיסָא, וְדָא נָשִׁיךְ לֵיהּ מֵהַאי גִּיסָא. כְּדֵין חָמָא יוֹנָה גַּרְמוֹי בְּעָקוּ, מִיָּד וַיִּתְפַּלֵּל יוֹנָה אֶל יְיָ'.

פו. בְּקַדְמֵיתָא דָּג, וְהַשְׁתָּא דָּגָה. כד"א, וְהַדָּגָה אֲשֶׁר בַּיְאוֹר מֵתָה. וּכְדֵין כְּתִיב, קָרָאתִי מִצָּרָה לִי. וְלָא כְּתִיב הָיִיתִי בַּצָּרָה, אוֹ יָשַׁבְתִּי בַּצָּרָה, אֶלָּא קָרָאתִי, מֵהַהוּא עָקוּ דְּעָאקִין לִי נוּנֵי יַמָּא. מִבֶּטֶן שְׁאוֹל שִׁוַּעְתִּי, דְּהָא מִית. וְלָא כְּתִיב מִבֶּטֶן חַי, אוֹ מִבֶּטֶן דָּג, אֶלָּא דְּוַדַּאי הֲוָה מִית.

פז. כֵּיוָן דְּצַלֵּי צְלוֹתֵיהּ, קַבִּיל לֵיהּ קוּדְשָׁא בְּרִיךְ הוּא, וְאַחֲיֵיהּ לֵיהּ לְהַאי נוּנָא, וְאַפִּיק לֵיהּ לְיַבֶּשְׁתָּא לְעֵינֵיהוֹן דְּכֹלָּא. דִּכְתִּיב, וַיֹּאמֶר יְיָ' לַדָּג וַיָּקֵא אֶת יוֹנָה. וְחָמוּ כֻּלְּהוּ, עֲבִידְתָּא דְּקוּדְשָׁא בְּרִיךְ הוּא.

פח. מַה כְּתִיב, וַיִּתְפַּלֵּל יוֹנָה אֶל יְיָ' אֱלֹהָיו מִמְּעֵי הַדָּגָה, לַאֲתַר דַּהֲוָה קָשִׁיר בֵּיהּ, מַשְׁמַע דִּכְתִּיב יְיָ' אֱלֹהָיו, וְלָא כְּתִיב וַיִּתְפַּלֵּל אֶל יְיָ' וְלָא יַתִּיר, אֶלָּא יְיָ' אֱלֹהָיו. אוּף הָכָא, וַיֹּאמֶר יְיָ' אֶל מֹשֶׁה מַה תִּצְעַק אֵלָי. אֵלַי דַּיְיקָא.

פט. דַּבֵּר אֶל בְּנֵי יִשְׂרָאֵל וְיִסָּעוּ. וְיִסָּעוּ מִלְּאַסְגָּאָה מִלִּין, לָאו עִידָּנָא דִּצְלוֹתָא הַשְׁתָּא. וְיִסָּעוּ, וְכִי לְאָן אֲתַר פָּקִיד לוֹן דְּיִנְטְלוּן, דְּהָא עַל יַמָּא הֲווֹ שָׁרָאן. אֶלָּא אַהֲדָר לְעֵילָּא, דִּכְתִּיב מַה תִּצְעַק אֵלָי, דְּהָא כֻּלְּהוּ בַּאֲתַר דָּא קַיְימֵי. וְעַ"ד וְיִסָּעוּ, יִנְטְלוּן מִן דָּא, דְּלָאו עִדָּנָא הוּא.

צ. וְאַתָּה הָרֵם אֶת מַטְּךָ וְגוֹ'. הָרֵם אֶת מַטְּךָ, דִּי בֵּיהּ רָשִׁים שְׁמָא קַדִּישָׁא, אַרְכִּין יְדָךְ בְּסִטְרָא דִּשְׁמָא קַדִּישָׁא, וְכֵיוָן דְּיֶחֱמוּן מַיָּא שְׁמָא קַדִּישָׁא, יְעַרְקוּן מִנֵּיהּ. וְעַל דָּא, וּנְטֵה אֶת יָדְךָ, לְסִטְרָא חֲדָא, דְּסִטְרִין אַחֲרָנִין דְּהַהוּא מַטֶּה, אִצְטְרִיךְ לֵיהּ לְמִכְלֵין אוּחֲרָנִין.

צא. אָמַר רִבִּי אֶלְעָזָר, וַחֲמֵינָא, דִּזְמְנִין אִתְקְרֵי הַאי מַטֶּה, מַטֵּה הָאֱלֹהִים, וְלִזְמְנִין אִתְקְרֵי מַטֵּה דְּמֹשֶׁה. אָמַר ר' שִׁמְעוֹן בְּסִפְרָא דְּרַב הַמְנוּנָא סָבָא, שַׁפִּיר קָאָמַר, דְּכֻלְּהוּ חַד, בֵּין תֵּימָא דְּקוּדְשָׁא בְּרִיךְ הוּא, וּבֵין תֵּימָא דְּמֹשֶׁה, וְהַאי מַטֶּה, לְאַתְעֲרָא סִטְרָא דִּגְבוּרָה. וְעַל דָּא, וּנְטֵה אֶת יָדְךָ, יְדָא דִּשְׂמָאלָא, דְּאִיהוּ בְּסִטְרָא דִּגְבוּרָה.

צב. אמר רבי שמעון, ווי לאינון דלא חמאן, ולא מסתכלין באורייתא, ואורייתא קארי קמייהו בכל יומא, ולא משגיחין. תא חזי, בסטרא דגבורה מתערי מיא בעלמא, ונפקי מיא, והשתא בעי קודשא בריך הוא לנגבא מיא, אמאי ונטה את ידך, דאיהו שמאלא.

צג. אלא הרם את מטך, לנגבא מיא. ונטה את ידך, לאתבא מיא, לאתערא סטרא דגבורה, ולאתבא מיא על מצרים. ובגין כך, תרין מלין הכא, דכתיב הרם את מטך, ונטה את ידך על הים ובקעהו.

צד. והא תהומי הוו. אלא קודשא בריך הוא, עבד ניסא גו ניסא, כד"א קפאו תהומות בלב ים. והוה אזלין ביבשתא בגו ימא, הה"ד ויבאו בני ישראל בתוך הים ביבשה.

צה. ויסר את אופן מרכבותיו. ר"ש פתח, וארא החיות והנה אופן אחד בארץ אצל החיות. האי קרא אוקמוה ואתמר, אבל ת"ח, קב"ה בכולא אתחזי שלטנותא דיליה, ושלטניה די לא תעדי לעלם ולעלמי עלמין.

צו. ועביד שולטנותא באבהן, נטל לאברהם, וקיים ביה עלמא, דכתיב אלה תולדות השמים והארץ בהבראם, ואוקמוה. נטיל יצחק, ושתיל ביה עלמא, דאיהו קיים לעלמין, הה"ד ואת בריתי אקים את יצחק. נטל יעקב, ואותביה קמיה, ואשתעשע בהדיה, ואתפאר ביה, הה"ד ישראל אשר בך אתפאר.

צז. ות"ח, יעקב אחיד באילנא דחיי, דלית ביה מותא לעלמין, דכל חיין בההוא אילנא אשתכללו, ויהב חיין לכל אינון דאחידן ביה. ובג"כ, יעקב לא מית. ואימתי מית, בשעתא דכתיב ויאסוף רגליו אל המטה. המטה. כד"א הנה מטתו שלשלמה, בגין דבהאי מטה כתיב, רגליה יורדות מות, ובג"כ ויאסוף רגליו אל המטה כתיב, כדין ויגוע ויאסף אל עמיו. ועבד קב"ה ליעקב שלימו דאבהן, הה"ד יעקב אשר בחרתיך.

צח. ת"ח, כל משריין דלעילא, וכל אינון רתיכין, כלהו אחידן אלין באלין, דרגין בדרגין, אלין עלאין ואלין תתאין. וחיותא קדישא עלייהו, וכלהו אוכלוסין ומשריין, כלהו נטלין תחות ידהא, על מימרהא נטלין, ועל מימרהא שראן.

צט. ודא הוא חיותא, דכל שאר חיותא, אחידן בה ואשתלשלו בגינה כמה חיין לחיין. ואתאחדן דרגין בדרגין, וכלהו עלאין ותתאין אזלין ושאטין בימא, הה"ד זה הים גדול ורחב ידים שם רמש ואין מספר וגו'.

ק. וכד סליק ימא גלגלוי, כלהו ארבין סלקין נחתין, וזעפא אשתכח, ורוחא תקיפא אזלא עליה בתקיפו. ונוני ימא מתבדרין לכל סטר, אלין למזרח, ואלין למערב, אלין לצפון, ואלין לדרום. וכל אינון בני עלמא, דחמאן רשימא עלייהו, נטלין לון, ובלעין לון בקפטירי עפרא.

קא. וכל ארבין לא נטלין מאתרייהו, ולא סלקין ונחתין, בר מההוא שעתא, דאתי חד דברא בימא, וידע לאשלמא רוחא דזעפא דימא, כיון דסליק דא עליה דימא, שכיך מרוגזא, ונייחא אשתכח, וכדין כלהו ארבין אזלין בארח מישר, ולא סטאן לימינא ושמאלא, הה"ד, שם אניות יהלכון לויתן זה יצרת לשחק בו. זה דייקא. וכל נוני ימא מתכנשין לאתרייהו. וכל אינון חיון חדאן עלה, וחיון חקלא עלאה חדאן, הה"ד וכל חית השדה ישחקו שם.

קב. ת"ח, כְּגַוְונָא דִּלְעֵילָּא, אִית לְתַתָּא. כְּגַוְונָא דִּלְתַתָּא, אִית בְּיַמָּא. כְּגַוְונָא דִּלְעֵילָּא, אִית לְעֵילָּא בְּיַמָּא עִלָּאָה. כְּגַוְונָא דִּלְעֵילָּא אִית לְתַתָּא. כְּגַוְונָא דִּלְתַתָּא, אִית בְּיַמָּא תַּתָּאָה.

קג. גּוּפָא דְּהַהוּא יַמָּא, הָא אִתְעָרְנָא לְחַבְרָנָא, אוּרְכָא וּפוּתְיָא, רֵישָׁא וּדְרוֹעִין וְגוּפָא, כֹּלָּא כְּמָה דְּאִצְטְרִיךְ, וְכֹלָּא בִּשְׁמֵיהּ אִתְקְרֵי. וּכְגַוְונָא דָּא לְתַתָּא לְיַמָּא דִּלְתַתָּא, הָכִי נָמֵי רֵישָׁא דְּיַמָּא, וּדְרוֹעִין דְּיַמָּא, וְגוּפָא דְּיַמָּא.

קד. כְּתִיב זְבוּלוּן לְחוֹף יַמִּים יִשְׁכּוֹן. וְהָא יַמָּא חַד הֲוָה בְּעַדְבֵיהּ אֶלָּא מַאי לְחוֹף יַמִּים, וַדַּאי אוּקְמוּהָ וְחַבְרַיָּיא בְּרָזָא עִלָּאָה. וְיַרְכָתוֹ עַל צִידוֹן, כד"א יוֹצְאֵי יֶרֶךְ יַעֲקֹב. זְבוּלוּן שׁוֹקָא דִּימִינָא דְּגוּפָא הֲוָה, וְיַם כִּנֶּרֶת הֲוָה בְּעַדְבֵיהּ, וּמֵהָכָא אִשְׁתְּכַח וְחַלְזוֹן לִתְכֶלְתָּא.

קה. ת"ח, כַּמָּה רְתִיכִין עַל רְתִיכִין אִשְׁתְּכָחוּ, וְגַלְגַּלּוֹי דִּרְתִיכָא רָהֲטִין בִּבְהִילוּ, וְלָא מִתְעַכְּבֵי אִינּוּן סַמְכֵי רְתִיכָא, לְנַטְלָא עֲלֵיהוֹן. וְכֵן כֻּלְּהוּ. ת"ח, רְתִיכָא דִּי מְמַנָּא עַל מִצְרָאֵי, אוּקְמוּהָ, רְתִיכָא שְׁלִימָתָא לָא אִשְׁתְּכַח, דְּהָא כְּתִיב וַיָּסַר אֵת אוֹפַן מַרְכְּבוֹתָיו, כַּמָּה רְתִיכִין הֲווּ, דַּהֲווּ נַטְלִין עַל חַד סָמִיךְ גַּלְגַּלָּא, דְּאִתְפְּקָדוּ עֲלַיְיהוּ, כֵּיוָן דְּאִתְעֲבָר הַאי מִשּׁוּלְטָנוּתָא דִּילֵיהּ, כֻּלְּהוּ רְתִיכִין אִתְעֲבָרוּ מִשּׁוּלְטָנַיְיהוּ, וְלָא נַטְלוּ. כְּדֵין כֻּלְּהוּ לְתַתָּא אִתְעֲבָרוּ מִשּׁוּלְטָנוּתָא, דִּכְתִּיב עַל מִצְרַיִם וְעַל פַּרְעֹה וְעַל הַבּוֹטְחִים בּוֹ.

קו. וּבְהַהוּא זִמְנָא, שָׁלְטָנוּתָא דְּמִצְרַיִם שָׁלִיט עַל כָּל שְׁאַר עַמִּין, כֵּיוָן דְּאִתְּבַר חֵילָא דְּמִצְרַיִם, אִתְּבַר חֵילָא דִּשְׁאַר עַמִּין. מְנָלָן, דִּכְתִּיב אָז נִבְהֲלוּ אַלּוּפֵי אֱדוֹם וְגוֹ'. וּכְתִיב שָׁמְעוּ עַמִּים יִרְגָּזוּן וְגוֹ'. בְּגִין דְּכֻלְּהוּ הֲווּ אֲחִידָן בְּפוּלְחָנָא דְּמִצְרַיִם, וַאֲחִידָן בְּמִצְרַיִם לְסִיוּעָא דִּלְהוֹן. וּבְהַהוּא זִמְנָא, כֻּלְּהוּ בָּעָאן לְסִיּוּעָא דְּמִצְרַיִם, לְאִתְתַּקְפָא. וְעַל דָּא, כֵּיוָן דְּשָׁמְעוּ גְּבוּרָן דְּעָבֵד קב"ה בְּמִצְרַיִם, רָפוּ יְדֵיהוֹן, וְלָא יָכִילוּ לְמֵיקָם, וְאִזְדַּעְזָעוּ כֻּלְּהוּ, וְאִתְבָּרוּ מִשּׁוּלְטָנַתְהוֹן.

קז. וַדַּאי כַּד אִתְּבַר חֵילָא דִּלְהוֹן לְעֵילָּא, אִתְּבַר חֵילָא דְּכָל אִינּוּן דַּאֲחִידָן בֵּיהּ, כֵּיוָן דְּאִתְּבַר חֵילָא דְּכֻלְּהוּ לְעֵילָּא, כָּל הָנֵי דִּלְתַתָּא אִתְבָּרוּ, בְּגִין הַאי חֵילָא דְּאִתְּבַר בְּקַדְמֵיתָא. וּבְגִ"כ וַיָּסַר אֵת אֹפַן מַרְכְּבוֹתָיו כְּתִיב. וַיְנַהֲגֵהוּ בִּכְבֵדוּת, דְּהָא כַּד דָּא אִתְּבַר, לָא הֲווּ אַזְלִין.

קח. תָּא חֲזֵי דְּהָכִי הוּא, דְּלָא כְּתִיב וַיָּסַר אֵת אוֹפַנֵּי מַרְכְּבוֹתָיו, אוֹ אוֹפַן מֶרְכַּבְתּוֹ, אֶלָּא וַיָּסַר אֵת אוֹפַן מַרְכְּבוֹתָיו. בְּגִין הַאי חֵילָא, דְּכֻלְּהוּ הֲווּ מִתְדַּבְּקָן בֵּיהּ.

קט. וְתוּ, וַיָּסַר אֵת אוֹפַן מַרְכְּבוֹתָיו, תָּא חֲזֵי, זַכָּאָה חוּלָקְהוֹן דְּיִשְׂרָאֵל, דְּקוּדְשָׁא בְּרִיךְ הוּא אִתְרְעֵי בְּהוּ, לְאִתְדַּבְּקָא בְּהוּ, וּלְמֶהֱוֵי לְהוּ חוּלָק, וּלְמֶהֱוֵי אִינּוּן חוּלָקֵיהּ. הֲדָא הוּא דִּכְתִּיב, וּבוֹ תִּדְבָּקוּן. וּכְתִיב וְאַתֶּם הַדְּבֵקִים בַּיְיָ' אֱלֹהֵיכֶם, בַּיְיָ' מַמָּשׁ. וּכְתִיב כִּי יַעֲקֹב בָּחַר לוֹ יָהּ. וּכְתִיב כִּי חֵלֶק יְיָ' עַמּוֹ יַעֲקֹב חֶבֶל נַחֲלָתוֹ. דְּאַפִּיק לוֹן מִזַּרְעָא קַדִּישָׁא, לְמֶהֱוֵי חוּלָקֵיהּ, וְעַל דָּא יָהַב לוֹן אוֹרַיְיתָא קַדִּישָׁא עִלָּאָה, גְּנִיזָא תְּרֵי אַלְפִּין שְׁנִין, עַד לָא יִתְבְּרֵי עָלְמָא, וְהָא אִתְּמַר. וּבְגִין רְחִימוּתָא דִּילֵיהּ יָהֲבָא לְיִשְׂרָאֵל, לְמֵהַךְ אֲבַתְרָהּ, וּלְאִתְדַּבְּקָא בָּהּ.

קי. תָּא חֲזֵי, כָּל מַשִּׁירְיָין דִּלְעֵילָּא, וְכָל אִינּוּן רְתִיכִין, כֻּלְּהוּ אֲחִידָן אִלֵּין בְּאִלֵּין, דַּרְגִּין בְּדַרְגִּין, אִלֵּין עִלָּאִין, וְאִלֵּין תַּתָּאִין, וְהָא אוּקְמוּהָ, דִּכְתִּיב זֶה הַיָּם גָּדוֹל. וְחֵיוָתָא קַדִּישָׁא עָלֵיהּ, וְכֻלְּהוּ אוּכְלוּסִין וּמַשִּׁרְיָין, כֻּלְּהוּ נַטְלִין תְּחוֹת יְדָהּ, עַל מֵימְרָהּ נַטְלִין, לְהוּ מֵימְרָהּ שָׁרָאן. בְּעִדָּנָא דְּהִיא נַטְלָא, כֻּלְּהוּ נַטְלִין, בְּגִין דְּכֻלְּהוּ אֲחִידָן בָּהּ.

קיא. ות"ח, בְּשַׁעֲתָא דְּבָעֵי קב"ה, לְאַעְבְּרָא לְאוּכְלוּסִין דְּפַרְעֹה לְתַתָּא אַעְבַּר

בְּקַדְמֵיתָא לְהַהוּא חֵילָא דִּלְהוֹן, כְּמָה דְּאוּקִימְנָא. מַה עָבֵד. אַעְבָּר וְסַלִּיק הַהוּא אֲתַר קַדִּישָׁא עִלָּאָה, דַּהֲוָה מִדַּבָּר לְכָל אִינּוּן רְתִיכִין, כֵּיוָן דְּהַאי אִסְתַּלִּיק, הַנְהוּ כֻּלְּהוּ מַשִּׁירְיָין לָא יָכִילוּ לְדַבְּרָא, כֵּיוָן דְּאִינּוּן לָא יָכִילוּ, הַהוּא מְמָנָא דְּמִצְרָאֵי אַעְבְּרוּ לֵיהּ מִשּׁוּלְטָנֵיהּ, וְאַעֲבַר בְּנוּרָא דְּדָלִיק, וּכְדֵין שֻׁלְטָנוּתָא דְּמִצְרָאֵי אִתְעֲדֵי. וְעַל דָּא, אָנוּסָה מִפְּנֵי יִשְׂרָאֵל. מ״ט, בְּגִין דְּחָמוּ מְמָנָא דְּמִצְרַיִם אִתּוֹקַד בְּנוּרָא.

קיב. ר׳ יִצְחָק אָמַר, בְּשַׁעֲתָא דְּקָרִיבוּ יִשְׂרָאֵל לְיַמָּא, קָרָא קב״ה לִמְמָנָא רַבְרְבָא דְּעַל יַמָּא, אָמַר לֵיהּ, בְּשַׁעֲתָא דַּעֲבָדִית אֲנָא עָלְמָא, מַנִּיתִי לָךְ עַל יַמָּא, וּתְנַאי אִית לִי עַל יַמָּא, דִּי יִבְזַע מֵימוֹי מִקָּמֵי בָּנַי. הַשְׁתָּא מָטָא עִדָּנָא, דְּיַעַבְרוּן בָּנַי בְּגוֹ יַמָּא. לְבָתַר מַה כְּתִיב, וַיָּשָׁב הַיָּם לִפְנוֹת בֹּקֶר לְאֵיתָנוֹ. מַאי לְאֵיתָנוֹ, לִתְנָאוֹ דַּהֲוָה לֵיהּ בְּקב״ה כַּד בָּרָא עָלְמָא.

קיג. וַהֲווּ יִשְׂרָאֵל שָׁרָאן עַל יַמָּא, וַהֲווּ יִשְׂרָאֵל חָמָאן, גַּלְגַּלֵּי יַמָּא סַלְקִין וְנַחְתִּין, זָקְפוּ עֵינַיְיהוּ, וְחָמוּ לְפַרְעֹה וּלְאוּכְלוּסִין דִּילֵיהּ, דְּחִילוּ וְצָעֲקוּ. וְהָא אִתְּמַר. הַיָּם רָאָה, מַה חָמָא יַמָּא. אֲרוֹנָא דְּיוֹסֵף קָא חָמָא, וְעָרַק מִקַּמֵּיהּ. מ״ט, בְּגִין דִּכְתִיב וַיָּנָס וַיֵּצֵא הַחוּצָה. וְעַל דָּא הַיָּם רָאָה וַיָּנוֹס, וּכְתִיב וַיָּסַר אֵת אוֹפַן מַרְכְּבוֹתָיו וְגוֹ׳ אָנוּסָה מִפְּנֵי יִשְׂרָאֵל. מַאי טַעֲמָא. בְּגִין דְּחָמוּ אַרְעָא דְּמִצְרַיִם, כְּאִלּוּ אִתּוֹקַד בְּנוּרָא, כְּדֵין אָמְרוּ אָנוּסָה מִפְּנֵי יִשְׂרָאֵל.

קיד. רַבִּי חִיָּיא וְרַבִּי יוֹסֵי, הֲווּ אָזְלֵי בְּמַדְבְּרָא, אָמַר רַבִּי חִיָּיא לְרַבִּי יוֹסֵי, תָּא וְאֵימָא לָךְ, דְּכַד קוּדְשָׁא בְּרִיךְ הוּא בָּעֵי לְאַעְבְּרָא שׁוּלְטָנוּתָא דְּאַרְעָא, לָא עָבֵיד, עַד דְּאַעְבַּר שֻׁלְטָנוּתָא דִּלְהוֹן בִּרְקִיעָא, וְלָא אַעְבָּר שֻׁלְטָנָא דִּלְהוֹן, עַד דְּמָנֵי אַחֲרָא בְּאַתְרֵיהּ, בְּגִין דְּלָא יִגְרַע שִׁמּוּשָׁא דִּלְהוֹן בִּרְקִיעָא, בְּגִין לְקַיְּימָא מַה דִּכְתִיב, וּלְמַן דִּי יִצְבֵּא יִתְּנִנַּהּ. א״ר יוֹסֵי, וַדַּאי הָכִי הוּא.

קטו. פָּתַח ר׳ יוֹסֵי וְאָמַר, יְיָ׳ אֲדוֹנֵינוּ מָה אַדִּיר שִׁמְךָ בְּכָל הָאָרֶץ. יְיָ׳ אֲדוֹנֵינוּ: כַּד בָּעֵי קוּדְשָׁא ב״ה לְתַבְרָא חֵילָא דְּעַמִּין עכו״ם, אַתְקִיף דִּינֵיהּ עֲלַיְיהוּ, וְתָבַר לוֹן, וְאַעְבָּר מִקַּמֵּיהּ שׁוּלְטָנוּתָא דִּלְהוֹן.

קטז. אֲשֶׁר תְּנָה הוֹדְךָ עַל הַשָּׁמָיִם, אֲשֶׁר נָתַתָּ מִבָּעֵי לֵיהּ, אוֹ תְּנָה הוֹדְךָ, מַהוּ אֲשֶׁר תְּנָה הוֹדְךָ. אֶלָּא דָּא הוּא רָזָא דְּנַהֲרָא עֲמִיקָא דְּכֹלָּא, וְדָוִד בָּעָא בָּעוּתֵיהּ, לְמִנְגַּד מִנֵּיהּ עַל הַשָּׁמַיִם, וְדָא הוּא אֲשֶׁר. כד״א, אֶהְיֶה אֲשֶׁר אֶהְיֶה.

קיז. בְּשַׁעֲתָא דְּהַאי נַהֲרָא עֲמִיקְתָא דְּכֹלָּא, נָגִיד וְנָפִיק עַל הַשָּׁמַיִם, כְּדֵין כֹּלָּא בְּחֶידוּ, וּמַטְרוֹנִיתָא אִתְעַטְּרַת בְּמַלְכָּא, וְכָל עָלְמִין כֻּלְּהוּ בְּחֶידוּ, וְשֻׁלְטָנוּתָא דְּעַמִּין עכו״ם, אִתְעֲבַר מִקָּמֵי מַטְרוֹנִיתָא, וּכְדֵין זַקְפִין רֵישָׁא כָּל מַאן דַּאֲחִידוּ בָּהּ.

קיח. אַדְּהָכִי חָמוּ חַד ב״נ, דַּהֲוָה אָתֵי, וְחַד מְטוּלָא קָמֵיהּ. א״ר חִיָּיא, נֵזִיל, דִּלְמָא הַאי בַּר נָשׁ עכו״ם הוּא, אוֹ עַם הָאָרֶץ הוּא, וְאָסִיר לְאִשְׁתַּתְּפָא בַּהֲדֵיהּ בְּאָרְחָא. א״ר יוֹסֵי, נֵיתִיב הָכָא, וְנֶחֱמֵי, דִּלְמָא גַּבְרָא רַבָּא הוּא.

קיט. אַדְּהָכִי, אַעְבָּר קָמַיְיהוּ, א״ל, בְּדוּקְפָּא דְּמַעְבְּרָא דְּקוֹטִיפָא דְּהַאי, וַחֲבְרוּתָא אִבְעֵי, וַאֲנָא יְדַעְנָא אָרְחָא אַחֲרָא, וְנִסְטֵי מֵהַאי, וַאֲנָא בְּעֵינָא דְּאֵימָא לְכוּ, וְלָא אִתְחַיְּיבְנָא בְּכוּ, וְלָא אַעְבָּר עַל מַה דִּכְתִיב וְלִפְנֵי עִוֵּר לֹא תִתֵּן מִכְשׁוֹל, וְאַתּוּן כְּסוּמִין בְּאָרְחָא דָּא, וְלָא תִסְתַּכְּנוּ בְּנַפְשַׁיְיכוּ. א״ר יוֹסֵי, בְּרִיךְ רַחֲמָנָא דְּאוֹרִיכְנָא הָכָא, אִתְחַבְּרוּ בַּהֲדֵיהּ. אָמַר לוֹן, לָא תִשְׁתָּעוּ מִידֵי הָכָא, עַד דְּנַעֲבַר בְּהַאי. סָטוּ בְּאָרְחָא אַחֲרָא.

קכ. בָּתַר דְּנָפְקוּ מֵהַהוּא אֲתָר, אָמַר לוֹן, בְּהַהוּא אֲרָזָא אֲחֲרָא, הֲווּ אָזְלֵי זִמְנָא וַחֲדָא, וְחַד כֹּהֵן וְחָכָם, וַחַד כֹּהֵן עַם הָאָרֶץ בַּהֲדֵיהּ, קָם הַהוּא ע״ה בְּהַהוּא אֲתָר עֲלֵיהּ וְקַטְלֵיהּ. מֵהַהוּא יוֹמָא כָּל מַאן דְּאַעְבַּר בְּהַהוּא אֲתָר, מִסְתַּכַּן בְּנַפְשֵׁיהּ. וְהָא מִתְחַבְּרִין תַּמָּן מִשַּׁדֵּי טוּרַיָּא, וְקַטְלִין וְקַפְחִין לִבְנֵי נָשָׁא, וְאִינוּן דְּיָדְעֵי לָא עָבְרֵי תַּמָּן, וּבָעֵי קֻבָּ״ה דָּמָא דְּהַהוּא כַּהֲנָא כָּל יוֹמָא.

קכא. פָּתַח וְאָמַר, עוֹד הַיּוֹם בְּנוֹב לַעֲמוֹד וְגוֹ׳ הָא אוֹקְמוּהָ אִינּוּן מָארֵי מַתִּיבְתָּא. אֲבָל אֲנָא לָא אֲמֵינָא לְכוּ הָכִי, אֶלָּא דְּרָזָא דְּמִלָּה אוֹלִיפְנָא. עוֹד הַיּוֹם, מַאן יוֹמָא דֵּין. אֶלָּא, הָכִי כְּתִיב, וַיִּקַּח אַהֲרֹן אֶת אֱלִישֶׁבַע בַּת עַמִּינָדָב. וְרָזָא הוּא, עַל כְּנֶסֶת יִשְׂרָאֵל, דְּאַהֲרֹן הוּא שׁוֹשְׁבִינָא דִּילָהּ, לְתַקְּנָא בֵּיתָהּ וּלְשַׁמְּשָׁא לָהּ, וּלְמֵיעַל לָהּ לְמַלְכָּא לְאִזְדַּוְּוגָא כַּחֲדָא, מִכָּאן וּלְהָלְאָה, כָּל כֹּהֵן דִּמְשַׁמֵּשׁ בְּמַקְדְּשָׁא, כְּגַוְונָא דְּאַהֲרֹן.

קכב. אֲחִימֶלֶךְ כַּהֲנָא רַבָּא עִלָּאָה הֲוָה, וְכָל אִינּוּן כַּהֲנֵי בַּהֲדֵיהּ, כֻּלְּהוּ הֲווּ שׁוֹשְׁבִינִין דְּמַטְרוֹנִיתָא, כֵּיוָן דְּאִתְקְטִילוּ, אִשְׁתְּאָרַת מַטְרוֹנִיתָא בִּלְחוֹדָהָא, וְאִתְאֲבִיד שׁוֹשְׁבִינָא דִּילָהּ, וְלָא אִשְׁתְּכַח מַאן דִּמְשַׁמֵּשׁ קָמָהּ, וִיתַקֵּן בֵּיתָהּ, וִיחַדֵּי לָהּ לְאִזְדַּוְּוגָא עִם מַלְכָּא. כְּדֵין מֵהַהוּא יוֹמָא, אִתְעַבְרָא לִשְׂמָאלָא, וְקַיְּימָא עַל עָלְמָא, כָּמִין עַל כֹּלָּא, קָטִיל לְשָׁאוּל וְלִבְנוֹי, אִתְאֲבִיד מִינַּיְיהוּ מַלְכוּ, מִיתוּ מִיִּשְׂרָאֵל כַּמָּה אַלְפִין וְכַמָּה רִבְוָון. וְעַד כְּעַן, הַהוּא חוֹבָה הֲוָה תָּלֵי, עַד דְּאָתָא סַנְחֵרִיב וְאַרְגִּיז כֹּלָּא.

קכג. וְדָא הוּא עוֹד הַיּוֹם בְּנוֹב, דָּא הוּא יוֹמָא עִלָּאָה, וּמַאן אִיהוּ. דָּא כ״י, דְּאַבְדַת שׁוֹשְׁבִינִין דִּילָהּ, הַהִיא דְּאִשְׁתְּאָרַת בְּלָא יְמִינָא, לְאִתְדַּבְּקָא בִּשְׂמָאלָא. דְּכַהֲנָא יְמִינָא הוּא. וּבְגִין כַּךְ, עוֹד הַיּוֹם בְּנוֹב לַעֲמוֹד.

קכד. תָּא חֲזֵי, כְּתִיב גִּבְעַת שָׁאוּל נָסָה, שָׁאוּל אַמַּאי הָכָא. אֶלָּא בְּגִין דְּהוּא קָטִיל לְכַהֲנֵי, וְגָרִים דְּרוֹעָא יְמִינָא, לְאִתְעַקְּרָא מֵעָלְמָא. אוּף הָכָא, מֵהַהוּא יוֹמָא, לָא אַעְבַּר ב״נ בְּהַהוּא דּוּכְתָּא, בְּגִין דְּלָא אִסְתַּכַּן בְּנַפְשֵׁיהּ. אָמַר לֵיהּ רַבִּי יוֹסֵי לְרַבִּי חִיָּיא, וְלָא אֲמָרִית לָךְ דִּלְמָא גַּבְרָא רַבָּא הוּא.

קכה. פָּתַח וְאָמַר, אַשְׁרֵי אָדָם מָצָא חָכְמָה. אַשְׁרֵי אָדָם, כְּגוֹן אֲנָן, דְּאַשְׁכַּחְנָא לָךְ, וְיָדַעְנָא מִינָךְ מִלָּה דְּחָכְמְתָא. וְאָדָם יָפִיק תְּבוּנָה, כְּגוֹן אֲנָן, דְּאוֹרִיכְנָא לָךְ לְאִתְחַבְּרָא בַּהֲדָךְ. וְדָא הוּא ב״נ דְּזַמִּין לֵיהּ קֻבָּ״ה נְבוּבָזָא בְּאָרְחָא, אַנְפּוֹי דִּשְׁכִינְתָּא, וְעַל דָּא כְּתִיב, וְאֹרַח צַדִּיקִים כְּאוֹר נֹגַהּ. אָזְלוּ.

קכו. פָּתַח הַהוּא גַּבְרָא וְאָמַר לְדָוִד מִזְמוֹר לַיְיָ הָאָרֶץ וּמְלוֹאָהּ וְגוֹ׳. לְדָוִד מִזְמוֹר בַּאֲתַר חַד, וּבַאֲתַר אַחֲרָא מִזְמוֹר לְדָוִד, מַה בֵּין הַאי לְהַאי. אֶלָּא לְדָוִד מִזְמוֹר, שִׁירָתָא דְּקָאָמַר דָּוִד, עַל כְּנֶסֶת יִשְׂרָאֵל. מִזְמוֹר לְדָוִד, שִׁירָתָא דְּקָאָמַר דָּוִד, עַל גַּרְמֵיהּ.

קכז. לַיְיָ הָאָרֶץ וּמְלוֹאָהּ. לַיְיָ: דָּא קוּדְשָׁא בְּ״ה. הָאָרֶץ וּמְלוֹאָהּ: דָּא כְּנֶסֶת יִשְׂרָאֵל, וְכָל אוּכְלוּסִין דִּילָהּ, דְּמִתְחַבְּרָן בַּהֲדָהּ, וְאִקְרוּן מְלוֹאָהּ וַדַּאי הוּא. כְּמָה דְּאַתְּ אָמֵר, מְלֹא כָל הָאָרֶץ כְּבוֹדוֹ תֵּבֵל וְיוֹשְׁבֵי בָהּ: דָּא הוּא אַרְעָא דִּלְתַתָּא, דְּאִקְרֵי תֵּבֵל, וַאֲחִידַת בְּדִינָא דִּלְעֵילָּא, הֲדָא הוּא דִּכְתִיב וְהוּא יִשְׁפּוֹט תֵּבֵל בְּצֶדֶק, בֵּין לְחָד, בֵּין לְעַמָּא חַד, בֵּין לְכָל עָלְמָא, מֵהַאי דִּינָא הוּא אִתְדָּן.

קכח. תָּא חֲזֵי, פַּרְעֹה מֵהַאי דִּינָא יָנִיק, עַד דְּאִתְאֲבִידוּ הוּא וְכָל עַמֵּיהּ. כֵּיוָן דְּהַאי דִּינָא אִתְעַר עָלֵיהּ, הַהוּא מְמַנָּא דְּאִתְמַנָּא עֲלַיְיהוּ בְּשֻׁלְטָנוּתָא, אִתְעֲדֵי וְאִתְעֲבַר, כְּדֵין כֻּלְּהוּ דִּלְתַתָּא, אִתְאֲבִידוּ, דִּכְתִיב וַיָּסַר אֵת אֹפַן מַרְכְּבֹתָיו. מַאי אוֹפַן מַרְכְּבוֹתָיו. מַרְכְּבוֹתָיו

דְּפַרְעֹה. וּמַאן אִיהוּ הַהוּא אוֹפָן דִּלְהוֹן, הַהוּא מְמַנָּא דְּשַׁלִּיט עֲלַיְיהוּ. וְעַל דָּא מִיתוּ כֻּלְּהוּ בְּיַמָּא. אֲמַאי בְּיַמָּא, אֶלָּא יַמָּא עִלָּאָה אִתְּעַר עֲלַיְיהוּ, וְאִתְמְסָרוּ בִּידָהָא. וּבְגִין כָּךְ טֻבְּעוּ בְּיַם סוּף כְּתִיב. אָמַר רִבִּי יוֹסֵי וַדַּאי הָכִי הוּא, וְעַל דָּא כְּתִיב, טֻבְּעוּ בְּיַם סוּף. סוֹפָא דְּדַרְגִּין.

קכט. רִבִּי חִיָּיא אָמַר, וַיְנַהֲגֵהוּ בִּכְבֵדוּת. בִּכְבֵדוּת מַהוּ. אֶלָּא מִכָּאן אוֹלִיפְנָא, דִּבְהַהוּא דַּבָּרוּתָא דְּאִתְדַּבַּר בֵּיהּ בַּר נָשׁ, מְדַבְּרִין לֵיהּ. בְּפַרְעֹה כְּתִיב וַיִּכְבַּד לֵב פַּרְעֹה. בְּהַהוּא מִלָּה, דָּבַר לֵיהּ קֻבְּ"ה, בִּכְבֵדוּת מַמָּשׁ. אָמַר לֵיהּ קֻבְּ"ה, רָשָׁע, אַתְּ אוֹקִיר לִבָּךְ. אֲנָא אַדְבַּר לָךְ בְּהַאי, עַל דָּא וַיְנַהֲגֵהוּ בִּכְבֵדוּת.

קל. וַיֹּאמֶר מִצְרַיִם אָנוּסָה מִפְּנֵי יִשְׂרָאֵל וְגוֹ'. וַיֹּאמֶר מִצְרַיִם, דָּא מְמַנָּא דְּאִתְמְנֵי עַל מִצְרָאֵי. אָמַר רִבִּי יוֹסֵי, הַאי מִלָּה קַשְׁיָא, כֵּיוָן דְּאַעְבְּרוּ לֵיהּ מִשּׁוּלְטָנוּתֵיהּ, הֵיךְ יָכִיל הוּא לְמִרְדַּף אֲבַתְרַיְיהוּ דְּיִשְׂרָאֵל.

קלא. אֶלָּא וַדַּאי הָכִי הוּא. אֲבָל דָּא וַיֹּאמֶר מִצְרַיִם, מִצְרַיִם דִּלְתַתָּא. כִּי יְיָ' נִלְחָם לָהֶם בְּמִצְרָיִם, מִצְרַיִם דִּלְעֵילָּא, דְּכֵיוָן דְּאִתְּבַר חֵילֵיהוֹן מִלְּעֵילָּא, כְּדֵין אִתְּבַר חֵילָא וְתוּקְפָּא דִּלְהוֹן לְתַתָּא, הֲדָא הוּא דִּכְתִּיב כִּי יְיָ' נִלְחָם לָהֶם בְּמִצְרָיִם. בְּמִצְרַיִם דַּיְיקָא. דָּא הוּא תּוּקְפָּא דִּלְהוֹן דִּלְעֵילָּא. וְדָא הוּא דְּאוֹקְמוּהָ מֶלֶךְ מִצְרַיִם סְתָם. הָכָא, וַיֹּאמֶר מִצְרַיִם אָנוּסָה מִפְּנֵי יִשְׂרָאֵל, דְּחָמוּ דְּהָא אִתְּבַר חֵילֵיהוֹן, וְתוּקְפָּא דִּלְהוֹן, דִּלְעֵילָּא.

קלב. תָּא חֲזֵי, כַּד אִתְּעָרַת הַאי כְּנֶסֶת יִשְׂרָאֵל, אִתְּעָרוּ כָּל אִינּוּן דַּאֲחִידָן בָּהּ, וְכֻלְּהוּ אַחֲרָנִין דִּלְתַתָּא, וְיִשְׂרָאֵל לְעֵילָּא מִכֻּלְּהוּ, דְּהָא אִינּוּן נַטְלֵי לָהּ בְּגוּפָא דְּאִילָנָא, וְהָא אוֹקְמוּהָ. וּבְגִינֵי כָּךְ יִשְׂרָאֵל אֲחִידָן בָּהּ, יַתִּיר מִכָּל עוֹבְדֵי כו"ם. וְכַד אִינּוּן מִתְעָרִין, אִתְּבַר תּוּקְפֵהוֹן מֵאִינּוּן דְּשַׁלְטֵי עֲלַיְיהוּ.

קלג. תָּא חֲזֵי, הַאי מְמַנָּא שׁוּלְטָנָא דְּמִצְרָאֵי, דְּחִיק לוֹן לְיִשְׂרָאֵל, בְּכַמָּה שִׁעְבּוּדִין, כְּמָה דְּאוֹקְמוּהָ. לְבָתַר דְּאִתְּבַר הוּא בְּקַדְמֵיתָא, אִתְּבָרוּ אִינּוּן מַלְכְּוָותָא מִלְּתַתָּא, הה"ד כִּי יְיָ' נִלְחָם לָהֶם בְּמִצְרָיִם. נִלְחָם לָהֶם וַדַּאי.

תוספתא

קלד. וַיִּסַּע מַלְאַךְ הָאֱלֹהִים וְגוֹ'. (מַתְנִיתִין) עַד לָא אִשְׁתַּכַּח אֲוִירָא דַּכְיָא, וְלָא נְהִירִין, אַבְנִין נְקִיבָן הֲווּ סְתִימָאן. תְּלַת רוּחִין דִּכְלִילָן בִּתְלַת, הֲווּ שְׁקִיעָן. וּמַיִין סְתִימָן תְּחוֹת נוּקְבֵי. בְּשַׁבְעִין וּתְרֵין אַתְוָון אִתְהַדְּרוּ לְאַתְרַיְיהוּ אִינּוּן אַבְנִין.

קלה. בָּתַר שַׁבְעִין וּתְרֵין דַּרְגִּין, וְכֵן תְּלַת זִמְנִין, אִתְבַּקָעוּ וְאִתְנְקִיבוּ אַבְנֵי, תְּחוֹת צְרוֹרָא דַּהֲוָה חָקִיק, וְאִתְכְּנָפוּ דַּרְגִּין, וְאִתְעֲבִידוּ כְּנוּפְיָא חֲדָא.

קלו. לְבָתַר אִתְפַּלָּגוּ, וְאִתְעֲבִידוּ תְּרֵין דַּרְגִּין, פַּלְגוּתָא מַיָּא אַגְלִידוּ, וּפַלְגוּתָא אִשְׁתְּקָעוּ. אִלֵּין סְלִיקוּ, וְאִלֵּין נַחְתּוּ, מֵהָכָא שָׁרָא עָלְמָא לְאִתְפַּלְגָא.

קלז. צְרוֹרָא אַחֲרָא אִית לְעֵילָּא, וְהוּא גְּלִיפָא בְּע"ב וַחֲתִימָן דְּגוּשְׁפַּנְקָא תַּקִּיפָא, וּבְהוּ שְׁקִיעַן גַּלְגַּלוֹי דְּיַמָּא. כַּד נַטְלִין, אִתְפַּלָּגוּ לְאַרְבַּע זָוְיָין. פַּלְגוּ חֲדָא סָלִיק, וּפַלְגוּ חֲדָא נָחִית, פַּלְגוּ חֲדָא לִסְטַר צָפוֹן, וּפַלְגוּ חֲדָא לִסְטַר דָּרוֹם. כַּד מִתְחַבְּרָן כַּחֲדָא, גּוּמְרִין דְּלַהֲטִין קַיְימִין, בְּלַהַט שִׁנָּנָא דְּחַרְבָּא דְּמִתְהַפְּכָא.

קלח. וְכַד קַיְימָא נָעִיץ בְּגוֹ יַמָּא, דַּרְגָּא שְׁלִיחָא דְּאַפַּרְכָא עִלָּאָה, סָלִיק בְּהַהוּא קַיְימָא לְעֵילָּא לְעֵילָּא, אִסְתַּכַּל לְמֶרְחִיק, קְטוּרָא דְּאַרְבִּין דְּשָׁאטִין בְּיַמָּא. מַאן חָמֵי גַּלְגַּלִּין דְּסָלְקִין וְנַחְתִּין וְרוּחָא דְּנָשִׁיב בְּהוּ, וְנוּנֵי יַמָּא נַגְדִין כָּל אִינּוּן אַרְבִּין לְכָל סִטְרֵי עָלְמָא.

קלט. הַהוּא דַּרְגָּא, כַּד נָחִית מֵהַהוּא, קַיְימֵי אֶלֶף מִימִינֵיהּ, וְאֶלֶף מִשְּׂמָאלֵיהּ, הֲוָה

תָּב וְיָתִיב בְּאַתְרֵיהּ, כְּמַלְכָּא בְּכוּרְסְיֵהּ, הַהוּא דַּרְגָּא דְּכַד שָׁאטֵי יַמָּא לְאַרְבַּע סִטְרֵי עָלְמָא, עִמֵּיהּ נָפְקַת, בֵּיהּ תָּבַת, הוּא תָּב בְּקִיּוּמָא דְּמַלְכָּא.

קמ. כְּדֵין כָּרוֹזִין נָפְקִין, מַאן מָארֵי דְּעַיְינִין, יִזְדַּקְפָאן לוֹן לְעֵילָּא לְעֵילָּא. מָארֵיהוֹן דִּגְדָפִין יְקוּמוּן בְּקִיּוּמַיְיהוּ. מָארֵי דְּאַנְפִּין, חַפְיָין לוֹן, עַד דְּנָטִיל בְּמַטְלָנוֹי. כְּדֵין וַיִּסַּע מַלְאַךְ הָאֱלֹהִים. (עד כאן).

קמא. רִבִּי חִיָּיא פָּתַח, הָיְתָה כָּאֳנִיּוֹת סוֹחֵר מִמֶּרְחָק תָּבִיא לַחְמָהּ. הָיְתָה כָּאֳנִיּוֹת סוֹחֵר, דָּא כנ"י. מִמֶּרְחָק תָּבִיא לַחְמָהּ, כְּמָה דְּאַתְּ אָמֵר, הִנֵּה שֵׁם יְיָ' בָּא מִמֶּרְחָק. תָּבִיא לַחְמָהּ, בְּחַד דַּרְגָּא דְּשָׁארֵי עָלָהּ, וּבֵיהּ אִתְמְשָׁכוּ כָּל אִלֵּין נַחֲלִין וּמַבּוּעִין דְּאַזְלִין בְּיַמָּא, כְּמָה דְּאַתְּ אָמֵר, כָּל הַנְּחָלִים הוֹלְכִים אֶל הַיָּם וְגוֹ'.

קמב. אֶל מְקוֹם שֶׁהַנְּחָלִים הוֹלְכִים, אע"ג דְּכֻלְּהוּ נַחֲלִין אִתְמַשְׁכָן בְּהַהוּא דַּרְגָּא, וְהַהוּא דַּרְגָּא נָחִית לוֹן לְהַהוּא יַמָּא, לָא תֵּימָא. דְּהָא אָרִיךְ לוֹן, וְהָא לָא שַׁרְיָין בֵּיהּ אוֹרְחִין, וְלָא נָגְדִּין בֵּיהּ כְּמִלְּקַדְּמִין, אַהְדַּר וְאָמַר אֶל מְקוֹם שֶׁהַנְּחָלִים הוֹלְכִים שָׁם הֵם שָׁבִים, אֶל מְקוֹם דְּהַהוּא דַּרְגָּא דְּנַחֲלִין אָזְלִין זִמְנָא חֲדָא, שָׁם הֵם שָׁבִים לָלֶכֶת, תַּמָּן אִינּוּן תָּיְיבִין מֵהַהוּא אֲתַר עִלָּאָה, וְלָא פָּסְקִין לְעָלְמִין, וּמִתְכַּנְּשֵׁי כֻּלְּהוּ בְּהַהוּא אֲתַר. וְלָמָּה. לָלֶכֶת. לְמֵהַךְ לְהַהוּא אֲתַר דְּיַמָּא, כְּמָה דְּאִתְּמַר, מַה שְּׁמֵיהּ דְּהַהוּא דַּרְגָּא. צַדִּיק אִקְרֵי.

קמג. רִבִּי יְהוּדָה אָמַר, כְּתִיב שָׁם אֳנִיּוֹת יְהַלֵּכוּן לִוְיָתָן זֶה יָצַרְתָּ לְשַׂחֶק בּוֹ. שָׁם אֳנִיּוֹת יְהַלֵּכוּן, בְּהַהוּא יַמָּא דְּאָזְלִין וְשָׁאטִין, עַד דְּאַתְיָין לְאִתְחַבְּרָא בְּהַהוּא דַּרְגָּא, כְּדֵין כְּתִיב לִוְיָתָן זֶה יָצַרְתָּ לְשַׂחֶק בּוֹ.

קמד. רִבִּי יִצְחָק אָמַר, לְעֵילָּא לְעֵילָּא יַתִּיר, אִית זִוּוּגָא אַחֲרָא, דְּשָׁארֵי בַּחֲבִיבוּתָא, וְלָא מִתְפָּרַשׁ לְעָלְמִין. אָמַר רִבִּי יְהוּדָה, מַאן זָכֵי לְהַהוּא זִוּוּגָא. אָמַר לֵיהּ, מַאן דְּאִית לֵיהּ חוּלָקָא בְּעָלְמָא דְּאָתֵי דַּיְקָא. בְּעָלְמָא דְּאָתֵי דַּיְקָא.

קמה. אָמַר לֵיהּ, וְהָא מֵהָכָא אוֹלִיפְנָא, דִּכְתִּיב לִוְיָתָן זֶה יָצַרְתָּ לְשַׂחֶק בּוֹ, מַשְׁמַע דְּקָאָמַר זֶה, וְזֶה וְזֹאת יְדִיעָן אִינּוּן. אָמַר רִבִּי אַבָּא, תַּרְוַויְיכוּ שַׁפִּיר קָאֲמַרִיתוּ, וְהָא דְּרִבִּי יְהוּדָה שַׁפִּיר דַּיְקָא, וְכֹלָּא זַמִּין קוּדְשָׁא בְּרִיךְ הוּא לְאִתְעַנְּגָא בְּהוּ לְצַדִּיקַיָּיא, הה"ד אָז תִּתְעַנַּג עַל יְיָ'.

קמו. אָמַר רִבִּי אַבָּא, כַּמָּה אַלְפִין, כַּמָּה רִבְבָן דִּמְשִׁירְיָין קַדִּישִׁין, אִית לֵיהּ לְקוּדְשָׁא בְּרִיךְ הוּא, מָארֵי דְּאַנְפִּין עִלָּאִין, מָארֵי דְּעַיְינִין, מָארֵי דְּזַיְינִין, מָארֵי דִּילָלָה, מָארֵי דְּיַבָּבָא, מָארֵי דְּרַחֲמֵי, מָארֵי דְּדִינָא, וְעֵילָּא מִנַּיְיהוּ אַפְקַד לְמַטְרוֹנִיתָא לְשַׁמְּשָׁא בְּהֵיכָלָא קַמֵּיהּ.

קמז. לְקָבֵיל אִלֵּין, אִית לָהּ לְמַטְרוֹנִיתָא, מַשִׁירְיָין מְזַיְינִין. בְּשִׁתִּין אַנְפִּין מִשְׁתַּכְּחוּ מַשִׁרְיָין מְזַיְינִין. וְכֻלְּהוּ חֲגִירָן חַרְבָּא, קַיְּימָאן בְּסוּחֲרָנָהָא, כַּמָּה נָפְקִין, כַּמָּה עָיְילִין. בְּשִׁית גַּדְפִּין טָאסִין כָּל עָלְמָא. קַמֵּי כָּל חַד וְחַד גּוּמְרִין דְּנוּר דָּלִיק. לְבוּשׁוֹי, מִתְלַהֲטָא אֶשָּׁא. בְּגַבּוֹי, שִׁנְּנָא דְּחַרְבָּא מִתְלַהֲטָא בְּכָל עָלְמָא, לְנַטְרָא קַמָּהּ. הה"ד וְאֵת לַהַט הַחֶרֶב הַמִּתְהַפֶּכֶת לִשְׁמוֹר אֶת דֶּרֶךְ עֵץ הַחַיִּים.

קמח. מַאן דֶּרֶךְ עֵץ הַחַיִּים. דָּא הִיא מַטְרוֹנִיתָא רַבְּתָא, דְּהִיא אָרְחָא, לְהַהוּא אִילָנָא רַבְרְבָא תַּקִּיף, אִילָנָא דְּחַיֵּי. דִּכְתִּיב הִנֵּה מִטָּתוֹ שֶׁלִּשְׁלֹמֹה שִׁשִּׁים גִּבּוֹרִים סָבִיב לָהּ מִגִּבּוֹרֵי יִשְׂרָאֵל. יִשְׂרָאֵל דִּלְעֵילָּא, כֻּלָּם אֲחֻזֵי חֶרֶב.

קמט. כַּד נַטְלָא מַטְרוֹנִיתָא, כֻּלְּהוּ נַטְלִין בַּהֲדָהּ, הה"ד וַיִּסַּע מַלְאַךְ הָאֱלֹהִים. וְכִי מַלְאַךְ הָאֱלֹהִים אִתְקְרֵי. א"ר אַבָּא אִין. ת"ח, הָכִי א"ר שִׁמְעוֹן, אַתְקִין קֻבְּ"ה קָמֵיהּ, הֵיכְלָא קַדִּישָׁא, הֵיכָלָא עִלָּאָה, קַרְתָּא קַדִּישָׁא, קַרְתָּא עִלָּאָה. יְרוּשָׁלַיִם עִיר הַקֹּדֶשׁ אִקְרֵי, מַאן דְּעָאל לְמַלְכָּא, לָא עָאל, אֶלָּא מֵהַהוּא קַרְתָּא קַדִּישָׁא, נָטִיל אָרְחָא לְמַלְכָּא, דְּאָרְחָא מֵהָכָא אִתְתְּקַן.

קנ. הה"ד זֶה הַשַּׁעַר לַיְיָ' צַדִּיקִים יָבֹאוּ בוֹ. כָּל שְׁלִיחוּתָא דְּבָעֵי מַלְכָּא מִבֵּי מַטְרוֹנִיתָא נָפְקָא, וְכָל שְׁלִיחוּתָא מִתַּתָּא לְמַלְכָּא, לְבֵי מַטְרוֹנִיתָא עָיֵיל בְּקַדְמֵיתָא, וּמִתַּמָּן לְמַלְכָּא. אִשְׁתְּכַח דְּמַטְרוֹנִיתָא אִיהִי שְׁלִיחָא דְּכֹלָּא, מֵעֵילָּא לְתַתָּא, וּמִתַּתָּא לְעֵילָּא. וְעַל דָּא, אִיהִי שְׁלִיחָא דְּכֹלָּא, הה"ד וַיִּסַּע מַלְאַךְ הָאֱלֹהִים הַהוֹלֵךְ לִפְנֵי מַחֲנֵה יִשְׂרָאֵל, יִשְׂרָאֵל דִּלְעֵילָּא. מַלְאַךְ הָאֱלֹהִים, הה"ד בֵּיהּ, וַיְיָ' הוֹלֵךְ לִפְנֵיהֶם וְגוֹ', וְהַאי לָלֶכֶת יוֹמָם וָלַיְלָה, כְּמָה דְּאוּקְמוּהָ.

קנא. וְכִי יְקָרָא הוּא דְּמַלְכָּא, דְּמַטְרוֹנִיתָא תֵּיזִיל, וְהִיא תַּגִּיחַ קְרָבָא, וְהִיא אַזְלַת שְׁלִיחָא. אֶלָּא, לְמַלְכָּא דְּאִזְדַּוַּוג בְּמַטְרוֹנִיתָא עִלָּאָה, וְחָמָא מַלְכָּא יְקִירוּ דִּילָהּ, עַל כָּל שְׁאָר מַטְרוֹנִיתָא דְּעָלְמָא, אָמַר כֻּלְּהוּ מִשְׁתַּכְּחִין לְחֵיזְתָא, לְקָבֵל הַאי מַטְרוֹנִיתָא דִּילִי. הִיא סַלְקָא עַל כֹּלָּא, מַה אַעְבִיד לָהּ. אֶלָּא כָּל בֵּיתָא דִּילִי יְהֵא בִּידָהָא, אַפִּיק מַלְכָּא כָּרוֹזָא, מֵהָכָא כָּל מִלִּין דְּמַלְכָּא בִּידָא דְּמַטְרוֹנִיתָא יִתְמַסְרוּן. מַה עָבִיד. אַפְקִיד מַלְכָּא בִּידָהָא כָּל זַיְינִין דִּילֵיהּ, כָּל אִינּוּן מָארֵי מַגִּיחִין קְרָבָא, כָּל אִינּוּן אַבְנִין יְקִירִין דְּמַלְכָּא, כָּל גִּנְזַיָּיא דְּמַלְכָּא. אָמַר, מֵהָכָא, כָּל מַאן דְּיִצְטְרִיךְ לְמַלְּלָא עִמִּי, לָא יָכִיל לְמַלְּלָא עִמִּי, עַד דְּאוֹדַע לָהּ מַטְרוֹנִיתָא.

קנב. כַּךְ קֻבְּ"ה, מִסְּגִיאוּת חֲבִיבוּתָא וּרְחִימוּתָא דִּילֵיהּ בכ"י, אַפְקִיד כֹּלָּא בִּרְשׁוּתָהּ, אָמַר, הָא כָּל שְׁאַרֵי, לָא מִשְׁתַּכְּחֵי כְּלוּם לְגַבָּהָא. אָמַר, שִׁשִּׁים הֵמָּה מְלָכוֹת וְגוֹ', אַחַת הִיא יוֹנָתִי תַמָּתִי. מַה אַעְבִיד לָהּ, אֶלָּא, הָא כָּל בֵּיתָא דִּילִי בִּידָהָא. אַפִּיק מַלְכָּא כָּרוֹזָא, מֵהָכָא כָּל מִלִּין דְּמַלְכָּא, בִּידָא דְּמַטְרוֹנִיתָא יִתְמַסְרוּן. אַפְקִיד בִּידָהָא כָּל זַיְינִין דִּילֵיהּ, רוֹמְחִין, וְסַיְיפִין, קַשְׁתִּין, וְחִצִּין, וְחַרְבִין, בַּלִּסְטְרִין. קַסְטִירָאִין, אָעִין, אַבְנִין, כָּל אִינּוּן מָארֵי מַגִּיחֵי קְרָבָא. הה"ד, הִנֵּה מִטָּתוֹ שֶׁלִּשְׁלֹמֹה שִׁשִּׁים גִּבּוֹרִים וְגוֹ' כֻּלָּם אֲחוּזֵי חֶרֶב מְלוּמְּדֵי וְגוֹ'.

קנג. אָמַר מַלְכָּא, מִכָּאן וּלְהָלְאָה, קְרָבָא דִּילִי אִתְמְסַר בִּידָךְ, זַיְינִין דִּילִי, מָארֵי מַגִּיחֵי קְרָבָא בִּידָךְ. מִכָּאן וּלְהָלְאָה אַתְּ הֱוֵי נַטְרָא לִי, הה"ד, שׁוֹמֵר יִשְׂרָאֵל. מִכָּאן וּלְהָלְאָה, מַאן דְּאִצְטְרִיךְ לִי, לָא יָכִיל לְמַלְּלָא עִמִּי, עַד דְּאוֹדַע לְמַטְרוֹנִיתָא, הה"ד, בְּזֹאת יָבֹא אַהֲרֹן אֶל הַקֹּדֶשׁ. שְׁלִיחָא דְּמַלְכָּא בְּכֹלָּא, כְּמָה דְּאוּקִימְנָא. אִשְׁתְּכַח דְּכֹלָּא בִּידָהָא, וְדָא הוּא יְקָרָא דְּמַטְרוֹנִיתָא. הֲדָא הוּא דִּכְתִיב, וַיִּסַּע מַלְאַךְ הָאֱלֹהִים וְגוֹ', כְּמָה דְּאִתְּמַר.

קנד. וַיֵּלֶךְ מֵאַחֲרֵיהֶם, מ"ט מֵאַחֲרֵיהֶם. בְּגִין דְּיִשְׁתַּכְּחוּ לְקַמָּהָא מָארֵי מַגִּיחֵי קְרָבָא, מָארֵי בַּלִּסְטְרָאוֹת, מָארֵי רוֹמְחִין וְסַיְיפִין, וְאִתְגַּלּוּן קַמָּהָא, דְּהָא הֲווֹ אַתְיָין מַשִּׁירְיָין אָחֲרָנִין, לְאַגָּחָא קְרָבָא בְּיִשְׂרָאֵל מִלְּעֵילָּא, וְעַ"ד וַיֵּלֶךְ מֵאַחֲרֵיהֶם.

קנה. וְתָאנָא, בְּהַהִיא שַׁעֲתָא, אָתָא רַבְרְבָא שֻׁלְטָנָא דִּמְמָנָא עַל מִצְרָאֵי, וְכָנַשׁ שִׁית מֵאָה רְתִיכִין מְקַטְרְגִין, וְעַל כָּל רְתִיכָא וּרְתִיכָא, שִׁית מֵאָה שֻׁלְטָנִין מְמָנָן קַטֵּיגוֹרִין, הה"ד וַיִּקַּח שֵׁשׁ מֵאוֹת רֶכֶב בָּחוּר וְגוֹ'. וְכִי שֵׁשׁ מֵאוֹת רֶכֶב בָּחוּר, לָא הֲווֹ רִכְבֵּי מִצְרַיִם, מ"ט וְכֹל רֶכֶב מִצְרָיִם. אֶלָּא הָכִי תָאנָא, הֲוָה סָמָאֵ"ל אוֹזִיף לֵיהּ, שִׁית מֵאָה

רְתִיכִין מְקַטְרְגִין לְסַיְּיעָא לֵיהּ. הה"ד וַיִּקַּח שֵׁשׁ מֵאוֹת רֶכֶב בָּחוּר.

קנו. אֵימָתַי אַשְׁלִים קֻבְּ"ה לְסָמָא"ל. בִּקְרָבָא דְּסִיסְרָא, דְּעָקַר קֻבְּ"ה לְכָל אִינּוּן רְתִיכִין, וְאִתְמְסָרוּ בִּידָא דְּמַטְרוֹנִיתָא. הה"ד, נַחַל קִישׁוֹן גְּרָפָם נַחַל קְדוּמִים וְגוֹ'. וּלְזִמְנָא דְּאָתֵי, יִתְמַסְרוּ כֻּלְּהוּ, הה"ד, מִי זֶה בָּא מֵאֱדוֹם וְחָמוּץ בְּגָדִים מִבָּצְרָה וְגוֹ'. וְעַ"ד וַיֵּלֶךְ מֵאַחֲרֵיהֶם, דִּזְמִינָא שְׁכִינְתָּא בְּסוֹף יוֹמַיָּא לְאַעֲקָרָא לוֹן מִן עָלְמָא.

קנז. וַיִּסַּע עַמּוּד הֶעָנָן מִפְּנֵיהֶם, מַאן עַמּוּד הֶעָנָן דָּא. רַבִּי יוֹסֵי אָמַר, דָּא הוּא עֲנָנָא דְּאִתְחֲזֵי תָּדִיר עִם שְׁכִינְתָּא. וְדָא הוּא עֲנָנָא דְּעָאל מֹשֶׁה בְּגַוֵּיהּ. רַבִּי אַבָּא אָמַר, כְּתִיב וַיְיָ' הוֹלֵךְ לִפְנֵיהֶם יוֹמָם, אֶלָּא סִיוּעָא דְּצַדִּיק הוּא, וּפְרִישׁוּ דִּרְשִׁימוּ דִּילֵיהּ, וְעַ"ד אָזִיל הַאי עֲנַן יוֹמָם, וּכְתִיב יוֹמָם יְצַוֶּה יְיָ' חַסְדּוֹ. וּמִסִּטְרָא דְּחֶסֶ"ד אָתָא עֲנָנָא דָּא, וְדָא חֶסֶד אִתְקְרֵי, וַעֲנָנָא אַחֲרָא אָזִיל בְּלֵילְיָא, וְאִתְקְרֵי עַמּוּד אֵשׁ.

קנח. רַבִּי שִׁמְעוֹן אָמַר, עַמּוּד הֶעָנָן יוֹמָם: דָּא אַבְרָהָם. וְעַמּוּד הָאֵשׁ לַיְלָה: דָּא יִצְחָק. וְתַרְוַיְיהוּ אִשְׁתְּכָחוּ בִּשְׁכִינְתָּא, וּמַה דְּאָמַר רַבִּי אַבָּא, הָכִי הוּא וַדַּאי, דְּעַל יְדָא דְּהַאי דַּרְגָּא, אִשְׁתְּכָחוּ.

קנט. וְהַאי וַיִּסַּע מַלְאַךְ הָאֱלֹהִים הַהוֹלֵךְ לִפְנֵי מַחֲנֵה יִשְׂרָאֵל וַיֵּלֶךְ מֵאַחֲרֵיהֶם. וַיִּסַּע: דְּנָטִיל מִסִּטְרָא דְּחֶסֶ"ד, וְאִתְדְּבַק בְּסִטְרָא דִּגְבוּרָה, בְּגִין דְּהָא מָטָא שַׁעֲתָא לְאִתְלַבְּשָׁא בְּדִינָא.

קס. תָּא חֲזֵי, בְּהַהִיא שַׁעֲתָא אִשְׁתְּלִים סִיהֲרָא מִכֹּלָּא, וְיָרְתָא שַׁבְעִין וּתְרֵין שְׁמָהָן קַדִּישִׁין, בִּתְלַת סִטְרִין. וְהָדָא אִתְלַבְּשָׁא בְּעִטְרוֹי דְּחֶסֶד עִלָּאָה, בְּשַׁבְעִין גְּלִיפִין דִּנְהִירוּ דְּאַבָּא עִלָּאָה, דְּאַנְהִיר לָהּ.

קסא. סִטְרָא תִּנְיָינָא, אִתְלַבְּשַׁת בִּרְמוֹזֵי דִּגְבוּרָ"ה, בְּשִׁתִּין פּוּלְסֵי דְּנוּרָא, וַעֲשָׂרָה דִּילָהּ דְּנַחְתוּ מִסִּטְרָא דְּאִמָּא עִלָּאָה בְּנִימוּסֵי גְּלִיפִין.

קסב. סִטְרָא תְּלִיתָאֵי, אִתְלַבְּשַׁת בִּלְבוּשֵׁי אַרְגְּוָנָא, דִּלְבִישׁ מַלְכָּא עִלָּאָה קַדִּישָׁא, דְּאִקְרוּן תִּפְאֶרֶ"ת, דִּירִית בְּרָא קַדִּישָׁא, בְּשַׁבְעִין עִטְרִין עִלָּאִין, מִסִּטְרָא דְּאַבָּא וְאִמָּא, וְהוּא כָּלִיל לְהַאי סִטְרָא וּלְהַאי סִטְרָא.

קסג. וּתְרֵין עִטְרִין מִסִּטְרָא דְּאַבָּא וְאִימָּא, וְאִינּוּן שַׁבְעִין וּתְרֵין שְׁמָהָן. וְתַנְיָינָן מִסִּטְרָא דְּחֶסֶ"ד שַׁבְעִין, וּתְרֵין סָהֲדִין. מִסִּטְרָא דִּגְבוּרָא שַׁבְעִין, וּתְרֵין סוֹפְרִין. מִסִּטְרָא דְּת"ת שַׁבְעִין, וּתְרֵין גַּוְונִין לְאִתְפָּאֲרָא.

קסד. וּבְהַאי אֲתָר, אִתְגְּלִיף וָא"ו בְּוָא"ו, וְאִסְתַּלִּיק שְׁמָא קַדִּישָׁא, רָזָא דִּרְתִיכָא, וְהָכָא אִתְגְּלִיפוּ אֲבָהָתָא, לְאִתְחַבְּרָא בְּוָא"ו, וְהוּא שְׁמָא קַדִּישָׁא גְּלִיפָא בְּאַתְווֹי.

קסה. צְרוּפָא דְּאַתְוָון אִלֵּין, אַתְוָון קַדְמָאֵי, רְשִׁימִין כְּסִדְרָן בְּאֹרַח מֵישָׁר, בְּגִין דְּכֻלְּהוּ אַתְוָון קַדְמָאֵי אִשְׁתְּכָחוּ בְּחֶסֶ"ד, לְמֵהַךְ בְּאֹרַח מֵישָׁר, בְּסִדּוּרָא מִתְתַּקַּן.

קסו. אַתְוָון תִּנְיָינֵי, רְשִׁימִין בְּגַלְגּוּלָא לְמַפְרֵעַ, בְּגִין דְּכֻלְּהוּ אַתְוָון תִּנְיָנֵי, מִשְׁתַּכְּחוּ בִּגְבוּרָה, לְגַלָּאָה דִּינִין וְזִינִין דְּאַתְיָין מִסִּטְרָא דִּשְׂמָאלָא.

קסז. אַתְוָון תְּלִיתָאֵי, אִינּוּן אַתְוָון רְשִׁימָן, לְאַחֲזָאָה גַּוְונִין, לְאִתְעַטְּרָא בְּמַלְכָּא קַדִּישָׁא. וְכֹלָּא בֵּיהּ מִתְחַבְּרָן וּמִתְקַשְּׁרָן, וְהוּא אִתְעַטַּר בְּעִטְרוֹי בְּאֹרַח מֵישָׁר, וְרָשִׁים לְהַאי סִטְרָא וּלְהַאי סִטְרָא, כְּמַלְכָּא דְּאִתְעַטַּר בְּכֹלָּא.

קסח. הָכָא אִתְרְשִׁים שְׁמָא קַדִּישָׁא גְּלִיפָא בְּעַ"ב תֵּיבִין, דְּמִתְעַטְּרֵי בַּאֲבָהָתָא, רְתִיכָא קַדִּישָׁא עִלָּאָה. וְאִי תֵּימָא, הָנֵי אַתְוָון תְּלִיתָאֵי, מ"ט לָאו אִינּוּן כְּתִיבִין, מִנְּהוֹן בְּאֹרַח מֵישָׁר

כְּסִדּוּרָן, וּמִנְּהוֹן לְמִפְרַע, לְיַשְׁרָא לְהַאי סִטְרָא, וּלְהַאי סִטְרָא, דְּהָא תָּנֵינָן, אַתָּה כּוֹנַנְתָּ מֵישָׁרִים, קוּדְשָׁא בְּרִיךְ הוּא עָבֵיד מֵישָׁרִים לִתְרֵי סִטְרֵי, וּכְתִיב וְהַבְּרִיחַ הַתִּיכוֹן בְּתוֹךְ הַקְּרָשִׁים וְגוֹ', דָּא קוּדְשָׁא בְּרִיךְ הוּא. רִבִּי יִצְחָק אֲמַר, דָּא יַעֲקֹב, וְכֹלָּא חַד.

קסט. אֶלָּא לְמַלְכָּא דְּאִיהוּ שְׁלִים מִכֹּלָּא, דַּעְתֵּיהּ שְׁלִים מִכֹּלָּא, מָה אָרְחֵיהּ דְּהַהוּא מַלְכָּא. אַנְפּוֹי נְהִירִין כְּשִׁמְשָׁא תָּדִיר, בְּגִין דְּאִיהוּ שְׁלִים. וְכַד דָּאִין, דָּאִין לְטָב וְדָאִין לְבִישׁ. וְעַל דָּא בָּעֵי לְאִסְתַּמְּרָא מִינֵּיהּ. מַאן דְּאִיהוּ טִפְשָׁא, וְחָמֵי אַנְפּוֹי דְּמַלְכָּא נְהִירִין וְחַיְיכָן, וְלָא אִסְתְּמַר מִינֵּיהּ. וּמַאן דְּאִיהוּ חַכִּימָא, אַף עַל גַּב דְּחָמֵי אַנְפּוֹי דְּמַלְכָּא נְהִירִין, אֲמַר מַלְכָּא וַדַּאי שְׁלִים הוּא, שְׁלִים הוּא מִכֹּלָּא, דַּעְתֵּיהּ שְׁלִים, אֲנָא חָמֵי דִּבְהַהוּא נְהִירוּ, דִּינָא יָתִיב וְאִתְכַּסְיָא, אע"ג דְּלָא אִתְחֲזְיָא, דְּאִי לָאו הָכִי, לָא יְהֵא מַלְכָּא שְׁלִים, וְעַל דָּא בָּעֵי לְאִסְתַּמְּרָא.

קע. כַּךְ קוּדְשָׁא בְּרִיךְ הוּא, שְׁלִים תָּדִיר בְּהַאי גַּוְונָא וּבְהַאי גַּוְונָא, אֲבָל לָא אִתְחֲזְיָא, אֶלָּא בִּנְהִירוּ דְּאַנְפִּין. וּבְגִין כַּךְ, אִינּוּן טִפְּשִׁין וְחַיָּיבִין לָא אִסְתַּמְּרָן מִנֵּיהּ. אִינּוּן חַכִּימִין זַכָּאִין, אַמְרִין, מַלְכָּא שְׁלִים הוּא, אַף עַל גַּב דְּאַנְפּוֹי אִתְחֲזְיָין נְהִירִין, דִּינָא אִתְכַּסְיָא בְּגַוֵּיהּ, בְּגִין כַּךְ בָּעֵי לְאִסְתַּמְּרָא מִנֵּיהּ.

קעא. אָמַר רִבִּי יְהוּדָה, מֵהָכָא, אֲנִי יְיָ' לֹא שָׁנִיתִי. לָא דְלִיגְנָא לְאָתַר אָחֳרָא, בִּי אִתְכְּלִיל כֹּלָּא. הָנֵי תְּרֵי גַּוְונֵי בִּי אִתְכְּלִילָן, בְּגִין כַּךְ כֹּלָּא בְּאֹרַח מֵישָׁר אִתְחֲזְיָא, וְאַף עַל גַּב דְּאַתְוָון אֲחִידָן לְהַאי סִטְרָא וּלְהַאי סִטְרָא, כְּסִדְרָן כְּתִיבִין.

קעב. וַיִּסַּע מַלְאַךְ הָאֱלֹהִים הַהוֹלֵךְ לִפְנֵי מַחֲנֵה יִשְׂרָאֵל וַיֵּלֶךְ מֵאַחֲרֵיהֶם וַיִּסַּע עַמּוּד הֶעָנָן מִפְּנֵיהֶם וַיַּעֲמוֹד מֵאַחֲרֵיהֶם. עַד כָּאן סִטְרָא חַד, וְחֶסֶד לְאַבְרָהָם. אָמַר רִבִּי שִׁמְעוֹן, אֶלְעָזָר בְּרִי, תָּא חֲזֵי רָזָא דָּא. כַּד עַתִּיקָא קַדִּישָׁא אַנְהִיר לְמַלְכָּא, אַנְהִיר לֵיהּ, וְעַטְרִין לֵיהּ, בְּכִתְרִין קַדִּישִׁין עִלָּאִין, כַּד מָטָאן לְגַבֵּיהּ מִתְעַטְּרֵי אֲבָהָתָא, בְּשַׁעֲתָא דְּמִתְעַטְּרֵי אֲבָהָתָא, כְּדֵין הוּא שְׁלִימוּ דְּכֹלָּא. כְּדֵין מַטְרוֹנִיתָא, נָטְלָא בְּמַטְלָנְהָא, בְּהַהוּא שְׁלִימוּ דַּאֲבָהָתָא. וְכַד מִתְעַטְּרָא מִכֻּלְּהוֹן, כְּדֵין אִתְבָּרְכָא, וּרְשׁוּתָא דְּכֹלָּא בִּידָהָא.

קעג. כְּגַוְונָא דָּא שְׁמָא קַדִּישָׁא גְּלִיפָא בְּאַתְווֹי רְשִׁימִין בִּרְתִיכָא עִלָּאָה קַדִּישָׁא עִטּוּרָא דַּאֲבָהָן.

קעד. אָמַר רִבִּי יֵיסָא, אַשְׁכַּחְנָא בְּרָזָא דָּא בְּתִקְיְעוּתָא דְּרַב הַמְנוּנָא סָבָא, תְּלַת וּבְכֵן וּבְכֵן וּבְכֵן, לָקֳבְלֵי הָנֵי תְּלַת. וְכַךְ הוּא סִדּוּרָא. א"ר יוֹסֵי, כֹּלָּא אִתְכְּלִיל בְּהַאי שְׁמָא קַדִּישָׁא, וְאִסְתַּיֵּים בֵּיהּ, אִשְׁתַּכַּח דִּשְׁלִימוּ דִּרְתִיכָא קַדִּישָׁא אִית בֵּיהּ.

קעה. אָמַר רִבִּי שִׁמְעוֹן, הַאי הוּא שְׁמָא קַדִּישָׁא, עִטּוּרָא דַּאֲבָהָן, דְּמִתְעַטְּרָא בִּגְלוֹפַיְיהוּ, בְּחִבּוּרָא כַּחֲדָא. שְׁלִימוּ דִּרְתִיכָא קַדִּישָׁא. וְאִתְכְּלִיל בְּאַרְבְּעִין וּתְמַנְיָא תֵּיבוּתָא, דְּאִיהוּ שְׁלִימוּ דְּכֹלָּא, וְעִקָּרָא דְּשָׁרָשִׁין.

קעו. תָּא חֲזֵי, גּוּפָא דְּאִילָנָא, אֲנִ"י אָלֶ"ף נוּ"ן יוּ"ד. רֵישָׁא דְּכָל עַנְפֵּי אִילָנָא, וָה"וּ. וְהָא אִתְעֲרוּ וְחַבְרַיָּא, כְּלָלָא דַּעֲנָפִין וְגוּפָא וְשָׁרְשָׁא, בְּאַרְבְּעִין וּתְמַנְיָא תֵּיבִין. וְהָא אִתְרְשִׁים בִּתְלַת עָלְמִין עִלָּאִין, וּבג' עָלְמִין תַּתָּאִין.

קעז. לָקֳבְלֵיהּ, קָדוֹשׁ קָדוֹשׁ קָדוֹשׁ ה' צְבָאוֹת. קָדוֹשׁ לְעֵילָא. קָדוֹשׁ בְּאֶמְצָעִיתָא. קָדוֹשׁ לְתַתָּא. קָדוֹשׁ וְחֶסֶד. קָדוֹשׁ גְּבוּרָה. קָדוֹשׁ תִּפְאֶרֶת. וְכֻלְּהוּ בְּשַׁבְעִין וּתְרֵין אִתְגְּלִיפוּ, כְּמָה דְּאִתְּמַר. בְּרִיךְ הוּא, בְּרִיךְ שְׁמֵיהּ לְעָלַם וּלְעָלְמֵי עָלְמִין אָמֵן.

קעח. אָמַר רִבִּי יִצְחָק, בְּשַׁעְתָּא דְּשָׁרוּ יִשְׂרָאֵל עַל יַמָּא, חָמוּ לְכַמָּה אֹכְלוֹסִין, לְכַמָּה חַיָּילִין, לְכַמָּה מַשִּׁירְיָין, מֵעֵילָּא וְתַתָּא, וְכֻלְּהוּ בִּכְנוּפְיָא עֲלַיְיהוּ דְּיִשְׂרָאֵל, שָׁרִיאוּ בִּצְלוֹ מִגּוֹ עָאקוּ דִּלְהוֹן.

קעט. בֵּיהּ שַׁעֲתָא, חָמוּ יִשְׂרָאֵל עָאקוּ מִכָּל סְטָרִין, יַמָּא בְּגַלּוֹהִי דְּזָקְפָן קַמַּיְיהוּ. בַּתְרַיְיהוּ, כָּל אִינּוּן אֹכְלוֹסִין, כָּל אִינּוּן מַשִּׁירְיָין דְּמִצְרַיִם, לְעֵילָּא עֲלַיְיהוּ כַּמָּה קַטֵּיגוֹרִין. שָׁרִיאוּ צַוְוחִין לְקֻבְּ"ה.

קפ. כְּדֵין כְּתִיב, וַיֹּאמֶר יְיָ' אֶל מֹשֶׁה מַה תִּצְעַק אֵלָי. וְתָאנָא בְּסִפְרָא דִּצְנִיעוּתָא, אֵלַי, דַּיְיקָא, בְּעַתִּיקָא תַּלְיָא כֹּלָּא. בֵּיהּ שַׁעֲתָא אִתְגְּלֵי עַתִּיקָא קַדִּישָׁא, וְאִשְׁתְּכַח רַעֲוָא בְּכֻלְּהוּ עָלְמִין עִלָּאִין, כְּדֵין נְהִירוּ דְּכֹלָּא, אִתְנְהִיר.

קפא. אָמַר רִבִּי יִצְחָק, כְּדֵין, כַּד אִתְנְהִיר כֹּלָּא כַּחֲדָא, וְעָבֵד יַמָּא נִימוּסִין עִלָּאִין, וְאִתְמְסָרוּ בִּידוֹי עִלָּאִין וְתַתָּאִין. וּבְגִינֵי כַּךְ, קַשְׁיָא קַמֵּי קוּדְשָׁא בְּרִיךְ הוּא כֹּלָּא, כִּקְרִיעַת יַם סוּף, וְכֹלָּא הָכֵי אוֹקְמוּהָ. מַאי טַעֲמָא. בְּגִין דִּקְרִיעַת יַם סוּף בְּעַתִּיקָא תַּלְיָיא.

קפב. אָמַר רִבִּי שִׁמְעוֹן, חַד אַיַּלְתָּא אִית בְּאַרְעָא, וְקֻבְּ"ה עָבֵיד סַגְיָא בְּגִינָהּ, בְּשַׁעְתָּא דְּהִיא צַוְוחַת, קֻבְּ"ה שָׁמַע עָאקוּ דִּילָהּ, וְקָבִּיל קָלָהּ. וְכַד אִצְטְרִיךְ עָלְמָא לְרַחֲמֵי לְמַיָּיא, הִיא יָהֲבַת קָלִין, וְקֻבְּ"ה שָׁמַע קָלָהּ, וּכְדֵין חַיֵּיס עַל עָלְמָא, הה"ד כְּאַיָּל תַּעֲרוֹג עַל אֲפִיקֵי מָיִם.

קפג. וְכַד בָּעְיָא לְאוֹלְדָא, הִיא סְתִימָא מִכָּל סִטְרִין, כְּדֵין אַתְיָיא וְשַׁוְּיאַת רֵישָׁא בֵּין בִּרְכָהָא, וְצַוְוחַת וְרָמַת קָלִין, וְקֻבְּ"ה חַיֵּיס עָלָהּ, וְזַמִּין לְקִבְלָהּ חַד נָחָשׁ, וְנָשִׁיךְ בְּעַרְיָיתָא דִּילָהּ, וּפָתַח לָהּ, וְקָרַע לָהּ הַהוּא אֲתַר, וְאוֹלִידַת מִיָּד. אר"ש בְּהַאי מִלָּה, לָא תִּשְׁאַל וְלָא תְּנַסֶּה אֶת יְיָ', וְהָכֵי דַּוְוקָא.

קפד. וַיּוֹשַׁע יְיָ' בַּיּוֹם הַהוּא אֶת יִשְׂרָאֵל וְגוֹ', וַיַּרְא יִשְׂרָאֵל אֶת מִצְרַיִם מֵת, הַהוּא שָׁלְטָנָא מְמַנָּא דְּמִצְרָאֵי, אַחְמֵי לוֹן קוּדְשָׁא בְּרִיךְ הוּא, דְּאַעְבַּר לֵיהּ, בִּנְהַר דִּינוּר, דַּהֲוָה בְּשִׂפְתָא דְּיַמָּא רַבָּא. מֵת, מַאי טַעֲמָא מֵת. כְּמָה דְּאוֹקְמוּהָ, דְּאַעְבְּרוּ לֵיהּ, מֵהַהוּא שָׁלְטָנוּתָא דִּילֵיהּ.

קפה. וַיַּרְא יִשְׂרָאֵל אֶת הַיָּד הַגְּדוֹלָה וְגוֹ'. רִבִּי חִיָּיא אָמַר, הָכָא אִשְׁתְּלִים יְדָא, וְכֻלְּהוּ אֶצְבְּעָן, וְאִשְׁתְּלִים יְדָא, דְּאִתְכְּלִיל בֵּיהּ בִּימִינָא, דְּהָכֵי תָּנֵינָן, כֹּלָּא בִּימִינָא אִתְכְּלִיל, וּבִימִינָא תַּלְיָא, הֲדָא הוּא דִכְתִיב, יְמִינְךָ יְיָ' נֶאְדָּרִי בַּכֹּחַ יְמִינְךָ יְיָ' תִּרְעַץ אוֹיֵב.

קפו. וְאָמַר רִבִּי יִצְחָק, לָא אִשְׁכַּחְנָא, מַאן דְּאַתְקִיף לִבֵּיהּ, לְגַבֵּיהּ קוּדְשָׁא ב"ה, כְּפַרְעֹה. אָמַר רִבִּי יוֹסֵי, סִיחוֹן וְעוֹג הָכֵי נַמֵּי. אָמַר לֵיהּ, לָאו הָכֵי. אִינּוּן לְגַבֵּיהּ דְּיִשְׂרָאֵל אִתְתְּקָפוּ, אֲבָל לְגַבֵּיהּ דְּקֻבְּ"ה, לָא, כְּמָה דְּאִתְקַף פַּרְעֹה רוּחֵיהּ לְקִבְלֵיהּ, וַהֲוָה חָמֵי כָּל יוֹמָא גְּבוּרָאן דִּילֵיהּ, וְלָא הֲוָה תָב.

קפז. א"ר יְהוּדָה א"ר יִצְחָק, פַּרְעֹה חַכִּים מִכָּל חַרְשׁוֹי הֲוָה, וּבְכָל אִינּוּן כִּתְרִין, וּבְכָל אִינּוּן יְדִיעָן, אִסְתַּכַּל. וּבְכָל סִטְרָא דִּלְהוֹן, לָא חָמָא פּוּרְקָנָא דִּלְהוֹן יִשְׂרָאֵל, וְלָא הֲוָה תָּלֵי בְּחַד מִנַּיְיהוּ. וְעוֹד, דְּהָא בְּכֻלְּהוּ קְשִׁירוּ קִשְׁרָא עֲלַיְיהוּ דְּיִשְׂרָאֵל, וּפַרְעֹה לָא סָבַר דְּאִית קִשְׁרָא אַחֲרָא דִּמְהֵימְנוּתָא, דְּאִיהוּ שַׁלִּיט עַל כֹּלָּא. וְעַל דָּא הֲוָה אַתְקִיף לִבֵּיהּ.

קפח. רִבִּי אַבָּא אָמַר, לָא אַתְקִיף לִבָּא דְּפַרְעֹה, אֶלָּא שְׁמָא דָּא. דְּכַד הֲוָה אָמַר מֹשֶׁה, כֹּה אָמַר יְיָ', דָּא מִלָּה מַמָּשׁ, אַתְקִיף לִבֵּיהּ, הֲדָא הוּא דִּכְתִיב, וַיְחַזֵּק יְיָ' אֶת לֵב פַּרְעֹה. דְּהָא בְּכָל חָכְמְתָא דִּילֵיהּ, לָא אִשְׁתְּכַח, דִּשְׁמָא דָּא שַׁלִּיט בְּאַרְעָא. וְעַל דָּא

אָמַר, מִי יְיָ'. וּלְבָתַר אָמַר, יְיָ' הַצַּדִּיק. אָמַר רִבִּי יוֹסֵי, לְבָתַר אָמַר, וְחַטָּאתִי לַיְיָ' הַהוּא פּוּמָא דְּאָמַר דָּא, אָמַר דָּא.

קפט. רִבִּי חִזְקִיָּה פָּתַח וְאָמַר, אַחַת הִיא עַל כֵּן אָמַרְתִּי תָּם וְרָשָׁע הוּא מְכַלֶּה. הַאי קְרָא, אוֹקְמוּהָ בְּרָזָא דְּחָכְמְתָא. אַחַת הִיא, מַאי אַחַת הִיא. הָדָא הוּא דִּכְתִּיב, אַחַת הִיא יוֹנָתִי תַמָּתִי אַחַת הִיא לְאִמָּהּ. וּבְהַאי, קוּדְשָׁא בְּרִיךְ הוּא דָּאִין דִּינוֹי לְתַתָּא, וְדָאִין דִּינוֹי לְעֵילָּא בְּכֹלָּא.

קצ. וְכַד קוּדְשָׁא בְּרִיךְ הוּא אִתְּעַר דִּינוֹי, דָּאִין דִּינוֹי בְּהַאי כִּתְרָא, כְּדֵין כְּתִיב, תָּם וְרָשָׁע הוּא מְכַלֶּה. בְּגִין דְּאִינּוּן צַדִּיקַיָּיא, מִתְפַּסְּאן בְּחוֹבֵיהוֹן דְּרַשִׁיעַיָּא, דִּכְתִּיב וַיֹּאמֶר יְיָ' לַמַּלְאָךְ הַמַּשְׁחִית בָּעָם רַב וְגוֹ', וְעַל דָּא אָמַר אִיּוֹב מִלָּה דָּא, וְלָא אַגְמַר מִלָּה, וְאוֹקְמוּהָ טוֹל הַרָב, רִבִּי יֵיסָא אָמַר, אַחַת הִיא: דָּא כְּנֶסֶת יִשְׂרָאֵל בְּגָלוּתָא דְּמִצְרַיִם, דִּבְגִינָהּ קָטַל קוּדְשָׁא בְּרִיךְ הוּא בְּמִצְרָאֵי, וְעָבֵד בְּהוּ נוּקְמִין, הה"ד תָּם וְרָשָׁע הוּא מְכַלֶּה.

קצא. ר' חִיָּיא אָמַר, אִיּוֹב לָא אַלְקֵי, אֶלָּא בְּזִמְנָא דְּנָפְקוּ יִשְׂרָאֵל מִמִּצְרַיִם. אָמַר אִיּוֹב, אִי הָכִי, כֹּל אַפַּיָּא שָׁוִין, תָּם וְרָשָׁע הוּא מְכַלֶּה, פַּרְעֹה אִתְקִיף בְּהוּ בְּיִשְׂרָאֵל, וְאָמַר מִי יְיָ' אֲשֶׁר אֶשְׁמַע בְּקוֹלוֹ. וַאֲנָא לָא אִתְקִיפְנָא בְּהוּ, וְלָא עֲבִידְנָא מִידִי, תָּם וְרָשָׁע הוּא מְכַלֶּה. הה"ד הַיָּרֵא אֶת דְּבַר יְיָ' מֵעַבְדֵי פַּרְעֹה, זֶה אִיּוֹב.

קצב. ר' יְהוּדָה אָמַר, אִינּוּן אַבְנֵי בַּרְדָּא, דַּהֲווּ נַחְתִּין, אִתְעַכְּבוּ עַל יְדוֹי דְּמֹשֶׁה, לְבָתַר עֲבָדוּ נוּקְמִין, בְּיוֹמֵי דִּיהוֹשֻׁעַ. וּלְזִמְנָא דְּאָתֵי, זְמִינִין לְאַחֲתָא אִינּוּן דְּאִשְׁתָּאֲרוּ, עַל אֱדוֹם וּבְנוֹתֶיהָ. א"ר יוֹסֵי, הה"ד, כִּימֵי צֵאתְךָ מֵאֶרֶץ מִצְרַיִם אַרְאֶנּוּ נִפְלָאוֹת.

קצג. דָּבָר אַחֵר וַיַּרְא יִשְׂרָאֵל אֶת הַיָּד הַגְּדוֹלָה וְגוֹ', הַאי קְרָא לָאו רֵישֵׁיהּ סֵיפֵיהּ, וְלָאו סֵיפֵיהּ רֵישֵׁיהּ. בְּקַדְמֵיתָא וַיַּרְא יִשְׂרָאֵל, וּבָתַר וַיִּירְאוּ הָעָם אֶת יְיָ'. אֶלָּא אָמַר רִבִּי יְהוּדָה, הַהוּא סָבָא דְּנָחַת עִם בְּנוֹי בְּגָלוּתָא, וְסָבִיל עָלֵיהּ גָּלוּתָא, וְאָעִיל לִבְנוֹי בְּגָלוּתָא, הוּא מַמָּשׁ חָמָא, כָּל אִינּוּן נוּקְמִין, וְכָל גְּבוּרָאן, דְּעָבֵד קוּדְשָׁא בְּרִיךְ הוּא בְּמִצְרַיִם, הה"ד וַיַּרְא יִשְׂרָאֵל, יִשְׂרָאֵל מַמָּשׁ.

קצד. וְאָמַר רִבִּי יְהוּדָה, סָלִיק קוּדְשָׁא בְּרִיךְ הוּא לְהַאי סָבָא, וְאָמַר לֵיהּ, קוּם חָמֵי בְּנָיךְ דְּנָפְקִין מִגּוֹ עַמָּא תַּקִּיפָא. קוּם חָמֵי גְּבוּרָן דַּעֲבָדִית, בְּגִין בְּנָיךְ בְּמִצְרַיִם.

קצה. וְהַיְינוּ דְּאָמַר רִבִּי יֵיסָא, בְּשַׁעְתָּא דְּנַטְלֵי יִשְׂרָאֵל לְנַחֲתָא בְּגָלוּתָא דְּמִצְרַיִם, דָּחִיל וְאֵימְתָא תַּקִּיפָא נָפַל עָלוֹי. אָמַר לֵיהּ קוּדְשָׁא בְּרִיךְ הוּא לְיַעֲקֹב, אֲמַאי אַתְּ דָּחִיל, אַל תִּירָא מֵרְדָה מִצְרַיְמָה. מִמַּה דִּכְתִּיב אַל תִּירָא, מַשְׁמַע דְּחִילוּ הֲוָה דָּחִיל.

קצו. אָמַר לֵיהּ כִּי לְגוֹי גָּדוֹל אֲשִׂימְךָ שָׁם. אָמַר לֵיהּ, דְּחִילְנָא דִּי יְשֵׁיצוּן בָּנַי. אָמַר לֵיהּ, אָנֹכִי אֵרֵד עִמְּךָ מִצְרַיְמָה. אָמַר לֵיהּ תּוּ דְּחִילְנָא, דְּלָא אִזְכֵּי לְאִתְקַבְּרָא בֵּינֵי אֲבָהָתַי, וְלָא אֶחֱמֵי פּוּרְקָנָא דִּבְנַי, וּגְבוּרָאן דְּתַעֲבִיד לְהוּ. אָמַר לֵיהּ, וְאָנֹכִי אַעַלְךָ גַם עָלֹה, אַעַלְךָ לְאִתְקַבְּרָא בְּקִבְרֵי אֲבָהָתָךְ. גַּם עָלֹה, לְמֶחֱמֵי פּוּרְקָנָא דִּבְרָךְ, וּגְבוּרָאן דְּאַעֲבִיד לְהוּ.

קצז. וְהַהוּא יוֹמָא דְּנָפְקוּ יִשְׂרָאֵל מִמִּצְרַיִם, סָלִיק לֵיהּ קוּדְשָׁא בְּרִיךְ הוּא לְיַעֲקֹב, וְאָמַר לֵיהּ, קוּם, חָמֵי בְּפוּרְקָנָא דִּבְרָךְ, דְּכַמָּה חֵילִין וּגְבוּרָאן עֲבָדִית לְהוּ, וְיַעֲקֹב הֲוָה תַּמָּן, וְחָמָא כֹּלָּא, הה"ד וַיַּרְא יִשְׂרָאֵל אֶת הַיָּד הַגְּדוֹלָה.

קצח. ר' יִצְחָק אָמַר, מֵהָכָא, וַיּוֹצִיאֲךָ בְּפָנָיו בְּכֹחוֹ הַגָּדוֹל מִמִּצְרָיִם. מַאי בְּפָנָיו. בְּפָנָיו דָּא יַעֲקֹב, דְּאָעִיל לְכֻלְּהוּ תַּמָּן. רִבִּי חִזְקִיָּה אָמַר, וַיּוֹצִיאֲךָ בְּפָנָיו, בְּפָנָיו: דָּא אַבְרָהָם. דִּכְתִּיב, וַיִּפֹּל אַבְרָהָם עַל פָּנָיו.

קצט. תא חזי, אברהם אמר, הלבן מאה שנה יולד וגו', אמר ליה קודשא בריך הוא, חייך, את תחמי כמה אכלוסין, וכמה חיילין דיפקון ממך. בשעתא דנפקו ישראל ממצרים, כל אינון שבטין, כל אינון רבוון, סליק קודשא בריך הוא לאברהם, וחמא לון, הה"ד ויוציאך בפניו. רבי אבא אמר כלהו אבהתא אזדמנו תמן בכל ההוא פורקנא. הדא הוא דכתיב ויוציאך בפניו. מאי בפניו אלין אבהתא.

ר. רבי אלעזר אמר, ויוציאך בפניו: דא יעקב. בכחו: דא יצחק. הגדול: דא אברהם. א"ר שמעון, וכן בגיניהון דאבהתא, אזדמן פורקנא תדיר לישראל, דכתיב וזכרתי את בריתי יעקוב ואף את בריתי יצחק ואף את בריתי אברהם אזכור והארץ אזכור. אבהתא תינח, מהו והארץ אזכור. אלא, לאכללא עמהון דוד מלכא, דאיהו רתיכא באבהתא ואינון מתערין פורקנא תדיר לישראל.

רא. וירא ישראל את היד הגדולה אשר עשה יי' במצרים. וכי השתא עשה, והא מקדמת דנא אתעביד, מאי את היד הגדולה אשר עשה יי'. אלא, יד לא אקרי פחות מחמש אצבען. הגדולה: דכליל בה חמש אצבען אחרנין, ואתקרון כדין גדולה. וכל אצבעא ואצבעא, סליק לחושבנא רבא, וקב"ה עביד בהו ניסין וגבורן, ובהאי אתעקרו כלהו דרגין משלשוליהון.

רב. מכאן אוליפנא דא, דבחמש אצבען קמאי, כתיב, ויחזק לב פרעה, כיון דאשתלימו אינון חמש, תו לא הוה מלה ברשותיה דפרעה, כדין כתיב ויחזק יי' את לב פרעה.

רג. וע"ד וירא ישראל את היד הגדולה וגו', ויאמינו ביי'. וכי עד השתא לא האמינו ביי', והא כתיב ויאמן העם וישמעו וגו'. והא חמו כל אינון גבוראן דעבד להו קב"ה במצרים. אלא מאי ויאמינו, ההוא מלה דאמר ויאמר משה אל העם אל תיראו התיצבו וראו וגו'.

רד. ר' ייסא שאיל ואמר, כתיב וירא ישראל את מצרים מת, וכתיב לא תוסיפו לראותם עוד עד עולם. א"ר יוסי, מתין חמו להו. אמר ליה, אי כתיב לא תוסיפו לראותם חיים, הוה אמינא הכי. אמר ליה ר' אבא יאות שאילתא.

רה. אלא תא חזי, כתיב מן העולם ועד העולם, ותנינן, עולם לעילא, ועולם לתתא. עולם דלעילא, מתמן הוא שירותא לאדלקא בוצינין. עולם דלתתא, תמן הוא סיומא, ואתכליל מכלא, ומהאי עולם דלתתא, מתערן גבורן לתתאי.

רו. ובהאי עולם, עביד קב"ה אתין לישראל, ורחיש לון ניסא. וכד אתער האי עולם למעבד נסין, כלהו מצראי אשתקעו בימא, על ידא דהאי עולם, ואתרחיש לון לישראל ניסא בהאי עולם. וע"ד כתיב, לא תוסיפו לראותם עוד עד עולם, עד דיתער ההוא עולם, ויתמסרון בדינוי, וכיון דאתמסרו ביה למתדן, כדין כתיב וירא ישראל את מצרים מת על שפת הים, הה"ד מן העולם ועד העולם, עד העולם דיקא. כדין כתיב, ויאמינו ביי' ובמשה עבדו.

רז. אז ישיר משה. ר' יהודה פתח, בטרם אצרך בבטן ידעתיך וגו'. זכאה חולקהון דישראל, דקב"ה אתרעי בהו יתיר מכל שאר עמין. ומסגיאות רחימותא דרחים להו, אוקים עלייהו נביאה דקשוט, ורעיא מהימנא. ואתער עליה רוחא קדישא, יתיר מכל שאר נביאי מהימני, ואפיק ליה מחולקיה ממש, ממה דאפריש יעקב מבנוי לקודשא

בְּרִיךְ הוּא, שִׁבְטָא דְּלֵוִי, וְכֵיוָן דַּהֲוָה לֵוִי דִּילֵיהּ, נָטַל לֵיהּ קֻבְּ"ה, וְאַעְטַר לֵיהּ בְּכַמָּה עִטְרִין, וּמָשַׁח לֵיהּ בִּמְשַׁח רְבוּת קַדִּישָׁא דִּלְעֵילָּא, וּכְדֵין אַפִּיק מִבְּנוֹי, רוּחָא קַדִּישָׁא לְעָלְמָא, וְזָרִיז לֵיהּ בְּהֵימְנוֹיֵי קַדִּישֵׁי, מְהֵימְנוּתָא רַבָּא.

רח. תָּנָא, בְּהַהִיא שַׁעֲתָא דִּמְטָא זִמְנֵיהּ דְּמֹשֶׁה נְבִיאָה מְהֵימְנָא לְאַחֲתָא לְעָלְמָא, אַפִּיק קֻבְּ"ה רוּחָא קַדִּישָׁא מִגִּזְרָא דְּסַפִּירוּ דְּאֶבֶן טָבָא, דַּהֲוָה גָּנִיז בְּמָאתָן וְאַרְבְּעִין וּתְמַנְיָא נְהוֹרִין, וְאִתְנְהִיר עָלֵיהּ. וְאַעְטְרֵיהּ בְּשַׁ"ה עִטְרִין, קַיְימֵי קָמֵיהּ, וְאַפְקִיד לֵיהּ בְּכָל דִּילֵיהּ. וִיהַב לֵיהּ מֵאָה וְשַׁבְעִין וּתְלַת מַפְתְּחָן. וְאַעְטַר לֵיהּ בְּחָמֵשׁ עִטְרִין, וְכָל עִטְרָא וְעִטְרָא סָלִיק וְאַנְהִיר בְּאֶלֶף עָלְמִין דִּנְהִירִין, וּבוֹצִינִין דִּגְנִיזִין בְּגִנְזַיָּיא דְּמַלְכָּא קַדִּישָׁא עִלָּאָה.

רט. כְּדֵין אַעְבְּרֵיהּ בְּכָל בּוֹצִינִין דְּבְגִנְתָּא דְּעֵדֶן, וְאַעֲלֵיהּ בְּהֵיכָלֵיהּ, וְאַעְבְּרֵיהּ בְּכָל חַיָּילִין וְגַיְיסִין דִּילֵיהּ. כְּדֵין אִזְדַּעְזְעוּ כֻּלְּהוּ, פָּתְחוּ וְאָמְרוּ, אִסְתַּלָּקוּ מִסְּחֲרָנֵיהּ, דְּהָא קֻבְּ"ה אִתְּעַר רוּחָא לְשַׁלְטָאָה לְמִרְגַּז עָלְמִין. קָלָא נָפַק וְאָמַר, מַאן הוּא דֵּין, דְּכָל מַפְתְּחָן אִלֵּין בִּידוֹי. פָּתַח קָלָא אָחֳרָא וְאָמַר, קַבִּילוּ לֵיהּ בְּגַוַּויְיכוּ, דָּא הוּא דִּזְמִין לְנַחְתָּא בֵּין בְּנֵי נָשָׁא, וּזְמִינָא אוֹרַיְיתָא, גְּנִיזָא דִּגְנִיזַיָּא, לְאִתְמַסְרָא בִּידוֹי, וּלְאַרְעֲשָׁא עָלְמִין דִּלְעֵילָּא וְתַתָּא עַל יְדָא דְּדֵין. בֵּיהּ שַׁעֲתָא אִתְרְגִישׁוּ כֻּלְּהוּ, וְנַטְלִין אֲבַתְרֵיהּ, פָּתְחוּ וְאָמְרוּ, הִרְכַּבְתָּ אֱנוֹשׁ לְרֹאשֵׁנוּ בָּאנוּ בָאֵשׁ וּבַמַּיִם.

רי. כְּדֵין סַלְּקָא הַהוּא רוּחָא, וְקַיְימָא קָמֵי מַלְכָּא. פְּתִיחָא, סָלִיק וְאִתְעַטַּר בְּעִטְרוֹי, וְאַעְטְרֵיהּ בִּתְלַת מְאָה וְעֶשְׂרִין וְחָמֵשׁ עִטְרִין, וְאַפְקִיד מַפְתְּחוֹי בִּידוֹי. דַּאֲבָהָתָא, אַעְטְרוּ לֵיהּ בִּתְלַת עִטְרִין קַדִּישִׁין, וְאַפְקִידוּ כָּל מַפְתְּחָן דְּמַלְכָּא בִּידֵיהּ, וְאַפְקִידוּ לֵיהּ בְּהֵימְנוּתָא, מְהֵימְנָא דְּבֵיתָא. סַלְּקָא וְאִתְעַטְּרָא בְּעִטְרוֹי, וְקַבִּילַת לֵיהּ מִן מַלְכָּא.

ריא. כְּדֵין, נָחַת הַהוּא רוּחָא בְּאַרְבִּין דְּשָׁאטָן, בְּהַהוּא יַמָּא רַבָּא, וְקַבִּילַת לֵיהּ לְגַדְּלָא לֵיהּ לְמַלְכָּא, וְהִיא יָהֲבַת לֵיהּ מִתַּמָּן זִיוִּנִין, לְאַלְקָאָה לְפַרְעֹה וּלְכָל אַרְעֵיהּ. וּבְשַׁבְּתָא וּבְרֵישֵׁי יַרְחֵי, סַלְּקַת לֵיהּ לְמַלְכָּא, כְּדֵין אַקְרֵי שְׁמֵיהּ, בְּאִלֵּין אַתְוָון רְשִׁימִין.

ריב. וּבְהַהִיא שַׁעֲתָא, דְּנָפַק לְנַחְתָּא לְאַרְעָא, בְּזַרְעָא דְּלֵוִי, אִתְתְּקָנוּ אַרְבַּע מְאָה וְעֶשְׂרִין וְחָמֵשׁ בּוֹצִינִין לְמַלְכָּא, וְאַרְבַּע מְאָה וְעֶשְׂרִין וְחָמֵשׁ גְּלִיפִין מִמָּנָן, אוֹזְפוּהָ לְהַהוּא רוּחָא לְאַתְרֵיהּ, כַּד נָפַק לְעָלְמָא, אִתְנַהֲרָא בְּאַנְפּוֹי, וּבֵיתָא אִתְמַלְיָיא מִזִּיוֵיהּ. בֵּיהּ שַׁעֲתָא, קָרָא עָלֵיהּ קֻבְּ"ה, בְּטֶרֶם אֶצָּרְךָ בַבֶּטֶן יְדַעְתִּיךָ וּבְטֶרֶם תֵּצֵא מֵרֶחֶם הִקְדַּשְׁתִּיךָ נָבִיא לַגּוֹיִם נְתַתִּיךָ.

ריג. רִבִּי יִצְחָק אָמַר, בֵּיהּ שַׁעֲתָא קָטַל קֻבְּ"ה לְרַבְרְבָא מְמָנָא דְּמִצְרָאֵי, וְחָמוּ לֵיהּ מֹשֶׁה וּבְנֵי יִשְׂרָאֵל, כְּדֵין אָמְרוּ שִׁירָה. הה"ד, וַיַּרְא יִשְׂרָאֵל אֶת מִצְרַיִם מֵת, אָז יָשִׁיר מֹשֶׁה וּבְנֵי יִשְׂרָאֵל.

ריד. אָז יָשִׁיר מֹשֶׁה וּבְנֵי יִשְׂרָאֵל וְגוֹ'. רִבִּי אַבָּא פָּתַח וְאָמַר, אִסְתַּכַּלְנָא בְּכָל תּוּשְׁבְּחָן דְּשַׁבְּחוּ לְקֻבְּ"ה, וְכוּלָּם פָּתְחוּ בְּאָז. אָז אָמַר שְׁלֹמֹה. אָז יְדַבֵּר יְהוֹשֻׁעַ, אָז יָשִׁיר יִשְׂרָאֵל. מ"ט.

רטו. אֶלָּא הָכִי תָּאנָא, כָּל נִסִּין וְכָל גְּבוּרָן דְּאִתְעֲבִידוּ לְהוּ לְיִשְׂרָאֵל, כַּד אִתְנְהִיר נְהִירוּ דְּעַתִּיקָא קַדִּישָׁא בְּעִטְרוֹי, גְּלִיפִין רְשִׁימִין בא', בא' אַנְקִיב בְּחָשׁוֹכֵי, וְנָהִיר לְכָל עִיבָר. וְכַד אִתְחַבַּר נְהִירוּ דְּאָלֶ"ף וּמָטֵי לְזַיִ"ן, מַאן זַיִ"ן, דָּא חֶרֶב לַיְיָ מָלְאָה דָם. כְּדֵין עָבֵיד נִסִּין וּגְבוּרָאן, בְּגִין דְּאִתְחַבַּר א' עִם ז'. וְדָא הוּא שִׁירָתָא. שִׁירָתָא הִיא דְּכָל

סִטְרִין, וְדָא הוּא אָז יָשִׁיר.

רטז. יָשִׁיר, שָׁר מִבָּעֵי לֵיהּ. אֶלָּא מִלָּה דָא תַּלְיָא, וְאַשְׁלִים לְהַהוּא זִמְנָא, וְאַשְׁלִים לְזִמְנָא דְּאָתֵי, דִּזְמִינִין יִשְׂרָאֵל לְשַׁבְּחָא שִׁירָתָא דָא. מֹשֶׁה וּבְנֵי יִשְׂרָאֵל, מִכָּאן אוֹלִיפְנָא, דְּצַדִּיקַיָּיא קַדְמָאֵי, אַע״ג דְּאִסְתַּלָּקוּ בְּדַרְגִּין עִלָּאִין דִּלְעֵילָּא, וְאִתְקַשְּׁרוּ בְּקִשּׁוּרָא דִּצְרוֹרָא דְּחַיֵּי, זְמִינִין כֻּלְּהוּ לְאַחֲיָיא בְּגוּפָא, וּלְמֶחֱמֵי אָתִין וּגְבוּרָן דְּקָא עָבִיד קֻבּ״ה לְיִשְׂרָאֵל. וּלְמֵימַר שִׁירָתָא דָא, הה״ד אָז יָשִׁיר מֹשֶׁה וּבְנֵי יִשְׂרָאֵל.

ריז. ר׳ שִׁמְעוֹן אָמַר מֵהָכָא, יוֹסִיף יְיָ׳ שֵׁנִית יָדוֹ לִקְנוֹת אֶת שְׁאָר עַמּוֹ. לִקְנוֹת: כד״א, יְיָ׳ קָנָנִי רֵאשִׁית דַּרְכּוֹ. אֶת שְׁאָר עַמּוֹ: אִלֵּין אִינּוּן צַדִּיקַיָּיא דִּבְהוֹן, דְּאִקְרוּן שְׁאָר, כד״א וַיִּשָּׁאֲרוּ שְׁנֵי אֲנָשִׁים בַּמַּחֲנֶה. וְתָנֵינָן, לֵית עָלְמָא מִתְקַיְּימָא אֶלָּא עַל אִינּוּן דְּעָבְדֵי גַּרְמַיְיהוּ שִׁירַיִים.

ריח. וְאִי תֵּימָא, הוֹאִיל וְאִתְקַשְּׁרוּ בִּצְרוֹרָא דְּחַיֵּי, וּמִתְעַנְּגֵי בְּעִנּוּגָא עִלָּאָה, אֲמַאי יָהִיבַת לוֹן קֻבּ״ה לְאַרְעָא. פּוּק וְאוֹלִיף מִזִּמְנָא קַדְמָאָה, דְּכָל אִינּוּן רוּחִין וְנִשְׁמָתִין, דַּהֲווֹ בְּדַרְגָּא עִלָּאָה דִּלְעֵילָּא וְקֻבּ״ה אָחִית לְהוּ לְאַרְעָא לְתַתָּא. כָּל שֶׁכֵּן הַשְׁתָּא, דְּבָעֵי קֻבּ״ה לְיַשְּׁרָא לְעַקִּימָא, כד״א כִּי אָדָם אֵין צַדִּיק בָּאָרֶץ אֲשֶׁר יַעֲשֶׂה טּוֹב וְלֹא יֶחֱטָא. וְאִי תֵימָא, אִינּוּן דְּמִיתוּ בְּעֵטְיוֹ דְּנָחָשׁ. אֲפִילוּ אִינּוּן יְקוּמוּן, וִיהוֹן מָארֵי דְּעֵיטָא, לְמַלְכָּא מְשִׁיחָא.

ריט. וְעַל דָּא תָּנֵינָן, מֹשֶׁה זַמִּין לְמֵימַר שִׁירָתָא לְזִמְנָא דְּאָתֵי. מ״ט. בְּגִין דִּכְתִּיב, כִּימֵי צֵאתְךָ מֵאֶרֶץ מִצְרָיִם אַרְאֶנּוּ נִפְלָאוֹת. אַרְאֶנּוּ, אַרְאֲךָ מִבָּעֵי לֵיהּ. אֶלָּא אַרְאֶנּוּ מַמָּשׁ, לְמַאן דְּחָמָא בְּקַדְמֵיתָא, יֶחֱמֵי לֵיהּ תִּנְיָינוּת, וְדָא הוּא אַרְאֶנּוּ, וּכְתִיב אַרְאֶנּוּ בְּיֵשַׁע אֱלֹהִים, וְאַרְאֵהוּ בִּישׁוּעָתִי. וּכְדֵין אָז יָשִׁיר מֹשֶׁה וּבְנֵי יִשְׂרָאֵל אֶת הַשִּׁירָה הַזֹּאת לַיְיָ׳.

רכ. שִׁירָתָא דְּמַטְרוֹנִיתָא לְקֻבּ״ה. תָּנֵינָן, כָּל בַּר נָשׁ דְּאָמַר שִׁירָתָא דָא בְּכָל יוֹמָא, וּמְכַוֵּון בָּהּ, זָכֵי לְמֵימְרָא לְזִמְנָא דְּאָתֵי. דְּהָא אִית בָּהּ עָלְמָא דְּעָבַר, וְאִית בָּהּ עָלְמָא דְּאָתֵי, וְאִית בָּהּ קִשְׁרֵי מְהֵימְנוּתָא, וְאִית בָּהּ יוֹמֵי דְּמַלְכָּא מְשִׁיחָא. וְתַלְיָ עָלָהּ, כָּל אִינּוּן תּוּשְׁבְּחָן אוּחֲרָנִין, דְּקָאמְרֵי עִלָּאֵי וְתַתָּאֵי.

רכא. הַשִּׁירָה שִׁיר זֶה מִבָּעֵי לֵיהּ. אֶלָּא שִׁירָתָא, דְּקָא מְשַׁבַּחַת מַטְרוֹנִיתָא לְמַלְכָּא. וּמֹשֶׁה מִתַּתָּא לְעֵילָּא קָאָמַר, וְהָא אוּקְמוּהָ. לַיְיָ׳: בְּגִין דְּאַנְהִיר לָהּ מַלְכָּא אַנְפָּהָא, ר׳ יוֹסֵי אָמַר, דְּכָל אִינּוּן מְשִׁיחִין, דַּהֲווֹ נַגְּדִין, מָשִׁיךְ מַלְכָּא קַדִּישָׁא לְקַבְּלָהּ, בְּגִינֵי כַּךְ מְשַׁבְּחָא לֵיהּ מַטְרוֹנִיתָא.

רכב. אָמַר רַבִּי יְהוּדָה, אִי הָכִי, אֲמַאי כְּתִיב מֹשֶׁה וּבְנֵי יִשְׂרָאֵל, וְהָא מַטְרוֹנִיתָא בָּעְיָא לְשַׁבְּחָא. אֶלָּא, זַכָּאָה חוּלָקְהוֹן דְּמֹשֶׁה וְיִשְׂרָאֵל, דְּאִינּוּן הֲווּ יַדְעִין לְשַׁבְּחָא לְמַלְכָּא, בְּגִין מַטְרוֹנִיתָא כַּדְּקָא יָאוּת, בְּגִין דְּכָל הַהוּא חֵילָא וּגְבוּרָה דִּילָהּ, יַרְתָא מִן מַלְכָּא.

רכג. ר׳ חִיָּיא פָּתַח וְאָמַר, קוּמִי רוֹנִּי בַלַּיְלָה לְרֹאשׁ אַשְׁמוּרוֹת. קוּמִי רוֹנִּי: דָּא כְּנֶסֶת יִשְׂרָאֵל. בַּלַּיְלָה: בְּגָלוּתָא. ר׳ יוֹסֵי אָמַר, בַּלַּיְלָה: בְּזִמְנָא דְּהִיא שַׁלְטָא וּמִתְעָרָא, לְרֹאשׁ אַשְׁמוּרוֹת, בְּרֹאשׁ מִבָּעֵי לֵיהּ. אֶלָּא לְרֹאשׁ, כְּמָה דִּכְתִּיב, עַל רֹאשׁ הַמִּטָּה. וְאוּקִימְנָא, רֹאשׁ הַמִּטָּה, דָּא יְסוֹד. אוּף הָכָא לְרֹאשׁ, דָּא יְסוֹד, דְּמַטְרוֹנִיתָא מִתְבָּרְכָא בֵּיהּ. רֹאשׁ אַשְׁמוּרוֹת: דָּא הוּא רֵישָׁא, דְּנֶצַח וְהוֹד.

רכד. ר׳ יוֹסֵי אָמַר, דָּא הוּא רֵישָׁא דְּכִתְרֵי מַלְכָּא וְסִיּוּמָא. רִבִּי אַבָּא אָמַר, לְרֹאשׁ אַשְׁמֻרוֹת כְּתִיב וָחֵסֵר, וְדָא הוּא רֵישָׁא, רֹאשׁ הַמִּטָּה. וְכֹלָּא בְּמַלְכָּא קַדִּישָׁא עִלָּאָה אִתְּמַר, וְדָא הוּא לַיְיָ׳.

רכה. רִבִּי יֵיסָא אָמַר, הַשִּׁירָה הַזֹּאת לַיְיָ׳, דָּא הוּא נַהֲרָא דְּנָפִיק מֵעֵדֶן, דְּכָל מְשִׁיחָא וּרְבוּ נָפִיק מִנֵּיהּ, לְאַדְלָקָא בּוֹצִינִין. וּמַשְׁמַע לְבָתַר דִּכְתִיב אָשִׁירָה לַיְיָ׳, דָּא הוּא מַלְכָּא קַדִּישָׁא עִלָּאָה, וְעַל דָּא לָא כְּתִיב אָשִׁירָה לוֹ.

רכו. וַיֹּאמְרוּ לֵאמֹר, לְדָרֵי דָּרִין, בְּגִין דְּלָא יִתְנְשֵׁי מִנַּיְיהוּ לְעָלְמִין. דְּכָל מַאן דְּזָכֵי לְהַאי שִׁירָתָא בְּהַאי עָלְמָא, זָכֵי לָהּ בְּעָלְמָא דְּאָתֵי, וְזָכֵי לְשַׁבְּחָא בָּהּ בְּיוֹמוֹי דְּמַלְכָּא מְשִׁיחָא, בְּחֶדְוָותָא דְּכ״י בְּקֻבְּ״ה. דִּכְתִיב לֵאמֹר, לֵאמֹר בְּהַהוּא זִמְנָא. לֵאמֹר בְּאַרְעָא קַדִּישָׁא, בִּזְמְנָא דְּשָׁרוּ יִשְׂרָאֵל בְּאַרְעָא. לֵאמֹר בְּגָלוּתָא. לֵאמֹר בְּפוּרְקָנָא דִּלְהוֹן דְּיִשְׂרָאֵל. לֵאמֹר לְעָלְמָא דְּאָתֵי.

רכז. אָשִׁירָה לַיְיָ׳ נָשִׁיר מִבָּעֵי לֵיהּ, מַאי אָשִׁירָה. אֶלָּא בְּגִין דַּהֲווּ מְשַׁבְּחָן תּוּשְׁבַּחְתָּא דְּמַטְרוֹנִיתָא. לַיְיָ׳: דָּא מַלְכָּא קַדִּישָׁא. כִּי גָאֹה גָּאָה: דְּסָלִיק וְאִתְעַטַּר בְּעִטְרוֹי, לְאַפָּקָא בִּרְכָאן וְחֵילִין וּגְבוּרָאן, לְאַסָּקָא בְּכֹלָּא. כִּי גָאֹה גָּאָה: גָּאָה בְּהַאי עָלְמָא, גָּאָה בְּעָלְמָא דְּאָתֵי. כִּי גָאֹה בְּהַהוּא זִמְנָא, גָּאָה, בְּגִין דְּיִתְעַטַּר בְּעִטְרוֹי בְּחֶדְוָותָא שְׁלֵימוּתָא.

רכח. סוּס וְרוֹכְבוֹ רָמָה בַיָּם, שׁוּלְטָנוּתָא דִּלְתַתָּא, וְשׁוּלְטָנוּתָא דִּלְעֵילָּא דַּאֲחִידָן בְּהוּ, אִתְמְסָרוּ בְּהַהוּא יַמָּא רַבָּא, וְשֻׁלְטָנוּתָא רַבָּא לְמֶעְבַּד בְּהוּ נוּקְמִין. וְתָנֵינָן, לָא עָבֵיד קֻבְּ״ה דִּינָא לְתַתָּא, עַד דְּיַעֲבֵיד בְּשׁוּלְטָנֵיהוֹן לְעֵילָּא, הה״ד, יִפְקוֹד יְיָ׳ עַל צְבָא הַמָּרוֹם בַּמָּרוֹם וְעַל מַלְכֵי הָאֲדָמָה עַל הָאֲדָמָה.

רכט. רָמָה בַיָּם, אָמַר ר׳ יְהוּדָה, בֵּיהּ בְּלֵילְיָא, אִתְּעַר גְּבוּרָא תַּקִּיפָא, דִּכְתִיב בֵּיהּ וַיּוֹלֶךְ יְיָ׳ אֶת הַיָּם בְּרוּחַ קָדִים עַזָּה כָּל הַלַּיְלָה. בְּהַהוּא זִמְנָא, בָּעָאת מַטְרוֹנִיתָא מִן מַלְכָּא, כָּל אִינּוּן אֹכְלוֹסִין דִּלְתַתָּא, וְכָל אִינּוּן שׁוּלְטָנִין דִּלְעֵילָּא, דְּיִתְמַסְרוּן בִּידָהָא. וְכֻלְּהוּ אִתְמְסָרוּ בִּידָהָא, לְמֶעְבַּד בְּהוּ נוּקְמִין, הה״ד סוּס וְרוֹכְבוֹ רָמָה בַיָּם. בַּיָּם סְתָם, לְעֵילָּא וְתַתָּא.

רל. עָזִּי וְזִמְרָת יָהּ. רִבִּי חִיָּיא פָּתַח וְאָמַר, אָחוֹר וָקֶדֶם צַרְתָּנִי וַתָּשֶׁת עָלַי כַּפֶּכָה. כַּמָּה אִצְטְרִיכוּ בְּנֵי נָשָׁא לְיַקָּרָא לְקֻבְּ״ה, בְּגִין דְּקוּדְשָׁא בְּ״ה כַּד בָּרָא עָלְמָא, אִסְתָּכַּל בֵּיהּ בְּאָדָם לְמֶהֱוֵי שַׁלִּיט עַל כֹּלָּא. וַהֲוָה דָּאמֵי לְעִלָּאִין וְתַתָּאִין. נָחַת לֵיהּ בִּדְמוּת יַקִּירָא, וְחָמוּ לֵיהּ בִּרְיָין, כְּדֵין אִתְכְּנָשׁוּ לְגַבֵּיהּ, וְסָגִידוּ לָקֳבְלֵיהּ, וְאֵימְתָא וּדְחִילָא נָפְלַת עֲלַיְיהוּ מִדַּחֲלְתֵיהּ, הה״ד וּמוֹרַאֲכֶם וְחִתְּכֶם יִהְיֶה עַל כָּל חַיַּת הָאָרֶץ וְעַל כָּל עוֹף הַשָּׁמָיִם.

רלא. עַיְילֵיהּ לְגִנְּתֵיהּ דְּנָטַע, לְנַטְרֵיהּ לְמֶהֱוֵי לֵיהּ חֶדוּ עַל חֶדוּ, וּלְאִשְׁתַּעְשְׁעָ בֵּיהּ. עָבֵד לֵיהּ טְרוּצְטְבוּלִין מְחַפְיָין בְּאַבְנֵי יְקָר, וּמַלְאָכִין עִלָּאִין חַדָּאן קָמֵיהּ. לְבָתַר פָּקִיד לֵיהּ עַל אִילָנָא חַד וְלָא קָאֵים בְּפִקּוּדָא דְּמָארֵיהּ.

רלב. אַשְׁכַּחְנָא בְּסִפְרָא דַּחֲנוֹךְ, דִּלְבָתַר דְּסָלִיק לֵיהּ קֻבְּ״ה, וְאַחְמֵי לֵיהּ כָּל גִּנְזַיָּיא דְּמַלְכָּא, עִלָּאֵי וְתַתָּאֵי, אַחְמֵי לֵיהּ אִילָנָא דְּחַיֵּי, וְאִילָנָא דְּאִתְפַּקַּד עֲלֵיהּ אָדָם, וְאַחְמֵי לֵיהּ דּוּכְתֵּיהּ דְּאָדָם בְּגִנְּתָא דְּעֵדֶן. וְחָמָא, דְּאִלְמָלֵי נָטִיר אָדָם פִּקּוּדָא דָּא, יָכִיל לְקַיְּימָא תְּדִירָא, וּלְמֶהֱוֵי תְּדִירָא תַּמָּן. הוּא לָא נָטַר פִּקּוּדָא דְּמָארֵיהּ, נָפַק בְּדִימוֹס וְאִתְעֲנַשׁ.

רלג. רִבִּי יִצְחָק אָמַר, אָדָם דּוּ פַּרְצוּפִין אִתְבְּרֵי, וְהָא אוֹקִימְנָא, וַיִּקַּח אַחַת

מִצַּלְעוֹתָיו, נִסְרוּ הַקּבּ"ה וְאִתְעֲבִידוּ תְּרֵין, מִמִּזְרָח וּמִמַּעֲרָב, הֲדָא הוּא דִכְתִּיב, אָחוֹר וָקֶדֶם צַרְתָּנִי. אָחוֹר דָּא מַעֲרָב, וְקֶדֶם דָּא מִזְרָח.

רלד. ר' חִיָּיא אָמַר, מַה עֲבַד קוּדְשָׁא בְּרִיךְ הוּא, תַּקִּין לְהַהוּא נוּקְבָא וְשַׁכְלִיל שְׁפִּירוּתָהּ עַל כֹּלָּא, וְעַיְילָהּ לְאָדָם, הה"ד וַיִּבֶן יְיָ' אֱלֹהִים אֶת הַצֵּלָע אֲשֶׁר לָקַח מִן הָאָדָם לְאִשָּׁה. תָּא חֲזֵי, מַה כְּתִיב לְעֵילָּא, וַיִּקַּח אַחַת מִצַּלְעוֹתָיו. מַאי אַחַת. כד"א אַחַת הִיא יוֹנָתִי תַמָּתִי אַחַת הִיא לְאִמָּהּ. מִצַּלְעוֹתָיו: מִסִּטְרוֹי. כד"א, וּלְצֶלַע הַמִּשְׁכָּן.

רלה. ר' יְהוּדָה אָמַר, קב"ה נִשְׁמְתָא עִלָּאָה יָהַב בֵּיהּ בְּאָדָם, וְכָלִיל בֵּיהּ חָכְמְתָא וְסָכְלְתָנוּ, לְמִנְדַּע כֹּלָּא. מֵאָן אֲתַר יָהַב בֵּיהּ נִשְׁמְתָא. ר' יִצְחָק אָמַר, מֵאֲתַר דִּשְׁאַר נִשְׁמְתִין קַדִּישִׁין קָא אַתְיָין.

רלו. ר' יְהוּדָה אָמַר, מֵהָכָא. דִּכְתִּיב תּוֹצֵא הָאָרֶץ נֶפֶשׁ חַיָּה. מַאן הָאָרֶץ. מֵהַהוּא אֲתַר דְּמַקְדְּשָׁא אִשְׁתְּכַח בֵּיהּ. נֶפֶשׁ חַיָּה, נֶפֶשׁ חַיָּה סְתָם, דָּא נַפְשָׁא דְאָדָם קַדְמָאָה דְּכֹלָּא.

רלז. ר' חִיָּיא אָמַר, אָדָם הֲוָה יָדַע חָכְמְתָא עִלָּאָה, יַתִּיר מִמַּלְאֲכֵי עִלָּאֵי, וַהֲוָה מִסְתַּכֵּל בְּכֹלָּא, וְיָדַע וְאִשְׁתְּמוֹדַע לְמָארֵיהּ, יַתִּיר מִכָּל שְׁאַר בְּנֵי עָלְמָא. בָּתַר דְּחָב, אִסְתִּימוּ מִנֵּיהּ מַבּוּעֵי דְּחָכְמְתָא, מַה כְּתִיב וַיְשַׁלְּחֵהוּ יְיָ' אֱלֹהִים מִגַּן עֵדֶן לַעֲבוֹד אֶת הָאֲדָמָה.

רלח. ר' אַבָּא אָמַר, אָדָם הָרִאשׁוֹן מִדְּכַר וְנוּקְבָא אִשְׁתְּכַח, הה"ד וַיֹּאמֶר אֱלֹהִים נַעֲשֶׂה אָדָם בְּצַלְמֵנוּ כִּדְמוּתֵנוּ, וְעַל דָּא, דְּכַר וְנוּקְבָא אִתְעֲבִידוּ כַּחֲדָא, וְאִתְפְּרָשׁוּ לְבָתַר. וְאִי תֵּימָא, הָא דְּאָמַר הָאֲדָמָה אֲשֶׁר לֻקַּח מִשָּׁם. הָכִי הוּא וַדַּאי, וְדָא הִיא נוּקְבָא, וְקב"ה אִשְׁתַּתַּף עִמָּהּ, וְדָא הוּא דְּכַר וְנוּקְבָא, וְכֹלָּא הוּא מִלָּה חֲדָא.

רלט. ר' יוֹסֵי אָמַר, עָזִּי וְזִמְרָת יָהּ, אִינּוּן דִּכְלִילָן דָּא בְּדָא וְלָא אִתְפָּרְשָׁאן דָּא מִן דָּא וּלְעָלְמִין אִינּוּן בַּחֲבִיבוּתָא, בִּרְעוּתָא חֲדָא, דְּמִתַּמָּן אִשְׁתְּכָחוּ מְשִׁיכָן דְּנַחֲלִין וּמַבּוּעִין לְאִסְתַּפְּקָא כֹּלָּא, וּלְבָרְכָא כֹּלָּא, לָא כְּדִיבוּ מֵימֵי מַבּוּעִין, כד"א וּכְמוֹצָא מַיִם אֲשֶׁר לֹא יְכַזְּבוּ מֵימָיו וְעַ"ד וַיְהִי לִי לִישׁוּעָה, דִּבְגִינֵי כַּךְ, מַלְכָּא קַדִּישָׁא מָשִׁיךְ וְאַחֲזֵי לְתַתָּא, וְאִתְּעַר יְמִינָא לְמֶעְבַּד נִסִּין.

רמ. זֶה אֵלִי וְאַנְוֵהוּ. דָּא צַדִּיק, דְּמִנֵּיהּ נָפְקִין בִּרְכָאן בְּזִוּוּג. וְאַנְוֵהוּ: בְּהַהוּא אֲתַר דַּחֲבִיבוּתָא אִשְׁתְּכַח בֵּיהּ, וְדָא הוּא מַקְדְּשָׁא. אֱלֹהֵי אָבִי וַאֲרוֹמְמֶנְהוּ, מֹשֶׁה קָאָמַר דָּא, לְגַבֵּי אֲתַר דְּלֵוָאֵי אַתְיָין מֵהַהוּא סִטְרָא וְעַ"ד שְׁלִימוּתָא דְּכֹלָּא הוּא בְּהַהוּא אֲתַר.

רמא. ר' יִצְחָק אָמַר, וַיְהִי לִי לִישׁוּעָה, דָּא מַלְכָּא קַדִּישָׁא, וְהָכִי הוּא. וּמְנָלָן. מִקְּרָא אַחֲרִינָא אַשְׁכְּחָנָא לֵיהּ, דִּכְתִּיב כִּי עָזִּי וְזִמְרָת יָהּ יְיָ' וַיְהִי לִי לִישׁוּעָה, מִמַּשְׁמַע דְּקָאָמַר יְיָ' וַיְהִי לִי לִישׁוּעָה, דָּא מַלְכָּא קַדִּישָׁא.

רמב. עָזִּי וְזִמְרָת יָהּ וְגוֹ', ר' חִזְקִיָּה פָּתַח וְאָמַר, בְּהַאי קְרָא דִּכְתִּיב, בְּכָל עֵת אוֹהֵב הָרֵעַ וְאָח לְצָרָה יִוָּלֵד. בְּכָל עֵת אוֹהֵב הָרֵעַ, דָּא קב"ה, דִּכְתִּיב בֵּיהּ רֵעֲךָ וְרֵעַ אָבִיךָ אַל תַּעֲזוֹב.

רמג. וְאָח לְצָרָה יִוָּלֵד, בְּשַׁעֲתָא דְּיִעִיקוּן לָךְ שַׂנְאָךְ, קב"ה מַה אָמַר, לְמַעַן אַחַי וְרֵעָי אֲדַבְּרָה נָּא שָׁלוֹם בָּךְ, דְּיִשְׂרָאֵל, אִקְרוּן אַחִים וְרֵעִים לְקב"ה. יִוָּלֵד מַהוּ, וְכִי הַשְׁתָּא יִוָּלֵד. אֶלָּא בְּשַׁעֲתָא דְּעָקְתָא יִוָּלֵד בְּעָלְמָא, אָח יְהֵא לְקַבְלָךְ, לְשֵׁזָבָא לָךְ מִכָּל אִינּוּן דְּעָקִין לָךְ.

רמד. רִבִּי יְהוּדָה אָמַר, יִוָּלֵד: דְּמַלְכָּא קַדִּישָׁא יִתְּעַר בְּהַאי עֹז, לְנַקְמָא לָךְ מֵאוּמִין, לְיַנְקָא לָךְ מֵאִימָא, בְּהַהוּא סִטְרָא, כד"א, עָזִּי וְזִמְרָת יָהּ וַיְהִי לִי לִישׁוּעָה. לְאִתְעָרָא

גְּבוּרָאן לְקָבֵל אוּמִּין עכו"ם.

רמה. ר' יֵיסָא פָּתַח וְאָמַר, כַּמָּה אִית לֵיהּ לְבַר נָשׁ לְרַחֲמָא, לֵיהּ לְקֻבְּ"ה, דְּהָא לֵית לֵיהּ פּוּלְחָנָא לְקֻבְּ"ה, אֶלָּא רְחִימוּתָא. וְכָל מַאן דְּרָחִים לֵיהּ, וְעָבֵיד פּוּלְחָנָא בִּרְחִימוּתָא, קָארֵי לֵיהּ לְקֻבְּ"ה רְחִימָא. אִי הָכִי, בְּמָאי אוֹקִימְנָא הָנֵי קְרָאֵי, רֵעֲךָ וְרֵעַ אָבִיךָ אַל תַּעֲזוֹב. וּכְתִיב הוֹקַר רַגְלְךָ מִבֵּית רֵעֶךָ.

רמו. אֶלָּא הָא אוֹקְמוּהָ חַבְרַיָּיא, הַאי קְרָא בְּעוֹלוֹת כְּתִיב. הַשְׁתָּא, רֵעֲךָ וְרֵעַ אָבִיךָ אַל תַּעֲזוֹב, לְמִפְלַח לֵיהּ, וּלְאִתְדַּבְּקָא בֵּיהּ, וּלְמֶעְבַּד פִּקּוּדוֹי. אַל תַּעֲזוֹב וַדַּאי. וְהָא דְּאִתְּמַר הוֹקַר רַגְלְךָ מִבֵּית רֵעֶךָ. כְּלוֹמַר הוֹקַר יִצְרְךָ, דְּלָא יִרְתַּח לְקָבְלָךְ, וְלָא יִשְׁלוֹט בָּךְ, וְלָא תַּעֲבֵיד הִרְהוּרָא אַחֲרָא. מִבֵּית רֵעֶךָ, מַאן בֵּית רֵעֶךָ. דָּא נִשְׁמְתָא קַדִּישָׁא, דְּאָעִיל בָּהּ רֵעֶךָ וְיָהֲבָהּ בְּגַוָּךְ.

רמז. וְעַל דָּא פּוּלְחָנָא דְּקֻבְּ"ה, לְרַחֲמָא לֵיהּ בְּכֹלָּא, כְּמָה דִּכְתִיב וְאָהַבְתָּ אֵת יְיָ' אֱלֹהֶיךָ. זֶה אֵלִי וְאַנְוֵהוּ, דְּכָל יִשְׂרָאֵל חָמוּ עַל יַמָּא, מַה דְּלָא חָמָא יְחֶזְקֵאל נְבִיאָה, וַאֲפִילּוּ אִינּוּן עוּבָּרֵי דִּבְמְעֵי אִמְּהוֹן, הֲווּ חָמָאן וּמְשַׁבְּחָן לְקֻבְּ"ה, וְכֻלְּהוּ הֲווּ אַמְרִין זֶה אֵלִי וְאַנְוֵהוּ אֱלֹהֵי אָבִי וַאֲרוֹמְמֶנְהוּ, כד"א אֱלֹהֵי אַבְרָהָם.

רמח. א"ר יוֹסֵי, אִי הָכִי אֲמַאי וַאֲרוֹמְמֶנְהוּ, דְּהָא אֱלֹהֵי אַבְרָהָם לְעֵילָּא הוּא. אָמַר לֵיהּ, אֲפִילּוּ הָכִי אִצְטְרִיךְ, וְכֹלָּא חַד מִלָּה, וַאֲרוֹמְמֶנְהוּ בְּכֹלָּא, לְאַכְלְלָא, מַאן דְּיָדַע לְיַחֲדָא שְׁמָא קַדִּישָׁא רַבָּא, דְּהָא הוּא פּוּלְחָנָא עִלָּאָה דְּקֻבְּ"ה.

רמט. ר' יְהוּדָה הֲוָה יָתִיב קַמֵּיהּ דְּר' שִׁמְעוֹן, וְהוּא קָארֵי, כְּתִיב קוֹל צוֹפַיִךְ נָשְׂאוּ קוֹל יַחְדָּיו יְרַנֵּנוּ. קוֹל צוֹפַיִךְ, מַאן אִינּוּן צוֹפַיִךְ. אֶלָּא אִלֵּין אִינּוּן דִּמְצַפָּאן, אֵימָתַי יְרַחֵם קֻבְּ"ה, לְמִבְנֵי בֵּיתֵיהּ. נָשְׂאוּ קוֹל, יִשְׂאוּ קוֹל מִבָּעֵי לֵיהּ, מַאי נָשְׂאוּ קוֹל. אֶלָּא, כָּל בַּר נָשׁ דְּבָכֵי, וְאָרִים קָלֵיהּ עַל חָרְבַּן בֵּיתֵיהּ דְּקֻבְּ"ה, זָכֵי לְמָה דִּכְתִיב לְבָתַר יַחְדָּיו יְרַנֵּנוּ. וְזָכֵי לְמֶחֱמֵי לֵיהּ בְּיִשּׁוּבָא בְּחֶדְוָותָא.

רנ. בְּשׁוּב יְיָ' צִיּוֹן, בְּשׁוּב יְיָ' אֶל צִיּוֹן מִבָּעֵי לֵיהּ, מַאי בְּשׁוּב יְיָ' צִיּוֹן אֶלָּא בְּשׁוּב יְיָ' צִיּוֹן וַדַּאי. תָּא חֲזֵי, בְּשַׁעֲתָא דְּאִתְחֲרִיב יְרוּשְׁלֵם לְתַתָּא, וּכְנֶסֶת יִשְׂרָאֵל אִתְתָּרְכַת, סָלִיק מַלְכָּא קַדִּישָׁא לְצִיּוֹן, וְאַנְגִּיד לֵיהּ לְקָבְלֵיהּ, בְּגִין דִּכְנֶסֶת יִשְׂרָאֵל אִתְתָּרְכַת. וְכַד תִּתְהַדַּר כְּנֶסֶת יִשְׂרָאֵל לְאַתְרָהּ, כְּדֵין יְתוּב מַלְכָּא קַדִּישָׁא לְצִיּוֹן לְאַתְרֵיהּ, לְאִזְדַּוְּוגָא חַד בְּחַד, וְדָא הוּא בְּשׁוּב יְיָ' צִיּוֹן. וּכְדֵין זְמִינִין יִשְׂרָאֵל לְמֵימַר, זֶה אֵלִי וְאַנְוֵהוּ. וּכְתִיב, זֶה יְיָ' קִוִּינוּ לוֹ נָגִילָה וְנִשְׂמְחָה בִּישׁוּעָתוֹ, בִּישׁוּעָתוֹ וַדַּאי.

רנא. יְיָ' אִישׁ מִלְחָמָה יְיָ' שְׁמוֹ. רִבִּי אַבָּא פָּתַח עַל כֵּן יֵאָמַר בְּסֵפֶר מִלְחֲמוֹת יְיָ' אֶת וָהֵב בְּסוּפָה וְאֶת הַנְּחָלִים אַרְנוֹן. כַּמָּה אִית לָן לְאִסְתַּכְּלָא בְּפִתְגָּמֵי אוֹרַיְיתָא, כַּמָּה אִית לָן לְעַיְּינָא בְּכָל מִלָּהָא, דְּלֵית לָךְ מִלָּה בְּאוֹרַיְיתָא, דְּלָא אִתְרְמִיזָא בִּשְׁמָא קַדִּישָׁא עִלָּאָה, וְלֵית לָךְ מִלָּה בְּאוֹרַיְיתָא, דְּלֵית בָּהּ כַּמָּה רָזִין, כַּמָּה טַעֲמִין, כַּמָּה שָׁרָשִׁין, כַּמָּה עֲנָפִין.

רנב. הָכָא אִית לְאִסְתַּכְּלָא, ע"כ יֵאָמַר בְּסֵפֶר מִלְחֲמוֹת יְיָ', וְכִי סֵפֶר מִלְחֲמוֹת יְיָ', אָן הוּא. אֶלָּא הָכִי אִתְּעָרוּ חַבְרַיָּיא, כָּל מַאן דְּאַגַּח קְרָבָא בְּאוֹרַיְיתָא, זָכֵי לְאַסְגָּאָה שְׁלָמָא בְּסוֹף מִלּוֹי. כָּל קְרָבִין דְּעָלְמָא, קְטָטָה וְחָרְבָּנָא. וְכָל קְרָבִין דְּאוֹרַיְיתָא, שְׁלָמָא וּרְחִימוּתָא, הה"ד עַל כֵּן יֵאָמַר בְּסֵפֶר מִלְחֲמוֹת יְיָ' אֶת וָהֵב בְּסוּפָה, כְּלוֹמַר, אַהֲבָה בְּסוֹפָהּ. דְּלֵית לָךְ אַהֲבָה וּשְׁלָמָא בַּר מֵהַאי.

רנג. תו קשיא באתריה. ע"כ יאמר בספר מלחמות יי', בתורת מלחמות יי' מבעי ליה, מאי בספר. אלא רזא עלאה הוא, אתר אית ליה לקב"ה, דאקרי ספר כד"א, דרשו מעל ספר יי' וקראו. דכל חילין וגבורן דעביד קב"ה, בההוא ספר תליין, ומתמן נפקין.

רנד. את והב בסופה, מאן והב. אלא כל אינון חילין, וכל אינון גבוראן דעביד קב"ה, בההוא ספר תליין. וכד אגח קב"ה קרבוי, בחד אתר דאיהו בסופא דדרגין, ואקרי והב. כד"א לעלוקה שתי בנות הב הב. בסופה: בסוף דרגין אשתכח. בסופה: ים סוף אתקרי, ים דאיהו סוף לכל דרגין.

רנה. ואת הנחלים ארנון ועם נחלייא דאשתכחו ואתנגידו. לגביה, מההוא אתר עלאה, דאקרי ארנון מאי ארנון. זווגא עלאה דחביבותא, דלא מתפרשאן לעלמין, כמה דאת אמר ונהר יוצא מעדן. ובדא, משתרשן שרשוי, ואתרביאו ענפוי, לאושטא קרבוי בכל אתר, לאושטא חילין וגבוראן, ולאתחזאה שולטנא רבא ויקירא דכלא.

רנו. ת"ח, כד מתערין גבוראן וקרבין דקב"ה, כמה גרדיני טהירין, מתערין לכל עיבר, כדין שננן רומחין, וסייפין, ומתערין גבוראן, וימא אתרגישת וגלגלוי סלקין ונחתין, וארבין דאזלין ושאטן בימא, לכל עיבר מסתלקין. שננא קרבא באבני בלסטראות, מארי דרומחין וסייפין, כדין חציך שנונים וקב"ה אתתקיף בחילוי, ולאתערא קרבא. ווי לאינון דמלכא קדישא יתער עלייהו קרבא. כדין כתיב, יי' איש מלחמה.

רנז. ומהכא, ומאינון אתוון, ומהאי קרא, נפקין טורי קרבא לאינון חייביא, לאילין מארי דבבו דחבו לקב"ה. ואתוון אתגליין לאינון מארי קשוט, והא אתפרשן מלין והא אתמר.

רנח. יי' איש מלחמה יי' שמו. כיון דכתיב יי' איש מלחמה, לא ידענא דיי' שמו. אלא, כמה דכתיב ויי' המטיר על סדום ועל עמורה גפרית ואש מאת יי' מן השמים. וכלא בהאי ספר תליין, כד"א יגלו שמים עונו וארץ מתקוממה לו.

רנט. תא חזי, בשעתא דקב"ה אתער קרבא בעלמא, עלאי ותתאי אתעקרו מאתרייהו, כמה דאוקימנא הה"ד מרכבות פרעה וחילו ירה בים. ולזמנא דאתי, זמין קב"ה לאגחא קרבא עלאה ותקיפא בעממיא, בגין לאוקרא שמיה, הה"ד ויצא יי' ונלחם בגוים ההם כיום הלחמו ביום קרב וכתיב והתגדלתי והתקדשתי ונודעתי וגו'.

רס. ר' יהודה פתח ואמר, ראוך מים אלהים ראוך מים יחילו וגו', בשעתא דעברו ישראל ית ימא, אמר קב"ה למלאכא די ממנא על ימא, פליג מימך. א"ל למה. א"ל בגין דבני יעברון בגווך. אמר ליה, פורקנא דקיטנא קשוט. מ"ש אלין מאלין.

רסא. א"ל על, תנאי דא, עבדית לימא כד בראתי עלמא. מה עביד קב"ה, אתער גבורתא דיליה, ואתקמטו מיא. הה"ד ראוך מים אלהים ראוך מים יחילו. א"ל קב"ה, קטול כל אינון אכלוסין, לבתר ארמי לון לבר. לבתר חפי ימא עלייהו, הה"ד מרכבות פרעה וחילו ירה בים.

רסב. אמר רבי אלעזר, פוק וחמי כמה רתיכין עבד קב"ה לעילא, כמה אכלוסין, כמה חיילין, וכלהו קשירין אלין באלין. כלהו רתיכין אלין לאלין, דרגין על דרגין, ומסטרא דשמאלא מתערין רתיכין דלא קדישין שליטין. וכלהו דרגין ידיען לעילא.

רסג. והא אתערנא בבכור פרעה, דהוא דרגא חד, דקטל קב"ה ותבר ליה

מִשׁוּלְשְׁלֵיהּ תַּקִּיפָא, תְּוָות שׁוּלְטָנֵיהּ,כַּמָּה רְתִיכִין וְכַמָּה וַזַיְלִין דְּקוּזְמִיטִין מִסְּטַר שְׂמָאלָא, מִנַּהוֹן אֲוִידָן בַּאֲתַר עִלָּאָה דְּשׁוּלְטָנוּתָא דִּלְהוֹן, וּמִנְּהוֹן אֲוִידָן בְּמַלְכוּתָא דִּלְעֵילָּא. מִנְּהוֹן אֲוִידָן בָּתַר אַרְבַּע וְזֵיוָן, כְּמָה דְּאִתְּמַר.

רסד. וְכֻלְּהוּ אִתְמְסָרוּ בִּידֵיהּ, בְּדִינָא דְּמַלְכוּתָא, דְּאִקְרֵי יַמָּא רַבָּא, לְתַבְרָא לוֹן מִדַּרְגַּיְיהוֹן, וְכַד אִינּוּן אִתְּבָרוּ לְעֵילָּא, כָּל אִינּוּן דִּלְתַתָּא אִתְּבָרוּ, וְאִתְאֲבִידוּ בְּיַמָּא תַּתָּאָה. הה״ד, מַרְכְּבוֹת פַּרְעֹה וְוֵזֵילוֹ יָרָה בַיָּם. בַּיָּם סְתָם.

רסה. וּמִבְחַר שָׁלִשָׁיו טֻבְּעוּ בְיַם סוּף. וּמִבְחַר שָׁלִשָׁיו, הָא אִתְּמַר, וְשָׁלִשִׁים עַל כֻּלּוֹ, כֻּלְּהוּ דַּרְגִּין תְּרֵין וְזַד. אִלֵּין עַל אִלֵּין. כְּגַוְונָא עִלָּאָה הָכִי אִתְעֲבִידוּ. וְכֻלְּהוּ אִתְמְסָרוּ בִּידָהָא, לְאִתְּבָרָא מִשּׁוּלְטָנֵיהוֹן, אִלֵּין וְאִלֵּין.

רסו. ת״וז, הָא אִתְּמַר דְּכֻלְּהוּ עֶשֶׂר מָוָאן דַּעֲבַד קב״ה בְּמִצְרַיִם, כֹּלָּא הֲוָה יְדָא וְזֲדָא, דִּשְׂמָאלָא אַכְלִיל בִּימִינָא. דְּעֶשֶׂר אֶצְבְּעָן כְּלִילָן דָּא בְּדָא, לָקֳבֵל עֶשֶׂר אֲמִירָן, דְּקב״ה אִתְקְרֵי בְּהוּ לְבָתַר. לָקֳבְלֵיהּ דְּכֹלָּא הַאי דְּיַמָּא, תַּקִּיף וְרַב וְשַׁלִּיטָא. כד״א, וְהָאַוְזרוֹן הִכְבִּיד. הה״ד מַרְכְּבוֹת פַּרְעֹה וְוֵזֵילוֹ יָרָה בַיָּם וְגוֹ׳. וּלְזִמְנָא דְּאָתֵי, זַמִּין קב״ה לְקַטְּלָא אַכְלוּסִין וְקוּזְתוּרְנָטִין וְקוּנְטִירִיסִין וְקָלַטִירוּלְסִין דֶּאֱדוֹם הה״ד מִי זֶה בָּא מֵאֱדוֹם וְזֲמוּץ בְּגָדִים מִבָּצְרָה.

רסז. מַרְכְּבוֹת פַּרְעֹה וְוֵזֵילוֹ יָרָה בַיָּם. רִבִּי יִצְוְזָק פָּתַוז, לְקוֹל תִּתּוֹ הֲמוֹן מַיִם בַּשָּׁמַיִם וַיַּעֲלֶה נְשִׂיאִים מִקְצֵה הָאָרֶץ בְּרָקִים לַמָּטָר עָשָׂה וַיּוֹצֵא רוּוַז מֵאוֹצְרוֹתָיו. הָא תָּנֵינָן, שִׁבְעָה רְקִיעִין עָבֵד קב״ה, וּבְכָל רְקִיעָא וּרְקִיעָא כֹּכָבִין קְבִיעִין, וְרַהֲטִין בְּכָל רְקִיעָא וּרְקִיעָא, וּלְעֵילָּא מִכֻּלְּהוּ עֲרָבוֹת.

רסוז. וְכָל רְקִיעָא וּרְקִיעָא בְּהִלּוּכוֹ מָאתַן שְׁנִין, וְרוּמֵיהּ וְזֲמֵשׁ מְאָה שְׁנִין. וּבֵין רְקִיעָא וּרְקִיעָא, וְזֲמֵשׁ מְאָה שְׁנִין. וְהַאי עֲרָבוֹת הִלּוּכוֹ בְּאוּרְכֵיהּ, אֶלֶף וַוֲזֵמֵשׁ מֵאָה שְׁנִין. וּפוּתְיֵהּ, אֶלֶף וַוֲזֵמֵשׁ מֵאָה שְׁנִין, וּמִזִּיוָא דִּילֵיהּ, נָהֲרִין כָּל אִינּוּן רְקִיעִין.

רסט. וְהָא תָּנֵינָן, לְעֵילָּא מֵעֲרָבוֹת, רָקִיעַ דְּוַזַיּוֹת. פַּרְסוֹת דְּוַזַיּוֹת קַדִּישִׁין וְרוּמְהוֹן, כְּכֻלְּהוּ. לְעֵילָּא מִנְּהוֹן קַרְסוּלַיִן דְּוַזַיּוֹת כְּכֻלְּהוּ. שׁוֹקֵי הַוַזַיּוֹת, כְּכֻלְּהוּ. אַרְכּוּבִין דְּוַזַיּוֹת, כְּכֻלְּהוּ. יַרְכִין דְּוַזַיּוֹת, כְּכֻלְּהוּ. עַגְּבֵי דְּוַזַיּוֹת, כְּכֻלְּהוּ. וְגוּפָא דְּוַזַיּוֹת כְּכֻלְּהוּ. גַּדְפַּיְיהוּ, כְּכֻלְּהוּ. וְצַוָּארַיְהוּ, כְּכֻלְּהוּ. רָאשֵׁי הַוַזַיּוֹת, כְּכֻלְּהוּ. מַאי כְּכֻלְּהוּ. כְּקָבְלֵי כֻּלְּהוּ.

רע. וְכָל שַׁיְיפָא וְשַׁיְיפָא דְּוַזַיּוֹת, לָקֳבֵל שִׁבְעָה תְּהוֹמִין, וְלָקֳבֵל שִׁבְעָה הֵיכָלִין וְלָקֳבֵל מֵאַרְעָא לִרְקִיעָ. וְלָקֳבֵל מֵרְקִיעַ לִרְקִיעַ, וְשִׁיעוּרָא דְּכֻלְּהוּ וְרוּמְהוֹן עֶשְׂרִין וַוֲזַמְשָׁה אַלְפִין וְזוּלְקִין, מִשִּׁיעוּרָא דְּקב״ה, כְּמָה דְּאוּקִימְנָא.

רעא. וְעוֹד רְקִיעָא וַזַד לְעֵילָּא, מִן קַרְנֵי הַוַזַיּוֹת, דִּכְתִיב וּדְמוּת עַל רָאשֵׁי הַוַזַיָּה רָקִיעַ. מִלְּרַע כַּמָּה רְתִיכִין, בִּימִינָא וּשְׂמָאלָא.

רעב. מִתְּוָזוֹת יַמָּא שָׁרָאן כֻּלְּהוּ נוּנֵי יַמָּא, וְשָׁטָאן, אִתְכַּנְּפוּ בְּזוּוַיְהוֹן אַרְבַּע, נַוְזתִּין בְּדַרְגַּיְיהוּ, וְכֻלְּהוּ רְתִיכִין אִקְרוּן בִּשְׁמָהָן. מִתְּוָזוֹת אִלֵּין, אַזְלִין וְשָׁאטִין אִינּוּן זְעִירִין, דַּרְגִּין עַל דַּרְגִּין, דִּכְתִיב זֶה הַיָּם גָּדוֹל וּרְוַזַב יָדַיִם שָׁם רֶמֶשׂ וְאֵין מִסְפָּר וַזַיּוֹת קְטַנּוֹת עִם גְּדוֹלוֹת. וְהָא אוּקִימְנָא מִלֵּי.

רעג. מִסְּטַר שְׂמָאלָא תַּתָּאָה, קוּזְמִיטָא סִטְרָא אַוְזֲרָא וַאֲוִידָן מֵאִינּוּן דִּלְעֵילָּא, וְנַוְזתּוּ לְאִתְּבָרָא מֵוזֵילָא תַּקִּיפָא קַדִּישָׁא. כְּמָה דְּאוּקִימְנָא, מַרְכְּבֹת פַּרְעֹה וְוֵזֵילוֹ וְגוֹ׳.

רעד. יְמִינְךָ יְיָ׳ נֶאְדָּרִי בַּכֹּוַז. אָמַר ר״ש, בְּשַׁעֲתָא דְּצַפְרָא נָהִיר, וְאַיַּלְתָּא קַיְימָא בְּקִיּוּמָהּ,

אִתְעֲבָרַת בְּסִטְרָהָא, וְעָאלַת בִּמְאתָן הֵיכָלִין דְּמַלְכָּא. בַּר נָשׁ דְּאִשְׁתַּדַּל בְּפַלְגוֹת לֵילְיָא
בְּאוֹרַיְיתָא, בְּשַׁעֲתָא דְּאִתְּעַר רוּחָא דְּצָפוֹן, וְתִיאוּבְתָּא דְּאַיַּילְתָּא דָא לְאִתְּעֲרָא בְּעָלְמָא, אָתֵי
עִמָּהּ לְקַיְימָא קֳדָם מַלְכָּא, בְּשַׁעֲתָא דְּנָהִיר צַפְרָא מַשְׁכִין עֲלֵיהּ חַד חוּטָא דְּחֶסֶד.

רעו. מִסְתַּכַּל בִּרְקִיעָא, שַׁרְיָא עֲלֵיהּ נְהִירוּ דְּסָכְלְתָנוּ דְּדַעְתָּא קַדִּישָׁא, וּמִתְעַטֵּר
בֵּיהּ בַּר נָשׁ, וְדָחֲלִין מִנֵּיהּ כֹּלָּא. כְּדֵין הַאי בַּר נָשׁ אִקְרֵי בְּרָא לְקֻבָּ"ה, בַּר הֵיכָלָא
דְּמַלְכָּא. עָאל בְּכָל תַּרְעוֹי, לֵית דִּימְחֵי בִּידֵיהּ.

רעו. בְּשַׁעֲתָא דְּאִקְרֵי לְהֵיכָלָא דְּמַלְכָּא, עֲלֵיהּ כְּתִיב, קָרוֹב יְיָ לְכָל קֹרְאָיו לְכֹל
אֲשֶׁר יִקְרָאוּהוּ בֶאֱמֶת. מַאי בֶאֱמֶת. כְּמָה דְּאוֹקִימְנָא, תָּהֵן אֱמֶת לְיַעֲקֹב, דְּיָדַע לְיַחֲדָא
שְׁמָא קַדִּישָׁא בִּצְלוֹתֵיהּ כַּדְקָא יָאוּת. וְדָא פּוּלְחָנָא דְּמַלְכָּא קַדִּישָׁא.

רעז. וּמַאן דְּיָדַע לְיַחֲדָא שְׁמָא קַדִּישָׁא כַּדְקָא יָאוּת, אוֹקִים אוּמָא יְחִידָא בְּעָלְמָא,
דִּכְתִיב וּמִי כְעַמְּךָ יִשְׂרָאֵל גּוֹי אֶחָד בָּאָרֶץ. וְעַל דָּא אוֹקִימְנָא, כָּל כֹּהֵן דְּלָא יָדַע
לְיַחֲדָא שְׁמָא קַדִּישָׁא כַּדְקָא יָאוּת, לָאו פּוּלְחָנֵיהּ פּוּלְחָנָא. דְּהָא כֹּלָּא בֵּיהּ תַּלְיָא,
פּוּלְחָנָא עִלָּאָה, וּפוּלְחָנָא תַּתָּאָה. וּבָעֵי לְכַוְּונָא לִבָּא וּרְעוּתָא, בְּגִין דְּיִתְבָּרְכוּן עִלָּאֵי
וְתַתָּאֵי.

רעח. כְּתִיב כִּי תָבֹאוּ לֵרָאוֹת פָּנָי. כָּל בַּר נָשׁ דְּאָתֵי לְיַחֲדָא שְׁמָא קַדִּישָׁא, וְלָא
אִתְכַּוַּון בֵּיהּ בְּלִבָּא וּרְעוּתָא וּדְחִילוּ, בְּגִין דְּיִתְבָּרְכוּן בֵּיהּ עִלָּאֵי וְתַתָּאֵי, רַמְאָן לֵיהּ
צְלוֹתֵיהּ לְבַר, וְכֹלָּא מַכְרִיזֵי עֲלֵיהּ לְבִישׁ. וְקֻבָּ"ה קָרֵי עֲלֵיהּ כִּי תָבֹאוּ לֵרָאוֹת פָּנָי.

רעט. כִּי תָבֹאוּ לֵרָאוֹת מִבָּעֵי לֵיהּ, מַאי לֵרָאוֹת פָּנָי. אֶלָּא כָּל אִנּוּן אַנְפִּין דְּמַלְכָּא,
טְמִירִין בְּעִמְקָא לְבָתַר וְשׁוּכָא וְכָל אִנּוּן דְּיַדְעִין לְיַחֲדָא שְׁמָא קַדִּישָׁא כַּדְקָא יָאוּת
מִתְבַּקְעִין כָּל אִנּוּן כּוּתְלֵי וְשׁוּכָא, וְאַנְפִּין דְּמַלְכָּא אִתְחַזְיָין, וְנָהֲרִין לְכֹלָּא. וְכַד אִנּוּן
אִתְחַזְיָין וְנָהֲרִין, מִתְבָּרְכִין כֹּלָּא עִלָּאִין וְתַתָּאִין. כְּדֵין בִּרְכָאן אִשְׁתַּכְּחוּ בְּכֻלְּהוּ עָלְמִין,
וּכְדֵין כְּתִיב לֵרָאוֹת פָּנָי.

רפ. מִי בִקֵּשׁ זֹאת מִיֶּדְכֶם, מַאי קָא בַּמַיְירֵי. אֶלָּא מַאן דְּאָתֵי לְיַחֲדָא שְׁמָא קַדִּישָׁא
עִלָּאָה, בָּעֵי לְיַחֲדָא מִסִּטְרָא דְּזֹאת. כְּמָה דִכְתִיב בְּזֹאת יָבֹא אַהֲרֹן אֶל הַקֹּדֶשׁ. בְּגִין
דִּיְיַחֵדוּן כַּחֲדָא, אִנּוּן תְּרֵין: צַדִּיק וְצֶדֶק, בְּזִוּוּגָא חֲדָא. בְּגִין דְּיִתְבָּרְכוּן כֹּלָּא מִנַּיְיהוּ
וְאִלֵּין אִקְרוּן וַצֵּרֶךָ, כְּמָה דִכְתִיב, אֲשֶׁר תַּבוֹר וּתְקָרֵב יִשְׁכֹּן וַצֵּרֶךָ.

רפא. וְאִי אִיהוּ אָתֵי לְיַחֲדָא שְׁמָא קַדִּישָׁא, וְלָא יִתְכַּוֵּון בֵּיהּ בִּרְעוּתָא דְּלִבָּא,
בִּדְחִילוּ וּרְחִימוּ. קֻבָּ"ה אָמַר, מִי בִקֵּשׁ זֹאת מִיֶּדְכֶם רְמֹס חֲצֵרָי. זֹאת וַדַּאי, דְּהָא לָא
אִשְׁתַּכְּחוּ בְּהוּ בִּרְכָאן. וְלָא דִּי דְּלָא אִשְׁתַּכְּחוּ בְּהוּ בִּרְכָאן, אֶלָּא דְּשַׁרְיָא בְּהוּ דִּינָא
וְאִשְׁתַּכְּחוּ דִּינָא בְּכֹלָּא.

רפב. ת"ח, יְמִינָא דְּקֻבָּ"ה, מִנֵּיהּ מִתְעָרִין כָּל בִּרְכָאן, וְכָל חֵדוּ. בֵּיהּ כָּלִיל
שְׂמָאלָא כְּמָה דְּאִית בְּבַר נָשׁ יְמִינָא וּשְׂמָאלָא, וּשְׂמָאלָא אִתְכְּלִיל בִּימִינָא, וִימִינָא הוּא
כָּלִיל כֹּלָּא. וְכַד אִתְּעַר יְמִינָא שְׂמָאלָא אִתְּעַר עִמֵּיהּ, דְּהָא בֵּיהּ אָחִיד וְאִתְכְּלִיל.

רפג. וְת"ח, בְּשַׁעֲתָא דְּאָרִים בַּר נָשׁ יְדֵיהּ בִּצְלוֹתָא, מְכַוֵּון בְּאֶצְבְּעָן דִּילֵיהּ לְעֵילָּא.
כְּמָה דִכְתִיב וְהָיָה כַּאֲשֶׁר יָרִים מֹשֶׁה יָדוֹ וְגָבַר יִשְׂרָאֵל. דְּהָא בִּימִינָא תַּלְיָא כֹּלָּא.
וּכְתִיב וַיִּשָּׂא אַהֲרֹן אֶת יָדָו, וּכְתִיב חֶסֶר. וּכְדֵין אִתְכַּוֵּון לְבִרְכָה לְעֵילָּא.

רפד. וְקֻבָּ"ה לָאו הָכִי, בְּשַׁעֲתָא דְּאָרִים יְמִינָא לְעֵילָּא, וַוי לְהוּ לְתַתָּאֵי, דְּהָא כָּל
סַיְיעָתָא וְכָל בִּרְכָאן אִסְתַּלִּיקוּ מִנַּיְיהוּ. מְנָלָן. דִּכְתִיב נָטִיתָ יְמִינְךָ תִּבְלָעֵמוֹ אָרֶץ. מַאי נָטִיתָ

יְמִינְךָ. כְּתַרְגּוּמוֹ, אֲרֵימַת יְמִינָךְ. מִיָּד תִּבְלָעֵמוֹ אָרֶץ. וְכַד יְמִינָא אִשְׁתְּכַח, שְׂמָאלָא אִשְׁתְּכַח עִמֵּיהּ, וּכְדֵין לָא שַׁלְטִין דִּינִין בְּעָלְמָא, מ״ט, בְּגִין דִּימִינָא אִשְׁתְּכַח עִמֵּיהּ. וְאִי יְמִינָא אִסְתַּלָּקַת, הָא שְׂמָאלָא אִזְדַּמְּנַת, כְּדֵין דִּינִין מִתְעָרִין בְּעָלְמָא, וְדִינָא שַׁרְיָא בְּכֹלָּא.

רפה. ר״ש כַּד הֲוָה מָטֵי לְהַאי קְרָא, הֲוָה בָּכֵי, דִּכְתִּיב הֵשִׁיב אָחוֹר יְמִינוֹ. וְכִי אֶפְשָׁר דְּהֵשִׁיב אָחוֹר יְמִינוֹ. אֶלָּא בְּגִין דְּאַקְדִּים שְׂמָאלָא לְנַחְתָּא בְּעָלְמָא, וִימִינָא אִשְׁתָּאֲרַת בַּאֲתַר אַחֲרָא.

רפו. אר״ש, כְּתִיב הַצַּדִּיק אָבָד. וְהָא אוֹקִימְנָא מִלֵּי, הַצַּדִּיק נֶאֱבַד לָא כְּתִיב, אֶלָּא הַצַּדִּיק אָבָד. מִכָּל אִינּוּן אַנְפֵּי מַלְכָּא, לָא אִשְׁתְּכַח דְּאָבַד, אֶלָּא צַדִּיק. אָבַד בִּתְרֵי סִטְרֵי: חַד, דְּלָא שָׁרָאן בֵּיהּ בִּרְכָאן, כַּד בְּקַדְמֵיתָא. וְחַד, דְּאִתְרְחִיקַת מִנֵּיהּ בַּת זוּגֵיהּ דְּהִיא כ״י. אִשְׁתְּכַח, דְּצַדִּיק אָבַד יַתִּיר מִכֹּלָּא. וּלְזִמְנָא דְּאָתֵי כְּתִיב, גִּילִי מְאֹד בַּת צִיּוֹן הָרִיעִי בַּת יְרוּשָׁלַםִ הִנֵּה מַלְכֵּךְ יָבֹא לָךְ צַדִּיק וְנוֹשָׁע הוּא. צַדִּיק וּמוֹשִׁיעַ לָא כְּתִיב, אֶלָּא צַדִּיק וְנוֹשָׁע הוּא. הוּא נוֹשָׁע וַדַּאי. וְהָא אִתְּמַר.

רפז. יְמִינְךָ יְיָ׳ נֶאְדָּרִי בַּכֹּחַ. מַאי נֶאְדָּרִי, נֶאְדָּר מִבָּעֵי לֵיהּ. אֶלָּא, בְּשַׁעֲתָא דִּשְׂמָאלָא אַתְיָא לְאִזְדַּוְּוגָא בִּימִינָא, כְּדֵין כְּתִיב נֶאְדָּרִי תִּרְעַץ, וּלְעוֹלָם הָכִי הוּא בְּגִין דִּשְׂמָאלָא אִשְׁתְּכַח בִּימִינָא, וְאִתְכְּלִיל בֵּיהּ.

רפח. אָמַר רִבִּי שִׁמְעוֹן, כְּמָה דְּאוֹקִימְנָא הָכִי הוּא, דְּבַר נָשׁ אִשְׁתְּכַח דְּאִתְפְּלַג. מ״ט. בְּגִין לְקַבְּלָא עִמֵּיהּ בַּת זוּגֵיהּ, דְּיִתְעֲבִידוּ חַד גּוּפָא מַמָּשׁ. כַּד יְמִינָךְ, אִשְׁתְּכַח דְּאִתְפְּלַג. מ״ט. בְּגִין לְקַבְּלָא עִמֵּיהּ שְׂמָאלָא. וְהָכִי הוּא כֹּלָּא, חַד בְּחַד. וְעַל דָּא, בְּחַד מָנֵי וּמַסֵּי, הה״ד יְמִינְךָ יְיָ׳ תִּרְעַץ אוֹיֵב.

רפט. תָּא חֲזֵי, שִׁירָתָא דָּא אִתְּמַר, עַל הַהוּא זִמְנָא, וְעַל זִמְנָא דְּאָתֵי, בְּיוֹמֵי דְּיִתְעַר מַלְכָּא מְשִׁיחָא, דִּכְתִּיב, יְמִינְךָ יְיָ׳ תִּרְעַץ אוֹיֵב, רָעַצְתָּ לָא כְּתִיב, אֶלָּא תִּרְעַץ. מַה כְּתִיב בְּקַדְמֵיתָא, הֵשִׁיב אָחוֹר יְמִינוֹ, מִפְּנֵי אוֹיֵב, בְּהַהוּא זִמְנָא הִיא, תִּרְעַץ אוֹיֵב לְזִמְנָא דְּאָתֵי.

רצ. וְכֹלָּא הָכִי הוּא, תַּהֲרוֹס קָמֶיךָ, הָרַסְתָּ לָא כְּתִיב, אֶלָּא תַּהֲרוֹס. תְּשַׁלַּח חֲרוֹנְךָ יֹאכְלֵמוֹ כַּקַּשׁ, כֹּלָּא לְזִמְנָא דְּאָתֵי. יְמִינְךָ יְיָ׳ נֶאְדָּרִי בַּכֹּחַ, בְּזִמְנָא דָּא, בְּעָלְמָא דֵּין. יְמִינְךָ יְיָ׳ תִּרְעַץ אוֹיֵב, בְּזִמְנָא דְּמַלְכָּא מְשִׁיחָא. וּבְרוֹב גְּאוֹנְךָ תַּהֲרוֹס קָמֶיךָ, לְבִיאַת גּוֹג וּמָגוֹג. תְּשַׁלַּח חֲרוֹנְךָ יֹאכְלֵמוֹ כַּקַּשׁ, לִתְחִיַּית הַמֵּתִים. דִּכְתִּיב, וְרַבִּים מִיְּשֵׁנֵי אַדְמַת עָפָר יָקִיצוּ אֵלֶּה לְחַיֵּי עוֹלָם וְאֵלֶּה לַחֲרָפוֹת וּלְדִרְאוֹן עוֹלָם.

רצא. בְּהַהוּא זִמְנָא, אָמַר רִבִּי שִׁמְעוֹן, זַכָּאִין אִינּוּן דְּיִשְׁתַּאֲרוּן בְּעָלְמָא, וּמַאן אִינּוּן. תָּא חֲזֵי, לָא יִשְׁתְּאַר מִבְּנֵי עָלְמָא, בַּר אִינּוּן גְּזִירִין, דְּקַבִּילוּ אָת קַיָּימָא קַדִּישָׁא, וְעָאלוּ בְּקַיָּימָא קַדִּישָׁא, בְּאִינּוּן תְּרֵין חוּלָקִין, כְּמָה דְּאוֹקִימְנָא. וְהוּא נָטִיר לֵיהּ לְהַהוּא קַיָּים, וְלָא עַיְילֵיהּ בַּאֲתַר דְּלָא אִצְטְרִיךְ, אִלֵּין אִינּוּן דְּיִשְׁתַּאֲרוּן, וְיִכְתְּבוּן לְחַיֵּי עָלְמָא.

רצב. מְנָלָן. דִּכְתִּיב, וְהָיָה הַנִּשְׁאָר בְּצִיּוֹן וְהַנּוֹתָר בִּירוּשָׁלַםִ קָדוֹשׁ יֵאָמֶר לוֹ כָּל הַכָּתוּב לַחַיִּים בִּירוּשָׁלָםִ. מַשְׁמַע הַנִּשְׁאָר בְּצִיּוֹן וְהַנּוֹתָר בִּירוּשָׁלַםִ, דְּכָל מַאן דְּאִתְגְּזַר, בְּאִלֵּין תְּרֵין דַּרְגִּין עָאל. וְאִי נָטִיר לְהַהוּא קַיָּים כַּדְקָא חָזֵי, וְיִזְדְּהַר בֵּיהּ, עָלֵיהּ כְּתִיב הַנִּשְׁאָר בְּצִיּוֹן וְהַנּוֹתָר בִּירוּשָׁלַםִ. אִלֵּין יִשְׁתַּאֲרוּן בְּהַהוּא זִמְנָא, וּבְהוּ זַמִּין קֻבְּ״ה לְחַדְּתָא עָלְמָא, וּלְמֶחֱדֵי בְּהוּ. עַל הַהוּא זִמְנָא כְּתִיב, יְהִי כְבוֹד יְיָ׳ לְעוֹלָם יִשְׂמַח יְיָ׳ בְּמַעֲשָׂיו.

רצג. ר׳ חִיָּיא הֲוָה אָזִיל לְגַבֵּי רִבִּי אֶלְעָזָר, אַשְׁכְּחֵיהּ, דַּהֲוָה יָתִיב לְגַבֵּיהּ דְּרִבִּי יוֹסֵי בר״ש

בן לקונייא וחמוי. עד דזקיף רישיה, חמא ליה לרבי חייא, אמר, ביום ההוא יהיה ישראל שלישיה למצרים ולאשור ברכה בקרב הארץ אשר ברכו יי' צבאות לאמר ברוך עמי מצרים ומעשה ידי אשור ונחלתי ישראל, וכי אשור ומצרים קריבין אינון לקב"ה.

רצד. אלא, על גלותא דיסקון ממצרים ומאשור אתמר, ואי אתמר על מצרים ועל אשור, על אינון חסידין דלהון, דאהדרו בתיובתא, ואשתארון למפלח לישראל ולמלכא משיחא, דכתיב וישתחוו לו כל מלכים. וכתיב, והיו מלכים אומניך וגו'.

רצה. א"ל, מאי דכתיב, דרכיה דרכי נעם א"ל כמה טפשין בני עלמא, דלא ידעין ולא משגיחין במלוי דאורייתא, דהא מלין דאורייתא אינון ארחא למזכי בההוא נעם יי' דכתיב דרכיה דרכי נעם וכל נתיבותיה שלום. דרכי נעם ודאי. מאי נעם. כמה דכתיב לחזות בנעם יי', והא אוקמוה, בגין דאורייתא, וארחוי, מההוא נעם אתיין, ואינון ארחין פרישן ביה, ועל דא דרכיה דרכי נעם וכל נתיבותיה שלום.

רצו. א"ר חייא, תנינן, בשעתא דקב"ה יהב אורייתא לישראל, נפק נהורא מההוא נעם, ואתעטר ביה קב"ה, ומההוא נעם אבהיקו זיוון דכלהו, עלמין דכלהו רקיעין, דכלהו כתרין. על ההיא שעתא כתיב, צאינה וראינה בנות ציון במלך שלמה וגו'.

רצז. וההיא שעתא דאתבני מקדשא, אתעטר קב"ה בההוא עטרה, ויתיב בכרסייא דיליה, ואתעטר בעטרוי. ומההוא זמנא דאתחרב בי מקדשא, לא אתעטר קב"ה בעטרוי, וההוא נעם אתטמר ואתגניז.

רצח. א"ר אלעזר, בשעתא דעאל משה בגו ענגא, כמה דכתיב, ויבא משה בתוך הענן, כבר נש דהוה אזיל באתר דרווחא. איערע ביה חד מלאכא רברבא, ותאנא, קמואל שמיה. והוא ממנא על תריסר אלפין ממנן שליחן. בעא לאזדווגא ביה במשה, פתח משה פומיה, בתריסר אתוון גליפן דשמא קדישא דאוליף ליה קב"ה בסנה, ואתרחק מניה תריסר אלפין פרסין, והוה אזל משה בענגא, ועינוי מלהטן כגומרין דאשא.

רצט. עד דאיערע ביה חד מלאכא, רברבא ויקירא מן קדמאה, ותאנא הדרניא"ל שמיה, והוא עלאה על שאר מלאכין, אלף ושתין רבוא פרסין, וקליה אזיל במאתן אלף רקיעין, דמסתחרן באשא חוורא. כיון דחמא ליה משה, לא יכיל למללא. בעא למשדי גרמיה מגו ענגא.

ש. א"ל קב"ה, משה, וכי אנת הוא דאסגית מלין עמי בסנה, דבעית למנדע רזא דשמא קדישא, ולא דחלת. והשתא את דחיל מחד משמשי. כיון דשמע משה קליה דקב"ה, אתתקף. פתח פומיה, בע"ב אתוון דשמא עלאה, כיון דשמע הדרני"אל אתוון דשמא קדישא, מפומיה דמשה, אזדעזע. קריב לגביה, א"ל, זכאה חולקך משה, דאתגלי לך, מה דלא אתגלי למלאכי עלאי.

שא. והוה אזיל עמיה, עד דמטו לאשא תקיפא, דחד מלאכא די שמיה סנדלפון. ותאנא, סנדלפון עלאה הוא על שאר חברוי, חמש מאה שנין. והוא קאים בתר פרגודא דמאריה, וקשר ליה כתרין, מבעותיהון דצלותא דישראל. ובשעתא דמטי האי כתר לרישיה דמלכא קדישא, הוא מקבל צלותהון דישראל. וכלהו חיילין ואכלוסין מזדעזעין, ונהמין ואמרין, בריך יקרא דיי' מאתר בית שכינתיה.

שב. א"ל הדרניאל למשה, משה, לית אנא יכיל למהך עמך, דלא יוקיד לי אשא תקיפא דסנדלפון. ביה שעתא אזדעזע משה, עד דאתקיף ביה קב"ה במשה,

וְאוֹתְבֵיהּ קָמֵיהּ, וְאוֹלִיף לֵיהּ אוֹרַיְיתָא. וְחָפָא לֵיהּ לְמֹשֶׁה, בְּהַהוּא נְהוֹרָא וְזִיוָא דְּהַהוּא נֹעַם, וַהֲווֹ אַנְפּוֹי דְּמֹשֶׁה נְהִירִין בְּכָל אִינּוּן רְקִיעִין. וְכָל חֵילָא דִּשְׁמַיָּא הֲווֹ מִזְדַּעְזְעִין קָמֵיהּ, בְּשַׁעֲתָא דַּהֲוָה נָחִית בְּאוֹרַיְיתָא.

שג. כֵּיוָן דְּחָבוּ יִשְׂרָאֵל לְתַתָּא, נָטַל קֻדְשָׁא בְּרִיךְ הוּא מִמֹּשֶׁה אָלֶ"ף חוּלָקִין מֵהַהוּא זִיוָא. בֵּיהּ שַׁעֲתָא, בָּעוּ מַלְאָכִין עִלָּאִין, וְכָל אִינּוּן אֹכְלוּסִין, לְאוֹקְדָא לְמֹשֶׁה, בְּשַׁעֲתָא דְּא"ל קֻדְשָׁא בְּרִיךְ הוּא לֶךְ רֵד כִּי שִׁחֵת עַמְּךָ. אִזְדַּעְזַע מֹשֶׁה, וְלָא יָכִיל לְמַלְּלָא, עַד דְּאַסְגֵּי בִּצְלוֹתִין וּבָעוּתִין קָמֵי קֻדְשָׁא בְּרִיךְ הוּא.

דש. א"ל קֻדְשָׁא בְּרִיךְ הוּא, מֹשֶׁה, אַתְקִיף בְּכוּרְסְיָיא דִּילִי, עַד דְּגָעַר קֻדְשָׁא בְּרִיךְ הוּא בְּכָל אִינּוּן אֹכְלוּסִין, בְּכָל אִינּוּן חַיָּילִין, וְאַתְקִיף מֹשֶׁה בִּתְרֵין לוּחִין דְּאַבְנִין, וְאָחִית לוֹן לְתַתָּא. וְדָא הוּא דִּכְתִּיב, עִיר גִּבּוֹרִים עָלָה חָכָם וַיֹּרֶד עֹז מִבְטֶחָה. וּמֵהַהוּא זִיוָא דְּאִשְׁתְּאַר בֵּיהּ, הֲווֹ מַבְהִיקִין אַנְפּוֹי דְּמֹשֶׁה. וּמַה בְּהַאי דְּאִשְׁתְּאַר בֵּיהּ לָא הֲוֵי יַכְלִין לְאִסְתַּכְּלָא בְּאַנְפּוֹי, בְּהַהוּא דְּאִסְתַּלַּק מִינֵּיהּ עַאכ"ו.

שה. ר' חִיָּיא אָמַר, יְמִינְךָ יְיָ' נֶאְדָּרִי בַּכֹּחַ, דָּא אוֹרַיְיתָא. וע"ד, יְמִינְךָ יְיָ' תִּרְעַץ אוֹיֵב. דְּלֵית מִלָּה בְּעָלְמָא דְּיִתְבַּר חֵילֵיהוֹן דְּעַמִּין עכו"ם, בַּר בְּשַׁעֲתָא דְּיִשְׂרָאֵל מִתְעַסְקִין בְּאוֹרַיְיתָא. דְּכָל זִמְנָא דְּיִשְׂרָאֵל מִתְעַסְקִין בְּאוֹרַיְיתָא, יְמִינָא אִתְתַּקַּף, וְאִתְבַּר חֵילָא וְתוּקְפָּא דְּעַכּו"ם. וּבְגִינֵי כָּךְ אוֹרַיְיתָא אִקְרִיאַת עֹז, כד"א יְיָ' עֹז לְעַמּוֹ יִתֵּן.

שו. וּבְשַׁעֲתָא דְּיִשְׂרָאֵל לָא מִתְעַסְקִין בְּאוֹרַיְיתָא שְׂמָאלָא אִתְתַּקַּף, וְאִתְתַּקַּף חֵילֵיהוֹן דְּעַכּו"ם, וְשַׁלְטִין עֲלַיְיהוּ, וְגַזְרִין עֲלַיְיהוּ גְּזֵרִין, דְּלָא יַכְלִין לְמֵיקָם בְּהוּ. וְעַ"ד אִתְגְּלִיאוּ בְּנֵי יִשְׂרָאֵל, וְאִתְבַּדְּרוּ בֵּינֵי עַמְמַיָּא.

שז. דְּהָא הוּא דִּכְתִּיב עַל מָה אָבְדָה הָאָרֶץ וְגוֹ', וַיֹּאמֶר יְיָ' עַל עָזְבָם אֶת תּוֹרָתִי. דְּהָא כָּל זִמְנָא דְּיִשְׂרָאֵל יִשְׁתַּדְּלוּן בְּאוֹרַיְיתָא, אִתְבַּר חֵילָא וְתוּקְפָּא דְּכָל עַ"ז, הה"ד יְמִינְךָ יְיָ' תִּרְעַץ אוֹיֵב. א"ר אֶלְעָזָר, וַדַּאי הָכִי הוּא, דְּכָל זִמְנָא דְּקָלֵיהוֹן דְּיִשְׂרָאֵל, אִשְׁתְּמַע בְּבָתֵּי כְּנֵסִיּוֹת וּבְבָתֵּי מִדְרָשׁוֹת וְכוּ', כְּמָה דְּתַנְיָא הַקּוֹל קוֹל יַעֲקֹב, וְאִי לָאו הַיָּדַיִם יְדֵי עֵשָׂו, וְהָא אוֹקִימְנָא.

שח. וּבְרֹב גְּאוֹנְךָ תַּהֲרוֹס קָמֶיךָ. ר' חִזְקִיָּה פָּתַח וְאָמַר, לָמָה יְיָ' תַּעֲמוֹד בְּרָחוֹק תַּעְלִים לְעִתּוֹת בַּצָּרָה, בְּשַׁעֲתָא דְּחוֹבֵי עָלְמָא גָּרְמוּ, קֻדְשָׁא בְּרִיךְ הוּא סָלִיק לְעֵילָּא לְעֵילָּא, וּבְנֵי נָשָׁא צַוְוחִין וְנַחְתִּין דִּמְעִין, וְלֵית מַאן דְּיַשְׁגַּח עֲלַיְיהוּ. מ"ט. בְּגִין דְּאִיהוּ סָלִיק לְעֵילָּא לְעֵילָּא, וּתְשׁוּבָה אִתְמְנַע מִנַּיְיהוּ, כְּדֵין כְּתִיב, וּבְרֹב גְּאוֹנְךָ תַּהֲרוֹס קָמֶיךָ.

שט. ר' יִצְחָק אָמַר, הַאי קְרָא, בְּשַׁעֲתָא דְּאִתְלַבַּשׁ קֻדְשָׁא בְּרִיךְ הוּא גָּאוּתָא, עַל עַמְמַיָּא דְּיִתְכַּנְּשׁוּן עָלֵיהּ, כְּמָה דִּכְתִּיב, וְרוֹזְנִים נוֹסְדוּ יַחַד עַל יְיָ' וְעַל מְשִׁיחוֹ. וְתָאנָא זְמִינִין אִינּוּן שַׁבְעִין קַסְטוּרִין מִכָּל עִיבָר, לְאִתְכַּנְשָׁא בְּהַהוּא זִמְנָא בְּאוֹכְלוּסִין דְּכָל עָלְמָא, וּלְמֶעְבַּד קְרָבָא עַל יְרוּשָׁלַם קַרְתָּא קַדִּישָׁא, וּלְאַחֲדָא עֵיטִין עָלֵיהּ דְּקֻדְשָׁא בְּרִיךְ הוּא. וּמַאי אַמְרֵי, נוֹקִים עַל פַּטְרוֹנָא בְּקַדְמֵיתָא, וּלְבָתַר עַל עַמֵּיהּ, וְעַל הֵיכָלֵיהּ.

שי. כְּדֵין זַמִּין קֻדְשָׁא בְּרִיךְ הוּא לְחַיְּיכָא עֲלַיְיהוּ. דִּכְתִּיב יוֹשֵׁב בַּשָּׁמַיִם יִשְׂחָק יְיָ' יִלְעַג לָמוֹ. בְּהַהוּא זִמְנָא יִלְבַּשׁ קֻדְשָׁא בְּרִיךְ הוּא גָּאוּתָא עֲלַיְיהוּ, וִישֵׁיצִינוּן מִן עָלְמָא, כְּמָה דִּכְתִּיב וְזֹאת תִּהְיֶה הַמַּגֵּפָה אֲשֶׁר יִגֹּף יְיָ' אֶת כָּל הָעַמִּים אֲשֶׁר צָבְאוּ עַל יְרוּשָׁלַם הָמֵק בְּשָׂרוֹ וְהוּא עוֹמֵד עַל רַגְלָיו.

שיא. רִבִּי אַבָּא אָמַר מִשְּׁמֵיהּ דְּרַב יֵיסָא סָבָא, וְהָכִי אר"ש, זַמִּין קֻדְשָׁא בְּרִיךְ הוּא לְאַחֲיָיא

לכל אינון מלכין, דעקו לישראל ולירושלם, לאנדריאנוס, ללופינוס, ונבוכדנצר, ולסנחריב, ולכל שאר מלכי עמין, דחריבו ביתיה, ולשלטאה לון כקדמיתא, ויתכנשון עמהון שאר עמין, וזמין קב"ה לאתפרעא מנייהו באתגלייא, סחרני ירושלם. הה"ד, וזאת תהיה המגפה אשר יגף יי' את כל העמים אשר צבאו על ירושלם. אשר יצבאו לא כתיב, אלא אשר צבאו. כדין כתיב, וברב גאונך תהרוס קמיך, ודא לזמנא דאתא משיחא, כתיב, ושירתא דא שירתא דעלמין היא.

שיב. וברוח אפיך נערמו מים, בההוא זמנא. ובגין כך אית בההוא זמנא, ולזמנא דמלכא משיחא, ולזמנא דגוג ומגוג. נצבו כמו נד, לזמנא דעלמא דאתי, דאיהו חדוותא דכל עלמין.

שיג. אמר אויב ארדוף אשיג אחלק שלל. אמר אויב, דא ההוא ממנא רברבא על מצראי, בשעתא דאתיהיב ליה שלטנותא על ישראל, וחשיב דישיצינון תחות שלטניה. אלא דדכר קב"ה טורי עלמא, דהוו מגינין עלייהו. ולא תימא דא בלחודוי, אלא כל אינון רברבין דממנן על כל עכו"ם, וכד אתייהיב להו רשותא ושלטנותא על ישראל, כלהו בען דישיצון ישראל תחותייהו.

שיד. ועל דא, אינון עמין דתחות שולטניהון דאינון ממנן, כלהו גזרין גזרין לשיצאה לון, אלא דקב"ה דכר טורי עלמא, ואגין עלייהו. וכד חמא משה דא, שרא לשבחא לקב"ה, ואמר מי כמוכה באלים יי'.

שטו. אמר ר"ש, אילנא חד רברבא עלאה, תקיפא, ביה אתזנו עלאין ותתאין. והוא אתחם בתריסר תחומין, אתתקף בארבע סטרי עלמא, דאתחברן בדוכתייהו. שבעין ענפין סלקין בגויה, ואתזנו מניה, בעקר שרשוי יניקין אינון סחרניה, ואינון ענפין דמשתכחין באילנא.

שטז. כד מטי עדן שלטניה דכל ענפא וענפא, כלהו בען לשיצאה כלא גופא דאילנא, דאיהו עקרא דכלהו ענפין, ההוא דשליט עלייהו, וישראל אחידן ביה. כד מטא עלייהו שלטנותא דההוא גופא דאילנא, וחולקא דישראל. בעי לנטרא לון, ולמיהב שלמא בכלהו. ועל דא שבעים פרי החג, למיהב שלמא לשבעין ענפין דבגו אילנא.

שיז. ועל דא מי כמוכה באלים יי'. מאי באלים. אילנא. כד"א, כי יבושו מאילים אשר חמדתם. דהוא אילנא, דהוו פלחין לחד דפוסא, דמחקקין בגויה. ואקרי אלים אילנא מי כמוכה דיעביד כעובדך וירום על כלא. מי כמוכה בכל ההוא סחרניה דאילנא דאע"ג דאיהו שלטא, נטיר לכלא, נטיר לכל שאר, ולא בעיא למעבד עמהון גמירא. מי כמוכה נאדר בקדש, בההוא חילא עלאה דאקרי קדש. נאדר בקדש ממש, ואקרי כח יי' נעם יי', והא אוקימנא מילי.

שיח. מי כמוכה באלים יי'. ר' יוסי פתח ראיתי את כל המעשים אשר נעשו תחת השמש והנה הכל הבל ורעות רוח. שלמה מלכא, דאסתלק בחכמתא יתירא על כל בני עלמא, היך אמר דכל עובדין הבל ורעות רוח. יכול אף מעשה הצדקה, והא כתיב והיה מעשה הצדקה שלום. אלא הא אוקמוה, כל המעשים אשר נעשו תחת השמש כתיב. שאני מעשה הצדקה, דאיהו לעילא מן שמשא.

שיט. והנה הכל הבל ורעות רוח, מאי קא מיירי. אי תימא הכל הבל כמה דאוקימנא,

דְּאִיהוּ בְּרָזָא דְּחָכְמְתָא, כד"א הֲבֵל הֲבָלִים אָמַר קֹהֶלֶת, וְאִינּוּן הֲבָלִים קִיּוּמָא דְּעָלְמָא דִּלְעֵילָּא וְתַתָּא. מַאי תֵּימָא בְּהַאי, דִּכְתִיב הָכָא, הַכֹּל הֶבֶל וּרְעוּת רוּחַ.

שכ. אֶלָּא הָכִי אוּקְמוּהָ, וְהָכִי הוּא. ת"ח, בְּשַׁעֲתָא דְּעוֹבָדִין מִתְכַּשְּׁרָן לְתַתָּא, וּבַר נָשׁ אִשְׁתַּדַּל בְּפוּלְחָנָא דְּמַלְכָּא קַדִּישָׁא, הַהוּא מִלָּה דְּעָבֵיד, הֲבָל אִתְעָבֵיד מִינֵּיהּ לְעֵילָּא. וְלֵית לָךְ הֲבָל, דְּלֵית לֵיהּ קָלָא, דְּסָלִיק וְאִתְעַטָּר לְעֵילָּא, וְאִתְעָבֵיד סַנֵּיגוֹרָא קָמֵי קֻבָּ"ה.

שכא. וְכָל אִינּוּן עוֹבָדִין דְּאִשְׁתַּדַּל בְּהוּ בַּר נָשׁ, דְּלָאו אִינּוּן פּוּלְחָנָא דְּקֻבָּ"ה, הַהוּא מִלָּה דְּעָבֵיד, הֲבָל יִתְעֲבִיד מִינֵּיהּ, וְאַזְלָא וְשָׁאטַת בְּעָלְמָא. וְכַד נָפְקַת נִשְׁמָתֵיהּ דְּבַר נָשׁ, הַהוּא הֲבָל מְגַלְגְּלָא לֵיהּ בְּעָלְמָא, כְּאַבְנָא בְּקוּסְפִּיתָא, כְּמָה דִּכְתִיב, וְאֵת נֶפֶשׁ אוֹיְבֶיךָ יְקַלְּעֶנָּה בְּתוֹךְ כַּף הַקָּלַע.

שכב. מַאי יְקַלְּעֶנָּה. הַהוּא הֲבָל דִּמְגַלְגֵּל לֵיהּ סְחֲרָנֵיהּ בְּעָלְמָא, כְּדֵין כָּל מִלִּין דְּמִתְעַבְּדִין דְּלָאו אִינּוּן פּוּלְחָנָא דְּקֻבָּ"ה, הֲבָל יִתְעֲבִיד מִנַּיְיהוּ, אִיהוּ תְּבִירָא דְּרוּחָא, דְּמִתְּבַר לְרוּחָא דְּסָלִיק וְנָחִית וּמִתְגַּלְגֵּל בְּעָלְמָא, הה"ד הֶבֶל וּרְעוּת רוּחַ.

שכג. אֲבָל הַהִיא מִלָּה דְּאִיהִי פּוּלְחָנָא דְּמָרֵיהּ דָּא סָלִיק לְעֵילָּא מִן שִׁמְשָׁא, וְאִתְעָבֵיד מִנֵּיהּ הֲבָל קַדִּישָׁא, וְדָא הוּא זַרְעָא דְּזָרַע בַּר נָשׁ בְּהַהוּא עָלְמָא, וּמַה שְּׁמֵיהּ. צְדָקָה. דִּכְתִיב, זִרְעוּ לָכֶם לִצְדָקָה.

שכד. הַאי מְדַבַּר לֵיהּ לְבַר נָשׁ, כַּד תֵּיפּוּק נִשְׁמָתֵיהּ מִינֵּיהּ, וְסַלְּקָא לָהּ בְּאַתְרָא דְּכָבוֹד דִּלְעֵילָּא אִשְׁתַּכַּח לְאִתְצַרְרָא בִּצְרוֹרָא דְּחַיֵּי, הה"ד וְהָלַךְ לְפָנֶיךָ צִדְקֶךָ בְּגִין לְדַבְּרָא לָךְ, לְסַלְּקָא לָךְ, לַאֲתָר דְּאִקְרֵי כְּבוֹד יְיָ'. דִּכְתִיב, כְּבוֹד יְיָ' יַאַסְפֶךָ.

שכה. כָּל אִינּוּן נִשְׁמָתִין, דְּהַהוּא הֲבָל קַדִּישָׁא מְדַבַּר לְהוּ, הַהוּא דְּאִקְרֵי כְּבוֹד יְיָ', כָּנִישׁ לוֹן בְּגַוֵּיהּ, וְאִתְצְרִירָן בֵּיהּ. וְדָא אִקְרֵי נַיְיחָא דְּרוּחָא. אֲבָל אַחֲרָא וּרְעוּת רוּחַ אִקְרֵי. זַכָּאִין אִינּוּן צַדִּיקַיָּיא, דְּכָל עוֹבָדֵיהוֹן לְעֵילָּא מִן שִׁמְשָׁא וְזַרְעִין זַרְעָא דִּצְדָקָה, לְמִזְכֵּי לוֹן לְעָלְמָא דְּאָתֵי, וְעַל דָּא כְּתִיב וְזָרְחָה לָכֶם יִרְאֵי שְׁמִי שֶׁמֶשׁ צְדָקָה.

שכו. אָמַר רִבִּי שִׁמְעוֹן, ת"ח, בְּקַדְמֵיתָא כַּד אִתְבְּנֵי בֵּי מַקְדְּשָׁא לְתַתָּא, לָא אִתְבְּנֵי אֶלָּא בְּדִינָא וְרוּגְזָא, כְּמָה דִּכְתִיב, כִּי עַל אַפִּי וְעַל חֲמָתִי וְגוֹ' בְּגִין דְּבַאֲתָר דְּדִינָא שַׁרְיָא. לִזְמְנָא דְּאָתֵי, זַמִּין קֻבָּ"ה לְמִבְנֵי לֵיהּ, וּלְאַתְקְנָא לֵיהּ בְּדַרְגָּא אַחֲרָא עִלָּאָה דְּאִקְרֵי צְדָקָה, דִּכְתִיב בִּצְדָקָה תִּכּוֹנָנִי. בְּגִין כָּךְ אִתְקַיָּים, וּשְׁמֵיהּ מַמָּשׁ צֶדֶק יִתְקְרֵי. מְנָלָן. דִּכְתִיב וְזֶה שְּׁמוֹ אֲשֶׁר יִקְרְאוֹ יְיָ' צִדְקֵנוּ.

שכז. נָטִיתָ יְמִינְךָ תִּבְלָעֵמוֹ אָרֶץ. הָא אִתְּמַר, אֲרִימַת יְמִינָךְ. אָמַר רִבִּי יִצְחָק, הָא אִתְעָרוּ בֵּיהּ חַבְרַיָּיא, דְּכָל אַפִּיק קֻבָּ"ה לְמִצְרָאֵי מֵתִין מִתְּחוֹת מַיָּא, אָמַר לְאַרְעָא, כְּנִישׁ לוֹן בְּגַוָּוךְ, וְלָא בְּעָאת, עַד דְּאוֹשִׁיט קֻבָּ"ה יְמִינָא לְקַבְּלָהּ, וְאוֹמֵי לָהּ, כְּדֵין בְּלַעְתִּינּוּן אַרְעָא, הה"ד תִּבְלָעֵמוֹ אָרֶץ. אָמַר ר' אֶלְעָזָר, נָטִיתָ יְמִינְךָ: לְאַפְרְשָׁא לָהּ מִשְּׂמָאלָא וּכְדֵין אִתְעָבֵיד בְּהוּ דִּינָא.

שכח. נָחִיתָ בְחַסְדְּךָ עַם זוּ גָּאָלְתָּ, כְּמָה דִּכְתִיב כִּי יְמִינְךָ וּזְרוֹעֲךָ וְאוֹר פָּנֶיךָ כִּי רְצִיתָם כִּי יְמִינְךָ: דָּא גְּדוּלָּה. נֵהַלְתָּ בְעָזְּךָ דָּא דִּכְתִיב וּזְרוֹעֲךָ, דָּא גְּבוּרָה. אֶל נְוֵה קָדְשֶׁךָ, דָּא דִּכְתִיב, וְאוֹר פָּנֶיךָ כִּי רְצִיתָם, דָּא צַדִּיק. וְכֻלְּהוּ מִשְׁתַּכְּחֵי בִּקְרָא.

שכט. תִּפּוֹל עֲלֵיהֶם אֵימָתָה וָפַחַד. אֵימָתָה, אֵימָה מִבָּעֵי לֵיהּ, מַאי אֵימָתָה. דְּהָא לֵית לָךְ אָת אוֹ מִלָּה וְחַד בְּאוֹרַיְיתָא, דְּלָא אִית בָּהּ רָזִין עִלָּאִין. מַאי אֵימָתָה. אָמַר

רִבִּי שִׁמְעוֹן, כְּלוֹמַר דְּוִיזִילוּ דִּשְׁכִינְתָּא.

של. כְּהַאי גַּוְונָא, תְּבִאֵמוֹ וְתִטָּעֵמוֹ בְּהַר נַחֲלָתְךָ וְגוֹ', תְּבִאֵמוֹ וְתִטָּעֵמוֹ, תְּבִאֵם וְתִטָּעֵם מִבָּעֵי לֵיהּ, מַאי תְּבִאֵמוֹ. אֶלָּא רוּחָא דְּקוּדְשָׁא אָמַר, עַל אִינּוּן דָּרָא בַּתְרָאָה, דְּגָזַר יְהוֹשֻׁעַ, וְאִתְגַּלְיָא בְּהוּ גַּלְוָיָא דִּרְשִׁימָא קַדִּישָׁא דִּשְׁמֵיהּ דְּקֻבָּ"ה, דְּאִלֵּין אֲחִידָן בֵּיהּ בו', וְאִלֵּין אִתְחֲזִיאוּ לְמֵירַת אַרְעָא. כְּמָה דִּכְתִיב וְעַמֵּךְ כֻּלָּם צַדִּיקִים לְעוֹלָם יִירְשׁוּ אָרֶץ. דְּכָל מַאן דְּאִתְגְּזַר, וְאִתְגַּלְיָא בֵּיהּ רְשִׁימָא קַדִּישָׁא, וְנָטִיר לֵיהּ, אִקְרֵי צַדִּיק, בְּגִין כָּךְ, לְעוֹלָם יִירְשׁוּ אָרֶץ.

שלא. וְעַ"ד תְּבִאֵמוֹ, ו' יְתֵירָה, תְּבִיאֵמוֹ לְאִינּוּן דַּאֲחִידָן בו'. וְתִטָּעֵמוֹ כד"א נֵצֶר מַטָּעַי מַעֲשֵׂה יָדַי לְהִתְפָּאֵר. לְאִינּוּן דַּאֲחִידָן בו', וּלְאִינּוּן בַּתְרָאֵי, אִתְעַר מִלָּה. וְלֵית לָךְ מִלָּה בְּאוֹרַיְיתָא, אוֹ אָת זְעֵירָא בְּאוֹרַיְיתָא, דְּלֵית בָּהּ רָזִין עִלָּאִין, וְטַעֲמִין קַדִּישִׁין, זַכָּאָה חוּלָקֵהוֹן דְּיַדְעִין בְּהוּ.

רעי"א מהימנא

שלב. פִּקּוּדָא לְמִבְנֵי מַקְדְּשָׁא לְתַתָּא, כְּגַוְונָא דְּבֵי מַקְדְּשָׁא דִּלְעֵילָּא, כד"א, מָכוֹן לְשִׁבְתְּךָ פָּעַלְתָּ יְיָ'. דְּאִצְטְרִיךְ לְמִבְנֵי בֵּי מַקְדְּשָׁא לְתַתָּא, וּלְצַלָּאָה בְּגַוֵּיהּ צְלוֹתָא בְּכָל יוֹמָא, לְמִפְלַח לֵיהּ לְקֻבָּ"ה, דְּהָא צְלוֹתָא אִקְרֵי עֲבוֹדָה.

שלג. וְהַהוּא בֵּי כְּנִשְׁתָּא, אִצְטְרִיךְ לְמִבְנֵי לֵיהּ בְּשַׁפִּירוּ סַגְיָא, וּלְאַתְקָנָא לֵיהּ בְּכָל תִּקּוּנִין, דְּהָא בֵּי כְּנִשְׁתָּא דִּלְתַתָּא, קַיְּימָא לָקֳבֵל בֵּי כְּנִשְׁתָּא דִּלְעֵילָּא.

שלד. בֵּית מִקְדָּשׁ לְתַתָּא, אִיהוּ קָאִים כְּגַוְונָא דְּבֵית הַמִּקְדָּשׁ דִּלְעֵילָּא, דְּקָאִים דָּא לָקֳבֵל דָּא. וְהַהוּא בֵּי מַקְדְּשָׁא, כָּל תִּקּוּנוֹי, וְכָל פּוּלְחָנוֹי, וְכָל אִינּוּן מָאנִין, וְשַׁמָּשִׁין, כֻּלְּהוּ אִינּוּן כְּגַוְונָא דִּלְעֵילָּא. מַשְׁכְּנָא דְּקָא עָבֵד מֹשֶׁה בְּמַדְבְּרָא, כֹּלָּא הֲוָה כְּגַוְונָא דִּלְעֵילָּא.

שלה. בֵּי מַקְדְּשָׁא דְּבָנָא שְׁלֹמֹה מַלְכָּא, הוּא בֵּי נַיְיחָא כְּגַוְונָא עִלָּאָה, בְּכָל אִינּוּן תִּקּוּנִין, לְמֶהֱוֵי בְּתִקּוּנָא דִּלְעֵילָּא, בֵּי נַיְיחָא וְאַחֲסַנְתָּא. הָכִי בֵּי כְּנִשְׁתָּא, אִצְטְרִיךְ בְּכָל תִּקּוּנֵי שַׁפִּירוּ, לְמֶהֱוֵי כְּגַוְונָא עִלָּאָה, לְמֶהֱוֵי בֵּית צְלוֹתָא, לְאַתְקָנָא תִּקּוּנִין בִּצְלוֹתָא, כְּמָה דְּאוּקְמוּהָ.

שלו. וְהַהוּא בֵּי מַקְדְּשָׁא דְּלֶיהֱוֵי בֵּיהּ חַלּוֹנוֹת, דִּכְתִיב וְכַוִּין פְּתִיחָן. כְּגַוְונָא דִּלְעֵילָּא, וְעַ"ד מַשְׁגִּיחַ מִן הַחַלּוֹנוֹת מֵצִיץ מִן הַחֲרַכִּים. וְאִי תֵּימָא אֲפִילּוּ בְּחַקְלָא, בְּגִין דְּרוּחָא לֶהֱוֵי סָלִיק. לָאו הָכִי, דְּהָא אֲנָן צְרִיכִין בַּיִת וְלֵיכָּא. לְאִשְׁתַּכְּחָא בַּיִת לְתַתָּא, כְּגַוְונָא דְּבַיִת עִלָּאָה, לְנַחְתָּא דִּיוּרָא עִלָּאָה לְדִיוּרָא תַּתָּאָה.

שלז. וְתוּ דְּהַהוּא צְלוֹתָא, וְהַהוּא רוּחָא, אִצְטְרִיךְ לְסַלְּקָא, וּלְנַפְּקָא מִגּוֹ עָאקוּ, בְּאֹרַח מֵישָׁר, לָקֳבֵל יְרוּשָׁלַם. וְעַל דָּא כְּתִיב, מִן הַמֵּצַר קָרָאתִי יָהּ, דְּאִצְטְרִיךְ אֲתַר דְּחִיק בְּעָאקוּ, לְשַׁדְּרָא בְּגַוֵּיהּ הַהוּא רוּחָא, דְּלָא יִסְטֵי לִימִינָא וְלִשְׂמָאלָא. וּבְחַקְלָא לָא יָכִיל קָלָא לְשַׁדְּרָא לֵיהּ הָכִי, דְּהָא כְּגַוְונָא דָּא קָלָא דְּשׁוֹפָר, אִתְדַּחְיָיא לְבַר בְּאֹרַח מֵישָׁר, מִגּוֹ אֲתַר דְּחִיק, וְאָזִיל וּבָקַע רְקִיעִין, וְסָלִיק בִּסְלִיקוּ, לְאַתְעָרָא רוּחָא לְעֵילָּא.

שלח. וְאִי תֵּימָא, הָא כְּתִיב, וַיֵּצֵא יִצְחָק לָשׂוּחַ בַּשָּׂדֶה. שָׁאנֵי יִצְחָק, דְּמִלָּה אַחֲרָא הֲוָה בֵּיהּ, מַה דְּלָא הֲוָה בְּכָל עָלְמָא. וְתוּ דְּהַאי קְרָא לָאו לְהָכִי אָתָא, דְּוַדַּאי בַּשָּׂדֶה אַחֵר לָא הֲוָה מְצַלֵּי וְהָא אוּקִימְנָא. (ע"כ רעי"א מהימנא).

שלט. תַּנְיָא אָמַר רִבִּי אַבָּא, זַכָּאָה חוּלָקֵהוֹן, דְּאִינּוּן דְּזַכָּאן לְמֵימַר שִׁירָתָא דָּא

בְּהַאי עָלְמָא, דְּזַכָּאן לְמֵימַר לָהּ בְּעָלְמָא דְאָתֵי. וְשִׁירָתָא דָא, אִתְבְּנֵי בְּעֶשְׂרִין וּתְרֵין אַתְוָון קַדִּישִׁין גְּלִיפָן, וּבְעֶשֶׂר אֲמִירָן, וְכֹלָּא אִתְרְשִׁים בִּשְׁמָא קַדִּישָׁא, וְכֹלָּא שְׁלֵימוּתָא דִשְׁמָא קַדִּישָׁא, וְהָא אִתְעֲרָנָא מִלֵּי.

שמ. א״ר שִׁמְעוֹן, בְּהַהִיא שַׁעֲתָא דַּהֲווּ קַיְימִין יִשְׂרָאֵל עַל יַמָּא, וַהֲווּ אַמְרֵי שִׁירָתָא, אִתְגְּלֵי קֻבְּ״ה עֲלַיְיהוּ, וְכָל רְתִיכוֹי וְחֵילוֹי, בְּגִין דְּיִנְדְּעוּן לְמַלְכֵּיהוֹן, דְּעָבֵד לוֹן כָּל אִינּוּן נִסִּין וּגְבוּרָאן, וְכָל חַד וְחַד יָדַע וְאִסְתַּכַּל, מַה דְּלָא יָדְעוּ וְאִסְתַּכָּלוּ שְׁאַר נְבִיאֵי עָלְמָא.

שמא. דְּאִי תֵּימָא דְּלָא יָדְעִין וְלָא אַדְבְּקוּ חָכְמְתָא עִלָּאָה, מִן שִׁירָתָא דָא תֶּחֱמֵי, דְּכֻלְּהוּ בְּחָכְמְתָא אִסְתַּכָּלוּ, וְיָדְעוּ מִלִּין וְאָמְרוּ. דְּאִי לָאו הָכִי, אֵיךְ אָמְרוּ כֻּלְּהוּ מִלִּין אֲחִידָן, דְּלָא סָטוּ אִלֵּין מֵאִלֵּין, וּמַה דְּאָמַר דָּא, אָמַר דָּא, וְלָא אַקְדִּים מִלָּה דָא, לְמִלָּה דָא, אֶלָּא כֻּלְּהוּ בְּשִׁקּוּלָא חֲדָא, וּרְוּחָא דְּקוּדְשָׁא בְּפוּמָא דְּכָל חַד וְחַד, וּמִלִּין אִתְמָרוּ כֻּלְּהוּ כְּאִלּוּ נָפְקִין מִפּוּמָא חַד. אֶלָּא וַדַּאי כֻּלְּהוּ בְּחָכְמְתָא עִלָּאָה אִסְתַּכָּלוּ, וְיָדְעוּ מִילִּין עִלָּאִין, וּרְוּחָא דְּקוּדְשָׁא בְּפוּם כָּל חַד וְחַד.

שמב. וַאֲפִילוּ אִינּוּן דִּבְמְעֵי אִמְּהוֹן, הֲווּ אַמְרֵי שִׁירָתָא כֻּלְּהוּ כַּחֲדָא, וַהֲווּ חָמָאן כֻּלְּהוּ, מַה דְּלָא חָמָא יְחֶזְקֵאל נְבִיאָה. וְעַל כַּךְ הֲווּ כֻּלְּהוּ מִסְתַּכְּלֵי, כְּאִלּוּ חָמָאן עֵינָא בְּעֵינָא. וְכַד סַיְימוּ מִלִּין, כֻּלְּהוּ מִתְבַּסְּמָאן בְּנַפְשַׁיְיהוּ, וְתָאֲבוּן לְמֶחֱמֵי וּלְאִסְתַּכְּלָא, וְלָא הֲווּ בָּעָאן לְנַטְּלָא מִתַּמָּן, מִסְּגִיאוּת תֵּיאוּבְתָּא.

שמג. בְּהַהִיא שַׁעֲתָא, אָמַר מֹשֶׁה לְקֻבְּ״ה, בָּנֶיךָ מִסְּגִיאוּת תֵּיאוּבְתָּא לְאִסְתַּכְּלָא בָּךְ, לָא בָּעָאן לְנַטְּלָא מִן יַמָּא. מַה עָבֵד קֻבְּ״ה, אַסְתִּים יְקָרֵיהּ לְבַר לְמַדְבְּרָא, וְתַמָּן אִתְגְּלֵי וְלָא אִתְגְּלֵי. אָמַר לוֹן מֹשֶׁה לְיִשְׂרָאֵל, כַּמָּה זִמְנִין אֲמֵינָא לְנַטְּלָא מִתַּמָּן, וְלָא בָּעִיתוּן, עַד דְּאַחֲזֵי לוֹן זִיוָא יְקָרָא דְּקֻבְּ״ה בְּמַדְבְּרָא, וּמִיַּד הֲווּ תָּאֲבִין.

שדמ. וְלָא נָטְלוּ, עַד דְּאָחִיד בְּהוּ מֹשֶׁה וְאַחְזֵי לוֹן זִיוָא יְקָרָא דְּקֻבְּ״ה בְּמַדְבְּרָא, כְּדֵין מִסְּגִיאוּת תֵּיאוּבְתָּא וּרְעוּתָא לְאִסְתַּכְּלָא, אַנְטִיל לוֹן מֹשֶׁה, הה״ד וַיַּסַּע מֹשֶׁה אֶת יִשְׂרָאֵל מִיַּם סוּף וַיֵּצְאוּ אֶל מִדְבַּר שׁוּר. מַאי מִדְבַּר שׁוּר. מַדְבְּרָא, דַּהֲווּ בָּעָאן לְאִסְתַּכְּלָא בֵּיהּ, זִיוָא יְקָרָא דְּמַלְכָּא קַדִּישָׁא, וְעַל דָּא אִקְרֵי מִדְבַּר שׁוּר: אִסְתַּכְּלוּתָא שָׁם.

שמה. וַיֵּלְכוּ שְׁלֹשֶׁת יָמִים בַּמִּדְבָּר וְלֹא מָצְאוּ מָיִם. וְאֵין מַיִם אֶלָּא תּוֹרָה, שֶׁנֶּאֱמַר הוֹי כָּל צָמֵא לְכוּ לַמַּיִם. אָמַר רִבִּי יֵיסָא, וְכִי מַאן יָהַב לְהוּ אוֹרַיְיתָא הָכָא, וְהָא עַד כְּעַן לָא אִתְיְהִיבַת לוֹן אוֹרַיְיתָא.

שמו. אָמַר רִבִּי אֶלְעָזָר, אִינּוּן נָפְקוּ לְמַדְבְּרָא לְאִסְתַּכְּלָא, קֻבְּ״ה נָטַל זִיוָא יְקָרָא דִּילֵיהּ מִתַּמָּן, וְאִינּוּן אָזְלוּ לְאִסְתַּכְּלָא בֵּיהּ, וְלָא אַשְׁכְּחוּהוּ. וְאוֹלִיפְנָא דְּקֻבְּ״ה תּוֹרָה אִקְרֵי, וְאֵין מַיִם אֶלָּא תּוֹרָה, וְאֵין תּוֹרָה אֶלָּא קֻבְּ״ה.

שמז. אָמַר רִבִּי שִׁמְעוֹן, עַד דַּהֲווּ אָזְלֵי בְּמַדְבְּרָא, אִתְגְּלֵי עֲלַיְיהוּ רְשׁוּתָא אַחֲרָא, דְּשַׁאַר עַמִּין, הַהוּא דְּשָׁלִיט בְּמַדְבְּרָא, וְאַעֲרָעוּ בְּהוּ תַּמָּן. וְחָמוּ יִשְׂרָאֵל, דְּלָא הֲוָה הַהוּא זִיוָא יְקָרָא דְּמַלְכֵּיהוֹן, הֲדָא הוּא דִכְתִיב, וַיָּבֹאוּ מָרָתָה וְלֹא יָכְלוּ לִשְׁתּוֹת מַיִם מִמָּרָה. מ״ט. כִּי מָרִים הֵם, לָא אִתְבְּסָם נַפְשַׁיְיהוּ כְּקַדְמֵיתָא. וְלֹא עוֹד אֶלָּא דְּאָתֵי לְקַטְרְגָא עֲלַיְיהוּ.

שמח. מַה כְּתִיב, וַיִּצְעַק אֶל יְיָ׳ וַיּוֹרֵהוּ יְיָ׳ עֵץ, וְאֵין עֵץ אֶלָּא תּוֹרָה, דִּכְתִיב עֵץ חַיִּים הִיא לַמַּחֲזִיקִים בָּהּ. וְאֵין תּוֹרָה, אֶלָּא קֻבְּ״ה. רִבִּי אַבָּא אָמַר, אֵין עֵץ אֶלָּא קֻבְּ״ה, דִּכְתִיב כִּי הָאָדָם עֵץ הַשָּׂדֶה, עֵץ הַשָּׂדֶה וַדַּאי, דָּא עֵץ שָׂדֶה דְּתַפּוּחִין קַדִּישִׁין. וְכַד אִתְגְּלֵי זִיו יְקָרָא דְּמַלְכֵּהוֹן עֲלַיְיהוּ, כְּדֵין וַיַּשְׁלֵךְ אֶל הַמַּיִם וַיִּמְתְּקוּ הַמָּיִם. מַאי וַיִּמְתְּקוּ

המים. דקטיגורא אתעביד סניגורא.

שמט. אמר רבי אבא, תא חזי בקדמיתא כד עאלו ישראל בקיימא דקב"ה, לא עאלו כדקא יאות. מאי טעמא. בגין דאתגזרו ולא אתפרעו, ולא אתגלייא רשימא קדישא. כיון דמטו הכא, מה כתיב, שם שם לו חק ומשפט. תמן עאלו ישראל בתרין חולקין קדישין, בההוא גלויא דאתגליא רשימא דלהון, ואקרון חק ומשפט. חק: כמה דאת אמר ותתן טרף לביתה וחק לנערותיה. ומשפט: כמה דאתמר משפט לאלהי יעקב. ושם נסהו, בההוא את קדישא. כד"א, כי חק לישראל הוא. בספרא דרב ייבא סבא, אמר מלה על ההוא חוטרא קדישא.

שנ. ויאמר אם שמוע תשמע לקול יי' אלהיך. ויאמר, מאי ויאמר. לא כתיב מאן קאמר דא. אלא קב"ה אמר. רבי חזקיה אמר, שמעינן אמירה סתם, מאמירה סתם. דכתיב ואל משה אמר עלה אל יי'. אמר, לא כתיב מאן קאמר. אוף הכא ויאמר סתם, ולא כתיב מאן קאמר.

שנא. אמר רבי יוסי, משמע דכתיב, ויצעק אל יי' ויורהו יי' עץ, מהכא משמע ויאמר, ומשמע מאן אמר מלה. לקול יי' אלהיך, לקולי מבעי ליה. אלא לההוא קול דעאלו ביה.

שנב. אמר רבי אבא, בתר דאתגליא בהו רשימא קדישא, עאלו בתרין חולקין קדישין, כמה דאתמר, וכיון דעאלו באלין תרין, עאלו באלין תרין חולקין אחרנין, הכד יסתלקון באלין תרין אחרנין, יתחברון באלין, ולא ממנעי ברכאן, ובג"כ, באלין מטו ברכאן, עד מלכא קדישא.

שנג. ומאתריה דקרא אשתמע מלה, דכתיב, ויאמר אם שמוע תשמע. ויאמר: דא מלכא קדישא. ומאי קאמר, אם שמוע תשמע לקול יי' אלהיך, כד"א כי יי' אלהיך אש אוכלה הוא, דא כנסת ישראל. והישר בעיניו תעשה: דא צדיק. והאזנת למצותיו: דא נצח. ושמרת כל חקיו: דא הוד. כיון דעאלו באלין, הא מטו למלכא קדישא. לבתר מה כתיב, כל המחלה אשר שמתי במצרים לא אשים עליך כי אני יי' רופאך. כי אני יי': דא מלכא קדישא.

שנד. אשתמע, דכל מאן דנטיר להאי רשימא קדישא, מניה סליק עד מלכא קדישא עלאה. מאי משמע. משמע אינון תרין, דאתכניש בהו זרעא, ומשוח רבות קודשא, דשדיין ליה בפום אמה, אתקשרו כחדא, ומלכא עלאה עלייהו, ואתקשרו ביה. ועל כך, מאן דעאל באלין תרין, ונטיר לון, אתקשר בתרין אחרנין, ועאל בהו, וכדין מטי למלכא קדישא.

שנה. אמר רבי יצחק, ודאי מאן דזכי בצדיק, זכי בנצח והוד, ואלין אינון תלתא, דאתברכא בהו כנסת ישראל. ומאן דזכו בהו, זכי במלכא קדישא, ועאל בכלהו ארבעה.

שנו. ולקבלי ארבעה אלין, נטירו להאי רשימא קדישא, מארבע מלין: נטירו דכנסת ישראל, אסתמרותא דנדה. נטירו דצדיק, אסתמרותא דשפחה. נטירו דנצח, אסתמרותא דבת עכו"ם. נטירו דהוד, אסתמרותא דזונה. ועל דא לקול יי' אלהיך, דא כנסת ישראל.

שנז. במה זכאן ישראל לקבלא אפי שכינתא, באסתמרותא מן נדה. ועל דא כתיב, ואל אשה בנדת טמאתה לא תקרב לגלות ערותה. מאי לגלות ערותה דא

כנסת ישראל. ובהאי אחידן ומתקשרן מלין אחרנין, דכנסת ישראל אתקשרת בהו. והא אוקמוה מלי.

שנח. והישר בעיניו תעשה: דא צדיק. כמה דכתיב, עיני יי' אל צדיקים, לאסתמרא משפחה. והא אוקימנא מלי. דכתיב ושפחה כי תירש גבירתה, דגרים לצדיק דאתדבק בשפחה. והאזנת למצותיו: דא נצח, לאסתמרא דלא יעול רשימא דא בבת אל נכר, ולא ישקר ביה בנצח. דכתיב, וגם נצח ישראל לא ישקר. ומאן דנטיר האי, קיים מצותיו, דכתיב כי לא תשתחוה לאל אחר. ושמרת כל חקיו: דא הוד, לאסתמרא מן זונה.

שנט. ואלולא הא, כמה דתנינן, אמר רבי יהודה, מאי דכתיב חגור חרבך על ירך גבור הודך והדרך. אלא, כל מאן דמזרז גרמיה, ושוי דחילו דחרבא שננא תקיפא לקבליה. על ירך, מאי על ירך. דא רשימא קדישא. כד"א, שים נא ידך תחת ירכי.

שס. ד"א חגור חרבך, כלומר, זרז ואתקיף יצרך בישא, דאיהו חרבך. על ירך, על ההוא רשימא קדישא לנטרא ליה. ואי נטר ליה, כדין אקרי גבור, וקב"ה אלביש ליה בלבושוי, ומאן לבושוי דקב"ה. הוד ונצח. דכתיב, הוד והדר לבשת. אוף הכא הודך והדרך, וכדין אתדבק בר נש במלכא קדישא כדקא יאות.

שסא. מכאן ולהלאה, כל המחלה אשר שמתי במצרים לא אשים עליך כי אני יי' רופאך. דא מלכא קדישא, ועל דא אזהר לון על ההוא מלה ממש, דיהב ורשים בהו, ולא יתיר ועד כען לא אתייהיבת להו אורייתא, אלא כיון דכתיב, שם שם לו חק ומשפט, מיד ויאמר אם שמוע תשמע וגו'.

שסב. תא חזי, כד בעא קב"ה לאזהרא לישראל, על אורייתא, בכמה מלין משיך להו, בכמה משיכן דחביבותא, כבר נש דמשיך בריה לבי רב. ות"ח, לא בעא קב"ה למיהב להו אורייתא, עד דקריבו בהדיה. ובמה קריבו בהדיה, בגלויא דרשימא דא, כמה דאתמר.

שסג. אמר ר' יהודה, לא קריבו ישראל לטורא דסיני, עד דעאלו בחולקא דצדיק, וזכו ביה. מנלן, דכתיב ביום הזה באו מדבר סיני, ביום הזה ממש דייקא. וכתיב ואמר ביום ההוא הנה אלהינו זה קוינו לו וגו'.

פרשת המן

שסד. ויאמר יי' אל משה הנני ממטיר לכם לחם מן השמים. רבי יהודה פתח ואמר, אשרי משכיל אל דל ביום רעה ימלטהו יי'. האי קרא אוקימנא ליה, בשעתא דבר נש שכיב בבי מרעיה, הא אתפס באטרוניא דמלכא, רישיה בקולרא, רגלוי בכופסירין, כמה חיילין נטרין ליה, מהאי גיסא, ומהאי גיסא. שייפוי כלהו בדוחקא, מגיוזין אלין באלין. מיכלא אתעדי מניה.

שסה. בההוא זמנא, פקדין עליה אפוטרופא, למילף עליה זכות קמי מלכא, דכתיב אם יש עליו מלאך מליץ אחד מני אלף. בההיא שעתא, זכאה חולקיה דב"נ דעאל עליה, ואוליף ליה ארחא, לשיזבותיה מן דינא. הה"ד אשרי משכיל אל דל.

שסו. והיך יכיל לשזבא ליה, למילף ליה ארחוי דחיי, לאתבא לקמי מאריה, כדין אתעביד אפוטרופסא עליה לעילא. מאי אגריה. ביום רעה ימלטהו יי'. ד"א, אשרי משכיל אל דל, כמה תקיפא אגרא דמסכנא, קמי קב"ה.

שסז. א"ר חייא, תווהנא על האי קרא דכתיב, כי שומע אל אביונים יי', וכי אל

אֶבְיוֹנִים שׁוֹמֵעַ וְלָא לְאַחֲרָא. א"ר שִׁמְעוֹן, בְּגִין דְּאִינּוּן קְרִיבִין יַתִּיר לְמַלְכָּא, דִּכְתִּיב, לֵב נִשְׁבָּר וְנִדְכֶּה אֱלֹהִים לֹא תִבְזֶה. וְלֵית לָךְ בְּעָלְמָא, דְּאִיהוּ תָּבִיר לִבָּא כְּמִסְכְּנָא. תּוּ אָמַר רַבִּי שִׁמְעוֹן, תָּא חֲזֵי, כָּל אִינּוּן בְּנֵי עָלְמָא, אִתְחֲזְיָין קָמֵי קֻבְּ"ה, בְּגוּפָא וְנַפְשָׁא, וּמִסְכְּנָא לָא אִתְחֲזֵי אֶלָּא בְּנַפְשָׁא בִּלְחוֹדוֹי, וְקֻבְּ"ה קָרִיב לְנַפְשָׁא יַתִּיר מִגּוּפָא.

שסח. מִסְכְּנָא חַד הֲוָה בְּשִׁבְבוּתֵיהּ דְּר' יֵיסָא, וְלָא הֲוָה מַאן דְּאַשְׁגַּח בֵּיהּ, וְהוּא הֲוָה אַכְסִיף, וְלָא תָּקִיף בִּבְנֵי נָשָׁא, יוֹמָא חַד חָלַשׁ, עָאל עָלֵיהּ רַבִּי יֵיסָא, שָׁמַע חַד קָלָא דְּאָמַר, טִילְקָא טִילְקָא, הָא נַפְשָׁא פַּרְחָא גַּבָּאי, וְלָא מָטוּ יוֹמוֹי. וַוי לִבְנֵי מָתֵיהּ דְּלָא אִשְׁתְּכַחוּ בְּהוּ דְּיָתִיב נַפְשֵׁיהּ לְגַבֵּיהּ. קָם רַבִּי יֵיסָא, שַׁדֵּי בְּפוּמֵיהּ, מַיָּא דְּגַרְגְּרִין, אַפּוּתָא דְּקוֹנְטָא אִתְבְּזַע זֵיעָא בְּאַנְפּוֹי, וְתָב רוּחֵיהּ לְגַבֵּיהּ.

שסט. לְבָתַר אָתָא וְשָׁאִיל לֵיהּ, אָמַר חַיֶּיךָ רַבִּי, נַפְשָׁא נָפְקַת מִנָּאי, וּמָטוּ לָהּ קָמֵי כּוּרְסְיָיא דְּמַלְכָּא, וּבָעַת לְאִשְׁתָּאֲרָא תַּמָּן, אֶלָּא דְּבָעָא קֻבְּ"ה לְזַכָּאָה לָךְ, וְאַכְרִיזוּ עָלָךְ, זַמִּין הוּא רַבִּי יֵיסָא, לְסַלְּקָא רוּחֵיהּ, וּלְאִתְקַשְּׁרָא בְּחַד אִדְרָא קַדִּישָׁא דְּזַמִּינִין חַבְרַיָּיא לְאִתְעָרָא בְּאַרְעָא, וְהָא אַתְקִינוּ תְּלַת כָּרְסְיָין, דְּקַיְּימִין לָךְ וְלַחֲבָרָךְ. מֵהַהוּא יוֹמָא הֲווּ מַשְׁגִּיחִין בֵּיהּ בְּנֵי מָתֵיהּ.

שע. תּוּ, מִסְכְּנָא אַחֲרָא אַעְבַּר קָמֵיהּ דְּר' יִצְחָק, וַהֲוָה בִּידֵיהּ פַּלְגּ מָעָה דְּכֶסֶף. אָמַר לֵיהּ לְרַבִּי יִצְחָק, אַשְׁלִים לִי וְלִבְנַי וְלִבְנָתַי נַפְשָׁאָן. אָמַר לֵיהּ וְהֵיךְ אַשְׁלִים נַפְשַׁיְיכוּ, דְּהָא לָא אִשְׁתְּכַח גַּבָּאי בַּר פַּלְגּ מָעָה. אָמַר לֵיהּ, בְּדָא אַשְׁלִימְנָא, בְּפַלְגּ אַחֲרָא דְּאִית גַּבָּאי, אַפְּקֵיהּ וְיָהֲבֵיהּ לֵיהּ.

שעא. אַחְזִיאוּ לֵיהּ בְּחֶלְמֵיהּ, דַּהֲוָה אַעְבַּר בְּשִׂפְתָא דְּיַמָּא רַבָּא, וּבָעָאן לְמִשְׁדְּיֵיהּ בְּגַוֵּיהּ, וְחָמָא לְרַבִּי שִׁמְעוֹן, דַּהֲוָה אוֹשִׁיט יְדוֹי לְקַבְּלֵיהּ, וְאָתֵי הַהוּא מִסְכְּנָא וְאַפְּקֵיהּ, וְיָהֲבֵיהּ בִּידוֹי דְּרַבִּי שִׁמְעוֹן, וְאִשְׁתֵּזִיב. כַּד אִתְּעַר, נָפַל בְּפוּמֵיהּ, הַאי קְרָא, אַשְׁרֵי מַשְׂכִּיל אֶל דָּל בְּיוֹם רָעָה יְמַלְּטֵהוּ יְיָ'.

שעב. וְתָא חֲזֵי, כָּל יוֹמָא וְיוֹמָא, נָטִיף טַלָּא מֵעַתִּיקָא קַדִּישָׁא לִזְעֵיר אַפִּין, וּמִתְבָּרְכָאן כָּל חֲקַל תַּפּוּחִין קַדִּישִׁין. וּמֵהַהוּא טַלָּא אַנְגִּיד לְאִינּוּן דִּלְתַתָּא, וּמַלְאָכִין קַדִּישִׁין אִתְּזָנוּ מִנֵּיהּ, כָּל חַד וְחַד כְּפוּם מֵיכְלֵיהּ, הה"ד לֶחֶם אַבִּירִים אָכַל אִישׁ, וּמֵהַהוּא מְזוֹנָא אָכְלוּ יִשְׂרָאֵל בְּמַדְבְּרָא.

שעג. א"ר שִׁמְעוֹן, כַּמָּה בְּנֵי נָשָׁא מִתְזָנִין בְּהַאי זִמְנָא מִנֵּיהּ, וּמַאן אִינּוּן. אִלֵּין חַבְרַיָּיא דְּמִשְׁתַּדְּלֵי בְּאוֹרַיְיתָא, יוֹמֵי וְלֵילֵי. וְכִי סַלְקָא דַּעְתָּךְ מֵהַהוּא מְזוֹנָא מַמָּשׁ. לָא. אֶלָּא כְּעֵין הַהוּא מְזוֹנָא מַמָּשׁ, דְּשָׁקִיל עַל חַד תְּרֵין.

שעד. תָּא חֲזֵי, יִשְׂרָאֵל כַּד עָאלוּ וְאִתְדַּבְּקוּ בְּמַלְכָּא קַדִּישָׁא, בְּגִין גַּלְוָיָא דִּרְשִׁימָא קַדִּישָׁא, כְּדֵין זָכוּ לְמֵיכַל נַהֲמָא אַחֲרָא עִלָּאָה, יַתִּיר מִמָּה דַּהֲוָה בְּקַדְמֵיתָא. בְּקַדְמֵיתָא כַּד נָפְקוּ יִשְׂרָאֵל מִמִּצְרַיִם, עָאלוּ בְּנַהֲמָא, דְּאִקְרֵי מַצָּה, וְהַשְׁתָּא זָכוּ, וְעָאלוּ לְמֵיכַל נַהֲמָא אַחֲרָא עִלָּאָה יַתִּיר, מֵאֲתַר עִלָּאָה, דִּכְתִּיב הִנְנִי מַמְטִיר לָכֶם לֶחֶם מִן הַשָּׁמַיִם. מִן הַשָּׁמַיִם מַמָּשׁ. וּבְהַהוּא זִמְנָא אִשְׁתְּכַח לְהוּ לְיִשְׂרָאֵל. מֵאֲתַר דָּא. וְחַבְרַיָּיא דְּמִשְׁתַּדְּלֵי בְּאוֹרַיְיתָא, מֵאֲתַר אַחֲרָא עִלָּאָה יַתִּיר אִתְּזָנוּ. מַאי הוּא. כְּמָה דִּכְתִּיב הַחָכְמָה תְּחַיֶּה בְעָלֶיהָ. אֲתַר עִלָּאָה יַתִּיר.

שעה. א"ל ר' אֶלְעָזָר, אִי הָכִי, אַמַּאי חַלָּשָׁא נַפְשַׁיְיהוּ יַתִּיר מִשְּׁאָר בְּנֵי עָלְמָא, דְּהָא שְׁאָר בְּנֵי נָשָׁא, בְּחֵילָא וְתוּקְפָּא יַתִּיר אִתְחֲזוּן לְאִשְׁתַּכְּחָא. אָמַר לֵיהּ יָאוּת שָׁאִילְתָּא.

שעו. תָּא חֲזֵי, כָּל מְזוֹנֵי דִּבְנֵי עָלְמָא מִלְּעֵילָּא קָא אַתְיָין. הַהוּא מְזוֹנָא דְּאָתֵי מִן

שְׁמַיָּא וְאַרְעָא, דָּא מְזוֹנָא דְּכָל עָלְמָא, וְהוּא מְזוֹנָא דְּכוֹלָּא, וְהוּא מְזוֹנָא גַּס וְעָב. וְהַהוּא מְזוֹנָא דְּאָתֵי יַתִּיר מֵעֵילָּא, הוּא מְזוֹנָא יַתִּיר דָּקִיק, קָאַתְיָא מֵאֲתַר דְּדִינָא אִשְׁתְּכַח, וְדָא הוּא מְזוֹנָא דְּאָכְלוּ יִשְׂרָאֵל כַּד נָפְקוּ מִמִּצְרַיִם. מְזוֹנָא דְּאִשְׁתְּכַח לְהוּ לְיִשְׂרָאֵל, בְּהַהוּא זִמְנָא בְּמַדְבְּרָא, מֵאֲתַר עִלָּאָה דְּאִקְרֵי שָׁמַיִם, הוּא מְזוֹנָא יַתִּיר דְּקִיקָא, דְּעָיֵיל יַתִּיר לְנַפְשָׁא מִכֹּלָּא, וּמִתְפָּרַשׁ יַתִּיר מִגּוּפָא, וְאִקְרֵי לֶחֶם אַבִּירִים.

שעז. מְזוֹנָא עִלָּאָה יַתִּיר מִכֹּלָּא, הוּא מְזוֹנָא דְּחַבְרַיָּיא, אִינּוּן דְּמִשְׁתַּדְּלֵי בְּאוֹרַיְיתָא, דְּאַכְלֵי מְזוֹנָא דְּרוּחָא וְנִשְׁמְתָא, וְלָא אַכְלֵי מְזוֹנָא דְּגוּפָא כְּלָל, וְהַיְינוּ מֵאֲתַר עִלָּאָה יַקִּירָא עַל כֹּלָּא, וְאִקְרֵי חָכְמָה. בְּגִינֵי כַּךְ חָלִישׁ גּוּפָא דְּחַבְרַיָּיא, יַתִּיר מִבְּנֵי עָלְמָא, דְּהָא לָא אַכְלֵי מְזוֹנָא דְּגוּפָא כְּלָל. וְאַכְלֵי מְזוֹנָא דְּרוּחָא וְנִשְׁמְתָא, מֵאֲתַר רְחִיקָא עִלָּאָה, יַקִּירָא מִכֹּלָּא. וּבְגִינֵי כַּךְ הַהוּא מְזוֹנָא דָּקִיק מִן דְּקִיקָא, יַתִּיר מִכֹּלָּא. זַכָּאָה חוּלָקֵהוֹן, הה"ד הַחָכְמָה תְּחַיֶּה בְעָלֶיהָ. זַכָּאָה חוּלָקָא דְּגוּפָא, דְּיָכִיל לְאִתְּזָנָא בִּמְזוֹנָא דְּנַפְשָׁא.

שעח. א"ל ר' אֶלְעָזָר, וַדַּאי הָכִי הוּא. אֲבָל בְּהַאי זִמְנָא, אֵיךְ אִשְׁתַּכְּחֵי מְזוֹנֵי אִלֵּין. א"ל וַדַּאי יָאוּת שָׁאִילְתָּא. ת"ח, וְדָא הוּא בְּרִירוּ דְּמִלָּה, מְזוֹנָא קַדְמָאָה, הוּא מְזוֹנָא דְּכָל עָלְמָא, הַהוּא דְּאַתְיָא מִן שְׁמַיָּא וְאַרְעָא, וְהוּא מְזוֹנָא דְּגוּפָא.

שעט. מְזוֹנָא דְּהוּא עִלָּאָה מִנֵּיהּ, הַהוּא דְּאִיהוּ דְּקִיקָא יַתִּיר, וְאָתָא מֵאֲתַר דְּדִינָא שַׁרְיָא, דְּאִקְרֵי צֶדֶק, וְדָא הוּא מְזוֹנָא דְּמִסְכְּנֵי. וְרָזָא דְּמִלָּה, מַאן דְּאַשְׁלִים לְמִסְכְּנָא, אַשְׁלִים לֵיהּ אָת חַד, וְאִתְעָבֵיד צְדָקָה, וְרָזָא דָּא גּוֹמֵל נַפְשׁוֹ אִישׁ חֶסֶד. גְּמִילוּת חֲסָדִים מַשְׁמַע, דְּהָא בְּדִינָא שַׁרְיָא, וְאַשְׁלִים לֵיהּ חֶסֶד, כְּדֵין הוּא רַחֲמֵי.

שפ. מְזוֹנָא עִלָּאָה יַתִּיר מֵאִלֵּין, הוּא מְזוֹנָא עִלָּאָה וְיַקִּירָא, מֵאֲתַר דְּאִקְרֵי שָׁמַיִם, וְהוּא דָּקִיק מִכֻּלְּהוּ, וְהוּא מְזוֹנָא דִּבְנֵי מַרְעֵי, הה"ד יְיָ' יִסְעָדֶנּוּ עַל עֶרֶשׂ דְּוָי כָּל מִשְׁכָּבוֹ הָפַכְתָּ בְחָלְיוֹ. יְיָ', דַּיְיקָא, מ"ט. בְּגִין דְּהָנֵי בְּנֵי מַרְעֵי, לָא אִתְּזָנֵי אֶלָּא בְּהַהוּא דְּקֻבְּ"ה מַמָּשׁ.

שפא. מְזוֹנָא עִלָּאָה קַדִּישָׁא וְיַקִּירָא דָּא הוּא מְזוֹנֵי דְּרוּחִין וְנִשְׁמָתִין, וְהוּא מְזוֹנָא דַּאֲתַר רְחִיקָא עִלָּאָה, מֵהַהוּא אֲתַר דְּאִקְרֵי נוֹעַם יְיָ'.

שפב. וְיַקִּירָא מִכֹּלָּא הוּא, מְזוֹנָא דְּחַבְרַיָּיא דְּמִשְׁתַּדְּלֵי בְּאוֹרַיְיתָא, וְהוּא מְזוֹנָא דְּאָתֵי מֵחָכְמָה עִלָּאָה. מ"ט מֵאֲתַר דָּא. בְּגִין דְּאוֹרַיְיתָא נַפְקָא מֵחָכְמָה עִלָּאָה, וְאִינּוּן דְּמִשְׁתַּדְּלֵי בְּאוֹרַיְיתָא, עַיְילֵי בְּעִקָּרָא דְּשָׁרְשָׁהָא, וְעַל דָּא, מְזוֹנָא דִּלְהוֹן, מֵהַהוּא אֲתַר עִלָּאָה קַדִּישָׁא קָא אַתְיָא.

שפג. אָתָא ר' אֶלְעָזָר, וְנָשִׁיק יְדוֹי. אָמַר, זַכָּאָה חוּלָקִי דְּקָאִימְנָא בְּמִלִּין אִלֵּין. זַכָּאָה חוּלָקֵהוֹן דְּצַדִּיקַיָּיא, דְּמִשְׁתַּדְּלֵי בְּאוֹרַיְיתָא יְמָמָא וְלֵילֵי, דְּזָכֵי לוֹן בְּהַאי עָלְמָא, וּבְעָלְמָא דְּאָתֵי, דִּכְתִּיב כִּי הוּא חַיֶּיךָ וְאוֹרֶךְ יָמֶיךָ.

שפד. הִנְנִי מַמְטִיר לָכֶם לֶחֶם מִן הַשָּׁמָיִם. רִבִּי יוֹסֵי פָּתַח, פּוֹתֵחַ אֶת יָדֶךָ וּמַשְׂבִּיעַ לְכָל חַי רָצוֹן. מַה כְּתִיב לְעֵילָּא, עֵינֵי כֹל אֵלֶיךָ יְשַׂבֵּרוּ. כָּל אִינּוּן בְּנֵי עָלְמָא, מְצַפָּאן וְזַקְפָאן עַיְינִין לְקֻבְּ"ה, בְּגִין כַּךְ, כָּל אִינּוּן בְּנֵי מְהֵימְנוּתָא בָּעָאן בְּכָל יוֹמָא וְיוֹמָא, לְשָׁאֲלָא מְזוֹנַיְיהוּ מִקֻּבְּ"ה, וּלְצַלָּאָה צְלוֹתְהוֹן עָלֵיהּ.

שפה. מ"ט. בְּגִין דְּכָל מַאן דִּמְצַלֵּי צְלוֹתֵיהּ לְגַבֵּי קֻבְּ"ה עַל מְזוֹנֵיהּ, גָּרִים דְּיִתְבָּרֵךְ כָּל יוֹמָא עַל יְדוֹי, הַהוּא אִילָנָא דִּמְזוֹן דְּכֹלָּא בֵּיהּ. וְאע"ג דְּאִשְׁתְּכַח עִמֵּיהּ, בָּעֵי לְמִשְׁאַל

קָמֵי קֻבָּ"ה, וּלְצַלָּאָה צְלוֹתָא עַל מְזוֹנָא כָּל יוֹמָא, בְּגִין דְּיִשְׁתַּכְּחוּ עַל יְדוֹי בִּרְכָאן כָּל יוֹמָא וְיוֹמָא לְעֵילָּא, וְדָא הוּא בָּרוּךְ יְיָ' יוֹם יוֹם.

שפו. וְעַל דָּא, לָא לִבְעֵי לֵיהּ לְאֱינָשׁ לְבַשְּׁלָא מְזוֹנָא, מִן יוֹמָא לְיוֹמָא אַחֲרִינָא, דְּלָא לְעַכְּבָא יוֹמָא לְיוֹמָא אַחֲרָא. הה"ד וְיָצָא הָעָם וְלָקְטוּ דְּבַר יוֹם בְּיוֹמוֹ. יוֹם בְּיוֹמוֹ, דַּיְיקָא. בַּר מֵעֶרֶב שַׁבָּת לְשַׁבָּת, כְּמָה דְּאוֹקִימְנָא. וּכְדֵין אִשְׁתְּכַח קֻבָּ"ה מָלֵא בִּרְכָאן בְּכָל יוֹמָא. וּכְדֵין כְּתִיב פּוֹתֵחַ אֶת יָדֶךָ וְגוֹ'. מַאי רָצוֹן. הַהוּא רָצוֹן דְּאִשְׁתְּכַח מֵעַתִּיקָא קַדִּישָׁא, וְנָפִיק מִנֵּיהּ רָצוֹן, לְאִשְׁתַּכְּחָא מְזוֹנֵי לְכֹלָּא. וּמַאן דְּשָׁאִיל מְזוֹנֵי בְּכָל יוֹמָא וְיוֹמָא, הַהוּא אִקְרֵי בַּר מְהֵימְנָא, בְּרָזָא דִּבְגִינֵיהּ מִשְׁתַּכְּחָן בִּרְכָאן לְעֵילָּא.

שפז. ר' אַבָּא פָּתַח וְאָמַר, רוֹצֶה יְיָ' אֶת יְרֵאָיו אֶת הַמְיַיחֲלִים לְחַסְדּוֹ, כַּמָּה אִית לְהוּ לִבְנֵי נָשָׁא לְמֵהַךְ בְּאָרְחוֹי דְּמַלְכָּא קַדִּישָׁא, וּלְמֵהַךְ בְּאָרְחוֹי דְּאוֹרַיְיתָא, בְּגִין דְּיִשְׁתַּכְּחוּן בִּרְכָאן לְכֻלְּהוּ, לְעֵלָּאֵי וְתַתָּאֵי.

שפח. דְּתַנְיָא, מַאי דִּכְתִּיב, יִשְׂרָאֵל אֲשֶׁר בְּךָ אֶתְפָּאָר. אֶתְפָּאַר וַדַּאי. מַאי מַשְׁמַע. דִּבְגִין יִשְׂרָאֵל לְתַתָּא, קֻבָּ"ה מִתְפָּאַר לְעֵילָּא. וּמַאי פְּאֵרָא דִּילֵיהּ. דְּאִתְחַבָּשׁ בִּתְפִלִּין, דְּמִתְחַבְּרָא גַּוְונֵי לְאִתְפָּאֲרָא.

שפט. תָּאנָא, רוֹצֶה יְיָ' אֶת יְרֵאָיו, רוֹצֶה יְיָ' בִּירֵאָיו מִבָּעֵי לֵיהּ. מַאי רוֹצֶה יְיָ' אֶת יְרֵאָיו, אֶלָּא רוֹצֶה יְיָ' אֶת יְרֵאָיו, כְּלוֹמַר, אַפִּיק הַאי רָצוֹן, וּמִתְרְעֵי בְּהוּ קֻבָּ"ה, לִירֵאָיו דְּדַחֲלִין לֵיהּ. וּמַאן אִינּוּן יְרֵאָיו דְּאַפִּיק לוֹן הַאי רָצוֹן. הֲדַר וְאָמַר, אֶת הַמְיַיחֲלִים לְחַסְדּוֹ, אִינּוּן דִּמְצַפָּאן וּמְחַכָּאן בְּכָל יוֹמָא וְיוֹמָא, לְמִבְעֵי מְזוֹנַיְיהוּ מִן קֻבָּ"ה, מַשְׁמַע דִּכְתִּיב אֶת הַמְיַיחֲלִים לְחַסְדּוֹ.

שצ. רַבִּי יֵיסָא סָבָא, לָא אַתְקִין סְעוּדָתָא בְּכָל יוֹמָא, עַד דְּבָעָא בָּעוּתֵיהּ קָמֵי קֻבָּ"ה, עַל מְזוֹנֵי. אָמַר, לָא נַתְקִין סְעוּדָתָא, עַד דְּתִתְיְהִיב מִבֵּי מַלְכָּא. לְבָתַר דְּבָעֵי בָּעוּתֵיהּ קָמֵי קֻבָּ"ה, הֲוָה מְחַכֶּה שַׁעֲתָא חֲדָא, אָמַר הָא עִידָּן דְּתִתְיְהִיב מִבֵּי מַלְכָּא, מִכָּאן וּלְהָלְאָה אַתְקִינוּ סְעוּדָתָא. וְדָא הוּא אָרְחָא, דְּאִינּוּן דַּחֲלֵי קֻבָּ"ה, דַּחֲלֵי חַטָּאָה.

שצא. אִינּוּן חַיָּיבַיָּא דְּאָזְלִין עֲקִימִין בְּאָרְחוֹי אוֹרַיְיתָא, מַה כְּתִיב בְּהוּ. הוֹי מַשְׁכִּימֵי בַבֹּקֶר שֵׁכָר יִרְדֹּפוּ. וְעַ"ד רוֹצֶה יְיָ' אֶת יְרֵאָיו אֶת הַמְיַיחֲלִים לְחַסְדּוֹ. לְחַסְדּוֹ דַּיְיקָא. וְהָא אִשְׁתְּמוֹדְעָן אִינּוּן בְּנֵי מְהֵימְנוּתָא בְּכָל יוֹמָא וְיוֹמָא, הֲדָא הוּא דִכְתִּיב, וְיָצָא הָעָם וְלָקְטוּ דְּבַר יוֹם בְּיוֹמוֹ. יוֹם בְּיוֹמוֹ קָאָמַר, וְלָא דְּבַר יוֹם לְיוֹם אַחֵר.

שצב. וְכָל כָּךְ לָמָּה. לְמַעַן אֲנַסֶּנּוּ הֲיֵלֵךְ בְּתוֹרָתִי אִם לֹא בְּכָאן אִשְׁתְּמוֹדְעָן אִינּוּן בְּנֵי מְהֵימְנוּתָא, דְּכָל יוֹמָא וְיוֹמָא אִינּוּן אַזְלֵי בְּאֹרַח מֵישָׁר בְּאוֹרַיְיתָא. רַבִּי יִצְחָק אָמַר מֵהָכָא, צַדִּיק אוֹכֵל לְשׂוֹבַע נַפְשׁוֹ, בָּתַר דְּשָׂבַע נַפְשֵׁיהּ מִלְּצַלֵּי וּלְמִקְרֵי בְּאוֹרַיְיתָא.

שצג. רַבִּי שִׁמְעוֹן אָמַר, תָּא חֲזֵי, עַד לָא יָהַב קֻבָּ"ה אוֹרַיְיתָא לְיִשְׂרָאֵל, אַבְחִין בֵּין אִינּוּן בְּנֵי מְהֵימְנוּתָא, וּבֵין אִינּוּן חַיָּיבַיָּא דְּלָאו אִינּוּן בְּנֵי מְהֵימְנוּתָא, וְלָא קַיְימִין בְּאוֹרַיְיתָא. וּבְמָּה אַבְחִין לוֹן. בְּמָן. כְּמָה דְּאִתְּמַר אֲנַסֶּנּוּ. וְכָל אִינּוּן דְּאִשְׁתְּכָחוּ דְּאִינּוּן בְּנֵי מְהֵימְנוּתָא, רָשִׁים לֵיהּ קֻבָּ"ה, בִּרְשִׁימוּ דְּכִתְרָא דְּחֶסֶ"ד, כד"א הַמְיַיחֲלִים לְחַסְדּוֹ, וְעַ"ד לְמַעַן אֲנַסֶּנּוּ. וְכָל אִינּוּן דְּלָא מִשְׁתַּכְּחֵי בְּנֵי מְהֵימְנוּתָא, אַעְדֵּי מִנַּיְיהוּ כִּתְרָא עִלָּאָה דָּא. וְתָנָא אַכְרִיז וְאָמַר, וּבֶטֶן רְשָׁעִים תֶּחְסָר. וְעִם כָּל דָּא לֹא הֶעְדִּיף הַמַּרְבֶּה וְהַמַּמְעִיט לֹא הֶחְסִיר.

שצד. תָּאנָא, בְּהַהוּא שַׁעֲתָא אִשְׁתְּלִימוּ יִשְׂרָאֵל לְתַתָּא, כְּגַוְונָא דִּלְעֵילָּא, כְּמָה

דְּאוֹקִימְנָא, דִּכְתִּיב, וַיָּבֹאוּ אֵילִמָה וְשָׁם שְׁתֵּים עֶשְׂרֵה עֵינוֹת מַיִם וְשִׁבְעִים תְּמָרִים וגו'. וְאִתְתַּקַּף אִילָנָא קַדִּישָׁא, בִּתְרֵיסַר תְּחוּמִין, בְּאַרְבַּע סִטְרֵי עָלְמָא. וְאִתְתַּקַּף בְּשַׁבְעִין עַנְפִּין, וְכֹלָּא כְּגַוְונָא דִּלְעֵילָּא.

שצה. בְּהַהִיא שַׁעֲתָא, נָטִיף טַלָּא קַדִּישָׁא, מֵעַתִּיקָא סְתִימָאָה, וּמַלְיָא לְרֵישֵׁיהּ דִּזְעֵיר אַנְפִּין, אֲתַר דְּאִקְרֵי שָׁמַיִם. וּמֵהַהוּא טַלָּא דִּנְהוֹרָא עִלָּאָה קַדִּישָׁא, הֲוָה נָגִיד וְנָחִית מַנָּא לְתַתָּא. וְכַד הֲוָה נָחִית, הֲוָה מִתְפָּרַשׁ גְּלִידִין, וְאַקְרִישׁ לְתַתָּא. הֲדָא הוּא דִּכְתִּיב דַּק כַּכְּפוֹר עַל הָאָרֶץ.

שצו. כָּל אִינּוּן בְּנֵי מְהֵימְנוּתָא, נַפְקֵי וְלַקְטֵי, וּמְבָרְכָאן שְׁמָא קַדִּישָׁא עָלֵיהּ. וְהַהוּא מַנָּא, הֲוָה סָלִיק רֵיחִין דְּכָל בּוּסְמִין דְּגִנְּתָא דְּעֵדֶן, דְּהָא בֵּיהּ אִתְמְשַׁךְ וְנָחִית לְתַתָּא. שַׁוְיֵהּ לְקַמֵּיהּ, בְּכָל טַעֲמָא דְּאִיהוּ בָּעֵי, הָכִי טָעִים לֵיהּ, וּמְבָרֵךְ לְמַלְכָּא קַדִּישָׁא עִלָּאָה.

שצז. וּכְדֵין מִתְבָּרֵךְ בִּמְעוֹי, וַהֲוָה מִסְתַּכֵּל וְיָדַע לְעֵילָּא, וְאִסְתַּכֵּי בְּחָכְמָה עִלָּאָה, וְעַל דָּא אִקְרוּן דּוֹר דֵּעָה. וְאִלֵּין הֲווֹ בְּנֵי מְהֵימְנוּתָא, וּלְהוֹן אִתְיְהִיבַת אוֹרַיְיתָא לְאִסְתַּכְּלָא בָּהּ, וּלְמִנְדַּע אָרְחָהָא.

שצח. וְאִינּוּן דְּלָא אִשְׁתַּכָּחוּ בְּנֵי מְהֵימְנוּתָא, מַה כְּתִיב בְּהוּ, שָׁטוּ הָעָם וְלָקְטוּ. מַאי שָׁטוּ. שְׁטוּתָא הֲווֹ נַסְבֵי לְגַרְמַיְיהוּ, בְּגִין דְּלָא הֲווֹ בְּנֵי מְהֵימְנוּתָא. מַה כְּתִיב בְּהוּ. וְטָחֲנוּ בָרֵחַיִם אוֹ דָכוּ בַּמְּדוֹכָה וגו'. מַאן אַטְרַח לוֹן כָּל הַאי. אֶלָּא דְּאִינּוּן לָא הֲווֹ בְּנֵי מְהֵימְנוּתָא.

שצט. כְּגַוְונָא דָּא, אִינּוּן דְּלָא מְהֵימְנֵי בֵּיהּ בְּקֻבְּ"ה, לָא בָּעָאן לְאִסְתַּכְּלָא בְּאָרְחוֹי, וְאִינּוּן בָּעָאן לְאַטְרְחָא גַּרְמַיְיהוּ כָּל יוֹמָא בָּתַר מְזוֹנָא, יְמָמָא וְלֵילֵי, דִּלְמָא לָא סָלִיק בִּידַיְיהוּ פִּתָּא דְּנַהֲמָא. מַאן גָּרִים לוֹן הַאי. בְּגִין דְּלָאו אִינּוּן בְּנֵי מְהֵימְנוּתָא.

ת. אוּף הָכָא, שָׁטוּ וְלָקְטוּ, שָׁטוּ בִּשְׁטוּתָא דְּגַרְמַיְיהוּ, וּבָעָאן לְאַטְרְחָא עָלֵיהּ, הֲדָא הוּא דִּכְתִּיב, וְטָחֲנוּ בָרֵחַיִם. בָּתַר כָּל טִרְחָא דָּא, לָא סָלִיק בִּידַיְיהוּ, אֶלָּא דִּכְתִּיב וְהָיָה טַעְמוֹ כְּטַעַם לְשַׁד הַשָּׁמֶן. וְלָא יַתִּיר. מַאן גָּרִים לוֹן הַאי, בְּגִין דְּלָא הֲווֹ בְּנֵי מְהֵימְנוּתָא.

תא. אָמַר רִבִּי יוֹסֵי, מַאי לְשַׁד הַשָּׁמֶן. אִיכָּא דְּאַמְרֵי, דְּלִישׁ בְּמִשְׁחָא, כְּתַרְגּוּמוֹ. וְאִיכָּא דְּאַמְרֵי, מַה הַשֵּׁד אִתְהֲדָר לְכַמָּה גַּוְונִין, אוּף מַנָּא, אִתְהֲדָר לְכַמָּה גַּוְונִין. רִבִּי יְהוּדָה אָמַר, לְשַׁד הַשָּׁמֶן, יְנִיקָא דְּמִשְׁחָא.

תב. רִבִּי יִצְחָק אָמַר, אִישׁ לְפִי אָכְלוֹ לָקָטוּ. וְכִי מַאן דְּאָכִיל קִמְעָא, לָקִיט קִמְעָא, וּמַאן דְּאָכִיל יַתִּיר, לָקִיט יַתִּיר, וְהָא כְּתִיב לֹא הֶעְדִּיף הַמַּרְבֶּה וְהַמַּמְעִיט לֹא הֶחְסִיר. אֶלָּא לְפוּם אִינּוּן דְּאַכְלִין לַקְטִין. מַשְׁמַע אָכְלוֹ, מַאן דַּהֲוָה אָכִיל לֵיהּ, וּבְגִינֵי כָּךְ לָא כְּתִיב אֲכִילָתוֹ.

תג. מַאי קָא מַיְירֵי. אָחִיד בַּר נָשׁ בְּעַבְדָּא, אוֹ בְּאַמְתָא, וְאָמַר דְּהוּא דִּילֵיהּ. אָתָא חַבְרֵיהּ, וְאָמַר, הַאי עַבְדָּא דִּילִי הוּא. קְרִיבוּ לְקַמֵּיהּ דְּמֹשֶׁה לְדִינָא, אָמַר לוֹן כַּמָּה נַפְשָׁאן בְּבֵיתָךְ, וְכַמָּה נַפְשָׁאן בְּבֵיתֵיהּ דְּדֵין, אָמַר כַּךְ וְכָךְ. וְהַהוּא שַׁעֲתָא אָמַר לוֹן מֹשֶׁה, לָקְטוּ מָחָר, וְכָל חַד מִנַּיְיכוּ יֵיתֵי לְגַבַּאי. לְמָחָר, נַפְקוּ וְלָקְטוּ, וְאַתְיָין קַמֵּי מֹשֶׁה, שַׁוְיָין קַמֵּיהּ מַנָּא, הֲוָה מָדִיד לֵיהּ. אִי הַהוּא עַבְדָּא דְּדֵין, אַשְׁכַּח הַהוּא עוֹמְרָא דְּעַבְדָּא, בְּהַאי מַנָּא. דְּהָא חַד עוֹמְרָא לְכָל נֶפֶשׁ וְנֶפֶשׁ מִבֵּיתֵיהּ. מָדִיד לְדֵין, וְאִשְׁתְּכַח חַסְרָא, הַהוּא מֵיכְלָא דְּעַבְדָּא, בְּהַהוּא מַנָּא דִּילֵיהּ, וְחַד עוֹמְרָא לְכָל נֶפֶשׁ וְנֶפֶשׁ מִבֵּיתֵיהּ. אָמַר עַבְדָּא דְּדֵין הוּא, הה"ד אִישׁ לְפִי אָכְלוֹ לָקָטוּ וּכְתִיב עֹמֶר לַגֻּלְגֹּלֶת מִסְפַּר נַפְשֹׁתֵיכֶם.

תד. אָמַר ר' יֵיסָא, כְּתִיב, עֶרֶב וִידַעְתֶּם כִּי יְיָ' הוֹצִיא אֶתְכֶם מֵאֶרֶץ מִצְרַיִם וּבֹקֶר וּרְאִיתֶם אֶת כְּבוֹד יְיָ'. עֶרֶב וִידַעְתֶּם, בְּמַאי יִנְדְעוּן. אֶלָּא הָכִי תָּאנָא, בְּכָל יוֹמָא וְיוֹמָא אִשְׁתְּכָחוּ נִימוּסֵי קֻבְּ"ה, בְּצַפְרָא, אִתְעַר וָחֶסֶד בְּעָלְמָא. בְּהַהוּא זִמְנָא דְּאִקְרֵי עֶרֶב, תַּלְיָא דִּינָא בְּעָלְמָא, וְהָא אוּקְמוּהָ, דִּבְגִינֵי כַּךְ, יִצְחָק תִּקֵּן תְּפִלַּת הַמִּנְחָה. וְעַל דָּא, עֶרֶב וִידַעְתֶּם, כַּד אִתְעַר דִּינָא בְּעָלְמָא, תִּנְדְעוּן, דִּבְהַהוּא דִּינָא אַפִּיק יְיָ' יַתְכוֹן מִמִּצְרַיִם. וּבֹקֶר וּרְאִיתֶם אֶת כְּבוֹד יְיָ' דְּהָא בְּהַהוּא זִמְנָא אִתְעַר וָחֶסֶד בְּעָלְמָא וְיִתֵּן לְכוּ לְמֵיכַל.

תה. ר' חִיָּיא אָמַר אִיפְּכָא, מַה כְּתִיב לְעֵילָּא, בְּשִׁבְתֵּנוּ עַל סִיר הַבָּשָׂר וְגוֹ'. בֵּיהּ שַׁעֲתָא, אִתְעַר עֶרֶב, דְּהַהוּא זִמְנָא דְּאִתְעַר דִּינָא, אִתְעַר נָמֵי וָחֶסֶד בְּעָלְמָא. הה"ד, וִידַעְתֶּם כִּי יְיָ' הוֹצִיא אֶתְכֶם מֵאֶרֶץ מִצְרָיִם. תִּנְדְעוּן הַהוּא וָחֶסֶד דְּעָבֵד עִמְּכוֹן, בְּזִמְנָא דְּדִינָא וְאַפִּיק יַתְכוֹן מֵאַרְעָא דְּמִצְרַיִם. וּבֹקֶר וּרְאִיתֶם אֶת כְּבוֹד יְיָ', כְּבוֹד יְיָ' הָא יְדִיעַ. וכ"כ לָמָּה. בְּשָׁמְעוֹ יְיָ' אֶת תְּלֻנֹּתֵיכֶם וְגוֹ'.

תו. אָמַר ר' יֵיסָא, לָא שַׁנֵּי קֻבְּ"ה נִימוּסוֹי, בַּר דְּאִינּוּן חַיָּיבֵי עָלְמָא שַׁנְיָין לוֹן, וּמְהַפְּכֵי רַחֲמֵי לְדִינָא, כְּמָה דְּאִתְּמַר.

תז. תָּאנֵי ר' אֶלְעָזָר, מֵהַאי מָנָא זְמִינִין צַדִּיקַיָּיא לְמֵיכַל לְעָלְמָא דְּאָתֵי, וְאִי תֵּימָא בְּהַאי גַּוְונָא. לָא. אֶלָּא יַתִּיר, דְּלָא הֲוָה כֵּן לְעָלְמִין. מַאי אִיהוּ. כְּמָה דְּאוּקִימְנָא דִּכְתִיב לַחֲזוֹת בְּנֹעַם יְיָ' וּלְבַקֵּר בְּהֵיכָלוֹ. וּכְתִיב עַיִן לֹא רָאָתָה אֱלֹהִים זוּלָתְךָ וְגוֹ'. תח. רְאוּ כִּי יְיָ' נָתַן לָכֶם הַשַּׁבָּת. ר' חִזְקִיָּה פָּתַח שִׁיר הַמַּעֲלוֹת מִמַּעֲמַקִּים קְרָאתִיךָ יְיָ'. שִׁיר הַמַּעֲלוֹת סְתָם, וְלָא פָּרִישׁ מַאן אֲמָרוֹ. אֶלָּא שִׁיר הַמַּעֲלוֹת, דִּזְמִינִין כָּל בְּנֵי עָלְמָא לְמֵימַר, דִּזְמִין הַאי שִׁיר לְמֵימְרֵיהּ לְדָרֵי עָלְמָא.

תט. וּמַאי הוּא מִמַּעֲמַקִּים קְרָאתִיךָ. הָכִי תָּאנָא, כָּל מַאן דִּמְצַלֵּי צְלוֹתָא קָמֵי מַלְכָּא קַדִּישָׁא, בָּעֵי לְמִבְעֵי בָּעוּתֵיהּ, וּלְצַלָּאָה מֵעִמְקָא דְּלִבָּא, בְּגִין דְּיִשְׁתְּכַח לִבֵּיהּ שְׁלִים בְּקֻבְּ"ה, וִיכַוֵּין לִבָּא וּרְעוּתָא. וּמִי אָמַר דָּוִד הָכִי, וְהָא כְּתִיב, בְּכָל לִבִּי דְּרַשְׁתִּיךָ. וְדָא קְרָא סַגֵּי, מַאי בָּעֵי מִמַּעֲמַקִּים.

תי. אֶלָּא הָכִי תָּאנָא, כָּל בַּר נָשׁ דְּבָעֵי בָּעוּתֵיהּ קָמֵי מַלְכָּא, בָּעֵי לְכַוְּונָא דַּעְתָּא וּרְעוּתָא, מֵעִיקָּרָא דְּכָל עִקָּרִין, לְאַמְשָׁכָא בִּרְכָאן מֵעִמְקָא דְּבֵירָא, בְּגִין דְּיִנְגִּיד בִּרְכָאן מִמַּבּוּעָא דְּכֹלָּא. וּמַאי הוּא. הַהוּא אֲתַר דְּנָפִיק מִנֵּיהּ, וְאִשְׁתְּכַח מִנֵּיהּ, הַהוּא נָהָר, דִּכְתִיב וְנָהָר יוֹצֵא מֵעֵדֶן. וּכְתִיב נָהָר פְּלָגָיו יְשַׂמְּחוּ עִיר אֱלֹהִים. וְדָא אִקְרֵי מִמַּעֲמַקִּים. עִמְקָא דְּכֹלָּא, עִמְקָא דְּבֵירָא, דְּמַבּוּעִין נָפְקִין וְנַגְדִּין לְבָרְכָא כֹּלָּא. וְדָא הוּא שֵׁירוּתָא לְאַמְשָׁכָא בִּרְכָאן מֵעֵילָּא לְתַתָּא.

תיא. א"ר חִזְקִיָּה, כַּד עַתִּיקָא סְתִימָאָה דְּכָל סְתִימִין, בָּעֵי לִזְמְנָא בִּרְכָאן לְעָלְמִין, אַשְׁרֵי כֹּלָּא, וְאַכְלִיל כֹּלָּא, בְּהַאי עֲמִיקָא עִלָּאָה, וּמֵהָכָא שָׁאִיב וְאִתְנְגִיד נָהֲרָא דְּנָחֲלִין וּמַבּוּעִין אִתְנְגִידוּ מִנֵּיהּ, וּמִתְשַׁקְיָין מִנֵּיהּ כֻּלְּהוּ. וּמַאן דִּמְצַלֵּי צְלוֹתֵיהּ, בָּעֵי לְכַוְּונָא לִבָּא וּרְעוּתָא, לְאַמְשָׁכָא בִּרְכָאן מֵהַהוּא עֲמִיקָא דְּכֹלָּא, בְּגִין דְּיִתְקַבַּל צְלוֹתֵיהּ, וְיִתְעֲבִיד רְעוּתֵיהּ.

תיב. וַיֹּאמֶר מֹשֶׁה אֲלֵיהֶם אִישׁ אַל יוֹתֵר מִמֶּנּוּ עַד בֹּקֶר. א"ר יְהוּדָה, בְּכָל יוֹמָא וְיוֹמָא, מִתְבָּרֵךְ עָלְמָא מֵהַהוּא יוֹמָא עִלָּאָה, דְּהָא כָּל שִׁיתָּא יוֹמִין מִתְבָּרְכָאן מִיּוֹמָא שְׁבִיעָאָה. וְכָל יוֹמָא יָהִיב מֵהַהוּא בִּרְכָה דְּקַבִּיל בְּהַהוּא יוֹמָא דִּילֵיהּ.

תיג. וְע"ד מֹשֶׁה אָמַר, אִישׁ אַל יוֹתֵר מִמֶּנּוּ עַד בֹּקֶר. מ"ט. בְּגִין דְּלָא יָהִיב, וְלָא יוֹזִיף יוֹמָא דָּא לְחַבְרֵיהּ, אֶלָּא כָּל חַד וְחַד שָׁלִיט בִּלְחוֹדוֹי, בְּהַהוּא יוֹמָא דִּילֵיהּ. דְּהָא לָא שָׁלִיט יוֹמָא בְּיוֹמָא דְּחַבְרֵיהּ.

תיד. בְּגִינֵי כָּךְ, כָּל אִינּוּן חֲמִשָּׁא יוֹמִין שַׁלִּיטִין בְּיוֹמַיְיהוּ, וְאִשְׁתְּכַח בֵּיהּ, מַה דְּקַבִּילוּ, וְיוֹמָא שְׁתִיתָאָה אִשְׁתְּכַח בֵּיהּ יַתִּיר. וְאַזְלָא הָא, כְּהָא דְּאָמַר רִבִּי אֶלְעָזָר, מַאי דִּכְתִּיב יוֹם הַשִּׁשִּׁי, וְלָא אִתְּמַר הָכִי בְּכָל שְׁאַר יוֹמִין. אֶלָּא הָכִי אוֹקְמוּהָ, הַשִּׁשִּׁי. דְּאִזְדַּוְּוגָא בֵּיהּ מַטְרוֹנִיתָא. לְאַתְקָנָא פְּתוֹרָא לְמַלְכָּא, ובג"כ, אִשְׁתְּכָחוּ בֵּיהּ תְּרֵין חוּלָקִין, חַד לְיוֹמֵיהּ, וְחַד לְתִקּוּנָא, בְּחֶדְוְותָא דְּמַלְכָּא בְּמַטְרוֹנִיתָא.

תטו. וְהַהוּא לֵילְיָא, חֶדְוְותָא דְּמַטְרוֹנִיתָא בְּמַלְכָּא, וְזִוּוּגָא דִּלְהוֹן, וּמִתְבָּרְכָאן כָּל שִׁיתָא יוֹמִין, כָּל חַד וְחַד בִּלְחוֹדוֹי. בְּגִין כָּךְ, בָּעֵי בַּר נָשׁ לְסַדְּרָא פָּתוֹרֵיהּ בְּלֵילְיָא דְּשַׁבְּתָא, בְּגִין דְּשָׁארֵי עָלֵיהּ בִּרְכָאן מִלְעֵילָּא, וּבִרְכְתָא לָא אִשְׁתְּכַח עַל פָּתוֹרָא רֵיקַנְיָא, בג"כ, ת"ח דְּיַדְעִין רָזָא דָּא, זִוּוּגָא דִּלְהוֹן מע"ש לע"ש.

תטז. רְאוּ כִּי יְיָ' נָתַן לָכֶם הַשַּׁבָּת, מַאי שַׁבָּת. יוֹמָא דְּבֵיהּ נַיְיחִין שְׁאַר יוֹמִין, וְהוּא כְּלָלָא דְּכָל אִינּוּן שִׁיתָא אַחֲרָנִין, וּמִנֵּיהּ מִתְבָּרְכִין. רִבִּי יֵיסָא אָמַר, וְכֵן נָמֵי כְּנֶסֶת יִשְׂרָאֵל אִקְרֵי שַׁבָּת, בְּגִין דְּאִיהִי בַּת זוּגוֹ, וְדָא הִיא כַּלָּה. דִּכְתִּיב וּשְׁמַרְתֶּם אֶת הַשַּׁבָּת כִּי קֹדֶשׁ הִיא לָכֶם. לָכֶם וְלָא לִשְׁאַר עַמִּין, הה"ד בֵּינִי וּבֵין בְּנֵי יִשְׂרָאֵל. וְדָא הִיא אַחֲסָנַת יְרוּתַת עָלְמִין לְיִשְׂרָאֵל. וְע"ד, כְּתִיב אִם תָּשִׁיב מִשַּׁבָּת רַגְלֶךָ וְגוֹ' וּבְאַתְרֵיהּ אוֹקִימְנָא מִלֵּי.

תיז. כְּתִיב אַל יֵצֵא אִישׁ מִמְּקוֹמוֹ בַּיּוֹם הַשְּׁבִיעִי. מִמְּקוֹמוֹ. תָּנֵינָן, מֵהַהוּא מָקוֹם דְּאִתְחָזֵי לְמֵהַךְ. וְרָזָא דְּמִלָּה דִּכְתִּיב, בָּרוּךְ כְּבוֹד יְיָ' מִמְּקוֹמוֹ, וְדָא אִיהוּ מָקוֹם. וְדָא אִיהוּ רָזָא דִּכְתִּיב, כִּי הַמָּקוֹם אֲשֶׁר אַתָּה עוֹמֵד עָלָיו אַדְמַת קֹדֶשׁ הוּא. אֲתָר יְדִיעָא קָרֵינָן לֵיהּ מָקוֹם דְּאִשְׁתְּמוֹדְעָא יְקָרָא עִלָּאָה.

תיח. וּבְגִין כָּךְ, אַזְהָרוּתָא לְבַר נָשׁ, דְּקָא מִתְעַטְּרָא בְּעִטּוּרָא קַדִּישָׁא דִּלְעֵילָּא, דְּלָא יִפּוּק מִנֵּיהּ בְּפוּמֵיהּ מִלּוּלָא דְּחוֹל, בְּגִין דְּאִי יִפּוּק מִנֵּיהּ, קָא מְחַלֵּל יוֹמָא דְּשַׁבְּתָא, בִּידוֹי בְּעוֹבַדְתָּא. בְּרַגְלוֹי, לְמֵהַךְ לְבַר מִתְּרֵין אַלְפִּין אַמִּין. כָּל אִלֵּין חִלּוּלָא דְּשַׁבְּתָא אִינּוּן.

תיט. אַל יֵצֵא אִישׁ מִמְּקוֹמוֹ, דָּא אִיהוּ אֲתַר יְקִירָא דִּקְדוּשָּׁה, דְּהָא לְבַר מִנֵּיהּ, אֱלֹהִים אֲחֵרִים נִינְהוּ. בָּרוּךְ כְּבוֹד יְיָ', דָּא כָּבוֹד דִּלְעֵילָּא. מִמְּקוֹמוֹ, דָּא כָּבוֹד דִּלְתַתָּא. דָּא אִיהוּ רָזָא דַּעֲטָרָא דְּשַׁבָּת, בְּגִין כָּךְ אַל יֵצֵא אִישׁ מִמְּקוֹמוֹ. זַכָּאָה חוּלָקֵיהּ מַאן דְּזָכֵי לִיקָרָא דְּשַׁבְּתָא זַכָּאָה אִיהוּ בְּעָלְמָא דֵּין וּבְעָלְמָא דְּאָתֵי.

תכ. וַיֹּאמֶר יְיָ' אֶל מֹשֶׁה עֲבוֹר לִפְנֵי הָעָם וְגוֹ'. רִבִּי חִיָּיא פָּתַח, חוֹנֶה מַלְאַךְ יְיָ' סָבִיב לִירֵאָיו וַיְחַלְּצֵם. זַכָּאִין אִינּוּן צַדִּיקַיָּיא, דְּקֻבְּ"ה אִתְרְעֵי בִּיקָרֵיהוֹן, יַתִּיר עַל דִּילֵיהּ. תָּא חֲזֵי, כַּמָּה אִינּוּן בְּנֵי עָלְמָא, דִּמְחָרְפֵי וּמְגַדְּפֵי לְעֵילָּא, כְּגוֹן סַנְחֵרִיב חֵרֵף וְגִדֵּף, וְאָמַר מִי בְּכָל אֱלֹהֵי הָאֲרָצוֹת וְגוֹ'. וְקֻבְּ"ה מָחִיל, וְלָא תָּבַע מִנֵּיהּ. כֵּיוָן דְּאוֹשִׁיט יְדֵיהּ עַל חִזְקִיָּה, מַה כְּתִיב וַיֵּצֵא מַלְאַךְ יְיָ' וַיַּךְ בְּמַחֲנֵה אַשּׁוּר וְגוֹ'.

תכא. יָרָבְעָם בֶּן נְבָט הֲוָה פָּלַח לע"ז, וּמְקַטֵּר לָהּ, וּמְדַבַּח לָהּ, וְקֻבְּ"ה לָא תָּבַע מִנֵּיהּ. וְכַד אָתָא עִדּוֹ נְבִיאָה, וְאִתְנַבֵּי עָלֵיהּ, וְאוֹשִׁיט יָרָבְעָם יְדָא לְקַבְלֵיהּ, מַה כְּתִיב וַתִּיבַשׁ יָדוֹ וְגוֹ', וְלֹא יָכֹל לַהֲשִׁיבָהּ אֵלָיו.

תכב. פַּרְעֹה חֵרֵף וְגִדֵּף, וְאָמַר מִי יְיָ' וְגוֹ'. וְקֻבְּ"ה לָא תָּבַע מִנֵּיהּ, עַד דְּסָרִיב בְּהוּ

בְּיִשְׂרָאֵל, דִּכְתִּיב עוֹדְךָ מִסְתּוֹלֵל בְּעַמִּי. הִנֵּה יַד יְיָ׳ הוֹיָה בְּמִקְנְךָ וְגוֹ׳, וְכֵן בְּכָל אֲתַר, קֻדְשָׁא בְּרִיךְ הוּא תָּבַע עֶלְבּוֹנָא דְּצַדִּיקַיָּיא יַתִּיר עַל דִּילֵיהּ.

תכג. הָכָא מֹשֶׁה, אָמַר עוֹד מְעַט וּסְקָלוּנִי, אָמַר לֵיהּ קֻדְשָׁא בְּרִיךְ הוּא, מֹשֶׁה לָאו עִידָּן הוּא לְמִתְבַּע עֶלְבּוֹנָךְ, אֶלָּא עֲבוֹר לִפְנֵי הָעָם, וְאַחְזֵי מַאן יוֹשִׁיט יְדוֹי לְקַבְּלָךְ, וְכִי בִּרְשׁוּתַיְיהוּ אַתְּ קָאִים, אוֹ בִּרְשׁוּתִי.

תכד. וּמַטְּךָ אֲשֶׁר הִכִּיתָ בּוֹ אֶת הַיְאוֹר קַח בְּיָדְךָ וְהָלָכְתָּ. מַאי טַעְמָא. מִשּׁוּם דִּמְחַקֵּק בְּנִסִּין הֲוָה, וּשְׁמָא קַדִּישָׁא עִלָּאָה רְשִׁימָא בֵּיהּ. בְּקַדְמֵיתָא נָחָשׁ, כְּמָה דְּאִתְּמַר, דֶּרֶךְ נָחָשׁ עֲלֵי צוּר. נָחָשׁ, הָא אִתְיְדַע דְּאִתְּעַר צוּר. בְּאָן אֲתַר אִתְגַּלֵּי, הָכָא אִתְגַּלֵּי דִּכְתִּיב הִנְנִי עוֹמֵד לְפָנֶיךָ שָּׁם עַל הַצּוּר. וּמַאן צוּר. כד״א הַצּוּר תָּמִים פָּעֳלוֹ, וְתַמָּן יָדַע מֹשֶׁה הֵיךְ קָאִים נָחָשׁ עֲלֵי צוּר. וְהָא אוֹקִימְנָא מִלֵּי.

תכה. א״ר יְהוּדָה, אִי לִשְׁתִּיק קְרָא יָאוּת שְׁאִילְתָּא. אֶלָּא הָא כְּתִיב, וְהִכִּיתָ בַצּוּר וְיָצְאוּ מִמֶּנּוּ מַיִם. אָמַר לֵיהּ, וַדַּאי הָכִי הוּא, דְּלֵית לָךְ כָּל שְׁמָא וּשְׁמָא, מֵאִינּוּן שְׁמָהָן קַדִּישִׁין דְּקֻדְשָׁא בְּרִיךְ הוּא, דְּלָא עָבֵד נִסִּין וּגְבוּרָאן, וְאַפִּיק כֹּלָּא דְּאִצְטְרִיךְ לְעָלְמָא, כ״ד לְאַפָּקָא הָכָא מַיָא.

תכו. א״ל, אִי הָכִי, הָא כְּתִיב, הֵן הִכָּה צוּר וַיָּזוּבוּ מַיִם. מַאן מָחֵי לִשְׁמֵיהּ. א״ל, פַּטִּישָׁא וְחָרִיפָא, בְּקִטְרוֹי יְדִיעַ, וְאַתְּ שָׁאִיל דָּא. אֶלָּא תָּא חֲזֵי, בְּכָל אֲתַר צוּר גְּבוּרָה, וְכַד בָּעֵי קֻדְשָׁא בְּרִיךְ הוּא לְמִמְחָאָה, אוֹ לְאַלְקָאָה, אִתְּעַר גְּבוּרָה דָּא וְהַהוּא גְּבוּרָה מָחֵי וְלָקֵי, וְדָא הוּא דִּכְתִּיב, הֵן הִכָּה צוּר וַיָּזוּבוּ מַיִם. וְאִי לָאו דְּאִתְּעַר צוּר, וְלָקֵי בַּאֲתַר דְּאִצְטְרִיךְ, לָא נַבְעִין מַיָא.

תכז. א״ל, אִי הָכִי, הָא כְּתִיב, צוּר יְלָדְךָ תֶּשִׁי. וְתָנִינָן מַאי תֶּשִׁי, כְּלוֹמַר וַחֲלָשְׁתְּ לֵיהּ. א״ל וַדַּאי הָכִי הוּא, דְּאִלְמָלֵי יָנְדְעוּן וְזַכָּאָן, דְּהַאי צוּר זְמִינָא לְאִתְעָרָא לְקַבְּלַיְיהוּ, וּלְאַלְקָאָה לוֹן, יִמְנְעוּן מִלְּמֵיחַב קַמֵּיהּ, אֶלָּא וַחֲלָשָׁא אִיהִי בְּעֵינַיְיהוּ, הוֹאִיל וְלָא מִסְתַּכְּלֵי בָּהּ, וְלָא מִסְתַּכְּלֵי בְּאָרְחַיְיהוּ, וְעַל דָּא צוּר יְלָדְךָ תֶּשִׁי.

תכח. ר׳ אַבָּא אָמַר, אִית צוּר, וְאִית צוּר, מִסִּטְרָא דְּצוּר עִלָּאָה, נָפַק צוּר אָחֳרָא. וּמַאי צוּר עִלָּאָה. צוּר דְּכָל צוּרִים. וּמַאי אִיהוּ, הַהוּא דְּאוֹלִידַת לְיִשְׂרָאֵל, דִּכְתִּיב צוּר יְלָדְךָ תֶּשִׁי. דְּהָא מִסִּטְרָא דְּצוּר עִלָּאָה דִּלְעֵילָּא, נָפְקָא צוּר אָחֳרָא. מִסִּטְרָא דְּאִימָא, נָפְקָא גְּבוּרָה.

תכט. וְאָזְלָא הָא כְּהָא דא״ר אֶלְעָזָר, כְּתִיב מִי יְמַלֵּל גְּבוּרוֹת יְיָ׳. מַאי גְּבוּרוֹת יְיָ׳. לְאַכְלְלָא אִימָא עִלָּאָה דְּכֹלָּא, דְּאע״ג דְּלָאו אִיהִי דִּינָא, מִסִּטְרָהָא אִשְׁתְּכַח, דְּהָא מִסִּטְרָהָא גְּבוּרָה אִשְׁתְּכַח, וּבְגִּינֵי כָּךְ צוּר עִלָּאָה אִקְרֵי. וַתִּשְׁכַּח אֵל מְחוֹלְלֶךָ, דָּא נְהִירוּ דְּאַבָּא. מַאי נִיהוּ. חֶסֶד עִלָּאָה, דְּאִיהוּ נְהִירוּ דְּאַבָּא.

תל. תּוּ אָמַר רַבִּי אַבָּא, מַיִם בְּכָל מָקוֹם, הָא יְדִיעָא, וְקֻדְשָׁא בְּרִיךְ הוּא בְּהַאי צוּר אִתְּעַר לְאַרְקָא מַיָא, דְּהָא לָא אִתְחֲזֵי, וְדָא הוּא אָת וְנִיסָא דְּקֻדְשָׁא בְּרִיךְ הוּא. וְעַל דָּא שַׁבַּח דָּוִד וְאָמַר, הַהֹפְכִי הַצּוּר אֲגַם מָיִם וְגוֹ׳. וּמַשְׁמַע הַהֹפְכִי, דְּהָא לָאו אָרְחוֹי דְּצוּר בְּכַךְ.

תלא. וְעַל דָּא, בַּצּוּר עִלָּאָה, אַפִּיק מַיָא מֵאֲתַר דִּלְתַתָּא. וּמַה שְׁמֵיהּ דְּהַהוּא דִּלְתַתָּא. סֶלַע. דִּכְתִּיב וְהוֹצֵאתָ לָהֶם מַיִם מִן הַסֶּלַע. וּבַמֶּה אַפִּיק הַאי סֶלַע מַיָא. בְּחֵילָא דְּצוּר דִּלְעֵילָּא.

תלב. ר״ש אָמַר, הַצּוּר תָּמִים פָּעֳלוֹ מַאי מַשְׁמַע הַצּוּר תָּמִים פָּעֳלוֹ. דְּאִתְהַפַּךְ צוּר,

לְמֶעְבַּד פָּעֳלוֹ דְּתָמִים. וּמַאי אִיהוּ. אַבְרָהָם. דִּכְתִּיב בֵּיהּ הִתְהַלֵּךְ לְפָנַי וֶהְיֵה תָמִים. וְדָא הוּא הַהֹפְכִי הַצּוּר אֲגַם מָיִם, וּמַשְׁמַע תָּמִים פָּעֳלוֹ, וְדָא אַבְרָהָם.

תלג. בְּשַׁעֲתָא דָּא, אִתְהַדַּר הַצּוּר, תָּמִים. בְּשַׁעֲתָא אַחֲרָא תִּנְיָנָא, כַּד בָּעָא מֹשֶׁה לְאַפָּקָא מַיָּא בְּהַאי צוּר, בְּחוֹבַיְיהוּ דְּיִשְׂרָאֵל, לָא אִתְהַדַּר תָּמִים, כְּקַדְמֵיתָא. בֵּיהּ זִמְנָא, אִתְרָעַם מֹשֶׁה וְאָמַר, צוּר יְלָדְךָ תֶּשִׁי. כְּלוֹמַר, וְחָלַשְׁתְּ לֵיהּ מִמַּה דַּהֲוָה בְּקַדְמֵיתָא, דִּבְגִינָךְ לָא אִשְׁתְּכַח תָּמִים הַשְׁתָּא, וְאִתְעֲבִיד דִּינָא, מַה דְּלָא הֲוָה בְּיוֹמֵי יְלָדְךָ, כְּלוֹמַר עוּלֵימָךְ.

תלד. א"ר אַבָּא, מַאי דִּכְתִּיב הֲיֵשׁ יְיָ' בְּקִרְבֵּנוּ אִם אָיִן. וְכִי טִפְּשִׁין הֲווּ יִשְׂרָאֵל דְּלָא יָדְעֵי מִלָּה דָּא, וְהָא חָמוּ שְׁכִינְתָּא קָמַיְיהוּ, וַעֲנָנֵי כָּבוֹד עֲלַיְיהוּ דְּסַחֲרָן לוֹן, וְאִינּוּן אָמְרוּ הֲיֵשׁ יְיָ' בְּקִרְבֵּנוּ אִם אָיִן, גּוּבְרִין דְּחָמוּ זִיו יְקָרָא דְּמַלְכֵּיהוֹן עַל יַמָּא, וְתָנֵינָן, רָאֲתָה שִׁפְחָה עַל הַיָּם מַה שֶּׁלֹּא רָאָה יְחֶזְקֵאל, אִינּוּן אִשְׁתְּכָחוּ טִפְּשִׁין, וְאָמְרוּ הֲיֵשׁ יְיָ' בְּקִרְבֵּנוּ אִם אָיִן.

תלה. אֶלָּא הָכִי קָאָמַר ר"ש, בָּעוּ לְמִנְדַּע, בֵּין עַתִּיקָא סְתִימָאָה דְּכָל סְתִימִין, דְּאִקְרֵי אַיִן. וּבֵין זְעֵיר אַפִּין דְּאִקְרֵי יְיָ'. וְעַל דָּא, לָא כְּתִיב הֲיֵשׁ יְיָ' בְּקִרְבֵּנוּ אִם לֹא, כְּמָה דִּכְתִּיב הֲיֵלֵךְ בְּתוֹרָתִי אִם לֹא. אֶלָּא הֲיֵשׁ יְיָ' בְּקִרְבֵּנוּ אִם אָיִן.

תלו. אִי הָכִי אַמַּאי אִתְעֲנָשׁוּ. אֶלָּא עַל דַּעֲבִידוּ פְּרוּדָא, וַעֲבִידוּ בְּנִסְיוֹנָא, דִּכְתִּיב וְעַל נַסֹּתָם אֶת יְיָ'. אָמְרוּ יִשְׂרָאֵל, אִי הַאי נִשְׁאַל בְּגַוְונָא חַד. וְאִי הַאי נִשְׁאַל בְּגַוְונָא אַחֲרָא. וְע"ד מִיָּד וַיָּבֹא עֲמָלֵק.

תלז. וַיָּבֹא עֲמָלֵק וַיִּלָּחֶם עִם יִשְׂרָאֵל בִּרְפִידִים. רִבִּי יוֹסֵי פָּתַח, אַשְׁרֵיכֶם זוֹרְעֵי עַל כָּל מָיִם מְשַׁלְּחֵי רֶגֶל הַשּׁוֹר וְהַחֲמוֹר. אַשְׁרֵיכֶם זוֹרְעֵי עַל כָּל מָיִם, תַּמָּן תָּנֵינָן, כַּמָּה מַיִם וְכַמָּה מַיִם מִשְׁתַּכְּחִין. זַכָּאִין אִינּוּן יִשְׂרָאֵל, דְּלֵית זַרְעָא לְהוּ, אֶלָּא עַל הַמַּיִם, דִּכְתִּיב וַיַּחֲנוּ שָׁם עַל הַמָּיִם, אִינּוּן דַּהֲווּ תְּחוֹת עַנְפֵי אִילָנָא דְּקֻבָּ"ה.

תלח. דְּתַנְיָא, אִילָנָא אִית לְקֻבָּ"ה, וְהוּא אִילָנָא רַבְרְבָא וְתַקִּיפָא, וּבֵיהּ אִשְׁתְּכַח מְזוֹנָא לְכֹלָּא. וְהוּא אִתְחָם בִּתְרֵיסַר תְּחוּמִין, בְּמִתְקְלָא, וְאִתְתָּקַף בְּאַרְבַּע רוּחֵי עָלְמָא. וְע' עַנְפִּין אֲחִידָן בֵּיהּ וְיִשְׂרָאֵל מִשְׁתַּכְּחֵי בְּגוּפָא דְּהַהוּא אִילָנָא. וְאִינּוּן שַׁבְעִין עַנְפִּין סַחֲרָנָא דִּלְהוֹן.

תלט. וְהַיְינוּ דִּכְתִּיב, וַיָּבֹאוּ אֵילִמָה וְשָׁם שְׁתֵּים עֶשְׂרֵה עֵינוֹת מַיִם וְשִׁבְעִים תְּמָרִים, וְהָא אוֹקְמוּהָ, וְאִתְּמַר בְּכַמָּה אֲתַר. מַאי וַיַּחֲנוּ שָׁם עַל הַמָּיִם. אֶלָּא בְּהַהוּא זִמְנָא, שַׁלִּיטוּ עַל אִינּוּן מַיָּא, דְּאִינּוּן תְּחוֹת עַנְפִּין דְּאִילָנָא, דְּאִקְרוּן הַמַּיִם הַזֵּידוֹנִים. וְע"ד אַשְׁרֵיכֶם זוֹרְעֵי עַל כָּל מָיִם.

תמ. מְשַׁלְּחֵי רֶגֶל הַשּׁוֹר וְהַחֲמוֹר, אִינּוּן תְּרֵין כִּתְרֵי שְׂמָאלָא, דַּאֲחִידָן בְּהוּ עַמִּין עכו"ם, דְּאִקְרוּן שׁוֹר וַחֲמוֹר. וְהַיְינוּ דִּכְתִּיב וַיְהִי לִי שׁוֹר וַחֲמוֹר. בְּגִין דְּלָבָן וְחַכִּים הֲוָה בְּחַרְשִׁין וּבְאִינּוּן כִּתְרִין תַּתָּאִין, וּבְאִינּוּן בָּעָא לְאוֹבָדָא לְיַעֲקֹב, כְּמָה דִּכְתִּיב אֲרַמִּי אוֹבֵד אָבִי, וְהָא אִתְּמַר. וּכְשֶׁיִּשְׂרָאֵל זַכָּאִין, מְשַׁלְּחֵי לְהוּ, וְלָא יַכְלֵי לְשַׁלְטָאָה עֲלַיְיהוּ, הה"ד מְשַׁלְּחֵי רֶגֶל הַשּׁוֹר וְהַחֲמוֹר דְּלָא שַׁלְטֵי בְּהוּ.

תמא. א"ר אַבָּא, כַּד מִזְדַּוְּוגֵי כַּחֲדָא, לָא יַכְלֵי בְּנֵי עָלְמָא לְמֵיקַם בְּהוּ, וְעַל דָּא כְּתִיב לֹא תַחֲרוֹשׁ בְּשׁוֹר וּבַחֲמוֹר יַחְדָּיו. יַחְדָּיו דַּיְיקָא. וְתָנֵינָן, לָא יָהִיב אִינִישׁ דּוּכְתָּא לְזִינִין בִּישִׁין, דְּהָא בְּעוֹבָדָא דִּב"נ, אִתְעַר מַה דְּלָא אִצְטְרִיךְ. וְכַד מִזְדַּוְּוגֵי כַּחֲדָא, לָא יַכְלִין לְמֵיקַם בְּהוּ. מִבֵּין סִטְרָא דִּלְהוֹן נָפִיק מִתְקִיפוּתָא דִּלְהוֹן דְּאִקְרֵי כֶּלֶב, וְדָא

וזיפא מכלהו, הה"ד ולכל בני ישראל לא יחרץ כלב לשונו. אמר קב"ה, אתון אמרתון, היש יי' בקרבנו אם אין, הרי אני מוסר אתכם לכלב. מיד ויבא עמלק.

תמב. ר' יהודה אמר, ראשית גוים עמלק ואחריתו עדי אובד. וכי ראשית גוים עמלק, והלא כמה לישנין ועמין ואומין הוו בעלמא, עד לא אתא עמלק.

תמג. אלא, כד נפקו ישראל ממצרים, דחילו ואימתא נפלה על כל עמין דעלמא מישראל, הה"ד שמעו עמים ירגזון חיל אחז יושבי פלשת. ולא הוו עמא, דלא הוה דחיל מגבוראן עלאין דקב"ה, ועמלק לא הוה דחיל, הה"ד, ולא ירא אלהים. לא דחיל למקרב לגבך. ועל דא ראשית גוים.

תמד. קדמאה דאתו לאגחא קרבא בישראל עמלק הוה. ובגיני כך ואחריתו עדי אובד, דכתיב כי מחה אמחה את זכר עמלק. וכתיב, תמחה את זכר עמלק, הה"ד ואחריתו עדי אובד. עדי אבדו מבעי ליה. אלא עד דייתי קב"ה ויאבד ליה, דכתיב כי מחה אמחה וגו'. אמר ר' אלעזר, ת"ח, אע"ג דהצור תמים פעלו, ועבד עמהון חסד לאפקא לון מיא, לא שבק דידיה, דהא כתיב ויבא עמלק.

תמה. ר' אבא פתח ואמר, יש רעה חולה ראיתי תחת השמש. כמה בני נשא אטימין לבא, בגין דלא משתדלי באורייתא. יש רעה חולה, וכי יש רעה דהיא חולה, ויש רעה דלאו היא חולה. אלא ודאי יש רעה חולה, דתנינן, מסטרא דשמאלא, נפקי כמה גרדיני נימוסין, דבקען באוירא.

תמו. וכד בעיין למיפק, אזלין ואשתאבין בנוקבא דתהומא רבה, לבתר נפקין ומתחברן כחדא, ובקעין אוירין, ושאטין בעלמא, ומתקרבין לגבייהו דבני נשא, וכל חד אקרי רעה, כד"א לא תאנה אליך רעה. מאי לא תאנה. בגין דאתיא בתסקופא על בני נשא.

תמז. חולה אמאי היא חולה. כד שריא האי על בני נשא, עביד לון קמצנין מממוניהון, אתיין גבאי צדקה גביה, היא מחאת בידיה. א"ל לא תיפוק מדידך. אתיין מסכני, היא מחאת בידיה. אתי הוא למיכל מממוניה, מחאת בידיה, בגין לנטרא ליה לאחרא. ומן יומא דשריא עליה דבר נש, היא חולה, כהאי שכיב מרע דלא אכיל ולא שתי. ועל דא היא רעה חולה.

תמח. ושלמה מלכא צווח בחכמתא ואמר, איש אשר יתן לו האלהים עשר ונכסים וכבוד וגו'. האי קרא, לאו רישיה סיפיה, ולאו סיפיה רישיה, כתיב איש אשר יתן לו האלהים עשר ונכסים וכבוד וגו', מאי ולא ישליטנו האלהים לאכול ממנו. אי הכי, לאו ברשותיה הוא דב"נ.

תמט. אלא, אי כתיב ולא יעזבנו האלהים לאכול ממנו, הוינא אמר הכי. אלא ולא ישליטנו, דבגין דהוא הימניה לההיא רעה, ואחיד בה. קב"ה לא שלטיה עליה, לאתבראה תחותיה, על דהוא אתרעי בה, ואחיד בה.

תנ. וכל ארחוי כשכיב מרע, דלא אכיל ולא שתי, ולא קריב לממוניה, ולא אפיק מיניה, ונטיר ליה עד דהוא יפוק מעלמא, וייתי אחרא, ויטול ליה, דהוא בעליו.

תנא. ושלמה מלכא צווח ואמר, עשר שמור לבעליו לרעתו. מאן בעליו. דא אחרא דירית ליה. ולמה זכה האי אחרא למהוי בעליו דההוא עתרא. בגין דהאי הימין לההיא רעה, ואתרעי בה ואתדבק בה. בג"כ, האי אחרא דלא אתדבק בההיא רעה, זכה למהוי בעליו דההוא עתרא הה"ד לרעתו, כלומר בגין רעתו דהוה

מִתְדַּבַּק בָּהּ, רָווַח לֵיהּ הַאי.

תנב. ד"א יֵשׁ רָעָה חוֹלָה, הַאי מַאן דְּיָתִיב בְּחוּלָקָא טָבָא, בְּבֵית אֲבוּי, וְהוּא אָזִיל לְקַבֵּל אֲבוּי, בְּתַסְקוּפֵי מִלִּין, הָא אִתְדַּבַּק בְּהַהוּא רָעָה חוֹלָה, כְּבַר נָשׁ שְׁכִיב מְרַע דְּכָל אָרְחוֹי בְּתַסְקוּפָא, דָּא בְּעֵינָא, וְדָא לָא בְּעֵינָא, וּבְגִין הַאי עוּתְרָא אִתְדַּבַּק בַּר נָשׁ בְּרָעָה חוֹלָה, וְאִתְעֲנַשׁ בְּהַאי עָלְמָא, וּבְעָלְמָא דְּאָתֵי, וְדָא הוּא עוֹשֶׁר שָׁמוּר לִבְעָלָיו לְרָעָתוֹ.

תנג. כָּךְ יִשְׂרָאֵל, קב"ה נָטִיל לוֹן עַל גַּדְפֵּי נִשְׁרִין, אַסְחַר לוֹן בַּעֲנָנֵי יְקָרָא, שְׁכִינְתֵּיהּ נָטִיל קָמַיְיהוּ, נָחַת לוֹן מַנָּא לְמֵיכַל, אַפִּיק לוֹן מַיָּא מְתִיקִין, וְאִינּוּן הֲווּ אַזְלִין עִמֵּיהּ בְּתַסְקוּפִין. מִיָּד וַיָּבֹא עֲמָלֵק.

תנד. וַיָּבֹא עֲמָלֵק, א"ר שִׁמְעוֹן, רָזָא דְּחָכְמְתָא הָכָא, מִגְּזֵרַת דִּינָא קַשְׁיָא, קָא אַתְיָא קְרָבָא דָּא. וּקְרָבָא דָּא אִשְׁתְּכַח לְעֵילָּא וְתַתָּא. וְלֵית לָךְ מִלָּה בְּאוֹרַיְיתָא, דְּלָא אִית בָּהּ רָזִין עִלָּאִין דְּחָכְמְתָא, דְּמִתְקַשְּׁרִין בִּשְׁמָא קַדִּישָׁא. כִּבְיָכוֹל, אָמַר קב"ה, כַּד יִשְׂרָאֵל אִינּוּן זַכָּאִין לְתַתָּא, אִתְגַּבַּר חֵילָא דִּילִי עַל כֹּלָּא. וְכַד לָא אִשְׁתְּכָחוּ זַכָּאִין, כִּבְיָכוֹל, מַתִּישִׁין חֵילָא דִּלְעֵילָּא, וְאִתְגַּבַּר חֵילָא דְּדִינָא קַשְׁיָא.

תנה. ת"ח, בְּשַׁעֲתָא דְּחָבוּ יִשְׂרָאֵל לְתַתָּא, מַה כְּתִיב, וַיָּבֹא עֲמָלֵק וַיִּלָּחֶם עִם יִשְׂרָאֵל, אָתָא לְקַטְרְגָא דִּינָא בְּרַחֲמֵי. דְּכֹלָּא אִשְׁתְּכַח לְעֵילָּא וְתַתָּא. בִּרְפִידִים: בְּרִפְיוֹן יָדַיִם, דְּרָפוּ יְדֵיהוֹן מֵאוֹרַיְיתָא דְּקב"ה, כְּמָה דְּאוֹקִימְנָא. אָמַר ר' יְהוּדָה, תְּרֵי זִמְנֵי אַגַּח קְרָבָא עֲמָלֵק בְּיִשְׂרָאֵל, חַד הָכָא. וְחַד דִּכְתִּיב, וַיֵּרֶד הָעֲמָלֵקִי וְהַכְּנַעֲנִי וְגו'.

תנו. אָמַר ר' שִׁמְעוֹן, לְעֵילָּא וְתַתָּא. קַטְרוּגָא דְּקוּדְשָׁא בְּרִיךְ הוּא הֲוָה, לְעֵילָּא, כְּמָה דְּאִתְּמַר. לְתַתָּא בְּקב"ה הֲוָה, דַּהֲווֹ נַסְבֵי לְגַבְרֵי, וְגַזְרֵי לוֹן עָרְלָתָא דִּרְשִׁימָא קַדִּישָׁא, וְנַטְלֵי לְהוּ וְאַרְמוּ לוֹן לְעֵילָּא, וְאַמְרֵי טוֹל לָךְ מַה דְּאִתְרְעִית. ועכ"פ דְּקב"ה הֲוָה כֹּלָּא.

תנז. וַיֹּאמֶר מֹשֶׁה אֶל יְהוֹשֻׁעַ בְּחַר לָנוּ אֲנָשִׁים וְצֵא הִלָּחֵם בַּעֲמָלֵק. וְכִי מַה חָמָא מֹשֶׁה, דְּסָלִיק גַּרְמֵיהּ, מֵהַאי קְרָבָא קַדְמָאָה דְּקב"ה פָּקִיד. אֶלָּא מֹשֶׁה זַכָּאָה חוּלָקֵיהּ, דְּאִסְתַּכַּל וְיָדַע עִקָּרָא דְּמִלָּה. אָמַר מֹשֶׁה, אֲנָא אַזְמִין גַּרְמִי לְהַהוּא קְרָבָא דִּלְעֵילָּא, וְאַנְתְּ יְהוֹשֻׁעַ זַמִּין גַּרְמָךְ לִקְרָבָא דִּלְתַתָּא.

תנח. וְהַיְינוּ דִּכְתִּיב, וְהָיָה כַּאֲשֶׁר יָרִים מֹשֶׁה יָדוֹ וְגָבַר יִשְׂרָאֵל: יִשְׂרָאֵל דִּלְעֵילָּא. וּבְגִין כָּךְ סָלִיק מֹשֶׁה גַּרְמֵיהּ מִקְּרָבָא דִּלְתַתָּא, בְּגִין לְאַזְדַּרְזָא בִּקְרָבָא דִּלְעֵילָּא, וְיִתְנַצַּח עַל יְדוֹי.

תנט. אָמַר ר' שִׁמְעוֹן, וְכִי קַלָּה הִיא בְּעֵינֶיךָ, קְרָבָא דָּא דַּעֲמָלֵק. תָּא חֲזֵי, מִן יוֹמָא דְּאִתְבְּרֵי עָלְמָא, עַד הַהוּא זִמְנָא, וּמֵהַהוּא זִמְנָא, עַד דְּיֵיתֵי מַלְכָּא מְשִׁיחָא, וַאֲפִילּוּ בְּיוֹמוֹי דְּגוֹג וּמָגוֹג, לָא יִשְׁתְּכַח כְּוָותֵיהּ. לָאו בְּגִין חַיָּילִין תַּקִּיפִין וְסַגִּיאִין, אֶלָּא בְּגִין דִּבְכָל סִטְרִין דְּקב"ה הֲוָה.

תס. וַיֹּאמֶר מֹשֶׁה אֶל יְהוֹשֻׁעַ, אַמַּאי לִיהוֹשֻׁעַ, וְלָא לְאַחֲרָא, וְהָא בְּהַהוּא זִמְנָא רַבְיָא הֲוָה, דִּכְתִּיב וִיהוֹשֻׁעַ בִּן נוּן נַעַר, וְכַמָּה הֲווּ בְּיִשְׂרָאֵל תַּקִּיפִין מִנֵּיהּ. אֶלָּא מֹשֶׁה בְּחָכְמְתָא אִסְתַּכַּל וְיָדַע. מַאי חָמָא. חָמָא לְסַמָּאֵל דַּהֲוָה נָחִית מִסִּטְרָא דִּלְעֵילָּא, לְסַיְּיעָא לַעֲמָלֵק לְתַתָּא. אָמַר מֹשֶׁה, וַדַּאי קְרָבָא הָכָא תַּקִּיפָא אִתְחֲזֵי.

תסא. יְהוֹשֻׁעַ בְּהַהוּא זִמְנָא בְּדַרְגָּא עִלָּאָה יַתִּיר אִשְׁתְּכַח. אִי תֵּימָא דִּבְשְׁכִינְתָּא אִשְׁתְּכַח בְּהַהוּא זִמְנָא לָאו הָכִי, דְּהָא בְּמֹשֶׁה אִתְנְסִיבַת וְאִתְאַחֲדַת, אִשְׁתְּכַח יְהוֹשֻׁעַ דְּאִתְאַחַד לְתַתָּא מִינָּהּ. וּבַמֶּה. אָמַר ר' שִׁמְעוֹן, בְּהַהוּא אֲתָר, דְּאִתְקְרֵי נַעַ"ר.

תסב. וְהַיְינוּ דְּא"ר יְהוּדָה, מַאי דִּכְתִּיב עֵינֶיךָ תִּרְאֶינָה יְרוּשָׁלַםִ נָוֶה שַׁאֲנָן אֹהֶל בַּל יִצְעָן בַּל יִסַּע יְתֵדוֹתָיו לָנֶצַח. יְרוּשָׁלַםִ: יְרוּשָׁלַםִ דִּלְעֵילָּא, דְּאִקְרֵי אֹהֶל בַּל יִצְעָן, דְּלָא יִשְׁתְּכַח יַתִּיר לְמֵהַךְ בְּגָלוּתָא, וְדָא הוּא רָזָא דִּכְתִּיב, וִיהוֹשֻׁעַ בִּן נוּן נַעַר. נַעַר וַדַּאי. לֹא יָמִישׁ מִתּוֹךְ הָאֹהֶל, הַהוּא דְּאִקְרֵי אֹהֶל בַּל יִצְעָן. מְלַמֵּד דִּבְכָל יוֹמָא וְיוֹמָא, הֲוָה יָנִיק מִשְּׁכִינְתָּא, כְּמָה דְּהַהוּא נַעַר דִּלְעֵילָּא, לֹא יָמִישׁ מִתּוֹךְ הָאֹהֶל, וְיָנִיק מִנֵּיהּ תָּדִירָא. כַּךְ הַאי נַעַר דִּלְתַתָּא לֹא יָמִישׁ מִתּוֹךְ הָאֹהֶל, וְיָנִיק מִנָּהּ תָּדִירָא.

תסג. בְּגִין כַּךְ, כַּד חָמָא מֹשֶׁה, לְסָמָאֵל, דְּאָזִיל לְסַיְּיעָא לַעֲמָלֵק, אָמַר מֹשֶׁה, וַדַּאי הַאי נַעַר יְקוּם לָקֳבְלֵיהּ, וְיִשְׁלוֹט עָלֵיהּ, לְנַצְּחָא לֵיהּ. מִיַּד וַיֹּאמֶר מֹשֶׁה אֶל יְהוֹשֻׁעַ בְּחַר לָנוּ אֲנָשִׁים וְצֵא הִלָּחֵם בַּעֲמָלֵק, דִּילָךְ הַאי קְרָבָא דִּלְתַתָּא, וַאֲנָא אִזְדָּרֵז לִקְרָבָא דִּלְעֵילָּא. בְּחַר לָנוּ אֲנָשִׁים, זַכָּאִין בְּנֵי זַכָּאִין, דְּיִתְחֲזוּן לְמֵהַךְ עִמָּךְ.

תסד. אר"ש, בְּשַׁעֲתָא דְּנָפִיק יְהוֹשֻׁעַ נַעַר. אִתְּעַר נַעַר דִּלְעֵילָּא, וְאִתְתָּקַן בְּכַמָּה תִּיקוּנִין בְּכַמָּה זַיְינִין, דְּאַתְקִינַת לֵיהּ אִמֵּיהּ, לִקְרָבָא דָּא, לְנַקְמָא נוּקְמָא דִּבְרִית. וְהַיְינוּ דִּכְתִּיב, חֶרֶב נוֹקֶמֶת נְקַם בְּרִית, וְדָא הוּא רָזָא דִּכְתִּיב, וַיַּחֲלֹשׁ יְהוֹשֻׁעַ אֶת עֲמָלֵק וְאֶת עַמּוֹ לְפִי חָרֶב. לְפִי חֶרֶב וַדַּאי, וְלָא לְפוּם רוֹמְחִין וְזַיְינִין, אֶלָּא בְּחֶרֶב וַדַּאי הִיא, הַאי דְּאִקְרֵי חֶרֶב נוֹקֶמֶת נְקַם בְּרִית.

תסה. וּמֹשֶׁה אִתְתָּקַן לִקְרָבָא דִּלְעֵילָּא, וִידֵי מֹשֶׁה כְּבֵדִים: כְּבֵדִים מַמָּשׁ, יַקִּירִין, קַדִּישִׁין, לָא אִסְתָּאֲבָן לְעָלְמִין. יַקִּירִין דְּאִתְחֲזוּן לְאַגָּחָא בְּהוּ קְרָבָא דִּלְעֵילָּא. וַיִּקְחוּ אֶבֶן וַיָּשִׂימוּ תַחְתָּיו וַיֵּשֶׁב עָלֶיהָ, בְּגִין דְּיִשְׂרָאֵל שַׁרְיָין בְּצַעֲרָא, וְיֶהֱוֵא עִמְּהוֹן בְּצַעֲרֵיהוֹן.

תסו. וְאַהֲרֹן וְחוּר תָּמְכוּ בְיָדָיו מִזֶּה אֶחָד וּמִזֶּה אֶחָד וַיְהִי יָדָיו אֱמוּנָה וְגוֹ', מַאי תָּמְכוּ בְּיָדָיו. אֱמוּנָה. וְכִי עַל דְּאַהֲרֹן וְחוּר תְּמִיכוּ לִידוֹי, הֲווֹ יְדוֹי אֱמוּנָה. אֶלָּא, מֹשֶׁה כֹּלָּא בְּחָכְמְתָא עָבִיד מַה דְּעָבִיד. אַהֲרֹן וְחוּר, דָּא מִסִּטְרָא דִּילֵיהּ, וְדָא מִסִּטְרָא דִּילֵיהּ, וִידוֹי בְּאֶמְצָעִיתָא, וְעַ"ד וַיְהִי יָדָיו אֱמוּנָה, מְהֵימְנוּתָא. אַהֲרֹן בְּגִין דְּיִתְעַר סִטְרָא דִּילֵיהּ, וְחוּר בְּגִין דְּיִתְעַר סִטְרָא דִּילֵיהּ, וַהֲווֹ אֲחִידָן בִּידוֹי מִכָּאן וּמִכָּאן, דְּאִשְׁתַּכַּח סִיּוּעָא דִּלְעֵילָּא.

תסז. וְהָיָה כַּאֲשֶׁר יָרִים מֹשֶׁה יָדוֹ וְגָבַר יִשְׂרָאֵל. כַּאֲשֶׁר יָרִים: דְּזָקִיף יְמִינָא עַל שְׂמָאלָא, וְאִתְכַּוַּון בִּפְרִישׂוּ דִּידוֹי. וְגָבַר יִשְׂרָאֵל: יִשְׂרָאֵל דִּלְעֵילָּא. וְכַאֲשֶׁר יָנִיחַ יָדוֹ וְגָבַר עֲמָלֵק, בְּשַׁעֲתָא דְּיִשְׂרָאֵל לְתַתָּא, מִשְׁתַּכְּכִין מִצְּלוֹתָא, לָא יַכְלִין יְדֵי מֹשֶׁה לְמֵיקָם בְּזָקִיפוּ, וְגָבַר עֲמָלֵק. מִכָּאן אוֹלִיפְנָא, אע"ג דְּכַהֲנָא פָּרִישׂ יְדוֹי, בְּקָרְבְּנָא, לְתַקְנָא גַּרְמֵיהּ בְּכֹלָּא, יִשְׂרָאֵל בַּעְיָין לְאִשְׁתַּכְּחָא בִּצְלוֹתְהוֹן, עִמֵּיהּ.

תסח. תָּאנָא, בִּקְרָבָא דָּא דַּעֲמָלֵק, אִשְׁתְּכָחוּ עִלָּאִין וְתַתָּאִין, וְעַל דָּא, וַיְהִי יָדָיו אֱמוּנָה, בִּמְהֵימְנוּתָא כַּדְקָא חָזֵי. וַיְהִי יָדָיו אֱמוּנָה. וַיִּהְיוּ יָדָיו מִבָּעֵי לֵיהּ. אֶלָּא, בְּגִין דְּתַלְיָא כֹּלָּא בִּימִינָא, כְּתִיב וַיְהִי. וּכְתִיב יָדָיו, בְּגִין דְּהוּא עִקָּרָא דְּכֹלָּא. וּכְתִיב, יְמִינְךָ יְיָ' נֶאְדָּרִי בַּכֹּחַ יְמִינְךָ יְיָ' תִּרְעַץ אוֹיֵב.

תסט. וַיֹּאמֶר יְיָ' אֶל מֹשֶׁה כְּתֹב זֹאת זִכָּרוֹן בַּסֵּפֶר וְגוֹ'. תָּא חֲזֵי, מַה כְּתִיב לְעֵילָּא, וַיַּחֲלוֹשׁ יְהוֹשֻׁעַ אֶת עֲמָלֵק וְאֶת עַמּוֹ לְפִי חָרֶב. וַיַּחֲלֹשׁ, וַיַּהֲרוֹג מִבָּעֵי לֵיהּ. אֶלָּא, וַיַּחֲלֹשׁ, כְּמָה דְּאַתְּמַר, חוֹלֵשׁ עַל גּוֹיִם. יְהוֹשֻׁעַ הֲוָה חוֹלֵשׁ עָלַיְיהוּ, וְהַהוּא חֶרֶב נוֹקֶמֶת נְקַם בְּרִית קָטִיל לוֹן, דִּכְתִּיב לְפִי חֶרֶב כְּמָה דְּאִתְּמַר.

תע. כְּתֹב זֹאת זִכָּרוֹן, זֹאת דַּיְקָא. וְשִׂים בְּאָזְנֵי יְהוֹשֻׁעַ, דְּהָא הוּא זָמִין לְקַטְלָא מַלְכִּין

אַחֲרָנִין. כִּי מָחֹה אֶמְחֶה. מָחֹה: לְעֵילָּא. אֶמְחֶה: לְתַתָּא. זֵכֶר, דּוּכְרָנָא דִּלְעֵילָּא וְתַתָּא.

תעא. אָמַר רִבִּי יִצְחָק, כְּתִיב כִּי מָחֹה אֶמְחֶה, וּכְתִיב תִּמְחֶה אֶת זֵכֶר עֲמָלֵק. אֶלָּא, אָמַר קֻבְּ״ה, אַתּוּן מָחוּן דּוּכְרָנֵיהּ לְתַתָּא, וַאֲנָא אֶמְחֶה דּוּכְרָנֵיהּ לְעֵילָּא.

תעב. אָמַר רִבִּי יוֹסֵי, עֲמָלֵק עַמִּין אַחֲרָנִין אַיְיתֵי עִמֵּיהּ, וְכֻלְּהוּ דַּחִילוּ לְקָרְבָא בְּהוּ בְּיִשְׂרָאֵל, בַּר אִיהוּ. וּבְגִין כָּךְ, יְהוֹשֻׁעַ הֲוָה חוֹלֵשׁ עֲלַיְיהוּ. רִבִּי יֵיסָא אָמַר, וַיַּחֲלֹשׁ יְהוֹשֻׁעַ, דְּתָבַר חֵילָא דִּלְהוֹן מִלְּעֵילָּא.

תעג. וַיִּבֶן מֹשֶׁה מִזְבֵּחַ וַיִּקְרָא שְׁמוֹ יְיָ׳ נִסִּי. וַיִּבֶן מֹשֶׁה מִזְבֵּחַ, לָקֳבֵל הַהוּא דִּלְעֵילָּא. וַיִּקְרָא שְׁמוֹ הַהוּא מֹשֶׁה יְיָ׳ נִסִּי. מַאי יְיָ׳ נִסִּי. בְּגִין דְּאַנְקִים נוּקְמָתָא דְּהַהוּא רְשִׁימָא קַדִּישָׁא דְּיִשְׂרָאֵל, וּמֵהַהוּא זִמְנָא אִתְקְרֵי, חֶרֶב נוֹקֶמֶת נְקַם בְּרִית.

תעד. רִבִּי יוֹסֵי אָמַר, וַיִּבֶן מֹשֶׁה מִזְבֵּחַ, מִזְבֵּחַ לְכַפָּרָא עֲלַיְיהוּ. וַיִּקְרָא שְׁמוֹ. שְׁמוֹ דְּמַאן. אָמַר רִבִּי חִיָּיא שְׁמֵיהּ דְּמַדְבְּחָא הַהוּא. יְיָ׳ נִסִּי: כד״א, וְשָׂם נִסְּהוּ. וְכֹלָּא מִלָּה חַד, עַל דְּאִתְפְּרָעוּ יִשְׂרָאֵל, וְאִתְגַּלְּיָיא הַהוּא אָת קַיָּימָא, רְשִׁימָא קַדִּישָׁא. מִכָּאן אוֹלִיפְנָא, דְּכֵיוָן דְּאִתְגְּזַר בְּרֵיהּ דְּבַר נָשׁ, וְאִתְגַּלְּיָיא בֵּיהּ אָת רְשִׁימָא קַדִּישָׁא קַיָּימָא. הַהוּא אִקְרֵי מִזְבֵּחַ לְכַפָּרָא עָלֵיהּ. וּמַה שְּׁמֵיהּ. יְיָ׳ נִסִּי.

תעה. כְּגַוְונָא דָּא יַעֲקֹב, בְּנָה מַדְבְּחָא, דִּכְתִיב וַיַּצֶּב שָׁם מִזְבֵּחַ וַיִּקְרָא לוֹ אֵל אֱלֹהֵי יִשְׂרָאֵל. לְמַאן. לְהַהוּא אֲתָר דְּאִקְרֵי מִזְבֵּחַ. וּמַאן שְׁמֵיהּ. אֵל אֱלֹהֵי יִשְׂרָאֵל.

תעו. אָמַר רִבִּי יוֹסֵי, מַאי דִּכְתִיב, וַיִּרְאוּ אֵת אֱלֹהֵי יִשְׂרָאֵל וְגוֹ׳. וְכִי מַאן יָכִיל לְמֶחֱמֵי לֵיהּ לְקֻבְּ״ה, וְהָא כְּתִיב כִּי לֹא יִרְאַנִי הָאָדָם וָחָי. וְהָכָא אָמַר וַיִּרְאוּ אֶלָּא דְּאִתְגַּלְיָא קֶשֶׁת עֲלַיְיהוּ בִּגְוָונִין נְהִירִין, וְהָכִי תָּנֵינָן, כָּל מַאן דְּאִסְתַּכַּל בְּקֶשֶׁת, כְּמַאן דְּמִסְתָּכַּל בִּשְׁכִינָה, וּלְאִסְתַּכְּלָא בִּשְׁכִינְתָּא אָסִיר.

תעז. וְעַל דָּא, אָסִיר לֵיהּ לְאִינִישׁ, לְאִסְתַּכְּלָא בְּאֶצְבְּעַיְיהוּ דְּכַהֲנֵי, בְּשַׁעֲתָא דְּפָרְסֵי יְדַיְיהוּ. אָסוּר לְאִסְתַּכְּלָא בְּקֶשֶׁת. מַאן קֶשֶׁת. אָמַר רִבִּי אַבָּא, בְּקֶשֶׁת סְתָם אָמַר לֵיהּ מַאי בְּקֶשֶׁת סְתָם א״ל בְּקֶשֶׁת דִּלְעֵילָּא, וּבְקֶשֶׁת דִּלְתַתָּא.

תעח. בְּקֶשֶׁת דִּלְעֵילָּא, בִּגְוָונוֹי. דְּכָל מַאן דְּיִסְתַּכַּל בִּגְוָונוֹי, כְּאִילּוּ אִסְתָּכַּל בַּאֲתַר דִּלְעֵילָּא, וְאָסִיר לְאִסְתַּכְּלָא בֵּיהּ, דְּלָא יַעֲבִיד קְלָנָא בִּשְׁכִינְתָּא. קֶשֶׁת דִּלְתַתָּא מַאי הִיא. הַהוּא אָת קַיָּימָא, דְּאִתְרְשִׁים בֵּיהּ בְּבַר נָשׁ, דְּכָל מַאן דְּיִסְתַּכַּל בֵּיהּ, עָבֵיד קְלָנָא לְעֵילָּא.

תעט. אָמַר רִבִּי יִצְחָק, אִי הָכִי וְהָכְתִיב שִׂים נָא יָדְךָ תַּחַת יְרֵכִי, דַּהֲוָה אוּמֵי לֵיהּ בְּהַאי אָת. א״ל, אֲנַח לְהוּ לַאֲבָהָן דְּעָלְמָא, דְּלֵית אִינּוּן כִּשְׁאַר בְּנֵי עָלְמָא. וְעוֹד, שִׂים נָא יָדְךָ תַּחַת יְרֵכִי כְּתִיב, וְלָא כְּתִיב רְאֵה תַּחַת יְרֵכִי, בְּגִ״כ אָסִיר לְאִסְתַּכְּלָא בְּקֶשֶׁת סְתָם, כְּמָה דְּתָנֵינָן.

תפ. תָּאנָא, וַיִּרְאוּ אֵת אֱלֹהֵי יִשְׂרָאֵל, דְּאִתְגַּלְיָא קֶשֶׁת עֲלַיְיהוּ, בִּגְוָונִין שַׁפִּירִין נְהִירִין, מְלַהֲטָן לְכָל עִיבָר, מַשְׁמַע דִּכְתִיב, אֵת אֱלֹהֵי יִשְׂרָאֵל וְלָא כְּתִיב וַיִּרְאוּ אֱלֹהֵי יִשְׂרָאֵל. אָמַר רִבִּי יוֹסֵי, נְהוֹרָא דְּבוּצִינָא דִּשְׁכִינְתָּא. וּמַאי נִיהוּ. הַהוּא דְּאִקְרֵי נַעַר, דִּמְשַׁמֵּשׁ לִשְׁכִינְתָּא, בְּמַקְדְּשָׁא. וּבְגִין כָּךְ, אֵת דַּיְיקָא.

תפא. וְתַחַת רַגְלָיו כְּמַעֲשֵׂה לִבְנַת הַסַּפִּיר, דְּאִתְרְשִׁים בֵּיהּ תְּחוֹת דּוּכְתֵּיהּ, חַד לְבֵינְתָּא מֵאִינּוּן לְבֵנִין דַּהֲווּ בָּנִין בְּמִצְרַיִם, דְּתָנֵינָן, אִתְּתָא חֲדָא אוֹלִידַת בְּמִצְרַיִם, וַהֲוָה אָתֵין סַרְכֵי פַּרְעֹה, וְעָאלַת לֵיהּ בְּחַד לְבֵינְתָּא, וְאָתָא פַּס יְדָא וְאָחִיד לֵיהּ, וְאִתְרְשִׁים תְּחוֹת רַגְלוֹי דִּשְׁכִינְתָּא, וְקַיְימָא קָמֵיהּ, עַד דְּאִתּוֹקַד בֵּי מַקְדְּשָׁא דִּלְתַתָּא, דִּכְתִיב, וְלָא

זָכַר הֲדוֹם רַגְלָיו.

תפב. ר' חִיָּיא אָמַר, לִבְנַת הַסַּפִּיר: נְהִירוּתָא דְּסַפִּיר, קַלְדִּיטֵי בְּקַנְדִּיטֵי גְּלִיפִין עִלָּאִין דִּלְעֵילָּא, דְּמִתְלַהֲטָא לְשַׁבְעִין וּתְרֵין עִבְרֵי, הה"ד וִיסַדְתִּיךְ בַּסַּפִּירִים. וּכְעֶצֶם הַשָּׁמַיִם. מַאי עֶצֶם הַשָּׁמַיִם. א"ר אַבָּא, מָה עֶצֶם הַשָּׁמַיִם, גְּלִיפָא בְּשַׁבְעִין וּתְרֵין עַנְפִּין, פַּרְוִזִין מְלַהֲטָן בְּכָל עִיבָר. אוּף הָכָא, וְזִיו דְּהַהוּא עֶצֶם הַשָּׁמַיִם כְּזִיוּ שְׁמַיָּא מַמָּשׁ. רִבִּי יְהוּדָה אָמַר, כֹּלָּא אִתְרְשִׁים בְּהַהוּא נְהִירוּ, דְּזִיוּ דְּמִתְגַּלְפָּא מִסִּטְרָא דִּשְׁכִינְתָּא.

תפג. אָמַר רִבִּי חִזְקִיָּה, אִי הָכִי, וְהָא שִׁתִּין אִינּוּן, בְּסוּחֲרָנֵיהּ דִּשְׁכִינְתָּא, דִּכְתִּיב שִׁשִּׁים גִּבּוֹרִים סָבִיב לָהּ. א"ל הָכִי הוּא וַדַּאי. אֶלָּא אִינּוּן שִׁתִּין, אִתְנְהִירוּ בִּתְרֵיסַר תְּחוּמִין, וְלָא אַעֲדִיאוּ מִסּוּחֲרָנוּתָהָא לְעָלְמִין. דְּתָנֵינָן, תְּרֵיסַר תְּחוּמִין, גְּלִיפִין עִלָּאִין, בְּמַתְקְלָא סְלִיקוּ, בְּאִילָנָא קַדִּישָׁא רַבָּא וְתַקִּיף. וְכֻלְּהוּ נְהִירִין בְּמַטְרוֹנִיתָא, כַּד אִתְחַבְּרַת בְּמַלְכָּא. וְדָא הוּא עֶצֶם הַשָּׁמַיִם, עֶצֶם הַשָּׁמַיִם מַמָּשׁ. וְכָל אִינּוּן נְהִירִין שְׁבִילִין, מְנַהֲרִין בֵּיהּ, בִּנְהִירוּ דְּמַטְרוֹנִיתָא.

תפד. וְתָאנָא, נְהִירוּ דְּאִלֵּין שִׁתִּין, דְּסוּחֲרָנָהָא, רְשִׁימִין בֵּיהּ בְּהַהוּא נַעַ"ר, וְקָרֵינָן לְהוּ שִׁתִּין פּוּלְסֵי דְּנוּרָא, דְּאִתְלַבַּשׁ בְּהוּ מִסְּטָר דִּשְׁכִינְתָּא, מִתְלַהֲטָן בְּדִינָא, הה"ד שִׁשִּׁים גִּבּוֹרִים סָבִיב לָהּ.

תפה. תָּאנָא, וַיִּבֶן מֹשֶׁה מִזְבֵּחַ כְּמָה דְּאַמֵּינָא. וַיִּקְרָא שְׁמוֹ ה' נִסִּי. ה' נִסִּי מַמָּשׁ. אַמַּאי. בְּגִין דַּעֲמָלֵק נָטַל כָּל אִינּוּן דַּהֲווֹ גְּזִירִין, וְלָא אִתְפְּרָעוּ, וְגָזַר לוֹן וְשָׁדֵי לְהוּ לְעֵילָּא, וְאָמַר טוֹל מַה דְּאִתְרְעִית בֵּיהּ. בֵּיהּ שַׁעֲתָא מַה כְּתִיב. וַיֹּאמֶר כִּי יָד עַל כֵּס יָהּ מִלְחָמָה לַה' בַּעֲמָלֵק מִדֹּר דֹּר. מִדֹּר דֹּר וַחֲסֵרִין, מִדָּיוּרִין דִּלְעֵילָּא, וּמִדָּיוּרִין דִּלְתַתָּא.

תפו. א"ר יְהוּדָה, בְּכָל דָּרָא וְדָרָא, בְּכָל דָּרִין דְּאַתְיָין לְעָלְמָא, לֵית לָךְ דָּר דְּלֵית בְּהוּ מֵהַהוּא זַרְעָא בִּישָׁא, וְקֻבְּ"ה אַגַּח בְּהוּ קְרָבָא. וְעָלַיְיהוּ כְּתִיב יִתַּמּוּ חַטָּאִים מִן הָאָרֶץ וְגוֹ'. מִן הָאָרֶץ: בְּעָלְמָא דֵּין, וּבְעָלְמָא דְּאָתֵי. בֵּיהּ זִמְנָא כְּתִיב, בָּרְכִי נַפְשִׁי אֶת ה' הַלְלוּיָהּ.

YITRO

יִתְרוֹ

א. וַיִּשְׁמַע יִתְרוֹ כֹהֵן מִדְיָן חוֹתֵן מֹשֶׁה אֵת כָּל אֲשֶׁר עָשָׂה וְגוֹ'. רַבִּי חִזְקִיָּה פָּתַח וְאָמַר, וַיִּשָּׂא אַהֲרֹן אֶת יָדָו. כְּתִיב יָדוֹ חַד, בְּגִין דְּבָעֵי לְאַרְמָא יְמִינָא עַל שְׂמָאלָא, וְהָא אוֹקִימְנָא רָזָא.

ב. אַשְׁכַּחְנָא בְּסִפְרָא דִּשְׁלֹמֹה מַלְכָּא, דְּכָל מַאן דְּאָרִים יְדוֹי לְעֵילָּא, וְלָאו אִינּוּן בִּצְלוֹתִין וּבָעוּתִין, הַאי אִיהוּ בַּר נָשׁ, דְּאִתְלַטְיָיא מֵעֲשָׂרָה שׁוּלְטָנִין מְמָנָן. וְאִינּוּן עֲשָׂרָה שַׁלִּיטִין אֲשֶׁר הָיוּ בָּעִיר. אִלֵּין אִינּוּן עַשְׂרָה דִּי מְמָנָן עַל פְּרִישׂוּ דְּיָדִין לְעֵילָּא לְנַטְלָא הַהוּא צְלוֹתָא, אוֹ הַהִיא בִּרְכָתָא, וְיָהֲבֵי בֵּיהּ חֵילָא, לְאִתְיַקְּרָא שְׁמָא קַדִּישָׁא, וְאִתְבָּרַךְ מִתַּתָּא. כֵּיוָן דְּמִתַּתָּא אִתְבְּרַךְ, מֵהַהוּא פְּרִישׂוּ דְּיָדִין לְעֵילָּא, כְּדֵין אִתְבָּרְכָא מֵעֵילָּא, וְאִתְיַקַּר מִכָּל סִטְרִין.

ג. וְאִלֵּין עֲשָׂרָה מְמָנָן, זְמִינִין לְנַטְלָא מֵאִינּוּן בִּרְכָאן דִּלְעֵילָּא, וּלְאַרְקָא לְתַתָּא, וּלְבָרְכָא לְהַהוּא דִּמְבָרֵךְ לֵיהּ, דִּכְתִיב וַאֲנִי אֲבָרְכֵם.

ד. בְּגִ"כ, יִסְתַּמַּר בַּר נָשׁ, בְּשַׁעְתָּא דְּיָרִים יְדוֹי לְעֵילָּא, לְמֶהֱוֵי בִּצְלוֹ, אוֹ בְּבִרְכָאן אוֹ בְּבָעוּתָא, וְלָא יָרִים יְדוֹי לְמַגָּנָא, בְּגִין דְּאִלֵּין עֲשָׂרָה אִינּוּן זְמִינִין, וּמִתְעָרִין. לְגַבֵּי הַהוּא פְּרִישׂוּ דְּיָדִין, וְאִי הוּא לְמַגָּנָא, אִינּוּן עֲשָׂרָה לַטְיָין לֵיהּ, בְּמָאתָן וְאַרְבְּעִין וּתְמַנְיָא לְוָוטִין. וְהַאי אִיהוּ דִּכְתִיב בֵּיהּ, וַיֶּאֱהַב קְלָלָה וַתְּבוֹאֵהוּ.

ה. וּכְדֵין, רוּחַ מִסְאֲבָא שַׁרְיָא עַל אִינּוּן יְדִין, דְּאִיהוּ אַרְוָויה לְמִשְׁרֵי עַל אֲתַר רֵיקַנְיָא, וּבִרְכְתָא לָא שַׁרְיָא בַּאֲתַר רֵיקַנְיָא. וְעַ"ד כְּתִיב, הֲרִימוֹתִי יָדִי אֶל ה' אֵל עֶלְיוֹן, דְּמִתַּרְגְּמִינָן בִּצְלוֹ.

ו. וּבְהַאי פְּרִישׂוּ דְּיָדִין, אִית רָזִין עִלָּאִין, בְּשַׁעֲתָא דְּאִתְפְּרִישׂוּ, וְאִזְדְּקָפוּ לְעֵילָּא, אוֹקִיר בַּר נָשׁ לְקֻבְּ"ה, בְּכַמָּה רָזִין עִלָּאִין. אַחְזֵי לְיַיחֲדָא רָזָא דְּעֶשֶׂר אֲמִירָן, בְּגִין לְיַיחֲדָא כֹּלָּא, וּלְאִתְבָּרְכָא שְׁמָא קַדִּישָׁא כַּדְּקָא חָזֵי, וְאַחְזֵי לְיַיחֲדָא רָזָא דִּרְתִיכִין פְּנִימָאִין, וּרְתִיכִין דִּלְבַר, בְּגִין דְּיִתְבָּרֵךְ שְׁמָא קַדִּישָׁא בְּכָל סִטְרִין, וְיִתְיַיחֵד כֹּלָּא כַּחֲדָא, עֵילָּא וְתַתָּא.

ז. פָּתַח וְאָמַר, וְלֹא יֵרָאוּ פָּנַי רֵיקָם, דָּא אִיהוּ רָזָא דִּזְקִיפוּ דְּאֶצְבְּעָן, כַּד זָקִיף לוֹן בַּר נָשׁ לְעֵילָּא, דְּבָעֵי דְּלָא לְאִזְדַּקְפָא בְּרֵיקַנְיָא, אֶלָּא בִּצְלוֹ וּבְבָעוּתִין וּבְבִרְכָאן. וְעַ"ד וְלֹא יֵרָאוּ פָּנַי רֵיקָם. וְלֹא יֵרָאוּ לְפָנַי לָא כְּתִיב, אֶלָּא פָּנַי, רָזָא דִּזְקִיפוּ דְּאֶצְבְּעָן, דְּלָא אִצְטְרִיכוּ לְזַקְפָא לְמַגָּנָא, כְּמָה דְּאִתְּמַר.

ח. עֲשָׂרָה שַׁלִּיטִין דְּקָאמְרָן, אִינּוּן עֶשֶׂר אֲמִירָן לְתַתָּא, בְּרָזָא דְּאַתְוָון רְשִׁימִין כְּגַוְונָא דִּלְעֵילָּא, וְאִלֵּין קַיְימִין בְּקַדְמֵיתָא עַל הַהוּא זְקִיפָן דְּאֶצְבְּעָאן. וּבְהָא כָּל סִטְרָא דִּקְדוּשָׁה אִתְאֲחָד לְעֵילָּא, לְאַרְמָא כְּדֵין כָּל סִטְרִין אַחֲרָנִין אִתְכַּפְיָין כֻּלְּהוּ, וְאוֹדָן לְמַלְכָּא קַדִּישָׁא.

ט. ת"ח, בְּרָזָא דִּקְדוּשָׁה אִיהוּ מֶלֶךְ, וְכֹהֵן וּמְשַׁמֵּשׁ תְּחוֹתֵיהּ, בֵּין לְעֵילָּא בֵּין לְתַתָּא.

אִית מֶלֶךְ לְעֵילָּא, דְּאִיהוּ רָזָא דְּקֹדֶשׁ הַקֳּדָשִׁים, וְאִיהוּ מֶלֶךְ עִלָּאָה, וּתְחוֹתֵיהּ אִית כֹּהֵן רָזָא דְּאוֹר קַדְמָאָה, דְּקָא מְשַׁמֵּשׁ קָמֵיהּ, וְדָא אִיהוּ כֹּהֵן דְּאִקְרֵי גָּדוֹל, סִטְרָא דִּימִינָא.

י. אִית מֶלֶךְ לְתַתָּא, דְּאִיהוּ כְּגַוְונָא דְּהַהוּא מֶלֶךְ עִלָּאָה, וְאִיהוּ מֶלֶךְ עַל כֹּלָּא דִּלְתַתָּא. וּתְחוֹתֵיהּ אִית כֹּהֵן דִּמְשַׁמֵּשׁ לֵיהּ, רָזָא דְּמִיכָאֵל כַּהֲנָא רַבָּא, דְּאִיהוּ לִימִינָא. וְדָא אִיהוּ רָזָא דִּמְהֵימְנוּתָא שְׁלֵימָתָא, סִטְרָא דִּקְדוּשָׁה.

יא. בְּסִטְרָא אַחֲרָא, דְּלָאו אִיהוּ סִטְרָא דִּקְדוּשָׁה, אִית רָזָא דְּאִיהוּ מֶלֶךְ, וְהָא אוּקְמוּהָ דְּאִקְרֵי מֶלֶךְ זָקֵן וּכְסִיל, וּתְחוֹתֵיהּ אִית כֹּהֵן אוֹן, וְדָא הוּא רָזָא דִּכְתִּיב, וַיֹּאמֶר אֶפְרַיִם אַךְ עָשַׁרְתִּי מָצָאתִי אוֹן לִי, בְּגִין דְּזִילָא דָּא, שַׁלְטָא עַל הַהוּא עוּבָדָא דַּעֲבַד יָרָבְעָם. וְאִלְמָלֵא דְּאַשְׁכַּח זִילָא דָּא, לָא יָכִיל לְאַצְלָחָא בְּהַהוּא עוּבָדָא.

יב. רָזָא דְּמִלָּה, בְּשַׁעֲתָא דְּהַאי מֶלֶךְ וְהַאי כֹּהֵן אִתְכַּפְיָין, וְאִתְּבָרוּ, כְּדֵין כָּל סִטְרִין אַחֲרָנִין אִתְכַּפְיָין, וְאוֹדָן לֵיהּ לְקֻבְּ"ה, כְּדֵין קֻבְּ"ה שָׁלִיט בִּלְחוֹדוֹי עֵילָּא וְתַתָּא, כד"א, וְנִשְׂגַּב יְיָ' לְבַדּוֹ בַּיּוֹם הַהוּא.

יג. כְּגַוְונָא דָּא, וְרָזָא דָּא מַמָּשׁ, עָבַד קֻבְּ"ה בְּאַרְעָא, דְּתָבַר מֶלֶךְ זָקֵן וּכְסִיל, וְדָא הוּא פַּרְעֹה, בְּשַׁעֲתָא דְּאָתָא מֹשֶׁה לְפַרְעֹה, וְאָמַר, אֱלֹהֵי הָעִבְרִים נִקְרָא עָלֵינוּ, פָּתַח וְאָמַר, לֹא יָדַעְתִּי אֶת יְיָ', וּבָעָא קֻבְּ"ה דְּיִתְיְקַר שְׁמֵיהּ בְּאַרְעָא, כְּמָה דְּאִיהוּ יַקִּירָא לְעֵילָּא. כֵּיוָן דְּאַלְקֵי לֵיהּ וּלְעַמֵּיהּ, אָתָא וְאוֹדֵי לֵיהּ לְקֻבְּ"ה.

יד. וּלְבָתַר אִתְּבַר וְאִתְכַּפְיָיא הַהוּא כֹּהֵן אוֹן, יִתְרוֹ, דִּמְשַׁמֵּשׁ תְּחוֹתֵיהּ, עַד דְּאָתָא וְאוֹדֵי לֵיהּ לְקֻבְּ"ה, וְאָמַר בָּרוּךְ יְיָ' אֲשֶׁר הִצִּיל אֶתְכֶם וְגוֹ', עַתָּה יָדַעְתִּי כִּי גָּדוֹל יְיָ' וְגוֹ', וְדָא הוּא כֹּהֵן אוֹן, סִטְרָא אַחֲרָא, דְּאִיהוּ סְטַר שְׂמָאלָא. וְדָא אִיהוּ רָזָא דְּאָמְרָה רָחֵל, כַּד חָמָאת דְּמִיתַת, כְּמָה דִּכְתִּיב, בֶּן אוֹנִי. וּבְגִין דָּא אוֹחִי יַעֲקֹב, וְאָמַר בֶּן יָמִין, וְלָא בֶּן אוֹנִי, סְטַר יְמִינָא, וְלָא שְׂמָאלָא.

טו. וְכֵיוָן דְּהַהוּא מֶלֶךְ וְכֹהֵן אוֹדוּ לְקוּדְשָׁא בְּרִיךְ הוּא, וְאִתְּבָרוּ קָמֵיהּ, כְּדֵין אִסְתַּלַּק קוּדְשָׁא בְּרִיךְ הוּא בִּיקָרֵיהּ עַל כֹּלָּא, עֵילָּא וְתַתָּא, וְעַד דְּאִסְתַּלַּק קֻבְּ"ה בִּיקָרֵיהּ, כַּד אוֹדָן אִלֵּין קָמֵיהּ, לָא אִתְיְיהִיבַת אוֹרַיְיתָא. עַד לְבָתַר דְּאָתָא יִתְרוֹ, וְאוֹדֵי וְאָמַר, עַתָּה יָדַעְתִּי כִּי גָדוֹל יְיָ' מִכָּל הָאֱלֹהִים. בָּרוּךְ יְיָ' אֲשֶׁר הִצִּיל אֶתְכֶם וְגוֹ'. כְּדֵין אִסְתַּלַּק קֻבְּ"ה בִּיקָרֵיהּ, עֵילָּא וְתַתָּא, וּלְבָתַר יְהַב אוֹרַיְיתָא בִּשְׁלִימוּ, דְּשַׁלְטָנוּ עַל כֹּלָּא.

טז. ר"א פָּתַח וְאָמַר, יוֹדוּךָ עַמִּים אֱלֹהִים יוֹדוּךָ עַמִּים כֻּלָּם, ת"ח, דָּוִד מַלְכָּא קָם וְשַׁבַּח וְאוֹדֵי לְמַלְכָּא קַדִּישָׁא. וְהוּא אִשְׁתַּדַּל בְּאוֹרַיְיתָא, בְּהַהִיא שַׁעֲתָא כַּד רוּחַ צָפוֹן אִתְּעַר, וַהֲוָה בָּטַשׁ בְּאִינּוּן נִימִין דְּכִנּוֹרָא, וְכִנּוֹרָא הֲוָה מְנַגֵּן וְאָמַר שִׁירָה וְכוּ', וּמַה שִּׁירָה הֲוָה קָאָמַר.

יז. תָּא חֲזֵי, בְּשַׁעֲתָא דְּקֻבְּ"ה אִתְּעַר לְגַבֵּי כָּל אִינּוּן רְתִיכִין, לְמֵיהַב לוֹן טַרְפָּא, כְּמָה דְּאוּקְמוּהָ דִּכְתִּיב, וַתָּקָם בְּעוֹד לַיְלָה וַתִּתֵּן טֶרֶף לְבֵיתָהּ וְחֹק לְנַעֲרוֹתֶיהָ. כְּדֵין, כֻּלְּהוּ בְּחֶדְוָה, פַּתְחֵי וְאַמְרֵי, אֱלֹהִים יְחָנֵּנוּ וִיבָרְכֵנוּ יָאֵר פָּנָיו אִתָּנוּ סֶלָה. כַּד רוּחַ צָפוֹן אִתְּעַר וְנָשִׁיב לְעָלְמָא, נָשִׁיב וְאָמַר, לָדַעַת בָּאָרֶץ דַּרְכֶּךָ בְּכָל גּוֹיִם יְשׁוּעָתֶךָ. כִּנּוֹר בְּשַׁעֲתָא דְּאִיהוּ מְנַגְּנָא בֵּיהּ בְּהַהוּא, רוּחָא, פָּתַח וְאָמַר יוֹדוּךָ עַמִּים כֻּלָּם דָּוִד כַּד הֲוָה קָם, וְאִתְּעַר עָלֵיהּ רוּחַ קֻדְשָׁא, פָּתַח וְאָמַר, אֶרֶץ נָתְנָה יְבוּלָהּ יְבָרְכֵנוּ אֱלֹהִים אֱלֹהֵינוּ יְבָרְכֵנוּ אֱלֹהִים וְיִירְאוּ אוֹתוֹ כָּל אַפְסֵי אָרֶץ. בְּגִין לְאַמְשָׁכָא טִיבוּ דְּקוּדְשָׁא בְּרִיךְ הוּא, מֵעֵילָּא לְתַתָּא. לְבָתַר אָתָא דָּוִד בְּרוּחַ קֻדְשָׁא, וְסַדַּר לוֹן כַּחֲדָא, אִסְתַּכַּל בְּכֹלָּא הַאי קְרָא

דִּכְנּוֹרָא, דְּשַׁלִּימוּ דִּיקָרָא דְּקֻבְּ"ה עֵילָּא וְתַתָּא.

יח. בְּשַׁעֲתָא דִּשְׁאַר עַמִּין אִתְכַּפְיָין, אַתְיָין וְאוֹדָאן לֵיהּ לְקֻבְּ"ה, כֵּיוָן דְּאִינּוּן אִתְכַּפְיָין, וְאוֹדָן לֵיהּ, כְּדֵין אִשְׁתְּלִים יְקָרָא דְּקֻבְּ"ה עֵילָּא וְתַתָּא. בְּשַׁעֲתָא דְּאָתָא מֹשֶׁה לְפַרְעֹה וְאָמַר לֵיהּ יְיָ' אֱלֹהֵי הָעִבְרִים נִקְרָא עָלֵינוּ וְגוֹ', פָּתַח אִיהוּ וְאָמַר לֹא יָדַעְתִּי אֶת יְיָ'.

יט. וּבָעָא קֻבְּ"ה, דְּיִתְיְיקַר שְׁמֵיהּ בְּאַרְעָא, כְּמָה דְּאִיהוּ יַקִּירָא לְעֵילָּא, כֵּיוָן דְּאַלְקֵי לֵיהּ וּלְעַמֵּיהּ, אָתָא וְאוֹדֵי לֵיהּ לְקֻבְּ"ה, דִּכְתִּיב, יְיָ' הַצַּדִּיק. אִיהוּ דַּהֲוָה מַלְכָּא קְרוֹפִּינוּס דְּכָל עָלְמָא, כֵּיוָן דְּאִיהוּ אוֹדֵי, כָּל שְׁאַר מַלְכִּין אוֹדוּן, דִּכְתִּיב, אָז נִבְהֲלוּ אַלּוּפֵי אֱדוֹם.

כ. אָתָא יִתְרוֹ, כּוּמְרָא עִלָּאָה וְרַבְרְבָא, רַב מְמַנָּא דְּכָל טַעֲוָון אַחֲרָנִין, וְאוֹדֵי לֵיהּ לְקֻבְּ"ה, וְאָמַר עַתָּה יָדַעְתִּי כִּי גָּדוֹל יְיָ' מִכָּל הָאֱלֹהִים, כְּדֵין אִסְתַּלַּק וְאִתְיְיקַר קֻבְּ"ה בִּיקָרֵיהּ עֵילָּא וְתַתָּא, וּלְבָתַר יָהַב אוֹרַיְיתָא בִּשְׁלִימוּ, דְּשָׁלְטָנוּ עַל כֹּלָּא.

כא. אר"ש לְר' אֶלְעָזָר בְּרֵיהּ, ע"ד כְּתִיב, יוֹדוּךָ עַמִּים אֱלֹהִים יוֹדוּךָ עַמִּים כֻּלָּם. אָתָא ר' אֶלְעָזָר וְנָשִׁיק יְדוֹי. בָּכָה ר' אַבָּא וְאָמַר, כְּרַחֵם אָב עַל בָּנִים. מַאן יְרַחֵם עַל ר' אֶלְעָזָר, וּלְאַשְׁלָמָא מִלּוֹי, בַּר רְחִימוּ דְּמָר, זַכָּאָה חוּלָקָנָא, דְּזָכֵינָא לְמִשְׁמַע מִלִּין אִלֵּין קָמֵיהּ, דְּלָא נִכְסוּף בְּהוּ לְעָלְמָא דְּאָתֵי.

כב. אָמַר רַבִּי אַבָּא, הָא כֹּהֵן אוֹן לָא כְּתִיב בְּיִתְרוֹ, כֹּהֵן מִדְיָן כְּתִיב. א"ל, כֹּלָּא אִיהוּ חַד. בְּקַדְמֵיתָא חָמוֹי דְּיוֹסֵף, כֹּהֵן אוֹן אִקְרֵי. וּלְבָתַר חָמוֹי דְּמֹשֶׁה, כֹּהֵן מִדְיָן. וְכֹלָּא רָזָא חֲדָא, דְּהָא אִלֵּין תְּרֵין מֹשֶׁה וְיוֹסֵף. בְּדַרְגָּא דְּרָזָא חֲדָא קַיְימִין, בְּרָזָא דְּאָת ו"ו, תְּרֵין וָוִין כַּחֲדָא. וּמַה דְּאִתְּמַר כֹּהֵן מִדְיָן, רָזָא דָּא אֵשֶׁת מִדְיָנִים.

כג. אָרִים יְדוֹי עַל רֵישֵׁיהּ ר' אַבָּא וּבָכָה, אָמַר, נְהִירוּ דְּאוֹרַיְיתָא סַלְקָא הַשְׁתָּא עַד רוּם רְקִיעָא דְּכֻרְסְיָיא עִלָּאָה, לְבָתַר דְּיִסְתַּלַּק מָר מֵעָלְמָא, מַאן יַנְהִיר נְהִירוּ דְּאוֹרַיְיתָא. וַוי לְעָלְמָא דְּיִשְׁתְּאַר יָתוֹם מִינָּךְ. אֲבָל מִלִּין דְּמָר יִתְנְהִירוּ בְּעָלְמָא עַד דְּיֵיתֵי מַלְכָּא מְשִׁיחָא וּכְדֵין כְּתִיב, וּמָלְאָה הָאָרֶץ דֵּעָה אֶת יְיָ' וְגוֹ'.

כד. וַיִּשְׁמַע יִתְרוֹ כֹּהֵן וְגוֹ', רַבִּי חִיָּיא אָמַר, הַאי קְרָא אִית לְאִסְתַּכְּלָא בֵּיהּ, בְּקַדְמֵיתָא כְּתִיב, אֵת כָּל אֲשֶׁר עָשָׂה אֱלֹהִים לְמֹשֶׁה, וּלְבָתַר כְּתִיב כִּי הוֹצִיא יְיָ'. אֶלָּא רָזָא דָּא אֵת כָּל אֲשֶׁר עָשָׂה אֱלֹהִים, דָּא שְׁמָא דְּאָגִין עַל מֹשֶׁה וְעַל יִשְׂרָאֵל, וְלָא אִתְעֲדֵי מִנַּיְיהוּ בְּגָלוּתָא. וּלְבָתַר, שְׁמָא עִלָּאָה אַפִּיק לוֹן מִמִּצְרַיִם. דְּהָא שְׁמָא קַדִּישָׁא דְּאַפִּיק לוֹן, בְּרָזָא דְּיוֹבְלָא הֲוָה.

כה. ד"א אֵת כָּל אֲשֶׁר עָשָׂה אֱלֹהִים לְמֹשֶׁה, כַּד אִתְרְמֵי לְנַהֲרָא, וְכַד שֵׁיזִיב לֵיהּ מֵחַרְבָּא דְּפַרְעֹה, וּלְיִשְׂרָאֵל עַמּוֹ, דִּכְתִּיב, וַיִּשְׁמַע אֱלֹהִים אֶת נַאֲקָתָם. וּכְתִיב וְכַאֲשֶׁר יְעַנּוּ אוֹתוֹ כֵּן יִרְבֶּה וְכֵן יִפְרוֹץ.

כו. וַיִּשְׁמַע יִתְרוֹ כֹּהֵן מִדְיָן. רַבִּי יוֹסֵי פָּתַח, פְּדוּת שָׁלַח לְעַמּוֹ צִוָּה לְעוֹלָם בְּרִיתוֹ קָדוֹשׁ וְנוֹרָא שְׁמוֹ. מַאי שְׁנָא, בְּכָל שְׁאַר קְרָאֵי, דִּבְכֻלְּהוּ, תְּרֵין תֵּיבִין מֵאַלְפָא בֵּיתָא, וּבְהַאי קְרָא, וּבִקְרָא דַּאֲבַתְרֵיהּ, תְּלַת תְּלַת. אֶלָּא, בְּגִין לְאַשְׁלָמָא שִׁית סִטְרִין, בְּהַאי אַלְפָא בֵּיתָא, הַאי לְקַבֵּל תְּלַת פּוּרְקָנִין דְּיִשְׂרָאֵל, בַּר פּוּרְקָנָא קַדְמָאָה. קְרָא אַחֲרָא, לְקַבֵּל תּוֹרָה נְבִיאִים וּכְתוּבִים. וְכֹלָּא תַּלְיָא בְּהַאי חָכְמָה.

כז. פְּדוּת שָׁלַח לְעַמּוֹ, כַּד פָּרִיק קֻבְּ"ה לְיִשְׂרָאֵל, מִגָּלוּתָא דְּמִצְרַיִם, וְעָבֵד לוֹן נִסִּין וּגְבוּרָן. צִוָּה לְעוֹלָם בְּרִיתוֹ, כַּד אָתָא יִתְרוֹ, וְקַבִּיל לֵיהּ קוּדְשָׁא בְּרִיךְ הוּא, וְקָרִיב לֵיהּ לְפוּלְחָנֵיהּ. וּמִתַּמָּן, אִתְקְרִיבוּ כָּל אִינּוּן גִּיּוֹרִין, תְּחוֹת גַּדְפּוֹי דִּשְׁכִינְתָּא, מִתַּמָּן וּלְהָלְאָה,

קדוש ונורא שמו. דהא כדין אתקדש שמיה דקב"ה, דהא יתקדש שמא קדישא, כד אתבר, ואתכפיא סטרא אחרא, כמה דהוה ביתרו.

כח. וישמע יתרו וגו', וכי יתרו שמע, וכל עלמא לא שמעו, והא כתיב, שמעו עמים ירגזון. אלא, כל עלמא שמעו, ולא אתברו, ואיהו שמע ואתבר, ואתכפיא מקמיה דקב"ה, ואתקרב לדחלתיה.

כט. רבי אבא אמר, בכמה אתר תנינן, דקב"ה, כל מה דעבד לעילא ותתא כלא איהו קשוט, ועובדא דקשוט. וליה לך מלה בעלמא דבעי בר נש לדחיא ליה מניה, ולאנהגא ביה קלנא, דהא כלהו עובדא דקשוט אינון, וכלא אצטריך בעלמא.

ל. דהא זמנא חדא, הוה ר' אלעזר אזיל בארחא, והוה אזיל עמיה ר' חזקיה, חמו חד חויא, קם ר' חזקיה למקטליה. א"ל ר' אלעזר, שביק ליה לא תקטליניה. א"ל, והא מלה בישא איהו, דקטיל בני נשא. א"ל לר' חזקיה, והא כתיב אם ישוך הנחש בלא לחש. לא נשיך חויא לבר נש, עד דלחשין ליה מלעילא, ואמרי ליה זיל קטיל ליה לפלניא.

לא. ולזמנין כמה דעביד האי, הכי נמי שזיב לבר נש, ממלין אחרנין, ועל ידוי ארחיש קב"ה ניסא לבני נשא, וכלא בידא דקב"ה תליא, וכלא איהו עובדי ידוי, ואצטריך עלמא להו, ואי לאו דאיצטריך לון עלמא, לא עבד לון קב"ה. וע"ד לא בעי בר נש לאנהגא בהו קלנא במלי דעלמא. במלוי ובעובדוי דקב"ה עאכ"ו.

לב. פתח ואמר, וירא אלהים את כל אשר עשה והנה טוב מאד. וירא אלהים: דא אלהים חיים. וירא: דאסתכל לאנהרא לון, ולאשגחא לון. את כל אשר עשה כלא בכללא חדא, עילא ותתא. והנה טוב: דא סטרא דימינא. מאד: דא סטרא דשמאלא, והא אוקמוה, טוב: דא מלאך חיים מאד: דא מלאך המות. וכלא רזא חדא. רזא הוא, לאינון דמסתכלי ברזא דחכמתא.

לג. וירא אלהים את כל אשר עשה. בכל עובדא דבראשית, כתיב, וירא אלהים כי טוב, והכא וירא אלהים את כל אשר עשה. אלהים לתתא, שליט על תתאי. אלהים לעילא, שליט על עלאי. דא איהו רזא דאלהים חיים, דאנהיר ואדליק כל אינון בוצינין עלאין ותתאין, ומתמן נפקין כל אינון נהורין לאנהרא.

תוספתא

לד. בטמירו דטמירין, אתרשים רשימו חד, דלא אתחזי ולא אתגליא. ההוא רשימו, רשים ולא רשים. מארי דסכלתנו, ופקוחין דעיינין, לא יכלין למיקם ביה. איהו קיומא דכלא. ההוא רשימו איהו זעיר, דלא אתחזיא ולא אתגליא. קיימא ברעותא, לקיימא כלא. לנטלא מה דנטלא, ממה דלית ביה רשימו, ולא רעותא, דלא אתחזי.

לה. ההוא רשימו בעא לאחפיא גרמיה, ועבד ליה לגרמיה, לאתטמרא ביה, חד היכלא. ההוא היכלא אפיק ליה מגרמיה, ומתח ליה במתיחו רב וסגיא לכל סטרין, אוקיר ליה בלבושי יקר, פתח ליה חמשין תרעין.

לו. לגו בגו, אתטמר ואתגניז ההוא רשימו. כיון דאתגניז ביה, ועאל בגויה, אתמליא נהורא. מההוא נהירו, נבעין נהורין, ונצוצין נפקין מאינון תרעין, ונהרין כלא.

לז. ההוא היכלא אתחפייא בשית יריען. אינון שית יריען, אינון חמש. לגו בגו אינון יריען, קיימא חד יריעא מרקמא, בההוא יריעה אתחפייא ההוא היכלא, מניה אשגח

וְחָמָא לְכֹלָּא.

לז. הַאי הֵיכָלָא אִיהוּ פְּקִידָא דְעַיְינִין, דְּלָא נָיִים. אִיהוּ אַשְׁגַּח תָּדִיר לְאַנְהָרָא לְתַתָּא, מִגּוֹ נְהִירוּ דְּהַהוּא רְשִׁימוּ. הַהוּא סָכְלְתָנוּ, וְחָכְמְתָא טְמִירְתָא, רְעוּ דִּרְעוּתִין הֲוֵי גָּנִיז וְטָמִיר, וְלָא אִתְגַּלְיָא, קַיְּימָא וְלָא קַיְּימָא. בְּרִיךְ הוּא מִטְּמִיר דִּטְמִירוּ, בְּרִיךְ הוּא לְעָלַם וּלְעָלְמֵי עַד אָמֵן. (ע"כ תוספתא).

לט. תָּא חֲזֵי, יִתְרוֹ הוּא דְּיָהַב עֵיטָא לְמֹשֶׁה, עַל תִּקּוּנָא דְּדִינִין, הָכִי אִצְטְרִיךְ. וְרָזָא דָּא דְּאוֹדֵי לֵיהּ לְקֻבְּ"ה, וְסִדֵּר קָמֵיהּ תִּקּוּנָא דְּדִינוֹי, לְאַחֲזָאָה מַה דִּכְתִּיב, כִּי הַמִּשְׁפָּט לֵאלֹהִים הוּא, וְלָא לְסִטְרָא אַחֲרָא. וְדִינִין לְיִשְׂרָאֵל אִתְיְיהִיבוּ, וְלָא לְאַחֲרָא, דִּכְתִּיב חֻקָּיו וּמִשְׁפָּטָיו לְיִשְׂרָאֵל. וְת"ח, לָא יַנְהִיג בַּר נָשׁ קְלָנָא בְּאַחֲרָא, וּמִלָּה דְּהֶדְיוֹטָא, מִלָּה אִיהוּ. דְּהָא בְּמֹשֶׁה כְּתִיב, וַיִּשְׁמַע מֹשֶׁה לְקוֹל חוֹתְנוֹ וְגוֹ'.

מ. וַיִּשְׁמַע יִתְרוֹ וְגוֹ'. פָּתַח וְאָמַר עַל כֵּן אוֹדְךָ בַגּוֹיִם יְיָ' וּלְשִׁמְךָ אֲזַמֵּרָה. דָּוִד מַלְכָּא אֲמַר דָּא בְּרוּחַ קֻדְשָׁא, בְּשַׁעֲתָא דְּחָמָא, דְּהָא יְקָרָא דְּקֻבְּ"ה, לָא אִסְתַּלִּיק בִּסְלִיקוּ וְלָא אִתְיְיקָרָא בְּעָלְמָא, אֶלָּא מִסִּטְרָא דִּשְׁאַר עַמִּין. וְאִי תֵּימָא, הָא קֻבְּ"ה לָא אִתְיְיקַר בְּעָלְמָא, אֶלָּא בְּגִינַיְיהוּ דְּיִשְׂרָאֵל. הָכִי הוּא וַדַּאי, דְּהָא יִשְׂרָאֵל אִינּוּן הֲוֵי יְסוֹדָא דִּשְׁרָגָא לְאַנְהָרָא, אֲבָל כַּד שְׁאַר עַמִּין אָתָאן וְאוֹדָן לֵיהּ, בְּשַׁעְבּוּדָא דִּיקָרָא דְּקוּדְשָׁא בְּרִיךְ הוּא, כְּדֵין אִתּוֹסַף יְסוֹדָא דִּשְׁרָגָא, וְאִתְתַּקַּף עַל כָּל עוֹבָדוֹי. בְּחִבּוּרָא חֲדָא, וְשָׁלִיט קֻבְּ"ה בִּלְחוֹדוֹי עֵילָּא וְתַתָּא.

מא. כְּגַוְונָא דָּא, כָּל עָלְמָא, דְּחִילוּ וְאֵימָתָא נָפַל עֲלַיְיהוּ מִקָּמֵי קֻבְּ"ה. וְכֵיוָן דְּאָתָא יִתְרוֹ, דְּאִיהוּ כּוּמְרָא עִלָּאָה, דְּכָל טַעֲוָון אַחֲרָנִין, כְּדֵין אִתְתַּקַּף וְשָׁלִיט יְקָרָא דְּקוּדְשָׁא בְּרִיךְ הוּא עַל כֹּלָּא.

מב. בְּגִין, דְּכָל עָלְמָא, כַּד שָׁמְעוּ שֵׁמַע גְּבוּרְתֵּיהּ דְּקֻבְּ"ה, זָעוּ. וְכֻלְּהוּ הֲווּ מִסְתַּכְּלָן בְּיִתְרוֹ, דְּאִיהוּ חַכִּים וְרַב מְמַנָּא דְּכָל טַעֲוָון דְּעָלְמָא, כֵּיוָן דְּחָמוּ, דְּאִיהוּ אָתָא וּפָלַח לֵיהּ לְקוּדְשָׁא בְּרִיךְ הוּא, וְאָמַר עַתָּה יָדַעְתִּי כִּי גָדוֹל יְיָ' מִכָּל הָאֱלֹהִים, כְּדֵין כֻּלְּהוּ אִתְרַחֲקוּ מִפּוּלְחָנַיְיהוּ, וְיָדְעוּ דְּלֵית בְּהוּ מַמָּשׁוּ. כְּדֵין אִתְיְיקַר יְקָרָא דִּשְׁמָא קַדִּישָׁא דְּקֻבְּ"ה, בְּכָל סִטְרִין. וְעַל דָּא אִתְרְשִׁים פַּרְשְׁתָא דָּא בְּאוֹרַיְיתָא, וְשֵׁירוּתָא דְּפַרְשְׁתָא הֲוָה בֵּיהּ בְּיִתְרוֹ.

מג. יִתְרוֹ חַד מֵחַכִּימִין דְּפַרְעֹה הֲוָה. תְּלַת חַכִּימִין הֲווּ לֵיהּ לְפַרְעֹה, חַד יִתְרוֹ, וְחַד אִיּוֹב, וְחַד בִּלְעָם. חַד יִתְרוֹ: דְּלָא הֲוָה פּוּלְחָנָא וּמְמַנָּא וְשַׁמָּשָׁא וְכֹכָבָא דְּשָׁלִיט עַל שׁוּלְטָנֵיהּ, דְּלָא הֲוָה יָדַע פּוּלְחָנָא דְּאִתְחֲזֵי לֵיהּ, וְהַהוּא שִׁמּוּשָׁא דִּילֵיהּ. בִּלְעָם, הֲוָה חַרְשָׁא בְּכָל מִינֵי חַרְשִׁין בֵּין בְּעוֹבָדָא בֵּין בְּמִלָּה.

מד. אִיּוֹב הֲוָה דָּחִיל בִּדְחִילוּ, וּבְהַהוּא דְּחִילוּ הֲוָה עִקָּרָא דִּילֵיהּ, בְּגִין דְּמִלָּה דִּלְעֵילָּא, בֵּין דִּקְדוּשָׁה, בֵּין דְּסִטְרָא אַחֲרָא, לָא יָכִיל בַּר נָשׁ לְאַמְשָׁכָא רוּחָא דִּלְעֵילָּא לְתַתָּא וּלְמִקְרַב גַּבֵּיהּ, אֶלָּא בִּדְחִילוּ. וִיכַוֵּין לִבֵּיהּ וּרְעוּתֵיהּ בִּדְחִילוּ וּתְבִירוּ דְּלִבָּא, וּכְדֵין יַמְשִׁיךְ לְתַתָּא רוּחָא דִּלְעֵילָּא וּרְעוּתָא דְּאִצְטְרִיךְ.

מה. וְאִי לָא יְשַׁוֵּי לִבֵּיהּ וּרְעוּתֵיהּ בִּדְחִילוּ לְהַהוּא סִטְרָא, לָא יָכִיל לְאִתְדַּבְּקָא בֵּיהּ רְעוּתֵיהּ, בַּר לְהָנֵי טוּפְסֵי דְּקִיקִין, וְלָא בְּכֻלְּהוּ, בְּגִין דְּאִית בְּהוּ שָׁלְטָנִין, דְּאִצְטְרִיךְ לְגַבַּיְיהוּ, רְעוּתָא דְּלִבָּא וּדְחִילוּ. כ"ש אִינּוּן מִלִּין עִלָּאִין, דְּאִצְטְרִיךְ דְּחִילוּ וְאֵימָתָא וּרְעוּתָא יַתִּיר.

מו. יִתְרוֹ אִצְטְרִיךְ פּוּלְחָנֵיהּ דְּהַהוּא סִטְרָא תָּדִיר, בֵּין בְּזִמְנָא דְּאִצְטְרִיךְ לֵיהּ לְבַר

נָשׁ, בֵּין בְּזִמְנָא דְּלָא אִצְטְרִיךְ לֵיהּ, בְּגִין דְּהַהוּא סִטְרָא יְהֵא דָּבִיק לְגַבֵּיהּ, בְּשַׁעֲתָא דְּאִצְטְרִיךְ לֵיהּ. בִּלְעָם אִתְדְּבַק בְּאִינּוּן וְהַרְשִׁין, כְּמָה דְּאִתְּמַר.

מז. אִיּוֹב בִּסְגִּיאוּ דְּהַהוּא דְּחִילוּ דִּילֵיהּ אַהְדָר בְּמִצְרַיִם לְמִדְחַל מִקַּמֵּיהּ דְּקֻבְּ"הּ, כַּד חָמָא אִינּוּן גְּבוּרָן וְנִסִּין, דַּעֲבַד קוּדְשָׁא בְּרִיךְ הוּא בְּמִצְרַיִם. יִתְרוֹ, לָא אַהֲדָר בְּכָל דָּא, עַד דְּנָפְקוּ יִשְׂרָאֵל מִמִּצְרַיִם, וְכָל אִינּוּן קִשְׁרִין וְטַפְסִין דְּקָשִׁירוּ מִצְרָאֵי, לָא הֲווּ כְּלוּם, וְנַפְקוּ. וּלְבָתַר דְּטָבַע לוֹן בְּיַמָּא, כְּדֵין תָּב, וְאַהֲדָר לְפוּלְחָנָא דְּקֻבְּ"הּ.

מח. בִּלְעָם לָא תָּב, וְלָא אַהֲדָר, דְּטִנּוּפָא דְּסִטְרָא אַחֲרָא הֲוָה מִתְדְּבַק בֵּיהּ, וְעִם כָּל דָּא אִסְתַּכְּלוּתָא דְּמֵרָחִיק הֲוָה מִסְתַּכֵּל, בְּגוֹ הַהוּא טִנּוּפָא וְאִתְדַּבְּקוּתָא דְּסִטְרָא אַחֲרָא. דְּהָא בְּסִטְרָא אַחֲרָא אִית נְהִירוּ דָּקִיק וַחַד, דְּנָהִיר סַחֲרָנֵיהּ, כד"א וְנֹגַהּ לוֹ סָבִיב. וְדָא אִסְתַּכְּלוּתָא זְעֵיר הֲוָה מִסְתַּכֵּל מֵרָחִיק, וְלָא בְּכֻלְּהוּ מִלִּין.

מט. וְכַד הֲוָה מִסְתַּכֵּל מִלָּה זְעֵיר מֵהַהוּא נְהִירוּ, כְּבָתַר כּוֹתָלָא הֲוָה, אָמַר וְלָא יָדַע מַאי קָאָמַר. וַהֲוָה מִסְתַּכֵּל בְּהַהוּא נְהִירוּ בִּסְתִימוּ דְּעֵינָא, וְאִתְגַּלְגַּל עֵינָא, וְחָזֵי בַּר נָשׁ נְהוֹרָא סְתִימָא, וְלָא חָזֵי. וְרָזָא דָּא שְׁתֻם הָעָיִן, וְאוּקְמוּהָ שְׁתוּם: סְתוּם, וְכֹלָּא חַד.

נ. דְּהָא לֵית סִטְרָא אַחֲרָא, דְּלֵית בֵּיהּ נְהִירוּ דָּקִיק זְעֵיר מִסִּטְרָא דִּקְדוּשָּׁה, כְּגַוְונָא דְּרוֹב חֶלְמִין, דִּבְסְגִיאוּת תַּבְנָא, אִית חַד גַּרְעִינָא דְּחִטִּין. בַּר אִלֵּין טַפְסֵי דְּקִיקִין וְחֲצִיפִין, דְּכֻלְּהוּ מְסָאֲבֵי יַתִּיר. וּבְהוּ הֲוָה בִּלְעָם יוֹדֵעַ.

נא. זַכָּאָה חוּלָקֵיהּ דְּמֹשֶׁה, דְּאִיהוּ לְעֵילָּא בְּכָל קְדוּשִׁין עִלָּאִין, וְאִסְתַּכַּל, בְּמָה דְּלָא אִתְיְיהִב רְשׁוּ לְבַר נָשׁ אַחֲרָא בְּעָלְמָא לְאִסְתַּכְּלָא. וּכְמָה דְּבִלְעָם הֲוָה חָמֵי נְהִירוּ זְעֵיר דָּקִיק כְּמִבָּתַר כּוֹתָלָא, מִגּוֹ הַהוּא סִטְרָא אַחֲרָא. אוּף הָכִי מֹשֶׁה, מִגּוֹ נְהִירוּ עִילָּאָה רַב וְסַגִּי, הֲוָה חָמֵי לְתַתָּא כְּמִבָּתַר כּוֹתָלָא, חַד חֲשׁוֹכָא דָּקִיק, דְּאִתְחֲזֵי לֵיהּ. וְלָאו בְּכָל זִמְנָא, כְּמָה דְּבִלְעָם לָא הֲוָה מִסְתַּכֵּל הַהוּא נְהִירוּ בְּכָל זִמְנָא.

נב. זַכָּאָה חוּלָקֵיהּ דְּמֹשֶׁה נְבִיאָה מְהֵימְנָא, מַה כְּתִיב בֵּיהּ, וַיֵּרָא מַלְאַךְ יְיָ' אֵלָיו בְּלַבַּת אֵשׁ מִתּוֹךְ הַסְּנֶה. הַסְּנֶה וַדַּאי הֲוָה בְּגוֹ הַהוּא קְדוּשָּׁה וְאִתְדְּבַק בֵּיהּ. דְּכֹלָּא אִתְדְּבַק דָּא בְּדָא, טָהוֹר וְטָמֵא, לֵית טָהוֹר אֶלָּא מִגּוֹ טָמֵא.

נג. וְרָזָא דָּא, מִי יִתֵּן טָהוֹר מִטָּמֵא. קְלִיפָּה וּמוֹחָא דָּא בְּדָא סַלְקָא. וְדָא קְלִיפָּה לָא יִתְעֲדֵי וְלָא יִתְּבַר, עַד זִמְנָא דְּיְקוּמוּן מֵתַיָּא מֵעַפְרָא, כְּדֵין יִתְּבַר קְלִיפָּה, וּנְהִירוּ יַנְהִיר בְּעָלְמָא בְּלָא סְתִימוּ מִגּוֹ מוֹחָא. זַכָּאִין אִינּוּן צַדִּיקַיָּא בְּעָלְמָא דֵּין וּבְעָלְמָא דְּאָתֵי.

נד. וְאֵת שְׁנֵי בָנֶיהָ, אָמַר רַבִּי חִיָּיא, וְכִי בָּנֶיהָ וְלֹא בָּנָיו שֶׁל מֹשֶׁה. אֶלָּא, בְּגִין דְּאִיהִי אִשְׁתַּדְּלַת אֲבַתְרַיְיהוּ, בְּלָא בַּעְלָהּ, קָרָא לוֹן אוֹרַיְיתָא בָּנֶיהָ, וְלָא בָּנָיו. א"ר יוֹסֵי, אע"ג דִּבְנוֹי דְּמֹשֶׁה הֲווּ. מִלָּה דִּקְשׁוֹט בָּנֶיהָ וַדַּאי. ר' אֶלְעָזָר אָמַר, הָא מֹשֶׁה הֲוָה מִזְדַּוֵּוג בְּאֲתַר אַחֲרָא קַדִּישָׁא עִלָּאָה, וְלָאו יְקָרָא דִּילֵיהּ לְמִקְרֵי לוֹן בָּנָיו. הַשְׁתָּא אַף עַל גַּב דִּבְנוֹי הֲווּ, בְּגִין יְקָרָא דְּהַהוּא אֲתַר דְּאִזְדַּוַּוג בֵּיהּ, קָרָא לוֹן בָּנֶיהָ הָכָא, לְבָתַר קָרָא לוֹן בָּנָיו מ"ט, בְּגִין דְּהַהוּא שַׁעֲתָא דְּמָטוּ, הֲוָה מֹשֶׁה מְמַלֵּל בִּשְׁכִינְתָּא. לְבָתַר דְּאִתְפְּרַשׁ וְנָפַק לְגַבֵּי חָמוּי, כְּדֵין כְּתִיב וַיָּבֹא יִתְרוֹ חֹתֵן מֹשֶׁה וּבָנָיו וְאִשְׁתּוֹ וְגוֹ'.

נה. אָמַר ר' שִׁמְעוֹן, אֶלְעָזָר אֶלְעָזָר, אֲנָא חֲמֵינָא בְּפַרְשָׁתָא דָּא, דְּאַתְּ שָׁארֵי מִלָּה כַּדְקָא יָאוֹת, וְסִיּוּמָא לָאו הָכִי. וַדַּאי בְּגִין יְקָרָא דִּשְׁכִינְתָּא, אִזְדַּוְּוגוּתָא עִלָּאָה דְּאִזְדַּוַּוג בֵּיהּ בְּמֹשֶׁה, כְּתִיב בָּנֶיהָ. וְאִי תֵּימָא, וְהָא כְּתִיב וַיָּבֹא יִתְרוֹ חֹתֵן מֹשֶׁה וּבָנָיו וְאִשְׁתּוֹ אֶל מֹשֶׁה. כֹּלָּא אִיהוּ כְּלָלָא חֲדָא. וּבָנָיו, בָּנָיו דְּיִתְרוֹ, דְּהָא לְבָתַר דְּאָתָא מֹשֶׁה לְגַבֵּיהּ, הֲווּ

לֵיהּ בְּנַיִן.

נו. וְהָכִי הֲוָה בְּיַעֲקֹב, דְּכֵיוָן דְּאָתָא לְגַבֵּיהּ דְּלָבָן, וְשַׁוֵּי דִּיוּרֵיהּ בֵּיהּ, הֲווֹ לֵיהּ בְּנִין. אוּף הָכָא מֹשֶׁה, כֵּיוָן דְּשַׁוֵּי דִּיוּרֵיהּ בְּיִתְרוֹ, הֲווֹ לֵיהּ לְיִתְרוֹ בְּנִין וְכָל בֵּיתֵיהּ אַיְיתֵי עִמֵּיהּ, לְמֵיעַל לוֹן תְּחוֹת גַּדְפֵּי דִּשְׁכִינְתָּא, וְיִתְרוֹ אָמַר לְמֹשֶׁה, אֲנִי חוֹתֶנְךָ יִתְרוֹ בָּא אֵלֶיךָ וְאִשְׁתְּךָ וּשְׁנֵי בָנֶיהָ עִמָּהּ, וּשְׁנֵי בָנֶיהָ כְּתִיב, וְלָא כְּתִיב וּשְׁנֵי בָנֶיךָ. בְּנִין הֲווֹ לֵיהּ לְיִתְרוֹ, דִּכְתִיב וּבְנֵי קֵינִי חֹתֵן מֹשֶׁה עָלוּ מֵעִיר הַתְּמָרִים וּבְנוֹי שָׁבַק עִם מֹשֶׁה.

נז. וַיָּבֹא יִתְרוֹ חֹתֵן מֹשֶׁה. פָּתַח וְאָמַר, וְהָלְכוּ עַמִּים רַבִּים וְאָמְרוּ לְכוּ וְנַעֲלֶה אֶל הַר יְיָ' וְגוֹ'. הַאי קְרָא אוֹקְמוּהָ בְּכַמָּה אֲתַר. אֲבָל זְמִינִין שְׁאָר עַמִּין לְמֵהַךְ וּלְכַתְּתָא רַגְלַיְיהוּ, לְמֵיעַל תְּחוֹת גַּדְפֵּי דִּשְׁכִינְתָּא. לְכוּ וְנַעֲלֶה כָּל טַעֲוָון דְּעָלְמָא אִית לוֹן יְרִידָה, וְקוּדְשָׁא בְּרִיךְ הוּא מַאן דְּאִתְדַּבַּק בֵּיהּ, אִית בֵּיהּ עֲלִיָּה.

נח. אֶל הַר יְיָ', דָּא אַבְרָהָם, דִּכְתִיב אֲשֶׁר יֵאָמֵר הַיּוֹם בְּהַר יְיָ' יֵרָאֶה, דְּהָא אַבְרָהָם קָרֵי לֵיהּ הַר. מַה הַר הֶפְקֵירָא לְכָל מַאן דְּבָעֵי בְּעָלְמָא, אוּף אֲתַר דָּא קַדִּישָׁא, הֶפְקֵירָא לְקַבְּלָא לְכָל מַאן דְּבָעֵי בְּעָלְמָא. אֶל בֵּית, דָּא יַעֲקֹב, דְּקָרָא לְהַאי אֲתַר בַּיִת, דִּכְתִיב אֵין זֶה כִּי אִם בֵּית אֱלֹהִים.

נט. ד"א, הַר וּבַיִת, אע"ג דְּכֹלָּא חַד דַּרְגָּא, סְלִיקוּ לְדָא מִן דָּא, הַר, לִשְׁאַר עַמִּין, כַּד אַתְאָן לְאָעֳלָא תְּחוֹת גַּדְפּוֹי. בַּיִת, לְיִשְׂרָאֵל, לְמֶהֱוֵי עִמְּהוֹן כְּאִתְּתָא בְּבַעְלָהּ. בְּדִיּוּרָא חַד בְּחֶדְוָוה, וּרְבִיעָא עֲלַיְיהוּ כְּאִימָּא עַל בְּנִין

ס. תָּא חֲזֵי, מַה כְּתִיב הָכָא בְּיִתְרוֹ, וַיָּבֹא יִתְרוֹ חֹתֵן מֹשֶׁה וּבָנָיו וְאִשְׁתּוֹ אֶל מֹשֶׁה וְגוֹ', כֵּיוָן דִּכְתִיב אֶל מֹשֶׁה, אַמַּאי כְּתִיב אֶל הַמִּדְבָּר. אֶלָּא עִקָּרָא דְּכֹלָּא לְמָה דַּהֲוָה אָתֵי, אֶל הַמִּדְבָּר. וּמַאן אִיהוּ, הַר אֱלֹהִים, דְּדָא אִיהוּ אֲתַר לְגִיּוּרֵי לְאִתְגַּיְּירָא. וְעַל דָּא כְּתִיב, אֶל מֹשֶׁה, אֶל הַמִּדְבָּר, לְמֹשֶׁה, לְגַיְּירָא לוֹן, וּלְאָעֳלָא לוֹן תְּחוֹת גַּדְפֵּי שְׁכִינְתָּא. אֶל הַמִּדְבָּר הֲווֹ אַתְיָין, דְּאִיהוּ הַר הָאֱלֹהִים, לְמֶעְבַּד נַפְשַׁיְיהוּ.

סא. וּבְגִין כָּךְ קַיְּימָא הַהוּא אֲתַר, בְּרָזָא דְּהַר דְּכָל מַאן דְּאָתֵי זָכֵי בֵּיהּ. וְאִקְרֵי גֵּר צֶדֶק. וְהָא אוֹקִימְנָא, גֵּר, אַף עַל גַּב דְּאִתְדַּבַּק בְּאֲתַר דָּא עִלָּאָה קַדִּישָׁא, כֵּיוָן דְּשָׁבַק עַמֵּיהּ וַאֲבָהָתוֹי גֵּר. צֶדֶק אִקְרֵי, כְּמַאן דְּשַׁוֵּי מָדוּרֵיהּ בַּאֲתַר דְּלָא יָדַע מִקַּדְמַת דְּנָא.

סב. רַבִּי יִצְחָק וְרַבִּי יוֹסֵי, הֲווֹ יַתְבֵי יוֹמָא חַד וְלָעָאן בְּאוֹרַיְיתָא בִּטְבֶרְיָא. אַעְבַּר רַבִּי שִׁמְעוֹן, אָמַר לוֹן בְּמַאי עַסְקֵיתוּ, אָמְרוּ לֵיהּ, בְּהַאי קְרָא דְּאוֹלִיפְנָא מִנֵּיהּ דְּמָר, אָמַר לוֹן מַאי אִיהוּ. אָמְרוּ לֵיהּ, הַאי דִּכְתִיב זֶה סֵפֶר תּוֹלְדוֹת אָדָם בְּיוֹם בְּרֹא אֱלֹהִים אָדָם בִּדְמוּת אֱלֹהִים עָשָׂה אוֹתוֹ. וְהָא אִתְּמַר, דְּאַחְמֵי קוּדְשָׁא בְּרִיךְ הוּא לְאָדָם הָרִאשׁוֹן, כָּל אִינּוּן דָּרִין דַּהֲווֹ זְמִינִין לְמֵיתֵי לְעָלְמָא, וְכָל אִינּוּן חַכִּימִין, דַּהֲווֹ זְמִינִין בְּכָל דָּרָא וְדָרָא.

סג. וְרָזָא אוֹלִיפְנָא, זֶה סֵפֶר. אִית סֵפֶר וְאִית סֵפֶר. סֵפֶר לְעֵילָּא, סֵפֶר לְתַתָּא. סֵפֶר לְתַתָּא אִקְרֵי סֵפֶר הַזִּכָּרוֹן, סֵפֶר דְּהַהוּא זִכָּרוֹן, וְדָא חַד צַדִּיק, וְאִקְרֵי זֶה. וּבְגִין דְּלָא לְאַפְרְשָׁא לוֹן, דְּאִינּוּן תָּדִיר כַּחֲדָא בְּיִחוּדָא חֲדָא, כְּתִיב, זֶה סֵפֶר תְּרֵין דַּרְגִּין דְּאִינּוּן חַד, כְּלָלָא דִּכַר וְנוּקְבָא.

סד. וְדָא אִיהוּ כְּלָלָא חֲדָא, דְּכָל אִינּוּן נִשְׁמָתִין וְרוּחִין דְּפַרְחִין בִּבְנֵי נָשָׁא, כְּלָלָא דְּכָל תּוֹלְדוֹת, אִינּוּן בְּרָזָא תּוֹלְדוֹת אָדָם וַדַּאי. דְּהָא מֵהַהוּא צַדִּיק דְּקָאָמַר, פַּרְחִין אִינּוּן נִשְׁמָתִין בְּתִיאוּבְתָּא חֲדָא, וְדָא אִיהוּ שַׁקְיוּ דְּגִנְתָּא דְּאַשְׁקֵי הַהוּא נָהָר דְּנָפִיק מֵעֵדֶן,

דִּכְתִּיב וְנָהָר יוֹצֵא מֵעֵדֶן לְהַשְׁקוֹת אֶת הַגָּן. וְדָא אִיהוּ רָזָא דְּאָדָם, דִּכְתִּיב תּוֹלְדוֹת אָדָם.

סה. לְבָתַר בְּיוֹם בְּרֹא אֱלֹהִים אָדָם, דָּא אָדָם דִּלְתַתָּא, דְּהָא תְּרֵין אָדָם כְּתִיבֵי בְּהַאי קְרָא, וְחַד רָזָא דִּלְעֵילָּא, וְחַד רָזָא דִּלְתַתָּא, אָדָם דְּאִיהוּ רָזָא דִּלְעֵילָּא, אִיהוּ בִּגְנִיזוּ, דְּגָנִיז קְרָא, בִּדְכַר וְנוּקְבָא בְּרָזָא וְחָדָא, דִּכְתִּיב זֶה סֵפֶר, דָּא כְּלָלָא דְּכַר וְנוּקְבָא כַּחֲדָא. כֵּיוָן דְּעָבְדוּ תּוֹלְדוֹת כַּחֲדָא, קָרָא לוֹן אָדָם, דִּכְתִּיב תּוֹלְדוֹת אָדָם.

סו. לְבָתַר דְּאִתְגַּלְיָיא מִלְּתָא, מִגּוֹ סְתִימוּ עִלָּאָה קַדְמָאָה דִּקְרָא, בָּרָא אָדָם לְתַתָּא, דִּכְתִּיב בְּיוֹם בְּרֹא אֱלֹהִים אָדָם בִּדְמוּת אֱלֹהִים עָשָׂה אוֹתוֹ. בִּדְמוּת דְּאָדָם אִיהוּ כְּהַאי וְזִיוּ דְּאִתְחֲזֵי דִּיוֹקְנִין בֵּיהּ, וְאִינּוּן דִּיוֹקְנִין לָא קַיְימִין בְּהַהוּא וְזִיוּ בְּדִיוֹקְנָא בְּקִיּוּמָא, אֶלָּא מִתְעַבְּרָן מִינֵּיהּ, אוּף הָכִי בִּדְמוּת אֱלֹהִים.

סז. ד״א, בִּדְמוּת אֱלֹהִים, דִּיוֹקְנָא דְּשַׁיְיפִין דְּכַר וְנוּקְבָא, בְּרָזָא דְּאָזוּר וָקֶדֶם. אָזוּר: בְּרָזָא דְּשָׁמוֹר. וָקֶדֶם: בְּרָזָא דְּזָכוֹר. וּבְאִלֵּין תַּלְיָין כָּל פִּקּוּדֵי אוֹרַיְיתָא, שִׁית מְאָה וּתְלֵיסַר פִּקּוּדֵי אוֹרַיְיתָא, כְּלָלָא דְּכֹלָּא. וְתָנֵינָן, אָזוּר לְעוֹבָדָא דִּבְרֵאשִׁית, וָקֶדֶם לְעוֹבָדָא דְּמֶרְכָּבָה. וְכֹלָּא דָּא בְּדָא תַּלְיָא. בִּדְמוּת אֱלֹהִים, בְּהַהוּא דִּיוֹקְנָא מַמָּשׁ, וְהָא אוֹקִים לֵיהּ מָר.

סח. תּוּ, זֶה סֵפֶר תּוֹלְדוֹת אָדָם: לְדִיוֹקְנִין, בְּרָזֵי דְּדִיוֹקְנִין דְּב״נ, לְאִשְׁתְּמוֹדְעָא בְּאִינּוּן תּוֹלְדוֹת דְּב״נ, דִּיוֹקְנָא דְּרָזִין דְּב״נ, בְּשַׂעְרָא, בְּמִצְחָא, בְּעַיְינִין, בְּאַנְפִּין. בְּשִׂפְוָון, וּבְשִׁרְטוּטֵי יְדִין, וּבְאוּדְנִין. בְּאִלֵּין שֶׁבַע בְּנֵי נָשָׁא אִשְׁתְּמוֹדְעָן.

סט. בְּשַׂעְרָא. הַאי מַאן דְּשַׂעֲרֵיהּ קָמִיט, וְסָלִיק לְעֵילָּא עַל רֵישֵׁיהּ, מָארֵיהּ דְּרוּגְזוּ. לִבֵּיהּ קָמִיט כְּטוּפְסָא, לָאו כַּשְׁרָאן עוֹבָדוֹי. בְּשׁוּתָּפוּ אִתְרַחַק מִנֵּיהּ.

ע. שַׂעֲרָא שְׁעִיעַ יַתִּיר, וְתָלֵי לְתַתָּא, טָב אִיהוּ לְשׁוּתָּפוּ. וּרְוָוחָא אִשְׁתְּכַח בֵּיהּ. וְאִיהוּ בִּלְחוֹדוֹי לָאו הָכִי. מָארֵי דְּרָזִין אִיהוּ בְּאִינּוּן רָזִין עִלָּאִין. בְּרָזִין זְעִירִין לָא קַיְימָא בְּהוּ. עוֹבָדוֹי כַּשְׁרָאן וְלָא כַּשְׁרָאן.

עא. וְאִי תָּלֵי לְתַתָּא, וְלָא שְׁעִיעַ, לִבֵּיהּ לָא דָּחִיל, מָארֵיהּ דְּזָדוֹנָא אִיהוּ. כָּסִיף בְּעוֹבָדִין דְּכַשְׁרָן, וְיָאָן קַמֵּיהּ, וְלָא עָבֵיד. וְכַד אִיהוּ סִיב, אַהֲדָר לְמֶהֱוֵי דָּחִיל וְיָאָן עוֹבָדוֹי. וְהָנֵי מִילֵּי, בְּמִילֵּי דְּעָלְמָא. אֲבָל בְּמִילֵּי דִּשְׁמַיָּא, יִצְלַח מַאן דְּיִקְרַב בֵּיהּ. לָא יִתְגַּלּוּן לֵיהּ רָזִין עִלָּאִין, אֲבָל רָזִין זְעִירִין טָב אִיהוּ לְנַטְרָא לוֹן, מִמִּלָּה זְעֵירָא עָבֵיד רַב, וּמִלּוֹי אִשְׁתְּמָעוּ. וְרָזָא דָּא זַ״ין, בְּאִינּוּן אַתְוָון דְּשִׁיעוּרָא דְּמֹר.

עב. שַׂעֲרָא אוּכָמָא יַתִּיר צָהִיב, אַצְלַח בְּכָל עוֹבָדוֹי בְּמִלֵּי דְּעָלְמָא, וּבִסְחוֹרָא, וּבִדְדָמֵי לוֹן. וַתְּרָן אִיהוּ דָּא אַצְלַח לְחוֹדוֹי. מַאן דְּמִתְחַבֵּר בַּהֲדֵיהּ, לָא אַצְלַח לְיוֹמִין סַגִּיאִין, אֶלָּא אַצְלַח מִיַּד, וְהַהִיא אַצְלָחוּתָא פָּרְחָא מִנֵּיהּ. וְרָזָא דָּא דְּאִיהוּ בִּכְלָלָא דְּאָת ז׳.

עג. שַׂעֲרָא אוּכָמָא דְּלָא צָהִיב, לִזְמְנִין אַצְלַח, לִזְמְנִין לָא אַצְלַח. דָּא אִיהוּ לְשׁוּתָּפוּ וּלְאִשְׁתַּדְּלָא בַּהֲדֵיהּ, טָב לִזְמַן קָרִיב, וְלָא לִזְמַן רָחִיק, דְּהָא לִזְמַן רָחִיק יִתְחַשּׁוֹב מֵחֲשָׁבִין. וּבְגִין דְּלָא יִתְפָּרְשׁוּן מִנֵּיהּ, הֲוֵי טָב לִזְמַן קָרִיב. דָּא יִצְלַח בְּאוֹרַיְיתָא. אִי יִשְׁתְּדַל אֲבַתְרָהָא. וְיִצְלְחוּן בֵּיהּ אַחֲרָנִין. לֵית לֵיהּ רָזָא, לִזְמַן רָחִיק. דְּרָחִיק לִבָּא אִיהוּ. יְוֹמֵי בְּשַׂנְאוֹי. לָא יַכְלִין לֵיהּ שַׂנְאוֹי, וְאִיהוּ דָּחִיק לִבָּא, וְאִיהוּ בְּרָזָא דְּאָת י׳, דְּלָא קַיְימָא בִּכְלָלָא דְּאָת ז׳, אֶלָּא י׳ בִּלְחוֹדוֹי, בְּרָזָא דְּאַתְוָון דְּקִיקִין.

עד. שַׂעֲרָא דְּמָרִיט, יִצְלַח בְּעוֹבָדוֹי, וְרַמָּאָה אִיהוּ כַּפִּין בְּבֵיתֵיהּ. אִתְחֲזֵי דָּחִיל וְטָאָה

לְבַר, לָאו הָכִי לְגוֹ. דָּא עַד לָא סִיב. אִי שַׂעֲרֵיהּ מָרִיט, לְבָתַר דְּסִיב, אִתְהַפַּךְ מִכַּמָּה דַּהֲוָה בְּקַדְמֵיתָא, הֵן לְטָב הֵן לְבִישׁ.

עה. וְהָנֵי מִילֵּי שַׂעֲרָא דְּמָרִיט בֵּין עַיְינוֹי, ע״ג מוֹחָא, בַּאֲתַר דְּאַנַּח תְּפִלִּין. וְאִי בַּאֲתַר אָחֳרָא דְּרֵישָׁא, לָאו הָכִי. וְלָאו אִיהוּ רַמָּאָה, אֶלָּא מָארֵיהּ דְּלִישָׁנָא בִּישָׁא. בִּלְחִישׁוּ, בְּלָא אֲרָמוּת קָלָא. לִזְמְנִין דָּחִיל וְחַטָּאָה אִיהוּ, לִזְמְנִין לָא. וְדָא אִיהוּ בְּרָזָא דְּאָת ז׳, כַּד כָּלִיל אָת י׳.

עו. עַד הָכָא, רָזִין דְּשַׂעֲרָא לְמָרֵי מִדִּין, דְּיַדְעֵי אָרְחֵי וְרָזֵי דְּאוֹרַיְיתָא, לְאִשְׁתְּמוֹדְעָא טְמִירוּ דִּבְנֵי נָשָׁא, דְּאִינּוּן בְּצֶלֶם אֱלֹהִים סָתוּם שְׁמָא, דְּאִתְפְּרַשׁ לְכַמָּה אָרְחִין.

עז. בְּרָזָא דְּמִצְחָא, בְּאָת נ׳, דְּאִיהוּ שְׁלִימוּ דְּאָת זַ״ן, לִזְמְנִין אִתְכְּלִילַת בְּרָזָא דְּאָת ז׳, וְלִזְמְנִין אִיהוּ בִּלְחוֹדָהָא. מִצְחָא דְּאִיהוּ דָּקִיק וְחַד, בְּלָא עִגּוּלָא דָּא הוּא בַּר נָשׁ דְּלָא מִתְיַישְּׁבָא בְּדַעְתֵּיהּ, וְחָשִׁיב דְּאִיהוּ חַכִּים, וְלָא יָדַע. אִתְבְּהִיל בְּרוּחֵיהּ. נָשִׁיךְ בְּלִישָׁנֵיהּ כְּחִוְיָא.

עח. קְמִיטִין דְּמִצְחֵיהּ רַבְרְבָן, וְלָאו אִינּוּן בְּזִוּוּגָא. בְּשַׁעְתָּא דְּמַלִּיל אִתְעֲבִידוּ אִינּוּן קְמִיטִין בְּמִצְחֵיהּ, וְלָאו בְּזִוּוּגָא. רְשִׁימִין אַחֲרָנִין דִּי בְּמִצְחֵיהּ כֻּלְּהוּ בְּזִוּוּגָא. דָּא, בָּעֵי דְּלָא לְאִזְדַּוְּוגָא לֵיהּ, אֶלָּא זִמְנָא זְעֵירָא, וְלָא זִמְנָא סַגֵּי. כָּל מַה דְּעָבֵד וְחָשַׁב, אִיהוּ לְתוֹעַלְתֵּיהּ, וְלָא חָיִישׁ לְתוֹעַלְתָּא דְּאַחֲרָנִין. לָאו אִיהוּ מָארֵי דְּרָזִין כְּלָל. דָּא אִיהוּ, הוֹלֵךְ רָכִיל מְגַלֶּה סוֹד, וְלָא חָשִׁיב מִלּוֹי כְּלָל. דָּא אִיהוּ בְּרָזָא דְּאָת נ׳ דִּכְלִילָא בְּאָת ז׳, וְלָא אִקְרֵי נֶאֱמַן רוּחַ בְּקִיּוּמָא.

עט. מִצְחָא דָּקִיק בְּעִגּוּלָא, דָּא אִיהוּ בַּר נָשׁ וְחַכִּימָא, בְּמָה דְּאִסְתָּכַּל. לִזְמְנִין אִתְבְּהִיל בְּרוּחֵיהּ. רְחִימוּ דִּילֵיהּ בְּחֶדְוָה. רַחֲמָן אִיהוּ עַל כֹּלָּא, אִסְתָּכַּל בְּמִלִּין סַגִּיאִין. אִי יִשְׁתַּדַּל בְּאוֹרַיְיתָא לֶהֱוֵי חַכִּים יַתִּיר.

פ. תְּלַת קְמִיטִין עִלָּאִין רַבְרְבִין בְּמִצְחֵיהּ בְּשַׁעְתָּא דְּאִיהוּ מַלִּיל. תְּלַת קְמִיטִין קָרִיב לְעֵינָא חַד. וּתְלַת קְמִיטִין עַל עֵינָא אָחֳרָא. בָּכֵי בְּשַׁעְתָּא דְּאַרְגִּיז. דָּא אִיהוּ טָב יַתִּיר מִכַּמָּה דְּאִתְחֲזֵי. אַרְמֵי בָּתַר כַּתְפוֹי כָּל מִלִּין דְּעָלְמָא, בֵּין בְּעוֹבָדוֹי, בֵּין בְּמִלִּין אַחֲרָנִין, וְלָא חָיִישׁ. אַצְלַח בְּאוֹרַיְיתָא. כָּל בַּר נָשׁ דְּיִשְׁתַּדַּל בַּהֲדֵיהּ יַתִּיר מִמִּלִּין אַחֲרָנִין דְּעָלְמָא, לִזְמְנִין אִתְדְּבַק רְעוּתֵיהּ בְּקֻדְשָׁא בְּרִיךְ הוּא, וְלִזְמְנִין לָא. בְּדִינָא לָא אַצְלַח. אִתְרְחַק אִיהוּ מִן דִּינָא. וְרָזָא דָּא אָת נ׳ בִּלְחוֹדוֹי, דְּלָא אִתְכְּלִילַת בְּאָת ז׳. וּבְגִין דְּלָא אִתְכְּלִילַת בְּאָת ז׳, אִתְרְחַק מִן דִּינָא, וְלָא קָאִים בֵּיהּ, וּרְחִימוּתָא אִיהוּ סִטְרָא דִּילֵיהּ.

פא. מִצְחָא דְּאִיהוּ בְּלָא עִגּוּלָא, וְאִיהוּ רַבְרְבָא. הַאי אִיהוּ בַּר נָשׁ דְּכָל זִמְנִין כַּד קָאִים, וְכַד אָזִיל, כָּפִיף רֵישֵׁיהּ. הַאי אִתְפְּלִיג לִתְרֵין לִסְטְרִין, וְאִינּוּן סִטְרֵי שִׁגְעוֹנָא. סִטְרָא וְחֲדָא אִיהוּ שִׁגְעוֹנָא דְּאִתְחֲזֵי, וּבְנֵי נָשָׁא אַחֲרָנִין יַדְעִין שִׁגְעוֹנָא, דְּאִשְׁתְּמוֹדְעָא קַמֵּי כֹּלָּא. וְאִיהוּ טִפְּשָׁא.

פב. בְּמִצְחֵיהּ אִית ד׳ קְמִיטִין רַבְרְבִין, לִזְמְנִין בְּשַׁעְתָּא דְּמַלִּיל קָמִיט לוֹן בְּמִצְחֵיהּ, וְלִזְמְנִין דְּאִתְפְּשַׁט מִצְחֵיהּ בְּמַשְׁכֵיהּ, וְלָא אִתְחֲזוּן. אִינּוּן קְמִיטִין אִתְחֲזוּן, קְמִיטִין אַחֲרָנִין רַבְרְבִין בְּסִטְרָא דְּעַיְינוֹי, וְחַיֵּיךְ לְמַגָּנָא. פּוּמֵיהּ רַבְרְבָא. לָאו אִיהוּ בַּר נָשׁ לְתוֹעַלְתָּא. סִטְרָא אָחֳרָא אִיהוּ. שִׁגְעוֹנָא דְּאִתְכַּסֵּי בֵּיהּ, וּבְנֵי נָשָׁא לָא מִסְתַּכְּלָן בֵּיהּ. וְאִיהוּ אִתְחַכַּם בְּמָה דְּאִשְׁתַּדַּל, וַאֲפִילּוּ בְּאוֹרַיְיתָא, אֲבָל לָא לִשְׁמָהּ, אֶלָּא בְּגִין לְאִתְגָּאָה בִּפְנֵי עַמָּא. וְכֹלָּא בִּלְחִישׁוּ וּבְגַאֲוַת לִבָּא, לְאַחֲזָאָה דְּאִיהוּ זַכָּאָה וְלָאו הָכִי. כָּל מִלּוֹי לָאו אִינּוּן

לִשְׁמָא דְּקֻבְּ"ה, אֶלָּא בְּגִין בְּנֵי נָשָׁא. וְחָשִׁיב מַחֲשָׁבִין, וְאַנְהִיג גַּרְמֵיהּ. כְּמִנְהָגָא דִּלְבַר, דְּיִסְתַּכְּלוּן בֵּיהּ. הַאי אִיהוּ בִּרְזָא דְּאָת נ', דִּי בִּכְלָלָא דְּאָת ז'.

פג. מִצְחָא דְּאִיהוּ בְּעִגּוּלָא רַבְרְבָא, פְּקִיחָא אִיהוּ, דְּכַרְנוּ דְּכֹלָּא בֵּיהּ. יָדַע בְּכָל מַה דְּאִשְׁתַּדַּל, אֲפִילּוּ בְּלָא אוּמָנָא דְּיוֹלִיף לֵיהּ. אַצְלַח בְּכָל מַה דְּאִשְׁתַּדַּל. וּבְמָמוֹנָא, לִזְמְנִין אַצְלַח, לִזְמְנִין לָא. מִמִּלָּה זְעֵירָא אִסְתַּכַּל בְּמִלִּין סַגִּיאִין. נָבוֹן אִקְרֵי. לָא חָיֵישׁ לְמִלִּין דְּעָלְמָא, וַאֲפִילּוּ דְּיִנְדַּע דְּיִתְכְּסִיף בְּהוּ לָא חָיֵישׁ לוֹן, וְלָא שַׁוֵּי עַל לִבֵּיהּ. רַכִּיךְ לִבָּא אִיהוּ.

פד. תְּרֵין קְמִיטִין עִלָּאִין רַבְרְבִין בְּמִצְחֵיהּ. חַד קְמִיטָא עַל עֵינָא חַד, וְחַד קְמִיטָא עַל עֵינָא אַחֲרָא. וְאִשְׁתְּכָחוּ תְּלַת קְמִיטִין רַבְרְבִין בְּמִצְחֵיהּ, בְּאִלֵּין דְּעַיְינִין, בַּר קְמִיטָא תַּתָּאָה, דְּאִיהוּ אִתְפְּלַג עַל עַיְינִין. דָּא חָשִׁיב מַחֲשָׁבִין לְגוֹ וְלָא לְבַר. בְּגִין דְּלָא חָשִׁיב לִבְנֵי נָשָׁא בְּעוֹבָדוֹי, וְדָחִיל אִיהוּ לְפוּם שַׁעֲתָא, וְלָא יַתִּיר. לְפַיּוּסָא, אִתְפַּיְּסָא בְּעוֹבָדוֹי דִּלְבַר מִקַּמֵּי ב"נ, לָאו אִינּוּן, אֶלָּא לִזְמְנִין כַּרְבְיָא, וּלִזְמְנִין בְּחָכְמָה. דָּא אִיהוּ בִּרְזָא דְּאָת נ', דְּאִיהוּ בִּלְחוֹדוֹי, דְּלָא אִתְכְּלִיל בְּאָת ז'. וְחַלָּשָׁא אִיהוּ, דְּלָא אִתְכְּלִיל בְּאִלֵּין אַתְוָון קַדְמָאֵי, אֶלָּא אִסְתְּמִיךְ לְאָת ס' לְאִתְכַּלְּלָא בֵּיהּ. וְלָא בְּאַתְוָון קַדְמָאֵי. עַד הָכָא רָזִין דְּחָכְמְתָא דְּמִצְחָא.

פה. בִּרְזָא דְּעַיְינִין, בִּרְזָא דְּאָת ס', בְּהַהוּא גַּוְונָא דְּסַחֲרָא לְבַר, וְכַמָּה דְּיָתְבָא עֵינָא, דְּיָתְבָא עַל שְׁלִימוּ, דְּלָא שְׁקִיעַ, הַאי לָאו רַמָּאָה הִיא, וְרָחִיק מֵרַמָּאוּתָא, דְּלָא אִית בֵּיהּ כְּלַל.

פו. גַּוְונֵי דְּעַיְינִין אִינּוּן ד'. חִוָּורוּ לְבַר, דְּסַחֲרָא עֵינָא, כְּגַוְונָא דְּכָל בַּר נָשׁ. לְגוֹ מִנֵּיהּ אוּכְמָא דְּסַחֲרָא, וְאִתְכְּלִיל חִוָּורוּ וְאוּכְמוּ כַּחֲדָא. לְגוֹ מִנֵּיהּ יְרוֹקָא. וְאִתְכְּלִיל בְּאוּכְמָה. לְגוֹ מִנֵּיהּ הַהוּא בַּת עֵינָא, נְקוּדָא אוּכְמָא. דָּא אִיהוּ בַּר נָשׁ דְּחַיִּיךְ תָּדִיר, וְחַדֵּי בְּחֶדְוָו. וְחָשִׁיב מַחֲשָׁבִין לְטַב, וְלָא אִשְׁתְּלִימוּ אִינּוּן מַחֲשָׁבִין, בְּגִין דְּסַלִּיק לוֹן מִיַּד מֵרְעוּתֵיהּ. אִשְׁתַּדַּל בְּמִלֵּי דְּעָלְמָא. וְכַד אִשְׁתַּדַּל בְּמִלֵּי דִּשְׁמַיָּא, אַצְלַח. הַאי אִצְטְרִיךְ לְאִתְתַּקְּפָא בֵּיהּ לְאִשְׁתַּדְּלָא בְּאוֹרַיְיתָא, דְּהָא יִצְלַח בָּהּ.

פז. גְּבִינֵי עֵינוֹי רַבְרְבִין, וְכַסְיָין לְתַתָּא. בְּאִינּוּן גַּוְונִין דְּעֵינָא אִית רְשִׁימִין סוּמָקִין דְּקִיקִין בְּאַרְכָא. אִינּוּן רְשִׁימִין אִקְרוּן אַתְוָון זְעִירִין דְּעֵינָא. בְּגִין דְּאִינּוּן גַּוְונִין דְּעֵינָא. אִי נַהֲרִין בִּנְהִירוּ, הַהוּא נְהִירוּ סָלִיק אַתְוָון לְאִתְחֲזָאָה, לְאִינּוּן מָארֵי דְּמִדִּין. בְּאִינּוּן רְשִׁימִין אַחֲרָנִין דְּקִיקִין, וְהַאי אִיהוּ בְּאָת ס', וּכְלִילָא בְּאָת ה'.

פח. עַיְינִין יְרוֹקִין דְּסַחֲרִין בְּחִוָּורוּ, וּמִתְעָרְבִין אִינּוּן יְרוֹקִין, בְּהַהוּא חִוָּורוּ. רַחֲמָנָא אִיהוּ, וְאִיהוּ חָשִׁיב תָּדִיר לְתוֹעַלְתֵּיהּ, וְלָא חָשִׁיב לְנִזְקָא דְּאַחֲרָנִין כְּלוּם.

פט. גַּוְונָא אוּכְמָא לָא אִתְחֲזֵי בֵּיהּ. חָמִיד אִיהוּ וְלָא מִסְטְרָא בִּישָׁא. וְאִי סַלְקָא בִּידֵיהּ מִסִּטְרָא בִּישָׁא, לָא יְתוּב מִנֵּיהּ. מְהֵימְנָא אִיהוּ בְּמַה דְּאִשְׁתְּמוֹדְעָא. וּבְמַה דְּלָא אִשְׁתְּמוֹדְעָא לָאו מְהֵימְנָא אִיהוּ. מָארֵיהּ דְּרָזִין אִיהוּ, בְּמִלָּה דְּאִיהוּ רָזָא, עַד דְּיִשְׁמַע לְהַהוּא רָזָא בְּאֲתַר אַחֲרָא. כֵּיוָן דְּשָׁמַע לֵיהּ גַּלֵּי כֹּלָּא. וְלָאו עִמֵּיהּ רָזָא כְּלַל, דְּכָל מִלּוֹי לָאו אִינּוּן בִּשְׁלִימוּ. גַּוְונֵי עֵינוֹי סַחֲרָן בְּחִוָּורוּ וּבִירוֹקָא. דָּא אִיהוּ בִּרְזָא דְּאָת ה', וְאִתְכְּלִיל בְּאָת ז', וּבְאָת ס'.

צ. עַיְינִין צְהִיבִין יְרוֹקִין, שִׁגְּעוֹנָא אִית בֵּיהּ. וּבְגִין שִׁגְּעוֹנֵיהּ אִיהוּ פּוּם מְמַלֵּל רַבְרְבָן, וְעָבֵיד גַּרְמֵיהּ כְּבַר נָשׁ רַב, בְּרַבְרְבָנוּ. וּמַאן דְּאִתְתַּקַּף בֵּיהּ, נָצַח לֵיהּ. לָא אִתְחֲזֵי לְרָזִין דְּאוֹרַיְיתָא, דְּהָא לָא שָׁכִיךְ בְּלִבֵּיהּ, בְּאִינּוּן רָזִין. דְּעָבֵיד גַּרְמֵיהּ רַב בְּהוּ. דָּא אִיהוּ

בְּרָזָא דְּאָת ה', וְאִתְכְּלִיל בְּאָת ז' בִּלְחוֹדוֹי, וְאִתְרְחַק מֵאָת ס'. וּבְגִין דְּאִיהוּ עָבֵד גַּרְמֵיהּ בְּרַבְרְבָנוּ, אִתְרְחַק מִנֵּיהּ מֵאָת ס', וְלָא אִתְקְרִיב בַּהֲדֵיהּ. דָּא כַּד אִיהוּ מַלִּיל, עָבֵיד קְמִיטִין סַגִּיאִין בְּמִצְחֵיהּ.

צא. עַיְינִין חִוְּורִין, דְּסַחֲרָן זְעֵיר בִּירוֹקָא, מָארֵיהּ דְּרוּגְזָא, וְרַחֲמָנָא אִיהוּ לְרוֹב זִמְנִין. וְכַד אִתְמְלֵי רוּגְזָא, לֵית בֵּיהּ רְחִימוּ כְּלָל, וְאִתְהַפָּךְ לְאַכְזְרִיּוּת. לָאו אִיהוּ מָארֵיהּ דְּרָזִין, דָּא אִיהוּ בְּרָזָא דְּאָת ה', דְּאִתְכְּלִיל בְּאָת ס'.

צב. עַיְינִין יְרוֹקִין וְחִוְּורִין כַּחֲדָא, וּזְעֵיר מִגַּוְון אוּכָם בְּהוּ, דָּא אִיהִי מָארֵיהּ דְּרָזִין, וְאַצְלַח בְּהוּ. וְאִי שָׁארֵי בְּאַצְלָחוּתָא אַצְלַח וְסָלִיק. שַׂנְאוֹי לָא יַכְלִין לֵיהּ, וְאִיהוּ שַׁלִּיט עֲלַיְיהוּ בְּשׁוּלְטָנוּ, וְאִתְכַּפְיָין קָמֵיהּ. דָּא אִיהוּ בְּרָזָא דְּאָת כ', דְּאִתְכְּלִיל בְּרָזָא דְּאָת ס'. וְע"ד אִיהוּ שַׁלִּיט, אִי שָׁארֵי בֵּיהּ. עַד הָכָא רָזִין דְּעַיְינִין לְאִינּוּן מָארֵי דְּחָכְמְתָא.

צג. רָזָא דְּאַנְפִּין, לְאִינּוּן מָארֵי דְּחָכְמְתָא פְּנִימָאָה. דְּיוֹקְנִין דְּאַנְפִּין, לָאו אִינּוּן בִּרְשִׁימִין דִּלְבַר, אֶלָּא בְּגוֹ רְשִׁימָא דְּרָזִין פְּנִימָאִין. דִּדְיוֹקְנִין דְּאַנְפִּין, מִתְהַפְּכָן מִגּוֹ דְּיוֹקְנִין דִּרְשִׁימוּ דְּאַנְפִּין, סְתִימִין בְּרוּחָא דְּשַׁרְיָא לְגוֹ. וּמִגּוֹ הַהוּא רוּחָא, אִתְחֲזֵי לְבַר דְּיוֹקְנִין דְּאַנְפִּין, דְּאִשְׁתְּמוֹדְעָן לְגַבֵּי אִינּוּן חַכִּימִין.

צד. דְּיוֹקְנִין דְּאַנְפִּין אִשְׁתְּמוֹדְעָן מִגּוֹ רוּחָא. רוּחָא אִית בְּבַר נָשׁ, דְּרָזִין דְּאַתְוָון חֲקִיקִין בֵּיהּ. וְכֻלְּהוּ אַתְוָון סְתִימִין גּוֹ הַהוּא רוּחָא, וּלְפוּם שַׁעֲתָא סָלְקִין רְשִׁימִין דְּאִינּוּן אַתְוָון לְגוֹ אַנְפִּין. וּכְמָה דְּאִינּוּן אַתְוָון סָלְקִין, הָכִי אִתְחֲזוּן אַנְפִּין, בִּדְיוֹקְנִין רְשִׁימִין לְפוּם שַׁעֲתָא, בְּחֵיזוּ דְּלָא קַיְּימָא. בַּר אִינּוּן מָארֵי דְּחָכְמְתָא דְּאִתְקַיְּימָן בְּהוּ, וְלָא אִתְנְשֵׁי מִנַּיְיהוּ.

צה. הַהוּא אֲתַר דְּאִקְרֵי עָלְמָא דְּאָתֵי, וּמִתַּמָּן נָפְקָא רָזָא דְּאוֹרַיְיתָא, בְּכֻלְּהוּ אַתְוָון דְּאִינּוּן כ"ב אַתְוָון, כְּלָלָא דְּכֹלָּא. וְהַהוּא נַהֲרָא דְּנָפִיק מֵעֵדֶן, נָטִיל כֹּלָּא. וְכַד פַּרְחָן מִנֵּיהּ אִינּוּן רוּחִין וְנִשְׁמָתִין, כֻּלְּהוּ מִצְטַיְּירָן בְּצִיּוּרָא דְּאִינּוּן אַתְוָון, וְהָכִי נַפְקֵי כֻּלְּהוּ. וּבְגִ"כ, רוּחָא דְּבַר נָשׁ דְּמִצְטַיְּירָא בְּצִיּוּרָא דְּאַתְוָון, עָבֵיד צִיּוּרָא בְּאַנְפִּין.

צו. א"ל ר"ש, אִי הָכִי צִיּוּרָא דְּאִימָא, לָא מִצְטַיְּירָא גּוֹ הַהוּא רוּחָא, אָמְרוּ, הָכִי שְׁמַעְנָא מִנֵּיהּ דְּמָר, דְּצִיּוּרָא דְּאַתְוָון מִסִּטְרָא דִּלְעֵילָּא, וְצִיּוּרָא דְּאִימָא מִצְטַיְּירָא בְּהַהוּא רוּחָא לְתַתָּא. צִיּוּרָא דְּאַתְוָון אִתְגְּנִיז לְגוֹ, וְצִיּוּרָא דְּאִימָא בָּלִיט לְבַר.

צז. צִיּוּרָא דְּאִימָא, פְּנֵי אָדָ"ם, פְּנֵי אַרְיֵ"ה, פְּנֵי שׁוֹ"ר, פְּנֵי נֶשֶׁ"ר. וְרוּחָא עָבֵיד צִיּוּרָא דְּכֻלְּהוּ לְבַר לְפוּם שַׁעֲתָא, בְּגִין דְּכָל מַה דְּאִיהוּ מִסִּטְרָא דְּרוּחָא בָּלְטָא לְבַר, וְאִתְחֲזֵי וְאִתְגְּנִיז. וְכָל הָנֵי דְּיוֹקְנִין, אִתְחֲזְיָין, מִתְצַיְּירָן בְּצִיּוּרָא דְּאַתְוָון אע"ג דְּאִינּוּן גְּנִיזִין. אִלֵּין אַרְבַּע דְּיוֹקְנִין אִתְחֲזְיָין לְפוּם שַׁעֲתָא, לְאִינּוּן מָארֵי דְּעַיְינִין, דְּיַדְעִין בְּרָזָא דְּחָכְמְתָא לְאִסְתַּכְּלָא בְּהוּ.

צח. צִיּוּר"א קַדְמָא"ה, כַּד אָזִיל בַּר נָשׁ בְּאָרְחָ קְשׁוֹט, אִינּוּן דְּיַדְעִין בְּרָזִין דְּמָרֵיהוֹן מִסְתַּכְּלָן בֵּיהּ, בְּגִין דְּהַהוּא רוּחָא דִּלְגוֹ, מִתְתַּקְנָא בֵּיהּ, וּבָלִיט לְבַר, צִיּוּרָא דְּכֹלָּא. וְהַהוּא צִיּוּרָא אִיהוּ צִיּוּרָא דְּאָדָם, וְדָא אִיהוּ צִיּוּרָא שְׁלִים יַתִּיר מִכָּל צִיּוּרִין. וְדָא אִיהוּ צִיּוּרָא, דְּאַעְבַּר לְפוּם שַׁעֲתָא, קָמֵי עַיְינַיְיהוּ דְּחַכִּימֵי לִבָּא. הַאי כַּד מִסְתַּכְּלָן בְּאַנְפּוֹי לְבַר, אִינּוּן אַנְפִּין דְּקַיְּימָן קָמֵיהּ, עַיְינִין דְּלִבָּא רְחִימִין לוֹן.

צט. אַרְבַּע סִימָנִין דְּאַתְוָון אִית בְּהוּ, שׁוּרַיְיקָא חַד בָּלִיט בְּשִׁכִיבוּ, בְּסִטְרָא דִּימִינָא, וְשׁוּרַיְיקָא חַד דְּכָלִיל תְּרֵין אַחֲרָנִין דְּאַחִידָן בֵּיהּ, בְּסִטְרָא דִּשְׂמָאלָא. וְאִלֵּין ד' סִימָנִים,

אִינּוּן ד' אַתְוָון, דְּאִקְרוּן עֵדוּת וְסִימָנָא דָּא ע'. הַהוּא שׂוּרְיָיקָא דְּסִטַר יְמִינָא, דְּבָלִיט בִּשְׁכִיבוּ. ד' וְאִינּוּן תְּרֵין אַתְוָון דְּמִתְחַבְּרָן בֵּיהּ ו"ת, אִינּוּן הַהִיא שׂוּרְיָיקָא דְּכָלִיל תְּרֵין אַחֲרָנִין, וְדָא אִיהוּ רָזָא דִּכְתִיב עֵדוּת בִּיהוֹסֵף שָׂמוֹ דְּכָל מַאן דְּחָמָא לֵיהּ הֲוָה רָחִים לֵיהּ בְּלִבּוֹי, וּבִרְחִימוּ אִשְׁתְּלִים.

ק. זַרְעָא דְּדָוִד מִתְהַפְּכָן בֵּיהּ וְזִיוֵי דְּגַוְונִין, וּבְגִ"כ טָעָה שְׁמוּאֵל, דִּכְתִיב אַל תַּבֵּט אֶל מַרְאֵהוּ, בְּגִין דְּסִטְרָא אַחֲרָא הֲוָה בֵּיהּ בֶּאֱלִיאָב, דְּלָא הֲוָה הָכִי בְּדָוִד, דְּיוּקְנִין דְּדָוִד טְמִירִין אִינּוּן, דְּהָא דְּיוּקְנִין דְּסִטְרָא אַחֲרָא, אִתְכְּלִיל גּוֹ דְּיוּקְנִין, וְהַהוּא דְּיוּקְנָא דְּסִטָר אַחֲרָא אִתְחֲזֵי בֵּיהּ בְּקַדְמֵיתָא, דְּאַעְבַּר עַל עַיְינִין לְפוּם שַׁעֲתָא, וּבָהִיל לִבָּא וְדָחִיל, וּלְבָתַר וְטוֹב רוֹאִי וַיְיָ' עִמּוֹ. וְדָא אִיהוּ עֵדוּת לְגַבֵּיהּ.

קא. דְּיוּקְנָא דָּא דְּאָדָם, כָּלִיל כָּל דְּיוּקְנִין, וְכֻלְּהוּ כְּלִילָן בֵּיהּ, הַאי לָא בָּהִיל בְּרוּחֵיהּ. בְּשַׁעֲתָא דְּרוּגְזֵיהּ אִיהוּ בְּנַיְיחָא, וּמִלּוֹי בְּנַיְיחָא, וּמִיָּד אִתְפַּיָּיס.

קב. זַרְעָא דְּדָוִד דְּאִתְחֲזֵי בֵּיהּ הַהוּא דְּיוּקְנָא בְּקַדְמֵיתָא, דְּאַעְבַּר לְפוּם שַׁעֲתָא עַל עַיְינִין, בְּרוּגְזֵיהּ בְּנַיְיחָא, מִיָּד אִתְפַּיָּיס. אֲבָל נָטִיר דִּבָבוּ כְּנָחָשׁ לְסוֹפָא. בְּגִין דְּהַהוּא סִטְרָא גַּרְמָא לֵיהּ, דְּסַחֲרָא בְּכָל סִטְרִין. אֲבָל מוֹחָא דְּבְגוֹ קְלִיפָּה וְלִבָּא מִתְיַשְּׁרָא, וְיַצִּיבָא דָּא לְאִינּוּן זַכָּאִין. אֲבָל חַיָּיבִין לָא מִתְעַבְּרָן מֵהַהוּא דְּיוּקְנָא קַדְמָאָה בִּישָׁא, וְאִתְחַבְּרָן בֵּיהּ בְּכֹלָּא.

קג. צִיוּר"א תנייג"א, אִי הַהוּא בַּר נָשׁ לָא אָזִיל כָּל כַּךְ בְּאָרְחָא בִּישָׁא, וְאַסְטֵי מֵהַהוּא אָרְחָא, וְתָב לְמָארֵיהּ, לָא דְּהוּא רְגִילָא בְּאָרְחוֹי דְּמִתַקְּנָן, אֶלָּא אִיהוּ דַּהֲוָה בְּאִינּוּן אוֹרְחוֹי מִתְעֲדֵי, וְסָטֵי מִנַּיְיהוּ וְתָב לְמָארֵיהּ. הַאי אִיהוּ רוּחָא טָבָא שָׁארִי לְמִשְׁרֵי עֲלוֹי, וּלְאִתְתַּקְּפָא עַל זוּהֲמָא קַדְמָאָה דַּהֲוָה בֵּיהּ, וּבָלִיט לְבַר, בְּאִסְתַּכְּלוּתָא, דְּעַיְינִין לְפוּם שַׁעֲתָא, כְּחֵיזוּ דְּיוּקְנָא דְּאַרְיֵה דְּאִתְגַּבַּר הַאי בְּשַׁעֲתָא דְּחָמֵי לֵיהּ, הַהוּא וְזִיוֵי גָּרִים לֵיהּ לְאַעְבָּרָא בְּלִבֵּיהּ אַרְיֵה דְּמִתְגַּבְּרָא לְפוּם שַׁעֲתָא.

קד. הַאי מִסְתַּכְּלָן בְּאַנְפּוֹי לְבָתַר, אִינּוּן אַנְפִּין דְּלִבָּא לָא רָחִים לוֹן לְפוּם שַׁעֲתָא, וּמִיָּד תָּב לִבֵּיהּ וְרָחִים לֵיהּ. כַּד מִסְתַּכְּלָן בֵּיהּ אַכְסִיף, וְחָשִׁיב דְּכֹלָּא יַדְעִין בֵּיהּ. אַנְפּוֹי וְחַפְיָין דָּמָא לְפוּם שַׁעֲתָא, מִתְהַפְּכָן לְחִוְורָא אוֹ לְיִרוֹקָא.

קה. תְּלַת שׂוּרְיָיקָן אִית בְּאַנְפּוֹי. חַד לִימִינָא, דְּדָא אִתְפָּשַׁט בְּאַנְפּוֹי וְאִתְאֲחִיד בֵּיהּ. וְחַד דְּסַלְּקָא לְחוּטָמֵיהּ לְעֵילָא, וּתְרֵין לִשְׂמָאלָא. וְחַד דְּאִתְפָּשַׁט לְתַתָּא מֵאִינּוּן תְּרֵין, וְאָחִיד בְּהַאי וּבְהַאי. וְאִלֵּין אִינּוּן אַתְוָון דְּמִתְחַקְּקָן בְּאַנְפּוֹי, וְאִינּוּן בַּלְטִין דְּלָא שְׁכִיבִין. וְכַד מִתְיַישְּׁבָא וְאַרְגִּיל בְּאֹרַח קְשׁוֹט, שְׁכִבִין.

קו. וְרָזָא דְּאִינּוּן אַתְוָון אִיהוּ קָרִיב. דָּא הֲוָה רָחִיק, וְהַשְׁתָּא אִינּוּן אַתְוָון בַּלְטִין בְּאַנְפּוֹי, וְסָהֲדִין בֵּיהּ בִּבְהִילוּ. וְסִימָנָא דָּא ק' מִסְּטַר יְמִינָא אַתְוָון אַחֲרָנִין מִסְּטָר שְׂמָאלָא, וְאע"ג דְּשׂוּרְיָיקֵי אַחֲרָנִין אִתְחָזוּן בְּאַנְפּוֹי, לָא בַּלְטִין לְבַר כְּהָנֵי. בַּר בְּזִמְנָא דַּהֲוָה אָזִיל בְּעַקִּימוּ.

קז. הַאי אִיהוּ זַרְעָא דְּדָוִד, אִתְהַפַּךְ מֵחֵיזוּ דָּא. בְּקַדְמֵיתָא אִתְחֲזֵי בְּדְיוּקְנָא דְּאָדָם, וּלְבָתַר קַיְּימָא בִּדְיוּקְנָא דְּאַרְיֵה, וְאִתְפָּרַשׁ בִּדְיוּקְנָא דְּסִטְרָא אַחֲרָא, וּבְכֹלָּא, מִתְהַפְּכָא מִשְּׁאָר בְּנֵי נָשָׁא.

קח. צִיוּר"א תלי"תאה, אִי הַהוּא בַּר נָשׁ אָזִיל בְּאָרְחָא דְּלָא מִתַתְקְנָא, וְסָטֵי אוֹרְחוֹי מֵאָרְחֵי דְּאוֹרַיְיתָא, הַהוּא רוּחָא קַדִּישָׁא אִסְתַּלַּק מִנֵּיהּ, וְרוּחָא אַחֲרָא אִתְחֲזֵי בֵּיהּ,

וְדִיוּקְנָא אוּחֲרָא, וּבְלִיט לְבַר, בְּאִסְתַּכְּלוּתָא דְעַיְינִין דְּחַכִּימֵי לִבָּא, לְפוּם שַׁעֲתָא דִּיוּקְנָא דְּשׁוֹר. בְּשַׁעֲתָא דְּזַמִּין לֵיהּ, מַעַבְּרָן בְּלִבַּיְיהוּ הַהוּא דִּיוּקְנָא, וְאִסְתַּכְּלָן בֵּיהּ.

קט. ג' קוּרְטָמֵי סוּמָקֵי בְּאַנְפּוֹי, בְּסִטְרָא דִּימִינָא, וְאִינּוּן שׁוּרְיָיקֵי סוּמָקִין דְּקִיקִין. וּתְלַת בִּשְׂמָאלָא, וְאִלֵּין אִינּוּן אַתְוָון דְּבַלְטִין בֵּיהּ. וְחַד אִיהוּ שׁוּרְיָיקָא דָּקִיק בְּעִגּוּלָא, וּתְרֵין דְּקִיקִין אוּחֲרָנִין עָלֵיהּ, וְכֻלְּהוּ בְּעִגּוּלָא. וּכְדֵין שְׁקִיעִין עֵינוֹי.

קי. וְרָזָא דְּאִינּוּן אַתְוָון. חַד אִיהוּ כ', תְּרֵין אוּחֲרָנִין ר"ת אִינּוּן. וְכֵן לְסִטַר שְׂמָאלָא, וְסִימָנָא דָּא הַהוּא דִּכְתִּיב, הַכָּרַת פְּנֵיהֶם עָנְתָה בָּם וְאִלֵּין אַתְוָון בַּלְטִין בְּאַנְפִּין, עַל כָּל שְׁאַר שׁוּרְיָיקִין. וְאִי תָּב מִשְּׂמָאלָא לִימִינָא, אִתְכַּפְיָא הַהוּא רוּחָא וְאִתְתַּקַּף רוּחָא דְּקֻדְשָׁא, וְאִלֵּין שׁוּרְיָיקִין שְׁכִיבוּ, וְאוּחֲרָנִין בַּלְטִין לְבַר, כְּמָה דְּאִתְּמַר.

קיא. זַרְעָא דְּדָוִד אִיהוּ בְּהִפּוּכָא, אִתְחֲזְיָא בְּדִיוּקְנָא דְּאַרְיֵה בְּקַדְמֵיתָא, וּלְבָתַר אִתְהַדַּר בְּדִיוּקְנָא דְּשׁוֹר. תְּרֵין שׁוּרְיָיקִין אוּכָמִין בְּאַנְפּוֹי, חַד מִימִינָא, וְחַד מִשְּׂמָאלָא, וְאִלֵּין אִינּוּן אַתְוָון, חַד אִקְרֵי ד', וְחַד אִקְרֵי ע', וְכֹלָּא מִתְהַפְּכָא מִשְּׁאַר בְּנֵי נָשָׁא.

קיב. צִיוּר"א רְבִיעָ"אָה, דָּא אִיהוּ צִיוּרָא דְּבַר נָשׁ, דְּקַיְּימָא תָּדִיר לְאִתְתַּקְּנָא עַל רָזָא דְּמַלְכַּדְמִין, הַאי אִיהוּ וְזִיוּ לְחַכִּימֵי לִבָּא בְּדִיוּקְנָא דְּנֶשֶׁר. הַהוּא רוּחָא דִּילֵיהּ אִיהוּ רוּחָא חַלָּשָׁא. הַאי לָא אוּחֲזֵי בְּאַנְפִּין אַתְוָון דְּבַלְטִין לְבַר, דְּהָא אִתְאֲבִידוּ מִנֵּיהּ, וְאִשְׁתְּקָעוּ בְּזִמְנָא אוּחֲרָא דְּמַלְכַּדְמִין, דְּאִסְתַּלְּקוּ מִנֵּיהּ, וְעַל דָּא לָא בַּלְטִין בֵּיהּ.

קיג. וְרָזָא דִּילֵיהּ, עֵינוֹי לָא נְהִירִין בְּנִצִּיצוּ, כַּד אִיהוּ בְּחֶדְוָה. וּבְזִמְנָא דְּסָפַר שְׂעַר רֵישֵׁיהּ וְדִיקְנֵיהּ. בְּגִין דְּרוּחֵיהּ לָא נָהִיר לֵיהּ בְּאַתְוָון, וְאִשְׁתְּקַע נִצִּיצוּ דִּילֵיהּ דַּהֲוָה בְּקַדְמֵיתָא. לָא קַיְּימָא בְּאִסְתַּכְּלוּתָא דְּאַנְפִּין לְאִסְתַּכְּלָא. וְרָזָא דְּהַאי וְשַׁבֵּחַ אֲנִי אֶת הַמֵּתִים שֶׁכְּבָר מֵתוּ מִן הַחַיִּים אֲשֶׁר הֵמָּה חַיִּים עֲדֶנָה. זַרְעָא דְּדָוִד, סוֹד יְיָ' לִירֵאָיו וּבְרִיתוֹ לְהוֹדִיעָם.

קיד. בְּרוּחָא דְּבַר נָשׁ, אִצְטַיְּירוּ אַתְוָון, כְּמָה דְּאִתְּמַר, וְאִיהוּ בָּלִיט לוֹן לְבַר, וְאִתְמְסַר חָכְמְתָא דָּא לְחַכִּימֵי לִבָּא לְמִנְדַּע וּלְאִשְׁתְּמוֹדְעָא, רוּחָא קַיְּימָא בְּרָזָא דְּזֶה סֵפֶר, וְכֹלָּא בְּרָזָא דָּא קַיְּימָא, בַּר וְזִיוּ דְּאַנְפִּין דְּאִתְדָּן בְּגַוְונָא אוּחֲרָא, כְּפוּם שׁוּלְטָנוּ דְּרוּחָא, אוֹ מָארֵיהּ דְּרוּחָא. זַכָּאִין אִינּוּן חַכִּימִין דְּכֹלָּא אִתְמְסַר לוֹן לְמִנְדַּע. עַד הָכָא רָזָא דְּאַנְפִּין.

קטו. מִכָּאן וּלְהָלְאָה בְּרָזָא דְּשִׂפְוָון, בְּאָת פ' דְּכָלִיל בְּרָזָא דְּאָת ס'. שִׂפְוָון רַבְרְבָן, דָּא אִיהוּ בַּר נָשׁ מַלִּיל בְּלִישָׁנָא בִּישָׁא, וְלָא אַכְסִיף, וְלָא דָּחִיל, מָארֵי דְּמַחְלוֹקֶת, רְכִילָא אִיהוּ בֵּין הַאי לְהַאי. וּמְשַׁלֵּחַ מְדָנִים בֵּין אַחִים. לָאו אִיהוּ מָארֵיהּ דְּרָזִין, וְכַד אִשְׁתַּדַּל בְּאוֹרַיְיתָא מְכַסֶּה רָזִין, אֲבָל מָארֵיהּ דְּלִישָׁנָא בִּישָׁא, וְלָא שַׁוֵּי דְּחִילוּ בְּלִבֵּיהּ.

קטז. וְסִימָנָא דָּא, אָת פ' דְּכָלִיל בְּאָת ר' וְלָא אִתְכְּלִיל בְּאָת ס'. הַאי אִיהוּ דְּאִתְחֲזֵי דְּאִיהוּ זַכָּאָה, וְלָא דָּחִיל וְחַטָּאָה אִיהוּ, וְלָא בָּעֵי לְאִשְׁתַּדְּלָא אֲבַתְרֵיהּ, בְּגִין דְּכָל מִלּוֹי אִינּוּן בְּפוּמָא וְלָא בְּגוּפָא.

קיז. שִׂפְוָון עַתִּיקִין בְּעַתִּיקוּ, וְלָאו דְּקִיקִין. הַאי אִיהוּ בַּר נָשׁ מָארֵיהּ דְּרוּגְזָא יַתִּיר. מָארֵיהּ דְּזָדוֹנָא. לָא יָכִיל לְמִסְבַּל מִלָּה. מָארֵי דְּלִישָׁנָא בִּישָׁא בְּפַרְהֶסְיָא, בְּלָא כִּסוּפָא כְּלַל. לְזִמְנִין אִשְׁתַּדַּל בְּלֵיצָנוּתָא. הַאי אִיהוּ בַּר נָשׁ דְּבָעֵי לְאִתְרַחֲקָא מִנֵּיהּ.

קיח. אִתְמְלֵי דִּיקְנֵיהּ בְּשַׂעְרָא, הַהוּא, לִישָׁנָא בִּישָׁא, אוֹרֵי עָלֵיהּ בְּפַרְהֶסְיָא, לֵית לֵיהּ כִּסוּפָא. אִשְׁתַּדַּל בְּמַחְלוֹקֶת. אַצְלַח בְּמִלֵּי דְּעָלְמָא. רָחֵים בְּשַׂנְאוֹי. דָּא אִיהוּ קוֹרֵץ

בְּעֵינָיו, עַל דָּא אִתְּמַר הֵעֵז אִישׁ רָשָׁע בְּפָנָיו. דָּא אִיהוּ בְּרָזָא דְּאָת פ' בִּלְחוֹדוֹי. דְּלָא אִתְכְּלִיל בְּאָת ס' כְּלָל. וּלְזִמְנִין אִתְחַבַּר בְּאָת ר' בְּהַאי אָת ר' אִתְכְּלִיל.

קיט. בְּרָזָא דְּאוּדְנִין, מַאן דְּאוּדְנוֹי רַבְרְבִין, טִפְּשָׁא בְּלִבֵּיהּ וְשִׁגְעוֹנָא בִּרְוָיֵיהּ. מַאן דְּאוּדְנוֹי זְעִירִין, וְקַיְימִין עַל קִיּוּמָא. פִּקִּיחָא דְּלִבָּא בְּאִתְעֲרוּתָא אִיהוּ. צָבֵי לְאִשְׁתַּדְּלָא בְּכֹלָּא. וְרָזָא דָּא אָת י' דְּאִתְכְּלִיל בְּכָל שְׁאַר אַתְוָון.

קכ. עַד הָכָא, רָזִין דְּדִיּוּקְנִין דְּבַר נָשׁ. מִכָּאן וּלְהָלְאָה, רָזִין אַחֲרָנִין בְּאַתְוָון דְּמוֹר, דְּלָא קַיְימִין גּוֹ פַּרְצוּפָא, אֶלָּא לְמִנְדַּע רָזִין דְּהַאי פְּסוּקָא, גּוֹ דַּרְגִּין עִלָּאִין, בְּזִמְנִין וְתַקִּיפִין דְּהַאי עָלְמָא, וְלָא זָכֵינָן בְּהוּ.

קכא. אָמַר ר' שִׁמְעוֹן, בָּנַי, זַכָּאִין אַתּוּן בְּעָלְמָא, דֵּין, וּבְעָלְמָא דְּאָתֵי, וְזַכָּאִין עֵינַי, דְּיִזְכּוּן לְמֶיחֱזֵי דָּא, כַּד אֵיעוּל לְהַהוּא עָלְמָא דְּאָתֵי. בְּגִין נִשְׁמָתִי קָרֵי לְעַתִּיק יוֹמִין, הַאי קְרָא, תַּעֲרוֹךְ לְפָנַי שֻׁלְחָן נֶגֶד צוֹרְרָי דִּשַּׁנְתָּ בַשֶּׁמֶן רֹאשִׁי כּוֹסִי רְוָיָה. וְקֻבְּ"ה קָרֵי עֲלָן, פִּתְחוּ שְׁעָרִים וְיָבֹא גּוֹי צַדִּיק שׁוֹמֵר אֱמוּנִים.

קכב. אוּף אִינּוּן פָּתְחוּ וְאָמְרוּ, כְּתִיב וִידֵי אָדָם מִתַּחַת כַּנְפֵיהֶם, הַאי קְרָא אוֹקְמוּהָ חַבְרַיָּיא, דְּאִינּוּן יְדִין לְקַבְּלָא מָארֵיהוֹן דִּתְיוּבְתָּא דְּתַבָאן לְגַבֵּי קֻבְּ"ה. אֲבָל יְדֵי אָדָם, אִלֵּין אִינּוּן דִּיּוּקְנִין וְרָזִין עִלָּאִין, דְּשַׁוֵּי קֻבְּ"ה בְּבַר נָשׁ, וְסַדַּר לוֹן בְּאֶצְבְּעָן לְבַר וּלְגוֹ. וּבְהַהוּא כַּ"ף.

קכג. וְקֻבְּ"ה כַּד בָּרָא לֵיהּ לְבַר נָשׁ, סַדַּר בֵּיהּ, כָּל דִּיּוּקְנִין דְּרָזִין עִלָּאִין, דְּעָלְמָא דִּלְעֵילָּא, וְכָל דִּיּוּקְנִין דְּרָזִין תַּתָּאִין, דְּעָלְמָא דִּלְתַתָּא, וְכֹלָּא מִתְחַקְּקָא בְּבַ"נ, דְּאִיהוּ קָאִים בְּצֶלֶם אֱלֹהִים, בְּגִין דְּאִקְרֵי יְצִיר כַּ"ף.

קכד. וְרָזָא דְּכַ"ף, דְּאָת דָּא דְּאִקְרֵי כַּ"ף, דִּכְתִּיב, וַיִּבְרָא אֱלֹהִים אֶת הָאָדָם בְּצַלְמוֹ, דָּא אִיהוּ רָזָא דְּאָת כַּ"ף. אָת דָּא, אִית בֵּיהּ רָזִין עִלָּאִין, וְדִיּוּקְנִין עִלָּאִין. בְּהַאי כַּ"ף תַּלְיָין עֶשֶׂר אֲמִירָן מִימִינָא וּמִשְּׂמָאלָא, וְחָמֵשׁ מִימִינָא, וְחָמֵשׁ מִשְּׂמָאלָא, וְאִינּוּן חַד בְּרָזָא וְחַדָא.

קכה. תָּנֵינָן כְּתִיב וְגַם אֲנִי אַכֶּה כַפִּי אֶל כַּפִּי, דִּלְהֱווּ דָּא עִם דָּא בִּפְלוּגְתָּא וְיִסְתַּלְּקוּ בִּרְכָאן מֵעָלְמָא, הוֹאִיל וּגְאוּתָא דְּיִשְׂרָאֵל אִתְיְהִיבַת לְעַמִּין. כַּד מִתְחַבְּרָן כַּחֲדָא, כְּתִיב, כַּף אַחַת עֲשָׂרָה זָהָב מְלֵאָה קְטֹרֶת רֶמֶז לְחִבּוּרָא חֲדָא. וְכַד הֲווּ בְּחִבּוּרָא חֲדָא, כְּתִיב, וַיִּבְרָא אֱלֹהִים אֶת הָאָדָם בְּצַלְמוֹ וְגוֹ'. וַיִּבְרָא אֱלֹהִים דָּא סַלִּיקוּ דְּמַחֲשָׁבָה בְּרָזָא פְּנִימָאָה. אֶת הָאָדָם: רָזָא דִּכַר וְנוּקְבָא כַּחֲדָא, בְּצֶלֶם אֱלֹהִים רָזָא דְּכַף.

קכו. כַּד אִתְבְּרֵי אָדָם, מַה כְּתִיב, בֵּיהּ, עוֹר וּבָשָׂר תַּלְבִּישֵׁנִי וְגוֹ'. אִי הָכִי הָאָדָם מַהוּ. אִי תֵּימָא, דְּאֵינוֹ אֶלָּא עוֹר וּבָשָׂר עֲצָמוֹת וְגִידִים, לָאו הָכִי, דְּהָא וַדַּאי הָאָדָם לָאו אִיהוּ אֶלָּא נִשְׁמְתָא. וְאִלֵּין דְּקָאָמַר עוֹר וּבָשָׂר עֲצָמוֹת וְגִידִים, כֻּלְּהוּ לָא הֲווּ אֶלָּא מַלְבּוּשָׁא בִּלְחוֹדוֹי, מָאנִין אִינּוּן דְּבַר נָשׁ, וְלָאו אִינּוּן אָדָם. וְכַד הַאי אָדָם אִסְתַּלָּק, אִתְפַּשַּׁט מֵאִנּוּן מָאנִין דְּקָא לָבִישׁ.

קכז. עוֹר דְּאִתְלְבַּשׁ בֵּיהּ בַּר נָשׁ. וְכָל אִינּוּן עַצְמוֹת וְגִידִים, כֻּלְּהוּ בְּרָזָא דְּחָכְמְתָא עִלָּאָה כְּגַוְונָא דִּלְעֵילָּא. עוֹר כְּגַוְונָא דִּלְעֵילָּא, כְּמָה דְּאוֹלִיף מֹר, בְּאִינּוּן יְרִיעוֹת, דִּכְתִּיב נוֹטֶה שָׁמַיִם כַּיְרִיעָה. עוֹרוֹת אֵלִים מְאָדָּמִים וְעוֹרוֹת תְּחָשִׁים. אִינּוּן מַלְבּוּשִׁין דִּלְעֵילָּא, דִּמְסַכְּכֵי לְמַלְבּוּשָׁא, אִתְפַּשְּׁטוּתָא דְּשָׁמַיִם, דְּאִיהוּ מַלְבּוּשָׁא דִּלְבַר. יְרִיעוֹת אִינּוּן מַלְבּוּשָׁא דִּלְגוֹ, וְאִיהוּ קְרוּמָא דְּסָכִיךְ עַל בִּשְׂרָא.

קכח. עַצְמוֹת וְגִידִים, אִינּוּן רְתִיכִין, וְכָל אִינּוּן חַיָּילִין, דְּקַיְימִין לְגוֹ. וְכֻלְּהוּ מַלְבּוּשִׁין

לְפְנִימָאָה, רָזָא דְאָדָם עִילָּאָה, דְאִיהוּ פְּנִימָאָה.

קכט. אוּף הָכִי רָזָא לְתַתָּא, אָדָם אִיהוּ פְּנִימָאָה לְגוֹ. מַלְבּוּשִׁין דִּילֵיהּ כְּגַוְונָא דִלְעֵילָּא. עַצְמוֹת וְגִידִין, כְּגַוְונָא דְקָאמְרָן בְּאִינּוּן רְתִיכִין וּמַשִּׁירְיָין. בָּשָׂר אִיהוּ סָכִיךְ עַל אִינּוּן מַשִּׁירְיָין וּרְתִיכִין, וְקַיְּימָא לְבַר, וְדָא רָזָא דְאִתְמַשְׁכָא לְסִטְרָא אַחֲרָא. עוֹר דְסָכִיךְ עַל כֹּלָּא, דָּא אִיהוּ כְּגַוְונָא דְאִינּוּן רְקִיעִין, דְסָכִיכוּ עַל כֹּלָּא. וְכֻלְּהוּ מַלְבּוּשִׁין לְאִתְלַבְּשָׁא בְּהוּ. פְּנִימָאָה דִּלְגוֹ רָזָא דְאָדָם. וְכֹלָּא רָזָא, לְתַתָּא כְּגַוְונָא דִלְעֵילָּא. וְעַל דָּא וַיִּבְרָא אֱלֹקִים אֶת הָאָדָם בְּצַלְמוֹ בְּצֶלֶם אֱלֹקִים, וְרָזָא דְאָדָם לְתַתָּא כֹּלָּא אִיהוּ בְּרָזָא דִלְעֵילָּא.

קל. בְּהַאי רְקִיעָא דִלְעֵילָּא, דִּמְסַכֵּךְ עַל כֹּלָּא, אִתְרְשִׁימוּ בֵּיהּ רְשִׁימִין, לְאִתְחֲזָאָה וּלְמִנְדַּע בְּאִינּוּן רְשִׁימִין, דְּאִתְקְבִיעוּ בֵּיהּ מִלִּין וְרָזִין סְתִימִין. וְאִינּוּן רְשִׁימִין דְּכֹכְבַיָּא וּמַזָּלֵי, דְּאִתְרְשִׁימוּ וְאִתְקְבִיעוּ בְּהַאי רְקִיעָא, דְסָכִיךְ לְבַר. אוּף הָכִי עוֹר, דְּאִיהוּ סְכוּכָא לְבַר בְּבַר נָשׁ, דְּאִיהוּ רְקִיעָא דְסָכִיךְ עַל כֹּלָּא, אִית בֵּיהּ רְשִׁימִין וְשִׂרְטוּטִין, וְאִינּוּן כֹּכְבַיָּא וּמַזָּלֵי דְּהַאי עוֹר. לְאִתְחֲזָאָה בְּהוּ, וּלְמִנְדַּע בְּהוּ, מִלִּין וְרָזִין סְתִימִין, בְּכֹכְבַיָּא וּמַזָּלִיא, לְעַיְּינָא בְּהוּ וַחֲכִימֵי לִבָּא, וּלְאִסְתַּכְּלָא בְּהוּ לְמִנְדַּע אִסְתַּכְּלוּתָא בְּאַנְפִּין, בְּרָזִין דְּקָאֲמָרָן, וְרָזָא דָּא, הוֹבְרֵי שָׁמַיִם הַחוֹזִים בַּכֹּכָבִים.

קלא. וְדָא אִיהוּ, כַּד אִינּוּן נְהִירִין וְקַיְּימִין, בְּלָא רוּגְזָא. בְּזִמְנָא דְרוּגְזָא שַׁלְטָא עָלֵיהּ דְּבַר נָשׁ, דִּינָא אַחֲרָא אִתְמְסַר לְמִנְדַּע בֵּיהּ. בְּמָה דְלָא אִתְיְיהִיב לְשַׁלְטָאָה, לְמִנְדַּע בְּזִמְנָא דְדִינָא שַׁלְטָא בִּרְקִיעָא.

קלב. אֲבָל אִסְתַּכְּלוּתָא דְאַנְפִּין עַל אֹרַח קְשׁוֹט, בְּשַׁעְתָּא דְאַנְפִּין נְהִירִין, וְקַיְּימָא בַּר נָשׁ עַל קִיּוּמָא, וְאִינּוּן רְשִׁימִין אִתְחָזוּן בְּאֹרַח קְשׁוֹט, דִּכְדֵין בְּהַהוּא אִסְתַּכְּלוּתָא יָכִיל לְאִתְדָּנָא עַל בּוּרְיֵיהּ יַתִּיר, וְאַף עַל גַּב דְּבְכֹלָּא כָּל אִינּוּן חַכִּימִין יַכְלִין לְאִסְתַּכְּלָא.

קלג. שִׂרְטוּטֵי יְדִין וְשִׂרְטוּטֵי אֶצְבְּעָן, לְגוֹ, כֻּלְּהוּ קַיְּימִין בְּרָזִין אַחֲרָנִין, לְמִנְדַּע בְּמִלִּין סְתִימִין. וְאִלֵּין אִינּוּן כֹּכְבַיָּא, דִּנְהִירִין לְאִסְתַּכְּלָא גּוֹ מַזָּלֵי, בְּטִסִירִין עִלָּאִין.

קלד. אֶצְבְּעָן קַיְּימֵי בְּרָזִין עִלָּאִין. טוּפְרֵי אֶצְבְּעָאן, דְקַיְּימִין דְּחוֹפָּן, לְבַר, הוּא אוּקְמוּהָ בְּאִינּוּן רָזִין, דַּהֲווּ פָּנִים דִּלְבַר, וּבְהוּ אִית רָזִין, לְאִינּוּן חֲרָשִׁין, דְּמִסְתַּכְּלֵי בְּטוּפְרֵי, בִּנְהִירוּ דְּמִלָּה אַחֲרָא, דְּשַׁלְטָא בְּהוּ, וְאִינּוּן חֲרָשִׁין קָא מְסָאֲבֵי לְהַהוּא אֲתָר.

קלה. בְּטוּפְרִין אִית זִמְנִין, דִּנְהֲרִין בְּהוּ כֹּכְבִין וְחִוְּורִין דְּקִיקִין, וְאִלֵּין אִינּוּן כְּתוֹלְדָה דִטְלוֹפְחִין, וְאִינּוּן שְׁקִיעִין כְּהַאי מַסְמְרָא עַל לוּחָא. וְלָאו אִינּוּן כְּאִינּוּן חִוְּורִין אַחֲרָנִין דְּלָא שְׁקִיעִין, אֶלָּא דְקַיְּימִין לְעֵילָּא. בְּהָנֵי דְלָא שְׁקִיעִין, לֵית בְּהוּ מַמָּשָׁא. אֲבָל הָנֵי דִשְׁקִיעִין חִוְּורִין כְּתוֹלְדָה דִטְלוֹפְחִין אִית בְּהוּ מַמָּשָׁא, וְאִית סִימָנָא טָבָא לֵיהּ לְבַר נָשׁ בְּהוּ, וְיִצְלַח בְּהַהוּא זִמְנָא. אוֹ גְּזֵרָה אִתְגְּזַר עָלֵיהּ וְאִשְׁתֵּזִיב מִינָּהּ.

קלו. שִׂרְטוּטֵי יְדִין בְּרָזִין עִלָּאִין, בְּאֶצְבְּעָן לְגוֹ. בְּיָדִין שִׂרְטוּטִין רַבְרְבִין, שִׂרְטוּטִין זְעִירִין דְּקִיקִין עִלָּאִין בִּימִינָא. בְּאִינּוּן אֶצְבְּעָן דִּבְהוּ שִׂרְטוּטִין זְעִירִין. בְּאֶצְבְּעָא זְעֵירָא דִימִינָא, אִית רְשִׁימִין דְּקִיקִין. אֶצְבְּעָא דָּא, קַיְּימָא תָּדִיר עַל עוֹבָדִין דְּבְסִטַר אַחֲרָא.

קלז. בְּהַאי אֶצְבְּעָא קַיְּימִין שִׂרְטוּטִין, אִינּוּן דְּאֶצְבְּעָא אִתְכְּפִיל בְּהוּ. הָנֵי לָאו אִינּוּן לְאִסְתַּכְּלָא, אֶלָּא אִי אִתּוֹסְפָן בֵּיהּ. אִי אִתּוֹסְפָן תְּרֵין אוּחֲרָנִין, עַל הַהוּא שִׂרְטוּטָא דְאִתְכְּפַל בְּהוּ. אָרְחָא לָא אִזְדַּמַּן לֵיהּ. וְאִי יַעֲבֵד לָא יִצְלַח.

קלח. בַּר אִי קַיְּימָן בְּאַרְכָּא, בֵּין רְשִׁימָא, לִרְשִׁימָא, בְּזִמְנָא דְיִתְמְשַׁךְ מַשְׁכָא

לַאֲחוֹרָא, וְאִשְׁתָּאֲרוּ אִינּוּן רְשִׁימִין דְּאִשְׁתְּמוֹדְעָן. הַאי יִצְלַח בְּאַרְוָזָא. וְסִימָן דָּא, תְּלַת תְּלַת בְּפוּתְיָא. וְאַרְבַּע בְּאַרְכָּא. וְרָזָא דָּא ז' מֵאַתְוָון זְעִירִין.

קלט. רְשִׁימָא וַחַד בְּאַרְכָּא, וּתְרֵין תְּרֵין בְּפוּתְיָא. מֵאַרְוָזָא, יִשְׁמַע מִלִּין בִּזְמַן קָרִיב, וְלֵית לֵיהּ בְּהוּ תּוֹעַלְתָּא. אַרְבַּע רְשִׁימִין בְּאַרְכָּא, וְד' רְשִׁימִין בְּפוּתְיָא, אַרְוָזָא אִזְדַּמַּן לֵיהּ בְּטֹרַח סַגִּי, וּלְסוֹפָא לְתוֹעַלְתֵּיהּ. וְרָזָא דָּא ז' מֵאַתְוָון אֶמְצָעִיִּין, דְּבֵין זְעִירִין וְרַבְרְבִין.

קמ. וְחָמֵשׁ זְעִירִין רְשִׁימִין בְּפוּתְיָא לְתַתָּא, וְאַרְבַּע בְּפוּתְיָא לְעֵילָּא, וְאַרְבַּע בְּאַרְכָּא נַיְיחָא לֵיהּ בְּבֵיתֵיהּ, וְעַצְלָא אִיהוּ. וְאַרְוָזָא הֲוַת מִתַּתְקְנָא קָמֵיהּ, וְלָא בָּעֵי לְמֶעְבַּד. וְאִי יַעֲבֵד, יִצְלַח בְּהַהוּא אַרְוָזָא, אֲבָל לָא עָבֵיד לֵיהּ, וְעַצְלָא הֲוֵי וְרָזָא דָּא ז' דְּאִיהִי פְּעוּטָה.

קמא. בְּאֶצְבְּעָא הָאֶמְצָעִיתָא, הַאי אֶצְבְּעָא קַיְּימָא, לְמֶעְבַּד עוֹבָדָא הַהוּא דְּחָשִׁיב. אִי שִׂרְטוּטָא וְחָדָא קַיְּימָא בְּאַרְכָּא, בֵּין שִׂרְטוּטֵי דְּפוּתְיָא, הַאי חָשַׁב מַחֲשָׁבִין, וְאִסְתַּלְּקָן מִנֵּיהּ, וְדָחִיל וְלָא עָבֵיד, וְהַהִיא מַחֲשָׁבָה לָא אִתְעָבֵיד כְּלָל.

קמב. אִי תְּרֵין שִׂרְטוּטִין בְּאַרְכָּא, דְּקַיְּימִין כַּד אִתְפָּשַׁט מַשְׁכָא לַאֲחוֹרָא. הַאי לָאו בֵּיהּ מַחֲשָׁבִין, וְחָשִׁיב מַחֲשָׁבִין לְפוּם שַׁעֲתָא, וְאִתְעָבֵיד, וְלָא מַחֲשָׁבָה דְּהִרְהֵר בֵּיהּ כְּלָל, אֶלָּא מַחֲשָׁבָה דְּאִיהוּ בְּבְהִילוּ וּזְעִירָא, אֲבָל הִרְהוּרָא וּמַחֲשָׁבָה לָא.

קמג. וְאִי תְּלַת רְשִׁימִין בְּאַרְכָּא. וּבְפוּתְיָא תְּרֵין אוֹ תְּלַת, כַּד אִתְפָּשַׁט מַשְׁכָא לַאֲחוֹרָא. הַאי אִיהוּ ב"נ דְּאִיהוּ פְּקִיחָא, וְחָשִׁיב מַחֲשָׁבִין, וְכָל אִינּוּן מַחֲשָׁבִין דְּאִינּוּן לִסְטַר קוּדְשָׁא בְּרִיךְ הוּא קב"ה אִתְקַיְּימָן בִּידֵיהּ, וּמַחֲשָׁבִין אַחֲרָנִין לָאו הָכִי.

קמד. אִי אַרְבַּע אוֹ חֲמִשָּׁה בְּאַרְכָּא, בְּאִתְפַּשְּׁטוּ דְּמַשְׁכָא כְּדְקָאמְרָן, כַּד שָׁרָאן עַל פּוּתְיָא, בִּתְלַת, אוֹ בְּאַרְבַּע, אוֹ מִתְּרֵין וּלְהָלְאָה. דָּא בַּר נָשׁ דְּמַחֲשָׁבוֹי לְאַבְאָשָׁא, וְאִשְׁתָּבַח בְּהוּ. וְדִיקְנֵיהּ וּגְבִינֵי עֵינוֹי סוּמָקִין, מְחַשֵּׁב לְבִישׁ וְאִשְׁתָּבַח בְּהוּ. קְצָרָא דְּיוֹמִין אִיהוּ. פְּקִיחָא אִיהוּ. וְאַכְנַע תָּדִיר לְמִכִּלָּן דְּבִישׁ. אַצְלַח. וּלְסוֹפָא דְּיוֹמִין זְעִירִין אִסְתַּלַּק מֵעָלְמָא.

קמה. אַסְוָותָא לְהַאי תְּיוּבְתָּא. כְּדֵין אִשְׁתְּכָחוּ תְּלַת רְשִׁימִין, אוֹ אַרְבַּע, וְשַׁרְיָין עַל תְּרֵין. תְּלַת רְשִׁימִין אוֹ ד' בְּאַרְכָּא וְשַׁרְיָין עַל תְּרֵין בְּפוּתְיָא. דְּהָא כְּפוּם מִנְהָגָא דְּבַר נָשׁ, הָכִי מִתְחַלְּפֵי שִׂרְטוּטִין, מִזְּמַן לִזְמַן. וְרָזָא דָּא הַמּוֹצִיא בְמִסְפָּר צְבָאָם וְגוֹ', מֵרֹב אוֹנִים וְאַמִּי"ץ כֹּחַ וְגוֹ'.

קמו. כְּמָה דְּקב"ה אַחְלַף וְחַיְּילִין וּזְמַנִּין בְּכֹכְבֵי שְׁמַיָּא, יוֹמָא דָּא כָּךְ, וּלְיוֹמָא אָחֳרָא כָּךְ. כְּפוּם דְּאָדָם דִּלְגוֹ כָּל עוֹבָדוֹי. הָכִי אִתְחָזוּן בְּהַאי רְקִיעָא. וְהָכִי אִתְחָזֵי בְּהַאי מַשְׁכָא דְּהַאי אָדָם תַּתָּאָה. דְּאִיהוּ רְקִיעָא, עוֹר דְּחַפְיָא עַל כֹּלָּא.

קמז. וְכֹלָּא כְּפוּם גַּוְונָא דְּאָדָם דִּלְגוֹ, דְּהַאי לִזְמַנִּין קָאִים בְּדִינָא, לִזְמַנִּין בְּרַחֲמֵי, כְּהַהוּא גַּוְונָא מַמָּשׁ אַחְזֵי לְבַר. לִזְמַנִּין כְּהַאי גַּוְונָא, וְלִזְמַנִּין כְּהַאי גַּוְונָא כְּגַוְונָא דָּא לְתַתָּא בְּהַאי אָדָם, כְּמָה דְּאַמָרָן, לִזְמַנִּין כְּהַאי גַּוְונָא, וְלִזְמַנִּין כְּהַאי גַּוְונָא, וְרָזָא דָּא אָת ז' אִתְכְּלִיל בֵּיהּ אָת י"ו.

קמח. וְרָזִין אִלֵּין בְּאֶצְבְּעָן דִּימִינָא, בִּזְעִירָא וּבְרַבְרְבָא. וְסִימָן כַּקָּטֹן כַּגָּדוֹל תִּשְׁמָעוּן. אִלּוּ תְּרֵין אֶצְבְּעָן בְּרָזִין אִלֵּין, וְהָכִי אִינּוּן בְּרָזִין דְּאוֹלִיפְנָא מִנֵּיהּ דְּמָר, בְּרָזֵי דְּרַב יֵיסָא סָבָא. מִכָּאן וּלְהָלְאָה שִׂרְטוּטִין אַחֲרָנִין, דְּאִקְרוּן כֻּלְּהוּ תּוֹלְדוֹת, וְאִינּוּן תּוֹלְדוֹת אָדָם, כְּמָה דִּכְתִיב, תּוֹלְדוֹת הַשָּׁמַיִם, וְהָא אִתְּמַר, דְּכֹלָּא רָזָא דָּא. כְּגַוְונָא דָּא תּוֹלְדוֹת אָדָם, בְּכָל אִינּוּן דְּיוֹקְנִין דְּאַנְפִּין, וּבְכָל אִינּוּן דְּקָאמְרָן. וּבְאִלֵּין תּוֹלְדוֹת דְּשִׂרְטוּטֵי יְדִין,

דְּאִתְחֲזְיָין בְּרָזִין פְּנִימָאִין, כְּמָה דְּאִתְחֲזֵי.

קמט. זֶה סֵפֶר תּוֹלְדוֹת אָדָם, לְשִׂרְטוּטִין, סִימָן זר"ה פס"ץ. רָזִין לְחַכִּימֵי לִבָּא, רזהס"ף, וְחָמֵשׁ אַתְוָון, בְּחָמֵשׁ תַּרְעִין, לְמִנְדַּע וְחָכְמָה בְּסוּכְלְתָנוּ.

קנ. תַּרְעָא קַדְמָאָה, ר'. בִּידָא אִית שִׂרְטוּטִין דְּקִיקִין, וְשִׂרְטוּטִין רַבְרְבִין. וְכֻלְּהוּ מִתְעָרְבֵי דָּא עִם דָּא. שִׂרְטוּטִין רַבְרְבִין דְּאִית בִּידָא, כַּד אִינּוּן תְּרֵין בְּאַרְכָּא, וּתְרֵין בְּפוּתְיָא, וְאָחִידוּ דָּא בְּדָא, דָּא אִיהוּ בְּרָזָא דְּאָת ה', וּבְרָזָא דְּאָת ר' וְדָוֵי לְאָת ז', וְנָטִיל אִלֵּין תְּרֵין אַתְוָון. בְּפוּתְיָא נָטִיל ה', בְּאַרְכָּא נָטִיל ר', וְסִימָן דִּילֵיהּ ה"ר.

קנא. דָּא אִית לֵיהּ בִּידָא שְׂמָאלָא כְּהַאי גַּוְונָא בְּאִלֵּין שִׂרְטוּטִין רַבְרְבִין. אֲבָל אִינּוּן שִׂרְטוּטִין זְעִירִין דְּנָטְלָא יְמִינָא, לָא נָטְלָא שְׂמָאלָא. דִּימִינָא נָטְלָא, וְחַד שִׂרְטוּטָא דָּקִיק לְעֵילָּא בְּאַרְכָּא, וְחַד שִׂרְטוּטָא דָּקִיק לְתַתָּא, דְּאָחִיד בֵּין אִינּוּן תְּרֵין שִׂרְטוּטִין רַבְרְבָן. בְּפוּתְיָא אִית חַד שִׂרְטוּטָא דָּקִיק, דְּאָחִיד לְתַתָּא בְּאִינּוּן תְּרֵין דְּשַׁרְיָא עָלֵיהּ. וּבִשְׂמָאלָא לָאו הָכִי, וְרָזָא דִּילֵיהּ אִיהוּ בִּימִינָא, וְלָאו בִּשְׂמָאלָא.

קנב. הַאי אִיהוּ בַּר נָשׁ, דִּלְזִמְנִין תָּאִיב בְּבֵיתָא, וּלְזִמְנִין בְּאָרְחָא, דָּא לָא שָׁכִיךְ לִבֵּיהּ בְּהַאי וּבְהַאי. כַּד אִיהוּ בְּבֵיתָא תָּאִיב בְּאָרְחָא, וְכַד אִיהוּ בְּאָרְחָא, תָּאִיב בְּבֵיתָא. אַצְלַח תָּדִיר בְּאָרְחָא, וּלְזִמְנִין בְּבֵיתָא. דָּא אַצְלַח בְּאוֹרַיְיתָא, וּבְרָזֵי דְּאוֹרַיְיתָא אִי אִשְׁתְּדַל בְּהוּ. הַאי חָמֵי בְּשַׂנְאוֹי, תּוֹעַלְתָּא לְסַגִּיאִין בֵּיהּ. עַצְלָא אִיהוּ בְּמִלֵּי דְּעָלְמָא. אִי אִתְּעַר, אִתְעָרוּן לְאוֹטָבָא לֵיהּ מִלְּעֵילָּא. זָכֵי בְּמִלּוֹי. דָּא אִיהוּ חֲמִידָא וּמְפַזֵּר מָמוֹנָא. טָב עֵינָא אִיהוּ. צְלוֹתֵיהּ אִשְׁתְּמַע. נָחִית וְסָלִיק בְּמָמוֹנָא.

קנג. דָּא אִיהוּ דִּלְזִמְנִין מִתְבַּר לִבֵּיהּ לְגַבֵּיהּ מָארֵיהּ. וּכְדֵין אִשְׁתְּכָחוּ תְּלַת שִׂרְטוּטִין זְעִירִין, דִּמְעַבְּרָן בְּהַהוּא שִׂרְטוּטָא דָּקִיק, דְּאִתּוֹסַף עַל אִינּוּן תְּרֵין דְּפוּתְיָא, וְרָזָא דָּא ה' דְּמִתְחַבְּרָא עִם ר'. דָּא אָרְחָא, דָּא בֵּיתָא. דָּא חֶדְוָה, דָּא עֲצִיבוּ, דָּא תּוֹעַלְתָּא, דָּא עַצְלָא, דָּא טָב עֵינָא, דָּא חֲמִידָא, וּמְפַזֵּר מָמוֹנָא. דָּא מִתְבַּר לִבֵּיהּ, וְתָב לְמָארֵיהּ.

קנד. תַּרְעָא תִּנְיָינָא, ז'. בִּימִינָא, בְּקַסְטִירוּ דְּקוּלְטָא, רְשִׁימִין שְׁכִיחֵי, כַּד אִשְׁתְּכָחוּ תְּלַת שִׂרְטוּטִין רַבְרְבִין בְּפוּתְיָא, וּתְרֵין רַבְרְבִין בְּאַרְכָּא, וְחַד מֵאִינּוּן דְּאַרְכָּא, אָחִיד בְּאִינּוּן תְּרֵין דְּפוּתְיָא, וְחַד אַחֲרָא לָא אָחִיד בְּהוּ. הַאי אִית פַּסְלוּ בְּזַרְעֵיהּ, מִסִּטְרָא דַּאֲבוֹי, אוֹ מִסִּטְרָא דְּאִמֵּיהּ.

קנה. וּכְדֵין מִשְׁתַּכְחֵי לְתַתָּא מֵאִינּוּן תְּלַת שִׂרְטוּטִין דְּפוּתְיָא, תְּרֵין שִׂרְטוּטִין דְּקִיקִין, דְּאֲחִידָן בְּהוּ לְתַתָּא. הַאי אִיהוּ בַּר נָשׁ, מְתַקֵּן עוֹבָדוֹי, קָמֵי בְּנֵי נָשָׁא, וְלִבֵּיהּ לָא קְשׁוֹט. וּלְזִמְנָא דְּסִיב, אַהְדָּר לְאִתְתַּקְּנָא. כְּדֵין אִשְׁתְּכָחוּ אִינּוּן תְּרֵין שִׂרְטוּטִין בְּאַרְכָּא, אֲחִידָן בְּאִינּוּן דְּפוּתְיָא, דָּא עִם דָּא. וּתְרֵין אַחֲרָנִין עִמְּהוֹן בְּאֶמְצָעִיתָא, דְּקִיקִין, וְדָא בְּאַרְכָּא. וּתְלַת דְּקִיקִין בְּפוּתְיָא, וְרָזָא דָּא ז' דְּמִתְחַבְּרָא בְּאָת ר'.

קנו. וְכַד אִיהוּ סִיב וְתָב כִּדְקָאמְרַן, אִתְתַּקַּן אִיהוּ בְּרָזָא דְּאָת ר', וְאִתְחַבַּר בְּאָת ז'. לְבָתַר כַּד הַאי אִתְתַּקַּן, אִיהוּ תָּדִיר בִּלְחִישׁוּ, וְכָל עוֹבָדוֹי בִּלְחִישׁוּ. אֲבָל לָאו אִיהוּ בְּקִיּוּמָא כִּדְקָא חֲזֵי בְּגִין דְּהַהוּא פַּסְלוּ, עַד לָא אִתְיְיאָשָׁא בֵּיהּ.

קנז. וּלְבָתַר דְּאִתְיְיאָשָׁא. הַהוּא פְּסִילוּ, כְּדֵין אִשְׁתְּכָחוּ שִׂרְטוּטִין בִּידָא יְמִינָא, אַרְבַּע וְחָמֵשׁ. אַרְבַּע בְּאַרְכָּא, וְחָמֵשׁ בְּפוּתְיָא. וְרָזָא דָּא ז', וְאִתְחַבַּר בְּאָת ה'. הַאי לִזְמַנִּין אַצְלַח, לִזְמַנִּין לָא אַצְלַח. אַצְלַח בְּאוֹרַיְיתָא, וּלְסוֹף יוֹמוֹי, אַצְלַח אֲפִילּוּ בְּמָמוֹנָא.

קנח. תַּרְעָא תְּלִיתָאָה, ה'. בִּימִינָא, כַּד אִשְׁתְּכָחוּ חָמֵשׁ שִׂרְטוּטִין בְּפוּתְיָא, וּתְלַת

בְּאַרְכָּא, וְאִשְׁתְּכַח הַהוּא שִׂרְטוּטָא דְּאֶמְצָעִיתָא מֵאִינּוּן תְּלַת, דָּא אִיהוּ בְּרָזָא דְּאָת ה', וְאִסְתְּמִיךְ בְּאוֹת ס'.

קנט. בְּזִמְנָא דְּאִשְׁתְּכַח הַהוּא שִׂרְטוּטָא דְּאֶמְצָעִיתָא, דְּעָאל וְאָזִיל גּוֹ אִינּוּן וְחָמֵשׁ שִׂרְטוּטִין דְּפוּתְיָא, דָּא אִיהוּ בַּר נָשׁ עָצִיב וְרָגִיז גּוֹ בֵּיתֵיהּ, וּבְגוֹ בְּנֵי נָשָׁא לָאו הָכִי. קַמְצָן אִיהוּ בְּבֵיתֵיהּ, וְרָגִיז וְכַפִּין, וּלְזִמְנִין לָא. לְבַר מִבֵּיתֵיהּ לָאו הָכִי. אַצְלַח בְּעוֹבָדֵי עָלְמָא. כַּד אִשְׁתָּדַל בְּאוֹרַיְיתָא אִסְתַּכַּל זְעֵיר וְאִתְהַדָּר בָּהּ. מְהֵימְנָא אִיהוּ, אֲבָל לָאו כָּל זִמְנָא. וְהַהוּא זִמְנָא דְּלָאו מְהֵימְנָא, אַחֲזֵי גַּוְון קְשׁוֹט, וְלָא קְשׁוֹט בִּשְׁלִימוּ. בְּדִינָא יִצְלַח. מְהֵימְנָא אִיהוּ בְּרָזִין דְּאוֹרַיְיתָא, דָּא אִיהוּ בְּרָזָא דְּאָת ה', וְאִתְחַבַּר בְּאָת ס'.

קס. וְאִי אַרְבַּע שִׂרְטוּטִין בְּפוּתְיָא, וְחָמֵשׁ בְּאַרְכָּא, תְּרֵין מֵאִינּוּן דְּאַרְכָּא, עָאלִין גּוֹ אִינּוּן אַרְבַּע, דָּא אִיהוּ בַּר נָשׁ חַדֵּי בְּבֵיתֵיהּ, וְאִתְחֲזֵי עָצִיב לְבָּא לְבַר, וְלָאו הָכִי דְּכַיְּין דְּמַלִּיל עִם בְּנֵי נָשָׁא, אַחֲזֵי חֶדְוּ וְאִתְכַּוָּון בְּמִלּוֹי.

קסא. תְּלַת שִׂרְטוּטִין זְעִירִין עָאלִין גּוֹ אִינּוּן דְּאַרְכָּא, דָּא אִית לֵיהּ חַד רְשִׁימוּ אוּכָם בְּגוּפֵיהּ, וּתְלַת שַׂעֲרִין תַּלְיָין בְּהַהוּא רְשִׁימוּ, וְהַהוּא רְשִׁימוּ אִיהוּ כְּעִגּוּלָא, וְחַד תְּבִירָא בְּרֵישֵׁיהּ. וּלְהַאי רְשִׁימָא, קָרָאן לֵיהּ חַכִּימֵי לִבָּא, דְּיַדְעִין רָזִין אִלֵּין, רֵישׁ נִשְׁרָא. רְשִׁימוּ דָּא, אִתְחֲזֵי לִזְמְנִין, בֵּין כִּתְפוֹי. וּלְזִמְנִין, בִּדְרוֹעָא יְמִינָא. וּלְזִמְנִין, עַל יְדָא יְמִינָא בְּאֶצְבְּעוֹי.

קסב. אִי רְשִׁימָא דָּא רֵישׁ נִשְׁרָא, אִיהוּ בְּאַרְחוֹ מֵישָׁר בְּתִיקוּנוֹי, יִסְתַּלַּק לְעוּתְרָא וְלִיקָרָא. וְאִי הַהוּא רֵישׁ נִשְׁרָא אִתְהֲפַךְ לַאֲחוֹרָא, יִזְכֶּה לְבָנִין לִזְמְנִין. אֲבָל כַּד אִיהוּ סִיב, יִזְכֶּה לְעוּתְרָא יַתִּיר, וְלִיקָר סַגְיָא, יַתִּיר מֵעוּלְמוֹי, וְיִצְלַח בְּאוֹרַיְיתָא, אִי אִשְׁתַּדַּל בָּהּ.

קסג. רֵישׁ נִשְׁרָא דָּא, אִתְחֲזֵי לִזְמְנִין אוּכָמָא, וּלְזִמְנִין גַּוְון דְּלָא סוּמָק זְעֵיר, דְּלָא אִצְטְבַע כָּל כַּךְ. לִזְמְנִין בְּשַׂעֲרִין לִזְמְנִין שְׁעִיעַ, וְכֹלָּא חַד סִימָנָא אִיהוּ, וּבְחַד דִּינָא אִתְדָּן.

קסד. וְאִי הַהוּא גַּוְון סוּמָק אִצְטְבַע יַתִּיר, וְקָאִים בְּגַוְונֵיהּ, זִמְנָא זְעֵיר הוּא דְּאִצְטְבַע, בְּגִין דְּאִלֵּין גַּוְונִין, לִזְמְנִין קַיְימִין נְהִירִין, וּלְזִמְנִין חֲשׁוֹכִין. וְאִי אִצְטְבַע הַהוּא סוּמָק וְנָהִיר, כְּדֵין אִית בִּידָא שְׂמָאלָא, תְּלַת שִׂרְטוּטִין בְּאַרְכָּא, וּתְלַת בְּפוּתְיָא, וְחַד דָּקִיק עַל אִינּוּן דְּפוּתְיָא, וְחַד דָּקִיק עַל אִינּוּן דְּאַרְכָּא. וּבִידָא יְמִינָא אִתּוֹסַף חַד בְּפוּתְיָא בִּלְחוֹדוֹי. הַאי בַּר נָשׁ שָׁכִיב בְּנִדָּה, וְלָא תָּב מִינֵּהּ לְמָארֵיהּ.

קסה. וְכַד תָּב בִּתְיוּבְתָּא, אִשְׁתָּאֲרוּ אִינּוּן שִׂרְטוּטִין בִּידָא שְׂמָאלָא, וְהַהוּא דְּאִתּוֹסַף בִּימִינָא, אִתְעֲדֵי מִנֵּיהּ, וְאִתְעֲדֵי הַהוּא סוּמָקָא, דְּלָא אִתְחֲזֵי נָהִיר כָּל כַּךְ מִנֵּיהּ. וּלְזִמְנִין דְּאַף עַל גַּב דְּתָב, לָא אַעֲדִיו מִנֵּיהּ הַהוּא סוּמָקָא, עַד זִמְנָא. הַאי אִיהוּ בְּרָזָא דְּאָת ה', וְאִתְעֲדֵי אָת ס', וְעָאל תְּחוֹתוֹי אָת ץ', וְאִתְחַבַּר אָת ה' בְּאָת ץ'. הַאי בָּעֵי תִּקּוּנָא לְנַפְשֵׁיהּ בִּבְהִילוּ. וְחַכִּימָא דְּלִבָּא דְּחָמֵי לֵיהּ, וְחוֹבְתָא אִית עָלֵיהּ, לוֹמַר לֵיהּ זִיל אַסֵּי לְנַפְשָׁךְ.

קסו. וְאִי תְּלַת שִׂרְטוּטִין בְּאַרְכָּא, וְחַד בְּפוּתְיָא, דָּא אִיהוּ בְּרָזָא דְּאָת ה' בִּלְחוֹדֵיהּ. וּלְזִמְנִין אִתְחַבַּר בְּרָזָא דְּאָת ז'. הַאי אִיהוּ בַּר נָשׁ תָּאִיב בָּתַר בִּצְעִין דְּעָלְמָא. וְאִי לָאו, רָדִיף בָּתַר נָשִׁין, וְתֵיאוּבְתֵּיהּ נְאוּפִים. וְאַע"ג דְּתָאִיב לְבִצְעִין דְּעָלְמָא, הַאי לָא אַעֲדִיו מִנֵּיהּ, וְלָא אַכְסִיף. עֵינוֹי שְׁקִיעִין וּמַלִּיל בְּהוּ.

קסז. אִי תָּב לְמָארֵיהּ מִתְחַלְּפֵי שִׂרְטוּטִין. תְּלָת בְּפוּתְיָא וְחַד לְאַרְכָּא, וְאִינּוּן תְּרֵין דְּקִיקִין קַיְימִין בְּקִיּוּמָא, כְּדֵין רְעוּ דִּילֵיהּ יַתִּיר בְּאִתְּתֵיהּ, וְאִתְדַּבַּק בָּהּ. וְחַד דָּקִיק יַתִּיר,

עָאל בֵּין אִינּוּן תְּרֵין דְּקִיקִין. כְּדֵין אִתְחַבַּר אָת ה' בְּאָת ז'.

קסח. וְאִי שִׂרְטוּטָא חַד בְּאַרְכָּא וְאַרְבַּע בְּפוּתְיָא, וּתְלַת דְּקִיקִין קַיְּימִין עַל הַהוּא חַד, וְחַד עַל אִינּוּן אַרְבַּע. עַל דְּרוֹעָא שְׂמָאלָא, אִית לֵיהּ תְּלַת קִסְטְרִין דְּקִיקִין, דְּאִתְיְלִידוּ בֵּיהּ מִיּוֹמִין זְעִירִין, וְחַד שַׂעֲרָא תַּלְיָא, בְּהַהוּא חַד דְּרֵישָׁא. הַאי אִיהוּ רָדִיף בָּתַר נְאוּפָא דְּאֵשֶׁת חַבְרֵיהּ. מָארֵיהּ דִּזְדוֹנָא אִיהוּ. אַגְזִים בְּעֵינָא שְׂמָאלָא, בְּלָא מִלּוּלָא כְּלַל, וְאַשְׁלִים. וּבְגִין דְּאִיהוּ מָארֵיהּ זְדוֹנָא, לָא חָיִישׁ לִיקָרָא דְּמָארֵיהּ, לְאָתָבָא קָמֵיהּ. לְבָתַר קָטִיל וְחָוְיָא לֵיהּ, אוֹ בַּר נָשׁ סוּמָקָא.

קסט. וְאִי אַרְבַּע בְּאַרְכָּא, וּתְלַת בְּפוּתְיָא, וְאִינּוּן דְּסַלְּקִין לְעֵילָא אַעְדִּיו מִנֵּיהּ. הַאי, תָּבַר לִבֵּיהּ לְגַבֵּי מָארֵיהּ, וְתָב בִּתְיוּבְתָּא. כְּדֵין אִיהוּ בְּרָזָא דְּאָת פ', וְאִתְחַבַּר בְּאָת ה'. עַל אִלֵּין, וְעַל אִינּוּן דִּכְוָותֵיהּ, כְּתִיב, שָׁלוֹם שָׁלוֹם לָרָחוֹק וְלַקָּרוֹב.

קע. עַד הָכָא, כָּל אִינּוּן רָזִין דְּתוֹלְדוֹת אָדָם, דְּאִינּוּן תּוֹלְדוֹת, דְּאִתְיְלִידוּ בֵּיהּ מִזְּמַן לִזְמַן, כְּפוּם אָרְחוֹי דְּבַר נָשׁ. זַכָּאָה חוּלָקֵיהוֹן דְּאִינּוּן דְּיָתְבִין קָמֵיהּ דְּמַר, וְזָכוּ לְמִשְׁמַע מִפּוּמֵיהּ רָזִין דְּאוֹרַיְיתָא. זַכָּאָה אִינּוּן בְּהַאי עָלְמָא, וְזַכָּאִין אִינּוּן לְעָלְמָא דְּאָתֵי. אָמַר ר' שִׁמְעוֹן, זַכָּאִין אַתּוּן חַבְרַיָּא, דְּכָל רָזִין לָא אָנִיס לְכוּ, כַּמָּה דּוּכְתִּין עִלָּאִין אִזְדַּמְּנָן לְכוּ לְעָלְמָא דְּאָתֵי.

קעא. פָּתַח וְאָמַר וְאַתָּה תֶחֱזֶה מִכָּל הָעָם אַנְשֵׁי חַיִל יִרְאֵי אֱלֹהִים אַנְשֵׁי אֱמֶת שׂוֹנְאֵי בָצַע, הַאי קְרָא אוֹקְמוּהָ. אֲבָל וְאַתָּה תֶחֱזֶה, תִּבְחַר לָא כְּתִיב. אֶלָּא תֶחֱזֶה: לְפוּם חֵיזוּ דְּעַיְינִין. בְּמַאי. בְּדִיוּקְנָא דְּבַר נָשׁ בְּאִלֵּין שִׁית סִטְרִין דְּקָאֲמַרְתּוּן וְכֹלָּא בְּהַאי קְרָא. וְאַתָּה תֶחֱזֶה, חַד, בְּשַׂעֲרָא. מִכָּל הָעָם, תְּרֵין, בְּמִצְחָא. אַנְשֵׁי חַיִל, תְּלַת, בְּאַנְפִּין. יִרְאֵי אֱלֹהִים, אַרְבַּע, בְּעַיְינִין. אַנְשֵׁי אֱמֶת, חָמֵשׁ, בְּשִׂפְוָון. שׂוֹנְאֵי בָצַע, שִׁית, בְּיָדִין. בְּשִׂרְטוּטֵיהוֹן.

קעב. דְּאִלֵּין אִינּוּן סִימָנִין, לְאִשְׁתְּמוֹדְעָא בְּהוּ בְּנֵי נָשָׁא, לְאִינּוּן דְּרוּחַ חָכְמְתָא שַׁרְיָא עָלַיְיהוּ. וְעכ"ד, מֹשֶׁה לָא אִצְטְרִיךְ דָּא, אֶלָּא מַה כְּתִיב, וַיִּבְחַר מֹשֶׁה אַנְשֵׁי חַיִל מִכָּל יִשְׂרָאֵל. בְּגִין דְּרוּחָא קוּדְשָׁא הֲוָה אָתֵי לְגַבֵּיהּ, וְאוֹדַע לֵיהּ, וּבֵיהּ הֲוָה חָמֵי כֹּלָּא.

קעג. מְנָא לָן, דִּכְתִּיב כִּי יִהְיֶה לָהֶם דָּבָר בָּא אֵלָי. בָּאִים אֵלַי לָא כְּתִיב, אֶלָּא בָּא אֵלַי, דָּא רוּחַ קוּדְשָׁא, דַּהֲוָה אָתֵי לְגַבֵּיהּ, וּבֵיהּ הֲוָה יָדַע, וְלָא אִצְטְרִיךְ לְכָל דָּא לְאִסְתַּכְּלָא וּלְעַיְּינָא, אֶלָּא לְפוּם שַׁעֲתָא הֲוָה יָדַע מֹשֶׁה.

קעד. כה"ג, יָדַע שְׁלֹמֹה מַלְכָּא, יָדַע בְּכוּרְסְיֵיהּ, דְּרוּחַ קוּדְשָׁא שַׁרְיָא עָלֵיהּ, דְּכָל מַאן דְּקָרִיב לְכוּרְסְיֵיהּ, דְּחִילוּ וְאֵימָתָא נָפִיל עָלֵיהּ, וּבֵיהּ הֲוָה דָּאִין דִּינָא בְּלָא סָהֲדִין. בְּגִין דְּדִיּוּקְנִין הֲווּ בְּכוּרְסְיֵיהּ, וְכָל מַאן דְּמִקְּרַב בְּשִׁקְרָא, מְכַשְׁכְּשָׁא הַהוּא דִּיּוּקְנָא, וַהֲוָה יָדַע שְׁלֹמֹה מַלְכָּא, דִּבְשִׁקְרָא קָאָתֵי. בְּגִין כַּךְ, אֵימָתָא דְּכוּרְסְיֵיהּ הֲוָה נָפִיל עַל כֹּלָּא, וְכֻלְּהוּ אִשְׁתְּכָחוּ זַכָּאִין קָמֵיהּ.

קעה. מַלְכָּא מְשִׁיחָא בְּרֵיחָא, כד"א וַהֲרִיחוֹ בְּיִרְאַת יְיָ' וְלֹא לְמַרְאֵה עֵינָיו יִשְׁפּוֹט וְגוֹ'. וּתְלַת אִלֵּין, דָּנוּ עָלְמָא, בְּלָא סָהֲדִין וְהַתְרָאָה. שְׁאַר בְּנֵי עָלְמָא עַל פּוּם סָהֲדִין, עַל מֵימַר אוֹרַיְיתָא. חַכִּימִין דְּאִשְׁתְּמוֹדְעָן בְּאִינּוּן דִּיּוּקְנִין, עָלַיְיהוּ לְאַזְהָרָא לִבְנֵי עָלְמָא, וּלְמֵיהַב אַסְוָותָא לִבְנֵי נָשָׁא, וּלְאַסֵּי נַפְשַׁיְיהוּ. זַכָּאִין אִינּוּן בְּהַאי עָלְמָא, וְזַכָּאִין אִינּוּן בְּעָלְמָא דְּאָתֵי.

רזא דרזין

קעו. וְאַתָּה תֶחֱזֶה מִכָּל הָעָם. זֶה סֵפֶר תּוֹלְדוֹת אָדָם. דָּא סֵפֶר מֵאִינּוּן סִפְרִין, סְתִימִין וַעֲמִיקִין, אָמַר ר' שִׁמְעוֹן, אֲרִימִית יְדַי בִּצְלוֹ לְמַאן דְּבָרָא עָלְמָא, דְּאַף עַל גַּב דְּבְהַאי קְרָא גָּלוּ קַדְמָאֵי סְתִימִין עִלָּאִין, אִית לְאִסְתַּכְּלָא וּלְעַיְּינָא בְּרָזִין דְּסִפְרָא דְּאָדָם קַדְמָאָה, דְּמִתַּמָּן אִתְמַשְׁכָא סִפְרָא גְּנִיזָא דִּשְׁלֹמֹה מַלְכָּא.

קעז. זֶה: דְּתַלְיָא בֵּיהּ כֹּלָּא. זֶה: אִילָנָא דְּחַיֵּי. זֶה: וְלָא אַחֲרָא דְּגַלֵּי. זֶה: כְּמָה דְּאַתְּ אָמֵר, הַחֹדֶשׁ הַזֶּה לָכֶם רֹאשׁ חֳדָשִׁים, זֶה נִיסָן וְלָא אַחֲרָא.

קעח. זֶה סֵפֶר, לְאַשְׁגָּחָא וּלְגַלָּאָה תּוֹלְדוֹת אָדָם, אִילָנָא דְּגַלֵּי תּוֹלְדוֹת אָדָם. וְעָבִיד אִיבִּין לְאַפָּקָא לְעָלְמָא. זֶה סֵפֶר, לְמִנְדַּע חָכְמְתָא סְתִימָא וַעֲמִיקָא, דְּאִתְמְסַר לְאָדָם קַדְמָאָה, בְּדִיוּקְנָא דִּבְנֵי נָשָׁא, וְחָכְמְתָא דָּא אִתְמְסַר לִשְׁלֹמֹה מַלְכָּא, וְיָרִית לָהּ וְכָתַב בְּסִפְרֵיהּ.

קעט. אוֹלִיפְנָא, דְּמֹשֶׁה אִתְקַשֵּׁי בְּדָא, עַד דְּאָתַת שְׁכִינְתָּא וְאוֹלִיפַת לֵיהּ, וְהִיא חָמַאת וּבָרִירַת לְכָל אִינּוּן גּוּבְרִין דְּאִתְחֲזוּן בְּפַרְצוּפָא, וְתַמָּן אוֹלִיף מֹשֶׁה חָכְמְתָא דָּא, וְעָיֵיל בְּגַוֵּיהּ, הה"ד וְאַתָּה תֶחֱזֶה מִכָּל הָעָם. הַהוּא דִּכְתִיב בֵּיהּ וְאַתָּה הוּא וּשְׁנוֹתֶיךָ לֹא יִתָּמּוּ. וְאַתָּה מְחַיֶּה אֶת כֻּלָּם. וְאַתָּה יְיָ מָגֵן בַּעֲדִי.

קפ. וְאַתָּה תֶחֱזֶה, וְתִסְתַּכַּל בְּהָא. אַנְתְּ, וְלָא אַחֲרָא, לְמִנְדַּע וּלְאִסְתַּכְּלָא בְּשִׁתִּין רִבּוֹא. בְּשִׁית סִטְרִין אִית לְאִסְתַּכְּלָא. בְּדִיוּקְנִין דִּבְנֵי נָשָׁא, וּלְמִנְדַּע חָכְמְתָא עַל בּוּרְיֵיהּ. וְאִלֵּין אִינּוּן בְּשַׂעֲרָא. בְּעַיְינִין. בְּחוֹטָמָא. בְּשִׂפְוָון. בְּאַנְפִּין. בְּיָדִין. בְּאִינּוּן שִׂרְטוּטִין דְּיָדִין. וּבְשִׁית סִטְרִין אִלֵּין, כְּתִיב וְאַתָּה תֶחֱזֶה.

קפא. וְאַתָּה תֶחֱזֶה, בְּשַׂעֲרָא בְּקַמְטִין דְּמִצְחָא, בְּאִלֵּין קְרִיצִין דְּעַל עַיְינִין. מִכָּל הָעָם, בְּעַיְינִין. בְּדוּקִין דְּעֵינָא, וּבְקַמְטִין דִּתְחוֹת עֵינָא. אַנְשֵׁי חַיִל, דִּבְהוּ חֵילָא לְמֵיקַם בְּהֵיכְלִין דְּמַלְכָּא. בְּצַהִיבוּ דְּאַנְפִּין, בְּקַמְטוֹי דְּאַנְפִּין. בִּרְשִׁימוּ דִּבְהוּ בְּדִיקְנָא. שׂוֹנְאֵי בָצַע, בְּיָדִין, בְּשִׂרְטוּטֵי יְדִין, רְשִׁימִין דִּבְהוּ. וְכֻלְּהוּ שִׁית סִטְרִין רְמִיזִין הָכָא, דְּאִתְמְסָרוּ לְמֹשֶׁה, לְאִסְתַּכְּלָא וּלְמִנְדַּע חָכְמְתָא סְתִימָאָה, וְחָכְמְתָא דָּא, יָרְתָן זַכָּאֵי קְשׁוֹט כַּדְקָא יָאוּת, זַכָּאָה חוּלָקְהוֹן.

קפב. כְּתִיב עוֹר וּבָשָׂר תַּלְבִּישֵׁנִי וְגוֹ', כְּגַוְונָא דָּא עָבֵד קוּדְשָׁא בְּרִיךְ הוּא לְעֵילָּא, דַּרְגִּין עַל דַּרְגִּין, אִלֵּין עַל אִלֵּין, סְתִימִין גּוֹ סְתִימִין, וְחַיָּילִין וְרְתִיכִין, אִלֵּין עַל אִלֵּין, הָכִי עָבֵיד בְּכָל אִינּוּן, עַרְקִין וְגִידִין, וְאִלֵּין אִינּוּן גַּרְמִין, וְקַיְימִין בְּקִיּוּמָא דְּדַרְגִּין עִלָּאִין, וְאִלֵּין אִקְרוּן בָּשָׂר, דַּרְגִּין וְשָׁלְטָנוּתָא דְּקֵץ כָּל בָּשָׂר, וְכָל אִינּוּן דְּאִתְהֲנוּן מִתְנָנָא דְּבָשָׂר, דְּרֵיחִין דְּקָרְבְּנִין, וְאַחֲרָנִין דְּשַׁלְטִין בְּבָשָׂר. וְעֵילָּא מִכֻּלְּהוּ עוֹר, מַשְׁכָא דְּחָפֵי עַל כֹּלָּא.

קפג. כְּגַוְונָא דְּעָבֵד קוּדְשָׁא בְּרִיךְ הוּא כּוֹכָבִים וּמַזָּלוֹת בְּמַשְׁכָא דִּרְקִיעָא, לְאִסְתַּכְּלָא בְּהוּ, וְאִינּוּן אוֹתוֹת הַשָּׁמַיִם, וּלְמִנְדַּע בְּהוּ חָכְמְתָא. הָכִי עָבֵד קוּדְשָׁא בְּרִיךְ הוּא בִּבְנֵי נָשָׁא, רְשִׁימִין וְקַמְטִין בְּהַהוּא פַּרְצוּפָא דְּאָדָם, כְּאִינּוּן כּוֹכָבִים וּמַזָּלוֹת, לְמִנְדַּע וּלְאִסְתַּכְּלָא בְּהוּ חָכְמְתָא סַגְיָא, וּלְאִתְנַהֲגָא בְּהוּ גּוּפָא.

קפד. כְּמָה דְּמִתְחַלְּפֵי בְּמַשְׁכָא דִּרְקִיעָא, וְזִיוֵו דְּכֹכְבַיָּא וּמַזָּלֵי, לְפוּם עוֹבָדִין דְּעָלְמָא, הָכִי מִתְחַלְּפִין זִיוֵו דִּרְשִׁימִין וְקַמְטִין בְּמַשְׁכָא דְּב"נ, לְפוּם עוֹבָדוֹי מִזְּמַן לִזְמַן. וּמִלִּין אִלֵּין לָא אִתְמְסָרוּ אֶלָּא לְזַכָּאֵי קְשׁוֹט, לְמִנְדַּע וּלְאַלְפָא חָכְמְתָא סַגְיָא.

קפה. זֶה סֵפֶר תּוֹלְדוֹת אָדָם, מִזְּמַן לִזְמַן, לְפוּם עוֹבָדוֹי דְּאָדָם, הָכִי אִתְיְלִידוּ, וְאִתְרְשִׁימוּ וְאִתְחַלְּפוּ בֵּיהּ רְשִׁימִין מִזְּמַן לִזְמַן. דְּהָא בְּזִמְנָא דְּרוּחָא קַדִּישָׁא שַׁרְיָא בְּגַוֵּיהּ,

הָכִי עָבֵיד תּוֹלְדוֹת, וְאַחֲזֵי רְשִׁימִין הַהוּא רוּחַ לְבַר.

קפו. וּבְזִמְנָא דְּמִתְעַבְּרָא וְחָז מִנֵּיהּ רוּחַ קַדִּישָׁא, וְאַתְיָא רוּחַ מִסְאֲבָא, וְהַהוּא רוּחַ מִסְאֲבָא הוּא מְכַשְׁכְּשָׁא בְּגַוֵּיהּ, וְאַחֲזֵי לְבַר וְזִיווּ וּרְשִׁימִין יְדִיעָאן, דְּאִשְׁתְּמוֹדְעָן בֵּיהּ בִּקְמִיטִין בְּמַשְׁכָּא לְבַר. ואע״ג דְּשַׂעֲרָא וּמִצְחָא וְחוֹטָמָא וְעַיְינִין, וְכָל אִינּוּן סִימָנִין, קַיְימִין עַל קִיּוּמַיְיהוּ.

קפז. זר״ה פס״ץ, אָת דָּא דְּמִתְחַלְּפָא תָּדִיר בְּהָא וְחָכְמְתָא. בְּאָת זַ״ן, מִלָּה דְּקַיְימָא בְּשַׂעֲרָא הֲוָה וְסִימָנִיךְ זַ״ן, וּמָאנֵי קְרָבָא דְּשִׁמְשׁוֹן, בְּשַׂעֲרָא. וְדָא הוּא נֵזֶר אֱלֹהִים עָלֵיהּ.

קפח. שַׂעֲרָא דְּקַיְימָא לְאִשְׁתְּמוֹדְעָא, וְתַלְיָא. דָּא קַיְימָא בְּאָת ז׳, וְאִתְחַבַּר בֵּיהּ אָת צ׳. דָּא עָאל וְאַפִּיק ס׳.

קפט. אִי שַׂעֲרָא דָּא תַּלְיָא וְאוּכָם, וּבְמִצְחָא תְּלָתָא שִׂרְטוּטִין מִסִּטְרָא דִּימִינָא, וּתְרֵין מִשְּׂמָאלָא, וְלָא מִתְחַבְּרָן אִלֵּין בְּאִלֵּין. בִּסְטַר יְמִינָא אִית תְּלָתָא רְשִׁימִין דַּקִּיקִין, דְּעַבְרִין עֲלַיְיהוּ. וְאִינּוּן שְׁבִילִין לְמֶעְבַּר עַל אִינּוּן שִׂרְטוּטִין אַחֲרָנִין. וּבִסְטַר שְׂמָאלָא חָמֵשׁ, וְחַד מִנֵּיהּ זְעֵיר בְּאַרְכֵיהּ. דָּא קַיְימָא בְּגוֹ אָת ז׳ וְאָת ץ׳. כְּדֵין תִּשְׁכַּח קְרִיצִין תַּקִּיפִין דְּעַל חוֹרֵי עֵינוֹי, דְּמִתְחַבְּרָן דָּא בְּדָא.

קצ. דָּא אִיהוּ בַּר נָשׁ מָארֵיהּ דְּרוּגְזָא, וְלָא בִּבְהִילוּ, וְנַיְיחָא דִּילֵיהּ בְּעִכּוּבָא. וְחָשִׁיב בְּגַרְמֵיהּ דְּאִיהוּ חַכִּים. וְלָאו הָכִי. זָקִיף רֵישָׁא לְאִסְתַּכְּלָא תָּדִיר. מָארֵי מַצּוּתָא לְבַר. בְּבֵיתֵיהּ לָאו הָכִי. אוֹרַיְיתָא לָא חָשִׁיב לְאִסְתַּכְּלָא בָּהּ. מִלִּין דִּבְנֵי נָשָׁא חֲשִׁיבִין עָלֵיהּ כְּמָטוּל, וְאָתִיב מִלִּין תַּקִּיפִין עֲלַיְיהוּ.

קצא. וְאִי מִתְפָּרְשָׁן קְרִיצִין דָּא מִן דָּא, מָטוּ וְלָא מָטוּ, כְּדֵין תִּשְׁכַּח בְּמִצְחָא לְסִטְרָא דִּימִינָא, תְּרֵין שִׂרְטוּטִין רַבְרְבִין וְחַד זְעִירָא, וּתְרֵין רְשִׁימִין זְעִירִין דְּעָאלִין בֵּינַיְיהוּ לְפוּתְיָא. וְלִסְטַר שְׂמָאלָא תְּרֵין, וְחַד רַבְרְבָא, וְחַד זְעִירָא, וְחַד רְשִׁימוּ זְעֵיר דְּעָאל בְּחַד וְלָא מָטֵי לְתִנְיָינָא.

קצב. דָּא אִיהוּ מָארֵיהּ דְּרוּגְזָא, לְפוּם שַׁעֲתָא אִתְמְלֵי רוּגְזָא, וּלְפוּם שַׁעֲתָא שָׁכִיךְ רוּגְזֵיהּ, וּמָארֵי קְטָטָא בְּבֵיתֵיהּ, וְלָאו בְּרוּחַ נַיְיחָא. זִמְנָא חֲדָא בְּיוֹמוֹי אָתִיב תּוּקְפִין לִבְנֵי נָשָׁא. אִסְתַּכַּל לְתַתָּא. מִצְחֵיהּ קָמִיט בְּרוּגְזֵיהּ, וְדָמֵי כְּכַלְבָּא, וּמִיַּד שָׁכִיךְ וְאָתִיב רְכִיכִין. דָּא אִיהוּ בַּר נָשׁ, דְּרוּחָא דִּילֵיהּ וּרְעוּתָא דִּילֵיהּ, לְאִשְׁתַּדְּלָא בִּסְחוֹרְתָּא וּמִנְדָּה בְּלוֹ וַהֲלָךְ וּבְאִשְׁתַּדְּלוּתֵיהּ, סָלִיק לְמָמוֹנָא. דְּהָא אִתְחַלַּף אָת ץ׳ בְּאָת ס׳.

קצג. וְאִי מִתְפָּרְשָׁן קְרִיצִין דָּא מִן דָּא, וְשַׂעֲרִין אַחֲרָנִין עַיְילִין בֵּין דָּא לְדָא זְעִירִין. דָּא נָטִיר דִּדְבוּ סַגֵּי תָּדִיר. טַב אִיהוּ בְּבֵיתֵיהּ. וְחַדֵּי וְעָצִיב בִּבְנֵי נָשָׁא, דָּא קַיְימָא בֵּין ץ׳ וּבֵין ס׳. טָמִיר מָמוֹנֵיהּ. לָא בָּעֵי לְאַגְלוֹיֵי, וּלְאִתְגַּלְּיָא בְּעוֹבָדוֹי. קַמְצָן אִיהוּ. וְשַׂעֲרֵיהּ גָּבִיל דָּא עִם דָּא, וְתַלְיָיא. לָא חָשִׁיב גַּרְמֵיהּ לְמִלְבַּשׁ כַּדְקָא יָאוּת. מַה דְּלָבִישׁ לָא אִתְתַּקַּן בֵּיהּ. מִצְחֵיהּ רַבְרְבָא, תְּלַת שִׂרְטוּטִין בִּימִינָא, וְאַרְבַּע בִּשְׂמָאלָא תְּרֵין רְשִׁימִין עַיְילִין בֵּינַיְיהוּ.

קצד. דָּא כַּד מַלִּיל פָּשִׁיט מַשְׁכָּא דְּמִצְחָא, וְאִינּוּן שִׂרְטוּטִין לָא אִתְחֲזוּן כָּל כַּךְ. כָּפִיף רֵישֵׁיהּ אָזִיל. יְמִינָא מִנֵּיהּ שְׂמָאלָא. שְׂמָאלָא מִנֵּיהּ יְמִינָא. עָצִיב תָּדִיר אֲנִינָא אִיהוּ, מָארֵיהּ דְּלִישָׁנָא בִּישָׁא. וְחָשִׁיב גַּרְמֵיהּ חַכִּים בְּכָל עוֹבָדוֹי. מָארֵי דִּדְבוּ בְּכָל אִינּוּן דְּמִשְׁתַּדְּלָן בְּאוֹרַיְיתָא.

קצה. בִּדְרוֹעָא שְׂמָאלָא, אִית לֵיהּ רְשִׁימָא אוּכָמָא, וד׳ שַׂעֲרִין זְעִירִין בָּהּ, וּתְרֵין

רַבְרְבִין דְּתַלְיָין בֵּיהּ סוּמָקִין. שַׂעֲרָא שְׁעִיעַ וְתָלֵי, וְאִיהוּ, לָאו סוּמָק, וְלָאו אוּכָם, מִצְחָא דִּילֵיהּ לָא רַב וְלָא זְעִיר. דָּא קַיְּימָא בֵּין אָת ס', וּבֵין אָת ץ' כְּלִילָא בְּאָת ז'.

קצו. וְחַד שִׂרְטוּטָא רַב בְּמִצְחֵיהּ, דְּאַזְלָא בְּפוּתְיָא, מִסִּטְרָא דָּא לְסִטְרָא דָּא. תְּרֵין שִׂרְטוּטִין אַחֲרָנִין, אֲבָל לָא רְשִׁימִין כ"כ, דְּהָא לָא קַיְּימִין מִסִּטְרָא דָּא לְסִטְרָא דָּא, כְּהַאי. אַרְבַּע קְמִיטִין זְעִירִין קַיְּימִין, בֵּין תְּרֵין קְרִיצִין, עַל רֵישָׁא דְּחוֹטָמָא לְעֵילָּא.

קצז. דָּא אִיהוּ מָארֵיהּ דְּחֶדְוָה, וְחַכִּים, פִּקֵּחַ, וַותְרָן בְּמָמוֹנֵיהּ, בְּכָל מַה דְּאִשְׁתַּדַּל לְמִנְדַּע אִיהוּ חַכִּים. לְפוּם שַׁעֲתָא רָגֵז, וּלְפוּם שַׁעֲתָא נָח רוּגְזֵיהּ, לָא נָטַר דְּבָבוּ לְעָלְמִין. לְזִמְנָא טַב, וּלְזִמְנָא לָאו הָכִי כ"כ, קָאִים בְּמַתְקְלָא. כַּד תָּב לְמָארֵיהּ, מָארֵיהּ אָחִיד בִּידֵיהּ, וְסָלִיק לִיקָר סַגְיָא. כֹּלָּא צְרִיכִין לֵיהּ. אָת ס' אַזְלָא לְדִידֵיהּ תָּדִיר יַתִּיר מֵאָת ץ'. כָּל אִינּוּן דְּיָעֲטִין עָלֵיהּ עֵיטָא בִּישָׁא, לָא מַצְלִיחִין, וְלָא אִתְקְיָים הַהוּא עֵיטָא, וְלָא יַכְלִין לְאַבְאָשָׁא לֵיהּ. אִתְחָזֵי רַמָּאָה וְלָאו הָכִי הוּא. אָת ס' וְאָת ץ' מַגִּיחִין עָלֵיהּ, וּבג"כ סָלִיק וְנָחִית. כַּד תָּב לְמָארֵיהּ, אָת ס' נָצַח, וְאִתְעֲבֵיד רְעוּתֵיהּ בְּכֹלָּא. רַחֲמָן אִיהוּ. וּבָכֵי כַּד אִתְמְלֵי רַחֲמִין.

קצח. וְחַד רְשׁוּמָא אִית לֵיהּ בִּדְרוֹעָא יְמִינָא, וְקַיְּימָא פַּרְצוּפָא, וְלֵית עָלֵיהּ שַׂעֲרִין כְּלָל. וְאִי שַׂעֲרָא קְמִיטָא, וְלָא תָּלֵי תְּחוֹת אוּדְנִין, וְאִיהוּ קָמִיט לְעֵילָּא מֵאוּדְנִין דָּא קַיְּימָא בְּמִלּוֹלֵיהּ.

קצט. מִצְחֵיהּ רַב וְלָאו כ"כ. שִׂרְטוּטִין דִּילֵיהּ חָמֵשׁ. תְּלַת עַבְרִין מִסִּטְרָא דָּא לְסִטְרָא דָּא, וּתְרֵין לָא עַבְרִין. מָארֵי קְטָטָה אִיהוּ, וּבְבֵיתֵיהּ יַתִּיר. כָּל עוֹבָדוֹי בִּבְהִילוּ, אִתְחָזֵי טָב, וְלָאו הָכִי. שָׁבַח גַּרְמֵיהּ בְּמַה דְּלָא אִית בֵּיהּ. דָּא קָאִים בְּאָת ז' לְחוּד, וְסָלִיק לְמִרְוַוח בְּאָת צ' לְחוּד, מָטֵי וְלָא מָטֵי אָת ס' לֵית בֵּיהּ כְּלָל. וַותְרָן בְּמִלּוֹלֵיהּ וְלָא יַתִּיר, אָעִיל גַּרְמֵיהּ בְּמַה דְּלָא אִתְחָזֵי לֵיהּ, מַאן דְּאִשְׁתַּתַּף בַּהֲדֵיהּ, אִצְטְרִיךְ לְאִסְתַּמְּרָא מֵחֲמִידוּ דִּילֵיהּ, אֲבָל אַצְלַח אִיהוּ בַּהֲדֵיהּ.

ר. שַׂעֲרָא דְּתָלֵי וְלָא שְׁעִיעַ, וְשַׂעֲרֵיהּ רַב. חָמֵשׁ שִׂרְטוּטִין בֵּיהּ, דְּמָטוּ וְלָא מָטוּ דָּא לְדָא, עַיְינִין דִּילֵיהּ צְהִיבִין פְּקִיחִין. דָּא כָּפִיף רֵישֵׁיהּ. אִתְחָזֵי טָב וְזַכָּאָה, וְלָאו הָכִי. שָׁבַח גַּרְמֵיהּ. אִי אִשְׁתַּדַּל בְּאוֹרַייְתָא כְּבַר נָשׁ רַב. תַּקִּיף בְּיִצְרֵיהּ. כַּד מַלִּיל, אַקְמִיט חוֹטָמֵיהּ וּפָשִׁיט מַשְׁכָא דְּמִצְחֵיהּ. כָּל עוֹבָדוֹי לְחֵיזוּ דִּבְנֵי נָשָׁא, אַצְלַח בְּמָמוֹנָא, רַמָּאָה אִיהוּ בְּכָל עוֹבָדוֹי. מָארֵי דְּלִישָּׁנָא בִּישָׁא. יָדַע לְאִסְתַּמְּרָא מִבְּנֵי נָשָׁא בְּכֹלָּא. שִׁגְּעוֹנָא בֵּיהּ, וְאִתְכַּסֵּי בְּמַה דְּאִיהוּ עָבֵיד. אָעִיל קְטָטִין בִּלְחִישׁוּ.

רא. אוּדְנוֹי רַבְרְבָן, קַיְּימִין בְּקִיוּמַיְיהוּ תְּחוֹת שַׂעֲרָא, דָּא קַיְּימָא בְּאָת ץ' וְאָת ז', וּבְגִין כָּךְ עוֹבָדוֹי לְחֵיזוּ בְּנֵי נָשָׁא. בֵּין כַּתְפוֹי תַּלְיָין תְּלַת שַׂעֲרִין בְּלָא רְשִׁימָא כְּלָל. מַאן דְּאִשְׁתַּתַּף בַּהֲדֵיהּ לָא אַצְלַח. וְאִיהוּ אַצְלַח בְּרַמָּאוּתָא דִּילֵיהּ, וְאִתְחָזֵי זַכָּאָה לְאַחֲרָא, וְחָשִׁיב דְּעָבֵד לְקָבְלֵיהּ עוֹבָדֵי קְשׁוֹט.

רב. שַׂעֲרָא קְמִיטָא וְתָלֵי תְּחוֹת אוּדְנִין, אִי אִיהוּ רָווֹק, וְחַד שִׂרְטוּטָא בְּמִצְחֵיהּ, וּתְלַת קְמִיטִין עַל רֵישָׁא דְּחוֹטָמִין, בֵּין קְרִיצִין דִּילֵיהּ. מָארֵיהּ דְּחֶדְוָה אִיהוּ. פְּקִיחָא בְּכֹלָּא. רַמָּאָה. וַותְרָן אִיהוּ עָבֵיד וַותְרָנוּתָא לְאִינּוּן דִּמְקָרְבִין בַּהֲדֵיהּ. דָּא קַיְּימָא בְּאָת ס' וְאָת ז'. וְכַד הָוֵי סִיב, מִתְהַפְּכָן אַתְוָון, אָת ז' בְּרֵישָׁא, וְאָת ס' בַּהֲדֵיהּ. לָאו אִיהוּ וַותְרָן, אֶלָּא בְּבֵיתֵיהּ. אַצְלַח בְּמָמוֹנֵיהּ. רַמָּאָה לָא הָוֵי. אַעְדֵּי גַּרְמֵיהּ מֵהַהוּא אָרְחָא.

רג. עַל קְרִיצָא שְׂמָאלָא, אִית וְחַד רִישׁוּמָא זְעִיר, דְּמוֹחָה לֵיהּ בַּר נָשׁ בְּיוֹמֵי עוֹלֵימוֹי,

אַטִּים עֵינָא יְמִינָא. וְחָמֵשׁ קְמִיטִין עַל רֵישָׁא דְחוֹטָמֵיהּ, בְּפוּתְיֵיהּ בֵּין קְרִיצֵי עֵינוֹי. שַׂעֲרָא קְמִיטָא זְעֵיר עַל רֵישֵׁיהּ. קָמִיט דְעַיְינִין. דָּא אִיהוּ בְּאָת ז' בִּלְחוֹדוֹי. בְּלָא סָכְלְתָנוּ. שִׁגְעוֹנָא בְּלִבֵּיהּ. בָּהִיל בְּעוֹבָדוֹי.

רד. וְחַד שִׁרְטוּטָא עַל מִצְחֵיהּ. וְאַרְבַּע אַחֲרָנִין זְעִירִין. לֵית בֵּיהּ מְהֵימָנוּתָא, לָא יִשְׁתַּתַּף בַּר נָשׁ בַּהֲדֵיהּ, דְלָא יִצְלַח. וְחַיָּיבָא אִיהוּ לְמָארֵיהּ בְּכָל עוֹבָדוֹי. וְחַד תּוֹלְדוּתָא זְעֵירָא אִית לֵיהּ עַל יַרְכָא שְׂמָאלָא. לִזְמְנִין אִתְמְחֵי, וְלִזְמְנִין אִתְיְילִיד. וְאִי אַרְבַּע שִׁרְטוּטִין עַל מִצְחֵיהּ, כָּל הָנֵי אִית בֵּיהּ, אֲבָל לֵית בֵּהּ תּוֹלַדְתָּא. וְאִי תְּלַת רַבְרְבִין וּתְלַת זְעִירִין, שַׁפִּירוּ דְשַׂעֲרָא אִיהוּ, וְאִיהוּ בְּאֶמְצָעִיתָא. ע"כ רָזָא דְשַׂעֲרָא.

רה. מִצְחָא מִתְפָּרְשָׁא בְּשַׂעֲרָא, וּמִצְחָא מִתְפָּרְשָׁא בְּעַיְינִין, עֵינָא מִתְפָּרְשָׁא בְּשַׂעֲרָא, לְד' סִטְרִין. בְּבַת עֵינָא, בִּגְוָונִין דְעֵינָא, בְּחִוָּורוּ דְעֵינָא, בְּאוּכָמוּ דְעֵינָא. כָּל אִסְתַּכְּלוּתָא לְאִסְתַּכְּלָא, בְּכָל אִינּוּן סִימָנִין דְשִׁית דְקָאָמְרָן, לֵית לְהוּ אֶלָּא מִי"ג שְׁנִין וּלְעֵילָּא, דְאִתְפָּרְשָׁא רוּחַ קֻדְשָׁא מֵרוּחַ מִסְאֲבָא. בַּר בְּשִׁרְטוּטֵי בִּלְחוֹדוֹי, דְשִׁרְטוּטִין בֵּין זְעֵירָא וּבֵין רַב מִתְחַלְּפֵי תָּדִיר וְכֵן בְּכֻלְּהוּ.

רו. כְּתִיב וַיִּבְחַר מֹשֶׁה אַנְשֵׁי חַיִל מִכָּל יִשְׂרָאֵל וְגוֹ', דְאִילּוּ עַל אִינּוּן סִימָנִין אַחֲרָנִין בָּעָא וְלָא אַשְׁכַּח. וְכֵן הָבוּ לָכֶם אֲנָשִׁים חֲכָמִים וִידוּעִים לְשִׁבְטֵיכֶם. מַאי יְדוּעִים. דְאִשְׁתְּמוֹדְעָאן בְּאִינּוּן סִימָנִין, וְאַשְׁכַּח, בַּר נְבוֹנִים דְלָא אַשְׁכַּח.

רז. עֵינָא בְּרָזָא דְאָת ר' וְאָת פ', דְגַבִּינִין חִוָּורִין וְשַׂעֲרָא סוּמָקָא. אִי גְּבִינִין דְעֵינוֹי חִוָּורִין, דָּא הוּא בַּר נָשׁ דְאִצְטְרִיכוּ בְּנֵי נָשָׁא לְאִסְתַּמְרָא מִנֵּיהּ. כָּל מִלּוֹי בְּרַמָּאוּתָא. פִּקְיוֹחָא אִיהוּ. נָטִיר דְבָבוּ. דָּא אִיהוּ בְּאָת ר' בִּלְחוֹדוֹי. וְלָא אִתְחַבָּר בַּהֲדֵיהּ אָת פ'. אָת דָּא, אַזְלָא וְשָׁאט עָלֵיהּ, וְלָא אִתְיַשְּׁבָא בֵּיהּ. עֵינוֹי דְדָא שְׁקִיעִין, בָּהִיל בְּעוֹבָדוֹי. וְכֵן כָּל מַאן דְעֵינוֹי שְׁקִיעִין, אִצְטְרִיךְ לְאִסְתַּמְּרָא מִנֵּיהּ בְּכָל עוֹבָדִין. רַמָּאָה אִיהוּ, וּבְרַמָּאוּתֵיהּ יָהִיב טַעֲמָא לְמִלּוֹי.

רח. מִצְחָא דִילֵיהּ רַב, וְלָא עֲגוּלָא. תְּרֵין רְשִׁימִין רַבְרְבִין אָזְלִין בְּפוּתְיָא דְמִצְחֵיהּ, מִסְּטַר לִסְטָר, וְאַרְבַּע זְעִירִין. שַׂעֲרָא דִילֵיהּ תַּלְיָא. קָרִיר מוֹחָא אִיהוּ. וְעַל דָּא פִּקְיוֹחָא הֲוֵי אוּדְנוֹי זְעִירִין. בִּדְרוֹעוֹי שַׂעֲרָא רַב. נָקִיד אִיהוּ בִּנְקוּדִין דִרְשִׁימִין אוּכָמִין. וְאִי רְשִׁימִין סוּמָקִין, תָּב לִזְמְנִין לְמֶעְבַּד טִיבוּ, וְאִתְקַיַּים בֵּיהּ זִמְנָא זְעֵירָא, וּלְזִמְנִין תָּב לְקַלְקוּלֵיהּ. וְחַמְדָן אִיהוּ.

רט. זַרְעָא דְדָוִד בְּהִפּוּכָא. דָּוִד מַלְכָּא יָרִית דָּא סוּמָקָא שַׁפִּירָא, לְמֶעְבַּד דִּינָא, וּלְמֶעְבַּד שַׁפִּירוּ דְעוֹבָדוֹי. עֵינוֹי עַיְינִין דְרַחֲמֵי, יַתְבִין עַל שְׁלִימוּ, סַלְקִין חִנָּא וְחִסְדָּא. וְחַד חוּטָא יְרוּקָא אָזִיל בְּגַוַּויְיהוּ. בְּשַׁעֲתָא דְאַגַּח קְרָבָא, הַהוּא חוּטָא אִתְהַפַּךְ וְאִתְהֲוֵי סוּמָקָא כְּוַורְדָא. נָח רוּגְזֵיהּ בִּקְרָבָא, תָּב הַהוּא חוּטָא כְּמִלְּקַדְמִין. נִסִּין רַבְרְבִין הֲווֹ בְּעֵינוֹי. הֲווֹ וַדָּאן. תְּאִיבִין לְמֶחֱמֵי. נְקוּדִין בִּתְלַת גַּוְונִין, וְחַדוּ דְלִבָּא הֲווֹ בְּלֵב כֹּלָּא, וְחַיָּיבַיָּא דְמִסְתַּכְּלִין בְּהוּ, הֲווֹ זָעִין וְדָחֲלִין, סַלְקִין בְּלִבַּיְיהוּ אֵימְתָא וּדְחִילוּ.

רי. מִצְחָא דִילֵיהּ רַב עֲגוּלָא בְּשַׁפִּירוּ, וְכָל אַתְוָון אִתְחֲזוּן וְסַלְקִין בֵּיהּ, אִלֵּין סַלְקִין וְאִלֵּין נַחְתִּין. אִינּוּן דְנַחְתִּין סַלְקִין, יַהֲבִין דוּכְתָא אִלֵּין לְאִלֵּין. בְּגִין כַּךְ רְשִׁימִין דִילֵיהּ סַלְקִין בְּאַרְכָא לְעֵילָּא. גְּבִינִין דְעֵינוֹי רַחֲמִין לְרַחֲמָנוּתָא. לָא אוּכָמִין וְלָא סוּמָקִין, אֶלָּא בֵּין תְּרֵין גַּוְונִין. בַּת עֵינָא דִלְגוֹ, אַחְזֵי כָּל דְיוּקְנִין דְעָלְמָא, וְחוּטָא סוּמָקָא סַחֲרָא לֵיהּ, וְחֶדְוָוא סְחוֹר סְחוֹר כֹּלָּא.

ריא. שֵׁירוּתָא, דְחַיָּיבִין מְקָרְבִין לְמֶחֱמֵי, אִינּוּן חַיָּיבַיָּא וְחָמָאן לוֹן וְחַיְיכָאן, רַחֲמֵי וְחִנָּא

וְחִסְדָא. לְבָתַר תּוּקְפָּא וּדְחִילוּ וְאֵמְתָנוּ וְרוּגְזָא. וְעַיְינוֹי יוֹנִים לְגַבַּיְיהוּ. מַאי יוֹנִים. דְּעָבְדִין לוֹן אוֹנָאָה לְחַיָּיבַיָּא. כד״א לא תונו איש את עֲמִיתוֹ וּכְתִיב עֵינַיִךְ יוֹנִים. מְקָרְבָן, וּמְרַחֲקָן. כָּל דְּיוֹקְנִין דְּעָלְמָא כֻּלְּהוּ כְּלִילָן בְּאַנְפּוֹי. שַׂעֲרָא דְּרֵישֵׁיהּ, הֲוָה רָשִׁים בְּגַוְונֵי שִׁבְעָה זִינֵי דְּדַהֲבָא.

ריב. וְחָמֵינָא בְּסִפְרָא דְּאָדָם קַדְמָאָה, דְּאָמַר הָכִי דְּיוֹקְנִין דִּמְשִׁיחָא קַדְמָאָה, לְסִיהֲרָא, גַּוְון דִּילֵיהּ, זָהָב יְרַקְרַק בְּאַנְפּוֹי. גַּוְון דִּילֵיהּ, זְהַב אוֹפִיר בְּדִיקְנֵיהּ. גַּוְון דִּילֵיהּ, זְהַב שְׁבָא בְּגַבִּינוֹי. גַּוְון דִּילֵיהּ זְהַב פַּרְוַיִם, בְּקָרִיצִין דְּעַל עַיְינוֹי. גַּוְון דִּילֵיהּ, זָהָב סָגוּר בְּשַׂעֲרָא דְּרֵישֵׁיהּ. גַּוְון דִּילֵיהּ, זָהָב מוּפָז עַל חַדוֹי בְּלוּחָא דְּעַל לִבֵּיהּ. גַּוְון דִּילֵיהּ זְהַב תַּרְשִׁישׁ, עַל תְּרֵין דְּרוֹעִין. כָּל שִׁבְעָה גַּוְונִין אִלֵּין, הֲווּ רְשִׁימִין, עַל כָּל אִינוּן דּוּכְתֵּי דְּשַׂעֲרוֹי.

ריג. בִּדְרוֹעָא יְמִינָא, הֲוָה חָקִיק וְרָשִׁים רְשׁוּמָא חֲדָא סָתִים מִבְּנֵי נָשָׁא, מִגְּדָל חָקוּק בְּאַרְיֵה. וְאֶלֶף זְעֵירָא רָשִׁים בְּגַוֵּיהּ, וְסִימָנָא דָּא אֶלֶף הַמָּגֵן תָּלוּי עָלָיו. כָּל זִמְנָא דְּאַגַּח קְרָבָא, הַהוּא רְשִׁימָא סַלְקָא וּבַלְטָא, וְעַל מִגְדָּל מְכַשְׁכְּשָׁא הַאי אָלֶף, וּכְדֵין אִתְתַּקַּף לְאַגָּחָא קְרָבָא. כַּד עָאל בִּקְרָבָא מְכַשְׁכְּשָׁא הַהוּא אַרְיֵה, וּכְדֵין אִתְגַּבַּר כְּאַרְיֵה, וְנָצַח קְרָבִין. וְהַהוּא מִגְדָּל אתרהיט, וְסִימָנֵיהּ בּוֹ יָרוּץ צַדִּיק וְנִשְׂגָּב. וְנִשְׂגַּב דָּוִד מִשַּׂנְאוֹי דְּלָא יַכְלִין לְגַבֵּיהּ. וּמִן סִמָנִין אִלֵּין וּרְשִׁימִין אִלֵּין, הֲווּ רְשִׁימִין בִּדְרָעֵיהּ שְׂמָאלָא. רְשׁוּמָא דְּבַר נָשׁ אַחֲרָא לָאו כְּהַאי.

ריד. עַיְינִין צְהִיבִין פְּקִיעִין, שִׁגְעוֹנָא בְּלִבֵּיהּ. מִצְחָא רַב. שַׂעֲרוֹי סַגִּיאִין, תַּלְיָין, רְחִיקִין מִמַּשְׁכָא דְּרֵישָׁא. פְּקִיחָא אִיהוּ. פּוּם מְמַלֵּל רַבְרְבָן. שִׂפְוָון דִּילֵיהּ עַתִּיקִין מָארֵיהּ דְּלִישָׁנָא בִּישָׁא.

רטו. בְּמִצְחֵיהּ תְּלַת שִׂרְטוּטִין, אִי בְּעֵינֵיהּ תְּרֵין שׁוּרְיָיקֵי סוּמָקֵי, דָּא הֲוָה בְּאַת ר׳ בִּלְחוֹדוֹי, וְשׁוּרְיָיקָא זָהִיר לְגַבַּיְיהוּ. עֲבֵירָה אִזְדַּמְנַת לְגַבֵּיהּ, וְאִשְׁתֵּזִיב מִינָּהּ.

רטז. וְאִי שׁוּרְיָיקָא חֲדָא סוּמָקָא לְגוֹ בְּעֵינָא, קַיְימָא בְּאַרְכָּא, וּתְרֵין זְעִירִין תְּחוֹתֵיהּ, וְחַד דְּאַעְבַּר בְּעַיְינוֹי. דְּדִין אִית לֵיהּ עֵיטָא בִּישָׁא, בְּאִתְּתָא אֲסוּרָה, וַעֲדַיִן עֵיטָא קַיְּימָא. כְּדֵין תִּשְׁתְּכַח בְּמִצְחֵיהּ, חַד שִׂרְטוּטָא לְאַרְכָּא. מִקְּרִיצָא יְמִינָא חַד שַׂעֲרָא וְאַרְבַּע זְעִירִין תְּחוֹתֵיהּ, וְחַד דְּאַעְבַּר בֵּינַיְיהוּ לְפוּתְיֵיהּ.

ריז. וְאִי יִתְפְּרַשׁ מֵהַהוּא חַטָּאָה, תִּשְׁכַּח בְּעֵינֵיהּ, תְּרֵין שׁוּרְיָיקֵי דְּקִיקִין, אַזְלִין בְּפוּתְיֵיהּ דְּעֵינָא, וְלָא אַעְבָּר חַד בֵּינַיְיהוּ, וְכֵן בְּמִצְחָא. וּמִזִּמְנָא דְּאִתְפְּרַשׁ מֵהַהוּא חוֹבָה, הוּא מִזְּמַן ט׳ יוֹם, דְּהָא מִתַּמָּן וּלְהָלְאָה, יִתְמְחוּן רְשִׁימִין אִלֵּין, וְיִתְיַלְּדוּ אַחֲרָנִין.

ריח. עַיְינִין דְּקִיקִין, וּמִתְהַפְּכָן זְעִיר בְּסוּמָקָא. דָּא אִיהוּ פְּקִיחָא. כָּל מִלּוֹי בִּתְיוּבְתָּא. בְּמִצְחוֹי תִּשְׁכַּח רְשִׁימִין תְּלַת. חַד רַב, דְּאַעְבַּר מִסִּטְרָא דָּא לְסִטְרָא דָּא. וּתְרֵין אַחֲרָנִין דְּלָא עַבְרִין. קְרִיצִין דְּעַיְינוֹי רַבְרְבִין. מָארֵיהּ דְּקַשְׁיוּ אִיהוּ. כַּד מַלִּיל, קָמִיט בְּחוֹטְמִין, בְּרוּגְזֵיהּ, אוֹ בְּקַשְׁיוּ דְּלִבֵּיהּ. זָקִיף שׁוּם בִּישׁ עָלֵיהּ. בִּישׁ בְּעֵינֵי דְּכֹלָּא. כֹּלָּא שַׂנְאִין לֵיהּ. אַצְלַח לִזְמְנִין וְלִזְמְנִין לָא.

ריט. תְּלַת שַׂעֲרִין רַבְרְבִין בְּחַדוֹי עַל לִבֵּיהּ. שִׂפְוָון דִּילֵיהּ עַתִּיקִין, מָארֵיהּ גָּאוּתָא בְּשִׁגְעוֹנָא. לִישָׁנָא בִּישָׁא.

רכ. שַׂעֲרוֹי שְׁעִיעִין רַבְרְבִין וְסַגִּיאִין. אַנְפּוֹי אַנְפִּין אֲרִיכִין זְעִיר, וְעַגּוּלִין זְעִיר, לִזְמְנִין אִתְחֲרַט מִכָּל מַה דְּעָבֵיד וְתָב לְקִלְקוּלֵיהּ. בְּעֵינֵיהּ תִּשְׁכַּח שׁוּרְיָיקֵי, תְּרֵין בְּעֵינָא דִּימִינָא,

וְחַד בְּעֵינָא דִּשְׂמָאלָא. אוּדְנוֹי זְעִירִין, קַיְימִין בְּקִיּוּמָא.

רכא. זַרְעָא דְּדָוִד בְּהִפּוּכָא. זַרְעָא דְּדָוִד כָּל סִימָנִין אִלֵּין לְטָב, וּלְמֶעְבַּד טִיבוּ. בַּר שִׁפְוָון רַבְרְבִין, דְּכָל מַאן דְּשִׂפְוָותֵיהּ רַבְרְבִין, מָארֵיהּ דְּלִישָׁנָא בִּישָׁא אִיהוּ, בֵּין זַכָּאָה, בֵּין חַיָּיבָא. בַּר אִי צַדִּיק גָּמוּר הוּא. וּבְזַכְיוּ דִּילֵיהּ נָצַח וְנָטִיר גַּרְמֵיהּ.

רכב. עַיְינִין יְרוּקִין, זְעִיר מִגָּוֶון סוּמָק אָזִיל בֵּינַיְיהוּ, בְּמִצְחֵיהּ תְּרֵין רְשׁוּמִין, מִסִּטְרָא דָּא לְסִטְרָא דָּא, וְחַד לְעֵילָא זְעִירָא, וְחַד לְתַתָּא. אִיהוּ בְּאָת פ' וְאָת ר'. דָּא מִצְחֵיהּ רַב בְּעִגּוּלָא, אִיהוּ טָב לְכֹלָּא. יָהִיב מִכָּל מַה דְּאִית לֵיהּ לְכָל בַּר נָשׁ. וַתְּרָן אִיהוּ. שַׂעֲרוֹי שְׁעִיעַ וְתָלֵי. בִּסְטַר יְמִינָא אִית לֵיהּ וְחִוּוּרוּ דְּשַׂעֲרֵי, מִיּוֹמָא דְּאִתְבְּרֵי.

רכג. מַתְנִיתִין. בְּנֵי עָלְמָא מָארֵיהוֹן דִּסְכַלְתָּנוּ, פְּקִיחִין עַיְינִין, מָארֵיהוֹן דִּמְהֵימְנוּתָא, דִּי הֲוָה גְּנִיזָא בְּכוּ. מַאן מִנְּכוֹן דְּסָלִיק וְנָחִית. מַאן דִּי רוּחַ אֱלָהִין קַדִּישִׁין בֵּיהּ. לֵיקוּם וְלִינְדַּע, בְּשַׁעֲתָא דְּסָלִיק בִּרְעוּתָא דְּרֵישָׁא חִוָּורָא, לְמִבְרֵי אָדָם, בָּטַשׁ בְּגוֹ בּוּצִינָא חֲדָא, וּבָטַשׁ בּוּצִינָא בְּפְשִׁיטוּ דְּנָהִיר, וְהַהוּא פְּשִׁיטוּ דְּבוּצִינָא אַפִּיק נִשְׁמָתִין.

רכד. אוּף הָכִי בָּטַשׁ גּוֹ טִנָּרָא חֲדָא תַּקִּיפָא, וְאַפִּיק הַהוּא טִינָּרָא שַׁלְהוֹבָא חֲדָא מְלַהֲטָא, מְרַקְּמָא בְּכַמָּה גַּוְונִין, וְהַהוּא שַׁלְהוֹבָא סַלְקָא וְנַחְתָּא, עַד דְּהַהוּא פְּשִׁיטוּ בָּטַשׁ בֵּיהּ, וְתָב וְאִתְיַישָּׁב בְּדוּכְתֵּיהּ, וְאִתְעָבֵיד רוּחָא דְּחַיֵּיא.

רכה. וְהַהוּא רוּחָא אִתְתְּקַף, וְנָטִיל גָּוֶון חַד מִשִּׁמְשָׁא. נָחִית לְתַתָּא, נָטִיל גָּוֶון חַד מִסִּיהֲרָא. סָטָא לִימִינָא, נָטַל גָּוֶון מַיָּיא, כָּלִיל בְּפוּמָא דְּאַרְיֵה חֲדָא. סָטָא לִשְׂמָאלָא, נָטַל גָּוֶון אֶשָּׁא, כָּלִיל בְּפוּמָא דְּחַד שׁוֹר, סוּמָקָא כְּוַורְדָּא. סָטָא לְקַמֵּיהּ, נָטַל גָּוֶון רוּחָא, כָּלִיל בְּפוּמָא דְּחַד נֶשֶׁר רַבְרְבָא, רַב גַּדְפִּין, מָארֵיהּ דְּנוֹצָה, כָּל גַּוְונִין בֵּיהּ מִתְחַזְּמָאן. סָטָא לַאֲחוֹרָא, נָטַל גָּוֶון עַפְרָא, כָּלִיל מִד' סִטְרֵי עָלְמָא. בְּפוּמָא דְּאָדָם, וְכָל דִּיוּקְנִין מִסְתַּכְּלָן לְגַבֵּיהּ.

רכו. אִתְיַישַּׁב הַהוּא רוּחָא בְּהַהוּא עַפְרָא, וְאִתְלָבַשׁ בֵּיהּ. כְּדֵין הַהוּא עַפְרָא, מְכַשְׁכְּשָׁא וְנָחַת לְתַתָּא, וְכָנַשׁ עַפְרָא מִד' סִטְרִין דְּעָלְמָא, וְאִתְעָבֵיד דִּיוּקְנָא חֲדָא וּפַרְצוּפָא, וְהַהוּא רוּחָא אִתְטָמַר מִגּוֹ לְגוֹ. וְהַהוּא עַפְרָא דְּאִתְכְּנִישׁ מִד' סִטְרִין בָּטַשׁ לְגַבֵּיהּ נֶפֶשׁ כְּלִילָא בְּרוּחָא.

רכז. וְהַהוּא נֶפֶשׁ אִיהוּ יְסוֹדָא לְעוֹבָדֵי גּוּפָא. כְּפוּם עוֹבָדִין דְּהַהוּא נֶפֶשׁ בְּגוּפָא, הָכִי אִתְחֲזֵי בְּמַשְׁכָא לְבַר. רוּחָא דָּא אִתְטָמַר לְגוֹ. וְהַהוּא אַחְזֵי לְבַר, סָלִיק וְנָחִית, וּבָטַשׁ בְּאַנְפּוֹי, וְאַחְזֵי דִּיוּקְנִין וּרְשִׁימִין. בָּטַשׁ בְּמִצְחֵיהּ, אַחְזֵי דִּיוּקְנִין וּרְשִׁימִין בָּטַשׁ בְּעֵינוֹי, וְאַחְזֵי דִּיוּקְנִין וּרְשִׁימִין. הה"ד הַכָּרַת פְּנֵיהֶם עָנְתָה בָּם.

רכח. בּוּצִינָא דְּאִתְמְשָׁךְ מִנֵּיהּ מִדִּידוּ, דְּחָד חוּטָא יְרוּקָא, שַׁלְהֲבוּתָא דְּתֹהוּ. בָּטַשׁ בִּידוֹי בְּשַׁעֲתָא דְּבַר נָשׁ נָאִים, וְרָשִׁים רְשִׁימִין וְשִׂרְטוּטִין בִּידֵיהּ, וּכְפוּם עוֹבָדִין דְּב"נ הָכִי אִתְרְשִׁים. וְאִלֵּין אַתְוָון מִתְהַפְּכָן מִתַּתָּא לְעֵילָא, וְיַדְעֵי לוֹן חַבְרֵי קְשׁוֹט, בִּרְשִׁימוּ דְּאַתְוָון דְּבוּצִינָא, וְכָל אִלֵּין חֵילִין דִּלְגוֹ בְּב"נ, עַבְדִין רְשׁוּמִין וְשִׂרְטוּטִין אַתְוָון מִתְהַפְּכָן. מַאן דְּרָקִים דָּא, רָקִים בְּשִׁפּוּלֵי מַשְׁכְּנָא. כד"א, רֻקַּמְתִּי בְּתַחְתִּיּוֹת אָרֶץ. בְּרִיךְ הוּא בְּרִיךְ שְׁמֵיהּ לְעָלַם וּלְעָלְמֵי עָלְמִין.

רכט. עַיְינִין חִוָּורָא, וְאֵבָרִין סוּמָקִין, בְּאַתְרֵיהּ דְּנָפִיק מִינֵּיהּ, דָּא אִיהוּ בְּאָת פ' וְאָת ר' כְּלִילָא כַּחֲדָא.

רל. מִצְחֵיהּ רַב, תְּלַת שִׂרְטוּטִין סַלְקִין בְּמִצְחֵיהּ, שִׁית זְעִירִין אַחֲרָנִין. סוּמָק הוּא וְלָא

סוּמָק, קַיְּימָא בֵּין תְּרֵין גַּוְונִין. שַׂעֲרֵיהּ אוּף הָכִי. אַנְפּוֹי רַבְרְבָן. שַׂעֲרֵיהּ קָמִיט, וְלָא כ"כ. תָּלֵי זְעֵיר תְּחוֹת אוּדְנוֹי. טָב אִיהוּ, מָארֵי דִּמְהֵימְנוּתָא, מָארֵי דְּרוּגְזָא תַּקִּיף, בְּשַׁעֲתָא דְּאִתְרְגִיז.

רלא. הַהוּא סוּמָקָא דִּתְחוֹת עֵינָא, אִתְפָּשַׁט בְּעֵינֵיהּ. רוּגְזֵיהּ בִּישׁ. בְּשַׁעֲתָא דְּמַלִּיל בְּרוּגְזֵיהּ סָתִים פּוּמֵיהּ, וְנָפִיק תְּנָנָא מִנּוּחִירוֹי. וּלְזִמְנִין זְעֵיר נָח רוּגְזֵיהּ, וְלָא כָּל רוּגְזֵיהּ, עַד יוֹמָא אָחֳרָא, אוֹ תְּרֵין יוֹמִין. דָּא אַצְלַח לְזִמְנִין, וּלְזִמְנִין לָא. אֲבָל קָאִים תָּדִיר בְּאַצְלָחוּתָא, בֵּין זְעֵיר וּבֵין רַב.

רלב. וְאִי סוּמָקָא דְּפוּם עֵינָא, זְעֵיר כְּחוּטָא, וְלָא אִתְפָּשַׁט בְּשַׁעֲתָא דְּרוּגְזֵיהּ בְּעֵינָא, וְאִית בֵּיהּ כָּל הָנֵי סִימָנִין. חַלָּשָׁא בְּלִבָּא. וְאִיהוּ דָּחִיל מִכֹּלָּא, שֵׁינָתֵיהּ לָא אִתְיַישַּׁב בֵּיהּ. וְחָשִׁיב תָּדִיר מַחֲשָׁבִין וְדָחִיל מִכֻּלְּהוּ. וְאַצְלַח לְכֹלָּא. מָארֵיהּ דְּגָרִיעַ. לָא חָשׁ לְגִיּוּפָא.

רלג. לְזִמְנִין תָּב בְּתִיוּבְתָּא וְדָחִיל. וּמִגּוֹ דְּחִילוּ, כְּדֵין תִּשְׁכַּח בְּעֵינֵיהּ יְמִינָא, הַהוּא סוּמָקָא דְּפוּם עֵינָא, בְּסוֹפָא בְּשִׁפּוּלֵי עֵינָא, וְחַד שׁוּרְיָיקָא דָּקִיק סוּמָק בְּעֵינֵיהּ שְׂמָאלָא, וְאִי מִתְחַלְּפֵי מַה דִּימִינָא לִשְׂמָאלָא, וּמַה דִּשְׂמָאלָא לִימִינָא, כְּדֵין אִיהוּ בְּקִלְקוּלֵיהּ. וְתָב וְתָבַר גְּזִיזָא דְּבַרְדָּא, בְּגִין לְאַעְבָּרָא עֲבֵירָה.

רלד. תְּרֵין קְמִיטִין עַל רֵישָׁא דְּעֵינָא, וּתְלַת לְתַתָּא. וּבְרַגְלֵיהּ שְׂמָאלָא, בְּאֶצְבְּעָא דְּאֶמְצָעִיתָא, שִׁית שַׂעֲרִין, וּבְזִמְנָא אָחֳרָא חָמֵשׁ, וְהַשְׁתָּא שִׁית, וְחַד זְעִירָא בֵּינַיְיהוּ. עַיְינִין אוּכָמִין, וּקְרִיצִין דְּעַל עֵינוֹי רַבְרְבִין, סַגִּיאִין שַׂעֲרִין, אִלֵּין עַל אִלֵּין, וְאִינוּן עַיְינִין אוּכָמִין וְיָרוֹקָא, אָזִיל בְּגַוַויְיהוּ, וְהַהוּא יְרוֹקָא אִטַּבַּע יַתִּיר. הַאי אִית לֵיהּ חָמֵשׁ שִׂרְטוּטִין בְּמִצְחָא, תְּרֵין דְּעַבְרִין מִסְּטַר לִסְטַר. וּתְלַת דְּלָא עַבְרִין וְכוּ'. (עיין סוף הספר עכ"ם).

רלה. בַּחֹדֶשׁ הַשְּׁלִישִׁי לְצֵאת בְּנֵי יִשְׂרָאֵל וְגוֹ', דְּשָׁלִיט בֵּיהּ אוּרִיא"ל, רַב מְמָנָא, וּתְלַת מְאָה וְשִׁתִּין וְחָמֵשׁ רִבּוֹא מַשִׁרְיָין עִמֵּיהּ, כְּחוּשְׁבַּן יוֹמֵי שַׁתָּא. וְכֻלְּהוּ אִית לוֹן תְּלַת מְאָה וְשִׁתִּין וְחָמֵשׁ מַפְתְּחָן נְהוֹרִין, מֵהַהוּא נְהוֹרָא דְּנָפְקָא מִגּוֹ חַשְׁמַל עִלָּאָה פְּנִימָאָה גָּנִיז וְסָתִים, דִּי רָזִין דְּאַתְוָון קַדִּישִׁין עִלָּאִין דִּשְׁמָא קַדִּישָׁא, תַּלְיָין בֵּיהּ.

רלו. וְאִיהוּ רָזָא דְּאִישׁ תָּם, מָארֵיהּ דְּבֵיתָא, אִישׁ הָאֱלֹהִים. תָּם: דְּתַמָּן סִיּוּמָא וְקִשְׁרָא דִּתְפִלִּין, וְיַעֲקֹב אִישׁ תָּם הֲוָה. וּבִדְיוֹקְנֵיהּ, קַיְּימָא רָזָא דְּחַשְׁמַל פְּנִימָאָה עִלָּאָה טָמִיר וְגָנִיז. וְכָל נְהוֹרִין סְתִימִין עִלָּאִין נָקִיט אִיהוּ, וְנָפְקֵי מִנֵּיהּ, וְכֻלְּהוּ מַשִׁרְיָין נָקְטֵי אִינוּן מַפְתְּחָן דְּהַהוּא נְהוֹרָא דְּנָפִיק מִגּוֹ חַשְׁמַל.

רלז. וְהַהוּא נְהוֹרָא, כָּלִיל בִּתְרֵין נְהוֹרִין, וְאִינוּן חַד. נְהוֹרָא קַדְמָאָה, אִיהוּ נְהוֹרָא חִוְּורָא, דְּלָא שַׁלְטָא בֵּיהּ עֵינָא, וְדָא אִיהוּ נְהוֹרָא דְּגָנִיז לְצַדִּיקַיָּיא. כד"א אוֹר זָרוּעַ לַצַּדִּיק וְגוֹ'. נְהוֹרָא תִּנְיָינָא, אִיהוּ נְהוֹרָא מְנַצְּצָא מְלַהֲטָא, כְּגַוָּון סוּמָק. וְאִתְכְּלִילוּ תְּרֵין נְהוֹרִין כְּחַד, וַהֲווּ חַד.

רלח. וְהַאי אוּרִיא"ל רַב מְמָנָא, וְכָל אִינוּן מַשִׁרְיָין, נַטְלֵי הַהוּא נְהוֹרָא, וּבְגִין דְּכָלִיל בִּתְרֵין, אִקְרֵי תְּאוֹמִי"ם. וְעַל דָּא שַׁלְטָא בֵּיהּ, הַהוּא מַזָּלָא דְּאִקְרֵי בְּרָזָא דִּילֵיהּ תְּאוֹמִים, וּבֵיהּ אִתְיְהִיבַת אוֹרַיְיתָא. וּמִכָּאן אִתְמַשְׁכָאן דַּרְגִּין לְתַתָּא, עַד דְּסַלְּקִין בִּשְׁמָהָן, לְאַנְהָרָא עָלְמָא.

רלט. כָּל שְׁאַר מַזָּלֵי, לֵית לוֹן פֶּה וְלָשׁוֹן, וְהַאי אִית לֵיהּ פֶּה וְלָשׁוֹן כְּלִילָן כַּחֲדָא. וְעַל דָּא בְּאוֹרַיְיתָא, וְהָגִיתָ בּוֹ יוֹמָם וָלַיְלָה כְּתִיב. יוֹמָם, לְקַבֵּל לָשׁוֹן. לַיְלָה, לְקַבֵּל פֶּה. וְכֹלָּא כָּלִיל כַּחֲדָא. וּבְכֹלָּא סָלִיק תְּאוֹמִים.

רמ. תּוֹמִים כְּתִיב, וְעַל רָזָא דָּא כְּתִיב תּוֹמִים, וְהִנֵּה תוֹמִים בְּבִטְנָהּ. אִי תֵּימָא דִּבְגִין

תַּרְוַויְיהוּ קָאָמַר. לָאו הָכִי, דְּהָא עֵשָׂו לָא סָלִיק בְּרָזָא דָּא. אֶלָּא בְּגִין יַעֲקֹב קָאָמַר, וּשְׁבָחָא דָּא, דַּהֲוָה בִּמְעָהָא דְּהַהִיא צַדֶּקֶת, קָא מְשַׁבַּח קְרָא. וּבְגִין דַּהֲוָה תַּמָּן הַהוּא רָשָׁע, אִסְתַּלַּק מִתַּמָּן אָלֶף.

רמא. וְכֹלָּא רָזָא וְחָדָא. יַעֲקֹב נָטִיל בְּרָזָא דִּילֵיהּ, תְּרֵין יַרְחִין נִיסָ"ן וְאִיָּי"ר, וְאִתְכְּלִיל אִיהוּ בְּרָזָא דְּסִיוָן, דְּאִיהוּ תְּאוֹמִים. עֵשָׂו, נָטִיל בְּרָזָא דִּילֵיהּ, תְּרֵין יַרְחִין תַּמּוּ"ז אָ"ב, וְאִיהוּ לָא אִשְׁתְּכַח, וְאִתְאֲבִיד, דְּהָא אֱלוּ"ל לָאו דִּילֵיהּ הוּא, וַאֲפִילּוּ אָ"ב, ט' יוֹם אִינּוּן דִּילֵיהּ, וְלָא יַתִּיר, וְאִתְאֲבִיד, וְלָא אִשְׁתְּכַח, וְלָאו אִיהוּ בְּרָזָא דִּתְאוֹמִים, אֶלָּא אִתְפְּרַשׁ לְחוּדֵיהּ, וְסָטָא לְסִטְרָא אַחֲרָא בְּאֲפִיסָה וּשְׁמָמוּ, כד"א, הָאוֹיֵב תַּמּוּ חֳרָבוֹת לָנֶצַח.

רמב. וּבְגִין דְּיַעֲקֹב אִיהוּ תְּאוֹמִים, אִתְיְהִיבַת אוֹרַיְיתָא לִבְנוֹי בְּחֹדֶשׁ תְּאוֹמִים, וְאוֹרַיְיתָא בְּרָזָא דִּתְאוֹמִים, תּוֹרָה שֶׁבִּכְתָב, וְתוֹרָה שֶׁבְּעַ"פ. בְּחֹדֶשׁ תְּלִיתָאֵי, לְעַם תְּלִיתָאֵי, בְּדַרְגִּין תְּלִיתָאִין, תּוֹרָה תְּלִיתָאֵי: תּוֹרָה, נְבִיאִים, וּכְתוּבִים. וְכֹלָּא חַד. רמג. בַּחֹדֶשׁ הַשְּׁלִישִׁי וְגוֹ'. פַּרְשְׁתָא דָּא בְּהַאי קְרָא אוֹקְמוּהָ לֵיהּ לְעֵילָּא. תָּאנֵי רַבִּי חִיָּיא, בְּהַהוּא זִמְנָא דְּמָטוּ יִשְׂרָאֵל לְטוּרָא דְּסִינַי, כָּנִישׁ לְהוּ קֻבָּ"ה לְזַרְעִין דְּיִשְׂרָאֵל, וְאַשְׁגַּח לֵיהּ בְּכֻלְּהוּ, וְלָא אַשְׁכַּח בְּכֻלְּהוּ זַרְעָא דְּיִשְׂרָאֵל פְּסְלוּ, אֶלָּא כֻּלְּהוּ זַרְעָא קַדִּישָׁא, כֻּלְּהוּ בְּנֵי קְשׁוֹט.

רמד. בְּהַהוּא זִמְנָא אָמַר קֻבָּ"ה לְמֹשֶׁה, הַשְׁתָּא אֲנָא בָּעֵי לְמֵיהַב אוֹרַיְיתָא לְיִשְׂרָאֵל, מְשִׁיךְ לְהוּ בִּרְחִימוּתָא דַּאֲבָהָן, בִּרְחִימוּתָא דְּרָחִימְנָא לְהוּ, וּבְאָתְוָון דַּעֲבָדִית לְהוּ. וְאַתְּ הֱוֵי לִי שְׁלוּחָא, וְאָתִיב מִלִּין אִלֵּין. אָמַר ר' יוֹסֵי אָמַר ר' יְהוּדָה, כַּךְ אָמַר קֻבָּ"ה לְמֹשֶׁה, בְּמִלָּה דָּא הֱוֵי לִי שְׁלִיחָא מְהֵימְנָא, לְאַמְשָׁכָא יִשְׂרָאֵל אֲבַתְרָאי.

רמה. וּמֹשֶׁה עָלָה אֶל הָאֱלֹהִים וַיִּקְרָא אֵלָיו יְיָ' מִן הָהָר וְגוֹ'. וּמֹשֶׁה עָלָה אֶל הָאֱלֹהִים, לְאַתְרָא דְּפְרִישָׁן גַּדְפּוֹי דִּשְׁכִינְתָּא, כד"א וַיֵּט שָׁמַיִם וַיֵּרַד וְגוֹ'.

רמו. תָּאנָא אָמַר ר' יְהוּדָה, כָּל זִמְנָא דִּגְלוּפֵי מַלְכָּא עִלָּאָה מִתְיַשְּׁרָן בְּאַתְרַיְיהוּ, עָלְמִין כֻּלְּהוּ בְּחִידוּ, וְכָל עוֹבָדִין מִתְיַשְּׁרָן בְּקִיּוּמַיְיהוּ. כד"א, אֶת מַעֲשֵׂה יְיָ' כִּי נוֹרָא הוּא. מַאי כִּי נוֹרָא הוּא. אָמַר ר' אֶלְעָזָר, שְׁלִימוּ דְּכֹלָּא. כד"א הָאֵל הַגָּדוֹל הַגִּבּוֹר וְהַנּוֹרָא. מַאי וְהַנּוֹרָא. דָּא יַעֲקֹב. וּכְתִיב, וְיַעֲקֹב אִישׁ תָּם, כְּתַרְגּוּמוֹ, גְּבַר שְׁלִים. שְׁלִים בְּכֹלָּא. כַּךְ כָּל עוֹבָדִין דְּקֻבָּ"ה, שְׁלֵימִין בִּשְׁלִימוּ, בְּקִיּוּמָא שְׁלִים.

רמז. תַּנְיָא, רַבִּי יוֹסֵי אוֹמֵר, יוֹמָא חַד הֲוָה קָאִימְנָא קָמֵיהּ דְּר' יְהוּדָה סָבָא, שְׁאִילְנָא לֵיהּ, מַאי דִּכְתִיב, וַיִּירָא וַיֹּאמַר מַה נּוֹרָא וְגוֹ'. מַאי קָא חָמָא, דְּקָאָמַר דְּאִיהוּ נוֹרָא. אָמַר לִי, חָמָא שְׁלִימוּ דִּמְהֵימְנוּתָא קַדִּישָׁא, דַּהֲוָה שְׁכִיחַ בְּהַהוּא אֲתָר, כְּגַוְונָא דִּלְעֵילָּא. וּבְכָל אֲתָר דְּהֲוֵי שְׁלֵימוּתָא שְׁכִיחַ, אִקְרֵי נוֹרָא.

רמח. אֲמֵינָא לֵיהּ, אִי הָכִי, אֲמַאי תַּרְגּוּמוֹ דְּחִילוּ, וְלָא שְׁלִים. אָמַר לִי, לֵית דְּחִילוּ אֶלָּא בַּאֲתָר דְּהֲוֵי שְׁלֵימוּתָא שְׁכִיחַ, וּבְכָל אֲתָר דְּהֲוֵי שְׁלֵימוּתָא שְׁכִיחַ, אִתְקְרֵי נוֹרָא. דִּכְתִיב, יְראוּ אֶת יְיָ' קְדוֹשָׁיו כִּי אֵין מַחְסוֹר לִירֵאָיו, מִמַּשְׁמַע דְּקָאָמַר כִּי אֵין מַחְסוֹר, בַּאֲתָר דְּלֵית מַחְסוֹר, שְׁלֵימוּתָא שְׁכִיחַ.

רמט. תָּאנָא מִי עָלָה שָׁמַיִם וַיֵּרַד, אָמַר ר' יוֹסֵי, דָּא הוּא מֹשֶׁה, דִּכְתִיב וּמֹשֶׁה עָלָה אֶל הָאֱלֹהִים. מִי אָסַף רוּחַ בְּחָפְנָיו, דָּא הוּא אַהֲרֹן. דִּכְתִיב, וּמְלֹא חָפְנָיו קְטֹרֶת סַמִּים דַּקָּה. מִי צָרַר מַיִם בַּשִּׂמְלָה, דָּא אֵלִיָּהוּ. דִּכְתִיב, אִם יִהְיֶה הַשָּׁנִים הָאֵלֶּה טַל וּמָטָר כִּי אִם לְפִי דְּבָרִי. מִי הֵקִים כָּל אַפְסֵי אָרֶץ, דָּא הוּא אַבְרָהָם. דִּכְתִיב בֵּיהּ, אֵלֶּה תוֹלְדוֹת

הַשָּׁמַיִם וְהָאָרֶץ בְּהִבָּרְאָם, אַל תִּקְרֵי בְּהִבָּרְאָם, אֶלָּא בְּאַבְרָהָם.

רנ. הוּא תָּנֵי הַאי, וְהוּא אָמַר, מִי עָלָה שָׁמַיִם, דָּא קב"ה. דִּכְתִיב בֵּיהּ עָלָה אֱלֹהִים בִּתְרוּעָה מִי אָסַף רוּחַ בְּחָפְנָיו, דָּא קב"ה, דִּכְתִיב אֲשֶׁר בְּיָדוֹ נֶפֶשׁ כָּל חָי וְגוֹ'. מִי צָרַר מַיִם בַּשִּׂמְלָה דָּא קב"ה. דִּכְתִיב בֵּיהּ צוֹרֵר מַיִם בְּעָבָיו. מִי הֵקִים כָּל אַפְסֵי אָרֶץ, דָּא קב"ה. דִּכְתִיב בֵּיהּ, בְּיוֹם עֲשׂוֹת יְיָ' אֱלֹהִים אֶרֶץ וְשָׁמָיִם. תּוּ אָמַר, מִי עָלָה שָׁמַיִם וַיֵּרַד וְגוֹ', אִלֵּין אִינּוּן אַרְבַּע קְטִירֵי עָלְמָא, אֵשׁ רוּחַ מַיִם וְעָפָר.

רנא. אָמַר ר' יֵיסָא, אִתְחֲזוּן מִלּוֹי דר' יוֹסֵי, דְּלָא מִתְקַיְּימָאן. כַּד מָטוּ מִלִּין אִלֵּין לְגַבֵּיהּ דר' שִׁמְעוֹן, אָנַח יְדוֹי בְּרֵישֵׁיהּ דר' יוֹסֵי וּבָרְכֵיהּ, וְאָמַר שַׁפִּיר קָא אָמַרְתְּ, וְהָכִי הוּא. אָמַר לֵיהּ מְנָא לָךְ. אָמַר הָכִי אוּלִיפְנָא מֵאַבָּא, דַּהֲוָה אָמַר מִשְּׁמֵיהּ דְּרַב הַמְנוּנָא סָבָא.

רנב. יוֹמָא חַד הֲוָה יָתִיב ר' שִׁמְעוֹן בְּתַרְעָא דְּצִפּוֹרִי, אָמַר לֵיהּ ר' יֵיסָא, הַאי דְּאָמַר ר' יוֹסֵי, מִי עָלָה שָׁמַיִם וַיֵּרַד וְגוֹ', זִמְנָא חֲדָא אָמַר, דָּא מֹשֶׁה. לְבָתַר אָמַר, דָּא קב"ה. לְבָתַר אָמַר, אִלֵּין ד' קְטִירִין אֵשׁ רוּחַ מַיִם וְעָפָר. וְזִמְנָא לֵיהּ לְמָר דְּבָרְכֵיהּ.

רנג. אָמַר לֵיהּ וַדַּאי שַׁפִּיר קָא אָמַר, וְהָכִי הוּא, וְכֹלָּא חַד מִלָּה, וְכֻלְּהוּ מִלֵּי אִתְקַיְּימוּ בְּקב"ה, וְכֻלְּהוּ בְּחַד מִתְקַלָּא סַלְקָא. אִתְרְגִישׁ ר' יֵיסָא בְּמִלּוֹי דר' שִׁמְעוֹן, וְאָמַר וַדַּאי הַאי הָכִי הוּא, וְהָכִי אוּלִיפְנָא מִקַּמֵּיהּ דְּמָר זִמְנָא אַחֲרָא. אֵלֶּה תוֹלְדוֹת הַשָּׁמַיִם וְהָאָרֶץ בְּהִבָּרְאָם, אַל תִּקְרֵי בְּהִבָּרְאָם, אֶלָּא בְּאַבְרָהָם. דִּכְתִיב, כִּי אָמַרְתִּי עוֹלָם חֶסֶד יִבָּנֶה.

רנד. וְכֹלָּא שַׁפִּיר. אֲבָל סוֹפָא דִּקְרָא מַאי קָא מַיְירֵי דִּכְתִיב מַה שְּׁמוֹ וּמַה שֶּׁם בְּנוֹ כִּי תֵדָע. מַה שְּׁמוֹ תִּינַח, מַה שֶּׁם בְּנוֹ מַהוּ. אָמַר לֵיהּ, רָזָא דְּמִלָּה הָא אוּלִיפְנָא לְר' אֶלְעָזָר בְּרִי. אָמַר לֵיהּ, לֵימָא לִי מָר, דְּהָא בְּחֶלְמִי שְׁאִילְנָא קַמֵּיהּ דְּמָר הַאי מִלָּה, וְאָמַר לִי, וְאַנְשִׁינָא לָהּ. אָמַר לֵיהּ, אִי אֵימָא תִּדְכַּר. אָמַר לֵיהּ וַדַּאי. דְּהָא מַה דְּאוּלִיפְנָא קַמֵּי דְּמָר יוֹמָא דָּא אַדְכַּרְנָא.

רנה. א"ל רָזָא דְּמִלָּה, הַיְינוּ דִּכְתִיב בְּנִי בְּכוֹרִי יִשְׂרָאֵל וּכְתִיב יִשְׂרָאֵל אֲשֶׁר בְּךָ אֶתְפָּאָר. וּבְרָזָא עִלָּאָה, וְהַאי אִקְרֵי בְּנוֹ. אָמַר יָנוּחַ דַּעְתֵּיהּ דְּמָר, דְּהָא רָזָא דָּא יָדַעְנָא. אַדְּהָכִי, לָא אַדְכַּר ר' יֵיסָא, וְחָלַשׁ דַּעְתֵּיהּ, אָזַל לְבֵיתֵיהּ, אַדְמוּךְ, אַחְזִיאוּ לֵיהּ בְּחֶלְמָא, חַד סִפְרָא דְּאַגַּדְתָּא, דַּהֲוָה כְּתִיב בֵּיהּ, חָכְמָה וְתִפְאֶרֶת בְּמִקְדָּשׁוֹ.

רנו. אִתְּעַר, אָזַל לְגַבֵּיהּ דר"ש, נָשַׁק יְדוֹי, אָמַר, הָכִי חֲמֵינָא בְּחֶלְמָא. זִמְנָא אַחֲרָא חֲמֵינָא בְּחֶלְמָא, חַד סִפְרָא דְּאַגַּדְתָּא דְּאַחְזְיוּ קַמַּאי, וַהֲוָה כְּתִיב בֵּיהּ, חָכְמָה וְתִפְאֶרֶת בְּמִקְדָּשׁוֹ, חָכְמָה לְעֵילָּא, תִּפְאֶרֶת לְתַתָּא. בְּמִקְדָּשׁוֹ לְגַבַּיְיהוּ. וְהָכִי חֲמֵינָא בְּחֶלְמָא זִמְנָא חֲדָא. וְהָכִי אַשְׁכַּחְנָא בְּפוּמָאי. א"ל ר' שִׁמְעוֹן, עַד כְּעַן רַבְיָא אַנְתְּ, לְמֵיעַל בֵּין מְחַצְּדֵי חַקְלָא, וְהָא כֹּלָּא אַחְזִיאוּ לָךְ. וְדָא הוּא דִּכְתִיב, מַה שְּׁמוֹ וּמַה שֶּׁם בְּנוֹ כִּי תֵדָע. חָכְמָה שְׁמוֹ, תִּפְאֶרֶת בְּנוֹ.

רנז. וּמֹשֶׁה עָלָה אֶל הָאֱלֹהִים, זַכָּאָה חוּלָקֵיהּ דְּמֹשֶׁה, דְּזָכֵי לִיקָרָא דָּא, דְּאוֹרַיְיתָא אַסְהִיד בְּגִינֵיהּ כָּךְ. ת"ח, מַה בֵּין מֹשֶׁה לִשְׁאָר בְּנֵי עָלְמָא. שְׁאָר בְּנֵי עָלְמָא, כַּד סַלְּקִין, סַלְּקִין לְעוּתְרָא, סַלְּקִין לְרִבּוּ, סַלְּקִין לְמַלְכוּ, אֲבָל מֹשֶׁה כַּד סָלִיק, מַה כְּתִיב בֵּיהּ, וּמֹשֶׁה עָלָה אֶל הָאֱלֹהִים, זַכָּאָה חוּלָקֵיהּ.

רנח. ר' יוֹסֵי אָמַר, מִכָּאן אָמְרוּ חַבְרַיָּא, הַבָּא לִיטָּהֵר מְסַיְּיעִין אוֹתוֹ, דִּכְתִיב וּמֹשֶׁה

עָלָה אֶל הָאֱלֹהִים. מַה כְּתִיב בַּתְרֵיהּ, וַיִּקְרָא אֵלָיו יְיָ'. דְּמַאן דְּבָעֵי לְאִתְקַרְבָא, מְקָרְבִין לֵיהּ.

רנ"ט. וַיִּקְרָא אֵלָיו יְיָ' מִן הָהָר לֵאמֹר כֹּה תֹאמַר לְבֵית יַעֲקֹב וְגוֹ'. ר' יִצְחָק פָּתַח, אַשְׁרֵי תִּבְחַר וּתְקָרֵב יִשְׁכֹּן חֲצֵרֶיךָ, זַכָּאָה חוּלָקֵיהּ דְּהַהוּא ב"נ, דְּקֻבְּ"ה אִתְרְעֵי בֵּיהּ, וְקָרִיב לֵיהּ, לְמִשְׁרֵי בְּגוֹ הֵיכָלָא קַדִּישָׁא, דְּכָל מַאן דְּאִיהוּ אִתְרְעֵי בֵּיהּ לְפוּלְחָנֵיהּ, רְשִׁים הוּא מֵרְשִׁימִין דִּלְעֵילָּא, לְמִנְדַּע דְּהָא הוּא אִתְבְּחַר מִקַּמֵּיהּ דְּמַלְכָּא קַדִּישָׁא עִלָּאָה, לְמִשְׁרֵי בְּמָדוֹרוֹי. וְכָל מַאן דְּאִשְׁתְּכַח בֵּיהּ הַהוּא רְשִׁימָא, אַעְבַּר בְּכָל תַּרְעִין דִּלְעֵילָּא, וְלֵית דְּיִמְחֵי בִּידוֹי.

ר"ס. ר' יְהוּדָה אָמַר, זַכָּאָה חוּלָקֵיהּ דְּמֹשֶׁה, דְּעָלֵיהּ כְּתִיב אַשְׁרֵי תִּבְחַר וּתְקָרֵב, וּכְתִיב בֵּיהּ וּמֹשֶׁה נִגַּשׁ אֶל הָעֲרָפֶל וְנִגַּשׁ מֹשֶׁה לְבַדּוֹ אֶל יְיָ' וְהֵם לֹא יִגָּשׁוּ. כֹּה תֹאמַר לְבֵית יַעֲקֹב: אִלֵּין נוּקְבֵי, וְתַגֵּיד לִבְנֵי יִשְׂרָאֵל: אִלֵּין דּוּכְרִין.

רס"א. ר' שִׁמְעוֹן אָמַר, כֹּה תֹאמַר, כד"א כֹּה תְבָרְכוּ. וּכְתִיב, וַחֲסִידֶיךָ יְבָרְכוּכָה, כְּלוֹמַר יְבָרְכוּ כֹּה. כֹּה תֹאמַר לְבֵית יַעֲקֹב, בַּאֲמִירָה. וְהַיְינוּ מִסִּטְרָא דְּדִינָא. וְתַגֵּיד לִבְנֵי יִשְׂרָאֵל, כד"א, וַיַּגֵּד לָכֶם אֶת בְּרִיתוֹ. וּכְתִיב הִגַּדְתִּי הַיּוֹם לַיְיָ' אֱלֹהֶיךָ. לִבְנֵי יִשְׂרָאֵל, דּוּכְרִין, דְּאָתוּ מִסִּטְרָא דְּרַחֲמֵי.

רס"ב. א"ר יִצְחָק, הוֹאִיל וְאָתֵינָא לְהַאי, מַה הוּא הִגַּדְתִּי הַיּוֹם לַיְיָ' אֱלֹהֶיךָ. לַיְיָ' אֱלֹהֵינוּ, מִבָּעֵי לֵיהּ. אָמַר לֵיהּ ר' שִׁמְעוֹן, וְכִי הַאי בִּלְחוֹדוֹי הוּא. וְהָא כְּתִיב כִּי יְיָ' אֱלֹהֶיךָ מְבִיאֲךָ אֶל אֶרֶץ טוֹבָה וְגוֹ'. אֲשֶׁר יְיָ' אֱלֹהֶיךָ נוֹתֵן לָךְ. כִּי יְיָ' אֱלֹהֶיךָ אֵשׁ אוֹכְלָה הוּא, וְכֻלְּהוּ הָכִי.

רס"ג. אֶלָּא הָכִי תָּנִינָן, כָּל הַדָּר בְּאֶרֶץ יִשְׂרָאֵל דּוֹמֶה כְּמִי שֶׁיֵּשׁ לוֹ אֱלוֹהַּ. וְכָל הַדָּר בְּחוּצָה לָאָרֶץ דּוֹמֶה כְּמִי שֶׁאֵין לוֹ אֱלוֹהַּ. מַאי טַעֲמָא. מִשּׁוּם דְּזַרְעָא קַדִּישָׁא, לְאַרְעָא קַדִּישָׁא סַלְקָא. וּשְׁכִינְתָּא בְּאַתְרָהּ יָתְבָא. וְהַאי בְּהַאי תַּלְיָא. וּמֹשֶׁה לָא קָאָמַר אֱלֹהֶיךָ, אֶלָּא לְאִינּוּן דַּהֲווֹ זְמִינִין לְמֵיעַל לְאַרְעָא קַדִּישָׁא, וּלְקַבְּלָא אַפֵּי שְׁכִינְתָּא. וּמַה דְּלָא אָמַר אֱלֹהֵינוּ, מִשּׁוּם דְּהָא מֹשֶׁה לָא זָכָה לְמֵיעַל לְאַרְעָא, וּבְגִינֵי כַּךְ, אֱלֹהֶיךָ וַדַּאי בְּכָל אֲתַר, מִשּׁוּם דְּאִינּוּן הֲווֹ זְמִינִין לְמֵיעַל תַּמָּן.

רס"ד. א"ל וַדַּאי הָכִי הוּא. אֲבָל הָכָא כְּתִיב, וּבָאתָ אֶל הַכֹּהֵן אֲשֶׁר יִהְיֶה בַּיָּמִים הָהֵם וְאָמַרְתָּ אֵלָיו הִגַּדְתִּי הַיּוֹם לַיְיָ' אֱלֹהֶיךָ, וְהָא אִינּוּן בְּאַרְעָא שַׁרְיָין, מַאי טַעֲמָא אֱלֹהֶיךָ, וְלֹא אֱלֹהֵינוּ. אֶלָּא אִינּוּן בָּעְיָין לְאַחֲזָאָה וּלְאוֹדָאָה, דִּבְגִינֵי דְּחֶסֶד עִלָּאָה, זָכָאן לְכָל הַאי, וְשַׁרְיָין בְּאַרְעָא, וְעָאלְן לְהַהִיא אַרְעָא, וְעָבֵד עִמְּהוֹן כָּל אִינּוּן טָבָאן, וּבְגִינֵי כַּךְ, הֲווֹ אַמְרֵי מִלִּין אִלֵּין לַכֹּהֵן, דִּכְתִיב הִגַּדְתִּי הַיּוֹם לַיְיָ' אֱלֹהֶיךָ, מִשּׁוּם דְּאָתֵי מִסִּטְרָא דְּחֶסֶד.

רס"ה. כֹּה תֹאמַר לְבֵית יַעֲקֹב, לְהַהוּא אֲתַר דְּאִתְחֲזֵי לְהוּ. וְתַגֵּיד לִבְנֵי יִשְׂרָאֵל, בְּהַהוּא אֲתַר שְׁלִים דְּאִתְחֲזֵי לְהוּ, דְּהָא יַעֲקֹב וְיִשְׂרָאֵל, תְּרֵין דַּרְגִּין אִסְתַּלְקוּ, וּבְדַרְגָּא חַד סַלְקִין, אֶלָּא יִשְׂרָאֵל שְׁלִימוּתָא דְּכֹלָּא אִקְרֵי. וְתַגֵּיד לִבְנֵי יִשְׂרָאֵל, לְאַחֲזָאָה חָכְמְתָא, וּלְאִשְׁתָּעֵי בְּרוּחַ חָכְמְתָא, טִיבוּ וְקְשׁוֹט דְּעָבֵד לוֹן קב"ה, דִּכְתִיב וַיַּגֵּד לָכֶם אֶת בְּרִיתוֹ.

רס"ו. תַּנְיָא, אָמַר ר' יוֹסֵי, זִמְנָא חֲדָא הֲוֵינָא אָזִיל בְּאָרְחָא, וַהֲוָה ר' חִיָּיא בְּרִי עִמִּי. עַד דַּהֲוֵינָא אַזְלִין, אַשְׁכַּחְנָא חַד גַּבְרָא, דַּהֲוָה לָקִיט בְּחַקְלָא, עִשְׂבִּין לְאַסְוָותָא. קְרִיבְנָא

לְגַבֵּיהּ, אֲמֵינָא לֵיהּ, בַּר נָשׁ, קוּטְרָא דְּקוּטְרֵי דַּעֲשָׂבִין לָמָּה. לָא זָקִיף רֵישֵׁיהּ, וְלָא אֲמַר מִידֵּי. אַהֲדַרְנָא וּמְנָא אַוֲרָא וַאֲמֵינָא הַאי, וְלָא אָמַר מִידֵּי. אֲמֵינָא לֵיהּ לְרַבִּי חִיָּיא בְּרִי, אוֹ הַאי בַּר נָשׁ אָטִים אוּדְנִין, אוֹ שַׁטְיָא, אוֹ חַכִּימָא. יָתִיבְנָא גַּבּוֹי. לְבָתַר לָקִיט אִינּוּן עֲשָׂבִין, וְאָחִיד לוֹן, וְחָפָא עֲלֵיהוֹן טַרְפֵּי גּוּפְנִין.

רסז. אָמַר לָן, אֲנָא חֲמֵינָא דְּיוּדָאִין אַתּוּן, וְיוּדָאִין אַמְרֵי עֲלַיְיהוּ, דְּאִינּוּן חַכִּימִין, אִי לָא דְּחַיִּיסְנָא עֲלַיְיכוּ הַשְׁתָּא, תֶּהֱווֹן רְחִיקִין מִבְּנֵי נָשָׁא כִּסְגִּירָא דָּא, דִּמְרַחֲקִין לֵיהּ מִכֹּלָּא, דְּהָא אֲנָא חֲמֵינָא, דְּרֵיחָא דְּחַד עִשְׂבָּא דַּהֲוָה קָרִיב גַּבֵּיכוֹן, עָאל בְּגוּפַיְיכוּ, וְתֶהֱווֹן רְחִיקִין תְּלָתָא יוֹמִין. אֶלָּא אֲכִילוּ אִלֵּין תּוּמֵי בָּרָא וְתִתְסוּן.

רסח. אֲכַלְנָא מִנַּיְיהוּ דַּהֲווּ שְׂכִיחִין קַמָּן, וְאַדְמִכְנָא, וְאִתְקַטַרְנָא בְּזֵיעָא, עַד עִידָּן סַגֵּי. לְבָתַר אִתְּעַרְנָא, אָמַר לָן הַהוּא גַּבְרָא, הַשְׁתָּא אֱלָהָכוֹן עִמְּכוֹן, דְּאַשְׁכַּחְתּוּן לִי, דְּהָא אַסְוָותָא דְּגוּפֵיכוֹן עַל יְדִי אִשְׁתְּלִים.

רסט. עַד דַּהֲוֵינָא אַזְלִין, אֲמַר לוֹן, כָּל בַּר נָשׁ בָּעֵי לְאִשְׁתְּעֵי בְּבַר נָשׁ אַוֲרָא, כְּפוּם אַרְחוֹי, דְּהָא לְנוּקְבָא כְּפוּם אָרְחוֹי. לְגַבְרָא דְּגַבְרֵי כְּפוּם אָרְחוֹי. אֲמֵינָא לְרַבִּי חִיָּיא בְּרִי, הַיְינוּ דִּכְתִיב, כֹּה תֹאמַר לְבֵית יַעֲקֹב וְתַגֵּיד לִבְנֵי יִשְׂרָאֵל.

ער. אָמַר לָן, וַחֲמִיתוּן דְּלָא זָקִיפְנָא רֵישָׁאי, וְלָא אִשְׁתָּעֵינָא בַּהֲדַיְיכוּ, מִשּׁוּם דְּאַבָּא חַכִּימָא בַּעֲשָׂבִין מִכָּל בְּנֵי דָּרָא הֲוָה. וְאוֹלִיפְנָא מֵאַבָּא אָרְחוֹי דְּכָל עֲשָׂבִין, דִּבְהוֹן קְשׁוֹט, וַאֲנָא בְּכָל שַׁתָּא מָדוֹרָאי בֵּינַיְיהוּ.

רעא. וְהַאי עִשְׂבָּא דַּחֲמִיתוּן, דַּחֲפֵינָא לֵיהּ בְּטַרְפֵּי דְּגוּפְנִין אִלֵּין, בְּבֵיתָאי אִית אֲתָר חַד, וְהוּא לִסְטַר צָפוֹן, וּבְהַהוּא אֲתָר נָעִיץ חַד רֵיחַיָּא, וּמְעֵינָא דְּהַהוּא רֵיחַיָּא, נָפִיק חַד גַּבַר בִּתְרֵין רֵישִׁין, וְחַרְבָּא שְׁנָנָא בִּידֵיהּ וּבְכָל יוֹמָא קָא מְצַעֵר לָן. וַאֲנָא לָקִיטְנָא הַאי עִשְׂבָּא, וְזִילוּ אֲבַתְרָאי, וְתֶחֱמוּן חֵילֵיהּ דְּהַאי עִשְׂבָּא, וּמַה דִּי אֱלָהָא עִלָּאָה גַּלֵּי בְּעָלְמָא, וְלֵית מַאן דְּיָדַע אָרְחוֹי. בְּכֹלָּא.

ערב. אֲזִילְנָא אֲבַתְרֵיהּ, עַד דַּהֲוֵינָא אָזְלֵי בְּאָרְחָא, מָאִיךְ לְחַד נוּקְבָא בְּעַפְרָא, וְשַׁוֵּי מֵהַהוּא עִשְׂבָּא בְּנוּקְבָא, נָפַק חַד חִוְיָא וְרֵישָׁא דִּילֵיהּ סַגֵּי. נָטַל חַד סַנְטִירָא, וְקָטִיר לֵיהּ כְּחַד גַּדְיָא. דָּחִילְנָא. אֲמַר לוֹן זִילוּ אֲבַתְרָאי.

רעג. עַד דְּמָטֵינָא לְבֵיתֵיהּ. וַחֲמֵינָא הַהוּא אֲתָר בַּחֲשׁוֹכָא, בָּתַר חַד כּוֹתָלָא. נָטַל חַד שְׁרָגָא וְדָלִיק דְּלֵיקָא סְחֲרָנֵיהּ דְּהַהוּא אֲתָר דְּרֵיחַיָּא. אֲמַר לוֹן, מִמַּה דְּתֶחֱמוּן לָא תִדְחֲלוּן וְלָא תִשְׁתָּעוּן מִידֵּי.

רעד. אַדְהָכִי, שָׁרֵי חִוְיָא מִקִּטְרוֹי, וְכָתַשׁ בְּקִיסְטָא מֵהַהוּא עִשְׂבָּא. וְשַׁוֵּי בְּרֵישֵׁיהּ דְּחִוְיָא. עָאל חִוְיָא בְּהַהוּא עֵינָא דְּרֵיחַיָּא, וְשַׁמְעָנָא קָלָא דְּכָל אֲתָר מִזְדַּעְזְעָא. בָּעֵינָן לְמֵיפַק, אָחִיד בִּידָנָא הַהוּא גַּבְרָא, אֲמַר, לָא תִדְחֲלוּן קְרִיבוּ גַּבַּאי.

רעה. אַדְהָכִי, נָפַק חִוְיָא שָׁתִית דָּמָא, נָקִיט הַהוּא גַּבְרָא מֵהַהוּא עִשְׂבָּא, וְשַׁוֵּי בְּרֵישֵׁיהּ כִּבְקַדְמֵיתָא. עָאל בְּהַהוּא עֵינָא דְּרֵיחַיָּא. לְשַׁעְתָּא זְעִירָא, וַחֲמֵינָא, דְּנָפִיק מֵהַהוּא עֵינָא חַד גַּבְרָא בִּתְרֵין רֵישִׁין, וְחִוְיָא שָׁרְיָיא סְחֲרָנֵיהּ דְּקִדְלוֹי. עָאל בְּהַהוּא עֵינָא דְּרֵיחַיָּא וְנָפַק תְּלַת זִמְנֵי. הוּא אָמַר, זְקִיטָא זְקִיטָא, וַוי לְאִימֵּיהּ דִּלְהַהוּא אֲתָר אוֹבִיל לֵיהּ.

רעו. אַדְהָכִי, אִתְעֲקַר רֵיחַיָּא מֵאַתְרֵיהּ, וְנָפְקוּ, גַּבְרָא וְחִוְיָא, וְנָפְלוּ וּמִיתוּ תַּרְוַויְיהוּ. וַאֲנָן דְּחִילְנָא סַגֵּי. אֲמַר לוֹן הַהוּא גַּבְרָא, דָּא הוּא חֵילָא דְּעִשְׂבָּא דַּאֲנָא לָקִיטְנָא קַמַּיְיכוּ, וּבְגִינֵי

כַּךְ לָא אִשְׁתְּעִינָא בְּהֲדַיְיכוּ, וְלָא זְקִיפְנָא רֵישָׁאִי, בְּשַׁעֲתָא דְּקָרִיבְתּוּן גַּבָּאִי.

רעז. אָמַר לוֹן אִילוּ יַדְעִין בְּנֵי נָשָׁא חָכְמְתָא, דְּכָל מַה דְּנָטַע קֻבָּ"ה בְּאַרְעָא, וְחֵילָא דְּכָל מַה דְּאִשְׁתְּכַח בְּעָלְמָא, יִשְׁתְּמוֹדְעוּן חֵילָא דְּמָארֵיהוֹן, בְּחָכְמְתֵיהּ סַגִּיאָה. אֲבָל לָא טָמִיר קֻבָּ"ה חָכְמְתָא דָּא מִבְּנֵי נָשָׁא, אֶלָּא בְּגִין דְּלָא יִסְטוּן מֵאָרְחוֹי, וְלָא יִתְרְחִיצוּ בְּהַהִיא חָכְמְתָא וְיִנְשׁוּן לֵיהּ.

רעח. כַּד אֲתֵינָא, וַאֲמֵינָא הָנֵי מִלֵּי קָמֵי דְּר"ש, אָמַר וַדַּאי חַכִּימָא הֲוָה. וְת"ח, לֵית עִשְׂבָּא וְעִשְׂבָּא דְּאִתְיְילִיד בְּאַרְעָא, דְּלָא הֲוֵה בֵּיהּ חָכְמְתָא סַגִּיאָה, וְחֵילֵיהּ בִּשְׁמַיָּא סַגְיָא. תָּא חֲזֵי, מִן אֵזוֹבָא. דִּבְכָל אֲתַר דְּבָעֵי קֻבָּ"ה לְדַכְאָה לְב"נ, בְּאֵזוֹבָא מִתְדַּכֵּי. מ"ט. מִשּׁוּם דְּיִתְעַר חֵילֵיהּ דִּלְעֵילָּא דְּאִתְפְּקָדָא עֲלוֹי, דְּהָא הַהוּא חֵילָא דְּאִתְפְּקָדָא עֲלוֹי כַּד אִתְּעָרָא, מְבָעֲרָא רוּחַ מִסָּאֲבָא, וְאִתְדַּכֵּי בַּר נָשׁ. וְעָלָךְ אֲמֵינָא בְּרִיךְ רַחֲמָנָא דְּשֵׁיזְבָךְ.

רעט. אַתֶּם רְאִיתֶם אֲשֶׁר עָשִׂיתִי לְמִצְרַיִם וָאֶשָּׂא אֶתְכֶם עַל כַּנְפֵי נְשָׁרִים. מַאי כַּנְפֵי נְשָׁרִים. א"ר יְהוּדָה בְּרַחֲמֵי. דִּכְתִיב כְּנֶשֶׁר יָעִיר קִנּוֹ וְגוֹ'. וְהַיְינוּ רָזָא דְּאָמַר ר' שִׁמְעוֹן, דֶּרֶךְ הַנֶּשֶׁר בַּשָּׁמַיִם. מַאי בַּשָּׁמַיִם. בְּרַחֲמֵי. מַה נֶשֶׁר אִשְׁתְּכַח בְּרַחֲמֵי עַל בְּנוֹי, וְדִינָא לְגַבֵּי אַחֲרָנִין. כַּךְ קֻבָּ"ה אִשְׁתְּכַח בְּרַחֲמֵי לְגַבֵּי יִשְׂרָאֵל, וְדִינָא לְגַבֵּי עַמִּין עעכו"ם.

רפ. ר' אֶלְעָזָר, הֲוָה אָזִיל מִקַּפּוֹטְקִיָּא לְלוּד, וַהֲוָה אָזִיל ר' יוֹסֵי וְר' חִיָּיא עִמֵּיהּ, קָמוּ בִּנְהוֹרָא, כַּד נָהִיר יְמָמָא, וַהֲווּ אַזְלֵי. אָמַר ר' חִיָּיא, חֲמֵינָא הַאי קְרָא דִּכְתִיב, וּפְנֵי אַרְיֵה אֶל הַיָּמִין לְאַרְבַּעְתָּן וּפְנֵי שׁוֹר מֵהַשְּׂמֹאל לְאַרְבַּעְתָּן וּפְנֵי נֶשֶׁר לְאַרְבַּעְתָּן הָא אַרְיֵה בִּימִינָא, שׁוֹר מִשְּׂמָאלָא, נֶשֶׁר בְּאָן אֲתַר דּוּכְתֵּיהּ.

רפא. אָמַר לֵיהּ ר' אֶלְעָזָר, בְּאַתְרָא דְּיַעֲקֹב שַׁרְיָא. מ"ט. מִשּׁוּם דְּנֶשֶׁר בְּכֹלָּא אִשְׁתְּכַח, רַחֲמֵי לִבְנוֹי, דִּינָא לְגַבֵּי אַחֲרָנִין. כַּךְ קֻבָּ"ה, אוֹבִיל לוֹן לְיִשְׂרָאֵל בְּרַחֲמֵי. וּבְדִינָא לְגַבֵּי אַחֲרָנִין, דִּכְתִיב וָאֶשָּׂא אֶתְכֶם עַל כַּנְפֵי נְשָׁרִים. וּכְתִיב כְּנֶשֶׁר יָעִיר קִנּוֹ.

רפב. מִנָּלָן דְּנֶשֶׁר רַחֲמֵי אִקְרֵי. דִּכְתִיב דֶּרֶךְ הַנֶּשֶׁר בַּשָּׁמַיִם. בַּשָּׁמַיִם מַמָּשׁ. וּבְגִינֵי כַּךְ אַרְיֵה לִימִינָא. שׁוֹר לִשְׂמָאלָא. נֶשֶׁר בֵּינַיְיהוּ וְאָחִיד לוֹן. אָדָם כָּלִיל כֻּלְּהוּ, וְכֹלָּא אִתְכְּלִילָן בֵּיהּ, דִּכְתִיב וְעַל דְּמוּת הַכִּסֵּא דְּמוּת כְּמַרְאֵה אָדָם עָלָיו מִלְמָעְלָה.

רפג. וַיְהִי בַּיּוֹם הַשְּׁלִישִׁי וְגוֹ'. ר' אַבָּא פָּתַח, אָחוֹת לָנוּ קְטַנָּה וְשָׁדַיִם אֵין לָהּ מַה נַּעֲשֶׂה לַאֲחוֹתֵנוּ בַּיּוֹם שֶׁיְּדֻבַּר בָּהּ. אָחוֹת לָנוּ קְטַנָּה, דָּא כְּנֶסֶת יִשְׂרָאֵל, דְּאִקְרֵי אָחוֹת לְקֻבָּ"ה. וְשָׁדַיִם אֵין לָהּ, הַיְינוּ דְּתָנֵינָן, בְּשַׁעֲתָא דְּקָרִיבוּ יִשְׂרָאֵל לְטוּרָא דְּסִינַי, לָא הֲוָה בְּהוֹן זַכְוָון, וְעוֹבָדִין טָבִין, לְאַגָּנָא עָלַיְיהוּ, דִּכְתִיב וְשָׁדַיִם אֵין לָהּ. דְּהָא אִינּוּן תִּקּוּנָא וְשַׁפִּירוּ דְּאִתְּתָא, וְלֵית שַׁפִּירוּ דְּאִתְּתָא אֶלָּא אִינּוּן. מַה נַּעֲשֶׂה לַאֲחוֹתֵנוּ. מַה יִתְעֲבִיד מִינָהּ, בְּשַׁעֲתָא דְּקוּדְשָׁא בְּרִיךְ הוּא, יִתְגְּלֵי בְּטוּרָא דְּסִינַי, לְמַלְּלָא בְּפִתְגָּמֵי אוֹרַיְיתָא, וְיִפְרְחוּן נִשְׁמָתְהוֹן מִנַּיְיהוּ.

רפד. אָמַר ר' יוֹסֵי. בְּהַהוּא שַׁעֲתָא דְּקָרִיבוּ יִשְׂרָאֵל לְטוּרָא דְּסִינַי, בְּהַהוּא לֵילְיָא וְנַגְהֵי, תְּלָתָא יוֹמִין דְּלָא אִזְדַּוְּוגוּ לְאִנְתְּתַיְיהוּ, אָתוּ מַלְאָכִין עִלָּאִין, וְקַבִּילוּ לְיִשְׂרָאֵל בְּאַחֲוָותָא. אִינּוּן מַלְאָכִין לְעֵילָּא, וְיִשְׂרָאֵל מַלְאָכִין לְתַתָּא. אִינּוּן מְקַדְּשִׁין שְׁמָא עִלָּאָה לְעֵילָּא, וְיִשְׂרָאֵל מְקַדְּשִׁין שְׁמָא עִלָּאָה לְתַתָּא.

רפה. וְאִתְעַטְּרוּ יִשְׂרָאֵל בְּשַׁבְעִין כִּתְרִין בְּהַהוּא לֵילְיָא. וּמַלְאֲכֵי עִלָּאֵי הֲווּ אַמְרֵי אָחוֹת לָנוּ קְטַנָּה וְשָׁדַיִם אֵין לָהּ, דְּלֵית בְּהוּ זַכְוָון וְעוֹבָדִין טָבִין. מַה נַּעֲשֶׂה לַאֲחוֹתֵנוּ,

כְּלוֹמַר מַה יְקָר וּרְבוּ נַעֲבִיד לְאוּשְׁפִּיזָא דָּא, בְּיוֹמָא דְּקוּדְשָׁא בְּרִיךְ הוּא יִתְגְּלֵי בְּטוּרָא דְּסִינַי לְמֵיהַב לְהוּ אוֹרַיְיתָא.

רפו. וַיְהִי בַיּוֹם הַשְּׁלִישִׁי, כְּתִיב הֱיוּ נְכוֹנִים לִשְׁלֹשֶׁת יָמִים אַל תִּגְּשׁוּ אֶל אִשָּׁה וְהַיְינוּ בַּיּוֹם הַשְּׁלִישִׁי. ר' שִׁמְעוֹן אָמַר, בְּשַׁעֲתָא דְּקֻבְּ"ה בָּעָא לְאִתְגַּלָּאָה בְּטוּרָא דְּסִינַי, קָרָא קֻבְּ"ה לְכָל פַּמַלְיָיא דִּילֵיהּ, אָמַר לוֹן, הַשְׁתָּא יִשְׂרָאֵל רַבְיָין, דְּלָא יָדְעִין נִימוּסֵי, וַאֲנָא בָּעֵי לְאִתְגְּלֵי עֲלַיְיהוּ, אִי אִתְגְּלֵי עֲלַיְיהוּ בְּחֵילָא דִּגְבוּרָה, לָא יַכְלִין לְמִסְבַּל. אֲבָל אִתְגְּלֵי עֲלַיְיהוּ בְּרַחֲמֵי, וִיקַבְּלוּן נִימוּסֵי, הה"ד, וַיְהִי בַיּוֹם הַשְּׁלִישִׁי. בַּיּוֹם הַשְּׁלִישִׁי וַדַּאי דְּאִיהוּ רַחֲמֵי מְנָלָן. דִּכְתִּיב, וַיֵּט שָׁמַיִם וַיֵּרַד.

רפז. וּבְהַאי אִתְגְּלֵי קֻבְּ"ה לְיִשְׂרָאֵל, אַקְדִּים לְהוּ רַחֲמֵי בְּקַדְמֵיתָא. וּלְבָתַר אִתְיְיהִיב לְהוּ אוֹרַיְיתָא, מִסִּטְרָא דִּגְבוּרָה. בַּיּוֹם הַשְּׁלִישִׁי, דְּהָכִי אִתְחֲזֵי לְהוּ, דִּבְגִינֵי כָּךְ יִשְׂרָאֵל אִקְרוּן.

רפח. בִּהְיוֹת הַבֹּקֶר, דִּכְתִּיב, בֹּקֶר לֹא עָבוֹת. הָא אִי הֲוָה עָבוֹת קַדְרוּתָא אִשְׁתְּכַח, וְלָא אִתְגַּלְיָיא חֶסֶ"ד. וְאֵימָתַי אִתְגַּלְיָיא חֶסֶ"ד. בַּבֹּקֶר. כד"א, הַבֹּקֶר אוֹר. דְּכַד נָהִיר צַפְרָא, חֶסֶ"ד אִשְׁתְּכַח בְּעָלְמָא, וְדִינִין מִתְעַבְרָן. וּבְזִמְנָא דְּלָא נָהִיר בֹּקֶר, דִּינִין עַד כְּעַן לָא מִתְעַבְרָן. דִּכְתִּיב, בְּרָן יַחַד כֹּכְבֵי בֹקֶר וַיָּרִיעוּ כָּל בְּנֵי אֱלֹהִים. כֵּיוָן דְּאִתְעַבְרָן אִינּוּן כֹּכְבַיָּא וְנָהִיר שִׁמְשָׁא, בֵּיהּ שַׁעֲתָא כְּתִיב, בֹּקֶר לֹא עָבוֹת. וְחֶסֶ"ד אִתְּעַר בְּעָלְמָא תַּתָּאָה, בְּהַהִיא שַׁעֲתָא כְּתִיב, בִּהְיוֹת הַבֹּקֶר. וְכֵיוָן דְּמִתְעַבְרָן כֹּכְבַיָּא בֹּקֶר אִשְׁתְּכַח.

רפט. אָמַר ר' יוֹסֵי, בִּהְיוֹת הַבֹּקֶר שָׁארֵי קֻבְּ"ה לְאִתְגַּלָּאָה בְּטוּרָא דְּסִינַי. תָּאנָא, בִּהְיוֹת הַבֹּקֶר, כַּד אִתְּעַר זְכוּתֵיהּ דְּאַבְרָהָם, דִּכְתִּיב בֵּיהּ וַיַּשְׁכֵּם אַבְרָהָם בַּבֹּקֶר.

רצ. וַיְהִי קֹלֹת וּבְרָקִים, אָמַר רַבִּי אַבָּא, קֹלֹת כְּתִיב חָסֵר. תְּרֵין קָלִין דְּאַהַדְרוּ לְחָד, דָּא נָפְקָא מִן דָּא, רוּחָא מִמַּיָּא. וּמַיָּא מֵרוּחָא. תְּרֵין דְּאִינּוּן חַד, וְחַד דְּאִיהוּ תְּרֵי.

רצא. אָמַר רַבִּי יוֹסֵי, קֹלֹת חַד, וְאִיהוּ קָלָא רַבְרְבָא תַּקִּיפָא, דְּלָא פָּסְקַת לְעָלְמִין, הַהוּא דִּכְתִּיב בֵּיהּ קוֹל גָּדוֹל וְלֹא יָסָף דְּהָא שְׁאַר קָלִין אִתְפַּסְקָן, דְּתַנְיָא, בְּאַרְבָּעָה תְּקוּפִין בְּשַׁתָּא, קָלָא אִתְפַּסְקַת, וּכְדֵין דִּינִין מִתְעָרִין בְּעָלְמָא. וְהַאי קָלָא דְּכָלִיל שְׁאַר קָלִין בֵּיהּ, לָא אִתְפְּסַק לְעָלְמִין, וְלָא אִתְעֲבַר מִקִּיּוּמָא שְׁלִים וְתוּקְפָּא דִּילֵיהּ. תָּאנָא, הַאי קָלָא, קָלָא דְּקָלִין, קָלָא דְּכָלִיל כָּל שְׁאַר קָלִין.

רצב. אָמַר ר' יְהוּדָה, לֵית קָלָא, אֶלָּא מִסִּטְרָא דְּרוּחָא וּמַיָּא וְאֶשָּׁא. וְכֹלָּא עָבֵיד קָלָא, וְאִתְכְּלִיל דָּא בְּדָא, וְע"ד כְּתִיב קֹלֹת. וּבְרָקִים, א"ר יוֹסֵי, הַיְינוּ דִּכְתִּיב, בְּרָקִים לַמָּטָר עָשָׂה שַׁלְהוֹבָא בְּעוּטְרֵי, קְטִירָא דְּרַחֲמֵי בַּחֲבִיבָתָא, דְּלָא שְׁכִיחוּ.

רצג. תָּנָא, ר' יְהוּדָה אוֹמֵר, בִּסְטַר גְּבוּרָה, אוֹרַיְיתָא אִתְיְיהִיבַת. אָמַר רַבִּי יוֹסֵי, אִי הָכִי בִּסְטַר שְׂמָאלָא הֲוֵי. אָמַר לֵיהּ, אִתְהַדַּר לִימִינָא. דִּכְתִּיב מִימִינוֹ אֵשׁ דָּת לָמוֹ. וּכְתִיב יְמִינְךָ יְיָ' נֶאְדָּרִי בַּכֹּחַ וְגוֹ'. אַשְׁכְּחָן שְׂמָאלָא דְּאִתְהַדַּר לִימִינָא, וִימִינָא לִשְׂמָאלָא, הָא גְּבוּרָה לִימִינָא.

רצד. וְעָנָן כָּבֵד עַל הָהָר וְגוֹ', עֲנָנָא תַּקִּיף, דְּשָׁקִיעַ בְּאַתְרֵיהּ, דְּלָא נָטִיל. וְקֹל שֹׁפָר חָזָק מְאֹד, מִגּוֹ דַּעֲנָנָא תַּקִּיף הֲוָה, נָפִיק הַהוּא קָלָא, כד"א וַיְהִי כְּשָׁמְעֲכֶם אֶת הַקּוֹל מִתּוֹךְ הַחֹשֶׁךְ.

רצה. אָמַר רַבִּי יְהוּדָה, תְּלַת חֲשׁוֹכֵי הֲווֹ, דִּכְתִּיב חֹשֶׁךְ עָנָן וַעֲרָפֶל. וְהַהוּא קָלָא הֲוָה נָפִיק פְּנִימָאָה מִכֻּלְּהוּ. אָמַר רַבִּי יוֹסֵי, פְּנִימָאָה דְּכֹלָּא הֲוָה, דְּבֵיהּ כְּתִיב, קוֹל גָּדוֹל וְלֹא

יָסַף.

רצו. אָמַר ר' אַבָּא כְּתִיב וְכָל הָעָם רֹאִים אֶת הַקּוֹלוֹת. רֹאִים, שׁוֹמְעִים מִבָּעֵי לֵיהּ. אֶלָּא הָכִי תָּנֵינָן, אִינּוּן קָלִין, הֲווּ מִתְגַּלְּפֵי בְּהַהוּא חֲשׁוֹכָא וַעֲנָנָא וְקַבְלָא, וּמִתְחַזְיָין בְּהוּ, כְּמָה דְּאִתְחֲזֵי גּוּפָא, וְחָמָאן מַה דְּחָמָאן, וְשַׁמְעִין מַה דְּשַׁמְעִין, מִגּוֹ הַהוּא חֲשׁוֹכָא וְקַבְלָא וַעֲנָנָא, וּמִגּוֹ הַהוּא חֵיזוּ דַּהֲווּ חָמָאן, הֲווּ נְהִירִין בִּנְהִירוּ עִלָּאָה, וְיַדְעִין, מַה דְּלָא יָדְעוּ דָּרִין אַחֲרָנִין, דְּאָתוּ בַּתְרַיְיהוּ.

רצז. וְכֻלְּהוּ, הֲווּ חָמָאן אַפִּין בְּאַפִּין, הה"ד, פָּנִים בְּפָנִים דִּבֶּר יְיָ' עִמָּכֶם. וּמַאן הֲווּ חָמָאן. תָּאנֵי רַבִּי יוֹסֵי, מִנְּהִירוּ דְּאִינּוּן קָלָן, דְּלָא הֲוָה קוֹל, דְּלָא הֲוָה נָהִיר בִּנְהִירוּ, דְּמִסְתַּכְּלֵי בֵּיהּ כָּל גְּנִיזִין, וְכָל טְמִירִין, וְכָל דָּרִין דְּיֵיתוּן עַד מַלְכָּא מְשִׁיחָא. וּבְגִינֵי כַּךְ כְּתִיב וְכָל הָעָם רֹאִים אֶת הַקּוֹלֹת, רֹאִים רְאִיָּה מַמָּשׁ.

רצח. אָמַר רַבִּי אֶלְעָזָר, וְכָל הָעָם רֹאִים. רֹאִים: כְּמָה דַּאֲמֵינָא, דְּחָמוּ מִנְּהִירוּ דְּאִינּוּן קָלָן, מַה דְּלָא חָמוּ דָּרִין בַּתְרָאִין אַחֲרָנִין. אֶת הַקּוֹלֹת: כד"א, וָאֵרָא אֶת יְיָ'. וָאֵרָא יְיָ', לָא כְּתִיב, אֶלָּא אֶת יְיָ'. אוּף הָכָא, וְכָל הָעָם רֹאִים הַקּוֹלֹת לֹא נֶאֱמַר, אֶלָּא אֶת הַקּוֹלֹת.

רצט. כְּגַוְונָא דָּא, אֶת הַשָּׁמַיִם וְאֵת הָאָרֶץ, דְּהָא אָתִין דִּבְאוֹרַיְיתָא, לְאִסְתַּכְּלָא בְּחָכְמְתָא אִתְיְיהִיבוּ. כַּבֵּד אֶת אָבִיךָ וְאֶת אִמֶּךָ כַּבֵּד אֶת יְיָ' מֵהוֹנֶךָ. וְכֻלְּהוּ לְאִתְכַּלְלָא בְּהוּ מִלָּה אַחֲרָא. אוּף הָכָא, אֶת הַקּוֹלֹת, לְאַסְגָּאָה הַהוּא קָלָא אַחֲרָא לְתַתָּא, דְּכָנִישׁ לוֹן לְגַבֵּיהּ, מַה דְּנָפִיק מִנַּיְיהוּ, דְּבֵיהּ חָמָאן וּמִסְתַּכְּלָן בְּחָכְמְתָא עִלָּאָה כָּל גִּנְזִין עִלָּאִין, וְכָל רָזִין טְמִירִין וּסְתִימִין, מַה דְּלָא אִתְגַּלְיָיא לְדָרִין בַּתְרָאִין, דְּאָתוּ בַּתְרֵיהוֹן, וְלָא לְדָרִין דְּיֵיתוּן לְעָלְמִין, עַד זִמְנָא דְּיֵיתֵי מַלְכָּא מְשִׁיחָא. דִּכְתִּיב, כִּי עַיִן בְּעַיִן יִרְאוּ בְּשׁוּב יְיָ' צִיּוֹן. וְאֶת הַלַּפִּידִים, בְּקַדְמֵיתָא בְּרָקִים, וְהַשְׁתָּא לַפִּידִים. כֹּלָּא חַד. אֲבָל מִדְּאִתְתַּקְנוּ בְּתִקּוּנוֹי לְאִתְחֲזָאָה, אִתְקְרוּן הָכִי.

ש. וְאֵת קוֹל הַשּׁוֹפָר. תָּאנֵי רַבִּי יִצְחָק, כְּתִיב אַחַת דִּבֶּר אֱלֹהִים שְׁתַּיִם זוּ שָׁמַעְתִּי, כד"א, אָנֹכִי, וְלֹא יִהְיֶה לְךָ.

שא. א"ר יְהוּדָה, קֹל בַּשֹּׁפָר מִבָּעֵי לֵיהּ. הַשֹּׁפָר לָמָּה. אֶלָּא, הַהוּא קוֹל דְּאִקְרֵי שׁוֹפָר. דִּכְתִּיב, וְהַעֲבַרְתָּ שׁוֹפַר תְּרוּעָה בַּחֹדֶשׁ הַשְּׁבִיעִי בֶּעָשׂוֹר לַחֹדֶשׁ בְּיוֹם הַכִּפּוּרִים, בְּדָא אִתְקְרֵי שׁוֹפָר.

שב. א"ר יוֹסֵי, מַה שּׁוֹפָר, אַפִּיק קָלָא, אֶשָּׁא וְרוּחָא וּמַיָּא, אוּף הָכָא, כֹּלָּא אִתְכְּלִיל בְּהַאי, וּמִדָּא נָפְקִין קָלִין אַחֲרָנִין.

שג. א"ר אֶלְעָזָר, קוֹל דְּנָפִיק מִשּׁוֹפָר, דְּמַשְׁמַע דְּשׁוֹפָר וְחַד, וְקוֹל נָפִיק מִנֵּיהּ, וְשׁוֹפָר בְּקִיּוּמֵיהּ שְׁכִיחַ, וּבְגִינֵי כַּךְ כְּתִיב, קוֹל הַשֹּׁפָר.

שד. רַבִּי יְהוּדָה אָמַר הָכִי, קוֹל הַשֹּׁפָר, הַשֹּׁפָר כְּתִיב חָסֵר, כד"א, שְׁפַר קֳדָם דָּרְיָוֶשׁ. מַלְכִּי יִשְׁפַּר עֲלָךְ. שְׁפַר קֳדָמַי לְהַחֲוָיָא.

שה. רַבִּי שִׁמְעוֹן אָמַר, קוֹל הַשֹּׁפָר, אַתְרָא דְּקָלָא נָפִיק מִנֵּיהּ, אִקְרֵי שׁוֹפָר. תּוּ אָמַר רַבִּי שִׁמְעוֹן, תָּא חֲזֵי, קוֹל הַשּׁוֹפָר: אַתְרָא דְּקָלָא, הַיְינוּ דִּכְתִּיב, כִּי עַל כָּל מוֹצָא פִּי יְיָ' יִחְיֶה הָאָדָם. מַאי מוֹצָא פִּי יְיָ'. דָּא קוֹל הַשּׁוֹפָר, הוּא רַב מִכָּל שְׁאַר קָלֵי תַּתָּאֵי, וְתַקִּיפָא מִכֻּלְּהוּ, דִּכְתִּיב וְקוֹל שֹׁפָר חָזָק מְאֹד, וְעַל כָּל שְׁאַר קָלִין לָא אִתְּמַר וְחָזָק מְאֹד. בְּהַאי קוֹל הַשּׁוֹפָר תַּלְיָא כֹּלָּא, וְדָא הוּא דְּאִקְרֵי קוֹל גָּדוֹל, דִּכְתִּיב קוֹל גָּדוֹל וְלֹא יָסָף. וְאִקְרֵי קוֹל דְּמָמָה דַּקָּה, נְהִירוּ דְּבוּצִינֵי, דְּהוּא זַךְ וְדָקִיק, וְזָכִיךְ וְנָהִיר לְכֹלָּא.

שו. דְּמָמָה, מַהוּ דְּמָמָה. אָמַר ר"ש, דְּבָעֵי ב"נ לְמִשְׁתּוֹקָא מִנֵּיהּ, וּלְמֶחְסַם פּוּמֵיהּ.

כד"א, אֲמַרְתִּי אֶשְׁמְרָה דְרָכַי מֵחֲטוֹא בִלְשׁוֹנִי אֶשְׁמְרָה לְפִי מַחְסוֹם. דְּמָמָה אִיהִי שְׁתִיקָא דְּלָא אִשְׁתְּמַע לְבַר. וַיַּרְא הָעָם וַיָּנֻעוּ וַיַּעַמְדוּ מֵרָחוֹק, דְּחָמוּ מַה דְּחָמוּ. וַיָּנֻעוּ כד"א וַיָּנֻעוּ אַמּוֹת הַסִּפִּים מִקּוֹל הַקּוֹרֵא.

שז. תָּאנָא, מַה כְּתִיב בֵּיהּ בִּיחֶזְקֵאל, כַּד חָמָא גְּבוּרָן נִימוּסֵי קֻבְּ"ה, דִּכְתִּיב, וָאֵרֶא וְהִנֵּה רוּחַ סְעָרָה בָּאָה וְגוֹ', רוּחַ סְעָרָה אַמַּאי. א"ר יוֹסֵי, לְתַבְרָא אַרְבַּע מַלְכְּוָון. א"ר יְהוּדָה, תַּנְיָא, רוּחָא רַבָּה, דְּאִתְּעַר בְּנִימוּסֵי גְּבוּרָה דִּלְעֵילָּא בָּאָה מִן הַצָּפוֹן. מִצָּפוֹן לָא כְּתִיב אֶלָּא מִן הַצָּפוֹן הַהוּא דְּאִשְׁתְּמוֹדַע לְעֵילָּא, הַהוּא דְּטָמִיר וְגָנִיז לְעֵילָּא.

שח. עָנָן גָּדוֹל וְאֵשׁ מִתְלַקַּחַת, דַּהֲוָה אָחִיד בֵּיהּ, וְלָא אָחִיד, אָחִיד בִּסְטְרוֹי, לְאִתְּעָרָא דִּינָא, דְּתַנְיָא, תְּלַת זִמְנִין בְּיוֹמָא, יַנְקָא הַהוּא דִּינָא קַשְׁיָא, בְּגַרְדִּינוֹי גְּלִיפִין מִסִּטְרָא דִּגְבוּרָה, הה"ד וְאֵשׁ מִתְלַקַּחַת. בְּגִין לְאִתְּעָרָא בְּעָלְמָא.

שט. וּמַה מְבַסֵּם לֵיהּ, הַהוּא דִּכְתִּיב בֵּיהּ וְנֹגַהּ לוֹ סָבִיב. דְּהַהוּא זִיהֲרָא דְּאַסְחַר לֵיהּ מִכָּל סִטְרוֹי, מְבַסֵּם לֵיהּ, וּמַתְקִין לֵיהּ, בְּגִין דְּלָא לֶהֱוֵי דִּינָא קַשְׁיָא, וְיֵיכְלוּן בְּנֵי נָשָׁא לְמִסְבְּלֵיהּ.

שי. וּמִתּוֹכָהּ כְּעֵין הַחַשְׁמַל, תָּאנָא, וּמִתּוֹכָהּ: וּמִגַּוָּוהּ. כְּעֵין הַחַשְׁמַל, מַאי חַשְׁמַל. א"ר יְהוּדָה, חֵיוָת אֶשָּׁא מְמַלְּלָא.

שיא. תָּאנָא, א"ר יוֹסֵי, חַשְׁמַל: מַה דַּהֲוָה לְבָּא לְאֶשָּׁא, דִּכְתִּיב מִתּוֹךְ הָאֵשׁ כְּעֵין הַחַשְׁמַל. וְלָא הַחַשְׁמַל מִתּוֹךְ הָאֵשׁ, מִגּוֹ אֶשָּׁא דְּאִיהִי לְגוֹ בְּאֶשָּׁא. כְּעֵין הַחַשְׁמַל דְּאִיהִי בָּתַר אַרְבַּע דַּרְגִּין, דִּכְתִּיב, רוּחַ סְעָרָה, עָנָן גָּדוֹל, וְאֵשׁ מִתְלַקַּחַת, וְנֹגַהּ לוֹ סָבִיב. וּמִתּוֹכָהּ כְּעֵין הַחַשְׁמַל מִתּוֹךְ הָאֵשׁ, הַהוּא דִּכְתִּיב בֵּיהּ וְאֵשׁ מִתְלַקַּחַת.

שיב. תַּנְיָא רַבִּי יוֹסֵי בַּר רַבִּי יְהוּדָה אָמַר, חָמוּ יִשְׂרָאֵל הָכָא, מַה דְּלָא חָמָא יְחֶזְקֵאל בֶּן בּוּזִי, וְכֻלְּהוּ אִתְדַּבָּקוּ בְּחָכְמְתָא עִלָּאָה יַקִּירָא. חֲמִשָּׁה דַּרְגִּין דְּקָלִין, חָמוּ יִשְׂרָאֵל בְּטוּרָא דְּסִינַי. וּבַחֲמִשָּׁה דַּרְגִּין אִלֵּין אִתְיְיהִיבַת אוֹרַיְיתָא. דַּרְגָּא חֲמִישָׁאָה הוּא, דִּכְתִּיב קוֹל הַשֹּׁפָר. יְחֶזְקֵאל לָקֳבְלֵיהוֹן חָמָא חֲמִשָּׁה דַּרְגִּין דְּאִינּוּן לְבַר מֵאִלֵּין, דְּאִינּוּן רוּחַ סְעָרָה, עָנָן גָּדוֹל, וְאֵשׁ מִתְלַקַּחַת, וְנֹגַהּ לוֹ סָבִיב, וְעֵין הַחַשְׁמַל.

שיג. אָמַר רַבִּי אֶלְעָזָר, בְּיִשְׂרָאֵל כְּתִיב, פָּנִים בְּפָנִים דִּבֶּר יְיָ' וְגוֹ'. בִּיחֶזְקֵאל כְּתִיב, כְּעֵין, וּדְמוּת, כְּמַאן דְּחָזֵי בָּתַר כּוֹתָלִין סַגִּיאִין, כְּמַאן דְּחָזֵי בַּר נָשׁ בָּתַר כּוֹתָלָא. אָמַר רַבִּי יְהוּדָה, מַה דְּחָמוּ יִשְׂרָאֵל, לָא חָמָא נְבִיאָה אָחֳרָא, כ"ש מַה דְּחָמָא מֹשֶׁה, דְּלָא חָמָא נְבִיאָה אָחֳרָא. זַכָּאָה חוּלָקֵיהּ, דִּכְתִּיב בֵּיהּ, וַיְהִי שָׁם עִם יְיָ' וְלָא בְּחֵיזוּ אָחֳרָא, כְּמָה דִּכְתִּיב, וּמַרְאֶה וְלֹא בְחִידוֹת.

שיד. אָמַר רַבִּי יוֹסֵי, ת"ח, כְּתִיב, הָיֹה הָיָה דְּבַר יְיָ', נְבוּאָה לְשַׁעְתָּא הָיְתָה. ר' יְהוּדָה אוֹמֵר, לְקִיּוּמָא הוּא דְּאָתָא, דְּאִצְטְרִיךְ לְמֶהֱוֵי בְּגִינֵיהוֹן דְּיִשְׂרָאֵל, לְאִשְׁתְּמוֹדְעָא דְּהָא לָא שָׁבִיק לוֹן קֻבְּ"ה, וּבְכָל אֲתַר דְּמִתְפַּזְּרִין יִשְׂרָאֵל בְּגָלוּתָא, עִמְּהוֹן הוּא שַׁרְיָא.

שטו. אָמַר רַבִּי אֶלְעָזָר, הָיֹה הָיָה: דְּחָמָא וְלָא חָמָא, דְּקָאִים בְּאִינּוּן מִלִּין, וְלָא קָאִים. הה"ד וָאֵרֶא כְּעֵין חַשְׁמַל, וְלָא חַשְׁמַל אֲבָל יִשְׂרָאֵל, מַה כְּתִיב בְּהוּ, וְכָל הָעָם רֹאִים אֶת הַקּוֹלֹת, כָּל חַד וְחַד חָמָא, כַּדְקָא חֲזֵי לֵיהּ.

שטז. דְּתַנְיָא, כָּל חַד וְחַד הֲווּ קַיְימִין שׁוּרִין שׁוּרִין, תְּחוּמִין תְּחוּמִין, וְכַדְקָא אִתְחֲזֵי לְהוּ, חָמוּ כָּל חַד וְחַד. אָמַר ר"ש, רֵישֵׁי דְּעַמָּא בִּלְחוֹדַיְיהוּ, רֵישֵׁי דְּשִׁבְטִין בִּלְחוֹדַיְיהוּ. נוּקְבֵי בִּלְחוֹדַיְיהוּ. ה' דַּרְגִּין לִימִינָא, וְה' דַּרְגִּין לִשְׂמָאלָא. הה"ד אַתֶּם נִצָּבִים הַיּוֹם כֻּלְּכֶם לִפְנֵי יְיָ' אֱלֹהֵיכֶם רָאשֵׁיכֶם שִׁבְטֵיכֶם זִקְנֵיכֶם וְשׁוֹטְרֵיכֶם כֹּל אִישׁ וְגוֹ', הָא ה'

דַּרְגִּין לִימִינָא. וְה' דַּרְגִּין לִשְׂמָאלָא מַאן אִינּוּן. הַיְינוּ דִּכְתִּיב, טַפְּכֶם, נְשֵׁיכֶם, וְגֵרְךָ אֲשֶׁר בְּקֶרֶב מַחֲנֶיךָ, מֵחוֹטֵב עֵצֶיךָ, עַד שׁוֹאֵב מֵימֶיךָ. הָא ה' דַּרְגִּין לִשְׂמָאלָא.

שיז. כֻּלְּהוּ דַּרְגִּין אִתְתַּקָּנוּ כְּגַוְונָא דִּלְעֵילָּא. לָקֳבְלֵיהוֹן יָרְתוּ יִשְׂרָאֵל אַחֲסָנַת עָלְמִין, עֶשֶׂר אֲמִירָן, דִּבְהוּ תַּלְיָין כָּל פִּקּוּדִין, וְכָל זַכְוָון, וְכָל יְרוּתַת אַחֲסָנָא, דְּאִינּוּן חוּלָקָא טָבָא דְּיִשְׂרָאֵל.

שיח. תָּאנָא, בְּהַהִיא שַׁעֲתָא דְּקוּדְשָׁא בְּרִיךְ הוּא אִתְגְּלֵי בְּטוּרָא דְּסִינַי, הֲווּ חָמָאן כָּל יִשְׂרָאֵל, כְּמַאן דְּחָמֵי נְהוֹרָא בַּעֲשִׁשְׁתָּא, וּמֵהַהוּא נְהוֹרָא הֲוָה חָמֵי כָּל חַד וְחַד, מַה דְּלָא חָמָא יְחֶזְקֵאל נְבִיאָה.

שיט. מ"ט. מִשּׁוּם דְּאִינּוּן קַלִּין עִלָּאִין, אִתְגַּלְיָאוּ בְּחַד, כְּמָה דַּאֲמֵינָא, דִּכְתִּיב, וְכָל הָעָם רוֹאִים אֶת הַקּוֹלוֹת. אֲבָל בִּיחֶזְקֵאל, שְׁכִינְתָּא אִתְגְּלֵי בִּרְתִיכוֹי, וְלָא יַתִּיר, וַהֲוָה חָמֵי, כְּמַאן דְּחָמֵי בָּתַר כּוֹתָלִין סַגִּיאִין.

שכ. אָמַר רַבִּי יְהוּדָה, זַכָּאָה חוּלָקָא דְּמֹשֶׁה, דִּכְתִּיב בֵּיהּ, וַיֵּרֶד יְיָ' עַל הַר סִינַי וַיִּקְרָא יְיָ' לְמֹשֶׁה, זַכָּאָה דָּרָא, דִּכְתִּיב בֵּיהּ, וַיֵּרֶד יְיָ' לְעֵינֵי כָל הָעָם עַל הַר סִינָי. שכא. ת"ח, כְּתִיב מִימִינוֹ אֵשׁ דָּת לָמוֹ, דְּהָא מִימִינָא אִתְגְּלֵי מַה דְּאִתְגְּלֵי. מַה בֵּין הַאי לְהַאי. אָמַר ר' יוֹסֵי, הָכָא בְּסִינַי, רֵישָׁא וְגוּפָא דְּמַלְכָּא, דִּכְתִּיב וַיֵּט שָׁמַיִם וַיֵּרַד, וּבַאֲתַר דְּאִית רֵישָׁא, אִית גּוּפָא, אֲבָל בִּיחֶזְקֵאל כְּתִיב וַתְּהִי עָלָיו שָׁם יַד יְיָ', דְּאִתְגְּלֵי יְדָא, וְלָא גּוּפָא. וְתָנֵינָן, אֲפִילוּ בִּידָא, יַד יְיָ' עִלָּאָה, יַד יְיָ' תַּתָּאָה.

שכב. ת"ח, כְּתִיב נִפְתְּחוּ הַשָּׁמַיִם וָאֶרְאֶה מַרְאוֹת אֱלֹהִים. מַרְאֹת כְּתִיב חָסֵר, לְאַחֲזָאָה דִּבְגִין שְׁכִינְתָּא קָאָמַר, דְּהָא וָאֶרְאֶה מַרְאֹת חָסֵר, מַרְאָה חַד. אָמַר ר' יֵיסָא, וְכִי שְׁכִינְתָּא לָאו כֹּלָּא. אָמַר רַבִּי יוֹסֵי, לָא דָּמֵי רֵישָׁא דְּמַלְכָּא, לְרַגְלוֹי דְּמַלְכָּא, אע"ג דְּכֹלָּא הֲוֵי בְּגוּפָא דְּמַלְכָּא.

שכג. תָּא חֲזֵי, בִּישַׁעְיָהוּ כְּתִיב, וָאֶרְאֶה אֶת יְיָ', בִּיחֶזְקֵאל כְּתִיב, וָאֶרְאֶה מַרְאוֹת אֱלֹהִים, הָכָא אֶת, הָתָם מַרְאוֹת. מַה דְּחָמָא דָּא, חָמָא דָּא. זַכָּאָה חוּלָקֵיהּ דְּמֹשֶׁה, דְּלָא הֲוָה נְבִיאָה מְהֵימְנָא שְׁלֵימָא כְּוָותֵיהּ.

שכד. וָאֶרְאֶה אֶת יְיָ', אֶת דַּיְיקָא. וָאֶרְאֶה מַרְאוֹת אֱלֹהִים, מַרְאוֹת דַּיְיקָא. וּבְדַרְגָּא חַד הֲווֹ. אִי הָכִי, אַמַּאי לָא פָּרִישׁ יְשַׁעְיָה כּוּלֵי הַאי. אָמַר רַבִּי יוֹסֵי, דָּא כְּלִיל, דָּא פָּרִישׁ. מַאי טַעֲמָא פָּרִישׁ כּוּלֵי הַאי יְחֶזְקֵאל. אֶלָּא, כֹּלָּא אִצְטְרִיךְ בְּגִינֵיהוֹן דְּיִשְׂרָאֵל, דְּיִנְדְּעוּן חֲבִיבוּתָא דְּחָבִיב לְהוּ קוּדְשָׁא בְּרִיךְ הוּא, דִּשְׁכִינְתֵּיהּ וּרְתִיכוֹי אַתְיָין לְדַיְּירָא בֵּינַיְיהוּ בְּגָלוּתָא.

שכה. א"ר חִיָּיא, בְּאֶרֶץ כַּשְׂדִּים, וְהָא כְּתִיב הֵן אֶרֶץ כַּשְׂדִּים זֶה הָעָם לֹא הָיָה, אַמַּאי אִתְגְּלֵי שְׁכִינְתָּא תַּמָּן. אִי תֵּימָא בְּגִינֵיהוֹן דְּיִשְׂרָאֵל, הֲוָה טָב דְּתִשְׁרֵי שְׁכִינְתָּא בְּגַוַויְיהוּ, וְלָא יִתְגַּלְיָיא. אֶלָּא, הָכִי תָּאנָא, אִי לָאו דְּאִתְגַּלְיָיא לָא הֲווּ יַדְעִין.

שכו. וְהָא דְּאִתְגַּלְיָיא, מַה כְּתִיב, עַל נְהַר כְּבָר, עַל מַיָּא, בַּאֲתַר דְּלָא יִסְתָּאַב, וְלָא שַׁרְיָא מִסְאֲבוּתָא. וְהַהוּא נַהֲרָא, הֲוָה חַד מֵאַרְבַּע נַהֲרִין, דְּנָפְקִין מִגִּנְתָּא דְּעֵדֶן, דִּכְתִּיב עַל נְהַר כְּבָר. מַאי כְּבָר. דִּכְבָר הֲוָה. מֵאֲתַר דִּשְׁכִינְתָּא שַׁרְיָא עֲלוֹי. וּכְתִיב וַתְּהִי עָלָיו שָׁם יַד יְיָ', שָׁם, וְלָא בַּאֲתַר אַחֲרָא.

שכז. אָמַר רַבִּי חִיָּיא, כְּתִיב וּמִתּוֹכָהּ דְּמוּת אַרְבַּע חַיּוֹת וְזֶה מַרְאֵיהֶן דְּמוּת אָדָם לָהֵנָּה. תָּאנָא בְּרָזָא עִלָּאָה, אַרְבַּע חֵיוָון אִית, דְּאִינְהוּ לְגוֹ בְּגוֹ הֵיכָלָא קַדִּישָׁא, וְאִינּוּן קַדְמָאֵי, עַתִּיקִין דְּעַתִּיקָא קַדִּישָׁא, כְּלָלָא דִּשְׁמָא עִלָּאָה. וִיחֶזְקֵאל חָמָא, דְּמוּת

דרתיכין עלאין, דהא הוא ודאי חמא, מאתר דלא הוה נהיר כל כך. תאנא, כגוונא דלעילא, אית לתתא מינייהו, וכן בכלהו עלמין, כולהו אחידן דא בדא, ודא בדא.

שכח. ואי תימא לעילא יתיר דחמא. תנינן, משה חמא באספקלריא דנהרא, וכלהו נביאי לא חמו אלא מגו אספקלריא דלא נהרא, דכתיב ואראה מראת אלהים. וכתיב אם יהיה נביאכם יי' במראה אליו אתודע וגו' לא כן עבדי משה וגו', וכתיב פה אל פה אדבר בו.

שכט. א"ר יוסי, ת"ח, דנביאין כלהו לגביה, כנוקבא לגבי דכורא, דכתיב פה אל פה אדבר בו ומראה. ולשאר נביאים כתיב, במראה אליו אתודע. במראה ולא מראת. כ"ש יחזקאל, דאפילו מראה לא כתיב ביה, אלא מראת וחסר, וכ"ש דכתיב במשה, ולא בחידות, אלא כל מלה על בורייה. זכאה איהו דרא, דנביאה דא שרי בגווייהו.

של. א"ר יוסי ברבי יהודה, אפין באפין חמו ישראל זיו יקרא דמלכיהון, ולא הוה בהון סומין, וחגרין, וקטיען, וחרשין. סומין, משמע דכתיב וכל העם רואים. וחגרין, דכתיב ויתיצבו בתחתית ההר. קטיען וחרשין, נעשה ונשמע. ולזמנא דאתי כתיב אז ידלג כאיל פסח ותרון לשון אלם.

שלא. וידבר אלהים את כל הדברים האלה לאמר. רבי יהודה פתח, מי ימלל גבורות יי' ישמיע כל תהלתו. בכמה ארחין, אורייתא אסהידת בבר נש, דלא יחוב קמי מאריה. בכמה ארחין, יהיב ליה עיטא, דלא יסטי מארחוי לימינא ולשמאלא. בכמה ארחין יהיב ליה עיטא, היך יתוב קמי מאריה, וימחול ליה.

שלב. דתנן, שית מאה ותלת עשר זיני עיטא, יהיב אורייתא לבר נש, למהוי שלים במאריה, בגין דמאריה בעא לאוטבא ליה בעלמא דין ובעלמא דאתי. ויתיר בעלמא דאתי, דהא תנינן, כל מה דקודשא בריך הוא אשלים ליה לבר נש, מאינון טבאן דזכי בהו לעלמא דאתי אשתלים בהו. מאי טעמא. משום דעלמא דאתי דקודשא בריך הוא הוי.

שלג. והכי תנינן, האי עלמא לקבליה דעלמא דאתי, לא הוי אלא כפרוזדור לגבי טרקלין. וכד זכי ההוא זכאה, בדידיה זכי. דתניא, כתיב ונחלה לא יהיה לו בקרב אחיו. מ"ט. משום דיי' הוא נחלתו. זכאה חולקיה, מאן דזכי לאחסנא אחסנתא עלאה דא. זכי בה בעלמא דא, ובביתא דהאי עלמא. כך בעלמא דאתי, ובביתא עלאה קדישא, דכתיב ונתתי להם בביתי ובחומותי יד ושם, זכאה חולקיה דההוא זכאה, דמדוריה עם מלכא בביתיה.

שלד. ר' שמעון אמר, זכאה חולקיה דההוא זכאה, דזכי להאי דכתיב, אז תתענג על יי', עם יי' לא כתיב, אלא על יי'. מאי על יי'. אתר דעלאין ותתאין אתמשכן מיניה, ותאבין לההוא אתר, דכתיב מאין יבא עזרי. וכתיב, ועד עתיק יומיא מטה וקדמוהי הקרבוהי. ותיאובתא ועינוגא דצדיקיא, לאסתכלא לההוא זיוא, דכל זיוא מיניה נפקא, ואתמשכן מניה כל אינון כתרין.

שלה. תו אר"ש, תנינן בהאי קרא אז תתענג על יי', סופיה דקרא מה כתיב, והרכבתיך על במותי ארץ, על ההוא אתר דאקרי במותי ארץ, איהו לעילא מהאי ארץ, וההוא אתר דאקרי במתי ארץ, היינו שמים. והיינו דכתיב על במתי ארץ.

שלו. על יי' אמר ר' אבא, אז תשב לא כתיב, אלא אז תתענג על יי', היינו שמים.

דִּכְתִּיב, רוּמָה עַל הַשָּׁמַיִם אֱלֹהִים. וְהִרְכַּבְתִּיךָ עַל בָּמֳתֵי אָרֶץ, הַיְינוּ אֶרֶץ הַחַיִּים, מִמַּשְׁמַע דִּכְתִּיב עַל בָּמוֹתֵי, לְאַכְלְלָא צִיּוֹן וִירוּשָׁלַיִם, דְּאִקְרוּן בָּמֳתֵי אָרֶץ, וְהַיְינוּ שָׁמַיִם דִּלְעֵילָּא, וְאֶרֶץ דִּלְעֵילָּא. וּמִלָּה דְּאָמַר ר' שִׁמְעוֹן, הָכִי הוּא, וְכֹלָּא חַד, דִּכְתִּיב וְעַד עַתִּיק יוֹמַיָּא מְטָה וְגוֹ', וְכָל הָנֵי מִילֵּי לַאֲתַר חַד סַלְּקִין.

שלז. אָמַר ר' אַבָּא לר"ש, לֵימָא לִי מָר, הַאי קְרָא כּוּלֵּיהּ, בְּמַאי אוֹקִימְנָא לֵיהּ, דִּכְתִּיב אָז תִּתְעַנַּג עַל יְיָ' וְהִרְכַּבְתִּיךָ עַל בָּמֳתֵי אָרֶץ וְהַאֲכַלְתִּיךָ נַחֲלַת יַעֲקֹב אָבִיךָ. אָמַר לֵיהּ, הָא כֹּלָּא אִתְּמַר, דְּתַפְנוּקָא וְעִדּוּנָא עַל יְיָ' כְּתִיב, אֲתַר דְּאִיהוּ לְעֵילָּא. וּכְתִיב וְעַד עַתִּיק יוֹמַיָּא מְטָה וְגוֹ'. עַל בָּמֳתֵי אָרֶץ כְּמָה דְּאִתְּמַר.

שלח. וְהַאֲכַלְתִּיךָ נַחֲלַת יַעֲקֹב אָבִיךָ. כְּמָה דִּכְתִּיב וְיִתֶּן לְךָ הָאֱלֹהִים מִטַּל הַשָּׁמַיִם וְגוֹ', וְהַיְינוּ נַחֲלַת יַעֲקֹב. וּבִרְכָתָא דְּבָרִיךְ יִצְחָק לְיַעֲקֹב, עַל הַאי שָׁמַיִם קָאָמַר. וּבִרְכֵיהּ בְּבִרְכָתָא, דִּזְמִינִין בְּנוֹי דְּיַעֲקֹב, לְאַחֲיָיא בְּהַהוּא טַלָּא לִזְמְנָא דְּאָתֵי, דִּכְתִּיב וְיִתֶּן לְךָ הָאֱלֹהִים. לְקָבְלָא לְאַחֲרָא. מִטַּל הַשָּׁמַיִם, דְּבֵיהּ זְמִינִין מֵתַיָּא לְאַחֲיָיא לִזְמְנָא דְּאָתֵי, דְּנָפִיק מֵעַתִּיקָא לִזְעֵירָא דְּאַפִּין, וְשַׁרְיָא בְּהַאי שָׁמַיִם. אִסְתַּכַּל ר' אַבָּא וְאָמַר, הַשְׁתָּא אִשְׁתְּמַע כֹּלָּא וְאִשְׁתְּכַח דְּבִרְכָתָא דְּיִצְחָק, עִלָּאָה מִמַּאי דַּחֲשִׁיבְנָא.

שלט. תָּאנָא מִי יְמַלֵּל גְּבוּרוֹת יְיָ'. מִי יְדַבֵּר מִבָּעֵי לֵיהּ. אָמַר ר' חִיָּיא, כד"א, וְקָטַפְתָּ מְלִילוֹת בְּיָדֶךָ. גְּבוּרוֹת יְיָ', דְּסַגִּיאִין אִינּוּן, וְנָפְקִין מִגְּבוּרָה חַד. וְתָאנָא, חַד גְּבוּרָה עִלָּאָה, עִטְרָא דְּעִטְרִין, מִתְעַטְּרָא, וְנָפְקִין מִינֵּיהּ חַמְשִׁין תַּרְעִין. מִנְּהוֹן יְמִינָא, וּמִנְּהוֹן שְׂמָאלָא. וְכָל חַד וְחַד גְּבוּרָה אִתְקְרֵי, וְכָל חַד וְחַד מִתְעַטְּרָא, בְּקַרְדִּיטֵי גְּלִיפִין נְהוֹרִין, וְכֻלְּהוּ אִקְרוּן גְּבוּרוֹת יְיָ'.

שמ. אָמַר רַבִּי חִיָּיא, גְּבוּרוֹת יְיָ' חָסֵר כְּתִיב, דְּהָא כֻּלְּהוּ כְּלִילָן בְּדָא. יַשְׁמִיעַ כָּל תְּהִלָּתוֹ: דָּא הוּא שְׁכִינַת זִיו יְקָרֵיהּ דְּקֻבְּ"ה, דִּכְתִּיב וּתְהִלָּתוֹ מָלְאָה הָאָרֶץ.

שמא. אָמַר ר"ש, כְּתִיב וְנָהָר יוֹצֵא מֵעֵדֶן לְהַשְׁקוֹת אֶת הַגָּן וְגוֹ', שֵׁם הָאֶחָד פִּישׁוֹן וְגוֹ'. הָא אִלֵּין בִּשְׁמָהָן אִקְרוּן. וְהָנֵי אַרְבַּע מֵהַהוּא נָהָר דְּנָפִיק אִתְמַשְׁכָן. מַה שְּׁמֵיהּ דְּהַהוּא נַהֲרָא דְּנָפִיק. אָמַר ר' שִׁמְעוֹן, יוּבַל שְׁמֵיהּ. דִּכְתִּיב, וְעַל יוּבַל יְשַׁלַּח שָׁרָשָׁיו, וּכְתִיב וְלֹא יָמִישׁ מֵעֲשׂוֹת פֶּרִי. מַאי טַעֲמָא לֹא יָמִישׁ, מִשּׁוּם דְּעַל יוּבַל יְשַׁלַּח שָׁרָשָׁיו. וְעַל דָּא כְּתִיב וּכְמוֹצָא מַיִם אֲשֶׁר לֹא יְכַזְּבוּ מֵימָיו. וּבְגִין כָּךְ כְּתִיב יוֹצֵא, יוֹצֵא וְאֵינוֹ פּוֹסֵק.

שמב. תָּאנָא א"ר שִׁמְעוֹן כְּתִיב וַיְדַבֵּר אֱלֹהִים אֵת כָּל הַדְּבָרִים וְגוֹ', וַיְדַבֵּר, בְּגִין לְאַכְרְזָא מִילִּין. דְּתָאנָא, בְּשַׁעֲתָא דְּקוּדְשָׁא בְּרִיךְ הוּא אִתְגְּלֵי, וְשָׁארֵי לְמַלְּלָא, עִלָּאִין וְתַתָּאִין אִתְחַלְחֲלוּ, וְנָפְקוּ נִשְׁמָתְהוֹן דְּיִשְׂרָאֵל.

שמג. וְתָאנָא הַהוּא מִלָּה, הֲוָה טָאס מִלְּעֵילָּא לְתַתָּא, וּמִתְגַּלְּפָא בְּאַרְבַּע רוּחֵי עָלְמָא, וְסָלְקָא וְנַחְתָּא. כַּד סָלְקָא, אִשְׁתְּאֲבָא מִטּוּרֵי דְּאֲפַרְסְמוֹנָא דָּכְיָא, וְאִשְׁתְּאֲבָא בְּהַהוּא טַלָּא דִּלְעֵילָּא, וְאַסְחַר בְּסַחֲרָנֵיהוֹן דְּיִשְׂרָאֵל, וְתָבַת בְּהוֹן נִשְׁמָתְהוֹן וְאַסְחַר וּמִתְגַּלְּפָא בְּאַתְרֵיהּ, בְּלוּחֵי אַבְנָא. וְכֵן כָּל מִלָּה וּמִלָּה.

שדמ. אָמַר רַבִּי שִׁמְעוֹן, כָּל מִלָּה וּמִלָּה הֲוָה מַלְיָא בְּכָל אִינּוּן טַעֲמִין, בְּכָל אִינּוּן מִלִּין גְּזִרִין, אַגְרִין, וְעוֹנָשִׁין, רָזִין וְסִתְרִין כְּאַסְקוּפָּא דָּא, דְּאִיהִי מַלְיָא מִכֹּלָּא.

שמה. וּבְשַׁעֲתָא דַּהֲוָה נָפִיק הַהוּא מִלָּה, אִתְחֲזֵי חַד. וְכַד הֲוָה מִתְגַּלְּפָא בְּאַתְרוֹי אִתְחֲזוּן בְּהַהוּא מִלָּה, שַׁבְעִין עַנְפִּין, דְּסַלְּקִין בְּגַוָּהּ, וְחַמְשִׁין כִּתְרִין חָסֵר חַד מֵהַאי גִּיסָא, וְחַמְשִׁין חָסֵר חַד מִגִּיסָא אַחֲרָא כְּפַטִּישָׁא דָּא, בִּזְמְנָא דְּאִיהוּ בָּטַשׁ בְּטִנָּרָא. כְּמָה דְּאַתְּ

אָמַר וּכְפַטִּישׁ יְפוֹצֵץ סָלַע. וַהֲוו וְזַמְאָן כָּל יִשְׂרָאֵל עֵינָא בְּעֵינָא, וַהֲווֹ חַדָאן.

שמו. וְכֻלְּהוּ דָּרִין בַּתְרָאִין כֻּלְּהוּ אִזְדַּמְּנוּ לְתַמָּן, וְכֻלְּהוּ קַבִּילוּ אוֹרַיְיתָא בְּטוּרָא דְּסִינַי, דִּכְתִּיב כִּי אֶת אֲשֶׁר יֶשְׁנוֹ פֹּה וְגוֹ', וְאֵת אֲשֶׁר אֵינֶנּוּ פֹּה עִמָּנוּ הַיּוֹם. וְכֻלְּהוּ כָּל חַד וְחַד כַּדְקָא חָזֵי לֵיהּ. וְכֻלְּהוּ חָמָאן וּמְקַבְּלִין מִלִּין.

שמז. אֱלֹהִים: דָּא גְּבוּרָא. אֵת: דְּאִתְכְּלִיל בִּימִינָא, כְּמָה דְּתָנֵינָן אֵת הַשָּׁמַיִם, דְּאִיהוּ יְמִינָא. וְאֵת הָאָרֶץ, דְּאִיהוּ שְׂמָאלָא. דִּכְתִּיב, אַף יָדִי יָסְדָה אֶרֶץ וִימִינִי טִפְּחָה שָׁמָיִם. וִימִינָא דָּא הוּא אֵת. כָּל: לְאַכְלְלָא כָּל שְׁאַר כִּתְרִין. הַדְּבָרִים: מִתְקַשְּׁרָן דָּא בְּדָא. הָאֵלֶּה: כָּל אִינּוּן טַעֲמִין, כָּל אִינּוּן רָזִין, כָּל אִינּוּן סִתְרִין, גְּזֵרִין וְעוֹנָשִׁין.

שמח. לֵאמֹר: לְמֶהֱוֵי יָרוּתָא לְכֹלָּא. דִּכְתִּיב תּוֹרָה צִוָּה לָנוּ מֹשֶׁה מוֹרָשָׁה וְגוֹ'. דְּאִי תֵּימָא לְגַלָּאָה מַה דְּלָא אִצְטְרִיךְ לְגַלָּאָה לְכָל ב"נ, כְּתִיב אָנֹכִי יְיָ' אֱלֹהֶיךָ. כְּמָה דַּאֲנָא טְמִירָא וְסָתִים, כַּךְ יְהֵיו מִלִּין אִלֵּין טְמִירִין וּסְתִימִין בְּלִבָּךְ.

שמט. ד"א וַיְדַבֵּר אֱלֹהִים, וְגוֹ'. אֵת כָּל הַדְּבָרִים הָאֵלֶּה לֵאמֹר הָא חָמֵשׁ דַּרְגִּין אַחֲרָנִין. ר' יְהוּדָה אָמַר, וַיְדַבֵּר אֱלֹהִים: גְּבוּרָה. אֵת: יְמִינָא. כָּל: דָּא וַדַּאי אָמַר ר' יִצְחָק, לְאַכְלְלָא אַבְרָהָם דִּכְתִּיב וַיְיָ' בֵּרַךְ אֶת אַבְרָהָם בַּכֹּל.

שנ. הַדְּבָרִים: לְאַכְלְלָא שְׁאַר כִּתְרִין דְּאִתְכַּסְיָין. הָאֵלֶּה: אִינּוּן דְּאִתְגַּלְיָין. וּכְתִיב וְכָל הָעָם רֹאִים אֶת הַקּוֹלֹת. לֵאמֹר: דָּא הוּא דִּכְתִּיב, אֵשֶׁת חַיִל עֲטֶרֶת בַּעְלָהּ. וּכְתִיב, לֵאמֹר הֵן יְשַׁלַּח אִישׁ אֶת אִשְׁתּוֹ.

שנא. אָמַר ר' יִצְחָק, אַמַּאי אִתְיְהִיבַת אוֹרַיְיתָא בְּאֶשָּׁא וְחֲשׁוֹכָא, דִּכְתִּיב וְהָהָר בּוֹעֵר בָּאֵשׁ עַד לֵב הַשָּׁמַיִם חֹשֶׁךְ עָנָן וַעֲרָפֶל. דְּכָל מַאן דְּיִשְׁתַּדַּל בְּאוֹרַיְיתָא, אִשְׁתְּזִיב מֵאֶשָּׁא אַחֲרָא דְּגֵיהִנָּם, וּמֵחֲשׁוֹכָא דְּמַחֲשְׁכִין כָּל שְׁאַר עַמִּין לְיִשְׂרָאֵל, דִּבְזְכוּתֵיהּ דְּאַבְרָהָם אִשְׁתְּזִיבוּ יִשְׂרָאֵל מֵאֶשָּׁא דְּגֵיהִנָּם.

שנב. דְּתַנְיָא אָמַר לֵיהּ קוּדְשָׁא בְּרִיךְ הוּא לְאַבְרָהָם, כָּל זִמְנָא דִּבְנָךְ יִשְׁתַּדְּלוּן בְּאוֹרַיְיתָא, יִשְׁתֵּזְבוּן מֵאִלֵּין. וְאִי לָא, הָא נוּרָא דְּגֵיהִנָּם דְּשַׁלְטָא בְּהוּ, וְיִשְׁתַּעְבְּדוּן בֵּינֵי עַמְמַיָּא. א"ל, בִּתְרֵי קְטוּרֵי לָא מִזְדַּקְפָן מִלִּין, אֶלָּא אִי נִיחָא קַמָּךְ, יִשְׁתֵּזְבוּן מִנּוּרָא דְּגֵיהִנָּם, וְיִשְׁתַּעְבְּדוּן בֵּינֵי עַמְמַיָּא, עַד דִּיתוּבוּן גַּבָּךְ. אָמַר לֵיהּ יָאוֹת הוּא וַדַּאי, הה"ד אִם לֹא כִּי צוּרָם מְכָרָם. מַאן הוּא צוּרָם. דָּא הוּא אַבְרָהָם. דִּכְתִּיב הַבִּיטוּ אֶל צוּר חֻצַּבְתֶּם. וַיְיָ' הִסְגִּירָם, דָּא קוּדְשָׁא בְּרִיךְ הוּא, דְּאַסְתַּכַּם עַל יָדוֹי.

שנג. אָמַר ר' יְהוּדָה, מִיּוֹמָא דִּנְפָקוּ יִשְׂרָאֵל מִמִּצְרַיִם עַד יוֹמָא דְּאִתְיְהִיבַת אוֹרַיְיתָא, חַמְשִׁין יוֹמִין הֲווֹ. מ"ט אָמַר ר' יְהוּדָה, מִשּׁוּם אִינּוּן שְׁנֵי דְּיוֹבְלָא, דִּכְתִּיב וְקִדַּשְׁתֶּם אֵת שְׁנַת הַחֲמִשִּׁים שָׁנָה.

שנד. תָּאנָא, אר"ש, הַהוּא יוֹבְלָא אַפִּיק לוֹן לְיִשְׂרָאֵל מִמִּצְרַיִם. וְאִי תֵּימָא דְּיוֹבְלָא מַמָּשׁ. אֶלָּא מִסִּטְרָא דְּיוֹבְלָא הֲוָה, וּמִסִּטְרָא דְּיוֹבְלָא אִתְּעַר דִּינָא עַל מִצְרָאֵי, וּבְגִינֵי כַּךְ חַמְשִׁין אִלֵּין דְּיוֹבְלָא הֲווֹ.

שנה. תָּאנָא, לָקֳבֵל דָּא, חַמְשִׁין זִמְנִין אִתְּמַר וְאִדְכַּר בְּאוֹרַיְיתָא, נִמּוּסִין דְּמִצְרַיִם, וּשְׁבָחֵי אִינּוּן כֻּלְּהוּ, אֲשֶׁר הוֹצֵאתִיךָ. וַיּוֹצִיאֲךָ. כִּי בְּיַד חֲזָקָה הוֹצִיאֲךָ. וְכֻלְּהוּ זִמְנֵי, חַמְשִׁין אִינּוּן, וְלָא יַתִּיר, מִשּׁוּם דְּכֹלָּא בְּיוֹבְלָא אִתְעֲטָר, וּמִסִּטְרָא דְּיוֹבְלָא אָתָא כֹּלָּא. וּבְגִינֵי כַּךְ, אוֹרַיְיתָא דְּאָתֵי מִגְּבוּרָה, אִתְעַטְרַת בִּימִינָא. דִּכְתִּיב מִימִינוֹ אֵשׁ דָּת לָמוֹ. וְתַנְיָא חַמְשָׁא קָלִין הֲווֹ. וְכֻלְּהוּ אִתְחֲזִיאוּ בְּהוּ, וְאִתְכְּלִילוּ בְּהוּ, וְאִתְעַטְּרוּ בְּדָא.

שנו. אָמַר ר' שִׁמְעוֹן, בְּהַהוּא זִמְנָא דְּקַבִּילוּ יִשְׂרָאֵל אוֹרַיְיתָא, יוֹבְלָא דָּא אַעְטַר בְּעִטְרוֹי

לְקֻבְ"ה, כְּמַלְכָּא דְּאִתְעַטָּר בְּגוֹ חֵילֵיהּ. דִּכְתִּיב, צְאֶינָה וּרְאֶינָה בְּנוֹת צִיּוֹן בַּמֶּלֶךְ שְׁלֹמֹה בַּעֲטָרָה שֶׁעִטְּרָה לוֹ אִמּוֹ. מַאן אִמּוֹ. דָּא יוֹבְלָא. וְיוֹבְלָא אִתְעַטָּר, בְּחֶדְוָה בִּרְחִימוּ בִּשְׁלִימוּ. דִּכְתִּיב אֵם הַבָּנִים שְׂמֵחָה. מַאן אֵם הַבָּנִים. אר"ש דָּא יוֹבְלָא.

שנז. א"ר יְהוּדָה, ע"ד כְּתִיב, יִשְׂמַח אָבִיךָ וְאִמֶּךָ וְתָגֵל יוֹלַדְתֶּךָ. מַאן אָבִיךָ וְאִמֶּךָ. א"ר יְהוּדָה, כְּמָה דְּאוּקְמוּהָ בְּסִפְרָא דִּצְנִיעוּתָא, דִּכְתִּיב, עֶרְוַת אָבִיךָ וְעֶרְוַת אִמְּךָ לֹא תְגַלֵּה וַוי לְמַאן דִּגַלֵּי עֲרְיָיתְהוֹן.

שנח. תָּאנָא, א"ר יִצְחָק, בְּשַׁעֲתָא דְּקֻבְ"ה אִתְגְּלֵי בְּטוּרָא דְּסִינַי, אִזְדַּעְזָע טוּרָא. וּבְשַׁעֲתָא דְּסִינַי אִזְדַּעְזָע, כָּל שְׁאַר טוּרֵי עָלְמָא אִזְדַּעְזְעוּ, וַהֲווּ סַלְקִין וְנַחְתִּין, עַד דְּאוֹשִׁיט קֻבְ"ה יְדוֹי עָלַיְיהוּ, וְאִתְיַשְּׁבוּ. וְקָלָא נָפְקָא וּמַכְרְזָא, מַה לְּךָ הַיָּם כִּי תָנוּס הַיַּרְדֵּן תִּסֹּב לְאָחוֹר הֶהָרִים תִּרְקְדוּ כְאֵילִים וְגוֹ'.

שנט. וְאִינּוּן תָּבָאן וְאַמְרִין, מִלִּפְנֵי אָדוֹן חוּלִי אָרֶץ. אָמַר ר' יִצְחָק, מִלִּפְנֵי אָדוֹן, דָּא אִימָא, דִּכְתִּיב אֵם הַבָּנִים שְׂמֵחָה. חוּלִי אָרֶץ, דָּא אִימָא תַּתָּאָה. מִלִּפְנֵי אֱלוֹהַּ יַעֲקֹב, דָּא הוּא אַבָּא, דִּכְתִּיב, בְּנִי בְכוֹרִי יִשְׂרָאֵל. וְעַל הַאי כְּתִיב בַּעֲטָרָה שֶׁעִטְּרָה לוֹ אִמּוֹ.

שס. מַהוּ בַּעֲטָרָה. א"ר יִצְחָק, כְּמָה דִּכְתִּיב, וְשָׁאוּל וַאֲנָשָׁיו עוֹטְרִים אֶת דָּוִד. מִשּׁוּם דְּמִתְעַטָּר, בְּחִוָּורָא בְּסוּמָקָא וּבִירוֹקָא, בְּכָל גַּוְונִין דְּכֻלְּהוּ כְּלִילָן בֵּיהּ, וְאִסְתַּחֲרָן בֵּיהּ. אָמַר ר' יְהוּדָה, בַּעֲטָרָה שֶׁעִטְּרָה לוֹ אִמּוֹ. מַאן עֲטָרָה. דִּכְתִּיב, יִשְׂרָאֵל אֲשֶׁר בְּךָ אֶתְפָּאַר. וּכְתִיב וּבֵית תִּפְאַרְתִּי אֲפָאֵר.

שסא. אָמַר ר' יִצְחָק, אוֹרַיְיתָא אִתְיְהִיבַת בְּאֶשָּׁא אוּכָמָא, עַל גַּבֵּי אֶשָּׁא חִוָּורָא, לְאַכְלְלָא יְמִינָא בִּשְׂמָאלָא, וּשְׂמָאלָא דְּאִתְהַדַּר יְמִינָא, דִּכְתִּיב מִימִינוֹ אֵשׁ דָּת לָמוֹ.

שסב. א"ר אַבָּא, בְּשַׁעֲתָא דִּתְנָנָא דְּסִינַי הֲוָה נָפִיק, סָלִיק אֶשָּׁא, וּמִתְעַטָּר בְּהַהוּא תְּנָנָא בְּאִתְגַּלְיָיא, כְּאִתְכְּלָא דָּא, וְסָלִיק וְנָחִית, וְכָל רֵיחִין וּבוּסְמִין דְּבְגִנְתָּא דְּעֵדֶן, הֲוָה סָלִיק הַהוּא תְּנָנָא, בְּחֵיזוּ דְּחִוָּור וְסוּמָק וְאוּכָם, הה"ד, מְקֻטֶּרֶת מֹר וּלְבוֹנָה מִכֹּל אַבְקַת רוֹכֵל.

שסג. הַהוּא תְּנָנָא מַאן הֲוָה. אָמַר ר' יִצְחָק, שְׁכִינְתָּא דְּאִתְגְּלֵי לְתַמָּן, כד"א, מִי זֹאת עוֹלָה מִן הַמִּדְבָּר כְּתִמְרוֹת עָשָׁן. אָמַר ר' יְהוּדָה, לָמָּה לָךְ כּוּלֵי הַאי הָא קְרָא שְׁלִים הוּא, דִּכְתִּיב וְהַר סִינַי עָשַׁן כֻּלּוֹ מִפְּנֵי אֲשֶׁר יָרַד עָלָיו יְיָ' בָּאֵשׁ וַיַּעַל עֲשָׁנוֹ כְּעֶשֶׁן הַכִּבְשָׁן. זַכָּאָה עַמָּא דְּחָמָאן דָּא, וְיַדְעִין דָּא.

שסד. א"ר חִיָּיא, כַּד אִתְגְּלִיפוּ אַתְוָון בְּלוּחֵי אַבְנָא, הֲווּ מִתְחַזְיָין בִּתְרֵין סִטְרִין, מִסִּטְרָא דָּא, וּמִסִּטְרָא דָּא, וְלוּחִין מֵאֶבֶן סַנְפִּירִינוֹן הֲווּ, וְאִתְגְּלִיפוּ וְאִתְחַפְּיָין בְּאֶשָּׁא חִוָּורָא, וְאַתְוָון הֲווּ מֵאֶשָּׁא אוּכָמָא, וּמִתְגַּלְּפָן בִּתְרֵין סִטְרִין, מִסִּטְרָא דָּא וּמִסִּטְרָא דָּא.

שסה. אָמַר ר' אַבָּא, לוּחִין הֲווּ בְּעֵינַיְיהוּ, וְאַתְוָון הֲווּ טָאסִין, וּמִתְחַזְיָין בִּתְרֵין אֶשִּׁין, אֶשָּׁא חִוָּורָא, וְאֶשָּׁא אוּכָמָא, לְאִתְחֲזָאָה כַּחֲדָא, יְמִינָא וּשְׂמָאלָא, דִּכְתִּיב אֹרֶךְ יָמִים בִּימִינָהּ בִּשְׂמֹאלָהּ וְגוֹ'. וְהָא כְּתִיב מִימִינוֹ אֵשׁ דָּת לָמוֹ. אֶלָּא מִסִּטְרָא דִּגְבוּרָה הֲוָה, וְאִתְכְּלִילַת בִּימִינָא. וּבְגִין כָּךְ אֶשָּׁא חִוָּורָא וְאֶשָּׁא אוּכָמָא.

שסו. תָּאנָא, כְּתִיב וְהַלֻּחֹת מַעֲשֵׂה אֱלֹהִים הֵמָּה וְגוֹ', א"ר יְהוּדָה, וְהַלֻּחֹת כְּתִיב, חַד. תְּרֵי הֲווּ וּמִתְחַזְיָין חַד. וְעֶשֶׂר אֲמִירָן מִתְגַּלְּפֵי בְּהוּ. חָמֵשׁ כְּלִילָן בְּחָמֵשׁ, לְמֶהֱוֵי כֹּלָּא יְמִינָא. מַעֲשֵׂה אֱלֹהִים הֵמָּה וַדַּאי.

שסז. רַבִּי יִצְחָק אָמַר, שֶׁל סַנְפִּירִינוֹן הֲווּ, וּתְרֵין אַבְנִין הֲווּ. וְאַבְנִין הֲווּ סְתִימָאן. נָשִׁיב

קֻבְּ"ה בְּרָזָא, וְאִתְפַּשְּׁטוּ וְאִתְגְּלִיפוּ תְּרֵין לוּחִין. ר' יְהוּדָה אָמַר, כְּעֵין סַנְפִּירִינוֹן הֲווֹ. מַשְׁמַע דִּכְתִּיב מַעֲשֵׂה אֱלֹהִים הֵמָּה.

שסז. אָמַר לֵיהּ, אִי הָכִי, סַנְפִּירִינוֹן דָּא דְּהוּא אַבְנָא טָבָא יַקִּירָא מִשְּׁאָר אַבְנִין, לָאו עוֹבָדָא דְּקֻבְּ"ה אִינּוּן. א"ל, בְּמַאי אוֹקִימְנָא מַעֲשֵׂה אֱלֹהִים הֵמָּה. הֵמָּה דַּיְיקָא. אֶלָּא ת"ח, כְּתִיב וְהַלֻּחֹת מַעֲשֵׂה אֱלֹהִים. הַלֻּחֹת כְּתִיב, וְלָא כְּתִיב וְהָאֲבָנִים מַעֲשֵׂה אֱלֹהִים הֵמָּה.

שסח. אָמַר ר' שִׁמְעוֹן, כֹּלָּא חַד הוּא, אֲבָל אִלֵּין תְּרֵין לוּחִין עַד לָא אִתְבְּרֵי עָלְמָא הֲווֹ, וְאִסְתַּלָּקוּ מֵעֶרֶב שַׁבָּת, וְעָבֵד לוֹן קֻבְּ"ה, וְעוֹבָדוֹי הֲווֹ.

שע. מִמָּה אִתְעֲבִידוּ. תָּאנָא, מֵהַהוּא טַלָּא עִלָּאָה, דְּנָגִיד מֵעַתִּיקָא קַדִּישָׁא. וְכַד נָגִיד וְאִתְמְשַׁךְ לַחֲקַל דְּתַפּוּחִין קַדִּישִׁין, נָטַל קֻבְּ"ה תְּרֵין כְּפוֹרֵי מִנַּיְיהוּ, וְאִתְגְּלִידוּ, וְאִתְעֲבִידוּ תְּרֵין אַבְנִין יַקִּירִין. נָשַׁב בְּהוּ, וְאִתְפַּשְּׁטוּ לִתְרֵין לוּחִין, הה"ד מַעֲשֵׂה אֱלֹהִים הֵמָּה וְהַמִּכְתָּב מִכְתַּב אֱלֹהִים הוּא. כְּמָה דִּכְתִּיב, כְּתֻבִים בְּאֶצְבַּע אֱלֹהִים.

שעא. תָּאנָא, אֶצְבַּע אֱלֹהִים. הַהוּא אֶצְבַּע סָלִיק לַעֲשָׂרָה. כְּמָה דְּאִתְּמַר, אֶצְבַּע אֱלֹהִים הִיא. וְכָל אֶצְבַּע וְאֶצְבַּע סָלִיק לַעֲשָׂרָה, עַד דְּאִתְעֲבִיד יְדָא שְׁלֵימָתָא, דִּכְתִּיב וַיַּרְא יִשְׂרָאֵל אֶת הַיָּד הַגְּדוֹלָה.

שעב. אָמַר ר' יְהוּדָה, חָרוּת עַל הַלֻּחֹת, נְקִיבָן הֲווֹ אַבְנִין, וְאִתְחֲזִיאוּ לִתְרֵין סִטְרִין, חָרוּת גְּלוּפָא דִּגְלִיפִין. אָמַר ר' אַבָּא, מֵהַאי סִטְרָא אִתְחֲזֵי סִטְרָא אַחֲרָא, וְאִתְקְרֵי מֵהָכָא, מַה דִּכְתִּיב בְּסִטְרָא אַחֲרָא.

שעג. רַבִּי אֶלְעָזָר אָמַר, בְּנֵס הֲווֹ כְּתִיבִין, דְּכָל בְּנֵי נָשָׁא, הֲווֹ אַמְרִין וְסַהֲדִין, דְּהָא מִכְתַּב אֱלֹהִים הוּא וַדַּאי, דְּהָא כָּל בְּנֵי עָלְמָא לָא יַכְלִין לְמִנְדַּע לוֹן כְּמָה דַּהֲווֹ.

שעד. לְדַעְתַּיְיהוּ דְּאִינּוּן דְּאַמְרִין, נְקִיבִין הֲווֹ, מַה כְּתִיב חָרוּת בַּלֻּחֹת, עַל הַלֻּחֹת כְּתִיב. אֶלָּא הָכִי תָּאנָא, חַמְשָׁא קָלִין אִינּוּן לִימִינָא, וְחַמְשָׁא לִשְׂמָאלָא. וְאִינּוּן דִּשְׂמָאלָא כְּלִילָן בִּימִינָא. וּמִן יְמִינָא, אִתְחֲזוּן אִינּוּן דִּשְׂמָאלָא, וְהָכָא כֹּלָּא אִיהוּ יְמִינָא, וְאִתְכְּלִילָן אִלֵּין בְּאִלֵּין, מַאן דַּהֲוָה בְּסִטְרָא דָּא, חָמֵי לְסִטְרָא אַחֲרָא, וְקָרֵי לוֹן לְאִינּוּן אַתְוָון. דְּהָא תָּנֵינָן, שְׂמָאלָא אִתְהֲדָר יְמִינָא, דִּכְתִּיב מִימִינוֹ אֵשׁ דָּת לָמוֹ, וּבְגִין כָּךְ מִכְתַּב אֱלֹהִים הוּא וַדַּאי.

שעה. הָא כֵּיצַד, מַאן דַּהֲוָה מִסִּטְרָא דָּא, הֲוָה קָרֵי בְּדָא, אָנֹכִי יְיָ' אֱלֹהֶיךָ. וּמֵאִלֵּין אַתְוָון הֲוָה חָמֵי, וְקָרֵי לֹא תִּרְצָח. הֲוָה קָרֵי לֹא יִהְיֶה לְךָ. וַהֲוָה חָמֵי וְקָרֵי, לֹא תִּנְאָף. וַהֲוָה קָרֵי לֹא תִשָּׂא אֶת שֵׁם יְיָ' אֱלֹהֶיךָ לַשָּׁוְא. וַהֲוָה חָמֵי וְקָרֵי לֹא תִּגְנֹב. וְכֹלָּא מִסִּטְרָא דָּא, וְכָךְ לְכֻלְּהוּ, וּכְדֵין מִסִּטְרָא אַחֲרָא, וְכֻלְּהוּ כְּלִילָן דָּא בְּדָא כְּה"ג. הה"ד מִכְתַּב אֱלֹהִים הוּא. מִכְתַּב אֱלֹהִים הוּא וַדַּאי.

שעו. וַיֵּרֶד מֹשֶׁה אֶל הָעָם וַיֹּאמֶר אֲלֵיהֶם. רַבִּי יוֹסֵי אָמַר, מַאי אֲמִירָא דָּא דִּכְתִּיב וַיֹּאמֶר אֲלֵיהֶם, וְלָא כְּתִיב מַאי קָאֲמַר. א"ר יִצְחָק, תָּא חֲזֵי, אָרְחָא דְּעָלְמָא הוּא, כַּד אָתֵי וְחֶדְוְותָא לְבַר נָשׁ, אוֹ כַּד אָתֵי צַעֲרָא, עַד לָא יָדַע מִנֵּיהּ לָא יָכִיל לְמִסְבַּל, דְּהָא לִבָּא אִתְפָּרַח לְשַׁעֲתָא. וְכַד יָדַע מִנֵּיהּ, קָאִים בְּקִיּוּמֵיהּ, וְיָכִיל לְמִסְבַּל. כָּל שֶׁכֵּן הָכָא, דְּהָא מֹשֶׁה אָמַר לוֹן כָּל מַה דַּהֲוָה לְבָתַר, וְאִתְקִיף לִבַּיְיהוּ בְּמִלִּין, וְלָא יָכִילוּ לְמִסְבַּל. כ"ש אִי לָא אָמַר לוֹן מִידֵי. וּבג"כ וַיֹּאמֶר אֲלֵיהֶם בְּקַדְמֵיתָא, וְאִתְתְּקַף לִבַּיְיהוּ. וּלְבָתַר וַיְדַבֵּר אֱלֹהִים.

שעז. וְעִם כָּל דָּא, לָא יָכִילוּ לְמִסְבַּל, דְּהָא תָּנֵינָן, אָמַר ר' יְהוּדָה אָמַר ר' חִיָּיא אָמַר

ר׳ יוֹסֵי, כַּד שָׁמְעוּ מִלָּה דְּקֻבָּ״ה, פָּרְחַת נִשְׁמָתַיְיהוּ, וְסַלְקָא נִשְׁמָתַיְיהוּ דְּיִשְׂרָאֵל, עַד כּוּרְסֵי יְקָרָא דִּילֵיהּ, לְאִתְדַּבְּקָא תַּמָּן.

שעז. אָמְרָה אוֹרַיְיתָא קַמֵּיהּ דְּקוּדְשָׁא בְּרִיךְ הוּא, וְכִי לְמַגָּנָא הֲוֵינָא מִתְּרֵי אַלְפֵי שְׁנִין, עַד לָא אִתְבְּרֵי עָלְמָא, לְמַגָּנָא כְּתִיב בָּהּ, וְאִישׁ אִישׁ מִבְּנֵי יִשְׂרָאֵל וּמִן הַגֵּר הַגָּר בְּתוֹכָם וְאֶל בְּנֵי יִשְׂרָאֵל תְּדַבֵּר לֵאמֹר. כִּי לִי בְנֵי יִשְׂרָאֵל עֲבָדִים. אָן אִינּוּן בְּנֵי יִשְׂרָאֵל. בָּהּ שַׁעֲתָא, אָהַדְרַת אוֹרַיְיתָא נִשְׁמָתַיְיהוּ דְּיִשְׂרָאֵל, כָּל חַד וְחַד לְאַתְרֵיהּ. אוֹרַיְיתָא אַתְקִיפַת, וְאֲחִידַת בְּהוּ בְּנִשְׁמָתַיְיהוּ, לְאָהַדְרָא לְהוּ לְיִשְׂרָאֵל הה״ד תּוֹרַת יְיָ׳ תְּמִימָה מְשִׁיבַת נָפֶשׁ. מְשִׁיבַת נֶפֶשׁ מַמָּשׁ.

שעט. תָּאנָא, כְּתִיב וַיֵּשֶׁב שְׁלֹמֹה עַל כִּסֵּא יְיָ׳ לְמֶלֶךְ, כְּמָה דִּכְתִּיב, שֵׁשׁ מַעֲלוֹת לַכִּסֵּא. ר׳ אַבָּא אָמַר, דְּקַיְּימָא סִיהֲרָא בְּאַשְׁלָמוּתָא. דְּתָנֵינָן, בְּיוֹמוֹי דִּשְׁלֹמֹה, קַיְּימָא סִיהֲרָא בְּאַשְׁלָמוּתָא.

שפ. אֵימָתַי בְּאַשְׁלָמוּתָא. דְּקַיְּימָא בַּחֲמִשָּׁה עָשָׂר, כְּמָה דְּתָנֵינָן, אַבְרָהָם. יִצְחָק. יַעֲקֹב. יְהוּדָה. פֶּרֶץ. חֶצְרוֹן. רָם. עַמִּינָדָב. נַחְשׁוֹן. שַׂלְמוֹן. בּוֹעַז. עוֹבֵד. יִשַׁי. דָּוִד. שְׁלֹמֹה. כַּד אָתָא שְׁלֹמֹה, קַיְּימָא סִיהֲרָא בְּאַשְׁלָמוּתָא. הה״ד, וַיֵּשֶׁב שְׁלֹמֹה עַל כִּסֵּא יְיָ׳ לְמֶלֶךְ. וּכְתִיב שֵׁשׁ מַעֲלוֹת לַכִּסֵּא. כֹּלָּא כְּגַוְונָא דִּלְעֵילָּא.

שפא. בְּיוֹמוֹי דְּצִדְקִיָּה, קַיְּימָא סִיהֲרָא בִּפְגִּימוּתָא, וְאִתְפְּגִים. כד״א, וְיָרֵחַ לֹא יַגִּיהַּ אוֹרוֹ. דְּתָנֵינָן, בְּיוֹמוֹי דְּצִדְקִיָּה, אִתְפְּגִים סִיהֲרָא, וְאִתְחַשְׁכוּ אַנְפַּיְיהוּ דְּיִשְׂרָאֵל.

שפב. פּוּק וְחָשִׁיב, רְחַבְעָם. אֲבִיָּה. אָסָא. יְהוֹשָׁפָט. יְהוֹרָם. אֲחַזְיָהוּ. יוֹאָשׁ. אֲמַצְיָהוּ. עוּזִּיָּהוּ. יוֹתָם. אָחָז. יְחִזְקִיָּהוּ. מְנַשֶּׁה. אָמוֹן. יֹאשִׁיָּהוּ. צִדְקִיָּהוּ. וְכַד אָתָא צִדְקִיָּהוּ אִתְפְּגִים סִיהֲרָא וְקַיְּימָא עַל פְּגִימוּתָא. דִּכְתִּיב וְאֶת עֵינֵי צִדְקִיָּהוּ עִוֵּר. בֵּיהּ זִמְנָא הִשְׁלִיךְ מִשָּׁמַיִם אֶרֶץ. הַאי אֶרֶץ אִתְעַבְּרָא מִקַּמֵּי שָׁמַיִם, וְאִתְרְחָקַת מִנֵּיהּ, וְאִתְחַשְׁכָא הַאי אֶרֶץ.

שפג. תָּאנָא, בְּשַׁעֲתָא דְּקַיְּימוּ יִשְׂרָאֵל עַל טוּרָא דְּסִינַי שָׁארֵי סִיהֲרָא לְאַנְהָרָא, דִּכְתִּיב, וַיֵּט שָׁמַיִם וַיֵּרַד. מַהוּ וַיֵּרַד. דְּקָרִיב שִׁמְשָׁא לְגַבֵּי סִיהֲרָא, וְשָׁרֵי לְאַנְהָרָא סִיהֲרָא. דִּכְתִּיב דֶּגֶל מַחֲנֵה יְהוּדָה מִזְרָחָה.

שפד. בְּטוּרָא דְּסִינַי, אִתְמְנָא יְהוּדָה, רוּפִינּוּס בְּמַלְכוּתָא, דִּכְתִּיב, וִיהוּדָה עוֹד רָד עִם אֵל וְעִם קְדוֹשִׁים נֶאֱמָן. מַהוּ וְעִם קְדוֹשִׁים נֶאֱמָן. כַּד אָמַר קֻבָּ״ה לְיִשְׂרָאֵל, וְאַתֶּם תִּהְיוּ לִי מַמְלֶכֶת כֹּהֲנִים וְגוֹי קָדוֹשׁ, נֶאֱמָן הֲוָה יְהוּדָה לְקַבְּלָא מַלְכוּתָא, וְשָׁארֵי סִיהֲרָא לְאַנְהָרָא.

שפה. אָנֹכִי יְיָ׳ אֱלֹהֶיךָ אֲשֶׁר הוֹצֵאתִיךָ וְגוֹ׳ ר׳ אֶלְעָזָר פָּתַח, שְׁמַע בְּנִי מוּסַר אָבִיךָ וְאַל תִּטּוֹשׁ תּוֹרַת אִמֶּךָ. שְׁמַע בְּנִי מוּסַר אָבִיךָ: דָּא קֻבָּ״ה וְאַל תִּטּוֹשׁ תּוֹרַת אִמֶּךָ: דָּא כְּנֶסֶת יִשְׂרָאֵל. מַאן כ״י. דָּא בִּינָה. כְּמָה דִּכְתִּיב, לְהָבִין אִמְרֵי בִינָה

שפו. ר׳ יְהוּדָה אָמַר, מוּסַר אָבִיךָ: דָּא הִיא חָכְמָה. וְאַל תִּטּוֹשׁ תּוֹרַת אִמֶּךָ: דָּא הִיא בִּינָה. ר׳ יִצְחָק אָמַר, הָא וְהָא, חַד מִלָּה אִתְפָּרְשׁוּ. דְּתָנֵינָן, אוֹרַיְיתָא מֵחָכְמָה דִּלְעֵילָּא נָפְקַת. ר׳ יוֹסֵי אָמַר, מִבִּינָה נָפְקַת, דִּכְתִּיב לְהָבִין אִמְרֵי בִינָה, וּכְתִיב וְאַל תִּטּוֹשׁ תּוֹרַת אִמֶּךָ.

שפז. אָמַר ר׳ יְהוּדָה, אוֹרַיְיתָא מֵחָכְמָה וּבִינָה אִתְכְּלִילַת, דִּכְתִּיב, שְׁמַע בְּנִי מוּסַר אָבִיךָ וְאַל תִּטּוֹשׁ תּוֹרַת אִמֶּךָ. ר׳ אַבָּא אָמַר, בְּכֹלָּא אִתְכְּלִילַת, דְּכֵיוָן דְּבְאִלֵּין תְּרֵין

אִתְכְּלִילַת, אִתְכְּלִילַת בְּכֹלָּא. בְּחֶסֶד, בְּדִינָא בְּרַחֲמֵי. בְּכֻלְּהוּ שְׁלֵימוּתָא דְּאִצְטְרִיךְ מִלָּה. אִי מַלְכָּא וּמַטְרוֹנִיתָא מִסְתַּכְּמִין, כֹּלָּא מִסְתַּכְּמִין. בַּאֲתָר דְּאִלֵּין מִשְׁתַּכְּחִין, כֹּלָּא מִשְׁתַּכְּחִין.

שפו. ר' יוֹסֵי אָמַר, אָנֹכִי: דָּא שְׁכִינְתָּא. כְּמָה דִּכְתִּיב, אָנֹכִי אֵרֵד עִמְּךָ מִצְרַיְמָה. יְיָ' אֱלֹהֶיךָ: ר' יִצְחָק אָמַר, אָנֹכִי: דָּא שְׁכִינְתָּא. וּפָסְקָא טַעֲמָא. כד"א אָנֹכִי עֵשָׂו בְּכוֹרֶךָ. יְיָ' אֱלֹהֶיךָ: דָּא קֻבְּ"ה. כְּמָה דִּכְתִּיב, מִן הַשָּׁמַיִם הִשְׁמִיעֲךָ אֶת קֹלוֹ. וּכְתִיב אַתֶּם רְאִיתֶם כִּי מִן הַשָּׁמַיִם דִּבַּרְתִּי עִמָּכֶם. מִן הַשָּׁמַיִם מִן הַשָּׁמַיִם מַמָּשׁ דָּא קֻבְּ"ה.

שפט. אֲשֶׁר הוֹצֵאתִיךָ מֵאֶרֶץ מִצְרַיִם. אֲשֶׁר: אֲתָר דְּכֹלָּא מְאַשְּׁרִין לֵיהּ. הוֹצֵאתִיךָ מֵאֶרֶץ מִצְרַיִם: דָּא יוֹבְלָא. כְּמָה דְּתָנֵינָן, מִסִּטְרָא דְּיוֹבְלָא נָפְקוּ יִשְׂרָאֵל מִמִּצְרַיִם. וּבְגִין כַּךְ, חַמְשִׁין זִמְנִין אַדְכַּר יְצִיאַת מִצְרַיִם בְּאוֹרַיְיתָא. חַמְשִׁין יוֹמִין לְקַבְּלָא אוֹרַיְיתָא. חַמְשִׁין שְׁנִין לְחֵירוּ דְּעַבְדִין.

שצ. מִבֵּית עֲבָדִים: כְּמָה דִּכְתִּיב הִכָּה כָּל בְּכוֹר בְּאֶרֶץ מִצְרַיִם. וְתָנֵינָן אִלֵּין כִּתְרִין תַּתָּאִין, דְּאִתְרְחִיצוּ בְּהוּ מִצְרָאֵי. כְּמָה דְּאִית בֵּיתָא לְעֵילָּא, אִית בֵּיתָא לְתַתָּא. בֵּיתָא קַדִּישָׁא לְעֵילָּא, דִּכְתִּיב, בְּחָכְמָה יִבָּנֶה בָּיִת. בֵּיתָא תַּתָּאָה לְתַתָּא, דְּלָא קַדִּישָׁא, כְּמָה דִּכְתִּיב מִבֵּית עֲבָדִים.

שצא. תָּאנָא, בְּשַׁעֲתָא דְּאִתְּמַר אָנֹכִי, כָּל אִינּוּן פִּקּוּדֵי אוֹרַיְיתָא, דְּמִתְאַחֲדָן בְּמַלְכָּא קַדִּישָׁא עִלָּאָה, בְּסִטְרָא דָּא, כֻּלְּהוּ הֲוָה כְּלִילָן בְּהַאי מִלָּה.

שצב. כְּמָה דְּתָנֵינָן, כָּל פִּקּוּדֵי אוֹרַיְיתָא, מִתְאַחֲדָן בְּגוּפָא דְּמַלְכָּא. מִנְּהוֹן בְּרֵישָׁא דְּמַלְכָּא, וּמִנְּהוֹן בְּגוּפָא, וּמִנְּהוֹן בִּידֵי מַלְכָּא, וּמִנְּהוֹן בְּרַגְלוֹי, וְלֵית מַאן דְּנָפִיק מִן גּוּפָא דְּמַלְכָּא לְבַר. וּבְגִין כַּךְ, מַאן דְּפָשַׁע בְּחַד פִּקּוּדֵי אוֹרַיְיתָא, כְּמַאן דְּפָשַׁע בְּגוּפָא דְּמַלְכָּא, כְּמָה דִּכְתִּיב וְיָצְאוּ וְרָאוּ בְּפִגְרֵי הָאֲנָשִׁים הַפּוֹשְׁעִים בִּי. בִּי מַמָּשׁ. וַוי לְחַיָּיבַיָּא, דְּעַבְרִין עַל פִּתְגָּמֵי אוֹרַיְיתָא, וְלָא יָדְעִין מַאי קָא עַבְדִין.

שצג. דְּאָמַר ר' שִׁמְעוֹן, הַהוּא אֲתָר דְּאִיהוּ חָב לְגַבֵּיהּ, הַהוּא אֲתָר מַמָּשׁ גַּלֵּי חוֹבֵיהּ. חָב בְּקֻבְּ"ה, קֻבְּ"ה גַּלֵּי חוֹבֵיהּ, דִּכְתִּיב יְגַלּוּ שָׁמַיִם עֲוֹנוֹ וְאֶרֶץ מִתְקוֹמָמָה לוֹ. יְגַלּוּ שָׁמַיִם עֲוֹנוֹ: דָּא קֻבְּ"ה. וְאֶרֶץ מִתְקוֹמָמָה לוֹ: דָּא כ"י.

שצד. תַּנְיָא, שָׁמַיִם גַּלְיָין חוֹבֵיהּ דְּבַר נָשׁ. וּבְשַׁעֲתָא דְּאִיהוּ גַּלְיָא חוֹבֵיהּ, אֶרֶץ עָבִיד דִּינָא דְּבַר נָשׁ, דִּכְתִּיב וְאֶרֶץ מִתְקוֹמָמָה לוֹ, לְמֶעְבַּד דִּינָא בֵּיהּ. אָמַר ר' יוֹסֵי, תָּנֵינָן מִשְּׁמֵיהּ דְּר' שִׁמְעוֹן, בְּשַׁעֲתָא דְּאִתְיְהִיבַת אוֹרַיְיתָא, אִימָּא וּבְנִין בִּשְׁלֵימוּתָא אִשְׁתַּכָּחוּ, דִּכְתִּיב אֵם הַבָּנִים שְׂמֵחָה.

שצה. אָנֹכִי יְיָ' אֱלֹהֶיךָ. אָנֹכִי, כְּמָה דְּתָנֵינָן, בַּת הָיְתָה לוֹ לְאַבְרָהָם אָבִינוּ, הִיא שְׁכִינְתָּא. וְדָא בַּת. יְיָ' אֱלֹהֶיךָ, דִּכְתִּיב בְּנִי בְכוֹרִי יִשְׂרָאֵל. וּכְתִיב עֵץ חַיִּים הִיא לַמַּחֲזִיקִים בָּהּ, הָא בֵּן.

שצו. אֲשֶׁר הוֹצֵאתִיךָ מֵאֶרֶץ מִצְרַיִם, דִּכְתִּיב יוֹבֵל הִיא קֹדֶשׁ תִּהְיֶה לָכֶם, וּכְתִיב אֵם הַבָּנִים שְׂמֵחָה. וְקִדַּשְׁתֶּם אֵת שְׁנַת הַחֲמִשִּׁים שָׁנָה וּקְרָאתֶם דְּרוֹר, הָא אִימָּא וּבְנִין. יָתְבָא אִימָּא יַתְבִין בְּנִין. כֻּלְּהוּ בְּחֶדְוָה בִּשְׁלֵימוּתָא. וְע"ד כְּתִיב, אֵם הַבָּנִים שְׂמֵחָה. מִתְעַבְּרָא אִימָּא, כֻּלְּהוּ מִתְעַבְּרָן בְּדוּכְתַּיְיהוּ. וּכְתִיב, לֹא תִקַּח הָאֵם עַל הַבָּנִים. וְתָנֵינָן, לָא יַעְבִיד בַּר נָשׁ חוֹבֵי לְתַתָּא, בְּגִין דְּאִתְעֲבָר אִימָּא מֵעַל בְּנִין.

שצז. אָמַר ר' יִצְחָק, כֹּלָּא קֻבְּ"ה. כֹּלָּא חַד. כֹּלָּא הוּא. וּמִלִּין אִלֵּין, לִמְחַצְדֵי חַקְלָא

אִתְגַּלְיָין. זַכָּאִין אִינּוּן בְּעָלְמָא דֵּין, וּבְעָלְמָא דְּאָתֵי.

שצח. תָּאנֵי אָמַר ר' אֶלְעָזָר, כְּתִיב, בְּרֵאשִׁית בָּרָא אֱלֹהִים אֵת הַשָּׁמַיִם וְאֵת הָאָרֶץ. וּכְתִיב, בְּיוֹם עֲשׂוֹת יְיָ' אֱלֹהִים אֶרֶץ וְשָׁמָיִם. בְּמַאי אוֹקִימְנָא הָנֵי קְרָאֵי, הָא תָּנֵינָן, דִּתַרְוַויְיהוּ כַּחֲדָא אִתְבְּרִיאוּ. מְלַמֵּד, שֶׁנָּטָה הקב"ה קַו יְמִינוֹ וּבָרָא הַשָּׁמַיִם, וְנָטָה קַו שְׂמֹאלוֹ, וּבָרָא אֶת הָאָרֶץ. בְּקַדְמֵיתָא אֵת הַשָּׁמַיִם וְאֵת הָאָרֶץ, וּלְבָתַר אֶרֶץ וְשָׁמָיִם.

שצט. תְּנָן, כְּתִיב, בַּיּוֹם הַהוּא אֶעֱנֶה נְאֻם יְיָ' אֶעֱנֶה אֶת הַשָּׁמַיִם וְהֵם יַעֲנוּ אֶת הָאָרֶץ. אֶעֱנֶה אֶת הַשָּׁמַיִם, שָׁמַיִם מַמָּשׁ. דִּכְתִּיב הַשָּׁמַיִם כִּסְאִי. וְהֵם יַעֲנוּ אֶת הָאָרֶץ. הָאָרֶץ מַמָּשׁ, דִּכְתִּיב וְהָאָרֶץ הֲדוֹם רַגְלָי. שָׁמַיִם שָׁמַיִם עִלָּאִין. וְאֶרֶץ אֶרֶץ עִלָּאָה. דְּתַנְיָא, כַּד אִתְקַן שָׁמַיִם דָּא בְּתִיקּוּנוֹי, אִתְקַן לְקַבְלֵיהּ דְּהַאי אֶרֶץ, וְתֵיאוּבְתֵיהּ לְקַבְּלָהּ, בְּחַד דַּרְגָּא דְּאִקְרֵי צַדִּיק. כְּמָה דִּכְתִּיב וְצַדִּיק יְסוֹד עוֹלָם, וְאִתְדָּבַק בְּהַאי אֶרֶץ.

ת. וּמֵרֵישָׁא דְּמַלְכָּא, עַד הַהוּא אֲתַר דְּשָׁאֲרֵי הַאי צַדִּיק, אָתֵי חַד נַהֲרָא קַדִּישָׁא, מִשְׁחָא דִּרְבוּת, וְאַטִּיל בִּסְגִיאוּת תֵּיאוּבְתָּא, בְּהַאי אֶרֶץ קַדִּישָׁא, וְנָטַל כֹּלָּא הַאי אֶרֶץ. וּלְבָתַר, מֵהַאי אֶרֶץ אִתְזַן כֹּלָּא, עִילָּאֵי וְתַתָּאֵי. כִּדְכוּרָא דָּא, כַּד תֵּיאוּבְתֵיהּ לְאִתְדַּבְּקָא בְּנוּקְבָא, דְּאַפִּיק זַרְעָא דִּרְבוּת, מֵרֵישָׁא דְּמוֹחָא, בְּהַהוּא אַמָּה, וְאַטִּיל בְּנוּקְבָא, וּמִנֵּיהּ מִתְעַבְּרָא נוּקְבָא, אִשְׁתְּכַח, דְּכֻלְּהוּ שַׁיְיפִין דְּגוּפָא, כֻּלְּהוּ מִתְדַּבְּקָן בְּנוּקְבָא, וְנוּקְבָא אֲחִידָא כֹּלָּא. כְּדוּגְמָא דָּא תָּנֵינָן, כָּל דְּאַשְׁלִים לַעֲשָׂרָה קַדְמָאֵי דְּבֵי כְּנִישְׁתָּא, נוֹטֵל אֲגַר כֻּלְּהוּ. ר' יוֹסֵי אוֹמֵר, לָקֳבְלֵי דְּכֻלְּהוּ.

תא. ר' יִצְחָק אָמַר, כְּתִיב וַיֵּט שָׁמַיִם וַיֵּרַד, וּכְתִיב יֵרֵד יְיָ' לְעֵינֵי כָל הָעָם עַל הַר סִינָי, וַיֵּט שָׁמַיִם וַיֵּרַד, לְאָן נָחַת. אִי תֵּימָא דְּנָחַת לְסִינַי, עַל הַר סִינַי כְּתִיב וְלָא כְּתִיב בְּהַר סִינָי.

תב. אֶלָּא, וַיֵּט שָׁמַיִם וַיֵּרַד, לְאָן נָחַת. אָמַר ר' יוֹסֵי, נָחִית בְּדַרְגּוֹי, מִדַּרְגָּא לְדַרְגָּא, וּמִכִּתְרָא לְכִתְרָא, עַד דְּאִתְדַּבַּק בְּהַאי אֶרֶץ, וּכְדֵין אִתְנְהַר סִיהֲרָא, וְקַיְימָא בְּאַשְׁלָמוּתָא. הה"ד וַיֵּט שָׁמַיִם וַיֵּרַד, לְהַאי אֶרֶץ. וּכְדֵין כְּתִיב, עַל הַר סִינַי. מַה קַּיְימָא עַל הַר סִינַי, הֱוֵי אֵימָא דָּא שְׁכִינְתָּא.

תג. ר' אַבָּא אָמַר מֵהָכָא, מִפְּנֵי אֲשֶׁר יָרַד עָלָיו יְיָ' בָּאֵשׁ. וּכְתִיב כִּי יְיָ' אֱלֹהֶיךָ אֵשׁ אוֹכְלָה הוּא. וּכְתִיב, וַיְיָ' הִמְטִיר עַל סְדוֹם וְעַל עֲמוֹרָה גָּפְרִית וָאֵשׁ מֵאֵת ה' מִן הַשָּׁמָיִם. וַיְיָ' הִמְטִיר דָּא הוּא אֶרֶץ מֵאָן אֲתַר נָטִיל הַאי, סוֹפֵיהּ דִּקְרָא מוֹכַח, דִּכְתִּיב מֵאֵת יְיָ' מִן הַשָּׁמָיִם, מִן הַשָּׁמַיִם מַמָּשׁ. רַבִּי חִיָּיא אָמַר מֵהָכָא, וַיְדַבֵּר אֱלֹהִים אֵת כָּל. כֹּל, כְּלָלָא דְּכֹלָּא, דְּהָא בְּהַאי תַּלְיָא כֹּלָּא.

תד. לֹא יִהְיֶה לְךָ אֱלֹהִים אֲחֵרִים עַל פָּנָי. רַבִּי יִצְחָק אָמַר, אֱלֹהִים אֲחֵרִים, לְאַפָּקָא שְׁכִינְתָּא. עַל פָּנָי, לְאַפָּקָא אַפֵּי מַלְכָּא. דְּבְהוּ אִתְחֲזֵי מַלְכָּא קַדִּישָׁא, וְאִינּוּן שְׁמֵיהּ. וְהוּא אִינּוּן. הוּא שְׁמֵיהּ, דִּכְתִּיב אֲנִי יְיָ' הוּא שְׁמִי. הוּא וּשְׁמֵיהּ חַד הוּא בְּרִיךְ שְׁמֵיהּ לְעָלַם וּלְעָלְמֵי עָלְמַיָּא.

תה. תָּאנֵי רַבִּי שִׁמְעוֹן, זַכָּאִין אִינּוּן יִשְׂרָאֵל, דְּקֻבְּ"ה קָרָא לוֹן אָדָם, דִּכְתִּיב וְאַתֵּן צֹאנִי צֹאן מַרְעִיתִי אָדָם אַתֶּם, אָדָם כִּי יַקְרִיב מִכֶּם. מַאי טַעֲמָא קָרָא לוֹן אָדָם. מִשּׁוּם דִּכְתִּיב וְאַתֶּם הַדְּבֵקִים בַּיְיָ' אֱלֹהֵיכֶם. אַתֶּם וְלֹא שְׁאַר עַמִּין עכו"ם. וּבְגִּ"כ אָדָם אַתֶּם, אַתֶּם קְרוּיִין אָדָם, וְאֵין עכו"ם קְרוּיִין אָדָם.

תו. דְּתַנְיָא, אָמַר ר' שִׁמְעוֹן, כֵּיוָן דְּבַר נָשׁ יִשְׂרָאֵל אִתְגְּזַר, עָאל בִּבְרִית דְּגָזַר קֻבְּ"ה

בְּאַבְרָהָם, דִּכְתִּיב וַיְיָ' בֵּרַךְ אֶת אַבְרָהָם בַּכֹּל. וּכְתִיב חֶסֶד לְאַבְרָהָם. וְשָׁארֵי לְמֵיעָאל בְּהַאי אֲתָר. כֵּיוָן דְּזָכָה לְקַיְּימָא פִּקּוּדֵי אוֹרַיְיתָא, עָאל בֵּיהּ בְּהַאי אָדָם, וְאִתְדַּבַּק בְּגוּפָא דְּמַלְכָּא, וּכְדֵין אִקְרֵי אָדָם.

תז. וְזַרְעָא דְּיִשְׂרָאֵל אִקְרוּן אָדָם. ת"ח, כְּתִיב בֵּיהּ בְּיִשְׁמָעֵאל, וְהוּא יִהְיֶה פֶּרֶא אָדָם. פֶּרֶא אָדָם, וְלָא אָדָם. פֶּרֶא אָדָם, מִשּׁוּם דְּאִתְגְּזַר. וְשֵׁירוּתָא דְּאָדָם הֲוָה בֵּיהּ, דִּכְתִיב וְיִשְׁמָעֵאל בְּנוֹ בֶּן שְׁלֹשׁ עֶשְׂרֵה שָׁנָה בְּהִמּוֹלוֹ אֵת בְּשַׂר עָרְלָתוֹ, כֵּיוָן דְּאִתְגְּזַר, עָאל בְּהַאי שֵׁירוּתָא, דְּאִקְרֵי כֹּל. הה"ד וְהוּא יִהְיֶה פֶּרֶא אָדָם, וְלָא אָדָם. יָדוֹ בַכֹּל, יָדוֹ בַּכֹּל וַדַּאי, וְלָא יַתִּיר, מִשּׁוּם דְּלָא קַבִּיל פִּקּוּדֵי אוֹרַיְיתָא. שֵׁירוּתָא הֲוָה בֵּיהּ, בְּגִין דְּאִתְגְּזַר, וְלָא אִשְׁתְּלִים בְּפִקּוּדֵי אוֹרַיְיתָא. אֲבָל זַרְעָא דְּיִשְׂרָאֵל, דְּאִשְׁתְּלִימוּ בְּכֹלָּא, אִקְרוּן אָדָם מַמָּשׁ, וּכְתִיב כִּי חֵלֶק יְיָ' עַמּוֹ יַעֲקֹב חֶבֶל נַחֲלָתוֹ.

תח. א"ר יוֹסֵי, בְּג"ד, כָּל פַּרְצוּפִין שָׁרוּ, בַּר מִפַּרְצוּפָא דְּאָדָם. ר' יִצְחָק אָמַר, כַּד אִתְעֲבַד, אִתְחֲזֵי דִּגְלִיפָא גּוֹ גְּלִיפִין דְּאַשְׁלָמוּתָא. א"ר יְהוּדָה, הַיְינוּ דְּאָמְרֵי אִינְשֵׁי קִיטְרוֹי בְּזִיקָא, בְּטַפְסָא שְׁכִיחֵי.

תט. רַבִּי יְהוּדָה הֲוָה אָזִיל מִקַּפּוּטְקִיָא לְלוּד, לְמֶחֱמֵי לְרַבִּי שִׁמְעוֹן, דַּהֲוָה תַּמָּן, וַהֲוָה רַבִּי חִזְקִיָּה אָזִיל עִמֵּיהּ. אָמַר רַבִּי יְהוּדָה לְרַ' חִזְקִיָּה, הָא דִּתְנֵינָן, קָמֵי ר' שִׁמְעוֹן, וְהוּא יִהְיֶה פֶּרֶא אָדָם, וַדַּאי כָּךְ הוּא. וְדָא הוּא בְּרִירָא דְּמִלָּה. סוֹפֵיהּ דִּקְרָא הַכְתִּיב, וְעַל פְּנֵי כָל אֶחָיו יִשְׁכֹּן. מַהוּ וְעַל פְּנֵי כָל אֶחָיו יִשְׁכֹּן.

תי. אָמַר לֵיהּ, לָא שְׁמַעְנָא, וְלָא אֵימָא. דְּהָא אוֹלִיפְנָא, כְּתִיב וְזֹאת הַתּוֹרָה אֲשֶׁר שָׂם מֹשֶׁה. אֲשֶׁר שָׂם מֹשֶׁה, אַתָּה יָכוֹל לוֹמַר. דְּלָא שָׂם מֹשֶׁה, אִי אַתָּה יָכוֹל לוֹמַר.

תיא. פָּתַח ר' יְהוּדָה וְאָמַר, כִּי הוּא חַיֶּיךָ וְאֹרֶךְ יָמֶיךָ. מַאן דְּזָכֵי בְּאוֹרַיְיתָא, וְלָא אִתְפְּרַשׁ מִינָּהּ, זָכֵי לִתְרֵין חַיִּין, חַד בְּעָלְמָא דֵּין, וְחַד בְּעָלְמָא דְּאָתֵי. דִּכְתִיב חַיֶּיךָ, תְּרֵי. וְכָל מַאן דְּיִתְפְּרַשׁ מִינָּהּ, כְּמַאן דְּמִתְפְּרַשׁ מִן חַיֵּי, וּמַאן דְּמִתְפְּרַשׁ מִר' שִׁמְעוֹן, כְּאִילּוּ מִתְפְּרַשׁ מִכֹּלָּא.

תיב. וּמַה בְּהַאי קְרָא דְּאִיהוּ פָּתוּחַ פִּתְחָא, לָא יָכִילְנָא לְמֵיעָאל בָּהּ. פִּתְגָּמֵי אוֹרַיְיתָא דִּסְתִימִין, עַל אַחַת כַּמָּה וְכַמָּה. וַוי לְדָרָא, דְּר' שִׁמְעוֹן בֶּן יוֹחָאי יִסְתַּלִּיק מִנֵּיהּ. דְּכַד אֲנָן קַיְּימִין קָמֵי דְּר' שִׁמְעוֹן, מַבּוּעִין דְּלִבָּא פְּתִיחִין לְכָל עִיבַר, וְכֹלָּא מִתְגַּלְיָא. וְכַד אִתְפְּרַשְׁנָא מִנֵּיהּ. לָא יָדַעְנָא מִידִי, וְכָל מַבּוּעִין סְתִימִין.

תיג. אָמַר ר' חִזְקִיָּה, הַיְינוּ דִּכְתִיב, וַיָּאצֶל מִן הָרוּחַ אֲשֶׁר עָלָיו וַיִּתֵּן עַל שִׁבְעִים אִישׁ הַזְּקֵנִים, כְּבוּצִינָא דָּא, דְּנָהֲרִין מִינֵּיהּ כַּמָּה בּוּצִינִין, וְהוּא בְּקִיּוּמֵיהּ שְׁכִיחַ. כָּךְ ר' שִׁמְעוֹן בֶּן יוֹחָאי, מָארֵי דְּבוּצִינִין, הוּא נָהִיר לְכֹלָּא, וּנְהוֹרָא לָא אַעְדֵּי מִנֵּיהּ, וְאִשְׁתְּכַח בְּקִיּוּמֵיהּ. אָזְלוּ עַד דְּמָטוּ לְגַבֵּיהּ.

תיד. כַּד מָטוּ גַּבֵּיהּ, אַשְׁכְּחוּהוּ, דַּהֲוָה יָתִיב וְלָעֵי בְּאוֹרַיְיתָא, וַהֲוָה אָמַר, תְּפִלָּה לְעָנִי כִּי יַעֲטֹף וְלִפְנֵי יְיָ' יִשְׁפּוֹךְ שִׂיחוֹ. כָּל צְלוֹתָא דְּיִשְׂרָאֵל צְלוֹתָא, וּצְלוֹתָא דְּעָנִי עִלָּאָה מִכֻּלְּהוּ. מַאי טַעֲמָא. מִשּׁוּם דְּהַאי סַלְּקָא עַד כּוּרְסֵי יְקָרָא דְּמַלְכָּא, וְאִתְעַטָּר בְּרֵישֵׁיהּ. וְקוּדְשָׁא בְּרִיךְ הוּא — וְקֻבָּ"ה מִשְׁתַּבַּח בְּהַהִיא צְלוֹתָא וַדַּאי. תְּפִלָּה דְּעָנִי, תְּפִלָּה אִקְרֵי.

תטו. כִּי יַעֲטֹף. עִטּוּפָא דָּא, לָאו עִטּוּפָא דִּכְסוּ הוּא, דְּהָא לֵית לֵיהּ. אֶלָּא, כְּתִיב הָכָא כִּי יַעֲטֹף. וּכְתִיב הָתָם, הָעֲטוּפִים בְּרָעָב. וְלִפְנֵי יְיָ' יִשְׁפֹּךְ שִׂיחוֹ, דְּיִקְבַּל קָמֵי מָארֵיהּ, וְדָא נִיחָא לֵיהּ קָמֵי קב"ה, מִשּׁוּם דְּעָלְמָא מִתְקַיְּימָא בֵּיהּ, כַּד לָא אִשְׁתְּכָחוּ שְׁאַר קַיְּימֵי עָלְמָא

בְּעָלְמָא. וַוי לְמַאן דְּהַהוּא מִסְכְּנָא יְקַבֵּל עָלוֹהִי לְמָארֵיהּ, מִשּׁוּם דְּמִסְכְּנָא קָרִיב לְמַלְכָּא יַתִּיר מִכֻּלְּהוּ, דִּכְתִּיב וְהָיָה כִּי יִצְעַק אֵלַי וְשָׁמַעְתִּי כִּי חַנּוּן אָנִי.

תטז. וְלִשְׁאַר בְּנֵי עָלְמָא, זִמְנִין דְּשָׁמַע, זִמְנִין דְּלָא שָׁמַע. מ"ט. מִשּׁוּם דְּדִיּוּרֵיהּ דְּמַלְכָּא בְּהָנֵי מָאנֵי תְּבִירֵי, דִּכְתִּיב, וְאֶת דַּכָּא וּשְׁפַל רוּחַ. וּכְתִיב קָרוֹב יְיָ' לְנִשְׁבְּרֵי לֵב. לֵב נִשְׁבָּר וְנִדְכֶּה אֱלֹהִים לֹא תִבְזֶה.

תיז. מִכָּאן תָּנֵינָן, מַאן דְּנָזִיף בְּמִסְכְּנָא, נָזִיף בִּשְׁכִינְתָּא, דִּכְתִּיב וְאֶת דַּכָּא וּשְׁפַל רוּחַ. וּכְתִיב כִּי יְיָ' יָרִיב רִיבָם וְגוֹ'. בְּגִין דְּאַפּוֹטְרוֹפָּא דִּלְהוֹן תַּקִּיפָא, וְשַׁלִּיטָא עַל כֹּלָּא, דְּלָא אִצְטְרִיךְ סַהֲדֵי, וְלָא אִצְטְרִיךְ לְדַיָּינָא אַחֲרָא, וְלָא נָטִיל מַשְׁכּוֹנָא, כִּשְׁאַר דַּיָּינָא. וּמַה מַשְׁכּוֹנָא נָטִיל, נִשְׁמָתִין דְּבַר נָשׁ, דִּכְתִּיב וְקָבַע אֶת קוֹבְעֵיהֶם נָפֶשׁ.

תיח. תּוּ אָמַר תְּפִלָּה לְעָנִי, כָּל אֲתַר דְּאִקְרֵי תְּפִלָּה, מִלָּה עִלָּאָה הִיא, דְּהִיא סַלְקָא לַאֲתַר עִלָּאָה. תְּפִלָּה דְּרֵישָׁא, אִינּוּן תְּפִלֵּי דְּמַלְכָּא, דְּאָנַח לְהוּ.

תיט. ר' שִׁמְעוֹן אַסְחַר רֵישֵׁיהּ, וְחָמָא לְרַ' יְהוּדָה וּלְר' חִזְקִיָּה, דְּמָטוּ גַּבֵּיהּ. בָּתַר דְּסַיֵּים אִסְתַּכַּל בְּהוּ. אָמַר לְהוּ, סִימָא הֲוָה לְכוּ וְאִתְאֲבִיד מִנַּיְיכוּ. אָמְרוּ לֵיהּ, וַדַּאי דְּפִתְחָא עִלָּאָה פָּתַח מַר, וְלָא יָכִילְנָא לְמֵיעָאל בָּהּ.

תכ. אָמַר, מַאי הִיא. אָמְרוּ לֵיהּ, וְהוּא יִהְיֶה פֶּרֶא אָדָם, וְסוֹפֵיהּ דִּקְרָא בָּעֵינָא לְמִנְדַּע, דִּכְתִּיב וְעַל פְּנֵי כָל אֶחָיו יִשְׁכּוֹן, מַהוּ עַל פְּנֵי כָּל אֶחָיו. דְּהָא בְּרִירָא דְּכוּלֵּיהּ קְרָא יָדַעְנָא, וְהַאי לָא יָדַעְנָא, דְּסֵיפֵיהּ דִּקְרָא, לָא אִתְחֲזֵי כְּרֵישֵׁיהּ.

תכא. אָמַר לוֹן, חַיֵּיכוֹן, כֹּלָּא חַד מִלָּה הִיא, וּבְחַד דַּרְגָּא סַלְקָא. תָּאנָא, כַּמָּה פָּנִים לְפָנִים, אִית לֵיהּ לְקוּדְשָׁא בְּרִיךְ הוּא. פָּנִים דְּנַהֲרִין. פָּנִים דְּלָא נַהֲרִין. פָּנִים תַּתָּאִין. פָּנִים רְחִיקִין. פָּנִים קְרִיבִין. פָּנִים דִּלְגוֹ. פָּנִים דִּלְבַר. פָּנִים דִּימִינָא. פָּנִים דִּשְׂמָאלָא.

תכב. תָּא חֲזֵי, זַכָּאִין אִינּוּן יִשְׂרָאֵל קַמֵּיהּ דְּקוּדְשָׁא בְּרִיךְ הוּא, דַּאֲחִידָן בְּאַנְפִּין עִלָּאִין דְּמַלְכָּא. בְּאִינּוּן פָּנִים דְּהוּא וּשְׁמֵיהּ אֲחִידָן בְּהוּ, וְאִינּוּן וּשְׁמֵיהּ חַד הוּא. וּשְׁאַר עַמִּין אֲחִידָן בְּאִינּוּן פָּנִים רְחִיקִין, בְּאִינּוּן פָּנִים תַּתָּאִין. וּבְגִינֵי כַּךְ אִינּוּן רְחִיקִין מִגּוּפָא דְּמַלְכָּא, דְּהָא חֲמֵינָא כָּל אִינּוּן דְּמִצְרַיִם, קְרִיבוֹי דְּיִשְׁמָעֵאל, כַּמָּה אַחִין וּקְרִיבִין הֲווֹ לֵיהּ, וְכֻלְּהוּ הֲווֹ בְּאַנְפִּין תַּתָּאִין, בְּאִינּוּן פָּנִים רְחִיקִין.

תכג. וּבְגִינֵיהּ דְּאַבְרָהָם, כַּד אִתְגְּזַר יִשְׁמָעֵאל, זָכָה, דְּשַׁוֵּי מָדוֹרֵיהּ וְחוּלָקֵיהּ בַּאֲתַר דְּשַׁלִּיטָא עַל כָּל אִינּוּן פָּנִים רְחִיקִין וְתַתָּאִין, עַל כָּל אִינּוּן פָּנִים דִּשְׁאַר עַמִּין. הה"ד יָדוֹ בַכֹּל, וּבְגִינֵי כַּךְ עַל פְּנֵי כָל אֶחָיו יִשְׁכּוֹן, כְּלוֹמַר, יְשַׁוֵּי מָדוֹרֵיהּ וְחוּלָקֵיהּ לְעֵילָא מִכֻּלְּהוּ, דִּכְתִּיב יָדוֹ בַכֹּל, דְּשַׁלְטָא עַל כָּל שְׁאַר פָּנִים דִּלְתַתָּא. וּבג"כ עַל פְּנֵי כָל אֶחָיו וַדַּאי, דְּלָא זָכוּ כְּוָותֵיהּ.

תכד. אָתוּ רַבִּי יְהוּדָה וְר' חִזְקִיָּה, וְנָשְׁקוּ יְדוֹי. א"ר יְהוּדָה, הַיְינוּ דְּאַמְרֵי אִינָשֵׁי, חֲמָרָא בְּדֻרְדְּיָא, וּנְבִיעָא דְּבֵירָא, בִּקְטִירָא דְּקִיזְרָא אִתְעַטָּר. וַוי לְעָלְמָא, כַּד יִסְתַּלַּק מַר מִנֵּיהּ. וַוי לְדָרָא, דְּיִתְעָרַע בְּהַהוּא זִמְנָא. זַכָּאָה דָּרָא דְּאִשְׁתְּמוֹדְעוּן לֵיהּ לְמַר. זַכָּאָה דָּרָא דְּאִיהוּ שָׁרֵי בְּגַוֵּיהּ.

תכה. אָמַר רַבִּי חִזְקִיָּה, הָא תָּנֵינָן, גִּיּוֹרָא כַּד אִתְגְּזַר, אִקְרֵי גֵּר צֶדֶק, וְלָא יַתִּיר. וְהָכָא אָמַר מַר יָדוֹ בַּכֹּל. אָמַר ר"ש, כֹּלָּא אִתְקְשַׁר בְּחַד. אֲבָל גִּיּוֹרָא תָּנֵינָן. שָׁאנֵי יִשְׁמָעֵאל, דְּלָאו גִּיּוֹרָא הוּא. בְּרֵיהּ דְּאַבְרָהָם הֲוָה, בְּרֵיהּ דְּקַדִּישָׁא הֲוָה. וּכְתִיב בֵּיהּ בְּיִשְׁמָעֵאל, הִנֵּה בֵּרַכְתִּי אוֹתוֹ. כְּתִיב הָכָא, בֵּרַכְתִּי אוֹתוֹ. וּכְתִיב הָתָם, וַיְיָ' בֵּרַךְ אֶת

אַבְרָהָם בַּכֹּל. וְעַל כַּךְ כְּתִיב, יָדוֹ בַכֹּל.

תכו. וּבְגִינֵי כַּךְ כְּתִיב, עַל פְּנֵי כָל אֶחָיו יִשְׁכּוֹן. דְּאִי שְׁאַר קְרִיבוֹי אִתְגַּיְּירוּ אִקְרוּן גֵּירֵי צֶדֶק, וְלָא יַתִּיר, וְהוּא יַתִּיר וְעִלָּאָה מִכֻּלְּהוּ. כ"ש אִינּוּן דְּלָא אִתְגְּזָרוּ, דְּקַיְּימִין בְּאִינּוּן אַפִּין רְוִיקִין, בְּאִינּוּן אַפִּין תַּתָּאִין. וְאִיהוּ, מְדוֹרֵיהּ לְעֵילָּא מִכָּל פָּנִים דִּילְהוֹן, וּמִכָּל פָּנִים דְּעַמִּין עעכו"ם, הֲדָא הוּא דִּכְתִיב, עַל פְּנֵי כָל אֶחָיו יִשְׁכּוֹן. א"ר יְהוּדָה, קָבֵּ"ה בְּגִין כַּךְ אַכְרִיז וְאָמַר, לֹא יִהְיֶה לְךָ אֱלֹהִים אֲחֵרִים עַל פָּנָי, דְּדָא הוּא מְהֵימְנוּתָא דִּילֵיהּ.

תכז. לֹא תַעֲשֶׂה לְךָ פֶסֶל וְכָל תְּמוּנָה. הָא אִתְמַר. וְאָמַר רַבִּי יוֹסֵי, כָּל פַּרְצוּפִין שָׁרֵי, בַּר מִפַּרְצוּפָא דְּאָדָם, דְּהָא הַאי פַּרְצוּפָא שַׁלִּיט בְּכֹלָּא.

תכח. דָּבָר אַחֵר, לֹא תַעֲשֶׂה לְךָ פֶסֶל וְכָל תְּמוּנָה. רַבִּי יִצְחָק פָּתַח, אַל תִּתֵּן אֶת פִּיךָ לַחֲטִיא אֶת בְּשָׂרֶךָ. כַּמָּה אִית לֵיהּ לְבַר נָשׁ לְאִזְדַּהֲרָא עַל פִּתְגָּמֵי אוֹרַיְיתָא, כַּמָּה אִית לֵיהּ לְאִזְדַּהֲרָא דְּלָא יִטְעֵי בְּהוּ, וְלָא יָפִיק מֵאוֹרַיְיתָא מַה דְּלָא יָדַע, וְלָא קַבִּיל מֵרַבֵּיהּ. דְּכָל מַאן דְּאָמַר בְּמִלֵּי דְּאוֹרַיְיתָא מַה דְּלָא יָדַע, וְלָא קַבִּיל מֵרַבֵּיהּ, עָלֵיהּ כְּתִיב לֹא תַעֲשֶׂה לְךָ פֶסֶל וְכָל תְּמוּנָה. וְקָבֵּ"ה זַמִּין לְאִתְפָּרְעָא מִנֵּיהּ, בְּעָלְמָא דְּאָתֵי, בְּזִמְנָא דְּנִשְׁמָתֵיהּ בַּעְיָא לְמֵיעָאל לְדוּכְתָּא, דַּחֲזִין לָהּ לְבַר, וְתִשְׁתְּצֵי מֵהַהוּא אֲתָר דִּצְרִירָא בִּצְרוֹרָא דְּחַיֵּי דִּשְׁאַר נִשְׁמָתִין.

תכט. רַבִּי יְהוּדָה אוֹמֵר מֵהָכָא כְּמָה דִּתְנִינָן, לָמָּה יִקְצֹף הָאֱלֹהִים עַל קוֹלֶךָ. קוֹלֶךָ: דָּא הִיא נִשְׁמָתֵיהּ דְּבַר נָשׁ. אָמַר רַבִּי חִיָּיא, ע"ד כְּתִיב, כִּי יְיָ' אֱלֹהֶיךָ אֵל קַנָּא. מ"ט. מִשּׁוּם דְּקַנֵּי לִשְׁמֵיהּ בְּכֹלָּא. אִי בְּגִין פַּרְצוּפִין מְקַנֵּי לִשְׁמֵיהּ, מִשּׁוּם דִּמְשַׁקֵּר בִּשְׁמֵיהּ. אִי מִשּׁוּם אוֹרַיְיתָא.

תל. תָּנֵינָן, אוֹרַיְיתָא כֹּלָּא שְׁמָא קַדִּישָׁא הִיא, דְּלֵית לָךְ מִלָּה בְּאוֹרַיְיתָא דְּלָא כְּלִיל בִּשְׁמָא קַדִּישָׁא. וּבְגִינֵי כַּךְ, בָּעֵי לְאִזְדַּהֲרָא, בְּגִין דְּלָא יִטְעֵי בִּשְׁמֵיהּ קַדִּישָׁא, וְלָא יְשַׁקֵּר בֵּיהּ. וּמַאן דִּמְשַׁקֵּר בְּמַלְכָּא עִלָּאָה, לָא עָאלִין לֵיהּ לְפַלְטְרוֹי דְּמַלְכָּא, וְיִשְׁתְּצֵי מֵעָלְמָא דְּאָתֵי.

תלא. אָמַר רַבִּי אַבָּא, כְּתִיב הָכָא לֹא תַעֲשֶׂה לְךָ פֶסֶל וְכָל תְּמוּנָה. וּכְתִיב הָתָם, פְּסָל לְךָ שְׁנֵי לֻחֹת אֲבָנִים. כְּלוֹמַר, לֹא תַעֲשֶׂה לְךָ פֶּסֶל, לָא תַּעְבֵּד לָךְ אוֹרַיְיתָא אַחֲרָא דְּלָא יָדַעַת, וְלָא אָמַר לָךְ רַבָּךְ. מַאי טַעֲמָא. כִּי אָנֹכִי יְיָ' אֱלֹהֶיךָ אֵל קַנָּא, אֲנָא הוּא דְּזַמִּין לְאִתְפָּרְעָא מִינָּךְ בְּעָלְמָא דְּאָתֵי, בְּשַׁעֲתָא דְּנִשְׁמָתָא בַּעְיָא לְמֵיעָאל קַמָּאי, כַּמָּה זְמִינִין לְשַׁקְּרָא בָהּ, וּלְעַיְּילָא לָהּ גּוֹ גֵּיהִנָּם.

תלב. תַּנְיָא, אָמַר ר' יִצְחָק, לֹא תַעֲשֶׂה לְךָ וְגוֹ', דְּבָעֵי בַּר נָשׁ דְּלָא לְשַׁקְּרָא בִּשְׁמָא דְּקָבֵּ"ה דְּקִשְׁרָא קַדְמָאָה, דְּאִתְקַשָּׁרוּ יִשְׂרָאֵל בְּקָבֵּ"ה, כַּד אִתְגְּזָרוּ. וְדָא הוּא קִיּוּמָא קַדְמָאָה דְּכֹלָּא, לְמֵיעָאל בִּבְרִית דְּאַבְרָהָם, דְּהוּא קִשְׁרָא דִּשְׁכִינְתָּא. וּבָעֵי בַּר נָשׁ, דְּלָא לְשַׁקְּרָא בְּהַאי בְּרִית, דְּמַאן דִּמְשַׁקֵּר בְּהַאי בְּרִית, מְשַׁקֵּר בְּקָבֵּ"ה. מַאי שִׁקְּרָא. הוּא, דְּלָא יֵיעוֹל הַאי בְּרִית בִּרְשׁוּתָא אַחֲרָא. כְּמָה דְּאַתְּ אָמַר וּבָעַל בַּת אֵל נֵכָר.

תלג. ר' יְהוּדָה אָמַר מֵהָכָא, בַּיְיָ' בָּגָדוּ כִּי בָנִים זָרִים יָלָדוּ. מַאן דִּמְשַׁקֵּר בְּהַאי בְּרִית, מְשַׁקֵּר בְּקָבֵּ"ה. מִשּׁוּם דְּהַאי בְּרִית בְּקָבֵּ"ה אֲחִידָא, וּכְתִיב לֹא תַעֲשֶׂה לְךָ פֶסֶל וְכָל תְּמוּנָה אֲשֶׁר בַּשָּׁמַיִם מִמַּעַל וְגוֹ'.

תלד. לֹא תִשְׁתַּחֲוֶה לָהֶם וְלֹא תָעָבְדֵם. ר' אֶלְעָזָר הֲוָה אָזִיל בְּאָרְחָא, וַהֲוָה ר' חִיָּיא

עִמֵּיהּ. אָמַר ר׳ חִיָּיא, כְּתִיב וְרָאִיתָ בַּשִּׁבְיָה אֵשֶׁת יְפַת תֹּאַר וְגוֹ׳, מַאי טַעֲמָא. וְהָא כְּתִיב לֹא תִתְחַתֵּן בָּם. אָמַר לֵיהּ, בְּעוֹד דִּבִרְשׁוּתַיְיהוּ קַיְימֵי.

תלה. וְתָא חֲזֵי, לֵית לָךְ אִנְתּוּ בְּעַמִּין עעכו״ם כְּשֵׁרָה כַּדְקָא חֲזֵי. דְּתָנֵינָן, אֲמַאי אַסְמִיךְ פַּרְשְׁתָּא דָּא, לְבֵן סוֹרֵר וּמוֹרֶה. אֶלָּא בְּוַדַּאי, מַאן דְּנָסִיב הַאי אִתְּתָא, בֵּן סוֹרֵר וּמוֹרֶה יָרִית מִינָּהּ. מַאי טַעֲמָא. מִשּׁוּם דְּקָשֶׁה לְמֶעְבַּר זוּהֲמָא מִינָּהּ, וְכָל שֶׁכֵּן הַהִיא דְּאִתְנְסִיבַת בְּקַדְמֵיתָא, דְּדִינָא בְּדִינָא אִתְדַּבַּק, וְאִסְתְּאָבַת בָּהּ, וְקַשְׁיָא זוּהֲמָא לְמֶעְבַּר מִינָּהּ, וְהַיְינוּ דְּאָמַר מֹשֶׁה בִּנְשֵׁי מִדְיָן, וְכָל אִשָּׁה יוֹדַעַת אִישׁ לְמִשְׁכַּב זָכָר הֲרוֹגוּ.

תלו. זַכָּאָה חוּלָקֵיהּ, דְּהַהוּא בַּר נָשׁ דְּיָרִית אַחֲסַנְתָּא דָּא, וְנָטִיר לָהּ. דִּבְהַהוּא אַחֲסָנָא קַדִּישָׁא אִתְדַּבַּק בַּר נָשׁ בְּקֻבְּ״ה, כָּל שֶׁכֵּן אִי זָכֵי בְּפִקּוּדֵי אוֹרַיְיתָא, דְּהָא פָּשִׁיט מַלְכָּא יְמִינֵיהּ לְקַבְּלֵיהּ, וְאִתְדַּבַּק בְּגוּפָא קַדִּישָׁא. וְעַל דָּא כְּתִיב בְּהוּ בְּיִשְׂרָאֵל, וְאַתֶּם הַדְּבֵקִים בַּיְיָ׳ אֱלֹהֵיכֶם. וּכְתִיב בָּנִים אַתֶּם לַיְיָ׳. בָּנִים אַתֶּם מַמָּשׁ. דִּכְתִּיב בְּנִי בְכוֹרִי יִשְׂרָאֵל. וּכְתִיב יִשְׂרָאֵל אֲשֶׁר בְּךָ אֶתְפָּאָר.

תלז. לֹא תִשָּׂא אֶת שֵׁם וְגוֹ׳. ר׳ שִׁמְעוֹן פָּתַח, וַיֹּאמֶר אֵלֶיהָ אֱלִישָׁע מָה אֶעֱשֶׂה לָּךְ הַגִּידִי לִי מַה יֶּשׁ לָךְ בַּבָּיִת. אָמַר לָהּ אֱלִישָׁע, כְּלוּם אִית לָךְ עַל מַה דְּתִשְׁרֵי בִּרְכָתָא דְּקוּדְשָׁא בְּרִיךְ הוּא, דְּתָנֵינָן אָסוּר לֵיהּ לְבַר נָשׁ, לְבָרְכָא עַל פָּתוֹרָא רֵיקַנְיָא. מ״ט. מִשּׁוּם דְּבִרְכָתָא דִּלְעֵילָּא, לָא שַׁרְיָא בַּאֲתַר רֵיקַנְיָא.

תלח. וּבְגִינֵי כָּךְ, בָּעֵי בַּר נָשׁ לְסַדְּרָא עַל פָּתוֹרֵיהּ, חַד נַהֲמָא, אוֹ יַתִּיר, לְבָרְכָא עֲלוֹי. וְאִי לָא יָכִיל, בָּעֵי לְשַׁיְּירָא מֵהַהוּא מְזוֹנָא דְּאָכַל, עַל מַה דִּיבָרֵךְ. וְלָא יִשְׁתְּכַח דִּיבָרֵךְ בְּרֵיקַנְיָא.

תלט. כֵּיוָן דְּאָמְרָה, אֵין לְשִׁפְחָתְךָ כֹל בַּבַּיִת כִּי אִם אָסוּךְ שָׁמֶן. אָמַר וַדַּאי הָא בִּרְכָתָא שְׁלֵימָתָא בְּהַאי, דִּכְתִּיב טוֹב שֵׁם מִשֶּׁמֶן טוֹב. דִּשְׁמָא קַדִּישָׁא מִשֶּׁמֶן נָפְקָא, לְאִתְבָּרְכָא, לְאַדְלְקָא בּוֹצִינִין קַדִּישִׁין. מַאי שֶׁמֶן דָּא. ר׳ יִצְחָק אָמַר, כְּמָה דְּאַתְּ אָמֵר, כַּשֶּׁמֶן הַטּוֹב עַל הָרֹאשׁ וְגוֹ׳. ר׳ אֶלְעָזָר אוֹמֵר, אִלֵּין טוּרֵי דְּאַפַּרְסְמוֹנָא דַּכְיָא.

תמ. אָמַר ר׳ שִׁמְעוֹן, טוֹב שֵׁם, כַּמָּה טָבָא שְׁמָא עִלָּאָה, דְּבוֹצִינִין עִלָּאִין קַדִּישִׁין, כַּד כֻּלְּהוּ נַהֲרִין מִשֶּׁמֶן טוֹב, כְּמָה דְּאֲמֵינָא. וְאָסִיר לֵיהּ לְבַר נָשׁ, לְאַדְכְּרָא שְׁמֵיהּ דְּקוּדְשָׁא בְּרִיךְ הוּא בְּרֵיקַנְיָא. דְּכָל מַאן דְּאַדְכַּר שְׁמָא דְּקֻבְּ״ה בְּרֵיקַנְיָא, טָב לֵיהּ דְּלָא אִתְבְּרֵי.

תמא. ר׳ אֶלְעָזָר אָמַר, לָא אִצְטְרִיךְ לְמִדְכַּר שְׁמָא קַדִּישָׁא אֶלָּא בָּתַר מִלָּה. דְּהָא שְׁמָא קַדִּישָׁא, לָא אִדְכַּר בְּאוֹרַיְיתָא, אֶלָּא בָּתַר תְּרֵין מִלִּין, דִּכְתִּיב בְּרֵאשִׁית בָּרָא אֱלֹהִים.

תמב. רַבִּי שִׁמְעוֹן אָמַר, לָא אִדְכַּר שְׁמָא קַדִּישָׁא, אֶלָּא עַל עוֹלָם שָׁלֵם. דִּכְתִּיב בְּיוֹם עֲשׂוֹת יְיָ׳ אֱלֹהִים אֶרֶץ וְשָׁמַיִם. מִכָּאן, דְּלָא לְאַדְכְּרָא שְׁמֵיהּ קַדִּישָׁא בְּרֵיקַנְיָא. וּכְתִיב לֹא תִשָּׂא אֶת שֵׁם יְיָ׳ אֱלֹהֶיךָ לַשָּׁוְא.

תמג. וְתָנֵינָן, אָמַר רַבִּי יוֹסֵי, מַהוּ בְּרָכָה. שְׁמָא קַדִּישָׁא. בְּגִין דְּמִינֵּיהּ מִשְׁתַּכְּחָן בִּרְכָתָא, לְכָל עָלְמָא. וּבִרְכָתָא לָא אִשְׁתַּכַּח עַל אֲתַר רֵיקַנְיָא, וְלָא שַׁרְיָא עֲלוֹי, הֲדָא הוּא דִּכְתִּיב לֹא תִשָּׂא אֶת שֵׁם יְיָ׳ אֱלֹהֶיךָ לַשָּׁוְא.

תמד. זָכוֹר אֶת יוֹם הַשַּׁבָּת לְקַדְּשׁוֹ. רַבִּי יִצְחָק אָמַר, כְּתִיב וַיְבָרֶךְ אֱלֹהִים אֶת יוֹם הַשְּׁבִיעִי, וּכְתִיב בַּמָּן שֵׁשֶׁת יָמִים תִּלְקְטֻהוּ וּבַיּוֹם הַשְּׁבִיעִי שַׁבָּת לֹא יִהְיֶה בּוֹ. כֵּיוָן דְּלָא מִשְׁתַּכַּח בֵּיהּ מְזוֹנֵי, מַה בִּרְכָתָא אִשְׁתַּכַּח בֵּיהּ.

תמה. אֶלָּא הָכִי תָּאנָא, כָּל בִּרְכָאן דִּלְעֵילָּא וְתַתָּא, בְּיוֹמָא שְׁבִיעָאָה תַּלְיָין. וְתָאנָא,

אמאי לא אשתכח מנא ביומא שביעאה, משום דההוא יומא, מתברכאן מיניה כל שיתא יומין עלאין, וכל חד וחד יהיב מזוניה לתתא, כל חד ביומוי, מההיא ברכה דמתברכאן ביומא שביעאה.

תמו. ובגיני כך, מאן דאיהו בדרגא דמהימנותא, בעי לסדרא פתורא, ולאתקנא סעודתא בליליא דשבתא, בגין דיתברך פתוריה, כל אינון שיתא יומין, דהא בההוא זמנא, אזדמן ברכה, לאתברכא כל שיתא יומין דשבתא, וברכתא לא אשתכח בפתורא ריקניא. ועל כך, בעי לסדרא פתוריה בליליא דשבתא, בנהמי ובמזוני.

תמז. רבי יצחק אמר, אפילו ביומא דשבתא נמי. רבי יהודה אמר, בעי לאתענגא בהאי יומא, ולמיכל תלת סעודתי בשבתא, בגין דישתכח שבעא ועינוגא בהאי יומא בעלמא.

תמח. רבי אבא אמר, לאזדמנא ברכתא באינון יומין דלעילא, דמתברכאן מהאי יומא. והאי יומא, מליא רישיה דזעיר אנפין, מטלא דנחית מעתיקא קדישא סתימא דכלא, ואטיל לחקלא דתפוחין קדישין, תלת זמני, מכד עייל שבתא, דיתברכון כלהו כחדא.

תמט. ועל דא בעי בר נש, לאתענגא תלת זמנין אלין, דהא בהא תליא מהימנותא דלעילא, בעתיקא קדישא, ובזעיר אפין, ובחקלא דתפוחין. ובעי בר נש לאתענגא בהו, ולמחדי בהו. ומאן דגרע סעודתא מנייהו, אחזי פגימותא לעילא ועונשיה דההוא בר נש סגי.

תנ. בגיני כך, בעי לסדרא פתוריה, תלת זמני, מכד עייל שבתא, ולא ישתכח פתוריה ריקניא, ותשרי ברכתא עליה, כל שאר יומי דשבתא. ובהאי מלה, אחזי, ותלי מהימנותא לעילא.

תנא. רבי שמעון אמר, האי מאן דאשלים תלת סעודתי בשבתא, קלא נפיק ומכרזא עליה, אז תתענג על יי', דא סעודתא חדא, לקבל עתיקא קדישא דכל קדישין. והרכבתיך על במתי ארץ, דא סעודתא תניינא, לקבל חקלא דתפוחין קדישין. והאכלתיך נחלת יעקב אביך, דא הוא שלימו דאשתלים בזעיר אפין.

תנב. ולקבלייהו בעי לאשלמא סעודתיה, ובעי לאתענגא בכלהו סעודתי, ולמחדי בכל חד וחד מנייהו, משום דאיהו מהימנותא שלימתא. ובגין כך, שבתא אתיקר, מכל שאר זמנין וחגין, משום דכלא ביה אשתכח, ולא אשתכח הכי בכלהו זמני וחגי. אמר רבי חייא, בג"כ, משום דאשתכח כלא ביה, אידכר תלת זמנין. דכתיב, ויכל אלהים ביום השביעי. וישבות ביום השביעי. ויברך אלהים את יום השביעי.

תנג. רבי אבא, כד הוה יתיב בסעודתא דשבתא, הוי חדי, בכל חד וחד, והוה אמר, דא היא סעודתא קדישא, דעתיקא קדישא סתימא דכלא. בסעודתא אחרא הוה אמר, דא היא סעודתא דקודשא ב"ה. וכן בכלהו סעודתי, והוה חדי בכל חד וחד. כד הוה אשלים סעודתי, אמר אשלימו סעודתי דמהימנותא.

תנד. רבי שמעון, כד הוה אתי לסעודתא, הוה אמר הכי, אתקינו סעודתא דמהימנותא עלאה, אתקינו סעודתא דמלכא, והוה יתיב וחדי. כד אשלים סעודתא תליתאה, הוו מכרזי עליה, אז תתענג על יי' והרכבתיך על במתי ארץ והאכלתיך נחלת יעקב אביך.

תנה. אמר רבי אלעזר לאבוי, אלין סעודתי היך מתתקנין. אמר ליה, ליליא

דְּשַׁבְּתָא, כְּתִיב, וְהִרְכַּבְתִּיךָ עַל בָּמֳתֵי אָרֶץ. בֵּיהּ בְּלֵילְיָא, מִתְבָּרְכָא מַטְרוֹנִיתָא, וְכֻלְּהוּ וַחֲקַל תַּפּוּחִין, וּמִתְבָּרְכָא פָּתוֹרֵיהּ דְּבַר נָשׁ, וְנִשְׁמְתָא אִתּוֹסְפַת, וְהַהוּא לֵילְיָא, חֶדְוָה דְּמַטְרוֹנִיתָא הֲוֵי. וּבָעֵי בַּר נָשׁ לְמֶחֱדֵי בְּחֶדְוָותָא, וּלְמֵיכַל סְעוּדָתָא דְּמַטְרוֹנִיתָא.

תנו. בְּיוֹמָא דְּשַׁבְּתָא, בִּסְעוּדָתָא תִּנְיָינָא, כְּתִיב אָז תִּתְעַנַּג עַל יְיָ׳. עַל יְיָ׳ וַדַּאי. דְּהַהִיא שַׁעֲתָא אִתְגַּלְיָא עַתִּיקָא קַדִּישָׁא, וְכֻלְּהוּ עָלְמִין בְּחֶדְוָותָא, וּשְׁלִימוּ וְחֶדְוָותָא דְּעַתִּיקָא עַבְדִּינָן, וּסְעוּדָתָא דִּילֵיהּ הוּא וַדַּאי.

תנז. בִּסְעוּדָתָא תְּלִיתָאָה דְּשַׁבְּתָא, כְּתִיב וְהַאֲכַלְתִּיךָ נַחֲלַת יַעֲקֹב אָבִיךָ. דָּא הִיא סְעוּדָתָא דִּזְעֵיר אַפִּין, דַּהֲוֵי בִּשְׁלִימוּתָא. וְכֻלְּהוּ שִׁיתָא יוֹמִין, מֵהַהוּא שְׁלִימוּ מִתְבָּרְכָן. וּבָעֵי בַּר נָשׁ לְמֶחֱדֵי בִּסְעוּדָתֵיהּ, וּלְאַשְׁלְמָא אִלֵּין סְעוּדָתֵי, דְּאִינּוּן סְעוּדָתֵי מְהֵימְנוּתָא שְׁלֵימָתָא, דְּזַרְעָא קַדִּישָׁא דְּיִשְׂרָאֵל, דִּי מְהֵימְנוּתָא עִלָּאָה, דְּהָא דִּילְהוֹן הִיא, וְלָא דְּעַמִּין עעכו״ם. וּבְגִינֵי כַּךְ אָמַר, בֵּינִי וּבֵין בְּנֵי יִשְׂרָאֵל.

תנח. ת״ח, בִּסְעוּדָתֵי אִלֵּין, אִשְׁתְּמוֹדְעוּן יִשְׂרָאֵל, דְּאִינּוּן בְּנֵי מַלְכָּא. דְּאִינּוּן מֵהֵיכְלָא דְּמַלְכָּא, דְּאִינּוּן בְּנֵי מְהֵימְנוּתָא, וּמַאן דְּפָגִים חַד סְעוּדָתָא מִנַּיְיהוּ, אַחְזֵי פְּגִימוּתָא לְעֵילָּא, וְאַחְזֵי גַּרְמֵיהּ דְּלָאו מִבְּנֵי מַלְכָּא עִלָּאָה הוּא, דְּלָאו מִבְּנֵי הֵיכְלָא דְּמַלְכָּא הוּא דְּלָאו מִזַּרְעָא קַדִּישָׁא דְּיִשְׂרָאֵל הוּא. וְיָהֲבִין עָלֵיהּ חוּמְרָא דִּתְלַת מִלִּין, דִּינָא דְּגֵיהִנָּם וְגוֹ׳.

תנט. וְתָא חֲזֵי, בְּכֻלְּהוּ שְׁאַר זִמְנִין וְחַגִּין, בָּעֵי בַּר נָשׁ לְמֶחְדֵי, וּלְמֶחְדֵּי לְמִסְכְּנֵי. וְאִי הוּא חַדֵּי בִּלְחוֹדוֹי, וְלָא יָהִיב לְמִסְכְּנֵי, עוֹנְשֵׁיהּ סַגִּי, דְּהָא בִּלְחוֹדוֹי חַדֵּי, וְלָא יָהִיב חֶדְוָה לְאָחֳרָא. עָלֵיהּ כְּתִיב, וְזֵרִיתִי פֶרֶשׁ עַל פְּנֵיכֶם פֶּרֶשׁ חַגֵּיכֶם. וְאִי אִיהוּ בְּשַׁבְּתָא חַדֵּי, אע״ג דְּלָא יָהִיב לְאָחֳרָא, לָא יַהֲבִין עָלֵיהּ עוֹנְשָׁא, כִּשְׁאַר זִמְנִין וְחַגִּין, דִּכְתִּיב פֶּרֶשׁ חַגֵּיכֶם. פֶּרֶשׁ חַגֵּיכֶם קָאָמַר, וְלָא פֶּרֶשׁ שַׁבַּתְּכֶם. וּכְתִיב חָדְשֵׁיכֶם וּמוֹעֲדֵיכֶם שָׂנְאָה נַפְשִׁי. וְאִלּוּ שַׁבָּת לָא קָאָמַר.

תס. וּבְגִינֵי כַּךְ כְּתִיב, בֵּינִי וּבֵין בְּנֵי יִשְׂרָאֵל. וּמִשּׁוּם דְּכָל מְהֵימְנוּתָא אִשְׁתְּכַח בְּשַׁבְּתָא, יַהֲבִין לֵיהּ לְבַר נָשׁ נִשְׁמְתָא אָחֳרָא, נִשְׁמְתָא עִלָּאָה, נִשְׁמְתָא דְּכָל שְׁלִימוּ בָּהּ, כְּדוּגְמָא דְּעָלְמָא דְּאָתֵי. וּבְגִינֵי כַּךְ אִקְרֵי שַׁבָּת. מַהוּ שַׁבָּת. שְׁמָא דְּקוּדְשָׁא בְּרִיךְ הוּא. שְׁמָא דְּאִיהוּ שְׁלִים מִכָּל סִטְרוֹי.

תסא. אָמַר רַבִּי יוֹסֵי, וַדַּאי כַּךְ הוּא. וַוי לֵיהּ לְבַר נָשׁ, דְּלָא אַשְׁלִים חֶדְוָותָא דְּמַלְכָּא קַדִּישָׁא. וּמַאן חֶדְוָותָא דִּילֵיהּ. אִלֵּין תְּלַת סְעוּדָתֵי מְהֵימְנוּתָא. סְעוּדָתֵי דְּאַבְרָהָם יִצְחָק וְיַעֲקֹב כְּלִילָן בְּהוּ. וְכֻלְּהוּ חֶדְוָה עַל חֶדְוָה מְהֵימְנוּתָא שְׁלֵימוּתָא, מִכָּל סִטְרוֹי.

תסב. תָּאנָא, בְּהַאי יוֹמָא מִתְעַטְּרָן אֲבָהָן, וְכָל בְּנִין יַנְקִין, מַה דְּלָאו הָכִי בְּכָל שְׁאַר חַגִּין וּזְמַנִּין. בְּהַאי יוֹמָא, חַיָּיבַיָּא דְּגֵיהִנָּם נַיְיחִין. בְּהַאי יוֹמָא, כָּל דִּינִין אִתְכַּפְיָין, וְלָא מִתְעָרִין בְּעָלְמָא. בְּהַאי יוֹמָא אוֹרַיְיתָא מִתְעַטְּרָא בְּעִטְרִין שְׁלִימִין. בְּהַאי יוֹמָא, חֶדְוָותָא וְתַפְנוּקָא אִשְׁתְּמַע, בְּמָאתָן וְחַמְשִׁין עָלְמִין.

תסג. תָּא חֲזֵי, בְּכָל שִׁיתָא יוֹמֵי דְּשַׁבְּתָא, כַּד מָטָא שַׁעֲתָא דִּצְלוֹתָא דְּמִנְחָה, דִּינָא תַּקִּיפָא שַׁלְטָא, וְכָל דִּינִין מִתְעָרִין. אֲבָל בְּיוֹמָא דְּשַׁבְּתָא, כַּד מָטָא עִדָּן דִּצְלוֹתָא דְּמִנְחָה, רַעֲוָא דְּרַעֲוִין אִשְׁתְּכַח, וְעַתִּיקָא קַדִּישָׁא גַּלְיָא רָצוֹן דִּילֵיהּ, וְכָל דִּינִין מִתְכַּפְיָין, וּמִשְׁתַּכַּח רְעוּתָא וְחֶדְוָה בְּכֹלָּא.

תסד. וּבְהַאי רָצוֹן, אִסְתַּלַּק מֹשֶׁה, נְבִיאָה מְהֵימָנָא קַדִּישָׁא מֵעָלְמָא. בְּגִין לְמִנְדַּע,

דְּלָא בְּדִינָא אִסְתַּלַּק, וְהַהִיא שַׁעֲתָא בִּרְצוֹן דְּעַתִּיקָא קַדִּישָׁא נָפַק נִשְׁמָתֵיהּ, וְאִתְטָמַּר בֵּיהּ. בְּגִין כָּךְ, וְלֹא יָדַע אִישׁ אֶת קְבֻרָתוֹ כְּתִיב. מַה עַתִּיקָא קַדִּישָׁא, טְמִירָא מִכָּל טְמִירִין, וְלָא יַדְעִין עִלָּאִין וְתַתָּאִין. אוּף הָכָא, הַאי נִשְׁמְתָא דְּאִתְטָמַּר בְּהַאי רָצוֹן, דְּאִתְגַּלְיָא בְּשַׁעֲתָא דִּצְלוֹתָא דְּמִנְחָה דְּשַׁבְּתָא, כְּתִיב וְלֹא יָדַע אִישׁ אֶת קְבֻרָתוֹ וְהוּא טָמִיר מִכָּל טְמִירִין דְּעָלְמָא, וְדִינָא לָא שַׁלְטָא בֵּיהּ. זַכָּאָה חוּלָקֵיהּ דְּמֹשֶׁה.

תסה. תָּאנָא, בְּהַאי יוֹמָא, דְּאוֹרַיְיתָא מִתְעַטְּרָא בֵּיהּ, מִתְעַטְּרָא בְּכֹלָּא, בְּכָל אִינּוּן פִּקּוּדִין בְּכָל אִינּוּן גְּזֵרִין וְעוֹנָשִׁין, בְּשַׁבְעִין עֲנָפִין דִּנְהוֹרָא, דְּזָהֲרִין מִכָּל סִטְרָא וְסִטְרָא. מַאן חָמֵי, עֲנָפִין דְּנָפְקִין מִכָּל עֲנָפָא וַעֲנָפָא, וְחַמְשָׁא קַיְימִין בְּגוֹ אִילָנָא, כֻּלְּהוּ עֲנָפִין בְּהוּ אֲחִידָן. מַאן חָמֵי, אִינּוּן תַּרְעִין דְּמִתְפַּתְּחָן בְּכָל סְטַר וּסְטַר, כֻּלְּהוּ מִזְדַּהֲרִין וְנַהֲרִין, בְּהַהוּא נְהוֹרָא דְּנָפִיק וְלָא פָּסַק.

תסו. קָל כָּרוֹזָא נָפִיק, אִתְעָרוּ קַדִּישֵׁי עֶלְיוֹנִין, אִתְעָרוּ עַמָּא קַדִּישָׁא, דְּאִתְבְּחַר לְעֵילָּא וְתַתָּא. אִתְעָרוּ חֶדְוָותָא לְקַדְמוּת מָארֵיכוֹן. אִתְעָרוּ בְּחֶדְוָותָא שְׁלֵימָתָא. אִזְדְּמָנוּ בִּתְלַת חֶדְוָון, דִּתְלַת אֲבָהָן. אִזְדְּמָנוּ לְקַדְמוּת מְהֵימְנוּתָא, דְּחֶדְוָה דְּכָל חֶדְוָותָא. זַכָּאָה חוּלָקְכוֹן, יִשְׂרָאֵל קַדִּישִׁין, בְּעָלְמָא דֵּין וּבְעָלְמָא דְּאָתֵי. דָּא הוּא יְרוּתָא לְכוֹן, מִכָּל עַמִּין עֹכּו"ם. וְעַל דָּא כְּתִיב, בֵּינִי וּבֵין בְּנֵי יִשְׂרָאֵל.

תסז. אָמַר ר' יְהוּדָה, הָכִי הוּא וַדַּאי. וְע"ד כְּתִיב זָכוֹר אֶת יוֹם הַשַּׁבָּת לְקַדְּשׁוֹ וּכְתִיב קְדוֹשִׁים תִּהְיוּ כִּי קָדוֹשׁ אֲנִי יְיָ. וּכְתִיב, וְקָרָאתָ לַשַּׁבָּת עֹנֶג לִקְדוֹשׁ יְיָ מְכֻבָּד.

תסח. תָּאנָא, בְּהַאי יוֹמָא, כָּל נִשְׁמָתֵיהוֹן דְּצַדִּיקַיָּיא, מִתְעַדְּנִין בְּתַפְנוּקֵי עַתִּיקָא קַדִּישָׁא, סְתִימָא דְּכָל סְתִימִין. וְרוּחָא חֲדָא מֵעִנּוּגָא דְּהַהוּא עַתִּיקָא קַדִּישָׁא מִתְפַּשְּׁטָא בְּכֻלְּהוּ עָלְמִין, וְסַלְּקָא וְנַחְתָּא, וּמִתְפַּשְּׁטָא לְכֻלְּהוּ בְּנֵי קַדִּישִׁין, לְכֻלְּהוּ נְטוּרֵי אוֹרַיְיתָא, וְנַיְיחִין בְּנַיְיחָא שְׁלִים, מִתְנַשְׁיֵ מִכֻּלְּהוּ, כָּל רוּגְזִין, כָּל דִּינִין, וְכָל פּוּלְחָנִין קָשִׁין. הה"ד בְּיוֹם הָנִיחַ יְיָ לְךָ מֵעָצְבְּךָ וּמֵרָגְזֶךָ וּמִן הָעֲבוֹדָה הַקָּשָׁה.

תסט. בְּגִינֵי כָּךְ, שָׁקִיל שַׁבְּתָא לָקֳבֵל אוֹרַיְיתָא, וְכָל דְּנָטִיר שַׁבְּתָא, כְּאִילּוּ נָטִיר אוֹרַיְיתָא כֻּלָּא. וּכְתִיב אַשְׁרֵי אֱנוֹשׁ יַעֲשֶׂה זֹּאת וּבֶן אָדָם יַחֲזִיק בָּהּ שׁוֹמֵר שַׁבָּת מֵחַלְּלוֹ וְשׁוֹמֵר יָדוֹ מֵעֲשׂוֹת כָּל רָע. אִשְׁתְּמַע, דְּמַאן דְּנָטִיר שַׁבָּת, כְּמַאן דְּנָטִיר אוֹרַיְיתָא כֻּלָּא.

תע. ר' יוּדָאי שָׁאִיל לֵיהּ לְר' שִׁמְעוֹן, יוֹמָא חַד דְּאַעְרַע עִמֵּיהּ בְּאָרְחָא, אָמַר לֵיהּ, ר', הָא כְּתִיב בְּפָרְשְׁתָא דָּא שַׁבָּת, דְּאָמַר יְשַׁעְיָה, דִּכְתִּיב כֹּה אָמַר יְיָ לַסָּרִיסִים אֲשֶׁר יִשְׁמְרוּ אֶת שַׁבְּתוֹתַי וְגוֹ', וְנָתַתִּי לָהֶם בְּבֵיתִי וּבְחוֹמוֹתַי וְגוֹ'. מַה קָא מַיְירֵי.

תעא. א"ל, קַפּוּטְקָאָה, חֲמָרָךְ קְטִירֵי בְּטִיפְסָא, וּנְזִית, דְּמִלָּה דְּאוֹרַיְיתָא בָּעֵי צַחוּתָא. אוֹ אַפְכֵי לַאֲחוֹרָךְ, וְזִיל אֲבַתְרָאי, וְתִכְוֵון לִבָּךְ. א"ל, בְּגִינֵיהּ דְּמָר עֲבִידְנָא אָרְחָא, וּבָתְרֵיהּ דְּמָר אִסְתַּכַּל בִּשְׁכִינְתָּא.

תעב. א"ל, ת"ח, מִלָּה דָּא הָא אוּקְמוּהָ חַבְרַיָּיא, וְלָא פָּרִישׁוּ מִלָּה. כֹּה אָמַר יְיָ לַסָּרִיסִים. מַאן סָרִיסִים. אִלֵּין אִינּוּן חַבְרַיָּיא, דְּמִשְׁתַּדְּלֵי בְּאוֹרַיְיתָא, וּמְסָרְסֵי גַּרְמַיְיהוּ כָּל שִׁיתָא יוֹמִין דְּשַׁבְּתָא, וְלָעָאן בְּאוֹרַיְיתָא, וּבְלֵילְיָא דְּשַׁבְּתָא מְזָרְזֵי גַּרְמַיְיהוּ בְּזִוּוּגָא דִּלְהוֹן, מִשּׁוּם דְּיָדְעֵי רָזָא עִלָּאָה, בְּשַׁעֲתָא דְּמַטְרוֹנִיתָא אִזְדַּוְּוגַת בְּמַלְכָּא.

תעג. וְאִינּוּן חַבְרַיָּיא דְּיָדְעִין רָזָא דָּא, מְכַוְּונִין לִבַּיְיהוּ לִמְהֵימְנוּתָא דְּמָארֵיהוֹן וּמִתְבָּרְכָאן בְּאִיבָּא דִּמְעֵיהוֹן בְּהַהוּא לֵילְיָא. וְדָא הוּא דִּכְתִּיב, אֲשֶׁר יִשְׁמְרוּ, כְּמָה דְּאַתְּ אָמֵר, וְאָבִיו שָׁמַר אֶת הַדָּבָר.

תעד. וְאִקְרוּן סָרִיסִים וַדַּאי, בְּגִין לְחַכָּאָה לְשַׁבְּתָא לְאַשְׁכְּחָא רְעוּתָא דְּמָארֵיהוֹן,

דִּכְתִּיב וּבְחָרוּ בַּאֲשֶׁר חָפָצְתִּי. מַאי בַּאֲשֶׁר חָפָצְתִּי. דָּא זִוּוּגָא דְּמַטְרוֹנִיתָא. וּמַחֲזִיקִים בִּבְרִיתִי, כֹּלָּא חַד, בִּבְרִיתִי סְתָם. זַכָּאָה חוּלָקֵיהּ דְּמַאן דְּאִתְקַדַּשׁ בִּקְדוּשָּׁה דָּא, וְיָדַע רָזָא דָּא.

תעה. תָּא חֲזֵי, כְּתִיב שֵׁשֶׁת יָמִים תַּעֲבֹד וְעָשִׂיתָ כָּל מְלַאכְתֶּךָ וְיוֹם הַשְּׁבִיעִי שַׁבָּת לַיְיָ' אֱלֹהֶיךָ וְגוֹ', כָּל מְלַאכְתֶּךָ, בְּאִינּוּן שִׁיתָא יוֹמֵי עֲבִידְתַּיְיהוּ דִּבְנֵי נָשָׁא וּבְגִין הַאי מִלָּה. לָא מִזְדַּוְּוגֵי חַבְרַיָּיא, בַּר בְּזִמְנָא דְּלָא יִשְׁתַּכְּחוּ מֵעֲבִידְתַּיְיהוּ דִּבְנֵי נָשָׁא, אֶלָּא עֲבִידְתֵּיהּ דְּקֻבְּ"ה. וּמַאי עֲבִידְתֵּיהּ. זִוּוּגָא דְּמַטְרוֹנִיתָא, לְאַפָּקָא נִשְׁמָתִין קַדִּישִׁין לְעָלְמָא.

תעו. וּבְגִ"כ, בְּהַאי לֵילְיָא חַבְרַיָּיא מִתְקַדְּשֵׁי בִּקְדוּשָּׁה דְּמָארֵיהוֹן, וּמְכַוְּונֵי לִבַּיְיהוּ, וְנַפְּקֵי בְּנֵי מַעֲלֵי, בְּנִין קַדִּישִׁין, דְּלָא סָטָאן לִימִינָא וְלִשְׂמָאלָא, בְּנִין דְּמַלְכָּא וּמַטְרוֹנִיתָא. וְעַל אִלֵּין כְּתִיב, בָּנִים אַתֶּם לַיְיָ' אֱלֹהֵיכֶם, לַיְיָ' וַדַּאי. בְּגִין דְּאִלֵּין אִקְרוּן בְּנִין דִּילֵיהּ, בְּנִין לְמַלְכָּא וּלְמַטְרוֹנִיתָא.

תעז. וְהָא דַּעְתַּיְיהוּ דְּחַבְרַיָּיא דְּיַדְעִין רָזָא דָּא, בְּדָא מִתְדַּבְקָן. וּבְגִין כַּךְ אִקְרוּן בְּנִין לְקֻבְּ"ה. וְהָנֵי אִינּוּן דְּעָלְמָא מִתְקַיְּימָא בְּגִינַיְיהוּ. וְכַד סָלִיק עָלְמָא בְּדִינָא, אִסְתַּכַּל קֻבְּ"ה בְּאִינּוּן בְּנוֹי, וּמְרַחֵם עַל עָלְמָא. וְעַל דָּא כְּתִיב כֻּלֹּה זֶרַע אֱמֶת. זֶרַע אֱמֶת וַדַּאי. מַהוּ אֱמֶת. עִזְקָא קַדִּישָׁא שְׁלֵימָתָא. כד"א תִּתֵּן אֱמֶת לְיַעֲקֹב. וְכֹלָּא חַד. וּבְגִינֵי כַּךְ, זֶרַע אֱמֶת וַדַּאי.

תעח. אָמַר לֵיהּ ר' יוּדָאי, בְּרִיךְ רַחֲמָנָא דְּשַׁדְּרַנִי הָכָא, בְּרִיךְ רַחֲמָנָא, דְּהָא מִלָּה דָּא שְׁמַעְנָא מִפּוּמָךְ. בָּכָה רַבִּי יוּדָאי. אָמַר לֵיהּ ר' שִׁמְעוֹן, אֲמַאי קָא בָּכִית. אָמַר לֵיהּ, בָּכֵינָא, דַּאֲמֵינָא דְּוַוי לְאִינּוּן בְּנֵי עָלְמָא, דְּאָרְחַיְיהוּ כִּבְעִירֵי, וְלָא יַדְעֵי וְלָא מִסְתַּכְּלֵי, דְּטָב לוֹן דְּלָא אִתְבְּרִיאוּ. וַוי לְעָלְמָא כַּד יִפּוֹק מַר מִנֵּיהּ, דְּמַאן יָכִיל לְגַלָּאָה רָזִין, וּמַאן יִנְדַּע לוֹן, וּמַאן יִסְתַּכַּל בְּאָרְחֵי אוֹרַיְיתָא.

תעט. אָמַר לֵיהּ, חַיֶּיךָ, לֵית עָלְמָא אֶלָּא לְאִינּוּן חַבְרַיָּיא, דְּמִשְׁתַּדְּלֵי בְּאוֹרַיְיתָא וְיַדְעִין סְתִימֵי אוֹרַיְיתָא. וַדַּאי בְּקֻשְׁטְ גָּזְרוּ חַבְרַיָּיא עַל עַמָּא דְּאַרְעָא, דִּמְחַבְּלִין אָרְחַיְיהוּ, וְלָא יַדְעִין בֵּין יְמִינָא לִשְׂמָאלָא, דְּהָא אִינּוּן כִּבְעִירֵי, דְּיָאוּת לְמֶעְבַּד בְּהוּ דִּינָא, אֲפִילּוּ בְּיוֹם הַכִּפּוּרִים. וְעַל בְּנַיְיהוּ כְּתִיב, כִּי בְנֵי זְנוּנִים הֵמָּה, בְּנֵי זְנוּנִים מַמָּשׁ.

תפ. אָמַר לֵיהּ, ר', הַאי קְרָא בָּעֵי לְאִתְיַישְׁבָא בְּאָרְחוֹי. כְּתִיב וְנָתַתִּי לָהֶם בְּבֵיתִי וּבְחוֹמוֹתַי יָד וָשֵׁם טוֹב מִבָּנִים וּמִבָּנוֹת שֵׁם עוֹלָם אֶתֶּן לוֹ. אֶתֵּן לָהֶם מִבָּעֵי לֵיהּ, מַהוּ אֶתֶּן לוֹ.

תפא. אָמַר לֵיהּ, תָּא חֲזֵי, וְנָתַתִּי לָהֶם בְּבֵיתִי, מַהוּ בֵּיתִי. כְּמָה דְּאַתְּ אָמַר בְּכָל בֵּיתִי נֶאֱמָן הוּא. וּבְחוֹמוֹתַי, כד"א עַל חוֹמוֹתַיִךְ יְרוּשָׁלַםִ הִפְקַדְתִּי שׁוֹמְרִים יָד וָשֵׁם, כְּלוֹמַר דְּיִשְׁלְפוּן נִשְׁמָתִין קַדִּישִׁין מִדּוּכְתָּא דָּא. וְהַהוּא יָד, חוּלָק בְּאַשְׁלְמוּתָא. טַב, מִלְּיָא מִבָּנִין וּמִבְּנָתָן. שֵׁם עוֹלָם אֶתֶּן לוֹ, לְהַהוּא חוּלָק שְׁלִים. אֲשֶׁר לֹא יִכָּרֵת לְדָרֵי דָּרִין. דָּבָר אַחֵר אֶתֶּן לוֹ לְהַהוּא דְּיָדַע רָזָא דְּמִלָּה, וְיִתְכַּוֵּון בְּמָה דְּבָעֵי לְכַוְּונָא.

תפב. תּוּ אָמַר ר' שִׁמְעוֹן, כְּתִיב, לֹא תְבַעֲרוּ אֵשׁ בְּכֹל מוֹשְׁבוֹתֵיכֶם בְּיוֹם הַשַּׁבָּת. מַאי טַעֲמָא. בְּגִין דְּלָא אִתְחֲזֵי דִּינָא בְּהַאי יוֹמָא. וְאִי תֵּימָא הָא לְגַבוֹהַּ סָלְקָא. בְּכֹל מוֹשְׁבוֹתֵיכֶם קָאָמַר, וְלָא לְגָבוֹהַּ. וְהַהוּא דְּסָלְקָא לְגָבוֹהַּ, לְאַכְפְּיָא לְדִינָא אַחֲרָא סָלְקָא. דְּתָנֵינָן, אִית אֶשָּׁא אָכְלָא אֶשָּׁא. וְאֶשָּׁא דְּמַדְבְּחָא, אָכְלָא אֶשָּׁא אַחֲרָא.

תפג. וּבְגִינֵי כַּךְ, אִתְגַּלְיָא עַתִּיקָא קַדִּישָׁא בְּהַאי יוֹמָא, מִכָּל שְׁאָר יוֹמִין. וּבְזִמְנָא

דְּאִתְגַּלְיָא עַתִּיקָא, לָא אִתְחֲזֵי דִּינָא כְּלָל. וְכָל עִלָּאִין וְתַתָּאִין מִשְׁתַּכְּחִין בְּחֶדְוָותָא שְׁלֵימָתָא, וְדִינָא לָא שַׁלְטָא.

תפד. תָּאנָא. כְּתִיב כִּי שֵׁשֶׁת יָמִים עָשָׂה יְיָ אֶת הַשָּׁמַיִם וְאֶת הָאָרֶץ. שֵׁשֶׁת יָמִים וַדַּאי, וְלָא בְּשֵׁשֶׁת. וְהָנֵי יוֹמִין קַדִּישִׁין עִלָּאִין, אִקְרוּן יוֹמֵי דִשְׁמָא קַדִּישָׁא אִתְכְּלִיל בְּהוּ, וְאִינּוּן אִתְכְּלִילָן בֵּיהּ. זַכָּאָה וְחוּלָקֵיהוֹן דְּיִשְׂרָאֵל מִכָּל עַמִּין עַכּוּ״ם, עֲלַיְיהוּ כְּתִיב, וְאַתֶּם הַדְּבֵקִים בַּיְיָ אֱלֹהֵיכֶם חַיִּים כּוּלְּכֶם הַיּוֹם.

תפה. כַּבֵּד אֶת אָבִיךָ וְאֶת אִמֶּךָ. רַבִּי חִזְקִיָּיה פָּתַח, וְנָהָר יוֹצֵא מֵעֵדֶן וְגוֹ׳. וְנָהָר, דָּא נְבִיעוּ דְּמַבּוּעָא, דְּנָפִיק תָּדִיר וְלָא פָּסִיק. וּמֵהַהוּא נָהָר דְּמַבּוּעָא דָּא, אִתְשַׁקְיָין כָּל גִּנְּתָא דְּעֵדֶן. וְהַהוּא נָהָר דְּמַבּוּעָא קַדִּישָׁא, אִקְרֵי אָ״ב. מַאי טַעְמָא. מִשּׁוּם דְּאִיהוּ נְבִיעָא לְאַתְזְנָא לְגִנְּתָא.

תפו. רַבִּי אַבָּא אָמַר, עֵדֶן מַמָּשׁ אִקְרֵי אָב. מִשּׁוּם דְּהַאי עֵדֶן, מִשְׁתַּכְּחוּ מֵהַהוּא אֲתָר, דְּאִקְרֵי אַיִן, וּבְגִינֵי כַּךְ, אִקְרֵי אָב. וְהָא אוּקִימְנָא, מֵאֲתָר דְּשַׁארִי לְאִתְמַשְּׁכָא כֹּלָּא, אִקְרֵי אַתָּה, וְאִקְרֵי אָב. כְּמָה דְּאַתְּ אָמַר, כִּי אַתָּה אָבִינוּ.

תפז. ר׳ אֶלְעָזָר אָמַר, כַּבֵּד אֶת אָבִיךָ, דָּא קָבָ״ה. וְאֶת אִמֶּךָ, דָּא כְּנֶסֶת יִשְׂרָאֵל. אֶת אָבִיךָ, אֶת דַּיְיקָא, לְאַכְלְלָא שְׁכִינְתָּא עִלָּאָה. רַבִּי יְהוּדָה אָמַר, כַּבֵּד אֶת אָבִיךָ, סְתָם. וְאֶת אִמֶּךָ, סְתָם. דְּהָא כֹּלָּא הֲוָה בְּמִנְיָינָא. אֶת, לְרַבּוֹת כָּל מַה דִּלְעֵילָּא וְתַתָּא.

תפח. רַבִּי יוֹסֵי אָמַר, הַאי דְּאָמַר רַבִּי אַבָּא, מֵאֲתָר דְּשַׁארִי לְאִתְמַשְּׁכָא כֹּלָּא, אִקְרֵי אַתָּה, שַׁפִּיר. דְּהָא אוֹלִיפְנָא, הַהוּא דְּטָמִיר וְלָא אִית בֵּיהּ שֵׁירוּתָא, קָרֵינָן הוּא. מֵאֲתָר דְּשֵׁירוּתָא אִשְׁתַּכַּח, קָרֵינָן אַתָּה. וְאִקְרֵי אָב. בְּרִיךְ שְׁמֵיהּ לְעָלַם וּלְעָלְמֵי עָלְמַיָּא אָמֵן.

תפט. רַבִּי חִזְקִיָּיה אָמַר, וַדַּאי כֹּלָּא חַד. כַּבֵּד אֶת אָבִיךָ, דָּא קָבָ״ה. וְאֶת אִמֶּךָ, דָּא כְּנֶסֶת יִשְׂרָאֵל. דְּהָא תְּנָן, אַר״ע, כְּתִיב בָּנִים אַתֶּם לַיְיָ אֱלֹהֵיכֶם, הַהוּא אֲתָר דְּאִקְרֵי בָּנִים. וּבְגִינֵי כַּךְ סְתִימָא דְּמִלָּה, כַּבֵּד אֶת אָבִיךָ וְאֶת אִמֶּךָ, לְאַכְלְלָא כֹּלָּא, דִּלְעֵילָּא וְתַתָּא. ר׳ יִצְחָק אָמַר, לְאַכְלְלָא בֵּיהּ רַבְיֵיהּ, דְּהוּא אָעֵיל לֵיהּ לְעָלְמָא דְּאָתֵי. אָמַר רַבִּי יְהוּדָה, בְּכֹלָּא דְּקָבָ״ה הֲוֵי.

תצ. תָּאנָא, בְּהָנֵי חֲמֵשׁ אֲמִירָן, כָּלִיל כֹּלָּא. בְּהָנֵי חֲמֵשׁ אֲמִירָן, אִתְגְּלִיפוּ חֲמֵשׁ אוֹחֲרָנִין, וַדַּאי חָמֵשׁ גּוֹ חָמֵשׁ. הָא כֵּיצַד. אָנֹכִי יְיָ אֱלֹהֶיךָ, לָקֳבֵל לֹא תִרְצַח. דִּתְנֵינָן, תְּרֵין אִלֵּין, בִּכְלָלָא חֲדָא אִתְכְּלִילָן, דְּמַאן דְּקָטִיל, אַזְעֵיר דְּמוּתָא וְצַלְמָא דְּמָארֵיהּ. דִּכְתִיב, כִּי בְּצֶלֶם אֱלֹהִים עָשָׂה אֶת הָאָדָם. וּכְתִיב וְעַל דְּמוּת הַכִּסֵּא דְּמוּת כְּמַרְאֵה אָדָם.

תצא. אָמַר ר׳ חִיָּיא, כְּתִיב שׁוֹפֵךְ דַּם הָאָדָם בָּאָדָם דָּמוֹ יִשָּׁפֵךְ וְגוֹ׳, מַאן דְּשָׁפִיךְ דְּמָא, כְּאִלּוּ אַזְעֵיר דְּמוּתָא וְצַלְמָא דִּלְעֵילָּא. כְּלוֹמַר, לָא אַזְעֵיר דְּמוּתָא דָּא, אֶלָּא דְּמוּתָא אוֹחֲרָא, מִשְׁמַע דִּכְתִיב שׁוֹפֵךְ דַּם הָאָדָם בָּאָדָם דָּמוֹ יִשָּׁפֵךְ. בָּאָדָם עִלָּאָה, מָטֵי הַאי פְּגִימוּתָא, מֵהַהוּא דְּמָא דְּאוֹשִׁיד. מַאי טַעְמָא. מִשּׁוּם כִּי בְּצֶלֶם אֱלֹהִים עָשָׂה אֶת הָאָדָם. וּבְגִין כַּךְ, הָא בְּהָא תַּלְיָא.

תצב. לֹא יִהְיֶה לְךָ, לָקֳבֵל לֹא תִנְאָף דָּא מְשַׁקֵּר בִּשְׁמָא דְּקָבָ״ה, דְּאִתְרְשִׁים בֵּיהּ בְּבַר נָשׁ. וּבְדָא, כַּמָּה וְכַמָּה חוֹבִין וְגִזְרִין וְעוֹנָשִׁין, תַּלְיָין. וּמַאן דִּמְשַׁקֵּר בְּהַאי, מְשַׁקֵּר בֵּיהּ בְּמַלְכָּא, דִּכְתִיב בַּיְיָ בָּגָדוּ כִּי בָנִים זָרִים יָלָדוּ. וּכְתִיב לֹא תִשְׁתַּחֲוֶה לָהֶם וְלֹא תָעָבְדֵם, וְהָא בְּהָא תַּלְיָא.

תצג. לֹא תִשָּׂא לָקֳבֵל לֹא תִגְנֹב. וּכְתִיב חוֹלֵק עִם גַּנָּב שׂוֹנֵא נַפְשׁוֹ אָלָה יִשְׁמַע וְלֹא

יַגֵּיד. וַדַּאי הָא בְּהָא תַּלְיָא, דְּהָא גַּנָּבָא לְדָא אוֹדְמַן, לְאוּמָאָה בִּשְׁקָרָא. מַאן דְּעָבֵיד דָּא, עָבֵיד דָּא.

תצד. זָכוֹר אֶת יוֹם הַשַּׁבָּת, לְקָבֵל לֹא תַעֲנֶה בְרֵעֲךָ עֵד שָׁקֶר. דְּאָמַר ר' יוֹסֵי, עֵדוּת סַהֲדוּתָא אַחֲרֵי. וּבָעֵי בַּר נָשׁ לְסַהֲדָא, עַל הָא דִּכְתִּיב כִּי שֵׁשֶׁת יָמִים עָשָׂה יְיָ' וְגוֹ'. וְשַׁבָּת כְּלָלָא דְכֹלָּא. וְאָמַר ר' יוֹסֵי, מַאי דִּכְתִּיב תִּתֵּן אֱמֶת לְיַעֲקֹב, כְּמָה דְאַתְּ אָמַר וְשַׁמְרוּ בְנֵי יִשְׂרָאֵל אֶת הַשַּׁבָּת, וּמַאן דְּאַסְהִיד שִׁקְרָא, מְשַׁקֵּר בְּשַׁבָּת, דְּהִיא סַהֲדוּתָא דִּקְשׁוֹט, וּמַאן דִּמְשַׁקֵּר בְּשַׁבָּת, מְשַׁקֵּר בְּאוֹרַיְיתָא כֹּלָּא. וּבְגִּ"כ, הָא בְּהָא תַּלְיָא.

תצה. כַּבֵּד אֶת אָבִיךָ, לְקָבֵל לֹא תַחֲמֹד אֵשֶׁת רֵעֶךָ. וְאָמַר ר' יִצְחָק, כַּבֵּד אֶת אָבִיךָ מַמָּשׁ. דְּהָא מַאן דְּוַחֲמִיד אִתְּתָא, וְאוֹלִיד בַּר, הַהוּא אוֹקִיר לְאַוְחֲרָא, דְּלָא אֲבוּי. וּכְתִיב כַּבֵּד אֶת אָבִיךָ וְגוֹ', לֹא תַחֲמֹד בֵּית רֵעֲךָ שָׂדֵהוּ. וּכְתִיב הָכָא, עַל הָאֲדָמָה אֲשֶׁר יְיָ' אֱלֹהֶיךָ נוֹתֵן לָךְ. הַהוּא דִּילָךְ לָךְ, יְהֵא דִּילָךְ, וְלָא תַחֲמֹד אַוְחֲרָא. וַדַּאי הָא בְּהָא תַּלְיָא.

תצו. וְאִלֵּין וְחַמֵשׁ קַדְמָאֵי, כְּלִילָן וְחַמֵשׁ אַחֲרָנִין. וּבְגִינֵי כָּךְ, מִימִינוֹ אֵשׁ דָּת לָמוֹ. דְּכֹלָּא אִתְעֲבֵיד יְמִינָא. וְעַל דָּא, בַּחֲמִשָּׁה קָלִין אוֹרַיְיתָא אִתְיְהִיבַת. אָמַר ר' יְהוּדָה, כֻּלְּהוּ הֲווֹ וְחַמֵשׁ גּוֹ וְחַמֵשׁ. לְקָבְלֵיהוֹן וְחַמֵשָׁה חוּמְשֵׁי תוֹרָה.

תצז. תָּאנֵי ר' אֶלְעָזָר, בְּאִלֵּין עֶשֶׂר אֲמִירָן, אִתְגְּלִיפוּ כָּל פִּקּוּדֵי אוֹרַיְיתָא, גְּזֵירִין וְעוֹנָשִׁין. דְּכִיָא וּמְסָאֲבָא. עֲנָפִין וְשָׁרָשִׁין. אִילָנִין וּנְטִיעִין. שְׁמַיָּא וְאַרְעָא. יַמָּא וּתְהוֹמֵי. דְּהָא אוֹרַיְיתָא שְׁמָא דְקֻבָּ"ה הֲוֵי, מַה שְׁמָא דְקֻבָּ"ה אִתְגְּלִיף בַּעֲשַׂר אֲמִירָן, אוּף אוֹרַיְיתָא אִתְגְּלִיפָא בַּעֲשַׂר אֲמִירָן. אִלֵּין עֶשַׂר אֲמִירָן אִנּוּן שְׁמָא דְקֻבָּ"ה. וְאוֹרַיְיתָא כֹּלָּא שְׁמָא חַד הֲוֵי, שְׁמָא קַדִּישָׁא דְקֻבָּ"ה מַמָּשׁ.

תצח. זַכָּאָה חוּלְקֵיהּ, דְּמַאן דְּזָכֵי בָּהּ. מַאן דְּזָכֵי בְּאוֹרַיְיתָא, זָכֵי בִּשְׁמָא קַדִּישָׁא. ר' יוֹסֵי אָמַר, בְּקֻבָּ"ה מַמָּשׁ זָכֵי, דְּהָא הוּא וּשְׁמֵיהּ חַד הוּא, בָּרִיךְ שְׁמֵיהּ לְעָלָם וּלְעָלְמֵי עָלְמִין אָמֵן.

תצט. לֹא תַעֲשׂוּן אִתִּי אֱלֹהֵי כֶסֶף וֵאלֹהֵי זָהָב. אָמַר ר' יוֹסֵי, מַ"ט. מִשּׁוּם דִּכְתִּיב, לִי הַכֶּסֶף וְלִי הַזָּהָב, אע"ג דִּלִי הַכֶּסֶף וְלִי הַזָּהָב, לֹא תַעֲשׂוּן אִתִּי, אִתִּי: כְּלוֹמַר אוֹתִי.

תק. אָמַר ר' יִצְחָק, כְּתִיב מֵאַיִן כָּמוֹךָ יְיָ' גָּדוֹל אַתָּה וְגָדוֹל שִׁמְךָ בִּגְבוּרָה וְגוֹ', גָּדוֹל אַתָּה, הַיְינוּ לִי הַכֶּסֶף. וְגָדוֹל שִׁמְךָ בִּגְבוּרָה, הַיְינוּ וְלִי הַזָּהָב. אִלֵּין תְּרֵין גַּוְונִין לָא מִתְחַזְיָין, וְלָא מִתְפָּאֲרָן, בַּר כַּד אִינּוּן גְּלִיפִין בַּאֲתָר חַד, בְּאָן אֲתָר אִתְגְּלִיפוּ. בְּיִשְׂרָאֵל. כָּאן אִתְחַזּוּן גַּוְונִין לְאִתְפָּאֲרָא, כד"א יִשְׂרָאֵל אֲשֶׁר בְּךָ אֶתְפָּאָר.

תקא. ר' יְהוּדָה פָּתַח, שָׁוַע אָשִׁיעַ בַּה' תָּגֵל נַפְשִׁי בֵּאלֹהַי וְגוֹ', זַכָּאָה חוּלְקָהוֹן דְּיִשְׂרָאֵל, מֵעַמִּין עעכו"ם, דְּחֶדְוָותָא וְתַפְנוּקָא דִּלְהוֹן בְּקֻבָּ"ה, דִּכְתִּיב שָׂוֹשׂ אָשִׂישׂ בַּיְיָ'. כֵּיוָן דְּאָמַר בַּיְיָ', אֲמַאי כְּתִיב בֵּאלֹהָי. אֶלָּא הָכִי אָמְרוּ יִשְׂרָאֵל, אִי בְּרוֹגְזֵי אָתֵי עָלְמָא, שָׂוֹשׂ אָשִׂישׂ בַּיְיָ'. אִי בְּדִינָא, תָּגֵל נַפְשִׁי בֵּאלֹהָי.

תקב. מַ"ט. מִשּׁוּם דְּאִלֵּין בֵּיהּ אִתְגְּלִיפוּ, דִּכְתִּיב כִּי הִלְבִּישַׁנִי בִּגְדֵי יֶשַׁע. מַהוּ בִּגְדֵי יֶשַׁע. גַּוְונִין, דְּאִתְגְּלִיפוּ לְאִסְתַּכְּלָא בֵּיהּ. כד"א, יֶשַׁע יִשְׁעוּ וְגוֹ' אֶל יְיָ'. יֶשַׁע אִסְתַּכְּלוּתָא הוּא. מַאן דְּבָעֵי לְאִסְתַּכְּלָא בִּי, בְּגַוְונִין דִּילִי יִסְתַּכַּל. מַאי טַעְמָא. מִשּׁוּם דִּכְתִּיב מְעִיל צְדָקָה יְעָטָנִי, צְדָקָה מַמָּשׁ, דְּגַוְונִין בֵּיהּ אִתְגְּלִיפוּ. כַּחָתָן יְכַהֵן פְּאֵר, הָא גַּוְונָא חַד. וְכַכַּלָּה תַּעְדֶּה כֵלֶיהָ, הָא גַּוְונָא אַחֲרָא. וְכַד גַּוְונִין מִתְחַבְּרָן, בֵּיהּ שַׁעֲתָא אִתְחַזְיָין, וְכֻלְּהוּ תְּאִיבִין

לְאַחֲזָאָה, וּלְאִסְתַּכְּלָא בֵּיהּ.

תקג. ר' יוֹסֵי אָמַר, שׂוֹשׂ אָשִׂישׂ בַּיְיָ, תְּרֵין חֶדְוָון. בַּיְיָ: בְּרַחֲמֵי. תָּגֵל נַפְשִׁי, הָא בְּדִינָא. אָמַר ר' יְהוּדָה, בְּכֹלָּא חֶדְוָה וְחֶדְוָה עַל חֶדְוָה. וְחֶדְוָה דְּצִיּוֹן, זַמִּין קֻבְּ"ה לְאַחֲדָאָה לְיִשְׂרָאֵל, בְּחֶדְוָותָא יַתִּיר מִכֹּלָּא, דִּכְתִיב וּפְדוּיֵי יְיָ' יְשׁוּבוּן וּבָאוּ צִיּוֹן בְּרִנָּה וגו', וּפְדוּיֵי יְיָ' יְשׁוּבוּן, הָא חַד. וּבָאוּ צִיּוֹן בְּרִנָּה, הָא תְּרֵי. וְשִׂמְחַת עוֹלָם עַל רֹאשָׁם, הָא תְּלַת. שָׂשׂוֹן וְשִׂמְחָה יַשִּׂיגוּ, הָא אַרְבַּע. לָקֳבְלֵיהוֹן דְּאַרְבַּע זִמְנִין דְּאִתְפְּזָרוּ יִשְׂרָאֵל בֵּינֵי עַמְמַיָּא. וּכְדֵין כְּתִיב וַאֲמַרְתֶּם בַּיּוֹם הַהוּא הוֹדוּ לַיְיָ' קִרְאוּ בִשְׁמוֹ וְגו'.

תקד. וַיְדַבֵּר אֱלֹהִים אֵת כָּל הַדְּבָרִים הָאֵלֶּה. כָּל הַדְּבָרִים, כְּלָלָא דָּא, הוּא כְּלָלָא דְּכֹלָּא, כְּלָלָא דִּלְעֵילָּא וְתַתָּא.

תקה. אָנֹכִי, רָזָא דְּעָלְמָא עִלָּאָה, בְּרָזָא דִּשְׁמָא קַדִּישָׁא יה"ו. אָנֹכִי, אִתְגַּלְיָא וְאִתְגְּנִיז. אִתְגַּלְיָא בְּרָזָא קַדִּישָׁא דִּכְרְסַיָּיא, דְּסִיהֲרָא קַיְּימָא בִּשְׁלִימוּ כַּחֲדָא, כַּד שִׁמְשָׁא שַׁלְטָא, וְסִיהֲרָא אִתְנְהִירַת, וְלֵית לָהּ שְׁבָחָא, בַּר שְׁבָחָא דִּנְהוֹרָא דְּנָהִיר עָלָהּ.

תקו. אָנֹכִי, בְּאַשְׁלְמוּת רָזִין דִּשְׁלִימוּ דְּכוּרְסַיָּיא לְתַתָּא, וְאִסְתַּלָּקוּ חֵיוָון קַדִּישִׁין, וְאִיהִי אִתְתַּקְנַת בְּתִקּוּנָהָא. וְכַד אִיהִי שַׁפִּירָא בְּחֵיזוּ, וּבַעֲלָהּ אָתֵי לְגַבָּהָא, כְּדֵין אִקְרֵי אָנֹכִי.

תקז. אָנֹכִי, רָזָא דְּכֹלָּא כַּחֲדָא, בִּכְלָלָא דְּכָל אַתְוָון, בִּשְׁבִילֵי אוֹרַיְיתָא, דְּנַפְקוּ מִגּוֹ רָזָא עִלָּאָה, בְּהַאי אָנֹכִי, תַּלְיָין רָזִין עִלָּאִין וְתַתָּאִין. אָנֹכִי, רָזָא לְמֵיהַב אֲגַר טָב לְצַדִּיקַיָּא, דְּקָא מְחַכָּן לֵיהּ וְנַטְרֵי פִּקּוּדֵי אוֹרַיְיתָא, בְּהַאי, אִית לוֹן בִּטְחוֹנָא כְּדְקָא חֲזֵי לְעָלְמָא דְּאָתֵי, וְסִימָנִיךְ אֲנִי פָּרְעֹה.

תקח. אָנֹכִי וְלֹא יִהְיֶה לְךָ, אִתְּמַר בְּרָזָא דְּאוֹרַיְיתָא, וְדָא אִיהוּ זָכוֹר וְשָׁמוֹר. אָנֹכִי, רָזָא סְתִימָא וּגְנִיז, בְּכָל אִינּוּן דַּרְגִּין דְּעָלְמָא עִלָּאָה, בִּכְלָלָא חֲדָא. וְכֵיוָן דְּאִתְּמַר אָנֹכִי, אִתְחַבַּר כֹּלָּא כַּחֲדָא, בְּרָזָא חֲדָא.

תקט. אָנֹכִי, רָזָא דִּתְרֵין כָּרְסְוָון. אֲנִי כּוּרְסַיָּיא חֲדָא. כ', כּוּרְסַיָּיא אַחֲרָא עִלָּאָה.

תקי. אָנֹכִי, דְּקָא אִתְדְּכֵי מַקְדְּשָׁא, וְנוּכְרָאָה לָא אִתְקְרַב בַּהֲדֵיהּ, וּמַקְדְּשָׁא נָהִיר בִּלְחוֹדוֹי, דְּקָא אִתְבַּטַּל בְּהַהִיא שַׁעֲתָא יֵצֶר הָרַע מֵעָלְמָא, וְקֻבְּ"ה אִסְתַּלַּק בִּיקָרֵיהּ בִּלְחוֹדוֹי, וּכְדֵין אִתְּמַר אָנֹכִי יְיָ' אֱלֹהֶיךָ. רָזָא שְׁלִים, בִּשְׁמָא קַדִּישָׁא. א': לְיַחֲדָא רָזָא דִּשְׁמָא קַדִּישָׁא בְּדַרְגּוֹי, לְמֶהֱוֵי חַד. בְּגִין דְּרָזָא דִּילֵיהּ אִיהוּ ו'. נ': רָזָא לְמִדְחַל מִקֻבְּ"ה, וּלְמִנְדַּע דְּאִית דִּין וְאִית דַּיָּין, וְאִית אֲגַר טָב לְצַדִּיקַיָּיא וּפוּרְעָנוּת לְרַשִּׁיעַיָּא, בְּגִין דְּרָזָא דִּילֵיהּ ה' תַּתָּאָה.

תקיא. כ': לְקַדְּשָׁא שְׁמָא קַדִּישָׁא בְּכָל יוֹמָא, לְאִתְקַדְּשָׁא בְּדַרְגִּין קַדִּישִׁין, וּלְצַלָּאָה צְלוֹתָא לְגַבֵּיהּ בְּכָל זִמְנָא, לְאִסְתַּלְּקָא כִּתְרָא עִלָּאָה, רָזָא דְּכוּרְסַיָּיא עִלָּאָה, עַל גַּבֵּי חֵיוָון עִלָּאִין, כְּדְקָא יָאוּת, וְרָזָא דִּילֵיהּ ה' עִלָּאָה.

תקיב. י': לְאִשְׁתַּדְּלָא בְּאוֹרַיְיתָא יְמָמָא וְלֵילֵי, וּלְמִגְזַר גְּזִירוּ, בְּרָזָא לִתְמַנְיָא יוֹמִין, וּלְקַדְּשָׁא בְּכְרָא. וּלְאַנָּחָא תְּפִילִין וְצִיצִית וּמְזוּזָה. וּלְמִמְסַר נַפְשָׁא לְגַבֵּי קֻבְּ"ה, וּלְאִתְדַּבְּקָא בֵּיהּ. אִלֵּין אִינּוּן תְּרֵיסַר פִּקּוּדִין עִלָּאִין, דִּכְלִילָן רל"ו פִּקּוּדִין אַחֲרָנִין דְּאִינּוּן בְּרָזָא דְּאָנֹכִי, כְּלָלָא דְּזָכוֹר. וְאַתְּ דָּא, לָא אִתְחַלַּף בְּאֲתַר אַחֲרָא, דָּא בְּגִין דְּאִיהִי י', רָזָא עִלָּאָה, כְּלָלָא דְּאוֹרַיְיתָא, וּבְאִלֵּין תְּרֵיסַר, אִית תְּרֵיסַר מְכִילָן דְּרַחֲמֵי, דְּתַלְיָין מִנַּיְיהוּ, וְחַד דְּשַׁלְטָא לְמֶהֱוֵי תְּלֵיסַר.

תקיג. לֹא יִהְיֶה לְךָ, רָזָא דְּשָׁמוֹר, בִּתְלַת מְאָה וְשִׁתִּין וְחָמֵשׁ פִּקּוּדֵי אוֹרַיְיתָא. ל':

רָזָא דְּלָא לְמֵיהַב יְקָר וּרְבוּ לֶאֱלָהָא אוּחֲרָא. ל': מִגְדְּלָא דְּפָרוּז וְסָלִיק בַּאֲוִירָא, דְּלָא יִסְטֵי לִבָּא, לְמִבְנֵי לָהּ לֶאֱלָהָא אוּחֲרָא, כְּמָה דְּאִית רָזָא, דְּבוּנָא מִגְדְּלָא. ל': דְּלָא לְמִפְנֵי בְּדִיוּקְנָא דע"ז, דְּלָא לְהַהֲרָא אֲבַתְרָהָא, דְּלָא לְסַגְּדָא, וְלָא לְאַכְפָּיָא גַּרְמֵיהּ לֶאֱלָהָא אוּחֲרָא.

תקיד. א': דְּלָא לְחַלְּפָא יְחוּדָא דְּמָרֵיהּ, בְּגִין טַעֲוָון אוּחֲרָנִין. א': דְּלָא לְהַהֲרָא דְּאִית אֱלָהָא אוּחֲרָא בַּר מִנֵּיהּ. א': דְּלָא לְמִסְטֵי בָּתַר בְּיָדִין וּדְכוּרוּ, בְּרָזָא דְּדִיוּקְנָא דְּאָדָם, וְלָא בְּדִיוּקְנָא אוּחֲרָא. א': דְּלָא לְמִשְׁאַל מִן מֵתַיָּיא, וְלָא לְמֶעְבַּד וַחֲרָשִׁין. א': דְּלָא יוֹמֵי בְּפוּמוֹי, בִּשְׁמָא דֶּאֱלָהָא אוּחֲרָא. עַד הָכָא, תְּרֵיסַר אוּחֲרָנִין, דְּאִינּוּן פִּקּוּדֵי שָׁמוֹר. וּבְאִלֵּין תְּרֵיסַר, תַּלְיָין תְּלַת מְאָה וְחַמְשִׁין וּתְלַת פִּקּוּדֵי דְּשָׁמוֹר אוּחֲרָנִין, דִּכְלִילָן בְּאִלֵּין תְּרֵיסַר, וְרָזָא דָּא אָנֹכִי.

תקטו. אר"ש, תּוּ תָּנֵינָן, אָנֹכִי כְּלָלָא דְּעֵילָא וְתַתָּא, כְּלָלָא דְּעִלָּאִין וְתַתָּאִין, כְּלָלָא דְּחֵיוָון קַדִּישִׁין, דִּכְלִילָן בֵּיהּ, כֹּלָּא הוּא בְּרָזָא דְּאָנֹכִי. לֹא יִהְיֶה לְךָ לְתַתָּא, רָזָא דִּתְרֵיסַר חֵיוָון תַּתָּאִין.

תקטז. לֹא תַעֲשֶׂה לְךָ פֶסֶל. פִּסְלוֹ מֵהַהוּא אֲתַר עִלָּאָה, מֵהַהוּא אֲתַר קַדִּישָׁא. פֶּסֶל. פְּסוֹלֶת דִּקְדוּשָׁא דְּאִיהוּ רָזָא דְּטַעֲוָא אוּחֲרָא. וְרָזָא דָּא, כד"א וָאֵרֶא וְהִנֵּה רוּחַ סְעָרָה בָּאָה מִן הַצָּפוֹן וְגוֹ'. וְכָל תְּמוּנָה הה"ד וְאֵשׁ מִתְלַקַּחַת. כִּי אָנֹכִי יְיָ' אֱלֹהֶיךָ, בְּגִין לְאַתְעֲרָא לִבָּא לְגַבֵּי עֵילָּא, וְלָא לְנַחְתָּא לְתַתָּא וְלָא לְמִקְרַב לִתְרַע בֵּיתָא. אֵל קַנָּא, דְּקִנְאָה אִיהוּ בְּהַהוּא אֲתָר.

תקיז. וְרָזָא דָּא, תַּחַת שָׁלֹשׁ רָגְזָה אֶרֶץ. וְאִיהוּ לֹא תַעֲשֶׂה לְךָ, חַד. פֶּסֶל, תְּרֵין. וְכָל תְּמוּנָה, תְּלַת. וְאֶרֶץ דָּא, עַל דָּא אִתְרְגִיזַת.

תקיח. פֹּקֵד עֲוֹן אָבוֹת עַל בָּנִים עַל שִׁלֵּשִׁים וְעַל רִבֵּעִים. אִלָנָא חֲדָא, דְּאִינְצִיב חֲדָא, וּתְרֵין זִמְנִין, וּתְלַת זִמְנִין, וְאַרְבַּע זִמְנִין, וְאִתְפְּקַד עַל חוֹבֵי קַדְמָאֵי, אָב וּבֵן. שְׁלִישִׁי וּרְבִיעִי חַד הוּא כַּד לָא אִתְתַּקַּן, וְלָא חָיֵישׁ לְאִתְתַּקְּנָא, וְכֵן בְּהִפּוּכָא דְּדָא, לְאִילָנָא דְּאִיהוּ אִתְתַּקַּן כַּדְקָא חֲזֵי, וְקָאִים עַל קִיּוּמֵיהּ וְעוֹשֶׂה חֶסֶד וְגוֹ'.

תקיט. לֹא תִשָּׂא, רָזָא דָּא הָא אוּקְמוּהָ חַבְרַיָּיא. בְּגִין דְּקב"ה כַּד שָׁתִיל עָלְמָא, אַטְבַּע גּוֹ תְּהוֹמֵי, צְרוֹרָא חֲדָא, חֲקִיקָא בִּשְׁמָא קַדִּישָׁא, וְאַטְבַּע לָהּ לְגוֹ תְּהוֹמָא. וְכַד מַיָּא בָּעָאן לְסַלְּקָא, חָמָאן רָזָא דִּשְׁמָא קַדִּישָׁא, חָקִיק עַל הַהוּא צְרוֹרָא, וְתַיְיבִין וּמִשְׁתַּקְעִין, וְהַדְרִין לַאֲחוֹרָא, וּשְׁמָא דָּא קַיְּימָא עַד יוֹמָא דָּא, גּוֹ תְּהוֹמָא.

תקכ. וּבְשַׁעֲתָא דְּאוֹמִין בְּנֵי נָשָׁא עַל קְשׁוֹט, בְּקִיּוּמָא דִּקְשׁוֹט, הַהוּא צְרוֹרָא סַלְּקָא, וּמְקַבְּלָא הַהוּא אוֹמָאָה, וְאַהְדַר וְאִתְקַיַּים עַל תְּהוֹמָא, וְעָלְמָא אִתְקַיַּים, וְהַהוּא אוֹמָאָה דִּקְשׁוֹט קַיַּים עָלְמָא.

תקכא. וּבְשַׁעֲתָא דְּאוֹמוּ בְּנֵי נָשָׁא אוֹמָאָה לְשִׁקְרָא, הַהוּא צְרוֹרָא סַלְּקָא לְקַבְּלָא לָהּ לְהַהִיא אוֹמָאָה, כֵּיוָן דְּחָזֵי דְּאִיהוּ דְּשִׁקְרָא. כְּדֵין הַהוּא צְרוֹרָא דַּהֲוָה סָלִיק, תָּב לַאֲחוֹרָא, וּמַיִין אַזְלִין וְשָׁטִין, וְאַתְוָון דְּהַהוּא צְרוֹרָא, פָּרְחָן גּוֹ תְּהוֹמֵי, וְאִתְבַּדְּרָן, וּבָעָאן מַיָּא לְסַלְּקָא לְחַפְיָיא עָלְמָא, וּלְאַהְדְּרָא לֵיהּ כְּמִלְּקַדְמִין.

תקכב. עַד דְּזַמִּין קב"ה, לְחַד מְמַנָּא, יְעַזְרִיאֵ"ל, דִּי מְמַנָּא עַל שַׁבְעִין מַפְתְּחָן, בְּרָזָא דִּשְׁמָא קַדִּישָׁא, וְעָאל לְגַבֵּיהּ דְּהַהוּא צְרוֹרָא, וְחָקִיק בֵּיהּ אַתְוָון כְּמִלְּקַדְמִין, וּכְדֵין אִתְקַיַּים עָלְמָא, וְאַהְדְּרוּ מַיִין לְדוּכְתַּיְיהוּ. וְעַ"ד כְּתִיב לֹא תִשָּׂא אֶת שֵׁם ה' אֱלֹהֶיךָ לַשָּׁוְא.

רַעְיָא מְהֵימְנָא

תקכג. פִּקּוּדָא י"ב, לְאוּמָאָה בִּשְׁמֵיהּ בְּאֹרַח קְשׁוֹט. וּמַאן דְּאוֹמֵי שְׁבוּעָה, הוּא כָּלִיל גַּרְמֵיהּ, בְּאִינּוּן ז' דַּרְגִּין עִלָּאִין, דִּשְׁמָא דְּקֻבְּ"ה אִתְכְּלִיל בְּהוּ. וְהָא שִׁיתָא אִינּוּן. הַהוּא ב"נ דְּאוֹמֵי אוֹמָאָה דִּקְשׁוֹט ע"פ ב"ד, כָּלִיל גַּרְמֵיהּ בְּהוּ, וְהוּא שְׁבִיעָאָה, לְקַיְּימָא שְׁמָא קַדִּישָׁא בְּדוּכְתֵּיהּ. וְע"ד כְּתִיב, וּבִשְׁמוֹ תִּשָּׁבֵעַ. וּמַאן דְּאוֹמֵי אוֹמָאָה לְמַגָּנָא וּלְשַׁקְרָא, גָּרִים לְהַהוּא אֲתָר דְּלָא יִתְקַיַּים בְּדוּכְתֵּיהּ.

תקכד. אוֹמָאָה לְקַיְּימָא פִּקּוּדָא דְּמָארֵיהּ, דָּא אִיהוּ שְׁבוּעָה דִּקְשׁוֹט, כַּד הַהוּא יֵצֶר הָרָע מְקַטְרֵג לְבַר נָשׁ, וּמְפַתֶּה לֵיהּ לְמֶעְבַּר עַל פִּקּוּדָא דְּמָארֵיהּ. דָּא אִיהוּ אוֹמָאָה דְּמָארֵיהּ אִשְׁתַּבַּח בֵּיהּ, וְאִצְטְרִיךְ לֵיהּ לְבַר נָשׁ לְאוֹמָאָה בְּמָארֵיהּ עַל דָּא, וְאִיהוּ שְׁבָחָא דִּילֵיהּ. וְקֻבְּ"ה מִשְׁתַּבַּח בֵּיהּ. כְּגוֹן בּוֹעַז, דִּכְתִיב חַי יְיָ שִׁכְבִי עַד הַבֹּקֶר. דְּהָא יֵצֶר הָרָע הֲוָה מְקַטְרֵג לֵיהּ, וְאוֹמֵי עַל דָּא.

תקכה. נֶדֶר אִיהוּ לְעֵילָּא, וְאִינּוּן חַיֵּי מַלְכָּא, רָזָא דְּרמ"ח שַׁיְיפִין, וְתְרֵיסַר קְטִירִין, כְּחוּשְׁבַּן נֶדֶ"ר. וְעַל דָּא חָמִיר מִשְּׁבוּעָה. חַיֵּי דְּמַלְכָּא אִלֵּין, דְּיָהִיב חַיִּין לְכָל אִלֵּין שַׁיְיפִין, וְאִקְרוּן הָכִי בְּגִין אִינּוּן חַיִּין, וְאִינּוּן חַיִּין נַחְתִּין מֵעֵילָּא לְתַתָּא. לְהַהוּא מְקוֹרָא דְּחַיִּין. וּמֵהַהוּא מְקוֹרָא נַחְתִּין לְתַתָּא, לְכָל אִינּוּן שַׁיְיפִין.

תקכו. שְׁבוּעָה לְקַיְּימָא דַּרְגָּא דִּלְתַתָּא, רָזָא דִּשְׁמָא קַדִּישָׁא. וְדָא אִקְרֵי מֶלֶךְ עַצְמוֹ, דְּרוּחָא עִלָּאָה וְגוּפָא דִּילֵיהּ, לְמִשְׁרֵי בְּגַוֵּיהּ, וּלְדַיְּירָא בֵּיהּ, כְּרוּחָא דְּשַׁארֵי גּוֹ גוּפָא. וּבְגִין כַּךְ, מַאן דְּאוֹמֵי בִּקְשׁוֹט, הוּא מְקַיֵּים לְהַהוּא אֲתָר, וְכַד קָאֵי הַאי אֲתָר מְקוּיָּים, מְקַיֵּים כָּל עָלְמָא. נֶדֶר שַׁרְיָא עַל כֹּלָּא, עַל מִצְוָה, וְעַל רְשׁוּתָא דְּלָאו הָכִי בִּשְׁבוּעָה, וְהָכִי אוֹקְמוּהָ חַבְרַיָּיא. (ע"כ רעיא מהימנא.

תקכז. זָכוֹר אֶת יוֹם הַשַּׁבָּת לְקַדְּשׁוֹ דָּא אִיהוּ רָזָא דִּבְרִית קַדִּישָׁא. וּבְגִין דִּבְהַאי בְּרִית קַיְּימִין כָּל מְקוֹרִין דְּשַׁיְיפֵי גּוּפָא, וְאִיהוּ כְּלַל כֹּלָּא. כְּגַוְונָא, דָּא שַׁבָּת אִיהוּ כְּלָלָא דְּאוֹרַיְיתָא, וְכָל רָזִין דְּאוֹרַיְיתָא בֵּיהּ תַּלְיָין, וְקִיּוּמָא דְּשַׁבָּת, כְּקִיּוּמָא דְּכָל אוֹרַיְיתָא, מַאן דְּנָטִיר שַׁבָּת, כְּאִילּוּ נָטִיר אוֹרַיְיתָא כֻּלָּא.

רעיא מהימנא

תקכח. פִּקּוּדָא כ"ד, לְמֶהֱוֵי דָּכִיר יוֹם הַשַּׁבָּת, כד"א זָכוֹר אֶת יוֹם הַשַּׁבָּת לְקַדְּשׁוֹ. רָזָא דְּשַׁבָּת, הָא אוֹקִימְנָא בְּכָל אִינּוּן דּוּכְתֵּי, יוֹמָא דּוּכְרָנָא דְּנַיְיחָא דְּעָלְמָא וְאִיהוּ כְּלָלָא דְּאוֹרַיְיתָא. וּמַאן דְּנָטִיר שַׁבָּת, כְּאִילּוּ נָטִיר אוֹרַיְיתָא כֻּלָּא. וְהָא אִתְּמַר, דּוּכְרָנָא דְּשַׁבָּת, לְקַדְּשָׁא לֵיהּ בְּכָל זִינֵי קִדּוּשִׁין. מַאן דְּאִדְכַּר לְמַלְכָּא, אִצְטְרִיךְ לְבָרְכָא לֵיהּ, מַאן דְּאִדְכַּר שַׁבָּת, צָרִיךְ לְקַדְּשָׁא לֵיהּ וְהָא אִתְּמַר.

תקכט. זָכוֹר לִדְכוּרָא אִיהוּ. שָׁמוֹר אִיהוּ לְנוּקְבָא. יוֹם שַׁבָּת, רָזָא דְּכָל מְהֵימְנוּתָא, דְּתַלְיָא מֵרֵישָׁא עִלָּאָה, עַד סוֹפָא דְּכָל דַּרְגִּין, שַׁבָּת אִיהוּ כֹּלָּא.

תקל. תְּלַת דַּרְגִּין אִינּוּן, וְכֻלְּהוּ אִקְרוּן שַׁבָּת. שַׁבָּת עִלָּאָה. שַׁבָּת דְּיוֹמָא. שַׁבָּת דְּלֵילְיָא. וְכֻלְּהוּ חַד וְאִקְרֵי כֹּלָּא שַׁבָּת. וְכָל חַד, כַּד אִיהוּ שַׁלְטָא, נָטִיל לְחַבְרוֹי, וְזָמִין לוֹן בַּהֲדֵיהּ, בְּהַהוּא שׁוּלְטָנוּ דִּילֵיהּ. וְכַד הַאי אָתֵי לְעָלְמָא כֻּלְּהוּ אַתְיָין וּזְמִינִין בַּהֲדֵיהּ.

תקלא. כַּד אָתֵי לֵילְיָא, זַמִּין בַּהֲדֵיהּ לְשַׁבָּת דִּימָמָא, וְזַמִּין לֵיהּ בְּהֵיכָלֵיהּ, וְאִתְטָמַּר בַּהֲדֵיהּ. כֵּיוָן דְּהַאי אַתְיָא, שַׁבָּת עִלָּאָה אִתְמְשַׁךְ עָלֵיהּ, וְכֻלְּהוּ גְּנִיזִין בְּהֵיכָלָא דְּלֵילְיָא וּבְגִ"ד סְעוּדָתָא דְּלֵילְיָא וְזָמוֹר כִּדְבִימָמָא.

תקלב. כַּד אָתֵי יְמָמָא, זַמִּין בַּהֲדֵיהּ לִתְרֵין אִלֵּין אַחֲרָנִין, דַּרְגָּא עִלָּאָה וְדַרְגָּא

תַּתָּאָה, דָּא דְּאַנְהִיר לֵיהּ, וְדָא דְּאִתְנְהִיר מִנֵּיהּ. וְכֹלָּא כַּחֲדָא אִקְרֵי שַׁבָּת, וְשַׁלְטִין בְּיוֹמָא דְּשַׁבָּת. וְאִלֵּין תְּלַת דַּרְגִּין, אִינּוּן כְּלָלָא וְרָזָא דְּכָל אוֹרַיְיתָא, תּוֹרָה שֶׁבִּכְתָב, נְבִיאִים וּכְתוּבִים. מַאן דְּנָטִיר שַׁבָּת, נָטִיר אוֹרַיְיתָא כֹּלָּא.

תקלג. תְּרֵין מַרְגְּלָן אִינּוּן, וְחַד סִיכְתָא בַּהֲדַיְיהוּ, בְּגַוַּויְיהוּ, דְּקָאִים בֵּין הַאי וּבֵין הַאי. מַרְגְּלָא עִלָּאָה לֵית בֵּיהּ גָּוֶון, לֵית בֵּהּ וְזִיווּ בְּאִתְגַּלְיָיא.

תקלד. הַאי מַרְגְּלָא, כַּד שָׁארֵי לְאִתְגַּלְיָיא, נָהֲרִין, ז' אַתְוָון גְּלִיפִין, בַּלְטִין וְנִצְצִין וּבָקְעִין בְּקִיעִין וְקַסְטִירִין, וְנָהֲרִין כָּל חַד וְחַד. וְאִינּוּן ז' אַתְוָון, אִינּוּן תְּרֵין שְׁמָהָן מְחֻקָּקִין בְּהַהוּא מַרְגְּלָא. וּבְיוֹמָא דְּשַׁבָּת, נָצְצִין וְנָהֲרִין, וּפַתּוּחִין פִּתּוּחִין, וְנַפְקֵי וְשַׁלְטֵי. וְאִינּוּן אדנ"י יהו"ה, מִתְנָצְצֵי אַתְוָון, וּבְנִצִּיצוּ דִּלְהוֹן, עָאלִין דָּא בְּדָא, וְנָהֲרִין דָּא בְּדָא.

תקלה. וְכַד עָאלִין דָּא בְּדָא, נָהֲרִין דָּא מִגּוֹ דָּא, בִּתְרֵין גַּוְונִין. חַד גָּוֶון חִוָּור, וְחַד גָּוֶון סוּמָק. וּמֵאִינּוּן תְּרֵין גַּוְונִין, אִתְעֲבִידוּ תְּרֵין שְׁמָהָן אַחֲרָנִין, עַד דְּסַלְקִין אַתְוָון לְשֶׁבַע שְׁמָהָן.

תקלו. א' נָפִיק וְנָצִי"ץ, וְעָאל בְּאָת ו', וְנָהֲרִין תַּרְוַוייְהוּ, בִּתְרֵין גַּוְונִין, וְאִינּוּן תְּרֵין שְׁמָהָן, חַד אִקְרֵי יְדוָ"ד, וְחַד אִקְרֵי אֵ"ל, וְנָהֲרִין כַּחֲדָא. ה' נָפִיק וְנָצִי"ץ, וְעָאל בְּאָת ה' וְנָהֲרִין תַּרְוַוייְהוּ, בִּתְרֵין גַּוְונִין, וְאִינּוּן תְּרֵין שְׁמָהָן, חַד אִקְרֵי יֱדוִד רָזָא דֶּאֱלֹהִים. וְחַד אִקְרֵי אֱלֹהִים. וְנָהֲרִין כַּחֲדָא. י' עָאל בְּי', וְנָהֲרִין וְנִצִּיצִין כַּחֲדָא, וְעָאלוּ דָּא בְּדָא, וְנָהֲרִין תַּרְוַוייְהוּ, גְּלִיפִין מְחֻקָּקָן כַּחֲדָא, וְאִינּוּן זַקְפָן רֵישָׁא, נְהִירִין מְנַצְצִין עַנְפִּין סַלְקִין מֵהַאי סִטְרָא, וּמֵהַאי סִטְרָא, וְאִינּוּן חַד סָרֵי עַנְפִּין.

תקלז. וְאִלֵּין תְּרֵין אַתְוָון דְּנַהֲרָן, מִתְחַבְּקָן דָּא בְּדָא, אִינּוּן יְדוָ"ד מצפ"ץ מצפ"ץ, בְּרָזָא דִּתְלֵיסַר מְכִילָן דְּרַחֲמֵי. וְאִלֵּין תְּרֵין אַתְוָון, כַּד עָאלִין דָּא בְּדָא, וְכַד מִתְחַבְּקָן דָּא בְּדָא, זַקְפִין רֵישָׁא, וְנָהֲרָן וּמְנַצְצָן עַל כֹּלָּא, בְּאִינּוּן חַד סָרֵי עַנְפִּין, דְּנָפְקִין בְּכָל סְטָר.

תקלח. ה' דְּאִשְׁתְּאַר, אִיהִי סַלְקָא בִּשְׁמָא חַד, לְאִתְחַבְּרָא בַּהֲדַיְיהוּ, וְאִיהִי אֲדֹנָ"י. וְכָל אִלֵּין שְׁמָהָן, בַּלְטִין וְנִצְצִין וְנַפְקֵי וְשַׁלְטֵי בְּהַאי יוֹמָא. כֵּיוָן דְּאִלֵּין שַׁלְטֵי, נָפַק הַהוּא מַרְגְּלָא עִלָּאָה, בָּלְטָא מְנַצְצָא. וּמִגּוֹ נְצִיצוּ דִּילָהּ, לָא אִתְחֲזֵי בָּהּ גָּוֶון.תקלט. כַּד נָפְקָא, בָּטַשׁ בְּאִלֵּין שְׁמָהָן, וְחַד שְׁמָא מִנַּיְיהוּ אֲדֹנָ"י, דְּאִיהוּ שְׁבִיעָאָה, מִתְעַטְּרָא וְעָאל בְּמַרְגְּלָא תַּתָּאָה, וְאִתְיְישַׁב שְׁמָא אַחֲרָא תְּחוֹתֵיהּ, וְאִיהוּ י"ה. וְאִסְתְּחַר הַהוּא מַרְגְּלָא עִלָּאָה בֵּיהּ, וּמִתְעַטְּרָא הַהוּא נְצִיצוּ דְּנָצִי"ץ, בְּהַאי שְׁמָא.

תקמ. לְבָתַר דְּבָטַשׁ בְּהָנֵי שְׁמָהָן, נָפְקִין מִינַּיְיהוּ שִׁבְעִים עַנְפִּין לְכָל סְטָר, וּמִתְחַבְּרָן כֻּלְּהוּ כַּחֲדָא, וְאִתְעֲבֵיד רְתִיכָא וְכָרְסְיָיא חֲדָא, לְהַהוּא מַרְגְּלָא עִלָּאָה, וְשַׁלְטָא בְּעִטְרוֹי, מַלְכָּא בְּכָרְסְיָיא, בְּיוֹמָא דָּא, וְחַדֵּי כֹּלָּא. כֵּיוָן דְּחַדֵּי כֹּלָּא, יָתִיב מַלְכָּא עַל כָּרְסְיָיא, וְסַלִּיק בְּשַׁבְעִין עַנְפִּין כָּרְסְיָיא, כִּדְקָאמְרָן.

תקמא. וְאִינּוּן תְּרֵין אַתְוָון, סַלְקִין וְנַחְתִּין, וְנָהֲרִין וּמִתְעַטְּרִין אַתְוָון כ"ב, כְּלָלָא דְּאוֹרַיְיתָא. בַּטְשֵׁי בִּתְרֵי אַתְוָון קַדְמָאֵי, וְסַלְקֵי לְחַד, בְּשִׁית שְׁבָטִין, וּלְחַד בְּשִׁית שְׁבָטִין אַחֲרָנִין. וְאִלֵּין אִינּוּן י"ב שְׁבָטִין דְּיִשְׂרָאֵל עִלָּאָה.

תקמב. תּוּ, אִלֵּין תְּרֵין אַתְוָון, סַלְקִין וְנַחְתִּין, וּבַטְשֵׁי בִּתְרֵין אַתְוָון, דְּסֵיפָא דְּכ"ב אַתְוָון. וְסַלְקֵי, חַד בְּחָמֵשׁ דַּרְגִּין, וְחַד בְּחָמֵשׁ דַּרְגִּין. וְאִלֵּין עֶשֶׂר אֲמִירָן לְאַכְלְלָא לְכ"ב אַתְוָון, י"ב שְׁבָטִין בִּתְרֵין אַתְוָון, וְעֶשֶׂר אֲמִירָן דִּתְרֵין אַתְוָון דְּסֵיפָא, הָא כ"ב אַתְוָון,

כְּלָלָא דְּאוֹרַיְיתָא. וְרָזָא דָּא, יָרִית מַרְגְּלָא עִלָּאָה, בְּהַהוּא כָּרְסַיָּיא דְּע״ב, וְנָהֲרִין כ״ב אַתְוָון.

תקמג. מַרְגְּלָא תַּתָּאָה, בְּשַׁעֲתָא דְּיָתִיב מַרְגְּלָא עִלָּאָה בְּהַהוּא כּוּרְסַיָּיא דְּע״ב, וְנָהֲרִין כ״ב אַתְוָון. כְּדֵין הַהוּא מַרְגְּלָא תַּתָּאָה דְּהוּא בְּחֲשׁוֹכָא, מִסְתַּכֵּל בְּהַהוּא נְהִירוּ, בְּחֵילָא דְּתוּקְפָּא דְּאִינּוּן אַתְוָון, דְּאִתְרְשִׁים בְּהוֹן, דְּאִקְרוּן אֲדֹנָי, וּכְדֵין אִתְנְהִיר וְסָלִיק הַהוּא נְהוֹרָא, וְנָטִיל כָּל אִינּוּן כ״ב אַתְוָון עִלָּאִין, וְשָׁאִיב לוֹן הַהוּא מַרְגְּלָא בְּגַוֵּיהּ, וְנָהִיר נְהִירוּ דְּנָצִּיץ לְע״ב עִיבָר.

תקמד. כֵּיוָן דְּהַאי מַרְגְּלָא, נָצִּיץ וְשָׁאִיב לְאִינּוּן אַתְוָון בַּהֲדָהּ, כְּדֵין מַרְגְּלָא עִלָּאָה אִתְמְשַׁךְ בַּהֲדַיְיהוּ, וְאִתְדַּבַּק מַרְגְּלָא בְּמַרְגְּלָא, וַהֲוֵי כֹּלָּא חַד. וְדָא אִיהוּ רָזָא וְחֶדְוָא דְּתוּשְׁבַּחְתָּא, וְהָא אוֹקִימְנָא.

תקמה. אַתְוָון, כַּד נָצְצִין מֵהַאי סִטְרָא, וּמֵהַאי סִטְרָא, דָּא אִיהוּ סִיכְתָא דִּי בְּגַוַּויְיהוּ, בֵּין מַרְגְּלָא לְמַרְגְּלָא, כְּדֵין אִתְעֲבִידוּ רָזָא דִּשְׁמָא קַדִּישָׁא דְּמ״ב אַתְוָון. בְּכֹלָּא רָזָא דִּשְׁמָא קַדִּישָׁא דְּע״ב אַתְוָון, דִּרְתִיכָא עִלָּאָה, וְכֹלָּא, הַאי וְהַאי, אִתְקְרֵי שַׁבָּת, וְדָא אִיהוּ רָזָא דְּשַׁבָּת. (ע״כ רעיא מהימנא).

תקמו. זָכוֹר רָזָא דִּדְכוּרָא אִיהוּ, רָזָא דִּדְכוּרָא דְּנָקִיט כָּל שַׁיְיפֵי דְּעָלְמָא עִלָּאָה. אֶת יוֹם הַשַּׁבָּת, לְאַסְגָּאָה מַעֲלֵי שַׁבְּתָא, דְּאִיהוּ לֵילְיָא, וְדָא אִיהוּ אֶת. לְקַדְּשׁוֹ, דְּאִצְטְרִיךְ קְדוּשָּׁה מִגּוֹ עַמָּא קַדִּישָׁא, וּלְאִתְעַטְּרָא בְּהוּ כַּדְקָא חֲזֵי.

תקמז. זָכוֹר, אֲתַר דְּלֵית לֵיהּ שִׁכְוָה, וְלָא קַיְּימָא בֵּיהּ שִׁכְוָה דְּהָא לֵית שִׁכְוָה בַּאֲתַר דִּבְרִית עִלָּאָה, וְכ״ש לְעֵילָּא. וּלְתַתָּא, אִית שִׁכְוָה, אֲתַר דְּאִצְטְרִיךְ לְאַדְכְּרָא, וְעַ״ד כְּתִיב, יִזָּכֵר עֲוֹן אֲבוֹתָיו וְגוֹ׳. וְאִית תַּמָּן מְמַנָּן, דְּאַדְכְּרָן זַכְיָין דְּבַר נָשׁ, וְחוֹבוֹי.

תקמח. וְלֵית שִׁכְוָה קָמֵי כָּרְסַיָּיא קַדִּישָׁא, מַה דְּאִיהוּ קָמֵיהּ. וּמַאן אִיהוּ קָמֵיהּ. זָכוֹר. וְכ״ש לְעֵילָּא. בְּגִין דְּכֹלָּא רָזָא דִּדְכוּרָא אִיהוּ, וְתַמָּן אִתְגְּלִיף רָזָא דִּשְׁמָא קַדִּישָׁא יד״ו. וּלְתַתָּא, אִצְטְרִיךְ לְאִתְקַדְּשָׁא, וּבַמֶּה אִתְקַדַּשׁ. בְּזָכוֹר, דְּהָא מִנֵּיהּ נָטִיל כָּל קְדוּשָּׁן וְכָל בִּרְכָאן. וְדָא, כַּד מִתְעַטְּרֵי מַעֲלֵי שַׁבְּתָא, עַל עַמָּא קַדִּישָׁא כַּדְקָא יֵאוֹת, בִּצְלוֹתִין וּבְבָעוּתִין, וּבְסִדּוּרָא דְּחֶדְוָה.

תקמט. וְאִי תֵּימָא, זָכוֹר, לָא אִצְטְרִיךְ לְאִתְקַדְּשָׁא, דְּהָא מִנֵּיהּ נָפְקִין כָּל קְדוּשִּׁין דְּעָלְמָא. לָאו הָכִי. דְּהָא דָּא אִצְטְרִיךְ לְאִתְקַדְּשָׁא בְּיִמָמָא, וְדָא אִצְטְרִיךְ לְאִתְקַדְּשָׁא בְּלֵילְיָא, וְכָל קְדוּשִּׁין נַטְלִין לוֹן יִשְׂרָאֵל לְבָתַר, וְאִתְקַדְּשָׁן בִּקְדוּשֵּׁי דְּקֻדְשָׁא בְּרִיךְ הוּא, דְּקב״ה.

תקנ. כַּבֵּד אֶת אָבִיךָ וְאֶת אִמֶּךָ, בְּכָל זִינֵי יְקָר, לְמֶחֱדֵי לוֹן בְּעוֹבָדֵי דְּכַשְׁרָאן, כד״א גִּיל יָגִיל אֲבִי צַדִּיק, וְדָא אִיהוּ יְקָרָא דַּאֲבוֹי וְדְאִמֵּיהּ.

רעיא מהימנא

תקנא. כַּבֵּד אֶת אָבִיךָ וְאֶת אִמֶּךָ. כַּבְּדֵהוּ בִּכְסוּת נְקִיָּיה, דְּהַיְינוּ כַּנְפֵי מִצְוָה, כַּבֵּד אֶת ה׳ מֵהוֹנֶךָ, דָּא תּוֹרָה וּמִצְוֹת. הה״ד, אוֹרֶךְ יָמִים בִּימִינָהּ בִּשְׂמֹאלָהּ וְגוֹ׳. דְּעָנִי לָאו אִיהוּ בַּר נָשׁ, אֶלָּא מִן הַתּוֹרָה וּמִן הַמִּצְוֹת, אִשְׁתְּמוֹדַע, דְּבָתַר דְּאוֹקְמוּהָ מָארֵי מַתְנִיתִין אֵין עָנִי אֶלָּא מִן הַתּוֹרָה וּמִן הַמִּצְוֹת, דְּעָתְרָא דְּבַר נָשׁ אוֹרַיְיתָא וּמִצְוֹת.

תקנב. וּבְגִין דָּא, כַּבֵּד אֶת יְיָ׳ מֵהוֹנֶךָ, וְלָא תִּשְׁתַּדֵּל בְּאוֹרַיְיתָא, כְּדֵי לְהִתְגַּדֵּל בָּהּ. כְּמָה דְּאוֹקְמוּהָ חַבְרַיָּיא, וְאַל תַּעֲשֵׂם עֲטָרָה לְהִתְגַּדֵּל בָּהֶם, וְלָא תֹּאמַר אַקְרָא בַּעֲבוּר שֶׁיִּקְרְאוּנִי רַבִּי, אֶלָּא גַּדְּלוּ לַיְיָ׳ אִתִּי. כַּבֵּד אֶת יְיָ׳ מֵהוֹנֶךָ, כְּבֵן דְּאִיהוּ חַיָּיב בִּיקָרָא

דַּאֲבוֹי וְאִמֵּיהּ.

תקנג. בְּגִין דְּאִיהוּ מְשׁוּתָּף מִתְּרֵין טִפִּין, דְּמִנַּיְהוּ נוֹצַר בַּר נָשׁ. מִטִּפָּה דַּאֲבוּהָ, חִוָּורוּ דְּעַיְינִין, וְגַרְמִין וְאֵבָרִין. וּמִטִּפָּה דְּאִמֵּיהּ, שָׁחוֹר דִּי בְּעַיְינִין, וְשַׂעֲרָא וּמַשְׁכָא וּבִשְׂרָא. וְרַבִּיאוּ לֵיהּ בְּאוֹרַיְיתָא, וְעוֹבָדִין טָבִין.

תקנד. דְּבַר נָשׁ חַיָּיב לְלַמֵּד בְּנוֹ תּוֹרָה, דִּכְתִּיב וְשִׁנַּנְתָּם לְבָנֶיךָ. וְאִי לָא אוֹלִיף לֵיהּ אוֹרַיְיתָא וּפִקּוּדִין, כְּאִילּוּ עָבִיד לֵיהּ פֶּסֶל, וּבְגִין דָּא לֹא תַעֲשֶׂה לְךָ פֶּסֶל. וְעָתִיד לִהְיוֹת בֵּן סוֹרֵר וּמוֹרֶה, וּמְבַזֶּה אָבוֹי וְאִמֵּיהּ, וְגָזֵל מִנַּיְיהוּ כַּמָּה בִּרְכָאן. דְּהוֹאִיל וְאִיהוּ עַם הָאָרֶץ, חָשִׁיד אִיהוּ עַל כֹּלָּא, וַאֲפִילּוּ עַל שְׁפִיכוּת דָּמִים, וְגִלּוּי עֲרָיוֹת, וְע"ז. דְּמַאן דְּאִיהוּ עַם הָאָרֶץ. וְאָזִיל לַאֲתַר דְּלָא אִשְׁתְּמוֹדְעוּן לֵיהּ, וְלָא יָדַע לְבָרְכָא, חַשְׁדִינָן לֵיהּ דְּאִיהוּ עע"ז. (ע"כ רעיא מהימנא).

תקנה. כַּבֵּד אֶת אָבִיךָ כד"א כַּבֵּד אֶת יְיָ מֵהוֹנֶךָ. מֵהוֹנֶךָ: מִמָּמוֹנֶךָ. מֵהוֹנֶךָ: מִוּזְנָךְ. בְּחֶדְוָה דְּנִגּוּנָא, לְמֶחֱדֵי לִבָּא, דְּהָא דָּא חֶדְוָה דְּלִבָּא, כְּגַוְונָא דָּא נִגּוּנָא דְּכָל עָלְמָא. עוֹבָדִין דְּכַשְׁרָאן דְּהַהוּא בְּרָא, חַדֵּי לִבָּא דַּאֲבוּהָ וּדְאִמֵּיהּ. מֵהוֹנֶךָ, מִמָּמוֹנֶךָ לְכָל מַה דְּאִצְטְרִיכוּ.

תקנו. כְּגַוְונָא דְּבַר נָשׁ אוֹקִיר לְקֻבְּ"ה, הָכִי אִצְטְרִיךְ לְאַבָּא וּלְאִמָּא, בְּגִין דְּשׁוּתָּפוּתָא חֲדָא אִית לוֹן בְּקֻבְּ"ה עָלֵיהּ. וּכְמָה דְּאִצְטְרִיךְ לְמִדְחַל לְקֻבְּ"ה, הָכִי אִצְטְרִיךְ לְמִדְחַל לַאֲבוּהָ וּלְאִמֵּיהּ, וּלְאוֹקִיר לוֹן כַּחֲדָא, בְּכָל זִינֵי יְקָר.

תקנז. לְמַעַן יַאֲרִיכוּן יָמֶיךָ, בְּגִין דְּאִית יוֹמִין לְעֵילָּא, דְּתַלְיָין בְּהוּ חַיֵּי בַּר נָשׁ בְּהַאי עָלְמָא. וְאוֹקִימְנָא עַל אִינּוּן יוֹמִין דְּבַר נָשׁ בְּהַהוּא עָלְמָא לְעֵילָּא, וְכֻלְּהוּ קַיְימִין קָמֵי קֻבְּ"ה, וּבְהוּ אִשְׁתְּמוֹדְעָן חַיֵּי דְּבַר נָשׁ.

תקנח. עַל הָאֲדָמָה אֲשֶׁר יְיָ אֱלֹהֶיךָ נוֹתֵן לָךְ. אַבְטָחוּתָא לְאִתְהַנְיָא בְּאַסְפַּקְלַרְיָא דְּנַהֲרָא, וְרָזָא דָּא עַל הָאֲדָמָה, דָּא אַסְפַּקְלַרְיָא דְּנַהֲרָא, בְּאִינּוּן יוֹמִין עִלָּאִין, דְּנָהֲרִין מִגּוֹ מַבּוּעָא דְּכֹלָּא.

תקנט. מַאי שְׁנָא, בְּאִלֵּין תְּרֵין פִּקּוּדִין דְּאוֹרַיְיתָא, דִּכְתִּיב בְּהוּ לְמַעַן יַאֲרִיכוּן יָמֶיךָ, בְּדָא, וּבְשִׁלּוּחַ הַקֵּן. אֶלָּא תְּרֵין פִּקּוּדִין אִלֵּין, כֻּלְּהוּ תַּלְיָין לְעֵילָּא. אַבָּא וְאִמָּא, רָזָא דְּזָכוֹר וְשָׁמוֹר כַּחֲדָא. וּבְגִינֵי כָּךְ כְּתִיב לְמַעַן יַאֲרִיכוּן יָמֶיךָ. וּבְשִׁלּוּחַ הַקֵּן, דִּכְתִּיב שַׁלֵּחַ תְּשַׁלַּח אֶת הָאֵם וְאֶת הַבָּנִים תִּקַּח לָךְ לְמַעַן יִיטַב לָךְ וְגוֹ', רָזָא דְּעָלְמָא עִלָּאָה, דְּלָא אִתְיְיהִיב בֵּיהּ רְשׁוּ לְאִסְתַּכְּלָא, וְאִצְטְרִיךְ לְשַׁלְּחָא מִגּוֹ שְׁאֵלְתָּא וְאִסְתַּכְּלוּתָא בֵּיהּ.

תקס. וְאֶת הַבָּנִים תִּקַּח לָךְ, דִּכְתִּיב, כִּי שְׁאַל נָא לְיָמִים רִאשׁוֹנִים וְגוֹ' מִקְצֵה הַשָּׁמַיִם וְעַד קְצֵה הַשָּׁמָיִם. אֲבָל לְעֵילָּא מִקְּצֵה הַשָּׁמַיִם, שַׁלֵּחַ תְּשַׁלַּח מֵרַעְיוֹנֶיךָ לְמִשְׁאַל.

תקסא. וּבְדָא כְּתִיב, לְמַעַן יִיטַב לָךְ וְהַאֲרַכְתָּ יָמִים, לְמַעַן אִיטַב לָךְ לָא כְּתִיב, אֶלָּא לְמַעַן יִיטַב לָךְ. וְיַאֲרִיכוּן יָמֶיךָ לָא כְּתִיב, אֶלָּא וְהַאֲרַכְתָּ יָמִים. לְמַעַן יִיטַב לָךְ, הַהוּא אֲתַר דְּאוֹטִיב לְכֹלָּא, וְאִיהוּ עָלְמָא דְּסָתִים וְגָנִיז. וְהַאֲרַכְתָּ יָמִים, כְּמָה דִּכְתִּיב, תִּקַּח לָךְ, בִּרְשׁוּתָא דְּבַר נָשׁ אִיהוּ.

תקסב. וְאִי אִזְדַּמַּן לֵיהּ עוֹבָדָא וִיכַוֵּין בֵּיהּ, זַכָּאָה אִיהוּ. וְאַף עַל גַּב דְּלָא מְכַוֵּין בֵּיהּ, זַכָּאָה אִיהוּ, דְּעָבֵיד פִּקּוּדָא דְּמָרֵיהּ. אֲבָל לָא אִתְחֲשִׁיב כְּמַאן דְּעָבֵיד רְעוּתָא לִשְׁמֵיהּ, וִיכַוֵּין בֵּיהּ, בִּרְעוּתָא דְּאִסְתַּכְּלוּתָא בִּיקָרָא דְּמָרֵיהּ, כְּמַאן דְּלָא יָדַע לְמִסְבַּר סְבָרָא,

דְּהָא בִּרְעוּתָא תַּלְיָא מִלָּה לִשְׁמָהּ. וּבְעוּבָדָא דִּלְתַתָּא לִשְׁמָהּ, אִסְתַּלַּק עוּבָדָא לְעֵילָּא, וְאִתְתַּקַּן כַּדְקָא יָאוּת.

תקסג. כְּגַוְונָא דָּא, בְּעוּבָדָא דְּגוּפָא, אִתְתַּקַּן עוּבָדָא דְּנַפְשָׁא, בְּהַהוּא רְעוּתָא. דְּהָא קוּדְשָׁא בְּרִיךְ הוּא בָּעֵי לִבָּא, וּרְעוּתָא דְּבַר נָשׁ. וַאֲפִילּוּ הָכִי, אִי לָאו תַּמָּן רְעוּתָא דְּלִבָּא דְּאִיהוּ עִקָּרָא דְּכֹלָּא, עַל דָּא צַלֵּי דָּוִד וְאָמַר, וּמַעֲשֵׂה יָדֵינוּ כּוֹנְנָה עָלֵינוּ וְגוֹ'. דְּהָא לֵית כָּל בַּר נָשׁ זַכָּאִים, לְשַׁוָּאָה רְעוּתָא וְלִבָּא, לְתַקְּנָא כֹּלָּא וְיַעֲבִיד עוּבָדָא דְּמִצְוָה. עַל דָּא צַלֵּי צְלוֹתָא דָּא, וּמַעֲשֵׂה יָדֵינוּ כּוֹנְנָה עָלֵינוּ.

תקסד. מַאי כּוֹנְנָה עָלֵינוּ. כּוֹנְנָה, וְאִתְקִין תִּקּוּנָךְ לְעֵילָּא כַּדְקָא יָאוּת. עָלֵינוּ, אַף עַל גַּב דְּלֵית אֲנָן יַדְעֵי לְשַׁוָּאָה רְעוּתָא, אֶלָּא עוּבָדָא בִּלְחוֹדוֹי. מַעֲשֵׂה יָדֵינוּ כּוֹנְנֵהוּ. לְמַאן. לְהַהוּא דַּרְגָּא דְּאִצְטְרִיךְ לְאִתְתַּקְּנָא. כּוֹנְנֵהוּ, בְּחִבּוּרָא חֲדָא בַּאֲבָהָן, לְמֶהֱוֵי מִתְתַּקְּנָא בְּהוֹן, בְּהַאי עוּבָדָא, כַּדְקָא יָאוּת.

תקסה. לֹא תִּרְצָח. לֹא תִּנְאָף. לֹא תִּגְנֹב. לֹא. פָּסְקָא טַעֲמָא בְּכָל הָנֵי תְּלָת. וְאִי לָא דְּפָסְקָא טַעֲמָא, לָא הֲוֵי תַּקָּנְתָא לְעָלְמִין, וְיְהֵא אָסִיר לָן לְקַטְלָא נַפְשָׁא בְּעָלְמָא, אע"ג דְּיַעֲבוֹר עַל אוֹרַיְיתָא. אֲבָל בְּמָה דְּפָסְקָא טַעֲמָא, אָסִיר, וְשָׁרֵי.

תקסו. לֹא תִּנְאָף. אִי לָאו דְּפָסְקָא טַעֲמָא, אָסִיר אֲפִילּוּ לְאוֹלָדָא, אוֹ לְמֶחֱדֵי בְּאִתְּתֵיהּ חֶדְוָה דְּמִצְוָה. וּבְמָה דְּפָסְקָא טַעֲמָא, אָסִיר וְשָׁרֵי. לֹא תִּגְנֹב. אִי לָאו דְּפָסְקָא טַעֲמָא, הֲוָה אָסִיר אֲפִילּוּ לְמִגְנַב דַּעְתָּא דְּרַבֵּיהּ בְּאוֹרַיְיתָא. אוֹ דַּעְתָּא דְּחַכָּם, לְאִסְתַּכְּלָא בֵּיהּ. אוֹ דַּיָּינָא דְּדָאִין דִּינָא לְפוּם טַעֲנָה, דְּאִצְטְרִיךְ לֵיהּ לְמִגְנַב דַּעְתָּא דְּרַמָּאָה, וּלְמִגְנַב דַּעְתָּא דְּתַרְוַויְיהוּ, לְאַפָּקָא דִּינָא לִנְהוֹרָא. וּבְמָה דְּפָסְקָא טַעֲמָא, אָסִיר וְשָׁרֵי.

תקסז. לֹא תַעֲנֶה בְרֵעֲךָ עֵד שָׁקֶר. הָכָא לָא פָּסְקָא טַעֲמָא, בְּגִין דְּאָסִיר הוּא כְּלָל כְּלָל. וּבְכָל מִילֵּי דְּאוֹרַיְיתָא, קב"ה שַׁוֵּי רָזִין עִלָּאִין, וְאוֹלִיף לִבְנֵי נָשָׁא אָרְחָא, לְאִתְתַּקְּנָא בָּהּ, וּלְמֵהַךְ בָּהּ. כְּמָה דְּאַתְּ אָמֵר, אֲנִי יְיָ' אֱלֹהֶיךָ מְלַמֶּדְךָ לְהוֹעִיל מַדְרִיכְךָ בְּדֶרֶךְ תֵּלֵךְ.

תקסח. אוּף הָכִי, לֹא תַחְמֹד, לָא פָּסִיק טַעֲמָא כְּלָל. וְאִי תֵּימָא, אֲפִילּוּ חֶמְדָּא דְּאוֹרַיְיתָא אָסִיר, כֵּיוָן דְּלָא פָּסְקָא. ת"ח, בְּכֻלְּהוּ עֲבֵדַת אוֹרַיְיתָא כְּלָל, וּבְהַאי עֲבֵדַת פְּרָט. בֵּית רֵעֶךָ שָׂדֵהוּ וְעַבְדּוֹ וְגוֹ', בְּכָל מִילֵּי דְּעָלְמָא. אֲבָל אוֹרַיְיתָא, אִיהִי חֶמְדַּת תָּדִיר, שַׁעֲשׁוּעִים, גִּנְזֵי דְּחַיֵּי, אַרְכָא דְּיוֹמִין, בְּעָלְמָא דֵּין וּבְעָלְמָא דְּאָתֵי.

תקסט. הָנֵי עֶשֶׂר אֲמִירָן דְּאוֹרַיְיתָא, אִינּוּן כְּלָלָא דְּכָל פִּקּוּדֵי אוֹרַיְיתָא, כְּלָלָא דְּעֵילָּא וְתַתָּא, כְּלָלָא דְּכָל עֶשֶׂר אֲמִירָן דִּבְרֵאשִׁית. אִלֵּין אִתְחֲקָקוּ עַל לוּחֵי אַבְנִין, וְכָל גִּנְזִין דַּהֲווֹ בְּהוּ, אִתְחֲזוּן לְעֵינֵיהוֹן דְּכֹלָּא, לְמִנְדַּע וּלְאִסְתַּכְּלָא בְּרָזָא דְּתרי"ג פִּקּוּדִין דְּאוֹרַיְיתָא דִּכְלִילָן בְּהוּ, כֹּלָּא אִתְחֲזֵי לְעַיְינִין, כֹּלָּא אִיהוּ בְּסָכְלְתָנוּ, לְאִסְתַּכְּלָא בְּלִבָּא דְּיִשְׂרָאֵל כֻּלְּהוּ, וְכֹלָּא הֲוָה נָהִיר לְעֵינַיְיהוּ.

תקע. בְּהַהוּא שַׁעֲתָא, כָּל רָזֵי דְּאוֹרַיְיתָא, וְכָל רָזִין עִלָּאִין וְתַתָּאִין, לָא אַעֲדֵּי מִינַּיְיהוּ. בְּגִין דַּהֲווֹ חָמָאן עֵינָא בְּעֵינָא, זִיו יְקָרָא דְּמָרֵיהוֹן, מַה דְּלָא הֲוָה כְּהַהוּא יוֹמָא, מִיּוֹמָא דְּאִתְבְּרֵי עָלְמָא, דְּקֻבָּ"ה אִתְגְּלֵי בִּיקָרֵיהּ עַל טוּרָא דְּסִינַי.

תקעא. וְאִי תֵּימָא, הָא תָּנִינָן דְּחָמָאת שִׁפְחָה עַל הַיָּם, מַה דְּלָא חָמָא יְחֶזְקֵאל נְבִיאָה, יָכוֹל כְּהַהוּא יוֹמָא דְּקָאִימוּ יִשְׂרָאֵל עַל טוּרָא דְּסִינַי. לָאו הָכִי. בְּגִין דְּהַהוּא

יוֹמָא דְקַיְּימוּ יִשְׂרָאֵל עַל טוּרָא דְסִינַי, אַעְבַּר זוּהֲמָא מִנַּיְיהוּ, וְכָל גּוּפִין הֲווּ מְצַוְּוחָן, כְּצַחְצָחָא דְמַלְאָכִין עִלָּאִין, כַּד מִתְלַבְּשָׁן בִּלְבוּשֵׁי מְצַחְצְחָן, לְמֶעְבַּד שְׁלִיחוּתָא דְמָרֵיהוֹן.

תקעב. וּבְהַהוּא מַלְבּוּשָׁא מְצַחְצְחָא, עָאלִין לְאֶשָּׁא, וְלָא דַחֲלִין. כְּגַוְונָא דְהַהוּא מַלְאָכָא דְמָנוֹחַ, כַּד אִתְחֲזֵי לֵיהּ, וְעָאל בְּשַׁלְהוֹבָא, וְסָלִיק לִשְׁמַיָּא, דִכְתִּיב, וַיַּעַל מַלְאַךְ יְיָ' בְּלַהַב הַמִּזְבֵּחַ. וְכַד אַעְבַּר מִינַּיְיהוּ הַהוּא זוּהֲמָא, אִשְׁתָּאֲרוּ יִשְׂרָאֵל גּוּפִין מְצַוְּוחָן בְּלָא טִנּוּפָא כְּלָל, וְנִשְׁמָתִין לְגוֹ כְּזוֹהֲרָא דִרְקִיעָא, לְקַבְּלָא נְהוֹרָא.

תקעג. הָכִי הֲווּ יִשְׂרָאֵל, דַהֲווּ חָמָאן וּמִסְתַּכְּלָן גּוֹ יְקָרָא דְמָרֵיהוֹן, מַה דְלָא הֲוֵי הָכִי עַל יַמָּא, דְלָא אִתְעֲבַר זוּהֲמָא מִנַּיְיהוּ בְּהַהוּא זִמְנָא. וְהָכָא בְּסִינַי דְפָסְקָא זוּהֲמָא מִגּוּפָא, אֲפִילּוּ עוּבָּרִין דְבִמְעֵי אִמַּן, הֲווּ חָמָאן וּמִסְתַּכְּלָן בִּיקָרָא דְמָרֵיהוֹן. וְכֻלְּהוּ קַבִּילוּ כָּל חַד וְחַד, כַּדְקָא חָזֵי לֵיהּ.

תקעד. וְהַהוּא יוֹמָא, הֲוָה חֶדְוָה קָמֵי קב"ה, יַתִּיר מִיּוֹמָא דְאִתְבְּרֵי עָלְמָא, בְּגִין דְיוֹמָא דְאִתְבְּרֵי עָלְמָא, לָא הֲוָה בְּקִיּוּמָא, עַד דְקַבִּילוּ יִשְׂרָאֵל אוֹרַיְיתָא, דִכְתִּיב אִם לֹא בְרִיתִי יוֹמָם וָלַיְלָה חֻקּוֹת שָׁמַיִם וָאָרֶץ לֹא שָׂמְתִּי.

תקעה. כֵּיוָן דְקַבִּילוּ יִשְׂרָאֵל אוֹרַיְיתָא עַל טוּרָא דְסִינַי, כְּדֵין אִתְבַּסַּם עָלְמָא, וְאִתְקַיְּימוּ שְׁמַיָּא וְאַרְעָא, וְאִשְׁתְּמוֹדַע קב"ה עֵילָּא וְתַתָּא, וְאִסְתַּלַּק בִּיקָרֵיהּ עַל כֹּלָּא. וְעַל הַהוּא יוֹמָא כְּתִיב יְיָ' מָלָךְ גֵּאוּת לָבֵשׁ לָבֵשׁ יְיָ' עֹז הִתְאַזָּר. וְאֵין עֹז, אֶלָּא תּוֹרָה. שֶׁנֶּאֱמַר יְיָ' עֹז לְעַמּוֹ יִתֵּן יְיָ' יְבָרֵךְ אֶת עַמּוֹ בַשָּׁלוֹם.

MISHPATIM
מִשְׁפָּטִים

א. פָּתַח ר' שִׁמְעוֹן וְאָמַר, וְאֵלֶּה הַמִּשְׁפָּטִים אֲשֶׁר תָּשִׂים לִפְנֵיהֶם, תַּרְגּוּם, וְאִלֵּין
דִּינַיָּא דְּתִסְתַּדַּר קַדְמֵיהוֹן. אִלֵּין אִינּוּן סְדוּרִין דְּגִלְגּוּלָא, דִּינִין דִּנְשָׁמָתִין, דְּאִתְדָּנוּ כָּל חַד
וְחַד לְקַבֵּל עוֹנָשֵׁיהּ.

ב. כִּי תִקְנֶה עֶבֶד עִבְרִי שֵׁשׁ שָׁנִים יַעֲבֹד וּבַשְּׁבִיעִית יֵצֵא לַחָפְשִׁי חִנָּם. וְחַבְרַיָּיא,
עַיְּינוּ הָכָא, לְגַלָּאָה כַּמָּה רָזִין טְמִירִין דְּגִלְגּוּלָא. כִּי תִקְנֶה עֶבֶד עִבְרִי שֵׁשׁ שָׁנִים יַעֲבֹד.
כַּד נִשְׁמָתָא אִתְחַיָּיבַת בְּגִלְגּוּלָא, אִם הִיא מִסִּטְרָא דְּהַהוּא עֶבֶד מְטַטְרוֹן, דְּאִיהוּ כְּלִיל
שִׁית סְטְרִין, כְּתִיב בֵּיהּ שֵׁשׁ שָׁנִים יַעֲבֹד, גִּלְגּוּלִין דִּילֵיהּ לָא מִתְחַיְּיבָא אֶלָּא שִׁית עִדָּנִין,
עַד דְּאַשְׁלִימַת שֵׁשׁ דַּרְגִּין, מֵהַהוּא אֲתָר דְּאִתְנְטִילַת.

ג. אֲבָל אִם נִשְׁמָתָא הִיא מִסִּטְרָא דִּשְׁכִינְתָּא, דְּאִיהִי שְׁבִיעִית וַדַּאי מַה כְּתִיב,
וּבַשְּׁבִיעִית יֵצֵא לַחָפְשִׁי חִנָּם, דְּאִיהִי צַדִּיק, וַדַּאי לֵית בֵּיהּ מְלָאכָה, כֵּיוָן דְּלֵית בֵּיהּ מְלָאכָה,
לֵית בֵּיהּ שִׁעְבּוּד. וְנִשְׁמָתָא דְּאִיהִי מִתַּמָּן, אִתְּמַר בָּהּ וּבַשְּׁבִיעִית יֵצֵא לַחָפְשִׁי חִנָּם, לֵית
בָּהּ שִׁעְבּוּדָא.

ד. אַדְּהָכִי, הָא סָבָא נָחַת לְגַבֵּיהּ, א"ל, אִי הָכִי, רַבִּי, מַה תּוֹסֶפֶת לְנִשְׁמָתָא דְּאִיהִי
מִנָּהּ, דְּאִתְּמַר בָּהּ, לֹא תַעֲשֶׂה כָל מְלָאכָה אַתָּה וּבִנְךָ וּבִתֶּךָ וְעַבְדְּךָ וְגו'.

ה. א"ל, סָבָא סָבָא, וְאַתְּ שָׁאִיל דָּא, דְּוַדַּאי הַאי עַל נִשְׁמָתָא דְּצַדִּיק אִתְּמַר, דְּאע"ג
דְּאִתְחַיָּיב לְאַעֲלָא בְּגִלְגּוּלָא בְּכָל אִלֵּין, אֲפִילוּ בְּעֶבֶד וְאָמָה, וּבְעִירָן דְּאִינּוּן אוֹפַנִּים, אוֹ
בְּכָל חֵיוָן, דְּמִנְּהוֹן נִשְׁמָתִין דִּבְנֵי נָשָׁא, כְּתִיב בָּהּ לֹא תַעֲשֶׂה כָל מְלָאכָה. וְהַאי אִיהוּ,
לֹא תַעֲבֵד בּוֹ עֲבוֹדַת עָבֶד, בְּצַדִּיק דְּאִיהוּ יוֹם הַשַּׁבָּת, לֹא תַעֲבֵד בּוֹ עֲבוֹדַת עָבֶד,
דְּאִיהוּ יוֹם דְּחוֹל.

ו. אֲבָל סָבָא סָבָא, עַבָּת דְּאִיהִי בַּת יְחִידָה, וְאִיהִי בַּת זוּגֵיהּ דְּצַדִּיק, דְּאִיהוּ שַׁבָּת. מַאי
אִם אַזְהָרַת יַקּוּ לוֹ. א"ל הָא וַדַּאי הַבְדָּלָה, חוֹלוֹ שֶׁל שַׁבָּת, דְּאִית אַוְורָא דְּלָא אִתְקְרִיאַת
חוֹלוֹ שֶׁל שַׁבָּת, אֶלָּא חוֹלוֹ שֶׁל טֻמְאָה שְׁפָחָה. א"ל. וְהָא חוֹלוֹ שֶׁל שַׁבָּת מַאי הִיא. א"ל, דָּא
אֲמִתָא, דְּאִיהִי יְחִידָה דְּבַת יְחִידָה דְּעֵלָּה אִתְּמַר, אִם אַזְהָרַת יַקּוּ לוֹ.

ז. תָּא חֲזֵי, נִשְׁמָתָא אִית דְּאִתְקְרִיאַת אָמָה, וְאִית נִשְׁמָתָא דְּאִתְקְרִיאַת שְׁפָחָה,
וְנִשְׁמָתָא אִית דְּאִתְקְרִיאַת בְּרַתָּא דְּמַלְכָּא. הָכָא אִית אִישׁ, דְּאִתְּמַר בֵּיהּ יְיָ' אִישׁ
מִלְחָמָה. וְאִית אִישׁ, דְּאִתְּמַר בֵּיהּ וְהָאִישׁ גַּבְרִיאֵל.

ח. וּבְגִין דָּא, נִשְׁמָתָא דְּאִיהִי מְחַיָּיבָא בְּגִלְגּוּל, אִם הִיא בְּרַתָּא דְּקוּדְשָׁא בְּרִיךְ הוּא, אִי תֵּימָא
דְּאוֹדְבָן בְּגוּפָא נוּכְרָאָה, דְּתַמָּן שֻׁלְטָנוּתָא דְּיֵצֶר הָרָע דְּאִיהוּ מִסִּטְרָא דְּסָמָא"ל. ו"ו.
דְּהָא כְּתִיב, אֲנִי יְיָ' הוּא שְׁמִי וּכְבוֹדִי לְאַחֵר לֹא אֶתֵּן דְּאִיהוּ יֵצֶר הָרָע.

ט. וְהַהוּא גּוּפָא, דְּשַׁרְיָא בְּרַתָּא דְּמַלְכָּא, אִי תֵּימָא דְּאוֹדְבָן בְּכִתְרִין תַּתָּאִין
דִּמְסָאֲבוּ, וְלִילָה וָזֵס. עָלֵהּ אִתְּמַר וְהָאָרֶץ לֹא תִמָּכֵר לִצְמִתוּת כִּי לִי הָאָרֶץ. מַאן גּוּפָא
דְּבְרַתָּא דְּמַלְכָּא. דָּא מְטַטְרוֹן. וְהַאי גּוּפָא אִיהוּ אָמָה דִּשְׁכִינְתָּא, אע"ג דְּאִיהִי נִשְׁמָתָא

דְּאִיהִי בְּרַתָּא דְּמַלְכָּא שְׁבוּיָה תַּמָּן, בְּגִלְגּוּלָא אַתְיָא מַה כְּתִיב בָּהּ וְכִי יִמְכּוֹר אִישׁ אֶת בִּתּוֹ לְאָמָה לֹא תֵצֵא כְּצֵאת הָעֲבָדִים.

י. וְעוֹד וְכִי יִמְכּוֹר אִישׁ, דָּא קוּדְשָׁא בְּרִיךְ הוּא. אֶת בִּתּוֹ: אִלּוּ יִשְׂרָאֵל, דְּאִינּוּן מִסִּטְרָא דְּבַת יְחִידָה, אִתְקְרִיאוּ בִּתּוֹ. וְאִי תֵּימָא דְּיִפְקוּן, כְּגַוְונָא דְּאִלֵּין מִסִּטְרָא דְּעֶבֶד, דְּאִיהוּ מְטַטְרוֹ"ן, דְּנַפְקוּ בִּמְנוּסָה מִמִּצְרַיִם, לֹא תֵצֵא כְּצֵאת הָעֲבָדִים, הה"ד, כִּי לֹא בְחִפָּזוֹן תֵּצֵאוּ וּבִמְנוּסָה לֹא תֵלֵכוּן.

יא. תָּא חֲזֵי, בַּ"נ כַּד אִתְיְלִיד, יָהֲבִין לֵיהּ נַפְשָׁא מִסִּטְרָא דִּבְעִירָא, מִסִּטְרָא דְּדַכְיוּ, מִסִּטְרָא דְּאִלֵּין דְּאִתְקְרוּן אוֹפַנֵּי הַקּוֹדֶשׁ. זָכָה יַתִּיר, יַהֲבִין לֵיהּ רוּחָא, מִסִּטְרָא דְּחַיּוֹת הַקּוֹדֶשׁ. זָכָה יַתִּיר, יַהֲבִין לֵיהּ נִשְׁמְתָא, מִסִּטְרָא דְּכָרְסְיָיא. וּתְלַת אִלֵּין, אִינּוּן אָמָה עֶבֶד וְשִׁפְחָה דִּבְרַתָּא דְּמַלְכָּא.

יב. זָכָה יַתִּיר, יַהֲבִין לֵיהּ נַפְשָׁא בְּאֹרַח אֲצִילוּת, מִסִּטְרָא דְּבַת יְחִידָה, וְאִתְקְרִיאַת אִיהִי בַּת מֶלֶךְ. זָכָה יַתִּיר, יַהֲבִין לֵיהּ רוּחָא דַּאֲצִילוּת. מִסִּטְרָא דְּעַמּוּדָא דְּאֶמְצָעִיתָא, וְאִקְרֵי בֵּן לְקֻבְּ"ה, הה"ד בָּנִים אַתֶּם לַיְיָ אֱלֹהֵיכֶם. זָכָה יַתִּיר, יַהֲבִין לֵיהּ נִשְׁמְתָא, מִסִּטְרָא דְּאַבָּא וְאִמָּא. הה"ד, וַיִּפַּח בְּאַפָּיו נִשְׁמַת חַיִּים. מַאי חַיִּים. אֶלָּא אִינּוּן י"ה, דַּעֲלַיְיהוּ אִתְּמַר, כֹּל הַנְּשָׁמָה תְּהַלֵּל יָהּ, וְאִשְׁתְּלִים בֵּיהּ ידו"ד.

יג. זָכָה יַתִּיר, יַהֲבִין לֵיהּ ידו"ד בִּשְׁלִימוּ דְּאַתְוָון, יו"ד הֵ"א וָא"ו הֵ"א, דְּאִיהוּ אָדָם, בְּאֹרַח אֲצִילוּת דְּעֵילָּא, וְאִתְקְרֵי בִּדְיוּקְנָא דְּמָארֵיהּ. וְעָלֵיהּ אִתְּמַר, וּרְדוּ בִּדְגַת הַיָּם וְגוֹ'. וְהַאי אִיהוּ שׁוּלְטָנוּתֵיהּ בְּכָל רְקִיעִין, וּבְכָל אוֹפַנִּים וּשְׂרָפִים וְחֵיוָון, וּבְכָל חַיָּילִין וְתוּקְפִּין דִּלְעֵילָּא וְתַתָּא. וּבְגִ"ד, כַּד בַּ"נ זָכֵי בְּנֶפֶשׁ מִסִּטְרָא דְּבַת יְחִידָה, אִתְּמַר בֵּיהּ, לֹא תֵצֵא כְּצֵאת הָעֲבָדִים.

יד. רַבִּי חִיָּיא וְרַבִּי יוֹסֵי אִעֲרָעוּ חַד לֵילְיָא בְּמִגְדַּל דְּצוֹר. אִתְאֲרָחוּ תַּמָּן וְחָדוּ דָּא בְּדָא. אָמַר רַבִּי יוֹסֵי, כַּמָּה חֲדֵינָא דַּחֲמֵינָא אַנְפֵּי שְׁכִינְתָּא, דְּהַשְׁתָּא בְּכָל אָרְחָא דָּא, אִצְטַעֲרְנָא בְּחַד סָבָא, טַיָּיעָא, דַּהֲוָה שָׁאִיל לִי כָּל אָרְחָא.

טו. מַאן הוּא נְחָשָׁא, דְּפָרַח בַּאֲוִירָא, וְאָזִיל בִּפְרוּדָא, וּבֵין כַּךְ וּבֵין כַּךְ, אִית נַיְיחָא לְחַד נְמָלָה, דְּשָׁכִיב בֵּין שִׁנּוֹי. שָׁרֵי בְּחִבּוּרָא וְסַיֵּים בִּפְרוּדָא. וּמַאי אִיהוּ נִשְׁרָא, דְּקָא מְקַנְּנָא, בְּאִילָן דְּלָא הֲוָה. בְּנוֹי דְּאִתְגְּזָלוּ, וְלָאו מִן בְּרִיָּין. דְּאִתְבְּרִיאוּ בַּאֲתַר דְּלָא אִתְבְּרִיאוּ. כַּד סַלְקִין נַחְתִּין, כַּד נַחְתִּין סַלְקִין. תְּרֵין דְּאִינּוּן חַד, וְחַד דְּאִינּוּן תְּלָתָא. מַהוּ עוּלֵימְתָּא שַׁפִּירְתָּא, וְלֵית לָהּ עַיְינִין, וְגוּפָא טְמִירְתָּא וְאִתְגַּלְיָא, אִיהִי נַפְקַת בְּצַפְרָא, וְאִתְכַּסִיאַת בִּימָמָא. אִתְקַשְּׁטַת בְּקִשּׁוּטִין דְּלָא הֲווֹ.

טז. כָּל דָּא שָׁאִיל בְּאָרְחָא, וְאִצְטַעַרְנָא. וְהַשְׁתָּא אִית לִי נַיְיחָא. דְּאִילּוּ הֲוֵינָא כַּחֲדָא, אִתְעֲסַקְנָא בְּמִלֵּי דְּאוֹרַיְיתָא, מַה דַּהֲוֵינָן בְּמִלִּין אַחֲרָנִין דְּתַהוּ. אָמַר רַבִּי חִיָּיא, וְהַהוּא סָבָא טַיָּיעָא, יַדְעַת בֵּיהּ כְּלוּם. אָמַר לֵיהּ, יָדַעְנָא, דְּלֵית מַמָּשׁוּ בְּמִלּוֹי. דְּאִילּוּ הֲוָה יָדַע, יִפְתַּח בְּאוֹרַיְיתָא, וְלָא הֲוָה אָרְחָא בְּרֵיקַנַּיָּא. אָמַר רַבִּי חִיָּיא, וְהַהוּא טַיָּיעָא אִית הָכָא, דְּהָא לִזְמְנִין בְּאִינּוּן רֵיקָנִין, יִשְׁכַּח גְּבַר זַגִּין דְּדַהֲבָא. אָמַר לֵיהּ, הָא הָכָא אִיהוּ, וְאַתְקִין חֲמָרֵיהּ בְּמֵיכְלָא.

יז. קָרוּ לֵיהּ, וְאָתָא לְקַמַּיְיהוּ. אָמַר לוֹן, הַשְׁתָּא תְּרֵין אִינּוּן תְּלַת, וּתְלַת אִינּוּן כְּחַד. אָמַר רַבִּי יוֹסֵי, לָא אֲמֵינָא לָךְ, דְּכָל מִלּוֹי רֵיקָנִין, וְאִינּוּן בְּרֵיקַנַּיָּא יָתִיב קַמַּיְיהוּ.

יח. אָמַר לוֹן רַבָּנָן, אֲנָא טַיְיעָא אִתְעֲבִידְנָא, וּמִיּוֹמִין זְעִירִין, דְּהָא בְּקַדְמֵיתָא לָא הֲוֵינָא טַיְיעָא, אֲבָל בְּרָא חַד זְעֵירָא אִית לִי, וִיהֲבִית לֵיהּ בְּבֵי סִפְרָא, וּבְעֵינָא דְּיִשְׁתַּדֵּל בְּאוֹרַיְיתָא. וְכַד אֲנָא אַשְׁכַּחְנָא חַד מֵרַבָּנָן דְּאָזִיל בְּאָרְחָא, אֲנָא טָעִין אֲבַתְרֵיהּ, וְהַאי יוֹמָא, חֲשִׁיבְנָא דְּאֶשְׁמַע מִלִּין חַדְתִּין בְּאוֹרַיְיתָא, וְלָא שְׁמַעְנָא מִדִּי.

יט. אָמַר ר' יוֹסֵי, בְּכָל מִלִּין דִּשְׁמַעְנָא דְּקָאֲמַרְתְּ, לָא תַּוְוהְנָא, אֶלָּא מֵחַד. אוֹ אַנְתְּ בִּשְׁטוּתָא אֲמַרְתְּ, אוֹ מִלִּין רֵיקָנִין אִינּוּן. אָמַר הַהוּא סָבָא, וּמַאן אִיהִי. אָמַר עוּלֵימְתָּא שַׁפִּירְתָּא וְכוּ'.

כ. פָּתַח הַהוּא סָבָא וְאָמַר, יְיָ' לִי לֹא אִירָא מַה יַּעֲשֶׂה לִי אָדָם. יְיָ' לִי בְּעֹזְרָי וְגוֹ'. טוֹב לַחֲסוֹת בַּיְיָ' וְגוֹ'. כַּמָּה טָבִין וּנְעִימִין וְיַקִּירִין וְעִלָּאִין מִלִּין דְּאוֹרַיְיתָא, וַאֲנָא הֵיכִי אֵימָא קַמֵּי רַבָּנָן, דְּלָא שְׁמַעְנָא מִפּוּמַיְיהוּ עַד הַשְׁתָּא, אֲפִילּוּ מִלָּה חֲדָא. אֲבָל אִית לִי לְמֵימַר, דְּהָא לֵית כִּסּוּפָא כְּלָל לְמֵימַר מִלֵּי דְּאוֹרַיְיתָא קַמֵּי כֹּלָּא.

כא. אִתְעַטָּף הַהוּא סָבָא, פָּתַח וְאָמַר, וּבַת כֹּהֵן כִּי תִהְיֶה לְאִישׁ זָר הִיא בִּתְרוּמַת הַקֳּדָשִׁים לֹא תֹאכֵל. הַאי קְרָא אַקְרָא אַחֲרָא סָמִיךְ, וּבַת כֹּהֵן כִּי תִהְיֶה אַלְמָנָה וּגְרוּשָׁה וְזֶרַע אֵין לָהּ וְשָׁבָה אֶל בֵּית אָבִיהָ כִּנְעוּרֶיהָ מִלֶּחֶם אָבִיהָ תֹּאכֵל וְכָל זָר לֹא יֹאכַל בּוֹ. הָנֵי קְרָאֵי כְּמַשְׁמָעָן. אֲבָל מִלִּין דְּאוֹרַיְיתָא מִלִּין סְתִימִין אִינּוּן.

כב. וְכַמָּה אִינּוּן מִלִּין דְּחָכְמְתָא דִּסְתִימִין בְּכָל מִלָּה וּמִלָּה דְּאוֹרַיְיתָא, וְאִשְׁתְּמוֹדְעָן, אִינּוּן לְגַבֵּי חַכִּימִין, דְּיָדְעִין אָרְחִין דְּאוֹרַיְיתָא. דְּהָא אוֹרַיְיתָא לָאו מִלִּין דְּחֶלְמָא אִינּוּן, דְּקָא אִתְמַסְרָן לְמַאן דְּפָשַׁר לוֹן, וְאִתְמַשְׁכָן בָּתַר פּוּמָא, וְעַכ"ד אִצְטְרִיכוּ לְמִפְשַׁר לוֹן לְפוּם אָרְחוֹי. וּמַה אִי מִלִּין דְּחֶלְמָא אִצְטְרִיכוּ לְמִפְשַׁר לוֹן לְפוּם אָרְחוֹי, מִלִּין דְּאוֹרַיְיתָא דְּאִינּוּן שַׁעְשׁוּעִין דְּמַלְכָּא קַדִּישָׁא, עַל אַחַת כַּמָּה וְכַמָּה דְּאִצְטְרִיכוּ לְמֵהַךְ בְּאֹרַח קְשׁוֹט בְּהוּ, דִּכְתִּיב כִּי יְשָׁרִים דַּרְכֵי יְיָ' וְגוֹ'.

כג. הַשְׁתָּא אִית לְמֵימַר, וּבַת כֹּהֵן, דָּא נִשְׁמְתָא עִלָּאָה, בְּרַתֵּיהּ דְּאַבְרָהָם אָבִינוּ קַדְמָאָה לְגִּיּוֹרִין, וְאִיהוּ מְשִׁיךְ, לָהּ לְהַאי נִשְׁמְתָא מֵאֲתַר עִלָּאָה. מַה בֵּין קְרָא דְּאָמַר וּבַת אִישׁ כֹּהֵן, וּבֵין קְרָא דְּאָמַר וּבַת כֹּהֵן, וְלָא כְּתִיב אִישׁ. אֶלָּא, אִית כֹּהֵן דְּאִקְרֵי אִישׁ כֹּהֵן, וְלָא כֹּהֵן מַמָּשׁ. וְעַל אָרְחָא דָּא, הֲוָה כֹּהֵן, וַהֲוָה סְגָן, וַהֲוָה כה"ג, וַהֲוָה כֹּהֵן דְּלָאו אִיהוּ גָּדוֹל. כֹּהֵן סְתָם, רַב וְעִלָּאָה יַתִּיר מֵאִישׁ כֹּהֵן. וְע"ד אִית נִשְׁמְתָא, וְאִית רוּחָא, וְאִית נֶפֶשׁ.

כד. וּבַת כֹּהֵן כִּי תִהְיֶה לְאִישׁ זָר, דָּא נִשְׁמְתָא קַדִּישָׁא, דְּאִתְמַשְׁכַת מֵאֲתַר עִלָּאָה, וְעָאלַת לְגוֹ סְתִימוּ דְּאִילָנָא דְּחַיֵּי. וְכַד רוּחָא דְּכַהֲנָא עִלָּאָה נָשְׁבָא, וְיָהִיב נִשְׁמָתִין בְּאִילָנָא דָּא, פַּרְחִין מִתַּמָּן אִינּוּן נִשְׁמָתִין, וְעָאלִין בְּאוֹצָר חַד.

כה. וַוי לְעָלְמָא, דְּלָא יַדְעִין בְּנֵי נָשָׁא לְאִסְתַּמְרָא, דְּקָא מַשְׁכִין מְשִׁיכוּ בְּהַדֵּי יֵצֶר הָרָע, דְּאִיהוּ אִישׁ זָר, וְהַאי בַּת כֹּהֵן פַּרְחַת לְתַתָּא, וְאַשְׁכְּחַת בִּנְיָינָא בְּאִישׁ זָר. וּבְגִין דְּאִיהוּ רְעוּתָא דְּמָרָהּ, עָאלַת תַּמָּן וְאִתְכַּפְיָאת, וְלָא יְכִילַת לְשַׁלְטָאָה, וְלָא אִשְׁתְּלִימַת בְּהַאי עָלְמָא. כַּד נַפְקַת מִנֵּיהּ, הִיא בִּתְרוּמַת הַקֳּדָשִׁים לֹא תֹאכֵל, כִּשְׁאָר כָּל נִשְׁמָתִין, דְּאִשְׁתְּלִימוּ בְּהַאי עָלְמָא.

כו. תּוּ אִית בְּהַאי קְרָא, וּבַת כֹּהֵן כִּי תִהְיֶה לְאִישׁ זָר. עֲלוּבְתָּא אִיהִי נִשְׁמְתָא קַדִּישָׁא, כִּי תִהְיֶה לְאִישׁ זָר, דְּקָא אִתְמַשְׁכַת, עַל גִּיּוֹרָא דְּאִתְגַּיַּיר, וּפָרְחַת עֲלֵיהּ מִגּ"ע בְּאֹרַח סָתִים, עַל בִּנְיָינָא דְּאִתְבְּנֵי מֵעָרְלָה מִסְאֲבָא, דָּא הֲוַת לְאִישׁ זָר.

כז. וְדָא הוּא רָזָא עִלָּאָה יַתִּירָא מִכֹּלָּא. בְּעַמּוּדָא דְּקַיְּימָא לְטִקְלִין, גּוֹ אֲוִירָא דְּנָשְׁבָת, אִית טִיקְלָא וְחָדָא בְּהַאי סִטְרָא, וְאִית טִיקְלָא אָחֳרָא בְּהַאי סִטְרָא. בְּהַאי סִטְרָא מֹאזְנֵי צֶדֶק. וּבְהַאי סִטְרָא מֹאזְנֵי מִרְמָה. וְהַאי טִיקְלָא, לָא שָׁכִיךְ לְעָלְמִין, וְנִשְׁמָתִין סַלְּקִין וְנַחְתִּין עָאלִין וְתָבִין, וְאִית נִשְׁמָתִין עֲשִׁיקִין, כַּד שַׁלְטָא אָדָם בְּאָדָם, דִּכְתִּיב עֵת אֲשֶׁר שָׁלַט הָאָדָם בְּאָדָם לְרַע לוֹ, לְרַע לוֹ וַדַּאי.

כח. אֲבָל הַאי נִשְׁמְתָא, דַּהֲוַת לְסִטְרָא אָחֳרָא, אִישׁ זָר, וְאִתְעַשְׁקַת מִנֵּיהּ, דָּא אִיהִי לְרַע לוֹ. לוֹ: לְהַהוּא אִישׁ זָר, וְאִיהִי בִּתְרוּמַת הַקֳּדָשִׁים לֹא תֹאכֵל, עַד דְּעָבֵיד בָּהּ קֻבָּ"ה מַה דְּעָבֵיד, אָתָא קְרָא וְאָמַר וּבַת כֹּהֵן כִּי תִהְיֶה לְאִישׁ זָר הָכִי הוּא.

כט. הָכָא אִית רָזָא, הֵיךְ מִתְעַשְׁקָן נִשְׁמָתִין. אֶלָּא הַאי עָלְמָא אִתְנְהַג כֹּלָּא, בְּאִילָנָא דְּדַעַת טוֹב וָרָע. וְכַד אִתְנְהֲגָן בְּנֵי עָלְמָא בְּסִטְרָא דְּטוֹב, טִיקְלָא קַיְּימָא וְאַכְרַע לְסִטְרָא דְּטוֹב. וְכַד אִתְנְהֲגָן בְּסִטְרָא דְּרַע, אַכְרַע לְהַהוּא סִטְרָא. וְכָל נִשְׁמָתִין דַּהֲווּ בְּהַהִיא שַׁעֲתָא בְּטִיקְלָא, הֲוָה עָשִׁיק לוֹן, וְנָטִיל לוֹן.

ל. אֲבָל לְרַע לוֹ, דְּאִינּוּן נִשְׁמָתִין כַּפְיָין לְכָל מַה דְּאַשְׁכְּחָן מִסִּטְרָא בִּישָׁא, וְשַׁצְיָאן לֵיהּ. וְסִימָנָא לְדָא, אֲרוֹנָא קַדִּישָׁא, דְּאִתְעֲשָׁק גּוֹ פְּלִשְׁתִּים, וְשַׁלִּיטוּ בֵּיהּ, לְרַע לוֹן. אוּף הָכִי. הָנֵי נִשְׁמָתִין אִתְעַשְׁקִין מִסִּטְרָא אָחֳרָא לְרַע לוֹן.

לא. מָה אִתְעֲבִידוּ מֵאִינּוּן נִשְׁמָתִין. וְחָמֵינָן בְּסִפְרֵי קַדְמָאֵי, דְּמִנַּיְיהוּ הֲווּ אִינּוּן וַחֲסִידֵי אוּמּוֹת הָעוֹלָם. וְאִינּוּן מַמְזֵרֵי תַּלְמִידֵי וַחֲכָמִים, דְּקַדְמָן לְכַהֲנָא רַבָּא עַמָּא דְּאַרְעָא, וְחָשׁוּב בְּעָלְמָא, אַף עַל גַּב דְּעָאל לִפְנַי וְלִפְנִים. בָּכָה הַאי סָבָא רִגְעָא וְחָדָא, תַּוְוהוּ וַחַבְרַיָּיא, וְלָא אָמְרוּ מִדִּי.

לב. פָּתַח הַהוּא סָבָא וְאָמַר, אִם רָעָה בְּעֵינֵי אֲדֹנֶיהָ אֲשֶׁר לֹא יְעָדָהּ וְהֶפְדָּהּ לְעַם נָכְרִי וְגוֹ'. הַאי פַּרְשְׁתָא עַל רָזָא דָּא אִתְמַר, וְכִי יִמְכֹּר אִישׁ אֶת בִּתּוֹ לְאָמָה לֹא תֵצֵא כְּצֵאת הָעֲבָדִים אִם רָעָה וְגוֹ'. מָארֵיהּ דְּעָלְמָא מַאן לָא יִדְחַל מִינָךְ, דְּאַנְתְּ שַׁלִּיט עַל כָּל מַלְכִּין דְּעָלְמָא, כד"א מִי לֹא יִרָאֲךָ מֶלֶךְ הַגּוֹיִם כִּי לְךָ יָאָתָה וְגוֹ'.

לג. כַּמָּה אִינּוּן בְּנֵי נָשָׁא בְּעָלְמָא, דְּקָא מִשְׁתַּבְּשָׁן בְּהַאי קְרָא, וְכֻלְּהוּ אַמְרֵי, אֲבָל קְרָא דָּא לָא אִתְיְישַׁר בְּפוּמַיְיהוּ. וְכִי קוּדְשָׁא בְּרִיךְ הוּא מֶלֶךְ הַגּוֹיִם אִיהוּ, וַהֲלֹא מֶלֶךְ יִשְׂרָאֵל אִיהוּ, וְהָכִי אִקְרֵי, דְּהָא כְּתִיב, בְּהַנְחֵל עֶלְיוֹן גּוֹיִם וְגוֹ'. וּכְתִיב כִּי חֵלֶק יְיָ' עַמּוֹ. וע"ד אִקְרֵי מֶלֶךְ יִשְׂרָאֵל. וְאִי תֵּימָא דְּאִיהוּ מֶלֶךְ הַגּוֹיִם אִקְרֵי, הָא שְׁבָחָא דִּלְהוֹן דְּקֻבָּ"ה מֶלֶךְ עֲלַיְיהוּ, וְלָא כְּמָה דְּאַמְרִין דְּאִתְמַסְרִין לְשַׁמָּשִׁין וּלְמְמָנָן דִּילֵיהּ.

לד. וְתוּ סֵיפָא דִּקְרָא, דִּכְתִּיב כִּי בְּכָל חַכְמֵי הַגּוֹיִם וּבְכָל מַלְכוּתָם מֵאֵין כָּמוֹךָ. כָּל הַאי, שְׁבָחָא אִיהוּ לִשְׁאַר עַמִּין, וְתַוְוהָא אִיהוּ, הֵיךְ לָא מִסְתַּכְּלֵי בְּהַאי קְרָא לְרוּם רְקִיעָא. אֶלָּא, דְּקֻבָּ"ה סָמָא עֵינַיְיהוּ, וְלָא יַדְעֵי בֵּיהּ כְּלָל, דְּהָא מַה דַּאֲנָן אַמְרֵי דְּכֻלְּהוּ אַיִן, וְאֶפֶס, וָתֹהוּ. דִּכְתִּיב כָּל הַגּוֹיִם כְּאַיִן נֶגְדּוֹ מֵאֶפֶס וָתֹהוּ נֶחְשְׁבוּ לוֹ, הָא עִקָּרָא עִלָּאָה רַבָּא וְיַקִּירָא שַׁוֵּי לוֹן קְרָא דָּא.

לה. אָמַר לֵיהּ ר' חִיָּיא וְהָא כְּתִיב מָלַךְ אֱלֹהִים עַל גּוֹיִם וְגוֹ'. אָמַר לֵיהּ, אֲנָא חֲמֵינָא דְּבָתַר כֻּתְלַיְיהוּ הֲוֵית, וְנָפְקַת בְּהַאי קְרָא לְסַיְּיעָא לוֹן, הֲוָה לִי לְאָתָבָא בְּקַדְמֵיתָא, עַל מַה דַּאֲמֵינָא. אֲבָל כֵּיוָן דְּאַשְׁכַּחְנָא לָךְ בְּאָרְחָא, אַעְבַּר לָךְ מִתַּמָּן, וּמִתַּמָּן אֵיהָךְ לְאַעְבְּרָא כֹּלָּא.

לו. ת"ח, כָּל שְׁמָהָן, וְכָל כִּנּוּיִין דִּשְׁמָהָן, דְּאִית לֵיהּ לְקֻבָּ"ה, כֻּלְּהוּ מִתְפַּשְּׁטָן

לְאַרְוַיְיהוּ, וְכֻלְּהוּ מִתְלַבְּשִׁין אִלֵּין בְּאִלֵּין, וְכֻלְּהוּ מִתְפַּלְּגִין לְאַרְחִין וְשַׁבִילִין יְדִיעָן. בַּר שְׁמָא יְחִידָאָה, בְּרִיר דְּכָל שְׁאַר שְׁמָהָן, דְּאָחֲסִין לְעֵילָּא יְחִידָאָה, בְּרִיר מִכָּל שְׁאַר עֲמִין, וְאִיהוּ יֹו"ד הֵ"א וָא"ו הֵ"א, דִּכְתִיב כִּי חֵלֶק יְיָ' עַמּוֹ. וּכְתִיב וְאַתֶּם הַדְּבֵקִים בַּיְיָ' בִּשְׁמָא דָא מַמָּשׁ, יַתִּיר מִכָּל שְׁאַר שְׁמָהָן.

לו. וּשְׁמָא וָד מִכָּל שְׁאַר שְׁמָהָן דִּילֵיהּ, הַהוּא דְּאִתְפַּשְׁט וְאִתְפַּלָּג לְכַמָּה אַרְחִין וּשְׁבִילִין, וְאִקְרֵי אֱלֹהִים. וְאָחֲסִין שְׁמָא דָא, וְאִתְפַּלַּג לְתַתָּאֵי דְּהַאי עָלְמָא, וְאִתְפַּלָּג שְׁמָא דָא, לְעַמְּשִׁין וְלִמְמַנָּן דִּמְנַהֲגֵי לִשְׁאַר עַמִּין. כד"א, וַיָּבֹא אֱלֹהִים אֶל בִּלְעָם לָיְלָה. וַיָּבֹא אֱלֹהִים אֶל אֲבִימֶלֶךְ בַּחֲלוֹם הַלָּיְלָה. וְכֵן כָּל מְמָנָא וּמְמָנָא דְּאָחֲסִין לוֹן קוּדְשָׁא בְּרִיךְ הוּא לִשְׁאַר עַמִּין, בִּשְׁמָא דָא כְּלִילָן. וַאֲפִילוּ ע"ז בִּשְׁמָא דָא אִקְרֵי. וּשְׁמָא דָא מֶלֶךְ עַל גּוֹיִם, וְלָא הַהוּא שְׁמָא, דָּא הַהוּא יְחִידָאָה, דְּאִיהוּ יְחִידָאָה, לְעַמָּא יִשְׂרָאֵל, עַמָּא קַדִּישָׁא.

לח. וְאִי תֵּימָא, עַל אָרְחָא דָּא נוֹקִים קְרָא דִּכְתִיב מִי לֹא יִרָאֲךָ מֶלֶךְ הַגּוֹיִם, דְּדָא אִיהוּ שְׁמָא דְּקָא מֶלֶךְ עַל גּוֹיִם, אֱלֹהִים עַל גּוֹיִם, דְּהָא דְּחִילוּ בֵּיהּ שַׁרְיָא וְדִינָא בֵּיהּ שַׁרְיָא. לָאו הָכִי, וְלָאו עַל דָּא אִתְּמַר, דְּאִי הָכִי אֲפִילוּ ע"ז בְּכֹלָּלָא דָא אִיהוּ.

לט. אֲבָל כֵּיוָן דִּכְתִיבָא דַּהֲוֵית סָמִיךְ אֲבַתְרֵיהּ, אִתְנְסַח, קְרָא קָאִים עַל קִיּוּמָא, בְּאִסְתַּכְּלוּתָא זְעֵיר. מִי לֹא יִרָאֲךָ מֶלֶךְ הַגּוֹיִם, וְאִי תֵּימָא דְּמֶלֶךְ הַגּוֹיִם עַל קוּדְשָׁא ב"ה אִתְּמַר, לָאו הָכִי. אֶלָּא, מַאן הוּא מֶלֶךְ הַגּוֹיִם דְּלָא יִרָאֲךָ, דְּלָא דָּחִיל מִינָךְ, וְלָא יִזְדַּעְזַע מִינָךְ. מִי מֶלֶךְ הַגּוֹיִם דְּלָא יִרָאֲךָ. כְּגַוְונָא דָא הַלְלוּיָהּ הַלְלוּ עַבְדֵי יְיָ' הַלְלוּ אֶת שֵׁם יְיָ'. מַאן דְּשָׁמַע לֵיהּ, לָא יָדַע מַאי קָאָמַר, כֵּיוָן דְּאָמַר הַלְלוּיָהּ, אוּף הָכִי הַלְלוּ עַבְדֵי יְיָ', דַּהֲוָה לֵיהּ לְמִכְתַּב, עַבְדֵי יְיָ' הַלְלוּ אֶת שֵׁם יְיָ'. אוּף הָכָא. הֲוָה לֵיהּ לְמִכְתַּב, מִי מִמֶּלֶךְ הַגּוֹיִם דְּלָא יִרָאֲךָ. אֶלָּא כֹּלָּא עַל תִּקּוּנֵיהּ אִתְּמַר.

מ. כִּי בְּכָל חַכְמֵי הַגּוֹיִם וּבְכָל מַלְכוּתָם מֵאֵין כָּמוֹךָ, מַהוּ מִלָּה דְּאִתְפָּשַׁט בֵּינַיְיהוּ בְּחָכְמְתָא דִּלְהוֹן, מֵאֵין כָּמוֹךָ, וְכֻלְּהוּ אוֹדָאן עַל דָּא, כַּד וְזַמְּאַן בְּחָכְמְתָא דִּלְהוֹן עוֹבָדָךְ וּגְבוּרְתָּךְ, אִתְפָּשַׁט מִלָּה דָא בֵּינַיְיהוּ, וְאַמְרֵי מֵאֵין כָּמוֹךָ בְּכָל חַכְמֵי הַגּוֹיִם וּבְכָל מַלְכוּתָם. מֵאֵין כָּמוֹךָ אַמְרֵי, וְאִתְפָּשַׁט בֵּינַיְיהוּ. וַדַּי וְחַבְרַיָּיא, וּבְכוּ וְלָא אָמְרוּ מִדִּי. אוּף הָכִי בָּכָה אִיהוּ כְּמִלְּקַדְּמִין.

מא. פָּתַח וְאָמַר וַתֹּאמֶר לְאַבְרָהָם גָּרֵשׁ הָאָמָה הַזֹּאת וְאֶת בְּנָהּ וְגוֹ', וְחַבְרַיָּיא אִתְעָרוּ, דִּבְעָאת שָׂרָה לְפַנָּאָה ע"ז מִבֵּיתָא, וְעַ"ד כְּתִיב כֹּל אֲשֶׁר תֹּאמַר אֵלֶיךָ שָׂרָה שְׁמַע בְּקוֹלָהּ. הָכָא כְּתִיב וְכִי יִמְכֹּר אִישׁ אֶת בִּתּוֹ, דָּא נִשְׁמְתָא בְּגִלְגּוּלֵי עַל עוֹבָדִין בִּישִׁין דְּעָלְמָא. לְאָמָה: הַהוּא סִטְרָא אַחֲרָא בְּגִלְגּוּלָא בִּישָׁא דְּטִיקְלָא, דְּאַהֲדַר, וְהָא אִתְעַשָּׁקַת, לְאַפָּקָא לָהּ מִתַּמָּן. וַדַּאי לֹא תֵצֵא כְּצֵאת הָעֲבָדִים, כָּל אִינּוּן נִשְׁמָתִין דְּמִתְעַשְּׁקָן.

מב. מַאן אִינּוּן הָכָא. אִיהוּ רָזָא הָכָא. אִלֵּין אִינּוּן נִשְׁמָתִין דִּינוּקִין זְעֵירִין, כַּד אִינּוּן יָנְקֵי מִגּוֹ תּוּקְפָא דְּאִמְּהוֹן. וְקוּב"ה וְחַמֵּי, דְּאִי יִתְקַיְימוּן בְּעָלְמָא, יְבָאֲשׁוּן רֵיחַיְיהוּ, וְיַוְמִצּוּן כּוּוַמֵּץ דָּא. לָקִיט לוֹן זְעֵירִין, בְּעוֹד דְּיַהֲבֵי רֵיחָא.

מג. מַה עָבֵיד. שָׁבִיק לוֹן לְאִתְעַשְּׁקָא בִּידָא דְּהַהִיא אָמָה, וְדָא אִיהִי לִילִית דְּכֵיוָן דְּאִתְיְיהִיבוּ בִּרְשׁוּתָהּ, וְדָאָת בְּהַהוּא יָנוּקָא, וְעַשִּׁיקַת לֵיהּ, וְאַפִּיקַת לֵיהּ מֵעָלְמָא, כַּד אִיהוּ יָנִיק בְּתוּקְפָא דְּאִמֵּיהּ.

מד. וְאִי תֵּימָא, אִינּוּן נִשְׁמָתִין דְּיַעַבְדוּן טַב לְעָלְמָא. לָאו הָכִי. דִּכְתִּיב אִם רָעָה בְּעֵינֵי אֲדֹנֶיהָ, דְּיִזְדַּמִּין הַהוּא גַּבְרָא בָּהּ לְבָתַר יוֹמִין, אִי אִתְקַיַּים בָּהּ. דָּא אִתְעַשְּׁקַת, וְאַחֲרָא לָא אִתְעַשְּׁקַת. וְעַל אִלֵּין כְּתִיב, וָאֶרְאֶה אֶת כָּל הָעֲשׁוּקִים וְגוֹ׳ וְהַיְינוּ אִם רָעָה בְּעֵינֵי אֲדֹנֶיהָ.

מה. אֲשֶׁר לֹא יְעָדָהּ, לֹא בְּאָלֶף כְּתִיב. אִי תֵּימָא, דְּהָא בְּהַהוּא סִטְרָא אַחֲרָא, אַזְמִין לָהּ קֻבְּ״ה מִיּוֹמָא דַּהֲוַת. לָא. וְהַשְׁתָּא בְּגִלְגּוּלֵי טִיקְלָא, לוֹ יְעָדָהּ בְּוָא״ו. מַה דְּלָא הֲוַת מִקַּדְמַת דְּנָא.

מו. וְהֶפְדָּהּ, מַאי וְהֶפְדָּהּ. פָּרִיק לָהּ קֻבְּ״ה הַשְׁתָּא, דְּסַלְּקָא רֵיוָוא, עַד לָא תַּחֲמִיץ, וְסָלִיק לָהּ לְרוּמֵי מְרוֹמִים, בִּמְתִיבְתָּא דִּילֵיהּ, וְאִי תֵּימָא כֵּיוָן דְּאִתְעַשְּׁקַת מֵהַהוּא סִטְרָא אַחֲרָא, יָהִיב לָהּ, כְּמָה דְּאָמְרוּ לַחֲסִידֵי שְׁאַר עַמִּין, וּלְאִינּוּן מַמְזְרֵי ת״ח. אָתָא קְרָא וְאוֹכַח, לְעַם נָכְרִי לֹא יִמְשׁוֹל לְמָכְרָהּ וַדַּאי, בְּבִגְדוֹ בָהּ, דְּעָשִׁיק לָהּ בַּעֲשִׁיקוּ דְּגִלְגּוּלָא דְּטִיקְלָא, אֶלָּא לְיִשְׂרָאֵל וַדַּאי, וְלָא לְאַחֲרָא. וְכַד נָפְקַת מִן טִיקְלָא, לֹא תֵצֵא כְּצֵאת הָעֲבָדִים, אֶלָּא מִתְעַטְּרָא בְּעִטְרָהָא בְּאַרְמָא עַל רֵישָׁהּ.

מז. וְאִי תֵּימָא, דְּהַאי סִטְרָא עָאלַת לָהּ בְּהַהוּא יְנוּקָא. לָאו הָכִי. אֶלָּא נַטְלַת לָהּ, וְחַדָּאת בַּהֲדָהּ, וּפָרְחַת מִן יְדָהָא, וְעָאלַת בְּהַהוּא אֲתָר, וְאִיהִי פְּקִידַת לְהַהוּא יְנוּקָא, וְחַדָּאת בֵּיהּ, וְזַיְיכַת בֵּיהּ, וְתָאִיבַת לְהַהוּא בָּשָׂר עַד דִּלְבָתַר נָטִיל קֻבְּ״ה נִשְׁמָתֵיהּ, וְהִיא לְגוּפָא. וּלְבָתַר כֹּלָּא אִיהוּ בִּרְשׁוּתָא דְּקוּדְשָׁא בְּרִיךְ הוּא.

מח. ת״ח, לֹא תֵצֵא כְּצֵאת הָעֲבָדִים, מַאי הוּא. אֶלָּא, בְּשַׁעֲתָא דְּנָפְקַת מִן טִיקְלָא וְהַהוּא סִטְרָא בְּחֶדְוּ, רָשִׁים לָהּ לְקֻבְּ״ה, וְחָתִים לָהּ בְּחַד גּוּשְׁפַּנְקָא, וּפָרִישׂ עָלָהּ לְבוּשׁ יְקָר דִּילֵיהּ, וּמַאן אִיהוּ. שְׁמָא קַדִּישָׁא דְּאִקְרֵי אֱלוֹהַּ. וְדָא הוּא בְּבִגְדוֹ בָהּ, לְבוּשָׁא יַקִּירָא דְּמַלְכָּא פָּרִישׂ עָלָהּ וּכְדֵין אִיהִי נְטִירָא, דְּלָא אִתְמַסְּרַת לְעַם נָכְרִי, אֶלָּא לְיִשְׂרָאֵל לְחוּד.

מט. וְדָא אִיהוּ דִּכְתִּיב, כִּימֵי אֱלוֹהַּ יִשְׁמְרֵנִי, וְעַל רָזָא דָּא כְּתִיב הָכָא, לְעַם נָכְרִי לֹא יִמְשׁוֹל לְמָכְרָהּ בְּבִגְדוֹ בָהּ, בְּעוֹד דִּלְבוּשׁ יְקָר דְּמַלְכָּא בָּהּ. כֵּיוָן דְּבִגְדוֹ בָהּ, כְּתִיב לְעַם נָכְרִי לֹא יִמְשׁוֹל לְמָכְרָהּ.

נ. מַה רְשׁוּ אִית לְהַהוּא סִטְרָא בָּהּ. ת״ח, כָּל בְּנֵי עָלְמָא כֻּלְּהוּ, בִּרְשׁוּתֵיהּ דְּמַלְכָּא קַדִּישָׁא, וְכֻלְּהוּ אִית לוֹן זִמְנָא בְּהַאי עָלְמָא, עַד דְּאִיהוּ בָּעֵי לְסַלְּקָא לוֹן מִן עָלְמָא, וְדָא לֵית לֵיהּ זִמְנָא, וְעַ״ד אִיהִי זַכְיָיכַת בְּהוּ, וְחַדָּאת בְּהוּ.

נא. תּוּ, אַזְהָרוּתָא לְבַר נָשׁ אִית בְּהָנֵי קְרָאֵי, וְכַמָּה עֵיטִין טָבִין עִלָּאִין אִינּוּן, בְּכָל מִלֵּי דְּאוֹרַיְיתָא, וְכֻלְּהוּ קְשׁוֹט, בְּאֹרַח קְשׁוֹט, וְאִשְׁתְּמוֹדְעָן לְגַבֵּי חַכִּימִין, דְּיַדְעֵי וְאָזְלֵי בְּאֹרַח קְשׁוֹט. בְּזִמְנָא דְּבָעָא קֻבְּ״ה לְמִבְרֵי עָלְמָא, סָלִיק בִּרְעוּתָא קַמֵּיהּ, וְצַיֵּיר כָּל נִשְׁמָתִין דְּאִינּוּן זְמִינִין לְמֵיהַב בִּבְנֵי נָשָׁא לְבָתַר, וְכֻלְּהוּ אִתְצַיְּירוּ קַמֵּיהּ בְּהַהוּא צִיּוּרָא מַמָּשׁ, דִּזְמִינִין לְמֶהֱוֵי בִּבְנֵי נָשָׁא לְבָתַר, וְחָמָא כָּל חַד וְחַד.

נב. וְאִית מִנְּהוֹן דִּזְמִינִין לְאַבְאָשָׁא אָרְחַיְיהוּ בְּעָלְמָא, וּבְשַׁעֲתָא דְּמָטָא זִמְנַיְיהוּ, קָרֵי קֻבְּ״ה לְהַהִיא נִשְׁמְתָא, אָמַר לָהּ, זִילִי עוּלִי בְּדוּךְ פְּלָן. בְּגוּף פְּלָן. אָתִיבַת קַמֵּיהּ, מָארֵיהּ דְּעָלְמָא, דַּי לִי בְּעָלְמָא דָּא דַּאֲנָא יָתְבָא בֵּיהּ, וְלָא אֵיהָךְ לְעָלְמָא אַחֲרָא, דְּיִשְׁתַּעְבְּדוּן בִּי, וְאֶהֱא מְלוּכְלְכָא בֵּינַיְיהוּ. אָמַר לָהּ קֻבְּ״ה, מִן יוֹמָא דְּאִתְבְּרִיאַת, עַ״ד אִתְבְּרִיאַת לְמֶהֱוֵי בְּהַהוּא עָלְמָא. כֵּיוָן דְּחָמָאת נִשְׁמְתָא כַּךְ, בְּעַל כָּרְחָהּ נַחְתַּת וְעָאלַת תַּמָּן.

נג. אוֹרַיְיתָא דְּיָהֲבַת עֵיטָא לְכָל עָלְמָא וְזַמָּאת הָכִי, אַזְהִירַת לִבְנֵי עָלְמָא, וְאַמְרַת, וְזַמּוּ כַּמָּה וְזַס קֻבְּ"ה עֲלַיְיכוּ, מַרְגָּלִיתָא טָבָא דַּהֲוַת לֵיהּ, זַבִּין לְכוּ לְמַגָּנָא, דְּתִשְׁתַּעְבְּדוּן בָּהּ בְּהַאי עָלְמָא.

נד. וְכִי יִמְכֹּר אִישׁ: דָּא קֻבְּ"ה. אֶת בִּתּוֹ: דָּא נִשְׁמְתָא קַדִּישָׁא. לְאָמָה: לְמֶהֱוֵי אָמָה מִשְׁתַּעְבְּדָא בֵּינַיְיכוּ בְּהַאי עָלְמָא. בְּמָטוּ מִנַּיְיכוּ, בְּשַׁעֲתָא דְּמָטֵי זִמְנָא לְנָפְקָא מֵהַאי עָלְמָא, לֹא תֵצֵא כְּצֵאת הָעֲבָדִים, לָא תִפּוּק מִתְטַנְּפָא בְּחוֹבִין, תִּפּוּק בַּת חוֹרִין, בְּרִירָה נְקִיָּה, בְּגִין דְּיֶחֱדֵי בָּהּ מָארָהּ וְיִשְׁתְּבַּח בָּהּ וְיָהִיב לָהּ אֲגַר טָב, בְּצַחְצוּחֵי דְּגִנְתָּא דְּעֵדֶן. כד"א וְהִשְׂבִּיעַ בְּצַחְצָחוֹת נַפְשֶׁךָ, וַדַּאי כַּד תִּפּוּק בְּרִירָה נְקִיָּה כַּדְקָא יָאוּת.

נה. אֲבָל אִם רָעָה בְּעֵינֵי אֲדֹנֶיהָ, כַּד נָפְקַת מְלוּכְלְכָא בְּטִנּוּפֵי חוֹבִין, וְלָא אִתְחֲזִיאַת קַמֵּיהּ כַּדְקָא יָאוּת, וַוי לְהַהוּא גּוּפָא, דְּאִתְאֲבִיד מֵהַהִיא נִשְׁמְתָא לְעָלְמִין. בְּגִין, דְּכַד נִשְׁמָתִין סַלְּקִין בְּרִירָן, וְנָפְקִין נְקִיִּין מֵהַאי עָלְמָא, כָּל נִשְׁמְתָא וְנִשְׁמְתָא, עָאלַת בְּסִפְרָא דְּאוּמְנָתָא דְּמַלְכָּא, וְכֻלְּהוּ בִּשְׁמָהָן, וְאָמַר דָּא הִיא נִשְׁמְתָא דִּפְלַנְיָא, וְזַמִּינַת תְּהֵא לְהַהוּא גּוּפָא דְּשַׁבְקַת, וּכְדֵין כְּתִיב, לֹא יְעָדָהּ, בּוֹ.

נו. וְכַד נָפְקַת רָעָה בְּעֵינֵי אֲדֹנֶיהָ, דְּהָא אִסְתָּאֲבָא בְּחוֹבִין, וּבְטִנּוּפָא דְּחַטָּאִין, כְּדֵין לֹא יְעָדָהּ בּוֹ. וְאִתְאֲבִיד הַהוּא גּוּפָא מִינָּהּ וְאִיהִי לָא אִזְדַּמְּנַת לְגַבֵּיהּ בַּר הַהִיא דְּמָארָהּ אִתְרְעֵי, וְתָב בִּתְיוּבְתָּא דְּגוּפָא בָּהּ, כְּדֵין כְּתִיב, וְהֶפְדָּהּ. כד"א פָּדָה נַפְשׁוֹ מֵעֲבוֹר בַּשָּׁחַת. וְהֶפְדָּהּ, הַאי אִיהוּ בְּבַר נָשׁ, דְּעֵיטָא דִּילֵיהּ, דְּיִפְרוֹק לָהּ, וְיֵתוּב בִּתְיוּבְתָּא, וְלִתְרֵין סִטְרִין קָאָמַר קוּדְשָׁא בְּרִיךְ הוּא, וְהֶפְדָּהּ בִּתְיוּבְתָּא. לְבָתַר דְּתָב בִּתְיוּבְתָּא, פָּדָא לָהּ מֵאוּרְזָא דְּגֵיהִנָּם.

נז. לְעַם נָכְרִי לֹא יִמְשֹׁל לְמָכְרָהּ. מַאן עַם נָכְרִי. עָלוּבְתָּא אִיהִי נִשְׁמְתָא, דְּכַד נָפְקַת מֵעָלְמָא, וּבַר נָשׁ אַסְטֵי אָרְחֵיהּ בַּהֲדָהּ, הִיא בָּעָאת לְסַלְּקָא לְעֵילָּא, גּוֹ מַשִּׁרְיָין קַדִּישִׁין, בְּגִין דְּמַשִּׁרְיָין קַדִּישִׁין קַיְימִין בְּהַהוּא אָרְחָא דְּגַ"עַ, וּמַשִּׁרְיָין נוּכְרָאִין קַיְימִין בְּהַהוּא אָרְחָא דְּגֵיהִנָּם.

נח. זָכְתָה נִשְׁמְתָא, וְהַהוּא נְטִירוּ, וּפְרִישׂוּ דִּלְבוּשָׁא יְקִירָא עָלָהּ. כַּמָּה מַשִּׁרְיָין קַדִּישִׁין, קָא מִתְעַתְּדָן לָהּ, לְאִתְחַבְּרָא בַּהֲדָהּ, וּלְמֵיעָאל לָהּ לְגַ"עַ. לָא זָכְתָה, כַּמָּה מַשִּׁרְיָין נוּכְרָאִין מִתְעַתְּדָן לְמֵיעַל לָהּ בְּאָרְחָא דְּגֵיהִנָּם. וְאִינּוּן מַשִּׁרְיָין דְּמַלְאֲכֵי חַבָּלָה זְמִינִין לְמֶעְבַּד בָּהּ נוּקְמִין, אֲתָא קְרָא וְאוֹכַח, לְעַם נָכְרִי לֹא יִמְשֹׁל לְמָכְרָהּ, אִלֵּין מַלְאֲכֵי חַבָּלָה. בְּבִגְדוֹ בָהּ, אִיהוּ נְטִירָא, דְּקוּדְשָׁא בְּרִיךְ הוּא עָבֵיד לָהּ נְטִירָא, דְּלָא יִשְׁלוֹט בָּהּ עַם נָכְרִי, בְּהַהוּא פְּרִיסוּ דִּנְטִירוּ עָלָהּ.

נט. וְאִם לִבְנוֹ יִיעָדֶנָּה, ת"ח כַּמָּה אִית לֵיהּ לב"נ לְאִזְדַּהֲרָא דְּלָא יִסְטֵי אָרְחוֹי בְּהַאי עָלְמָא, דְּאִי זָכָה ב"נ בְּהַאי עָלְמָא, וְנָטִיר לָהּ לְנִשְׁמְתָא כַּדְקָא יָאוּת, הַאי אִיהוּ ב"נ דְּקֻבְּ"ה אִתְרְעֵי בֵּיהּ, וְאִשְׁתְּבַּח בֵּיהּ בְּכָל יוֹמָא, בְּפַמַּלְיָא דִּילֵיהּ, וְאָמַר, חֲזוּ בְּרָא קַדִּישָׁא דְּאִית לִי בְּהַהוּא עָלְמָא, כָּךְ וְכָךְ עָבֵיד, כָּךְ וְכָךְ עוֹבָדוֹי מִתְתַּקְּנָן.

ס. וְכַד הַאי נִשְׁמְתָא, נָפְקַת מֵהַאי עָלְמָא, זַכְּיָא נְקִיָּה בְּרִירָה, קֻבְּ"ה אַנְהִיר לָהּ בְּכַמָּה נְהוֹרִין, בְּכָל יוֹמָא קָארֵי עָלָהּ, דָּא הִיא נִשְׁמְתָא דִּפְלַנְיָא בְּרִי, נְטִירָא לֶיהֱוֵי לֵיהּ לְהַהוּא גּוּפָא דְּשָׁבַק.

סא. וְדָא הוּא דִּכְתִיב, וְאִם לִבְנוֹ יִיעָדֶנָּה כְּמִשְׁפַּט הַבָּנוֹת יַעֲשֶׂה לָּהּ, מַאי כְּמִשְׁפַּט הַבָּנוֹת. הָכָא אִית רָזָא לְחַכִּימִין, בְּגוֹ טִנָּרָא תַּקִּיפָא, רְקִיעָא טְמִירָא, אִית הֵיכְלָא חֲדָא,

דְּאִקְרֵי הֵיכַל אַהֲבָה. וְתַמָּן אִינּוּן גִּנְזִין טְמִירִין, וְכָל נְשִׁיקִין דִּרְחִימוּ דְּמַלְכָּא אִינּוּן תַּמָּן, וְאִינּוּן נִשְׁמָתִין רְוִיחָאן דְּמַלְכָּא עָאלִין תַּמָּן.

סב. כֵּיוָן דְּמַלְכָּא עָאל בְּהַהוּא הֵיכָלָא דְּמַלְכָּא, תַּמָּן כְּתִיב, וַיִּשַּׁק יַעֲקֹב לְרָחֵל, וְקָב"ה אַשְׁכַּח תַּמָּן לְהַהִיא נִשְׁמְתָא קַדִּישָׁא, קָדִים מִיָּד וְנָשִׁיק לָהּ, וְגָפִיף לָהּ, וְסָלִיק לָהּ בַּהֲדֵיהּ, וְאִשְׁתַּעֲשַׁע בָּהּ.

סג. וְדָא הוּא כְּמִשְׁפַּט הַבָּנוֹת יַעֲשֶׂה לָהּ, כְּדֵינָא דְּאַבָּא עָבִיד לִבְרַתֵּיהּ, דְּאִיהִי חֲבִיבָא לְגַבֵּיהּ, דְּנָשִׁיק לָהּ, וְגָפִיף לָהּ, וְיָהִיב לָהּ מַתְּנָן. כַּךְ קָב"ה עָבִיד, לְנִשְׁמָתָא זַכָּאָה בְּכָל יוֹמָא, כְּמָה דִּכְתִיב כְּמִשְׁפַּט הַבָּנוֹת יַעֲשֶׂה לָהּ.

סד. הַיְינוּ דִּכְתִיב יַעֲשֶׂה לְמוֹחַכֵּה לוֹ, כְּמָה דְּהַאי בְּרַתָּא, אַשְׁלִימַת עֲשִׂיָּיה בְּהַאי עָלְמָא. אוּף הָכִי קָב"ה אַשְׁלִים לָהּ עֲשִׂיָּיה בְּעָלְמָא אַוְרָא בְּעָלְמָא דְּאָתֵי, דִּכְתִיב, עַיִן לֹא רָאֲתָה אֱלֹהִים זוּלָתְךָ יַעֲשֶׂה לִמְחַכֵּה לוֹ. וְהָכָא כְּתִיב יַעֲשֶׂה לָהּ. עַ"כ. הַהוּא סָבָא אִשְׁתְּטַח, וְצַלֵּי צְלוֹתָא. בָּכָה כְּמִלְּקַדְמִין.

סה. וְאָמַר אִם אַחֶרֶת יִקַּח לוֹ וְגוֹ', מַאי אִם אַחֶרֶת, וְכִי נִשְׁמָתָא אַחֲרָא זַמִּין קוּדְשָׁא בְּרִיךְ הוּא לְאָתָבָא לְצַדִּיקַיָּיא בְּהַאי עָלְמָא, וְלָאו הַאי נִשְׁמָתָא דְּאַשְׁלִימַת בְּהַאי עָלְמָא רְעוּתָא דְּמָארַהּ, אִי הָכִי לֵית אַבְטָחוּתָא לְצַדִּיקַיָּיא כְּלָל. מַאי אִם אַחֶרֶת יִקַּח לוֹ.

סו. פָּתַח הַהוּא סָבָא וְאָמַר, וַיִּשׁוֹב הֶעָפָר עַל הָאָרֶץ כְּשֶׁהָיָה וְהָרוּחַ תָּשׁוּב אֶל הָאֱלֹהִים אֲשֶׁר נְתָנָהּ. הַאי קְרָא אוּקְמוּהָ וְחַבְרַיָּיא, בְּחָרְבָּן בֵּי מַקְדְּשָׁא. וַיִּשׁוֹב הֶעָפָר עַל הָאָרֶץ כְּשֶׁהָיָה. הָכָא אִיהוּ מַאי דִּכְתִיב, וְהַבְּצַעְנִי אוֹ בָאָרֶץ, כְּשֶׁהָיָה וַדַּאי. וְהָרוּחַ תָּשׁוּב אֶל הָאֱלֹהִים אֲשֶׁר נְתָנָהּ, מַאי וְהָרוּחַ תָּשׁוּב. דָּא שְׁכִינְתָּא, דְּאִיהִי רוּחַ קַדִּישָׁא. כַּד וֵמֵאת שְׁכִינְתָּא, בְּאִינּוּן עֶשֶׂר מַסָּעוֹת דְּקָא נַטְלָא, וְלָא בָּעוּן יִשְׂרָאֵל לְאָתָבָא בִּתְיוּבְתָּא קַמֵּי קוּדְשָׁא בְּרִיךְ הוּא, וְשַׁלְטָא סִטְרָא אַחֲרָא עַל אַרְעָא קַדִּישָׁא, וְאוּקְמוּהָ וְחַבְרַיָּיא.

סז. תָּא חֲזֵי, רוּחָא דְּבַר נָשׁ זַכָּאָה, אִתְעַטָּר בְּדִיּוּקְנָא בְּגַ"ע דִּלְתַתָּא, וּבְכָל שַׁבַּתֵּי וּמוֹעֲדֵי וְרֵישֵׁי יַרְחֵי, מִתְעַטְּרָן רוּחֵי, וּמִתְפַּשְּׁטָן, וְסַלְקִין לְעֵילָּא. כְּמָה דְּעָבִיד קָב"ה, בְּהַהִיא נִשְׁמְתָא עִלָּאָה קַדִּישָׁא לְעֵילָּא, ה"נ עָבִיד בְּהַאי רוּחָא, לְתַתָּא בְּגַ"ע דִּלְתַתָּא, דְּקָא סַלְקָת קָמֵיהּ. וְאָמַר דָּא אִיהִי רוּחָא דִּפְלַנְיָא גּוּפָא, מִיָּד מְעַטְּרָא לָהּ קוּדְשָׁא בְּרִיךְ הוּא לְהַאי רוּחָא בְּכַמָּה עִטְּרִין, וְאִשְׁתַּעֲשַׁע בָּהּ.

סח. וְאִי תֵּימָא, דְּהָא בְּגִין רוּחָא דָּא, שָׁבִיק קוּדְשָׁא בְּרִיךְ הוּא מַה דְּעָבִיד לְנִשְׁמָתָא. לָאו הָכִי. אֶלָּא שָׁאֲרָה כְּסוּתָהּ וְעוֹנָתָהּ לֹא יִגְרָע, אִלֵּין אִינּוּן תְּלַת שְׁמָהָן עִלָּאִין, דְּעַיִן לֹא רָאֲתָה אֱלֹהִים זוּלָתֶךָ.

סט. וְכֻלְּהוּ בְּעָלְמָא דְּאָתֵי וְאִתְמְשִׁיכוּ מִתַּמָּן. וֹזָד מִנַּיְיהוּ שְׁאֵרָה, מְשִׁיכוּ דִּנְצִיצוּ וּנְהוֹרוּ, דְּנָהִיר בָּאֹרַח, סָתִים, מְזוֹנָא דֵּין כֹּלָּא, וְאַקְרֵי יְדוּ"ד בִּנְקוּדַת אֱלֹהִים. שְׁאֵרָה בְּהִפּוּךְ אַתְוָון, אֲשֶׁר ה', וְדָא מֵאֲשֶׁר שְׁמֵנָה לַוְמוֹ, וְדָא הוּא שְׁאֵרָה.

ע. כְּסוּתָהּ: פְּרִישׁוּ דְּמַלְכָּא. דָּא מְשִׁיכוּ אַוְרָא, דְּנָהִיר וְנָטִיר לָהּ תָּדִיר, פְּרִישׁוּ דִּלְבוּשָׁא דְּמַלְכָּא, דְּפָרַשׂ עֲלָהּ אֱלוֹהַּ. דָּא בְּבִגְדוֹ בָהּ תָּדִיר, דְּלָא אִתְעֲדֵי מִינָהּ, וְהַאי אִיהוּ כְּסוּתָהּ.

עא. וְעוֹנָתָהּ, מַאן אִיהוּ. דָּא מְשִׁיכוּ דְּעָלְמָא דְּאָתֵי, דְּבֵיהּ כֹּלָּא. יְיָ צְבָאוֹת אִיהוּ, וְדָא אִיהוּ דְּנָהִיר בְּכָל נְהוֹרִין סְתִימִין עִלָּאִין דְּאִילָנָא דְּחַיֵּי, דְּבֵיהּ עוֹנָה טְמִירָא, דְּמִתַּמָּן נָפְקַת. וְכָל דָּא בְּעֵדּוּנָא וְכִסוּפָא דְּעָלְמָא דְּאָתֵי.

עב. תְּלָתָא הָנֵי לֹא יִגָּרַע לָהּ, כַּד אִיהִי זַכָּאת כַּדְקָא יֵאוֹת. וְאִי לָאו אִיהִי כַּדְקָא יֵאוֹת, הָנֵי תְּלָתָא גָּרְעָאן מִנָּהּ, דְּלָא יִתְעֲבִיד לָהּ עֲטָרָה אֲפִילּוּ מֵחַד מִנַּיְיהוּ, תָּא חֲזֵי, מַה כְּתִיב, וְאִם שְׁלָשׁ אֵלֶּה לֹא יַעֲשֶׂה לָהּ, דְּלָא זָכָאת בְּהוּ, וְיָצְאָה חִנָּם אֵין כָּסֶף תִּפּוּק מִקַּמֵּיהּ, וְדָחְיָין לָהּ לְבַר. אֵין כֶּסֶף, לֵית לָהּ כִּסּוּפָא, וְלֵית לָהּ עִדּוּנָא כְּלַל.

עג. עַד כָּאן אוֹכִיחוֹת אוֹרַיְיתָא, דְּכָל עֵיטִין בָּהּ תַּלְיָין, וְיָהִיבַת עֵיטָא טָבָא לִבְנֵי נָשָׁא. מִכָּאן וּלְהָלְאָה נֶהְדַּר לְמִלִּין קַדְמָאִין, בְּהַהוּא נְטִירוּ עִלָּאָה, דְּקָא פָּרִישׁ עָלָהּ קב"ה, בְּגִין דְּלָא תְּהֵא לְעַם נָכְרִי, דְּהָא בִּגְדוֹ בָהּ, וּנְטִירוּ אִיהוּ לָהּ תָּדִיר.

עד. וְאִם לִבְנוֹ יִיעָדֶנָּה כְּמִשְׁפַּט הַבָּנוֹת יַעֲשֶׂה לָּהּ. אָמַר הַהוּא סָבָא, חַבְרַיָּיא, כַּד תַּהֲכוּן לְגַבֵּי הַהוּא טִינָּרָא דְּעָלְמָא סָמִיךְ עָלֵיהּ, אִמְרוּ לֵיהּ, דְּיִדְכַּר יוֹמָא דִּתְלַג גָּא דְּאִזְדְּרָעוּ פּוֹלִין לְחַמְשִׁין וּתְרֵין גַּוְונִין, וְהָדַר אַקְרֵינָן הַאי קְרָא, וְהוּא יֵימָא לְכוֹן.

עה. אָמְרוּ בְּמָטוּ מִינָךְ מַאן דְּשָׁארֵי מִלָּה הוּא יֵימָא. אָמַר לוֹן, וַדַּאי דְּיָדַעְנָא דְּזַכָּאִין אַתּוּן, וְאִית לְרַמְזָא לְכוֹן רַמְזָא דְּחַכִּימִין, וְעַל מַה דַּאֲנָא אֵימָא, כַּד תִּדְכְּרוּן לֵיהּ סִימָנָא דָּא, הוּא יַשְׁלִים עַל דָּא. הַשְׁתָּא אִית לוֹמַר, מַאן הוּא דְּאִקְרֵי בֵּן לְקוּדְשָׁא בְּרִיךְ הוּא.

עו. ת"ח כָּל הַהוּא דְּזָכֵי לִתְלֵיסַר שְׁנִין וּלְהָלְאָה, אִקְרֵי בֵּן לכ"י. וְכָל מַאן דְּאִיהוּ מִבֶּן עֶשְׂרִין שְׁנִין וּלְעֵילָּא וְזָכֵי בְּהוּ, אִקְרֵי בֵּן לְקב"ה וַדַּאי בָּנִים אַתֶּם לַיְיָ אֱלֹהֵיכֶם.

עז. כַּד מָטָה דָּוִד לִתְלֵיסַר שְׁנִין, וְזָכָה בְּהַהוּא יוֹמָא דְּעָאל לְאַרְבֵּיסַר, כְּדֵין כְּתִיב, יְיָ אָמַר אֵלַי בְּנִי אַתָּה אֲנִי הַיּוֹם יְלִדְתִּיךָ. מ"ט. דְּהָא מִקַּדְמַת דְּנָא לֹא הֲוָה לֵיהּ בְּרָא, וְלָא שָׁרָאת עָלֵיהּ נִשְׁמְתָא עִלָּאָה, דְּהָא בִּשְׁנֵי עָרְלָה הֲוָה, וּבְגִ"כ, אֲנִי הַיּוֹם יְלִדְתִּיךָ, הַיּוֹם וַדַּאי יְלִדְתִּיךָ. אֲנִי, וְלָא סִטְרָא אַחֲרָא, כְּמָה דַּהֲוָה עַד הַשְׁתָּא, אֲנִי בִּלְחוֹדָאי. בַּר עֶשְׂרִין שְׁנִין, מַה כְּתִיב בִּשְׁלֹמֹה, כִּי בֵן הָיִיתִי לְאָבִי, לְאָבִי מַמָּשׁ וַדַּאי.

עח. וְאִם לִבְנוֹ יִיעָדֶנָּה. בַּר תְּלֵיסַר שְׁנִין וּלְהָלְאָה, דְּהָא נָפְקָא מֵרְשׁוּ דְּסִטְרָא אַחֲרָא דְּאִזְדַּמְנַת לֵיהּ, מַה כְּתִיב כְּמִשְׁפַּט הַבָּנוֹת יַעֲשֶׂה לָּהּ. מַהוּ כְּמִשְׁפַּט הַבָּנוֹת. תָּנֵינָן, בְּכָל יוֹמָא וְיוֹמָא, חָמֵי קב"ה לְהַהוּא יְנוֹקָא דְּקָאֵי בִּרְשׁוּ דְּעָרְלָה, וְאִיהוּ נָפִיק מִינָּהּ, וְאִתְמְשַׁךְ לְבֵי סִפְרָא, וְתָבַר לָהּ, וְאָזִיל לְבֵי כְּנִישְׁתָּא, וְתָבַר לָהּ. מַה עָבִיד קב"ה לְהַהִיא נִשְׁמְתָא. אָעִיל לָהּ לְאִדְּרָא דִּילֵיהּ, וְיָהִיב לָהּ מַתָּנָן, וּנְבִזְבְּזָן סַגִּיאִין, וְקָשִׁיט לָהּ בְּקִשּׁוּטִין עִלָּאִין, עַד זִמְנָא דְּאָעִיל לָהּ לְחוּפָּה בְּהַהוּא בַּר, מִתְּלֵיסַר שְׁנִין וּלְעֵילָּא.

עט. אִם אַחֶרֶת יִקַּח לוֹ. הָכָא אִית רָזָא דְּרָזִין, לְחַכִּימִין אִתְמְסָרֵי, וְאִית לְאוֹדָעָא בְּקַדְמֵיתָא מִלָּה וְדָא. ת"ח, בְּיוֹמָא דְּשַׁבְּתָא בְּשַׁעֲתָא דְּאִתְקַדַּשׁ יוֹמָא, נָפְקֵי נִשְׁמָתִין מִגּוֹ אִילָנָא דְּחַיֵּי, וּמִנַּשְׁבָן אִינּוּן נִשְׁמָתִין קַדִּישִׁין לְתַתָּאֵי, וְנַיְיחִין בְּהוּ כָּל יוֹמָא דְּשַׁבְּתָא. וּלְבָתַר דְּנָפִיק שַׁבְּתָא, סַלְּקִין כֻּלְּהוּ נִשְׁמָתִין וּמִתְעַטְּרָן בְּעִטְרִין קַדִּישִׁין לְעֵילָּא. אוּף הָכִי, קב"ה אַזְמִין לְהַהוּא בַּר נָשׁ, וְדָא הוּא נִשְׁמְתָא אוֹחֶרֶת, וְאַעַ"ג דְּדָא זְמִינָא לֵיהּ, נִשְׁמְתָא דַּהֲוַת לֵיהּ בְּקַדְמֵיתָא, שְׁאֵרָהּ דְּקַדְמֵיתָא, כְּסוּתָהּ וְעוֹנָתָהּ לֹא יִגְרָע, כְּמָה דְּאִתְּמָר.

פ. בָּכָה הַהוּא סָבָא כְּמִלְּקַדְּמִין, וְאָמַר אִיהוּ לְנַפְשֵׁיהּ, סָבָא סָבָא, כַּמָּה יָגַעְתָּ לְאַדְבְּקָא מִלִּין קַדִּישִׁין אִלֵּין, וְהַשְׁתָּא תֵּימָא לוֹן בְּרִגְעָא חֲדָא. אִי תֵּימָא דְּתֵיחוּס עָלַיְיהוּ עַל אִינּוּן מִלִּין וְלָא תֵּימָא לוֹן, הָא כְּתִיב אַל תִּמְנַע טוֹב מִבְּעָלָיו בִּהְיוֹת לְאֵל יָדְךָ לַעֲשׂוֹת.

פא. מַאי אַל תִּמְנַע טוֹב מִבְּעָלָיו. אֶלָּא, קב"ה וכ"י אִינּוּן הָכָא. דְּהָא בְּכָל אֲתַר דְּמִלִּין דְּאוֹרַיְיתָא אַמְרִין, קב"ה וכ"י אִינּוּן תַּמָּן, וְצַיְיתֵי לוֹן. וּכְדֵין, הַהוּא אִילָנָא דְּטוֹב וָרָע, בְּשַׁעֲתָא דְּאָזְלִין מִתַּמָּן, וְצַיְיתוּ אִינּוּן מִלִּין, הַהוּא סִטְרָא דְּטוֹב אִתְגַּבַּר, וְאִסְתַּלַּק לְעֵילָּא, וְקב"ה וכ"י מִתְעַטְּרָן בְּהַהוּא טוֹב, וְאִלֵּין אִינּוּן בְּעָלָיו דְּהַהוּא טוֹב.

פב. סָבָא סָבָא, אַתְּ אֲמַרְתְּ מִלִּין אִלֵּין, וְלָא יָדַעְתְּ אִי קֻבָּ"ה הָכָא, וְאִי אִלֵּין דְּקַיְּימֵי הָכָא זַכָּאִין לְמִלִּין אִלֵּין. לָא תִּדְחַל סָבָא, דְּהָא הֲוֵית בְּכַמָּה קְרָבִין דְּגַבְרִין תַּקִּיפִין, וְלָא דְּחִילַת, וְהַשְׁתָּא אַנְתְּ דָּחִיל, אֵימָא מִילָךְ, דְּהָא וַדַּאי הָכָא אִיהוּ קֻבָּ"ה וכו', וְזַכָּאִין אִינּוּן אִלֵּין דְּהָכָא. וְאִי לָאו הָכִי, לָא אַעֲרַעְנָא בְּהוּ, וְלָא שָׁרֵינָא בְּאִלֵּין מִלִּין. אֵימָא מִלּוּלָךְ סָבָא, אֵימָא בְּלָא דְּחִילוּ.

פג. פָּתַח וְאָמַר, יְיָ' אֱלֹהַי גָּדַלְתָּ מְאֹד הוֹד וְהָדָר לָבָשְׁתָּ. יְיָ' אֱלֹהַי: דָּא שֵׁירוּתָא דִּמְהֵימְנוּתָא, סְלִיקוּ דְּמַחֲשָׁבָה, וְעָלְמָא דְּאָתֵי, רָזָא וְחָדָא בְּלָא פְּרוּדָא. גָּדַלְתָּ: דָּא שֵׁירוּתָא, יוֹמָא קַדְמָאָה, וְאִינּוּן יוֹמִין עַתִּיקִין, סִטְרָא דִּימִינָא. מְאֹד: דָּא הוּא סִטְרָא דִּשְׂמָאלָא.

פד. הוֹד וְהָדָר לָבָשְׁתָּ: אִלֵּין תְּרֵין בַּדֵּי עֲרָבוֹת. עַד הָכָא, כֵּיוָן דְּמָטָא לְגוֹ אִילָנָא דְּחַיֵּי, אִתְטָמַר, וְלָא אִסְתַּלָּק לְמֶהֱוֵי בְּמִנְיָינָא, בְּגִין הַהוּא מְאֹד. מַאי מְאֹד. שְׂמָאלָא, דְּכָל עַנְפִּין דִּלְתַתָּא וּבִכְלָלָא עַנְפָּא מְרִירָא וְחָדָא. וְעַל דָּא אִתְטָמַר הַהוּא אִילָנָא דְּחַיֵּי, וְלָא בָּעָא לְמֶהֱוֵי בְּמִנְיָינָא דָּא, עַד דְּאַהֲדָר כְּמִלְּקַדְמִין, וְשַׁבַּח בְּגַוְונָא אַחֲרָא.

פה. וְאָמַר, עֹטֶה אוֹר כַּשַּׂלְמָה דָּא שֵׁירוּתָא דְּיוֹמָא קַדְמָאָה. נוֹטֶה שָׁמַיִם, הָכָא אִתְכְּלִיל שְׂמָאלָא, וְלָא אָמַר מְאֹד, אִתְכְּלִיל שְׂמָאלָא בִּימִינָא, לְמֶהֱוֵי נָהִיר בִּכְלָלָא דִּשְׁמַיִם. הַמְקָרֶה בַמַּיִם עֲלִיּוֹתָיו, הָכָא נָפִיק בְּחֶדְוָה הַהוּא אִילָנָא דְּחַיֵּי, נָהָר דְּנָפִיק מֵעֵדֶן, וְאִשְׁתְּרָשׁוּ בֵּיהּ בְּמֵימוֹי אִינּוּן תְּרֵי בַּדֵּי עֲרָבוֹת, דְּאִינּוּן גַּדְלִין בְּמֵימוֹי, הה"ד הַמְקָרֶה בַמַּיִם עֲלִיּוֹתָיו. מַאן עֲלִיּוֹתָיו. אִלֵּין בַּדֵּי עֲרָבוֹת.

פו. וְדָא הוּא דִּכְתִיב, וְעַל יוּבַל יְשַׁלַּח שָׁרָשָׁיו. וְדָא הוּא רָזָא דִּכְתִיב נָהָר פְּלָגָיו יְשַׂמְּחוּ עִיר אֱלֹהִים. מַאן פְּלָגָיו. אִלֵּין אִינּוּן שָׁרָשָׁיו. וְהָכִי אִקְרוּן, עֲלִיּוֹתָיו, שָׁרָשָׁיו, פְּלָגָיו, כֻּלְּהוּ אִשְׁתְּרָשׁוּ בְּאִינּוּן מַיִין דְּהַהוּא נָהָר.

פז. הַשָּׂם עָבִים רְכוּבוֹ. דָּא מִיכָאֵל וְגַבְרִיאֵל, אִלֵּין הֵם עָבִים. הַמְהַלֵּךְ עַל כַּנְפֵי רוּחַ, לְמֵיהַב אַסְוָותָא לְעָלְמָא, וְדָא אִיהוּ רְפָאֵל. מִכָּאן וּלְהָלְאָה עוֹשֶׂה מַלְאָכָיו רוּחוֹת וְגוֹ'. סָבָא סָבָא, אִי כָּל הָנֵי יָדַעְתְּ, אֵימָא וְלָא תִּדְחַל, אֵימָה מִילָךְ וְיִנְהֲרוּן מִלִּין דְּפוּמָךְ. חָדוּ חַבְרַיָּיא, וַהֲווּ צַיְיתִין בְּחֶדְוָה לְמִלּוֹי קַדִּישִׁין. אָמַר אִי סָבָא אִי סָבָא, בְּמָה עָיְילַת גַּרְמָךְ, עָאלַת בְּיַמָּא רַבָּא, אִית לָךְ לְשַׁטְטָא וּלְנָפְקָא מִתַּמָּן.

פח. אִם אַחֶרֶת יִקַּח לוֹ, כַּמָּה גִּלְגּוּלִין עַתִּיקִין הָכָא, דְּלָא אִתְגַּלְּיָין עַד הָאִידָּנָא, וְכֻלְּהוּ קְשׁוֹט כַּדְקָא יָאוֹת, דְּלֵית לְאַסְטָאָה מֵאוֹרַח קְשׁוֹט, אֲפִילוּ כְּמִלָּא נִימָא. בְּקַדְמֵיתָא אִית לְאִתְעָרָא, נִשְׁמָתִין דְּגִיּוֹרִין כֻּלְּהוּ, פַּרְחִין מִגּוֹ גִּנְּתָא דְּעֵדֶן בְּאֹרַח סָתִים, כַּד מִסְתַּלְּקָן מֵהַאי עָלְמָא, נִשְׁמָתְהוֹן דְּקָא רַוְוחָא מִגּוֹ גִּנְּתָא דְּעֵדֶן, לְאָן אֲתָר תַּיְיבִין.

פט. אֶלָּא תָּנֵינָן, מַאן דְּנָטִיל וְאָחִיד בְּנִכְסֵי גִּיּוֹרִין בְּקַדְמֵיתָא, זָכֵי בְּהוּ. אוּף הָכִי כָּל אִינּוּן נִשְׁמָתִין קַדִּישִׁין עִלָּאִין, דְּקָא זַמִּין לוֹן קֻבָּ"ה לְתַתָּא כִּדְקָאֲמָרָן, כֻּלְּהוּ נָפְקִין לִזְמַנִּין יְדִיעָן. בְּגִין לְאִשְׁתַּעְשְׁעָא בג"ע, וּפַגְעָן בְּאִינּוּן נִשְׁמָתִין דְּגִיּוֹרִין, מַאן דְּאָחִיד בְּהוּ מֵאִלֵּין נִשְׁמָתִין, אָחִיד בְּהוּ וְזָכֵי בְּהוּ, וּמִתְלַבְּשָׁן בְּהוּ, וְסַלְּקִין. וְכֻלְּהוּ קַיְּימֵי בְּהַאי לְבוּשָׁא וְנַחְתּוּ גּוֹ גִּנְּתָא בִּלְבוּשָׁא דָּא. בְּגִין דִּבְגִנְּתָא דְּעֵדֶן, לָא קַיְּימָאן תַּמָּן, אֶלָּא בִּלְבוּשָׁא, כָּל אִינּוּן דְּקַיְּימֵי תַּמָּן.

צ. אִי תֵּימָא, דִּבְגִין הַאי לְבוּשָׁא, גָּרְעָן אִינּוּן נִשְׁמָתִין מִכָּל עִנּוּגָא דַּהֲוָה לוֹן בְּקַדְמֵיתָא. הָא כְּתִיב, אִם אַחֶרֶת יִקַּח לוֹ שְׁאֵרָהּ כְּסוּתָהּ וְעוֹנָתָהּ לֹא יִגְרָע. בְּגִנְּתָא

קְיְּימֵי בִּלְבוּשֵׁי דָּא, דְּקַדְמָן לְאוֹכְרָן בְּהוּ וְזָכֵי בְּהוּ, וְכַד סַלְקִין לְעֵילָא, מִתְפַּשְּׁטָן מִנֵּיהּ, דְּהָא תַּמָּן לָא קַיְּימָן בִּלְבוּשָׁא.

צא. בְּכָה הַהוּא סָבָא כְּמִלְּקַדְּמִין, וְאָמַר לְנַפְשֵׁיהּ, סָבָא סָבָא, וַדַּאי אִית לָךְ לְמִבְכֵּי, בְּוַדַּאי אִית לָךְ לְאוֹשָׁדָא דִּמְעִין, עַל כָּל מִלָּה וּמִלָּה, אֲבָל גְּלֵי קֳמֵי קֻבְּ"ה וּשְׁכִינְתֵּיהּ קַדִּישָׁא, דַּאֲנָא בִּרְעוּ דְּלִבָּא, וּבְפוּלְחָנָא דִּלְהוֹן קָאמִינָא, בְּגִין דְּאִינּוּן בְּעָלֵי דְּכָל מִלָּה, וּמִתְעַטְּרָן בְּהוּ.

צב. כָּל אִינּוּן נִשְׁמָתִין קַדִּישִׁין, כַּד נַחְתֵּי לְהַאי עָלְמָא, בְּגִין לְמִשְׁרֵי כָּל חַד עַל דּוּכְתֵּיהּ, דְּאִתְחֲזֵי בְּהוּ, לִבְנֵי נָשָׁא. כֻּלְּהוּ נַחְתֵּי מִתְלַבְּשָׁן בְּאִינּוּן נִשְׁמָתִין דְּקָא אַמְרָן, וְהָכֵי עָאלִין בְּזַרְעָא קַדִּישָׁא. וּבְמִלְבּוּשָׁא דָּא, קַיְּימֵי לְאִשְׁתַּעְבְּדָא מִנַּיְיהוּ בְּהַאי עָלְמָא. וְכַד אִשְׁתַּאֲבָן אִינּוּן מִלְבּוּשִׁין מִמִּלִּין דְּהַאי עָלְמָא, אִינּוּן נִשְׁמָתִין קַדִּישִׁין, אִתְחֲזָן מֵרִיקָן דְּקָא אֲרִיקָא, מִגּוֹ לְבוּשֵׁיהוֹן אִלֵּין.

צג. קֻבְּ"ה כָּל מִלִּין סְתִימִין דְּאִיהוּ עָבִיד, עָאל לוֹן בְּאוֹרַיְיתָא קַדִּישָׁא, וְכֹלָּא אִשְׁתַּכָחוּ בְּאוֹרַיְיתָא, וְהַהִיא מִלָּה סְתִימָא גְּלֵי לָהּ אוֹרַיְיתָא, וּמִיַּד אִתְלַבְּשַׁת בִּלְבוּשָׁא אוֹחֲרָא, וְאִתְטָמַּר תַּמָּן, וְלָא אִתְגַּלֵּי. וְחַכִּימִין דְּאִינּוּן מַלְיָין עַיְינִין, אַעַ"ג דְּהַהִיא מִלָּה אַסְתִּים בִּלְבוּשָׁהּ, וְחָמָאן לָהּ מִגּוֹ לְבוּשָׁא, וּבְשַׁעֲתָא דְּאִתְגַּלֵּי הַהִיא מִלָּה עַד לָא תֵּיעוֹל בִּלְבוּשָׁא, רָמָאן בָּהּ פְּקִיחוּ דְּעֵינָא, וְאַעַ"ג דְּמִיַּד אַסְתִּים, לָא אִתְאֲבִיד מֵעֵינַיְיהוּ.

צד. בְּכַמָּה דּוּכְתִּין אַזְהַר קוּדְשָׁא בְּרִיךְ הוּא עַל גֵּיוֹרָא, דְּזַרְעָא קַדִּישָׁא, יִזְדַּהֲרוּן בֵּיהּ, וּלְבָתַר נָפִיק מִלָּה סְתִימָא מִנַּרְתְּקָהּ. וְכֵיוָן דְּאִתְגַּלֵּי אַהֲדַר לְנַרְתְּקָהּ מִיַּד, וְאִתְלַבַּשׁ תַּמָּן.

צה. כֵּיוָן דְּאַזְהַר עַל גֵּיוֹרָא בְּכָל אִינּוּן דּוּכְתִּין, נָפַק מִלָּה מִנַּרְתְּקָהּ וְאִתְגַּלֵּי, וְאָמַר וְאַתֶּם יְדַעְתֶּם אֶת נֶפֶשׁ הַגֵּר. מִיַּד עָאלַת לְנַרְתְּקָהּ, וְאַהֲדָרַת בִּלְבוּשָׁא וְאִתְטָמַּרַת, דִּכְתִיב כִּי גֵרִים הֱיִיתֶם בְּאֶרֶץ מִצְרָיִם, דְּחָשִׁיב קְרָא, דְּבְגִין דְּאִתְלַבַּשׁ מִיַּד, לָא הֲוֵה מַאן דְּאַשְׁגַּח בָּהּ. בְּהַאי נֶפֶשׁ הַגֵּר, יָדְעַת נִשְׁמָתָא קַדִּישָׁא בְּמִלִּין דְּהַאי עָלְמָא, וְאִתְהֲנִיאַת מִנַּיְיהוּ.

צו. פָּתַח הַהוּא סָבָא וְאָמַר, וַיָּבֹא מֹשֶׁה בְּתוֹךְ הֶעָנָן וַיַּעַל אֶל הָהָר וְגוֹ', עָנָן דָּא מַאי הִיא. אֶלָּא דָּא הוּא דִּכְתִיב, אֶת קַשְׁתִּי נָתַתִּי בֶּעָנָן. תָּנֵינָן, דְּהַהוּא קֶשֶׁת אַשְׁלַחַת לְבוּשׁוֹי, וְיָהִיב לוֹן לְמֹשֶׁה, וּבְהַהוּא לְבוּשָׁא סָלִיק מֹשֶׁה לְטוּרָא וּמִנֵּיהּ חָמָא מַה דְּחָמָא, וְאִתְהֲנֵי מִכֹּלָּא. עַד הַהוּא אֲתָר, אָתוּ אִינּוּן חַבְרַיָּיא, וְאִשְׁתַּטָּחוּ קָמֵיהּ דְּהַהוּא סָבָא, וּבְכוֹ וְאָמְרוּ, אִלְמָלֵא לָא אָתֵינָא לְעָלְמָא, אֶלָּא לְמִשְׁמַע מִלִּין אִלֵּין מִפּוּמָךְ דַּי לָן.

צז. אָמַר הַהוּא סָבָא, וְחַבְרַיָּיא, לָאו בְּגִין דָּא בִּלְחוֹדוֹי עֲרִינָא מִלָּה, דְּהָא סָבָא כְּגִינִי, לָאו בְּמִלָּה וְחַד עָבִיד קִישׁ קִישׁ, וְלָא קָרֵי, כַּמָּה בְּנֵי עָלְמָא בְּעִרְבּוּבְיָא בְּסָכְלְתָנוּ דִּלְהוֹן, וְלָא זַמְנָא בְּאָרְחוֹי קְשׁוֹט בְּאוֹרַיְיתָא, וְאוֹרַיְיתָא קָרֵי בְּכָל יוֹמָא בִּרְחִימוּ לְגַבַּיְיהוּ, וְלָא בָּעָאן לְאָתָבָא רֵישָׁא.

צח. וְאַעַ"ג דַּאֲמֵינָא, דְּהָא אוֹרַיְיתָא מִלָּה נָפְקָא מִנַּרְתְּקָהּ, וְאִתְחֲזִיאַת עֲרֵינָא זְעֵיר, וּמִיַּד אִתְטָמַּרַת. הָכֵי הוּא וַדַּאי. וּבְזִמְנָא דְּאִתְגַּלְיָאת מִגּוֹ נַרְתְּקָהּ וְאִתְטָמַּרַת מִיַּד, לָא עַבְדַת דָּא, אֶלָּא לְאִינּוּן דְּיַדְעִין בָּהּ, וְאִשְׁתְּמוֹדְעָאן בָּהּ.

צט. בְּמָשָׁל לְמַהּ"ד, לִרְחִימְתָא, דְּאִיהִי שַׁפִּירְתָּא בַּחֲזוּ, וְשַׁפִּירְתָּא בְּרֵיוָא, וְאִיהִי טְמִירְתָּא בִּטְמִירוּ גּוֹ הֵיכָלָא דִּילָהּ, וְאִית לָהּ רְחִימָא יְחִידָאָה, דְּלָא יַדְעִין בֵּיהּ בְּנֵי נָשָׁא,

אֶלָּא אִיהוּ בִּטְמִירוּ. הַהוּא רְחִימָא, מִגּוֹ רְחִימָא דִּרְחִים לָהּ עָבַר לְתְרַע בֵּיתָהּ תָּדִיר, זָקִיף עַיְינוֹי לְכָל סְטָר. אִיהִי, יַדְעַת דְּהָא רְחִימָא אַסְחַר תְּרַע בֵּיתָהּ תָּדִיר, מָה עַבְדַּת, פָּתְחַת פִּתְחָא זְעֵירָא בְּהַהוּא הֵיכָלָא טְמִירָא, דְּאִיהִי תַּמָּן, וְגַלִּיאַת אַנְפָּהָא לְגַבֵּי רְחִימָאָה, וּמִיַּד אִתְהַדְּרַת וְאִתְכַּסִּיאַת. כָּל אִינּוּן דַּהֲווּ לְגַבֵּי רְחִימָא, לָא חָמוּ וְלָא אִסְתַּכָּלוּ, בַּר רְחִימָא בִּלְחוֹדוֹי, וּמֵעוֹי וְלִבֵּיהּ וְנַפְשֵׁיהּ אָזְלוּ אֲבַתְרָהּ. וְיָדַע דְּמִגּוֹ רְחִימוּ דִּרְחִימַת לֵיהּ, אִתְגַּלִּיאַת לְגַבֵּיהּ רִגְעָא חֲדָא, לְאַתְעָרָא רְחִימוּ לֵיהּ. הָכִי הוּא מִלָּה דְּאוֹרַיְיתָא, לָא אִתְגַּלִּיאַת, אֶלָּא לְגַבֵּי רְחִימָאָה. יַדְעַת אוֹרַיְיתָא, דְּהַהוּא חַכִּימָא דְּלִבָּא אַסְחַר לִתְרַע בֵּיתָא כָּל יוֹמָא, מָה עַבְדַּת, גַּלִּיאַת אַנְפָּהָא לְגַבֵּיהּ, מִגּוֹ הֵיכָלָא, וְאַרְמִיזַת לֵיהּ רְמִיזָא, וּמִיַּד אַהְדְּרַת לְאַתְרָהּ וְאִתְטַמְּרַת. כָּל אִינּוּן דְּתַמָּן, לָא יַדְעֵי, וְלָא מִסְתַּכְּלֵי, אֶלָּא אִיהוּ בִּלְחוֹדוֹי, וּמֵעוֹי וְלִבֵּיהּ וְנַפְשֵׁיהּ אָזִיל אֲבַתְרָהּ. וְעַ"ד, אוֹרַיְיתָא אִתְגַּלִּיאַת וְאִתְכַּסִּיאַת, וְאַזְלַת בִּרְחִימוּ לְגַבֵּי רְחִימָהָא, לְאַתְעָרָא בַּהֲדֵיהּ רְחִימוּ.

ק. ת"ח, אָרְחָא דְּאוֹרַיְיתָא כַּךְ הוּא, בְּקַדְמֵיתָא כַּד שָׁרְיָא לְאִתְגַּלָּאָה לְגַבֵּי בַּר נָשׁ, אַרְמִיזַת לֵיהּ בִּרְמִיזוּ, אִי יָדַע טָב. וְאִי לָא יָדַע, שַׁדְּרַת לְגַבֵּיהּ, וְקָרָאת לֵיהּ פֶּתִי. וְאָמְרַת אוֹרַיְיתָא, לְהַהוּא דְּשַׁדְּרַת לְגַבֵּיהּ, אִמְרוּ לְהַהוּא פֶּתִי, דְּיִקְרַב הָכָא, וְאִשְׁתָּעֵי בַּהֲדֵיהּ. הה"ד, מִי פֶּתִי יָסוּר הֵנָּה חֲסַר לֵב וְגוֹ'. קָרִיב לְגַבָּהּ, שָׁרִיאַת לְמַלְּלָא עִמֵּיהּ, מִבָּתַר פָּרוֹכְתָּא דְּפַרְסָא לֵיהּ, מִלִּין לְפוּם אָרְחוֹי, עַד דְּיִסְתַּכַּל זְעֵיר זְעֵיר, וְדָא הוּא דְּרָשָׁא.

קא. לְבָתַר, תִּשְׁתָּעֵי בַּהֲדֵיהּ, מִבָּתַר שׁוּשִׁיפָא דָּקִיק, מִלִּין דְּחִידָה, וְדָא אִיהוּ הַגָּדָה. לְבָתַר דְּאִיהוּ רָגִיל לְגַבָּהּ, אִתְגַּלִּיאַת לְגַבֵּיהּ אַנְפִּין בְּאַנְפִּין, וּמַלִּילַת בַּהֲדֵיהּ כָּל רָזִין סְתִימִין דִּילָהּ, וְכָל אָרְחִין סְתִימִין, דַּהֲווּ בְּלִבָּאָהּ טְמִירִין, מִיּוֹמִין קַדְמָאִין. כְּדֵין אִיהוּ בַּר נָשׁ שְׁלִים, בַּעַל תּוֹרָה וַדַּאי, מָארֵי דְּבֵיתָא, דְּהָא כָּל רָזִין דִּילָהּ גַּלִּיאַת לֵיהּ, וְלָא רְחִיקַת, וְלָא כַּסִּיאַת מִינֵּיהּ כְּלוּם.

קב. אָמְרָה לֵיהּ, חָמֵית מִלָּה דְּרִמְזָא דְּקָא רְמִיזְנָא לָךְ בְּקַדְמֵיתָא, כַּךְ וְכַךְ רָזִין הֲווּ, כַּךְ וְכַךְ הוּא. כְּדֵין חָמֵי, דְּעַל אִינּוּן מִלִּין לָאו לְאוֹסָפָא, וְלָאו לְמִגְרַע מִנַּיְיהוּ. וּכְדֵין פְּשָׁטֵיהּ דִּקְרָא, כְּמָה דְּאִיהוּ, דְּלָאו לְאוֹסָפָא וְלָא לְמִגְרַע אֲפִילּוּ אָת חַד. וְעַ"ד, בְּנֵי נָשָׁא אִצְטְרִיכוּ לְאִזְדַּהֲרָא, וּלְמִרְדַּף אֲבַתְרָא דְּאוֹרַיְיתָא, לְמֶהֱוֵי רְחִימִין דִּילָהּ, כְּמָה דְּאִתְּמַר.

קג. ת"ח אִם אַחֶרֶת יִקַּח לוֹ, גִּלְגּוּלִין דְּמִתְגַּלְגְּלָן בְּהַאי קְרָא, כַּמָּה רַבְרְבִין וְעִלָּאִין אִינּוּן, דְּהָא כָּל נִשְׁמָתִין עָאלִין בְּגִלְגּוּלָא. וְלָא יַדְעִין בְּנֵי נָשָׁא אָרְחוֹי דְּקֻבְּ"ה, וְהֵאךְ קַיְּימָא טִיקְלָא, וְהֵיךְ אִתְדָּנוּ בְּנֵי נָשָׁא בְּכָל יוֹמָא, וּבְכָל עִידָן, וְהֵיךְ נִשְׁמָתִין עָאלִין בְּדִינָא, עַד לָא יֵיתוּן לְהַאי עָלְמָא, וְהֵיךְ עָאלִין בְּדִינָא, לְבָתַר דְּנַפְקֵי מֵהַאי עָלְמָא.

קד. כַּמָּה גִּלְגּוּלִין, וְכַמָּה עוֹבָדִין סְתִימִין, עָבִיד קֻבְּ"ה בַּהֲדֵי כַּמָּה נִשְׁמָתִין עַרְטִילָאִין, וְכַמָּה רוּחִין עַרְטִילָאִין אַזְלִין בְּהַהוּא עָלְמָא, דְּלָא עָאלִין לְפַרְגּוֹדָא דְּמַלְכָּא. וְכַמָּה עָלְמִין אִתְהַפַּךְ בְּהוּ וְעָלְמָא דְּאִתְהַפָּךְ בְּכַמָּה פְּלִיאָן סְתִימִין. וּבְנֵי נָשָׁא לָא יַדְעִין, וְלָא מַשְׁגִּיחִין וְהֵיךְ מִתְגַּלְגְּלִין נִשְׁמָתִין, כְּאַבְנָא בְּקוּסְפִיתָא. כד"א, וְאֵת נֶפֶשׁ אוֹיְבֶיךָ יְקַלְּעֶנָּה בְּתוֹךְ כַּף הַקָּלַע.

קה. הַשְׁתָּא אִית לְגַלָּאָה, דְּהָא כָּל נִשְׁמָתִין, מֵאִילָנָא רַבְרְבָא וְתַקִּיפָא דְּהוּא נָהָר דְּנָפִיק מֵעֵדֶן נַפְקֵי. וְכָל רוּחִין, מֵאִילָנָא אַחֲרָא זְעֵירָא נָפְקִין. נִשְׁמָה מִלְּעֵילָּא רוּחַ מִלְּתַתָּא, וּמִתְחַבְּרָן כַּחֲדָא, כְּגַוְונָא דִּדְכַר וְנוּקְבָא. וְכַד מִתְחַבְּרָן כַּחֲדָא, כְּדֵין נְהִירִין נְהִירוּ עִלָּאָה. וּבְחִבּוּרָא דְּתַרְוַויְיהוּ אִקְרֵי נֵר. נֵר יְיָ' נִשְׁמַת אָדָם. מַהוּ נ"ר. נְשָׁמָה רוּחַ. וְעַל חִבּוּרָא דְּתַרְוַויְיהוּ כַּחֲדָא אִקְרֵי נֵר, דִּכְתִּיב נֵר יְיָ' נִשְׁמַת אָדָם.

קו. נִשְׁמָה וְרוּחַ: דְּכַר וְנוּקְבָא לְאַנְהָרָא כַּחֲדָא, וְדָא בְּלָא דָא, לָא נְהִירִין, וְלָא אִקְרֵי נֵר, וְכַד מִתְחַבְּרָן כַּחֲדָא, אִקְרֵי כֹּלָּא נֵר. וּכְדֵין אִתְעֲטָף נִשְׁמָה בְּרוּחַ, לְקַיְּימָא תַּמָּן לְעֵילָא, בְּהֵיכְלָא טְמִירָא, דִּכְתִּיב כִּי רוּחַ מִלְּפָנַי יַעֲטוֹף. יִתְעַטֵּף לָא כְּתִיב, אֶלָּא יַעֲטוֹף. מ"ט. בְּגִין דִּנְשָׁמוֹת אֲנִי עָשִׂיתִי, תַּמָּן לְעֵילָא בְּגִנְּתָא, בְּהֵיכְלָא טְמִירָא, אִתְעֲטָף וְאִתְלְבַשׁ נִשְׁמָה בְּרוּחַ כְּמָה דְּאִתְחֲזֵי.

קז. וְכֵיוָן דִּבְהַהוּא הֵיכָלָא, לָא הֲוֵי, וְלָא אִשְׁתַּמַּשׁ אֶלָּא בְּרוּחַ וּנְשָׁמָה, נֶפֶשׁ לָא אָתֵי לְתַמָּן, אֶלָּא מִתְלַבַּשׁ בְּהַהוּא רוּחַ תַּמָּן, וְכַד נָחְתָא לְגוֹ ג"ע דִּלְתַתָּא, אִתְלְבַשׁ בְּהַהוּא רוּחָא אַחֲרָא דַּאֲמֵינָא, הַהוּא דְּנָפִיק מִתַּמָּן, וַהֲוָה מִתַּמָּן וּבְכֻלְּהוּ שַׁרְיָא בְּהַאי עָלְמָא, וְאִתְלְבַשׁ בְּהוּ.

קח. הַהוּא רוּחַ דְּנָפִיק מֵהַאי עָלְמָא, דְּלָא אִתְרַבֵּי וְלָא אִתְפָּשַׁט בְּהַאי עָלְמָא. אַזְלָא בְּגִלְגּוּלָא, וְלָא אַשְׁכַּח נַיְיחָא, אָתֵי בְּגִלְגּוּלָא בְּעָלְמָא, כְּאַבְנָא בְּקוּסְפִיתָא, עַד דְּיִשְׁכַּח הַהוּא פָּרוּקָא דְּיִפְרוֹק לֵיהּ, וְאַיְיתֵי לֵיהּ בְּהַהוּא מָאנָא מַמָּשׁ, דַּהֲוָה אִיהוּ אִשְׁתַּמַּשׁ בֵּיהּ, וְדָבִיק בֵּיהּ תָּדִיר רוּחֵיהּ וְנַפְשֵׁיהּ, וַהֲוַת בַּת זוּגֵיהּ, רוּחָא בְּרוּחָא, וְהַהוּא פָּרוּקָא בָּנֵי לֵיהּ כְּמִלְּקַדְּמִין.

קט. וְהַהוּא רוּחָא דְּשָׁבַק וְאִתְדַּבַּק בְּהַהוּא מָאנָא, לָא אִתְאֲבִיד. דְּהָא לֵית מִלָּה אֲפִילּוּ זְעֵירָא בְּעָלְמָא, דְּלָא הֲוֵי לֵיהּ אֲתַר וְדוּכְתָא לְאִתְטַמְּרָא וּלְאִתְכַּנְּשָׁא תַּמָּן, וְלָא אִתְאֲבִיד לְעָלְמִין. וּבְגִ"כ, הַהוּא רוּחָא דְּשָׁבַק בְּהַהוּא מָנָא, תַּמָּן הוּא, וַדַּאי רָדִיף בָּתַר עִקָּרָא וִיסוֹדָא דִּילֵיהּ, דְּהָא נָפִיק מִינֵּיהּ, וְאַיְיתֵי לֵיהּ, וּבָנֵי לֵיהּ בְּדוּכְתֵּיהּ, בַּאֲתַר דְּהַהוּא רוּחַ בַּת זוּגֵיהּ, דְּנַפְקַת בַּהֲדֵיהּ, וְאִתְבְּנֵי תַּמָּן כְּמִלְּקַדְמִין. וְדָא אִיהוּ בְּרִיָּה חַדְתָּא הַשְׁתָּא בְּעָלְמָא, רוּחָא חַדְתָּא וְגוּפָא חַדְתָּא.

קי. וְאִית תֵּימָא, רוּחַ דָּא הוּא מַה דַּהֲוָה. הָכִי הוּא אֲבָל לָא אִתְבְּנֵי, אֶלָּא בְּגִין הַהוּא רוּחָא אַחֲרָא דְּקָא שָׁבַק בְּהַהוּא מָאנָא, הָכָא אִית רָזָא דְּרָזִין. בְּסִפְרָא דַּחֲנוֹךְ, בִּנְיָנָא דָּא דְּאִתְבְּנֵי, לָא אִתְבְּנֵי, אֶלָּא בְּהַהוּא רוּחָא אַחֲרָא דְּשָׁבִיק תַּמָּן, בְּהַהוּא מָאנָא. וְכַד שָׁארֵי לְאִתְבְּנָאָה, דָּא מָשִׁיךְ אֲבַתְרֵיהּ דְּהַהוּא רוּחַ דְּאָזִיל עַרְטִילָאָה, וּמָשִׁיךְ לֵיהּ לְגַבֵּיהּ, וְתַמָּן תְּרֵי רוּחוֹת דְּאִינּוּן חַד. לְבָתַר, דָּא אִיהוּ רוּחַ, וְדָא אִיהוּ נִשְׁמָה, וְתַרְוַויְיהוּ חַד.

קיא. אִי זָכָה לְאִתְדַּכָּאָה כַּדְקָא יָאוֹת, תַּרְוַויְיהוּ אִינּוּן חַד, לְאִתְלַבְּשָׁא בְּהוּ נִשְׁמְתָא אַחֲרָא עִלָּאָה. כְּמָה דְּאִית לִשְׁאָר בְּנֵי עָלְמָא, רוּחַ, דְּזַכָּאִין בְּהוּ נִשְׁמָתִין, אִינּוּן דְּקַדְמָן וְאַחֲידָן בְּהוּ, וְרוּחָא אַחֲרָא מִלְּעֵילָא. וְנִשְׁמְתָא קַדִּישָׁא אִתְלַבְּשָׁא בְּהוּ. אוּף הָכִי נָמֵי, מִדִּילֵיהּ מַמָּשׁ אִית תְּרֵין רוּחִין, בְּגִין לְאִתְלַבְּשָׁא בְּהוּ נִשְׁמָה עִלָּאָה.

קיב. יְהֵא לְדֵין גּוּפָא אַחֲרָא, דְּקָא אִתְבְּנֵי הַשְׁתָּא חַדְתָּא, הַהוּא גּוּפָא קַדְמָאָה דְּשָׁבַק, מַה אִתְעֲבֵיד מִנֵּיהּ. אוֹ הַאי בְּרֵיקַנְיָיא, אוֹ הַאי בְּרֵיקַנְיָיא. לְפוּם סָכְלְתָנוּ דְּבַ"נ אִשְׁתְּמַע, דְּהַאי קַדְמָאָה דְּלָא אִשְׁתְּלִים בְּקַדְמֵיתָא, אִתְאֲבִיד, הוֹאִיל וְלָא זָכָה. אִי הָכִי, לְמַגָּנָא אִשְׁתַּדַּל בְּפִקּוּדֵי אוֹרַיְיתָא, אוֹ אֲפִילּוּ בְּחַד מִנַּיְיהוּ. וְהָא אֲנָן יַדְעִינָן, דַּאֲפִילּוּ רֵיקָנִין שֶׁבְּיִשְׂרָאֵל, כֻּלְּהוּ מַלְיָין מִצְוֹת כְּרִמּוֹן. וְגוּפָא דָּא, אע"ג דְּלָא אִשְׁתְּלִים, לְאִתְרַבָּאָה, וּלְמִזְכֵּי וּלְמִסְגֵּי בְּעָלְמָא, פִּקּוּדִין אַחֲרָנִין דְּאוֹרַיְיתָא נָטַר, דְּלָא אִתְאֲבִידוּ מִנֵּיהּ, וְכִי לְמַגָּנָא הֲווּ.

קיג. חַבְרַיָּיא חַבְרַיָּיא, פְּקִיחוּ עֵינַיְיכוּ, דְּהָא אֲנָא יַדְעְנָא, דְּהָכִי אַתּוּן סַבְרִין וְיַדְעִין, דְּכָל אִינּוּן גּוּפִין, צִיּוּנִין אִינּוּן בְּרֵיקַנְיָיא, דְּלָא אִית לוֹן קִיּוּמָא לְעָלְמִין. לָאו הָכִי, וְחַס לָן

לְאִסְתַּכְּלָא בְּאִלֵּין מִלִּין.

קיד. פָּתַח סָבָא וְאָמַר, מִי יְמַלֵּל גְּבוּרוֹת יְיָ' יַשְׁמִיעַ כָּל תְּהִלָּתוֹ. מַאן הוּא בְּעָלְמָא, דְּיָכִיל לְמַלְּלָא גְּבוּרָן, דְּעָבֵיד קֻבְּ"ה בְּעָלְמָא תָּדִיר. הַהוּא גּוּפָא קַדְמָאָה דְּשָׁבַק, לָא אִתְאֲבִיד, וְקִיּוּמָא לֶהֱוֵי לֵיהּ לִזְמְנָא דְּאָתֵי. דְּהָא עוֹנְשֵׁיהּ סָבַל בְּכַמָּה זִינִין, וְקֻבְּ"ה לָא מְקַפֵּחַ אַגְרָא דְּשׁוּם בִּרְיָין דְּבָרָא, בַּר אִינּוּן דְּנַפְקוּ מִגּוֹ מְהֵימְנוּתָא דִּילֵיהּ, וְלָא הֲוָה בְּהוּ טָב לְעָלְמִין. וּבַר מֵאִינּוּן דְּלָא כָּרְעוּ בְּמוֹדִים, דְּהָנֵי קֻבְּ"ה עָבֵיד מִנַּיְיהוּ בִּרְיָין אַחֲרָנִין, בְּגִין דְּלָא יִתְבְּנֵי הַהוּא גּוּפָא דְּיוּקְנָא דְּבַר נָשׁ, וְלָא יְקוּם לְעָלְמִין. אֲבָל הָנֵי לָאו הָכִי.

קטו. מַה עָבֵד קֻבְּ"ה. אִי הַהוּא רוּחַ, זָכֵי לְאִתְתַּקְּנָא בְּהַאי עָלְמָא, בְּהַהוּא גּוּפָא אַחֲרָא, מֶה עָבֵיד קֻבְּ"ה. הַהוּא פָּרוּקָא דְּקָא פָּרִיק לֵיהּ, הַהוּא רוּחַ דִּילֵיהּ דְּקָא אָעִיל תַּמָּן, וְשָׁתַף וְעָרַב בְּהַהוּא רוּחַ דַּהֲוָה בְּהַהוּא מָאנָא, וַדַּאי לָא אִתְאֲבִיד, וּמַה אִתְעָבֵיד, דְּהָא תְּלַת רוּחִין תַּמָּן, חַד, דַּהֲוָה בְּהַהוּא מָאנָא, וְאִשְׁתְּאַר תַּמָּן. וְחַד, הַהוּא דְּאִתְמְשַׁךְ תַּמָּן דַּהֲוָה עַרְטִילָאָה. וְחַד, הַהוּא דְּאָעִיל תַּמָּן הַהוּא פָּרוּקָא, וְאִתְעֲרַב בְּהוּ. לְמֶהֱוֵי בִּתְלַת רוּחִין אִי אֶפְשָׁר. וּמָה אִתְעָבֵיד.

קטז. אֶלָּא, כָּךְ אִינּוּן גְּבוּרָן עִלָּאִין, דְּעָבֵיד קֻבְּ"ה. הַהוּא רוּחָא דְּאָעִיל תַּמָּן הַהוּא פָּרוּקָא, בֵּיהּ אִתְלְבַשׁ הַהִיא נִשְׁמְתָא, בַּאֲתַר דִּלְבוּשָׁא דְּגִיּוֹרֵי, וְהַהוּא רוּחָא עַרְטִילָאָה, דְּתָב תַּמָּן לְאִתְבְּנָאָה, לֶהֱוֵי לְבוּשָׁא לְנִשְׁמְתָא עִלָּאָה. וְהַהוּא רוּחַ דַּהֲוָה בְּקַדְמֵיתָא, דְּאִשְׁתְּאַר בְּהַהוּא מָנָא, פָּרַח מִתַּמָּן. וְקֻבְּ"ה אַזְמִין לֵיהּ אֲתַר, בְּגוֹ רָזִין כַּוִּין דְּטִנָּרָא, דְּבָתַר כִּתְפוֹי דְּג"ע, וְאִתְטָמַּר תַּמָּן. וְאִסְתַּלַּק לְהַהוּא גּוּפָא קַדְמָאָה, דְּהוּא בְּקַדְמֵיתָא. וּבְהַהוּא רוּחַ יְקוּם הַהוּא גּוּפָא, וְדָא אִיהוּ חַד דְּאִינּוּן תְּרֵין, דְּקָא אֲמֵינָא.

קיז. אֲבָל הַהוּא גּוּפָא, עַד דְּלָא יְקוּם, עוֹנְשֵׁיהּ סַגְיָא דְּהָא בְּגִין דְּלָא זָכָה לְאִתְרַבְּאָה, נַחְתֵּי לֵיהּ לְגוֹ אֲדָמָה, דְּסָמִיךְ לְאַרְקָא. וְאִתְדָּן תַּמָּן. וּלְבָתַר סַלְּקִין לֵיהּ לְהַאי תֵּבֵל. הַשְׁתָּא נָחִית, וְהַשְׁתָּא סָלִיק, וְהָא נָחִית, לֵית לֵיהּ שְׁכִיכוּ בַּר בְּשַׁבְּתֵי, וּבְיוֹמִין טָבִין וּבְרֵישֵׁי יַרְחֵי.

קיח. וְאִלֵּין דְּמִיכִין בְּאַדְמַת עָפָר, אַדְמַת, מֵאֲדָמָה. עָפָר מִתֵּבֵל. וְעַל אִלֵּין כְּתִיב, וְרַבִּים מִיְּשֵׁנֵי אַדְמַת עָפָר יָקִיצוּ אֵלֶּה לְחַיֵּי עוֹלָם וְאֵלֶּה לַחֲרָפוֹת וּלְדִרְאוֹן עוֹלָם. אִי זָכָה הַהוּא רוּחָא עַרְטִילָאָה, דְּתָב כְּמִלְקַדְמִין, לְאִתְתַּקְנָא. זַכָּאָה אִיהוּ, דְּהָא הַהוּא רוּחָא דְּאִתְּמַר בֵּיהּ, דְּאִתְטָמַר בְּטִנָּרָא, יִתְתַּקַּן בְּהַהוּא גּוּפָא קַדְמָאָה. וְעַל אִלֵּין כְּתִיב אֵלֶּה לְחַיֵּי עוֹלָם וְאֵלֶּה לַחֲרָפוֹת וְגוֹ'. כָּל אִינּוּן דְּלָא זָכוּ לְאִתְתַּקְנָא

קיט. וְאִלֵּין אִינּוּן גְּבוּרָן עִלָּאִין, דְּמַלְכָּא עִלָּאָה קַדִּישָׁא, וְלָא אִתְאֲבִיד כְּלוּם. אֲפִילוּ הֲבַל דְּפוּמָא אֲתַר וְדוּכְתָּא אִית לֵיהּ, וְקֻבְּ"ה עָבֵיד מִינֵּיהּ מַה דְּעָבִיד. וַאֲפִילוּ מִלָּה דְּבַר נָשׁ, וַאֲפִילוּ קָלָא, לָא הֲוֵי בְּרֵיקַנַּיָּיא, וַאֲתַר וְדוּכְתָּא אִית לְהוּ לְכֹלָּא.

קכ. הַאי דְּאִתְבְּנֵי הַשְׁתָּא, וְנָפַק לְעָלְמָא בְּרִיָּה חַדְתָּא, לֵית לֵיהּ בַּת זוּג. וְע"ד לָא מַכְרִיזֵי, דְּהָא בַּת זוּגֵיהּ אִתְאֲבִידַת מִנֵּיהּ, בַּת זוּגֵיהּ דַּהֲוַת לֵיהּ, אִתְעֲבִידַת אִמֵּיהּ, וַאֲחוּהָ אֲבוּהָ.

קכא. סָבָא סָבָא, מַה עַבְדַּת, טָב הֲוָה לָךְ שְׁתִיקָא, סָבָא סָבָא, הָא אֲמֵינָא דְּעָאלַת בְּיַמָּא רַבָּא, בְּלָא חַבְלִין, וּבְלָא דִּגְלָא, מָה תַּעֲבֵיד. אִי תֵּימָא דְּתִסְּלַק לְעֵילָּא, לָא תֵּיכוֹל. אִי תֵּימָא דְּתֵיחוּת לְתַתָּא, הָא עָמְקָא דִּתְהוֹמָא רַבָּא, מַה תַּעֲבֵיד. אִי סָבָא אִי סָבָא, לָא אִית לָךְ לְאַהְדְּרָא לַאֲחוֹרָא. בְּעִדָּנִין אִלֵּין, לָא הֲוֵית, וְלָא אִתְרְגִילַת, לְאִתְחַלְּשָׁא בְּתוּקְפָּךְ, דְּהָא יַדְעַת, דְּבַר נָשׁ אַחֲרָא בְּכָל דָּרָא דָּא, לָא עָאל בְּאַרְבָּא

בְּעַמִיקָא דָא דְאַנְתְּ תַּמָּן.

קכב. בְּרֵיהּ דְּיוֹזָאי יָדַע לְאִסְתַּמְרָא אָרְחוֹי, וְאִי עָאל בְּיַמָּא עֲמִיקָא, אַשְׁגַּח בְּקַדְמֵיתָא, הֵיךְ יַעֲבַר בְּזִמְנָא חֲדָא, וִישׁוֹטֵט בְּיַמָּא, עַד לָא יֵיעוֹל וְאַנְתְּ סָבָא, לָא אַשְׁגָּחַת בְּקַדְמֵיתָא. הַשְׁתָּא סָבָא, הוֹאִיל וְאַנְתְּ תַּמָּן, לָא תֶּחֱלַשׁ בְּתוּקְפָּךְ, לָא תִּשְׁבּוֹק כָּל אָרְחָךְ, לְמִשְׁטְטָא לִימִינָא וְלִשְׂמָאלָא, לְאָרְכָּא וּלְפוּתְיָא, לְעָמְקָא וּלְרוּמָא, לָא תִּדְחַל. סָבָא סָבָא, אִתְתַּקַּף בְּתָקְפָּךְ, כַּמָּה גּוּבְרִין תַּקִּיפִין תַּבַּרְתְּ בְּתָקְפֵיהוֹן, וְכַמָּה קְרָבִין נָצַחְתְּ.

קכג. בָּכָה, פָּתַח וְאָמַר, צְאֶינָה וּרְאֶינָה בְּנוֹת צִיּוֹן בַּמֶּלֶךְ שְׁלֹמֹה בָּעֲטָרָה שֶׁעִטְּרָה לּוֹ אִמּוֹ בְּיוֹם חֲתֻנָּתוֹ וּבְיוֹם שִׂמְחַת לִבּוֹ. הַאי קְרָא אוּקְמוּהָ, וְהָכִי הוּא. אֲבָל צְאֶינָה וּרְאֶינָה, וְכִי מַאן יָכִיל לְמֶחֱמֵי בַּמֶּלֶךְ שְׁלֹמֹה, דְּהוּא מַלְכָּא דִּשְׁלָמָא דִּילֵיהּ, וְהָא סָתִים הוּא, מִכָּל חֵילֵי מְרוֹמִין דִּלְעֵילָּא, בְּהַהוּא אֲתָר, דְּעַיִן לֹא רָאָתָה אֱלֹהִים זוּלָתְךָ. וְאַתְּ אָמַרְתְּ צְאֶינָה וּרְאֶינָה בְּנוֹת צִיּוֹן בַּמֶּלֶךְ שְׁלֹמֹה. וְתוּ, דְּהָא כָּבוֹד דִּילֵיהּ, כֻּלְּהוּ מַלְאֲכֵי עִלָּאֵי שָׁאֲלֵי וְאָמְרֵי, אַיֵּה מְקוֹם כְּבוֹדוֹ.

קכד. אֶלָּא, מַה דְּאָמַר צְאֶינָה וּרְאֶינָה בְּנוֹת צִיּוֹן בַּמֶּלֶךְ שְׁלֹמֹה, בָּעֲטָרָה כְּתִיב, וְלָא כְּתִיב וּבָעֲטָרָה דְּכָל מַאן דְּחָמֵי הַהוּא עֲטָרָה, חָמֵי נֹעַם מַלְכָּא דִּשְׁלָמָא דִּילֵיהּ. שֶׁעִטְּרָה לּוֹ אִמּוֹ, הָא תָּנֵינָן, קָרֵי לָהּ בַּת, וְקָרֵי לָהּ אָחוֹת, קָרֵי לָהּ אֵם, וְכֹלָּא אִיהוּ. וְכֹלָּא הֲוֵי, מַאן דְּיִסְתַּכַּל וְיִנְדַּע בְּהַאי, יִנְדַּע חָכְמְתָא יַקִּירָא.

קכה. הַשְׁתָּא מָה אַעֲבִיד, אִי אֵימָא, רָזָא סְתִימָא דָא, לָא אִצְטְרִיךְ לְגַלָּאָה. אִי לָא אֵימָא, יִשְׁתַּאֲרוּן זַכָּאִין אִלֵּין, יַתְמִין מֵהַאי רָזָא, נָפַל הַהוּא סָבָא עַל אַנְפּוֹי, וְאָמַר, בְּיָדְךָ אַפְקִיד רוּחִי פָּדִיתָה אוֹתִי יְיָ' אֵל אֱמֶת. מָאנָא דַּהֲוַת לְתַתָּא, הֵיךְ יִתְעֲבִיד לְעֵילָּא, בְּעָלָה דַּהֲוָה לְעֵילָּא, הֵיךְ יִתְהַפֵּךְ וַהֲוָה לְתַתָּא. בַּת זוּגֵיהּ אִתְעֲבִידַת אִמֵּיהּ. תָּוְוהָא עַל תָּוְוהָא. אָחוּהָ אָבוּהָ. אִי אָבוּהָ דְּקַדְמֵיתָא, יִפְרוֹק לֵיהּ, יָאוּת, אֲבָל אָחוּהָ דְּלֶיהֱוֵי אָבוּהָ, וְכִי לָא תָּוְוהָא אִיהוּ דָא. עָלְמָא בְּהִפּוּכָא אִיהוּ. וַדַּאי עִלָּאִין לְתַתָּא, וְתַתָּאִין לְעֵילָּא.

קכו. אֶלָּא, לֶהֱוֵא שְׁמֵיהּ דִּי אֱלָהָא מְבָרַךְ מִן עָלְמָא וְעַד עָלְמָא דִּי חָכְמְתָא וּגְבוּרְתָּא דִּילֵיהּ הִיא. וְהוּא מְהַשְׁנֵא עִדָּנַיָּא וְזִמְנַיָּא וְגוֹ' יָדַע מָה בַּחֲשׁוֹכָא וּנְהוֹרָא עִמֵּיהּ שְׁרָא. תָּא חֲזֵי, מַאן דְּשָׁרֵי בִּנְהוֹרָא, לָא יָכִיל לְאִסְתַּכְּלָא וּלְמֶחֱמֵי בַּחֲשׁוֹכָא. אֲבָל קֻבְּ"ה לָאו הָכִי, יָדַע מָה בַּחֲשׁוֹכָא, אַע"ג דִּנְהוֹרָא עִמֵּיהּ שָׁרָא. מִגּוֹ נְהוֹרָא, אִסְתַּכַּל בַּחֲשׁוֹכָא, וְיָדַע כָּל מַה דְּתַמָּן.

קכז. הָכָא, אִית לְאַקְדְּמָא בְּקַדְמֵיתָא, מִלָּה חֲדָא, דְּאָמְרוּ קַדְמָאֵי, בְּאִינּוּן חֶזְוֵי לֵילְיָא. דְּתָנֵן, מַאן דְּאָתֵי עַל אִמֵּיהּ בְּחֶלְמָא, יְצַפֶּה לְבִינָה. דִּכְתִיב, כִּי אִם לַבִּינָה תִקְרָא, הָכָא אִית לְאִסְתַּכְּלָא, אִי בְּגִין דְּאִיהִי אֵם יָאוּת, וַהֲוָה לֵיהּ לְמִכְתַּב הָכִי, דְּמַאן דְּחָמָא אִמֵּיהּ בְּחֶלְמָא, יִזְכֵּי לְבִינָה. אֲבָל מַאן דְּאָתֵי עַל אִמֵּיהּ אַמַּאי.

קכח. אֶלָּא רָזָא עִלָּאָה אִיהוּ, בְּגִין דְּאִתְהַפֵּךְ וְסָלִיק מִתַּתָּא לְעֵילָּא. בְּרָא הֲוָה בְּקַדְמֵיתָא, כֵּיוָן דְּסָלִיק לְעֵילָּא, אִתְהַפֵּךְ אִילָנָא, וְאִתְעֲבֵיד אִיהוּ מֵעָלְמָא עִלָּאָה, וְשַׁלִּיט עָלָהּ, וְזָכֵי לַבִּינָה.

קכט. בְּקַדְמֵיתָא כַּד סָלִיק אִינָשׁ לְי"ג שְׁנִין, מַה כְּתִיב, יְיָ' אָמַר אֵלַי בְּנִי אַתָּה אֲנִי הַיּוֹם יְלִדְתִּיךָ, כְּדֵין אִיהוּ לְתַתָּא מִינָהּ. כֵּיוָן דְּסָלִיק עָלָהּ, הַאי אִיהוּ מֵעָלְמָא עִלָּאָה. דְּהָא אִסְתַּלָּק בְּדַרְגָּא דְּיוֹסֵף, וְדָא וַדַּאי זָכֵי לַבִּינָה.

קל. אוּף הָכִי הַאי מָאנָא, בְּקַדְמֵיתָא אִיהוּ הֲוָה בְּדַרְגָּא דְיוֹסֵף, בַּעַל אִילָנָא תַּתָּאָה, קַיְּימָא בִּרְעוּתֵיהּ, וְשַׁלִּיט עָלֵיהּ, דְּהָא כָּל נוּקְבָא, בִּדְיוּקְנָא דְנוּקְבָא אִילָנָא תַּתָּאָה קַיְּימָא. כֵּיוָן דְּאִיהוּ לָא בָּעָא לְקַיְּימָא בְּהַהוּא דַרְגָּא דְיוֹסֵף, וְלָא אִתְקַיָּים לְשַׁמְּשָׁא בֵּיהּ, וּלְאַפָּשָׁא בְּעָלְמָא, וּלְמֶעְבַּד תּוֹלְדִין, כְּדֵין נָחִית לְתַתָּא, וְאִתְעֲבֵידַת אִיהִי אִמֵּיהּ. וְהַהוּא פְּרוּקָא, יָרִית יָרוּתָא דְיוֹסֵף, דַּהֲוָה הוּא בְּקַדְמֵיתָא וְאִיהוּ נָחִית לְתַתָּא.

קלא. כֵּיוָן דְּנָחִית לְתַתָּא, כְּדֵין אִתְקַיָּים בֵּיהּ, יְיָ' אָמַר אֵלַי בְּנִי אַתָּה אֲנִי הַיּוֹם יְלִדְתִּיךָ. אִתְהַפַּךְ אִילָנָא, מַה דַהֲוָה תְּחוֹתֵיהּ וְאִיהוּ שַׁלִּיט עָלֵיהּ, אִתְהֲדַר וְשָׁלִיט הַהוּא אִילָנָא עָלֵיהּ, וְאִיהוּ נָחִית לְתַתָּא. כֵּיוָן דְּאִיהוּ נָחִית לְתַתָּא, הַהוּא דְיָרִית יָרוּתָא אֲתָר דְיוֹסֵף, אֲבוֹי אִקְרֵי, אֲבוֹי הֲוֵי וַדַּאי, כֹּלָּא אִיהוּ עַל תִּקּוּנֵיהּ וַדַּאי כַּדְקָא יֵאוֹת.

קלב. בְּקַדְמֵיתָא הֲוָה מֵעָלְמָא דִדְכוּרָא, וְהָא אִתְעַקַּר מִתַּמָּן, וְהַשְׁתָּא אִיהוּ מֵעָלְמָא דְנוּקְבָא. וּמַה דַהֲוָה אִיהוּ שָׁלִיט עָלָהּ, שַׁלְטָא אִיהִי עָלֵיהּ, וְאִתְהֲדַר לְמֶהֱוֵי בְּעָלְמָא דְנוּקְבָא. וְעַל דָּא לֵית לֵיהּ בַּת זוּג כְּלָל. וְלָא מַכְרִיזֵי עָלֵיהּ, עַל נוּקְבָא. דְּהָא מֵעָלְמָא דְנוּקְבָא אִתְהֲדַר אִיהוּ.

קלג. וְהַהוּא גּוּפָא קַדְמָאָה דְשָׁבַק, אִלְמָלֵא יִנְדְּעוּן וְיִסְתַּכְּלוּן בְּנֵי עָלְמָא, צַעֲרָא דְּאִית לֵיהּ, כַּד יִתְעֲקַר מֵעָלְמָא דִדְכוּרָא, וְאִתְהֲדַר לְעָלְמָא דְנוּקְבָא. יִנְדְּעוּן, דְּהָא לֵית צַעֲרָא בְּעָלְמָא, כְּהַהוּא צַעֲרָא. בַּת זוּג לֵית לֵיהּ, דְּהָא לָא קַיְּימָא בַּאֲתַר דִּדְכוּרָא. לָא מַכְרִיזֵי עָלֵיהּ, עַל נוּקְבָא, דְּהָא מֵעָלְמָא דְנוּקְבָא אִיהוּ. וְאִי אִית לֵיהּ בַּת זוּג, הֲוֵי בְּרַחֲמֵי, אִעֲרַעַת בַּהֲדֵי נוּקְבָא, דְּעַד כְּעַן לָא אִית לָהּ בַּר זוּג. וְעַל דָּא תָּנֵינָן, דִּילְמָא יְקַדְּמֶנּוּ אַחֵר בְּרַחֲמִים. אַחֵר תְּנָן. וְכֹלָּא אִיהוּ עַל תִּקּוּנֵיהּ.

קלד. וְעַל דָּא כְּתִיב וּבַת כֹּהֵן כִּי תִהְיֶה אַלְמָנָה וּגְרוּשָׁה וְזֶרַע אֵין לָהּ וְשָׁבָה אֶל בֵּית אָבִיהָ כִּנְעוּרֶיהָ. וּבַת כֹּהֵן, הָא אוּקִימְנָא מִלָּה דָּא. אַלְמָנָה, מֵהַהוּא גּוּפָא קַדְמָאָה. וּגְרוּשָׁה, דְּלָא עָאלַת לְפַרְגּוֹדָא דְמַלְכָּא, דְּכָל אִינּוּן דְּלָא קַיְימֵי בְּעָלְמָא דִדְכוּרָא, לָא אִית לְהוּ בֵּיהּ חוּלָקָא. הוּא אִשְׁתְּמִיט וְאַעֲקַר גַּרְמֵיהּ מֵעָלְמָא דִדְכוּרָא, לָא אִית לֵיהּ חוּלָקָא בֵּיהּ וְעַל דָּא אִיהִי גְּרוּשָׁה. וְזֶרַע אֵין לָהּ, דְּאִי הֲוָה לָהּ זֶרַע, לָא אִתְעֲקַר מִנֵּיהּ, וְלָא הֲוָה נָחִית לְעָלְמָא דְנוּקְבָא.

קלה. וְשָׁבָה אֶל בֵּית אָבִיהָ, מַאן בֵּית אָבִיהָ. דָּא עָלְמָא דְנוּקְבָא, דְּהַהוּא עָלְמָא בֵּית אָבִיהָ אִקְרֵי, וְהַהוּא מָאנָא דַהֲוָה אִתְתַּקַּן לְאִשְׁתַּמְּשָׁא בֵּיהּ, אִתְהַפַּךְ וְאִיהוּ נָחִית לְתַתָּא, וְהַהוּא מָאנָא סָלִיק לְעֵילָּא. כִּנְעוּרֶיהָ, כְּהַהוּא זִמְנָא דִכְתִיב, אֲנִי הַיּוֹם יְלִדְתִּיךָ, יְלִדְתִּיךָ וַדַּאי, יָשׁוּב לִימֵי עֲלוּמָיו, כְּמָה דַהֲוָה מִתְּלֵיסַר שְׁנִין וּלְעֵילָּא.

קלו. אִי זָכַאת לְאִתְתַּקְּנָא, הוֹאִיל וְשָׁבָה אֶל בֵּית אָבִיהָ, מִלֶּחֶם אָבִיהָ תֹּאכֵל, תִּתְעַנַּג מֵהַהוּא עִנּוּגָא. דְּעָלְמָא דְנוּקְבָא, דְּאַכְלֵי מִנַּהֲמָא דְאַבִּירִים, דְּנָחִית מִלְּעֵילָּא. אֲבָל לְאִסְתַּכְּלָא וּלְאִתְהֲנֵי בְּמַה דְּאִתְהֲנוּן שְׁאַר צַדִּיקַיָּיא, לָא יַכְלָא בְּגִין דַהֲוָה זָר לְתַמָּן. וְעַל דָּא לָא אָכִיל קֹדֶשׁ אֲבָל אָכִיל תְּרוּמָה, דְּאִיהוּ יָתִיב בְּעָלְמָא דְנוּקְבָא.

קלז. וּמִגּוֹ דְאִיהוּ מֵעָלְמָא דְנוּקְבָא, לָא אָכִיל לֵיהּ אֶלָּא בְּלֵילְיָא, דִּכְתִיב, וּבָא הַשֶּׁמֶשׁ וְטָהֵר וְאַחַר יֹאכַל מִן הַקֳּדָשִׁים כִּי לַחְמוֹ הוּא. דְּהָא קֹדֶשׁ דְּאִיהוּ מֵעָלְמָא דִדְכוּרָא, לָא אִתְאֲכִיל אֶלָּא בְּיוֹם. בְּגִינֵי כַּךְ קֹדֶשׁ יִשְׂרָאֵל לַיְיָ' רֵאשִׁית תְּבוּאָתֹה, שֵׁירוּתָא עִלָּאָה דְּכָל עָלְמָא דִדְכוּרָא, קֹדֶשׁ אִיהוּ, וּמַה דְּסָלִיק בֵּיהּ, בְּקֹדֶשׁ יִשְׂרָאֵל הֲוָה, וּבְגִינֵי כַּךְ קֹדֶשׁ יִשְׂרָאֵל לַיְיָ' רֵאשִׁית תְּבוּאָתֹה.

קלח. כַּד רוּחִין פְּקִידָאן, בְּאִינּוּן זִמְנִין דְּפַקְדִין לְבֵי קִבְרֵי, אִינּוּן לָא פַּקְדִין, דְּהָא לָא זָכָאן לְעָלְמָא דְּקֹדֶשׁ, דִּכְתִיב וְכָל זָר לֹא יֹאכַל קֹדֶשׁ. וְאִי לָא זָכָה הַהוּא רוּחָא לְאִתְתַּקְנָא כִּדְקָא יָאוּת, כֵּיוָן דְּאַהֲדָר בְּגִלְגּוּלָא, אֲפִילוּ בְּהַהוּא אֲתָר, בִּתְרוּמָה לָא אָכִיל, וְזָר אִקְרֵי, אֲפִילוּ לְעָלְמָא תַּתָּאָה וְלָא אָכִיל בָּהּ. עַד הָכָא בְּרָזָא דָּא.

קלט. סָבָא סָבָא, כֵּיוָן דְּשָׁרִיאַת לְשַׁטְּטָא בְּיַמָּא רַבָּא, זִיל בִּרְעוּתָךְ, לְכָל סִטְרִין דְּיַמָּא. הַשְׁתָּא אִית לְגַלָּאָה, דְּהָא אֲמֵינָא, דְּהַאי פָּרוּקָא כַּד אָתֵי, עָאל גַּבֵּי הַהוּא מָאנָא, דְּקָא אֲמֵינָא, אָעִיל תַּמָּן, וְדָבִיק תַּמָּן רוּחָא דִּילֵיהּ בְּהַהוּא מָאנָא וְלָא אִתְאֲבִיד כְּלוּם, אֲפִילוּ הֲבַל דְּפוּמָא, יָאוּת הוּא וְכָךְ הוּא. סָבָא סָבָא, אִי תֵּימָא וּתְגַלֵּי, אֵימָא בְּלָא דְּחִילוּ.

קמ. שְׁאַר בְּנֵי נָשָׁא דְּעָלְמָא, דְּקָא מִסְתַּלְּקֵי מִנֵּיהּ, וְהָא יְדַעְנָא, דְּרוּחַ דִּילֵיהּ שָׁבִיק בְּהַהִיא אִתְּתָא דַּהֲוַת לֵיהּ, וְרוּחָא אָעִיל תַּמָּן, מָה אִתְעָבֵיד מֵהַהוּא רוּחַ. וְאִי נַסְבָא הַאי אִתְּתָא, אוּף הָכִי, מָה אִתְעָבֵיד מֵהַהוּא רוּחַ דְּשָׁבַק בָּהּ בַּעְלָהּ קַדְמָאָה, דְּהָא גְּבַר אַחֲרָא אָתֵי עָלָהּ.

קמא. לְאִתְקַיְּימָא רוּחַ בְּרוּחַ לָא אֶפְשָׁר, דְּהָא הַאי דְּאָתֵי עָלָהּ הַשְׁתָּא, רוּחַ אָעִיל בָּהּ. וְכֵן הַהוּא קַדְמָאָה דְּאִסְתַּלִּיק, רוּחַ אָעִיל בָּהּ. הַהוּא קַדְמָאָה דְּאִסְתַּלַּק בְּנִין הֲוֵי לֵיהּ, וְדָא דְּהַשְׁתָּא לָאו פָּרוּקָא אִיהוּ, רוּחַ דְּשָׁבַק הַהוּא קַדְמָאָה בְּהַהוּא מָאנָא, וְאָתָא הַאי אַחֲרָא וְאָעִיל בָּהּ רוּחַ, וַדַּאי לָא יַכְלֵי תַּרְוַויְיהוּ לְאִתְקַיְּימָא בְּהַהוּא גּוּפָא דְּאִתְּתָא כַּחֲדָא, אִי נֵימָא דְּאִתְאֲבִיד, אִי אֶפְשָׁר, מָה אִתְעָבֵיד מִנֵּיהּ.

קמב. אוּף הָכִי אִי אִיהִי לָא אִתְנְסִיבַת, הַהוּא רוּחָא דְּשָׁבַק בָּהּ בַּעְלָהּ, מַאי אִתְעָבֵיד מִנֵּיהּ. אִי נֵימָא דְּאִתְאֲבִיד לָאו הָכִי. כָּל דָּא צָרִיךְ לְגַלָּאָה הַשְׁתָּא. סָבָא סָבָא, חֲמֵי מָה עֲבַדְתְּ, וּבַמֶּה אָעִילַת גַּרְמָךְ. קוּם סָבָא, אָרִים דִּגְלָךְ. קוּם סָבָא, וְאַשְׁפִּיל גַּרְמָךְ קָמֵי מָארָךְ.

קמג. פָּתַח הַהוּא סָבָא וְאָמַר, יְיָ' לֹא גָבַהּ לִבִּי וְלֹא רָמוּ עֵינַי וְגוֹ'. דָּוִד מַלְכָּא אָמַר דָּא, בְּגִין דַּהֲוָה מַלְכָּא עִלָּאָה, וְשַׁלִּיטָא עַל כָּל מַלְכִין עִלָּאִין, וְשַׁלִּיטִין דְּאִית מִמִּזְרָח וְעַד מַעֲרָב, וְלָא סָלִיק עַל לִבֵּיהּ לְאַסְטָאָה מֵאָרְחָא, וְתָדִיר שָׁפִיל לִבֵּיהּ קָמֵי מָארֵיהּ, וְכַד הֲוָה לָעֵי בְּאוֹרַיְיתָא, הֲוָה מִתְגַּבַּר כְּאַרְיָא, וְעֵינוֹי תָּדִיר מָאִיכִין בְּאַרְעָא, מִדְּחִילוּ דְּמָארֵיהּ. וְכַד הֲוָה אָזִיל בֵּין עַמָּא, לָא הֲוָה בֵּיהּ גַּסּוּת רוּחָא כְּלַל.

קמד. וְעַל דָּא כְּתִיב, יְיָ' לֹא גָבַהּ לִבִּי וְגוֹ', לֹא גָבַהּ לִבִּי, אע"ג דַּאֲנָא מַלְכָּא שַׁלִּיטָא עַל כָּל שְׁאַר מַלְכִין דְּעָלְמָא. וְלֹא רָמוּ עֵינַי, בְּזִמְנָא דַּאֲנָא קַיְּימָא קַמָּךְ, לָעֵי בְּאוֹרַיְיתָא. וְלֹא הִלַּכְתִּי בִּגְדוֹלוֹת וּבְנִפְלָאוֹת מִמֶּנִּי, בְּשַׁעֲתָא דַּאֲנָא אָזִיל בֵּין עַמָּא. וְאִי דָּוִד מַלְכָּא אָמַר הָכִי, שְׁאַר בְּנֵי עָלְמָא עַל אַחַת כַּמָּה וְכַמָּה. וַאֲנָא כַּמָּה אֲנָא שָׁפִיל לִבָּא, וּמָאִיךְ עֵינָא קָמֵי מַלְכָּא קַדִּישָׁא. וְחַס לִי, דְּבְמִלִּין קַדִּישִׁין דְּאוֹרַיְיתָא, יְרוּם לִבָּאִי. בָּכָה וְדִמְעוֹי נַפְלִין עַל דִּיקְנֵיהּ.

קמה. אָמַר, סָבָא לָאֵי בְּחֵילָא, כַּמָּה שַׁפִּירָאן דִּמְעִין עַל דִּיקְנָךְ, כְּמָה דַּהֲוָה שַׁפִּיר מִשְׁחָא טָבָא, כַּד הֲוָה נָחִית עַל דִּיקְנָא דְּסָבָא טָבָא דְּאַהֲרֹן. אֵימָא מִילָּךְ סָבָא דְּהָא מַלְכָּא קַדִּישָׁא הָכָא. שְׁאַר בְּנֵי נָשָׁא דְּעָלְמָא, דְּקָא אִסְתַּלְּקוּ מִנֵּיהּ, וְשַׁבְקוּ רוּחָא בְּהַהוּא מָאנָא, דַּהֲווּ מִשְׁתַּמְּשֵׁי בֵּיהּ, וְאִתְנְסִיבַת, וְאָתָא אַחֲרָא וְאָעִיל בְּהַהוּא מָאנָא רוּחָא אַחֲרָא, מָה אִתְעָבֵיד מֵהַהוּא קַדְמָאָה, כְּמָה דְּאִתְּמַר.

קמו. תָּא חֲזֵי, כַּמָּה עִלָּאִין גְּבוּרָאן דְּמַלְכָּא קַדִּישָׁא, דְּהָא עָבִיד, וּמַאן יָכִיל לְמַלְּלָא לוֹן. כַּד הַאי בְּעָלָהּ תִּנְיָינָא, אָתֵי וְעָאל רוּחָא בְּהַהוּא מָאנָא, רוּחָא קַדְמָאָה, מְקַטְרְגָא בְּהַאי רוּחַ דְּעָאל, וְלָא אִתְיַישְׁבָן כַּחֲדָא.

קמז. וּבְגִינֵי כָּךְ, אִתְּתָא לָא אִתְיַישְּׁבַת כַּדְקָא יָאוּת, בַּהֲדֵי בַּעְלָהּ תִּנְיָינָא, בְּגִין דְּרוּחָא קַדְמָאָה מְכַשְׁכְּשָׁא בָּהּ, וּכְדֵין אִיהִי דְּכִירַת לֵיהּ תָּדִיר, וּבָכָאת עָלֵיהּ, אוֹ אִתְאַנְּחַת עָלֵיהּ, דְּהָא רוּחָא דִּילֵיהּ, מְכַשְׁכְּשָׁא בִּמְעָהָא כְּחִוְיָא, וּמְקַטְרְגָא בַּהֲדֵי רוּחַ אַחֲרָא, דְּעָאל בָּהּ מִבַּעְלָהּ תִּנְיָנָא. עַד זְמַן סַגֵּי מְקַטְרְגִין דָּא בְּדָא.

קמח. וְאִי אַעְבַּר דָּא דְּעָאל, לְהַהוּא דַּהֲוָה קַדְמָאָה, דָּא קַדְמָאָה נָפִיק וְאָזִיל לֵיהּ. וּלְזִמְנִין, דְּדָחֵי דָּא קַדְמָאָה לְהַהוּא תִּנְיָינָא, וְאִתְעָבֵיד לֵיהּ מְקַטְרְגָא, עַד דְּאַפִּיק לֵיהּ מֵעָלְמָא. וְעַל דָּא תָּנִינָן, דְּמִתְרֵין וּלְהָלְאָה, לָא יִסַּב בַּר נָשׁ לְהַאי אִתְּתָא, דְּהָא מַלְאַךְ הַמָּוֶת אִתְתַּקַּף בָּהּ, וּבְנֵי עָלְמָא לָא יַדְעִין, דְּהָא רוּחָא כֵּיוָן דְּאִתְתָּקַף וְקָא נָצַח לְהַהוּא רוּחָא אַחֲרָא תִּנְיָינָא, מִכָּאן וּלְהָלְאָה לָא יִתְעָרַב בַּר נָשׁ אַחֲרָא בַּהֲדָהּ.

קמט. חַבְרַיָּיא, הָא יַדְעְנָא דְּבַאֲתַר דָּא אִית לְכוּ לְמִקְשֵׁי, וְלֵימָא אִי הָכִי לָא מִיתַת בְּדִינָא הַאי תִּנְיָינָא, וְלָא דַּיְינִין לֵיהּ מִלְעֵילָּא. תָּא חֲזֵי, כֹּלָּא אִיהוּ בְּדִינָא, דְּיִנָּצְחוּ פְּלוֹנִי לִפְלוֹנִי אוֹ דְּלָא יְקַטְרֵג עָלֵיהּ פְּלוֹנִי לִפְלוֹנִי. וּמַאן דְּנָסִיב אַרְמַלְתָּא, כְּמַאן דְּעָאל בְּיַמָּא, בְּרוּחִין תַּקִּיפִין, בְּלָא חַבְלִין, וְלָא יָדַע אִי יַעֲבַר בִּשְׁלָם, אִי יִטְבַּע גּוֹ תְּהוֹמֵי.

קנ. וְאִי דָּא דְּעָאל הַהוּא רוּחָא תִּנְיָינָא, אִתְתַּקִּיף וְנָצַח לְהַהוּא קַדְמָאָה, הַהוּא קַדְמָאָה נָפַק מִתַּמָּן וְאָזִיל לֵיהּ. לְאָן אֲתַר אָזִיל לֵיהּ, וּמָה אִתְעָבֵיד. סָבָא סָבָא מָה עֲבַדְתְּ. חֲשַׁבְתְּ דְּתִתְמַלֵּל זְעֵיר, וְנַפְקַת לְהַאי, הָא עָאלַת בַּאֲתַר דְּלָא עָאל בַּר נָשׁ אַחֲרָא, מִן יוֹמָא דְּדוֹאֵג וַאֲחִיתוֹפֶל עֲבְדוּ בְּעָיָין אִלֵּין, בְּאִינּוּן אַרְבַּע מְאָה בְּעָיֵי, דַּהֲווּ בָּעָאן עַל מִגְדְּלָא דְּפָרַח בַּאֲוִירָא, וְלָא אָתִיב עָלַיְיהוּ בַּר נָשׁ, עַד דְּאָתָא שְׁלֹמֹה מַלְכָּא, וּבֵירֵר לוֹן כָּל חַד וְחַד עַל תִּקּוּנֵיהּ. סָבָא סָבָא, רָזָא עִלָּאָה דַּהֲוָה טְמִירָא, אָתֵית לְגַלָּאָה, מָה עֲבַדִית.

קנא. סָבָא סָבָא, בְּקַדְמֵיתָא הֲוָה לָךְ לְנַטְרָא אָרְחָךְ, וְתִסְתַּכַּל בְּרֵישָׁךְ. אֲבָל הַשְׁתָּא, לָאו שַׁעֲתָא לְאִתְטַמְּרָא. סָבָא, אַהְדַּר בְּתָקְפָּךְ. הַהוּא רוּחַ דְּנָפַק, לְאָן אָזִל. בָּכָה וְאָמַר, חַבְרַיָּא, כָּל הָנֵי בְּכִיָּין דְּקָא בָּכֵינָא, לָאו בְּגִינַיְיכוּ הוּא, אֶלָּא דְּחִילְנָא לְמָארֵי עָלְמָא, דְּגַלֵּינָא אָרְחִין סְתִימִין, בְּלָא רְשׁוּ. אֲבָל גַּלֵּי קָמֵי קב"ה, דְּלָא לִיקָרָא דִּילִי עֲבִידְנָא, וְלָא לִיקָרָא דְּאַבָּא, אֲבָל רְעוּתִי לְפוּלְחָנָא דִּילֵיהּ, וַאֲנָא חֲמֵינָא, יְקָרָא דְּחַד מִנַּיְיכוּ, בְּהַהוּא עָלְמָא, וְאַחֲרָא יַדְעְנָא דְּהָכִי הוּא. אֲבָל לָא גַּלֵּי קָמָאי, וְהַשְׁתָּא חֲמֵינָא.

קנב. תָּנִינָן, דְּחָיִין גַּבְרָא מִקָּמֵי גַּבְרָא, בְּכַמָּה אָרְחִין סְתִימִין אִתְדַּחְיָין. הַהוּא רוּחָא קַדְמָאָה, דְּאִתְדַּחֵי מִקָּמֵי הַהוּא תִּנְיָינָא, לְאָן אָזִיל. הַהוּא רוּחָא, נָפִיק וְאָזִיל, וּמְשַׁטְּטָא בְּעָלְמָא, וְלָא יָדִיעַ, וְאָזִיל לְגוֹ קִבְרָא דְּהַהוּא בַּר נָשׁ, וּמִתַּמָּן מְשַׁטְּטָא בְּעָלְמָא, וְאִתְחֲזֵי בְּחֶלְמָא לִבְנֵי נָשָׁא, וְחָמָאן בְּחֶלְמָא דְּיוֹקְנָא דְּהַהוּא בַּר נָשׁ, וְאוֹדַע לוֹן מִלִּין לְפוּם אָרְחֵיהּ דְּהַהוּא רוּחַ קַדְמָאָה, דְּקָא אִתְמְשַׁךְ מִנֵּיהּ, כְּמָה דְּאִיהוּ בְּהַהוּא עָלְמָא, הָכִי מְשַׁטְּטָא הַאי, וְאוֹדַע בְּהַאי עָלְמָא.

קנג. וְהָכִי אָזִיל וּמְשַׁטְּטָא בְּעָלְמָא, וּפַקְדַת תָּדִיר לְהַהוּא קִבְרָא, עַד זִמְנָא דְּרוּחוֹת פַּקְדָן לְגַבֵּי קִבְרַיְיהוּ דְּגוּפִין. כְּדֵין, הַאי רוּחָא, אִתְחַבַּר בְּהַהוּא רוּחַ דִּילֵיהּ, וְאִתְלַבַּשׁ בֵּיהּ, וְאָזִיל לֵיהּ. כַּד עָאל לְדוּכְתֵּיהּ, אִתְפָּשַׁט מִנֵּיהּ. וְדוּכְתָּא אִית לֵיהּ בְּאִינּוּן הֵיכָלִין דְּגַן עֵדֶן, אוֹ לְבַר, לְפוּם אָרְחוֹי דְּכָל חַד וְחַד, וְתַמָּן אִתְטְמַר.

קס"ד. וְכַד רוּחִין פַּקְדָן לְהַאי עָלְמָא, דְּמִתִין נָזְקִין לְגַבֵּי חַיִּין, לָא נָזְקִין אֶלָּא בְּהַהוּא מְשִׁיכוּ דְרוּחָא, וּבֵיהּ אִתְלַבַּשׁ רוּחָא אָחֳרָא. וְאִי תֵימָא, אִי הָכִי, תּוֹעַלְתָּא אִיהוּ לְרוּחָא, וְהַאי אִתְּתָא תּוֹעַלְתָּא עָבְדַת לְכֹלָּא. לָאו הָכִי, דְּאִלְמָלֵא לָא אִתְוַסִיבַת לְגַבֵּי אָחֳרָא, וְהַאי רוּחָא קַדְמָאָה לָא מִתְהַדְוַזִיָּיא מִקַּמֵי הַאי גַּבְרָא אָחֳרָא, תּוֹעַלְתָּא אָחֳרָא הֲוָה לֵיהּ, בְּגַוְונָא אָחֳרָא, וְלָא יְהֵא לָאֵי בְּעָלְמָא, כְּמָה דַהֲוֵי, וְלָא יָזְדַקַק לְגַבֵּי חַיִּין דְּהַאי עָלְמָא, כְּמָה דַהֲוֵי מְשַׁטְטָא הָכָא וְהָכָא.

קס"ה. אִי הָכִי זִוּוּגָא תִנְיָינָא דְּהַאי אִתְּתָא, לָא הֲוֵי מִלְּעֵילָּא. וְאַתְּ אַמְרַתְּ דְּאִתְדַּוְזִיָּיא גַּבְרָא מִקַּמֵי גֶּבֶר, וַאֲמֵינָא דְּהַאי בַּעֲלָהּ תִּנְיָינָא, דְּנָסִיב לְאִתְּתָא דָּא, אִיהוּ בַּת זוּגֵיהּ מַמָּשׁ. וְהַהוּא קַדְמָאָה לָאו בַּר זוּגֵיהּ הֲוָה. וְהַאי תִנְיָינָא דִּילֵיהּ הֲוָה, וְכַד מָטָא זִמְנֵיהּ, אִתְדַּוְזִיָּיא דָא מִקַּמֵיהּ. וַדַּאי הָכִי הוּא, דְּהָא לָא אִתְדַּוְזִיָּיא הַהוּא רוּחָא קַדְמָאָה, דַּהֲוָה בְּהַאי אִתְּתָא. אֶלָּא בְּגִין דְּהַאי תִנְיָינָא, דְּאִיהוּ בַּר זוּגָהּ.

קס"ו. וְכָל אִינּוּן תִּנְיָינִין, דְּאִתְדַּוְזִין מִקַּמֵי קַדְמָאִין. קַדְמָאִין הֲווֹ בְּנֵי זוּגַּיְיהוּ, וְלָא הָנֵי. וּבְגִין כָּךְ, לָא אִית לוֹן קִיּוּמָא בַּהֲדַיְיהוּ, וְאִתְדַּוְזִיָּיא רוּחַ תִּנְיָינָא מִקַּמֵי רוּחָא קַדְמָאָה. וּבְגִין כָּךְ, מַאן דְּנָסִיב אַרְמַלְתָּא, קָרִינָן עָלֵיהּ, וְלָא יָדַע כִּי בְנַפְשׁוֹ הוּא. כִּי וְגַם מִזּוֹרָה הָרָשֶׁת וְגוֹ' וְלָא יָדִיעַ אִי הִיא בַּת זוּגֵיהּ מַמָּשׁ אִי לָאו

קס"ז. אַרְמַלְתָּא דְּלָא נְסִיבַת, אַף עַל גַּב דְּאָתֵי בַּר זוּגָהּ, וְאִיהִי לָא בַּעְיָאת לְאִתְנַסְּבָא, קוּדְשָׁא בְּרִיךְ הוּא לָא כַּיִיף לָהּ מִן דִּינָא, וְקוּדְשָׁא בְּרִיךְ הוּא אָזְמִין לְהַהוּא בַּר נָשׁ אִתְּתָא אָחֳרָא, וְלָא עָאלַת בְּדִינָא כְּהַאי בְּהַהוּא עָלְמָא, וְאַף עַל גַּב דְּלֵית לָהּ בַּר, דְּהָא אִתְּתָא לָא אִתְפַּקְּדַת אַפְרִיָּיה וּרְבִיָּיה, כְּמָה דְאוּקְמוּהָ.

קס"ח. אִתְּתָא דָּא דְּלָא אִתְנְסִיבַת זִמְנָא תִּנְיָינָא, הַהוּא רוּחַ דְּשָׁבַק בָּהּ בַּעְלָהּ מֶה אִתְעֲבֵיד מִנֵּיהּ. יָתִיב תַּמָּן תְּרֵיסָר יַרְחֵי, וּבְכָל לֵילְיָא וְלֵילְיָא, נָפִיק וּפָקֵד דָּא לְנַפְשָׁא, וְאִתְהַדַּר לְאַתְרֵיהּ. לְבָתַר תְּרֵיסָר יַרְחֵי, דְּקָא אִסְתַּלָּק דִּינָא דְּהַהוּא גַּבְרָא, דְּהָא כָּל אִינּוּן תְּרֵיסָר יַרְחֵי, הָא רוּחָא אִתְכַּסְּפָיָא בַּעֲצִיבוּ כָּל יוֹמָא. לְבָתַר תְּרֵיסָר יַרְחֵי, נָפִיק מִתַּמָּן, וְאָזִיל וְקַיְימָא לְתַרְעָא גַּן עֵדֶן, וּפָקֵד דָּא לְהַאי עָלְמָא, לְגַבֵּי הַהוּא מָאנָא, דְּנָפִיק מִנֵּיהּ. וְכַד הַאי אִתְּתָא אִסְתַּלָּקַת מֵעָלְמָא, הַהוּא רוּחַ נָפֵיק וְאִתְלַבַּשׁ בְּהַהוּא רוּחַ דִּילָהּ, וְזַכָּאת בֵּיהּ לְגַבֵּי בַּעְלָהּ, וְנָהֲרִין תַּרְוַוייְהוּ, כְּדְקָא יָאוֹת, בְּחִבּוּרָא חֲדָא.

קס"ט. כֵּיוָן דְּאָתֵינָא לְהַאי אֲתָר, הַשְׁתָּא אִית לְגַלָּאָה אָרְחִין סְתִימִין, דְּמָארֵי עָלְמָא, לָא יַדְעִין בְּהוּ בְּנֵי נָשָׁא. וְכֻלְּהוּ אָזְלִין בְּאָרְחוֹי קְשׁוֹט, כד"א כִּי יְשָׁרִים דַּרְכֵי יְיָ וְצַדִּיקִים יֵלְכוּ בָם וּפוֹשְׁעִים יִכָּשְׁלוּ בָם. וּבְנֵי נָשָׁא לָא יַדְעִין, וְלָא מַשְׁגִּיחִין, כַּמָה אִינּוּן עִלָּאִין, עוֹבָדִין דְּקוּדְשָׁא בְּרִיךְ הוּא, וְכַמָּה מְשַׁנְיָין אִינּוּן, וּבְנֵי עָלְמָא לָא יַדְעִין, וְכֻלְּהוּ בְּאָרְחוֹי קְשׁוֹט, דְּלָא סָטָאן לִימִינָא וְלִשְׂמָאלָא.

ק"ע. הָנֵי דְּמִתְגַּלְגְּלִין, דְּקָא אִתְתָּרְכוּ בְּתֵרוּכִין מֵהַהוּא עָלְמָא, וְלֵית לוֹן בַּת זוּג. בַּת זוּג דְּקָא מִזְדַּוְּוגָן בְּהַאי עָלְמָא, מַאן אִינּוּן, דְּקָא מִזְדַּוְּוגָן בַּהֲדַיְיהוּ בְּהַאי עָלְמָא. דְּהָא לְכֻלְּהוּ בְּנֵי נָשָׁא, אִית לוֹן בַּת זוּג, בַּר מֵהַאי.

קע"א. וַחֲמוּ הַשְׁתָּא, כַּמָה אִינּוּן רַבְרְבִין וְעִלָּאִין גְּבוּרָן דִּילֵיהּ. תָּנֵינָן, מַאן דְּמִתָּרַךְ אִתְּתֵיהּ קַדְמָאָה, מַדְבְּחָא אָחֵית עֲלוֹי דִּמְעִין. אֶלָּא, הָא אֲמֵינָא, דְּכָל נָשִׁין דְּעָלְמָא בְּדִיּוּקְנָא דְהַאי מִזְבֵּחַ קַיְימֵי, וְעַל דָּא יְרוּתָאן אִינּוּן שֶׁבַע בִּרְכָאן, דְּכֻלְּהוּ מִכְּנֶסֶת יִשְׂרָאֵל אִינּוּן. וְאִי אִיהוּ מִתָּרַךְ לָהּ, אַהֲדָר אַבְנָא דְּמַדְבְּחָא עִלָּאָה לְגַרְעוֹנָא.

מ"ט. בְּגִין דְּמִתְחַבְּרָן תְּרוּכִין בַּהֲדֵי הֲדָדֵי.

קסב. וְרָזָא דָּא דִּכְתִּיב, וְכָתַב לָהּ סֵפֶר כְּרִיתוּת וְנָתַן בְּיָדָהּ וְגוֹ', וְיָצְאָה מִבֵּיתוֹ וְהָלְכָה וְהָיְתָה לְאִישׁ אַחֵר. מִמַּשְׁמַע דְּאָמַר, וְהָלְכָה וְהָיְתָה לְאִישׁ, לָא יָדַעְנָא דְּלֵיתֵיהּ הַהוּא דְּתָרִיךְ לָהּ, מַאי אַחֵר. אֶלָּא כְּמָה דְּאִתְּמַר, אַחֵר תְּנָן, וְאַחֵר כְּתִיב, וְאַחֵר קָרֵינָן לֵיהּ, דִּכְתִיב וּמֵעָפָר אַחֵר יִצְמָחוּ. וְתְרוּכִין מִתְחַבְּרָן כַּחֲדָא, תְּרוּכִין דְּהַהוּא עָלְמָא, וְתְרוּכִין דְּהַאי עָלְמָא. וּמַה דַּהֲוַת הַאי אִתְּתָא, בְּדִיוּקְנָא עִלָּאָה, הָא אִשְׁתַּעְבְּדָא לְדִיוּקְנָא תַּתָּאָה, קָרֵינָא לֵיהּ אַחֵר.

קסג. וְקָרֵינָן לֵיהּ אַחֲרוֹן, אַחֲרוֹן מְנָלָן. דִּכְתִּיב, וְאַחֲרוֹן עַל עָפָר יָקוּם. וְהָכָא כְּתִיב וּשְׂנֵאָהּ הָאִישׁ הָאַחֲרוֹן. אוֹ כִּי יָמוּת הָאִישׁ הָאַחֲרוֹן. אַחֲרוֹן, שֵׁנִי מִבָּעֵי לֵיהּ. וְאִי תֵּימָא, דְּלָא תִּזְדַּוֵּוג אֲפִילּוּ לַעֲשָׂרָה, דָּא בָּתַר דָּא. לָאו הָכִי. וְכִי לְבַעְלָהּ דָּא תִּזְדַּוֵּוג, וְלָא לְאַחֲרָא, מַאי אַחֲרוֹן.

קסד. אֶלָּא דָּא אִיהוּ הַאי אַחֵר דְּקָאָמְרָן, וְאִיהוּ אַחֵר, וְאִיהוּ אַחֲרוֹן. הַשְׁתָּא אַבְנָא מִתְגַּלְגְּלָא בְּקוּסְפִּתָא. אַחֵר אֲמַאי אִקְרֵי הָכִי דְּהָא כָּל בִּנְיָינָא נָפַל, וְאִתְהַדַּר לְעַפְרָא, אִיהוּ הֲוָה מַה דַּהֲוָה, וְלָא אַחֲרָא. אֲמַאי קָרֵינָן לֵיהּ אַחֵר. אוּף הָכִי אֲמַאי אִקְרֵי אַחֲרוֹן, וְכִי אַחֲרוֹן אִיהוּ, וְהָא אִי יִתְיַשַּׁר יָאוּת, וְאִי לָא, יְהַדַּר וְיִתְגַּלְגֵּל וְיִתְנְטַע כְּמִלְּקַדְּמִין, אֲמַאי אִקְרֵי אַחֲרוֹן.

קסה. אֲבָל תָּא חֲזֵי, כְּתִיב וַיַּרְא אֱלֹהִים אֶת כָּל אֲשֶׁר עָשָׂה וְהִנֵּה טוֹב מְאֹד, מַאי טוֹב. תָּנֵינָן, דָּא מַלְאַךְ דְּטוֹב. מְאֹד, דָּא מַלְאַךְ הַמָּוֶת. וּלְכֹלָּא קוּדְשָׁא בְּרִיךְ הוּא אַזְמִין תִּקּוּנוֹי.

קסו. ת"ח, כְּתִיב וְנָהָר יוֹצֵא מֵעֵדֶן לְהַשְׁקוֹת אֶת הַגָּן, נָהָר דָּא, לָא שָׁכִיךְ לְעָלְמִין, מִלְּאַפָּשָׁא וּלְמִסְגֵּי וּלְמֶעְבַּד פֵּירִין. וְאֵל אַחֵר אִסְתְּרַס, וְלֵית לֵיהּ תִּיאוּבְתָּא לְעָלְמִין, וְלָא אַפִּישׁ, וְלָא עָבֵיד פֵּירִין, דְּאִלְמָלֵי עָבֵיד פֵּירִין, יְטַשְׁטֵשׁ לְכָל עָלְמָא.

קסז. וּבְגִּין כַּךְ, בַּר נָשׁ דְּגָרִים לְהַהוּא סְטַר דְּיִפּוּשׁ בְּעָלְמָא, אִקְרֵי רַע, וְלָא חָמֵי אַפֵּי שְׁכִינְתָּא לְעָלְמִין, דִּכְתִיב לֹא יְגוּרְךָ רָע. הַאי בַּר נָשׁ, דְּמִתְגַּלְגְּלָא בְּגִלְגּוּלָא, אִי אִיהוּ עָבַר וְאִתְדַּבַּק בְּהַהוּא אֵל אַחֵר, דְּלָא עָבֵיד פֵּירִין, וְלָא אַפִּישׁ בְּעָלְמָא, בְּגִין כַּךְ אִקְרֵי אַחֵר, וּשְׁמָא גָּרִים לֵיהּ, אִיהוּ הוּא, וְאַחֵר אִקְרֵי, אַחֵר וַדַּאי.

קסח. אַחֲרוֹן: מִקַּדְמָאָה וְאֵילָךְ, אַחֲרוֹן קָרֵינָן לֵיהּ, וְאַחֲרוֹן אִקְרֵי. תִּנְיָינָא אִיהוּ, וּמִיָּד אִקְרֵי אַחֲרוֹן, וְהָכִי קָרֵי לֵיהּ קוּדְשָׁא בְּרִיךְ הוּא אַחֲרוֹן, בְּגִין דְּיִתְתָּקַן לְמֶהֱוֵי אַחֲרוֹן, וְלָא יְתוּב כְּמִלְּקַדְּמִין. תְּלִיתָאָה אוּף הָכִי. וְכֵן בְּכָל זִמְנִין, מִקַּדְמָאָה וְאֵילָךְ. הָכִי אִקְרֵי אַחֲרוֹן, וְהָכִי אִצְטְרִיךְ לְמִקְרֵי אַחֲרוֹן, דְּאִלְמָלֵא אִתְקְרֵי מִיַּד תִּנְיָינָא, הָא פִּתְיוּחוּ דְּפוּמָא לְאַהְדְּרָא כְּמִלְּקַדְּמִין, וְהַהוּא בִּנְיָינָא אִסְתְּתַר.

קסט. מְנָלָן. מִבַּיִת שֵׁנִי דְּאִקְרֵי אַחֲרוֹן, דִּכְתִיב גָּדוֹל יִהְיֶה כְּבוֹד הַבַּיִת הַזֶּה הָאַחֲרוֹן מִן הָרִאשׁוֹן. דְּהָא מִקַּדְמָאָה וְאֵילָךְ, אַחֲרוֹן אִקְרֵי, דְּהָא לָא יְהֵא פִּתְיוּחוּ דְּפוּמָא, דְּהַהוּא בִּנְיָינָא יִנְפּוֹל, וְיִתְהַדָּר כְּמִלְּקַדְּמִין.

קע. אוּף הָכִי דָּא, אַחֲרוֹן קָרֵינָן לֵיהּ. וּבְגִין כַּךְ כְּתִיב, לֹא יוּכַל בַּעְלָהּ הָרִאשׁוֹן אֲשֶׁר שִׁלְּחָהּ לָשׁוּב לְקַחְתָּהּ. לֹא יוּכַל, לֹא יִקָּחֶנָּה מִבָּעֵי לֵיהּ, מַאי לֹא יוּכַל. אֶלָּא כֵּיוָן דְּהַאי אִתְּתָא אִתְדַּבְּקַת בְּאַחֵר, וְנַחֲתַת לְאִשְׁתַּעְבְּדָא בְּדַרְגָּא תַּתָּאָה, לָא בָּעֵי קוּדְשָׁא בְּרִיךְ הוּא, דְּאִיהוּ יְתוּב מִדַּרְגָּא דִּילֵיהּ, לְמֵיהַב אִיבָּא, וּלְאִתְדַּבְּקָא בְּהַהוּא דַּרְגָּא דְּלָאו דִּילֵיהּ.

קעא. וְת"ח, אִי הַאי אִתְּתָא לָא אִתְנְסִיבַת, אֲפִילּוּ תִּזְנֶה בְּכָל גּוּבְרִין דְּעָלְמָא, אִי בָּעֵי בַּעְלָהּ יְתוּב לְגַבָּהּ, אֲבָל אִי אִתְדַּבְּקָא בְּנִשּׂוּאִין לְאַחֵר, דָּא לֹא יוּכַל לָשׁוּב לְדַרְגָּא

קַדְמָאָה, דַּהֲוָה בְּקַדְמֵיתָא לְגַבָּהּ. לָא יוּכַל וַדַּאי לְאָתְבָא לְהַהוּא דַּרְגָּא לְעָלְמִין.

קעב. אַחֲרֵי אֲשֶׁר הֻטַּמָּאָה. תָּנֵינָן, דְּהִטַּמְּאָה בְּלִבֵּיהּ. אִי הָכִי, אֲפִילּוּ אִי תִּתְרַחֵק וְתִזְנֶה בְּלָא נְשׂוּאִין. אֶלָּא, כֵּיוָן דְּאִתְדַּבְּקַת לְאָחֳרָא, הָא קַבִּילַת עָלָהּ ווּלְקָא דְּהַהוּא סִטְרָא, וּבַעְלָהּ קַדְמָאָה דְּאִיהוּ מִסִּטְרָא אָחֳרָא טָבָא דְּטוֹב, לָא יְהֵא לֵיהּ בָּהּ ווּלְקָא לְעָלְמִין, וְלָא יַפִּישׁ כְּלָל לְהַהוּא אֲתַר. הָא אִם שְׁלָחָהּ הָאִישׁ הָאַחֲרוֹן, אוֹ כִּי יָמוּת הָאִישׁ הָאַחֲרוֹן, לְקַדְמָאָה אֲסוּרָא, אֲבָל לִשְׁאָר בְּנֵי נָשָׁא, תִּשְׁתְּרֵי. דִּילְמָא תִּשְׁכּוֹךְ אַתְרָא כְּמִלְּקַדְמִין, וְאַחֲרוֹן יָקוּם דְּיִזְדַּוָּג בַּהֲדָהּ.

קעג. מַאן דְּאִית לֵיהּ בְּנִין מֵאִתְּתֵיהּ קַדְמֵיתָא, וְאָעִיל הַאי לְגוֹ בֵּיתֵיהּ, הַהוּא יוֹמָא אִתְדַּבַּק בְּחַרְבָּא קַשְׁיָא דְּמִתְהַפְּכָא, בְּגִין תְּרֵין סִטְרִין. חַד, דְּהָא תְּרֵין דָּחַת לוֹן לְבַר, וְהַשְׁתָּא אִיהוּ תְּלִיתָאָה. וְתוּ, מָאנָא דְּאִשְׁתַּתַּף בֵּיהּ אָחֳרָא, הֵיךְ יֵיתֵי אִיהוּ לְמֵיהַב בֵּיהּ רְוָוחָא דִּילֵיהּ, וְיִשְׁתַּתַּף בַּהֲדָהּ, וְיִתְדַּבֵּק בָּהּ. לָאו דְּאִיהִי אֲסוּרָא, אֲבָל וַדַּאי שִׁתּוּפָא בִּישָׁא אִיהוּ לְגַרְמֵיהּ.

קעד. רַבִּי לְוִיטַס אִישׁ כְּפַר אוֹנוֹ, הֲוָה חָיֵיךְ וּמִתְלוֹצֵץ עַל אִתְּתָא דָּא, כַּד חָמֵי מַאן דְּאִזְדַּוַּג בַּהֲדָהּ, וַהֲוָה אָמַר, וַתִּשְׂחַק לְיוֹם אַחֲרוֹן כְּתִיב, מַאן דְּאִתְדַּבְּקַת בֵּיהּ בְּאִישׁ אַחֲרוֹן, וְחֵיכָא אִיהִי לְבָתַר.

קעה. הַשְׁתָּא, אִית לְאַהְדְּרָא וּלְעַיְּינָא, עַל אֲתַר חַד רַב וְעִלָּאָה, דַּהֲוָה בְּעָלְמָא, וְגִזְעָא וְשָׁרְשָׁא דִּקְשׁוֹט, וְאִיהוּ עוֹבֵד אֲבִי יִשַׁי אֲבִי דָּוִד. דְּהָא אִתְּמַר דְּאַחֲרוֹן הֲוָה, הֵיךְ נָפַק שָׁרְשָׁא דִּקְשׁוֹט, מִגּוֹ אֲתַר דָּא.

קעו. אֶלָּא, עוֹבֵד אִתְתַּקַּן בְּתִקּוּנָא עִלָּאָה, וְאַהְדַּר שָׁרְשָׁא דְּאִילָנָא דַּהֲוָה אִתְהַפַּךְ, עַל תִּקּוּנֵיהּ, וְאִסְתַּלִּיק בֵּיהּ, וְאִתְתַּקַּן כִּדְקָא יָאוּת, וְעַ"ד אִקְרֵי עוֹבֵד. מַה דְּלָא זָכוּ הָכִי, שְׁאָר בְּנֵי עָלְמָא.

קעז. אָתָא אִיהוּ, פָּלַח וְאַעְדַּר עִקְּרָא וְשָׁרְשָׁא דְּאִילָנָא, וְנָפַק מֵאַנְפִּין מְרִירָן, וְאַהְדַּר וְאִתְקִין בְּנוֹפָא דְּאִילָנָא אָחֳרָא עִלָּאָה, אָתָא יִשַׁי בְּרֵיהּ, וְאַחֲסִין לֵיהּ, וְתַקִּין לֵיהּ, וְאִתְאֲחַד בְּעַנְפּוֹי דְּאִילָנָא אָחֳרָא עִלָּאָה, וְחָבַר אִילָנָא בְּאִילָנָא, וְאִסְתַּבְּכוּ דָּא בְּדָא. כֵּיוָן דְּאָתָא דָּוִד, אַשְׁכַּח אִילָנִין מִסְתַּבְּכָן וּמִתְאַחֲדָן דָּא בְּדָא, כְּדֵין יָרִית שָׁלְטָנוּ בְּאַרְעָא, וְעוֹבֵד גָּרִים דָּא.

קעח. בְּכָה הַהוּא סָבָא וְאָמַר, אִי סָבָא סָבָא, וְלָא אֲמֵינָא לָךְ, דְּעָלַת בְּיַמָּא רַבָּא, הַשְׁתָּא אַנְתְּ הוּא גּוֹ תְּהוֹמֵי רַבְרְבִין, אִתְתַּקַּן לְסַלְּקָא. סָבָא סָבָא, אַנְתְּ גָּרַמְתְּ דָּא, דְּאִלְמָלֵא הֲוֵית שָׁתִיק בְּקַדְמֵיתָא, הֲוָה יָאוּת לָךְ, אֲבָל הַשְׁתָּא לָא יָכִילַת וְלֵית מַאן דְּאָחִיד בִּידָךְ, אֶלָּא אַנְתְּ בִּלְחוֹדָךְ. קוּם סָבָא וְאִסְתַּלַּק בִּסְלִיקוּ.

קעט. עוֹבֵד דָּא, אִתְתַּקַּן וְנָפַק מִגּוֹ חֲקַל בִּישָׁא, דְּגוּבִין בִּישִׁין. אָתָא יִשַׁי בְּרֵיהּ, וְאִתְקִין וְאַעְדַּר אִילָנָא, וְעַכ"ד, דָּא רָזָא דְּרָזִין, וְלָא יַדְעָנָא אִי אֵימָא, אִי לָא אֵימָא. אֵימָא מִילָּךְ סָבָא, וַדַּאי אֵימָא, בְּדָא יְדִיעָאן כָּל שְׁאָר בְּנֵי גִּלְגּוּלָא. עוֹבֵד עַכ"ד אִילָנָא אִתְקִין. כַּד אָתָא דָּוִד מַלְכָּא, בְּאִילָנָא תַּתָּאָה דְּנוּקְבָא אִשְׁתְּאַר, וְאִצְטְרִיךְ לְקַבְּלָא חַיִּין מֵאָחֳרָא, וּמַה אִי הַאי דְּאִתְתַּקַּן, וְאִתְקִין כֹּלָּא, הָכִי. שְׁאָר בְּנֵי עָלְמָא דְּאַתְיָין בְּגִלְגּוּלָא, דְּלָא יַכְלִין לְאִתְתַּקְּנָא הָכִי, עאכ"ו.

קפ. בְּכָל סִטְרִין אִתְהַפַּךְ בְּגִלְגּוּלָא. פֶּרֶץ הָכִי הֲוָה. בֹּעַז הָכִי הֲוָה. עוֹבֵד הָכִי הֲוָה. וּבְכֹלָּא נָפִיק אִילָנָא מִסִּטְרָא דְּרַע, וְאִתְדַּבַּק לְבָתַר בְּסִטְרָא דְּטוֹב. בְּקַדְמֵיתָא, וַיְהִי עֵר

בְּכוֹר יְהוּדָה רַע. מַזָּלוֹן אוּף הָכִי, וְלָאו כ"כ. אֲבָל בְּהָנֵי אִתְעֲכַל רָע, וְנָפִיק טוֹב לְבָתַר, הַהוּא דִּכְתִּיב בֵּיהּ, וְטוֹב רֹאִי. וַיְיָ' עִמּוֹ. הָכָא קַיְּימָא אִילָנָא תַּתָּאָה עַל תִּקּוּנֵיהּ, וּמֶלֶךְ אֱלֹהִים עַל גּוֹיִם.

קפא. בְּשֵׁירוּתָא דְּכֹלָּא, מֵעִקָּרָא וִיסוֹדָא עִלָּאָה, אִשְׁתְּרָשׁוּ דַּרְגִּין, רְאוּבֵן שִׁמְעוֹן לֵוִי יְהוּדָה, מַה כְּתִיב בֵּיהּ, הַפַּעַם אוֹדֶה אֶת יְיָ', וּכְתִיב וַתַּעֲמוֹד מִלֶּדֶת. הַיְינוּ רָנִּי עֲקָרָה לֹא יָלָדָה. בְּגִין דְּכַד אִתְיְלִיד יְהוּדָה, נַפְקַת נוּקְבָא מִתְדַּבְּקָא בִּדְכוּרָא, וְלָא הֲוַת עַל תִּקּוּנָהָא אַנְפִּין בְּאַנְפִּין, וְלָא אִתְכַּשְׁרַת לְאוֹלָדָא. כֵּיוָן דְּנָסַר לָהּ קוּדְשָׁא בְּרִיךְ הוּא וְאַתְקִין לָהּ כְּדֵין אִתְכַּשְׁרַת לְאִתְעַבְּרָא וּלְאוֹלָדָא.

קפב. וּבְסִפְרָא דְּחֲנוֹךְ, וַתַּעֲמוֹד מִלֶּדֶת, לָאו עַל לֵאָה אִתְּמַר, אֶלָּא עַל רָחֵל אִתְּמַר, הַהִיא דִּמְבַכָּה עַל בָּנֶיהָ, הַהִיא דְּאִשְׁתְּרָשַׁת בִּיהוּדָה: יְהֹ"ו דָ"ה. וַתַּעֲמוֹד מִלֶּדֶת, דְּהָא לָא אִתְתַּקְנָא.

קפג. בְּקַדְמֵיתָא, דְּיוֹקְנָא דִּלְעֵילָּא הֲוָה כֹּלָּא רְאוּבֵן: או"ר בֵּ"ן. וַיֹּאמֶר אֱלֹהִים יְהִי אוֹר, יְמִינָא אוֹר. שִׁמְעוֹן שְׂמָאלָא אוֹר בְּהַהוּא סִיגָא דְּדַהֲבָא בַּהֲדֵיהּ שֵׁם עָוֹן. לֵוִ"י: וְחִבּוּרָא דְּכֹלָּא, לְאִתְחַבְּרָא מִתְּרֵין סִטְרִין. יְהוּדָה: נוּקְבָא בַּהֲדֵי דְּכוּרָא מִתְדַּבְּקַת, יְהֹ"ו, דָּא דְּכוּרָא. דָ"ה, דָּא נוּקְבָא דַּהֲוַת בַּהֲדֵיהּ.

קפד. דָ"ה, אֲמַאי דָ"ה. אֶלָּא ד', בְּאִתְדַּבְּקוּתָא דְּרַע בַּהֲדָהּ, אִיהִי דָלֶ"ת, מִסְכְּנָא אִיהִי, וְאִצְטְרִיךְ לְאַתָבָא בְּגִלְגּוּלָא, לְאִתְעַכְּלָא הַהוּא רַע, וּלְמִתְבְּלֵי בְּעַפְרָא. וּלְבָתַר לְצַמְּחָא בְּסִטְרָא דְּטוֹב, וּלְנָפְקָא מִמִּסְכְּנוּ לַעֲתִירוּ, וּכְדֵין ה'. וְעַל דָּא, יְהֹ"ו דָ"ה.

קפה. פּוּק סָבָא, מִגּוֹ תְּהוֹמֵי, לָא תִּדְחַל, כַּמָּה אַרְבִּין זְמִינִין לָךְ, בְּשַׁעֲתָא דְּתִשׁוּטֵט יַמָּא, בְּגִין לְנַיְיחָא בְּהוּ. בָּכָה כְּמִלְּקַדְּמִין וְאָמַר, מָארֵי דְּעָלְמָא, דִּילְמָא יֵימְרוּן מָשִׁרְיָין עִלָּאִין, דַּאֲנָא סָבָא, וּבָכֵי כְּיָנוּקָא. גַּלֵּי קַמָּךְ, דְּעַל יְקָרָךְ אֲנָא עָבֵיד, וְלָא עֲבִידְנָא עַל יְקָרָא דִּילִי, דְּהָא בְּקַדְמֵיתָא הֲוָה לִי לְאִסְתַּמְּרָא, דְּלָא אֵיעוֹל בְּיַמָּא רַבָּא, וְהַשְׁתָּא כֵּיוָן דַּאֲנָא בֵּיהּ, אִית לִי לְשַׁטְטָא בְּכָל סִטְרִין, וּלְנָפְקָא מִנֵּיהּ.

קפו. יְהוּדָה אַתָּה יוֹדוּךָ אַחֶיךָ, הַיְינוּ דַּאֲנָן אַמְרִין בָּרוּךְ אַתָּה. אִיהוּ בָּרוּךְ וְאִיהִי אַתָּה, לְכֻלְּהוּ בְּנוֹי לָא אָמַר יַעֲקֹב אַתָּה, אֶלָּא לַאֲתַר דְּאִצְטְרִיךְ. דָּא אִיהוּ אַתָּה.

קפז. שְׁמָא דָּא, יוֹדוּךָ אַחֶיךָ, כֻּלְּהוּ אוֹדָן לָךְ עַל שְׁמָא דָּא, וַדַּאי אַתָּה יוֹדוּךָ אַחֶיךָ, עַל שְׁמָא דָּא, אִסְתַּלַּק וְאִתְכַּפְיָא סְטַר אַחֲרָא, בְּגִין דְּכַד אִתְקְרֵי וְאַדְכַּר, הָא נַפְקַת סִטְרָא אַחֲרָא בַּהֲדָהּ. כֵּיוָן דְּאַמְרֵי אַתָּה, שָׁלְטָנוּ וְרַבְרְבָנוּ אִית לָהּ, וְסִטְרָא אַחֲרָא אִתְכַּפְיָיא, וְלָא אִתְחֲזִיאַת תַּמָּן. וַדַּאי בִּשְׁמָא דָּא אִתְרְשִׁים וְאִתְבְּרִיר מִסִּטְרָא אַחֲרָא. וְדָא אִסְתַּלְּקוּ וְשָׁלְטָנוּ דִּילֵיהּ, וְתַבִּירוּ וּבִישׁ לְסִטְרָא אַחֲרָא. כֵּיוָן דְּיוֹדוּךָ אַחֶיךָ עַל שְׁמָא דָּא, אַתָּה, כְּדֵין יָדְךָ בְּעֹרֶף אוֹיְבֶיךָ, מִיַּד אִתְכַּפְיָין לְגַבָּךְ, וּשְׁמָא דָּא גָּרִים.

קפח. יָדְעָנָא וְחַבְרַיָּיא יָדְעָנָא, דְּהָא אַתָּה שְׁמָא דָּא, אַתּוּן אַמְרִין לַאֲתַר אַחֲרָא עִלָּאָה, דִּכְתִּיב אַתָּה כֹהֵן לְעוֹלָם, בִּימִינָא עִלָּאָה. שַׁפִּיר אִיהוּ, דְּהָא כֵּיוָן דְּרַבִּי שִׁמְעוֹן אוֹדָן לֵיהּ עִלָּאִין וְתַתָּאִין, וְזָכָה לְכֹלָּא, כָּל מַה דְּאִיהוּ אָמַר, הָכִי אִיהוּ וְשַׁפִּיר.

קפט. אֲבָל כַּד תֶּהֱווֹן מְטָאן לְגַבֵּיהּ, אֵימְרוּ לֵיהּ, וְאַדְכְּרוּ לֵיהּ, יוֹמָא דְּתַלְגָּא, כַּד זַרְעָנָא פּוּלִין, לְחַמְשִׁין וּתְרֵין גַּוְונִין. דְּהָא אַתָּה כֹהֵן, הָכָא אִתְקְשַׁר כּוֹס דִּבְרָכָה בִּימִינָא, בְּלָא פֵּרוּדָא כְּלָל. וּבְגִין כַּךְ, אַתָּה כֹהֵן לְעוֹלָם, הָכָא אִתְקְשַׁר כּוֹס בִּימִינָא, כַּדְקָא יָאוּת.

קצ. וְעַל דָּא אָמַר קְרָא, יְהוּדָה אַתָּה, לְהַאי אַתָּה יוֹדוּךָ אַחֶיךָ, וְלָא כְּתִיב יְהוּדָה

יודוּךְ אַחֶיךָ, וְלָא יַתִּיר, אֶלָּא עַל שְׁמָא דְּאַתָּ"ה. אַתָּה, אֲתַר דָּא, אִצְטְרִיךְ לִשְׁמָא דָּא, וְלָא אַחֲרָא.

קצא. יְהוּדָה, אַבָּא קַדְמָאָה, וְאַבָּא תִּנְיָינָא, וְלָא הֲוָה בֵּיהּ חִלּוּפָא לְעָלְמִין. וּבג"כ פֶּרֶץ אִתְתַּקַּף בֵּיהּ בְּתוּקְפוֹי, מַה דְּלָא הֲוָה הָכִי לְכָל בְּנֵי עָלְמָא. וְע"ד בִּנְיָינָא דְּדָוִד, שָׁארֵי וְשַׁבְּחָא מִפֶּרֶץ, וְלָא מִבֹּעַז, דַּהֲוָה בֵּיהּ שִׁנּוּיָא. וְחַבְרַיָּיא, אִי תַּשְׁגְּחוּן, לָאו מִלִּין בִּסְתִימוּ קָא אֲמֵינָא, וְאע"ג דִּסְתִימִין אִינּוּן.

קצב. וְע"ד, יְהוּדָה רָוַוח שְׁמָא דָּא, דְּאִקְרֵי אַתָּה. קָם עַל בּוּרְיֵהּ זִמְנָא קַדְמָאָה, וְזִמְנָא תִּנְיָינָא, וְלָא אִשְׁתְּנֵי לְעָלַם. וּבְנוֹי דִּיהוּדָה וְזַרְעָא דִּילֵיהּ, אוֹדָן וְאָמְרִין כִּי אַתָּה אָבִינוּ. מַה דְּלֵית הָכִי לִשְׁאַר בְּנֵי גִּלְגּוּלָא לְעָלְמִין. שְׁאַר בְּנֵי גִּלְגּוּלָא, תְּרֵין אֲבָהָן, תְּרֵין אִמָּהָן, אִית לוֹן גַּוְון לִבְנְיָינָא. וְרָזִין אִלֵּין, בְּעִמְקֵי יַמָּא, בְּלִבָּא דִּתְהוֹמֵי אִינּוּן, מַאן יָכִיל לְאַפָּקָא לוֹן. קוּם סָבָא, אִתְגַּבַּר וְאִתְתַּקַּף בְּתוּקְפָּךְ, אַפִּיק מַרְגְּלָן מִגּוֹ תְּהוֹמֵי.

קצג. בֹּעַז, אִתְחֲזֵי דַּהֲוָה בֵּיהּ שִׁנּוּיָא, כַּד אוֹלִיד לְעוֹבֵד, דְּהָא עוֹבֵד בְּשִׁנּוּיָא הוּא. לָאו הָכִי. אִבְצָן הוּא בֹּעַז, הוּא אַבָּא קַדְמָאָה, דְּלָא עָבֵד שִׁנּוּיָא. וְאִי תֵּימָא, אִיהוּ הֲוָה, וַדַּאי כַּד אִתְעַר לְעוֹבָדָא דָּא, בֵּיהּ הֲוָה, מַאן דְּהוּא תַּקִּיף כְּאַרְיָא וְכַלְיְתָא בֵּיהּ הֲוָה. בְּגִין דְּלָא לֶהֱוֵי שִׁנּוּיָא בֵּיהּ בְּדָוִד, וְאִתְהַדַּר מִלָּה לְעִקָּרָא קַדְמָאָה, בְּגִין דִּיהֵא כֹּלָּא מֵאַבָּא וְחָדָא, וְשַׁלְשְׁלָא וְחָדָא. וְכֹלָּא וְחַד, וְלָא הֲוָה שִׁנּוּיָא בְּגִלְגּוּלָא דְּזַרְעָא דְּדָוִד. וְעַל דָּא, אַתָּה מֵרֵישָׁא וְעַד סוֹפָא, בְּלָא שִׁנּוּיָיא כְּלָל.

קצד. הַשְׁתָּא, נַפְקַת סָבָא, מֵעִמְקֵי לִבָּא דְּיַמָּא. יְהוּדָה אַתָּה, וַדַּאי מֵרֵישָׁא וְעַד סוֹפָא וְלָא אִתְחֲזֵי לְכָל שְׁאַר בְּנִין, לְאִתְקְרֵי אַתָּה, אֶלָּא לֵיהּ בִּלְחוֹדוֹי. זַכָּאָה חוּלָקֵיהּ דְּדָוִד, דְּהָכִי אִתְבְּרִיר, וְאִסְתַּלַּק מִשְּׁאַר עִקָּרָא דִּבְנֵי נָשָׁא בְּאַרְעָא.

קצה. יוֹדוּךְ אַחֶיךָ, יוֹדוּךְ כָּל בְּנֵי עָלְמָא מִבָּעֵי לֵיהּ, מ"ט אַחֶיךָ. אֶלָּא אֹרַח כָּל בְּנֵי עָלְמָא, לָא מִתְיַבְּמִין לְגִלְגּוּלָא, אֶלָּא מִסִּטְרָא דְּאַחִין, וְאָחָא אִזְדְּמַן לְיִבּוּמָא, וְאַתְּ בְּגַרְמָךְ, אִזְדַּמְּנַת לְיִבּוּמָא. וְהָכָא כֻּלְּהוּ אַחֶיךָ יוֹדוּךָ, דְּלָא יִשְׁתַּלְשֵׁל מִנַּיְיהוּ, וְלָא מֵחַד מִנַּיְיהוּ, שַׁלְשׁוּלָא דְּמַלְכוּ, אֶלָּא אַתָּה בִּלְחוֹדָךְ. אַתָּה, מֵרֵישָׁא וְעַד סוֹפָא אַתָּה עֲבַדַת, וּמִינָךְ נָפַק, כָּל שַׁלְשׁוּלָא וְגִזְעָא דְּאַרְיֵה.

קצו. בָּנֶיךָ, בְּנֵי אַרְיֵה, דְּלָא אִתְעֲבָרוּ לְשִׁנּוּיָא דְּאָחִיךָ, לָא אִתְחַלְּפוּ לְטָלֶה, וְלָא לְשׁוֹר, וְלָא לְגַדְיָ, וְלָא לְשׁוּם דְּיוּקְנָא אַחֲרָא, אֶלָּא אַרְיֵה שָׁארֵי לְמִבְנֵי, וְאַרְיֵה סַיֵּים בִּנְיָינָא. כָּל שַׁלְשׁוּלָךְ, בְּנֵי אַרְיֵה נִינְהוּ. דְּאִלְמָלֵא אָתָא גִּלְגּוּלָא מִסִּטְרָא דְּאָחוּךְ, יִתְחַלְּפוּן כָּל דְּיוּקְנִין, וְיִתְעָרְבוּן אִלֵּין בְּאִלֵּין. וְעַל דָּא יוֹדוּךְ אַחֶיךָ, דְּלָא הֲוָה וְחַד מִנְּהוֹן, בְּגִלְגּוּלָא דְּשַׁלְשְׁלָאָה דִּבְנָךְ. יָדְךָ זְקִיף, דְּלָא הֲוָה בָּךְ עִרְבּוּבְיָא אַחֲרָא מִנַּיְיהוּ.

קצז. וְהַיְינוּ מִטֶּרֶף בְּנִי עָלִית, דְּלָא הֲוָה טַרְפָּא לְאַחֲרָא עַל פָּתוֹרָךְ. כָּרַע, בְּמִיתַת עֵר. רָבַץ, בְּמִיתַת אוֹנָן. לְבָתַר אִתְגַּבַּר כְּאַרִי, לְאָקָמָא לְפֶרֶץ. וּכְלָבִיא, לְאָקָמָא לְזֶרַח. מִי יְקִימֶנּוּ, דִּכְתִיב וְלֹא יָסַף עוֹד לְדַעְתָּהּ. וְתַרְגּוּם וְלָא פָּסַק. מִי יְקִימֶנּוּ, מַאן הוּא דְּיֵימָא, אֲסוּרָה אַתְּתָא דָּא. מַאן הוּא דְּיֵימָא, הוֹאִיל וְאַשְׁלִימַת אָרְוָזהָא, לָא אִצְטְרִיכָא לָךְ יַתִּיר, יְבָמָה דָּא, כֵּיוָן דְּאַשְׁלִימַת אָרְוָזהָא, לָא אִצְטְרִיכַת לָךְ יַתִּיר, וְאִתְחֲזִיאַת לְאִתְפָּרְשָׁא מִינָּהּ, אֲבָל מִי יְקִימֶנּוּ, וַדַּאי מִתַּמָּן וּלְהָלְאָה אִיהִי דִּילֵיהּ. דְּהָא אַפִּין מַאן דִּמְכַשְׁכֵשׁ בִּמְעָהָא.

קצח. רָזָא סְתִימָא הָכָא, אָחֲוָה דְּבַר נָשׁ אֲמַאי. תּוּ יְהוּדָה דַּהֲוָה אֲבוֹי אֲמַאי. אֶלָּא,

הַהוּא דִּמְכַשְׁכְּשָׁא בִּמְעָהָא, וְחָמֵי דְּמַאן דַּהֲוָה נָטִיר לֵיהּ, מְקַטְרֵג לֵיהּ קַטְרוּגִין, בְּכָל סִטְרִין. בָּעֵי לְאַפָּקָא. כֵּיוָן דְּנָפִיק, זַמִּין לְאַוְּרָא הַהוּא רוּחַ אַוְּרָא, וְאַתְיָין לְאָעֳלָא כְּמִלְּקַדְּמִין, עַד דְּאִתְבְּנֵי כְּמִלְּקַדְּמִין, בְּחֵילָא דְּקִטְרוּגָא תַּקִּיף דְּקָא מְקַטְרֵג בְּאָוֵוה. מִתַּמָּן וּלְהָלְאָה שָׁרִיאַת אַתְתָא דָּא לֵיהּ.

קצט. זַכָּאָה חוּלָקָא דִּיהוּדָה, בְּקַדְמֵיתָא הֲוָה גּוּר. לְבָתַר אַרְיֵה, דְּקָא אִתְגַּבַּר וְאִתְפָּשַׁט בְּחֵילֵיהּ אַרְיֵה. וְסַיֵּים בְּלָבִיא. כָּל שְׁאַר בְּנֵי עָלְמָא לָאו הָכִי, וְעַל דָּא יְהוּדָה כִּדְקָאֲמָרָן.

ר. רְאוּבֵן שִׁמְעוֹן לֵוִי, הָא תְּלָתָא, כִּדְקַאֲמָרָן. יְהוּדָה אִתְחַבַּר בַּהֲדַיְיהוּ, וְכֹלָּא כַּדְקָא יָאוּת. יִשָּׂשכָר זְבוּלוּן, תְּרֵין יַרְכִין. אֲתַר דְּיַנְקֵי נְבִיאֵי קְשׁוֹט. יִשָּׂשכָר יַרְכָא יְמִינָא, כְּתִיב וּמִבְּנֵי יִשָּׂשכָר יוֹדְעֵי בִינָה לָעִתִּים וּכְתִיב, שְׂמַח זְבוּלוּן בְּצֵאתֶךָ, וּבְשִׁעוּרָא רַבְרְבָא, כְּתִיב, זְבוּלוּן לְחוֹף יַמִּים יִשְׁכֹּן וְהוּא לְחוֹף אֳנִיּוֹת. מ"ט. בְּגִין דְּוְיַרְכָתוֹ עַל צִידוֹן. שִׁיעוּרָא דְּיָרֵךְ דִּידֵיהּ עַד צִידוֹן.

רא. בִּנְיָמִין, אִשְׁתְּאַר לְעֵילָּא בֵּין יַרְכִין, דְּהָא יוֹסֵף הֲוָה דְּיוֹקְנֵיהּ בְּאַרְעָא, וּלְאִשְׁתַּמְּשָׁא בְּעָלְמָא דָּא, וְעִמֵּיהּ אִשְׁתַּמַּשׁ מֹשֶׁה, דִּכְתִיב וַיִּקַּח מֹשֶׁה אֶת עַצְמוֹת יוֹסֵף עִמּוֹ. בִּנְיָמִין אִסְתַּלַּק לְעֵילָּא, בִּנְיָמִין צַדִּיקוֹ דְּעָלְמָא.

רב. מְבָרְכִין לְתַתָּא, דָּן וְנַפְתָּלִי גָּד וְאָשֵׁר. בְּיַרְכָא שְׂמָאלָא, דָּן עַד פִּרְקָא דְּרַגְלָא. פִּרְקָא דְּרַגְלָא נַפְתָּלִי. וּבג"כ, נַפְתָּלִי אַיָּלָה שְׁלוּחָה, קַל בְּרַגְלוֹי. בְּיַרְכָא יְמִינָא. גָּד, וְהוּא יָגוּד עָקֵב, עַד פִּרְקָא דְּעָקֵב. אָשֵׁר פִּרְקָא דְּעָקֵב יְמִינָא. וְטוֹבֵל בַּשֶּׁמֶן רַגְלוֹ. וּכְתִיב בַּרְזֶל וּנְחֹשֶׁת מִנְעָלֶיךָ. כָּל אִלֵּין, אִינּוּן דְּיוֹקְנִין עִלָּאִין, דְּיוֹקְנָא דִּלְעֵילָּא. וּבְגִין דַּהֲווּ בְּרְיָין מַמָּשׁ בְּהַאי עָלְמָא, אִתְתַּקְּנַת בְּהוּ שְׁכִינְתָּא, בְּאִלֵּין תְּרֵיסַר פִּרְקִין, תְּרֵיסַר מְתִיוְזִין, דְּאִתְמְתָווּ מִיִּשְׂרָאֵל מַמָּשׁ. דִּכְתִיב כָּל אֵלֶּה שִׁבְטֵי יִשְׂרָאֵל שְׁנֵים עָשָׂר. מְתִיוְזִין דְּיִשְׂרָאֵל, אֵלֶּה אִקְרוּן. לְאִתְמַתְּוָא שְׁמָא דְּמ"י, לְמֶהֱוֵי בִּנְיָינָא כַּדְקָא יָאוּת, לְמֶהֱוֵי יִשְׂרָאֵל בִּכְלָלָא דִּשְׁמָא דֶּאֱלֹהִים. אֵלֶ"ה אִיהוּ יִשְׂרָאֵל בִּכְלָל. מ"י וְחִבֵּר אֵלֶּה בַּהֲדֵיהּ, וַהֲוָה בִּנְיָינָא שְׁלִים עַל תִּקּוּנֵיהּ, שְׁמָא וְחָדָא מַמָּשׁ.

רג. הֲדָא הוּא דְּאָמַר לֵיהּ לְיַעֲקֹב, הַהוּא מְמַנָּא דְּעֵשָׂו, דִּכְתִיב כִּי שָׂרִיתָ עִם אֱלֹהִים, לְעֵילָּא, בְּתִקּוּנָא קַדְמָאָה, בְּבִנְיָינָא קַדְמָאָה. כָּל אֵלֶּה, וַדַּאי בִּנְיָינָא קַדְמָאָה אִיהוּ.

רד. וְעַל דָּא, לֵית שֶׁצִּיאוּ לְיִשְׂרָאֵל, לְעָלַם וּלְעָלְמֵי עָלְמִין. וְחַס וְשָׁלוֹם אִלְמָלֵא יִשְׁתְּצִיאוּ, שְׁמָא דָּא לָא הֲוֵי, הה"ד וְהִכְרִיתוּ אֶת שְׁמֵנוּ מִן הָאָרֶץ וּמַה תַּעֲשֶׂה לְשִׁמְךָ הַגָּדוֹל. שְׁמָא גָּדוֹל, דָּא, בִּנְיָינָא קַדְמָאָה, שְׁמָא קַדְמָאָה אֱלֹהִים. וְהַשְׁתָּא דְּיִשְׂרָאֵל אִינּוּן בְּגָלוּתָא, כִּבְיָכוֹל כָּל בִּנְיָינָא נָפַל. לְזִמְנָא דְּאָתֵי, כַּד יִפְרוֹק קב"ה לִבְנוֹי מִגָּלוּתָא, מ"י וְאֵלֶ"ה דַּהֲוָה בְּפֵרוּדָא בְּגָלוּתָא, יִתְחַבְּרוּן כַּחֲדָא, וּשְׁמָא דֶּאֱלֹהִים יְהֵא שְׁלִים עַל תִּקּוּנֵיהּ, וְעָלְמָא יִתְבְּסַם. הה"ד, מִי אֵלֶּה כָּעָב תְּעוּפֶינָה וְכַיּוֹנִים אֶל אֲרֻבּוֹתֵיהֶם

רה. וּבְגִין דְּאִיהוּ שְׁמָא וְחָדָא, לָא כְּתִיב מִי וְאֵלֶּה, אֶלָּא מִי אֵלֶּה, שְׁמָא וְחָדָא, בְּלָא פֵּרוּדָא, וְהוּא אֱלֹהִים. דְּהַשְׁתָּא בְּגָלוּתָא, אִסְתַּלַּק מִי לְעֵילָּא, כִּבְיָכוֹל אִימָּא מֵעַל בְּנִין. וּבְנִין נַפְלוּ. וּשְׁמָא דַּהֲוָה שְׁלִים, דְּהוּא שְׁמָא עִלָּאָה רַבְרְבָא קַדְמָאָה, נָפִיל.

רו. וְעַל דָּא, אֲנָן מְצַלָּן, וּמְקַדְּשָׁן בְּבָתֵּי כְּנֵסִיּוֹת, עַל שְׁמָא דָּא, דְּיִתְבְּנֵי כְּמָה דַּהֲוָה. וְאַמְרֵי יִתְגַּדַּל וְיִתְקַדַּשׁ שְׁמֵיהּ רַבָּא. אָמֵן יְהֵא שְׁמֵיהּ רַבָּא מְבָרַךְ. מַאן שְׁמֵיהּ רַבָּא. הַהוּא קַדְמָאָה דְּכֹלָּא, בְּגִין דְּלֵית לֵיהּ בִּנְיָינָא אֶלָּא בַּהֲדָן. מ"י לָא יִתְבְּנֵי לְעוֹלָם, אֶלָּא

באלה. ועל דא, בההוא זמנא, מי אלה כעב תעופינה. ויזמון כל עלמא, דהא שמא עלאה אתתקן על תקוניה.

רו. ואי שמיה רבא דא אתקן, ואתבני על תקוניה, הא ישראל שליטין על כלא, וכל שאר שמהן יתהדרון על תקונייהו, וישראל שליטין על כלא, דהא כלהו תליין בשמיה רבא, קדמאה לכל בניינין.

רז. רזא דא, כד ברא קב"ה עלמין. קדמאה לכל בניינין, שמא דא אתבני. דכתיב שאו מרום עיניכם וראו מי ברא אלה, ברא שמיה על תקוניה, וכד ברא אלה, ברא ליה בכל חילין דיתחזון ליה, למהוי שמיה על תקוניה כדקא יאות, דכתיב המוציא במספר צבאם.

רח. מאי במספר. אלא ברא חד דנהיר מסייפי עלמא עד סייפי עלמא, אית ליה לקב"ה, והוא אילנא רבא ותקיף. רישיה מטי לצית שמיא, וסופיה מתחן שרשוי, ואשתרשן בעפר קדישא, ומספר שמיה. ותליא בשמים עלאין, וחמש רקיעין תליין מניה, עד האי מספר, וכלהו נטלין שמא דא בגיניה דכתיב השמים מספרים, בגין האי מספר, כלהו שמים רוויזן שמא דא בגיניה, ועל דא המוציא במספר צבאם, דאלמלא מספר דא, לא ישתכחון חיילין ותולדין לעלמין.

רי. ועל דא כתיב, מי מנה עפר יעקב ומספר את רבע ישראל, תרין אינון, דמנו עאנא, ועאלו בחושבנא על ידייהו, בגין דלא שלטא בהו עינא בישא. מי מנה עפר יעקב, הא חד, דעביד חושבנא. ומספר את רבע ישראל, הא מונה אחרא.

ריא. ועל תרין אלין לא שלטא בהו עינא בישא, דהא מי מנה לעפר יעקב, אלין אינון אבנין קדישין, אבנין מפולמין, דמנהון נפקי מיין לעלמא. ועל דא כתיב והיה זרעך כעפר הארץ מה ההוא עפר, עלמא. מתברך בגיניה. אוף הכי והתברכו בזרעך כל גויי הארץ. כעפר הארץ ממש. ומספר דאיהו מונה תניינא, מנה לרבע כל אינון נוקבין, מרגלן עלאין, דמטה דשכיב עליה ישראל.

ריב. ומתמן ולהלאה, איהו מונה לכלא, בגין דאיהו טוב עין. הדא הוא דכתיב, מונה מספר לכוכבים. מאן הוא מונה לכוכבים. מספר. מונה מספר לכוכבים, על ידוי עברין כלהו בחושבנא, ולזמנא דאתי, עוד תעבורנה הצאן על ידי מונה, ולא ידעינן מאן הוא. אלא בגין דבההוא זמנא, יהא כלא בחדוא בלא פרודא, כלא ליהוי מונה חד.

ריג. קום סבא, אתער ואתגבר בחילך, ושוט ימא. פתח ואמר, מי מנה עפר יעקב ומספר את רבע ישראל. בשעתא דיתער קב"ה לאחייא מתיא, הני דאתהדרו בגלגולא, תרין גופין ברוחא חדא, תרין אבהן, תרין אמהן, כמה גלגולין מתגלגלן על דא, אע"ג דאתמר, והכי הוא, אבל מי מנה עפר יעקב, ואיהו יתקין כלא, ולא יתאביד כלום, וכלא יקום.

ריד. והא אתמר, ורבים מישני אדמת עפר יקיצו. אדמת עפר הני, כמה דאתמר בספרא דחנוך, כד חבריא אסתכלו באינון אתוון דטסין באוירא ביה, ואינון אע"ד פמת"ר, היינו, ארמ"ת עפ"ר.

רטו. היינו ושבח אני את המתים שכבר מתו, אדמת עפר אינון אתוון וקלא אתער ואודע והכי אמר בבניינא תניינא. עפר, עפר קדמאה. אדמת תניינא, דאתתקן עקר

קַדְמָאָה פְּסוֹלֶת לְגַבֵּיהּ.

רטז. אַדְמַת עָפָר כֻּלְּהוּ, יָקִיצוּ. אֵלֶּה דְּאִתְתַּקְּנוּ, לְחַיֵּי עוֹלָם. מַאן עוֹלָם. דָּא עוֹלָם דִּלְתַתָּא דְּהָא לָא זָכוּ לְמֶהֱוֵי בְּעוֹלָם דִּלְעֵילָּא. וְאֵלֶּה דְּלָא זָכוּ, לַחֲרָפוֹת וּלְדִרְאוֹן עוֹלָם. מַאי לַחֲרָפוֹת, אֶלָּא בְּגִין דְּסִטְרָא אַחֲרָא יִתְעֲבָר מֵעָלְמָא, וְקֻבְּ"ה אִלֵּין דַּהֲווֹ מִנְּבִיעוּ דְּהַהוּא סִטְרָא, יַשְׁאַר לוֹן, לְתַוְּהָא בְּהוֹן כָּל בְּנֵי עָלְמָא.

ריז. כָּל דָּא מַאן גָּרִים, הַהוּא דְּלָא בָּעֵי לְאַפָּשָׁא בְּעָלְמָא, וְלָא בָּעֵי לְקַיְּימָא בְּרִית קַדִּישָׁא, עַל דָּא גָּרִים כָּל מַה דְּגָרִים, וְכָל הָנֵי גִּלְגּוּלִין דְּקָא אֲמֵינָא עָלֵהּ עַד הָכָא. עַד כָּאן סָבָא. שָׁתִיק רִגְעָא חֲדָא, וְחַבְרַיָּיא הֲווֹ תְּוְוהִין, וְלָא הֲווֹ יַדְעִין, אִי הֲוָה יְמָמָא, אִי הֲוָה לֵילְיָא, אִי קַיְימֵי תַּמָּן, אִי לָא קַיְימֵי.

ריח. פָּתַח הַהוּא סָבָא וְאָמַר, כִּי תִקְנֶה עֶבֶד עִבְרִי שֵׁשׁ שָׁנִים יַעֲבֹד וּבַשְּׁבִיעִית וְגוֹ'. קְרָא דָּא אוֹכַח, עַל כָּל מַה דְּאִתְּמַר. ת"ח, כָּל דְּכוּרָא, קָאִים בְּדִיּוּקְנָא, בְּעָלְמָא דִּדְכוּרָא. וְכָל נוּקְבָא קָאִים בְּדִיּוּקְנָא, בְּעָלְמָא דְּנוּקְבָא. בְּעוֹד דְּאִיהוּ עַבְדָּא דְּקֻבְּ"ה אִתְדַּבַּק בֵּיהּ, בְּאִינּוּן שֵׁשׁ שָׁנִים קַדְמוֹנִיּוֹת, וְאִי אִעֲקַר גַּרְמֵיהּ מִפּוּלְחָנֵיהּ, יַעֲקַר לֵיהּ קֻבְּ"ה מֵאִינּוּן שֵׁשׁ שָׁנִים, דְּעָלְמָא דִּדְכוּרָא, וְאִתְמְסַר לְבַ"ן, דְּאִיהוּ מִשִּׁית סִטְרִין, יִפְלַח לֵיהּ שִׁית שְׁנִין, וְיִתְעֲקַר מִשִּׁית שְׁנִין דִּלְעֵילָּא.

ריט. לְבָתַר נָחִית מִתַּמָּן, וְאִתְמְסַר בְּעָלְמָא דְּנוּקְבָא. הוּא לָא בָּעָא לְקַיְּימָא בִּדְכוּרָא, נָחִית וְקַיְּימָא בְּנוּקְבָא. אָתָאת נוּקְבָא, דְּאִיהִי שְׁבִיעִית, וְנָטְלָא לֵיהּ, הָא מִכָּאן וּלְהָלְאָה, מֵעָלְמָא דְּנוּקְבָא אִיהוּ.

רכ. לָא בָּעָא לְקַיְּימָא בָּהּ, וּבְפִירוּקָא דִּילָהּ, נָחִית לְתַתָּא, וְאִתְדַּבַּק לְתַתָּא, וְאִתְאֲחִיד בְּסִטְרָא אַחֲרָא. מִכָּאן וּלְהָלְאָה, אִתְעֲקַר מֵעָלְמָא דִּדְכוּרָא, וּמֵעָלְמָא דְּנוּקְבָא. הָא אִתְאֲחִיד, בְּאִינּוּן עֲבָדִים דְּאִינּוּן מִסִּטְרָא אַחֲרָא.

רכא. הַשְׁתָּא כֵּיוָן דְּהָכִי הוּא, אִיצְטְרִיךְ פְּגָם, וּלְמֶעְבַּד בֵּיהּ רְשִׁימוּ דִּפְגָם, דְּהָא כָּל פְּגָם דְּסִטְרָא אַחֲרָא אִיהוּ, וּמִיּוֹבֵל וּלְהָלְאָה אִתְהֲדַר לְגִלְגּוּלָא, וְתָב לְעָלְמָא כְּמִלְּקַדְמִין. וְאִתְדַּבַּק בְּהַהוּא עָלְמָא דְּנוּקְבָא, וְלָא יַתִּיר. זָכָה עָבִיד תּוֹלְדִין בְּעָלְמָא דְּנוּקְבָא, וְכֻלְּהוּ רָזָא דִּכְתִיב בְּתוּלוֹת אַחֲרֶיהָ רֵעוֹתֶיהָ מוּבָאוֹת לָךְ. וְזַכָּאָה אִיהוּ כַּד אִתְתַּקַּן וְזָכֵי לְכָךְ.

רכב. וְאִי לָא זָכָה אֲפִילוּ בְּגִלְגּוּלָא דְּיוֹבְלָא, הָא אִיהוּ כְּלָא הֲוָה אִתְהֲדַר, וְלָא אַשְׁלִימוּ יוֹמוֹי, לְאִתְנַסְבָא בְּעָלְמָא, וּלְמֶעְבַּד תּוֹלְדִין. מַה כְּתִיב, אִם בְּגַפּוֹ יָבֹא בְּגַפּוֹ יֵצֵא. אִי יְחִידָאי יֵעוֹל בְּהַהוּא עָלְמָא בְּלָא תּוֹלְדִין, וְלָא בָּעָא לְאִשְׁתַּדְּלָא בְּהַאי, וְנָפַק מֵהַאי עָלְמָא יְחִידָאי, בְּלָא זַרְעָא, אָזִיל כְּאַבְנָא בְּקוּסְפִיתָא, עַד הַהוּא אֲתַר דְּטִנָּרָא תַּקִּיפָא, וְעָאל תַּמָּן וּמִיַּד נָשַׁב רוּחָא דְּהַהוּא יְחִידָאי, דְּקָא אִשְׁתְּבִיק מִנּוּקְבֵיהּ, וְאָזִיל יְחִידָאי, כְּחִוְיָא דְּלָא אִתְחַבַּר בְּאַחֲרָא בְּאוֹרְחָא, וְנָשִׁיב בֵּיהּ.

רכג. וּמִיָּד נָפַק מִגּוֹ הַהוּא אֲתַר דְּטִנָּרָא תַּקִּיפָא, הוּא בִּלְחוֹדוֹי, וְאָזִיל וּמְשַׁטְּטָא בְּעָלְמָא, עַד דְּקָא אַשְׁכַּח פָּרוֹקָא לְאַתְבָא. וְהַיְינוּ אִם בְּגַפּוֹ יָבֹא בְּגַפּוֹ יֵצֵא, הַאי דְּלָא בָּעָא לְאִתְנַסְבָא, לְמֶהֱוֵי לֵיהּ תּוֹלְדִין.

רכד. אֲבָל אִם בַּעַל אִשָּׁה הוּא, דְּקָא אִתְנְסִיב, וְאִשְׁתָּדַּל בְּאִתְּתֵיהּ, וְלָא יָכִיל, הַהוּא לָא אִתְתְּרַךְ כְּהַהוּא אַחֲרָא, לָא יֵיעוֹל יְחִידָאי, וְלָא נָפִיק יְחִידָאי, אֶלָּא אִם בַּעַל אִשָּׁה הוּא, קוּדְשָׁא בְּרִיךְ הוּא לָא מְקַפַּח אֲגַר כָּל בִּרְיָין, אַע"ג דְּלָא זָכוּ בִּבְנֵי, מַה כְּתִיב וְיָצְאָה אִשְׁתּוֹ עִמּוֹ. וְתַרְוַויְיהוּ אַתְיָין בְּגִלְגּוּלָא, וְזַכְיָין לְאִתְחַבְּרָא כַּחֲדָא כְּמִלְּקַדְמִין. וְהַאי

לָא נָסִיב אִתְּתָא דִּתְרוֹכִין, אֶלָּא הַהִיא דְּאִשְׁתַּדַּל בָּהּ בְּקַדְמֵיתָא, וְלָא זָכוּ, הַשְׁתָּא יִזְכּוּ כַּחֲדָא, אִי יִתַּקְּנוּן עוֹבָדִין, וְעַ"ד וְיָצְאָה אִשְׁתּוֹ עִמּוֹ.

רכה. אִם אֲדוֹנָיו יִתֶּן לוֹ אִשָּׁה וְגוֹ'. אַהֲדָר קְרָא לְמִלִּין אַחֲרָנִין, לְהַהוּא דְּנָפִיק יְחִידָאִי בְּלָא נוּקְבָא כְּלָל, וַיִּפְרוֹק לֵיהּ הַהוּא דּוּכְתָּא דְּאִקְרֵי שְׁבִיעִית. וְהַהוּא שְׁבִיעִית אִקְרֵי אֲדוֹנָיו, אֲדוֹן כָּל הָאָרֶץ אִיהוּ. אִם דָּא אֲדוֹנָיו חָס עָלֵיהּ, וְאָתִיב לֵיהּ לְהַאי עָלְמָא יְחִידָאי כְּמָה דַּהֲוָה, וְיָהִיב לֵיהּ אִתְּתָא הַהִיא דְּמִזְבֵּחַ אֲחִיתַת עָלוֹי דִּמְעִין, וְאִתְחַבְּרָא כַּחֲדָא. וְיָלְדָה לוֹ בָנִים אוֹ בָנוֹת הָאִשָּׁה וִילָדֶיהָ תִּהְיֶה לַאדֹנֶיהָ כְּמָה דְּאִתְּמַר.

רכו. דְּהָא אִי תָּב, וְאַתְקִין הַהוּא אֲתַר דְּפָגִים בְּחַיּוֹי, אִתְקַבַּל קָמֵי מַלְכָּא קַדִּישָׁא, נָטִיל לֵיהּ, וְאַתְקִין לֵיהּ עַל תִּקּוּנוֹי לְבָתַר. וְדָא אִקְרֵי בַּעַל תְּשׁוּבָה, דְּהָא יָרִית מוֹתְבֵיהּ, דְּהַהוּא אֲתַר, דְּהַהוּא נָהָר דְּנָגִיד וְנָפִיק, וְאַתְקִין גַּרְמֵיהּ מִמַּה דַּהֲוָה בְּקַדְמֵיתָא. כֵּיוָן דְּאִתְתַּקַּן וְתָב בִּתְיוּבְתָּא, הָא סָלִיק עַל תִּקּוּנֵיהּ. דְּלֵית מִלָּה בְּעָלְמָא, וְלֵית מִפְתְּחָא בְּעָלְמָא, דְּלָא תָּבַר הַהוּא דְּתָב בִּתְיוּבְתָּא.

רכז. מַאי יֵצֵא בְּגַפּוֹ. הָא אִתְּמַר, אֲבָל תּוּ רָזָא אִית בֵּיהּ, יֵצֵא בְּגַפּוֹ, כְּמָה דְּאַתְּ אָמַר, עַל גַּפֵּי מְרוֹמֵי קָרֶת, מַה לְהָתָם עִלּוּיָא וּסְלִיקוּ, אוּף הָכָא עִלּוּיָא וּסְלִיקוּ, אֲתָר דְּמָרֵיהוֹן דִּתְיוּבְתָּא סַלְקִין, אֲפִילּוּ צַדִּיקִים גְּמוּרִים לָא יַכְלִין לְמֵיקָם תַּמָּן. וּבְגִ"כ כֵּיוָן דְּתָב בִּתְיוּבְתָּא, קוּדְשָׁא בְּרִיךְ הוּא מְקַבֵּל לֵיהּ וַדַּאי מִיָּד.

רכח. תָּנֵינָן, לֵית מִלָּה בְּעָלְמָא דְּקַיְימָא קַמֵּי תְּשׁוּבָה, וּלְכֹלָּא קוּדְשָׁא בְּרִיךְ הוּא מְקַבֵּל וַדַּאי. וְאִי תָּב בִּתְיוּבְתָּא הָא אִזְדְּמַן לְקַבְּלֵיהּ אֹרַח חַיִּים, וְאַף ע"ג דְּפָגִים מַה דְּפָגִים, כֹּלָּא אִתְתַּקַּן, וְכֹלָּא אִתְהַדַּר עַל תִּקּוּנֵיהּ, דְּהָא אֲפִילּוּ בְּמַה דְּאִית בֵּיהּ אוֹמָאָה, קב"ה מְקַבֵּל, דִּכְתִּיב חַי אָנִי נְאֻם יְיָ' כִּי אִם יִהְיֶה כָּנְיָהוּ וְגוֹ' וּכְתִיב כִּתְבוּ אֶת הָאִישׁ הַזֶּה עֲרִירִי וְגוֹ'. וּבָתַר דְּתָב בִּתְיוּבְתָּא כְּתִיב, וּבְנֵי יְכָנְיָה אַסִּיר בְּנוֹ וְגוֹ', מִכָּאן דִּתְשׁוּבָה מִתְּבַר כַּמָּה גְּזָרִין וְדִינִין, וְכַמָּה שַׁלְשְׁלָאִין דְּפַרְזְלָא, וְלֵית מַאן דְּקַיְימָא קַמֵּי דִּתְיוּבְתָּא.

רכט. וְעַל דָּא כְּתִיב, וְיָצְאוּ וְרָאוּ בְּפִגְרֵי הָאֲנָשִׁים הַפּוֹשְׁעִים בִּי. אֲשֶׁר פָּשְׁעוּ בִּי, לָא כְּתִיב, אֶלָּא הַפּוֹשְׁעִים בִּי, דְּלָא בָּעָאן לְאַתָבָא, וּלְאִתְנַחֲמָא עַל מַה דַּעֲבְדוּ. אֲבָל כֵּיוָן דְּאִתְנַחֲמוּ, הָא מְקַבֵּל לוֹן קב"ה.

רל. בְּגִין כַּךְ, בַּר נָשׁ דָּא, אַף עַל גַּב דְּפָשַׁע בֵּיהּ, וּפָגִים בְּאַתְרָא דְּלָא אִצְטְרִיךְ, וְתָב לְקַמֵּיהּ, מְקַבֵּל לֵיהּ, וְחָס עָלֵיהּ, דְּהָא קוּדְשָׁא בְּרִיךְ הוּא מָלֵא רַחֲמִין אִיהוּ, וְאִתְמְלֵי רַחֲמִים עַל כָּל עוֹבָדוֹי, כד"א וְרַחֲמָיו עַל כָּל מַעֲשָׂיו. אֲפִילּוּ עַל בְּעִירֵי וְעוֹפוֹי מָטוּן רַחֲמוֹי. אִי עָלַיְיהוּ מָטוּן רַחֲמוֹי, כָּל שֶׁכֵּן עַל בְּנֵי נָשָׁא, דְּיַדְעִין וְאִשְׁתְּמוֹדְעָאן לְשַׁבְּחָא לְמָארֵיהוֹן, דְּרַחֲמוֹי מָטוּן עָלַיְיהוּ, וְשַׁרְיָאן עָלַיְיהוּ. וְעַ"ד אָמַר דָּוִד, רַחֲמֶיךָ רַבִּים יְיָ' כְּמִשְׁפָּטֶיךָ חַיֵּינִי.

רלא. אִי עַל חַיָּיבִין מָטוּן רַחֲמוֹי, כ"ש עַל זַכָּאִין. אֶלָּא מַאן בָּעֵי אַסְוָותָא, אִינּוּן מָארֵי כְּאֵבִין, וּמַאן אִינּוּן מָארֵי כְּאֵבִין. אִלֵּין אִינּוּן חַיָּיבִין, אִינּוּן בָּעָאן אַסְוָותָא וְרַחֲמֵי, דְּקב"ה רַחֲמֵי עָלַיְיהוּ, דְּלָא יְהוֹן שְׁבִיקִין מִנֵּיהּ, וְאִיהִי דְּלָא אִסְתַּלַּק מִנַּיְיהוּ, וְיִתוּבוּן לְקַבְּלֵיהּ. כַּד מְקָרֵב קב"ה, בִּימִינָא בְּקָרֵב. וְכַד דָּחֵי, בִּשְׂמָאלָא דָּחֵי. וּבְשַׁעֲתָא דְּדָחֵי, יְמִינָא מְקָרֵב. מִסִּטְרָא דָּא דָּחֵי, וּמִסִּטְרָא דָּא מְקָרֵב, וְקב"ה לָא שָׁבִיק רַחֲמוֹי מִנַּיְיהוּ.

רלב. ת"ח, מַה כְּתִיב וַיֵּלֶךְ שׁוֹבָב בְּדֶרֶךְ לִבּוֹ. וּכְתִיב בַּתְרֵיהּ, דְּרָכָיו רָאִיתִי וְאֶרְפָּאֵהוּ וְאַנְחֵהוּ וַאֲשַׁלֵּם נִחוּמִים לוֹ וְלַאֲבֵלָיו. וַיֵּלֶךְ שׁוֹבָב, אע"ג דְּחַיָּיבִין עַבְדִין, כָּל מַה דַּעֲבְדִין בְּזָדוֹן דְּאַזְלִין בְּאָרְחָא דְּלִבַּיְיהוּ, וְאַחֲרָנִין עַבְדִין בְּהוּ הַתְרָאָה, וְלָא בָּעָאן

לְצַיְּיתָא לוֹן. בְּשַׁעֲתָא דְּתָבִין בִּתְיוּבְתָּא, וְנַטְלִין אָרְוָזא טָבָא דִּתְיוּבְתָּא, הָא אַסְוָותָא זְמִינָא לְקַבְּלַיְיהוּ.

רלג. הַשְׁתָּא אִית לְאִסְתַּכְּלָא, אִי עַל וְזַיָּיא אָמַר קְרָא, אוֹ עַל מֵתַיָּיא אָמַר קְרָא. דְּהָא רֵישָׁא דִּקְרָא, לָאו אִיהוּ סֵיפָא. וְסֵיפָא, לָאו אִיהוּ רֵישָׁא. רֵישָׁא דִּקְרָא, אַוְזֵי עַל וְזַיָּיא. וְסוֹפֵיהּ אַוְזֵי עַל מֵתַיָּיא. אֶלָּא, קְרָא אָמַר, בְּעוֹד דְּבַר נָשׁ אִיהוּ בְּוַזיָּיו, וְהָכִי הוּא, וַיֵּלֶךְ שׁוֹבָב בְּדֶרֶךְ לִבּוֹ, בְּגִין דְּיֵצֶר הָרַע דְּבֵיהּ, תַּקִּיף וְאִתְתָּקַף בֵּיהּ, וְעַ"ד אָזִיל שׁוֹבָב, וְלָא בָּעֵי לְאָתָבָא בִּתְיוּבְתָּא.

רלד. קֻבָּ"ה וָזָמֵי אָרְוזוֹי, דְּקָא אַזְלִין בְּבִישׁ, בְּלָא תּוֹעַלְתָּא, אָמַר קֻבָּ"ה, אֲנָא אִצְטְרִיכְנָא לְאַתְקְפָא בִּידֵיהּ, הה"ד דְּרָכָיו רָאִיתִי, דְּקָא אַזְלִין בְּוָזשׁוֹכָא, אֲנָא בָּעֵי לְמֵיהָב לֵיהּ אַסְוָותָא הה"ד וְאֶרְפָּאֵהוּ, קֻבָּ"ה אִיהוּ אָעִיל בְּלִבֵּיהּ אָרְוֵזיהּ דִּתְיוּבְתָּא וְאַסְוָותָא לְנִשְׁמָתֵיהּ. וְאַנְוֵזהוּ, מַאי וְאַנְוֵזהוּ. כד"א לֵךְ נְוֵזה אֶת הָעָם. אַנְהִיג לֵיהּ קֻבָּ"ה בְּאֹרַוז מֵישָׁר, כְּמַאן דְּאַתְקִיף בִּידָא דְּאַוְזרָא, וְאַפְקֵיהּ מִגּוֹ וְזשׁוֹכָא.

רלה. וַאֲשַׁלֵּם נִוזוּמִים לוֹ וְלַאֲבֵלָיו, הָא אִתְוְזזֵי דְּמִיתָא אִיהוּ, אִין וַדַּאי מִיתָא אִיהוּ, וְקַיְּימָא בְּוַזיִּין דְּהוֹאִיל וְאִיהוּ רָשָׁע, מִיתָא אִקְרֵי. מַהוּ וַאֲשַׁלֵּם נִוזוּמִים לוֹ וְלַאֲבֵלָיו. אֶלָּא קֻבָּ"ה עָבֵיד טִיבוּ עִם בְּנֵי נָשָׁא, דְּכֵיוָן דְּעָאל מִי"ג שְׁנִין וּלְהָלְאָה, פָּקִיד עִמֵּיהּ תְּרֵין מַלְאָכִין נְטוּרִין דְּנַטְרֵי לֵיהּ, וַזד מִימִינֵיהּ, וְוַזד מִשְּׂמָאלֵיהּ.

רלו. כַּד אָזִיל בַּר נָשׁ בְּאֹרַוז מֵישָׁר, אִינּוּן וַזדָאן בֵּיהּ, וְאִתְקִיפוּ עִמֵּיהּ בְּוֶזדְוָה, מַכְרְזָן קָמֵיהּ וְאַמְרִין, הָבוּ יְקָר לְדִיוֹקְנָא דְּמַלְכָּא. וְכַד אָזִיל בְּאֹרַוז עֲקִימוּ, אִינּוּן מִתְאַבְּלָן עָלֵיהּ, וּמִתְעַבְּרָן מִנֵּיהּ. כֵּיוָן דְּאַתְקִיף בֵּיהּ קֻבָּ"ה, וְאַנְהִיג לֵיהּ בְּאֹרַוז מֵישָׁר, כְּדֵין כְּתִיב, וַאֲשַׁלֵּם נִוזוּמִים לוֹ וְלַאֲבֵלָיו. וַאֲשַׁלֵּם נִוזוּמִים לוֹ בְּקַדְמֵיתָא, דְּאִיהוּ אִתְנַוזם עַל מַה דְּעָבֵד בְּקַדְמֵיתָא, וְעַל מַה דְּעָבֵד הַשְׁתָּא, וְתָב בִּתְיוּבְתָּא. וּבָתַר כֵּן וְלַאֲבֵלָיו, אִינּוּן מַלְאָכִין דַּהֲווּ מִתְאַבְּלָן עָלֵיהּ כַּד אִתְעֲבָרוּ מִנֵּיהּ, וְהַשְׁתָּא דְּאִתְהַדָּרוּ בַּהֲדֵיהּ, הָא וַדַּאי נִוזוּמִים לְכָל סִטְרִין.

רלז. וְהַשְׁתָּא אִיהוּ וַזי וַדַּאי. וַזי בְּכָל סִטְרִין, אָוִזיד בְּאִילָנָא דְּוַזיֵּי, וְכֵיוָן דְּאָוִזיד בְּאִילָנָא דְּוַזיֵּי, כְּדֵין אִקְרֵי בַּעַל תְּשׁוּבָה, דְּהָא כְּנֶסֶת יִשְׂרָאֵל, תְּשׁוּבָה אוּף הָכִי אִקְרֵי. וְאִיהוּ בַּעַל תְּשׁוּבָה אִקְרֵי. וְקַדְמָאֵי אָמְרוּ, בַּעַל תְּשׁוּבָה מַמָּשׁ. וְעַ"ד, אֲפִילוּ צַדִּיקִים גְּמוּרִים אֵינָם יְכוֹלִים לַעֲמוֹד, בְּמָקוֹם שֶׁבַּעֲלֵי תְּשׁוּבָה עוֹמְדִים.

רלח. דָּוִד מַלְכָּא אָמַר, לְךָ לְבַדְּךָ וָזטָאתִי וְהָרַע בְּעֵינֶיךָ עָשִׂיתִי וְגוֹ', לְךָ לְבַדְּךָ, מַאי לְךָ לְבַדְּךָ. אֶלָּא, בְּגִין דְּאִית וזוֹבִין, דְּוָזטֵי ב"נ לְקֻבָּ"ה וְלִבְנֵי נָשָׁא. וְאִית וזוֹבִין דְּוָזטָא לִבְנֵי נָשָׁא, וְלָא לְקוּדְשָׁא בְּרִיךְ הוּא. וְאִית וזוֹבִין דְּוָזטֵי לְקֻבָּ"ה בִּלְווזוֹדוֹי וְלָא לִבְנֵי נָשָׁא. דָּוִד מַלְכָּא, וָזב לְקֻבָּ"ה בִּלְווזוֹדוֹי, וְלָא לִבְנֵי נָשָׁא.

רלט. וְאִי תֵּימָא הָא וָזב הַהוּא וזוֹבָה דְּבַת שֶׁבַע, וְתָנֵינָן, מַאן דְּאָתֵי עַל עֶרְוָה אֲסִרָה עַל בַּעְלָהּ, וְוָזב לְוַזבְרֵיהּ, וְוָזב לְקֻבָּ"ה. לָאו הָכִי הוּא דְּהַהוּא דְּאַתְּ אָמַר. בְּהֶיתֵּרָא הֲוָה, וְדָוִד דִּילֵיהּ נָקַט, וְגֵט הֲוָה לָהּ מִבַּעְלָהּ, עַד לָא יֵהָךְ לִקְרָבָא, דְּהָכִי הֲוָה מִנְהֲגָא דְּכָל יִשְׂרָאֵל, דְּיַהֲבִין גֵּט זְמַן לְאִתְּתֵיהּ, כָּל דְּנָפִיק וְזֵילָא. וְכֵן עָבֵד אוּרִיָּה לְבַת שֶׁבַע. וּלְבָתַר דְּעָבַר זְמַן וַהֲוָת פְּטוּרָא לְכֹלָּא, נָטַל לָהּ דָּוִד. וּבְהֶיתֵּרָא עָבַד כָּל מַה דְּעָבַד.

רמ. דְּאִלְמָלֵא לָאו הָכִי, וּבְאִסּוּרָא הֲוָה, לָא שַׁבְקָהּ קֻבָּ"ה לְגַבֵּיהּ. וְהַיְינוּ דִּכְתִּיב לְסַהֲדוּתָא, וַיְנַוזם דָּוִד אֵת בַּת שֶׁבַע אִשְׁתּוֹ. סַהֲדוּתָא דְּאִשְׁתּוֹ הִיא, וַדַּאי אִשְׁתּוֹ, וּבַת

זוּגוֹ הֲוַת, דְּאִזְדַּמְּנַת לְגַבֵּיהּ, מִיּוֹמָא דְּאִתְבְּרֵי עָלְמָא. הָא סַהֲדוּתָא דְּלָא חָב דָּוִד וְחוֹבָה דְּבַת שֶׁבַע כִּדְקָאָמְרָן.

רמא. וּמַה הִיא חוֹבָה דְּחָב, לְקֻבְּ"ה בִּלְחוֹדוֹי, וְלָא לְאַחֲרָא. דְּקָטַל לְאוּרִיָּה בְּחֶרֶב בְּנֵי עַמּוֹן, וְלָא קַטְלֵיהּ אִיהוּ בְּשַׁעְתָּא דְּאָמַר לֵיהּ וַאדֹנִי יוֹאָב, דְּהָא דָּוִד הֲוָה רִבּוֹן עָלֵיהּ, וְקָרָא אוֹכַח, דִּכְתִיב וְאֵלֶּה שְׁמוֹת הַגִּבּוֹרִים אֲשֶׁר לְדָוִד, וְלֹא אֲשֶׁר לְיוֹאָב, וְלָא קַטְלֵיהּ הַהִיא שַׁעְתָּא, וְקַטְלֵיהּ בְּחֶרֶב בְּנֵי עַמּוֹן.

רמב. וְקָרָא אָמַר, וְלֹא נִמְצָא אִתּוֹ דָּבָר, רַק בִּדְבַר אוּרִיָּה הַחִתִּי. רַק לְמַעוּטֵי קָא אָתֵי, בִּדְבַר אוּרִיָּה, וְלָא בְּאוּרִיָּה. וְקֻבְּ"ה אָמַר, וְאוֹתוֹ הָרַגְתָּ בְּחֶרֶב בְּנֵי עַמּוֹן, וְכָל חֶרֶב בְּנֵי עַמּוֹן, הֲוָה חֲקִיק בֵּיהּ חִוְיָא עֲקִים, דְּיוּקְנָא דְּדַרְקוֹן, וְאִיהוּ ע"ז דִּלְהוֹן. אָמַר קוּדְשָׁא בְּרִיךְ הוּא, יָהַבְתְּ חֵילָא לְהַהוּא. שִׁקּוּץ. בְּגִין דִּבְשַׁעְתָּא דְּקָטְלוּ בְּנֵי עַמּוֹן לְאוּרִיָּה, וְסַגִּיאִין מִבְּנֵי יִשְׂרָאֵל עִמֵּיהּ, וְאִתְגַּבַּר בְּהַהִיא שַׁעְתָּא חֶרֶב בְּנֵי עַמּוֹן, כַּמָּה תֻּקְפָּא אִתְתַּקַּף הַהִיא ע"ז שִׁקּוּץ.

רמג. וְאִי תֵּימָא, אוּרִיָּה לָא הֲוָה זַכָּאי, כֵּיוָן דִּכְתִיב עָלֵיהּ אוּרִיָּה הַחִתִּי. לָאו הָכִי, זַכָּאָה הֲוָה, אֶלָּא דִּשְׁמָא דְּאַתְרֵיהּ הֲוָה חִתִּי. כד"א וְיִפְתָּח הַגִּלְעָדִי, עַל שׁוּם אַתְרֵיהּ אִתְקְרֵי הָכִי.

רמד. וְעַל דָּא בִּדְבַר אוּרִיָּה הַחִתִּי, דְּשִׁקּוּץ בְּנֵי עַמּוֹן אִתְגַּבַּר עַל מַחֲנֵה אֱלֹהִים, דְּמַשְׁרִיתָא דְּדָוִד, דְּיוּקְנָא מַמָּשׁ דִּלְעֵילָּא הֲווֹ. וּבְהַהוּא שַׁעְתָּא דְּפָגִים דָּוִד מַשִּׁרְיָתָא דָּא, פָּגִים לְעֵילָּא מַשִּׁירְיָתָא אַחֲרָא. וְעַל דָּא אָמַר דָּוִד, לְךָ לְבַדְּךָ חָטָאתִי. לְבַדְּךָ, וְלָא לְאַחֲרָא. דָּא הֲוָה הַהוּא חוֹבָה דְּחָב לְגַבֵּיהּ. וְדָא הוּא בִּדְבַר אוּרִיָּה. וְדָא הוּא בְּחֶרֶב בְּנֵי עַמּוֹן.

רמה. כְּתִיב, כִּי יְיָ' עֵינָיו מְשׁוֹטְטוֹת בְּכָל הָאָרֶץ, אִלֵּין נוּקְבִין. וּכְתִיב עֵינֵי יְיָ' הֵמָּה מְשׁוֹטְטִים, אִלֵּין דְּכוּרִין, וְהָא יְדִיעָן אִינּוּן. דָּוִד אָמַר וְהָרַע בְּעֵינֶיךָ עָשִׂיתִי. בְּעֵינֶיךָ, לִפְנֵי עֵינֶיךָ מִבָּעֵי לֵיהּ. אֶלָּא מַאי בְּעֵינֶיךָ, אָמַר דָּוִד, בְּהַהוּא אֲתַר דְּחַבְנָא, בְּעֵינֶיךָ הֲוָה. דְּהֵוֵינָא יָדַע, דְּהָא עֵינֶיךָ הֲווֹ זְמִינִין, וְקַיְּימִין קַמָּאי, וְלָא חֲשִׁיבְנָא לוֹן, הֲרֵי חוֹבָא דְּחַבְנָא, וְעַבַדְנָא, בְּאָן אֲתַר הֲוָה, בְּעֵינֶיךָ.

רמו. לְמַעַן תִּצְדַּק בְּדָבְרֶךָ תִּזְכֶּה בְשָׁפְטֶךָ, וְלָא יְהֵא לִי פִּתְחוֹן פֶּה לְמֵימַר קַמָּךְ. ת"ח, כָּל אוּמָנָא, כַּד מַלֵּיל, בְּאוּמָנוּתֵיהּ מַלֵּיל. דָּוִד בְּדִיחָא דְּמַלְכָּא הֲוָה, וְאע"ג דַּהֲוָה בְּצַעֲרָא, כֵּיוָן דַּהֲוָה קַמֵּי מַלְכָּא, תָּב לְבַדִּיחוּתֵיהּ, כְּמָה דַּהֲוָה, בְּגִין לְבַדְחָא לְמַלְכָּא.

רמז. אָמַר, מָארֵי דְּעָלְמָא, אֲנָא אֲמֵינָא, בְּחָנֵנִי יְיָ' וְנַסֵּנִי, וְאַתְּ אֲמַרְתְּ דְּלָא אִיכוּל לְקַיְּימָא בְּנִסְיוֹנָךְ. הָא חָבְנָא, לְמַעַן תִּצְדַּק בְּדָבְרֶךָ, וִיהֵא מִילָּךְ קְשׁוֹט, דְּאִלְמָלֵא לָא חָבְנָא, יְהֵא מִלָּה דִּילִי קְשׁוֹט, וִיהֵא מִילָּךְ בְּרֵיקַנְיָא, הַשְׁתָּא דְּחָבְנָא, בְּגִין דִּלְהֱוֵי מִילָּךְ קְשׁוֹט, יָהִיבְנָא אֲתַר לְצַדְקָא מִילָּךְ, בְּגִין כָּךְ עֲבִידְנָא, לְמַעַן תִּצְדַּק בְּדָבְרֶךָ תִּזְכֶּה בְשָׁפְטֶךָ. אַהְדַּר דָּוִד לְאוּמָנוּתֵיהּ, וְאָמַר גּוֹ צַעֲרֵיהּ מִלִּין דִּבְדִיחוּתָא לְמַלְכָּא.

רמח. תָּנֵינָן, לָאו דָּוִד אִתְחֲזֵי לְהַהוּא עוֹבָדָא, דְּהָא אִיהוּ אָמַר, וְלִבִּי חָלַל בְּקִרְבִּי הָכִי הוּא. אֲבָל אָמַר דָּוִד, בְּלִבָּא אִית תְּרֵין הֵיכָלִין, בְּחַד דָּמָא, וּבְחַד רוּחָא, הַהוּא חַד דְּמַלְיָיא דָּמָא, בֵּיהּ דִּיּוּרָא לְיֵצֶר הָרָע. וְלִבִּי לָאו הָכִי, דְּהָא רֵיקָן אִיהוּ, וְלָא יָהֲבִית דִּיּוּרָא לְדָמָא בִּישָׁא, לְשַׁכְנָא בֵּיהּ יֵצֶר הָרָע, וְלִבִּי וַדַּאי חָלַל אִיהוּ, בְּלָא דִּיּוּרָא בִּישָׁא, וְכֵיוָן דְּהָכִי הוּא, לָא אִתְחֲזֵי דָּוִד לְהַהוּא חוֹבָה דְּחָב אֶלָּא, בְּגִין לְמֵיהַב פִּתְחוֹן דְּפוּמָא

לְחַיָּיבַיָּא, דְּיֵימְרוּן, דָּוִד מַלְכָּא חָב וְתָב בִּתְיוּבְתָּא, וּמָחַל לֵיהּ קב"ה, כ"ש שְׁאַר בְּנֵי נָשָׁא. וְע"ד אָמַר אֲלַמְּדָה פוֹשְׁעִים דְּרָכֶיךָ וְחַטָּאִים אֵלֶיךָ יָשׁוּבוּ.

רמט. וּכְתִיב, וְדָוִד עֹלֶה בְמַעֲלֵה הַזֵּיתִים עוֹלֶה וּבוֹכֶה וְרֹאשׁ לוֹ חָפוּי וְהוּא הוֹלֵךְ יָחֵף. רֹאשׁ לוֹ חָפוּי, וְיָחֵף אַמַּאי. אֶלָּא, נָזוּף הֲוָה, עָבֵד גַּרְמֵיהּ נָזוּף, לְקַבְּלָא עָנְשָׁא. וְעַמָּא הֲווֹ רְחִיקִין מִנֵּיהּ ד' אַמּוֹת. זַכָּאָה עַבְדָּא דְּהָכִי פָּלַח לְמָארֵיהּ, וְאִשְׁתְּמוֹדַע בְּחוֹבֵיהּ, לְאָתָבָא מִנֵּיהּ בִּתְיוּבְתָּא שְׁלֵימָתָא.

רנ. ת"ח, יַתִּיר הֲוָה, מַה דְּעָבֵד לֵיהּ שִׁמְעִי בֶּן גֵּרָא, מִכָּל עַקְתִּין דְּעָבְרוּ עָלֵיהּ עַד הַהוּא יוֹמָא, וְלָא אָתִיב דָּוִד לְקָבְלֵיהּ מִלָּה דְּהָכִי הֲוָה יָאוֹת לֵיהּ, וּבְדָא אִתְכַּפָּרוּ חוֹבוֹי.

רנא. הַשְׁתָּא אִית לְאִסְתַּכְּלָא, שִׁמְעִי ת"ח הֲוָה, וְחָכְמְתָא סַגִּיאָה הֲוַת בֵּיהּ, אַמַּאי נָפִיק לְגַבֵּי דָּוִד, וְעָבֵד לֵיהּ כָּל מַה דְּעָבַד. אֶלָּא מֵאֲתַר אַחֲרָא הֲוָה מִלָּה, וְאָעִיל לֵיהּ בְּלִבֵּיהּ מִלָּה דָּא. וְכָל דָּא לְתוֹעַלְתָּא דְּדָוִד. דְּהָא הַהוּא דְּעָבַד לֵיהּ שִׁמְעִי, גָּרְמָא לֵיהּ לְמֵיתָב בִּתְיוּבְתָּא שְׁלֵימָתָא, וְתָבַר לִבֵּיהּ בִּתְבִירוּ סַגֵּי, וְאוֹשִׁיד דִּמְעִין סַגִּיאִין, מִגּוֹ לִבֵּיהּ קֳדָם קוּדְשָׁא בְּרִיךְ הוּא, וְעַל דָּא אָמַר, כִּי יְיָ' אָמַר לוֹ קַלֵּל. יָדַע, דְּהָא מֵאֲתַר עִלָּאָה אַחֲרָא נָחַת מִלָּה.

רנב. תְּרֵין פִּקּוּדִין, פָּקִיד דָּוִד לִשְׁלֹמֹה בְּרֵיהּ, חַד דְּיוֹאָב, וְחַד דְּשִׁמְעִי, עִם שְׁאַר פִּקּוּדִין דְּפָקִיד לֵיהּ. דְּיוֹאָב: דִּכְתִיב, וְגַם אַתָּה יָדַעְתָּ אֵת אֲשֶׁר עָשָׂה לִי יוֹאָב בֶּן צְרוּיָה. מִלָּה סְתִימָא הֲוָה, דַּאֲפִילוּ שְׁלֹמֹה לָא הֲוָה לֵיהּ לְמִנְדַּע, אֶלָּא בְּגִין דְּיָדְעוּ אַחֲרָנִין, אִתְגְּלֵי לִשְׁלֹמֹה. וְעַל דָּא אָמַר, וְגַם אַתָּה יָדַעְתָּ וְגו'. מַה דְּלָא אִתְחֲזֵי לָךְ לְמִנְדַּע.

רנג. דְּשִׁמְעִי: כְּתִיב, וְהִנֵּה עִמְּךָ שִׁמְעִי בֶּן גֵּרָא. מַאי וְהִנֵּה עִמְּךָ, זַמִּין הוּא עִמְּךָ תָּדִיר, רַבּוֹ הֲוָה. וּבְגִין כַּךְ לָא אָמַר עַל יוֹאָב וְהִנֵּה עִמְּךָ יוֹאָב. אֲבָל שִׁמְעִי דָּא, דְּאִשְׁתְּכַח עִמֵּיהּ תָּדִיר, אָמַר וְהִנֵּה עִמְּךָ.

רנד. וַיִּשְׁלַח הַמֶּלֶךְ וַיִּקְרָא לְשִׁמְעִי וַיֹּאמֶר בְּנֵה לְךָ בַיִת בִּירוּשָׁלַ‍ִם. אָן הוּא חָכְמְתָא דִּשְׁלֹמֹה מַלְכָּא בְּהַאי. אֶלָּא כֹּלָּא בְּחָכְמְתָא עָבַד, וּלְכָל סִטְרִין אַשְׁגַּח, דְּהָא חַכִּים הֲוָה שִׁמְעִי, וְאָמַר שְׁלֹמֹה, בְּעֵינָא דְּיִסְגֵּי אוֹרַיְיתָא בְּאַרְעָא עַל יְדוֹי דְּשִׁמְעִי, וְלָא יִפּוּק לְבַר.

רנה. תּוּ מִלָּה אַחֲרָא אַשְׁגַּח שְׁלֹמֹה בְּחָכְמְתָא, דִּכְתִיב, יָצֹא יָצוֹא וַיְקַלֵּל. מַאי יָצֹא יָצֹא תְּרֵי זִמְנֵי, וַיֵּצֵא וַיְקַלֵּל סַגֵּי. אֶלָּא, חַד יְצִיאָה, דְּנָפַק מִבֵּי מִדְרָשָׁא לְגַבֵּי דָּוִד. וְחַד יְצִיאָה, דְּנָפַק מִירוּשְׁלֵם, לְגַבֵּי עַבְדּוֹי דְּמִית עָלוֹי. יְצִיאָה חֲדָא לְגַבֵּי מַלְכָּא, וִיצִיאָה תִּנְיָינָא לְגַבֵּי עַבְדִּין. וְכָל דָּא חָמָא שְׁלֹמֹה, וְאַשְׁגַּח בְּרוּחַ קוּדְשָׁא, הַהוּא יְצִיאָה תִּנְיָינָא. וְעַל דָּא אָמַר, וְהָיָה בְּיוֹם צֵאתְךָ, יָדַע דְּבִיצִיאָה יָמוּת.

רנו. וְעָפָר בְּעָפָר מַהוּ. אָמַר שְׁלֹמֹה לְגַבֵּי אַבָּא בֶּעָפָר הֲוָה. לְגַבֵּי שִׁמְעִי בְּמַיָּא, דִּכְתִיב וְהָיָה בְּיוֹם צֵאתְךָ וְעָבַרְתָּ אֶת נַחַל קִדְרוֹן. עָפָר הָתָם, וְהָכָא מַיָּא. תַּרְוַויְיהוּ דָּן שְׁלֹמֹה, לְמֶהֱוֵי עָפָר וּמַיָּא כַּסּוֹטָה, לְמַאן דְּאַסְטִין אָרְחָא לְגַבֵּי אֲבוֹי.

רנז. כְּתִיב וְהוּא קִלְלַנִי קְלָלָה נִמְרֶצֶת. וּכְתִיב וָאֶשָּׁבַע לוֹ בַּייָ' לֵאמֹר אִם אֲמִיתְךָ בֶּחָרֶב. מַאי בֶּחָרֶב. וְכִי שִׁמְעִי טִפְּשָׁא הֲוָה, דְּאִילוּ הָכִי אוֹמֵי לֵיהּ, דְּלָא יֵימָא בְּחֶרֶב לָא. אֲבָל בַּחֲנִית אוֹ בְּגִירָא אִין.

רנח. אֶלָּא תְּרֵין מִלִּין הָכָא. חַד אָמַר יַנּוּקָא, בְּרֵיהּ דְּנוּנָא רַבָּא הַהוּא דְּקַשְׁקַשּׂוֹי סָלְקִין לְרוּם עֲנָנִין. אוּמָאָה דְּדָוִד מַלְכָּא, כַּד הֲוָה בָּעֵי לְאוּמָאָה, אַפִּיק חַרְבָּא דִּילֵיהּ,

דְּתַמָּן הֲוָה וְחָקִיק שְׁמָא גְּלִיפָן, וְתַמָּן אוֹמֵי. וְכָךְ עָבִיד לְשִׁמְעִי, דִּכְתִּיב וָאֶשָּׁבַע לוֹ בַיְיָ' לֵאמֹר אִם אֲמִיתְךָ בֶּחָרֶב. בְּמַאי הֲוָה אוֹמָאָה דָּא. בְּחָרֶב. בֶּחָרֶב אוֹמֵי. וּמִלָּה אַחֲרָא, דָּן שְׁלֹמֹה, אָמַר, בִּקְלָלָה אָתָא לְגַבֵּי אַבָּא, בְּמִלִּין, הָא מִלִּין לְגַבֵּיהּ, וּבְשֵׁם הַמְּפוֹרָשׁ קַטְלֵיהּ, וְלֹא בֶּחָרֶב. וּבְגִין דָּא עָבַד שְׁלֹמֹה הָכִי.

רנט. הַשְׁתָּא אִית לְאִסְתַּכְּלָא, דְּכֵיוָן דְּאוֹמֵי לֵיהּ דָּוִד, אֲמַאי קַטְלֵיהּ, דְּאִתְחֲזֵי דְּהָא אוֹמָאָה דָּא בַּעֲלִילָה הֲוָה, דְּהָא לִבָּא וּפוּמָא לָא הֲוו כַּחֲדָא. אֶלָּא וַדַּאי דָּוִד לָא קַטְלֵיהּ, וְהָא יְדִיעָא, כָּל שַׁיְיפִין דְּגוּפָא מְקַבְּלִין כֹּלָּא, וְלִבָּא לָא מְקַבְּלָא אֲפִילּוּ כְּחוּטָא דְּנִימָא דְּשַׂעֲרָא. דָּוִד מַלְכָּא לִבָּא הֲוָה, וְקָבִּיל מַה דְּלָא אִתְחֲזֵי לֵיהּ לְקַבְּלָא, וּבְגִין כָּךְ, וְיָדַעְתָּ אֵת אֲשֶׁר תַּעֲשֶׂה לוֹ כְּתִיב. וְתוּ, דְּהָא אִילָנָא גָּרִים לְמֶהֱוֵי נָטִיר וְנוֹקֵם. כְּחִוְיָא.

רס. כְּתִיב כִּי לֹא תַחְפּוֹץ זֶבַח וְאֶתֵּנָה עוֹלָה לֹא תִרְצֶה. זִבְחֵי אֱלֹהִים רוּחַ נִשְׁבָּרָה לֵב נִשְׁבָּר וְנִדְכֶּה אֱלֹהִים לֹא תִבְזֶה. כִּי לֹא תַחְפּוֹץ זֶבַח, וְכִי לָא בָּעֵי קֻבָּ"ה דְּיִקְרְבוּן קָמֵיהּ קָרְבְּנָא, וְהָא אִיהוּ אַתְקִין לְגַבֵּי וְחַיָּיבָא קָרְבְּנָא, דְּיִקְרְבוּן וְיִתְכַּפַּר לְהוּ חוֹבַיְיהוּ. אֶלָּא דָּוִד לְקָמֵי שְׁמָא דֶּאֱלֹהִים אָמַר, וְקָרְבְּנָא לָא קָרְבִין לִשְׁמָא דֶּאֱלֹהִים, אֶלָּא לִשְׁמָא דְּיו"ד הֵ"א וָא"ו הֵ"א. דְּהָא לְגַבֵּי דִּינָא קַשְׁיָא מִדַּת הַדִּין, לָא מְקָרְבִין קָרְבְּנָא. דִּכְתִּיב אָדָם כִּי יַקְרִיב מִכֶּם קָרְבָּן לַיְיָ'. לַיְיָ', וְלָא לִשְׁמָא דֶּאֱלֹהִים. וְכִי תַקְרִיב. קָרְבַּן מִנְחָה לַיְיָ'. זֶבַח תּוֹדָה לַיְיָ'. זֶבַח שְׁלָמִים לַיְיָ'.

רסא. וּבְגִין כָּךְ, כֵּיוָן דְּדָוִד מַלְכָּא, לְגַבֵּי אֱלֹהִים אָמַר. אִצְטְרִיךְ לְמִכְתַּב, כִּי לֹא תַחְפּוֹץ זֶבַח וְאֶתֵּנָה עוֹלָה לֹא תִרְצֶה. דְּהָא לִשְׁמָא דָּא לָא מְקָרְבִין, אֶלָּא רוּחַ נִשְׁבָּרָה. דִּכְתִּיב זִבְחֵי אֱלֹהִים רוּחַ נִשְׁבָּרָה. קָרְבְּנָא דֶּאֱלֹהִים, עֲצִיבוּ, וּתְבִירוּ דְּלִבָּא. וּבְגִין כָּךְ, מַאן דְּחָלַם חֶלְמָא בִּישָׁא, עֲצִיבוּ אִצְטְרִיךְ לְאַחֲזָאָה, דְּהָא בְּמִדַּת אֱלֹהִים קַיְּימָא, וְזֶבַח דְּמִדַּת דִּינָא, עֲצִיבוּ אִצְטְרִיךְ וְרוּחַ נִשְׁבָּרָה, וְהַהוּא עֲצִיבוּ מִסְתַּיְּיהּ לְחֶלְמָא בִּישָׁא, וְלָא שַׁלְטָא דִּינָא עֲלוֹי. דְּהָא זֶבַח דְּאִתְחֲזֵי לְמִדַּת דִּינָא, אַקְרִיב קָמֵיהּ.

רסב. לֵב נִשְׁבָּר וְנִדְכֶּה אֱלֹהִים לֹא תִבְזֶה, מַאי לֹא תִבְזֶה, מִכְּלָל דְּאִיכָּא לֵב דְּאִיהוּ בּוֹזֶה. אִין. הַיְינוּ לֵב דְּאִיהוּ גֵּאֶה, לֵב בְּגַסּוּת רוּחָא, הַיְינוּ לֵב דְּאִיהוּ בּוֹזֶה, אֲבָל לֵב נִשְׁבָּר וְנִדְכֶּה אֱלֹהִים לֹא תִבְזֶה.

רסג. הֵיטִיבָה בִרְצוֹנְךָ אֶת צִיּוֹן תִּבְנֶה חוֹמוֹת יְרוּשָׁלָיִם. מַאי הֵטִיבָה, אִתְחֲזֵי דְּהָא טִיבוּ אִית בָּהּ, וְהַשְׁתָּא הֵטִיבָה עַל הַהוּא טִיבוּ. וַדַּאי הָכִי הוּא, דְּהָא מִן יוֹמָא דְּקֻבָּ"ה אִשְׁתַּדַּל בְּבִנְיַן בֵּי מַקְדְּשָׁא לְעֵילָא, עַד כְּעַן, הַהוּא הֲטָבָה דְּרָצוֹן, לָא שַׁרְיָא עַל הַהוּא בִּנְיָן, וְעַל דָּא לָא אִשְׁתַּכְלַל. דְּהָא בְּשַׁעֲתָא דְּרָצוֹן דִּלְעֵילָא יִתְעַר, יֵיטִיב וְיַדְלִיק נְהוֹרִין דְּהַהוּא בִּנְיָן, וְהַהוּא עֲבִידְתָּא, דַּאֲפִילּוּ מַלְאָכִין דִּלְעֵילָא, לָא יָכְלוּן לְאִסְתַּכְּלָא בְּהַהוּא בֵּי מַקְדְּשָׁא, וְלָאו בְּהַהוּא בִּנְיָן. וּכְדֵין בֵּי מַקְדְּשָׁא, וְכָל עוֹבָדָא אִשְׁתַּכְלַל.

רסד. תִּבְנֶה חוֹמוֹת יְרוּשָׁלָיִם, וְכִי מִן יוֹמָא דְּאִשְׁתַּדַּל בְּבִנְיַן בֵּי מַקְדְּשָׁא עַד כְּעַן, לָא בָּנָה לוֹן. אִי חוֹמוֹת יְרוּשָׁלַיִם עַד כְּעַן לָא בָּנָה, בֵּי מַקְדְּשָׁא עַל אַחַת כַּמָּה וְכַמָּה. אֶלָּא קוּדְשָׁא בְּרִיךְ הוּא, כָּל עוֹבָדוֹי, לָאו כְּעוֹבָדֵי דְּבַ"נ. בְּנֵי נָשָׁא כַּד בָּנוּ בֵּי מַקְדְּשָׁא לְתַתָּא, בְּקַדְמֵיתָא עָבְדוּ שׁוּרֵי קַרְתָּא, וּלְבַסּוֹף עָבְדוּ בֵּי מַקְדְּשָׁא. שׁוּרֵי קַרְתָּא בְּקַדְמֵיתָא, בְּגִין לְאַגָּנָא עֲלַיְיהוּ, וּלְבָתַר בִּנְיָינָא דְּבֵיתָא. קֻבָּ"ה לָאו הָכִי, אֶלָּא בָּנֵי בֵּי מַקְדְּשָׁא בְּקַדְמֵיתָא, וּלְבַסּוֹף, כַּד יָחִית לֵיהּ מִשְּׁמַיָּא, וְיוֹתִיב לֵיהּ עַל אַתְרֵיהּ, כְּדֵין יִבְנֶה

וְחוֹמוֹת יְרוּשָׁלַ‍ִם דְּאִנּוּן שׁוּרִין דְּקַרְתָּא. וְע״ד אָמַר דָּוִד ע״ז, הֵיטִיבָה בִרְצוֹנְךָ אֶת צִיּוֹן בְּקַדְמֵיתָא, וּלְבָתַר תִּבְנֶה חוֹמוֹת יְרוּשָׁלָ‍ִם.

רסה. הָכָא אִית רָזָא, כָּל עוֹבָדִין דְּעָבֵיד קוּדְשָׁא בְּרִיךְ הוּא, בְּקַדְמֵיתָא אַקְדִּים הַהוּא דִּקְלִפָּה, וּלְבָתַר מוֹחָא דִּלְגוֹ, וְהָכָא לָאו הָכִי. ת״ח, כָּל אִינּוּן עוֹבָדִין דְּעָבֵיד קוּדְשָׁא בְּרִיךְ הוּא, וְאַקְדִּים הַהוּא דִּקְלִפָּה, מוֹחָא אַקְדִּים בְּמַחֲשָׁבָה, וּבְעוֹבָדָא הַהוּא דִּקְלִפָּה, דְּהָא כָּל קְלִיפָּה מִסִּטְרָא אַחֲרָא הֲוֵי, וּמוֹחָא מִן מוֹחָא, וְתָדִיר סִטְרָא אַחֲרָא אַקְדִּים וְרַבֵּי וְאַגְדִּיל וְנָטִיר אִיבָּא. כֵּיוָן דְּאִתְרַבֵּי, זַרְקִין לֵיהּ לְבַר, וְיָכִין רָשָׁע וְצַדִּיק יִלְבַּשׁ, וְזַרְקִין לְהַהִיא קְלִיפָּה, וּמְבָרְכִין לְצַדִּיקָא דְּעָלְמָא.

רסו. אֲבָל הָכָא, בְּבִנְיָינָא דְּבֵי מַקְדְּשָׁא, דְּסִטְרָא בִּישָׁא יִתְעֲבַר מֵעָלְמָא, לָא אִצְטְרִיךְ, דְּהָא מוֹחָא וּקְלִיפָּה דִּילֵיהּ הֲוֵי. אַקְדִּים מוֹחָא, דִּכְתִיב הֵיטִיבָה בִרְצוֹנְךָ אֶת צִיּוֹן בְּקַדְמֵיתָא, וּלְבָתַר תִּבְנֶה חוֹמוֹת יְרוּשָׁלָ‍ִם. הַהִיא חוֹמָה דִּלְבַר, דְּאִיהִי קְלִיפָּה, דִּילֵיהּ הִיא מַמָּשׁ. דִּכְתִיב, וַאֲנִי אֶהְיֶה לָּהּ נְאֻם יְיָ' חוֹמַת אֵשׁ סָבִיב. אֲנִי וְלָא סִטְרָא בִּישָׁא.

רסז. יִשְׂרָאֵל, אִינּוּן מוֹחָא, עִלָּאָה דְּעָלְמָא. יִשְׂרָאֵל סָלִיקוּ בְּמַחֲשָׁבָה בְּקַדְמֵיתָא, עַמִּין עעכו״ם, דְּאִינּוּן קְלִיפָּה, אַקְדִּימוּ. דִּכְתִיב וְאֵלֶּה הַמְּלָכִים אֲשֶׁר מָלְכוּ בְּאֶרֶץ אֱדוֹם לִפְנֵי מְלָךְ מֶלֶךְ לִבְנֵי יִשְׂרָאֵל. וְזַמִּין קוּדְשָׁא בְּרִיךְ הוּא, לְאַקְדְּמָא מוֹחָא, בְּלָא קְלִיפָּה. דִּכְתִיב קֹדֶשׁ יִשְׂרָאֵל לַיְיָ' רֵאשִׁית תְּבוּאָתֹה, מוֹחָא קָדִים לִקְלִיפָּה. וְאע״ג דְּמוֹחָא יְקוּם בְּלָא קְלִיפָּה, מַאן הוּא דְּיוֹשִׁיט יְדָא לְמֵיכַל מִנֵּיהּ, בְּגִין, דְּכָל אוֹכְלָיו יֶאְשָׁמוּ רָעָה תָּבֹא אֲלֵיהֶם נְאֻם יְיָ'.

רסח. בְּהַהוּא זִמְנָא, אָז תַּחְפּוֹץ זִבְחֵי צֶדֶק. בְּגִין, דְּהָא כְּדֵין, יִתְחַבַּר כֹּלָּא בְּחִבּוּרָא חֲדָא, וִיהֵא שְׁמָא שְׁלִים בְּכָל תִּקּוּנֵיהּ. וּכְדֵין קָרְבְּנָא לֶהֱוֵי שְׁלִים, לַיְיָ' אֱלֹהִים. דְּהַשְׁתָּא אֱלֹהִים לָא אִתְחַבַּר לְקוּרְבְּנָא, דְּאִלְמָלֵא אִתְחַבַּר בֵּיהּ, כַּמָּה אֱלֹהִים יִסְלְקוּן אוּדְנִין לְאִתְחַבְּרָא תַּמָּן. אֲבָל בְּהַהוּא זִמְנָא, כִּי גָדוֹל אַתָּה וְעוֹשֵׂה נִפְלָאוֹת אַתָּה אֱלֹהִים לְבַדֶּךָ. וְאֵין אֱלֹהִים אַחֲרָא.

רסט. וּבְהַהוּא זִמְנָא כְּתִיב, רְאוּ עַתָּה כִּי אֲנִי אֲנִי הוּא וְאֵין אֱלֹהִים עִמָּדִי רְאוּ כִּי אֲנִי אֲנִי הוּא סַגֵּי, מַאי עַתָּה. אֶלָּא דְּלָא הֲוָה קֹדֶם לָכֵן, וְהַהוּא זִמְנָא לֶיהֱוֵי. אָמַר קוּדְשָׁא בְּרִיךְ הוּא, עַתָּה רְאוּ, מַה דְּלָא תֵּיכְלוּן לְמֶיחֱמֵי מִקַּדְמַת דְּנָא.

ער. כִּי אֲנִי אֲנִי, תְּרֵי זִמְנֵי אַמַּאי. אֶלָּא לְדַיְּיקָא, דְּהָא לֵית תַּמָּן אֱלֹהִים, אֶלָּא הוּא. דְּהָא כַּמָּה זִמְנִין, דְּאִתְּמַר אֲנִי זִמְנָא חֲדָא, וְלָא יַתִּיר, וַהֲוָה תַּמָּן סִטְרָא אַחֲרָא. אֲבָל הַשְׁתָּא אֲנִי אֲנִי הוּא וְאֵין אֱלֹהִים עִמָּדִי, דְּהָא כָּל סִטְרָא אַחֲרָא אִתְעֲבַר, וְדַיְּיקָא אֲנִי אֲנִי.

רעא. אֲנִי אָמִית וַאֲחַיֶּה, עַד הַשְׁתָּא מוֹתָא הֲוַת מִסִּטְרָא אַחֲרָא, מִכָּאן וּלְהָלְאָה, אֲנִי אָמִית וַאֲחַיֶּה, מִכָּאן דִּבְהַהוּא זִמְנָא, כָּל אִינּוּן דְּלָא טַעֲמֵי טַעֲמָא דְּמוֹתָא. מִנֵּיהּ תְּהֵא לוֹן מוֹתָא, וִיְקִים לוֹן מִיַּד. אַמַּאי. בְּגִין דְּלָא יִשְׁתְּאַר מֵהַהוּא זוּהֲמָא בְּעָלְמָא כְּלָל, וִיהֵא עָלְמָא חַדְתָּא, בְּעוֹבָדֵי יְדוֹי דְּקוּדְשָׁא בְּרִיךְ הוּא.

ערב. וְאִם אָמֹר יֹאמַר וְגוֹ' לֹא אֵצֵא חָפְשִׁי. כְּמָה דְּאִתְּמַר כְּדֵין פָּגִים לֵיהּ פְּגִימוּ. אִם בְּגַפּוֹ יָבֹא, מַהוּ בְּגַפּוֹ. תָּנֵינָן, כְּתַרְגּוּמוֹ, בִּלְחוֹדוֹי. יָאוּת הוּא. אֲבָל הָא תָּנֵינָן, כָּל עָלְמָא, לָא קָאִים, אֶלָּא עַל גַּפָּא חֲדָא, דְּלִוְיָתָן.

רעג. וְרָזָא דָּא, בְּשַׁעֲתָא דְּקַיְּימָא דְּכַר וְנוּקְבָא, דִּדְכַר וְנוּקְבָא בָּרָא לוֹן קוּדְשָׁא בְּרִיךְ הוּא, וּבְכָל מַה דְּאַזְלִין, עָלְמָא מִזְדַּעְזַע, וְאִלְמָלֵא דְּסָרֵס קוּדְשָׁא בְּרִיךְ הוּא דְּכוּרָא, וְצִנֵּן יַת נוּקְבָא, הֲווּ

מְטַשְׁטְשִׁין עָלְמָא. וְע"ד לָא עַבְדִּין תּוֹלְדִין, אִם בְּגַפּוֹ יָבֹא, תְּוָוּת הַהוּא גַּפָּא, דְּלָא עָבֵיד תּוֹלְדִין עָאל. וְהוֹאִיל וְכֵן, בְּגַפּוֹ יֵצֵא, לְתַמָּן. אתדווא, וְלָא עָאל לְפַרְגּוֹדָא כְּלָל, וְאִתְדַּוְּיָא וְאִתְטְרִיד מֵהַהוּא עָלְמָא. בְּגַפּוֹ יֵצֵא, בְּגַפּוֹ יֵצֵא וַדַּאי.

רעד. ת"ח, מַה כְּתִיב, עֲרִירִים יָמוּתוּ עֲרִירִים כְּלָל דְּכַר וְנוּקְבָא. בְּרָזָא דִּדְכוּרָא עָאל, וּבְרָזָא דְּנוּקְבָא יִפּוֹק. עָאל בְּהַאי, וְיִפּוֹק בְּהַאי. וְהַאי אִיהוּ אֲתַר, דְּקָא אִתְדָּבַק בֵּיהּ בְּהַהוּא עָלְמָא, דְּהָא קוּב"ה לָא בָּעֵי דְּיֵעוֹל קָמֵיהּ, מַאן דִּמְסָרֵס גַּרְמֵיהּ בְּהַאי עָלְמָא.

רעה. תָּא וַחֲזֵי, מִן קָרְבְּנָא. דְּלָא הֲווּ מְקָרְבִין קָמֵיהּ סרוּסָא, וְאַפִּיקוּ לֵיהּ, דְּלָא יִתְקָרֵב לְקָמֵיהּ, וּפַקִּיד וְאָמַר, וּבְאַרְצְכֶם לֹא תַעֲשׂוּ. וְכֵן לְדָרֵי דָּרִין אָסִיר לְסָרוּסֵי בְּרִיָּין, דְּבָרָא קוּב"ה בְּעָלְמָא. דְּהָא כָּל סרוּסָא, דְּסִטְרָא אַחֲרָא אִיהוּ.

רעו. וְאִי אִיהוּ אִשְׁתַּדַּל, וְנָסִיב אִיתְּתָא, וְלָא עָבֵיד תּוֹלְדִין, וְלָא בָּעָא, וְאַע"ג דְּאִית לֵיהּ אִיתְּתָא, אוֹ אִי הִיא לָא בָּעַאת, וְעָאל לְהַהוּא עָלְמָא, בְּלָא תּוֹלְדִין, מַה כְּתִיב. אִם בַּעַל אִשָּׁה הוּא, וְלָא אַשְׁגְּחוּ לְפַעַל יְדוֹי דְּמָארֵיהוֹן, וְיָצְאָה אִשְׁתּוֹ עִמּוֹ, אִיהוּ יֵעוֹל בְּגַפּוֹ דִּדְכוּרָא, וְאִיהִי בְּנוּקְבָא. בְּגַפּוֹ יָבֹא בְּגַפּוֹ יֵצֵא כְּמָה דְּאִתְּמַר, כֹּלָּא עַל תִּקּוּנֵיהּ.

רעז. אִם אֲדֹנָיו יִתֶּן לוֹ אִשָּׁה, כְּמָה דְּאִתְּמַר, אִם אֲדֹנָיו, דָּא אִיהוּ אֲדוֹן כָּל הָאָרֶץ. יִתֶּן לוֹ אִשָּׁה, מֵהָכָא, דְּלָאו בִּרְשׁוּתָא דְּבַר נָשׁ קַיְּימָא לְמֵיסַב אִתְּתָא. אֶלָּא כֹּלָּא בְּמֹאזְנַיִם לַעֲלוֹת. יִתֶּן לוֹ אִשָּׁה, דְּהָא לָאו בִּרְשׁוּתֵיהּ אִיהוּ. וּמַאן אִיהִי. הַהִיא דְּלָאו דִּילֵיהּ, וְלָא אִזְדַּמְּנַת לְגַבֵּיהּ, וּמַאן אִיהִי. הַהִיא דַּהֲוַת זְמִינָא לְאַחֲרָא, וְאַקְדִּים הַאי בְּרַחֲמֵי, וְנָטִיל לָהּ, דָּא אִתְיְיהִיבַת לֵיהּ, דְּלָא אִתְחֲזִיאַת לֵיהּ.

רעח. וְקוּב"ה וְזַמֵּי מְרַוִּיק, וְזַמֵּי לְהַהִיא אִתְּתָא, דִּזְמִינַת לְאַפָּקָא תּוֹלְדִין בְּעָלְמָא. אַקְדִּים הַאי בְּרַחֲמֵי, וְאִתְיְיהִיבַת לֵיהּ, וְעָבֵיד אִיבִּין, וְזָרַע זַרְעָא, בְּאִתְּתָא דְּלָאו דִּילֵיהּ, בג"כ, הָאִשָּׁה וִילָדֶיהָ תִּהְיֶה לַאדֹנֶיהָ, וְהוּא יֵצֵא בְגַפּוֹ. אִי עַנְיָיא מִסְכְּנָא, כַּמָּה אִשְׁתָּדַל בְּרֵיקַנְיָא, לָאָה וְאִשְׁתַּדַּל לְמֶעְבַּד פֵּירִין, בְּגִנְּתָא דְּלָאו אִיהִי דִּילֵיהּ, וְנָפַק בְּרֵיקַנְיָא.

רעט. סָבָא סָבָא, בְּעִדָּנִין אִלֵּין, לָא הֲוֵית בְּרַגְלָךְ דָּוֵי לְתַרְעָא, כְּמַאן דְּשָׁכִיב בְּאַרְעָא בְּלָא תּוּקְפָּא, דְּהָא אִתְחַלַּשׁ וּמִתְחַלְּשָׁא סַגֵּי, דְּלָא יָכִיל, דָּוֵי בְּרַגְלוֹי. אִתְתַּקַּף סָבָא, וְלָא תִּדְחַל. הָא עַנְיָיא מִסְכְּנָא, דְּאִשְׁתַּדַּל בְּרֵיקַנְיָא, אֵימָא אַמַּאי. אִי בְּגִין דְּזָרַע בְּגִנְּתָא אַחֲרָא דְּלָאו דִּילֵיהּ, יָאוּת. אֲבָל הָכָא קוּב"ה יָהֵיב לֵיהּ הַהוּא גִּנְּתָא לְמִזְרַע בָּהּ, דְּהָא אִיהוּ לָא נָטִיל לָהּ.

רפ. אֶלָּא ת"ח, כָּל מִלִּין דְּקוּב"ה עָבֵיד, כֻּלְּהוּ בְּדִינָא אִינּוּן, וְלָא הֲוָה מִלָּה בְּרֵיקַנְיָא. הַאי דְּקוּב"ה יָהַב לֵיהּ אִתְּתָא, וְעָבֵיד בָּהּ פֵּירִין וְאִיבִּין, לָאו הַאי כִּשְׁאַר בְּנֵי גִּלְגּוּלָא, וְלָא דָּמֵי מַאן דְּאִשְׁתַּדַּל בְּהַאי עָלְמָא לְאַסְגָּאָה אִילָנָא, וְלָא יָכִיל לְמַאן דְּלָא בָּעָא לְאַסְגָּאָה לְאִשְׁתַּדְּלָא, וְאַעְקַר וְאַפִּיל טַרְפִּין דְּאִילָנָא, וְאַזְעַר אִיבָּא דִּילֵיהּ.

רפא. הַאי דַּאֲדֹנָיו יָהֵיב לֵיהּ אִתְּתָא, בְּגִין לְמֶעְבַּד אִיבִּין, הָא אִשְׁתַּדַּל בְּקַדְמֵיתָא בְּגִין לְאַסְגָּאָה אִילָנָא, וְלָא יָכִיל. זַכְיָין כָּל כָּךְ לֵית לֵיהּ, דְּאִי הֲוָה זַכָּאָה כַּדְקָא יָאוּת, לָא הֲוָה תָּב בְּגִלְגּוּלָא, דְּהָא כְּתִיב, וְנָתַתִּי לָהֶם בְּבֵיתִי וּבְחוֹמוֹתַי יָד וָשֵׁם טוֹב מִבָּנִים וּמִבָּנוֹת. וְהַשְׁתָּא דְּלָא זָכָה, קוּב"ה וְזַמֵּי, דְּהָא אִשְׁתַּדַּל וְלָא יָכִיל, הַאי, אֲדוֹנָיו יִתֶּן לוֹ אִשָּׁה, כְּמָה דְּאִתְּמַר. וְכֵיוָן דְּחָס עָלֵיהּ קוּב"ה, וְיָהַב לֵיהּ בְּרַחֲמֵי, קוּב"ה גָּבֵי מִדִּידֵיהּ בְּקַדְמֵיתָא, וְנָטִיל מַה דְּגָרַע הַהוּא מַבּוּעָא, וּבג"כ, הָאִשָּׁה וִילָדֶיהָ תִּהְיֶה לַאדֹנֶיהָ, וּלְבָתַר יִיתוּב, וְיִשְׁתַּדַּל עַל גַּרְמֵיהּ, לְאַשְׁלוּמֵי גַּרְעוּנֵיהּ. עַד הָכָא רָזָא דִּקְרָא.

רפב. סָבָא סָבָא, אַתְּ אֲמַרְתְּ ע״ד, דִּבְרֵיקָנְיָא אִשְׁתְּדַל, וְלָא אַשְׁגְּחוּת עֲלָךְ, דִּבְרֵיקָנְיָא אַתְּ אָזִיל בְּמַה דַּאֲמַרְתְּ, דְּהָא קָרָא רָדִיף אֲבַתְרָךְ, דְּסָתִיר כָּל בִּנְיָינָא דְּבָנִית עַד הַשְׁתָּא, וְאַתְּ וְחָשִׁיב דְּאַנְתְּ מְשַׁטְּטָא יַמָּא לִרְעוּתָךְ. וּמַאי אִיהוּ. דִּכְתִיב, וְאִם אָמוֹר יֹאמַר הָעֶבֶד אָהַבְתִּי אֶת אֲדוֹנִי אֶת אִשְׁתִּי וְגוֹ׳.

רפג. אִי סָבָא סָבָא, לָאֵי וְחֵילָא, מַה תַּעֲבִיד, וְחָשַׁבְתְּ דְּלָא לֶיהֱוֵי מַאן דְּרָדִיף אֲבַתְרָךְ, הָא הַאי קָרָא רָדִיף אֲבַתְרָךְ, וְנָפִיק מִבָּתַר כּוֹתָלָא, כְּאַיָּלָה בְּחַקְלָא, מְדַלֵּג דִּלּוּגִין אֲבַתְרָךְ, תְּלֵיסַר דִּילוּגִין דָּלִיג אֲבַתְרָךְ וְאַדְבִּיק לָךְ, מַה תַּעֲבִיד סָבָא. הַשְׁתָּא אִית לָךְ לְאִתְגַּבְּרָא בְּחֵילָךְ. דְּהָא גִּיבָּר תַּקִּיף הֲוֵית עַד יוֹמָא. סָבָא סָבָא, הֲוֵי דָּכִיר יוֹמָא דְּתַלְגָּא, כַּד זַרְעָנָא פּוֹלִין, וַהֲווֹ כַּמָּה גּוּבְרִין בְּנֵי חֵילָא, לְקַבְלָךְ, וְאַנְתְּ בִּלְחוֹדָךְ, נָצַחְתְּ תְּלֵיסַר גַּבְרִין תַּקִּיפִין, בְּנֵי חֵילָא, דְּכָל חַד מִנַּיְיהוּ קָטִיל אַרְיָא, עַד לָא יֵיכוּל.

רפד. אִי לְאִינּוּן תְּלֵיסַר גּוּבְרִין נָצַחְתְּ, הָנֵי תְּלֵיסַר דְּלֵית בְּהוּ חֵילָא, אֶלָּא מִלִּין, עאכ״ו. אָמוֹר יֹאמַר כְּתִיב. אֶלָּא קֻבָּ״ה אָרְחֵיהּ לְמֶעְבַּד דִּינָא לְכֹלָּא. כַּד מָטָא זִמְנָא דְּהַאי אִתְּתָא לְאִשְׁכְּחָא בַּר זוּגֵיהּ מַה עָבִיד קָטִיל לְדֵין, וְנָטִיל לָהּ הַהוּא בַּר זוּגָא, וְאִיהוּ נָפִיק מֵהַאי עָלְמָא בִּלְחוֹדוֹי יְחִידָאָה.

רפה. וְאִם אָמוֹר יֹאמַר, הָא אוּקְמוּהָ חַבְרַיָּיא כִּפְשָׁטֵיהּ דִּקְרָא. וְאִם אָמוֹר, בְּשֵׁירוּתָא דְּשִׁית שְׁנִין, יֹאמַר, בְּסוֹפָא דְּשִׁית שְׁנִין, עַד לָא יֵעוּל שְׁבִיעָאָה, דְּהָא אִי אָמַר, כַּד אִיהוּ אֲפִילּוּ בְּיוֹמָא חַד מִשְּׁבִיעָאָה, מִלּוֹי בְּטֵלִין. מ״ט. הָעֶבֶד כְּתִיב, בְּעוֹד דְּאִיהוּ עֶבֶד, בְּשַׁתָּא שְׁתִיתָאָה. אָמַר בְּשֵׁירוּתָא דְּשִׁית שְׁנִין, וְלָא אָמַר בְּסוֹפָא דְּשִׁית שְׁנִין, לָאו כְּלוּם הוּא, וּבְגִין כָּךְ, תְּרֵי זִמְנֵי אָמוֹר יֹאמַר.

רפו. וְהָכָא, בְּעוֹד דְּאִיהוּ בְּהַאי אִתְּתָא, אַסְגֵּי צְלוֹתִין וּבָעוּתִין בְּכָל יוֹמָא, לְגַבֵּי מַלְכָּא קַדִּישָׁא, כְּמָה דַּהֲוָה שֵׁירוּתָא בְּרַחֲמֵי, הָכִי הוּא סוֹפָא בְּרַחֲמֵי, וְדָא הוּא אָמוֹר יֹאמַר. אָמוֹר בְּקַדְמֵיתָא, כַּד אַקְדִּים בְּרַחֲמֵי. יֹאמַר בְּסוֹפָא וְיִתְקַבַּל בְּרַחֲמֵי. וּמַה יֹאמַר. אָהַבְתִּי אֶת אֲדוֹנִי, דָּא בג״ד, וּבְסַגִּיאוּ דִּצְלוֹתִין, רָחִים לֵיהּ לְקֻבָּ״ה. אַתְקִין עוֹבָדוֹי, וְאָמַר אָהַבְתִּי אֶת אֲדוֹנִי אֶת אִשְׁתִּי וְאֶת בָּנָי לֹא אֵצֵא חָפְשִׁי. וְקֻבָּ״ה קַבִּיל לֵיהּ, בְּהַהוּא תְּיוּבְתָּא, וּבְאִינּוּן סַגִּיאוּ דִּצְלוֹתִין.

רפז. מַה עָבִיד קֻבָּ״ה, מַה דַּהֲוָה זַמִּין לְאַהֲדְרָא לֵיהּ בְּגִלְגּוּלָא, וּלְמִסְבַּל עוֹנָשִׁין בְּהַאי עָלְמָא, עַל מַה דַּעֲבַד, לָא אַהֲדָר לֵיהּ לְהַאי עָלְמָא. וּמֶה עָבִיד, קָרִיב לֵיהּ לְבֵי דִּינָא דִּמְתִיבְתָּא דִּרְקִיעָא, וְדַיְינִין לֵיהּ, וּמַסְרִין לֵיהּ לְבֵי מַלְקְיוּתָא, וְאַרְשִׁים לֵיהּ קֻבָּ״ה, הֵיךְ אִתְמְסַר לְבֵי עוֹנְשָׁא, וּפָגִים לֵיהּ, לְמֶהֱוֵי תְּחוֹת שׁוּלְטָנֵיהּ דְּעָרְלָה, עַד זִמַן יְדִיעָא, וּבָתַר פָּרִיק לֵיהּ.

רפח. אִי בְּהַהוּא זִמְנָא דְּקָא עַבְדִּין לֵיהּ פְּגִימוּ, אִי מָטָא יוֹבְלָא, אֲפִילּוּ יוֹמָא חַד לְיוֹבְלָא, אִתְחֲשַׁב כְּמָה דְּאִשְׁכַּח זִמְנָא עַד יוֹבְלָא, הָכִי אִתְעֲנַשׁ וְלָא יַתִּיר. אָתָא יוֹבְלָא, וְאַפְרוּק, וְעָאלִין לֵיהּ גּוֹ פַּרְגּוֹדָא. עַד הָכָא. אַסְתִּים עֵינוֹי הַהוּא סָבָא, רִגְעָא חֲדָא.

רפט. פָּתַח וְאָמַר, שִׁמְעוּ הָרִים אֶת רִיב יְיָ׳ וְהָאֵיתָנִים מוֹסְדֵי אָרֶץ כִּי רִיב לַיְיָ׳ עִם עַמּוֹ וְגוֹ׳. אִי סָבָא, עַד הַשְׁתָּא הֲוֵית בְּעִמְקֵי יַמָּא, וְהַשְׁתָּא דְּלַגְתְּ בְּטוּרִין תַּקִּיפִין, לְמֶעְבַּד עִמְּהוֹן קְרָבָא. אֶלָּא וַדַּאי עַד כְּעַן, בְּיַמָּא תַּקִּיפָא אַנְתְּ, אֲבָל עַד דַּאֲזַלְתְּ בְּעִמְקֵי יַמָּא, פָּגַעְתְּ בְּאִינּוּן טוּרִין תַּקִּיפִין, דִּי בְּגוֹ יַמָּא, וְאִעֲרָעַתְּ בְּהוּ. הַשְׁתָּא אִית לָךְ לְאַגָּחָא קְרָבָא בְּעִמְקֵי יַמָּא, וּבְהַנְהוּ טוּרִין.

רצ. סָבָא לְאַי וְזִילָא, מַאן יְהַבְךְ בְּדָא, הֲוֵית בִּשְׁלָם, וּבְעֵית לְכָל הַאי, אַנְתְּ עֲבַדְתְּ, אַנְתְּ סָבִיל. הַשְׁתָּא לֵית לָךְ, אֶלָּא לְאַגָּחָא קְרָבָא, וּלְנַצְּחָא כֹּלָּא, וְלָא לְמֶהְדַּר לַאֲחוֹרָא. אִתְתַּקַּף בְּחֵילָךְ, וַחֲגוֹר וַחֲרְצָךְ, וְלָא תִּדְחַל, לְתַבְרָא הָנֵי טוּרִין, דְּלָא יִתְתַּקְּפוּן לְגַבָּךְ. אֵימָא לוֹן, טוּרִין רָמָאִין, טוּרִין תַּקִּיפִין, הֵיךְ אַתּוּן מִתְתַּקְּפִין.

רצא. תְּרֵי קְרָאֵי כְּתִיבֵי, וְחַד כְּתִיב, קוּם רִיב אֶת הֶהָרִים וְתִשְׁמַעְנָה הַגְּבָעוֹת קוֹלֶךָ. וְחַד כְּתִיב, שִׁמְעוּ הָרִים אֶת רִיב יְיָ'. אֶלָּא אִית טוּרִין, וְאִית טוּרִין. אִית טוּרִין, דְּאִינּוּן טוּרִין רָמָאִין לְעֵילָּא לְעֵילָּא, לְאִלֵּין כְּתִיב, שִׁמְעוּ הָרִים אֶת רִיב יְיָ'. וְאִית הָרִים, דְּאִינּוּן טוּרִין תַּתָּאִין לְתַתָּא מִנַּיְיהוּ, לְאִלֵּין כְּתִיב, קוּם רִיב אֶת הֶהָרִים. דְּהָא רָדִיף מַצּוּתִין, אִית לְגַבַּיְיהוּ. וְעַל דָּא אִית טוּרִין וְאִית טוּרִין.

רצב. וְאִי תֵּימָא, סָבָא, הָא כְּתִיב וְתִשְׁמַעְנָה הַגְּבָעוֹת, אִלֵּין גְּבָעוֹת כָּל אִינּוּן דִּלְתַתָּא, וְהַשְׁתָּא אַנְתְּ עָבִיד לוֹן הָרִים. אֶלָּא הָכִי הוּא, לְגַבֵּי אִינּוּן טוּרִין רָמָאִין, אִקְרוּן גְּבָעוֹת. כַּד אִינּוּן בִּלְחוֹדַיְיהוּ אִינּוּן הָרִים אִקְרוּן.

רצג. תָּא חֲזֵי, כְּתִיב וְהָאֵיתָנִים מוֹסְדֵי אָרֶץ, כֵּיוָן דִּכְתִיב שִׁמְעוּ הָרִים, מַאן אִינּוּן הָרִים, וּמַאן אִינּוּן אֵיתָנִים. אֶלָּא, הָרִים וְאֵיתָנִים כֻּלְּהוּ חַד. אֲבָל אִינּוּן תְּלַת עִלָּאִין לְעֵילָּא עַל רֵישַׁיְיהוּ. וְאִינּוּן תְּלַת לְתַתָּא מִנַּיְיהוּ. וְכֻלְּהוּ חַד. הָרִים לְעֵילָּא, וְעָלַיְיהוּ אָמַר דָּוִד אֶשָּׂא עֵינַי אֶל הֶהָרִים. וְאִלֵּין אִינּוּן תְּלַת קַדְמָאֵי. וְהָאֵיתָנִים מוֹסְדֵי אָרֶץ, אִלֵּין אִינּוּן תְּלַת בַּתְרָאֵי, לְתַתָּא מִנַּיְיהוּ, תְּרֵי סַמְכֵי בֵּיתָא, וְחַד וְהֶדְיָה דְּבֵיתָא, וְאִלֵּין אִקְרוּן מוֹסְדֵי אָרֶץ. אֵיתָנִים אִינּוּן, וְאֵיתָנִים אִקְרוּן.

רצד. סָבָא סָבָא, הָא יָדַעְתְּ, מַאן דְּאַגַּח קְרָבָא, אִי לָא יָדַע לְאִסְתַּמְרָא, לָא יְנַצַּח קְרָבִין, אִצְטְרִיךְ לְמָחָאָה בִּידֵיהּ, וּלְאִסְתַּמְרָא בְּרַעְיוֹנֵיהּ, מַה דְּיֵיהָא וְחָשִׁיב אַחֲרָא, דְּיֵיהָא וְחָשִׁיב אִיהוּ, וְיַד יְמִינָא זְמִינָא תָּדִיר לְמָחָאָה. וּמַחֲשָׁבוֹי וְיָדָא שְׂמָאלִית, זְמִינָא תָּדִיר לְקַבְּלָא וּלְאִסְתַּמְרָא, וִימִינָא כֹּלָּא.

רצה. הַשְׁתָּא אֲמַרְתְּ וְהָאֵיתָנִים, אֵיתָנִים אִינּוּן לְתַתָּא, וְהָרִים לְעֵילָּא. אִסְתַּמַּר סָבָא, דְּהָא רַעְיוֹנָא אַחֲרָא לְקַבְלָךְ, דִּכְתִיב מַשְׂכִּיל לְאֵיתָן הָאֶזְרָחִי. וְדָא אִיהוּ אַבְרָהָם סָבָא, וְאִקְרֵי אֵיתָן, וְאִי אַבְרָהָם אִיהוּ אֵיתָן, יִצְחָק וְיַעֲקֹב אֵיתָנִים אִקְרוּן. קוּם סָבָא, דְּהָא יָדַעְתְּ רַעְיוֹנָא דָּא הֲוֵי מוֹחֵי לְרַעְיוֹנָךְ.

רצו. וַיִּשָּׂא מְשָׁלוֹ וַיֹּאמַר אֵיתָן מוֹשָׁבֶךָ וְשִׂים בַּסֶּלַע קִנֶּךָ. אֵיתָן: דָּא בֹּקֶר דְּאַבְרָהָם. וְהַיְינוּ, הַבֹּקֶר אוֹר. דָּא עַמּוּדָא, דְּכָל עָלְמָא קַיְּימָא עָלֵיהּ, וּנְהִירוּ דִּילֵיהּ מֵאַבְרָהָם יָרִית. נָהָר הַיּוֹצֵא מֵעֵדֶן אִקְרֵי. אִי סָבָא סָבָא, הָא רַעְיוֹנָא אַחֲרָא לְקַבְלָךְ, וְלָא יָדַעְתְּ לְאִסְתַּמְרָא, הֵיכִי מְגִיחִין קְרָבָא. סָבָא, אִן הוּא תּוֹקְפָּא דִּילָךְ, וַדַּאי לָא לַגִּבּוֹרִים הַמִּלְחָמָה.

רצז. כְּתִיב מַשְׂכִּיל לְאֵיתָן הָאֶזְרָחִי, וּכְתִיב מַשְׂכִּיל לְדָוִד, דָּא נָהָר הַיּוֹצֵא מֵעֵדֶן, דְּאִיהוּ תּוּרְגְּמָן לְדָוִד, לְאוֹדְעָא לֵיהּ, מֵאִינּוּן מִלִּין סְתִימִין עִלָּאִין. אִי מַשְׂכִּיל אִיהוּ נָהָר דְּנָפִיק מֵעֵדֶן. אֵיתָן הָאֶזְרָחִי אַבְרָהָם, אִיהוּ לְעֵילָּא וַדַּאי, הָא יָדַעְנָא. וְאע"ג דַּאֲנָא סָבָא, עַל רַעְיוֹנָא דָּא מָחֵינָא. אֵיתָן הָאֶזְרָחִי, תְּרֵין דַּרְגִּין אִינּוּן. כד"א, בֹּקֶר אוֹר. אוֹר, הוּא אַבְרָהָם. בֹּקֶר הוּא נָהָר. אוּף הָכִי, אֵיתָן הָאֶזְרָחִי, אֶזְרָח, הוּא אַבְרָהָם. אֵיתָן, כְּמָה דְּאִתְּמַר, דָּא הַהוּא נָהָר דְּנָגִיד וְנָפִיק מֵעֵדֶן.

רצח. הַשְׁתָּא סָבָא, קוּם קָאִים עַל רְתִיכָךְ, דְּהַשְׁתָּא תִּנְפּוֹל וְלָא תֵיכוֹל לְמֵיקָם. הָא שְׁלֹמֹה מַלְכָּא, אָתֵי בְּחֵילוֹי וּרְתִיכוֹי וְגִבָּרוֹי וּפָרָשׁוֹי, וְאָתֵי לְקַבְלָךְ, קוּם פּוּק מִן חַקְלָא,

דְּלָא יִשְׁכַּח לָךְ תַּמָּן. כְּתִיב וַיִּקָּהֲלוּ אֶל הַמֶּלֶךְ שְׁלֹמֹה כָּל אִישׁ יִשְׂרָאֵל בְּיֶרַח הָאֵיתָנִים בֶּחָג וְגוֹ'. יֶרַח דְּאִתְיְלִידוּ בֵּיהּ הָאֵיתָנִים, וּמַאן אִינּוּן. אֲבָהָן, וְאִינּוּן אֵיתָנֵי עוֹלָם. וְיַרְחָא דָּא, אִיהוּ תִּשְׁרֵי. דְּאַלְפָא בֵּיתָא אַהְדָּר לְמִפְרַע מִתַּתָּא לְעֵילָּא.

רצט. וְתוּ מִמֵּילָךְ, יָאוּת דְּתִפּוּק מִן וַחֲקָלָא, וְלָא תִשְׁתְּכַח תַּמָּן. אִילוּ כְּתִיב מַשְׂכִּיל אֵיתָן הָאֶזְרָחִי כִּדְקָאֲמַרְתְּ. הַשְׁתָּא דִּכְתִיב מַשְׂכִּיל לְאֵיתָן הָאֶזְרָחִי. לֵית קָרְבָךְ כְּלוּם, וְתִפּוּק מִן וַחֲקָלָא, בְּעַל כָּרְחָךְ וְלָא תִתְחֲזֵי תַּמָּן.

ש. אִי סָבָא עַנְיָא מִסְכְּנָא, הֵיכִי תֵּיפּוּק. אִי הָכִי, יִנַצְּחוּן לָךְ וְתַעֲרוֹק מִן וַחֲקָלָא, כָּל בְּנֵי עָלְמָא יִרְדְּפוּן אֲבַתְרָךְ, וְלֵית לָךְ אַנְפִּין לְאִתְחֲזָאָה קָמֵי בַּר נָשׁ לְעָלְמִין. הָכָא אוּמֵינָא, דְּלָא אֵיפּוּק מִן וַחֲקָלָא, וְהָכָא אִתְחֲזֵי אַנְפִּין בְּאַנְפִּין בִּשְׁלֹמֹה מַלְכָּא, וְכָל אִישׁ יִשְׂרָאֵל, וְגוּבְרִין וּפָרָשִׁין וּרְתִיכִין דִּילֵיהּ. קוּדְשָׁא בְּרִיךְ הוּא יְסַיֵּיעַ לָךְ סָבָא, דְּהָא לָאֵי וְחֵילָא אַנְתְּ. קוּם סָבָא אִתְגַּבַּר בְּחֵילָךְ וְאִתְתַּקַּף, דְּעַד יוֹמָא דָּא הֲוֵית גִּיבָּר תַּקִּיף בְּגוּבְרִין.

שא. פָּתַח וְאָמַר, מַשְׂכִּיל לְאֵיתָן הָאֶזְרָחִי. אִלּוּ כְּתִיב מַשְׂכִּיל לְדָוִד, כִּדְקָאֲמַרְתְּ, אֲבָל מַשְׂכִּיל לְאֵיתָן, אִית מַשְׂכִּיל וְאִית מַשְׂכִּיל. אִית מַשְׂכִּיל לְעֵילָּא, וְאִית מַשְׂכִּיל לְתַתָּא. מַשְׂכִּיל לְאֵיתָן בִּזְמְנָא דְּהַהוּא נָהָר, קָם בְּתִאוּבְתָּא כָּל שַׁיְיפִּין וַחֲדָאן וּמִתְחַבְּרָן לְגַבֵּיהּ, וְאִי הוּא סָלִיק, עַד דְּמוֹחָא עִלָּאָה אִתְפַּיַּיס לְגַבֵּיהּ, וְחַדֵּי לְקַבְּלֵיהּ. וּכְדֵין מַשְׂכִּיל לְאֵיתָן הָאֶזְרָחִי, מַשְׂכִּיל לֵיהּ, וְאוֹדַע לֵיהּ עַל יְדָא דְּאַבְרָהָם רְחִימוֹי, כָּל מַה דְּאִצְטְרִיךְ, וְהַהוּא מוֹחָא עִלָּאָה מַשְׂכִּיל לְאֵיתָן. וְכַד דָּוִד מַלְכָּא, אִתְתַּקַּן בְּתִיאוּבְתָּא לְגַבֵּיהּ, אִיהוּ מַשְׂכִּיל לְדָוִד. כְּמָה דַּהֲוָה מוֹחָא עִלָּאָה, מַשְׂכִּיל לֵיהּ. וְעַל דָּא, אִית מַשְׂכִּיל, וְאִית מַשְׂכִּיל.

שב. בְּיֶרַח הָאֵיתָנִים, דְּאִתְיְלִידוּ בְּהָא יֶרַח אֵיתָנִים, בִּנְיָנָא לְתַתָּא אִיהוּ כְּגַוְונָא דִּלְעֵילָּא, וְאִתְיְלִידוּ בֵּיהּ הָרִים וְאֵיתָנִים. הָרִים סְתִימִין. אֵיתָנִים: יַרְכִין תַּקִּיפִין כִּנְחָשָׁא, וְהַהוּא אֵיתָן בֵּינַיְיהוּ.

שג. קוּם סָבָא, הֱוֵי מִחֵזֵי לְכָל סִטְרִין, בְּשַׁעֲתָא דִּסְלִיק מֹשֶׁה לְקַבְּלָא אוֹרַיְיתָא, מָסַר לֵיהּ קֻבְּ"ה שַׁבְעִין מַפְתְּחָן דְּאוֹרַיְיתָא. כַּד מָטָא לְתִשְׁעָה וְחַמְשִׁין, הֲוָה חַד מִפְתְּחָא גָּנִיז וְסָתִים, דְּלָא הֲוָה מָסַר לֵיהּ, אִתְחַנַּן לְקָמֵיהּ. אָמַר לֵיהּ, מֹשֶׁה, כָּל מַפְתְּחָן עִלָּאִין וְתַתָּאִין בְּהַאי מִפְתְּחָא תַּלְיָין. אָמַר לְקַמֵּיהּ, מָארֵיהּ דְּעָלְמָא, מַה שְׁמֵיהּ. אָמַר לֵיהּ אֵיתָן. וְכָל אִינּוּן אֵיתָנִים בֵּיהּ תַּלְיָין, וּבֵיהּ קַיְימָן לְבַר מִגּוּפָא דְּתוֹרָה שֶׁבִּכְתָב אִיהוּ. אוֹדַע לֵיהּ, וּמַשְׂכִּיל לֵיהּ, אִיהוּ עִקָּרָא וּמַפְתְּחָא דְּתוֹרָה שֶׁבִּכְתָב.

דש. וְכַד אִתְתַּקְנַת תּוֹרָה שֶׁבְּעַל פֶּה לְגַבֵּיהּ, הוּא מִפְתְּחָא דִּילָהּ, וַדַּאי כְּדֵין מַשְׂכִּיל לְדָוִד. וּמִגּוֹ דְּיָרְתָא תּוֹרָה שֶׁבְּעַל פֶּה, אַתְוָון לְמִפְרַע. עַל דָּא אִקְרֵי תִּשְׁרֵ"י תשׁ"ר אִיהוּ, אֲבָל בְּגִין דְּאִיהוּ רָזָא דִּשְׁמָא קַדִּישָׁא וְחָתִים בֵּיהּ קוּדְשָׁא בְּרִיךְ הוּא, אֶת דִּשְׁמֵיהּ י'. בְּמִזְבֵּחַ, וְחָתִים בֵּיהּ ה' הָרֶשֶׁת עַד חֲצִי הַמִּזְבֵּחַ. אָתַת דְּבוֹרָה, וְחָתִים בֵּיהּ ו', וְהַיְינוּ דִּכְתִיב וַתָּשַׁר דְּבוֹרָה. וּבַאֲתַר דָּא, חָתִימוּ דִּשְׁמָא קַדִּישָׁא, דְּאַחְתִּים בֵּיהּ.

שה. וְהַהוּא מִפְתְּחָא, כַּד פַּתְחָא בַּתּוֹרָה שֶׁבְּעַל פֶּה, בָּעֵינָן לְאִשְׁתְּמוֹדְעָא לֵיהּ, וְדָא אִיהוּ תַּנְיָא, אֵיתָן מוֹשָׁבֶךָ, בָּרַיְיתָא לְבַר מִגּוּפָא. אֵיתָנִים: אִינּוּן תַּנָּאִים. עַמּוּדִים סַמְכִין, לְבַר מִגּוּפָא. הַשְׁתָּא אִית לְאוֹדָעָא מִלָּה, בִּזְמְנָא דְּאִלֵּין לְגַבֵּי תּוֹרָה שֶׁבִּכְתָב, אִקְרוּן אֵיתָנִים. לְגַבֵּי תּוֹרָה שֶׁבְּעַל פֶּה, אִקְרוּן תַּנָּאִים. אֵיתָן, לְגַבֵּי תּוֹרָה שֶׁבִּכְתָב. תַּנְיָא, לְגַבֵּי

תורה שבעל פה. וכלא כדקא יאות.

שו. חבריא, הא אנא בחקלא. שלמה מלכא, וגוברין תקיפין דיליה. ייתי ויישכח חד סבא, לאי בחילא, תקיף גיבר, נצח קרבין. הא ידענא דאתא, וקיימא לבתר טינרא דחקלא, והוא אשגח בי, והיך גבורתי קיימא בחקלא, בלחודוי אשגח, דאיהו איש שלום, מאריה דשלמא, ואזל ליה. השתא סבא, גבורתך עלך, ואנת בלחודך בחקלא, תוב לאתרך. ושארי זינך מעלך.

שז. שמעו הרים את ריב יי' והאתנים מוסדי ארץ. שמעו הרים כדקאמרן. והאיתנים מוסדי ארץ, מוסדי ארץ ודאי, דהא מנייהו אתזן, ומנייהו קביל כל יומא, ואינון מוסדי ארץ.

שח. כי ריב עם לה' עמו, מאן הוא דיכיל למיקם בריב דקודשא בריך הוא בישראל. ועל דא אמר לאלין, שמעו הרים את ריב ה', דא איהו מצותא חדא. קום ריב את ההרים, מצותא תניינא. דנצח בהו קודשא בריך הוא, כל אלין ריבות לישראל, וכל אינון תוכחות, כלהו כאבא דאוכח לבריה, והא אוקמוה.

שט. ביעקב כתיב, בשעתא דבעא לנצחא בהדיה, מה כתיב, וריב ליי' עם יהודה ולפקוד על יעקב. מה ריב איהו, כמה דכתיב, בבטן עקב את אחיו. על האי מלה אתא תוכחה, וכל אינון ריבות. וכי לאו מלה רברבא איהו, בבטן עקב את אחיו וגו'. האי לאו מלה זעירא איהו, מאי דעביד בבטן. וכי עוקבא עביד בבטן אין ודאי.

שי. והא אתמר בכלא, דחזה יעקב לעשו אחוי, בגין דלא יהא ליה חולקא כלל. עשו לא התרעם אלא מחד דאינון תרין, דכתיב ויעקבני זה פעמים. פעמים מבעי ליה, מאי זה. אלא, חד דאקיש לתרין. חד דנפק לתרין. ומאי ניהו. בכרתי אתהפכו אתוון, והוה ברכתי. זה פעמים: חד, דאתקש לתרין.

שיא. ולא ידע עשו מה דעבד ליה בבטן, אבל רב ממנא דיליה ידע הוה, וקב"ה ארגיש שמיא וחיילייהו לקלא דא, דהא ברכה ובכורה לא תבע ממנא דיליה, ולא אמר. דהא ברכה הוה ליה למתבע, ולא תבע. אחוה הא תבע ודאי, דכתיב ומבשרך לא תתעלם ולא בעא יעקב למיהב ליה למיכל, עד דנטל מניה בכורתא דיליה.

שיב. מאי בכורה נטל מניה, הבכורה דלעילא ותתא. בכרה חסר ו'. כדין עקב את אחיו, ודאי דעבד ליה עוקבא, וארמי ליה לאחורא. מאי אחורא. אקדים ליה, דיפוק בקדמיתא להאי עלמא. אמר יעקב לעשו, טול אתה האי עלמא בקדמיתא, ואנא לבתר.

שיג. ת"ח, מה כתיב, ואחרי כן יצא אחיו וידו אוחזת בעקב עשו. מאי בעקב עשו. וכי ס"ד דהוה אחיד ידיה ברגליה, לאו הכי. אלא, ידו אוחזת במאן דההוא דהוה עקב, ומנו עשו. דהא עשו עקב אקרי, משעתא דעקב ליה לאחוי, ומיומא דאתברי עלמא עקב קרי ליה קודשא ב"ה, דכתיב הוא ישופך ראש ואתה תשופנו עקב. אנת דאקרי עקב, תשופנו בקדמיתא. ולבסוף הוא דימחי רישך מעלך. ומנו. סמא"ל. דאיהו רישא דחויא, דמחי בהאי עלמא.

שיד. ועל דא בבטן עקב את אחיו, שוי עליה למהוי עקב, ונטל עשו האי עלמא בקדמיתא, ודא רזא דכתיב, ואלה המלכים אשר מלכו בארץ אדום לפני מלך מלך

לִבְנֵי יִשְׂרָאֵל. וְדָא אִיהוּ רָזָא דְּאָמַר שְׁלֹמֹה מַלְכָּא, נַחֲלָה מְבוֹהֶלֶת בָּרִאשׁוֹנָה וְאַחֲרִיתָהּ לֹא תְבוֹרָךְ, בְּסוֹף עָלְמָא.

שטו. וְעַל דָּא בַּבֶּטֶן עָקַב אֶת אָחִיו וּבְאוֹנוֹ שָׂרָה אֶת אֱלֹהִים. מַאי וְאוֹנוֹ. הָכִי אָמְרוּ בְּחֵילָא וְתוּקְפָּא דִּילֵיהּ יָאוּת, אֲבָל לָאו הָכִי. בְּרִירוּ דְּמִלָּה, יַעֲקֹב דְּיוֹקְנָא עִלָּאָה הֲוָה, וְגוּפָא קַדִּישָׁא. דְּלֵית גּוּפָא מִיּוֹמָא דַּהֲוָה אָדָם הָרִאשׁוֹן, כְּגוּפָא דְּיַעֲקֹב, וְשׁוּפְרֵיהּ דְּאָדָם הָרִאשׁוֹן, הַהוּא שׁוּפְרֵיהּ מַמָּשׁ הֲוָה לֵיהּ לְיַעֲקֹב. וְדִיוֹקְנֵיהּ דְּיַעֲקֹב, דְּיוֹקְנָא דְּאָדָם הָרִאשׁוֹן מַמָּשׁ.

שטז. אָדָם הָרִאשׁוֹן, בְּשַׁעֲתָא דְּאָתָא חִוְיָא וְאִתְפַּתָּה עַל יְדוֹי, יָכִיל חִוְיָא לֵיהּ. מ״ט. בְּגִין דְּלָא הֲוָה תּוּקְפָּא לְאָדָם הָרִאשׁוֹן, וְעַד כְּעָן לָא אִתְיְילִיד מַאן דַּהֲוָה תּוּקְפָּא דִּילֵיהּ. וּמַנּוּ תּוּקְפָּא דְּאָדָם הָרִאשׁוֹן. דָּא שֵׁת, דַּהֲוָה בְּדִיוֹקְנָא דְּאָדָם הָרִאשׁוֹן מַמָּשׁ, דִּכְתִּיב וַיּוֹלֶד בִּדְמוּתוֹ כְּצַלְמוֹ וַיִּקְרָא אֶת שְׁמוֹ שֵׁת. מַאי בִּדְמוּתוֹ כְּצַלְמוֹ. דַּהֲוָה מָהוּל. וְכַד אָתָא מְמָנָא דְּעֵשָׂו לְגַבֵּי דְּיַעֲקֹב, כְּבַר אִתְיְלִיד תּוּקְפָּא דְּיַעֲקֹב, דְּאִיהוּ יוֹסֵף. וְהוּ וּבְאוֹנוֹ שָׂרָה אֶת אֱלֹהִים.

שיז. הַאי קָלָא דְּאִתְּתָא, דְּיַכְלָא קָלָא דְּחִוְיָא לְאוֹחֲדָא בָּהּ, כְּכַלְבָּא בְּכַלְבְּתָא, מַאן אִיהוּ. אֶלָּא תָּא חֲזֵי, דְּלֵית בְּכָל קָלִין דְּנָשִׁין דְּעָלְמָא, דְּיַכְלָא קָלָא דְּחִוְיָא לְאִתְדַּבְּקָא בָּהּ, וּלְאִתְאַחֲדָא בָּהּ, וּלְאִשְׁתַּתְּפָא בָּהּ. אֶלָּא תְּרֵין נָשִׁין אִינּוּן דְּיַכְלָא קָלָא דְּחִוְיָא לְאִתְאַחֲדָא בְּהוֹן, וְחַד אִ. הַאי דְּלָא נְטִירַת סוֹאֲבוּת נִדּוּתָהּ, וְיוֹמֵי לִבּוּנָהּ, כַּדְקָא יָאוּת, אוֹ דְּאַקְדִּימַת יוֹמָא וְחַדָא לְטְבּוֹל. וְחַדָא, הַאי אִתְּתָא דִּמְאַחֶרֶת לְבַעְלָהּ עוֹנָה דִּילָהּ לְמֶעְבַּד צַעֲרָא לְבַעְלָהּ, בַּר אִי אִיהוּ לָא חָיֵישׁ, וְלָא אַשְׁגַּח לְדָא.

שיח. אִלֵּין אִינּוּן תְּרֵין נָשִׁין, דְּהָא כְּמָה דְּאַקְדִּימוּ, הָכִי אִינּוּן מִתְאַחֲרָן, לְגַבֵּי קָלָא דְּנָחָשׁ, עַד דְּאַדְבִּיק קָלָא בְּקָלָא, וּכְמָה דְּמִתְאַחֲרָן לְמֶעְבַּד צַעֲרָא לְבַעְלָהּ בְּעִכּוּבָא דְּמִצְוָה, הָכִי אַקְדִּים קָלָא דְּנָחָשׁ, לְאִתְדַּבְּקָא בְּהַהִיא קָלָא דְּאִתְּתָא. וְאִלֵּין אִינּוּן תְּרֵין נָשִׁין, דְּקָלָא דְּנָחָשׁ אָחִיד בְּקָלָא דִּלְהוֹן, כְּכַלְבָּא בְּכַלְבְּתָא, סָאוּבְתָא בָּתַר סָאוּבְתָא, זִינָא בָּתַר זִינֵיהּ.

שיט. וְאִ״ת, מָה אִיכְפַּת לָן, אִי אָחִיד קָלָא בְּקָלָא, אִי לָא אָחִיד. וַוי דְּהָכִי מִתְאַבְדָן בְּנֵי עָלְמָא בְּלָא דַּעְתָּא. הַאי קָלָא דְּאִתְּתָא, כַּד אִתְעָרַב וְאִשְׁתַּתַּף בַּהֲדֵי קָלָא דְּנָחָשׁ, בְּשַׁעֲתָא דְּחַיֶּיבֶת וּמַרְשַׁעַת נָפְקַת מִגּוֹ אֵיפָה וּמְשַׁטְּטָא בְּעָלְמָא, אִי עָרְעַת בְּהָנֵי תְּרֵין קָלִין, קָלָא דְּנָחָשׁ, וְקָלָא דְּאִתְּתָא, וְאִתְּתָא אִתְחַזְּמַת בְּהוּ, וְאִינּוּן בָּהּ, וְכֵיוָן דְּאִתְחַזְּמַת, מִתְעַבְּדִין רוּחָא, וְאָזְלִין בַּהֲדָהּ, עַד דִּמְשַׁטְּטָא, וְעָאל בִּמְעָהָא דְּהַאי אִתְּתָא.

שכ. וְהַאי יָנוּקָא דְּיָלִידַת, כַּד אָתָאת הַהִיא חַיֶּיבְתָּא, פְּקִידַת לֵיהּ לְהַהוּא רוּחָא, דְּאִיהוּ חִבּוּרָא בִּישָׁא, קָלָא דְּנָחָשׁ, דִּמְכַשְׁכְּשָׁא בָּהּ, וְאִיהוּ מְחַיְּיכָא בְּיָנוּקָא, עַד דְּאָתַת הַהִיא חַיֶּיבְתָּא, כְּאִתְּתָא דְּפָקִידַת בְּרָא לְאִתְּתָא אַחֲרָא, וּמְפַטְפֶּטֶת לֵיהּ וְחַיְּיכַת לֵיהּ, בְּפַטְפּוּטָא עַד דְּתֵיתֵי אִמֵּיהּ. כַּךְ עָבְדָא הַאי רוּחָא. וְזִמְנִין סַגִּיאִין, דְּאִיהוּ שַׁלְיוּתָא דְּהַהִיא חַיֶּיבְתָּא, וְקַטְלָא לֵיהּ, הֲדָא הוּא דִּכְתִּיב וּמִיַּד עוֹשְׁקֵיהֶם כֹּחַ. וְלָא כְּמָה דְּאַתּוּן אַמְרִין. אֶלָּא הַהוּא כֹּחַ דְּהַהוּא רוּחָא, וְעַל דָּא, תְּרֵין זִמְנִין כְּתִיב בְּהַאי קְרָא, וְאֵין לָהֶם מְנַחֵם. חַד מִלִּילִית חַיֶּיבְתָּא, וְחַד מֵהַהוּא רוּחָא.

שכא. אִי סָבָא, הַשְׁתָּא אִית לָךְ רְחִימִין, וְאַתְּ מִשְׁתָּעֵי, כְּמַאן דְּלָא חָמֵית אִינּוּן מְגִיחֵי קְרָבָא, הָא כֻּלְּהוּ בִּשְׁלָמָא עִמָּךְ. הַשְׁתָּא מִכָּאן וּלְהָלְאָה, לָא אַעְדֵּי מִנָּאִי מָאנֵי

קָרְבָּא בְּדִיל לְאַדְכְּרָא שְׁמֵי.

שכב. הַהוּא וַחְטַאת רוּבְ"ץ, קָאִים עַל פִּתְחָא כְּכַלְבָּא. בְּזִמְנָא דְּקָלָא בְּתַרְיִיתָא, דְּיָהִיבַת אִתְּתָא, נָפִיק, אִיהוּ דְּלִי"ג מֵעַל פִּתְחָא וְאִתְעֲבַר מִתַּמָּן, וְאָזִיל אֲבַתְרָהּ. מ"ט. בְּגִין דְּקֻבְ"ה שַׁדַּר וַחַד מִפִּתְחָא דִּילֵיהּ, וְקָלָא פַּרְוָא, וּמִפִּתְחָא אַתְיָא, וְחִוְיָא אָזֵל בָּתַר קָלָא דְּהוּא נָפִיק לְעָלְמָא, וְעַד טוּרָא דְּבִטְנָא אָזִיל, וּמְכַשְׁכְּשָׁא, עַד עִידָּן דְּאִתְנְקִיאַת, מֵהַהוּא זוּהֲמָא, דְּנָשִׁיכִין דְּחִוְיָא בִּישָׁא. וְקוּדְשָׁא ב"ה, מְסַבֵּב סִבּוּבִין, וְעָבֵיד עוֹבָדִין כַּדְקָא יָאוּת.

שכג. וְכָל דָּא, בְּגִין דְּהַהוּא בֶּטֶן אִתְדַּחְיָא. הָא וַדַּאי, אִתְדַּחְיָא מֵהַהוּא בֶּטֶן, וְלֵית לֵיהּ חוּלָקָא, וְאִתְדַּחֵי מִבֶּטֶן דִּלְתַתָּא, דִּשְׁאַר נָשִׁין דְּעָלְמָא, דְּאַעַ"ג דְּעָבֵיד צַעַר, לָא אִתְיְהִיב לֵיהּ רְשׁוּ לְשָׁלְטָאָה בֵּיהּ. וּמַאן בֶּטֶן אִתְיְיהִיב לֵיהּ, וְאִיהוּ שַׁלִּיט עָלֵיהּ. הַהוּא בֶּטֶן דְּסוֹטָה, דִּכְתִיב וְצָבְתָה בִטְנָהּ, בְּגִין דְּהַאי בֶּטֶן, עָבִיד בֵּיהּ נוּקְמִין לִרְעוּתֵיהּ, וְהַאי בֶּטֶן דִּילֵיהּ אִיהוּ, וְקֻבְ"ה יָהִיב לֵיהּ בְּגִין דְּלָא אִתְדַּחֵי מִכֹּלָּא. הַשְׁתָּא רְוָזִימִין דִּילִי, אֲצִיתוּ. לָא וַזְמִינָא לְכוּ, וּמִלִּיכְנָא לְכוּ. כָּל הַדְּבָרִים יְגֵעִים, לָא יָכִיל אִינִישׁ לְמַלְּלָא, אֲפִילוּ מִלִּין דְּאוֹרַיְיתָא יְגֵעִים אִינּוּן.

שכד. כְּתִיב, וַיִּוָּתֵר יַעֲקֹב לְבַדּוֹ וַיֵּאָבֵק אִישׁ עִמּוֹ, וּכְתִיב וַיַּרְא כִּי לֹא יָכוֹל לוֹ וַיִּגַּע בְּכַף יְרֵכוֹ. וְהַהוּא יָרֵךְ דְּרָווֹז מִיַּעֲקֹב. וְהַהוּא יָרֵךְ בְּוַזְלִישׁוּ דִּילֵיהּ עַד דְּאָתָא שְׁמוּאֵל. מַאי בְּוַזְלִישׁוּ דְּלָא מָשִׁיךְ נְבוּאָה. כַּד אָתָא שְׁמוּאֵל, נָטַל הַהוּא יָרֵךְ, וְסַלְּקֵיהּ מֵהַהוּא אֲתָר, וְוָזְטַף לֵיהּ מִנֵּיהּ, וּמֵהַהוּא זִמְנָא אִתְעֲדֵי מִנֵּיהּ, וְלָא הֲוָה לֵיהּ וְזוּלָקָא בְּקְדוּשָּׁה כְּלָל.

שכה. קֻבְ"ה לָא קָפַוז, וְלָא דָּוֵזי לֵיהּ מִכֹּלָּא, בְּגִין דְּנָטַל שְׁמוּאֵל יָרֵךְ דִּילֵיהּ, אֶלָּא יָהִיב לֵיהּ חוּלָקָא וַזְדָא. מַאי אִיהִי. יָהִיב לֵיהּ הַהוּא יָרֵךְ וּבֶטֶן דְּסוֹטָה, וְזָלַף הַהוּא יָרֵךְ וּבֶטֶן, דְּאַעְדֵּי מִנֵּיהּ. וְעַל דָּא תַּרְוַויְיהוּ יָהִיב לֵיהּ קֻבְ"ה, לְמֶהֱוֵי אַתְרָא דְּקַדִּישָׁא פָּנוּי מִכָּל סַאֲבוּתָא.

שכו. וְלִנְפִּיל יָרֵךְ. מַהוּ וְלִנְפִּיל, וְנָפְלָה יְרֵכָהּ וְלִצְבּוֹת, וְצָבְתָה מִבְּעֵי לֵיהּ. אֶלָּא, כְּמַאן דְּאַשְׁדֵּי גַּרְמָא לְכַלְבָּא, וְאָמַר לֵיהּ, טוֹל הַאי לְוזוּלָקָךְ. וּמִכֹּלָּא לָא אַבְאִישׁ קָמֵיהּ, אֶלָּא דְּגְזְלוּ מִנֵּיהּ יָרֵךְ, בְּגִין דְּאִיהוּ יָגַע וְלָאֵי עָלֵיהּ, וְרָווַוז לֵיהּ וְאַפִּיקוּ לֵיהּ מִנֵּיהּ. וְעַל דָּא, קֻבְ"ה אַפִּיל לֵיהּ, גַּרְמָא דָּא דְּסוֹטָה, וְאַפִּיק לֵיהּ כִּדְקַאֲמָרָן, וּבְדָא אִיהוּ רָוֵי וְוַזְדֵי.

שכז. כָּל אִינּוּן רְתִיכִין וְסִיַּיעְתָּא דִּילֵיהּ, בָּעָאן תָּדִיר יָרֵךְ, וְאָזְלֵי בְּכְסוּפָא אֲבַתְרֵיהּ. וּבְגַ"ד, הָנֵי בִּרְכֵי דְּרַבָּנָן דְּשָׁלְהֵי, מִן דָּא אִיהוּ. דְּכָל כְּסוּפָא דִּלְהוֹן, בָּתַר יָרֵךְ אִיהוּ, וְכָל שֶׁכֵּן יָרֵךְ דְּרַבָּנָן, וְכָל מִלָּה אַהְדַּר לְאַתְרֵיהּ, וְקוּדְשָׁא בְּרִיךְ הוּא לָא גָּרַע כְּלוּם, מִכָּל מַה דְּאִצְטְרִיךְ, וְלָא בָּעָא דְּיִקְרַב לִקְדוּשָּׁה, בַּר עִמֵּיהּ וְעַדְבֵיהּ וְזוּלָקֵיהּ וְאַוְזַסַנְתֵּיהּ. כַּמָּה דְּעָבֵיד קוּדְשָׁא בְּרִיךְ הוּא לְעֵילָּא, הָכִי עָבְדֵי יִשְׂרָאֵל לְתַתָּא, וְהָכִי אִצְטְרִיךְ לְמֶעְבַּד. וְהָכִי תָּנֵינָן, אָסִיר לֵיהּ לְיִשְׂרָאֵל, לְמֵילַף אוֹרַיְיתָא לְעַכּוּ"ם, דִּכְתִיב, מַגִּיד דְּבָרָיו לְיַעֲקֹב וְגוֹ', לֹא עָשָׂה כֵן לְכָל גּוֹי וְגוֹ'.

שכח. וְעַל דָּא דָּוֵזי לֵיהּ יַעֲקֹב, וְדָוֵזי לֵיהּ שְׁמוּאֵל, דְּלָא יְהֵא לֵיהּ וְזוּלָקָא בְּקוּדְשָׁא. וּבְגַ"ד, כָּל נְטִירוּ דְּהָבוּ לְיִשְׂרָאֵל, עַל דָּא אִיהוּ. לְכַלְבָּא דְּוָזְטִיף עוֹפָא דַּכְיָא מִן שׁוּקָא, וְאַיְיתֵי לֵיהּ, וְעַד לָא אִתְבַּר, אָתָא וַזד בַּר נָשׁ וְוָזְטְפָא מִנֵּיהּ, לְבָתַר יָהִיב לֵיהּ וַזד גַּרְמָא גְּרִירָא בְּלָא תוֹעַלְתָּא.

שכט. כָּךְ לְשָׂרוֹ עַל עֵשָׂו, אַפִּיקוּ לֵיהּ מֵהַהוּא בֶּטֶן, וְטִיפּוּ מִנֵּיהּ הַהוּא יָרֵךְ. לְבָתַר יָהֲבוּ לֵיהּ גַּרְמָא וַחַד, הַהוּא בֶּטֶן וְהַהוּא יָרֵךְ דְּסוֹטָה, וְלָא אוּחֲרָא. הָא גַּרְמָא, דְּקָא יָהֲבוּ לֵיהּ לְחוּולָקֵיהּ וְעַדְבֵיהּ, וְעָרַב לֵיהּ. וּבְגִּ"כ, כָּל דִּינִין דְּקֻבְּ"ה דִּינִין דִּקְשׁוֹט אִינּוּן, וּבְנֵי נָשָׁא לָא יַדְעִין, וְלָא מַשְׁגִּיחִין לְקֻבְּ"ה. וְכֻלְּהוּ בְּאֹרַח קְשׁוֹט. הִיא אַסְטִיאַת גַּרְמָהּ מִבַּעְלָהּ, כד"א הָעוֹזֶבֶת אַלּוּף נְעוּרֶיהָ וְגוֹ', אוּף הָכִי אִתְּתָא, כְּגַוְונָא דִּילָהּ בְּאַרְעָא.

של. ת"ח, מַאן דְּאַשְׁכַּח וַחֲבְרָא כְּוָותֵיהּ, דְּעָבֵיד כְּעוֹבָדוֹי בְּעָלְמָא, רָחִים לֵיהּ, וְאִתְדָּבַק בַּהֲדֵיהּ, וְעָבֵיד עִמֵּיהּ טִיבוּ. אֲבָל סִטְרָא אוּחֲרָא לָאו הָכִי, כֵּיוָן דְּאַשְׁכַּח מַאן דְּשָׁבַק סִטְרָא דִּקְדוּשָׁה דְּקֻבְּ"ה, וְעָבֵיד כְּעוֹבָדוֹי, וְאִתְדָּבַק בָּהּ, כְּדֵין בַּעְיָא לְשֵׁיצָאָה וּלְאַפָּקָא לֵיהּ מֵעָלְמָא. הַאי אִתְּתָא, עַבְדַת כְּעוֹבָדָהָא, וְאִתְדַּבְקַת בָּהּ, וַחֲזֵי מַה דְּעַבְדַת בָּהּ, וְצָבְתָה בִּטְנָהּ וְנָפְלָה יְרֵכָהּ. קֻבְּ"ה לָאו הָכִי, מַאן דְּשָׁבִיק לְסִטְרָא אוּחֲרָא, וְאִתְדַּבַּק בֵּיהּ בְּקֻבְּ"ה, כְּדֵין רָחִים לֵיהּ, וְעָבֵיד לֵיהּ כָּל טִיבוּ דְּעָלְמָא. הַשְׁתָּא סָבָא אַתְקִין גַּרְמָיךְ, דְּהָא חִוְיָא אָזִיל לֵיהּ, וּבָעָא לְאִתְגָּרָא בַּהֲדָךְ, וְלָא יָכִיל.

שלא. פָּתַח וְאָמַר מַה יִתְרוֹן לָאָדָם בְּכָל עֲמָלוֹ שֶׁיַּעֲמוֹל תַּחַת הַשָּׁמֶשׁ, וְכִי לָא אָתָא שְׁלֹמֹה אֶלָּא לְאוֹלְפָא מִלָּה דָא. אִלּוּ אָמַר בַּעֲמָלוֹ שֶׁיַּעֲמוֹל יָאוֹת, דְּהָא אִשְׁתְּאַר עָמָל, דְּאִית בֵּיהּ יִתְרוֹן. אֶלָּא כֵּיוָן דִּכְתִיב בְּכָל עֲמָלוֹ, הָא כְּלָלָא דְּכֹלָּא, דְּלָא אִשְׁתְּאַר כְּלוּם דְּאִית בֵּיהּ יִתְרוֹן.

שלב. אֶלָּא, לָאו לְכָל אָדָם אָמַר שְׁלֹמֹה מִלָּה דָא, אֶלָּא אָדָם אִית בְּעָלְמָא, דְּאִיהוּ מִשְׁתַּדֵּל תָּדִיר בְּבִישׁ וּלְאַבְאָשָׁא, וְלָא אִשְׁתָּדַל בְּטָב אֲפִילוּ רִגְעָא וַחֲדָא. וְעַ"ד כְּתִיב עֲמָלוֹ, וְלָא כְּתִיב יְגִיעוֹ. עֲמָלוֹ: כד"א, יָשׁוּב עֲמָלוֹ בְרֹאשׁוֹ. וְלֹא רָאָה עָמָל בְּיִשְׂרָאֵל. יְגִיעוֹ: כד"א יְגִיעַ כַּפֶּיךָ כִּי תֹאכֵל וְגוֹ'. וּכְתִיב וְאֶת יְגִיעַ כַּפַּי רָאָה אֱלֹהִים. אֲבָל עֲמָלוֹ, כְּתִיב, עָמָל וָכַעַס. אִשְׁתַּדְּלוּתֵיהּ הוּא תָּדִיר לְבִישׁ, וְעַ"ד אִיהוּ תַּחַת הַשָּׁמֶשׁ.

שלג. בְּשַׁעֲתָא דְּהַאי אָדָם אִשְׁתָּדַל בְּבִישׁ, עַל הַאי כְּתִיב, לֹא נִין לוֹ וְלֹא נֶכֶד בְּעַמּוֹ וְגוֹ', דְּהָא קֻבְּ"ה בָּעֵי, דְּלָא יַעֲבֵיד תּוֹלְדִין, דְּאִלְמָלֵא יַעֲבֵיד תּוֹלְדִין, הֲוָה מְטַשְׁטְשָׁא עָלְמָא. וְעַ"ד כְּתִיב, מַה יִתְרוֹן לָאָדָם בְּכָל עֲמָלוֹ. וּמַאן דְּלָא יִשְׁתָּדַל לְמֶעְבַּד תּוֹלְדִין, אִתְדָּבַק בְּהַאי סִטְרָא דְּאָדָם בִּישָׁא וְעָאל תְּחוֹת גַּדְפוֹי.

שלד. רוּת אָמְרָה, וּפָרַשְׂתָּ כְנָפֶךָ עַל אֲמָתְךָ, בְּגִין לְאִזְדַּוְּוגָא בַּהֲדֵיהּ דְּצַדִּיק, לְמֶעְבַּד תּוֹלְדִין, וְקֻבְּ"ה פָּרִישׂ גַּדְפוֹי עַל בַּר נָשׁ, בְּגִין לְאַפָּשָׁא בְּעָלְמָא. לְמַאן דְּלָא בָּעֵי לְמֶעְבַּד תּוֹלְדִין, בְּגַפּוֹ יָבֹא, בְּגַפּוֹ דְּהַהוּא בִּישׁ, דְּאִיהוּ אָזִיל עֲרִירִי, כְּחִוְיָא דָא, דְּאָזִיל יְחִידָאי. בְּגַפּוֹ יֵצֵא, אִיהוּ דְּלָא אִשְׁתָּדַל לְמֶעְבַּד תּוֹלְדִין, הָא אִתְּמַר כָּל מַה דְּאִצְטְרִיךְ.

שלה. רִיב דְּעָבֵד קֻבְּ"ה, הָא אִתְּמַר, רִיב: דִּכְתִיב, קוּם רִיב אֶת הֶהָרִים. מַאי אִיהוּ. אֶלָּא, אִינּוּן טוּרִין דִּלְתַתָּא. אֲמַאי רִיב דָּא. בְּגִין דִּבְהוּ תַּלְיָא, כָּל חוֹבָא דְּעַבְדִין יִשְׂרָאֵל, לְגַבֵּי אֲבוּהוֹן דְּבִשְׁמַיָּא. מַאי טַעֲמָא. בְּגִין דְּיִשְׂרָאֵל הֲווּ יַדְעִין שִׁמּוּשָׁא דְּכָל מַלְאָכִין עִלָּאִין דְּבִשְׁמַיָּא, וְלָא אָנִיס לְהוּ, אֲפִילוּ שְׁמָא דְּחָד מִנַּיְיהוּ, וְכָל שִׁמּוּשָׁא דִּלְהוֹן.

שלו. וּבִתְרֵין סִטְרִין הֲוֵי טָעָאן אֲבַתְרַיְיהוּ. וַחַד, דַּהֲווּ יַדְעִין לְאַמְשָׁכָא חֵילָא דִּלְהוֹן, דְּכֹכָבַיָּא וּמַזָּלֵי בְּאַרְעָא. וְחַד, דַּהֲווּ יַדְעֵי לְאוּמָאָה לוֹן, בְּכָל מַה דְּאִצְטְרִיכוּ. וְעַל דָּא בָּעָא קֻבְּ"ה לְמֶעְבַּד בְּהוּ רִיב וְדִינָא. וְכֵיוָן דִּבְהוֹן לֶהֱוֵי רִיב וְדִינָא, כָּל שַׁלְשׁוּלָא נָפַל דְּהָא לָא יֶהֱוֵי בֵּיהּ תּוֹעַלְתָּא. וּבְגִין כָּךְ, קוּם רִיב וְגוֹ'. וְתִשְׁמַעְנָה הַגְּבָעוֹת קוֹלֶךָ. מַאן גְּבָעוֹת. אִלֵּין אִינּוּן אִמָּהוֹת, דַּרְגִּין דְּאִקְרוּן בְּתוּלוֹת אַחֲרֶיהָ וְגוֹ', וּבְגִין כָּךְ וְתִשְׁמַעְנָה

הַגְּבָעוֹת קוֹלֵךְ. דְּהָכִי הֲווּ עַבְדֵי יִשְׂרָאֵל, עַד דְּאִשְׁתַּתָּפוּ בְּדַרְגִּין תַּתָּאִין.

שלז. ת"ח, דְּאִית לְאַהַדְרָא סָבָא, בְּמִלִּין קַדְמָאִין, יֶרֶךְ דְּקָא אַמָרָן, סַגִּי אִתְקִיפוּ לוֹן יִשְׂרָאֵל, בְּהַהוּא יָרֵךְ. מָרְדְּכַי הֲוָה אַחֲמֵי לְהַהוּא רָשָׁע דְּהָמָן הַהוּא יָרֵךְ דִּילֵיהּ, וְעַל דָּא הֲוָה רָגִיז, מִלָּה דְּאִתְחֲזֵי לֵיהּ, וְאִיהוּ אַרְגִּיז לֵיהּ בַּהֲדֵיהּ. וְחָמוּ חַבְרַיָּיא, מַה כְּתִיב, וַתִּקַּח רִבְקָה אֶת בִּגְדֵי עֵשָׂו בְּנָהּ הַגָּדוֹל הַחֲמוּדוֹת וְגוֹ'. בְּאִלֵּין לְבוּשִׁין דִּילֵיהּ, גָּזֶל דִּילֵיהּ, וְאַפִּיק לֵיהּ מִכָּל בִּרְכָאן דִּילֵיהּ, וּמִבְּכֹרוּתָא.

שלח. וּבְגִין, כָּךְ, עִילָּה דְּקָא אַשְׁכָּחוּ רְתִיכִין דִּילֵיהּ, לְרַבָּנָן, אִיהוּ דְּחוּפְיָא דִּלְהוֹן לְמָאנֵי דְּרַבָּנָן תָּדִיר. לְיַרְכִין דִּלְהוֹן. וּלְמָאנִין דִּלְהוֹן. וְאִלֵּין תְּרֵין מִלִּין דִּסְטָר אַחֲרָא הֲווּ, וְכָל דָּא בְּגִין דְּגָזְלוּ לוֹן מִנֵּיהּ. לֵית לְהוּ עִילָּה אֶלָּא לְרַבָּנָן. וּבְגִין כָּךְ, הָנֵי מָאנֵי דְּרַבָּנָן דְּקָא בְּלוּ מֵחוּפְיָא דִּלְהוֹן אִיהוּ, וְהָנֵי בִּרְכֵי דְּשַׁלְהֵי, מִנַּיְיהוּ הוּא וַדַּאי. וּמִדִּלְהוֹן הֲווּ, וּמִנְּהוֹן נַטְלֵי עִילָּה, וּמִמַּה דַּהֲווּ מִנַּיְיהוּ. בָּעָאן לְרַבָּנָן, דְּאִינּוּן כְּלָלָא דְּהַהוּא יוֹשֵׁב אֹהָלִים, וְעַל דָּא לֵית עִילָּה בְּלָא עִילָּה, וְעַל דָּא לֵית מִלָּה, בְּלָא דִּינָא, וְכָל מִלָּה תָּב לְאַתְרֵיהּ.

שלט. שְׁלֹמֹה אָמַר, וְשַׁבְתִּי אֲנִי וָאֶרְאֶה אֶת כָּל הָעֲשׁוּקִים אֲשֶׁר נַעֲשׂוּ תַּחַת הַשָּׁמֶשׁ וְהִנֵּה דִּמְעַת הָעֲשׁוּקִים וְאֵין לָהֶם מְנַחֵם וּמִיַּד עוֹשְׁקֵיהֶם כֹּחַ וְאֵין לָהֶם מְנַחֵם. הַאי קְרָא אַרְמִיזְנָא בֵּיהּ, וְאִתְמַר. אֲבָל שַׁבְתִּי אֲנִי, וְכִי מֵאָן אֲתַר תָּב שְׁלֹמֹה. אִי נֵימָא, לְבָתַר דְּאָמַר מִלָּה דָּא, תָּב כְּמִלְּקַדְמִין, וְאָמַר מִלָּה אָחֳרָא, יָאוֹת אֲבָל שַׁבְתִּי וָאֶרְאֶה.

שמ. תַּמָּן תָּנֵינָן, בְּכָל יוֹמָא הֲוָה אַקְדִּים שְׁלֹמֹה בְּצַפְרָא, וַהֲוֵי שַׁוֵּי אַנְפּוֹי לִסְטַר מִזְרָח, וְחָמֵי מַה דְּחָמֵי, וּלְבָתַר תָּב לִסְטַר דָּרוֹם, וְחָמֵי מַה דְּחָמֵי וְהָדַר תָּב לִסְטַר צָפוֹן, וְקָאִים תַּמָּן. מָאִיךְ עַיְינוֹי וְזָקִיף רֵישֵׁיהּ.

שמא. בְּהַאי שַׁעְתָּא, הָא עַמּוּדָא דְּאֶשָּׁא וְעַמּוּדָא דַּעֲנָנָא, הֲווּ אַתְיָין, וְעַל הַהוּא עַמּוּדָא דַּעֲנָנָא, הֲוָה אָתֵי נִשְׁרָא וַחֲדָא. וְהַהוּא נִשְׁרָא הוּא רַבְרְבָא וְתַקִּיף, וְכֵן הֲוָה אָתֵי, גַּדְפָּא יְמִינָא, עַל גַּבֵּי עַמּוּדָא דְּאֶשָּׁא, וְגוּפָא וְגַדְפָּא שְׂמָאלָא, עַל גַּבֵּי עַמּוּדָא דַּעֲנָנָא. וְהַהוּא נִשְׁרָא הֲוֵי מַיְיתֵי תְּרֵין טַרְפִּין בְּפוּמָהָא, אָתָא עַמּוּדָא דַּעֲנָנָא, וְעַמּוּדָא דְּאֶשָּׁא, וְהַהוּא נִשְׁרָא עֲלַיְיהוּ, וְסַגְּדִין לְקָמֵיהּ דִּשְׁלֹמֹה מַלְכָּא.

שמב. אָתָא נִשְׁרָא, וּמָאִיךְ לְקָמֵיהּ, וְיָהִיב לֵיהּ אִינּוּן טַרְפִּין, נָטִיל לוֹן שְׁלֹמֹה מַלְכָּא, וַהֲוָה מֵרִיחַ בְּהוּ, וַהֲוָה יָדַע בְּהוֹן סִימָן, וְאָמַר דָּא אִיהוּ דְּנוֹפֵל, וְדָא אִיהוּ דִּגְלוּי עֵינָיִם. בְּשַׁעְתָּא דִּתְרֵין טַרְפִּין הֲווּ, הֲוָה יָדַע, דִּתְרַוַויְיהוּ, נוֹפֵל וּגְלוּי עֵינַיִם בָּעָאן לְאוֹדָעָא לֵיהּ מִלִּין.

שמג. מַה עָבִיד, וְחָתִים כָּרְסַיֵּיהּ בְּגוּשְׁפַּנְקָא, דַּהֲוָה חָקִיק בֵּיהּ שְׁמָא קַדִּישָׁא. וְאִיהוּ נָטִיל עִזְקָא דְּחָקִיק עָלֵיהּ שְׁמָא קַדִּישָׁא, וְסָלִיק לְאִגָּרָא, וְרָכִיב עַל הַהוּא נִשְׁרָא, וְאָזִיל לֵיהּ. וְהַהוּא נִשְׁרָא, הֲוָה מִסְתַּלַּק, לְרוּם עֲנָנִין, וּבְכָל אֲתַר דְּאִיהוּ עָבַר, הֲוָה אִתְחֲשָׁךְ נְהוֹרָא. וְחַכִּימֵי דַּהֲווּ בְּהַהוּא אֲתַר דְּאִתְחֲשָׁךְ נְהוֹרָא, הֲווּ יַדְעֵי, וַהֲווּ אַמְרֵי, שְׁלֹמֹה מַלְכָּא הָא אָזִיל, וְאַעְבַּר הָכָא, וְלָא יַדְעֵי לְאָן אֲתַר הֲוָה אָזִיל. טִפְּשִׁין דַּהֲווּ תַּמָּן, הֲווּ אַמְרֵי עֲנָנִין הֲווּ אִינּוּן, דְּקָא אַזְלֵי וְחָשִׁיךְ עָלְמָא.

שדמ. גָּבַהּ נִשְׁרָא בַּהֲדֵיהּ, וּפָרַח אַרְבַּע מְאָה פַּרְסִין, עַד דְּמָטָא לְטוּרֵי חֲשׁוֹךְ. וְתַמָּן אִיהוּ תַּדְמוֹר בַּמִּדְבָּר בֶּהָרִים, וְאִיהוּ נָחִית תַּמָּן. זָקִיף רֵישֵׁיהּ, וְחָמֵי טוּרָא חֲשׁוֹךְ, וַהֲוָה יָדַע תַּמָּן כָּל מַה דְּאִצְטְרִיךְ. וַהֲוָה יָדַע דְּתַמָּן יֵעוֹל. הֲוָה רָכִיב עַל נִשְׁרָא כְּמִלְּקַדְמִין, וְטָאס וְעָאל לְגוֹ טוּרִין, עַד הַהוּא אֲתַר דַּהֲוָיתָא תַּמָּן, קָרָא בְּחֵילָא וְאָמַר, יְיָ' רָמָה יָדְךָ בַּל יֶחֱזָיוּן וְגוֹ'.

שמה. עָאל תַּמָּן, עַד דְּקָרִיב לְהַהוּא אֲתַר, שַׁוֵּי עִזְקָא קַמַּיְיהוּ, וְקָרִיב, וְתַמָּן הֲוָה יָדַע כָּל מַה דְּבָעֵי מֵאִינּוּן וְחָכְמְתָן נוּכְרָאִין, דְּבָעֵי לְמִנְדַּע. כֵּיוָן דַּהֲווֹ אַמְרִין לֵיהּ כָּל מַה דְּבָעֵי, כְּדֵין הֲוָה רָכִיב עַל הַהוּא נִשְׁרָא, וְתָב לְאַתְרֵיהּ. כֵּיוָן דַּהֲוָה יָתִיב עַל כּוּרְסְיֵּיהּ, אִתְיַישַּׁב בְּדַעְתֵּיהּ וַהֲוָה מְמַלֵּל בְּדַעְתֵּיהּ מִלִּין דְּחָכְמְתָא יַקִּירָא. בְּהַהִיא שַׁעֲתָא הֲוָה אָמַר, וְשַׁבְתִּי אֲנִי וָאֶרְאֶה, שַׁבְתִּי וַדַּאי מֵהַהוּא אַרְוָזָא, שַׁבְתִּי מֵהַהִיא חָכְמְתָא, וְאִתְיַישָּׁבַת בְּלִבָּאי וּבְדַעְתָּאי. וּכְדֵין וָאֶרְאֶה אֶת כָּל הָעֲשׁוּקִים.

שמו. סַלְקָא דַּעְתָּךְ דְּכָל עֲשִׁיקִין דַּהֲווֹ בְּעָלְמָא, הֲוָה חָמֵי שְׁלֹמֹה מַלְכָּא. אֶלָּא, מַאי עֲשׁוּקִים אִלֵּין דְּהוּא אָמַר. אִינּוּן יְנוּקִין דְּמֵתִין בְּתוּקְפָּא דְּאִמְהוֹן, דְּהָא עֲשׁוּקִים מִכַּמָּה סִטְרִין, עֲשׁוּקִים בַּאֲתַר עִלָּאָה דִּלְעֵילָּא, וַעֲשׁוּקִים לְתַתָּא. וְהָא חַבְרַיָּיא אִתְּעָרוּ, וְהָכִי הוּא, אֲבָל סַגִּיאִין אִינּוּן. קוּם סָבָא, אִתְּעַר בְּחֵילָךְ. סָבָא אֵימָא מִילָךְ, דְּוַדַּאי בְּלָא דְּחִילוּ תֵּימָא.

שמז. לֵית עָשׁוּק כְּאִינּוּן עֲשׁוּקִים, דַּהֲוָה אִיהוּ עָשִׁיק בְּקַדְמֵיתָא, אוֹ מִתְּלָתָא לְאָחֳרָא, כְּמָה דִּכְתִּיב, פּוֹקֵד עֲוֹן אָבוֹת עַל בָּנִים וְעַל בְּנֵי בָנִים עַל שִׁלֵּשִׁים וְעַל רִבֵּעִים.

שמח. הֵיךְ הֲוָה עָשִׁיק. שְׁלֹמֹה מַלְכָּא צָוַוח וְאָמַר אָדָם עָשׁוּק בְּדַם נָפֶשׁ עַד בּוֹר יָנוּס אַל יִתְמְכוּ בוֹ. כֵּיוָן דְּהוּא עָשׁוּק, בְּדַם נֶפֶשׁ, הוּא, אוֹ בְּנוֹ, אוֹ בֶּן בְּנוֹ, יְהוֹן עֲשׁוּקִין בְּטִיקְלָא, דִּכְתִּיב עַד בּוֹר יָנוּס אַל יִתְמְכוּ בוֹ. עַד הַהוּא בּוֹר רַק יָנוּס מֵאֲתַר קַדִּישָׁא, וְאַל יִתְמְכוּ בוֹ בְּהַאי עָלְמָא. כֵּיוָן דְּאִיהוּ עָשׁוּק בְּדַם נֶפֶשׁ, אִיהוּ אוֹ זַרְעֵיהּ, לֶהֱווֹ עֲשׁוּקִים מֵהַהוּא סִטְרָא אָחֳרָא.

שמט. אִית עָשׁוּק, מִשְּׁאָר עֲשׁוּקִים, כד"א לֹא תַעֲשׁוֹק אֶת רֵעֲךָ. אִיהוּ עָבַר וְעָשַׁק, אִיהוּ עָשׁוּק בִּבְנוֹי, מֵהַהוּא סִטְרָא אָחֳרָא. וּבג"כ אָמַר, אֶת כָּל הָעֲשׁוּקִים. אָמַר שְׁלֹמֹה, קָאִימְנָא בְּכָל אִינּוּן עֲשׁוּקִים, בְּכָל סִטְרִין דַּעֲשָׁק.

שנ. וְאַמַּאי אִינּוּן עֲשׁוּקִים. אֲשֶׁר נַעֲשׂוּ תַּחַת הַשָּׁמֶשׁ. אֲשֶׁר נַעֲשׂוּ, אֲשֶׁר גָּרוּ מִבָּעֵי לֵיהּ, מַאי אֲשֶׁר נַעֲשׂוּ. אִי עֲשִׂיָּיה אִיהִי לְשַׁבְחָא, לָאו עֲשִׂיָּיה דִּלְהוֹן אֶלָּא לְעֵילָּא מִן שִׁמְשָׁא.

שנא. אֲבָל וַדַּאי נַעֲשׂוּ. הֵיךְ נַעֲשׂוּ. אֶלָּא כֵּיוָן דַּעֲשׁוּקִים מֵרוּחֵיהוֹן תַּמָּן, אַמַּאי אַתְיָין לְהַאי עָלְמָא. אֶלָּא רוּחִין וַדַּאי נַעֲשׂוּ, אִתְעֲבִידוּ בְּרוּחִין וּבְגוּפָא בְּהַאי עָלְמָא, כֵּיוָן דְּאִשְׁתָּכַל גּוּפָא דִּלְהוֹן, וְאִתְעֲבִיד הַהוּא רוּחָא בְּגוּפָא זַךְ וְנָקִי בְּלָא לִכְלוּכָא דְּחוֹבִין, בְּהַאי עָלְמָא, כְּדֵין אִתְעֲשָׁק גּוּפָא, כְּמָה דְּאִתְעֲשָׁק רוּחָא. וְהַאי אִיהוּ גּוּפָא, דְּאִתְהַנֵּי בֵּיהּ יַתִּיר מִכֹּלָּא. וַעֲשׁוּקִין אַחֲרָנִין אִית, בְּכַמָּה זִינִין מֵרוּחִין תַּמָּן, וְלָא נַעֲשׂוּ בְּגוּפִין. אֲבָל אִלֵּין, אִינּוּן עֲשׁוּקִים אֲשֶׁר נַעֲשׂוּ.

שנב. אִית אַחֲרָנִין, אֲשֶׁר נַעֲשׂוּ, וְאַטְרָחוּ בְּנֵי נָשָׁא לְמָארֵיהוֹן. וּמַאן אִיהוּ. מַאן דְּעָשִׁיק אִתְּתָא דְּחַבְרֵיהּ בִּטְמִירוּ, אוֹ בְּאִתְגַּלְיָיא. וְהַהוּא וַלְדָּא דְּאִתְיְלִיד מִנַּיְיהוּ, עָשׁוּק אִיהוּ, בְּלָא רְעוּתָא דְּמָארֵיהוֹן, וְלָא יָדַע בַּעְלָהּ דְּאִתְּתָא, אִינּוּן עוֹבָדִין עֲשׁוּקִין אִינּוּן, וְאַטְרָחוּ לְקֻבְּ"ה לְמֶעְבַּד לוֹן גּוּפָא, וּלְצַיְּירָא לוֹן צוּרָה, אִלֵּין עֲשׁוּקִים אֲשֶׁר נַעֲשׂוּ. אֲשֶׁר נַעֲשׂוּ וַדַּאי גּוּפִין דִּלְהוֹן, עַל כָּרְחָא. בג"כ, שְׁלֹמֹה מַלְכָּא אָמַר, וָאֶרְאֶה אֶת כָּל הָעֲשׁוּקִים, בְּכָל זִינֵי עֲשׁוּקִים קָאִימְנָא, אִינּוּן אֲשֶׁר נַעֲשׂוּ וְאִתְעֲבִידוּ בַּעֲשִׂיָּיה.

שנג. כְּמָה דְּהָנֵי אִינּוּן עֲשׁוּקִין, דִּכְבָר נַעֲשׂוּ בְּעָרְלָה רַבֵּי וְנָטִיל וְגָדִיל גּוּפָא, וְעָבֵיד לֵיהּ, וּלְבָתַר עַשְׁקִין לוֹן מִנֵּיהּ, וְנַטְלִין לוֹן, הֲרֵי עֲשׁוּקִים אֲשֶׁר נַעֲשׂוּ, וְעַל כֹּלָּא קָאִים שְׁלֹמֹה מַלְכָּא וְאָמַר, קָאִימְנָא עַל כָּל הָעֲשׁוּקִים אֲשֶׁר נַעֲשׂוּ.

שנד. וְהִנֵּה דִּמְעַת הָעֲשֻׁקִים, כֹּלָּא אוֹשְׁדִין דִּמְעִין, עִם טַעֲנָה קָמֵי קֻבְּ"ה. הָנֵי אוֹשְׁדִין

דמעין, דהא ערלה רבי לון, וגדיל לון, עד י"ג שנין, ולבתר עשקין לון מערלה, ונטיל לון קב"ה, הא לך עשוקין אשר נעשו כבר.

שנה. עבר עבירה קטלין ליה. לון אית טענה, וזמינין לומר, מארי דעלמא, תינוק בר יומיה דחב, דיינין ליה דינא. אנא בר יומיה הוינא, דהא מההוא יומא קרי ליה קב"ה בן, דכתיב יי' אמר אלי בני אתה אני היום ילדתיך, מאריה דעלמא, יליד בר יומא, דינא עבדין ליה, הרי דמעת אינון העשוקים ואין להם מנחם.

שנו. ואית עשוק אחר, ההוא עשוק דאקרי ממזר, כד נפק מעלמא, מיד מפרישין ליה מקהלתא דעמא קדישא. ההוא ממזר, עניא מסכנא, אושיד דמעין קמי קב"ה, ואטעין קמיה, מאריה דעלמא, אי אבהתי ואבו, אנא מה חובא עבידנא, הא עובדאי, מתתקנן לקמך הוו, והנה דמעת העשוקים ואין להם מנחם. וכן לכל אינון עשוקים, אית לון טענה קמי קב"ה, ומההיא טענה לית לון מנחם, ולית דיתיב מלה על לבהון.

שנז. ומה דאמר והנה דמעת העשוקים, אלין אינון דמתין בתוקפא דאמהון, אלין עבדין לאושדא דמעין, לכל בני עלמא, בגין דלית דמעין דנפקי מלבא, כהני דמעין, דכל בני עלמא תווהין ואמרין, דינין דקב"ה קשוט אינון, ועל ארח קשוט אזלי. הני מסכני ינוקי דלא חאבו, אמאי מיתו. אן דינא דקשוט, דעביד מארי עלמא. אי בחובי אבהתהון אסתלקי מעלמא, אמאי. ודאי אין להם מנחם.

שנח. תו, והנה דמעת העשוקים, ההוא דמעה דלהון בההוא עלמא, דקא מגינין על חייא. דתנן אתר אית מתתקנא לון בההוא עלמא, דאפילו צדיקים גמורים לא יכלין לקיימא תמן, וקב"ה רחים לון, ואתדבק בהו, ואתקין בהו, מתיבתא עלאה דיליה. ועלייהו כתיב מפי עוללים ויונקים יסדת עז. ומאי תועלתא עבדין תמן, ואמאי סלקין תמן. דכתיב למען צורריך להשבית אויב ומתנקם. וכן אית אתר אחרא לבעלי תיובתא.

שנט. תנינן, עשרה דברים אתבריאו בע"ש וכו'. הכתב והמכתב והלוחות. דכתיב והלוחות מעשה אלהים המה והמכתב מכתב אלהים הוא. מאי איריא מדהכי דע"ש הוה, ודילמא אלף שנין לבתר, או בשעתא דקיימו ישראל על טורא דסיני. אלא, ודאי הכי הוא דבע"ש הוה. ת"ח, בכל עובדא דבראשית, לא אתמר שם מלא, אלא אלהים אלהים, בכל מה דאתברי. וכלהו שם אלהים, עד דכל עובדא אשתכלל בע"ש. מדאשתכללו כל עובדא, אקרי יי' אלהים, שם מלא.

שס. ואע"ג דבשם אלהים אתברי כלא, לא אשתכלל בעשיה, כל מה דאתברי, עד ע"ש. בההיא שעתא אשתכלל כלא בעשיה, דכתיב מלאכתו אשר עשה. מכל מלאכתו אשר עשה. וקיימא במעשה. וע"ד כתיב, והלוחות מעשה אלהים, כד אשתכלל עלמא, בשם אלהים במעשה, ולא לבתר, דכתיב יי' אלהים ובדא אשתכלל עלמא, וקיימא על קיומיה.

שסא. ת"ח, בההיא שעתא דתבר משה הלוחות, דכתיב וישבר אותם תחת ההר. צף אוקיינוס מאתריה, וסליק לשטפא עלמא. חמא משה דאוקיינוס סליק לגבייהו, והוה בעי לשטפא עלמא, מיד ויקח את העגל אשר עשו וישרוף אותו באש וגו', ויזר על פני המים. קם משה על מי אוקיינוס ואמר, מיא מיא מה אתון בעאן. אמרו וכי

אִתְקַיַּים עָלְמָא אֶלָּא בְּאוֹרַיְיתָא דִּלְווֹחוֹת, וְעַל אוֹרַיְיתָא דְּשָׁקְרוּ בָּהּ יִשְׂרָאֵל וְעָבְדוּ עֶגְלָא דְּדַהֲבָא, אֲנָן בָּעָאן לְשַׁטְּפָא עָלְמָא.

שסב. מִיָּד אָמַר לוֹן, הָא כָּל מַה דְּעָבְדוּ בְּחוֹבָא דְּעֶגְלָא, הָא מָסִיר לְכוֹן, וְלָא דַּי כָּל אִינּוּן אַלְפִין דְּנָפְלוּ מִנַּיְיהוּ, מִיָּד וַיִּזֶר עַל פְּנֵי הַמַּיִם. לָא הֲווּ מִשְׁתַּכְּחֵי מַיָּא, עַד דְּנָטִיל מַיָּא מִנַּיְיהוּ וְאַשְׁקֵי לוֹן, מִיָּד אִשְׁתְּקַע אוֹקְיָינוּס בְּאַתְרֵיהּ.

שסג. דְּהָא בְּהַהוּא מַדְבָּר לָא הֲווּ מַיָּא, דִּכְתִיב לֹא מְקוֹם זֶרַע וְגוֹ'. וּמַיִם אַיִן לִשְׁתּוֹת. וְאִי תֵּימָא, לְבֵירָא דְּמִרְיָם אַרְמֵי לֵיהּ. וַדַּאי, דְּתַמָּן שָׁדֵי מֹשֶׁה דְּכַרְנָא בֵּישָׁא דָּא לְמִשְׁתֵּי לְבָתַר. וְתוּ, דְּעַד כָּאן לָא הֲוָה לְהוּ בֵּירָא, עַד דְּאָתוּ לְמַדְבַּר מַתָּנָה, דִּכְתִיב בְּאֵר חֲפָרוּהָ שָׂרִים וְגוֹ'. וּמִמִּדְבָּר מַתָּנָה. מִתַּמָּן יָרְתוּ בֵּירָא. כְּתִיב הָכָא עַל פְּנֵי הַמַּיִם, וּכְתִיב הָתָם עַל פְּנֵי תְהוֹם.

שסד. חָרוּת עַל הַלֻּחֹת, מַאי חָרוּת עַל הַלֻּחֹת. הָכִי אוֹקְמוּהָ, חֵירוּת מִמַּלְאַךְ הַמָּוֶת, חֵירוּת מִשִּׁעְבּוּד מַלְכִיּוֹת, חֵירוּת מִכֹּלָּא, הָכִי הוּא. וּמַאי חָרוּת. גּוּשְׁפַּנְקָא דְּעָלְמָא דְּאָתֵי, דְּבֵיהּ הֲוָה חֵירוּת, בְּכָל מִינֵי חֵירוּת. וְאִלְמָלֵא לָא אִתְּבָרוּ, כָּל מַה דְּאָתָא לְעָלְמָא לְבָתַר, לָא אָתָא, וַהֲווּ יִשְׂרָאֵל דְּיוֹקְנָא דְּמַלְאָכִין עִלָּאִין דִּלְעֵילָּא. וְעַל דָּא אַכְרִיז קְרָא וְאָמַר, וְהַלֻּחֹת מַעֲשֵׂה אֱלֹהִים וְגוֹ', לָא תֵּימָא דִּלְבָתַר דְּעָלְמָא אִשְׁתַּכְלַל, וְאַדְכַּר שֵׁם מָלֵא הֲוֵי, אֶלָּא בְּשַׁעְתָּא דְּאִשְׁתַּכְלַל בְּשֵׁם אֱלֹהִים, עַד לָא יֵיעוֹל שַׁבָּת.

שסה. הֵמָּה, מַאי הֵמָּה. הָפוּךְ מ"ה הָוֵי. מִתְרֵין סִטְרִין הֲווּ. חַד בְּעוֹבָדָא, וְחַד דְּחֵירוּת לְעֵילָּא, רְשִׁים לְעֵילָּא לְנַטְרָא לְכֹלָּא. וְעַל דָּא הֵמָּ"ה. וְהַמִּכְתָּב מִכְתַּב אֱלֹהִים הוּא, אֶשָּׁא אוּכָמָא עַל גַּבֵּי אֶשָּׁא חִוָּורָא. מִכְתַּב אֱלֹהִים הוּא, הַיְינוּ דִּכְתִיב, וְעָבַד הַלֵּוִי הוּא. חָרוּת כְּמָה דְּאִתְּמַר, דְּהָא יוֹבֵל קָרֵי חָרוּת, וְעָבֵיד חֵירוּת לְכָל עָלְמִין.

שסו. ע"כ חַבְרַיָּיא. מִכָּאן וְהָלְאָה תִּנְדְּעוּן, דְּהָא סִטְרָא בִּישָׁא, לָא שַׁלְטָא עֲלַייכוּ וַאֲנָא יֵיבָא סָבָא, קָאִימְנָא קָמַייכוּ, לְאִתְעָרָא מִלִּין אִלֵּין, קָמוּ אִינּוּן, כְּמַאן דְּאִתְעַר מִשֵּׁינְתֵיהּ, וְאִשְׁתְּטָחוּ קָמֵיהּ, וְלָא הֲווּ יַכְלִין לְמַלְּלָא. לְבָתַר שַׁעֲתָא בָּכוּ.

שסז. פָּתַח רַבִּי חִיָּיא וְאָמַר, שִׂימֵנִי כַחוֹתָם עַל לִבֶּךָ כַּחוֹתָם עַל זְרוֹעֶךָ וְגוֹ', שִׂימֵנִי כַחוֹתָם, בְּשַׁעֲתָא דְּאִתְדַּבְּקָא כְּנֶסֶת יִשְׂרָאֵל בְּבַעְלָהּ, אִיהִי אַמְרַת שִׂימֵנִי כַּחוֹתָם, אָרְחָא דְּחוֹתָם, כֵּיוָן דְּאִתְדַּבַּק בְּהַהוּא אֲתָר דְּאִתְדַּבַּק שָׁבִיק בֵּיהּ כָּל דְּיוֹקְנֵיהּ, אַף עַל גַּב דְּהַהוּא חוֹתָם אָזִיל הָכָא וְהָכָא, וְלָא קַיְּימָא תַּמָּן, וְהָא אִתְעֲבַר מִנֵּיהּ, כָּל דְּיוֹקְנֵיהּ שָׁבִיק תַּמָּן, וְתַמָּן קַיְּימָא. אוּף הָכִי אַמְרַת כ"י, כֵּיוָן דְּאִתְדַּבְּקְנָא בָּךְ, כָּל דְּיוֹקְנִי לֶיהֱוֵי וְחָקִיק בָּךְ, דְּאַף עַל גַּב דְּאֵיזִיל הָכָא אוֹ הָכָא, תִּשְׁכַּח דְּיוֹקְנִי חָקִיק בָּךְ, וְתִדְכַּר לִי.

שסח. כַּחוֹתָם עַל זְרוֹעֶךָ, כְּמָה דִּכְתִיב שְׂמֹאלוֹ תַּחַת לְרֹאשִׁי וִימִינוֹ תְּחַבְּקֵנִי, אוּף הָכִי, תְּהֵא דְּיוֹקְנִי חָקִיק תַּמָּן. וּבְכֵן אֱהֵא בָּךְ מִתְדַּבְּקָא לְעָלְמִין, וְלָא אִתְנְשֵׁי מִינָּךְ. כִּי עַזָּה כַמָּוֶת אַהֲבָה, תַּקִּיפָא כַּמָּוֶת אַהֲבָה, בְּתוּקְפָּא תַּקִּיף, כְּהַהוּא אֲתַר דְּשַׁרְיָא בֵּיהּ מוֹתָא. אַהֲבָה, הַהוּא אֲתָר דְּאִקְרֵי אַהֲבַת עוֹלָם.

שסט. קָשָׁה כִשְׁאוֹל קִנְאָה, אוּף הָכִי, דְּהָא אִלֵּין שְׁמָהָן, מֵהַהוּא סִטְרָא אִינּוּן. רְשָׁפֶיהָ רִשְׁפֵּי אֵשׁ, מַאן אִינּוּן רִשְׁפֵּי אִלֵּין. אִינּוּן אַבְנִין וּמַרְגְּלָן טָבָאן, דְּאִתְיְלִידוּ מֵהַהוּא אֵשׁ. שַׁלְהֶבֶת יָהּ. מֵהַהוּא שַׁלְהוֹבָא, דְּנָפְקָא מֵעָלְמָא עִלָּאָה, וְאִתְאַחֲדָא בִּכְנֶסֶת יִשְׂרָאֵל, לְמֶהֱוֵי כֹּלָּא חַד יִחוּדָא, וַאֲנָן, הָא אַהֲבָה וְרִשְׁפִּין דְּשַׁלְהוֹבָא דְּלִבָּא אֲבַתְרָךְ, יְהֵא רַעֲוָא, דְּדִיוֹקְנָא דִּילָן, תְּהֵא חֲקוּקָה בְּלִבָּךְ, כְּמָה דִּדְיוֹקְנָא דִּילָךְ חֲקִיק בְּלִבָּן. נָשַׁק לוֹן, וּבָרִיךְ

לוֹן וְאָזְלוּ.

שע. כַּד מָטוּ לְגַבֵּי דְּרַבִּי שִׁמְעוֹן, וְסָחוּ לֵיהּ כָּל מַה דְּאִירַע לוֹן, וַחֲדֵי וְתָוַוה, אָמַר, זַכָּאִין אַתּוּן דְּזָכִיתוּן לְכָל הַאי, וּמַה הֲוֵיתוּן בַּהֲדֵי אַרְיָא עִלָּאָה, גִּיבָּר תַּקִּיף, דְּלָא הֲווֹ כַּמָּה גִּיבָּרִין לְגַבֵּיהּ כְּלוּם, וְלָא יְדַעְתּוּן לְאִשְׁתְּמוֹדְעָא לֵיהּ מִיַּד. תָּוְהְנָא, אֵיךְ אִשְׁתְּזַבְתּוּן מֵעוֹנְשָׁא דִּילֵיהּ, אֶלָּא קֻבְּ"ה בָּעָא לְשֵׁיזָבָא לְכוֹן, קָרָא עֲלַיְיהוּ, וְאֹרַח צַדִּיקִים כְּאוֹר נֹגַהּ הוֹלֵךְ וָאוֹר עַד נְכוֹן הַיּוֹם. בְּלֶכְתְּךָ לֹא יֵצַר צַעֲדֶךָ וְאִם תָּרוּץ לֹא תִכָּשֵׁל. וְעַמֵּךְ כֻּלָּם צַדִּיקִים לְעוֹלָם יִירְשׁוּ אָרֶץ נֵצֶר מַטָּעַי מַעֲשֵׂה יָדַי לְהִתְפָּאֵר. ע"כ מן רב ייבא סבא.

רעיא מהימנא

שעא. כִּי יִנָּצוּ אֲנָשִׁים. אִלֵּין, מִיכָאֵל וְס"מ. וְנָגְפוּ אִשָּׁה הָרָה, דָּא כ"י. וְיָצְאוּ יְלָדֶיהָ, בְּגָלוּתָא. עָנוֹשׁ יֵעָנֵשׁ, דָּא ס"מ, כַּאֲשֶׁר יָשִׁית עָלָיו בַּעַל הָאִשָּׁה, דָּא קוּדְשָׁא בְּרִיךְ הוּא.

שעב. פִּקּוּדָא (מא) בָּתַר דָּא, לְהָשִׁיב אֲבֵדָה. וְאַבַּתְרֵיהּ לְהָשִׁיב הַגָּזֵל. אָמַר בּוֹצִינָא קַדִּישָׁא, קֻבְּ"ה עָתִיד לְאַהְדְּרָא לָךְ, אֲבֵדָה דְּאָבַדְתְּ בְּגִין עֵרֶב רַב, וַדַּאי כַּלָּה דִּילָךְ, דִּבְזִמְנָא דְּעָבְדוּ עֵרֶב רַב יַת עֶגְלָא, נָפְקַת כַּלָּה דִּילָךְ, הה"ד וַיַּשְׁלֵךְ מִיָּדָו אֶת הַלֻּחֹת.

שעג. וְאִתְּמַר בָּךְ לֵךְ רֵד, הָתָם קָא רָמִיז נְזִיתוּ דִּילָךְ, בְּגָלוּתָא רְבִיעָאָה, לֵךְ: כְּגוֹן לֶךְ לְךָ מֵאַרְצְךָ וְגוֹ'. הָכָא הֵן כָּל אֵלֶּה יִפְעַל אֵל פַּעֲמַיִם שָׁלֹשׁ עִם גָּבֶר. הָכָא קָא רָמִיז לָךְ, לֵךְ ג' זִמְנִין בְּגָלוּתָא. רְבִיעָאָה רֵד, בְּגִין בַּת יְחִידָה, כַּלָּה דִּילָךְ, דְּנָפְלָה. הה"ד, נָפְלָה לֹא תוֹסִיף קוּם. וּמִיַּד דְּאַנְתְּ נְזִית בְּגִינָהּ, תָּקוּם עֲלָךְ וְהַאי אִיהוּ הֲשָׁבַת אֲבֵדָה דִּילָךְ.

שעד. דְּלָאו לְמַגָּנָא אִתְגַּלְיָא לָךְ אוֹרַיְיתָא, יַתִּיר מִכָּל יִשְׂרָאֵל, וְאִסְתַּלְּקַת לְגַבָּךְ, כְּמַיָּא דִּבְאֵר דְּאִסְתַּלְּקוּ לְגַבָּךְ, וְלָא לְאֲבָהָן, וְלָא לְבַר נָשׁ, דְּהָא בְּאֵר מִכֹּרֶת אֲדוֹנֶיהָ. וְאוֹרַיְיתָא דָּא, אִתְּמַר עָלָהּ, וּמִשָּׁם בְּאֵרָה הִיא הַבְּאֵר וְגוֹ'. הַבְּאֵר הִיא מַלְיָא, וְלָא נָפְקִין מֵימוֹי לְבַר. וְאִיהוּ בְּאֵר מַיָּא דְּאוֹרַיְיתָא, דְּאַפִּיק כָּל מַיִין, וְכָל מַיִין דְּעָלְמָא עָאלִין בֵּיהּ, וְלָא נָפְקִין מֵימוֹי לְבַר.

שעה. וְאִיהוּ בְּאֵר דַּאֲפִילּוּ כָּל בְּנֵי עָלְמָא שָׁאֲבִין מִנֵּיהּ מַיָּא, וַאֲפִילּוּ כָּל עֲנָנֵי עָלְמָא, לָא חָסְרִין מִנֵּיהּ, אֲפִילּוּ כְּחוּט הַשַּׂעֲרָה. בְּגִין דִּבְאֵר דָּא, לֵית לֵיהּ סוֹף, יַתִּיר עָמוֹק הוּא מִדְּאוֹרַיְיתָא, דְּאִתְּמַר בָּהּ וּרְחָבָה מִנִּי יָם. וּבְכַד דִּילֵיהּ, מַאן דְּשָׁאֲבֵי מִנֵּיהּ מַיָּא, אִיהוּ בְּלַע כָּל וְחָכְמְתִין דְּעָלְמָא, כָּל שֶׁכֵּן בְּאֵר עַצְמוֹ.

שעו. וְכֵן עָתִיד קֻבְּ"ה לְאַהְדְּרָא לָךְ גֶּזֶל דִּילָךְ, דְּאִיהוּ מַטֶּה, דְּאִתְּמַר בֵּיהּ וַיִּגְזוֹל אֶת הַחֲנִית מִיַּד הַמִּצְרִי, דְּעָלָךְ אִתְּמַר אִישׁ מִצְרִי. וּבְגָלוּתָא דִּילָךְ וּבְגִלְגּוּלָא דִּילָךְ, יַפְרִישׁ לָךְ עָרֵי מִקְלָט, לְשֵׁיזָבָא, מִכַּמָּה דִּרְדְפִין אֲבַתְרָךְ, דְּלֵית לְהוֹן סוֹף.

שעז. וְהַאי אִיהוּ פִּקּוּדָא, לְהַפְרִישׁ עָרֵי מִקְלָט, לְמַאן דְּקָטַל, בְּגִין הַהוּא מִצְרִי דְּקָטַלְתְּ בְּמִצְרַיִם, דְּתַמָּן הֲוָה נָחָשׁ הַקַּדְמוֹנִי וְכָל מַשִּׁרְיָיתֵיהּ, דַּהֲווֹ סָחֲרִין לֵיהּ, וְקָטַלְתְּ לֵיהּ בְּלָא זִמְנֵיהּ, וְלָא דְּחוֹלַתְּ מֵרוֹדְפִין דִּילֵיהּ, דִּבְכַמָּה אַתְרִין רָדְפוּ אֲבַתְרָךְ, כַּמָּה נָשִׁין בִּנְעוּרוּתָךְ, דְּאִינּוּן נַעֲמָ"ה אִגְּרַ"ת לִילִ"ת אוֹכְמָא. וְקֻבְּ"ה יְהִיב לָךְ עָרֵי מִקְלָט, לְאִשְׁתְּזָבָא מִנְּהוֹן, וְאִינּוּן שַׁעֲרֵי תְּשׁוּבָה.

שעח. בְּגִין דְּאַתְּ בֵּן יָהּ, בְּרָא דְּאַבָּא וְאִמָּא. בָּתַר דְּהַדַּרְתְּ בְּה"א בִּתְיוּבְתָּא, אִסְתַּלְּקַתְּ בְּבִינָה, יה"ו, אִילָנָא דְּחַיֵּי, וּבְגִינָהּ אַתְּ זָכֵי לְאָת ה, בְּגִין דְּאָעִילַת גַּרְמָךְ אֲבַתְרָהָא, בִּתְיוּבְתָּא לְאַהְדְּרָא לָהּ לְמָרָךְ, וּלְסַלְּקָא לָהּ מִגָּלוּתָא, וְלָא לְקַבְּלָא אַנְתְּ אַגְרָא.

שעט. וְקוּדְשָׁא בְּ״ה, שַׁוֵּי שְׁמֵיהּ בָּךְ, וּבְגִין דְּמַחֲשָׁבָה דִּילָךְ הֲוַת לְעִלַּת הָעִלּוֹת, שַׁוֵּי בָּךְ מַחֲשַׁבְתֵּיהּ, דְּאִיהִי יוֹ״ד הֵ״א וָא״ו הֵ״א. וְעִלַּת הָעִלּוֹת, אִיהוּ מְיַיחֵד אִלֵּין אַתְוָון בָּךְ, לְאִשְׁתְּמוֹדְעָא לֵיהּ בְּאִלֵּין אַתְוָון.

שפ. וּבְגִין דְּאַתְּ הֲוֵית גּוֹמֵל חֶסֶד עִם שְׁכִינְתָּא, דְּכָל פִּקּוּדִין דִּילָךְ לְקַיְּימָא, אֵיזֶהוּ חָסִיד הַמִּתְחַסֵּד עִם קוֹנוֹ. יָהַב לָךְ מִדַּת חֶסֶד. וּבְגִין דְּנַטַּרְתְּ פִּקּוּדִין דְּלָא תַּעֲשֶׂה, וַהֲוָה לָךְ לְאִתְגַּבְּרָא עַל יִצְרָךְ, לְמִקְשַׁר לֵיהּ תְּחוֹת יְדָךְ, וְלָא אִשְׁתַּדַּלַת בְּהַאי פִּקּוּדָא, אֶלָּא לְקַשְׁרָא סָמָאֵ״ל תְּחוֹת יְדָא דְּקֻבְּ״ה. וּבַת זוּגֵיהּ דְּאִיהִי שִׁפְחָתָא בִּישָׁא, תְּחוֹת יַד גְּבִירְתָּא. לוֹן וּלְכָל מְמַנָּן וּלְכָל מַשִּׁרְיָין דִּלְהוֹן. קֻבְּ״ה יָהַב לָךְ, מִדַּת גְּבוּרָה דִּילֵיהּ, לְמֶהֱוֵי בְּסִיַּעְתָּךְ דְּיִתְחַלְחֲלוּן וְיִדַּחֲלוּן מִינָךְ, סָמָאֵ״ל וּבַת זוּגֵיהּ, וְכָל מְמַנָּן וּמַשִּׁרְיָין דִּלְהוֹן, וִיהוֹן קְשׁוּרִים בְּשַׁלְשְׁלָאֵי תְּחוֹת יְדָךְ.

שפא. וּבְגִין דְּהַדַּרְתְּ בְּתִיּוּבְתָּא, בְּאוֹת בְּרִית, נָחִית בִּינָה יה״ו, לְאִתְחַבְּרָא בְּצַדִּיק. בְּגִינָךְ, קֻבְּ״ה יָהִיב לָךְ אוֹת בְּרִית צַדִּיק דִּילֵיהּ. וּבְגִין דְּמַחֲשָׁבָה טוֹבָה עֲבַדְתְּ כַּלָּא, הָכִי נָחִית שְׁמָא מְפֹרָשׁ עָלָךְ, וּמִתַּמָּן, נָחִית עָלָךְ.

שפב. וּבְגִין דְּאַנְתְּ תִּשְׁתַּדֵּל בְּכָל יוֹמָא, בִּתְרֵין שִׂפְוָון דִּילָךְ בִּצְלוֹתָא, לְשַׁבְּחָא לְמָרָךְ, בַּאֲדֹנָ״י שְׂפָתַי תִּפְתָּח, בִּתְרֵין שִׂפְוָון דִּילָךְ. בִּנְבִיאִים וּבִכְתוּבִים. וּבְכָל מִינֵי זֶמֶר וְנִגּוּן בִּצְלוֹתָא. קֻבְּ״ה נָחִית לוֹן בְּשִׂפְוָון דִּילָךְ. כָּל שֶׁכֵּן דַּרְגָּא דִּילָךְ, עַמּוּדָא דְּאֶמְצָעִיתָא, וּבֵיהּ אִשְׁתַּדַּלַת בְּכָל יוֹמִין דִּילָךְ בְּקְשׁוֹט, קֻבְּ״ה יָהֲבֵיהּ לָךְ, לְסַלְּקָא לָךְ בֵּיהּ, בְּתוֹרַת אֱמֶת, כְּלִילָא מִכָּל מִדּוֹת וְאַתְוָון. בִּשְׁמָא מְפֹרָשׁ, בְּד׳ אַתְוָון.

שפג. דְּקֹדֶם דְּחָזַרְתְּ בְּתִיּוּבְתָּא לָא הֲוֵית, אֶלָּא בְּאִילָנָא דְּטוֹב וָרָע, עֶבֶד וְנַעַר הֲוָה שְׁמָךְ בְּקַדְמֵיתָא, וְהִנֵּה נַעַר בּוֹכֶה, עֶבֶד נֶאֱמָן, הה״ד לֹא כֵן עַבְדִּי מֹשֶׁה בְּכָל בֵּיתִי נֶאֱמָן הוּא. וְהַהוּא רַע, שׁוּתָּפָא דְּעֶבֶד, גָּרַם לָךְ לְמֶחֱטֵי בְּסֶלַע, בְּגִין דְּמַטֶּה דְּאִתְמְסַר לָךְ, הֲוָה דְּאִילָנָא דְּטוֹב וָרָע, מְטַטְרוֹ״ן טוֹב. סָמָאֵ״ל רָע.

שפד. וּכְעַן, דְּחָזַרְתְּ בְּתִיּוּבְתָּא, וְאִתְדַּבַּקְתְּ בְּאִילָנָא דְּחַיֵּי, הָא נָפַקְתְּ מֵעֶבֶד, וְאִתְהַדַּרְתְּ בֵּן לְקֻבְּ״ה. וּמַטֶּה דְּאִתְמְסַר בִּידָךְ, יְהֵא עֵץ חַיִּים, ו׳, דְּאִיהוּ בֶּן יָ״הּ, וְתֵיעוּל בְּמ״ט אַנְפִּין דִּילָךְ בְּאוֹרַיְיתָא, וְיִתְעֲבֵד מוֹט. וְיִתְקַיֵּים בָּךְ, לֹא יִתֵּן לְעוֹלָם מוֹט לַצַּדִּיק. מ״ט אַנְפִּין, מ״ט אַתְוָון דִּשְׁמַע יִשְׂרָאֵל, וּבָרוּךְ שֵׁם, שִׁית תֵּיבִין דְּיִחוּדָא עִלָּאָה, ו׳ עִלָּאָה תִּפְאֶרֶת. שִׁית תֵּיבִין תִּנְיָינִין, דְּבָרוּךְ שֵׁם, ו׳ תִּנְיָינָא צַדִּיק. מ״ט. בְּאֶמְצָעִיתָא א. וַיִּשָּׂאוּהוּ בַּמּוֹט בִּשְׁנָיִם.

שפה. בְּלָא וָא״ו בְּאֶמְצָעִיתָא, אִיהוּ מ״ט. וְצַדִּיק מ״ט לִפְנֵי רָשָׁע. וּמַאן גָּרַע דָּא. א׳. אֶחָד מֵחֲמִשִּׁים. דַּחֲמִשִּׁין תַּרְעִין אִתְיְהִיבוּ לָךְ, חָסֵר חַד, כְּמָה דְּאוֹקְמוּהָ מָארֵי מַתְנִיתִין, וַחֲמִשִּׁים שַׁעֲרֵי בִּינָה נִמְסְרוּ לְמֹשֶׁה, חוּץ מֵאֶחָד. וְהַאי אִיהוּ א׳, דְּחָסֵר מֵחֲמִשִּׁין, וְאִשְׁתְּאַר מ״ט, וְדָא גָּרִים לָךְ צַדִּיק מ״ט לִפְנֵי רָשָׁע. מַאי רָשָׁע. דָּא סָמָאֵ״ל.

שפו. וְהַאי אִיהוּ מ״ט, מִן מַטֵּה דִּילָךְ, דְּאִתְּמַר בֵּיהּ וּמַטֵּה הָאֱלֹהִים בְּיָדִי. מַטֵּה דִּילָךְ הוּא מַטֶּה דְּמֹשֶׁה, וּבְגִין דָּא דְּאִיהִי בִּינָה, חֲזָרַת לָךְ, כְּמָה דְּאוֹקְמוּהָ בְּמַתְנִיתִין, אָלֶף בִּינָה. דְּחָזַרְתְּ לָךְ בְּתִיּוּבְתָּא, וְתֵיעוּל בֵּין וָ״ו, וְאִתְעֲבֵיד וָא״ו, לְקַיֵּים בָּךְ לְיִשְׂרָאֵל, וּבְרַחֲמִים גְּדוֹלִים אֲקַבְּצֵךְ. מִתַּמָּן וְאֵילָךְ יִתְקַיֵּים בָּךְ, לֹא יִתֵּן לְעוֹלָם מוֹט לַצַּדִּיק.

שפז. בְּהַהוּא זִמְנָא, יִתְקַיְּימוּ בָּךְ תְּרֵין פִּקּוּדִין. חַד, הָקֵם תָּקִים עִמּוֹ. תִּנְיָינָא, עָזוֹב תַּעֲזוֹב עִמּוֹ. הָקֵם עִם ו׳ עִלָּאָה, מָשִׁיחַ רִאשׁוֹן. תָּקִים עִם ו׳ תִּנְיָינָא. עִמּוֹ, דָּא בֶּן עַמְרָם,

דִּסְלִיקַת לְבִינָה דְּאִיהִי א'.

שפח. וּלְמַאן הָקֵם תָּקִים. לְאָת ה'. דְּנַפְלַת בְּאֶלֶף וַחֲמֵשׁ מֵאָה, בָּתַר ע"ב, כְּמִנְיַן עָזוּ"ב תַּעֲזוֹב עִמּוֹ. עָזוֹב: ע"ב ז"ו. וְדָא ע"ב שְׁמָהָן, וַיִּסַּע וַיָּבֹא וַיֵּט. דָּא וָא"ו מִן וה"ו, תַּמָּן עֵזֶר, וְלָא קִימָה, וְהַאי אִיהוּ עָזוֹב תַּעֲזוֹב, תַּמָּן בְּעֵת"וֹ יוֹרֶה וּמַלְקוֹשׁ וְאָסַפְתָּ דְגָנֶךָ וְתִירשְׁךָ וְיִצְהָרֶךָ, דְּאִינּוּן יִשְׂרָאֵל. לֶקֶט שִׁכְחָה וּפֵאָה, לֶעָנִי וְלַגֵּר תַּעֲזוֹב אוֹתָם. הָכָא אוֹלִיפְנָא. פִּקּוּדָא תְּלִיתָאָה.

שפט. וְצָרִיךְ לְאַהֲדָרָא עָלַיְיהוּ, דְּהָא מִסִּטְרָא דְצַדִּיק, עָנִי, עָזוֹב תַּעֲזוֹב, צַדִּיק. עִמּוֹ, דָּא בֶּן עַמְרָם. וְהַאי אִיהוּ לֶעָנִי וְלַגֵּר תַּעֲזוֹב אוֹתָם. גֵּר אַנְתְּ כְּגַוְונָא דְּאִתְּמַר בָּךְ בְּקַדְמֵיתָא עִם עָנִי, גֵּר הָיִיתִי בְּאֶרֶץ נָכְרִיָּה.

שצ. אֲבָל הֲקָמָה, בְּדַרְגָּא דִּילָךְ, הָקֵם ו' תַּתָּאָה. תָּקִים עִמּוֹ: עִם בֶּן עַמְרָם, בְּדַרְגָּא עִלָּאָה דִּילָךְ, תִּפְאֶרֶת. בְּמ"ה דִּילָךְ, שְׁמָא מְפָרַשׁ בִּשְׁלִימוּ. בָּתַר ק' ק' דְּהָקֵם תָּקִים, אִשְׁתְּאַר תִּים. מַאי קָא אַחְזֵי. יַעֲקֹב אִישׁ תָּם. עִמּוֹ: עִם בֶּן עַמְרָם, יוֹקִים. הָקֵם: צַדִּיק. תָּקִים: תָּם.

שצא. פִּקּוּדָא בָּתַר דָּא לִפְדּוֹת עֶבֶד עִבְרִי וְאָמָה הָעִבְרִיָּה, לְיַעֵד אָמָה הָעִבְרִיָּה, לָדוּן בְּקִנְיַן עֶבֶד עִבְרִי, הַעֲנֵק תַּעֲנִיק לוֹ. הה"ד, כִּי תִקְנֶה עֶבֶד עִבְרִי שֵׁשׁ שָׁנִים יַעֲבֹד. מַאי שֵׁשׁ שָׁנִים יַעֲבֹד. וּמַאי קִנְיָן דִּילֵיהּ. אֶלָּא בְּסִתְרֵי תּוֹרָה, מְטַטְרוֹ"ן עֶבֶד יְיָ, כָּלִיל שִׁית סִטְרִין, כְּחוּשְׁבַּן שִׁית אַתְוָון דִּילֵיהּ, שִׁית סִדְרֵי מִשְׁנָה. וּבְהוֹן אִית לֵיהּ לְבַר נָשׁ לְמִפְלַח לְמָארֵיהּ, לְמֶהֱוֵי לֵיהּ עֶבֶד, לְמֶעְבַּד קִנְיַן כַּסְפּוֹ, דְּכֶסֶף יְמִינָא, דְּאַבְרָהָם וְחֶסֶד דַּרְגָּא דִּילֵיהּ, אוֹרַיְיתָא מִתַּמָּן אִתְיְהִיבַת.

שצב. וּמַאן דְּאִשְׁתָּדַל בָּהּ, בְּגִין לְזַכָּאָה לְעָלְמָא דְּאָתֵי, אִקְרֵי קִנְיָן. כַּסְפּוֹ: עָלְמָא דְּכִסּוּפָא. קִנְיָן: עַל שֵׁם אֵל עֶלְיוֹן קוֹנֵה שָׁמַיִם וָאָרֶץ. קְנֵה חָכְמָה קְנֵה בִּינָה.

שצג. בָּתַר דִּקְנָה לוֹ, גְּאוּלָה תִּהְיֶה לוֹ. אִית דְּאִיהוּ קָנוּי לְעוֹלָם, וְאִית דְּאִיהוּ קָנוּי לֵיהּ שִׁית שְׁנִין. מַאן דְּאִיהוּ קָנוּי לֵיהּ לְעוֹלָם, כְּתִיב בֵּיהּ, וְרָצַע אֲדוֹנָיו אֶת אָזְנוֹ בַּמַּרְצֵעַ וַעֲבָדוֹ לְעוֹלָם. לֵית עוֹלָם, אֶלָּא עוֹלָמוֹ שֶׁל יוֹבֵל, דְּאִינּוּן חַמְשִׁין. וְדָא קְרִיאַת שְׁמַע, דְּתַמָּן כ"ה אַתְוָון, עַרְבִית וְשַׁחֲרִית. נ' תַּרְעִין דְּבִינָה.

שצד. בָּתַר דִּמְיַיחֵד בְּהוֹן בַּר נָשׁ לְקוּדְשָׁא בְּרִיךְ הוּא, דְּאִיהוּ עֶבֶד דִּילֵיהּ, בְּעוֹל תְּפִלִּין עַל רֵישֵׁיהּ. וְאֹזֶן דִּילֵיהּ רְצִיעָא פְּתִיחָא לְמִשְׁמַע קְרִיאַת שְׁמַע, דְּשָׁמַע, בְּכָל לָשׁוֹן שֶׁאַתָּה שׁוֹמֵעַ, דְּהַיְינוּ מַשְׁמָעוּת.

שצה. דְּמַאן דְּפִדְיוֹן דִּילֵיהּ תְּלוּיָה בִּקְרִיאַת שְׁמַע, דְּאִיהוּ רָזָא דְּחַמְשִׁין, לֵית לֵיהּ פִּדְיוֹן עַל יַד אַחֲרָא בְּגִלְגּוּלָא, דִּמְרוּצָע הוּא לְמָארֵיהּ, הָכָא לָא אִתְּמַר אוֹ דוֹדוֹ אוֹ בֶן דּוֹדוֹ יִגְאָלֶנּוּ. דִּבְצְלוֹתָא דְּבַר נָשׁ, אִיהוּ כְּעֶבֶד, דְּאִתְּמַר בֵּיהּ שֵׁשׁ שָׁנִים יַעֲבֹד. וְאֵין עֲבוֹדָה, אֶלָּא תְּפִלָּה. שֵׁשׁ שָׁנִים יַעֲבֹד: ג' רִאשׁוֹנוֹת, וְג' אַחֲרוֹנוֹת דִּשְׁלִיחַ צִבּוּר אַפִּיק לֵיהּ לְבַר נָשׁ יְדֵי חוֹבָתוֹ, לְמַאן דְּלָא יָדַע לְצַלָּאָה בְּהוּ דְּצַדִּיק חַי עָלְמָא, אִתְקְרֵי בְּהוּ, עַל שְׁמֵיהּ. בֹּעַז, צַדִּיק, גּוֹאֵל, קָרוֹב, וְנֶאֱמָן.

שצו. קָרוֹב יְיָ לְכָל קוֹרְאָיו. וְטָב לֵיהּ לְבַר נָשׁ, שָׁכֵן קָרוֹב מֵאָח רָחוֹק, דְּהַיְינוּ עַמּוּדָא דְּאֶמְצָעִיתָא, דְּאִיהוּ בֶּן יָהּ, דְּאִסְתַּלַּק לְעֵילָּא דְּאִיהוּ בִּינָה, דְּעוֹלָם דָּא, עוֹלָמוֹ שֶׁל יוֹבֵל, דְּאִיהוּ חַמְשִׁין אַתְוָון דְּיִחוּדָא. דִּבְעָלְמָא, דֵּין, יָכִיל בַּר נָשׁ, לְמֶהֱוֵי לֵיהּ פִּדְיוֹן בְּצַדִּיק, ו' שְׁנִין דְּכָלִיל תְּלַת קַדְמָאִין, וּתְלַת בַּתְרָאִין דִּצְלוֹתָא. ו' זְעִירָא, אִיהוּ שִׁית שְׁנִין

יַעֲבוֹד.

שצז. אֲבָל בְּעָלְמָא דְּאָתֵי, דְּאִיהוּ עוֹלָמוֹ שֶׁל יוֹבֵל, דְּתַמָּן נ' אַתְוָון דְּק"ש, לֵית ש"צ אַפִּיק לֵיהּ מֵחוֹבָה. בְּגִין דְּלֵית לֵיהּ פִּדְיוֹן ע"י אֲחֵרִים. וּבְגִ"ד שְׁמַע, בְּכָל לָשׁוֹן שֶׁאַתָּה שׁוֹמֵעַ. וּבְגִ"ד קָא רָמִיז, אִם אֵין אֲנִי לִי מִי לִי. מ"י: וַדַּאי עוֹלָמוֹ שֶׁל יוֹבֵל.

שצח. מִיַּד דְּשָׁמְעוּ מִלִּין אִלֵּין, מָארֵי מְתִיבְתָּאן דַּהֲווֹ נַחְתֵּי עִם בּוּצִינָא קַדִּישָׁא, פָּתְחוּ וְאָמְרוּ, רַעְיָא מְהֵימְנָא, פִּי שְׁכִינְתָּא עִלָּאָה וְתַתָּאָה, דִּבְתַרְוַויְיהוּ קוּדְשָׁא בְּרִיךְ הוּא פֶּה אֶל פֶּה מַלִּיל עִמָּךְ בְּק"ש, דְּאִתְּמַר בֵּיהּ, רוֹמְמוֹת אֵל בִּגְרוֹנָם וְחֶרֶב פִּיפִיּוֹת בְּיָדָם. דְּהָא וַדַּאי, י', רֵישָׁא דְּחַרְבָּא, דְּאַסְחַר שָׂפָה דִּילָךְ. ו', לִישָׁנָא דְּחַרְבָּא דִּילָךְ. ה', ה', תְּרֵין פִּיפִיּוֹת, בִּתְרֵין שִׂפְוָון דִּילָךְ. וְהָא וַדַּאי, שְׁמָא דְּמָרָךְ, מְמַלֵּל בְּפוּמָךְ. יו"ד הֵ"א וָא"ו הֵ"א, אִיהוּ בְּמַחֲשַׁבְתָּךְ דְּאַפִּיק אִלֵּין וַחֲמִשִּׁין מִפּוּמָךְ.

שצט. בְּוַדַּאי, בְּגִין מִלִּין אִלֵּין, אֵלִיָּהוּ אִתְעַכַּב לְעֵילָּא, דְּתָפִיס אִיהוּ. דְּלָא נָחִית לְגַבָּךְ, דְּהָא בְּכַמָּה עִתְרָא הֲוָה נָחִית לְגַבָּךְ. וְאִיהוּ תָּפִיס לְעֵילָּא, דְּלָא נָחִית לְגַבָּךְ. בְּגִין דַּעֲנִיּוּתָא דִּילָךְ, אִיהוּ פּוּרְקָא לְיִשְׂרָאֵל. וּבְגִ"ד מָשִׁיחַ אָמַר, עַד דְּיֵיתֵי עָנִי, וְהַאי אִיהוּ דִּכְתִּיב וּבַחֲבוּרָתוֹ נִרְפָּא לָנוּ.

ת. אָמַר לוֹן, אִי הָכִי, נַעְבֵּד לֵיהּ הַתָּרָה, וְיֵהָא נָחִית לְגַבָּאי, דְּחָשִׁיב הוּא גַּבָּאי, מִכָּל מָמוֹנָא דְּעָלְמָא. וְהָא אֲנָא מוֹחִיל וְשָׁרֵי לֵיהּ, וּמַתִּיר לֵיהּ אוּמָאָה. וְאַתּוּן אוּף הָכִי שָׁרוּ לֵיהּ וְאִי צָרִיךְ הַתָּרָה יַתִּיר, נִשְׁתַּדֵּל בְּהַתָּרָתֵיהּ, דְּיֵיהָא נָחִית גַּבָּאי.

תא. אָמַר לֵיהּ בּוּצִינָא קַדִּישָׁא, שְׁבוּעַת יְיָ', אִיהִי שְׁכִינְתָּא, בַּת יְחִידָה. וְלָא לְמַגָּנָא תַּקִּינוּ תְּלַת בְּנֵי נָשָׁא, לְמִפְטַר לֵיהּ. אֶלָּא, ש' דְּשַׁבָּת, תְּלַת עַנְפֵי אֲבָהָן, בַּת יְחִידָה. שְׁבוּעָה. דְּאִשְׁתַּתָּפַת בְּהוּ.

תב. בְּוַדַּאי, שְׁבוּעָה לָא חָלָה אֶלָּא עַל דָּבָר שֶׁיֵּשׁ בּוֹ מַמָּשׁ. נֶדֶר חָל, אֲפִילוּ עַל דָּבָר שֶׁאֵין בּוֹ מַמָּשׁ. וְהָא אוּקְמוּהָ בְּמַתְנִיתִין. וְלֹא עוֹד, אֶלָּא יַתִּיר אָמְרוּ, נְדָרִים ע"ג שְׁבוּעוֹת עוֹלִין, וְכָל הַנִּשְׁבָּע כְּאִלּוּ נִשְׁבַּע בַּמֶּלֶךְ עַצְמוֹ. וְכָל הַנּוֹדֵר, כְּאִילּוּ נוֹדֵר בְּחַיֵּי הַמֶּלֶךְ.

תג. אָמַר לוֹן ר"מ, מָארֵי דִּמְתִיבְתָּאן, יָדַעְנָא בְּכוּ, דְּאַתּוּן יָדְעִין, אֲבָל הַהוּא דִּמְחַדֵּשׁ בְּכָל יוֹם תָּמִיד מַעֲשֵׂה בְרֵאשִׁית, יְחַדֵּשׁ לוֹן חִדּוּשִׁין, דְּהָא וַדַּאי אָמַר קֹהֶלֶת, אֵין כָּל חָדָשׁ תַּחַת הַשָּׁמֶשׁ, אֲבָל לְמַעְלָה מִן הַשֶּׁמֶשׁ, יֵשׁ לוֹ. וּבְסִתְרֵי תוֹרָה אֲנָא בָּעֵינָא לְמֵימַר, שֶׁמֶשׁ וּמָגֵן יְיָ' אֱלֹהִים צְבָאוֹת, בְּעָלְמָא דִּילֵיהּ, וְלָא בְּעָלְמָא דְּהֶדְיוֹט, אַף עַל גַּב דְּזֶה לְעוּמַּת זֶה עָשָׂה הָאֱלֹהִים, מִגּוֹ חֲשׁוֹכָא, נָפִיק נְהוֹרָא.

תד. וּבְוַדַּאי עָלְמָא דְּאָתֵי, בִּינָה, אִיהִי לְמַעְלָה מֵהַשֶּׁמֶשׁ, דְּאִיהוּ עַמּוּדָא דְּאֶמְצָעִיתָא. נְדָרִים מִתַּמָּן, עַל גַּבֵּי שְׁבוּעָה עוֹלִים, וְחָלִין עַל דָּבָר שֶׁאֵין בּוֹ מַמָּשׁ, בְּגִין דִּשְׁבוּעָה אִיהוּ עָלְמָא דִּין, דְּלֵית לֵיהּ קִיּוּמָא, אֶלָּא עַל יְסוֹד, הה"ד וְצַדִּיק יְסוֹד עוֹלָם.

תה. וּבֵיהּ אוּמָאָה, דִּכְתִּיב, חַי יְיָ' שִׁכְבִי עַד הַבֹּקֶר. דִּשְׁכִינְתָּא תַּתָּאָה, כּוֹתֶל מַעֲרָבִי, דְּיוּרָא דִּילֵיהּ. עַל שֵׁם דְּאִיהוּ תֵּל שֶׁהַכֹּל פּוֹנִים בּוֹ. כ"ו תֵּ"ל, יְדֹוָ"ד כ"ו, וַדַּאי שְׁכִינְתָּא, אִיהוּ תֵּל דִּילֵיהּ. עַל שֵׁם, קְוֻצּוֹתָיו תַּלְתַּלִּים שְׁחוֹרוֹת כָּעוֹרֵב וְאוּקְמוּהָ עַל כָּל קוֹץ וְקוֹץ תִּלֵּי תִּלִּים שֶׁל הֲלָכוֹת. ד' מִן אֶחָד, תֵּל שֶׁהַכֹּל פּוֹנִים בּוֹ. וְהַאי קוֹץ, הוּא אָחִיד בֵּין א"ח, וּבֵין ד', הה"ד, כִּי כֹל בַּשָּׁמַיִם וּבָאָרֶץ, וְת"י, דְּאָחִיד בִּשְׁמַיָּא וּבְאַרְעָא.

תו. וְעָלֵיהּ אוּקְמוּהָ מ"מ בַּחֲגִיגָה, עַל מַה הָעוֹלָם עוֹמֵד, עַל עַמּוּד אֶחָד שֶׁשְּׁמוֹ צַדִּיק, שֶׁנֶּאֱמַר וְצַדִּיק יְסוֹד עוֹלָם. וּבְוַדַּאי אִיהוּ בְּרִית דִּשְׁבוּעָה, דְּעָלֵיהּ קַיְימִין א"ח ד', דְּאִינּוּן

שְׁמַיָּא וְאַרְעָא, דִּכְתִּיב אִם לֹא בְרִיתִי יוֹמָם וָלָיְלָה חֻקּוֹת שָׁמַיִם וָאָרֶץ לֹא שָׂמְתִּי. א״ו שָׁמַיִם, הה״ד, וְאַתָּה תִּשְׁמַע הַשָּׁמַיִם. ד׳, הָאָרֶץ. הה״ד, וְהָאָרֶץ הֲדוֹם רַגְלָי.

תו. וּבְגִין דִּבְרִית אָחִיד בֵּין שְׁמַיָּא וְאַרְעָא, וּבֵיהּ שְׁבוּעָה, הה״ד, חַי יְיָ׳ שִׁכְבִי עַד הַבֹּקֶר. מַאן דְּאוֹמֵי בִּשְׁמֵיהּ לְשַׁקְרָא, כְּאִילּוּ הָרַס בִּנְיָנָא דִּשְׁמַיָּא וְאַרְעָא, וְאַהְדַּר עָלְמָא לְתֹהוּ וָבֹהוּ. דְּאִי בַּר נָשׁ יַעְדֵּי קוֹצָא דְּד׳ מִן אֶחָד יִשְׁתְּאַר אַחֵר, סָמָאֵל בְּאַתְרֵיהּ שָׁקֶר. וּכְאִלּוּ הַהוּא בַּר נָשׁ בָּנֵי שְׁמַיָּא וְאַרְעָא שֶׁל שָׁקֶר. וְקוּשְׁטָא קָאֵי, שִׁקְרָא לָא קָאֵי. הָרַס בִּנְיָנָא, וְנָפְלוּ שְׁמַיָּא וְאַרְעָא.

תז. וְהַאי אִיהוּ כְּאִילּוּ הִשְׁלִיךְ מִשָּׁמַיִם אֶרֶץ תִּפְאֶרֶת יִשְׂרָאֵל. דְּמַאן יָהִיב אֶרֶץ בַּשָּׁמַיִם, דְּקָאָמַר הִשְׁלִיךְ מִשָּׁמַיִם אֶרֶץ אֶלָּא וַדַּאי דָּא שְׁכִינְתָּא, וְתִפְאֶרֶת עִמָּהּ, דְּלָא אִתְפְּרַשׁ מִינָהּ בִּנְפִילוּ דִּילָהּ, לְקַיֵּים בָּהּ אֲנִי יְיָ׳ הוּא שְׁמִי וּכְבוֹדִי לְאַחֵר לֹא אֶתֵּן. וּמִנַּלַן דֶּאֱמֶת נָפַל עִמָּהּ, דִּכְתִּיב וְתַשְׁלֵךְ אֱמֶת אַרְצָה. וּמַאן דְּאוֹמֵי קוּשְׁטָא, הוּא מְקַיֵּים אֱ״מֶת מֵ״אֶרֶץ תִּ״צְמָח, דְּאִיהוּ עַמּוּדָא דְּאֶמְצָעִיתָא, דְּבֵיהּ אִיהוּ קַיְּימָא בִּנְיָנָא. הה״ד בָּרָ״א אֱלֹהִ״ים אֵ״ת, וּלְבָתַר הַשָּׁמַיִם וְאֵת הָאָרֶץ.

תח. וּבְגִין דִּשְׁבוּעָה, אִיהוּ בִּנְיָנָא דְּעָלְמָא דָּא, לֵית לֵיהּ קִיּוּמָא בְּלָא יְסוֹד, דָּבָר שֶׁיֵּשׁ בּוֹ מַמָּשׁ. נֶדֶר, דְּאִיהוּ עָלְמָא דְּאָתֵי, עַל גַּבֵּי שְׁבוּעָה סְלִיקַת, וְאִיהוּ חָלָה עַל דָּבָר שֶׁאֵין בּוֹ מַמָּשׁ, דְּלָא צְרִיכָה יְסוֹד לְקַיְּימָא עָלֵיהּ, דְּאִיהוּ בְּרִית, דְּבֵיהּ תַּשְׁמִישׁ הַמִּטָּה. וּבְגִין דָּא, בְּיוֹם הַכִּפּוּרִים, עָלְמָא דְּאָתֵי, דְּבֵיהּ תַּקִּינוּ כָּל נִדְרֵי, אָסוּר בְּתַשְׁמִישׁ הַמִּטָּה.

תי. תַּמָּן אוֹת בְּרִית, י׳ אִיהִי תָּגָא עַל ס״ת צַדִּיק, כְּמָה דְּאוֹקְמוּהָ הָעוֹלָם הַבָּא, אֵין בּוֹ, לֹא אֲכִילָה, וְלֹא שְׁתִיָּה, וְלֹא תַּשְׁמִישׁ הַמִּטָּה, אֶלָּא צַדִּיקִים יוֹשְׁבִים וְעַטְרוֹתֵיהֶם בְּרָאשֵׁיהֶם.

תיא. וּבְגִין דְּלֵית שִׁמּוּשׁ בְּעָלְמָא דֵּין בְּתָגָא, אוֹקְמוּהָ מָארֵי מַתְנִיתִין, כָּל הַמִּשְׁתַּמֵּשׁ בְּתָגָא וְחָלַף. דְּתָגָא לְתַתָּא, בְּעָלְמָא דֵּין אִיהִי. נְקוּדָה שִׁמּוּשָׁא דְּאַתְוָון. אֲבָל בְּעָלְמָא דְּאָתֵי, לֵית שִׁמּוּשָׁא בְּאַתְוָון, וּבְגִין דָּא ס״ת לֵית בֵּיהּ נְקוּדָה בְּאַתְווֹי, אֶלָּא תָּגָא, וּבְגִין דָּא, מַאן דְּמִשְׁתַּמֵּשׁ בְּסֵפֶר תּוֹרָה וְחָלַף. וְהָכִי, מַאן דְּמִשְׁתַּמֵּשׁ בְּמִי שֶׁשּׁוֹנֶה הֲלָכוֹת, עָלֵיהּ אוֹקְמוּהָ רַבָּנָן, דְּאִשְׁתַּמֵּשׁ בְּתָגָא וְחָלַף.

תיב. אָתוּ כֻּלְּהוּ מָארֵי מְתִיבְתָּאן, וְאִשְׁתַּטְּחוּ קָמֵיהּ, וְאָמְרוּ וַדַּאי קב״ה מַלִּיל בְּפוּמָךְ, וְלֵיהּ אֲנָן סַגְדִּין. וַאֲנָן אִשְׁתְּמוֹדְעִין בְּמִלִּין אִלֵּין, דְּלֵית יְלוּד אִשָּׁה אַחֲרָא בַּר מִינָךְ, יָכִיל לְמַלְּלָא לוֹן. וַדַּאי מִלִּין אִלֵּין, קָא סַהֲדִין בָּךְ, דְּאַנְתְּ הוּא דְּאִתְּמַר בֵּיהּ, פֶּה אֶל פֶּה אֲדַבֶּר בּוֹ. לֵית לְעַכְּבָא לְאֵלִיָּהוּ גַּבָּךְ, אֶלָּא לְפַיְּיסָא לֵיהּ לְקֻבָּ״ה, לְנַחְתָּא לֵיהּ לְגַבָּךְ, מַלְיָא עוּתְרָא, מַלְיָיא סְגוּלוֹת לְגַבָּךְ.

תיג. רַעְיָא מְהֵימְנָא, עֶבֶד נֶאֱמָן, לְגַבָּךְ עֶבֶד עִבְרִי, הַעֲנֵק תַּעֲנִיק לוֹ. הַעֲנֵק לֵיהּ, תַּעֲנִיק לִבְנוֹי, בְּמִלִּין גְּנִיזִין אִלֵּין. וּמִגָּרְנְךָ: גָּרְנָהּ שֶׁל תּוֹרָה דִּילָךְ. וּמִיִּקְבֶךָ, בְּגֹרֶן וְיֶקֶב קְרָא מְמַלֵּל, כְּמָה דְּאוֹקְמוּהָ מָארֵי מַתְנִיתִין, בִּפְסוֹלֶת גֹּרֶן וְיֶקֶב הַכָּתוּב מְדַבֵּר.

תיד. יֶקֶ״ב: יִ״חוּד. קְ״דוּשָׁה. בְּ״רָכָה דְּקב״ה. וְדָא שְׁכִינְתָּא, דְּאִיהִי בְּרָכָה, דְּקב״ה, מִימִינָא. וְאִיהִי קְדוּשָּׁה מִשְּׂמָאלֵיהּ. וְאִיהִי יִחוּדֵיהּ, בְּאֶמְצָעִיתָא. וְקוּדְשָׁא בְּרִיךְ הוּא, הָכִי סַלְּקִין אַתְווֹי דִּילֵיהּ, יַבּ״ק. כְּגַוְונָא דָּא, הקב״ה: בְּחֻשְׁבַּן יַבּ״ק.

תטו. וּמַאן דְּאִיהוּ בָּקִ״י בַּהֲלָכָה דִּילֵיהּ, דְּאִיהִי שְׁכִינְתָּא, קב״ה עִמֵּיהּ. דִּבְגִינָהּ לָא יָזוּז מִנֵּיהּ לְעָלַם. דְּאִית הֲלָכָה דְּאִיהִי נַעֲרָה דִּילָהּ, מִסִּטְרָא דְּנַעַר, וּבְגִינָהּ אִתְּמַר הֲלָכָה

כְּפְלוֹנִי. אֲבָל הֲלָכָה דִּילָךְ, רַעְיָא מְהֵימְנָא, אִיהִי דְּאִתְּמַר בָּהּ, הֲלָכָה לְמֹשֶׁה מִסִּינַי, מִפִּי הַגְּבוּרָה, יָהִיב לָךְ קֻבְּ״ה, בְּרַתָּא דִּילֵיהּ.

תטז. וּבְגִין דָּא, עַל הֲלָכוֹת אַחֲרָנִין אִתְּמַר, רַבּוֹת בָּנוֹת עָשׂוּ חָיִל. עַל הֲלָכָה דִּילָךְ אִתְּמַר, וְאַתְּ עָלִית עַל כֻּלָּנָה. דְּאִתְגַּבְּרַת עַל כֻּלְּהוּ, בִּגְבוּרָה. יְיָ׳ עִמְּךָ גִּבּוֹר הֶחָיִל. אַתְקִין בָּךְ, וְאַשְׁלִים בִּנְיָינָא דְּמַלְכָּא, וְאִיהוּ בָּנֵי בִּנְיָינֵיהּ עַל פּוּמָךְ, וְעַל יָדָךְ, זַכָּאָה חוּלָקָךְ.

תיז. פָּתַח רַעְיָא מְהֵימְנָא וְאָמַר, הַמַּלְאָךְ הַגּוֹאֵל אוֹתִי מִכָּל רָע, דְּאִיהִי שְׁכִינְתָּא, דְּאִתְּמַר בָּהּ, וַיִּסַּע מַלְאַךְ הָאֱלֹהִים. יְבָרֵךְ לְכוּ בְּעָלְמָא דְּאָתֵי. וְיִדְגּוּ לָרֹב בְּקֶרֶב הָאָרֶץ, בְּעָלְמָא דֵּין. לְמֶהֱוֵי שָׁלְטָנוּתְכוֹן בִּתְרֵין עָלְמִין, דְּאַתּוּן חַיִּין. דְּמַאן דְּאִיהוּ מֵעָלְמָא דָּא, חַי אִתְקְרֵי. כְּמָה דִּכְתִּיב, עֵץ חַיִּים הִיא לַמַּחֲזִיקִים בָּהּ. חַיִּים תַּמָּן, חַיִּים הָכָא.

תיח. מַה דְּלָאו הָכִי, מַאן דְּאִיהוּ מְלוּבָּשׁ בְּאִלֵּין קְלִיפִּין, דְּעוֹר וּבָשָׂר וַעֲצָמוֹת וְגִידִים דְּגוּפָא שְׁפָלָא, דְּרוּחָא הוּא מִית תַּמָּן. מַה מִיתָא, לָא חָמֵי וְלָא שָׁמַע וְלָא מְמַלֵּל וְלֵית לֵיהּ תְּנוּעָה בְּכָל אֵבָרִין דִּילֵיהּ. הָכִי רוּחָא, לָא חָזָא דִּלְעֵיל מִנֵּיהּ. דְּאִתְּמַר בְּאוֹרַיְיתָא עֲלַיְיהוּ, דַּע מַה לְּמַעְלָה מִמְּךָ, עַיִן רוֹאָה וְאֹזֶן שׁוֹמַעַת, וְכָל מַעֲשֶׂיךָ בְּסֵפֶר נִכְתָּבִים.

תיט. דִּכְמָה מַלְאָכִין אִלֵּין עִמֵּיהּ, דְּאִתְּמַר בְּהוֹן, כִּי מַלְאָכָיו יְצַוֶּה לָּךְ. וְלֵית לֵיהּ רְשׁוּ בְּהַאי גּוּפָא, לְאִסְתַּכְּלָא בְּהוֹן, וּלְמִשְׁמַע בְּקָלֵיהוֹן, דְּאִינּוּן חַיָּין דְּאֶשָּׁא, מְמַלְּלָן וּמְקַדְּשָׁן וּמְבָרְכָן וּמְיַיחֲדָן לְקֻבְּ״ה, עִם יִשְׂרָאֵל כַּחֲדָא. כָּל שֶׁכֵּן לִשְׁכִינְתָּא, דְּאִיהִי עֲלַיְיהוּ. כָּל שֶׁכֵּן קֻבְּ״ה דְּאִיהוּ לְעֵילָּא מִן שְׁכִינְתֵּיהּ, דְּבָהּ מְקַבֵּל צְלוֹתִין דְּיִשְׂרָאֵל.

תכ. וּבְגִין חוֹבִין, הֲווּ מִתְלַבְּשִׁין בְּאִלֵּין קְלִיפִּין. כְּגַוְונָא דְּאָדָם, דְּחוֹבֵי אֲבָהָתְהוֹן בִּידַיְיהוּ. וְהַאי אִיהוּ דְּאוּקְמוּהָ מָארֵי מַתְנִיתִין, כְּשֶׁאוֹחֲזִין מַעֲשֵׂה אֲבוֹתֵיהֶם בִּידֵיהֶם. וּבְגִין אִלֵּין קְלִיפִּין דְּחוֹבִין, אָמַר קְרָא, כִּי אִם עֲוֹנוֹתֵיכֶם הָיוּ מַבְדִּילִים בֵּינֵיכֶם לְבֵין אֱלֹהֵיכֶם. וּבְגִין אִלֵּין קְלִיפִּין, קֻבְּ״ה מִתְכַּסְיָא בְּכַמָּה גַּדְפִּין. דְּאִתְּמַר בְּהוֹן, בִּשְׁתַּיִם יְכַסֶּה פָּנָיו וּבִשְׁתַּיִם יְכַסֶּה רַגְלָיו וְגוֹ׳.

תכא. לֶעָתִיד לָבֹא, וְלֹא יִכָּנֵף עוֹד מוֹרֶיךָ וְהָיוּ עֵינֶיךָ רוֹאוֹת אֶת מוֹרֶיךָ. דְּאַתּוּן בְּהַאי עָלְמָא, דְּלֵית לְכוֹן קְלִיפִּין וְעוֹרִין, אִית לְכוֹן רְשׁוּ לְאִסְתַּכְּלָא בִּבְנֵי עָלְמָא, וּבְנֵי עָלְמָא אִית לוֹן רְשׁוּ לְאִסְתַּכְּלָא בְּכוּ. וּבְגִין דָּא, עֲלַיְיכוּ אִתְּמַר דְּאַתּוּן חַיִּין, וְעָלְמָא דִּלְכוֹן, עוֹלַם הַחַיִּים. אֲבָל עָלְמָא שְׁפָלָא, דָּא עוֹלַם הַמֵּתִים, דְּכָל אֱלָהוֹת דְּאוּמִין דְּעָלְמָא, מִבַּלְעֲדֵי יְיָ׳, כֻּלְּהוֹן מֵתִים.

תכב. אמ״ל רַבִּי שִׁמְעוֹן, רַעְיָא מְהֵימְנָא, עִם כָּל דָּא, דְּאַנְתְּ לָא יָכִיל לְאִסְתַּכְּלָא בִּבְנֵי עָלְמָא דְּאָתֵי, בְּעַיְינִין, וְלָא בְּמַלְאֲכַיָּא, כָּל שֶׁכֵּן בְּקֻבְּ״ה וּבִשְׁכִינְתֵּיהּ, אֲבָל בְּעֵין הַשֵּׂכֶל דְּלִבָּךְ, אַתְּ חָזֵי בְּכֹלָּא בִּבְנֵי עָלְמָא דְּאָתֵי, וּבְמַלְאָכִין וּבְקֻבְּ״ה וּשְׁכִינְתֵּיהּ. דְּסַחֲרִין לָךְ. וּבְגִין דָּא אָמַר שְׁלֹמֹה, דִּכְתִּיב בֵּיהּ וַיֶּחְכַּם מִכָּל הָאָדָם, וְלִבִּי רָאָה הַרְבֵּה חָכְמָה וָדָעַת.

תכג. אֲבָל בִּנְבוּאָה, לֵית רְשׁוּ לְאִסְתַּכְּלָא בֵּיהּ נָבִיא בְּעֵין הַשֵּׂכֶל, אֶלָּא בְּעַיְינִין, דְּאִיהִי מַרְאֶה וְחֶזְיוֹן דְּעַיְינִין, הה״ד, בַּמַּרְאָה אֵלָיו אֶתְוַדָּע. וְעוֹד בְּחֶזְיוֹן לַיְלָה, מַרְאֶה בִּימָמָא, וְחֶזְיוֹן בְּלֵילְיָא, וְכֹלָּא בְּעַיְינִין, וְלָא בְּעֵין הַשֵּׂכֶל דְּלִבָּא. וְעַיְינִין אִינּוּן תְּרֵי סַרְסוּרֵי דְּלִבָּא, וּמְשַׁמְּשִׁין דִּילֵיהּ. וְאִיהוּ מַלְכָּא בֵּינַיְיהוּ וּבְגִין דָּא, חָכָם עָדִיף מִנָּבִיא. וְהָכִי הוּא תְּרֵין אוּדְנִין, תְּרֵין שַׁמָּשֵׁי דְּלִבָּא.

תכד. ובג"ד אוּקְמוּהָ רַבָּנָן, הַלֵּב רוֹאֶה, וְהַלֵּב שׁוֹמֵעַ. וְלֹא עוֹד, אֶלָּא דְּאִתְּמַר בַּלֵּב, הַלֵּב מֵבִין, הַלֵּב יוֹדֵעַ. וּבְלֵב כָּל חֲכַם לֵב נָתַתִּי חָכְמָה. הֲרֵי חָכְמָה וּתְבוּנָה וָדַעַת בְּלִבָּא. דִּבְהוֹן אִתְעֲבִידוּ שְׁמַיָּא וְאַרְעָא, וּתְהוֹמִין. וּבְהוֹן אִתְעֲבִיד מַשְׁכְּנָא, הה"ד, וָאֲמַלֵּא אוֹתוֹ רוּחַ אֱלֹהִים בְּחָכְמָה בִּתְבוּנָה וּבְדַעַת. מַה דְּלֵית כּוּלֵי הַאי בְּעַיְינִין.

תכה. וְרַעְיָא מְהֵימְנָא, מַאן דְּכוּלֵי הַאי בְּלִבֵּיהּ, יַתִּיר חֲזֵי מִן נָבִיא, כָּל שֶׁכֵּן מַחֲשַׁבְתָּא דִּילָךְ. דְּלֵית לָהּ סוֹף, וּבָהּ תִּסְתָּכַל, בְּהַהוּא, דְּלֵית בֵּיהּ סוֹף, מַה דְּלָא הֲוָה לָךְ רְשׁוּ בְּקַדְמֵיתָא לְאִסְתַּכְּלָא בְּעַיְינִין. הה"ד, וְרָאִיתָ אֶת אֲחוֹרָי וּפָנַי לֹא יֵרָאוּ.

תכו. אִלֵּין טִפְשֵׁי דְּלִבָּא, אִינּוּן מֵתִין, וְסוּמִין בְּאִלֵּין קְלִיפִּין. אֲבָל לְגַבָּךְ, לָאו אִינּוּן חֲשִׁיבִין כְּלוּם, וְלָא מַפְסִיקִין בֵּינָךְ לְבֵין קֻבָּ"ה וּשְׁכִינְתֵּיהּ, וְכָל בְּנֵי עָלְמָא דְּאָתֵי, וּמַלְאָכִין, דְּהָכִי יֵיעוּל לְגַבָּךְ בְּאִינּוּן חַלּוֹנִין, דְּעַיְינִין, וְאוּדְנִין, וְנוּקְבֵי חוֹטָמָא, וּפוּמָא. כְּמַלְכָּא דְּיֵיעוּל בְּאִתְכַּסְיָיא לְחַדְרֵי חֲדָרִים, לְמַלְּלָא עִם בְּרֵיהּ. וּבג"ד, מְצַלִּין יִשְׂרָאֵל בֵּיהּ בִּצְלוֹתָא דִּלְהוֹן, אַתָּה חוֹפֵשׂ כָּל חַדְרֵי בֶטֶן רוֹאֶה כְּלָיוֹת וָלֵב וְאֵין כָּל דָּבָר נֶעְלָם מִמְּךָ.

תכז. וְהַיְינוּ דְּאָמַר שְׁלֹמֹה, מַשְׁגִּיחַ מִן הַחַלּוֹנוֹת וְגוֹ'. וְאִלֵּין אִינּוּן חַלּוֹנוֹת, דְּעַיְינִין וְאוּדְנִין וְנוּקְבֵי חוֹטָמָא וּפוּמָא בְּאִלֵּין שִׁבְעָה נוּקְבִין, נִשְׁמְתָא סַלְּקַת, בְּשִׁבְעָה מִינֵי בּוּסְמִין, וְהָכִי צְלוֹתָא סַלְּקַת בְּאִלֵּין ז' בּוּסְמִין, דְּאִינּוּן נֵרְדְּ וְכַרְכֹּם קָנֶה וְקִנָּמוֹן עִם כָּל עֲצֵי לְבוֹנָה מֹר וַאֲהָלוֹת עִם כָּל רָאשֵׁי בְּשָׂמִים. בְּהַהוּא זִמְנָא דִּצְלוֹתָא הָכִי סַלְּקַת, מְקֻטֶּרֶת מֹר וְכוּ'. הקב"ה שָׁאִיל עָלָהּ, מִי זֹאת עוֹלָה מִן הַמִּדְבָּר מְקֻטֶּרֶת מֹר וּלְבוֹנָה וְגוֹ'. מִי זֹאת וַדַּאי, מִסִּטְרָא דְּמ"י אִיהוּ וַדַּאי בִּינָה, כְּלִילָא מִשִּׁבְעָה מִינֵי בּוּסְמִין.

תכח. וְדָא קְ"שׁ, כְּלִילָא מֵחַמְשִׁין תַּרְעִין, דְּאִינּוּן כ"ה כ"ה. כְּלִילָא מִשִּׁבְעָה בִּרְכָאן, בַּשַּׁחַר שְׁתַּיִם לְפָנֶיהָ, וְאַחַת לְאַחֲרֶיהָ, וּבָעֶרֶב שְׁתַּיִם לְפָנֶיהָ, וּשְׁתַּיִם לְאַחֲרֶיהָ. וְאִינּוּן, הַגְּדוּלָּה וְהַגְּבוּרָה וְהַתִּפְאֶרֶת וְהַנֵּצַח וְהַהוֹד, עַד לְךָ יְיָ' הַמַּמְלָכָה, דְּאִיהִי מַלְכוּת. דְּאִיהִי כְּלִילָא מִתְּלַת בּוּסְמִין. מְקֻטֶּרֶת מֹר, דָּא כֶּתֶר. וּלְבוֹנָה, דָּא חָכְמָה. מִכֹּל אַבְקַת רוֹכֵל, דָּא בִּינָה. קוּם אַשְׁלִים פִּקּוּדִין דְּמָרָךְ.

תכט. לֹא תִהְיֶה אַחֲרֵי רַבִּים לְרָעוֹת וְגוֹ', אַחֲרֵי רַבִּים לְהַטּוֹת. אַחֲרֵי רַבִּים לְהַטּוֹת, לֵית רַבִּים פָּחוֹת מִג' וְאִי לֵית בֵּית דִּין בְּג', לֵית לְהַטּוֹת בָּתַר דִּינֵיהּ. בֵּית דִּין: שְׁכִינְתָּא. בְּג': תְּלַת חֵיוָן דְּמֶרְכַּבְתָּא דִּילָהּ, וְאִיהִי דִּין תּוֹרָה דִּין אֱמֶת, עַמּוּדָא דְּאֶמְצָעִיתָא. וְכָל דַּיָּין דְּלָא דָּן דִּין אֱמֶת לַאֲמִתּוֹ, דָּא אִיהוּ כְּאִילוּ אַשְׁלִיט סָמָאֵ"ל בְּעָלְמָא. וְתַשְׁלֵךְ אֱמֶת אַרְצָה, וְאַפִּיל שְׁכִינְתָּא עִמֵּיהּ, וְיָקִים גֵּיהִנָּם, בַּת זוּגֵיהּ דְּסָמָאֵ"ל, עִם סָמָאֵ"ל. בַּאֲתַר דְּדִין אֱמֶת, יוֹקִים שְׂפַת שֶׁקֶר. דִּין אֱמֶת, עַמּוּדָא דְּאֶמְצָעִיתָא. שְׂפַת שֶׁקֶר גֵּיהִנָּם וְסָמָאֵ"ל.

תל. וּבג"ד, כַּד דַּיָּין דָּן דִּין, גֵּיהִנָּם פְּתוּחָה לְפָנָיו מִשְּׂמֹאלוֹ, בַּת זוּגֵיהּ דְּסָמָאֵ"ל. וְחֶרֶב עַל צַוָּארוֹ, מַלְאַךְ הַמָּוֶת. סָמָאֵ"ל מֵאֲחוֹרוֹי מֵעַל צַוָּארֵיהּ. וְגַן עֵדֶן פָּתוּחַ לִימִינֵיהּ, וְעֵץ הַחַיִּים פָּתוּחַ לְקַמֵּיהּ, עַל רֵישֵׁיהּ.

תלא. אִי דָּן דִּינָא דִּשְׁקְרָא, שָׁלִיט עָלֵיהּ מַלְאַךְ הַמָּוֶת, וְשָׁחִיט לֵיהּ, וּלְבָתַר אוֹקִיד לֵיהּ בַּגֵּיהִנָּם. וְאִי דָּן דִּין אֱמֶת, קֻבָּ"ה יֵיעוּל לֵיהּ לְגַן עֵדֶן, וְאַטְעִים לֵיהּ מֵאִילָנָא דְּחַיֵּי, דִּכְתִיב עָלֵיהּ, וְלָקַח גַּם מֵעֵץ הַחַיִּים וְאָכַל וָחַי לְעוֹלָם. דְּאִתְּבְּרֵי בְּאוֹרַיְיתָא, דְּאִתְּמַר בָּהּ, עֵץ חַיִּים הִיא לַמַּחֲזִיקִים בָּהּ. עֵץ חַיִּים, תִּפְאֶרֶת. חַיִּים דִּילֵיהּ חָכְמָה וּבִינָה. חַיֵּי הַמֶּלֶךְ וַדַּאי.

תלב. וּלְעוֹלָם, דִּינָא דְּמַלְכוּתָא, דִּינָא. וְדִינָא בַּלֵּב, וְאִתְּמַר בֵּיהּ, הַלֵּב רוֹאֶה. וּבְגִין דָּא, אֵין לוֹ לַדַּיָּין אֶלָּא מַה שֶׁעֵינָיו רוֹאוֹת. וְהָכָא לֵית דַּיָּין, אֶלָּא קוּדְשָׁא בְּרִיךְ הוּא. מַה

שֶׁעֵינָיו רוֹאוֹת, כִּי יְיָ' עֵינָיו מְשׁוֹטְטוֹת. עֵינָיו עַל דַּרְכֵי אִישׁ.

תלג. וּבְהוֹן, מַשְׁגִּיחַ מִן הַחַלּוֹנוֹת. בְּז' נוּקְבִין דְּבַר נָשׁ, בִּתְרֵין עַיְינִין, וּתְרֵין אוּדְנִין, וּתְרֵין נוּקְבִין דְּחוֹטְמָא, וּפוּמָא. הָא ז' דְּאִמָּא עִלָּאָה. וְהָכִי בְּעוֹבָדוֹי אִסְתָּכַּל בְּשֶׁבַע, מִסִּטְרָא דִּשְׁכִינְתָּא תַּתָּאָה, בְּב' יְדִין וְצַוָּאר תְּלַת, וְגוּף וּבְרִית תְּרֵין, הָא וְחָמֵשׁ. תְּרֵין רַגְלִין, הָא שֶׁבַע. יָ"הּ, יוֹ"ד הֵ"א, בְּשֶׁבַע אַתְוָון דִּילֵיהּ, אִסְתָּכַּל בְּשֶׁבַע נוּקְבִין דְּרֵישָׁא, נְקָבִים: עַל שֵׁם נְקֵבָה, דִּנְקָבֶיהָ פְּתוּחוֹת לְקַבֵּל. ו"ה, וא"ו ה"א, בְּשֶׁבַע אַתְוָון דִּילֵיהּ, אִסְתָּכַּל בְּשִׁבְעָה אֵבָרִין דִּלְתַתָּא, דְּאִינּוּן תִּקּוּנָא דְּגוּפָא, דִּבְהוֹן עֲשִׂיַּית הַמִּצְוֹת.

תלד. אִשְׁתּוֹ כְּגוּפוֹ דַּמְיָא. וְעַל שֵׁם פִּקּוּדִין, אִתְקְרִיאוּ אֵבָרִים. עַל שֵׁם שְׁכִינְתָּא, גּוּפָא. דְּמִסִּטְרָא אַחֲרָא לְבוּשָׁא, דְּאִינּוּן עוֹר וּבָשָׂר. הה"ד, עוֹר וּבָשָׂר תַּלְבִּישֵׁנִי וּבַעֲצָמוֹת וְגִידִים תְּסוֹכְכֵנִי, בַּאֲתַר דְּלֵית שְׁכִינְתָּא, הַהוּא גּוּפָא לָא אִתְקְרֵי, אֶלָּא לְבוּשָׁא דְּאָדָם. דְּאִיהוּ תּוֹרָה, זֹאת הַתּוֹרָה אָדָם כִּי יָמוּת בְּאֹהֶל. כְּתִפְאֶרֶת אָדָם לָשֶׁבֶת בָּיִת. וּבַאֲתַר דְּתַמָּן מִצְוָה, אִתְקְרֵי גּוּפָא דְּאָדָם, כְּגוֹן גּוּפֵי הֲלָכוֹת, וּפִסְקֵי דִּינִין.

תלה. קֻבְּ"ה שׁוֹפֵט, עַמּוּדָא דְּאֶמְצָעִיתָא. מִסִּטְרָא דְּבִינָה, דְּאִיהוּ יְדֹוָ"ד. דַּיָּין, מִסִּטְרָא דְּמַלְכוּת. שׁוֹטֵר, הוּא שַׁלִּיט, וְיוֹסֵף הוּא הַשַּׁלִּיט. וְכָל סְפִירָן, אִינּוּן שׁוֹפְטִים, מִסִּטְרָא דְּאִמָּא עִלָּאָה, דְּתִפְאֶרֶת שׁוֹפֵט. וְאִינּוּן שׁוֹטְרִים, מִסִּטְרָא דְּמַלְכוּת. דְּצַדִּיק מִתַּמָּן שׁוֹטֵר וּמוֹשֵׁל.

תלו. מִדְּבַר שֶׁקֶר תִּרְחָק וְנָקִי וְצַדִּיק אַל תַּהֲרוֹג וְגוֹ'. פִּקּוּדָא לְהַשְׁווֹת הַבַּעֲלֵי דִּינִין, וּלְהִתְרַחֵק מִדְּבַר שֶׁקֶר, דְּלָא יֵימְרוּן מַשּׂוֹא פָּנִים. דְּקֻבְּ"ה אִתְּמַר בֵּיהּ, אֲשֶׁר לֹא יִשָּׂא פָּנִים. וְלֹ"א יִקַּ"ח שֹׁחַ"ד, בְּסוֹפֵי תֵּיבוֹת אֶחָד. הַאי דַּיָּין, צָרִיךְ לְמֶהֱוֵי כְּגַוְונָא דְּאֶחָד, דְּאִיהוּ יְדֹוָ"ד אֶחָד, דְּלָא יִקַּח שֹׁחַד, דִּיהֵא אִיהוּ בִּדְיוֹקְנֵיהּ.

תלז. וּבְדִינָא לְהַשְׁווֹת תַּרְוַויְיהוּ כְּאֶחָד, וְלָא יַטֶּה דִּינָא לְדָא יַתִּיר מִן דָּא, אֶלָּא בְּתִקְלָא חַד, עַד דִּיקַבְּלוּן דִּינָא. וּלְבָתַר, כָּל חַד אִתְדָּן, כְּפוּם עוֹבָדוֹי.

תלח. וְאוֹקְמוּהָ מָארֵי מַתְנִיתִין, צַדִּיק יֵצֶר הַטּוֹב שׁוֹפְטוֹ. רָשָׁע, יֵצֶר הָרָע שׁוֹפְטוֹ. בֵּינוֹנִי, זֶה וָזֶה שׁוֹפְטוֹ. מַאן דְּאִיהוּ מֵאִילָנָא דְּחַיֵּי, לֵית לֵיהּ דִּינָא כְּלָל, לֵית לֵיהּ יֵצֶר הָרָע, וְדָא צַדִּיק גָּמוּר, וְדָא צַדִּיק וְטוֹב לוֹ. וְלֵית טוֹב, אֶלָּא תּוֹרָה. הה"ד, כִּי לֶקַח טוֹב נָתַתִּי לָכֶם תּוֹרָתִי אַל תַּעֲזוֹבוּ. וְצַדִּיק וְרַע לוֹ, מִסִּטְרָא דְּעֵץ הַדַּעַת טוֹב וָרָע. וַאֲמַאי אִתְקְרֵי צַדִּיק בָּתַר דְּרַע לוֹ, דְּאִיהוּ יֵצֶר הָרָע. אֶלָּא, בְּגִין דְּטוֹב שַׁלִּיט עָלֵיהּ, אִתְקְרֵי צַדִּיק וְרַע לוֹ. דְּהַהוּא רָע אִיהוּ תְּחוֹת רְשׁוּתֵיהּ.

תלט. רָשָׁע וְטוֹב לוֹ, אֲמַאי אִתְקְרֵי רָשָׁע. בְּגִין דְּאִיהוּ אִסְתַּלַּק לְמֶהֱוֵי רֵישָׁא יצה"ר דִּילֵיהּ, וְטוֹב אִיהוּ תְּחוֹת רְשׁוּתֵיהּ, כְּעַבְדָּא תְּחוֹת רַבֵּיהּ. וְאע"ג דְּרָשָׁע אִיהוּ מַכְתִּיר אֶת הַצַּדִּיק, וְיָכִיל צַדִּיק גָּמוּר לְאַעֲנָשָׁא לֵיהּ, גַּם עֲנוֹשׁ לַצַּדִּיק לֹא טוֹב, בְּגִין הַהוּא טוֹב דְּאִיהוּ תְּחוֹת רַגְלוֹי דְּרָשָׁע, לֵית לְאַעֲנָשָׁא לֵיהּ, דְּאוּלַי יַחֲזוֹר בִּתְשׁוּבָה וְיִתְגַּבֵּר עַל יִצְרֵיהּ, וִיהֵא עָפָר תְּחוֹת רַגְלוֹי.

תמ. דְּמִסִּטְרָא דְּרָשָׁע וְטוֹב לוֹ, שְׁכִינְתָּא שְׁכִיבַת, וַתְּגַל מַרְגְּלוֹתָיו וַתִּשְׁכָּב. הַאי אִיהוּ וְשִׁפְחָה כִּי תִירַשׁ גְּבִירְתָּהּ. שִׁפְחָה, יֵצֶר הָרָע נוּקְבָא. יֵצֶר הָרָע, דְּכַר. בְּגִינֵיהּ אִתְּמַר, וּכְבוֹדִי לְאַחֵר לֹא אֶתֵּן. וְהַזָּר הַקָּרֵב יוּמָת.

תמא. וּמִסִּטְרָא דְּצַדִּיק וְרַע לוֹ, שְׁכִינְתָּא אִיהִי עֲטָרָה עַל רֵישָׁא דְּבַר נָשׁ, וְשִׁפְחָה יֵצֶר הָרָע, אִתְכַּפְיָיא תְּחוֹת גְּבִירְתָּהּ. וּמִסִּטְרָא דְּצַדִּיק גָּמוּר, לֵית זָר, וְלֵית יֵצֶר הָרָע.

ומסטרא דרשע גמור, לית ליה חולקא בשכינתא, דלית חולקא לב"נ בשכינתא, אלא מסטרא דטוב.

תמב. ולית כל שכינתא שקילין, דהא שכינתא דאילנא דטוב ורע, איהו כרסייא, אבל שכינתא דאילנא דחיי, עלה אתמר, לא יגורך רע. אבל בגין דאתמר בה, ומלכותו בכל משלה, מאן דפגים אתר דילה, אתחשיב כאילו עביד במטרוניתא קלנא. דקלנא דמטרוניתא איהו, מאן דמזלזל באתרהא. וקלנא דמטרוניתא, דמלכא איהו.

תמג. כל שכן מאן דאעבר לה מאתרהא, ושוי שפחה באתרהא. דבכל אתר דאיהו פגים, מטרוניתא לא שריא תמן, אלא שפחה, דאיהי פגימא, שריא באתר פגים. ופגימו דבר נש דחובוי, פגים בכל אברין דיליה, עד דלא אשכחת מטרוניתא אתר לשריא תמן. ולית ליה תקונא עד דיחזיר לה על כל אברין דיליה.

תמד. אמר בוצינא קדישא, רעיא מהימנא, בגין דא, אנת מתקן, בחבורא דא, דרמ"ח פקודין. לאמלכא לקב"ה על כל אברים דשכינתא, בכל פקודא ופקודא, ולית אנת חייש ליקרך. זכאה חולקך, דכגוונא דאנת ממליך לקב"ה בכל אברים דשכינתא, דאינון בעלי מדות, דכל ישראל. מארי מדות אינון אברים דשכינתא, הכי עביד קב"ה לשריא שמיה עלך, וימלכינך, על כל משריין עלאין ותתאין.

תמה. קום רעיא מהימנא, לסדרא דינין בהלכות נזקין, בסדורא דשמא דא, הוי"ה. דאיהו, רכב אלהים רבותים אלפי שנאן, דאינון, שור נשר אריה אדם, דהא מסטרא דימינא, דתמן ידו"ד, ד' חיוון, הכי איהו סדורא דלהון, אדם אריה נשר שור. וכפום שנויין דהוויין, הכי איהו תנועה וסדורא דחיוון. וחיוון דסטרא אחרא, דאינון נזיקין דשמאלא, הכי סדורייהו, שנאן. ובגין דא, התחלה דלהון, השור. קשור בד' אבות נזיקין, השור והבור והמבעה וההבער וסיומא דלהון אדם, מועד.

תמו. קום אתער בדינין. פתח רעיא מהימנא ואמר, אדני שפתי תפתח ופי יגיד תהלתך. אדנ"י, בהפוך אתוון דינ"א. ובג"ד, אמרו מארי מתניתין, דינ"א דמלכותא דינא. כל דינין בהאי שמא אתדנו בד', בג', בד': שכינתא לקבל תלת אבהן. עמודא דאמצעיתא, דיין אמת, והוא דיין, לדון מסטרא דאדנ"י, דתמן איהו דיין אמת. ומסטרא דשם אלהים, שופט. הדא הוא דכתיב, כי אלהים שופט.

תמז. ומה דינין אינון. חד, לדון בנזקי שור. תניינא, לדון בנזקי בור. תליתאה, לדון בנזקי אש. רביעאה, לדון בנזקי אדם. ואבתרייהו,לדון בדיני ארבע שומרים. שומר חנם. ושומר שכר. והשואל. ונושא שכר. לקבלייהו, דינין ארבעה. דין חלוקת השותפים. דין חלוקת קרקעות. דיני עבדים ושפחות. דיני תובע ונתבע, בכמה מיני תביעות דחיוב ממון, וגזל, ואבדה, או שמזיק לחברו, והורגו באחד מארבע מיתות בית דין.

תמח. אדון איהו קב"ה, באדנ"י. לדון בכל מיני דינין, לשפחה בישא, כי תירש גבירתה. דמינה כל נזיקין אשתכחו, דאינון מלאכי חבלה, דמנייהו נשמתהון של רשעים, כמה דאוקמוה מארי מתניתין, נשמות הרשעים הן הן המזיקים בעולם. אל אחר, מזיק, גזלן רשע. ובת זוגיה, סם המות.

תמט. נזק שבת ובשת ורפוי, לשכינתא ובנהא. שבת, דבטולא דאורייתא, דבטילת לבנהא. ורפוי, דגרמת לון דמתרפין מדברי תורה. נזק, בכמה נזקין דמלאכי

וַחֲבָלָה, מָארֵי מַשְׁחִית אַף וְחֵימָה. וּבֹשֶׁת, דַּהֲווֹ מְבַזִּין לִשְׁכִינְתָּא בכו"ם, שִׁקְרָא דִלְהוֹן, וַהֲווֹ אַמְרִין אַיֵּה אֱלֹהָיִךְ. וְכַמָּה גְּזֵלוֹת מִן שִׁפְחָה בִּישָׁא, דְּאִתְמַר בָּהּ גְּזֵלַת הֶעָנִי בְּבָתֵּיכֶם.

תנ. כַּמָּה בִּרְכָאן, גְּזֵלַת לִשְׁכִינְתָּא, שִׁפְחָא בִּישָׁא. בְּכוֹבֶד הַמַּס, וּבְכוֹבֶד כַּמָּה דִּינִין מְשׁוּנִּים עַל בְּנָהָא, וְכַמָּה קָרְבְּנִין דְּבֵי מַקְדְּשָׁא, דִּבְטִילַת לְמַטְרוֹנִיתָא. וּבֹשֶׁת דְּמַטְרוֹנִיתָא, דְּאִשְׁתְּאַרַת עֲרוּמָה, מִד' בִּגְדֵי זָהָב דְּנַהֲרִין, מִד' טוּרֵי אֶבֶן, בי"ב אַבְנִין מַרְגְּלָן. מְעִיל בְּכַמָּה זָגִין וְרִמּוֹנִים. וְאַרְבַּע בִּגְדֵי לָבָן, דִּבְהוֹן הֲוַת מַטְרוֹנִיתָא, מִתְקַשְּׁטָא קֳדָם מַלְכָּא. הה"ד, וּרְאִיתִיהָ לִזְכֹּר בְּרִית עוֹלָם. וְגָזְלַת לָהּ לִגְבִרְתָּהּ, כַּמָּה מַאֲכָלִין דְּקָרְבְּנִין.

תנא. שׁוֹר מוּעָד בַּעְלָהּ, עָאל לְבֵי מַלְכָּא רִבּוֹנֵיהּ, בְּאַרְבַּע אֲבוֹת נְזִיקִין דִּילֵיהּ, דְּאִינּוּן, עָוֹן וּמַשְׁחִית אַף וְחֵמָה, דְּכֻלְּהוּ מוּעָדִין לְקַלְקֵל. בְּגוּפָא דִּילֵיהּ, הִרְבִּיץ עַל הַכֵּלִים, מִזְבֵּחַ מְנוֹרָה שֻׁלְחָן וּשְׁאַר מָאנִין, רָבַץ עֲלַיְיהוּ וְשִׁבְּרָתַן. וּבְשֵׁן דִּילֵיהּ, אָכִיל כָּל קָרְבְּנִין דְּמַאֲכָלִים דְּפָתוֹרָא, וּשְׁאָרָא בְּרַגְלוֹי רַפְסָא. וּבְקֶרֶן דִּילֵיהּ, קָטַל כַּהֲנֵי וְלֵיוָאֵי. הָרַס כֹּלָּא, וְחִלֵּל מַמְלָכָה וְשָׂרֶיהָ.

תנב. הַבּוֹר, נוּקְבָא בִּישָׁא, לִילִית, בְּבַיִת דִּילָהּ, דְּאִיהִי בֵּית הַסֹּהַר, תְּפִיסַת לְמַטְרוֹנִיתָא וּבְנָהָא, שִׁפְחָה בִּישָׁא, בְּגָלוּתָא דִּילָהּ, וְשַׁוְויָאן לוֹן, בְּכַמָּה שַׁלְשְׁלָאִין וַאֲסוּרִין לִבְנָהָא יְדַיְיהוּ מְהַדְּקָן לַאֲחוֹרָא. הִיא יָשְׁבָה בַגּוֹיִם לֹא מָצְאָה מָנוֹחַ. וְלֹא עוֹד אֶלָּא כָּל מְכַבְּדֶיהָ הִזִּילוּהָ כִּי רָאוּ עֶרְוָתָהּ גַּם הִיא נֶאֶנְחָה וַתָּשָׁב אָחוֹר.

תנג. וְלֹא עוֹד, אֶלָּא זוֹנָה דְּאִיהִי הֶבְעֵר, דְּהַיְינוּ אֵשׁ, וַיַּצֶּת אֵשׁ בְּצִיּוֹן. לְבָתַר קָם אָדָם בְּלִיַּעַ"ל רָשָׁע, רְבִיעִי לַאֲבוֹת נְזִיקִין, דְּאִתְמַר בֵּיהּ אָדָם מוּעָד לְעוֹלָם, בֵּין עֵר בֵּין יָשֵׁן, וְשִׁלַּח אֶת בְּעִירוֹ, וְאָכִיל וְשֵׁצֵי וְגָדַע כְּרָמִים וּפַרְדֵּסִים דִּירוּשָׁלַם, וְשֵׁצֵי כֹּלָּא.

תנד. רִבּוֹן עָלְמָא, אַנְתְּ קְשׁוֹט, וְאוֹרַיְיתָךְ קְשׁוֹט, יָהַבְתְּ לָן מִצְוַת תְּפִלִּין, לְצַדִּיקִים גְּמוּרִים אִיהוּ אַגְרָא כְּפוּם עוֹבָדַיְיהוּ, פְּאֵר עַל רֵישַׁיְיהוּ. וּמְשַׁמְּשִׁין לַאֲבוּהוֹן וְאִמְּהוֹן, כְּגַוְונָא דְּגוּפָא, דְּכָל אֵבָרִים דִּילֵיהּ מְשַׁמְּשִׁין לְרֵישָׁא. הָכִי אִתְּתָא, מְשַׁמְּשָׁא לְבַעְלָהּ.

תנה. וְאִית מַלְאָכִין דְּאִינּוּן מְשַׁמְּשִׁין לְגוּפָא, וּמַלְאָכִין דִּמְשַׁמְּשִׁין לְנִשְׁמְתָא. וּכְגַוְונָא דְּאִית אַפְרָשׁוּתָא בֵּין גּוּפָא לְנִשְׁמְתָא, הָכִי אִית אַפְרָשׁוּתָא בֵּין מַלְאָכִין דְּגוּפָא, לְמַלְאָכִין דְּנִשְׁמְתָא. וְאִית נִשְׁמְתָא לְנִשְׁמְתָא. וּמַלְאָכִין לְמַלְאָכִין, כִּי גָבֹהַּ מֵעַל גָּבֹהַּ שֹׁמֵר וּגְבֹהִים עֲלֵיהֶם. וְאִלֵּין דְּאִינּוּן נִשְׁמְתָא לְנִשְׁמְתָא, כֻּלְּהוּ חַד. וְאע"ג דְּאָרַח מַתְלָא, אִינּוּן כְּגוּפָא אֵצֶל נִשְׁמְתָא אִלֵּין לְאִלֵּין, בְּגִין דִּמְקַבְּלִין אִלֵּין מֵאִלֵּין. הָכִי שְׁכִינְתָּא, אע"ג דְּאִיהִי לְקַבֵּל שְׁאַר נְהוֹרִין דִּבְרִיאָה, כְּנִשְׁמְתָא אֵצֶל גּוּפָא, לְקָבֵל קב"ה חֲשִׁיבָא כְּגוּפָא. אֲבָל כֹּלָּא חַד. הָכָא גּוּפָא וְנִשְׁמְתָא כֹּלָּא חַד. מַה דְּלָאו הָכִי בְּבַר נָשׁ, דְּגוּפֵיהּ וְנִשְׁמָתֵיהּ בִּפְרוּדָא. דָּא חֹמֶר, וְדָא שֵׂכֶל. דָּא חַיֵּי, וְדָא מוֹתָא. אֲבָל קב"ה חַיִּים, וּשְׁכִינְתֵּיהּ חַיִּים, הה"ד, עֵץ חַיִּים הִיא לַמַּחֲזִיקִים בָּהּ.

תנו. וְכָל אִינּוּן דִּרְשִׁימִין בְּסִימָנִין דְּקב"ה וּשְׁכִינְתֵּיהּ, אִינּוּן רְשִׁימִין בְּיוֹמִין דְּחוֹל, בְּאוֹת דִּתְפִלִּין, וּבְאוֹת דְּמִילָה. וּרְשִׁימִין בְּזָכוֹר וְשָׁמוֹר בְּשַׁבָּת. רְשִׁימִין בַּתּוֹרָה שֶׁבִּכְתָב, דְּאִתְיְהִיבַת מִימִינָא. וּבַתּוֹרָה שבע"פ, דְּאִתְיְהִיבַת מִשְּׂמָאלָא. וְקב"ה, זָכוֹר מִימִינָא, וְשָׁמוֹר מִשְּׂמָאלָא. וּשְׁכִינְתָּא, זְכִירָה מִימִינָא, וּשְׁמִירָה מִשְּׂמָאלָא. אִינּוּן תְּפִלִּין דְּרֵישָׁא דב"נ, וּתְפִלִּין דְּיַד. וְהָכִי שְׁכִינְתָּא, תּוֹרַת יְיָ' תְּמִימָה, וּמִצְוָה דִּילֵיהּ. וְהַאי מִסִּטְרָא דְּעַמּוּדָא דְּאֶמְצָעִיתָא, דְּאִיהוּ כָּלִיל דִּינָא וְרַחֲמֵי. זָכוֹר וְשָׁמוֹר. אִתְקְרִיאַת אִיהִי זְכִירָה

שְׁמִירָה. וּבְכָל פִּקּוּדִין אִיהִי שְׁקִילָה לְגַבֵּיהּ בְּמַדְרֵגָה.

תנז. אֲבָל מִסִּטְרָא דְּחֶסֶד, קֻבְּ"ה זָכוֹר, וּשְׁכִינְתָּא שָׁמוֹר. כְּמָה דְּאוּקְמוּהָ מָארֵי מַתְנִיתִין, זָכוֹר לַזָּכָר, וְשָׁמוֹר לַכַּלָּה. בְּגִין דְּבִימִינָא וּבִשְׂמָאלָא עַנְפִּין מִתְפָּרְדִין, כְּגַוְונָא דְּכַנְפֵי רֵיאָה, דְּאִינּוּן פְּרוּדוֹת מִלְּמַעְלָה. לְקַבְּלַיְיהוּ וַזִּין, וּפְנֵיהֶם וְכַנְפֵיהֶם פְּרוּדוֹת מִלְּמַעְלָה. וּלְקַבֵּל פְּתוּחוֹת דְּס"ת. לְתַתָּא תַּרְוַויְיהוּ בְּיִחוּדָא וְחָדָא, כְּגוֹן סְתוּמוֹת דְּס"ת, דְּלֵית תַּמָּן פְּרוּדָא. וּבְגִין דָּא, בַּאֲתַר דְּיִחוּדָא, דְּאִיהוּ גּוּפָא, דּוֹמֶה לַשִּׁדְרָה דְּלוּלָב, אִם נִפְרְצוּ, אוֹ נִפְרְדוּ עָלָיו פָּסוּל.

תנח. בְּכַמָּה רְשִׁימִין רָשִׁים קֻבְּ"ה לְיִשְׂרָאֵל, לְאִשְׁתְּמוֹדְעָא לְגַבֵּי מַלְאָכִין. אִלֵּין דִּימִינָא, דְּתַלְיָין מִקֻּבְּ"ה. אוֹ אִלֵּין דִּשְׂמָאלָא, דְּתַלְיָין מִשְּׁכִינְתָּא. אוֹ אִלֵּין דְּתַלְיָין מִקֻּבְּ"ה. וּשְׁכִינְתֵּיהּ בְּיִחוּדָא וְחָדָא. וַדַּאי אִלֵּין דְּאִית בְּהוֹן תּוֹרָה, רְשִׁימִין בְּחֶסֶד. וְאִלֵּין דְּאִית בְּהוֹן מִצְוָה, רְשִׁימִין בִּגְבוּרָה. וְאִלֵּין מָארֵי דִּתְפִלִּין, וְאוֹת שַׁבָּת, וְאוֹת בְּרִית, רְשִׁימִין בְּצַדִּיק.

תנט. וּבְעִירָן, עַמֵּי הָאָרֶץ, אִינּוּן רְשִׁימִין בְּאַעְבָּרוּ דְּעָרְלָה וּפְרִיעָה. עוֹפִין, בְּזֶפֶק וּבְקָרְקְבָן נִקְלָף, בְּאַעְבָּרוּ דְּזֶפֶק, וּקְלִיפָּה דְּקָרְקְבָן, אִינּוּן רְשִׁימִין עוֹפִין לְמֵיכַל וּבְעִירָן, בִּתְרֵי סִימָנִין, מַעֲלַת גֵּרָה, וּמַפְרֶסֶת פַּרְסָה. כֻּלְּהוּ רְשִׁימִין בִּתְרֵי סִימָנִין, כְּגַוְונָא דְּעָרְלָה וּפְרִיעָה, דְּמִתְעַבְּרָן מִעַמָּא קַדִּישָׁא.

תס. אֲבָל תַּלְמִידֵי וַחֲכָמִים, כֻּלְּהוֹן רְשִׁימִין מִנְּהוֹן, בְּכָרְסְיָיא. וּמִנְּהוֹן, בְּמַלְאָכֵי, בְּאַרְבַּע חֵיוָון דְּכָרְסְיָיא. מִנְּהוֹן בְּכֹכְבַיָּא וּבְמַזָּלֵי. וּמִנְּהוֹן רְשִׁימִין, דְּמִדּוֹת דְּקֻבְּ"ה אִשְׁתְּמוֹדְעִין. וְאִינּוּן דְּמִתְעַסְּקִין בְּאוֹרַיְיתָא וּבְמִצְוֹת, לִשְׁמָא דְּקֻבְּ"ה וּשְׁכִינְתֵּיהּ, שֶׁלֹּא עַל מְנָת לְקַבֵּל פְּרָס, אֶלָּא כִּבְרָא דְּאִיהוּ מְחוּיָּיב בִּיקָרָא דַּאֲבוּהִי וְאִמֵּיהּ, דָּא אִתְקְשַׁר וַדַּאי וְאִתְרְשִׁים, בְּעַמּוּדָא דְּאֶמְצָעִיתָא וּשְׁכִינְתֵּיהּ, כְּאִילּוּ בֵּיהּ הֲווּ וַחַד. וּמַאן דְּאִית בֵּיהּ תּוֹרָה בְּלָא מִצְוָה, אוֹ מִצְוָה בְּלָא תּוֹרָה, כִּבְיָכוֹל כְּאִילּוּ הֲווּ בֵּיהּ בְּפֵרוּדָא. אֲבָל בְּדָא וְדָא, כְּאִילָנָא, דְּעַנְפּוֹי מִתְפָּרְדִין לִימִינָא וְלִשְׂמָאלָא, וְאִילָנָא יִחוּדָא דְּתַרְוַויְיהוּ, בְּאֶמְצָעִיתָא.

תסא. רַשִׁיעַיָּא, אִינּוּן רְשִׁימִין בְּלָא סִימָנִין דְּטָהֳרָה, אִינּוּן דְּלֵית לְהוֹן תְּפִלִּין עַל רֵישָׁא, וּדְרוֹעָא. וְאִינּוּן דְּלָא רְשִׁימִין בַּתּוֹרָה וּבַמִּצְוֹת. וְאִלֵּין דְּלָא נַטְרִין זָכוֹר וְשָׁמוֹר. וְלָא רְשִׁימִין בִּתְכֵלֶת וְלָבָן דְּצִיצִית. וְאִלֵּין דְּלָא רְשִׁימִין בְּאִלֵּין סִימָנִין, שֶׁקֶץ הֵם לָכֶם, לָאו אִינּוּן יִשְׂרָאֵל אֶלָּא עַמֵּי הָאָרֶץ. מָה אִלֵּין שֶׁקֶץ וְשֶׁרֶץ, אוּף אִינּוּן כֵּן, שֶׁקֶץ וְשֶׁרֶץ. כְּמָה דְּאוּקְמוּהָ מָארֵי מַתְנִיתִין, עַמֵּי הָאָרֶץ הֵם שֶׁרֶץ, וּנְשׁוֹתֵיהֶם שֶׁקֶץ. וְעַל בְּנוֹתֵיהֶם אִתְּמַר, אָרוּר שׁוֹכֵב עִם כָּל בְּהֵמָה.

תסב. וּמִיתַתְהוֹן מִיתָה בְּאִתְגַּלְיָא, וְלֵית מִיתָה אֶלָּא עֲנִיּוּתָא, וּמִיתָה דַּעֲנִיּוּתָא דִּלְהוֹן, לָא יְהֵא בְּאִתְכַּסְיָא, כְּעוֹפִין דְּדַמְיָין לְמָארֵי פִּקּוּדִין, אֶלָּא בְּאִתְגַּלְיָיא, לְעֵינֵי עַמָּא, דְּעָנִי וְחָשׁוּב כַּמֵּת. וְאִית עֲנִיּוּתָא בְּאִתְכַּסְיָא, מֵעֵינֵי בְּנֵי נָשָׁא. וְאִית עֲנִיּוּתָא, לְעֵינֵי כֹּלָּא. כִּזְרִיקוּ דְּדָם דִּבְהֵמָה, וּזְרִיקָתָהּ לְעֵינֵי כֹּלָּא, דְּשָׁפְכִין דָּמָא קָמֵי כֹּלָּא. הָכִי עָנִיִּין שַׁפְכִין דָּמוֹי בְּאַנְפַּיְיהוּ, לְעֵינֵי בְּנֵי נָשָׁא, וְאִתְהַדְּרִין יְרוּקִין כְּמֵתִין.

תסג. וְאִי הַדְרִין בִּתְיוּבְתָּא, וְלָא פַּתְחִין פּוּמְהוֹן לְהַטִּיחַ דְּבָרִים כְּלַפֵּי מַעְלָה וּמִיתָה דִּלְהוֹן בִּסְתִימוּ דְּפוּמָא, כִּבְעִירָא דְּאִיהִי מֵיתָא, וְלֵית לָהּ קוֹל וְדִבּוּר. וּבְוִידּוּי הָכִי יֵימָא אִיהוּ, אֵין לִי פֶּה לְהָשִׁיב, וְלֹא מֵצַח לְהָרִים רֹאשׁ, וְיִתְוַדֶּה וּמְיַיחֵד לְקֻבְּ"ה בְּכָל יוֹמָא,

לְמֶהֱוֵי מֵיתָתֵיהּ בְּאֶחָד. כְּגַוְונָא דִשְׁחִיטַת בְּהֵמָה, בִּתְרֵיסַר בְּדִיקוֹת דְסַכִּין, וּבְסַכִּין דְאִינּוּן אֶחָ"ד.

תסד. וּמְבָרֵךְ וּמְקַדֵּשׁ לְקוּדְשָׁא בְּרִיךְ הוּא בְּכָל יוֹמָא, בְּבָרְכוּ וּבִקְדוּשָׁא, וּבְכָל אֲכִילָה וּשְׁתִיָּה דִּילֵיהּ. כְּגַוְונָא דִמְבָרֵךְ כַּהֲנָא, בָּרוּךְ אַתָּה, הָא בְּרָכָה. אֲשֶׁר קִדְּשָׁנוּ, הָא קְדוּשָׁה. כַּד רוּחָא מְבָרֵךְ לְקוּדְשָׁא בְּרִיךְ הוּא, בְּכָל יוֹמָא בְּבָרוּךְ, וּמְקַדֵּשׁ לֵיהּ בִּקְדוּשָׁא דִילֵיהּ, וּמְיַיחֵד לֵיהּ בְּיִחוּדָא דְאִיהוּ שְׁכִינְתֵּיהּ. קוּדְשָׁא בְּרִיךְ הוּא נָחִית עַל הַהוּא רוּחָא בְּכַמָּה מַשִּׁרְיָין.

תסה. אֵלִיָּהוּ, וַדַּאי בַּר נָשׁ דִמְבָרֵךְ וּמְקַדֵּשׁ, וּמְיַיחֵד לְמַטְרוֹנִיתָא, כַּמָּה מַשִּׁרְיָין דְמַטְרוֹנִיתָא סַלְּקִין עִמֵּיהּ, וּמַשִּׁרְיָין דְמַלְכָּא, נַחְתִּין לְגַבֵּיהּ. וְכֻלְּהוּ לְנַטְרָא לֵיהּ, וּלְאוֹדָעָא לֵיהּ לְהַהוּא רוּחָא, כַּמָּה חִידוּשִׁין וַעֲתִידוֹת, בְּחֶלְמִין דִנְבוּאָה, וְכַמָּה סְתָרִים. כְּגַוְונָא דְיַעֲקֹב, דְאִתְּמַר בֵּיהּ, וְהִנֵּה מַלְאֲכֵי אֱלֹהִים עוֹלִים וְיוֹרְדִים בּוֹ. וְעַל מַשִּׁרְיָין דְמַלְכָּא וּמַטְרוֹנִיתָא אִתְּמַר, וַיִּקְרָא שֵׁם הַמָּקוֹם הַהוּא מַחֲנָיִם. אֲבָל מַלְכָּא וּמַטְרוֹנִיתָא לָא נַחְתִּין תַּמָּן.

תסו. אָמַר אֵלִיָּהוּ, רַעְיָא מְהֵימְנָא, הָכִי הוּא וַדַּאי. אֲבָל בְּגִין דִבְכָל פִּקּוּדָא וּפִקּוּדָא, הֲוָה אִשְׁתַּדְּלוּתָא דִילָךְ, לְיַחֲדָא קוּדְשָׁא בְּרִיךְ הוּא וּשְׁכִינְתֵּיהּ, בְּכָל מַשִּׁרְיָין דְעֵילָּא וְתַתָּא, הָכִי קוּדְשָׁא בְּרִיךְ הוּא וּשְׁכִינְתֵּיהּ, וְכָל מַשִּׁרְיָיתֵיהּ עֵילָּא וְתַתָּא, מִתְיַיחֲדִין בְּרוּחָא דִילָךְ, בְּכָל פִּקּוּדָא וּפִקּוּדָא, כִּבְרָא דְמַלְכָּא, דְאַבָּא וְאִמָּא רַחֲמִין לֵיהּ, וְנַשְׁקִין לֵיהּ, וּבַחֲבִיבוּ דִילֵיהּ, לָא הֵימְנִין לֵיהּ בְּמַשִּׁרְיָין דִלְהוֹן, אֶלָּא אִינּוּן גּוּפַיְיהוּ, נַטְרִין לֵיהּ.

תסז. בְּגִין דְהַהוּא רוּחָא דִילָךְ, מִסִּטְרָא דְעַמּוּדָא דְאֶמְצָעִיתָא אִיהוּ, דְאִיהוּ ו' כָּלִיל אַבָּא וְאִימָּא, דְאִינּוּן י"ה. נֶפֶשׁ דִילָךְ. בַּת יְחִידָא, מִסִּטְרָא דְאָת ה', שְׁכִינְתָּא תַּתָּאָה, לָא זָזַת מִינָּךְ. וּכְגַוְונָא דְאַבָּא וְאִימָּא נַטְרִין בְּרָא, הָכִי נַטְרִין בְּרַתָּא. בְּמַשִּׁרְיָין עִלָּאִין, דְאִינּוּן מַחֲנַיִם. וּבְמַחֲשָׁבָה עִלָּאָה, סַלְּקִין לְרוּחָא דִילָךְ, כְּמָה דְאוֹקְמוּהָ, יִשְׂרָאֵל עָלָה בְּמַחֲשָׁבָה, יו"ד ה"א וא"ו ה"א. וְאֵימָתַי רוּחָא דִילָךְ סְלִיקַת בְּמַחֲשָׁבָה. כַּד אִיהִי שְׁלֵימָא, וְאִתְּמַר בָּהּ, כֹּל הַנְּשָׁמָה תְּהַלֵּל יָהּ. וּבְנַפְשָׁא דְאִיהִי ה'.

תסח. רוּחַ יְיָ' אִתְּמַר בֵּיהּ, כֹּה אָמַר יְיָ' מֵאַרְבַּע רוּחוֹת בֹּאִי הָרוּחַ. וְאִינּוּן, רוּחַ יְיָ', רוּחַ חָכְמָה וּבִינָה, רוּחַ עֵצָה וּגְבוּרָה וְגוֹ', שְׁלִים בְּאַרְבַּע אַתְוָון, סָלִיק בְּמַחֲשָׁבָה, וְעֹלַת הָעֹלוֹת מְעַטֵּר לֵיהּ בְּכֶתֶר. בְּכָל הַאי יְקָר, רוּחָא דִילָךְ, סָלִיק וְנָחִית בְּכָל לֵילְיָא. וְכָל מִלִּין דְאִתְגַּלְיָין לָךְ בְּחֶסֶד וְעָלַיְיהוּ אִתְּמַר וְאַתֶּם הַדְּבֵקִים בַּיְיָ', אַתֶּם, וְלָא אוּמִין עכו"ם. וּבְגִ"ד, זוֹבֵחַ לָאֱלֹהִים יָחֳרָם, אֱלֹהִים אֲחֵרִים. בִּלְתִּי לַיְיָ' לְבַדּוֹ.

תסט. זַכָּאָה עַמָּא קַדִּישָׁא, דְאִתְקְרִיאוּ עָאנָא דְקוּדְשָׁא בְּרִיךְ הוּא, לְמִקְרַב גַּרְמַיְיהוּ קָרְבְּנִין קַמֵּיהּ. כְּמָה דְאִתְּמַר, כִּי עָלֶיךָ הוֹרַגְנוּ כָל הַיּוֹם נֶחְשַׁבְנוּ כְּצֹאן טִבְחָה. וְקָרְבִין גַּרְמַיְיהוּ כְּעָאנִין, בְּתַעֲנִיתָא. דְמִעוּט חֶלְבָּא וְדָמָא, דְתַעֲנִיתָא, אִיהוּ חָשִׁיב יַתִּיר מִקָּרְבְּנָא דִבְעִירָן, דַהֲוָה מִתְמַעֵט דָּמָא וְחֶלְבָּא וְכָל אִינּוּן אֵמוּרִין וּפְדָרִין, דְמִתְאַכְּלִין כָּל לֵילְיָא.

תע. זַכָּאִין אִינּוּן, דְמִקָּרְבִין רוּחִין דִלְהוֹן, קָרְבְּנִין קֳדָם יְיָ'. וּבְכָל לֵילְיָא וְלֵילְיָא, דְרוּחָא דִלְהוֹן הִיא הָעוֹלָה לְגַבֵּיהּ, אִי סָלִיק לָהּ, בְּתוֹרָה וּמִצְוָה, בְּתוֹרָה, דְאִיהִי עֶשֶׂר אֲמִירָן, דְאִתְיְיהִיבוּ מֵאֵת י' דִבְעֶשֶׂר דִבְּרָן, מֵאַתְוָון ה"ה. בו', בְּשִׁית חוּמְשֵׁי תוֹרָה בְּסֵפֶר בְּרֵאשִׁית. וַחֲמִשָּׁה אִינּוּן דְאִתְקְרִיאוּ וַחֲמִשָּׁה חוּמְשֵׁי תוֹרָה. שְׁתִיתָאָה סֵפֶר בְּרֵאשִׁית אִקְרֵי. וּבְמַחֲשָׁבָה דְאִיהוּ יו"ד ה"א וא"ו ה"א, דְאִתְּמַר בֵּיהּ, יִשְׂרָאֵל עָלָה בְּמַחֲשָׁבָה. וּלְאָן אֲתַר סָלִיק. לְגַבֵּי כֶּתֶר דְתַמָּן עִלַּת הָעִלּוֹת, מוּפְלָא וּמְכוּסָּה.

תעא. זַכָּאָה מַאן דְּסָלִיק לֵיהּ בְּמִצְוָה, דְּאִיהִי מִצְוַת תְּפִלִּין, דִּבְהוֹן אַרְבַּע פָּרָשִׁיּוֹת, דִּבְהוֹן שֵׁם יְדֹוָ"ד. י': קַדֵּשׁ לִי. ה': וְהָיָה כִּי יְבִיאֲךָ. ו': שְׁמַע יִשְׂרָאֵל. ה': וְהָיָה אִם שָׁמוֹעַ. בְּמַחֲשָׁבָה. לְקַשְּׁרָא לָהּ בְּיָד, דִּשְׁכִינְתָּא וְאִיהִי כְּלִילָא מִמַּעֲשֶׂה דְּאִיהִי ה'. וְדִבּוּר דְּאִיהִי בִּינָה, כְּלִילָא ו' סְפִירָאן. וּבְמַחֲשָׁבָה, דְּאִיהוּ יו"ד הֵ"א וָא"ו הֵ"א, יְדֹוָ"ד. י"ד אַתְוָון, כְּחוּשְׁבַּן יָד. וְאִתְרְמִיזוּ בְּאַרְבַּע פָּרָשִׁיָּין, וּבֵיתָא דִּתְפִלִּין א', וּתְרֵין רְצוּעֵי דְּרֵישָׁא, שֶׁבַע. דִּתְרֵין שִׁינִין תֵּשַׁע. וְקֶשֶׁר דִּרְצוּעָה עֶשֶׂר. וְד' פָּרָשִׁיָּין דְּיָד, הֲרֵי י"ד. יַד דִּשְׁכִינְתָּא, יַד יְדֹוָ"ד.

תעב. בְּגִינָהּ אִתְּמַר, בְּיָדְךָ אַפְקִיד רוּחִי וְגוֹ'. רוּחַ אִתְפְּקַד לַיְדֹוָ"ד. וְקֻבָּ"ה נָחִית לְגַבֵּיהּ, לְקַבְּלָא לֵיהּ לְגַבֵּי שְׁכִינְתָּא. וְנַטְרֵי לֵיהּ קֻבָּ"ה וּשְׁכִינְתֵּיהּ. וּמַאן גָּרִים דָּא. מַאן דִּבְכָל מִצְוָה וּמִצְוָה, סָלִיק שְׁכִינְתָּא לְגַבֵּי קֻבָּ"ה.

תעג. וְע' תֵּיבִין דְּיַעַנְךָ יְיָ' בְּיוֹם צָרָה. וּבְמָאי צְוָוחַת. אֶלָּא וַדַּאי יִשְׂרָאֵל אִית בְּהוֹן מָארֵי תּוֹרָה, מַלְאָכִים, מִסִּטְרָא דְּאַיֶּלֶת הַשַּׁחַר, דְּאִיהִי שְׁכִינְתָּא. וּתְרֵין דַּרְגִּין אִינּוּן, בֹּקֶר וְשַׁחַר, וְעָלַיְיהוּ אִתְּמַר, נְעִימוֹת בִּימִינְךָ נֶצַח. בֹּקֶר דְּאַבְרָהָם, דְּאִיהוּ חֶסֶ"ד, דָּא סָלִיק יַתִּיר בְּיוֹמָא דְּפוּרְקָנָא, אֲבָל שַׁחַר אַקְדִּים לְיוֹמָא דְּפוּרְקָנָא. וּמַאי אִיהוּ. נֶצַח, דִּשְׁכִינְתָּא מִסִּטְרֵיהּ אִתְקְרִיאַת אַיֶּלֶת הַשַּׁחַר.

תעד. וּבְגִין דָּא, ל"מ נֶצַ"ח, תַּמָּן ל"מ. דְּאִינּוּן ע' קָלִין דְּצַוְוחַת אַיֶּלֶת הַשַּׁחַר עַל בְּנָהָא, דְּאִתְתַּקַּף עָלַיְיהוּ קַדְרוּתָא בְּגָלוּתָא, שַׁחֲרוּת הַשַּׁחַר בְּע' שְׁנִין בַּתְרָאִין, בְּהַהוּא זִמְנָא יִתְקַיֵּים בְּיִשְׂרָאֵל, כְּמוֹ הָרָה תַּקְרִיב לָלֶדֶת תָּחִיל תִּזְעַק בַּחֲבָלֶיהָ כֵּן הָיִינוּ מִפָּנֶיךָ יְיָ'. וְעַל כֵּן נְקַוֶּה לְךָ יְיָ' אֱלֹהֵינוּ.

תעה. וּבְהוֹן אַיֶּלֶת אֲעִילַת רֵישָׁהָא בֵּין בִּרְכָּהָא. רֵישָׁא, אִיהוּ צַדִּיק יְסוֹד עוֹלָם. בֵּין בִּרְכָּהָא דְּאִינּוּן נֶצַח וְהוֹד. וְאוֹמֵי לָהּ בֵּיהּ, לְמִפְרַק לִבְנָהָא בַּבֹּקֶר, דְּאִיהוּ אַרְיֵה בֹּקֶר יְמִינָא דְּאַבְרָהָם, מָשִׁיחַ בֶּן דָּוִד דְּנָפִיק מִיהוּדָה, דְּאִתְּמַר בֵּיהּ, גּוּר אַרְיֵה יְהוּדָה. וּבְגִ"ד, חַי יְיָ' שִׁכְבִי עַד הַבֹּקֶר.

תעו. וּבָהּ מוֹלִיךְ לִימִין מֹשֶׁה זְרוֹעַ תִּפְאַרְתּוֹ בּוֹקֵעַ מַיִם וְגוֹ', בְּגִין דְּתִפְאֶרֶת דַּרְגָּא דְּמֹשֶׁה גּוּפָא, וְחֶסֶד דְּרוֹעָא דִּילֵיהּ, וּמֹשֶׁה אִתְקַשַּׁר בְּע"ב דְּאִיהוּ חֶסֶד, דַּרְגָּא דְּאַבְרָהָם. דְּהָכִי סָלִיק בְּחוּשְׁבַּן חֶ"י. וו"ו מִן וַיִּסַּע וַיָּבֹא וַיֵּט, תְּלַת עַנְפֵּי אֲבָהָן. דְּאִתְקַשַּׁר בְּשׁ' שֶׁל מֹשֶׁה. דְּאִתְּמַר בְּהוֹן וּפְנֵי אַרְיֵה אֶל הַיָּמִין לְאַרְבַּעְתָּן וּפְנֵי שׁוֹר מֵהַשְּׂמֹאל וְגוֹ', וּפְנֵי נֶשֶׁר לְאַרְבַּעְתָּן. מ"ה מִן מֹשֶׁה, וּדְמוּת פְּנֵיהֶם פְּנֵי אָדָם.

תעז. דְּרוֹעָא שְׂמָאלָא, אִתְּמַר בֵּיהּ, שְׂמֹאל דּוֹחָה, וְיָמִין מְקָרֶבֶת. דְּאַף עַל גַּב דְּאַקְדִּים בְּתִשְׁרֵי, דְּאוֹקְמוּהָ בֵּיהּ מָארֵי מַתְנִיתִין, בְּתִשְׁרֵי עֲתִידִין לְהִגָּאֵל. תְּהֵא דּוֹחָה, בְּגִין דְּלָא יָמוּת מָשִׁיחַ בֶּן אֶפְרַיִם, דּוֹחֶה מִתִּשְׁרֵי דְּאִיהִי שְׂמֹאל. עַד דְּיִקְרַב יָמִין, פֶּסַח דְּרוֹעָא יְמִינָא. לְקַיֵּים בָּהּ, כִּימֵי צֵאתְךָ מֵאֶרֶץ מִצְרַיִם אַרְאֶנּוּ נִפְלָאוֹת וְהַאי אִיהוּ בְּנִיסָן נִגְאֲלוּ וּבְנִיסָן עֲתִידִין לְהִגָּאֵל. לְקַיֵּים בְּהוֹן וּבְחֶסֶד עֶלְיוֹן רִחַמְתִּיךְ אָמַר גֹּאֲלֵךְ יְיָ'.

תעח. וּלְבָתַר נַטְלֵי כֻּלְּהוּ מִגְּבוּרָה, דְּמַנְיֵיהּ מָשִׁיחַ בֶּן אֶפְרַיִם, לְנַטְלָא נוּקְמָא מִשַּׂנְאוֹי. דְּהָכִי בָּעֵי לְנַקְאָה עֲבוּרָא, דְּאִינּוּן יִשְׂרָאֵל, בִּימִינָא. וּלְבָתַר לְאוֹקְדָא קַשׁ, בִּשְׂמָאלָא. הה"ד, וְהָיָה בֵית יַעֲקֹב אֵשׁ וּבֵית יוֹסֵף לֶהָבָה וּבֵית עֵשָׂו לְקַשׁ וְדָלְקוּ בָהֶם וַאֲכָלוּם. וּכְנִישׁוּ דַּעֲבוּרָא, דָּא עַמּוּדָא דְּאֶמְצָעִיתָא. בֵּיהּ וַיֵּאָסֵף. לְאָן אֲתַר. לְבֵיתָא, דָּא שְׁכִינְתָּא.

תעט. אֲבָל בְּדַרְגָּא דְּמָשִׁיחַ בֶּן יוֹסֵף, אִיהוּ דְּקָא רָמִיז, עַתָּה יְלַחֲכוּ הַקָּהָל אֶת כָּל סְבִיבֹתֵינוּ כִּלְחוֹךְ הַשּׁוֹר אֵת יֶרֶק הַשָּׂדֶה. דְּעֲלַיְיהוּ אִתְּמַר, בִּפְרֹחַ רְשָׁעִים כְּמוֹ עֵשֶׂב וְגוֹ'. מִפֶּסַח וְעַד תִּשְׁרֵי, יְהֵא פּוּרְקָנָא דְּאִיהוּ עַד. וּמִתַּמָּן וְאֵילָךְ יְהֵא הַשְׁמָדָה דִּלְהוֹן, לְהִשָּׁמְדָם עֲדֵי עַד. כַּד מָטוּ לְתִשְׁרֵי דְּאִיהוּ שׁוֹר, בֵּיהּ כִּלְחוֹךְ הַשּׁוֹר.

תפ. וּסְמִיכָה דִּלְהוֹן דְּיִשְׂרָאֵל, בִּימִינָא דְּאִיהוּ אַרְיֵה. אֲבָל קִימָה דִּלְהוֹן בְּגוּפָא דְּאִילָנָא. וְהַאי אִיהוּ כָּל הַכּוֹרֵעַ כּוֹרֵעַ בְּבָרוּךְ, צַדִּיק. דְּאִתְּמַר בֵּיהּ בְּיוֹסֵף הַצַּדִּיק, וְהִנֵּה תְסֻבֶּינָה אֲלֻמֹּתֵיכֶם וַתִּשְׁתַּחֲוֶיןָ לַאֲלֻמָּתִי. וְהַאי אִיהוּ, וַחַי יְיָ' שִׁכְבִי עַד הַבֹּקֶר. וְכָל הַזּוֹקֵף זוֹקֵף בַּשֵּׁם, דַּרְגָּא דְּמֹשֶׁה רַבֵּינוּ לְעֵילָא. וּמֹשֶׁה לְתַתָּא, בֵּיהּ יְקוּמוּן כָּל יִשְׂרָאֵל, כְּאֵבָרִין דְּגוּפָא, דְּבֵיהּ כֻּלְּהוּ זַקְפִין בַּעֲמִידָה. וּבְהַאי אִיהוּ כָּל הַזּוֹקֵף, זוֹקֵף בַּשֵּׁם, בְּגִין דְּעָלֵיהּ אִתְּמַר, וָאֵדָעֲךָ בַשֵּׁם.

תפא. יְהוֹן מָשִׁיחַ מִן דָּוִד, דְּאִיהוּ אַרְיֵה, מִימִינֵיהּ. וּמָשִׁיחַ בֶּן יוֹסֵף, דְּאִיהוּ שׁוֹר, מִשְּׂמָאלֵיהּ. מִימִינָא אַבְרָהָם, מִשְּׂמָאלָא יִצְחָק, וְאִיהוּ נֶשֶׁר בְּאֶמְצָעִיתָא. שַׁלְשֶׁלֶת דִּלְהוֹן, מִסִּטְרָא דְּיַעֲקֹב. ש' דְּמֹשֶׁה, קְדוּשָׁה לְךָ יְשַׁלֵּשׁוּ. מִסִּטְרָא דְּאַרְיֵה, ג' אַנְפִּין דַּאֲבָהָן, אִתְקְרִיאוּ אֲרָיוֹת. בָּקָר. מִסִּטְרָא דִּשְׂמָאלָא אִתְקְרִיאוּ פָּרִים מְנֻגָּחִים. וּמִסִּטְרָא דְּאֶמְצָעִיתָא, אִתְקְרִיאוּ נְשָׁרִים. וְעֲלַיְיהוּ אִתְּמַר וָאֶשָּׂא אֶתְכֶם עַל כַּנְפֵי נְשָׁרִים וָאָבִיא אֶתְכֶם אֵלָי. הָא אִינּוּן ט'. עֲשִׂירָאָה, וּרְבִיעָאָה, אָדָם מַה בִּשְׁמוֹ דְּמֹשֶׁה דְּרָכִיב עַל תְּלַת חֵיוָון.

תפב. וְאִתְּמַר בְּיִשְׂרָאֵל, וְיִרְדּוּ בִדְגַת הַיָּם, מִמָּנָן דְּיַמָּא, בְּסִטְרָא דְּנָחָשׁ, דַּהֲוָה שָׂרָה דְּמִצְרַיִם, דְּאִתְפָּשַׁט בְּגָלוּתָא בַּתְרָאָה, מִיָּם עַד יָם. וּבְעוֹף הַשָּׁמַיִם, עִרְבּוּבְיָא בִּישָׁא. עֲמָלֵקִים, נְפִילִים, תַּעֲרוֹבֶת דְּכָל אוּמִין, בְּכָל סִטְרָא, בְּגָלוּתָא בַּתְרָאָה, בֵּין בְּיִשְׂרָאֵל, בֵּין בְּיִשְׁמָעֵאל, בֵּין בְּעֵשָׂו. וּבַבְּהֵמָה, אִלֵּין בְּנֵי עֵשָׂו. דְּשׁוּלְטָנוּתְהוֹן בְּכָל הָאָרֶץ.

תפג. וְיִתְקַיֵּים בְּמָשִׁיחַ, וְיֵרְדְּ מִיָּם עַד יָם וּמִנָּהָר עַד אַפְסֵי אָרֶץ. וְהָכִי בְּב' מְשִׁיחִין, וְהָכִי בְּיִשְׂרָאֵל, וְכֹלָּא בִּזְכוּת מ"ה דְּמֹשֶׁה. וְיֵיתוּן, נֵס דְּמָשִׁיחַ בֶּן דָּוִד, מִיהוּדָה, אַרְיֵה רָשׁוּם עָלֵיהּ, וְנֵס דְּמָשִׁיחַ בֶּן יוֹסֵף, שׁוֹר רָשׁוּם עָלֵיהּ. וְנֵס דְּשִׁילֹה, אַרְיֵה לִימִינָא, שׁוֹר לִשְׂמָאלָא, נֶשֶׁר בְּאֶמְצָעִיתָא, וְאָדָם עַל כֻּלְּהוּ. וְד' אַנְפִּין לְכָל חַד. ד' שְׁבָטִין דְּג' חֵיוָן, י"ב. וּלְגַבֵּי אָדָם, דְּאִיהוּ מַה שְּׁמוֹ, בְּנֵי מֹשֶׁה, דִּבְהַהוּא זִמְנָא יִתְקַיֵּים בְּמֹשֶׁה וְאֶעֱשֶׂה אוֹתְךָ לְגוֹי גָּדוֹל וְעָצוּם מִמֶּנּוּ. בְּהַהוּא זִמְנָא, מַ"ה שֶׁהָיָה הוּ"א שֶׁיִּהְיֶה. וַאֲשֶׁר לִהְיוֹת כְּבָר הָיָה.

תפד. וְהָאֱלֹהִים יְבַקֵּשׁ אֶת נִרְדָּף, יִשְׂרָאֵל דְּאִתְּמַר בְּהוֹן, וְאַתֵּן צֹאנִי צֹאן מַרְעִיתִי אָדָם אַתֶּם, הֲווּ נִרְדָּפִים קֳדָם עֵרֶב רַב, זְאֵבִים בִּישִׁין, הָא בִּנְיָמִין זְאֵב יִטְרָף לְגַבַּיְיהוּ, דְּטָרִיף לוֹן, וְיִתְקַיֵּים בְּהַהוּא זִמְנָא, בַּבֹּקֶר יֹאכַל עַד. דְּהַיְינוּ עַד כִּי יָבֹא שִׁילֹה, וְדָא בֹּקֶר דְּאַבְרָהָם. וְלָעֶרֶב יְחַלֵּק שָׁלָל דָּא עֶרֶב דְּיִצְחָק, דְּתַמָּן תְּרֵין מְשִׁיחִין. בְּחַד יֵיכוּל מִמָּנָא דְּאוּמִין דְּעָלְמָא. וּבְחַד יְחַלֵּק לוֹן לְיִשְׂרָאֵל.

תפה. יִשְׂרָאֵל דְּאִינּוּן אַיֶּלֶת, נִרְדָּפִין קֳדָם רַשִּׁיעַיָּא אֲרָיוֹת. וְיִתְעַר נַפְתָּלִי, דְּאִיהוּ אַיָּלָה שְׁלוּחָה הַנּוֹתֵן אִמְרֵי שָׁפֶר. יִתְעַר בִּימִינָא דְּאִיהוּ אַרְיֵה מָשִׁיחַ בֶּן דָּוִד, דְּאִתְּמַר בֵּיהּ, גּוּר אַרְיֵה יְהוּדָה מִטֶּרֶף בְּנִי עָלִיתָ. וְיַחֲזוֹר עַל אוּמִין דְּעָלְמָא, כָּרַע שָׁכַב עֲלַיְיהוּ, לְמִטְרַף לוֹן מִי יְקִימֶנּוּ, בְּהַהוּא זִמְנָא נֶחֱזֵי מַאן הוּא אֱלָהּ אַחֲרָא, דְּיָקִים לֵיהּ מִלְּטְרוֹף עֲלַיְיהוּ, אוֹ אוּמָּה וְלִישָׁן.

תפו. וְיִשְׂרָאֵל דַּהֲווּ כְּיוֹנָה, נִרְדָּפִין קֳדָם נֶשֶׁר, מִסִּטְרָא דְּעוֹפִין דְּאוּמִין דְּעָלְמָא. בְּהַהוּא זִמְנָא, יִתְעַר נֶשֶׁר, וְיִתְפְּרַשׁ גַּדְפָּהָא, עַל עַרְבּוּבְיָא דְּאוּמִין, וְעֵשָׂו וְיִשְׁמָעֵאל, דְּאִינּוּן עֲמָלֵקִים, וְעַרְבּוּבְיָא בִּישָׁא דְּיִשְׂרָאֵל, וְטָרִיף לוֹן, דְּלָא יִשְׁתְּאַר וַחַד מִנַּיְיהוּ, לְקַיֵּים מַה שֶּׁנֶּאֱמַר בְּיִשְׂרָאֵל, יְיָ' בָּדָד יַנְחֶנּוּ וְאֵין עִמּוֹ אֵל נֵכָר.

תפז. מִתַּמָּן וְאֵילָךְ, אֵין מְקַבְּלִים גֵּרִים, כְּמָה דְּאוֹקְמוּהָ מָארֵי מַתְנִיתִין אֵין מְקַבְּלִים גֵּרִים לִימוֹת הַמָּשִׁיחַ. וְאוּמִין עכו"ם דְּעָלְמָא דְּיִשְׁתַּאֲרוּן, יִתְעַר קב"ה וַחֲיָה דְּאָדָם, לְשַׁלְטָאָה עֲלַיְיהוּ. לְקַיְּימָא בְּהוֹן, כִּי הַגּוֹי וְהַמַּמְלָכָה אֲשֶׁר לֹא יַעַבְדוּךְ יֹאבֵדוּ. לְקַיֵּים בְּיִשְׂרָאֵל, וְיִרְדּוּ בִּדְגַת הַיָּם וְגוֹ'. וּמוֹרַאֲכֶם וְחִתְּכֶם וְגוֹ'.

תפח. וּמִסִּטְרָא דִּתְבוּאוֹת, ה' מִינֵי נַהֲמָא, תְּבִירִין מִכֻּלְּהוּ. וְאִינּוּן, חִטָּה, וּשְׂעוֹרָה, וְכֻסֶּמֶת, וְשִׁבֹּלֶת שׁוּעָל, וְשִׁיפוֹן. אַמְתִּיל לוֹן לְיִשְׂרָאֵל, הה"ד, קֹדֶשׁ יִשְׂרָאֵל לַיְיָ' רֵאשִׁית תְּבוּאָתָה, בְּה'. כַּד יִפְקוּן מִגָּלוּתָא, הָכִי יְהוֹן תְּבִירִין, עַד דְּיִתְבְּרִיר אוֹכֶל מִתּוֹךְ פְּסוֹלֶת, דְּהַיְינוּ קַשׁ, עֵרֶב רַב, עַד דְּיִתְבָּרְרוּ וְיִשְׁתְּמוֹדְעוּ יִשְׂרָאֵל בֵּינַיְיהוּ, כְּבָר, דְּאִתְבְּרִיר מִגּוֹ מוֹץ וָתֶבֶן.

תפט. וְעַד דְּיִתְבָּרִירוּ מִנַּיְיהוּ, י' דְּאִיהוּ מַעֲשֵׂר, לָא שַׁרְיָא עַל ה', דְּאִיהוּ נַהֲמָא, דְּה' מִינִין, לְקַיְּימָא אוּמָאָה, כִּי יָד עַל כֵּס יָ"הּ. וּבְגִין דָּא, מוֹץ וָתֶבֶן, אֵינוֹ מְחוּיָּיב בְּמַעֲשֵׂר, עַד דְּיִתְבְּרִיר. לְבָתַר דְּיִתְבְּרִיר, מִתְכַּנְּשִׁין לְהַהוּא אֲתַר דְּאִקְרֵי יְרוּשָׁלַם. כְּמָה דְּחִטָּה, דְּבָתַר דְּאִתְבְּרִיר קַשׁ וָתֶבֶן, מַכְנִיסִין לָהּ לָאוֹצָר. הָכִי יִתְכַּנְּשׁוּן יִשְׂרָאֵל, דְּאִינּוּן בַּר, לִירוּשָׁלַם, דְּאִיהִי בְּנוּיָה עַל הַר יְיָ', דְּאִתְּמַר בָּהּ, מִי יַעֲלֶה בְהַר יְיָ' וּמִי יָקוּם בִּמְקוֹם קָדְשׁוֹ נְקִי כַפַּיִם וּבַר לֵבָב. נָקִי כַּבָּר, דְּאִיהִי עֲבוּרָא כַּד בָּרִיר מִגּוֹ פְּסוֹלֶת. בְּהַהוּא זִמְנָא, נַשְּׁקוּ בַר כִּדְבְקַדְמֵיתָא, דְּאִתְּמַר בֵּיהּ, יִשָּׁקֵנִי מִנְּשִׁיקוֹת פִּיהוּ. בַּר תַּרְגּוּם בֵּן, בְּהַהוּא זִמְנָא דִּיהוֹן נְקִיִּים כַּבָּר, מִגּוֹ קַשׁ וְתֶבֶן. שַׁרְיָא שְׁמֵיהּ עֲלַיְיהוּ, וְקָרָא לוֹן, בְּנֵי בְכוֹרִי יִשְׂרָאֵל.

תצ. וְהָכִי מִכָּל אִילָנִין, לֵית תְּבִיר כַּגֶּפֶן. בִּנְטִיעוּ דִּילֵיהּ תְּבִיר, בַּעֲנָבִים דִּילֵיהּ תְּבִיר, דְּאִינּוּן כְּתִישִׁין בֵּין רַגְלִין. וְהָכִי זַיִת זֵיתִים דִּילָהּ כְּתִישִׁין. בְּגָלוּתָא אַמְתִּילוּ יִשְׂרָאֵל בְּהוֹן, הה"ד, גֶּפֶן מִמִּצְרַיִם תַּסִּיעַ. וְכֵן בְּגָלוּת רְבִיעָאָה, כִּי כֶרֶם יְיָ' צְבָאוֹת בֵּית יִשְׂרָאֵל. וּכְגַוְונָא דָא לְזַיִת מְשׁוּלִים יִשְׂרָאֵל, זַיִת רַעֲנָן יְפֵה פְרִי תֹאַר. וּבְגִין דָּא, אֶשְׁתְּךָ כְּגֶפֶן פּוֹרִיָּה בְּיַרְכְּתֵי בֵיתֶךָ בָּנֶיךָ כִּשְׁתִילֵי זֵיתִים. סָמִיךְ דָּא לְדָא, בְּגִין דְּאִינּוּן תְּבִירִין בְּגָלוּתָא.

תצא. וּלְבָתַר דִּיהוֹן נְקִיִּים מִגּוֹ פְּסוֹלֶת, יִתְקַדְּשׁוּן לְבֵי מַקְדְּשָׁא, בְּיַיִן לְנִסְכָּא עַל גַּבֵּי מַדְבְּחָא, וְזֵיתִים לְאַדְלָקָא בּוֹצִינָא שְׁרָגִין לִמְנַרְתָּא. וּמַאן זָכָה לְהַאי. יַיִן דְּלָא יִתְנְסַךְ לכו"ם. דְּעֵרֶב רַב אִינּוּן יַיִן דְּנִתְנְסַךְ לכו"ם, וּמִנְּהוֹן מְשׁוּמָּדִים, מִינִים, אֲפִיקוֹרְסִים מְשׁוּמָּדִים לַעֲבֵירוֹת שֶׁבְּכָל הַתּוֹרָה כּוּלָּהּ.

תצב. וְיִשְׂרָאֵל דְּאִתְּמַר בְּהוֹן וַיִּתְעָרְבוּ בַגּוֹיִם וַיִּלְמְדוּ מַעֲשֵׂיהֶם. עַד דִּיהוֹן דְּרוֹכִין בֵּין רַגְלַיְיהוּ, בְּגָלוּתָא לָא אִתְבְּרִירוּ מִנַּיְיהוּ. וּבְגִינַיְיהוּ אָמַר דָּוִד ע"ה, לָמָּה אִירָא בִּימֵי רָע עֲוֹן עֲקֵבַי יְסֻבֵּנִי. וַעֲלַיְיהוּ אָמַר שְׁלֹמֹה, צְאִי לָךְ בְּעִקְבֵ"י הַצֹּאן. בְּיַעֲקֹ"ב. דַּעֲלֵיהּ אִתְּמַר, לְגַבֵּי נָחָשׁ הַקַּדְמוֹנִי דְּפַתֵּי לְחַוָּה, הוּא יְשׁוּפְךָ רֹאשׁ וְאַתָּה תְּשׁוּפֶנּוּ עָקֵב. בָּתַר דְּיִפְקוּן מִן גָּלוּתָא, נִמְשָׁלִים לְתַפּוּחִים, וּלְכָל רֵיחִין טָבִין. כְּגַוְונָא דְּמַפְקָנוּ דְּמִצְרַיִם, דִּכְתִּיב בֵּיהּ תַּחַת הַתַּפּוּחַ עוֹרַרְתִּיךָ.

תצג. פִּקּוּדָא בָּתַר דָּא, לְהָבִיא בִּכּוּרִים, וַאֲבַתְרֵיהּ לְהִתְוַדּוֹת עַל הַבִּכּוּרִים, וַאֲבַתְרֵיהּ לְהִתְוַדּוֹת עַל הַמַּעֲשֵׂר. וּמָארֵי מַתְנִיתִין, מַקְשִׁים עַל הַמַּעֲשֵׂר, דְּאִי יְהֵא קֹדֶם לְקִיטָתוֹ, אוֹ אַחַר לְקִיטָתוֹ עִשּׂוּרוֹ. כְּגוֹן אֶתְרוֹג, דְּאִתְּמַר בֵּיהּ בְּאִילָן, הָלַךְ אַחַר וְחָנְטָה. אִית מַאן דְּאָמַר, אַחַר בִּשּׁוּל הַפֵּירוֹת. וְאֶתְרוֹג מִקְצָתוֹ דּוֹמֶה לְאִילָן, וּמִקְצָתוֹ לִתְבוּאָה, דְּאִינּוּן זְרָעִים, דְּאִתְּמַר בְּהוֹן, דִּלְאַחַר לְקִיטָתוֹ עִשּׂוּרוֹ. דְּאִילָן לָאו אִיהוּ, אֶלָּא עַד אַחַר גְּמַר בִּשּׁוּלוֹ.

תצד. וּבְגַ"ד, תַּקִּינוּ הַמּוֹצִיא מֵאֲתַר דְּבִשּׁוּלוֹ יָפֶה. לְאַפָּקָא פַּת שָׂרוּף, אֶלָּא מִמָּקוֹם שֶׁהוּא מוּטְעָם. וְהָכֵי תְּבוּאָה, בָּתַר לְקִיטָתוֹ, אִיהוּ כְּבִישּׁוּל פֵּירוֹת.

תצה. וְיִשְׂרָאֵל, אִינּוּן מְשׁוּלִים לְאִילָן וְלִתְבוּאָה, דְּאִתְּמַר בְּהוֹן רֵאשִׁית בִּכּוּרֵי אַדְמָתְךָ תָּבִיא בֵּית יְיָ' אֱלֹהֶיךָ. וְהָכֵי רֵאשִׁית גֵּז צֹאנְךָ תִּתֶּן לוֹ. דְּאִינּוּן יִשְׂרָאֵל. דְּאִתְּמַר בְּהוֹן, וְאַתֵּן צֹאנִי. וְהָכֵי יִשְׂרָאֵל, קֹדֶשׁ יִשְׂרָאֵל לַיְיָ' רֵאשִׁית תְּבוּאָתֹה, לְאַחַר לְקִיטָתוֹ מִן גָּלוּתָא, עִשּׂוּר. וְאִתְקְרִיאוּ קֹדֶשׁ לַיְיָ'.

תצו. וְיִשְׂרָאֵל אִתְקְרִיאוּ אִילָנָא רַבָּא וְתַקִּיף, וּמָזוֹן לְכֹלָּא בֵּיהּ. בֵּיהּ אוֹרַיְיתָא, דְּאִיהִי מְזוֹנָא לְעֵילָּא. בֵּיהּ צְלוֹתָא, דְּאִיהִי מְזוֹנָא לְתַתָּא. וַאֲפִילּוּ מַלְאָכִין לֵית לוֹן מְזוֹנָא, אֶלָּא בְּיִשְׂרָאֵל. דְּאִי לָאו דְּיִשְׂרָאֵל יִתְעַסְקוּן בְּאוֹרַיְיתָא, לָא הֲוָה נָחִית לוֹן מְזוֹנָא, מִסִּטְרָא דְּאוֹרַיְיתָא, דְּאִמְתִּילָא לְעֵץ, הה"ד, עֵץ חַיִּים הִיא לַמַּחֲזִיקִים בָּהּ. וּלְאִיבָּא, דְּאִיהִי מִצְוָה.

תצז. וְהָכֵי אוֹרַיְיתָא אִמְתִּילָא לְמַיָּא. וְהָנֵי לְאֶשָּׁא. וְלָא הֲוָה נָחִית מַיָּא מִלְּעֵילָּא, וְחַמָּה דְּאִיהִי אֶשָּׁא, לָא הֲוָה נָחִית לְבַשְּׁלָא פֵּירוֹת הָאִילָן. אֶלָּא, בְּגִין יִשְׂרָאֵל. וּבְגִין דָּא אִתְּמַר בְּיִשְׂרָאֵל, הַתְּאֵנָה חָנְטָה פַגֶּיהָ, אִלֵּין מָארֵי מִצְוֹת. וְהַגְּפָנִים סְמָדַר נָתְנוּ רֵיחַ, כַּד פַּתְחִין בִּתְיוּבְתָּא, וּמִיַּד אִתְּמַר בְּיִשְׂרָאֵל, קוּמִי לָךְ רַעְיָתִי יָפָתִי וּלְכִי לָךְ, מִן גָּלוּתָא.

תצח. וּבְגִין דָּא בְּאִילָן, דְּאִיהוּ עֵץ הַחַיִּים, בְּאוֹרַיְיתָא, בְּאִלֵּין דְּמִשְׁתַּדְּלִין בָּהּ, אָזְלִין בָּתַר חֲנָטָה, וּמְעַשְּׂרִין לֵיהּ, דְּשַׁרְיָא יוּ"ד עָלַיְיהוּ, דְּאִיהִי חָכְמָ"ה, א' מִי' וּבָהּ מִתְכַּנְּשִׁין ה"ה, דְּאִינּוּן פֵּירוֹת הָאִילָן. וּמַאן אִילָן. ו'. אֲבָל שְׁאָר עַמָּא, אַחַר לְקִיטָתוֹ מִן גָּלוּתָא, עִשּׂוּרוֹ. אִינּוּן צַדִּיקִים דְּאִתְּמַר בְּהוֹן, וּלְקַחְתֶּם לָכֶם בַּיּוֹם הָרִאשׁוֹן פְּרִי עֵץ הָדָר. הָדָר בְּעוֹבָדֵיהוֹן, דַּאֲחִידָאן בְּמָארֵי תּוֹרָה וּמִצְוֹת, וְאַחַר חֲנָטָה אָזְלִינָן לְגַבַּיְיהוּ כְּאִילָן.

תצט. וּבְגִין דָּא אוֹקְמוּהָ בְּמַסֶּכֶת קִדּוּשִׁין, קמ"ל דְּאֶתְרוֹג כְּיָרָק, מַה יָּרָק דַּרְכּוֹ לִיגָּדֵל עַל כָּל מַיִם, וּבִשְׁעַת לְקִיטָתוֹ עִשּׂוּרוֹ. אוּף אֶתְרוֹג נָמֵי דַּרְכּוֹ לִיגָּדֵל וְכוּ' וּמִסִּטְרָא דְּחָכְמָה, אֵין מַיִם אֶלָּא תּוֹרָה. וּבַאֲתַר אַחֲרָא לְעֵילָּא, וְהָא דִּתְנַן, אֶתְרוֹג שָׁוֶה לְאִילָן בִּשְׁלֹשָׁה דְּרָכִים, הָא אֶתְרוֹג, אָחִיד ב' סִטְרִין, וְאֶתְרוֹג אִיהוּ דְּיוּקְנָא דְּלִבָּא, דְּאָחִיד לְעֵילָּא וְאָחִיד לְתַתָּא. אָחִיד לְעֵילָּא, הַלֵּב רוֹאֶה. אָחִיד לְתַתָּא, בְּדַעַת. כְּמָה דְּאוֹקְמוּהָ, הַלֵּב יוֹדֵעַ. דַּעַת אִיהִי אִילָנָא, תּוֹרָה אִיבָּא דִּילֵיהּ. עַיְינִין דְּאִינּוּן פִּקּוּדִין, דִּבְהוֹן הַלֵּב רוֹאֶה. (ע"כ רעיא מהימנא)

תק. וְאַנְשֵׁי קֹדֶשׁ תִּהְיוּן לִי וְגוֹ'. רִבִּי יְהוּדָה פָּתַח, וְהַחָכְמָה מֵאַיִן תִּמָּצֵא וְאֵיזֶה מְקוֹם בִּינָה. זַכָּאִין אִינּוּן יִשְׂרָאֵל, דְּקֻדְשָׁא בְּרִיךְ הוּא בָּעֵי לְיַקְּרָא לוֹן, יַתִּיר עַל כָּל שְׁאָר בְּנֵי עָלְמָא. בְּקַדְמֵיתָא אָמַר לוֹן, וְאַתֶּם תִּהְיוּ לִי מַמְלֶכֶת כֹּהֲנִים. לָא אַעֲדֵי רְחִימוּתָא סַגִּיאָה מִנַּהוֹן, עַד דְּקָרָא לוֹן וְגוֹי קָדוֹשׁ דְּאִיהִי יַתִּיר. לָא אַעֲדֵי רְחִימוּתָא מִנַּהוֹן, עַד דְּקָרָא לוֹן כִּי עַם קָדוֹשׁ אַתָּה. לָא אַעֲדֵי רְחִימוּתָא מִנַּהוֹן, עַד דְּקָרָא לוֹן וְאַנְשֵׁי קֹדֶשׁ תִּהְיוּן לִי דְּאִיהוּ

יַתִּיר מִכֹּלָּא.

תקא. כְּתִיב וְהַחָכְמָה מֵאַיִן תִּמָּצֵא. אוֹרַיְיתָא מֵחָכְמָה נָפְקַת, מֵאֲתַר דְּאִקְרֵי קֹדֶשׁ. וְהַחָכְמָה נָפְקַת, מֵאֲתַר דְּאִקְרֵי קֹדֶשׁ הַקֳּדָשִׁים. ר' יִצְחָק אָמַר, וְכֵן יוֹבְלָא אִתְקְרֵי קֹדֶשׁ. דִּכְתִּיב, יוֹבֵל הִיא קֹדֶשׁ תִּהְיֶה לָכֶם. וְיִשְׂרָאֵל כֻּלְּהוּ מִנַּיְיהוּ, הה"ד וְאַנְשֵׁי קֹדֶשׁ תִּהְיוּן לִי.

תקב. בְּקַדְמֵיתָא קָדוֹשׁ, וְהַשְׁתָּא קֹדֶשׁ. מַה בֵּין הַאי לְהַאי. א"ר יוֹסֵי, דָּא לְעֵילָּא לְעֵילָּא, וְדָא לָאו הָכִי. דִּכְתִּיב, וְהָיָה הַנִּשְׁאָר בְּצִיּוֹן וְהַנּוֹתָר בִּירוּשָׁלַ‍ִם קָדוֹשׁ יֵאָמֶר לוֹ. בְּהַאי אֲתַר אִקְרֵי קָדוֹשׁ וּלְעֵילָּא לְעֵילָּא קֹדֶשׁ.

תקג. רַבִּי אַבָּא הֲוָה אָזִיל בְּאָרְחָא, וַהֲווֹ אָזְלֵי עִמֵּיהּ ר' יוֹסֵי וְר' חִיָּיא, אָמַר ר' חִיָּיא, וְאַנְשֵׁי קֹדֶשׁ תִּהְיוּן לִי, מְנָלָן. א"ל, הָא ר' יוֹסֵי וְכֻלְּהוּ חַבְרַיָּיא שַׁפִּיר קָאַמְרוּ, וְהָכִי הוּא. מְנָלָן. דִּכְתִּיב, קֹדֶשׁ יִשְׂרָאֵל לַיְיָ' רֵאשִׁית תְּבוּאָתֹה, רֵאשִׁית: וַדַּאי חָכְמָה אִקְרֵי רֵאשִׁית, דִּכְתִּיב רֵאשִׁית חָכְמָה יִרְאַת יְיָ'.

תקד. וּמִשּׁוּם דְּיִשְׂרָאֵל אִקְרוּן קֹדֶשׁ בִּשְׁלִימוּ דְּכֹלָּא, כְּתִיב וּבָשָׂר בַּשָּׂדֶה טְרֵפָה לֹא תֹאכֵלוּ. דְּהָא יִשְׂרָאֵל דְּאִינּוּן שַׁלִּיטִין עַל כֹּלָּא, לָא יַנְקִין מִסִּטְרָא דְּדִינָא קַשְׁיָא. לַכֶּלֶב תַּשְׁלִיכוּן אוֹתוֹ. לַכֶּלֶב וַדַּאי, דְּהוּא דִּינָא וַחֲצִיפָא תַּקִּיפָא עַל כֹּלָּא. כֵּיוָן דְּדִינָא תַּקִּיפָא שַׁרְיָא עָלוֹי, וְאַטִּיל זוּהֲמָא בֵּיהּ, אָסִיר לְהוּ לְאִינּוּן דְּאִקְרוּן קֹדֶשׁ. אֶלָּא לַכֶּלֶב תַּשְׁלִיכוּן אוֹתוֹ וַדַּאי, דְּאִיהוּ דִּינָא וַחֲצִיפָא, דִּינָא תַּקִּיפָא יַתִּיר מִכֹּלָּא, דִּכְתִּיב וְהַכְּלָבִים עַזֵּי נֶפֶשׁ.

תקה. ת"ח, כַּד אִדְּכַר נְבֵלָה בְּאוֹרַיְיתָא, כְּתִיב בְּיִשְׂרָאֵל קָדוֹשׁ, וְלָא קֹדֶשׁ. הָכָא כְּתִיב, וְאַנְשֵׁי קֹדֶשׁ תִּהְיוּן לִי וּבָשָׂר בַּשָּׂדֶה טְרֵפָה לֹא תֹאכֵלוּ. וְהָתָם בִּנְבֵלָה כְּתִיב, לֹא תֹאכְלוּ כָל נְבֵלָה לַגֵּר אֲשֶׁר בִּשְׁעָרֶיךָ תִּתְּנֶנָּה וְגו', כִּי עַם קָדוֹשׁ אַתָּה. קָדוֹשׁ וְלָא קֹדֶשׁ, דְּהָא נְבֵלָה מִסִּטְרָא דְּיִשְׂרָאֵל אִתְעֲבֵיד, דְּלָא פָּסִיל הַאי אֶלָּא יִשְׂרָאֵל. וְסַגִּיאִין גַּוְונִין, אִית בָּהּ בִּנְבֵלָה. כְּמָה דְּאוֹקִימְנָא.

תקו. אר"ש, כְּתִיב הָכָא וְאַנְשֵׁי קֹדֶשׁ תִּהְיוּן לִי, וּכְתִיב הָתָם כִּי עַם קָדוֹשׁ אַתָּה לַיְיָ' אֱלֹהֶיךָ. לַיְיָ' אֱלֹהֶיךָ, לִי מִבָּעֵי לֵיהּ. אֶלָּא הָכָא לְעֵילָּא לְעֵילָּא. וְהָתָם שְׁכִינְתָּא. וּכְתִיב, וְהָיָה הַנִּשְׁאָר בְּצִיּוֹן וְהַנּוֹתָר בִּירוּשָׁלַ‍ִם קָדוֹשׁ יֵאָמֶר לוֹ וְלָא קֹדֶשׁ. בְּכָאן קָדוֹשׁ, וּלְעֵילָּא קֹדֶשׁ. כְּתִיב קֹדֶשׁ יִשְׂרָאֵל לַיְיָ' רֵאשִׁית תְּבוּאָתֹה, בְּהַ"א כְּמָה דְּאוֹקִימְנָא. וְעַ"ד וְאַנְשֵׁי קֹדֶשׁ תִּהְיוּן לִי וַדַּאי.

תקז. רַבִּי יִצְחָק הֲוָה יָתִיב קַמֵּיהּ דְּר"ש, אָ"ל הָא כְּתִיב קֹדֶשׁ יִשְׂרָאֵל לַיְיָ' סוֹפֵיהּ דִּקְרָא כְּתִיב כָּל אוֹכְלָיו יֶאְשָׁמוּ, מַאי קָא מַיְירֵי. א"ל ר"ש, שַׁפִּיר קָא אָמַר, כָּל אֹכְלָיו יֶאְשָׁמוּ, הַיְינוּ דִּכְתִּיב, וְאִישׁ כִּי יֹאכַל קֹדֶשׁ בִּשְׁגָגָה וְגו'. וּכְתִיב, וְכָל זָר לֹא יֹאכַל קֹדֶשׁ. וּמִשּׁוּם דְּיִשְׂרָאֵל אִקְרוּן קֹדֶשׁ, כְּתִיב כָּל אֹכְלָיו יֶאְשָׁמוּ. אָתָא ר' יִצְחָק וְנָשִׁיק יְדוֹי, אָמַר, אִי לָא אַתֵינָא הָכָא אֶלָּא לְמִשְׁמַע מִלָּה דָּא סַגֵּי.

תקח. א"ל רַבִּי, הָא תָּנֵינָן, דְּקֹדֶשׁ, יַתִּיר לְעֵילָּא מִן קָדוֹשׁ. אִי הָכִי, הָא כְּתִיב קָ' קָ' קָ' יְיָ' צְבָאוֹת, וְדָא שְׁלִימוּ דְּכֹלָּא. א"ל ת"ח, כַּד מִתְחַבְּרָן כַּחֲדָא, כֻּלְּהוּ אִתְעֲבֵידוּ חַד בֵּיתָא, וְהַאי בֵּיתָא, אִקְרֵי קֹדֶשׁ. כְּלָלָא דְּכֻלְּהוּ קָדוֹשׁ וּבְגִינֵי כַּךְ קֹדֶשׁ, הוּא כְּלָלָא, דְּכֹלָּא אִתְכְּלִיל בֵּיהּ. וְיִשְׂרָאֵל כַּד אִתְכְּלַל בְּהוּ מְהֵימְנוּתָא שְׁלֵימָתָא קֹדֶשׁ אִקְרוּן, כְּלָלָא דְּכֹלָּא, דִּכְתִּיב קֹדֶשׁ יִשְׂרָאֵל לַיְיָ'. וּבְגִינֵי כַּךְ, וְאַנְשֵׁי קֹדֶשׁ תִּהְיוּן לִי.

תקט. לְגִיּוֹן חַד שָׁאִיל לְרַ' אַבָּא, א"ל, לָא כְּתִיב וּבָשָׂר בַּשָּׂדֶה טְרֵפָה לֹא תֹאכֵלוּ,

אִי הָכִי, מַאי דִּכְתִּיב, טֶרֶף נָתַן לִירֵאָיו. טֶרֶף נָתַן לִכְלָבִים מִבָּעֵי לֵיהּ, אֲמַאי נָתַן לִירֵאָיו. א״ל, רֵיקָא, מִי כְּתִיב טְרֵפָה נָתַן לִירֵאָיו, טֶרֶף כְּתִיב. וְאִי תֵּימָא, טֶרֶף כִּטְרֵפָה. נָתַן לִירֵאָיו וַדַּאי דְּמִלָּה דָּא, לָא יָהֲבֵיהּ לְאִזְדַּהֲרָא בֵּיהּ, אֶלָּא לְאִינּוּן דְּדָחֲלֵי שְׁמֵיהּ, וְדַחֲלִין לֵיהּ. בְּגִ״כ הַאי מִלָּה לָא יָהִיב לְכוּ, דְּהָא יָדַע דְּאַתּוּן לָא דַּחֲלִין לֵיהּ, וְלָא נַטְרִין פִּקּוּדוֹי, וּבְגִין דְּהַאי מִלָּה חוּמְרָא דְּאוֹרַיְיתָא, וּבָעֵי לְאִזְדַּהֲרָא בָּהּ, נָתַן לִירֵאָיו וַדַּאי, וְלָא לְאָחֳרָנֵי. וְכָל חוּמְרֵי דְּאוֹרַיְיתָא, לָא יָהִיב לוֹן קֻבְּ״ה, אֶלָּא לְאִינּוּן דְּדָחֲלֵי חַטָּאָה, לְאִינּוּן דְּדָחֲלֵי פִּקּוּדוֹי וְלָא לְכוּ.

תקי. תָּאנֵי ר' אֶלְעָזָר, כְּתִיב וְאַנְשֵׁי קֹדֶשׁ תִּהְיוּן לִי, מַהוּ וְאַנְשֵׁי. וּלְבָתַר קֹדֶשׁ, אֶלָּא וְאַנְשֵׁי קֹדֶשׁ וַדַּאי. דְּתַנְיָא, לָא נָפְקוּ יִשְׂרָאֵל לְחֵירוּ, אֶלָּא מִסִּטְרָא דְּיוֹבְלָא. בָּתַר דְּנָפְקוּ לְחֵירוּ, נָקִיט לוֹן הַאי יוֹבְלָא בְּגַדְפּוֹי, וְאִקְרוּן גּוּבְרִין דִּילֵיהּ. בְּגִין דִּילֵיהּ, וּכְתִיב בֵּיהּ בְּיוֹבְלָא, יוֹבֵל הִיא קֹדֶשׁ תִּהְיֶה לָכֶם, קֹדֶשׁ וַדַּאי, לָכֶם וַדַּאי. וּבְגִינֵי כָּךְ, וְאַנְשֵׁי קֹדֶשׁ תִּהְיוּן לִי, אַנְשֵׁי קֹדֶשׁ וַדַּאי, גּוּבְרִין דִּילֵיהּ מַמָּשׁ.

תקיא. וְקֻבְּ״ה אָמַר דָּא, וְעַל דָּא זָכוּ יִשְׂרָאֵל לְאִתְקְרֵי אַחִים לְקֻבְּ״ה, דִּכְתִּיב, לְמַעַן אַחַי וְרֵעָי וְגוֹ'. לְבָתַר אִקְרוּן קֹדֶשׁ מַמָּשׁ. דִּכְתִּיב, קֹדֶשׁ יִשְׂרָאֵל לַיְיָ רֵאשִׁית תְּבוּאָתֹה, קֹדֶשׁ וְלָא אַנְשֵׁי קֹדֶשׁ, בְּגִינֵי כָּךְ כָּל אוֹכְלָיו יֶאְשָׁמוּ, וּכְתִיב, וְכָל זָר לֹא יֹאכַל קֹדֶשׁ. וְאִישׁ כִּי יֹאכַל קֹדֶשׁ בִּשְׁגָגָה.

תקיב. תָּאנָא, יִשְׂרָאֵל אִקְרוּן קֹדֶשׁ, וּבְגִין דְּאִינּוּן קֹדֶשׁ, אָסִיר לֵיהּ לְאֵינָשׁ, לְמִקְרֵי לְחַבְרֵיהּ בִּשְׁמָא דִּגְנַאי, וְלָא לְכַנָּאָה שְׁמָא לְחַבְרֵיהּ, וְעָנְשֵׁיהּ סַגִּי. וְכָל שֶׁכֵּן בְּמִלִּין אָחֳרָנִין. תָּאנָא, כְּתִיב נְצֹר לְשׁוֹנְךָ מֵרָע וְגוֹ'. מַהוּ מֵרָע. דִּבְגִין לִישָּׁנָא בִּישָׁא, מַרְעִין נַחְתִּין לְעָלְמָא.

תקיג. אָמַר ר' יוֹסֵי כָּל מַאן דְּקָרֵי לְחַבְרֵיהּ בִּשְׁמָא דְּלֵית בֵּיהּ, וְגָנֵי לֵיהּ, אִתְפַּס בְּמָה דְּלֵית בֵּיהּ, דְּאָמַר ר' חִיָּיא אָמַר ר' חִזְקִיָּה, כָּל מַאן דְּקָרֵי לְחַבְרֵיהּ רָשָׁע, נַחְתִּין לֵיהּ לַגֵּיהִנָּם. וְנַחְתִּין לֵיהּ לְעִלְעוֹי, בַּר אִינּוּן חֲצִיפִין דְּאוֹרַיְיתָא, דְּשָׁרֵי לֵיהּ לְאִינִישׁ לְמִקְרֵי לְהוּ רָשָׁע.

תקיד. הַהוּא גַּבְרָא, דְּלָיֵיט לְחַבְרֵיהּ, אַעְבַּר ר' יֵיסָא, אָמַר לֵיהּ כְּרָשָׁע עֲבַדְתְּ. אַתְיֵיהּ לְקַמֵּיהּ דְּר' יְהוּדָה, א״ל רָשָׁע לָא קָאֲמֵינָא לֵיהּ, אֶלָּא כְּרָשָׁע, דְּאַחֲזֵי מִלּוֹי כְּרָשָׁע, וְלָא אֲמֵינָא דְּאִיהוּ רָשָׁע. אָתָא ר' יְהוּדָה, וְשָׁאִיל לְעוֹבָדָא קַמֵּיהּ דְּרַבִּי אֶלְעָזָר, אָמַר לֵיהּ, וַדַּאי לָא אִתְחַיָּיב. מְנָלָן. דִּכְתִּיב, הָיָה יְיָ' כְּאוֹיֵב, וְלָא אוֹיֵב. דְּאִי לָאו הָכִי, לָא אִשְׁתְּאַר מִיִּשְׂרָאֵל גִּזְעִין בְּעָלְמָא. כְּגַוְונָא דָּא, הָיְתָה כְּאַלְמָנָה, וְלָא אַלְמָנָה, כְּאַלְמָנָה דְּאָזִיל בַּעְלָהּ לְעִבְרָא דְּיַמָּא, וּמְחַכָּאת לֵיהּ.

תקטו. אָמַר ר' חִיָּיא, וּמֵהָכָא מַשְׁמַע, מֵהָתָם מַשְׁמַע, דְּהוּא עִקָּרָא דְּכֹלָּא, דִּכְתִּיב, וְעַל דְּמוּת הַכִּסֵּא דְּמוּת כְּמַרְאֵה אָדָם. כְּמַרְאֵה אָדָם, וְלָא מַרְאֵה אָדָם. א״ר יִצְחָק, כְּתִיב, כְּתַפּוּחַ בַּעֲצֵי הַיַּעַר וְגוֹ', כְּתַפּוּחַ וְלָא תַפּוּחַ. כְּתַפּוּחַ: דְּמִתְפַּרְשָׁא בִּגְוָונוֹי, וּבִגְוָונִין אִתְאַחֲדָא מִלָּה. אָמַר רַבִּי יְהוּדָה, אִלּוּ לָא אָתֵינָא הָכָא אֶלָּא לְמִשְׁמַע מִלִּין אִלֵּין, דַּיִי.

תקטז. תָּאנָא כְּתִיב, וְהָיָה הַנִּכְשָׁל בָּהֶם בַּיּוֹם הַהוּא כְּדָוִיד. כְּדָוִיד, וְלָא דָּוִד. כְּדָוִיד, דְּאָמַר, וְהִנֵּה בְעָנְיִי הֲכִינוֹתִי לְבֵית יְיָ'. וּכְתִיב, כִּי עָנִי וְאֶבְיוֹן אָנִי. וְהוּא מַלְכָּא עַל מַלְכִּין הֲוָה, וַהֲוָה קָרֵי לְגַרְמֵיהּ הָכִי. אָמַר רַבִּי אַבָּא, זַכָּאִין אִינּוּן יִשְׂרָאֵל, דְּקֻבְּ״ה לָא קָרָא לוֹן כְּקֹדֶשׁ, אֶלָּא קֹדֶשׁ מַמָּשׁ, דִּכְתִּיב קֹדֶשׁ יִשְׂרָאֵל לַיְיָ, וּבְגִ״כ כָּל אוֹכְלָיו יֶאְשָׁמוּ וְגוֹ'.

תקי"ז. תָּאנָא, אָמַר ר' יוֹסִי, מַאי קָא חָמָא קב"ה, לְמֵיהַב דִּינִין לְיִשְׂרָאֵל, בָּתַר עֲשַׂר אֲמִירָן. אֶלָּא הָכִי תָּנֵינָן, מִסִּטְרָא דִּגְבוּרָה, אִתְיְיהִיבַת אוֹרַיְיתָא לְיִשְׂרָאֵל. בְּגִינֵי כַּךְ, בָּעָא לְמֵיתַן שְׁלָמָא בֵּינַיְיהוּ, בְּגִין דְּאוֹרַיְיתָא תְּהֵא נְטִירָא מִכָּל סִטְרוֹי. דְּאָמַר רַבִּי אַבָּא אָמַר רַבִּי יִצְחָק, לֵית עָלְמָא מִתְקַיְּימָא, אֶלָּא עַל דִּינָא, דְּאִלְמָלֵא דִּינָא, לָא מִתְקַיְּימָא. ובג"כ עָלְמָא בְּדִינָא אִתְבְּרֵי, וְאִתְקַיָּים.

תקי"ח. תָּאנָא, ר' אַבָּא, כְּתִיב דִּינוּ לַבֹּקֶר מִשְׁפָּט. וְכִי לַבֹּקֶר, וְלָאו בְּכָל יוֹמָא. אֶלָּא לַבֹּקֶר, עַד לָא יֵיכְלוּן דַּיָּינִין, וְלָא יִשְׁתּוּן, דְּכָל מַאן דְּדָאִין דִּינָא בָּתַר דְּאָכַל וְשָׁתָה, לָאו דִּינָא דִּקְשׁוֹט הוּא, דִּכְתִּיב לֹא תֹאכְלוּ עַל הַדָּם. מַאי עַל הַדָּם. אַזְהָרָה לְדַיָּינֵי, דְּלָא יֵיכְלוּן עַד דְּדַיְינֵי דִּינָא, דְּכָל מַאן דְּדָאִין דִּינָא בָּתַר דְּאָכִיל וְשָׁתֵי, כְּאִלּוּ חָיֵיב דְּמָא דְּחַבְרֵיהּ לְאַחֲרָא, דְּהָא דָּמֵיהּ מַמָּשׁ יָהִיב לְאַחֲרָא. הַאי בְּמָמוֹנָא, כ"ש בְּדִינֵי נַפְשׁוֹת, דְּבָעוּ דַּיָּינֵי לְאִסְתַּמְּרָא, דְּלָא לְמֵידָן דִּינָא אֶלָּא קֹדֶם דְּאַכְלוּ וְשָׁתוּ, וְעַל דָּא כְּתִיב דִּינוּ לַבֹּקֶר מִשְׁפָּט וּכְתִיב, אֲנִי יְיָ' עוֹשֶׂה חֶסֶד וּמִשְׁפָּט וּצְדָקָה בָּאָרֶץ כִּי בְאֵלֶּה חָפַצְתִּי נְאֻם יְיָ'.

תקי"ט. תַּנְיָא, אָמַר ר' יְהוּדָה, מַאן דִּמְשַׁקֵּר בְּדִינָא, מְשַׁקֵּר בְּתִקּוּנֵי מַלְכָּא. מַאן תִּקּוּנֵי מַלְכָּא. אִינּוּן דְּאִתְּמַר, דִּכְתִּיב עוֹשֶׂה חֶסֶד מִשְׁפָּט וּצְדָקָה בָּאָרֶץ. וּכְתִיב כִּי בְאֵלֶּה חָפַצְתִּי נְאֻם יְיָ'. וְכֹלָּא הַאי בְּהַאי תַּלְיָא. ר' יוֹסִי אָמַר, אִלֵּין אִינּוּן תִּקּוּנֵי כָּרְסְיָיא, דִּכְתִּיב צֶדֶק וּמִשְׁפָּט מְכוֹן כִּסְאֶךָ. וּכְתִיב וְהוּכַן בַּחֶסֶד כִּסֵּא.

כאן מתחיל אידרא דמשכנא

תקכ. תַּנְיָא בְּרָזָא דְּרָזִין, רֵישָׁא דְּמַלְכָּא, אִתְתָּקַן בְּחֶסֶד וּבִגְבוּרָה. בְּהַאי רֵישָׁא, תַּלְיָין שַׂעֲרֵי, נִימִין עַל נִימִין, דְּאִינּוּן כֹּל מְשִׁיכוּתָא דְּמִתְאַחֲדָן בְּהוּ עִלָּאֵי וְתַתָּאֵי. מָארֵי דְּמָארִין, מָארֵי דִּקְשׁוֹט, מָארֵי דְּמִתְקְלָא, מָארֵי דְּיַבָּבָא, מָארֵי דִּילָלָה, מָארֵי דְּדִינָא, מָארֵי דְּרַחֲמֵי, וְטַעֲמֵי אוֹרַיְיתָא, וְרָזֵי אוֹרַיְיתָא דַּכְיָין, מְסָאֳבָן, כֻּלְּהוּ אִקְרוּן שַׂעֲרֵי דְּמַלְכָּא, כְּלוֹמַר מְשִׁיכוּתָא דְּאִתְמְשַׁךְ מִמַּלְכָּא קַדִּישָׁא, וְכֹלָּא נָחִית מֵעַתִּיקָא סְתִימָאָה.

תקכא. מִצְחָא דְּמַלְכָּא, פְּקִידוּתָא דְּחַיָּיבַיָּא, כַּד אִתְפַּקְּדָן בְּעוֹבָדַיְיהוּ, וְכַד אִתְגַּלְיָין חוֹבַיְיהוּ, כְּדֵין אִקְרֵי מִצְחָא דְּמַלְכָּא. כְּלוֹמַר, גְּבוּרָה אִתְתַּקַּף בְּדִינוֹי, וְאִתְפָּשַׁט בְּסִטְרוֹי, וְדָא אִשְׁתְּנֵי מִמִּצְחָא דְּעַתִּיקָא קַדִּישָׁא, דְּאִקְרֵי רָצוֹן.

תקכב. עַיְינִין דְּמַלְכָּא, אַשְׁגָּחוּתָא דְּכֹלָּא, אַשְׁגָּחוּתָא דְּעִלָּאִין וְתַתָּאִין, וְכָל אִינּוּן מָארֵי אַשְׁגָּחוּתָא הָכִי אִקְרוּן. בְּעַיְינִין, גַּוְונִין אִתְאַחֲדָן, וְאִינּוּן גַּוְונִין אִקְרוּן, כָּל אִינּוּן מָארֵי אַשְׁגָּחוּתָא דְּמַלְכָּא, כָּל חַד כְּפוּם אָרְחֵיהּ, וְכֻלְּהוּ גַּוְונִין דְּעֵינָא אִקְרוּן. כְּמָה דְּאִתְחָזֵי אַשְׁגָּחוּתָא דְּמַלְכָּא, הָכִי גַּוְונִין מִתְעָרִין.

תקכג. גְּבִינֵי דְּעַיְינִין, אִקְרוּן, אֲתַר דְּיַהֲבִין אַשְׁגָּחוּתָא, לְכֻלְּהוּ גַּוְונִין מָארֵי אַשְׁגָּחוּתָא. הָכִי גְּבִינִין, לְגַבֵּי דִּלְתָתָא, גְּבִינִין לְאַשְׁגָּחוּתָא מֵהַהוּא נַהֲרָא דְּנָגִיד וְנָפִיק, אֲתַר לְאִתְמַשְׁכָא מֵהַהוּא נַהֲרָא, לְאִסְתַּחֲאָה בְּחִוָּורָא דְּעַתִּיקָא, מֵחֲלָבָא דְּנָגִיד מֵאִמָּא. דְּכַד גְּבוּרָה מִתְפַּשְּׁטָא, וְעַיְינִין מְלַהֲטָן בְּגַוָּון סוּמְקָא, נָהִיר עַתִּיקָא קַדִּישָׁא חִוָּורָא דִּילֵיהּ, וְלָהֲטָא בְּאִמָּא, וְאִתְמַלְּיָיא מֵחֲלָבָא, וְיָנְקָא לְהָנֵי, וְאִסְתְּחָן כֻּלְּהוּ עַיְינִין, בְּהַהוּא חֲלָבָא דְּאִמָּא, דְּאִתְנְגִיד וְנָפִיק תָּדִיר. הה"ד, רוֹחֲצוֹת בֶּחָלָב. בֶּחָלָב דְּאִמָּא, דְּנָגִיד תְּדִירָא וְלָא פָּסִיק.

תקכד. חוֹטָמָא דְּמַלְכָּא קַדִּישָׁא, תִּקּוּנָא דְּפַרְצוּפָא, כַּד מִתְפַּשְׁטָן גְּבוּרָן, וּמִתְאַחֲדָן

כַּחֲדָא, אִינּוּן חוֹטָמָא דְּמַלְכָּא קַדִּישָׁא. וְאִינּוּן גְּבוּרָן מֵחַד גְּבוּרָה אֲחִידָן וְנָפְקִין. וְכַד דִּינִין מִתְעָרִין, וְנָפְקִין מִסִּטְרַיְיהוּ, לָא מִתְבַּסְּמָן, אֶלָּא בִּתְנָנָא דְּמַדְבְּחָא. וּכְדֵין כְּתִיב, וַיָּרַח יְיָ' אֶת רֵיחַ הַנִּיחוֹחַ. שָׁאנֵי חוֹטָמָא דְּעַתִּיקָא, דְּלָא אִצְטְרִיךְ, דְּחוֹטָמָא דְּעַתִּיקָא, אֶרֶךְ אַפַּיִם בְּכֹלָּא אִקְרֵי, וְהַהוּא נְהִירוּ דְּחָכְמְתָא סְתִימָאָה, אִקְרֵי חוֹטָמָא דִּילֵיהּ. וְהַיְינוּ תְּהִלָּה, דִּכְתִּיב, וּתְהִלָּתִי אֶחֱטָם לָךְ. וְעַל דָּא אִתְעַר דָּוִד מַלְכָּא, תְּהִלָּה לְדָוִד וְגו'.

תקכה. אוּדְנִין דְּמַלְכָּא, כַּד רַעֲוָא אִשְׁתְּכַח, וְאִמָּא יַנְקָא, וּנְהִירוּ דְּעַתִּיקָא קַדִּישָׁא אִתְנְהִיר, מִתְעָרִין נְהִירוּ דִּתְרֵין מוֹחֵי, וּנְהִירוּ דְּאַבָּא וְאִמָּא, כָּל אִינּוּן דְּאִקְרוּן מוֹחֵי דְּמַלְכָּא, וּמִתְלַהֲטִין כַּחֲדָא. וְכַד מִתְלַהֲטָן כַּחֲדָא, אִקְרוּן אָזְנֵי יְיָ'. דְּהָא אִתְקַבִּילַת צְלוֹתְהוֹן דְּיִשְׂרָאֵל. וּכְדֵין אִתְעָרוּתָא לְטָב וּלְבִישׁ, וּבְאִתְעָרוּתָא דָּא, מִתְעָרִין מָארֵי דְּגַדְפִּין, דְּנַטְלִין קָלִין דְּעָלְמָא, וְכֻלְּהוּ אִקְרוּן אָזְנֵי יְיָ'.

תקכו. אַנְפּוֹי דְּמַלְכָּא, נְהִירוּ דְּאַבָּא וְאִמָּא, וְאִתְפַּשְּׁטוּתָא דִּלְהוֹן, דְּנַהֲרִין וְסַחֲרִין, וְלָהֲטִין בְּהַאי רֵישָׁא דְּמַלְכָּא. וּכְדֵין סַהֲדוּתָא אִסְתְּהַד בְּמַלְכָּא מִנַּיְיהוּ. דְּיוּקְנָא דְּמַלְכָּא, יַקִּירוּתָא מִכֹּלָּא. מֵרֵישָׁא שָׁארֵי חֶסֶד עִלָּאָה, וּגְבוּרָה. וּנְהִירוּ דְּאַבָּא וְאִמָּא אִתְפְּלַג, נְהִירוּ דְּאַבָּא בִּתְלַת נְהוֹרִין, וְאִמָּא בִּתְרֵין, הָא חֲמִשָּׁה. חֶסֶד וּגְבוּרָה בְּחַד נְהוֹרָא, הָא שִׁיתָא. לְבָתַר, אִתְעֲטַר חֶסֶ"ד, וְאִתְלְהִיט וְאִתְנְהִיר בִּתְרֵין נְהוֹרִין וְאִינּוּן תְּמַנְיָא. לְבָתַר אִתְעֲטַר, וּגְבוּרָה, אִתְנְהִיר בְּחַד, הָא תִּשְׁעָה. וְכַד מִתְחַבְּרָן כֻּלְּהוּ נְהוֹרִין כַּחֲדָא, אִקְרוּן דְּיוּקְנָא דְּמַלְכָּא, וּכְדֵין כְּתִיב, יְיָ' כַּגִּבּוֹר יֵצֵא כְּאִישׁ מִלְחָמוֹת יָעִיר קִנְאָה וְגו'.

תקכז. שִׂפְוָון דְּמַלְכָּא, הָכִי תָּאנָא, כַּד אִתְנְהִיר נְהִירוּ דְּאַבָּא, נָהִיר בִּתְלַת נְהוֹרִין. מֵחַד נְהוֹרָא, נָהִיר חֶסֶד עִלָּאָה. מֵחַד נְהוֹרָא, אִתְנְהִיר נְהִירוּ דְּאִקְרֵי מוֹחָא דְּמַלְכָּא. וְחַד נְהוֹרָא, הֲוָה תָּלֵי, עַד דְּאִתְנְהִיר נְהִירוּ דְּאִמָּא. וְכַד אִתְנְהִיר בְּחָמֵשׁ נְהוֹרִין.

תקכח. בְּמָאי אִתְנְהִיר מֵחַד שְׁבִילָא, דְּטָמִיר וְגָנִיז, דְּאִתְדְּבַק בֵּיהּ אַבָּא, דִּכְתִּיב, נָתִיב לֹא יְדָעוֹ עַיִט וְגו'. כְּמָה דְּאִתְדְּבַק דְּכוּרָא בְּנוּקְבָא, וְאִתְעַבְּרַת, וְאוֹלִידַת, וְאַפִּיקַת חָמֵשׁ נְהוֹרִין. וּמֵאִינּוּן חָמֵשׁ נְהוֹרִין, אִתְגַּלְיָיפוּ חַמְשִׁין תַּרְעִין, דִּנְהוֹרִין סַגִּיאִין. חַמְשִׁין אִינּוּן, לָקֳבְלֵיהוֹן, מ"ט פָּנִים טָמֵא, מ"ט פָּנִים טָהוֹר, בְּאוֹרַיְיתָא, אִשְׁתְּאַר חַד, וְהַאי חַד אִתְנְהִיר בְּכֹלָּא, וְהַהוּא דְּאַבָּא, הֲוָה תָּלֵי. כַּד מִתְחַבְּרָן כַּחֲדָא, וּמִתְיַישְּׁבָן בְּמַלְכָּא, אִקְרוּן שִׂפְוָון דְּמַלְכָּא. בְּגִינֵי כַּךְ, גָּזַר מִלִּין דִּקְשׁוֹט.

תקכט. וּפוּמָא, בְּהוּ תַּלְיָיא, פְּתִיחוּתָא דְּפוּמָא. מַאי פּוּמָא. אֶלָּא דַּעַת גָּנִיז בְּפוּמָא דְּמַלְכָּא, דְּאִקְרֵי ת"ת. פְּשִׁיטוּתָא דְּתִפְאֶרֶת, דְּכָל אוֹצְרִין וְכָל גְּוָונִין אִתְאֲחָדָן בֵּיהּ. דִּכְתִּיב, וּבְדַעַת חֲדָרִים יִמָּלְאוּ. וְהַהוּא דַּעַת, הוּא גָּנִיז, בְּפוּמָא דְּמַלְכָּא. וּמַלְיָיא כָּל אִדְּרִין וְאַכְסַדְרָאִין. וְכַד אִתְעַר נְהִירוּ דְּבֵיהּ וְנָפִיק, כְּדֵין אִקְרֵי פֶּה יְיָ'. וְשִׂפְוָון דְּאִינּוּן תְּרֵין נְהוֹרִין מֵאַבָּא וּמֵאִימָּא, בְּשַׁעֲתָא דְּאִתְעַרְעָן בְּהַהִיא נְהִירוּ דְּדַעַת, מִתְחַבְּרָן כַּחֲדָא, וּמִלִּין אִתְגְּזָרוּ בִּקְשׁוֹט, בְּחָכְמָה בִּתְבוּנָה וּבְדַעַת. וּכְדֵין, כָּל מִלִּין דְּקֻבְּ"ה, בְּאִלֵּין אִתְגְּזָרוּ.

תקל. נַהֲרִין תְּלַת אִלֵּין, וְעַיְילִין בְּגוֹ לְגוֹ, וְאִתְעַטְּרוּ בְּחַד. וְכַד מִתְחַבְּרָן בְּעִטּוּרָא חַד, כְּדֵין אִקְרוּן חִכּוֹ מַמְתַקִּים. וְאִינּוּן חֵיךְ דְּמַלְכָּא, וְאִקְרוּן, מְתִיקָא דְּמַלְכָּא. וְעַל הַאי כְּתִיב, טַעֲמוּ וּרְאוּ כִּי טוֹב יְיָ'. וּבְהַאי חֵיךְ, תַּלְיָין כָּל אִינּוּן שְׁלִיטִין וְהוּרְמָנִין דְּמַלְכָּא, דִּכְתִּיב, וּבְרוּחַ פִּיו כָּל צְבָאָם.

תקלא. בהאי וזיך שלימותא דכלא אשתכח. ובגיני כך, כל אתוון דאינון בהאי אתר שלימותא אתחזייא בהו. אוה"ע, א, נהירו דעתיקא קדישא סתימאה דכל סתימין. וח', נהירו דחכמתא, דלא אשתכח ולא אתדבק דכתיב, לא ידע אנוש ערכה. ה', נהירו דאימא, דנהיר ונגיד ונפיק, ומשקי לכלא, ויניקא לבנין, עד דמטי ההוא רבות, ומלי לצדיק, ואיהו אתקטר בנוקבא תתאה, ואתברכא מניה, ולא מתפרשין דא מן דא. וזוור מגו סומק, דכתיב הר המור גבעת הלבונה. ע', נהירו דע' אנפין, דאתזנו מהאי רווחא, דנפיק מן פומא, כדין ע' שמהן דקב"ה. לקבליהון בארעא, כל הנפש לבית יעקב הבאה מצרימה שבעים. דהא יעקב אילנא בארעא, ואינון ע' נפש, ע' ענפין.

תקלב. מאלין אתוון, נהירין ארבע אחרנין. מא' נהיר גימ"ל, דאיהי אגר טב לצדיקייא, דאקרי גמול, ועל דא כתיב אז תתענג על יי'. מח' נהיר יו"ד, דהיא וחכמה, כלא אסתים ביו"ד, דאיהי סתימא מכל סטרוי, ובג"כ, לא אשתכח, דכתיב, ולא תמצא בארץ החיים. מה', נהיר כ"ף. דאיהו נהירו ומשח רבות, דאתרק מאימא, לההוא אתר דאתקרי קרן, ואקרי קרן היובל. ודא מלכות דוד. ובגין כך, לית משיחא, אלא ברזא דכ"ף.

תקלג. ק' מע' נהיר ק', כמה דע' שבעין, כך ק' מאה, דאינון שלימו, והכי הוא, ובגין כך, בהאי וזיך שלימו דכלא. וכל מאן דידע רזא דא, ואזדהר ביה, זכאה וחולקיה.

תקלד. גופא דמלכא, אתפשטותא דתפארת, דגוונין ביה מתחברן. דרועין דמלכא, נהירו דחסד וגבורה. ובגין כך ימין ושמאל. מעוי בדעת אתתקנן, עייל ברישא, אתתקן ואתפשט לגו, ובגו גופא.

תקלה. שוקין אתאחדן בתרין נהורין, ואינון תרין נהורין ממש. שוקין ותרין כליין. כלהו מתחברן באתר חד, דתמן אתכנש כל רבות, וכל משחא דגופא. ומתמן, שריין כל ההוא רבות, לאתר דאתקרי יסוד עולם. יסוד, מההוא אתר דאקרי עולם. ומאן איהו. נצח והוד, ועל כן, יי' צבאות שמו ב"ה בריך שמיה לעלם ולעלמי עלמין.

תקלו. כל הני תקונין, אתיין לאתחברא בחד, עד דכל רבות קדשא, נטיל כלא האי יסוד, ואשדי לנוקבא, ומתברכא מניה. אימתי מתברכא מניה. בשעתא דאתתקנו דינין דלתתא. וכד דינין מתתקנין לתתא, מתתקנין לעילא, וכל תקונין דמלכא, בחדוותא, בשלימו, דאינון שמא קדישא, והוה כלא חד. וכדין הוא שארי בגווייהו, דכתיב אלהים נצב בעדת אל בקרב אלהים ישפוט.

תקלז. וכד דינין לא מתתקנן לתתא, כביכול הכי לעילא. דכל תקונין לא מתיישרן הכי, דהא אימא אסתלקת מעל בנין, ובנין לא ינקי, דהא יסוד לא אשדי בנוקבא, וכל דינין מתערין, וחויא תקיפא שלטא. כביכול, תקוני מלכא על דינא אסתלקו, דכיון דהאי נוקבא לא מתברכא, וצדיק לא נטיל. וחויא תקיפא שלטא. ווי לעלמא דינקא מנייהו.

תקלח. אמר ר' אלעזר, כל הני תקונין, אבא גלי לון, בגין דלא ייעול בכסופא לעלמא דאתי. השתא אמאי אצטריכו לאתגלאה. אמר ליה ר' אבא, ההוא דאנא כתבנא מבוצינא קדישא, אמינא לגבי חבריא, דהא אינון ידעין מלין, והא אצטריך למנדע, דכתיב, וידעתם כי אני יי'. וכתיב וידעו כי אני יי'. בגין דאתיישבן מלין.

בלבנא. ומכאן ולהלאה, סתימין מלין בגוון. זכאה חולקנא בהאי עלמא, ובעלמא דאתי, דהא עד כען בוצינא קדישא אתעטר, במלין דבגוון.

תקלט. ת"ח, אנא חזינא ליה בחלמא, ושאילנא קמיה דרבי שמעון, הא אוליפנא קמיה דמר, י' דאיהי חכמה, והכי הוא ודאי. ה' אמאי איהו בינה. אמר לי, ת"ח, הא כתיב ונהר יוצא מעדן להשקות את הגן. מאן הוא נהר דיוצא מעדן דא בינה. ובג"כ ההוא נהר, י' סתים בגויה. ויו"ד פשיט נהרא דא מכל סטרוי. ודא היא ד', לבתר אפיקת בן תחותה דאיהו ו', כגוונא דא ה'. בג"כ הוא י"ה. לבתר אולידת ואפיקת האי בן, ושויה לקמה, ובגין כך יה"ו, דהא ו' לקמה יתיב, לינקא ליה. ועל כך תנינן במתניתא דילן, ה' ד' הות, מדאתחבר דכורא עמה אתעברת מחד בן, ואקרי ה'. לבתר אולידת ואפיקת ו' ההוא בן, וקאים לקמה. ועל האי כתיב, ונהר יוצא מעדן, מניה נפיק ודאי, להשקות את הגן, לינקא ליה.

תקמ. הוינא אחיד בידיה, ונשיק בידוי. אנא בהאי עדונא אתערנא, בכי וחייך, והוו תלתא יומין דלא אכילנא מידי. חד מחדוותא, וחד דלא זכינא למחמי ליה זמנא אחרא. ועם כל דא, ביה אתקשרנא תדירא. דהא כד נהירא לי שמעתתא, חמינא דיוקניה, דאתער קמאי, זכאין אינון צדיקייא, בעלמא דין, ובעלמא דאתי, עלייהו כתיב, אך צדיקים יודו לשמך ישבו ישרים את פניך. (ע"כ האידרא).

תקמא. ובכל אשר אמרתי אליכם תשמרו וגו'. מאי תשמרו, תשמורו מבעי ליה. אלא תשמרו ודאי, מאי אשר אמרתי אליכם, כלומר דאגזימית לכון על מימר פולחני. תשמרו, דלא ימטי עליכון שום ביש. תשמרו מההיא שמירה ונטורא דילי בלבד. ושם אלהים אחרים לא תזכירו, לא תזכירו כמה דאוקימנא. ד"א ושם אלהים אחרים לא תזכירו, כלומר, לא תסבבון, דתפלון ביני עממיא בארעא אחרא. ויקוים בכו מה דכתיב, ועבדת שם אלהים אחרים וגו'.

תקמב. ד"א ובכל אשר אמרתי אליכם תשמרו. רבי יהודה פתח, שמע עמי ואעידה בך וגו', לא יהיה בך אל זר וגו'. אנכי יי' אלהיך המעלך מארץ מצרים וגו'. הני קראן, אמרן דוד ברוח קודשא, ואית לאסתכל בהו. שמע עמי בכמה אתרין אזהרא אורייתא לב"נ. בכמה אתרין קב"ה אזהיר ביה בבר נש. וכלא לתועלתא דבר נש. בגין דינטר פקודי אורייתא, דכל מאן דינטר ארחוי דאורייתא, ואשתדל בה, כמאן דאשתדל בשמא קדישא.

תקמג. דתנינן, אורייתא כלא שמא דקודשא בריך הוא. ומאן דמשתדל בה, כמאן דמשתדל בשמא קדישא בגין דאורייתא כלא, חד שמא קדישא הוא. שמא עלאה, שמא דכליל כל שמהן. ומאן דגרע אות חד מינה, כאילו עביד פגימותא בשמא קדישא. תאנא, ושם אלהים אחרים לא תזכירו, לא תוסיף על אורייתא, ולא תגרע מינה. רבי חייא אמר, ושם אלהים אחרים, דא מאן דיתעסק בספרין אחרנין, דלא מסטרא דאורייתא. לא ישמע על פיך, דאסור אפילו לאדכרא לון, ולמילף מנייהו טעמא, כל שכן על אורייתא.

תקמד. רבי יהודה מתני הכי, מאי טעמא כתיב ושם אלהים אחרים, וסמיך ליה את חג המצות תשמר. אלא, מאן דלא נטיר האי, כמאן דלא נטיר מהימנותא דקודשא בריך הוא. מאי טעמא. משום דביה אחידא מלה. אמר רבי יצחק, וכן בכל

שְׁאַר זִמְנִין וְחַגִּין, דְּהָא כֻּלְּהוּ אֲחִידָן בִּשְׁמָא קַדִּישָׁא עִלָּאָה. וְעַל דָּא תָּנֵינָן, מַאי דִּכְתִּיב שָׁלֹשׁ פְּעָמִים בַּשָּׁנָה, מִשּׁוּם דִּבְהוּ תַּלְיָא מְהֵימְנוּתָא.

תקמה. יֵרָאֶה כָּל זְכוּרְךָ, אַמַּאי כָּל זְכוּרְךָ. א"ר אֶלְעָזָר כָּל זְכוּרְךָ מַמָּשׁ. בְּגִין דְּנַטְלִין בִּרְכָתָא, מִמַּבּוּעָא דְּנַחֲלָא. מִכָּאן תָּנֵינָן, כָּל בַּר יִשְׂרָאֵל דְּאִתְגְּזַר, בָּעֵי לְאִתְחֲזָאָה קָמֵי מַלְכָּא קַדִּישָׁא, בְּגִין דְּנָטִיל בִּרְכָתָא, מִמַּבּוּעָא דְּנַחֲלָא. הה"ד, כְּבִרְכַּת יְיָ' אֱלֹהֶיךָ אֲשֶׁר נָתַן לָךְ. וּכְתִיב אֶל פְּנֵי הָאָדוֹן יְיָ', כְּמָה דְּאוֹקִימְנָא, דְּמִתַּמָּן מְרִיקָן בִּרְכָאן, וְנַטְלִין בִּרְכָתָא. זַכָּאָה חוּלָקֵיהוֹן דְּיִשְׂרָאֵל, מִכָּל שְׁאַר עַמִּין.

תקמו. וּזְמְנָא חֲדָא, סַלִּיקוּ יִשְׂרָאֵל לְמֵחַג חַגָּא, וְאִתְעָרְבוּ עכו"ם בַּהֲדַיְיהוּ, וְהַהוּא שַׁתָּא לָא אִשְׁתְּכַח בִּרְכָתָא בְּעָלְמָא. אָתוּ שָׁאִילוּ לְרַב הַמְנוּנָא סָבָא, אָמַר לְהוּ, וַחֲמֵיתוּן סִימָנָא בְּקַדְמֵיתָא בְּהַאי א"ל, סִימָנָא חֲמֵינָן, דְּכַד תַּבְנָא מֵהָתָם, כָּל אָרְחִין אִסְתִּימוּ מִמַּיָּא, וַעֲנָנָא, וַחֲשׁוֹכָא אִשְׁתְּכַח, דְּלָא יַכְלִין לְמֵהַךְ כָּל אִינּוּן דְּסַלִּיקוּ לְתַמָּן. וְעוֹד, בְּשַׁעֲתָא דְּעָאלְנָא לְאִתְחֲזָאָה אֲפֵי שְׁמַיָּא אִתְחֲשָׁכוּ וְאִתְרְגִּיזוּ. אָמַר לְהוּ, וַדַּאי אוֹ אִית בֵּינַייְכוּ בְּנֵי נָשָׁא דְּלָא אִתְגְּזָרוּ, אוֹ עכו"ם סַלִּיקוּ בַּהֲדַיְיכוּ. דְּהָא לָא אִתְבָּרְכָאן בְּהַהִיא שַׁעֲתָא, בַּר מֵאִינּוּן יִשְׂרָאֵל דְּאִתְגְּזָרוּ. וּבְהַאי אָת קַדִּישָׁא מִסְתַּכֵּל קב"ה, וּבָרִיךְ לוֹן.

תקמז. לְשַׁתָּא אַחֲרָא סַלִּיקוּ, וְסַלִּיקוּ אִינּוּן עכו"ם, דְּאִתְעָרְבוּ בַּהֲדַיְיהוּ, כַּד הֲווּ אַכְלִין קָרְבְּנַיָּיא, וַהֲווּ חַדָאן. וְחָמוּ לְאִינּוּן עכו"ם, דְּטַפְסָאן בְּקוּטְרַיְיהוּ לְקוּטְרָא דְּכוּתְלָא. אַשְׁגָּחוּ בְּהוּ דְּכֻלָּא מְבָרְכִין, וְאִינּוּן לָא בְּרִיכוּ. אָתוּ וְאָמְרוּ מִלָּה לְבֵי דִּינָא, אָתוּ וְשָׁאִילוּ לוֹן, אָמְרוּ, הַאי דַּאֲכַלְתּוּן, חוּלָקָא דִּלְכוֹן, מַאן קוּרְבְּנָא הֲוָה. לָא הֲוָה בִּידַיְיהוּ. בָּדְקוּ וְאַשְׁכְּחוּ דְּאִינּוּן עכו"ם, וְקָטְלוּ לוֹן. אָמְרוּ, בְּרִיךְ רַחֲמָנָא דְּשֵׁזִיב לְעַמֵּיהּ, דְּוַדַּאי לֵית בִּרְכְתָא שַׁרְיָא, אֶלָּא בְּיִשְׂרָאֵל, זַרְעָא קַדִּישָׁא, בְּנֵי מְהֵימְנוּתָא, בְּנֵי קְשׁוֹט. וְהַהִיא שַׁתָּא אִשְׁתְּכַח בִּרְכְתָא בְּעָלְמָא, בִּשְׁלִימוּ. פָּתְחוּ וְאָמְרוּ, אַךְ צַדִּיקִים יוֹדוּ לִשְׁמֶךָ וְגוֹ'.

תקמח. ר' חִיָּיא אָמַר, בִּזְכוּת יִשְׂרָאֵל גְּזִירִין, אִתְכְּנָעוּ שַׂנְאֵיהוֹן תְּחוֹתֵיהוֹן, וְיָרְתֵי אַחֲסַנְתֵּיהוֹן. ת"ח מַה כְּתִיב, יֵרָאֶה כָּל זְכוּרְךָ. וּכְתִיב בַּתְרֵיהּ, כִּי אוֹרִישׁ גּוֹיִם מִפָּנֶיךָ וְהִרְחַבְתִּי אֶת גְּבוּלֶךָ. דְּקֻדְשָׁא בְּרִיךְ הוּא עָקַר דַּיָּירִין מֵאַתְרַיְיהוּ, וְאָתִיב דַּיָּירִין, לְאַתְרַיְיהוּ. בְּגִינֵי כַּךְ יֵרָאֶה כָּל זְכוּרְךָ אֶת פְּנֵי הָאָדוֹן יְיָ'. רַבִּי יְהוּדָה אָמַר, הָאָדוֹן. כְּמָה דִּכְתִּיב, הִנֵּה הָאָדוֹן יְיָ' צְבָאוֹת מְסָעֵף פֻּארָה וְגוֹ', וְיָצָא חוֹטֶר וְגוֹ', וְכֹלָּא חַד, מְעַקַּר דַּיָּירִין וְאָתִיב דַּיָּירִין. ר' יִצְחָק אָמַר, אִית אָדוֹן, וְאִית אָדוֹן, וְכֹלָּא בְּחַד תַּלְיָא.

תקמט. רַבִּי יְהוּדָה אָמַר, אֲדֹנָי: אָלֶף דָּלֶית נוּן יוֹד, קב"ה אִקְרֵי, וְהַהוּא דְּאִקְרֵי, כְּמָה דְּאִיהוּ כְּתִיב. וּמַאן הוּא. רַבִּי יוֹסִי אוֹמֵר, מַרְאַת אֱלֹהִים. מַרְאַת כְּתִיב. וּמַהוּ מַרְאַת. שְׁלִימוּ דְּכֹלָּא, יו"ד הֵ"א וָא"ו הֵ"א. מַרְאַת לְמַאי אִיהוּ אָלֶ"ף דָּלֶ"ת נוּ"ן יוּ"ד, הַאי אִקְרֵי כִּכְתָבוֹ, וְהַאי לָא אִקְרֵי כִּכְתָבוֹ, וּבְגִינֵי כַּךְ אִקְרֵי בְּהַאי, וְעַל כַּךְ מַרְאַת אֱלֹהִים כְּתִיב.

תקנ. רַבִּי יְהוּדָה אָמַר, לִזְמְנִין, עִלָּאִין אִקְרוּן בִּשְׁמָא דְּתַתָּאִין. וְלִזְמְנָא, תַּתָּאִין אִקְרוּן בִּשְׁמָא דְּעִלָּאִין. הָאָדוֹן יְיָ', בִּשְׁמָא עִלָּאָה אֲדֹנָי הוּא. וְהָא אוֹקִימְנָא מִלֵּי. וּבְגַוְונִין סַגִּיאִין אִתְפָּרְשָׁן מִלֵּי, וְכֹלָּא חַד. בְּרִיךְ רַחֲמָנָא בְּרִיךְ שְׁמֵיהּ לְעָלַם וּלְעָלְמֵי עָלְמִין.

תקנא. הִנֵּה אָנֹכִי שׁוֹלֵחַ מַלְאָךְ לְפָנֶיךָ וְגוֹ'. רַבִּי יִצְחָק פָּתַח, יִשָּׁקֵנִי מִנְּשִׁיקוֹת פִּיהוּ וְגוֹ'

אָמְרָה כְּנֶסֶת יִשְׂרָאֵל, יִשָּׁקֵנִי מִנְּשִׁיקוֹת פִּיהוּ. מַאי טַעְמָא יִשָּׁקֵנִי, יְאַהֲבֵנִי מִבָּעֵי לֵיהּ, אֲמַאי יִשָּׁקֵנִי. אֶלָּא הָכִי תָּנֵינָן, מַאי נְשִׁיקוֹת אַדְבְּקוּתָא דְּרוּחָא בְּרוּחָא. דִּבְגִינֵי כָּךְ נְשִׁיקָה בַּפֶּה, דְּהָא פּוּמָא אַפְּקוּתָא וּמְקוֹרָא דְּרוּחָא הוּא, וְעַל דָּא נָשְׁקִין בְּפוּמָא, בַּחֲבִיבוּתָא, וְדַבְקִין רוּחָא בְּרוּחָא, דְּלָא מִתְפָּרְשָׁן דָּא מִן דָּא.

תקנב. וְעַל דָּא מַאן דְּנָפִיק נִשְׁמָתֵיהּ בִּנְשִׁיקָה, מִתְדַּבַּק בְּרוּחָא אַחֲרָא. בְּרוּחָא דְּלָא מִתְפָּרַשׁ מִנֵּיהּ. וְהַיְינוּ אִקְרֵי נְשִׁיקָה. וְעַל דָּא אָמְרָה כְּנֶסֶת יִשְׂרָאֵל, יִשָּׁקֵנִי מִנְּשִׁיקוֹת פִּיהוּ, לְאַדְבְּקָא רוּחָא בְּרוּחָא, דְּלָא יִתְפְּרִישׁ דָּא מִן דָּא.

תקנג. כִּי טוֹבִים דֹּדֶיךָ מִיָּיִן, מַאי בָּעֵי הָכָא יַיִן, וְהָא כְּתִיב וְגַם אֵלֶּה בַּיַּיִן שָׁגוּ וְגוֹ', וּכְתִיב יַיִן וְשֵׁכָר אַל תֵּשְׁתְּ אַתָּה וּבָנֶיךָ, מַאי טַעְמָא הָכָא יַיִן. רַבִּי חִיָּיא אָמַר, מִיֵּינָהּ דְּאוֹרַיְיתָא. רַבִּי חִזְקִיָּה אָמַר, דָּא דִּכְתִיב וְיַיִן יְשַׂמַּח לְבַב אֱנוֹשׁ, וְעַל דָּא כְּתִיב, כִּי טוֹבִים דֹּדֶיךָ מִיָּיִן, לְחֶדְוָותָא דְּלִבָּא. מִיַּיִן, דְּחַדֵּי לִי יַתִּיר מִכֹּלָּא.

תקנד. רַבִּי יְהוּדָה אָמַר, כְּתִיב, וַיִּשַּׁק יַעֲקֹב לְרָחֵל וַיִּשָּׂא אֶת קוֹלוֹ וַיֵּבְךְּ, אֲמַאי קָא בָּכָה. אֶלָּא בְּאִתְדַּבְּקוּתָא דְּרוּחָא בָּהּ, לָא יָכִיל לְבָּא לְמִסְבַּל, וּבָכָה. וְאִי תֵּימָא, הָא כְּתִיב, וַיִּשָּׁקֵהוּ וַיִּבְכּוּ. תָּנֵינָן, אֲמַאי נָקוּד וַיִּשָּׁקֵהוּ, אֶלָּא דְּלָא אִתְדַּבַּק בֵּיהּ רוּחָא כְּלָל, וְעַל דָּא כְּתִיב, וְנַעְתָּרוֹת נְשִׁיקוֹת שׂוֹנֵא. מַאי וְנַעְתָּרוֹת נְשִׁיקוֹת שׂוֹנֵא. אֶלָּא מַאן דְּנָשִׁיק בַּחֲבִיבוּתָא, מִתְדַּבַּק רוּחֵיהּ בְּרוּחֵיהּ, בִּדְבֵיקוּתָא דַּחֲבִיבוּתָא וּמַאן דְּלָא נָשִׁיק בַּחֲבִיבוּתָא, לָאו בִּדְבֵיקוּתָא הוּא, אֶלָּא וְנַעְתָּרוֹת. מַאי נַעְתָּרוֹת. גַּסּוּתָא, דְּלָא דָּבִיק רוּחֵיהּ בְּהַהוּא נְשִׁיקָה. וְלָא אִתְדַּבַּק בֵּיהּ כְּלָל. וּבְגִינֵי כָּךְ כְּתִיב, יִשָּׁקֵנִי מִנְּשִׁיקוֹת פִּיהוּ, דְּהוּא דְּבֵקוּתָא רוּחָא בְּרוּחָא.

תקנה. תָּנָא, כָּל זִמְנָא דְּקוּדְשָׁא בְּרִיךְ הוּא אָזִיל בְּיִשְׂרָאֵל, כִּבְיָכוֹל אִתְדַּבַּק רוּחָא בְּרוּחָא, וְעַל דָּא כְּתִיב, וְאַתֶּם הַדְּבֵקִים בַּיְיָ', וּבְכֹל אִינּוּן גַּוְונֵי דְּבֵיקוּתָא, וְלָא מִתְפָּרְשָׁא דָּא מִן דָּא. בְּשַׁעְתָּא דְּאִתְּמַר הִנֵּה אָנֹכִי שׁוֹלֵחַ מַלְאָךְ לְפָנֶיךָ, יָדַע מֹשֶׁה דִּפְרִישׁוּתָא הוּא. אָמַר אִם אֵין פָּנֶיךָ הוֹלְכִים אַל תַּעֲלֵנוּ מִזֶּה.

תקנו. רַבִּי אַבָּא אָמַר, מַה כְּתִיב לְעֵילָּא מִן דָּא, רֵאשִׁית בִּכּוּרֵי אַדְמָתְךָ תָּבִיא בֵּית יְיָ' אֱלֹהֶיךָ לֹא תְבַשֵּׁל גְּדִי בַּחֲלֵב אִמּוֹ. מַאי קָא מַיְירֵי. אֶלָּא דְּלָא לְעָרְבָא מִלָּה תַּתָּאָה בְּעִלָּאָה, דְּלָא יִנְקָא סִטְרָא דִּלְבַר, מִסִּטְרָא פְּנִימָאָה. מַה בֵּין הַאי לְהַאי. דָּא דִּלְבַר, מִסִּטְרָא דִּמְסָאֲבָא. וְדָא דִּלְגוֹ, בְּסִטְרָא קַדִּישָׁא. מַאן אִמּוֹ. דָּא כְּנֶסֶת יִשְׂרָאֵל, דְּאִתְקְרֵי אֵם. בַּחֲלֵב אִמּוֹ, דְּלָא יָנִיק מֵהַאי סִטְרָא, מַאן דְּלָא אִצְטְרִיךְ.

תקנז. וְהָכָא כְּתִיב, הִנֵּה אָנֹכִי שׁוֹלֵחַ מַלְאָךְ לְפָנֶיךָ. אָמַר מֹשֶׁה, הָא קַבִּילְנָא בִּטְחוֹנָא מִינָּךְ, דְּלָא תִּתְפְּרַשׁ מִינָּן, וַדַּאי אִם אֵין פָּנֶיךָ הוֹלְכִים אַל תַּעֲלֵנוּ מִזֶּה. וּבַמֶּה יִוָּדַע אֵיפוֹא וְגוֹ'.

תקנח. אָמַר רַבִּי אֶלְעָזָר, מִלָּה דָּא לָא קָאָמַר קוּדְשָׁא בְּרִיךְ הוּא אֶלָּא בִּרְחִימוּתָא דְּיִשְׂרָאֵל, וּלְאִתְפַּיְּיסָא בַּהֲדַיְיהוּ. לְמַלְכָּא דַּהֲוָה בָּעֵי לְמֵיזַל עִם בְּרֵיהּ. וְלָא בָּעֵי לְשַׁבְקָא לֵיהּ. אָתָא בְּרֵיהּ, וּמִסְתַּפֵּי לְמִבְעֵי לֵיהּ לְמַלְכָּא דְּיֵיזִיל בַּהֲדֵיהּ. אַקְדִּים מַלְכָּא וְאָמַר, הָא לְגִיוֹן פְּלַן יֵיזִיל בַּהֲדָךְ, לְמִנְטַר לָךְ בְּאָרְחָא. לְבָתַר אָמַר אִסְתַּמַּר לָךְ מִנֵּיהּ, דְּהָא לָא גְּבַר שְׁלִים הוּא. אָמַר בְּרֵיהּ, אִי הָכִי, אוֹ אֲנָא אוֹתִיב הָכָא, אוֹ אַתְּ תֵּיזִיל עִמִּי, וְלָא אִתְפְּרַשׁ מִינָּךְ. כָּךְ קֻבְּ"ה, בְּקַדְמֵיתָא אָמַר, הִנֵּה אָנֹכִי שׁוֹלֵחַ מַלְאָךְ לְפָנֶיךָ לִשְׁמָרְךָ בַּדָּרֶךְ. וּלְבָתַר אָמַר הִשָּׁמֶר מִפָּנָיו וְגוֹ', בֵּיהּ שַׁעְתָּא אָמַר מֹשֶׁה, אִם אֵין פָּנֶיךָ הוֹלְכִים וְגוֹ'.

תקנט. אתא ר"ש, אשכחו להו בהאי. אמר, אלעזר ברי שפיר קאמרת. אבל ת"ח, באתר דא לא אמר משה מדי, ולא אתיב מלה לקבליה. מאי טעמא. משום דהכא לא אשתכחו פרישותא מניה. והא אוקימנא מלה דא, לגבי חבריא. ואית דמתני איפכא ולא הכי פירשוה קדמאי. וכד יסתכלון מלי כלא שפיר, וכלא בחד מלה אמרי טעמייהו.

תקס. אימתי אתיב משה. בזמנא דאמר, ושלחתי לפניך מלאך. וכתיב כי ילך מלאכי לפניך, סתם ולא פריש מלה. וע"ד כתיב, הכא, כי אם שמוע תשמע בקולו ועשית כל אשר אדבר. אשר אדבר דוקא וכתיב ואיבתי את אויביך וצרתי את צורריך, וכלא ביה תליא.

תקסא. ר' יהודה אמר, אי תימא דתרווייהו מלאך ממש, משה לא אתיב עלייהו, דלא חמא דוכתא. אימתי אתיב. בזמנא דכתיב אם אין פניך הולכים וגו'. אמר ר' שמעון, כלל דכלא, משה לא בעא מלאכא. דהא כתיב ויאמר אם נא מצאתי חן בעיניך אדני ילך נא אדני בקרבנו.

תקסב. א"ר יהודה, האי דאמר ר' אבא, דכתיב לא תבשל גדי בחלב אמו, בחלב האם מבעי ליה, מאי אמו. ואי תימא, כנסת ישראל אמו דסטרא דמסאבא, לאו הכי, דהא שמענא דאמר ר' שמעון, כנסת ישראל אימא קדישא בחולקיה דישראל אתאחדא, דכתיב כי חלק יי' עמו.

תקסג. אמר ר' שמעון, שפיר קאמרת. והא דרבי אבא שפיר וכלא דא בדא תליא. תא חזי, אמא אתאחדא להו לעילא לסטרא דא ולסטרא דא, ותרין אינון, חדא לימינא, וחדא לשמאלא. ובגיני כך, מנהון לימינא, ומנהון לשמאלא. וכלהו תליין בהאי א"ם, אמא קדישא, ואתאחדן בה.

תקסד. אימתי אתאחדן בה. בשעתא דהאי אם ינקא מסטרא אחרא, ומקדשא אסתאב, וחויא תקיפא שארי לאתגלאה, כדין גדיא ינקא מחלבא דאמיה, ודינין מתערין. ועל דא, ישראל קדמין ואייתאן בכורים, ובשעתא דמייתין להו, בעיין למימר ולמפתח ביה בלבן, דבעא בחרשוי אלין, לשלטאה ביעקב, ובזרעא קדישא, ולא אתייהיבו בידיה, ולא אתמסרן ישראל לסטרא דא. ועל דא כתיב, ראשית בכורי אדמתך וגו', לא תבשל גדי בחלב אמו. ולא ינקא ההוא סטרא, מחלבא דאמיה, דהא לא יסתאב מקדשא, ודינין לא מתערין.

תקסה. בגיני כך, לא ייכול בשרא בחלבא כל זרעא קדישא, וכל מאן דאתי מסטר דא, דלא יהיב דוכתא, למאן דלא אצטריך, דהא בעובדא תליא מלתא, בעובדא דלתתא, לאתערא לעילא. זכאין אינון ישראל מכל עמין עכו"ם, דמריהון קרי עלייהו, ובך בחר יי' להיות לו לעם סגלה. וכתיב כי עם קדוש אתה ליי' אלהיך וכתיב בנים אתם ליי' אלהיכם וגו'.

תקסו. תא חזי, בשעתא דישראל לא אתכשרו עובדייהו, מה כתיב, עמי נוגשיו מעולל ונשים משלו בו. משלו בו דייקא, והא אוקימנא מלי ברזא דספרא דשלמה מלכא. והכי אשכחן ביה. תו אשכחנא, דכל מאן דאכיל האי מיכלא דאתחבר כחדא. בשעתא חדא, או בסעודתא חדא. ארבעין יומין אתחזיא גדיא מקלסא בקלפוי, לגבי אינון דלעילא, וסיעתא מסאבא מתקרבין בהדיה, וגרים לאתערא דינין

בְּעָלְמָא, דִּינִין דְּלָא קַדִּישִׁין.

תקסז. וְאִי אוֹלִיד בַּר בְּאִינּוּן יוֹמִין, אוֹזְפִין לֵיהּ נִשְׁמְתָא, מִסִּטְרָא אַחֲרָא, דְּלָא אִצְטְרִיכָא. וּכְתִיב וְהִתְקַדִּשְׁתֶּם וִהְיִיתֶם קְדוֹשִׁים וְגוֹ'. אָתֵי לְאִסְתַּאֲבָא, מְסָאֲבִין לֵיהּ וַדַּאי. דִּכְתִּיב, וְנִטְמֵתֶם בָּם, וְחָסֵר א', מְסָאֲבוּתָא אֲטִימָא מִכֹּלָּא, דְּלֵית רְשׁוּ לְאִתְדַּכְּאָה הָכִי, כִּשְׁאָר זִינֵי דִּמְסָאֲבוּתָא דְּמִתְדַּכִּין. וְתוּ, דְּמִסְתַּפֵּי מֵזִינָן בִּישָׁן, דְּהָא בְּעֵינַיְיהוּ גַּדְיָא אִשְׁתְּכַח, וְיָכִיל לְאַתְזְקָא, דְּהָא צַלְמָא דְּבַר נָשׁ אִתְעֲבַר מִנֵּיהּ.

תקסח. רַבִּי יֵיסָא, שָׁרֵי לְמֵיכַל לְתַרְנְגוֹלָא בִּגְבִינָה אוֹ בְּחָלָבָא. אָמַר ר' שִׁמְעוֹן אָסִיר לָךְ דְּלָא יָהִיב אִינִישׁ פִּתְחָא לְזִינִין בִּישִׁין. לֵךְ לֵךְ אַמְרִין נְזִירָא, סְחוֹר סְחוֹר לְכַרְמָא לָא תִּקְרַב. וַדַּאי אָסִיר לָךְ הוּא, דְּחוּמְרָא אִית בֵּיהּ, כִּבְעִירָא לַשְׁחִיטָה. וּמַאן דְּשָׁרֵי הַאי, מַה כְּתִיב וַתַּשְׁקוּ אֶת הַנְּזִירִים יָיִן, מַאן דְּשָׁרֵי הַאי, כְּמַאן דְּשָׁרֵי הַאי. וּכְתִיב לֹא תֹאכַל כָּל תּוֹעֵבָה, כֹּל, לְאַכְלָלָא כֹּלָּא.

תקסט. תָּאנָא, בְּמָה זָכוּ דָּנִיאֵל וַחֲנַנְיָה מִישָׁאֵל וַעֲזַרְיָה, דְּאִשְׁתְּזִיבוּ מֵאִינּוּן נִסְיוֹנֵי, אֶלָּא בְּגִין דְּלָא אִסְתָּאֲבוּ בְּמֵיכְלֵיהוֹן. אָמַר ר' יְהוּדָה, כְּתִיב וַיָּשֶׂם דָּנִיֵּאל עַל לִבּוֹ אֲשֶׁר לֹא יִתְגָּאַל בְּפַת בַּג הַמֶּלֶךְ וְגוֹ'. וְתָאנָא בִּסְתִימָא דְּמַתְנִיתִין, מֵיכְלָא דְּהַהוּא רָשָׁע, בִּשְׂרָא בְּחָלָבָא הֲוָה וּגְבִינָה עִם בִּשְׂרָא, בַּר מֵיכְלָן אַחֲרָנִין, וְדָא סָלִיק לֵיהּ בְּפָתוּרֵיהּ, בְּכָל יוֹמָא.

תקע. וְדָנִיֵּאל דְּאִסְתְּמַר מֵהַאי, כַּד רָמוּ יָתֵיהּ לְגוֹבָא דְּאַרְיָוָותָא, אִשְׁתְּלִים בְּצוּלְמָא דְּמָארֵיהּ, וְלָא שָׁנֵי צוּלְמֵיהּ לְצוּלְמָא אָחֳרָא, וְעַל דָּא דְּחָלוּ אַרְיָוָותָא מִנֵּיהּ, וְלָא חַבְּלוּהוּ. וְהַהוּא רָשָׁע, בְּשַׁעֲתָא דְּמַלְכוּתָא אִתְעֲדֵי מִנֵּיהּ, וְעִם חֵיוַת בָּרָא הֲוָה מְדוֹרֵיהּ, אַעֲדֵי צוּלְמָא דְּאַנְפּוֹי מִנֵּיהּ, וּמֵהַהוּא יוֹמָא, לָא אִתְחֲזֵי צוּלְמֵיהּ צוּלְמָא דְּבַר נָשׁ, וְכָל בְּעִירָא דְּאָתֵי, אִתְחֲזֵי לֵיהּ, צוּלְמָא דְּזִינֵיהּ, וְנוּקְבֵיהּ, וַהֲווֹ אַתְיָין עָלֵיהּ כֻּלְּהוּ, וּבְכַמָּה זִמְנִין הֲווֹ אַכְלִין לֵיהּ חֵיוַת בָּרָא, בַּר דְּאִתְגְּזַר הַאי עוֹנְשָׁא עָלֵיהּ, בְּגִין דִּכְתִּיב, וְהוּא בַּמְּלָכִים יִתְקַלָּס, בְּגִין כָּךְ, כֹּלָּא יִתְקַלְּסוּ בֵּיהּ, כָּל הַהוּא זִמְנָא.

תקעא. תָּא חֲזֵי, מַה כְּתִיב, וּלְמִקְצָת יָמִים עֲשָׂרָה נִרְאָה מַרְאֵיהֶן טוֹב מִכָּל הַיְלָדִים הָאוֹכְלִים אֶת פַּת בַּג הַמֶּלֶךְ. נִרְאָה מַרְאֵיהֶן טוֹב, דְּצוּלְמָא דְּמָארֵיהוֹן לָא אַעֲדִיאוּ מִנַּיְהוּ, וּמֵאַחֲרָנֵי אַעֲדִיאוּ. מַאן גָּרִים הַאי. בְּגִין דְּלָא אִתְגָּעֲלוּ בְּגִיעוּלֵי מֵיכְלֵיהוֹן. זַכָּאָה חוּלָקֵהוֹן דְּיִשְׂרָאֵל, דִּכְתִּיב בְּהוּ, וְאַנְשֵׁי קֹדֶשׁ תִּהְיוּן לִי.

תקעב. וְאֶל מֹשֶׁה אָמַר עֲלֵה אֶל יְיָ' וְגוֹ'. וְאֶל מֹשֶׁה אָמַר, מַאן אָמַר. דָּא שְׁכִינְתָּא. עֲלֵה אֶל יְיָ', כְּמָה דִּכְתִּיב, וּמֹשֶׁה עָלָה אֶל הָאֱלֹהִים וְגוֹ'. אֲמַאי כָּל דָּא, לְקַיְּימָא עִמְּהוֹן קַיָּים, בְּגִין דְּהָא אִתְפְּרָעוּ, מַה דְּלָא נָפְקוּ הָכִי מִמִּצְרַיִם, דְּאִתְגְּזָרוּ, וְלָא אִתְפְּרָעוּ, וְהָכָא הָא אִתְפְּרָעוּ, וְעָאלוּ בִּבְרִית קַיָּימָא, דִּכְתִּיב שָׂם שָׂם לוֹ חֹק וּמִשְׁפָּט. וְשָׁם נִסָּהוּ, בְּהַאי אָת קַדִּישָׁא, דְּאִתְגַּלְיָיא בְּהוּ, וְהָכָא אִתְקַיַּים בְּהוּ, עַל יְדָא דְּמֹשֶׁה גְּזִירָה דְּקַיָּימָא, דִּכְתִּיב, וַיִּקַּח מֹשֶׁה אֶת הַדָּם וַיִּזְרֹק עַל הָעָם וְגוֹ'.

תקעג. א"ר יִצְחָק מַאי דִּכְתִּיב, וַחֲצִי הַדָּם זָרַק עַל הַמִּזְבֵּחַ, בַּמִּזְבֵּחַ לָא כְּתִיב, אֶלָּא עַל הַמִּזְבֵּחַ דַּיְיקָא. וְהִשְׁתַּחֲוִיתֶם מֵרָחוֹק, מַהוּ מֵרָחוֹק. כד"א מֵרָחוֹק יְיָ' נִרְאָה לִי. וּכְתִיב, וַתֵּתַצַּב אֲחוֹתוֹ מֵרָחוֹק. תָּאנֵי ר' אַבָּא, דְּקַיְּימָא סִיהֲרָא בִּפְגִימוּתָא, וּבֵיהּ שַׁעֲתָא, זָכוּ יִשְׂרָאֵל יַתִּיר בְּחוּלָקָא קַדִּישָׁא, וְגָזְרוּ קַיָּימָא קַדִּישָׁא בְּקֻבָּ"ה.

תקעד. וְאֶל מֹשֶׁה אָמַר עֲלֵה אֶל יְיָ'. מ"ט. אָמְרָה לֵיהּ שְׁכִינְתָּא, אִסְתַּלִּיק לְעֵילָּא, דְּהָא אֲנָא וְיִשְׂרָאֵל, נִשְׁתַּתֵּף כַּחֲדָא בִּשְׁלִימוּתָא עַל יְדָךְ, מַה דְּלָא הֲוָה עַד הָכָא. מַה

כְּתִיב וַיִּקַּח מֹשֶׁה חֲצִי הַדָּם וְגוֹ', פָּלַג לֵיהּ לִתְרֵין. חֲצִי הַדָּם זָרַק עַל הָעָם, וַחֲצִי הַדָּם זָרַק עַל הַמִּזְבֵּחַ, כְּמָה דְּאוֹקִימְנָא. וּכְתִיב, הִנֵּה דַם הַבְּרִית אֲשֶׁר כָּרַת יְיָ' עִמָּכֶם. וַיָּשֶׂם בָּאַגָּנֹת, בְּאַגָּנַת כְּתִיב, חָסֵר וָא"ו. כְּמָה דִּכְתִיב, שָׁרְרֵךְ אַגַּן הַסַּהַר אַל יֶחְסַר הַמָּזֶג.

תקעה. וְנִגַּשׁ מֹשֶׁה לְבַדּוֹ אֶל יְיָ', זַכָּאָה חוּלָקֵיהּ דְּמֹשֶׁה, דְּהוּא בִּלְחוֹדוֹי, זָכָה לְמָה דְּלָא זָכָה בַּר נָשׁ אַחֲרָא. יִשְׂרָאֵל זָכוּ הַשְׁתָּא, מַה דְּלָא זָכוּ עַד הַהִיא שַׁעֲתָא. וְהַהִיא שַׁעֲתָא, אִתְקְיָּימוּ, בְּקִיּוּמָא עִלָּאָה קַדִּישָׁא. וּבְהַהוּא שַׁעֲתָא אִתְבַּשְּׂרוּ לְמֶהֱוֵי בֵּינַיְיהוּ מַקְדְּשָׁא, כד"א, וְעָשׂוּ לִי מִקְדָּשׁ וְשָׁכַנְתִּי בְּתוֹכָם.

תקעו. וַיִּרְאוּ אֵת אֱלֹהֵי יִשְׂרָאֵל וְתַחַת רַגְלָיו כְּמַעֲשֵׂה לִבְנַת הַסַּפִּיר וְגוֹ'. רַבִּי יְהוּדָה פָּתַח, זֹאת קוֹמָתֵךְ דָּמְתָה לְתָמָר וְגוֹ', כַּמָּה חֲבִיבָה כְּנֶסֶת יִשְׂרָאֵל קָמֵי קֻבְּ"ה, דְּלָא מִתְפָּרְשָׁא מִנֵּיהּ, כְּהַאי תָּמָר, דְּלָא פָּרִישׁ דְּכַר מִן נוּקְבָּא לְעָלְמִין, וְלָא סָלִיק, דָּא בְּלָא דָּא. כַּךְ כְּנֶסֶת יִשְׂרָאֵל, לָא מִתְפָּרְשָׁא מִקֻּבְּ"ה.

תקעז. תָּא חֲזֵי, בְּשַׁעֲתָא דְּנָדָב וַאֲבִיהוּא חָמוּ, וְשַׁבְעִין סָבִין. מַה כְּתִיב בְּהוּ. וַיִּרְאוּ אֵת אֱלֹהֵי יִשְׂרָאֵל. דְּאִתְגְּלֵי עֲלַיְיהוּ שְׁכִינְתָּא. רַבִּי יְהוּדָה וְרַבִּי יוֹסֵי אַמְרֵי, אֶת דַּיְיקָא. וְדָא אֶת, הוּא מַרְזוֹק. אֶת לְאַכְלְלָא מַה דִּי בְּגַוֵּיהּ.

תקעח. רַבִּי יִצְחָק אָמַר, וְהָא כְּתִיב הִיא הַחַיָּה אֲשֶׁר רָאִיתִי תַּחַת אֱלֹהֵי יִשְׂרָאֵל בִּנְהַר כְּבָר, מַאן חַיָּה דָּא. א"ר יוֹסֵי אָמַר רַבִּי חִיָּיא, חַיָּה זוּטַרְתִּי. וְכִי אִית חַיָּה זוּטַרְתִּי, אִין. חַיָּה זוּטַרְתִּי, וְחַיָּה עִלָּאָה. וְחַיָּה זוּטְרָא דְּזוּטַרְתִּי.

תקעט. וַיִּרְאוּ אֵת אֱלֹהֵי יִשְׂרָאֵל, דַּיְיקָא, כְּמָה דַּאֲמִינָא. וְתַחַת רַגְלָיו כְּמַעֲשֵׂה לִבְנַת הַסַּפִּיר, כְּחֵיזוּ אֶבֶן טָבָא, דְּזַמִּין קוּדְשָׁא בְּרִיךְ הוּא לְמִבְנֵי מַקְדְּשָׁא, דִּכְתִיב וִיסַדְתִּיךְ בַּסַּפִּירִים.

תקפ. וְאֶל אֲצִילֵי בְּנֵי יִשְׂרָאֵל, דָּא נָדָב וַאֲבִיהוּא. לֹא שָׁלַח יָדוֹ, דְּסָלִיק לוֹן לְבָתַר זִמְנָא, וְלָא אִתְעֲנָשׁוּ הָכָא. רַבִּי יוֹסֵי אָמַר, מִלָּה דָּא, לְשִׁבְחָא דִּלְהוֹן, דִּכְתִיב וַיֹּאכְלוּ וַיִּשְׁתּוּ דְּזָנוּ עֵינַיְיהוּ, מִנְּהִירוּ דָּא. רַבִּי יְהוּדָה אָמַר, אֲכִילָה וַדָּאִית אָכְלוּ, וְזָנוּ גַּרְמַיְיהוּ, וְהָכָא אִתְקַשָּׁרוּ לְעֵילָּא, אִי לָא דִּסְטוּ אוֹרְחַיְיהוּ לְבָתַר, כְּמָה דְּאוֹקִימְנָא.

תקפא. אָמַר רַבִּי אֶלְעָזָר, וַאֲפִילוּ יִשְׂרָאֵל, בְּהַהִיא שַׁעֲתָא אִתְכַּשָּׁרוּ, וְאִתְקַשְּׁרַת בְּהוּ שְׁכִינְתָּא. וְדָא קַיְּימָא, וְאוֹרַיְיתָא כֹּלָּא, בְּחַד זִמְנָא הֲוָה. וְיִשְׂרָאֵל כְּהַהִיא שַׁעֲתָא לָא חָמוּ לְעָלְמִין. וּלְזִמְנָא דְּאָתֵי, זַמִּין קֻבְּ"ה לְאִתְגַּלָּאָה עַל בְּנוֹי, וּלְמֶחֱמֵי כֹּלָּא יְקָרָא דִּילֵיהּ עֵינָא בְּעֵינָא, דִּכְתִיב כִּי עַיִן בְּעַיִן יִרְאוּ בְּשׁוּב יְיָ' צִיּוֹן. וּכְתִיב, וְנִגְלָה כְּבוֹד יְיָ' וְרָאוּ כָל בָּשָׂר יַחְדָּו וְגוֹ'.

TERUMA

תְּרוּמָה

א. וַיְדַבֵּר יְיָ' אֶל מֹשֶׁה לֵּאמֹר. דַּבֵּר אֶל בְּנֵי יִשְׂרָאֵל וְיִקְחוּ לִי תְּרוּמָה מֵאֵת כָּל אִישׁ אֲשֶׁר יִדְּבֶנּוּ לִבּוֹ וְגוֹ'. רַבִּי חִיָּיא פָּתַח, כִּי יַעֲקֹב בָּחַר לוֹ יָהּ יִשְׂרָאֵל לִסְגֻלָּתוֹ, כַּמָּה חֲבִיבִין יִשְׂרָאֵל קָמֵי קֻבְּ"ה, דְּאִתְרְעֵי בְּהוּ, וּבָעָא לְאִתְדַּבְּקָא בְּהוּ, וּלְאִתְקַשְּׁרָא עִמְּהוֹן. וְעָבֵד לְהוֹן עַמָּא יְחִידָאי בְּעָלְמָא, דִּכְתִּיב וּמִי כְּעַמְּךָ כְּיִשְׂרָאֵל גּוֹי אֶחָד בָּאָרֶץ, וְאִינּוּן אִתְרְעוּ בֵּיהּ, וְאִתְקַשְּׁרָן בֵּיהּ. הה"ד, כִּי יַעֲקֹב בָּחַר לוֹ יָהּ. וּכְתִיב כִּי חֵלֶק יְיָ' עַמּוֹ. וְיָהַב לִשְׁאַר עַמִּין שׁוּלְטָנִין רַבְרְבָן מְמַנָּן עֲלַיְיהוּ, וְהוּא נָטִיל לְחוּלָקֵיהּ יִשְׂרָאֵל.

ב. ר"ש פָּתַח, מִי זֹאת הַנִּשְׁקָפָה כְּמוֹ שָׁחַר יָפָה כַלְּבָנָה בָּרָה כַּחַמָּה אֲיֻמָּה כַּנִּדְגָּלוֹת. מִי זֹאת, רָזָא דִּתְרֵין עָלְמִין מִתְחַבְּרָן כַּחֲדָא, וְדָא הוּא עוֹלָם וְעוֹלָם. מ"י: הָא אוֹקִימְנָא דַּרְגָּא עִלָּאָה לְעֵילָּא, שֵׁירוּתָא דְּקַיְּימָא בִּשְׁאֶלְתָּא, וְאִקְרֵי מ"י, כד"א שְׂאוּ מָרוֹם עֵינֵיכֶם וּרְאוּ מִי בָרָא אֵלֶּה. זא"ת: דַּרְגָּא תַּתָּאָה לְתַתָּא, עָלְמָא תַּתָּאָה. וְתַרְוַויְיהוּ, תְּרֵין עָלְמִין בְּחִבּוּרָא חֲדָא, בְּקִשּׁוּרָא חֲדָא כַּחֲדָא.

ג. הַנִּשְׁקָפָה: כַּד מִתְחַבְּרָן תַּרְוַויְיהוּ כַּחֲדָא. כְּמוֹ שָׁחַר: כַּד בָּעְיָיא שַׁחֲרוּתָא לְאַנְהָרָא וּלְבָתַר אִתְנְהִיר כְּסִיהֲרָא, כַּד בָּטַשׁ בָּהּ נְהִירוּ דְשִׁמְשָׁא. וּלְבָתַר כְּשִׁמְשָׁא, כַּד קַיְּימָא סִיהֲרָא בִּשְׁלִימוּ. אֲיֻמָּה: תַּקִּיפָא, לְאַגָּנָא עַל כֹּלָּא. דְּהָא כְּדֵין אִית לָהּ שְׁלִימוּ וְתֻקְפוּ, לְמֶעְבַּד חֵילָא.

ד. וְנַטְלָא חֵילָא מֵעָלְמָא עִלָּאָה, עַל יְדָא דְּיַעֲקֹב שְׁלֵימָא, דְּחִבֵּר לוֹן כַּחֲדָא. חִבֵּר לוֹן כַּחֲדָא לְעֵילָּא. וְחִבֵּר לוֹן כַּחֲדָא לְתַתָּא. וּמִתַּמָּן נָפְקוּ, תְּרֵיסַר שִׁבְטִין קַדִּישִׁין, כְּגַוְונָא דִּלְעֵילָּא. יַעֲקֹב דַּהֲוָה שְׁלִים, אָעִיל רְחִימוּ בִּתְרֵין עָלְמִין, כְּמָה דְּאוֹקִימְנָא. שְׁאַר בְּנֵי נָשָׁא דְּעַבְדִין כְּדֵין מְגַלִּין עֶרְיָין לְעֵילָּא וְתַתָּא, גָּרִים דְּבָבוּ בִּתְרֵין עָלְמִין, וְגָרִים פֵּרוּדָא, הה"ד וְאִשָּׁה אֶל אֲחוֹתָהּ לֹא תִקָּח לִצְרוֹ"ר, דְּאִתְעֲבִידוּ מָארֵי דְּבָבוּ דָּא לְדָא.

ה. וְאִי תֵּימָא וְהָא יַעֲקֹב רָחֵל בַּאֲחוֹתָהּ. הָכִי הוּא וַדַּאי דְּהָא עָלְמָא תַּתָּאָה, כָּל תֵּיאוּבְתֵּהּ לָאו אִיהוּ, אֶלָּא בְּגִין לְמֶהֱוֵי כְּגַוְונָא דְּעָלְמָא עִלָּאָה, וּלְמֵירַת דּוּכְתָּהָא. בְּדוּכְתָּא אַחֲרָא קָנְאַת סוֹפְרִים אַסְגִּיאַת חָכְמְתָא, וְהָכָא קִנְאַת סוֹפְרִין, בְּגִין דְּאִית סֵפֶר וְסֵפֶר, אַסְגִּיאוּ מְשִׁיכוּ דְּחָכְמְתָא לְגַבַּיְיהוּ.

ו. ועכ"ד, אֲפִילוּ יַעֲקֹב לָא אַשְׁלִים לְגַבַּיְיהוּ כַּדְקָא חֲזֵי. שְׁאַר בְּנֵי עָלְמָא, גַּרְמִין דְּבָבוּ, וְגַרְמִין פֵּרוּדָא, וּמְגַלִּין עֶרְיָין דְּכֹלָּא, עֶרְיָין דְּעֵילָּא וְתַתָּא. וּבְרָזָא דָּא אִית רָזָא דְּעֶרְיָין, עֶרְיָין דְּאִימָּא וּבְרַתָּא, וְכֹלָּא בְּרָזָא חֲדָא. מִי זֹאת אִתְקְרוּן אֲחָתָן, בְּגִין דְּאִינּוּן בְּאַחֲוָה וּבִרְחִימוּ, וּבְחִבּוּרָא דִּרְעוּתָא. וְאִקְרוּן אִמָּא וּבְרַתָּא. מַאן דְּגַלֵּי עֶרְיָיתְהוֹן, לֵית לֵיהּ חוּלָקָא לְעָלְמָא דְּאָתֵי, וְלֵית לֵיהּ חוּלָקָא בִּמְהֵימְנוּתָא.

ז. ת"ח, כִּי יַעֲקֹב בָּחַר לוֹ יָהּ, רָזָא עִלָּאָה לְעֵילָּא. כֵּיוָן דְּאַשְׁלִים, וְאִקְרֵי יִשְׂרָאֵל, כ

דֵּין לִסְגֻלָּתוֹ, נָטִיל כֹּלָּא בְּכָל סִטְרִין, וְנָטִיל לְעֵילָּא וְנָטִיל לְתַתָּא, וְאִשְׁתְּלִים בְּכֹלָּא.

ו. א״ר שִׁמְעוֹן, הָא תָּנֵינָן, דְּכַד בָּרָא קב״ה עָלְמָא, גָּלִיף בִּגְלִיפוֹי רָזֵי מְהֵימְנוּתָא, גּוֹ טְהִירִין בְּרָזִין עִלָּאִין, וְגָלִיף לְעֵילָּא וְגָלִיף לְתַתָּא, וְכֹלָּא בְּרָזָא וְחֲדָא, בְּרָזָא דִּגְלוּפֵי דִּשְׁמָא קַדִּישָׁא ידו״ד, דְּשַׁלִּיט בְּאַתְווֹי עֵילָּא וְתַתָּא. וּבְרָזָא דָּא אִשְׁתַּכְלָלוּ עָלְמִין, עָלְמָא עִלָּאָה וְעָלְמָא תַּתָּאָה.

ט. עָלְמָא עִלָּאָה אִשְׁתַּכְלַל בְּרָזָא דְּאָת י׳, נְקוּדָה עִלָּאָה קַדְמָאָה, דְּנָפְקָא מִגּוֹ דְּסָתִים וְגָנִיז דְּלָא יְדִיעַ, וְלָא קַיְּימָא לְמִנְדַּע, וְלָא אִתְיְידַע כְּלַל, סְלִיקוּ דְּרָזָא דְּאֵין סוֹף, וּמִגּוֹ סְתִימוּ דָּא, נָהִיר נְהִירוּ וְחַד דָּקִיק וְסָתִים, כָּלִיל בְּגַוֵּיהּ כְּלָלָא דְּכָל נְהוֹרִין. וּבְהַהוּא נְהִירוּ סָתִים, בָּטַשׁ בֵּיהּ מַאן דְּלָא בָּטַשׁ. נָהִיר בֵּיהּ מַאן דְּלָא נָהִיר. וּכְדֵין, אַפִּיק וְחַד נְהִירוּ, דְּאִיהוּ עִדּוּנָא לְעִדּוּנָא, לְאִשְׁתַּעְשְׁעָא, לְאִתְגַּנְּזָא נְהִירוּ דָּקִיק, וְסָתִים בְּגוֹ הַהוּא נְהִירוּ.

י. וְהַהוּא נְהִירוּ דְּאִיהוּ עִדּוּנָא לְעִדּוּנָא, סָתִים, אִתְקַיְּימוּ וְאִשְׁתַּכְלָלוּ בֵּיהּ שִׁית רְשִׁימִין, דְּלָא יְדִיעָן, בַּר לְהַהוּא נְהוֹרָא דָּקִיק כַּד עָאל לְאִתְגַּנְּזָא, עִדּוּנָא בְּעִדּוּנָא נָהִיר בִּנְהִירוּ.

יא. וְהַאי נְהִירוּ דְּנָפַק מִגּוֹ נְהִירוּ דָּקִיק אִיהוּ דְּחִילָא וְאֵימְתָנֵי וְתַקִּיפָא יַתִּירָא, וְאִתְפְּשַׁט הַאי וְאִתְעֲבֵיד עָלְמָא וְחֲדָא, דְּנָהִיר לְכָל עָלְמִין. עָלְמָא סְתִימָא דְּלָא יְדִיעַ כְּלָל, וּבְגַוֵּיהּ דַּיְירִין שִׁית רִבּוֹא אֶלֶף, דְּאִינּוּן דַּיְירִין וְחֵילִין וּמַשִּׁירְיָין עִלָּאִין.

יב. וְכֵיוָן דְּאַפִּיק לוֹן וְאִשְׁתַּכְלָלוּ כַּחֲדָא כְּדֵין אִיהוּ וְחִבּוּרָא וְחֲדָא. וְאִינּוּן רָזָא דְּאָת ו״ו, דְּאִתְחַבַּר בְּהַהוּא עָלְמָא סְתִימָא, וּכְדֵין כְּתִיב, כִּי יַעֲקֹב בָּחַר לוֹ יָהּ. כַּד נָפִיק ו״ו, וְאִשְׁתַּכְלַל מִגּוֹ יָ״הּ, כְּדֵין יִשְׂרָאֵל לִסְגֻלָּתוֹ.

יג. שְׁאַר בְּנֵי עָלְמָא, לָא אִתְיְיהִיב לוֹן רְשׁוּ לְסַלְקָא הָכִי, אֶלָּא לִסְגֻלָּתוֹ, אֲתַר דְּנָטִיל וְכָנִישׁ כֹּלָּא. וְדָא אִיהוּ דַּרְגָּא לְתַתָּא, וּמִגּוֹ דָּא, נַטְלִין לְעֵילָּא, בִּסְתִימוּ דִּרְעוּ, אֲבָל לָא בְּאִתְגַּלְיָא, כְּמָה דְּנָטִיל יַעֲקֹב, הה״ד וְיִקְחוּ לִי תְּרוּמָה.

יד. וְיִקְחוּ לִי תְּרוּמָה. רַבִּי יְהוּדָה פָּתַח, מָה רַב טוּבְךָ אֲשֶׁר צָפַנְתָּ לִּירֵאֶיךָ פָּעַלְתָּ לַחוֹסִים בָּךְ נֶגֶד בְּנֵי אָדָם. הַאי קְרָא הָא אוּקְמוּהָ וְאִתְּמַר. אֲבָל רָזָא דָּא, הָא אוּקְמוּהָ בּוֹצִינָא קַדִּישָׁא, גּוֹ רָזִין עִלָּאִין.

טו. דַּרְגָּא עִלָּאָה, דְּאִיהוּ רָזָא דְּעָלְמָא עִלָּאָה, אִקְרֵי מִ״י. דַּרְגָּא תַּתָּאָה, דְּאִיהוּ רָזָא דְּעָלְמָא תַּתָּאָה, אִקְרֵי מַ״ה. וְתָנֵינָן, אַל תִּקְרֵי מַ״ה אֶלָּא מֵאָה, בְּגִין דְּכָל דַּרְגִּין עִלָּאִין בְּאַשְׁלָמוּתְהוֹן הָכָא אִינּוּן.

טז. תּוּ אֲמַאי אִקְרֵי מַ״ה. אֶלָּא אע״ג דְּמְשִׁיכוּ עִלָּאָה אִתְמְשַׁךְ, לָא אִתְגַּלְיָא עַד דְּאִשְׁתְּלִים הָכָא, דְּאִיהוּ אֲתַר סוֹפָא דְּכָל דַּרְגִּין, סוֹפָא דַּאֲמְשָׁכוּתָא דְּכֹלָּא, וְקַיְּימָא בְּאִתְגַּלְיָא. וְאע״ג דְּאִתְגַּלְיָא יַתִּיר מִכֹּלָּא, קַיְּימָא לְשְׁאֵלָא, מַ״ה. מַה חֲמֵית, מַה יְדַעְתְּ, כד״א כִּי לֹא רְאִיתֶם כָּל תְּמוּנָה.

יז. וּבְגִין כַּךְ, מָה, רַב טוּבְךָ, דָּא אִיהוּ יְסוֹדָא דְּעָלְמָא, דְּאִקְרֵי רַב טוּב. כד״א וְרַב טוּב לְבֵית יִשְׂרָאֵל בְּגִין דְּהַאי אִיהוּ רַב טוּב. אוֹר קַדְמָאָה, אִקְרֵי טוּב סְתָם, וְהָכָא כְּלִילָן דְּכַר וְנוּקְבָא כַּחֲדָא. אֲשֶׁר צָפַנְתָּ, דְּהַאי אִתְגְּנִיז, כְּגַוְונָא דְּאוֹר קַדְמָאָה, דְּאִתְגְּנִיז וְאִתְטְמַר. פָּעַלְתָּ: דְּהָכָא אִיהוּ אוּמָנוּתָא דְּכֹלָּא, אוּמָנוּתָא דְּכָל עָלְמָא, אוּמָנוּתָא דְּנִשְׁמָתִין וְרוּחִין.

יח. בְּרָזָא דָּא עָבֵיד קב״ה אוּמָנוּתָא דְּכָל עָלְמָא, וְרָזָא דָּא בְּרֵאשִׁית בָּרָא אֱלֹהִים אֵת הַשָּׁמַיִם וְאֵת הָאָרֶץ. בְּרָזָא דָּא אִתְעֲבֵיד מַשְׁכְּנָא וְאִתְבְּנֵי, דְּאִיהוּ בִּדְיוּקְנָא דְּעָלְמָא דִּלְעֵילָּא, וּבִדְיוּקְנָא דְּעָלְמָא תַּתָּאָה, הה״ד וְיִקְחוּ לִי תְּרוּמָה. לִי. תְּרוּמָה. תְּרֵין דַּרְגִּין,

דְּאִינּוּן חַד, דְּמִתְחַבְּרָן כַּחֲדָא.

יט. וְיִקְחוּ לִי תְּרוּמָה וְגוֹ׳. רַבִּי שִׁמְעוֹן וְרַבִּי אֶלְעָזָר וְר׳ אַבָּא וְר׳ יוֹסִי, הֲווּ יָתְבֵי יוֹמָא חַד, תְּחוֹת אִילָנֵי, בְּבִקְעָתָא גַּבֵּי יַמָּא דְּגִנּוֹסַר. אָמַר רַבִּי שִׁמְעוֹן, כַּמָּה יָאֶה צִלָּא דָּא, דְּחַפְיָא עֲלָן מִגּוֹ אִילָנֵי, וַאֲנָן צְרִיכִין לְאַעְטְרָא הַאי אֲתַר בְּמִלֵּי דְּאוֹרַיְיתָא.

כ. פָּתַח רַבִּי שִׁמְעוֹן וְאָמַר, אַפִּרְיוֹן עָשָׂה לוֹ הַמֶּלֶךְ שְׁלֹמֹה מֵעֲצֵי הַלְּבָנוֹן. הַאי קְרָא הָא אוֹקִימְנָא לֵיהּ וְאִתְּמַר, אֲבָל אַפִּרְיוֹן, דָּא הֵיכָלָא דִּלְתַתָּא, דְּאִיהוּ כְּגַוְונָא דְּהֵיכָלָא עִלָּאָה, וְקוּדְשָׁא בְּרִיךְ הוּא קָרָא לֵיהּ גִּנְתָּא דְּעֵדֶן, דְּאִיהוּ נָטַע לֵיהּ לַהֲנָאָתֵיהּ, וְכִסּוּפָא דִּילֵיהּ לְאִשְׁתַּעְשְׁעָא בֵּיהּ גּוֹ אִינּוּן נִשְׁמָתִין דְּצַדִּיקַיָּיא, דְּתַמָּן כֻּלְּהוּ קַיְימִין וּרְשִׁימִין בְּגַוֵּיהּ. אִינּוּן נִשְׁמָתִין דְּלֵית לוֹן גּוּפָא בְּהַאי עָלְמָא, כֻּלְּהוּ סַלְּקִין וּמִתְעַטְּרָן תַּמָּן, וְאִית לוֹן דּוּכְתִּין לְמֶחֱזֵי, לְאִתְעַנְּגָא גּוֹ עִנּוּגָא עִלָּאָה דְּאִקְרֵי נֹעַם יְיָ׳. וְתַמָּן אִתְמַלְיָין מִכָּל כִּסּוּפִין דְּנַהֲרֵי דְּאֲפַרְסְמוֹנָא דַּכְיָא.

כא. אֲפַרְסְמוֹן: דָּא הֵיכָלָא עִלָּאָה טְמִירָא גְּנִיזָא. אַפִּרְיוֹן: דָּא הֵיכָלָא דִּלְתַתָּא, דְּלֵית בֵּיהּ סָמֶךְ, עַד דְּאִסְתְּמִיךְ מִגּוֹ הֵיכָלָא עִלָּאָה. וּבְגִּין כַּךְ אָת סָמֶךְ אִיהוּ סָתִים בְּכָל סִטְרוֹי, כְּגַוְונָא דָּא אָת סְתִימָא.

כב. מַה בֵּין הַאי לְהַאי. אֶלָּא בְּשַׁעְתָּא דְּסָתִים וְאִתְגְּנִיז בְּגַוֵּיהּ, גּוֹ נְהוֹרָא עִלָּאָה לְעֵילָּא, כְּדֵין אִיהִי קַיְּימָא, בִּדְיוֹקְנָא דְּאָת סָמֶךְ סָתִים בְּגַוֵּיהּ, וְאִתְגְּנִיז בֵּיהּ, לְסַלְּקָא לְעֵילָּא. וּבְשַׁעְתָּא דְּהַדְרָא וְיָתְבָא רְבִיעָא עַל בְּנִין לְתַתָּא לְיַנְקָא לוֹן, כְּדֵין אִיהִי קַיְּימָא בִּדְיוֹקְנָא דְּאָת ם רְבִיעָא סְתִימָא לְגוֹ אַרְבַּע סִטְרִין דְּעָלְמָא.

כג. וְעַל דָּא, דָּא אִיהוּ אֲפַרְסְמוֹן, וְדָא הוּא אַפִּרְיוֹן. וּבַאֲתַר תְּרֵין אַתְוָון ס״מ, קַיְּימָא י׳, בְּרָזָא דִּבְרִית, דְּאִיהוּ זַמִּין לְנַטְלָא כֹּלָּא, רָזָא דְּאִינּוּן מֵאָה בִּרְכָאן, שִׁתִּין וְאַרְבְּעִין. שִׁתִּין, לְקַבֵּל שִׁית סִטְרִין, דְּנַפְקֵי מֵאָת ס׳. אַרְבְּעִין, לְקָבֵל ד׳ סִטְרֵי עָלְמָא, וְכֹלָּא אַשְׁלִימוּ לְמֵאָה. וְאָת יו״ד, אִיהוּ אַשְׁלִים לְרָזָא דְּמֵאָה, כְּגַוְונָא דִּלְעֵילָּא. וע״ד, דָּא אֲפַרְסְמוֹן, וְדָא אַפִּרְיוֹן.

כד. אִינּוּן נַהֲרֵי נָפְקִין מֵאֲפַרְסְמוֹן דָּא, וְנִשְׁמָתִין עִלָּאִין, דְּלֵית לוֹן גּוּפָא בְּהַאי עָלְמָא, יַנְקִין מֵהַהוּא נְהִירוּ דְּנָפִיק מֵאִינּוּן נַהֲרֵי אֲפַרְסְמוֹנָא דַּכְיָא, וּמִתְעַנְּגֵי בְּעִנּוּגָא דָּא עִלָּאָה, וְנִשְׁמָתִין דְּאִית לוֹן גּוּפָא בְּהַאי עָלְמָא, סַלְּקִין וְיַנְקִין מֵהַהוּא נְהִירוּ דְּאַפִּרְיוֹן דָּא, וְנַחְתִּין. וְאִלֵּין יַהֲבֵי וְנַטְלֵי. יַהֲבֵי רֵיחָא, מֵאִינּוּן עוֹבְדִין דְּכַשְׁרָאן, דְּמִשְׁתַּדְּלֵי בְּהוּ בְּהַאי עָלְמָא. וְנַטְלֵי מֵהַהוּא רֵיחָא דְּאִשְׁתְּאַר בֵּיהּ בְּגִנְתָּא, כד״א כְּרֵיחַ שָׂדֶה אֲשֶׁר בֵּרֲכוֹ יְיָ׳, רֵיחָא דְּאִשְׁתְּאַר בֵּיהּ בְּהַהוּא חַקְלָא. וְכֻלְּהוּ קַיְּימֵי בְּהַהִיא גִּנְתָּא, אִלֵּין מִתְעַנְּגֵי לְעֵילָּא, וְאִלֵּין מִתְעַנְּגֵי לְתַתָּא.

כה. עָשָׂה לוֹ הַמֶּלֶךְ שְׁלֹמֹה, עָשָׂה לוֹ, לְגַרְמֵיהּ. וְאִי תֵּימָא, הָא נִשְׁמָתִין דְּצַדִּיקַיָּיא מִשְׁתַּעְשְׁעָן בֵּיהּ, וְאַתְּ אַמְרַתְּ עָשָׂה לוֹ. הָכִי הוּא וַדַּאי. בְּגִּין דְּהַאי אַפִּרְיוֹן וְכָל אִינּוּן נִשְׁמָתִין דְּצַדִּיקַיָּיא, כֻּלְּהוּ קַיְּימֵי לְאִשְׁתַּעְשְׁעָא בְּהוּ קוּדְשָׁא בְּרִיךְ הוּא. הַמֶּלֶךְ שְׁלֹמֹה, מַלְכָּא דִּשְׁלָמָא דִּילֵיהּ, וְדָא אִיהוּ מַלְכָּא עִלָּאָה הַמֶּלֶךְ סְתָם, דָּא מַלְכָּא מְשִׁיחָא. דָּא עָלְמָא דִּדְכוּרָא, וְדָא עָלְמָא דְּנוּקְבָא. מֵעֲצֵי הַלְּבָנוֹן אִינּוּן אִילָנִין נְטִיעָן, דְּעָקַר לוֹן קוּדְשָׁא בְּרִיךְ הוּא, וְשָׁתִיל לוֹן בַּאֲתַר אַחֲרָא, וְאִלֵּין אִקְרוּן אַרְזֵי לְבָנוֹן, כד״א, אַרְזֵי לְבָנוֹן אֲשֶׁר נָטָע. וְלָא אִתְבְּנֵי הַאי אַפִּרְיוֹן, וְלָא אִשְׁתַּכְלָל אֶלָּא בְּהוּ.

כו. תּוּ מֵעֲצֵי הַלְּבָנוֹן, אִלֵּין שִׁית יוֹמִין דִּבְרֵאשִׁית דְּכָל יוֹמָא וְיוֹמָא, מְסַדֵּר בְּהַאי

אַפִּרְיוֹן, סְדוּרָא דְּאִתְחֲזֵי לֵיהּ: סְדוּרָא קַדְמָאָה. אִתְנְגִיד מִסִּטְרָא דִּימִינָא, אוֹר קַדְמָאָה דְּאִתְגְּנִיז, וְאִתְנְטִיל מִסִּטְרָא דִּימִינָא, וְעָאל בְּהַאי אַפִּרְיוֹן עַל יְדָא דִּיסוֹדָא וַחַד, וְעָבִיד בֵּיהּ שִׁמּוּשָׁא. לְבָתַר אַפִּיק הַהוּא אַפִּרְיוֹן וַחַד דְּיוּקְנָא כְּגַוְונָא דְּהַאי אוֹר, וְדָא הוּא רָזָא דִּכְתִיב, יְהִי אוֹר וַיְהִי אוֹר. כֵּיוָן דְּאָמַר יְהִי אוֹר, אֲמַאי כְּתִיב וַיְהִי אוֹר, לָא אִצְטְרִיךְ קְרָא לְמִכְתַּב, אֶלָּא וַיְהִי כֵן, מַהוּ וַיְהִי אוֹר. אֶלָּא, דְּהַהוּא אוֹר אַפִּיק, אוֹר אַחֲרָא דְּאִתְחֲזֵי לֵיהּ, וְדָא אִיהוּ יוֹמָא קַדְמָאָה, מֵאִינּוּן עֲצֵי הַלְּבָנוֹן.

כז. סְדוּרָא תִּנְיָינָא: אִתְנְגִיד מִסִּטְרָא דִּשְׂמָאלָא, פְּרִישׁוּ דְּמַיָּא, בִּנְגִידוּ דְּאֶשָּׁא תַּקִּיפָא, וְאִתְנְטִיל מִסִּטְרָא דִּשְׂמָאלָא, וְעָאל בְּהַאי אַפִּרְיוֹן, וְעָבֵיד בֵּיהּ שִׁמּוּשָׁא, וְאַפְרִישׁ בֵּין מַיִין דִּבְסִטַר יְמִינָא, וּבֵין אִינּוּן מַיִין דִּבְסִטַר שְׂמָאלָא. לְבָתַר אַפִּיק הַהוּא אַפִּרְיוֹן, וַחַד דְּיוּקְנָא, כְּגַוְונָא דִּילֵיהּ. וְדָא אִיהוּ רָזָא דִּכְתִיב, בֵּין הַמַּיִם אֲשֶׁר מִתַּחַת לָרָקִיעַ וּבֵין הַמַּיִם אֲשֶׁר מֵעַל לָרָקִיעַ וַיְהִי כֵן. וְדָא אִיהוּ יוֹמָא תִּנְיָינָא מֵאִינּוּן עֲצֵי הַלְּבָנוֹן.

כח. סְדוּרָא תְּלִיתָאָה: אִתְנְגִיד מִסִּטְרָא דְּאֶמְצָעִיתָא, וּמִסִּטְרָא דִּימִינָא, וַחַד יוֹמָא תְּלִיתָאָה, דְּעָבֵיד שְׁלָמָא בְּעָלְמָא. וּמִתַּמָּן אִתְמְשִׁיכוּ אִיבִּין לְכֹלָּא, וְדָא עָבֵיד שִׁמּוּשָׁא בְּהַאי אַפִּרְיוֹן, וְאַפִּיק זִינָא לְזִינֵיהּ. זִינָא לְעוֹבָדִין סַגִּיאִין, זִינָא דְּאִתְחֲזֵי לֵיהּ, וְכָל דְּשַׁאִין וַעֲשָׂבִין וְאִילָנִין בְּכַמָּה חֵילִין. וְאִשְׁתְּאַר דְּיוּקְנֵיהּ תַּמָּן, וְאַפִּיק זִינָא הַהוּא אַפִּרְיוֹן, כְּהַהוּא גַּוְונָא מַמָּשׁ, וְדָא אִיהוּ יוֹמָא תְּלִיתָאָה, דְּאִתְכְּלִיל מִב' סִטְרִין, מֵאִינּוּן עֲצֵי הַלְּבָנוֹן.

כט. סְדוּרָא רְבִיעָאָה: אִתְנְגִיד וְאִתְנְהִיר נְהִירוּ דְּשִׁמְשָׁא, לְאַנְהָרָא לְהַאי אַפִּרְיוֹן, גּוֹ חֲשׁוּךְ דִּילֵיהּ, וְעָאל בֵּיהּ לְאַנְהָרָא, וְלָא עָבֵיד בֵּיהּ שִׁמּוּשָׁא. עַד יוֹמָא חֲמִשָׁאָה, דְּאַפִּיק הַאי אַפִּרְיוֹן הַהוּא שִׁמּוּשָׁא דִּנְהִירוּ, דְּעָאל בֵּיהּ בְּיוֹמָא רְבִיעָאָה, וְאַפִּיק הַהוּא אַפִּרְיוֹן בְּהַהוּא גַּוְונָא מַמָּשׁ דְּהַהוּא נְהִירוּ, וְדָא אִיהוּ יוֹמָא רְבִיעָאָה וַחַד מֵאִינּוּן עֲצֵי הַלְּבָנוֹן.

ל. סְדוּרָא חֲמִישָׁאָה: אִתְנְגִיד וַחַד מְשִׁיכוּ, דְּרְחִישׁוּ דְּמַיָּא, וְעָבֵיד שִׁמּוּשָׁא לְאַפָּקָא הַהוּא נְהִירוּ, דִּסְדוּרָא דְּיוֹמָא רְבִיעָאָה, וְעָבֵיד בְּהַאי אַפִּרְיוֹן שִׁמּוּשָׁא, וְאַפִּיק זִינִין לְזִינֵיהּ, אִינּוּן דְּאִתְחֲזֵי כְּהַהוּא גַּוְונָא מַמָּשׁ, וְהַאי יוֹמָא שִׁמֵּשׁ הַהוּא שִׁמּוּשָׁא, יַתִּיר מִכָּל שְׁאַר יוֹמִין. וְכֹלָּא תַּלְיָא עַד יוֹמָא שְׁתִיתָאָה, דְּאַפִּיק אַפִּרְיוֹן כָּל מַה דַּהֲוָה גָּנִיז בֵּיהּ, דִּכְתִיב, תּוֹצֵא הָאָרֶץ נֶפֶשׁ חַיָּה לְמִינָהּ וְגוֹ'. וְדָא אִיהוּ יוֹמָא חֲמִישָׁאָה, וַחַד מֵאִינּוּן עֲצֵי הַלְּבָנוֹן.

לא. סְדוּרָא שְׁתִיתָאָה: דָּא אִיהוּ יוֹמָא, דְּאַתְקִין כָּל הַאי אַפִּרְיוֹן, וְלֵית לֵיהּ תִּקּוּנָא, וְלֵית לֵיהּ תָּקְפָּא, בַּר מֵהַאי יוֹמָא, כַּד אָתָא הַאי יוֹמָא, אִתְתָּקַן הַאי אַפִּרְיוֹן, בְּכַמָּה רוּחִין, בְּכַמָּה נִשְׁמָתִין, בְּכַמָּה עוּלֵימָתָן שַׁפִּירָן בְּחֵיזוּ. אִינּוּן דְּאִתְחֲזוּן לְמֵיתַב בְּהֵיכְלָא דְּמַלְכָּא. אוּף אִיהוּ אִתְתַּקַּן בְּשַׁפִּירוּ כָּל שְׁאָר יוֹמִין דַּהֲווּ בְּקַדְמֵיתָא, וְאַתְקִין לוֹן בְּתִיאוּבְתָּא חֲדָא, בִּרְעוּתָא בְּחֶדְוָה, תִּקּוּנָא דִּלְעֵילָּא וְתַתָּא.

לב. כְּדֵין אִתְקַדַּשׁ הַאי אַפִּרְיוֹן, בְּקִדּוּשִׁין עִלָּאִין וְאִתְעַטַּר בְּעִטְרוֹי, עַד דְּסָלִיק בִּסְלִיקוּ דְּעִטְרָא דְּנַיְיחָא, וְאִקְרֵי שְׁמָא עִלָּאָה, שְׁמָא קַדִּישָׁא, דְּאִיהִי שַׁבָּת. נַיְיחָא דְּכֹלָּא, תִּיאוּבְתָּא דְּכֹלָּא, דְּבְקוּתָא דְּכֹלָּא, דְּעֵילָּא וְתַתָּא כַּחֲדָא. וּכְדֵין כְּתִיב, אַפִּרְיוֹן עָשָׂה לוֹ הַמֶּלֶךְ שְׁלֹמֹה מֵעֲצֵי הַלְּבָנוֹן.

לג. אָמַר רַבִּי שִׁמְעוֹן, מַאן דְּזָכֵי בְּהַהוּא אַפִּרְיוֹן, זָכֵי בְּכֹלָּא, זָכֵי לְמֵיתַב בְּנַיְיחָא דְּצִלָּא דְּקוּדְשָׁא בְּרִיךְ הוּא, כד"א, בְּצִלּוֹ חִמַּדְתִּי וְיָשַׁבְתִּי. וְהַשְׁתָּא דְּיָתִיבְנָא בְּצִלָּא דְּנַיְיחָא דָּא, אִית לָן לְאִסְתַּכְּלָא דְּלָא יָתְבִינָן אֶלָּא בְּצִלָּא דְּקוּדְשָׁא בְּרִיךְ הוּא, גּוֹ הַהוּא אַפִּרְיוֹן. וְאִית לָן לְאַעְטְרָא הַאי

אֲתָר, בְּעִטְרִין עִלָּאִין, עַד דְּיִתְעָרוּן אִילָנֵי דְּהַהוּא אַפִּרְיוֹן, לְמֵיתֵי עֲלָךְ בְּצִלָּא אָחֳרָא.

לד. פָּתַח רַבִּי שִׁמְעוֹן בְּרֵישָׁא וְאָמַר, וְיִקְחוּ לִי תְּרוּמָה מֵאֵת כָּל אִישׁ אֲשֶׁר יִדְּבֶנּוּ לִבּוֹ תִּקְחוּ אֶת תְּרוּמָתִי. וְיִקְחוּ לִי, הַאי מַאן דְּבָעֵי לְאִשְׁתַּדְּלָא בְּמִצְוָה, וּלְאִשְׁתַּדְּלָא בֵּיהּ בְּקֻדְשָׁא בְּרִיךְ הוּא, אִצְטְרִיךְ דְּלָא יִשְׁתַּדֵּל בֵּיהּ בְּרֵיקַנַיָּא וּבְמַגָּנָא, אֶלָּא אִצְטְרִיךְ לֵיהּ לְבַר נָשׁ לְאִשְׁתַּדְּלָא בֵּיהּ כַּדְקָא יָאוֹת כְּפוּם חֵילֵיהּ. וְהָא אוֹקִימְנָא מִלָּה דָּא בְּכַמָּה אַתְרֵי, יָאוֹת לְמֵיסַב בַּר נָשׁ הַהוּא אִשְׁתַּדְּלוּתָא דְּקֻדְשָׁא בְּרִיךְ הוּא. כד״א אִישׁ כְּמַתְּנַת יָדוֹ וְגוֹ׳.

לה. וְאִי תֵּימָא, הָא כְּתִיב לְכוּ שִׁבְרוּ וֶאֱכֹלוּ וּלְכוּ שִׁבְרוּ בְּלֹא כֶסֶף וּבְלֹא מְחִיר יַיִן וְחָלָב, דְּהָא אִיהוּ בְּמַגָּנָא, וְאִיהוּ אִשְׁתַּדְּלוּתָא דְּקֻדְשָׁא בְּרִיךְ הוּא. אֶלָּא אִשְׁתַּדְּלוּתָא דְּאוֹרַיְיתָא, כָּל מַאן דְּבָעֵי זָכֵי בָּהּ. אִשְׁתַּדְּלוּתָא דְּקֻדְשָׁא בְּרִיךְ הוּא לְמִנְדַּע לֵיהּ, כָּל מַאן דְּבָעֵי זָכֵי בֵּיהּ, בְּלָא אַגְרָא כְּלָל. אֲבָל אִשְׁתַּדְּלוּתָא דְּקֻדְשָׁא בְּרִיךְ הוּא דְּקַיְּימָא בְּעוֹבָדָא, אָסִיר לְנַטְלָא לֵיהּ לְמַגָּנָא וּבְרֵיקַנַיָּא, בְּגִין דְּלָא זָכֵי בְּהַהוּא עוֹבָדָא כְּלַל, לְאַמְשָׁכָא עָלֵיהּ רוּחָא דְּקוּדְשָׁא, אֶלָּא בַּאֲגַר שְׁלִים.

לו. בְּסִפְרָא דְּחָרְשֵׁי, דְּאוֹלִיף אַשְׁמְדָאי לִשְׁלֹמֹה מַלְכָּא, כָּל מַאן דְּבָעֵי לְאִשְׁתַּדְּלָא לְאַעְבְּרָא מִנֵּיהּ רוּחַ מִסְאֲבָא, וּלְאַכְפְּיָיא רוּחָא אָחֳרָא. הַהוּא עוֹבָדָא דְּבָעֵי לְאִשְׁתַּדְּלָא בֵּיהּ, בָּעֵי לְמִקְנֵי לֵיהּ בַּאֲגַר שְׁלִים, בְּכָל מַה דְּיִבְעוּן מִנֵּיהּ, בֵּין זְעִיר בֵּין רַב, בְּגִין דְּרוּחַ מִסְאֲבָא, אִיהוּ אִזְדַּמַּן תָּדִיר בְּמַגָּנָא וּבְרֵיקַנַיָּא, וְאִזְדַּבַּן בְּלָא אַגְרָא, וְאָנִיס לִבְנֵי נָשָׁא לְמִשְׁרֵי עֲלַיְיהוּ, וּמְפַתֵּי לוֹן לְדַיְירָא עִמְּהוֹן, בְּכַמָּה פִּתּוּיִין, בְּכַמָּה אָרְחִין, סָטֵי לוֹן לְשַׁוָּואָה דִּיּוּרֵיהּ עִמְּהוֹן.

לז. וְרוּחַ קוּדְשָׁא לָאו הָכִי, אֶלָּא בַּאֲגַר שְׁלִים, וּבְאִשְׁתַּדְּלוּתָא רַב סַגִּי, וּבְאִתְדַּכְּאוּתָא דְּגַרְמֵיהּ וּבְאִתְדַּכְּאוּתָא דְּמִשְׁכְּנֵיהּ, וּבִרְעוּתָא דְּלִבֵּיהּ וְנַפְשֵׁיהּ. וּלְוַאי דְּיָכִיל לְמִרְוַוח לֵיהּ, דְּיִשַׁוֵּי מָדוֹרֵיהּ עִמֵּיהּ. וְעכ״ד דְּיָהַךְ בְּאֹרַח מֵישָׁר, דְּלָא יִסְטֵי לִימִינָא וְלִשְׂמָאלָא, וְאִי לָאו, מִיַּד אִסְתַּלַּק מִנֵּיהּ, וְאִתְרְחַק מִנֵּיהּ. וְלָא יָכִיל לְמִרְוַוח לֵיהּ כִּדְבְקַדְמֵיתָא.

לח. וְעַל דָּא כְּתִיב, וְיִקְחוּ לִי תְּרוּמָה מֵאֵת כָּל אִישׁ, מֵהַהוּא דְּאִקְרֵי אִישׁ, דְּאִתְגַּבַּר עַל יִצְרֵיהּ. וְכָל מַאן דְּאִתְגַּבַּר עַל יִצְרֵיהּ, אִקְרֵי אִישׁ. אֲשֶׁר יִדְּבֶנּוּ לִבּוֹ, מַאי אֲשֶׁר יִדְּבֶנּוּ לִבּוֹ. אֶלָּא, דְּיִתְרְעֵי בֵּיהּ קב״ה, כד״א לְךָ אָמַר לִבִּי. צוּר לְבָבִי. וְטוֹב לֵב. וַיִּיטַב לִבּוֹ. כֻּלְּהוּ בְּקב״ה קָאָמַר. אוּף הָכָא אֲשֶׁר יִדְּבֶנּוּ לִבּוֹ. מִנֵּיהּ תִּקְחוּ אֶת תְּרוּמָתִי, דְּהָא תַּמָּן אִשְׁתְּכַח וְלָאו בַּאֲתַר אָחֳרָא.

לט. וּמְנָא יַדְעִינָן דְּהָא קב״ה אִתְרְעֵי בֵּיהּ, וְשַׁוֵּי מָדוֹרֵיהּ בֵּיהּ. כַּד חָמֵינָן דִּרְעוּתָא דְּהַהוּא בַּר נָשׁ, לְמִרְדַּף וּלְאִשְׁתַּדְּלָא אֲבַתְרֵיהּ דְּקב״ה בְּלִבֵּיהּ וּבְנַפְשֵׁיהּ וּבִרְעוּתֵיהּ, וַדַּאי תַּמָּן יַדְעִינָן דְּשַׁרְיָא בֵּיהּ שְׁכִינְתָּא. כְּדֵין בָּעֵינָן לְמִקְנֵי הַהוּא בַּר נָשׁ, בְּכֶסֶף שְׁלִים, לְאִתְחַבְּרָא בַּהֲדֵיהּ וּלְמֵילַף מִנֵּיהּ. וְעַל דָּא קַדְמָאֵי הֲווּ אַמְרֵי, וּקְנֵה לְךָ חָבֵר, בַּאֲגַר שְׁלִים בָּעֵי לְמִקְנֵי לֵיהּ, בְּגִין לְמִזְכֵּי בִּשְׁכִינְתָּא. עַד הָכָא בָּעֵי לְמִרְדַּף בָּתַר זַכָּאָה וּלְמִקְנֵה לֵיהּ.

מ. אוּף הָכִי, הַהוּא זַכָּאָה בָּעֵי לְמִרְדַּף בָּתַר חַיָּיבָא, וּלְמִקְנֵי לֵיהּ בַּאֲגַר שְׁלִים, בְּגִין דְּיֶעְבַּר מִנֵּיהּ הַהוּא זוּהֲמָא, וְיִתְכַּפְיָא סִטְרָא אָחֳרָא, וְיַעֲבִיד לְנַפְשֵׁיהּ, בְּגִין דְּיִתְחַשָּׁב עָלֵיהּ, כְּאִילוּ הוּא בָּרָא לֵיהּ. וְדָא אִיהוּ שְׁבָחָא דְּיִסְתַּלַּק בֵּיהּ יְקָרָא דְּקב״ה, יַתִּיר מִשְׁבָחָא אָחֳרָא, וְאִסְתַּלְּקוּתָא דָּא יַתִּיר מִכֹּלָּא. מַאי טַעֲמָא. בְּגִין דְּאִיהוּ גָּרִים לְאַכְפְּיָא סִטְרָא אָחֳרָא, וּלְאִסְתַּלְּקָא יְקָרָא דְּקב״ה. וְעַל דָּא כְּתִיב בְּאַהֲרֹן, וְרַבִּים הֵשִׁיב מֵעָוֹן.

וּכְתִיב בְּרִיתִי הָיְתָה אִתּוֹ.

מא. תָּא חֲזֵי, כָּל מַאן דְּאָחִיד בִּידָא דְּחַיָּיבָא, וְאִשְׁתַּדַּל בֵּיהּ, לְמִשְׁבַּק אָרְחָא בִּישָׁא, אִיהוּ אִסְתַּלַּק בִּתְלַת סְלוּקִין, מַה דְּלָא אִסְתַּלַּק הָכִי בַּר נָשׁ אוֹחֲרָא. גָּרִים לְאַכְפְּיָא סִטְרָא אוֹחֲרָא. וְגָרִים דְּאִסְתַּלַּק קָבָּ"ה בִּיקָרֵיהּ. וְגָרִים לְקַיְּימָא כָּל עָלְמָא בְּקִיּוּמֵיהּ לְעֵילָּא וְתַתָּא. וְעַל הַאי בַּר נָשׁ כְּתִיב, בְּרִיתִי הָיְתָה אִתּוֹ הַחַיִּים וְהַשָּׁלוֹם. וְזָכֵי לְמֶחֱמֵי בְּנִין לִבְנוֹי, וְזָכֵי בְּהַאי עָלְמָא, וְזָכֵי לְעָלְמָא דְּאָתֵי. כָּל מָארֵי דִּינִין, לָא יַכְלִין לְמֵידָן לֵיהּ, בְּהַאי עָלְמָא וּבְעָלְמָא דְּאָתֵי. עָאל בִּתְרֵיסַר תַּרְעֵי, וְלֵית מַאן דְּיִמְחֵי בִּידֵיהּ. וְעַל דָּא כְּתִיב, גִּבּוֹר בָּאָרֶץ יִהְיֶה זַרְעוֹ דּוֹר יְשָׁרִים יְבוֹרָךְ. הוֹן וָעֹשֶׁר בְּבֵיתוֹ וְצִדְקָתוֹ עוֹמֶדֶת לָעַד. זָרַח בַּחֹשֶׁךְ אוֹר לַיְשָׁרִים וְגוֹ'.

מב. בְּאִדְרָא עִלָּאָה, קַיְימִין תְּלַת גְּוָונִין. וְאִינּוּן לָהֲטִין גּוֹ שַׁלְהוֹבָא חֲדָא, וְהַהוּא שַׁלְהוֹבָא נָפְקָא מִסִּטְרָא דְּדָרוֹם דְּאִיהוּ יְמִינָא. וְאִינּוּן גְּוָונִין מִתְפָּרְשָׁן לִתְלַת סִטְרִין. חַד סַלִּיק לְעֵילָּא. וְחַד נָחִית לְתַתָּא. וְחַד דְּאִתְחֲזֵי, וְגָנִיז בְּשַׁעֲתָא דְּשִׁמְשָׁא נָהִיר.

מג. גְּוָונָא חֲדָא הַהוּא דְּסַלִּיק לְעֵילָּא, נָפְקָא, וְהַהוּא גְּוָונָא אִיהוּ גְּוָון חִוָּור, יַתִּיר מְחִוְּורוּ אוֹחֲרָא. וְעָאל בְּהַהוּא שַׁלְהוֹבָא וְאִצְטַבַּע זְעֵיר, וְלָא אִצְטַבַּע, וְקַיְּימָא הַהוּא גְּוָון לְעֵילָּא עַל רֵישָׁא דְּהַהוּא אִדְרָא. וּבְשַׁעֲתָא דְּיִשְׂרָאֵל עָאלִין לְבֵי כְּנִשְׁתָּא וּמְצַלָּן צְלוֹתְהוֹן, כַּד מָטָאן לִגְאַל יִשְׂרָאֵל, וְסָמְכִין גְּאוּלָה לִתְפִלָּה, כְּדֵין הַאי גְּוָון חִוָּור, אִסְתַּלַּק עַל רֵישָׁא דְּאִדְרָא, וְאִתְעֲבִיד לֵיהּ כִּתְרָא.

מד. וְכַרוֹזָא נָפִיק וְאָמַר, זַכָּאִין אַתּוּן עַמָּא קַדִּישָׁא, דְּעָבְדֵּי טוֹב קָמֵיהּ דְּקָבָּ"ה, וְרָזָא דָּא, וְהַטּוֹב בְּעֵינֶיךָ עָשִׂיתִי, דְּסָמִיךְ גְּאוּלָה לִתְפִלָּה. בְּגִין דְּהָא בְּהַהִיא שַׁעֲתָא דְּמָטוּ לְתְהִלּוֹת לְאֵל עֶלְיוֹן, דְּסַלִּיק הַאי גְּוָון עַל רֵישָׁא דְּהַהוּא אִדְרָא, אִתְּעַר הַאי צַדִּיק, לְאִתְחַבְּרָא בְּאֲתַר דְּאִצְטְרִיךְ, בִּרְחִימוּ בְּחֶדְוָה בִּרְעוּתָא. וְכָל עַיְיפִין כֻּלְּהוּ, מִתְחַבְּרָן בְּתִיאוּבְתָּא חֲדָא אִלֵּין בְּאִלֵּין, עִלָּאִין בְּתַתָּאִין, וּבוּצִינִין כֻּלְּהוּ נַהֲרִין וּמִתְלַהֲטִין, וְכֻלְּהוֹן קַיְימָא בְּחִבּוּרָא וְחֶדְוָה בְּהַאי צַדִּיק דְּאִקְרֵי טוֹב, כְּד"א אִמְרוּ צַדִּיק כִּי טוֹב, וְדָא מְחַבֵּר לְכֻלְּהוּ בְּחִבּוּרָא חֲדָא. כְּדֵין כֹּלָּא בְּלָחִישׁוּ עֵילָּא וְתַתָּא, בִּנְשִׁיקִין דִּרְעוּתָא, וְקַיְּימָא מִלָּה בְּחִבּוּרָא דְּבֵי אִדְרָא.

מה. כֵּיוָן דִּמְטוּ לְשִׂים שָׁלוֹם, כְּדֵין עָבִיד שִׁמּוּשָׁא הַהוּא נָהָר דְּנָפִיק מֵעֵדֶן בְּאִדְרָא דָּא, וּכְדֵין בָּעֵין כֹּלָּא לְנַפְקָא מִקָּמֵי מַלְכָּא, וְלָא אִצְטְרִיךְ בַּר נָשׁ, וְלָא אוֹחֲרָא, לְאִשְׁתַּכְחָא תַּמָּן, וְלָא לְמִשְׁאַל שְׁאֶלְתִּין, אֶלָּא אִצְטְרִיךְ לְמִנְפַּל עַל אַנְפִּין. מ"ט. בְּגִין דְּהַהִיא שַׁעֲתָא עִדָּנָא דְּשִׁמּוּשָׁא הֲוֵי, וּבָעֵי כָּל בַּר נָשׁ לְמִכְסַף מִקָּמֵי מָארֵיהּ, וּלְכוֹסְפַיָא אַנְפּוֹי בְּכִסּוּפָא סַגִּי, וּלְאַכְלְלָא נַפְשֵׁיהּ בְּהַהוּא שִׁמּוּשָׁא דְּנַפְשִׁין, דְּאִתְכְּלִיל הַהוּא אִדְרָא עֵילָּא וּמִתַּתָּא בְּנַפְשִׁין וְרוּחִין. כְּדֵין גְּוָון אוֹחֲרָא, דִּנְחִית לְתַתָּא, קָאִים וְאוֹחִיד בְּשִׁפּוּלֵי דְּהַאי אִדְרָא.

מו. וְכַרוֹזָא נָפִיק וְקָארֵי וְאָמַר, עִלָּאִין וְתַתָּאִין אַסְהִידוּ סַהֲדוּתָא, מַאן אִיהוּ דְּעָבִיד נַפְשֵׁיהּ, וְזָכֵי לְחִוְּיבַיָא, הַהוּא דְּאִתְחֲזֵי לְאִתְעַטְּרָא בֵּיהּ, בְּעֶטְרָא דְּמַלְכוּתָא עַל רֵישֵׁיהּ, הַהוּא דְּאִתְחֲזֵי לְעָאלָא הַשְׁתָּא קָמֵי מַלְכָּא וּמַטְרוֹנִיתָא, דְּהָא מַלְכָּא וּמַטְרוֹנִיתָא שָׁאֲלֵי עֲלֵיהּ.

מז. כְּדֵין אוֹדְּמָן תְּרֵין סַהֲדִין, מֵאִינּוּן דְּמִשַׁטְּטֵי עֵינֵי יְיָ בְּכָל עָלְמָא, וְקַיְימִין קַמֵּיהּ בָּתַר פַּרְגּוֹדָא, וְסַהֲדָן סַהֲדוּתָא דָּא, וְאָמְרֵי, הָא אֲנַן סַהֲדִין עַל פְּלָנְיָא בַּר פְּלָנְיָא. דָּא אִיהוּ עָבִיד נַפְשֵׁיהּ לְתַתָּא, נַפְשָׁאן דְּחִוְּיבַיָא דְּהֲווֹ מִסִּטְרָא אוֹחֲרָא. כְּדֵין אִתְיַקַּר קָבָּ"ה בְּחֶדְוָה

שְׁלִימָתָא זַכָּאָה וּזְכָאָה וְזֻלְקֵיהּ, דְּהָא אֲבוֹי אֲדְכַּר בְּגִינֵיהּ לְטָב.

מח. בֵּיהּ שַׁעֲתָא אוֹזְדַּמַּן וַד מְמַנָּא, דְּאִיהוּ גָּזְבְּרָא עַל דִּיוּקְנִין דְּצַדִּיקַיָּא, בְּרָזָא דְּשַׁמוּשָׁא דְּאַתְוָון, דְּאִתְקְרֵי בְּרָזָא יְהוֹדִי"עָם, בְּכִתְרָא דְּשַׁמוּשָׁא דִּשְׁמָא קַדִּישָׁא. וְרָמֵיז קֻדְשָׁא בְּרִיךְ הוּא לְהַהוּא מְמַנָּא, וְאַיְיתֵי דִּיוּקְנֵיהּ דְּהַהוּא בַּר נָשׁ דְּעֲבַד נַפְשֵׁיהּ דְּחַיָּיבַיָּא וְקָאִים לֵיהּ קַמֵּי מַלְכָּא וּמַטְרוֹנִיתָא.

מט. וַאֲנָא אַסְהַדְנָא עֲלֵי שְׁמַיָּא וְאַרְעָא דְּבְהַהִיא שַׁעֲתָא מַסְרִין לֵיהּ הַהוּא דִּיוּקְנָא. דְּהָא לֵית לָךְ כָּל צַדִּיקָא בְּהַאי עָלְמָא, דְּלָא וְזָקִיק דִּיוּקְנֵיהּ לְעֵילָּא, תְּחוֹת יְדָא דְּהַהוּא מְמַנָּא. וּמַסְרִין בִּידֵיהּ ע' מַפְתְּחָן דְּכָל גַּנְזַיָּא דְּמָארֵיהּ בְּהוּ. כְּדֵין מַלְכָּא בָּרִיךְ לְהַהוּא דִּיוּקְנָא, בְּכָל בִּרְכָּאן דְּבָרִיךְ לְאַבְרָהָם, כַּד עֲבַד נַפְשָׁאן דְּחַיָּיבַיָּא.

נ. וְקֻדְשָׁא בְּרִיךְ הוּא רָמֵיז לָד' מַשִׁרְיָין עִלָּאִין, וְנַטְלִין לְהַהוּא דִּיוּקְנָא, וְאַזְלִין עִמֵּיהּ, וְאִיהוּ עָאל לְעַד עָלְמִין גְּנִיזִין, דְּלָא זָכֵי בְּהוֹ בַּר נָשׁ אוֹחֲרָא, בַּר אִינּוּן גְּנִיזִין לְאִינּוּן דְּעֲבְדֵי נַפְשֵׁיהוֹן דְּחַיָּיבַיָּא. וְאִלְמָלֵי הֲווֹ יַדְעֵי בְּנֵי נָשָׁא, כַּמָּה תּוֹעַלְתָּא וְזָכוּ וְזַכָּאָן בְּגִינֵיהוֹן כַּד זָכוּ לְהוֹן. הֲווֹ אָזְלוּ אֲבַתְרַיְיהוּ, וְרָדְפֵי לוֹן כְּמַאן דְּרָדִיף בָּתַר וַיְיֵן.

נא. מַסְכְּנָא זָכֵי לִבְנֵי נָשָׁא בְּכַמָּה טָבָאן, בְּכַמָּה גְּנִיזִין עִלָּאִין, וְלָאו כְּמַאן אִיהוּ דְּזָכֵי בְּחַיָּיבַיָּא. מַה בֵּין הַאי לְהַאי. אֶלָּא מַאן דְּאִשְׁתַּדַּל בָּתַר מַסְכְּנָא, אִיהוּ אַשְׁלִים וַזְיַן לְנַפְשֵׁיהּ, וְגָרִים לֵיהּ לְאִתְקַיְּימָא, וְזָכֵי בְּגִינֵיהּ, לְכַמָּה טָבָאן לְהַהוּא עָלְמָא. וּמַאן דְּאִשְׁתַּדַּל בָּתַר וְחַיָּיבַיָּא, אִיהוּ אַשְׁלִים יַתִּיר. עָבִיד לְסִטְרָא אוֹחֲרָא דֶּאֱלֹהִים אוֹחֲרִים דְּאִתְכַּפְיָא, וְלָא שָׁלְטָא, וְאַעֲבַר לֵיהּ מֵשׁוּלְטָנוּתֵיהּ. עָבִיד דְּאִסְתַּלַּק קֻדְשָׁא בְּרִיךְ הוּא עַל כֻּרְסֵי יְקָרֵיהּ. עָבִיד לְהַהוּא חַיָּיבָא, נַפְשָׁא אוֹחֲרָא. זַכָּאָה וְזֻלְקֵיהּ.

נב. גְּוִונָא אוֹחֲרָא, דְּאִתְחֲזֵי וְלָא אִתְחֲזֵי, בְּשַׁעֲתָא דְּמְטָאן יִשְׂרָאֵל לְקְדוּשָׁה לְסִיְדְרָא, כְּדֵין הַאי גְּוִונָא דְּגַנֵיזּ, וְנָפִיק, בְּגִין דְּהַאי אִיהוּ קְדוּשָׁתָא דְּקָא מְקַדְּשֵׁי יִשְׂרָאֵל יַתִּיר עַל מַלְאֲכֵי עִלָּאֵי, דְּאִינּוּן וְחַבֵּרִים בְּהַדַּיְיהוּ. וְהַאי גְּוִונָא נָהִיר וְאִתְחֲזֵי בְּשַׁעֲתָא דְּיִשְׂרָאֵל מְקַדְּשֵׁי קְדוּשָׁתָא דָּא, עַד דְּמְסִיְימֵי יִשְׂרָאֵל, בְּגִין דְּלָא יִשְׁגְּוזוּן מַלְאָכִים עִלָּאִין, וְיִעַנִּשׁוּ לוֹן לְעֵילָּא, וְלָא יִקְטְרְגוּן עֲלַיְיהוּ.

נג. כְּדֵין כְּרוֹזָא נָפִיק וְאָמַר, עִלָּאִין וְתַתָּאִין אֲצִיתוּ, מַאן אִיהוּ גָּס רֵוְוזָא בְּמִלֵּי דְּאוֹרַיְיתָא, מַאן אִיהוּ דְּכָל מִלּוֹי בְּגִין לְמִגְבַּה בְּמִלֵּי דְּאוֹרַיְיתָא בְּגִין דְּתָנֵינַן, דְּבַר נָשׁ בָּעֵי לְמֶחֱוֵי עָפִיל בְּהַאי עָלְמָא בְּמִלֵּי דְּאוֹרַיְיתָא, דְּהָא לֵית גְּבַהּ בְּאוֹרַיְיתָא, אֶלָּא בְּעָלְמָא דְּאָתֵי.

נד. בְּקְדוּשָׁתָא דָּא, בְּעֵינָן לְאִסְתַּמְּרָא, וּלְאַגְנָזָא לָהּ בֵּינָנָא, בְּגִין דְּנִתְקְדַּשׁ גּוֹ קְדוּשָׁה בְּרֵישָׁא וּבְסוֹפָא. יַתִּיר מֵאִינּוּן קְדוּשִׁין דְּאַמְרֵי בְּהַדָּן מַלְאֲכֵי עִלָּאֵי. קְדוּשָׁה דְּאֲנַן מְקַדְּשֵׁי בְּשַׁבְחָא דְּאֲנַן מְשַׁבְּחָן לְמַלְאֲכֵי עִלָּאֵי, וּבְגִין שְׁבָחָא דָּא, שַׁבְקִין כָּךְ לְמֵיעַאל גּוֹ תַּרְעֵי עִלָּאֵי, וְעַל דָּא אֲנַן אַמְרִין קְדוּשָׁה דָּא בִּלְשׁוֹן הַקֹּדֶשׁ, וְעַבְקִין כָּךְ בְּרֵיחֵימוּ, לְמֵיעַאל תַּרְעִין דִּלְעֵילָּא, מִגּוֹ דְּאֲנַן מְשַׁבְּחִין לוֹן בְּסִדוּרָא דִּלְהוֹן. וּבְגִין כָּךְ, אֲנַן נַטְלִין קְדוּשִׁין יַתִּיר, וְעָאלִין תַּרְעִין עִלָּאִין.

נה. וְאִי תֵּימָא רַמְאוּתָא הִיא. לָאו הָכִי. אֶלָּא מַלְאֲכֵי עִלָּאֵי אִינּוּן קַדִּישִׁין יַתִּיר מִינָנָא, וְאִינּוּן נַטְלֵי קְדוּשָׁתָא יַתִּיר, וְאַלְמָּלֵא דְּאֲנַן נַטְלִין וּמַשְׁכִין עֲלָן קְדוּשָׁאן אִלֵּין, לָא נֵיכוֹל לְמֶהֱוֵי וְחַבֵּרִים בְּהַדַּיְיהוּ, וִיקָרָא דְּקֻדְשָׁא בְּרִיךְ הוּא לָא יִשְׁתְּלִים עֵילָּא וְתַתָּא בְּזִמְנָא וַזְדָּא. וְעַל דָּא אֲנַן מִשְׁתַּדְּלִין לְמֶהֱוֵי עִמְּהוֹן וְחַבֵּרִים, וְיִסְתַּלַּק יְקָרָא דְּקֻדְשָׁא בְּרִיךְ הוּא עֵילָּא וְתַתָּא בְּזִמְנָא וַזְדָּא.

נו. קְדוּשָׁה דִּי בְּסוֹפָא, אִיהִי תַרְגּוּם, כְּמָה דְּאוּקִימְנָא. וְדָא אֲפִילוּ יָחִיד יָכִיל לוֹמַר לָהּ, אִינּוּן מִלֵּי דְּתַרְגּוּם. אֲבָל מִלִּין דְּלִשׁוֹן הַקֹּדֶשׁ דִּקְדוּשָׁה, לָאו אִינּוּן אֶלָּא בַּעֲשָׂרָה, בְּגִין דְּלִשׁוֹן הַקֹּדֶשׁ שְׁכִינְתָּא מִתְחַבְּרָא בַּהֲדֵיהּ. וּבְכָל קְדוּשָׁה דִּשְׁכִינְתָּא אַתְיָא, לָאו אִיהוּ אֶלָּא בַּעֲשָׂרָה. דִּכְתִיב, וְנִקְדַּשְׁתִּי בְּתוֹךְ בְּנֵי יִשְׂרָאֵל וְגוֹ', בְּנֵי יִשְׂרָאֵל אִינּוּן לִשׁוֹן הַקֹּדֶשׁ וַדַּאי, וְלָא שְׁאָר עַמִּין דְּאִית לוֹן לִישָׁן אוֹחֲרָא.

נז. וְאִי תֵימָא, הָא קְדוּשָׁתָא דִּקְדִיעַ, דְּאִיהוּ תַרְגּוּם, אֲמַאי לָאו אִיהוּ בְּיָחִיד. ת"ח, קְדוּשָׁתָא דָּא, לָאו אִיהוּ כִּשְׁאָר קְדוּשָׁאן דְּאִינּוּן בְּשִׁלְשׁוּלִין. אֲבָל קְדוּשָׁתָא דָּא, אִיהִי סַלְקָא בְּכָל סִטְרִין, לְעֵילָא וְתַתָּא וּבְכָל סִטְרֵי מְהֵימְנוּתָא, וְתַבָּר מַנְעוּלִין וְגוּשְׁפַנְקָן דְּפַרְזְלָא, וּקְלִיפִין בִּישִׁין, לְאִסְתַּלְּקָא יְקָרָא דְּקָב"ה עַל כֹּלָּא, וַאֲנַן בָּעֵינַן לְמֵימַר לָהּ בְּלִישָׁנָא דְּסִטְרָא אוֹחֲרָא, וּלְאִתָּבָא בְּוֵילָא תַּקִּיף, אָמֵן יְהֵא שְׁמֵיהּ רַבָּא מְבָרַךְ, בְּגִין דְּיִתְבַּר וְחֵילָא דְּסִטְרָא אוֹחֲרָא, וְיִסְתַּלָּק קָב"ה בִּיקָרֵיהּ עַל כֹּלָּא. וְכַד אִתְּבַר בִּקְדוּשָׁתָא דָּא וְחֵילָא דְּסִטְרָא אוֹחֲרָא, קָב"ה אִסְתַּלָּק בִּיקָרֵיהּ, וְאַדְכַּר לִבְנוֹי, וְאַדְכַּר לִשְׁמֵיהּ. וּבְגִין דְּקָב"ה אִסְתַּלָּק בִּיקָרֵיהּ בִּקְדוּשָׁתָא דָּא, לָאו אִיהוּ אֶלָּא בַּעֲשָׂרָה.

נח. וּבְלִישָׁנָא דָּא, עַל כָּרְחֵיהּ דְּסִטְרָא אוֹחֲרָא אִתְכַּפְיָא, וְאִתְּבַר וְחֵילֵיהּ, וְאִסְתַּלָּק יְקָרָא דְּקָב"ה, וְתַבָּר מַנְעוּלִין וְגוּשְׁפַנְקָן וְשַׁלְשְׁלָאן תַּקִּיפִין, וּקְלִיפִין בִּישִׁין, וְאַדְכַּר קָב"ה לִשְׁמֵיהּ וְלִבְנוֹי. זַכָּאִין אִינּוּן עַמָּא קַדִּישָׁא דְּקָב"ה יָהַב לוֹן אוֹרַיְיתָא קַדִּישָׁא, לְמִזְכֵּי בָהּ לְעָלְמָא דְּאָתֵי.

נט. אָר"ש לְחַבְרַיָּיא, זַכָּאִין אַתּוּן לְעָלְמָא דְּאָתֵי, וְכֵיוָן דִּשְׁרֵינָן מִלִּין דִּכְתַרָא דְּמַלְכוּתָא עִלָּאָה אִימָּא אֲנָא בְּגִינֵיכוּ וְקָב"ה יָהִיב לְכוֹן אַגְרָא בְּהַהוּא עָלְמָא. וְהַהוּא הֶבֶל דְּפוּמַיְיכוּ, יִסְתַּלָּק לְעֵילָא, כְּאִילּוּ אַתּוּן מִתְעָרִין מִלִּין אִלֵּין.

ס. פָּתַח וְאָמַר וְזֹאת הַתְּרוּמָה אֲשֶׁר תִּקְחוּ מֵאִתָּם זָהָב וָכֶסֶף וּנְחֹשֶׁת. הַאי קְרָא אִיהוּ לְסִטְרָא עִלָּאָה, וְאִיהוּ לְסִטְרָא תַּתָּאָה. אִיהוּ לְסִטְרָא עִלָּאָה, בְּסִטְרָא דִּקְדוּשָׁה. וְאִיהוּ לְסִטְרָא תַּתָּאָה, בְּסִטְרָא אוֹחֲרָא. ת"ח, כַּד בָּרָא קָב"ה עָלְמָא, שָׁארֵי לְמִבְרֵי מִסִּטְרָא דְּכַסְפָּא, דְּאִיהוּ יְמִינָא, בְּגִין דְּהַהוּא כַּסְפָּא הֲוָה מִלְּעֵילָא. וּבְעוֹבָדָא דְּמַשְׁכְּנָא, דְּאִיהוּ כְּגַוְונָא דִּילֵיהּ, שָׁארֵי מִסִּטְרָא דִּשְׂמָאלָא, וּלְבָתַר מִסִּטְרָא דִּימִינָא. בְּגִין דְּמַשְׁכְּנָא מִסִּטְרָא דִּשְׂמָאלָא הֲוָה, וְע"ד שָׁארֵי הָכָא מִסִּטְרָא דִּשְׂמָאלָא, וְהָתָם מִסִּטְרָא דִּימִינָא, וְזֹאת הַתְּרוּמָה וְגוֹ'.

סא. וּכְתִיב עֶרֶב וָבֹקֶר וְצָהֳרַיִם וְגוֹ', הַאי קְרָא אוּקְמוּהָ וְאִתְמַר, אֲבָל הָכָא עֵדֶן עִדָּנִין הוּא דִּצְלוֹתָא דְּכָל יוֹמָא. וְחַבְרַיָּיא אִתְּעָרוּ בְּהָנֵי תְּלַת זִמְנִין. עֶרֶב, דָּא הִיא אַסְפַּקְלַרְיָאה דְּלָא נָהֲרָא. וָבֹקֶר, דָּא הִיא אַסְפַּקְלַרְיָאה דְּנָהֲרָא. וְצָהֳרַיִם, אֲתָר דְּאִתְקְרֵי וְשֶׁךְ אִיהוּ, דְּאָחִיד בְּעֶרֶב, וְקִיּוּמָא דָּא עִם דָּא.

סב. וּמַה דְּאִתְּמַר צָהֳרַיִם, דְּאִיהוּ תּוּקְפָּא דְּשִׁמְשָׁא. לִישָׁנָא מְעַלְיָא נָקַט. וְהָכִי אִיהוּ אַרְחָא, לְבַר נָשׁ אוּכָם, קָרָאן לֵיהּ חִוָּור, וּלְיִשָּׁנָא מְעַלְיָא נָקַט, וּלְזִמְנִין לְחִוָּור קָרָאן לֵיהּ אוּכָם, דִּכְתִיב כִּי אִשָּׁה כֻשִׁית לָקָח הֲלוֹא כִּבְנֵי כֻשִׁיִּים אַתֶּם לִי וְגוֹ'.

סג. עֶרֶב דָּא, צְלוֹתָא דְּעַרְבִית. וּבְגִין דִּבְעֶרֶב דָּא אִתְעָרַב בֵּיהּ סִטְרָא אוֹחֲרָא, דִּוְזִיךְ נְהוֹרֵיהּ, וְשַׁלְטָא בְּלֵילְיָא, שַׁוּוּ לֵיהּ רְשׁוּת, וְלֵית לֵיהּ זְמַן קָבַע, אֲמוּרִין וּפַדְרִין מִתְאַכְלִין בְּהַאי זִמְנָא, וּמִכָּאן אַתְזָנוּ כַּמָּה וְחַבִּילֵי טְהִירִין, דְּנַפְקִין וְשַׁלְטִין בְּלֵילְיָא.

סד. וְאִי תֵימָא, אִי הָכִי, הָא תָּנֵינָן, דְּכָל אִינּוּן מָארֵי סִטְרָא אוֹחֲרָא דְּרוּחַ מְסָאֲבָא, לָא שַׁלְטֵי בְּאַרְעָא קַדִּישָׁא, וְהָא מִתְּעָרֵי לוֹן יִשְׂרָאֵל בְּהַאי, וְאָסִיר לְאִתְעָרָא לוֹן לְעַרְיָא

עַל אַרְעָא קַדִּישָׁא.

סה. אֶלָּא בְּלֵילְיָא, הַהוּא תְּנָנָא סָלִיק, וְלָא סָלִיק כְּגַוְונָא דְּקָרְבְּנָא אַחֲרָא, דַּהֲוָה סָלִיק תְּנָנָא בְּאֹרַח מֵישַׁר, וְהָכָא הֲוָה סָלִיק הַהוּא תְּנָנָא לְגַבֵּי נוּקְבָא דְּצָפוֹן, דְּתַמָּן כָּל מָדוֹרִין דְּרוּחִין בִּישִׁין, וְכֵיוָן דְּהַהוּא תְּנָנָא סָלִיק וְעָקִים אֹרַח לְהַהוּא סִטְרָא כֻּלְּהוּ הֲווּ מִתְזָנִין וְקַיְימִין וְעָאלִין בְּדוּכְתַּיְיהוּ, וְלָא הֲווּ נָפְקִין וְשַׁלְטִין בְּעָלְמָא.

סו. וְחַד מְמָנָא קַיְּימָא לְהַהוּא סִטְרָא, עַל הַהוּא נוּקְבָא דְּצָפוֹן, בְּכָל אִינּוּן חֲבִילֵי טְהִירִין, סַנְגִּירְ"א שְׁמֵיהּ, וּבְשַׁעֲתָא דְּהַהוּא תְּנָנָא עָקִים אָרְחֵיהּ וְסָלִיק, הַאי מְמָנָא וְשִׁתִּין אֶלֶף רִבּוֹא מַשִּׁרְיָין אַחֲרָנִין, כֻּלְּהוּ מִתְעַתְּדָן לְקַבְּלָא לֵיהּ, וּלְאַתְזָנָא מִנֵּיהּ, וְקַיְּימִין בְּהַהוּא נוּקְבָא, וְעָאלִין בְּחַד פִּתְחָא דְּאִקְרֵי קֶרִי, וְדָא אִיהוּ רָזָא דִּכְתִּיב, וְאִם תֵּלְכוּ עִמִּי קֶרִי וְגוֹ', וּכְתִיב, וְהָלַכְתִּי עִמָּכֶם בַּחֲמַת קֶרִי, בְּהַהוּא רוּגְזָא דְּנָפִיק מִפִּתְחָא דְּקֶרִי.

סז. וְאִלֵּין אִינּוּן דִּמְשַׁטְטֵי בְּלֵילְיָא, וּבְשַׁעֲתָא דְּנִשְׁמָתִין נָפְקִין לְסַלְּקָא, לְאִתְחֲזָאָה לְעֵילָּא, אִינּוּן נָפְקִין, וּמְקַטְרְגָן לוֹן, וְלָא יַכְלִין לְסַלְּקָא וּלְאִתְחֲזָאָה לְעֵילָּא, בַּר אִינּוּן חֲסִידֵי קַדִּישִׁין עֶלְיוֹנִים, דְּאִינּוּן בַּקְעִין רְקִיעִים וַאֲוִירִים וְסַלְּקִין. וְאִלֵּין חֲבִילֵי טְהִירִין נָפְקִין, וּמוֹדִיעִין מִלִּין כְּדִיבִין לִבְנֵי נָשָׁא, וְאִתְחַזְיָין לוֹן בְּדִיוּקְנִין אַחֲרָנִין, וְחַיְיכָאן בְּהוּ, עַד דְּאוֹשְׁדִין זַרְעָא, וְאִקְרוּן מָארֵיהוֹן דְּקֶרִי, בְּגִין דְּאִינּוּן דְּנָפְקִין מִפִּתְחָא דְּקֶרִי, גַּרְמֵי לוֹן.

סח. וּבְשַׁעֲתָא דְּמִתְאַכְּלֵי אֵמוּרִין וּפְדָרִין, הַהוּא תְּנָנָא הֲוֵי רַוֵּי לוֹן, וְזָן לוֹן, כְּפוּם יְקָרָא דִּלְהוֹן הָכִי מְזוֹנָא דִּלְהוֹן, מַה דְּאִתְחֲזֵי לוֹן. וּבְהַאי, לָא נַפְקָן, וְלָא מְשַׁטְטֵי בְּאַרְעָא קַדִּישָׁא.

סט. עֶרֶב: כד"א, וְגַם עֵרֶב רַב עָלָה אִתָּם, דְּכָל אִינּוּן חֲבִילֵי טְהִירִין, אִינּוּן מִתְעָרְבֵי בְּשׁוּלְטָנוּ דְּלֵילְיָא. וְע"ד לָא שַׁוְּיוּהָא חוֹבָא לִצְלוֹתָא דְּעַרְבִית, דְּלֵית מַאן דְּיָכִיל לְאַתְקְנָא לָהּ כְּיַעֲקֹב, דְּאִיהוּ הֲוָה מָארֵי מַשְׁכְּנָא, וּמְתַקֵּן לֵיהּ כַּדְקָא יָאוֹת.

ע. וְאע"ג דְּאִיהוּ רְשׁוּ, צְלוֹתָא דָא אִיהוּ לְאַגָּנָא עָלָן מִגּוֹ פַּחַד בַּלֵּילוֹת, מִגּוֹ פַּחַד דְּכַמָּה סִטְרִין דְּגֵיהִנָּם, דְּהָא בְּהַהִיא שַׁעֲתָא טַרְדֵי לְחַיָּיבַיָּא בְּגֵיהִנָּם, עַל חַד תְּרֵין מִבִּימָמָא. וּבְגִ"כ, מַקְדְּמֵי יִשְׂרָאֵל לְמֵימַר וְהוּא רַחוּם, דְּאִיהוּ בְּגִין פַּחַד דְּגֵיהִנָּם. וּבְשַׁבָּת דְּלָא אִשְׁתְּכַח פַּחַד דִּינָא דְּגֵיהִנָּם, וְלָא דִּינָא אַחֲרָא, אָסִיר לְאַתְעֲרָא לֵיהּ, דְּאִתְחֲזֵי דְּהָא לֵית רְשׁוּ לְשַׁבָּת לְאַעְבְּרָא דִּינָא מֵעָלְמָא.

עא. וּפַחַד דְּקִטְרוּגָא דְּנִשְׁמָתִין, כַּד בָּעָאן לְסַלְּקָא לְעֵילָּא, לְאִתְחֲזָאָה קָמֵי מָארֵיהוֹן. וּבְגִ"כ אֲנָן מַקְדִּימִים, שׁוֹמֵר אֶת עַמּוֹ יִשְׂרָאֵל לָעַד אָמֵן. פַּחַד דְּכַמָּה מַזִּיקִין וְקַטְרוּגִין דְּמִשְׁתַּכְּחֵי בְּלֵילְיָא, וְאִית לוֹן רְשׁוּ לְנַזְקָא, לְמַאן דְּנָפִיק מִתְּרַע בֵּיתֵיהּ לְבַר, וּבְגִ"כ אֲנָן מַקְדִּימִים, וּשְׁמוֹר צֵאתֵנוּ וּבוֹאֵנוּ.

עב. וְעַל כָּל דָּא, מִגּוֹ דְּחִילוּ דְּכָל דָּא, אֲנָן מַפְקִידִינָן גּוּפִין רוּחִין וְנִשְׁמָתִין, לְמַלְכוּתָא עִלָּאָה, דִּי שׁוּלְטָנוּ דְּכֹלָּא בִּידָהָא. וְעַל דָּא צְלוֹתָא דְּעַרְבִית, בְּכָל לֵילְיָא וְלֵילְיָא. הַשְׁתָּא דְּקָרְבְּנִין וּמַדְבְּחָן לָא אִשְׁתְּכָחוּ, אֲנָן עַבְדִינָן כָּל תִּקּוּנִין דְּאֲנָן עַבְדִין עַל רָזָא דְּנָא.

עג. בְּפַלְגּוּ לֵילְיָא, כַּד רוּחַ צָפוֹן אִתְּעַר, בָּטֵשׁ בְּכָל אִינּוּן מָדוֹרִין דְּרוּחִין בִּישִׁין, וְתָבַר סִטְרָא אַחֲרָא, וְעָאל וְשָׁאט לְעֵילָּא וְתַתָּא, וְכָל אִינּוּן חֲבִילֵי טְהִירִין עַיְילִין לְדוּכְתַּיְיהוּ, וְאִתְּבַר חֵילַיְיהוּ וְלָא שַׁלְטִין. וּכְדֵין קוּדְשָׁא בְּ"ה עָאל לְאִשְׁתַּעְשְׁעָא עִם צַדִּיקַיָּא בְּגִנְתָּא דְּעֵדֶן, וְהָא אִתְּמַר.

עד. כַּד אָתֵי צַפְרָא, נְהוֹרָא דְּשַׁרְגָּא דְּשַׁלְטָא בְּלֵילְיָא, אִתְגְּנִיז מִקָּמֵי נְהוֹרָא דִּימָמָא, כְּדֵין בֹּקֶר שַׁלְטָא, וְאִתְעֲבַר שׁוּלְטָנוּ דְּעֶרֶב, הַאי בֹּקֶר, אִיהוּ בֹּקֶר דְּאוֹר קַדְמָאָה, הַאי

בקר, אשלים טיבו לעלמין כלהו. מניה אתזנו עלאין ותתאין. האי אשקי לגנתא. האי איהו נטירו דכל עלמא.

עה. הכא רזא לידעי מדין, מאן דבעי למיפק לארחא, יקום בנגהא, ויסתכל באסתכלותא לפום שעתא, לסטר מזרח, ויחמי כחיזו דאתוון דבטשי ברקיעא, דא סליק ודא נחית. ואלין אינון נציצו דאתוון, דאתברון בהו שמיא וארעא.

עו. אי איהו ידע ברזא דאינון אתוון, דאינון רזא דשמא קדישא, דארבעין ותרין אתוון, וידכר לון כדקא חזי, ברעותא דלבא. יחמי גו נהירו דנגהא דרקיעא שית יודי"ן, תלת לסטר ימינא, ותלת לסטר שמאלא. ותלת ווין, דסלקין ונחתין ונצצי ברקיעא. ואינון אתוון דברכת כהנים, וכדין יצלי צלותיה, ויפוק לארחא, ודאי שכינתא אקדימת עמיה, זכאה וזולקיה.

עז. כד אתי האי בקר, עמודא חד נעיץ בסטר דרום, לגו מתיחו דרקיעא, דעל גבי גנתא. בר מההוא עמודא, דאיהו נעיץ באמצעו דגנתא. ועמודא דא, איהו נהיר בנהירו דתלת גוונין, מרקמא דארגוונא. בההוא עמודא, קיימא ענפא חדא, בההוא ענפא, אתעתדו תלת צפרין, מתערין צפצפא לשבחא.

עח. פתח חד ואמר, הללויה הללו עבדי יי' הללו את שם יי'. פתח תניינא ואמר, יהי שם יי' מבורך מעתה ועד עולם. פתח תליתאה ואמר, ממזרח שמש עד מבואו מהולל שם יי'. כדין כרוזא קדים וקרי אתעתדו קדישי עליונין, אינון דמשבחן למאריהון, אתתקנו בשבחא דימטא. כדין אתפרשון יממא מן ליליא. זכאה וזולקיה, מאן דקם בצפרא, מגו תושבחתא דאורייתא, דלעי בליליא. בההוא זמנא צלותא דצפרא.

עט. כתיב, אמר שומר אתא בקר וגם לילה אם תבעיון בעיו שבו אתיו, האי קרא אוקמוה ליה, על גלות דישראל, דיתבי גו בני שעיר, וישראל אמרי לקב"ה, שומר, מה מלילה, מה תהא עלן מן גלותא דא, דדמי לחשוכא דליליא. מה כתיב, אמר שומר, דא קב"ה, אתא בקר, כבר נהירנא לכו בגלותא דמצרים, ואסיקנא לכו וקריבת יתכון לפולחני, ואורייתא יהבית לכון, בגין דתזכון לחיי עלמא. שבקתון אורייתי, וגם לילה, אעילנא לכו בגלותא דבבל, ואסיקנא לכו. שבקתון אורייתי כמלקדמין, אעילנא לכו בגלותא כמלקדמין. אם תבעיון בעיו כד"א, דרשו מעל ספר יי' וקראו, ותמן תשכחון במה תליא גלותא דלכון, וגאולה דלכון, וכד תבעיון בה, היא תימא ותכריז קמייכו. שובו בתשובה שלימתא, ומיד אתיו ואקריבו לגבאי.

פ. ובהאי קרא כתיב, משא דומה. ורזא דא, בשית דרגין דנבואה אתמר לנביאי. במחז"ה. בחזו"ן. בחזיו"ן. בחזו"ת. בדב"ר. במש"א. וכלהו וחמשא כלהו כמאן דחמי בתר כותלא, ההוא נהירו דנהורא. ומנהון, כמאן דחמי נהורא דשמשא מגו עששיתא. אבל משא, הוי, כד מטי ההוא נהורא בטורח סגי ואיטרח מלוי עלוי, דלא יכיל לאתגלייא ליה, כד"א, לשום את משא כל העם הזה עלי. ובג"כ, משא.

פא. והכא משא דומה טורח סגיאה, דלא יכיל לאתגלייא ואיהו נבואה בלחישו, וקיימא בלחישו. אלי קורא משעיר הכא לא אתגליא מאן אמר אלי קורא משעיר. אי קודשא בריך הוא, אי נביאה מהימנא. אבל נבואה דא ודאי קיימא בלחישו, גו

רָזָא דִּמְהֵימְנוּתָא עִלָּאָה, וּמִגּוֹ רָזָא סְתִימָאָה, נְבִיאָה מְהֵימְנָא אָמַר, דִּלֵּיהּ הֲוָה קָרָא קָלָא בְּרָזָא דִּמְהֵימְנוּתָא, וְאָמַר אֵלַי קוֹרֵא מִשֵּׂעִיר. כד"א, וְזָרַח מִשֵּׂעִיר לָמוֹ. וְלָא כְּתִיב וְזָרַח לְשֵׂעִיר, בְּגִין דְּרָזָא דִּמְהֵימְנוּתָא הָכִי אִיהוּ, דַּרְגִּין מִגּוֹ דַּרְגִּין, אִלֵּין פְּנִימָאִין מֵאִלֵּין, קְלִיפָּה, גּוֹ קְלִיפָּה וּמוֹחָא גּוֹ מוֹחָא.

פב. וְהָא אוֹקִימְנָא, דִּכְתִּיב, וְהִנֵּה רוּחַ סְעָרָה בָּאָה מִן הַצָּפוֹן, הָא דַּרְגָּא חַד. עָנָן גָּדוֹל, הָא דַּרְגָּא אַחֲרָא. וְאֵשׁ מִתְלַקַּחַת, הָא דַּרְגָּא תְּלִיתָאָה. וְנֹגַהּ לוֹ סָבִיב, הָא דַּרְגָּא רְבִיעָאָה. וּלְבָתַר וּמִתּוֹכָהּ כְּעֵין הַחַשְׁמַל. וּלְבָתַר וּמִתּוֹכָהּ דְּמוּת אַרְבַּע חַיּוֹת הָא דַּרְגִּין גּוֹ דַּרְגִּין.

פג. אוּף הָכָא, כַּד אִתְגַּלְיָיא קוּדְשָׁא בְּרִיךְ הוּא לְיִשְׂרָאֵל, לָא אִתְגַּלְיָיא אֶלָּא מִגּוֹ דַּרְגִּין אִלֵּין. מִסִּינַי בָּא, דַּרְגָּא דַּהֲוָה טְמִירָא יַתִּיר, וּלְבָתַר אִצְטְרִיךְ לְאִתְגַּלְיָא. וְאָמַר וְזָרַח מִשֵּׂעִיר, הָא דַּרְגָּא אַחֲרָא, דְּאִיהוּ בְּאִתְגַּלְיָיא יַתִּיר, קְלִיפָּא דְּשַׁרְיָא עַל גַּבֵּי מוֹחָא. וּלְבָתַר הוֹפִיעַ מֵהַר פָּארָן, הָא דַּרְגָּא אַחֲרָא. וּלְבָתַר וְאָתָה מֵרִבְבוֹת קֹדֶשׁ, דָּא שְׁבָחָא דְּכֹלָּא, דְּאַף עַל גַּב דְּאִתְגַּלְיָיא מִכָּל אִלֵּין דַּרְגִּין, מֵהַהוּא אֲתַר דְּהוּא עִקָּרָא דְּכֹלָּא, שָׁרֵי לְאִתְגַּלָּאָה מִנֵּיהּ. מַאן אֲתַר אִיהוּ. מֵרִבְבוֹת קֹדֶשׁ אִיהוּ, אִינּוּן דַּרְגִּין עִלָּאִין לְעֵילָּא, אוּף הָכָא אֵלַי קוֹרֵא מִשֵּׂעִיר, מֵהַהוּא דַּרְגָּא דְּקָאָמַרָן, דְּאִתְדַּבַּק לְעֵילָּא.

פד. שׁוֹמֵר מַה מִּלַּיְלָה שׁוֹמֵר מַה מִּלֵּיל. שׁוֹמֵר דָּא מְטַטְרוֹ"ן, וּכְתִיב, וְשׁוֹמֵר אֲדוֹנָיו יְכֻבָּד, וְדָא רָזָא דְּשָׁלְטָא בְּלֵילְיָא. מַה מִּלַּיְלָה שׁוֹמֵר מַה מִּלֵּיל, מַה בֵּין הַאי לְהַאי. אֶלָּא, כֹּלָּא חַד, אֲבָל בְּחוּלָקָא דָּא, שָׁלְטָא סִטְרָא אַחֲרָא. וּבְחוּלָקָא דָּא, לָא שָׁלְטָא כְּלָל. לֵיל, אִצְטְרִיךְ לְנְטוּרָא, דִּכְתִּיב לֵיל שִׁמּוּרִים הוּא, וְעַל דָּא חָסֵר ה', וְדָא אִיהוּ כַּד עָאל לֵילְיָא, עַד דְּאִתְפְּלַג. מִפַּלְגוּ לֵילְיָא וּלְהָלְאָה, שָׁלְטָא לַיְלָה בְּה' דִּכְתִּיב וַיְהִי בַּחֲצִי הַלַּיְלָה. הוּא הַלַּיְלָה הַזֶּה. וְלַיְלָה כַּיּוֹם יָאִיר וְגוֹ'. וּבְגִין כָּךְ, שׁוֹמֵר מַה מִּלַּיְלָה שׁוֹמֵר מַה מִּלֵּיל.

פה. אָמַר שׁוֹמֵר. אַשְׁכַּחְנָא בְּסִפְרָא דְּאָדָם, מַה בֵּין וַיֹּאמֶר לְאָמַר. וַיֹּאמֶר לְעֵילָּא, וְאָמַר לְתַתָּא, וְאֶל מֹשֶׁה אָמַר. מַאן אָמַר, אָמַר שׁוֹמֵר, דָּא מְטַטְרוֹן. אָתָא בֹּקֶר, דָּא צְלוֹתָא דְּשַׁחֲרִית דְּאִיהוּ שֻׁלְטָנוּ דִּימָמָא, הַהוּא דְּשָׁלִיט עַל לֵילְיָא. וְאִי תֵּימָא דְּאִיהוּ אָתֵי בִּלְחוֹדוֹי, וְאִתְפְּרַשׁ דְּכַר מִנּוּקְבָא, הָא כְּתִיב וְגַם לַיְלָה, תַּרְוַויְיהוּ כַּחֲדָא, וְלָא מִתְפָּרְשִׁין דָּא מִן דָּא לְעָלְמִין. וְקָלָא דָּא קָרֵי בְּמִלִּין אִלֵּין, אָתָא בֹקֶר וְגַם לַיְלָה תַּרְוַויְיהוּ זְמִינִין לְגַבַּיְיכוּ.

פו. מִכָּאן וּלְהָלְאָה אִם תִּבְעָיוּן בְּעָיוּ. אִם תִּבְעוּן בָּעוּתְכוֹן בִּצְלוֹ קַמֵּי מַלְכָּא קַדִּישָׁא, בְּעָיוּ, צַלּוֹ וּבְעוּ בָּעוּתְכוֹן, וְתוּבוּ לְגַבֵּי מָארֵיכוֹן. אֵתָיוּ, כְּמַאן דִּזַמִּין לְקַבְּלָא לִבְנוֹי, וּלְרַחֲמָא עָלַיְיהוּ. אוּף הָכִי קב"ה, בֹּקֶר וְגַם לַיְלָה, קָרָא וְאָמַר אֵתָיוּ. זַכָּאָה עַמָּא קַדִּישָׁא, דְּמָארֵיהוֹן בָּעֵי עֲלוֹן, וְקָרָא לוֹן לְקָרְבָא לוֹן לְגַבֵּיהּ.

פז. כְּדֵין עַמָּא קַדִּישָׁא, בָּעָאן לְאִתְחַבְּרָא, וּלְאַעֲלָא בְּבֵי כְּנִישְׁתָּא. וְכָל מַאן דְּאַקְדִּים בְּקַדְמֵיתָא, אִתְחַבַּר בִּשְׁכִינְתָּא בְּחִבּוּרָא חֲדָא. תָּא חֲזֵי, הַהוּא קַדְמָאָה דְּאִשְׁתְּכַח בְּבֵי כְּנִישְׁתָּא, זַכָּאָה חוּלָקֵיהּ, דְּאִיהוּ קַיְּימָא בְּדַרְגָּא דְּצַדִּיק בַּהֲדֵי שְׁכִינְתָּא. וְדָא אִיהוּ רָזָא וּמְשַׁחֲרַי יִמְצָאֻנְנִי. דָּא סָלִיק בִּסְלִיקוּ עִלָּאָה. וְאִי תֵּימָא, הָא תָּנֵינָן בְּשַׁעֲתָא דְּקב"ה אָתֵי לְבֵי כְּנִישְׁתָּא, וְלָא אַשְׁכַּח תַּמָּן עֲשָׂרָה, מִיַּד כּוֹעֵס. וְאַתְּ אָמַרְתְּ הַהוּא חַד דְּאַקְדִּים, אִתְחַבַּר בִּשְׁכִינְתָּא, וְקַיְּימָא בְּדַרְגָּא דְּצַדִּיק.

פח. אֶלָּא, לְמַלְכָּא דְּשָׁדַר לְכָל בְּנֵי מָתָא, דְּיִשְׁתַּכְּחוּן עִמֵּיהּ בְּיוֹם פְּלָן, בְּדוּךְ פְּלָן. עַד דַּהֲווּ מְזַמְּנֵי גַּרְמַיְיהוּ אִינּוּן בְּנֵי מָתָא, אַקְדִּים וְחַד וְאָתָא לְהַהוּא אֲתָר. בֵּין כָּךְ וּבֵין כָּךְ אָתָא מַלְכָּא, אַשְׁכַּח לְהַהוּא בַּר נָשׁ דְּאַקְדִּים תַּמָּן, אָמַר לֵיהּ, פְּלָן בְּנֵי מָתָא אָן אִינּוּן. אָמַר לֵיהּ, מָארִי, אֲנָא אַקְדִּימְנָא מִנַּיְיהוּ, וְהָא אִינּוּן אָתָאן אֲבַתְרָאי לְפִקּוּדָא דְּמַלְכָּא. כְּדֵין, טָב בְּעֵינֵי מַלְכָּא, וְיָתִיב תַּמָּן בַּהֲדֵיהּ, וְאִשְׁתָּעֵי עִמֵּיהּ, וְאִתְעֲבֵיד רְחִימָא דְּמַלְכָּא. בֵּין כָּךְ וּבֵין כָּךְ, אָתוּ כָּל עַמָּא, וְאִתְפָּיַּיס מַלְכָּא עִמְּהוֹן, וְשָׁדַר לוֹן לִשְׁלָם. אֲבָל אִי אִינּוּן בְּנֵי מָתָא לָא אַתְיָין, וְחַד לָא אַקְדִּים לְאִשְׁתָּעֵי קָמֵי מַלְכָּא, לְאִתְחֲזָאָה בְּגִינַּיְיהוּ דְּהָא כֻּלְּהוּ אַתְיָין. מִיָּד כָּעִיס וְרָגִיז מַלְכָּא.

פט. אוּף הָכָא, כֵּיוָן דְּחָד אַקְדִּים, וְאִשְׁתַּכַּח בְּבֵי כְּנִישְׁתָּא, וּשְׁכִינְתָּא אַתְיָא וְאַשְׁכַּח לֵיהּ, כְּדֵין אִתְחֲשִׁיב כְּאִלּוּ כֻּלְּהוּ אִשְׁתְּכָחוּ תַּמָּן. דְּהָא דָּא אוֹרִיךְ לוֹן תַּמָּן. מִיַּד אִתְחַבְּרַת עִמֵּיהּ שְׁכִינְתָּא, וְיָתְבֵי בְּזִוּוּגָא חַד, וְאִשְׁתְּמוֹדַע בַּהֲדֵיהּ, וְאוֹתִיב לֵיהּ בְּדַרְגָּא דְּצַדִּיק. וְאִי חַד לָא אַקְדִּים וְלָא אִשְׁתַּכַּח תַּמָּן, מַה כְּתִיב, מַדּוּעַ בָּאתִי וְאֵין אִישׁ. וְאֵין עֲשָׂרָה לָא כְּתִיב, אֶלָּא וְאֵין אִישׁ, לְאִתְחַבְּרָא בַּהֲדָאי, לְמֶהֱוֵי גַּבָּאי, כד"א אִישׁ הָאֱלֹהִים לְמֶהֱוֵי בְּדַרְגָּא דְּצַדִּיק.

צ. וְלָא עוֹד, אֶלָּא דְּאִשְׁתְּמוֹדַע בַּהֲדֵיהּ, וְשָׁאִיל עֲלוֹי, אִי יוֹמָא חַד לָא אָתֵי, כְּמָה דְּאוֹקִימְנָא, דִּכְתִּיב מִי בָכֶם יְרֵא יְיָ' שׁוֹמֵעַ בְּקוֹל עַבְדּוֹ. וְהָא אִתְעַרְנָא בְּהַאי דִּכְתִיב, אֵלַי קוֹרֵא מִשֵּׂעִיר, דְּהָא דַּרְגָּא בָּתַר דַּרְגָּא דַּרְגָּא גּוֹ דַּרְגָּא, הַהוּא שׁוֹמֵר, קוֹרֵא בְּחֵילָא בְּכָל יוֹמָא וְיוֹמָא, וְדָא אִיהוּ שׁוֹמֵעַ בְּקוֹל עַבְדּוֹ, עַבְדּוֹ, דָּא מְטַטְרוֹן. וּבְגִין כָּךְ, זַכָּאָה אִיהוּ מַאן דְּאַקְדִּים לְבֵי כְּנִישְׁתָּא, לְסַלְּקָא בְּהַהוּא דַּרְגָּא עִלָּאָה דְּקָאָמְרָן.

צא. כַּד אָתֵי צַפְּרָא, וְצִבּוּרָא אִשְׁתְּכָחוּ בְּבֵי כְּנִישְׁתָּא, בָּעוּ לְאִשְׁתַּכְּחָא בְּשִׁירִין וְתוּשְׁבְּחָן דְּדָוִד. וְהָא אוֹקִימְנָא, דְּסִדּוּרָא אִיהוּ לְאַתְעָרָא רְחִימוּ לְעֵילָּא וְתַתָּא, לְאַתְקְנָא תִּקּוּנִין, וּלְאִתְעָרָא חֶדְוָה. דְּהָא בְּגִין דָּא לֵיוָאֵי מִתְעָרֵי לְאַתְעָרָא רְחִימוּ וְחֶדְוָה לְעֵילָּא, בְּאִינּוּן שִׁירִין וְתוּשְׁבְּחָן.

צב. וּמַאן דְּמִשְׁתָּעֵי בְּבֵי כְּנִישְׁתָּא בְּמִלִּין דְּחוֹל, וַוי לֵיהּ, דְּאַחֲזֵי פְּרוּדָא, וַוי לֵית דְּגָרַע מֵהֵימְנוּתָא. וַוי לֵיהּ דְּלֵית לֵיהּ חוּלָקָא בֶּאֱלָהָא דְּיִשְׂרָאֵל. דְּאַחֲזֵי דְּהָא לֵיהּ אֱלָהָא, וְלָא אִשְׁתַּכַּח תַּמָּן, וְלָא דָּחִיל מִנֵּיהּ, וְאַנְהִיג קְלָנָא בְּתִקּוּנָא עִלָּאָה דִּלְעֵילָּא.

צג. דְּהָא בְּשַׁעֲתָא דְּיִשְׂרָאֵל מְסַדְּרֵי בְּבֵי כְּנִישְׁתָּא, סִדּוּרָא דְּשִׁירִין וְתוּשְׁבְּחָן וְסִדּוּרָא דִּצְלוֹתָא, כְּדֵין מִתְכַּנְּשֵׁי תְּלַת מַשִּׁרְיָין דְּמַלְאֲכֵי עִלָּאֵי. מַשִּׁרְיָיתָא חֲדָא, אִינּוּן מַלְאָכִין קַדִּישִׁין דְּקָא מְשַׁבְּחָן לְקָבָּ"ה בִּימָמָא, בְּגִין דְּאִית אַחֲרָנִין דְּקָא מְשַׁבְּחָן לְקָבָּ"ה בְּלֵילְיָא. וְאִלֵּין אִינּוּן דְּקָא מְשַׁבְּחָן לְקָבָּ"ה, וְאַמְרִין שִׁירִין וְתוּשְׁבְּחָן בַּהֲדַיְיהוּ דְּיִשְׂרָאֵל בִּימָמָא.

צד. מַשִּׁרְיָיתָא תִּנְיָינָא, אִינּוּן מַלְאָכִין קַדִּישִׁין, דְּמִשְׁתַּכְּחֵי בְּכָל קְדוּשָּׁה וּקְדוּשָּׁה דְּיִשְׂרָאֵל, מְקַדְּשֵׁי לְתַתָּא. וּבְשׁוּלְטָנָא דִּלְהוֹן, כָּל אִינּוּן דְּמִתְעָרִין בְּכָל אִינּוּן רְקִיעִין, בְּהַהִיא צְלוֹתָא דְּיִשְׂרָאֵל. מַשִּׁרְיָיתָא תְּלִיתָאָה אִינּוּן עוּלֵימְתָּן עִלָּאִין. דְּקָא מִתְתַּקְּנֵי עִם מַטְרוֹנִיתָא, וּמְתַקְּנֵי לָהּ לְאַעֲלָא לָהּ קָמֵי מַלְכָּא, וְאִלֵּין אִינּוּן מַשִּׁרְיָין עִלָּאִין עַל כֻּלְּהוּ.

צה. וְכֻלְּהוּ מִתְתַּקְּנֵי, בְּסִדּוּרָא דְּיִשְׂרָאֵל דְּמִתַּתְקְנֵי לְתַתָּא, בְּאִינּוּן שִׁירִין וְתוּשְׁבְּחָן, וּבְהַהִיא צְלוֹתָא דְּקָא מְצַלּוּ יִשְׂרָאֵל. כֵּיוָן דְּאִלֵּין תְּלַת מַשִּׁרְיָין מִזְדַּמְּנָן, כְּדֵין יִשְׂרָאֵל פַּתְחֵי שִׁירָתָא, וְזַמְּרֵי קָמֵי מָארֵיהוֹן. וְהַהִיא מַשִּׁרְיָיתָא חֲדָא, דִּי מְמַנָּא לְשַׁבְּחָא

לְמָארֵיהוֹן בִּימָמָא, אִזְדַּמְּנָן עֲלַיְיהוּ, וְזַמְרֵי עִמְּהוֹן כַּחֲדָא, בְּאִינּוּן שְׁבָחֵי דְּדָוִד מַלְכָּא, וְהָא אוּקִימְנָא מִלֵּי.

צו. בְּהַהוּא זִמְנָא דִּמְסַיְּימֵי יִשְׂרָאֵל שְׁבָחֵי דְּאִינּוּן תּוּשְׁבְּחָן דְּדָוִד, כְּדֵין תּוּשְׁבַּחְתָּא דְּשִׁירָתָא, דְּיַמָּא, כְּמָה דְּאוּקִימְנָא. וְאִי תֵּימָא, הַאי תּוּשְׁבַּחְתָּא אֲמַאי אִיהִי בְּתִקּוּנָא בַּתְרַיְיתָא בָּתַר שְׁבָחֵי דְּדָוִד, וְהָא תּוֹרָה שֶׁבִּכְתָב, אַקְדִּימַת לְתוֹרָה שֶׁבְּעַל פֶּה, וְאַקְדִּימַת לַנְּבִיאִים, וְאַקְדִּימַת לַכְּתוּבִים, וּכְמָה דְּאַקְדִּימַת, הָכִי אִצְטְרִיךְ לְאַקְדְּמָא.

צז. אֶלָּא, מִגּוֹ דְּכ״י לָא אִתְתַּקְנַת אֶלָּא מִתּוֹרָה שֶׁבִּכְתָב, מִשּׁוּם הָכִי אִצְטְרִיךְ לוֹמַר לָהּ בְּשֵׁירוּתָא דְּתִקּוּנָהָא, וְהַאי תּוּשְׁבַּחְתָּא מְעַלְיָא, מִכָּל שְׁאָר תּוּשְׁבְּחָן דְּעָלְמָא. וְאִיהִי לָא אִתְתַּקְנַת מִכֻּלְּהוּ, כְּמָה דְּאִתְתַּקְנַת מִתּוּשְׁבַּחְתָּא דָּא. וּבְגִין דָּא, אִיהִי סָמוּךְ לִצְלוֹתָא דִּמְיוּשָּׁב, כְּמָה דְּאוּקִימְנָא.

צח. בָּהּ שַׁעֲתָא כַּד שִׁירָתָא דְּיַמָּא אִתְּמַר, מִתְעַטְּרָא כְּנֶסֶת יִשְׂרָאֵל בְּהַהוּא כִּתְרָא, דְּזַמִּין קֻבְּ״ה לְאַעְטְּרָא לְמַלְכָּא מְשִׁיחָא, וְהַהוּא כִּתְרָא גְּלִיפָא מְחַקְּקָא בִּשְׁמָהָן קַדִּישִׁין, כְּמָה דְּאִתְעַטַּר קֻבְּ״ה הַהוּא יוֹמָא דְּאַעְבְּרוּ יִשְׂרָאֵל יַת יַמָּא, וְאַטְבַּע לְכָל מַשִׁרְיָין דְּפַרְעֹה וּפָרָשׁוֹהִי. בג״ד, בָּעֵי ב״נ לְשַׁוָּאָה רְעוּתֵיהּ בְּהַאי שִׁירָתָא. וְכָל מַאן דְּזָכֵי לָהּ בְּהַאי עָלְמָא, זָכֵי לְמֶחֱמֵי לְמַלְכָּא מְשִׁיחָא בְּתִקּוּנֵי הַהוּא כִּתְרָא, וּבַחֲגִירוּ דְּזַיְינֵיהּ, וְזַכֵּי לְשַׁבְּחָא הַאי שִׁירָתָא תַּמָּן, וְהָא אוּקִימְנָא מִלֵּי.

צט. כֵּיוָן דְּמָטֵי ב״נ לְיִשְׁתַּבַּח נָטַל קֻבְּ״ה הַהוּא כִּתְרָא, וְשַׁוֵּי לֵיהּ קַמֵּיהּ, וכ״י שָׁרִיאַת לְאִתְתַּקְנָא לְמֵיתֵי קָמֵי מַלְכָּא עִלָּאָה. וְאִצְטְרִיךְ לְאַכְלְלָא לָהּ, בִּתְלֵיסַר מְכִילָן דְּרַחֲמֵי עִלָּאֵי, דְּמִנַּהוֹן אִתְבָּרְכַת. וְאִינּוּן תְּלֵיסַר בּוּסְמִין עִלָּאִין, כד״א, נֵרְדְּ וְכַרְכֹּם קָנֶה וְקִנָּמוֹן וְגוֹ׳, וְהָכָא אִינּוּן, שִׁיר, וּשְׁבָחָה, הַלֵּל, וְזִמְרָה, עֹז, וּמֶמְשָׁלָה, נֶצַח, גְּדוּלָה, וּגְבוּרָה, תְּהִלָּה, וְתִפְאֶרֶת, קְדוּשָּׁה. הָא תְּרֵיסַר. וּלְבָתַר לְחַבְּרָא לָהּ בַּהֲדַיְיהוּ, וְלוֹמַר וּמַלְכוּת, וַהֲווּ תְּלֵיסַר. בְּגִין דְּאִיהִי מִתְבָּרְכָא מִנַּיְיהוּ.

ק. וְעַל דָּא אִצְטְרִיךְ, בְּשַׁעֲתָא דְּאִתְכְּלִילַת בֵּינַיְיהוּ, לְשַׁוָּאָה לִבָּא וּרְעוּתָא בְּהַאי, וְלָא לְיִשְׁתָּעֵי כְּלָל, דְּלָא לִפְסוֹק בֵּינַיְיהוּ. וְאִי פָּסִיק בֵּינַיְיהוּ, מִתְּחוֹת גַּדְפֵּי כְּרוּבַיָּיא נָפִיק חַד שַׁלְהוֹבָא, וְקָארֵי בְּחֵילָא וְאָמַר, פְּלַנְיָא דִּי פָּסִיק גֵּאוּתָא דְּקֻבְּ״ה, יִשְׁתְּצֵי וְיִתְפְּסַק, דְּלָא יֶחֱמֵי גֵּאוּתָא דְּמַלְכָּא קַדִּישָׁא, כד״א וּבַל יִרְאֶה גֵּאוּת ה׳, בְּגִין דְּאִלֵּין תְּלֵיסַר אִינּוּן גֵּאוּת יְיָ׳.

קא. מִכָּאן וּלְהָלְאָה אֵל הַהוֹדָאוֹת כו׳, דָּא מַלְכָּא עִלָּאָה דִּשְׁלָמָא כֹּלָּא דִּילֵיהּ, כד״א שִׁיר הַשִּׁירִים אֲשֶׁר לִשְׁלֹמֹה, לְמַלְכָּא דִּשְׁלָמָא דִּילֵיהּ, בְּגִין דְּכָל הָנֵי שְׁבָחָן אִינּוּן לְגַבֵּהּ דְּכ״י כַּד מִשְׁתַּבְּחָא בְּמַשִׁרְיָיתָא דִּלְתַתָּא. מִתַּמָּן וּלְהָלְאָה, יוֹצֵר אוֹר וּבוֹרֵא חֹשֶׁךְ עוֹשֶׂה שָׁלוֹם וּבוֹרֵא אֶת הַכֹּל. וְהָא אִתְעַרְנָא בֵּיהּ, וְאִתְעֲרוּ חַבְרַיָּיא דְּהָנֵי אִינּוּן תִּיקוּנִין דְּעָלְמָא עִלָּאָה.

קב. א״ל בָּרוּ״ךְ: תִּקּוּנֵי דְּעָלְמָא תַּתָּאָה, דְּאִינּוּן כ״ב אַתְוָון זְעִירִין, בְּגִין דְּאִית אַתְוָון רַבְרְבָן, וְאַתְוָון זְעִירִין. אַתְוָון זְעִירִין, מֵעָלְמָא תַּתָּאָה. אַתְוָון רַבְרְבָן, מֵהַהוּא עָלְמָא דְּאָתֵי.

קג. בְּכֹלָּא אִינּוּן רַבְרְבָן, אִינּוּן רַבְרְבָן בְּגַרְמַיְיהוּ. כַּד אַתְיָין יְחִידָאִין אִינּוּן רַבְרְבָן דְּכַד פְּשִׁיטָן יַתִּיר, אִינּוּן אַתְיָין כָּל אָת וְאָת בִּרְתִיכָא דְּחַזֵּי לֵיהּ, כְּגוֹן שְׁבָחָא דְּשַׁבָּת דְּאִינּוּן אַתְוָון דִּשְׁבַח, אֵל אָדוֹן עַל כָּל הַמַּעֲשִׂים, בָּרוּךְ וּמְבוֹרָךְ בְּפִי כָּל נְשָׁמָה. אִלֵּין

אַתְוָון בּוּחֲמֵשׁ וְחָמֵשׁ תֵּיבִין, דְּאִינּוּן וַחֲמִשִׁין תַּרְעִין דְּעָלְמָא דְּאָתֵי.

קּד. תְּרֵין אַתְוָון אוֹחֲרָנִין דִּי בְּסוֹפָא: ע"ת. אִינּוּן בְּשִׁית שִׁית תֵּיבִין, דְּאִינּוּן שִׁית סִטְרִין דְּעָלְמָא דְּאָתֵי, וְנַפְקֵי מְתַתְּמָן. כְּגוֹן: שֶׁבַּח יִתְנוּ לוֹ כָּל צְבָא מָרוֹם. תִּפְאֶרֶת וּגְדוּלָה שְׂרָפִים וְאוֹפַנִּים וְחַיּוֹת הַקֹּדֶשׁ.

קה. אִלֵּין תְּרֵין אַתְוָון, בְּשִׁית שִׁית תְּרֵין אַתְוָון קַדְמָאֵי, בּוּחֲמֵשׁ וְחָמֵשׁ. כֻּלְּהוּ שְׁאָר אַתְוָון דִּי בְּאֶמְצָעִיתָא, כֻּלְּהוּ בְּאַרְבַּע אַרְבַּע, בְּגִין דְּאִינּוּן בְּרָזָא דִּרְתִיכָא עִלָּאָה, דְּאִינּוּן אַתְוָון קַדְמָאֵי וְאִינּוּן דִּבְסוֹפָא, אִינּוּן שְׁלִימוּ דְּכ"ב תֵּיבִין, לָקֳבֵל כ"ב אַתְוָון עִלָּאִין. אִשְׁתְּאָרוּ תְמַנֵיסַר אַתְוָון אוֹחֲרָנִין, דְּקָא סָלְקִין בִּרְתִיכַיְיהוּ לְאַרְבַּע אַרְבַּע, לְעוֹבְדֵין וּתְרֵין תֵּיבִין, דְּאִינּוּן רָזָא דִּשְׁמָא מְפָרַשׁ, גְּלִיפָא קַדִּישָׁא דְּע"ב אַתְוָון, דְּקוּדְשָׁא בְּרִיךְ הוּא מִתְעַטַּר בְּהוּ. וּשְׁמָא דָא, אִיהוּ מְעַטְּרָא לכ"י, וְסַלִּיק בְּרָזָא דָא, לְאִתְעַטְּרָא בְּהוּ גוֹ שְׁלִימוּתָא דִּשְׁכִינְתָּא.

קו. וְסִימָנִיךְ דְּאִלֵּין אַתְוָון, דְּקָא מִתְעַטְּרָן בְּשַׁבְחָא עִלָּאָה, דָּא קַדְמָאֵי וְסוֹפֵי, דְּסַלְקִין בְּעֶטְרַיְיהוּ אִינּוּן א"ת ב"ש. אָלֶף בּוּחֲמֵשׁ. עַי"ן בּוּחֲמֵשׁ. שִׁי"ן בְּשִׁית. בֵּי"ת בּוּחֲמֵשׁ. תָּי"ו בְּשִׁית. בְּג"כ רָזָא דָא א"ת ב"שׁ כְּלָלָא דְּכ"ב אַתְוָון, דְּאִינּוּן עֲטָרָה דִּתְלָתִין וּתְרֵין שְׁבִילִין.

קז. וְסִימָן דְּאִינּוּן אַתְוָון אוֹחֲרָנִין דְּסַלְקִין בִּרְתִיכַיְיהוּ, ג"ר. שָׁארֵי בְּגִימֵ"ל, וְסַיֵּים בְּרֵי"שׁ, וְכֻלְּהוּ רָזָא דִּרְתִיכָא קַדִּישָׁא. א"ת ב"ש, רָזָא דִּשְׁמָא קַדִּישָׁא. ג"ר, רָזָא דִּרְתִיכָא קַדִּישָׁא דְּסַלְקָא לְע"ב, דְּאִתְעֲבֵיד מִנַּיְיהוּ שְׁמָא קַדִּישָׁא, לְאִתְעַטְּרָא כ"י, מִגּוֹ רְתִיכָא עִלָּאָה.

קח. וּבְגִין כָּךְ הַהוּא שְׁמָא דְּע"ב כְּלִילָא בְּרָזָא דַּאֲבָהָן, יְמִינָא וּשְׂמָאלָא וְאֶמְצָעִיתָא. וְאִיהִי מִתְעַטְּרָא בְּהוּ, לְמֶהֱוֵי שְׁמָא קַדִּישָׁא. וְלָאו שְׁמָא עִלָּאָה, כְּאִינּוּן שְׁמָהָן עִלָּאִין, דְּעָלְמָא עִלָּאָה, דְּאִתְאַחֲדָן לְעֵילָּא לְעֵילָּא. וְאע"ג דְּהַאי שְׁמָא עִלָּאָה אִיהוּ, אֲבָל רָזָא דִּילֵיהּ, דָּוִד מַלְכָּא, דְּמִתְעַטְּרָא בַּאֲבָהָן.

קט. שְׁמָא דְּמ"ב אַתְוָון רָזָא דִּילֵיהּ אֲבָהָן, דְּקָא מִתְעַטְּרָן בְּעָלְמָא עִלָּאָה. וְעָלְמָא עִלָּאָה בַּמֶּה דִּלְעֵילָּא. וְעַל דָּא, סַלִּיק וְלָא נָחֵית, אִתְעַטַּר גּוֹ מַחֲשָׁבָה עִלָּאָה. זַכָּאָה חוּלָקֵיהּ דְּמַאן דְּיָדַע לֵיהּ, וְאִזְדְּהַר בֵּיהּ.

קי. שְׁמָא דְּע"ב אַתְוָון, דָּוִד דְּקָא מִתְעַטְּרָא בַּאֲבָהָן, וְרָזָא דִּילֵיהּ סַלִּיק וְנָחֵית, כְּגַוְונָא דָא מצפ"ץ, שְׁמָא דִּתְלֵיסַר מְכִילִין דְּרַחֲמֵי. אִינּוּן תְּרֵיסַר, רָזָא דִּרְתִיכָא קַדִּישָׁא, דְּנָפִיק מֵחָד, דְּשַׁרְיָא עָלַיְיהוּ וּבְגִין כָּךְ שְׁמָא דְּע"ב סַלִּיק וְנָחֵית מִסִּטְרָא דָא, וְנָחֵית מִסִּטְרָא דָא, שְׁמָא דִּתְלֵיסַר מְכִילָן, סַלִּיק מִסִּטְרָא דָא, וְנָחֵית מִסִּטְרָא דָא, וְהַהוּא דְּנָחֵית בְּגִין לְאַמְשָׁכָא טִיבוּ לְתַתָּא. וְעַל דָּא, א"ת ב"ש, א"ת ב"ש ג"ר ד"ק ה"ץ ו"ף ז"ע ח"ס ט"ן י"ם כ"ל. אַתְוָון קַדְמָאֵי סַלְקִין בְּחוּשְׁבָּנָא, וְאַתְוָון אוֹחֲרָנִין נָחֲתֵי בְּחוּשְׁבָּנָא, בְּגִין לְאַמְשָׁכָא טִיבוּ דִּלְעֵילָּא לְתַתָּא.

קיא. שְׁמָא דְּמ"ב, אִיהוּ מִתְעַטְּרָא לִרְתִיכָא עִלָּאָה. שְׁמָא דְּע"ב, אִיהוּ מִתְעַטְּרָא לִרְתִיכָא תַּתָּאָה. זַכָּאָה חוּלָקֵיהּ מַאן דְּמִשְׁתַּדַּל לְמִנְדַּע לְמָארֵיהּ, זַכָּאָה אִיהוּ בְּעָלְמָא דֵּין וּבְעָלְמָא דְּאָתֵי.

קיב. וּבְגִין כָּךְ, תּוּשְׁבְּחָתָא דְּשַׁבָּת דְּקָא מְשַׁבְּחָא לְמַלְכָּא דְּשָׁלְמָא דִּילֵיהּ. מְשַׁבְּחוּ לֵיהּ בִּשְׁמָא דְּע"ב, וּבכ"ב דְּכ"ב תֵּיבִין, רָזָא דְּכ"ב אַתְוָון, בְּגִין דְּאִתְעַטַּר בֵּיהּ לְסַלְקָא לְעֵילָּא בְּתוּשְׁבְּחָתָא דָּא. וְעַל דָּא, אֵל אָדוֹן, תּוּשְׁבְּחָתָא דְּעָלְמָא דְּאָתֵי אִיהוּ, וּפִרְיוֹוֹ דִּרְתִיכָא

857

קדישא עלאה, דמתעטרא לסלקא לעילא, ופריוו דכנסת ישראל, דמתעטרא לסלקא גו רתיכא עלאה.

קי"ג. א"ת ב"ש, סלקין ונחתין, כמה דאתמר. א"ל ב"ם סלקין ולא נחתין, וסימניך, דא שב"ת בלחודוי. ודא שב"ת ויום הכפורים, דסלקא רזא לעילא לעילא, עד דמתעטרא כלא באין סוף.

קי"ד. אל ברוך, דא סדורא דאתוון זעירין, ותקוני כ"י בכל יומא בצלותא. ובגין דאינון אתוון זעירין, לית רווחא בינייהו, ואינון תקוני עולימתן דאתיין עם מטרוניתא לגבי מלכא עלאה.

קט"ו. קדושא דא דקא מקדשי מלאכי עלאי, לאו איהו ביחיד. והא אוקימנא, כל קדושה דאיהו בלשון הקודש, יחיד אסיר ליה למימר. תרגום, לעולם ביחיד, ולא בסגיאין, ויחיד איהו תקונא דיליה ודאי, ולא סגיאין. וסימן לרזא דא, שנים מקרא ואחד תרגום. שנים לישנא דסגיאין איהו, דודאי קדושה דלשון הקודש אסיר איהי ביחיד. קדושת תרגום אסיר איהו בסגיאין, אלא ביחיד לעולם. אחד תרגום תנינן, ולא תרין ולא יתיר. תרגום אתיא למיעוטא, והכי אצטריך. לשון הקודש אתיא לרבויא, והכי אצטריך. דמעלין בקודש ולא מורידין. ובתרגום מורידין ולא מעלין. אחד תנינן, ולא יתיר, ולא מעלין כלל.

קט"ז. קדושא דא, קדושתא דאתקדשת שכינתא, וכל אינון רתיכין דילה, לאתתקנא לגבי מלכא עלאה. ובגין דאיהי קדושת עלמא תתאה, איהי מיושב ולא בעמידה. קדושה אחרא דאהדורי צלותא, איהי קדושתא דעלמא עלאה, ובגין כך איהי בעמידה, בגין לאמשכא לה לתתא, וכל מלוי דעלמא עלאה, איהו בעמידה ולא מיושב.

קי"ז. ובכל הני קדושתי, ישראל מתקדשי בהו לתתא. וע"ד ישראל מתקדשי בקדושה דרתיכא תתאה מיושב. ובקדושה דרתיכא עלאה מעומד. קדושה אחרא, איהי תוספת קדושה, בגיני כך איהי בתר צלותא. ובגין דאיהי תוספת קדושה, על קדושן אחרנין, איהי לבתר צלותא. ובגין דכל חד וחד בעי לאמשכא עליה מההוא תוספת, אתתקן לכל יחיד ויחיד קדושת תרגום.

קי"ח. ואי תימא הא אית בה קדושת לשון הקדש. ההוא לצבור, לאתקדשא כלהו בכלל, בההוא תוספת קדושה. ובגין דיחיד לית ליה רשות, לאומרה בלשון הקדש, ולאתקדשא יחידאי, אתקינו לה בלשון תרגום, ואיהו ביחיד, לאתקדשא כל חד וחד בההוא תוספת, לאמשכא עליה קדושה יתיר. זכאה חולקיהון דישראל, דקא מתקדשי בקדושי עלאי, בגין דאינון דבקין לעילא, דכתיב ואתם הדבקים ביי' אלהיכם חיים כלכם היום.

קי"ט. כתיב הנה נא ידעתי כי איש אלהים קדוש הוא עובר וגו', וכתיב נעשה נא עלית קיר קטנה וגו', בהאי קרא אית לן סמך בעלמא לסדורא דצלותא. הנה נא ידעתי, דא איהו רעותא דאצטריך בר נש לשואה בגויה בצלותא. כי איש אלהים קדוש הוא, דא איהו עלמא עלאה, דאיהו יתיב על כורסי יקריה, וכל קדושאן נפקין מניה, ואיהו מקדש לכלהו עלמין. עובר עלינו תמיד, מההוא קדושה דאיהו מקדש לכל עלמין לעילא, איהו מקדש לן בהאי עלמא. דהא לית קדושה לעילא, אלא אי

אִית קְדוּשָּׁא לְתַתָּא, כד"א וְנִקְדַּשְׁתִּי בְּתוֹךְ בְּנֵי יִשְׂרָאֵל.

קכ. וְהוֹאִיל וְכַךְ הוּא, נַעֲשֶׂה נָּא עֲלִיַּת קִיר קְטַנָּה, דָּא אִיהוּ סִדּוּרָא דְּתִקּוּנָא דִּשְׁכִינְתָּא, דְּאִיהִי עֲלִיַּת קִיר, כד"א וַיַּסֵּב חִזְקִיָּהוּ פָּנָיו אֶל הַקִּיר. קְטַנָּה: בְּגִין דְּאִיהִי זְעֵירָא, כד"א עִיר קְטַנָּה. וְנָשִׂים לוֹ שָׁם בְּתִקּוּנָא דָּא דַּאֲנָן מְתַקְּנִין, וּבְסִדּוּרָא דִּילָן בְּשִׁירִין וְתוּשְׁבְּחָן וּבִצְלוֹתָא, אֲנָן מְתַקְּנִין לְגַבֵּיהּ, לְנַיְיחָא דִּילֵיהּ. מִטָּה וְשֻׁלְחָן וְכִסֵּא וּמְנוֹרָה. אַרְבַּע אִלֵּין, כֻּלְּהוּ בִּשְׁכִינְתָּא אִינּוּן. וְאִיהִי בְּכָל תִּקּוּנִין אִלֵּין מִתְתַּקְּנָן, לְגַבֵּי עָלְמָא עִלָּאָה בְּסִדּוּרָא דַּאֲנָן מְסַדְּרִין.

קכא. בְּסִדּוּרָא דִּצְלוֹתָא דְּעַרְבִית, וּבְתִקּוּנָא דִּילֵיהּ, הָא מִטָּה. בְּסִדּוּרָא דְּאִינּוּן קָרְבְּנִין וְעִלָּוָון, דַּאֲנָן מְסַדְּרִין בְּצַפְרָא דְּאִינּוּן שִׁירִין וְתוּשְׁבְּחָן, הָא שֻׁלְחָן. וּבְהַהוּא סִדּוּרָא דִּצְלוֹתָא דִּמְיוּשָׁב, וּבְתִקּוּנָא דְּקָ"שׁ, בְּהַהוּא יִחוּדָא דַּאֲנָן מְתַקְּנִין הָא כִּסֵּא. בְּהַהוּא סִדּוּרָא דִּצְלוֹתָא דִּמְעוּמָד, וּבְאִינּוּן קְדוּשָּׁאן, וְתוֹסֶפֶת קְדוּשָּׁה, וּבִרְכָאן, דַּאֲנָן מְסַדְּרִין הָא מְנוֹרָה.

קכב. זַכָּאָה אִיהוּ בַּר נָשׁ, דְּדָא שַׁוֵּי בִּרְעוּתֵיהּ, לְאַשְׁלָמָא לְגַבֵּי מָארֵיהּ בְּכָל יוֹמָא, וּלְאַתְקְנָא הַאי עֲלִיַּת קִיר קְטַנָּה, לְגַבֵּי מָארֵיהּ בְּהָנֵי תִּקּוּנִין. כְּדֵין וַדַּאי קב"ה יְהֵא אוּשְׁפִּיזֵיהּ בְּכָל יוֹמָא. זַכָּאָה אִיהוּ בְּהַאי עָלְמָא, וְזַכָּאָה אִיהוּ בְּעָלְמָא דְּאָתֵי. בְּגִין דְּאִלֵּין אַרְבַּע, אִינּוּן תִּקּוּנֵי דִּשְׁכִינְתָּא, לְאִתְתַּקְּנָא לְגַבֵּי בַּעְלָהּ. בְּאַרְבַּע תִּקּוּנִין אִלֵּין, אִתְתַּקְּנַת בְּשַׁפִּירָהָא, בְּחֶדְוָוהָא, בְּחֶזְוָוהָא, ע"י דְּעַמָּא קַדִּישָׁא בְּכָל יוֹמָא.

קכג. מִטָּה אִתְיְהִיבַת לֵיהּ לְיַעֲקֹב לְאִתְתַּקְּנָא, וְע"ד יַעֲקֹב אַתְקִין צְלוֹתָא דְּעַרְבִית. שֻׁלְחָן אַתְקִין דָּוִד מַלְכָּא, בְּאִינּוּן שִׁירִין וְתוּשְׁבְּחָן דְּאִיהוּ אַתְקִין, כד"א תַּעֲרֹךְ לְפָנַי שֻׁלְחָן נֶגֶד צוֹרְרָי. כִּסֵּא אַתְקִין אַבְרָהָם, בְּאִתְקַשְּׁרוּתָא דִּילֵיהּ, דְּעָבִיד טִיבוּ וּשְׁלִימוּ דְּנִשְׁמָתִין לְכָל בְּנֵי עָלְמָא, וְלֵית תִּקּוּנָא דְּכִסֵּא, אֶלָּא בְּחֶסֶד דְּאַבְרָהָם, כד"א וְהוּכַן בַּחֶסֶד כִּסֵּא.

קכד. מְנוֹרָה אַתְקִין יִצְחָק, דְּאַקְדִּישׁ שְׁמָא דְּקב"ה לְעֵינֵיהוֹן דְּכָל עָלְמָא, וְנָהִיר נְהִירוּ דְּבוּצִינָא עִלָּאָה בְּהַהִיא קְדוּשָּׁה. בְּגִינֵי כַּךְ, צְרִיכִין עַמָּא קַדִּישָׁא, לוֹמַר תָּדִיר וּלְשַׁוָּאָה רְעוּתְהוֹן, לְסַדְּרָא לְגַבֵּי עָלְמָא עִלָּאָה, דְּאִיהוּ מָארֵיהּ דְּבֵיתָא, אִישׁ הָאֱלֹהִים, מִטָּה וְשֻׁלְחָן וְכִסֵּא וּמְנוֹרָה, לְמֶהֱוֵי שְׁלִימוּ בְּכָל יוֹמָא, עֵילָּא וְתַתָּא.

קכה. בְּשַׁעֲתָא דְּקָא מְיַחֲדֵי יִשְׂרָאֵל, יִחוּדָא דְּרָזָא דִּשְׁמַע יִשְׂרָאֵל, בִּרְעוּתָא שְׁלִים, כְּדֵין נַפְקֵי מִגּוֹ סְתִימוּ דְּעָלְמָא עִלָּאָה, חַד נְהִירוּ, וְהַהוּא נְהִירוּ בָּטַשׁ גּוֹ בּוּצִינָא דְּקַרְדִּינוּתָא, וְאִתְפְּלַג לְע' נְהוֹרִין, וְאִינּוּן ע' נְהוֹרִין, בְּע' עַנְפִין דְּאִילָנָא דְחַיֵּי.

קכו. כְּדֵין, הַהוּא אִילָנָא סָלִיק רֵיחִין וּבוּסְמִין, וְכָל אִילָנֵי דְּגִנְּתָא דְּעֵדֶן, כֻּלְּהוּ סַלְקִין רֵיחִין, וּמְשַׁבְּחָן לְמָארֵיהוֹן, דְּהָא כְּדֵין אִתְתַּקְּנַת מַטְרוֹנִיתָא, לְאַעֲלָא לְחוּפָּה בַּהֲדֵי בַּעְלָהּ, כָּל אִינּוּן שַׁיְיפִין עִלָּאִין, כֻּלְּהוּ מִתְחַבְּרָן בְּתִיאוּבְתָּא וְחָדָא, וּבִרְעוּתָא וְחָדָא, לְמֶהֱוֵי וְחַד בְּלָא פֵּרוּדָא כְּלָל. וּכְדֵין בַּעְלָהּ אִתְתַּקַּן לְגַבָּהּ לְאַעֲלָא לְחוּפָּה בְּיִחוּדָא וְחַד, לְאִתְיַיחֲדָא בְּמַטְרוֹנִיתָא.

קכז. וְע"ד אֲנָן מִתְעָרֵי לֵיהּ, וְאַמְרִינָן שְׁמַע יִשְׂרָאֵל, אַתְקִין גַּרְמָךְ, הָא בַּעֲלִיךְ יֵיתֵי לְגַבִּיךְ בְּתִקּוּנוֹי, זַמִּין לְקַבְּלָךְ. יְיָ' אֱלֹהֵינוּ יְיָ' אֶחָד, בְּיִחוּדָא וְחָדָא, בִּרְעוּתָא וְחָדָא, בְּלָא פֵּרוּדָא, דְּכָל אִינּוּן שַׁיְיפִין כֻּלְּהוּ אִתְעֲבִידוּ וְחַד, וְעַיְילִין בְּחַד תִּיאוּבְתָּא.

קכח. כֵּיוָן דְּאַמְרֵי יִשְׂרָאֵל יְיָ' אֶחָד בְּאִתְעָרוּתָא דְּשִׁית סִטְרִין, כְּדֵין כָּל אִינּוּן שִׁית סִטְרִין, אִתְעֲבִידוּ וְחַד וְעָאלִין בְּחַד תִּיאוּבְתָּא, וְרָזָא דָּא ו' וְחַד פְּשִׁיטוּ בִּלְחוֹדוֹי, בְּלָא

דְּבֵקוּתָא אַחֲרָא לְגַבֵּיהּ, אֶלָּא אִיהוּ בִּלְחוֹדוֹי פָּשִׁיט מִכֹּלָּא, וְאִיהוּ חַד.

קכט. בְּהַהִיא שַׁעֲתָא, מַטְרוֹנִיתָא מִתְתַּקְּנָא וּמִתְקַשְּׁטָא, וְעַיְּילִין לָהּ שַׁמָּשָׁהָא בִּלְחִישׁוּ סַגֵּי, לְגַבֵּי בַּעְלָהּ, וְאַמְרֵי בָּרוּךְ שֵׁם כְּבוֹד מַלְכוּתוֹ לְעוֹלָם וָעֶד. דָּא אִיהוּ בִּלְחִישׁוּ, דְּהָכִי אִצְטְרִיךְ לְאַעֲלָא לָהּ לְגַבֵּי בַּעְלָהּ. זַכָּאָה עַמָּא דְּיַדְעֵי דָּא, וּמְסַדְּרֵי סִדּוּרָא עִלָּאָה דִּמְהֵימְנוּתָא.

קל. בְּהַהִיא שַׁעֲתָא דְּאִתְחַבְּרוּ בַּעְלָהּ וּמַטְרוֹנִיתָא כַּחֲדָא, כְּדֵין כָּרוֹזָא נָפִיק מִסִּטְרָא דְּדָרוֹם, אִתְעָרוּ חֵילִין וּמַשִּׁרְיָין דְּגַלֵּי רְחִימוּתָא לְגַבֵּי מָארֵיכוֹן.

קלא. כְּדֵין אִתְעַר חַד מְמַנָּא עִלָּאָה, בּוֹאֵ"ל שְׁמֵיהּ, רַב מַשִּׁרְיָין, וּבִידֵיהּ אַרְבַּע מַפְתְּחָן, דְּנָטִיל מִד' סִטְרֵי עָלְמָא, וְחַד מַפְתְּחָא אִתְרְשִׁים בְּאָת י', וּמַפְתְּחָא אַחֲרָא אִתְרְשִׁים בְּאָת ה'. וְחַד מַפְתְּחָא אִתְרְשִׁים בְּאָת ו'. וְאָנַח לְהוּ תְּחוֹת אִילָנָא דְּחַזֵּי. אִינּוּן תְּלַת מַפְתְּחָן, דְּאִתְרְשִׁימוּ בִּתְלַת אַתְוָון אִלֵּין, אִתְעֲבֵידוּ חַד. כֵּיוָן דְּאִתְעֲבֵידוּ חַד, הַהוּא מַפְתְּחָא אַחֲרָא, סָלִיק וְקָאֵים וְאִתְחַבַּר בְּהַהוּא אַחֲרָא כְּלָלָא דִּתְלַת, וְכָל אִינּוּן מַשִּׁרְיָין וְחַיָּילִין עַיְּילִין לְאִינּוּן תְּרֵין מַפְתְּחָן גּוֹ גִּנְתָּא וְכֻלְּהוּ מְיַיחֲדֵי כְּגַוְונָא דִּלְתַתָּא.

קלב. יְדֹוָ"ד: דָּא רְשִׁימוּ דְּאָת י', רֵישָׁא עִלָּאָה דִּבְשְׁמָא קַדִּישָׁא. אֱלֹהֵינוּ: דָּא אִיהוּ רָזָא דִּרְשִׁימוּ דְּאָת ה' עִלָּאָה, אָת תִּנְיָינָא דִּבְשְׁמָא קַדִּישָׁא. יְדֹוָ"ד: דָּא מְשִׁיכוּ דְּאִתְמְשַׁךְ לְתַתָּא, בְּרָזָא דִּרְשִׁימוּ דְּאָת ו', דְּאִינּוּן תְּרֵין וְאַתְוָון אִתְמְשָׁכוּ לְמֶהֱוֵי בַּאֲתַר דָּא, וְאִיהוּ אֶחָד. כָּל הָנֵי תְּלָתָא אִינּוּן חַד, בְּיִחוּדָא חַד.

קלג. כֵּיוָן דְּכָל דָּא אִתְעֲבֵיד חַד בְּיִחוּדָא חַד, וְאִשְׁתְּאַר כֹּלָּא בְּרָזָא דְּאָת ו' שְׁלִים, מֵרֵישָׁא דְּמַבּוּעָא, וּמֵהֵיכָלָא פְּנִימָאָה, וְיָרִית לְאַבָּא וְאִימָּא, כְּדֵין עַיְּילִין לְמַטְרוֹנִיתָא בַּהֲדֵיהּ, דְּהָא הַשְׁתָּא אִיהוּ שְׁלִים בְּכָל טִיבוּ עִלָּאָה, וְיָכִיל לְאַתְזָנָא לָהּ, וּלְמֵיהַב לָהּ מְזוֹנָא וְסִפּוּקָא כַּדְקָא יָאוֹת. וְכָל אִינּוּן שַׁיְיפִין דִּילֵיהּ כֻּלְּהוּ חַד. כְּדֵין עַיְּילִין לָהּ לְגַבֵּיהּ, בִּלְחִישׁוּ. אַמַּאי בִּלְחִישׁוּ. בְּגִין דְּלָא יִתְעָרַב זָר בְּהַהִיא חֶדְוָה, כד"א וּבְשִׂמְחָתוֹ לֹא יִתְעָרַב זָר.

קלד. כֵּיוָן דְּאִיהוּ אִתְיַיחַד לְעֵילָּא בְּשִׁית סִטְרִין. אוּף הָכִי אִיהִי אִתְיַיחֲדַת לְתַתָּא בְּשִׁית סִטְרִין אָחֳרָנִין. בְּגִין לְמֶהֱוֵי אֶחָד לְעֵילָּא, וְאֶחָד לְתַתָּא, כד"א יִהְיֶה יְיָ' אֶחָד וּשְׁמוֹ אֶחָד. אֶחָד לְעֵילָּא בְּשִׁית סִטְרִין, דִּכְתִּיב שְׁמַע יִשְׂרָאֵל יְיָ' אֱלֹהֵינוּ יְיָ' אֶחָד. הָא שִׁית תֵּיבִין, לָקֳבֵל שִׁית סִטְרִין. אֶחָד לְתַתָּא בְּשִׁית סִטְרִין, בשכמל"ו, הָא שִׁית סִטְרִין אָחֳרָנִין בְּשִׁית תֵּיבִין. יְיָ' אֶחָד לְעֵילָּא, וּשְׁמוֹ אֶחָד לְתַתָּא.

קלה. וְאִי תֵּימָא, הָא כְּתִיב אֶחָד לְעֵילָּא, וּלְתַתָּא לָא כְּתִיב אֶחָד. וָעֶד הוּא אֶחָד, בְּחִלּוּפֵי אַתְוָון. אַתְוָון דִּדְכוּרָא לָא מִתְחַלְּפֵי, אַתְוָון דְּנוּקְבָא מִתְחַלְּפֵי, דְּהָא שְׁבָחָא דִּדְכוּרָא עַל נוּקְבָא. וּבְגִין דְּלָא תִּשְׁלוֹט עַיִן הָרָע, אֲנָן מְחַלְּפֵי אַתְוָון, דְּלָא אַמְרֵינָן אֶחָד בְּאִתְגַּלְיָיא. וּבְזִמְנָא דְּאָתֵי, דְּיִתְעֲבַר עַיִן הָרָע מֵעָלְמָא, וְלָא תִּשְׁלוֹט, כְּדֵין יִתְקְרֵי אֶחָד בְּאִתְגַּלְיָיא. בְּגִין דְּהַשְׁתָּא דְּהַהוּא סִטְרָא אַחֲרָא אִתְדְּבַק בַּהֲדָהּ, לָאו אִיהִי אֶחָד, אֶלָּא דַּאֲנָן מְיַיחֲדִין לָהּ בִּלְחִישׁוּ, בְּרָזָא דְּאַתְוָון אָחֳרָנִין, וְאַמְרֵי וָעֶד.

קלו. אֲבָל בְּזִמְנָא דְּאָתֵי, דְּיִתְפְּרַשׁ הַהוּא סִטְרָא מִינָהּ, וְיִתְעֲבַר מֵעָלְמָא, כְּדֵין יִתְקְרֵי אֶחָד וַדַּאי, דְּלָא יְהֵא בַּהֲדָהּ שׁוּתָּפוּ וּדְבִיקוּ אַחֲרָא, כד"א בַּיּוֹם הַהוּא יִהְיֶה יְיָ' אֶחָד וּשְׁמוֹ אֶחָד, בְּאִתְגַּלְיָא בְּהֶדְיָא, וְלָא בִּלְחִישׁוּ, וְלָא בְּרָזָא.

קלז. וְעַל דָּא, אֲנָן מְיַיחֲדִין לָהּ מֵהַהוּא סִטְרָא אַחֲרָא, כְּמַאן דְּזַמִּין לְאַחֲרָא לְמֶיהֱוֵי

סהיד דיליה. בגין דדא איהו סהיד דילן, וסטרא אחרא לאו איהו סהדא לגבן. וכדין איהי אתפרישת מההוא סטרא. כיון דאתת, אנן מעלין לה לחופה לגבי בעלה, מלכא עלאה, בכל רעותא וכוונא דלבא, ועל דא איהו אחד.

קלח. בשעתא דאיהי אתת בעולימתהא, ובעאת לאתפרשא מסטרא אחרא, לא אתת, אלא כמאן דאזדמנת למוזמני ביקרא דמלכא ולא יתיר, והכי מכריזי דיזדמנון למוזמני ביקרא דמלכא. כד"א צאנה וראינה בנות ציון במלך שלמה, פוקו למוזמני ביקרא דמלכא, כדין סטרא אחרא לא ניחא ליה למוזמני, ואתפרש מינה. כיון דאתת. כל אינון שמושהא, עיילין לה לחופה בהדי מלכא עלאה, בלבושו ברזא. דאלמלא לאו הכי, לא יתפרש מינה ההוא סטרא אחרא ויתערב בחדותא. אבל בזמנא דאתי, דיתפרש מינה ההיא סטרא אחרא, כדין ביום ההוא יהיה יי' אחד ושמו אחד.

קלט. כיון דעאלת לחופה, ואיהי בהדי מלכא. עלאה, כדין אנן מתערי חדוה דימינא ושמאלא, כד"א ואהבת את יי' אלהיך בכל לבבך וגו'. והיה אם שמוע וגו'. בלא דחילו כלל, דהא סטרא אחרא לא יתקרב תמן, ולית ליה רשו.

קמ. כלה, כל זמנא דבעאן לאעלא לה לגבי מלכא, לחדוה דשמושא, אצטריך בלבושו ברזא, בגין דלא ישתכח ברגלי צעדהא, רמז דסטרא בישא, ולא יתדבק בהדה, ולא ישתכחון בבני, רמז פסול כלל.

קמא. והכי אמר יעקב לבנוי, שמא חס ושלום אירע פסול בערסי, כדין אינון אמרו, כמה דלית בלבך אלא אחד, כך וכו' לית לן דביקו בסטרא אחרא כלל, דהא פרישא הוה מערסך, ואנן ביחודא לגבי מלכא עלאה, ולית לן דביקו כלל בסטרא אחרא, דהא בפרישו מסטרא אחרא הוה רעותא ומחשבתא דילן.

קמב. כיון דידע דסטרא אחרא לא אתדבק תמן כלל כדין עאלת אתתא, לגבי בעלה בלבושו, ברזא דיחודא דשית סטרין. פתח ואמר, בשכמל"ו דהא איהי ברזא דאחד, בעולימתהא, בלא ערבובא כלל ולא שותפו דסטרא אחרא.

קמג. ותא חזי, בההיא שעתא, יעקב ובנוי הוו בדיוקנא עלאה לתתא בהדי שכינתא. יעקב הוה ברזא דשית סטרין דעלמא עלאה, ברזא חד. בנוי הוו בדיוקנא דשית סטרין דעלמא תתאה. ואיהו בעא לגלאה לון ההוא קץ, כמה דאוקימנא, דאית קץ ואית קץ, אית קץ הימין, ואית קץ הימים. קץ הימין: דא מלכות קדישא רזא דמהימנותא רזא דמלכו דשמיא. קץ הימים: דא רזא דמלכו חייבא רזא דסטרא אחרא דאקרי קץ כל בשר. והא אוקימנא.

קמד. כיון דחזא דאסתלקת שכינתא מניה וכו'. אינון אמרו כמה דלית בלבך אלא אחד, דאנת ברזא דעלמא עלאה, ואיהו אחד. אוף אנן, דאנן ברזא דעלמא תתאה, איהו אחד. ועל דא אדכרו תרי לבבות, רזא דעלמא עלאה, דאיהו לבא דיעקב, ורזא דעלמא תתאה, דאיהו לבא דבנוי, כדין אעיל לה בלבושו.

קמה. וכמה דאינון אתייחדו רזא דעלמא עלאה באחד, ורזא דעלמא תתאה באחד. אוף הכי אנן צריכין ליחדא עלמא עלאה באחד, וליחדא עלמא תתאה ברזא דאחד. דא בשית סטרין, ודא בשית סטרין. ובגין כך, שית תיבין הכא, ברזא דשית סטרין. ושית תיבין הכא, ברזא דשית סטרין, יי' אחד ושמו אחד. זכאה עדביה וחולקיה מאן דישוי רעותיה להאי, בעלמא דין, ובעלמא דאתי.

קמו. רַב הַמְנוּנָא סָבָא אָמַר הָכִי, דָּא אִתְעֲרוּתָא דְּיִחוּדָא שַׁפִּיר אִיהוּ, דְּרָזָא דְּבְרִירָא דְּמִלְּתָא הָא אוֹקִימְנָא. וּמִלִּין אִלֵּין זְמִינִין לְאִתְעַתְּדָא קָמֵי עַתִּיק יוֹמִין, בְּלָא כִּסּוּפָא כְּלַל.

רעיא מהימנא

קמז. פִּקּוּדָא לִלְמוֹד תּוֹרָה בְּכָל יוֹמָא, דְּאִיהִי רָזָא דִּמְהֵימְנוּתָא עִלָּאָה, לְמִנְדַּע אָרְחוֹי דְּקוּדְשָׁא בְּרִיךְ הוּא. דְּכָל מַאן דְּאִשְׁתַּדַּל בְּאוֹרַיְיתָא, זָכֵי בְּהַאי עָלְמָא, וְזָכֵי בְּעָלְמָא דְּאָתֵי, וְאִשְׁתְּזִיב מִכָּל קִטְרוּגִין בִּישִׁין. בְּגִין דְּאוֹרַיְיתָא רָזָא דִּמְהֵימְנוּתָא אִיהִי, דְּמַאן דְּאִתְעַסַּק בָּהּ, אִתְעַסַּק בִּמְהֵימְנוּתָא עִלָּאָה, קוּדְשָׁא בְּרִיךְ הוּא אַשְׁרֵי שְׁכִינְתֵּיהּ בְּגַוֵּיהּ דְּלָא תַּעֲדֵי מִנֵּיהּ.

קמח. מַאן דְּיָדַע מִלָּה דְּאוֹרַיְיתָא, אִצְטְרִיךְ לְמִרְדַּף אֲבַתְרֵיהּ, וּלְאוֹלְפָא הַאי מִלָּה מִנֵּיהּ, לְקַיְּימָא רָזָא דִּכְתִיב, מֵאֵת כָּל אִישׁ אֲשֶׁר יִדְּבֶנּוּ לִבּוֹ תִּקְחוּ אֶת תְּרוּמָתִי. אוֹרַיְיתָא אִילָנָא דְּחַיֵּי אִיהוּ, לְמֵיהַב חַיִּין לְכֹלָּא. מַאן דְּאִתְתַּקַּף בְּאוֹרַיְיתָא, אִתְתַּקַּף בְּאִילָנָא דְּחַיֵּי, כד"א עֵץ חַיִּים הִיא לַמַּחֲזִיקִים בָּהּ.

קמט. וְכַמָּה רָזִין עִלָּאִין אוֹקִימְנָא בְּמַאן דְּאִשְׁתַּדַּל בְּאוֹרַיְיתָא, דְּזָכֵי לְאִתְקַשְּׁרָא בְּאוֹרַיְיתָא דִּלְעֵילָּא. בְּהַאי עָלְמָא לָא שָׁכִיךְ, וְלָא שָׁכִיךְ בְּעָלְמָא דְּאָתֵי, וַאֲפִילּוּ בְּקִבְרָא שִׂפְוָותֵיהּ מְרַחֲשָׁן אוֹרַיְיתָא, כד"א דּוֹבֵב שִׂפְתֵי יְשֵׁנִים. ע"כ.

קנ. פָּתַח וְאָמַר וְיִקְחוּ לִי תְּרוּמָה, הָכָא אִיהוּ יִחוּדָא בִּכְלָלָא חֲדָא. עֵילָּא וְתַתָּא. וְיִקְחוּ תְּרוּמָה לָא כְּתִיב, אֶלָּא וְיִקְחוּ לִי תְּרוּמָה, עֵילָּא וְתַתָּא בִּכְלָלָא חֲדָא, בְּלָא פֵּרוּדָא כְּלָל.

קנא. מֵאֵת כָּל אִישׁ אֲשֶׁר יִדְּבֶנּוּ לִבּוֹ תִּקְחוּ אֶת תְּרוּמָתִי. הַאי קְרָא, הָכִי אִצְטְרִיךְ לֵיהּ לְמֵימַר, כָּל אִישׁ אֲשֶׁר יִדְּבֶנּוּ לִבּוֹ, מַאי מֵאֵת כָּל אִישׁ. אֶלָּא רָזָא הָכָא לְאִינוּן מָרֵי מִדִּין. זַכָּאִין אִינּוּן צַדִּיקַיָּא, דְּיַדְעֵי לְשַׁוָּאָה רְעוּתָא דְּלִבְּהוֹן לְגַבֵּי מַלְכָּא עִלָּאָה קַדִּישָׁא, וְכָל רְעוּתָא דְּלִבְּהוֹן לָאו אִיהוּ לְגַבֵּי עָלְמָא דָּא, וּבְכִסּוּפָא בַּטְלָה דִּילֵיהּ. אֶלָּא יַדְעֵי וּמִשְׁתַּדְּלֵי לְשַׁוָּאָה רְעוּתְהוֹן וּלְאִתְדַּבְּקָא לְעֵילָּא, בְּגִין לְאַמְשָׁכָא רְעוּתָא דְּמָארֵיהוֹן לְגַבַּיְיהוּ מֵעֵילָּא לְתַתָּא.

קנב. וּמַאן אֲתַר נַטְלֵי הַהוּא רְעוּתָא דְּמָארֵיהוֹן לְאַמְשָׁכָא לֵיהּ לְגַבַּיְיהוּ. נַטְלִין מֵאֲתַר חַד עִלָּאָה קַדִּישָׁא, דְּמִנֵּיהּ נָפְקִין כָּל רְעוּתִין קַדִּישִׁין. וּמַאן אִיהוּ. כָּל אִישׁ. דָּא צַדִּיק, דְּאִתְקְרֵי כֹּל, כד"א וְיִתְרוֹן אֶרֶץ בַּכֹּל הִיא. עַל כֵּן כָּל פִּקּוּדֵי כֹּל יְשָׁרְתִּי. אִישׁ: כד"א אִישׁ צַדִּיק. דָּא אִיהוּ צַדִּיק, מָארֵיהּ דְּבֵיתָא, דִּרְעוּתֵיהּ תָּדִיר לְגַבֵּי מַטְרוֹנִיתָא, כְּבַעְלָהּ דְּרָחִים לְאִתְּתֵיהּ תָּדִיר. יִדְּבֶנּוּ לִבּוֹ אִיהוּ רָחִים לָהּ. וְלִבּוֹ דְּאִיהִי מַטְרוֹנִיתָא דִּילֵיהּ, יִדְּבֶנּוּ לְאִתְדַּבְּקָא בֵּיהּ.

קנג. וְאַף עַל גַּב דִּרְחִימוּ סַגֵּי דָּא בְּדָא, דְּלָא מִתְפָּרְשָׁן לְעָלְמִין, מֵהַהוּא כָּל אִישׁ, מָארֵיהּ בֵּיתָא, מָארֵיהּ דְּמַטְרוֹנִיתָא, מִנֵּיהּ תִּקְחוּ אֶת תְּרוּמָתִי. אָרְחֵיהּ דְּעָלְמָא, מַאן דְּבָעֵי לְנַסְבָא אִתְּתֵיהּ דְּב"נ מִנֵּיהּ אִיהוּ קָפִיד וְלָא שָׁבִיק לָהּ. אֲבָל קוּדְשָׁא בְּרִיךְ הוּא לָאו הָכִי, כְּתִיב וְזֹאת הַתְּרוּמָה, זוֹ כְּנֶסֶת יִשְׂרָאֵל, אע"ג דְּכָל רְחִימוּ דִּילָהּ לְגַבֵּיהּ, וּרְחִימוּ דִּילֵיהּ לְגַבָּהּ. מִנֵּיהּ נַטְלִין לָהּ לְאַשְׁרָאָה בֵּינַיְיהוּ, מֵהַהוּא אֲתַר עִלָּאָה, דְּכָל רְחִימוּ דְּאִתְּתָא וּבַעְלָהּ שַׁרְיָא. מִתַּמָּן תִּקְחוּ אֶת תְּרוּמָתִי, זַכָּאָה חוּלָקֵיהוֹן דְּיִשְׂרָאֵל, וְזַכָּאִין כֻּלְּהוּ דְּזָכוּ לְהַאי.

קנד. וְזֹאת הַתְּרוּמָה אֲשֶׁר תִּקְחוּ מֵאִתָּם. וְאִי תֵּימָא, אִי הָכִי, אֲשֶׁר תִּקְחוּ מֵאִתּוֹ מִבָּעֵי לֵיהּ מַאי מֵאִתָּם. מֵאֵת תְּרֵין שֶׁהֵן אִלֵּין.

קנה. תּוּ רַב יֵיבָא סָבָא אָמַר, מֵאִתָּם: מֵאַת ם', דְּאִיהוּ רָזָא דְעָלְמָא עִלָּאָה. אֲתַר מְדוֹרֵיהּ דְּהַאי צַדִּיק, דְּאִיהוּ אִתְעַטָּר מֵאַת ס', וּמִתַּמָּן נָטִיל וְזַיִין, לְאִתְּזָנָא לְעָלְמִין כֻּלְּהוּ. וְכֹלָּא מִלָּה וְחָדָא, רָזָא לְחַכִּימִין אִתְיְהִיבַת, זַכָּאָה חוּלָקֵיהוֹן.

קנו. דְּאע"ג דְּאִינּוּן נַטְלִין לָהּ, לָא יַכְלִין לְנַטְלָא לָהּ, אֶלָּא בִּרְשׁוּ דְּבַעְלָהּ, וּבִרְעוּ דִּילֵיהּ, וּלְמֶעְבַּד פּוּלְחָנָא דִּרְחִימוּ לְגַבֵּיהּ, וּכְדֵין בִּרְחִימוּ דִּילֵיהּ תִּקְחוּ אֶת תְּרוּמָתִי. וְכָל דָּא, בְּאִינּוּן פּוּלְחָנֵי דִּצְלוֹתָא, וְתִקּוּנָא וְסִדּוּרָא דְּיִשְׂרָאֵל מְסַדְּרִין בְּכָל יוֹמָא. ד"א מֵאִתָּם, מִכְּלָלָא דְּשִׁית סִטְרִין עִלָּאִין וְכֹלָּא וְחַד.

קנז. מֵאִתָּם, מֵאִינּוּן זִמְנֵי וְשַׁבָּתֵי, וְכֹלָּא רָזָא וְחָדָא. זָהָב וָכֶסֶף וּנְחֹשֶׁת וּתְכֵלֶת וְאַרְגָּמָן וְתוֹלַעַת שָׁנִי. זָהָב, בְּרָזָא דְּיוֹמָא דְּרֹאשׁ הַשָּׁנָה, דְּאִיהוּ יוֹמָא דְּזָהָב, יוֹמָא דְּדִינָא, וְשָׁלְטָא הַהוּא סִטְרָא, כד"א מִצָּפוֹן זָהָב יֶאֱתֶה. וָכֶסֶף, דָּא יוֹם הַכִּפּוּרִים, דְּמִתְלַבְּנָן חוֹבֵיהוֹן דְּיִשְׂרָאֵל כְּתַלְגָּא, כד"א אִם יִהְיוּ חֲטָאֵיכֶם כַּשָּׁנִים כַּשֶּׁלֶג יַלְבִּינוּ. וּכְתִיב כִּי בַיּוֹם הַזֶּה יְכַפֵּר עֲלֵיכֶם לְטַהֵר אֶתְכֶם.

קנח. וּנְחֹשֶׁת. יוֹמֵי דְקָרְבְּנִין דְּחַג, דְּאִינּוּן רְתִיכֵי דְּעַמִּין עכו"ם, וְאִינּוּן אִקְרוּן רָזָא דְּהָרֵי נְחֹשֶׁת, וּבְגִין כַּךְ מִתְמַעֲטִין בְּכָל יוֹמָא וְאַזְלִין. וּתְכֵלֶת, דָּא פֶּסַח, שׁוּלְטָנוּ דְּרָזָא דִּמְהֵימְנוּתָא, רָזָא דְּגַוְונָא תִּכְלָא, וּבְגִין דְּהִיא תִּכְלָא, לָא שָׁלְטָא עַד דְּשֵׁיצָאת וְקַטִּילַת כָּל בּוּכְרֵי דְּמִצְרָאֵי, כד"א וְעָבַר יְיָ' לִנְגֹּף אֶת מִצְרַיִם. בג"כ, כָּל גַּוְונִין טָבִין בְּחֶלְמָא, בַּר מִן תִּכְלָא.

קנט. וְאַרְגָּמָן, דָּא שָׁבוּעוֹת, רָזָא דְּאַרְגְּוָונָא, דְּתוֹרָה שֶׁבִּכְתָב דְּאִתְיְהִיבַת בֵּיהּ, כְּלִילָא מִתְּרֵין סִטְרִין, מִימִינָא וּמִשְּׂמָאלָא, כד"א מִימִינוֹ אֵשׁ דָּת לָמוֹ, וְדָא אִיהוּ אַרְגָּמָן. וְתוֹלַעַת שָׁנִי, דָּא אִיהוּ ט"ו בְּאָב, דִּבְנוֹת יִשְׂרָאֵל הֲווֹ נַפְקֵי בְּמָאנֵי מִלַּת, כד"א הָאֱמֻנִים עֲלֵי תוֹלָע.

קס. עַד הָכָא, שִׁית סִטְרִין, מִכָּאן וּלְהָלְאָה רָזָא דְּי' יְמֵי תְּשׁוּבָה. וְשֵׁשׁ, וְעִזִּים, וְעֹרֹת אֵילִם מְאָדָּמִים. וְעֹרֹת תְּחָשִׁים. וַעֲצֵי שִׁטִּים. וְשֶׁמֶן לַמָּאֹר. וּבְשָׂמִים לְשֶׁמֶן הַמִּשְׁחָה וְלִקְטֹרֶת הַסַּמִּים. וְאַבְנֵי שֹׁהַם. וְאַבְנֵי מִלֻּאִים. עַד הָכָא תִּשְׁעָה, לְקַבֵּל תִּשְׁעָה יוֹמִין וְיוֹם הַכִּפּוּרִים אַשְׁלִים לַעֲשָׂרָה.

קסא. וּמִכָּל אִלֵּין, אֲנָן נַטְלִין תְּרוּמַת יְיָ', בְּכָל זִמְנָא וְזִמְנָא, בְּגִין לְאַשְׁרָאָה עֲלָן. בר"ה אֲנָן נַטְלִין תְּרוּמַת יְיָ', וְאִיהוּ רָזָא דר"ה, דְּאַתְיָא מִסִּטְרָא דְּזָהָב. בְּיוֹם הַכִּפּוּרִים אֲנָן נַטְלִין לָהּ, וְאִיהִי יוֹם הַכִּפּוּרִים דְּיָרְתָא בְּרָתָא לְאִימָא. בְּסֻכּוֹת אֲנָן נַטְלִין לָהּ, וְאִיהִי סוּכָּה סוֹכֶכֶת וְאַגִּינַת עֲלָן, וּכְתִיב בַּיּוֹם הַשְּׁמִינִי עֲצֶרֶת תִּהְיֶה לָכֶם וְדָא אִיהִי תְּרוּמַת יְיָ'.

קסב. בְּפֶסַח אוּף הָכִי אֲנָן נַטְלִין לָהּ, וְאִיהִי פֶּסַח. וְהָא אוּקִימְנָא, רָזָא דְּגַוָּון דְּנְהוֹרָא תִּכְלָא. בְּשָׁבוּעוֹת אֲנָן נַטְלִין לָהּ, וְאִיהִי שְׁתֵּי הַלֶּחֶם. וּכְתִיב וַיְדַבֵּר אֱלֹהִים אֵת כָּל הַדְּבָרִים הָאֵלֶּה לֵאמֹר, וַאֲנָן נַטְלִין מִתּוֹרָה שֶׁבִּכְתָב, תּוֹרָה שֶׁבְּעַל פֶּה. ט"ו בְּאָב, אִיהוּ קַיְּימָא בְּחֶדְוָה, עַל בְּנוֹת יִשְׂרָאֵל. כָּל שְׁאָר יוֹמִין, אִינּוּן לְתִקּוּנָא דִּילָהּ. וְעַל דָּא אֲשֶׁר תִּקְחוּ מֵאִתָּם כְּתִיב.

קסג. כְּגַוְונָא דְּאִינּוּן מִתְיַיחֲדִין לְעֵילָּא בְּאֶחָד, אוּף הָכִי אִיהִי, אִתְיַיחֲדַת לְתַתָּא בְּרָזָא דְּאֶחָד, לְמֶהֱוֵי עִמְּהוֹן לְעֵילָּא וְחַד לָקֳבֵל וְחַד, קוּדְשָׁא בְּרִיךְ הוּא אֶחָד לְעֵילָּא, לָא יָתִיב עַל כּוּרְסְיָיא דִּיקָרֵיהּ, עַד דְּאִיהִי אִתְעֲבִידַת בְּרָזָא דְּאֶחָד כְּגַוְונָא דִּילֵיהּ, לְמֶהֱוֵי אֶחָד בְּאֶחָד. וְהָא אוּקִימְנָא רָזָא דַּיְיָ' אֶחָד וּשְׁמוֹ אֶחָד. קסד. רָזָא דְּשַׁבָּת, אִיהִי שַׁבָּת,

דְּאִתְאַחֲדָא בְּרָזָא דְּאֶחָ"ד, לְמִשְׁרֵי עֲלָהּ רָזָא דְּאֶחָד. צְלוֹתָא דְּמַעֲלֵי שַׁבַּתָּא, דְּהָא אִתְאַחֲדַת כּוּרְסְיָּיא יַקִּירָא קַדִּישָׁא, בְּרָזָא דְּאֶחָ"ד, וְאִתְתַּקְּנַת לְמִשְׁרֵי עֲלָהּ מַלְכָּא קַדִּישָׁא עִלָּאָה.

קסה. כַּד עַיֵּיל שַׁבַּתָּא, אִיהִי אִתְיַיחֲדַת וְאִתְפָּרְשַׁת מִסִּטְרָא אַחֲרָא, וְכָל דִּינִין מִתְעַבְּרִין מִינָהּ, וְאִיהִי אִשְׁתְּאֲרַת בְּיִחוּדָא דִּנְהִירוּ קַדִּישָׁא, וְאִתְעַטְּרַת בְּכַמָּה עִטְרִין לְגַבֵּי מַלְכָּא קַדִּישָׁא, וְכָל שׁוּלְטָנֵי רוּגְזִין וּמָארֵי דְּדִינָא כֻּלְּהוּ עַרְקִין, וְלֵית שׁוּלְטָנוּ אַחֲרָא בְּכֻלְּהוּ עָלְמִין.

קסו. וְאַנְפָּהָא נְהִירִין בִּנְהִירוּ עִלָּאָה, וְאִתְעַטְּרַת לְתַתָּא בְּעַמָּא קַדִּישָׁא, וְכֻלְּהוּ מִתְעַטְּרָן בְּנִשְׁמָתִין חַדְתִּין. כְּדֵין שֵׁירוּתָא דִּצְלוֹתָא, לְבָרְכָא לָהּ בְּחֶדְוָה, בִּנְהִירוּ דְּאַנְפִּין, וְלוֹמַר בָּרְכוּ אֶת יְיָ' הַמְבוֹרָךְ. אֶת יְיָ' דַּיְיקָא, בְּגִין לְמִפְתַּח לְגַבָּהּ בְּבְרָכָה.

קסז. וְאָסִיר לְעַמָּא קַדִּישָׁא לְמִפְתַּח לְגַבָּהּ בִּפְסוּקָא דְּדִינָא, כְּגוֹן וְהוּא רַחוּם וְגוֹ', בְּגִין דְּהָא אִתְפָּרְשַׁת מֵרָזָא דְּסִטְרָא אַחֲרָא, וְכָל מָארֵי דְּדִינִין אִתְפָּרְשׁוּ וְאִתְעַבְּרוּ מִינָהּ. וּמַאן דְּאִתְעַר הַאי לְתַתָּא, גָּרִים לְאִתְעֲרָא הָכִי לְעֵילָא. וְכֻרְסְיָּיא קַדִּישָׁא לָא יָכְלָא לְאִתְעַטְּרָא בַּעֲטָרָא דִּקְדוּשָּׁה, דְּכָל זִמְנָא דְּמִתְעָרֵי לְתַתָּא אִינּוּן מָארֵיהוֹן דְּדִינָא, דַּהֲווּ מִתְעַבְּרָן וַהֲווּ אַזְלֵי כֻּלְּהוּ לְאִתְטַמְּרָא גּוֹ נוּקְבָא דְּעַפְרָא דִּתְהוֹמָא רַבָּא, כֻּלְּהוּ תַּיְיבִין לְאַשְׁרָאָה בְּדוּכְתַּיְיהוּ וְאִתְרְוַחַת בְּהוּ אֲתַר קַדִּישָׁא דְּבָעָאת נַיְיחָא.

קסח. וְלָא תֵּימָא דְּדָא אִיהוּ בִּלְחוֹדוֹי, אֶלָּא לֵית אִתְעָרוּתָא לְעֵילָּא לְאִתְעֲרָא, עַד דְּיִשְׂרָאֵל מִתְעָרֵי לְתַתָּא, כְּמָה דְּאוֹקִימְנָא, דִּכְתִּיב בַּכֶּסֶה לְיוֹם חַגֵּנוּ. לְיוֹם חַג לָא כְּתִיב, אֶלָּא לְיוֹם חַגֵּנוּ. וְע"ד אָסִיר לְעַמָּא קַדִּישָׁא, דְּקָא מִתְעַטְּרָן בְּעִטְרִין קַדִּישִׁין דְּנִשְׁמָתִין, בְּגִין לְאִתְעֲרָא נַיְיחָא, דְּאִינּוּן יִתְעָרוּן דִּינָא, אֶלָּא כֻּלְּהוּ בִּרְעוּ וּרְחִימוּ סַגֵּי, דְּיִתְעָרוּן בִּרְכָאן עֵילָּא וְתַתָּא כַּחֲדָא.

קסט. בָּרְכוּ אֶת יְיָ'. אֶת דַּיְיקָא. כְּדְקָאַמְרָן, דָּא שַׁבָּת דְּמַעֲלֵי שַׁבַּתָּא. בָּרוּךְ יְיָ' הַמְבוֹרָךְ, דָּא אַפִּיקוּ דְּבִרְכָאן מִמְּקוֹרָא דְּחַיֵּי, וַאֲתַר דְּנָפִיק מִנֵּיהּ כָּל שַׁקְיוּ, לְאַשְׁקָאָה לְכֹלָּא. וּבְגִין דְּאִיהוּ מְקוֹרָא בְּרָזָא דְּאָת קַיְּימָא, קָרֵינָן לֵיהּ הַמְבוֹרָךְ, אִיהוּ מַבּוּעָא דְּבֵירָא. כֵּיוָן דְּמָטוּ תַּמָּן, הָא וַדַּאי בֵּירָא אִתְמַלְיָא, דְּלָא פַּסְקִין מֵימוֹי לְעָלְמִין.

קע. וְעַל דָּא לָא אַמְרֵינָן, בָּרוּךְ אֶת יְיָ' הַמְבוֹרָךְ, אֶלָּא בָּרוּךְ יְיָ', דְּאִלְמָלֵא לָא מָטֵי הָתָם נְבִיעוּ מִמְּקוֹרָא עִלָּאָה, לָא אִתְמַלְיָא בֵּירָא כְּלָל, וְעַל דָּא הַמְבוֹרָךְ, אֲמַאי אִיהוּ הַמְבוֹרָךְ. בְּגִין דְּאִיהוּ אַשְׁלִים וְאַשְׁקֵי לְעוֹלָם וָעֶד. עוֹלָם וָעֶד דָּא אִיהוּ שַׁבָּת דְּמַעֲלֵי שַׁבַּתָּא, וַאֲנָן תַּקְעִין בִּרְכָאן בַּאֲתַר דְּאִקְרֵי מְבוֹרָךְ. וְכֵיוָן דְּמָטָאן הָתָם, כֻּלְּהוּ לְעוֹלָם וָעֶד, וְדָא אִיהוּ בָּרוּךְ יְיָ' הַמְבוֹרָךְ. עַד הָכָא, מָטוֹן בִּרְכָאן מֵעָלְמָא עִלָּאָה, וְכֻלְּהוּ לְעוֹלָם וָעֶד, לְאִתְבָּרְכָא וּלְאִתְשַׁקָּאָה, וּלְמֶהֱוֵי שְׁלִים כַּדְקָא יָאוּת, מַלְיָא מִכָּל סִטְרִין.

קעא. בָּרוּךְ: דָּא מְקוֹרָא עִלָּאָה, דְּכָל בִּרְכָן נָפְקִין מִנֵּיהּ. וְכַד סִיהֲרָא אִשְׁתְּלִים, קָרֵינָן לָהּ הָכִי לְגַבֵּי תַּתָּאֵי, אֲבָל בָּרוּךְ מְקוֹרָא עִלָּאָה כִּדְקַאמְרָן. יְיָ': דָּא אֶמְצָעִי דְּכָל סִטְרִין עִלָּאִין. הַמְבוֹרָךְ: דָּא שְׁלֵמוּתָא דְּבֵיתָא, מַבּוּעָא דְּבֵירָא, לְאַשְׁלָמָא וּלְאַשְׁקָאָה כֹּלָּא. לְעוֹלָם וָעֶד: דָּא עָלְמָא תַּתָּאָה, דְּאִצְטְרִיךְ לְאִתְבָּרְכָא. וּמִשְׁוָוא וּרְבוּ דְּבָרוּךְ יְיָ' וְהַמְבוֹרָךְ, כֹּלָּא אִיהוּ לְעוֹלָם וָעֶד.

קעב. וְעַל דָּא, בְּרָכָה דָּא, אִצְטְרִיכוּ כָּל עַמָּא לְבָרְכָא, וּבְמַעֲלֵי שַׁבַּתָּא, בִּרְעוּ דְּלִבָּא, וּבְחֶדְוָה בָּעוּ לְמִשְׁרֵי בְּשֵׁירוּתָא בִּבְרָכָה דָּא, לְאִתְבָּרְכָא הַאי שַׁבָּת דְּמַעֲלֵי

שַׁבַּתָּא, מֵעַמָּא קַדִּישָׁא כַּדְקָא יָאוּת. בְּהַאי בְּרָכָה.

קעג. כַּד שָׁרָאן יִשְׂרָאֵל לְבָרְכָא, קָלָא אָזְלָא בְּכֻלְּהוּ רְקִיעִין, דְּמִתְקַדְּשֵׁי בִּקְדוּשָּׁא דְּמַעֲלֵי שַׁבַּתָּא. זַכָּאִין אַתּוּן עַמָּא קַדִּישָׁא, דְּאַתּוּן מְבָרְכֵי וּמְקַדְּשֵׁי לְתַתָּא, בְּגִין דְּיִתְבָּרְכוּן וְיִתְקַדְּשׁוּן לְעֵילָּא, כַּמָּה מַשִּׁרְיָין עִלָּאִין קַדִּישִׁין, זַכָּאִין אִינּוּן בְּהַאי עָלְמָא, וְזַכָּאִין אִינּוּן בְּעָלְמָא דְּאָתֵי, וְלָא מְבָרְכֵי יִשְׂרָאֵל בְּרָכָה דָּא, עַד דְּמִתְעַטְּרָן בְּעִטְרִין דְּנִשְׁמָתִין קַדִּישִׁין כְּדְקַאֲמָרָן. זַכָּאָה עַמָּא דְּזָכֵי לוֹן בְּעָלְמָא דֵּין, לְמִזְכֵּי לוֹן לְעָלְמָא דְּאָתֵי.

קעד. בְּהַאי לֵילְיָא שִׁמּוּשָׁא דְּחַכִּימִין, בְּאִלֵּין נִשְׁמָתִין קַדִּישִׁין דְּמִתְעַטְּרָן בְּהוּ, וְאַע"ג דְּהָא אוֹקִימְנָא וְכֹלָּא חַד. וּבְכָל אֲתַר דְּהִשְׁתְּכָחוּ לְחַכִּימִין בְּהַאי מִלָּה, בְּסִטְרָא דָּא, וּלְזִמְנִין בְּסִטְרָא דָּא כֹּלָּא אִיהוּ חַד, וְהָנֵי מִילֵּי הָא אוֹקִימְנָא אֲבָל בְּזִמְנָא דָּא, דְּמִתְעַטְּרָן כֻּלְּהוּ בְּנִשְׁמָתִין וְרוּחִין וְחֶדְוָתִין יַתִּירִין קַדִּישִׁין, כְּדֵין אִיהִי זִמְנָא דְּשִׁמּוּשָׁא דִּלְהוֹן, בְּגִין דְּלֶיהֱוֵי נְגִידוּ לְהַהוּא שִׁמּוּשָׁא, בְּנְגִידוּ הַקְּדוֹשָׁה, בְּנַיְיחָא עִלָּאָה, וְיִפְקוּן בְּנַיְיהוּ קַדִּישִׁין כַּדְקָא חָזֵי.

קעה. רָזָא דָּא לְחַכִּימִין אִתְיְיהִיבַת. בְּשַׁעֲתָא דְּאִתְפְּלִיג לֵילְיָא, בְּלֵילְיָא דָּא, קֻבְּ"ה בָּעֵי לְאַעֲלָא בְּגִנְתָּא דִּלְעֵילָּא. וְרָזָא דָּא, בְּיוֹמֵי דְּחוֹל קֻבְּ"ה עָאל בְּגִנְתָּא דְּעֵדֶן דִּלְתַתָּא, לְאִשְׁתַּעְשְׁעָא עִם צַדִּיקַיָּא דְּשָׁרָאן תַּמָּן, וּבְשַׁבָּת, בְּהַהוּא לֵילְיָא דְּשַׁבַּתָּא, קֻבְּ"ה עָאל בְּגִנְתָּא דִּלְעֵילָּא, בְּרָזָא דִּמְקוֹרָא עִלָּאָה.

קעו. בְּגִין דִּבְיוֹמֵי דְּחוֹל, כָּל נִשְׁמָתִין דְּצַדִּיקַיָּא כֻּלְּהוּ, בְּגִנְתָּא דִּי בְּאַרְעָא שַׁרְיָין. וְכַד אִתְקַדַּשׁ יוֹמָא בְּמַעֲלֵי שַׁבַּתָּא, כָּל אִינּוּן מַשִּׁרְיָין דְּמַלְאָכִין קַדִּישִׁין דִּי מְמַנָּן גּוֹ גִּנְתָּא דִּלְתַתָּא, כֻּלְּהוּ סַלְּקָן לְהָנֵי נִשְׁמָתִין, דְּשַׁרְיָין גּוֹ גִּנְתָּא דִּלְתַתָּא, לְעָאלָא לְגַבֵּי הַהוּא רְקִיעָא דְּקַיְּימָא עַל גִּנְתָּא, וּמִתַּמָּן אִזְדַּמְּנוּ רְתִיכִין קַדִּישִׁין, דְּסַחֲרָאן כּוּרְסֵי יְקָרָא דְּמַלְכָּא, וְסַלְּקִין לוֹן לְכָל אִינּוּן נִשְׁמָתִין, בְּגִנְתָּא דִּלְעֵילָּא.

קעז. כֵּיוָן דְּאִלֵּין רוּחִין סַלְּקִין, כְּדֵין רוּחִין אָחֳרָנִין קַדִּישִׁין, נָחֲתִין, לְאִתְעַטְּרָא בְּהוּ עַמָּא קַדִּישָׁא. אִלֵּין סַלְּקִין, וְאִלֵּין נָחֲתִין.

קעח. וְאִי תֵּימָא, הָא גִּנְתָּא דִּבְאַרְעָא, בְּיוֹמָא דְּשַׁבַּתָּא יָתְבָא בְּרֵיקָנַיָּיא בְּלָא נִשְׁמָתִין דְּצַדִּיקַיָּא. לָאו הָכִי. אֶלָּא נִשְׁמָתִין אָזְלִין, וְנִשְׁמָתִין אַתְיָין. נִשְׁמָתִין סַלְּקִין, וְנִשְׁמָתִין נָחֲתִין. נִשְׁמָתִין אָזְלִין מִגּוֹ גִּנְתָּא, וְנִשְׁמָתִין אַתְיָין לְגוֹ גִּנְתָּא. כָּל אִינּוּן נִשְׁמָתִין דְּצַדִּיקַיָּיא, דְּמִתְלַבְּנָן בְּיוֹמֵי דְּחוֹל, וְעַד לָא עָאלוּ לְגוֹ גִּנְתָּא, בְּשַׁעֲתָא דְּאִלֵּין נָפְקִין, אִלֵּין עָאלִין וְגִנְתָּא לָא אִשְׁתָּאַר בְּרֵיקַנְיָא. בְּרָזָא דְּלֶחֶם הַפָּנִים בְּיוֹם הִלָּקְחוֹ.

קעט. וְאִי תֵּימָא, כַּד אַהַדְרוּ בְּיוֹמֵי דְּחוֹל. בְּמָה אִתְמַשְׁכָן דּוּכְתֵּי לְאָרְכָּא וּפוּתְיָא וְרוּמָא, בְּגִנְתָּא, וְלָא אִתְיְדַע. כְּגַוְונָא דְּרָזָא דְּאֶרֶץ הַצְּבִי, דְּהָוָה אִתְמְשַׁךְ לְכָל סִטְרִין וְלָא אִתְיְדַע. כְּגַוְונָא דִּצְבִי, דְּכָל מַה דְּאִתְרַבֵּי, מַשְׁכֵיהּ אִתְרַבֵּי לְכָל סְטַר, וְלָא אִתְיְידַע. וְאִית כַּמָּה נִשְׁמָתִין, דְּכֵיוָן דְּסַלְּקִין, תּוּ לָא נָחֲתִין.

קפ. נִשְׁמָתִין סַלְּקִין, וְנִשְׁמָתִין נָחֲתִין, לְאִתְעַטְּרָא בְּהוּ עַמָּא קַדִּישָׁא. וּבְמַעֲלֵי שַׁבַּתָּא, גִּלְגּוּלָא דְּנִשְׁמָתִין אִיהוּ, אִלֵּין אָזְלִין, וְאִלֵּין אַתְיָין, אִלֵּין סַלְּקִין וְאִלֵּין נָחֲתִין. מַאן חָמֵי כַּמָּה רְתִיכִין קַדִּישִׁין, דִּי מְשַׁטְּטֵי לְכָאן וּלְכָאן. כֻּלְּהוּ בְּחֶדְוָה, כֻּלְּהוּ בִּרְעוּ, בְּאִלֵּין נִשְׁמָתִין לְאַעְטְרָא לְעַמָּא קַדִּישָׁא, לְאַעְטְרָא לְכַמָּה צַדִּיקַיָּיא, גִּנְתָּא דְּעֵדֶן לְתַתָּא, עַד שַׁעֲתָא דְּכָרוֹזָא קָאִים, וְקָארֵי מְקוּדָּשׁ מְקוּדָּשׁ. כְּדֵין נַיְיחָא שְׁכִיךְ, וּשְׁכִיכוּ לְכֹלָּא.

וחייבי גיהנם כלהו משתככי בדוכתייהו, ואית לון נייחא. ונשמתין כלהו מתעטרן, אלין לעילא ואלין לתתא. זכאה עמא, דחולקא דא להון.

קפא. בפלגות ליליא דמעלי שבתא, דחכימין מתערין לשמושא דלהון, ההוא רוחא עלאה, דמתעטרן ביה, כד יומא אתקדש, בשעתא דאינון ניימי בערסייהו, ונשמתין אחרנין דלהון, בעאן לסלקא למחמי ביקרא דמלכא, כדין ההוא רוח עלאה דנחית במעלי שבתא, נטיל ההיא נשמתא, וסלקין לעילא, ואתסחיא נשמתא אחרא בבוסמין דגנתא דעדן, ותמן חמי מה דחמי.

קפב. וכד נחתא לאשראה בדוכתהא בפלגות ליליא, ההיא נשמתא תבאת לדוכתהא. ובעי לאינון חכימין לומר, חד פסוקא דאתערותא, דההוא רוחא עלאה קדישא דעטרא דשבתא, כגון, רוח יי' אלהים עלי יען משח יי', אותי לבשר ענוים וגו'. בלכתם ילכו ובעמדם יעמדו ובהנשאם מעל הארץ וגו', אל אשר יהיה שם הרוח ללכת ילכו וגו'. בגין דמתעטרן בההוא רוחא, באתערותא דלהון בחדוה דשמושא, ויהא נגידו דההוא רוח עלאה דשבתא, בההוא שמושא דמצוה.

קפג. רב המנונא סבא, כד הוה סליק מנהרא במעלי שבתא, הוה יתיב רגעא חדא, וזקיף עינוי, והוה חדי, והוה אמר, דהוה יתיב, למחמי חדוה דמלאכי עלאי. אלין סלקין, ואלין נחתין. ובכל מעלי שבתא, יתיב בר נש בעולם הנשמות. זכאה איהו מאן דידע ברזין דמאריה.

קפד. כד נהיר יממא ביומא דשבתא, סליקו דחדוה סליק בכלהו עלמין, בנייחא בחדוה. כדין השמים מספרים כבוד אל ומעשי ידיו מגיד הרקיע. מאן שמים. אלין שמים, דשמא עלאה אתחזי בה, דשמא קדישא אתרשים בהו.

קפה. מספרים, מאי מספרים, אי תימא כמאן דמשתעי ספור דברים. לאו הכי. אלא דנהרין ונציצין בנציצו דנהורא עלאה, וסלקין בשמא, דכליל בנהירו דשלימו עלאה.

קפו. ומאן איהו ספור. דנצצי בנהירו דשלימו דספר עלאה. ובגין כך, סלקין בשמא שלים, ונהרין בנהירו שלים, ונצצי בנציצו שלים. אינהו מנצצי ונהרי בגרמייהו, מגו נהירו דנציצו דספר עלאה, ונהרי לכל סטר וסטר דמתדבקן ביה, דהא מנייהו, מההוא ספירו ונהירו, נהיר כל עזקא ועזקא, ונציץ בנציצו, בגין דבהאי יומא מתעטרן שמים, וסלקין בשמא קדישא, יתיר משאר יומין.

קפז. ומעשה ידיו, ההוא טלא עלאה, דנהיר מכל סטרין גניזין, דאיהו מעשה ידיו, ותקונא דיליה, דמתתקנא ביומא דא מכל שאר יומין.

קפח. מגיד הרקיע. מאי מגיד. משיך ונגיד לתתא, מרישא דמלכא, מליא מכל סטרוי. הרקיע, ההוא רקיע, דאיהו מבועא דבירא. ודא איהו ההוא נהר דנפיק מעדן, ודא איהו דנגיד ומשיך לתתא, נגידו דטלא עלאה, דנהיר ונציץ בנציצו מכל סטרין. ודא רקיע אנגיד ליה במשיכו דרחימו ותיאובתא, לאשקאה שקיו דחדוה, למעלי שבתא.

קפט. וכד נגיד ומשיך ההוא טלא דבדולחא, כלא מליא ושלים באתווי קדישין, בכל אינון שבילין קדישין. כיון דכלא אתחבר ביה, אתעביד ביה ארחא לאשקאה ולברכא לתתא.

קצ. יום ליום: יומא ליומא, ועזקא לעזקא. השתא משתעי קרא בארח פרט, היך שמים מספרים ומתקנין בספירו ובנציצו עלאה להאי כבוד, והיך נגיד ומשיך ההוא

רקיעא, נגידו דטלא עלאה. ואמר, יום ליום יביע אמר. יומא ליומא, ודרגא לדרגא, אוזו לאתכללא דא בדא, ולאתנהרא דא מן דא, מההוא ספירו דמנצצי ומנהרי שמים, להאי כבוד. יביע: כד"א מבע אתעביד וגו'. אוזו לאנהרא דא מן דא, ולאתנצצא דא מן דא, מההוא ספירו ונציצו.

קצא. אמ"ר: כללא דאתוון ושבילין דנפקין מאבא ואימא, וההוא רישא דנפיק מנייהו, דאיהו ברא בוכרא, אלף: אבא. וכד איהו סליק ונוזית, אתחברת מ' בהדי א', ואיהו אם. ר': רישא בוכרא. כד מתחברן אתוון כלהו, אמר. דא נהירו דאבא ואימא וברא בוכרא, ונהרין דא בדא בחבורא חדא. שלטא ביומא דשבתא. וע"ד כלא אתכליל דא בדא, בגין למהוי חד. ובגין כך אוזו דא בדא, ההוא אמר שליטו עלאה, למהוי כלא חד.

קצב. וכד כל האי אתנגיד ואתמשך להאי רקיע, כדין איהו אשקי ואנהיר לתתא, להאי כבוד אל, למעבד תולדין בדיוקנא דאינון שמים, דנהרין לההוא כבוד אל.

קצג. ולילה ללילה יחוה דעת, רתיכין דילה דאינון גופא דכרסייא, וכלהו אקרון לילות, כד"א אף לילות יסרוני כליותי. רתיכא עלאה, אתקרי ימים, יום ליום. רתיכא תתאה, אקרי לילות, לילה ללילה.

קצד. יחוה. דעת, יחוה: יחיה. יחיה תולדין, דאינון שמים. ואי תימא, יחוה לאו יחיה. ת"ח, כתיב ויקרא האדם שם אשתו חוה, כי היא היתה אם כל חי. חוה וחיה במלה חדא סלקין. ועל דאסתלק י', ועייל ו', דאיהו כדקא יאות, דהא ו' איהו חיין ודאי, ועל דא חוה וחיה, י' נטלא חיין מן ו'. אוף הכא, יחוה, יחיה.

קצה. דעת: דא איהו רזא דשמים. מה שמים שית סטרין, אוף הכא שית סטרין, באינון תולדין דקא יחיה כגוונא דיליה, ועל דא יום ליום אתכליל בדרגא עלאה אמ"ר. ולילה ללילה ברזא דדכורא, דקא נהיר לה דאיהו שמים, דעת.

קצו. ובגין דהאי אמר רזא עלאה איהו, ולא כשאר אמירן, אהדר קרא עליה ואמר, אין אמר ואין דברים, כשאר אמירן דעלמא. אלא האי אמר, רזא עלאה איהו, בדרגין עלאין, דלית תמן אמירן ודברים, ולא אשתמעו, כשאר דרגין דאינון רזא דמהימנותא, דאינון קלא דמשתמע, אבל הני לא אשתמעו לעלמין, והיינו דכתיב בלי נשמע קולם.

קצז. אבל בכל הארץ יצא קום, אע"ג דאינון טמירין עלאין, דלא אתיידעו לעלמין, נגידו ומשיכו דלהון, אתמשך ואתנגיד לתתא. ובגין ההוא משיכו, אית לן מהימנותא שלימתא, בהאי עלמא, וכל בני עלמא משתעו רזא דמהימנותא דקב"ה, באינון דרגין, כאילו אתגליין, ולא הוו טמירין וגניזין, והיינו ובקצה תבל מליהם, מרישא דעלמא, עד סייפי עלמא משתעאן אינון וזכימי לבא, באינון דרגין גניזין, אע"ג דלא אתיידעו.

קצח. אבל במה אשתמודען, בגין דלשמש שם אהל בהם, בגין שמשא קדישא, דאיהו משכנא מאינון דרגין עלאין קדישין, ואיהו נהורא, דנטיל כל נהורין גניזין, וההוא משיכו דלהון, ובגיניה אתחזי מהימנותא בכל עלמא.

קצט. מאן דנטיל לשמשא, כמאן דנטיל לכלהו דרגין. בגין דשמשא איהו אהל דאתכליל בהון, ונטיל כלא, ואיהו נהיר לכל אינון גווני נהורין לתתא. ועל דא והוא

כחתן יוצא מחופתו, בנהירו ונציצו דכל נהורין גניזין, דכלהו בתיאובתא ברעותא שלים, יהבי ליה רעותייהו ונהירו דלהון, כמה דלחתן אית רעו ותיאובתא דכלה למיהב לה נבזבזן ומתנן. ועל דא והוא כחתן יוצא מחופתו.

ר. מאן חופתו. דא עדן. ורזא דא, ונהר יוצא מעדן. עדן, דא איהו חופא דחופיא על כלא. ישיש כגבור. ישיש, מסטרא דאור קדמאה דלא אשתכח ביה דינא כלל. כגבור, מסטרא דגבורה, ואע״ג דגבורה איהי דינא שלים, כגבור כתיב, ולא גבור, בגין דאמתיק דינא בחסד, ונטיל כלא כחדא, בתיאובתא ורעותא שלים. וכל דא, לרוץ ארח. כד״א הנותן בים דרך לאשקאה ולאשלמא נהירו דסיהרא בכל סטרין, ולמפתח בה ארח לאנהרא לתתא.

רא. מקצה השמים מוצאו, מסייפי אלין שמים עלאין דקאמרן, איהו אפיק, בגין דבסיומא דגופא, איהו אפיק, ובההוא אתר אשתמודע בין דכר לנוקבא. ודא הוא דכתיב, ולמקצה השמים ועד קצה השמים. קצה השמים דא עלמא עלאה. ולמקצה השמים, דא שלמא דיליה. כמה דהאי נטיל כל נהורין, וכלהו ביה, אוף הכי האי, נטיל כל נהורין, וכלהו ביה, ואיהו נפיק מקצה השמים.

רב. ותקופתו: דסחרא בכל אינון סטרין קדישין, דאתחזון לאתנהרא ולאתשקאה ולנצצא מניה. ואין נסתר, לית מאן דאתחפיא מההוא נהירו, דהא לכלהו אנהיר בכללא חדא, לכל חד וחד כמה דאתחזי ליה.

רג. וכד כלהו אשתלימו ואתנהירו מגו שמשא, כדין סיהרא מתעטרא בגוונא דאימא עלאה, שלימא בנ׳ תרעין, ודא איהו דכתיב תורת יי׳ תמימה, דהא כדין איהי תמימה, מכל סטרין, ברזא דחמש דרגין, כגוונא דאימא עלאה, דאינון חמש רזא דחמשין.

רד. ובגיני כך, איהי אתיא בחמש וחמש תיבין, בגין לאשלמא לרזא דחמשין. תורת יי׳ תמימה משיבת נפש, הא חמש. עדות יי׳ נאמנה מחכימת פתי, הא חמש. פקודי יי׳ ישרים משמחי לב, הא חמש. מצות יי׳ ברה מאירת עינים, הא חמש. יראת יי׳ טהורה עומדת לעד, הא חמש. משפטי יי׳ אמת צדקו יחדיו, הא חמש. וכלהו אתיין בחמש וחמש, לאתכללא כגוונא דאימא עלאה.

רה. ועל דא, יהו״ה שית זמנין, לקבל שית סטרין עלאין, דאינון רזא דשמא עלאה, ועל דא, סיהרא אתמליא ואשתלים בסדורא עלאה כדקא יאות, ודא איהו ביומא דשבתא, דכלא אשתלים כדקא יאות, ברזא דשבתא עילא ותתא.

רו. ועכ״ד ביומא דא, אתוסף נהירו בכלא, כדקאמרן. שמים נטלי ממקורא דחיי בקדמיתא, ואינון מנהרי ומתקני לכבוד עלאה, מרזא דספר עלאה, אבא דכלא. ומרזא דספר, אימא עלאה. ואיהו, מרזא דספור. ובגין כך, מספרים, כדקאמרן. ברזא דתלת שמהן אלין, דשלטין ביומא דשבתא, על כל שאר יומין.

רז. ובגיני כך תושבחתא דא, קאמר דוד ברוח קדשא, על נהירו ונציצו ושולטנו דיומא דשבתא על כל שאר יומין בגין רזא דשמא עלאה, דקא נהיר בנהירו, ונציץ בנציצו, ואשתלים בשלימו עילא ותתא. וכדין תורת יי׳ תמימה, שבת דמעלי שבתא, ברזא חדא כדקאמרן.

רח. ואתקינו חבריא שירותא דתושבחתי, מאינון תושבחתן דדוד, מרזא דא השמים, דאיהו נטיל ברישא, ונהיר לכל שאר. ולבתר ההוא נהר דנפיק מעדן, ודא

אִיהוּ רָזָא, רַגְנוּ צַדִּיקִים בַּיְיָ בְּגִין דְּהַאי נָהָר כְּנִישׁ וְנָטִיל כֹּלָּא מֵרָזָא דִשְׁמַיִם, בְּרָזָא עִלָּאָה, וּמִקּוֹרָא דְּחַיֵּי, כֹּלָּא כַּדְקָא יֵאוֹת בְּיוֹמָא דָא. וְשִׁמְשָׁא אַתְקִין לְאַנְהֲרָא כַּדְקָא יֵאוֹת, בְּיוֹמָא דָא.

רט. וּלְבָתַר סִיהֲרָא דְּהָא מִתְפָּרְשַׁת מִסִּטְרָא אוֹחֲרָא בְּיוֹמָא דָא, בְּגִין לְאִתְנְהֲרָא מִן שִׁמְשָׁא, וְדָא אִיהוּ לְדָוִד בְּשַׁנּוֹתוֹ אֶת טַעְמוֹ וְגו'. וּלְבָתַר דְּאִתְפָּרְשַׁת מִנֵּיהּ, הָא אִתְחַבְּרַת בְּשִׁמְשָׁא. וְתוּשְׁבְּחָתָא דָּא בְּכ"ב אַתְוָון, דְּאָעִיל בַּהּ שִׁמְשָׁא בְּסִיהֲרָא. וְתוּשְׁבְּחָתָא דָּא, פְּרִישׁוּ דְּסִיהֲרָא מִסִּטְרָא אוֹחֲרָא, וְתוּשְׁבְּחָתָא דְּכ"ב אַתְוָון בִּנְהִירוּ דְּשִׁמְשָׁא.

רי. וּלְבָתַר אִתְחַבְּרוּתָא וּסְלִיקוּ דְּמַטְרוֹנִיתָא עִם בַּעֲלָהּ. וְדָא אִיהוּ תְּפִלָּה לְמֹשֶׁה אִישׁ הָאֱלֹהִים. אִתְחַבְּרוּתָא וְאִתְדַּבְּקוּתָא דְּאִתְּתָא בְּבַעְלָהּ, לְפָרְשָׂא יְמִינָא וּשְׂמָאלָא לְקַבְּלָא לַהּ, וּלְמֶהֱוֵי כַּחֲדָא בְּחוּבּוּרָא חֲדָא.

ריא. וְדָא אִיהוּ מִזְמוֹר שִׁירוּ לַיְיָ שִׁיר וָדֶשַׁ. תּוּשְׁבְּחָתָא דָא הָא אוֹקִימְנָא. אֲבָל אע"ג דְּאִתְעָרוּתָא בֵּיהּ, אִתְעָרוּ דְּחַבְרַיָּא דְּהָא אִתְעָרוּ, שַׁפִּיר אִיהוּ, דְּהִנֵּה פָּרוֹת עֹלוֹת כַּד הֲווֹ נָטְלֵי אֲרוֹנָא, אִתְעָרוּ בְּהַאי תּוּשְׁבְּחָתָא, כד"א וַיִשַּׁרְנָה הַפָּרוֹת בַּדֶּרֶךְ. וּמַה שִׁירָה הֲווֹ אֲמְרֵי. מִזְמוֹר שִׁירוּ לַיְיָ שִׁיר וָדֶשַׁ כִּי נִפְלָאוֹת עָשָׂה. רָזָא דָא אִיהוּ כְּגַוְונָא דִלְעֵילָא. בְּשַׁעֲתָא דְּאִנּוּן זַוְיָית נָטְלֵי כֻּרְסַיָּיא, לְאָרְמָא לֵיהּ לְעֵילָא, אִנּוּן אֲמְרֵי תּוּשְׁבְּחָתָא דָא.

ריב. וְאִי תֵּימָא, אֲמַאי כְּתִיב הָכָא וָדֶשַׁ, וְהָא תָּדִיר קָאַמְרֵי תּוּשְׁבְּחָתָא דָא. אֶלָּא וַדַּאי וָדֶשַׁ אִיהוּ, וְוָדֶשַׁ לָא אַקְרֵי, אֶלָּא בְּאִתְּוַדְּעוּתָא דְּסִיהֲרָא, כַּד אִתְנְהִירַת מִן שִׁמְשָׁא, כְּדֵין אִיהוּ וָדֶשַׁ, וְדָא אִיהוּ שִׁיר וָדֶשַׁ. הוֹשִׁיעָה לּוֹ יְמִינוֹ וּזְרוֹעַ קָדְשׁוֹ, הָא אִתְעָרוּתָא דִּימִינָא וּשְׂמָאלָא לְקַבְּלָא לַהּ.

ריג. וְתוּשְׁבְּחָתָא דָּא, כַּד נָטְלֵי אֲרוֹנָא, קָא מְשַׁבְּחָאן לַהּ. כַּד סַלְקִין לְבֵית שֶׁמֶשׁ. כְּגַוְונָא דַּעֲגָלוֹת סַלְקִין לְבֵית שֶׁמֶשׁ. וְכֹלָּא בְּרָזָא וַד סַלְקִין, בְּגִין דִּבְשַׁבָּת אִיהוּ סְלִיקוּ דְּכֻרְסַיָּיא, לְסַלְקָא לְעֵילָא. תִּקּוּנָא דְּתוּשְׁבְּחָתָא דָא בְּשַׁבָּת אִלֵּין תּוּשְׁבְּחָן כֻּלְּהוּ אִתְּקִינוּ בְּשַׁבָּת, לְשַׁבְּחָא לֵיהּ עַמָּא יְחִידָא בְּעָלְמָא.

ריד. מִזְמוֹר שִׁיר לְיוֹם הַשַּׁבָּת. תּוּשְׁבְּחָתָא דָא, אָדָם הָרִאשׁוֹן קָאַמַר לַהּ, בְּשַׁעֲתָא דְּאִתְתָּרַךְ מִגִּנְּתָא דְּעֵדֶן, וְאָתָא שַׁבָּת וְאָגִין עֲלֵיהּ. וְאוֹקְמוּהָ וְחַבְרַיָּיא, תּוּשְׁבְּחָתָא דָא, עָלְמָא תַּתָּאָה קָא מְשַׁבְּחַת לְגַבֵּי עָלְמָא עִלָּאָה, יוֹמָא דְּאִיהוּ כֹּלוֹ שַׁבָּת, מַלְכָּא, דִּשְׁלָמָא דִילֵיהּ. וְדָא אִיהוּ מִזְמוֹר שִׁיר, וְלָא כְּתִיב מַאן קָאָמַר לֵיהּ, כְּמָה דְּאוֹקִימְנָא.

רטו. לְיוֹם הַשַּׁבָּת, יוֹמָא עִלָּאָה, שַׁבָּת עִלָּאָה. דָּא שַׁבָּת וְדָא שַׁבָּת, מַה בֵּין הַאי לְהַאי. אֶלָּא, שַׁבָּת סְתָם, דָּא שַׁבָּת דִּמְעַלֵּי שַׁבַּתָּא. יוֹם הַשַּׁבָּת, דָּא שַׁבָּת דִּלְעֵילָא. דָּא יוֹם, וְדָא לֵילָה, רָזָא דִּדְכוּרָא. וְשָׁמְרוּ בְנֵי יִשְׂרָאֵל אֶת הַשַּׁבָּת, הָא לֵילְיָא, רָזָא דְּנוּקְבָא. זָכוֹר אֶת יוֹם הַשַּׁבָּת, הָא יוֹם, רָזָא דִּדְכוּרָא. וּבְגִין כָּךְ מִזְמוֹר שִׁיר לְיוֹם הַשַּׁבָּת.

רטז. וְאִשְׁתְּכַח בְּכַמָּה אֲתַר, דְּעָלְמָא תַּתָּאָה לָא סָלִיק בִּשְׁמָא, וְאַתְיָא סְתָם, כְּגוֹן הַאי, וּכְגוֹן וַיִּקְרָא אֶל מֹשֶׁה, וּכְגוֹן וְאֶל מֹשֶׁה אָמַר עֲלֵה אֶל יְיָ. כֻּלְּהוּ סְתִים שְׁמָא, וְלָא סָלִיק בֵּיהּ. בְּגִין דְּאִית בֵּיהּ דַּרְגָּא עִלָּאָה, וּלְגַבֵּי דַּרְגָּא עִלָּאָה אִיהוּ לָא סָלִיק בִּשְׁמָא. נְהוֹרָא דְּשַׁרְגָּא, לָא סָלִיק בִּימָמָא, בִּנְהוֹרָא דְּשִׁמְשָׁא, וע"ד לָא סָלִיק בִּשְׁמָא. וְכָל אִלֵּין תּוּשְׁבְּחָן, דְּשַׁבָּת, דְּאִיהִי כְּבוֹד יוֹם, אִיהוּ תּוּשְׁבְּחָתָא עִלָּאָה, עַל כָּל שְׁאָר יוֹמִין.

ריז. נִשְׁמַת כָּל חַי, הָא וְחַבְרַיָּיא אִתְעָרוּ בֵּיהּ מִלִּין דִּקְשׁוֹט. אֲבָל אִית לָן לְאַדְכָּרָא, הַאי נִשְׁמָתָא דְּפָרְחָא מֵהַהוּא חַי הָעוֹלָמִים. וּבְגִין דְּאִיהִי דִילֵיהּ, דְּמִנֵּיהּ נַפְקַן כָּל

ברכאן, ושריין ביה, והוא אשקי ומברך לתתא, האי נשמתא דנפקא מניה, אית לה רשו לברכא להאי אתר.

ריח. ועל דא פרחין נשמתין מההוא חי, במעלי שבתא. אינון נשמתין דאינון פרחאן, ממש מברכין להאי אתר דאקרי שם מתתא. וההוא אתר דנפקי מניה מברך ליה לעילא, והאי שם מקבלא ברכאן, מתתא ומעילא, ואתכלילת מכל סטרין.

ריט. ביומי דחול, איהי מקבלא ברכאן, משאר נשמתין, דקא מברכין לה מתתא. ביומא דשבת, איהי מקבלא ברכאן מאינון נשמתין עלאין, דקא מברכאן לה בארבעין וחמש תיבין, כחושבן מ"ה. כמה דאוקימנא, ברזא מ"ה, וברזא מ"י. דא עלמא עלאה, ודא עלמא תתאה. נשמת כל חי עד האחרונים, מ"ה. ומן ואילו פינו מלא שירה עד ומלפנים, סלקא תושבחתא אחרא וחמשין תיבין. ואע"ג דלא קיימא תמן מלה בחושבנא, סלקא וחושבנא רזא מ"י. ומתמן ולהלאה סלקא תושבחתא אחרא לחושבון מאה תיבין, תשלומין דכלא, וחד רתיכא על מה דשריא ההוא שלימא עלאה.

רכ. וכל שבחא דא, וכל מלין אלין, כלהו שייפין ידיען, בחושבנא לתשלומא דשבת, ולאשתלמא מנייהו, כדקא חזי. זכאה עמא, דידעי לסדרא שבחא דמריהון, כדקא יאות. מכאן ולהלאה סדורא דצלותא כמה דאתתקנת.

רכא. כתיב ואתה יי' אל תרחק אילותי לעזרתי חושה. דוד מלכא אמר דא, בשעתא דהוה מתקן ומסדר תושבחתא דמלכא, בגין לחברא שמשא בסיהרא. כיון דהוה מתקן ומסדר שבחין דיליה לאתחברא, אמר ואתה יי' אל תרחק.

רכב. ואתה יי' רזא דחברותא חדא בלא פרודא. אל תרחק, כיון דאיהי סלקא לאתעטרא בבעלה, וכלא בעלמא עלאה, ומתמן בעי לסלקא לאין סוף, לאתקשרא כלא לעילא לעילא, ובג"כ אל תרחק, לאסתלקא מינן, לשבקא לן.

רכג. ובגין כך, בגו סדורא דתושבחתא, בעאן ישראל לאתכללא תמן, ולאתדבקא בהדייהו מתתא, דאלמלא יבעי לאסתלקא האי כבוד, הא ישראל לתתא אחידן ביה ותקפין ביה, דלא שבקי ליה לאתרחקא מנייהו. וע"ד צלותא בלחש, כמאן דמליל ברזא עם מלכא, ובעוד דאיהו ברזא עמיה, לא אתרחקא מניה כלל.

רכד. אילותי, מה איל וצבי, בשעתא דאזלי ומרחקי, מיד אהדרן לההוא אתר דשבקי, אוף קב"ה, אע"ג דאסתלק לעילא באין סוף, מיד אהדר לאתריה. מ"ט. בגין דישראל לתתא אתאחדן ביה, ולא שבקין ליה לאתנשיא, ולאתרחקא מנייהו. וע"ד, אילותי לעזרתי חושה.

רכה. ובגין כך בעינן לאתאחדא ביה בקב"ה, ולאחדא ביה, כמאן דאמשיך מעילא לתתא, דלא ישתבק בר נש מניה, אפילו שעתא חדא. וע"ד כד סמיך גאולה לתפלה, בעי לאחדא ביה, ולאשתעי בהדיה בלחישו, ברזא, דלא יתרחק מינן, ולא ישתבק מינן, וע"ד כתיב ואתם הדבקים ביי' אלהיכם חיים כלכם היום. אשרי העם שככה לו אשרי העם שיי' אלהיו.

רכו. בההיא שעתא, קם רבי שמעון וחבריא אוף הכי קמו ואזלו. אמר רבי אלעזר לרבי שמעון אבוי, אבא, עד הכא הוינא יתבי בצלא דאילנא דחיי בגנתא דעדן. מכאן ולהלאה דאנן אזלין, אצטריך לן למיהך בארחוי דנטרן אילנא דא. אמר

ליה, אנת תשרי בשירותא למפתח בארזא.

רכז. פתח ואמר, ויקחו לי תרומה, כמה דאתמר. במאי איהי תרומה. ברזא דזהב, דהא מתמן אתזנת בקדמיתא, בגין דאיהי גבורה תתאה, דאתיא מסטרא דזהב. ואף על גב דאתיא מסטרא דזהב, כל עקר לא אשתארת, אלא בסטרא דכסף, דאיהו ימינא.

רכח. ורזא דא כוס של ברכה, דאצטריך לקבלא ליה בימינא ובשמאלא, וכל עקר לא אשתאר אלא בימינא. ושמאלא אתער ימינא, ולא אתדבק ביה, בגין דאיהו אתייהיב בין ימינא ושמאלא, ושמאלא אתאחיד תחותיה, וימינא אתאחיד ביה לעילא, כד"א שמאלו תחת לראשי וימינו תחבקני. זהב וכסף, כד"א לי הכסף ולי הזהב, והא אתמר.

רכט. ונחשת, דא איהו גוון כגוונא דזהב, בגין דאצטבע מגוון זהב ומגוון דכסף. ועל דא מזבח הנחשת קטן. אמאי איהו קטן. כד"א כי המזבח אשר לפני יי' קטן מהכיל את העולה וגו'. כד"א ודוד הוא הקטן. ואע"ג דאיהו קטן, כלא אתאחיד בגויה. ואי תימא מזבח אחרא, אקרי קטן. לאו הכי. דלאו קטן בר האי, דכתיב את המאור הגדול לממשלת היום ואת המאור הקטן לממשלת הלילה. ודא איהו המאור הקטן. המאור הגדול, דא מזבח הפנימי דאיהו מזבח הזהב.

רל. ותכלת דא איהו תכלת דציצית. תכלת דא איהו כרסייא, רזא דתפלה דיד. תכלת דא איהו כרסייא, דדיינין ביה דיני נפשות. בגין דאית כרסייא דדיינין ביה דיני ממונות, ואית כרסייא דדיינין ביה דיני נפשות. ועל דא, כל גוונין טבין לחלמא, בר גוון תכלא, בגין דינדע דהא נשמתיה סלקא בדינא. וכד נשמתא סלקא בדינא, גופא אתדן לאשתצאה ואצטריך ההוא חלמא, לרחמין סגיאין.

רלא. תכלת דא איהו כרסייא, דכתיב ביה כמראה אבן ספיר דמות כסא, וכתיב ונגה לו סביב. בגין דעבדין ביה כריכין לציצית, וכד נגה לו, אתהדר לגוון ירוק, כגון כרתי. מההיא שעתא ואילך, אשתרי זמנא דק"ש, דהא אשתני גוון תכלא מכמה דהוה, ובגין כך אסיר למידן דיני נפשות בלילה, בגין דשלטא ההוא גוון תכלא בההוא זמנא, ואתיהיב רשו למחטף נפשא בלא משפט. דהא משפט לא שלטא בההוא זמנא.

רלב. כד אתי צפרא, ואתער ימינא דלעילא, נפיק ההוא נהורא, ומטי עד האי תכלא, ואשתני מכמה דהוה, וכדין שלטא עליה, ואתדבק ביה כרסייא אחרא קדישא. מההיא שעתא ואילך, זמנא דק"ש.

רלג. וארגמן, דא כנופיא דכלילא כל גוונין כחדא. ותולעת שני, כתיב שני, וכתיב שנים, דכתיב כי כל ביתה לבוש שנים. אלא האי איהו גוון אקרי שני, דנטיל כל גוונין ביה, וכלא איהו חד, שני ושנים. שנים: כד כלהו כלילן ביה כחדא. שני: דנפיק מכרסייא עלאה, דשלטא על תכלת מסטרא דימינא, ודא איהו אפוטרופסא דישראל, דכתיב ביה מיכאל שרכם. תולעת: דחילה בפומיה, כתולעת, דמתבר כלא ועקר כלא.

רלד. תולעת שני ושש, תרין גוונין כחדא, דימינא ושמאלא, חיור וסומק. ושש: בוצא איהו. דשית חוטין מתחברן, ודא איהו דכתיב, וגויתו כתרשיש. ובאלין תרין, כלילן תרין אחרנין.

רלה. וְעִזִּים: גְּבוּרָאן תַּתָּאֵי דִּלְבַר, לְחוֹפָּא עַל פְּנִימָאֵי. וְכֹלָּא אִצְטְרִיךְ, וְאִצְטְרִיךְ לְמֵיהַב דּוּכְתָּא לְכֹלָּא, דְּהָא מִסִּטְרָא דְּדַהֲבָא קָאַתְיָין. וְעוֹרוֹת אֵילִים מְאָדָּמִים, מְשִׁיכוּ דִּתְרֵין סִטְרִין, דִּימִינָא וּשְׂמָאלָא, לְחַפְיָיא בְּדוּכְתָּא אַחֲרָא.

רלו. וְעוֹרוֹת תְּחָשִׁים, סִטְרָא חֲדָא אִית דְּרַבֵּי גּוֹ סִטְרָא אַחֲרָא בְּחוּרְבָּא, וְלָא בְּיִשׁוּבָא אִשְׁתְּכַח, וְדָא אִיהוּ סִטְרָא דַּכְיָא, וְאִקְרֵי תַּחַשׁ.

רלז. בְּסִפְרָא דִּשְׁלֹמֹה מַלְכָּא אִית גּוֹ הַאי מִזְבַּח הַנְּחֹשֶׁת דְּקָאמְרָן, רָזִין עִלָּאִין. דְּהָא מִזְבַּח אֲדָמָה כְּתִיב, מִזְבַּח אֲדָמָה תַּעֲשֶׂה לִּי וְגוֹ' וְדָא אִיהוּ רָזָא כַּדְקָא יָאוֹת. נְחֹשֶׁת, כַּד שַׁלְטִין טוּרִין אַחֲרָנִין, וְאִיהִי צְרִיכָא לְמֵיזַן לוֹן, אִצְטַבַּע בְּהַאי גַּוָּון לְמֵיזַן לוֹן. וְאִינּוּן אִקְרוּן הַרְרֵי נְחֹשֶׁת.

רלח. וְאִינּוּן הַרְרֵי נְחֹשֶׁת אִתְמְשַׁךְ עֲלַיְיהוּ רוּחָא חֲדָא מִגּוֹ הַאי מִזְבֵּחַ, וְכַד הַאי מִזְבֵּחַ אִסְתַּלָּק בִּסְלִיקוּ אַחֲרָא, כְּדֵין אִסְתַּלָּק אָת נ', דְּאִיהוּ מִזְבֵּחַ קַדִּישָׁא, וְאִשְׁתְּאַר רוּחָא דְּאִלֵּין טוּרֵי נְחֹשֶׁת. וְכַד הַהוּא רוּחָא אִסְתְּלִיק בְּקִיּוּמֵיהּ, אִקְרֵי תַּחַשׁ, דְּהָא אִסְתַּלָּק מִנֵּיהּ אָת נ'.

רלט. וְהַאי אִתְפְּרַשׁ, לְכַמָּה רוּחִין אַחֲרָנִין, וְאִקְרוּן אוּף הָכִי, וְעַל דָּא אִקְרֵי הַהוּא עַמָּא, תַּחַשׁ. כד"א וְאֶת תַּחַשׁ וְאֶת מַעֲכָה. אִינּוּן הֲווֹ יָדְעֵי בְּהָא וַזָּה דְּמַשְׁכְּנָא, דְּאִקְרֵי עַל שְׁמֵיהוֹן.

רמ. וַעֲצֵי שִׁטִּים, אִלֵּין אִינּוּן רָזִין קַדִּישִׁין, דְּאִינּוּן לוּחֵי מַשְׁכְּנָא, וְאִינּוּן אִקְרוּן בְּרָזָא דִּלְהוֹן. כְּתִיב עֲצֵי שִׁטִּים עוֹמְדִים, וּכְתִיב שְׂרָפִים עוֹמְדִים.

רמא. מִכָּאן וּלְהָלְאָה שֶׁמֶן לַמָּאוֹר, מְשִׁיכוּ דִּמְשַׁח רְבוּת קַדִּישָׁא לְאַמְשָׁכָא עֲלַיְיהוּ. אַבְנֵי שֹׁהַם וְאַבְנֵי מִלּוּאִים, אִלֵּין אַבְנֵי קַדִּישָׁא, יְסוֹדֵי דְּמַקְדְּשָׁא, בִּרְתִיכִין קַדִּישִׁין אִלֵּין, אִזְדַּמְּנָן בִּלְחוֹדַיְיהוּ, לִיקָר וּלְשַׁבְחָא, בִּלְבוּשׁ יְקָר, לְעֵיינָא כַּהֲנָא בְּהוּ תַּמָּן, וּלְאַדְכְּרָא תְּרֵיסַר שִׁבְטִין, וְע"ד תְּרֵיסַר אַבְנִין כְּמָה דְּאִתְּמַר.

רמב. תְּלֵיסַר זִינִין אִינּוּן, בַּר י"ב אַבְנִין יַקִּירִין אִלֵּין, וְכֻלְּהוּ סַלְּקִין לְכ"ה אַתְוָון, בְּרָזָא עִלָּאָה דְּיִחוּדָא. וּלְקָבֵל אִלֵּין, גָּלִיף וְאַתְקִין מֹשֶׁה, כ"ה אַתְוָון בְּרָזָא דִּפְסוּקָא דְּיִחוּדָא, דִּכְתִיב שְׁמַע יִשְׂרָאֵל יְדֹוָד אֱלֹהֵינוּ יְדֹוָד אֶחָד. וְאִינּוּן כ"ה אַתְוָון, גְּלִיפָן מְחֻקְקָן בְּרָזָא דִּלְעֵילָּא.

רמג. יַעֲקֹב בָּעָא לְאַתְקְנָא לְתַתָּא, בְּרָזָא דְּיִחוּדָא, וְאַתְקִין בְּכ"ד אַתְוָון, וְאִינּוּן בָּרוּךְ שֵׁם כְּבוֹד מַלְכוּתוֹ לְעוֹלָם וָעֶד. וְלָא אַשְׁלִים לְכ"ה אַתְוָון, בְּגִין דְּעַד לָא אִתְתְּקַן מַשְׁכְּנָא. כֵּיוָן דְּאִתְתְּקַן מַשְׁכְּנָא, וְאִשְׁתְּלִים, מִלָּה קַדְמָאָה דְּהַהִיא נָפִיק מִנֵּיהּ, כַּד אִשְׁתְּלִים, לָא מַלִּיל אֶלָּא בְּכ"ה אַתְוָון, לְאַחֲזָאָה דְּהָא אִשְׁתְּלִים דָּא כְּגַוְונָא דִּלְעֵילָּא, דִּכְתִיב וַיְדַבֵּר יְיָ' אֵלָיו מֵאֹהֶל מוֹעֵד לֵאמֹר. הָא כ"ה אַתְוָון.

רמד. וְע"ד כ"ה זִינִין לְאַשְׁלְמָא תִּקּוּנָא דְּמַשְׁכְּנָא וְכָל הָנֵי אַתְוָון, אוֹקִימְנָא בְּאִינּוּן אַתְוָון גְּלִיפָן, דְּאוֹלִיפְנָא מִמָּר. וּבְגִין דְּמַשְׁכְּנָא אִשְׁתְּלִים בְּרָזִין אִלֵּין, אִקְרֵי כ"ה, בְּיִחוּדָא דִּשְׁלִימוּ דְּמַשְׁכְּנָא, וְע"ד וַחֲסִידֶיךָ יְבָרְכוּכָה כְּתִיב, רָזָא דִּשְׁלִימוּ דְּכָל מַשְׁכְּנָא וְתִקּוּנָא דִּילֵיהּ. כ"ה, לָקֳבֵל כ"ב אַתְוָון, וְאוֹרַיְיתָא וּנְבִיאִים וּכְתוּבִים, דְּאִינּוּן כְּלָלָא חֲדָא, וְרָזָא חֲדָא.

רמה. בְּשַׁעֲתָא דְּיִשְׂרָאֵל קָא מְיַחֲדֵי יִחוּדָא בְּהַאי קְרָא, בְּרָזָא דְּכ"ה אַתְוָון, דְּאִינּוּן שְׁמַע יִשְׂרָאֵל יְיָ' אֱלֹהֵינוּ יְיָ' אֶחָד, וּבשכמל"ו, דְּאִינּוּן כ"ד אַתְוָון, וִיכַוֵּין כָּל חַד בְּהוּ,

אַתְוָון מִתְחַבְּרָן כַּחֲדָא, וְסַלְקִין בְּחֻבּוּרָא חַד מ"ט תַּרְעִין, בְּרָזָא דְּיוֹבְלָא. וּכְדֵין אִצְטְרִיךְ לְסַלְּקָא עַד וְלָא יַתִּיר. וּכְדֵין אִתְפַּתְחוּ תַּרְעִין, וְחָשִׁיב קֻבְּ"ה לְהַהוּא בַּר נָשׁ, כְּאִילּוּ קַיֵּים אוֹרַיְיתָא כֻּלָּהּ, דְּאִיהִי אַתְיָא בְּמ"ט פָּנִים.

רמו. וְעַל דָּא אִצְטְרִיךְ לְכַוְּונָא לִבָּא וּרְעוּתָא בְּכ"ה וּבְכ"ד, וּלְסַלְּקָא לוֹן בִּרְעוּתָא דְּלִבָּא, לְמ"ט תַּרְעִין דְּקָאמְרָן. כֵּיוָן דְּאִתְכַּוָּון בְּהַאי, יִתְכַּוָּון בְּהַהוּא יִחוּדָא דְּאָמַר מַר, שְׁמַע יִשְׂרָאֵל וּבשכמל"ו כְּלָלָא דְּכָל אוֹרַיְיתָא כֻּלָּהּ. זַכָּאָה חוּלָקֵיהּ מַאן דְּיִתְכַּוָּון בְּהוּ, דְּוַדַּאי כְּלָלָא אִיהוּ דְּכָל אוֹרַיְיתָא דְּעֵילָּא וְתַתָּא. וְדָא אִיהוּ רָזָא דְּאָדָם שְׁלֵימָא, דִּדְכַר וְנוּקְבָא, וְרָזָא דְּכָל מְהֵימְנוּתָא.

רמז. מַחֲלוֹקֶת דְּשַׁמַּאי וְהִלֵּל בְּקִימָה וּבִשְׁכִיבָה, דִּכְתִּיב בְּשָׁכְבְּךָ וּבְקוּמֶךָ, דְּשַׁמַּאי סָבַר בָּעֶרֶב דְּקָא כְּלִילָא נוּקְבָא בְּשָׁלְטָנָהָא, אִצְטְרִיךְ לְגַבֵּי נוּקְבָא דְּקָא יַטּוּ וְיִקְרְאוּ. וּבַבֹּקֶר, דְּקָא שָׁלְטָא דְּכוּרָא בְּשׁוּלְטָנוּתָא דְּעָלְמָא עִלָּאָה, אִצְטְרִיךְ לְמֵיקָם קָמֵיהּ דִּדְכוּרָא, כְּמָה דְּאִצְטְרִיךְ בִּתְפִלָּה מְעוּמָּד, וּבְכָל אֲתַר דִּדְכוּרָא אַתְיָא.

רמח. וּבֵית הִלֵּל סָבַר, אִלְמָלֵא אִשְׁתַּכַּח דָּא לְחוּד וְדָא לְחוּד, הָכִי אִצְטְרִיךְ. אֲבָל כֵּיוָן דְּאִנּוּן מְחַבְּרָן לוֹן כַּחֲדָא, בְּחִבּוּרָא בְּמ"ט פָּנִים, וּמ"ט תַּרְעִין, לָא אִצְטְרִיכְנָא לְאַפְרְשָׁא דָּא לְחוּד וְדָא לְחוּד, אֶלָּא לְאַשְׁגָּחָא דִּכְלָא אִיהוּ חַד, בְּלָא פֵּרוּדָא. וּכְמָה דְּאִזְדַּמַּן לֵיהּ לְבַר נָשׁ, הָכִי יֵימָא, דְּהָא תַּרְוַויְיהוּ בְּחִבּוּרָא חֲדָא, כְּמָה דְּנַיְיחָא לוֹן, וְהָכִי אִצְטְרִיךְ לְאִתְחֲזָאָה.

רמט. וְעַל דָּא דְּכוּרָא, בְּשִׁית סִטְרִין, בְּקְרָא דִּשְׁמַע יִשְׂרָאֵל, דְּאִינּוּן שִׁית תֵּיבִין. וְנוּקְבָא בְּשִׁית סִטְרִין בשכמל"ו. דְּאִינּוּן שִׁית תֵּיבִין אַחֲרָנִין, וְסַלְּקִין בְּחִבּוּרָא חֲדָא, בְּרָזָא דְּמ"ט תַּרְעִין, וַהֲלָכָה כְּבֵית הִלֵּל בְּכָל אֲתַר.

רנ. רַבִּי שִׁמְעוֹן אָרִים יְדוֹי וּבָרִיךְ לְרַבִּי אֶלְעָזָר בְּרֵיהּ. פָּתַח וְאָמַר, מִי הֵעִיר מִמִּזְרָח וְגוֹ'. הַאי קְרָא אוֹקִימְנָא וְאִתְּמַר, אֲבָל רָזָא דְּחָכְמְתָא אִיהוּ, מ"י רָזָא דְּעָלְמָא עִלָּאָה אִיהוּ, דְּהָא מִתַּמָּן נָפְקָא שֵׁירוּתָא, לְאִתְגַּלְיָא רָזָא דִּמְהֵימְנוּתָא, וְהָא אוֹקִימְנָא.

רנא. תּוּ. מ"י טְמִירָא דְּכָל טְמִירִין, דְּלָא אִתְיְדַע וְלָא אִתְגַּלְיָיא כְּלָל. גַּלֵּי יְקָרֵיהּ לְאִשְׁתְּמוֹדְעָא, מֵהַהוּא אֲתַר דְּאִקְרֵי מִזְרָח, דְּהָא מִתַּמָּן שֵׁירוּתָא דְּכָל רָזָא דִּמְהֵימְנוּתָא, וּנְהוֹרָא לְאִתְגַּלְיָיא. וּלְבָתַר צֶדֶק יִקְרָאֵהוּ לְרַגְלוֹ, דְּהָא צֶדֶק, גַּלֵּי גְּבוּרְתָא עִלָּאָה, וְשׁוּלְטָנֵיהּ דְּקֻבְּ"ה, וּלְהַאי צֶדֶק אַשְׁלְטֵיהּ עַל עָלְמִין כֻּלְּהוּ, לְדַבְּרָא לוֹן, וּלְאַתְקְנָא לוֹן, כַּדְקָא יָאוּת. וְע"ד, יִתֵּן לְפָנָיו גּוֹיִם וּמְלָכִים יַרְדְּ, דְּהָא כָּל מַלְכִין דְּעָלְמָא, בִּרְשׁוּתָא דְּהַאי צֶדֶק קַיְימִין, כד"א וְהוּא יִשְׁפּוֹט תֵּבֵל בְּצֶדֶק.

רנב. תּוּ, צֶדֶק יִקְרָאֵהוּ לְרַגְלוֹ, מַאן קָרֵי לְמַאן. אֶלָּא, צֶדֶק אִיהוּ קָארֵי תָּדִיר לְאַסְפַּקְלַרְיָאה דִּנְהֲרָא, וְלָא שָׁכִיךְ לְעָלְמִין, וְצֶדֶק קָאִים תָּדִיר לְרַגְלוֹי, דְּלָא אִתְעֲדֵי מִתַּמָּן, וְקָארֵי וְלָא שָׁכִיךְ, הה"ד, אֱלֹהִים אַל דֳּמִי לָךְ אַל תֶּחֱרַשׁ וְאַל תִּשְׁקֹט אֵל. וְהַשְׁתָּא קֻבְּ"ה אַנְהַר לָן אָרְחָא דָּא בְּגִין אֶלְעָזָר בְּרִי דְּקָרֵי לִנְהוֹרָא עִלָּאָה וְלָא שָׁכִיךְ. זַכָּאָה חוּלָקֵהוֹן דְּצַדִּיקַיָּיא בְּעָלְמָא דֵּין וּבְעָלְמָא דְּאָתֵי.

רנג. ר' אַבָּא פָּתַח קְרָא וְאָמַר, מִזְמוֹר לְדָוִד בִּהְיוֹתוֹ בְּמִדְבַּר יְהוּדָה. מַאי שְׁנָא מִכָּל שְׁאָר תּוּשְׁבְּחָן, דְּלָא קָאָמַר בְּאָן אֲתַר שַׁבַּח לוֹן דָּוִד מַלְכָּא, וּמ"ש הָכָא דְּקָאָמַר בִּהְיוֹתוֹ בְּמִדְבַּר יְהוּדָה. אֶלָּא לָא דָּא בִּלְחוֹדוֹי, דְּהָא אוּף הָכִי נַמֵּי, בְּשַׁנּוֹתוֹ אֶת טַעְמוֹ

לִפְנֵי אֲבִימֶלֶךְ. בְּבָא הַזִּיפִים. וְכֵן כֻּלְּהוּ. לְאַחֲזָאָה לְכָל בְּנֵי עָלְמָא, שְׁבָחֵיהּ דְּדָוִד, דְּאַעַ"ג דִּבְצַעֲרָא הֲוָה, וַהֲווּ רַדְפֵי אֲבַתְרֵיהּ, הֲוָה מִשְׁתַּדֵּל לוֹמַר שִׁירִין וְתוּשְׁבְּחָן לְקֻבְּ"ה.

רנד. וְאַעַ"ג דִּבְרוּחַ קֻדְשָׁא הֲוָה אָמַר, רוּחַ קֻדְשָׁא לָא הֲוֵי שָׁארֵי עֲלוֹי, עַד דְּאִיהוּ אִשְׁתַּדַּל לְמִשְׁרֵי עֲלוֹי. וְכֵן בְּכָל אֲתַר, לָא שַׁרְיָא רוּחַ קֻדְשָׁא דִּלְעֵילָּא, עַד דְּיִתְּעַר עָלֵיהּ בַּר נָשׁ מִתַּתָּא. וְדָוִד אַעַ"ג דְּקָא רַדְפֵי אֲבַתְרֵיהּ, וַהֲוָה בְּצַעֲרֵיהּ, לָא הֲוָה שָׁבִיק שִׁירִין וְתוּשְׁבְּחָן מִפּוּמֵיהּ, וּלְשַׁבְּחָא לְמָארֵיהּ עַל כֹּלָּא.

רנה. וְאִי תֵּימָא, הָא דְּתָנֵינָן, מִזְמוֹר לְדָוִד, אוֹ לְדָוִד מִזְמוֹר, וְהָכָא שָׁרַת עָלֵיהּ רוּחַ קֻדְשָׁא בְּקַדְמֵיתָא, בְּגִין דְּאָמַר מִזְמוֹר לְדָוִד. אֶלָּא, אִי אִיהוּ לָא הֲוָה מְכַוֵּין גַּרְמֵיהּ בְּקַדְמֵיתָא, לָא שָׁרַת עָלֵיהּ רוּחַ קֻדְשָׁא.

רנו. מִזְמוֹר דָּא רוּחַ קֻדְשָׁא. אַמַּאי אִקְרֵי הָכִי. בְּגִין דְּאִיהִי, מְשַׁבַּחַת תָּדִיר לְמַלְכָּא עִלָּאָה דְּכָל זִמְנָא הֲוָה קָא מְשַׁבְּחַת וּמְזַמֶּרֶת, וְלָא שָׁכִיךְ. כֵּיוָן דְּאָתָא דָּוִד אַשְׁכַּח גּוּפָא מִתַּתְקְנָא כַּדְקָא יָאוֹת, וְשָׁרַת עָלֵיהּ, וַהֲווּ מְגַלֵּי בְּהַאי עָלְמָא, לְשַׁבְּחָא וּלְזַמְּרָא לְמַלְכָּא, וְכֹלָּא, בְּגִין דְּיִתְתְּקַן הַאי עָלְמָא, כְּגַוְונָא דִּלְעֵילָּא.

רנז. לְדָוִד. גְּבַר שְׁלִים בְּתִקּוּנוֹי, גְּבַר מִתְקְנָא, גְּבַר זַכָּאָה. דָּוִד וַדַּאי דְּלָא אִשְׁתַּנֵּי לְעָלְמִין. בִּהְיוֹתוֹ בְּמִדְבַּר יְהוּדָה, דָּא שְׁבָחָא דְּדָוִד, אַעַ"ג דִּבְצַעֲרֵיהּ הֲוָה, אַעַ"ג דַּהֲווּ רַדְפֵי אֲבַתְרֵיהּ. וּמַאי תּוּשְׁבַּחְתָּא קָאָמַר. תּוּשְׁבַּחְתָּא דְּאִיהוּ רַב וְיַקִּירָא.

רנח. וּשְׁבָחָא דִּילֵיהּ מַאי אִיהִי. אֱלֹהִים אֵלִי אַתָּה אֲשַׁחֲרֶךָּ. אֱלֹהִים סְתָם. כֵּיוָן דְּאָמַר אֱלֹהִים, אַמַּאי אֵלִי. אֶלָּא הַהוּא דַּרְגָּא דִּילֵיהּ. תְּלַת דַּרְגִּין הָכָא: אֱלֹהִים. אֵלִי. אַתָּה. וְאַף עַל גַּב דְּאִינּוּן תְּלַת שְׁמָהָן, חַד דַּרְגָּא אִיהוּ, בְּרָזָא דֶּאֱלֹהִים חַיִּים. אֱלֹהִים: לְעֵילָּא, אֱלֹהִים חַיִּים. אֵלִי: קְצֵה הַשָּׁמַיִם עַד קְצֵה הַשָּׁמַיִם. אַתָּה: דַּרְגָּא דִּילֵיהּ. וְאַף עַל גַּב דְּכֹלָּא חַד, וּבִשְׁמָא חַד סָלִיק.

רנט. אֲשַׁחֲרֶךָּ, אִי כְּמַשְׁמָעוֹ דִּילֵיהּ, שַׁפִּיר. אֲבָל אֲשַׁחֲרֶךָּ, אַתְקִין נְהוֹרָא דְּנָהִיר בְּשַׁחֲרוּתָא. דְּהָא נְהוֹרָא דְּקַיְּימָא בְּשַׁחֲרוּתָא, לָא נָהִיר עַד דְּיִתְתַּקְּנוּן לֵיהּ לְתַתָּא. וּמַאן דְּאַתְקִין נְהוֹרָא שַׁחֲרָא דָּא, אַף עַל גַּב דְּאִיהִי אוּכָמָא, זָכֵי לִנְהוֹרָא חִוְּורָא דְּנָהִיר, וְדָא אִיהִי נְהוֹרָא אַסְפַּקְלַרְיָא דִּנְהֲרָא, וְדָא אִיהוּ בַּר נָשׁ דְּזָכֵי לְעָלְמָא דְּאָתֵי.

רס. וְרָזָא דָּא וּמְשַׁחֲרַי יִמְצָאֻנְנִי, וּמְשַׁחֲרַי: דְּמִתְקְנִין נְהוֹרָא מְשַׁחֲרֵי אוּכָמָא. יִמְצָאֻנְנִי, יִמְצָאוּנִי לָא כְּתִיב, אֶלָּא יִמְצָאֻנְנִי, דְּזָכֵי לִתְרֵין נְהוֹרִין. לִנְהוֹרָא דְּשַׁחֲרָא אוּכָמָא, וְלִנְהוֹרָא חִוְּורָא דִּנְהֲרָא. וְזָכֵי לְאַסְפַּקְלַרְיָאה דְּלָא נָהִיר, וּלְאַסְפַּקְלַרְיָאה דְּנָהִיר. וְדָא אִיהוּ יִמְצָאֻנְנִי. וְעַל דָּא אָמַר דָּוִד אֲשַׁחֲרֶךָּ, אַתְקִין נְהוֹרָא דְּשַׁחֲרָא אוּכָמָא, לְנַהֲרָא עָלֵיהּ נְהוֹרָא חִוְּורָא דִּנְהֲרָא.

רסא. צָמְאָה לְךָ נַפְשִׁי כָּמַהּ לְךָ בְשָׂרִי, כְּמַאן דְּכָפִין לְמֵיכַל וְצָחֵי לְמִשְׁתֵּי. בְּאֶרֶץ צִיָּה וְעָיֵף בְּלִי מָיִם, בְּגִין דְּאִיהוּ מַדְבַּר, וְלָאו אִיהוּ אֲתַר דְּיִשּׁוּבָא, וְלָאו אִיהוּ אֲתַר דְּקֻדְשָׁא. וּבְגִין כַּךְ אִיהוּ אֲתַר בְּלִי מַיִם. וּכְמָה דַּאֲנָן כָּפִין וְצָחָאן לְגַבָּךְ בַּאֲתַר דָּא, כֵּן בַּקֹּדֶשׁ חֲזִיתִיךָ וְגוֹ'. וַאֲנָן כְּמָה דַּאֲנָן צָחָאן לְגַבֵּי דְּמַר, לְמִשְׁתֵּי בְּצַחֲוּתָא מִלּוֹי בַּאֲתַר דָּא, אוּף הָכִי צָוְוחִינָן לְמִשְׁתֵּי בְּצַחֲוּתָא מִלּוֹי, בְּבֵי מַקְדְּשָׁא, אֲתַר דְּאִקְרֵי קֹדֶשׁ. אָמַר ר"ש לְרַ' אַבָּא, מַאן דְּשָׁארֵי מִלָּה הַשְׁתָּא יֵימָא.

רסב. פָּתַח ר' אַבָּא וְאָמַר, וְיִקְחוּ לִי תְּרוּמָה מֵאֵת כָּל אִישׁ וְגוֹ'. מֹשֶׁה בְּשַׁעֲתָא דְּקֻבְּ"ה אַחְמֵי לֵיהּ עוֹבָדָא דְּמַשְׁכְּנָא, הֲוָה קָשֶׁה קָמֵיהּ, וְלָא יָכִיל לְמֵיקָם בֵּיהּ, וְהָא

אוּקְמוּהָ. וְהַשְׁתָּא אִית לָן לְמִקְשֵׁי הָכָא, אִי תְּרוּמָה דָּא, יָהֲבָהּ קֻבְּ"ה לְמֹשֶׁה בִּלְחוֹדוֹי, הֵיךְ יָהֲבָהּ לְאַחֲרָא, וְאָמַר דִּלִבְנֵי יִשְׂרָאֵל יִקְחוּ הַאי תְּרוּמָה.

רסג. אֶלָּא וַדַּאי לְמֹשֶׁה יָהֲבָהּ, וְלָא יָהֲבָהּ לְאַחֲרָא. לְמַלְכָּא דַּהֲוָה בְּגוֹ עַמֵּיהּ, וְלָא הֲוַת מַטְרוֹנִיתָא עִמֵּיהּ דְּמַלְכָּא. כָּל זִמְנָא דְּמַטְרוֹנִיתָא לָא הֲוַת עִמֵּיהּ דְּמַלְכָּא, לָא מִתְיָאֲשֵׁי עַמָּא בֵּיהּ, וְאִינּוּן לָא יַתְבִין לִרְהָצָן. כֵּיוָן דְּאָתַת מַטְרוֹנִיתָא, כָּל עַמָּא חֲדָאן, וְיַתְבֵי בִּרְוֹחָצְנוּ. כָּךְ בְּקַדְמֵיתָא, אַע"ג דְּקֻבְּ"ה עָבַד לוֹן נִסִּין וְאָתִין ע"י דְּמֹשֶׁה, לָא מִתְיָאֲשֵׁי עַמָּא. כֵּיוָן דְּאָמַר קֻבְּ"ה וְיִקְחוּ לִי תְּרוּמָה, וְנָתַתִּי מִשְׁכָּנִי בְּתוֹכְכֶם. מִיַּד אִתְיָאֲשׁוּ כֻּלְּהוּ, וְחָדוּ בְּפוּלְחָנָא דְּקֻבְּ"ה, הה"ד וַיְהִי בְּיוֹם כַּלֹּת מֹשֶׁה דְּנַחְתַּת כַּלַּת מֹשֶׁה לְאַרְעָא.

רסד. וְאִי תֵּימָא, וַיְהִי בְּכָל אֲתַר לָאו אִיהוּ אֶלָּא לִישָּׁנָא דְּצַעֲרָא, וְהָכָא כְּתִיב וַיְהִי בְּיוֹם. אֶלָּא, בְּהַהוּא יוֹמָא דִּשְׁכִינְתָּא נַחְתַּת לְאַרְעָא, אִשְׁתְּכַח מְקַטְרְגָא לְגַבָּהּ, וְזַיְפָא הַהוּא וְשִׁיּוּךְ קָבֵל לְגַבָּהּ, בְּגִין דְּלָא תֵּיחוּת. וְתָנִינָן, אֶלֶף וַחֲמֵשׁ מֵאָה רִבּוֹא מַלְאָכִין מְקַטְרְגִין, אִשְׁתְּכָחוּ לְגַבָּהּ בְּגִין דְּלָא תֵּיחוּת.

רסה. וּבְהַהוּא זִמְנָא אִשְׁתְּכָחוּ כָּל כְּנוּפְיָא דְּמַלְאָכֵי עִלָּאֵי קָמֵי קֻבְּ"ה. אָמְרוּ קַמֵּיהּ, מָארֵי דְּעָלְמָא, כָּל זִיוָא וְכָל נְהוֹרָא דִּילָן בִּשְׁכִינַת יְקָרָךְ אִיהוּ, וְהַשְׁתָּא תֵּיחוּת לְגַבֵּי תַּתָּאֵי. בְּהַהִיא שַׁעֲתָא אִתְתְּקָפַת שְׁכִינְתָּא, וְתַבְּרַת הַהוּא וְשִׁיּוּךְ קָבֵל, כְּמַאן דְּמִתְבַּר גְּזִירִין תַּקִּיפִין, וְנַחְתַּת לְאַרְעָא. כֵּיוָן דְּחָמוּ כֻּלְּהוּ כַּךְ, פָּתְחוּ וְאָמְרוּ יְיָ' אֲדוֹנֵינוּ מָה אַדִּיר שִׁמְךָ בְּכָל הָאָרֶץ. אַדִּיר וַדַּאי, דְּתַבְּרַת כַּמָּה גְּזִירִין וְחֵילִין תַּקִּיפִין, וְנַחְתַּת לְאַרְעָא, וְשַׁלִּיטַת בְּכֹלָּא. וְעַ"ד כְּתִיב וַיְהִי, צַעֲרָא דְּקַבִּילוּ כַּמָּה חַיָּילִין וּמַשִּׁירְיָין, בְּיוֹמָא דְּכַלַּת מֹשֶׁה נַחְתַּת לְאַרְעָא.

רסו. וּבְגִין כַּךְ וְיִקְחוּ לִי תְּרוּמָה וְגוֹ'. וְיִקְחוּ לִי וּתְרוּמָה לָא כְּתִיב, אֶלָּא וְיִקְחוּ לִי תְּרוּמָה, לְאַחֲזָאָה דְּכֹלָּא חַד בְּלָא פֵּרוּדָא. וְעוֹבָדָא דְּמַשְׁכְּנָא כְּגַוְונָא דִּלְעֵילָּא, דָּא לְקָבֵל דָּא, לְאִתְכַּלְּלָא שְׁכִינְתָּא מִכָּל סִטְרִין עֵילָּא וְתַתָּא, הָכָא בְּהַאי עָלְמָא עוֹבָדָא דִּילֵיהּ, כְּעוֹבָדָא דְּגוּפָא, לְאִתְכַּלְּלָא רוּחָא בְּגַוֵּיהּ, וְדָא אִיהִי שְׁכִינְתָּא, דְּאִתְכְּלִילַת לְעֵילָּא וְתַתָּא, וְאִיהִי רוּחַ קֻדְשָׁא.

רסז. וּלְעוֹלָם אִתְמַשְׁכַת וְעָאלַת גּוֹ רָזָא דְּגוּפָא, לְאַשְׁרָאָה מוֹחָא גּוֹ קְלִיפָא כֹּלָּא כְּמָה דְּאִתְחֲזֵי. הַאי רוּחָא דְּקֻדְשָׁא, אִתְעֲבֵיד בְּגוּפָא, לְאִתְכַּלְּלָא בְּגַוֵּיהּ רוּחַ אַחֲרָא עִלָּאָה, דָּקִיק וְנָהִיר, וְכֹלָּא הָכִי אִתְאֲחִיד וְאִתְכְּלִיל דָּא בְּדָא, וְעָאל דָּא בְּדָא, עַד דְּאִתְאֲחִיד בְּהַאי עָלְמָא, דְּאִיהוּ קְלִיפָה בַּתְרָאָה דִּלְבַר.

רסח. קְלִיפָה תַּקִּיפָא אִיהִי לְגוֹ מִקְּלִיפָה דְּהַאי עָלְמָא. כְּגַוְונָא דֶּאֱגוֹזָא, דְּהַאי קְלִיפָה דִּלְבַר לָאו אִיהִי תַּקִּיפָא, קְלִיפָה דְּאִיהִי לְגוֹ מִינָּהּ, אִיהִי קְלִיפָה תַּקִּיפָא. אוּף הָכִי לְעֵילָּא, קְלִיפָה תַּקִּיפָא, אִיהִי רוּחָא אוּחֲרָא דְּשָׁלְטָא בְּגוּפָא. לְגוֹ מִנֵּיהּ, אִיהִי קְלִיפָה קְלִישָׁא. לְגוֹ מִנֵּיהּ מוֹחָא.

רסט. בְּאַרְעָא קַדִּישָׁא, מִתְתַּקְּנָא כֹּלָּא בְּגַוְונָא אַחֲרָא, דְּהָא קְלִיפָה תַּקִּיפָא אִתְבְּרַת מֵהַהוּא אֲתַר, וְלָא שָׁלְטָא בֵּיהּ כְּלַל. קְלִיפָה תַּקִּיפָא אִתְבְּרַת תְּבִיר, וְאִתְפַּתְּחַת מֵהַאי סִטְרָא וּמֵהַאי סִטְרָא.

ער. וְהַהִיא פְּתִיחוּ הֲוָה בְּאַרְעָא קַדִּישָׁא, בְּכָל זִמְנָא דְּפָלְחִין פּוּלְחָנָא כְּדְקָא יָאוּת. כֵּיוָן דְּגָרְמוּ חוֹבִין, מְשִׁיכוּ הַהוּא פְּתִיחוּ לְהַאי סִטְרָא וּלְהַאי סִטְרָא, עַד דְּאִתְקְרַב

קְלִיפָּה, כִּלְּא כַּחֲדָא. כֵּיוָן דְּאַסְתִּים קְלִיפָּה לְמוֹחָא, כְּדֵין שַׁלְטָא הַהִיא קְלִיפָּה עֲלַיְיהוּ וְדָוָה לוֹן לְבַר מֵהַהוּא דּוּכְתָּא.

רעא. וְעכ"ד אע"ג דְּדָוָה לוֹן לְבַר, לָא יָכִיל הַהִיא קְלִיפָּה תַּקִּיפָא לְשַׁלְטָאָה בְּהַהוּא דּוּכְתָּא קַדִּישָׁא, דְּלָאו אַתְרֵיהּ אִיהוּ. וְאִי תֵּימָא, אִי הָכִי, הוֹאִיל וְלָא יָכִיל הַהִיא קְלִיפָּה תַּקִּיפָא לְשַׁלְטָאָה בְּהַהוּא דּוּכְתָּא קַדִּישָׁא, אַמַּאי קַיְּימָא וְחָרוּב, דְּהָא וְחָרְבָּא לָא הֲוֵי בְּעָלְמָא, אֶלָּא מִסִּטְרָא דְּהַהִיא קְלִיפָּה תַּקִּיפָא.

ערב. אֶלָּא וַדַּאי כַּד אִתְחֲרַב לָא אִתְחֲרַב אֶלָּא מֵהַהוּא סִטְרָא, בְּשַׁעֲתָא דְּאַסְתִּים לְמוֹחָא, וְקוּדְשָׁא בְּרִיךְ הוּא (וקב"ה) עָבֵד דְּלָא תִּשְׁלוֹט הַהִיא קְלִיפָּה תַּקִּיפָא עַל הַהוּא דּוּכְתָּא. וְכַד דָּוָה לוֹן לְיִשְׂרָאֵל מִנֵּיהּ, הַהִיא קְלִיפָּה אִתְהַדְּרַת וְאִתְפַּתְּחַת כְּמִלְּקַדְמִין. וּבְגִין דְּעַמָּא קַדִּישָׁא לָא הֲווּ תַּמָּן, וְחַפְיָא עַל הַהוּא פִּתְיוּחָא, וְחוֹפָאָה קַדִּישָׁא דְּפָרוֹכְתָּא קְלִישָׁא, לְנַטְרָא הַהוּא אֲתַר, דְּלָא יִסְתּוֹם לֵיהּ הַהִיא קְלִיפָּה תַּקִּיפָא, וְאָחִיד בְּכָל סִטְרוֹי.

רעג. לְמֶהֱוֵי רְבוּת קֻדְשָׁא עַל אַרְעָא כְּמִלְּקַדְּמִין, לָא יָכִיל, דְּהָא הַהוּא חוֹפָאָה קְלִישָׁא אָחִיד, דְּלָא יְזוּזוּת לְתַתָּא, דְּהָא עַמָּא קַדִּישָׁא לָאו תַּמָּן. וְעַ"ד לָא אִתְבְּנֵי וְחָרֵבָן, מִיּוֹמָא דְּאִתְחֲרִיבוּ. לְשַׁלְטָאָה הַהִיא קְלִיפָּה תַּקִּיפָא, לָא יָכְלָא, דְּהָא הַהוּא חוֹפָאָה קְלִישָׁה אָחִיד בֵּיהּ בְּכָל סִטְרוֹי בְּהַהוּא פִּתְיוּחָא דְּלָא תִּשְׁלוֹט תַּמָּן, וְלָא תַּסְתִּים מוֹחָא, בְּהַהוּא חוֹפָאָה דְּפָרוֹכְתָּא קְלִישָׁא, דְּאִיהוּ מִגּוֹ מְשִׁיכוּ דְּפָרוֹכְתָּא קַדִּישָׁא דִּלְעֵילָּא, דְּנָטִיר הַהוּא אֲתַר.

רעד. וּבְגִין כַּךְ, כָּל אִינּוּן נִשְׁמָתִין דִּשְׁאַר עַמִּין, דְּדַיְירִין בְּאַרְעָא, כַּד נָפְקִין מֵהַאי עָלְמָא, לָא מְקַבְּלָא לוֹן, וְדָחֵי לוֹן לְבַר, וְאַזְלִין וְשָׁטָאן וּמִתְגַּלְגְּלִין בְּכַמָּה גִּלְגּוּלִין, עַד דְּנַפְקֵי מִכָּל אַרְעָא קַדִּישָׁא, וְסָחֲרָן לְסִטְרַיְיהוּ, בְּמִסְאֲבוּ דִּלְהוֹן. וְכָל אִינּוּן נִשְׁמָתִין דְּיִשְׂרָאֵל דְּנָפְקִין תַּמָּן, סָלְקִין, וְהַהוּא חוֹפָאָה קְלִישָׁא מְקַבְּלָא לוֹן, וְעָאלִין לִקְדוּשָּׁא עִלָּאָה, בְּגִין דְּכָל זִינָא אָזְלָא לְזִינֵיהּ.

רהע. וְנִשְׁמָתֵיהוֹן דְּיִשְׂרָאֵל דְּנַפְקֵי לְבַר מֵאַרְעָא, בִּרְשׁוּתָא דְּהַהִיא קְלִיפָא תַּקִּיפָא, אָזְלָא וְסָחֲרָא וּמִתְגַּלְגְּלָא, עַד דְּתָבַת לְדוּכְתָּהָא, וְעָאלַת לַאֲתָר דְּאִתְחֲזֵי לָהּ. זַכָּאָה חוּלָקֵיהּ, מַאן דְּנִשְׁמָתֵיהּ נָפְקָא בִּרְשׁוּ קַדִּישָׁא, בְּהַהוּא פִּתְיוּחוּ דְּאַרְעָא קַדִּישָׁא.

רעו. מַאן דְּנִשְׁמָתֵיהּ נָפְקַת בְּאַרְעָא קַדִּישָׁא, אִי אִתְקְבַר בְּהַהוּא יוֹמָא, לָא שַׁלְטָא עָלֵיהּ רוּחָא מִסָּאֲבָא כְּלַל. וְעַ"ד כְּתִיב בִּצְלִיבָא, כִּי קָבוֹר תִּקְבְּרֶנּוּ בַּיּוֹם הַהוּא וְלֹא תְטַמֵּא אֶת אַדְמָתְךָ. בְּגִין דִּבְלֵילְיָא אִתְיְהִיב רְשׁוּ לְרוּחַ מְסָאֲבָא לְמִשְׁטְטָא. וְאַע"ג דְּאִתְיְהִיב לוֹן רְשׁוּ, לָא עָאלִין בְּאַרְעָא קַדִּישָׁא, בַּר אִי אַשְׁכְּחָן תַּמָּן מָנָא לְאַעֲלָא בֵּיהּ.

רעז. אֵבָרִין וּפְדָרִין דְּמִתְאַכְּלָן בְּלֵילְיָא, לְאַתְזָנָא זִינִין אַחֲרָנִין, לָאו דְּעַיְילִין בְּאַרְעָא, וְלָא לְאַמְשָׁכָא לוֹן בְּאַרְעָא, אֶלָּא, בְּגִין דְּלָא תִּשְׁלוֹט סִטְרָא אַחֲרָא גּוֹ אַרְעָא, וְלָא יִתְמַשְׁכָא לְאַעֲלָא תַּמָּן. וּבְגִין כַּךְ, תְּנָנָא מִנַּיְיהוּ הֲוָה סָלִיק עֲקִימָא, וּמִתְגַּלְגְּלָא לְבַר, וְאָזִיל בְּבְהִילוּ, עַד דְּעָאל לְנוּקְבָא דְּצָפוֹן, דְּתַמָּן מָדוֹרִין דְּכָל סִטְרִין אַחֲרָנִין, וְתַמָּן עָאל תְּנָנָא, וְכֻלְּהוּ אִתְזָנוּ תַּמָּן.

רעח. תְּנָנָא דְּיוֹמָא, הֲוָה סָלִיק לְדוּכְתֵּיהּ בְּאֹרַח מֵישַׁר, וְאִתְזָן מַה דְּאִתְזָן. וּמֵהַהוּא פִּתְיוּחוּ, אִתְזָנוּ כָּל סִטְרֵי קְלִיפָּה תַּקִּיפָא, דְּאִיהִי לְבַר מֵאַרְעָא קַדִּישָׁא, וּמֵהַהִיא תְּנָנָא גַּסָּה כְּמָה דְּאוֹקִימְנָא.

רעט. גּוּפֵיהוֹן דְּצַדִּיקַיָּיא, דְּלָא אִתְמְשָׁכוּ בְּהַאי עָלְמָא בָּתַר הָנָאִין דְּהַהִיא קְלִיפָּה

תקיפא, לא שלטא עלייהו רוח מסאבו כלל, דהא לא אשתתפו אבתריה כלום בהאי עלמא. כמה דגופא דרשייעייא אתמשך בהאי עלמא בתר ההיא קליפה תקיפא, והנאין ועינוגין דיליה ותיקונין דיליה, הכי אסתאב, בתר דנפקת נשמתיה מניה.

רפ. גופיהון דצדיקייא, דלא מתענגי בהאי עלמא, אלא מתענוגי דמצוה, וסעודתי שבתין וחגין וזמנין, ההוא רוח מסאבא לא יכיל לשלטאה עלייהו, דהא לא אתעננגו מדיליה כלום. והואיל ולא נטלו מדיליה, לית ליה רשו עליהון כלל. זכאה איהו מאן דלא אתהני מדיליה כלום.

רפא. מאן דנשמתיה נפקא לבר מארעא קדישא, וההוא גופא אסתאב בההוא רוח מסאבו, ההוא רוח מסאבו אשתאיב בגויה, עד דתב ליה עפרא. ואי ההוא גופא, דאשתאיב ביה ההוא רוח מסאבא, סלקין ליה לאתקברא גו ארעא קדישא, עליה כתיב, ותבאו ותטמאו את ארצי ונחלתי שמתם לתועבה. ארצי, דלא שלטא עלה רוח מסאבו, בההוא גופא דלכון, דאשתאיב ביה רוח מסאבו, דקא מייתין לקברא ליה בארצי, אתון מסאבין לה, לאסתאבא ביה. אי לא דעביד קב"ה אסוותא לארעא, דהא כיון דאתבלי ההוא גופא, נשיב קב"ה רוחא מלעילא, ודחי ליה לההוא רוח מסאבא לבר, דהא איהו חס על ארעיה.

רפב. יוסף, לא שליט על גופיה רוח מסאבא לעלמין, אע"ג דנשמתיה נפקת ברשו אחרא. מ"ט. בגין דלא אתמשיך בחייוי בתר רוח מסאבא. ועם כל דא, לא בעא דגופיה יסלקון ליה לאתקברא בארעא קדישא, אלא אמר, והעליתם את עצמותי, ולא גופי.

רפג. יעקב לא מית, וגופיה אתקיים בקיומא תדיר, ולא דחיל לסטרא אחרא, דהא ערסיה הוה שלים, בשלימו דנהורא עלאה, בנהירו דתריסר שבטין, ובשבעים נפש, בגין כך לא דחיל לסטרא אחרא, ולא יכיל לשלטאה עליה. ותו, דאיהו גופא דדיוקנא עלאה, דשפירו דיליה אחיד לכל סטרין, וכל אינון שייפין דאדם קדמאה הוו אחידן ביה. וע"ד כתיב ביה, ושכבתי עם אבותי ונשאתני ממצרים, גופא שלים. וע"ד ויחנטו הרופאים את ישראל, דגופיה יהא קאים בקיומא. והכי אצטריך. שאר בני עלמא דנפקת נשמתייהו בארעא קדישא, נפשא וגופא אשתזיב מכלא.

רפד. תלת שמהן אקרי נשמתא דבר נש, נפש, רוחא, ונשמתא. וכלהו כלילן דא בדא, ובתלת דוכתי אשתכח חיילייהו. נפש דא, אשתכחת גו קברא, עד דגופא אתבלי בעפרא, ובדא מתגלגלת האי עלמא, לאשתכחא גו חייא, ולמנדע בצערא דלהון, ובשעתא די אצטריכו, בעאת רחמי עלייהו.

רפה. רוחא דא, איהו דעאל בגנתא די בארעא, ואצטייר תמן, בדיוקנא דגופא דהאי עלמא, בחד מלבושא דמתלבשא תמן. ודא אתהני תמן בהנאין וכסופין בזיוא דבגנתא. ובשבתי וירחי וזמני, סלקא לעילא, ואתהני תמן, ותב לאתריה. וע"ד כתיב, והרוח תשוב אל האלהים אשר נתנה. תשוב ודאי, בהני זמנין דקאמרן.

רפו. נשמה איהי סלקא מיד לאתרהא, לההוא אתר דנפקת מתמן, ודא איהי דבגינה אתנהירת בוצינא, לאנהרא לעילא. דא לא נחתת לתתא לעלמין, בדא אתכלילת, מאן דאתכלילת מכל סטרין מעילא ומתתא. ועד דהאי לא סלקא לאתקשרא בכורסייא, לא מתעטרא רוח בגנתא די בארעא, ונפש לא מתישבא

בְּדוּכְתָּהָא. כֵּיוָן דְּאִיהִי סַלְּקָא, כֻּלְּהוּ אִית לְהוּ נַיְיחָא.

רפז. וְכַד אִצְטְרִיךְ לִבְנֵי עָלְמָא, כַּד אִינּוּן בְּצַעֲרָא, וְאָזְלֵי לְבֵי קִבְרֵי, הַאי נֶפֶשׁ אִתְּעֲרַת, וְאִיהִי אַזְלָא וּמְשַׁטְּטָא, וְאִתְּעֲרַת לְרוּחַ, וְהַהוּא רוּחַ אִתְּעַר לְגַבֵּי אֲבָהָן, וְסָלִיק וְאִתְּעַר לְגַבֵּי נְשָׁמָה, וּכְדֵין, קֻדְשָׁא בְּרִיךְ הוּא חַיִּיס עַל עָלְמָא, וְהָא אוּקִימְנָא. וְאַף עַל גַּב דְּהָא אִתְּעָרוּ מִלִּין אִלֵּין דְּנִשְׁמָתָא בְּגַוְונִין אַחֲרָנִין, כֻּלְּהוּ סַלְּקִין בְּמַתְקְלָא, דָּא, וְדָא אִיהוּ בְּרִירָה דְּמִלָּה, וְכֹלָּא חַד.

רפח. וְכַד נִשְׁמְתָא אִתְעַכְּבַת מִלְּסַלְּקָא לְדוּכְתָּהָא, רוּחָא אַזְלָא וְקַיְּימָא בְּפִתְחָא דְּגִנְתָּא דְּעֵדֶן, וְלָא פַּתְחִין לָהּ פִּתְחָא, וְאָזְלָא וּמְשַׁטְּטָא, וְלֵית מַאן דְּיַשְׁגַּח בָּהּ. נֶפֶשׁ אַזְלָא וּמְשַׁטְּטָא בְּעָלְמָא, וְחָמָאת לְגוּפָא דְּסַלְּקָא תּוֹלְעִין, וּבְהַהוּא דִּינָא דְּקִבְרָא, וּמִתְאַבְּלַת עֲלֵיהּ, כְּמָה דְּאוּקְמוּהָ דִּכְתִּיב, אַךְ בְּשָׂרוֹ עָלָיו יִכְאָב וְנַפְשׁוֹ עָלָיו תֶּאֱבָל. וְכֹלָּא אִיהוּ בְּעוֹנְשָׁא. עַד דִּנְשָׁמָה אִתְקַשְּׁרַת בְּדוּכְתָּהָא לְעֵילָּא, וּכְדֵין כּוּלְּהוּ מִתְקַשְּׁרִין בְּדוּכְתַּיְיהוּ.

רפט. בְּגִין דְּכָל הָנֵי תְּלַת, קִשּׁוּרָא וְחָדָא אִינּוּן, כְּגַוְונָא דִּלְעֵילָּא, בְּרָזָא דְּנֶפֶשׁ רוּחַ וּנְשָׁמָה, דְּכֹלָּא חַד, וְקִשּׁוּרָא חַד. נֶפֶשׁ: לֵית לָהּ נְהוֹרָא מִגַּרְמָהּ כְּלוּם, וְדָא אִיהוּ דְּמִשְׁתַּתְּפָא בְּרָזָא דְּגוּפָא חַד, לְאַעֲנָגָא וּלְמֵיזָן לֵיהּ, בְּכָל מָה דְּאִצְטְרִיךְ, כד"א וַתִּתֵּן טֶרֶף לְבֵיתָהּ וְחֹק לְנַעֲרוֹתֶיהָ. בֵּיתָהּ, דָּא אִיהוּ גּוּפָא, דְּאִיהִי זָנָא לֵיהּ. וְנַעֲרוֹתֶיהָ, אִלֵּין אִינּוּן שַׁיְיפִין דְּהַאי גּוּפָא.

רצ. רוּחַ: דָּא אִיהוּ דְּרָכִיב עַל הַאי נֶפֶשׁ, וְשָׁלִיט עָלָהּ, וְנָהִיר לָהּ בְּכָל מָה דְּאִצְטְרִיךְ, וְנֶפֶשׁ אִיהוּ כֻּרְסְיָּיא לְהַאי רוּחַ. נְשָׁמָה: אִיהִי דְּאַפִּיקַת לְהַאי רוּחָא, וְשַׁלִּיטַת עֲלֵיהּ, וְנָהִירַת לֵיהּ בְּהַהוּא נְהוֹרָא דְּחַיִּין, וְהַהוּא רוּחַ תַּלְיָא בְּהַאי נְשָׁמָה, וְאִתְנְהִיר מִנָּהּ בְּהַהוּא נְהוֹרָא דְּנָהִיר. הַהוּא נֶפֶשׁ, תַּלְיָא בְּהַאי רוּחַ, וְאִתְנְהִירַת מִנֵּיהּ, וְאִתְּזָנַת מִנֵּיהּ, וְכֹלָּא קִשּׁוּרָא חַד.

רצא. וְעַד דְּהַאי נְשָׁמָה עִלָּאָה, לָא סַלְּקָא גּוֹ נְבִיעוּ דְּעַתִּיקָא דְּעַתִּיקִין. סְתִימָא דְּכָל סְתִימִין, וְאִתְמַלְיָא מִנֵּיהּ, בְּגִין דְּלָא פָּסִיק. רוּחַ דָּא לָא עָאל בְּגִנְתָּא דְּעֵדֶן, דְּאִיהוּ נֶפֶשׁ, וּלְעוֹלָם רוּחַ לָא שַׁרְיָא אֶלָּא בְּגִנְתָּא דְּעֵדֶן, וּנְשָׁמָה לְעֵילָּא. נֶפֶשׁ לָא אִתְיַשְּׁבַת בְּדוּכְתָּהָא גּוֹ גּוּפָא לְתַתָּא.

רצב. כְּגַוְונָא דָּא, כֹּלָּא לְתַתָּא הָכִי מִתְפָּרְשָׁן בְּבַר נָשׁ, וְאע"ג דְּכֻלְּהוּ קִשּׁוּרָא וְחָדָא, נְשָׁמָה סַלְּקָא לְעֵילָּא, גּוֹ נְבִיעוּ דְּבֵירָא. רוּחַ עָאל בְּגִנְתָּא דְּעֵדֶן, כְּגַוְונָא דִּלְעֵילָּא. נֶפֶשׁ אִתְיַשְּׁבָא גּוֹ קִבְרָא. וְאִי תֵּימָא, נֶפֶשׁ לְעֵילָּא, דְּאִתְיַשְּׁבַת גּוֹ גּוּפָא בְּקִבְרָא, אָן הוּא קִבְרָא. אֶלָּא גּוֹ הַהוּא קְלִיפָּה תַּקִּיפָא, וְעַ"ד, נֶפֶשׁ כְּגַוְונָא דָּא לְתַתָּא, וְכֹלָּא דָּא כְּגַוְונָא דָּא. וּבְגִין כָּךְ, תְּלַת דַּרְגִּין מִתְפָּרְשָׁן, וְאִינּוּן קִשּׁוּרָא וְחָדָא וְרָזָא וְחָדָא.

רצג. וּבְכָל זִמְנָא דְּגַרְמֵי אִשְׁתַּכְחוּ גּוֹ קִבְרָא, הַאי נֶפֶשׁ אִשְׁתַּכְחַת תַּמָּן. רָזָא הָכָא לְאִינּוּן דְּיַדְעֵי אֹרַח קְשׁוֹט, דְּחַזְלֵי וְחַטְאָה. בְּשַׁעֲתָא דְּנִשְׁמָתָא מִתְעַטְּרָא לְעֵילָּא, גּוֹ עִטְרָא קַדִּישָׁא, וְרוּחָא קָאִים בִּנְהִירוּ עִלָּאָה, בְּשַׁבְּתֵי וְיַרְחֵי וְזִמְנֵי, הַאי נֶפֶשׁ בְּשַׁעֲתָא דְּרוּחַ נַחְתָּא מִגּוֹ נְהִירוּ עִלָּאָה, לְדַיְירָא בְּגִנְתָּא דְּעֵדֶן נָהִיר וְנָצִיץ, אִיהוּ קַיְּימָא גּוֹ קִבְרָא וְאִתְגְּלִימַת בְּדְיוֹקְנָא, דַּהֲוַת גּוֹ גּוּפָא בְּקַדְמֵיתָא, וְכָל אִינּוּן גַּרְמֵי בְּהַהוּא דְּיוֹקְנָא סַלְּקָן, וּמְשַׁבְּחָאן וְאוֹדָן לְקֻבְּ"הַ, הה"ד כָּל עַצְמוֹתַי תֹּאמַרְנָה יְיָ' מִי כָמוֹךָ. אוֹמְרוֹת לָא כְּתִיב, אֶלָּא תֹּאמַרְנָה.

רצד. וְאַלְמָלֵי אִתְיְהִיב רְשׁוּ לְעֵינָא לְמֶחֱמֵי וְחָמֵי בְּלֵילְיָא דְעָיֵיל שַׁבְּתָא, וְלֵילֵי יַרְחֵי וְזִמְנֵי, כַּדְיוֹקְנִין עַל גַּבֵּי קִבְרֵי, אוֹדָן וּמְשַׁבְּחָן לְקֻבְ"ה. אֲבָל טִפְּשׁוּ דִבְנֵי נָשָׁא, קָא מְעַכְּבָא לְהוּ, דְּלָא יָדְעִין, וְלָא מַשְׁגִּיחִין עַל מָה קַיְימִין בְּהַאי עָלְמָא, וְלָא חָשְׁשִׁין לְאַשְׁגָּחָא בִּיקָרָא דְּמַלְכָּא עִלָּאָה בְּהַאי עָלְמָא, כ"ש לְאַשְׁגָּחָא בִּיקָרָא דְּהַהוּא עָלְמָא, וְעַל מָה קַיְימָא, וְאֵיךְ מִתְפָּרְשָׁן מִלִּין.

רצה. בְּיוֹמָא דְּר"ה, דְּעָלְמָא אִתְדָּן, וְכֻרְסְיָא דְּדִינָא קַיְימָא, לְגַבֵּי מַלְכָּא עִלָּאָה, לְמֵידָן עָלְמָא. כָּל נֶפֶשׁ וְנֶפֶשׁ מְשַׁטְּטָן, וּבָעָאן רַחֲמֵי עַל חַיֵּי. בְּלֵילְיָא דְּנָפְקָא יוֹמָא דְּדִינָא, אִלֵּין וְקָא מְשַׁטְּטִין לְמִשְׁמַע וּלְמִנְדַּע מַאן הוּא דִּינָא דְּאִתְדָּן עַל עָלְמָא, וּלְזִמְנִין דְּקָא מוֹדִיעִין בְּחֶזְווּא לְחַיָּיא, כד"א בַּחֲלוֹם חֶזְיוֹן לַיְלָה בִּנְפוֹל תַּרְדֵּמָה עַל אֲנָשִׁים וְגוֹ', אָז יִגְלֶה אֹזֶן אֲנָשִׁים וּבְמוֹסָרָם יַחְתּוֹם. מַאי מוֹסָרָם. דָּא נֶפֶשׁ, דְּאִיהִי קַיְימָא וְחָתִים לִבְנֵי נָשָׁא מִלִּין, לְקַבְּלָא מוּסָר.

רצו. בְּלֵילְיָא בַּתְרָאָה דְּחַגָּא, דְּקָא נָפְקָן פִּתְקִין מִבֵּי מַלְכָּא, וְהַהוּא צֵל אַעֲדִיאוּ מִבְּנֵי גָּרִיעוּ דְּהַאי עָלְמָא, הַהוּא נֶפֶשׁ דְּקָאמְרָן, אָזְלָא וּמְשַׁטְּטָא, וְחָד מִמְּנָא סָרְכָא, בְּרָזָא גְּלִיפָא בְּעִזְקָא בִּכְתַב מְפָרַשׁ, יְדוּמִיעָ"ם, דְּפָקִיד בִּכְתָב דְּזִיוָא גְּלִיפָא, וּבְגוֹ חֶזְוָון עִלָּאִין. בְּהַהוּא לֵילְיָא נָחִית, וְכַמָּה אֶלֶף אַלְפִין וְרִבּוֹא רִבְוָון עִמֵּיהּ, וְנַטְלִין לְהַהוּא צֵל מִכָּל חַד וְחַד, וְסַלְקִין, לֵיהּ לְעֵילָא.

רצז. וְהַהִיא נֶפֶשׁ דְּקָאמְרָן, אָזְלָא וּמְשַׁטְּטָא וְחָמָאת לְהַהוּא צֵל, וְתָב לְאַתְרֵיהּ גּוֹ קִבְרָא, וְקָא מַכְרֶזֶת לִשְׁאַר מֵתַיָּיא, פְּלוֹנִי אָתֵי לְגַבָּן. אִי זַכָּאָה טָבָא אִיהוּ, כֻּלְּהוּ חַדָּאן, וְאִי לָאו, כֻּלְּהוּ אַמְרֵי וַוי. כַּד סַלְקִין הַהוּא צֵל, סַלְקִין לֵיהּ לְגַבֵּי הַהוּא עֶבֶד מְהֵימָן, דִּשְׁמֵיהּ מְטַטְרוֹ"ן, וְנָטִיל הַהוּא צֵל לְגַבֵּיהּ, וְסַלִּיק לֵיהּ לְאַתְרֵיהּ, כד"א, כְּעֶבֶד יִשְׁאַף צֵל, יִשְׁאַף צֵל וַדַּאי.

רחצ. מֵהַהִיא שַׁעֲתָא וְאֵילָךְ, מִתְתַּקְּנָא דּוּכְתָּא לְהַהִיא נִשְׁמָה דְּהַהוּא בַּר נָשׁ, וְדוּכְתָּא לְרוּחַ בְּגִנְּתָא דְעֵדֶן. וְדוּכְתָּא לְנֶפֶשׁ לְנַיְיחָא וּלְאִתְהֲנָאָה, בְּשַׁעֲתָא דִּמְשַׁטְּטָא וְאָזְלָא. בְּגִין דְּאִית נֶפֶשׁ דְּלֵית לָהּ נַיְיחָא. וְאִית נֶפֶשׁ דְּאִשְׁתְּצִיאַת עִם גּוּפָא.

רצט. וְהַאי אִיהִי דְּלֵית לָהּ נַיְיחָא, וְהַאי אִיהִי דִּכְתִיב בָּהּ, וְאֵת נֶפֶשׁ אוֹיְבֶיךָ יְקַלְּעֶנָּה בְּתוֹךְ כַּף הַקָּלַע. דְּדָא אִיהִי אָזְלָא וּמְשַׁטְּטָא וּמִתְגַּלְגְּלָא בְּכָל עָלְמָא, וְלֵית לָהּ נַיְיחָא כְּלָל יְמָמָא וְלֵילֵי, וְדָא אִיהוּ עוֹנְשָׁא יַתִּיר מִכֹּלָּא וְהַהִיא דְּתִשְׁתְּצֵי עִם גּוּפָהּ, וְתִשְׁתְּצֵי מֵאֲתַר אָחֳרָא, הַהִיא דִּכְתִיב בָּהּ, וְנִכְרְתָה הַנֶּפֶשׁ הַהִיא מִלְּפָנַי אֲנִי יְיָ'. מַאן מִלְּפָנַי. דְּלָא שַׁרְיָא עָלָהּ רוּחָא. וְכַד רוּחָא לָא שַׁרְיָא עָלָהּ, לֵית לָהּ שׁוּתָפוּ כְּלַל בְּמָה דִּלְעֵילָּא, וְלָא יָדְעַת מֵאִינּוּן מִלִּין דְּהַהוּא עָלְמָא כְּלַל, וְהַאי אִיהִי נֶפֶשׁ כִּבְעִירֵי.

ש. נֶפֶשׁ דְּאִית לָהּ נַיְיחָא, הַאי אִיהִי כַּד אָזְלָא וּמְשַׁטְּטָא, אִעֲרַעַת בְּהַאי מְמַנָּא יְדוּמִיעָ"ם, וּבְאִינּוּן סָרְכִין דִּילֵיהּ, וְנַטְלִין לָהּ, וְאָעֲלִין לָהּ בְּכָל פִּתְחֵי גַּן עֵדֶן, וְאַחְזְיָין לָהּ יְקָרָא דְּצַדִּיקַיָּא, וִיקָרָא דְּהַהוּא רוּחַ דִּילָהּ, וְאִיהִי מִתְדַּבְּקָא בֵּיהּ בְּנַיְיחָא, גּוֹ הַהוּא לְבוּשָׁא, וּכְדֵין יָדְעַת בְּאִינּוּן מִלִּין דְּעָלְמָא.

שא. וְכַד הַהוּא רוּחַ סַלְקָא לְאִתְעַטְּרָא גּוֹ נִשְׁמָה עִלָּאָה לְעֵילָּא, הַהִיא נֶפֶשׁ מִתְקַשְּׁרָא בְּהַהוּא רוּחַ, וְאִתְנְהִירַת מִנֵּיהּ, כְּסִיהֲרָא כַּד אִתְנְהִירַת מִשִּׁמְשָׁא. וְרוּחַ מִתְקַשְּׁרָא גּוֹ הַהִיא נִשְׁמְתָא. וְהַהִיא נִשְׁמְתָא מִתְקַשְּׁרָא, גּוֹ סוֹף מַחֲשָׁבָה, דְּאִיהִי רָזָא דְּנֶפֶשׁ דִּלְעֵילָּא.

שב. וְהַהִיא נֶפֶשׁ, אִתְקַשְּׁרַת גּוֹ הַהוּא רוּחַ עִלָּאָה, וְהַהוּא רוּחַ אִתְקַשַּׁר גּוֹ הַהִיא נְשָׁמָה עִלָּאָה. וְהַהִיא נִשְׁמְתָא אִתְקַשְּׁרַת בְּאֵין סוֹף. וּכְדֵין אִיהוּ נַיְיחָא דְּכֹלָּא, וְקִשּׁוּרָא דְּכֹלָּא עֵילָּא וְתַתָּא, כֹּלָּא בְּרָזָא חֲדָא, וְגַוְונָא חֲדָא.

שג. וּכְדֵין דָּא אִיהוּ נַיְיחָא דְּנֶפֶשׁ דִּלְתַתָּא, וְעַל דָּא כְּתִיב, וְהָיְתָה נֶפֶשׁ אֲדֹנִי צְרוּרָה בִּצְרוֹר הַחַיִּים אֵת יְיָ' אֱלֹהֶיךָ. בְּגַוְונָא חֲדָא, וּבְרָזָא חֲדָא, דְּהַהוּא אֵת, דָּא כְּגַוְונָא דָּא.

שד. כַּד נַחְתָּא סִיהֲרָא, רָזָא דְּנֶפֶשׁ עִלָּאָה, נְהוֹרָא מִכָּל סִטְרִין. אִיהִי נַהֲרָא לְכָל רְתִיכִין וּמַשִּׁרְיָין, וְעָבֵיד לוֹן גּוּפָא חֲדָא שְׁלִימָא, דְּנָהִיר בִּנְהִירוּ בְּזִיוָא עִלָּאָה. אוּף הָכִי כְּגַוְונָא דָּא, נַחְתָּא הַאי נֶפֶשׁ תַּתָּאָה, נְהִירָא מִכָּל סִטְרִין מִגּוֹ נְהִירוּ דִּנְשָׁמָה, וּמִגּוֹ נְהִירוּ דְּרוּחַ, וְנַחְתָּא וְנַהֲרָא לְכָל אִינּוּן רְתִיכִין וּמַשִּׁרְיָין, דְּאִינּוּן שַׁיְיפִין וְגַרְמִין, וְעָבֵיד לוֹן גּוּפָא שְׁלִימָא, דְּנָהִיר בִּנְהִירוּ.

שה. הֲדָא הוּא דִּכְתִיב, וְהִשְׂבִּיעַ בְּצַחְצָחוֹת נַפְשֶׁךָ, נַפְשֶׁךָ מַמָּשׁ, וּלְבָתַר וְעַצְמוֹתֶיךָ יַחֲלִיץ, דְּעָבֵיד מִנַּיְיהוּ גּוּפָא שְׁלִימָא, וְנָהִיר בִּנְהִירוּ, וְקָם וְאוֹדֵי וּמְשַׁבַּח לְקוּדְשָׁא בְּרִיךְ הוּא, כְּמָה דְּאִתְּמַר דִּכְתִיב, כָּל עַצְמוֹתַי תֹּאמַרְנָה יְיָ' מִי כָמוֹךָ. וְדָא אִיהוּ נַיְיחָא דְּנֶפֶשׁ וַדַּאי מִכָּל סִטְרִין.

שו. זַכָּאִין אִינּוּן צַדִּיקַיָּיא, דִּדְחֲלִין לְמָארֵיהוֹן בְּעָלְמָא דֵּין, לְמִזְכֵּי בִּתְלַת נַיְיחֵי לְעָלְמָא דְּאָתֵי. אָתָא רַבִּי שִׁמְעוֹן וּבַרְכֵיהּ לְרַבִּי אַבָּא. אָמַר רַבִּי שִׁמְעוֹן, זַכָּאִין אַתּוּן בָּנַי, וְזַכָּאָה אֲנָא דְּעֵינַי חָמוּ בְּכָךְ. כַּמָּה דּוּכְתִּין עִלָּאִין מִתְתַּקְּנָן לָךְ, וּנְהִירִין לָךְ, לְעָלְמָא דְּאָתֵי.

שז. פָּתַח וְאָמַר, שִׁיר הַמַּעֲלוֹת הַבּוֹטְחִים בַּיְיָ' כְּהַר צִיּוֹן לֹא יִמּוֹט לְעוֹלָם יֵשֵׁב, הַאי קְרָא אוֹקְמוּהָ. אֲבָל שִׁיר הַמַּעֲלוֹת תּוּשְׁבַּחְתָּא דְּקָאמְרֵי אִינּוּן דַּרְגִּין קַדִּישִׁין עִלָּאִין, מִסִּטְרָא דִּגְבוּרָן עִלָּאִין, וְאִינּוּן כְּגַוְונָא דְּלֵוָאֵי לְתַתָּא, וְאִינּוּן מַעֲלוֹת, דַּרְגִּין עַל דַּרְגִּין, וּפָלְחִין בְּרָזָא דְּחַמְשִׁין שְׁנִין. וְהַאי אִיהוּ שִׁיר הַמַּעֲלוֹת הַבּוֹטְחִים בַּיְיָ' כְּהַר צִיּוֹן דָּא אִינּוּן צַדִּיקַיָּיא, דְּאִינּוּן מִתְרַחֲצָן בֵּיהּ בְּעוֹבָדִין דִּלְהוֹן.

שח. כד"א וְצַדִּיקִים כִּכְפִיר יִבְטָח. וְאִי תֵּימָא הָא צַדִּיקַיָּיא לָא מִתְרַחֲצָן בְּעוֹבָדֵיהוֹן כְּלַל, וְתָדִיר דַּחֲלִין, כְּאַבְרָהָם, דִּכְתִיב בֵּיהּ וַיְהִי כַּאֲשֶׁר הִקְרִיב לָבוֹא מִצְרָיְמָה וְגוֹ'. כְּיִצְחָק, דִּכְתִיב בֵּיהּ, כִּי יָרֵא לֵאמֹר אִשְׁתִּי. כְּיַעֲקֹב, דִּכְתִיב בֵּיהּ, וַיִּירָא יַעֲקֹב מְאֹד וַיֵּצֶר לוֹ. וְאִי הָנֵי לָא אִתְרְחִיצוּ בְּעוֹבָדֵיהוֹן, כָּל שֶׁכֵּן שְׁאָר צַדִּיקֵי עָלְמָא, וְאַתְּ אֲמַרְתְּ וְצַדִּיקִים כִּכְפִיר יִבְטָח.

שט. אֶלָּא וַדַּאי, כִּכְפִיר כְּתִיב, דְּהָא מִכָּל אִינּוּן שְׁמָהָן, לָא כְּתִיב אֶלָּא כְּפִיר, וְלָא כְּתִיב, לָא אַרְיֵה, וְלָא שַׁחַל, וְלָא שַׁחַץ, אֶלָּא כְּפִיר. דְּאִיהוּ חַלְשָׁא וּזְעִירָא מִכֻּלְּהוּ. וְלָא אִתְרְחִיץ בְּחֵילֵיהּ, אע"ג דְּאִיהוּ תַּקִּיף. כַּךְ צַדִּיקַיָּיא לָא אִתְרְחִיצוּ בְּעוֹבָדֵיהוֹן הַשְׁתָּא, אֶלָּא כִּכְפִיר. אע"ג דְּיַדְעִין דְּתַקִּיף וְחֵילָא דְּעוֹבָדֵיהוֹן לָא אִתְרַחֲצָן אֶלָּא כִּכְפִיר, וְלָא יַתִּיר.

שי. וּבְגִינֵי כַּךְ הַבּוֹטְחִים בַּיְיָ' כְּהַר צִיּוֹן וְגוֹ', לָא כִּכְפִיר וְלָא כְּאַרְיֵה, וְלָאו כְּכֻלְּהוּ שְׁמָהָן. אֶלָּא כְּהַר צִיּוֹן, וְאוֹקְמוּהָ מַה הַר צִיּוֹן אִיהוּ תַּקִּיף, וְלָא יִמּוֹט תָּדִיר, אוּף הָכִי בְּהַהוּא זִמְנָא, לֶהֱווֹ כְּהַר צִיּוֹן. וְלָא כְּהַשְׁתָּא, דְּלָא אִתְרְחִיצוּ אֶלָּא כִּכְפִיר, דְּדָחִיל וְלָא אִתְרְחִיץ בְּחֵילֵיהּ. וְאַתּוּן בְּנֵי קַדִּישֵׁי עֶלְיוֹנִין, רְחִיצוּתָא דִּלְכוֹן כְּהַר צִיּוֹן, וַדַּאי זַכָּאִין אַתּוּן בְּעָלְמָא דֵּין וּבְעָלְמָא דְּאָתֵי.

שיא. אָזְלוּ, כַּד מָטוּ לְמָתָא, אִתְחֲשַׁךְ לֵילְיָא. אָמַר ר' שִׁמְעוֹן, כְּמָה דְּיוֹמָא דָּא, אַנְהִיר

לָן בְּהַאי אַרְוָוא, לְמִזְכֵּי בֵּיהּ בְּעָלְמָא דְאָתֵי, אוּף הָכִי הַאי לֵילְיָא, יַנְהִיר לָן, לְמִזְכֵּי לָן לְעָלְמָא דְאָתֵי, וּלְאַעֲטְרָא מִלִּין דִּימָמָא בְּלֵילְיָא דָא, קָמֵי עַתִּיק יוֹמִין דְהָא כְּיוֹמָא דָא שְׁלִים, לָא יִשְׁתְּכַּח בְּכָל דִּרִין אַחֲרָנִין. זַכָּאָה חוּלָקָנָא בְּעָלְמָא דֵין, וּבְעָלְמָא דְאָתֵי.

שי״ב. עָאלוּ לְבֵיתֵיהּ דר״ש, וְרַבִּי אֶלְעָזָר וְרַבִּי אַבָּא וְרַבִּי יוֹסֵי עִמְּהוֹן. בָּתוּ עַד דְאִתְפְּלַג לֵילְיָא. כֵּיוָן דְאִתְפְּלַג לֵילְיָא, אָמַר רַבִּי שִׁמְעוֹן לְחַבְרַיָא, עִידָן אִיהוּ לְאַעְטְרָא רְתִיכָא קַדִּישָׁא לְעֵילָּא, בְּאִשְׁתַּדְּלוּתָא דִילָן. אָמַר לֵיהּ לְרַבִּי יוֹסֵי, אַנְתְּ דְּלָא אִשְׁתְּמָעוּ מִילָךְ בְּהַאי יוֹמָא בֵּינָנָא, אַנְתְּ הֱוֵי שֵׁירוּתָא, לְאַנְהָרָא לֵילְיָא, דְּהָא הַשְׁתָּא עִידָן רְעוּתָא אִיהוּ, לְאַנְהָרָא עֵילָּא וְתַתָּא.

שי״ג. פָּתַח רַבִּי יוֹסֵי וְאָמַר, שִׁיר הַשִּׁירִים אֲשֶׁר לִשְׁלֹמֹה. שִׁירָתָא דָא אִתְּעַר לָהּ שְׁלֹמֹה מַלְכָּא, כַּד אִתְבְּנֵי בֵּי מַקְדְּשָׁא, וְעָלְמִין כֻּלְּהוּ אִשְׁתְּלִימוּ, עֵילָּא וְתַתָּא בִּשְׁלִימוּתָא חֲדָא. וְאע״ג דְּחַבְרַיָיא פְּלִיגָן בְּהַאי, שִׁירָתָא דָא לָא אִתְמַר, אֶלָּא בִּשְׁלִימוּ, כַּד סִיהֲרָא אִתְמַלְיָא בִּשְׁלִימוּ, וּבֵי מַקְדְּשָׁא אִתְבְּנֵי כְּגַוְונָא דִלְעֵילָּא בְּשַׁעֲתָא דְאִתְבְּנֵי בֵּי מַקְדְּשָׁא לְתַתָּא, לָא הֲוָה חֶדְוָה קָמֵיהּ קב״ה, מִיּוֹמָא דְאִתְבְּרֵי עָלְמָא, כְּהַהוּא יוֹמָא.

שי״ד. מַשְׁכָּן דְעָבֵד מֹשֶׁה בְּמַדְבְּרָא, לְנַחְתָא שְׁכִינְתָּא לְאַרְעָא, בְּהַהוּא יוֹמָא מַשְׁכָּן אַחֲרָא אִתְקַם עִמֵּיהּ לְעֵילָּא, כְּמָה דְאוּקְמוּהָ דִכְתִיב הוּקַם הַמִּשְׁכָּן, הַמִּשְׁכָּן: מַשְׁכָּן אַחֲרָא דְאִתְקַם עִמֵּיהּ, וְדָא מַשְׁכָּן דְנַעַר מְטַטְרוֹ״ן, וְלָא יַתִּיר. בַּיִת רִאשׁוֹן כַּד אִתְבְּנֵי, בַּיִת רִאשׁוֹן אַחֲרָא אִתְבְּנֵי עִמֵּיהּ, וְאִתְקַיַּים בְּעָלְמִין כֻּלְּהוּ, וְאַנְהִיר לְכָל עָלְמִין, וְאִתְבָּסַם עָלְמָא, וְאִתְפְּתָחוּ כָּל מַשְׁקוֹפֵי עִלָּאִין לְאַנְהָרָא, וְלָא הֲוָה חֶדְוָה בְּכָל עָלְמִין כְּהַהוּא יוֹמָא, כְּדֵין פָּתְחוּ עִלָּאֵי וְתַתָּאֵי וְאָמְרוּ שִׁירָתָא, וְהַיְינוּ שִׁיר הַשִּׁירִים. שִׁירָתָא דְאִינּוּן מְנַגְּנִין דִּמְנַגְּנָן לְקֻב״ה.

שט״ו. דָּוִד מַלְכָּא אָמַר שִׁיר הַמַּעֲלוֹת, שְׁלֹמֹה מַלְכָּא אָמַר שִׁיר הַשִּׁירִים, שִׁיר מֵאִינּוּן מְנַגְּנִין. מַה בֵּין הַאי לְהַאי, דְּהָא אִשְׁתְּמַע דְּכֹלָּא חַד. אֶלָּא וַדַּאי כֹּלָּא חַד, אֲבָל בְּיוֹמֵי דְּדָוִד מַלְכָּא, לָא הֲווּ כָּל אִינּוּן מְנַגְּנִין מִתְתַּקְנָן בְּדוּכְתַּיְיהוּ, לְנַגְּנָא כִּדְקָא יָאוֹת, וּבֵי מַקְדְּשָׁא לָא אִתְבְּנֵי, וּבג״כ לָא אִתְתַּקְנוּ לְעֵילָּא בְּדוּכְתַּיְיהוּ. דְּהָא כְּמָה דְאִית תִּקוּנֵי דְמִשְׁמָרוֹת בְּאַרְעָא, אוּף הָכִי בִּרְקִיעָא, וְקַיְימִין אִלֵּין לָקֳבֵל אִלֵּין.

שט״ז. וּבְיוֹמָא דְאִתְבְּנֵי בֵּי מַקְדְּשָׁא, אִתְתַּקְנוּ כֻּלְּהוּ בְּדוּכְתַּיְיהוּ, וְשְׁרָגָא דְלָא נָהֲרָא שָׁרִיאַת לְאַנְהָרָא. וְשִׁירָתָא דָא אִתְתַּקְנַת לְגַבֵּי מַלְכָּא עִלָּאָה, מַלְכָּא דִשְׁלָמָא דִילֵיהּ. וְתוּשְׁבַּחְתָּא דָא אִיהִי מְעַלְיָא, מִכָּל תּוּשְׁבְּחָא קַדְמָאֵי. יוֹמָא דְאִתְגְּלֵי תּוּשְׁבַּחְתָּא דָא בְּאַרְעָא, הַהוּא יוֹמָא אִשְׁתְּכַח שְׁלִימוּ בְּכֹלָּא, וְע״ד אִיהוּ קֹדֶשׁ קָדָשִׁים.

שי״ז. בְּסִפְרָא דְאָדָם קַדְמָאָה, הֲוָה כְּתִיב בֵּיהּ. בְּיוֹמָא דְיִתְבְּנֵי בֵּי מַקְדְּשָׁא, יִתְעֲרוּן אֲבָהָן שִׁירָתָא, עֵילָּא וְתַתָּא. וּבְגִין כָּךְ אַשְׁכַּחְנָא שִׁין מֵאַתְוָון רַבְרְבָן. וְאִלֵּין אִינּוּן דְּקָא אַתְעָרוּ, לָאו דְאִינּוּן מְנַגְּנָן, אֶלָּא דְאִינּוּן מִתְעָרֵי לְגַבֵּי עֵילָּא. שִׁיר דְאִינּוּן שִׁירִין רַבְרְבָן, דִּמְמָנָן עַל עָלְמִין כֻּלְּהוּ.

שי״ח. וְתָנֵינָן, בְּהַהוּא יוֹמָא קָם יַעֲקֹב שְׁלֵימָא, וְעָאל בְּגִנְתָּא דְעֵדֶן, בְּחֶידוּ, עַל דוּכְתֵּיהּ. כְּדֵין גִּנְתָּא דְעֵדֶן, שָׁארֵי לְנַגְּנָא, וְכָל אִינּוּן בּוּסְמִין דְגִנְתָּא. מַאן גָּרִים שִׁירָתָא דָא, וּמַאן אָמַר לָהּ. הֱוֵי אֵימָא דָא יַעֲקֹב, דְאִלְמָלֵא אִיהוּ לָא עָאל בְּגִנְתָּא דְעֵדֶן, לָא אָמַר גִּנְתָּא שִׁירָתָא.

שיט. שִׁירָתָא דָּא שִׁירָתָא, דְּאִיהִי כְּלָלָא דְּכָל אוֹרַיְיתָא. שִׁירָתָא דְּעִלָּאֵי וְתַתָּאֵי מִתְעָרֵי לְגַבָּהּ. שִׁירָתָא דְּאִיהִי כְּגַוְונָא דְּעָלְמָא דִּלְעֵילָּא, דְּאִיהוּ שַׁבָּת עִלָּאָה. שִׁירָתָא דִּשְׁמָא קַדִּישָׁא עִלָּאָה, אִתְעַטַּר בְּגִינֵיהּ. וְע״ד אִיהוּ קֹדֶשׁ קָדָשִׁים. מ״ט. בְּגִין דְּכָל מִלּוֹי בִּרְחִימוּ וּבְחֶדְוָה כֹּלָּא. בְּגִין דְּכוֹס שֶׁל בְּרָכָה אִתְיְהִיב בִּימִינָא, כֵּיוָן דְּאִתְיְהִיב בִּימִינָא, כְּדֵין כָּל חֵידוּ וְכָל רְחִימוּ אִשְׁתְּכַח. וּבְגִין כַּךְ בִּרְחִימוּ וּבְחֶדְוָה כָּל מִלּוֹי.

שכ. בְּזִמְנָא דְּהַאי יְמִינָא אִתְהַדַּר לַאֲחוֹרָא, כד״א הֵשִׁיב אָחוֹר יְמִינוֹ, כְּדֵין כּוֹס שֶׁל בְּרָכָה אִתְיְהִיב בִּשְׂמָאלָא. כֵּיוָן דְּאִתְיְהִיב בִּשְׂמָאלָא, שָׁרִיאוּ עִלָּאֵי וְתַתָּאֵי לְמִפְתַּח עָלֶיהָ קִינָה. וּמַאי קָאַמְרֵי. אֵיכָה, אֵי כֹּה, אֵי כּוֹס שֶׁל בְּרָכָה, דַּאֲתַר עִלָּאָה דַּהֲוַיְית יָתְבָא בְּגַוֵּיהּ אִתְמְנַע וְאִתְגְּרַע מִנָּהּ בְּגִינֵי כַּךְ שִׁיר הַשִּׁירִים, דַּהֲוָה מִסִּטְרָא דִּימִינָא, כָּל מִלּוֹי רְחִימוּ וְחֶדְוָה. אֵיכָה, דְּחָסִיר יְמִינָא, וְאִשְׁתַּכַּח שְׂמָאלָא, כָּל מִלּוֹי אִינּוּן קַנְטוּרִין וְקִינִין.

שכא. וְאִי תֵּימָא, הָא כָּל חִידוּ, וְכָל חֶדְוָה, וְכָל שִׁיר, מִסִּטְרָא דִּשְׂמָאלָא אִיהוּ, וְעַל דָּא לֵוָאֵי מִסִּטְרָא דִּשְׂמָאלָא מְנַגְּנֵי שִׁירָתָא. אֶלָּא, כָּל חִידוּ דְּאִשְׁתַּכַּח מִסִּטְרָא דִּשְׂמָאלָא, לָא אִשְׁתְּכַח אֶלָּא בְּזִמְנָא דִּימִינָא אִתְדַּבַּק בַּהֲדֵיהּ. וּבְזִמְנָא דִּימִינָא אִתְעַר וְאִתְדַּבַּק בַּהֲדֵיהּ, כְּדֵין הַהוּא חֶדְוָה מִימִינָא, אִיהוּ דְּקָא אוֹטִיב לִרְתִיחָא, וְכַד רְתִיחָא אִשְׁתְּכַךְ, חִידוּ אִיהוּ מִסִּטְרָא דִּימִינָא, כְּדֵין חֶדְוָה שְׁלֵימָתָא אָתֵי מֵהַאי סִטְרָא.

שכב. וְכַד יְמִינָא לָא אִשְׁתְּכַח, רְתִיחָא דִּשְׂמָאלָא נָפִישׁ, וְלָא שָׁכִיךְ, וְלָא אוֹטִיב, וְלָא חָדֵי. כְּדֵין אֵיכָה, אֵי כֹּה. כּוֹס שֶׁל בְּרָכָה מָה תְּהֵא עָלֶיהָ, דְּקָא יָתְבָא בִּשְׂמָאלָא, וּרְתִיחָא נָפִישׁ, וְלָא שָׁכִיךְ. וַדַּאי קַנְטוּרִין וְקִינִין מִתְעָרִין.

שכג. אֲבָל שִׁיר הַשִּׁירִים, וַדַּאי כּוֹס שֶׁל בְּרָכָה דְּאִתְיְהִיב בִּימִינָא, וְאִתְמְסַר בְּגַוֵּיהּ, וְעַל דָּא כָּל רְחִימוּ וְכָל חִידוּ אִשְׁתַּכַּח. וּבְגִין כַּךְ כָּל מִלּוֹי בִּרְחִימוּ וּבְחֶדְוָה, וְלָא אִשְׁתַּכַּח בִּשְׁאַר כָּל שִׁירִין דְּעָלְמָא הָכִי. וּבְגִין דָּא מִסִּטְרָא דַּאֲבָהָן אִתְעַר שִׁירָתָא דָּא.

שכד. יוֹמָא דְּאִתְגְּלֵי שִׁירָתָא דָּא, הַהוּא יוֹמָא נַחְתַּת שְׁכִינְתָּא לְאַרְעָא, דִּכְתִיב וְלָא יָכְלוּ הַכֹּהֲנִים לַעֲמוֹד לְשָׁרֵת וְגוֹ׳. מַאי טַעֲמָא. בְּגִין כִּי מָלֵא כְבוֹד יְיָ׳ אֶת בֵּית יְיָ׳. בְּהַהוּא יוֹמָא מַמָּשׁ, אִתְגַּלִּיאַת תּוּשְׁבַּחְתָּא דָּא, וְאָמְרָה שְׁלֹמֹה בְּרוּחַ קֻדְשָׁא.

שכה. תּוּשְׁבַּחְתָּא דְּשִׁירָתָא דָּא, אִיהִי כְּלָלָא דְּכָל אוֹרַיְיתָא. כְּלָלָא דְּכָל עוֹבָדָא דִּבְרֵאשִׁית, כְּלָלָא דְּרָזָא דַּאֲבָהָן, כְּלָלָא דְּגָלוּתָא דְּמִצְרַיִם. וְכַד נָפְקוּ יִשְׂרָאֵל מִמִּצְרַיִם. וְתוּשְׁבַּחְתָּא דְּיַמָּא. כְּלָלָא דְּיוּ״ד אֲמִירָן. וְקִיּוּמָא דְּהַר סִינַי. וְכַד אָזְלוּ יִשְׂרָאֵל בְּמַדְבְּרָא, עַד דְּעָאלוּ לְאַרְעָא, וְאִתְבְּנֵי בֵּי מַקְדְּשָׁא. כְּלָלָא דְּעִטּוּרָא דִּשְׁמָא קַדִּישָׁא עִלָּאָה, בִּרְחִימוּ וּבְחֶדְוָה. כְּלָלָא דְּגָלוּתְהוֹן דְּיִשְׂרָאֵל בֵּינֵי עַמְמַיָּא, וּפוּרְקָנָא דִּלְהוֹן. כְּלָלָא דִּתְחִיַּית הַמֵּתִים, עַד יוֹמָא דְּאִיהִי שַׁבָּת לַיְיָ׳. מַאי דַּהֲוָה, וּמַאי דַּהֲוֵי, וּמַאי דִּזְמִין לְמֶהֱוֵי, לְבָתַר בְּיוֹמָא שְׁבִיעָאָה, כַּד יְהֵא שַׁבָּת לַיְיָ׳, כֹּלָּא אִיהוּ בְּשִׁיר הַשִּׁירִים.

שכו. וְעַל דָּא תָּנֵינָן, כָּל מַאן דְּאַפִּיק פְּסוּקָא דְּשִׁיר הַשִּׁירִים, וְאָמַר לֵיהּ בְּבֵי מִשְׁתְּיָא. אוֹרַיְיתָא אִיהִי חֲגִירַת שַׂק, וְסַלְקָא לְגַבֵּי קוּדְשָׁא בְּרִיךְ הוּא, וְאָמְרָה קַמֵּיהּ, עָבְדוּ לִי בָּנֶיךָ מָחוֹךְ בְּבֵי מִשְׁתְּיָא. וַדַּאי אוֹרַיְיתָא סַלְקַת וְקָאַמְרַת הָכִי, בְּגִין דָּא אִצְטְרִיךְ לְנַטְּרָא, וּלְסַלְקָא עֲטָרָא עַל רֵישֵׁיהּ דְּבַר נָשׁ, כָּל מִלָּה וּמִלָּה דְּשִׁיר הַשִּׁירִים.

שכז. וְאִי תֵּימָא אַמַּאי אִיהִי בֵּין הַכְּתוּבִים, הָכִי הוּא וַדַּאי, בְּגִין דְּאִיהוּ שִׁיר תּוּשְׁבַּחְתָּא דִּכְנֶסֶת יִשְׂרָאֵל, קָא מִתְעַטְּרָא לְעֵילָּא. וּבְגִין כַּךְ, כָּל תּוּשְׁבְּחָן דְּעָלְמָא, לָא

סַלְקָא רְעוּתָא לְגַבֵּי קֻבְּ"ה, כְּתוּשְׁבַּחְתָּא דָא.

שכז. הָכִי אוֹלִיפְנָא, שִׁיר, וַדַּאי. הַשִּׁירִים, תְּרֵין. אֲשֶׁר, הָא תְּלַת. וְרָזָא דָא, דְּאִתְיְהִיב כּוֹס שֶׁל בְּרָכָה וְאִתְנְטִיל בֵּין יְמִינָא וּשְׂמָאלָא. וְכֹלָּא אִתְּעַר לְגַבֵּי מַלְכָּא דִּשְׁלָמָא דִּילֵיהּ. וּבְהַאי אִסְתַּלַּק רְעוּתָא לְעֵילָּא לְעֵילָּא בְּרָזָא דְּאֵין סוֹף. רְתִיכָא קַדִּישָׁא הָכָא אִשְׁתְּכַח. דְּהָא אֲבָהָן אִינּוּן רְתִיכָא, דָּוִד מַלְכָּא אִתְחַבַּר עִמְּהוֹן, אִינּוּן אַרְבַּע רָזָא דִּרְתִיכָא קַדִּישָׁא עִלָּאָה. וּבְגִין כָּךְ, אַרְבַּע תֵּיבִין בְּהַאי קְרָא קַדְמָאָה, רָזָא דִּרְתִיכָא קַדִּישָׁא שְׁלֵימָתָא.

שכח. תּוּ רָזָא דָא, שִׁיר: דָּא רָזָא דְּדָוִד מַלְכָּא, דְּאִיהוּ רָזָא לְסַלְּקָא בְּשִׁיר. הַשִּׁירִים: אִלֵּין אֲבָהָן, רָזָא דִּמְמַנָּן רַבְרְבָן, רְתִיכָא שְׁלֵימָתָא כִּדְקָא יָאוֹת. אֲשֶׁר לִשְׁלֹמֹה: רָזָא מַאן דְּרָכִיב עַל רְתִיכָא שְׁלֵימָתָא דָא.

של. וּבְהַאי קְרָא אִשְׁתְּכַח שְׁלִימוּ דְּרָזָא, מִן הָעוֹלָם וְעַד הָעוֹלָם, רָזָא דְּכָל מְהֵימְנוּתָא. וְכֹלָּא אִיהוּ רְתִיכָא שְׁלֵימָתָא לְמַאן דְּיָדַע, וּלְמַאן דְּלָא אִתְיְדַע, וְלֵית מַאן דְּקָאֵים לְמִנְדַּע בֵּיהּ. וְעַל דָּא אִתְמַר הַאי קְרָא בְּד' תֵּיבִין, רָזָא דִּרְתִיכָא שְׁלֵימָתָא מִכָּל סִטְרִין. מִכָּאן וּלְהָלְאָה, רָזָא לְחַכִּימִין אִתְמְסַר.

שלא. וְתוּ אִית בֵּיהּ רָזָא פְּנִימָאָה, דְּתָנֵינָן, מַאן דְּחָמֵי עֲנָבִין בְּחֶלְמֵיהּ, אִי חִוָּורִין אִינּוּן טָבִין. אוּכָמִין, בְּזִמְנָן טָבִין, דְּלָא בְּזִמְנָן צְרִיכִין רַחֲמֵי. מַאי שְׁנָא חִוָּורֵי, וּמַאי שְׁנָא אוּכָמֵי, וּמַאי שְׁנָא בִּזְמַנָּן, וּמַאי שְׁנָא דְּלָא בִּזְמַנָּן. וְתוּ, תָּנֵינָן אָכְלָן לְאִינּוּן אוּכָמֵי, מוּבְטַח לֵיהּ דְּהוּא בֶּן עָלְמָא דְּאָתֵי, אֲמַאי.

שלב. אֶלָּא תָּנֵינָן, אִילָנָא דְּחָב בֵּיהּ אָדָם קַדְמָאָה, עֲנָבִין הֲווּ, דִּכְתִיב עֲנָבֵמוֹ עִנְּבֵי רוֹשׁ. וְאִלֵּין אִינּוּן עֲנָבִין אוּכָמִין, בְּגִין דְּאִית עֲנָבִין אוּכָמִין, וְאִית עֲנָבִין חִוָּורִין. חִוָּורִין טָבִין, דְּהָא מִסְּטַר דְּחַיֵּי אִינּוּן. אוּכָמִין צְרִיכִין רַחֲמֵי, דְּהָא מִסִּטְרָא דְּמוֹתָא אִינּוּן. בִּזְמַנָּן טָבִין, מַאי טַעֲמָא. בְּגִין דִּבְזִמְנָא דְּחִוָּורֵי שַׁלְטָן, כֹּלָּא אִתְבְּסָם, דְּהָא בְּהַהוּא זִמְנָא כֹּלָּא אִצְטְרִיךְ לְתִקּוּנָא, וְכֹלָּא אִיהוּ שַׁפִּיר, וְכֹלָּא תִּקּוּנָא חֲדָא, אוּכָמָא וְחִוָּורָא. וּבְזִמְנָא דְּחִוָּורֵי לָא שַׁלְטָאן, וְאוּכָמֵי אִתְחֲזוּן, לְמִנְדַּע דְּהָא בְּדִינָא דְּמוֹתָא סָלִיק, וְאִצְטְרִיךְ רַחֲמֵי, דְּהָא אִילָנָא דְּחָב בֵּיהּ אָדָם קַדְמָאָה, וְגָרִים מוֹתָא לֵיהּ וּלְכָל עָלְמָא וְזִמָּא.

שלג. הָכָא אִית לְאִסְתַּכְּלָא, וְאִי לָאו דְּמַר הָכָא, לָא אֵימָא. תָּנֵינָן דְּעָלְמָא דָא, אִיהוּ כְּגַוְונָא דְּעָלְמָא דִּלְעֵילָּא, וְעָלְמָא דִּלְעֵילָּא כָּל מַה דַּהֲוָה בְּהַאי עָלְמָא, הָכִי אִיהוּ לְעֵילָּא, אִי נָחָשׁ גָּרִים מוֹתָא לְאָדָם לְתַתָּא, לְעֵילָּא אֲמַאי. אִי תֵּימָא, לְאִתְּתָא, דִּבְגִין נָחָשׁ אַגְרַע נְהוֹרָא, דְּהָא סִיהֲרָא גָּרַע נְהוֹרָא לִזְמַנִּין, וּבְהַהוּא זִמְנָא אִיהִי מִיתַת. דְּכוֹרָא אֲמַאי. דְּאִי נֵימָא דְּסִיהֲרָא בְּעֶטְיוֹ דְּהַאי נָחָשׁ מִיתַת, בְּגְרִיעוּ דִּנְהוֹרָא. הָא תָּנֵינָן, דְּלָא בְּגִין נָחָשׁ הֲוָה. אֶלָּא דְּאָמְרָה סִיהֲרָא קָמֵי קוּדְשָׁא בְּרִיךְ הוּא וְכוּ', הָא לָא הֲוָה בְּגִין נָחָשׁ. וְאִי תֵּימָא דְּבַעְלָהּ הָכִי הוּא, וְז"ו דִּגְרִיעוּ הֲוֵי לְעֵילָּא.

שלד. אֶלָּא כָּל דָּא סִתְרֵי אוֹרַיְיתָא, וְנָחָשׁ בְּכֹלָּא אַתְקִין גְּרִיעוּ. ת"ח וְהָכִי אוֹלִיפְנָא, כָּל מַה דְּעָבַד קֻבְּ"ה עֵילָּא וְתַתָּא, כֹּלָּא בְּרָזָא דִּדְכַר וְנוּקְבָא אִיהוּ, וְכַמָּה דַּרְגִּין אִינּוּן לְעֵילָּא, מְשַׁנְיָין אִלֵּין מֵאִלֵּין. וּמִדַּרְגָּא עַד דַּרְגָּא רָזָא דְּאָדָם, וְאִינּוּן דַּרְגִּין דְּאִינּוּן זִינָא וַחֲדָא, עָבַד לוֹן קֻבְּ"ה דְּיוּקְנָא דְּחַד גּוּפָא, עַד דְּסַלְּקִין בְּרָזָא דְּאָדָם.

שלה. וְתָנֵינָן, בְּיוֹמָא תִּנְיָינָא דְּעוֹבָדָא דִּבְרֵאשִׁית, דְּאִתְבְּרֵי בֵּיהּ גֵּיהִנָּם, אִתְעָבֵיד וַחַד גּוּפָא בְּרָזָא דְּאָדָם, וְאִינּוּן שַׁיְיפִין מִמְּנָן דְּמִתְקָרְבִין לְאֶשָּׁא, וּמִתִין וּמְהַדְּרָן כְּמִלְּקַדְּמִין. וְדָא

בְּגִין דְּאִינּוּן אִתְקְרִיבוּ לְגַבֵּי הַאי זְוִוָיא, וְאִיהוּ אָדָם קַדְמָאָה דְּאִתְפַּתָּא גּוֹ מַשְׁכְּנָא בְּהַאי זְוִוָיא, וְעַ"ד מִית, וּזְוִוָיא גָּרִים לֵיהּ מוֹתָא דְּאִיהוּ קָרִיב לֵיהּ.

שלו. וּבְכָל אֲתַר אָדָם דְּכַר וְנוּקְבָּא אִיהוּ, אֲבָל אָדָם דְּאִיהוּ קַדִּישָׁא עִלָּאָה, אִיהוּ שַׁלְטָא עַל כֹּלָּא, דָּא יָהִיב מְזוֹנָא וְחַיִּין לְכֹלָּא. וְעַכ"ד בְּכֹלָּא מָנַע נְהוֹרָא הַאי זְוִוָיא תַּקִּיפָא. כַּד מְסָאִיב מַשְׁכְּנָא נוּקְבָא דְּהַהוּא אָדָם כִּדְקָאָמַר מִיתַת, וּדְכוּרָא מִית, וְסַלְּקִין כְּמִלְּקַדְּמִין. וְעַל דָּא כֹּלָּא כְּגַוְונָא דִּלְעֵילָּא.

שלז. אֲכַל אִינּוּן עֲנָבִין אוּכָמִין, מוּבְטָח לֵיהּ דְּהוּא בֶּן עָלְמָא דְּאָתֵי, בְּגִין דְּשֵׁיזֵי, וְשַׁלִּיט עַל הַהוּא אֲתַר, וְאִתְגַּבַּר עֲלֵיהּ, וְאַדָּק לֵיהּ, כד"א אָכְלָא וּמַדְּקָא. כֵּיוָן דְּאַעְבַּר הַהִיא קְלִיפָּה תַּקִּיפָא, הָא אִתְקְרַב לְגַבֵּי עָלְמָא דְּאָתֵי, וְלֵית מַאן דְּמָחֵי בִּידֵיהּ. וְעַל דָּא, מַאן דְּחָמֵי בְּחֶלְמֵיהּ דְּאִינּוּן עֲנָבִין אוּכָמִין אָכַל וּמְהַדֵּק מוּבְטָח לֵיהּ וְכוּ'.

שלח. כְּגַוְונָא דָּא, לָא הֲוֵי שִׁיר בְּבֵיתָא דְּדָוִד, עַד דְּאִתְעַבָּרוּ אִינּוּן עֲנָבִין אוּכָמִין, וְשַׁלְטָא עֲלַיְיהוּ, וּכְדֵין אִתְמַר שִׁיר הַשִּׁירִים, כְּמָה דְּאִתְמַר. וַאֲפִילּוּ בְּאֲתַר דָּא אִקְרֵי עֲנָבִים, כד"א כַּעֲנָבִים בַּמִּדְבָּר וְגוֹ', וְאִלֵּין אִינּוּן עֲנָבִים חִוָּורִין.

שלט. שִׁירָתָא דָּא אִיהִי מְעַלְּיָא עַל כָּל שְׁאַר שִׁירִין דְּקַדְמָאֵי. כָּל שִׁירִין דְּקַדְמָאֵי אָמְרוּ, לָא סָלִיקוּ אֶלָּא גּוֹ שִׁירִין דְּמַלְאֲכֵי עִלָּאֵי אַמְרֵי. וְאע"ג דְּהָא אוּקְמוּהָ, אֲבָל כְּתִיב שִׁיר הַמַּעֲלוֹת לְדָוִד, שִׁיר הַמַּעֲלוֹת שִׁיר דְּמַלְאֲכֵי עִלָּאֵי אַמְרֵי. דְּאִינּוּן מַעֲלוֹת וְדַרְגִּין. אַמְרֵי לְמַאן. לְדָוִד. לְבַקְּשָׁא טַרְפָּא וּמְזוֹנָא מִנֵּיהּ.

שמ. תּוּ שִׁיר הַמַּעֲלוֹת, כד"א עַל עֲלָמוֹת שִׁיר. עַל כֵּן עֲלָמוֹת אֲהֵבוּךָ. לְדָוִד, בְּגִין דָּוִד מַלְכָּא עִלָּאָה, דְּאִיהוּ מְשַׁבַּח תָּדִיר לְמַלְכָּא עִלָּאָה.

שמא. כֵּיוָן דְּאָתָא שְׁלֹמֹה מַלְכָּא, אָמַר שִׁיר דְּאִיהוּ עִלָּאָה לְעֵילָּא. דְּרַבְרְבֵי עָלְמָא עִלָּאִין, קָאַמְרֵי לְגַבֵּי מַלְכָּא עִלָּאָה, דִּשְׁלָמָא כֹּלָּא דִּילֵיהּ. כֻּלְּהוּ דְּאַמְרֵי שִׁירָתָא, לָא סְלִיקוּ בְּהַהִיא שִׁירָתָא לוֹמַר, אֶלָּא הַהוּא שִׁירָתָא דְּמַלְאֲכֵי עִלָּאֵי קָאַמְרֵי. בַּר שְׁלֹמֹה מַלְכָּא, דְּסָלִיק בְּהַהִיא שִׁירָתָא לְמָה דְּרַבְרְבִין עִלָּאִין עַמּוּדֵי עָלְמָא קָאַמְרֵי. כָּל בְּנֵי עָלְמָא בְּרְתִיכִין תַּתָּאִין, שְׁלֹמֹה מַלְכָּא בִּרְתִיכִין עִלָּאִין.

שמב. וְאִי תֵּימָא, מֹשֶׁה דְּסָלִיק בְּדַרְגָּא דִּנְבוּאָה וּבַחֲבִיבוּ לְגַבֵּי קוּדְשָׁא בְּרִיךְ הוּא, עַל כָּל בְּנֵי עָלְמָא, הַהִיא שִׁירָתָא דְּקָאָמַר בִּרְתִיכִין תַּתָּאִין הֲוָה, וְלָא סָלִיק יַתִּיר. תָּא חֲזֵי, שִׁירָתָא דְּקָאָמַר מֹשֶׁה, סָלִיק לְעֵילָּא וְלָא לְתַתָּא. אֲבָל לָא אָמַר שִׁירָתָא כִּשְׁלֹמֹה מַלְכָּא, וְלָא הֲוָה ב"נ דְּסָלִיק בְּשִׁירָתָא כִּשְׁלֹמֹה.

שמג. מֹשֶׁה סָלִיק בְּתוּשְׁבַּחְתֵּיהּ לְעֵילָּא, וְתוּשְׁבַּחְתָּא דִּילֵיהּ הֲוָה, לְמֵיהַב תּוּשְׁבְּחָן וְהוֹדָאָן לְמַלְכָּא עִלָּאָה, דְּשֵׁיזִיב לוֹן לְיִשְׂרָאֵל, וְעָבֵיד לוֹן נִסִּין וּגְבוּרָאן בְּמִצְרַיִם, וְעַל יַמָּא. אֲבָל דָּוִד מַלְכָּא, וּשְׁלֹמֹה בְּרֵיהּ, אָמְרוּ שִׁירָתָא בְּגַוְונָא אַחֲרָא. דָּוִד אִשְׁתַּדַּל לְאַתְקְנָא עוּלֵמְתָּן, וּלְקַשְּׁטָא לוֹן בְּמַטְרוֹנִיתָא, לְאִתְחֲזָאָה מַטְרוֹנִיתָא וְעוּלֵמְתָהָא בְּשַׁפִּירוּ, וְעַל דָּא אִשְׁתַּדַּל בְּאִינּוּן שִׁירִין וְתוּשְׁבְּחָן דְּגַבַּיְיהוּ, עַד דְּאַתְקִין וְקָשִׁיט כֻּלְּהוּ עוּלֵמְתָּן וּמַטְרוֹנִיתָא.

שדמ. כֵּיוָן דְּאָתָא שְׁלֹמֹה, אַשְׁכַּח לְמַטְרוֹנִיתָא מִתְקַשְּׁטָא, וְעוּלֵמְתָהָא בְּשַׁפִּירוּ, אִשְׁתַּדַּל לְמֵיעָל לָהּ לְגַבֵּי חָתָן, וְאָעִיל הֶחָתָן לַחוּפָּה בְּמַטְרוֹנִיתָא, וְאָעִיל מִלִּין דִּרְחִימוּ בֵּינַיְיהוּ, בְּגִין לְחַבְּרָא לוֹן כַּחֲדָא, וּלְמֶהֱוֵי תַּרְוַויְיהוּ בִּשְׁלִימוּ חֲדָא בַּחֲבִיבוּ שְׁלִים. וְעַל דָּא שְׁלֹמֹה סָלִיק בְּתוּשְׁבַּחְתָּא עִלָּאָה, עַל כָּל בְּנֵי עָלְמָא.

שמה. מֹשֶׁה, זָוֵּיג לְמַטְרוֹנִיתָא בְּהַאי עָלְמָא לְתַתָּא, לְמֶהֱוֵי בְּהַאי עָלְמָא בְּזִוּוּגָא שְׁלִים בְּתַתָּאֵי. שְׁלֹמֹה, זָוֵּיג לָהּ לְמַטְרוֹנִיתָא בְּזִוּוּגָא שְׁלִימָא לְעֵילָּא, וְאָעִיל הֶחָתָן לַחוּפָּה בְּקַדְמֵיתָא, וּלְבָתַר עָאל לְתַרְוַויְיהוּ בְּהַאי עָלְמָא, וְזַמִּין לוֹן בְּחֶדְוָה בְּבֵי מַקְדְּשָׁא דְּאִיהוּ בָּנָה.

שמו. וְאִי תֵּימָא, הֵיךְ עָיֵיל מֹשֶׁה לְמַטְרוֹנִיתָא בִּלְחוֹדָהָא בְּהַאי עָלְמָא, דְּהָא אִתְחֲזֵי פֵּרוּדָא. ת"ח, קֻבְּ"ה זָוֵּיג לָהּ בְּמֹשֶׁה בְּקַדְמֵיתָא, וְאִיהוּ הֲוַת כַּלַּת מֹשֶׁה, כְּמָה דְּאִתְּמַר. כֵּיוָן דְּאִזְדַּוְּוגַת בֵּיהּ בְּמֹשֶׁה, נַחְתַּת בְּהַאי עָלְמָא. בְּזִוּוּגָא דְּהַאי עָלְמָא, וְאִתְתַּקְּנַת בְּהַאי עָלְמָא, מָה דְּלָא הֲוַת מִקַּדְמַת דְּנָא, וּלְעוֹלָם לָא הֲוַת בְּפֵרוּדָא.

שמז. אֲבָל לָא הֲוָה בַּר נָשׁ בְּעָלְמָא מִיּוֹמָא דְּאִתְבְּרֵי אָדָם, דְּיֵיעוֹל רְחִימוּ וַחֲבִיבוּ, וּמִלִּין דְּזִוּוּגָא לְעֵילָּא, בַּר שְׁלֹמֹה מַלְכָּא, דְּאִיהוּ אַתְקִין זִוּוּגָא דִּלְעֵילָּא בְּקַדְמֵיתָא, וּלְבָתַר זַמִּין לוֹן כַּחֲדָא בְּבֵיתָא דְּאַתְקִין לוֹן. זַכָּאִין אִינּוּן דָּוִד וּשְׁלֹמֹה בְּרֵיהּ, דְּאִינּוּן אַתְקִינוּ זִוּוּגָא דִּלְעֵילָּא. מִיּוֹמָא דְּאָמַר לָהּ קֻבְּ"ה לְסִיהֲרָא, זִילִי וְאַזְעִירִי גַּרְמִיךְ, לָא אִזְדַּוְּוגַת בְּזִוּוּגָא שְׁלִים בְּשִׁמְשָׁא, בַּר כַּד אָתָא שְׁלֹמֹה מַלְכָּא.

שמח. שִׁיר הַשִּׁירִים, הָא הָכָא חָמֵשׁ דַּרְגִּין, לְאִתְדַּבְּקָא בְּעָלְמָא דְּאָתֵי. שִׁיר, חַד. הַשִּׁירִים, תְּרֵין, הָא תְּלַת. אֲשֶׁר, הָא אַרְבְּעָה. לִשְׁלֹמֹה, הָא חַמְשָׁה. בְּחַמְשָׁאָה אִיהוּ. דְּהָא יוֹמָא דְּחַמְשִׁין, רָזָא דְּיוֹבְלָא אִיהוּ.

שמט. ת"ח, זִוּוּגָא דִּלְעֵילָּא לָא יָכִיל שְׁלֹמֹה לְאַתְקְנָא, אֶלָּא בְּגִין דְּאִשְׁתְּכַח זִוּוּגָא לְתַתָּא, מִקַּדְמַת דְּנָא. וּמַאן אִיהוּ. זִוּוּגָא דְּמֹשֶׁה. דְּאִי לָא הֲוֵי זִוּוּגָא דְּנָא, לָא אִתְתַּקַּן זִוּוּגָא דִּלְעֵילָּא. וְכֹלָּא בְּרָזָא עִלָּאָה אִיהוּ, לְחַכִּימֵי לִבָּא.

שנ. כְּתִיב וַיְדַבֵּר שְׁלֹשֶׁת אֲלָפִים מָשָׁל וַיְהִי שִׁירוֹ חֲמִשָּׁה וָאָלֶף, הַאי קְרָא אוֹקְמוּהָ חַבְרַיָּיא. אֲבָל וַיְדַבֵּר שְׁלֹשֶׁת אֲלָפִים מָשָׁל, וַדַּאי עַל כָּל מִלָּה וּמִלָּה דְּאִיהוּ הֲוָה אָמַר, הֲווּ בֵּיהּ תְּלַת אֲלַף מְשָׁלֵי, כְּגוֹן סִפְרָא דְּקֹהֶלֶת, דְּאִיהוּ בְּרָזָא עִלָּאָה, וְאִיהוּ בְּאָרְחוֹ מָשָׁל, דְּלֵית בֵּיהּ קְרָא דְּלָאו אִיהוּ בְּחָכְמְתָא עִלָּאָה, וּבְאָרְחוֹ מָשָׁל, אֲפִילּוּ קְרָא זְעִירָא דְּבֵיהּ.

שנא. דְּכַד הֲוָה מָטֵי רַב הַמְנוּנָא סָבָא קַדְמָאָה לְהַאי קְרָא, שְׂמַח בָּחוּר בְּיַלְדוּתֶךָ וִיטִיבְךָ לִבְּךָ בִּימֵי בְחוּרוֹתֶךָ הֲוָה בָּכֵי. וְאָמַר וַדַּאי הַאי קְרָא יָאוֹת הוּא, וְאִיהוּ בְּאָרְחוֹ מָשָׁל, וּמַאן יָכִיל לְמֶעְבַּד דְּרָשָׁא בְּמָשָׁל דָּא. וְאִי אִיהוּ דְּרָשָׁא לֵית בֵּיהּ דְּרָשָׁא, אֶלָּא כְּמָה דַּחֲמֵינָן בְּעַיְינִין. וְאִי חָכְמְתָא אִיהוּ, מַאן יָכִיל לְמִנְדַּע לָהּ.

שנב. מִיַּד הֲוָה תָּב וְאָמַר, כְּתִיב, אֵלֶּה תּוֹלְדוֹת יַעֲקֹב יוֹסֵף בֶּן שְׁבַע עֶשְׂרֵה שָׁנָה וְגוֹ', הַאי קְרָא דְּקֹהֶלֶת, אִיהוּ מָשָׁל לְחָכְמְתָא דִּקְרָא דָּא דְּאוֹרַיְיתָא, וְדָא מָשָׁל לְדָא. שְׂמַח בָּחוּר בְּיַלְדוּתֶךָ, וְהוּא נַעַר. וִיטִיבְךָ לִבְּךָ, הָיָה רוֹעֶה אֶת אֶחָיו בַּצֹּאן. בִּימֵי בְחוּרוֹתֶיךָ, אֶת בְּנֵי בִלְהָה וְאֶת בְּנֵי זִלְפָּה נְשֵׁי אָבִיו. וְדַע כִּי עַל כָּל אֵלֶּה, וַיָּבֵא יוֹסֵף אֶת דִּבָּתָם רָעָה. יְבִיאֲךָ אֱלֹהִים בַּמִּשְׁפָּט, אֵלֶּה תּוֹלְדוֹת יַעֲקֹב יוֹסֵף. יוֹסֵף אִתְכְּלִיל בְּיַעֲקֹב, וְרָזִין דְּסִתְרֵי תּוֹרָה, מַאן יָכִיל לְמִנְדַּע לוֹן.

שנג. וְהַאי מָשָׁל אִתְפָּשַׁט לִתְלַת אֲלַף מְשָׁלִים, וְכֻלְּהוּ בְּהַאי מָשָׁל, בְּשַׁעֲתָא דְּיוֹסֵף אִתְכְּלִיל בְּיַעֲקֹב, תְּלַת אֲלַף אִינּוּן, בְּאַבְרָהָם יִצְחָק וְיַעֲקֹב, דְּכֻלְּהוּ בְּהַאי מָשָׁל בְּרָזָא דְּחָכְמְתָא. וְכָאן, כַּמָּה טַיְיעִין אִינּוּן בְּטוֹעֲנִין דִּטְמִירוּ, בְּהוּ דַּיְירֵי תְּרִיסִין, דְּלֵית לְהוֹן חוּשְׁבְּנָא לִטְמִירִין דְּחָכְמְתָא.

שנד. וַיְהִי שִׁירוֹ וַחֲמִשָּׁה וָאָלֶף, הָכִי אוֹקִימְנָא, וַיְהִי שִׁירוֹ שֶׁל מָשָׁל, וְכֹלָּא וַדַּאי, בֵּין מַאן דְּאָמַר וַיְהִי שִׁירוֹ דִּשְׁלֹמֹה, בֵּין מַאן דְּאָמַר וַיְהִי שִׁירוֹ שֶׁל מָשָׁל, כֹּלָּא אִיהוּ וַדַּאי, וְכֹלָּא אִיהוּ קָאָמַר, וַיְהִי שִׁירוֹ, דָּא שִׁיר הַשִּׁירִים. וְכִי וַחֲמִשָּׁה וָאֶלֶף אִיהוּ שִׁיר הַשִּׁירִים. וַדַּאי הָכִי הוּא, וַחֲמִשָּׁה אִינּוּן תַּרְעִין וּפִתְחִין דְּמִתְפַּתְּחֵי בְּמַלְכָּא דִּשְׁלָמָא דִּילֵיהּ. וְאִינּוּן וַחֲמֵשׁ מֵאָה שְׁנִין דְּאִילָנָא דְּחַיֵּי. וַחֲמִשִּׁין שְׁנִין דְּיוֹבְלָא.

שנה. וָאָלֶף, דָּא אִיהוּ אִילָנָא דְּחַיֵּי, וְחָתָן דְּנָפִיק מִסִּטְרֵיהּ, וְאִיהוּ יָרִית כָּל אִינּוּן וַחֲמִשָּׁה, לְמֵיתֵי לְגַבֵּי כַּלָּה. יוֹמֵיהּ דְּקֻבְּ"ה אֶלֶף שְׁנִין אִיהוּ, וְדָא אִיהוּ נָהָר דְּנָגִיד וְנָפִיק מֵעֵדֶן. יוֹסֵף זַכָּאָה. דְּאִקְרֵי צַדִּיק, עַל שְׁמָא דְּסִיהֲרָא. כְּמָה דְּאַתְנִי בָּהּ קֻבְּ"ה. וּבְגִין כָּךְ שִׁיר הַשִּׁירִים, קֹדֶשׁ קֳדָשִׁים.

שנו. וְלֵית לָךְ קְרָא בְּשִׁיר הַשִּׁירִים, דְּלָא אִית בֵּיהּ רָזָא דְּחֲמִשָּׁה וָאֶלֶף וַדַּאי. שִׁיר הַשִּׁירִים וַדַּאי הָכִי הוּא. וַחֲמֵשׁ דַּרְגִּין אִינּוּן בְּהַאי קְרָא, כְּמָה דְּאִתְּמַר. וְאִי תֵּימָא, הָאֶלֶף אַמַּאי לָא אִדְכַּר הָכָא. וַדַּאי הַהוּא אֶלֶף טְמִירָא הֲוָה, וּטְמִירָא אִיהוּ עַד דְּאִתְחַבְּרַת אִתְּתָא בְּבַעְלָהּ. וְעַל דָּא אִשְׁתָּדַּל שְׁלֹמֹה, לְמֵיתֵי הַהוּא אֶלֶף לְגַבֵּי כַּלָּה, בִּטְמִירוּ דְּגוּשְׁפַּנְקָא דְּחָכְמְתָא עִלָּאָה.

שנז. כֵּיוָן דְּעָבֵד קֹדֶשׁ הַקֳּדָשִׁים לְתַתָּא, גָּנִיז וְטָמִיר, וְעָאל רָזָא דְּקֹדֶשׁ הַקֳּדָשִׁים לְתַמָּן, לְמֶעְבַּד גְּנִיזוּ דְּשִׁמּוּשָׁא שְׁלִים, עֵילָּא וְתַתָּא כַּדְקָא יָאוּת. קֹדֶשׁ הַקֳּדָשִׁים אִיהוּ לְעֵילָּא, רָזָא דְּחָכְמְתָא עִלָּאָה, וְיוֹבְלָא. כְּגַוְונָא דָּא יָרְתִין חָתָן וְכַלָּה, יָרוּתָא דְּאַבָּא וְאִמָּא.

שנח. וְאִתְהַדְּרוּ אַחֲסָנַת יְרוּתָא בְּגַוְונָא אַחֲרָא. יְרוּתָא דְּאַבָּא, יָרְתָא בְּרַתָּא, בְּסָלִיקוּ דִּשְׁמָא קַדִּישָׁא דָּא, וְאִתְקְרֵי אוּף הָכִי קֹדֶשׁ, וְחָכְמָה. יְרוּתָא דְּאִמָּא, יָרִית בְּרָא, וְאִקְרֵי קֳדָשִׁים, בְּגִין דְּנָטִיל כָּל אִינּוּן קֳדָשִׁים עִלָּאִין, וְכָנִישׁ לוֹן לְגַבֵּיהּ. וּבָתַר יָהִיב לוֹן, וְאָעִיל לוֹן לְגַבֵּי כַּלָּה.

שנט. וְעַל דָּא אָמַר שִׁיר הַשִּׁירִים. שִׁיר, לְגַבֵּי קֹדֶשׁ. הַשִּׁירִים, לְגַבֵּי קֳדָשִׁים, לְמֶהֱוֵי כֹּלָּא קֹדֶשׁ קֳדָשִׁים, בְּרָזָא וַחֲדָא כְּמָה דְּאִתְחֲזֵי. אֲשֶׁר לִשְׁלֹמֹה הָא אִתְּמַר לְמַלְכָּא דִּשְׁלָמָא דִּילֵיהּ.

שס. וְאִי תֵּימָא שְׁבָחָא דָּא דִּילֵיהּ הוּא. לָא תֵּימָא הָכִי, אֶלָּא שְׁבָחָא בַּאֲתַר עִלָּאָה אִיהוּ סַלְקָא. אֲבָל הָכָא הוּא רָזָא. כַּד מִתְתַּקְנָן דְּכַר וְנוּקְבָא כַּחֲדָא, תְּחוֹת מַלְכָּא עִלָּאָה, כְּדֵין הַהוּא מַלְכָּא אִסְתַּלִּיק לְעֵילָּא, וְאִתְמַלְיָא מִכָּל קִדּוּשִׁין, וּמִכָּל בִּרְכָאן, דְּנַגְדִּין לְתַתָּא, וְאִתְמְלֵי וְאָרִיק לְתַתָּא, וְדָא אִיהוּ תִּיאוּבְתֵּיהּ דְּמַלְכָּא עִלָּאָה, כַּד אִתְמְלֵי קִדּוּשִׁין וּבִרְכָאן, וְאָרִיק לְתַתָּא.

שסא. וְעַל דָּא אִיהוּ צְלוֹתִין וּבָעוּתִין, דְּיִתְתַּקַּן וְאִתְמַלְיָא הַהוּא מַבּוּעָא עִלָּאָה. דְּכֵיוָן דְּאִיהוּ מִתְתַּקַּן כַּדְקָא יָאוּת, מִזִּיוָו דִּילֵיהּ, וּמִזִּיוָו דְּהַהוּא תִּקּוּנָא, מִתְתַּקְּנָא עָלְמָא תַּתָּאָה, וְעוֹלֶמְתָּהָא. וְלָא אִצְטְרִיךְ עָלְמָא תַּתָּאָה לְאִתְתַּקְּנָא, אֶלָּא מִזִּיוָו דְּעָלְמָא עִלָּאָה. סִיהֲרָא, לֵית לָהּ זִיוָו מִגַּרְמָהָא כְּלַל, בַּר כַּד אִתְתַּקַּן בְּשִׁמְשָׁא וְאַנְהִיר, וּמִזִּיוָו דְּשִׁמְשָׁא וְתִקּוּנָא דִּילֵיהּ אִתְתַּקְנַת סִיהֲרָא וְאִתְנְהִירַת.

שסב. מַה דְּאִצְטְרִיךְ צְלוֹתִין וּבָעוּתִין, דְּיִתְנְהַר וְיִתְתַּקַּן הַהוּא אֲתַר דְּנָפְקָא מִנֵּיהּ נְהוֹרָא, דְּכֵיוָן דְּהַהוּא אֲתַר מִתְתַּקְּנָא, מִזִּיוָו דִּילֵיהּ, אִתְתַּקַּן כָּל מַאן דִּלְתַתָּא. וּבְגִין כָּךְ תּוּשְׁבַּחְתָּא דְּקָאָמַר שְׁלֹמֹה, לָא אִשְׁתָּדַּל אֶלָּא בְּגִין מַלְכָּא דִּשְׁלָמָא דִּילֵיהּ, דְּיִתְתַּקַּן. כֵּיוָן דְּאִיהוּ אִתְתַּקַּן, מִזִּיוָו דִּילֵיהּ, כֹּלָּא יִתְתַּקַּן. וְאִי אִיהוּ לָא אִתְתַּקַּן, לֵית לָהּ תִּקּוּנָא

לְסִיהֲרָא לְעָלְמִין, וּבְגִין כָּךְ אֲשֶׁר לִשְׁלֹמֹה. דְּיִתְתַּקַּן וְיִתְמַלֵּי כַּדְקָא יֵאוֹת בְּקַדְמֵיתָא, כְּמָה דְּאִתְּמַר.

שסג. וְיִקְחוּ לִי תְּרוּמָה מֵאֵת כָּל אִישׁ וְגוֹ', רָזָא דְּרָזִין לְיָדְעֵי חָכְמְתָא, כַּד אִסְתַּלָּק בִּרְעוּתָא דִּסְתָרָא דְּכָל סְתָרִין לְמֶעְבַּד יְקָרָא לִיקָרֵיהּ, אַנְשִׁיב רְוָחָא מִנְּקוּדָה עִלָּאָה, דְּנָגִיד מִלְּעֵילָּא לְתַתָּא, וְשַׁוֵּי תִּקּוּנֵיהּ, לְאִתְיַשְּׁבָא בְּהַאי עָלְמָא. אַמַּאי. בְּגִין דְּאִי לָא יְהֵא עִקָּרָא וְשָׁרְשָׁא בְּהַאי עָלְמָא, לָא יְהֵא מָאנָא לְאַרְקָא בְּהַאי עָלְמָא כְּלַל. וְאִי לָא יָרִיק לְהַאי עָלְמָא, מִיַּד אִתְאֲבִיד, וְלָא יָכִיל לְקַיְּימָא אֲפִילּוּ רִגְעָא חֲדָא. אֲבָל בְּגִין דְּתִקּוּנֵיהּ אִיהוּ מֵהַאי עָלְמָא אִתְמַלֵּי מִסִּטְרָא חֲדָא לְאַרְקָא לְהַאי עָלְמָא, וּמִסִּטְרָא אַחֲרָא לְאַרְקָא לְמַלְאֲכֵי עִלָּאֵי. וְכֹלָּא אִתְּזָנוּ מִנֵּיהּ כַּחֲדָא.

שסד. שְׁלִימוּ דְּתִקּוּנָא דְּהַאי רְוָוחָא, רְוַוחֵיהוֹן דְּצַדִּיקַיָּא בְּהַאי עָלְמָא. רְוָוחָא דָּא אִשְׁתְּלִים, בְּזִמְנָא דַּחֲנוֹךְ וְיֶרֶד וּמַהֲלַלְאֵל הֲווּ בְּעָלְמָא וְכַד אַסְגִּיאוּ חַיָּיבֵי עָלְמָא, הַהוּא אַעְדּוּ שְׁלִימוּ מִנֵּיהּ. לְבָתַר דְּאִתְאֲבִידוּ, אָתָא נֹחַ וְאַשְׁלִים לֵיהּ. אָתָא דּוֹר הַפְּלָגָה, אַעְדּוּ הַהוּא שְׁלִימוּ מִנֵּיהּ. אָתָא אַבְרָהָם וְאַשְׁלִים לֵיהּ. אָתוּ אַנְשֵׁי סְדוֹם וְאַעְדּוּ לֵיהּ. אָתָא יִצְחָק וְאַשְׁלִים לֵיהּ. אָתוּ פְּלִשְׁתִּים וְחַיָּיבֵי דָּרָא וְאַעְדּוּ לֵיהּ מִנֵּיהּ. אָתָא יַעֲקֹב וּבְנוֹי, עַרְסָא שְׁלִימָא, וְאַשְׁלִימוּ לֵיהּ.

שסה. נָפְקוּ מֵאַרְעָא קַדִּישָׁא וְנַחְתּוּ לְמִצְרַיִם, וּבְגִינַיְיהוּ אִתְעַכְּבַת תַּמָּן. וּבְגִין דְּאַהַדְרֵי תַּמָּן יִשְׂרָאֵל לְעוֹבָדִין דְּמִצְרָאֵי, אִתְכַּפְיָא וְאִתְעֲדֵי הַהוּא שְׁלִימוּ, עַד דְּנָפְקוּ מִמִּצְרַיִם, וְאָתוּ לְמֶעְבַּד מַשְׁכְּנָא. אָמַר קֻבָּ"ה, רְעוּתִי לְדַיְּירָא בֵּינַיְיכוּ, אֲבָל לָא יָכִילְנָא עַד דְּתִתְקְנוּן הַהוּא רְוָוחָא דִּילִי, דְּיִשְׁרֵי בְּגַוַּויְיכוּ. הה"ד, וְעָשׂוּ לִי מִקְדָּשׁ וְשָׁכַנְתִּי בְּתוֹכָם.

שסו. וְדָא אִיהוּ רָזָא דִּכְתִיב, וְיִקְחוּ לִי תְּרוּמָה. אָמַר מֹשֶׁה לְקֻבָּ"ה מַאן יָכִיל לְמֵיסַב לָהּ וּלְמֶעְבַּד לָהּ. א"ל, מֹשֶׁה, לָא כְּמָה דְּאַתְּ חָשִׁיב, אֶלָּא מֵאֵת כָּל אִישׁ אֲשֶׁר יִדְּבֶנּוּ לִבּוֹ וְגוֹ', מֵהַהוּא רְעוּתָא וּרְוָוחָא דִּלְהוֹן, תִּסְּבוּן לָהּ, וְתַשְׁלְמוּן לָהּ.

שסז. כַּד אָתָא שְׁלֹמֹה, אַתְקִין לְהַהוּא רְוָוחָא בִּשְׁלִימוּ דִּלְעֵילָּא, דְּהָא מִן יוֹמָא דְּאִשְׁתְּלִים לְתַתָּא בְּיוֹמוֹי דְּמֹשֶׁה, לָא אַעְדִּיאוּ הַהוּא שְׁלִימוּ מִנֵּיהּ. כֵּיוָן דְּאָתָא שְׁלֹמֹה, אִשְׁתַּדַּל לְאַשְׁלְמָא לֵיהּ לְעֵילָּא, וְשַׁארֵי לְאַתְקְנָא חֵיזוּ דְּעָלְמָא עִלָּאָה, לְאִתְתַּקְנָא מֵהַהוּא חֵיזוּ עָלְמָא תַּתָּאָה, וְדָא אִיהוּ אֲשֶׁר לִשְׁלֹמֹה.

שסח. וְזֹאת הַתְּרוּמָה, הָא אִתְּמַר, דְּכַד קֻבָּ"ה אִתְגְּלֵי עַל טוּרָא דְּסִינַי, כַּד אִתְיְהִיבַת אוֹרַיְיתָא לְיִשְׂרָאֵל בְּעֶשֶׂר אֲמִירָן. כָּל אֲמִירָה וַאֲמִירָה עָבִיד קָלָא, וְהַהוּא קָלָא אִתְפְּרַשׁ לְע' קָלִין, וַהֲווּ כֻּלְּהוּ נְהִירִין וְנָצְצִין לְעֵינַיְיהוּ דְּיִשְׂרָאֵל כֻּלְּהוּ, וַהֲווּ חָמָאן עַיְינִין בְּעַיְינִין זִיו יְקָרָא דִּילֵיהּ, הֲדָא הוּא דִכְתִיב וְכָל הָעָם רוֹאִים אֶת הַקּוֹלֹת. רוֹאִים וַדַּאי.

שסט. וְהַהוּא קָלָא הֲוָה אַתְרֵי בֵּיהּ בְּכָל חַד וְחַד מִיִּשְׂרָאֵל, וְאָמַר לוֹן, תְּקַבְּלֵנִי עָלָךְ, בְּכָךְ וְכָךְ פִּקּוּדִין דְּבְאוֹרַיְיתָא, וְאָמְרוּ הֵין. אַהֲדַר לֵיהּ עַל רֵישֵׁיהּ, וּמִתְגַּלְגְּלָא עָלֵיהּ, וַהֲוָה אַתְרֵי בֵּיהּ, וְאָמַר לֵיהּ, תְּקַבְּלֵנִי עָלָךְ בְּכָךְ עוֹנְשִׁין דְּבְאוֹרַיְיתָא, וַהֲוָה אָמַר הֵין. לְבָתַר אַהֲדַר הַהוּא קָלָא, וְנָשִׁיק לֵיהּ בְּפוּמֵיהּ, הה"ד יִשָּׁקֵנִי מִנְּשִׁיקוֹת פִּיהוּ.

שע. וּכְדֵין כָּל מַה דַּהֲווּ חָמָאן יִשְׂרָאֵל בְּהַהוּא זִמְנָא, הֲווּ חָמָאן גּוֹ חַד נְהוֹרָא, דְּקַבִּיל כָּל אִינּוּן נְהוֹרִין אַחֲרָנִין, וַהֲווּ תָּאבִין לְמֶחֱמֵי. אָמַר לוֹן קֻבָּ"ה, הַהוּא נְהוֹרָא דְּחֲמֵיתוּ בְּטוּרָא דְּסִינַי, דְּקַבִּיל כָּל אִינּוּן גַּוְונֵי נְהוֹרִין, וְתִיאוּבְתָּא דִּלְכוֹן עָלֵיהּ, תְּקַבְּלוּן לָהּ וְתִסְּבוּן לָהּ לְגַבַּיְיכוּ, וְאִינּוּן גַּוְונִין דְּאִיהִי מְקַבְּלָא, אִלֵּין אִינּוּן זָהָב וָכֶסֶף וּנְחֹשֶׁת וְגוֹ'.

שעא. דָּבָר אַחֵר יִשָּׁקֵנִי מִנְּשִׁיקוֹת פִּיהוּ, מַאי קָא חָמָא שְׁלֹמֹה מַלְכָּא, דְּאִיהוּ אָעִיל מִלֵּי דִּרְחִימוּ בֵּין עָלְמָא עִלָּאָה לְעָלְמָא תַּתָּאָה, וְשֵׁירוּתָא דְּתוּשְׁבַּחְתָּא דִּרְחִימוּ דְּאָעִיל בֵּינַיְיהוּ, יִשָּׁקֵנִי אִיהוּ. אֶלָּא הָא אוּקְמוּהָ וְהָכִי אִיהוּ, דְּלֵית רְחִימוּ דִּדְבֵיקוּת דְּרוּחָא בְּרוּחָא, בַּר נְשִׁיקָה. וּנְשִׁיקָה בְּפוּמָא, דְּאִיהִי מַבּוּעָא דְּרוּחָא, וּמַפְקָנוּ דִּילֵיהּ. וְכַד נַשְׁקִין דָּא לְדָא, מִתְדַּבְּקָן רוּחִין אִלֵּין בְּאִלֵּין, וַהֲווּ חַד, וּכְדֵין אִיהוּ רְחִימוּ חַד.

שעב. בְּסִפְרָא דְּרַב הַמְנוּנָא סָבָא קַדְמָאָה, הֲוָה אָמַר עַל הַאי קְרָא, נְשִׁיקָה דִּרְחִימוּ אִתְפַּשַּׁט לְד' רוּחִין, וְד' רוּחִין מִתְדַּבְּקָן כַּחֲדָא, וְאִינּוּן גּוֹ רָזָא דִּמְהֵימְנוּתָא וְסַלְּקִין בְּד' אַתְוָון, וְאִינּוּן אַתְוָון דִּשְׁמָא קַדִּישָׁא תָּלֵי בְּהוּ, וְעִלָּאִין וְתַתָּאִין תַּלְיָין בְּהוּ. וְתוּשְׁבַּחְתָּא דְּשִׁיר הַשִּׁירִים תָּלֵי בְּהוּ. וּמַאן אִיהוּ. אַהֲבָ"ה. וְאִינּוּן רְתִיכָא עִלָּאָה. וְאִינּוּן חַבְרוּתָא וּדְבֵקוּתָא וּשְׁלִימוּ דְּכֹלָּא.

שעג. אִלֵּין אַתְוָון. ד' רוּחִין אִינּוּן. וְאִינּוּן רוּחִין דִּרְחִימוּ וְחֶדְוָה דְּכָל שַׁיְיפֵי גּוּפָא בְּלָא עֲצִיבוּ כְּלָל. ד' רוּחִין אִינּוּן בִּנְשִׁיקָה, כָּל חַד וְחַד כָּלִיל בְּחַבְרֵיהּ. וְכַד הַאי רוּחָא כָּלִיל בְּאָחֳרָא, וְהַהוּא אָחֳרָא כָּלִיל בְּהַאי. אִתְעֲבִידוּ תְּרֵין רוּחִין כַּחֲדָא. וּכְדֵין מִתְחַבְּרָן בִּדְבִיקוּ חַד, אִינּוּן אַרְבַּע בִּשְׁלִימוּ, וְנַבְעִין דָּא בְּדָא, וְאִתְכְּלִילוּ דָּא בְּדָא.

שעד. וְכַד מִתְפַּשְּׁטָן, אִתְעֲבֵיד מֵאִינּוּן אַרְבַּע רוּחִין חַד אִיבָּא, וְאִיהוּ רוּחָא וְחֶדָא דְּכָלִיל מִד' רוּחִין. וְדָא סָלִיק וּבָקַע רְקִיעִין, עַד דְּסָלִיק וְיָתִיב לְגַבֵּי חַד הֵיכָלָא. דְּאִתְקְרֵי הֵיכָלָא דְּאַהֲבָה, וְאִיהוּ הֵיכָלָא דְּכָל רְחִימוּ תַּלְיָא בֵּיהּ. וְהַהִיא רוּחָא הָכִי אִקְרֵי אַהֲבָה, וְכַד הַאי רוּחָא סָלִיק אִתְעַר לְהַהוּא הֵיכָלָא, לְאִתְחַבְּרָא לְעֵילָּא.

שעה. ד' אַתְוָון אִינּוּן, לְגַבֵּי ד' רוּחִין. וְאִינּוּן אַהֲבָה. וְאִיבָּא דִּלְהוֹן אַהֲבָה. כַּד מִתְחַבְּרָן דָּא בְּדָא, מִיַּד אִתְעַר דָּא בְּסִטַר דָּא וְדָא בְּסִטַר דָּא. א'. מִיַּד נָפִיק ה', וְאִתְחַבַּר בְּא', מִתְדַּבַּק בִּדְבִיקוּ בִּרְחִימוּ. וְאִתְעָרוּ תְּרֵין אַתְוָון אָחֳרָנִין, ב' ה', וְאִתְכְּלִילוּ רוּחִין בְּרוּחִין בִּדְבִיקוּ דִּרְחִימוּ, וּפָרְחִין אִלֵּין אַתְוָון מִנַּיְיהוּ, בְּהַהוּא רוּחָא דְּסָלִיק, וּמִתְעַטְּרָן בֵּיהּ כַּדְקָא יָאוּת.

שעו. כֵּיוָן דְּאָזִיל וְסָלִיק הַהוּא אַהֲבָה שְׁלֵימָא, כְּלִילָא בְּכָל אִינּוּן אַרְבַּע רוּחִין, פָּגַע בְּחַד מְמָנָא עִלָּאָה רַבְרְבָא, דִּי מְמָנָא עַל אֶלֶף וּתְשַׁע מְאָה וְתִשְׁעִין רְקִיעִין, וְאִיהוּ מְמָנָא עַל נְגִידוּ דִּתְלֵיסַר נַהֲרֵי אֲפַרְסְמוֹנָא דַּכְיָא, דְּנַגְדָּא מֵרָזָא דְּטַלָּא דִּלְעֵילָּא. וְהַהוּא נְגִידוּ אִתְקְרֵי מַיִם רַבִּים. כֵּיוָן דְּפָגַע לְגַבֵּי הַהוּא רַב מַשִּׁרְיָין קָאִים לְגַבֵּיהּ, וְלָא יָכִיל לְאַעְכְּבָא לֵיהּ, וְעָבַר בְּהוּ עַד דְּאָעִיל לְגַבֵּי הֵיכַל אַהֲבָ"ה.

שעז. עַל דָּא אָמַר שְׁלֹמֹה, בְּסִיּוּם שְׁבָחֵיהּ, מַיִם רַבִּים לֹא יוּכְלוּ לְכַבּוֹת אֶת הָאַהֲבָה. מַיִם רַבִּים: אִלֵּין מַיִם עִלָּאִין דְּנַגְדִּין מִגּוֹ טַלָּא עִלָּאָה. וּנְהָרוֹת לֹא יִשְׁטְפוּהָ: אִלֵּין אִינּוּן נַהֲרֵי אֲפַרְסְמוֹנָא דַּכְיָא, דְּאִינּוּן תְּלֵיסַר. הַהוּא מְמָנָא אִיהוּ מַלְאָכָא דִּשְׁלִיחַ מִן קֳדָם יְיָ', וְדָא אִיהוּ רַב מַשִּׁרְיָין דְּקָשִׁיר כִּתְרִין לְמָארֵיהּ, רָזָא אַכְתְּרִיאֵ"ל, מְעַטֵּר עִטְרִין לְמָארֵיהּ, בִּשְׁמָא גְּלִיפָא מְחֻקְּקָא, יְהֹוָה יָהּ צְבָאוֹת.

שעח. כֵּיוָן דְּאָעִיל לְגַבֵּי הֵיכַל אַהֲבָה, אִתְעַר רְחִימוּ דִּנְשִׁיקִין עִלָּאִין, דִּכְתִיב וַיִּשַּׁק יַעֲקֹב לְרָחֵל, לְמֶהֱוֵי נְשִׁיקִין דִּרְחִימוּ עִלָּאָה כַּדְקָא יָאוּת, וְאִינּוּן נְשִׁיקִין שֵׁירוּתָא דְּאִתְעָרוּ דְּכָל רְחִימוּ, וְאִתְדַּבְּקוּתָא וְקִשּׁוּרָא דִּלְעֵילָּא. וּבג"כ שֵׁירוּתָא דְּתוּשְׁבַּחְתָּא דְּשִׁירָתָא דָּא אִיהוּ יִשָּׁקֵנִי.

שעט. מַאן יִשָּׁקֵנִי. הַהוּא דְּסָתִים גּוֹ סְתִימוּ עִלָּאָה. וְאִי תֵּימָא, סְתִימָא דְּכָל סְתִימִין

בֵּיהּ תַּלְיָין נְשִׁיקִין וְנָשִׁיק לְתַתָּא. ת"ח, סְתִימָא דְּכָל סְתִימִין, לֵית מַאן דְּיָדַע לֵיהּ, וְאִיהוּ גַּלֵּי מִנֵּיהּ נְהִירוּ וַחֲד דָּקִיק סָתִים, דְּלָא אִתְגַּלֵּי בַּר בְּחַד שְׁבִיל דָּקִיק דְּאִתְפָּשַׁט מִגַּוֵּיהּ, וְאִיהוּ נְהִירוּ דְּנָהִיר לְכֹלָּא. וְדָא אִתְעֲרוּ דְּכָל רָזִין עִלָּאִין. וְאִיהוּ סָתִים. לִזְמְנִין סָתִים, לִזְמְנִין אִתְגַּלְיָא. וְאַף עַל גַּב דְּלָא אִתְגַּלְיָא כְּלַל. וְאִתְעֲרוּ דְּסַלִּיקוּ דִּנְשִׁיקִין בֵּיהּ תַּלְיָין. וּמִגּוֹ דְּאִיהוּ סָתִים, שֵׁירוּתָא דְּתוּשְׁבַּחְתָּא בְּאַרְחוּ סָתִים אִיהוּ.

שפ. וְאִי בֵּיהּ תַּלְיָין מַה בָּעֵי יַעֲקֹב הָכָא, דְּהָא בֵּיהּ תַּלְיָין נְשִׁיקִין. אֶלָּא וַדַּאי הָכִי הוּא. יִשָּׁקֵנִי, הַהוּא דְּסָתִים לְעֵילָּא. וּבַמֶּה. בְּהַהוּא רְתִיכָא עִלָּאָה, דְּכָל גַּוְונִין תַּלְיָין וּמִתְחַבְּרָן בֵּיהּ. וְהַאי אִיהוּ יַעֲקֹב. כְּמָה דְּאַמְרִינָן, דְּבֵיקוּתָא לְאִתְדַּבְּקָא בְּמַלְכָּא בִּבְרָא דִּילֵיהּ הוּא. וְעַ"ד כְּתִיב מִנְּשִׁיקוֹת פִּיהוּ.

שפא. כִּי טוֹבִים דּוֹדֶיךָ, אַהֲדָר לְגַבֵּי שִׁמְשָׁא, דְּאַנְהִיר לָהּ לְסִיהֲרָא, מִגּוֹ נְהִירוּ דְּאִינּוּן בּוּצִינִין עִלָּאִין, וְאִיהוּ נָטִיל נְהוֹרָא דְּכֻלְּהוּ, וְאַנְהִיר לְסִיהֲרָא. וְאִינּוּן בּוּצִינִין דְּמִזְדַּוְּוגִין בֵּיהּ, מֵאָן אֲתָר נְהָרִין. הָדַר וְאָמַר מִיַּיִן, מֵהַהוּא יַיִן דְּמִנְטְרָא, מֵהַהוּא יַיִן דְּאִיהוּ חֶדְוָה דְּכָל חֶדְוָון. וּמַאן אִיהוּ הַהוּא יַיִן, דְּיָהִיב חַיִּין וְחֶדְוָה לְכֹלָּא. דָּא אֱלֹהִים חַיִּים, יַיִן, דְּיָהִיב חַיִּין וְחֶדְוָה לְכֹלָּא.

שפב. תּוּ מִיַּיִן, מֵהַהוּא שְׁמָא דְּאִקְרֵי יְדֹו"ד, דָּא אִיהוּ יַיִן דְּחֶדְוָה דִּרְחִימוּ דְּרַחֲמֵי, וּמִן דָּא, כֻּלְּהוּ נְהִירִין וְחַדָּאן. אָתוּ חַבְרַיָּיא וְנָשִׁיקוּ לֵיהּ בְּרֵישֵׁיהּ.

שפג. בָּכָה רַבִּי שִׁמְעוֹן, וְאָמַר, יָדַעְנָא וַדַּאי דְּרוּחָא קַדִּישָׁא עִלָּאָה קָא מְקַשְׁקְשָׁא בְּכוּ, זַכָּאָה דָּרָא דָּא, דְּהָא לָא יְהֵא כְּדָרָא דָּא, עַד זִמְנָא דְּיֵיתֵי מַלְכָּא מְשִׁיחָא. דְּהָא אוֹרַיְיתָא אִתְהַדְּרַת לְעַתִּיקוּתָהָא. זַכָּאִין אִינּוּן צַדִּיקַיָּא בְּעָלְמָא דֵּין וּבְעָלְמָא דְּאָתֵי.

שפד. וְזֹאת הַתְּרוּמָה אֲשֶׁר תִּקְחוּ מֵאִתָּם. רַבִּי אֶלְעָזָר אָמַר, הַאי קְרָא אוּקְמוּהָ, וְרָזִין דִּילֵיהּ הָא אִתְמַר. אֲבָל רָזָא דִּקְרָא הָכִי אוֹלִיפְנָא, וְקַשְׁיָין קְרָאֵי, דְּאִי אִינּוּן בְּרָזָא דִּלְתַתָּא קַשְׁיָין אַהֲדָדֵי. וְאִי בְּרָזָא דִּלְעֵילָּא לָא אִינּוּן בִּנְהִירוּ. דַּבֵּר אֶל בְּנֵי יִשְׂרָאֵל וְיִקְחוּ לִי תְּרוּמָה שַׁפִּיר. תִּקְחוּ אֶת תְּרוּמָתִי קַשְׁיָא. וְזֹאת הַתְּרוּמָה אֲשֶׁר תִּקְחוּ מֵאִתָּם קַשְׁיָא וַדַּאי כֹּלָּא, עֵילָּא וְתַתָּא כַּחֲדָא.

שפה. אֶלָּא הָכִי אִיהוּ, וְיִקְחוּ לִי תְּרוּמָה. מַאן. בְּנֵי יִשְׂרָאֵל. מֵאֵת כָּל אִישׁ: אִלֵּין מַלְאָכִין עִלָּאִין לְעֵילָּא, בְּגִין דַּעֲלַיְיהוּ אִיהִי תְּרוּמָה, אֲרָמוּתָא דְּאִינּוּן אֲרִימוּ לָהּ תָּדִיר לְגַבֵּי מַלְכָּא עִלָּאָה דְּהָא אִינּוּן סַלְּקִין לָהּ תָּדִיר, לְגַבֵּי מַלְכָּא עִלָּאָה. וְכַד יִשְׂרָאֵל זַכָּאִין, אִינּוּן נַטְלִין לָהּ מִנַּיְיהוּ, וְנַחְתִּין לָהּ לְתַתָּא, הה"ד, מֵאֵת כָּל אִישׁ אֲשֶׁר יִדְּבֶנּוּ לִבּוֹ. וּמַאן אִינּוּן. אַרְבַּע דְּאָרִימוּ לָהּ לְעֵילָּא. דְּהַהוּא לֵב אִתְרְעֵי בְּהוּ. וְהַהִיא תְּרוּמָה. אִיהִי זַקְפָא עֲלַיְיהוּ.

שפו. וְאַע"ג דְּאִיהִי קַיְּימָא עֲלַיְיהוּ, וּמַנְחָא עַל גַּבַּיְיהוּ. תִּקְחוּ: תִּסְבוּן לָהּ מִנַּיְיהוּ לְנַחְתָּהָא לְתַתָּא. וּבַמֶּה. בִּזְמְנָא דָּא, בְּאִינּוּן עוֹבָדִין דְּכַשְׁרָאן, בִּצְלוֹתִין וּבְבָעוּתִין, לְמֶעְבַּד פִּקּוּדֵי אוֹרַיְיתָא. בְּהַהוּא זִמְנָא, בְּאִינּוּן גַּוְונִין דְּאִתְחַזְיָין לְתַתָּא כְּגַוְונָא דִּלְעֵילָּא, בְּאִינּוּן פּוּלְחָנִין אַחֲרָנִין. וְאִינּוּן גַּוְונִין אַמַּשְׁכָּן לְתַתָּא הַהוּא אֲרָמוּתָא, וְנַצְחָן גַּוְונִין דִּלְתַתָּא, לְאִינּוּן גַּוְונִין דִּלְעֵילָּא, וּמַשְׁכִין לוֹן גַּוְונִין אִלֵּין, לְגַוְונִין עִלָּאִין, וְעַיְילִין אִלֵּין בְּאִלֵּין, וְאִתְעֲבִידוּ אִלֵּין גּוּפָא לְאִלֵּין, וְעַל דָּא תִּקְחוּ מֵאִתָּם כְּתִיב.

שפז. זָהָב דְּאִתְכְּלִיל בְּגַבְרִיאֵל, זָהָב לְעֵילָּא, גַּבְרִי"אֵל נָטִיל לֵיהּ לְתַתָּא. וְשִׁבְעָה זִינֵי זָהָב אִתְפָּרְשָׁאן לְתַתָּא מִן דָּא. וְכֶסֶף לְעֵילָּא, וְאִתְכְּלִיל בְּמִיכָאֵל לְתַתָּא, וְשַׁרְיָא דָּא עַל דָּא.

וְנַוֹשֶׁת לְעֵילָא, וְנַפְקָא מִן זָהָב, בְּגִין דְּזָהָב וְאֶשָּׁא בְּרָזָא וְדָא קַיְימִין וְאִזְלִין, אֶשָּׁא אַפִּיק
נְוֹשֶׁת. וּמֵחֵילָא וּתְקִפָּא דָא, אִתְבַּדְּרָן נְוֹשִׁים שֻׂרָפִים דְּנָפְקֵי מֵאֶשָּׁא. וְע"ד, נְוֹשֶׁת אִיהוּ
סוּמָקָא כְּאֶשָּׁא וְאִתְכְּלִיל בְּאוּרִי"אֵל וְאִתְעֲבִיד דָּא גוּפָא לְגַבֵּי דָא.

שפח. וּתְכֵלֶת שָׁרְיָא בְּדָא וּבְדָא, בַּנְוֹשֶׁת וּבְזָהָב, וּבְגִין דְּאִתְתְּקַף בְּתְרֵין סִטְרִין.
תְכֵלֶת אִיהוּ תַּקִּיפָא, וְלֵית מַאן דְּעָלְטָא עֲלֵיהּ לְוֹזַיְין, דְּאִיהוּ כָּרְסַיָּיא דְּדִינָא לְשָׁרְיָא בֵּיהּ
דִּינָא תַּקִּיפָא, וְדָא אִיהוּ ב"ו א"ל, ב"ו א"ל: דִּכְתִיב, וְאֵל זוֹעֵם בְּכָל יוֹם. וְכַד אִתְהַדְרָן
בְּנֵי נָשָׁא בְּתִיּוּבְתָּא שְׁלֵימָתָא, אִתְהַדַּר שְׁמֵיהּ רְפָא"ל, דְּהָא אַסְוָותָא אִזְדַּמַּן לְהוּ מֵהַהוּא
דִּינָא קַשְׁיָא.

שפט. וְאַרְגָּמָן: דָּא זָהָב וְכֶסֶף, דְּאִתְהַדְרָן לְאִכְלְלָא כְּחֲדָא, מִיכָאֵל וְגַבְרִיאֵל
אִתְכְּלִילוּ דָא עִם דָּא, מִשְׁתַּלְבָּאן דָּא בְּדָא. וְעַל דָּא כְּתִיב, עוֹשֶׂה שָׁלוֹם בִּמְרוֹמָיו. וּבְגִין
דְּאִינּוּן מִשְׁתַּלְבָּאן דָּא בְּדָא, אִתְעֲבִידוּ גוּפָא חַד.

שצ. וְתוֹלַעַת שָׁנִי לְעֵילָא, וְאִתְכְּלִיל בְּאוּרִיאֵ"ל כְּמִלְּקַדְמִין, לְמֶחֱזֵי אֲוִזידוּ, גּוֹ תְּכֵלֶת,
וּבְגוֹ אַרְגָּמָן. וְעֵשֶׂ אִיהוּ לְעֵילָא, וְאִתְכְּלִיל כְּמִלְּקַדְמִין בְּרָזָא דִּרְפָאֵל, לְאִתְאַחֲדָא בְּכֶסֶף
וּבְזָהָב.

שצא. עַד הָכָא, רָזָא דְּז' עַמּוּדִין לְעֵילָא, גּוֹ ז' עַמּוּדִים דִּלְתַתָּא. קְלִיפָה גּוֹ קְלִיפָה,
לְנַטוֹרָא. וְעִזִּים: הָא אוּקִימְנָא דְּהָא אִלֵּין ז', מוֹוָא לְמוֹוָזָא, וְדָא אִיהוּ קְלִיפָה לְמוֹוְזָא.

שצב. וְעֹרֹת אֵלִים מְאָדָּמִים, אִלֵּין אִינּוּן מָארֵי תְרִיסִין, עַיְינִין מְלַהֲטִין בְּטִיסִין
דְּנוּרָא, כַּד"א, וְעֵינָיו כְּלַפִּידֵי אֵשׁ. וְאַקְרוּן רְקִיעִין לְבַר בְּגוֹ קְלִיפָה. וְעֹרוֹת תְּחָשִׁים,
אִלֵּין אִינּוּן לְגוֹ בְּסִטְרָא קַדִּישָׁא, וְאִתְאַחֲדָן בִּקְדוּשָׁה, וְלָא אִתְאַחֲזָן. כְּמָה דְּאַבָּרְן.

שצג. וַעֲצֵי שִׁטִּים, הָא אוּקִימְנָא דְּאִינּוּן שְׂרָפִים עוֹמְדִים, כַּד"א שְׂרָפִים עוֹמְדִים
מִמַּעַל לוֹ. מַאי מִמַּעַל לוֹ. מִמַּעַל לְהַהִיא קְלִיפָה. וְאִי תֵּימָא, הַאי קְרָא בְּקוּדְשָׁא בְּרִיךְ
הוּא אִתְּמַר, וְהָא אִתְּמַר וְאֵרָאֶה אֶת יְיָ, אֶת דַּיְיקָא, כְּגַוְונָא דָּא דִּכְתִיב בְּהַאי קְרָא,
דִּכְתִיב, וְשׁוּלָיו מְלֵאִים אֶת הַהֵיכָל, אֶת דַּיְיקָא לְאַסְגָּאָה הַהִיא קְלִיפָה. כֵּיוָן דְּאָמַר רָזָא
דְּהַהִיא קְלִיפָה, כְּתִיב שְׂרָפִים עוֹמְדִים מִמַּעַל לוֹ, מִמַּעַל לְהַהִיא קְלִיפָה.

שצד. שֶׁמֶן לַמָּאוֹר, דָּא מִשַּׁח רְבוּת עִלָּאָה, דְּאַתְיָא מִלְּעֵילָא. תְּרֵין שְׁמֶן אִינּוּן.
וְאִינּוּן תְּרֵי, וְחַד לְעֵילָא, דְּאַקְרֵי שֶׁמֶן הַמָּאוֹר. וְחַד לְתַתָּא דְּאַקְרֵי שֶׁמֶן לַמָּאוֹר. שֶׁמֶן
הַמָּאוֹר אִיהוּ עִלָּאָה, דְּקַיְימָא בְּחַדָּאי, וְלָא פָּסִיק לְעָלְמִין, וְתָדִיר מַלְיָא רְבוּת קַדִּישָׁא,
וְכָל בִּרְכָאן, וְכָל נְהוֹרִין, וְכָל בּוּצִינִין, כֹּלָּא אִתְבָּרְכָאן וְאִתְנַהֲרָן מִתַּמָּן. שֶׁמֶן לַמָּאוֹר,
לְזִמְנִין אִתְמַלְיָא וְלִזְמְנִין לָא.

שצה. תּוּ, הָא תָּנֵינָן, כְּתִיב וַיַּעַשׂ אֱלֹהִים אֶת שְׁנֵי הַמְּאֹרֹת הַגְּדֹלִים וְגוֹ', וְאַף עַל גַּב
דְּהָא אוּקִמוּהָ וּבָרַיָּיא, וְהָכִי אִיהוּ. אֲבָל שְׁנֵי הַמְּאֹרֹת הַגְּדֹלִים אִלֵּין: שֶׁמֶן הַמָּאוֹר,
וְשֶׁמֶן לַמָּאוֹר. עָלְמָא עִלָּאָה, וְעָלְמָא תַּתָּאָה. חַד דְּכַר, וְחַד נוּקְבָא. וְכָל זִמְנָא דִּדְכוּרָא
וְנוּקְבָא אַתְיָן כְּחֲדָא, תַּרְוַויְיהוּ קַרְיָין בְּלִישָׁנָא דִּדְכוּרָא. וּבְגִין דְּעָלְמָא עִלָּאָה אִקְרֵי
גָּדוֹל, בְּגִינֵיהּ עָלְמָא תַּתָּאָה דְּאִתְחַבָּר בַּהֲדֵיהּ בִּכְלָלָא, אִקְרֵי גָּדוֹל.

שצו. כֵּיוָן דְּאִתְפְּרַשׁ דָּא מִן דָּא, אִדְכְּרוּ בִּפְרָט, כָּל חַד וְחַד כַּדְקָא וְזֵי לֵיהּ. דָּא
אִקְרֵי גָּדוֹל, וְדָא אִקְרֵי קָטָן. וּבְג"כ אָמְרוּ קַדְמָאֵי, דְּלֵיהֱוֵי בַּר נָשׁ זָנָב לְאַרְיָוָותָא, וְלָא
רֵישָׁא לְשׁוּעָלַיָּא. דְּכַד אִיהוּ קַיְימָא גּוֹ אַרְיָוָותָא, אִקְרֵי כֹּלָּא בִּכְלָלָא דְּאַרְיָוָותָא. זָנָב
דְּאַרְיָא אַרְיָא אִיהוּ, בְּלָא פֵּרוּדָא. וְאִי בְּגוֹ שׁוּעָלִים אִיהוּ, אֲפִילוּ אִיהוּ רֵישָׁא. רֵישָׁא דְּשׁוּעָל

שׁוּעָל אִיהוּ, בְּלָא פְּרוּדָא, וְשׁוּעָל אִקְרֵי.

שצו. וְרָזָא דָּא הַאי קְרָא, דְּהָא בְּקַדְמֵיתָא כַּד יָתְבִין כַּחֲדָא, שְׁנֵי הַמְּאוֹרוֹת הַגְּדוֹלִים אִתְקְרוּן, אע"ג דְּדָא זַנְבָא לְגַבֵּי דְּעִלָּאָה. כֵּיוָן דְּדָא אִתְפְּרַשׁ מֵעִלָּאָה, כִּבְיָכוֹל לְמֶהֱוֵי רֵישָׁא לְשׁוּעָלִים, כְּדֵין אִקְרֵי קָטָן. וְעַל רָזָא דָּא שֶׁמֶן הַמָּאוֹר, דְּלָא פָּסִיק לְעָלְמִין, וְקַיְּימָא בִּסְלִיקוּ עִלָּאָה לְמִשְׁלַט בִּימָמָא. שֶׁמֶן לַמָּאוֹר פָּסִיק, וְאִקְרֵי קָטָן, וְשַׁלְטָא בְּלֵילְיָא.

שצז. וְחָמֵשׁ בּוּסְמִין אִינּוּן לְגוֹ שֶׁמֶן וּקְטֹרֶת, וְאע"ג דְּאִיהִי חַד אִינּוּן תְּרֵין וְכֹלָּא חַד. אַבְנֵי שֹׁהַם וְגוֹ'. כָּל הָנֵי תְּלֵיסַר אִינּוּן וְאִינּוּן תִּקּוּנָא דְּמַשְׁכְּנָא.

שצח. וְאַהַדְרָנָא לְמִלֵּי קַדְמָאֵי, זָהָב הָא אִתְּמַר דְּשִׁבְעָה זִינֵי זָהָב אִינּוּן. וְאִי תֵּימָא דְּזָהָב אִיהוּ דִּינָא, וְכֶסֶף אִיהוּ רַחֲמֵי, וְאִסְתַּלַּק זָהָב לְעֵילָּא מִנֵּיהּ. לָאו הָכִי, דְּוַדַּאי זָהָב סָלִיק יַתִּיר אִיהוּ עַל כֹּלָּא, אֲבָל זָהָב בְּאַרוֹן סְתָם אִיהוּ, וְדָא זָהָב עִלָּאָה, דְּאִיהוּ שְׁבִיעָאָה מִכָּל אִינּוּן זִינֵי זָהָב, וְדָא אִיהוּ זָהָב דְּנָהִיר וְנָצִיץ לְעַיְינִין, וְדָא אִיהוּ דְּכַד נָפִיק לְעָלְמָא, מַאן דְּאַדְבַּק לֵיהּ, טָמִיר לֵיהּ בְּגַוֵּיהּ, וּמִתַּמָּן נַפְקֵי וְאִתְמַשְּׁכָן כָּל זִינֵי זָהָב.

ת. אֵימָתַי אִקְרֵי זָהָב, מַאן דְּאִקְרֵי זָהָב. כַּד אִיהוּ בִּנְהִירוּ, וְאִסְתַּלַּק בִּיקָר דְּדוּחִילוּ, וְאִיהוּ בְּחֶדְוָה עִלָּאָה, לְמֶחֱדֵי לְתַתָּאֵי. וְכַד אִיהוּ בְּדִינָא, כַּד אִשְׁתַּנֵּי מֵהַהוּא גַּוְון, לְגַוְון תִּכְלָא אוּכָם וְסוּמָק, כְּדֵין אִיהוּ בְּדִינָא תַּקִּיפָא. אֲבָל זָהָב, בְּחֶדְוָה אִיהוּ, וּבִסְלִיקוּ דִּדְחִילוּ דְּחֶדְוָה קַיְּימָא, וּבְאִתְעָרוּתָא דְּחֶדְוָה.

תא. וְכֶסֶף לְתַתָּא, רָזָא דִּדְרוֹעָא יְמִינָא, דְּהָא רֵישָׁא עִלָּאָה זָהָב אִיהוּ, דִּכְתִיב אַנְתְּ הוּא רֵישָׁא דִּדְהַבָא. וְחַדוֹהִי וּדְרָעוֹהִי דִּי כְסַף לְתַתָּא. וְכַד אִשְׁתְּלִים כֶּסֶף, כְּדֵין אִתְכְּלִיל בְּזָהָב, וְרָזָא דָּא תַּפּוּחֵי זָהָב בְּמַשְׂכִּיּוֹת כָּסֶף. אִשְׁתְּכַח דְּכֶסֶף אִתְהַדַּר לְזָהָב, וּכְדֵין אִשְׁתְּלִים אַתְרֵיהּ. וְעַ"ד ז' זִינֵי זָהָב אִינּוּן.

תב. וּנְחֹשֶׁת נָפְקָא מִזָּהָב, וְאִשְׁתַּנֵּי לְגַוְונָא, דִּרְוֹעָא שְׂמָאלָא. וּתְכֵלֶת יַרְכָא שְׂמָאלָא. וְתוֹלַעַת שָׁנִי, יַרְכָא יְמִינָא, וְאִתְכְּלִיל בִּשְׂמָאלָא. וְשֵׁשׁ, דָּא נָהָר דְּנָגִיד וְנָפִיק, דְּאִיהוּ נָטִיל כָּל שִׁית סִטְרִין. כְּגַוְונָא דָּא לְתַתָּא, וְהָא אוֹקְמוּהָ וְאִתְּמַר.

תג. הָא הָכָא שֶׁבַע דְּיוֹבֵל, וְאִינּוּן ז' דִּשְׁמִיטָּה. וְאע"ג דְּאִינּוּן שִׁית, אִינּוּן תְּלֵיסַר, בִּשְׁבִיעָאָה, דְּאִיהוּ רֵישָׁא עֲלַיְיהוּ, הָא תְּלֵיסַר. רֵישָׁא דְּקַיְּימָא עַל כָּל גּוּפָא לְתַתָּא, רֵישָׁא דְּקַיְּימָא עַל כָּל שַׁיְיפֵי גּוּפָא, אִיהוּ זָהָב. מַה בֵּין הַאי לְהַאי. זָהָב עִלָּאָה, אִיהוּ בְּרָזָא סְתִימָא, וּשְׁמָא דִּילֵיהּ אִיהוּ זָהָב סָגוּר. סָגוּר וְסָתוּם מִכֹּלָּא, וְעַ"כ אִקְרֵי סָגוּר, דְּאִיהוּ סָגוּר מֵעֵינָא דְּלָא שַׁלְטָא בֵּיהּ. זָהָב תַּתָּאָה אִיהוּ בְּאִתְגַּלְיָא יַתִּיר. וּשְׁמָא דִּילֵיהּ אִיקְרֵי זָהָב יְרַקְרַק וְכוּ'.

תד. לְשַׁעֲתָא הֲוָה, דִּכְתִיב וְרוּחַ אֱלֹהִים לָבְשָׁה אֶת זְכַרְיָה. וְא"ת, הָא יִרְמְיָהוּ, דִּכְתִיב בֵּיהּ, בְּטֶרֶם אֶצָּרְךָ בַבֶּטֶן יְדַעְתִּיךָ. וְהָא אַחֲרָנִין. אֶלָּא כֻּלְּהוּ לָא זָכוּ לִנְבוּאָה וְלִכְהוּנָּה עִלָּאָה כְּאַהֲרֹן, דְּהָא אַהֲרֹן זָכָה בִּנְבוּאָה עִלָּאָה, עַל כָּל שְׁאָר כַּהֲנֵי. זָכָה בִּכְהוּנָּה עַל כֻּלְּהוּ.

תה. מֹשֶׁה זָכָה בִּנְבוּאָה, וְשִׁמֵּשׁ בִּכְהוּנָּה עִלָּאָה. שְׁמוּאֵל זָכָה בְּתַרְוַיְיהוּ. מַה מֹּשֶׁה הֲוָה קָרֵי, וְקוּדְשָׁא בְּרִיךְ הוּא אָתִיב לֵיהּ מִיַּד. אוּף שְׁמוּאֵל כְּתִיב בֵּיהּ, הֲלֹא קְצִיר חִטִּים הַיּוֹם אֶקְרָא אֶל יְיָ' וְיִתֵּן קֹלוֹת וְגוֹ'. אֲבָל לָא סָלִיק לְדַרְגָּא עִלָּאָה כְּמֹשֶׁה. מַה

אַהֲרֹן הֲוָה מְשַׁמֵּשׁ בִּכְהוּנָּה גַּבֵּי קוּדְשָׁא בְּרִיךְ הוּא, אוּף שְׁמוּאֵל הֲוָה מְשַׁמֵּשׁ קָמֵי קוּדְשָׁא בְּרִיךְ הוּא, אֲבָל לָא סָלִיק בְּשִׁמּוּשָׁא עִלָּאָה כְּאַהֲרֹן.

תו. וּמִלָּה הָכִי הוּא. תְּלָתָא אִינּוּן דַּהֲווֹ נְבִיאֵי מְהֵימְנֵי, וְשַׁמְּשׁוּ בִּכְהוּנָּה. וְחַד מֹשֶׁה, וְחַד אַהֲרֹן, וְחַד שְׁמוּאֵל. וְאִי תֵּימָא שְׁמוּאֵל לָא מָשִׁיךְ בִּכְהוּנָּה, אֶלָּא אַחֲרָא הֲוָה דְּשַׁמֵּשׁ בִּכְהוּנָּה, וּמַנּוּ יִרְמְיָהוּ. לָאו הָכִי, דְּהָא כְּתִיב, מִן הַכֹּהֲנִים אֲשֶׁר בַּעֲנָתוֹת. מִן הַכֹּהֲנִים הֲוָה, אֲבָל לָא שַׁמֵּשׁ. וּשְׁמוּאֵל בְּיוֹמֵי דְּעֵלִי שַׁמֵּשׁ. וּמֹשֶׁה זִמְנָא חֲדָא, כָּל אִינּוּן ז' יְמֵי מִלּוּאִים.

תז. שְׁמוּאֵל זָכָה לְנַעַר, דִּכְתִּיב וְהַנַּעַר נָעַר. וּשְׁמוּאֵל מְשָׁרֵת. וּבְגִין דְּקַיְּימָא בְּהַאי דַּרְגָּא, וַדַּאי אִיהוּ כְּמֹשֶׁה וְאַהֲרֹן. מַאן דְּנָטִיל לְהַאי נַעַר, וְזָכֵי בֵּיהּ, זָכֵי בְּאִינּוּן דַּרְגִּין עִלָּאִין, דְּקַיְּימִן בְּהוּ מֹשֶׁה וְאַהֲרֹן.

תח. כְּרוּבִים אִינּוּן זָהָב, כְּמָה דְּאוּקְמוּהָ, בְּגִין דְּנַפְקֵי מִסִּטְרָא דְּזָהָב, וְלָא אִתְעָרַב בְּהוּ כֶּסֶף, וְלָא גַּוְון אַחֲרָא, וְדָא אִיהוּ גַּוְון זָהָב יְרַקְרַק. בְּמַשְׁכְּנָא מִתְעָרְבִין גַּוְונִין, זָהָב וָכֶסֶף לְמֵיהַךְ כַּחֲדָא, לְמֶהֱוֵי רָזָא דִּלְעֵילָּא בְּחַד. תּוּ נְחוֹשֶׁת לְמֶהֱוֵי בַּהֲדַיְיהוּ, וּלְמֵיזַל בֵּינַיְיהוּ כָּל סִטְרִין, לְאִשְׁתַּכְּחָא שְׁלִימוּ בְּכֹלָּא כַּחֲדָא, דִּכְתִּיב זָהָב וָכֶסֶף וּנְחוֹשֶׁת.

תט. ד"א זָהָב וָכֶסֶף. זָהָב דְּאִתְהַדָּר לְכֶסֶף, וְכֶסֶף לְזָהָב, וְכֹלָּא אִתְכְּלִיל כַּחֲדָא, וּבְדוּכְתָּא חֲדָא. בִּתְלַת גַּוְונִין אִתְהַדָּר, כַּד אִצְטְרִיךְ לְחֶדְוָותָא וְלָא דִּינָא, זָהָב. כַּד אִצְטְרִיךְ לְרַחֲמֵי, כֶּסֶף. כַּד אִצְטְרִיךְ תָּקְפָּא דְּדִינָא, נְחוֹשֶׁת.

תי. וְעַ"ד אִסְתַּכַּל מֹשֶׁה, בְּעוֹבָדָא דְּנָחָשׁ הַנְּחוֹשֶׁת, דִּכְתִּיב וַיַּעַשׂ מֹשֶׁה נְחַשׁ נְחוֹשֶׁת, וַהֲוָה יָדַע אֲתַר דְּהִתּוּכָא דְּזָהָב בְּהַהוּא נְחוֹשֶׁת, בְּגִין דְּנָחָשׁ כְּלִישָּׁנָא דִּילֵיהּ הוּא, וְאַתְרֵיהּ הֲוָה יָדַע. דְּהָא קב"ה לָא אָמַר לֵיהּ אֶלָּא עֲשֵׂה לְךָ שָׂרָף, וְאִיהוּ אָתָא וַעֲבַד נְחַשׁ נְחוֹשֶׁת, דִּכְתִּיב וַיַּעַשׂ מֹשֶׁה נְחַשׁ נְחוֹשֶׁת. מַאי טַעֲמָא.

תיא. אֶלָּא אֲתַר הֲוָה יָדַע, וְעִקָּרָא דְּמִלְּתָא הֲוָה, דְּהָא בְּקַדְמֵיתָא כְּתִיב, וַיְשַׁלַּח יְיָ' בָּעָם אֵת הַנְּחָשִׁים הַשְּׂרָפִים, וּכְתִיב נָחָשׁ שָׂרָף. עִקָּרָא דִּלְהוֹן נָחָשׁ אִיהוּ. וּבְגִין דְּמֹשֶׁה הֲוָה יָדַע עִקָּרָא וְשָׁרְשָׁא וִיסוֹדָא מֵהַהוּא אֲתָר, עֲבַד נָחָשׁ וְאִסְתְּמִיךְ עָלֵיהּ. מ"ט. בְּגִין דְּיִשְׂרָאֵל חָטְאוּ בְּלִישָּׁנֵהוֹן, דִּכְתִּיב וַיְדַבֵּר הָעָם בֵּאלֹהִים וּבְמֹשֶׁה, וְעַ"ד וַיְשַׁלַּח יְיָ' בָּעָם אֵת הַנְּחָשִׁים הַשְּׂרָפִים.

תיב. וּמֹשֶׁה לָא אָזַל אֶלָּא בָּתַר עִקָּרָא, וַעֲבַד נְחַשׁ נְחוֹשֶׁת, בְּהַהוּא גַּוְונָא דְּאִצְטְרִיךְ לֵיהּ, דְּהָא אַתְרֵיהּ נְחוֹשֶׁת אִיהוּ. וְקב"ה לָא א"ל מִמָּה יִתְעֲבִיד, וּמֹשֶׁה אִסְתַּכַּל וַעֲבַד לֵיהּ מִנְּחוֹשֶׁת, כְּמָה דְּאִצְטְרִיךְ לְאַתְרֵיהּ. מְנָלַן. דִּכְתִּיב וַיַּעַשׂ מֹשֶׁה נְחַשׁ נְחוֹשֶׁת וַיְשִׂימֵהוּ עַל הַנֵּס. מַאי עַל הַנֵּס. עַל הַהוּא רְשִׁימוּ דְּאִיהוּ לְעֵילָּא.

תיג. וְהָא תָּנֵינָן, בְּכָל אֲתַר הַאי נָחָשׁ אַזְלָא בָּתַר רָזָא דְּאֵשֶׁת חַיִל, וּבַעְיָא אֵשֶׁת זְנוּנִים לְאִתְתַּקְּנָא גַּרְמָהּ כְּגַוְונָא דִּילָהּ, וְלָא יָכִילַת. אֵשֶׁת חַיִל, הַהוּא רְשִׁימוּ וְאָת דִּילָהּ, אִיהוּ אָת ה', וְהָכִי אִתְחֲזֵי לָהּ. אֵשֶׁת זְנוּנִים הַהוּא רְשִׁימָא וְאָת דִּילָהּ אִיהוּ כְּהַהוּא גַּוְונָא דְּאִצְטְרִיךְ, וְלָא אִתְתַּקַּן לְמֶהֱוֵי הָכִי, וְאָת דִּילָהּ ק', אָת דִּילָהּ אִתְתַּקְּנָא בְּתִקּוּנָא דְּאָת ה', כְּגַוְונָא דְּקוּפָא אֵצֶל בְּנֵי נָשָׁא, דְּאַזְלָא בָּתַר בְּנֵי נָשָׁא, וְלָא אִתְתַּקַּן לְמֶעְבַּד הָכִי. כְּגַוְונָא דָּא עֲבַד מֹשֶׁה הַהוּא נָחָשׁ, עַל הַהוּא רְשִׁימוּ דְּאִתְחֲזֵי לֵיהּ, וְתָדִיר אִתְתַּקַּן לְאַבְאָשָׁא, וְעָלֵיהּ חָב אָדָם, וְאִתְתָּרַךְ מִגִּנְתָּא דְּעֵדֶן, דַּהֲוָה אֲתַר דְּיוֹרֵיהּ כְּגַוְונָא דְּדִיוּרָא דִּלְעֵילָּא.

תיד. כְּתִיב וַיֹּאמֶר אֱלֹהִים יְהִי אוֹר וַיְהִי אוֹר. אָמַר רַבִּי יוֹסִי, הַהוּא אוֹר אִתְגְּנִיז וְאִיהוּ אִזְדְּמַן לְגַבֵּי צַדִּיקַיָּא לְעָלְמָא דְּאָתֵי. כְּמָה דְּאוֹקְמוּהָ, דִּכְתִיב אוֹר זָרוּעַ לַצַּדִּיק. לַצַּדִּיק וַדַּאי סְתָם. וְהַהוּא אוֹר לָא שַׁמֵּשׁ בְּעָלְמָא, בַּר יוֹמָא קַדְמָאָה. וּלְבָתַר אִתְגְּנִיז, וְלָא שַׁמֵּשׁ יַתִּיר.

תטו. רַבִּי יְהוּדָה אוֹמֵר, אִלְמָלֵי אִתְגְּנִיז מִכֹּל וָכֹל, לָא קָאֵים עָלְמָא אֲפִילּוּ רִגְעָא וְחָדָא, אֶלָּא אִתְגְּנִיז וְאִזְדְּרַע כְּהַאי זַרְעָא דְּעָבִיד תּוֹלְדִין וְזַרְעִין וְאִיבִּין, וּמִנֵּיהּ אִתְקַיָּים עָלְמָא. וְלֵית לָךְ יוֹמָא, דְּלָא נָפִיק מִנֵּיהּ בְּעָלְמָא, וּמְקַיֵּים כֹּלָּא דְּבֵיהּ זָן קוּדְשָׁא בְּרִיךְ הוּא עָלְמָא. וּבְכָל אֲתַר דְּלָעָאן בְּאוֹרַיְיתָא בְּלֵילְיָא, חַד חוּטָא נָפִיק מֵהַהוּא אוֹר גָּנִיז, וְאִתְמְשִׁיךְ עַל אִינּוּן דְּלָעָאן בָּהּ, הֲדָא הוּא דִּכְתִיב, יוֹמָם יְצַוֶּה יְיָ' חַסְדּוֹ וּבַלַּיְלָה שִׁירֹה עִמִּי. וְהָא אוֹקִימְנָא.

תטז. יוֹמָא דְּאִתְקַם מַשְׁכְּנָא לְתַתָּא, מָה כְּתִיב וְלָא יָכוֹל מֹשֶׁה לָבֹא אֶל אֹהֶל מוֹעֵד כִּי שָׁכַן עָלָיו הֶעָנָן. מַאי הֶעָנָן. חַד חוּטָא הֲוָה מֵהַהוּא סִטְרָא דְּאוֹר קַדְמָאָה, דְּנָפַק בְּחֶדְוָה דְּכֹלָּא, עָאלַת לְמַשְׁכְּנָא דִּלְתַתָּא. וּמֵהַהוּא יוֹמָא. לָא אִתְגְּלֵי, אֲבָל שִׁמּוּשָׁא קָא מְשַׁמֵּשׁ בְּעָלְמָא, וְאִיהוּ מְחַדֵּשׁ בְּכָל יוֹמָא עוֹבָדָא דִּבְרֵאשִׁית.

תיז. רַבִּי יוֹסִי הֲוָה לָעֵי בְּאוֹרַיְיתָא, וַהֲווּ עִמֵּיהּ רַבִּי יִצְחָק וְר' חִזְקִיָּה. אָמַר ר' יִצְחָק, הָא חֲמֵינָן דְּעוֹבָדָא דְּמַשְׁכְּנָא, כְּגַוְונָא דְּעוֹבָדָא דְּשָׁמַיִם וָאָרֶץ, וְהָא אִתְּעָרוּ חַבְרַיָּיא בְּרָזִין דִּלְהוֹן זְעִירוּ, דְּלָא יָכִיל בַּר נָשׁ לְמֵיכַל בְּפוּמֵיהּ, וּלְמֵישַׁט יְדֵיהּ לְגוֹ פּוּמֵיהּ וּלְמִבְלַע.

תיח. א"ר יוֹסִי, מִלִּין אִלֵּין נִסְלַק לוֹן לְגַבֵּי בּוּצִינָא קַדִּישָׁא, דְּאִיהוּ מְתַקֵּן תַּבְשִׁילִין מְתִיקִין, כְּמָה דְּאַתְקִין לוֹן עַתִּיקָא קַדִּישָׁא, סְתִימָא דְּכָל סְתִימִין, וְאִיהוּ אַתְקִין תַּבְשִׁילִין, דְּלֵית בְּהוּ אֲתַר, לְמֵיתֵי אַחֲרָא, לְמִשְׁדֵּי בְּהוּ מִלְחָא. וְתוּ, דְּיָכִיל בַּר נָשׁ לְמֵיכַל וּלְמִשְׁתֵּי וּלְאַשְׁלְמָא כְּרֵסוֹי מִכָּל עִדּוּנִין דְּעָלְמָא וּלְאִשְׁתְּאָרָא, וּבֵיהּ יִתְקַיֵּים, וַיִּתֵּן לִפְנֵיהֶם וַיֹּאכְלוּ וַיּוֹתִירוּ כִּדְבַר יְיָ'.

תיט. פָּתַח וְאָמַר, וַיְיָ', נָתַן חָכְמָה לִשְׁלֹמֹה כַּאֲשֶׁר דִּבֶּר לוֹ וַיְהִי שָׁלוֹם בֵּין חִירָם וּבֵין שְׁלֹמֹה וַיִּכְרְתוּ בְרִית שְׁנֵיהֶם. הַאי קְרָא הָא אִתְמַר בְּכַמָּה דּוּכְתֵּי. אֲבָל וַיְיָ', אִסְתַּכְּמוּתָא דִּלְעֵילָּא וְתַתָּא כַּחֲדָא. וַיְיָ' אִיהוּ וּבֵי דִּינֵיהּ. נָתַן חָכְמָה, נָתַן: כְּמַאן דְּיָהִיב נְבִזְבְּזָא וּמַתָּנָה לְרְחִימֵיהּ. כַּאֲשֶׁר דִּבֶּר לוֹ, שְׁלִימוּ דְּחָכְמְתָא, בְּעוּתְרָא, וּבִשְׁלָם, וּבְשָׁלְטָנוּ, הה"ד כַּאֲשֶׁר דִּבֶּר לוֹ.

תכ. וַיְהִי שָׁלוֹם בֵּין חִירָם וּבֵין שְׁלֹמֹה, מ"ט. בְּגִין דַּהֲווּ יַדְעֵי דָּא לְדָא, סְתִימוּ דְּמִלִּין דַּהֲווּ אַמְרֵי, וּבְנֵי נָשָׁא אַחֲרָנִין לָא הֲווּ יַדְעֵי לְאִסְתַּכְּלָא וּלְמִנְדַּע בְּהוּ כְּלַל, וּבְגִינַיְיהוּ, אִתְהַדָּר חִירָם לְאוֹדָאָה לִשְׁלֹמֹה בְּכָל מִלּוֹי.

תכא. שְׁלֹמֹה מַלְכָּא, אִסְתַּכַּל וַהֲוָה חָמֵי, דְּהָא אֲפִילּוּ בְּהַהוּא דָּרָא, דַּהֲוָה שְׁלִים מִכָּל דָּרִין אַחֲרָנִין, לָא הֲוָה רְעוּתָא דְּמַלְכָּא עִלָּאָה, דְּיִתְגְּלֵי חָכְמָה כ"כ עַל יְדֵיהּ, דְּאִתְגְּלֵי אוֹרַיְיתָא דַּהֲוָה סְתִימָא בְּקַדְמֵיתָא, וּפָתַח לָהּ פִּתְחִין. וְאַף עַל גַּב דְּפָתַח, סְתִימִין אִינּוּן, בַּר לְאִינּוּן חַכִּימִין דְּזָכוּ, וּמְתַגַּמְגְּמֵי בְּהוּ, וְלָא יַדְעֵי לְמִפְתַּח בְּהוּ פּוּמָא. וְדָרָא דָּא דְּרַבִּי שִׁמְעוֹן שַׁרְיָא בְּגַוֵּיהּ, רְעוּתָא דְּקֻבָּ"ה בְּגִינֵיהּ דְּרַבִּי שִׁמְעוֹן, דְּיִתְגַּלְיָין מִלִּין סְתִימִין עַל יְדוֹי.

תכב. אֲבָל תַּוְהְנָא עַל חַכִּימֵי דָּרָא, הֵיךְ שַׁבְקִין אֲפִילּוּ רִגְעָא חָדָא, לְמֵיקַם קָמֵי דְּר"ש

לְמִלְעֵי בְּאוֹרַיְיתָא, בְּעוֹד דְּרַבִּי שִׁמְעוֹן קָאִים בְּעָלְמָא, אֲבָל בְּדָרָא דָּא לָא יִתְנְשֵׁי וְחָכְמְתָא מֵעָלְמָא, וַוי לְדָרָא כַּד יִסְתַּלַּק אִיהוּ, וְחַכִּימִין יִתְמַעֲטוּן, וְחָכְמְתָא יִתְנְשֵׁי מֵעָלְמָא.

תכג. אָמַר ר' יִצְחָק, וַדַּאי הָכִי אִיהוּ, דְּהָא יוֹמָא חַד הֲוֵינָא אָזִיל עִמֵּיהּ בְּאָרְחָא, וּפָתַח פּוּמֵיהּ בְּאוֹרַיְיתָא, וַחֲמֵינָא עַמּוּדָא דַּעֲנָנָא נָעִיץ מֵעֵילָּא לְתַתָּא, וְחַד זִיהֲרָא זָהִיר גּוֹ עַמּוּדָא. דְּחִילְנָא דְּחִילוּ סַגִּי אֲמֵינָא זַכָּאָה אִיהוּ בַּר נָשׁ, דְּהָכִי אִזְדְּמַן לֵיהּ בְּהַאי עָלְמָא.

תכד. מַה כְּתִיב בֵּיהּ בְּמֹשֶׁה, וְרָאָה כָל הָעָם אֶת עַמּוּד הֶעָנָן עוֹמֵד פֶּתַח הָאֹהֶל וְקָם כָּל הָעָם וְהִשְׁתַּחֲווּ אִישׁ פֶּתַח אָהֳלוֹ. יָאוּת הוּא לְמֹשֶׁה, דְּאִיהוּ נְבִיאָה מְהֵימָנָא עִלָּאָה עַל כָּל נְבִיאֵי עָלְמָא, וְדָרָא הַהוּא דְּקַבִּילוּ אוֹרַיְיתָא עַל טוּרָא דְּסִינַי, וְחָמוּ כַּמָּה נִסִּין וְכַמָּה גְּבוּרָאן בְּמִצְרַיִם וְעַל יַמָּא. אֲבָל הָכָא בְּדָרָא דָּא, זְכוּתָא עִלָּאָה דְּרַבִּי שִׁמְעוֹן קָא עָבִיד, לְאִתְחֲזָאָה נִסִּין עַל יְדוֹי.

תכה. וּתְכֵלֶת, אָמַר רַבִּי יִצְחָק, תְּכֵלֶת מֵהַהוּא נוּנָא דְּיַמָּא דְּגִינּוֹסָר, דְּאִיהוּ בְּעַדְבֵיהּ דִּזְבוּלוּן. וְאִצְטְרִיךְ גַּוְונָא דָּא לְעוֹבָדָא דְּמַשְׁכְּנָא לְאִתְחֲזָאָה הַאי גָּוֶון.

תכו. פָּתַח וְאָמַר, וַיֹּאמֶר אֱלֹהִים יְהִי רָקִיעַ בְּתוֹךְ הַמָּיִם וִיהִי מַבְדִּיל בֵּין מַיִם לָמָיִם. הַאי רְקִיעַ אִתְבְּרֵי בַּשֵּׁנִי, דְּעוֹבָדָא דָּא מִסִּטְרָא דִּשְׂמָאלָא אִיהוּ. וּבְיוֹמָא תִּנְיָינָא דְּאִיהוּ סְטַר שְׂמָאלָא, אִתְבְּרֵי בֵּיהּ גֵּיהִנָּם, דְּאִיהוּ נָפִיק מִגּוֹ הַתּוּכָא דְּנוּרָא דִּשְׂמָאלָא, וּבְיַמָּא אִצְטְבַע בָּהּ גָּוֶון תִּכְלָא, דְּאִיהוּ כּוּרְסַיָּיא דְּדִינָא.

תכז. וְנָטִיל הַאי יוֹמָא מַיִם דַּהֲווֹ מִסִּטְרָא דִּימִינָא, וְאִינּוּן מַיִם דַּהֲווֹ מִסִּטְרָא דִּימִינָא, לָא אִתְגַּלוּ אֶלָּא בְּיוֹם שֵׁנִי. בְּיוֹמָא דִּילֵיהּ, לָא אִתְגְּלֵי מַיִם, אֶלָּא אִתְחַלַּף, בְּגִין דְּאִתְכְּלִיל דָּא בְּדָא, וְאִתְבַּסַּם דָּא בְּדָא. אוֹר דְּיוֹמָא קַדְמָאָה, נְהִירוּ קַדְמָאָה מִכָּל שִׁיתָא נְהוֹרִין אִיהוּ. וְהַאי אוֹר בְּסִטְרָא דְּאֶשָּׁא הֲוָה, דִּכְתִּיב וְהָיָה אוֹר יִשְׂרָאֵל לְאֵשׁ. וְהַהוּא אוֹר דְּיִשְׂרָאֵל מִסִּטְרָא דִּימִינָא הֲוָה, אִתְכְּלִיל בְּאֶשָּׁא.

תכח. וְיוֹמָא קַדְמָאָה מֵאִינּוּן שִׁיתָא יוֹמִין, מַיִם אִיהוּ, וְלָא שַׁמֵּשׁ עוֹבָדָא דְּמַיִם, אֶלָּא עוֹבָדָא דְּאוֹר, דְּאִיהוּ מִסִּטְרָא דְּאֵשׁ, דְּאִיהוּ יוֹם שֵׁנִי. לְאַחֲזָאָה דְּקֻבְּ"ה לָא בָּרָא עָלְמָא, אֶלָּא עַל שָׁלוֹם, וּבְאֹרַח שָׁלוֹם הֲוָה כֹּלָּא. יוֹמָא קַדְמָאָה כָּל מַה דַּעֲבַד, מִסִּטְרָא דְּחַבְרֵיהּ עָבֵד. יוֹמָא תִּנְיָינָא בְּסִטְרָא דְּיוֹמָא קַדְמָאָה עֲבַד הַהוּא אוּמָנָא, וְשַׁמֵּשׁ בָּהּ, דְּכָל חַד שַׁמֵּשׁ בְּעוֹבָדָא דְּחַבְרֵיהּ, לְאַחֲזָאָה, דְּהָא אִתְכְּלִילוּ דָּא בְּדָא. יוֹמָא תְּלִיתָאָה, הֲוָה בְּסִטְרָא דִּתְרַוַויְיהוּ, וּבֵיהּ הֲוָה אַרְגְּמָן, וְעַל דָּא כְּתִיב, כִּי טוֹב תְּרֵי זִמְנֵי בְּיוֹמָא תְּלִיתָאָה.

תכט. תְּכֵלֶת, דָּא יוֹמָא תִּנְיָינָא, אִצְטְבַע בְּב' גַּוְונִין סוּמָק וְאוּכָם. וּתְכֵלֶת, סוּמָק אִיהוּ דִּילֵיהּ, מִיּוֹמָא תִּנְיָינָא מַמָּשׁ, כְּעֵין גָּוֶון אֶשָּׁא, וְדָא אִיהוּ אֱלֹהִים, וְיָרִית גָּוֶון דְּדַהֲבָא, דְּכֹלָּא גַּוְונָא חֲדָא. תְּכֶלְתָּא נָפִיק מִגּוֹ הַהוּא גָּוֶון סוּמָק, וְכַד נָחִית לְתַתָּא, אִתְרַחַק גָּוֶון סוּמָק, וְעָאל גּוֹ הַהוּא אֲתַר דְּאִיהוּ יַמָּא, וְאִצְטְבַע גָּוֶון תִּכְלָא. הַהוּא סוּמָקָא עָיֵיל גּוֹ יַמָּא, וְאִתְחַלַּשׁ גָּוֶון דִּילֵיהּ, וְאִתְהַדַּר תִּכְלָא, וְדָא אִיהוּ אֱלֹהִים, אֲבָל לָאו אִיהוּ תַּקִּיפָא כְּקַדְמָאָה.

תל. אוּכָם, גָּוֶון דָּא נָפִיק מֵהַתּוּכָא דְּסוּמָקָא, כַּד אִתְהַתָּךְ וְאִתְחַלַּשׁ לְתַתָּא בְּהַתּוּכָא דְּזוּהֲמָא, וְנָחִית לְתַתָּא, וְנָפִיק מֵהַהוּא זוּהֲמָא גָּוֶון סוּמָק, מִזּוּהֲמָא תַּקִּיפָא, וּמִגּוֹ זוּהֲמָא תַּקִּיפָא, אִתְהַדַּר לְאוּכָם. וְכֹלָּא מֵהַהוּא סוּמָקָא קַדְמָאָה אִתְהַתָּךְ. וְכָל דָּא אִתְבְּרֵי בַּשֵּׁנִי, וְהַאי אִקְרֵי אֱלֹהִים אֲחֵרִים.

תלא. האי אוכם איהו וחשוך יתיר, דלא אתחזי גוון דיליה מגו חשוכא. בוצינא קדישא הכי אמר, דהאי גוון אוכם וחשוך, באן אתר אצטבע. אלא כד ההוא סומקא אתהתך בגו תכלא, ואתערבו גוונין, אתהדך התוכא דזוהמא לגו תהומי, ואתעביד מתמן רפש וטיט. כד"א ויגרשו מימיו רפש וטיט. ומגו ההוא טינא דתהומי, נפק ההוא וחשוך דאיהו אוכם, ולא אוכם אלא חשוך יתיר, הה"ד וחושך על פני תהום. אמאי אקרי חשך, בגין דגוון דיליה חשוך, ואחשיך אנפי בריין. ודא איהו סומק ואוכם, ובגין דא לא כתיב בשני כי טוב.

תלב. ואי תימא, והא כתיב והנה טוב מאד דא מלאך המות, והכא אמרת דלא אתמר בגיניה כי טוב. אלא רזא דרזין הכא, דהא ודאי מלאך המות איהו טוב מאד. מ"ט. בגין דהא כל בני עלמא ידעי דימותון ויתהדרון לעפרא, וסגיאין אינון דמהדרי בתיובתא למאריהון, בגין דיזילו דא, ודחלי למחטי קמיה. סגיאין דחלי מן מלכא, מגו דתליא רצועה לקמייהו. כמה טבא ההיא רצועה לגבי ב"נ, דעבדת לון טבין וקשיטין, ומתקנין בארחייהו כדקא יאות. וע"ד והנה טוב מאד. מאד ודאי.

תלג. רזא דרזין, דאוליפנא מגו בוצינא קדישא והנה טוב, דא מלאך חיים. מאד, דא מלאך המות, דאיהו יתיר. אמאי מלאך המות איהו טוב מאד. אלא כד ברא קב"ה עלמא, כלא הוה מתתקן על לא ייתי אדם, דאיהו מלכא דהאי עלמא. כיון דאתברי אדם, עבד ליה מתתקן בארח קשוט, הה"ד אשר עשה האלהים את האדם ישר והמה בקשו חשבונות רבים, עבד ליה ישר, ולבתר סרח, ואטריד מגנתא דעדן.

תלד. גן עדן איהו בארעא, נטיע באינון נטיען דנטע ליה קב"ה, כד"א ויטע יי' אלהים גן בעדן מקדם, איהו נטע ליה בשמא שלים, כגוונא עלאה לעילא. וכל דיוקנין עלאין כלהו, מרקמן ומתציירן בהאי גן עדן דלתתא, ותמן אינון כרובים. לאו אינון גליפין בגליפוי דבני נשא מדהבא או ממלה אחרא, אלא כלהו נהורין דלעילא, גליפין ומתציירין בציורא מרקמא, עובדי ידי אומנא דשמא שלים דקב"ה, וכלהו מוזקקן תמן. וכל דיוקנין וציורין דהאי עלמא, כלהו מתציירן תמן, וגליפן ומתחקקן תמן, כלהו כגוונא דהאי עלמא.

תלה. ואתר דא איהו מדורא לרוחין קדישין, בין אינון דאתו להאי עלמא, בין אינון דלא אתו להאי עלמא, ואינון דזמינין למיתי להאי עלמא. כלהו רוחין מתלבשן בלבושין וגופין ופרצופין כגוונא דהאי עלמא, ומסתכלן תמן בזיו יקרא דמאריהון, עד דאתיין להאי עלמא.

תלו. בשעתא דנפקי מתמן, למיתי להאי עלמא, מתפשטין אינון רוחין, מההוא גופא ולבושא דתמן, ומתלבשין בגופא ובלבושא דהאי עלמא, ועבדין דיוריהון בהאי עלמא, בלבושא וגופא דא, דאיהו מטפה סרוחה.

תלז. וכד מטי זמניה למיהך ולנפקא מהאי עלמא, לא נפיק עד דהאי מלאך המות אפשיט ליה לבושא דגופא דא. כיון דאתפשט האי גופא מההוא רוחא, ע"י דההוא מלאך המות, אזלא ומתלבשא בההוא גופא אחרא דבגנתא דעדן, דאתפשיט כד אתי להאי עלמא. ולית חדו לרוחא, בר בההוא גופא דתמן, וחדי על דאתפשט מהאי גופא דהאי עלמא, ואתלבש בלבושא אחרא שלים, כגוונא דהאי עלמא, וביה יתיב ואזיל ואסתכל למנדע ברזין עלאין, מה דלא יכיל למנדע ולאסתכלא בהאי עלמא

בְּגוּפָא דָא.

תלח. וְכַד אִתְלַבְּשַׁת נִשְׁמְתָא בְּהַהוּא לְבוּשָׁא דְּהַהוּא עָלְמָא, כַּמָּה עִדּוּנִין, כַּמָּה כִּסוּפִין דִּילָהּ תַּמָּן. מַה גָּרִים לְגוּפָא דָא, לְאִתְלַבְּשָׁא בֵּיהּ רוּחָא. הֲוֵי אֵימָא הַהוּא דְּאַפְשִׁיט לֵיהּ לְבוּשִׁין אִלֵּין. וְקֻבְּ"ה עָבִיד טִיבוּ עִם בִּרְיָין, דְּלָא אַפְשִׁיט לֵיהּ לְבַר נָשׁ לְבוּשִׁין אִלֵּין, עַד דְּאַתְקִין לֵיהּ לְבוּשִׁין אָחֳרָנִין יַקִּירִין וְטָבִין מֵאִלֵּין.

תלט. בַּר לְאִינּוּן חַיָּיבֵי עָלְמָא, דְּלָא אַהַדְרוּ בִּתְיוּבְתָּא שְׁלִימְתָא לְמָארֵיהוֹן, דְּעַרְטִילָאִין אָתוּ לְהַאי עָלְמָא, וְעַרְטִילָאִין יְתוּבוּן תַּמָּן. וְנִשְׁמְתָא אָזְלָא בְּכִסּוּפָא לְגַבֵּי אָחֳרָנִין, דְּלֵית לָהּ לְבוּשִׁין כְּלַל, וְאִתְדָּנַת בְּהַהוּא גֵּיהִנָּם דְּבְאַרְעָא, מִגּוֹ הַהוּא אֶשָּׁא דִּלְעֵילָּא. וְאִית מִנַּיְיהוּ דְּמִצְפְּצְפֵי וְסַלְקֵי, וְאִלֵּין אִינּוּן חַיָּיבֵי עָלְמָא, דְּחַשְׁבֵי בְּלִבַּיְיהוּ תְּשׁוּבָה, וּמִיתוּ, וְלָא יָכִילוּ לְמֶעְבַּד לָהּ. אִלֵּין אִתְדָּנוּ תַּמָּן בְּגֵיהִנָּם, וּלְבָתַר מִצַּפְצְפֵי וְסַלְקִין.

תמ. חָמֵי כַּמָּה רַחֲמָנוּתָא דְּקֻבְּ"ה עִם בִּרְיוֹהִי, דַּאֲפִילוּ דְּאִיהוּ חַיָּיבָא יַתִּיר, וְהִרְהֵר תְּשׁוּבָה, וְלָא יָכִיל לְמֶעְבַּד תְּשׁוּבָה, וּמִית, הַאי בְּוַדַּאי, מְקַבֵּל עוֹנְשָׁא, עַד דְּאָזִיל בְּלָא תְּשׁוּבָה. לְבָתַר הַהוּא רְעוּתָא דְּשַׁוֵּי לְמֶעְבַּד תְּשׁוּבָה, לָא אַעֲדִּיאַת מִקַּמֵּי מַלְכָּא עִלָּאָה, וְקֻבְּ"ה אַתְקִין לְהַהוּא חַיָּיבָא דּוּכְתָּא, בְּמָדוֹרָא דִּשְׁאוֹל, וְתַמָּן מְצַפְצְפָא תְּשׁוּבָה. דְּהָא הַהוּא רְעוּתָא נָחִית מִקַּמֵּי קֻבְּ"ה, וְתָבַר כָּל גַּזְזִין דְּתַרְעֵי מָדוֹרֵי גֵּיהִנָּם, וּמָטֵי לְהַהוּא אֲתַר דְּהַהוּא חַיָּיבָא תַּמָּן, וּבָטַשׁ בֵּיהּ, וְאִתְּעַר לֵיהּ הַהוּא רְעוּתָא כְּמִלְּקַדְמִין. וּכְדֵין מְצַפְצְפָא הַהִיא נִשְׁמְתָא, לְסַלְּקָא מִגּוֹ מָדוֹרָא דִּשְׁאוֹל.

תמא. וְלֵית רְעוּתָא טָבָא דְּיִתְאֲבִיד מִקַּמֵּי מַלְכָּא קַדִּישָׁא. וּבְגִין כַּךְ, זַכָּאָה אִיהוּ מַאן דְּמְהַרְהֵר הִרְהוּרִין טָבִין לְגַבֵּי מָארֵיהּ, דְּאַף עַל גַּב דְּלָא יָכִיל לְמֶעְבַּד לוֹן, קֻבְּ"ה סָלִיק לֵיהּ רְעוּתֵיהּ כְּאִילוּ עָבִיד. דָא לְטָב. אֲבָל רְעוּתֵיהּ לְבִישׁ, לָא. בַּר הִרְהוּרָא דְּכוּ"ם, וְהָא אוֹקְמוּהָ חַבְרַיָּיא.

תמב. אִינּוּן דְּלָא הִרְהֲרוּ תְּשׁוּבָה, נָחְתֵי לִשְׁאוֹל, וְלָא סַלְקֵי מִתַּמָּן לְדָרֵי דָּרִין. עָלַיְיהוּ כְּתִיב, כָּלָה עָנָן וַיֵּלַךְ כֵּן יוֹרֵד שְׁאוֹל לֹא יַעֲלֶה. עַל קַדְמָאֵי כְּתִיב יְיָ' מֵמִית וּמְחַיֶּה מוֹרִיד שְׁאוֹל וַיָּעַל.

תמג. אָמַר רַבִּי יְהוּדָה, דִּינָא דְּעוֹנְשֵׁי דְּגֵיהִנָּם, הָא אוֹלִיפְנָא, דְּאִיהוּ לְמֵידָן תַּמָּן לְחַיָּיבַיָּא, עַל מָה אִתְדָּנוּ בְּנוּרָא דְּגֵיהִנָּם. אֶלָּא גֵּיהִנָּם אִיהוּ נוּר דָּלִיק יְמָמֵי וְלֵילֵי, כְּגַוְונָא דְּחַיָּיבַיָּא מִתְחַמְּמָן בְּנוּרָא דְּיֵצֶר הָרָע, לְמֶעְבַּר עַל פִּתְגָּמֵי אוֹרַיְיתָא. בְּכָל חֲמִימוּתָא וַחֲמִימוּתָא דְּאִינּוּן מִתְחַמְּמָן בְּיֵצֶר הָרָע, הָכִי אִתּוֹקַד נוּרָא דְּגֵיהִנָּם.

תמד. זִמְנָא חֲדָא לָא אִשְׁתְּכַח יֵצֶר הָרָע בְּעָלְמָא, דְּאַעִילוּ לֵיהּ גּוֹ גּוּשְׁפַּנְקָא דְּפַרְזְלָא, בְּנוּקְבָא דִּתְהוֹמָא רַבָּא. וְכָל הַהוּא זִמְנָא, כָּבָה נוּרָא דְּגֵיהִנָּם, וְלָא אִתּוֹקַד כְּלַל. אַהֲדַר יצה"ר לְאַתְרֵיהּ, שָׁארוּ חַיָּיבֵי עָלְמָא לְאִתְחַמְּמָא בֵּיהּ, שָׁארֵי נוּרָא דְּגֵיהִנָּם לְאִתּוֹקְדָא, דְּהָא גֵּיהִנָּם לָא אִתּוֹקַד אֶלָּא בַּחֲמִימוּ דְּתוּקְפָּא דְּיצה"ר דְּחַיָּיבַיָּא. וּבְהַהוּא חֲמִימוּ, נוּרָא דְּגֵיהִנָּם אִתּוֹקַד יְמָמֵי וְלֵילֵי, וְלָא שָׁכִיךְ.

תמה. שִׁבְעָה פִּתְחִין אִינּוּן לַגֵּיהִנָּם, וְשִׁבְעָה מָדוֹרִין אִינּוּן תַּמָּן. שִׁבְעָה זִינֵי חַיָּיבִין אִינּוּן: רַע. בְּלִיַּעַל. חוֹטֵא. רָשָׁע. מַשְׁחִית. לֵץ. יָהִיר. וְכֻלְּהוּ לָקֳבְלַיְיהוּ אִית מָדוֹרִין לַגֵּיהִנָּם, כָּל חַד וְחַד כְּדְקָא חָזֵי לֵיהּ. וּכְפוּם הַהוּא דַּרְגָּא דְּחוֹטָא בֵּיהּ הַהוּא חַיָּיבָא, הָכִי יַהֲבִין לֵיהּ מָדוֹרָא בְּגֵיהִנָּם.

תמו. וּבְכָל מָדוֹרָא וּמָדוֹרָא, אִית מַלְאָךְ מְמַנָּא עַל הַהוּא אֲתַר, תְּחוֹת יְדָא דְּדוּמָה.

וְכַמָּה אֲלַף וְרִבּוֹא עִמֵּיהּ, דְּדַיְינִין לוֹן לְחַיָּיבַיָּא, כָּל חַד וְחַד כְּמָה דְּאִתְחֲזֵי לֵיהּ בְּהַהוּא מָדוֹרָא דְּאִיהוּ תַּמָּן.

תמז. אֶשָּׁא דְּגֵיהִנָּם לְתַתָּא, מָטֵי מִגּוֹ אֶשָּׁא דְּגֵיהִנָּם דִּלְעֵילָּא, וּמָטֵי לְהַאי גֵּיהִנָּם דִּלְתַתָּא, וְאִתּוֹקַד, בְּהַהוּא אִתְעָרוּ דְּחַמִּימוּ דְּחַיָּיבַיָּא, דְּקָא מְחַמְּמֵי גַּרְמַיְיהוּ גּוֹ יֵצֶר הָרָע, וְכָל אִינּוּן מָדוֹרִין דְּלִיקִין תַּמָּן.

תמח. אֲתָר אִית בְּגֵיהִנָּם, וְדַרְגִּין תַּמָּן דְּאִקְרוּן צוֹאָה רוֹתַחַת, וְתַמָּן אִיהוּ זוּהֲמָא דְּנִשְׁמָתִין, אִינּוּן דְּמִתְלַכְלְכָן מִכָּל זוּהֲמָא דְּהַאי עָלְמָא. וּמִתְלַבְּנָן וְסַלְּקִין, וְאִשְׁתְּאָרַת הַהוּא זוּהֲמָא תַּמָּן, וְאִינּוּן דַּרְגִּין בִּישִׁין דְּאִתְקְרוּן צוֹאָה רוֹתַחַת, אִתְמַנָּן עַל הַהוּא זוּהֲמָא. וְנוּרָא דְּגֵיהִנָּם שַׁלְטָא, בְּהַהוּא זוּהֲמָא דְּאִשְׁתְּאָרַת.

תמט. וְאִית חַיָּיבִין, אִינּוּן דְּמִתְלַכְלְכָן בְּחוֹבַיְיהוּ תָּדִיר, וְלָא אִתְלַבְּנָן מִנַּיְיהוּ, וּמִיתוּ בְּלָא תְּשׁוּבָה, וְחָטוּ וְהֶחְטִיאוּ אַחֲרָנִין, וַהֲווֹ קְשֵׁי קְדַל תָּדִיר, וְלָא אִתְבָּרוּ קָמֵי מָארֵיהוֹן בְּהַאי עָלְמָא. אִלֵּין אִתְדָּנוּ תַּמָּן בְּהַהוּא זוּהֲמָא, וּבְהַהִיא צוֹאָה רוֹתַחַת, דְּלָא נָפְקִין מִתַּמָּן לְעָלְמִין. אִינּוּן דִּמְחַבְּלִין אָרְחַיְיהוּ עַל אַרְעָא, וְלָא חָשְׁשׁוּ לִיקָרָא דְּמָארֵיהוֹן בְּהַאי עָלְמָא, כָּל אִינּוּן אִתְדָּנוּ תַּמָּן לְדָרֵי דָּרִין, וְלָא נַפְקֵי מִתַּמָּן.

תנ. בְּשַׁבָּתֵי וּבְיַרְחֵי וּבִזְמַנֵּי וּבְחַגֵּי, בְּהַהוּא אֲתָר נוּרָא אִשְׁתְּכַךְ, וְלָא אִתְדָּנוּ, אֲבָל לָא נַפְקֵי מִתַּמָּן, כִּשְׁאַר חַיָּיבִין דְּאִית לְהוּ נַיְיחָא. כָּל אִינּוּן דִּמְחַלְּלֵי שַׁבָּתוֹת וּזְמַנֵּי, וְלָא חָיְישֵׁי לִיקָרָא דְּמָארֵיהוֹן כְּלַל, בְּגִין לְמִטַּר לוֹן, אֶלָּא מְחַלְּלֵי בְּפַרְהֶסְיָא, כְּמָה דְּאִינּוּן לָא נַטְרֵי שַׁבָּתֵי וּזְמַנֵּי בְּהַאי עָלְמָא, הָכִי נָמֵי לָא נַטְרִין לֵיהּ בְּהַהוּא עָלְמָא, וְלֵית לוֹן נַיְיחָא.

תנא. אָמַר ר' יוֹסִי, לָא תֵּימָא הָכִי, אֶלָּא נַטְרֵי שַׁבָּתֵי וּזְמַנֵּי תַּמָּן בְּגֵיהִנָּם בְּעַל כָּרְחַיְיהוּ. אָמַר רַבִּי יְהוּדָה, אִלֵּין אִינּוּן עכו"ם, דְּלָא אִתְפַּקְּדוּ, דְּלָא נַטְרֵי שַׁבָּת בְּהַאי עָלְמָא, נַטְרֵי לֵיהּ תַּמָּן בְּעַל כָּרְחַיְיהוּ.

תנב. בְּכָל מַעֲלֵי שַׁבְּתָא כַּד יוֹמָא אִתְקַדַּשׁ, כָּרוֹזִין אָזְלִין בְּכָל אִינּוּן מָדוֹרִין דְּגֵיהִנָּם: סְלִיקוּ דִּינָא דְּחַיָּיבַיָּא, דְּהָא מַלְכָּא קַדִּישָׁא אַתְיָא, וְיוֹמָא אִתְקַדַּשׁ, וְאִיהוּ אַגִּין עַל כֹּלָּא. וּמִיַּד דִּינִין אִסְתַּלָּקוּ, וְחַיָּיבַיָּא אִית לוֹן נַיְיחָא. אֲבָל נוּרָא דְּגֵיהִנָּם לָא אִשְׁתְּכַךְ, מֵעָלַיְיהוּ דְּלָא נַטְרֵי שַׁבָּת לְעָלְמִין. וְכָל חַיָּיבֵי גֵּיהִנָּם שָׁאֲלֵי עָלַיְיהוּ, מַאי שְׁנָא אִלֵּין דְּלֵית לוֹן נַיְיחָא, מִכָּל חַיָּיבִין דְּהָכָא. אִינּוּן מָארֵיהוֹן דְּדִינָא תַּיְיבִין לוֹן, אִלֵּין אִינּוּן חַיָּיבִין דְּכָפְרוּ בֵּיהּ בְּקֻדְשָׁא בְּרִיךְ הוּא, וְעָבְרוּ עַל אוֹרַיְיתָא כֻּלָּא, בְּגִין דְּלָא נַטְרוּ שַׁבָּת תַּמָּן, בְּגִין כָּךְ לֵית לְהוּ נַיְיחִין לְעָלְמִין.

תנג. וְאִינּוּן חַיָּיבִין כֻּלְּהוֹן, נָפְקִין מִדּוּכְתַּיְיהוּ, וְאִתְיְיהִיב לוֹן רְשׁוּ לְמֵיהַךְ לְמֶחֱמֵי בְּהוּ. וּמַלְאַךְ חַד דִּי שְׁמֵיהּ סַנְטְרִי"אֵל, אָזִיל וְאַפִּיק לְהַהוּא גּוּפָא דִּלְהוֹן, וְעָיֵיל לֵיהּ לְגֵיהִנָּם, לְעֵינֵיהוֹן דְּחַיָּיבַיָּא, וְחַמָּן לֵיהּ דְּסַלְּקָא תּוֹלְעִין, וְנִשְׁמָתָא לֵית לָהּ נַיְיחָא בְּנוּרָא דְּגֵיהִנָּם.

תנד. וְכָל אִינּוּן חַיָּיבַיָּא דְּתַמָּן, סַחֲרִין לְהַהוּא גּוּפָא, וּמַכְרְזֵי עָלֵיהּ, דָּא אִיהוּ פְּלַנְיָא חַיָּיבָא, דְּלָא חָיִישׁ לִיקָרָא דְּמָארֵיהּ, כָּפַר בֵּיהּ בְּקֻדְשָׁא בְּרִיךְ הוּא, וְכָפַר בְּכָל אוֹרַיְיתָא כֻּלָּא, וַוי לֵיהּ טָב דְּלָא יִתְבְּרֵי, וְלָא יֵיתֵי לְדִינָא דָּא, וּלְכִסּוּפָא דָּא, הֲדָא הוּא דִּכְתִיב, וְיָצְאוּ וְרָאוּ בְּפִגְרֵי הָאֲנָשִׁים הַפֹּשְׁעִים בִּי כִּי תוֹלַעְתָּם לֹא תָמוּת וְאִשָּׁם לֹא תִכְבֶּה וְהָיוּ דֵרָאוֹן לְכָל בָּשָׂר. כִּי תוֹלַעְתָּם לֹא תָמוּת, מִן גּוּפָא. וְאִשָּׁם לֹא תִכְבֶּה, מִן נִשְׁמָתָא. וְהָיוּ דֵרָאוֹן לְכָל בָּשָׂר, וְהָיוּ דַּי רָאוֹן, עַד דְּכָל חַיָּיבִין דְּגֵיהִנָּם דְּתַמָּן, יֵימְרוּן, דַּי רְאִיָּה דָּא.

תנה. ר' יוֹסִי אָמַר, וַדַּאי הָכִי הוּא, בְּגִין דְּשַׁבָּת אִיהוּ לְקָבֵל אוֹרַיְיתָא כֻּלָּא,

וְאוֹרַיְיתָא אִיהִי אֵשׁ, בְּגִין דְּעָבְרוּ עַל אֵשׁ דְּאוֹרַיְיתָא, הָא אֵשׁ דְּגֵיהִנָּם דְּלִיק, דְּלָא שָׁכִיךְ מֵעֲלַיְיהוּ לְעָלְמִין.

תָּנוּ. אָמַר רִבִּי יְהוּדָה, לְבָתַר כַּד נָפִיק הַהוּא שַׁבְּתָּא, אָתֵי הַהוּא מַלְאָךְ, וּמֶהְדָּר הַהוּא גּוּפָא לְקִבְרֵיהּ, וְאִתְדָנוּ תַּרְוַויְיהוּ, דָּא לְסִטְרֵיהּ וְדָא לְסִטְרֵיהּ. וְכָל דָּא, בְּעוֹד דְּגוּפָא קַיְימָא עַל בּוּרְיֵיהּ, דְּהָא כֵּיוָן דְּגוּפָא אִתְאָכַל, לֵית לֵיהּ לְגוּפָא כָּל אִלֵּין דִּינִין, וְקָבָּ"ה לֹא יָעִיר כָּל חֲמָתוֹ כְּתִיב בֵּיהּ.

תָּנוּ. כָּל חַיָּיבִין דְּעָלְמָא, בְּעוֹד דְּגוּפָא שְׁלִים בְּכָל שַׁיְיפוֹי גּוֹ קִבְרָא, אִתְדָנוּ גּוּפָא וְרוּחָא, כָּל חַד וְחַד דִּינָא כַּדְקָא חֲזֵי לֵיהּ. כֵּיוָן דְּגוּפָא אִתְעַכַּל, דִּינָא דְּרוּחָא אִשְׁתְּכַךְ. מַאן דְּאִצְטְרִיךְ לְנָפְקָא, נָפִיק. וּמַאן דְּאִצְטְרִיךְ לְמֶהֱוֵי עֲלַיְיהוּ נַיְיחָא, אִית לוֹן נַיְיחָא. וּמַאן דְּאִצְטְרִיךְ לְמֶהֱוֵי קִטְמָא וְעַפְרָא תְּחוֹת רַגְלֵי דְּצַדִּיקַיָּיא. כָּל חַד וְחַד, כַּדְקָא חֲזֵי לֵיהּ, אִתְעֲבֵיד לֵיהּ.

תָּנוּ. וְעַל דָּא, כַּמָּה טָב לוֹן, בֵּין לְצַדִּיקֵי, בֵּין לְחַיָּיבֵי, לְמֶהֱוֵי גּוּפָא דִּלְהוֹן דָּבִיק בְּאַרְעָא, וּלְאִתְעַכְּלָא גּוֹ עַפְרָא לְזִמַּן קָרִיב, וְלָא לְמֶהֱוֵי בְּקִיּוּמָא כָּל הַהוּא זִמְנָא סַגִּי, בְּגִין לְאַתְדָּנָא גּוּפָא וְנַפְשָׁא וְרוּחָא תָּדִיר. דְּהָא לֵית לָךְ כָּל צַדִּיק וְצַדִּיק בְּעָלְמָא, דְּלֵית לֵיהּ דִּינָא דְּקִבְרָא. בְּגִין דְּהַהוּא מַלְאָךְ דִּמְמַנָּא עַל קִבְרֵי, קָאִים עַל גּוּפָא, וְדָן לֵיהּ בְּכָל יוֹמָא וְיוֹמָא. אִם לַצַּדִּיקִים כָּךְ, לַחַיָּיבִים עאכ"ו.

תָּנוּ. וּבְזִמְנָא דְּגוּפָא אִתְעַכַּל וְאִתְבְּלֵי בְּעַפְרָא, הָא דִּינָא אִשְׁתְּכַךְ מִכֹּלָּא, בַּר מֵאִינּוּן חֲסִידֵי קַיְימִין דְּעָלְמָא, דְּאִינּוּן אִתְחָזוּן לְסַלְקָא נִשְׁמָתְהוֹן לְהַהוּא אֲתָר עִלָּאָה דְּאִתְחָזֵי לוֹן, וְזַעִירִין אִינּוּן בְּעָלְמָא.

תָּס. כָּל אִינּוּן מֵתִין דְּעָלְמָא, כֻּלְּהוּ מֵתִין ע"י דְּמַלְאֲכָא מְחַבְּלָא, בַּר אִינּוּן דְּמֵתִין בְּאַרְעָא קַדִּישָׁא, לָא מֵתִין עַל יְדוֹי, אֶלָּא ע"י דְּמַלְאֲכָא דְּרוֹגְזֵי דְּשַׁלִּיט בְּאַרְעָא.

תָּסא. אָמַר רִבִּי יִצְחָק, אִי הָכִי, מַאי שִׁבְחָא אִיהוּ לְמֹשֶׁה וּלְאַהֲרֹן וּמִרְיָם, דִּכְתִיב בְּהוּ ע"פ יְיָ', דְּאִלֵּין לָא מִיתוּ ע"י דְּהַהוּא מַלְאָךְ מְחַבְּלָא, וְאַתְּ אֲמַרְתְּ, דְּכֻלֵּי עָלְמָא אִינּוּן דְּמִיתוּ בְּאַרְעָא דְּיִשְׂרָאֵל, לָא מֵתִין עַל יְדוֹי דְּדָא.

תָּסב. אָמַר לֵיהּ, הָכִי הוּא וַדַּאי, וְשִׁבְחָא דְּמֹשֶׁה אַהֲרֹן וּמִרְיָם, הֲוָה יַתִּיר מִכָּל בְּנֵי עָלְמָא, דְּאִינּוּן מִיתוּ לְבַר מֵאַרְעָא קַדִּישָׁא, דְּמֹשֶׁה אַהֲרֹן וּמִרְיָם לְבַר מֵאַרְעָא קַדִּישָׁא מִיתוּ, וְכֻלְּהוּ מִיתוּ ע"י דְּהַהוּא מְחַבְּלָא, בַּר אִינּוּן מֹשֶׁה וְאַהֲרֹן וּמִרְיָם, דְּלָא מִיתוּ אֶלָּא ע"י דְּקוּדְשָׁא בְּרִיךְ הוּא. אֲבָל אִינּוּן דְּמֵתִין בְּאַרְעָא קַדִּישָׁא, לָא מֵתִין ע"י דְּהַהוּא מְחַבְּלָא, דְּהָא אַרְעָא קַדִּישָׁא לָא קַיְימָא בִּרְשׁוּ אוֹחֲרָא, אֶלָּא בִּרְשׁוּ דְּקוּדְשָׁא בְּרִיךְ הוּא בִּלְחוֹדוֹי.

תָּסג. וע"ד כְּתִיב, יִחְיוּ מֵתֶיךָ נְבֵלָתִי יְקוּמוּן הָקִיצוּ וְרַנְּנוּ שׁוֹכְנֵי עָפָר וְגוֹ'. יִחְיוּ מֵתֶיךָ, אִלֵּין דְּמֵתִין בְּאַרְעָא קַדִּישָׁא, דְּאִינּוּן מֵתִין דִּילֵיהּ, וְלָא מֵאוֹחֲרָא, דְּלָא שַׁלְטָא תַּמָּן סִטְרָא אוֹחֲרָא כְּלָל, וע"ד כְּתִיב מֵתֶיךָ. נְבֵלָתִי יְקוּמוּן, אִינּוּן דְּמִיתוּ בְּאַרְעָא נוּכְרָאָה אוֹחֲרָא, ע"י דְּהַהוּא מְחַבְּלָא.

תָּסד. וע"ד אִקְרוּן נְבֵלָה, מַה נְבֵלָה מְטַמְּאָה בְּמַשָּׂא, אוּף אִינּוּן דְּמֵתִין לְבַר מֵאַרְעָא קַדִּישָׁא, מְטַמְּאָן בְּמַשָּׂא. וע"ד אִינּוּן נְבֵלָה. וע"ד דְּאִיפָּסִיל, אִקְרֵי נְבֵלָה, בְּגִין שְׁחִיטָה הָא אִיהִי מִסִּטְרָא אוֹחֲרָא, וּמִיָּד דְּאִיפָּסִיל שַׁרְיָא עֲלָהּ סִטְרָא אוֹחֲרָא, וּבְגִין דְּאִיהִי דִּילֵיהּ, וְשַׁרְיָא עֲלָהּ אִקְרֵי נְבֵלָה. וְרָזָא דָּא נָבָל הוּא, וְנָבָל שְׁמוֹ וּנְבָלָה עִמּוֹ.

תסה. וְעַ"ד בְּכָל אֲתָר דְּאִיהוּ שַׁרְיָא, אִקְרֵי נְבֵלָה. מְנָוֵיל דָּא לָא שַׁרְיָא, אֶלָּא בְּאֲתָר פְּסִילוּ, וְעַ"ד שְׁוִיתָא דְּאַפְסִיל, הָא דִּילֵיהּ הוּא, וְאִקְרֵי עַל שְׁמֵיהּ. וּבְגִין כָּךְ, מַתִּין דְּאִינּוּן לְבַר מֵאַרְעָא קַדִּישָׁא, תְּוֹות רְשׁוּ אָחֳרָא, וְשַׁרְיָא עֲלַיְיהוּ סִטְרָא אָחֳרָא, אִקְרוּן נְבֵלָה.

תסו. הֲקִיצוּ וְרַנְּנוּ שׁוֹכְנֵי עָפָר, שׁוֹכְנֵי, דַּיְירִין דְּמֵיכִין, וְלָא מַתִּין. וּמַאן אִינּוּן. דְּמֵיכִין דְּחֶבְרוֹן, דְּאִינּוּן לָא מַתִּין, אֶלָּא דְּמֵיכִין, וְעַ"ד כְּתִיב בְּהוּ גְּוִיעָה, כְּמַאן דְּגָוַע, וְאִית בֵּיהּ קִיּוּמָא לְאַנְעָרָא. אוֹף הָכִי אִינּוּן ד' זוּגֵי דְּחֶבְרוֹן, דְּמֵיכִין אִינּוּן וְלָא מַתִּין, וְכֻלְּהוּ קַיְימוּ בְּקִיּוּמַיְיהוּ בְּאִינּוּן גּוּפִין דִּלְהוֹן, וְיַדְעֵי סִתְרִין גְּנִיזִין, יַתִּיר מִשְּׁאָר בְּנֵי נָשָׁא. גְּנִיזִין הֲווֹ תַּמָּן גּוֹ פְּתוּחָא דְּג"ע אִינּוּן גּוּפִין דִּלְהוֹן, וְאִלֵּין אִינּוּן שׁוֹכְנֵי עָפָר. וְעַ"ד כָּל אִינּוּן דְּנַפְקוּ נִשְׁמָתַיְיהוּ בְּאַרְעָא קַדִּישָׁא, לָא נָפִיק עַל יְדֵי דְּהַהוּא מְחַבְּלָא, וְלָא שַׁלְטָא תַּמָּן, אֶלָּא עַל יְדֵי דְּמַלְאָכָא דְּרַחֲמֵי, דְּאַרְעָא קַדִּישָׁא קַיְימָא בְּעֶדְבֵּיהּ.

תסז. אֲתָר אִית בִּישׁוּבָא, דְּלָא שַׁלְטָא בֵּיהּ הַהוּא מְחַבְּלָא, וְלָא אִתְיְיהִיב לֵיהּ רְשׁוּ לְאַנְעָלָא תַּמָּן, וְכָל אִינּוּן דְּדַיְירֵי תַּמָּן, לָא מַתִּין, עַד דְּנַפְקִין לְבַר מִקַּרְתָּא. וְלֵית לָךְ בַּר נָשׁ מִכָּל דְּדַיְירִין תַּמָּן, דְּלָא מַתִּין, וְכֻלְּהוּ מַתִּין כִּשְׁאָר בְּנֵי נָשָׁא, אֲבָל לָאו בְּמָתָא. מ"ט. בְּגִין דְּלָא יַכְלִין לְמֵיתַב תָּדִיר בְּמָתָא, אֶלָּא אִלֵּין נַפְקִין, וְאִלֵּין עָאלִין, וְעַ"ד כֻּלְּהוּ מַתִּין.

תסח. מ"ט לָא שַׁלְטָא תַּמָּן הַהוּא מַלְאָךְ מְחַבְּלָא. אִי תֵּימָא דְּלָא קַיְימָא בִּרְשׁוּתֵיהּ, הָא אַרְעָא קַדִּישָׁא דְּלָא קַיְימָא בִּרְשׁוּ אָחֳרָא, וּמֵתִין, בְּהַהוּא אֲתָר אֲמַאי לָא מֵתִין. אִי תֵּימָא בְּגִין קְדִישָׁא, לֵית אֲתָר בְּקַדִּישׁוֹתָא בְּכָל יִשּׁוּבָא כְּגַוְונָא דְּאֶרֶץ יִשְׂרָאֵל. וְאִי תֵּימָא, בְּגִין הַהוּא גַּבְרָא דְּבָנֵי לָהּ. כַּמָה בְּנֵי נָשָׁא הֲווֹ דְּזָכוּתֵיהוֹן יַתִּיר מִדִּילֵיהּ. אָמַר רַבִּי יִצְחָק, אֲנָא לָא שְׁמַעְנָא וְלָא אֵימָא.

תסט. אָתוּ שָׁאִילוּ לֵיהּ לְרַ"ע, אָמַר לוֹן, וַדַּאי הַהוּא אֲתָר לָא שַׁלְטָא עֲלֵיהּ מַלְאָךְ הַמָּוֶת, וְקָבָּ"ה לָא בָּעֵי דְּבְהַהוּא אֲתָר יְמוּת בַּר נָשׁ לְעָלְמִין, וְאִי תֵּימָא, דִּקְדַם לָכֶן בְּהַהוּא דּוּכְתָּא, עַד לָא אִתְבְּנֵי, מִיתוּ בֵּיהּ בְּנֵי נָשָׁא, לָאו הָכִי. אֶלָּא בְּמֵיוְמָא דְּאִתְבְּרֵי עָלְמָא, אִתַּקָּן הַהוּא אֲתָר, לְקִיּוּמָא, וְרָזָא דְּרָזִין הָכָא, לְאִינּוּן דְּמִסְתַּכְּלֵי בְּרָזָא דְּחָכְמְתָא.

תע. כַּד בָּרָא קוּדְשָׁא בְּרִיךְ הוּא עָלְמָא, בָּרָא לֵיהּ בְּרָזָא דְּאַתְוָון, וְאִתְגַּלְגְּלוּ אַתְוָון, וּבָרָא עָלְמָא, בְּגִלּוּפֵי דִּשְׁמָא קַדִּישָׁא. אִתְגַּלְגְּלוּ אַתְוָון, וְאִסְתַּחֲרוּ עָלְמָא בְּגִלּוּפֵי וְכַד אִתְגְּלֵי וְאִתְפַּשַּׁט עָלְמָא וְאִתְבְּרֵי, וַהֲווֹ אַתְוָון סַחֲרָן לְמִבְרֵי, אָמַר קָבָּ"ה דְּלִיסְתַּיֵּים בְּיוּ"ד, אִשְׁתְּאַרַת אָת ט' בְּהַהוּא דּוּכְתָּא, תַּלְיָא בַּאֲוִירָא, טַ"ית, אִיהוּ אָת, דְּנָהִירוּ וְזִיו, בְּגִין כָּךְ, מַאן דְּחָזֵי טַ"ית בְּחֶלְמֵיהּ, סִימָנָא טָבָא הוּא לֵיהּ, וְזִיו אִתַּקָּנוּ לֵיהּ. וְעַל דָּא בְּגִין דַּהֲוָה ט' תַּלְיָא עַל גַּבֵּי הַהוּא אֲתָר, לָא שַׁלְטָא בֵּיהּ מוֹתָא.

תעא. כַּד בָּעָא קָבָּ"ה לְקַיְימָא עָלְמָא, זָרִיק וְחַד צְרוֹרָא גּוֹ מַיָּא, גָּלִיף בְּרָזָא דְּעַ"ב אַתְוָון, וּמִתַּמָּן שָׁארֵי לְמֵיהַךְ הַהוּא צְרוֹרָא, וְלָא אַשְׁכַּח אֲתָר לְאִתְקַיְּימָא בֵּיהּ, בַּר אֲרְעָא קַדִּישָׁא, וּמַיָּא הֲווֹ אָזְלִין אֲבַתְרֵיהּ, עַד דְּמָטָא הַהוּא צְרוֹרָא תְּוֹות הַמִּזְבֵּחַ, וְתַמָּן אִשְׁתְּקַע, וְאִתְקַיָּים כָּל עָלְמָא.

תעב. וְאִי תֵּימָא, אִי הָכִי דְּבְהַהוּא אֲתָר שַׁרְיָין וְחַיָּים, אֲמַאי לָא אִתְבְּנֵי תַּמָּן בֵּי מַקְדְּשָׁא, לְמֵיהַב וְחַיִּין לְיָתְבָהָא. אֶלָּא הָכָא בְּהַאי אֲתָר אִתְקַיָּים בְּגִין אָת וָד דְּעָרְיָא עֲלֵיהּ. בְּבֵי מַקְדְּשָׁא כָּל אַתְוָון כֻּלְּהוּ שָׁרָאן בֵּיהּ, וּבְהוּ אִתְבְּרֵי אִיהוּ בְּלְחוֹדוֹי, כְּגַוְונָא דְּכָל עָלְמָא.

תעג. וְתוּ, דְּאַרְעָא קַדִּישָׁא יָהִיב וְכַפָּרָה לְיָתְבָהָא בְּהַהוּא עָלְמָא, וְאֲתָר דָּא לָאו הָכִי, יָהִיב וְחַיִּין לְהַהוּא אֲתָר בְּהַאי עָלְמָא, וְלָא בְּעָלְמָא דְּאָתֵי. וּבֵי מַקְדְּשָׁא

בהפוכא מתמן, בגין דאית חולקא לישראל בההוא עלמא, ולא בעלמא דא. ועל דא קיימא בי מקדשא לכפרא חובין, ולמזכי לון לישראל לעלמא דאתי.

תעד. ת"ו, ט"ת נהירו דחיין בכל אתר, ועל דא פתח בה קרא כי טוב. דכתיב וירא אלהים את האור כי טוב. מהאי את, עריק מלאכא מחבלא. לא תימא עריק, אלא דלא אתייהיב ליה רשו לאעלא תמן.

תעה. את דא משניא מאת ק', ק' לא מתיישבא כלל בדוכתא בעלמא, וסימנך איש לשון בל יכון בארץ את ט"ת אתיישבא בכל דוכתא, ואתתקנת לאתיישבא כדקא יאות, ובג"כ בכל דוכתא דאת ט' תמן, לית ישובא לאת ק' תמן לאתיישבא ביה. ועל דא אתר דא לא שלטא ביה כלל סטרא אחרא, ויהיב חיים דהאי עלמא ליתבי תחותיה דאת דא, ולא יפוק לבר, וכד נפיק לבר, אית רשו לסטרא אחרא לשלטאה ביה. כמה דאת דא שלטא באתר דא, הכי נמי שלטא את אחרא באתר דגיהנם, ומאן איהי, את ק'.

תעו. ובספרא דרב המנונא סבא, הכא אינון תרין אתוון: ח', ט'. ועל דא לא הוו כתיבין גו אבני בורלא, אבנין דאשלמותא, ושבטין דישראל, תרין אתוון אלין אתמנעו מנייהו, בגין דלא יהא רשים בגווייהו ח"ט.

תעז. באתר דבי מקדשא תליין כל אתוון דאלפא ביתא, ברזין גליפן דשמהן קדישין, קשירין, מרקמן עליה, וכל עלמא דלעילא ותתא, כלא ברזא דאתוון מתחקקן וגליפא, ורזין דשמא קדישא עלאה, עלייהו אתגליף.

תעח. במשכנא אתגליפו ואתציירו אתוון כדקא חזי. דהא בצלאל הוה ידע חכמתא, לצרפא אתוון דאתבריאו בהו שמיא וארעא. ועל חכמתא דיליה, אתבני משכנא על ידיה, ואתבריר מכל עמא דישראל.

תעט. וכמה דאיהו אתבריר לעילא, הכי בעא קב"ה דיתבריר לתתא. לעילא כתיב, ראה קראתי בשם בצלאל. לתתא ראו קרא יי' בשם בצלאל. ושמיה ברזא עלאה אקרי הכי בצלאל: בצל אל. ומאן איהו. דא צדיק. דאיהו יתיב בצל אל, ההוא דאקרי אל עליון. ואיהו יתיב כגוונא דההוא אל. ההוא אל נטיל שית סטרין, ההוא צדיק נטיל לון. אוף הכי, ההוא אל אנהיר לעילא, האי צדיק אנהיר לתתא. ההוא אל, כללא דכלהו שית סטרין. ההוא צדיק, כללא דכלהו שית סטרין.

תפ. בן אורי: בן אור קדמאה, דברא קב"ה בעובדא דבראשית. בן חור: בן חירו דכלא. ד"א, בן חור: בן חוור מכל גוונין. ודא אתמני למטה יהודה, כלא כדקא יאות.

תפא. כל גוונין טבין לחלמא, בר תכלא, כמה דאתמר. בגין דאיהו כרסייא, למידן דינין דנשמתין. והא האי דרגא חוורא איהו. אלא בשעתא דקיימא בדיני דנפשאן, כדין איהו גוון תכלא. והא אוקימנא.

תפב. בשעתא דחזמי בר נש להאי גוון, אדכר בר נש למעבד פקודין דמאריה. כגוונא דנחש הנחשת, בשעתא דהוו חמאן ליה, הוו דחלי מקמי דקב"ה, ומנטרן גרמייהו מכל חובין, ובשעתא דההוא דחילו דקב"ה סלקא עלייהו, מיד אתסיין. מאן גרים לון לדחלא מקמי קב"ה, ההוא נחש, ההיא רצועה דמסתכלן בה. אוף הכי תכלת וראיתם אותו וזכרתם את כל מצות יי'. מההוא דחילו דיליה, ועל דא תכלת במשכנא.

תפג. אמר רבי יצחק, האי דאמר מר תכלת כרסייא דדינא איהי, וכד איהי קיימא בגוונא דא, כדין איהי כרסייא למידן דיני נפשאן. אימתי איהי ברחמי. אמר

לֵיהּ, בְּשַׁעֲתָא דִּכְרוּבִים מְהַדְּרָן אַנְפַּיְיהוּ דָּא עִם דָּא, וּמִסְתַּכְּלָן אַנְפִּין בְּאַנְפִּין. כֵּיוָן דְּאִינּוּן כְּרוּבִים מִסְתַּכְּלָן אַנְפִּין בְּאַנְפִּין כְּדֵין כָּל גַּוְונִין מִתְתַּקְנָן, וְאִתְהַפָּךְ גַּוְון תִּכְלָא לְגַוְון אַוְּרָא. מִתְהַפָּךְ גַּוְון יָרוֹק, לְגַוְון זָהָב.

תפד. וְעַל דָּא, בְּהִפּוּכָא דְּגַוְונִין, אִתְהַפַּךְ מִדִּינָא לְרַחֲמֵי, וְכֵן מֵרַחֲמֵי לְדִינָא, וְכֹלָּא בְּהִפּוּכָא דְּגַוְונִין. כַּמָּה דִּמְסַדְּרִין יִשְׂרָאֵל תִּקּוּנַיְיהוּ לְגַבֵּי קֻדְשָׁא בְּרִיךְ הוּא, הָכִי קַיְּימָא כֹּלָּא, וְהָכִי אִתְסְדַר. וְעַל דָּא כְּתִיב יִשְׂרָאֵל אֲשֶׁר בְּךָ אֶתְפָּאָר, בְּאִינּוּן גַּוְונִין דִּכְלִילָן דָּא בְּדָא, שְׁפִירוּ דְּכֹלְּהוּ.

תפה. וְעָשִׂיתָ שֻׁלְחָן עֲצֵי שִׁטִּים וְגוֹ'. רַבִּי יִצְחָק פָּתַח, וְאָכַלְתָּ וְשָׂבָעְתָּ וּבֵרַכְתָּ אֶת יְיָ' אֱלֹהֶיךָ וְגוֹ', כַּמָּה זַכָּאִין אִינּוּן יִשְׂרָאֵל, דְּקֻדְשָׁא בְּרִיךְ הוּא אִתְרְעֵי בְּהוּ, וְקָרִיב לוֹן לְגַבֵּיהּ מִכָּל עַמִּין, וּבְגִינֵיהוֹן דְּיִשְׂרָאֵל, יָהִיב מְזוֹנָא וְשַׂבְעָא, לְכָל עָלְמָא, וְאִלְמָלֵא יִשְׂרָאֵל לָא יָהִיב קֻדְשָׁא בְּרִיךְ הוּא מְזוֹנָא לְעָלְמָא, וְהַשְׁתָּא דְּיִשְׂרָאֵל אִינּוּן בְּגָלוּתָא, עוֹבְדֵי כּוֹכָבִים וּמַזָּלוֹת דְּנַטְלֵי מְזוֹנָא עַל חַד תְּרֵין.

תפו. בְּזִמְנָא דַּהֲווּ יִשְׂרָאֵל בְּאַרְעָא קַדִּישָׁא, הֲוָה נָחִית לוֹן מְזוֹנָא מֵאֲתַר עִלָּאָה, וְאִינּוּן יָהֲבֵי חוּלָק תַּמְצִית לְעַמִּין עוֹבְדֵי כּוֹכָבִים, וְעַמִּין כֻּלְּהוּ לָא אִתְּזָנוּ אֶלָּא מִתַּמְצִית. וְהַשְׁתָּא דְּיִשְׂרָאֵל אִינּוּן בְּגָלוּתָא, אִתְהַפָּךְ בְּגַוְונָא אַחֲרָא.

תפז. מָתָל לְמַלְכָּא, דְּאַתְקִין סְעוּדָתָא לִבְנֵי בֵּיתֵיהּ, כָּל זִמְנָא דְּאִינּוּן עַבְדֵי רְעוּתֵיהּ, אַכְלֵי סְעוּדָתָא עִם מַלְכָּא, וְיָהֲבֵי לְכַלְבֵּי חוּלָק גַּרְמִין לְמִגְרַר. בְּשַׁעְתָּא דִּבְנֵי בֵּיתֵיהּ לָא עַבְדֵי רְעוּתָא דְּמַלְכָּא, מַלְכָּא יָהִיב כָּל סְעוּדָתָא לְכַלְבֵּי, וְסָלִיק לוֹן גַּרְמֵי.

תפח. כְּגַוְונָא דָּא, כָּל זִמְנָא דְּיִשְׂרָאֵל עַבְדֵי רְעוּתָא דְּמָארֵיהוֹן, הָא עַל פָּתוֹרָא דְּמַלְכָּא אִינּוּן אַכְלֵי, וְכָל סְעוּדָתָא אִתְתַּקַּן לְהוֹן. וְאִינּוּן, מֵהַהוּא חֶדְוָה דִּלְהוֹן, יָהֲבֵי גַּרְמֵי דְּאִיהוּ תַּמְצִית לְעוֹבְדֵי כּוֹכָבִים. וְכָל זִמְנָא דְּיִשְׂרָאֵל לָא עַבְדֵי רְעוּתָא דְּמָארֵיהוֹן, אַזְלֵי בְּגָלוּתָא, וְהָא סְעוּדָתָא לְכַלְבֵּי, וְאִסְתַּלַּק לוֹן תַּמְצִית כָּכָה יֹאכְלוּ בְנֵי יִשְׂרָאֵל אֶת לַחְמָם טָמֵא בַּגּוֹיִם, דְּהָא תַּמְצִית דְּגְעוּלֵיהוֹן אַכְלֵי. וַוי לִבְרָא דְּמַלְכָּא, דְּיָתִיב וּמְצַפֶּה לְפָתוֹרָא דְּעַבְדָּא, מַה דְּאִשְׁתְּאַר מִגּוֹ פָּתוֹרָא אִיהוּ אָכִיל.

תפט. דָּוִד מַלְכָּא אָמַר, תַּעֲרֹךְ לְפָנַי שֻׁלְחָן נֶגֶד צוֹרְרָי דִּשַּׁנְתָּ בַשֶּׁמֶן רֹאשִׁי כּוֹסִי רְוָיָה. תַּעֲרוֹךְ לְפָנַי שֻׁלְחָן, דָּא סְעוּדָתָא דְּמַלְכָּא. נֶגֶד צוֹרְרָי, אִינּוּן כַּלְבֵּי דְּיָתְבֵי קָמֵי פָּתוֹרָא, מְצַפָּאן לְחוּלָק גַּרְמִין, וְאִיהוּ יָתִיב עִם מַלְכָּא בְּעִנּוּגָא דִּסְעוּדָתָא בְּפָתוֹרָא.

תצ. דִּשַּׁנְתָּ בַשֶּׁמֶן רֹאשִׁי, דָּא רֵישָׁא דִּסְעוּדָתָא, דְּכָל מִשְׁחָא, וְשַׁמְנוּנָא, וְתִקּוּן סְעוּדָתָא, אִתְיְיהִיב בְּקַדְמֵיתָא לְרוֹזִימָא דְּמַלְכָּא. מַה דְּאִשְׁתְּאַר, לְבָתַר אִתְיְיהִיב לְכַלְבֵּי, וּלְאִינּוּן פַּלְחֵי פָּתוֹרָא. כּוֹסִי רְוָיָה, מַלְיָא כַּסָּא קָמֵי רוֹזִימָא דְּמַלְכָּא תָּדִיר, דְּלָא יִצְטְרִיךְ לְמִשְׁאַל. וְעַל רָזָא דָּא, הֲווּ יִשְׂרָאֵל תָּדִיר, עִם שְׁאַר עַמִּין.

תצא. רַבִּי חִיָּיא הֲוָה אָזִיל לְגַבֵּי דְּרַבִּי שִׁמְעוֹן לִטְבֶרְיָה, וַהֲווּ עִמֵּיהּ רַבִּי יַעֲקֹב בַּר אִידִי, וְרַבִּי יֵיסָא זְעִירָא, עַד דַּהֲווּ אַזְלֵי, אָמַר רַבִּי יֵיסָא לְרַבִּי חִיָּיא, תֵּימָה מַה דִּכְתִיב, וְלִבְנֵי בַרְזִלַּי הַגִּלְעָדִי תַּעֲשֶׂה חֶסֶד וְהָיוּ בְּאוֹכְלֵי שֻׁלְחָנֶךָ וְגוֹ'. אִי הָכִי כָּל טִיבוּ וְקָשׁוֹט, לְמֵיכַל עַל פָּתוֹרֵיהּ וְלָא יַתִּיר, מִדְּקָאָמַר הָכָא וְהָיוּ בְּאוֹכְלֵי שֻׁלְחָנֶךָ. וְתוּ, לָאו יְקָרָא דְּמַלְכָּא אִיהוּ, לְמֵיכַל בַּר נָשׁ אָחֳרָא עַל פָּתוֹרֵיהּ דְּמַלְכָּא, וְלָא אִצְטְרִיךְ דָּא, אֶלָּא מַלְכָּא בִּלְחוֹדוֹי, וְכֻלְּהוּ רַבְרְבָנוֹהִי סְחֳרָנֵיהּ, לְתַתָּא מִנֵּיהּ.

תצב. אָמַר רַבִּי חִיָּיא לָא שְׁמַעְנָא בְּהַאי מִידִי, וְלָא אֵימָא. אָמַר לֵיהּ לְרַבִּי יַעֲקֹב בַּר אִידִי, וְאַתְּ שָׁמַעְתָּ בְּהַאי מִידִי. אָמַר לֵיהּ, אַתּוּן דְּיַנְקִין בְּכָל יוֹמָא מִדְּבְשָׁא דְּמִשְׁחָא עִלָּאָה, לָא

שְׁמַעְתּוּן, כָּל שֶׁכֵּן אֲנָא. אָמַר לֵיהּ לְרַבִּי יֵיסָא, וְאַתְּ שָׁמַעְתְּ מִידֵי בְּהַאי. א"ל אע"ג דַּאֲנָא רַבְיָא וּמִיּוֹמִין זְעִירִין אֲתֵינָא לְגַבַּייכוּ, וְלָא זָכֵינָא מִקַּדְמַת דְּנָא, אֲנָא שְׁמַעְנָא.

תצג. פָּתַח וְאָמַר נוֹתֵן לֶחֶם לְכָל בָּשָׂר כִּי לְעוֹלָם חַסְדּוֹ. מַאי קָא חָמָא דָּוִד דְּסִיּוּם הַלְּלָא רַבָּא, סַיֵּים הָכִי בְּהַאי קְרָא. אֶלָּא תְּלַת שַׁלִּיטִין אִינּוּן לְעֵילָּא, דְּקֻבְּ"ה אִשְׁתְּמוֹדָעָא בְּהוּ, וְאִינּוּן רָזָא יַקִּירָא דִּילֵיהּ, וְאִלֵּין אִינּוּן: מוֹחָא, וְלִבָּא, וְכַבְדָּא. וְאִינּוּן בְּהִפּוּכָא דְּהַאי עָלְמָא. לְעֵילָּא, מוֹחָא נָטִיל בְּרֵישָׁא, וּבָתַר יָהִיב לְלִבָּא, וְלִבָּא נָטִיל וְיָהִיב לְכַבְדָּא, וּלְבָתַר כַּבְדָּא יָהִיב וְחוֹלֵק לְכָל אִינּוּן מְקוֹרִין דִּלְתַתָּא, כָּל חַד וְחַד כַּדְּקָא חֲזֵי לֵיהּ. לְתַתָּא, כַּבְדָּא נָטִיל בְּרֵישָׁא, וּלְבָתַר אִיהוּ מְקָרֵב כֹּלָּא לְלִבָּא, וְנָטִיל לִבָּא שְׁפִירוּ דְּמֵיכְלָא. כֵּיוָן דְּנָטִיל, וְאִתְתַּקַּף מֵהַהוּא תֻּקְפָּא וּרְעוּ דְּקָא נָטִיל, יָהִיב וְאִתְּעַר לְגַבֵּי מוֹחָא. וּלְבָתַר אַהְדָּר כַּבְדָּא, וּפָלִיג מְזוֹנָא לְכָל מְקוֹרִין דְּגוּפָא.

תצד. בְּיוֹמָא דְּתַעֲנִיתָא, בַּר נָשׁ מְקָרֵב מֵיכְלָא וּמִשְׁתְּיָא לְגַבֵּי כַּבְדָּא עִלָּאָה, וּמַאי אִיהוּ מְקָרַב. חֶלְבֵּיהּ וְדָמֵיהּ וּרְעוּתֵיהּ. הַהוּא כַּבְדָּא נָטִיל כֹּלָּא בִּרְעוּתָא. כֵּיוָן דְּכֹלָּא אִיהוּ לְגַבֵּיהּ, נָטִיל וּמְקָרֵב כֹּלָּא לְקָמֵי לִבָּא, דְּאִיהוּ רַב וְשַׁלִּיט עָלֵיהּ. כֵּיוָן דְּלִבָּא נָטִיל וְאִתְתַּקַּף בִּרְעוּא, מְקָרֵב כֹּלָּא לְגַבֵּי מוֹחָא, דְּאִיהוּ שַׁלִּיטָא עִלָּאָה עַל כָּל גּוּפָא, לְבָתַר אַהְדָּר כַּבְדָּא וּמְפַלֵּג וְחוֹלְקִין לְכָל אִינּוּן מְקוֹרִין וְשַׁיְיפִין דִּלְתַתָּא.

תצה. בְּזִמְנָא אָחֳרָא, כַּד כֹּלָּא מוֹחָא נָטִיל בְּקַדְמֵיתָא, וּלְבָתַר יָהִיב לְלִבָּא, וְלִבָּא יָהִיב לְכַבְדָּא, וְכַבְדָּא יָהִיב לְכֻלְּהוּ מְקוֹרִין וְשַׁיְיפִין דִּלְתַתָּא, וּלְבָתַר כַּד בָּעֵי לְפַלְּגָא מְזוֹנָא לְהַאי עָלְמָא, בְּרֵישָׁא יָהִיב לְלִבָּא, דְּאִיהוּ מַלְכָּא דִּי בְּאַרְעָא. וּפָתוֹרָא דְּמַלְכָּא, אִתְּעַר בְּקַדְמֵיתָא מִכָּל שְׁאָר בְּנֵי עָלְמָא. זַכָּאָה אִיהוּ, מַאן דַּהֲוֵי בְּחוּשְׁבְּנָא דְּפָתוֹרָא דְּמַלְכָּא, דְּהָא אִשְׁתְּמוֹדְעָא לְאוֹטָבָא לֵיהּ בְּהַהוּא טִיבוּ דִּלְעֵילָּא.

תצו. וְדָא אִיהוּ טִיבוּ וּקְשׁוֹט, דַּעֲבַד דָּוִד לִבְנֵי בַּרְזִלַּי, דִּכְתִּיב וְהָיוּ בְּאוֹכְלֵי שֻׁלְחָנֶךָ. וְאִי תֵּימָא דְּבְשֻׁלְחָנָא דְּמַלְכָּא, אָכִיל בַּר נָשׁ אָחֳרָא בַּר מִנֵּיהּ. לָא. אֶלָּא מַלְכָּא אָכִיל בְּרֵישָׁא, וּבָתַר כָּל עַמָּא. וְאִינּוּן דְּאַכְלֵי עִם מַלְכָּא, בְּשַׁעֲתָא דְּאִיהוּ אָכִיל אִינּוּן דַּחֲבִיבִין עָלֵיהּ מִכֻּלְּהוּ, וְאִינּוּן אִתְמְנוּן מִשֻׁלְחָנָא דְּמַלְכָּא.

תצז. וְאִי תֵּימָא, הָא כְּתִיב, עַל שֻׁלְחַן הַמֶּלֶךְ תָּמִיד הוּא אוֹכֵל. בְּגִין דְּכָל מְזוֹנָא דִּילֵיהּ, לָא עָבִיד חוּשְׁבְּנָא אָחֳרָא, אֶלָּא עַל שֻׁלְחַן הַמֶּלֶךְ, דְּמִתַּמָּן הֲוָה אָתֵי מְזוֹנָא וּמֵיכְלָא דִּילֵיהּ. וְדָא אִיהוּ עַל שֻׁלְחַן הַמֶּלֶךְ תָּמִיד הוּא אוֹכֵל. אָתָא רַבִּי חִיָּיא, וְנָשְׁקֵיהּ עַל רֵישֵׁיהּ, אָמַר לֵיהּ רַבְיָא אַנְתְּ, וְחָכְמְתָא עִלָּאָה שַׁרְיָא בְּלִבָּךְ. אַדְּהָכִי, חָמוּ לֵיהּ לְרַבִּי חִזְקִיָּה דַּהֲוָה אָתֵי. א"ל רַבִּי חִיָּיא, וַדַּאי בְּחַבְרוּתָא דָּא, קוּדְשָׁא בְּרִיךְ הוּא יִתְחַבַּר עִמָּנָא, דְּהָא מִלִּין חַדְתִּין דְּאוֹרַיְיתָא יִתְחַדְּתוּן הָכָא.

תצח. יָתְבוּ לְמֵיכַל. אָמְרוּ, כָּל חַד וְחַד לֵימָא מִלֵּי דְּאוֹרַיְיתָא בְּהַאי סְעוּדָתָא, אָמַר רַבִּי יֵיסָא, סְעוּדַת עֲרַאי אִיהִי, וְעַכ"ד סְעוּדָה אִקְרֵי. וְלָא עוֹד, אֶלָּא דְּהַאי אִקְרֵי סְעוּדָתָא דְּקוּדְשָׁא בְּרִיךְ הוּא אִתְהֲנֵי מִינָּהּ. וְעַל דָּא כְּתִיב, זֶה הַשֻּׁלְחָן אֲשֶׁר לִפְנֵי יְיָ', דְּהָא מִלִּין דְּאוֹרַיְיתָא יִסְחֲרוּן לְהַאי אֲתָר.

תצט. פָּתַח רַבִּי חִיָּיא וְאָמַר, וְאָכַלְתָּ וְשָׂבָעְתָּ וּבֵרַכְתָּ אֶת יְיָ' אֱלֹהֶיךָ וְגוֹ'. וְכִי עַד לָא אָכִיל ב"נ לְשַׂבְעָא, וְיִתְמְלֵי כְּרֵיסֵיהּ, לָא יְבָרֵךְ לֵיהּ לְקֻבְּ"ה, בְּמַאי נוֹקִים וְאָכַלְתָּ וְשָׂבָעְתָּ, וּבָתַר וּבֵרַכְתָּ. אֶלָּא אֲפִילּוּ לָא יֵיכוֹל בַּר נָשׁ אֶלָּא כְּזַיִת, וּרְעוּתֵיהּ אִיהוּ עָלֵיהּ, וְיִשַּׁוֵּי לֵיהּ לְהַהוּא מֵיכְלָא עִקָּרָא דְּמֵיכְלֵיהּ, שָׂבְעָא אִקְרֵי. דִּכְתִּיב פּוֹתֵחַ אֶת יָדֶךָ

וּמַשְׂבִּיעַ לְכָל חַי רָצוֹן. לְכָל חַי אֲכִילָה לָא כְּתִיב, אֶלָּא רָצוֹן. הַהוּא רְעוּתָא דְּשַׁוֵּי עַל
הַהוּא מֵיכְלָא, שַׂבְעָא אִקְרֵי, וַאֲפִילוּ דְּלֵית קָמֵיהּ דְּבַר נָשׁ אֶלָּא הַהוּא זְעֵיר בְּכַזַּיִת, וְלָא
יַתִּיר הָא רְעוּתָא דְּשַׂבְעָא שַׁוֵּי עֲלֵיהּ. וּבְגִין כָּךְ, וּמַשְׂבִּיעַ לְכָל חַי רָצוֹן, כְּתִיב, וְלָא
אֲכִילָה. וְעַל דָּא וּבֵרַכְתָּ וַדַּאי, וְאִתְחַיָּיב בַּר נָשׁ לְבָרְכָא לֵיהּ לְקוּדְשָׁא בְּרִיךְ הוּא, בְּגִין
לְמֵיהַב וְחֶדְוָה לְעֵילָּא.

תק. פָּתַח רַבִּי וְחִזְקִיָּה, בְּהַאי קְרָא אֲבַתְרֵיהּ וְאָמַר, וְאָכַלְתָּ וְשָׂבַעְתָּ. מֵהָכָא, דְּשִׁכּוּר
שָׁרֵי לֵיהּ לְבָרְכָא בִּרְכְתָא דִּמְזוֹנָא, מַה דְּלֵית הָכִי בִּצְלוֹתָא. דִּצְלוֹתָא לָאו הָכִי, דְּהָא
צְלוֹתָא מֵעַלְיָא בְּלָא אֲכִילָה אִיהִי, מַאי טַעְמָא, בְּגִין דִּצְלוֹתָא סַלְּקָא לְעֵילָּא לְעֵילָּא,
אֲתָר דְּלֵית בֵּיהּ לָא אֲכִילָה וְלָא שְׁתִיָּה. וְעַל דָּא תָּנֵינָן, עָלְמָא דְּאָתֵי לֵית בֵּיהּ אֲכִילָה
וּשְׁתִיָּה וְכוּ'. אֲבָל שְׁאָר דַּרְגִּין דִּלְתַתָּא אִית.

תקא. בְּבִרְכַת מְזוֹנָא, אִשְׁתְּכַח גַּוְונָא אָחֳרָא וּמֵעַלְיָא, הַהוּא בִּרְכְתָא דְּאִשְׁתְּכַח
בְּשַׂבְעָא. בְּגִין דְּבִרְכַת מְזוֹנָא, אִיהִי בַּאֲתָר דְּאִית בֵּיהּ אֲכִילָה וּשְׁתִיָּה, וּמִנֵּיהּ נָפַק מְזוֹנָא
וְשַׂבְעָא לְתַתָּא, וְעַל דָּא אִצְטְרִיךְ לְאַחֲזָאָה קָמֵיהּ שַׂבְעָא וְחֶדְוָה. בַּאֲתָר דִּצְלוֹתָא, לָאו
הָכִי, דְּהָא סַלְּקָא יַתִּיר לְעֵילָּא לְעֵילָּא, וְעַל דָּא, שִׁכּוּר לָא יְצַלֵּי צְלוֹתָא.

תקב. בְּבִרְכַת מְזוֹנָא, שִׁכּוּר שָׁרֵי לֵיהּ לְבָרְכָא בִּרְכַּת מְזוֹנָא. מַשְׁמַע מֵהַאי קְרָא,
דִּכְתִיב וְאָכַלְתָּ וְשָׂבַעְתָּ וּבֵרַכְתָּ. וְאָכַלְתָּ: זוֹ אֲכִילָה. וְשָׂבַעְתָּ: זוֹ שְׁתִיָּה דְּהָא שַׂבְעָא
בְּחַמְרָא אִיהוּ רַוֵּי. וַחֲמָרָא שַׂבְעָא וַדַּאי, וְדָא אִיהוּ שִׁכּוּר. דִּכְתִיב וּבֵרַכְתָּ אֶת הַדַּיְיקָא,
דְּמַשְׁמַע דְּבִרְכַּת מְזוֹנָא אִצְטְרִיךְ וְחֶדְוָה וְשַׂבְעָא. עַל הָאָרֶץ הַטּוֹבָה. מַאי טוֹבָה. שַׂבְעָא.
כד"א, וְנָשְׂבַּע לֶחֶם וַנִּהְיֶה טוֹבִים בְּגִין כָּךְ אִצְטְרִיךְ וְחֶדְוָה וְשַׂבְעָא.

תקג. פָּתַח רַבִּי יֵיסָא וְאָמַר וְעָשִׂית שֻׁלְחָן עֲצֵי שִׁטִּים וְגו', שֻׁלְחָן דָּא אִיהוּ קַיְּימָא לְגוֹ
בְּמַשְׁכְּנָא. וּבִרְכָתָא דִּלְעֵילָּא שַׁרְיָא עֲלֵיהּ, וּמִנֵּיהּ נָפִיק מְזוֹנָא לְכָל עָלְמָא. וְשֻׁלְחָן דָּא
לָא אִצְטְרִיךְ לְמֶהֱוֵי רֵיקַנְיָא, אֲפִילוּ רִגְעָא חֲדָא, אֶלָּא לְמֶהֱוֵי עֲלֵיהּ מְזוֹנָא, דְּהָא
בִּרְכָתָא לָא אִשְׁתְּכַח עַל אֲתָר רֵיקַנְיָא. וּבְגִין כָּךְ אִצְטְרִיךְ לְמֶהֱוֵי עֲלֵיהּ נַהֲמָא תָּדִיר,
דִּכְלְהֵי תָּדִיר בִּרְכָתָא עִלָּאָה מִשְׁתְּכְחָא בֵּיהּ, וּמִגּוֹ הַהוּא שֻׁלְחָן, נַפְקֵי בִּרְכָּאן וּמְזוֹנֵי לְכָל
שְׁאָר פָּתוֹרֵי דְּעָלְמָא, דְּאִתְבָּרְכָאן בְּגִינֵיהּ.

תקד. שֻׁלְחָן דְּכָל בַּר נָשׁ אִצְטְרִיךְ לְמֶהֱוֵי הָכִי קָמֵיהּ, בְּשַׁעֲתָא דְּקָא מְבָרֵךְ לֵיהּ
לְקוּבָּ"ה, בְּגִין דְּתִשְׁרֵי עֲלֵיהּ בִּרְכָתָא מִלְּעֵילָּא, וְלָא יִתְחֲזֵי רֵיקַנְיָא, דְּהָא בִּרְכָּאן דִּלְעֵילָּא
לָא שַׁרְיָין בַּאֲתָר רֵיקַנְיָא, דִּכְתִיב הַגִּידִי לִי מַה יֶּשׁ לָכִי בַּבָּיִת, וְהָא אוּקְמוּהָ וְחַבְרַיָּיא.

תקה. שֻׁלְחָן דְּלָא אִתְּמַר עֲלֵיהּ מִלֵּי דְּאוֹרַיְיתָא, עֲלֵיהּ כְּתִיב, כִּי כָּל שֻׁלְחָנוֹת מָלְאוּ
קִיא צוֹאָה בְּלִי מָקוֹם. וְאָסִיר לְבָרְכָא עַל הַהוּא שֻׁלְחָן. מ"ט. בְּגִין דְּאִית שֻׁלְחָן, וְאִית
שֻׁלְחָן. שֻׁלְחָן אִיהוּ דְּקָא מְסַדְּרָא קָמֵיהּ דְּקוּבָּ"ה לְעֵילָּא, וְאִיהוּ קַיְּימָא תָּדִיר לְסַדְּרָא
בֵּיהּ פִּתְגָּמֵי אוֹרַיְיתָא, וּלְאַכְלָלָא בֵּיהּ אַתְוָון דְּמִלֵּי דְּאוֹרַיְיתָא, וְאִיהוּ לָקִיט לוֹן לְגַבֵּיהּ,
וְכָלִיל כֻּלְּהוּ בְּגַוֵּיהּ, וּבְהוּ אִשְׁתְּלִים, וְחֶדֵי, וְאִית לֵיהּ וְחֶדְוָה. וְעַל שֻׁלְחָן דָּא כְּתִיב, זֶה
הַשֻּׁלְחָן אֲשֶׁר לִפְנֵי יְיָ', לִפְנֵי יְיָ', וְלָא מִלִּפְנֵי יְיָ'.

תקו. שֻׁלְחָן אָחֳרָא אִית, דְּלָא אִית בֵּיהּ וְחוּלָקָא דְּאוֹרַיְיתָא, וְלֵית לֵיהּ וְחוּלָקָא
בִּקְדוּשָׁה דְּאוֹרַיְיתָא, וְהַהוּא שֻׁלְחָן אָחֳרָא אִקְרֵי קִיא צוֹאָה, וְדָא אִיהוּ בְּלִי מָקוֹם, דְּלֵית לֵיהּ
וְחוּלָקָא בְּסִטְרָא דִּקְדוּשָׁה כְּלוּם. בְּגִין כָּךְ, שֻׁלְחָן דְּלָא אִתְּמַר עֲלֵיהּ מִלֵּי דְּאוֹרַיְיתָא,
אִיהוּ שֻׁלְחָן דְּקִיא צוֹאָה. אִיהוּ שֻׁלְחָן דְּטַעֲוָא אָחֳרָא. לֵית בְּהַהוּא שֻׁלְחָן וְחוּלָקָא בְּרָזָא

דֶּאֱלָהָא עִלָּאָה.

תקז. שֻׁלְחָן דְּמִלֵּי אוֹרַיְיתָא אִתְמָרוּ עָלֵיהּ, קב"ה נָטִיל הַהוּא שֻׁלְחָן, וְשַׁוֵּי לֵיהּ לְחוּלָקֵיהּ. וְלָא עוֹד, אֶלָּא סוֹרַ"א רַב מְמָנָא, נָטִיל כָּל אִינּוּן מִלִּין, וְשַׁוֵּי דְּיוֹקְנָא דְּהַהוּא שֻׁלְחָן קָמֵי קב"ה. וְכָל אִינּוּן מִלִּין דְּאוֹרַיְיתָא דְּאִתְמָרוּ עָלֵיהּ, סַלְקִין עַל הַהוּא פָּתוֹרָא, וְאִתְעַטָּר קָמֵי מַלְכָּא קַדִּישָׁא. מַשְׁמַע דִּכְתִּיב זֶה הַשֻּׁלְחָן אֲשֶׁר לִפְנֵי יְיָ' דְּאִתְעַטָּר קָמֵי קב"ה. שֻׁלְחָן דְּבַר נָשׁ, קַיְּימָא לְדַכָּאָה לֵיהּ לְבַר נָשׁ, מִכָּל חוֹבוֹי.

תקח. זַכָּאָה אִיהוּ, מַאן דְּאִלֵּין תְּרֵין קַיְּימִין עַל פָּתוֹרֵיהּ. מִלֵּי דְּאוֹרַיְיתָא. וְחוּלָקָא לְמִסְכְּנִין, מֵהַהוּא שֻׁלְחָן. כַּד סַלְקִין הַהוּא פָּתוֹרָא מִקָּמֵיהּ דְּבַר נָשׁ, תְּרֵין מַלְאָכִין קַדִּישִׁין אִזְדַּמְּנָן תַּמָּן, חַד מִימִינָא, וְחַד מִשְּׂמָאלָא. חַד אָמַר דָּא אִיהוּ שֻׁלְחָן דְּמַלְכָּא קַדִּישָׁא, דִּפְלַנְיָא קָא מְסַדֵּר קָמֵיהּ, מְסַדָּר יְהֵא תָּדִיר פָּתוֹרָא דָּא, בְּבִרְכָאן עִלָּאִין, וּמְשִׁיחָא וּרְבוּ עִלָּאָה, קב"ה יִשְׁרֵי עֲלוֹי. וְחַד אָמַר, דָּא אִיהוּ שֻׁלְחָן דְּמַלְכָּא קַדִּישָׁא, דִּפְלַנְיָא קָא מְסַדֵּר קָמֵיהּ, דָּא פָּתוֹרָא דִּי עִלָּאֵי וְתַתָּאֵי יְבָרְכוּן לֵיהּ, מְסַדָּר יְהֵא הַאי פָּתוֹרָא קָמֵי עַתִּיק יוֹמִין, בְּהַאי עָלְמָא, וּבְעָלְמָא דְּאָתֵי.

תקט. ר' אַבָּא, כַּד הֲוָה סַלְקִין פָּתוֹרָא מִקָּמֵיהּ, הֲוָה חָפֵי לֵיהּ, וַהֲוָה אָמַר סְלִיקוּ הַאי פָּתוֹרָא בִּצְנִיעוּ, דְּלָא יְהֵא בְּכִסּוּפָא קָמֵי שְׁלוּחֵי מַלְכָּא. שֻׁלְחָן דְּבַר נָשׁ זָכֵי לֵיהּ לְעָלְמָא דְּאָתֵי, וְזָכֵי לֵיהּ לִמְזוֹנָא דְּהַאי עָלְמָא, וְזָכֵי לֵיהּ לְאִשְׁתְּמוֹדְעָא לְטָב קָמֵי עַתִּיק יוֹמִין, וְזָכֵי לֵיהּ לְאִתּוֹסְפָא חֵילָא וּרְבוּ בַּאֲתַר דְּאִצְטְרִיךְ. זַכָּאָה אִיהוּ חוּלָקֵיהּ דְּהַהוּא בַּר נָשׁ, בְּהַאי עָלְמָא וּבְעָלְמָא דְּאָתֵי.

תקי. רַבִּי יַעֲקֹב אָמַר, כְּתִיב וַיְהִי כָּל יוֹדְעוֹ מֵאֶתְמוֹל שִׁלְשֹׁם וְגוֹ', הֲגַם שָׁאוּל בַּנְּבִיאִים. וְכִי שָׁאוּל בְּחִיר יְיָ' מִקַּדְמַת דְּנָא הֲוָה, דִּכְתִּיב, הַרְאִיתֶם אֲשֶׁר בָּחַר בּוֹ יְיָ', אֲשֶׁר בּוֹחֵר בּוֹ לָא כְּתִיב, אֶלָּא אֲשֶׁר בָּחַר בּוֹ מִקַּדְמַת דְּנָא. וּבְשַׁעֲתָא דְּאָתָא וְעָאל בֵּין נְבִיאֵי וְאִתְנַבֵּי בֵּינַיְיהוּ, אַמַּאי תַּוְהוּ.

תקיא. אֶלָּא, כַּד קב"ה אִתְרְעֵי בֵּיהּ, לָא אִתְרְעֵי בֵּיהּ אֶלָּא לְמַלְכוּ, אֲבָל לִנְבוּאָה לָא. דְּהָא תְּרֵין אִלֵּין, לָא אִתְמְסָרוּ כַּחֲדָא בְּבַר נָשׁ בְּעָלְמָא, בַּר מִמֹּשֶׁה מְהֵימָנָא עִלָּאָה, דְּזָכָה לִנְבוּאָה וּמַלְכוּ כַּחֲדָא, וְלָא אִתְיְיהִיב לְבַר נָשׁ אָחֳרָא תַּרְוַויְיהוּ כַּחֲדָא.

תקיב. וְאִי תֵּימָא, הָא שְׁמוּאֵל דְּזָכָה לְתַרְוַויְיהוּ, לִנְבוּאָה וּמַלְכוּ. לָאו הָכִי. לִנְבוּאָה זָכָה, דִּכְתִּיב וַיֵּדַע כָּל יִשְׂרָאֵל מִדָּן וְעַד בְּאֵר שָׁבַע כִּי נֶאֱמָן שְׁמוּאֵל לְנָבִיא. לְנָבִיא וְלָא לְמֶלֶךְ. נָבִיא וְדַיָּין הֲוָה, דְּאִי מֶלֶךְ הֲוָה, לָא שָׁאֲלוּ יִשְׂרָאֵל מֶלֶךְ. אֲבָל אִיהוּ לָא הֲוָה אֶלָּא נְבִיאָה מְהֵימָנָא, וַהֲוָה דָּאִין דִּינֵיהוֹן דְּיִשְׂרָאֵל, דִּכְתִּיב וְשָׁפַט אֶת יִשְׂרָאֵל. וְע"ד כַּד הֲוָה שָׁאוּל בִּנְבוּאָה, תַּוְהוּ עָלֵיהּ.

תקיג. וְאִי תֵּימָא, אַמַּאי שָׁרָא עָלֵיהּ נְבוּאָה, הוֹאִיל וְזָכָה לְמַלְכוּ. אֶלָּא תַּרְוַויְיהוּ לָא זָכָה בְּהוּ כַּחֲדָא. וּבְגִין דְּמַלְכוּ אִתְיַשַּׁב עַל אִתְעָרוּתָא דְּרוּחַ קֻדְשָׁא, הֲוָה בְּאִתְעָרוּ דִּנְבוּאָה קֹדֶם לָכֵן. אֲבָל כַּד סָלִיק לְמַלְכוּ, לָא הֲוָה בֵּיהּ נְבוּאָה, אֶלָּא אִתְעָרוּ דְּרוּחַ סָכְלְתָנוּ, לְמֵידָן קְשׁוֹט, אִתְעַר עָלֵיהּ, דְּהָכִי אִתְחָזֵי לְמַלְכָּא. וּבְעוֹד דַּהֲוָה גּוֹ אִינּוּן נְבִיאֵי, שָׁרָא עָלֵיהּ נְבוּאָה, לְבָתַר דְּאִתְפְּרַשׁ מִנַּיְיהוּ, לָא הֲוָה בֵּיהּ נְבוּאָה.

תקיד. וַאֲנָא, מַאן יָהִיב לִי אִתְעָרוּתָא דְּרוּחַ קֻדְשָׁא, לְמֶהֱוֵי בְּגוֹ נְבִיאֵי מְהֵימְנֵי, תַּלְמִידֵי דְּרַבִּי שִׁמְעוֹן בֶּן יוֹחָאי, דְּעִלָּאִין וְתַתָּאִין זָעִין מִנֵּיהּ, כ"ש אֲנָא, לְמֶהֱוֵי בֵּינַיְיכוּ.

תקטו. פָּתַח וְאָמַר, וְעָשִׂיתָ שֻׁלְחָן וְגוֹ'. שֻׁלְחָן דָּא אִיהוּ לְתַתָּא, לְשַׁוָּאָה עָלֵיהּ לֶחֶם

דְּאַפָּיָא מַאן עָדִיף דָּא מִן דָּא, לֶחֶם אוֹ שֻׁלְחָן. אִי תֵּימָא דְּכֹלָּא אִיהוּ חַד. הָא שֻׁלְחָן מִתְסַדְּרָא לְגַבֵּי הַהוּא לֶחֶם. וְתוּ, שֻׁלְחָן לְתַתָּא וְלֶחֶם עָלֵיהּ. לָאו הָכִי, אֶלָּא שֻׁלְחָן אִיהוּ עִקָּרָא, בְּסִדּוּרָא דִּילֵיהּ, לְקַבְּלָא בִּרְכָאן דִּלְעֵילָּא וּמְזוֹנָא לְעָלְמָא. וּמֵרָזָא דְּהַאי שֻׁלְחָן, נָפִיק מְזוֹנָא לְעָלְמָא כְּמָה דְּאִתְיְהִיב בֵּיהּ מִלְּעֵילָּא.

תקט״ז. וְהַהוּא לֶחֶם, אִיהוּ אִיבָּא וּמְזוֹנָא דְּקָא נָפִיק מֵהַאי שֻׁלְחָן לְאַחֲזָאָה דְּהָא מִשֻּׁלְחָן דָּא, נַפְקֵי פֵּרִין וְאִבִּין וּמְזוֹנָא לְעָלְמָא. אִי לָא אִשְׁתַּכַּח כֶּרֶם, עֲנָבִין דְּאִינּוּן אִיבָּא דְּנַפְקֵי מִנֵּיהּ, לָא יְהוֹן מִשְׁתַּכְּחִין. אִי אִילָנָא לָא יְהֵא, אִיבָּא לָא יִשְׁתַּכַּח בְּעָלְמָא, בְּגִין כַּךְ, שֻׁלְחָן אִיהוּ עִקָּרָא, מְזוֹנָא דְּנָפִיק מִנֵּיהּ, אִיהוּ הַהוּא לֶחֶם הַפָּנִים.

תקי״ז. וְכַהֲנֵי הֲווּ לַקְטֵי אִיבָּא דְּשֻׁלְחָן מֵע״ש לע״ש, לְאַחֲזָאָה דְּהָא מְזוֹנָא עִלָּאָה נָפִיק מִגּוֹ הַהוּא דְּשֻׁלְחָן. בְּגִין הַהוּא לֶחֶם דַּהֲווּ לַקְטֵי כַּהֲנֵי, אִתְבָּרְכָא כָּל מְזוֹנָא וּמְזוֹנָא דְּאַכְלֵי וְשָׁתָאן, דְּלָא לְקַטְרְגָא בְּהוּ יֵצֶר הָרָע, דְּהָא יֵצֶר הָרָע לָא אִשְׁתַּכַּח, אֶלָּא מִגּוֹ מֵיכְלָא וּמִשְׁתְּיָא. הה״ד, פֶּן אֶשְׂבַּע וְכִחַשְׁתִּי וְגוֹ׳, דְּמִגּוֹ מֵיכְלָא וּמִשְׁתְּיָא יֵצֶר הָרָע מִתְרַבֵּי בִּמְעוֹי דְּבַר נָשׁ.

תקי״ח. לֶחֶם דָּא, מְזוֹנָא דְּקָא נָפִיק מִגּוֹ שֻׁלְחָן, מְבָרֵךְ מְזוֹנָא דְּכַהֲנֵי, דְּלָא יִשְׁתַּכַּח בְּהוּ מְקַטְרְגָא לְקַטְרְגָא לוֹן, לְמִפְלַח בְּלִבָּא שְׁלִים לְקֻבְּ״ה. וְדָא אִצְטְרִיךְ לְכַהֲנֵי יַתִּיר מִכָּל עָלְמָא. וּבְגִין כַּךְ, שֻׁלְחָן אִיהוּ עִקָּרָא, וְאִיבָּא וּמְזוֹנָא דְּקָא נָפִיק מִנֵּיהּ, אִיהוּ הַהוּא לֶחֶם.

תקי״ט. שֻׁלְחָן דָּא, אִצְטְרִיךְ סִדּוּרָא דִּילֵיהּ לְאִתְתַּקְּנָא, בְּסִטְרָא דְּצָפוֹן, דִּכְתִּיב וְהַשֻּׁלְחָן תִּתֵּן עַל צֶלַע צָפוֹן. מ״ט. בְּגִין דְּמִתַּמָּן שֵׁירוּתָא דְּחֶדְוָה. שְׂמָאלָא נָטִיל מִימִינָא תָּדִיר בְּקַדְמֵיתָא, וּלְבָתַר אִיהוּ אִתְּעַר לְגַבֵּי נוּקְבָא, וּבָתַר קָרִיבַת לֵיהּ יְמִינָא לְגַבֵּיהּ, וְאִתְדַּבְּקַת בֵּיהּ.

תקכ. מַיִם אִינּוּן מִימִינָא, וְאִיהוּ חֶדְוָה, מִיָּד יְהִיב לִשְׂמָאלָא, וְאִתְדַּבְּקוּ בֵּיהּ אִינּוּן מַיִם, וְחַדָּאן לֵיהּ. וּבָתַר אִתְכְּלִיל אִיהוּ לִימִינָא, וְאִתְּעַר לְנוּקְבָא בְּהַהוּא חֶדְוָה. וְסִימָנָךְ, מַאן דְּנָטִיל מַיָּא בִּידֵיהּ יְמִינָא בְּמָאנָא, קַדְמָאָה לְאַרְקָא מַיָּא בִּשְׂמָאלָא אִיהוּ, וְלָא מִשְּׂמָאלָא לִימִינָא, דְּהָא מַיָּא מִימִינָא נָטִיל לוֹן שְׂמָאלָא.

תקכ״א. וּבְגִ״כ מַיָּא לָא אִשְׁתַּכְּחוּ, אֶלָּא מִסִּטְרָא דִּשְׂמָאלָא. כֵּיוָן דְּנָטִילוּ מַיָּא לְגַבֵּיהּ, הָא אִתְּעָרוּ לְגַבֵּי נוּקְבָא בְּאִינּוּן מַיִם. וְע״ד גְּבוּרוֹת גְּשָׁמִים תָּנֵינָן. וּבְגִין כַּךְ וְהַשֻּׁלְחָן תִּתֵּן עַל צֶלַע צָפוֹן, דְּמֵהַהוּא סְטָר אִיבִּין אִשְׁתַּכְּחוּ בֵּיהּ יַתִּיר, מִסִּטְרָא אָחֳרָא. בְּאִתְּעָרוּ דְּחֶדְוָה דִּילֵיהּ בְּקַדְמֵיתָא, כד״א שְׂמֹאלוֹ תַּחַת לְרֹאשִׁי לְבָתַר וִימִינוֹ תְּחַבְּקֵנִי.

תקכ״ב. שֻׁלְחָן דְּבַר נָשׁ אִצְטְרִיךְ לְאִשְׁתַּכְּחָא בְּנְקִיּוּתָא דְּגוּפָא, דְּלָא יִתְקְרֵב לְמֵיכַל מְזוֹנָא דִּילֵיהּ, אֶלָּא בִּנְקִיּוּתָא דְּגַרְמֵיהּ. וְע״ד אִצְטְרִיךְ בַּר נָשׁ, לְפַנָּאָה גַּרְמֵיהּ בְּקַדְמֵיתָא, עַד לָא יֵיכוֹל מְזוֹנָא דְּשֻׁלְחָנָא דַּכְיָא, דְּהַהוּא מְזוֹנָא דְּאַתְקִין לֵיהּ, בֵּיהּ אִתְרְעֵי קֻבְּ״ה, בְּגִין דְּלָא יִתְקְרֵב עַל הַהוּא שֻׁלְחָן קִיא צוֹאָה, דְּאִיהוּ מֵרָזָא דְּסט״א וְסט״א לָא יְקַבֵּל מֵהַהוּא מְזוֹנָא דְּשֻׁלְחָן דָּא כְּלוּם.

תקכ״ג. לְבָתַר דְּאָכִיל ב״נ, וְאִתְעֲנַג, אִצְטְרִיךְ לְמֵיהַב חוּלָקָא דְּתַמְצִית לְהַהוּא סִטְרָא. וּמַאן אִיהוּ. מַיִם אַחֲרוֹנִים. הַהוּא זוּהֲמָא דְּיָדַיִן, דְּאִצְטְרִיךְ לְמֵיהַב לְהַהוּא סִטְרָא, חוּלָקָא דְּאִצְטְרִיךְ לֵיהּ. וְע״ד וַדַּאי אִינּוּן חוֹבָה, חוֹבָה אִינּוּן, וּבַאֲתַר דְּחוֹבָה שַׁרְיָין. וְאִיהוּ חִיּוּבָא עַל בַּר נָשׁ, לְמֵיהַב לֵיהּ חוּלָקָא דָּא. וְע״ד לָא אִצְטְרִיךְ לְבָרְכָא כְּלָל, דְּהָא בְּרָכָה לָאו אִיהוּ בְּהַהוּא סִטְרָא.

תקכ״ד. וּבְגִין כַּךְ אִצְטְרִיךְ בַּר נָשׁ, דְּלָא יְהִיב מְזוֹנָא דְּע״ג פָּתוֹרֵיהּ, לְהַהוּא קִיא

צוֹאָה, וְכ״ש בְּמֵעוֹי, וְכ״ש דְּאִיהוּ טַב לְבַר נָשׁ וּבְרִיאוּ וְתִקּוּנָא דְּגוּפֵיהּ. וְעַל דָּא, שֻׁלְחָן אִיהוּ לְמֵיכַל בֵּיהּ בְּדַכְיוּ, כְּמָה דְּאִתְּמַר.

תקכה. שֻׁלְחָן דָּא דְּקַיְּימָא בְּבֵי מַקְדְּשָׁא, בְּגִין לְאִשְׁתַּכְּחָא בֵּיהּ מְזוֹנָא, וּלְאַפָּקָא מִנֵּיהּ מְזוֹנָא, וְע״ד אֲפִילוּ רִגְעָא חֲדָא, לָא אִצְטְרִיךְ לְקַיְּימָא בְּרֵיקָנַיָּא. שֻׁלְחָן אָחֳרָא, אִיהוּ שֻׁלְחָן דְּרֵיקָנַיָּא, וְלָא אִצְטְרִיךְ לְמֵיהַב לֵיהּ דּוּכְתָּא בַּאֲתַר קַדִּישָׁא. וְעַל דָּא, שֻׁלְחָן דְּמַקְדְּשָׁא, אֲפִילוּ רִגְעָא חֲדָא לָא יָתִיב בְּלָא מְזוֹנָא. וְיִצְטְרִךְ דְּלָא יִשְׁתַּכַּח אֲתַר גָּרִיעַ, דְּהָא בִּרְכָתָא דִּלְעֵילָּא לָא מִשְׁתַּכְּחָא בַּאֲתַר גָּרִיעַ, דָּא שֻׁלְחָן דְּקָמֵיהּ דְּקֻדְשָׁא בְּרִיךְ הוּא. שֻׁלְחָן דְּבַר נָשׁ דְּקָא מְבָרֵךְ עָלֵיהּ לְקב״ה, אוּף הָכִי לָא אִצְטְרִיךְ לְמֶהֱוֵי בְּרֵיקָנַיָּא, דְּהָא לֵית בִּרְכָתָא בַּאֲתַר רֵיקָנַיָּא.

תקכו. נַהֲמֵי דְּעַל גַּבֵּי שֻׁלְחָן דְּקב״ה, אִינּוּן תְּרֵיסַר. וְהָא אוֹקִימְנָא רָזָא דְּנַהֲמֵי, דְּאִינּוּן רָזָא דְּפָנִים. וְעַל דָּא אִקְרֵי לֶחֶם הַפָּנִים, דְּהָא מְזוֹנָא וְסִפּוּקָא דְּעָלְמָא, מֵאִינּוּן פָּנִים עִלָּאִין קָאַתְיָיא. וּבְגִין כָּךְ, לֶחֶם דָּא, אִיהוּ פְּנִימָאָה דְּכֹלָּא, אִיהוּ בְּרָזָא עִלָּאָה, כַּדְקָא יָאוֹת.

תקכז. לֶחֶם הַפָּנִים, מֵיכְלָא דְּאִינּוּן פָּנִים, מְזוֹנָא וְסִפּוּקָא דְּנָפִיק לְעָלְמָא, מִנַּיְיהוּ אָתֵי, וְשַׁרְיָא עַל הַהוּא פָּתוֹרָא, וּבְגִין דְּשֻׁלְחָן דָּא, מְקַבְּלָא מְזוֹנָא וְסִפּוּקָא מֵאִינּוּן פָּנִים דִּלְעֵילָּא, וְאִיהִי אַפִּיקַת מְזוֹנִין וְסִפּוּקִין מֵאִינּוּן פָּנִים פְּנִימָאִין, וּמְזוֹנָא דְּאַפִּיקַת, אִיהוּ הַהוּא לֶחֶם, כִּדְקָאמְרָן, וְחוֹם הֲוָה מִתְקָרֵב, וְחוֹם הֲוָה מִתְעֲדֵי מִתַּמָּן, וְהָא אוֹקְמוּהָ, דִּכְתִּיב, בְּיוֹם הִלָּקְחוֹ וּבְגִין שֻׁלְחָן דָּא אִית לְבַר נָשׁ לְנַטְרָא רָזִין דְּשֻׁלְחָן דִּילֵיהּ בְּכָל אִינּוּן גַּוְונִין כִּדְקָאמְרָן.

תקכח. רַבִּי אֶלְעָזָר פָּתַח וְאָמַר, בְּכָל עֵת יִהְיוּ בְגָדֶיךָ לְבָנִים וְשֶׁמֶן עַל רֹאשְׁךָ אַל יֶחְסָר. הַאי קְרָא אוֹקְמוּהָ וְאִתְּמַר, אֲבָל ת״ח, קב״ה בָּרָא לֵיהּ לְבַר נָשׁ בְּרָזָא דְּחָכְמְתָא, וְעָבֵד לֵיהּ בְּאוּמָנוּתָא סַגֵּי, וְנָפַח בְּאַפּוֹי נִשְׁמְתָא דְּחַיֵּי, לְמִנְדַּע וּלְאִסְתַּכְּלָא בְּרָזִין דְּחָכְמְתָא, לְמִנְדַּע בִּיקָרָא דְּמָארֵיהּ, כד״א, כֹּל הַנִּקְרָא בִשְׁמִי וְלִכְבוֹדִי בְּרָאתִיו יְצַרְתִּיו אַף עֲשִׂיתִיו. וְלִכְבוֹדִי בְּרָאתִיו דַּיְיקָא, וְרָזָא דָּא וְלִכְבוֹדִי בְּרָאתִיו אוֹלִיפְנָא, דְּהָא כָּבוֹד דִּלְתַתָּא רָזָא דְּכוּרְסְיָיא קַדִּישָׁא לָא אִתְתַּקַּן לְעֵילָּא, אֶלָּא מִגּוֹ תִּקּוּנָא דִּבְנֵי עָלְמָא.

תקכט. כַּד אִינּוּן בְּנֵי נָשָׁא, זַכָּאִין וַחֲסִידִין, וְיַדְעֵי לְתַקְּנָא תִּקּוּנֵי, הה״ד וְלִכְבוֹדִי בְּרָאתִיו. בְּגִין דְּהַאי כְּבוֹדִי, לְתַקְּנָא לֵיהּ בְּעַמּוּדִין תַּקִּיפִין, וּלְקַשְּׁטָא לֵיהּ בְּתִקּוּנָא וְקִשּׁוּטָא דִּלְתַתָּא, בְּגִין דְּהַאי כְּבוֹדִי יִסְתַּלַּק, בִּזְכוּ דְּצַדִּיקַיָּא דִּי בְּאַרְעָא.

תקל. בְּגִין כַּךְ בְּרָאתִיו. כְּגַוְונָא דְּכָבוֹד עִלָּאָה, דְּתִקּוּנִין אִלֵּין בֵּיהּ. בְּרִיאָה לְסִטַר שְׂמָאלָא. וְעַל דָּא, הוֹאִיל וְאָדָם אִיהוּ בְּאַרְעָא, וְאִית לֵיהּ לְתַקְּנָא הַהוּא כְּבוֹדִי עֲבָדִית בֵּיהּ תִּקּוּנִין דְּכָבוֹד עִלָּאָה, דְּאִית בֵּיהּ אוּף הָכִי בְּרִיאָה, וְעַל דָּא בְּרָאתִיו.

תקלא. בְּהַהוּא כָּבוֹד עִלָּאָה, אִית בֵּיהּ יְצִירָה, וְע״ד יְצַרְתִּיו, תִּקּוּנָא דָּא יָהֲבִית בֵּיהּ בְּאָדָם, לְמֶהֱוֵי אִיהוּ בְּאַרְעָא, כְּגַוְונָא דְּהַהוּא כָּבוֹד עִלָּאָה. בְּהַהוּא כָּבוֹד עִלָּאָה, אִית בֵּיהּ עֲשִׂיָּיה, וְעַל דָּא אוּף הָכִי בְּבַר נָשׁ, כְּתִיב עֲשִׂיתִיו, לְמֶהֱוֵי אִיהוּ כְּגַוְונָא דְּהַהוּא כָּבוֹד עִלָּאָה, דְּמִתַּקֵּן וּבָרִיךְ לְכָבוֹד תַּתָּאָה.

תקלב. מְנָלָן, דְּהַהוּא כָּבוֹד עִלָּאָה אִית בֵּיהּ תְּלַת אִלֵּין. דִּכְתִּיב בֵּיהּ, יוֹצֵר אוֹר וּבוֹרֵא חֹשֶׁךְ עוֹשֶׂה שָׁלוֹם. יוֹצֵר אוֹר, הָא יְצִירָה. וּבוֹרֵא חֹשֶׁךְ, הָא בְּרִיאָה. עוֹשֶׂה שָׁלוֹם הָא עֲשִׂיָּה. וְדָא אִיהוּ כָּבוֹד עִלָּאָה, דְּקָא מִתַּקֵּן וּבָרִיךְ וְסַפִּיק בְּכָל צָרְכָיו לְכָבוֹד

תַּתָּאָה.

תקלג. כְּגַוְונָא דָּא, בָּרָא אָדָם בְּאַרְעָא, דְּאִיהוּ כְּגַוְונָא דְּהַהוּא כָּבוֹד עִלָּאָה, לְתַקְּנָא לְהַאי כָּבוֹד, וּלְאִתְכַּלְלָא מִכָּל סִטְרִין. כָּבוֹד עִלָּאָה אִית בֵּיהּ תְּלַת אִלֵּין, אָדָם לְתַתָּא אִית בֵּיהּ תְּלַת אִלֵּין. וּלְאִתְכַּלְלָא הַהוּא כָּבוֹד תַּתָּאָה, מֵעֵילָּא וּמִתַּתָּא, לְמֶהֱוֵי שְׁלִים בְּכָל סִטְרִין. זַכָּאָה אִיהוּ בַּר נָשׁ, דְּזָכֵי בְּעוֹבָדוֹי לְמֶהֱוֵי כְּגַוְונָא דָּא.

תקלד. וְעַל דָּא כְּתִיב, בְּכָל עֵת יִהְיוּ בְגָדֶיךָ לְבָנִים וְשֶׁמֶן עַל רֹאשְׁךָ אַל יֶחְסָר. מַה לִכְבוֹד עִלָּאָה, הַהוּא מִשְׁחָא רְבוּת קָדְשָׁא לָא אִתְמְנַע מִנֵּיהּ, מֵרָזָא דְּעָלְמָא דְּאָתֵי. אוּף הָכִי לְבַר נָשׁ, דְּעוֹבָדוֹי מִתְלַבְּנָן תָּדִיר, הַהוּא מְשַׁךְ רְבוּת קָדְשָׁא, לָא יִתְמְנַע מִנֵּיהּ תָּדִיר.

תקלה. בְּמָאי זָכֵי בַּר נָשׁ, לְאִתְעַדְּנָא בְּהַהוּא עִדּוּנָא עִלָּאָה. בְּשֻׁלְחָן דִּילֵיהּ. כְּמָה דְּאִיהוּ מְעַדֵּן עַל פָּתוֹרֵיהּ נַפְשָׁאן דְּמִסְכְּנֵי, דִּכְתִיב וְנֶפֶשׁ נַעֲנָה תַּשְׂבִּיעַ, מָה כְּתִיב בַּתְרֵיהּ, אָז תִּתְעַנַּג עַל יְיָ' וְגוֹ', דְּאוּף הָכִי קֻבְּ"הּ רַוֵּי לֵיהּ, בְּכָל אִינּוּן עִדּוּנִין דְּמִשְׁחָא רְבוּת קוּדְשָׁא עִלָּאָה, דְּנָגִיד וְאִתְמְשַׁךְ תָּדִיר לְהַהוּא כָּבוֹד עִלָּאָה, כְּתִיב וְנֶפֶשׁ נַעֲנָה תַּשְׂבִּיעַ, מַה כְּתִיב בַּתְרֵיהּ, אָז תִּתְעַנַּג עַל יְיָ'.

תקלו. ר' יוֹסֵי וְר' חִיָּיא הֲוָה אַזְלֵי בְּאוֹרְחָא, וַהֲוָה חַד טַיְּיעָא טָעִין אֲבַתְרַיְיהוּ, א"ר יוֹסֵי לְר' חִיָּיא, אִית לָן לְאִתְעַסְּקָא וּלְאִשְׁתַּדְּלָא בְּמִלֵּי דְּאוֹרַיְיתָא, דְּהָא קֻבְּ"הּ אָזִיל לְקַמָּן, וְעַל דָּא עִידָּן הוּא, לְמֶעְבַּד לֵיהּ תִּקּוּנָא בְּהַדָּן בְּהַאי אָרְחָא.

תקלז. פָּתַח רַבִּי חִיָּיא וְאָמַר עֵת לַעֲשׂוֹת לַיְיָ' הֵפֵרוּ תּוֹרָתֶךָ, הַאי קְרָא אִתְּמַר, וְאוֹקְמוּהָ חַבְרַיָּיא. אֲבָל עֵת לַעֲשׂוֹת לַיְיָ', בְּכָל זִמְנָא דְּאוֹרַיְיתָא מִתְקַיְּימָא בְּעָלְמָא, וּבְנֵי נָשָׁא מִשְׁתַּדְּלָן בָּהּ, כִּבְיָכוֹל, קֻבְּ"הּ חַדֵּי בְּעוֹבָדֵי יְדוֹי, וְחַדֵּי בְּעָלְמִין כֻּלְּהוּ, וּשְׁמַיָּא וְאַרְעָא קַיְּימֵי בְּקִיּוּמַיְיהוּ. וְלָא עוֹד, אֶלָּא קֻבְּ"הּ כָּנִישׁ כָּל פָּמַלְיָא דִּילֵיהּ, וְאָמַר לוֹן, חָמוּ עַמָּא קַדִּישָׁא דְּאִית לִי בְּאַרְעָא, דְּאוֹרַיְיתִי מִתְעַטְּרָא בְּגִינַיְיהוּ. חָמוּ עוֹבָדֵי יְדַי, דְּאַתּוּן אֲמַרְתּוּן מָה אֱנוֹשׁ כִּי תִזְכְּרֶנּוּ. וְאִינּוּן כַּד חָמָאן חֶדְוָה דְּמָארֵיהוֹן בְּעַמֵּיהּ, מִיָּד פַּתְחֵי וְאַמְרֵי, וּמִי כְעַמְּךָ כְּיִשְׂרָאֵל גּוֹי אֶחָד בָּאָרֶץ.

תקלח. וּבְשַׁעֲתָא דְּיִשְׂרָאֵל מִתְבַּטְּלֵי מֵאוֹרַיְיתָא, כִּבְיָכוֹ"ל, תָּשַׁשׁ חֵילֵיהּ, דִּכְתִיב צוּר יְלָדְךָ תֶּשִׁי. וּכְדֵין כְּתִיב, וְכָל צְבָא הַשָּׁמַיִם עוֹמְדִים עָלָיו וְעַל דָּא עֵת לַעֲשׂוֹת לַיְיָ', אִינּוּן צַדִּיקַיָּיא דְּאִשְׁתָּאֲרָן, אִית לוֹן לְחַגְרָא חַרְצִין, וּלְמֶעְבַּד עוֹבָדִין דְּכַשְׁרָאן, בְּגִין דְּקֻבְּ"הּ יִתְתַּקַּף בְּהוּ, בְּצַדִּיקַיָּיא, וּמַשִּׁרְיָין וְאוּכְלוֹסִין דִּילֵיהּ. מ"ט. בְּגִין דְּהֵפֵרוּ תּוֹרָתֶךָ, וְלָא מִשְׁתַּדְּלֵי בָהּ בְּנֵי עָלְמָא, כַּדְקָא יָאוֹת.

תקלט. הַהוּא טַיְּיעָא דַּהֲוָה טָעִין אֲבַתְרַיְיהוּ, אָמַר לוֹן בְּמָטוּ מִנַּיְיכוּ, שְׁאֶלְתָּא חֲדָא בָּעֵינָא לְמִנְדַּע. אָמַר רַבִּי יוֹסֵי, וַדַּאי אָרְחָא מִתְתַּקְנָא קַמָּן, שָׁאִיל שְׁאֶלְתָּךְ. אָמַר, הַאי קְרָא, אִי כְּתִיב יֵשׁ לַעֲשׂוֹת, אוֹ נַעֲשֶׂה, הֲוָה אֲמֵינָא הָכִי. מַאי עֵת. וְתוּ, לַעֲשׂוֹת לַיְיָ', לִפְנֵי יְיָ' אִצְטְרִיךְ, מַאי לַעֲשׂוֹת לַיְיָ'. אָמַר רַבִּי יוֹסֵי, בְּכַמָּה גַּוְונִין אָרְחָא מִתְתַּקְנָא קַמָּן. חַד, דַּהֲוֵינָן תְּרֵין, וְהַשְׁתָּא הָא אֲנָן תְּלָתָא, וּשְׁכִינְתָּא אִתְכְּלִילַת בַּהֲדָן. וְחַד דַּחֲשִׁיבְנָא דְּלָא הֲוֵית אֶלָּא כְּאִילָנָא יַבֶּשְׁתָּא, וְאַנְתְּ רַעֲנָנָא כְּזֵיתָא. וְחַד, דְּיָאוֹת שָׁאֲלַתְּ, וְהוֹאִיל וְשָׁרִית מִלָּה, אֵימָא.

תקמ. פָּתַח וְאָמַר עֵת לַעֲשׂוֹת לַיְיָ' הֵפֵרוּ תּוֹרָתֶךָ. עֵת לַעֲשׂוֹת לַיְיָ', אִית עֵת. וְאִית עֵת. עֵת לֶאֱהֹב וְעֵת לִשְׂנֹא. עֵת אִיהוּ לְעֵילָּא. דְּהַהוּא עֵת, רָזָא דִּמְהֵימְנוּתָא אִיהוּ. וְדָא

אִקְרֵי עֵת רָצוֹן, וְהַאי אִיהוּ דְּאִתְחַיָּיב בַּר נָשׁ לְמִרְחַם לַיְיָ תָּדִיר, כד"א וְאָהַבְתָּ אֵת יְיָ אֱלֹהֶיךָ, וְע"ד, עֵת לֶאֱהֹב, דָּא אִיהוּ עֵת דְּאִתְחַיָּיב בַּר נָשׁ לֶאֱהֹב.

תקמא. וְאִית עֵת אָחֳרָא, דְּאִיהוּ רָזָא דֶּאֱלֹהִים אֲחֵרִים, וְאִתְחַיָּיב בַּר נָשׁ לְמִשְׂנָא לֵיהּ, וְלָא יִתְמְשַׁךְ לִבֵּיהּ אֲבַתְרֵיהּ, וְע"ד עֵת לִשְׂנֹא, וּבְגִין כַּךְ כְּתִיב דַּבֵּר אֶל אַהֲרֹן אָחִיךָ וְאַל יָבֹא בְכָל עֵת אֶל הַקֹּדֶשׁ.

תקמב. בְּזִמְנָא דְּיִשְׂרָאֵל מִשְׁתַּדְּלֵי בְּאוֹרַיְיתָא, וּפִקּוּדֵי אוֹרַיְיתָא, הַהוּא עֵת רָזָא דִּמְהֵימְנוּתָא קַדִּישָׁא, מִתַּתְקְנָא בְּתִקּוּנָהָא, וּמִתְקַשְּׁטָא בִּשְׁלֵימוּתָא, כַּדְקָא יֵאוֹת. וּבְזִמְנָא דְּיִשְׂרָאֵל מִתְבַּטְלֵי מֵאוֹרַיְיתָא, כִּבְיָכוֹל הַהוּא עֵת, לָאו אִיהוּ בְּתִקּוּנָהָא, וְלָא אִשְׁתְּכַחַת בִּשְׁלִימוּ, וְלָא בִּנְהוֹרָא וּכְדֵין עֵת לַעֲשׂוֹת לַיְיָ.

תקמג. מַאי לַעֲשׂוֹת. כד"א אֲשֶׁר בָּרָא אֱלֹהִים לַעֲשׂוֹת. מַאי לַעֲשׂוֹת. דְּאִשְׁתָּאָרוּ גּוּפֵי דְּשֵׁידֵי, דְּאִתְקַדֵּשׁ יוֹמָא, וְלָא אִתְעֲבֵידוּ, וְאִשְׁתָּאָרוּ לַעֲשׂוֹת, רוּחִין בְּלָא גּוּפֵי. אוּף הָכָא עֵת לַעֲשׂוֹת, אִשְׁתְּאַר בְּלָא תִּקּוּנָא, וּבְלָא שְׁלִימוּ. מ"ט. מִשּׁוּם דְּהֵפֵרוּ תּוֹרָתֶךָ, בְּגִין דְּאִתְבָּטְלוּ יִשְׂרָאֵל לְתַתָּא מִפִּתְגָּמֵי אוֹרַיְיתָא. בְּגִין דְּהַהוּא עֵת, הָכִי קַיְּימָא, אוֹ סַלְקָא, אוֹ נַחְתָּא, בְּגִינַיְיהוּ דְּיִשְׂרָאֵל.

תקמד. אָתוּ ר' יוֹסִי וְרַבִּי חִיָּיא וְנַשְׁקוּהוּ בְּרֵישֵׁיהּ. אָמַר ר' יוֹסִי, וַדַּאי לֵית אַנְתְּ כְּדַאי, לְטַיְּיעָא אֲבַתְרָן. זַכָּאָה אָרְחָא דָּא, דְּזָכֵינָן לְמִשְׁמַע דָּא, זַכָּאָה דָּרָא דְּרַבִּי שִׁמְעוֹן שָׁארֵי בְּגַוֵּיהּ, דַּאֲפִילּוּ בֵּינֵי טוּרַיָּא, וְחָכְמְתָא אִשְׁתְּכַחַת תַּמָּן. נָחֲתוּ רַבִּי יוֹסִי וְרַבִּי חִיָּיא, וְאָזְלוּ תְּלָתְהוֹן בְּאָרְחָא.

תקמה. פָּתַח הַהוּא טַיְּיעָא וְאָמַר וַאֲנִי תְפִלָּתִי לְךָ יְיָ עֵת רָצוֹן אֱלֹהִים בְּרָב חַסְדֶּךָ עֲנֵנִי בֶּאֱמֶת יִשְׁעֶךָ, תָּנֵינָן, אֵימָתַי אִקְרֵי עֵת רָצוֹן. בְּשַׁעֲתָא דְּצִבּוּר קָא מְצַלָּאן. שַׁפִּיר אִיהוּ, וְהָכִי אִיהוּ וַדַּאי. דְּהָא כְּדֵין, צִבּוּרָא מְסַדְּרֵי וּמְתַקְּנֵי תִּקּוּנָא דְּהַאי עֵת, וּכְדֵין אִיהוּ עֵת רָצוֹן, וְאִצְטְרִיךְ לְמִשְׁאַל שְׁאֶלְתָּא, דִּכְתִּיב אֱלֹהִים בְּרָב חַסְדֶּךָ עֲנֵנִי בֶּאֱמֶת יִשְׁעֶךָ דְּהָא כְּדֵין אִצְטְרִיךְ לְמִשְׁאַל שְׁאֶלְתָּא.

תקמו. וַאֲנִי תְפִלָּתִי לְךָ יְיָ, הָא הָכָא רָזָא דְּיִחוּדָא. וַאֲנִי: דָּא דָּוִד מַלְכָּא, אֲתַר דְּאִקְרֵי גְּאוּלָה. תְפִלָּתִי: דָּא תְּפִלָּה. וְהָכָא אִיהוּ סְמִיכָא לִגְאוּלָה, דְּאִיהוּ וַחַד. כַּד אִיהוּ סָמִיךְ גְּאוּלָה לִתְפִלָּה, כְּדֵין אִיהוּ עֵת רָצוֹן. עֵת רָצוֹן: אוּף הָכִי, כְּלָלָא אִיהוּ כַּחֲדָא, עֵת וְחַד, רָצוֹן וְחַד, אִתְכְּלִילוּ דָּא בְּדָא, וַהֲווּ וַחַד. וְדָוִד מַלְכָּא בָּעָא לְיַחֲדָא בְּהַאי קְרָא, יִחוּדָא וְחָדָא.

תקמז. וְאִי תֵּימָא, אַמַּאי אִתְמְנֵי הַאי קְרָא, בִּצְלוֹתָא דְּמִנְחָה דְּשַׁבָּת. יֵאוֹת אִיהוּ לְמֶהֱוֵי בְּשַׁבָּת בְּהַהוּא צְלוֹתָא דְּמִנְחָה, וְלָא בִּצְלוֹתָא דְּחוֹל, דְּוַדַּאי לָאו צְלוֹתָא דְּמִנְחָה דְּשַׁבָּת כְּחוֹל. בְּגִין דְּהָא בְּחוֹל בְּשַׁעֲתָא דְּמִנְחָה, תַּלְיָא דִּינָא בְּעָלְמָא, וְלָאו אִיהוּ עֵת רָצוֹן. אֲבָל בְּשַׁבָּת, דְּכָל רוּגְזָא אִתְעֲדֵי, וְכֹלָּא אִתְכְּלִיל כַּחֲדָא, וְאע"ג דְּדִינָא אִתְּעַר, אִתְבַּסְּמוּתָא אִיהוּ, וְע"ד אִצְטְרִיךְ קְרָא דְּיִחוּדָא, לְיַחֲדָא כָּל דַּרְגִּין, דְּכַד הֲוֵי יִחוּדָא, דִּינָא אִתְחַבַּר וְאִתְכְּלִיל בְּרַחֲמֵי, וְאִתְבַּסַּם כֹּלָּא, וּכְדֵין עֵת רָצוֹן כְּתִיב. עֵת רָצוֹן, כָּלִיל כֹּלָּא כַּחֲדָא. וְדִינָא אִתְבְּסַם בְּהַהוּא זִמְנָא, וַהֲוֵי חֶדְוָה בְּכֹלָּא.

תקמח. מֹשֶׁה אִסְתַּלַּק מֵעָלְמָא, בְּהַהוּא שַׁעֲתָא דִּצְלוֹתָא דְּמִנְחָה דְּשַׁבָּת, בְּשַׁעֲתָא דְּעֵת רָצוֹן אִשְׁתְּכַח. וּבְהַהִיא שַׁעֲתָא רַעֲוָא הֲוָה לְעֵילָּא, וְצַעֲרָא לְתַתָּא, וְע"ד נִנְעֲלוּ תַּרְעִין בְּשַׁבָּת, מִשַּׁעֲתָא דְּמִנְחָה וּלְעֵילָּא. מַאן תַּרְעִין נִנְעֲלוּ. תַּרְעִין דְּבֵי מִדְרְשָׁא, בְּגִין

לְאַדְכְּרָא לְמֹשֶׁה רַעְיָא מְהֵימְנָא, דְּאוֹרַיְיתָא אִתְבַּטְּלָא בְּגִינֵיהּ.

תקמט. בְּהַהוּא זִמְנָא, בֵּי מִדְרָשָׁא דְּמֹשֶׁה אִתְבְּטִיל, כָּל שֶׁכֵּן אַחֲרָנִין. מַאן וָזָמֵי תַּרְעִין דְּבֵי מִדְרָשָׁא דְּמֹשֶׁה דְּנִנְעֲלוּ, דְּלָא נִנְעֲלוּ אַחֲרָנִין כֻּלְּהוּ. אוֹרַיְיתָא דְּמֹשֶׁה עֲצִיבָא עָלֵיהּ בְּהַהוּא זִמְנָא, מַאן לָא עָצִיב. בְּגִ"כ כָּל תַּרְעֵי דְּבֵי מִדְרָשֵׁי נִנְעֲלוּ, וְאִצְטְרִיכוּ כֹּלָּא לְצַדְקָא לֵיהּ לְקוּדְשָׁא בְּ"ה בְּאַרְזוּ שְׁבָחָא, וְהַיְינוּ צִדְקָתְךָ כְּהַרְרֵי אֵל.

תקנ. תְּלָתָא אִינּוּן דְּאִסְתַּלָּקוּ מֵעָלְמָא בְּהַאי זִמְנָא, וְכֻלְּהוּ כְּלִילָן בְּמֹשֶׁה. וָזַד, מֹשֶׁה נְבִיאָה מְהֵימָנָא עִלָּאָה. וְוַזַד, יוֹסֵף צַדִּיקָא. וְוַזַד, דָּוִד מַלְכָּא. בְּגִינֵי כַּךְ, תְּלַת צִדּוּקֵי דִּינֵי הָכָא, וַזַד אִיהוּ דְּיוֹסֵף זַכָּאָה, קָדִים לְכָל הָנֵי, וְדָא אִיהוּ צִדְקָתְךָ כְּהַרְרֵי אֵל מִשְׁפָּטֶיךָ תְּהוֹם רַבָּה וְגוֹ', דָּא יוֹסֵף, דְּאִיהוּ בִּלְחוֹדוֹי כְּהַרְרֵי אֵל, כְּכֻלְּהוּ טוּרִין עִלָּאִין. וְוַזַד מֹשֶׁה נְבִיאָה מְהֵימָנָא, וְדָא אִיהוּ דִּכְתִּיב, וְצִדְקָתְךָ אֱלֹהִים עַד מָרוֹם אֲשֶׁר עָשִׂיתָ גְּדוֹלוֹת, בְּגִין דְּאִיהוּ נָטִיל לְכָל סִטְרִין, יְמִינָא וּשְׂמָאלָא. וְוַזַד אִיהוּ דָּוִד מַלְכָּא, וְדָא אִיהוּ דִּכְתִּיב, צִדְקָתְךָ צֶדֶק לְעוֹלָם וְתוֹרָתְךָ אֱמֶת, לְעוֹלָם: דָּא דָּוִד מַלְכָּא.

תקנא. כְּדֵין אִתְכְּנִישׁ כֹּלָּא בְּהַאי זִמְנָא, תּוֹרָה שֶׁבִּכְתָב, וְתוֹרָה שֶׁבְּעַ"פ. וְעַ"ד בְּהַאי זִמְנָא נִנְעֲלוּ תַּרְעֵי דְּאוֹרַיְיתָא, וְנִנְעֲלוּ תַּרְעֵי דְּכָל עָלְמָא, בְּהַאי זִמְנָא. בְּשַׁעֲתָא דְּמִית יוֹסֵף צַדִּיקָא, יָבְשׁוּ מְקוֹרִין וּמַבּוּעִין, וְכֻלְּהוּ שְׁבָטִין נָפְלוּ בְּגָלוּתָא, פָּתְחוּ עִלָּאֵי וְאָמְרוּ, צִדְקָתְךָ כְּהַרְרֵי אֵל מִשְׁפָּטֶיךָ תְּהוֹם רַבָּה וְגוֹ'. בְּשַׁעֲתָא דְּמִית מֹשֶׁה, אִתְחֲשַׁךְ שִׁמְשָׁא בְּטִיהֲרָא, וְאִנְעֲלַת תּוֹרָה שֶׁבִּכְתָב, נְהוֹרָא דְּאַסְפַּקְלַרְיָאה דְּנַהֲרָא. בְּשַׁעֲתָא דְּמִית דָּוִד מַלְכָּא, כְּנִישַׁת סִיהֲרָא נְהוֹרָהָא וְאוֹרַיְיתָא דְּבְעַל פֶּה כְּנִישַׁת נְהוֹרָהָא.

תקנב. וּמֵהַהוּא זִמְנָא אִתְגְּנִיזוּ נְהוֹרִין דְּאוֹרַיְיתָא, וְאַסְגִּיאוּ מַחֲלוֹקֶת עַל מִשְׁנָה, וְוַזַכִּימַיָּא בְּמַחֲלוֹקֶת, וְכֻלְּהוּ תַּקִּיפֵי לִבָּא בְּעִרְבּוּבְיָא. וְעַל דָּא, וֶחֶדְוָה דְּאוֹרַיְיתָא לָאו אִיהוּ בְּהַהוּא זִמְנָא, בְּכָל דָּרִין דְּעָלְמָא. וּמָה אִינּוּן וְזוּמְרֵי דְּתַעֲנִיּוֹת דְּגָזְרוּ רַבָּנָן, כַּד מִית פְּלוֹנִי, גָּזְרוּ תַּעֲנִית. כַּד הֲוָה כַּךְ, גָּזְרוּ כַּךְ. וְכַד הֲוָה כְּנִישׁוּ יַתִּיר דְּחֶדְוָה דְּתוֹרָה דְּבִכְתָב וְתוֹרָה דִּבְעַל פֶּה, בְּהַהוּא זִמְנָא, עאכ"ו דְּאִצְטְרִיךְ לְמִנְעַל תַּרְעֵי דְּאוֹרַיְיתָא בְּהַהוּא זִמְנָא. וּבְגִ"כ אַמְרֵינָן הָנֵי צִדּוּקֵי דִּינָא, כְּמָה דְּאִתְּמַר. וַזְדוּ רַבִּי יוֹסֵי וְרַבִּי וִזיָּיא, וְנַשְׁקוּהוּ בְּרֵישֵׁיהּ כְּמִלְּקַדְמִין, אָמְרוּ זַכָּאָה וְזוּלָקָנָא בְּהַאי אָרְוָזא.

תקנג. תּוּ פָּתַח וְאָמַר. הַוָזְכְמָה תָּעֹז לֶוָזכָם מֵעֲשָׂרָה שַׁלִּיטִים אֲשֶׁר הָיוּ בָּעִיר. הַוָזְכְמָה תָּעֹז לֶוָזכָם, דָּא מֹשֶׁה, כַּד סָלִיק לְטוּרָא דְּסִינַי לְקַבְּלָא אוֹרַיְיתָא, אוֹדְעֲזָעוּ כָּל אִינּוּן רְקִיעִין, וְכָל אִינּוּן מַשִּׁרְיָין עִלָּאִין, וְאָמְרוּ קָמֵיהּ, מָארֵיהּ דְּעָלְמָא, וּמַה כָּל טוּבָא, וְכָל וֶזְדְוָה דִּילָן, לָאו אִיהוּ אֶלָּא בְּאוֹרַיְיתָא, וְאַתְּ בָּעֵי לְנַוְזתָא לָהּ בְּאַרְעָא. אִתְכְּנִישׁוּ עַל מֹשֶׁה לְאוֹקְדֵיהּ בְּנוּרָא, אִתְתָּקַף מֹשֶׁה וְכוּ', כְּמָה דְּאוֹקְמוּהָ וַזְבְרַיָּיא, דְּקֻבְּ"ה אָמַר לֵיהּ לְמֹשֶׁה וְכוּלֵּי.

תקנד. אֲבָל הַוָזְכְמָה תָּעֹז לֶוָזכָם, כָּל מַאן דְּאִתְעַסַּק בְּאוֹרַיְיתָא, וְאִשְׁתָּדַּל בָּהּ לִשְׁמָהּ, אִתְתָּקַף בָּהּ בְּאוֹרַיְיתָא, בְּשַׁעֲתָא דְּאִצְטְרִיךְ לְמֶהֱוֵי לֵיהּ תָּקְפָּא וְוֵזילָא, לְאַגָּנָא עָלֵיהּ בְּשַׁעֲתָא דְּאִצְטְרִיךְ. וְהַהוּא תָּקְפָּא וְוֵזילָא מֵאָן אֲתַר אִתְתָּקַף. הֲדַר וְאָמַר, מֵעֲשָׂרָה שַׁלִּיטִים. אִינּוּן עֶשֶׂר אֲמִירָן דִּכְתִּיבִין בָּהּ בְּאוֹרַיְיתָא, דְּאִינּוּן שַׁלִּיטִין עִלָּאִין, דְּב"נ אִתְתָּקַף בְּהוּא בְּהַאי עָלְמָא, וּבְעָלְמָא דְּאָתֵי כָּל רָזִין דְּעָלְמָא, וְכָל פִּקּוּדִין, וְכָל וָזְכְמְתָא דְּעֵילָּא וְתַתָּא, בְּהוּ תַּלְיָא, וּבְהוּ אִתְכְּלִיל כֹּלָּא, וְכֹלָּא אִיהוּ בְּאוֹרַיְיתָא. זַכָּאָה וְזוּלָקֵיהּ מַאן דְּאִשְׁתָּדַּל בְּאוֹרַיְיתָא, לְמֶהֱוֵי מִתְתָּקַף בְּתָקְפָּא לְעָלְמָא דְּאָתֵי.

תקנה. עֲשָׂרָה שַׁלִּיטִין, עֶשֶׂר זִינֵי חָכְמְתָא אִינּוּן בָּהּ בְּאוֹרַיְיתָא, בְּעֶשֶׂר שְׁמָהָן גְּלִיפָן, וְאִתְכְּלִילוּ בִּשְׁמָא חַד, דְּעֶשְׂרִין וּתְרֵין אַתְוָון גְּלִיפִין, רָזִין דְּעָלְמָא דְּאָתֵי, בְּאִינּוּן זִיהֲרִין, דְּלָא שַׁלְטָא עֵינָא לְמֶחֱמֵי, וַאֲפִילּוּ בְּסָכְלְתָנוּ לְמִנְדַּע, וּלְאִסְתַּכְּלָא בְּהַהוּא עִדּוּנָא, וְכִסּוּפָא, דְּקוּדְשָׁא בְּרִיךְ הוּא אַחְסִין לוֹן לְצַדִּיקַיָּיא לְעָלְמָא דְּאָתֵי. כְּדֵין עַיִן לֹא רָאָתָה אֱלֹהִים זוּלָתְךָ יַעֲשֶׂה לִמְחַכֵּה לוֹ.

תקנו. פָּתוֹרָא דְּבַר נָשׁ, מְזַכֵּי לֵיהּ לְמֵיכַל עַל פָּתוֹרָא אָחֳרָא, בְּעִדּוּנָא דְּהַהוּא עָלְמָא, כד״א כִּי עַל שֻׁלְחַן הַמֶּלֶךְ תָּמִיד הוּא אוֹכֵל. וְדָוִד מַלְכָּא הֲוָה אָמַר, תַּעֲרֹךְ לְפָנַי שֻׁלְחָן נֶגֶד צוֹרְרָי, וְדָא אִיהוּ אִתְסַדְּרוּתָא דְּפָתוֹרָא בְּהַהוּא עָלְמָא, דְּהָא כְּדֵין אִיהוּ עִדּוּנָא וְכִסּוּפָא, דְּנִשְׁמְתָא אִתְהֲנֵי בְּהוּ, בְּעָלְמָא דְּאָתֵי.

תקנז. וְכִי פָּתוֹרָא אִית לוֹן לְנִשְׁמָתִין בְּהַהוּא עָלְמָא. אִין. דְּהָא מְזוֹנָא וְסִפּוּקָא דְּעִדּוּנָא, אַכְלֵי בְּהַהוּא עָלְמָא, כְּגַוְונָא דְּמַלְאֲכֵי עִלָּאֵי אַכְלֵי. וְכִי מַלְאֲכֵי עִלָּאֵי אַכְלֵי. אִין. כְּגַוְונָא דִּלְהוֹן אָכְלוּ יִשְׂרָאֵל בְּמַדְבְּרָא. וְהַהוּא מְזוֹנָא, רָזָא אִיהוּ לְטַלָּא, דְּנָגִיד וְאִתְמְשָׁךְ מֵעֵילָּא, מֵרָזָא דְּעָלְמָא דְּאָתֵי, וְאִיהוּ מְזוֹנָא דִּנְהִירוּ מִשְּׁחָא רְבוּת קַדִּישָׁא, וְנִשְׁמָתֵהוֹן דְּצַדִּיקַיָּיא אִתְזָנוּ מִתַּמָּן בְּגִנְתָּא דְּעֵדֶן, וְאִתְהֲנוּן תַּמָּן. דְּהָא תַּמָּן נִשְׁמָתְהוֹן דְּצַדִּיקַיָּיא, מִתְלַבְּשָׁן בְּגִנְתָּא דְּעֵדֶן דִּלְתַתָּא, כְּגַוְונָא דְּהַאי עָלְמָא.

תקנח. וּבְשַׁבָּתֵי וּבְזִמְנֵי, מִתְפַּשְּׁטָאן, וְסַלְקִין לְמֶחֱמֵי בִּיקָרָא דְּמָארֵיהוֹן, וּלְאִתְעַדְּנָא בְּעִדּוּנָא עִלָּאָה כַּדְקָא יָאוּת, דִּכְתִיב וְהָיָה מִדֵּי חֹדֶשׁ בְּחָדְשׁוֹ וּמִדֵּי שַׁבָּת בְּשַׁבַּתּוֹ יָבֹא כָל בָּשָׂר לְהִשְׁתַּחֲוֹת לְפָנַי אָמַר יְיָ׳. וְכִי כָּל בָּשָׂר יֵיתֵי, לָאו הָכִי הֲוָה לֵיהּ לְמִכְתַּב, אֶלָּא כָּל רוּחַ אוֹ כָּל נְשָׁמָה, מַהוּ כָּל בָּשָׂר. אֶלָּא קב״ה עָבַד לֵיהּ לְב״נ בְּהַאי עָלְמָא, כְּגַוְונָא דִּיקָרָא דִּכְבוֹד עִלָּאָה לְעֵילָּא. הַהוּא כְּבוֹד עִלָּאָה, אִיהוּ רוּחַ לְרוּחַ, וְנִשְׁמְתָא לִנְשָׁמָה, עַד דְּמָטֵי לְחַד אֲתַר לְתַתָּא דְּאִקְרֵי גּוּף, וּבְהַאי עָיֵיל חַד רוּחַ דִּמְקוֹרָא דְּחַיִּים, דְּאִקְרֵי כֹּל, בְּדָא אִיהוּ כָּל טוּבָא, וְכָל מְזוֹנָא, וְכָל סִפּוּקָא, דְּהַהוּא גּוּף. וְרָזָא דָּא, וְיִתְרוֹן אֶרֶץ בַּכֹּל הִיא הַאי כָּל אִיהוּ רוּחַ לְהַהוּא גּוּף.

תקנט. כְּגַוְונָא דָּא בַּר נָשׁ בְּהַאי עָלְמָא, אִיהוּ גּוּף, וְרוּחַ דְּשַׁלְטָא בֵּיהּ, כְּגַוְונָא דְּהַהוּא רוּחַ עִלָּאָה, דְּאִקְרֵי כֹּל, דְּשַׁלִּיט עַל גּוּפָא לְעֵילָּא, וְדָא הוּא דְּאִקְרֵי כָּל בָּשָׂר, וְע״ד כְּתִיב, יָבֹא כָל בָּשָׂר לְהִשְׁתַּחֲוֹת לְפָנַי אָמַר יְיָ׳. עַל הַהוּא עִדּוּנָא כְּתִיב, עַיִן לֹא רָאָתָה אֱלֹהִים זוּלָתְךָ יַעֲשֶׂה לִמְחַכֵּה לוֹ.

תקס. חַד וַחֲבְרַיָּיא בְּאָרְחָא. כַּד מָטוּ לְגוֹ טוּרָא חַד אָמַר ר׳ חִיָּיא לְהַהוּא טַיְיעָא, מַה שְּׁמָךְ. אֲמַר לֵיהּ חָנָן. א״ל קב״ה יְחָנְנָךְ, וְיִשְׁמַע לְקוֹלָךְ בְּשַׁעֲתָא דְּתִצְטְרִיךְ לֵיהּ. אָמַר רַבִּי יוֹסֵי, וַדַּאי הָא נָטֵי שִׁמְשָׁא, וְהָכִי בָּתַר טוּרָא דָּא, אִית כְּפָר חַד עַל שְׁמָךְ, דְּאִקְרֵי כְּפַר חָנָן, נְבִית תַּמָּן בְּגִין יְקָרָא דִּשְׁמָךְ. כַּד מָטוּ לְהָתָם, עָאלוּ לְבֵית אוּשְׁפִּיזַיְיהוּ, וְסַדְּרוּ קַמַּיְיהוּ פָּתוֹרָא, בְּכַמָּה זִינִין לְמֵיכַל. אָמַר ר׳ חִיָּיא, וַדַּאי פָּתוֹרָא דָּא, כְּגַוְונָא דְּעָלְמָא דְּאָתֵי, וְאִית לָן לְסַלְּקָא הַאי פָּתוֹרָא, וּלְאַעְטְרָא לֵיהּ בְּמִלִּין דְּאוֹרַיְיתָא.

תקסא. פָּתַח ר׳ יוֹסֵי וְאָמַר, וְאָכַלְתָּ וְשָׂבָעְתָּ וּבֵרַכְתָּ אֶת יְיָ׳ אֱלֹהֶיךָ עַל הָאָרֶץ הַטּוֹבָה אֲשֶׁר נָתַן לָךְ. אִי בְּאַרְעָא דְּיִשְׂרָאֵל מְבָרְכִינָן, לְבַר מֵאַרְעָא מְנָלָן. דְּהָא בְּגַוְונָא דָּא לָא אִצְטְרִיךְ. אֶלָּא, קב״ה כַּד בָּרָא עָלְמָא, פָּלִיג אַרְעָא, יִשּׁוּבָא אִיהוּ לִסְטַר חַד, וְחָרְבָּא אִיהוּ לִסְטַר אָחֳרָא. פָּלִיג יִשּׁוּבָא, וְאַסְחַר עָלְמָא סְחֲרָנֵיהּ דִּנְקוּדָה חֲדָא. וּמַאן אִיהוּ, דָּא אַרְעָא קַדִּישָׁא, אַרְעָא קַדִּישָׁא אֶמְצָעִיתָא דְּעָלְמָא. וּבְאֶמְצָעִיתָא דְּאַרְעָא קַדִּישָׁא,

אִיהוּ יְרוּשְׁלֵם. אֶמְצָעִיתָא דִּירוּשְׁלֵם אִיהוּ בֵּית קֹדֶשׁ הַקֳּדָשִׁים, וְכָל טִיבוּ וְכָל מְזוֹנָא דְּכָל יִשּׁוּבָא, תַּמָּן נָחִית מִלְעֵילָא. וְלֵית לָךְ אֲתָר בְּכָל יִשּׁוּבָא דְּלָא אִתְּזַן מִתַּמָּן.

תקסב. פָּלִיג וַחֲרָבָא. וְלָא אִשְׁתַּכַּח וַחֲרָבָא תַּקִּיפָא בְּכָל עָלְמָא, בַּר הַהוּא מִדְבָּר, דְּתַבְרוּ חֵילֵיהּ וְתָקְפֵיהּ יִשְׂרָאֵל אַרְבָּעִים שָׁנָה, כְּמָה דְּאַתְּ אָמֵר הַמּוֹלִיכְךָ בַּמִּדְבָּר הַגָּדוֹל וְהַנּוֹרָא. בְּהַהוּא מַדְבְּרָא, שַׁלְטָא סִטְרָא אָחֳרָא, וּבַעַל כָּרְחֵיהּ אָזְלוּ יִשְׂרָאֵל עָלֵיהּ, וְתַבְרוּ חֵילֵיהּ, אַרְבְּעִין שְׁנִין. וְאִי יִשְׂרָאֵל יִשְׁתַּכְּחוּ זַכָּאִין בְּאִינּוּן אַרְבְּעִין שְׁנִין, הֲוָה מִתְעַבְּרָא הַהוּא סִטְרָא אָחֳרָא מֵעָלְמָא, וּמִדְּקָא אַרְגִּיזוּ לֵיהּ לְקוּדְשָׁא בְּרִיךְ הוּא כָּל אִינּוּן זִמְנִין, אִתְתָּקַף הַהוּא סִטְרָא אָחֳרָא, וְנָפְלוּ כֻּלְּהוּ תַּמָּן תְּחוֹת רְשׁוּתֵיהּ.

תקסג. וְאִי תֵּימָא, וְהָא מֹשֶׁה דְּסָלִיק עַל כָּל בְּנֵי עָלְמָא, הֵיךְ מִית תַּמָּן. לָאו הָכִי, דְּהָא מֹשֶׁה מְהֵימְנָא לָא הֲוָה בִּרְשׁוּתֵיהּ, אֶלָּא בְּהַר הָעֲבָרִים. מַאי הָעֲבָרִים. פְּלוּגְתָּא. דְּאִתְפְּלָגוּ עָלֵיהּ שַׁלִּיטִין עִלָּאִין דִּלְעֵילָּא, וְלָא אִתְמְסַר בִּידָא דִּמְמָנָא וְשַׁלִּיטָא אָחֳרָא, וְאִשְׁתְּאַר הָכִי, עַד דְּאָתָא מֹשֶׁה עַבְדָּא מְהֵימְנָא, וְשָׁלִיט עָלֵיהּ, וְאִתְקְבַר תַּמָּן, וְלָא אִתְעַסַּק בֵּיהּ בִּקְבוּרְתֵּיהּ, בַּר קוּדְשָׁא בְּרִיךְ הוּא בִּלְחוֹדוֹי, דִּכְתִּיב וַיִּקְבֹּר אוֹתוֹ בַגַּי.

תקסד. וַיִּקְבֹּר אוֹתוֹ, מַאן. הַהוּא דִּכְתִּיב בֵּיהּ בְּאָרַח סָתִים, וְאֶל מֹשֶׁה אָמַר, וְלָא כְּתִיב מַאן אִיהוּ. וַיִּקְרָא אֶל מֹשֶׁה, וְלָא כְּתִיב מַאן אִיהוּ. אוּף הָכָא וַיִּקְבּוֹר אוֹתוֹ, וְלָא כְּתִיב מַאן אִיהוּ, אֶלָּא וַדַּאי הַאי אֲתָר יְדִיעָא אִיהוּ לְגַבֵּי חַבְרַיָּיא. וְעַל דָּא, בְּהַהוּא טוּרָא לָא שַׁלִּיט עָלֵיהּ, בַּר מֹשֶׁה בִּלְחוֹדוֹי, וְאִיהוּ אִתְקְבַר תַּמָּן. וּבְגִין לְמִנְדַּע לְכָל דָּרִין אָחֳרָנִין דְּעָלְמָא, דְּאִינּוּן מֵתֵי מִדְבָּר יְקוּמוּן, הַהוּא רַעְיָא דִּלְהוֹן אַשְׁרֵי לֵיהּ בְּגַוַּויְיהוּ, לְמֶהֱוֵי כֻּלְּהוּ בְּאִתְעָרוּתָא דְּקִיּוּמָא לְעָלְמָא דְּאָתֵי.

תקסה. וְאִי תֵּימָא, אִי הָכִי דְּהַהוּא מַדְבְּרָא אִיהוּ תָּקְפָּא דְּסִטְרָא אָחֳרָא, הֵיךְ פָּקִיד קב"ה, עַל הַהוּא שָׂעִיר, לְשַׁדְּרָא לֵיהּ לְטוּרָא אָחֳרָא, דְּאִקְרֵי עֲזָאזֵל, הֲוָה לוֹן לְשַׁדְּרָא לֵיהּ לְהַהוּא טוּרָא דְּאָזְלֵי יִשְׂרָאֵל בְּמַדְבְּרָא בֵּיהּ. אֶלָּא, כֵּיוָן דְּהָא אָזְלוּ בֵּיהּ יִשְׂרָאֵל אַרְבְּעִין שְׁנִין, הָא אִתְּבַר תָּקְפֵיהּ. וְתָקְפֵיהּ אִתְתָּקַף בַּאֲתָר דְּלָא עָבַר בֵּיהּ גְּבַר תַּמָּן לְעָלְמִין, וּבְהַהוּא טוּרָא, הָא הֲוָה דִּיוּרֵיהוֹן דְּיִשְׂרָאֵל תַּמָּן אַרְבְּעִין שְׁנִין.

תקסו. אֲבָל בְּהַאי שָׂעִיר, הַהוּא אֲתָר אִיהוּ טִנָּרָא תַּקִּיפָא עִלָּאָה, וּתְחוֹת עֲמִיקָא דְּהַהוּא טִנָּרָא, דְּבַר נָשׁ לָא יָכִיל לְמֵיעַל תַּמָּן, אִיהוּ שַׁלִּיט יַתִּיר לְמֵיכַל טַרְפֵּיהּ, בְּגִין דְּיִתְעֲבַר מֵעֲלַיְיהוּ דְּיִשְׂרָאֵל, וְלָא יִשְׁתַּכַּח בְּהוּ מְקַטְרְגָא עֲלַיְיהוּ בְּיִשּׁוּבָא.

תקסז. שׁוּלְטָנוּתֵיהּ דְּרָזָא דִּמְהֵימְנוּתָא, גּוֹ אֶמְצָעִיתָא דִּנְקוּדָה דְּכָל אַרְעָא קַדִּישָׁא, בְּבֵי קֹדֶשׁ הַקֳּדָשִׁים. וְאע"ג דְּהַשְׁתָּא לָאו אִיהוּ בְּקִיּוּמָא, בִּזְכוּתֵיהּ כָּל עָלְמָא אִתְּזַן, וּמְזוֹנָא וְסִפּוּקָא מִתַּמָּן נָפְקָא לְכֹלָּא, בְּכָל אֲתָר סִטְרָא דְּיִשּׁוּבָא. וּבְגִין כַּךְ, אע"ג דְּיִשְׂרָאֵל הַשְׁתָּא לְבַר מֵאַרְעָא קַדִּישָׁא, עִם כָּל דָּא מֵחֵילָא וּזְכוּתָא דְּאַרְעָא, אִשְׁתַּכַּח מְזוֹנָא וְסִפּוּקָא לְכָל עָלְמָא. וְעַ"ד כְּתִיב וּבֵרַכְתָּ אֶת יְיָ' אֱלֹהֶיךָ עַל הָאָרֶץ הַטּוֹבָה אֲשֶׁר נָתַן לָךְ. עַל הָאָרֶץ הַטּוֹבָה וַדַּאי, דְּהָא בְּגִינָהּ מְזוֹנָא וְסִפּוּקָא אִשְׁתַּכַּח בְּעָלְמָא.

תקסח. מַאן דְּאִתְעֲדָן עַל פָּתוֹרֵיהּ וּמִתְעַנַּג בְּאִינּוּן מֵיכְלִין, אִית לֵיהּ לְאַדְכְּרָא וּלְדָאֲגָא עַל קְדוּשָּׁה דְּאַרְעָא קַדִּישָׁא, וְעַל הֵיכְלָא דְּמַלְכָּא דְּקָא אִתְחֲרִיב. וּבְגִין הַהוּא עֲצִיבוּ דְּאִיהוּ קָא מִתְעַצַּב עַל פָּתוֹרֵיהּ, בְּהַהוּא חֶדְוָה וּמִשְׁתְּיָא דְּתַמָּן, קב"ה חָשִׁיב עָלֵיהּ כְּאִלּוּ בְּנָה בֵּיתֵיהּ, וּבְנָה כָּל אִינּוּן חַרְבֵי דְּבֵי מַקְדְּשָׁא, זַכָּאָה חוּלָקֵיהּ.

תקסט. כּוֹס שֶׁל בְּרָכָה, לָא הֲוֵי אֶלָּא בִּתְלָתָא. בְּגִין דְּהָא מֵרָזָא דִּתְלַת אֲבָהָן קָא מִתְבָּרְכָא, וְעַ"ד לָא אִצְטְרִיךְ כּוֹס אֶלָּא בִּתְלָתָא. כּוֹס שֶׁל בְּרָכָה אִצְטְרִיךְ לְמֵיהַב לֵיהּ

בִּימִינָא וּבִשְׂמָאלָא, וּלְקַבְּלָא לֵיהּ בֵּין תַּרְוַויְיהוּ, בְּגִין דְּאִתְיְהִיב בֵּין יְמִינָא וּשְׂמָאלָא. וּלְבָתַר יִשְׁתְּבִיק לֵיהּ בִּימִינָא, דְּהָא מִתַּמָּן אִתְבְּרָכָא.

תקע. עֲשָׂרָה דְּבָרִים נֶאֶמְרוּ בְּכוֹס שֶׁל בְּרָכָה, וְכֻלְּהוּ הֲווֹ כַּדְקָא יָאוּת, בְּגִין דְּתִקּוּנֵי דְּכוֹס שֶׁל בְּרָכָה עֲשָׂרָה אִינּוּן, וְהָא אוּקְמוּהָ חַבְרַיָּא. כּוֹס שֶׁל בְּרָכָה אִצְטְרִיךְ לְאַשְׁגָּחָא בֵּיהּ בְּעֵינָא, בְּגִין דִּכְתִּיב עֵינֵי יְיָ' אֱלֹהֶיךָ בָּהּ, וְלָא אִצְטְרִיךְ לְאִתְנְשֵׁי מֵעֵינָא, אֶלָּא לְאַשְׁגָּחָא בֵּיהּ.

תקעא. כּוֹס שֶׁל בְּרָכָה, אִתְבְּרַךְ בְּהַהוּא בִּרְכָתָא, דְּקָא מְבָרֵךְ בַּר נָשׁ עָלֵיהּ לְקָבָּ"ה, בְּגִין דְּאִיהוּ רָזָא דִּמְהֵימְנוּתָא, וְאִצְטְרִיךְ לְנַטְרָא לֵיהּ בְּנְטִירוּ עִלָּאָה, כְּמַאן דְּאִיהוּ חֲשִׁיבוּתָא דְּמַלְכָּא, דְּהָא בְּגִינֵיהּ, אִתְבְּרַךְ פָּתוֹרֵיהּ, בְּשַׁעֲתָא דְּבִרְכָתָא מְזוֹנָא, דְּהַהוּא בַּר נָשׁ מְבָרֵךְ.

תקעב. פָּתוֹרֵיהּ אִצְטְרִיךְ דְּלָא יְהֵא בְּרֵיקַנְיָא, דְּהָא לֵית בִּרְכָתָא מִשְׁתַּכְּחָא עַל פָּתוֹרָא רֵיקַנְיָא, כְּמָה דְּאוּקְמוּהָ, דִּכְתִּיב, הַגִּידִי לִי מַה יֶשׁ לָכִי בַּבָּיִת וְגוֹ'. וְעַ"ד פָּתוֹרָא לָא אִצְטְרִיךְ לְאִתְחֲזָאָה בְּרֵיקַנְיָא, דְּהָא בִּרְכָאן עִלָּאִין לָא שַׁרְיָין, אֶלָּא בַּאֲתַר שְׁלִים. וְרָזָא דָּא וּבְלֵב כָּל חֲכַם לֵב נָתַתִּי חָכְמָה, וּכְתִיב יָהֵב חָכְמְתָא לְחַכִּימִין. וְעַל רָזָא דְּנָא שֻׁלְחָן דְּלֶחֶם הַפָּנִים, דִּכְתִּיב וְנָתַתָּ עַל הַשֻּׁלְחָן לֶחֶם פָּנִים לְפָנַי תָּמִיד.

רַעְיָא מְהֵימְנָא

תקעג. תַּנָּאִין וְאָמוֹרָאִין אִתְכְּנָשׁוּ כֻּלְּכוּ, דְּהָא קָא מָטוּ שַׁעֲתָא, לְתַקְּנָא בֵּיהּ מָאנֵי מַלְכָּא, לְאַנְהָרָא לְאִתְתַּקְּנָא קָמֵיהּ, דְּאִינּוּן: מַשְׁכְּנָא, מְנַרְתָּא, פָּתוֹרָא, מַדְבְּחָא, כִּיּוֹר, וְכַנּוֹ, אָרוֹן, וְכַפּוֹרֶת, וּכְרוּבִים, וְכֹלָּא בְּשֶׁקֶל. וּבְגִין דָּא מָנֵי לְיִשְׂרָאֵל, זֶה יִתְּנוּ.

תקעד. קָם תַּנָּא חֲדָא וְאָמַר, רַעְיָא מְהֵימְנָא וַדַּאי הָכִי הוּא, וְלָךְ מָנֵי לְמֶעְבַּד כֻּלְּהוּ, הֲדָא הוּא דִּכְתִּיב, וְעָשִׂיתָ מְנוֹרָה. וְעָשִׂיתָ שֻׁלְחָן. וְהָכִי בְּכֹלָּא, וּרְאֵה וַעֲשֵׂה, וּמִכֹּלָּא לָא אִתְקָשֵׁי לָךְ לְמֶעְבַּד, אֶלָּא תְּלַת מִלִּין דִּרְשִׁימִין בְּאַתְוָון דִּשְׁמָךְ, מְ"נוֹרָה, שְׁ"קָלִים, הַ"חֹדֶשׁ. אַמַּאי אִתְקָשֵׁי לָךְ.

תקעה. א"ל, סָבָא סָבָא, אַתּוּן מַפִּיקִין קוּשְׁיָא דָּא דְּאִתְקָשֵׁי לִי, מִן מִקְשָׁה תֵּיעָשֶׂה הַמְּנוֹרָה. וַדַּאי מָאנָא דְּקָבָּ"ה, אִיהִי שְׁכִינְתָּא, דְּאִיהִי מָאנָא לְשַׁמְּשָׁא לְבַעְלָהּ, אִיהִי מְנַרְתָּא דִּילֵיהּ, דְּאִתְּמַר בֵּיהּ, שֶׁבַע בַּיּוֹם הִלַּלְתִּיךָ, דְּאִינּוּן: הַגְּדוּלָּה, וְהַגְּבוּרָה, וְהַתִּפְאֶרֶת, וְהַנֵּצַח, וְהַהוֹד, יְסוֹד, וּמַלְכוּת. שֶׁבַע כְּלִילָא.

תקעו. מִשֶּׁבַע דַּרְגִּין אִלֵּין, שְׁלֹשָׁה קְנֵי מְנוֹרָה מִצִּדָּהּ הָאֶחָד, גּוּפָא וּתְרֵין דְּרוֹעֵי דְּמַלְכָּא. אִיהוּ נֵר מִצְוָה, לְאַנְהָרָא בְּהוֹן. וּשְׁלֹשָׁה קְנֵי מְנוֹרָה מִצִּדָּהּ הַשֵּׁנִי, אִינּוּן תְּרֵין שׁוֹקִין, וּבְרִית. וְאִיהוּ נֵר מַעֲרָבִית, לְאַנְהָרָא בְּהוֹן. מְנַרְתָּא דְּמַלְכָּא אִתְקְרִיאַת, וְאִיהִי נֵר לְאַנְהָרָא בֵּיהּ נֵר מִצְוָה, דְּאִתְּמַר בֵּיהּ מִצְוַת יְיָ' בָּרָה מְאִירַת עֵינָיִם.

תקעז. וּמַאן רֵישָׁא דִּמְנַרְתָּא, בִּינָה ה' עִלָּאָה, דְּאִית לָהּ תְּלַת קָנִין, בְּדִיוּקְנָא דָּא ה', תְּלַת וָוי"ן, דְּאִינּוּן תְּלַת אֲבָהָן. ה' תִּנְיָנָא, ג' קָנִים תִּנְיָינִין בְּדִיוּקְנָא דָּא ה', דְּאִינּוּן נֶצַח הוֹד יְסוֹד. ו' מְנַרְתָּא דְּאֶמְצָעִיתָא בֵּן יָ"ה. עַל שְׁמֵיהּ אִתְקְרֵי בִּינָה. אִיהוּ כָּלִיל ו' קָנִין לְתַתָּא, בְּחוּשְׁבַּן ו', בְּו' קָנִין דִּילֵיהּ.

תקעח. י' אֵשֶׁת חַיִל עֲטֶרֶת בַּעְלָהּ, תָּגָא דְּסֵפֶר תּוֹרָה, כְּצוּרַת ז' מִסִּטְרָא דְּעָלְמָא דְּאָתֵי, לָאו אִיהִי מָאנָא לְגַבֵּיהּ, וְלָאו מְשַׁמְּשָׁא לְגַבֵּיהּ, אֶלָּא עֲטָרָה עַל רֵישֵׁיהּ. אֲבָל בְּעָלְמָא דֵּין, אִיהִי כְּגַוְונָא דָּא, הוה"י אִיהוּ מָאנָא תְּחוֹתֵיהּ, שִׁמּוּשָׁא דִּילֵיהּ, בְּכָל סְפִירָה

דִּילֵיהּ, בְּכָל אֵבֶר דִּילֵיהּ, בְּכָל מִדָּה דִּילֵיהּ.

תקעט. וּבְגִין דָּא, י' דָּא, לִזְמְנִין אִיהִי תְּחוֹתוֹהִי, לִזְמְנִין עַל רֵישֵׁיהּ, לִזְמְנִין בְּאֶמְצָעִיתָא. עַל רֵישֵׁיהּ יְהֹוָ"ה אֶבֶן מָאֲסוּ הַבּוֹנִים הָיְתָה לְרֹאשׁ פִּנָּה. וְדָא לְהַעֲלוֹת נֵר תָּמִיד, דְּאִיהוּ י' עַל הו"ה מִסִּטְרָא דִּמְנַרְתָּא. בְּאֶמְצָעִיתָא, מַחֲצִית הַשֶּׁקֶל, הה"ד, זֶה יִתְּנוּ, כְּגַוְונָא דָּא הוי"ה. בְּסוֹפָא, בְּמַשְׁכְּנָא, כְּגַוְונָא דָּא הוה"י, וְחָמֵשׁ אַמּוֹת אֹרֶךְ, מִסִּטְרָא דְּה' עִלָּאָה, וְה' אַמּוֹת רוֹחַב, מִסִּטְרָא דְּה' תַּתָּאָה. וְאַמָּה: ו'. וַחֲצִי הָאַמָּה: י'. וְכֹלָּא אִתְרְמִיז בְּאָת ו'.

תקפ. וְדָא אִיהוּ רָזָא, אֲנִי רִאשׁוֹן וַאֲנִי אַחֲרוֹן וּמִבַּלְעָדַי אֵין אֱלֹהִים דְּאִתְרְמִיז בְּהַאי שְׁמָא, יו"ד הֵ"י וָי"ו הֵ"י וְכָל שֵׁם דְּשַׁלִּיט ה' עַל י' נוּקְבָא אִיהוּ, מִסִּטְרָא דִּשְׂמָאלָא. וְאע"ג דְּמִסִּטְרָא דְּאָת י' אִיהִי בְּרֵישָׁא, בָּתַר דִּבְתְרֵין הֵהֵ"ין אִיהִי בְּסוֹפָא, כְּגַוְונָא דָּא הֵ"י הֵ"י, אִתְהַדָּר לִרְבוּ, וְנוּקְבָא אִיהִי. אֶלָּא י' עַל ה' תָּגָא, תְּחוֹת ה', שִׁמּוּשׁ. כ"ש תְּחוֹת ו'.

תקפא. וּבְגִין דְּלָא עֲבִידְנָא קִצּוּץ וּפֵרוּד בְּיִחוּדָא דִּלְעֵילָּא, דְּכֹלָּא יִחוּדָא וְחַד, נִתְקַשָּׁה לִי לְמֶעְבַּד. וְקוּדְשָׁא בְּרִיךְ הוּא דְּיָדַע כָּל מַחֲשְׁבִין, אָמַר, בָּתַר דְּדָא לְטוֹב אִתְכַּוַּון, דְּלָא לְמֶעְבַּד קִצּוּץ וּפֵרוּד, תֵּ"יעָשֶׂה הַמְּנ"וֹרָה, תֵּיעָשֶׂה מֵעַצְמָהּ כְּגַוְונָא דִּשְׁכִינְתָּא, תֵּיעָשֶׂה מֵעַצְמוֹ דְּקוּדְשָׁא בְּרִיךְ הוּא, בְּלָא פֵּרוּדָא. שְׁאַר מָאנִין דִּבְהוֹן אִיהִי שְׁכִינְתָּא שִׁמּוּשׁ, וַיַּעַשׂ בְּצַלְאֵל.

תקפב. וּבְכָל אֲתַר דִּשְׁכִינְתָּא תַּתָּאָה אִיהִי עֲטָרָא דְּעַמּוּדָא דְּאֶמְצָעִיתָא, כַּד נְטִילַת מִן בִּינָה, דְּאִיהוּ עָלְמָא דְּאָתֵי, וַדַּאי לֵית יְדִיעָה לְב"נ. בְּקוּדְשָׁא בְּרִיךְ הוּא, וְלָא בְּכָל מִדּוֹת דִּילֵיהּ, עַד דְּיֵיעוּל בְּהַאי תַּרְעָא, דְּאִתְּמַר עָלָהּ זֶה הַשַּׁעַר לַיְיָ, בְּאוֹת ל'.

תקפג. אִיהִי כְּלִילָא מִכָּל סְפִירָה, וּמִכָּל אַתְוָון דִּשְׁמָהָן, מְפוֹרָשִׁים וְנִסְתָּרִים. אִיהִי נְקוּדָה בְּכָל אָת וְאָת, שִׁמּוּשָׁא תְּחוֹת בַּעְלָהּ. וְאִיהִי עֲטָרָה עַל רֵישֵׁיהּ, מִסִּטְרָא דִּילָהּ דְּטַעֲמֵי. כְּגוֹן סֶגּוֹל נְקוּדָה תְּחוֹת יַרְכֵי מַלְכָּא, וְהָאָרֶץ הֲדוֹם רַגְלָי. וְאִיהִי בְּאֶמְצָעִיתָא, עִמֵּיהּ, מַחֲצִית הַשֶּׁקֶל, בְּשׁוּרֻק. וְאִיהִי עֲטָרָה עַל רֵישֵׁיהּ, מִסִּטְרָא דִּסְגוֹלְתָּא.

תקפד. זַרְקָא מַקַּף שׁוֹפָר, הוֹלֵךְ סֶגּוֹלְתָּא, בְּהַהוּא זִמְנָא אִיהִי כֶּתֶר עַל רֵישָׁא דְּמַלְכָּא, כֶּתֶר יִתְּנוּ לְךָ יְיָ אֱלֹהֵינוּ. אִיהִי יְדִיעַת הַהוּא דְּאִתְּמַר בֵּיהּ, בַּמּוּפְלָא מִמְּךָ אַל תִּדְרוֹשׁ וּבַמְכוּסֶּה מִמְּךָ אַל תַּחְקוֹר. דְּבָהּ אִשְׁתְּמוֹדָע, דְּאִיהוּ רִאשׁוֹן לְעֵילָּא בְּתָגָא, דְּהַיְינוּ סֶגּוֹלְתָּא וְאִיהוּ אַחֲרוֹן, בְּסֶגּוֹל. וּמִבַּלְעָדָיו אֵין אֱלֹהִים, בְּשׁוּרֻק. וְכֹלָּא בָּהּ אִשְׁתְּמוֹדָע.

תקפה. מַאן דְּאִתְדַּבַּק בָּהּ לְתַתָּא, אִיהִי מְסַלְּקָא לֵיהּ לְעֵילָּא. וּמַאן דְּבָעֵי לְאִסְתַּלְּקָא עָלָהּ לְאִדַּבְּקָא לְעֵילָּא מִינָּהּ, אִיהִי מַשְׁפִּילָתוֹ לְתַתָּא מִינָּהּ, וְלֵית לֵיהּ חוּלְקָא בָּהּ. וּבְגִין דְּיַעֲקֹב אִשְׁתְּמוֹדָע בָּהּ, אוֹלִיף לָהּ לִבְנוֹי, וּמָנֵי דְּלָא יְבַקְשׁוּן לְסַלְּקָא לְדַרְגָּא לְעֵילָּא מִינָּהּ, דְּאִיהִי כֹּלָּא, עֵילָּא וְתַתָּא וְאֶמְצָעִיתָא. הה"ד, וְזֹאת אֲשֶׁר דִּבֶּר לָהֶם אֲבִיהֶם.

תקפו. נָבִיא דַּהֲוָה אִשְׁתְּמוֹדַע בָּהּ, צָוַוח וְאָמַר לְמָארֵי תּוֹרָה וַחֲכָמִים בְּאוֹרַיְיתָא, וַעֲתִירִין בָּהּ, וּשְׂמֵחִים בְּחֶלְקָם. צָוַוח לְגַבַּיְיהוּ וְאָמַר, כֹּה אָמַר יְיָ אַל יִתְהַלֵּל וְגוֹ', כִּי אִם בְּזֹאת יִתְהַלֵּל הַמִּתְהַלֵּל הַשְׂכֵּל וְיָדוֹעַ אוֹתִי. דָּוִד דַּהֲוָה יָדַע בָּהּ אָמַר, אִם תַּחֲנֶה עָלַי מַחֲנֶה וְגוֹ', בְּזֹאת אֲנִי בוֹטֵחַ. וְיִרְמְיָה חָזָא גָּלוּתָא אֲרִיךְ, וְסָמָאֵל וְנָחָשׁ וְכָל מְמָנָן דְּשַׁבְעִין אוּמִין בְּרִבּוֹ רִבְוָון, דְּנַחְתֵּי עַל יִשְׂרָאֵל, וְחָזָא הַאי קְרָא דְּאָמַר קוּדְשָׁא בְּרִיךְ הוּא, וְאַף גַּם זֹאת בִּהְיוֹתָם בְּאֶרֶץ אוֹיְבֵיהֶם וְגוֹ', אָמַר נָבִיא זֹאת אָשִׁיב אֶל לִבִּי עַל כֵּן אוֹחִיל. וַאֲשֶׁר לֹא שָׁת לִבּוֹ גַּם לָזֹאת, עָלֵיהּ אִתְּמַר וּכְסִיל לֹא יָבִין אֶת זֹאת. וְזֹאת לִיהוּדָה וַיֹּאמַר שְׁמַע יְיָ

קוֹל יְהוּדָה, בְּגִין דְּנָטִיר מַאי דְּמָנֵי לֵיהּ אֲבוֹי זָכָה לְמַלְכוּ. וְדָוִד בְּגִינָהּ אִסְתַּלַּק לְמַלְכוּ, דְּטָרַח כָּל יוֹמוֹי עָלָהּ.

תקפז. אָמַר בּוּצִינָא קַדִּישָׁא, עָלָהּ אִתְמַר, וְזֹאת הַתּוֹרָה אֲשֶׁר שָׂם מֹשֶׁה וְגוֹ'. בָּהּ אַזְהַרְתְּ לְיִשְׂרָאֵל, בִּשְׁעַת מִיתָתָךְ. בָּהּ בֵּרַכְתְּ לְיִשְׂרָאֵל, בְּכָל שֵׁבֶט וְשֵׁבֶט. הה"ד וְזֹאת הַבְּרָכָה אֲשֶׁר בֵּרַךְ מֹשֶׁה וְגוֹ', וּבְגִין דָּא אוּקְמוּהָ חַבְרַיָּיא מָארֵי מַתְנִיתִין, דִּכְתִּיב, זֹאת הַתּוֹרָה אָדָם כִּי יָמוּת בְּאֹהֶל, וְאָמְרוּ עָלָהּ מַאי כִּי יָמוּת בְּאֹהֶל, אֶלָּא אֵין הַתּוֹרָה מִתְקַיֶּימֶת, אֶלָּא בְּמִי שֶׁמֵּמִית עַצְמוֹ עָלֶיהָ, וְלֵית מִיתָה אֶלָּא עוֹנִי, דְּעָנִי חָשׁוּב כַּמֵּת.

תקפח. דְּאִיהוּ קָרְבָּן עוֹלֶה וְיוֹרֵד. מִסִּטְרָא דְּעָשִׁיר עוֹלֶה וַדַּאי, דְּאִסְתַּלַּק עָלֵיהּ. דְּכָל עֲתִירִין, כָּל טִיבוּ דְּעַבְדִין, כֻּלְּהוֹן לְזַכָּאָה לְהוֹן לְעָלְמָא דְּאָתֵי, וְתַמָּן אִיהִי תָּגָא עַל רֵישַׁיְיהוּ. בֵּינוֹנִי, דְּפָלַח לְמִזְכֵּי בִּתְרֵין עָלְמִין, אִיהוּ מַחֲצִית הַשֶּׁקֶל עִמֵּיהּ בְּעָלְמָא דְּאָתֵי, כְּגוֹן מַצָּה דְּאִתְפְּלִיג, וְחֶצְיָהּ תַּחַת הַמַּפָּה לַאֲפִיקוֹמָן בָּתַר סְעוּדָה. וְחֶצְיָהּ לְמִצְוָה קֹדֶם סְעוּדָה. וּמִסִּטְרָא דָּא נֶאֱמַר בְּאֶסְתֵּר, מַה שְּׁאֵלָתֵךְ וְיִנָּתֵן לָךְ וּמַה בַּקָּשָׁתֵךְ עַד חֲצִי הַמַּלְכוּת וְתֵעָשׂ.

תקפט. אֲבָל מַאן דְּאִיהוּ עָנִי, דְּמֵמִית גַּרְמֵיהּ בְּגִינָהּ, כְּגַוְונָא דִּילָךְ רַעְיָא מְהֵימְנָא, אִיהוּ קָרְבָּן יוֹרֵד תְּחוֹתָךְ, וַאֲמַאי. בְּגִין דְּמַאן דְּאַשְׁפִּיל גַּרְמֵיהּ בְּגִין שְׁכִינְתֵּיהּ, דְּקֻדְשָׁא בְּרִיךְ הוּא, קב"ה

אִיהוּ נְחִית עָלֵיהּ, וְהַאי הוּא דְּאָמַר דָּוִד, כִּי רָם יְיָ' וְשָׁפָל יִרְאֶה. וְהַנָּבִיא אָמַר, כִּי כֹה אָמַר רָם וְנִשָּׂא שׁוֹכֵן עַד וְקָדוֹשׁ שְׁמוֹ וְגוֹ' וְאֶת דַּכָּא וּשְׁפַל רוּחַ. דְּאַף עַל גַּב דַּאֲנָא מָרוֹם וְקָדוֹשׁ אֶשְׁכּוֹן, בְּגִין הַהוּא דְּאִתְעֲבִיד דַּכָּא וּשְׁפַל רוּחַ בְּגִין שְׁכִינְתִּי, לְסַלְּקָא לָהּ מִשִּׁפְלוּתָהּ דִּילָהּ עֲטָרָא לְרֵישֵׁיהּ, אֲנָא נָחִית לְדַיְּירָא עִמֵּיהּ. וּבָתַר דְּבַעְלָהּ דִּשְׁכִינְתָּא נָחִית עַל בַּר נָשׁ, אִיהִי נָחִיתַת מֵעַל רֵישֵׁיהּ, וְיָהִיבַת אַתְרָא דְּרֵישָׁא לְבַעְלָהּ, וּנְחִיתַת לְרַגְלוֹי דְּמַלְכָּא. וְרָזָא דְּמִלָּה, הַשָּׁמַיִם כִּסְאִי וְהָאָרֶץ הֲדוֹם רַגְלָי.

תקצ. דְּמִיּוֹמָא דְּיָרִית בַּר נָשׁ נִשְׁמְתָא, כְּלִילָא מִקֻּדְשָׁא בְּרִיךְ הוּא וּשְׁכִינְתֵּיהּ, מֵהַהִיא שַׁעֲתָא אִתְקְרֵי בֵּן. אָמַר חַד תָּנָא, וְכִי מֵהַהוּא יוֹמָא דְּיָרִית בַּר נָשׁ נִשְׁמְתָא, כְּלִילָא מִקב"ה וּשְׁכִינְתֵּיהּ, יִתְקְרֵי בְּרֵיהּ מנ"ל. מֵהַאי קְרָא דְּאָמַר דָּוִד בְּסֵפֶר תְּהִלִּים, אֲסַפְּרָה אֶל חֹק יְיָ' אָמַר אֵלַי בְּנִי אַתָּה אֲנִי הַיּוֹם יְלִדְתִּיךָ.

תקצא. א"ל בּוּצִינָא קַדִּישָׁא, רַעְיָא מְהֵימְנָא, מַאי הַיּוֹם יְלִדְתִּיךָ. אֶלָּא בְּגִינָךְ אָמַר דָּוִד בְּרוּחַ קֻדְשָׁא, אֲנִי הַיּוֹם יְלִדְתִּיךָ. הֵן עוֹד הַיּוֹם גָּדוֹל, בְּהַהוּא דְּאִתְּמַר בֵּיהּ, וְלֹא קָם נָבִיא עוֹד בְּיִשְׂרָאֵל כְּמֹשֶׁה. אַנְתְּ קַיֶּימֶת בִּשְׁכִינְתָּא וְאָהַבְתָּ אֵת יְיָ' אֱלֹהֶיךָ בְּכָל לְבָבְךָ, דְּהַיְינוּ גּוּפָא. וּבְכָל נַפְשְׁךָ, דְּהַיְינוּ נִשְׁמְתָא. דְּחָמֵשׁ שְׁמָהָן אִית לָהּ: נְשָׁמָה. רוּחַ. נֶפֶשׁ. חַיָּה. יְחִידָה. וּבְכָל מְאֹדֶךָ, בְּכָל מָמוֹנָא דִּילָךְ. קב"ה וּשְׁכִינְתֵּיהּ לָא יָזוּז מִינָךְ בְּכָל אִלֵּין.

תקצב. אַנְתְּ חֲשַׁבְתְּ, דַּאֲפִילּוּ הֲווּ כָּל עָלְמִין תְּחוֹת רְשׁוּתָךְ, הֲוֵית יָהִיב לְאַקָמָא לִשְׁכִינְתָּא בְּקוּדְשָׁא ב"ה, וּלְאַמְלָכָא לֵיהּ בִּשְׁכִינְתֵּיהּ עַל כָּל מְמָנָן דְּאוּמִין דְּעָלְמָא, וּלְבָתַר לְסַלְּקָא לֵיהּ וּשְׁכִינְתֵּיהּ. בְּדִיוּקְנָא דִּילָךְ כְּלִילָא מִכָּל מִדּוֹת טָבִין, בְּכָל עָלְמִין, וּבְמַשִּׁרְיָין עִלָּאִין וְתַתָּאִין, וְעַל כָּל יִשְׂרָאֵל.

תקצג. מַחֲשָׁבָה טוֹבָה הקב"ה מְצָרְפָהּ לְמַעֲשֶׂה. בָּתַר דְּאַנְתְּ בְּרֵיהּ, עַל כָּל דְּחָשַׁבְתְּ לְמָרָךְ, יְקַיֵּים עַל יָדָךְ, וְלָא תָּזוּז מִנֵּיהּ לְעָלְמִין, אֶלָּא תְּהֵא בְּדִיוּקְנֵיהּ בְּכֹלָּא. וְאַנְתְּ בְּגָלוּתָא גָּנִיז מִבְּנֵי נָשָׁא. וְאַנְתְּ מֵעָלְמָא דָּא, שְׁלִיחָא דְּקב"ה לְמֵימַר מִלִּין אִלֵּין קֳדָמָךְ, וַאֲנָא מְצֻוֶּה מִנֵּיהּ, דְּלָא לְמֵזָז מִינָךְ בְּכָל עֵת וְשַׁעֲתָא דְּאַנְתְּ בָּעֵי. אֲנָא וְכָל תַּנָּאִין

וְאַמּוֹרָאִין דְּמְתִיבְתָּאן. קוּם אַשְׁלִים פִּקּוּדִין דְּמָרָךְ.

תקצד. פָּתַח וְאָמַר, וְעָשׂוּ אֲרוֹן עֲצֵי שִׁטִּים. ס"ת, עַמּוּדָא דְּאֶמְצָעִיתָא. אֲרוֹן דִּילֵיהּ, שְׁכִינְתָּא. מִבַּיִת וּמִחוּץ תְּצַפֶּנּוּ, לְקֻבְּ"ה בִּשְׁכִינְתֵּיהּ, מִלְּבַר וּמִלְּגָו וְכֹלָּא חַד. מַה דְּלָאו הָכִי בַּאֲרוֹן דְּהַאי עָלְמָא, דְּאוֹרַיְיתָא מִלְּגָו מִין אֶחָד, וַאֲרוֹן מִין אַחֵרָא. דָּא בִּכְתִיבַת דְּיוֹ, וְדָא עֵץ מְצוּפֶּה זָהָב. דְּוַדַּאי אוֹרַיְיתָא וְקֻבְּ"ה מִכֹּלָּא, הה"ד, לֹא יַעַרְכֶנָּה זָהָב וּזְכוֹכִית.

תקצה. וּמִסִּטְרָא אַחֲרָא אֲפִילוּ בְּהַאי עָלְמָא, אִתְחֲזֵי דְּכֹלָּא חַד, דְּיוֹ וָעֵץ, דְּדְיוֹ מִתַּפּוּחִים, דְּאִתְעֲבִידוּ בְּעֵץ אִינּוּן, וְעוֹד, דְּיוֹ אוּכָם מִלְּבַר, וְחִוַּור מִלְּגָו. הָכִי אִינּוּן מָארֵי תּוֹרָה וַחֲכָמִים, אוּכָמִים בְּהַאי עָלְמָא דְּאִיהוּ לְבַר, שַׁפִּירִין בְּהַהוּא עָלְמָא דְּאָתֵי, דְּאִיהוּ מִלְּגָו. וּבְגִין דָּא, דְּיוֹ, לִישָׁנָא דְּיוֹ לַעֶבֶד לִהְיוֹת כְּרַבּוֹ. דְּיוֹ: יוּ"ד יָדוֹ, וְחָכְמָה וּתְבוּנָה וָדַעַת דִּכְתִּב בַּר נָשׁ בְּיָדוֹ בִּדְיוֹ. (ע"כ ר"מ)

תקצו. פָּתַח רַבִּי יוֹסֵי וְאָמַר, בְּאִינּוּן רָזִין עִלָּאִין דְּמַשְׁכְּנָא כְּתִיב, וּרְאֵה וַעֲשֵׂה בְּתַבְנִיתָם וְגוֹ', וּכְתִיב וַהֲקֵמֹתָ אֶת הַמִּשְׁכָּן כְּמִשְׁפָּטוֹ וְגוֹ', אוֹלִיפְנָא דְּאָמַר לֵיהּ קֻבְּ"ה לְמֹשֶׁה, כָּל תִּקּוּנִין, וְכָל דִּיוּקְנִין דְּמַשְׁכְּנָא, כָּל חַד וְחַד כִּדְקָא חָזֵי לֵיהּ, דְּחָמָא לֵיהּ לְמְטַטְרוֹ"ן, דְּקָא מְשַׁמֵּשׁ לְכַהֲנָא רַבָּא לְגוֹ. וְאִי תֵּימָא, וְהָא לָא אִתְקַם מַשְׁכְּנָא לְעֵילָּא, עַד יוֹמָא דְּאִתְקַם מַשְׁכְּנָא לְתַתָּא, וְלָא שִׁמֵּשׁ הַהוּא נַעַר דִּלְעֵילָּא, עַד יוֹמָא דְּשִׁמְּשׁוּ לְתַתָּא, בְּהַאי מַשְׁכְּנָא אַחֲרָא.

תקצז. אֶלָּא וַדַּאי הָכִי הוּא, דְּהָא מַשְׁכְּנָא לָא אִתְקַם לְעֵילָּא, עַד דְּאִתְקַם מַשְׁכְּנָא לְתַתָּא, אֲבָל חָמָא מֹשֶׁה חֵיזוּ דְּכָל מַשְׁכְּנָא, וְלָא הֲוָה מִתְסַדֵּר בְּקִיּוּמֵיהּ, עַד דְּאִתְקַם מַשְׁכְּנָא לְתַתָּא, וְחָמָא לֵיהּ לְמְטַטְרוֹ"ן מְשַׁמֵּשׁ לְבָתַר, לָאו דַּהֲוָה אִיהוּ מְשַׁמֵּשׁ, אֶלָּא דַּהֲוָה מְשַׁמֵּשׁ לְבָתַר, וְלָאו בְּהַהוּא זִמְנָא. אָמַר לֵיהּ קֻבְּ"ה לְמֹשֶׁה, חָמֵי מַשְׁכְּנָא, וְחָמֵי נַעַר, כֹּלָּא מִתְעַכְּבָא עַד דְּיִתְקַם הָכָא לְתַתָּא.

תקצח. וְאִי תֵּימָא, אִי הָכִי, מְטַטְרוֹן אִיהוּ דְּקָא מְשַׁמֵּשׁ. אֶלָּא וַדַּאי מַשְׁכְּנָא דִּילֵיהּ אִיהוּ, וּמִיכָאֵל כַּהֲנָא רַבָּא, אִיהוּ דְּקָא מְשַׁמֵּשׁ גּוֹ הַהוּא מַשְׁכְּנָא דִּמְטַטְרוֹן. כְּגַוְונָא דִּמְשַׁמֵּשׁ כַּהֲנָא רַבָּא עִלָּאָה לְעֵילָּא, גּוֹ מַשְׁכְּנָא אַחֲרָא סְתִימָא דְּלָא אִתְגַּלְיָיא, בְּרָזָא דְּעָלְמָא דְּאָתֵי. תְּרֵין מַשְׁכְּנִין אִינּוּן. חַד אִיהוּ סְתִימָא עִלָּאָה. וְחַד הַאי מַשְׁכְּנָא דִּמְטַטְרוֹן. תְּרֵי כַּהֲנֵי אִינּוּן, חַד אוֹר קַדְמָאָה. וְחַד מִיכָאֵל כַּהֲנָא רַבָּא לְתַתָּא.

תקצט. מִכָּאן רָזִין סְתִימִין דְּבֵי מַשְׁכְּנָא, מִפּוּמָא דְּבוּצִינָא. מַשְׁכְּנָא עִלָּאָה, אִתְבְּנֵי עַל תְּרֵיסַר מַרְגְּלִיטִין, שַׁיְיפִין עִלָּאִין, יְמִינָא וּשְׂמָאלָא, שְׂמָאלָא וִימִינָא.

תר. תְּלַת שְׁמָהָן אִינּוּן כְּלִילָן כַּחֲדָא, וְדָא עָיֵיל בְּדָא, וְדָא עָיֵיל בְּדָא. אֵ"ל, קַדְמָאָה וְאִתְסַדַּר בִּימִינָא. אִיהוּ קַדְמָאָה דְּאִיהִי יְמִינָא, וְאַגְלִים וְאִתְצַיַּיר בְּרָזָא דִּימִינָא, וְכַד עָיֵיל וְקָא מְשַׁמֵּשׁ לְגוֹ אִתְאֲחִיד בַּהֲדֵיהּ וְאִקְרֵי בְּרָזָא דִּילֵיהּ אֵ"ל, דְּהָא לֹ' מִרָזָא דִּלְעֵילָּא גּוֹ קֹדֶשׁ הַקֳּדָשִׁים נָפַק.

תרא. לָאו דְּתַמָּן אַגְלִים, אֶלָּא וַדַּאי כַּד נָפַק אַגְלִים, כִּשְׁאָר אַתְוָון, דְּכַד נָפְקוּ מֵרָזָא דְּעָלְמָא דְּאָתֵי, אַגְלִימוּ וְאִתְצַיָּירוּ. אוּף הָכִי הַאי לֹ', אע"ג דְּאִיהוּ רָזָא דִּלְעֵילָּא, לָא אַגְלִים, עַד דְּנָפַק לְבַר, וּכְדֵין אֵ"ל. וְדָא רָזָא דִּימִינָא.

תרב. שְׂמָאלָא כְּלִיל בְּגַוֵּיהּ לִימִינָא, וְנָטִיל הַאי שְׁמָא לְגַבֵּיהּ, וְאִתְכְּלִיל בַּהֲדֵיהּ, וְכַד אִתְכְּלִיל בַּהֲדֵיהּ אִקְרֵי אִיהוּ אֱלֹהִים. וְאִי תֵּימָא, הָא אַקְדִּים שְׂמָאלָא בְּרָזָא דְּעָלְמָא דְּאָתֵי.

תרג. וַדַּאי הָכִי הוּא. אֶלָּא, כַּד נָפְקוּ דַּרְגִּין, בְּרָזָא דְּאַתְוָון מִגּוֹ עָלְמָא דְּאָתֵי, בָּעָא שְׁמָא דָּא לְאִתְחֲזָאָה וּלְאִתְבְּנֵי, לְאַחֲזָאָה עַל הַהוּא אֲתַר דְּנַפְקֵי מִתַּמָּן, וְאִתְבְּנֵי שְׁמָא דָּא, כְּגַוְונָא דָּא. אֵ"ל בְּקַדְמֵיתָא בְּסִטְרָא דִּימִינָא, אִתְכְּלִיל גּוֹ שְׂמָאלָא, וְנָטִיל לֵיהּ שְׂמָאלָא, וְאִקְרֵי אֱלֹהִים, וְדָא אִיהוּ רָזָא דִּימִינָא, בִּשְׁמָא דֶּאֱלֹהִים, וְעַל רָזָא דָּא, בְּכָל אֲתַר דְּאִיהוּ דִּינָא, תַּמָּן אִיהוּ רַחֲמֵי, דְּהָא כְּלִיל אִיהוּ דִּינָא, וְהָא אִתְבְּנֵי וְאִתְחֲזֵי.

תרד. הַהוּא דְּנָפַק מִתַּמָּן, אֶמְצָעִיתָא, נָטִיל לְתַרְוַויְיהוּ, וְאִשְׁתְּלִים, וְאִקְרֵי אֱלֹהֵינוּ. הָא הָכָא שְׁלִימוּ דְּאִתְחֲזֵי מֵרָזָא דְּעָלְמָא עִלָּאָה, וְכֹלָּא אִתְכְּלִיל דָּא בְּדָא. כֵּיוָן דְּהַאי אֶמְצָעִיתָא אִשְׁתְּלִים, שָׁרָא עָלֵיהּ שְׁמָא קַדִּישָׁא, מַפְתְּחָא דְּכֹלָּא, דְּאִקְרֵי יְהֹוָ"ה, וּכְדֵין נָטִיל לְכָל סִטְרִין, עֵילָּא וְתַתָּא, יְמִינָא וּשְׂמָאלָא, וּלְכָל סִטְרִין אַחֲרָנִין. וְעַל דָּא, כַּד אִשְׁתְּלִים מֵרָזָא דִּתְרֵין סִטְרִין מִימִינָא וּשְׂמָאלָא, אִקְרֵי אֱלֹהֵינוּ, הָא הָכָא יְמִינָא וּשְׂמָאלָא וְאֶמְצָעִיתָא בִּכְלָלָא דִּשְׁמָא דָּא. וְדָא אִתְחֲזֵי וְאִתְבְּנֵי. רָזָא דְּאַתְוָון נָפְקוּ מִתַּמָּן, כְּגַוְונָא דָּא אִתְבְּנֵי וְאִתְחֲזֵי, כָּל חַד וְחַד.

תרה. הָא אִתְכְּלִיל יְמִינָא בִּשְׂמָאלָא, וְנָטִיל שְׂמָאלָא שְׁמָא דִּימִינָא, יְמִינָא אָן כְּלִיל בְּגַוֵּיהּ שְׂמָאלָא, לְמֶהֱוֵי נָטִיל יְמִינָא רָזָא דִּשְׂמָאלָא. אֶלָּא, כַּד אִתְכְּלִיל יְמִינָא בִּשְׂמָאלָא, וְנָטִיל שְׂמָאלָא שְׁמָא רָזָא דִּימִינָא, שְׁמָא אֵ"ל. יְמִינָא כְּלִיל בְּגַוֵּיהּ שְׂמָאלָא, וְאִיהוּ הי"ם.

תרו. אֲמַאי הָכִי. אֶלָּא בְּשַׁעֲתָא דְּאִתְבְּנֵי הַהוּא אֲתַר דְּנַפְקוּ מִתַּמָּן, נָטִיל לִשְׂמָאלָא תְּרֵין אַתְוָון, יְמִינָא נָטִיל וַחַד, מֵרָזָא דְּעָלְמָא דְּאָתֵי. שְׂמָאלָא תְּרֵין, וְאִיהוּ ה"ם. כְּדֵין יְמִינָא כְּלִיל בְּגַוֵּיהּ לִשְׂמָאלָא, וְנָטִיל לְאָת בַּתְרָאָה ם, וְנָטִיל י' דַּהֲוָה בִּשְׂמָאלָא, ם אִיהוּ בִּשְׁלִימוּ מ"ם, וְאִתְבְּנֵי הָכִי מַיִם, בְּהַהוּא י' דְּנָטִיל יַתִּיר. כְּדֵין יְמִינָא כָּלִיל לֵיהּ לִשְׂמָאלָא בְּגַוֵּיהּ.

תרז. לְבָתַר אִתְבְּנוּן אַתְוָון, א' דַּהֲוָה בְּקַדְמֵיתָא בְּסִטְרָא דִּימִינָא, אוֹלִיד וְאַפִּיק אָת ש', כָּלִיל בִּתְלַת סִטְרִין, וְאִשְׁתָּתַּף בְּאָת א', וְאִתְעֲבֵיד אֵשׁ. תּוּ אַעְדּוּ אַתְוָון אִלֵּין, גּוֹ בְּטִישׁוּ דִּתְרֵין סִטְרִין אִלֵּין, וְאִתְקְרִיבוּ כַּחֲדָא בְּמַחְלוֹקֶת, וּמִגּוֹ מַחֲלוֹקֶת דָּא דְּמַיִם בְּאֵשׁ, וְאֵשׁ בְּמַיִם, אוֹלִידוּ אַתְוָון וְאַפִּיקוּ אָת ר' וְאָת ו' וְאָת ח' וְאִתְעֲבִידוּ רוּחַ, וְעָאל בֵּין תְּרֵין סִטְרִין, וּכְדֵין אִתְיְישָׁבוּ אַתְוָון קַדְמָאֵי בִּדְוּכְתַּיְיהוּ, כָּל חַד וְחַד בִּשְׁלִימוּ.

תרח. תּוּ אַתְוָון אַעְדּוּ, וְאִתְגַּלְגְּלוּ כַּחֲדָא, א' אַפִּיק מ', דְּאִיהוּ מִסִּטְרָא דִּילֵיהּ בִּימִינָא, דְּהָא בִּימִינָא אִתְיְישַׁב. מ' אַפִּיק ש' בְּגִין דְּהָא מ' כְּלִילָא אִיהִי, בְּקַדְמֵיתָא הֲוַת מִשְּׂמָאלָא, וְאִתְכְּלִיל לְבָתַר בִּימִינָא וְאִשְׁתְּלִים בִּתְרֵין סִטְרִין, כֵּיוָן דְּאִשְׁתְּלִים, אַעְדּוּ וְאוֹלִידוּ כַּחֲדָא, וְאִתְכְּלִלוּ בִּתְרֵין סִטְרִין.

תרט. אִתְתְּקָפוּ אַתְוָון אמ"ש תְּלַת אִלֵּין, וְאַעֲדוּ וְאוֹלִידוּ תְּלַת אַחֲרָנִין, גּוֹ גִּלְגּוּלָא. מ' אִתְתָּקַן וְאַעֲדֵי וְאוֹלִיד ר'. א' אַעֲדֵי וְאוֹלִיד ו'. ש' אַעֲדֵי וְאוֹלִיד ח', וְאִשְׁתָּכְלַל כֹּלָּא.

תרי. תּוּ אַעְדּוּ אַתְוָון אִלֵּין רָזָא אמ"ש, וְאִתְגַּלְגְּלוּ כְּמִלְּקַדְמִין, א' אַעֲדֵי וְאוֹלִיד וְאַפִּיק אָת ב' בְּסִטְרָא דְּמַעֲרָב, כְּדֵין אִתְיְישַׁב אִיהוּ בְּסִטַר דָּרוֹם. מ' אַעֲדֵי וְאוֹלִיד וְאַפִּיק אָת ד' בְּסִטְרָא דְּצָפוֹן, כְּדֵין אִסְתַּלָּק אִיהוּ בֵּין צָפוֹן וְדָרוֹם, וְתַלְיָא בַּאֲוִירָא. ש' אַעֲדֵי וְאוֹלִיד וְאַפִּיק אָת ג', וְאִתְיְישַׁב בְּסִטְרָא דְּמִזְרָח, וְאִיהוּ אִסְתַּלָּק בֵּין מַעֲרָב וּמִזְרָח, וְתַלְיָא בַּאֲוִירָא. אִשְׁתְּכָחוּ תְּרֵין אַתְוָון מ"ש, תַּלְיָין בַּאֲוִירָא.

תריא. א' דְּאִשְׁתְּאַר, אִסְתַּלָּק בִּדְוּכְתֵּיהּ, וְסָלִיק לְעֵילָּא, וְאִתְעַטַּר בֵּיהּ י"ה. בְּאִלֵּין אִתְתָּקַף, וְאַעֲדֵי וְאוֹלִיד ה"ו, וְקָאִים בִּדְוּכְתֵּיהּ, כְּדֵין אִתְעֲטַּר, וְאַנְהִיר, וּפָשִׁיט נְהִירוּ,

וְאוֹלִיד נְהִירוּ, וְאַפִּיק אָת ט', בַּטִּישׁוּ דְּקָא בָּטַשׁ וְנָהִיר רָזָא דְּעָלְמָא עִלָּאָה, בִּנְהִירוּ.

תרי"ב. כְּדֵין אִסְתַּלָּק א, וְנָטִיל מִגּוֹ אֲוִירָא מ"ש, וְאִתְחַבְּרוּ בַּהֲדֵיהּ, וַהֲווֹ אמ"ש כְּמִלְּקַדְמִין, וְאִתְיַישַּׁב א' בְּסִטְרָא דְּדָרוֹם, ש' בְּסִטְרָא דְּמִזְרָח, מ' בְּסִטְרָא דְּצָפוֹן. סַלְקָא ג' דַּהֲוָה בְּסִטְרָא דְּמִזְרָח, וְאַעֲדֵי וְאוֹלִיד צ"ת. אָתָא ב' דַּהֲוָה בְּסִטַר מַעֲרָב, וְסָלִיק וְאִתְחַבַּר בֵּין צ"ת. סְלִיקוּ א' ו', דָּא מִסְּטָר דָּרוֹם וְדָא מִסְּטָר מִזְרָח, וְאִתְחַבָּרוּ תַּרְוַויְיהוּ בַּהֲדֵי ב' בֵּין צ"ת, וְאַנְהִיר שְׁמָא צְבָאוֹת.

תרי"ג. כַּד אִתְנְהִיר שְׁמָא דָּא גּוֹ מַשְׁכְּנָא, אַעְדוּ אַתְוָון וְאוֹלִידוּ ז' ב' נ'. סְלִיקוּ אמ"ש כְּמִלְּקַדְמִין, וְאַעֲדוּ וְאוֹלִידוּ ס' ע' פ'.

תרי"ד. אִשְׁתְּאַר ק' יְחִידָאי, וְסַלְקָא וְנַחְתָּא, קַיְימָא גּוֹ נוּקְבָא דִּתְהוֹמָא רַבָּא, וְחָמָא לֵהּ קב"ה, דְּקָא מִתְעַרְבְבָא, בְּלָא גּוּפָא וְלָא צִיּוּרָא, וְלָא עָיֵיל לְמַשְׁכְּנָא. עָבֵד לֵהּ חוּפָאָה לְמַשְׁכְּנָא. וּמַאי נִיהוּ. יְרִיעוֹת עִזִּים לְאֹהֶל עַל הַמִּשְׁכָּן, כד"א, וְעָשִׂיתָ יְרִיעֹת עִזִּים לְאֹהֶל עַל הַמִּשְׁכָּן, לְאֹהֶל וְלָא אֹהֶל. קו"ף וְלָא אָדָם.

תרט"ו. תּוּ אִתְגַּלְגְּלוּ אַתְוָון כְּמִלְּקַדְמִין, גּוֹ עוֹבָדָא דְּמַשְׁכְּנָא, אמ"ש, ש' אִתְגַּלְגְּלָא וְאִתְיַישְׁבָא בְּסִטַר מִזְרָח, וְאִשְׁתְּאַר ג' תַּלְיָיא בַּאֲוִירָא. מ' אִתְגַּלְגְּלָא וְאִתְיַישְׁבָא בִּסְטַר צָפוֹן, וְנָפַק ד' וְאִתְחַבַּר גּוֹ ש' בְּהַהוּא סִטְרָא. א' אִתְגַּלְגַּל וְאִתְיָישַׁב וְסָלִיק לְגַבֵּי י', וְסַלְקָא וְאִתְתַּקְּפָא בַּהֲדֵיהּ, וְנָטִיל לֵיהּ, וְאִתְחֲבַר גּוֹ בְּחִבּוּרָא וַהֲוָא שַׁדַּ"י. כַּד שְׁמָא דָּא אִתְתַּקַּן גּוֹ מַשְׁכְּנָא, כְּדֵין קִיּוּמָא וְקַיְמָא אִיהוּ מִגּוֹ מַשְׁכְּנָא דִּלְתַתָּא.

תרט"ז. תּוּ אַתְוָון אִתְגַּלְגְּלוּ כְּמִלְּקַדְמִין, לְאִתְיַישְׁבָא מַשְׁכְּנָא, סְלִיקוּ אַתְוָון, א' בְּרֵישָׁא, ת' לְבָתַר, א"ת. ב' בְּרֵישָׁא, ש' לְבָתַר, אִתְחַלְּפוּ אַתְוָון, אב"ג ית"ץ, אִתְגַּלְגְּלוּ בְּגִלּוּפֵי קַדִּישָׁא א' ק'. א' אַפִּיק ק'. לְנַטְרָא מַשְׁכְּנָא. ק', אַפִּיק ר'. ר' אַפִּיק ע' קר"ע.

תרי"ז. רָזָא דָּא, וְאֵת עוֹרוֹת גְּדָיֵי הָעִזִּים הִלְבִּישָׁה עַל יָדָיו וְעַל חֶלְקַת צַוָּארָיו. כְּגַוְונָא דָּא, וְעָשִׂיתָ יְרִיעֹת עִזִּים לְאֹהֶל עַל הַמִּשְׁכָּן. דְּהָא חוּלָקָא דָּא, אִצְטְרִיךְ לְאַחֲזָאָה לְבַר, לְנַטְרָא הַהִיא דִּלְגָאו, וְעַל רָזָא דָּא אַלְבִּישַׁת לֵיהּ לְיַעֲקֹב לְבַר. שט"ן קר"ע, אַתְוָון אִינּוּן רְשִׁימָן לְבַר, בְּגִין נְטוּרָא דְּמַשְׁכְּנָא, דְּאִיהוּ רָזָא דִּבְרִית קַדִּישָׁא, וְאִתְפְּרַעָא עָרְלָה לְבָתַר בְּחוּפָאָה דָּא.

תרי"ח. תּוּ אִתְגַּלְגְּלוּ אַתְוָון, וְאַפִּיק א"ת ב"ש, שקוצ"ת בְּרֵאשִׁית בָּרָא אֱלֹהִים אֵת הַשָּׁמַיִם וְאֵת הָאָרֶץ וְהָאָרֶץ הָיְתָה תֹהוּ וְגוֹ'. בְּגִלְגּוּלָא דָּא וְהָאָרֶץ הָיְתָה תֹהוּ וָבֹהוּ בְּאַתְוָון קר"ע שט"ן. וְחֹשֶׁךְ עַל פְּנֵי תְהוֹם ג' אַפִּיק ר', ד' ק' עַד הָכָא אַתְוָון, אִתְגַּלְגְּלוּ, וּבְטִישׁוּ דָּא בְּדָא לְתִקּוּנָא גּוֹ מַשְׁכְּנָא.

תרי"ט. אִינּוּן אמ"ש אַפִּיקוּ תּוֹלְדִין, ה' צ' ו' ף' אַתְוָון דְּתַלְיָין גּוֹ אֲוִירָא, וּבְטִישׁוּ בְּאִינּוּן אַחֲרָנִין וְאַפִּיקוּ צִיּוּרָא דְּמַשְׁכְּנָא ז' ע'. עַד הָכָא קַיְימָא וְחֹשֶׁךְ עַל פְּנֵי תְהוֹם כֻּלְּהוּ בְּסִטְרוֹי ח' אָתָא ס' וְאִתְחַבַּר בַּהֲדֵיהּ, כְּדֵין יְהִי אוֹר וַיְהִי אוֹר.

תרכ. אִתְגַּלְגְּלוּ אַתְוָון כְּמִלְּקַדְמִין, אב"ג ית"ץ, אַעְדוּ וְאוֹלִידוּ וְאַפִּיקוּ צִיּוּרָא גּוֹ רָזִין דְּמַשְׁכְּנָא, בִּכְלָלָא וַהֲוָא בְּרָזָא א' ל' ב' ם', דְּהָא אָת א' אַעֲדֵי, וְאוֹלִיד בְּרָזָא דְּחֵילָא וְתוּקְפָּא, אָת ל'. אִתְגַּבַּר בְּתוּקְפֵיהּ, וְאִסְתַּלַּק בִּיקָרֵיהּ, וְאוֹלִיד אָת ב', כְּדֵין אַעְדִיאוּ וְאוֹלִידוּ אַתְוָון אִתְחַבָּרוּ אַחֲרָנִין אִלֵּין מ' אִתְחַבַּר בְּגִלּוּפֵיהּ בְּאָת ב', כְּדֵין נַפְקֵי בְּחִבּוּרָא עַד ט"ר י"ש כ"ת לְמֶהֱוֵי אַתְוָון סַלְקִין בְּאַתְרַיְיהוּ, גּוֹ צֵרוּפָא דְּרָזָא דְּמַשְׁכְּנָא. אֶת הַכִּיּוֹר וְאֶת כַּנּוֹ.

תרכא. יְהִי רָקִיעַ בְּתוֹךְ הַמָּיִם, דְּהָא מַיִין סְלִיקוּ וְנַחְתּוּ בְּרָזָא דְּאַתְוָון א"ל. א' אַפִּיק

ו'. ו' אַפִּיק ק'. אֶת ל' סָלִיק אִתְגְּלִיפוּ אַתְווֹן בְּגְלוּפַיְיהוּ, בְּחִבּוּרָא וְדָא, קוֹל יְיָ עַל הַמָּיִם
א"ל וְכוּ', אִלֵּין אַתְווֹן א"ל, דְּהָא אִלֵּין אַעֲדוּ וְאוֹלִידוּ וְאַפִּיקוּ אַתְווֹן, גוֹ צִיּוּרִין דְּמַשְׁכְּנָא.

תכב. אמ"ע אַעֲדוּ וְאוֹלִידוּ וְאִתְגְּלִיפוּ בְּגְלוּפֵי רָזִין דְּאַתְווֹן, לְאַפָּקָא צִיּוּרִין
דְּמַשְׁכְּנָא, א' אַפִּיק ג', ע' אַפִּיק ן', לְחַבְּרָא גוֹ אֶת ג' בְּרָזָא גָן. תַּדְשֵׁא הָאָרֶץ דְּשָׁא
עֵשֶׂב וְגוֹ'. אִתְגַּלְגְּלוּ אַתְווֹן כְּמִלְקַדְּמִין אמ"ע, בְּרָזָא ב"ם בְּאִלֵּין כְּנִישׁוּ מַיָּא לְאַתָר וַד,
דִּכְתִיב יִקָּווּ הַמַּיִם מִתַּחַת הַשָּׁמַיִם אֶל מָקוֹם אֶוָד.

תכג. רִבִּי וַיָּיא וְרִבִּי יוֹסֵי הֲווֹ אַזְלֵי בְּאָרְחָא, עַד דַּהֲווֹ אַזְלֵי א"ר יוֹסֵי, נָפְתַּח
בְּעִדּוּנִין, וְנֵימָא מִלֵּי דְּאוֹרַיְיתָא. פָּתַח ר' יוֹסֵי בְּמִלֵּי דִּקְרִיאַת שְׁמַע וְאָמַר, כְּתִיב שְׁמַע
יִשְׂרָאֵל יְיָ אֱלֹהֵינוּ יְיָ אֶוָד. וּכְתִיב שְׁמַע יִשְׂרָאֵל הַיּוֹם הַזֶּה נִהְיֵיתָ לְעָם. וּכְתִיב שְׁמַע
יִשְׂרָאֵל אַתָּה עוֹבֵר הַיּוֹם אֶת הַיַּרְדֵּן. כָּל הֲנֵי שְׁמַע דְּקָאָמַר מֹשֶׁה אַמַּאי. דְּהָא
שְׁמַע יִשְׂרָאֵל דְּיִחוּדָא יָאוֹת. הֲנֵי אוֹרֲנִין אַמַּאי.

תכד. אֶלָּא כֻּלְּהוּ לְדַרְשָׁא קָאָתוּ, שְׁמַע יִשְׂרָאֵל דְּיִחוּדָא וַדַּאי הַאי לְדַרְשָׁא קָא
אָתְיָא, וְהָכָא רְמִיזָ וְאִתְחֲזֵי יִחוּדָא דְּחָכְמְתָא עִלָּאָה. שְׁמַע, ע' מֵאַתְווֹן רַבְרְבָן אִיהִי,
אַמַּאי. אֶלָּא רֶמֶז קָא רְמִיזָ בְּכְלָלָא וְדָא, לְאַכְלְלָא עִלָּא וְתַתָּא כֻּוְדָא בְּיִחוּדָא וְדָא,
שְׁמַע: שֵׁם ע'. הָכָא אִתְכְּלִיל הַאי שֵׁם בְּאִינּוּן ע' שְׁמָהָן עִלָּאִין, לְאַכְלְלָא לוֹן, דְּהָא שֵׁם
אִתְבָּרְכָא מִנַּיְיהוּ, וְאִתְכְּלִיל בְּהוּ. וְאִצְטְרִיךְ לְאַכְלְלָא לוֹן כַּוְדָא בְּיִחוּדָא וַד, וּלְשַׁוָּאָה
רְעוּתֵיהּ בְּהוּ.

תכה. דְּהָא וַדַּאי ע' שְׁמָהָן אִינּוּן בְּרָזָא דְּרָתִיכָא עִלָּאָה, וּמֵהַאי רְתִיכָא עִלָּאָה,
אִתְבָּרְכָא הַאי שֵׁם, וְאִתְכְּלִיל בְּגַוַּיְיהוּ. וּלְבָתַר יִשְׂרָאֵל בְּכְלָל. אֲבָל הָא תָּנֵינָן, דָּא
יִשְׂרָאֵל סָבָא, לְמֶהֱוֵי יִשְׂרָאֵל בְּכְלָלָא וְדָא, הַהוּא אֲתָר דִּבְכוּתָא דְּכֹלָּא. וְעַל דָּא שְׁמַע
יִשְׂרָאֵל, הַשְׁתָּא אִתְדַּבְּקַת אִתְּתָא בְּבַעְלָהּ, וַהֲוֵי כֹּלָא בְּכְלָלָא וְדָא, וְדָא שְׁמַע יִשְׂרָאֵל
דְּיִחוּדָא. לְבָתַר קָא מְיַוֵחַד תְּלַת סִטְרִין, יְיָ אֱלֹהֵינוּ יְיָ אֶוָד, לְמֶהֱוֵי כֹּלָא וַד.

תכו. שְׁמַע יִשְׂרָאֵל דְּכֻלְּהוּ שְׁאָר, לָאו אִינּוּן כְּהַאי גּוֹנָא, אֲבָל כֻּלְּהוּ אוֹרֲנִין
לְדַרְשָׁא קָאָתוּ, וְכֻלְּהוּ בְּאֲתָר אוֹרֲרָא אִתְדַּבְּקוּ, שְׁמַע יִשְׂרָאֵל אַתָּה עוֹבֵר הַיּוֹם. שְׁמַע
יִשְׂרָאֵל הַיּוֹם הַזֶּה נִהְיֵיתָ לְעָם. וְכֻלְּהוּ בְּדַרְגָּא תַּתָּאָה אִתְדַּבְּקוּ.

תכז. שְׁמַע יִשְׂרָאֵל הַיּוֹם הַזֶּה נִהְיֵיתָ לְעָם, שְׁמַע יִשְׂרָאֵל יָאוֹת. הַיּוֹם הַזֶּה נִהְיֵיתָ
לְעָם מַהוּ. הָיִיתָ מִבָּעֵי לֵיהּ, מַאי נִהְיֵיתָ. אֶלָּא בְּכָל אֲתָר עָם, כַּד אִתְבָּרוּ לְבַיְיהוּ
לְפֻלְחָנָא, כד"א נִהְיֵיתִי וְנֶחֱלֵיתִי. וְדָא הוּא דִּכְתִיב, שְׁמָעוּנִי אַוַי וְעַמִּי. אִי אַוַי, לָמָּה
עַמִּי, וְאִי עַמִּי, לָמָּה אַוַי. אֶלָּא אָמַר דָּוִד, אִי בִּרְעוּתָא אַתּוּן אַוַי, וְאִי לָאו אַתּוּן עַמִּי,
לְאִתְבָּרָא לְבַיְיכוּ לְפֻלְחָנִי. כָּךְ הַיּוֹם הַזֶּה נִהְיֵיתָ לְעָם, תָּבַרְתָּ לִבָּךְ לְפֻלְחָנָא דְּקַבַּ"ה.

תכח. שְׁמַע יִשְׂרָאֵל אַתָּה עוֹבֵר הַיּוֹם אֶת הַיַּרְדֵּן, כֹּלָּא בְּדַרְגָּא תַּתָּאָה, אִיהוּ,
וְשְׁמַע יִשְׂרָאֵל דְּיִחוּדָא הוּא דַּרְגָּא עִלָּאָה. מַה בֵּין הַאי לְהַאי. אֶלָּא הַהוּא שְׁמַע יִשְׂרָאֵל
דְּיִחוּדָא, לָא הֲוֵי בְּכֻלְּהוּ כְּהַאי גּוֹנָא, דְּהָא אִיהוּ הֲוֵי רָזָא דְּעֵילָא וְתַתָּא. וְאִיהוּ רָזָא
לְקַבְּלָא עֲלַיְיהוּ עוֹל מַלְכוּת שָׁמַיִם, בְּכָל סִטְרָא, בְּגִין דְּאִצְטְרִיךְ לֵיהּ לְבַר נָשׁ, לְמֶהֱוֵי
זְמִין בְּהַהִיא שַׁעֲתָא, לְיַוֲדָא שְׁמָא דְּקַבַּ"ה, וּלְקַבְּלָא עֲלֵיהּ עוֹל מַלְכוּת שָׁמַיִם.

תכט. וּבְעִדָּנָא דְּאָתֵי בַּר נָשׁ לְקַבְּלָא עֲלֵיהּ עוֹל מַלְכוּת שָׁמַיִם, כְּדֵין שְׁכִינְתָּא
אָתְיָא וְשַׁרְיָא עַל רֵישֵׁיהּ, וְקָאִים עֲלֵיהּ כְּסָהֲדָא, לְסָהֲדָא סַהֲדוּתָא קַמֵּי מַלְכָּא קַדִּישָׁא,
דְּהַאי אִיהוּ דְּקָא מְיַוֵחַד שְׁמֵיהּ תְּרֵי זִמְנֵי בְּיוֹמָא, וּשְׁמֵיהּ אִתְיַוֵחַד עֵילָא וְתַתָּא כְּדְקָא

יָאוּת. וְעַל דָּא ע' מִשְׁמַע יִשְׂרָאֵל מֵאַתְוָון רַבְרְבָן, וְד' נָמֵי מֵאַתְוָון רַבְרְבָן, לְמֶהֱוֵי עֵד קָמֵי מַלְכָּא קַדִּישָׁא. וְהָא אוֹקְמוּהָ, יְדֹוָ"ד אֱלֹהֵינוּ יְדֹוָ"ד, וְדָא הוּא רָזָא דְּיִחוּדָא בִּתְלַת סִטְרִין, כְּמָה דְּאוֹקְמֵיהּ בּוּצִינָא קַדִּישָׁא, וְאִתְּעַר בֵּיהּ בְּכַמָּה דּוּכְתֵּי, וְלֵית לָן רְשׁוּ לְאַתְעֲרָא בֵּיהּ יַתִּיר.

תרל. וַדַּאי הַאי בַּר נָשׁ, דְּקָא מְיַיחֵד שְׁמָא דְּקֻבְּ"ה עֵילָּא וְתַתָּא כַּדְקָא יָאוּת, שְׁכִינְתָּא אַתְיָא וְשַׁרְיָא עַל רֵישֵׁיהּ, וּמְבָרֵךְ לֵיהּ בְּשֶׁבַע בִּרְכָאן, וְקָרֵי עָלֵיהּ, וַיֹּאמֶר לִי עַבְדִּי אָתָּה יִשְׂרָאֵל אֲשֶׁר בְּךָ אֶתְפָּאָר.

תרלא. רַבִּי חִיָּיא פָּתַח אֲבַתְרֵיהּ וְאָמַר, אַתָּה הָרְאֵתָ לָדַעַת כִּי יְיָ' הוּא הָאֱלֹהִים וְגוֹ', הַאי קְרָא אִית לְאִסְתַּכְּלָא בֵּיהּ, אַתָּה הָרְאֵתָ, מַאי הָרְאֵתָ. אֶלָּא כַּד נָפְקוּ יִשְׂרָאֵל מִמִּצְרַיִם, לָא הֲווּ יַדְעֵי בְּרָזָא דִּמְהֵימְנוּתָא דְּקֻבְּ"ה כְּלוּם, בְּגִין דְּכֻלְּהוּ הֲווּ פָּלְחֵי פּוּלְחָנָא נוּכְרָאָה בְּגָלוּתָא, וְאַנְשׁוּ כָּל עִקָּרָא דִּמְהֵימְנוּתָא דַּהֲוָה בְּהוּ בְּקַדְמֵיתָא, דְּיָרִיתוּ כָּל אִינּוּן תְּרֵיסַר שְׁבָטִין מֵאֲבוּהוֹן יַעֲקֹב.

תרלב. וְכַד אָתָא מֹשֶׁה, אוֹלִיף לוֹן דְּאִית אֱלוֹהַּ עִלָּאָה בְּעָלְמָא, כְּמָה דְּאוֹקְמוּהָ. לְבָתַר חָמוּ כָּל אִינּוּן נִסִּין וּגְבוּרָן דְּעַל יַמָּא, וְכָל נִסִּין וּגְבוּרָן דְּעָבֵד לְהוּ בְּמִצְרַיִם. לְבָתַר חָמוּ כַּמָּה גְּבוּרָן, בְּמַנָּא וּבְמַיָּא וְאִתְיְהִיבַת לוֹן אוֹרַיְיתָא, וְאוֹלִיפוּ אָרְחֵי דְּקֻבְּ"ה, עַד דְּמָטֵי לְעִדָּנָא דָּא.

תרלג. אָמַר לוֹן מֹשֶׁה, עַד הַשְׁתָּא אִצְטְרִיכְנָא לְמֵילַף לְכוּ, כְּמָה דְּיָלְפִין לְרַבְיָא. וְדָא הוּא אַתָּה הָרְאֵתָ לָדַעַת, וְאוֹלִיפַת עַד הָכָא, לָדַעַת לְמִנְדַּע וּלְאִסְתַּכְּלָא וּלְמֵיעַל בְּרָזָא דִּמְהֵימְנוּתָא. וּמַאי אִיהִי. כִּי יְיָ' הוּא הָאֱלֹהִים.

תרלד. אִי תֵּימָא מִלָּה זְעִירָא הִיא לְמִנְדַּע, הָא כְּתִיב וְיָדַעְתָּ הַיּוֹם וַהֲשֵׁבֹתָ אֶל לְבָבֶךָ כִּי יְיָ' הוּא הָאֱלֹהִים בַּשָּׁמַיִם מִמַּעַל וְעַל הָאָרֶץ מִתָּחַת אֵין עוֹד. הָכָא תַּלְיָא כָּל רָזָא דִּמְהֵימְנוּתָא, לְמִנְדַּע מִגּוֹ דָּא, רָזָא דְּכָל רָזִין, לְמִנְדַּע סְתִימוּ דְּכָל סְתִימִין, יְהֹוָ"ה אֱלֹהִים שֵׁם מָלֵא, וְכֹלָּא חַד. אַתָּה הָרְאֵתָ לָדַעַת, הָכָא רָזָא דְּרָזִין לְאִינּוּן יַדְעֵי מִדִּין.

תרלה. זַכָּאִין אִינּוּן כָּל אִינּוּן דְּמִשְׁתַּדְּלֵי בְּאוֹרַיְיתָא. וּבְגִין דְּכַד בָּרָא קֻבְּ"ה עָלְמָא, אִסְתָּכַּל בָּהּ בְּאוֹרַיְיתָא, וּבָרָא עָלְמָא, וּבְאוֹרַיְיתָא אִתְבְּרֵי עָלְמָא, כְּמָה דְּאוֹקְמוּהָ, דִּכְתִיב וָאֶהְיֶה אֶצְלוֹ אָמוֹן, אַל תִּקְרֵי אָמוֹן אֶלָּא אוּמָן.

תרלו. וְכִי אוֹרַיְיתָא אוּמָנָא הֲוָה. אִין. לְמַלְכָּא דְּבָעֵי לְמֶעְבַּד פַּלְטְרִין, אִי לָא שַׁוֵּי לְגַבֵּיהּ אוּמָנָא, לָא יָכִיל לְמֶעְבַּד פַּלְטְרִין. כֵּיוָן דְּפַלְטְרִין וְאִתְעֲבִידוּ, לָא סָלִיק שְׁמָא, אֶלָּא דְּמַלְכָּא. אִלֵּין פַּלְטְרִין דְּעָבֵד מַלְכָּא, מַלְכָּא שַׁוֵּי בְּאִינּוּן פַּלְטְרִין מַחֲשָׁבָה.

תרלז. כַּךְ קֻבְּ"ה, בָּעֵי לְמִבְרֵי עָלְמָא, אִסְתָּכַּל בְּאוּמָנָא, וְאע"ג דְּאוּמָנָא עָבַד פַּלְטְרִין, לָא סָלִיק שְׁמָא אֶלָּא דְּמַלְכָּא, אִלֵּין פַּלְטְרִין דַּעֲבַד מַלְכָּא, וַדַּאי מַלְכָּא בָּנָה פַּלְטְרִין. אוֹרַיְיתָא צַוְוחַת וָאֶהְיֶה אֶצְלוֹ אָמוֹן, בִּי בָּרָא קֻבְּ"ה עָלְמָא, דְּעַד אִתְבְּרֵי עָלְמָא, אַקְדִּימַת אוֹרַיְיתָא תְּרֵין אַלְפֵי שְׁנִין לְעָלְמָא, וְכַד בָּעָא קֻבְּ"ה לְמִבְרֵי עָלְמָא, הֲוָה מִסְתָּכַּל בָּהּ בְּאוֹרַיְיתָא, בְּכָל מִלָּה וּמִלָּה, וְעָבֵד לָקֳבְלָהּ אוּמָנוּתָא דְּעָלְמָא. בְּגִין דְּכָל מִלִּין וְעוֹבָדִין דְּכָל עָלְמִין, בְּאוֹרַיְיתָא אִינּוּן. וְע"ד קֻבְּ"ה הֲוָה מִסְתָּכַּל בָּהּ, וּבָרָא עָלְמָא.

תרלח. לָאו דְּאוֹרַיְיתָא בָּרָא עָלְמָא, אֶלָּא קֻבְּ"ה, בְּאִסְתַּכְּלוּתָא דְּאוֹרַיְיתָא בָּרָא עָלְמָא. אִשְׁתַּכַּח דְּקֻבְּ"ה אִיהוּ אוּמָנָא, וְאוֹרַיְיתָא לָקֳבְלֵיהּ וּלְגַבֵּיהּ אוּמָנָא, שֶׁנֶּאֱמַר וָאֶהְיֶה אֶצְלוֹ אָמוֹן, וָאֶהְיֶה אָמוֹן לָא כְּתִיב, אֶלָּא אֶצְלוֹ, הוֹאִיל וְקֻבְּ"ה אִסְתָּכַּל בָּהּ, אֶצְלוֹ

הֲוָה אוּמָּנָא.

תרלט. וְאִי תֵּימָא מַאן יָכִיל לְמֶהֱוֵי אוּמָּנָא לְגַבֵּיהּ. אֶלָּא אִסְתַּכְּלוּתָא דְּקֻבָּ"ה בְּגַוְונָא דָּא, בְּאוֹרַיְיתָא, כְּתִיב בָּהּ, בְּרֵאשִׁית בָּרָא אֱלֹהִים אֵת הַשָּׁמַיִם וְאֵת הָאָרֶץ, אִסְתָּכַּל בְּהַאי מִלָּה, וּבָרָא אֶת הַשָּׁמַיִם. בְּאוֹרַיְיתָא כְּתִיב בָּהּ, וַיֹּאמֶר אֱלֹהִים יְהִי אוֹר, אִסְתָּכַּל בְּהַאי מִלָּה, וּבָרָא אֶת הָאוֹר. וְכֵן בְּכָל מִלָּה וּמִלָּה דִּכְתִיב בָּהּ בְּאוֹרַיְיתָא, אִסְתָּכַּל קֻבָּ"ה, וְעָבֵד הַהִיא מִלָּה, וְע"ד כְּתִיב וָאֶהְיֶה אֶצְלוֹ אָמוֹן. כְּגַוְונָא דָּא כָּל עָלְמָא אִתְבְּרֵי.

תרמ. כֵּיוָן דְּאִתְבְּרֵי עָלְמָא, כָּל מִלָּה וּמִלָּה לָא הֲוָה מִתְקַיֵּים, עַד דְּסָלִיק בִּרְעוּתָא לְמִבְרֵי אָדָם, דִּיהֱוֵי מִשְׁתַּדֵּל בְּאוֹרַיְיתָא, וּבְגִינֵיהּ אִתְקַיַּים עָלְמָא. הַשְׁתָּא כָּל מַאן דְּאִסְתָּכַּל בָּהּ בְּאוֹרַיְיתָא, וְאִשְׁתַּדַּל בָּהּ, כִּבְיָכוֹל, הוּא מְקַיֵּים כָּל עָלְמָא. קוּדְשָׁא בְּרִיךְ הוּא אִסְתָּכַּל בְּאוֹרַיְיתָא, וּבָרָא עָלְמָא. בַּר נָשׁ מִסְתַּכֵּל בָּהּ בְּאוֹרַיְיתָא וּמְקַיֵּים עָלְמָא. אִשְׁתְּכַח דְּעוֹבָדָא וְקִיּוּמָא דְּכָל עָלְמָא, אוֹרַיְיתָא אִיהִי. בְּגִין כַּךְ זַכָּאָה אִיהוּ בַּר נָשׁ דְּאִשְׁתַּדַּל בְּאוֹרַיְיתָא, דְּהָא אִיהוּ מְקַיֵּים עָלְמָא.

תרמא. בְּשַׁעֲתָא דְּסָלִיק בִּרְעוּתָא דְּקוּדְשָׁא בְּרִיךְ הוּא לְמִבְרֵי אָדָם, קָאִים קָמֵיהּ בְּדִיוּקְנֵיהּ וְקִיּוּמֵיהּ, כְּמָה דְּאִיהוּ בְּהַאי עָלְמָא. וַאֲפִילוּ כָּל אִינּוּן בְּנֵי עָלְמָא, עַד לָא יֵיתוּן בְּהַאי עָלְמָא, כֻּלְּהוּ קַיְימִין בְּקִיּוּמַיְיהוּ וּבְתִקּוּנַיְיהוּ כְּגַוְונָא דְּקַיְימִין בְּהַאי עָלְמָא, בְּחַד אוֹצָר דְּתַמָּן כָּל נִשְׁמָתִין דְּעָלְמָא מִתְלַבְּשָׁן בְּדִיוּקְנַיְיהוּ.

תרמב. וּבְשַׁעֲתָא דִּזְמִינִין לְנַחְתָּא בְּהַאי עָלְמָא, קָרֵי קֻבָּ"ה לְחַד מְמַנָּא, דִּי מַנֵּי קוּבָּ"ה בִּרְשׁוּתֵיהּ כָּל נִשְׁמָתִין דִּזְמִינִין לְנַחְתָּא לְהַאי עָלְמָא, וְאָמַר לֵיהּ, זִיל אַיְיתִי לִי רוּחַ פְּלוֹנִי. בְּהַהִיא שַׁעֲתָא אַתְיָא הַהוּא נִשְׁמְתָא, מִתְלַבְּשָׁא בְּדִיוּקְנָא דְּהַאי עָלְמָא, וְהַהוּא מְמַנָּא אַחְזֵי לָהּ קָמֵי מַלְכָּא קַדִּישָׁא.

תרמג. קֻבָּ"ה אָמַר לָהּ, וְאוֹמֵי לָהּ, דְּכַד תֵּיזוֹת לְהַאי עָלְמָא, דְּתִשְׁתַּדַּל בְּאוֹרַיְיתָא, לְמִנְדַּע לֵיהּ, וּלְמִנְדַּע בְּרָזָא דִּמְהֵימְנוּתָא. דְּכָל מַאן דַּהֲוֵי בְּהַאי עָלְמָא, וְלָא אִשְׁתָּדַּל לְמִנְדַּע לֵיהּ, טָב לֵיהּ לְדָא יִתְבְּרֵי. בְּגִ"כ אִתְחְזֵי קָמֵי מַלְכָּא קַדִּישָׁא, לְמִנְדַּע בְּהַאי עָלְמָא, וּלְאִשְׁתַּדְּלָא בֵּיהּ בְּקֻבָּ"ה, בְּרָזָא דִּמְהֵימְנוּתָא.

תרמד. הה"ד אַתָּה הָרְאֵתָ לָדַעַת, אִתְחֲזֵיאַת עַל יְדָא דְּהַהוּא מְמַנָּא, קָמֵי קֻבָּ"ה. לָדַעַת לְמִנְדַּע וּלְאִסְתַּכְּלָא בְּהַאי עָלְמָא, בְּרָזָא דִּמְהֵימְנוּתָא, בְּרָזָא דְּאוֹרַיְיתָא. וְכָל מַאן דַּהֲוָה בְּהַאי עָלְמָא, וְלָא אִשְׁתַּדַּל בְּאוֹרַיְיתָא לְמִנְדַּע לֵיהּ, טַב לֵיהּ דְּלָא אִתְבְּרֵי, דְּהָא בְּגִין דָּא אַיְיתֵי לֵיהּ קוּדְשָׁא בְּרִיךְ הוּא לְבַר נָשׁ בְּהַאי עָלְמָא.

תרמה. לָדַעַת כִּי יְיָ' הוּא הָאֱלֹהִים. דָּא אִיהוּ כְּלָלָא דְּכָל רָזָא דִּמְהֵימְנוּתָא, דְּכָל אוֹרַיְיתָא, כְּלָלָא דְּעֵילָּא וְתַתָּא, וְרָזָא דָּא אִיהוּ כְּלָלָא דְּכָל רָזָא דִּמְהֵימְנוּתָא, וְהָכִי הוּא וַדַּאי. כְּלָלָא דְּכָל אוֹרַיְיתָא, דָּא אִיהוּ רָזָא דְּתוֹרָה שֶׁבִּכְתָב, וְדָא אִיהוּ רָזָא דְּתוֹרָה שֶׁבְּעַל פֶּה, וְכֹלָּא וְחַד, כְּלָלָא דְּרָזָא דִּמְהֵימְנוּתָא, בְּגִין דְּאִיהוּ שֵׁם מָלֵא, דְּאִיהוּ רָזָא דִּמְהֵימְנוּתָא, וּמַאן אִיהוּ. ה' אֶחָד וּשְׁמוֹ אֶחָד, יְיָ' אֶחָד שְׁמַע יִשְׂרָאֵל יְיָ' אֱלֹהֵינוּ יְיָ' אֶחָד. דָּא אִיהוּ יִחוּדָא וְחַד. וּשְׁמוֹ אֶחָד, בשכמל"ו, הָא יִחוּדָא אַחֲרָא לְמֶהֱוֵי שְׁמֵיהּ וְחַד. וְרָזָא דָּא יְיָ' הוּא הָאֱלֹהִים, דָּא כְּתִיב, כַּד אִינּוּן בְּיִחוּדָא וְחָדָא.

תרמו. וְאִי תֵּימָא, אִי הָכִי, כְּגַוְונָא דִּכְתִיב יְיָ' אֶחָד וּשְׁמוֹ אֶחָד, לָאו אִיהוּ יְיָ' הוּא הָאֱלֹהִים, דְּאִי כְּתִיב יְיָ' אֶחָד וּשְׁמוֹ הוּא אֶחָד, הֲוָה אֲמֵינָא הָכִי. אֲבָל לָא כְּתִיב, אֶלָּא יְיָ' אֶחָד, וּשְׁמוֹ אֶחָד, וְאִצְטְרִיךְ לְמֵימַר כְּגַוְונָא דָּא יְיָ' הוּא, הָאֱלֹהִים הוּא, וְאִתְחֲזֵי יְיָ'

אֶחָד וּשְׁמוֹ אֶחָד.

תרמז. אֶלָּא כֹּלָּא וַחַד, דְּכַד מִתְיַיחֲדָן תְּרֵין שְׁמָהָן אִלֵּין, דָּא בְּיִחוּדָא חַד, וְדָא בְּיִחוּדָא חַד, כְּדֵין תְּרֵין שְׁמָהָן אִלֵּין אִתְעֲבִידוּ חַד, וְאִתְכְּלִילוּ דָּא בְּדָא, וַהֲוֵי כֹּלָּא שְׁמָא שְׁלִים, בְּיִחוּדָא חֲדָא, וּבְכֵן יְיָ' הוּא הָאֱלֹהִים, דְּהָא כְּדֵין אִתְכְּלִיל כֹּלָּא דָּא בְּדָא, לְמֶהֱוֵי חַד. וְעַד דְּאִתְיַיחֲדוּ כָּל חַד, דָּא בִּלְחוֹדוֹי, וְדָא בִּלְחוֹדוֹי, לָא אִתְכְּלִילוּ דָּא בְּדָא, לְמֶהֱוֵי כֹּלָּא חַד.

תרמח. כְּלָלָא דְּכָל אוֹרַיְיתָא הָכִי אִיהוּ וַדַּאי, דְּהָא אוֹרַיְיתָא אִיהִי תּוֹרָה שֶׁבִּכְתָב, וְאִיהוּ תּוֹרָה שֶׁבְּעַל פֶּה. תּוֹרָה שֶׁבִּכְתָב, דָּא אִיהוּ דִּכְתִּיב יְיָ'. תּוֹרָה דְּבע"פ, דָּא הוּא דִּכְתִּיב הָאֱלֹהִים. וּבְגִין דְּאוֹרַיְיתָא אִיהוּ רָזָא דִּשְׁמָא קַדִּישָׁא, אִקְרֵי הָכִי תּוֹרָה שֶׁבִּכְתָב וְתוֹרָה דְּבע"פ, דָּא כְּלָל, וְדָא פְּרָט. כְּלָל אִצְטְרִיךְ לִפְרָט, וּפְרָט אִצְטְרִיךְ לִכְלָל, וְאִתְיַיחֲדוּ דָּא בְּדָא, לְמֶהֱוֵי כֹּלָּא חַד.

תרמט. וְעַל דָּא, כְּלָלָא דְּאוֹרַיְיתָא אִיהוּ כְּלָלָא דְּעֵילָּא וְתַתָּא, בְּגִין דִּשְׁמָא דָּא לְעֵילָּא, וּשְׁמָא דָּא לְתַתָּא, דָּא רָזָא דְּעָלְמָא עִלָּאָה, וְדָא רָזָא דְּעָלְמָא תַּתָּאָה, וְעַל דָּא כְּתִיב, אַתָּה הָרְאֵתָ לָדַעַת כִּי יְיָ' הוּא הָאֱלֹהִים. דָּא אִיהוּ כְּלָלָא דְּכֹלָּא, וְדָא אִצְטְרִיךְ בַּר נָשׁ לְמִנְדַּע בְּהַאי עָלְמָא.

תרנ. וְאִי תֵּימָא, פִּקּוּדֵי אוֹרַיְיתָא אָן אִינּוּן הָכָא בִּכְלָלָא דָּא. אֶלָּא דָּא אִיהוּ זָכוֹר, וְדָא אִיהוּ שָׁמוֹר, וְכָל פִּקּוּדֵי אוֹרַיְיתָא בְּהָנֵי כְּלִילָן, בְּרָזָא דְּזָכוֹר וּבְרָזָא דְּשָׁמוֹר, וְכֹלָּא אִיהוּ חַד.

תרנא. פָּתַח רַבִּי יוֹסֵי וְאָמַר, הָא דְּתָנֵינָן דִּצְלוֹתָא דְּעַרְבִית חוֹבָה, חוֹבָה אִיהִי וַדַּאי, בְּגִין דִּקְרִיאַת שְׁמַע דְּעַרְבִית חוֹבָה, וְקֻבְּ"ה אִתְיַיחַד בְּלֵילְיָא, כְּמָה דְּאִתְיַיחַד בִּימָמָא, וּמִדַּת לֵילְיָא אִתְכְּלִיל בִּימָמָא, וּמִדַּת יְמָמָא אִתְכְּלִיל בְּלֵילְיָא, וְאִתְעֲבֵיד יִחוּדָא חֲדָא. וּמַאן דְּאָמַר רְשׁוּת, בְּגִין אֵמוּרִין וּפְדָרִין דְּמִתְאַכְּלֵי בְּלֵילְיָא וְהָא אוֹקִימְנָא.

תרנב. כְּתִיב וְאָהַבְתָּ אֵת יְיָ' אֱלֹהֶיךָ בְּכָל לְבָבְךָ וּבְכָל נַפְשְׁךָ וְגוֹ', הַאי קְרָא אוֹקִימְנָא לֵיהּ, וְאוֹקְמוּהָ חַבְרַיָּיא. אֲבָל אִית לְשָׁאֲלָא, אִי בְּהַאי יִחוּדָא דִּשְׁמַע יִשְׂרָאֵל, אִתְכְּלִיל כֹּלָּא, יְמִינָא וּשְׂמָאלָא, אַמַּאי לְבָתַר וְאָהַבְתָּ וְהָיָה אִם שָׁמוֹעַ, דְּהָא בְּיִחוּדָא אִתְכְּלִילוּ. אֲבָל הָתָם בִּכְלָל, וְהָכָא בִּפְרָט, וְהָכִי אִצְטְרִיךְ.

תרנג. וּבְרָזָא דְּיִחוּדָא דָּא אִתְעָרְנָא בֵּיהּ, יִחוּדָא דָּא אִיהוּ כְּגַוְונָא דִּתְפִלִּין דְּרֵישָׁא, וּתְפִלִּין דִּדְרוֹעָא. בִּתְפִלִּין דְּרֵישָׁא ד' פָּרְשִׁיָּין, וְהָא אִתְּמַר, וְהָכָא תְּלַת שְׁמָהָן אִינּוּן. הָתָם בִּתְפִילִּין דְּרֵישָׁא, ד' פָּרְשִׁיָּין, כָּל חַד וְחַד בִּלְחוֹדוֹי, וְהָכָא תְּלַת שְׁמָהָן, מַה בֵּין הַאי לְהַאי.

תרנד. אֶלָּא אִינּוּן ד' פָּרְשִׁיָּין, הָא אִתְּעָרוּ בְּהוּ, חַד, נְקוּדָה קַדְמָאָה עִלָּאָה. וְחַד, רָזָא דְּעָלְמָא דְּאָתֵי. וְחַד, יְמִינָא. וְחַד, שְׂמָאלָא. אִלֵּין רָזָא דִּתְפִלִּין דְּרֵישָׁא. וְהָכָא, בְּרָזָא דְּיִחוּדָא דָּא, תְּלַת שְׁמָהָן, וְאִינּוּן כְּגַוְונָא דְּאִינּוּן ד' פָּרְשִׁיּוֹת. יְיָ' קַדְמָאָה, דָּא נְקוּדָה עִלָּאָה, רֵאשִׁיתָא דְּכֹלָּא. אֱלֹהֵינוּ רָזָא דְּעָלְמָא דְּאָתֵי. יְיָ' בַּתְרָאָה, כְּלָלָא דִּימִינָא וּשְׂמָאלָא כַּחֲדָא, בִּכְלָלָא חֲדָא, וְאִלֵּין אִינּוּן תְּפִלִּין דְּרֵישָׁא, וְדָא אִיהוּ יִחוּדָא קַדְמָאָה.

תרנה. תְּפִלִּין דִּדְרוֹעָא, כְּלָלָא דְּכָל הָנֵי כַּחֲדָא, וְדָא אִיהוּ רָזָא בשכמל"ו. הָכָא כְּלָלָא דְּאִינּוּן תְּפִלִּין דְּרֵישָׁא, דְּאִתְכְּלִילוּ גּוֹ תְּפִלִּין דִּדְרוֹעָא.

תרנו. וְרָזָא דָּא, בָּרוּךְ: דָּא רָזָא דִּנְקוּדָה עִלָּאָה, דְּאִיהוּ בָּרוּךְ, דְּכָל בִּרְכָאן נַבְעִין מִתַּמָּן. וְאִי תֵּימָא עָלְמָא דְּאָתֵי אִקְרֵי בָּרוּךְ. לָאו הָכִי, דְּהָא נְקוּדָה עִלָּאָה אִיהוּ דְּכַר,

עָלְמָא דְּאָתֵי נוּקְבָא. אִיהוּ בָּרוּךְ וְאִיהִי בְּרָכָה. בָּרוּךְ דְּכַר. בְּרָכָה נוּקְבָא. וְעַל דָּא בָּרוּךְ אִיהוּ נְקוּדָה עִלָּאָה, שֵׁם: דָּא עָלְמָא דְּאָתֵי, דְּאִיהוּ שֵׁם גָּדוֹל, כד״א וּמַה תַּעֲשֶׂה לְשִׁמְךָ הַגָּדוֹל. כְּבוֹד: דָּא כָּבוֹד עִלָּאָה, דְּאִיהוּ יְמִינָא וּשְׂמָאלָא.

תרנז. וְכֻלְּהוּ כְּלִילָן בְּהַאי תְּפִלָּה שֶׁל יָד, דְּאִיהוּ מַלְכוּתוֹ, וְנָטִיל כֹּלָּא בְּגַוֵּיהּ, וּבְהַאי מַלְכוּתוֹ אִתְכְּלִילָן בֵּיהּ עָלְמִין כֻּלְּהוּ, לְמֵיזַן לוֹן, וּלְסַפְּקָא לוֹן, בְּכָל מַה דְּאִצְטְרִיכוּ וְעַל דָּא לְעוֹלָם וָעֶד.

תרנח. וְדָא אִיהוּ יִחוּדָא דִּתְפִלִּין דְּרֵישָׁא, וּתְפִלִּין דִּדְרוֹעָא, וּכְגַוְונָא דְּרָזָא דְּיִיחוּדָא דִּתְפִלִּין, הָכִי אִיהוּ יִחוּדָא דְּכֹלָּא, וְדָא אִיהוּ בְּרִירָא דְּמִלָּה. וְהָא סַדַּרְנָא יִחוּדָא דָּא קָמֵי בּוֹצִינָא קַדִּישָׁא, וְאָמַר לִי, דְּהָא בְּד׳ גַּוְונִין אִתְסַדַּר יִחוּדָא, וְדָא בְּרִירָא מִכֻּלְּהוּ, וְהָכִי אִיהוּ וַדַּאי, וְכֻלְּהוּ רָזָא דִּמְהֵימְנוּתָא, אֲבָל סִדּוּרָא דִּתְפִלִּין, דָּא אִיהוּ יִחוּדָא עִלָּאָה, כַּדְּקָא יָאוֹת.

תרנט. וּמִגּוֹ דְּאִתְכְּלִילוּ יְמִינָא וּשְׂמָאלָא בְּרָזָא דִּשְׁמָא קַדִּישָׁא בְּאֹרַח כְּלָל, אִצְטְרִיךְ לְבָתַר לְאַפָּקָא לוֹן בְּאֹרַח פְּרָט, אֲבָל לָאו בְּאֹרַח יִחוּדָא, דְּהָא יִחוּדָא בַּקְּרָא קַדְמָאָה אִיהוּ, לְמֶהֱוֵי יְדֹו״ד אֶחָד בִּתְפִלִּין דְּרֵישָׁא, וּשְׁמוֹ אֶחָד בִּתְפִלִּין דִּדְרוֹעָא, וַהֲוֵי כֹּלָּא חַד. כֵּיוָן דְּיִחוּדָא דָּא אִתְסַדַּר כֹּלָּא בִּכְלָלָא מֵרֵישָׁא דִּנְקוּדָה עִלָּאָה, אִצְטְרִיךְ לְבָתַר לְאַתְעֲרָא מֵרֵישָׁא דִּנְהוֹרָא קַדְמָאָה, דְּאִיהוּ רֵישָׁא דְּכֹלָּא.

תרס. וְאָהַבְתָּ דָּא רֵאשִׁיתָא דִּימִינָא, לְמִרְחַם לֵיהּ לְקֻדְשָׁא בְּרִיךְ הוּא בִּרְחִימוּ דְּאִתְדַּבְּקוּתָא דִּילֵיהּ, וּמַאן אִיהוּ. יְמִינָא, דְּאִיהוּ אִתְּעַר רְחִימוּ. מַאן דְּרָחִים לֵיהּ לְקֻדְשָׁא בְּרִיךְ הוּא, אִיהוּ אִתְּעַר יְמִינָא דִּילֵיהּ לְגַבֵּיהּ. וּמְקַבֵּל לֵיהּ בִּרְחִימוּ. כָּל מִלִּין דְּעָלְמָא לָא תַּלְיָין אֶלָּא בִּרְעוּתָא, רוּחַ אַמְשִׁיךְ רוּחַ וְאַיְיתֵי רוּחַ וְסִימָנָךְ דָּא אִם יָשִׂים אֵלָיו לִבּוֹ רוּחוֹ וְנִשְׁמָתוֹ אֵלָיו יֶאֱסוֹף.

תרסא. כַּד אִתְּעַר בַּר נָשׁ רְחִימוּ לְגַבֵּי קֻדְשָׁא בְּרִיךְ הוּא, אִתְעֲרוּתָא דִּימִינָא לָא אִתְּעַר, אֶלָּא בִּתְלַת גַּוְונִין, כד״א, בְּכָל לְבָבְךָ. וּבְכָל נַפְשְׁךָ. וּבְכָל מְאֹדֶךָ. הָא תְּלַת גַּוְונִין הָכָא. דְּלָא תֵּימָא אוֹ הַאי אוֹ הַאי, דְּהָא לָא כְּתִיב אוֹ בְּכָל לְבָבְךָ, אוֹ בְּכָל נַפְשְׁךָ, אוֹ בְּכָל מְאֹדֶךָ. אֶלָּא כֻּלְּהוּ אִצְטְרִיךְ, לִבָּא וְנַפְשָׁא וּמָמוֹנָא. וּכְדֵין קֻדְשָׁא בְּרִיךְ הוּא אִתְּעַר יְמִינֵיהּ לְגַבֵּיהּ, וּפָשִׁיט לֵיהּ לְקַבְּלֵיהּ, וּמְקַבְּלָא לֵיהּ.

תרסב. וְעַל דָּא כְּתִיב, נְאֻם יְיָ׳ לַאדֹנִי שֵׁב לִימִינִי. וְרָזָא דְּהַאי קְרָא, הָא אִתְּעַרְנָא בֵּיהּ, דְּדָוִד מַלְכָּא עַל דַּרְגָּא דִּילֵיהּ קָאָמַר, כַּד אִתְקַשַּׁר בִּימִינָא. תְּלֵיסַר פִּקּוּדִין הָכָא בִּימִינָא, וְאָהַבְתָּ אֵת יְיָ׳ אֱלֹהֶיךָ, הָא חַד. בְּכָל לְבָבְךָ, תְּרֵין. וּבְכָל נַפְשְׁךָ, ג׳. וּבְכָל מְאֹדֶךָ, אַרְבַּע. וְשִׁנַּנְתָּם לְבָנֶיךָ, חֲמִשָּׁא. וְדִבַּרְתָּ בָּם, הָא שִׁיתָּא. בְּשִׁבְתְּךָ בְּבֵיתֶךָ, הָא שִׁבְעָה. וּבְלֶכְתְּךָ בַדֶּרֶךְ, תְּמַנְיָא. וּבְשָׁכְבְּךָ, הָא תִּשְׁעָה. וּבְקוּמֶךָ, הָא עֲשָׂרָה. וּקְשַׁרְתָּם לְאוֹת עַל יָדֶךָ, הָא חַד סַר. וְהָיוּ לְטֹטָפֹת בֵּין עֵינֶיךָ, הָא תְּרֵיסַר. וּכְתַבְתָּם עַל מְזוּזוֹת בֵּיתֶךָ וּבִשְׁעָרֶיךָ, הָא תְּלֵיסַר.

תרסג. תְּלֵיסַר פִּקּוּדִין אִלֵּין, תַּלְיָין בִּימִינָא, וּשְׂמָאלָא אִתְכְּלִיל בִּימִינָא, וְהָכִי אִצְטְרִיךְ, וּבְכָל זִמְנָא דִּשְׂמָאלָא אִתְּעַר, יְמִינָא שָׁארֵי בֵּיהּ בְּרֵישָׁא. וּבְגִין דָּא, אִם יִזְכּוּן, שְׂמָאלָא אִתְכְּלִיל בִּימִינָא. וְאִי לָאו, יְמִינָא אִתְכְּלִיל בִּשְׂמָאלָא, וְשַׁלְטָא שְׂמָאלָא. וְסִימָנָא דָּא, אִם בְּרֵישָׁא, כְּגוֹן אִם בְּחֻקּוֹתַי תֵּלֵכוּ. וּבְכָל אֲתָר, שְׂמָאלָא אִתְּעַר בִּרְחִימוּ בְּרָזָא דִּימִינָא, וּלְבָתַר אִתְתְּקַף דִּינֵיהּ, כְּמָה דְּאִצְטְרִיךְ. וְכַךְ אִצְטְרִיךְ בְּכָל אֲתָר, וְהָא אִתְּעָרוּ חַבְרַיָּיא, בְּהָנֵי מִלִּין. אָתָא רַבִּי חִיָּיא וּנְשָׁקֵיהּ.

תרסד. פָּתַח וְאָמַר וְאֶת הַמִּשְׁכָּן תַּעֲשֶׂה עֶשֶׂר יְרִיעֹת וְגוֹ׳, הָא הָכָא רָזָא דְּיִחוּדָא,

דְּהָא תִּקּוּנָא דְּמַשְׁכְּנָא מִכַּמָּה דַּרְגִּין אִיהוּ, דִּכְתִּיב בֵּיהּ וְהָיָה הַמִּשְׁכָּן אֶחָד. לְאִתְחֲזָאָה דְּכָל שַׁיְיפִין דְּגוּפָא, כֻּלְּהוּ רָזָא דְּגוּפָא חַד.

תרסה. בְּבַר נָשׁ אִית בֵּיהּ כַּמָּה שַׁיְיפִין עִלָּאִין וְתַתָּאִין, אִלֵּין פְּנִימָאִין לְגוֹ, וְאִלֵּין בְּאִתְגַּלְיָא לְבַר, וְכֻלְּהוּ אִקְרוּן גּוּפָא וְחָדָא, וְאִקְרֵי בַּר נָשׁ חַד, בְּחִבּוּרָא וְחָדָא. אוּף הָכִי מַשְׁכְּנָא, כֻּלְּהוּ שַׁיְיפִין כְּגַוְונָא דִּלְעֵילָּא, וְכַד אִתְחַבְּרוּ כֹּלָּא כַּחֲדָא, כְּדֵין כְּתִיב וְהָיָה הַמִּשְׁכָּן אֶחָד.

תרסו. פִּקּוּדֵי אוֹרַיְיתָא, כֹּלָּא שַׁיְיפִין וְאֵבָרִין, בְּרָזָא דִּלְעֵילָּא. וְכַד מִתְחַבְּרִין כֻּלְּהוּ כְּחַד, כְּדֵין כֻּלְּהוּ סַלְקָן לְרָזָא חַד. רָזָא דְּמַשְׁכְּנָא, דְּאִיהוּ אֵבָרִין וְשַׁיְיפִין, כֻּלְּהוּ סַלְקִין לְרָזָא דְּאָדָם, כְּגַוְונָא דְּפִקּוּדֵי אוֹרַיְיתָא, דְּהָא פִּקּוּדֵי אוֹרַיְיתָא, כֻּלְּהוּ בְּרָזָא דְּאָדָם, דְּכַר וְנוּקְבָא, דְּכַד מִתְחַבְּרָן כַּחֲדָא, אִינּוּן חַד, רָזָא דְּאָדָם. מַאן דְּגָרַע אֲפִילּוּ פִּקּוּדָא וְחָדָא דְּאוֹרַיְיתָא, כְּאִלּוּ גָּרַע דְּיוֹקְנָא דִּמְהֵימְנוּתָא, דְּהָא כֻּלְּהוּ שַׁיְיפִין וְאֵבָרִין בְּדִיוֹקְנָא דְּאָדָם, וּבְגִין כַּךְ כֹּלָּא סַלְקָא בְּרָזָא דְּיִחוּדָא.

תרסז. וְעַל דָּא, יִשְׂרָאֵל אִינּוּן גּוֹי אֶחָד, דִּכְתִּיב וְאַתֵּן צֹאנִי צֹאן מַרְעִיתִי אָדָם אַתֶּם. וּכְתִיב מִי כְּעַמְּךָ כְּיִשְׂרָאֵל וְגוֹ'.

תרסח. רַבִּי יִצְחָק הֲוָה שְׁכִיחַ קַמֵּיהּ דְּרַבִּי אֶלְעָזָר, אָמַר לֵיהּ, וַדַּאי רְחִימוּ דְּקוּדְשָׁא בְּרִיךְ הוּא דְּכַד נָשׁ רָחִים לֵיהּ, לָא אִתְּעַר אֶלָּא מִלִּבָּא, בְּגִין דְּלִבָּא אִיהוּ אִתְעֲרוּתָא לְאִתְעָרָא לְגַבֵּיהּ רְחִימוּ, אִי הָכִי, אַמַּאי כְּתִיב בְּכָל לְבָבְךָ, וּלְבָתַר וּבְכָל נַפְשְׁךָ. דְּמַשְׁמַע דִּתְרֵין גַּוְונִין אִינּוּן חַד לִבָּא, וְחַד נַפְשָׁא, אִי לִבָּא הוּא עִקָּרָא, מַאי בָּעֵי נַפְשָׁא. אָמַר לֵיהּ, וַדַּאי לִבָּא וְנַפְשָׁא תְּרֵין אִינּוּן, וְאִתְאַחֲדָן לְחַד. דְּהָא לִבָּא וְנַפְשָׁא וּמָמוֹנָא, כֻּלְּהוּ אִתְאַחֲדָן דָּא בְּדָא, וְלִבָּא אִיהוּ עִקָּרָא וִיסוֹדָא דְּכֹלָּא.

תרסט. וְהָא דְּאִתְּמַר בְּכָל לְבָבְךָ, בִּתְרֵין לִבִּין אִיהוּ, דְּאִינְהוּ תְּרֵין יִצְרִין, חַד יִצְרָא טָבָא, וְחַד יִצְרָא בִּישָׁא, וּתְרֵין אִלֵּין כָּל חַד וְחַד לֵב אִקְרֵי בַּל, דָּא אִקְרֵי לֵב טוֹב, וְדָא אִקְרֵי לֵב רָע. וּבְגִין כַּךְ אִיהוּ לְבָבְךָ, דְּאִינּוּן תְּרֵין, יֵצֶר הַטּוֹב וְיֵצֶר הָרָע.

תרע. וּבְכָל נַפְשְׁךָ, וּבְנַפְשְׁךָ מִבָּעֵי לֵיהּ, מַאי וּבְכָל נַפְשְׁךָ, הַאי בְּכָל אַמַּאי. אֶלָּא לְאַכְלְלָא נפ"ש ורו"ח ונשמ"ה, דָּא אִיהוּ וּבְכָל נַפְשְׁךָ, בְּכָל מַה דְּאָחִיד הַאי נֶפֶשׁ. וּבְכָל מְאֹדֶךָ, אוּף הָכִי כַּמָּה זִינִין אִינּוּן דְּמָמוֹנָא, כֻּלְּהוּ מְשַׁנְּיָין אִלֵּין מֵאִלֵּין, וְעַ"ד כְּתִיב בְּכָל. רְחִימוּ דְּקֻבָּ"ה, לְמִמְסַר לֵיהּ כָּל דָּא, לְמִרְחַם לֵיהּ בְּכָל חַד וְחַד.

תרעא. וְאִי תֵּימָא, בְּיֵצֶר הָרָע הֵיךְ יָכִיל בַּר נָשׁ לְמִרְחַם לֵיהּ, דְּהָא יֵצֶר הָרָע מְקַטְרְגָא אִיהוּ, דְּלָא יִקְרַב בַּר נָשׁ לְפוּלְחָנָא דְּקֻבָּ"ה, וְהֵיךְ יְרַחִים לֵיהּ בֵּיהּ. אֶלָּא, דָּא אִיהוּ פוּלְחָנָא דְּקֻבָּ"ה יַתִּיר, כַּד הַאי יֵצֶר הָרָע אִתְכַּפְיָא לֵיהּ, בְּגִין רְחִימוּ דְּקָא מִרְחַם לֵיהּ לְקֻבָּ"ה. דְּכַד הַאי יֵצֶר הָרָע אִתְכַּפְיָא, וְתָבַר לֵיהּ הַהוּא בַּר נָשׁ, דָּא אִיהוּ רְחִימוּ דְּקֻבָּ"ה, בְּגִין דְּיָדַע לְקָרְבָא לְהַהוּא יֵצֶר הָרָע, לְפוּלְחָנָא דְּקֻבָּ"ה.

תערב. הָכָא אִיהוּ רָזָא לְמָארֵי מִדִּין. כָּל מַה דַּעֲבַד קֻבָּ"ה עֵילָּא וְתַתָּא, כֹּלָּא אִיהוּ בְּגִין לְאַחֲזָאָה יְקָרָא דִּילֵיהּ, וְכֹלָּא אִיהוּ לְפוּלְחָנֵיהּ. וְכִי מַאן חָמֵי עַבְדָּא, דִּלֶהֱוֵי מְקַטְרְגָא דְּמָארֵיהּ, וּבְכָל מַה דִּרְעוּתֵיהּ דְּמָארֵיהּ, אִתְעֲבֵיד אִיהוּ מְקַטְרְגָא, רְעוּתֵיהּ דְּקֻבָּ"ה, דִּיהוֹן בְּנֵי נָשָׁא תָּדִיר בְּפוּלְחָנֵיהּ, וִיְהָכוּן בְּאֹרַח קְשׁוֹט, בְּגִין לְמִזְכֵּי לוֹן בְּכַמָּה טָבִין, הוֹאִיל וּרְעוּתֵיהּ דְּקֻבָּ"ה בְּהַאי, הֵיךְ אַתְיָא עַבְדָּא בִּישָׁא, וְאִשְׁתְּכַח מְקַטְרְגָא מִגּוֹ רְעוּתֵיהּ דְּמָארֵיהּ, וְאַסְטֵי לִבְנֵי נָשָׁא לְאֹרַח בִּישׁ, וְאַדְחֵי לוֹן מֵאֹרַח טָב, וְעָבֵיד לוֹן דְּלָא

יַעַבְדוּן רְעוּתָא דְּמָארֵיהוֹן, וְאַסְטֵי לִבְנֵי נָשָׂא לְאָרַח בִּישׁ.

תרע״ג. אֶלָּא, וַדַּאי רְעוּתֵיהּ דְּמָארֵיהּ עָבֵיד. לְמַלְכָּא דַּהֲוָה לֵיהּ בַּר יְחִידָאי, וַהֲוָה רָחִים לֵיהּ יַתִּיר, וּפָקִיד עֲלֵיהּ בִּרְחִימוּ, דְּלָא יִקְרַב גַּרְמֵיהּ לְאִתְּתָא בִּישָׁא, בְּגִין דְּכָל מַאן דְּיִקְרַב לְגַבָּהּ, לָאו כְּדַאי אִיהוּ לְאַעֲלָא גּוֹ פַּלְטֵרִין דְּמַלְכָּא. אוֹדֵי לֵיהּ הַהוּא בְּרָא, לְמֶעְבַּד רְעוּתֵיהּ דַּאֲבוֹי בִּרְחִימוּ.

תרע״ד. בְּבֵיתָא דְּמַלְכָּא, לְבַר, הֲוַת חֲדָא זוֹנָה, יָאָה בְּחֵיזוּ, וְשַׁפִּירָא בְּרֵיוָא. לְיוֹמִין אֲמַר מַלְכָּא, בְּעֵינָא לְמֶחֱמֵי רְעוּתֵיהּ דִּבְרִי לְגַבָּאי. קָרָא לָהּ לְהַהִיא זוֹנָה, וְאָמַר לָהּ זִילִי וּתְפַתִּי לִבְרִי, לְמֶחֱמֵי רְעוּתֵיהּ דִּבְרִי לְגַבָּאי. הַהִיא זוֹנָה מַאי עַבְדַת, אֲזָלַת אֲבַתְרֵיהּ דִּבְרֵיהּ דְּמַלְכָּא שָׁרָאת לְחַבְקָא לֵיהּ וּלְנַשְּׁקָא לֵיהּ, וּלְפַתֵּי לֵיהּ בְּכַמָּה פִּתּוּיִין. אִי הַהוּא בְּרָא יָאוּת, וְאָצִית לְפִקּוּדָא דַּאֲבוֹי, גָּעַר בָּהּ, וְלָא אָצִית לָהּ, וְדָחֵי לָהּ מִנֵּיהּ. כְּדֵין אֲבוֹי חָדֵי בִּבְרֵיהּ, וְאָעִיל לֵיהּ לְגוֹ פַּרְגּוֹדָא דְּהֵיכָלֵיהּ, וְיָהִיב לֵיהּ מַתְּנָן וּנְבִזְבְּזָא וִיקָר סַגְיָא. מַאן גָּרִים כָּל הַאי יְקָר לְהַאי בְּרָא, הֱוֵי אֵימָא הַהִיא זוֹנָה.

תרע״ה. וְהַהִיא זוֹנָה אִית לָהּ שְׁבָחָא בְּהַאי אוֹ לָאו. וַדַּאי שְׁבָחָא אִית לָהּ מִכָּל סִטְרִין. חַד, דְּעַבְדַת פִּקּוּדָא דְּמַלְכָּא. וְחַד, דְּגַרְמַת לֵיהּ לְהַהוּא בְּרָא, לְכָל הַהוּא טִיבוּ, לְכָל הַאי רְחִימוּ דְּמַלְכָּא לְגַבֵּיהּ. וְעַ״ד כְּתִיב, וְהִנֵּה טוֹב מְאֹד. וְהִנֵּה טוֹב, דָּא מַלְאַךְ חַיִּים. מְאֹד, דָּא מַלְאַךְ הַמָּוֶת, דְּאִיהוּ וַדַּאי טוֹב מְאֹד, לְמַאן דְּאָצִית פִּקּוּדִין דְּמָארֵיהּ. וְתָא חֲזֵי, אִי לָא יְהֵא הַאי מְקַטְרְגָא, לָא יַרְתוּן צַדִּיקַיָּא הָנֵי גִּנְזַיָּא עִלָּאִין, דִּזְמִינִין לְיָרְתָא לְעָלְמָא דְּאָתֵי.

תרע״ו. זַכָּאִין אִינּוּן דְּאִעְרָעוּ בְּהַאי מְקַטְרְגָא, וְזַכָּאִין אִינּוּן דְּלָא אִעְרָעוּ בֵּיהּ. זַכָּאִין אִינּוּן דְּאִעְרָעוּ בֵּיהּ, וְאִשְׁתְּזִיבוּ מִנֵּיהּ, דִּבְגִינֵיהּ יָרְתִין כָּל אִינּוּן טָבִין, וְכָל אִינּוּן עִדּוּנִין, וְכָל אִינּוּן כִּסּוּפִין דְּעָלְמָא דְּאָתֵי, דְּעָלֵיהּ כְּתִיב עַיִן לֹא רָאֲתָה אֱלֹהִים זוּלָתְךָ.

תרע״ז. וְזַכָּאִין אִינּוּן דְּלָא אִעְרָעוּ בֵּיהּ, דִּבְגִינֵיהּ יָרְתִין גֵּיהִנָּם, וְאִטְרָדוּ מֵאֶרֶץ הַחַיִּים, דְּהָא אִינּוּן חַיָּיבַיָּא דְּאִעְרָעוּ בֵּיהּ, הֲווּ צַיְיתִין לֵיהּ, וְאִתְמַשְׁכוּ אֲבַתְרֵיהּ. וְעַל דָּא אִית לְצַדִּיקַיָּא לְמֶחֱזַק לֵיהּ טָבִין דְּהָא בְּגִינֵיהּ יָרְתִין כָּל אִינּוּן טָבָאן וְעִדּוּנִין וְכִסּוּפִין לְעָלְמָא דְּאָתֵי.

תרע״ח. תּוֹעַלְתָּא דְּהַאי מְקַטְרְגָא. כַּד חַיָּיבַיָּא צַיְיתִין לֵיהּ מַאי אִיהִי. אֶלָּא, אע״ג דְּלֵית לֵיהּ תּוֹעַלְתָּא, פִּקּוּדָא דְּמָארֵיהּ אִיהוּ עָבֵיד. וְתוּ, דְּהָא אִתְתָּקַף בְּגִין הַאי, הוֹאִיל וְאִיהוּ רָע, אִתְתָּקַף כַּד עָבֵיד בִּישׁ. חַיָּיבָא לָא אִתְתַּקַּף עַד דְּקָטִיל בַּר נָשׁ, כֵּיוָן דְּקָטִיל בְּנֵי נָשָׁא, כְּדֵין אִתְתָּקַף וְאִתְגַּבַּר בְּחֵילֵיהּ, וְאִית לֵיהּ נַיְיחָא. כַּךְ הַהוּא מְקַטְרְגָא, דְּאִתְקְרֵי מַלְאַךְ הַמָּוֶת, לָא אִתְגַּבַּר בְּחֵילֵיהּ, עַד דְּאַסְטֵי לִבְנֵי נָשָׁא, וּמְקַטְרֵג לוֹן, וְקָטִיל לוֹן, כְּדֵין אִית לֵיהּ נַיְיחָא, וְאִתְתָּקַף וְאִתְגַּבַּר בְּחֵילֵיהּ.

תרע״ט. כְּמָה דְּאִתְתָּקַף סִטְרָא דְּחַיִּים, כַּד בְּנֵי נָשָׁא טָבִין, וְיֶהֱכוּן בְּאֹרַח מֵישָׁר. אוּף הָכִי, הַאי מְקַטְרְגָא אִתְתָּקַף וְאִתְגַּבַּר, כַּד חַיָּיבַיָּא צַיְיתִין לֵיהּ, וְשָׁלִיט עֲלַיְיהוּ. רַחֲמָנָא לִישֵׁזְבָן. וְזַכָּאִין אִינּוּן דְּזַכָּאן לְנַצְּחָא לֵיהּ, וּלְאַכְפְּיָא לֵיהּ, לְמִזְכֵּי בְּגִינֵיהּ לְעָלְמָא דְּאָתֵי, וְאִתְתַּקַּף בַּר נָשׁ בְּמַלְכָּא קַדִּישָׁא תָּדִיר, ע״ד וַדַּאי אִתְּמַר, אַשְׁרֵי אָדָם עוֹז לוֹ בָךְ מְסִלּוֹת בִּלְבָבָם, זַכָּאִין אִינּוּן בְּהַאי עָלְמָא וּבְעָלְמָא דְּאָתֵי.

תרפ. רַבִּי יוֹסֵי וְרַבִּי יְהוּדָה וְרַבִּי חִיָּיא, הֲווּ אָזְלֵי בְּאָרְחָא, פָּגַע בְּהוּ ר׳ אֶלְעָזָר, עַד דְּחָמוּ לֵיהּ, נָחְתוּ מִן חֲמָרֵי כֻּלְּהוּ. אָמַר רַבִּי אֶלְעָזָר, וַדַּאי אַנְפֵּי שְׁכִינְתָּא חֲמֵינָא, דְּהָא

כד וזמי ב"נ צדיקיא, או זכאין די בדרא, ואערע בהו, ודאי אינון אנפי שכינתא. ואמאי אקרון אנפי שכינתא. בגין דשכינתא אסתתרת בגווייהו, איהי בסתימו, ואינון באתגליא. בגין דשכינתא אינון דקריבין לה, אקרון פנים דילה. ומאן אינון. אינון דאיהי אתתקנת בהדייהו, לאתחזאה לגבי מלכא עלאה. והואיל ואתון הכא, ודאי שכינתא אתתקנת עלייכו, ואתון פנים דילה.

תרפא. פתח ואמר, קח נא את ברכתי אשר הובאת לך וגו', כד חמא יעקב לסמאל, מקטרגא בההוא ליליא, וחמא ליה בההוא דיוקנא דעשו, ולא אשתמודע ביה עד דסליק צפרא. כיון דסליק צפרא, ואשגח ביה, וחמא ליה באנפין סתימין ואתגליין. אסתכל בההוא דיוקנא, דהוה כדיוקנא דעשו, מיד אשגח וידע דהוה ממנא דעשו. אתקיף ביה מה כתיב, ויאמר שלחני כי עלה השחר. וחבריא אתערו, דבגין דמטא זמניה לזמרא ולשבחא ליה לקב"ה, וע"ד כי עלה השחר.

תרפב. והכא אית לאסתכלא, דודאי שלטנותא דיליה לאו איהו אלא בליליא, גו חשוכא, ורזא דא מפחד בלילות דא פחדא דגיהנם. ומה דאמר בלילות. ר"ל איהו ונוקביה. ובגיני כך לא שליט אלא בליליא.

תרפג. ודא דאמר ויאמר שלחני כי עלה השחר. מאי כי עלה השחר. בגין דכד אתי צפרא, ואתעבר שלטנו דחשוכא דליליא, כדין עאל איהו ואכלוסיה בנוקבא דתהומא רבא, דלסטר צפון, עד דעאל ליליא, ואשתרו כלבי, ושלטי ומשטטי בליליא, עד דאתי צפרא. ועל דא הוה דחיק לומר, שלחני כי עלה השחר, דהא לא שליט בימָמא.

תרפד. כגוונא דא גלותא דישראל, דאיהו בליליא, ואקרי לילה. מלכא עכו"ם חייבא שלטא עלייהו דישראל, עד דייתי צפרא ויֵנהיר לון קב"ה, ויתעבר שלטניהון, ועל דא כי עלה השחר, דחיק הוה בידיה, ותשש חיליה, דהא אתעבר ליליא ועל דא אתתקף יעקב ביה, וחמא דיוקניה כדיוקנא דעשו, אבל לא באתגליא כל כך. וכדין אודי ליה על ברכאן.

תרפה. מה כתיב לבתר, כי על כן ראיתי פניך כראות פני אלהים ותרצני. דחמא באינון אנפין דעשו כדיוקנא דאתחזי ליה סמא"ל ממש, דהא בכל אתר דב"נ אתקשר, הכי אתחזי באנפוי. ואתון קדישי עליונין שכינתא בהדייכו, ואנפין דלכון כאינון אנפין דילה, זכאין אתון. אמר אי ארחא חדא הוינא אזלי בהדייכו, הוינא יתבי עמכון, השתא דאתון לארחייכו, ואנא לארחי, אתפרש מנייכו במילי דאורייתא.

תרפו. פתח ואמר שיר המעלות לשלמה אם יי' לא יבנה בית שוא עמלו בוניו בו אם יי' לא ישמר עיר שוא שקד שומר. וכי שלמה אמר תושבחתא דא כד בנה בי מקדשא. לאו הכי, דהא דוד מלכא א"ל בגין שלמה מלכא בריה, כד אתא נתן לגביה, וא"ל על שלמה דאיהו יבני בי מקדשא. ולבתר דוד מלכא אחזי לשלמה בריה דיוקנא דבי מקדשא. כיון דחמא דוד דיוקנא דבי מקדשא, וכל תקונוי, אמר שירתא על שלמה בריה, ואמר אם יי' לא יבנה בית וגו'.

תרפז. ד"א שיר המעלות לשלמה, למלכא דשלמא דיליה. והאי שירתא איהו שירתא ותושבחתא על כל שאר שירתא, ושירתא הדא סלקא על כלהו. אם יי' לא יבנה בית, דחמא דוד מלכא, כל אינון עמודין שבעה, דהאי בית קאים עלייהו,

דְּאִינּוּן קַיְּימֵי שׁוּרִין, לְמִבְנֵי הַאי בַּיִת. לְעֵילָּא מִכֻּלְּהוּ קַיְּימָא מָארֵיהּ דְּבֵיתָא דְּאָזִיל עַל גַּבַּיְיהוּ, וְיָהִיב לוֹן חֵילָא וְתוּקְפָּא, לְכָל חַד וְחַד כַּדְקָא יָאוּת.

תרפח. וְעַ״ד אָמַר דָּוִד, אִי הַאי מַלְכָּא דִּשְׁלָמָא כֹּלָּא דִּילֵיהּ, דְּאִיהוּ מָארֵיהּ דְּבֵיתָא, לָא בָּנֵי לְהַאי בֵּיתָא, שָׁוְא עָמְלוּ בוֹנָיו בּוֹ, אִינּוּן קַיְּימִין דְּקַיְּימִין לְמִבְנֵי עַל הַאי בֵּיתָא. אִם יְיָ׳ לֹא יִשְׁמָר עִיר, דָּא מַלְכָּא דִּשְׁלָמָא כֹּלָּא דִּילֵיהּ. שָׁוְא שָׁקַד שׁוֹמֵר, דָּא אִיהוּ חַד קַיְּימָא דְּעָלְמָא אִתְתָּקַן עָלֵיהּ, וּמַנּוּ. צַדִּיק, דְּהָא אִיהוּ נָטִיר לָהּ לְהַאי עִיר.

תרפט. מַשְׁכְּנָא דְּעָבַד מֹשֶׁה, יְהוֹשֻׁעַ הֲוָה קָאִים תָּדִיר וְנָטִיר לֵיהּ, דְּהָא לֵית נְטִירוּ דִּילֵיהּ בַּר בֵּיהּ דְּאִקְרֵי נַעַר, דִּכְתִּיב וּמְשָׁרְתוֹ יְהוֹשֻׁעַ בִּן נוּן נַעַר לֹא יָמִישׁ מִתּוֹךְ הָאֹהֶל. לְבָתַר הַאי מַשְׁכְּנָא לָא הֲוָה נָטִיר, אֶלָּא בְּגִין נַעַר אַחֲרָא, דִּכְתִּיב וְהַנַּעַר שְׁמוּאֵל מְשָׁרֵת, בְּגִין דְּלֵית נְטִירוּ דְּמַשְׁכְּנָא, אֶלָּא בְּנַעַר. וּמַאן אִיהוּ שׁוֹמֵר דָּא. הַהוּא דְּנָטִיר מַשְׁכְּנָא דְּאִקְרֵי הָכִי נַעַר מְטַטְרוֹ״ן.

תרצ. אֲבָל אַתּוּן קַדִּישֵׁי עֶלְיוֹנִין, לָאו נְטִירוּ דִּלְכוֹן כִּנְטִירוּ דְּמַשְׁכְּנָא, אֶלָּא נְטִירוּ דִּלְכוֹן כִּנְטִירוּ דְּבֵי מַקְדְּשָׁא, קֻבָּ״ה בִּלְחוֹדוֹי, דִּכְתִּיב אִם יְיָ׳ לֹא יִשְׁמָר עִיר שָׁוְא שָׁקַד שׁוֹמֵר, דְּהָא בְּכָל זִמְנָא דְּצַדִּיקַיָּא אָזְלֵי בְּאָרְחָא, קֻבָּ״ה נָטִיר לוֹן תָּדִיר, דִּכְתִּיב יְיָ׳ יִשְׁמָר צֵאתְךָ וּבוֹאֶךָ.

תרצא. אָזְלוּ אֲבַתְרֵיהּ, וְאוֹזְפוּהוּ תְּלַת מִלִּין, וְאַהַדְרוּ לְאָרְחַיְיהוּ קָרוּ עָלֵיהּ, כִּי מַלְאָכָיו יְצַוֶּה לָּךְ לִשְׁמָרְךָ בְּכָל דְּרָכֶיךָ, עַל כַּפַּיִם יִשָּׂאוּנְךָ וְגוֹ׳. יִשְׂמַח אָבִיךָ וְאִמֶּךָ וְתָגֵל יוֹלַדְתֶּךָ.

תרצב. וְאֶת הַמִּשְׁכָּן תַּעֲשֶׂה עֶשֶׂר יְרִיעוֹת וְגוֹ׳. רַבִּי יְהוּדָה פָּתַח, בְּרָב עָם הַדְרַת מֶלֶךְ וּבְאֶפֶס לְאֹם מְחִתַּת רָזוֹן. בְּרָב עָם הַדְרַת מֶלֶךְ, אִלֵּין אִינּוּן יִשְׂרָאֵל, דִּכְתִּיב בְּהוּ כִּי עַם קָדוֹשׁ אַתָּה לַיְיָ׳ אֱלֹהֶיךָ. וְאִינּוּן עַמָּא דִּסְלְקִין לְכַמָּה אַלְפִּין, וּלְכַמָּה רִבְּוָון, וְכַד אִינּוּן סַגִּיאִין בְּחוּשְׁבְּנַיְיהוּ, יְקָרָא דְּקֻבָּ״ה אִיהוּ. דְּהָא עִלָּאִין וְתַתָּאִין מְשַׁבְּחָן שְׁמֵיהּ דְּמַלְכָּא עִלָּאָה, וּמְשַׁבְּחָן לֵיהּ בְּגִין עַמָּא קַדִּישָׁא דָּא. הה״ד רַק עַם חָכָם וְנָבוֹן הַגּוֹי הַגָּדוֹל הַזֶּה.

תרצג. וְאִי תֵּימָא, הָא כְתִיב, כִּי אַתֶּם הַמְעַט מִכָּל הָעַמִּים, אֶלָּא, מִכָּל הָעַמִּים וַדַּאי, אֲבָל מֵעַמָּא חַד יַתִּיר סַגִּיאִין אִינּוּן. דְּהָא לֵית עַמָּא בְּכָל עָלְמָא רַב וְסַגִּי כְּיִשְׂרָאֵל. וְאִי תֵּימָא הָא בְּנֵי יִשְׁמָעֵאל, וְהָא בְּנֵי אֱדוֹם, הָא כַּמָּה אִינּוּן. וַדַּאי הָכִי סַגִּיאִין אִינּוּן, אֲבָל כָּל שְׁאָר עַמִּין כֻּלְּהוּ מִתְעָרְבֵי אִלֵּין בְּאִלֵּין, בְּגִין אִית לְעַם דָּא, בְּעַם דָּא, וּלְאִלֵּין בְּגִין בְּעַם אַחֲרָא, וְאִלֵּין בְּאַחֲרָא. וּבְגִ״כ לֵית עַמָּא בְּכָל עָלְמָא, רַב סַגִּי כְּיִשְׂרָאֵל, עַמָּא בְּרִירָא וִיחִידָאָה, אִלֵּין בְּאִלֵּין, בְּלָא עִרְבּוּבְיָא אַחֲרָא כְּלַל, דִּכְתִּיב כִּי עַם קָדוֹשׁ אַתָּה לַיְיָ׳ אֱלֹהֶיךָ, וּבְךָ בָּחַר יְיָ׳, וְעַ״ד בְּרָב עָם הַדְרַת מֶלֶךְ, הַדּוּרָא אִיהוּ דְּמַלְכָּא עִלָּאָה קֻבָּ״ה.

תרצד. תּוּ בְּזִמְנָא דְּקֻבָּ״ה אָתֵי לְבֵי כְּנִישְׁתָּא, וְכָל עַמָּא אַתְיָין כַּחֲדָא, וּמְצַלָּאן, וְאוֹדָן, וּמְשַׁבְּחָן לֵיהּ לְקֻבָּ״ה, כְּדֵין הִדּוּרָא דְּמֶלֶךְ אִיהוּ, דְּמֶלֶךְ סְתָם דָּא מַלְכָּא קַדִּישָׁא. דְּאִתְתָּקַן בְּשִׁפִּירוּ וּבְתִקּוּנָא לְסַלְּקָא לְעֵילָּא.

תרצה. וּבְאֶפֶס לְאֹם מְחִתַּת רָזוֹן, וְכַד אִיהוּ אַקְדִּים לְבֵי כְּנִישְׁתָּא, וְעַמָּא לָא אַתְיָין לְצַלָּאָה וּלְשַׁבְּחָא לֵיהּ לְקֻבָּ״ה, כְּדֵין כָּל הַהוּא שׁוּלְטָנוּתָא דִּלְעֵילָּא, וְכָל אִינּוּן מְמַנָּן וּמַשִּׁרְיָין עִלָּאִין, כֻּלְּהוּ אִתְבָּרוּ מֵהַהוּא עִלּוּיָא דְּמִתְתַּקְּנֵי בְּתִקּוּנֵי הַהוּא מֶלֶךְ.

תרצו. מ"ט. בְּגִין דִּבְהַהִיא שַׁעֲתָא, דְּיִשְׂרָאֵל לְתַתָּא קָא מְסַדְּרֵי צְלוֹתְהוֹן וּבָעוּתְהוֹן, וּמְשַׁבְּחָן לְמַלְכָּא עִלָּאָה. כָּל אִינּוּן מַשִּׁרְיָין עִלָּאִין, מְסַדְּרִין שְׁבָחִין, וּמִתַּתְקְנָן בְּהַהוּא תִּקּוּנָא קַדִּישָׁא, בְּגִין דְּמַשִּׁרְיָין עִלָּאִין כֻּלְּהוּ חֲבֵרִין אִינּוּן בְּיִשְׂרָאֵל לְתַתָּא, לְשַׁבְּחָא לְקֻבְּ"ה כַּחֲדָא, לְמֶהֱוֵי סְלוּקָא דְּקֻבְּ"ה עֵילָּא וְתַתָּא כַּחֲדָא.

תרצז. וְכַד אִינּוּן מִזְדַּמְּנָן לְמֶהֱוֵי וַחֲבֵרִים בְּהוּ בְּיִשְׂרָאֵל, וְיִשְׂרָאֵל לְתַתָּא לָא אַתְיָין לְסַדְּרָא צְלוֹתְהוֹן וּבָעוּתְהוֹן וּלְשַׁבְּחָא לְמָארֵיהוֹן, כֻּלְּהוּ מַשִּׁרְיָין קַדִּישִׁין, שֻׁלְטָנוּתָא עִלָּאָה אִתְבָּרוּ מִתִּקּוּנֵיהוֹן, דְּהָא לָא סַלְקִין בִּסְלוּקָא, וְלָא יַכְלִין לְשַׁבְּחָא לְמָארֵיהוֹן כַּדְקָא יָאוּת. בְּגִין דְּשִׁבְחוֹי דְּקֻבְּ"ה, אִצְטְרִיךְ לְמֶהֱוֵי כַּחֲדָא עֵילָּא וְתַתָּא, עִלָּאִין וְתַתָּאִין בְּשַׁעֲתָא חֲדָא, וְעַ"ד מְוַחַתַּת רָזוֹן וְלָא מְוַחַתַּת מֶלֶךְ.

תרצח. וַאֲפִילּוּ דְּלָא אַסְגִּיאוּ בְּבֵי כְּנִישְׁתָּא, אֶלָּא עֲשָׂרָה, בְּאִינּוּן עֲשָׂרָה מִזְדַּמְּנָן מַשִּׁרְיָין עִלָּאִין, לְמֶהֱוֵי עִמְּהוֹן וַחֲבֵרִים. מ"ט בְּגִין דְּכָל תִּקּוּנֵי דְּהַהוּא מֶלֶךְ, אִינּוּן בַּעֲשָׂרָה, וְעַל דָּא דֵּי בַּעֲשָׂרָה, אִי לָאו אִינּוּן יַתִּיר.

תרצט. וְת"ח בְּמַשְׁכָּן מַה כְּתִיב, וְאֶת הַמִּשְׁכָּן תַּעֲשֶׂה עֶשֶׂר יְרִיעוֹת, עֶשֶׂר: בְּגִין דְּתִקּוּנָא דְּמַשְׁכְּנָא, בַּעֲשָׂרָה אִיהוּ, לְמֶהֱוֵי כַּדְקָא יָאוּת. עֶשֶׂר, מ"ט עֶשֶׂר, וְלָא עֲשָׂרָה. אֶלָּא עֶשֶׂר, בְּכָל אֲתַר אִיהוּ בְּלָא שְׁכִינְתָּא, דְּלָאו אִיהִי בְּחוּשְׁבְּנָא כְּגַוְונָא דָּא עוֹמֵד עַל שְׁנֵי עָשָׂר בָּקָר, שְׁכִינְתָּא לָאו אִיהִי בְּחוּשְׁבְּנָא, דְּהָא אִיהִי קַיְּימָא לְעֵילָּא, דִּכְתִּיב וְהַיָּם עֲלֵיהֶם מִלְמָעְלָה. וּבְאִלֵּין דּוּכְתֵּי דִּרְמִיזֵי לְרָזָא דִּלְעֵילָּא דְּחָסֵר מִנַּהוֹן, הָא שְׁכִינְתָּא יַתִּיר עַל הַהוּא חוּשְׁבְּנָא, דְּלָאו אִיהִי בְּחוּשְׁבְּנָא.

תש. לְסִטְרָא אַחֲרָא, יָהֲבֵי חוּשְׁבְּנָא יַתִּיר, וְאִיהִי בְּמִנְיָינָא בְּגְרִיעוּ, כְּגוֹן עַשְׁתֵּי, וְהָא אוּקְמוּהָ. וּבְכָל אֲתַר דְּאַתְוָון אִתּוֹסְפָן, כְּגַוְונָא דָּא, אִיהוּ לִגְרִיעוּתָא. כְּגוֹן הָאֲמִינוּן אָחִיךְ, דְּסַגְיָא אַמְנוֹן. וּבְסִטְרָא דִּקְדוּשָׁא, גָּרַע אָת וְאִיהוּ תּוֹסֶפֶת.

תשא. רַבִּי חִיָּיא פָּתַח וְאָמַר, עוֹטֶה אוֹר כַּשַּׂלְמָה נוֹטֶה שָׁמַיִם כַּיְרִיעָה. הַאי קְרָא אוּקְמוּהָ, דְּכַד בָּרָא קֻבְּ"ה עָלְמָא, אִתְעֲטָף בְּהַהוּא אוֹר קַדְמָאָה, וּבָרָא בֵּיהּ שָׁמַיִם.

תשב. וְת"ח, אוֹר וְחֹשֶׁךְ לָאו כַּחֲדָא הֲווֹ. אוֹר מִסִּטְרָא דִּימִינָא, וְחֹשֶׁךְ מִסִּטְרָא דִּשְׂמָאלָא. מַאי עֲבַד קֻבְּ"ה, שִׁתֵּף לוֹן כַּחֲדָא, וּבָרָא מִנַּהוֹן שָׁמַיִם. מַאי שָׁמַיִם. אֵשׁ וּמַיִם. שִׁתְּפָן כַּחֲדָא, וְעָבִיד שְׁלָם בֵּינַיְיהוּ.

תשג. וְכַד אִתְכְּלִילוּ כַּחֲדָא, וּמָתַח לוֹן, כַּיְרִיעָה מָתַח לוֹן, וְעָבִיד מִנַּהוֹן אָת ו' וְדָא אִקְרֵי יְרִיעָה. יְרִיעוֹת, דְּהָא אָת דָּא אִתְפָּשִׁיט מִנֵּיהּ נְהִירוּ, וְאִתְעֲבִידוּ יְרִיעוֹת, הה"ד וְאֶת הַמִּשְׁכָּן תַּעֲשֶׂה עֶשֶׂר יְרִיעוֹת.

תשד. וְשֶׁבַע רְקִיעִין אִינּוּן מִתְיַחֲדִין, גְּנִיזִין בִּגְנִיזוּ עִלָּאָה, כְּמָה דְּאוּקְמוּהָ. וְחַד רְקִיעָא דְּקַיְּימָא עֲלַיְיהוּ, וְהַהוּא רָקִיעַ לֵית בֵּיהּ גְּוָון, וְלֵית לֵיהּ אֲתַר בְּאִתְגַּלְיָא וְלָא קַיְּימָא לְאִסְתַּכְּלָא בֵּיהּ, וְהַאי רָקִיעַ אִיהוּ גָּנִיז, וְנָהִיר לְכֻלְּהוּ, וְנָטִיל לוֹן בְּמַטְלָנֵיהוֹן, כָּל חַד וְחַד כַּדְקָא חָזֵי לֵיהּ. אֶלָּא קַיְּימָא בְּסוּכְלְתָנוּ.

תשה. מֵהַאי רָקִיעַ וּלְהָלְאָה, לֵית מַאן דְּיָדַע וְיִשְׁגַּח, וְאִית לֵיהּ לְבַר נָשׁ לְמִסְתַּם פּוּמֵיהּ, וּדְלָא לְמַלְּלָא וּלְאִסְתַּכְּלָא בְּסוּכְלְתָנוּ. מַאן דְּיִסְתַּכַּל אַהְדָּר לַאֲחוֹרָא, דְּלֵית מַאן דְּיָכִיל לְמִנְדַּע.

תשו. עֶשֶׂר יְרִיעוֹת אִינּוּן, דְּאִינּוּן עֲשָׂרָה רְקִיעִין. וּמַאן אִינּוּן יְרִיעוֹת דְּמַשְׁכְּנָא דְּאִינּוּן עֶשֶׂר. וְקַיְּימָן לְמִנְדַּע לְחַכִּימֵי לִבָּא. מַאן דְּיִנְדַּע בְּהוּ, אִסְתַּכַּל בְּחָכְמְתָא סַגְיָא, וּבְרָזִין

דְעָלְמָא, וְאִסְתָּכַּל לְעֵילָא בְּהַהוּא אֲתָר, דְּכָל חַד וְחַד אִתְדַּבַּק בֵּיהּ, בַּר תְּרֵין אִינּוּן דְּקַיְּימָן בִּימִינָא וּבִשְׂמָאלָא, וְאִינּוּן גְּנִיזִין בַּהֲדֵי שְׁכִינְתָּא.

תשז. רַבִּי יוֹסִי אָמַר תֵּשַׁע רְקִיעִין אִינּוּן, וּשְׁכִינְתָּא אִיהִי עֲשִׂירָאָה. דְּאִי תֵּימָא בְּגִין דִּכְתִּיב עֶשֶׂר, בַּר מִשְּׁכִינְתָּא אִיהוּ. אִי הָכִי, שְׁכִינְתָּא חַד סְרֵי אִיהִי דְּקַיְּימָא עַל עֶשֶׂר. אֶלָּא וַדַּאי תֵּשַׁע אִינּוּן, וְאִינּוּן תֵּשַׁע יוֹמִין שֶׁבֵּין ר"ה לְיוֹם הַכִּפּוּרִים, וְאִיהִי עֲשִׂירָאָה. כְּגַוְונָא דָא, מִשְׁכָּן אִיהוּ עֶשֶׂר יְרִיעוֹת.

תשח. אִינּוּן עֶשֶׂר רְקִיעִין רָזָא דְּרָזִין דְּלָא אִתְמְסַר בַּר לְאִינּוּן דְּיַדְעֵי חָכְמְתָא, וְכֹלָּא אִיהוּ בְּרָזִין דְּבוּצִינָא קַדִּישָׁא, דְּאִיהוּ גַּלֵּי רָזָא דְּכָל רְקִיעָא וּרְקִיעָא, וְאִינּוּן שַׁמָּשִׁין דִּמְשַׁמְּשֵׁי בְּכָל חַד וְחַד. שֶׁבַע רְקִיעִין אִינּוּן לְעֵילָּא, שֶׁבַע רְקִיעִין אִינּוּן לְתַתָּא, כְּגַוְונָא דִּלְעֵילָּא. שֶׁבַע רְקִיעִין אִינּוּן, דִּבְהוּ כֹּכְבַיָּא וּמַזָּלֵי לְאַנְהָגָא עָלְמָא דָא כְּפוּם אָרְחֵיהּ, כְּמָה דְּאִצְטְרִיךְ לֵיהּ.

תשט. בְּכֻלְּהוּ שְׁבִיעָאָה עָדִיף, בַּר תְּמִינָאָה, דְּקָא מְדַבַּר לְכֻלְּהוּ, וְקַיְּימָא עַל כֻּלְּהוּ. כְּתִיב סֹלּוּ לָרוֹכֵב בָּעֲרָבוֹת, מַאן רוֹכֵב בָּעֲרָבוֹת, וּמַאן אִינּוּן עֲרָבוֹת. אֶלָּא, עֲרָבוֹת דָּא רְקִיעָא שְׁבִיעָאָה, אֲמַאי אִתְקְרֵי עֲרָבוֹת. עַל דְּאִיהוּ כָּלִיל מֵאֶשָּׁא וּמַיָּא כַּחֲדָא, וּמִסִּטְרָא דְּדָרוֹם, וּמִסִּטְרָא דְּצָפוֹן, וְאִיהוּ מְעוֹרָב מִתְּרֵין סִטְרִין.

תשי. וְאִי תֵּימָא, אִי הָכִי, שְׁתֵּי עֲרָבוֹת דְּקָא מִתְחַבְּרָן בְּלוּלָב, וְתָנֵינָן עֲרָבוֹת, הֲדָא הוּא דִּכְתִּיב סֹלּוּ לָרוֹכֵב בָּעֲרָבוֹת. אִי הָכִי, מַאן יָהִיב יַרְכִּין בְּגוּפָא, אוֹ גּוּפָא בְּיַרְכִּין, דְּהָא דָּא עָבִיד פֵּרִין וְאֵיבִין, וְדָא לָא עָבִיד פֵּרִין וְאֵיבִין.

תשיא. אֶלָּא, וַדַּאי כֹּלָּא הוּא רָזָא דַּעֲרָבוֹת דְּבַלּוּלָב, אִינּוּן עֲרָבוֹת דְּבַלּוּלָב, חַד אֵשׁ, וְחַד מַיִם. בְּרָזָא דָּא דְּכֻלְּהוּ, וְאִיהוּ שְׁבִיעָאָה אִיהוּ אֵשׁ וּמַיִם כָּלִיל כַּחֲדָא, בְּרָזָא חֲדָא, וּבְגִין דַּעֲרָבוֹת אִיהוּ רָזָא כְּלָלָא דְּכֻלְּהוּ שִׁית אַחֲרָנִין, אִיהוּ רָזָא דִּרְתִיכָא עִלָּאָה, וְקוּדְשָׁא בְּרִיךְ הוּא אִתְרְעֵי בְּהַאי רְקִיעַ, יַתִּיר מִכֻּלְּהוּ רְקִיעִין, וְתִיאוּבְתֵּיהּ תָּדִיר לְאַתְקְנָא לְהַהוּא רְקִיעָא, בְּשַׁפִּירוּ עִלָּאָה. וְע"ד, סֹלּוּ לָרֹכֵב בָּעֲרָבוֹת לְהַהוּא דְּרָכֵב בָּעֲרָבוֹת. וּמַאן אִיהוּ. הַהוּא רָקִיעַ טָמִיר וְגָנִיז, דְּקַיְּימָא ע"ג חֵיוָתָא, דְּאִיהוּ רֹכֵב בָּעֲרָבוֹת.

תשיב. וְעִלְזוּ לְפָנָיו. מִלְּפָנָיו לָא כְּתִיב, אֶלָּא לְפָנָיו, דְּהָא לֵית מַאן דְּיִנְדַּע בֵּיהּ כְּלוּם. אֲבָל לְפָנָיו, מַאן דְּעָיֵיל לְקָמֵיהּ דְּהַאי רְקִיעַ, אִצְטְרִיךְ לְמֵיעַל בְּחֶדְוָה, וְלָא בַּעֲצִיבוּ כְּלַל, בְּגִין דְּהַאי רְקִיעָא גָּרִים, דְּתַמָּן לָא שַׁרְיָא עֲצִיבוּ וְרוּגְזָא כְּלַל, דְּהָא תַּמָּן כֹּלָּא אִיהוּ בְּחֶדְוָה.

תשיג. וְעַל דָּא, כֹּהֵן גָּדוֹל דְּקַיְּימָא לְקָמֵיהּ, לָא הֲוָה עָאל לְבֵי קוּדְשָׁא, בַּר בְּחֶדְוָה, וּלְאַחֲזָאָה חֶדְוָה, דְּהָא אַתְרָא גָּרִים. וְעַל דָּא כְּתִיב, עִבְדוּ אֶת יְיָ' בְּשִׂמְחָה בֹּאוּ לְפָנָיו בִּרְנָנָה. דְּהָא אִצְטְרִיךְ דְּלָא לְאַחֲזָאָה בָּהּ עֲצִיבוּ.

תשיד. וְאִי תֵּימָא, אִי הָכִי, הַאי מַאן דְּאִיהוּ בְּצַעֲרָא וּבְדוּחְקָא, דְּלָא יָכִיל לְמֶחֱדֵי לְבֵיהּ, וּמִגּוֹ דּוּחֲקֵיהּ אִית לֵיהּ לְמִתְבַּע רַחֲמִין, קָמֵי מַלְכָּא עִלָּאָה, אִי הָכִי, לָא יְצַלֵּי צְלוֹתָא כְּלַל, וְלָא יֵיעוּל בַּעֲצִיבוּ כְּלַל, דְּהָא לָא יָכִיל לְמֶחֱדֵי לְבֵיהּ, וּלְאַעֲלָא קָמֵיהּ בְּחֶדְוָה, מַאי תִּקּוּנָא אִית לֵיהּ לְהַאי בַּר נָשׁ.

תשטו. אֶלָּא וַדַּאי הָא תָּנֵינָן, כָּל תַּרְעִין נִנְעָלוּ וְאִסְתַּגָּרוּ, וְתַרְעִין דְּדִמְעִין לָא אִסְתַּגָּרוּ, וְלֵית דִּמְעָה אֶלָּא מִגּוֹ צַעֲרָא וְעָצִיבוּ. וְכָל אִינּוּן דִּמְמַנָּן עַל אִינּוּן תַּרְעִין, כֻּלְּהוּ מְתַבְּרִין גִּזִּין וּמַנְעוּלִין, וְעַיְילִין אִינּוּן דִּמְעִין, וְהַהִיא צְלוֹתָא עָאלַת קָמֵי מַלְכָּא קַדִּישָׁא.

תשטז. כְּדֵין הַהוּא אֲתָר אִית לֵיהּ דּוּחֲקָא, מֵהַהוּא עֲצִיבוּ וְדוּחֲקָא דְּהַהוּא בַּר נָשׁ, כד"א בְּכָל צָרָתָם לֹא צָר. תֵּיאוּבְתֵּיהּ דְּהַהוּא עָלְמָא עִלָּאָה, לְגַבֵּי הַאי אֲתָר, כִּדְכוּרָא דְּתֵיאוּבְתֵּיהּ תָּדִיר לְגַבָּהּ דְּנוּקְבָּא. כַּד מַלְכָּא עָאל לְגַבֵּי מַטְרוֹנִיתָא, אַשְׁכַּח לָהּ בַּעֲצִיבוּ, כְּדֵין כָּל מָה דְּאִיהִי בָּעָאת, בִּידָהָא אִתְמְסַר, וְהַהוּא בַּר נָשׁ, וְהַהִיא צְלוֹתָא, לָא אַהְדַּר בְּרֵיקַנְיָא, וְקב"ה חָיֵיס עָלֵיהּ. זַכָּאָה חוּלָקֵיהּ דְּהַהוּא בַּר נָשׁ, דְּאוֹשִׁיד דִּמְעִין קָמֵי קוּדְשָׁא בְּרִיךְ הוּא, בִּצְלוֹתֵיהּ.

תשיז. כְּגַוְונָא דָא בְּשַׁבָּת, מַאן דְּיָתִיב בְּתַעֲנִיתָא בְּשַׁבָּת, מִגּוֹ צַעֲרֵיהּ אַחְזֵי עֲצִיבָא, וּבְשַׁבָּת שַׁלְטָא הַהוּא רְקִיעָא עִלָּאָה, הַהוּא דְּאִתְחֲזֵי בְּחֶדְוָה, וְאִיהוּ חֶדְוָה וְחַדֵּי לְכֹלָּא. הַהוּא דְּיָתִיב בַּעֲצִיבוּ, בְּגִין דְּאִיהוּ שַׁלְטָא, אַפִּיק לְהַהוּא בַּר נָשׁ מֵהַהוּא עוֹנְשָׁא דְּאִתְגְּזַר עָלֵיהּ, וְהָא אִתְּמַר, סֹלּוּ: הָבוּ יְקָר, וְרוֹמְמוּ לְהַהוּא דְּרוֹכֵב בָּעֲרָבוֹת, דְּאִיהוּ חֶדְוָה וְחַדֵּי כֹּלָּא, רְקִיעָא עַל גַּבֵּי חֵיוָתָא בְּיָ"הּ שְׁמוֹ וַדַּאי, דְּהָא בְּהַהוּא אֲתָר שְׁמָא דָּא אִתְכְּלִיל. וְעִלְזוּ לְפָנָיו, בְּגִין דְּלָא אִצְטְרִיךְ לְאַחֲזָאָה קָמֵיהּ עֲצִיבוּ, כְּמָה דְּאִתְּמַר.

תשיח. רַבִּי אֶלְעָזָר אָמַר, הַאי קְרָא, הָכִי אִצְטְרִיךְ לְמֵימַר, סֹלּוּ לָרוֹכֵב עַל עֲרָבוֹת, מַאי בָּעֲרָבוֹת. בְּיָהּ שְׁמוֹ, בְּיָהּ הוּא מִבָּעֵי לֵיהּ, מַאי שְׁמוֹ. אֶלָּא הַאי קְרָא, עַל סְתִימָא דְּכָל סְתִימִין, עַתִּיקָא דְּכָל עַתִּיקִין אִתְּמַר. הַהוּא דְּלָא אִתְגַּלְיָא, וְלָא אִתְיְדַע כְּלַל, דְּאִיהוּ רוֹכֵב בָּעֲרָבוֹת. וְאִי תֵּימָא, דְּאִיהוּ אַתְיָא וְרָכִיב בֵּיהּ, אִי הָכִי, אע"ג דִּסְתִּים הוּא בַּאֲתָר דָּא קַיְימָא לְאִתְגַּלְיָא.

תשיט. אֶלָּא סוֹלּוּ לָרוֹכֵב בָּעֲרָבוֹת, דָּא אִיהוּ עַתִּיקָא דְּכָל עַתִּיקִין, סְתִימָא דְּכָל סְתִימִין, דְּלָא יְדִיעַ. וּבַמֶּה אִיהוּ רוֹכֵב, בָּעֲרָבוֹת, בְּיָ"הּ, דְּאִיהוּ רָזָא קַדְמָאָה דְּנָפִיק מִנֵּיהּ וְדָא אִיהוּ שְׁמֵיהּ, מֵהַהוּא סְתִימָא, דְּלָא יְדִיעַ, שְׁמָא דִּילֵיהּ הוּא יָ"הּ. לָאו דְּאִיהוּ הוּא, אֶלָּא אִיהוּ הוּא, בְּגִין דְּהַהוּא פָּרוֹכְתָּא דְּאִתְפָּרְסָא וְנָפִיק מִקָּמֵיהּ. אֲבָל הַאי פָּרוֹכְתָּא אִיהוּ שְׁמוֹ, וְדָא אִיהוּ רְתִיכָא דִּילֵיהּ, וְלָא אִתְיְדַע כְּלַל.

תשכ. וְדָא אִיהוּ שְׁמוֹ הַגָּדוֹל, בְּגִין דְּאִית שְׁמֵיהּ דְּלָאו אִיהוּ כָּל כָּךְ גָּדוֹל, כְּהַאי אע"ג דְּאִית בֵּיהּ תּוֹסֶפֶת אַתְוָון. דָּא אִיהוּ שְׁמָא רַבָּא, וְעַל דָּא בְּהַאי שְׁמָא, אֲנָן מַפִּיקִין אָמֵן, דְּאִיהוּ מִנֵּיהּ. בְּהַאי אָזְלָא אָמֵן בְּכָל זִמְנָא, וּבִשְׁמָא אַחֲרָא לָאו הָכִי.

תשכא. אָמֵן יְהֵא שְׁמֵיהּ רַבָּא מְבָרַךְ, דְּכַד הַאי שְׁמָא אִתְתַּקַּן, כֹּלָּא אִיהוּ בִּשְׁלִימוּ, וְכָל עָלְמִין חַדָּאן בְּחָדוּ. בְּהַאי שְׁמָא, כְּלִילָן עִלָּאִין וְתַתָּאִין. בְּהַאי שְׁמָא, כְּלִילָן שִׁית מְאָה וּתְלֵיסַר פִּקּוּדֵי אוֹרַיְיתָא, דְּאִינּוּן כְּלָלָא דְּכָל רָזִין עִלָּאִין וְתַתָּאִין. כְּלָלָא דְּעָלְמָא דִּדְכוּרָא לְעֵילָּא, וּכְלָלָא דְּעָלְמָא דְּנוּקְבָא לְתַתָּא.

תשכב. וְכֻלְּהוּ פִּקּוּדִין, כֻּלְּהוּ שַׁיְיפִין וְאֵבָרִין, לְאִתְחֲזָאָה בְּהוּ רָזָא דִּמְהֵימְנוּתָא. מַאן דְּלָא יַשְׁגַּח וְלָא אִסְתָּכַּל בְּרָזִין דְּפִקּוּדֵי אוֹרַיְיתָא, לָא יָדַע, וְלָא אִסְתָּכַּל, הֵיךְ מִתְתַּקְּנָן שַׁיְיפִין בְּרָזָא עִלָּאָה. שַׁיְיפִין דְּגוּפָא כֻּלְּהוּ, מִתְתַּקְּנָן עַל רָזָא דְּפִקּוּדֵי אוֹרַיְיתָא, וְאע"ג דְּאִית שַׁיְיפִין, דְּאִינּוּן רַבְרְבִין וְעִלָּאִין, כֻּלְּהוּ זְעִירִין וְרַבְרְבִין, אִי אִתְנְטִיל חַד מִנַּיְיהוּ, אֲפִילּוּ זְעִירָא דְּבַר נָשׁ, אִקְרֵי מָארֵיהּ דְּמוּמָא, כ"ש וְכ"ש הַהוּא דְּגָרַע אֲפִילּוּ חַד פִּקּוּדָא מֵאִינּוּן פִּקּוּדֵי אוֹרַיְיתָא, דְּאָטִּיל מוּמָא בַּאֲתָר דְּלָא אִצְטְרִיךְ.

תשכג. תָּא חֲזֵי, מַה כְּתִיב, וַיִּקַּח יְיָ' אֱלֹהִים אֶת הָאָדָם וַיַּנִּחֵהוּ בְגַן עֵדֶן לְעָבְדָהּ וּלְשָׁמְרָהּ. וְתָנֵינָן, לְעָבְדָהּ וּלְשָׁמְרָהּ אִלֵּין קָרְבָּנִין, וְכֹלָּא חַד. אֲבָל דָּא רָזָא דְּפִקּוּדֵי אוֹרַיְיתָא, לְעָבְדָהּ: אִלֵּין רמ"ח שַׁיְיפִין עִלָּאִין. וּלְשָׁמְרָהּ: אִלֵּין תְּלַת מְאָה וְשִׁתִּין וְחָמֵשׁ

שַׁיְיפִין תַּתָּאִין. אִלֵּין עִלָּאִין דְּזָכוֹר. וְאִלֵּין תַּתָּאִין דְּשָׁמוֹר, וְכֹלָּא חַד.

תשכד. זַכָּאָה אִיהוּ מַאן דְּזָכֵי לְאַשְׁלָמָא לוֹן. פִּקּוּדִין דְּאוֹרַיְיתָא, גָּרִים לְבַר נָשׁ לְאַשְׁלָמָא רוּחֵיהּ וְנִשְׁמָתֵיהּ בְּהַאי עָלְמָא, וּבְעָלְמָא דְּאָתֵי. אוֹרַיְיתָא מְזַכָּה לְבַר נָשׁ, לְאַחְסָנָא תְּרֵין עָלְמִין, עָלְמָא דָּא וְעָלְמָא דְּאָתֵי. כָּל מַאן דְּאִשְׁתָּדַל בְּאוֹרַיְיתָא, אִשְׁתְּדַל בַּחַיִּים. חַיִּים בְּהַאי עָלְמָא, וְחַיִּים בְּעָלְמָא דְּאָתֵי. אִשְׁתְּזִיב מִכָּל עוֹנָשִׁין בִּישִׁין, דְּלָא יַכְלִין לְשַׁלְטָאָה עָלֵיהּ. אִי בְּאִשְׁתַּדְּלוּתָא הָכִי. כ״ש מַאן דְּעָבֵיד עוֹבָדָא.

תשכה. רַבִּי חִיָּיא וְר׳ אַבָּא, שָׁרוּ בְּבֵי אוּשְׁפִּיזַיְיהוּ, קָמוּ בְּפַלְגּוּת לֵילְיָא, לְאִשְׁתַּדְּלָא בְּאוֹרַיְיתָא. בְּרַתֵּיהּ דְּאוּשְׁפִּיזָא, קָמַת וְאַנְהִירַת לוֹן שְׁרָגָא, וּלְבָתַר קַיְימַת אֲבַתְרַיְיהוּ לְמִשְׁמַע מִלִּין דְּאוֹרַיְיתָא.

תשכו. פָּתַח רַבִּי יוֹסֵי וְאָמַר, כִּי נֵר מִצְוָה וְתוֹרָה אוֹר וְדֶרֶךְ חַיִּים תּוֹכְחוֹת מוּסָר. כִּי נֵר מִצְוָה, כָּל מַאן דְּאִשְׁתָּדַל בְּהַאי עָלְמָא, בְּאִינּוּן פִּקּוּדִין דְּאוֹרַיְיתָא, אִתְסְדַר קָמֵיהּ בְּכָל פִּקּוּדָא וּפִקּוּדָא חַד שְׁרָגָא, לְאַנְהָרָא לֵיהּ בְּהַהוּא עָלְמָא. וְתוֹרָה אוֹר, מַאן דְּאִתְעַסַּק בְּאוֹרַיְיתָא, זָכֵי לְהַהוּא נְהוֹרָא עִלָּאָה, דְּאַדְלִיקַת שְׁרָגָא מִנֵּיהּ, דְּהָא שְׁרָגָא בְּלָא נְהוֹרָא לָא כְלוּם. נְהוֹרָא בְּלָא שְׁרָגָא, אוּף הָכִי לָא יָכִיל לְאַנְהָרָא. אִשְׁתְּכַח דְּכֹלָּא דָּא לְדָא אִצְטְרִיךְ. אִצְטְרִיךְ עוֹבָדָא לְאַתְקְנָא שְׁרָגָא. וְאִצְטְרִיךְ לְמִלְעֵי בְּאוֹרַיְיתָא, לְאַנְהָרָא שְׁרָגָא. זַכָּאָה אִיהוּ מַאן דְּאִתְעַסַּק בָּהּ בִּנְהוֹרָא וּבִשְׁרָגָא.

תשכז. וְדֶרֶךְ חַיִּים תּוֹכְחוֹת מוּסָר, אֹרַח חַיִּים לְאָעֳלָא בֵּיהּ לְעָלְמָא דְּאָתֵי, אִינּוּן תּוֹכָחוֹת, דִּמְקַבֵּל בַּר נָשׁ לְאַעֲדָאָה גַּרְמֵיהּ מֵאֹרַח בִּישׁ, וּלְמֵיהַךְ בְּאָרְחָא טָבָא. תּוּ וְדֶרֶךְ חַיִּים, אִינּוּן תּוֹכְחוֹת מוּסָר, דְּאַיְיתֵי קוּדְשָׁא בְּרִיךְ הוּא עָלֵיהּ דְּבַר נָשׁ, לְדַכְּאָה לֵיהּ מֵחוֹבוֹי בְּאִינּוּן תּוֹכָחוֹת. זַכָּאָה אִיהוּ מַאן דְּקַבִּיל לְהוּ בִּרְעוּ דְּלִבָּא.

תשכח. דָּבָר אַחֵר כִּי נֵר מִצְוָה, דָּא שְׁרָגָא בּוֹצִינָא דְּדָוִד, דְּאִיהוּ נֵר מִצְוָה אוֹרַיְיתָא דִּבְעַל פֶּה, דְּאִצְטְרִיךְ לְאַתְקְנָא תָּדִיר, וְאִיהִי לָא נְהָרָא אֶלָּא מִגּוֹ תּוֹרָה שֶׁבִּכְתָב, דְּהָא אוֹרַיְיתָא דִּבְעַל פֶּה לֵית לָהּ נְהִירוּ, אֶלָּא מִגּוֹ תּוֹרָה שֶׁבִּכְתָב, דְּאִיהִי אוֹר לְאַנְהָרָא.

תשכט. אַשְׁגַּח אֲבַתְרֵיהּ, וְחָמָא בְּרַתֵּיהּ דְּאוּשְׁפִּיזָא קַיְימָא אֲבַתְרַיְיהוּ, אָמַר כִּי נֵר מִצְוָה, מַאי נֵר. דָּא נֵר דְּאִיהִי מִצְוָה דְּנָשִׁין זַכְיָין בֵּיהּ, וְאִיהִי נֵר דְּשַׁבָּת, דְּאַף עַל גַּב דְּנָשִׁין לָא זָכָאן בְּאוֹרַיְיתָא, הָא גּוּבְרִין זַכְיָין בְּאוֹרַיְיתָא, וְנָהֲרִין לְהַאי שְׁרָגָא, דְּנָשִׁין מִתְתַּקְנָן בְּהַאי מִצְוָה. נָשִׁין בְּתִקּוּנָא דְּהַאי נֵר. גּוּבְרִין בְּאוֹרַיְיתָא, לְאַנְהָרָא לְהַאי נֵר, תִּקּוּנָא דְּמִצְוָה דְּנָשִׁין אִתְחַיָּיבוּ בְּהוּ.

תשל. שָׁמְעַת הַהִיא אִתְּתָא וּבָכָאת, אַדְּהָכִי קָם אֲבוּהָ דְּאִתְּתָא, דַּהֲוַת תַּמָּן, וְעָאל בֵּינַיְיהוּ, וְחָמָא בְּרַתֵּיהּ קַיְימַת אֲבַתְרַיְיהוּ וּבָכָאת, שָׁאִיל לָהּ אֲבוּהָ. סָחַת לֵיהּ עוֹבָדָא. שָׁארֵי אֲבוּהָ דְּאִתְּתָא אוּף אִיהוּ וּבָכָה. אָמַר לֵיהּ רַבִּי יוֹסֵי, דִּילְמָא חַתְנָךְ בַּעְלָהּ דִּבְרָתִיךְ, לָא זָכָה בְּאוֹרַיְיתָא. אָמַר לֵיהּ וַדַּאי הָכִי הוּא, וְעַל דָּא וַדַּאי בָּכִינָן, אֲנָא וּבְרָתִי תָּדִיר.

תשלא. וּבְגִין דַּחֲמֵינָא, לֵיהּ יוֹמָא חַד, דְּדָלִיג מֵאִגְרָא דָּא, לְמִשְׁמַע קַדִּישׁ בַּהֲדֵי צִבּוּרָא, סָלִיק בִּרְעוּתָא דִּילִי, לְמֵיהַב לֵיהּ בְּרָתִי, וְתֵיכֶף דְּנַפְּקוּ צִבּוּרָא מִבֵּי כְּנִישְׁתָּא, יְהִיבְנָא לֵיהּ בְּרָתִי. דַּאֲמֵינָא בְּדִלּוּגָא דָּא דְּאָתָא לְמִשְׁמַע קַדִּישׁ, גַּבְרָא רַבָּא לֶיהֱוֵי בְּאוֹרַיְיתָא, וְאע״ג דְּאִיהוּ רַבְיָא, וְלָא יְדַעְנָא בֵּיהּ מִקַּדְמַת דְּנָא. וְהַשְׁתָּא אֲפִילּוּ בִּרְכַּת מְזוֹנָא לָא יָדַע, וְלָא יָכִילְנָא בַּהֲדֵיהּ לְמִלְעֵי בֵּין חַבְרַיָּיא, דְּיוֹלִיף קְרִיאַת שְׁמַע, אוֹ

בִּרְכַּת מְזוֹנָא.

תשלב. אָמַר לֵיהּ אַעְבַּר בְּאַוְרָא, אוֹ דִּלְמָא בְּרָא יוֹלִיד דְּלֶהֱוֵי גַּבְרָא רַבָּא. אַדְּהָכִי קָם אִיהוּ, וְדִלֵּג עֲלַיְיהוּ וְיָתִיב לְקַמַּיְיהוּ. אִסְתָּכַּל בֵּיהּ רַבִּי יוֹסִי, אָמַר, וַדַּאי אֲנָא חֲמֵינָא בְּהַאי רַבְיָא, דִּנְהוֹרָא דְּאוֹרַיְיתָא יִפּוֹק לְעָלְמָא מִנֵּיהּ. אוֹ בְּרָא דְּיוֹקִים מִנֵּיהּ. חָיִיךְ הַהוּא רַבְיָא, וְאָמַר, רַבּוֹתַי אֵימָא קַמַּיְיכוּ חַד מִלָּה.

תשלג. פָּתַח וְאָמַר צָעִיר אֲנִי לְיָמִים וְאַתֶּם יְשִׁישִׁים עַל כֵּן זָחַלְתִּי וָאִירָא מֵחַוֹּת דֵּעִי אֶתְכֶם. הַאי קְרָא אִתְּעָרוּ בֵּיהּ עַמּוּדֵי עָלְמָא. אֲבָל אֱלִיהוּא דִּכְתִיב בֵּיהּ מִמִּשְׁפַּחַת רָם, אִתְּעָרוּ, דְּהָא מִזַּרְעָא דְּאַבְרָהָם קָאַתָא. וְשַׁפִּיר. אֲבָל אֱלִיהוּא כַּהֲנָא הֲוָה, וּמִזַּרְעָא דִּיְחֶזְקֵאל נְבִיאָה הֲוָה, כְּתִיב הָכָא בֶּן בַּרַכְאֵל הַבּוּזִי, וּכְתִיב הָתָם יְחֶזְקֵאל בֶּן בּוּזִי הַכֹּהֵן.

תשלד. וְאִי תֵּימָא בְּגִין דִּכְתִיב בּוּזִי, בּוּז מִשְׁפְּחוֹת הֲוָה. לָאו הָכִי, הָדָר וְאָמַר מִמִּשְׁפַּחַת רָם, עִלָּאָה עַל כֹּלָּא. אֲמַאי אִקְרֵי בּוּזִי. עַל דִּמְבַזֶּה גַּרְמֵיהּ לְגַבֵּי מַאן דְּגָדוֹל מִנֵּיהּ, וְעַל דָּא סָלִיק בִּשְׁמָא עִלָּאָה, בּוּזִי, דָּא דְּאִקְרֵי אָדָם שְׁלִימָא בְּכֹלָּא, מַה דְּלָא אִקְרֵי הָכִי בַּר נָשׁ אַחֲרָא, הֲדָא הוּא דִּכְתִיב וְאַתָּה בֶן אָדָם, וְעַל דְּסָלִיק בִּשְׁמָא דָּא, אִקְרֵי רָם, עִלָּאָה עַל כֹּלָּא.

תשלה. וְעַל דָּא אָמַר צָעִיר אֲנִי לְיָמִים. לְיָמִים, מִיָּמִים מִבָּעֵי לֵיהּ, מַאי לְיָמִים. אֶלָּא אָמַר צָעִיר אֲנִי, וְאַזְעִירְנָא גַּרְמִי לְיָמִים, לְגַבֵּי בַּר נָשׁ דְּאִית לֵיהּ יוֹמִין סַגִּיאִין. מ"ט. בְּגִין דְּאָמַרְתִּי דִּיָמִים יְדַבֵּרוּ, וְעַל דָּא צָעִיר אֲנִי, וְאַזְעִירְנָא גַּרְמִי לְגַבֵּי יָמִים. וְאַתֶּם יְשִׁישִׁים, וַחֲמֵינָא לְכוּ יְשִׁישִׁים. עַל כֵּן זָחַלְתִּי וָאִירָא מֵחַוֹּת דֵּעִי אֶתְכֶם. אוּף אֲנָא, אָמַרְתִּי יָמִים יְדַבֵּרוּ וְרֹב שָׁנִים יֹדִיעוּ חָכְמָה. וַדַּאי. אָכֵן רוּחַ הִיא בֶאֱנוֹשׁ וְנִשְׁמַת שַׁדַּי תְּבִינֵם. וְעַל דָּא בְּגִין דַּאֲנָא רַבְיָא, שַׁוֵּינָא בִּרְעוּתִי דְּלָא לְמַלְּלָא עַד תְּרֵין יַרְחִין, וְעַד יוֹמָא דָּא אִשְׁתְּלִימוּ. וְהַשְׁתָּא דְּאַתּוּן הָכָא, אִית לְמִפְתַּח בְּאוֹרַיְיתָא קַמַּיְיכוּ.

תשלו. פָּתַח וְאָמַר, כִּי נֵר מִצְוָה וְתוֹרָה אוֹר וְדֶרֶךְ חַיִּים תּוֹכְחוֹת מוּסָר. כִּי נֵר מִצְוָה דָּא אִיהִי מִשְׁנָה, כד"א וְהַתּוֹרָה וְהַמִּצְוָה. וְהַתּוֹרָה: זוֹ תּוֹרָה שֶׁבִּכְתָב. וְהַמִּצְוָה: זוֹ מִשְׁנָה. דְּאִיהִי נֵר שַׁרְגָא, דְּקַיְּימָא לְאַדְלָקָא.

תשלז. נֵר אֲמַאי אִקְרֵי נֵר. אֶלָּא כַּד מְקַבְּלָא מִבֵּין תְּרֵין דְּרוֹעִין, רמ"ח שַׁיְיפִין עִלָּאִין, אִיהוּ פַּתְחַת לְגַבַּיְיהוּ תְּרֵין דְּרוֹעִין דִּילָהּ, כְּדֵין אִתְכְּלִילוּ אִלֵּין תְּרֵין דְּרוֹעִין בְּהוּ, וְאִקְרֵי נֵר. וְתוֹרָה אוֹר, דְּקָא נָהִיר לְהַהוּא נֵר וְאַדְלִיקַת מִנֵּיהּ מִסִּטְרָא דְּאוֹר קַדְמָאָה, דְּאִיהוּ יְמִינָא. דְּהָא אוֹרַיְיתָא מֵהַהוּא סִטְרָא דִּימִינָא דְּאוֹר קַדְמָאָה אִתְיְהִיבַת, דִּכְתִיב מִימִינוֹ אֵשׁ דָּת לָמוֹ, מִסִּטְרָא דִּימִינָא אִתְיְהִיבַת, וְאע"ג דְּאִתְכְּלִיל בֵּיהּ שְׂמָאלָא, דְּהָא כְּדֵין אִיהוּ שְׁלִימוּ דְּכֹלָּא.

תשלח. אוֹר דָּא אִתְכְּלִיל בְּמָאתָן וְשִׁבְעָה עָלְמִין, דְּאִינּוּן גְּנִיזִין בְּסִטְרָא דְּהַהוּא אוֹר, וְאִתְפָּשַׁט בְּכֻלְּהוּ. תְּחוֹת כּוּרְסְיָיא עִלָּאָה טְמִירָא, שַׁרְיָין אִינּוּן עוֹלָמוֹת, מִסִּטְרָא דְּהַהוּא יְמִינָא. תְּלַת מֵאָה וְעֶשֶׂר אִינּוּן, מָאתָן וְשֶׁבַע, אִינּוּן בְּסִטְרָא דִּימִינָא. מֵאָה וּתְלַת, אִינּוּן בְּסִטְרָא דִּשְׂמָאלָא. וְאִינּוּן תְּלַת מֵאָה וְעֶשֶׂר. וְאִלֵּין אִינּוּן דְּקוּדְשָׁא בְּרִיךְ הוּא מְתַקֵּן תָּדִיר לְצַדִּיקַיָּא, וּמֵאִלֵּין מִתְפַּשְּׁטָן כַּמָּה וְכַמָּה אוֹצְרֵי חֶמְדָּה, וְכֻלְּהוּ גְּנִיזִין לְאִתְעֲדָנָא מִנְּהוֹן צַדִּיקַיָּא לְעָלְמָא דְּאָתֵי וְעַל אִלֵּין כְּתִיב לְהַנְחִיל אוֹהֲבַי יֵשׁ וְאוֹצְרוֹתֵיהֶם אֲמַלֵּא

וְעַל אִלֵּין כְּתִיב עַיִן לֹא רָאֲתָה אֱלֹהִים זוּלָתְךָ וְגוֹ'.

תשלט. אִלֵּין: י"ש, תְּלַת מֵאָה וְעֶשֶׂר עוֹלָמוֹת, גְּנִיזִין תְּחוֹת עָלְמָא דְּאָתֵי, אִינּוּן מֵאָתָן וְשֶׁבַע דְּאִינּוּן מִסִּטְרָא דִּימִינָא, אִקְרוּן אוֹר קַדְמָאָה. בְּגִין דַּאֲפִילוּ אוֹר שְׂמָאלָא אִקְרֵי אוֹר. אֲבָל אוֹר קַדְמָאָה אִיהוּ זַמִּין לְמֶעְבַּד תּוֹלְדִין לְעָלְמָא דְּאָתֵי. וְאִי תֵּימָא לְעָלְמָא דְּאָתֵי וְלָא יַתִּיר. אֶלָּא אֲפִילוּ בְּכָל יוֹמָא וְיוֹמָא דְּאִי לָא הֲוָה הַאי אוֹר, עָלְמָא לָא יָכִיל לְמֵיקָם, דִּכְתִיב אָמַרְתִּי עוֹלָם חֶסֶד יִבָּנֶה.

תשמ. הַאי אוֹר זָרַע לֵיהּ קֻדְשָׁא בְּרִיךְ הוּא בְּגִנְתָּא דְּעֵדֶן, וְעָבִיד לֵיהּ שׁוּרִין שׁוּרִין, עַל יְדוֹי דְּהַהוּא צַדִּיק, דְּאִיהוּ גַּנָּנָא דְּגִנְתָּא, וְנָטִיל לְהַאי אוֹר, וְזָרַע לֵיהּ זַרְעָא דִּקְשׁוֹט. וְעָבִיד לֵיהּ שׁוּרִין שׁוּרִין בְּגִנְתָּא וְאוֹלִיד וְאִצְמַחוּ וְעָבִיד פֵּירִין, וּמִנַּיְיהוּ אִתָּזָן עָלְמָא, הֲדָא הוּא דִּכְתִיב אוֹר זָרוּעַ לַצַּדִּיק וְגוֹ'.

תשמא. וּכְתִיב וּכְגַנָּה זֵרוּעֶיהָ תַצְמִיחַ. מַאן זֵרוּעֶיהָ. אִלֵּין זֵרוּעֵי דְּאוֹר קַדְמָאָה, דְּאִיהוּ זָרוּעַ תָּדִיר, הַשְׁתָּא אוֹלִיד וְעָבִיד אִיבִין, וְהַשְׁתָּא זָרוּעַ אִיהוּ, בְּקַדְמֵיתָא, עַד לָא יֵיכוּל עָלְמָא אִיבָּא דָּא, אוֹלִיד זְרוּעָה דָּא וְיָהִיב אִיבָּא וּמִיָּד אוֹלִיד זְרוּעָה דָּא וְיָהִיב אִיבָּא וְלָא שָׁכִיךְ. וְעַל דָּא, כָּל עָלְמִין אִתָּזָנוּ בְּסִפּוּקָא דְּהַהוּא גַנָּנָא, דְּאִקְרֵי צַדִּיק, דְּלָא שָׁכִיךְ וְלָא פָּסִיק לְעָלְמִין.

תשמב. בַּר בְּזִמְנָא דְּיִשְׂרָאֵל בְּגָלוּתָא. וְאִי תֵּימָא בְּזִמְנָא דְּגָלוּתָא כְּתִיב, אָזְלוּ מַיִם מִנִּי יָם וְנָהָר יֶחֱרַב וְיָבֵשׁ, הֵיךְ עָבִיד תּוֹלְדִין. אֶלָּא כְּתִיב זָרוּעַ, זָרוּעַ אִיהוּ תָּדִיר, וּמֵיוּמָא דְּאִפְסִיק הַהוּא נָהָר. בְּגִנְתָּא לָא עָאל בֵּיהּ הַהוּא גַנָּנָא. וְהַהוּא אוֹר דְּאִיהוּ זָרוּעַ תָּדִיר, עָבִיד אִיבִין וּמִנֵּיהּ וּמִגַּרְמֵיהּ אוֹדְרַע כְּקַדְמֵיתָא, וְלָא שָׁכִיךְ תָּדִיר. כְּגִנְתָּא דְּעָבִיד תּוֹלְדִין, וּמֵהַהוּא זָרוּעַ נָפִיל בֵּיהּ בְּאַתְרֵיהּ, וּמִגַּרְמֵיהּ עָבִיד תּוֹלְדִין כִּדְבְקַדְמֵיתָא. וְאִי תֵּימָא, דְּאִינּוּן תּוֹלְדִין וְאִיבִין דְּהֲוָה כְּמָה דַּהֲוָה בְּזִמְנָא דְּגַנָּנָא תַּמָּן. לָאו הָכִי. אֲבָל לָא אִתְמְנַע זָרוּעַ דָּא לְעָלְמִין.

תשמג. כְּגַוְונָא דָּא וְתוֹרָה אוֹר, אוֹרַיְיתָא דְּאִתְיְהִיבַת מִסִּטְרָא דְּהַהוּא אוֹר קַדְמָאָה, הָכִי אוֹדְרַע תָּדִיר בְּעָלְמָא, וְעָבִיד תּוֹלְדִין וְאִיבִין, וְלָא שָׁכִיךְ לְעָלְמִין, וּמֵהַהוּא אִיבָּא דִּילֵיהּ אִתָּזָן עָלְמָא.

תשדמ. וְדֶרֶךְ חַיִּים תּוֹכְחוֹת מוּסָר. תְּרֵין אָרְחִין אִינּוּן, וְחַד אֹרַח חַיִּים, וְחַד בְּהִפּוּכָא מִנֵּיהּ. סִימָנָא דְּאֹרַח חַיִּים בְּמָאן אִיהוּ. תּוֹכְחוֹת מוּסָר. דְּכַד בָּעָא קֻדְשָׁא בְּרִיךְ הוּא לְנַטְרָא לְהַאי אֹרַח חַיִּים, שַׁוֵּי עֲלֵיהּ הַהוּא דְּאֱלָהִי, וְעָבִיד תּוֹכְחוֹת מוּסָר לִבְנֵי עָלְמָא. וּמָאן אִיהוּ. הַאי דִּכְתִיב וְאֶת לַהַט הַחֶרֶב הַמִּתְהַפֶּכֶת לִשְׁמוֹר אֶת דֶּרֶךְ עֵץ הַחַיִּים. וְעַל דָּא, דֶּרֶךְ חַיִּים אִיהוּ תּוֹכְחוֹת מוּסָר. וּמָאן דְּאִית בֵּיהּ תּוֹכְחוֹת, וַדַּאי דְּמִתְעֲרֵי לֵיהּ לְמֵהַךְ בְּהַהוּא אֹרַח חַיִּים, דְּשַׁעֲרֵי תַּמָּן תּוֹכְחוֹת מוּסָר.

תשמה. הַאי קְרָא לָאו רֵישֵׁיהּ סֵיפֵיהּ וְלָאו סֵיפֵיהּ רֵישֵׁיהּ. אֶלָּא כֹּלָּא רָזָא דִּמְהֵימְנוּתָא דְּהַאי קְרָא. כִּי נֵר מִצְוָה, דָּא רָזָא דְּשָׁמוֹר. וְתוֹרָה אוֹר, דָּא רָזָא דְּזָכוֹר, וְדֶרֶךְ חַיִּים תּוֹכְחוֹת מוּסָר, אִלֵּין גְּזֵרִין וְעוֹנָשִׁין דְּאוֹרַיְיתָא, וְכֹלָּא רָזָא דִּמְהֵימְנוּתָא. וְאִצְטְרִיךְ דָּא לְדָא, וּלְמֶהֱוֵי רָזָא דְּכֹלָּא כְּדְקָא יָאוּת.

תשמו. וְעַל רָזָא דָּא דְּהַאי אוֹר, דְּדָלִיק וְנָהִיר לְהַאי נֵר, כְּתִיב בֵּיהּ בְּאַהֲרֹן, בְּהַעֲלוֹתְךָ אֶת הַנֵּרוֹת, בְּגִין דְּהַהוּא אָתֵי מִסִּטְרָא דְּהַאי אוֹר. אוֹר דָּא כְּתִיב בֵּיהּ, יְהִי אוֹר וַיְהִי אוֹר. כֵּיוָן דְּאָמַר יְהִי אוֹר, אֲמַאי כְּתִיב וַיְהִי אוֹר, דְּהָא בַּוְיְהִי כֵּן סַגְיָא. אֶלָּא, יְהִי אוֹר, דָּא אוֹר קַדְמָאָה, דְּאִיהוּ יְמִינָא, וְאִיהוּ לְקֵץ הַיָּמִין. וַיְהִי אוֹר, דְּמִימִינָא נָפַק

שְׂמָאלָא, וּמֵרָזָא דִּימִינָא נָפַק שְׂמָאלָא, וְעַ"ד וַיְהִי אוֹר, דָּא שְׂמָאלָא.

תשמז. מִכָּאן דְּוַיְהִי קַדְמָאָה דְּאוֹרַיְיתָא, בְּסִטְרָא דִּשְׂמָאלָא הֲוָה. וּבְגִין כָּךְ לָאו אִיהוּ סִימָן בְּרָכָה. מ"ט. בְּגִין דְּבֵיהּ נָפַק הַהוּא חֹשֶׁךְ דְּאַחְשִׁיךְ אַנְפֵּי עָלְמָא. וְסִימָנָא דָּא כַּד אִתְגְּלֵי רָזָא דְּעֵשָׂו וְעוֹבָדוֹי, בְּהַאי וַיְהִי הֲוָה, דִּכְתִּיב וַיְהִי עֵשָׂו אִישׁ יוֹדֵעַ צַיִד. אִתְקַיַּים בְּוַיְהִי אִישׁ יוֹדֵעַ צַיִד, לְפַתָּאָה בְּנֵי עָלְמָא, דְּלָא יְהֲכוּן בְּאֹרַח מֵישָׁר.

תשמח. וַיַּרְא אֱלֹהִים אֶת הָאוֹר כִּי טוֹב, דָּא אִיהוּ עַמּוּדָא דְּקָאִים בְּאֶמְצָעִיתָא, וְקָאִים וְאָחִיד בְּסִטְרָא דָּא, וּבְסִטְרָא דָּא. כַּד הֲוָה שְׁלִימוּ דִּתְלַת סִטְרִין, כְּתִיב בֵּיהּ כִּי טוֹב, מַה דְּלָא הֲוָה בְּהָנֵי אַחֲרָנִין, בְּגִין דְּלָא הֲוָה שְׁלִימוּ עַד אוֹר תְּלִיתָאָה, דְּאַשְׁלִים לְכָל סִטְרִין, וְכֵיוָן דְּאָתָא תְּלִיתָאָה דָּא, כְּדֵין אַפְרִישׁ מַחְלוֹקֶת דִּימִינָא וּשְׂמָאלָא, דִּכְתִּיב וַיַּבְדֵּל אֱלֹהִים בֵּין הָאוֹר וּבֵין הַחֹשֶׁךְ.

תשמט. וְעַל דְּאִינּוּן חָמֵשׁ דַּרְגִּין, דְּאִתְפָּרְשׁוּ וְאִתְמְשָׁכוּ מֵהַאי אוֹר קַדְמָאָה, כְּתִיב אוֹר חָמֵשׁ זִמְנִין, וְכֻלְּהוּ הֲווֹ מִסִּטְרָא דִּימִינָא, וְאִתְכְּלִילוּ בֵּיהּ, וְכַד אִתְכְּלִילוּ בְּסִטְר שְׂמָאלָא, אִתְכְּלִילוּ בְּרָזָא דְּמַיִם, דְּנָטִיל מִימִינָא, וּבְגִין כָּךְ כְּתִיב מַיִם חָמֵשׁ זִמְנִין. וְכַד אִשְׁתְּלִימוּ בְּרָזָא דְּאֶמְצָעִיתָא, כְּתִיב רָקִיעַ חָמֵשׁ זִמְנִין, וְעַ"ד תְּלַת אִינּוּן אוֹר. מַיִם. רָקִיעַ. לָקֳבֵל תְּלַת דַּרְגִּין אִלֵּין, דְּכֻלְּהוּ חָמֵשׁ דַּרְגִּין אִתְכְּלִילוּ בְּהוּ, וְעַל דָּא בְּכֻלְּהוּ כְּתִיב חָמֵשׁ זִמְנִין, בְּכָל חַד וְחַד.

תשנ. הָכָא רָזָא דְּרָזִין, בְּאִלֵּין תְּלָתָא, אִתְצַיַּיר וְאִתְגְּלִיף בִּגְלוּפֵי רָזָא דְּדִיוּקְנָא דְּאָדָם, דְּאִיהוּ אוֹר בְּקַדְמֵיתָא, לְבָתַר מַיִם, לְבָתַר אִתְפָּשַׁט בְּגַוַּויְיהוּ רָקִיעַ, דְּאִיהוּ גְּלִיפָא דִּגְלִיפוּ דְּדִיוּקְנָא דְּאָדָם.

תשנא. כְּגַוְונָא דִּגְלִיפוּ צִיּוּרָא דְּדִיוּקְנָא דְּאָדָם בְּתוֹלְדָתֵיהּ. דְּהָא בְּתוֹלַדְתָּא דְּבַר נָשׁ, בְּקַדְמֵיתָא זֶרַע, דְּאִיהוּ אוֹר, דְּהָא נְהִירוּ דְּכָל שַׁיְיפֵי גּוּפָא, אִיהוּ הַהוּא זֶרַע, וּבְגִין כָּךְ אִיהוּ אוֹר, וְהַהוּא אוֹר אִקְרֵי זֶרַע, דִּכְתִּיב אוֹר זָרוּעַ, הַהוּא זֶרַע מַמָּשׁ. לְבָתַר הַהוּא זֶרַע דְּאִיהוּ אוֹר אִתְפָּשַׁט וְאִתְעֲבֵיד מַיִם, בְּלַחוּתָא דִּילֵיהּ, אַגְלִיף יַתִּיר, וְאִתְפָּשַׁט פְּשִׁיטוּ גּוֹ אִינּוּן מַיִם, פְּשִׁיטוּ דְּגוּפָא לְכָל סִטְרִין. כֵּיוָן דְּאִתְצַיַּיר, וְאַגְלִיף צִיּוּרָא וְדִיוּקְנָא דְּגוּפָא, אַקְרִישׁ הַהוּא פְּשִׁיטוּ, וְאִקְרֵי רָקִיעַ. וְדָא אִיהוּ רָקִיעַ בְּתוֹךְ הַמָּיִם. וּלְבָתַר דְּאַקְרִישׁ, כְּתִיב וַיִּקְרָא אֱלֹהִים לָרָקִיעַ שָׁמָיִם. דְּהָא אַקְרִישׁ הַהוּא לַחוּתָא דְּגוּפָא, דַּהֲוָה גּוֹ אִינּוּן מַיִם.

תשנב. כֵּיוָן דְּאִתְבְּרִיר גּוּפָא, וְאִנְּקֵי בִּנְקִיו, הַהוּא לַחוּתָא דְּאִתְנְגִיד וְאִשְׁתְּאַר, הֲוָה פְּסוֹלֶת דְּקָא אִתְעֲבַד גּוֹ הַתּוֹכָא, וְאִינּוּן מַיִם הָרָעִים עֲכוּרִין, וּמִנְּהוֹן אִתְעֲבֵיד פְּסוֹלֶת, מְקַטְרְגָא לְכָל עָלְמָא, דְּכַר וְנוּקְבָא. לְבָתַר כַּד נַחְתּוּ אִינּוּן מַיִם עֲכוּרִין, וְאִתְהַתְכוּ לְתַתָּא בְּסִטְר שְׂמָאלָא, נָפְקוּ לְקַטְרְגָא כָּל עָלְמָא. זַכָּאָה אִיהוּ מַאן דְּאִשְׁתְּזִיב מִנְּהוֹן.

תשנג. כֵּיוָן דְּנָפִיק מְקַטְרְגָא, כְּתִיב יְהִי מְאֹרֹת חָסֵר ו' וְאִתְמַשְׁכָא אַסְכָּרָה בְּרַבְיֵי, וְחָסֵר נְהוֹרָא דְּסִיהֲרָא. לְבָתַר וְהָיוּ לִמְאוֹרוֹת, בִּשְׁלִימוּ תַּרְוַויְיהוּ כַּחֲדָא. בְּמָאן. בְּהַהוּא רְקִיעַ הַשָּׁמַיִם, דְּהָא כַּד סַלְקָא וְאִתְחַבְּרָא בְּהַהוּא רְקִיעַ הַשָּׁמַיִם, כְּדֵין וְהָיוּ לִמְאוֹרוֹת, נְהוֹרִין שְׁלֵימִין תַּרְוַויְיהוּ כַּחֲדָא דְּלָא פְּגִימֵי כְּלַל.

תשנד. שָׁארֵי וְחַיִּיךְ הַאי רַבְיָא וְחַדֵּי. אָמַר לוֹן הַאי דְּאֲמֵינָא דְּאִתְבְּרִיר הָכָא רָזָא דְּאָדָם, בְּאוֹר דְּאִיהוּ זֶרַע, וּלְבָתַר אִתְעֲבֵיד מַיִם, וּמִגּוֹ אִינּוּן מַיִם, אִתְפָּשַׁט רָקִיעַ, דְּיוּקְנָא דְּאָדָם כְּמָה דְּאִתְעַרְנָא. תִּינַח כַּד אִתְעֲבֵיד דָּא לְגוֹ מְעוֹי דְּאִתְּתָא, דְּהָא לָא

אִתְצַיַּיר זַרְעָא, אֶלָּא בְּגוֹ מֵעוֹי דְּנוּקְבָא, לְאִתְפַּשְּׁטָא בָּהּ דְּיוּקְנָא דְּאָדָם, וְהָכָא אִי אִלֵּין וָמֵשׁ דַּרְגִּין, אִינּוּן דְּיוּקְנָא דְּאָדָם, בְּאָן אֲתַר אִתְצַיַּיר וְאִתְפַּשַּׁט הַאי דְּיוּקְנָא, בְּגוֹ אִינּוּן מַיִם.

תשנה. אִי תֵּימָא גּוֹ נוּקְבָא הֲווֹ דָּא עָלְמָא דְּאָתֵי, לָאו הָכִי, דְּהָא לָא אִתְצַיַּיר צִיּוּרָא וּדְיוּקְנָא, עַד דְּנַפְקוּ אַתְוָון לְבַר, וּלְבָתַר אִתְגְּלִימוּ. וְתוּ דְּהָא עָלְמָא דְּאָתֵי הֲוָה אוּמָּנָא, דִּכְתִּיב וַיֹּאמֶר אֱלֹהִים יְהִי אוֹר וַיְהִי אוֹר. וַיֹּאמֶר אֱלֹהִים יְהִי רָקִיעַ, הָא אוּמָּנָא הֲוָה.

תשנו. אִי תֵּימָא בְּנוּקְבָא דִּלְתַתָּא, לָאו הָכִי, דְּהָא עַד לָא הֲוַות, וְכַד נָפַק הַאי דְּיוּקְנָא דְּאָדָם, נוּקְבֵיהּ נַפְקַת בַּהֲדֵיהּ. הָא לָא אִתְצַיַּיר דְּיוּקְנָא דְּאָדָם בָּהּ. אִי הָכִי, בְּאָן אֲתַר אִתְצַיַּיר וְאִתְגְּלִיף הַאי זֶרַע, לְמֶהֱוֵי גְּלִיפוּ דְּיוּקְנָא דְּאָדָם.

תשנז. אֶלָּא דָּא רָזָא עִלָּאָה, אָדָם קַדְמָאָה אִתְצַיַּיר וְאִתְגְּלִיף בְּלָא נוּקְבָא. אָדָם תִּנְיָינָא, מֵחֵילָא וְזַרְעָא דְּהַאי, אִגְּלִיף וְאִתְצַיַּיר גּוֹ נוּקְבָא.

תשנח. אָדָם קַדְמָאָה, גְּלִיפוּ דְּצִיּוּרָא וּדְיוּקְנָא דְּגוּפָא, לָא הֲוָה בְּנוּקְבָא, וּבְלָא צִיּוּרָא כְּלַל הֲוָה. וְאִתְצַיַּיר וְאִגְּלִיף לְתַתָּא מֵעָלְמָא דְּאָתֵי, בְּלָא דְּכוּרָא, וּבְלָא נוּקְבָא, אִינּוּן אַתְוָון אַגְלִימוּ גּוֹ מִשְׁוָוּתָא, וְאִתְצַיַּיר וְאִגְּלִיף בְּהוּ רָזָא דְּאָדָם. וְאַתְוָון בְּאֹרַח מֵיֹשָׁר, בְּסִדּוּרָא דִּלְהוֹן, מֵרָזָא דְּאוֹר קַדְמָאָה, שָׁרִיאוּ לְאִתְגַּלְפָא וּלְאִתְצַיְּירָא, וְאִזְדְּרַע הַאי אוֹר בְּגַוֵּיהּ גּוֹ מִשְׁוָוּתָא. כַּד מָטָא גּוֹ מִשְׁוָוּתָא, אִתְהַדַּר מַיָּא, גּוֹ מַיָּא, אִתְפַּשַּׁט רָקִיעַ צִיּוּרָא דְּאָדָם, דְּיוּקְנָא כַּדְקָא יֵאוֹת.

תשנט. לְבָתַר דְּאִתְקַשְּׁטַת נוּקְבָא לְגַבֵּיהּ, וְאִתְהַדְּרוּ אַנְפִּין בְּאַנְפִּין, הַאי דְּיוּקְנָא דְּאָדָם, עָאל בְּתִיאוּבְתָּא לְגַבֵּי נוּקְבָא, וְתַמָּן אַגְלִיף וְאִתְצָיַּיר כְּגַוְונָא דִּילֵיהּ, וְעָלֵיהּ כְּתִיב וַיּוֹלֶד בִּדְמוּתוֹ כְּצַלְמוֹ וְגוֹ', הַאי אִתְצַיַּיר גּוֹ נוּקְבָא, מַה דְּלָא הֲוָה הַהוּא קַדְמָאָה, דְּאִתְצַיַּיר הַהוּא קַדְמָאָה בְּגַוֵּיהּ בְּמִדִּידוּ גּוֹ מִשְׁוָוּתָא כְּמָה דְּאִתְמַר.

תשס. כְּגַוְונָא דָּא לְתַתָּא. לְתַתָּא מַה כְּתִיב, וְהָאָדָם יָדַע אֶת חַוָּה אִשְׁתּוֹ וַתַּהַר וַתֵּלֶד אֶת קַיִן, שָׁרִיאַת קוֹף לְאוֹלָדָא, בִּמְעָהָא, בְּחֵילָא וְסִיּוּעָא דְּאָדָם לְבָתַר דְּהָא קַבִּילַת זוּהֲמָא מִגּוֹ הַאי קוֹף. וְעַל דָּא לָא כְּתִיב הָכָא וַיּוֹלֶד, אֶלָּא יָדַע וַתַּהַר וַתֵּלֶד, וְנָפַק פְּסוֹלֶת גּוֹ נוּקְבָא.

תשסא. וַתֹּסֶף לָלֶדֶת אֶת אָחִיו אֶת הָבֶל, וּבְהַאי נָמֵי לָא כְּתִיב וַיּוֹלֶד, וְאַעַ"ג דְּמִסְטְרָא דִּדְכוּרָא הֲוָה. אֲבָל מִקַּטְרְגָא תָּשַׁשׁ וְתָבַר חֵילֵיהּ, דְּהָא בְּאָת קוֹף שָׁרִיאוּ אַתְוָון לְאוֹלָדָא.

תשסב. כֵּיוָן דְּאִתְבְּרִיר פְּסוֹלֶת, שָׁרִיאוּ אַתְוָון לְאוֹלָדָא מֵרָזָא דְּאָת ש"ת. תִּקּוּנָא דְּכַר וְנוּקְבָא. בְּאִסְתַּכְּמוּתָא כַּחֲדָא. וּכְדֵין כְּתִיב וַיּוֹלֶד בִּדְמוּתוֹ כְּצַלְמוֹ וַיִּקְרָא אֶת שְׁמוֹ שֵׁת, וְלָא כְּתִיב וַתִּקְרָא. וַיִּקְרָא אִיהוּ, וְלָא אִיהִי. אִיהוּ קָרָא שְׁמֵיהּ שֵׁת, תִּקּוּנָא דְּכַר וְנוּקְבָא כַּחֲדָא, דַּהֲווֹ בְּאִסְתַּכְּמוּתָא חֲדָא.

תשסג. תּוּ אִתְגַּלְגָּלוּ אַתְוָון, וְאַהַדְּרוּ לְאוֹלָדָא אָלֶף דְּאָדָם, וְאִינּוּן אַתְוָון בַּאֲתַר דְּאִיהוּ סִיּוּם שְׁמֵיהּ. וּמַאן אִיהוּ. נ', וּלְבָתַר ו' לָא ה', דְּהָא אִתְעֲדִיאַת בְּהֶבֶל. בְּגִין כַּךְ נָטִיל אָת אוּחֲרָא אֲבַתְרֵיהּ ו', סַיֵּים בְּשֵׁירוּתָא דְּשֵׁת ש', וְאִקְרֵי אֱנוֹשׁ.

תשסד. אֱנוֹשׁ מַה בֵּין שְׁמָא דָּא לִשְׁמָא דְּאָדָם. אֶלָּא אֱנוֹשׁ לָאו אִיהוּ בְּתָקְפָּא הֲוָה, תִּקּוּנָא דְּקַדְמָאֵי הֲוָה, מָה אֱנוֹשׁ כִּי תִזְכְּרֶנּוּ. וּכְתִיב מָה אֱנוֹשׁ כִּי תְגַדְּלֶנּוּ וְגוֹ', וַתִּפְקְדֶנּוּ לִבְקָרִים לִרְגָעִים תִּבְחָנֶנּוּ. וְעַל דָּא כְּתִיב וַיְיָ' חָפֵץ דַּכְּאוֹ הֶחֱלִי, תְּבִירוּ דְּגוּפָא, וְתָקְפָּא

דנפשא, אורית שת לאנוש ירותא דהוה ליה לקבלא. ואיהו אוף הכי אורית לבנוי.

תשסה. תו אתגלגלו אתוון לאתקנא עקימא, ואתהדרו לאולדא. קינן. האי תקונא דקין, ואתתקן תוותיה, ואתהדרו אתוון לבסמא עלמא מעקימו דהוה. מהללאל מ' סופא דאתוון דאדם. ה' ול' תקונא דאתוון דהבל, ובגין דלא הוה חייבא כקין, לא אתחלפו אתוון משמיה בר חד. דבאתר ב' הוה א' למהוי תקונא יתיר.

תשסו. עד הכא אתבסם עלמא, ואתתקן עקימא משירותא דאנוש. בר חובא דאדם, דלא אתבסם, עד דקיימו ישראל בטורא דסיני, אבל תקונא דעקימו דקין והבל אתתקן ואתבסם אבל עלמא הוה בצערא ועצבונא, עד דאתא נח דכתיב זה ינחמנו ממעשנו ומעצבון ידינו מן האדמה אשר אררה יי'. וחובא דאדם לא אתבסם, עד דקיימו ישראל על טורא דסיני, וקבילו אורייתא, וכד ישראל קבילו אורייתא, כדין נר ואור אתתקן כחדא.

תשסז. והשתא רבותי, אנא מבבל, וברא דרב ספרא אנא, ולא זכינא לאשתמודעא לאבא, ואטרידנא הכא, ודחילנא, דהא יתבי ארעא דא, אינון אריוון באורייתא, ושוינא עלי דלא אימא מילי דאורייתא קמי ב"נ, עד תרין ירחין, ויומא דא אשתלימו. זכאה חולקי דאתערעתון הכא. ארים רבי יוסי קליה ובכי, וקמו כלהו ונשקוהו ברישיה. אמר רבי יוסי זכאה חולקנא דזכינא בהאי ארחא, למשמע מילי דעתיק יומין מפומך, מה דלא זכינן למשמע עד השתא.

תשסח. יתיבו כלהו, אמר לון רבותי, מדחמינא צערא דהאי חמי וברתיה, דדחקי ומצטערי בנפשייהו, דלא ידענא ברכת מזונא. אמינא לון, דעד דאנדע ברכת מזונא, לא אתחבר באנתתי, כארח כל בני עלמא, ואע"ג דיכילנא לשמשא בה בלא חובה, לא בעינא למעבר על דעתייהו, הואיל ולא הוינא יכיל למימר מדי, עד תרין ירחין. חדו רבי יוסי ורבי חייא וחמוי וברתיה, ובכו מסגאו חדוה. אמר רבי יוסי, במטו מינך, כיון דשריאת, אנהיר לן יממא, זכאה חולקנא בארח דא.

תשסט. פתח ההוא רביא בברכת מזונא ואמר, כתוב אחד אומר ואכלת לפני יי' אלהיך, וכתוב אחד אומר ושמחת לפני יי' אלהיך. הני קראי כד ישראל הוו שראן בארעא קדישא, ואתחזון קמי קב"ה בבי מקדשא, הוו מתקיימי. השתא היך מתקיימי, מאן יכיל למיכל לפני יי' ולמחדי לפני יי'.

תשע. אלא ודאי הכי הוא, בקדמיתא כד יתיב בר נש על פתוריה למיכל, מברך על נהמא המוציא. מאי טעמא המוציא, ולא מוציא, דהא כתיב בורא השמים, ולא כתיב הבורא. עושה ארץ, ולא כתיב העושה ארץ. מאי טעמא הכא המוציא.

תשעא. אלא כל מלין דאינון מרזא דעלמא עלאה, סתירא אסתתרא ה' מתמן, לאתחזאה דהא מעלמא גניזא וסתירא איהו. וכל מלין דאינון מעלמא תתאה דאתגליא יתיר, כתיב בה', דכתיב המוציא במספר צבאם הקורא למי הים, כלהו מרזא דעלמא תתאה איהו, ואי אכתיב בשמא איהו בה', כגון האל הגדול, והכא דאיהו באתגליא מרזא דעלמא תתאה איהו, כיון דמברך בר נש, שכינתא אתיא קמיה.

תשעב. ומה דאמר ואכלת לפני יי' אלהיך. הכא אתכליל למללא במלי דאורייתא, דהכי אצטריך הואיל וקב"ה קמיה, לקיימא דכתיב, זה השלחן אשר לפני

יְיָ׳. וּכְתִיב וְאָכַלְתָּ שָּׁם לִפְנֵי יְיָ׳ אֱלֹהֶיךָ.

תשעג. הוֹאִיל וְקָאִים ב״נ קָמֵי מָארֵיהּ, אִצְטְרִיךְ נָמֵי לְמֵיזַן לְמִסְכְּנֵי, לְמֵיתַן לוֹן, כְּמָה דְּאִיהוּ יָהִיב לֵיהּ לְמֵיכַל. כְּמַאן דְּאָכִיל קָמֵי מַלְכָּא קַדִּישָׁא וְאִצְטְרִיךְ דְּלָא יִשְׁתְּכַח בַּלְעָן עַל פָּתוֹרֵיהּ, דְּהָא בַּלְעָנוּ מִסִּטְרָא אַחֲרָא הֲוֵי, וְרָזָא דָּא הַלְעִיטֵנִי נָא, אֹרַח בַּלְעָנוּ, וְהָכִי אִצְטְרִיךְ לְסִטְרָא אַחֲרָא, וּכְתִיב וּבֶטֶן רְשָׁעִים תֶּחְסָר. וְע״ד וְאָכַלְתָּ לִפְנֵי יְיָ׳ אֱלֹהֶיךָ כְּתִיב, וְלָא לִפְנֵי סִטְרָא אַחֲרָא. וְאִצְטְרִיךְ דְּלָא יִתְעַסֵּק בְּמִלִּין בְּטֵלִין, וּבִצְרְכֵי סְעוּדָה וְאִצְטְרִיךְ לְאִתְעַסְקָא בְּמִלִּין דְּאוֹרַיְיתָא, דְּהָא כַּד מִלִּין דְּאוֹרַיְיתָא אִתְּמָרוּ עַל פָּתוֹרָא, יָהִיב הַהוּא בַּר נָשׁ תָּקְפָּא לְמָארֵיהּ.

תשעד. וְשָׂמַחְתָּ לִפְנֵי יְיָ׳ אֱלֹהֶיךָ, דָּא אִיהוּ בְּכוֹס שֶׁל בְּרָכָה, כַּד בָּרִיךְ בַּר נָשׁ בְּכוֹס שֶׁל בְּרָכָה, אִצְטְרִיךְ לְמֶחֱדֵי וּלְאַחֲזָאָה חֶדְוָה וְלָא עֲצִיבוּ כְּלַל, כֵּיוָן דְּנָטִיל בַּר נָשׁ כּוֹס שֶׁל בְּרָכָה, קֻבְּ״ה קָאִים עַל גַּבֵּיהּ, וְאִיהוּ אִצְטְרִיךְ לְאַעְטְפָא רֵישֵׁיהּ בְּחֶדְוָה. וּלְבָרְכָא עַל הַכּוֹס בְּמוֹתָב תְּלָתָא, נְבָרֵךְ שֶׁאָכַלְנוּ מִשֶּׁלוֹ.

תשעה. וּבְטוּבוֹ חָיִינוּ, דָּא אִצְטְרִיךְ רְעוּתָא לְעֵילָּא לְגַבֵּי עַתִּיקָא דְּעַתִּיקִין, וְע״ד אִיהִי בְּאֹרַח סָתִים. וּבְטוּבוֹ, וְלָא מִטּוּבוֹ, וּבְטוּבוֹ: דָּא יְמִינָא עִלָּאָה. וּמִטּוּבוֹ: דָּא דַּרְגָּא אַחֲרָא, דְּאָתֵי מִסִּטְרָא דִּימִינָא, וְאִיהוּ דַּרְגָּא לְתַתָּא מִנֵּיהּ, בְּגִין דִּבְהַהוּא טוֹב אִתְבְּנֵי עָלְמָא, וּבֵיהּ אִתְּזָן.

תשעו. אֲמַאי אִקְרֵי טוֹב וַאֲמַאי אִקְרֵי חֶסֶד. טוֹב אִיהוּ, כַּד כָּלִיל כֹּלָּא בְּגַוֵּיהּ, וְלָא אִתְפַּשַּׁט לְנַחְתָּא לְתַתָּא. חֶסֶד כַּד נַחְתָּא לְתַתָּא. וְעָבִיד טִיבוּ בְּכָל בִּרְיָין, בְּצַדִּיקֵי וּבְרַשִׁיעֵי וְלָא חָיִישׁ, וְאַע״ג דְּדַרְגָּא חַד הוּא. מְנָלָן דִּכְתִיב אַךְ טוֹב וָחֶסֶד יִרְדְּפוּנִי, אִי טוֹב לָמָּה חֶסֶד, וְאִי חֶסֶד לָמָּה טוֹב, דְּהָא בְּחַד סַגְיָא אֶלָּא טוֹב כָּלִיל כֹּלָּא בְּגַוֵּיהּ, וְלָא אִתְפַּשַּׁט לְתַתָּא. חֶסֶד נָחִית וְאִתְפַּשַּׁט לְתַתָּא, וְזָן כֹּלָּא צַדִּיקֵי וְרַשִׁיעֵי כַּחֲדָא.

תשעז. וְהָכָא כֵּיוָן דְּאָמַר וּבְטוּבוֹ חָיִינוּ, הָדַר וְאָמַר הַזָּן אֶת הָעוֹלָם כֻּלּוֹ בְּטוּבוֹ בְּחֶסֶד, הה״ד נוֹתֵן לֶחֶם לְכָל בָּשָׂר כל״ח. וְע״ד הַזָּן אֶת הַכֹּל, לְצַדִּיקֵי וּלְרַשִׁיעֵי לְכֹלָּא. דָּא אִקְרֵי בִּרְכַּת יָמִין. שְׂמָאל לָאו אִיהוּ בְּבִרְכַּת מְזוֹנָא. וּבְגִין כַּךְ שְׂמָאלָא לָא תְּסַיֵּיעַ לִימִינָא.

תשעח. דְּכֵיוָן דְּבָרִיךְ בִּרְכַּת זִימּוּן, אִצְטְרִיךְ לְדַבְּקָא אֶרֶץ הַחַיִּים בַּיָּמִין, לְאִתְּזָנָא מִתַּמָּן, וּלְפַרְנָסָא וּלְמֵיהַב מְזוֹנָא לְכֹלָּא, וְעַל דָּא תִּנְיָינָא בִּרְכַּת הָאָרֶץ, וְאִצְטְרִיךְ לְאַדְכְּרָא בָּהּ בְּרִית וְתוֹרָה, עַל בְּרִיתְךָ שֶׁחָתַמְתָּ בִּבְשָׂרֵנוּ, וְעַל תּוֹרָתְךָ שֶׁלִּמַּדְתָּנוּ, לְאַחֲזָאָה דְּמֵהַהוּא טוֹב אִתְּזָן בְּרִית וְתוֹרָה, דְּאִיהוּ תִּקּוּנָא דְּהַאי טוֹב.

תשעט. מִכָּאן אוֹלִיפְנָא, דְּנָשִׁים פְּטוּרוֹת מִבִּרְכַּת מְזוֹנָא לְאַפָּקָא יְדֵי חוֹבָה, דְּהָא לֵית בְּהוּ תּוֹרָה וּבְרִית. וְלַחְתּוֹם עַל הָאָרֶץ וְעַל הַמָּזוֹן, הָא דְּדִבֵּקוּתָא כַּחֲדָא בְּחֶסֶד, עַל הָאָרֶץ דָּא אִיהִי אֶרֶץ הַחַיִּים. וְעַל הַמָּזוֹן דָּא אִיהוּ חֶסֶד, הָא כְּלִילוּ דָּא בְּדָא בְּדְבֵיקוּתָא חֲדָא.

תשפ. אִתְפַּשְּׁטוּתָא דְּטוֹב אִיהוּ הוֹדָאָה דְּאִקְרֵי חֶס״ד, וְע״ד אִיהוּ אוֹמֵר, נוֹדֶה לְּךָ, עַל כַּךְ וְעַל כַּךְ נִסִּין וְאָתִין דְּאִתְעֲבִידוּ מִסִּטְרָא דְּטוֹב. וְאִי תֵּימָא וְהָא כְּתִיב נְעִימוֹת בִּימִינְךָ, נֶצַח, הָא אִיהוּ מִסִּטְרָא דְּיָמִין. לָאו הָכִי, אֶלָּא כָּל חַד וְחַד אַחְזֵי עַל הַהוּא אֲתָר דְּנָפִיק מִנֵּיהּ.

תשפא. וְאִי תֵּימָא נֶצַח בַּיָּמִין, הָא כְּתִיב נְעִימוֹת, וּכְתִיב וּנְעִים זְמִירוֹת יִשְׂרָאֵל, וְדָא

שְׂמָאלָא. וְכָל שְׂמָאלָא אִתְכְּלִיל בְּרָזָא דִימִינָא. אֲבָל הוֹדָאָה אוֹדֵי עַל יְמִינָא, לְאַחֲזָאָה דְּהָא מִנֵּיהּ נָפְקָא, וְדָא פְּשִׁיטוּ דְּטוֹב, דְּאִתְפָּשַׁט בְּאֶרֶץ הַחַיִּים.

תשפב. מ"ט לֵית הָכָא שְׂמָאלָא, בְּגִין דְּלֵית חוּלָקָא לְסִטְרָא אַחֲרָא בִּמְזוֹנָא דְיִשְׂרָאֵל. וְאִי אִתְּעַר שְׂמָאלָא, סִטְרָא אַחֲרָא יִתְעַר עִמֵּיהּ, וְהָא אִיהוּ זַבִּין בְּכֵרוּתֵיהּ וְחוּלָקֵיהּ לְיַעֲקֹב אֲבוּנָא. וְהָא אֲנָן יְהִיבְנָא לֵיהּ חוּלָקֵיהּ, לְהַהוּא מְקַטְרְגָא בְּזוּהֲמָא דְּמַיִין בַּתְרָאִין, וְאִי לֵית זוּהֲמָא, הָא חוּלָקֵיהּ דְּהַהוּא מֵיכְלָא, דְּקָרִיבוּ בֵּיהּ יְדִין.

תשפג. וְעַל דָּא לֵית לֵיהּ חוּלָקָא בְּהַדָן. וְהוֹאִיל וְלֵית לֵיהּ חוּלָקָא בַּהֲדָן, דְּהָא נָטַל חוּלָקֵיהּ, לֵית לָן לְאִתְעָרָא שְׂמָאלָא כְּלָל. דְּלָא יִתְעַר מְקַטְרְגָא וְיִטּוֹל תְּרֵין חוּלָקִין, חַד לְתַתָּא, וְחַד לְעֵילָא, כִּבְכוֹר. דְּהָא זַבִּין בְּכֵרוּתֵיהּ לְיַעֲקֹב אֲבוּנָא. חוּלָקֵיהּ אִיהוּ לְתַתָּא, וְלֵית לֵיהּ לְעֵילָא כְּלוּם. יִשְׂרָאֵל נָטְלֵי לְעֵילָא, וְעֵשָׂו נָטִיל לְתַתָּא, וְעַ"ד לָא יִתְקְרַב שְׂמָאלָא כְּלָל, בְּבִרְכַּת מְזוֹנָא.

תשפד. כֵּיוָן דְּמִתְבָּרְכָא הַאי אֶרֶץ הַחַיִּים מִסִּטְרָא דִימִינָא, וּמְקַבֵּל מְזוֹנָא, כְּדֵין בָּעְיָין רַחֲמִין עַל כֹּלָּא. רַחֵם יְיָ' אֱלֹהֵינוּ עַל יִשְׂרָאֵל עַמֶּךָ וְעַל יְרוּשָׁלַיִם עִירֶךָ וְגוֹ', דְּהָא מֵהַהוּא מְזוֹנָא וְסִפּוּקָא דְּאֶרֶץ הַחַיִּים, נִזְכֵּי בָּהּ אֲנָן וּבֵי מַקְדְּשָׁא. דְּיִתְבְּנֵי בֵּי מַקְדְּשָׁא לְתַתָּא בְּאִינּוּן רַחֲמִים.

תשפה. וּבְשַׁבָּת דְּלָא אִשְׁתְּכַח דִּינָא, לְמֶהֱוֵי נֶצַח וְהוֹד כְּלַל חֲסָדִים, אוֹמֵר רְצֵה וְהַחֲלִיצֵנוּ לְמֶהֱוֵי תַּרְוַויְהוּ, וְחַסְדֵי דָוִד הַנֶּאֱמָנִים, וְעַ"ד אַל תְּהִי צָרָה וְיָגוֹן וְכוּ', דְּהָא רְצֵה וּמוֹדִים, אִינּוּן חֲסִיד דָּוִד, וְשִׂים שָׁלוֹם דְּקָאַמְרָן בִּצְלוֹתָא, בְּבִרְכַּת עוֹשֶׂה שָׁלוֹם בִּמְרוֹמָיו הוּא בְּרַחֲמָיו יַעֲשֶׂה שָׁלוֹם עָלֵינוּ.

תשפו. הַטּוֹב וְהַמֵּטִיב, דְּכֹלָּא אָתֵי מִסִּטְרָא דִימִינָא, וְלָא מִסְּטַר שְׂמָאלָא כְּלוּם. מַאן דִּמְבָרֵךְ בִּרְכַּת מְזוֹנָא, אִיהוּ נָטִיל בִּרְכָאן בְּקַדְמֵיתָא מִכֻּלְּהוּ, וְאִתְבָּרֵךְ בִּכְלַל בִּרְכַּת מְזוֹנָא, וְעַל דָּא אִית לֵיהּ אַרְכָא דְחַיִּין. מַאן דְּנָטִיל כּוֹס שֶׁל בְּרָכָה, וְקָא מְבָרֵךְ עָלֵיהּ, כְּתִיב כּוֹס יְשׁוּעוֹת אֶשָּׂא. מַאן יְשׁוּעוֹת דָּא יְמִינָא, דְּאִיהוּ מוֹשִׁיעַ מִכָּל מְקַטְרְגִין דְּעָלְמָא, דִּכְתִּיב וַתּוֹשַׁע לוֹ יְמִינוֹ, וּכְתִיב הוֹשִׁיעָה יְמִינְךָ וַעֲנֵנִי.

תשפז. אַדְּהָכִי הֲוָה נָהִיר יְמָמָא, קָמוּ כֻּלְּהוּ וּנְשָׁקוּהוּ. א"ר יוֹסֵי, וַדַּאי הִלּוּלָא אִיהוּ יוֹמָא דָא, וְלָא נֵיפוֹק מֵהָכָא, עַד דְּיִתְעֲבִיד הִלּוּלָא בְּכָל אַנְשֵׁי מָתָא, דָּא הוּא הִלּוּלָא דְקֻבְּ"ה אִתְרְעֵי בֵּיהּ. נָטְלוּ לָהּ לְאִנְתְּתֵיהּ, וּבָרִיכוּ לָהּ בְּכַמָּה בִּרְכָאן, עָבְדוּ דַּאֲבוּהָ יִתְקַן בֵּיתָא אַחֲרָא לְחֶדְוָה, כְּנִישׁוּ כָּל אַנְשֵׁי מָתָא לְהַהִיא חֶדְוְתָא, וְקָרְאוּ לָהּ כַּלָּה. וְחָדוּ עִמְּהוֹן כָּל הַהוּא יוֹמָא, וְאִיהוּ חָדֵי עִמְּהוֹן בְּמִלֵּי דְאוֹרַיְיתָא.

תשפח. פָּתַח אִיהוּ עַל פָּתוּרָא וְאָמַר, וְעָשִׂיתָ אֶת הַקְּרָשִׁים לַמִּשְׁכָּן עֲצֵי שִׁטִּים עוֹמְדִים. כְּתִיב הָכָא עוֹמְדִים. וּכְתִיב הָתָם שְׂרָפִים עוֹמְדִים. מַה לְּהַלָּן שְׂרָפִים, אוּף הָכָא נָמֵי שְׂרָפִים. אִלֵּין קְרָשִׁים קַיְימִין בְּתִקּוּנֵי דְּכַלָּה, וְסַחֲרָן סַחֲרָנָא דְּחוּפָּה, לְמִשְׁרֵי בְּהַהִיא חוּפָּה רוּחַ עִלָּאָה, כְּגַוְונָא דָּא כַּלָּה לְתַתָּא, אִצְטְרִיךְ לְתַקְנָא חוּפָּה לְחוּפָּאָה בְּתִקּוּנֵי שַׁפִּירוּ, לִיקָרָא דְּכַלָּה אַחֲרָא, דְּאַתְיָא לְמִשְׁרֵי תַּמָּן בְּחֶדְוָה, לְכַלָּה תַּתָּאָה.

תשפט. וּבְגִין יְקָרָא דְּהַהִיא כַּלָּה עִלָּאָה, אִצְטְרִיךְ לְמֶעְבַּד חוּפָּאָה דְּשַׁפִּירוּ, בְּכָל תִּקּוּנֵי דְשַׁפִּירוּ, לְזַמְנָא לְכַלָּה עִלָּאָה, לְהַהִיא חֶדְוָה. כְּגַוְונָא דָּא בְּכָל גִּזְרוּ דִבְרִית לְתַתָּא, אִצְטְרִיךְ לְאַתְקְנָא כֻּרְסְיָא אַחֲרָא בְּשַׁפִּירוּ, לְמָארֵי קִנְאָה דִּבְרִית קַיָּימָא דְּאָתֵי תַּמָּן. אוּף הָכָא בְּכָל חוּפָּה, אִצְטְרִיךְ תִּקּוּנֵי שַׁפִּירוּ, לְחוּפָּאָה לְחוּפָּה לִיקָרָא דְּכַלָּה סְתָם.

תשצ. דְּהָא דָא, כְּגַוְונָא דְּדָא קַיְימָא. דָּא סַלְקָא בְּשֶׁבַע בִּרְכָאן, וְדָא סַלְקָא בְּשֶׁבַע בִּרְכָאן. וְכַד סַלְקָא בְּשֶׁבַע בִּרְכָאן כְּדֵין אִקְרֵי כַּלָּה. וְעַל דָּא אָסִיר לְאַשְׁמָעָא בָּהּ עַד דְּאִתְכְּלִילַת בְּאִינּוּן שֶׁבַע בִּרְכָאן, כְּגַוְונָא עִלָּאָה.

תשצא. אִינּוּן שֶׁבַע בִּרְכָאן, יָרְתָא כַּלָּה, מֵרוּוְחָא עִלָּאָה, אֲתָר דְּכָל בִּרְכָאן נַגְדִין מִתַּמָּן. שִׁית בִּרְכָאן אִינּוּן דְּכַלָּה אִתְבָּרְכָא מִנַּיְיהוּ, וְאַתְּ אֲמַרְתְּ דְּאִינּוּן שֶׁבַע. אֶלָּא שְׁבִיעָאָה אִיהוּ דְּקָא מְקַיֵּים כֹּלָּא.

תשצב. רוּבָּא דְּבִרְכָאן עַל הַיַּיִן אֲמַאי. אֶלָּא דְּאִיהוּ סִטְרָא דְוָוי לְכֹלָּא, עַל הַהוּא יַיִן דְּאִתְנְטִיר בְּעַנְבוֹי תָּדִיר. וּבְגִין כָּךְ בְּרָכָה קַדְמָאָה דְּאִינּוּן שֶׁבַע, אִיהוּ רָזָא יַיִן. כֵּיוָן נָטִיל כֹּלָּא, וְאַפִּיק אִיבָּא לְעָלְמָא, וְאִתְעָרוּ דְּחֶדְוָה דִשְׂמָאלָא אִיהוּ, דִּכְתִיב שְׂמֹאלוֹ תַּחַת לְרֹאשִׁי וּלְבָתַר וִימִינוֹ תְּחַבְּקֵנִי. וְהַהוּא אִילָנָא דְּחַיֵּי עָבִיד פֵּירִין וְאֵיבִין בְּאִתְעֲרוּתָא דָא, וְדָא אִיהִי בְּרָכָה קַדְמָאָה דְכֹלָּא.

תשצג. תִּנְיָינָא שֶׁהַכֹּל בָּרָא לִכְבוֹדוֹ, רָזָא דִבְרִית קַדִּישָׁא, וְחֶדְוָה דְחוֹבוּרָא, דְּנָטִיל כָּל בִּרְכָאן מֵרָזָא דִּימִינָא, לְמֶעְבַּד אֵיבִין בְּהַהוּא גֶּפֶן, דְּהָא בְּקַדְמֵיתָא הַהוּא פְּרִי נָזֵית מִלְּעֵילָּא, אָרַח עַיְיפִין, וְנָגֵיד לִבְרִית קַדִּישָׁא, לְנַגְּדָא לֵיהּ בְּהַהוּא גֶּפֶן, וְדָא מִסִּטְרָא דִּימִינָא, דְּהָא לֵית אֵיבָּא מִשְׁתַּכְּחָא אֶלָּא בִּימִינָא. שְׂמָאלָא אִתְעַר וִימִינָא עָבִיד.

תשצד. לְבָתַר כָּלִיל שְׂמָאלָא בִּימִינָא, וִימִינָא בִּשְׂמָאלָא, לְמֶהֱוֵי רָזָא דְאָדָם. וּבְגִין כָּךְ תְּלִיתָאָה אִיהוּ יוֹצֵר הָאָדָם. וְע"ד יַעֲקֹב, דְּאִיהוּ עַמּוּדָא דְּאֶמְצָעִיתָא, דִּיוּקְנָא דְאָדָם הֲוָה.

תשצה. רְבִיעָאָה, אִיהוּ עַמּוּדָא וְדָא, דִּירְכָּא יְמִינָא. וְזִמְנָא תְּשִׁיעָאָה, שׁוֹט תְּשִׁיעָא וְתָגֵל עֶקְרָה דְּבֵיתָא, בְּחֶדְוָה בְּקִבּוּץ וּכְנִישׁוּ דִבְנָהָא, מֵאַרְבַּע סִטְרֵי עָלְמָא, וְדָא רָזָא דִּירְכָּא אוֹחֲרָא, דְּאִתְחַבַּר בִּירְכָא שְׂמָאלָא, לְמֵיזַל וּלְמִכְנַשׁ לְכָל סִטְרִין, וּכְנִישׁוּ דִבְנִין, וּרְחִימוּ, לְמֵיעַל לוֹן בֵּין בִּרְכִין.

תשצו. וּבְאִינּוּן תְּרֵין, דִּנְבִיאִים שַׁרְיָין בְּגַוְויְיהוּ, וְחֶדְוָה דְעֶקְרָא דְבֵיתָא. מ"ט. בְּגִין דְּהָא שִׁיתֵּי עָרֲבוֹת, לָא עַבְדִין אֵיבָּא וּפֵירִין, וּכְנִישׁוּ דִבְנִין לְגַבַּיְיהוּ, אִינּוּן פֵּירִין וְאֵיבִין דִּלְהוֹן, וְלָא אִתְעָרוּ כְּנִישׁוּ דִבְנָהָא לְגַבָּהּ, בַּר בַּנְבִיאִים.

תשצז. שְׁתִיתָאָה שֶׁמּוֹ תְּשַׁמַּח רֵעִים הָאֲהוּבִים, אֲתָר דִּרְעוּתָא וְחֶדְוָה וְאַהֲוָה אִשְׁתְּכָחוּ, עַמּוּדָא דְּכָל עָלְמָא דְּאִקְרֵי צַדִּיק, וְצַדִּיק וְצֶדֶק רֵעִים וַאֲהוּבִים אִינּוּן, דְּלָא אִתְעָרַדּוּ דָּא מִן דָּא. עַד הָכָא שִׁית בִּרְכָאן, דְּכַלָּה אִתְבָּרְכַת מִנַּיְיהוּ.

תשצח. שְׁבִיעָאָה אִיהוּ מְקַיֵּים כֹּלָּא, וּמַהוּ שְׁבִיעָאָה מִתְבָּרְכָאן כֹּלָּא וַדַּאי, כְּלָלָא דְּעֶשֶׂר אֲמִירָן, בְּגִין דְּדָא, כָּלִיל עֵילָּא וְתַתָּא. וְע"ד כָּלִיל בְּהַאי, י' זִינֵי דְחֶדְוָה, שָׂשׂוֹן, שִׂמְחָה, וְחָתָן, וְכַלָּה, גִּילָה, דִּיצָה, אַהֲבָה, וְאַחֲוָה, שָׁלוֹם, וְרֵיעוּת, לְמֶהֱוֵי כַּלָּה שְׁלִימוּ דְכֹלָּא.

תשצט. זַכָּאִין אִינּוּן יִשְׂרָאֵל, דְּאִינּוּן זָכוּ לְתַתָּא, כְּגַוְונָא דִלְעֵילָּא. עֲלַיְיהוּ כְּתִיב, וּמִי כְעַמְּךָ כְּיִשְׂרָאֵל גּוֹי אֶחָד בָּאָרֶץ. וְחַדוּ כֻּלְּהוּ כָּל הַהוּא יוֹמָא בְּמִלִּין דְּאוֹרַיְיתָא, וְכָל בְּנֵי מָתָא עַבְדוּ לֵיהּ רֵישָׁא עֲלַיְיהוּ. לְיוֹמָא אוֹחֲרָא, קָמוּ רַבִּי יוֹסֵי וְרַבִּי חִיָּיא וּבִרְכוּ לוֹן, וְאַזְלוּ לְאָרְחַיְיהוּ.

תת. כַּד מָטוּ לְגַבֵּיהּ דר"ש, זָקַף עֵינוֹי וְחָמָא לוֹן. אֲמַר לוֹן מִסְתַּכֵּל הֲוֵינָא בְּכוּ יוֹמָא דָא, וְחַזְמֵינָא לְכוּ תְּרֵין יוֹמִין וְחַד לֵילְיָא, דַּהֲוֵיתוּן לְגַבֵּי מִשְׁכְּנָא דְּהַהוּא נַעַר מְטַטְרוֹן, וְהַהוּא נַעַר הֲוָה אוֹלִיף לְכוּ רָזִין עִלָּאִין בְּחֶדְוָה דְאוֹרַיְיתָא, זַכָּאָה וְחוּלָקֵכוֹן בְּנַי.

תתא. סַדְּרוּ מִלִּין כֻּלְּהוּ קַמֵּיהּ, וְסָחוּ לֵיהּ עוֹבָדָא, אָמַר לוֹן זַכָּאִין אַתּוּן, וְזַכָּאָה חוּלָקִי, דְּהָא אַדְכַּרְנָא יוֹמָא חַד דַּהֲוָה אָזִיל עִמֵּי בְּאָרְחָא רַב סַפְרָא אֲבוּי, וּבָרִיכִית לֵיהּ כַּד אִתְפְּרַשׁ מִנַּי, דְּיֶהֱא לֵיהּ בַּר אַרְיָא בְּאוֹרַיְיתָא, וְלָא בָּרִיכִית לֵיהּ דְּאִיהוּ יִזְכֵּי בֵּיהּ. זַכָּאָה חוּלָקְכוֹן בָּנַי, עֲלַיְיכוּ כְּתִיב וְכָל בָּנַיִךְ לִמּוּדֵי יְיָ'.

תתב. ד"א וְכָל בָּנַיִךְ לִמּוּדֵי יְיָ'. וְכִי כָּל בְּנִין דְּאִינּוּן דְּיִשְׂרָאֵל, כֻּלְּהוּ אוֹלִיף לוֹן קוּדְשָׁא בְּרִיךְ הוּא (קב"ה) אוֹרַיְיתָא. אִין. דְּהָא בְּשַׁעֲתָא דְּאִינּוּן יַנּוּקֵי לָעָאן בְּאוֹרַיְיתָא, שְׁכִינְתָּא אַתְיָא וְיָהִיב לוֹן חֵילָא וְתֻקְפָּא לְמִלְעֵי בְּאוֹרַיְיתָא, דְּאִלְמָלֵא סִיּוּעָא דְּקוּדְשָׁא בְּרִיךְ הוּא, לָא יַכְלִין אִינּוּן יַנּוּקֵי לְמִסְבַּל.

תתג. רַבִּי שִׁמְעוֹן הֲוָה שְׁכִיחַ יוֹמָא חַד גַּבֵּי פִּתְחָא דְלוֹד, וְרַבִּי חִיָּיא בַּהֲדֵיהּ, פָּגַע בֵּיהּ חַד יַנּוּקָא, אָמַר רַבִּי שִׁמְעוֹן וַדַּאי דְּקוּדְשָׁא בְּרִיךְ הוּא אִתְעַר בְּעָלְמָא הַשְׁתָּא לְיוֹמִין זְעִירִין, גִּלְגּוּלָא רַבָּא לְמַלְכֵי אַרְעָא אִלֵּין בְּאִלֵּין. וַדַּאי בְּעוֹד דְּאִינּוּן מְקַטְרְגִין אִלֵּין עַל אִלֵּין, יִשְׂרָאֵל יְהוֹן גּוֹ רְוָוחָא.

תתד. אָמַר הַהוּא יַנּוּקָא, וְהָא בְּיוֹמָא דָּא שָׁארֵי אִתְעָרוּתָא דָּא, דְּהָא בְּהַאי יוֹמָא דָּמִין סַגִּיאִין אוֹשְׁדִין בְּעָלְמָא. א"ל רַבִּי חִיָּיא, מְנָא לֵיהּ לְהַאי יַנּוּקָא. אָמַר רַבִּי שִׁמְעוֹן, לִזְמְנִין נְבוּאָה נָפִיל בְּפוּם יַנּוּקָן, וּמִתְנַבְּאֵי יַתִּיר מִנְּבִיאָה.

תתה. אָמַר הַהוּא יַנּוּקָא, וְכִי תַּוְהָא אִיהוּ בְּיַנּוּקֵי לְמֶהֱוֵי לוֹן נְבוּאָה, וְהָא קְרָא שְׁלִים אִיהוּ. מְנָלָן. דִּכְתִיב וְכָל בָּנַיִךְ לִמּוּדֵי יְיָ', אִינּוּן וַדַּאי לִמּוּדֵי יְיָ', וּנְבוּאָה מִנְּהוֹן נָפְקָא, מַה דְּלֵית הָכִי לְכָל עָלְמָא, אֶלָּא לְיִשְׂרָאֵל בִּלְחוֹדוֹי, דִּכְתִיב בְּהוּ וְכָל בָּנַיִךְ לִמּוּדֵי יְיָ', וּבְגִינֵי כַּךְ מִנְּהוֹן נָפְקָא נְבוּאָה. אָתָא רַבִּי שִׁמְעוֹן וּנְשָׁקֵיהּ אָמַר מִיּוֹמָאי לָא שְׁמַעְנָא דָּא, בַּר הַשְׁתָּא.

תתו. דָּא פִּקּוּדָא דְּקב"ה לְמֹשֶׁה: וְעָשִׂיתָ אֶת הַקְּרָשִׁים לַמִּשְׁכָּן עֲצֵי שִׁטִּים עוֹמְדִים. וּכְתִיב שְׂרָפִים עוֹמְדִים מִמַּעַל לוֹ שֵׁשׁ כְּנָפַיִם וְגוֹ', עוֹבָדָא דְמַשְׁכְּנָא בְּאִינּוּן קְרָשִׁים, כְּגַוְונָא דְּאִינּוּן שְׂרָפִים, אִלֵּין עוֹמְדִים, וְאִלֵּין עוֹמְדִים.

תתז. וְאִי תֵּימָא, וְהָא כָּל חַיָּילֵי שְׁמַיָּא אִינּוּן עוֹמְדִים כֻּלְּהוּ, כד"א וְנָתַתִּי לְךָ מַהְלְכִים בֵּין הָעוֹמְדִים הָאֵלֶּה, וּכְתִיב וְכָל צְבָא הַשָּׁמַיִם עוֹמְדִים עָלָיו וְגוֹ', דְּהָא כֻּלְּהוּ מַשִּׁרְיָין עִלָּאִין לֵית לְהוּ קְפִיצִין, וְכֻלְּהוּ קַיְימֵי בְּקִימָה. אֶלָּא וַדַּאי כֻּלְּהוּ קַיְימִין, וְלִזְמְנִין אִלֵּין אִקְרוּן שְׂרָפִים, וְלִזְמְנִין סַלְקִין בִּשְׁמָא אַחֲרָא, אֲבָל אִלֵּין כֻּלְּהוּ בְּחַד שְׁמָא קַיְימֵי.

תתח. וְהַאי קְרָא אוֹקְמוּהָ, כְּתִיב מִזְמוֹר לְדָוִד יְיָ' רֹעִי לֹא אֶחְסָר. הָא אִתְמַר, מַה בֵּין מִזְמוֹר לְדָוִד, וּבֵין לְדָוִד מִזְמוֹר. וְהָכָא, שְׁכִינְתָּא קַדְמָא וְאַתְיָא, וְשָׁרָאת עָלֵיהּ בְּקַדְמֵיתָא. יְיָ' רֹעִי, וְכִי אַמַּאי שְׁכִינְתָּא קַדְמָא הָכָא, וְהָא דָּוִד אִצְטְרִיךְ לְאַקְדְּמָא אִיהוּ בְּקַדְמֵיתָא, הוֹאִיל וּבָעֵי מְזוֹנֵיהּ מֵעִם קב"ה.

תתט. אֶלָּא, וַדַּאי שְׁכִינְתָּא קַדְמָא וְאַתְיָא, וְשָׁרָאת עָלֵיהּ, וְאַתְעֲרַת לֵיהּ לְשַׁבְּחָא לְמַלְכָּא שְׁבָחָא דָּא, וּלְמִבְעֵי מְזוֹנֵי מִקַּמֵּי מַלְכָּא, דְּהָא הָכִי אִצְטְרִיךְ עַל מִלָּה דִּמְזוֹנָא דְּבַעְיָא אִיהִי וּרְעוּתָא דִּילָהּ, דְּכָל בְּנֵי עָלְמָא יִבְעוּן מְזוֹנֵי. בְּגִין דְּכַד קב"ה בָּעֵי לְנַחְתָּא מְזוֹנֵי לְעָלְמָא, אִיהִי נַטְלָא בְּקַדְמֵיתָא, וְעָלָהּ נַחְתֵּי מְזוֹנֵי לְעָלְמִין כֻּלְּהוּ. וּבְגִינֵי כַּךְ אִיהִי אַקְדִּימַת לְמִלָּה דָּא דִּמְזוֹנֵי, וְשָׁרָאת עָלֵיהּ דְּדָוִד.

תתי. יְיָ' רֹעִי, יְיָ' רַעְיָא דִּילִי, כְּהַאי רַעְיָא דְּמַדְבַּר עָאנָא דִּילֵיהּ בְּאֲתַר דְּדִשְׁאִין וַעֲשָׂבִין, דְּלָא מִתְחַסַּר בֵּיהּ כָּל מִדְּעַם. אוּף הָכִי קב"ה, הוּא אִיהוּ, רַעְיָא דִּילִי, לְמֵיזַן לִי בְּכָל מָה דַּאֲנָא אִצְטְרִיךְ. ד"א יְיָ' רֹעִי, תָּנֵינָן, דְּקָשִׁין מְזוֹנוֹתָיו דְּב"נ קָמֵי קב"ה, כִּקְרִיעַת

יַם סוּף. הָכָא תְּרֵין גַּוְונִין אִינּוּן, וְתַרְוַויְיהוּ בְּאֹרַח קְשׁוֹט.

תתיא. וְחַד בְּגִין דְּקֻדְשָׁא בְּרִיךְ הוּא כָּל עוֹבָדוֹי בְּדִינָא וּקְשׁוֹט, וְעַל דִּינָא וּקְשׁוֹט אִתְקַיָּים עַל עָלְמָא. וּבְכָל יוֹמָא וְיוֹמָא וּבְכָל זִמְנָא וְזִמְנָא, דָּן כָּל עָלְמָא בְּדִינָא לְצַדִּיקֵי וּלְרַשִׁיעֵי וּלְכָל בְּנֵי עָלְמָא, כד"א כִּי צַדִּיק יְיָ' צְדָקוֹת אָהֵב. וְכַד אִיהוּ דָּן בְּנֵי נָשָׁא, וְחָמֵי בְּנֵי נָשָׁא כַּמָּה חַיָּיבִין, וְכַמָּה חַטָּאִין קַמֵּיהּ, כְּדֵין קָשֶׁה בְּעֵינוֹי לְמֵיהַב לוֹן מְזוֹנָא בְּכָל זִמְנָא, בְּגִין דְּאִית לֵיהּ לְמֵיזָן חַיָּיבַיָּא, וּלְאִינּוּן דְּחַטָּאן.

תתיב. וְאִיהוּ עָבֵיד עִמְּהוֹן לְגוֹ מִשּׁוּרַת הַדִּין, וְזָן וּמְפַרְנֵס לוֹן כְּפוּם חֶסֶד עִלָּאָה, דְּאִתְמְשָׁךְ וְאִתְנְגִיד עַל כָּל בְּנֵי עָלְמָא, וּבֵיהּ אִיהוּ זָן וּמְפַרְנֵס לְכֹלָּא, לְצַדִּיקֵי וּלְחַסִידֵי וּלְרַשִׁיעֵי, וּלְכָל אִינּוּן בְּנֵי עָלְמָא, וּלְכָל חֵיוָן וּבְעִירֵי חַקְלָא, וְעוֹפֵי שְׁמַיָּא, מִקַּרְנֵי רְאֵמִים עַד בֵּיצֵי כְלָמִי, וְלָא אִשְׁתְּאַר בְּעָלְמָא, דְּאִיהוּ לָא זָן וּמְפַרְנֵס לְכֹלָּא, אַף עַל גַּב דְּקָשֶׁה קַמֵּיהּ, לְפוּם עוֹבָדִין דִּבְנֵי עָלְמָא, כִּקְרִיעַת יַם סוּף.

תתיג. וְכִי קְרִיעַת יַם סוּף קָשֶׁה קַמֵּיהּ, וְהָכְתִיב גּוֹעֵר בַּיָּם וַיַּבְּשֵׁהוּ, הַקּוֹרֵא לְמֵי הַיָּם וַיִּשְׁפְּכֵם עַל פְּנֵי הָאָרֶץ, וְהָא כֵּיוָן דְּסָלִיק רְעוּתָא קַמֵּיהּ, כֹּלָּא קָמֵיהּ כְּאַיִן הוּא וְחָשִׁיב, וְאַתְּ אַמְרַתְּ דִּקְרִיעַת יַם סוּף קָשֶׁה קַמֵּיהּ.

תתיד. אֶלָּא בְּזִמְנָא דְּיִשְׂרָאֵל אַעְבָּרוּ לְגַבֵּי יַמָּא, וּבָעָא קב"ה לְמִקְרַע לוֹן יַמָּא דְּסוּף, אָתָא רַהַב הַהוּא מְמַנָּא דְּעַל מִצְרַיִם, וּבָעָא דִּינָא מִקַּמֵּי קב"ה. אָמַר

קַמֵּיהּ, מָארֵיהּ דְּעָלְמָא, אֲמַאי אַתְּ בָּעֵי לְמֶעְבַּד דִּינָא עַל מִצְרַיִם, וּלְמִקְרַע יַמָּא לְיִשְׂרָאֵל, הָא כֻּלְּהוּ חַיָּיבִין קַמָּךְ, וְכָל אָרְחָךְ בְּדִינָא וּקְשׁוֹט. אִלֵּין פָּלְחֵי כו"ם וְאִלֵּין פָּלְחֵי כו"ם. אִלֵּין בְּגִלּוּי עֲרָיוֹת, וְאִלֵּין בְּגִלּוּי עֲרָיוֹת. אִלֵּין אוֹשְׁדֵי דָּמִין, וְאִלֵּין אוֹשְׁדֵי דָּמִין.

תתטו. בְּהַהִיא שַׁעֲתָא הֲוָה קָשֶׁה קַמֵּיהּ, לְמֶעְבַּר עַל אֹרַח דִּינָא. וְהָא יִשְׂרָאֵל הֲווּ נַטְלֵי עַל יַמָּא, דִּכְתִיב וַיֹּאמֶר יְיָ' אֶל מֹשֶׁה מַה תִּצְעַק אֵלָי דַּבֵּר אֶל בְּנֵי יִשְׂרָאֵל וְיִסָּעוּ, וַהֲוָה קָשֶׁה קַמֵּיהּ לְמֶעְבַּר עַל דִּינָא, וּלְמִקְרַע לוֹן יַמָּא דְּסוּף, וְאִלְמָלֵא דְּאַשְׁגַּח קב"ה בִּזְכוּת אַבְרָהָם, דְּאַקְדִּים בְּצַפְרָא לְמֶעְבַּד פִּקּוּדָא דְּמָארֵיהּ, וּרְעוּתָא דִּילֵיהּ, כְּדִכְתִיב וַיַּשְׁכֵּם אַבְרָהָם בַּבֹּקֶר, כֻּלְּהוּ אִתְאֲבִידוּ בְּיַמָּא, בְּגִין דִּבְכָל הַהוּא לֵילְיָא, בְּדִינָא הֲוָה קב"ה עֲלַיְיהוּ דְּיִשְׂרָאֵל.

תתטז. דְּתָנֵינָן, מַאי דִּכְתִיב וְלֹא קָרַב זֶה אֶל זֶה כָּל הַלָּיְלָה. מְלַמֵּד דְּאָתוּ מַלְאָכֵי עִלָּאֵי לְשַׁבְּחָא בְּהַהוּא לֵילְיָא קָמֵי קב"ה, אָמַר לוֹן, וְכִי עוֹבָדֵי יָדַי טַבְעִין בְּיַמָּא, וְאַתּוּן מְשַׁבְּחָן קָמָאי, מִיַּד וְלֹא קָרַב זֶה אֶל זֶה כָּל הַלָּיְלָה. מַה כְּתִיב, וַיְהִי בְּאַשְׁמוֹרֶת הַבֹּקֶר, אַשְׁגַּח קב"ה בִּזְכוּתָא דְּאַבְרָהָם, דְּאַקְדִּים בְּצַפְרָא לְמֶעְבַּד רְעוּתֵיהּ דְּמָארֵיהּ, כְּדִכְתִיב וַיַּשְׁכֵּם אַבְרָהָם בַּבֹּקֶר. כְּדֵין אַהֲדַר יַמָּא, וְעָרְקוּ מַיִין קַמַּיְיהוּ דְּיִשְׂרָאֵל.

תתיז. דִּכְתִיב וַיָּשָׁב הַיָּם לִפְנוֹת בֹּקֶר לְאֵיתָנוֹ, וְתָנֵינָן, לְאֵיתָנוֹ: לִתְנָאוֹ. לְהַהוּא תְּנַאי דְּהִתְנָה עִמֵּיהּ קב"ה, כַּד בָּרָא עָלְמָא, לְאֵיתָנוֹ, כְּתִיב הָכָא לְאֵיתָנוֹ, וּכְתִיב הָתָם מַשְׂכִּיל לְאֵיתָן הָאֶזְרָחִי, וְעַל דָּא לִפְנוֹת בֹּקֶר, בְּהַהוּא זִמְנָא דְּאַקְדִּים אַבְרָהָם לְמֶעְבַּד רְעוּתָא דְּמָארֵיהּ, כְּדֵין אִתְקְרַע יַמָּא, וְע"ד קָשֶׁה הֲוָה קַמֵּיהּ קְרִיעַת יַם סוּף.

תתיח. כְּגַוְונָא דָּא, קָשִׁין זִוּוּגִין קָמֵי קב"ה כִּקְרִיעַת יַם סוּף, מַה קְּרִיעַת יַם סוּף קָטִיל לְאִלֵּין בְּהַאי סִטְרָא, וּמְקַיֵּים לְאִלֵּין בְּהַאי סִטְרָא, אוּף הָכָא בְּזִוּוּגִין, כְּתִיב מוֹצִיא אֲסִירִים בַּכּוֹשָׁרוֹת, וְתָנֵינָן בְּכִי וְשִׁירוֹת, מַיִּית הַאי, וְיָהִיב אִתְּתֵיהּ לְהַאי וּלְזִמְנִין לְחַיָּיבָא, מִזְדַּמְּנָא לֵיהּ אִתְּתָא מְעַלְיָא. אֲבָל רָזִין סְתִימִין אִינּוּן בְּכֹלָּא וְכֹלָּא הוּא בְּדִינָא, וּמַה

דְּאִתְעֲרוּ וַחֲבַרַיָּא בְּהָא, וַדַּאי הָכִי הוּא.

תתיט. וּמַה דְּאִתְעֲרוּ לִפְנֵי, וְלָא מִלִּפְנֵי לִפְנֵי הַהוּא דְּקָאִים לִפְנֵי קָמֵיהּ דְּקֻבְ"ה, וְשַׁמֵּשׁ קַמֵּיהּ, וְעַ"ד לָא אָמְרוּ דְּקָשִׁין זִוּוּגִין לְקֻבְ"ה. וְכֵן קָשִׁין מְזוֹנוֹתָיו שֶׁל אָדָם לְקֻבְ"ה, אֶלָּא לִפְנֵי וּלְהַאי קַשְׁיָין כָּל הָנֵי, דְּהָא לָאו בִּרְשׁוּתֵיהּ קַיְימֵי, אַע"ג דְּאִיהוּ עָבֵיד, בִּרְשׁוּתָא אַחֲרָא עָבֵיד.

תתכ. כְּתִיב וְנִכְרְתָה הַנֶּפֶשׁ הַהִיא מִלְּפָנַי. מַאי מִלְּפָנַי. אֶלָּא דָּא עָלְמָא דְּאָתֵי, הַהוּא דְּכָל חַיִּין קַיְימִין תַּמָּן. דָּבָר אַחֵר, דָּא צִנּוֹרָא עִלָּאָה, נָהָר דְּלָא פַּסְקִין מֵימוֹי לְעָלְמִין. וְכֹלָּא חַד, וְדָא אִיהוּ דְּנָטִיל כָּל עִדּוּנִין דְּעָלְמָא דְּאָתֵי. וּמֵאִינּוּן עִדּוּנִין עִלָּאִין תִּשְׁתֵּצֵי, מֵאֲתַר דְּהַהוּא נֹעַם יְיָ' תַּמָּן, וְדָא אִיהוּ מִלְּפָנַי.

תתכא. וְאִי תֵּימָא, אִי הָכִי, הָא כְּתִיב, וַיָּקָם יוֹנָה לִבְרוֹחַ תַּרְשִׁישָׁה מִלִּפְנֵי יְיָ' כִּי יָדְעוּ הָאֲנָשִׁים כִּי מִלִּפְנֵי יְיָ' הוּא בּוֹרֵחַ, וְתָנֵינָן מ"ט אָזַל יוֹנָה וּבָרַח, וְכִי מַאן יַיְכוֹל לְמִבְרַח מִקָּמֵי קוּדְשָׁא בְּרִיךְ הוּא, אֶלָּא הֲוָה אָזִיל וּבָרַח לְנָפְקָא מֵאַרְעָא קַדִּישָׁא, דְּהָא שְׁכִינְתָּא לָא שַׁרְיָא לְבַר מֵאַרְעָא דְּיִשְׂרָאֵל, וּבְגִין דְּלָא תִּשְׁרֵי עֲלוֹי שְׁכִינְתָּא, הֲוָה בָּרַח בְּאַרְעָא קַדִּישָׁא, דְּהָא שְׁכִינְתָּא אִיהִי שַׁרְיָא תַּמָּן, כְּמָה דְּאַתְּ אָמֵר אֶשְׁתְּךָ כְּגֶפֶן פּוֹרִיָּה בְּיַרְכְּתֵי בֵיתֶךָ. גֶּפֶן פּוֹרִיָּה דָּא שְׁכִינְתָּא, מַה שְׁכִינְתָּא הֲוָה סְתִימָא לְגוֹ בְּבֵית קוֹה"ק, אוּף הָכִי אִתְּתָא צְנִיעָא, לָא נָפְקָא מִתַּרְעָא דְּבֵיתָהּ לְבַר. וּבְגִינֵי כָּךְ הֲוָה בָּרַח יוֹנָה לְבַר מֵאַרְעָא קַדִּישָׁא, וְהָא הָכָא כְּתִיב מִלְּפָנַי, וְלָא כְּתִיב לְפָנַי.

תתכב. אֶלָּא וַדַּאי הָכִי הוּא, מִלְּפָנַי, דְּהָא רוּחַ נְבוּאָה לָא אַתְיָא מִגּוֹ שְׁכִינְתָּא, אֶלָּא מִלְּפָנַי. אִינּוּן תְּרֵין דַּרְגִּין דִּנְבִיאִים, דְּקָא שַׁרְיָין עַל שְׁכִינְתָּא, וּמֵהַהוּא אֲתַר דָּוִיל לְמֶהֱוֵי תַּמָּן בְּאַרְעָא קַדִּישָׁא, וְעַ"ד מִלְּפָנַי. כִּי מִלִּפְנֵי יְיָ' הוּא בּוֹרֵחַ, וְלָא לִפְנֵי יְיָ', דְּהָא הֲוָה יָדַע דִּנְבוּאָה לָא הֲוָה אָתֵי אֶלָּא מִלְּפָנַי.

תתכג. וּבְגִינֵי כָּךְ קָשִׁין זִוּוּגִין, קָשִׁין מְזוֹנוֹתָיו שֶׁל אָדָם לִפְנֵי הקב"ה, וְעַ"ד דָּוִד מַלְכָּא תָּלֵי מְזוֹנוֹתָיו לְעֵילָּא, בְּגִין דִּלְעֵילָּא לָא פָּסִיק לְעָלְמִין. אֲבָל הָכָא פָּסִיק, דְּהָא לָא תַּלְיָין בֵּיהּ מְזוֹנוֹת. לְעֵילָּא אִינּוּן. וְעַ"ד כְּתִיב, יְיָ' רֹעִי לֹא אֶחְסָר, לָא יִפְסְקוּן מְזוֹנוֹת מִנִּי לְעָלְמִין, בְּגִין דְּהַהוּא נָהָר דְּנָגִיד וְנָפִיק מֵעֵדֶן לָא פָּסִיק לְעָלְמִין, וּבְגִ"ד קַדְמָא שְׁכִינְתָּא עַל דָּא.

תתכד. ת"ח, בְּשַׁעֲתָא דְּהַאי אֲתַר מְקַבְּלָא מְזוֹנָא מִלְּעֵילָּא, כֻּלְּהוּ דִּמְקַדְּשֵׁי לְמָארֵיהוֹן, כֻּלְּהוּ מִתְעַדְּנִין, וּמִתְעָרִין, וְסַלְּקִין גַּדְפִּין, כַּד אַתְיָא שְׁכִינְתָּא בְּהַהוּא מְזוֹנָא, בְּגִין דְּלָא יִסְתַּכְּלוּן בָּהּ.

תתכה. וְאִינּוּן תְּלַת מַשִׁרְיָין בְּסַלִּיקוּ חַד, קָרָאן וְאַמְרֵי קָדוֹשׁ. קָרָאן אִלֵּין לְמַשִׁרְיָיתָא תִּנְיָינָא, וְסַלְּקִין גַּדְפִּין אִלֵּין קַדְמָאֵי, וְאִלֵּין תִּנְיָינֵי, וְאָמְרִין אִלֵּין תִּנְיָינֵי קָדוֹשׁ. קָרָאן אִלֵּין לְמַשִׁרְיָיתָא תְּלִיתָאָה, וְסַלְּקִין גַּדְפִּין תְּלַת מַשִׁרְיָין כַּחֲדָא, וְכֻלְּהוּ אַמְרֵי קָדוֹשׁ יְיָ' צְבָאוֹת מְלֹא כָל הָאָרֶץ כְּבוֹדוֹ. וְעַ"ד כֻּלְּהוּ מְשַׁלְּבָן דָּא בְּדָא, אִלֵּין עָאלִין לְגוֹ אִלֵּין, וְאִלֵּין עָאלִין לְגוֹ אִלֵּין, מְשַׁלְּבָן דָּא בְּדָא, כְּמָה דְּאַתְּ אָמַר מְשׁוּלָּבוֹת אִשָּׁה אֶל אֲחוֹתָהּ כֵּן תַּעֲשֶׂה לְכָל קַרְשֵׁי הַמִּשְׁכָּן.

תתכו. קְרָשִׁים קַיְימֵי תָּדִיר בְּקִיּוּמַיְיהוּ, וְלָא מִתְכַּפְּפֵי, כְּגַוְונָא דְּאִינּוּן עוֹמְדִים, דְּלָא מִתְכַּפְּפֵי דְּלֵית לוֹן קְפִיצֵי, וְקַיְימֵי תָּדִיר בְּלָא יְשִׁיבָה, וְעַ"ד כְּתִיב בַּקְּרָשִׁים עוֹמְדִים.

תתכז. מַה כְּתִיב, שְׁתֵּי יָדוֹת לַקֶּרֶשׁ הָאֶחָד, אוּף הָכִי, בִּתְרֵי גַּוְונֵי אִינּוּן כְּלִילָן כָּל חַד

וְחַד מִנַּיְיהוּ, הַהוּא דִּילֵיהּ וּדְחַבְרֵיהּ, וְחַבְרֵיהּ אוּף הָכִי בֵּיהּ, וְעַל דָּא מְשַׁלְּבָן דָּא עִם דָּא.

תתכח. כְּגַוְונָא דָּא כְּתִיב בְּאוֹרַיְיתָא, כִּי טוֹב סַחְרָהּ מִסְּחַר כָּסֶף וּמֵחָרוּץ תְּבוּאָתָהּ, דָּא אוֹלִיף לְדָא, וְדָא אוֹלִיף לְדָא, אִתְעֲבִידוּ מְשַׁלְּבָן דָּא עִם דָּא. דָּא נָטִיל דִּילֵיהּ וּדְחַבְרֵיהּ, וְדָא נָטִיל דִּילֵיהּ וּדְחַבְרֵיהּ, וּמְשַׁלְּבָן דָּא בְּדָא.

תתכט. כְּתִיב בִּנְאוֹת דֶּשֶׁא יַרְבִּיצֵנִי עַל מֵי מְנוּחוֹת יְנַהֲלֵנִי. נְאוֹת דֶּשֶׁא, אִלֵּין אִינּוּן מְקוֹרִין עִלָּאִין, דְּכָל מְזוֹנָא וְסִפּוּקָא אַתְיָא מִנַּיְיהוּ. נְאוֹת אִלֵּין אִקְרוּן נְאוֹת יַעֲקֹב. נְאוֹת דֶּשֶׁא, בְּגִין דְּאִית נְאוֹת לְבַר דְּאִקְרוּן נְאוֹת מִדְבָּר, וְע״ד בִּנְאוֹת דֶּשֶׁא. וְאִי תֵּימָא הָא כְּתִיב תַּדְשֵׁא הָאָרֶץ דֶּשֶׁא, דְּהָא אִיהוּ לְתַתָּא. אֶלָּא דֶּשֶׁא מֵאִינּוּן נְאוֹת אַתְיָא דְּאִתְיְילִיד וְאַצְמַח מִנַּיְיהוּ, וְע״ד בִּנְאוֹת דֶּשֶׁא יַרְבִּיצֵנִי.

תתל. עַל מֵי מְנוּחוֹת יְנַהֲלֵנִי, אִלֵּין מַיִין דְּנַיְיחָא, דְּקָא נַגְדִין מֵהַהוּא אֲתָר דְּנָגִיד וְנָפִיק מֵעֵדֶן, וְאִינּוּן מַיִין אִקְרוּן מֵי מְנוּחוֹת. נַפְשִׁי יְשׁוֹבֵב דָּא הוּא נֶפֶשׁ דָּוִד, וְלָא בָּעָא דָּוִד לְאַתְקְנָא אֶלָּא לְהַהוּא דַּרְגָּא דִּילֵיהּ כַּדְקָא יָאוּת. בְּאִלֵּין מֵי מְנוּחוֹת, זְמִינִין צַדִּיקַיָּא לְנַיְיחָא לְעָלְמָא דְּאָתֵי, דִּכְתִיב וְנָחֲךָ יְיָ׳ תָּמִיד וְגוֹ׳.

תתלא. וְעָשִׂיתָ קַרְסֵי נְחשֶׁת חֲמִשִּׁים וְגוֹ׳. רַבִּי אֶלְעָזָר וְרַבִּי אַבָּא הֲווּ יַתְבֵי לֵילְיָא חַד. כַּד רָמַשׁ לֵילְיָא, עָאלוּ גּוֹ גִּנְּתָא דְּעַל יַמָּא דִּטְבֶרְיָא. אַדְּהָכִי, חָמוּ תְּרֵין כֹּכָבַיָּא דְּנַטְלֵי, דָּא מֵהָכָא, וְדָא מֵהָכָא, וְאִעֲרָעוּ דָּא בְּדָא וְאִטְמָרוּ.

תתלב. אָמַר רַבִּי אַבָּא, כַּמָּה רַבְרְבָן עוֹבָדֵי דְּקוּדְשָׁא בְּרִיךְ הוּא, בִּשְׁמַיָּא מִלְּעֵילָּא, וּבְאַרְעָא מִלְּרַע. מַאן יָכִיל לְמִנְדַּע בְּאִלֵּין תְּרֵין כֹּכָבַיָּא, דְּנַפְקוּ חַד מֵהָכָא, וְחַד מֵהָכָא וְאִעֲרָעוּ דָּא בְּדָא, וְאִטְמָרוּ. א״ל רַבִּי אֶלְעָזָר וְכִי לָא חֲמֵינָא לוֹן, הָא אַשְׁגַּחְנָא בְּהוּ, וְאַשְׁגַּחְנָא בְּכַמָּה עוֹבָדִין אַחֲרָנִין דְּקֻבְּ״ה עָבִיד תָּדִיר.

תתלג. פָּתַח וְאָמַר גָּדוֹל אֲדוֹנֵינוּ וְרַב כֹּחַ וְגוֹ׳ גָּדוֹל וְרַב וְעִלָּאָה אִיהוּ קֻבְּ״ה. וְכִי לָא יָדַעְנָא דְּקֻבְּ״ה גָּדוֹל אִיהוּ וְרַב כֹּחַ, מַאי שִׁבְחָא דְּדָוִד הָכָא.

תתלד. אֶלָּא בְּכָל אֲתָר אִיהוּ אָמַר גָּדוֹל יְיָ׳, וְהָכָא אָמַר גָּדוֹל אֲדוֹנֵינוּ. מ״ט. אֶלָּא הָתָם דְּאִיהוּ אָמַר גָּדוֹל יְיָ׳ וּמְהֻלָּל מְאֹד. בְּדַרְגָּא עִלָּאָה קָאָמַר. וְהָכָא דִּכְתִיב גָּדוֹל אֲדוֹנֵינוּ בְּדַרְגָּא תַּתָּאָה קָאָמַר, דְּאִיהוּ אֲדוֹן כָּל הָאָרֶץ. מַה כְּתִיב לְעֵילָּא מֵהַאי קְרָא, מוֹנֶה מִסְפָּר לַכּוֹכָבִים לְכֻלָּם שֵׁמוֹת יִקְרָא. אִי כָּל בְּנֵי עָלְמָא מִיּוֹמָא דְּאִתְבְּרֵי אָדָם, יִתְכַּנְּשׁוּן לְמִמְנֵי כֹּכָבַיָּא, לָא יַכְלִין, כד״א וּסְפוֹר הַכּוֹכָבִים אִם תּוּכַל לִסְפּוֹר אוֹתָם. וְקֻבְּ״ה מַה כְּתִיב בֵּיהּ, מוֹנֶה מִסְפָּר לַכּוֹכָבִים לְכֻלָּם שֵׁמוֹת יִקְרָא. מ״ט. בְּגִין דִּכְתִיב גָּדוֹל אֲדוֹנֵינוּ וְרַב כֹּחַ וְגוֹ׳. כְּמָה דְּלֵית מִסְפָּר לְכֹכְבֵי שְׁמַיָּא, בַּר מִנֵּיהּ. אוּף הָכִי אִיהוּ כְּתִיב בֵּיהּ, וְלִתְבוּנָתוֹ אֵין מִסְפָּר.

תתלה. תָּא חֲזֵי, כְּתִיב הַמּוֹצִיא בְּמִסְפָּר צְבָאָם וְגוֹ׳, כֻּלְּהוּ חַיָּילִין וּמַשִׁרְיָין וְכֹכָבַיָּא, קֻבְּ״ה אַפִּיק לוֹן בִּשְׁמָא, כָּל חַד וְחַד, וְלָא גָּרַע אֲפִילּוּ חַד. בְּכָל כֹּכָבַיָּא וּמַזָּלֵי דִּרְקִיעִין כֻּלְּהוּ, אִתְמְנוּן נַגְּדִין וּפְקִידִין לְשַׁמְּשָׁא עָלְמָא, כָּל חַד וְחַד כַּדְקָא חֲזֵי לֵיהּ. וְלֵית לָךְ עִשְׂבָּא זְעִירָא בְּכָל עָלְמָא, דְּלָא שַׁלְטָא עָלֵיהּ כֹּכָבָא וּמַזָּלָא בִּרְקִיעָא, וְעַל הַהוּא כֹּכָבָא מְמַנָּא חַד, דְּקָא מְשַׁמֵּשׁ קָמֵיהּ דְּקֻבְּ״ה, כָּל חַד וְחַד כַּדְקָא חֲזֵי לֵיהּ.

תתלו. כָּל כֹּכָבַיָּא דְּבִרְקִיעִין כֻּלְּהוּ מְשַׁמְּשֵׁי עַל הַאי עָלְמָא, וְכֻלְּהוּ פְּקִידָן לְשַׁמְּשָׁא כָּל מִלָּה וּמִלָּה לְאִינּוּן דְּבְהַאי עָלְמָא, וְלָא צַמְחִין וְלָא מְגַדְּלִין עִשְׂבִּין וְאִלָנִין וּדְשָׁאִין, וְעִשְׂבֵּי בָּרָא, בַּר בְּחֵיזוּ דְּכֹכָבַיָּא דְּקָא קַיְימֵי עֲלַיְיהוּ, וְאִתְחָזוּן עֲלַיְיהוּ אַנְפִּין, בְּאַנְפִּין כָּל

וַזַד וְוַזַד כְּמָה דְּאִתְחֲזֵי לֵיהּ.

תְּתִלוּ. רוֹב מְעַיְּרַיִן דְּכֹכְבַיָּא וּמַזָּלֵי, כֻּלְּהוּ נָפְקִין בְּרֵאשִׁיתָא דְּלֵילְיָא, עַד תְּלַת שַׁעֲתֵי
וְזֶסֶר רְבִיעָא. מִתַּמָּן וּלְהָלְאָה לָא נָפְקִין בַּר זְעֵירִין. וְאִינּוּן כֹּכְבַיָּא כֻּלְּהוּ לָא מְשַׁמְּשֵׁי
לְבַטָּלָה, וְלָא אִתְחֲזוּן לְבַטָּלָה. וְאִית כֹּכְבַיָּא דְּקָא מְשַׁמְּשֵׁי כָּל לֵילְיָא, בְּגִין לְאִצְמְחָא
וּלְגַדְּלָא כָּל אִינּוּן מִלִּין דְּאִתְפַּקְּדוּ עֲלַיְיהוּ. וְאִית כֹּכְבַיָּא דְּקָא מְשַׁמְּשֵׁי עַד פַּלְגוּת לֵילְיָא,
וְצָמְחִין וּמְגַדְּלִין בְּרֵאשִׁיתָא דְּלֵילְיָא, עַד הַהִיא שַׁעֲתָא, כָּל אִינּוּן מִלִּין דְּאִתְפַּקְּדוּ
עֲלַיְיהוּ, וְאִית כֹּכְבַיָּא דְּקָא מְשַׁמְּשֵׁי זְעֵיר מִלֵּילְיָא, דְּכֵיוָן דְּאִתְחֲזוּן בַּהֲדֵי הַהוּא עֶשְׂבָּא,
אוֹ הַהוּא שַׁעֲתָא, מִיָּד אַשְׁלִים שִׁמּוּשֵׁיהּ, וְלָא אִצְטְרִיךְ יַתִּיר בְּהַהוּא לֵילְיָא. וְהָא אִינּוּן
לָא קַיְימִין לְבַטָּלָה, כֵּיוָן דְּאַשְׁלִימוּ שִׁמּוּשַׁיְיהוּ, לָא אִתְחֲזוּן יַתִּיר בְּהַאי עָלְמָא, וְעַיְילִין
לְאַתְרַיְיהוּ.

תְּתִלוּ. בְּסִפְרָא דְּחָכְמְתָא עִלָּאָה דִּבְנֵי קֶדֶם, אַמְרֵי עַל כָּל אִינּוּן כֹּכְבַיָּא
דְּעַרְבִיטָא, דְּקָא מִשַּׁדְּרֵי עַרְבִיטָא בִּרְקִיעָא, אַמְרֵי דַּעֲסָבִין אִינּוּן בְּאַרְעָא, מֵאִינּוּן
דְּאִקְּרוּן סַמֵּי דְּוֵוי, וְאַבְנִין יְקִירָן אִית בְּאַרְעָא, וְזָהָב שָׁווֹט גּוֹ טוּרֵי רַמָּאֵי,
בְּזְעֵיר דְּווֹפְיָא עֲלֵיהּ, וְלָא וַזְפְיָא אֶלָּא דְּנָגֵיד עֲלֵיהּ, וְשָׁלְטָאן עַל אִלֵּין אִינּוּן
כֹּכְבַיָּא דְּעַרְבִיטָא, וּמְגַדְּלֵי אִלֵּין בְּגִינַיְיהוּ.

תְּתִלֵט. וְכָל תִּקּוּנָא וּגְדוּלָא דִּלְהוֹן, לָאו אִיהוּ אֶלָּא בְּחֵיזוּ וְנֹגַהּ דְּהַהוּא עַרְבִיטָא,
דְּקָא מְשַׁדֵּר הַהוּא כֹּכְבָּא, גּוֹ רְקִיעָא, וּכְדֵין אִתְגַּדְּלָן וּמִתְגַּדְּלָן כָּל אִינּוּן מִלִּין.

תָּתְמוֹ. מַרְעִין אִית בִּבְנֵי נָשָׁא, כְּגוֹן יְרוֹקִין וְסִקְטִירִין. דְּאֶסְוָותָא דִּלְהוֹן לָא תְּלֵי, אֶלָּא
בְּוַזַד מַרְאֵה דְּפַרְזְלָא קָלִיל נָצִיץ לְעַיְינִין, וְאִית לֵיהּ לְמַארֵיהּ דְּמַרַע לְאִסְתַּכְּלָא בֵּיהּ.
וְלָא אִתָּסֵי עַד דְּאַעֲבַר הַהוּא מַרְאֵה לְסִטְרָא דָּא וּלְסִטְרָא דָּא, כְּגַוְונָא
דְּעַרְבִיטָא, דְּיִישּׁוֹט נָצִיצוּ דְּבָרָק לְאַנְפּוֹי, וּבְהַהוּא אוֹשִׁיטוּ דְּבָרָק דְּקָא נָצִיץ לְעַיְינִין,
אָתֵי לֵיהּ אַסְוְותָא. אוּף הָכִי, כָּל אִינּוּן דְּשַׁלְטֵי עֲלַיְיהוּ אִינּוּן כֹּכְבַיָּא, לֵית לוֹן תִּקּוּנָא
וּגְדוּלָא בַּמֶּה דְּאִתְחֲזֵי, בַּר הַהוּא פְּשִׁיטוּ דְּעַרְבִיטָא, וּבְהַאי מִתְתַּקְּנֵי, בְּגַוְון,
בְּחֵיזוּ, כְּמָה דְּאִתְחֲזֵי.

תָּתְמָא. וְשַׁפִּיר אִיהוּ, דְּהָא כְּגַוְונָא דָּא, רָמֵיז בְּסִפְרָא דִּשְׁלֹמֹה מַלְכָּא, בְּחָכְמְתָא
דְּאַבְנִין יְקִירָן, דְּאִי וַזְסַר מִנְּהוֹן נֹגַהּ דִּנְצִיצוּ וּלְהִיטוּ דְּכֹכְבַיָּא יָדְעָן, לָא מִגַּדְּלִין, וְלָא
מִתְתַּקְּנֵי לוֹן לְעָלְמִין, וְכֹלָּא אַתְקִין קָבָּ"ה לְתִקּוּנָא דְּעָלְמָא, כד"א לְהָאִיר עַל הָאָרֶץ, בְּכָל
מָה דְּאִצְטְרִיךְ בְּהַאי עָלְמָא לְתַקְּנָא לֵיהּ.

תָּתְמָב. כְּתִיב וְעָשִׂיתָ קַרְסֵי נְחֹשֶׁת וַחֲמִשִּׁים, וּכְתִיב וְעָשִׂיתָ קַרְסֵי זָהָב,
וְתָנֵינָן, מַאן דְּלָא חָמָא אִינּוּן קַרְסִים בְּמִשְׁכְּנָא, לָא חָמָא נְהִירוּ דְּכֹכְבַיָּא בִּרְקִיעָא, בְּגִין
דְּבְהַהוּא חֵיזוּ, וּבְהַהוּא גַּוְונָא, דְּמַיָּין לְכָל מַאן דְּאִסְתַּכַּל בְּהוּ.

תָּתְמָג. כֹּכְבַיָּא אִית בִּרְקִיעָא, דְּאִלֵּין נָפְקֵי מֵהַהוּא רְקִיעָא, דְּכָל כֹּכְבַיָּא אֲדוּקִין
תַּמָּן. בְּהַהוּא רְקִיעָא אִית מֵאָה וְזָלוֹנֵי מְשִׁקוֹפִין, מִנְּהוֹן לְסִטַר מִזְרָח, וּמִנְּהוֹן לְסִטַר
דָּרוֹם. וּבְכָל וַזָלוֹנָא וְוָזָלוֹנָא כֹּכְבָּא וַזַד.

תָּתְמָד. וְכַד שִׁמְשָׁא אָזִיל בְּאִינּוּן וַזָלוֹנֵי וּמְשִׁקוֹפִין דִּי בִּרְקִיעָא נָצִיץ בִּנְצִיצוּ, וְאִלֵּין
כֹּכְבַיָּא נָפְקֵי לְאִתְצַצְצָא מֵהַהוּא נְצִיצוּ דְּשִׁמְשָׁא וְאִצְטַבְּעוּ, מִנְּהוֹן סוּמָקִין כְּגַוְונָא
דְּנְחֹשֶׁת, וּמִנְּהוֹן יְרוֹקִין כְּגַוְונָא דְּזָהָב, וְעַל דָּא, אִלֵּין סוּמָקִין, וְאִלֵּין יְרוֹקִין. וַחֲמִשִּׁים אִינּוּן
בְּאִינּוּן וַחֲמִשִּׁים וַזָלוֹנִין, וַחֲמִשִּׁים אִינּוּן בְּאִינּוּן וַזָלוֹנִין אַחֲרָנִין. דְּלְסִטַר מִזְרָח אִינּוּן יְרוֹקִין,

דלסטר דרום אינון סומקין, בהו אתאחד סיומא דמשכנא.

תתמה. בכל אינון ככביא דנפקי מההוא רקיע, מתערבי אינון ככביא בליליא, ונצצי ומלהטי ושלטי בהאי עלמא. מנהון על נחשת, מנהון על זהב ירקרק, ואתתקנן ומגדלן על חילא דלהון.

תתמו. אלין ככביא שלטי בכ"ה ופלגא נקודין דליליא, דאינון רגעי שעתא, ואינון דמגדלי נחשת דאינון סומקי ולהטי ונצצי. וכד אושיטו תלת זמנין נציצו לסטרא דמזרח, או חמש, או שבע, מלכי עמין ייתון על ההוא סטרא, וכל עתרא ודהבא יסתלק מההוא סטרא. ואי נציצו חד, תרין, ארבע, שית, דא בתר דא, אימתא ופחדא יפול, וישרי על ההוא סטרא. בטיש נציצו ושכיך, בטיש נציצו ושכיך, יתערו קרבי, ולא יתעבידו, דהא בההוא זמנא, אתערותא הוא לעילא קמי קב"ה, באינון ממנן דעלמא דשלטין על שאר עמין, וכן כגוונא דא בסטרא אחרא.

תתמז. פתח ואמר, להוא שמיה די אלהא מברך מן עלמא ועד עלמא די חכמתא וגבורתא דיליה היא. והוא מהשנא עדניא וזמניא. וכלא איהו ברשותיה, ואפיק לעמיה קדישא, מחילא ורשותא דככביא ומזלי, בגין דאינון טעון אחרן ולא באלין חולקא דיעקב, כי אם ביוצר הכל הוא.

תתמח. רקיע אית לעילא, על כל אלין רקיעין, ואיהו טמיר וגניז, וחותמא דגושפנקא דמשכנא שלטא על האי רקיע, והאי רקיע אקרי אדרא דמשכנא, ובהאי רקיע כל אינון חלונין, מסטרא דא, ומסטרא דא, ואחיד כל אינון סדורין דמשכנא. שית חלונין אינון רברבין על כלהו, וחד סתים לשלטא עלייהו.

תתמט. חלונא חד, אקרי חלון זהרא, וביה נפקא ככבא חדא, דאקרי לחכימי י"ד, ודא איהו התוכא דקא מהתך לתתא בשלטנותא דיהודה. לאו דאית ליה חולקא ביה, דהא לית לשבטין דישראל חולקא ואחסנא בהו, אלא שבטא דיהודה שלטא על האי, ולאו איהו עליה.

תתנ. וכד אסטו בני יהודה ארחייהו מבתר קודשא בריך הוא, אזלו למנדע בתר חלונא דא, והאי ככבא. ואמרו דהאי ידא דקא מנצח לשאר עמין, דכתיב ביה ידך בערף אויביך, ואזלו אבתריה ועבדו ליה שמושא ופלחנא, ועל דא כתיב, ויעש יהודה הרע בעיני יי'.

תתנא. האי ככבא כד נפיק פשיט חד יד בחמש אצבען, נהיר ונציץ בההוא חלון. מאריהון דקוסמין וחרשין, דחלי מהאי אתר, בגין דבשעתא דהאי שלטא, כלהו קסמין וחרשין מתבלבלי, ולא אצלחו בידייהו.

תתנב. ואי תימא, הואיל ואיהו האי רקיע טמירא, היך ידעי ליה. אלא סימנא אית לון לבר, וידעי דהא שלטא ככבא דא, ודחלי תדיר מניה, ולא אצלח בידיהון, אינון קסמין וחרשין. ועל דא אית זמנין דאצלחו ביה בני נשא, ואית זמנין דלא אצלחו ביה. ובגין דא אינון מארי קוסמין וחרשין מתמעטי מעלמא, בגין דלא ידעין עקרא, כד חמאן דלא אצלחו בידייהו. ועל דא אינון קדמאי הוו ידעי, ומסתכלן לבר בההוא סימנא, דקא ידעי.

תתנג. חלונא תניינא, אקרי חלון טופרא, בגין דאיהו כגוונא דטופרא, וביה נפקא ככבא חד, דאקרי לחכימין צפעון, דהא דא שלטא בשולטנא תקיף בדינא ברישא וזנבא, אית ליה כצפעון כמין לקטלא.

תתנד. מההוא חלון, נפקי שית מאה אלף רבוא רוחין, דשלטין על אינון טופרין דבני נשא, כד אודרקן באתגליא. בהאי עבדי חרשין וקסמין, כל אינון דידעי לון. בההיא שעתא דהאי כוכבא שלטא, כל אינון דזרקי טופרי, או עבדי חרשין בהון, גרים מותא לכל עלמא, וסליק חרשין בידייהו דאינון דעבדי לון.

תתנה. חלונא תליתאה, אקרי חלון חושנא, וביה נפקא כוכבא חדא, ואקרי נגה"א דבוסי"נא, האי איהו נציצו דנצי"ץ, וקיימא על כל רוחא, ונייחא ושיזבותא וטיבותא ביה. לית ביה קטרוגא כלל, כד איהו שלטא, כל נייחא, וכל נהירו שלטא בעלמא, שלוה שבעא וכלא שליט בעלמא.

תתנו. חלונא רביעאה, איהו חלון דאקרי גביע, וביה נפקא כוכבא חד, דאקרי לחכימין אשכול הכפר, בגין דהכי נפיק כאשכול, נצי"ץ נציצין כענבין בכופרא, בהאי אתערו דרחמי אתער בעלמא, מרוויק ומקריב, תולדין סגיאין אסגיאו בעלמא. בני עלמא לא קפדי כד אצטריכו דה לדא, שלמא וחדוה אתער בעלמא.

תתנז. חלונא חמישאה, איהו חלון דאקרי באר, על די כוכבא דנפיק ביה, עאל ונפיק שאיב כדלי, לא שכיך לעלמין. בהאי חכימי לבא לא יכלין למיקם בארח קשוט, בגין דלא קאים בקיומא, ולא שכיך לעלמין. וע"ד אתדחקן גרמייהו, לעיינא בהאי אתר, ולמידן דינא.

תתנח. חלונא שתיתאה, איהו חלון דאקרי נגהא, ונפקא ביה כוכבא חד, דאקרין גזרון, בגין דכד האי שלטא, עלמא קאים בדינא, וכמה גזרין, ובכמה עונשין, ובכל יומא ויומא מתחדשן גזרין על עלמא, ועד לא יסיימון אלין, הא אחרנין מתחדשין, והאי לא שלטא כ"כ בעלמא.

תתנט. אבל סמוך ליומי משיחא, ישלוט האי חלונא, בהאי כוכבא, על עלמא. וע"ד ישלטון חיין בישין על עלמא, ויתחדתון זינין בישין, דא בתר דא, וישראל יהון בעקו. וכד יתדחקון גו חשוכא דגלותא, כדין ינהר לון קב"ה נהירו דיממא, ויקבלון מלכותא קדישי עליונין, ויתבטל מלכותא מידא דעממין עובדי כוכבים, וישלטון עלייהו ישראל, ויתקיים והיה אור הלבנה וגו'.

תתס. וכדין חלונא שביעאה יתפתח בכל עלמא, וכוכבא דיליה איהו כוכבא דיעקב, והאי איהו דקאמר בלעם, דרך כוכב מיעקב, וכוכבא דא יהא נהיר ארבעין יומין. וכד יתגלי מלכא משיחא, ויתכנשון לגבי מלכא משיחא כל עמין דעלמא, כדין יתקיים קרא דכתיב, שרש ישי אשר עומד לנס עמים אליו גוים ידרשו והיתה מנוחתו כבוד.

תתסא. פתח ר"ש ואמר, ולא אמר איה אלוה עשי נותן זמירות בלילה. האי קרא אוקמוה ואתמר, אבל עושי, עושי מבעי ליה, מאן עושי. אלא שמא דאלוה שמא כליל איהו דאתחזי הוא ובי דיניה. דא שמא שלים איהו, דכליל דכר ונוקבא: א"ל ו"ה ובגיני כך עושי.

תתסב. נותן זמירות בלילה, בגין דדא איהו דקא משבחת תדיר לגבי מלכא דשלמא דיליה, כגוונא דבוצינא דלא שכיך תדיר, בגין לקבלא נהורא וחדוה עלאה, מסגיאות וחדוה דיליה. וע"ד נותן זמירות בלילה.

תתסג. כל אינון כוכביא דקא מנהרן ברקיעא, כלהו אודאן ומשבחן לקב"ה, בכל

ההוא זמנא דאתחזון ברקיעא, בגין דמלאכי עלאי, כלהו אודאן ומשבחן אשמורות אשמורות, בתלת פלגי דהוי ליליא.

תתסד. בליליא אתפלגן כמה סטרין. בראשיתא דליליא, כד רמש ליליא ואתחשך, כל אינון רוחין בישין וזינין בישין, כלהו מתבדרן ומשטטי בכל עלמא. ואתפרשת סטרא אחרא, ותבעי ארחי דבי מלכא, מכל אינון סטרין קדישין.

תתסה. כיון דההוא סטרא אחרא אתער, כל בני עלמא טעמי טעמא דמותא, וחד משתין במותא, ושלטא עלייהו. כדין כיון דמסאבו אתפרשא מלעילא, ושלטא ונחתא לתתא, כדין אתפרשן תלת משריין לשבחא ליה לקב"ה, בתלת סטרין דליליא, כמה דאתערו בהאי חבריא.

תתסו. בעוד דאינון משבחין לקב"ה, סטרא אחרא אזלא ומשטטא לתתא, בכל סטרי עלמא, ועד דסטרא אחרא לא אתעבר מתמן, לא יכלין אינון לאתייחדא במאריהון.

תתסז. רזא לחכימין, מלאכי עליונין, וישראל לתתא, כלהו דחקי בההוא סטרא אחרא. מלאכין עלאין כד בען לאתייחדא במאריהון, לא יכלין עד דדחיין לה לבר. מה עבדין, נחתין שיתין רבוא דמלאכי קדישי, ואפילו שינתא על כל בני עלמא, כיון דאיהי נחתא, דקא דחיין לה לבר, ויהבי לה כל עלמא דא בההיא שינתא, כדין איהי שלטא עלייהו, ומקבלין מסאבו מינה. בר בארעא דישראל בלחודהא, דלא שלטא תמן. כיון דאיהי אתפרשא מנייהו, עאלין לקמי מאריהון, ומשבחן ואודאן קמיה.

תתסח. כגוונא דא ישראל לתתא, לא יכלין לאתייחדא במאריהון, עד דדחיין לההוא סטרא אחרא מנייהו, ויהבי לה חולקא במה דאתעסקת, ולבתר, אינון מתקרבי לגבי מאריהון, ולא אשתכח מקטרגא עילא ותתא.

תתסט. ואי תימא תינח לתתא, אבל לעילא מאי קטרוגא תמן. אלא לעילא, בגין דאיהו רוח מסאבא, ואינון רוחין קדישין, עד דמשדרי רוחא מסאבא מבינייהו, לא יכלין לקרבא לגבי מאריהון, דהא קודשא גו מסאבא, לא מתערב לעלמין. וכן כגוונא דא, ישראל לתתא, לא מתערבין באומין עכו"ם דעלמא. ותרין סטרין, עלאין ותתאין, כד בעיין לקרבא לגבי מלכא קדישא, דחיין לה לבר.

תתע. ועל דא, כד עייל ליליא, ומלאכין קדישין עלאין, כד מסתדרן שירין לקרבא לגבי מאריהון, דחיין ליה לההוא סטרא לבר בקדמיתא, ולבתר עאלין בקודשא.

תתעא. למלכא, דהוו ליה אבנין יקירין בחד תיבותא, מתגלפא בקוסטרוי. וההוא מלכא הוה חכים. בגין דלא יתקרב כל מאן דבעי, לגבי ההוא תיבותא דאבנין יקירן ומרגלן דתמן, נטל בחכמתיה, חד חויא תקיפא, וכריך ליה סוחרניה דההוא תיבותא, כל מאן דבעי לאושטא ידיה לגבי תיבותא, הא חויא דליג עליה, וקטיל ליה.

תתעב. חד רחימא הוה למלכא, אמר ליה מלכא, כל זמנא דאת בעי לאעלא ולאשתמשא בתיבותא, תעביד כך וכך לגבי ההוא חויא, ותפתח תיבותא, ותשמש בגניזין דילי. כך קב"ה, כריך חויא סוחרניה דקדשא, אתאן מלאכין עלאין לאעלא גו קדשא, הא חויא תמן, ודחלי לאסתאבא ביה.

תתעג. ת"ח, כתיב עושה מלאכיו רוחות משרתיו אש לוהט, עושה מלאכיו רוחות,

אִלֵּין מַלְאָכִין דְּקַיְימִין לְבַר. מְשָׁרְתָיו אֵשׁ לֹהֵט, אִלֵּין מַלְאָכִין דְּקַיְימִין לְגוֹ, אִיהוּ רוּחָא מִסְאֲבוּ, וְאִינּוּן רוּחַ. רוּחַ בְּרוּחַ לָא עָיֵיל דָּא בְּדָא. רוּחַ מִסְאֲבוּ בְּרוּחַ קַדִּישָׁא לָא אִתְעָרְבֵי דָּא בְּדָא. וּבְגִ"כ אִינּוּן דְּאִקְרוּן רוּחַ, לָא יַכְלִין לְאַעֲלָא לְגוֹ, בְּגִין הַהוּא רוּחָא מִסְאֲבוּ. אִינּוּן דִּלְגוֹ, אִינּוּן אֵשׁ, וְהַהוּא אֵשׁ דָּוֵי לְהַהוּא מִסְאֲבוּ דְּלָא עָיֵיל לְגוֹ. וּבְגִ"כ כֹּלָּא דַּוְיָין לֵיהּ לְבַר לְמִסְאֲבוּ, דְּלָא יִתְעָרַב בַּהֲדַיְיהוּ. וְעַל דָּא, מַלְאֲכֵי עִלָּאֵי קָא מְשַׁבְּחָן לֵיהּ לְקֻבְּ"ה, בָּתַר דְּדַוְיָין לֵיהּ לְמִסְאֲבוּ לְבַר.

תתעד. תְּלַת אַשְׁמוּרוֹת אִינּוּן בְּלֵילְיָא, לָקֳבְלֵיהוֹן תְּלַת מַשִּׁרְיָין, דְּקָא מִתְפַּלְגֵי לְשַׁבְּחָא לְקֻבְּ"ה, כְּמָה דְּאִתְּמַר. וְעַ"ד הַאי רִבּוֹן דְּכֹלְּהוּ, אִיהוּ נֵר דְּדָוִד דְּלָא שָׁכִיךְ לְעָלְמִין, אֶלָּא תָּדִיר אוֹדֵי וּמְשַׁבַּח לֵיהּ לְמַלְכָּא עִלָּאָה, וְעַ"ד נוֹתֵן זְמִירוֹת בַּלָּיְלָה.

תתעה. ד"א, וְלָא אָמַר אַיֵּה אֱלוֹהַּ עוֹשָׂי, כְּמָה דְּאִתְּמַר, בְּגִין דְּהָא מֵעֵילָא וּמִתַּתָּא אִתְכְּלִיל בַּר נָשׁ, וְאִתְעֲבֵיד, כְּמָה דְּאִיהוּ גּוּפָא מִתְּרֵין סִטְרִין, מִגּוֹ דְּכַר וְנוּקְבָא, אוּף הָכִי רוּחָא. רוּחַ אִיהוּ כְּלִיל, מִגּוֹ דְּכַר וְנוּקְבָא. וְעַל רָזָא דְּנָא אִתְתְּקַן בַּר נָשׁ בִּגְלִיפוֹי, בְּגוּפָא וְרוּחָא. וּבְגִין דְּאִיהוּ כְּלִיל בְּרָזָא דָּא, וּבְעוֹבָדָא דָּא, כְּמָה דְּאִתְּמַר, עַ"ד כְּתִיב, וַיֹּאמֶר אֱלֹהִים נַעֲשֶׂה אָדָם בְּצַלְמֵנוּ כִּדְמוּתֵנוּ וְהָא אִתְּמַר.

תתעו. בְּלֵילְיָא הָא אֲמָרַת, דְּהָא בְּרֵאשִׁיתָא דְּלֵילְיָא, כָּל אִינּוּן זִינִין וְרוּחִין בִּישִׁין מִתְעָרֵי בְּעָלְמָא, הֵיךְ אִיהוּ יָכִיל לְמֶהֱוֵי, דְּאִי הָכִי, הָא תָּנֵינָן, דְּמִסִּטְרָא דְּצָפוֹן נָפְקֵי כָּל הָנֵי זִינִין בִּישִׁין, וְאִתְּמַר דְּכַד אִתְּעַר רוּחַ צָפוֹן בְּפַלְגוּת לֵילְיָא, דְּהָא כְּדֵין כָּל אִינּוּן רוּחִין בִּישִׁין, וְסִטְרִין בִּישִׁין, אִתְכְּנָשׁוּ מֵעָלְמָא, וְעָאלִין גּוֹ נוּקְבָא דִּתְהוֹמָא רַבָּא, אִי הָכִי הָא בְּסִטְרָא דְּדָרוֹם דְּאִיהוּ יְמִינָא, אַמַּאי מְשַׁטְּטֵי אִינּוּן זִינִין בִּישִׁין בְּרֵישׁ לֵילְיָא, דְּקָא שָׁלְטָא רוּחַ דָּרוֹם.

תתעז. אֶלָּא וַדַּאי, אִלְמָלֵא הַהוּא סִטְרָא דְּדָרוֹם, דְּקָא מְעַכֵּב וְדַוְיָיא לְהַהוּא סִטְרָא בִּישָׁא, הֲוָה מְשַׁטְשֵׁט כּוּלֵי עָלְמָא, וְלָא יָכִיל עָלְמָא לְמִסְבַּל. אֲבָל כַּד אִתְּעַר הַהוּא סִטְרָא אַחֲרָא, לָא אִתְּעַר אֶלָּא בְּסְטַר רוּחַ מַעֲרָב, דְּקָא שַׁלְטָא בְּרֵישׁ לֵילְיָא, וְעָלְמָא אִיהוּ כֹּלָּא כָּנִישׁ. וְעַ"ד קֻבְּ"ה אַקְדִּים אַסְוָותָא לְעָלְמָא, בְּגַוְונָא דָּא כְּמָה דְּאִתְּמַר. זַכָּאִין אִינּוּן יִשְׂרָאֵל בְּהַאי עָלְמָא וּבְעָלְמָא דְּאָתֵי דְּקֻבְּ"ה אִתְרְעֵי בְּהוּ מִכָּל שְׁאַר עַמִּין דְּעָלְמָא.

תתעח. עָאלוּ לְבֵיתָא רַבִּי אֶלְעָזָר וְרַבִּי אַבָּא. כַּד אִתְפְּלַג לֵילְיָא, קָמוּ לְמִלְעֵי בְּאוֹרַיְיתָא. אָמַר רַבִּי אַבָּא, הַשְׁתָּא וַדַּאי אִיהוּ עִידָּן רְעוּתָא לְקֻבְּ"ה, וְהָא זִמְנִין סַגִּיאִין אִתְעֲרְנָא הַאי, דְּקֻבְּ"ה בְּשַׁעֲתָא דְּאִתְפְּלַג לֵילְיָא, עָאל גּוֹ אִינּוּן צַדִּיקַיָּיא בְּגִנְּתָא דְּעֵדֶן, וְאִשְׁתַּעֲשַׁע בְּהוּ. זַכָּאָה אִיהוּ מַאן דְּאִשְׁתָּדַּל בְּאוֹרַיְיתָא, בְּהַהִיא זִמְנָא.

תתעט. אָמַר רַבִּי אֶלְעָזָר, הָא דְּאִשְׁתַּעֲשַׁע קֻבְּ"ה גּוֹ צַדִּיקַיָּא בְּגִנְּתָא דְּעֵדֶן, הֵיךְ אִשְׁתַּעֲשַׁע. אֶלָּא בְּהַהוּא זִמְנָא דְּאִתְפְּלַג לֵילְיָא, קֻבְּ"ה אִתְּעַר בִּרְחִימוּ דִּשְׂמָאלָא, לְגַבֵּי כְּנֶסֶת יִשְׂרָאֵל, דְּהָא לֵית רְחִימוּ אֶלָּא מִסִּטְרָא דִּשְׂמָאלָא. וּכְנֶסֶת יִשְׂרָאֵל לֵית לָהּ דּוֹרוֹנָא לְמִקְרַב לְגַבֵּי מַלְכָּא, אוֹ חֲשִׁיבוּ מְעַלְיָא, אֶלָּא בְּאִינּוּן רוּחִין דְּצַדִּיקַיָּא, דְּקֻבְּ"ה חָמֵי לוֹן מִתְעַטְּרָן, בְּכַמָּה עוֹבָדִין טָבִין, וּבְכַמָּה זַכְיָין דְּעָבְדוּ בְּהַהוּא יוֹמָא, וְקֻבְּ"ה נַיְיחָא לֵיהּ מִכָּל קָרְבָּנִין וְעִלָּוָון, דְּקֻבְּ"ה אָרַח בְּהוּ רֵיחַ נִיחוֹחַ, דְּקָא עָבְדֵי יִשְׂרָאֵל.

תתפ. כְּדֵין נְהִירוּ אִתְנְהִיר, וְכָל אִילָנִין דְּגִנְּתָא דְּעֵדֶן אָמְרוּ שִׁירָתָא, וְצַדִּיקַיָּא מִתְעַטְּרָן תַּמָּן בְּאִינּוּן עִדּוּנִין דְּעָלְמָא דְּאָתֵי. כַּד אִתְּעַר בַּר נָשׁ בְּהַהִיא שַׁעֲתָא לְמִלְעֵי בְּאוֹרַיְיתָא, נָטִיל חוּלָקֵיהּ עִמְּהוֹן דְּצַדִּיקַיָּא דִּי בְּגוֹ גִּנְּתָא, וְחַד שְׁמָא גְּלִיפָא דִּתְלָתִין וּתְרֵין

אתוון, אתעטר בהו תמן, ואיהו גו רזין דצדיקיא.

תתפא. פתח רבי אלעזר ואמר, הללויה אודה יי' בכל לבב וגו', הללויה, הא אתמר ואתערו ביה חבריא, והכי איהו, דדא איהו שבחא דקא סלקא על כל אינון שירין ותושבחן דאמר דוד, בעשר זיני תושבחן דאיהו אמר, בגין דאיהו כליל שמא ושבחא כחד, ואיהו כללא דשמא קדישא עלאה.

תתפב. אודה יי' בכל לבב, בכל אתר דאמר דוד מלכא, רזא דאלפא ביתא, איהו רזא דאתוון גליפן, דנפקין בגלופי דתלתין ותרין שבילין. ואית אתוון עלאין, מרזא דעלמא עלאה. ואית אתוון אחרנין, דאינון אתוון זעירין. והכא איהו רזא דאלפא ביתא, דעלמא תתאה.

תתפג. אודה יי' בכל לבב: ביצרא טבא וביצרא בישא דאיהו שרי בגויה. דהא על כלא אית לאודאה ליה לקב"ה, ביצרא טבא וביצרא בישא. דהא מסטרא דיצרא טבא אתי טוב לבר נש, ואית לברכא ליה לקב"ה הטוב והמטיב. ובסטרא דיצרא בישא, אתי קטרוגא לבר נש, ואית לאודאה לקב"ה, בכל מה דאתי על בר נש, מסטרא דא ומסטרא דא.

תתפד. בסוד ישרים ועדה, בסוד ישרים: באינון דרזא דקב"ה אינון ידעי. דהא כל רזין דקב"ה אינון ידעי, ואינון רזא דיליה, ועל דא בסוד ישרים. ועדה: אלין אינון ישראל, כד מתכנשי בעשרה, לאודאה ליה לקב"ה, ובג"כ, אית לאודאה ליה לקב"ה, על טב ועל ביש, ולפרסמא קמי כלא. דאי תימא הא איהו ידע, אמאי אצטריך לפרסמא. אלא בדא, אתייקר קב"ה בעלמא לפרסמא נסא. ועל דא קב"ה כתיב ביה, והתגדלתי והתקדשתי וגו'.

תתפה. רבי יהודה פתח ואמר, כל הנשמה תהלל יה. תנא, כל נשמתין אתו מהאי גופא קדישא, ואתערו בבני נשא. ומאן אתר. מההוא אתר דאקרי יד. מאן אתר דא אמר רבי יהודה דכתיב מה רבו מעשיך יי' כלם בחכמה עשית. תנא, מהאי וחכמתא דמבועוי נפקין לתלתין ותרין שבילין, אשתכלל כלא, וכל מה דאית לעילא ותתא, והוא אתקרי רוחא קדישא, דכל רוחין אשתכללו ביה.

תתפו. אמר רבי יצחק, ביומא דהוה רבי שמעון פריש מלה דא, עינוי נבעין מיא, והוה אמר, כל גנזייא דמלכא עלאה, אתמסרן בחד מפתחא, ואתגלייא בקזפיטן דקורדיטי גליפין עלאין.

תתפז. אלא הכי תאנא, מאן יכיל לאשתמודעא ולאתכללא מה דגניז בדא מבועא. דהא משה לא גלי דא ביומוי, כד הוה גלי רזא עמיקתא לישראל, ואף על גב דכלא הוה מתגלייא על ידוי. אלא בההיא שעתא דבעא קב"ה לסלקא ליה למתיבתא קדישא עלאה, ולטמרא ליה מבני נשא, דכתיב בן מאה ועשרים שנה אנכי היום. היום ממש, דההוא יומא אשתלימו יומוי, לאתקרבא לאתר דא, דכתיב הן קרבו ימיך קרבו ממש.

תתפח. דתניא אמר רבי שמעון, משה לא מית. ואי תימא הא כתיב וימת שם משה. כך בכל אתר לצדיקיא קרי בהו מיתה. מאי מיתה. מסטרא דילן אקרי הכי. דתניא אמר רבי שמעון, וכן תנא, דמאן דאיהו בשלימותא דמהימנותא קדישא תלייא ביה, לא תלייא ביה מיתה ולא מית. כמה דהוה ביעקב דמהימנותא שלימתא

הֲוָה בֵּיהּ.

תתפט. דְּאָמַר ר' שִׁמְעוֹן, לֹא יִקָּרֵא שִׁמְךָ עוֹד יַעֲקֹב כִּי אִם יִשְׂרָאֵל יִהְיֶה שְׁמֶךָ, וַיִּקְרָא אֶת שְׁמוֹ יִשְׂרָאֵל. מַאי יִשְׂרָאֵל. שְׁלִימוּתָא דְּכֹלָּא. דִּכְתִּיב וְאַתָּה אַל תִּירָא עַבְדִּי יַעֲקֹב וְאַל תֵּחַת יִשְׂרָאֵל כִּי הִנְנִי מוֹשִׁיעֲךָ מֵרָחוֹק וְאֶת זַרְעֲךָ מֵאֶרֶץ שִׁבְיָם וְגוֹ'.

תתצ. א"ר יְהוּדָה מֵהָכָא, כִּי אִתְּךָ אֲנִי, דַּיְיקָא, זַכָּאָה חוּלָקֵיהּ, דְּמָארֵיהּ אָמַר לֵיהּ כֵּן. כִּי אִתִּי אַתָּה לֹא כְּתִיב, אֶלָּא כִּי אִתְּךָ אֲנִי, דְּמָארֵיהּ אָתֵי לְאִתְחַבְּרָא דִּיוּרֵיהּ עִמֵּיהּ.

תתצא. אר"ש שַׁפִּיר קָאָמַר ר' אַבָּא דְּאָמַר וְשָׁב יַעֲקֹב וְשָׁקַט וְשַׁאֲנַן וְאֵין מַחֲרִיד. וְשָׁב יַעֲקֹב: לְאִתְקְרֵי בִּשְׁמָא אַחֲרָא, דִּכְתִּיב לֹא יִקָּרֵא שִׁמְךָ עוֹד יַעֲקֹב כִּי אִם יִשְׂרָאֵל.

תתצב. ד"א וְשָׁב יַעֲקֹב, לְאֲתַר דְּאִתְנְסִיב מִתַּמָּן. וְשָׁקַט, בָּעוֹלָם הַזֶּה. וְשַׁאֲנַן, בָּעוֹלָם הַבָּא. וְאֵין מַחֲרִיד מִמַּלְאַךְ הַמָּוֶת. דְּמַשְׁמַע דְּכֹלָּא הֲוָה בֵּיהּ. ר' יִצְחָק אָמַר, וְחַבְרַיָּיא הָא אוֹקְמוּהָ, דִּכְתִּיב וְאֶת זַרְעֲךָ מֵאֶרֶץ שִׁבְיָם, מַה זַּרְעוֹ בַּחַיִּים, אַף הוּא בַּחַיִּים.

תתצג. וְהַבְּרִיחַ הַתִּיכוֹן בְּתוֹךְ הַקְּרָשִׁים מַבְרִיחַ מִן הַקָּצֶה אֶל הַקָּצֶה. רַבִּי יְהוּדָה פָּתַח אַשְׁרֵיךְ אֶרֶץ שֶׁמַּלְכֵּךְ בֶּן חוֹרִים וְשָׂרַיִךְ בָּעֵת יֹאכֵלוּ. וּכְתִיב, אִי לָךְ אֶרֶץ שֶׁמַּלְכֵּךְ נָעַר וְשָׂרַיִךְ בַּבֹּקֶר יֹאכֵלוּ. וַוי לְעָלְמָא דְּלָא מַשְׁגְּחָן בְּפוּלְחָנָא דְּמָארֵיהוֹן, דְּהָא מָארֵיהוֹן אַשְׁגַּח בְּגִינֵיהוֹן לְאוֹטָבָא לְהוּ, דְּאִנּוּן קַמַּיְיהוּ פִּתְגָּמֵי אוֹרַיְיתָא, וְלָא מַשְׁגְּחָן.

תתצד. דְּתָנֵינָן, תְּלַת מִלִּין בָּעֵי בַּר נָשׁ לְמֶעְבַּד לִבְרֵיהּ, מִילָה, וּפִדְיוֹן, וּלְנַסְבָא לֵיהּ אִנְתּוּ. וְכֹלָּא עָבֵיד קב"ה לְיִשְׂרָאֵל. מִילָה: דִּכְתִּיב וְשׁוּב מוֹל אֶת בְּנֵי יִשְׂרָאֵל שֵׁנִית. וּכְתִיב וּבֶן שְׁמֹנַת יָמִים יִמּוֹל לָכֶם כָּל זָכָר. פִּדְיוֹן. דִּכְתִּיב וַיִּפְדְּךָ מִבֵּית עֲבָדִים מִיַּד פַּרְעֹה מֶלֶךְ מִצְרָיִם. לְנַסְבָא לֵיהּ אִנְתּוּ: דִּכְתִּיב זָכָר וּנְקֵבָה בָּרָא אוֹתָם, וּכְתִיב וַיְבָרֶךְ אוֹתָם אֱלֹהִים וַיֹּאמֶר לָהֶם אֱלֹהִים פְּרוּ וּרְבוּ. תּוּ, אַטִּיל לְהוּ כְּהַאי נִשְׁרָא, דְּאָטִיל לִבְנוֹי עַל גַּדְפוֹי, דִּכְתִּיב וָאֶשָּׂא אֶתְכֶם עַל כַּנְפֵי נְשָׁרִים.

תתצה. אָמַר רַבִּי יוֹסֵי, כֹּלָּא הוּא יָאוּת, אֲבָל אוֹרַיְיתָא דְּאַהְדָּר קַמַּיְיהוּ דְּיִשְׂרָאֵל, וְאוֹלִיף לוֹן, יַתִּיר מִכֹּלָּא. תָּא חֲזֵי, לֵית שְׁבָחָא דְּבַר נָשׁ בְּהַאי עָלְמָא וּבְעָלְמָא דְּאָתֵי, כִּשְׁבָחָא דְּאוֹרַיְיתָא דִּכְתִּיב בָּהּ בִּי מְלָכִים יִמְלֹכוּ.

תתצו. דְּהָא תָּנֵינָן כַּד סָלִיק רַב הוּנָא לְהָתָם, אַשְׁכַּח רַבָּנָן דַּהֲווּ עַסְקֵי בְּהַאי קְרָא, דִּכְתִּיב, וּפָקַדְתִּי עַל בֵּל בְּבָבֶל וְהוֹצֵאתִי אֶת בִּלְעוֹ מִפִּיו וְלֹא יִנְהֲרוּ אֵלָיו עוֹד גּוֹיִם. וְרַב הוּנָא לָא הֲוָה מַשְׁגְּחִין בֵּיהּ, דְּהָא לָא אִשְׁתְּמוֹדְעָן לֵיהּ בְּקַדְמֵיתָא, בְּגִין דַּהֲוָה זְעִיר. עָאל לְבֵי מִדְרָשָׁא, וְאַשְׁכַּח רַבָּנָן דַּהֲווּ אַמְרֵי, הַאי קְרָא אִית לְאִסְתַּכְּלָא בֵּיהּ, אִי טָעֲוָתֵיהּ וְדַחֲלָתֵיהּ דִּנְבוּכַדְנֶצַּר הֲוָה שְׁמֵיהּ בֵּל, הָא כְּתִיב בֵּיהּ, וְעַד אָחֳרִין עַל קֳדָמַי דָּנִיֵּאל דִּי שְׁמֵהּ בֵּלְטְשַׁאצַּר כְּשֻׁם אֱלָהִי. וְעוֹד, מַאי וְהוֹצֵאתִי אֶת בִּלְעוֹ מִפִּיו.

תתצז. קָם רַב הוּנָא בֵּינֵי קַיְּימֵי דְּעַמּוּדֵי, וְאָמַר אִילּוּ הֲוֵינָא בְּאַתְרִי, דְּרִישְׁנָא לֵיהּ לְהַאי פְּסוּקָא. לָא אַשְׁגְּחוּ בֵּיהּ. קָם תִּנְיָינוּת, וְאָמַר מִלָּה דָּא. אָתָא רַבִּי יוּדַאי בַּר רַב, וְאוֹתְבֵיהּ קַמֵּיהּ. אָמַר לֵיהּ, אֵימָא בְּרִי אֵימָא, דְּמִלֵּי אוֹרַיְיתָא כְּתִיב בְּהוּ, בְּרֹאשׁ הוֹמִיּוֹת תִּקְרָא וְגוֹ'.

תתצח. פָּתַח וְאָמַר, הָכִי תָּנֵינָן, בְּיוֹמֵי קַדְמָאֵי עַד לָא אָתָא יַעֲקֹב, הֲוָה בַּר נָשׁ שָׁלֵו בְּבֵיתֵיהּ, מָטָא זִמְנֵיהּ, מִית בְּלָא מַרְעִין, כֵּיוָן דְּאָתָא יַעֲקֹב, בָּעָא קַמֵּיהּ דְּקב"ה, אָמַר לֵיהּ, מָרֵי דְּעָלְמָא, אִי נִיחָא קַמָּךְ, דְּלִנְפּוֹל בַּר נָשׁ בְּבֵי מַרְעֵיהּ, תְּרֵין אוֹ תְּלַת יוֹמִין,

וּלְבָתַר יִתְכְּנַשׁ לְעַמֵּיהּ, וְיַפְקֵד לְבֵיתֵיהּ, וְיֵתוּב מֵחוֹבוֹי. אָמַר לֵיהּ שַׁפִּיר. אַתְּ הוּא סִימָנָא בְּעָלְמָא. ת״ח, מָה כְּתִיב בֵּיהּ וַיְהִי אַחֲרֵי הַדְּבָרִים הָאֵלֶּה וַיֹּאמֶר לְיוֹסֵף הִנֵּה אָבִיךָ חוֹלֶה. חוֹלֶה כְּתִיב מַה דְּלָא הֲוָה לְבַר נָשׁ מִן קַדְמַת דְּנָא.

תתצט. בָּתַר דְּשָׁכִיב, לָא הֲוָה בַּר נָשׁ דַּהֲוָה לֵיהּ מַרְעִין, דְּלָא מִית. עַד דְּאָתָא חִזְקִיָּה, מָה כְּתִיב בֵּיהּ, בַּיָּמִים הָהֵם חָלָה חִזְקִיָּהוּ לָמוּת וְגוֹ׳. תָּא חֲזֵי, מָה כְּתִיב וַיַּסֵּב חִזְקִיָּהוּ פָּנָיו אֶל הַקִּיר וַיִּתְפַּלֵּל אֶל יְיָ׳, אָמַר לֵיהּ, אִי נִיחָא קַמָּךְ דְּיִתְסוּן בְּנֵי נָשָׁא מִבֵּי מַרְעֵיהוֹן, וְיוֹדוּן שְׁמָךְ, וְיִשְׁתְּמוֹדְעוּן, וִיתוּבוּן לְבָתַר בִּתְיוּבְתָּא שְׁלִימְתָא, וְיִשְׁתַּכְּחוּן בְּנֵי עָלְמָא זַכָּאִין קֳדָמָךְ. אָמַר לֵיהּ קוּדְשָׁא בְּרִיךְ הוּא, יָאוֹת הוּא אַתְּ תְּהֵא סִימָנָא בְּעָלְמָא, וְכַךְ הוּא, מַאי דְּלָא הֲוָה מִקַּדְמַת דְּנָא. הֲדָא הוּא דִּכְתִיב, מִכְתָּב לְחִזְקִיָּהוּ מֶלֶךְ יְהוּדָה בַּחֲלוֹתוֹ וַיְחִי מֵחָלְיוֹ. וְתָאנָא, הַהוּא יוֹמָא אִתְהֲדָר שִׁמְשָׁא עֶשֶׂר דַּרְגִּין.

תתק. וְתָאנָא, מְרוֹדַךְ בַּלְאֲדָן הֲוָה אָכִיל כָּל יוֹמָא בְּד׳ שַׁעְתֵּי, וְנָאִים עַד תֵּשַׁע שַׁעְתֵּי, וְהַהוּא יוֹמָא נָאִים עַד ט׳ שַׁעְתֵּי, כַּד אִתְּעַר חָמָא שִׁמְשָׁא דְּקָאִים בְּד׳ שַׁעְתֵּי, אָמַר מַאי הַאי, בְּקָטוֹלָא דְּקוֹנְטִירָא קוֹנְטְרוֹי אַנְקַטַרְתּוּן. אָמְרוּ לֵיהּ לָמָּה. אָמַר, דְּנָאִימְנָא יוֹמָא חַד, וּתְלָתוּת יוֹמָא. א״ל, לָאו הָכִי, אֶלָּא אֱלָהָא דְּחִזְקִיָּה עֲבַד יוֹמָא דֵּין תְּרֵין נִיסִּין. אַסֵּי לְחִזְקִיָּה מִבֵּי מַרְעֵיהּ, וְאַהֲדָר שִׁמְשָׁא לְעִדָּנָא דָא. אָמַר וְכִי אִית בְּעָלְמָא אֱלָהָא רַבָּא בַּר מֵאֱלָהַי. אָמְרוּ, אֱלָהָא דְּחִזְקִיָּהוּ.

תתקא. קָם וְכָתַב כְּתָבוֹי, שְׁלָם לְחִזְקִיָּהוּ מַלְכָּא דִּיהוּדָה וּשְׁלָם לֶאֱלָהֵיהּ וּשְׁלָם לִירוּשְׁלֵם קַרְתָּא קַדִּישָׁא. לְבָתַר אַמְלִיךְ וְקָם מִכָּרְסְיֵהּ, וּפָסַע תְּלַת פְּסִיעָן, וְכָתַב אָחֳרָנִין, שְׁלָם לֶאֱלָהָא רַבָּא דְּבִירוּשְׁלֵם וּשְׁלָם לְחִזְקִיָּהוּ מַלְכָּא דִּיהוּדָה וּשְׁלָם לִירוּשְׁלֵם קַרְתָּא קַדִּישָׁא. א״ל קב״ה, אַנְתְּ פָּסַעְתְּ בְּגִין יְקָרִי תְּלַת פְּסִיעָן, וְחַיֶּיךָ מִינָּךְ יִפְקוּן תְּלַת מַלְכִּין שַׁלִּיטִין, קַסְטִירִין רוּפִינִין דְּשַׁלִּיטִין בְּכָל עָלְמָא, וְקַדְמָאָה מִנַּיְיהוּ נְבוּכַדְנֶצַּר הֲוָה.

תתקב. ת״ח, מַאי א״ל דָּנִיאֵל, אַנְתְּ הוּא רֵאשָׁה דִּי דַהֲבָא. וּבַתְרָךְ תְּקוּם מַלְכוּ אָחֳרִי אֲרַע מִינָּךְ וּמַלְכוּ תְלִיתָאָה אָחֳרִי וְגוֹ׳. מָה כְּתִיב נְבוּכַדְנֶצַּר מַלְכָּא עֲבַד צְלֵם דִּי דְהַב רוּמֵיהּ אַמִּין שִׁתִּין פְּתָיֵהּ אַמִּין שִׁית. אָמַר נְבוּכַדְנֶצַּר צַלְמָא דְּחָמֵינָא, הֲוָה רֵישָׁא דִּי דַהֲבָא, מֵעוֹי דְּכֶסֶף, אֲנָא אַעֲבִיד כֹּלָּא דְּדַהֲבָא, דְּלֶהֱוֵי קוּפִירָא דְּדַהֲבָא בְּרֵישָׁא.

תתקג. וְתָאנָא, הַהוּא יוֹמָא כָּנַשׁ כָּל אוּמַיָּא וְעַמְמַיָּא וְלִישָׁנַיָּא לְמִפְלַח לְהַהוּא צַלְמָא, וְנָטַל מָאנָא מִמָּאנֵי מַקְדְּשָׁא, דַּהֲוָה גָּלִיף בֵּיהּ שְׁמָא קַדִּישָׁא, וְעָיֵיל לֵיהּ בְּפוּמֵיהּ דְּהַהוּא צַלְמָא וּבְהַהִיא שַׁעְתָּא, הֲוָה מְמַלֵּל רַבְרְבָן, עַד דְּאָתָא דָּנִיאֵל, וְקָרִיב גַּבֵּי דְּהַהוּא צַלְמָא, וְאָמַר אֲנָא שְׁלִיחָא דְּמָארָא עִלָּאָה, גּוֹזַרְנִי עָלָךְ לְמֵיפַּק מֵהָכָא. אַדְכַּר שְׁמָא קַדִּישָׁא, וְנָפַק הַהוּא מָאנָא, וְנָפַל צַלְמָא וְאִתְבַּר. הַיְינוּ דִּכְתִיב וְהוֹצֵאתִי אֶת בִּלְעוֹ מִפִּיו וְלֹא יִנְהֲרוּ אֵלָיו עוֹד גּוֹיִם. קָם ר׳ יְהוּדָה וּנְשָׁקֵיהּ עַל רֵישֵׁיהּ, אָמַר אִי לָא דְּקָרִיבְנָא בְּקוּטְפַיָּיא הָכָא, לָא אִשְׁתְּמוֹדַעְנָא בָּךְ. וַהֲווּ דַּחֲלִין קַמֵּיהּ מֵהַהוּא יוֹמָא.

תתקד. תָּאנָא אַשְׁרֵיךְ אֶרֶץ שֶׁמַּלְכֵּךְ בֶּן חוֹרִים וְשָׂרַיִךְ בָּעֵת יֹאכֵלוּ. ר׳ יוֹסֵי אוֹקִים לְהַאי קְרָא, בְּמֹשֶׁה, בְּשַׁעְתָּא דְּאַפִּיק לְהוּ לְיִשְׂרָאֵל מִמִּצְרַיִם, וַעֲבַד לוֹן בְּנֵי חוֹרִין. וְשָׂרַיִךְ בָּעֵת יֹאכֵלוּ, דִּכְתִיב וַאֲכַלְתֶּם אוֹתוֹ בְּחִפָּזוֹן פֶּסַח הוּא לַיְיָ׳.

תתקה. אָמַר ר׳ שִׁמְעוֹן בַּר יוֹחָאי, וְכִי לָא אֲמֵינָא דְּמִלּוֹי דִּשְׁלֹמֹה מַלְכָּא, דְּכֻלְּהוּ בְּגוֹ, לְגוֹ הֵיכְלָא קַדִּישָׁא הֲווּ. וְהַאי דְּאַמְרִיתוּ כֹּלָּא שַׁפִּיר הֲוָה, וְלִדְרָשָׁא הוּא דְּאָתָא, אֲבָל הַאי קְרָא, לְעֵילָּא בְּהֵיכְלָא קַדִּישָׁא הוּא.

תתקו. תאנא, אשריך ארץ שמלכך בן חורים. מאי ארץ. ארץ סתם. דתניא, מ"ד השליך משמים ארץ תפארת ישראל. אלא האי ארץ, היא רזא, בגו כתרי מלכא קדישא, דכתיב ביה ביום עשות יי' אלהים ארץ ושמים. והאי ארץ, וכל מה דינק ואתזן, מההוא אתר דאקרי שמים הוא, ולא אתזנת ארעא דא, אלא משלימותא קדישא, דאקרי שמים.

תתקז. ובשעתא דבעא קב"ה לאחרבא ביתיה דלתתא, וארעא קדישא דלתתא, אעבר להאי ארעא קדישא דלעילא בקדמיתא, ונחית ליה מההוא דרגא דהוה ינקא משמים קדישא, ולבתר חריב להאי דלתתא, הה"ד השליך משמים ארץ בקדמיתא, ולבתר ולא זכר הדום רגליו. דתניא, כך ארחוי דקב"ה, כד בעי למידן עלמא, בקדמיתא עביד דינא לעילא, ולבתר אתקיים לתתא, דכתיב יפקוד יי' על צבא המרום במרום בקדמיתא, ולבתר ועל מלכי האדמה על האדמה.

תתקח. א"ר שמעון, אשריך ארץ שמלכך בן חורין, דין לך בסגיאות כלא, בלא דחילו דאחרא, ומההוא מלכא עלאה אתזן כלא. ושריך בעת יאכלו, כד"א כעת יאמר ליעקב ולישראל מה פעל אל, אי לך ארץ שמלכך נער כד"א ונתתי נערים שריהם. דווי לארעא כד ינקא משמאלא. ושריך בבקר יאכלו, בההוא קדרותא, ועד לא נהיר, ולא שלטא מה דשלטא.

תתקט. תנא אמר רבי שמעון, והבריח התיכון בתוך הקרשים מבריח מן הקצה אל הקצה, דא הוא יעקב קדישא שלימא, כמה דאוקימנא, דכתיב ויעקב איש תם יושב אהלים. יושב אהל לא כתיב, אלא יושב אוהלים, תרי, דאחיד להאי ואחיד להאי. אף הכא כתיב, והבריח התיכון בתוך הקרשים, מבריח מן הקצה אל הקצה, דאחיד להאי ואחיד להאי.

תתקי. דתנינן, מאי איש תם. כתרגומו, שלים. שלים מכלא, שלים לתרין סטרין, לעתיקא קדישא, ולזעיר אפין. שלים לחסד עלאה ולגבורה עלאה, ואשלים להאי ולהאי.

תתקיא. א"ר שמעון, חמינא דהא חכמתא כלל כלא. וחסד עלאה נפקא מחכמה. גבורה, דהוא דינא תקיפא, נפקא מבינה. יעקב אשלים לתרין סטרין ואבהן כלל כלא, ויעקב כלל אבהתא.

תתקיב. תאנא בטש חכמה בשבילוי, וכניף ברוחא למיא, ואתכנשו מיא לאתר חד, ואתפתחו חמשין תרעין דבינה. מאלין שבילין, נפקי עשרה כתרין, בקרניטי זהירין, ואשתארו עשרין ותרין שבילין. בטש ההוא רוחא באינון שבילין, ואתפתחו חמשין תרעין דבינה, ואתגליפו עשרין ותרין, בחמשין תרעין דיובלא, ואתעטרו בשבעין ותרין אתוון דשמא קדישא. אלין אתפתחו לסטרוי.

תתקיג. ואתעטרו עשרין ותרין כתרין דרחמי, דכלילן בעתיק יומין, דנהיר לון כל חד בסטרוי. אתעטרו וחמשין גליפין, במ"ב אתוון קדישין דשמא קדישא, דבהון אתברי שמיא וארעא. ואתגלפו בגלופיהון, תמניא תרעין, דאינון תמניא אתוון דרחמי, דכתיב יי' יי' אל רחום וחנון, דנפקא מעתיקא קדישא, לזעירא, ומתחברן באלין כתרין קדישין, חכמה ובינה עלאין דסלקין. נפקא חסד עלאה מהאי סטרא, ודינא דגבורה מהאי סטרא, אתא זכותא דיעקב, ואשלים אתרווייהו ואחיד לון. דהא הוא שלימותא עלאה.

תתקיד. תאנא א"ר שמעון, בג"כ ישראל אתקרי. דתאנא יעקב תתאה. ישראל

עִלָּאָה. יַעֲקֹב לָאו שְׁלֵימוּתָא יִשְׂרָאֵל שְׁלֵימוּתָא דְּכֹלָּא. וְכֵן תָּאנָא, נְאֻם דָּוִד בֶּן יִשַׁי, דָּוִד לָאו שְׁלֵימוּתָא, דְּהָא בַּתְרָאָה הוּא. יִשַׁי יְסוֹד עִלָּאָה הוּא, וּשְׁלֵימוּתָא. וְהַיְינוּ דְּתָנֵינָן, לָא גָּלוּ יִשְׂרָאֵל מֵאַרְצָם עַד שֶׁכָּפְרוּ בְּקֻבְּ"ה, וּבְמַלְכוּתָא דְּבֵית דָּוִד, דִּכְתִּיב אֵין לָנוּ חֵלֶק בְּדָוִד וְלֹא נַחֲלָה בְּבֶן יִשַׁי אִישׁ לְאֹהָלָיו יִשְׂרָאֵל. מַאי אִישׁ לְאֹהָלָיו. אֲתַר דְּעכו"ם שַׁרְיָא בְּגַוַּיְיהוּ, הַיְינוּ לֵאלֹהָיו.

תתקטו. אָמַר ר' יְהוּדָה, כַּד שַׁרְיָא חָכְמְתָא לְגַלְּפָא גְּלִיפִין בְּכֻלְּהוּ כִּתְרִין, מֵאָן כִּתְרָא שָׁארֵי מֵהַהוּא דְּאִתְקְרֵי בִּינָה. בַּבִּינָה אִתְכְּלִיל כֹּלָּא. וּבג"כ אִתְפַּתְּחוּ בָּהּ חַמְשִׁין תַּרְעִין, וְאִשְׁתְּכַח דְּכֹלָּא בְּחָכְמָה אִתְגְּלָפוּ, הה"ד כֻּלָּם בְּחָכְמָה עָשִׂיתָ.

תתקטז. תָּאנָא, כְּתִיב מִי מָדַד בְּשָׁעֳלוֹ מַיִם וְגוֹ'. בְּשָׁעֳלוֹ מַיִם. מַאן מַיִם. דָּא הוּא בִּינָה. ר' אֶלְעָזָר מַתְנֵי הָכִי, דָּא חֶסֶד. א"ל ר"ש, כֹּלָּא בְּחַד מַתְקְלָא סַלְקָא. וְשָׁמַיִם בַּזֶּרֶת תִּכֵּן, מַאן שָׁמַיִם. תִּפְאֶרֶת. דִּכְתִּיב תִּפְאֶרֶת יִשְׂרָאֵל. וְכָל בַּשָּׁלִישׁ עֲפַר הָאָרֶץ. דָּא הוּא גְּבוּרָה. וְשָׁקַל בַּפֶּלֶס הָרִים, אִלֵּין אִינּוּן שְׁאַר כִּתְרִין, דְּאִקְרוּן טוּרֵי אֲפַרְסְמוֹנָא דַּכְיָא. וּגְבָעוֹת בְּמֹאזְנָיִם, אִלֵּין שְׁאַר רְתִיכִין תַּתָּאִין מִנַּיְיהוּ.

תתקיז. תָּא חֲזֵי, בְּשָׁעֳלוֹ, מַאי שָׁעֳלוֹ. דָּא רוּחַ חָכְמְתָא דְּהָכִי תָּנֵינָן, שָׁעֳלָא דְּקִיטְרֵי בְּקִיּוּפָא שְׁקִיעָן.

תתקיח. וְשָׁמַיִם בַּזֶּרֶת תִּכֵּן, מַאן זֶרֶת. אִלֵּין אִינּוּן חַמְשִׁין תַּרְעִין דְּאִתְפַּתְּחוּ וְאִתְפַּזְּרוּ לְכָל סִטְרִין, כד"א וְזֵרִיתִי פֶרֶשׁ עַל פְּנֵיכֶם וְגוֹ'. וְכָל בַּשָּׁלִישׁ, מַאן שָׁלִישׁ. רַחֲמֵי. שְׁלֵימוּתָא דְּכֹלָּא. וְשָׁקַל בַּפֶּלֶס, מַאי פֶּלֶס, אָמַר ר' שִׁמְעוֹן, דִּכְתִּיב מֹאזְנֵי צֶדֶק. אַבְנֵי צֶדֶק. תּוּ אָמַר רַבִּי שִׁמְעוֹן, הָנֵי מִילֵּי בְּשִׁיעוּרָא דְּיוֹצֵר כֹּלָּא אוֹקִימְנָא.

תתקיט. אָמַר רַבִּי אֶלְעָזָר, ש"מ, דְּיַעֲקֹב מִגּוֹ דִּינָא קַשְׁיָא נָפִיק, דְּהָא יִצְחָק דִּינָא קַשְׁיָא, אָחִיד לְחוּלָקֵיהּ. אָמַר לֵיהּ ר' שִׁמְעוֹן, וְדָא הוּא בִּלְחוֹדוֹי, וְהָא יִצְחָק מִגּוֹ חֶסֶד נְפַק, וְהָכִי כֻּלְּהוּ, דִּינָא מִגּוֹ רַחֲמֵי נָפְקָא, וְרַחֲמֵי מִדִּינָא. אַבְרָהָם יָרִית אַחֲסָנָא דְּחֶסֶד, נָפַק יִצְחָק בְּדִינָא מִגּוֹ חֶסֶד. יַעֲקֹב נָפַק בְּרַחֲמֵי, מִגּוֹ דִּינָא קַשְׁיָא, וְכַךְ הוּא לְעֵילָּא, דָּא מִן דָּא, וְיַנְקָא דָּא מִן דָּא, עַד דְּאִשְׁתְּמוֹדַע כֹּלָּא דְּהוּא חַד, וּמֵחַד תַּלְיָין כֻּלְּהוּ, וְכֹלָּא אִשְׁתְּכַח חַד. בְּרִיךְ שְׁמֵיהּ לְעָלַם וּלְעָלְמֵי עָלְמִין.

תתקכ. אָמַר רַבִּי אֶלְעָזָר, אִשְׁתְּמוֹדַע, דְּלֵית שְׁלֵימוּתָא אֶלָּא כַּד אָחִיד דָּא מִן דָּא, וְדָא אָחִיד בְּתַרְוַויְיהוּ, לְשַׁכְלְלָא כֹּלָּא, כְּגוֹן יַעֲקֹב, וְהַיְינוּ דִּכְתִּיב מַבְרִיחַ מִן הַקָּצֶה אֶל הַקָּצֶה.

תתקכא. תָּאנָא, כּוּלֵּי הַאי לָא אִתְקְרֵי אֶלָּא מִסִּטְרָא דִּילָן, וּמִסִּטְרָא דִּילָן אִשְׁתְּמוֹדַע כֹּלָּא. דְּהָא בְּהַאי לְעֵילָּא כֹּלָּא בְּחַד מַתְקְלָא סַלְקָא. לָא שָׁנֵי, וְלָא יִשְׁתַּנֵּי, כְּמָה דִּכְתִּיב אֲנִי יְיָ' לֹא שָׁנִיתִי. אָמַר רַבִּי יְהוּדָה, כֻּלְּהוֹן בּוֹצִינִין נְהִירִין מֵחַד, וּמֵחַד תַּלְיָין, וּבוֹצִינִין אִינְהוּ חַד כֹּלָּא. דְּהָא לָא בָּעוּ לְאִתְפָּרְשָׁא, וּמַאן דְּפָרִישׁ לוֹן, כְּאִלּוּ אִתְפְּרַשׁ מִן חַיֵּי עָלְמָא.

תתקכב. אָמַר ר' יִצְחָק, כְּתִיב וְנָתַתִּי נְעָרִים שָׂרֵיהֶם וְתַעֲלוּלִים יִמְשְׁלוּ בָם, הַיְינוּ דִּכְתִּיב וְעָשִׂיתָ שְׁנַיִם כְּרוּבִים זָהָב. כְּתִיב יוֹשֵׁב הַכְּרוּבִים, וּכְתִיב וַיִּרְכַּב עַל כְּרוּב וַיָּעֹף. יוֹשֵׁב הַכְּרוּבִים, כַּד שַׁרְיָא לְאִתְיַישְּׁבָא בִּשְׁלֵימוּתָא, כְּתִיב יוֹשֵׁב הַכְּרוּבִים. וְכַד לָא שַׁרְיָא, וְלָא אִתְיַישְּׁבָא מַלְכָּא בְּכָרְסְיָא, כְּתִיב וַיִּרְכַּב עַל כְּרוּב חַד, דְּלָא אִתְיַישְּׁבָא מַלְכָּא בְּכָרְסְיֵהּ. יוֹשֵׁב הַכְּרוּבִים תְּרֵי.

תתקכג. אָמַר רַבִּי יוֹסִי, וַוי לְעָלְמָא, כַּד וַחַד כְּרוּב אַהְדַר אַנְפֵּיהּ מֵחַבְרֵיהּ, דְּהָא כְּתִיב וּפְנֵיהֶם אִישׁ אֶל אָחִיו, כַּד הֲוָה שְׁלָמָא בְּעָלְמָא. אָמַר רַבִּי יִצְחָק, הָא תָּנֵינָן עֶרְוַת אָבִיךָ וְעֶרְוַת אִמְּךָ לֹא תְגַלֵּה, וַוי לְמַאן דְּגַלֵּי עֶרְיָיתְהוֹן. כְּגַוְונָא דָּא כְּתִיב בְּיַעֲקֹב, מַבְרִיחַ מִן הַקָּצֶה אֶל הַקָּצֶה. זַכָּאָה חוּלָקֵהוֹן דְּיִשְׂרָאֵל, דְּקוּדְשָׁא בְּרִיךְ הוּא מִשְׁתַּבַּח בְּתֻשְׁבְּחָתַיְיהוּ כְּגַוְונָא דִּלְעֵילָּא, דִּכְתִּיב יִשְׂרָאֵל אֲשֶׁר בְּךָ אֶתְפָּאָר.

תתקכד. תָּאנָא אָמַר רַבִּי יִצְחָק, בְּיוֹמֵי קַדְמָאֵי, הֲוָה בַּר נָשׁ אָמַר לְחַבְרֵיהּ, אֵימָא לִי מִלָּה חֲדָא דְּאוֹרַיְיתָא, וְטוֹל מָנֶה כֶּסֶף. הַשְׁתָּא אָמַר בַּר נָשׁ לְחַבְרֵיהּ, טוֹל מָנֶה כֶּסֶף וְאִשְׁתַּדַּל בְּאוֹרַיְיתָא, וְלֵית מַאן דְּיַשְׁגַּח, וְלֵית מַאן דְּיַרְכִּין אוּדְנֵיהּ, בַּר אִינּוּן זְעִירִין קַדִּישֵׁי עֶלְיוֹנִין, דְּקוּדְשָׁא בְּרִיךְ הוּא מִשְׁתַּבַּח בְּהוּ, דִּכְתִּיב וְעַמֵּךְ כֻּלָּם צַדִּיקִים לְעוֹלָם יִירְשׁוּ אָרֶץ נֵצֶר מַטָּעַי מַעֲשֵׂה יָדַי לְהִתְפָּאֵר.

תתקכה. וָוֵי הָעַמּוּדִים וַחֲשֻׁקֵיהֶם כָּסֶף. רַבִּי יִצְחָק אָמַר, וָוֵי הָעַמּוּדִים, הָא אֲמֵינָא כָּל אִינּוּן דְּמִתְאַחֲדָן מִקִּטְרֵי קַיָּימִין עִלָּאִין, אִקְרוּן וָוֵי הָעַמּוּדִים. וְכָל אִינּוּן דִּלְתַתָּא, תַּלְיָין מֵאִינּוּן וָוִים. מַאי וָוִים. שִׁתָּא בְּגוֹ שִׁתָּא, וּמִתְאַחֲדָן וּמִתְשַׁקְיָין מִמַּזּוּטָא דְּשִׁדְרָה, דְּקָאִים עֲלַיְיהוּ. וּבְסִפְרָא דִּצְנִיעוּתָא תָּאנָא, וָוִים לְעֵילָּא, וָוִים לְתַתָּא, וְכֻלְּהוּ בְּמַתְקְלָא חַד סַלְּקִין.

ספרא דצניעותא

א. מַאן צְנִיעוּתָא דְּסִפְרָא. אָמַר רַבִּי שִׁמְעוֹן, חֲמִשָּׁה פִּרְקִין אִינּוּן דִּכְלִילָן בְּהֵיכָל רַב, וּמַלְיָין כָּל אַרְעָא. אָמַר ר' יְהוּדָה, אִי כְּלִילָן הָנֵי, מִכֻּלְּהוּ עֲדִיפֵי. אָמַר ר' שִׁמְעוֹן, הָכִי הוּא, לְמַאן דְּעָאל וְנָפַק, וּלְמַאן דְּלָא עָאל וְנָפַק לָאו הָכִי.

ב. מַתְלָא, לְבַר נָשׁ דַּהֲוָה דִּיּוּרֵיהּ בֵּינֵי טוּרִין, וְלָא יָדַע בְּדִיּוּרֵי מָתָא. זָרַע חִטִּין. וְאָכִיל חִטֵּי בְּגוּפַיְיהוּ. יוֹמָא חַד עָאל לְמָתָא, אַקְרִיבוּ לֵיהּ נַהֲמָא טָבָא. אֲמַר הַהוּא בַּר נָשׁ, דְּנָא לְמָה. אֲמָרוּ נַהֲמָא הוּא לְמֵיכַל. אָכַל וְטָעַם לְחָדָא לְחִכֵּיהּ. אֲמַר וּמִמָּה אִתְעֲבִיד דָּא. אֲמָרוּ מֵחִטִּין. לְבָתַר אַקְרִיבוּ לֵיהּ גְּרִיצִין דְּלִישִׁין בְּמִשְׁחָא. טָעַם מִנַּיְיהוּ, אֲמַר וְאִלֵּין מִמַּה אִתְעֲבִידוּ. אֲמָרוּ מֵחִטִּין. לְבָתַר אַקְרִיבוּ לֵיהּ טְרִיקֵי מַלְכִּין, דְּלִישִׁין בְּדוּבְשָׁא וּמִשְׁחָא. אֲמַר וְאִלֵּין מִמַּה אִתְעֲבִידוּ. אֲמָרוּ מֵחִטִּין. אֲמַר וַדַּאי אֲנָא מָארֵי דְּכָל אִלֵּין, דַּאֲנָא אָכִיל עִקָּרָא דְּכָל אִלֵּין דְּאִיהוּ חִטָּה. בְּגִין הַהוּא דַּעְתָּא מֵעִדּוּנֵי עָלְמָא לָא יָדַע וְאִתְאֲבִידוּ מִנֵּיהּ. כַּךְ, מַאן דְּנָקִיט כְּלָלָא, וְלָא יָדַע בְּכֻלְּהוּ עִדּוּנִין דִּמְהַנְיָין, דְּנַפְקִין מֵהַהוּא כְּלָלָא.

ספרא דצניעותא פרקא קדמאה

ג. תָּאנָא. סִפְרָא דִּצְנִיעוּתָא, סִפְרָא, דְּשָׁקִיל בְּמַתְקְלָא. דְּעַד דְּלָא הֲוָה מַתְקְלָא, לָא הֲווּ מַשְׁגִּיחִין אַפִּין בְּאַפִּין, וּמַלְכִּין קַדְמָאִין מִיתוּ, וְזַיְינֵיהוֹן לָא אִשְׁתַּכְּחוּ, וְאַרְעָא אִתְבַּטְלַת.

ד. עַד דְּרֵישָׁא דִּכְסוּפָא דְּכָל כְּסוּפִין, לְבוּשֵׁי דִּיקָר אַתְקִין, וְאַחֲסִין.

ה. הַאי מַתְקְלָא תָּלֵי בַּאֲתַר דְּלָא הֲוָה, אִתְקָלוּ בֵּיהּ אִינּוּן דְּלָא אִשְׁתַּכְּחוּ. מַתְקְלָא קָאִים בְּגוּפֵיהּ. לָא אִתְאֲחִיד, וְלָא אִתְחֲזֵי. בֵּיהּ סְלִיקוּ, וּבֵיהּ סָלְקִין דְּלָא הֲווּ, וַהֲווּ, וְיַהֲוְיָין.

ו. סִתְרָא גוֹ סִתְרָא, אִתְתְּקַן וְאִזְדַּמַּן, בְּחַד גּוּלְגַּלְתָּא, מַלְיָיא טַלָּא דִּבְדוֹלְחָא. קְרוּמָא דַּאֲוִירָא אִזְדַּכַּךְ וְסָתִים, אִינּוּן עֲמַר נְקִי תַּלְיָין בְּשִׁקּוּלָא. רַעֲוָא דְּרַעֲוִין אִתְגַּלְיָא בִּצְלוֹתָא

דְּתַתָּאֵי. אַשְׁגָּוָוא פְּקִיוָוא דְּלָא נָאִים, וְנָטִיר תְּדִירָא. אַשְׁגָּווּתָא דְּתַתָּא בְּאַשְׁגָּווּתָא דִּנְהִירוּ דְּעִלָּאָה. תְּרֵין נוּקְבִין דְּפַרְדַּשְׁקָא, דְּאִתְּעַר רוּחָא לְכֹלָּא.

ז. בְּרֵאשִׁית בָּרָא אֱלֹהִים אֵת הַשָּׁמַיִם וְאֵת הָאָרֶץ, שִׁיתָא בְּרֵאשִׁית עֲלַיְיהוּ, כּוּלְּהוּ לְתַתָּא, וְתַלְיָין מִשִּׁבְעָה דְּגוּלְגַּלְתָּא עַד יְקִירוּ דִּיַקִּירוּתָא, וְהָאָרֶץ תִּנְיָינָא לָאו בְּחוּשְׁבָּן וְהָא אִתְּמַר. וּמֵהַהִיא דְּאִתְלַטְיָיא נָפְקָא, דִּכְתִיב מִן הָאֲדָמָה אֲשֶׁר אֵרְרָה יְיָ. הָיְתָה תֹהוּ וָבֹהוּ וְחֹשֶׁךְ עַל פְּנֵי תְהוֹם וְרוּחַ אֱלֹהִים מְרַחֶפֶת עַל פְּנֵי הַמָּיִם. תְּלֵיסַר, תַּלְיָין בִּתְלֵיסָר יְקִירוּ דִּיַקִּירוּתָא.

ח. שִׁיתָא אַלְפֵי שְׁנִין, תַּלְיָין בְּשִׁיתָא קַדְמָאֵי, שְׁבִיעָאָה עֲלַיְיהוּ, דְּאִתְתָּקַף בִּלְחוֹדוֹי. וְאִתְחָרִיב כֹּלָּא בִּתְרֵיסַר שַׁעְתֵּי, דִּכְתִיב הָיְתָה תֹהוּ וָבֹהוּ וְגוֹ'. תְּלֵיסַר יְקִים לוֹן בְּרַחֲמֵי, וּמִתְחַדְּשָׁן בְּקַדְמֵיתָא, וְקָמוּ כָּל אִינּוּן שִׁיתָא. בְּגִין דִּכְתִיב בָּרָא, וּלְבָתַר כְּתִיב הָיְתָה, דְּהָא הֲוַת וַדַּאי, וּלְבַסּוֹף תֹהוּ וָבֹהוּ וְחֹשֶׁךְ, וְנִשְׂגַּב יְיָ לְבַדּוֹ בַּיּוֹם הַהוּא.

ט. גְּלוּפֵי דִּגְלִיפִין כְּחֵיזוּ דְּחִוְיָא אָרִיךְ, וּמִתְפַּשַּׁט לְכָאן וּלְכָאן, זַנְבָא בְּרֵישָׁא. רֵישָׁא אָחִיד אַכַּתְפִּין, אַעְבַּר וְזָעִים, נָטַר וְגָנִיז. חַד לְאֶלֶף יוֹמִין זְעִירִין אִתְגַּלְיָיא, קוּלְטְרָא בְּקַטְרוֹי, סְנַפִּירָא בְּעַדְבוֹי, אִתְבַּר רֵישֵׁיהּ בְּמַיִין דְּיַמָּא רַבָּא, דִּכְתִיב שִׁבַּרְתָּ רָאשֵׁי תַנִּינִים עַל הַמָּיִם. תְּרֵין הֲווֹ, חַד אִתְהֲדַר, תַּנִּינִם כְּתִיב חָסֵר. רָאשֵׁי, כד"א וּדְמוּת עַל רָאשֵׁי הַחַיָּה רָקִיעַ.

י. וַיֹּאמֶר אֱלֹהִים יְהִי אוֹר וַיְהִי אוֹר, הַיְינוּ דִּכְתִיב כִּי הוּא אָמַר וַיֶּהִי, הוּא בִּלְחוֹדוֹי. לְבָתַר אִתְהַדְּרוּ חַד יְהוָ"ו יה"ו וי' בַּתְרָאָה שְׁכִינְתָּא לְתַתָּא. כְּמָה דְּה' שְׁכִינְתָּא אִשְׁתְּכַח וּבְחַד מִתְקְלָא אִתְקְלוּ.

יא. וְהַחַיּוֹת רָצוֹא וָשׁוֹב, דִּכְתִיב וַיַּרְא אֱלֹהִים אֶת הָאוֹר כִּי טוֹב. אִמְרוּ צַדִּיק כִּי טוֹב. הַאי, בְּמַתְקְלֵיהּ סַלְקָא. קַדְמָאָה בִּלְחוֹדוֹי. וְכֹלָּא לְחַד אִתְהֲדָר. אֲחָתָא וּמוֹדַעְתָּא כְּלִילָן דָּא בְּדָא בְּיוּ"ד הֵ"א, כִּתְרֵין רְחִימִין דְּמִתְחַבְּקָן.

יב. שִׁיתָא נָפְקִין מֵעַנְפָּא דְּשָׁרְשָׁא דְּגוּפָא, לִישָּׁן מְמַלֵּל רַבְרְבָן. לִישָּׁן דָּא, סָתִים בֵּין יוּ"ד וְהֵ"א, דִּכְתִיב זֶה יֹאמַר לַה' אָנִי וְזֶה יִקְרָא בְשֵׁם יַעֲקֹב וְזֶה יִכְתּוֹב יָדוֹ לַיְיָ וּבְשֵׁם יִשְׂרָאֵל יְכַנֶּה מַמָּשׁ. זֶה יֹאמַר לַה' אָנִי: אֲחָתָא. וְכֹלָּא אִתְּמַר בְּיה"ו. כֹּלָּא כְּלִילָן בְּלִישָּׁן סָתִים לְאִימָא. דְּהָא אִתְפַּתְּחוּת לֵיהּ דְּנָפִיק מִינָהּ. אַבָּא יָתִיב בְּרֵישָׁא, אִימָא בְּאֶמְצָעִיתָא וּמִתְכַּסְיָיא מִכָּאן וּמִכָּאן וַוי לְמַאן דְּגַלֵּי עֲרַיְיתְהוֹן.

יג. וַיֹּאמֶר אֱלֹהִים יְהִי מְאֹרֹת בִּרְקִיעַ הַשָּׁמַיִם, שַׁלִּיט דְּכַר בְּנוּקְבָא. דִּכְתִיב וְצַדִּיק יְסוֹד עוֹלָם, נָהִיר יוּ"ד בִּתְרֵין, וְנָהִיר וּמְעַבַּר לְנוּקְבָא. אִתְיְיחַד יוּ"ד בִּלְחוֹדוֹי, סָלִיק בְּדַרְגּוֹי לְעֵילָּא לְעֵילָּא. אִתְחַשְׁכָא נוּקְבָא, וְאִתְנְהִירַת אִימָּא וּמִתְפַּתְחָא בְּתַרְעוֹי. אָתָא מַפְתְּחָא דְּכָלִיל בְּשִׁית, וּמְכַסְיָא פִּתְחָהָא, וְאָחִיד לְתַתָּא לְהַאי וּלְהַאי, וַוי לְמַאן דְּגַלֵּי פִּתְחָהָא.

יד. פִּרְקָא תִּנְיָינָא. דִּיקְנָא מְהֵימְנוּתָא. דִּיקְנָא לָא אַדְכַּר בְּגִין דְּהִיא יַקִּירוּתָא דְּכֹלָּא מֵאֻדְנִין נָפְקַת, בְּסוּחֲרָנְהָא דְּבוּסִיטָא, סָלִיק וְנָחִית חִוּטָא וְחִוּרָא. בִּתְלֵיסָר מִתְפָּרַשׁ.

טו. בְּיַקִּירָא דְּבִיַקִּירוּתָא הַהִיא, כְּתִיב לֹא עָבַר בָּהּ אִישׁ וְלֹא יָשַׁב אָדָם שָׁם. אָדָם לְבַר הוּא. אָדָם לָא כָּלִיל הָכָא. כ"ש אִישׁ. בִּתְלֵיסָר נְבִיעִין מַבּוּעִין מִתְפָּרְשָׁן, אַרְבַּע בִּלְחוֹדוֹי אִסְתָּמְרוּ. תִּשְׁעָה אַשְׁקְיוּן לְגוּפָא.

טז. מִקַּמֵּי פִּתְחָא דְּאֻדְנִין, שָׁארֵי יַקִּירוּ לְאִתְתַּקְנָא, נָחִית בְּשַׁפִּירֵי בְּרֵישָׁא דְּשִׁפְוָון.

מהאי רישא להאי רישא קאים. ארחא דנפיק תחות תרין נוקבין דפרדשקא, לאעברא חובה, דכתיב ותפארתו עבור על פשע. תחות שפוון אסחר שערא לרישא אחרא. ארחא אחרא נפיק תחותוי. וחפי תקרובתא דבוסמא, לרישא דלעילא. תרין תפוחין אתחזן לאנהרא בוצינין. מזלא דכלא, תלייא עד לבא, ביה תליין עלאין ותתאין.

יז. אינון דתליין לא נפקין דא מן דא. וחפיין זעירין על גרונא דיקירו. רברבין, מתשערין בשיעורא שלים. שפוון אתפנון מכל סטרין, זכאה למאן דנשיק מאינון נשיקין. בההיא מזלא דכלא נגדין תליסר משיחין דאפרסמונא דכיא. כלא בהאי מזלא שכיח, וסתים.

יח. בזמנא דמטא תשרי, ירחא שביעאה, משתכחי אלין תליסר בעלמא עלאה ומתפתחי תליסר תרעי דרחמי, בההוא זמנא דרשו יי' בהמצאו כתיב.

יט. ויאמר אלהים תדשא הארץ דשא עשב מזריע זרע עץ פרי וגו', היינו דכתיב ועניתם את נפשותיכם בתשעה לחדש בערב. אדני ידו"ד אתה החלות להראות את עבדך את גדלך. יהו"ה שלים בסטרוי. והכא ברחישותא דא דארעא, לא שלים.

כ. יה"י לא כתיב, קרינן יו"ד עלאה יו"ד תתאה, וייצר י' עלאה י' תתאה, יהי י' עלאה, י' תתאה. ה' בגווייהו. כללא דשלימו. שלים, ולא לכל סטר. אתעקר מהאי אתר שמא דא, ואשתיל באחרא, כתיב ויטע יי' אלהים.

כא. ה' בין יו"ד ליו"ד דיה"י, נשבא דפרדשקא דעתיקא, לזעירא דאנפין בלא רוחא לא אתקיים. בה"א, אשתכלל ה"א עלאה ה"א תתאה, דכתיב אהה אדני אלהים.

כב. בקיטפוי דקטפין, ברוחא דמתקלין, יה"ו. י' עלאה דאתעטר בקטרא דעתיקא, הוא קרומא עלאה דאזדכך וסתים. ה"א עלאה, דאתעטר ברוחא דנוקבין דפרדשקא, דנפיק לאחייא. ו' עלאה, בוצינא דקרדינותא דאתעטר בסטרוי, מתפשטן אתוון לבתר, ואתכללו בזעירא דאפין. כמה דשריא בגולגלתא, אשתכחו מתפשטן בכל גופא, לשכללא כלא. בעמר נקא. כד תלי תליין אלין אתוון. כד אתגלי לזעירא מתיישבן ביה אלין אתוון, ואתקרי בהון.

כג. יו"ד דעתיקא סתים בעטרוי, בגין שמאלא אשתכח ה"ה אתפתח באחרא ואינקיב בתרין נוקבין, ואשתכח בתקונין. ו"ו אתפתח באחרא, דכתיב הולך לדודי למישרים. בבוצינא דקרדינותא למכסיא פתחא.

כד. ו' לעילא ו' לתתא, ה' לעילא ה' לתתא. י' לעילא ובה לא אשתתף אחרא, ולא סליק בהדה, בר רמיזא דרמיז כד אתגליין תרין ומתחברן בחד דרגא, חד רגשא בגין לאתפרשא, ו"ד כליל ביו"ד ווי כד אסתלק האי, ואתגליין.

כה. אינון בוסמין דטיפסא שריקין, דעברי לא מתעכבא בדוכתא, והחיות רצוא ושוב. ברח לך אל מקומך. אם תגביה כנשר ואם בין כוכבים שים קנך משם אורידך.

כו. ותוצא הארץ דשא. אימתי, כד שמא אתנטע. וכדין אוירא נפיק, ונצוצא אודמן. חד גולגלתא אתפשט בסטרוי, טלא מלי עלה, דתרי גווני.

כז. תלת חללין דאתוון רשימין, אתגליין ביה. אוכמין כעורבא תליין על נוקבין עמיקין, דלא יכיל למשמע ימינא ושמאלא. הכא חד ארחא לעילא דקיק.

כח. מצחא דלא נהיר, קטטותא דעלמא. בר כד רעוא אשגח ביה. עיינין דתלת

גְּוָונֵי, לְמִרְתַּת קָמַיְיהוּ אִתְסְוָון בְּחֲלָבָא דְּנָהִיר. כְּתִיב עֵינֶיךָ תִרְאֶינָה יְרוּשָׁלַיִם נָוֶה שַׁאֲנָן, וּכְתִיב צֶדֶק יָלִין בָּהּ. נָוֶה שַׁאֲנָן, עַתִּיקָא דְּסָתִים, עֵינֶךָ כְּתִיב.

כט. וְחוּטְמָא פַּרְצוּפָא דִּזְעֵירָא, לְאִשְׁתְּמוֹדְעָא. תְּלַת שַׁלְהוֹבִין מִתּוֹקְדִין בְּנוּקְבוֹי. דַּרְגָּא עֲקִימָא, לְמִשְׁמַע טָב וּבִישׁ.

ל. כְּתִיב אֲנִי יְיָ' הוּא שְׁמִי. וּכְתִיב אֲנִי אָמִית וַאֲחַיֶּה. וּכְתִיב וַאֲנִי אֶשָּׂא וַאֲנִי אֶסְבּוֹל. הוּא עָשָׂנוּ וְלוֹ אֲנַחְנוּ. וְהוּא בְּאֶחָד וּמִי יְשִׁיבֶנּוּ. הוּא אִקְרֵי מַאן דְּסָתִים וְלָא שְׁכִיחַ, הוּא מַאן דְּלָא אִזְדְּמַן לְעֵינָא. הוּא מַאן דְּלָא אִקְרֵי בִּשְׁמָא.

לא. הוּא, ה' כָּלִיל ו'. ו' כָּלִיל א' וְלָא כָּלִיל ה'. אָלֶף אָזִיל לי', י' אָזִיל לי', דְּסָתִים מִכָּל סְתִימִין, דְּלָא מִתְחַבְּרָן בֵּיהּ ו"ד. וַוי כַּד לָא נָהִיר י' בו"ד.

לב. כַּד אִסְתַּלָּק י' מִן ו"ד בְּחוֹבֵי עָלְמָא, עֶרְיְיתָא דְּכֹלָּא אִשְׁתְּכַח, ע"ד כְּתִיב עֶרְוַת אָבִיךָ לֹא תְגַלֵּה. וְכַד אִסְתָּלִיק יו"ד מִן הֵ"א, ע"ד כְּתִיב וְעֶרְוַת אִמְּךָ לֹא תְגַלֵּה אִמְּךָ הִיא לֹא תְגַלֶּה עֶרְוָתָהּ. אִמְּךָ הִיא וַדַּאי, כִּי אִם לַבִּינָה תִקְרָא וְגוֹ'.

לג. פִּרְקָא תְּלִיתָאָה תִּשְׁעָה תִּקּוּנִין יַקִּירִין אִתְמְסָרוּ לְדִיקְנָא כָּל מַה דְּאִתְטְמַר וְלָא אִתְגַּלְיָיא עִלָּאָה וְיַקִּירָא אִשְׁתְּכַח. וְהָא גְּנִיזָה קְרָא.

לד. תִּיקּוּנָא קַדְמָאָה דְּדִיקְנָא, נִימִין עַל נִימִין מִקַּמֵּי פִּתְחָא דְּאֻדְנִין עַד רֵישָׁא דְּפוּמָא. מֵרֵישָׁא הַאי, עַד רֵישָׁא אַחֲרָא אִשְׁתְּכַח. מִתְּחוֹת תְּרֵין נוּקְבִין אָרְחָא מַלְיָיא דְּלָא אִתְחַזְיָיא. עַלְעִין אִתְחַפְיָין מֵהַאי גִּיסָא וּמֵהַאי גִּיסָא. בְּהוּ אִתְחַזְיָין תַּפּוּחִין סוּמָקִין כְּוַורְדָא. בְּחַד חוּטָא תַּלְיָין אוּכָמִין תַּקִּיפִין עַד חַדוֹי. שִׂפְוָון סוּמָקִין כְּוַורְדָא אִתְפְּנוּן.

לה. זְעִירִין נַחְתִּין בְּגַרְוְנָא, וּמְחַפְיָין קְדָלָא. רַבְרְבִין וּזְעִירִין כְּגִידִין נַחְתִּין בְּשִׁקּוּלָא. בְּאִלֵּין אִשְׁתְּכַח גִּבָּר וְתַקִּיף מַאן דְּאִשְׁתְּכַח.

לו. כְּתִיב מִן הַמֵּצַר קָרָאתִי יָּהּ. תִּשְׁעָה אָמַר דָּוִד עַד כָּל גּוֹיִם סְבָבוּנִי, לְאַסְחֲרָא וּלְאַגָּנָא עֲלוֹי. וַתּוֹצֵא הָאָרֶץ דֶּשֶׁא עֵשֶׂב מַזְרִיעַ זֶרַע לְמִינֵהוּ וְעֵץ עוֹשֶׂה פְּרִי אֲשֶׁר זַרְעוֹ בוֹ לְמִינֵהוּ. תִּשְׁעָה אִלֵּין אִתְעֲקָרוּ מִשְּׁמָא שְׁלִים, וְאַשְׁתִּילוּ לְבָתַר בִּשְׁמָא שְׁלִים, דִּכְתִיב וַיִּטַּע יְיָ' אֱלֹהִים. תִּקּוּנִין דְּדִיקְנָא בִּתְלֵיסַר אִשְׁתַּכְחָן אִיהִי, דְּהִיא עִלָּאָה. תַּתָּאָה, בְּתִשְׁעָה אִתְחֲזוּן. כ"ב אַתְוָון אִתְגְּלִיפוּ בְּגִינֵיהוֹן.

לז. עַל הַאי, חֶלְמָא דְּאָחִיד דִּיקְנָא דְּב"נ עִלָּאָה בִּידֵיהּ, שְׁלִים בְּמָארֵיהּ. שַׂנְאִין תְּחוֹתוֹי יִכְנְעוּן. כ"ש דִּיקְנָא עִלָּאָה דְּנְהִירָא בְּתַתָּאָה, דְּעִלָּאָה רַב חֶסֶד אִקְרֵיהּ, בִּזְעֵירָא וְחֶסֶ"ד סְתָם, כַּד אִצְטְרִיךְ נְהִירוּ אַנְהַר וְאִקְרֵי רַב וְחֶסֶד.

לח. וַיֹּאמֶר אֱלֹהִים יִשְׁרְצוּ הַמַּיִם שֶׁרֶץ נֶפֶשׁ חַיָּה, כְּלוֹמַר, וַוי יָ"ה אִתְפָּשַׁט נְהִירוּ דְּדָא בְּדָא, כֹּלָּא אִתְרַחֲשׁוּן בְּזִמְנָא חֲדָא, מַיִם טָבָאן מַיִם בִּישָׁן. בְּגִין דְּאָמַר יִשְׁרְצוּ, אִתְכְּלִלוּ דָּא בְּדָא. חַיָּה עִלָּאָה, חַיָּה תַּתָּאָה. חַיָּה טָבָא. חַיָּה בִּישָׁא.

לט. ד"א יִשְׁרְצוּ הַמַּיִם, תַּרְגּוּם יְרַחֲשׁוּן. כְּלוֹמַר, כַּד מְרַחֲשִׁין בְּשִׂפְוָותֵיהּ פִּתְגָּמֵי צְלוֹתָא, בְּזָכוּתָא, וּבְנְקִיּוּת דַּעְתָּא, וּבְמַיָּא הֲוֵה רָחִישׁ נַפְשָׁא חַיְּתָא. וְכַד בָּעֵי בַּר נָשׁ לְסַדְּרָא צְלוֹתֵיהּ לְמָארֵיהּ, וְשִׂפְוָותֵיהּ מְרַחֲשָׁן בְּהַאי גַּוְונָא מִתַּתָּא לְעֵילָּא, לְסַלְּקָא יְקָרָא דְּמָארֵיהּ, לְאֲתַר דְּשַׁקְיוּ דְּעֲמִיקוּ דְּבֵירָא, נָגִיד וְנָפִיק. לְבָתַר יְנַגִּיד לְאַמְשָׁכָא מִלְּעֵילָּא לְתַתָּא, מֵהַהוּא שַׁקְיָא דְּנַחֲלָא, לְכָל דַּרְגָּא וְדַרְגָּא, עַד דַּרְגָּא בַּתְרָאָה לְאַמְשָׁכָא נְדָבָה לְכֹלָּא מֵעֵילָּא לְתַתָּא. לְבָתַר בָּעֵי לְקַשְּׁרָא קִשְׁרָא בְּכֹלָּא, קִשְׁרָא דְּכַוָּונָה דִּמְהֵימְנוּתָא וְיַעַבְדוּן כָּל מִשְׁאֲלוֹהִי, בֵּין שְׁאֶלְתָּא דְּצִבּוּרָא, בֵּין שְׁאֶלְתָּא דְּיָחִידָא.

מ. ושאלתא דאית לבר נש לשאלא ממאריה, הן מסודרות בט' גווני, אית באלפא ביתא, ואית באדכר מכילוהי דקב"ה, רחום וחנון וגו'. אית בשמהן יקירן דקב"ה, כגון אהיה יה יהו אל אלהים יי' צבאות שדי אדני. אית בע"ס, כגון: מ' י' ה' נ' ת' ג' וה' ב' וה' כ'. אית באדכר צדיקייא, כגון האבות והנביאים והמלכים. אית בשירי ובתושבחתי, דאית בהון קבלה אמיתית. ועילא מנהון מאן דידע לתקן תקונין למאריה, כדקא יאות. ואית בידיעה סלקא מתתא לעילא, ואית מאן דידע להמשיך שפעא מעילא לתתא.

מא. ובכל ט' גווני אלין, צריכא כונה גדולה, ואי לא עליה קרא דכתיב ובוזי יקלו. ובכונת אמן, דהוא כליל תרין שמהן יהו"ה אדנ"י. והאוחד גניז טוביה וברכוהי, באוצר הנקרא היכל, והוא רמוז בפסוק וה' בהיכל קדשו הס מפניו ולדא רמזו רז"ל, כל טוב האדם בביתו, שנאמר בכל ביתי נאמן הוא, ומתרגמינן בכל דעמי.

מב. ואי מכוון בכל חד וחד מט' גווני כדקא יאות, דא הוא בר נש דאוקיר לשמא דמאריה לשמא קדישא, ועל דא כתיב כי מכבדי אכבד ובוזי יקלו, אכבד בעלמא דין, לקיים ולמעבד כל צרכוי. ויחזון כל עממי ארעא, ארי שמא דה' אתקרי עליה, וידחלון מניה. ובעלמא דאתי, יזכי למיקם במחיצת חסידים, אף על פי דלא קרי כל צורכיה, כיון דזכה לאשגחא ידיעת מאריה, ואיכוון ביה כדקא יאות.

מג. מאי ובוזי יקלו. דא הוא מאן דלא ידע לאחדא שמא קדישא, ולקשרא קשרא דמהימנותא, ולאמשכא לאתר דאצטריך, ולאוקיר שמא דמאריה טב ליה דלא אתברי. וכ"ש מאן דלא אתכוון באמן. ועל דא, כל מאן דמרחיש בשפוותיה בנקיותא דלבא, במיא דמנקי, מאי כתיב בהדיה, ויאמר אלהים נעשה אדם, כלומר, בשביל אדם דידע לאחדא צלם ודמות כדקא יאות, וירדו בדגת הים. (עד כאן ד"א.

מד. ויאמר אלהים נעשה אדם. האדם לא כתיב, אלא אדם סתם, לאפקא אדם דלעילא. דאתעביד בשמא שלים. כד אשתלים דא, אשתלים דא. אשתלים דכר ונוקבא לאשלמא כלא. ידו"ד סטרא דדכר. אלהים סטרא דנוקבא. אתפשט דכורא, ואתתקן בתקונוי כאמא, בפומיה דאמה. מלכין דאתבטלו, הכא אתקיימו.

מה. דינין דדכורא תקיפין ברישא, בסופא נייחין. דנוקבא באיפכא. וי"ה קונטירין דקיטורא בעטפוי שקיעין. י' זעירא בגווהא אשתכח.

מו. אי אתבסמו דינין, בעא עתיקא. אתא חויא על נוקבא, וקינא דזוהמא אתתקן בגווה, למעבד מדורא בישא. דכתיב ותהר ותלד את קין. קינא דמדורא דרוחין בישין ועלעולין וקטפורין.

מז. אתקין ביה בהאי אדם, כתרים, בכלל ופרט, אתכללו בפרט וכלל, שוקין ודרועין, ימינא ושמאלא.

מח. דא אתפלג בסטרוי אתתקן דכר ונוקבא יה"ו. י' דכר. ה' נוקבא. ו' כתיב זכר ונקבה בראם ויברך אותם ויקרא שמם אדם. דיוקנא ופרצופא דאדם יתיב על כרסיא, וכתיב ועל דמות הכסא דמות כמראה אדם עליו מלמעלה.

מט. פרקא רביעאה. עתיקא, טמיר וסתים. זעירא דאנפין, אתגלייא ולא אתגלייא. דאתגלייא, באתוון כתיב. דאתכסייא, סתים באתוון, דלא מתיישבן באתרוי, בגין דאיהו לא אתיישבו ביה עלאין ותתאין.

נ. וַיֹּאמֶר אֱלֹהִים תּוֹצֵא הָאָרֶץ נֶפֶשׁ חַיָּה לְמִינָהּ בְּהֵמָה וָרֶמֶשׂ וְגוֹ׳, הַיְינוּ דִּכְתִּיב אָדָם וּבְהֵמָה תוֹשִׁיעַ יְיָ׳. וְחַד בִּכְלָלָא דְּאַחֲרָא מִשְׁתַּכְּחָא. בְּהֵמָה בִּכְלָלָא דְּאָדָם. אָדָם כִּי יַקְרִיב מִכֶּם קָרְבָּן לַיְיָ׳ מִן הַבְּהֵמָה, מִשּׁוּם דְּאִתְכְּלַל בִּכְלָלָא דְּאָדָם

נא. כַּד נָחַת אָדָם דִּלְתַתָּא בִּדְיוֹקְנָא עִלָּאָה, אִשְׁתַּכָּחוּ תְּרֵין רוּחִין מִתְּרֵין סִטְרִין, דִּימִינָא וּשְׂמָאלָא כָּלִיל אָדָם. דִּימִינָא, נִשְׁמְתָא קַדִּישָׁא. דִּשְׂמָאלָא נֶפֶשׁ חַיָּה. וְחָב אָדָם אִתְפָּשַׁט שְׂמָאלָא, וְאִתְפָּשְׁטוּ אִינּוּן בְּלָא גּוּפָא.

נב. כַּד מִתְדַּבְּקִין דָּא בְּדָא, אִתְיַלְדָן כְּהַאי חַיָּה דְּאוֹלִידַת סַגִּיאִין בְּקִטְרָא וְחָדָא. כ״ב אַתְוָון סְתִימִין, כ״ב אַתְוָון אִתְגַּלְיָין, י׳ סָתִים, י׳ גַּלְיָיא. סָתִים וְגַלְיָיא, בְּמַתְקְלָא דְּטַפְסִין, אִתְקָלוּ.

נג. י׳ נָפְקִין מִנֵּיהּ דְּכַר וְנוּקְבָא ו״ד, בְּהַאי אֲתַר, ו׳ דְּכַר, ד׳ נוּקְבָא. בְּגִין דָּא, ד״ו תְּרֵין. ד״ו דְּכַר וְנוּקְבָא. ד״ו תְּרֵין קַפְלִין. י׳ בִּלְחוֹדוֹי דְּכַר. ה׳ נוּקְבָא. ה׳ ד׳ הֲוַת בְּקַדְמֵיתָא, וּמִדְּאִתְעַבְּרַת בּוֹ׳ בְּגַוָּהּ, אַפִּיקַת ו׳, אִתְחֲזֵי יו״ד בְּחֶזְוֵיהּ כְּלָלָא דיה״ו. מִדְּאַפִּיקַת יו״ד דְּהוּא דְּכַר וְנוּקְבָא, אִתְיַישְׁבַת לְבָתַר, וּמְכַסְּיָיא לְאִמָּא.

נד. וַיִּרְאוּ בְנֵי הָאֱלֹהִים אֶת בְּנוֹת הָאָדָם, הַיְינוּ דִּכְתִּיב שְׁנַיִם אֲנָשִׁים מְרַגְּלִים חֶרֶשׁ לֵאמוֹר, מַאי בְּנוֹת הָאָדָם. דִּכְתִּיב אָז תָּבֹאנָה שְׁתַּיִם נָשִׁים זוֹנוֹת אֶל הַמֶּלֶךְ. בְּגִינֵיהוֹן כְּתִיב, כִּי רָאוּ כִּי חָכְמַת אֱלֹהִים בְּקִרְבּוֹ וְגוֹ׳. אָז תָּבֹאנָה וְלָא בְּקַדְמֵיתָא. בְּקִיסְטְרָא דְּקִיטוּרֵי דְּפִיגָּאן, תְּרֵין מִתְחַבְּקָן הֲווֹ לְעֵילָּא, לְתַתָּא נָחֲתוּ יָרְתוּ עַפְרָא, אַבִּידוּ חוּלָקָא טָבָא דַּהֲוָה בְּהוּ. עֲטָרָא דְּחֶמְלָא, וְאִתְעַטָּר בְּקוּסְטָא דְּעִנְבָא.

נה. וַיֹּאמֶר יְיָ׳ אֶל מֹשֶׁה מַה תִּצְעַק אֵלָי. אֵלַי דַּיְיקָא. דַּבֵּר אֶל בְּנֵי יִשְׂרָאֵל וְיִסָּעוּ. וְיִסָּעוּ דַּיְיקָא.

נו. בְּמַזָּלָא הֲוָה תָּלֵי, דְּבָעָא לְאוֹקִיר דּוּקְנֵיהּ. וְהַיָּשָׁר בְּעֵינָיו תַּעֲשֶׂה וְהַאֲזַנְתָּ לְמִצְוֹתָיו וְשָׁמַרְתָּ כָּל חֻקָּיו עַד כָּאן. כִּי אֲנִי יְיָ׳ רֹפְאֶךָ, לְהַאי דַּיְקָא.

נז. פִּרְקָא וְחַמִּישָׁאָה הוֹי גּוֹי חוֹטֵא עַם כֶּבֶד עָוֹן זֶרַע מְרֵעִים בָּנִים וְגוֹ׳. שִׁבְעָה דַּרְגִּין יוד ה׳ ו׳ ה׳ ה׳ י׳ אַפִּיק ו׳ ד׳ ה׳ הוי, ה׳ אַפִּיק ו׳ ו׳ אַפִּיק ה׳ ו״ד לְבַר אַסְתִּיר אָדָם דְּכַר וְנוּקְבָא דְּאִינּוּן ד״ו דִּכְתִּיב בָּנִים מַשְׁחִיתִים.

נח. בְּרֵאשִׁית בָּרָא. בְּרֵאשִׁית מַאֲמָר. בָּרָא חֲצִי מַאֲמָר. אָב וּבֵן. סָתִים וְגַלְיָא. עֵדֶן עִלָּאָה דְּסָתִים וְגָנִיז. עֵדֶן תַּתָּאָה, נָפִיק לְמַטְלָנוֹי וְאִתְגַּלְיָא יְהֹוָה. יָהּ. אֱלֹהִים. אֵת. אֲדֹנָי אֶהְיֶה. יְמִינָא וּשְׂמָאלָא כַּחֲדָא אִשְׁתָּתְפוּ, הַשָּׁמַיִם. וְאֵת, דִּכְתִּיב וְהַתִּפְאֶרֶת וְהַנֵּצַח אִינּוּן כַּחֲדָא אִשְׁתָּתְפוּ. הָאָרֶץ, דִּכְתִּיב מָה אַדִּיר שִׁמְךָ בְּכָל הָאָרֶץ. מְלֹא כָל הָאָרֶץ כְּבוֹדוֹ.

נט. יְהִי רָקִיעַ בְּתוֹךְ הַמַּיִם לְהַבְדִּיל בֵּין הַקֹּדֶשׁ וּבֵין קֹדֶשׁ הַקֳּדָשִׁים, עַתִּיקָא לִזְעֵירָא, אִתְפְּרַשׁ, וְאִתְדְּבַק. לָא אִתְפְּרַשׁ מַמָּשׁ פּוּמָא מְמַלֵּל רַבְרְבָן.

ס. אַנְתִּיק וְאִתְעַטָּר בְּכִתְרִין זְעִירִין, בַּחֲמִשָּׁה זִינִין מַיִם, וּכְתִיב וְנָתַן עָלָיו מַיִם חַיִּים. הוּא אֱלֹהִים חַיִּים וּמֶלֶךְ עוֹלָם. אֶתְהַלֵּךְ לִפְנֵי יְיָ׳ בְּאַרְצוֹת הַחַיִּים. וְהָיְתָה נֶפֶשׁ אֲדֹנִי צְרוּרָה וְגוֹ׳. וְעֵץ הַחַיִּים בְּתוֹךְ הַגָּן. י״ה, יו״ד ה״א, אֶהְיֶה בֵּין מַיִם לָמָיִם. מַיִם שְׁלֵימִין, וּמַיִם דְּלָא שְׁלֵימִין. רַחֲמִין שְׁלֵימִין, רַחֲמִין דְּלָא שְׁלֵימִין.

סא. וַיֹּאמֶר יְיָ׳ לֹא יָדוֹן רוּחִי בָאָדָם לְעוֹלָם בְּשַׁגַּם הוּא בָשָׂר. וַיֹּאמֶר יְיָ׳, כַּד אִתְיַישְׁבָא בִּזְעֵירָא. מִכָּאן דָּבָר בְּשֵׁם אוֹמְרוֹ. דְּעַתִּיקָא סָתִים קָאָמַר לֹא יָדוֹן רוּחִי בָּאָדָם דִּלְעֵילָּא, מִשּׁוּם דִּבְהַהוּא רוּחָא דְּאִתְנַשְּׁבָא מִתְּרֵין נוּקְבִין דְּפַרְדַּשְׁקָא, מָשִׁיךְ לְתַתָּאֵי.

סב. ובג"כ כְּתִיב וְהָיוּ יָמָיו מֵאָה וְעֶשְׂרִים שָׁנָה. יו"ד שְׁלִים וְלָא שְׁלִים. י' בִּלְחוֹדוֹי מֵאָה. תְּרֵין אַתְוָון תְּרֵין זִמְנִין, מֵאָה וְעֶשְׂרִים שָׁנָה. י' בִּלְחוֹדוֹי כַּד אִתְגַּלְיָא בִּזְעֵירָא, אִתְמְשַׁךְ בְּעֶשֶׂר אַלְפִין שְׁנִין. מִכָּאן כְּתִיב, וַתָּשֶׁת עָלַי כַּפֶּכָה.

סג. הַנְּפִילִים הָיוּ בָאָרֶץ, הַיְינוּ דִּכְתִּיב וּמִשָּׁם יִפָּרֵד וְהָיָה לְאַרְבָּעָה רָאשִׁים. מֵאֲתָר דְּאִתְפְּרַשׁ גִּנְתָּא, אִקְרֵי הַנְּפִילִים, דִּכְתִּיב וּמִשָּׁם יִפָּרֵד. הָיוּ בָאָרֶץ בַּיָּמִים הָהֵם, וְלָא לְבָתַר זִמְנָא. עַד דְּאָתָא יְהוֹשֻׁעַ, וּבְנֵי הָאֱלֹהִים אִסְתָּמָרוּ.

סד. עַד דְּאָתָא שְׁלֹמֹה וּבְנוֹת הָאָדָם אִתְכְּלָלָא, הה"ד, וְתַעֲנוּגוֹת. תַּעֲנֻגַּת קָארֵי בְּנֵי הָאָדָם דְּאִתְרְמִיו מֵהַאי רוּחִין אַחֲרָנִין, דְּלָא אִתְכְּלָלוּ בְּחָכְמָה עִלָּאָה. דִּכְתִּיב וַיְיָ' נָתַן חָכְמָה לִשְׁלֹמֹה. וּכְתִיב וַיֶּחְכַּם מִכָּל הָאָדָם. מִשּׁוּם דְּהָנֵי לָא אִתְכְּלָלוּ בְּאָדָם.

סה. וַיְיָ' נָתַן חָכְמָה, ה' עִלָּאָה. וַיֶּחְכַּם, דְּמִינָהּ אִתְחַכַּם לְתַתָּא. הֵמָּה הַגִּבּוֹרִים אֲשֶׁר מֵעוֹלָם, עוֹלָם דִּלְעֵילָא. אַנְשֵׁי הַשֵּׁם, דְּאִתְנָהֲגָן בִּשְׁמָא. מַאי שְׁמָא. שְׁמָא קַדִּישָׁא, דְּאִתְנָהֲגָן בֵּיהּ דְּלָא קַדִּישִׁין לְתַתָּא, וְלָא אִתְנָהֲגָן אֶלָּא בִּשְׁמָא. אַנְשֵׁי הַשֵּׁם סְתָם, וְלָא אַנְשֵׁי הֲוָיָ"ה. לָאו מִסִּתְרֵי סְתִימָא, אֶלָּא גְּרִיעוּתָא, וְלָא גְּרִיעוּתָא אַנְשֵׁי הַשֵּׁם סְתָם, מִכְּלָלָא דְּאָדָם נָפְקוּ, כְּתִיב אָדָם בִּיקָר בַּל יָלִין, אָדָם בִּיקָר, בִּיקָרוּ דְּמַלְכָּא, בַּל יָלִין, בְּלָא רוּחָא.

סו. תְּלֵיסַר מַלְכֵי קְרָבָא, בְּשִׁבְעָה. שִׁבְעָה. מַלְכִּין בְּאַרְעָא, אִתְחֲזִיאוּ נִצּוֹחֵי קְרָבָא. תִּשְׁעָה דְּסָלְקִין בְּדַרְגִּין, דְּרַהֲטִין בִּרְעוּתְהוֹן, וְלֵית דְּיִמְחֵי בִּידֵיהוֹן. וַחֲמִשָּׁה מַלְכִּין קַיְימִין בִּבְהִילוּ, לְקַמֵּי אַרְבַּע לָא יַכְלִין לְמֵיקַם.

סז. אַרְבַּע מַלְכִּין נָפְקִין לְקַדְמוּת אַרְבַּע, בְּהוֹן תַּלְיָין כַּעֲנָבִין בְּאִתְכְּלָא צְרִירָן בְּהוּ שִׁבְעָה רְהִיטִין. סָהֲדִין סָהֲדוּתָא וְלָא קַיְימִין בְּדוּכְתַּיְיהוּ. אִילָנָא דִּמְבַסֵּם יָתִיב בְּגוֹ. בְּעַנְפּוֹי אָוִידָן וּמְקַנְּנָן צִפֳּרִין. תְּחוֹתוֹי תַּטְלֵל חֵיוָתָא דִּשְׁלִיטָא בְּהַהוּא אִילָנָא בִּתְרֵי כְּבִישִׁין, לְמֵהַךְ בְּשִׁבְעָה סַמְכִין סְחֲרָנֵיהּ, בְּאַרְבַּע וְזִיוָון, מִתְגַּלְגְּלִין בְּאַרְבַּע סִטְרִין.

סח. חִוְיָא דְּרָהִיט בש"ע דִּלוּגִין, דָּלִיג עַל טוּרִין, מְקַפֵּץ עַל גִּבְעָתָא, דִּכְתִּיב מְדַלֵּג עַל הֶהָרִים מְקַפֵּץ עַל הַגְּבָעוֹת. זְנָבֵיהּ בְּפוּמֵיהּ, בְּשִׁנּוֹי, נָקִיב בִּתְרֵין גִּיסִין. כַּד נָטִיל גִּיסְטְרָא אִתְעֲבֵיד לִתְלַת רוּחִין.

סט. כְּתִיב וַיִּתְהַלֵּךְ חֲנוֹךְ אֶת הָאֱלֹהִים. וּכְתִיב חֲנוֹךְ לַנַּעַר עַל פִּי דַרְכּוֹ. לַנַּעַר הַיָּדוּעַ. אֶת הָאֱלֹהִים, וְלָא אֶת יְיָ'. וְאֵינֶנּוּ, בְּשֵׁם זֶה, כִּי לָקַח אוֹתוֹ אֱלֹהִים לְהִקָּרֵא בִּשְׁמוֹ.

ע. תְּלַת בָּתֵּי דִּינִין, אַרְבַּע אִינּוּן. אַרְבַּע בָּתֵּי דִּינִין דִּלְעֵילָּא. אַרְבַּע לְתַתָּא. דִּכְתִּיב לֹא תַעֲשׂוּ עָוֶל בַּמִּשְׁפָּט בַּמִּדָּה בַּמִּשְׁקָל וּבַמְּשׂוּרָה. דִּינָא קַשְׁיָא. דִּינָא דְּלָא קַשְׁיָא, דִּינָא בְּשִׁקּוּלָא, דִּינָא דְּלָא בְּשִׁקּוּלָא. דִּינָא רַפְיָא. דַּאֲפִילוּ לָא הַאי וְלָא הַאי.

עא. וַיְהִי כִּי הֵחֵל הָאָדָם לָרֹב עַל פְּנֵי הָאֲדָמָה. הֵחֵל הָאָדָם לָרֹב. הַיְינוּ דִּכְתִּיב בְּשַׁגַּם וְגוֹ', הָאָדָם דִּלְעֵילָּא. וּכְתִיב עַל פְּנֵי הָאֲדָמָה. וּמֹשֶׁה לֹא יָדַע כִּי קָרַן עוֹר פָּנָיו, הַיְינוּ דִּכְתִּיב כָּתְנוֹת עוֹר.

עב. קָרַן, דִּכְתִּיב וַיִּקַּח שְׁמוּאֵל אֶת קֶרֶן הַשֶּׁמֶן. לֵית מְשִׁיחָא אֶלָּא בְּקֶרֶן, וּבְשִׁמְךָ תָּרוּם קַרְנֵנוּ. שָׁם אַצְמִיחַ קֶרֶן לְדָוִד. הַיְינוּ עֲשִׂירָאָה דְּמַלְכָּא. וְאַתְיָא מִן יוֹבְלָא דְּהִיא אִימָא, דִּכְתִּיב וְהָיָה בִּמְשׁוֹךְ בְּקֶרֶן הַיּוֹבֵל. קֶרֶן בְּיוֹבְלָא אִתְעַטָּר עֲשִׂירָאָה בְּאִימָא. קֶרֶן, דְּנָטִיל קֶרֶן וְרֵוַח לְאָתְבָא רוּחֵיהּ לֵיהּ.

עג. וְהַאי קֶרֶן דְּיוֹבְלָא הוּא. וְיוֹבֵל ה'. וה' נְשִׁיבָא דְּרוּחָא לְכֹלָּא. וְכֹלָּא תַּיְיבִין

לְאַתְרַיְיהוּ, דִּכְתִּיב אֶהֱהֶ יְיָ' אֱלֹהִים, כַּד אִתְוָזֵי ה' לה' יְיָ' אֱלֹהִים אִתְקְרֵי שֵׁם מָלֵא וּכְתִיב וְנִשְׂגַּב יְיָ' לְבַדּוֹ בַּיּוֹם הַהוּא. ע"כ סָתִים וְאִתְעַטַּר צְנִיעוּתָא דְּמַלְכָּא, דְּהַיְינוּ סִפְרָא דִּצְנִיעוּתָא. זַכָּאָה מַאן דְּעָאל וְנָפַק וְיָדַע שְׁבִילוֹי וְאָרְחוֹי.

(סליק פרשת תרומה)

TETZAVE

תצוה

א. וְאַתָּה תְּצַוֶּה אֶת בְּנֵי יִשְׂרָאֵל וגו'. וְאַתָּה הַקְרֵב אֵלֶיךָ אֶת אַהֲרֹן אָחִיךָ וגו'. אָמַר רִבִּי חִיָּיא, מַאי שְׁנָא הָכָא מִבְּכָל אֲתָר, דִּכְתִיב וְאַתָּה הַקְרֵב אֵלֶיךָ וְאַתָּה תְּדַבֵּר אֶל כָּל חַכְמֵי לֵב. וְאַתָּה תְּצַוֶּה אֶת בְּנֵי יִשְׂרָאֵל. וְאַתָּה קַח לְךָ בְּשָׂמִים רֹאשׁ מָר דְּרוֹר. אֶלָּא כֹּלָּא בְּרָזָא עִלָּאָה אִיהוּ, לְאַכְלְלָא שְׁכִינְתָּא בַּהֲדֵיהּ.

ב. אָמַר רִבִּי יִצְחָק, נְהוֹרָא עִלָּאָה, וּנְהוֹרָא תַּתָּאָה כְּלִיל כַּחֲדָא, אִקְרֵי וְאַתָּה. כְּמָה דְּאַתְּ אָמַר וְאַתָּה מְחַיֶּה אֶת כֻּלָּם. וְעַל דָּא לָא כְתִיב, וְהִקְרַבְתָּ אֶת אַהֲרֹן אָחִיךָ. וְצִוִּיתָ אֶת בְּנֵי יִשְׂרָאֵל. וְדִבַּרְתָּ אֶל כָּל חַכְמֵי לֵב. בְּגִין דְּהַהוּא זִמְנָא שַׁרְיָא שִׁמְשָׁא בְּסִיהֲרָא, וְאִשְׁתְּתַּף כֹּלָּא כַּחֲדָא, לְשַׁרְיָא עַל אוּמָנוּתָא דְעוֹבָדָא. אָמַר רִבִּי אֶלְעָזָר, מֵהָכָא, אֲשֶׁר נָתַן יְיָ' חָכְמָה וּתְבוּנָה בָּהֵמָּה.

ג. רִבִּי שִׁמְעוֹן אָמַר מֵהָכָא, וְאַתָּה תְּדַבֵּר אֶל כָּל חַכְמֵי לֵב אֲשֶׁר מִלֵּאתִיו רוּחַ חָכְמָה. אֲשֶׁר מִלֵּאתִים מִבָּעֵי לֵיהּ. אֶלָּא אֲשֶׁר מִלֵּאתִיו, לְהַהוּא לִבָּא, מִלֵּאתִיו רוּחַ חָכְמָה. כד"א וְנָחָה עָלָיו רוּחַ יְיָ' רוּחַ חָכְמָה וגו' וְעַל דָּא אִצְטְרִיךְ אֲשֶׁר מִלֵּאתִיו רוּחַ חָכְמָה, דְּשַׁרְיָא שִׁמְשָׁא בְּסִיהֲרָא בְּאַשְׁלְמוּתָא דְּכֹלָּא, וְעַל דָּא אִתְרְשִׁים כֹּלָּא בְּכָל אֲתָר. אָמַר רִבִּי אֶלְעָזָר, אִי הָכִי הָנֵי וְאַתָּה וְאַתָּה, הֵיאַךְ מִתְיַישְּׁבָן בִּקְרָאֵי.

ד. אָמַר לֵיהּ, כֻּלְּהוּ מִתְיַישְּׁבָן נִינְהוּ. וְאַתָּה הַקְרֵב אֵלֶיךָ: לְיַחֲדָא בַּהֲדֵיהּ, וּלְקָרְבָא בַּהֲדֵיהּ, רָזָא דִּשְׁמָא קַדִּישָׁא כִּדְקָא יָאוּת. וְאַתָּה תְּדַבֵּר אֶל כָּל חַכְמֵי לֵב: בְּגִין דְּכֻלְּהוּ לָא אַתְיָין לְמֶעְבַּד עֲבִידְתָּא, עַד דְּרוּחַ קַדִּישָׁא מְמַלְּלָא בְּגַוַויְיהוּ, וְלָחִישׁ לוֹן בִּלְחִישׁוּ, וּכְדֵין עַבְדֵי עֲבִידְתָּא. וְאַתָּה תְּצַוֶּה אֶת בְּנֵי יִשְׂרָאֵל: רוּחַ קַדִּישָׁא פַּקְדָא עָלַיְיהוּ, וְאַנְהִיר עָלַיְיהוּ, לְמֶעְבַּד עוֹבָדָא בִּרְעוּתָא שְׁלִים. וְאַתָּה קַח לְךָ: כְּמָה דְּאוֹקִימְנָא. וְאַתָּה הַקְרֵב אֵלֶיךָ, וְהָנֵי כֻּלְּהוּ, הָכָא בְּעוֹבָדָא דְמַשְׁכְּנָא. דְּכֹלָּא אִתְעֲבֵיד בְּרָזָא דָּא.

ה. פָּתַח ר"ש וְאָמַר וְאַתָּה יְיָ' אַל תִּרְחָק אֱיָלוּתִי לְעֶזְרָתִי חוּשָׁה. וְאַתָּה יְיָ' כֹּלָּא חַד. אַל תִּרְחָק: לְאִסְתַּלְּקָא מִינָן, לְמֶהֱוֵי סָלִיק נְהוֹרָא עִלָּאָה מִתַּתָּאָה. דְּהָא כַּד אִסְתַּלַּק נְהוֹרָא עִלָּאָה מִתַּתָּאָה, כְּדֵין אִתְחֲשָׁךְ כָּל נְהוֹרָא, וְלָא אִשְׁתְּכַח כְּלָל בְּעָלְמָא.

ו. וְעַל דָּא אִתְחָרַב בֵּי מַקְדְּשָׁא בְּיוֹמוֹי דְּיִרְמְיָהוּ. וְאַע"ג דְּאִתְבְּנֵי לְבָתַר, לָא אַהֲדַר נְהוֹרָא לְאַתְרֵיהּ כִּדְקָא יָאוּת. וְעַל רָזָא דָּא, שְׁמָא דְּהַהוּא נְבִיאָה דְּאִתְנַבֵּי עַל דָּא, יִרְמְיָהוּ. אִסְתַּלְּקוּתָא דִּנְהוֹרָא עִלָּאָה, דְּאִסְתַּלַּק לְעֵילָּא, וְלָא אַהֲדַר לְאַנְהָרָא לְבָתַר כִּדְקָא יָאוּת. יִרְמְיָהוּ: אִסְתַּלַּק וְלָא אַהֲדַר לְאַתְרֵיהּ, וְאִתְחָרַב בֵּי מַקְדְּשָׁא וְאִתְחֲשָׁכוּ נְהוֹרִין.

ז. אֲבָל יְשַׁעְיָהוּ, שְׁמָא גָּרִים לְפוּרְקָנָא, וּלְאַהֲדָרָא נְהוֹרָא עִלָּאָה לְאַתְרֵיהּ, וּלְמִבְנֵי בֵּי מַקְדְּשָׁא, וְכָל טָבִין וְכָל נְהוֹרִין, יַהַדְרוּן כִּדְבְקַדְמֵיתָא. וְעַל דָּא, שְׁמָהָן דִּתְרֵין נְבִיאִין אִלֵּין, קַיְימִין דָּא לָקֳבֵל דָּא, בְּגִין דִּשְׁמָא גָּרִים, וְצֵרוּפָא דְּאַתְוָון דָּא בְּדָא, גַּרְמִין עוֹבָדָא, הֵן לְטָב וְהֵן לְבִישׁ. וְעַל רָזָא דָּא, צֵרוּפָא דְּאַתְוָון דִּשְׁמָהָן קַדִּישִׁין, וְכֵן אַתְוָון

בגרמייהו, גרמין לאתחזאה רזין עלאין, כגוונא דשמא קדישא, דאתוון בגרמייהו, גרמין רזין עלאין קדישין לאתחזאה בהו.

ח. רזא קדמאה, יו"ד, נקודה קדמאה דקיימא על תשע סמכין דסמכין לה. ואינון קיימין לארבע סטרי עלמא. כמה דסופא דמחשבה, נקודה בתראה, קיימא לארבע סטרי עלמא. בר דהאי דכר, ואיהי נוקבא.

ט. והאי קיימא בלא גופא, וכד קיימא בלבושא, דאתלבש בהו, איהי קיימא על תשע סמכין, ברזא דאת ם בלא עגולא. ואע"ג דאת ס' איהי בעגולא, וקיימא בעגולא. אבל ברזא דאתוון וחקיקן, גו נקודי, טהירין לעילא, אינון ברבועא, דלתתא איהו בעגולא.

י. האי ברבוע איהי קיימא בשיעורא דתשע נקודין, תלת תלת לכל סטר. ואינון בשיעורא דחושבנא תמניא נקודין, ואינון תשע. ואלין אינון דקיימין מרזא דבוצינא בריבועא בסמכין תשעה לאת יו"ד, נקודה חדא. אינון תשעה. אינון תמניא ברזא דאת ם ברבועא, כגוונא דא תלת תלת לכל סטר.

יא. ודא איהו רזא. דאת יו"ד נקודה חדא, ואף על גב דאיהי נקודה חדא, דיוקנא דילה, רישא לעילא, וקוצא לתתא, ושיעורא דילה תלת נקודין כגוונא דא ועל דא אתפשטותא לארבע סטרין, תלת תלת לכל סטר, איהי תשע, ואיהי תמניא.

יב. ואלין אינון סמכין דנפקין מרזא דבוצינא, למהוי סמכין לאת יו"ד, ואלין אקרון רתיכא דילה. ולא קיימין בשמא, בר ברזא דתשע נקודין דאורייתא.

יג. וברזא דספרא דאדם, אתפלגו אלין תשע דאינון תמניא, בצרופא דאתוון דשמא קדישא, לצרפא לון וליחדא לון בכל אינון גוונין, כד נטלין אלין תמניא דאינון תשע, נהרין בנהירו דאת ם ברבועא, ואפיק נהורין תמניא, אתחזן ואתוון תשעה. ואתפלגן לתתא לנטלא כל משכנא.

יד. ואינון צרופא דשמא קדישא, ברזא דשבעין ותרין אתוון מחקקן, דנפקי מרזא דתלת גוונין, ימינא ושמאלא ואמצעיתא. וכלא מרזא דתלת נקודין, שיעורא דאת יו"ד, דאיהי לד' סטרין, ואינון תמניא נקודין, ואינון תשע נקודין, ואינון תריסר נקודין עלאין. ג' ג' לכל סטר וסטר, ומהכא נחתין לתתא בתריסר לשית סטרין. וכד אתחקקן תריסר אלין בשית סטרין, אינון שבעין ותרין שמהן, רזא דשמא קדישא דשבעין ותרין דאינון שמא דא קדישא.

טו. וכלא איהו סליק ברעותא, דסמיכו דמחשבה באינון סמכין דאת יו"ד, ועל דא אתוון בצרופייהו, תלת תלת בכל צרופא דיליה, בגין לסלקא ברעותא דאת י', דתלת נקודין, כמה דאתמר, ועל דא לא אסתליק בסליקו דצרופא, אלא מעקרא ושרשא דרזא דאלין סמכין, דסמכין לאת י' רזא דאת ם' ברבועא, ט' נקודין, תמניא נקודין, תריסר נקודין, שבעין ותרין נקודין. אשתכח, דכל רזא דשמא קדישא, קיימא באת י', וכלא רזא חדא, וקיימא ברזא דבוצינא, כמה דאתמר למעבד סמיכו לכל את ואת. ואינון סמכין אינון רתיכא דלהון, דכל את ואת, כמה דאתמר.טז. רזא תניינא, את ה', דקיימא על חמשה סמכין, דסמכין לה, דנפקין מרזא דבוצינא, כד אתכנש לאסתלקא לעילא, מרזא דמשחתא.

יז. את דא היכלא קדישא אקרי, לגו, נקודה דקאמרן. וכלא איהו ברזא דקאמרן

דאת ם ברבועא. אבל הכא לא אתרשים בר את ה', ורתיכא דילה וחמשה סמכין דקאמרן.

יח. דכד בטש נהירו דבוצינא באת י', אתנהיר, ומההוא בטישותא, אתעבידו אינון תשע סמכין דקאמרן. ומגו נהירו דאתנהר את י', אתפשטו תלת נקודין די'. תרין לעילא, דאינון רישא. וחד לתתא, דאיהו קוצא די', כגוונא דא דקאמרן. כד אתפשטו, תרין, אתעבידו תלת. וחד אתעביד תרין. ואתפשטו, ואתעביד וחד היכלא. דא היכלא, לבתר דאתעביד היכלא לחד נקודה קדמאה, אתעביד בגניזו טמיר רזא דאת דא, וקיימא על וחמש אחרנין.

יט. ארבעה גניזין אינון, בחד נקודה דקיימא לגו באמצעיתא, אינון וחמש. ואיהי ה'. כמה דה"א דלתתא, קיימא על ארבע, ואיהי נקודה על ארבע, דקיימא בגו אמצעיתא. אוף הכא נמי האי. ומה דקיימא על ה' סמכין, הכי הוא ודאי, בגין דהאי נקודה עלאה, איהי על תרין גוונין, וחד בלחודוי, וחד בטמירו.

כ. ובספרא דרזין דחנוך, ה' ודאי קיימא על וחמש סמכין דנפקין מגו בוצינא. וכדין אפיק וחמש קיימין אחרנין, ואשתכח האי ה' ברזא דעשרה. וכד אתפרשת, קיימא ה' דא, על סמכין, ואינון הוו תליסר מכילן דרחמי, בחד דרגא דאתוסף עלייהו.

כא. ואלין אינון תריסר דקיימין בשית. זמנין אינון ארבעין ותרין. זמנין שבעין ותרין הוו, אבל נחתין לתתא. והכא אתפרשו שבילין לכל סטר, דאינון תלתין ותרין, אשתאר ארבעין. ותרין אודנין ימינא ושמאלא, הא ארבעין ותרין, אלין מ"ב אתוון עלאין, דאינון אתוון רברבן דאורייתא.

כב. בגין דאית אתוון רברבן, ואית אתוון זעירין. אתוון רברבין אינון לעילא, אתוון זעירין לתתא. וכלא לתתא כגוונא דלעילא. בגין דאית שמהן קדישין עלאין, דקיימין ברעו דרווחא ולבא בלא מלולא כלל. ואית שמהן קדישין תתאין, דקיימין במלה, ובמשיכו דמחשבה ורעו עלייהו.

כג. ואית שמהן אחרנין לתתא, דאינון מההוא סטרא אחרא, דאיהו מסטרא דמסאבא, ואלין לא קיימין, אלא ברעו דעובדא לתתא, לסלקא רעו דההוא עובדא דלתתא לגביה. בגין דאיהו סטרא אחרא לאו איהו, אלא בעובדין דהאי עלמא, לאסתאבא בהון. כגוונא דבלעם, ואינון בני קדם, וכל אינון דמתעסקי בההוא סטרא אחרא.

כד. ואלין, לא קיימי באתוון רשימין מן כ"ב דאורייתא, בר תרין, ואלין ו' וק', וסמכין לון בסמיכו אתוון דשקר. אבל אלין אינון אשתמודען לגבייהו יתיר. ועכ"ד בתהלה לדוד, בכלהו כתיב ו' בכל את ואת, בר מאלין תרין, דלא כתיב ו', דהא ו' שמא דקב"ה איהו.

כה. ובג"כ אינון ארבעין ותרין אתוון, דעלמא דא אתברי בהו, אשתכח האי ה' עלאה, לסלקא לתשעין ותרין, תשעין הוו, בר תרין אודנין ימינא ושמאלא. ורזא דא ואם שרה הבת תשעים שנה תלד. אבל איהו בחושבנא תשעין ותרין, וכד אתוסף דרגא דרזא דברית, דאיהו רקיעא תמינאה, וקיימא לתמניא יומין, הא מאה. ואלין ודאי מאה ברכאן בכל יומא דאצטריכא כנסת ישראל לאתעטרא בהו. וכלא ברזא דה'.

כו. האי ה', איהי דיוקנא דילה בתרין נונין, רזא דמאה, ואינון וחמש סמכין רתיכין, דנפקי מגו בוצינא, ואינון וחמש אחרנין דנפקין מינה. ועכ"ד דיוקנהא כגוונא דא ן–ן, תרין נונין, ונקודה דקיימא באמצעיתא. ועכ"ד ו' קיימא בינייהו תדיר, כגוונא דא נון,

בְּגִין דְּהָכָא אִיהוּ אַתְרֵיהּ לְאִתְעַטְּרָא, וְאע״ג דְּרָזִין אַוְחֲרָנִין אִינּוּן בְּרָזָא דָּה, אֲבָל דָּא
אִיהוּ בְּרָזָא דְּסִפְרָא דַחֲנוֹךְ, וְהָכִי הוּא וַדַּאי.

כז. וְכַד אִתְתַּקְנָא בְּאִינּוּן וַחֲמִשִׁין בִּלְחוֹדַיְיהוּ, אִיהוּ נְקוּדָה וַדָּא דְּקָיְימָא בְּרָזָא דְּג׳,
כְּגַוְונָא דָּא נו״ן, וְוָד נְקוּדָה בְּאֶמְצָעִיתָא דְּאִיהִי שַׁלְטָא עָלַיְיהוּ, וְכֹלָּא רָזָא וַדָּא. זַכָּאִין
אִינּוּן דְּיַדְעֵי אַרְחוֹי דְּאוֹרַיְיתָא, לְמֵהַךְ בְּאָרְחֵי קְשׁוֹט. זַכָּאִין אִינּוּן בְּהַאי עָלְמָא, וְזַכָּאִין
אִינּוּן בְּעָלְמָא דְּאָתֵי.

כח. רָזָא תְּלִיתָאָה אָת ו׳, הַאי אָת דְּיוּקְנָא דְּרָזָא דְּאָדָם, כְּמָה דְּאִתְּמַר. וְהָא
אוּקְמִינָא, דְּהַאי אָת, קָיְימָא עַל י״ב רְתִיכִין. וְכַד מִתְפָּרְשָׁאן, אִינּוּן כ״ד רְתִיכִין,
דְּכְלִילָן בְּהַאי אָת פְּשִׁיטוּ דְּיוּקְנָא דְּבַר נָשׁ, לְקַבֵּל דְּרוֹעִין וְיַרְכִין וְגוּפָא עַיְיפִין דִּלְהוֹן
כ״ד אִינּוּן דִּדְרוֹעִין, וְיַרְכִין, וְגוּפָא, אֲבָל כֻּלְּהוּ סְתִימִין בְּגוּפָא, וְגוּפָא קָיְימָא
בְּכֻלְּהוּ כ״ד, וְכֻלְּהוּ רְתִיכִין כְּלִילָן בֵּיהּ בְּגוּפָא, וּבְגִין דְּכְלִילָן כֻּלְּהוּ בֵּיהּ, ו׳ קָיְימָא בֵּיהּ,
פְּשִׁיטוּ וָד.

כט. גוּפָא וָד כָּלִיל בְּכ״ד רְתִיכִין, וְאִלֵּין אִינּוּן: רֵישָׁא בְּשִׁית. גוּפָא בְּי״ח, וְאע״ג
דְּכָל רְתִיכִין אִינּוּן י״ב לְכָל סְטַר, בְּכֹלָּא קָיְימָא גוּפָא. אֲבָל עֶשְׂרִים וְאַרְבַּע אִינּוּן שִׁית
דְּרֵישָׁא, דְּאִינּוּן עַיְיפִין לְאַעֲלָאָה רֵישָׁא. תַּמְנֵי סְרֵי וְזוּלָיִין דְּקָיְימָא רֵישָׁא, וְסָמְכָא גוּפָא
עָלַיְיהוּ.

ל. וְכֻלְּהוּ פְּשִׁיטוּ וָד, בְּרֵישָׁא וְגוּפָא, וְאִינּוּן שִׁיתִין כֻּלְּהוּ כָּלִיל לוֹן, דְּאִיהוּ רָזָא
דְּשִׁית. וְעַל דָּא שִׁעוּרָא דְּאָת ו׳, רֵישָׁא שִׁיעוּרָא בְּשִׁית נְקוּדִין מַמָּשׁ, גוּפָא בְּתַמְנֵי סְרֵי.
כְּגַוְונָא דָּא כָּל אִלֵּין רָזִין מִתְפָּרְשָׁן, לְאַכְלְלָא לוֹן בְּגוּפָא, בְּגִין דִּדְרוֹעִין וְיַרְכִין כֻּלְּהוּ
בְּגַנִיזוּ, וְעַ״ד כֹּלָּא אִתְכְּלִיל בְּרָזָא דְּאָת ו׳ וּדְיוּקְנָא דִּילֵיהּ.

לא. וְכַד שְׁלִימוּ דְּאָת דָּא אִתְחֲזֵי, כְּדֵין כָּל סִטְרִין בִּישִׁין אִסְתַּתָּמוּ, וְאִתְפָּרְשָׁן
מִסְיַהֲרָא, וְלָא אִתְחַזְּפִין, בְּגִין דְּאִיהוּ מַבְקַע כָּל מְשִׁיקוּפִין דִּרְקִיעִין, וְאַנְהִיר לָהּ, וְלָא
יַכְלָא מְקַטְרְגָא לְאַבְאָשָׁא כְּלָל. וְכַד הַאי אִסְתַּלָּק, כְּדֵין סָלִיק וְאַסְטֵי וּמְפַתֵּי, וְיָכִיל
לְקַטְרְגָא עַל כָּל בְּנֵי עָלְמָא, בְּגִין דְּאִיהוּ מֶלֶךְ זָקֵן וּכְסִיל, וְהָא אוּקִמְנָא.

לב. ו׳ אִיהוּ נְהוֹרָא דְּנָהִיר לְסִיהֲרָא, וְאע״ג דְּנְהִירִין סַגִּיאִין אִתְכְּלִילָן בֵּיהּ, נְהוֹרָא
דְּנָהִיר לְסִיהֲרָא אִיהוּ וָד פְּשִׁיטוּ לְמַלְיָא לָהּ. וְאִיהוּ רָזָא דְּאָלֶ״ף, רְשִׁימוּ בְּכָל אִינּוּן רָזִין.
וְכַד נָהִיר לְסִיהֲרָא בְּרָזָא דְּו׳ נָהִיר לָהּ.

לג. וּבְסִפְרָא דְּאָדָם קַדְמָאָה, בְּדִיּוּקְנִין דְּאַתְוָון, ו׳ וָד נְקוּדָה לְעֵילָּא, וְחֲמֵשׁ נְקוּדִין
לְתַתָּא, וְכֵן שִׁעוּרָא דִּילָהּ כְּגַוְונָא דָּא, וְכָל נְקוּדָה קָיְימָא בְּרָזָא דְּעֶשֶׂר, בְּגִין דְּלֵית לָךְ
נְקוּדָה דְּלָא אַשְׁלִים לְעֶשֶׂר, דְּכָל נְקוּדָה אִית בֵּיהּ תֵּשַׁע סַמְכִין רְתִיכִין, וְהַהִיא נְקוּדָה
אַשְׁלִים לְעֶשֶׂר. נְקוּדָה דִּימִינָא תֵּשַׁע סַמְכִין רְתִיכִין לָהּ, וְאִיהִי עֲשָׂרָה. וְכֵן לִשְׂמָאלָא. וְכֵן
לְכָל סִטְרִין, וְעַ״ד, כֻּלְּהוּ נְקוּדִין אִינּוּן כָּל וָד וָד כְּלָלָא דְּעֶשֶׂר, אִיהוּ וּרְתִיכוֹי. וְכֻלְּהוּ
כְּלִילָן בְּהַהוּא פְּשִׁיטוּ דְּאָת ו׳, בְּג״כ כֹּלָּא אִיהוּ בְּדִיּוּקְנָא בְּרָזָא דְּאָת ו׳.

לד. וְכַד עָיִיל שׁוּמְשַׁע בְּסִיהֲרָא, נָפַק מֵהַאי ו׳ וָד פְּשִׁיטוּ רָזָא דִּבְרִית, כְּגַוְונָא דָּא ג׳,
וְדָא אִיהוּ לְאַעֲלָא לְאֵלְעָא בְּנוּקְבָא. וְכַד אִתְכְּלִיל כֹּלָּא בְּהַאי פְּשִׁיטוּ דְּאָת ו׳, כְּדֵין קָיְימָא
לְעַמְשַׁע בְּנוּקְבָא. וְרָזָא דָּא דִּכְתִיב, וְאַתָּה הַקְרֵב אֵלֶיךָ אֶת אַהֲרֹן אָחִיךָ, לְאִתְכְּלָלָא
דְּרוֹעָא בְּגוּפָא, וְאֶת בָּנָיו אִתּוֹ, אִלֵּין כָּל אִינּוּן רְתִיכִין וְסַמְכִין דִּילֵיהּ. דְּרוֹעָא שְׂמָאלָא
לְגַבֵּיהּ, דִּכְתִיב קַח אֶת הַלְוִיִּם, לְאִשְׁתַּכְּחָא ו׳ דְּכָלִיל כֹּלָּא. בְּוָד פְּשִׁיטוּ, לְמֶהֱוֵי וָד.

לה. וְעַ״ד אִשְׁתַּכְּחוּ יְחוּדָא בְּהַאי, יְמִינָא וּשְׂמָאלָא וְאֶמְצָעִיתָא, כֹּלָּא אִיהוּ וָד. וְעַ״ד

אִתְעֲבִיד וַחד פְּשִׁיטוּ, וְאִקְרֵי אֶחָד, וְלָא תִּשְׁכַּח בַּר פְּשִׁיטוּ וַחד בִּלְחוֹדוֹי, וְדָא הוּא וַחד.

לו. ה' בַּתְרָאָה, אִתְעֲבִיד וַחד גּוּפָא, בְּהַאי נְקוּדָה דְּאֶמְצָעִיתָא. וְאָעִיל בָּהּ ו', וְאִשְׁתְּכַח ו' בֵּין ב' נְקוּדִין, וַחד לְעֵילָּא, וְוַחד לְתַתָּא. וּכְדֵין, אִתְאֲחִיד עָלְמָא עִלָּאָה, בְּעָלְמָא תַּתָּאָה, וְאִיהוּ וַחד. וְאוֹקִימְנָא. אָתָא רִבִּי אֶלְעָזָר וְרִבִּי אַבָּא וְנָשְׁקוּ יְדוֹי. בָּכָה רִבִּי אַבָּא וְאָמַר, וַוי לְעָלְמָא כַּד יִתְכְּנִישׁ שִׁמְשָׁא וְיִתְחֲשַׁךְ עָלְמָא.

לז. אָמַר ר' אֶלְעָזָר, יַרְכִּין לְתַתָּא, בְּרָזָא דְּאָת ו', מנ"ל דְּאִתְכְּלִילוּ בְּהַאי אָת. אָמַר לֵיהּ, דִּכְתִּיב זִכְרוּ תּוֹרַת מֹשֶׁה עַבְדִּי, וְלָא כְּתִיב נְבִיאַי, לְאַחֲזָאָה דְּכֹלָּא אִתְכְּלִיל בְּרָזָא דָּו', וְאָת ו' אִקְרֵי וַחד, וְאִיהוּ וַחד בִּלְחוֹדָהָא, וּפְשִׁיטוּ וַחד וְהָא אִתְּמַר.

לח. וְאַתָּה הַקְרֵב אֵלֶיךָ וְגוֹ'. אָמַר רִבִּי שִׁמְעוֹן, לָא שַׁמֵּשׁ מֹשֶׁה דְּאִיהוּ שִׁמְשָׁא בְּסִיהֲרָא, עַד דְּאִתְכְּלִיל בְּכָל סִטְרִין בְּרָזָא דָּו', כְּמָה דְּאוֹקִימְנָא. תָּא חֲזֵי, מַה כְּתִיב, מִתּוֹךְ בְּנֵי יִשְׂרָאֵל לְכַהֲנוֹ לִי. לְכַהֵן לִי לָא כְּתִיב, אֶלָּא לְכַהֲנוֹ לִי, לְשִׁמּוּשָׁא דִּילֵיהּ, לְשִׁמּוּשָׁא דְּאָת דָּא, לְשִׁמּוּשָׁא דִּילֵיהּ וַדַּאי. לִי דָּא אָת ה', לְאַעֲלָא וּלְשַׁמְּשָׁא ו' בָּהּ, לְמֶהֱוֵי כֹּלָּא וַחד. זַכָּאִין אִינּוּן יִשְׂרָאֵל, דְּעָאלוּ וְנָפְקוּ, וְיַדְעֵי בְּרָזָא דְּאָרְחוֹי דְּאוֹרַיְיתָא, לְמֵהַךְ בְּאֹרַח קְשׁוֹט.

לט. מִתּוֹךְ בְּנֵי יִשְׂרָאֵל אֲמַאי מִתּוֹךְ בְּנֵי יִשְׂרָאֵל. אֶלָּא כֹּלָּא לָא אִתְקְרֵי לְמֶהֱוֵי וַחד כַּדְקָא יָאוֹת, אֶלָּא מִתּוֹךְ בְּנֵי יִשְׂרָאֵל. דְּהָא בְּנֵי יִשְׂרָאֵל קַיְימֵי לְתַתָּא, לְאִתְפַּתְּחָא אָרְחִין, וּלְאַנְהָרָא שְׁבִילִין, וּלְאַדְלָקָא בּוֹצִינִין, וּלְקָרְבָא כֹּלָּא מִתַּתָּא לְעֵילָּא, לְמֶהֱוֵי כֹּלָּא וַחד, וּבְגִינֵי כַּךְ כְּתִיב וְאַתֶּם הַדְּבֵקִים בַּיְיָ' וְגוֹ'.

מ. וְאַתָּה הַקְרֵב אֵלֶיךָ וְגוֹ' אר"ש, כֹּלָּא אִיהוּ קְרִיבָה, לְמַאן דְּיָדַע לְיַחֲדָא יִחוּדָא, וּלְמִפְלַח לְמָארֵיהּ, דְּהָא בִּזְמְנָא דְּאִשְׁתְּכַח קָרְבְּנָא כַּדְקָא יָאוֹת, כְּדֵין אִתְקְרִיב כֹּלָּא כַּחֲדָא, וּנְהִירוּ דְּאַנְפִּין, אִשְׁתְּכַח, בְּעָלְמָא בְּבֵי מַקְדְּשָׁא, וְאִתְכַּפְיָא וְאִתְכַּסְיָא סִטְרָא אַחֲרָא, וְשַׁלִּיט סִטְרָא דִּקְדוּשָּׁא בִּנְהִירוּ וְחִידוּ. וְכַד קָרְבְּנָא לָא אִשְׁתְּכַח כַּדְקָא יָאוֹת, אוֹ יִחוּדָא לָא הֲוֵי כַּדְקָא יָאוֹת, כְּדֵין אַנְפִּין עֲצִיבוּ. וּנְהִירוּ לָא אִשְׁתְּכַח, וְאִתְכַּסְיָא סִיהֲרָא, וְשַׁלְטָא סִטְרָא אַחֲרָא בְּעָלְמָא, בְּגִין דְּלָא אִית מַאן דְּיָדַע לְיַחֲדָא שְׁמָא קַדִּישָׁא, כַּדְקָא יָאוֹת.

מא. אר"ש, קב"ה לָא נַסֵּי לְאִיּוֹב, וְלָא אָתָא עִמֵּיהּ בְּנִסְיוֹנָא, כְּנִסְיוֹנָא דִּשְׁאַר צַדִּיקַיָּא, דְּהָא לָא כְּתִיב בֵּיהּ וְהָאֱלֹהִים נִסָּה אֶת אִיּוֹב, כְּמָה דִּכְתִּיב בְּאַבְרָהָם וְהָאֱלֹהִים נִסָּה אֶת אַבְרָהָם. דְּאִיהוּ בִּידֵיהּ אַקְרִיב לִבְרֵיהּ יְחִידָאי לְגַבֵּיהּ. וְאִיּוֹב לָא יָהִיב לֵיהּ וְלָא מָסַר לֵיהּ כְּלוּם. וְלָא אִתְּמַר לֵיהּ, אֲבָל אִתְמְסַר בִּידָא דִּמְקַטְרְגָא, בְּדִינָא דְּקֻבְּ"ה. דְּאִיהוּ אַתְעַר לְהַהוּא מְקַטְרְגָא לְגַבֵּיהּ, מַה דְּאִיהוּ לָא בָּעָא. דְּהָא בְּכָל זִמְנָא אָתָא הַהוּא מְקַטְרְגָא לְאַתְעָרָא עַל בְּנֵי נָשָׁא, וְהָכָא קב"ה אַתְעַר לְגַבֵּיהּ, דִּכְתִּיב הֲשַׂמְתָּ לִבְּךָ עַל עַבְדִּי אִיּוֹב. אֲבָל רָזָא עֲמִיקָא אִיהוּ.

מב. פָּתַח וְאָמַר וַיְהִי מִקֵּץ יָמִים וַיָּבֵא קַיִן מִפְּרִי הָאֲדָמָה מִנְחָה לַייָ'. וַיְהִי מִקֵּץ יָמִים, רָזָא אִיהוּ, מִקֵּץ יָמִים, וְלָא מִקֵּץ יָמִין, דְּהֲוָה לְקֵץ יָמִין, וְקָרִיב לְקֵץ יָמִים. וְהָא אוֹקִימְנָא, דִּכְתִּיב וְאַתָּה לֵךְ לַקֵּץ. אָמַר קב"ה לְדָנִיֵּאל וְאַתָּה לֵךְ לַקֵּץ. אָמַר לֵיהּ, לְאָן קֵץ, לְקֵץ הַיָּמִים אוֹ לְקֵץ הַיָּמִין, עַד דְּאָמַר לֵיהּ לְקֵץ הַיָּמִין.

מג. וְעַ"ד דָּחִיל דָּוִד, דִּכְתִּיב הוֹדִיעֵנִי יְיָ' קִצִּי. אוֹ לְקֵץ הַיָּמִים, אוֹ לְקֵץ הַיָּמִין. וְהָכָא מַה כְּתִיב, וַיְהִי מִקֵּץ יָמִים וְלָא מִקֵּץ יָמִין. וּבְגִינֵי כַּךְ לָא אִתְקַבַּל קָרְבְּנֵיהּ דְּהָא מִסִּטְרָא

אֲוֵירָא הֲוָה כֹּלָּא.

מד. תָּ"ח מַה כְּתִיב, וְהֶבֶל הֵבִיא גַם הוּא. מַאי גַם הוּא. לְאַסְגָּאָה כֹּלָּא דָּא בְּדָא. קָרְבָּנָא כֹּלָּא וְעִקָּרָא דִּילֵיהּ הֲוָה לְקֻבָּ"ה, וְיָהִיב וְחוּלָקֵיהּ לְסִטְרָא אָחֳרָא, כְּד"א וּמֵחֶלְבֵּהֶן. וְקַיִן, עִקָּרָא עָבַד מִקֵּץ יָמִים, וְיָהַב וְחוּלָקָא לְקֻבָּ"ה, וְעַל דָּא אִתְדַּחְיָא אִיהוּ וְקָרְבְּנֵיהּ.

מה. בְּאִיּוֹב מַה כְּתִיב, וְהָלְכוּ בָנָיו וְעָשׂוּ מִשְׁתֶּה וְגוֹ'. וּכְתִיב וַיְהִי כִּי הִקִּיפוּ יְמֵי הַמִּשְׁתֶּה. וּכְתִיב וְעָלוּ וְקָרְאוּ לִשְׁלֹשֶׁת אַחְיוֹתֵיהֶם לֶאֱכֹל וְלִשְׁתּוֹת עִמָּהֶם, דְּדָא אִיהוּ עִקָּרָא לְסִטְרָא אָחֳרָא. וּלְבָתַר אַקְרִיב עוֹלוֹת, וְעוֹלָה אִיהוּ דְּכַר, וְלָא נוּקְבָּא, וְסַלְקָא לְעֵילָא, וְקָרְבָּנָא לָא קָרִיב לְאַכְלָלָא לֵיהּ כִּדְקָא יָאוֹת.

מו. וְתָּ"ח, אַלְמָלֵא וְחוּלָקָא יָהַב לְכֹלָּא, מִקַּטְרְגָא לָא יָכִיל לֵיהּ לְבָתַר, וְאִי תֵּימָא אַמַּאי אַבְאִישׁ לֵיהּ קוּדְשָׁא בְּרִיךְ הוּא. אֶלָּא, בְּגִין דְּגָרִים לְכַסְיָא נְהוֹרָא וּלְאִתְחַפְּיָא, וְאִיהוּ לָא קָרִיב קָרְבָּנָא אָחֳרָא, לְאַתְזָנָא בֵּיהּ אָחֳרָנִין, אֶלָּא עוֹלָה, דְּסַלְקָא לְעֵילָא, וְעַל דָּא כְּתִיב, כָּכָה יַעֲשֶׂה אִיּוֹב כָּל הַיָּמִים, דְּאַלְמָלֵא סִטְרָא אָחֳרָא אִתְזָנַת בְּחוּלָקָא, אִתְעֲבָר מֵעַל מַקְדְּשָׁא וְאִסְתַּלָּק מִנֵּיהּ, וְסִטְרָא דִּקְדוּשָּׁה הֲוָה סָלִיק לְעֵילָא לְעֵילָא.

מז. אֲבָל אִיהוּ לָא בָּעָא דְּאִתְהֲנֵי אָחֳרָא מִקָּרְבְּנֵיהּ, וְאַעֲדֵי גַרְמֵיהּ מִנֵּיהּ. מְנָא לָן. דִּכְתִיב, וְסָר מֵרָע. וְעַל דָּא קָרִיב תָּדִיר עוֹלָה, דְּהָא עוֹלָה לָא אִתְהֲנֵי מִנֵּיהּ סִטְרָא אָחֳרָא לְעָלְמִין. וּבְגִין כָּךְ, כָּל מַה דְּנָטִיל לְבָתַר, מִדִּידֵיהּ נָטִיל. וְעַל דָּא אִיּוֹב גָּרִים לַחֲפֵיא עָרְלָה עַל בְּרִית קַיָּימָא, דְּלָא הֲוָה אַעֲדֵי מִנֵּיהּ. וּבְגִין כָּךְ קוּדְשָׁא בְּרִיךְ הוּא אִתְעַר לְהַהוּא מְקַטְרְגָא, דִּכְתִיב הֲשַׂמְתָּ לִבְּךָ עַל עַבְדִּי אִיּוֹב.

מח. תָּ"ח, כַּד בָּעָא קֻבָּ"ה לְאִתְאַוֵּזְדָּא בְּהוּ בְּיִשְׂרָאֵל בְּמִצְרַיִם, לָא קַיְימָא שַׁעֲתָּא. בְּגִין דְּעָרְלָה וְחַפְיָא נְהוֹרָא, עַד זִמְנָא דְּהַהוּא מְקַטְרְגָא הֲוָה נָטִיל דִּילֵיהּ מֵאִיּוֹב, וְעַל דָּא פָּקִיד לֵיהּ קֻבָּ"ה לְמֵיכְלֵיהּ לְהַהוּא פֶּסַח בִּבְהִילוּ, עַד דְּהַהוּא סִטְרָא אָחֳרָא אִשְׁתָּדַּל בֵּיהּ בְּאִיּוֹב, וּפָקִיד לְאִתְעַבְּרָא עָרְלָה מִנַּיְיהוּ, וּכְדֵין אִתְאֲוֵיד קֻבָּ"ה בְּיִשְׂרָאֵל, וְהַהוּא סִטְרָא אָחֳרָא אִתְפְּרַשׁ מִן קַדְשָׁא, וְאִשְׁתָּדַּל בֵּיהּ בְּאִיּוֹב, וְנָטִיל מִדִּילֵיהּ. וּכְדֵין פֶּסַח הוּא לַיְיָ' וַדַּאי. דְּעַד הַשַׁעֲתָּא לָא הֲוָה פֶּסַח לַיְיָ'. זַכָּאִין אִינּוּן דְּיָדְעֵי וּמְיַחֲדֵי יְחוּדָא דְּמָארֵיהוֹן כִּדְקָא יָאוֹת.

מט. כְּתִיב אֱלֹהֵי מַסֵּכָה לֹא תַעֲשֶׂה לָּךְ, וּכְתִיב בַּתְרֵיהּ אֶת חַג הַמַּצּוֹת תִּשְׁמֹר. מַאי הַאי לְגַבֵּי הַאי. אֶלָּא הָכִי אוּקְמוּהָ, מַאן דְּאָכִיל וְחָמֵץ בְּפֶסַח כְּמַאן דְּפָלַח לְכּוֹ"ם אִיהוּ. ג. תָּ"ח, כַּד נָפְקוּ יִשְׂרָאֵל מִמִּצְרַיִם נָפְקוּ מֵרְשׁוּ דִּלְהוֹן, מֵהַהוּא אָחֳרָא דְּאִקְרֵי חָמֵץ, נַהֲמָא בִּישָׁא. וְעַ"ד אִקְרֵי כּוֹ"ם הָכִי, וְדָא אִיהוּ רָזָא דְּיֵצֶר הָרָע, פּוּלְחָנָא נוּכְרָאָה, דְּאִקְרֵי אוּף הָכִי שְׂאוֹר. וְדָא אִיהוּ יֵצֶר הָרָע, דְּהָכִי אִיהוּ יֵצֶר הָרָע בְּבַר נָשׁ, כְּחֲמִיר בְּעִיסָה, עָאל בִּמְעוֹי דְּבַר נָשׁ זְעֵיר, וּלְבָתַר אַסְגֵּי בֵּיהּ, עַד דְּכָל גּוּפָא אִתְעֲרַב בַּהֲדֵיהּ. וְדָא אִיהוּ כּוֹ"ם. וְעַל דָּא כְּתִיב, לֹא יִהְיֶה בְּךָ אֵל זָר. אֵל זָר וַדַּאי.

נא. אֶת חַג הַמַּצּוֹת תִּשְׁמֹר, רַבִּי יְהוּדָה פָּתַח, וְדִלּוּ לָכֶם מִן הָאָדָם אֲשֶׁר נְשָׁמָה בְּאַפּוֹ כִּי בַּמֶּה נֶחְשָׁב הוּא. הַאי קְרָא אוּקְמוּהָ. אֲבָל מַאי וְדִלּוּ לָכֶם מִן הָאָדָם, וְכִי אַזְהַר לֵיהּ לְבַר נָשׁ לְאִתְמַנְּעָא מִשְּׁאָר בְּנֵי נָשָׁא. אוּף אִינּוּן נָמֵי לְגַבֵּיהּ, יִשְׁתַּכְחוּן בְּנֵי נָשָׁא דְּלָא יִקְרְבוּן אִלֵּין בְּאִלֵּין לְעָלְמִין. אֶלָּא הָא אוּקְמוּהָ בְּמַאן דְּאַשְׁכִּים בְּצַפְרָא לְפִתְחָא דְּחַבְרֵיהּ לְמֵיהַב לֵיהּ שְׁלָם.

נב. וַאֲנָא אוּקִימְנָא לֵיהּ בְּקְרָא אָחֳרָא, דִּכְתִיב, מְבָרֵךְ רֵעֵהוּ בְּקוֹל גָּדוֹל בַּבֹּקֶר הַשְׁכֵּם

קְלָלָה תְּחֻשַּׁב לוֹ. וְאַף עַל גַּב דְּכֹלָּא שַׁפִּיר. אֲבָל מַאי וְחִדְלוּ לָכֶם מִן הָאָדָם אֲשֶׁר נְשָׁמָה בְּאַפּוֹ. הָכָא פָּקִיד קֻבְ"ה לְבַר נָשׁ, וְאַזְהִיר לֵיהּ לְאִסְתַּמְרָא מֵאִינּוּן בְּנֵי נָשָׁא, דְּסָטוּ אָרְחַיְיהוּ מֵאֹרַח טָב לְאֹרַח בִּישׁ, וּמְסָאֲבֵי נַפְשַׁיְיהוּ בְּהַהוּא מְסָאֲבוּ אַחֲרָא.

נג. דְּהָא כַּד בָּרָא קֻבְ"ה לְבַר נָשׁ, עָבַד לֵיהּ בִּדְיוֹקְנָא עִלָּאָה, וְנָפַח בֵּיהּ רוּחָא קַדִּישָׁא, דִּכְלִיל בִּתְלַת כְּמָה דְּאוֹקִימְנָא, דְּאִית בֵּיהּ נֶפֶשׁ רוּחַ וּנְשָׁמָה, וְעִילָּא מִכֹּלָּא נְשָׁמָה, דְּאִיהִי חֵילָא עִלָּאָה לְמִנְדַּע, וּלְמִנְטַר פִּקּוּדֵי דְּקֻבְ"ה. וְאִי הַהִיא נִשְׁמְתָא קַדִּישָׁא אָעִיל לָהּ בְּפוּלְחָנָא אַחֲרָא, הַאי אִיהוּ מְסָאִיב לָהּ, וְנָפִיק מִפּוּלְחָנָא דְּמָארֵיהּ. בְּגִין דְּתְלַת חֵילִין אִלֵּין, כֻּלְּהוּ חַד, נֶפֶשׁ רוּחַ וּנְשָׁמָה מִשְׁתַּתְּפֵי כַּחֲדָא, וַהֲווּ חַד, וְכֹלָּא כְּגַוְונָא דִּרְזָא עִלָּאָה.

נד. וְאִי חֲזֵינָן לְהַאי בַּר נָשׁ, דַּהֲווּ בֵּיהּ אִלֵּין דַּרְגִּין כֻּלְּהוּ. עַד לָא קַיְּימָא בְּקִיּוּמֵיהּ לְמִנְדַּע מַאן אִיהוּ, בְּמַאי אִתְיְדַע לְקָרְבָא בַּר נָשׁ בַּהֲדֵיהּ, אוֹ לְאִתְמְנָעָא מִנֵּיהּ. בְּרוּגְזֵיהּ מַמָּשׁ, יָדַע לֵיהּ בַּר נָשׁ, וְיִשְׁתְּמוֹדַע מַאן אִיהוּ. אִי הַהִיא נִשְׁמְתָא קַדִּישָׁא נָטַר בְּשַׁעֲתָא דְּרוּגְזוֹי, דְּלָא יֶעֱקַר לָהּ מֵאַתְרָהָא, בְּגִין לְמִשְׁרֵי תְּחוֹתָהּ הַהוּא אֵל זָר, דָּא אִיהוּ בַּר נָשׁ כִּדְקָא יָאוּת. דָּא אִיהוּ עַבְדָּא דְּמָארֵיהּ, דָּא אִיהוּ גְּבַר שְׁלִים.

נה. וְאִי הַהוּא בַּר נָשׁ לָא נָטִיר לָהּ, וְאִיהוּ עָקַר קְדוּשָּׁה דָּא עִלָּאָה מֵאַתְרֵיהּ, לְמִשְׁרֵי בְּאַתְרֵיהּ סִטְרָא אַחֲרָא. וַדַּאי דָּא אִיהוּ בַּר נָשׁ דְּמָרִיד בְּמָארֵיהּ, וְאָסִיר לְקָרְבָא בַּהֲדֵיהּ וּלְאִתְחַבְּרָא עִמֵּיהּ, וְדָא אִיהוּ טוֹרֵף נַפְשׁוֹ בְּאַפּוֹ. אִיהוּ טָרִיף וְעָקַר נַפְשֵׁיהּ, בְּגִין רוּגְזֵיהּ, וְאַשְׁרֵי בְּגַוֵּיהּ אֵל זָר. וְעַל דָּא כְּתִיב חִדְלוּ לָכֶם מִן הָאָדָם אֲשֶׁר נְשָׁמָה בְּאַפּוֹ, דְּהַהִיא נִשְׁמְתָא קַדִּישָׁא טָרִיף לָהּ, וְסָאִיב לָהּ, בְּגִין אַפּוֹ. אֲשֶׁר נְשָׁמָה אִתְהֲפָךְ בְּאַפּוֹ. כִּי בַּמֶּה נֶחְשָׁב הוּא. כּו"ם אִתְחֲשִׁיב הַהוּא בַּר נָשׁ.

נו. וּמַאן דְּאִתְחַבַּר עִמֵּיהּ, וּמַאן דְּאִשְׁתָּעֵי בַּהֲדֵיהּ, כְּמַאן דְּאִתְחַבַּר בְּכוּ"ם מַמָּשׁ. מ"ט. בְּגִין דְּכוּ"ם מַמָּשׁ שָׁארֵי בְּגַוֵּיהּ. וְלָא עוֹד, אֶלָּא דְּעָקַר קְדוּשָּׁה עִלָּאָה מֵאַתְרֵיהּ, וְשָׁארֵי בְּאַתְרֵיהּ כּו"ם אֵל זָר. מָה אֵל זָר כְּתִיב בֵּיהּ אַל תִּפְנוּ אֶל הָאֱלִילִים, כְּגַוְונָא דָּא, אָסִיר לְאִסְתַּכְּלָא בְּאַנְפּוֹי.

נז. וְאִי תֵּימָא הָא רוּגְזָא דְּרַבָּנָן. רוּגְזָא דְּרַבָּנָן טָב אִיהוּ לְכָל סִטְרִין, דְּהָא תָּנֵינָן דְּאוֹרַיְיתָא אֶשָּׁא אִיהִי, וְאוֹרַיְיתָא קָא מַרְתְּחָא לֵיהּ, דִּכְתִּיב הֲלֹא כֹה דְבָרִי כָּאֵשׁ נְאֻם יְיָ'. רוּגְזָא דְּרַבָּנָן בְּמִלֵּי דְּאוֹרַיְיתָא. רוּגְזָא דְּרַבָּנָן לְמֵיהַב יְקָרָא לְאוֹרַיְיתָא, וְכֹלָּא לְפוּלְחָנָא דְּקֻבְ"ה הֲוֵי, לְכָךְ נֶאֱמַר כִּי יְיָ' אֱלֹהֶיךָ אֵשׁ אוֹכְלָה הוּא אֵל קַנָּא.

נח. אֲבָל אִי בְּמִלִּין אַחֲרָנִין, לָאו פוּלְחָנָא דְּקֻבְ"ה הַאי, בְּגִין דִּבְכָל חַטָּאִים דְּקָא עָבִיד בַּר נָשׁ, לָאו אִיהוּ כּו"ם מַמָּשׁ כְּהַאי, וְאָסִיר לְקָרְבָא בַּהֲדֵיהּ, דְּהַאי. וְאִי תֵּימָא הָא לְשַׁעֲתָא הֲוָה, דְּעָבַר וְהָדַר אַהֲדַר. לָאו הָכִי, דְּכֵיוָן דְּאַעֲקַר קְדוּשָּׁא דְּנַפְשֵׁיהּ מִנֵּיהּ וּמֵאַתְרֵיהּ, וְהַהוּא אֵל זָר, מִקָּפַח הַהוּא אֲתַר, אִתְתְּקַף בֵּיהּ, וְלָא שָׁבִיק לֵיהּ. בַּר כַּד אִתְדַּכֵּי בַּר נָשׁ מִכֹּל וָכֹל, וְעָקַר לֵיהּ לְעָלְמִין, וּלְבָתַר אִשְׁתַּדַּל לְאִתְקַדְּשָׁא וּלְאַמְשָׁכָא קְדוּשָּׁה עָלֵיהּ. כְּדֵין וְלוַּאי דְּאִתְקַדֵּשׁ. א"ל ר' יוֹסֵי, אִתְקַדֵּשׁ מַמָּשׁ.

נט. א"ל ת"ח, בְּשַׁעֲתָא דְּאִיהוּ עָקַר קְדוּשָּׁה דְּנַפְשֵׁיהּ, וְשַׁרְיָא בְּאַתְרֵיהּ הַהוּא אֵל זָר דְּאִקְרֵי טָמֵא, אִסְתְּאַב בַּר נָשׁ, וְסָאִיב לְמַאן דְּקָרִיב בַּהֲדֵיהּ, וְהַהִיא קְדוּשָּׁה עָקְרַת מִנֵּיהּ, וְכֵיוָן דְּעָקְרַת מִנֵּיהּ זִמְנָא חֲדָא, כַּמָּה דְּיַעֲבִיד בַּר נָשׁ עוֹד, לָא תֵּיתוּב לְאַתְרָהָא.

ס. א"ל אִי הָכִי, כַּמָּה מִסְאֲבִין אִינּוּן דְּמִתְדַּכָּאן. א"ל שָׁאנֵי מִסְאֲבוּ אַחֲרָא, דְּלָא

יָכִיל לְמֶעְבַּד יַתִּיר. אֲבָל דָּא עַזָּא מִכֹּלָּא, דְּכָל גּוּפָא סָאִיב מִגּוֹ וּמִבַּר, וְנַפְשָׁא, וְכֹלָּא מְסָאִיב. וְעַל אַר מְסָאֲבוּ דְעָלְמָא, לָאו אִיהוּ אֶלָּא גּוּפָא לְבַר בִּלְחוֹדוֹי, וּבג"כ כְּתִיב וֶחָדְלוּ לָכֶם מִן הָאָדָם אֲשֶׁר נְשָׁמָה בְּאַפּוֹ, דְּאוֹלִיף קְדוּשָׁה דְּמָארֵיהּ בְּגִין אַפּוֹ, דְּדָא אִיהוּ מְסָאֲבוּ דְּמִסָאִיב כֹּלָּא. כִּי בַמֶּה נֶחְשָׁב הוּא. בְּמָה כו"ט וַדַּאי נֶחְשָׁב אִיהוּ.

סא. ת"ח, הַאי אִיהוּ רוּגְזָא דְאִיהֵי כו"ם, סִטְרָא אָחֳרָא, דִּבְעֵי בַּר נָשׁ לְאִסְתַּמְּרָא מִנֵּיהּ וּלְאִתְפָּרְשָׁא מֵעֲלוֹי, וְעַ"ד כְּתִיב אֱלֹהֵי מַסֵּכָה לֹא תַעֲשֶׂה לָּךְ: לָךְ: בְּגִין לְאַבְאָשָׁא גַּרְמָךְ. וּכְתִיב בַּתְרֵיהּ אֶת חַג הַמַּצּוֹת תִּשְׁמֹר. תִּשְׁמֹר: דָּא סִטְרָא דִּקְדוּשָׁה, דִּבְעֵי בַּר נָשׁ לְנַטְרָא לֵיהּ, וְלָא יָחֳלַף לֵיהּ בְּגִין סִטְרָא אָחֳרָא. וְאִי יַחֲלַף לֵיהּ הָא אִיהוּ מְסָאִיב, וְסָאִיב לְכֹל מַאן דְּקָרִיב בַּהֲדֵיהּ.

סב. אֶת חַג הַמַּצּוֹת תִּשְׁמֹר, הַאי אִיהוּ אֲתָר דְּאִקְרֵי שָׁמוֹר. וּבג"כ כְּתִיב, אֶת חַג הַמַּצּוֹת תִּשְׁמֹר שִׁבְעַת יָמִים תֹּאכַל מַצּוֹת כַּאֲשֶׁר צִוִּיתִךָ. שִׁבְעַת יָמִים אִלֵּין, לָאו אִינוּן כְּשִׁבְעַת הַיָּמִים דְּסֻכּוֹת, דְּאִינּוּן עִלָּאִין וְאִלֵּין תַּתָּאִין. וְעַל דָּא, בְּאִינּוּן הַלֵּל גָּמוּר, וּבְהָנֵי לָאו הַלֵּל גָּמוּר, וְעַל דְּאִינּוּן לְתַתָּא, שִׁבְעַת יָמִים תֹּאכַל מַצּוֹת. מַצֹּת כְּתִיב וְחָסֵר בְּלָא ו', דְּעַד לָא שָׁרָאן אִינוּן יוֹמִין עִלָּאִין, רָזָא דִי.

סג. וְאִי תֵימָא, כֵּיוָן דְּהַאי רָזָא דְּחַג הַמַּצּוֹת אִתְקַדֵּשׁ, אַמַּאי נַחְתָּא, דְּהָא תְּנֵינָן מַעֲלִין בַּקֹּדֶשׁ וְלָא מוֹרִידִין, אַמַּאי נַחְתָּא לְתַתָּא בְּאִינּוּן יוֹמִין תַּתָּאִין.

סד. ת"ח, כְּתִיב וְכִפֶּר בַּעֲדוֹ וּבְעַד בֵּיתוֹ וְגוֹ', מַאן דְּיִכַפֵּר לְכַפְּרָא עֲלֵיהּ בְּקַדְמֵיתָא, וּבָתַר עַל בֵּיתֵיהּ. כְּגַוְונָא דָּא, הַאי דַּרְגָּא, שָׁארֵי לְאִתְקַדְּשָׁא וּלְנַפְקָא בְּקְדוּשָׁה, לְכַפְּרָא עֲלֵיהּ, וְכֵיוָן דְּאִיהוּ אִתְקַדַּשׁ, בָּעֵי לְכַפְּרָא עַל בֵּיתֵיהּ, וּלְקַדְּשָׁא לוֹן, וְעַל דָּא נַחְתָּא לְתַתָּא לְקַדְּשָׁא בֵּיתֵיהּ. וּבְמָה מְקַדֵּשׁ לוֹן, בִּיְשְׂרָאֵל דְּלַתַּתָּא. וְכֵיוָן דְּאִלֵּין מִתְקַדְּשָׁאן, בָּעֵינָן לְסַלְּקָא לָהּ לְעֵילָּא, דְּהָא כַּד בֵּיתָא דְּמַטְרוֹנִיתָא אִתְקַדְּשַׁת, כְּדֵין סַלְּקַת לְעֵילָּא, לְאִתְקַשְּׁרָא בְּאִינּוּן יוֹמִין עִלָּאִין לְעֵילָּא.

סה. וְעַל דָּא אֲנַן עַבְדֵּין וְחוּשְׁבְּנָא, בְּקִיּוּמָא עַל קַיָּימִין, בְּגִין דְּאִינּוּן יוֹמִין עִלָּאִין אִינוּן, וְכֵן בְּכָל זִמְנָא דְּעָאל בַּר נָשׁ לְאִינּוּן יוֹמִין עִלָּאִין, בֵּין בִּצְלוֹתָא, בֵּין בְּשֶׁבָחָא, אִצְטְרִיךְ לְקַיְּימָא עַל רַגְלוֹי, יַרְכִין וְגוּפָא כַּחֲדָא תַּמָּן. יַרְכִין וְגוּפָא לְקַיְּימָא, כַּדְּכוּרָא דְּקַיְּימָא בְּיַזְלֵיהּ, וְלָא כְּנוּקְבָא דְּאָרְחָהָא לְמֵיתַב. וְעוֹד בְּגִין שְׁבָחָא דְּעָלְמָא עִלָּאָה.

סו. וּבְגִין דְּאִיהוּ רָזָא דִּדְכוּרָא, נָשִׁים פְּטוּרוֹת מֵחוּשְׁבָּנָא דָּא, וְלָא מִתְחַיְּיבָן לְמִימְנֵי בַּר דְּכוּרִין, לְאִתְקַשְּׁרָא כָּל חַד כְּדַקָּא יֵאוֹת. כְּגַוְונָא דָּא, יֵרָאֶה כָּל זְכוּרְךָ, דְּכוּרִין, וְלָא נָשִׁין. בְּגִין דְּרָזָא דִּבְרִית בִּדְכוּרָא אִיהוּ, וְלָא בְּנוּקְבָא, וּבְגִין דְּקַיְּימָא רָזָא לְעֵילָּא, נָשִׁין לָא מִתְחַיְּיבָן.

סז. וְרָזָא אוֹלִיפְנָא הָכָא, דְּבְכָל שִׁבְעַת יוֹמִין מֵאִלֵּין יוֹמִין עִלָּאִין, נָטְלָא קְדוּשָׁה יוֹמָא חַד דְּאִלֵּין תַּתָּאֵי, וְהַאי תַּתָּאָה אִקְרֵי שָׁבוּעַ, דְּאִתְקַדַּשׁ בְּשִׁבְעָה יוֹמִין עִלָּאִין. וְכֵן בְּכָל שִׁבְעָה וְשִׁבְעָה מֵאִינּוּן יוֹמִין, עַד וְלָא עַד בִּכְלָל, וְכַד אִשְׁתְּכָחוּ אַרְבְּעִין וּתְשַׁע יוֹמִין עִלָּאִין, אִשְׁתְּכָחוּ לְתַתָּא שֶׁבַע שָׁבוּעַ, דְּאִתְקַדְּשׁוּ בְּהוּ וְכָל חַד אִקְרֵי שָׁבוּעַ, דְעָאל בְּאִינּוּן שֶׁבַע. וְעַל דָּא כְּתִיב, שֶׁבַע שַׁבָּתוֹת תְּמִימֹת תִּהְיֶינָה. בְּגִין דְּאִינּוּן נוּקְבִין, נָקַט קְרָא לִישָׁנָא דְּנוּקְבִין.

סח. וְכַד אִתְקַדְּשׁוּ בְּהוּ, וּבֵיתָא, מִתְתַּקְּנָא לְאִתְחַבְּרָא אִתְּתָא בְּבַעֲלָהּ, כְּדֵין אִקְרֵי חַג שָׁבוּעוֹת, מֵאִינּוּן נוּקְבֵי דְּשַׁעֲרוּ עֲלַיְיהוּ אִינּוּן יוֹמִין עִלָּאִין, דְּאִתְקַדְּשׁוּ בְּהוּ. וּבג"כ

כְּתִיב בְּשָׁבוּעוֹתֵיכֶם, אִינּוּן דִּלְכוֹן, וְלָא כְּתִיב בְּשָׁבוּעוֹת, בְּגִין דְּהָכִי נָמֵי מִתְקַדְּשִׁין יִשְׂרָאֵל לְתַתָּא עִמְּהוֹן.

סט. וְעַל דָּא כַּד מָטוֹן לְתֵשַׁע וְאַרְבְּעִין יוֹמִין, הַהוּא יוֹמָא עִלָּאָה דְּעֲלַיְיהוּ, דְּאִיהוּ יוֹמָא דְּחַמְשִׁין, דְּשַׁלִּיט עַל תִּשְׁעָה וְאַרְבְּעִין יוֹמִין, רָזָא דִּכְלָלָא דְּאוֹרַיְיתָא, בְּתִשְׁעָה וְאַרְבְּעִין אַנְפִּין, וּכְדֵין הַהוּא יוֹמָא עִלָּאָה, יוֹמָא דְּחַמְשִׁין, בְּאִתְעָרוּתָא דִּלְתַתָּא, אַפִּיק אוֹרַיְיתָא כְּלָלָא בְּתִשְׁעָה וְאַרְבְּעִין אַנְפִּין.

ע. ר' אֶלְעָזָר פָּתַח וְאָמַר, גַּם צִפּוֹר מָצְאָה בַיִת וּדְרוֹר קֵן לָהּ אֲשֶׁר שָׁתָה אֶפְרוֹחֶיהָ אֶת מִזְבְּחוֹתֶיךָ וְגוֹ'. גַּם צִפּוֹר מָצְאָה בַּיִת, אִלֵּין צִפֳּרֵי שְׁמַיָּא, דְּמִנַּהוֹן שַׁוְיָין מָדוֹרֵיהוֹן לְבַר, וּמִנְּהוֹן שַׁוְיָין מָדוֹרֵיהוֹן בְּבֵיתָא, כְּגוֹן דְּרוֹר, דְּאִיהוּ עוֹפָא דְּשַׁוֵּי דִּיוּרֵיהּ בְּבֵיתָא דְּכָל בַּר נָשׁ, וְלָא דָּחִיל. אֲמַאי. בְּגִין דְּכֹלָּא קָרָאן לֵיהּ דְּרוֹר. מַאי דְּרוֹר. חֵירוּ, כד"א, וּקְרָאתֶם דְּרוֹר, וְתַרְגּוּמוֹ חֵירוּ. וְדָא אִיהוּ צִפּוֹר דְּרוֹר. דְּהָא מִיּוֹמָא דְּעָבֵיד קִנָּא בְּבֵיתָא אַפִּיק בְּנִין, מָדוֹרֵיהּ בְּבֵיתָא חַמְשִׁין יוֹמִין, וּלְבָתַר מִתְפָּרְשָׁן אִלֵּין מֵאִלֵּין, וְדָא הוּא עוֹפָא דְּאִקְרֵי דְּרוֹר: חֵירוּ.

עא. תָּא חֲזֵי מַה כְּתִיב, וְקִדַּשְׁתֶּם אֵת שְׁנַת הַחֲמִשִּׁים שָׁנָה וּקְרָאתֶם דְּרוֹר בָּאָרֶץ. מֵהָכָא נָפְקָא חֵירוּ לְכֹלָּא, וּבְגִין דְּנָפְקָא מִנֵּיהּ חֵירוּ, אוֹרַיְיתָא דְּנָפְקַת מִנֵּיהּ אִקְרֵי חֵירוּ. וְעַל דָּא כְּתִיב, חָרוּת עַל הַלֻּחֹת, אַל תִּקְרֵי חָרוּת, אֶלָּא חֵירוּת, וְדָא אוֹרַיְיתָא דְּאִתְקְרֵי חֵירוּת דְּהָא מַה דְּאַפִּיק יוֹמָא דָּא עִלָּאָה, אִקְרֵי חֵירוּ, וְאִיהוּ חֵירוּ דְּכֹלָּא. וְהַאי יוֹמָא אִיהוּ חֵירוּ עִלָּאָה, בְּגִין דְּאִית חֵירוּ תַּתָּאָה, וְחֵירוּ עִלָּאָה. ה"א עִלָּאָה, ה"א תַּתָּאָה. חֵירוּ עִלָּאָה. חֵירוּ תַּתָּאָה שְׁמִטָּה וְיוֹבֵל כַּחֲדָא אִינּוּן.

עב. תְּרֵין נַהֲמֵי אָכְלוּ יִשְׂרָאֵל, חַד, כַּד נָפְקוּ מִמִּצְרַיִם, אָכְלוּ מַצָּה, לֶחֶם עֹנִי. וְחַד בְּמַדְבְּרָא, לֶחֶם מִן הַשָּׁמַיִם. דִּכְתִיב הִנְנִי מַמְטִיר לָכֶם לֶחֶם מִן הַשָּׁמַיִם וְעַל דָּא קָרְבָּנָא דְּיוֹמָא דָּא נַהֲמָא אִיהוּ. וְעַל נַהֲמָא, אִתְקְרִיבוּ כָּל שְׁאַר קָרְבָּנִין. דְּנַהֲמָא אִיהוּ עִקָּר, דִּכְתִיב וְהִקְרַבְתֶּם עַל הַלֶּחֶם שִׁבְעַת כְּבָשִׂים וְגוֹ', מִמּוֹשְׁבוֹתֵיכֶם תָּבִיאוּ לֶחֶם תְּנוּפָה וְגוֹ', דְּדָא אִיהוּ נַהֲמָא דְּאַזְכִּימוּ בֵּיהּ יִשְׂרָאֵל, וְחָכְמְתָא עִלָּאָה דְּאוֹרַיְיתָא, וְעָאלוּ בְּאָרְחָהָא.

עג. הַשְׁתָּא אִית לָן לְאִסְתַּכְּלָא, בְּפֶסַח נָפְקוּ יִשְׂרָאֵל מִנַּהֲמָא דְּאִתְקְרֵי חָמֵץ, כְּתִיב, וְלֹא יֵרָאֶה לְךָ חָמֵץ, וּכְתִיב כִּי כָּל אוֹכֵל מַחְמֶצֶת מַאי טַעֲמָא. בְּגִין יְקָרָא דְּהַהוּא נַהֲמָא דְּאִתְקְרֵי מַצָּה. הַשְׁתָּא דְּזָכוּ יִשְׂרָאֵל לְנַהֲמָא עִלָּאָה יַתִּיר לָא יֵאוֹת הֲוָה לְאִתְבַּטְּלָא חָמֵץ, וְלָא אִתְחֲזְיָיא כְּלַל. וַאֲמַאי קָרְבָּנָא דָּא, חָמֵץ הֲוָה, דִּכְתִיב סֹלֶת תִּהְיֶינָה חָמֵץ תֵּאָפֶינָה. וְתוּ, דְּהַשְׁתָּא בְּיוֹמָא דָּא אִתְבָּטַל יֵצֶר הָרָע, וְאוֹרַיְיתָא דְּאִתְקְרֵי חֵירוּ אִשְׁתְּכַחַת.

עד. אֶלָּא, לְמַלְכָּא דַּהֲוָה לֵיהּ בַּר יְחִידָאי, וְחָלַשׁ. יוֹמָא חַד הֲוָה תָּאִיב לְמֵיכַל, אָמְרוּ יֵיכוּל בְּרֵיהּ דְּמַלְכָּא אַסְוָותָא דָּא, וְעַד דְּיֵיכוּל לֵיהּ, לָא יִשְׁתְּכַח מֵיכְלָא וּמְזוֹנָא אַחֲרָא בְּבֵיתָא. עָבְדוּ הָכִי. כֵּיוָן דְּאָכַל הַהוּא אַסְוָותָא, אָמַר מִכָּאן וּלְהָלְאָה יֵיכוּל כָּל מָה דְּאִיהוּ תָּאִיב, וְלָא יָכִיל לְנַזְקָא לֵיהּ.

עה. כָּךְ כַּד נָפְקוּ יִשְׂרָאֵל מִמִּצְרַיִם, לָא הֲווֹ יַדְעֵי עִקָּרָא וְרָזָא דִּמְהֵימְנוּתָא, אָמַר קֻבְּ"ה, יִטְעֲמוּן יִשְׂרָאֵל אַסְוָותָא, וְעַד דְּיֵיכְלוּן אַסְוָותָא דָּא, לָא אִתְחֲזֵי לְהוֹן מֵיכְלָא אַחֲרָא. כֵּיוָן דְּאָכְלוּ מַצָּה, דְּאִיהִי אַסְוָותָא לְמֵיעַל וּלְמִנְדַּע בְּרָזָא דִּמְהֵימְנוּתָא. אָמַר קֻבְּ"ה, מִכָּאן וּלְהָלְאָה אִתְחֲזֵי לוֹן חָמֵץ, וְיֵיכְלוּן לֵיהּ, דְּהָא לָא יָכִיל לְנַזְקָא לוֹן. וְכ"ש

דְּבְיוֹמָא דְשָׁבוּעוֹת, אִזְדַּמַּן נַהֲמָא עִלָּאָה, דְּאִיהוּ אַסְוָותָא בְּכֹלָּא.

עו. וְעַ"ד מְקָרְבִין וְחָמֵץ, לְאִתּוֹקְדָא עַל מַדְבְּחָא. וּמְקָרְבִין תְּרֵין נַהֲמִין אַחֲרָנִין כַּחֲדָא. וְחָמֵץ, אִתּוֹקְדָא בְּנוּרָא דְּמַדְבְּחָא וְלָא יָכִיל לְשַׁלְטָאָה, וּלְנַזְקָא לוֹן לְיִשְׂרָאֵל. וּבְגִינֵי כָּךְ, יִשְׂרָאֵל קַדִּישִׁין אִתְדַּבְּקוּ בֵּיהּ בְּקֻבְּ"ה, בְּאַסְוָותָא דְּאוֹרַיְיתָא בְּיוֹמָא דָּא. וְאִלְמָלֵי הֲווּ נַטְרֵי יִשְׂרָאֵל תְּרֵין סִטְרִין דְּנַהֲמֵי אִלֵּין, לָא הֲווּ עַיְילִין בְּדִינָא לְעָלְמִין.

עז. בְּיוֹמָא דְּרֹאשׁ הַשָּׁנָה, דְּאִיהוּ יוֹמָא דְּדִינָא, דְּלָאו אִיהוּ, אֶלָּא לְאִינּוּן דְּלָא נַטְלוּ מֵיכְלָא דְּאַסְוָותָא, וְשָׁבְקוּ לְאַסְוָותָא דְּאוֹרַיְיתָא, בְּגִין מֵיכְלָא אַחֲרָא דְּאִיהוּ וְחָמֵץ. דְּהָא בְּיוֹמָא דָּא דְּר"ה, הַהוּא וְחָמֵץ סַלְּקָא, וּמְקַטְרְגָא עָלֵיהּ דְּבַר נָשׁ, וְאַלְשִׁין עָלֵיהּ, וְאִיהוּ קַיְּימָא בְּיוֹמָא דָּא מְקַטְרְגָא עַל עָלְמָא. וְקֻבְּ"ה יָתִיב בְּדִינָא עַל כֹּלָּא וְדָאִין עָלְמָא.

עח. וּבְגִינֵי כָּךְ כַּד יָהַב קֻבְּ"ה אוֹרַיְיתָא לְיִשְׂרָאֵל, אַטְעִים לְהוּ מֵהַהוּא נַהֲמָא עִלָּאָה, דְּהַהוּא אֲתָר, וּמִגּוֹ הַהוּא נַהֲמָא, הֲווּ יַדְעִין וּמִסְתַּכְּלִין בְּרָזֵי דְּאוֹרַיְיתָא, לְמֵהַךְ בְּאֹרַח מֵישָׁר, וְהָא אוֹקְמוּהָ מִלָּה אִינּוּן וְחַבְרַיָּיא בְּרָזִין אִלֵּין כִּדְקָאֲמָרָן.

עט. ר' שִׁמְעוֹן וְרַבִּי אֶלְעָזָר בְּרֵיהּ, הֲווּ אַזְלֵי בְּאָרְחָא, וַהֲווּ אַזְלִין עִמְּהוֹן, רַבִּי אַבָּא וְרַבִּי יוֹסֵי, עַד דַּהֲווּ אַזְלֵי אִעָרְעוּ בְּחַד סָבָא, וַהֲוָה אָחִיד בִּידֵיהּ וְחַד יָנוּקָא, זָקַף עֵינוֹי רַבִּי שִׁמְעוֹן וְחָמָא לֵיהּ, אָמַר לֵיהּ לְרַבִּי אַבָּא וַדַּאי מִלִּין וְחַדְתִּין אִית גַּבָּן בְּהַאי סָבָא.

פ. כַּד מָטוּ לְגַבֵּיהּ, אָמַר רַבִּי שִׁמְעוֹן, בְּמָטוּל דְּקוּפְטְרָךְ בְּגַבָּךְ קָא אָתֵית, מַאן אַנְתְּ. אָמַר לֵיהּ, יוּדָאי אֲנָא. אָמַר, מִלִּין וְחַדְתִּין וַדַּאי יוֹמָא דָּא לְגַבָּךְ, אָמַר לֵיהּ לְאָן הוּא אָרְעָךְ. אָמַר לֵיהּ, דִּיוּרִי הֲוָה בְּאִינּוּן פְּרִישֵׁי מַדְבְּרָא, דַּהֲוֵינָא, מִשְׁתַּדֵּל בְּאוֹרַיְיתָא, וְהַשְׁתָּא אֲתֵינָא לְיִשּׁוּבָא, לְמֵיתַב בְּצִלָּא דְּקֻבְּ"ה, בְּאִלֵּין יוֹמֵי דְּיַרְחָא שְׁבִיעָאָה דָּא.

פא. חַדֵּי ר' שִׁמְעוֹן, אָמַר, נָתִיב דְּוַדַּאי קֻבְּ"ה שַׁדְּרָךְ לְגַבָּן. אָמַר לֵיהּ, חַיֶּיךָ דְּנִשְׁמַע מִלָּה מִפּוּמָךְ, מֵאִינּוּן מִלִּין וְחַדְתִּין עַתִּיקִין, דְּנַטְעִיתוּן תַּמָּן בְּמַדְבְּרָא, מֵהַאי יַרְחָא שְׁבִיעָאָה. וְאַמַּאי אִתְפָּרַשְׁתּוּן הַשְׁתָּא מִמַּדְבְּרָא, לְמֵיתֵי לְיִשּׁוּבָא. אָמַר לֵיהּ הַהוּא סָבָא, בִּשְׁאֶלְתָּא דָּא, יַדַעְנָא דְּחָכְמְתָא גַּבָּךְ, וּמִילָּךְ מָטוּ לִרְקִיעֵי דְּחָכְמְתָא.

פב. פָּתַח הַהוּא סָבָא וְאָמַר, וּבַמִּדְבָּר אֲשֶׁר רָאִיתָ אֲשֶׁר נְשָׂאֲךָ יְיָ' אֱלֹהֶיךָ כַּאֲשֶׁר יִשָּׂא אִישׁ אֶת בְּנוֹ וְגוֹ'. הַאי קְרָא הָכֵי מִבָּעֵי לֵיהּ, וּבַמִּדְבָּר אֲשֶׁר נְשָׂאֲךָ, מַהוּ רָאִיתָ. אֶלָּא קוּדְשָׁא בְּרִיךְ הוּא דָּבַר לוֹן לְיִשְׂרָאֵל בְּמַדְבְּרָא, מַדְבְּרָא תַּקִּיפָא, כְּמָה דִּכְתִיב, נָחָשׁ שָׂרָף וְעַקְרָב וְגוֹ'. וּמַדְבְּרָא דְּאִיהוּ תַּקִּיף מִשְּׁאָר מַדְבְּרִין בְּעָלְמָא. מַאי טַעְמָא.

פג. בְּגִין דְּהַהוּא שַׁעֲתָא דְּנָפְקוּ יִשְׂרָאֵל מִמִּצְרַיִם וְאִשְׁתְּלִימוּ לְשִׁתִּין רִבְּבָן, אִתְתַּקַּף מַלְכוּתָא קַדִּישָׁא, וְאִסְתַּלַּק עַל כֹּלָּא, וְסִיהֲרָא אִתְנְהִירַת וּכְדֵין אִתְכַּפְיָא מַלְכוּ וְחַיָּיבָא סִטְרָא אָחֳרָא. וְאַפִּיק לוֹן קֻבְּ"ה לְמֵיהַךְ בְּמַדְבְּרָא תַּקִּיפָא. דְּאִיהוּ אֲתַר וְשָׁלְטָנוּ דְּסָמָאֵ"ל וְחַיָּיבָא, דְּאִיהוּ דִּילֵיהּ מַמָּשׁ, בְּגִין לְתַבְרָא תּוּקְפֵּיהּ וְחֵילֵיהּ, וּלְכַתְּתָא רֵישֵׁיהּ, וּלְאַכְפְּיָא לֵיהּ, דְּלָא יִשְׁלוֹט. וְאִלְמָלֵא דְּחָאבוּ יִשְׂרָאֵל, בָּעָא קֻבְּ"ה לְאַעְבְּרָא לֵיהּ מֵעָלְמָא, וְעַ"ד אַעְבַּר לוֹן בְּאַחֲסַנְתֵּיהּ וְעַדְבֵיהּ וְחוּלָקֵיהּ מַמָּשׁ.

פד. כֵּיוָן דְּחָאבוּ בְּכַמָּה זִמְנִין, נָשִׁיךְ לוֹן חִוְיָא, וּכְדֵין אִתְקַיָּים הוּא יְשׁוּפְךָ רֹאשׁ וְגוֹ'. יִשְׂרָאֵל מָחוּ רֵישֵׁיהּ בְּקַדְמֵיתָא, וְלָא יַדְעֵי לְאִסְתַּמְּרָא מִינֵּיהּ, וּלְבָתַר אִיהוּ מָחָא בְּבַתְרַיְיתָא, וְנָפְלוּ כֻּלְּהוּ בְּמַדְבְּרָא, וְאִתְקַיָּים וְאַתָּה תְּשׁוּפֶנּוּ עָקֵב. וְאַרְבְּעִין שְׁנִין לָקוּ מִנֵּיהּ, לָקֳבֵל מ' מַלְקוּת דְּבֵי דִּינָא.

פה. וְעַ"ד כְּתִיב אֲשֶׁר רָאִיתָ, בְּעֵינַיְיהוּ הֲוֵי חָמָאן לְהַהוּא מָארֵי דְּמַדְבְּרָא, אָזִיל

כפית קמייהו, ונטלי אוסנתיה ועדביה. מנלן. מדכתיב אז נבהלו אלופי אדום, ואלין אינון נחש שרף ועקרב. ואנן אוף הכי אתפרשנא מישובא למדברא תקיפא, ולעיינא תמן באורייתא, בגין לאכפיא להוא סטרא.

פו. ותו דלא מתישבן מלי דאורייתא, אלא תמן. דלית נהורא אלא ההוא דנפיק מגו חשוכא, דכד אתכפיא סטרא דא, אסתלק קב"ה לעילא, ואתייקר ביקריה. ולית פולחנא דקב"ה, אלא מגו חשוכא, ולית טובא אלא מגו בישא. וכד עאל בר נש באורח בישא, ושביק ליה, כדין אסתלק קב"ה ביקריה, ועל דא שלימו דכלא טוב ורע כחדא, ולאסתלקא לבתר בטוב, ולית טוב אלא ההוא דנפק מגו בישא. ובהאי טוב, אסתלק יקריה, ודא איהו פולחנא שלים.

פז. ואנן, עד השתא יתיבנא תמן, כל יומי שתא, בגין לאכפיא במדברא לההוא סטרא. השתא דמטא זמנא דפולחנא קדישא, דסטרא דקדושא, אהדרנא לישובא דתמן איהו פולחנא דיליה. ותו, דהשתא בר"ה מטא זמנא דההוא חויא, למתבע דינא מקמי קב"ה, ותמן איהו שליט. ובגין כך נפקנא מתמן ואתינא לישובא.

פח. פתח ההוא סבא ואמר, תקעו בחדש שופר בכסה ליום חגנו, השתא איהו זמנא, לאתערא דינא עלאה תקיפא, וכד איהו אתער סטרא אחרא אתתקף בהדיה, וכיון דאיהו אתתקף, סליק וחפיא לסיהרא, דלא נהיר נהורא, ואתמליא מסטרא דדינא. כדין כל עלמא איהו בדינא, עלאין ותתאין, וכרוזא כריז בכלהו רקיעין, אתקינו כורסיא דדינא, למאריה דכלא, דאיהו בעי למידן.

פט. ורזא הכא, ואתנהיר לון במדברא, אמאי אתער דינא עלאה ביומא דא. אלא כל רזין וכל קדושין יקירין, כלהו תליין בשביעאה. וההוא שביעאה עלאה, עלמא עלאה, דאקרי עלמא דאתי. מניה נהרין כל בוצינין, וכל קדושין, וכל ברכאן. וכד מטי זמנא, לחדתותי ברכאן וקדושין לאנהרא, בעא לאשגחא בכל תקונא דעלמין כלהו, וכל אינון תקונים לאתקיימא כלהון, סלקין מגו תתאי, אי אינון כשראן. ואי לא כשראן, כדין קיימא דלא נהיר, עד דאתפרשן חייבין מגו זכאין, כדין אתער דינא.

צ. ובההוא דינא, אתתקף סטרא אחרא, ואשתכח מקטרגא, בגין דינתנון ליה אינון, חייביא. בגין דעליה כתיב, ולכל תכלית הוא חוקר. וחפיא לסיהרא, אמאי לא מסרא לון בידא דמקטרגא. בגין דלית תיאובתיה דקב"ה, לאובדא לעובדי ידוי.

צא. וההוא סטרא אחרא, קיימא קליפא תקיפא, דלא יכיל לאתברא, בר בההוא עיטא דקודשא בריך הוא יהיב לישראל, דכתיב תקעו בחדש שופר בכסה ליום חגנו. בגין לתברא ההוא כסה דאתחפיא סיהרא, ולא נהיר.

צב. וכד מתערי ישראל לתתא בשופר, ההוא קלא דנפיק משופר, בטש באוירא, ובקע רקיעין, עד דסלקא לגבי ההוא טנרא תקיפא, דחפי לסיהרא, אשגח, ואשכח אתערותא דרחמי, כדין ההוא דסליק וקיימא לעילא, אתערבב. כדין ההוא קלא קיימא, ואעבר ההוא דינא, וכיון דלתתא אתערו רחמי, הכי נמי לעילא, אתער שופרא אחרא עלאה, ואפיק קלא דאיהו רחמי, ואתערו קלא בקלא, רחמי ברחמי, ובאתערותא דלתתא, אתער הכי נמי לעילא.

צג. ואי תימא, היך יכיל קלא דלתתא, או אתערותא דלתתא לאתערא, הכי נמי. תא חזי, עלמא תתאה, קיימא לקבלא תדיר, והוא אקרי אבן טבא. ועלמא עלאה לא

יָהֵיב לֵיהּ, אֶלָּא כְּגַוְונָא דְּאִיהוּ קַיְּימָא. אִי אִיהוּ קַיְּימָא בִּנְהִירוּ דְּאַנְפִּין מִתַּתָּא, כְּדֵין הָכִי נָהֲרִין לֵיהּ מִלְּעֵילָּא. וְאִי אִיהוּ קַיְּימָא בַּעֲצִיבוּ, יַהֲבִין לֵיהּ דִּינָא בְּקָבְלֵיהּ.

צד. כְּגַוְונָא דָּא, עִבְדוּ אֶת יְיָ' בְּשִׂמְחָה. וְחֶדְוָה דְּב"נ, מָשִׁיךְ לְגַבֵּיהּ חֶדְוָה אָחֳרָא עִלָּאָה. הָכִי נָמֵי הַאי עָלְמָא תַּתָּאָה, כְּגַוְונָא דְּאִיהִי אִתְעַטְּרַת, הָכִי אַמְשִׁיךְ מִלְּעֵילָּא. בְּגִ"כ מְקַדְּמֵי יִשְׂרָאֵל, וְאַתְעֲרֵי בְּשׁוֹפָר קָלָא דְּאִיהוּ כָּלִיל בְּאֶשָּׁא וּמַיָּא וְרוּחָא, וְאִתְעָבֵיד חַד, וְסַלְּקָא לְעֵילָּא, וּבָטַשׁ בְּהַאי אֶבֶן טָבָא, וְאִצְטַבַּע בְּאִינּוּן גַּוְונִין דְּהַאי קָלָא, וּכְדֵין כְּמָה דְּאִתְחַזְיָאת, הָכִי מָשִׁיךְ מִלְּעֵילָּא.

צה. וְכֵיוָן דְּאִתְתַּקְּנַת בְּהַאי קָלָא. רַחֲמֵי נָפְקֵי מִלְּעֵילָּא, וְשַׁרְיָין עָלָהּ, וְאִתְכְּלִילָא בְּרַחֲמֵי, מִתַּתָּא וּמִלְּעֵילָּא. וּכְדֵין אִתְעַרְבָּב סִטְרָא אָחֳרָא. וְאִתְחַלַּשׁ תָּקְפֵּיהּ, וְלָא יָכִיל לְקַטְרְגָא. וְהַאי אֶבֶן טָבָא, קַיְּימָא בִּנְהִירוּ דְּאַנְפִּין, מִכָּל סִטְרִין, בִּנְהִירוּ דִּלְתַתָּא, וּבִנְהִירוּ דִּלְעֵילָּא.

צו. אֵימָתַי קַיְּימָא בִּנְהִירוּ דִּלְעֵילָּא, הֲוֵי אוֹמֵר בְּיוֹמָא דְּכִפּוּרֵי. וּבְיוֹמָא דְּכִפּוּרֵי אִתְנְהִיר הַהוּא אֶבֶן טָבָא, בִּנְהִירוּ דִּלְעֵילָּא, מִגּוֹ נְהִירוּ דְּעָלְמָא דְּאָתֵי, וּכְדֵין מִתַּקְּנִין יִשְׂרָאֵל לְתַתָּא חַד שָׂעִיר, וּמְשַׁדְּרִין לְהַאי מַדְבְּרָא תַּקִּיפָא, דְּאִיהוּ שַׁלְטָא עָלֵיהּ.

צז. וְהַהוּא סִטְרָא אָחֳרָא, אִיהוּ נְקוּדָה אֶמְצָעִיתָא דְּחָרִיבוּ דְּעָלְמָא, בְּגִין דְּכָל חָרִיבוּ וְשִׁמָּמוֹן מִנֵּיהּ, הַהוּא סִטְרָא אָחֳרָא שַׁלִּיט עָלֵיהּ. וּנְקוּדָה אֶמְצָעִיתָא דְּכָל יִשּׁוּבָא, סִטְרָא דִּקְדוּשָּׁה אִיהוּ, וְעַל דָּא, קַיְּימָא יְרוּשָׁלַ‍ִם בְּאֶמְצָעִיתָא דְּכָל יִשּׁוּבָא דְּעָלְמָא.

צח. בִּתְרֵין נְקוּדִין אִתְפָּרְשַׁת מַלְכוּ שְׁמַיָּא, סִטְרָא דִּקְדוּשָׁא, חַד דִּילָהּ, וְחַד דְּעָלְמָא דְּאָתֵי, נְקוּדָה עִלָּאָה טְמִירָאָה, וְע"ד קַיְּימָא בִּתְרֵין נְקוּדִין: נְקוּדָה דִּילָהּ קַיְּימָא תְּחוֹתָהּ, יְרוּשָׁלַ‍ִם, אֶמְצָעִיתָא דְּכָל יִשּׁוּבָא. נְקוּדָא דְּנַטְלָא מֵאִימָּא עִלָּאָה טְמִירָא, אִיהוּ ג"ע דְּאַרְעָא, דְּקַיְּימָא בְּאֶמְצָעִיתָא דְּכָל עָלְמָא, לְכָל סִטְרִין, דְּחָרִיבוּ וְיִשּׁוּבָא, וְכָל סִטְרִין דְּעָלְמָא.

צט. וְע"ד, בְּאֶמְצָעִיתָא דְּגַן עֵדֶן, קַיְּימָא נְקוּדָה חֲדָא עִלָּאָה טְמִירָא וּגְנִיזָא, דְּלָא יְדִיעַ. וְחַד עַמּוּדָא, נָעִיץ מִתַּתָּא לְעֵילָּא, גּוֹ הַהִיא נְקוּדָה, וּמִתַּמָּן נַבְעֵי מַיָּא, דְּאִתְפְּרִישׁוּ לְאַרְבַּע סִטְרֵי עָלְמָא. אִשְׁתְּכָחוּ תְּלַת נְקוּדִין בְּעָלְמָא, דְּקַיְּימָאן דָּא עַל דָּא, כְּגַוְונָא דִּתְלַת נְקוּדִין דְּאוֹרַיְיתָא.

ק. תָּא חֲזֵי, הַהוּא שָׂעִיר דִּמְשַׁדְּרִין יִשְׂרָאֵל לַעֲזָאזֵל, לְהַהוּא מַדְבְּרָא, בְּגִין לְמֵיהַב חוּלָקָא לְהַהוּא סִטְרָא אָחֳרָא, לְאִתְעַסְּקָא בַּהֲדֵיהּ. וְאִי תֵּימָא, תְּרֵין שְׂעִירִין אַמַּאי הָכָא, חַד לַיְיָ' וְחַד לְהַהוּא סִטְרָא אָחֳרָא. תִּינַח הַהוּא שָׂעִיר דְּסִטְרָא אָחֳרָא. לַיְיָ' אַמַּאי.

קא. אֶלָּא לְמַלְכָּא דַּהֲוָה אַרְגִּיז עַל בְּרֵיהּ, קָרָא לְסַנְטִירָא, הַהוּא דְּעָבֵיד דִּינָא בִּבְנֵי נָשָׁא תָּדִיר, בְּגִין דְּיִזְדַּמַּן לְמֶעְבַּד דִּינָא בִּבְרֵיהּ. הַהוּא סַנְטִירָא חַדֵּי, וְעָאל בְּבֵי מַלְכָּא לְמֵיכַל תַּמָּן, כֵּיוָן דְּאַשְׁגַּח בֵּיהּ בְּרֵיהּ, אָמַר, וַדַּאי לָא עָאל סַנְטִירָא דָּא בְּבֵי אַבָּא, אֶלָּא בְּגִין דְּאַרְגִּיז מַלְכָּא עָלַי. מָה עָבֵד, אָזַל וְאִתְפַּיַּיס בַּהֲדֵיהּ. כֵּיוָן דְּאִתְפַּיַּיס בַּהֲדֵיהּ, פָּקִיד מַלְכָּא לְמֶעְבַּד סְעוּדָתָא עִלָּאָה לֵיהּ וְלִבְרֵיהּ, וּפָקִיד דְּלָא יָדַע בֵּיהּ הַהוּא סַנְטִירָא. לְבָתַר עָאל הַהוּא סַנְטִירָא. אָמַר מַלְכָּא הַשְׁתָּא אִי יִנְדַּע דָּא, מִסְּעוּדָתָא עִלָּאָה דְּאַתְקִינִית לִי וְלִבְרִי, יִתְעַרְבֵּב פָּתוֹרָא. מָה עֲבַד. קָרָא לִמְמַנָּא עַל סְעוּדָתָא, אָמַר לֵיהּ, אַתְקִין מִדִּי, וּתְשַׁוֵּי קַמָּאי, וּתְשַׁוֵּי קַמֵּיהּ דְּהַהוּא סַנְטִירָא, בְּגִין דְּיַחְשִׁיב דְּסָעִיד קַמָּאי מִדִּילִי, וְלָא יִנְדַּע בְּהַהִיא סְעוּדָתָא יַקִּירָא דְּחֶדְוָה דִּילִי וְדִבְרִי, וְיִטּוֹל

הַהוּא חוּלָקָא וְיֵזִיל לֵיהּ, וְיִתְפְּרַשׁ מֵחֶדְוָה דִּסְעוּדָתָא דִּילָן. וְאִי לָאו דְּמַלְכָּא עָבִיד הָכִי, לָא יִתְפְּרַשׁ הַהוּא סַנְטִירָא מִבֵּי מַלְכָּא.

קב. כַּךְ אָמַר קוּדְשָׁא בְּרִיךְ הוּא לְיִשְׂרָאֵל, אַזְמִינוּ תְּרֵין שְׂעִירִין, חַד לִי וְחַד לְהַהוּא דַּלְטוּרָא, בְּגִין דְּיַחְשִׁיב דְּמִסְּעוּדָתָא דִּילִי קָאָכִיל, וְלָא יִנְדַּע בִּסְעוּדָתָא דְּחֶדְוָה אַחֲרָא דִּילָן, וְיִסַּב הַהוּא חוּלָקָא, וְיֵזִיל לְאָרְחֵיהּ, וְיִתְפְּרַשׁ מִבֵּיתִי. כֵּיוָן דְּאִמָּא עִלָּאָה, עָלְמָא דְּאָתֵי, אָתֵי לְמִשְׁרֵי גּוֹ הֵיכְלָא דְּעָלְמָא תַּתָּאָה, לְאַשְׁגְּחָא עָלָהּ בִּנְהִירוּ דְּאַנְפִּין, דֵּין הוּא דְּלָא יִשְׁתְּכַח הַהוּא דַּלְטוּרָא, וְלָא מָארֵי דְּדִינִין לְקַמֵּיהּ, כַּד אַפִּיק כָּל בִּרְכָאן, וְאַנְהִיר לְכֹלָּא. וְכָל הַהוּא חִירוּ יִשְׁתְּכַח, וְיִשְׂרָאֵל נַטְלֵי מֵאִינּוּן בִּרְכָאן.

קג. דְּהָא כַּד עָלְמָא דְּאָתֵי, עָאל לְהֵיכָלָא דְּעָלְמָא תַּתָּאָה, וְאַשְׁכַּח דְּחַדֵּי עָלְמָא תַּתָּאָה עִם בְּנוֹי בְּהַהִיא סְעוּדָתָא עִלָּאָה, כְּדֵין אִיהוּ בָּרִיךְ פָּתוֹרָא, וְעָלְמִין כֻּלְּהוּ מִתְבָּרְכִין, וְכָל חִידוּ וְכָל נְהִירוּ דְּאַנְפִּין אִשְׁתְּכָחוּ תַּמָּן. הה״ד לִפְנֵי יְיָ׳ תִּטְהָרוּ.

קד. כְּתִיב וְנָתַן אַהֲרֹן עַל שְׁנֵי הַשְּׂעִירִים גּוֹרָלוֹת גּוֹרָל אֶחָד לַיְיָ׳ וְגוֹרָל אֶחָד לַעֲזָאזֵל. דָּא אִיהוּ הַהוּא חֶדְוָה דְּהַהוּא דַּלְטוּרָא, בְּגִין דְּקֻבְּ״ה יָטִיל עִמֵּיהּ גּוֹרָל, וְזַמִּין לֵיהּ, וְלָא יָדַע דְּנוּר דָּלִיק אַטִּיל עַל רֵישֵׁיהּ, וְעַל עַמָּא דִּילֵיהּ, כד״א כִּי גֶחָלִים אַתָּה חוֹתֶה עַל רֹאשׁוֹ.

קה. וְסִימָנָךְ, אַף לֹא הֵבִיאָה אֶסְתֵּר הַמַּלְכָּה עִם הַמֶּלֶךְ אֶל הַמִּשְׁתֶּה אֲשֶׁר עָשָׂתָה כִּי אִם אוֹתִי. וּכְתִיב, וַיֵּצֵא הָמָן בַּיּוֹם הַהוּא שָׂמֵחַ וְטוֹב לֵב. בְּהַהוּא חוּלָקָא דְּנָטִיל, וְאָזִיל לֵיהּ. וּלְבָתַר כַּד אָתֵי מַלְכָּא עִלָּאָה, לְבֵי מַטְרוֹנִיתָא, מַטְרוֹנִיתָא תַּבְעַת עָלָהָא, וְעַל בְּנָהָא, וְעַל עַמָּא מִן מַלְכָּא.

קו. וַאֲפִילּוּ בְּזִמְנָא דְּיִשְׂרָאֵל בְּגָלוּתָא, וְצַלּוּ צְלוֹתִין בְּכָל יוֹמָא, אִיהִי סַלְקַת בְּיוֹמָא דָּא, לְקָמֵי מַלְכָּא עִלָּאָה, וְתַבְעַת עַל בְּנָהָא. וּכְדֵין אִתְגְּזָרוּ, כָּל אִינּוּן נוֹקְמִין, דְּזַמִּין קֻבְּ״ה לְמֶעְבַּד עִם אֱדוֹם, וְאִתְגְּזַר הֵיךְ זַמִּין דַּלְטוּרָא דָּא לְאִתְעַבְרָא מֵעָלְמָא, כד״א בִּלַּע הַמָּוֶת לָנֶצַח.

קז. וְסִימָנָךְ, בְּזִמְנָא דְּגָלוּתָא כִּי נִמְכַּרְנוּ אֲנִי וְגוֹ׳. כִּי אֵין הַצָּר שׁוֶֹה בְּנֵזֶק הַמֶּלֶךְ. מַאי בְּנֵזֶק הַמֶּלֶךְ. כד״א, וְהִכְרִיתוּ אֶת שְׁמֵנוּ מִן הָאָרֶץ וּמַה תַּעֲשֶׂה לְשִׁמְךָ הַגָּדוֹל. דְּהָא שְׁמָא עִלָּאָה, לָא אִתְקַיַּים בְּקִיּוּמֵיהּ, וְדָא אִיהוּ בְּנֵזֶק הַמֶּלֶךְ.

קח. וּכְדֵין וְהָמָן נִבְעַת מִלִּפְנֵי הַמֶּלֶךְ וְהַמַּלְכָּה כְּדֵין, נְהִירוּ דְּאַנְפִּין, וְכָל חִידוּ אִשְׁתְּכַח, וְיִשְׂרָאֵל נַפְקֵי לְחִירוּ, בְּהַהוּא יוֹמָא. כְּדֵין מֵהַהוּא יוֹמָא וּלְהָלְאָה, חִירוּ וְחֶדְוָה בְּאִתְגַּלְיָא, לְשַׁלְטָאָה עָלַיְיהוּ, כְּדֵין בָּעֵי לְמֶחֱדֵי עִמְּהוֹן, מִכָּאן וּלְהָלְאָה, כְּמָה דְּיָהֲבוּ לֵיהּ חוּלָקָא לְאִתְפָּרְשָׁא מִנְּהוֹן, הָכִי נָמֵי יַהֲבִין לִשְׁאָר עַמִּין, לְאִתְפָּרְשָׁא מִנְּהוֹן לְתַתָּא.

קט. תָּא חֲזֵי, מָה הוּא רָזָא דְּקָרְבְּנָא, לְקָרְבָא שָׂעִיר, וְלָא מִלָּה אַחֲרָא. וְאַמַּאי שָׂעִיר בְּרֹאשׁ חֹדֶשׁ, וְהָכָא נָמֵי שָׂעִיר. אֶלָּא אִי תֵּימָא בְּגִין דְּאִיהוּ סִטְרָא דִּילֵיהּ יָאוּת. אַמַּאי לָא הָוֵי עֵז.

קי. אֶלָּא מִלָּה דָּא אִצְטְרִיךְ, וְאִיהִי אִשְׁתְּכָחַת לְמָארֵיהוֹן דְּחָרְשִׁין, דְּכָל עוֹבָדַיְיהוּ בְּמָה דְּלָא אִתְחַבַּר בְּנוּקְבָּא. וְע״ד שָׂעִיר לָא אִתְחַבַּר בְּנוּקְבָּא, בְּסִטְרִין דִּילֵיהּ כֻּלְּהוּ. עֵז כַּד אִתְחַבַּר בְּנוּקְבָּא. וּבְגִין דְּאִיהוּ מַלְכָּא, יַהֲבִין לֵיהּ בְּגִין יְקָרָא דִּילֵיהּ, הַאי דְּלָא אִתְחַבַּר בְּנוּקְבָּא, וְלָא יָהִיב חֵילֵיהּ לְאַחֲרָא. וְדָא אִשְׁתְּמוֹדַע לְאִינּוּן חָרְשִׁין, דְּמִשְׁתַּמְּשִׁין בְּהָנֵי עוֹבָדֵי. וּבְגִינֵי כַּךְ, שַׁרְיָין עַל הַהוּא שָׂעִיר, כָּל אִינּוּן חַטָּאֵיהוֹן.

קיא. וְת״ח, אע״ג דְּאִיהוּ חוּלָקָא לְהַהוּא סִטְרָא אַחֲרָא, רָזָא הָכָא, כָּל הָנֵי סִטְרִין

אַחֲרָנִין דִּלְתַתָּא, כֻּלְּהוּ מְסָאֲבִין יַתִּיר. וְכָל מַה דְּנָחְתִּין דַּרְגִּין תַּתָּאִין, הָכִי מְסָאֲבוּ דִּלְהוֹן יַתִּיר. וּבְגִין כָּךְ, בָּעֵז יַתִּיר וְחוֹלָקֵהוֹן, בְּגִין דְּשַׂעֲרָא דִּילֵיהּ תַּלְיָא יַתִּיר מִבְּעִירָא אַחֲרָא, כְּמָה דְּדִינָא דִּלְהוֹן תָּלֵי לְתַתָּא בְּמְסָאֲבוּ. אֲבָל הַאי מַלְכוּ וְזַיְיבְתָא אַחֲרָא, מַלְכָּא דְּכֹלָּא בְּהַהוּא סִטְרָא, בָּרוּר אִיהוּ יַתִּיר מִסְאֲבוּ דִּילֵיהּ, וְלָא מְסָאֲבוּ שְׁלִים כְּהָנֵי תַּתָּאֵי. וְעַל דָּא שָׂעִיר, דִּשְׂעַר דִּילֵיהּ לָא תַּלְיָא, וְלָא שְׁעִיעַ. לָא שְׁעִיעַ, בְּגִין דְּהַהוּא מְסָאֲבוּ דִּילֵיהּ. וְלָא תַּלְיָא, בְּגִין דְּלָא יִתְתָּקַף בֵּיהּ מְסָאֲבוּ כְּהָנֵי תַּתָּאֵי, וְעַל דָּא וַדַּאי שָׂעִיר וְלָא אַחֲרָא.

קי״ב. כִּפּוּר, אֲמַאי אִקְרֵי כִּפּוּר, אֶלָּא בְּגִין דְּנָקֵי כָּל מְסָאֲבוּ, וְאַעְבַּר לֵיהּ מִקַּמֵּיהּ, בְּהַהוּא יוֹמָא. וְעַל דָּא, יוֹם כִּפּוּר: יוֹמָא דְּנְקִיוּתָא, וְהָכִי קָרֵינָא לֵיהּ. כְּתִיב כִּי בַיּוֹם הַזֶּה יְכַפֵּר עֲלֵיכֶם לְטַהֵר אֶתְכֶם, כִּי הַיּוֹם הַזֶּה מִבָּעֵי לֵיהּ, מַאי כִּי בְּיוֹם הַזֶּה. אֶלָּא בְּגִין דְּאִתְדְּכֵי מִקּוּדְשָׁא לְעֵילָּא, וְאִתְנְהִיר, כְּתִיב כִּי בַיּוֹם הַזֶּה יְכַפֵּר עֲלֵיכֶם, יְכַפֵּר וִינַקֵּי בְּקַדְמֵיתָא בַּיּוֹם הַזֶּה, בְּגִין דְּיִתְדְּכֵי, וּלְבָתַר עֲלֵיכֶם.

קי״ג. תּוּ, יְכַפֵּר בַּיּוֹם הַזֶּה, וִינַקֵּי לֵיהּ בְּקַדְמֵיתָא, וְכָל דָּא עֲלֵיכֶם, בְּגִינַכוֹן אִצְטְרִיךְ לְנַקָּאָה לֵיהּ, וּלְדַכְאָה לֵיהּ בְּקַדְמֵיתָא. יְכַפֵּר, מַאן יְכַפֵּר. אֶלָּא דָּא הוּא עָלְמָא עִלָּאָה, דְּנָהִיר וְנַקֵּי לְכֹלָּא. וְע״ד כֻּלְּהוּ סִטְרִין בִּישִׁין, דְּאִקְרוּן מְצוּלוֹת יָם, אִתְעֲבָרוּ. וּכְמָה דְּאִינּוּן מְצוּלוֹת יָם תַּלְיָין, הָכִי נָמֵי תַּלְיָיא שַׂעֲרָא דִּילֵיהּ, דְּהוּא סִטְרָא דִּלְהוֹן, וְשַׂעֲרָא דְּהַהוּא סִטְרָא לָא שְׁעִיעַ.

קי״ד. כְּגַוְונָא דָּא כְּתִיב, וְכִפֶּר עַל הַקֹּדֶשׁ מִטּוּמְאֹת בְּנֵי יִשְׂרָאֵל וּמִפִּשְׁעֵיהֶם לְכָל חַטֹּאתָם. דְּלָא יָכִיל מְקַטְרְגָא לְשַׁלְטָאָה עֲלַיְיהוּ וְעַל דָּא בְּיוֹמָא דְּכִפּוּר, דְּאִיהוּ קְנוּוֹזָא דְּכָל חוֹבִין, וְנַקְיוּ דִּלְהוֹן. בָּעָאן יִשְׂרָאֵל לְנַקָּאָה גַּרְמַיְיהוּ, וּלְמֵהַךְ יְחֵפֵי רַגְלִין, כְּמַלְאֲכֵי עִלָּאִין. וְחָמֵשׁ עִנּוּיִין, בְּגִין לְאִסְתַּיְּיעָא בְּחָמֵשׁ סִטְרִין עִלָּאִין, דְּיוֹמָא דְּכִפּוּרֵי אַפִּיק לוֹן, וְאִינּוּן תַּרְעִין דִּילֵיהּ.

קט״ו. וְאִי שְׁתִיָּה קָא חָשִׁיב, דְּאִיהוּ מִסִּטְרָא דְּיִצְחָק, הָא שִׁית, וְאע״ג דְּבִכְלָל אֲכִילָה אִיהוּ, וּכְדֵין אִינּוּן שִׁית, וְעִנּוּיָא בַּתְרָאָה תַּשְׁמִישׁ הַמִּטָּה אִיהוּ, וּבְדַרְגָּא שְׁתִיתָאָה שְׁכִיחַ, וּלְקַבְּלֵיהּ אֲנָן עָבְדִין עִנּוּיָא דָּא.

קט״ז. כְּתִיב וּבֶעָשׂוֹר לַחֹדֶשׁ הַשְּׁבִיעִי הַזֶּה, וּכְתִיב אַךְ בֶּעָשׂוֹר לַחֹדֶשׁ. בֶּעָשׂוֹר בַּעֲשִׂירִי מִבָּעֵי לֵיהּ, מַאי בֶּעָשׂוֹר. אֶלָּא, בְּגִין דְּהַשְׁתָּא בְּיוֹמָא דָּא, כָּל דַּרְגִּין עִלָּאִין, אַתְיָין אִלֵּין עַל אִלֵּין, לְמִשְׁרֵי עַל סִיהֲרָא, וּלְאַנְהֲרָא לָהּ. וְכֻלְּהוּ בְּרָזָא דְּעֶשֶׂר, עַד דְּסַלְקָא לְמֵאָה. וְכַד קַיְּימָא בְּרָזָא דְּמֵאָה, כְּדֵין כֹּלָּא חַד, וְאִקְרֵי יוֹם הַכִּפּוּרִים. וְעַל דָּא בֶּעָשׂוֹר, כְּמָה דְּאַתְּ אָמַר זָכוֹר שָׁמוֹר דְּכֻלְּהוּ אַתְיָין בְּגִין לְעַשְּׂרָא וּלְאַנְהֲרָא בְּרָזָא דְּעֶשֶׂר.

קי״ז. אַהֲדַר הַאי סָבָא רֵישֵׁיהּ לְקָבְלֵיהּ דְּר״ש, וְאָמַר לֵיהּ, הָא יָדַעְנָא דִּשְׁאֶלְתָּא תִּבְעֵי בְּהַאי, בֶּעָשׂוֹר לַחֹדֶשׁ הַשְּׁבִיעִי. א״ל ר״ש וַדַּאי, בֶּעָשׂוֹר יֵאוֹת הוּא. אִי הָכִי הוּא, אֲמַאי סָלִיק לְמֵאָה, וְהָא מִקְרָא לָא אִתְחֲזֵי, אֶלָּא דְּסָלִיק לְשַׁבְעִין, מַשְׁמַע דִּכְתִיב בֶּעָשׂוֹר לַחֹדֶשׁ הַשְּׁבִיעִי, וְכַד מְעַשְּׂרֵי לִשְׁבִיעָאָה עֶשֶׂר זִמְנִין, הָא וַדַּאי סָלִיק לְשַׁבְעִין. א״ל, עַל דָּא אַהֲדַרְנָא רֵישָׁא לְגַבָּךְ, דְּהָא יָדַעְנָא דְּחַכִּימָא אַנְתְּ.

קי״ח. ת״ח, תְּרֵין רָזִין הָכָא, חַד דְּהָא סִיהֲרָא חֹדֶשׁ הַשְּׁבִיעִי אִקְרֵי, וּבג״כ אִקְרֵי חֹדֶשׁ הַשְּׁבִיעִי עָשׂוֹר, בְּגִין דְּקָא מְנַהֲרִין לָהּ עֶשֶׂר זִמְנִין, הָא מֵאָה. וְתוּ, הַאי מִלָּה

דְּקָאֲמַרַת, וַדַּאי לְשַׁבְעִין סְלִיקָא בְּהַאי יוֹמָא, וּבְדַרְגָּא דְשַׁבְעִין אִיהוּ, וּבְדַרְגָּא דְמֵאָה אִיהוּ. לְדַרְגָּא דְמֵאָה לְאַשְׁלְמָא וּלְאַנְהָרָא. וּבְהַאי דַרְגָּא דְשַׁבְעִין, דְּהָא בְּיוֹמָא דָא נָטִיל לְכָל עַמָּא דְיִשְׂרָאֵל לְמֵידָן, וְכֻלְּהוּ קַיְימִין בְּנִשְׁמְתָא יַתִּיר מִגּוּפָא, דְּהָא בְּיוֹמָא דָא עִנּוּיָא דְנַפְשָׁא אִיהוּ, וְלָא מִגּוּפָא, כְּמָה דְאַתְּ אָמַר וְעִנִּיתֶם אֶת נַפְשׁוֹתֵיכֶם כִּי כָל הַנֶּפֶשׁ אֲשֶׁר לֹא תְעוּנֶּה. וְהַאי יוֹמָא נָטִיל לְכָל נַפְשָׁאן וַהֲווּ בִּרְשׁוּתֵיהּ, וְאִי לָא קַיְימָא בְּרָזָא דְשַׁבְעִין, לֵית לֵיהּ רְשׁוּ בְּנַפְשָׁאן, דְּקִיּוּמָא דְנַפְשָׁאן בְּרָזָא דְשַׁבְעִין, כד"א יְמֵי שְׁנוֹתֵינוּ בָהֶם שִׁבְעִים שָׁנָה וְגוֹ'.

קיט. וְאִי תֵימָא נַפְשָׁאן דְּרַבְיֵי דְלָא אַשְׁלִימוּ לְשַׁבְעִין שְׁנִין לָא שַׁלְטָא בְּהוּ. וַדַּאי שַׁלְטָא בְּהוּ, אֲבָל לָא בִּשְׁלִימוּ, כְּמַאן דְּזָכֵי יוֹמִין סַגִּיאִין לְפִקּוּדֵי אוֹרַיְיתָא, וְעכ"ד בְּכֻלְּהוּ שַׁבְעִין שְׁנִין אַזְלָא. וְעַל דָּא תָּנֵינָן אֶחָד הַמַּרְבֶּה וְאֶחָד הַמַּמְעִיט. מַאן אֶחָד. בְּיִחוּדָא דְשַׁבְעִין שְׁנִין, מַאן דְּאַסְגֵּי, וּמַאן דְּאַמְעִיט.

קכ. וְעַל דָּא, בְּיוֹמָא דְכִפּוּרֵי אַעֲבַר בְּכֻלְּהוּ שַׁבְעִין, וְאִשְׁתְּלִים הַאי דַרְגָּא בְּכֻלְּהוּ, וְכָל נִשְׁמָתִין סַלְּקִין קַמֵּיהּ, וְדָאִין לְהוֹן בְּדִינָא, וקב"ה חַיִּיס עֲלַיְיהוּ דְיִשְׂרָאֵל בְּיוֹמָא דָא, מַאן דְּלָא אַעֲבַר טִינָּא מִרְווֹיֵהּ לְכַפָּרָא עָלֵיהּ, כַּד סָלִיק צְלוֹתֵיהּ בְּהַאי יוֹמָא, טָבַע בְּהַהוּא אֲתַר דְּאִקְרֵי רֶפֶשׁ וָטִיט, וְאִיהוּ מְצוּלוֹת יָם וְלָא סָלִיק לְאִתְעַטְּרָא בְּרֵישָׁא דְמַלְכָּא.

קכא. בְּיוֹמָא דָא לָא אִצְטְרִיךְ בַּר נָשׁ לְפָרְשָׁא חֲטָאוֹי קָמֵי אַחֲרָא, בְּגִין דְּכַמָּה אִינּוּן דְּנַטְלֵי הַהִיא מִלָּה, וְסַלְּקֵי לָהּ לְעֵילָּא, וְאִית סָהֲדִין בְּהַהִיא מִלָּה. וּמָה מִשּׁוֹכֶבֶת חֵיקֶךָ שְׁמוֹר פִּתְחֵי פִיךָ, כָּל שֶׁכֵּן אִינּוּן דְּאָזְלֵי וְעַיְינֵי לְקַטְרְגָא לוֹן, וְסָהֲדֵי עָלֵיהּ. וְכָל שֶׁכֵּן דְּחָצִיפוּ אִיהוּ לְקָמֵי כֹּלָּא, וְזִלְזוּל שְׁמָא דְקב"ה. וְעַ"ד כְּתִיב, אַל תִּתֵּן אֶת פִּיךָ לַחֲטִיא אֶת בְּשָׂרֶךָ.

קכב. פָּתַח וְאָמַר, הַחֹדֶשׁ הַזֶּה לָכֶם רֹאשׁ חֳדָשִׁים וְגוֹ', וְכִי כֻּלְּהוּ זִמְנִין וְחָדְשִׁין לָאו אִינּוּן דְּקב"ה. אֶלָּא הַחֹדֶשׁ הַזֶּה לָכֶם, דִּילִי אִיהוּ, אֲבָל אֲנָא מָסְרִית לֵיהּ לְכוֹן, דִּלְכוֹן אִיהוּ בְּאִתְגַּלְיָא, אֲבָל שְׁבִיעָאָה דִּילִי אִיהוּ, וְעַ"ד אִיהוּ בַּכֶּסֶה, וְלָא בְּאִתְגַּלְיָא. יַרְחָא דִּלְכוֹן, אִיהוּ בְּסִדּוּרָא, כְּסֵדֶר דְּאַתְוָון אָבִיב, דְּאִיהוּ אב"ג. י"ב אִיהוּ רָזָא דְג'. אֲבָל יַרְחָא שְׁבִיעָאָה דִּילִי אִיהוּ מִסּוֹפָא דְאַתְוָון. מַאי טַעֲמָא. אַתּוּן מִתַּתָּא לְעֵילָּא, וַאֲנָא מֵעֵילָּא לְתַתָּא.

קכג. הַאי דִּילִי. בְּרֵישָׁא דְיַרְחָא, אֲנָא אִיהוּ בְּאִתְכַּסְיָא. בַּעֲשָׂרָה דְיַרְחָא, אֲנָא אִיהוּ, בְּגִין דַּאֲנָא בְּחָמֵשׁ קַדְמָאֵי, וּבְחָמֵשׁ אַחֲרָנִין, וּבְחָמֵשׁ תְּלִיתָאֵי. בְּקַדְמֵיתָא דְיַרְחָא אֲנָא אִיהוּ, בְּגִין חֲמִשָּׁא יוֹמִין. בַּעֲשָׂרָה דְיַרְחָא אֲנָא אִיהוּ, בְּגִין חֲמֵשׁ יוֹמִין אַחֲרָנִין. בט"ו דְיַרְחָא אֲנָא אִיהוּ, בְּגִין חָמֵשׁ תְּלִיתָאֵי.

קכד. מ"ט כּוּלֵּי הַאי. בְּגִין דְּכָל יַרְחָא דָא מֵעָלְמָא עִלָּאָה אִיהוּ, וְעָלְמָא עִלָּאָה בְּרָזָא דְחָמֵשׁ אִיהוּ, בְּכָל זִמְנָא וְזִמְנָא, וּבְגִינֵי כַּךְ יַרְחָא דָא אִיהוּ בַּכֶּסֶה, וְלָא בְּאִתְגַּלְיָא, בְּגִין דְּעָלְמָא עִלָּאָה בַּכֶּסֶה אִיהוּ, וְכָל מִלּוֹי בְּאִתְכַּסְיָיא. וְיַרְחָא דָא דְקב"ה אִיהוּ בִּלְחוֹדוֹי. כֵּיוָן דְּמָטָא יוֹמָא דְחָמֵיסָר, כְּדֵין גַּלְיָיא. כֹּלָּא אִיהוּ מָטָא בְּחֶדְוָותָא דְסִיהֲרָא, וְסִיהֲרָא אִשְׁתְּלִימַת, וְאִתְנְהִירַת מֵאִימָּא עִלָּאָה, וְקַיְימָא לְאַנְהָרָא לְתַתָּאֵי מִגּוֹ נְהוֹרָא דִּלְעֵילָּא, וְעַ"ד אִקְרֵי רִאשׁוֹן, כד"א וּלְקַחְתֶּם לָכֶם בַּיּוֹם הָרִאשׁוֹן. עַד הַשְׁתָּא קַיְימֵי כֻּלְּהוּ יוֹמִין בְּרָזָא עִלָּאָה, מִכָּאן נַחְתִּין לְרָזָא תַתָּאָה.

קכה. ת"ח, מִיּוֹמָא עִלָּאָה הֲווּ אִלֵּין יוֹמִין קַדְמָאִין, רָזָא דְעָלְמָא עִלָּאָה, מַאן דָּאִין דִּינָא דְעָלְמָא, דְּהָא דִינָא לָא אִשְׁתְּכַח בְּהַאי עָלְמָא, אֶלָּא מִדִּינָא תַּתָּאָה, דְּדָא אֱלֹהֵי כָל הָאָרֶץ יִקָּרֵא. דְּאִי תֵימָא דִינָא דְעָלְמָא דָאִין לְעֵילָּא, א"ה לָא אִתְקְרֵי עָלְמָא

דְּוֹזִירוּ, עָלְמָא דִּנְהִירוּ דְּכָל עָלְמִין. עָלְמָא דְּכָל וַזִּיִין, עָלְמָא דְּכָל וְזִירוּ. וְאִי תֵּימָא
מִדִּינָא דְּיִצְוֹק. אִי אִיהוּ אִתְּעַר דִּינָא לְגַבֵּי הַאי עָלְמָא, לָא יַכְלִין כָּל עָלְמָא לְמִסְבַּל,
דְּהַהוּא אֶשָּׁא תַּקִּיפָא עִלָּאָה, לָא אִית מָאן דְּסָבִיל לֵיהּ, אֶלָּא אֶשָּׁא דִּלְתַּתָּא, דְּאִיהוּ
אֶשָּׁא דְּסָבִיל אֶשָּׁא.

קכו. אֶלָּא, כְּמָה דְּעָלְמָא דָא עָלְמָא תַּתָּאָה דְּכֻלְּהוּ עָלְמִין. הָכִי נָמֵי כָּל דִּינּוּי
מֵעָלְמָא תַּתָּאָה, הָאֱלֹהִים שׁוֹפֵט. וְדָא אִקְרֵי דִּינָא עִלָּאָה עַל הַאי עָלְמָא, וּבְגִין דְּאִיהוּ
דַרְגָּא שְׁבִיעָאָה, לָא גְּזַר גְּזֵרָה עַל בַּר נָשׁ, אֶלָּא מֵעֶשְׂרִין שְׁנִין וּלְעֵילָּא.

קכז. אִשְׁתְּגַּח הַאי סָבָא בַּר שִׁמְעוֹן, וְזָמְנָא לֵיהּ דְּזַכְנָא עֵינוֹי דְּמִעְיִן. אָמַר רַבִּי שִׁמְעוֹן,
אִי הִיא שְׁבִיעָאָה, אַמַּאי מֵעֶשְׂרִין שְׁנִין וּלְעֵילָּא. אָמַר לֵיהּ, זַכָּאָה מָאן דְּמִמַלִּיל עַל אוֹדְנִין
דְּשַׁמְעִין.

קכח. תָּח. בֵּי דִינָא דִּלְתַּתָּא בְּאַרְעָא, לָא גַּזְרִין דִּינָא עַל בַּר נָשׁ, עַד תְּלֵיסַר שְׁנִין.
מַאי טַעְמָא. בְּגִין דְּשַׁבְקִין שֶׁבַע שְׁנִין לִשְׁבִיעָאָה, אֱלֹהֵי כָּל הָאָרֶץ יִקָּרֵא. וְלֵית רְשׁוּ
לְבַר נָשׁ בְּאִינוּן שֶׁבַע. וְאִינוּן שֶׁבַע, לָא שַׁרְיָין אֶלָּא עַל תְּלֵיסַר דִּלְתַּתָּא, דְּאִינּוּן כֻּרְסְיָּיא
לְגַבֵּיהּ, וּבְגִין כָּךְ, כָּל גַּזְרִין, וְכָל דִּינִין דִּלְתַּתָּא, מֵאִינּוּן שֶׁבַע שְׁנִין, כְּלָלָא
דְּעֶשְׂרִין שְׁנִין אִיהוּ.

קכט. וְדִינָא דְּעָלְמָא בַּר נָשׁ, עַל יְדָא דְּהַאי דַּרְגָּא אִיהוּ, דְּאִיהוּ מִמַּשׁ קַיְימָא בְּדִינָא
עַל בְּנֵי בְּהַאי עָלְמָא, בְּגִין לְאִתְדַּכָּאָה לְגַבֵּי עָלְמָא עִלָּאָה, בְּגִין דְּלֵית לֵיהּ סִיּוּעָא לְסַלְּקָא
וּלְאִתְדַּכָּאָה אֶלָּא מִגּוֹ תַּתָּאֵי.

קל. וְכַד יִשְׂרָאֵל אִינּוּן בַּחֲמֵיסַר יוֹמִין, כְּדֵין נָטִיל לִבְנוֹי, לְפָרְשָׂא גַּדְפוֹי עֲלַיְיהוּ,
וּלְמֵיחֱזֵי עִמְּהוֹן. וְעַ"ד כְּתִיב וּלְקַחְתֶּם לָכֶם בַּיּוֹם הָרִאשׁוֹן, פְּרִי דָא, אִיהוּ אִילָנָא דְּאִקְרֵי
עֵץ פְּרִי, וְאִשְׁתְּכַח בֵּיהּ פְּרִי. עֵץ הָדָר: כד"א הוֹד וְהָדָר לְפָנָיו. מ"ט אִקְרֵי הָדָר, וּמָאן
אִיהוּ הָדָר. אֶלָּא דָא צַדִּיק.

קלא. אַמַּאי אִקְרֵי הָדָר, וְהָא אֲתַר טְמִירָא אִיהוּ דְּלֵית לֵיהּ גִּלּוּיָא, וְצָרִיכָא
לְאִתְכַּסְיָיא תָּדִיר, וְלֵית הָדָר אֶלָּא מָאן דְּאִתְגַּלְיָיא וְאִתְחֲזֵי. אֶלָּא, אע"ג דְּאִיהוּ דַּרְגָּא
טְמִירָא, הַדִּירָא אִיהוּ דְּכָל גּוּפָא, וְלָא אִשְׁתְּכַח הַדִּירָא לְגוּפָא, אֶלָּא בֵּיהּ. מַאי טַעְמָא.
מָאן דְּלֵית עִמֵּיהּ הַאי דַּרְגָּא, לֵית בֵּיהּ הַדִּירָא, לְמֵיעַל בִּבְנֵי נָשָׁא. קָלָא לָאו עִמֵּיהּ
בְּדִבּוּרָא, וְהַדִּירָא דְּקָלָא אִתְפָּסַק מִנֵּיהּ. דִּיקְנָא, וְהַדִּירָא דְּדִיקְנָא לָאו עִמֵּיהּ, וְאע"ג
דְּאִתְכַּסְיָיא הַהוּא דַרְגָּא, כָּל הַדִּירָא דְּגוּפָא בֵּיהּ תַּלְיָא. וְאִתְכַּסֵּי וְאִתְגַּלְיָיא. וּבג"כ עֵץ
הָדָר אִיהוּ, עֵץ דְּכָל הַדִּירָא דְּגוּפָא בֵּיהּ תַּלְיָא, וְדָא אִיהוּ עֵץ עוֹשֶׂה פְּרִי.

קלב. כַּפּוֹת תְּמָרִים, הָכָא אִתְכְּלִילַת אִתְּתָא בְּבַעְלָהּ בְּלָא פֵּרוּדָא, כַּפּוֹת תְּמָרִים
כְּוַחֲדָא. וַעֲנַף עֵץ עָבוֹת, תְּלָתָא. וְעָלִין דִּילֵיהּ, דָא בְּסִטְרָא דָא, וְדָא בְּסִטְרָא דָא, וְוָד
דְּעָלֵיטּ עֲלַיְיהוּ. וְעַרְבֵי נַחַל, תְּרֵין. דְּלֵית לְהוֹ רֵיחָא וְטַעְמָא, כְּשׁוֹקִין בִּבְנֵי נָשָׁא. לוּלָב
נָטִיל כֻּלְּהוּ, כְּחוּטָא דְּשֶׁדְרָה קַיְימָא דְּגוּפָא. וּמַה דְּנָפִיק לְבַר טִפּוּ, הָכִי הוּא, בְּגִין
לְאַשְׁלְמָא וּלְאַפָּקָא כֹּלָּא, וּלְשַׁמְּשָׁא כַּדְקָא וְזֵי.

קלג. בְּהַנֵּי זִינִין, בָּעֵי בַּר נָשׁ לְאִתְוְזָאָה קָמֵי קֻבָּ"ה. עָלִין וְטַרְפִין דְּהָנֵי לְתַתָּא כְּגַוְונָא
דִּלְעֵילָּא, דְּלֵית לָךְ מִלָּה בְּעָלְמָא, דְּלָא אִית לָהּ דֻּגְמָא לְעֵילָּא, כְּגַוְונָא דִּלְעֵילָּא הָכִי אִית
לְתַתָּא, וּבְעוּ יִשְׂרָאֵל לְאִתְאַוְחֲדָא בְּרָזָא דָא דִּמְהֵימְנוּתָא, קָמֵי קֻבָּ"ה.

קלד. כְּתִיב בַּסֻּכֹּת תֵּשְׁבוּ שִׁבְעַת יָמִים, דָּא הוּא רָזָא דִּמְהֵימְנוּתָא, וְהַאי קְרָא עַל
עָלְמָא עִלָּאָה אִתְּמַר, וְהָכִי תָּנִינָן, כַּד אִתְבְּרִי עָלְמָא, אִתְּמַר הַאי קְרָא.

קלה. כד שרא וחכמה לנפקא, מאתר דלא ידיע ולא אתחזי, כדין נפיק חד משיחתא, ובטש, וההיא חכמתא עלאה, נציץ ואתפשט לכל סטרין, ברזא דמשכנא עלאה. וההוא משכנא עלאה, אפיק שית סטרין, וכדין ההוא נציצו דמשיחתא נהיר לכלא, ואמר בסכת תשבו שבעת ימים.

קלו. מאן סכת חסר ו'. דא משכנא תתאה, דאיהו כעששיתא, לאחזאה לכל נהורין, וכדין אמר, בסכת תשבו שבעת ימים. מאן שבעת ימים. מעלמא עלאה לתתאה, דכלהו קיימי בקיומא, לאנהרא להאי סכת. ומאן איהי. דא סכת דוד הנופלת. סכת שלום. ובעי עמא קדישא למיתב תחות צלהא, ברזא דמהימנותא, ומאן דיתיב בצלא דא, יתיב באינון יומין עלאין.

קלז. ועכ"ד כלהו בסכת בסכת וחד בסוכות שלים, וחד שלים, לאחזאה דמאן דיתיב בצלא דא, יתיב באינון יומין עלאין לעילא, דקיימין על האי תתאה, לאנהרא ליה, לחפיא עליה, ולאגנא ליה, בשעתא דאצטריך.

קלח. ותו, כלהו אקרון סכות בשלימו, וכתיב סכת חסר, דא עלמא תתאה, דבעא בהני ז' יומין קדישין, למיזן לשאר ממנן רברבן דעמין, בעוד דאיהי נטלא חדוה בבעלה, ולא יקטרגון חדוותא, בגין דיתעדנון בההוא מזונא, קרבנין דלהון סגיאין יתיר משאר יומין, בגין דיתעסקון בהו, ולא יתערבון לבתר בחדוה דישראל. ומאן חדוה דישראל, דא יומא תמינאה דעצרת.

קלט. ות"ח, בעוד דאינון שאר ממנן חדאן, ואכלין בההוא מזונא דמתקני לון ישראל. אינון מתקני כורסייא לקב"ה מתתא, ולסלקא ליה לעילא, באינון זינין, ובחדוה, ובהלולא, ולאקפא מדבחא. כדין איהי סלקא, ונטלא ברכאן וחדוה בבעלה.

קמ. ושאר חיון רברבן ממנן דעמין, אכלן ומדקן ורפסן ואתזנו. ואיהי נקטא נפשאן בענוגין לעילא, כמה דאתמר. כיון דנחתא, והא נקטא כל ברכאן וכל קדושין וכל ענוגין, וישראל כל הני שבעה יומין הוו משכין לה באינון עובדין דקא עבדין ומקרבין בהדה, כדין נחתא לקרבא בבנהא, ולמחדי לון יומא חד, וההוא יומא איהו יומא תמינאה, בגין דכל ז' יומין אחרנין בהדה. ועכ"ד איהו תמינאה, ותמניא יומין כחדא. ובגין כך אקרי עצרת: כנישין. כנישין כלהו בהאי יומא. ואקרי שמיני, ולית שמיני אלא מגו שבעה.

קמא. כתיב יהי שם יי' מבורך. מאי מבורך. אבל רזא חדא ידע חד מחברנא, במדברא אחזיאו ליה בחלמא, ורבי יצחק כפתורא שמיה. מאי מבורך. שירותא קשה, וסופיה רך. מ"ב קשה, ודינא איהו ודאי. כגוונא דא, יומא דר"ה מ"ב, דהא במ"ב אתוון אתברי עלמא, ועכ"ד אתברי בדינא. לבתר רך, ועל דא תנינן, כל שירותין קשין, וסופא דלהון רכין. ביומא דראש השנה מ"ב קשה בדינא. ביומא דעצרת רך בחדוה.

קמב. ת"ח, מה בין דינא עלאה, להאי דינא. דינא עלאה שירותא וסופא קשה, ולית מאן דיקום ביה, וכל מה דאזיל אתתקף, ובתר דשארי, לא סליק מניה, עד דאכיל ושיצי כלא, דלא אשתאר כלום. אבל דינא אחרא דתתא, שירותא קשה, וכל מה דאזיל אתחלש, עד דנהיר אנפין, כגוונא דנוקבא דחלש חילהא.

קמג. אימתי אתער דינא דלעילא למשרי על עלמא. ביומא דטופנא. ועל דא לא

אִשְׁתְּאַר כְּלוּם בְּעָלְמָא, בַּר הַהוּא תֵּבוּתָא דְּנֹחַ, דְּאִיהִי כְּגַוְונָא עִלָּאָה, דְּסָבִיל לְהַהוּא תּוּקְפָּא. וְאִי לָאו דְּזַמִּין קֻבְּ"ה, וְאִשְׁתְּכַח בְּרַחֲמֵי עַל עָלְמָא, כָּל עָלְמָא אִתְאֲבִיד, דִּכְתִּיב יְיָ' לַמַּבּוּל יָשָׁב, וְעַ"ד לָא שַׁרְיָא דִּינָא דִּלְעֵילָּא עַל עָלְמָא, דְּלָא יָכִיל עָלְמָא לְמִסְבַּל לֵיהּ, אֲפִילּוּ רִגְעָא חֲדָא.

קמד. אַדְּהָכִי הֲוָה ר' שִׁמְעוֹן בָּכֵי וְחָדֵי. זָקְפוּ עַיְינִין, וְחָמוּ חֲמִשָּׁה מֵאִינּוּן פְּרוּשִׁים, דְּהַהוּ אַזְלֵי אֲבַתְרֵיהּ, לְמִתְבַּע לֵיהּ. קָמוּ. אָמַר ר' שִׁמְעוֹן, מִכָּאן וּלְהָלְאָה מָה שְׁמָךְ. אָמַר, נְהוֹרָאי סָבָא, בְּגִין דִּנְהוֹרָאי אַחֲרָא אִית גַּבָּן. אַזְלוּ ר' שִׁמְעוֹן וְאִינּוּן וְחַבְרַיָּיא עִמֵּיהּ תְּלַת מִילִּין, אָמַר רִבִּי שִׁמְעוֹן, לְאִינּוּן אַחֲרָנִין, מַה אָרְחָא דָּא גַּבַּייכוּ. אָמְרוּ, לְמִתְבַּע לֵיהּ לְהַאי סָבָא, דְּמֵימוֹי אֲנָן שָׁתָאן בְּמַדְבְּרָא. אָתָא ר' שִׁמְעוֹן וְנָשְׁקֵיהּ, אָמַר לֵיהּ, נְהוֹרָאי שְׁמָךְ, וּנְהוֹרָא אַנְתְּ, וּנְהוֹרָא עִמָּךְ שָׁרֵי.

קמה. פָּתַח ר' שִׁמְעוֹן וְאָמַר, הוּא גָּלֵא עֲמִיקָתָא וּמְסַתְּרָתָא יָדַע מָה בַחֲשׁוֹכָא וּנְהוֹרָא עִמֵּהּ שְׁרֵא. הוּא גָּלֵה עֲמִיקָתָא וּמְסַתְּרָתָא, קֻבְּ"ה גַּלֵּי עֲמִיקָתָא וּמְסַתְּרָתָא, דְּכָל עֲמִיקִין סְתִימִין עִלָּאִין אִיהוּ גַּלֵּי לוֹן. וּמַאי טַעֲמָא גַּלֵּי לוֹן. בְּגִין דְּיָדַע מָה בַחֲשׁוֹכָא. דְּאִלְמָלֵא חֲשׁוֹכָא לָא אִתְיְדַע נְהוֹרָא. וְאִיהוּ יָדַע מָה בַחֲשׁוֹכָא. וּבְגִין כָּךְ גַּלֵּי עֲמִיקָתָא וּמְסַתְּרָתָא, דְּאִי לָאו חֲשׁוֹכָא לָא יִתְגַּלְיָין עֲמִיקִין וּמְסַתְּרָאן. וּנְהוֹרָא עִמֵּהּ שְׁרֵא. מַאן נְהוֹרָא דָּא. נְהוֹרָא דְּאִתְגַּלְיָיא מִגּוֹ חֲשׁוֹכָא.

קמו. וַאֲנָן מִגּוֹ חֲשׁוֹכָא דַּהֲוָה בְּמַדְבְּרָא, אִתְגְּלֵי לָן נְהוֹרָא דָּא. רַחֲמָנָא יַשְׁרֵי עִמָּךְ נְהוֹרָא, בְּעָלְמָא דֵּין, וּבְעָלְמָא דְּאָתֵי. אָזְלֵי ר"ש וְחַבְרַיָּיא, אַלֵּין תְּלַת מִילִּין אֲבַתְרֵיהּ, אָמַר לֵיהּ, אֲמַאי לָא אָזְלֵי אִלֵּין עִמָּךְ כְּקַדְמֵיתָא. א"ל, לָא בְּעֵינָא לְאַטְרְחָא לְבַר נָשׁ עִמִּי, הַשְׁתָּא דְּאָתוּ נֵיזִיל כַּחֲדָא. אָזְלוּ, ור"ש אָזַל לְאָרְחֵיהּ. א"ר אַבָּא, הָא אֲנָן יָדְעָנָא שְׁמֵיהּ, וְאִיהוּ לָא יָדַע שְׁמֵיהּ דְּמֹר, אָמַר לֵיהּ, מִנֵּיהּ יָדַעְנָא דְּלָא לְאִתְחֲזָאָה.

KI TISA
כִּי תִשָּׂא

א. וַיְדַבֵּר יְיָ אֶל מֹשֶׁה לֵּאמֹר. כִּי תִשָּׂא אֶת רֹאשׁ בְּנֵי יִשְׂרָאֵל לִפְקוּדֵיהֶם וְגוֹ'. רְבִּי אַבָּא וְרִבִּי אֶלְעָזָר וְרִבִּי יוֹסֵי הֲווֹ אַזְלֵי מִטְּבֶרְיָה לְצִפּוֹרִי. עַד דַּהֲווֹ אַזְלֵי, חָמוּ לֵיהּ לְרִבִּי אֶלְעָזָר דַּהֲוָה אָתֵי, וְרִבִּי חִיָּיא עִמֵּיהּ. אָ"ר אַבָּא, וַדַּאי נִשְׁתַּתֵּף בַּהֲדֵי שְׁכִינְתָּא. אוֹרִיכוּ לְהוּ, עַד דִּמְטוּ לְגַבַּיְיהוּ. כֵּיוָן דִּמְטוֹ גַּבַּיְיהוּ, אָ"ר אֶלְעָזָר, וַדַּאי כְּתִיב, עֵינֵי יְיָ אֶל צַדִּיקִים וְאָזְנָיו אֶל שַׁוְעָתָם. הַאי קְרָא קַשְׁיָא וְכוּ'.

ב. תָּ"ח, הָא אוּקְמוּהָ, לֵית בִּרְכָתָא דִּלְעֵילָּא שַׁרְיָא עַל מִלָּה דְּאִתְמְנֵי, וְאִי תֵּימָא, יִשְׂרָאֵל הֵיךְ אִתְמְנוֹן. אֶלָּא כּוּפְרָא נָטִיל מִנַּיְיהוּ, וְהָא אוּקְמוּהָ, וְחוּשְׁבָּנָא לָא הֲוֵי עַד דְּאִתְכְּנִישׁ כָּל הַהוּא כּוּפְרָא, וְסָלִיק לְחוּשְׁבָּנָא. וּבְקַדְמֵיתָא מְבָרְכִין לְהוּ לְיִשְׂרָאֵל, וּלְבָתַר מָנֵין הַהוּא כּוּפְרָא, וּלְבָתַר אַהֲדְרָן וּמְבָרְכִין לוֹן לְיִשְׂרָאֵל. אִשְׁתַּכְּחוּ יִשְׂרָאֵל מִתְבָּרְכָאן בְּקַדְמֵיתָא וּבְסוֹפָא, וְלָא סָלִיק בְּהוֹן מוֹתָנָא.

ג. מוֹתָנָא אֲמַאי סָלִיק בְּמִנְיָינָא. אֶלָּא בְּגִין דְּבִרְכָתָא לָא שַׁרְיָא בְּמִנְיָינָא, כֵּיוָן דְּאִסְתְּלַק בִּרְכָתָא, סִטְרָא אַחֲרָא שַׁרְיָא עֲלֵיהּ, וְיָכִיל לְאַנְזְקָא, בְּגִין כָּךְ נַטְלִין כּוּפְרָא וּפִדְיוֹנָא לְסַלְּקָא עֲלֵיהּ מִנְיָינָא, וְהָא אוּקְמוּהָ, וְאִתְּמַר.

רַעְיָא מְהֵימְנָא

ד. פִּקּוּדָא לִיתֵּן מַחֲצִית הַשֶּׁקֶל בְּשֶׁקֶל הַקֹּדֶשׁ. מַאן מַחֲצִית הַשֶּׁקֶל אִיהוּ כְּגוֹן וָזֵי הַהִין, וְדָא ו', מְמוּצָּע בֵּין שְׁנֵי הַהִי"ן. אַבְנָא לְמִשְׁקָל בָּהּ, דָּא י', עֶשְׂרִים גֵּרָה הַשָּׁקֶל: דָּא יוֹ"ד. הֶעָשִׁיר לָא יַרְבֶּה, דָּא עַמּוּדָא דְּאֶמְצָעִיתָא, לָא יַרְבֶּה עַל י'. וְהָכִי אִתְּמַר בֵּס"י, עֶשֶׂר סְפִירוֹת בְּלִימָה, עֶשֶׂר וְלָא אַחַד עָשָׂר. וְהַדַּל לָא יַמְעִיט, דָּא צַדִּיק, לָא יַמְעִיט מֵעֲשָׂר, כַּד"א עֶשֶׂר וְלָא תֵּשַׁע. מִמַּחֲצִית הַשָּׁקֶל, דְּאִיהוּ י'.

ה. אָ"ל רַעְיָא מְהֵימְנָא, אַנְתְּ בַּעֲמַיִם, רָזִים אַנְתְּ מִמְּפָאֲרִיךְ, לֵית תַּוְוהָא בְּכָל אִינּוּן מִלִּין יַקִּירִין דִּיפְקוּן מִפּוּמָךְ, דְּהָא מַאן דְּאִיהוּ מַלְכָּא, אוֹ בְּרָא דְּמַלְכָּא, לֵית תַּוְוהָא, דִּיפְקוּן מַרְגְּלָאן בְּפָתוֹרֵיהּ, מִלִּין סְגוֹלוֹת, מִלִּין נְהוֹרִין. לְבַר נָשׁ אַחֲרָא, אִיהוּ תַּוְוהָא. אָ"ל בְּרִיךְ אַנְתְּ רַעְיָא מְהֵימְנָא. מִתַּמָּן וְאֵילָךְ אִימָא אַנְתְּ, דְּעֶלְאִין וְתַתָּאִין נָחֲתוּ לְמִשְׁמַע מִינָךְ. אָמַר לֵיהּ, אַשְׁלִים מִלּוּלָךְ, אָמַר לֵיהּ, לָא אִית כְּעַן לְמֵימַר יַתִּיר, אֵימָא אַנְתְּ עַד זִמְנָא אַחֲרָא.

ו. פָּתַח רַעְיָא מְהֵימְנָא, פִּקּוּדָא בָּתַר דָּא, לְקַדֵּשׁ אֶת הַחֹדֶשׁ. בְּגִין דְּסִיהֲרָא קַדִּישָׁא אִיהִי כַּלָּה, דְּמִתְקַדְּשֶׁת עַ"פ בֵּ"ד, דְּאִיהוּ גְּבוּרָה, בְּגִין דְּתַמָּן לֵיוָאֵי, דְּאִתְּמַר בְּהוּ וְקִדַּשְׁתָּ אֶת הַלְוִיִּם. וּלְבָתַר דְּאִתְחֲזֵי סִיהֲרָא דְּיאוּתוּ לְאוֹרָה, מְבָרֵךְ עֲלֵיהּ בָּרוּךְ אַתָּה יְיָ אֱלֹהֵינוּ מֶלֶךְ הָעוֹלָם, אֲשֶׁר בְּמַאֲמָרוֹ בָּרָא שְׁחָקִים, וּבְרוּחַ פִּיו כָּל צְבָאָם. וּבְמַה מִתְקַדְּשֶׁת וּמִתְבָּרֶכֶת, בְּתִפְאֶרֶת בְּגִין דְּאִיהוּ עֲטֶרֶת תִּפְאֶרֶת לַעֲמוּסֵי בָּטֶן.
(ע"כ רַעְיָא מְהֵימְנָא)

ז. רִבִּי יוֹסֵי וְרִבִּי חִיָּיא הֲווֹ אַזְלֵי בְּאָרְחָא, עַד דַּהֲווֹ אַזְלִין רָמַשׁ לֵילְיָא, יָתְבוּ. אַדְּהֲווֹ

יַתְבִין, שָׁרִיאַת צִפְּרָא לְאַנְהֲרָא, קָמוּ וְאָזְלוּ. א״ר חִיָּיא, וְחָמֵי אַנְפּוֹי דְּמִזְרָח דְּקָא מְנַהֲרִין, הַשְׁתָּא כָּל אִינּוּן בְּנֵי מְדִינְחָא דְּטוּרֵי נְהוֹרָא, סַגְדִּין לְגַבֵּי הַאי נְהוֹרָא, דְּנָהִיר בְּאֲתַר דְּשִׁמְשָׁא, עַד לָא יִפּוּק, וּפָלְחִין לֵיהּ, דְּהָא כֵּיוָן דְּנָפִיק שִׁמְשָׁא, כַּמָּה אִינּוּן דְּפָלְחִין לְשִׁמְשָׁא. וְאִלֵּין אִינּוּן דְּקָא פַּלְחִין לִנְהוֹרָא דָּא, וְקָרָאן לְהַאי נְהוֹרָא, אֱלָהָא דְּמַרְגְּלָא דְּנָהִיר. וְאוּמָאָה דִּלְהוֹן בֶּאֱל״הַ דְּמַרְגְּלָא דְּנָהִיר.

ח. וְאִי תֵּימָא פּוּלְחָנָא דָּא לְמַגָּנָא הוּא. מִיּוֹמִין עַתִּיקִין קַדְמָאֵי, חָכְמְתָא יָדְעוּ בֵּיהּ. בְּזִמְנָא דְּשִׁמְשָׁא נָהִיר, עַד לָא יִפּוּק, הַהוּא מְמָנָא דְּפָקִיד עַל שִׁמְשָׁא, נָפִיק, וְאַתְוָון קַדִּישִׁין דִּשְׁמָא עִלָּאָה קַדִּישָׁא רְשִׁימָן עַל רֵישֵׁיהּ, וּבְחֵילָא דְּאִינּוּן אַתְוָון, פָּתַח לְכָל כַּוֵּי שְׁמַיָּא וּבָטַשׁ בְּהוּ, וְעָבַר. וְהַהוּא מְמָנָא עָאל גּוֹ הַהוּא זִהֲרָא דְּנָהִיר סְחֲרָנֵיהּ דְּשִׁמְשָׁא, וְתַמָּן שְׁכִיחַ, עַד דְּנָפַק שִׁמְשָׁא, וְאִתְפָּשַׁט בְּעָלְמָא.

ט. וְהַהוּא מְמָנָא, אִיהוּ פְּקִידָא, עַל דַּהֲבָא, וְעַל מַרְגְּלָן סוּמָקָן. וְאִינּוּן פַּלְחִין לְהַהוּא דְּיוּקְנָא דְּתַמָּן, וּבְנִקוּדִין וְסִימָנִין דְּיָרְתוּ מִקַּדְמָאֵי מִיּוֹמִין עַתִּיקִין, אַזְלֵי וְיַדְעֵי נְקוּדִין דְּשִׁמְשָׁא, לְמִשְׁכַּח אַתְרִין דְּדַהֲבָא וּמַרְגְּלָן, א״ר יוֹסֵי, עַד כַּמָּה יְהוֹן פּוּלְחָנִין סַגִּיאִין אִלֵּין בְּעָלְמָא, דְּהָא שִׁקְרָא לֵית לֵיהּ קַיְּימִין לְקַיְּימָא.

י. פָּתַח אִידָךְ וְאָמַר, שְׂפַת אֱמֶת תִּכּוֹן לָעַד וְעַד אַרְגִּיעָה לְשׁוֹן שָׁקֶר. ת״ח, אִלּוּ כָּל בְּנֵי עָלְמָא הֲווֹ פַּלְחִין לְשִׁקְרָא, הֲוָה הָכִי, אֲבָל הַאי נְהוֹרָא וְזִהֲרָא דְּנָהִיר, וַדַּאי קְשׁוֹט אִיהוּ. כֹּכְבֵי רוּמָא דִּרְקִיעָא קְשׁוֹט אִינּוּן. אִי בְּטִפְּשׁוּ וְחֶסְרוּנָא דְּדַעְתָּא דִּלְהוֹן, אִינּוּן אַמְרֵי וְקָרָאן לְהוּ אֱלָהָא, לָא בָּעֵי קֻב״ה לְשֵׁיצָאָה עוֹבָדוֹי מֵעָלְמָא. אֲבָל לִזְמְנָא דְּאָתֵי לָא יִשְׁתֵּיצוּן כֹּכְבַיָּא וּנְהוֹרִין דְּעָלְמָא. אֲבָל מַאן יִשְׁתְּצֵי. אִינּוּן דְּפַלְחוּ לוֹן.

יא. וּקְרָא דָּא הָכִי הוּא. שְׂפַת אֱמֶת תִּכּוֹן לָעַד, אִלֵּין יִשְׂרָאֵל, דְּאִינּוּן שְׂפַת אֱמֶת. יְיָ׳ אֱלֹהֵינוּ יְיָ׳ אֶחָד. וְכֹלָּא אִיהוּ אֱמֶת, וְרָזָא דֶּאֱמֶת, וּמְסַיְּימֵי יְיָ׳ אֱלֹהֵיכֶם אֱמֶת. וְדָא אִיהוּ שְׂפַת אֱמֶת תִּכּוֹן לָעַד.

יב. וְעַד אַרְגִּיעָה, וְעַד רֶגַע מִבָּעֵי לֵיהּ, מַאי אַרְגִּיעָה. אֶלָּא, עַד כַּמָּה יְהֵא קִיּוּמָא דִּלְהוֹן בְּעָלְמָא, עַד זִמְנָא דְּיֵיתֵי, וִיהֵא לִי נַיְיחָא מִפּוּלְחָנָא קַשְׁיָא דְּעָלוֹי. וּבְזִמְנָא דְּאַרְגִּיעָה, יִשְׁתְּצֵי לְשׁוֹן שָׁקֶר, אִינּוּן דְּקָרָאן אֱלָהָא, לְמַאן דְּלָאו הוּא אֱלָהָא. אֲבָל יִשְׂרָאֵל דְּאִינּוּן שְׂפַת אֱמֶת, כְּתִיב בְּהוּ, עַם זוּ יָצַרְתִּי לִי תְּהִלָּתִי יְסַפֵּרוּ.

יג. אַדְּכַּרְנָא וְחָדָא זִמְנָא דַּהֲוֵינָא אָזִיל בַּהֲדֵי ר׳ אֶלְעָזָר, פָּגַע בֵּיהּ הֶגְמוֹנָא, א״ל לר׳ אֶלְעָזָר, אַנְתְּ יָדַעַת מֵאוֹרַיְיתָא דִּיהוּדָאֵי. א״ל, יָדַעְנָא. א״ל, לֵית אַתּוּן אַמְרִין דִּמְהֵימְנוּתָא דִּלְכוֹן קְשׁוֹט, וְאוֹרַיְיתְכוֹן קְשׁוֹט, וַאֲנָן דִּמְהֵימְנוּתָא דִּילָן שֶׁקֶר, וְאוֹרַיְיתָא דִּילָן שֶׁקֶר. וְהָא כְּתִיב שְׂפַת אֱמֶת תִּכּוֹן לָעַד וְעַד אַרְגִּיעָה לְשׁוֹן שָׁקֶר. אֲנָן מִיּוֹמִין דְּעָלְמָא, קַיְּימִין בְּמַלְכוּתָא, וְלָא אַעְדֵּי מִינָן לְעָלְמִין, דָּרָא בָּתַר דָּרָא, תִּכּוֹן לָעַד וַדַּאי. וְאַתּוּן, זְעֵיר הֲוָה לְכוּ מַלְכוּתָא, וּמִיַּד אַעְדֵּי מִנְּכוֹן, וּקְרָא אִתְקַיָּים בְּכוּ דִּכְתִיב וְעַד אַרְגִּיעָה לְשׁוֹן שָׁקֶר.

יד. א״ל, חֲמֵינָא בָּךְ דְּאַנְתְּ חַכִּים בְּאוֹרַיְיתָא. תִּפַּח רוּחֵיהּ דְּהַהוּא גַּבְרָא. אִלּוּ אָמַר קְרָא, שְׂפַת אֱמֶת כּוֹנְנָה לָעַד, הֲוָה כִּדְקַאמְרָן, אֲבָל לָא כְּתִיב אֶלָּא תִּכּוֹן, זְמִינָא שְׂפַת אֱמֶת דְּתִכּוֹן, מַה דְּלָאו הָכִי הַשְׁתָּא, דְּהַשְׁתָּא שְׂפַת שֶׁקֶר קַיְּימָא, וּשְׂפַת אֱמֶת שְׁכִיבָא לְעַפְרָא, וּבְהַהוּא זִמְנָא דֶּאֱמֶת יְקוּם עַל קִיּוּמֵיהּ, וּמִגּוֹ אֶרֶץ תִּצְמַח, כְּדֵין שְׂפַת אֱמֶת תִּכּוֹן לָעַד וְגוֹ׳.

טו. א״ל הַהוּא הֶגְמוֹן, זַכָּאָה אַנְתְּ. וְזַכָּאָה עַמָּא דְּאוֹרַיְיתָא דִּקְשׁוֹט יָרְתִין. בָּתַר יוֹמִין

שְׁמַעְנָא דְּאִתְגְּיַיר. אָזְלוּ, מָטוּ וַחַד בֵּי וַחֲקַל, וְצַלּוּ צְלוֹתְהוֹן. כֵּיוָן דְּצַלּוּ צְלוֹתְהוֹן, אָמְרוּ מִכָּאן וּלְהָלְאָה נִתְחַבֵּר בִּשְׁכִינְתָּא, וְנֵיזִיל וְנִתְעַסֵּק בְּאוֹרַיְיתָא.

טז. פָּתַח ר' יוֹסֵי וְאָמַר, הֵן יֵבוֹשׁוּ וְיִכָּלְמוּ כֹּל הַנֶּחֱרִים בָּךְ וְגוֹ'. זַמִּין קֻבָּ"ה לְמֶעְבַּד לְיִשְׂרָאֵל, כָּל אִינּוּן טָבָאן, דְּקָאָמַר עַל יְדֵי נְבִיאֵי קְשׁוֹט, וְיִשְׂרָאֵל סָבְלוּ עֲלֵיהוֹן, כַּמָּה בִּישִׁין בְּגָלוּתְהוֹן. וְאִלְמָלֵא כָּל אִינּוּן טָבָאן דְּקָא מְחַכָּאן וַחֲמָאן כְּתִיבִין בְּאוֹרַיְיתָא, לָא הֲווּ יַכְלִין לְמֵיקָם וּלְמִסְבַּל גָּלוּתָא.

יז. אֲבָל אַזְלִין לְבֵי מִדְרָשׁוֹת, פַּתְחִין סִפְרִין, וַחֲמָאן כָּל אִינּוּן טָבָאן, דְּקָא מְחַכָּן, וַחֲמָאן כְּתִיבִין בְּאוֹרַיְיתָא, דְּאַבְטַח לוֹן קֻבָּ"ה עֲלַיְיהוּ, וּמִתְנַחֲמִין בְּגָלוּתְהוֹן, וּשְׁאָר עַמִּין מְחָרְפִין וּמְגַדְּפִין לוֹן, וְאָמְרֵי אָן הוּא אֱלָהֲכוֹן, אָן אִינּוּן טָבָאן דְּאַתּוּן אַמְרִין דְּזַמִּינִין לְכוֹן, וְכֵי כָּל עַמִּין דְּעָלְמָא יִכְסְפוּן מִנַּיְיכוּ.

יח. הה"ד שִׁמְעוּ דְּבַר יְיָ' הַחֲרֵדִים אֶל דְּבָרוֹ אָמְרוּ אֲחֵיכֶם שׂוֹנְאֵיכֶם וְגוֹ'. מַאי הַחֲרֵדִים אֶל דְּבָרוֹ, אִינּוּן דְּסָבְלוּ כַּמָּה בִּישִׁין, כַּמָּה שְׁמוּעוֹת שַׁמְעֵי, אִלֵּין עַל אִלֵּין, וְאִלֵּין בָּתַר אִלֵּין, וַחֲרֵידִין עֲלֵיהוֹן, כד"א כִּי וְגוֹ' קוֹל חֲרָדָה שָׁמָעְנוּ פַּחַד וְאֵין שָׁלוֹם וְגוֹ'. אִינּוּן חֲרֵדִים תָּדִיר אֶל דְּבָרוֹ כַּד אִתְעֲבֵיד דִּינָא.

יט. אָמְרוּ אֲחֵיכֶם שׂוֹנְאֵיכֶם, אִלֵּין אִינּוּן אֲחוּכוֹן בְּנֵי עֵשָׂו. מְנַדֵּיכֶם, כד"א סוּרוּ טָמֵא קָרְאוּ לָמוֹ. דְּלֵית עַמָּא דְּקָא מְבַזִּין לוֹן בְּאַנְפֵּי, וּמְרַקְּקִין בְּאַנְפַּיְיהוּ לְיִשְׂרָאֵל כִּבְנֵי אֱדוֹם. וְאַמְרֵי כֻּלְּהוּ מְסָאֲבִין כְּנִדָּה, וְדָא אִיהוּ מְנַדֵּיכֶם. לְמַעַן שְׁמִי יִכְבַּד יְיָ', אֲנָן בְּנוֹי דְּאֵל חַי. דִּי בַּן יִתְיַיקַר שְׁמֵיהּ. אֲנָן שַׁלְטָנִין עַל עָלְמָא בְּגִין הַהוּא דְּאִקְרֵי גָּדוֹל. עֵשָׂו בְּנוֹ הַגָּדוֹל. וּבִשְׁמָא דָּא אִקְרֵי קֻבָּ"ה גָּדוֹל, גָּדוֹל יְיָ' וּמְהוּלָּל מְאֹד. אֲנָן בְּנֵי הַגָּדוֹל, וְאִיהוּ גָּדוֹל. וַדַּאי לְמַעַן שְׁמִי יִכְבַּד יְיָ'.

כ. אֲבָל אַתּוּן זְעִירִין מִכֹּלָּא, יַעֲקֹב בְּנָהּ הַקָּטָן כְּתִיב, אָן הוּא אֱלָהֲכוֹן. אָן הוּא אִינּוּן טָבָאן, דְּיִכְסְפוּן כָּל עַמְמַיָּא מֶחֶדְוָה דִּלְכוֹן. מַאן יִתֵּן וְנִרְאֶה בְּשִׂמְחַתְכֶם כְּמָה דְּאַתּוּן אַמְרִין. וְהֵם יֵבוֹשׁוּ כְּמַאן דְּתָלֵי קִלְלְתָא בְּאַחֲרָא, בְּגִין דְּאַתּוּן אַמְרִין דְּכַדִין יֵבוֹשׁוּ וְיִכָּלְמוּ, וּבג"ד רוּחַ קֻדְשָׁא הֲוָה אָמַר מִלָּה הָכִי, וְעַל דָּא, הֵן יֵבוֹשׁוּ וְיִכָּלְמוּ כֹּל הַנֶּחֱרִים בָּךְ. מַאי כָּל הַנֶּחֱרִים בָּךְ. דְּאִתְתַּקְּפוּ נְחִירֵיהוֹן בְּרוּגְזָא עָלָךְ בְּגָלוּתָא דָּא. בְּהַהוּא זִמְנָא, יֵבוֹשׁוּ וְיִכָּלְמוּ מִכָּל טָבִין דְּיֶחֱמוּן לְהוֹן לְיִשְׂרָאֵל.

כא. א"ר חִיָּיא הָכִי הוּא וַדַּאי, אֲבָל זַמִּינָן וְהָכִי חָמוּ תַּקִּיפֵי עָלְמָא, דְּהָא גָּלוּתָא אִתְמְשַׁךְ וַעֲדַיִין בְּרֵיהּ דְּדָוִד לָא אָתֵי. א"ר יוֹסֵי, וְכָל דָּא הָכִי הוּא, אֲבָל מַאן עָבֵיד דְּיִסְבְּלוּן יִשְׂרָאֵל גָּלוּתָא דָּא, כָּל אִינּוּן הַבְטָחוֹת דְּאַבְטַח לוֹן קֻבָּ"ה. וְהָא אִתְּמַר, דְּעָאלִין לְבָתֵּי כְּנֵסִיּוֹת וּלְבָתֵּי מִדְרָשׁוֹת, וְחָמָאן כָּל אִינּוּן נֶחָמוֹת, וְחָדָאן בְּלִבַּיְיהוּ לְמִסְבַּל כָּל מַה דְּיֵיתֵי עֲלַיְיהוּ, וְאִלְמָלֵא דָּא לָא יַכְלִין לְמִסְבַּל.

כב. א"ר חִיָּיא וַדַּאי הָכִי אִיהוּ, וְכֹלָּא בִּתְשׁוּבָה תַּלְיָא. וְאִי תֵּימָא דְּיָכְלוּן הַשְׁתָּא לְאִתְעֲרָא תְּשׁוּבָה כֻּלְּהוּ כַּחֲדָא. לָא יַכְלִין. מ"ט לָא יַכְלִין. בְּגִין דִּכְתִיב, וְהָיָה כִּי יָבֹאוּ עָלֶיךָ כָּל הַדְּבָרִים הָאֵלֶּה. וּכְתִיב וַהֲשֵׁבֹתָ אֶל לְבָבֶךָ בְּכָל הַגּוֹיִם אֲשֶׁר הִדִּיחֲךָ וְגוֹ'. וּכְתִיב וְשַׁבְתָּ עַד יְיָ' אֱלֹהֶיךָ וְגוֹ'. וּכְדֵין אִם יִהְיֶה נִדַּחֲךָ בִּקְצֵה הַשָּׁמַיִם מִשָּׁם יְקַבֶּצְךָ וְגוֹ'. וְעַד דְּכָל אִינּוּן מִלִּין לָא יִתְקַיְּימוּן, לָא יַכְלִין לְאִתְעֲרָא תְּשׁוּבָה מִנַּיְיהוּ.

כג. א"ר יוֹסֵי, כַּמָּה סַתְמַת כָּל אָרְחִין וּשְׁבִילִין מִכָּל בְּנֵי גָּלוּתָא, וְלָא שַׁבְקַת לוֹן

פִּתְחוֹן פֶּה. אִי הָכִי, לֶהֱווֹ כְּמָה דַּהֲווֹ בְּכָל דָּרָא וְדָרָא, דְּלָא יִסְבְּלוּן גָּלוּתָא וְלָא אַגְרָא, וְיִפְקוּן מִדִּינָא דְּאוֹרַיְיתָא, וְיִתְעָרְבוּן בִּשְׁאָר עַמִּין.

כד. פָּתַח וְאָמַר, כְּמוֹ הָרָה תַּקְרִיב לָלֶדֶת תָּחִיל תִּזְעַק בַּחֲבָלֶיהָ וְגוֹ'. מַאי כְּמוֹ הָרָה, אֹרַח אִיהוּ לְעוּבַּרְתָּא, לְאַעְבְּרָא עָלָהּ תֵּשַׁע יַרְחִין שְׁלֵמִין. וְאִית בְּעָלְמָא כַּמָּה וְכַמָּה, דְּלָא עָבַר עָלָהּ אֶלָּא יוֹמָא חַד אוֹ תְּרֵין יוֹמִין מִתְּשִׁיעָאָה, וְכָל צִירִין וַחֲבָלִין דְּעוּבַּרְתָּא בִּתְשִׁיעָאָה אִינּוּן. וְאע"ג דְּלָא אַעְבַּר עָלָהּ אֶלָּא יוֹמָא חֲדָא, אִתְחֲשִׁיב עָלָהּ כְּאִילּוּ אִתְעֲבָרוּ כָּל תְּשִׁיעָאָה שְׁלִים. אוּף הָכִי יִשְׂרָאֵל, כֵּיוָן דְּאִטְעֲמֵי טַעַם גָּלוּתָא, אִי יַהַדְרוּן בִּתְשׁוּבָה, יִתְחֲשַׁב עָלַיְיהוּ כְּאִלּוּ אַעְבָּרוּ עָלַיְיהוּ כָּל אִינּוּן מִלִּין דִּכְתִיבִין בְּאוֹרַיְיתָא. כ"ש וְכ"ש דְּכַמָּה וְכַמָּה יִסּוּרִין אַעְבָּרוּ עָלַיְיהוּ מִן יוֹמָא דְּגָלוּתָא שָׁרֵי.

כה. אֲבָל מַאי דִּכְתִיב, בַּצַּר לְךָ וּמְצָאוּךָ כֹּל הַדְּבָרִים הָאֵלֶּה בְּאַחֲרִית הַיָּמִים. ת"ח, כַּמָּה רַחֲמָנוּתָא רָחִים קב"ה לְיִשְׂרָאֵל בְּמִלָּה דָּא. לְמַלְכָּא דַּהֲוָה לֵיהּ בְּרָא יְחִידָאָה, וְרָחִים לֵיהּ רְחִימוּ דְּנַפְשָׁא, וּמִגּוֹ רְחִימוּ דִּילֵיהּ, יָהַב לֵיהּ לְאִמֵּיהּ מַטְרוֹנִיתָא דְּתַרְבֵּי לֵיהּ, וְתוֹלִיף לֵיהּ אָרְחֵי מִתַּתְקְנָן. זִמְנָא חֲדָא חָב לְגַבֵּי אֲבוּהָ, אָתָא אֲבוּהִי וְאַלְקֵי לֵיהּ, וּלְבָתַר אַעְבַּר עַל חוֹבֵיהּ. תָּב כְּמִלְקַדְמִין וְחָב לַאֲבוּהָ, וְאַפְקֵיהּ אֲבוּהָ מִבֵּיתֵיהּ, וְאַרְגִּיז עָלֵיהּ, נָפַק הַהוּא בְּרָא מִבֵּיתֵיהּ.

כו. וּבְאֲתַר דְּיֵהָךְ בְּאַרַח קְשׁוֹט, וִיהֵא זַכָּאָה כַּדְקָא יָאוּת, בְּגִין דְּיִשְׁמַע מַלְכָּא אֲבוּהָ, וִיהֵא תִּיאוּבְתֵּיהּ עָלֵיהּ. מָה עֲבַד. אָמַר הוֹאִיל וְנָפַקְנָא מֵהֵיכָלָא דְּאַבָּא, אַעְבִיד מִכָּאן וּלְהָלְאָה כָּל מָה דַּאֲנָא בָּעֵי. מָה עֲבַד. אָזַל וְאִתְחַבַּר בְּזוֹנוֹת, וְאִתְלַכְלָךְ בְּלִכְלוּכָא דְּטִנּוּפָא בַּהֲדַיְיהוּ, וְלָא הֲוָה מִשְׁתְּכַח אֶלָּא בַּהֲדַיְיהוּ, בְּחִבּוּרָא דִּלְהוֹן. דְּמַטְרוֹנִיתָא אִמֵּיהּ פָּקְדַת בְּכָל יוֹמָא עַל הַהוּא בְּרָא, וְיַדְעַת דִּבְרָהּ בַּהֲדֵי זוֹנוֹת אִתְחַבַּר, וְכָל חַבְרוּתָא דִּידֵיהּ בַּהֲדַיְיהוּ הֲוַת. שָׁרִיאַת לְמִבְכֵּי, וּלְאִתְמָרְרָא עַל בְּרָהּ.

כז. יוֹמָא חַד עָאל מַלְכָּא לְגַבָּהּ, חָמָא לָהּ דְּאִיהִי מִבַּכָּה. שָׁאִיל לָהּ עַל מָה אַתְּ בָּכָאת. אָמְרָה וְלָא אֶבְכֶּה, דְּהָא בְּרָנָא לְבַר מֵהֵיכָלָא דְּמַלְכָּא. וְלָא דַּי דְּהוּא לָא יָתִיב בְּהֵיכָלָא דְּמַלְכָּא, אֶלָּא דְּהוּא יָתִיב בַּהֲדֵי זוֹנוֹת. מָה יֵימְרוּן כָּל בְּנֵי עָלְמָא, בְּרֵיהּ דְּמַלְכָּא אִיהוּ דְּיָתִיב בְּבֵי זוֹנוֹת. שָׁרִיאַת לְמִבְכֵּי, וּלְאִתְחֲנָנָא לְמַלְכָּא. אָמַר מַלְכָּא, בְּגִינָךְ אַהְדַּר לֵיהּ, וְאַנְתְּ עָרְבָא דִּילֵיהּ. אַמְרַת הָא וַדַּאי.

כח. אָמַר מַלְכָּא הוֹאִיל וְכַךְ הוּא, לָא אִצְטְרִיךְ לְאַהְדְּרָא לֵיהּ בִּימָמָא בְּאִתְגַּלְיָא. דְּכִסּוּפָא דִּילָן אִיהוּ לְמֵהַךְ בְּגִינֵיהּ לְבֵי זוֹנוֹת. וְאִי לָא הֲוֵי כְּגַוְונָא דָּא, דְּטִנֵּף גַּרְמֵיהּ הָכִי וְזִלְזֵל יְקָרִי. הֲוֵינָא אֲנָא, וְכָל חַיָּילִין דִּילִי, אַזְלִין בְּגִינֵיהּ בְּכַמָּה יְקָר, בְּכַמָּה בּוּקִינָס קָמֵיהּ, בְּכַמָּה מָאנֵי קְרָבָא, מִימִינֵיהּ וּמִשְּׂמָאלֵיהּ, עַד דְּכָל בְּנֵי עָלְמָא יִזְדַּעְזְעוּן, וְיִנְדְעוּן כֹּלָּא, דִּבְרָא דְּמַלְכָּא אִיהוּ. הַשְׁתָּא כֵּיוָן דְּאִיהוּ טִנֵּף גַּרְמֵיהּ, וְזִלְזֵל יְקָרִי, אִיהוּ יֶהְדַּר בִּטְמִירוּ, דְּלָא יִנְדְעוּן בֵּיהּ. אַהְדַּר לְגַבֵּי מַלְכָּא, יָהֲבֵיהּ לְגַבֵּי אִמֵּיהּ.

כט. לְיוֹמִין סָרַח כְּמִלְקַדְמִין. מָה עֲבַד מַלְכָּא. אַפִּיק לֵיהּ וּלְאִמֵּיהּ בַּהֲדֵיהּ מִגּוֹ הֵיכָלָא, אָמַר תַּרְוַויְיכוּ תֵּהַכוּן, וְתַרְוַויְיכוּ תִּסְבְּלוּן גָּלוּתָא, וּמַלְקִיּוּתָא תַּמָּן. כֵּיוָן דְּתַרְוַויְיכוּ תִּסְבְּלוּן כַּחֲדָא, כְּדֵין יָדַעְנָא דִּבְרִי יְתוּב כַּדְקָא חָזֵי.

ל. כַּךְ יִשְׂרָאֵל בְּנוֹי דְּמַלְכָּא קַדִּישָׁא אִינּוּן. אָחִית לוֹן לְמִצְרַיִם. וְאִי תֵּימָא בְּהַהוּא זִמְנָא לָא חָאבוּ, גְּזֵרָה דְּגָזַר קוּדְשָׁא ב"ה בֵּין הַבְּתָרִים הֲוָה אִתְחָזֵי לְמֶהֱוֵי קַיָּים, וְקב"ה אַשְׁגַּח לִתְרֵין מִלִּין, חַד בְּגִין הַהוּא מִלָּה דְּאָמַר אַבְרָהָם, בַּמָּה אֵדַע כִּי אִירָשֶׁנָּה, דָּא הוּא סִבָּה וְעִילָּה. אֲבָל עַד דְּנַפְקוּ מִמִּצְרַיִם, לָא הֲוֵי גּוֹי, וְלָא אִתְחָזוּ כַּדְקָא יָאוּת.

לא. פָּתַח וְאָמַר, כְּשׁוֹשַׁנָּה בֵּין הַחוֹחִים כֵּן רַעְיָתִי בֵּין הַבָּנוֹת. בָּעָא קֻבְּ׳ה לְמֶעְבַּד לוֹן לְיִשְׂרָאֵל כְּגַוְונָא דִּלְעֵילָּא וּלְמֶהֱוֵי שׁוֹשַׁנָּה חֲדָא בְּאַרְעָא, כְּגַוְונָא עִלָּאָה. וְשׁוֹשַׁנָּה דְּסַלְקָא רֵיחָא, וְאִתְבְּרִיר מִכָּל שְׁאַר וְורְדִין דְּעָלְמָא, לָא הֲוֵי אֶלָּא הַהִיא דְּסַלְקָא בֵּין הַחוֹחִים. וְדָא אָרְחָא כַּדְקָא יֵאוֹת. וְע״ד זָרַע שַׁבְעִין זוּגִין, דַּהֲווֹ שַׁבְעִין נֶפֶשׁ, וְאָעִיל לוֹן בֵּין הַחוֹחִים, וְאִינּוּן חוֹחִים, מִיַּד דְּהֲווֹ זוּגִין תַּמָּן, סַלִּיקוּ עַנְפִּין וְטַרְפִּין וְשַׁלִּיטוּ עַל עָלְמָא, וּכְדֵין פַּרְחַת שׁוֹשַׁנָּה בֵּינַיְיהוּ.

לב. כֵּיוָן דְּבָעָא קוּדְשָׁא בְּרִיךְ הוּא לְאַפָּקָא שׁוֹשַׁנָּה וּלְקִיט לָהּ מִבֵּינַיְיהוּ, כְּדֵין יָבְשׁוּ חוֹחִים, וְאִתְדְּרִיקוּ, וְאִשְׁתְּצִיאוּ, וְלָא אִתְחַשַּׁבוּ לִכְלוּם. בְּעִידָנָא דְּאָזִיל לְמִלְקְטָא שׁוֹשַׁנָּה דָּא, לְאַפָּקָא בְּרֵיהּ בּוּכְרֵיהּ, בְּהַהוּא זִמְנָא אָזַל מַלְכָּא גּוֹ כַּמָה וַזִּילִין רַבְרְבָנִין וְשַׁלִּיטִין, עִם דִּגְלִין פְּרִישָׁן, וְאַפִּיק לִבְרֵיהּ בּוּכְרֵיהּ בְּכַמָה בְּכַמָה גְּבוּרִין, וְאַיְיתֵי לֵיהּ לְהֵיכָלֵיהּ, וְיָתִיב סַגִּי בְּבֵי מַלְכָּא.

לג. כֵּיוָן דְּחָב לְגַבֵּי אֲבוּהָ, אוֹכַח לֵיהּ, וְאַלְקֵי לֵיהּ, דִּכְתִיב, וַיִּחַר אַף יְיָ׳ בְּיִשְׂרָאֵל וַיִּתְּנֵם בְּיַד עוֹסִים וְגוֹ׳, סָרְחוּ כְּמִלְּקַדְמִין, וּמָרַד בַּאֲבוּהָ, אַפְקֵיהּ מִבֵּיתֵיהּ. מַה עַבְדוּ יִשְׂרָאֵל, כֵּיוָן דְּהָא אִתְבַּדְּרוּ לְבָבֶל, אִתְעָרְבוּ בְּעַמְמַיָּא, נָסִיבוּ נָשִׁין נָכְרִיּוֹת, וְאוֹלִידוּ בְּנִין מִנְּהוֹן. עכ״ד, אִימָּא קַדִּישָׁא הֲוַת אַפּוֹטְרוֹפּוֹסָא עֲלַיְיהוּ.

לד. וְעַל דְּעָבֵד הָכִי, קֻבְּ׳ה אָמַר, הוֹאִיל וְכִסּוּפָא אִיהוּ, לֵיתֵי בְּרִי אִיהוּ מִגַּרְמֵיהּ, הוֹאִיל וְחֵילָל יְקָרִי, לָא אִתְחֲזֵי דְּאֲנָא אֵיזִיל תַּמָּן לְאַפָּקָא לֵיהּ, וּלְמֶעְבַּד לֵיהּ נִסִּין וּגְבוּרָן כְּמִלְּקַדְמִין. תָּבוּ אִינּוּן, בְּלָא סִיּוּעָא דְּאִתְחֲזֵי לוֹן, בְּלָא פְּלִיאָן וְנִסִּין, אֶלָּא כֻּלְּהוּ מִתְבַּדְּרָן, כֻּלְּהוּ לָאן בְּמִסְכְּנוּ, וְתָבוּ לְהֵיכָלָא דְּמַלְכָּא בְּכִסּוּפָא, וְאִימָּא קַדִּישָׁא עַרְבַּת לוֹן.

לה. וְאָבוּ כְּמִלְּקַדְמִין. מַה עֲבַד קֻבְּ׳ה. אַפִּיק לְהַאי בְּרָא כְּמִלְּקַדְמִין מֵהֵיכָלֵיהּ, וְאִימֵּיהּ בַּהֲדֵיהּ. אָמַר, מִכָּאן וּלְהָלְאָה, אִימָּא וּבְרָהּ יִסְבְּלוּן כַּמָה בִּישִׁין כַּחֲדָא, הה״ד וּבְפִשְׁעֵיכֶם שֻׁלְּחָה אִמְּכֶם. וְעַל דָּא כְּתִיב, בַּצַּר לְךָ וּמְצָאוּךָ כֹּל הַדְּבָרִים הָאֵלֶּה בְּאַחֲרִית הַיָּמִים. מַאי בְּאַחֲרִית הַיָּמִים. אֶלָּא דָּא הִיא אִימָּא קַדִּישָׁא, דְּהִיא אַחֲרִית הַיָּמִים, וְעִמָּהּ סַבְלוּ כָּל מַה דְּסַבְלוּ בְּגָלוּתָא.

לו. וְאִילּוּ יַהַדְרוּן בִּתְיוּבְתָּא, אֲפִילּוּ וַד בִּיעֵ, אוֹ וַד צַעְרָא, דְּיִעְבַּד עֲלַיְיהוּ, אִתְחַשַּׁב עֲלַיְיהוּ, כְּאִלּוּ סַבְלוּ כֹּלָּא וְאִי לָא. כַּד יִסְתַּיֵּים קִיצָּא, וְכָל דָּרִין דִּילֵיהּ. כְּמָה דְּאָמַר בּוּצִינָא קַדִּישָׁא, דִּכְתִיב לְצַמְיתוּת לַקֹּנֶה אוֹתוֹ לְדֹרוֹתָיו. וְכָל דָּא, בִּתְיוּבְתָּא תַּלְיָא מִלְּתָא. א״ר וִיָּיא, וַדַּאי הָכִי הוּא. וְע״ד גָּלוּתָא אִתְמְשָׁךְ.

לז. אֲבָל קֻבְּ׳ה, כָּל מַה דְּוּוֹזְמֵי לוֹן לְיִשְׂרָאֵל, בְּהַאי אַחֲרִית הַיָּמִים, וּבְהַאי אַחֲרִית הַיָּמִים יַעֲבִיד לוֹן נִסִּין וְנוּקְמִין, דִּכְתִיב וְהָיָה בְּאַחֲרִית הַיָּמִים נָכוֹן יִהְיֶה הַר בֵּית יְיָ׳ בְּרֹאשׁ הֶהָרִים. מַאן רֹאשׁ הֶהָרִים. דָּא אַבְרָהָם סָבָא, כַּהֲנָא רַבָּא, רֹאשׁ דְּכֹלָּא. וּבְגִין דְּאִיהוּ רֹאשׁ, כּוֹס דִּבְרָכָה, יִהְיֶה נָכוֹן בְּרֹאשׁ הֶהָרִים, דָּא אַבְרָהָם סָבָא, קַדְמָאָה לִשְׁאַר הֶהָרִים. כּוֹס דִּבְרָכָה, אִצְטְרִיךְ לְמֶהֱוֵי מִתְקְנָא בִּימִינָא.

לח. וְנָשָׂא מִגְּבָעוֹת. אִצְטְרִיךְ לְמֶהֱוֵי זָקִיף מִן פָּתוֹרָא, שִׁיעוּרָא דְּאִקְרֵי זֶרֶת, לְבָרְכָא לְקֻבְּ׳ה, וְדָא הוּא וְנָשָׂא מִגְּבָעוֹת. מִגְּבָעוֹת מַאי הוּא. אֶלָּא בִּינָה, וּבֵין בְּתוּלוֹת אוֹחֲרֵיהּ רְעוּתֵיהּ, שִׁיעוּרָא דְּחָזֵר אִיהוּ. נָשָׂא כּוֹס דִּבְרָכָה מִגְּבָעוֹת וַדַּאי, וְע״ד טָבָא דְּיֵהֵא לֵיהּ לְהַאי בְּרָא בּוּכְרָא, בְּאַחֲרִית הַיָּמִים אִיהוּ.

לט. א"ל שַׁפִּיר קָאֲמַרְתְּ, הַאי קְרָא וַדַּאי הָכִי הוּא. בְּרֹאשׁ הֶהָרִים, דָּא יְמִינָא, אַבְרָהָם סָבָא, דְּאִיהוּ רֹאשׁ הֶהָרִים וַדַּאי. וְנִשָּׂא מִגְּבָעוֹת, מִשִּׁיעוּרָא דִּגְבָעוֹת, דְּאִינּוּן רְעוּתֵיהּ. וְשַׁפִּיר קָאֲמַרְתְּ. וְנָהֲרוּ אֵלָיו כָּל הַגּוֹיִם. מַאי הוּא. א"ל, וַאֲפִילּוּ נָשִׁים וּקְטַנִּים וְשַׁמָּשׁ דְּפָלַח עַל פָּתוֹרָא, אע"ג דְּאִיהוּ לָא אָכַל, אִצְטְרִיךְ לְמִשְׁמַע, וּלְמֵימַר אָמֵן. דְּלָא יֵימָא בַּר נָשׁ, אֲנָא לָא אֲכָלִית, וְהוֹאִיל דְּלָא אִצְטְרִיפְנָא לְזִמּוּן, לָא אֶשְׁמַע וְלָא אֵימָא אָמֵן. הַכֹּל וַזַּיְיבִין בֵּיהּ.

מ. ד"א וְנָהֲרוּ אֵלָיו כָּל הַגּוֹיִם, אע"ג דְּנָשִׁים וּקְטַנִּים פְּטוּרִין מִן הַמִּצְוֹת, בְּכוֹס דִּבְרָכָה הַכֹּל וַזַּיְיבִין, בִּלְבַד דְּיִנְדְּעוּן לְמַאן מְבָרְכִין, וְדָא הִיא וְנָהֲרוּ אֵלָיו כָּל הַגּוֹיִם. אָתָא רִבִּי יוֹסֵי וּנְשָׁקֵיהּ, אָמַר כַּמָּה שַׁפִּיר מִלָּה דָּא, וּמְתִיקָא לְווֹכָא.

מא. הַשְׁתָּא אִית לְדַיְיקָא, אִי הַאי אַחֲרִית הַיָּמִים, אִיהוּ כּוֹס דִּבְרָכָה מַמָּשׁ, מַהוּ הַר בֵּית יְיָ', הֲוָה לֵיהּ לְמִכְתַּב הָכִי, וְהָיָה אַחֲרִית הַיָּמִים נָכוֹן יִהְיֶה בְּרֹאשׁ הֶהָרִים. מַהוּ בְּאַחֲרִית הַיָּמִים נָכוֹן יִהְיֶה הַר בֵּית יְיָ'. א"ל, אַחֲרִית הַיָּמִים אִיהוּ אִילָנָא כֹּלָּא, מֵרֵישֵׁיהּ וְעַד סֵיפֵיהּ, דְּהוּא אִילָנָא דְּטוֹב וָרָע. וְאָתָא קְרָא לְבָרְרָא בְּאַחֲרִית הַיָּמִים, וְאַפִּיק הַר בֵּית יְיָ', דָּא טוֹב בְּלָא רָע. הַר בֵּית יְיָ' וַדַּאי דְּלֵית תַּמָּן חוּלָקָא לְסִטְרָא אַחֲרָא, דְּהָא אִתְבְּרִיר הַר בֵּית יְיָ', מִגּוֹ אִילָנָא דְּאִיהוּ אַחֲרִית הַיָּמִים. וְדָא אִיהוּ כּוֹס דִּבְרָכָה, דְּאִיהוּ נָכוֹן בְּרֹאשׁ הֶהָרִים.

מב. א"ר יוֹסֵי, זַכָּאָה אָרְחָא דָּא, דְּזָכֵינָא לְהַאי מִלָּה. א"ל מִמָּאן שַׁמְעַת לָהּ. א"ל, יוֹמָא חַד הֲוֵינָא אָזִיל בְּאָרְחָא, וְשַׁמְעְנָא וַחֲמֵינָא לֵיהּ לְרַב הַמְנוּנָא סָבָא, דַּהֲוָה דָּרִישׁ לְהַאי קְרָא לְרִבִּי אַוָּא, וְכֵיוָן דְּשָׁמַעְנָא וַחֲדֵינָא בֵּיהּ, וּנְטִירְנָא לֵיהּ צָרִיר בְּכַנְפָּא דִּלְבוּשָׁאִי, דְּלָא יִתְעֲדֵי מִנַּאי לְעָלְמִין. א"ל, וַדַּאי מִלָּה קַדִּישָׁא דָּא, מִנְּהִירוּ דְּבוּצִינָא קַדִּישָׁא אִתְנְהִיר. זַכָּאָה דָּרָא, דְּקַיְימֵי עָלְמָא וְסַמְכוּי, שַׁרְיָין בְּגַוֵּיהּ. וְאִי אַנְתְּ צָרִירַת לְהַאי מִלָּה בְּקִשְׁרָא חַדָא דְּלָא יִתְעֲדֵי מִינָךְ. אֲנָא אֶצְרוֹר לָהּ בִּתְלָתִין, אוֹ בְּאַרְבְּעִין קִשְׁרִין בְּכִיסָאִי, דְּלָא יִתְעֲדֵי מִינַּאי לְעָלְמִין.

מג. עַל הַהִיא מִלָּה דְּאַחְזֵי קוּדְשָׁא בְּרִיךְ הוּא (קב"ה) לְמֹשֶׁה, בְּגִין דְּאע"ג דְּיִשְׂרָאֵל חָבִין קָמֵיהּ בְּכָל דָּרָא וְדָרָא, לָא בָּעֵי מַאן דְּיֵימָא עָלַיְיהוּ דַּלְטוֹרִין. מְנָלָן. מֵהוֹשֵׁעַ, דִּכְתִיב תְּחִלַּת דִּבֶּר יְיָ' בְּהוֹשֵׁעַ, הָא אוֹקְמוּהָ מִלָּה. וְע"ד וְהָיָה מִסְפַּר בְּנֵי יִשְׂרָאֵל כְּחוֹל הַיָּם וְגוֹ'. וּבְג"ד בָּרִיךְ לוֹן בְּכַמָּה בִּרְכָאן, לְאַהֲדְרָא בִּתְיוּבְתָּא, וּלְאָתָבָא לוֹן לְגַבֵּי אֲבוּהוֹן דְּבִשְׁמַיָּא, וְלָא אַעְדֵּי מִתַּמָּן, עַד דְּקב"ה מָחַל עַל חוֹבַיְיהוּ, וְאִתְנְקִיאוּ קָמֵיהּ.

מד. אֵלִיָּהוּ מָה כְתִיב בֵּיהּ, וַיָּבֹא וַיֵּשֶׁב תַּחַת רֹתֶם אֶחָד וְגוֹ', אָמַר מָארֵיהּ דְּעָלְמָא, אִתְּתָא חֲדָא שַׁדְּרַת לוֹן לְיִשְׂרָאֵל, וּדְבוֹרָה שְׁמָהּ, דִּכְתִיב וְהִיא יוֹשֶׁבֶת תַּחַת תֹּמֶר דְּבוֹרָה. דָּא הוּא רֹתֶם, וְאַהֲדְרַת לוֹן לְמוּטַב, דִּכְתִיב עַד שַׁקַּמְתִּי דְּבוֹרָה. וַאֲנָא עָאלִית בֵּינַיְיהוּ, וְאַכְרְזִית קָמַיְיהוּ וְלָא יָכִילְנָא.

מה. עַד דַּהֲוָה יָתִיב, אִתְגְּלֵי עָלֵיהּ קב"ה, א"ל מַה לְּךָ פֹה אֵלִיָּהוּ, בְּקַדְמֵיתָא קָא הֲוֵית מְקַטְרְגָא וּמְקַנֵּי עַל בְּרִית, וּמִדְּחָמֵינָא בָּךְ דְּקַנֵּית עָלַי בְּהַהוּא בְּרִית, נַטְלִית לֵיהּ בְּרָעוּ דְּמֹשֶׁה, וִיהַבְנָא לָךְ, עַד דְּמֹשֶׁה הֲוָה אָמַר הִנְנִי נוֹתֵן לוֹ אֶת בְּרִיתִי שָׁלוֹם. הַשְׁתָּא דְּאִיהוּ דִּילָךְ, לָא אִתְחֲזֵי לָךְ לְקַטְרְגָא עֲלוֹי, הֲוָה לָךְ לְמִשְׁבַּק קִנּוּיָךְ לִי, כְּמָה בְּקַדְמֵיתָא דַּהֲוָה דִּילִי, שְׁבַקְנָא לֵיהּ לִידָא אַחֲרָא, וְלָא קַטְרִיגְנָא עֲלוֹי.

מו. מַה לְּךָ פֹה. מַאי פֹה. בְּרִית קַיָּימָא, פֶּה יְיָ' אִיהוּ. כֵּיוָן דְּלָא בָּעָאת לְשַׁבְקָא לִי

פּוּמָךְ, יֵתוּב בַּאֲתַר דְּהַהוּא פּוּמָא. תְּנָן, בְּהַהִיא שַׁעֲתָא, אִתְעֲבַר מִנֵּיהּ הַהוּא נְבוּבְזָא דְּיָהַב לֵיהּ מֹשֶׁה. דִּתְנָן, מַאי דִּכְתִּיב וַיֵּלֶךְ בְּכֹחַ הָאֲכִילָה הַהִיא וְגוֹ'. עַד הַר הָאֱלֹהִים חוֹרֵבָה. לְמִתְבַּע מִתַּמָּן, וְכִי מִתַּמָּן הֲוָה בָּעֵי. אֶלָּא לְמִתְבַּע כְּמִלְּקַדְמִין, מֵהַהוּא דְּיָרִית בְּהַר הָאֱלֹהִים, בְּרִית דָּא. פִּנְחָס הוּא אֵלִיָּהוּ, וַדַּאי בְּדַרְגָּא חֲדָא. א"ל מֹשֶׁה, לֵית אַנְתְּ יָכִיל לְקַבְּלָא מִנַּאי, אֶלָּא זִיל לְיַנּוּקַיְיהוּ דְּיִשְׂרָאֵל, וּמֵאִינּוּן תִּרְוָוח, וְאִינּוּן יָהֲבֵי לָךְ, וְכַךְ הוּא עָבִיד.

מז. כַּמָּה טִיבוּ עָבִיד קוּדְשָׁא בְּרִיךְ הוּא בְּכָל דָּרָא וְדָרָא לְיִשְׂרָאֵל. תָּא חֲזֵי, מַה כְּתִיב, וָאֶשְׁלַח לְפָנֶיךָ אֶת מֹשֶׁה אַהֲרֹן וּמִרְיָם. וְהָא כַּמָּה נְבִיאֵי הֲווּ לְבָתַר מֹשֶׁה, וְאֶשְׁלַח לְפָנֶיךָ אֶת מֹשֶׁה אַהֲרֹן וְאֶלְעָזָר וּפִנְחָס יְהוֹשֻׁעַ וְאֵלִיָּהוּ וֶאֱלִישָׁע, וְכַמָּה שְׁאַר צַדִּיקֵי וַחֲסִידֵי מִבָּעֵי לֵיהּ. אִלֵּין תְּלָתָא אֲמַאי. אֶלָּא אָמַר קוּדְשָׁא בְּרִיךְ הוּא, עַמִּי, בָּנַי, אֲמַאי לָא תִּדְכְּרוּן לְכָל טָבִין דַּעֲבָדִית לְכוּ, דְּשַׁדָּרִית לְכוּ לְמֹשֶׁה אַהֲרֹן וּמִרְיָם.

מח. לְמֶלֶךְ בָּשָׂר וָדָם, דְּאִית לֵיהּ מְדִינְתָּא, וְשַׁדַּר לְגַבָּהּ, גּוּבְרִין, אַפַּרְכִּין רַבְרְבָנִין, דִּיהוֹן מְנַהֲלֵי עַמָּא, וּמְעַיְּינִין בְּהוּ, וּבְדִינַיְיהוּ. מַאן אִצְטְרִיךְ לְמֶהֱוֵי זָקוּק בִּמְזוֹנַיְיהוּ, בְּמִלִּין דְּיִצְטָרְכוּן. לָאו עַמָּא דִּמְדִינְתָּא, בַּעַל כָּרְחַיְיהוּ יִצְטָרְכוּ לְעַיְּינָא בְּהוּ, וּלְמֵיהַב לְהוּ יְקָרָא.

מט. שַׁדָּרִית לְמֹשֶׁה, אִיהוּ אַיְיתֵי קָמַיְיכוּ מַן לְמֵיכַל, וְנָהִיל לְכוּ וְלִבְנַיְיכוּ וְלִבְעִירַיְיכוּ, וְאִשְׁתַּדַּל בְּדִינַיְיכוּ, וּבְכָל מַה דְּאִצְטְרִיךְ לְכוּ. שַׁדָּרִית לְאַהֲרֹן, אַיְיתֵי הֵיכָלִין דַּעֲנָנֵי יְקָר לְחוֹפָאָה עֲלַיְיכוּ, כְּמַלְכִּין. אַסְוֵי לְכוּ בְּטַלֵּי יְקָר, דְּלָא אִתְרַקְּבוּ לְבוּשַׁיְיכוּן וּמְנַעֲלַיְיכוּן, וַהֲווּ מִתְחַדְּשֵׁי בְּכָל יוֹמָא. שַׁדָּרִית לְמִרְיָם, אַיְיתִיאַת בֵּירָא לְאַשְׁקָאָה לְכוּ, וְשָׁתִיתוּן אַתּוּן וּבְעִירְכוּן. אִינּוּן יָהֲבוּ לְכוּן, וּמִדִּלְהוֹן אֲכַלְתּוּן וְשָׁתִיתוּן, וִיתִיבְתּוּן בְּחוֹפָאָה דִּיקָר דִּלְהוֹן. וּמִדִּלְכוֹן לָא יְהַבְתּוּן לוֹן. וְלֹא עוֹד, אֶלָּא דְּאִשְׁתַּדַּלוּ עֲלֵיכוֹן, וְנַטְלוּ עַל צַוָּארֵיהוֹן מָטוּלְכוֹן, וַהֲוֵיתוּן מְחָרְפִין וּמְגַדְּפִין לוֹן.

נ. אָמַר רִבִּי יוֹסֵי, לָאו הֲוָה אַבָּא רַחֲמָן עַל בְּנוֹי כְּקוּדְשָׁא בְּרִיךְ הוּא, וּקְרָא הוּא דִּכְתִּיב, לֹא נָפַל דָּבָר אֶחָד מִכֹּל דְּבָרוֹ הַטּוֹב וְגוֹ'. תָּא חֲזֵי רַחֲמָנוּ דִּילֵיהּ, אִלּוּ אָמַר לֹא נָפַל דָּבָר אֶחָד מִכֹּל דְּבָרוֹ וְלָא יַתִּיר, נוֹחַ לְעָלְמָא דְּלָא אִתְבְּרֵי. אֲבָל מִדְּאָמַר מִכֹּל דְּבָרוֹ הַטּוֹב, וְאַפִּיק בִּישׁ לַאֲחוֹרָא, דְּהָא מִלָּה דְּבִישׁ לָא בָּעֵי לְמֶעְבַּד.

נא. וְאַעֲ"ג דְּאַגְּזִים, וְאָרִים רְצוּעָה, אָתָאת אִמָּא וְאִתְקָפַת בִּדְרוֹעֵיהּ יְמִינָא, וְקָם רְצוּעָה בְּקִיּוּמֵיהּ, וְלָא נָחִית לְתַתָּא, וְלָא אִתְעֲבִיד, בְּגִין דִּבְעִיטָא חֲדָא הֲווּ תַּרְוַיְיהוּ, אִיהוּ דְּאַגְזִים, וְאִיהוּ דַּאֲחִידַת בִּימִינֵיהּ.

נב. וְאִי תֵּימָא מְנָלָן. מִמִּלָּה דְּאִיהִי בְּאִתְגַּלְיָא, דִּכְתִּיב לֶךְ רֵד כִּי שִׁחֵת עַמְּךָ, שָׁרֵי לְאַרְמָא רְצוּעָה, וּמֹשֶׁה דְּלָא הֲוָה יָדַע אָרְחָא דְּאִמָּא, שָׁתִיק. כֵּיוָן דְּחָמָא קוּדְשָׁא בְּרִיךְ הוּא כַּךְ, אַנְקִיד לֵיהּ, וּבָטַשׁ בֵּיהּ וְאָמַר וְעַתָּה הַנִּיחָה לִּי, מִיָּד אַרְגִּישׁ מֹשֶׁה, וְאָחִיד בִּדְרוֹעֵיהּ דְּקוּדְשָׁא בְּרִיךְ הוּא, דִּכְתִּיב זְכוֹר לְאַבְרָהָם, דָּא דְּרוֹעֵיהּ יְמִינָא, וּבְגִ"כ לָא נָחִית רְצוּעָה.

נג. וְאִי תֵּימָא, אִמָּא דְּאִיהִי רְגִילָה לְאַחֲדָא בִּרְצוּעָה דְּמַלְכָּא, אָן הֲוַת, דְּשַׁבְקַת מִלָּה לְמֹשֶׁה. שָׁאִילְנָא וַאֲמֵינָא וְהָא לָא יְדַעְנָא בְּרִירָא דְּמִלָּה, עַד דְּנֶהֱוֵי קָמֵיהּ דְּבוֹצִינָא קַדִּישָׁא. כַּד אָתוּ לְקָמֵיהּ דְּר"ש, חָמָא בְּאַנְפַּיְיהוּ סִימָן. אָמַר עוּלוּ בְּנֵי קַדִּישִׁין, עוּלוּ רְחִימִין דְּמַלְכָּא, עוּלוּ רְחִימִין דִּילִי, עוּלוּ רְחִימִין אִלֵּין בְּאִלֵּין.

נד. דְּאָמַר רִבִּי אַבָּא, כָּל אִלֵּין חַבְרַיָּיא, דְּלָא רְחִימִין אִלֵּין לְאִלֵּין, אִסְתַּלָּקוּ מֵעָלְמָא

עַד לָא מָטָא זִמְנַיְיהוּ, כֹּל חַבְרַיָּיא בְּיוֹמוֹי דְּר״ש, רְחִימוּ דְּנַפְשָׁא וְרוּחָא הֲוָה בֵּינַיְיהוּ, וּבְג״כ בְּדָרָא דְּר׳ שִׁמְעוֹן בְּאִתְגַּלְיָיא הֲוָה, דַּהֲוָה אָמַר רִבִּי שִׁמְעוֹן, כָּל חַבְרַיָּיא דְּלָא רַחֲמִין אִלֵּין לְאִלֵּין, גַּרְמִין דְּלָא לִיהָךְ בְּאֹרַח מֵישָׁר. וְעוֹד דְּעַבְדִּין פְּגִימוּ בָהּ, דְּהָא אוֹרַיְיתָא רְחִימוּ וְאַחֲוָה וּקְשׁוֹט אִית בָּהּ. אַבְרָהָם רָחִים לְיִצְחָק, יִצְחָק לְאַבְרָהָם, מִתְחַבְּקָן דָּא בְּדָא, יַעֲקֹב תַּרְוַויְיהוּ אֲחִידָן בֵּיהּ, בִּרְחִימוּ, וּבְאַחֲוָה, יָהֲבִין רוּחַיְיהוּ דָּא בְּדָא. חַבְרַיָּיא כְּהַהוּא דּוּגְמָא אִצְטְרִיכוּ, וְלָא לְמֶעְבַּד פְּגִימוּ.

נה. כֵּיוָן דְּחָמָא סִימָן בְּאַנְפַּיְיהוּ, וְאָמַר לוֹן הָכִי. אָמְרוּ לֵיהּ וַדַּאי רוּחַ נְבוּאָה שָׁרָא עַל בּוֹצִינָא קַדִּישָׁא, וְהָכִי אִצְטְרִיךְ לָן לְמִנְדַּע. בָּכָה רִבִּי שִׁמְעוֹן וְאָמַר, חַד מִלָּה מֵאִינּוּן מִלִּין דִּלְחִישׁוּ לִי מִגּוֹ רֵישׁ מְתִיבְתָּא דְּגִנְתָּא דְּעֵדֶן, דְּלָא אָמְרוּ בְּאִתְגַּלְיָא מִלָּה דָּא סִתְרָא אִיהִי, וְאֵימָא לְכוּ בָּנַי רְחִימָאי, בְּנֵי רְחִימִין דְּנַפְשָׁאי, מָה אַעֲבִיד, אֲמָרוּ לִי בִּלְחִישָׁא, וַאֲנָא אֵימָא בְּאִתְגַּלְיָיא. וּלְזִמְנָא דְּנֶחֱמֵי אַנְפִּין בְּאַנְפִּין, כָּל אַנְפִּין יִסְתַּמְּכוּן בְּדָא.

נו. בָּנַי. חוֹבָא דְּעָבְדוּ עַמָּא דִּלְבַר. וְאִשְׁתַּתָּפוּ בֵּיהּ עַמָּא קַדִּישָׁא, בְּאִמָּא חָאבוּ, דִּכְתִּיב קוּם עֲשֵׂה לָנוּ אֱלֹהִים, אֱלֹהִים וַדַּאי. כְּבוֹד יִשְׂרָאֵל דָּא, אִיהוּ דְּשַׁרְיָא עֲלַיְיהוּ כְּאִמָּא עַל בְּנִין, וְדָא הוּא רָזָא דִּכְתִּיב, וַיָּמִירוּ אֶת כְּבוֹדָם בְּתַבְנִית שׁוֹר. דָּא כְּבוֹדָם דְּיִשְׂרָאֵל, אִמָּא דִּלְהוֹן. וְדָא הוּא דִּכְתִּיב גָּלָה כָבוֹד. דְּגָרְמוּ לִשְׁכִינְתָּא דְּאִתְגְּלֵי בְּגָלוּתָא עִמְּהוֹן. וְעַל דָּא וַיָּמִירוּ אֶת כְּבוֹדָם, בְּמָה. בְּתַבְנִית שׁוֹר.

נז. הָכָא אִיהוּ רָזָא דְּמִלָּה, ת״ח, לְתַתָּא גּוֹ שְׁמָרִים דְּחַמְרָא, דּוּרְדַּיָּין בִּישִׁין, נָפַק חַד עִרְעוּרָא, מְקַטְרְגָא, מַזִּיקָא קַדְמָאָה, וְאִיהוּ בְּרָזָא דְּדִיוּקְנָא דְּאָדָם. כַּד קָרִיב לְגוֹ קֻדְשָׁא. כֵּיוָן דְּאִתְעֲבַר מִתַּמָּן, וּבָעֵי לְנַחְתָּא לְתַתָּא. בָּעֵי לְאִתְלַבְּשָׁא בִּלְבוּשָׁא, לְנַזְקָא עָלְמָא. וְנָחִית הוּא וְרְתִיכוֹי. וּלְבוּשָׁא קַדְמָאָה דְּקָא נָקִיט, תַּבְנִית שׁוֹר, דִּיוּקְנָא דְּשׁוֹר, וְקַדְמָאָה לְנִזְקִין מֵאִינּוּן אַרְבַּע, שׁוֹר אִיהוּ. וְאִינּוּן אַרְבַּע אָבוֹת לְנַזְקָא עָלְמָא. וְכֻלְּהוּ תְּלָתָא דְּאָבוֹת נְזִיקִין בַּר שׁוֹר, כֻּלְּהוּ דִּילֵיהּ, וְעַל דָּא כְּתִיב, וַיָּמִירוּ אֶת כְּבוֹדָם בְּתַבְנִית שׁוֹר.

נח. מַהוּ אוֹכֵל עֵשֶׂב. הָא דַּרְשִׁינָן בֵּיהּ. אֲבָל עִקָּרָא דְּמִלָּה, מִתַּמְצִית דְּלֶחֶם וְשִׁבְעָה זִינֵי דָּגָן, לֵית לֵיהּ בְּהוּ חוּלָקָא. וּבְגִינֵי כָּךְ, אִימָא לָא הֲוַת תַּמָּן, וְלָא יָאוּת לָהּ לְמֶהֱוֵי תַּמָּן. וּבְגִין דְּאַבָּא הֲוָה יָדַע רַחֲמָנוּ דְּאִמָּא וְאָרְחָא דִּילָהּ, אָמַר לְמֹשֶׁה, בְּנִי רְחִימָאי, עֵיטָא בְּתַרְוַויְיהוּ בְּדָא תָּדִיר. וְדָא הוּא דִּלְחִישׁוּ לִי בִּלְחִישׁוּ, דְּלָא וְחָזֵי לְגַלָּאָה, דִּבְרָא לָא יִנְדַע, וְיֶחֱמֵי דְּהָא רְצוּעָה אִתְתַּקְנַת, וְיִדְחַל תָּדִיר. אֲבָל תַּרְוַויְיהוּ בְּעֵיטָא דָּא, וּבְעֵיטָא חֲדָא.

נט. ת״ח כְּתִיב וַיַּרְא הָעָם כִּי בֹשֵׁשׁ מֹשֶׁה. מַאן הָעָם. אִינּוּן עֵרֶב רַב. מַאן עֵרֶב רַב. וְכִי לוּדִים וְכוּשִׁים וְכַפְתּוֹרִים וְתוֹגַרְמִים הֲווֹ, דְּקָרָאן לוֹן עֵרֶב רַב, וַהֲלָא מִצְרִיִּים הֲווֹ, וּמִמִּצְרַיִם נַטְלוּ, וְאִלּוּ הֲווֹ עִרְבּוּבְיָא דְּעַמִּין סַגִּיאִין, הָכִי הֲוָה לֵיהּ לְמִכְתַּב, עֵרֶב רַב עָלוּ אִתָּם לְפִי עִרְבּוּבְיָא דִּלְהוֹן.

ס. אֶלָּא עֵרֶב רַב עָלָה אִתָּם. עַמָּא חַד הֲוָה, וְלִישָּׁן חַד, אֲבָל כָּל חֲרָשֵׁי מִצְרַיִם, וְכָל חַרְטוּמֵי דִּלְהוֹן הֲווֹ, דִּכְתִּיב בְּהוּ, וַיַּעֲשׂוּ גַּם הֵם חַרְטוּמֵי מִצְרַיִם. דְּבָעוּ לְמֵיקָם לָקֳבֵל פְּלִיאָן דְּקֻדְשָׁא בְּרִיךְ הוּא, כֵּיוָן דְּחָמוּ נִסִּין וּפְלִיאָן דְּעָבַד מֹשֶׁה בְּמִצְרַיִם, אַהַדְרוּ לְגַבֵּי מֹשֶׁה. א״ל קֻדְשָׁא בְּרִיךְ הוּא לְמֹשֶׁה, לָא תְּקַבֵּל לוֹן. אָמַר מֹשֶׁה, מָארֵיהּ דְּעָלְמָא, כֵּיוָן דְּחָמוּ גְּבוּרְתָּא דִּילָךְ, בָּעָאן לְאִתְגַּיְּירָא. יֶחֱמוּן גְּבוּרְתָּךְ בְּכָל יוֹמָא, וְיִנְדְּעוּן דְּלֵית אֱלָהָא בַּר מִנָּךְ. וְקַבֵּל לוֹן מֹשֶׁה.

סא. אַמַּאי קָרָא לוֹן עֵרֶב רַב. אֶלָּא כָּל חָרְשִׁין דְּמִצְרַיִם הֲווֹ, וּבְרֵישַׁיְיהוּ יוֹנוּס וְיִמְבְּרוֹס, וּבְשַׁעֲתָא דְּיוֹמָא הֲווֹ עָבְדֵי תָּדִיר חַרְשַׁיְיהוּ. וְכָל אִלֵּין חַרְשִׁין עִלָּאִין, הֲווֹ מִסְתַּכְּלֵי מִכִּי נָטֵי שִׁמְשָׁא, מִשֵּׁירוּתָא דְּשִׁית שָׁעוֹת וּמֶחֱצָה, עַד שֵׁירוּתָא דְּתֵשַׁע וּמֶחֱצָה. דְּהַיְינוּ עֶרֶב רַבְרְבָא. כָּל אִינּוּן חַרְשִׁין זְעִירִין, מִשֵּׁירוּתָא דְּתֵשַׁע וּמֶחֱצָה, עַד פַּלְגּוּת לֵילְיָא.

סב. אִינּוּן עִלָּאִין דִּבְהוּ, הֲווֹ מִסְתַּכְּלֵי מִכִּי נָטֵי שִׁמְשָׁא. דְּהָא כְּדֵין שָׁרָאן תְּשַׁע מְאָה וְתִשְׁעִין וַחֲמֵשׁ דַּרְגִּין, לְמִשְׁטְטָא עַל טוּרֵי חָשׁוֹךְ. וּרְוָוחָא דִּלְהוֹן, הֲוָה מְשַׁטְּטָא עַל כָּל אִינּוּן חַרְשִׁין בְּחַרְשַׁיְיהוּ. וְאִלֵּין הֲווֹ עָבְדֵי, כָּל מַה דְּאִינּוּן בָּעָאן. עַד דְּכָל מִצְרָאֵי רְחִיצוּ דִּלְהוֹן בְּאִלֵּין הֲוָה. וְקָרָאן לוֹן עֶרֶב רַב. בְּגִין דְּאִית עֶרֶב זְעִירָא, מִתְּשַׁע שָׁעוֹת וּמֶחֱצָה וּלְתַתָּא, דָּא עֶרֶב זְעִירָא. וּתְרֵי עַרְבֵי אִינּוּן, וְעַ"ד וְגַם עֵרֶב רַב עָלָה אִתָּם.

סג. וְחָכְמְתָא דִּלְהוֹן, הֲוָה סַגֵּי. וְאִינּוּן אִסְתַּכְּלוּ בְּשַׁעֲתֵי דְּיוֹמָא, וְאִסְתַּכְּלוּ בְּדַרְגָּא דְּמֹשֶׁה, וְחָמוּ דְּהָא בְּכָל סִטְרִין בּשֵׁשׁ מֹשֶׁה: בְּשֵׁשׁ שַׁעֲתֵי קַדְמָאִין דְּיוֹמָא, דְּאִינּוּן לָא יַכְלִין לְשַׁלְטָאָה בְּהוּ, בְּשִׁית דַּרְגִּין עִלָּאִין דְּאָחִיד בְּהוּ. וּבְכָל סִטְרִין בְּשִׁית הֲוָה, וּבְעִטְרִין דְּאִלֵּין שִׁית, הֲוָה זַמִּין לְרֶדֶת מִן הָהָר, דִּכְתִּיב כִּי בֹשֵׁשׁ מֹשֶׁה לָרֶדֶת מִן הָהָר.

סד. מִיַּד וַיִּקָּהֵל הָעָם עַל אַהֲרֹן, אַמַּאי עַל אַהֲרֹן. בְּגִין לְאִתְכַּלְלָא בְּסִטְרָא דִּימִינָא, דְּהָא אִינּוּן שְׂמָאלָא בָּעוּ מִנֵּיהּ, וּבְגִין דִּלְהֱוֵי כָּלִיל בִּימִינָא, אִתְכְּנָשׁוּ עַל אַהֲרֹן, וַיֹּאמְרוּ אֵלָיו קוּם עֲשֵׂה לָנוּ אֱלֹהִים.

סה. ת"ח, כָּל זִמְנָא דַּהֲוָה מֹשֶׁה בְּמִצְרַיִם, שְׁמָא דֶּאֱלֹהִים לָא דָּכִיר, אֶלָּא שְׁמָא דַּיְיָ', וְעַ"ד קַשְׁיָא לֵיהּ לְפַרְעֹה בְּגִין דְּלָא יְהֵא תּוֹקְפָּא לְהַהוּא סִטְרָא אַחֲרָא, וְלָא יִתְתַּקַּף בְּעָלְמָא. הַשְׁתָּא בָּעוּ הַהִיא מִלָּה, וְהַיְינוּ קוּם עֲשֵׂה לָנוּ אֱלֹהִים. לָנוּ דַּיְיקָא, דְּאֲנָן צְרִיכִין לְהַאי מִלָּה, לְתַקְּפָא סִטְרָא דִּילָן, דַּהֲוָה אִתְדַּחְיָא עַד הַשְׁתָּא.

סו. אֲשֶׁר יֵלְכוּ לְפָנֵינוּ. מַאי אָמְרוּ. אֶלָּא הָכִי אָמְרוּ, חֲמֵינָן דְּאָתוּן יִשְׂרָאֵל, כָּל טוּב וְכָל יְקָר דְּעָלְמָא לְכוּ, וַאֲנָן דְּחוּיִין לְבַר. דִּלְכוּ, וַיְיָ' הוֹלֵךְ לִפְנֵיהֶם יוֹמָם. אוּף הָכִי אֱלֹהִים אֲשֶׁר יֵלְכוּ לְפָנֵינוּ, כְּמָה דְּאָזִיל קָמַיְיכוּ יְיָ'. דְּהָא רְשׁוּ אִית לְסִטְרָא דִּילָן לְמֵהַךְ אוּף הָכִי לְקַמָּנָא, אִי נַזְמִין לֵיהּ עוֹבָדָא.

סז. ת"ח, כָּל עֲנָנֵי יְקָר דְּאָזְלוּ בְּמַדְבְּרָא, לָא הֲווֹ חַפְיָין אֶלָּא לִבְנֵי יִשְׂרָאֵל לְחוֹדַיְיהוּ. וְהַהוּא עֲנָנָא דִּיקָר, דִּכְתִּיב וַיְיָ' הוֹלֵךְ לִפְנֵיהֶם יוֹמָם, אַזְלָא לְקַמַּיְיהוּ. וְאִלֵּין עֵרֶב רַב, וְכָל אִינּוּן בְּעִירֵי עָאנִין וְתוֹרִין, הֲווֹ אָזְלוּ לְבַר מִמַּשְׁרְיָיתָא, לְבַתְרַיְיתָא. וְת"ח, כָּל אִינּוּן אַרְבְּעִין שְׁנִין דְּהָא אָזְלוּ יִשְׂרָאֵל בְּמַדְבְּרָא, שׁוּם לִכְלוּכָא וְטִנּוּפָא לָא הֲוָה גּוֹ עֲנָנֵי לְגוֹ. וְעַ"ד עָאנֵי וְתוֹרֵי דַּהֲווֹ אָכְלֵי עֵשֶׂב לְבַר הֲווֹ, וְכָל אִינּוּן דְּנַטְרֵי לוֹן.

סח. א"ר אֶלְעָזָר, אַבָּא, אִי הָכִי אִינּוּן עֵרֶב רַב לָא הֲווֹ אָכְלֵי מִן מַנָּא. א"ל וַדַּאי הָכִי הוּא. אֶלָּא מַה דְּיָהֲבִין לוֹן יִשְׂרָאֵל, כְּמַאן דְּיָהִיב לְעַבְדֵּיהּ. וּמִמַּה הֲווֹ אָכְלֵי. מִתַּמְצִית, מַה דְּאִשְׁתָּאַר מִבָּתַר רֵיחַיָּא, פְּסוֹלֶת. וּקְרָא אַכְרִיז וְאָמַר, וּבְנֵי יִשְׂרָאֵל אָכְלוּ אֶת הַמָּן אַרְבָּעִים שָׁנָה. בְּנֵי יִשְׂרָאֵל, וְלָא אַחֲרָא. וַיִּרְאוּ בְנֵי יִשְׂרָאֵל וַיֹּאמְרוּ מָן הוּא, וְלָא שְׁאָר עֵרֶב רַב, עָאנֵי וְתוֹרֵי, דַּהֲווֹ בֵּינַיְיהוּ.

סט. עַד הַשְׁתָּא, הֲווֹ אִתְכַּפְיָין אִינּוּן עֵרֶב רַב וְהַשְׁתָּא קָמוּ וּבָעוּ עוֹבָדָא, לְאַתְקְפָא לְסִטְרָא אַחֲרָא. אָמְרוּ, אוֹ נֶהֱא כֻּלָּנָא עַמָּא חָדָא, וְנֶהֱוֵי בִּכְלָלָא עִמְּכוֹן, אוֹ יְהֵא לָן מַאן דְּיֵהַךְ קַמָּנָא, כְּמָה דְּיֵהַךְ אֱלָהֲכוֹן קָמֵיכוֹן. אָמַר אַהֲרֹן, ח"ו דְּאִלֵּין יִשְׁתַּתְּפוּן בְּעַמָּא

קַדִּישָׁא, לְמֶהֱוֵי כֹּלָּא כְּלָלָא וְחָדָא, וְלָא יִתְעָרְבוּן עַמָּא קַדִּישָׁא בְּעַמָּא דָּא, כְּלָלָא וְחָדָא, אֶלָּא טָב אִיהוּ לְאַפְרְשָׁא לוֹן מִגּוֹ עַמָּא קַדִּישָׁא, עַד דְּיֵיתֵי מֹשֶׁה.

ע. וְאַהֲרֹן לְטָב אִתְכַּוֵּון, אֶלָּא סַגִּיאִין הֲווֹ מִיִּשְׂרָאֵל דְּאִשְׁתַּתָּפוּ בַּהֲדַיְיהוּ בְּלִבָּא. וּבְגִין כַּךְ, כַּד אָתָא מֹשֶׁה, אִצְטְרִיךְ לְבָרְרָא וּלְלַבְּנָא לְעַמָּא קַדִּישָׁא מֵהַהוּא חוֹבָא, וְאַשְׁקֵי לוֹן שַׁקְיוּ, עַד דְּאִתְבְּרִירוּ כֻּלְּהוּ וְלָא אִשְׁתְּאַר בְּהוּ פְּסוֹלֶת כְּלַל.

עא. אָמַר לוֹן אַהֲרֹן, פָּרְקוּ נִזְמֵי הַזָּהָב, וְכִי לָא הֲוָה לוֹן דַּהֲבָא אָחֳרָא. אֶלָּא אָמַר אַהֲרֹן, בְּעוֹד דְּאִית לוֹן קְטָטָה בִּבְנַיְיהוּ וּבִנְשַׁיְיהוּ, יִתְעַכְּבוּן, וּבֵין כַּךְ יֵיתֵי מֹשֶׁה. ת״ח, תָּנֵינָן קָשִׁים גֵּרִים לְיִשְׂרָאֵל כְּסַפַּחַת בִּבְשַׂר הַחַי, כ״ש אִלֵּין, דְּלָא הֲווֹ גֵּרִים כַּדְקָא יָאוֹת. אִינּוּן מָה עָבְדוּ. וַיִּתְפָּרְקוּ כָּל הָעָם אֶת נִזְמֵי הַזָּהָב אֲשֶׁר בְּאָזְנֵיהֶם. כַּמָּה אַלְפֵי וְרִבְוָון הֲווֹ מִנִּזְמֵיהוֹן תַּמָּן.

עב. מַה כְּתִיב, וַיִּקַּח מִיָּדָם וַיָּצַר אוֹתוֹ בַּחֶרֶט וְגוֹ׳. אַהֲרֹן לָא אִסְתַּמַּר, מֵאִינּוּן תְּרֵין חַכִּימִין, דַּהֲווֹ בְּרֵישַׁיְיהוֹן דְּהַהוּא עֵרֶב רַב. חַד מִנַּיְיהוּ הֲוָה קָמֵיהּ, וְאָחֳרָא הֲוָה עָבֵיד בְּחַרְשׁוֹי. כֵּיוָן דְּתַרְוַויְיהוּ אִתְיָיעֲטוּ כַּחֲדָא, נָטְלוּ הַהִיא דַּהֲבָא, תְּרֵין שְׁלִישֵׁי בִּידָא דְּחַד, וּשְׁלִישׁ בִּידָא דְּאָחֳרָא. בְּגִין דְּהָכֵי אִצְטְרִיךְ בְּהַהוּא זִינָא דְּחַרְשָׁא.

עג. בָּכָה ר״ש, אָמַר אִי חֲסִידָא קַדִּישָׁא, אַהֲרֹן מְשִׁיחָא דֶּאֱלָהָא רַבָּא, בַּחֲסִידוּתָךְ נָפְלוּ כַּמָּה מֵעַמָּא קַדִּישָׁא. וְאַנְתְּ לָא הֲוֵית יָדַע לְאִסְתַּמְּרָא. מַהוּ עֲבַדוּ. כַּד מָטוּ שִׁית שַׁעֲתִין, וְיוֹמָא הֲוָה בְּמַתְקְלָא, נָטְלוּ הַהוּא דַּהֲבָא דְּפָרִיקוּ מֵאוּדְנַיְיהוֹן. מ״ט. בְּגִין דְּמַאן דְּאִצְטְרִיךְ לְמֶעְבַּד חַרְשָׁא, לָא בָּעֵי לְמֵיחַס עֵינוֹי עַל מָמוֹנָא. וְאִינּוּן אַמְרֵי, שַׁעֲתָא קַיְּימָא לָן, אִי אֲנָן לָא מְעַכְּבִין. לָאו שַׁעֲתָא לְמֵיחַס עַל דַּהֲבָא, מִיַּד וַיִּתְפָּרְקוּ כָּל הָעָם. מַאי וַיִּתְפָּרְקוּ. כד״א מְפָרֵק הָרִים וּמְשַׁבֵּר סְלָעִים, דְּחַבִּילוּ וְתַבְרוּ אוּדְנַיְיהוּ. בָּכָה כְּמִלְקַדְּמִין וְאָמַר אִי עַמָּא קַדִּישָׁא אִי עַמָּא קַדִּישָׁא, דְּקֻבּ״ה.

עד. פָּתַח ר״ש בְּבִכְיָה, וְאָמַר, וְהִגִּישׁוֹ אֲדֹנָיו אֶל הָאֱלֹהִים וְגוֹ׳. הָא אוֹקְמוּהָ חַבְרַיָּיא, אֹזֶן דְּשָׁמַע בְּסִינַי, כִּי לִי בְנֵי יִשְׂרָאֵל עֲבָדִים וְגוֹ׳. וְאִיהוּ פָּרִיק עוֹל מַלְכוּת שָׁמַיִם מֵעָלֵיהּ, וְזָבִין גַּרְמֵיהּ לְאָחֳר, תִּרְצַע. וְאִלֵּין חַיָּיבַיָּא רְשִׁיעִין, גּוּבְרִין בִּישִׁין, בְּתִיאוּבְתָּא דִּלְהוֹן לְמֶהֱדַר לִסְרָחֲנַיְיהוּ, לָא בָּעוּ מִנְּשֵׁיהוֹן וּבְנֵיהוֹן אֶלָּא חַבִּילוּ אוּדְנַיְיהוּ וְאִתְפָּרְקוּ מֵעוֹל שְׁמַיָּא דְּפָקִיד לְהוּ מֹשֶׁה, וְתַבְרוּ אוּדְנַיְיהוּ, דְּלֵית לוֹן חוּלָקָא בִּשְׁמָא קַדִּישָׁא, וְעַמָּא קַדִּישָׁא.

עה. מָה עֲבַדוּ, פַּלִּיגוּ תַּרְוַויְיהוּ הַהוּא דַּהֲבָא, חַד נָטִיל תְּרֵין שְׁלִישִׁין, וְחַד שְׁלִישׁ. קָמוּ לְקֳבֵל שִׁמְשָׁא, בְּשִׁית שַׁעֲתִין. עֲבַדוּ חַרְשַׁיְיהוּ, וּבַלְטוּ בְּלָטֵיהוֹן בְּחַרְשָׁא דְּפוּמָא. כֵּיוָן דְּמָטָא שֵׁירוּתָא דְּשִׁבְעָ, אֲרִימוּ תַּרְוַויְיהוּ יְדַיְיהוּ עַל יְדוֹי דְּאַהֲרֹן. דִּכְתִּיב וַיִּקַּח מִיָּדָם, תַּרְוַויְיהוּ הֲווֹ, וְלָא יַתִּיר. כֵּיוָן דְּאִיהוּ קַבִּיל מִיָּדָם, קָלָא נָפַק וְאָמַר, יָד לְיָד לֹא יִנָּקֶה רַע, דִּכְתִּיב כִּי בְרָע הוּא. אַיְיתֵי רָע לְעָלְמָא.

עו. רָזָא דְּמִלָּה. אִינּוּן רְשָׁעִים חַיָּיבִין חַרְשִׁין בְּנוֹי דְּבִלְעָם חַיָּיבָא, בְּנֵי בְּנוֹי דְּלָבָן רְשִׁיעָא, חָמוּ דְּכוֹס שֶׁל בְּרָכָה בְּיָמִין אִיהוּ, וּמִן יְמִינָא אִתְּקַף תָּדִיר. אָמְרוּ, אִי יְהֵא בְּסִטַר דָּא, הַהוּא רֵישָׁא דִּימִינָא, הָא תּוּקְפָּא דִּילָן כַּדְקָא יָאוֹת.

עז. כֵּיוָן דְּמָטָא שֶׁבַע שַׁעֲתִין דְּיוֹמָא, יָהֲבוּ לֵיהּ לְאַהֲרֹן מִיָּד. אִי אִיהוּ הֲוָה אָמַר לוֹן שַׁווּ לֵיהּ בְּאַרְעָא בְּקַדְמֵיתָא, וַאֲנָא אֶטּוֹל, לָא הֲווֹ יַכְלִין בְּחַרְשַׁיְיהוּ כְּלוּם, אֶלָּא מִיָּדָם נָטַל. וּקְרָא מִתְרָעַם וְאָמַר, וַיִּקַּח מִיָּדָם, חָמוּ מָה עֲבַד אַהֲרֹן גְּבַר נְבִיאָה גְּבַר חַכִּים,

לָא יָדַע לְאִסְתַּמְרָא, דְּאִילוּ נָטִיל מֵאַרְעָא, כָּל וַחֲרָשִׁין דְּעָלְמָא לָא הֲווּ יַכְלִין לְאַצְלָחָא. אֲבָל בְּמָה אַצְלָחוּ בְּעוֹבָדָא דָא, בְּגִין דְּוַיִּקְחוּ מִיָּדָם וְלָא מֵאַרְעָא.

עח. וַיָּצַר אוֹתוֹ בַּחֶרֶט, לָאו כְּמָה דְּחַשְׁבִין בְּנֵי נָשָׁא, דַּעֲבַד צִיּוּרִין בְּמַחוֹגָה, אוֹ בְּמִלָּה אַחֲרָא. אֶלָּא אָתָא קְרָא לְאוֹכָחָא מִלָּה, דְּאַהֲרֹן לָא יָדַע לְאִסְתַּמְרָא. אִילוּ כַּד נָטַל מִיְּדַיְיהוּ, הֲוָה שַׁדֵּי לְאַרְעָא, וְאַעַ"ג דְּיִטּוֹל לֵיהּ לְבָתַר, לָא הֲוָה אַצְלַח עוֹבָדָא בִּישָׁא דָא. אֲבָל בְּכֹלָּא סִיּוּעָא בִּישָׁא הֲוָה, דְּנָקִיט דַּהֲבָא, וּטְמָרֵיהּ מֵעֵינָא, בִּישׁ בָּתַר בִּישׁ מַאי וַיָּצַר אוֹתוֹ בַּחֶרֶט. דְּשַׁוֵּי כָּל דַּהֲבָא בְּכִיסָא חֲדָא, וְאִסְתַּמַּר מֵעֵינָא. כְּדֵין סָלִיק כֹּלָּא לְעוֹבָדָא.

עט. בְּסִפְרָא דַּחֲנוֹךְ אַשְׁכַּחְנָא, דַּהֲוָה אָמַר הָכִי, בְּרָא יְחִידָאָה יִתְיְלִיד לְהַהוּא רֵישָׁא חִוָּורָא, וְכַד יֵיתוּן מִבִּשְׂרָא דַּחֲמָרֵי, יָטְעִין לֵיהּ, בְּהַהוּא דְּעָיֵיל מַרְגְּלָן בְּזָגִין דְּדַהֲבָא, בְּלָא דַּעְתָּא דִּילֵיהּ, וּדְיוֹקְנָא יְצַיֵּיר בְּצִיּוּרָא בַּחֶרֶט. מַאי בַּחֶרֶט. בְּחֶרֶט אֱנוֹשׁ. דָּא קָלְמוֹסָא דֶּאֱנוֹשׁ וְחַיָּיבָא, דְּאַטְעֵי לִבְנֵי נָשָׁא.

פ. וַדַּאי דָּא בְּרִירָא דְּמִלָּה, דֶּאֱנוֹשׁ כַּד אַטְעֵי עָלְמָא, בְּקָלְמוֹסָא הֲוָה רָשִׁים רְשִׁימִין, דְּכָל דְּיוֹקְנִין וּפָלְחָנִין נִכְרָאִין בְּהַהוּא קָלְמוֹסָא, וְעַ"ד כְּתִיב בַּחֶרֶט, הַהוּא דְּאִשְׁתְּמוֹדַע לְמֶעְבַּד הָכִי. וְדָא הוּא בְּרִירוּ דְּמִלָּה.

פא. וְכֹלָּא הֲוָה, דְּוַדַּאי בְּכִיסָא אַרְמֵי דַּהֲבָא, וְכַסֵּי לֵיהּ מֵעֵינָא, כְּמָה דְּאָמְרוּ אִינּוּן חַרְשִׁין, וְהָכִי אִצְטְרִיךְ בְּזִינֵי דְּחַרְשִׁין אִלֵּין. וְדָא הוּא עוֹבָדָא דְּחַרְשִׁין אִלֵּין, מִלָּה דְּאִצְטְרִיךְ בְּאִתְגַּלְיָא, לְאִתְגַּלָּאָה לְבָתַר, אִצְטְרִיךְ טְמִירוּ וְכִסּוּיָא בְּקַדְמֵיתָא, דְּיִתְכַּסֵּי מֵעֵינָא, וּבָתַר יִפּוֹק אוּמָּנָא לְאוּמָּנוּתֵיהּ. וּמִלָּה דְּאִצְטְרִיךְ בְּכִסּוּיָא לְבָתַר, אִצְטְרִיךְ בְּאִתְגַּלְיָא בְּקַדְמֵיתָא.

פב. הַשְׁתָּא בְּנֵי רְחִימָאי, רְחִימִין דְּנַפְשָׁאי, מָה אַעְבִּיד, וַדַּאי אִצְטְרִיכְנָא לְגַלָּאָה, אֲצִיתוּ וְאַטְמִירוּ מִלִּין. בְּסִטְרָא קְדוּשָׁה הַהוּא, אֱלֹהִים דִּקְשׁוֹט, מֶלֶךְ עַל עָלְמָא, בִּתְלַת עָלְמִין אִתְתַּקַּף. בִּבְרִיאָה. בִּיצִירָה. בַּעֲשִׂיָּה. וְהָא אִתְּמַר, רָזָא דְּכָל חֲדָא וַחֲדָא הָכָא. לְקָבֵל בְּרִיאָה, וַיִּקְחוּ מִיָּדָם, מִלָּה דְּלָא הֲוָה בֵּיהּ עַד כְּעַן כְּלוּם. לְקָבֵל יְצִירָה. וַיָּצַר אוֹתוֹ בַּחֶרֶט, לְקָבֵל עֲשִׂיָּה. וַיַּעֲשֵׂהוּ עֵגֶל מַסֵּכָה. מַאן חָמָא חַרְשִׁין בְּכָל עָלְמָא כְּאִלֵּין.

פג. הַשְׁתָּא אִית לְמֵימַר, וְכִי לָא כְּתִיב וָאַשְׁלִיכֵהוּ בָאֵשׁ, וְלָא יַתִּיר, וּכְדֵין וַיֵּצֵא הָעֵגֶל הַזֶּה. וְהַשְׁתָּא אַתְּ אָמְרַתְּ וַיַּעֲשֵׂהוּ עֵגֶל מַסֵּכָה אֶלָּא וַדַּאי דְּאַהֲרֹן עֲבַד, וּקְרָא אוֹכַח דִּכְתִּיב וַיִּקַּח אֶת הָעֵגֶל אֲשֶׁר עָשׂוּ. אֲבָל מִמַּה דִּכְתִּיב וַיִּקְחוּ מִיָּדָם, וּכְתִיב וַיָּצַר אוֹתוֹ. מְחֵילָא דִּתְרֵין אִלֵּין, אִתְעֲבֵיד כֹּלָּא. כִּבְיָכוֹל הוּא עֲבֵיד לֵיהּ, דְּאִי תְּרֵין אִלֵּין לָא הֲווּ, לָא אִתְעֲבֵיד וְלָא נָפַק לְאוּמָּנוּתָא. אֲבָל מַאן גָּרַם דְּאִתְעֲבֵיד. אִינּוּן תְּרֵין. בְּעוֹד דְּאִיהוּ לָקַח מִיָּדָם, אִינְהוּ עַבְדֵי חַרְשַׁיְיהוּ, וּמְלַחֲשֵׁי בְּפוּמַיְיהוּ, וּמַשְׁכֵי רוּחָא לְתַתָּא, מִן סִטְרָא אַחֲרָא.

פד. וּמָשְׁכוּ תְּרֵין רוּחִין כַּחֲדָא, חַד מִן דְּכַר, וְחַד מִן נוּקְבָא. דְּכַר אִתְלַבַּשׁ בִּדְיוֹקְנָא דְּשׁוֹר. נוּקְבָא בִּדְיוֹקְנָא דַּחֲמוֹר, תַּרְוַיְיהוּ הֲווּ כְּלִילָן כַּחֲדָא. אֲמַאי תְּרֵין אִלֵּין. אֶלָּא שׁוֹר הָא אִתְּמַר. וַחֲמוֹר אֲמַאי. בְּגִין דְּחַרְשִׁין אִלֵּין דְּמִצְרָאֵי, כְּתִיב בְּהוּ, אֲשֶׁר בְּשַׂר חֲמוֹרִים בְּשָׂרָם.

פה. וְעַל דָּא, כָּל אִינּוּן דְּיִשְׂרָאֵל דְּמִיתוּ, אִתְחַבָּרוּ בַּהֲדַיְיהוּ בְּלִבְּהוֹן. וּבְגִין דַּהֲווּ תְּרֵין דְּיוֹקְנִין, כְּתִיב אֵלֶּה אֱלֹהֶיךָ יִשְׂרָאֵל, וְלָא כְּתִיב זֶה, אֶלָּא אֵלֶּה, תְּרֵין הֲווּ כַּחֲדָא, אֲשֶׁר הֶעֱלוּךָ מֵאֶרֶץ מִצְרָיִם. הֶעֱלוּךָ וְלָא הֶעֶלְךָ כְּתִיב.

פו. וַיַּעֲשֵׂהוּ עֵגֶל מַסֵּכָה וַיֹּאמְרוּ. וַיֹּאמֶר לָא כְּתִיב, אֶלָּא וַיֹּאמְרוּ, דְּאַהֲרֹן לָא אֲמַר מִדִּי. תָּנֵינָן, מֵאָה וְעֶשְׂרִים וְחָמֵשׁ קַנְטְרִין הֲווּ בֵּיהּ.

פז. הֵיךְ כְּתִיב וַיִּקְחוּ מִיָּדָם, וְכִי בִּידָם הֲווּ כָּל אִלֵּין קַנְטְרִין. אֶלָּא מִכְּלָלָא דְּאִינּוּן קַנְטְרִין נַטְלוּ מְלֵי יְדַיְיהוּ. וְהַהוּא זְעֵיר, אִסְתַּלַּק עַל כֹּלָּא, כְּאִילוּ הֲוָה כֹּלָּא בִּידַיְיהוּ.

פח. ת"ח, מָה כְּתִיב וַיַּרְא אַהֲרֹן וַיִּבֶן מִזְבֵּחַ לְפָנָיו. אִי חֲסִידָא קַדִּישָׁא, כַּמָּה רְעוּתָךְ הֲוָה לְטָב, וְלָא יָדַעַת לְאִסְתַּמְּרָא. כֵּיוָן דְּאַרְמֵי לֵיהּ בְּנוּרָא, אִתְתָּקַף חֵילָא דְּסִטְרָא אָחֳרָא תַּמָּן בְּנוּרָא, וְנָפַק דְּיוּקְנָא דְּשׁוֹר, כְּמָה דְּאִתְּמַר בִּתְרֵין מְשִׁיכִין דְּסִטְרָא אָחֳרָא. מִיַּד וַיַּרְא אַהֲרֹן. מַהוּ וַיַּרְא אַהֲרֹן. חָמָא דְּסִטְרָא אָחֳרָא אִתְתָּקַף, מִיַּד וַיִּבֶן מִזְבֵּחַ לְפָנָיו, דְּאִלְמָלֵא דְּאַקְדִּים וּבָנָה מִזְבֵּחַ דָּא, עָלְמָא אִתְהֲדַר לְחָרְבָּנָא.

פט. לְלִסְטִים דַּהֲוָה נָפִיק לְקַפְּחָא וּלְקַטְלָא בְּנֵי נָשָׁא, חָמָא לִגְיוֹנָא דְּמַלְכָּא, דְּהַהוּא לִסְטִים נָפַק בְּחֵילָא תַּקִּיף מָה עֲבַד הַהוּא לִגְיוֹנָא, אִשְׁתַּדַּל בַּהֲדֵי מַלְכָּא לְנַפְּקָא בְּאָרְחָא. וּמָשִׁיךְ לֵיהּ הַהוּא לִגְיוֹנָא בְּהַהוּא אָרְחָא, עַד דְּאָזִיל הַהוּא לִסְטִים בְּהַהוּא אָרְחָא, חָמָא דְּיוּקְנָא דְּמַלְכָּא קָאִים קַמֵּיהּ, כֵּיוָן דְּחָמָא לֵיהּ לְמַלְכָּא דַּהֲוָה אָזִיל קַמֵּיהּ בְּאָרְחָא, מִיַּד נִרְתַּע וְאַהֲדָר לַאֲחוֹרָא.

צ. כַּךְ וַיַּרְא אַהֲרֹן דְּסִטְרָא אָחֳרָא אִתְתָּקַף, אָחִיד בְּאַסְוָותָא, וְאַתְקִיף בִּסְטַר קְדוּשָּׁה וְשַׁוֵּי לֵיהּ קַמֵּיהּ. כֵּיוָן דְּחָמָא סִטְרָא בִּישָׁא דְּיוּקְנָא דְּמַלְכָּא דְּקָאִים קַמֵּיהּ, מִיַּד אַהֲדָר לַאֲחוֹרָא, וְאִתְחֲלַשׁ תָּקְפֵּיהּ וְחֵילֵיהּ, דְּהָא אִתְתָּקַף, וּמַדְבְּחָא דָּא אִתְגַּבַּר, וְאִתְחֲלָשׁ סִטְרָא אָחֳרָא.

צא. ת"ח מָה כְּתִיב וַיִּקְרָא אַהֲרֹן וַיֹּאמַר חַג לַיְיָ מָחָר. חַג לַיְיָ, וְלָא לָעֵגֶל. וְלִסְטַר קְדוּשָּׁה עֲבַד, וְלִסְטַר קְדוּשָּׁה קָרָא וְאָמַר. וְדָא אַסְוָותָא אַקְדִּים, דְּאִלְמָלֵא דַּעֲבַד דָּא, לָא קָאִים עָלְמָא עַל קִיּוּמֵיהּ, וְעִם כָּל דָּא, לָא שָׁכִיךְ רוּגְזֵיהּ מֵאַהֲרֹן, אע"ג דְּלָא אִתְכַּוַּון לְבִישׁ.

צב. א"ל קב"ה, אַהֲרֹן, תְּרֵין חַרְשִׁין אִלֵּין מָשְׁכוּ לָךְ לְמַה דְּבָעוּ. חַיֶּיךָ, תְּרֵין בְּנָךְ יִפְּלוּן, וְעַל חוֹבָא דָּא יִתָּפְסוּן הה"ד וּבְאַהֲרֹן הִתְאַנַּף יְיָ' מְאֹד לְהַשְׁמִידוֹ. מַאי לְהַשְׁמִידוֹ. אִלֵּין בְּנוֹי, כד"א וָאַשְׁמִיד פִּרְיוֹ מִמַּעַל, דְּפֵרִי דְּבַר נָשׁ בְּנוֹי אִינּוּן.

צג. ת"ח, אַהֲרֹן שַׁוֵּי לֵיהּ לְהַהוּא מִזְבֵּחַ לְפָנָיו, וְעֶגְלָא תָּב לַאֲחוֹרָא. בְּנוֹי שַׁווּ לִסְטַר אָחֳרָא לְפָנָיו, וּסְטַר קְדוּשָּׁה אַהֲדָרוּ לַאֲחוֹרָא, דִּכְתִּיב וַיַּקְרִיבוּ לִפְנֵי יְיָ', לִפְנֵי יְיָ' שַׁווּ. אִתְפְּסוּ בְּחוֹבָה דָּא.

צד. אַהֲרֹן חָשַׁב, דְּבֵין כַּךְ יֵיתֵי מֹשֶׁה, וְעַ"ד הַהוּא מִזְבֵּחַ לָא סָתִיר לֵיהּ מֹשֶׁה, דְּאִילוּ הֲוָה כְּמָה דְּחַשְׁבִין בְּנֵי נָשָׁא, מִלָּה קַדְמָאָה דְּאִבְעֵי לְמֹשֶׁה, לְנַתְּצָא לְהַהוּא מִזְבֵּחַ אִצְטְרִיךְ, כְּמָה דְּנַבֵּי עִדּוֹ עַל מִזְבֵּחַ דְּבֵית אֵל, וּנְבוּאָתֵיהּ עַל הַהוּא מִזְבֵּחַ הֲוָה. אֲבָל הָכָא מִלָּה אָחֳרָא הֲוָה כְּמָה דְּאִתְּמַר. וּכְתִיב, וַיִּקַּח אֶת הָעֵגֶל אֲשֶׁר עָשׂוּ, וְלָא כְּתִיב וַיְנַתֵּץ אֶת הַמִּזְבֵּחַ.

צה. ת"ח וַיִּקְרָא אַהֲרֹן. אַכְרִיז אִיהוּ בְּקָלָא וְאָמַר. כְּתִיב הָכָא וַיִּקְרָא וַיֹּאמַר, וּכְתִיב בְּיוֹנָה וַיִּקְרָא וַיֹּאמַר, מַה לְהַלָּן כְּרִיז לְדִינָא, אוּף הָכָא כָּרִיז לְדִינָא. חַג לַיְיָ' מָחָר, נָבֵי נְבוּאָה בְּהַהוּא רוּחַ דְּמִזְבֵּחַ, דְּזַמִּין דִּינָא לְשַׁרְיָא עָלַיְיהוּ. חַג לַיְיָ', לְמֶעְבַּד בְּכוּ דִּינָא.

צו. וּתְלַת דִּינִין הֲווּ, חַד, וַיִּגֹּף יְיָ' אֶת הָעָם. וְחַד, בִּבְנֵי לֵוִי. וְחַד, דְּאַשְׁקֵי לִבְנֵי יִשְׂרָאֵל. וְהַיְינוּ חַג דִּבְנֵי לֵוִי. לַיְיָ', דְּוַיִּגֹּף יְיָ'. מָחָר, דְּאַשְׁקֵי לוֹן מֹשֶׁה. וּבִיתוּ בְּהַהוּא

לֵילְיָא, וּלְמוֹזָר אִשְׁתְּכָחוּ נְפִיחִין וּמֵתִין. וְאִינּוּן מַיִין הֲווּ מְכַשְׁכְּשִׁין בִּמְעַיְיהוֹן כָּל לֵילְיָא, וּבְצַפְרָא אִשְׁתְּכָחוּ מֵתִין, וְעַ"ד חַג לַיְיָ מָחָר. וְכָל אַסְוָתָא דְּעָבֵד אַהֲרֹן, בְּגִין דִּכְתִּיב וַיִּבֶן מִזְבֵּחַ לְפָנָיו.

צו. ת"ח, דִּכְתִּיב וַיַּרְא אֶת הָעֵגֶל וּמְחוֹלוֹת, וְאִלּוּ מִזְבֵּחַ לָא כְּתִיב. דְּהָא אַהֲרֹן מִנְדַּע הֲוָה יָדַע, דִּכְתִּיב זוֹבֵחַ לָאֱלֹהִים יָחֳרָם בִּלְתִּי לַיְיָ לְבַדּוֹ, וַדַּאי אִשְׁתְּזִיב אַהֲרֹן בְּעֵיטָא טָבָא דְּהָדַר לְנַפְשֵׁיהּ, וְכֹלָּא בִּרְעוּתָא שְׁלִים טָב, דְּלָא אִתְכַּוִּין לְבִישׁ.

צז. א"ל ר' אֶלְעָזָר, אַבָּא וַדַּאי הָכִי הוּא, וְיִשְׂרָאֵל לָא הֲווּ. אֲבָל יָרָבְעָם דְּעָבַד עֲגָלִין, הָא יִשְׂרָאֵל הֲווּ, וְעֵגֶל עָבְדוּ. א"ל וַדַּאי, וְאוֹקְמוּהָ, אֲבָל יָרָבְעָם חָטָא וְהֶחֱטִיא, וְלָאו כְּמָה דְּאָמְרוּ. דְּוַדַּאי חוֹבָא בִּישָׁא עָבֵד וּבְמַלְכוּת חָטָא.

צח. אָמַר יָרָבְעָם, וַדַּאי יָדַעְנָא דְּהָא סִטְרָא קְדוּשָּׁה לָא שַׁרְיָא, אֶלָּא בְּלִבָּא דְּכָל עָלְמָא, וְדָא יְרוּשָׁלַם. אֲנָא לָא יָכִילְנָא לְאַמְשָׁכָא לְהַהוּא סִטְרָא הָכָא, מָה אַעְבִּיד. מִיַּד וַיִּוָּעַץ הַמֶּלֶךְ וַיַּעַשׂ וְגוֹ'. נָטַל עֵיטָא בִּישָׁא, אָמַר הָא סִטְרָא אָחֳרָא, דְּאִתְמַשְׁכָא מִיַּד לְכָל אֲתַר. וְכ"ש בְּאַרְעָא דָא, דְּתִיאוּבְתֵּיהּ לְאַשְׁרָאָה בְּגַוָּהּ, אֲבָל לָא יָכְלָא לְאִתְלַבְּשָׁא אֶלָּא בְּדִיּוּקְנָא דְּשׁוֹר.

צט. תְּרֵין עֲגָלִים אַמַּאי. אֶלָּא אָמַר יָרָבְעָם, בְּמַדְבְּרָא הֲווּ אִינּוּן חַרְשִׁין, דִּכְתִּיב בְּשַׂר חֲמוֹרִים בְּשָׂרָם. הָכָא, אִינּוּן תְּרֵין רוּחִין בִּישִׁין, יִתְלַבְּשׁוּ כַּדְקָא חָזֵי לוֹן, דְּכַר וְנוּקְבָא אִינּוּן. דְּכַר הֲוָה בְּבֵית אֵל, וְנוּקְבָא הֲוַת בְּדָן. וּמִגּוֹ דִּכְתִּיב, נֹפֶת תִּטֹּפְנָה שִׂפְתֵי זָרָה, אִתְמַשְׁכוּ יִשְׂרָאֵל אֲבַתְרָהּ יַתִּיר, דִּכְתִּיב וַיֵּלְכוּ הָעָם לִפְנֵי הָאֶחָד עַד דָּן. וּבְגִ"כ תְּרֵין עֲגָלִין הֲווּ. וּמָשִׁיךְ לוֹן יָרָבְעָם בְּאַרְעָא קַדִּישָׁא, וַהֲוָה חוֹבָא עָלֵיהּ וְעַל יִשְׂרָאֵל, וּמָנַע בִּרְכָאן מִן עָלְמָא. וְעָלֵיהּ כְּתִיב גּוֹזֵל אָבִיו וְאִמּוֹ וְגוֹ'.

ק. וְעַ"ד הֲווּ עֲגָלִין, דְּהָא לְבוּשָׁא קַדְמָאָה דְּמִתְלַבַּשׁ סִטְרָא אָחֳרָא שׁוֹר אִיהוּ, כְּמָה דְּאִתְּמַר. וְאִי תֵּימָא אַמַּאי אִיהוּ עֵגֶל וְלָא שׁוֹר. אֶלָּא וַדַּאי כָּךְ אִתְחֲזֵי, וְכֵן בְּכָל סִטְרִין, שֵׁירוּתָא דִּלְבוּשָׁא זוּטָא אִיהוּ, וְהָא אוֹקִימְנָא.

קא. וְעַל דָּא בְּנֵי רְחִימָאי, כֵּיוָן דֶּאֱלֹהִים בָּעוּ, וּבְסִטְרָא דֶּאֱלֹהִים אִתְבְּנֵי עוֹבָדָא, אֱלֹהִים קַדִּישָׁא, אִימָּא, דְּאַחִידַת תָּדִיר בִּדְרוֹעָא דְּמַלְכָּא, וּסְלִיקַת רְצוּעָה, לָא הֲוַת תַּמָּן, וְאִצְטְרִיךְ לֵיהּ לְמֹשֶׁה לְמֶהֱוֵי תַּמָּן בְּאַתְרָהָא, כֵּיוָן דְּאַנְקִיד לֵיהּ קֻבְּ"ה, אִסְתַּכַּל.

קב. תְּלַת זִמְנִין אַנְקִיד לֵיהּ, אִי מֹשֶׁה רַעְיָא מְהֵימְנָא, כַּמָּה חֵילָךְ תַּקִּיף, כַּמָּה גְּבוּרְתָּךְ רַב, תְּלַת זִמְנִין אַנְקִיד לֵיהּ, דִּכְתִּיב וְעַתָּה הַנִּיחָה לִּי הָא חַד. וְיִחַר אַפִּי בָהֶם וַאֲכַלֵּם, הָא תְּרֵין. וְאֶעֱשֶׂה אוֹתְךָ לְגוֹי גָּדוֹל, הָא תְּלַת. וְחָכְמְתָא דְּמֹשֶׁה בִּתְלַת נְקוּדִין אִלֵּין. אָחִיד בִּדְרוֹעֵיהּ יְמִינָא, לָקֳבֵל הַנִּיחָא לִּי. אָחִיד בִּדְרוֹעֵיהּ שְׂמָאלָא, לָקֳבֵל וְיִחַר אַפִּי בָהֶם וַאֲכַלֵּם. אִתְחַבַּק בְּגוּפָא דְּמַלְכָּא, לָקֳבֵל וְאֶעֱשֶׂה אוֹתְךָ לְגוֹי גָּדוֹל. וְכַד אִתְחַבַּק בְּגוּפָא, תְּרֵין דְּרוֹעִין מִסִּטְרָא דָא וּמִסִּטְרָא דָא, לָא יָכִיל לְאִתְנַעְנְעָא לְסִטְרָא בְּעָלְמָא. דָּא הֲוֵי חָכְמְתָא דְּמֹשֶׁה, דְּמִינֵי נְקוּדִין דְּמַלְכָּא יָדַע בְּכָל חַד מִנַּיְיהוּ, בְּאָן אֲתַר יִתְתָּקַף, וּבְחָכְמְתָא עָבַד.

קג. אָתוּ רִבִּי אֶלְעָזָר וְחַבְרַיָּא, וְנַשְׁקוּ יְדוֹי. הֲוָה תַּמָּן רִבִּי אַבָּא, אָמַר, אִלְמָלֵי לָא אָתֵינָא לְעָלְמָא אֶלָּא לְמִשְׁמַע דָּא, דַּי לָן. בָּכָה וְאָמַר, וַוי ר', כַּד תִּסְתַּלַּק מֵעָלְמָא, מַאן יְנַהֵר וִיגַלֵּי נְהוֹרִין דְּאוֹרַיְיתָא. מִלָּה דָא, בַּחֲשׁוֹכָא אִתְטְמַר עַד הַשְׁתָּא, דְּנָפַק מִתַּמָּן, וְהָא נָהִיר עַד רוּם רְקִיעָא, וּבְכֻרְסְיָא דְּמַלְכָּא רָשִׁים, וְקֻבְּ"ה חַדֵּי הַשְׁתָּא בְּהַאי מִלָּה.

וְכַמָּה וְחֵדוּ עַל וְחֵדוּ, אִתּוֹסַף מִקַּמֵּי מַלְכָּא קַדִּישָׁא. מַאן יִתְעַר מִלֵּי דְּחָכְמְתָא בְּעָלְמָא דֵּין כְּוָותָיךְ.

קה. תָּא חֲזֵי, עַד לָא חָטָא אָדָם, הֲוָה סָלִיק וְקָאִים בְּחָכְמָה דִּנְהִירוּ עִלָּאָה, וְלָא הֲוָה מִתְפָּרַשׁ מֵאִילָנָא דְּחַיֵּי. כֵּיוָן דְּאַסְגֵּי תִּיאוּבְתָּא לְמִנְדַּע, וּלְנַחְתָּא לְתַתָּא, אִתְמְשִׁיךְ אֲבַתְרַיְיהוּ, עַד דְּאִתְפְּרַשׁ מֵאִילָנָא דְּחַיֵּי, וְיָדַע רַע וְשָׁבַק טוֹב. וְעַ"ד כְּתִיב, כִּי לֹא אֵל חָפֵץ רֶשַׁע אָתָּה לֹא יְגוּרְךָ רָע, מַאן דְּאִתְמְשַׁךְ בְּרָע, לֵית לֵיהּ דִּיוּרָא עִם אִילָנָא דְּחַיֵּי. וְעַד לָא חָטְאוּ, הֲווּ שַׁמְעִין קָלָא מִלְעֵילָּא, וְיַדְעִין חָכְמְתָא עִלָּאָה, וְלָא דַּחֲלֵי. כֵּיוָן דְּחָטְאוּ, אֲפִילּוּ קָלָא דִּלְתַתָּא, לָא הֲווּ יַכְלִין לְמֵיקָם בֵּיהּ.

קו. כְּגַוְונָא דָּא, עַד לָא חָאבוּ יִשְׂרָאֵל, בְּשַׁעֲתָא דְּקָיְימוּ יִשְׂרָאֵל עַל טוּרָא דְּסִינַי, אִתְעֲבַר מִנַּיְיהוּ זוּהֲמָא דְּהַאי חִוְיָא, דְּהָא כְּדֵין בָּטוּל יֵצֶר הָרַע הֲוָה מֵעָלְמָא, וְדָחוּ לֵיהּ מִנַּיְיהוּ. וּכְדֵין אִתְאֲחִידוּ בְּאִילָנָא דְּחַיֵּי, וּסְלִיקוּ לְעֵילָּא, וְלָא נַחְתּוּ לְתַתָּא. כְּדֵין הֲווּ יַדְעִין, וַהֲווּ חָמָאן, אַסְפַּקְלַרְיָאן עִלָּאִין, וְאִתְנַהֲרָן עֵינַיְיהוּ, וְחַדָּאן לְמִנְדַּע וּלְמִשְׁמַע. וּכְדֵין חָגַר לוֹן קוּדְשָׁא בְּרִיךְ הוּא, חַגִּירִין דְּאַתְוָון דִּשְׁמָא קַדִּישָׁא, דְּלָא יָכִיל לְשַׁלְּטָאָה עֲלַיְיהוּ הַאי חִוְיָא, וְלָא יְסָאֵב לוֹן כְּדִבְקַדְמֵיתָא.

קז. כֵּיוָן דְּחָטוּ בַּעֲגָלָא, אִתְעֲבָרוּ מִנַּיְיהוּ כָּל אִינּוּן דַּרְגִּין, וּנְהוֹרִין עִלָּאִין, וְאִתְעֲבַר מִנַּיְיהוּ חֲגִירוּ מְזַיְינִין, דְּאִתְעַטָּרוּ מִשְּׁמָא קַדִּישָׁא עִלָּאָה, וְאַמְשִׁיכוּ עֲלַיְיהוּ חִוְיָא בִּישָׁא כְּמִלְּקַדְמִין, וְגָרִימוּ מוֹתָא לְכָל עָלְמָא. וּלְבָתַר מַה כְּתִיב. וַיַּרְא אַהֲרֹן וְכָל בְּנֵי יִשְׂרָאֵל אֶת מֹשֶׁה וְהִנֵּה קָרַן עוֹר פָּנָיו וַיִּירְאוּ מִגֶּשֶׁת אֵלָיו.

קח. ת"ח, מַה כְּתִיב בְּקַדְמֵיתָא, וַיַּרְא יִשְׂרָאֵל אֶת הַיָּד הַגְּדוֹלָה, וְכֻלְּהוּ חָמָאן זָהֲרִין עִלָּאִין, אִתְנְהָרִין בְּאַסְפַּקְלַרְיָאה דְּנַהֲרָא, דִּכְתִיב וְכָל הָעָם רוֹאִים אֶת הַקּוֹלוֹת. וְעַל יַמָּא, הֲווּ חָמָאן וְלָא דַּחֲלִין, דִּכְתִיב זֶה אֵלִי וְאַנְוֵהוּ, לְבָתַר דְּחָטוּ, פְּנֵי הַסַּרְסוּר לָא הֲווּ יַכְלֵי לְמֶחֱמֵי. מַה כְּתִיב, וַיִּירְאוּ מִגֶּשֶׁת אֵלָיו.

קט. וְת"ח, מַה כְּתִיב בְּהוּ וַיִּתְנַצְּלוּ בְנֵי יִשְׂרָאֵל אֶת עֶדְיָם מֵהַר חוֹרֵב, דְּאִתְעֲבָרוּ מִנַּיְיהוּ, אִינּוּן מְזַיְינִין דְּאִתְחֲבָּרוּ בְּהוּ בְּטוּרָא דְּסִינַי, בְּגִין דְּלָא יִשְׁלוֹט בְּהוּ הַהוּא חִוְיָא בִּישָׁא, כֵּיוָן דְּאִתְעֲבַר מִנַּיְיהוּ, מַה כְּתִיב, וּמֹשֶׁה יִקַּח אֶת הָאֹהֶל וְנָטָה לוֹ מִחוּץ לַמַּחֲנֶה הַרְחֵק מִן הַמַּחֲנֶה. אָמַר רִבִּי אֶלְעָזָר, מַאי הַאי קְרָא לְגַבֵּי הַאי. אֶלָּא, כֵּיוָן דְּיָדַע מֹשֶׁה, דְּאִתְעֲבָרוּ מִנַּיְיהוּ דְּיִשְׂרָאֵל אִינּוּן זַיְינִין עִלָּאִין, אָמַר, הָא וַדַּאי מִכָּאן וּלְהַלְאָה, חִוְיָא בִּישָׁא יֵיתֵי לְדַיְּירָא בֵּינַיְיהוּ, וְאִי יְקוּם מַקְדְּשָׁא הָכָא בֵּינַיְיהוּ יִסְתָּאַב, מִיַּד וּמֹשֶׁה יִקַּח אֶת הָאֹהֶל וְנָטָה לוֹ מִחוּץ לַמַּחֲנֶה הַרְחֵק מִן הַמַּחֲנֶה. בְּגִין דְּחָמָא מֹשֶׁה, דְּהָא כְּדֵין יִשְׁלוֹט חִוְיָא בִּישָׁא, מַה דְּלָא הֲוָה מִקַּדְמַת דְּנָא.

קי. וְקָרָא לוֹ אֹהֶל מוֹעֵד, וְכִי לָא הֲוָה בְּקַדְמֵיתָא אֹהֶל מוֹעֵד. אֶלָּא, בְּקַדְמֵיתָא אֹהֶל סְתָם, הַשְׁתָּא אֹהֶל מוֹעֵד. מַאי מוֹעֵד. ר' אֶלְעָזָר אָמַר לְטָב, רִבִּי אַבָּא אָמַר לְבִישׁ, ר' אֶלְעָזָר אָמַר לְטָב, מָה מוֹעֵד דְּאִיהוּ יוֹם חֶדְוָה דְּסִיהֲרָא, דְּאִיתּוֹסְפָא בֵּיהּ קְדוּשָׁה, לָא שַׁלְטָא בָּהּ פְּגִימוּתָא, אוּף הָכָא קָרֵי לֵיהּ בִּשְׁמָא דָּא, לְאַחֲזָאָה דְּהָא אִתְרְחִיק מִבֵּינַיְיהוּ, וְלָא אִתְפְּגִים, וְעַ"ד וְקָרָא לוֹ אֹהֶל מוֹעֵד כְּתִיב.

קיא. וְר' אַבָּא אָמַר לְבִישׁ, דְּהָא בְּקַדְמֵיתָא הֲוָה אֹהֶל סְתָם, כד"א אֹהֶל בַּל יִצְעָן בַּל יִסַּע יְתֵדוֹתָיו לָנֶצַח. וְהַשְׁתָּא אֹהֶל מוֹעֵד. בְּקַדְמֵיתָא, לְמֵיהַב חַיִּין אֲרִיכִין לְעָלְמִין, דְּלָא יִשְׁלוֹט בְּהוּ מוֹתָא. מִכָּאן לְהַלְאָה אֹהֶל מוֹעֵד, כד"א וּבֵית מוֹעֵד לְכָל חָי, הַשְׁתָּא,

אִתְיְיהִיב בֵּיהּ זִמְנָא וְזַיִין קְצוּבִין לְעָלְמָא. בְּקַדְמֵיתָא לָא אִתְפְּגִים, וְהַשְׁתָּא אִתְפְּגִים. בְּקַדְמֵיתָא חַבְרוּתָא וְזִוּוּגָא לְסִהֲרָא בְּשִׁמְשָׁא, דְּלָא יַעְדּוֹן. הַשְׁתָּא אֹהֶל מוֹעֵד, זִוּוּגָא דִּלְהוֹן מְזֻמָּן לִזְמַן, וּבג"כ וְקָרָא לוֹ אֹהֶל מוֹעֵד, מַה דְּלָא הֲוָה קוֹדֶם.

קי"ב. ר' שִׁמְעוֹן, הֲוָה יָתִיב לֵילְיָא חַד, וְלָעֵי בְּאוֹרַיְיתָא, וַהֲווֹ יַתְבֵי קָמֵיהּ רִבִּי יְהוּדָה וְרִבִּי יִצְחָק וְר' יוֹסֵי. אָמַר ר' יְהוּדָה, הָא כְּתִיב וַיִּתְנַצְּלוּ בְנֵי יִשְׂרָאֵל אֶת עֶדְיָם מֵהַר חוֹרֵב. וְקָאַמְרִינָן דְּגָרְמוּ מוֹתָא עָלַיְיהוּ, מֵהַהוּא זִמְנָא וּלְעֵילָּא, וְשָׁלְטָא בְּהוּ הַהוּא חִוְיָא בִּישָׁא, דְּאַעְדֵּי לֵיהּ מִנַּיְיהוּ בְּקַדְמֵיתָא. יִשְׂרָאֵל תִּינַח. יְהוֹשֻׁעַ דְּלָא חָטָא, אִתְעֲדֵי מִנֵּיהּ הַהוּא זַיְינָא עִלָּאָה דְּקַבִּיל עִמְּהוֹן בְּטוּרָא דְּסִינַי, אוֹ לָא.

קי"ג. אִי תֵּימָא דְּלָא אִתְעֲדֵי מִנֵּיהּ. אִי הָכִי, אֲמַאי מִית כִּשְׁאַר כָּל בְּנֵי נָשָׁא. וְאִי תֵּימָא דְּאִתְעֲדֵי מִנֵּיהּ, אֲמַאי. וְהָא לָא חָטָא, דְּהָא אִיהוּ עִם מֹשֶׁה הֲוָה בְּשַׁעֲתָא דְּחָבוּ יִשְׂרָאֵל. וְאִי תֵּימָא דְּלָא קַבִּיל הַהוּא עִטְרָא בְּטוּרָא דְּסִינַי, כְּמָה דְּקַבִּילוּ יִשְׂרָאֵל. אֲמַאי.

קי"ד. פָּתַח ר"ש וְאָמַר, כִּי צַדִּיק יְיָ' צְדָקוֹת אָהֵב יָשָׁר יֶחֱזוּ פָנֵימוֹ, הַאי קְרָא אָמְרוּ בֵּיהּ חַבְרַיָּיא מַה דְּאָמְרוּ, אֲבָל כִּי צַדִּיק יְיָ', צַדִּיק הוּא, וּשְׁמֵיהּ צַדִּיק, וּבג"כ צְדָקוֹת אָהֵב. יָשָׁר. וְאִיהוּ יָשָׁר, כד"א צַדִּיק וְיָשָׁר. וְע"ד יֶחֱזוּ פָנֵימוֹ, כָּל בְּנֵי עָלְמָא, וִיתַקְּנוּן אָרְחַיְיהוּ, לְמֵהַךְ בְּאֹרַח מֵישָׁר כַּדְקָא יָאוּת.

קט"ו. וְת"ח, כַּד דָּאִין קב"ה עָלְמָא, לָא דָּן לֵיהּ אֶלָּא לְפוּם רוּבָּן דִּבְנֵי נָשָׁא. וְת"ח, כַּד חָב אָדָם בְּאִילָנָא דְּאָכַל מִנֵּיהּ, גָּרַם לְהַהוּא אִילָנָא, דְּשָׁרֵי בֵּיהּ מוֹתָא לְכָל עָלְמָא, וְגָרַם פְּגִימוּ לְאַפְרְשָׁא אִתְּתָא מִבַּעְלָהּ, וְקָאִים חוֹבָה דִּפְגִימוּ דָא בְּסִיהֲרָא, עַד דְּקַיְּימוּ יִשְׂרָאֵל בְּטוּרָא דְּסִינַי, כֵּיוָן דְּקַיְּימוּ יִשְׂרָאֵל בְּטוּרָא דְּסִינַי, אִתְעֲבַר הַהוּא פְּגִימוּ דְּסִיהֲרָא, וְקַיְּימָא לְאַנְהָרָא תָּדִיר. כֵּיוָן דְּחָבוּ יִשְׂרָאֵל בְּעֶגְלָא, תָּבַת סִיהֲרָא כְּמִלְּקַדְמִין לְאִתְפַּגְּמָא, וְשַׁלְטָא חִוְיָא בִּישָׁא, וְאָחִיד בָּהּ, וּמָשִׁיךְ לָהּ לְגַבֵּיהּ, וְאִתְפְּגִימַת.

קט"ז. וְכַד יָדַע מֹשֶׁה דְּחָבוּ יִשְׂרָאֵל, וְאִתְעֲבָרוּ מִנַּיְיהוּ אִינוּן זַיְינִין קַדִּישִׁין, יָדַע וַדַּאי, דְּהָא חִוְיָא אָחִיד בָּהּ בְּסִיהֲרָא, לְאַמְשָׁכָא לָהּ לְגַבֵּיהּ, וְאִתְפְּגִימַת. כְּדֵין אַפִּיק לֵיהּ לְבַר. וְכֵיוָן דְּקַיְּימָא לְאִתְפַּגְּמָא, אע"ג דִּיהוֹשֻׁעַ קָאִים בְּעִטְרָא דְּזַיְינִין דִּילֵהּ, כֵּיוָן דִּפְגִימוּ שַׁרְיָא בָּהּ, וְאִתְהַדְרַת כְּמָה דְּאִתְפְּגִימַת בְּחוֹבָא דְּאָדָם, לָא יָכִיל בַּר נָשׁ לְאִתְקַיְּימָא. בַּר מֹשֶׁה, דַּהֲוָה שַׁלִּיט בָּהּ, וּמוֹתֵיהּ הֲוָה בְּסִטְרָא אָחֳרָא. וְע"ד לָא הֲוָה רְשׁוּ בָּהּ, לְקַיְּימָא לִיהוֹשֻׁעַ תָּדִיר, וְלָא לְאָחֳרָא. וְע"ד אֹהֶל מוֹעֵד קָרֵי לֵיהּ, דְּהָא שַׁרְיָא בֵּיהּ זְמַן קָצִיב, לְכָל עָלְמָא.

קי"ז. וְעַל דָּא, רָזָא דְּמִלָּה, אִית יְמִינָא לְעֵילָּא, וְאִית יְמִינָא לְתַתָּא. אִית שְׂמָאלָא לְעֵילָּא, וְאִית שְׂמָאלָא לְתַתָּא. אִית יְמִינָא לְעֵילָּא, בִּקְדוּשָּׁה עִלָּאָה. וְאִית יְמִינָא לְתַתָּא, דְּאִיהוּ בְּסִטְרָא אָחֳרָא. אִית שְׂמָאלָא לְעֵילָּא בִּקְדוּשָּׁה עִלָּאָה, לְאַתְעָרָא רְחִימוּתָא, לְאִתְקַשְּׁרָא סִיהֲרָא, בְּאֲתַר קַדִּישָׁא לְעֵילָּא, לְאִתְנַהֲרָא.

קי"ח. וְאִית שְׂמָאלָא לְתַתָּא, דְּאַפְרִישׁ רְחִימוּתָא דִּלְעֵילָּא, וְאַפְרִישׁ לָהּ מִלְּאַנְהָרָא בְּשִׁמְשָׁא, וּלְאִתְקָרְבָא בַּהֲדֵיהּ, וְדָא הוּא סִטְרָא דְּחִוְיָא בִּישָׁא. דְּכַד שְׂמָאלָא דָּא דִּלְתַתָּא אִתְעָרָא, כְּדֵין מָשִׁיךְ לָהּ לְסִיהֲרָא, וְאַפְרִישׁ לָהּ מִלְּעֵילָּא, וְאִתְחַשְּׁכַת נְהוֹרָהָא, וְאִתְדַּבְּקַת בְּחִוְיָא, וּכְדֵין שָׁאִיבַת מוֹתָא לְתַתָּא, לְכֹלָּא דְּאִתְדַּבְּקַת בְּחִוְיָא, וְאִתְרְחִיקַת מֵאִילָנָא דְּחַיֵּי, וְע"ד גָּרִים מוֹתָא לְכָל עָלְמָא. וְדָא הוּא כַּד אִסְתָּאַב מַקְדְּשָׁא, עַד זִמְנָא קָצִיב, דְּאִתְתַּקְּנַת סִיהֲרָא, וְתָבַת לְאַנְהָרָא, וְדָא הוּא אֹהֶל מוֹעֵד.

קיט. וְעַל דָא יְהוֹשֻׁעַ לָא מִית, אֶלָּא בְּעֵיטָא דְּנָחָשׁ דָא, דְּקָרִיב וּפָגִים מַשְׁכְּנָא כְּדְקַדְמֵיתָא. וְדָא הוּא רָזָא דִּכְתִּיב, יְהוֹשֻׁעַ בִּן נוּן נַעַר. דְּאע״ג דְּאִיהוּ נַעַר לְתַתָּא, לְקַבְּלָא נְהוֹרָא, לֹא יָמִישׁ מִתּוֹךְ הָאֹהֶל, כְּמָה דְּאִתְפְּגִים דָא, הָכִי נָמֵי אִתְפְּגִים דָא אע״ג דְּזִינָא קַדִּישָׁא הֲוָה לֵיהּ, כֵּיוָן דְּאִתְפְּגִים סִיהֲרָא, הָכִי הוּא וַדַּאי לָא אִשְׁתְּזִיב בִּלְחוֹדוֹי מִנֵּיהּ, מֵהַהוּא גַּוְונָא מַמָּשׁ, וְהָא אִתְּמַר.

קכ. זַכָּאִין אִינּוּן צַדִּיקַיָּא, דְּיַדְעִין רָזִין דְּאוֹרַיְיתָא, וּמִתְדַּבְּקִין בָּהּ בְּאוֹרַיְיתָא, וּמְקַיְּימִין קְרָא דִּכְתִּיב, וְהָגִיתָ בּוֹ יוֹמָם וָלַיְלָה וְגוֹ׳. וּבְגִינָהּ יִזְכּוּן לְחַיֵּי עָלְמָא דְּאָתֵי, דִּכְתִּיב, כִּי הוּא חַיֶּיךָ וְאוֹרֶךְ יָמֶיךָ וְגוֹ׳.

VAYAK'HEL
וַיַּקְהֵל

א. וַיַּקְהֵל מֹשֶׁה אֶת כָּל עֲדַת בְּנֵי יִשְׂרָאֵל וְגוֹ'. רַבִּי חִזְקִיָּה פָּתַח, וַיֹּאמֶר שָׁאוּל אֶל הַקֵּנִי לְכוּ סֻּרוּ רְדוּ וְגוֹ'. תָּא חֲזֵי, מַה כְּתִיב בַּעֲמָלֵק, פָּקַדְתִּי אֵת אֲשֶׁר עָשָׂה עֲמָלֵק לְיִשְׂרָאֵל וְגוֹ'. וְקוּדְשָׁא בְּרִיךְ הוּא בְּכֻלְּהוּ קָרְבִין דְּעַבְדוּ שְׁאָר עַמִּין לְגַבַּיְיהוּ דְּיִשְׂרָאֵל, מ"ט לָא אַקְשֵׁי קָמֵיהּ, כְּהַאי קְרָבָא דְעָבֵד עֲמָלֵק לְגַבַּיְיהוּ. אֶלָּא וַדַּאי, קְרָבָא דְעֲמָלֵק הֲוָה בְּכָל סִטְרִין, לְעֵילָּא וְתַתָּא, דְּהָא בְּהַהוּא זִמְנָא אִתְתַּקַּף חִזְיָא בִּישָׁא לְעֵילָּא, וְאִתְתַּקַּף לְתַתָּא.

ב. מַה חִזְיָא בִּישָׁא כְּמִין עַל פָּרָשַׁת אָרְחִין, אוּף הָכָא נָמֵי עֲמָלֵק, חִזְיָא בִּישָׁא הֲוָה לְגַבַּיְיהוּ דְּיִשְׂרָאֵל, דִּכְמִין לוֹן עַל פָּרָשַׁת אָרְחִין, דִּכְתִיב אֲשֶׁר שָׂם לוֹ בַּדֶּרֶךְ בַּעֲלוֹתוֹ מִמִּצְרָיִם. כְּמִין הֲוָה לְעֵילָּא, לְסָאֲבָא מִקְדְּשָׁא. וּכְמִין הֲוָה לְתַתָּא, לְסָאֲבָא לְיִשְׂרָאֵל. מְנָלָן, דִּכְתִיב אֲשֶׁר קָרְךָ בַּדֶּרֶךְ. כְּתִיב הָכָא אֲשֶׁר קָרְךָ, וּכְתִיב הָתָם כִּי יִהְיֶה בְךָ אִישׁ אֲשֶׁר לֹא טָהוֹר מִקְּרֵה לָיְלָה.

ג. וְעַ"ד בְּבִלְעָם כְּתִיב, וַיִּקָּר אֱלֹהִים אֶל בִּלְעָם. וַיִּקָּר לִישָׁנָא דִמְסָאֲבָא נָקַט. וְאִי תֵימָא, הָא כְּתִיב אֱלֹהִים. אֶלָּא קֻב"ה אַזְמִין לֵיהּ הַהוּא אֲתָר דִמְסָאֲבָא, לְאִסְתַּאֲבָא בֵּיהּ, בְּהַהוּא דַרְגָּא דְּאִיהוּ אִתְדַּבַּק לְאִסְתַּאֲבָא בֵּיהּ. מַה עֲבַד בִּלְעָם. אִיהוּ וְעָשָׂה בְּאִינּוּן קָרְבָּנִין לְסַלְּקָא לְעֵילָּא, מִיַּד זַמִּין לֵיהּ קֻב"ה הַהוּא אֲתָר. אָ"ל הָא מִסְאֲבוּ לְגַבָּךְ, כְּמָה דְאִתְחֲזֵי לָךְ, וְעַ"ד וַיִּקָּר אֱלֹהִים אֶל בִּלְעָם.

ד. כְּגַוְונָא דָא אֲשֶׁר קָרְךָ בַּדֶּרֶךְ וְגוֹ'. אַזְמִין לְגַבָּךְ הַהוּא חִזְיָא בִּישָׁא לְעֵילָּא, לְסָאֲבָא לָךְ בְּכָל סִטְרִין. וְאִלְמָלֵא דְאִתְתַּקַּף מֹשֶׁה לְעֵילָּא, וִיהוֹשֻׁעַ לְתַתָּא, לָא יָכִילוּ יִשְׂרָאֵל לֵיהּ. וּבְגִין כָּךְ, נָטִיר קֻב"ה הַהוּא דְּבָבוּ, לְדָרֵי דָרִין. מ"ט. בְּגִין דְּחֲשִׁיב לְאַעְקְרָא אֶת קַיְּימָא מֵאַתְרֵיהּ. וּבְגִין כָּךְ פָּקַדְתִּי, בִּפְקִידָה, דְּהָא תַּמָּן אִתְרְמִיז רָזָא דְאַת קַיְּימָא קַדִּישָׁא.

ה. ת"ח, מַה כְּתִיב, וַיֹּאמֶר שָׁאוּל אֶל הַקֵּנִי. מַאן קֵנִי. דָּא יִתְרוֹ. וְכִי מַאן יָהִיב בְּנֵי יִתְרוֹ הָכָא, לְמֶהֱוֵי דִּיּוּרֵיהוֹן בַּעֲמָלֵק, וְהָא בִּירִיחוֹ הֲווֹ שַׁרְיָין. אֶלָּא הָא כְּתִיב, וּבְנֵי קֵנִי חֹתֵן מֹשֶׁה עָלוּ מֵעִיר הַתְּמָרִים אֶת בְּנֵי יְהוּדָה מִדְבַּר יְהוּדָה וְגוֹ'. וְכַד עָלוּ מִתַּמָּן, שָׁרוּ בְּתוּחוֹמָא דַעֲמָלֵק, עַד הַהוּא זִמְנָא דְּאָתָא שָׁאוּל מַלְכָּא, דִּכְתִיב וַיַּסַּר קֵנִי מִתּוֹךְ עֲמָלֵק.

ו. בְּגִין דְּהָא בְּזִמְנָא דְּחַיָּיבַיָּא אִשְׁתְּכָחוּ, אִינּוּן חֲסִידֵי וְזַכָּאֵי דְּמִשְׁתַּכְחִין בֵּינַיְיהוּ, מִתְפְּסָן בְּחוֹבַיְיהוֹן, וְהָא אוּקְמוּהָ. כְּגַוְונָא דָא, אִלְמָלֵא הַהוּא עֵרְבוּבְיָא דְּאִתְחַבָּרוּ בְּהוּ בְּיִשְׂרָאֵל, לָא אִתְעֲנָשׁוּ יִשְׂרָאֵל, עַל עוֹבָדָא דְעֶגְלָא.

ז. וְת"ח מַה כְּתִיב בְּקַדְמֵיתָא, מֵאֵת כָּל אִישׁ אֲשֶׁר יִדְּבֶנּוּ לִבּוֹ, לְאַכְלְלָא כֹּלָּא, בְּגִין דְּבָעֵי קֻב"ה לְמֶעְבַּד עוֹבָדָא דְמַשְׁכְּנָא מִכָּל סִטְרִין, בְּמוֹזָא וּקְלִיפָה. וּבְגִין דְּהֲווֹ אִינּוּן עֵרֶב רַב בְּגַוַּויְיהוּ, אִתְּמַר מֵאֵת כָּל אִישׁ אֲשֶׁר יִדְּבֶנּוּ לִבּוֹ, לְאַכְלְלָא לוֹן בֵּינַיְיהוּ דְּיִשְׂרָאֵל, דְּאִינּוּן מוֹזָא. וְכֻלְּהוּ אִתְפְּקָדוּ.

ח. לְבָתַר סָטָא זִינָא לְזִינֵיהּ, וְאָתוּ אִינּוּן עֵרֶב רַב וְעָבְדוּ יָת עֶגְלָא, וְסָטוּ אַבַּתְרַיְיהוּ

995

אינון דמיתו, וגרמו לון לישראל מותא וקטולא. אמר קב"ה, מכאן ולהלאה עובדא דמשכנא לא יהא, אלא מסטרא דישראל בלחודייהו. מיד ויקהל משה את כל עדת בני ישראל וגו'. וכתיב בתריה קחו מאתכם תרומה לה'. מאתכם ודאי, ולא כקדמיתא דכתיב, מאת כל איש אשר ידבנו לבו. ויקהל משה וגו', מאן אתר כניש לון. אלא בגין דהוו אינון ערב רב ביניהו, אצטריך משה לאכנשא לון, וליחדא לון מביניהו.

ט. ויקהל משה. רבי אבא פתח, הקהל את העם האנשים והנשים והטף. מה להלן כללא דכלהו ישראל, אוף הכא כללא דכלהו ישראל, ומאן אינון. שתין רבוא.

י. רבי אלעזר פתח קרא בישראל, כד נחית משה מן טורא דסיני, דכתיב וישמע יהושע את קול העם ברעה ויאמר אל משה קול מלחמה במחנה. וישמע יהושע, וכי יהושע שמע, ומשה לא שמע. אלא ודאי, עד השתא יהושע לא הוה ידע, ומשה הוה ידע. אי הכי מהו ברעה. אלא ברעה בה' כתיב, דההוא קלא בסטרא אחרא הוה. ויהושע דהוה אנפוי דסיהרא, אסתכל בההוא קלא, דהוה דסטרא דרעה, מיד ויאמר אל משה קול מלחמה במחנה.

יא. בההיא שעתא אתברו תרין לוחי אבנא דהוו בקדמיתא. והא אוקימנא, דאינון אתייקרו על ידוי ונפלו ואתברו. מ"ט. בגין דפרחו אתוון מגו לוחי אבנין.

יב. ת"ח, בד' תקופין דשתא, קלא אתער, בד' סטרין דעלמא, בההוא קלא אתערותא דסטרא אחרא אתער ביה. וההוא אתערותא דסטרא אחרא עאל בין קלא לקלא, ואתחשך נהורא בקלא דלתתא. בגין דלא מטא נהורא דקלא דלעילא, לקלא דלתתא, כדין אקדים ההוא אתערותא, ועאל בין דא לדא נחש דמפתי לאתתא, ונטיל נהורא. וההוא קלא, הוא קול מלחמה, קול רעה. ודא איהו ברעה.

יג. וע"ד שמע יהושע ולא משה, בגין דנטל ההוא רעה נהורא דסיהרא דהוה אחיד בה יהושע. ומשה דהוה אחיד בשמשא, לא שמע. וישראל כלהו אתחשך נהורא דילהון, בגין ההוא רעה דאתדבקת בהו. כיון דמחל קב"ה חוביהון, כדין ויקהל משה את כל עדת בני ישראל ויאמר אליהם אלה הדברים וגו', דהא ההוא ערב רב אתעבר מנייהו.

יד. רבי אלעזר ורבי יוסי הוו יתבי ליליא חד, וקא מתעסקי באורייתא, עד לא אתפליג ליליא. אדהכי קרא גברא, בריכו ברכתא, בכה רבי אלעזר ואמר, ת"ח, עד השתא קב"ה אזדעזע, תלת מאה ותשעין רקיעין, ובטש בהו, ובכה על חרבן בי מקדשא, ואוריד תרין דמעין לגו ימא רבא, ואדכר לבנוהי מגו בכיה.

טו. בגין דלתלת סטרין אתפלג ליליא, בתריסר שעתי דהוו רשימין ביה, ואי אתוספן שעתי בליליא, אינון שעתי דמתוספאן, דיממא אינון, ולא אתחשיבו מליליא, בר תריסר דאינון דילה. ואינון תריסר, אתפלגו לתלת סטרין, ותלת משריין דמלאכין קדישין, אתפלגו באינון תלת סטרין.

טז. משרייא קדמאה, אתמנא בד' שעתי קמייתא, דשירותא דליליא, לשבחא למאריהון, ומה קאמרי. לה' הארץ ומלואה וגו', כי הוא על ימים יסדה וגו', מי יעלה בהר ה' וגו', נקי כפים ובר לבב וגו'. מ"ט דא. בגין דכד ליליא פריש גדפוי על עלמא, כדין, כל בני עלמא טעמין טעמא דמותא, ונפקי נשמתייהו לסלקא לעילא, ואינון

מַלְאָכִין קַיְימִין וְקָא אַמְרֵי, מִי יַעֲלֶה בְהַר יְיָ. הַר יְיָ, דָא הַר הַבַּיִת. מְקוֹם קָדְשׁוֹ, דָא עֲזָרַת יִשְׂרָאֵל. כְּגַוְונָא דִלְעֵילָא, הָכִי נָמֵי לְתַתָּא.

יז. בְּגִין דִּבְכָל רְקִיעָא וּרְקִיעָא, כַּמָה מְמַנָן, וּכְמָה סַרְכִין קַיְימִין תַּמָן. וְכַד נִשְׁמָתִין נָפְקִין, בָּעָאן לְסַלְקָא לְעֵילָא, וְאִי לָא זַכְיָין אִינּוּן דַּחְיָין לוֹן לְבַר, וְאַזְלִין וְשָׁאטִין בְּעָלְמָא, וְנַטְלִין לוֹן כַּמָה חֲבִילֵי טְהִירִין, וְאוֹדְעִין לוֹן מִלִין כְּדִיבָן, וּלְזִמְנִין מִלִין דִּקְשׁוֹט, מִמַּה דְאָתֵי לִזְמַן קָרִיב, כְּמָה דְאוּקְמוּהָ.

יח. וְאִינּוּן נִשְׁמָתִין דְּצַדִּיקַיָּיא, אָזְלִין וְשָׁאטָן לְעֵילָא, וּפַתְחִין לוֹן פִּתְחִין, וְסַלְקִין לוֹן לְגוֹ הַהוּא אֲתָר דְאִקְרֵי הַר יְיָ, כְּגַוְונָא דְרָזָא דְהַר הַבַּיִת לְתַתָּא. וּמִתַּמָן עָאלִין לְגוֹ הַהוּא אֲתָר דְאִקְרֵי מְקוֹם קָדְשׁוֹ. דְתַמָן אִתְחֲזְיָין כָּל נִשְׁמָתִין לְקָמֵי מָארֵיהוֹן. כְּגַוְונָא דָא הַהוּא אֲתָר, דְאִתְחֲזוֹן יִשְׂרָאֵל קַמֵּי קֻבְּ"ה, אֲתָר דְאִקְרֵי עֲזָרַת יִשְׂרָאֵל. בְּשַׁעֲתָא דְנִשְׁמָתִין קַיְימִין תַּמָן, כְּדֵין וְהֶדְוָה דְמָארֵיהוֹן, לְאִתְתַּקְנָא בְּהוּ אֲתָר, דְאִקְרֵי קֹדֶשׁ הַקֳּדָשִׁים. וְתַמָן רְשִׁימִין כָּל עוֹבָדֵיהוֹן וְזַכְוָון דִּלְהוֹן.

יט. מַשִׁרְיָיא תִּנְיָינָא, אִתְמְנָא בְּאַרְבַּע שַׁעְתֵּי אוּזְרָנִין, וְלָא אַמְרֵי שִׁירָתָא, בַּר תְּרֵי שַׁעְתֵּי, עַד דְאִתְפְּלַג לֵילְיָא, וְעָאל קוּדְשָׁא בְּרִיךְ הוּא בְּגִנְתָּא דְעֵדֶן.

כ. וְאִלֵּין אִינּוּן אֲבֵלֵי צִיּוֹן, וְאִינּוּן דְבָכוּ עַל חָרְבַּן בֵּי מַקְדְּשָׁא. וּבְשֵׁירוּתָא דְאַרְבַּע שַׁעְתֵּי אֶמְצָעִין, פַּתְחֵי וְאַמְרֵי, עַל נַהֲרוֹת בָּבֶל שָׁם יָשַׁבְנוּ גַּם בָּכִינוּ וְגוֹ', וְאִלֵּין אִינּוּן דְבָכוּ עַל נַהֲרוֹת בָּבֶל, עִמְּהוֹן דְיִשְׂרָאֵל, מִמַּשְׁמַע דִּכְתִיב גַּם בָּכִינוּ. וּמְנָלָן דְבָכוּ תַּמָן. דִּכְתִיב הֵן אֶרְאֶלָּם צָעֲקוּ חוּצָה. מַהוּ חוּצָה. דָא בָּבֶל, בְּגִין דְּכֻלְּהוּ אוֹזְפוּהָ לִשְׁכִינָה עַד בָּבֶל. וְתַמָן בָּכוּ עִמְּהוֹן דְיִשְׂרָאֵל. וְע"ד פַּתְחֵי בְּהַאי, וּמְסַיְּימֵי זְכוֹר יְיָ לִבְנֵי אֱדוֹם וְגוֹ'.

כא. כְּדֵין אִתְעַר קֻבְּ"ה בְּדַרְגוֹי, וּבָטַשׁ בִּרְקִיעִין כְּדַאֲמָרָן, וְאִזְדַעְזְעוּ תְּרֵיסַר אַלְפֵי עָלְמִין, וְגָעֵי וּבָכֵי, דִּכְתִיב יְיָ מִמָּרוֹם יִשְׁאָג וּמִמְּעוֹן קָדְשׁוֹ יִתֵּן קוֹלוֹ שָׁאוֹג יִשְׁאַג עַל נָוֵהוּ, וְאַדְכַּר לוֹן לְיִשְׂרָאֵל, וְאָרְמִית תְּרֵין דִמְעִין לְגוֹ יַמָּא רַבָּא. וּכְדֵין אִתְעַר שַׁלְהוֹבִיתָא וְחַד דִּבְסִטַר צָפוֹן, וּבָטַשׁ רוּחָא חַד דִּבְסִטַר צָפוֹן בְּהַהוּא שַׁלְהוֹבִיתָא, וְאַזְלָא וְשָׁאטָא בְּעָלְמָא, וְהַהִיא שַׁעֲתָא אִתְפְּלַג לֵילְיָא, וְשַׁלְהוֹבִיתָא אַזְלָא וּבָטַשׁ בְּגַדְפוֹי דְתַרְנְגוֹלָא, וְקָארֵי, כְּדֵין קֻבְּ"ה עָאל בְּגִנְתָּא דְעֵדֶן.

כב. וְקֻבְּ"ה לֵית לֵיהּ נַיְיחָא עַד דְעָאל לְגִנְתָּא דְעֵדֶן לְאִשְׁתַּעְשְׁעָא בְּנִשְׁמָתְהוֹן דְצַדִּיקַיָּיא. וְסִימָן כִּי נִמְכַּרְנוּ אֲנִי וְעַמִּי וְגוֹ'. וַיֹּאמֶר הַמֶּלֶךְ מִי הוּא זֶה וְגוֹ', וְהַמֶּלֶךְ קָם בַּחֲמָתוֹ מִמִּשְׁתֵּה הַיַּיִן אֶל גִּנַּת הַבִּיתָן וְגוֹ'.

כג. בְּשַׁעֲתָא דְקֻבְּ"ה עָאל בְּגִנְתָּא דְעֵדֶן, כְּדֵין כָּל אִינּוּן אִילָנִין דְגִנְתָּא, וְכָל אִינּוּן נִשְׁמָתִין דְצַדִּיקַיָּיא, פַּתְחֵי וְאַמְרֵי, שְׂאוּ שְׁעָרִים רָאשֵׁיכֶם וְגוֹ'. מִי זֶה מֶלֶךְ הַכָּבוֹד וְגוֹ'. שְׂאוּ שְׁעָרִים רָאשֵׁיכֶם וְגוֹ'. וּבְשַׁעֲתָא דְנִשְׁמָתְהוֹן דְצַדִּיקַיָּיא דִי בְּאַרְעָא אַהַדְרוּ לְגוּפַיְיהוּ, כְּדֵין אַתְקִיפוּ בְּהוּ כָּל אִינּוּן מַלְאָכִין, וְאַמְרֵי הִנֵּה בָּרְכוּ אֶת יְיָ כָּל עַבְדֵי יְיָ. וְאוֹלִיפְנָא דְדָא מַשִׁרְיָיא תְּלִיתָאָה קָא אַמְרֵי דָא, בְּאַרְבַּע שַׁעְתֵּי בַּתְרַיְיתָא.

כד. וְקָאַמְרֵי שִׁירָתָא, עַד דְסָלִיק נְהוֹרָא דְצַפְרָא, דִּכְדֵין מְשַׁבְּחִין לְמָרֵיהוֹן כָּל אִינּוּן כֹּכָבַיָּא וּמַזָּלֵי, וְכָל אִינּוּן מַלְאָכִין עִלָּאִין, דִי שָׁלְטָנֵיהוֹן בִּימָמָא, כֻּלְּהוּ מְשַׁבְּחָן לְמָארֵיהוֹן, וְאַמְרֵי שִׁירָתָא. הה"ד בְּרָן יַחַד כֹּכְבֵי בֹקֶר וַיָּרִיעוּ כָּל בְּנֵי אֱלֹהִים.

כה. בְּשַׁעֲתָא דְשִׁמְשָׁא נָפִיק, בִּימָמָא, יִשְׂרָאֵל נַטְלֵי שִׁירָתָא לְתַתָּא, וְשִׁמְשָׁא לְעֵילָא, דִּכְתִיב יִירָאוּךָ עִם שָׁמֶשׁ. בְּשַׁעֲתָא דְנָטִיל שִׁמְשָׁא בְּגַלְגַּלוֹי, פָּתַח קָל נְעִימוּתָא, וְאָמַר שִׁירָתָא. וּמַה שִׁירָתָא קָאַמְרֵי. הוֹדוּ לַיְיָ קִרְאוּ בִשְׁמוֹ וְגוֹ'. שִׁירוּ לוֹ זַמְּרוּ לוֹ וְגוֹ'. וְיִשְׂרָאֵל

מִשְׁכְּנָן לְקֻבָּ"ה בִּימָמָא, עִם שִׁמְשָׁא. הה"ד יִירָאוּךָ עִם שָׁמֶשׁ, וְאַף עַל גַּב דְּהָא אוּקִימְנָא לְהַאי קְרָא, א"ר אֶלְעָזָר, אִלְמָלֵא דִּבְנֵי עָלְמָא אֲטִימִין לִבָּא וּסְתִימִין עַיְינִין לָא יָכְלִין לְמֵיקָם מִקָּל נְעִימוּתָא דְּגַלְגְּלָא דְּשִׁמְשָׁא, כַּד נָטִיל וּמְשַׁבַּח קָמֵי קֻבָּ"ה.

כו. אַדְּהָכִי דְּאִתְעַסְּקוּ בְּאוֹרַיְיתָא, נָהַר יְמָמָא. קָמוּ וְאָתוּ לְקַמֵּיהּ דְּר"ש, כֵּיוָן דְּחָמָא לוֹן, אר"ש, אֶלְעָזָר בְּרִי, אַנְתְּ וְחַבְרַיָּיא אַסְתִּימוּ גַּרְמַיְיכוּ אִלֵּין תְּלַת יוֹמִין, דְּלָא תִּפְקוּן לְבַר בְּגִין דְּמַלְאַךְ הַמָּוֶת אִשְׁתַּכַּח בְּמָתָא, וְאִית לֵיהּ רְשׁוּ לְחַבְּלָא, וְכֵיוָן דְּאִתְיְיהִיב לֵיהּ רְשׁוּ לְחַבְּלָא, יָכִיל לְחַבְּלָא, לְכָל מַאן דְּאִתְחֲזֵי קַמֵּיהּ.

כז. וְתוּ דְּבַר נָשׁ דְּאִתְחֲזֵי קַמֵּיהּ, סָלִיק וְאַסְטֵי עָלֵיהּ, וְאַדְכַּר חוֹבוֹי, וּבָעֵי דִּינָא מִקַּמֵּי קֻבָּ"ה, וְלָא אִתְעֲדֵי מִתַּמָּן, עַד דְּאִתְדָּן הַהוּא בַּר נָשׁ, וְאִתְיְיהִיב לֵיהּ רְשׁוּ וְקָטִיל לֵיהּ.

כח. אר"ש, הָאֱלֹהִים רוּבָּא דְּעָלְמָא, לָא מִיתוּ, עַד לָא מָטָא זִמְנַיְיהוּ, בַּר דְּלָא יָדְעֵי לְאִסְתַּמְּרָא גַּרְמַיְיהוּ, דְּהָא בְּשַׁעֲתָא דְּמִיתָא אַפְקֵי לֵיהּ מִבֵּיתֵיהּ לְבֵי קִבְרֵי, מַלְאַךְ הַמָּוֶת אִשְׁתַּכַּח בֵּינֵי נְשֵׁי, אֲמַאי בֵּינֵי נְשֵׁי. דְּהָכִי הוּא אוֹרְחוֹי, מִיּוֹמָא דְּפַתֵּי לְחַוָּה, וּבְגִינָהּ גָּרִים מוֹתָא לְכָל עָלְמָא. וְע"ד קָטִיל בַּר נָשׁ, וְגוּבְרֵי אִשְׁתַּכְּחוּ עִם מִיתָא, עָאל בֵּינֵי נְשֵׁי בְּאָרְחָא.

כט. וְאִית לֵיהּ רְשׁוּ, לְמִקְטַל בְּנֵי נָשָׁא, וְאִסְתַּכַּל בְּאַנְפַּיְיהוּ בְּאָרְחָא דְּאִתְחֲזְיָאוּ קַמֵּיהּ, מִשַּׁעֲתָא דְּמַפְקֵי לֵיהּ מִבֵּיתֵיהּ לְבֵי קִבְרֵי, עַד דְּאַהַדְרוּ לְבֵיתַיְיהוּ וּבְגִינַיְיהוּ גָּרִים מוֹתָא לְכַמָּה גּוּבְרִין בְּעָלְמָא, עַד לָא מָטָא זִמְנַיְיהוּ. וְע"ד כְּתִיב, וְיֵשׁ נִסְפֶּה בְּלֹא מִשְׁפָּט. בְּגִין דְּסָלִיק וְאַסְטִין, וְאַדְכַּר חוֹבוֹי דְּבַר נָשׁ קַמֵּי קֻבָּ"ה, וְאִתְדָּן עַל אִינּוּן חוֹבִין וְאִסְתַּלָּק עַד לָא מָטָא זִמְנֵיהּ.

ל. מַאי תַּקַּנְתֵּיהּ. בְּשַׁעֲתָא דְּנַטְלֵי מִיתָא לְבֵי קִבְרֵי, יְהַדַּר בַּר נָשׁ אַנְפּוֹי וְיִשְׁבּוֹק לִנְשֵׁי בָּתַר כַּתְפוֹי. וְאִי אִינּוּן מִקַּדְּמֵי, יְהַךְ לַאֲחוֹרָא, בְּגִין דְּלָא יִתְחֲזֵי עִמְּהוֹן אַנְפִּין בְּאַנְפִּין. וּלְבָתַר דִּמְהַדְּרֵי מִבֵּי קִבְרֵי, לָא יְהַדַּר בְּהַהוּא אָרְחָא דִּנְשֵׁי קַיְימָן, וְלָא יִסְתַּכַּל בְּהוּ כְּלַל, אֶלָּא יִסְטֵי בְּאָרְחָא אַחֲרָא. וּבְגִין דִּבְנֵי נָשָׁא לָא יָדְעֵי, וְלָא מִסְתַּכְּלָן דָּא, רוּבָּא דְּעָלְמָא, אִתְדָּנוּ בְּדִינָא, וְאִסְתַּלָּקוּ עַד לָא מָטָא זִמְנַיְיהוּ.

לא. א"ר אֶלְעָזָר, אִי הָכִי, טָב לֵיהּ לְבַר נָשׁ דְּלָא יְזוּז לְמִיתָא. א"ל לָא. דְּהָא בַּר נָשׁ דְּאִסְתַּמַּר כְּהַאי גַּוְונָא, אִתְחֲזֵי לְאַרְכָּא דְּיוֹמִין, וְכָל שֶׁכֵּן לְעָלְמָא דְּאָתֵי.

לב. ת"ח, לָאו לְמַגָּנָא אַתְקִינוּ קַדְמָאֵי שׁוֹפָר, לְאַמְשָׁכָא מִיתָא מִן בֵּיתָא לְבֵי קִבְרֵי. אִי תֵּימָא דְּעַל מִיתָא וִיקָרָא דִּילֵיהּ לְחוּד אִיהוּ. לָא. אֶלָּא, בְּגִין לְאַגָּנָא עַל חַיָּיא, דְּלָא יִשְׁלוֹט עָלַיְיהוּ מַלְאַךְ הַמָּוֶת, לְאַסְטָאָה לְעֵילָּא וְיִסְתַּמְּרוּן מִנֵּיהּ.

לג. פָּתַח וְאָמַר, וְכִי תָבֹאוּ מִלְחָמָה בְּאַרְצְכֶם עַל הַצַּר הַצּוֹרֵר אֶתְכֶם וְגוֹ', וְדַיְיקָנָא עַל הַצַּר, דָּא מַלְאַךְ הַמָּוֶת. הַצּוֹרֵר אֶתְכֶם תָּדִיר, וְקָטִיל לִבְנֵי נָשָׁא, וּבָעֵי לְקַטְלָא אַחֲרָנִין. מַאי תַּקַּנְתֵּיהּ. וַהֲרֵעוֹתֶם. אִם בְּרֹאשׁ הַשָּׁנָה, דְּהוּא יוֹמָא דְּדִינָא לְעֵילָּא, הַאי מַלְאַךְ הַמָּוֶת נָחִית לְתַתָּא, בְּגִין לְאַשְׁגָּחָא בְּעוֹבָדִין דִּבְנֵי נָשָׁא, וּלְסַלְּקָא לְעֵילָּא לְאַסְטָאָה לוֹן. וְיִשְׂרָאֵל דְּיָדְעֵי דְּהָא מַלְאַךְ הַמָּוֶת נָחִית לְתַתָּא וְסָלִיק לְעֵילָּא, בְּגִין לְמֶהֱוֵי קַטֵּיגוֹרָא עָלַיְיהוּ. מַקְדְּמֵי בְּשׁוֹפָר לְעַרְבְּבָא עָלֵיהּ, דְּלָא יָכִיל לוֹן וּלְאַגָּנָא עָלַיְיהוּ.

לד. וְכָל שֶׁכֵּן בְּשַׁעֲתָא דְּעָבִיד דִּינָא וְקָטִיל בְּנֵי נָשָׁא, וְאִשְׁתַּכַּח לְתַתָּא. וְכָל שֶׁכֵּן בְּשַׁעֲתָא דְּאָזְלֵי לְבֵי קִבְרֵי, וְאַהַדְרוּ מִבֵּי קִבְרֵי, דְּהָא בְּשַׁעֲתָא דִּנְשֵׁי נַטְלֵי רַגְלַיְיהוּ עִם מִיתָא, אִיהוּ נָחִית וְאִשְׁתַּכַּח קַמַּיְיהוּ, דִּכְתִיב רַגְלֶיהָ יוֹרְדוֹת מָוֶת, יוֹרְדוֹת לְמַאן. לְהַהוּא אֲתַר דְּאִקְרֵי מָוֶת. וְע"ד חַוָּה גָּרְמַת מוֹתָא לְכָל עָלְמָא, רַחֲמָנָא לִשְׁזְבִינָן.

לה. ת"ח, כְּתִיב כֵּן דֶּרֶךְ אִשָּׁה מְנָאָפֶת וְגוֹ'. וְהָא אוֹקִימְנָא. אֲבָל כֵּן דֶּרֶךְ אִשָּׁה

מְנָאֶפֶת, דָּא הוּא מַלְאָךְ הַמָּוֶת, וְהָכִי הוּא, וְהָכִי אִקְרֵי. אָכְלָה וּמָחֲתָה פִּיהָ, אוֹקִידַת עָלְמָא בְּשַׁלְהוֹבוֹי, וְקַטְלַת בְּנֵי נָשָׁא עַד לָא מָטָא זִמְנַיְיהוּ, וְאָמְרָה לֹא פָעַלְתִּי אָוֶן, דְּהָא דִּינָא בָּעָא עָלַיְיהוּ, וְאִשְׁתְּכָחוּ בְּחוֹבִין, וּבְדִינָא קְשׁוֹט מִיתוּ.

לו. בְּשַׁעֲתָא דְּעָבְדוּ יִשְׂרָאֵל יַת עֶגְלָא, וּמִיתוּ כָּל אִינּוּן אוֹכְלוֹסִין, הֲוָה מַלְאָךְ הַמָּוֶת אִשְׁתְּכַח בֵּינֵי נְשֵׁי, בְּגוֹ מַשִּׁרְיָיתָא דְּיִשְׂרָאֵל. כֵּיוָן דְּאִסְתָּכַּל מֹשֶׁה, דְּהָא מַלְאָךְ הַמָּוֶת אִשְׁתְּכַח בֵּינֵי נְשֵׁי, וּמַשִּׁרְיָיתָא דְּיִשְׂרָאֵל בֵּינַיְיהוּ, מִיַּד כָּנִישׁ לְכָל גּוּבְרִין לְחוּדַיְיהוּ, הה"ד וַיַּקְהֵל מֹשֶׁה אֶת כָּל עֲדַת בְּנֵי יִשְׂרָאֵל. אִלֵּין גּוּבְרִין, דְּכָנִישׁ לוֹן וְאַפְרִישׁ לוֹן לְחוּדַיְיהוּ.

לז. וּמַלְאַךְ הַמָּוֶת לָא הֲוָה מִתְפָּרַשׁ מִגּוֹ נָשִׁין, עַד דְּאִתּוֹקַם מַשְׁכְּנָא, דִּכְתִּיב וַיָּקֶם מֹשֶׁה אֶת הַמִּשְׁכָּן. וַאֲפִילּוּ בְּשַׁעֲתָא דְּנָשִׁין הֲווּ מַיְיתִין נְדָבָה לְמַשְׁכְּנָא, לָא הֲוָה מִתְעֲדֵי מִבֵּינַיְיהוּ, עַד דְּחָמָא מֹשֶׁה, וְיָהַב לְגוּבְרִין עֵיטָא, דְּלָא יֵיתוּן בְּחִבּוּרָא חֲדָא עִמְּהוֹן, וְלָא יִתְחֲזוּן אַנְפִּין בְּאַנְפִּין, אֶלָּא לְבָתַר כַּתְפַּיְיהוּ. הה"ד וַיָּבֹאוּ הָאֲנָשִׁים עַל הַנָּשִׁים וַיָּבִיאוּ לָא כְּתִיב, אֶלָּא וַיָּבֹאוּ בְּאָרְחָא חֲדָא לָא הֲווּ אַזְלִין, אֶלָּא לְבָתַר כַּתְפַּיְיהוּ. בְּגִין דְּמַלְאָךְ הַמָּוֶת לָא אִתְפְּרַשׁ מִבֵּינַיְיהוּ עַד דְּאִתּוֹקַם מַשְׁכְּנָא.

לח. ת"ח, לָא אִשְׁתְּכַח בֵּינֵי נְשֵׁי, פָּחוֹת מִשֶּׁבַע נָשִׁים, וְלָא פָּחוֹת מֵעֶשֶׂר. וּבְאָרְחָא בְּאִתְגַּלְיָא, בְּשֶׁבַע אִשְׁתְּכַח, וּבָעֵי דִּינָא. בְּעֶשֶׂר, אַסְטֵי לְקַטְלָא. וּבְגִין דְּאִשְׁתְּכַח בֵּינַיְיהוּ בְּאָרְחָא בְּאִתְגַּלְיָא, כְּתִיב וַיָּבֹאוּ הָאֲנָשִׁים עַל הַנָּשִׁים. וְאִסְתְּמָרוּ כָּל הַהוּא יוֹמָא כֻּלְּהוּ חַבְרַיָּיא, וְאִשְׁתַּדָּלוּ בְּאוֹרַיְיתָא.

לט. פָּתַח ר"ש וְאָמַר, וַיֹּאמֶר יְיָ' אֶל נֹחַ בֹּא אַתָּה וְכָל בֵּיתְךָ אֶל הַתֵּבָה. הַאי קְרָא אוֹקִימְנָא, אֲבָל ת"ח, וְכִי לָא יָכִיל קֻבְּ"ה לְנַטְרָא לֵיהּ לְנֹחַ, בְּאֲתַר חַד בְּעָלְמָא. דִּיְהֵא מַבּוּל בְּכָל עָלְמָא, וְלָא יְהֵא בְּהַהוּא אֲתַר, כְּמָה דִּכְתִּיב בְּגִדְעוֹן, וַיְהִי חוֹרֶב אֶל הַגִּזָּה לְבַדָּהּ. אוֹ לְנַטְרָא לֵיהּ בְּאַרְעָא דְּיִשְׂרָאֵל, דִּכְתִּיב בָּהּ, לֹא גֻשְׁמָהּ בְּיוֹם זָעַם, דְּלָא נַחְתּוּ עָלָהּ מֵי טוֹפָנָא.

מ. אֶלָּא, כֵּיוָן דִּמְחַבְּלָא נָחִית לְעָלְמָא, מַאן דְּלָא סָגִיר גַּרְמֵיהּ, וְאִשְׁתְּכַח קָמֵיהּ בְּאִתְגַּלְיָיא, אִתְחַיָּיב בְּנַפְשֵׁיהּ, דְּאִיהוּ קָטִיל גַּרְמֵיהּ. מְנָא לָן. מִלּוֹט, דִּכְתִּיב הִמָּלֵט עַל נַפְשֶׁךָ אַל תַּבִּיט אַחֲרֶיךָ. מַאי טַעֲמָא אַל תַּבִּיט אַחֲרֶיךָ. בְּגִין דִּמְחַבְּלָא אָזִיל בָּתַר כַּתְפוֹי, וְאִי אַהֲדַר רֵישֵׁיהּ, וְאִסְתָּכַּל בֵּיהּ אַנְפִּין בְּאַנְפִּין, יָכִיל לְנַזְקָא לֵיהּ.

מא. וְעַ"ד כְּתִיב, וַיִּסְגּוֹר יְיָ' בַּעֲדוֹ. דְּלָא יִתְחֲזֵי קָמֵי מְחַבְּלָא, וְלָא יִשְׁלוֹט עָלֵיהּ מַלְאָךְ הַמָּוֶת. וְעַד דַּהֲווּ טְמִירִין, מִיתוּ תְּלֵיסַר גּוּבְרִין בְּמָתָא. אָמַר רַבִּי שִׁמְעוֹן, בְּרִיךְ רַחֲמָנָא, דְּלָא אִסְתַּכַּל בְּדִיוּקְנַיְיכוּ מַלְאָךְ הַמָּוֶת.

מב. וַיַּקְהֵל מֹשֶׁה וְגוֹ'. אַהֲדַר לוֹן כְּמִלְּקַדְמִין, עוֹבָדָא דְּמַשְׁכְּנָא. אָמַר רַבִּי חִיָּיא, כֹּלָּא כְּמָה דְּאִתְּמַר. וְעוֹבָדָא דְּמַשְׁכְּנָא לָא אִתְעֲבִיד אֶלָּא מִיִּשְׂרָאֵל בִּלְחוֹדַיְיהוּ, וְלָא מֵאִינּוּן עֶרֶב רַב, בְּגִין דְּאִינּוּן עֶרֶב רַב אַמְשִׁיכוּ לֵיהּ לְמַלְאָךְ הַמָּוֶת לְנַחְתָּא לְעָלְמָא. כֵּיוָן דְּאִסְתָּכַּל מֹשֶׁה בֵּיהּ, אַשְׁדֵי לְאִינּוּן עֶרֶב רַב, לְבַר, וְכָנִישׁ לוֹן לְיִשְׂרָאֵל בִּלְחוֹדַיְיהוּ, הֲדָא הוּא דִּכְתִּיב וַיַּקְהֵל מֹשֶׁה וְגוֹ'.

מג. רַבִּי שִׁמְעוֹן פָּתַח, מִי עָלָה שָׁמַיִם וַיֵּרַד מִי אָסַף רוּחַ בְּחָפְנָיו מִי צָרַר מַיִם בַּשִּׂמְלָה מִי הֵקִים כָּל אַפְסֵי אָרֶץ מַה שְּׁמוֹ וּמַה שֶּׁם בְּנוֹ כִּי תֵדָע. הַאי קְרָא הָא אוֹקִימְנָא, וְכַמָּה סַמְכִין אִית בֵּיהּ. וְכֹלָּא בְּקֻבְּ"ה אִתְּמַר, דְּאִיהוּ כֹּלָּא. וְאִתְּמַר, מָה שְׁמוֹ וּמַה שֶּׁם בְּנוֹ כִּי תֵדָע, דָּא קֻבְּ"ה. מָה שְּׁמוֹ יְדֹוָ"ד. וּמַה שֶּׁם בְּנוֹ, יִשְׂרָאֵל דִּכְתִּיב, בְּנִי בְכֹרִי יִשְׂרָאֵל, וְהָא אוֹקִימְנָא. מִי עָלָה שָׁמַיִם. הָא אוֹקְמוּהָ, דָּא מֹשֶׁה, דִּכְתִּיב וְאֶל

מֹשֶׁה אָמַר עֲלֵה אֶל יְיָ.

מד. ד״א מִי עָלָה שָׁמַיִם, דָּא אֵלִיָּהוּ, דִּכְתִּיב בֵּיהּ וַיַּעַל אֵלִיָּהוּ בַּסְּעָרָה הַשָּׁמָיִם. וְכִי הֵיךְ יָכִיל אֵלִיָּהוּ לְסַלְּקָא לַשָּׁמַיִם. וְהָא כֻּלְּהוּ שָׁמַיִם, לָא יַכְלִין לְמִסְבַּל, אֲפִילּוּ גַּרְעִינָא כְּחַרְדַּל מִגּוּפָא דְּהַאי עָלְמָא, וְאַתְּ אַמְרַת וַיַּעַל אֵלִיָּהוּ בַּסְּעָרָה הַשָּׁמָיִם.

מה. אֶלָּא כְּמָה דְּאַתְּ אָמֵר, וַיֵּרֶד יְיָ עַל הַר סִינַי. וּכְתִיב וַיָּבֹא מֹשֶׁה בְּתוֹךְ הֶעָנָן וַיַּעַל אֶל הָהָר. וְכִי קֻבְּ״ה דַּהֲוָה בְּטוּרָא דְּסִינַי, וּכְתִיב וּמַרְאֵה כְּבוֹד יְיָ כְּאֵשׁ אוֹכֶלֶת בְּרֹאשׁ הָהָר, אֵיךְ יָכִיל מֹשֶׁה לְסַלְּקָא לְגַבֵּיהּ. אֶלָּא בְּמֹשֶׁה כְּתִיב, וַיָּבֹא מֹשֶׁה בְּתוֹךְ הֶעָנָן וַיַּעַל אֶל הָהָר. דְּעָאל גּוֹ עֲנָנָא, כְּמַאן דְּאִתְלְבַּשׁ בִּלְבוּשָׁא. הָכִי נָמֵי אִתְלְבַּשׁ בַּעֲנָנָא, וְעָאל בְּגַוֵּיהּ. וּבַעֲנָנָא אִתְקְרִיב לְגַבֵּי אֶשָּׁא, וְיָכִיל לְמִקְרַב. אוּף הָכִי אֵלִיָּהוּ, דִּכְתִּיב וַיַּעַל אֵלִיָּהוּ בַּסְּעָרָה הַשָּׁמָיִם, דְּעָאל בְּהַהִיא סְעָרָה, וְאִתְלְבַּשׁ בֵּיהּ בְּהַהִיא סְעָרָה, וְסָלִיק לְעֵילָּא.

מו. וְרָזָא אַשְׁכַּחְנָא, בְּסִפְרָא דְּאָדָם קַדְמָאָה, דְּאָמַר בְּאִינּוּן תּוֹלְדוֹת דְּעָלְמָא, רוּחָא וְחָדָא יְהֵא דְּיֵיחוּת לְעָלְמָא בְּאַרְעָא, וְיִתְלַבַּשׁ בְּגוּפָא, וְאֵלִיָּהוּ שְׁמֵיהּ. וּבְהַהוּא גּוּפָא יִסְתַּלַּק, וְאִשְׁתְּלִיל מִגּוּפֵיהּ, וְיִשְׁתְּאַר בַּסְּעָרָה. וְגוּפָא דִּנְהוֹרָא אַחֲרָא יִזְדַּמַּן לֵיהּ, לְמֶהֱוֵי גּוֹ מַלְאֲכֵי. וְכַד יֵיחוּת, יִתְלַבַּשׁ בְּהַהוּא גּוּפָא, דְּיִשְׁתְּאַר בְּהַהוּא עָלְמָא, וּבְהַהוּא גּוּפָא יִתְחֲזֵי לְתַתָּא, וּבְגוּפָא אַחֲרָא יִתְחֲזֵי לְעֵילָּא. וְדָא אִיהוּ רָזָא, דְּמִי עָלָה שָׁמַיִם וַיֵּרַד. לָא הֲוָה בַּר נָשׁ דְּסָלִיק לִשְׁמַיָּא רוּחָא דִּילֵיהּ, וְנָחִית לְבָתַר לְתַתָּא, בַּר אֵלִיָּהוּ, דְּאִיהוּ סָלִיק לְעֵילָּא וְנָחִית לְתַתָּא.

מז. ד״א מִי עָלָה שָׁמַיִם, דָּא אֵלִיָּהוּ. וַיֵּרַד, דָּא יוֹנָה, דְּנָחַת לֵיהּ נוּנָא גּוֹ תְּהוֹמֵי, לְעִמְקֵי יַמָּא. יוֹנָה מֵחֵילָא דְּאֵלִיָּהוּ קָא אָתָא, אֵלִיָּהוּ סָלִיק, יוֹנָה נָחִית, דָּא שָׁאִיל נַפְשֵׁיהּ לְמֵימַת, וְדָא שָׁאִיל נַפְשֵׁיהּ לְמֵימַת, וּבְגִין כָּךְ אִקְרֵי בֶּן אֲמִתַּי. וּכְתִיב, וּדְבַר יְיָ בְּפִיךָ אֱמֶת.

מח. מִי צָרַר מַיִם, דָּא אֵלִיָּהוּ, דְּצָרִיר צְרוֹרָא דְּמַיָּא בְּעָלְמָא, וְלָא נַחְתּוּ טַלָּא וּמִטְרָא דִּשְׁמַיָּא. בַּשִּׂמְלָה, דָּא אֵלִיָּהוּ, דַּהֲוָה מַיְיתֵי אַדַּרְתֵּיהּ לְמֶעְבַּד נִסִּין. מִי אָסַף רוּחַ בְּחָפְנָיו, דָּא אֵלִיָּהוּ, דְּאַהְדַּר רוּחָא דְּבַר נָשׁ לְגוֹ מֵעוֹי.

מט. מִי הֵקִים כָּל אַפְסֵי אָרֶץ. דָּא אֵלִיָּהוּ, דִּלְבָתַר דְּצָרַר מַיִם, וְאוֹמֵי עַל מִטְרָא, לְבָתַר אַהֲדַר בִּצְלוֹתֵיהּ, וְאוֹקִים כָּל עָלְמָא, וְנָחִית מִטְרָא, וְאִתְיְהִיב מְזוֹנָא לְכֹלָּא. מַה שְּׁמוֹ, דָּא אֵלִיָּהוּ. וּמַה שֶּׁם בְּנוֹ, דָּא אֵלִיָּהוּ. מַה שְּׁמוֹ, כַּד סָלִיק לְעֵילָּא, אֵלִיָּהוּ. וּמַה שֶּׁם בְּנוֹ, כַּד נָחִית לְתַתָּא, וְאִתְעָבֵיד שְׁלִיחָא לְמֶעְבַּד נִסִּין, אֵלִיָּהוּ שְׁמֵיהּ.

נ. דָּבָר אַחֵר מִי עָלָה שָׁמַיִם, דָּא קֻבְּ״ה, כְּמָה דְּאוֹקִימְנָא. וְרָזָא דְּמִלָּה, מ״י, וְהָא אוֹקִימְנָא. וְהָכָא אִיהוּ רָזָא דִּרְתִיכָא עִלָּאָה, אַרְבַּע סִטְרִין דְּעָלְמָא, דְּאִינּוּן יְסוֹדֵי קַדְמָאֵי דְּכֹלָּא, וְכֻלְּהוּ תַּלְיָין בְּהַהוּא אֲתַר עִלָּאָה דְּאִקְרֵי מ״י, כְּמָה דְּאִתְּמַר.

נא. ת״ח, כַּד קַיְּימָא שַׁעֲתָא דִּרְעוּתָא קַמֵּי קֻבְּ״ה, לְיַחֲדָא רְתִיכָא עִלָּאָה בִּרְתִיכָא תַּתָּאָה, לְמֶהֱוֵי כֹּלָּא חַד. כְּדֵין קָלָא נָפִיק, מֵהַהוּא אֲתַר עִלָּאָה קַדִּישָׁא, דְּאִקְרֵי שָׁמַיִם, וְכָנִישׁ כָּל אִלֵּין קַדִּישִׁין דִּלְתַתָּא, וְכָל אִינּוּן רַבְרְבָן קַדִּישִׁין, וּמַשִׁרְיָין עִלָּאִין, לְמֶהֱוֵי כֻּלְּהוּ זְמִינִין כַּחֲדָא, הה״ד, וַיַּקְהֵל מֹשֶׁה, דָּא רָזָא דְּשָׁמַיִם. אֶת כָּל עֲדַת בְּנֵי יִשְׂרָאֵל, אִלֵּין אִינּוּן תְּרֵיסַר מַשִׁרְיָין עִלָּאִין קַדִּישִׁין.

נב. וַיֹּאמֶר אֲלֵיהֶם. וּמַאי קָאָמַר זֶה הַדָּבָר וְגוֹ׳, קְחוּ מֵאִתְּכֶם תְּרוּמָה, אִתְתַּקְנוּ

כֻּלְּהוֹן, לְסַלְּקָא עֲלַיְיכוּ, וּלְמֵיטַל עֲלַיְיכוּ, יְקָרָא דְּכֻרְסְיָיא קַדִּישָׁא, לְסַלְּקָא לְעֵילָּא.

נג. אַפְרִישׁוּ מִנַּיְיכוּ אִינּוּן יַקִּירִין, אִינּוּן רַבְרְבִין עִלָּאִין, לְסַלְּקָא לְהַהִיא תְּרוּמָה, רָזָא דְּכֻרְסְיָיא קַדִּישָׁא, לְאִתְחַבְּרָא בַּאֲבָהָן, דְּהָא מַטְרוֹנִיתָא לָא אִתְחֲזֵי לְמֵיתֵי לְבַעְלָהּ, אֶלָּא בְּאִינּוּן בְּתוּלְתָּן עוּלֵמְתָהָא, דְּיֵיתוּן עִמָּהּ, וּמְדַבְּרָן לָהּ, עַד דְּמָטַת לְבַעְלָהּ, כְּמָה דְּאַתְּ אָמֵר, בְּתוּלוֹת אַחֲרֶיהָ רֵעוֹתֶיהָ וְגוֹ', וְכָל כָּךְ לָמָּה, לְמֵיתֵי לְאִתְחַבְּרָא בְּבַעְלָהּ.

נד. כֹּל נְדִיב לִבּוֹ, אִלֵּין אִינּוּן אַרְבַּע מַשִׁרְיָין עִלָּאִין, דְּבִכְלָלָא דִּלְהוֹן כְּלִילָן, כָּל אִינּוּן שְׁאָר מַשִׁרְיָין, וְאִלֵּין אִינּוּן דְּנָפְקָן בַּאֲבָהָן עִלָּאִין, דְּאִקְרוּן נְדִיבִים. כְּמָה דְּאוּקְמוּהָ, דִּכְתִיב כָּרוּהָ נְדִיבֵי הָעָם, אִלֵּין אֲבָהָן.

נה. יְבִיאֶהָ, יְבִיאוּהָ לָא כְּתִיב, אֶלָּא יְבִיאֶהָ, לְיִחֲדָא כֹּלָּא כַּחֲדָא. וְכֵן יָבִיא לָא כְּתִיב, אֶלָּא יְבִיאֶהָ, לְסַלְּקָא לָהּ לְגַבֵּי בַּעְלָהּ בִּיקָרָא, כְּמָה דְּאִצְטְרִיךְ. אֵת תְּרוּמַת יְיָ', אֵת לְאַסְגָּאָה, כָּל אִינּוּן מַשִׁרְיָין עִלָּאִין אוֹחֲרָנִין, לְאִתְחַבְּרָא כֹּלָּא כַּחֲדָא, וְאִינּוּן תְּרֵיסַר בִּכְלָלָא חֲדָא. זָהָב. וָכֶסֶף. וּנְחשֶׁת. תְּכֵלֶת. וְאַרְגָּמָן. וְתוֹלַעַת שָׁנִי. וְשֵׁשׁ וְעִזִּים. וְעֹרֹת אֵלִים מְאָדָּמִים. וְעֹרֹת תְּחָשִׁים. וַעֲצֵי שִׁטִּים. וְשֶׁמֶן לַמָּאוֹר. וּבְשָׂמִים לְשֶׁמֶן הַמִּשְׁחָה. וְלִקְטֹרֶת הַסַּמִּים. אִלֵּין אִינּוּן תְּרֵיסַר מַשִׁרְיָין עִלָּאִין, דִּכְלִילָן כֻּלְּהוּ כַּחֲדָא בִּכְלָלָא דְּאַרְבַּע דְּאִקְרוּן חֵיוָות הַקֹּדֶשׁ כְּמָה דְּאִתְּמַר.

נו. וְכֻלְּהוּ אִלֵּין סַלְּקִין לְכֻרְסְיָיא קַדִּישָׁא, לְאַעֲלָא לָהּ לְעֵילָּא, לְאִתְחַבְּרָא בְּבַעְלָהּ, בְּגִין לְמֶהֱוֵי כֹּלָּא חַד, בְּגִין דְּיִשְׁתַּכְּחוּ עִמֵּיהּ בִּיקָרָא עִלָּאָה. כְּדֵין יָתִיב מַלְכָּא עִלָּאָה עַל כֻּרְסְיָיא קַדִּישָׁא, וְאִתְחַבְּרָא אִתְּתָא בְּבַעְלָהּ, לְמֶהֱוֵי כֹּלָּא חַד. וּכְדֵין, אִיהוּ חֶדְוָותָא דְּכֹלָּא.

נז. ת"ח, הָכָא שָׁארֵי לְמִמְנֵי זָהָב בְּקַדְמֵיתָא, וְכֶסֶף לְבָתַר, בְּגִין דְּהַאי חֻשְׁבְּנָא מִתַּתָּא. אֲבָל כַּד אָתֵי לְמִמְנֵי מֵחֻשְׁבְּנָא דִּרְתִיכָא דִּלְעֵילָּא, שָׁארֵי לְמִמְנֵי מִימִינָא בְּקַדְמֵיתָא, וּלְבָתַר מִן שְׂמָאלָא. מְנָלָן. דִּכְתִיב, לִי הַכֶּסֶף וְלִי הַזָּהָב. כֶּסֶף בְּקַדְמֵיתָא, וּלְבָתַר הַזָּהָב. וּבִרְתִיכָא דִּלְתַתָּא, שָׁארוּ מִשְּׂמָאלָא וּלְבָתַר מִימִינָא, דִּכְתִיב זָהָב וָכֶסֶף וּנְחשֶׁת. זָהָב בְּקַדְמֵיתָא, וּלְבָתַר כֶּסֶף.

נח. וְכָל אִינּוּן רְתִיכִין אִקְרוּן נְדִיב לֵב. כֹּל: לְאַכְלְלָא כָּל שְׁאָר רְתִיכִין. לֵב. מַאי לֵב. הַיְינוּ רָזָא דִּכְתִיב, וְטוֹב לֵב מִשְׁתֶּה תָמִיד. וְדָא אִיהוּ לִבָּא דְּכֹלָּא, וְדָא כֻּרְסְיָיא קַדִּישָׁא. וְעַל דָּא אִקְרוּן לֵב. כֹּל נְדִיב לֵב, כְּמָה דְּאוּקִימְנָא, דְּאַרְבַּע מַשִׁרְיָין אִלֵּין, כְּלָלָא דְּכֻלְּהוּ אִקְרוּן בְּרָזָא חֲדָא, נְדִיב לֵב. תְּרוּמַת יְיָ', דָּא כֻּרְסְיָיא קַדִּישָׁא. וּבְגִין דְּאָרִימוּ לָהּ לְעֵילָּא, וְסַלְּקִין לָהּ לְעֵילָּא, אִקְרֵי תְּרוּמַת יְיָ'.

נט. וְעַל דָּא, כַּד חָמָא יְחֶזְקֵאל רָזָא דְּחֵיוָות, דַּהֲווֹ סַלְּקִין, לָא חָמָא מַהוּ דְּסַלְּקִין, בְּגִין דְּאִיהִי סַלְּקָא לְגַבֵּי מַלְכָּא עִלָּאָה בִּגְנִיזוּ בְּטָמִירָא בִּיקָרָא עִלָּאָה.

ס. וְכָל חֲכַם לֵב בָּכֶם, אִלֵּין אִינּוּן שָׁתִין מְקוֹרִין, דְּאַשְׁקְיָא עָלְמָא, וּמִנַּיְהוּ אִתְשַׁקְיָא. יָבֹאוּ, אֲמַאי יָבֹאוּ. אֶלָּא דְּיֵיתוּן לְמִנְקַט מֵעִם גְּנִזָא דְּחַיִּין. יָבֹאוּ. וּלְבָתַר וְיַעֲשׂוּ מַה דְּקֻבְ"ה פָּקִיד לוֹן לְאַהֲנָאָה עָלְמָא.

סא. קְחוּ מֵאִתְּכֶם תְּרוּמָה לַיְיָ'. רִבִּי יְהוּדָה פָּתַח, הֲלֹא פָרֹס לָרָעֵב לַחְמֶךָ וְגוֹ'. ת"ח, זַכָּאָה חוּלָקֵיהּ דְּבַר נָשׁ, כַּד מִסְכְּנָא אִעֲרַע לְגַבֵּיהּ. דְּהַהוּא מִסְכְּנָא דּוֹרוֹנָא דְּקוּדְשָׁא בְּרִיךְ הוּא הֲוֵי, דְּשַׁדַּר לֵיהּ. מַאן דִּמְקַבֵּל לֵיהּ לְהַהוּא דּוֹרוֹנָא בִּסְבַר אַנְפִּין, זַכָּאָה חוּלָקֵיהּ.

סב. תָּא חֲזֵי, מַאן דְּחַיִּיס לְמִסְכְּנָא, וְאָתִיב לֵיהּ נַפְשֵׁיהּ, קֻבְ"ה סָלִיק עָלֵיהּ, כְּאִילּוּ הוּא בָּרָא לְנַפְשֵׁיהּ. וְע"ד אַבְרָהָם דַּהֲוָה חַיִּיס לְכָל בְּנֵי עָלְמָא, סָלִיק עָלֵיהּ קֻבְ"ה, כְּאִילּוּ הוּא בָּרָא לוֹן, דִּכְתִיב וְאֶת הַנֶּפֶשׁ אֲשֶׁר עָשׂוּ בְחָרָן.

סג. וְאע"ג דְּהָא אוֹקִימְנָא הֲלֹא פָרוֹס, מַאי פָּרוֹס, לְמִפְרַס לֵיהּ מַפָּה בִּנְהֲמָא וּמְזוֹנָא לְמֵיכַל. ד"א הֲלֹא פָרוֹס, כד"א פְּרֵיס פְּרִיסַת וְגוֹ'. דְּבָעֵי לְמִפְרַס פְּרִיסִין דִּנְהֲמָא קָמֵיהּ, בְּגִין דְּלָא לִכְסִיף. וְיִפְרוֹס קָמֵיהּ בְּעֵינָא טָבָא. לָרָעֵב, לֶחֶם לָא כְּתִיב, אֶלָּא לָרָעֵב. הַהוּא דִּילָךְ מִמָּמוֹנָךְ, וְלָא דְּגָזִילוּ, וְלָא דַּעֲשָׁק, וְלָא דִּגְנֵבָה. דְּאִי הָכִי, לָאו זְכוּתָא הוּא, אֶלָּא וַוי לֵיהּ, דְּאָתֵי לְאַדְכָּרָא חוֹבוֹי. כְּגַוְונָא דָּא קְחוּ מֵאִתְּכֶם תְּרוּמָה, לְאַרְמָא מִמָּה דִּלְכוֹן, וְלָא מֵעֹשֶׁק, וְלָא מִגָּזֵל, וְלָא מִגְּנֵבָה, וְהָא אוֹקְמוּהָ.

סד. רִבִּי חִיָּיא וְרִבִּי יִצְחָק וְרִבִּי יוֹסֵי, הֲווּ אַזְלֵי בְּאָרְחָא, עַד דַּהֲווּ אָזְלֵי, פָּגַע בְּהוּ רִבִּי אַבָּא. אָמַר רִבִּי חִיָּיא, וַדַּאי שְׁכִינְתָּא בַּהֲדָן. כַּד מָטָא לְגַבַּיְיהוּ, אָמַר רִבִּי אַבָּא, כְּתִיב, מִן הַיּוֹם אֲשֶׁר הוֹצֵאתִי אֶת עַמִּי אֶת יִשְׂרָאֵל מִמִּצְרַיִם לֹא בָחַרְתִּי בְעִיר מִכֹּל שִׁבְטֵי יִשְׂרָאֵל וָאֶבְחַר בְּדָוִד וְגוֹ' לִבְנוֹת בַּיִת לִהְיוֹת שְׁמִי שָׁם. הַאי קְרָא, לָאו רֵישֵׁיהּ סֵיפֵיהּ, וְלָאו סֵיפֵיהּ רֵישֵׁיהּ, דִּכְתִיב לֹא בָחַרְתִּי בְעִיר, וָאֶבְחַר בְּדָוִד, מַאי הַאי עִם הַאי. וָאֶבְחַר בִּירוּשָׁלַם מִבָּעֵי לֵיהּ.

סה. אֶלָּא כַּד קוּדְשָׁא בְּרִיךְ הוּא אִית רְעוּתָא קָמֵיהּ לְמִבְנֵי קַרְתָּא, אִסְתַּכַּל בְּקַדְמֵיתָא, בְּהַהוּא רֵישָׁא דְּנָהִיג עַמָּא דְּקַרְתָּא, וּלְבָתַר בְּנֵי קַרְתָּא, וְאַיְיתֵי לְעַמָּא בֵּיהּ. הה"ד לֹא בָחַרְתִּי בְעִיר, עַד דְּאִסְתַּכַּלְנָא בְּדָוִד, לְמֶהֱוֵי רַעְיָא עַל יִשְׂרָאֵל. בְּגִין דְּמָתָא וְכָל בְּנֵי מָתָא, כֻּלְּהוּ קַיְימִין בְּרַעְיָא דְּנָהִיג לְעַמָּא, אִי רַעְיָא אִיהוּ טָבָא, טָב לֵיהּ, טָב לְמָתָא, טָב לְעַמָּא. וְאִי רַעְיָא אִיהוּ בִּישָׁא, וַוי לֵיהּ, וַוי לְמָתָא וַוי לְעַמָּא. וְהַשְׁתָּא אִסְתַּכַּל קב"ה בְּעָלְמָא, וְסָלִיק בִּרְעוּתֵיהּ לְמִבְנֵי לֵיהּ, וְאוֹקִים בְּרֵישָׁא לְדָוִד, הה"ד וָאֶבְחַר בְּדָוִד עַבְדִּי.

סו. מִלְּתָא חַדְתָּא שְׁמַעְנָא. פָּתַח וְאָמַר, אַשְׁרֵי שֶׁאֵל יַעֲקֹב בְּעֶזְרוֹ שִׂבְרוֹ עַל יְיָ' אֱלֹהָיו. וְכִי אֵל יַעֲקֹב, וְלָא אֵל אַבְרָהָם, וְלָא אֵל יִצְחָק, אֶלָּא אֵל יַעֲקֹב. בְּגִין דְּיַעֲקֹב לָא אִתְרְחִיץ בַּאֲבוּהִי, וְלָא בְּאִמֵּיהּ, כַּד עָרַק קַמֵּי אֲחוּי, וְאָזַל יְחִידָאי, בְּלָא מָמוֹנָא, כד"א כִּי בְמַקְלִי עָבַרְתִּי אֶת הַיַּרְדֵּן הַזֶּה, וְאִיהוּ אִתְרְחִיץ בֵּיהּ בְּקוּדְשָׁא בְּרִיךְ הוּא, דִּכְתִיב אִם יִהְיֶה אֱלֹהִים עִמָּדִי וּשְׁמָרַנִי וְגוֹ'. וְכֹלָּא שָׁאִיל מִקַּמֵּיהּ דְּקוּדְשָׁא בְּרִיךְ הוּא, וְיָהַב לֵיהּ.

סז. שִׂבְרוֹ עַל יְיָ' אֱלֹהָיו. שִׂבְרוֹ, וְלָא אָמַר תִּקְוָתוֹ, וְלָא בִּטְחוֹנוֹ, אֶלָּא שִׂבְרוֹ. אַל תִּקְרֵי שִׂבְרוֹ, אֶלָּא שִׁבְרוֹ. דִּנְיָחָא לְהוּ לְצַדִּיקַיָּיא, לְתַבְרָא גַּרְמַיְיהוּ, וּלְאִתְבְּרָא תְּבִירוּ עַל תְּבִירוּ, וְכֹלָּא עַל יְיָ' אֱלֹהָיו. כד"א, כִּי עָלֶיךָ הוֹרַגְנוּ כָל הַיּוֹם. כִּי עָלֶיךָ נָשָׂאנוּ חֶרְפָּה.

סח. כְּגַוְונָא דְּיַעֲקֹב, דִּכְתִיב וַיַּרְא יַעֲקֹב כִּי יֶשׁ שֶׁבֶר בְּמִצְרָיִם, דְּהָא תְּבִירוּ דְּגָלוּתָא, חָמָא דַּהֲוָה לֵיהּ בְּמִצְרָיִם, וְשַׁוֵּי תּוֹקְפֵּיהּ בְּקוּדְשָׁא בְּרִיךְ הוּא. וּבְנוֹי דְּיַעֲקֹב סַבְלוּ תְּבִירוּ דְּגָלוּתָא, וְלָא אִשְׁתְּנוּ מִגּוֹ רָזָא דִּמְהֵימְנוּתָא דַּאֲבָהָתְהוֹן, וּשְׁמָא דְּקב"ה הֲוָה בְּגָלוּתָא רְגִילָא בְּפוּמַיְיהוּ.

סט. וְעַ"ד כְּתִיב בְּמֹשֶׁה, וְאָמְרוּ לִי מַה שְּׁמוֹ מָה. בְּגִין דַּהֲווּ יָדְעֵי לֵיהּ, וְלָא אַנְשׁוּ לֵיהּ לְעָלְמִין, וְסַבְלוּ תְּבִירוּ דְּגָלוּתָא עַל קב"ה, וּבְגִין כַּךְ זָכֵי לְפוּרְקָנִין וּלְנִסִּין וּלְאַתְוָון סַגִּיאִין.

ע. וְאַתּוּן קַדִּישִׁין עֶלְיוֹנִין, דְּסָבְלִין תְּבִירוּ דְּגוּפָא מֵאֲתַר לַאֲתַר עַל קוּדְשָׁא בְּרִיךְ הוּא, עאכ"ו דְּזַכָּאִין אַתּוּן לְמֶעְבַּד לְכוּ נִסִּין וּפוּרְקָנִין, וְתִזְכּוּן לְחַיֵּי עָלְמָא דְּאָתֵי. אָזְלוּ כֻּלְּהוּ כַּחֲדָא.

עא. פָּתַח וְאָמַר קְחוּ מֵאִתְּכֶם תְּרוּמָה לַיְיָ כֹּל נְדִיב לִבּוֹ יְבִיאֶהָ וְגוֹ'. תָּא חֲזֵי, בְּשַׁעֲתָא דְּבַר נָשׁ שַׁוֵּי רְעוּתֵיהּ, לְגַבֵּי פּוּלְחָנָא דְּמָארֵיהּ, הַהוּא רְעוּתָא סָלִיק בְּקַדְמֵיתָא עַל לִבָּא, דְּאִיהוּ קִיּוּמָא וִיסוֹדָא דְּכָל גּוּפָא. לְבָתַר סָלִיק הַהוּא רְעוּתָא טָבָא, עַל כָּל שַׁיְיפֵי גּוּפָא. וּרְעוּתָא דְּכָל שַׁיְיפֵי גּוּפָא, וּרְעוּתָא דְּלִבָּא, מִתְחַבְּרָאן כַּחֲדָא, וְאִינּוּן מַשְׁכִין עָלַיְיהוּ זִיהֲרָא דִּשְׁכִינְתָּא לְדַיְּירָא עִמְּהוֹן, וְהַהוּא בַּר נָשׁ אִיהוּ חוּלָקָא דְּקוּדְשָׁא בְּרִיךְ הוּא הֲוֵי, הה"ד קְחוּ מֵאִתְּכֶם תְּרוּמָה. מֵאִתְּכֶם הֲוָה אַמְשְׁכוּתָא, לְקַבְּלָא עָלַיְיכוּ הַהִיא תְּרוּמָה, לְמֶהֱוֵי חוּלָקָא לַיְיָ.

עב. וְאִי תֵּימָא דְּלָאו בִּרְשׁוּתֵיהּ דְּב"נ קַיְּימָא מִלְּתָא. ת"ח, מַה כְּתִיב כֹּל נְדִיב לִבּוֹ יְבִיאֶהָ אֵת תְּרוּמַת יְיָ. כֹּל נְדִיב לִבּוֹ וַדַּאי, מַאן דְּיִתְרְעֵי לִבֵּיהּ, יַמְשִׁיךְ לָהּ לִשְׁכִינְתָּא לְגַבֵּיהּ. הה"ד יְבִיאֶהָ, אע"ג דְּאִיהִי בְּאִסְתַּלְּקוּתָא לְעֵילָא, יְבִיאֶהָ מֵאֲתַר עִלָּאָה, לְאַמְשָׁכָא לְדַיְּירָא עִמֵּיהּ.

עג. וְכַד תֵּיתֵי לְאַשְׁרָאָה עִמֵּיהּ, כַּמָּה בִּרְכָאן וְכַמָּה עֶתְרָא תֵּיתֵי עִמָּהּ. הה"ד זָהָב וָכֶסֶף וּנְחֹשֶׁת. לָא יֶחְסַר לֵיהּ כָּל עֶתְרָא דְּעָלְמָא. דָּא לִשְׁאַר בְּנֵי עָלְמָא. אֲבָל אַתּוּן קַדִּישִׁין עֶלְיוֹנִין, קְחוּ מֵאִתְּכֶם תְּרוּמָה לַיְיָ. אָמַר רַבִּי חִיָּיא, מַאן דְּשָׁרֵי לְאַרְמָא, הוּא יָרִים.

עד. פָּתַח רַבִּי אַבָּא וְאָמַר, וַיֹּאמֶר יְיָ לַדָּג וְגוֹ', וְכִי בְּאָן אֲתַר אָמַר לֵיהּ. אֶלָּא בְּשַׁעֲתָא דְּבָרָא קב"ה עָלְמָא בְּעוֹבָדָא דִּבְרֵאשִׁית, בְּיוֹמָא חֲמִישָׁאָה בָּרָא נוּנֵי יַמָּא. כְּדֵין פָּקִיד וְאָמַר, דִּיהֵא זַמִּין חַד נוּנָא לְמִבְלַע לְיוֹנָה, וִיהֵא בִּמְעוֹי תְּלָתָא יוֹמִין וּתְלַת לֵילָוָן, וּלְבָתַר דִּירְמֵי לֵיהּ לְבַר.

עה. וְלָא דָּא בִּלְחוֹדוֹי, אֶלָּא כָּל מַה דְּעָבַד קב"ה בְּעוֹבָדָא דִּבְרֵאשִׁית, בְּכֻלָּא אַתְנֵי עִמֵּיהּ. בְּיוֹמָא קַדְמָאָה בָּרָא שְׁמַיָּא, אַתְנֵי עִמְּהוֹן דְּיִסְלִיק לְאֵלִיָּהוּ הַשָּׁמַיְמָה בְּגוֹ סְעָרָה, וְכֵן הֲוָה, דִּכְתִיב וַיַּעַל אֵלִיָּהוּ בַּסְּעָרָה הַשָּׁמָיִם. בְּהַהוּא יוֹמָא בָּרָא נְהוֹרָא, וְאַתְנֵי עִמֵּיהּ דְּיַחְשִׁיךְ לְשִׁמְשָׁא בְּמִצְרַיִם תְּלָתָא יוֹמִין, דִּכְתִיב וַיְהִי חֹשֶׁךְ אֲפֵלָה בְּכָל אֶרֶץ מִצְרַיִם שְׁלֹשֶׁת יָמִים.

עו. בְּיוֹמָא תִּנְיָינָא בָּרָא רְקִיעָא, דִּיהֵא מַפְרִישׁ בֵּין מַיָּא לְמַיָּא, כְּדִכְתִיב וַיֹּאמֶר אֱלֹהִים יְהִי רָקִיעַ בְּתוֹךְ הַמָּיִם וִיהִי מַבְדִּיל בֵּין מַיִם לָמָיִם. וְאַתְנֵי עִמְּהוֹן קוּדְשָׁא בְּרִיךְ הוּא, דְּמַיָּא יְהוֹן מַפְרִישִׁין לְיִשְׂרָאֵל בֵּין טוּמְאָה לְטָהֳרָה, לְאִתְדַּכָּאָה בְּהוּ, וְכַךְ הֲוָה.

עז. בְּיוֹמָא תְּלִיתָאָה אַפִּיק אַרְעָא מִגּוֹ מַיָּא, וְאַכְנִישׁ לְמַיָּא, וַעֲבַד מֵהַהוּא כְּנִישׁוּ דְּאִתְכְּנָשׁוּ לַאֲתַר חַד, יַמָּא. וְאַתְנֵי בְּיַמָּא לְמֶעְבַּר לְיִשְׂרָאֵל בְּגַוֵּיהּ בְּיַבֶּשְׁתָּא, וּלְמִטְבַּע לְמִצְרָאֵי, וְכַךְ הֲוָה, דִּכְתִיב וַיָּשָׁב הַיָּם לִפְנוֹת בֹּקֶר לְאֵיתָנוֹ. אַל תִּקְרֵי לְאֵיתָנוֹ, אֶלָּא לִתְנָאוֹ, לְמַה דְּאַתְנֵי עִמֵּיהּ קוּדְשָׁא בְּרִיךְ הוּא, בְּעוֹבָדָא דִּבְרֵאשִׁית. תּוּ אַתְנֵי בְּאַרְעָא, דְּתִפְתַּח יָת פּוּמָהָא בְּמַחְלְקוּתָא דְּקֹרַח, וְתִבְלַע לְקֹרַח וּלְכָל כְּנִישְׁתֵּיהּ, וְכַךְ הֲוָה, דִּכְתִיב וַתִּפְתַּח הָאָרֶץ אֶת פִּיהָ וַתִּבְלַע אוֹתָם וְאֶת קֹרַח.

עח. בְּיוֹמָא רְבִיעָאָה, בָּרָא שִׁמְשָׁא וְסִיהֲרָא, דִּכְתִיב יְהִי מְאֹרֹת בִּרְקִיעַ הַשָּׁמַיִם, וְאַתְנֵי עִם שִׁמְשָׁא, לְמֶהֱוֵי קָאִים בְּפַלְגּוּ שְׁמַיָּא בְּיוֹמֵי דִּיהוֹשֻׁעַ, דִּכְתִיב וַיַּעֲמֹד הַשֶּׁמֶשׁ בַּחֲצִי הַשָּׁמָיִם. אַתְנֵי בְּכֹכְבַיָּא לְמֶעְבַּד קְרָבָא בְּסִיסְרָא, דִּכְתִיב הַכּוֹכָבִים מִמְּסִלּוֹתָם נִלְחֲמוּ עִם סִיסְרָא.

עט. בְּיוֹמָא חֲמִישָׁאָה בָּרָא נוּנֵי יַמָּא, וְעוֹפֵי דִּשְׁמַיָּא, אַתְנֵי בְּעוֹפֵי לְמֵיזַן עוֹרְבִים לְאֵלִיָּהוּ, בִּזְמְנָא דְּעָצַר לִשְׁמַיָּא, דִּכְתִיב וְאֶת הָעֹרְבִים צִוִּיתִי לְכַלְכֶּלְךָ שָׁם. צִוִּיתִי

דַּיְיקָא. וְאַתְנֵי בְּנוּנֵי יַמָּא לְאִזְדַּמְּנָא נוּנָא וְחַד, לְמִבְלַע לֵיהּ לְיוֹנָה, וּלְאַשְׁדָּאָה לֵיהּ לְבַר.

פ. בְּיוֹמָא שְׁתִיתָאָה בָּרָא לְאָדָם, וְאַתְנֵי עִמֵּיהּ, דְּתִפּוֹק מִנֵּיהּ אִתְּתָא, דְּתֵיזוֹן לְאֵלִיָּהוּ, דִּכְתִּיב הִנֵּה צִוִּיתִי שָׁם אִשָּׁה אַלְמָנָה לְכַלְכְּלֶךָ. הִנֵּה צִוִּיתִי, מִיּוֹמָא דְּאִתְבְּרֵי עָלְמָא. וְכֵן בְּכָל עוֹבָדָא וְעוֹבָדָא דְּאִתְחַדֵּשׁ בְּעָלְמָא, קוּדְשָׁא בְּרִיךְ הוּא פָּקִיד הַהוּא עוֹבָדָא מִיּוֹמָא דְּאִתְבְּרֵי עָלְמָא. אוּף הָכָא, וַיֹּאמֶר יְיָ' לַדָּג. וַיֹּאמֶר, מִשִּׁית יוֹמִין דִּבְרֵאשִׁית קָאָמַר לֵיהּ.

פא. הָכָא אִית לָן סֶמֶךְ עָלְמָא, עַל עוֹבָדִין דִּבְנֵי נָשָׁא בְּהַאי עָלְמָא. יוֹנָה דְּנָחַת לַסְּפִינָה, דָּא אִיהִי נִשְׁמְתָא דְּבַר נָשׁ, דְּנַחְתָּא לְהַאי עָלְמָא לְמֶהֱוֵי בְּגוּפָא דְּב"נ. אֲמַאי אִתְקְרֵי יוֹנָה. בְּגִין דְּכֵיוָן דְּאִשְׁתְּתָפַת בְּגוּפָא, כְּדֵין אִיהִי יוֹנָה בְּהַאי עָלְמָא. כְּמָה דְּאִתְּמַר, וְלָא תוֹנוּ אִישׁ אֶת עֲמִיתוֹ. וּכְדֵין בַּר נָשׁ אָזִיל בְּהַאי עָלְמָא, כִּסְפִינָה בְּגוֹ יַמָּא רַבָּא, דְּחָשִׁיבַת לְאִתְּבָרָא, כד"א וְהָאֳנִיָּה חִשְּׁבָה לְהִשָּׁבֵר.

פב. וּבַר נָשׁ כַּד אִיהוּ בְּהַאי עָלְמָא חָטֵי, וְחָשִׁיב דְּעָרַק מִקַּמֵּי מָארֵיהּ. וְלָא אַשְׁגַּח בְּהַהוּא עָלְמָא. וּכְדֵין אַטִּיל קוּדְשָׁא בְּרִיךְ הוּא רוּחַ סְעָרָה תַּקִּיפָא. דָּא אִיהִי גְּזֵירַת דִּינָא, דְּקַיְּימָא תָּדִיר קָמֵי קב"ה. וּבָעָאת דִּינָא דְּבַר נָשׁ מִקַּמֵּיהּ, וְדָא אִיהוּ דְּקָא מָטֵי לַסְּפִינָה, וְאַדְכַּר חוֹבוֹי דְּבַר נָשׁ לְאִתְּפְסָא לֵיהּ.

פג. כֵּיוָן דְּאִתְּפַס בַּר נָשׁ עַל יְדָא דְּהַהִיא סְעָרָה בְּבֵי מַרְעֵיהּ, מַה כְּתִיב וְיוֹנָה יָרַד אֶל יַרְכְּתֵי הַסְּפִינָה וַיִּשְׁכַּב וַיֵּרָדַם. אע"ג דְּבַר נָשׁ בְּבֵי מַרְעֵיהּ, נִשְׁמְתָא לָא אִתְּעָרַת לְאָתָבָא קַמֵּי מָארֵיהּ, לְמִפְרַק חוֹבוֹי. מָה כְּתִיב, וַיִּקְרַב אֵלָיו רַב הַחוֹבֵל. מַאן רַב הַחוֹבֵל. דָּא יֵצֶר טוֹב, דְּאִיהוּ מַנְהִיג כֹּלָּא. וַיֹּאמֶר לוֹ מַה לְּךָ נִרְדָּם קוּם קְרָא אֶל אֱלֹהֶיךָ וְגוֹ'. לָאו שַׁעֲתָא הוּא לְמִדְמַךְ, דְּהָא סַלְּקִין לָךְ לְדִינָא, עַל כָּל מָה דְּעַבְדַּת בְּהַאי עָלְמָא, תּוּב מֵחוֹבָךְ.

פד. אִסְתָּכַּל בְּמִלִּין אִלֵּין, וְתוּב לְמָארָךְ. מָה מְלַאכְתְּךָ דְּאַתְּ עָסְקַת בָּהּ בְּהַאי עָלְמָא, וְאוֹדֵי עָלָהּ קָמֵי מָארָךְ. וּמֵאַיִן תָּבֹא, אִסְתָּכַּל מֵאַיִן בְּאַת, מִטִּפָּה סְרוּחָה, וְלָא תִּתְגָּאֵי קַמֵּיהּ. מַה אַרְצֶךָ, אִסְתָּכַּל דְּהָא מֵאַרְעָא אִתְבְּרִיאַת, וּלְאַרְעָא תֵּיתוּב. וְאִי מִזֶּה עַם אָתָּה, אִסְתָּכַּל אִי אִית לָךְ זְכוּ דַּאֲבָהָן, דְּיָגִין עָלָךְ.

פה. כֵּיוָן דְּסַלְּקִין לֵיהּ לְדִינָא, בְּבֵי דִּינָא דִּלְעֵילָּא, הַהִיא סְעָרָה, דְּאִיהִי גְּזֵרַת דִּינָא, דְּסָעִיר עָלֵיהּ דְּבַר נָשׁ, תַּבְעַת מִן מַלְכָּא לְמֵידָן אִינּוּן תְּפִיסִין דְּמַלְכָּא, וְכֻלְּהוּ אַתְיָין חַד וְחַד קָמֵיהּ. בֵּיהּ שַׁעֲתָא אִתְקְרִיבוּ בֵּי דִּינָא. אִית מִנְּהוֹן דְּפַתְחֵי בִּזְכוּת, וְאִית מִנְּהוֹן דְּפַתְחֵי בְּחוֹבָה. וּגְזֵרַת דִּינָא תַּבְעַת דִּינָא.

פו. וְאִי הַהוּא ב"נ לָא זָכֵי בְּדִינָא, מַה כְּתִיב. וַיַּחְתְּרוּ הָאֲנָשִׁים לְהָשִׁיב אֶל הַיַּבָּשָׁה וְלֹא יָכֹלוּ. מִשְׁתַּדְּלִין אִינּוּן דְּאוֹרוּ זְכוּתֵיהּ לְאָתָבָא לֵיהּ לְהַאי עָלְמָא, וְלָא יָכְלוּ. מַאי טַעֲמָא. כִּי הַיָּם הוֹלֵךְ וְסוֹעֵר עֲלֵיהֶם, גְּזֵרָה דְּדִינָא, אָזִיל וְסָעִיר בְּחוֹבוֹי דְּב"נ, וְאִתְגַּבַּר עֲלַיְיהוּ.

פז. כְּדֵין נַחְתִּין עָלֵיהּ תְּלַת שְׁלִיחָן מִמַּנָּן, חַד, דִּכְתִּיב כָּל זַכְוָון, וְכָל חוֹבִין, דְּעָבַד בַּר נָשׁ בְּהַאי עָלְמָא. וְחַד דְּעָבִיד חוּשְׁבָּן יוֹמוֹי. וְחַד דַּהֲוָה אָזִיל עִמֵּיהּ, כַּד הֲוָה בִּמְעֵי אִמֵּיהּ. וְהָא אוֹקִימְנָא דִּגְזֵרַת דִּינָא לָא שָׁכִיךְ, עַד הַהוּא זִמְנָא דִּכְתִּיב, וַיִּשְׂאוּ אֶת יוֹנָה. וַיִּשְׂאוּ: כַּד נַטְלֵי לֵיהּ מִבֵּיתֵיהּ, לְבֵי קִבְרֵי.

פח. כְּדֵין מַכְרְזֵי עֲלוֹי. אִי אִיהוּ זַכָּאָה, מַכְרְזֵי עָלֵיהּ וְאַמְרֵי, הָבוּ יְקָר לִדְיוֹקְנָא דְּמַלְכָּא, יָבֹא שָׁלוֹם יָנוּחוּ עַל מִשְׁכְּבוֹתָם הֹלֵךְ נְכֹחוֹ. מנ"ל. דִּכְתִּיב וְהָלַךְ לְפָנֶיךָ צִדְקֶךָ

כְּבוֹד יְיָ' יַאַסְפֶךָ. וְאִי וַוייְבָא אִיהִי, מַכְרִיזֵי עָלֵיהּ וְאָמְרוּ, וַוי לֵיהּ לִפְלַנְיָא. טָב לֵיהּ דְּלָא יִתְבְּרֵי. כְּדֵין מַה כְּתִיב, וַיִּטָּלֻהוּ אֶל הַיָּם וַיַּעֲמוֹד הַיָּם מִזַּעְפּוֹ. כַּד עָאלִין לֵיהּ לְבֵי קִבְרֵי דְּאִיהוּ אֲתַר דְּדִינָא. כְּדֵין גְּזֵרַת דִּינָא דְּהֲוָה סָעִיר, שָׁכִיךְ מִזַּעְפֵּיהּ. וְנוּנָא דְּבָלַע לֵיהּ, דָּא אִיהוּ קִבְרָא.

פט. מַה כְּתִיב, וַיְהִי יוֹנָה בִּמְעֵי הַדָּג. מְעוֹי דְּדָג, דָּא אִיהוּ בֶּטֶן שְׁאוֹל. מְנָלָן. דִּכְתִיב מִבֶּטֶן שְׁאוֹל שִׁוַּעְתִּי. וְאִיהוּ בִּמְעֵי דְּנוּנָא הֲוָה, וְקָארֵי לֵיהּ בֶּטֶן שְׁאוֹל, שְׁלֹשָׁה יָמִים וּשְׁלֹשָׁה לֵילוֹת, אִלֵּין תְּלַת יוֹמִין, דְּבַר נָשׁ בְּקִבְרָא, וְאִתְבַּקְעוּ מְעוֹי.

צ. לְבָתַר תְּלָתָא יוֹמִין, הַהוּא טִנּוּפָא אִתְהֲפַךְ עַל אַנְפּוֹי, וְאוֹמֵר לוֹ טוֹל מַה דְּיָהַבְתְּ בִּי. אָכַלְתְּ וְשָׁתִיתְ כָּל יוֹמָא, וְלָא יָהַבְתְּ לְמִסְכְּנֵי, וְכָל יוֹמָךְ הֲווּ כְּחַגִּין וּכְמוֹעֲדִין, וּמִסְכְּנֵי הֲווּ כַּפְנִין, דְּלָא אָכְלוּ בַּהֲדָךְ, טוֹל מַה דְּיָהַבְתְּ בִּי. הֲדָא הוּא דִּכְתִיב וְזֵרִיתִי פֶרֶשׁ עַל פְּנֵיכֶם וְגוֹ', וְהָא אוֹקִימְנָא.

צא. לְבָתַר דָּא, מִתְּלָתָא יוֹמִין וּלְהָלְאָה, כְּדֵין אִתְדָּן בַּר נָשׁ בְּעֵינוֹי, בִּידוֹי, וּמְרַגְלוֹי, וְאוּקְמוּהָ עַד תְּלָתִין יוֹמִין. כָּל אִינּוּן תְּלָתִין יוֹמִין, אִתְדָּנוּ נַפְשָׁא וְגוּפָא כַּחֲדָא. וּבְגִינֵי כַּךְ אִשְׁתַּכַּח נִשְׁמָתָא לְתַתָּא בְּאַרְעָא, דְּלָא סָלְקַת לְאַתְרָהּ. כְּאִתְּתָא דְּיָתְבַת לְבַר, כָּל יוֹמֵי מִסָּאֲבוּתָא. לְבָתַר, נִשְׁמָתָא סָלְקָא, וְגוּפָא אִתְבְּלֵי בְּאַרְעָא. עַד הַהוּא זִמְנָא דְּיִתְעַר קוּדְשָׁא בְּרִיךְ הוּא לְמֵיתַיָּיא.

צב. וּזְמִינָא קָלָא וַחֲדָא לְאִתְעֲרָא בְּבֵי קִבְרֵי, וְיֵימָא, הָקִיצוּ וְרַנְּנוּ שׁוֹכְנֵי עָפָר כִּי טַל אוֹרוֹת טַלֶּךָ וָאָרֶץ רְפָאִים תַּפִּיל. אֵימָתַי יְהֵא דָּא. בְּזִמְנָא דְּיִתְעֲבַר מַלְאַךְ הַמָּוֶת מֵעָלְמָא, דִּכְתִיב בִּלַּע הַמָּוֶת לָנֶצַח וְגוֹ'. כֵּיוָן דְּבִלַּע הַמָּוֶת לָנֶצַח, לְבָתַר, וּמָחָה יְיָ' אֱלֹהִים דִּמְעָה מֵעַל כָּל פָּנִים וְחֶרְפַּת עַמּוֹ יָסִיר מֵעַל כָּל הָאָרֶץ. כְּדֵין כְּתִיב, וַיֹּאמֶר יְיָ' לַדָּג וַיָּקֵא אֶת יוֹנָה אֶל הַיַּבָּשָׁה.

צג. כֵּיוָן דְּאִתְּעַר הַהוּא קָלָא בֵּינֵי קִבְרֵי, כְּדֵין כָּל קִבְרַיָּיא יָקִיאוּ לְאִינּוּן מֵתַיָּיא דִּבְהוֹן לְבַר. הה"ד וָאָרֶץ רְפָאִים תַּפִּיל. מַאי תַּפִּיל. דְּיָקִיא לוֹן לְבַר. רְפָאִים, מַהוּ רְפָאִים. דְּקַבִּילוּ. אַסְוָותָא כְּמִלְּקַדְּמִין, וְאִתְסִיאוּ גַּרְמִין בְּגַרְמִין. וְאִלֵּין אִקְרוּן רְפָאִים.

צד. וְאִי תֵּימָא, הָא כְּתִיב רְפָאִים בַּל יָקוּמוּ. אֶלָּא וַדַּאי כָּל עָלְמָא יִתְסוּן גַּרְמִין בְּבֵי קִבְרֵי, אֲבָל מִנְּהוֹן יְקוּמוּן, וּמִנְּהוֹן לָא יְקוּמוּן. וְעַל דָּא כְּתִיב רְפָאִים בַּל יָקוּמוּ. זַכָּאָה ווּלְקֵהוֹן דְּיִשְׂרָאֵל, דִּכְתִיב בְּהוּ נְבֵלָתִי יְקוּמוּן. וּבְהַאי נוּנָא, אַשְׁכַּחְנָא מִלִּין לְאַסְוָותָא, דְּכָל עָלְמָא.

צה. הַאי נוּנָא כֵּיוָן דְּבָלַע לְיוֹנָה מִית. וּבֵיהּ הֲוָה יוֹנָה תְּלָתָא יוֹמִין, לְבָתַר אִתְקַיַּים כְּמִלְּקַדְּמִין, וְאַקִּי לְיוֹנָה לְבַר, וְהָא אוּקְמוּהָ, דִּכְתִיב וַיִּתְפַּלֵּל יוֹנָה אֶל יְיָ' אֱלֹהָיו מִמְּעֵי הַדָּגָה. כְּתִיב הָכָא הַדָּגָה, וּכְתִיב הָתָם וְהַדָּגָה אֲשֶׁר בַּיְאוֹר מֵתָה, וְהָא אוּקְמוּהָ. כְּגַוְונָא דָּא, זְמִינַת אַרְעָא דְּיִשְׂרָאֵל לְאִתְעֲרָא בְּקַדְמֵיתָא, וּלְבָתַר וָאָרֶץ רְפָאִים תַּפִּיל.

צו. וְהָא אוֹקִימְנָא, דְּשִׁבְעָה דִּינִין יַחְלְפוּן עָלֵיהּ דְּבַר נָשׁ, כַּד נָפִיק מֵהַאי עָלְמָא. וַחַד, הַהוּא דִּינָא עִלָּאָה, כַּד נָפִיק רוּחָא מִן גּוּפָא. ב', כַּד עוֹבָדוֹי וּמִלּוֹי אַזְלִין קָמֵיהּ וּמַכְרְזֵי עָלוֹי. ג', כַּד עָיֵיל לְקִבְרָא. ד', דִּינָא דְּקִבְרָא. ה', דִּינָא דְּתוֹלַעְתָּא. ו', דִּינָא דְּגֵיהִנָּם. ז', דִּינָא דְּרוּחָא דְּאָזְלָא וְשָׁאטַת בְּעָלְמָא, וְלָא אַשְׁכְּחַת אֲתַר נַיְיחָא, עַד דְּיִשְׁתַּלִּים עוֹבָדוֹי. בְּגִ"ד, בָּעֵי בַּר נָשׁ לְאִסְתַּכְּלָא תָּדִיר בְּעוֹבָדוֹי, וִיתוּב קָמֵי מָרֵיהּ.

צז. וְכַד אִסְתַּכַּל דָּוִד מַלְכָּא בְּדִינִין אִלֵּין דְּבַר נָשׁ, אַקְדִּים וְאָמַר בָּרְכִי נַפְשִׁי אֶת יְיָ',

עַד לָא תִּפּוּק מִן עָלְמָא, בְּעוֹד דְּאַנְתְּ אִשְׁתְּכָחַת עִם גּוּפָא. וְכָל קְרָבַי אֶת שֵׁם קָדְשׁוֹ, אִינּוּן שַׁיְיפָא גּוּפָא, דְּמִשְׁתַּתְּפֵי כַּחֲדָא בִּרְוָזא. הַשְׁתָּא דְּתִשְׁתַּכְּחוּן עִמָּהּ, אַקְדִּימוּ לְבָרְכָא שְׁמָא קַדִּישָׁא, עַד לָא יִמְטֵי זִמְנָא דְּלָא תֵּיכְלוּן לְבָרְכָא, וּלְאָתָבָא בִּתְיוּבְתָּא, וְעַל דָּא אָמַר בָּרְכִי נַפְשִׁי אֶת יְיָ' הַלְלוּיָהּ. אָתוּ אִינּוּן וַחֲבְרַיָּיא וְנַשְׁקוּ רֵישֵׁיהּ.

צז. רִבִּי חִיָּיא פָּתַח וְאָמַר, קְחוּ מֵאִתְּכֶם תְּרוּמָה לַיְיָ'. ת"ח קוּדְשָׁא בְּרִיךְ הוּא כַּד בָּרָא עָלְמָא, לָא בָּרָא לֵיהּ, אֶלָּא בְּגִין דְּיֵיתוּן יִשְׂרָאֵל, וִיקַבְּלוּן אוֹרַיְיתָא. בְּאוֹרַיְיתָא אִתְבְּרֵי עָלְמָא, וְעַל אוֹרַיְיתָא קַיְּימָא. הֲדָא הוּא דִּכְתִּיב, אִם לֹא בְרִיתִי יוֹמָם וָלָיְלָה חֻקּוֹת שָׁמַיִם וָאָרֶץ לֹא שָׂמְתִּי. אוֹרַיְיתָא אִיהִי אַרְכָּא דְּחַיֵּי בְּהַאי עָלְמָא, וְאַרְכָּא דְּחַיֵּי בְּעָלְמָא דְּאָתֵי.

צח. וְכָל מַאן דְּאִשְׁתַּדַּל בְּאוֹרַיְיתָא, כְּאִלּוּ אִשְׁתַּדַּל בְּהֵיכָלֵיהּ דְּקוּדְשָׁא בְּרִיךְ הוּא. דְּהֵיכְלָא עִלָּאָה דְּקוּדְשָׁא בְּרִיךְ הוּא, אוֹרַיְיתָא אִיהִי וְכַד בַּר נָשׁ עָסִיק בְּאוֹרַיְיתָא, קוּדְשָׁא בְּרִיךְ הוּא קָאִים תַּמָּן, וְאָצִית לְקָלֵיהּ, כְּמָה דִּכְתִּיב, וַיַּקְשֵׁב יְיָ' וַיִּשְׁמָע וְגוֹ'. וְאִשְׁתְּזִיב ב"נ מִתְּלַת דִּינִין: מִדִּינָא דְּהַאי עָלְמָא. וּמִדִּינָא דְּמַלְאַךְ הַמָּוֶת, דְּלָא יָכִיל לְשַׁלְטָאָה עָלֵיהּ. וּמִדִּינָא דְּגֵיהִנָּם.

ק. וַיִּכָּתֵב סֵפֶר זִכָּרוֹן. מַאי אִיהוּ. אֶלָּא אִית סֵפֶר לְעֵילָּא, וְאִית סֵפֶר לְתַתָּא. זִכָּרוֹן אָת קַיָּימָא קַדִּישָׁא, דְּנָטִיל וְכָנִישׁ לְגַבֵּיהּ, כָּל חַיִּין דִּלְעֵילָּא. סֵפֶר זִכָּרוֹן תְּרֵין דַּרְגִּין דְּאִינּוּן חַד, וְרָזָא דָּא שֵׁם הֲוָיָ"ה שֵׁם וְחַד. יְהֹוָ"ה חַד. וְכֹלָּא מִלָּה וַחֲדָא.

קא. בְּגִין דְּאִית שֵׁם, וְאִית שֵׁם, שֵׁם לְעֵילָּא, דְּאִיהוּ אִתְרְשִׁים מִמַּה דְּלָא יְדִיעַ, וְלָא אִתְרְמִיז בִּידִיעָה כְּלָל. וְדָא אִקְרֵי נְקוּדָה עִלָּאָה. שֵׁם לְתַתָּא, דְּאִקְרֵי שֵׁם, מִקְצֵה הַשָּׁמַיִם וְעַד קְצֵה הַשָּׁמַיִם, בְּגִין דִּקְצֵה הַשָּׁמַיִם אִקְרֵי זִכָּרוֹן. וְהַאי שֵׁם, אִיהוּ נְקוּדָה דִּלְתַתָּא, דְּאִיהוּ שֵׁם מֵהַהוּא זִכָּרוֹן, דְּאִיהוּ קְצֵה הַשָּׁמַיִם, דְּנָטִיל כָּל חַיִּין דִּלְעֵילָּא. וְדָא אִיהוּ קְצֵה הַשָּׁמַיִם דִּלְתַתָּא. וְשֵׁם דִּילֵיהּ אִיהִי נְקוּדָה דִּלְתַתָּא. נְקוּדָה דָּא, אִיהוּ סֵפֶר דְּקַיְּימָא בְּחוּשְׁבְּנָא, וְדָא הוּא וּלְחוֹשְׁבֵי שְׁמוֹ. סֵפֶר דְּקָאַמְרָן, וְשֵׁם, וַחַד מִלָּה הוּא, בְּכָל סִטְרִין.

קב. נְקוּדָה דָּא בְּגִין דְּקַיְּימָא בְּאֶמְצָעִיתָא, אִיהִי עִלָּאָה עַל כָּל דְּאִתְאַחֲדָן בָּהּ. שִׁית סִטְרִין, אִתְאַחֲדָן בְּסֵפֶר עִלָּאָה, וְאִיהוּ עִלָּאָה עֲלַיְיהוּ. שִׁית סִטְרִין אִתְאַחֲדָן בְּסֵפֶר תַּתָּאָה, וְאִיהוּ עִלָּאָה עֲלַיְיהוּ. וְעַל דָּא, סֵפֶר עִלָּאָה, סֵפֶר תַּתָּאָה, וְכֹלָּא אִקְרֵי תּוֹרָה.

קג. מַה בֵּין הַאי לְהַאי. אֶלָּא, סֵפֶר עִלָּאָה אִיהוּ תּוֹרָה שֶׁבִּכְתָב. בְּגִין דְּאִיהִי סְתִימָא, וְלָא קַיְּימָא אֶלָּא בִּכְתָב, דְּתַמָּן אִיהוּ אֲתַר לְאִתְגַּלָּאָה לְתַתָּא. וּמַאן אִיהוּ עָלְמָא דְּאָתֵי. סֵפֶר תַּתָּאָה, דָּא תּוֹרָה דְּאִקְרֵי תּוֹרָה שֶׁבְּעַל פֶּה, וּמַאן אִיהוּ עַל פֶּה, אִלֵּין רְתִיכִין דִּלְתַתָּא, דְּאִיהִי קַיְּימָא עֲלַיְיהוּ. וּבְגִין דְּלָאו אִינּוּן בִּכְלָלָא דִּכְתִיבָה דִּלְעֵילָּא, אִקְרוּן עַל פֶּה.

קד. וְתוֹרָה דָּא קַיְּימָא עַל פֶּה, בְּגִין דִּכְתִּיב וּמִשָּׁם יִפָּרֵד וְהָיָה לְאַרְבָּעָה רָאשִׁים וְתוֹרָה עִלָּאָה, אע"ג דְּאִיהִי קַיְּימָא לְעֵילָּא, לָא אִקְרֵי עַל הַכְּתָב, אֶלָּא שֶׁבִּכְתָב, דְּקַיְּימָא בִּכְתָב, וְהַהוּא כְּתָב אִתְעָבֵיד הֵיכָלָא לְגַבֵּיהּ, וְאִיהִי קַיְּימָא גּוֹ הַהוּא הֵיכָלָא, וְאִתְטַמְּרַת תַּמָּן. וּבְגִין כַּךְ אִקְרֵי תּוֹרָה שֶׁבִּכְתָב, וְלָא עַל כְּתָב.

קה. אֲבָל תּוֹרָה דִּלְתַתָּא, אִיהִי קַיְּימָא עַל רְתִיכָהָא, וְאִקְרֵי עַל פֶּה, דְּקַיְּימָא עֲלַיְיהוּ. וּבְגִין דְּלָא אִתְחַשִּׁיבַת מִלְּגוֹ, מִכְּלָלָא דִּכְתִיבָה, לָא אִתְעֲבִידוּ הֵיכָלָא לְהַאי נְקוּדָה, כְּהַהִיא נְקוּדָה עִלָּאָה. וּבְגִין דְּקַיְּימָא עֲלַיְיהוּ אִקְרֵי תְּרוּמָה.

קו. תּוּ שְׁמַעְנָא מִבּוּצִינָא קַדִּישָׁא. תְּרוּמָה. מַהוּ תְּרוּמָה. כְּמָה דְּאוֹקִימְנָא, תְּרֵי

מִמְּאָה. ת״ח, כָּל אִינּוּן דַּרְגִּין קַדִּישִׁין, דִּי בְּרָזָא דִמְהֵימְנוּתָא, דְּקוּדְשָׁא בְּרִיךְ הוּא אִתְגְּלֵי בְּהוֹן, אִינּוּן עֶשֶׂר דַּרְגִּין, וְאִינּוּן עֶשֶׂר אֲשֶׁר אֲמִירָן, כְּמָה דְּאוּקְמוּהָ. וְאִלֵּין עֶשֶׂר סַלְקִין לִמְּאָה. וְכַד אִצְטְרִיךְ כָּל לְהַאי נְקוּדָה תַּתָּאָה לְאַרְמָא לָהּ, אָסִיר כָּל לְנַטְלָא לָהּ בִּלְחוֹדָהָא. אֶלָּא לָהּ וּלְבַעְלָהּ. וְאִינּוּן תְּרֵי מְאָה מֵאִינּוּן דְּקָאָמְרָן, בְּגִין דְּלָא אִצְטְרִיךְ לְאַפְרַשָׁא לוֹן כְּלָל, אֶלָּא לַיְחֲדָא לָהּ וּלְבַעְלָהּ. וְעַל דָּא אִתְקְרֵי תְּרוּמָה בִּכְלָלָא חֲדָא.

קו. וְתָא חֲזֵי, בְּכָל יוֹמָא כְּרוֹזָא קָאָרֵי, כָּל בְּנֵי עָלְמָא, בְּכוּ קַיְימָא מִלָּה דָּא, וְדָא הוּא קְרָא מֵאִתְּכֶם תְּרוּמָה לַיְיָ. וְאִי תֵּימָא דְּקַשְׁיָא מִלָּה עֲלַיְיכוּ. כָּל נְדִיב לִבּוֹ יְבִיאֶהָ.

קז. מַהוּ יְבִיאֶהָ. אֶלָּא מֵהָכָא אוּלִיפְנָא רָזָא לִצְלוֹתָא. דְּבַר נָשׁ דְּדָחִיל לְמָארֵיהּ וּמְכַוֵּין לִבֵּיהּ וּרְעוּתֵיהּ בִּצְלוֹתָא, אַתְקִין תִּקּוּנָא דִלְעֵילָּא, כְּמָה דְּאוּקִימְנָא. בְּקַדְמֵיתָא בְּשִׁירִין וְתוּשְׁבְּחָן, דְּקָאָמְרִין מַלְאָכִין עִלָּאִין לְעֵילָּא. וּבְהָהוּא סִדּוּרָא דְּתוּשְׁבְּחָן דְּקָא אָמְרֵי יִשְׂרָאֵל לְתַתָּא, אִיהִי קַשִּׁיטַת גַּרְמָהּ, וְאִתְתַּקְּנַת בְּתִקּוּנָהָא. כְּאִתְּתָא דְּאִתְקַשְּׁטַת לְבַעְלָהּ.

קט. וּבְסִדּוּרָא דִצְלוֹתָא, בְּהַהוּא תִּקּוּנָא דִצְלוֹתָא דִּמְיוּשָׁב, אַתְקִינוּ עוּלְמָתָהָא וְכָל אִינּוּן דִּילָהּ. וּמִתְקַשְׁטָן כָּל אִינּוּן בַּהֲדָהּ, לְבָתַר דְּאִתְתַּקַּן כֹּלָּא וְאִתְסַדְּרוּ, כַּד מָטוּ לֶאֱמֶת וְיַצִּיב, כְּדֵין כֹּלָּא מִתְתַּקְּנָא, אִיהִי וְעוּלְמָתָהָא, עַד דִּמְטוּ לִגְאַל יִשְׂרָאֵל, כְּדֵין אִצְטְרִיךְ לְמֵיקָם כֹּלָּא עַל קִיוּמַיְיהוּ.

קי. בְּגִין דְּכַד בַּר נָשׁ מָטֵי לֶאֱמֶת וְיַצִּיב, וְכֹלָּא אִתְתַּקַּן. עוּלְמָתָהָא נַטְלֵי לָהּ, וְאִיהִי נַטְלַת גַּרְמָהּ לְגַבֵּי מַלְכָּא עִלָּאָה. כֵּיוָן דִּמְטוּ לִגְאַל יִשְׂרָאֵל, כְּדֵין מַלְכָּא קַדִּישָׁא עִלָּאָה נָטִיל בְּדַרְגּוֹי, וְנָפִיק לְקַבְּלָא לָהּ.

קיא. וַאֲנַן, מְקַמֵּי מַלְכָּא עִלָּאָה בָּעֵינָן לְקַיְימָא עַל קִיוּמָא, בְּאֵימְנָא בִּרְעָדָה. דְּהָא כְּדֵין אוֹשִׁיט יְמִינֵיהּ לְגַבָּהּ, וּלְבָתַר שְׂמָאלֵיהּ, דְּשַׁוֵּי לָהּ תְּחוֹת רֵישֵׁיהּ, וּלְבָתַר אִתְחַבְּקוּ תַּרְוַויְיהוּ כַּחֲדָא בִּנְשִׁיקֵי. וְאִלֵּין אִינּוּן תְּלַת קַדְמַיְיתָא, וּבָעֵי בַּר נָשׁ לְשַׁוָּואָה לִבֵּיהּ וּרְעוּתֵיהּ, וּלְכַוְּונָא בְּכָל הָנֵי תִּקּוּנִין וְסִדּוּרִין דִּצְלוֹתָא. פּוּמֵיהּ וְלִבֵּיהּ וּרְעוּתֵיהּ כַּחֲדָא.

קיב. הַשְׁתָּא דְּמַלְכָּא עִלָּאָה וּמַטְרוֹנִיתָא אִינּוּן בְּחִבּוּרָא בְּחֶדְוָה בְּאִינּוּן נְשִׁיקִין. מַאן דְּאִצְטְרִיךְ לְמִשְׁאַל שְׁאֶלְתִּין, יִשְׁאַל. דְּהָא כְּדֵין כְּדֵין עִדָּנָא דִרְעוּתָא אִיהוּ. כֵּיוָן דְּשָׁאִיל בַּר נָשׁ שְׁאֶלְתּוֹי מְקַמֵּי מַלְכָּא וּמַטְרוֹנִיתָא, כְּדֵין יַתְקִין גַּרְמֵיהּ בִּרְעוּתֵיהּ וְלִבֵּיהּ לְתַלְתָּא אָחֳרָנִין, לְאַתְעֲרָא חֶדְוָה דִטְמִירוּ, דְּהָא מֵאִלֵּין תְּלַת אִתְבָּרְכָא בִּדְבֵקוּתָא אָחֳרָא. וְיַתְקִין בַּר נָשׁ גַּרְמֵיהּ לְמִיפַּק מִקַּמַּיְיהוּ, וּלְאַנְעֲלָא לוֹן בְּחֶדְוָה גְּנִיזָא דְּאִלֵּין תְּלַת. וְעַכַּ״ד, דִּיהֵא רְעוּתֵיהּ, דְּיִתְבָּרְכוּן תַּתָּאֵי, מֵאִינּוּן בִּרְכָאן דְּחֶדְוָה דַּטְמִירָא.

קיג. וּכְדֵין אִצְטְרִיךְ לְמִנְפַּל עַל אַנְפּוֹי, וּלְמִמְסַר נַפְשֵׁיהּ, בְּעִדָּנָא דְּאִיהִי נַקְטָא נַפְשִׁין רוּחִין. כְּדֵין אִיהִי שַׁעֲתָא לְמִמְסַר נַפְשֵׁיהּ בְּגוֹ אִינּוּן נַפְשִׁין דְּאִיהִי נַקְטָא, דְּהָא כְּדֵין צְרוֹרָא דְּחַיֵּי אִיהוּ כַּדְקָא יָאוֹת.

קיד. מִלָּה דָּא שְׁמַעְנָא בְּרָזִין דְּבוּצִינָא קַדִּישָׁא, וְלָא אִתְיְיהִיב לִי רְשׁוּ לְגַלָּאָה, בַּר לְכוּ חֲסִידֵי עֶלְיוֹנִין. דְּאִי בְּהַהוּא שַׁעֲתָא דְּאִיהִי נַקְטָא נַפְשִׁין וְרוּחִין בִּרְעוּ דִדְבֵקוּתָא חֲדָא, אִיהוּ יְשַׁוֵּי לִבֵּיהּ וּרְעוּתֵיהּ לְדָא, וְיָהִיב נַפְשֵׁיהּ בְּהַהוּא רְעוּתָא, לְאַכְלְלָא לָהּ בְּהַהוּא דִּבֵקוּתָא. אִי אִתְקַבְּלַת בְּהַהוּא שַׁעֲתָא רְעוּתָא, דְּאִינּוּן נַפְשִׁין רוּחִין וְנִשְׁמָתִין דְּאִיהִי נַקְטָא. הַאי אִיהוּ בַּר נָשׁ דְּאִתְצְרִיר בִּצְרוֹרָא דְּחַיֵּי בְּהַאי

עָלְמָא, וּבְעָלְמָא דְּאָתֵי.

קטו. וְתוּ דְּבַעְיָא לְאִתְכַּלְלָא מִכָּל סִטְרִין, מַלְכָּא וּמַטְרוֹנִיתָא, מִלְעֵילָּא וּמִתַּתָּא, וּלְאִתְעַטְּרָא בְּנִשְׁמָתִין בְּכָל סִטְרִין. אִתְעַטְּרַת בְּנִשְׁמָתִין מִלְעֵילָּא, וְאִתְעַטְּרַת בְּנִשְׁמָתִין מִתַּתָּא. וְאִי בַּר נָשׁ יְכַוֵּין לִבֵּיהּ וּרְעוּתֵיהּ לְכָל דָּא, וְיִמְסֹר נַפְשֵׁיהּ מִתַּתָּא בִּדְבֵקוּתָא בִּרְעוּתָא כְּמָה דְּאִתְמַר. כְּדֵין קֻבָּ"ה קָארֵי לֵיהּ שָׁלוֹם לְתַתָּא, כְּגַוְונָא דְּהַהוּא שָׁלוֹם דִּלְעֵילָּא. הַהוּא דְּבָרִיךְ לָהּ לְמַטְרוֹנִיתָא וְאַכְלִיל לָהּ וְאַעְטַר לָהּ בְּכָל עִטְרִין.

קטז. אוּף הָכִי, הַאי בַּר נָשׁ קֻבָּ"ה קָרֵי לֵיהּ שָׁלוֹם לְתַתָּא, כד"א וַיִּקְרָא לוֹ יְיָ' שָׁלוֹם. וְכָל יוֹמוֹי הָכִי קָרָאן לֵיהּ לְעֵילָּא, שָׁלוֹם. בְּגִין דְּאַכְלִיל וְאַעְטַר לְמַטְרוֹנִיתָא לְתַתָּא, כְּגַוְונָא דְּהַהוּא שָׁלוֹם לְעֵילָּא.

קיז. וְכַד אִסְתַּלַּק הַהוּא בַּר נָשׁ מֵהַאי עָלְמָא, נִשְׁמָתֵיהּ סַלְקָא וּבַקְעָא בְּכָל אִינּוּן רְקִיעִין, וְלֵית מַאן דְּיִמְחֵי בִּידָהּ. וְקֻבָּ"ה קָרֵי לָהּ וְאָמַר יָבֹא שָׁלוֹם. וּשְׁכִינְתָּא אָמְרָה, יָנוּחוּ עַל מִשְׁכְּבוֹתָם וְגוֹ'. וְיִפְתְּחוּן לָהּ תְּלֵיסַר טוּרֵי דְּאֲפַרְסְמוֹנָא דַּכְיָא, וְלָא יְהֵא מַאן דְּיִמְחֵי בִּידָהּ. וְע"ד, זַכָּאָה אִיהוּ מַאן דִּישַׁוֵּי לִבֵּיהּ וּרְעוּתֵיהּ לְדָא. וְעַל דָּא כְּתִיב, כֹּל נְדִיב לִבּוֹ יְבִיאֶהָ אֵת תְּרוּמַת יְיָ' לְגַבֵּי מַלְכָּא עִלָּאָה, כְּמָה דְּאִתְמַר.

קיח. אָרִים ר' אַבָּא קָלֵיהּ, וְאָמַר, וַוי ר' שִׁמְעוֹן, אַנְתְּ בְּחַיִּין, וַאֲנָא בָּכֵינָא עֲלָךְ. לָא עֲלָךְ בָּכֵינָא, אֶלָּא בָּכֵינָא עַל חַבְרַיָּיא, וּבָכֵינָא עַל עָלְמָא. רַבִּי שִׁמְעוֹן כְּבוֹצִינָא דִּשְׁרָגָא, דְּאַדְלִיק לְעֵילָּא וְאַדְלִיק לְתַתָּא. וּבִנְהוֹרָא דְּאַדְלִיק לְתַתָּא, נְהִירִין כָּל בְּנֵי עָלְמָא, וַוי לְעָלְמָא, כַּד יִסְתַּלַּק נְהוֹרָא דִּלְתַתָּא בִּנְהוֹרָא דִּלְעֵילָּא. מַאן יַנְהִיר נְהוֹרָא דְּאוֹרַיְיתָא לְעָלְמָא. קָם ר' אַבָּא וְנָשִׁיק לר' חִיָּיא. א"ל מִלִּין אִלֵּין הֲווּ תְּחוֹת יְדָךְ, וְע"ד קֻבָּ"ה שַׁדְּרַנִּי עַד הָכָא, לְאִתְחַבְּרָא עִמְּכוֹן זַכָּאָה חוּלָקִי.

קיט. רַבִּי יוֹסֵי פָּתַח קְרָא אֲבַתְרֵיהּ וְאָמַר, וְכָל חֲכַם לֵב בָּכֶם יָבֹאוּ וְיַעֲשׂוּ וְגוֹ', הַאי קְרָא אוֹקְמוּהָ. אֲבָל תָּא חֲזֵי, בְּשַׁעֲתָא דְּאָמַר קֻבָּ"ה לְמֹשֶׁה, הָבוּ לָכֶם אֲנָשִׁים חֲכָמִים וּנְבוֹנִים, אַשְׁגַּח בְּכָל יִשְׂרָאֵל, וְלָא אַשְׁכַּח נְבוֹנִים, הֲדָא הוּא דִּכְתִיב, וָאֶקַּח אֶת רָאשֵׁי שִׁבְטֵיכֶם אֲנָשִׁים חֲכָמִים וִידוּעִים, וְאִלּוּ נְבוֹנִים לָא כְּתִיב. וְאִי תֵּימָא דְּנָבוֹן אִיהוּ דַּרְגָּא עִלָּאָה מֵחָכָם, הָכִי אִיהוּ וַדַּאי.

קכ. מַה בֵּין הַאי לְהַאי. חָכָם, הָא אוֹקְמוּהָ, דַּאֲפִילּוּ תַּלְמִיד הַמַּחְכִּים לְרַבֵּיהּ אִקְרֵי חָכָם. חָכָם, דְּיָדַע לְגַרְמֵיהּ כָּל מַה דְּאִצְטְרִיךְ. נָבוֹן כַּמָּה דַּרְגִּין אִית בֵּיהּ, דְּאִסְתַּכַּל בְּכֹלָּא, וְיָדַע בְּדִילֵיהּ וּבְאַחֲרָנִין. וְסִימָנָךְ, יוֹדֵעַ צַדִּיק נֶפֶשׁ בְּהֶמְתּוֹ. צַדִּיק מוֹשֵׁל יִרְאַת אֱלֹהִים. וְהָכָא וַחֲכַם לֵב דַּיְיקָא. בְּלֵב חָכָם, וְלָא בְּאַתְרָא אַחֲרָא, בְּגִין דְּקַיְימָא בַּלֵּב, וְנָבוֹן לְעֵילָּא וְתַתָּא, אִסְתַּכַּל בְּדִילֵיהּ וּבְאַחֲרָנִין.

קכא. פָּתַח וְאָמַר, וַיֹּאמֶר לִי עַבְדִּי אַתָּה וְגוֹ', הָכָא בִּצְלוֹתָא דְּבָעֵי בַּר נָשׁ לְצַלָּאָה קַמֵּיהּ דְּקוּדְשָׁא בְּרִיךְ הוּא, דְּאִיהִי פּוּלְחָנָא חֲדָא רַבָּא וְיַקִּירָא, מֵאִינּוּן פּוּלְחָנִין דְּמָארֵיהּ. תָּא חֲזֵי, אִית פּוּלְחָנָא דְּקֻבָּ"ה, דְּקַיְימָא בְּעוּבָדָא, דְּאִיהוּ פּוּלְחָנָא דְּקַיְימָא בְּעוּבָדָא דְּגוּפָא, וְאִיהוּ פּוּלְחָנָא. וְאִית פּוּלְחָנָא דְּקֻבָּ"ה, דְּאִיהוּ פּוּלְחָנָא פְּנִימָאָה יַתִּיר, דְּאִיהוּ עִקָּרָא דְּכֹלָּא, קַיְימָא בְּהַהוּא פּוּלְחָנָא פְּנִימָאָה, דְּאִיהוּ עִקָּרָא דְּכֹלָּא.

קכב. בְּגוּפָא אִית תְּרֵיסַר שַׁיְיפִין, דְּקַיְימִין בְּעוּבָדָא דְּגוּפָא, כְּמָה דְּאוֹקִימְנָא. וְאִינּוּן שַׁיְיפִין דְּגוּפָא, וּפוּלְחָנָא דְּקֻבָּ"ה, דְּעוּבָדָא קַיְימָא בְּהוּ. בְּגִין דְּפוּלְחָנָא דְּקֻבָּ"ה, בִּתְרֵין סִטְרִין, שַׁיְיפִין דְּגוּפָא לְבַר, וְאִית תְּרֵיסַר שַׁיְיפִין אַחֲרָנִין, פְּנִימָאִין לְגוֹ מִן גּוּפָא. וְאִינּוּן

תקונין פנימאין לגו מן גופא, לאתתקנא בהו תקונא דרוחא, דאיהו פולחנא יקירא פנימאה דקב"ה, כמה דאוקימנא גו רזין פנימאין דקאמר ר"ש, ואינון רזא דחכמתא עלאה, ואתידיעו ביני חבריא, זכאה חולקהון.

קכג. צלותא דבר נש, איהו פולחנא דרוחא, ואיהו קיימא ברזין עלאין, וב"נ לא ידעין, דהא צלותא דבר נש בקעת אוירין, בקעת רקיעין, פתחת פתחין, וסלקא לעילא.

קכד. בשעתא דנהיר נהורא, ואתפרש נהורא מן חשוכא, כדין כרוזא אזלא בכלהו רקיעין, אתתקנו מארי דפתחין, מאריהון דהיכלין, כל חד וחד על מטריה. בגין דאינון דשלטניהון ביממא, לאו אינון דשלטניהון בליליא. וכד עאל ליליא, אתעברו שולטנין דיממא, ואתמנון שלטנין אחרנין, דשליטין בליליא, ואתחלפן אלין באלין.

קכה. ורזא דא, את המאור הגדול לממשלת היום וגו'. וממשלת היום וממשלת הלילה, שולטנין אינון די ממנן ביממא, ושולטנין אינון די ממנן בליליא. ואלין אקרון ממשלת היום. ואלין אקרון ממשלת הלילה.

קכו. כד עאל ליליא, כרוזא נפקא, אתתקנו שולטנין דליליא, כל חד וחד לאתריה. וכד נהיר יממא, כרוזא נפקא, אתתקנו שולטנין דיממא, כל חד וחד לאתריה. וכד כרוזא אכריז, כדין כלהו כל חד וחד, אתפקד על ההוא אתר דאתחזי ליה. כדין שכינתא קדמא, ונחתא, וישראל עאלין לבי כנישתא, לשבחא למאריהון, פתחין בשירין ותושבחן.

קכז. דבעי ליה לב"נ, כיון דאתקין גרמיה בפולחנא דעובדא, בתקוני דמצוה וקדושה, ליחדא ליה בתקונא דפולחנא פנימאה דמאריה, ולשואה ליה ורעותיה בההוא פולחנא דאינון מלין, דהא מלה סלקא.

קכח. ואינון ממנן דקיימין באוירא, אתמנון לד' סטרי עלמא. לסטר מזרח אתמנא ממנא חד, דקיימא באוירא לההוא סטרא, גזרדי"א שמיה, ועמיה סרכין ממנן אחרנין, דאינון מחכאן לההיא מלה דצלותא, וסלקא באוירא בההוא סטרא, ונטיל לה האי ממנא.

קכט. אי היא מלה כדקא יאות, הוא, וכל אינון סרכין נשקין לההיא מלה, וסלקין עמה עד ההוא אוירא דרקיעא לעילא, דתמן ממנן סרכין אחרנין. בשעתא דנשקי לההיא מלה, פתחי ואמרי, זכאין אתון ישראל, דידעיתו לאעטרא למאריכון בעטרין קדישין, זכאה איהו פומא, דמלה דעטרא דא נפקא מניה.

קל. כדין פרחין אתוון דקיימין באוירא, דבשמא קדישא דתריסר אתוון, דההוא שמא שליט באוירא, והאי איהו שמא, דהוה טאס ביה אליה"ו, עד דאסתלק לשמיא. והיינו דקאמר עובדיה לאליהו, ורוח יי' ישאך. בגין דבשמא דא, הוה אליהו טאס ביה באוירא, והאי איהו שמא דשליט באוירא.

קלא. ואינון אתוון פרחין וסלקין בההיא מלה, וההוא ממנא דמפתחן דאוירא בידיה, וכל אינון ממנן אחרנין, כלהו סלקין ביה עד רקיעא, ואתמסר בידא דממנא אחרא, לסלקא לעילא.

הסולם

קלב. לִסְטַר דָּרוֹם, אִית מְמָנָא אַחֲרָא דְּשַׁלְטָא בַּאֲוִירָא לְהַהוּא סְטָר, וְכַמָּה מְמָנָן אַחֲרָנִין וְסַרְכִין עִמֵּיהּ. פְּסַגְנִיָּ"ה שְׁמֵיהּ, וְלֵיהּ אִתְמְסָרָאן מַפְתְּחָן דַּאֲוִירָא לְהַהוּא סְטָר. וְכָל אִינּוּן מָארֵי דְּעָקוּ, דְּצַלָּאן צְלוֹתָא לְמָארֵיהוֹן מִגּוֹ עַקְתָּא, מִגּוֹ תְּבִירוּ דְּלִבָּא, אִי הַהִיא מִלָּה כַּדְקָא יָאוּת, סַלְקָא לַאֲוִירָא בְּהַהוּא סִטְרָא, וְנָטִיל לָהּ הַאי מְמָנָא, וְנָשִׁיק לָהּ כַּד נָשִׁיק לָהּ, פָּתַח וְאָמַר, קוּדְשָׁא בְּרִיךְ הוּא יָחוּס עָלָךְ, וּבְגִינָךְ יִתְמְלֵי רַחֲמִין.

קלג. סַלְקִין עִמֵּיהּ כָּל אִינּוּן מְמָנָן קַדִּישִׁין, וְכָל אִינּוּן סַרְכִין דְּהַהוּא סִטְרָא. וּפִתְחִין אַתְוָון דִּשְׁמָא קַדִּישָׁא, דְּאִינּוּן ד' אַתְוָון, דְּמִתְעַטְּרִין וְשַׁלְטִין בְּהַהוּא סִטְרָא דַּאֲוִירָא, וְסַלְקִין בְּהַהוּא סִטְרָא דַּאֲוִירָא, עַד רְקִיעָא, עַד הַהוּא מְמָנָא דִּרְקִיעָא דְּשַׁלִּיט בְּהַהוּא סִטְרָא.

קלד. לִסְטַר צָפוֹן, אִית מְמָנָא אַחֲרָא, וְעִמֵּיהּ כַּמָּה סַרְכִין מְמָנָן דְּשַׁלְטִין בַּאֲוִירָא, וְהַהוּא מְמָנָא פְּתוּזִיָּ"ה שְׁמֵיהּ, וְהַאי אִתְמַנָּא בַּאֲוִירָא לְהַהוּא סִטְרָא, וְכָל אִינּוּן דִּמְצַלָּאן צְלוֹתִין עַל בַּעֲלֵי דְּבָבוּ דְּעָקִין לוֹן, וְכַד מִלָּה דְּהַהִיא צְלוֹתָא סַלְקָא לַאֲוִירָא בְּהַהוּא סִטְרָא, אִי זַכָּאָה הוּא, נָטִיל לָהּ הַאי מְמָנָא, וְנָשִׁיק לָהּ.

קלה. כְּדֵין אִתְעַר רוּחָא וַחֲדָא דְּנָפְקָא מִגּוֹ תְּהוֹמָא בְּסִטְרָא דְּצָפוֹן, וְהַהוּא רוּחָא קָארֵי בְּכָל אִינּוּן אֲוִירִין, וְנַטְלֵי כֻּלְּהוּ הַהִיא מִלָּה, וְסַלְקִין לָהּ עַד רְקִיעָא וְנַשְׁקִין לָהּ. פָּתְחֵי וְאַמְרֵי, מָרָךְ יִרְמֵי שַׂנְאָךְ לְקָמָךְ.

קלו. וְאָזְלָא וְסַלְקָא וּבַקְעָא אֲוִירִין עַד דְּסַלְקִין עִמָּהּ לְגַבֵּי רְקִיעָא קַדְמָאָה סַלְקָא צְלוֹתָא, וּמָטָאת לְגַבֵּי וַחַד מְמָנָא, דְּאִתְמַנָּא לִסְטַר מַעֲרָב, וְתַמָּן קַיָּימִין תִּשְׁעָה פִּתְחִין, וּבְהוּ קַיָּימִין כַּמָּה סַרְכִין, וְכַמָּה מְמָנָן, וַעֲלַיְיהוּ מְמָנָא וַחַד דִּי שְׁמֵיהּ זְבוּלִי"אֵל.

קלז. וְדָא אִיהוּ דְּבָעֵי לְשַׁמְּשָׁא בְּהַאי רְקִיעָא בִּימָמָא, וְלָא אִתְיְהִיב לֵיהּ רְשׁוּ, עַד דְּסָלִיק נְהוֹרָא דְּסִיהֲרָא, וּכְדֵין אַפִּיק כָּל אִינּוּן חַיָּילִין, וְכָל אִינּוּן מְמָנָן. וְכַד נָהִיר יְמָמָא, עָאלִין כֻּלְּהוּ בְּפִתְחָא וַחֲדָא, דְּאִיהוּ פִּתְחָא עִלָּאָה עַל כֻּלְּהוּ. וְכַד צְלוֹתָא סַלְקָא, עָאלַת בְּהַהוּא פִּתְחָא, וְכֻלְּהוּ סַרְכִין, וְכֻלְּהוּ מְמָנָן, נָפְקִין מֵהַהוּא פִּתְחָא. וַעֲלֵיהוֹן זְבוּלִיאֵ"ל, הַהוּא רַב מְמָנָא, וְנַפְקֵי כֻּלְּהוּ וְנַשְׁקֵי לָהּ, וּמָטָאן עִמָּהּ עַד רְקִיעָא תִּנְיָינָא.

קלח. וְכַד סַלְקָא צְלוֹתָא עַד הַהוּא רְקִיעָא, אִתְפַּתְחוּ תְּרֵיסָר תַּרְעִין דְּהַהוּא רְקִיעָא. וּבְהַהוּא תַּרְעָא דִּתְרֵיסָר, קָאֵים מְמָנָא וַחַד, דִּשְׁמֵיהּ עֲנָ"אֵל, וְהַאי מְמָנָא עַל כַּמָּה חַיָּילִין, עַל כַּמָּה מַשִּׁרְיָין, וְכַד צְלוֹתָא סַלְקָא, קָאֵים הַאי מְמָנָא וְכָרִיז עַל כָּל אִינּוּן פִּתְחִין וְאָמַר, פִּתְחוּ שְׁעָרִים וְגוֹ', וְכֻלְּהוּ תַּרְעִין פִּתִיחִין, וְעָאלַת צְלוֹתָא בְּכָל אִינּוּן פִּתְחִין.

קלט. כְּדֵין, אִתְעַר וַחַד מְמָנָא סָבָא דְּיוֹמִין, דְּקָאֵים לִסְטַר דָּרוֹם, דִּשְׁמֵיהּ עֲזְרִיאֵ"ל סָבָא, וּלְזִמְנִין אִתְקְרֵי מַחֲנִיאֵ"ל, בְּגִין דְּאִתְמַנָּא עַל שִׁתִּין רִבּוֹא מַשִּׁרְיָין, וְכֻלְּהוּ מָארֵי דְּגַדְפִּין, מָארֵי דְּמַשִּׁרְיָין, מַלְיָין עַיְינִין. וּלְגַבַּיְיהוּ קַיָּימִין אִינּוּן מַשִּׁרְיָין מָארֵיהוֹן דְּאוּדְנִין. וְאִקְרוּן אוּדְנִין, בְּגִין דְּאִינּוּן צַיְיתִין, כָּל אִינּוּן דִּמְצַלָּאן צְלוֹתְהוֹן בִּלְחִישׁוּ, בִּרְעוּתָא דְּלִבָּא, דְּלָא אִשְׁתְּמַע הַהוּא צְלוֹתָא לְאַחֲרָא. הַאי צְלוֹתָא סַלְקָא, וְצַיְיתִין לָהּ כָּל אִינּוּן דְּאִקְרוּן מָארֵי דְּאוּדְנִין.

קמ. וְאִי הַהִיא צְלוֹתָא אִשְׁתְּמַע לְאוּדְנִין דְּבַר נָשׁ, לֵית מַאן דְּצַיְית לָהּ לְעֵילָּא, וְלָא צַיְיתִין לָהּ אַחֲרָנִין, בַּר מַאן דְּשָׁמַע בְּקַדְמֵיתָא, בְּגִין כָּךְ בָּעֵי לְאִסְתַּמְרָא דְּלָא יִשְׁמְעוּן לְהַהִיא צְלוֹתָא בְּנֵי נָשָׁא. וְתוּ, דְּמִלָּה דִּצְלוֹתָא אִתְאַחֲדָא בְּעָלְמָא עִלָּאָה, וּמִלָּה דְּעָלְמָא

עִלָּאָה, לָא אִצְטְרִיךְ לְמִשְׁמַע.

קמא. כְּגַוְונָא דָּא, מַאן דְּקָרֵי בְּסִפְרָא דְּאוֹרַיְיתָא, חַד קָרֵי, וְחַד לִשְׁתּוֹק, וְאִי תְּרֵי קָרָאן בְּאוֹרַיְיתָא, גָּרְעֵי מֵהֵימְנוּתָא דִּלְעֵילָּא, בְּגִין דְּחַד קָלָא וְדִיבּוּר כֹּלָּא חַד כַּדִּין תְּרֵין קָלִין וּתְרֵין דִּבּוּרִין, אִיהוּ גְּרִיעוּתָא דִּמְהֵימְנוּתָא. אֶלָּא דִּיהֵא קָלָא וְדִבּוּר וְחַד כְּמָה דְּאִצְטְרִיךְ, בְּגִין דִּיהֵא הַהוּא קָלָא וְהַהוּא דִּבּוּר חַד.

קמב. וְהַהוּא מְמַנָּא, שְׁמֵיהּ עֲזְרִי"אֵל סָבָא. כַּד הַהִיא צְלוֹתָא סַלְקָא בִּלְחִישׁוּ, כָּל אִינּוּן שִׁתִּין רִבּוֹא מַשִׁרְיָין, וְכָל אִינּוּן מָארֵי דְּעַיְינִין, וְכָל אִינּוּן מָארֵי דְּאוּדְנִין, כֻּלְּהוּ נָפְקֵי וְנַשְׁקֵי לְהַהִיא מִלָּה דִּצְלוֹתָא דְּסַלְקָא. הה"ד, עֵינֵי יְיָ' אֶל צַדִּיקִים וְאָזְנָיו אֶל שַׁוְעָתָם. עֵינֵי יְיָ' אֶל צַדִּיקִים, אִלֵּין מָארֵי דְּעַיְינִין דִּלְתַתָּא, בְּגִין דְּאִית מָארֵי דְּעַיְינִין לְעֵילָּא. וְאָזְנָיו אֶל שַׁוְעָתָם, אִלֵּין מָארֵיהוֹן דְּאוּדְנִין.

קמג. רְקִיעָא תְּלִיתָאָה, הַהִיא צְלוֹתָא סַלְקָא וּמָטֵי לְהַהוּא רְקִיעָא, וְתַמָּן הַהוּא מְמַנָּא דְּאִקְרֵי גַּדְרִיָ"ה, וְעִמֵּיהּ כַּמָּה סַרְכִין וְכַמָּה מְמַנָּן. וְאִיהוּ מְשַׁמֵּשׁ ג' זִמְנִין בְּיוֹמָא, לְקָבֵל חַד שַׁרְבִיטָא דִּזְהִירָא דְּנָפִיק, סָלִיק וְנָחִית וְלָא קַיְימָא בְּאֲתַר חַד, וְהַאי אִיהוּ שַׁרְבִיטָא דְּנָטִיל ג' זִמְנִין וְאִתְגְּנִיז. וְכַד צְלוֹתָא סַלְקָא, נָחִית הַהוּא שַׁרְבִיטָא, וְסָגִיד קַמֵּי הַהוּא צְלוֹתָא, וְאִקְרֵי הַאי רְקִיעָא, רְקִיעָא דְּשַׁרְבִיטָא.

קמד. וְכַד סַלְקָא הַהִיא צְלוֹתָא, הַהוּא מְמַנָּא בָּתַר דְּסָגִיד, בָּטַשׁ, בְּהַהוּא שַׁרְבִיטָא בְּטִינָרָא, תַּקִּיפָא דִּזְהִיר, דְּאִיהוּ קָאִים בְּאֶמְצָעִיתָא דְּהַהוּא רְקִיעָא, וְנַפְקוּ מִגּוֹ הַהוּא טִינָרָא, תְּלַת מְאָה וְשַׁבְעִין וְחָמֵשׁ חַיָּילִין דְּאִינּוּן גְּנִיזִין תַּמָּן מִן יוֹמָא דְּאוֹרַיְיתָא נָחֲתַת לְאַרְעָא, בְּגִין דְּאִתְתַּקְּפוּ לְסָרְבָא דְּלָא תֵּיחוּת לְאַרְעָא, וְאַנְזִיף בְּהוּ קוּדְשָׁא בְּרִיךְ הוּא, וְעָאלוּ גּוֹ הַהוּא טִינָרָא. וְלָא נָפְקִין בַּר הַהוּא זִמְנָא דִּצְלוֹתָא סַלְקָא, פָּתְחֵי וְאַמְרֵי יְיָ' אֲדוֹנֵינוּ מָה אַדִּיר שִׁמְךָ וְגוֹ'. דָּא הִיא צְלוֹתָא, דְּסַלְקָא עַל כָּל אִינּוּן רְקִיעִין. כְּדֵין סָגְדִין לְגַבָּהּ.

קמה. מִכָּאן וּלְהָלְאָה, צְלוֹתָא מִתְעַטְּרָא בְּעִטְרִין עִלָּאִין, וְסַלְקָא לְגוֹ רְקִיעָא רְבִיעָאָה, וּכְדֵין שִׁמְשָׁא נָפִיק בְּדַרְגוֹי, וְשַׁמְשִׁי"אֵל רַב מְמַנָּא נָפִיק, וּתְלַת מְאָה וְשִׁתִּין וְחָמֵשׁ מַשִׁרְיָין סַלְקִין עִמֵּיהּ, לְגוֹ הַהוּא רְקִיעָא, וְאִקְרוּן יְמוֹת הַחַמָּה, וְכֻלְּהוּ מְעַטְּרָן לְהַהִיא צְלוֹתָא, בְּעִטְרִין דְּבוּסְמִין דְּגִנְתָּא דְּעֵדֶן.

קמו. וְתַמָּן אִתְעַכְּבַת צְלוֹתָא, עַד דְּכֻלְּהוּ מַשִׁרְיָין סַלְקִין עִמָּהּ לְגוֹ הַהוּא רְקִיעָא חֲמִישָׁאָה, וְתַמָּן אִיהוּ מְמַנָּא חַד גַּדְרִי"אֵל שְׁמֵיהּ, וְהוּא מָארֵי קְרָבִין דִּשְׁאָר עַמִּין. וְכַד צְלוֹתָא סַלְקָא, כְּדֵין אִזְדַּעְזַע הוּא, וְכָל מַשִׁרְיָין דִּילֵיהּ, וְאִתְבַּר חֵילַיְיהוּ, וְנַפְקֵי וְסַגְדֵי, וּמְעַטְּרִין לְהַהִיא צְלוֹתָא.

קמז. וְסַלְקִין עִמָּהּ עַד דְּמָטוּ לְגַבֵּי רְקִיעָא שְׁתִיתָאָה, וּכְדֵין נָפְקִין כַּמָּה חַיָּילִין, וְכַמָּה מַשִׁרְיָין, וּמְקַבְּלִין לְהַהוּא צְלוֹתָא, וְסַלְקִין בַּהֲדָהּ, עַד דְּמָטוּ לְשַׁבְעִין תַּרְעִין, דְּתַמָּן קָאִים חַד מְמַנָּא, דִּי שְׁמֵיהּ עֲנָפִי"אֵל, רַב מְמַנָּא. וְאִיהוּ מְעַטֵּר לְהַהִיא צְלוֹתָא, בְּשַׁבְעִין עִטְרִין.

קמח. וְכֵיוָן דְּמִתְעַטְּרָא צְלוֹתָא בְּכָל הָנֵי עִטְרִין, כְּדֵין מִתְחַבְּרָן כָּל אִינּוּן חַיָּילִין דְּכֻלְּהוּ רְקִיעִין, וְסַלְקִין לְהַהִיא צְלוֹתָא דְּמִתְעַטְּרָא בְּכָל עִטְרִין, לְגַבֵּי רְקִיעָא שְׁבִיעָאָה. וּכְדֵין עָאלַת צְלוֹתָא, וְסַנְדַּלְפוֹ"ן רַב יַקִּירָא עִלָּאָה דְּכָל מַפְתְּחָן דְּמָארֵיהּ בִּידֵיהּ, אָעִיל לְהַהוּא צְלוֹתָא, לְגוֹ שִׁבְעָה הֵיכָלִין.

קמט. שִׁבְעָה הֵיכָלִין אִלֵּין, אִינּוּן הֵיכָלִין דְּמַלְכָּא, וְהַאי צְלוֹתָא כַּד מִתְעַטְּרָא בְּכָל הָנֵי עִטְרִין, כַּד עָאלַת, מְחַבַּר לוֹן כַּחֲדָא, לְאִתְעַטְּרָא לְעֵילָּא לְמֶהֱוֵי כֹּלָּא חַד כַּדְקָא

יָאוֹת. וּשְׁמָא דְקֻבּ״ה, מִתְעַטְּרָא בְּכָל עִטְרִין, עֵילָּא וְתַתָּא, לְמֶהֱוֵי וַחַד, וּכְדֵין בְּרָכוֹת לְרֹאשׁ צַדִּיק כְּתִיב.

קנ. זַכָּאָה חוּלָקֵיהּ דְּבַר נָשׁ, דְּיָדַע לְסַדְּרָא צְלוֹתֵיהּ כַּדְקָא יָאוֹת. בְּהַאי צְלוֹתָא דְּמִתְעַטְּרָא בֵּיהּ קֻבּ״ה, אִיהוּ מְחַכֶּה עַד דְּיִסְתַּיְּימוּן כָּל צְלוֹתְהוֹן דְּיִשְׂרָאֵל, וּכְדֵין כֹּלָּא אִיהוּ בִּשְׁלִימוּ כַּדְקָא יָאוֹת, עֵילָּא וְתַתָּא. עַד הָכָא מִלִּין דִּצְלוֹתָא, לְמִנְדַּע רָזִין עִלָּאִין, מִכָּאן וּלְהָלְאָה אִית פִּקּוּדֵי אוֹרַיְיתָא, דְּאִינּוּן קַיְּימִין בְּמִלָּה, כְּמָה דְקַיְּימִין בְּעוֹבָדָא.

קנא. וְאִינּוּן שִׁית פִּקּוּדִין, וְקַיְּימִין אוּף הָכָא בִּצְלוֹתָא. וַחַד, לְיִרְאָה אֶת הַשֵּׁם הַנִּכְבָּד וְהַנּוֹרָא. תִּנְיָינָא, לְאַהֲבָה אוֹתוֹ. תְּלִיתָאָה, לְבָרְכוֹ. רְבִיעָאָה, לְיַחֲדוֹ. חֲמִישָׁאָה, לְבָרֵךְ כַּהֲנָא יַת עַמָּא. שְׁתִיתָאָה, לְמִסּוֹר נִשְׁמָתֵיהּ לֵיהּ. וְאִלֵּין שִׁית פִּקּוּדִין דְּקַיְּימִין בִּצְלוֹתָא דְּמִלָּה, בַּר אִינּוּן פִּקּוּדִין דְּקַיְּימִין בְּעוֹבָדָא, כְּגַוְונָא דְּצִיצִית וּתְפִלִּין.

קנב. לְיִרְאָה אֶת הַשֵּׁם, פִּקּוּדָא דָּא קַיְּימָא בְּאִלֵּין תּוּשְׁבְּחָן דְּקָאָמַר דָּוִד מַלְכָּא, וּבְאִינּוּן קָרְבָּנִין דְּאוֹרַיְיתָא, דְּתַמָּן בָּעֵי בַּר נָשׁ לְדַחֲלָא מִקַּמֵּי מָארֵיהּ, בְּגִין דְּאִינּוּן שִׁירִין קַיְּימִין בְּהַהוּא אֲתַר דְּאִקְרֵי יִרְאָה. וְכָל אִינּוּן הַלְלוּיָהּ, דְּאִינּוּן רָזָא דְּיִרְאָה דְּקֻבּ״ה. וּבָעֵי בַּר נָשׁ לְשַׁוָּאָה רְעוּתֵיהּ בְּאִינּוּן שִׁירִין בְּיִרְאָה, וְאוּקְמוּהָ חַבְרַיָּיא כָּל אִינּוּן רָזִין דְּשִׁירִין וְתוּשְׁבְּחָן, וְכָל אִינּוּן רָזִין דְּהַלְלוּיָהּ.

קנג. כֵּיוָן דְּמָטֵי ב״נ לְיִשְׁתַּבַּח, יְשַׁוֵּי רְעוּתֵיהּ לְבָרְכָא לֵיהּ לְקֻבּ״ה, כְּגוֹן יוֹצֵר אוֹר, יוֹצֵר הַמְּאוֹרוֹת. לְאַהֲבָה אוֹתוֹ, כַּד מָטֵי לְאַהֲבַת עוֹלָם, וְאָהַבְתָּ אֵת יְיָ' אֱלֹהֶיךָ, דְּדָא אִיהוּ רָזָא דִּרְחִימוּ דְּקֻבּ״ה, וְהָא אוּקְמוּהָ. לְיַחֲדָא לֵיהּ, שְׁמַע יִשְׂרָאֵל יְיָ' אֱלֹהֵינוּ יְיָ' אֶחָד, דְּהָכָא קַיְּימָא רָזָא דְּיִחוּדָא דְּקֻבּ״ה, לְיַחֲדָא שְׁמֵיהּ בִּרְעוּתָא דְּלִבָּא כַּדְקָא חֲזֵי. וּמִתַּמָּן וּלְהָלְאָה אַדְכָּרוּתָא דִּיצִיאַת מִצְרַיִם, דְּאִיהוּ פִּקּוּדָא לְאַדְכְּרָא יְצִיאַת מִצְרַיִם דִּכְתִיב וְזָכַרְתָּ כִּי עֶבֶד הָיִיתָ בְּאֶרֶץ מִצְרָיִם.

קנד. לְבָרְכָא כַּהֲנָא יַת עַמָּא, בְּגִין לְאַכְלְלָא יִשְׂרָאֵל כַּחֲדָא, בְּשַׁעֲתָא דְּנַטְלִין בִּרְכָאן לְעֵילָּא, דְּהָא בְּהַהִיא שַׁעֲתָא נַטְלָא כְּנֶסֶת יִשְׂרָאֵל בִּרְכָאן, וְשַׁעֲתָא דִּרְעוּתָא הוּא, לְמִסּוֹר נַפְשֵׁיהּ לְגַבֵּיהּ, וּלְמֵיהַב לֵיהּ נִשְׁמְתָא בִּרְעוּתָא דְּלִבָּא, כַּד נַפְלִין עַל אַנְפִּין, וְאָמְרִין אֵלֶיךָ יְיָ' נַפְשִׁי אֶשָּׂא, דִּיכַוֵּין לִבֵּיהּ וּרְעוּתֵיהּ לְגַבֵּיהּ, לְמִמְסַר לֵיהּ נַפְשָׁא בִּרְעוּתָא שְׁלִים. וְאִלֵּין אִינּוּן שִׁית פִּקּוּדִין דְּקַיְּימִין בִּצְלוֹתָא, דְּסַלְּקִין לְגַבֵּי שִׁית מֵאָה פִּקּוּדִין דְּאוֹרַיְיתָא.

קנה. וְאִי תֵּימָא תְּלֵיסַר אַחֲרָנִין יַתִּיר. אִינּוּן קַיְּימִין לְאַמְשָׁכָא תְּלֵיסַר מְכִילָן דְּרַחֲמֵי, דְּכֹלָּא כְּלִילָן בְּהוּ. שִׁית פִּקּוּדִין אִלֵּין, דִּצְלוֹתָא מִתְעַטְּרָא בְּהוּ.

קנו. זַכָּאָה חוּלָקֵיהּ, מַאן דִּישַׁוֵּי לִבֵּיהּ וּרְעוּתֵיהּ לְדָא, וּלְאַשְׁלְמָא לוֹן בְּכָל יוֹמָא. וּבְאִלֵּין תַּלְיָין אַחֲרָנִין סַגִּיאִין. אֲבָל כַּד מָטֵי בַּר נָשׁ לְאַתְרִין אִלֵּין, אִצְטְרִיךְ לֵיהּ לְכַוְּונָא לִבֵּיהּ וּרְעוּתֵיהּ, לְאַשְׁלְמָא הַהוּא פִּקּוּדָא דְּקַיְּימָא בְּהַהוּא מִלָּה. וּכְדֵין אַכְרִיזוּ עָלֵיהּ וְאַמְרֵי, וַיֹּאמֶר לִי עַבְדִּי אַתָּה יִשְׂרָאֵל אֲשֶׁר בְּךָ אֶתְפָּאָר. אָתָא ר' אַבָּא וּנְשָׁקֵיהּ.

קנז. פָּתַח ר' יִצְחָק אֲבַתְרֵיהּ וְאָמַר, וַיַּקְהֵל מֹשֶׁה אֶת כָּל עֲדַת בְּנֵי יִשְׂרָאֵל וְגוֹ'. אַמַּאי כָּנִישׁ לוֹן. בְּגִין לְמִמְסַר לוֹן שַׁבָּת כְּמִלְּקַדְמִין, דְּהָא בְּקַדְמֵיתָא עַד לָא עָבְדוּ בְּנֵי יִשְׂרָאֵל יַת עֶגְלָא, מָסַר לוֹן אֶת הַשַּׁבָּת. וְדָא אִיהוּ דְּלָא נַטְרוּ אִינּוּן עֶרֶב רַב. כֵּיוָן דְּשַׁמְעוּ בֵּינֵי וּבֵין בְּנֵי יִשְׂרָאֵל, אָמְרוּ וַאֲנָן מִלָּה דָּא אִתְמְנַע מִינָן, מִיַּד וַיִּקָּהֵל הָעָם עַל אַהֲרֹן וְגוֹ', וְאִתְמְשָׁכוּ סַגִּיאִין אֲבַתְרַיְיהוּ. לְבָתַר דְּמִיתוּ אִינּוּן דְּמִיתוּ, כָּנִישׁ מֹשֶׁה לִבְנֵי

יִשְׂרָאֵל בִּלְחוֹדַיְיהוּ, וְיָהַב לוֹן שַׁבָּת כְּמִלְּקַדְמִין, הֲדָא הוּא דִכְתִיב שֵׁשֶׁת יָמִים תֵּעָשֶׂה מְלָאכָה וְגוֹ'.

קנח. לֹא תְבַעֲרוּ אֵשׁ בְּכֹל מוֹשְׁבוֹתֵיכֶם, הָכָא אִית רָזָא דְרָזִין, לְאִינּוּן דְּיָדְעֵי וְחָכְמְתָא עִלָּאָה, רָזָא דְשַׁבָּת הָא אוּקְמוּהָ חַבְרַיָּיא. אֲבָל רָזָא דָא, אִתְמְסַר לְחַכִּימֵי עֶלְיוֹנִין, דְּהָא שַׁבָּת רָזָא עִלָּאָה הוּא.

קנט. ת"ח בְּשַׁעֲתָא דְיוֹמָא שְׁתִיתָאָה מָטָא זִמְנָא דְעֶרֶב, כְּדֵין, כֹּכָבָא חַד מִסִּטְרָא דְּצָפוֹן נָהִיר, וְעִמֵּיהּ שַׁבְעִין כֹּכְבִין אָחֳרָנִין, וְהַהוּא כֹּכָבָא בָּטֵשׁ בְּאִינּוּן כֹּכְבִין אָחֳרָנִין, וְאִתְכְּלִילוּ כֻּלְּהוּ בְּהַהוּא כֹּכָבָא, וְאִתְעֲבִיד חַד כְּלָלָא דְשַׁבְעִין. וְהַהוּא כֹּכָבָא אִתְפָּשַׁט, וְאִתְעֲבִיד כִּמְדוּרָא וְחֲדָא, לְהִיטָא בְּכָל סִטְרִין. כְּדֵין אִתְפָּשַׁט הַהוּא מְדוּרָא סְחֲרָנֵייהוּ דְּאֶלֶף טוּרִין, וְקַיְּימָא כְּחַד חוּטָא דִסְחֲרָא.

קס. וְהַאי מְדוּרָא דְּאֶשָּׁא, מָשִׁיךְ לְגַבֵּיהּ גַּוְונִין אָחֳרָנִין דִּלְגוֹ מִנֵּיהּ. גַּוְון קַדְמָאָה יְרוֹקָא. כֵּיוָן דְּקַיְּימָא הַאי גַּוְונָא, סַלְּקָא הַהוּא מְדוּרָא דְּאֶשָּׁא, וְדָלִיג לְעֵילָּא עַל הַהוּא גַּוְון יְרוֹקָא, וְעָאל לְגוֹ מִנֵּיהּ, וְשַׁדֵּי לְהַהוּא גַּוְון יְרוֹקָא לְבַר, וְקַיְּימָא יְרוֹקָא לְבַר, וְהַהוּא מְדוּרָא דְּאֶשָּׁא דְּכֹכָבָא כְּלִילָא לְגוֹ.

קסא. לְבָתַר, אַמְשִׁיךְ אֲבַתְרֵיהּ גַּוְון אַחֲרָא תִּנְיָינָא חִוָּורָא, וְהַהוּא חִוָּורָא עָאל לְגוֹ, כֵּיוָן דְּקַיְּימָא הַאי גַּוְון, סַלְּקָא הַהוּא מְדוּרָא דְּאֶשָּׁא דְּהַהוּא כֹּכָבָא, וְשַׁדֵּי לְהַהוּא חִוָּורָא לְבַר, וְעָאל אִיהוּ לְגוֹ. וְכֵן כָּל אִינּוּן גַּוְונִין, עַד דְּשַׁדֵּי לוֹן לְבַר, וְעָיֵיל אִיהוּ לְגוֹ, וְקָרִיב לְגַבֵּי הַהִיא נְקוּדָה טְמִירָא, לְמֵיטַל נְהוֹרָא.

קסב. פָּתַח וְאָמַר, וָאֵרֶא וְהִנֵּה רוּחַ סְעָרָה בָּאָה מִן הַצָּפוֹן וְגוֹ'. יְחֶזְקֵאל חָמָא לְהַאי חֵיזוּ, בְּתִקּוּנָא דְּלָא קַיְּימָא, בַּר בְּשַׁעֲתָא דְשַׁלִּיט הַהוּא כֹּכָבָא כִּדְקָאָמְרָן, אֲבָל הַאי קְרָא אוּקְמוּהָ. וְהִנֵּה רוּחַ סְעָרָה, אוּקְמוּהָ, דַּהֲוָה אָתֵי לְמִכְבַּשׁ כָּל עָלְמָא, לְקַמֵּיהּ דִּנְבוּכַדְנֶצַּר חַיָּיבָא. אֲבָל רוּחַ סְעָרָה דָא, אִיהוּ הַהוּא כֹּכָבָא דְּקָאָמְרָן, דְּבָלַע שַׁבְעִין כֹּכְבִין אָחֳרָנִין, וְדָא אִיהוּ רוּחַ סְעָרָה דְּחָמָא אֵלִיָּהוּ, מְפָרֵק הָרִים וּמְשַׁבֵּר סְלָעִים, וְדָא דְּקַיְּימָא תָּדִיר קֳדָם כֹּלָּא, לְמֵיטַר הַהוּא דִּלְגוֹ, כִּקְלִיפָּה לְמוֹחָא.

קסג. וְאַמַּאי אִקְרֵי סְעָרָה. דְּסָעִיר כֹּלָּא, עֵילָּא וְתַתָּא. בָּאָה מִן הַצָּפוֹן, דְּהָא מִן הַהוּא סִטְרָא קָא אַתְיָא, וְסִימָנָךְ, מִצָּפוֹן תִּפָּתַח הָרָעָה, דְּהָא כַּמָּה סִטְרִין אָחֳרָנִין אִתְאַחֲדָן בְּהַהוּא רוּחַ סְעָרָה, וּבְגִ"כ נָפְקָא מִן הַצָּפוֹן.

קסד. עָנָן, בְּגִין דְּאִיהִי סוֹסְפִיתָא דְּדַהֲבָא. וּמִסִּטְרָא דְּצָפוֹן אִתְאַחֲדָא דָּא. וְהַאי אִיהִי נְקוּדָה אֶמְצָעִיתָא, דְּקַיְּימָא בְּחוֹרְבָּא. וּבְגִין דְּיָדַע לְמִפְתֵּי, שַׁלִּיט בְּגוֹ נְקוּדָה דְּיִשּׁוּבָא, וְכָל מִכָּאן דְּיִשּׁוּבָא. בַּר אַרְעָא דְּיִשְׂרָאֵל, כַּד שָׁרָאן יִשְׂרָאֵל בְּגַוָּהּ, אִיהוּ לָא שַׁלְטָא עֲלַיְיהוּ, וּלְבָתַר דְּחָבוּ יִשְׂרָאֵל שַׁלְטָא עַל אַרְעָא קַדִּישָׁא, בְּגִין דִּכְתִיב הֵשִׁיב אָחוֹר יְמִינוֹ מִפְּנֵי אוֹיֵב.

קסה. עָנָן גָּדוֹל דָּא, אִיהוּ עֲנָנָא דְּחָשׁוֹכָא, דְּאַחְשִׁיךְ כָּל עָלְמָא. תָּא חֲזֵי, מַה בֵּין עֲנָנָא לַעֲנָנָא. הַהוּא עֲנָנָא דִּכְתִיב וַעֲנַן יְיָ' עֲלֵיהֶם יוֹמָם. וַעֲנָנְךָ עוֹמֵד עֲלֵיהֶם. הַאי אִיהוּ עֲנָנָא דְּנָהִיר וְזָהִיר, וְכָל נְהוֹרִין אִתְחֲזוּן גּוֹ הַהוּא עֲנָנָא. אֲבָל עֲנָנָא דָא, עֲנָנָא וְחָשׁוּךְ, דְּלָא נָהִיר כְּלָל, אֲבָל מָנַע כָּל נְהוֹרִין, דְּלָא יַכְלִין לְאִתְחֲזָאָה קַמֵּיהּ.

קסו. גָּדוֹל, אַמַּאי אִקְרֵי גָּדוֹל, וְהָא זְעֵיר אִיהוּ. אֶלָּא גָּדוֹל אִיהוּ, כֵּיוָן דְּשַׁלִּיט. ד"א גָּדוֹל, הַהוּא חֲשׁוֹכָא גָּדוֹל, כֵּיוָן דְּכַסֵּי כָּל נְהוֹרִין וְלָא אִתְחֲזוּן קַמֵּיהּ, וְאִיהוּ גָּדוֹל עַל כָּל

עוֹבָדִין דְּעָלְמָא.

קסז. וְאֵשׁ מִתְלַקַּחַת, דְּהָא אֶשָּׁא דְּדִינָא קַשְׁיָא, לָא אַעֲדֵי מִנֵּיהּ לְעָלְמִין. וְנֹגַהּ לוֹ סָבִיב, אע״ג דְּכָל הַאי קַיְּימָא בֵּיהּ, נֹגַהּ לוֹ סָבִיב. מֵהָכָא אוּלִיפְנָא, דְּאַף עַל גַּב דְּלֵית סִטְרָא דָּא, אֶלָּא סִטְרָא דְּמִסְאֲבוּ, נֹגַהּ לוֹ סָבִיב, וְלָא אִצְטְרִיךְ לֵיהּ לְבַר נָשׁ, לְדַחֲיָיא לֵיהּ לְבַר. מ״ט. בְּגִין דְּנֹגַהּ לוֹ סָבִיב, סִטְרָא דִּקְדוּשָּׁה דִּמְהֵימְנוּתָא אִית לֵיהּ, וְלָא אִצְטְרִיךְ לְאַנְהָגָא בֵּיהּ קְלָנָא. וְע״ד אִצְטְרִיךְ לְמֵיהַב לֵיהּ חוּלָקָא, בְּסִטְרָא דִּקְדוּשָּׁא דִּמְהֵימְנוּתָא.

קסח. רַב הַמְנוּנָא סָבָא, הָכִי אָמַר, וְכִי נֹגַהּ לוֹ סָבִיב, וְאִצְטְרִיךְ לְאַנְהָגָא בֵּיהּ קְלָנָא, הַאי נֹגַהּ לוֹ, לְגוֹ אִיהוּ, וְלָא קַיְּימָא לְבַר. וּבְגִין דְּקַיְּימָא הַהוּא נֹגַהּ לוֹ מִגּוֹ, כְּתִיב וּמִתּוֹכָהּ כְּעֵין הַחַשְׁמַל מִתּוֹךְ הָאֵשׁ. מִתּוֹכָהּ דְּהַהוּא נֹגַהּ. כְּעֵין הַחַשְׁמַל: חַשׁ, מַל, הָא אוּקְמוּהָ, וְחֵיוָון דְּאֶשָּׁא מְמַלְּלָא.

קסט. אֲבָל מִבּוּצִינָא קַדִּישָׁא שְׁמַעְנָא עִלָּה רָזָא דְּרָזִין. כַּד עָרְלָה שָׁרֵי עַל קַיְּימָא קַדִּישָׁא לְסָאֲבָא מִקְדְּשָׁא, כְּדֵין הַהוּא מִקְדְּשָׁא, אִתְעַכַּב מִלְּגַלָּאָה רָזָא דְּאָת קַיְּימָא, מִגּוֹ עָרְלָה. וְכַד הַאי נֹגַהּ עָאל לְגוֹ, וְאַפְרִישׁ בֵּין עָרְלָה, וּבֵין מִקְדְּשָׁא, כְּדֵין אִקְרֵי חַשְׁמַל חַשׁ וְאִתְגַּלְיָא. מַל, מַהוּ מַל. כד״א מַל יְהוֹשֻׁעַ. רָזָא דְּאָת קַיְּימָא, אִתְעַכַּב מִלְּאִתְגַּלָּאָה מִגּוֹ עָרְלָה.

קע. וְאִית רָזָא אַחֲרָא, דְּהָא נְהוֹרָא דִּילֵיהּ, אִתְחֲזֵי וְלָא אִתְחֲזֵי, וְכַד אִתְגַּלְיָא חַשְׁמַל אִתְעֲבַר נְהוֹרֵיהּ. אֲבָל רָזָא קַדְמָאָה, אִיהוּ בְּרָזָא דִּקְרָא כַּדְקָא יָאוּת, וְכֹלָּא שַׁפִּיר אִיהוּ, וְיָאוּת הוּא.

קעא. בְּהַאי נֹגַהּ, מְפַתֵּי לְאִתְּתָא, לְנַטְלָא נְהוֹרָא. וְע״ד כְּתִיב, וְחָלָק מִשֶּׁמֶן חִכָּהּ, שַׁוֵּי הַהוּא נְהוֹרָא לְקַבְלֵיהּ דִּבְרִית. וּבְגִינֵי כָּךְ מְפַתֵּי לֵיהּ, וְנַטְלָא נְהוֹרֵיהּ. וְדָא אִיהוּ פִּתּוּיָא דִּמְפַתֵּי לְאִתְּתָא, דִּכְתִיב נֹפֶת תִּטֹּפְנָה שִׂפְתֵי זָרָה וְגוֹ׳.

קעב. ת״ח, בְּיוֹמָא שְׁתִיתָאָה כַּד מָטָא זִמְנָא דְּעֶרֶב, דָּלִיג לְגוֹ, הַהוּא מְדוֹרָה דְּאֶשָּׁא, וְסַלְּקָא לְעֵילָּא לְאַעֲלָא גּוֹ גַּוְונִין. כְּדֵין מִתְתַּקְּנִין יִשְׂרָאֵל לְתַתָּא, וּמְסַדְּרִין סְעוּדָתִין, וּמְתַקְּנִין פָּתוֹרִין, כָּל חַד וְחַד פָּתוֹרֵיהּ. כְּדֵין חַד שַׁלְהוֹבָא נָפִיק וּבָטַשׁ בְּהַהוּא מְדוֹרָה, כֵּיוָן דְּבָטַשׁ בֵּיהּ, מִתְגַּלְגְּלָן הַהוּא שַׁלְהוֹבָא, וְהַהוּא מְדוֹרָה וְעָאלִין בְּנוּקְבָא דִּתְהוֹמָא רַבָּא, וְאִתְטַמְּרָן וְיָתְבַת תַּמָּן.

קעג. וְהַהוּא שַׁלְהוֹבָא אִיהוּ מִסִּטְרָא דִּימִינָא, וּבְגִין דְּהוּא מִסִּטְרָא דִּימִינָא, אַעֲבַר לְהַהוּא מְדוֹרָה, וְאָעִיל לֵיהּ לְנוּקְבָא דִּתְהוֹמָא רַבָּא, וְיָתִיב תַּמָּן עַד דְּנָפִיק שַׁבְּתָא. כֵּיוָן דְּנָפַק שַׁבְּתָא, אִצְטְרִיךְ לְהוּ לְעַמָּא דְּיִשְׂרָאֵל לְבָרְכָא עַל אֶשָּׁא, וְנָפְקָא הַהוּא שַׁלְהוֹבָא, בְּבִרְכְתָא דִּלְתַתָּא, וְשַׁלִּיט עַל הַהוּא מְדוֹרָה כָּל הַהוּא לֵילְיָא, וְאִתְכַּפְיָא הַהוּא מְדוֹרָה.

קעד. תָּא חֲזֵי, כֵּיוָן דְּעָאל שַׁבְּתָא, וְאִתְטַמַּר הַהוּא מְדוֹרָה, כָּל אֶשִּׁין דְּאֶשָּׁא קַשְׁיָא אִתְטַמְּרוּ וְאִתְכַּפְיָין, וַאֲפִילּוּ אֶשָּׁא דְּגֵיהִנָּם, וְחַיָּיבִין דְּגֵיהִנָּם, אִית לוֹן נַיְיחָא. וְכֹלָּא תַּתָּא וְעֵילָּא אִית לְהוּ נַיְיחָא. כַּד נָפַק שַׁבְּתָא, וּמְבָרְכִין יִשְׂרָאֵל עַל נוּרָא, כְּדֵין נָפְקִין כָּל אֶשִּׁין דְּמִתְטַמְּרָן, כָּל חַד וְחַד לְאַתְרֵיהּ. וּבְגִין דְּלָא לְאִתְעֲרָא אֶשָּׁא אַחֲרָא, כְּתִיב לֹא תְבַעֲרוּ אֵשׁ בְּכֹל מוֹשְׁבוֹתֵיכֶם בְּיוֹם הַשַּׁבָּת, וְהָא אוּקְמוּהָ, אֶשָּׁא דְּמַדְבְּחָא אֲמַאי.

קעה. אֶלָּא כַּד עָאל שַׁבְּתָא, כָּרוֹזָא קָרֵי בְּכוּלְּהוּ רְקִיעִין, אִתְתַּקְנוּ רְתִיכִין, אִתְתַּקְנוּ מַשִּׁרְיָין, לְקַדְמוּת מָארֵיכוֹן. כְּדֵין נָפִיק חַד רוּחָא מִסִּטְרָא דְּדָרוֹם, וְהַהוּא רוּחָא

אִתְפְּרַשׂ עַל כָּל אִינּוּן וְזִינִין וּמַשִׁרְיָין דִּלְסִטְרָא יְמִינָא, וְאִתְלַבְּשָׁן בֵּיהּ, וְהַהוּא רוּחָא אִקְרֵי לְבוּשָׁא דִּיקָר דְּשַׁבַּתָּא. כְּדֵין פָּתוּרֵי דְּהַאי עָלְמָא, מִתְתַּקְּנָן בְּחַד הֵיכְלָא. זַכָּאָה חוּלָקֵיהּ דְּהַהוּא בַּר נָשׁ, דְּסִדּוּרָא דִּפְתוֹרֵיהּ אִתְחֲזֵי תַּמָּן כִּדְקָא יָאוּת, וְקַיְּימָא כֹּלָּא מִתְתַּקְּנָא, בְּלָא כִּסּוּפָא, אֱינָשׁ כְּפוּם חֵילֵיהּ.

קעו. כַּד עָאל שַׁבַּתָּא, אִצְטְרִיכוּ אִינּוּן עַמָּא קַדִּישָׁא לְאַסְחָאָה גַּרְמַיְיהוּ מִשְּׁמוּשָׁא דְּחוֹל, מַאי טַעְמָא. בְּגִין דִּבְחוֹל, רוּחָא אָחֳרָא אָזְלָא וְשַׁטְיָא וְשַׁרְיָא עַל עַמָּא. וְכַד בָּעֵי בַּר נָשׁ לְנָפְקָא מִן הַהוּא רוּחָא, וּלְאַעֲלָא בְּרוּחָא אָחֳרָא קַדִּישָׁא עִלָּאָה, בָּעֵי לְאַסְחָאָה גַּרְמֵיהּ, לְמִשְׁרֵי עָלֵיהּ הַהוּא רוּחָא עִלָּאָה קַדִּישָׁא.

קעז. ת"ח רָזָא עִלָּאָה דְּמִלָּה, כָּל אִינּוּן שִׁית יוֹמִין, אִתְאֲחָדָן בְּרָזָא דְּחַד נְקוּדָה קַדִּישָׁא, וְכֻלְּהוּ יוֹמִין אִתְאֲחָדָן בֵּיהּ. וְאִית יוֹמִין אָחֳרָנִין, דְּקַיְּימִין לְבַר בְּסִטְרָא אָחֳרָא. וְאִית יוֹמִין אָחֳרָנִין, דְּקַיְּימִין לְגוֹ מְעִגּוּלָא קַדִּישָׁא, וְאִתְאֲחָדָן בִּנְקוּדָה קַדִּישָׁא.

קעח. וְיִשְׂרָאֵל קַדִּישִׁין, וְכָל אִינּוּן דְּמִתְעַסְּקִין בִּקְדוּשָּׁה, כָּל יוֹמִין דְּשַׁבַּתָּא, אִתְאֲחָדָן כָּל אִינּוּן שִׁית יוֹמִין, בְּאִינּוּן שִׁית יוֹמִין דִּלְגוֹ דְּאִתְאֲחָדָן בְּהַהִיא נְקוּדָה, אִתְאֲחָדָן בְּהַאי, בְּגִין לְנַטְרָא לוֹן. וְכָל אִינּוּן שִׁית יוֹמִין דְּשַׁבַּתָּא, הַהִיא נְקוּדָה טְמִירָא אִיהִי. כֵּיוָן דְּעָאל שַׁבַּתָּא, כְּדֵין סַלְקָא הַהִיא נְקוּדָה, וְאִתְעַטְּרָא וְאִתְאַחֲדָא לְעֵילָּא, וְכֻלְּהוּ טְמִירִין בְּגַוָּהּ.

קעט. ת"ח, אִית יָמִים וְאִית יָמִים. יְמֵי חוֹל, כְּמָה דְּאִתְּמַר, וְאִלֵּין קַיְּימִין לְבַר לְעַמִּין. יְמֵי הַשַּׁבָּת, דְּאִינּוּן יְמֵי הַשָּׁבוּעַ, קַיְּימִין לְיִשְׂרָאֵל. וְכַד סַלְקָא הַאי נְקוּדָה, כֹּלָּא אִתְגְּנִיז, וְאִיהִי סַלְקָא, כֵּיוָן דְּאִיהִי סַלְקָא, אִקְרֵי שַׁבָּת.

קפ. מַהוּ שַׁבָּת. אִי תֵּימָא בְּגִין שְׁבִיתָה, דִּכְתִיב כִּי בוֹ שָׁבַת, יָאוּת הוּא. אֲבָל רָזָא דְּמִלָּה, כֵּיוָן דְּסַלְקָא הַאי נְקוּדָה, וּנְהוֹרָא נָהִיר, כְּדֵין מִתְעַטְּרָא אִיהִי בַּאֲבָהָן, כֵּיוָן דְּמִתְעַטְּרָא אִיהִי בַּאֲבָהָן, כְּדֵין אִתְחַבְּרַת וְאִתְאַחֲדַת בְּהוּ, לְמֶהֱוֵי חַד, וְאִקְרֵי כֹּלָּא שַׁבָּת. שַׁבָּת: שׁ' בַּת. שׁ' הָא אוֹקְמוּהָ, רָזָא דִּתְלַת אֲבָהָן, דְּמִתְאַחֲדָן בְּבַת יְחִידָה, וְאִיהִי מִתְעַטְּרָא בְּהוּ, וְאִינּוּן בְּעָלְמָא דְּאָתֵי. וְכֹלָּא אִיהוּ חַד. וְדָא אִיהוּ שׁ' בַּת, לְמֶהֱוֵי כֹּלָּא חַד.

קפא. וְאִי תֵּימָא, שַׁבַּת הַגָּדוֹל, וְאִיהוּ לְעֵילָּא, אַמַּאי אִקְרֵי שַׁבָּת. אֶלָּא וַדַּאי הָכִי הוּא. וְרָזָא דְּמִלָּה, בְּכָל אֲתַר נְקוּדָה דְּאִיהִי עִקָּרָא דְּכָל עֵינָא, אִקְרֵי בַּת. כד"א, שָׁמְרֵנִי כְּאִישׁוֹן בַּת עָיִן, בְּגִין דְּאִיהִי עִקָּרָא דְּכָל עֵינָא, אִקְרֵי בַּת.

קפב. עָלְמָא דְּאָתֵי, אִיהוּ הֵיכְלָא לְהַהִיא נְקוּדָה עִלָּאָה, וְכַד אִיהִי קַיְּימָא, וְנַטְלָא בְּגַדְפָהָא לַאֲבָהָן, לְאִתְעַטְּרָא לְעֵילָּא אִקְרֵי כֹּלָּא שַׁבָּת. וְכַד אֲבָהָן מִתְעַטְּרָן לְעֵילָּא, בְּגוֹ נְקוּדָה עִלָּאָה, אִקְרֵי שַׁבָּת. נְקוּדָה תַּתָּאָה כַּד מִתְעַטְּרָא בַּאֲבָהָן אִקְרֵי שַׁבָּת.

קפג. הַאי נְקוּדָה תַּתָּאָה כַּד סַלְקָא וְאִתְחֲזִית, וְאִתְקַשִּׁיטַת. כְּדֵין כָּל חֶדְוָה אִשְׁתְּכַח לְעֵילָּא וְתַתָּא, וְעָלְמִין כֻּלְּהוּ בְּחֶדְוָה. וּבְהַאי לֵילְיָא, הַאי נְקוּדָה אִתְפָּשַׁט נְהוֹרָאָה, וּפָרִישׂ גַּדְפוֹי עַל עָלְמָא, וְכָל שׁוּלְטָנִין אָחֳרָנִין מִתְעַבְּרָן, וּנְטִירוּ אִשְׁתְּכַח עַל עָלְמָא.

קפד. וּכְדֵין אִתּוֹסַף רוּחַ נִשְׁמָתָא בְּיִשְׂרָאֵל, עַל כָּל חַד וְחַד, וּבְהַהִיא נִשְׁמָתָא יְתֵירָא, נַשְׁיָין כָּל עִצְבָא וְרוּגְזָא, וְלָא אִשְׁתְּכַח בַּר חֶדְוָה, לְעֵילָּא וְתַתָּא. הַהוּא רוּחָא דְּנָחִית וְאִתּוֹסַף בִּבְנֵי עָלְמָא, כַּד נָחִית, אִתְסְחֵי בְּבוּסְמִין דְּגִנְּתָא דְּעֵדֶן, וְנָחִית וְשַׁרְיָא עַל עַמָּא קַדִּישָׁא, זַכָּאִין אִינּוּן, כַּד הַאי רוּחָא אִתְעַר.

קפה. בְּהַהִיא שַׁעֲתָא דְּהַהוּא רוּחָא נָחִית נַחְתִּין עִמֵּהּ לְגוֹ גִּנְתָּא דְּעֵדֶן, שִׁתִּין רְתִיכִין,

מִתְעַטְּרִין לְשִׁית סִטְרִין. וְכַד מָטֵי לְגִנְתָּא דְעֵדֶן, כְּדֵין כָּל אִינּוּן רוּחִין וְנִשְׁמָתִין דְּגִנְתָּא דְעֵדֶן, כֻּלְּהוּ מִתְעַטְּרֵי בְּהַהוּא רוּחָא. כָּרוֹזֵי קָרֵי וְאָמַר, זַכָּאִין אַתּוּן יִשְׂרָאֵל, עַמָּא קַדִּישָׁא, דִּרְעוּתָא דְּמָארֵיכוֹן אִתְּעַר לְגַבַּיְיכוּ.

קפו. רָזָא דְרָזִין לְיַדְעֵי חָכְמְתָא, זַכָּאִין אִינּוּן כַּד הַאי רוּחָא אִתְּעַר. הַאי רוּחָא אִיהוּ אִתְפַּשְּׁטוּתָא דְּהַאי נְקוּדָה, וְנָפְקָא מִינָּהּ, וְאִתְפַּשְּׁטָא בְּעָלְמָא, וְהַהוּא הֲוֵי רָזָא דְשַׁבָּת, דְּשָׁרָא לְתַתָּא, וְעַל דָּא כְּתִיב בֵּיהּ שְׁמִירָה, וְשָׁמְרוּ בְנֵי יִשְׂרָאֵל אֶת הַשַּׁבָּת, וְהָא אוּקְמוּהָ, שַׁבָּת לָא כְּתִיב, אֶלָּא אֶת הַשַּׁבָּת, לְאַסְגָּאָה הַהוּא רוּחָא דְשָׁרֵי עַל כֹּלָּא, וְאִצְטְרִיךְ לְנַטְרָא לֵיהּ, הוֹאִיל וְקַיְּימָא עִמֵּיהּ דְּבַר נָשׁ, וְעַל דָּא כְּתִיב, כָּל שׁוֹמֵר שַׁבָּת מֵחַלְּלוֹ.

קפז. בְּהַאי רָזָא אִית רָזָא אַחֲרָא. הַאי רוּחָא, אִתְהֲנֵי בְּהַאי יוֹמָא, מֵהֲנָאוּתָן דְּיִשְׂרָאֵל, וּמֵעִנּוּגָא דִלְהוֹן, וּבג"ד, בָּעֵי לְמֵיהַב לֵיהּ עִנּוּגָא, בְּמֵיכְלָא וּבְמִשְׁתְּיָא, תְּלַת זִמְנִין, בִּתְלַת סְעוּדָתִין, דִּתְלַת דַּרְגֵּי מְהֵימְנוּתָא, כְּמָה דְּאוּקְמוּהָ. וְהַאי נָטִיל חֶדְוָה וְעִנּוּגָא, בְּאִינּוּן סְעוּדָתֵי דְּיִשְׂרָאֵל. זַכָּאָה חוּלָקֵיהּ, מַאן דְּאַהֲנֵי לֵיהּ, וּמְעַנֵּג לֵיהּ, בְּהַאי יוֹמָא.

קפח. הַאי רוּחָא, אִתְהֲנֵי כָּל שִׁיתָא יוֹמִין, מֵרוּחָא עִלָּאָה דְּעַתִּיקָא דְּכָל עַתִּיקִין. וּבְיוֹמָא דְשַׁבַּתָּא, כֵּיוָן דְּנָחִית, וְאִתְסַחֵי בְּגִנְתָּא דְעֵדֶן בְּלֵילְיָא, אִתְעַנַּג מֵעִנּוּגָא דְּגוּפָא, בִּסְעוּדָתֵי דִּמְהֵימְנוּתָא, וְאִתְעַטַּר הַאי רוּחָא מֵעֵילָא וְתַתָּא, וְאִתְרַוֵּי בְּכָל סִטְרִין, בְּעִטְרָא דִּלְעֵילָּא וְתַתָּא.

קפט. וְהוֹאִיל וְקַיְּימָא עִמֵּיהּ דְּבַר נָשׁ, אִצְטְרִיךְ לֵיהּ לְנַטְרָא לֵיהּ. וְע"ד כְּתִיב וְשָׁמְרוּ בְנֵי יִשְׂרָאֵל. אֶת הַשַּׁבָּת, שַׁבָּת דָּא, הוּא הַהִיא נְקוּדָה תַּתָּאָה. אֶת הַשַּׁבָּת, דָּא הוּא הַאי רוּחָא, אִתְפַּשְּׁטוּתָא דְּהַהִיא נְקוּדָה. הַהוּא אִתְפַּשְּׁטוּתָא, כַּד אִתּוֹסַף קְדוּשָּׁן וּבִרְכָאן מִלְּעֵילָּא, עַל הַהִיא נְקוּדָה, אִתְנְהִיר כֹּלָּא, וְאִתְעֲבֵיד רוּחָא נְהִירָא בְּכָל סִטְרִין, אִתְפְּלַג לְעֵילָּא וְנָהִיר. וְאִתְפְּלַג לְתַתָּא וְנָהִיר. וְדָא הוּא דִּכְתִיב בֵּינִי וּבֵין בְּנֵי יִשְׂרָאֵל וְחוּלָק אַחֲסָנָא אִית לָן כַּחֲדָא.

קצ. חוּלָקָא דִּלְעֵילָּא, אִתְעַטַּר בְּהַאי יוֹמָא, מֵעִנּוּגָא עִלָּאָה קַדִּישָׁא, וְאִתְהֲנֵי מִזִּיוָא עִלָּאָה דְּעַתִּיקָא דְּכָל עַתִּיקִין. חוּלָקָא תַּתָּאָה, אִתְעַטַּר בְּהַאי יוֹמָא, מֵעִנּוּגָא דִּלְתַתָּא, דְּאִתְהֲנֵי בְּהָנֵי סְעוּדָתֵי. וְע"ד, בָּעֵי לְעַנְּגָא לֵיהּ, בְּמֵיכְלָא וּבְמִשְׁתְּיָא בִּלְבוּשֵׁי יְקָר, וּבְחֶדְוָה דְּכֹלָּא.

קצא. וְכַד מִתְעַטְּרָא הַאי חוּלָקָא לְתַתָּא, וְאִתְנְטִיר כְּמָה דְּאִצְטְרִיךְ, סַלְּקָא לְעֵילָּא, וְאִתְחַבְּרָא בְּהַהוּא חוּלָקָא אַחֲרָא. וְהַאי נְקוּדָה נָטִיל כֹּלָּא מֵעֵילָּא וְתַתָּא, וְאִתְכְּלִילָא מִכָּל סִטְרִין. וּבְגִין דְּמִתְעַטְּרָא בְּשַׁבָּת, מֵעֵילָּא וּמִתַּתָּא, כָּל שְׁאָר יוֹמִין יָהִיב חֵילָא לְכֹלָּא, וְאִתְיְיהִיב לֵיהּ שׁוּלְטָנוּ מֵעֵילָּא וּמִתַּתָּא. וּבְרָזִין דְּסִפְרָא דִּשְׁלֹמֹה מַלְכָּא, אִשְׁתְּכַח רָזָא דָּא, וְאוּקְמוּהָ בּוּצִינָא קַדִּישָׁא, זַכָּאָה חוּלָקֵיהוֹן דְּיִשְׂרָאֵל.

קצב. כְּתִיב וַיִּנָּפַשׁ, וְאוּקְמוּהָ וַוי נֶפֶשׁ דְּאַבְדַת וְשַׁפִּיר אִיהוּ. אֲבָל אִי הָכִי וַוי גּוּפָא אִצְטְרִיךְ לְמֵימַר, דְּמִנֵּיהּ אַבְדַת נֶפֶשׁ. אֲבָל רָזָא דְּמִלָּה, בְּבַר נָשׁ אִית נֶפֶשׁ, דְּנַטְלָא וּמָשִׁיךְ לְגַבֵּיהּ לְהַאי רוּחָא מֵעֶרֶב שַׁבָּת. וְהַהוּא רוּחָא שַׁרְיָא בְּגַוֵּיהּ דְּהַהִיא נֶפֶשׁ, וְדַיְירָא בָּהּ כָּל יוֹמָא דְשַׁבַּתָּא. וּכְדֵין, הַהוּא נֶפֶשׁ, יְתֵירָה בִּרְבוּיָא וְתוֹעַלְתָּא יַתִּיר מִמַּה דַּהֲוָה.

קצג. וְעַל דָּא תָּנֵינָן, כָּל נַפְשָׁאן דְּיִשְׂרָאֵל מִתְעַטְּרָן בְּיוֹמָא דְשַׁבְּתָא, וְעִטְרָא דִלְהוֹן, דְּשַׁרְיָא הַאי רוּחָא בְּגַוַויְיהוּ. כֵּיוָן דְּנָפַק שַׁבְּתָא, וְההוּא רוּחָא סַלְקָא לְעֵילָא, כְּדֵין וַוי לְנֶפֶשׁ, דְּאַבְדַּת מַה דְּאַבְדַּת. אַבְדַּת הַהוּא עִטְרָא עִלָּאָה, וְההוּא חֵילָא קַדִּישָׁא דַּהֲוָה בָּהּ, וְדָא הוּא וַיִּנָּפַשׁ, וַוי נֶפֶשׁ, דְּאַבְדַּת מַה דְּאַבְדַּת.

קצד. עוֹנָתָן דְּחַכִּימִין, דְּיָדְעֵי רָזִין עִלָּאִין, מִלֵּילְיָא דְשַׁבְּתָא לְלֵילְיָא דְשַׁבְּתָא, וְאוֹקְמוּהָ. אֲבָל מִלָּה דָּא שְׁאִילְנָא לְבוֹצִינָא קַדִּישָׁא, דְּהָא חָזֵינָן דְּהַאי כִּתְרָא תַּתָּאָה, נַקְטָא מַה דְּנַקְטָא בִּימָמָא, וּבְלֵילְיָא יָהִיב מְזוֹנָא לְכָל חֵילֵיהּ, כְּמָה דְּאוֹקְמוּהָ, דִּכְתִּיב וַתָּקָם בְּעוֹד לַיְלָה וַתִּתֵּן טֶרֶף לְבֵיתָהּ וְחֹק לְנַעֲרוֹתֶיהָ. נַקְטָא בִּימָמָא, וְיָהֲבָא בְּלֵילְיָא. וְהַשְׁתָּא אֲמַר מַר דְּזִוּוּגָא אִשְׁתְּכַח בְּהַאי לֵילְיָא.

קצה. אֲמַר, וַדַּאי זִוּוּגָא אִשְׁתְּכַח בְּלֵילְיָא דָּא. מ"ט. בְּגִין דְּהַאי לֵילְיָא, אַפְרִישַׁת נִשְׁמָתִין לְכָל אִינּוּן חַכִּימִין, דְּיָדְעִין רָזִין דְּחָכְמְתָא. וְחִבּוּרָא, וְזִוּוּגָא, לָא אִשְׁתְּכַח בְּיוֹמָא אָחֳרָא בְּכָל חֶדְוָה, בְּלָא עִרְבּוּבְיָא אָחֳרָא, כְּגוֹן דָּא. בְּגִין דְּאִינּוּן נִשְׁמָתִין דְּפַלִּיגַת, פַּלִּיגַת לוֹן בְּחַכִּימִין, בְּצַדִּיקִים, בַּחֲסִידֵי כַּדְקָא יָאוּת. וּבְכָל לֵילְיָא וְלֵילְיָא, זִוּוּגָא אִשְׁתְּכַח וַדַּאי. אֵימָתַי בְּפַלְגוּת לֵילְיָא. וְהָא אוֹקִימְנָא. אֲבָל לָא בְּכָל סִטְרִין כְּהַאי זִוּוּגָא.

קצו. וּבְגִין דָּא, וְחַכִּימִין דְּיָדְעִין רָזִין, בָּעְיָין לְסַדְּרָא שִׁמּוּשָׁא דִּלְהוֹן, בְּהַאי לֵילְיָא. מַאי טַעֲמָא. בְּגִין דְּכָל יוֹמֵי דְשַׁבְּתָא, אִית לוֹן רוּחָא אָחֳרָא דְּשַׁרְיָא עַל עָלְמָא, וּבְהַאי לֵילְיָא אִית לוֹן רוּחָא אָחֳרָא קַדִּישָׁא עִלָּאָה, דְּנַחְתָּא לִבְנֵי קַדִּישִׁין, וְההוּא רוּחָא נָשִׁיב מֵעַתִּיקָא דְּכָל עַתִּיקִין, וְנַחְתָּא לְגוֹ נְקוּדָה תַּתָּאָה, לְמֵיהַב בָּהּ נַיְיחָא לְכֹלָּא, וְדָא אִתְפְּלִיג לְכָל סִטְרִין, לְעֵילָּא וְתַתָּא, כְּמָה דְּאַתְּ אָמֵר בֵּינִי וּבֵין בְּנֵי יִשְׂרָאֵל.

קצז. וְכַד אִינּוּן חַכִּימִין, יַתְבִין בְּההוּא רוּחָא קַדִּישָׁא, רוּחָא עִלָּאָה, בָּעָאן לְשַׁמְּשָׁא עַרְסַיְיהוּ, דְּהַאי רוּחָא אַמְשִׁיךְ אֲבַתְרֵיהּ לְתַתָּא, כָּל אִינּוּן נִשְׁמָתִין קַדִּישִׁין, וְיָרְתִין קַדִּישֵׁי עֶלְיוֹנִין, בְּהַאי רוּחָא, נִשְׁמָתִין קַדִּישִׁין לִבְנַיְיהוּ כַּדְקָא יָאוּת.

קצח. כֵּיוָן דְּהַאי רוּחָא שַׁרְיָא עַל עָלְמָא, כָּל רוּחִין בִּישִׁין, וְכָל מְקַטְרְגִין בִּישִׁין, אִסְתַּלְּקוּ מֵעָלְמָא וְלָא בָּעְיָין לְצַלָּאָה עַל נְטוּרָא, בְּגִין דְּיִשְׂרָאֵל אִינּוּן נְטִירִין בְּההוּא רוּחָא, וְסֻכַּת שָׁלוֹם פְּרִיסַת גַּדְפָהָא עֲלַיְיהוּ, וְאִינּוּן נְטִירִין מִכֹּלָּא.

קצט. וְאִי תֵימָא, הָא תָּנֵינָן, דְּלָא יִפּוֹק בַּר נָשׁ יְחִידָאי, לָא בְּלֵילְיָא רְבִיעָאָה דְשַׁבְּתָא, וְלָא בְּלֵילְיָא דְשַׁבְּתָא, וּבָעֵי בַּר נָשׁ לְאִסְתַּמְּרָא. וְהָא אֲמָרָן, דִּבְלֵילְיָא דְשַׁבְּתָא נְטִירִין בְּנֵי נָשָׁא מִכָּל מְקַטְרְגִין דְּעָלְמָא, וְלָא בָּעְיָין לְצַלָּאָה עַל נְטוּרָא.

ר. תָּא חֲזֵי, הָכִי הוּא וַדַּאי, לֵילְיָא רְבִיעָאָה דְשַׁבְּתָא, בָּעְיָין לְאִסְתַּמְּרָא מִנַּיְיהוּ, מ"ט. בְּגִין דִּכְתִּיב יְהִי מְאֹרֹת, מְאֹרֹת כְּתִיב חָסֵר, וְהָא אוֹקְמוּהָ, דִּבְגִין דְּהִיא חֲסֵרָה, כַּמָּה חֲבִילֵי טְהִירִין אִתְכְּלִיכָן בְּהַאי מְאֹרֹת. לְוָוטִין וּמְאֹרֹת אִינּוּן בִּגְרִיעוּתָא דְּסִיהֲרָא, וְכֻלְּהוּ שַׁלִּיטִין בְּההוּא לֵילְיָא.

רא. בְּלֵילְיָא דְשַׁבְּתָא, כֵּיוָן דְּכֻלְּהוּ מִתְבַּדְּרָן לְאַעֲלָא בְּנוּקְבָא דְּעַפְרָא, דְּלָא יָכְלִין לְשַׁלְטָאָה, בָּעֵי בַּר נָשׁ יְחִידָאי, לְאִסְתַּמְּרָא. וְתוּ, אַף עַל גַּב דְּלָא יָכְלִין לְשַׁלְטָאָה, אִתְחֲזְיָין לִזְמְנִין, וּבַר נָשׁ יְחִידָאי בָּעֵי לְאִסְתַּמְּרָא.

רב. מִלָּה דָּא הָכִי תָּנֵינָן, וְאִי הָכִי גְּרִיעוּתָא דִּנְטוּרָא אִיהוּ. אֲבָל בְּשַׁבְּתָא נְטִירוּ אִשְׁתְּכַח לְעַמָּא קַדִּישָׁא, וְקוּדְשָׁא בְּרִיךְ הוּא כַּד עָאל שַׁבְּתָא, מְעַטֵּר לְכָל חַד וְחַד מִיִּשְׂרָאֵל, וּבָעֵי דְּיִנְטְרוּן לֵיהּ לְהַאי עִטְרָא קַדִּישָׁא, דְּאִתְעַטְּרוּ בֵּיהּ, וְאַף עַל גַּב דְּאִינּוּן

לא אשתכחו בישובא, לזמנין לבר נש יזדמנון אתחזון, ואתרע מזליה. ואצטריך ליה לבר נש, לאתעטרא בעטרא קדישא, ולנטרא ליה.

רג. סוף סוף, נטירו אשתכח בההוא ליליא לעמא קדישא, הואיל וסכת שלום פריסא על עמא, דהא תנינן, בכל אתר דסכת שלום אשתכח, סטרא אחרא לא אשתכח תמן. וע"ד נטורא איהו ונטורא שכיח.

רד. יומא דשבתא, חדוה איהו לכלא, וכלא אתנטר לעילא ותתא. ונקודה תתאה נהרא לסלקא לעילא, בשפירו דעטרין שבעין חולקין יתיר, וסבא דכל סבין אתער.

רה. כדין כד סליק נהורא, עמא קדישא מקדמי לבי כנישתא בלבוש יקר בחדוה, מתעטרן בעטרא קדישא דלעילא, בההוא רעותא דקיימא עלייהו לתתא, משבחן בשירין ותושבחן, וסלקין תושבחן לעילא, ועלאין ותתאין כלהו בחדוה, ומתעטרן כלהו כחדא. פתחי עלאי ואמרי, זכאין אתון עמא קדישא בארעא, דמאריכון אתעטר עלייכו, וכל חילין קדישין, מתעטרין בגיניכון.

רו. האי יומא, יומא דנשמתין איהו, ולאו יומא דגופא, בגין דשלטנו דצרורא דנשמתין איהו, וקיימן עלאין ותתאין כלהו בזווגא חדא, בעטרא דרעותא יתירא עלאה קדישא.

רז. צלותא דשבתא, דעמא קדישא, תלת צלותין אשתכחו בהאי יומא, לקבל תלת שבתי, ואוקמוה, וכלהו חד. כיון דעאלו עמא קדישא לבי כנישתא, אסיר לאשתדלא אפילו בצורך בי כנישתא, אלא במלי תושבחן וצלותא, ואורייתא, וכדקא חזי לון.

רח. ומאן דאשתדל במלין אחרנין, ובמלין דעלמא, דא איהו בר נש דקא מחלל שבתא, לית ליה חולקא בעמא דישראל. תרין מלאכין ממנן על דא, ביומא דשבתא, ואינון שוו ידייהון על רישיה, ואמרי, ווי לפלניא, דלית ליה חולקא בקב"ה. וע"ד, בעי לאשתדלא בצלותא ובשירין ובתושבחן דמאריהון, ולאשתדלא באורייתא.

רט. האי יומא, איהו יומא דנשמתין, דאתעטרא ההוא צרורא דנשמתין. בג"כ משבחי בתושבחן תשבחתא דנשמתא, והיינו נשמת כל חי תברך את שמך יי' אלהינו ורוח כל בשר וכו'. ולית תושבחתא אלא בסטרא דנשמתא ורוחא, והאי יומא, קיימא ברוחא ונשמתא, ולאו דגופא.

רי. תושבחתא דדרגא אחרא עלאה, רזא דיומא, שמשא קדישא דאיהו נהורא דיממא, היינו יוצר אור. רזא דנהורא דנהיר, דמניה אתזנן ונהרין כל אינון חיילין, רתיכין, וככביא ומזלי, וכל אינון דשלטין על עלמא.

ריא. תושבחתא דעלמא דאתי ביומא דא, היינו אל אדון. ותושבחתא דא, איהו ברזא דעשרין ותרין אתוון עלאין קדישין, דמתעטרן באבהן וברתיכא עלאה קדישא.

ריב. אתוון זעירין, אינון עשרין ותרין אתוון, דאינון בעלמא תתאה, דאינון אל ברוך גדול דעה וכו', ולא אית בין תיבה לתיבה, רווחא אחרא, אלא את רשימא בכל תיבה ותיבה. ובעלמא עלאה, אית רווחא, וסטרין קדישין, בין את לאת. ודא איהו, תושבחתא על תושבחתא, דאתוון עלאין דיומא שביעאה, קא משבחו ואמר למלכא עלאה יוצר בראשית.

ריג. כד תושבחתא דא סלקא לעילא, שתין רתיכין עלאין דקאמרן, מזדמנין ונטלי להאי תושבחתא מעמא קדישא, וסלקי לה לאתעטרא בה, בכמה רתיכין עלאין, די

מִמָּנָן, וְכָל אִינּוּן צַדִּיקַיָּיא דִּבְגִנְּתָא דְּעֵדֶן, כֻּלְּהוּ מִתְעַטְּרָן בְּתוּשְׁבַּחְתָּא דָּא, וְכָל אִינּוּן רְתִיכִין, וְכָל אִינּוּן נִשְׁמָתִין דְּצַדִּיקַיָּיא, כֻּלְּהוּ סַלְּקִין בְּתוּשְׁבַּחְתָּא דָּא, עַד רָזָא דְּכוּרְסְיָיא.

ריד. כַּד מָטָא לְכוּרְסְיָיא קַדִּישָׁא, תּוּשְׁבַּחְתָּא דָּא דְּכָל יִשְׂרָאֵל, קַיְּימָא תַּמָּן, עַד זִמְנָא דְּקָאמְרֵי קְדוּשָּׁה עִלָּאָה דְּמוּסָף. וּכְדֵין סְלוּקָא דִּלְתַתָּא לְעֵילָּא, לְאִתְאַחֲדָא כֹּלָּא לְעֵילָּא לְעֵילָּא, לְמֶהֱוֵי כֹּלָּא וְחַד. דָּא אִיהִי תּוּשְׁבַּחְתָּא, דְּסַלְּקָא עַל כֻּלְּהוּ תּוּשְׁבְּחָן.

רטו. מִכָּאן וּלְהַלְאָה, סִדּוּרָא דִּצְלוֹתָא דִּשְׁאָר יוֹמֵי, עַד יִשְׂמַח מֹשֶׁה וְכוּ', וְחֶדְוָותָא דְּדַרְגָּא עִלָּאָה, עִקָּרָא דַּאֲבָהָן, דְּחַדֵּי בְּהַהוּא עַדְבָא דִּילֵיהּ, כַּד סָלִיק כּוּרְסְיָיא לְגַבֵּיהּ, וְנָטִיל לָהּ, וּמִתְחַבְּרָאן כַּחֲדָא. וְדָא אִיהוּ חֶדְוָה דְּאוֹרַיְיתָא עִלָּאָה דִּלְעֵילָּא, תּוֹרָה שֶׁבִּכְתָב. דְּחַדֵּי בְּאוֹרַיְיתָא דִּלְתַתָּא, תּוֹרָה שֶׁבְּעַל פֶּה, וְאִתְחַבָּרוּ דָּא בְּדָא.

רטז. כֵּיוָן דְּאִתְחַבָּרוּ כַּחֲדָא, בָּעֵי ב"נ לְאַכְלְלָא בְּהַהוּא חֶדְוָה לְעַמָּא קַדִּישָׁא, יִשְׂמְחוּ בְמַלְכוּתְךָ שׁוֹמְרֵי שַׁבָּת וְכוּ', או"א רְצֵה נָא בִמְנוּחָתֵנוּ.

ריז. רָזָא דְּס"ת בְּיוֹמָא דָּא, הָא אוֹקְמוּהָ תָּנֵינָן כְּתִיב, וַיִּקְרְאוּ בְסֵפֶר תּוֹרַת הָאֱלֹהִים מְפוֹרָשׁ וְשׂוֹם שֶׂכֶל וַיָּבִינוּ בַּמִּקְרָא וְהָא אוֹקְמוּהָ רָזָא, דְּאִינּוּן פְּסוּקֵי טַעֲמֵי, וּמָסוֹרֶת, וְכָל אִינּוּן דִּיוּקִין, וְרָזִין עִלָּאִין, כֹּלָּא אִתְמְסַר לְמֹשֶׁה מִסִּינַי. אִי בְּכָל הָנֵי דִּיוּקִין אִתְמְסַר אוֹרַיְיתָא לְמֹשֶׁה, סֵפֶר תּוֹרָה דְּאִיהוּ בְּכָל אִינּוּן קְדוּשָׁאן, אַמַּאי אִיהוּ חָסֵר, מִכָּל הָנֵי תִּקּוּנִין, וְרָזִין, דְּאִתְמְסָרוּ לֵיהּ לְמֹשֶׁה בְּאוֹרַיְיתָא.

ריח. אֶלָּא רָזָא דָּא, כַּד כּוּרְסְיָיא קַדִּישָׁא מִתְעַטְּרָא, וְאִתְכְּלִילַת בַּתּוֹרָה שֶׁבִּכְתָב, כָּל אִינּוּן דִּיוּקְנִין, וְכָל אִינּוּן טַעֲמִין וּמָסוֹרוֹת, כֻּלְּהוּ עָאלִין בְּגַנְיזוּ, וְאִתְרְשִׁימוּ בְּגוֹ כּוּרְסְיָיא קַדִּישָׁא, וְאִינּוּן דִּיוּקְנִין, דְּאָעִיל אוֹרַיְיתָא דִּבְכְתָב, בְּאוֹרַיְיתָא דִּבְעַל פֶּה, וּבְהוּ אִתְעַבְּרַת, כְּאִתְּתָא דְּאִתְעַבְּרַת מִן דְּכוּרָא, וְאִשְׁתָּאָרוּ אַתְוָון עִלָּאִין לְחוּדַיְיהוּ בִּקְדוּשַּׁיְיהוּ כַּדְקָא יָאוּת. וּלְאִתְחֲזָאָה בְּבֵי כְּנִישְׁתָּא, דְּהָא אִתְבָּרְכַת וְאִתְעַטְּרַת כּוּרְסְיָיא מֵרָזָא דְּתוֹרָה שֶׁבִּכְתָב, וְתַמָּן אָעִיל כָּל אִינּוּן דִּיוּקְנִין, וְאִיהִי אִתְקַדְּשַׁת מִנֵּיהּ, בָּעֵי לְאִתְחֲזָאָה בְּאַתְוָון לְחוּדַיְיהוּ כַּדְקָא יָאוּת.

ריט. וּכְדֵין, כֹּלָּא אִתְקַדַּשׁ בִּקְדוּשָּׁה עִלָּאָה כַּדְקָא חֲזֵי, כ"ש וְכ"ש בְּהַאי יוֹמָא. בְּהַאי יוֹמָא בָּעֵי לְסַלְּקָא שִׁבְעָה גּוּבְרִין, לְקָבֵל שִׁבְעָה קָלִין, דְּאִינּוּן רָזָא דְּאוֹרַיְיתָא. וּבִזְמַנִּין וּבְמוֹעֲדִין חָמֵשׁ, גּוֹ רָזָא דָּא. בְּיוֹמָא דְּכִפּוּרֵי שִׁית. גּוֹ רָזָא עִלָּאָה דָּא.

רכ. וְכֹלָּא רָזָא חֲדָא. חָמֵשׁ, דְּאִינּוּן חָמֵשׁ דַּרְגִּין לְתַתָּא, מִדַּרְגָּא דְּאוֹר קַדְמָאָה לְתַתָּא, וְאִינּוּן רָזָא דְּאוֹרַיְיתָא. שִׁית, דְּאִינּוּן שִׁית סִטְרִין וְכֹלָּא רָזָא חֲדָא. שֶׁבַע אִינּוּן שֶׁבַע קָלִין. וְכֻלְּהוּ רָזָא חֲדָא, אִלֵּין וְאִלֵּין.

רכא. בַּר"ח אִתּוֹסַף חַד עַל תְּלָתָא, בְּגִין שִׁמְשָׁא, דְּנָהִיר בְּהַהוּא זִמְנָא, לְסִיהֲרָא, וְאִתּוֹסַף נְהוֹרָא עַל סִיהֲרָא, וְהַיְינוּ רָזָא דְּמוּסָף. בְּסֵפֶר תּוֹרָה, בָּעֵי לְשִׁתְמַע חַד קָלָא וְדִבּוּר.

רכב. סִדּוּרָא לְסַדְּרָא עַמָּא קַדִּישָׁא בְּיוֹמָא דָּא, וּבִשְׁאַר יוֹמִין דְּסֵפֶר תּוֹרָה בָּעֵי לְסַדְּרָא וּלְתַקְּנָא תִּקּוּנָא, בְּחַד כָּרְסְיָיא דְּאִקְרֵי תֵּיבָה, וְהַהוּא כָּרְסְיָיא דְּלֶהֱוֵי בְּשִׁית דַּרְגִּין, לְסַלְּקָא בְּהוּ וְלָא יַתִּיר, דִּכְתִיב וְשֵׁשׁ מַעֲלוֹת לַכִּסֵּא. וְדַרְגָּא חַד לְעֵילָּא, לְשַׁוָּאָה עֲלֵיהּ סֵפֶר תּוֹרָה, וּלְאַחֲזָאָה לֵיהּ לְכֹלָּא.

רכג. כַּד סָלִיק ס"ת לְתַמָּן, כְּדֵין בָּעָאן כָּל עַמָּא לְסַדְּרָא גַּרְמַיְיהוּ לְתַתָּא, בְּאֵימְתָא בִּדְחִילוּ בִּרְתֵת בְּזִיעַ, וּלְכַוְּונָא לִבַּיְיהוּ, כְּמָה דְּהַשְׁתָּא קַיְימִין עַל טוּרָא דְּסִינַי לְקַבְּלָא

אוֹרַיְיתָא, וְיֶהֱווֹן צַיְיתִין וְיִרְכוּן אוּדְנַיְיהוּ. וְלֵית רְשׁוּ לְעַמָּא לְמִפְתַּח פּוּמַיְיהוּ, אֲפִילּוּ בְּמִילֵּי דְּאוֹרַיְיתָא, וְכָל שֶׁכֵּן בְּמִלָּה אַחֲרָא, אֶלָּא כֻּלְּהוּ בְּאֵימָתָא, כְּמַאן דְּלֵית לֵיהּ פּוּמָא וְהָא אוּקְמוּהָ, דִּכְתִּיב וּכְפִתְחוֹ עָמְדוּ כָל הָעָם. וְאָזְנֵי כָל הָעָם אֶל סֵפֶר הַתּוֹרָה.

רכד. אר"ש, כַּד מַפְּקִין ס"ת בְּצִבּוּרָא, לְמִקְרֵא בֵּיהּ, מִתְפַּתְּחָן תַּרְעֵי שְׁמַיָּא דְּרַחֲמִין, וּמְעוֹרְרִין אֶת הָאַהֲבָה לְעֵילָּא, וְאִבְעֵי לֵיהּ לְבַר נָשׁ לְמֵימַר הָכִי.

רכה. בְּרִיךְ שְׁמֵיהּ דְּמָארֵי עָלְמָא, בְּרִיךְ כִּתְרָךְ וְאַתְרָךְ, יְהֵא רְעוּתָךְ עִם עַמָּךְ יִשְׂרָאֵל לְעָלַם, וּפוּרְקַן יְמִינָךְ, אַחֲזֵי לְעַמָּךְ בְּבֵית מַקְדְּשָׁךְ, וּלְאַמְטוּיֵי לָנָא מִטּוּב נְהוֹרָךְ, וּלְקַבֵּלָא צְלוֹתָנָא בְּרַחֲמִין. יְהֵא רַעֲוָא קֳדָמָךְ, דְּתוֹרִיךְ לָן חַיִּים בְּטִיבוּ, וְלֶהֱוֵי אֲנָא פְּקִידָא בְּגוֹ צַדִּיקַיָּא, לְמִרְחַם עָלַי, וּלְמִנְטַר יָתִי, וְיַת כָּל דִּילִי, וְדִי לְעַמָּךְ יִשְׂרָאֵל. אַנְתְּ הוּא זָן לְכֹלָּא, וּמְפַרְנֵס לְכֹלָּא, אַנְתְּ הוּא שַׁלִּיט עַל כֹּלָּא, אַנְתְּ הוּא דְּשַׁלִּיט עַל מַלְכַיָּא, וּמַלְכוּתָא דִּילָךְ הוּא. אֲנָא עַבְדָּא דְּקֻדְשָׁא בְּרִיךְ הוּא, דְּסָגִידְנָא קַמֵּיהּ, וּמִקַּמֵּי דִּיקָר אוֹרַיְיתֵיהּ, בְּכָל עִדָּן וְעִדָּן. לָא עַל אֱנָשׁ רָחִיצְנָא, וְלָא עַל בַּר אֱלָהִין סָמִיכְנָא, אֶלָּא בֶּאֱלָהָא דִּשְׁמַיָּא, דְּהוּא אֱלָהָא קְשׁוֹט, וְאוֹרַיְיתֵיהּ קְשׁוֹט, וּנְבִיאוֹהִי קְשׁוֹט, וּמַסְגֵּי לְמֶעְבַּד טַבְוָון וּקְשׁוֹט. בֵּיהּ אֲנָא רָחִיץ, וְלִשְׁמֵיהּ קַדִּישָׁא יַקִּירָא אֲנָא אֵימַר תֻּשְׁבְּחָן. יְהֵא רַעֲוָא קֳדָמָךְ, דְּתִפְתַּח לִבָּאִי בְּאוֹרַיְיתָךְ וְתֵיהַב לִי בְּנִין דִּכְרִין דְּעַבְדִּין רְעוּתָךְ. וְתַשְׁלִים מִשְׁאֲלִין דְּלִבָּאִי, וְלִבָּא דְּכָל עַמָּךְ יִשְׂרָאֵל לְטָב וּלְחַיִּין וְלִשְׁלָם אָמֵן.

רכו. וְאָסִיר לְמִקְרֵי בְּסִפְרָא דְּאוֹרַיְיתָא, בַּר חַד בִּלְחוֹדוֹי, וְכֹלָּא צַיְיתִין וְשַׁתְקִין, בְּגִין דְּיִשְׁמְעוּן מִלִּין מִפּוּמֵיהּ, כְּאִילּוּ קַבִּילוּ לָהּ הַהִיא שַׁעֲתָא מִטּוּרָא דְּסִינַי. וּמַאן דְּקָרֵי בְּאוֹרַיְיתָא, לֶהֱוֵי חַד קָאִים עָלֵיהּ, וְשָׁתִיק. דְּלָא יִשְׁתְּמַע בַּר דִּבּוּר חַד בִּלְחוֹדוֹי, לָא תְּרֵין דִּבּוּרִין, לָשׁוֹן קֹדֶשׁ חַד, וְחַד הוּא, וְלָא תְּרֵין דִּבּוּרִין, וְאִי תְּרֵין מִשְׁתַּכְחִין בס"ת, גְּרִיעוּתָא דְּרָזָא דִּמְהֵימְנוּתָא אִיהוּ וּגְרִיעוּתָא דִּיקָרָא דְּאוֹרַיְיתָא אִשְׁתַּכַּח בס"ת, וּבָעֵי חַד קָלָא. מְתַרְגֵּם חַד. וְרָזָא דָּא קְלִיפָּה וּמוֹחָא.

רכז. כֹּלָּא שַׁתְקִין, וְחַד קָארֵי, דִּכְתִּיב וַיְדַבֵּר אֱלֹהִים אֵת כָּל הַדְּבָרִים הָאֵלֶּה לֵאמֹר אִיהוּ לְעֵילָּא, וְכָל עַמָּא לְתַתָּא, דִּכְתִּיב וַיִּתְיַצְּבוּ בְּתַחְתִּית הָהָר. וּכְתִיב וּמֹשֶׁה עָלָה אֶל הָאֱלֹהִים.

רכח. וְהַהוּא דְּקָארֵי בְּאוֹרַיְיתָא, יְשַׁוֵּי לִבֵּיהּ וּרְעוּתֵיהּ לְאִינּוּן מִלִּין, וְכִי אִיהוּ שְׁלִיחָא דְּמָארֵיהּ, בְּסִדּוּרָא דְּהָנֵי מִלִּין, לְמִשְׁמַע לְכָל עַמָּא, דְּהָא אִיהוּ קָאִים כְּדוּגְמָא עִלָּאָה. בְּגִין כַּךְ, מַאן דְּסָלִיק לְמִקְרֵי בְּאוֹרַיְיתָא, יְסַדֵּר אִינּוּן מִלִּין בְּקַדְמֵיתָא בְּבֵיתֵיהּ, וְאִי לָאו, לָא יִקְרֵי בְּאוֹרַיְיתָא, מְנָלָן מֵהַהוּא דִּבּוּר, עַד לָא יַשְׁמַע אוֹרַיְיתָא לְעַמָּא קַדִּישָׁא מַה כְּתִיב, אָז רָאָהּ וַיְסַפְּרָהּ הֱכִינָהּ וְגַם חֲקָרָהּ, וּלְבָתַר, וַיֹּאמֶר לָאָדָם הֵן יִרְאַת יְיָ' הִיא חָכְמָה וְגוֹ'.

רכט. אָסִיר לֵיהּ לְמַאן דְּקָארֵי בְּאוֹרַיְיתָא לְמִפְסַק פַּרְשְׁתָא, אוֹ אֲפִילּוּ מִלָּה חֲדָא, אֶלָּא בַּאֲתַר דְּפָסַק מֹשֶׁה פַּרְשְׁתָא לְעַמָּא קַדִּישָׁא, יַפְסִיק. וְלָא יַפְסִיק מִלִּין דְּפַרְשְׁתָא דְּשַׁבְּתָא דָּא, בְּפַרְשְׁתָא דְּשַׁבְּתָא אַחֲרָא.

רל. רָזָא דָּא, בְּשַׁעֲתָא דְּאִיפְסִיקוּ פַּרְשִׁיָּין, כָּל חַד וְחַד אִתְעַטְּרָא וְקַיְּימָא קַמֵּי קֻדְשָׁא בְּרִיךְ הוּא. כֵּיוָן דְּאַשְׁלִימוּ לְמִפְסַק הָנֵי פַּרְשִׁיָּין דְּכָל שַׁתָּא, אִתְעַטָּרוּ קַמֵּיהּ קב"ה, וְאַמְרֵי אֲנָא מִשַּׁבָּת פְּלוֹנִי, וַאֲנָא מִשַּׁבָּת פְּלוֹנִי.

רלא. בְּהַהִיא שַׁעֲתָא, קָרָא לְיוֹפִיאֵ"ל רַב מְמָנָא, וּלְחַמְשִׁין וּתְלַת רְתִיכִין קַדִּישִׁין

דִּתְווֹת יְדֵיהּ, דְּאִתְמְנוּן בְּשִׁמּוּשָׁא דְּאוֹרַיְיתָא, וְכָל רְתִיכָא וּרְתִיכָא מְנֵי לֵיהּ, לְהַאי רְתִיכָא עַל פַּרְשְׁתָא פְּלַנְיָא, דְּבְשַׁבַּת פְּלוֹנִי. וּרְתִיכָא פְּלוֹנִי, עַל פַּרְשְׁתָא פְּלַנְיָא, דְּשַׁבַּת פְּלוֹנִי. וְכָל חַד וְחַד, מְשַׁמְּשָׁא לְאוֹרַיְיתָא, דְּהַהוּא שַׁבָּת דִּילֵיהּ. וְאָסִיר לָן לְעָרְבָא אִלֵּין בְּאִלֵּין, וְלָא לְאַעֲלָא רְתִיכָא בִּרְתִיכָא דְּחַבְרֵיהּ, אֲפִילּוּ כִּמְלֹא נִימָא. וַאֲפִילּוּ בְּחַד תֵּיבָה, אוֹ אֲפִילּוּ בְּאָת חַד, אֶלָּא כָּל חַד וְחַד, כְּמָה דְּפָסִיק לוֹן קֻבְּ"הַ, וּכְמָה דְּמָנֵי לוֹן בְּאִינּוּן פַּרְשִׁיָּין, כָּל חַד וְחַד עַל מַטְרֵיהּ.

רלב. וְעַל דָּא, כַּד מִתְעַטְּרָא פַּרְשְׁתָא דָּא, סַלְקָן אִינּוּן מִלִּין דְּהַהִיא פַּרְשְׁתָא, דְּאִשְׁתְּלִים בְּצִבּוּרָא, וְנָטִיל לוֹן הַהוּא רְתִיכָא, דִּמְמַנָּא בְּהַהִיא פַּרְשְׁתָא, וְסָלִיק לוֹן קַמֵּי קֻבְּ"הַ, וְאִלֵּין מִלִּין מַמָּשׁ, קַיְימִין קַמֵּיהּ וְאַמְרִין, אֲנָא פַּרְשְׁתָא פְּלַנְיָא, דְּאַשְׁלִימוּ לִי צִבּוּרָא פְּלוֹנִי, הָכִי וְהָכִי.

רלג. אִי אִשְׁתְּלִים כַּדְקָא חָזֵי לֵיהּ, סַלְקִין אִינּוּן מִלִּין, וּמִתְעַטְּרָן עַל כּוּרְסְיָּיא קַדִּישָׁא, וְהַהוּא רְתִיכָא מְשַׁמְּשָׁא קַמֵּיהּ, כָּל רְתִיכָא וּרְתִיכָא, פַּרְשְׁתָא דְּכָל שַׁבְּתָא וְשַׁבְּתָא, וְכֻלְּהוּ מִתְעַטְּרָן בְּגוֹ כּוּרְסְיָּיא קַדִּישָׁא, וּבְהוּ אִיהִי סַלְקָא לְאִתְיַיחֲדָא לְעֵילָּא לְעֵילָּא, וְאִתְעֲבִיד כֹּלָּא כְּלָלָא חֲדָא. בְּגִין כָּךְ, זַכָּאָה חוּלָקֵיהּ מַאן דְּאַשְׁלִים פַּרְשְׁתָא דְּכָל שַׁבְּתָא וְשַׁבְּתָא, כַּדְקָא יָאוּת, כְּמָה דְּאַפְסִיקוּ לְעֵילָּא.

רלד. תְּרֵי זִמְנֵי, קָרֵינָן בס"ת בְּשַׁבְּתָא, בְּמִנְחָה, בְּשַׁעֲתָא דְּדִינָא תַּלְיָא, לְעִידָן עֶרֶב. צְרִיכִין לְאַכְלָלָא שְׂמָאלָא בִּימִינָא, דְּהָא אוֹרַיְיתָא מִתְּרֵין סִטְרִין אִתְיְיהִיבַת, דִּכְתִיב מִימִינוֹ אֵשׁ דָּת לָמוֹ, יְמִינָא וּשְׂמָאלָא. בג"כ סֵפֶר תּוֹרָה בְּמִנְחָה דַּי בַּעֲשָׂרָה פְּסוּקִין, אוֹ יַתִּיר, אֲבָל לָא שְׁלִימוּ דְּפַרְשְׁתָא, דְּהָא שְׁלִימוּ דְּפַרְשְׁתָא לָא הֱוֵי, אֶלָּא בִּימִינָא, וִימִינָא תַּלְיָיא עַד שַׁעֲתָא דְּמִנְחָה, וְהָא אוּקְמוּהָ.

רלה. בַּשֵּׁנִי בְּשַׁבְּתָא, וּבַחֲמִישִׁי בְּשַׁבְּתָא, בְּגִין דְּקָא נַחְתִּין דַּרְגִּין לְתַתָּא, דְּאִינּוּן כְּלָלָא דְּאוֹרַיְיתָא. וְאִי תֵּימָא, הָא נְבִיאִין מִתְפָּרְשָׁן לְתַתָּא. אֶלָּא הָכִי הוּא וַדַּאי, אֲבָל הָנֵי דִּלְתַתָּא, כֻּלְּהוּ כְּלָלָא דְּאוֹרַיְיתָא, וְכָל חַד וְחַד כָּלִיל לְכָל חַד וְחַד.

רלו. וְרָזָא דְּמִלָּה, אִלֵּין דַּרְגִּין עִלָּאִין, אִינּוּן אִקְרוּן פַּרְשְׁתָא חֲדָא, וּלְבָתַר נָפְקִין מִנַּיְיהוּ תֵּשַׁע דַּרְגִּין, דְּאִתְאַחֲדָן כַּחֲדָא, וּבְגִין כָּךְ תִּשְׁעָה גּוּבְרִין, תְּלַת בְּשַׁבְּתָא בְּמִנְחָה, וּתְלַת בְּיוֹמָא תִּנְיָינָא, וּתְלַת בְּיוֹמָא חֲמִשָּׁאָה, הָא תִּשְׁעָה.

רלז. וּבְסִפְרָא דְּרַב יֵיבָא סָבָא, בְּמִנְחָה בְּשַׁבְּתָא, הָא אִתְּעַר רָזָא דִּשְׂמָאלָא, וּנְקוּדָה תַּתָּאָה, בְּהַהוּא סִטְרָא דִּשְׂמָאלָא, מְקַבְּלָא רָזָא דְּאוֹרַיְיתָא, כְּדֵין בְּהַהִיא שַׁעֲתָא, נַטְלָא מִסִּטְרָא דִּשְׂמָאלָא, וּמִדִּילֵיהּ קָרֵינָן.

רלח. דְּהָא אִיהִי קַיְּימָא בְּרָזָא דְּתֵשַׁע, וְקָרֵינָן תֵּשַׁע, וְאִינּוּן שִׁית דְּחוֹל, וּתְלַת בְּשַׁעֲתָא דְּאִתְּעַר שְׂמָאלָא בְּשַׁבְּתָא, וּלְאִתְכַּלְּלָא כֹּלָּא כַּחֲדָא. וְאִיהִי מִתְעַטְּרָא בְּהוּ, בִּתְלַת סִטְרִין, כְּגַוְונָא דִּתְלַת סִטְרִין עִלָּאִין, דְּאִינּוּן כְּלָלָא דְּפַרְשְׁתָא דְּשַׁבְּתָא. זַכָּאָה חוּלָקֵיהּ מַאן דְּזָכֵי לִיקָרָא דְּשַׁבְּתָא, זַכָּאָה אִיהוּ בִּתְרֵין עָלְמִין, בְּעָלְמָא דֵּין, וּבְעָלְמָא דְּאָתֵי.

רלט. כְּתִיב אַל יֵצֵא אִישׁ מִמְּקוֹמוֹ בַּיּוֹם הַשְּׁבִיעִי מַהוּ מִמְּקוֹמוֹ. תָּנֵינָן, מִמְּקוֹמוֹ מֵהַהוּא אֲתַר דְּאִתְחֲזֵי לִמְהָךְ. וְרָזָא דְּמִלָּה, דִּכְתִיב בָּרוּךְ כְּבוֹד יְיָ' מִמְּקוֹמוֹ. וְדָא אִיהוּ מָקוֹם, וְדָא אִיהוּ רָזָא דִּכְתִיב כִּי הַמָּקוֹם אֲשֶׁר אַתָּה עוֹמֵד עָלָיו. אֲתַר יְדִיעָא אִיהוּ לְעֵילָּא, וְקָרֵינָן לֵיהּ מָקוֹם, דְּאִשְׁתְּמוֹדַע בֵּיהּ יְקָרָא עִלָּאָה דִּלְעֵילָּא. וּבג"כ, אַזְהָרוּתָא לב"נ דְּהָא מִתְעַטְּרָא בְּעִטְרָא קַדִּישָׁא דִּלְעֵילָּא, דְּלָא יִפּוֹק מִינֵּיהּ דְּאִי יִפּוֹק מִנֵּיהּ, קָא

מְחַלֵּל שַׁבְּתָא. בִּידוֹי, בַּעֲבִידְתָּא. כְּמָה דְּאוֹקִימְנָא. בְּרַגְלוֹי, לְמֵהַךְ לְבַר מִתְּרֵי אַלְפִּין אַמִּין, כָּל אִלֵּין וְזִלְזוּלָא דְּשַׁבְּתָא אִיהוּ.

רמ. אַל יֵצֵא אִישׁ מִמְּקוֹמוֹ, דָּא אִיהוּ אֲתַר יְקָרָא דִּקְדוּשָּׁה דָּא, דְּהָא מִנֵּיהּ לְבַר, אֲתַר דֶּאֱלֹהִים אֲחֵרִים אִיהוּ. בָּרוּךְ כְּבוֹד יְיָ' מִמְּקוֹמוֹ. כְּבוֹד יְיָ' דִּלְעֵילָּא. מִמְּקוֹמוֹ, דָּא כְּבוֹד דִּלְתַתָּא וְדָא אִיהוּ רָזָא דַּעֲטָרָא דְּשַׁבְּתָא, בְּגִ"כ אַל יֵצֵא אִישׁ מִמְּקוֹמוֹ, בְּרִיךְ הוּא לְעָלַם וּלְעָלְמֵי עָלְמִין.

רמא. כְּתִיב הִנֵּה מָקוֹם אִתִּי, מָקוֹם אִתִּי, וַדַּאי דָּא אִיהוּ מָקוֹם טָמִיר וְגָנִיז, דְּלָא אִתְיְידַע כְּלָל. מַשְׁמַע דִּכְתִּיב אִתִּי, אֲתַר דְּלָא אִתְגַּלְיָא, וְקַיְימָא טְמִירָא, וְדָא אִיהוּ אֲתַר עִלָּאָה לְעֵילָּא לְעֵילָּא, הֵיכָלָא עִלָּאָה טָמִיר וְגָנִיז. אֲבָל דָּא, אִיהוּ אֲתַר לְתַתָּא כִּדְקָאֲמָרָן. וְדָא אִיהוּ מָקוֹם דְּאִתְפְּרַשׁ לְעֵילָּא, וְאִתְפְּרַשׁ לְתַתָּא, וּבְגִ"כ אַל יֵצֵא אִישׁ מִמְּקוֹמוֹ בַּיּוֹם הַשְּׁבִיעִי.

רמב. וּמַדּוֹתֶם מִחוּץ לָעִיר אֶת פְּאַת קֵדְמָה אַלְפַּיִם בָּאַמָּה וְגוֹ', הָא אוּקְמוּהָ בְּאִינּוּן רָזִין עִלָּאִין. אֲבָל אַלְפַּיִם בָּאַמָּה, דְּיָרְתָה תְּרֵין סִטְרִין לְכָל סְטַר, וְאִיהִי מִתְעַטְּרָא תָּדִיר בִּתְרֵין סִטְרִין, בֵּין לְעֵילָּא בֵּין לְתַתָּא. וְסִימָנָךְ שְׁכִינָה לָא שַׁרְיָא לְבַר מִתְּחוּמָא דְּאִתְחֲזֵי לָהּ.

רמג. כַּד נָפַק שַׁבְּתָא, צְרִיכִין יִשְׂרָאֵל דִּלְתַתָּא, לְאַעְכָּבָא, דְּהָא יוֹמָא רַבָּא עִלָּאָה אִיהוּ. וּבְהַאי יוֹמָא, אוּשְׁפִּיזָא רַבָּא וְיַקִּירָא, קָא שַׁרְיָא עָלֵיהּ, בְּגִין כַּךְ בָּעֵי לְאִתְעַכְּבָא, לְאִתְחֲזָאָה דְּלָא דָּחֲקִין בְּאוּשְׁפִּיזָא קַדִּישָׁא. כְּדֵין פַּתְחֵי יִשְׂרָאֵל וְאַמְרֵי, וְהוּא רַחוּם יְכַפֵּר עָוֹן וְגוֹ', דְּתִקּוּנָא שַׁפִּירָא אִיהוּ בְּהַאי לֵילְיָא, כֵּיוָן דְּדִינָא אִתְהַדָּר לְאַתְרֵיהּ, מַה דְּלָא אִתְחֲזֵי כַּד עָיֵיל שַׁבְּתָא, דְּדִינָא אִסְתַּלַּק, וְלָא אִשְׁתְּכַח.

רמד. בְּשַׁעֲתָא דְּפַתְחֵי יִשְׂרָאֵל וַיְהִי נוֹעַם, וּקְדוּשָּׁתָא דְּסִדְרָא, כָּל אִינּוּן חַיָּיבִין דְּגֵיהִנָּם, פַּתְחִין וְאַמְרֵי, זַכָּאִין אַתּוּן יִשְׂרָאֵל עַמָּא קַדִּישָׁא, זַכָּאִין אַתּוּן צַדִּיקַיָּיא, דְּנַטְרֵי פִּקּוּדֵי אוֹרַיְיתָא. וַוי לוֹן לְחַיָּיבַיָּא, דְּלָא זָכוּ לְמִיטַּר אוֹרַיְיתָא, כְּדֵין דוּמ"ה קָדִים, וְכָרוֹזָא אִתְּעַר וְאָמַר, יָשׁוּבוּ רְשָׁעִים לִשְׁאוֹלָה כָּל גּוֹיִם שְׁכֵחֵי אֱלֹהִים. וְכָל אִלֵּין חֲבִילֵי טְהִירִין, טַרְדִין לוֹן בְּגֵיהִנָּם, וְלֵית מַאן דְּמְרַחֵם עֲלַיְיהוּ. זַכָּאִין אִינּוּן כָּל נָטְרֵי שַׁבְּתָא בְּהַאי עָלְמָא, וְקָא מְעַנְּגֵי לְהַהוּא עֹנֶג דְּשַׁרְיָא מִלְּעֵילָּא, כִּדְקָאֲמָרָן.

רמה. הַאי מַאן דְּשָׁרֵי בְּתַעֲנִיתָא בְּשַׁבְּתָא, תְּרֵי מִתְעָרֵי עָלֵיהּ קַמֵּי מַלְכָּא קַדִּישָׁא. חַד, הַהוּא רוּחָא עִלָּאָה קַדִּישָׁא דְּאִצְטְרִיךְ לְאִתְעַנְּגָא, וְלָא אִתְעַנַּג. וְחַד, הַהוּא מְמָנָא דְּקַיְּימָא עַל מַאן דְּשָׁרֵי בְּתַעֲנִיתָא, וְסַנְגְּרִי"ה שְׁמֵיהּ. וְסַלְּקִין קַמֵּי מַלְכָּא קַדִּישָׁא, וּמִתְעָרֵי עָלֵיהּ.

רמו. וְהַהוּא רוּחָא אִסְתַּלַּק גְּרִיעַ מֵהַהוּא אִתְהֲנוּתָא דִּלְתַתָּא. וְכַד הַאי רוּחָא לָא אִשְׁתְּלִים לְתַתָּא, רוּחָא אַחֲרָא דִּלְעֵילָּא לָא אִשְׁתְּלִים. כֵּיוָן דְּלָא אִשְׁתְּלִים לְתַתָּא וּלְעֵילָּא, כְּדֵין אִתְחֲזֵי הַהוּא ב"נ לְאִתְלַטְיָא, וּלְאִתְעַנְשָׁא. אֶלָּא כֵּיוָן דְּאִשְׁתְּלִים זִמְנָא אַחֲרָא, וְהַהוּא מְמָנָא דְּאִתְמַנָּא עַל עִנּוּיָיא וְתַעֲנִיתָא, אִשְׁתְּלִים גּוֹ אִינּוּן מְמָנָן אַחֲרָנִין, בְּעִנּוּגָא דִּלְעֵילָּא, קוֹרְעִין לֵיהּ כָּל גְּזַר דִּינָא, דְּאִתְגְּזַר מֵאִינּוּן שַׁבְעִין שְׁנִין עִלָּאִין.

רמז. לְמַלְכָּא דְּחַדֵּי בְּהִלּוּלָא דִּילֵיהּ, וְכָל בְּנֵי נָשָׁא חַדָּאן עִמֵּיהּ, וְחָמָא חַד בַּר נָשׁ יָהִיב בְּקוֹלָר, פָּקִיד עֲלוֹי, וְשַׁרְיוּהוּ. בְּגִין דְּיִשְׁתַּכְּחוּן כּוּלָּא בְּחֶדְוָה.

רמח. וּלְבָתַר, מִתְהַדְּרִין אִלֵּין מְמָנָן דְּעַנְשִׁין לִבְנֵי נָשָׁא, וְאִתְפָּרְעִין מִנֵּיהּ דְּב"נ, עַל

דְּאִשְׁתַּכַּח בְּגִינֵיהּ גְּרִיעוּתָא עֵילָּא וְתַתָּא. מַאי תַּקַּנְתֵּיהּ. לֵיתִיב תַּעֲנִיתָא עַל תַּעֲנִיתָא. מַאי טַעֲמָא. דָּא בָּטִיל עִנּוּגָא דְּשַׁבְּתָא, יְבַטֵּל עִנּוּגָא דְּחוֹל.

רמט. וְאִי אִיהוּ מְבַטֵּל עִנּוּגָא דְּשַׁבְּתָא, וְקָא מִתְעַנֵּג בְּחוֹל, דָּמֵי כְּמַאן דְּחָשַׁב לְמִלָּה אַחֲרָא, יַתִּיר מִמַּה דְּחָשִׁיב לֵיהּ לְקוּדְשָׁא בְּרִיךְ הוּא. רְעוּתָא עִלָּאָה, קַדִּישָׁא דְּקוּדְשִׁין דְּשַׁרְיָא עָלֵיהּ, לָא עָנִיג, וּבָטִיל לֵיהּ מִנֵּיהּ. רְעוּתָא אַחֲרָא דְּחוֹל, דְּשַׁרְיָא לְבָתַר עַל עָלְמָא, חָשִׁיב וְקָא מְעַנְּגָא לֵיהּ. כְּדֵין מְהַדְּרִין וּמִתְפָּרְעִין מִנֵּיהּ, בְּהַאי עָלְמָא, וּבְעָלְמָא דְּאָתֵי.

רנ. בְּגִין כַּךְ, אִצְטְרִיךְ תַּעֲנִיתָא אַחֲרִינָא, בְּיוֹמָא קַדְמָאָה דְּחוֹל, בְּזִמְנָא דְּשַׁרְיָא עַל עָלְמָא הַהוּא רְעוּתָא דְּחוֹל. וּבְהַאי אִית לֵיהּ אַסְוָותָא, כֵּיוָן דְּלָא חָשִׁיב לִרְעוּתָא דְּחוֹל. וְסִימָנֵיךְ וְהֵשִׁיב אֶת הַגְּזֵלָה אֲשֶׁר גָּזָל וְגו'. גַּזְלָן, לָא חָשִׁיב לְקוּדְשָׁא בְּרִיךְ הוּא, לָא חָשִׁיב לִבְנֵי נָשָׁא, בְּגִין כַּךְ לֵית לֵיהּ עוֹנְשָׁא כְּגַנָּב גַּנָּב, דְּחָשִׁיב לִבְנֵי נָשָׁא, יַתִּיר מִקֻּבְ"ה, אִית לֵיהּ עוֹנְשָׁא בְּהַאי עָלְמָא, וּבְעָלְמָא דְּאָתֵי. זַכָּאָה אִיהוּ, מַאן דְּאִשְׁתְּלִים לְתַתָּא, לְהַהוּא עוֹנֶג עִלָּאָה כַּדְקָא חָזֵי.

רנא. יוֹמָא דָּא, מִתְעַטְּרָא בְּשַׁבְעִין עִטְרִין, וּשְׁמָא עִלָּאָה קַדִּישָׁא, אִשְׁתְּלִים בְּכָל סִטְרִין, וְאִתְנְהִירוּ כֻּלְּהוּ דַּרְגִּין, וְכֹלָּא בְּחֶדְוָה דְּבִרְכָאן, וּבִקְדוּשָׁה עַל קְדוּשָׁה, וְתוֹסֶפֶת דִּקְדוּשָׁה.

רנב. קְדוּשָׁה דְּמַעֲלֵי שַׁבְּתָא, דָּא אִיהִי קְדוּשָׁה דְּשַׁבַּת בְּרֵאשִׁית. דְּהָא אִתְקַדַּשׁ מִתְּלָתִין וּתְרֵין שְׁבִילִין, וּתְלַת דַּרְגִּין דְּתַפּוּחִין קַדִּישִׁין. וּבְעֵינָן לְאַדְכְּרָא עַל הַאי קְדוּשָׁה, כְּלָלָא דְּעוֹבָדָא דִּבְרֵאשִׁית, וְנַיְיחָא בְּרָזָא דִּתְלָתִין וּתְרֵין שְׁבִילִין, וּתְלַת דַּרְגִּין דְּאִתְכְּלִילָן בְּהוּ, רָזָא דְּסַהֲדוּתָא דְּעוֹבָדָא דִּבְרֵאשִׁית, דְּהַיְינוּ וַיְכֻלּוּ הַשָּׁמַיִם וְהָאָרֶץ וְכָל צְבָאָם וְגו'. וַיְכַל אֱלֹהִים, דְּאִית בְּסַהֲדוּתָא דָּא, תְּלָתִין וַחֲמֵשׁ תֵּיבִין. תְּלָתִין וּתְרֵין שְׁבִילִין, וּתְלַת דַּרְגִּין דְּתַפּוּחִין קַדִּישִׁין.

רנג. תְּלַת דַּרְגִּין, דְּאִינּוּן: שְׁבִיעִי. שְׁבִיעִי. שְׁבִיעִי. וְאִית בֵּיהּ רָזָא דְּעָלְמָא עִלָּאָה, וְרָזָא דְּעָלְמָא תַּתָּאָה, וְרָזָא דְּכָל מְהֵימְנוּתָא. תְּלַת זִמְנִין אֱלֹהִים, חַד, עָלְמָא תַּתָּאָה. וְחַד, פַּחַד יִצְחָק. וְחַד, עָלְמָא עִלָּאָה קַדִּישָׁא, קֹדֶשׁ קוּדְשִׁין. בָּעֵי ב"נ לְמִסְהַד סַהֲדוּתָא דָּא, בְּחֶדְוָה, בִּרְעוּתָא דְּלִבָּא, לְאַסְהֲדָא קָמֵי מָארֵיהּ דִּמְהֵימְנוּתָא. וְכָל מַאן דְּיַסְהִיד דָּא, וְיָשַׁוֵּי לִבֵּיהּ וּרְעוּתֵיהּ לְדָא, מְכַפֵּר עַל כָּל חוֹבוֹי.

רנד. בא"י אמ"ה אק"ב וְרָצָה בָנוּ וְכוּ', הַאי קִידוּשָׁא אִיהוּ בְּחַד מִתְקְלָא, לְקַבֵּל סַהֲדוּתָא דִּמְהֵימְנוּתָא, וְאִינּוּן תְּלָתִין וְחָמֵשׁ תֵּיבִין אַחֲרָנִין, כְּמָה דְּאִית בְּוַיְכֻלּוּ. כֹּלָּא סַלְּקִין לְשַׁבְעִין תֵּיבִין, לְאִתְעַטְּרָא בְּהוּ שַׁבָּת, דְּמַעֲלֵי שַׁבְּתָא. זַכָּאָה חוּלָקֵיהּ דְּבַר נָשׁ, דִּיכַוֵּון רְעוּתֵיהּ לְמִלִּין אִלֵּין, לִיקָרָא דְּמָארֵיהּ.

רנה. קִידוּשָׁא דְּיוֹמָא, הָא אוֹקְמוּהָ בּוֹרֵא פְּרִי הַגָּפֶן, וְלָא יַתִּיר. דְּהָא יוֹמָא קָאִים לְקַדְּשָׁא לֵיהּ, מַה דְּלֵית הָכִי בְּלֵילְיָא, דַּאֲנָן צְרִיכִין לְקַדְּשָׁא לֵיהּ, בְּהָנֵי מִלִּין, כְּמָה דְּאוּקִימְנָא. וְלָא אִתְקַדַּשׁ הַאי לֵילְיָא, אֶלָּא בְּעַמָּא קַדִּישָׁא לְתַתָּא, כַּד שַׁרְיָא עָלַיְיהוּ הַהוּא רְעוּתָא עִלָּאָה. וַאֲנָן בָּעֵינָן לְקַדְּשָׁא לֵיהּ בִּרְעוּתָא דְּלִבָּא, לְכַוְּונָא דַּעְתָּא לְהַאי.

רנו. וְיוֹמָא אִיהוּ קָא מְקַדְּשָׁא לֵיהּ. וְיִשְׂרָאֵל מְקַדְּשֵׁי בִּצְלוֹתִין וּבָעוּתִין, וּמִתְקַדְּשִׁין בִּקְדוּשָּׁתֵיהּ, בְּהַאי יוֹמָא. זַכָּאִין יִשְׂרָאֵל, עַמָּא קַדִּישָׁא, דְּאַחֲסִינוּ יוֹמָא דָּא, אַחֲסַנַת יְרוּתָא לְעָלְמִין.

רנז. לְבָתַר דְּנָפִיק שַׁבְּתָא, בָּעֵי בַּר נָשׁ לְאַפְרְשָׁא, בֵּין קֹדֶשׁ לְחוֹל. אֲמַאי. דְּהָא

אתיהיב רשו לממנן דלתתא לשלטאה על עלמא, ובכל עובדין דעלמא, לאחזאה יחודא, באתר קדישא, בקדושה עלאה, ולאפרשא לתתא מיחודא עלאה, ולברכא על נהורא דאשא.

רנח. בגין דכל אשין אחרנין, אתטמרו ואתגניזו ביומא דשבתא, בר אשא חד דקדושה עלאה, דאתגליא ואתכלילא בקדושא דשבתא. וכד האי אשא אתגלייא, כל אשין אחרנין אתטמרו, ואתגניזו קמיה. והאי אשא, איהי דעקידה דיצחק, דאתלהטא על גבי מדבחא. בגין כך, בעי לברכא על נהורא דאשא. והאי אשא, לא בעי אשא דחול, אלא אשא דשבת, והאי אשא, איהו אשא דנפיק מההוא אשא דלעילא.

רנט. ודא איהו אשא דסביל אשא. וכיון דהאי אשא דנפיק מאשא דלעילא אתברכא בברכה דנהורא, כדין כל שאר אשין אחרנין נפקין, ואתמנן בדוכתייהו, ואתייהיב לון רשותא לאנהרא.

רס. בההיא שעתא דקא מברכין על אשא, אזדמנן ארבע רתיכין, ארבע משריין לתתא, לאנהרא מההוא אשא מברכא, ואינון אקרון מאורי האש. בגין כך, בעינן לאכפיא ד' אצבעאן דידא דימינא, ולאנהרא לון מגו ההוא נהורא דשרגא דמתברכא.

רסא. ואינון אצבעאן, רמז לאינון מאורי האש, דנהירי ושלטי מההוא נהורא דשרגא דמתברכא. ובגין דאינון דרגין לתתא, כד אחזי בר נש אצבעאן קמי ההוא נהורא דשרגא, בעי לאכפייא לון קמיה, בגין דההוא נהורא שלטא עלייהו, ואינון נהרין מניה.

רסב. בשאר ברכאן בעינן לזקפא לון לאצבעאן, בגין לאחזאה קדושה עלאה, דדרגין עלאין, דשלטין על כלא, דשמא קדישא אתעטר בהו ואתקדש בהו, ואתברכן כלהו דרגין כחדא, ונהרין מגו בוצינא עלאה דכלא, ובג"כ בעינן לזקפא לון לעילא. והכא בעינן לאכפייא אצבעאן קמי שרגא, בגין לאחזאה דרגין דלתתא, דנהרין מגו בוצינא דלעילא, ומהכא שלטין ונהרין מנה, ואינון מאורי האש.

רסג. בכל יומא אנן מברכינן מאורי אור, דאינון נהורין עלאין, דקיימן בההוא אור קדמאה, ואתברכן כלהו דרגין, ונהרין כלהו כחדא, מגו בוצינא עלאה. והני אקרון מאורי האש. ובגיני רזא דא, מברכין בורא מאורי האש.

רסד. ואי תימא, אמאי בורא, ולא אמרו מאיר מאורי האש. הואיל וקא נהרין מההוא אש, מההוא בוצינא מברכא. אלא כיון דעאל שבתא, כל אינון דרגין דלתתא, וכל אינון דנהרין ושלטין, כלהו עאלין ואתכלילו בהאי שרגא, ואתטמרו ואתגניזו, ואתנטרו ביה, ולא יתחזון ביה, אלא ההוא נקודה בלחודהא, וכלהו אתטמרו בגווה, כל יומא דשבתא.

רסה. כיון דנפק שבתא, אפיק לון לכל חד וחד, כאילו ההיא שעתא אתבריאו, ונפקו כלהו ואתבריאו כמלקדמין, ואתמניאו על דוכתייהו לשלטאה כדין אתברכא האי שרגא, ואתכפיין קמיה, לאנהרא. כיון דנהרין, כדין אתמנון כל חד וחד על דוכתיה.

רסו. כגוונא דא, אינון דרגין עלאין, דאקרון מאורי אור, שלטין ביממא, ונהרין

מִגּוֹ בּוּצִינָא עִלָּאָה. בְּשַׁעֲתָא דְּרַבְמַע לֵילְיָא, הַהוּא בּוּצִינָא עִלָּאָה כָּנִישׁ לוֹן, וְאַעֵיל לוֹן בְּגַוֵּיהּ, עַד דְּנָהִיר יְמָמָא. כֵּיוָן דִּמְבָרְכִין יִשְׂרָאֵל עַל נְהוֹרָא בִּימָמָא, כְּדֵין אַפִּיק לוֹן בִּשְׁלִימוּ דִּנְהוֹרָא. וְעַ״ד מְבָרְכִין יוֹצֵר הַמְאוֹרוֹת, וְלָא אַמְרֵי בּוֹרֵא, וְהָכָא בּוֹרֵא מְאוֹרֵי הָאֵשׁ. בְּגִין דְּאִינּוּן דַּרְגִּין לְתַתָּא.

רסז. וְכֹלָּא אִיהוּ רָזָא דְּאֶצְבְּעָאן, בְּהוֹ רְמִיזֵי דַּרְגִּין עִלָּאִין, וְדַרְגִּין תַּתָּאִין. דַּרְגִּין עִלָּאִין אִשְׁתְּמוֹדְעָאן, בְּזְקִיפוּ דְּאֶצְבְּעָאן לְעֵילָּא. וּבְזְקִיפוּ דְּאֶצְבְּעָאן, אִתְבָּרְכָן דַּרְגִּין עִלָּאִין, וְדַרְגִּין תַּתָּאִין כַּחֲדָא. וּבְמָאִיכוּ דְּאֶצְבְּעָאן, אִתְבָּרְכָן לְאַנְהָרָא דַּרְגִּין תַּתָּאִין לְוְוֹדַיְיהוּ.

רסח. וְרָזָא דָּא, טוּפְרֵי דַּאֲחוֹרֵי אֶצְבְּעָאן. וְאֶצְבְּעָאן לְוְוֹדַיְיהוּ לְגוֹ. טוּפְרֵי דַּאֲחוֹרֵי אֶצְבְּעָאן, אִינּוּן אַנְפִּין אוֹחֲרָנִין, דְּאִצְטְרִיכוּ לְאַנְהָרָא מִגּוֹ הַהוּא שַׂרְגָּא, וְאִינּוּן אַנְפִּין דְּאִקְרוּן אֲחוֹרַיִים. אֶצְבְּעָאן לְגוֹ בְּלָא טוּפְרִין, אִלֵּין אִינּוּן אַנְפִּין פְּנִימָאן אִתְכַּסְיָין. וְרָזָא דָּא, וְרָאִיתָ אֶת אֲחוֹרָי. אִלֵּין אֲחוֹרֵי, אֶצְבְּעָאן, לַאֲחוֹרָא בְּטוּפְרֵיהוֹן. וּפָנַי לֹא יֵרָאוּ, אִלֵּין אֶצְבְּעָאן לְגוֹ, דְּאִינּוּן אַנְפִּין פְּנִימָאן.

רסט. וְכַד מְבָרְכִינָן עַל שַׂרְגָּא, בָּעֵי לְאַחֲזָאָה אֲחוֹרֵי אֶצְבְּעָאן בְּטוּפְרִין, לְאִתְנַהֲרָא מִגּוֹ הַהוּא שַׂרְגָּא, וּפְנִימַאי דְּאֶצְבְּעָאן, לָא אִצְטְרִיכוּ לְאַחֲזָאָה לוֹן לְאִתְנַהֲרָא מִגּוֹ הַהוּא שַׂרְגָּא, דְּהָא אִינּוּן לָא נַהֲרִין, אֶלָּא מִגּוֹ שַׂרְגָּא עִלָּאָה דִּלְעֵילָּא לְעֵילָּא, דְּאִיהִי טְמִירָא וּגְנִיזָא דְּלָא אִתְגַּלְיָא כְּלַל. וְאִינּוּן לָא נַהֲרִין מִגּוֹ שַׂרְגָּא דְּאִתְגַּלְיָא כְּלַל, בְּגִין כָּךְ בָּעֵי לְאַחֲזָאָה אֲחוֹרֵי אֶצְבְּעָאן בְּטוּפְרִין. וּפְנִימַאי דְּאֶצְבְּעָאן, לָא בָּעֵי לְאַחֲזָאָה קָמֵי הַאי שַׂרְגָּא. טְמִירִין אִינּוּן, וּבִטְמִירוּ אִתְנַהֲרִין. פְּנִימָאִין אִינּוּן, וּמִפְּנִימָאִין אִתְנַהֲרָן. עִלָּאִין אִינּוּן, וּמֵעִלָּאָה אִתְנַהֲרָן. זַכָּאִין אִינּוּן יִשְׂרָאֵל, בְּעָלְמָא דֵּין, וּבְעָלְמָא דְּאָתֵי.

רע. וּבָעֵי לְאַרְוָחָא בְּבוּסְמִין, כַּד נָפֵיק שַׁבַּתָּא, עַל דְּאִסְתַּלָּק הַהוּא רוּוְזָא, וְנַפְשָׁא דְּבַר נָשׁ אִשְׁתְּאָרַת בְּעַרְטוּלָא, בְּגִין הַהוּא אִסְתַּלָּקוּ, דְּאִסְתַּלָּק רוּוְזָא מִנֵּיהּ וְהָא אוּקְמוּהָ.

רעא. כְּתִיב וַיָּרַח אֶת רֵיחַ בְּגָדָיו וַיְבָרְכֵהוּ וְגוֹ'. הַאי קְרָא אוּקְמוּהָ וְאִתְּמַר, אֲבָל תָּ״ח, רֵיוְזָא אִיהוּ קִיּוּמָא דְּנַפְשָׁא, בְּגִין דְּאִיהוּ מִלָּה דְּעָאֵיל לְנַפְשָׁא, וְלָא לְגוּפָא. תָּ״ח, כְּתִיב וַיָּרַח אֶת רֵיחַ בְּגָדָיו, הָא אוּקְמוּהָ, אִינּוּן דְּאָדָם קַדְמָאָה הֲווֹ, דְּיָהַב לֵיהּ קַבָּ״ה לְאַלְבְּשָׁא לוֹן.

ערב. בְּגִין דְּהָא כַּד וְזָב אָדָם, אִתְעֲדֵי מִנֵּיהּ הַהוּא לְבוּשָׁא יַקִּירָא, דְּאִתְלְבַּשׁ בֵּיהּ בְּקַדְמֵיתָא, כַּד אָעֵיל לֵיהּ בְּגִנְתָא דְּעֵדֶן. וּלְבָתַר דְּוָזב, אַלְבִּישׁ לֵיהּ בִּלְבוּשָׁא אַוְזֵרָא, לְבוּשָׁא קַדְמָאָה, דְּאִתְלְבַּשׁ בֵּיהּ אָדָם בְּגִנְתָא דְּעֵדֶן, אִיהוּ הֲוָה מֵאִינּוּן רְתִיכִין, דְּאִקְרוּן אֲחוֹרַיִים, וְאִינּוּן לְבוּשִׁין דְּאִקְרוּן לְבוּשֵׁי טוּפְרָא.

רעג. וְכַד הֲוָה בְּגִנְתָא דְּעֵדֶן, כָּל אִינּוּן רְתִיכִין, וְכָל אִינּוּן מַשִּׁרְיָין קַדִּישִׁין, כֻּלְּהוּ סַוְזֲרִין לֵיהּ לְאָדָם, וְאִתְנְטִיר מִכֹּלָּא, וְלָא הֲוָה יָכִיל מִלָּה בִּישָׁא לְאִתְקָרְבָא בַּהֲדֵיהּ. כֵּיוָן דְּוָזב, וְאִתְעֲדוּ מִנֵּיהּ אִינּוּן לְבוּשִׁין, דָּוֵזיל מַמְלָּלִין בִּישִׁין, וְרוּוְזִין בִּישִׁין, וְאִסְתַּלָּקוּ מִנֵּיהּ אִינּוּן מַשִּׁרְיָין קַדִּישִׁין, וְלָא אִשְׁתְּאָרוּ בֵּיהּ, אֶלָּא אִינּוּן רָאשֵׁי טוּפְרֵי דְּאֶצְבְּעָאן, דְּסַוְזֲרִין לוֹן לְטוּפְרִין סַוְזֲרוּ דְּוֵזֹהֲבָמָא אַוְזֵרָא.

רעד. וּבְגִין כָּךְ, לָא לִיבָעֵי לֵיהּ לְבַר נָשׁ לְרַבָּאָה אִינּוּן טוּפְרִין דְּוֵזהֲבָמָא, דְּהָא כַּמָּה דְּאַסְגִּיאוּ, הָכִי נָמֵי אַסְגֵּי עֲלֵיהּ קַסְטוּרָא, וְיִדְאַג לְסַפְּרָא לוֹן בְּכָל יוֹמָא, וּבָעֵי לְסַפְּרָא לוֹן, וְלָא יַרְמֵי לוֹן, דְּלָא יַעֲבֵיד קְלָנָא בְּהַהוּא אֲתָר, דְּיָכִיל הַהוּא בַּר נָשׁ לְאִתְזָקָא. וְכֹלָּא כְּגַוְונָא עִלָּאָה. דְּהָא לְכֻלְּהוּ אֲחוֹרַיִים, סַוְזֲרָא סִטְרָא אַוְזֵרָא, וְלָא אִצְטְרִיךְ לֵיהּ בַּאֲתָר דְּעָלְמָא.

ערה. לְבָתַר עֲבַד לֵיהּ לְאָדָם, לְבוּשִׁין אֲחֳרָנִין, מִטַּרְפֵי אִילָנִין דְּגִנְּתָא דְּעֵדֶן דְּאַרְעָא. דְּהָא בְּקַדְמֵיתָא הֲווּ אִינּוּן לְבוּשִׁין, מֵאִינּוּן אֲחוֹרַיִים דְּגִנְּתָא דִּלְעֵילָּא, וְהַשְׁתָּא מִגִּנְּתָא דְּאַרְעָא, וְנַפְקֵי מִגִּנְּתָא. וְאִינּוּן לְבוּשִׁין הֲווּ סַלְקִין רֵיחִין וּבוּסְמִין דְּגִנְּתָא, דְּנַפְשָׁא מִתְיַישְּׁבָא בְּהוּ, וְחַדֵּי בְּהוּ. הה״ד וַיָּרַח אֶת רֵיחַ בְּגָדָיו וַיְבָרֲכֵהוּ, דְּהָא אִתְיַישְּׁבָא נַפְשֵׁיהּ וְרוּוֵיהּ דְּיִצְחָק בְּהַהוּא רֵיחָא.

רעו. בְּג״ד כַּד נָפַק שַׁבְּתָא, בָּעֵי לְאָרְחָא בְּבוּסְמִין, לְאִתְיַשְּׁבָא נַפְשֵׁיהּ בְּהַהוּא רֵיחָא, עַל הַהוּא רֵיחָא עִלָּאָה קַדִּישָׁא דְּאִסְתַּלַּק מִינָּהּ. וְהַהוּא רֵיחָא מְעַלְיָא דְּבוּסְמִין אִיהוּ הֲדַס. דְּהָא קִיּוּמָא דַּאֲתַר קַדִּישָׁא דְּנִשְׁמָתִין נָפְקִין מִנֵּיהּ, הֲדַס אִיהוּ. וְדָא אִיהוּ קִיּוּמָא דְּנַפְשָׁא, כְּגַוְונָא דִּלְעֵילָּא, לְאִתְקַיְּימָא מֵהַהוּא עַרְטוּלָא דְּאִשְׁתְּאַרַת.

רעז. כַּד נָפַק שַׁבְּתָא, אִתְלַבַּשׁ אָדָם, בְּאִינּוּן לְבוּשִׁין דְּגִנְּתָא דְּעֵדֶן דְּאַרְעָא, דְּסַלְקִין רֵיחִין וּבוּסְמִין, לְקַיְּימָא נַפְשֵׁיהּ, עַל הַהוּא רוּחָא קַדִּישָׁא עִלָּאָה יַקִּירָא דְּאִסְתַּלַּק מִנֵּיהּ. וְהֲדַס אִיהוּ קִיּוּמָא דְּנַפְשָׁא וַדַּאי. כְּגַוְונָא עִלָּאָה, דְּאִתְקַיְּימָא קִיּוּמָא דְּנַפְשָׁא.

רעח. הַהוּא רוּחָא עִלָּאָה דְּנָחִית עָלֵיהּ דְּבַר נָשׁ בְּחֶדְוָה, וְחַדֵּי לְנַפְשֵׁיהּ, כְּדֵין קַיְּימָא נַפְשָׁא דְּבַר נָשׁ, כְּגַוְונָא דְּעָלְמָא דְּאָתֵי, דְּזַמִּין לְאִתְהֲנָאָה מִנֵּיהּ, כְּמָה דְּבַר נָשׁ, אַהֲנֵי לְהַאי רוּחָא בְּעָלְמָא דָּא. הָכִי הַהוּא רוּחָא אַהֲנֵי לֵיהּ לְבַר נָשׁ, לְעָלְמָא דְּאָתֵי, דִּכְתִּיב אָז תִּתְעַנַּג עַל יְיָ׳ וְגוֹ׳. וּכְתִיב וְהִשְׂבִּיעַ בְּצַחְצָחוֹת נַפְשֶׁךָ. כְּמָה דְּבַר נָשׁ, רַוֵּי לְהַהוּא עִנּוּגָא, וְאַהֲנֵי לֵיהּ, הָכִי נָמֵי אִיהוּ רַוֵּי לֵיהּ לְעָלְמָא דְּאָתֵי. כְּדֵין כַּד בַּר נָשׁ זָכֵי, וְאַשְׁלִים שְׁלִימוּ דִּיקָרָא דְּשַׁבְּתָא כִּדְקָאֲמָרָן, קוּדְשָׁא בְּרִיךְ הוּא קָארֵי עָלֵיהּ וְאָמַר, וַיֹּאמֶר לִי עַבְדִּי אָתָּה יִשְׂרָאֵל אֲשֶׁר בְּךָ אֶתְפָּאָר.

רעט. קָם רִבִּי אַבָּא, וּשְׁאַר חַבְרַיָּיא, וְנַשְׁקוּ רֵישֵׁיהּ. בָּכוּ וְאָמְרוּ, זַכָּאָה חוּלָקָנָא דְּאָרְחָא דָּא זַמִּין קוּדְשָׁא בְּרִיךְ הוּא לְקַבְלָן. אָמַר ר׳ אַבָּא, לִי זַמִּין קוּדְשָׁא בְּרִיךְ הוּא אָרְחָא דָּא, בְּגִין לְאִתְחַבְּרָא עִמְּכוֹן. זַכָּאָה אִיהוּ חוּלָקִי, דְּזָכֵינָא לְאָרְחָא דָּא.

רפ. אָמַר לְהוּ, אֵימָא לְכוּ מַה דַּחֲמֵינָא, יוֹמָא דָּא נַפְקָנָא לְאָרְחָא, וַחֲמֵינָא נְהוֹרָא וְחַד, וְאִתְפַּלַּג לִתְלַת נְהוֹרִין, וְאָזְלוּ קָמַאי, וְאִתְטָמָרוּ. וַאֲמֵינָא וַדַּאי שְׁכִינְתָּא חֲמֵינָא, זַכָּאָה חוּלָקִי. וְהַשְׁתָּא אִינּוּן תְּלַת נְהוֹרִין דַּחֲמֵינָא, אַתּוּן אִינּוּן, וַדַּאי אַתּוּן נְהוֹרִין, וּבוּצִינִין עִלָּאִין, לְאַנְהָרָא בְּעָלְמָא דֵּין וּבְעָלְמָא דְּאָתֵי.

רפא. אָמַר רִבִּי אַבָּא עַד הָכִי לָא יָדַעְנָא, דְּכָל אִלֵּין מַרְגְּלָן סְתִימִין הֲווּ תְּחוֹת יְדַיְיכוּ, כֵּיוָן דַּחֲמֵינָא, דְּהָא בִּרְעוּתָא דִּפְקוּדָא דְּמָארֵיכוֹן אִתְאֲמָרוּ מִלִּין אִלֵּין, יָדַעְנָא, דְּכֻלְּהוּ מִלִּין סַלְּקִין יוֹמָא דָּא, לְגוֹ כּוּרְסְיָיא עִלָּאָה, וְנָטִיל לוֹן הַהוּא מָארֵי דְּאַנְפִּין, וְעָבֵיד מִינַּיְיהוּ עִטְרִין לְמָארֵיהּ. וְיוֹמָא דָּא מִתְעַטְּרִין שִׁתִּין רְתִיכִין קַדִּישִׁין, לִיקָרָא דְּכֻרְסְיָיא, בְּאִלֵּין מִלִּין דְּאִתְאֲמָרוּ הָכָא, יוֹמָא דָּא.

רפב. אַדְּהָכִי זָקַף עֵינוֹי, וְחָמָא דְּאַעְרַב שִׁמְשָׁא. אָמַר ר׳ אַבָּא, נְהָךְ לְגַבֵּי הַאי כְּפַר, דְּאִיהוּ קָרִיב לְגַבָּן בְּמַדְבְּרָא. אָזְלוּ וּבִיתוּ תַּמָּן. בְּפַלְגוּת לֵילְיָא, קָם ר׳ אַבָּא וּשְׁאַר חַבְרַיָּיא, לְאִשְׁתַּדְּלָא בְּאוֹרַיְיתָא, אָמַר רִבִּי אַבָּא, מִכָּאן וּלְהָלְאָה נֵימָא מִלִּין לְאִתְעַטְּרָא בְּהוּ צַדִּיקַיָּא דִּבְגִנְּתָא דְּעֵדֶן, דְּהַשְׁתָּא אִיהוּ זִמְנָא, דְּקוּדְשָׁא בְּרִיךְ הוּא וְכָל צַדִּיקַיָּא דִּבְגִנְּתָא דְּעֵדֶן, צַיְיתִין לְקָלֵיהוֹן דְּצַדִּיקַיָּא דִּי בְּאַרְעָא.

רפג. פָּתַח רִבִּי אַבָּא וְאָמַר, כְּתִיב הַשָּׁמַיִם שָׁמַיִם לַיְיָ׳ וְהָאָרֶץ נָתַן לִבְנֵי אָדָם הַאי קְרָא אִית לְאִסְתַּכְּלָא בֵּיהּ, וְהָכִי אִצְטְרִיךְ לְמֵימַר הַשָּׁמַיִם לַיְיָ׳, וְהָאָרֶץ נָתַן לִבְנֵי אָדָם.

מַאי הַשָּׁמַיִם שָׁמַיִם. אֶלָּא הָכָא אִית לְאִסְתַּכְּלָא, בְּגִין דְּאִית שָׁמַיִם, וְאִית שָׁמַיִם. שָׁמַיִם לְתַתָּא, וְאֶרֶץ לְתַתָּא מִנַּיְיהוּ. שָׁמַיִם לְעֵילָּא, וְאֶרֶץ לְתַתָּא מִנַּיְיהוּ. וְכָל דַּרְגִּין עִלָּאִין וְתַתָּאִין, כֻּלְּהוּ כְּגַוְונָא דָּא, אִלֵּין בְּאִלֵּין.

רפד. שָׁמַיִם לְתַתָּא, אִינּוּן עֶשֶׂר יְרִיעוֹת, כד"א נוֹטֶה שָׁמַיִם כַּיְרִיעָה. וְקב"ה עֲבַד לוֹן, וּמַשְׁרְיָין דִּי בְּגַוַּויְיהוּ, לְאַנְהָגָא אַרְעָא תַּתָּאָה. תְּשִׁיעָאָה אַנְהִיג לְתַתָּאֵי, דְּסַחֲרָן כְּקוּפְטְרָא דְּקָרְלְהוּ. עֲשִׂירָאָה, אִיהוּ עִקָּרָא.

רפה. וּבְכֻלְּהוּ מַשִּׁרְיָין מְמַנָּן עַד שְׁבִיעָאָה. מִשְׁבִיעָאָה וּלְהָלְאָה, אִית נְהוֹרָא דְּאִתְפָּשַׁט לְתַתָּא, מִגּוֹ כּוּרְסְיָּיא עִלָּאָה, וְנָהִיר לַעֲשִׂירָאָה. וַעֲשִׂירָאָה, מֵהַהוּא נְהִירוּ דְּנַקְטָא, יָהִיב לִתְשִׁיעָאָה, וְאִיהוּ לִתְמִינָאָה וּלְתַתָּא.

רפו. הַאי תְּמִינָאָה, כַּד אִתְפַּקְדוּן חֵילֵי דְּכוֹכָבַיָּא, וְאַפִּיק לוֹן, הַהוּא נְהִירוּ, קַיְּימָא וְיָהִיב חֵילֵיהּ לְכָל חַד וְחַד, לְאִתְמַנָּאָה בְּהַהוּא אֲתַר דְּאִצְטְרִיךְ. דִּכְתִּיב הַמּוֹצִיא בְמִסְפָּר צְבָאָם וְגוֹ', מֵרֹב אוֹנִים, דָּא אִיהוּ זִהֲרָא דִּלְעֵילָּא, דְּאִקְרֵי רוֹב אוֹנִים.

רפז. וּבְכָל רְקִיעָא וּרְקִיעָא, אִית מְמַנָּא, וְאִתְפְּקַד עַל עָלְמָא, וְעַל אַרְעָא, לְאַנְהָגָא כֹּלָּא. בַּר אַרְעָא דְּיִשְׂרָאֵל, דְּלָא אַנְהִיג לָהּ רְקִיעָא, וְלָא חֵילָא אַחֲרָא, אֶלָּא קוּדְשָׁא בְּרִיךְ הוּא בִּלְחוֹדוֹי, וְהָא אוֹקְמוּהָ. וְאִי תֵּימָא הֵיךְ שַׁרְיָא לִמְגָּנָא רְקִיעָא עַל אַרְעָא דְּיִשְׂרָאֵל, וְהָא מִטְרָא וְטַלָּא מֵרְקִיעָא נָחִית עָלָהּ, כִּשְׁאָר כָּל אַרְעָא אַחֲרָא.

רפח. אֶלָּא, בְּכָל רְקִיעָא וּרְקִיעָא אִית מְמַנָּן שַׁלְטִין עַל עָלְמָא, וְהַהוּא מְמַנָּא דְּשַׁלְטָא עַל הַהוּא רְקִיעָא, יָהִיב מֵחֵילָא דְּאִית לֵיהּ לְהַהוּא רְקִיעָא, וְהַהוּא רְקִיעָא נָקִיט מֵהַהוּא מְמַנָּא, וְיָהִיב לְתַתָּא לְאַרְעָא. וְהַהוּא מְמַנָּא לָא נָקִיט, אֶלָּא מִתַּמְצִית דִּלְעֵילָּא. אֲבָל אַרְעָא קַדִּישָׁא, לָא שַׁלִּיט עַל הַהוּא רְקִיעָא דְּעָלֵיהּ מְמַנָּא אַחֲרָא, וְלָא חֵילָא אַחֲרָא, אֶלָּא קב"ה בִּלְחוֹדוֹי וְאִיהוּ פָּקִיד לְאַרְעָא קַדִּישָׁא בְּהַהוּא רְקִיעָא.

רפט. בְּכָל רְקִיעָא וּרְקִיעָא, אִית פִּתְחִין יְדִיעָן, וְשׁוּלְטָנוּ דְּכָל מְמַנָּן, מִפִּתְחָא לְפִתְחָא רְשִׁימָא, וּמֵהַהוּא פִּתְחָא וּלְהָלְאָה, לָא שַׁלְטָא אֲפִילּוּ כִּמְלֹא נִימָא, וְלָא עָאל דָּא, בִּתְחוּמָא דְּפִתְחָא דְּחַבְרֵיהּ, בַּר כַּד אִתְיְהִיב לֵיהּ רְשׁוּ, לְשַׁלְטָאָה חַד עַל חַבְרֵיהּ. כְּדֵין, שַׁלְטִין מַלְכִין דִּי בְּאַרְעָא, חַד עַל חַבְרֵיהּ.

רצ. בְּאֶמְצָעִיתָא דְּכֻלְּהוּ רְקִיעִין, אִית פִּתְחָא חֲדָא, דְּאִקְרֵי גְּבִילוֹ"ן, וּתְחוֹת הַאי פִּתְחָא, אִית שַׁבְעִין פִּתְחִין אַחֲרָנִין לְתַתָּא, וְשַׁבְעִין מְמַנָּן נַטְרִין, מְרַחִיק תְּרֵי אַלְפִּין אַמִּין, דְּלָא קָרְבִין לְגַבֵּיהּ. וּמֵהַהוּא פִּתְחָא אָרְחָא סָלִיק לְעֵילָּא לְעֵילָּא, עַד דִּי מָטָא לְגוֹ כּוּרְסְיָּיא עִלָּאָה, וּמֵהַהוּא פִּתְחָא לְכָל סִטְרִין דִּרְקִיעָא, עַד תַּרְעָא דְּפִתְחָא דְּאִקְרֵי מַגְּדּוֹ"ן, דְּתַמָּן אִיהוּ סִיּוּמָא דִּרְקִיעָא דִּתְחוּמָא דְּאַרְעָא דְּיִשְׂרָאֵל.

רצא. וְכָל אִינּוּן ע' פִּתְחִין, דִּרְשִׁימִין גּוֹ הַהוּא פִּתְחָא דְּאִקְרֵי גְּבִילוֹ"ן, כֻּלְּהוּ רְשִׁימִין בְּכוּרְסְיָּיא קַדִּישָׁא, וְכֻלְּהוּ קָרֵינָן לוֹן שַׁעֲרֵי צֶדֶק, דְּלָא שַׁלִּיט אַחֲרָא עָלַיְיהוּ. וְקב"ה פָּקִיד לְאַרְעָא דְּיִשְׂרָאֵל בְּהַהוּא רְקִיעָא, מִפִּתְחָא לְפִתְחָא, בִּפְקִידוּ כְּמָה דְּאִצְטְרִיךְ. וּמִתַּמְצִיתָא דְּהַהוּא פְּקִידָא, נַטְלִין אִינּוּן שַׁבְעִין מְמַנָּן, וְיָהֲבִין לְכֻלְּהוּ מְמַנָּן אַחֲרָנִין.

רצב. בְּגִנְּתָא דְּעֵדֶן דִּלְתַתָּא, רְקִיעָא דְּקַיְּימָא עָלֵיהּ, אִית בֵּיהּ רָזִין עִלָּאִין, כַּד עֲבַד קב"ה רְקִיעָא אַיְיתֵי אֵשׁ וּמַיִם, מִגּוֹ כּוּרְסֵי יְקָרֵיהּ, וְשִׁתֵּף לוֹן כַּחֲדָא, וַעֲבַד מִנְּהוֹן רְקִיעָא לְתַתָּא, וְאִתְפָּשְׁטוּ עַד דְּמָטוּ לְהַהוּא אֲתַר דְּגִנְּתָא דְּעֵדֶן, וְיָתְבוּ. מַה עֲבַד קב"ה. נָטַל מִשָּׁמַיִם עִלָּאִין קַדִּישִׁין, אֵשׁ וּמַיִם אַחֲרָנִין דְּמִשְׁתַּכְחִין וְלָא מִשְׁתַּכְחִין, דְּאִתְגַּלְיָין

וְלָא אִתְגַּלְיָין, וּמֵאִינּוּן אֵשׁ וּמַיִם, דְּאִתְנְטָלוּ מִשָּׁמַיִם עִלָּאִין, עֲבַד מִנַּיְיהוּ מְתִיחוּ דִּרְקִיעָא, וּמָתַח לֵיהּ עַל הַאי גִּנְּתָא דִּלְתַתָּא, וּמִתְחַבֵּר גּוֹ רְקִיעָא אַחֲרָא.

רצג. אַרְבַּע גַּוְונִין, בְּהַהוּא מְתִיחוּ דִּרְקִיעָא דְּעַל גִּנְּתָא, חִוָּור וְסוּמָק יָרוֹק וְאוּכָם. לְגַבֵּי הָנֵי גַּוְונִין, אִית אַרְבַּע פִּתְחִין, לְתַתָּא מֵהַהוּא מְתִיחוּ דִּרְקִיעָא. וְאִינּוּן פִּתְחִין לְאַרְבַּע סִטְרִין דִּרְקִיעָא דְּעַל גַּבֵּי גִּנְּתָא. מֵאִינּוּן אֵשׁ וּמַיִם, דְּאִתְעֲבִיד מִנְּהוֹן הַהוּא רְקִיעָא. מִתְפַּתְּחִין בְּאַרְבַּע פִּתְחִין, אַרְבַּע נְהוֹרִין.

רצד. לִסְטַר יְמִינָא בְּהַהוּא פִּתְחָא, מִגּוֹ מְתִיחוּ דִּסְטַר מַיָּא, נַהֲרִין תְּרֵין נְהוֹרִין, בְּאִינּוּן תְּרֵין פִּתְחִין, בְּפִתְחָא דִּימִינָא, וּבְפִתְחָא דְּאִיהוּ לָקֳבֵל אַנְפִּין.

רצה. גּוֹ נְהוֹרָא דְּנָהִיר לִסְטַר יְמִינָא, אִתְרְשִׁים אָת חַד, נָהִיר וּבָלִיט, וְנָצִיץ בִּנְצִיצוּ, מִגּוֹ הַהוּא נְהוֹרָא, וְאִיהוּ אָת מ', וְקַיְּימָא בְּאֶמְצָעִיתָא דְּהַהוּא נְהוֹרָא דְּפִתְחָא. אָת דָּא, סַלְּקָא וְנַחְתָּא, וְלָא קָאִים בַּאֲתַר חַד. הַהוּא נְהוֹרָא, נָטִיל לְהַהוּא אָת וְאַפִּיק לָהּ, בְּגִ"כ לָא קַיְּימָא בַּאֲתַר חַד.

רצו. גּוֹ נְהוֹרָא דְּנָהִיר בְּסִטְרָא דְּאִיהוּ לָקֳבֵל אַנְפִּין, אִתְרְשִׁים אָת חַד, דְּנָהִיר וּבָלִיט וְנָצִיץ בִּנְצִיצוּ גּוֹ הַהוּא נְהוֹרָא, וְאִיהִי אָת ר', וּלְזִמְנִין אִתְחֲזֵי ב' וְקַיְּימָא בְּאֶמְצָעִיתָא דְּהַהוּא נְהוֹרָא דְּפִתְחָא. וְסַלְּקָא וְנַחְתָּא, לְזִמְנִין אִתְגַּלְיָא, וּלְזִמְנִין לָא אִתְגַּלְיָא, וְלָא קַיְּימָא בַּאֲתַר חַד. אִלֵּין תְּרֵין אַתְוָון קַיְּימִין, וְכַד נִשְׁמְתָא דְּצַדִּיקַיָּא עָאלַת בְּגִנְּתָא דְּעֵדֶן, אִלֵּין תְּרֵין אַתְוָון נָפְקִין מִגּוֹ הַהוּא נְהוֹרָא, וְקַיְּימִין עַל הַהִיא נִשְׁמְתָא, וְסַלְּקֵי וְנַחְתֵּי.

רצז. כְּדֵין, מֵאִינּוּן תְּרֵין פִּתְחִין, מְקַדְּמֵי וְנַחְתֵּי מֵעֵילָּא, תְּרֵין רְתִיכִין. רְתִיכָא חֲדָא עִלָּאָה, דְּאִיהִי רְתִיכָא דְּמִיכָאֵל, רַב סְגָנִין. רְתִיכָא תִּנְיָנָא, דְּאִיהִי רְתִיכָא מֵהַהוּא רַב מְמַנָּא, דְּאִקְרֵי בּוֹאֵ"ל. וְדָא אִיהוּ שַׁמָּשָׁא יַקִּירָא דְּאִקְרֵי רְפָאֵ"ל. וְאִינּוּן נַחְתִּין וְקַיְּימִין עַל נִשְׁמְתָא, אַמְרִין לָהּ שָׁלוֹם בּוֹאֵךְ. יָבֹא שָׁלוֹם. כְּדֵין אִינּוּן תְּרֵין אַתְוָון, סַלְּקִין וְקַיְּימִין בְּאַתְרַיְיהוּ, וְאִתְגְּנִיזוּ גּוֹ הַהוּא נְהוֹרָא, דְּאִינּוּן פִּתְחִין.

רצח. תְּרֵין פִּתְחִין אַחֲרָנִין, תְּרֵין נְהוֹרִין אַחֲרָנִין קָא מְלַהֲטִין, מִנְּהִירוּ דְּאֶשָּׁא, בְּאִינּוּן פִּתְחִין חַד לִסְטַר שְׂמָאלָא, וְחַד לַאֲחוֹרָא. תְּרֵין אַתְוָון אַחֲרָנִין, מְלַהֲטִין בְּאִינּוּן נְהוֹרִין, וְנָצְצִין בְּגַוַּויְיהוּ, אָת חַד ג', וְאָת חַד נ', וְכַד אַתְוָון קַדְמָאֵי מִתְהַדְּרָן לְאַתְרַיְיהוּ, אִלֵּין תְּרֵין אַחֲרָנִין נָצְצִין, סַלְּקִין וְנַחְתִּין, נָפְקִין מֵאִינּוּן נְהוֹרִין, וְקַיְּימִין עַל נִשְׁמְתָא.

רצט. כְּדֵין נַחְתִּין תְּרֵין רְתִיכִין, מֵאִינּוּן תְּרֵין פִּתְחִין. רְתִיכָא חֲדָא אִיהוּ רְתִיכָא דְּגַבְרִיאֵל, רַב מְמַנָּא וְיַקִּירָא. רְתִיכָא תִּנְיָנָא, אִיהִי רְתִיכָא אַחֲרָא קַדִּישָׁא דְּנוּרִיאֵ"ל רַב מְמַנָּא, וְנַחְתִּין מֵאִינּוּן פִּתְחִין, וְקַיְּימִין עַל נִשְׁמְתָא, וְאַתְוָון מִתְהַדְּרָן לְאַתְרַיְיהוּ.

ש. כְּדֵין, אִלֵּין תְּרֵין רְתִיכִין, עָאלִין לְגוֹ הֵיכְלָא חֲדָא טְמִירָא דְּגִנְּתָא, דְּאִקְרֵי אֲהָלוֹ"ת, וְתַמָּן תְּרֵיסַר זִינֵי בּוּסְמִין גְּנִיזִין, דִּכְתִיב נֵרְדְּ וְכַרְכֹּם קָנֶה וְקִנָּמוֹן וְגוֹ'. וְאִינּוּן תְּרֵיסַר זִינֵי דְּבוּסְמִין דִּלְתַתָּא.

שא. וְתַמָּן כָּל אִינּוּן לְבוּשִׁין דְּנִשְׁמָתִין, דְּאִתְחֲזוּן לְאִתְלַבְּשָׁא בְּהוּ, כָּל חַד וְחַד, כַּדְּקָא חָזֵי. בְּהַהוּא לְבוּשָׁא, אִתְרְשִׁימוּ כָּל אִינּוּן עוֹבָדִין טָבִין, דְּעָבַד בְּהַאי עָלְמָא. וְכֻלְּהוּ רְשִׁימִין בֵּיהּ, וּמַכְרִיזֵי הַאי אִיהוּ לְבוּשָׁא דִּפְלַנְיָא, וְנַטְלִין לְהַהוּא לְבוּשָׁא וְאִתְלַבְּשַׁת בֵּיהּ הַהִיא נִשְׁמְתָא דְּצַדִּיקַיָּא דִּבְגִנְּתָא, כְּגַוְונָא דְּדִיוּקְנָא דְּהַאי עָלְמָא.

שב. וְהָנֵי מִילֵּי, מִתְּלָתִין יוֹמִין וְאֵילָךְ, דְּהָא כָּל תְּלָתִין יוֹמִין, לֵית לָךְ נִשְׁמְתָא דְּלָא

תְּקַבֵּל עוֹנְשָׁא, עַד לָא תֵּיעוֹל לְגִנְתָּא דְעֵדֶן. כֵּיוָן דְּקַבִּילַת עוֹנְשָׁא, עָאלַת לְגִנְתָּא דְעֵדֶן, כְּמָה דְּאוּקְמוּהָ. לְבָתַר דְּאִתְלַבְּנַת, אִתְלַבְּשַׁת כֵּיוָן דְּאִתְלַבְּשַׁת בְּהַאי לְבוּשָׁא, יַהֲבִין לָהּ אֲתָר כְּמָה דְּאִתְחֲזֵי לָהּ. כְּדֵין, כָּל אִינּוּן אַתְוָון, נַחְתִּין, וְסַלְקִין אִינּוּן רְתִיכִין.

שג. הַהוּא רְקִיעָא אֲהַדַּר תְּרֵין זִמְנִין בְּכָל יוֹמָא, בְּהַהוּא נְטִילוּ דְּהַאי רְקִיעָ אַחֲרָא, דְּמִתְדַּבַּק בֵּיהּ. וְהַאי רְקִיעָא לָא נָפִיק לְבַר מִגִּנְתָּא. רְקִיעָא דָא, מְרֻקְמָא בְּכָל זִינֵי גַּוְונִין.

דש. תְּרֵין וְעֶשְׂרִין אַתְוָון רְשִׁימִין מְחַקְקָן, בְּהַהוּא רְקִיעָא, כָּל אָת וְאָת, נָטִיף טַלָּא, מִטַּלָּא דִּלְעֵילָּא עַל גִּנְתָּא. וּמֵהַהוּא טַלָּא דְּאַתְוָון אִתְסַחְיָין אִינּוּן נִשְׁמָתִין, וּמִתַּסְיָין, בָּתַר דְּטָבְלוּ בִּנְהַר דִּינוּר לְאִתְדַּכָּאָה. וְטַלָּא לָא נָחִית, אֶלָּא מִגּוֹ אַתְוָון דִּרְשִׁימִין וּמְחַקְקָן בְּהַהוּא רְקִיעָא, בְּגִין דְּאִינּוּן אַתְוָון כְּלָלָא דְּאוֹרַיְיתָא. וְהַהוּא רְקִיעָא רָזָא דְּאוֹרַיְיתָא, דְּהָא מֵאֵשׁ וּמַיִם דְּאוֹרַיְיתָא אִתְעֲבֵיד.

שה. וְע״ד אִינּוּן נַגְדִּין טַלָּא, עַל כָּל אִינּוּן דְּאִשְׁתַּדְּלוּ בְּאוֹרַיְיתָא לִשְׁמָהּ בְּהַאי עָלְמָא. וְאִלֵּין מִלִּין רְשִׁימִין בְּגִנְתָּא דְעֵדֶן, וְסַלְקִין עַד הַהוּא רְקִיעָא וְנָטְלִין מֵאִינּוּן אַתְוָון הַהוּא טַלָּא, לְאִתְּזָנָא הַהִיא נִשְׁמָתָא. הֲדָא הוּא דִכְתִיב, יַעֲרֹף כַּמָּטָר לִקְחִי תִּזַּל כַּטַּל אִמְרָתִי.

שו. בְּאֶמְצָעִיתָא דְּהַאי רְקִיעָא, קַיְּימָא פִּתְחָא חֲדָא, לָקֳבֵל פִּתְחָא דְּהֵיכָלָא דִּלְעֵילָּא, דִּבְהַהוּא פִּתְחָא, פָּרְחִין נִשְׁמָתִין מִגִּנְתָּא דִּלְתַתָּא לְעֵילָּא, בְּחַד עַמּוּדָא דְּנָעִיץ בְּגִנְתָּא, עַד הַהוּא פִּתְחָא.

שז. גּוֹ הַהוּא רְקִיעָא בְּהַהוּא פִּתְחָא דְּאִיהוּ בְּאֶמְצָעִיתָא דִּרְקִיעָא דִּבְגִנְתָּא, עָאלִין בְּגַוָּהּ תְּלַת גַּוְונִין דִּנְהוֹרָא כְּלִילָן כַּחֲדָא, וְנַהֲרָן לְגַוְונִין דְּהַהוּא עַמּוּדָא. וּכְדֵין עַמּוּדָא דָא, נָצִיץ וְאִתְלְהִיט בְּכַמָּה גַּוְונִין דְּמִתְלַהֲטָן. בְּכָל שַׁעְתָּא, נַהֲרִין צַדִּיקַיָּא, מֵהַהוּא זִיוָא עִלָּאָה. אֲבָל בְּכָל שַׁבְּתָא וְשַׁבַּתָּא, וּבְכָל רֵישׁ יַרְחָא, אִתְגַּלְיָיא שְׁכִינְתָּא, יַתִּיר מִשְּׁאָר זִמְנֵי בְּהַאי רְקִיעָא, וְאַתְיָין כֻּלְּהוּ צַדִּיקַיָּא, וְסַגְדִּין לְגַבֵּיהּ.

שח. זַכָּאָה חוּלָקֵיהּ, מַאן דְּזָכֵי לְהָנֵי לְבוּשֵׁי דְּקָאֲמָרָן, דְּמִתְלַבְּשָׁן בְּהוּ צַדִּיקַיָּא בְּגִנְתָּא דְעֵדֶן. אִלֵּין מֵעוֹבָדִין טָבִין, דְּעָבֵיד בַּר נָשׁ, בְּהַאי עָלְמָא, בְּפִקּוּדֵי אוֹרַיְיתָא. וּבְהוֹן קַיְּימָא נִשְׁמָתָא בְּגִנְתָּא דְעֵדֶן לְתַתָּא, וְאִתְלַבְּשַׁת בְּהָנֵי לְבוּשִׁין יַקִּירִין.

שט. כַּד סַלְקָא נִשְׁמָתָא בְּהַהוּא פִּתְחָא דִּרְקִיעָא לְעֵילָּא, אִזְדַּמְּנָן לָהּ לְבוּשִׁין אַחֲרָנִין יַקִּירִין עִלָּאִין, דְּאִינּוּן מֵרְעוּתָא וְכַוָּונָה דְּלִבָּא בְּאוֹרַיְיתָא וּבִצְלוֹתָא, דְּכַד סַלְקָא הַהוּא רְעוּתָא לְעֵילָּא, מִתְעַטֵּר בָּהּ מַאן דְּמִתְעַטְּרָא, וְאִשְׁתְּאַר חוּלָקָא לְהַהוּא בַּר נָשׁ, וְאִתְעֲבֵיד מִנֵּיהּ לְבוּשִׁין דִּנְהוֹרָא, לְאִתְלַבְּשָׁא בְּהוּ נִשְׁמָתָא. לְסַלְקָא לְעֵילָּא. וְאַף עַל גַּב דְּאוּקְמוּהָ, דְּאִינּוּן לְבוּשִׁין בְּעוֹבָדִין תַּלְיָין. אִלֵּין לָא תַּלְיָין אֶלָּא בִּרְעוּתָא דְּרוּחָא, כְּמָה דְּאִתְּמַר, לְקַיְּימָא גּוֹ מַלְאֲכִין רוּחִין קַדִּישִׁין וְדָא אִיהוּ בְּרִירוּ דְּמִלָּה. וּבוּצִינָא קַדִּישָׁא, אוֹלִיף הָכִי מֵאֵלִיָּהוּ, לְבוּשִׁין דִּלְתַתָּא בְּגִנְתָּא דְּאַרְעָא בְּעוֹבָדִין. לְבוּשִׁין דִּלְעֵילָּא, בִּרְעוּתָא וְכַוָּונָא דְּרוּחָא בְּלִבָּא.

שי. וְנָהָר יוֹצֵא מֵעֵדֶן לְהַשְׁקוֹת אֶת הַגָּן וְגוֹ', הָא אוּקְמוּהָ, אֲבָל בְּהַאי גִּנְתָּא דִּלְתַתָּא, נָהָר יוֹצֵא מֵעֵדֶן וַדַּאי. וְאִצְטְרִיךְ לְמִנְדַּע, הַאי נָהָר דְּנָפִיק בְּגִנְתָּא דִּלְתַתָּא, בְּאָן אֲתָר עִקָּרָא וְשָׁרְשָׁא דִּילֵיהּ. בְּאָן אֲתָר, בְּעֵדֶן. עֵדֶן דָּא רָזָא עִלָּאָה אִיהוּ, וְלָא אִתְיְיהִיב רְשׁוּ לְשַׁלְטָאָה בֵּיהּ עֵינָא דְּסָכְלְתָנוּ. וְרָזָא דְּמִלָּה אִלְמָלֵי אֲתָר דָּא אִתְמְסַר לְתַתָּא

לְאִתְגַּלָּאָה, אֲתַר דְּעֵדֶן עִלָּאָה קַדִּישָׁא, אִתְמְסַר אוּף הָכִי לְמִנְדַּע. אֶלָּא בְּגִין טְמִירוּ דִּיקָרָא דְּעֵדֶן עִלָּאָה קַדִּישָׁא, אִתְטְמַר וְאִתְגְּנִיז עֵדֶן תַּתָּאָה, דְּהַהוּא נָהָר נָגִיד וְנָפִיק מִנֵּיהּ. וְעַ״ד לָא אִתְמְסַר לְאִתְגַּלָּאָה, אֲפִילּוּ לְאִינּוּן נִשְׁמָתִין דִּבְגִנְּתָא דְּעֵדֶן.

שי״א. כְּמָה דְּהַאי נָהָר אִתְפְּרַשׁ וְנָפִיק מִגּוֹ עֵדֶן, לְאַשְׁקָאָה לְגִנְּתָא דִּלְעֵילָּא, הָכִי נָמֵי מִגּוֹ הַהוּא פִּתְחָא דְּאֶמְצָעִיתָא נָפִיק חַד נְהוֹרָא, דְּאִתְפְּרַשׁ לְד׳ סִטְרִין, בְּד׳ פִּתְחִין דְּקָאֲמָרָן. אֲתַר דְּקַיְימִין אִינּוּן אַתְוָון רְשִׁימָן. וְהַהוּא נְהוֹרָא דְּאִתְפְּרַשׁ לְאַרְבַּע נְהוֹרִין, בְּד׳ אַתְוָון דְּנִיצוֹצִין, נָפִיק מֵעֵדֶן, אֲתַר דְּזָהֲרָא נְקוּדָה לְעֵילָּא.

שי״ב. וְהַהוּא נְקוּדָה אִתְנְהִיר, וְאִתְעֲבִיד עֵדֶן לְאַנְהָרָא. וְלָא אִית מַאן דְּשַׁלִּיט לְמֶחֱמֵי וּלְמִנְדַּע לְהַאי נְקוּדָה, בַּר הַהוּא נְהִירוּ דְּאִתְפָּשַׁט מִנֵּיהּ, דְּסַגְּדִין לְקַמֵּיהּ אִינּוּן צַדִּיקַיָּא דִּבְגִנְּתָא דְּעֵדֶן, כְּמָה דְּאִתְּמַר. וְהַאי נְקוּדָה תַּתָּאָה, אִיהִי גִּנְּתָא לְגַבֵּי עֵדֶן עִלָּאָה, אֲתַר דְּלָא אִתְיְיהִיב לְמִנְדַּע וּלְאִסְתַּכְּלָא.

שי״ג. עַל כָּל דָּא כְּתִיב, עַיִן לֹא רָאָתָה אֱלֹהִים זוּלָתְךָ. שְׁמָא דָּא אִתְפְּרַשׁ, אֱלֹהִים זוּלָתְךָ, דָּא נְקוּדָה תַּתָּאָה קַדִּישָׁא, דְּאִיהוּ יָדַע הַאי עֵדֶן דִּלְתַתָּא, דְּטָמִיר בְּגִנְּתָא, וְלֵית אַחֲרָא מַאן דְּיָדַע לֵיהּ. אֱלֹהִים זוּלָתְךָ, דָּא עֵדֶן עִלָּאָה עַל כֹּלָּא, דְּאִיהוּ רָזָא דְּעָלְמָא דְּאָתֵי, דְּאִיהוּ יָדַע לִנְקוּדָה תַּתָּאָה, בְּחַד צַדִּיק דְּנָפִיק מִנֵּיהּ, נָהָר דְּרָוֵי לֵיהּ, וְלֵית מַאן דְּיָדַע לֵיהּ בַּר אִיהוּ, דִּכְתִּיב אֱלֹהִים זוּלָתְךָ, דְּאִיהוּ אָחִיד לְעֵילָּא לְעֵילָּא עַד אֵין סוֹף.

שי״ד. וְהַאי נָהָר דְּנָפִיק מֵעֵדֶן לְתַתָּא, רָזָא אִיהוּ לְחַכִּימִין, בְּרָזָא דִּכְתִּיב, וְהִשְׂבִּיעַ בְּצַחְצָחוֹת נַפְשֶׁךָ. וּמִלָּה דָּא אִתְפְּרַשׁ לְעֵילָּא וְתַתָּא. נִשְׁמְתָא דְּנָפְקָא מֵהַאי עָלְמָא דְּחֲשׁוֹכָא, אִיהִי תָּאִיבַת לְמֶחֱמֵי בִּנְהִירוּ דְּעָלְמָא עִלָּאָה, כְּהַאי בַּר נָשׁ דְּתָאִיב לְמִשְׁתֵּי בְּתָאִיבוּ לְמַיָּא, הָכִי כָּל חַד וְחַד, אִיהוּ צַחְצָחוֹת, כְּמָה דְּאַתְּ אָמֵר, צִחֵה צָמָא. צָמָא, מֵאִינּוּן צָחוֹת דִּנְהוֹרִין דְּגִנְּתָא וּרְקִיעָא וְהֵיכָלִין דְּגִנְּתָא.

שט״ו. וְהַהוּא נָהָר דְּנָפִיק מֵעֵדֶן, כָּל אִינּוּן נִשְׁמָתִין בִּלְבוּשֵׁי יְקָר, יַתְבִין עַל הַהוּא נָהָר, וְאִלְמָלֵא הַהוּא לְבוּשָׁא, לָא יַכְלִין לְמִסְבַּל. וּכְדֵין מִתְיַישְׁבָן, וְרַוָון בְּאִינּוּן צָחוֹת, וְיַכְלֵי לְמִסְבַּל. וְהַהוּא נָהָר אִיהוּ תִּקּוּנָא דְּנִשְׁמָתִין, לְאִתְיַישְּׁבָא, וּלְאִתְזְנָא וּלְאִתְהֲנָאָה, מֵאִינּוּן צָחוֹת וְנִשְׁמָתִין אִתְתַּקְנָן עַל הַהוּא נָהָר, וּמִתְיַישְׁבָן בֵּיהּ.

שט״ז. הַהוּא נָהָר עִלָּאָה דִּלְעֵילָּא, אַפִּיק נִשְׁמָתִין, וּפַרְחִין מִנֵּיהּ, לְגוֹ גִּנְּתָא, דְּהַאי נָהָר דִּלְתַתָּא בְּגִנְּתָא דְּאַרְעָא, אַתְקִין נִשְׁמָתִין, לְאִתְתַּקְנָא לְאִתְיַישְּׁבָא, בְּאִינּוּן צָחוֹת. כְּגַוְונָא דָּא בְּהַאי עָלְמָא לְבַר, בְּרִיוָא דְּמַיָּא מִתְיַישְּׁבָא נַפְשָׁא לְאִתְנַהֲרָא, דְּהָא מֵעִיקָרָא כְּגַוְונָא דָּא נָפְקָא. וּבְגִין דְּמִתְתַּקְנִין נִשְׁמָתִין עַל הַהוּא נָהָר דְּנָגִיד וְנָפִיק מֵעֵדֶן, יַכְלִין לְאִתְיַישְּׁבָא בְּאִינּוּן צָחוֹת עִלָּאִין, וּלְסַלְּקָא לְעֵילָּא. בְּהַהוּא פִּתְחָא דְּאֶמְצָעִיתָא דִּרְקִיעָא וְחַד עַמּוּדָא דְּקָאֵים בְּאֶמְצָעוּת גִּנְּתָא דְּקָאֲמָרָן.

שי״ז. בְּהַהוּא עַמּוּדָא סַלְּקִין לְעֵילָּא, גּוֹ הַהוּא פִּתְחָא דִּרְקִיעָא, וּבֵיהּ סַחֲרָנֵיהּ, אִית בֵּיהּ עָנָן וְעָשָׁן וְנֹגַהּ. וְאַעַ״ג דְּאוֹקְמוּהָ לְהַאי קְרָא, אֲבָל עָנָן וְעָשָׁן אִלֵּין מִלְּבַר, וְנֹגַהּ מִלְּגוֹ. וְדָא אִיהוּ לְחַפְיָיא עַל אִינּוּן דְּסַלְּקִין לְעֵילָּא, דְּלָא יִתְחֲזוּן מִקַּמֵּי אִינּוּן דְּיַתְבִין לְתַתָּא.

שי״ח. וְהָא הָכָא רָזָא דְּרָזִין, כַּד הַאי נְקוּדָה בָּעָא לְאִתְתַּקְנָא בְּתִקּוּנוֹי, וּלְאִתְקַשְּׁטָא, בְּשַׁבָּתֵי וּבִזְמַנֵּי וּבְחַגֵּי, מְשַׁדֵּר אַרְבַּע אַנְפִּין דְּנֶשֶׁר, וְקַיְימִין עַל הֵיכָלָא דְּאִקְרֵי דְּרוֹר, וְהַיְינוּ מָר דְּרוֹר. וּבְגִין דָּא בְּשַׁתָּא דְּיוֹבְלָא, בָּעֵינָן לְאַכְרָזָא דְּרוֹר, כד״א וּקְרָאתֶם דְּרוֹר. וְאִינּוּן אַרְבַּע אַנְפִּין יַהֲבִין קָלָא, וְלֵית מַאן דְּיִשְׁמַע לֵיהּ, בַּר אִינּוּן נִשְׁמָתִין

דְּאִתְחֲזוּן לְסַלְקָא, וְאִינּוּן מִתְכַּנְּשִׁין תַּמָּן, וְנַטְלֵי לוֹן אִלֵּין ד' אַנְפִּין, וְאַעֲלִין לוֹן לְגוֹ, בְּהַהוּא עַמּוּדָא דְּקַיְּימָא בְּאֶמְצָעִיתָא.

שיט. וּבְהַהִיא שַׁעֲתָא סַלְקָא הַהוּא עַמּוּדָא, עֲנָנָא וְאֶשָּׁא וְתְנָנָא, וְנֹגַהּ מִלְּגָו. וְאִלֵּין תְּרֵין אִקְרוּן, מְכוֹן הַר צִיּוֹן וּמִקְרָאֶיהָ. מְכוֹן הַר צִיּוֹן, דָּא אִיהוּ תִּקּוּנָא דִּלְעֵילָּא, כַּד נְקוּדָה תַּתָּאָה מִתְקַשְׁטָא, וְאִינּוּן מִקְרָאֶיהָ דְּהַהִיא נְקוּדָה לְאִתְקַשְּׁטָא.

שכ. כֵּיוָן דְּסַלְקִין אִלֵּין נִשְׁמָתִין עַד הַהוּא פִּתְוָא דִּרְקִיעָא, כְּדֵין, הַהוּא רְקִיעָא סְחֲרָא סַחֲרָנֵי דְּגִנְתָא, תְּלַת זִמְנִין. וּמִקָּל נְעִימוּ דִּסְחֲרָא הַהוּא רְקִיעָא, נָפְקִין כָּל אִינּוּן נִשְׁמָתִין וְשַׁמְעִין הַהוּא נְעִימוּ דְּהַהוּא רְקִיעָא, וְחָמָאן הַהוּא עַמּוּדָא, דְּסַלְקָא אֶשָּׁא וַעֲנָנָא וּתְנָנָא וְנֹגַהּ דְּלָהִיט, וְסַגְדִּין כֻּלְּהוּ. כְּדֵין נִשְׁמָתִין סַלְקִין בְּהַהוּא פִּתְוָא, עַד דְּסַלְקִין לְגוֹ עִגּוּלָא, דְּסַחֲרָא בְּהַהִיא נְקוּדָה. כְּדֵין חָמָאן מַה דְּחָמָאן. וּמִגּוֹ נְהִירוּ וְחֶדְוָותָא מֵהַהוּא דְּחָמָאן, סַלְקִין וְנַחְתִּין קָרְבִין וְרָחֲקִין.

שכא. וְאִיהִי תָּאִיבָא לְגַבַּיְיהוּ, וּמִתְקַשְּׁטָא בִּנְהִירוּ. כְּדֵין אַלְבִּישׁ קִנְאָה חַד צַדִּיק עִלָּאָה, וְאִסְתָּכַּל בִּנְהוֹרָא וְשַׁפִּירוּ דְּהַאי נְקוּדָה, וּבְתִקּוּנָהָא, וְאוֹזִיד בָּהּ, וְסָלִיק לָהּ לְגַבֵּיהּ, וְנָהִיר נְהוֹרָא בִּנְהוֹרָא, וַהֲווּ חַד. כָּל חֵילָא דִּשְׁמַיָּא פַּתְחֵי בְּהַהִיא שַׁעֲתָא וְאַמְרֵי, זַכָּאִין אַתּוּן צַדִּיקַיָּא, נַטְרֵי אוֹרַיְיתָא, זַכָּאִין אִינּוּן דְּמִשְׁתַּדְּלִין בְּאוֹרַיְיתָא, דְּהָא חֶדְוָותָא דְּמָארֵיכוֹן הֲוֵי בְּכוּ, דְּהָא עַטְרָא דְּמָארֵיכוֹן, מִתְעַטַּר בְּכוֹן.

שכב. כְּדֵין כֵּיוָן דְּנַהֲרִין נְהוֹרָא בִּנְהוֹרָא, תְּרֵין נְהוֹרִין מִתְחַבְּרָן כַּחֲדָא, וְנַהֲרִין. לְבָתַר אִינּוּן גַּוְונִין נַחְתִּין, וְאִסְתַּכְּלָן לְאִשְׁתַּעְשְׁעָא בְּאִינּוּן נִשְׁמָתִין דְּצַדִּיקַיָּא, וּמְתַקְּנֵי לוֹן לְעַטְרָא לְעֵילָּא. וְעַל דָּא אִתְמַר, עַיִן לֹא רָאֲתָה אֱלֹקִים זוּלָתְךָ יַעֲשֶׂה לִמְחַכֵּה לוֹ.

שכג. פָּתַח ר"ש וְאָמַר, כְּתִיב וּדְמוּת עַל רָאשֵׁי הַחַיָּה רָקִיעַ כְּעֵין הַקֶּרַח הַנּוֹרָא נָטוּי עַל רָאשֵׁיהֶם מִלְמָעְלָה. הַאי קְרָא אוֹקְמוּהָ, אֲבָל אִית רָקִיעַ וְאִית רָקִיעַ, רָקִיעַ דִּלְתַתָּא אִיהוּ קַיְּימָא עַל גַּבֵּי ד' חֵיוָן. וּמִתַּמָּן אִתְפָּשַׁט וְשָׁארֵי דְּיוֹקְנָא דְּחָד נוּקְבָא, דַּאֲחוֹרֵי דְּכוּרָא, וְדָא אִיהוּ רָזָא דִּכְתִּיב, וְרָאִיתָ אֶת אֲחוֹרָי. כד"א, אָחוֹר וָקֶדֶם צַרְתָּנִי. וּכְתִיב וַיִּקַּח אַחַת מִצַּלְעוֹתָיו.

שכד. רָקִיעַ דִּלְעֵילָּא אִיהוּ קַיְּימָא עַל גַּבֵּי חֵיוָן עִלָּאִין, וּמִתַּמָּן אִתְפָּשַׁט וְשָׁארֵי דְּיוֹקְנָא דְּחָד דְּכוּרָא, דְּאִיהוּ רָזָא עִלָּאָה. וְהָנֵי תְּרֵין רְקִיעִין, חַד אִקְרֵי קְצֵה הַשָּׁמַיִם. וְחַד אִקְרֵי מִקְצֵה הַשָּׁמַיִם. דִּכְתִּיב וּלְמִקְצֵה הַשָּׁמַיִם וְעַד קְצֵה הַשָּׁמָיִם. רָאשֵׁי הַחַיָּה דִּלְתַתָּא אִינּוּן אַרְבַּע חֵיוָן, דְּאִינּוּן נְהוֹרִין עִלָּאִין, עַל אִינּוּן אַרְבַּע אַתְוָון רְשִׁימִין, דִּי בְּגוֹ אִינּוּן אַרְבַּע פִּתְחִין, דִּבְגִנְתָּא דְּעֵדֶן.

שכה. וְאַף ע"ג דְּאַמְרָן עֵדֶן דִּלְתַתָּא בְּאַרְעָא, הָכִי הוּא וַדַּאי. אֲבָל כֹּלָּא רָזָא עִלָּאָה אִיהוּ, כְּמָה דְּאִתְמַר דְּהַאי נְקוּדָה דְּקָאֲמַרָן, כְּמָה דְּאִית לָהּ חוּלָקָא לְעֵילָּא, הָכִי נָמֵי אִית לָהּ חוּלָקָא לְתַתָּא בְּאַרְעָא. וְהַאי גִּנְתָּא לְתַתָּא, אִיהוּ חוּלָקָא דְּהַהִיא נְקוּדָה לְאִשְׁתַּעְשְׁעָא בְּרוּחֵי דְּצַדִּיקַיָּא בְּאַרְעָא, וְאִתְהֲנֵי בְּכָל סִטְרִין לְעֵילָּא וְתַתָּא. לְעֵילָּא בְּצַדִּיק. לְתַתָּא בְּהַהוּא אִיבָּא דְּצַדִּיק, וְלָא אִשְׁתַּכַּח שַׁעְשׁוּעָא עֵילָּא וְתַתָּא אֶלָּא בְּצַדִּיק. וְהַאי גִּנְתָּא אִיהוּ, מֵהַהִיא נְקוּדָה דְּאִקְרֵי עֵדֶן.

שכו. אִינּוּן רָאשֵׁי הַחַיָּה, אִלֵּין אַרְבַּע רֵישֵׁי אַנְפִּין. חַד אַרְיֵה, דִּכְתִּיב וּפְנֵי אַרְיֵה אֶל הַיָּמִין. וְחַד שׁוֹר, דִּכְתִּיב וּפְנֵי שׁוֹר מֵהַשְּׂמֹאל. וְחַד נֶשֶׁר, דִּכְתִּיב וּפְנֵי נֶשֶׁר לְאַרְבַּעְתָּן. אָדָם כְּלָלָא דְּכֹלָּא, דִּכְתִּיב וּדְמוּת פְּנֵיהֶם פְּנֵי אָדָם. וְאִלֵּין אַרְבַּע רֵישֵׁי חֵיוָן דְּנַטְלִין לָהּ

לְכוּרְסְיָּיא קַדִּישָׁא, וּמִגּוֹ מְטוּלָא דִּילְהוֹן זָעִין. וּמֵהַהוּא זִיעָא דִּמְטוּלָא דִּילְהוֹן, אִתְעֲבִיד הַהוּא נָהָר דִּי נוּר. דִּכְתִּיב, נְהַר דִּי נוּר נָגֵד וְנָפֵק מִן קֳדָמוֹהִי אֶלֶף אַלְפִין יְשַׁמְּשׁוּנֵּהּ.

שכז. וְנִשְׁמָתִין כַּד סַלְּקִין, אִתְסַחְיָין בְּהַהוּא נְהַר דִּי נוּר, וְסַלְּקִין לְקוּרְבְּנָא וְלָא אִתּוֹקְדָן, אֶלָּא אִתְסַחְיָין. תָּא חֲזֵי מִסַּלְמַנְדְּרָא, דְּעַבְדִּין מִנֵּהּ לְבוּשָׁא. וּמִגּוֹ דְּאִיהִי מִנּוּרָא, לָא אִתְסַחְיָיא הַהוּא לְבוּשָׁא, אֶלָּא בְּנוּרָא, אֶשָּׁא אָכִיל זוּהֲמָא דְּבֵיהּ, וְאִתְסְחֵי הַהוּא לְבוּשָׁא. הָכִי נָמֵי נִשְׁמָתָא דִּי נוּר דְּאִתְנְטִילַת מִגּוֹ כּוּרְסְיָּיא קַדִּישָׁא. דִּכְתִּיב בָּהּ כָּרְסְיֵהּ שְׁבִיבִין דִּי נוּר. בְּזִמְנָא דְּבַעְיָיא לְאִתְסַחְיָיא מֵהַהוּא זוּהֲמָא דְּבָהּ, אִתְעַבְּרַת בְּנוּרָא וְאִתְסַחְיָיא. וְנוּרָא אַכְלָא כָּל הַהוּא זוּהֲמָא דִּי בְּנִשְׁמָתָא. וְנִשְׁמָתָא אִתְסַחְיָיא וְאִתְלַבְּנַת.

שכח. וְאִי תֵּימָא אִי הָכִי עוֹנְשָׁא לֵית לָהּ לְנִשְׁמְתָא בְּהַאי. תָּא חֲזֵי, וַוי לְנִשְׁמְתָא דְּסַבְּלַת אֶשָּׁא נוּכְרָאָה, וְאע"ג דְּאִיהִי אִתְלַבְּנָא. אֲבָל כַּד זוּהֲמָא אִיהוּ סַגֵּי עָלָהּ, וַוי לְנִשְׁמְתָא דְּסַבְּלַת הַהוּא עוֹנְשָׁא, בְּגִין דְּהַהוּא זוּהֲמָא בִּתְרֵי זִמְנֵי אִתְלַבְּנַת בְּנוּרָא.

שכט. זִמְנָא קַדְמָאָה כֵּיוָן דְּקַבִּילַת עוֹנְשָׁא בְּגוּפָא, אַזְלָא נִשְׁמָתָא, וְנַטְלֵי לָהּ, וְאַעֲלִין לָהּ בְּגוֹ אֲתַר חַד דְּאִקְרֵי בֶּן הִנֹּם, וַאֲמַאי אִקְרֵי בֶּן הִנֹּם. אֶלָּא אֲתַר חַד אִיהוּ בְּגֵיהִנָּם, דְּתַמָּן אִתְצְרִיפוּ נִשְׁמָתִין, בִּצְרוּפָא, לְאִתְלַבְּנָא עַד לָא עָאלִין בְּגִנְתָּא דְּעֵדֶן. תְּרֵין מַלְאֲכִין שְׁלִיחָן זְמִינִין בְּגִנְתָּא דְּעֵדֶן, וְקַיְימִין לְתַרְעָא, וְצַוְוחִין לְגַבֵּי אִינּוּן מְמָנָן דִּבְהַהוּא אֲתַר דְּגֵיהִנָּם, בְּגִין לְקַבְּלָא הַהִיא נִשְׁמְתָא.

של. וְהַהִיא נִשְׁמָתָא עַד לָא אִתְלַבְּנַת בְּנוּרָא, אִינּוּן שְׁלִיחָן צַוְוחִין לְגַבַּיְיהוּ, וְאַמְרֵי הִנֹּם. וּבְזִמְנָא דְּהִיא אִתְלַבְּנַת, אִינּוּן מְמָנָן נָפְקִין עִמָּהּ מֵהַהוּא אֲתַר, וּזְמִינֵי לָהּ לְגַבֵּי פִּתְחָא דְּגִנְתָּא דְּעֵדֶן, דְּתַמָּן אִינּוּן שְׁלִיחָן וְאַמְרֵי לוֹן הִנֹּם. הָא אִינּוּן נִשְׁמָתִין דְּהָא אִתְלַבְּנוּ, כְּדֵין אַעְלִין לְהַהִיא נִשְׁמָתָא בְּגִנְתָּא דְּעֵדֶן.

שלא. וְכַמָּה אִיהִי תְּבִירָא מִגּוֹ הַהוּא תְּבִירוּ דְּאִתְלַבְּנוּתָא דְּגֵיהִנָּם. דְּהַהוּא תְּבִירוּ דְּאֶשָּׁא תַּתָּאָה. וְאע"ג דְּנָחִית מִלְּעֵילָּא, אֲבָל כֵּיוָן דְּמָטָא לְאַרְעָא לְתַתָּא, אִיהוּ אֶשָּׁא דְּלָא דָּקִיק, וְנִשְׁמָתָא אִתְעַנְשָׁא בֵּיהּ, וְאִתְבָּרַת. כְּדֵין קב"ה אַפִּיק שִׁמְשָׁא דְּנָהִיר מֵאִינּוּן אַרְבַּע פִּתְחִין דְּנָהֲרִין בִּרְקִיעָא דְּעַל גִּנְתָּא, וּמָטָא לְהַהִיא נִשְׁמָתָא וְאִתְסִיאַת. הה"ד וְזָרְחָה לָכֶם יִרְאֵי שְׁמִי שֶׁמֶשׁ צְדָקָה וּמַרְפֵּא בִּכְנָפֶיהָ.

שלב. זִמְנָא תִּנְיָינָא, לְבָתַר דְּיָתְבָא בְּגִנְתָּא דְּעֵדֶן דִּלְתַתָּא, כָּל הַהוּא זִמְנָא דְּיָתְבָא וְעַד כְּעַן לָא אִתְפָּרְשַׁת מֵאִינּוּן מִלִּין דְּחֵיזוּ דְּהַאי עָלְמָא מִכֹּל וָכֹל. וְכַד סַלְּקִין לָהּ לְעֵילָּא, אִצְטְרִיךְ לְאִתְפָּרְשָׁא, מִכָּל חֵיזוּ וּמִכָּל מִלִּין דִּלְתַתָּא. וְאַעְבְּרוּ לָהּ בְּהַהוּא נְהַר דִּי נוּר, כְּדֵין נִשְׁמָתָא אִתְלַבְּנַת בֵּיהּ מִכֹּל וָכֹל. וְנַפְקַת וְאִתְחֲזִיאַת קַמֵּי מָארֵי דְּעָלְמָא בְּרִירָא מִכָּל סִטְרִין. כֵּיוָן דְּאִסְתַּכְּלַת בְּהַהוּא נְהוֹרָא אִתְסִיאַת וְאִשְׁתְּלִימַת מִכֹּלָּא. וּכְדֵין קַיְימִין אִינּוּן נִשְׁמָתִין בִּלְבוּשִׁין, מִתְעַטְּרִין קַמֵּי מָארֵיהוֹן. זַכָּאָה חוּלָקֵיהוֹן דְּצַדִּיקַיָּיא בְּעָלְמָא דֵּין וּבְעָלְמָא דְּאָתֵי.

שלג. וְאִינּוּן נִשְׁמָתִין דִּבְגִנְתָּא דְּעֵדֶן דִּלְתַתָּא, שָׁטָאן בְּכָל רֵישֵׁי יַרְחֵי וְשַׁבְּתֵי, וְסַלְּקִין עַד הַהוּא אֲתַר דְּאִקְרֵי חוֹמוֹת יְרוּשָׁלַםִ. דְּתַמָּן כַּמָּה מְמָנָן וּרְתִיכִין דְּנַטְרֵי אִינּוּן חוֹמוֹת. דִּכְתִּיב, עַל חוֹמוֹתַיִךְ יְרוּשָׁלַםִ הִפְקַדְתִּי שׁוֹמְרִים. וְסַלְּקִין עַד הַהוּא אֲתַר, וְלָא עָאלִין לְגוֹ, עַד דְּאִתְלַבְּנָן. וְתַמָּן סַגְדִּין, וְחַדָּאן מֵהַהוּא נְהִירוּ, וְתַיְיבִין לְגוֹ גִּנְתָּא.

שלד. נָפְקִין מִתַּמָּן וְשָׁטָאן בְּעָלְמָא, וְחָמָאן בְּאִינּוּן גּוּפִין דְּחַיָּיבַיָּא, בְּהַהוּא עוֹנְשָׁא דִּילְהוֹן, דִּכְתִּיב, וְיָצְאוּ וְרָאוּ בְּפִגְרֵי הָאֲנָשִׁים הַפּוֹשְׁעִים בִּי כִּי תוֹלַעְתָּם לֹא תָמוּת וְאִשָּׁם

לא תכבה והיו דראון לכל בשר. מאי לכל בשר. לאינון שאר גופין דבסטרנייהו, והא אוקמוה. ולבתר משטטי ומסתכלן באינון מאריהון דכאבין, ובני מרעין, ואינון דסבלין על יחודא דמאריהון, ותבין ואמרין ליה למשיחא.

שלה. בשעתא דאמרין ליה למשיחא צערא דישראל בגלותהון, ואינון חייביא די בהון, דלא מסתכלי למנדע למאריהון, ארים קלא ובכי, על אינון חייבין דבהו. הה"ד, והוא מחולל מפשעינו מדוכא מעונותינו תייבין אינון נשמתין וקיימין באתרייהו.

שלו. בגנתא דעדן אית היכלא חדא, דאקרי היכלא דבני מרעין. כדין משיח עאל בההוא היכלא, וקרי לכל מרעין וכל כאבין, כל יסוריהון דישראל, דייתון עליה, וכלהו אתיין עליה. ואלמלא דאיהו אקיל מעלייהו דישראל, ונטיל עליה, לא הוי בר נש דיכיל למסבל יסוריהון דישראל, על עונשי דאורייתא. הה"ד אכן חלינו הוא נשא וגו'. כגוונא דא רבי אלעזר בארעא.

שלז. בגין דלית חושבנא, לאינון יסורין דקיימין עליה דב"נ בכל יומא, על עונשי דאורייתא, וכלהו נחתו לעלמא, בשעתא דאתיהיבת אורייתא. וכד הוו ישראל בארעא קדישא, באינון פולחנין וקרבנין דהוו עבדי, הוו מסלקין כל אינון מרעין ויסורין מעלמא. השתא משיח מסלק לון מבני עלמא, עד דנפיק בר נש מהאי עלמא, ומקבל עונשיה, כמה דאתמר. כד אינון חובין יתיר דעיילין לון לגו בגו גהינם, באינון מדורין תתאין אחרנין, ומקבלין עונשא סגי מסגיאות זוהמא די בנשמתא, כדין אדליקו נורא יתיר, למיכל ההוא זוהמא.

שלח. זכאין אינון דנטרי פקודי אורייתא. ההיא נקודה קדישא, דאיהי בעיא לאשתעשעא לעילא ולתתא ברוחיהון דצדיקייא, כמה דאתמר. כד ההיא נקודה בעא לאשתעשעא לתתא ברוחיהון דצדיקייא, כאמא דחדאת על בנהא, ואשתעשעא בהון, ה"נ בפלגות ליליא איהי נחתא ואשתעשעא בהו.

שלט. רקיע דקאמרן דקיימא על גנתא, איהי קיימא על ד' רישי חיון, ואינון ד' אתוון דקאמרן, אינון רזא דד' חיון. והאי רקיעא קיימא עלייהו, כמה דאתמר. רקיע דההיא נקודה, קיימא לעילא, על אינון ד' חיון עלאין דקאמרן, וההוא רקיעא איהו אתרקם בגוונין קדישין.

שמ. בהאי רקיע אסתכלן ארבע חיון, וכל אינון חיילין לתתא. כד האי רקיע אנהיר בגווני ונציץ, כדין ידעין כל אינון רתיכין, וכל אינון חיילין ומשריין, דהא טרפא דילהון אזדמן. רקיעא דא מרקמא בכל גוונין קדישין, ביה קיימין ארבע פתחין רשימין, בארבע אתוון מנצצן.

שמא. פתחא חדא רשימא לסטר מזרח, וביה קיימא בההוא פתחא את חד, וההוא את איהו א', ודא נציץ וסליק ונחית בהאי פתחא. פתחא דא נהיר ונציץ מנציצו עלאה. והאי את נציץ ובליט בגויה, ואיהי נחתא וסלקא, ואתרשים בההוא פתחא.

שמב. פתחא תניינא, רשימא לסטר צפון, וביה קיימא את חד, ואיהי את ד'. ודא קיימא ונצצא, סלקא ונחתא, ולהטא בההוא פתחא. לזמנין נציץ בנציצו, ולזמנין אתטמר ההוא נהורא, ולא נהיר. ועל דא, את דא לא קיימא בקיומא תדיר, ואת דא אתרשים בההוא פתחא.

שמג. פתחא תליתאה, איהו פתחא דקיימא לסטר מערב, וביה קיימא את חד,

דאתרשים ואתנהיר בההוא פתוא. ודא איהו את נ׳, והאי את נציץ בנציצו בההוא פתוא.

שדמ. פתוא רביעאה, דא איהו פתוא דקיימא לסטר דרום, וביה קיימא רשימו דחד נקודה תתאה זעירא, דאתחזי ולא אתחזי, ודא איהי את י׳, ואלין ארבע אתוון לארבע סטרין, נציצין בההוא רקיע, באינון פתחין.

שמה. בהאי רקיע רשימין אתוון אחרנין, בכתרין על רישייהו. ואינון עשרין ותרין אתוון, מתעטרן בכתרין. רקיעא דא נטיל וסחרא על גבי חיוון, ברשימו דאתוון, רזא דחושבן דיחודא, ברזא דצרופא חדא ואינון: א״ט ב״ח ג״ז ד״ו.

שמו. אלין אתוון סחרן בההוא רקיע, ברזא דאתוון אחרנין, עלאין קדישין סתימין. ואינון אתוון אחרנין סתימין, סחרין לההוא רקיע, וכדין אתחזיין אלין אתוון בגלגולא, דאינון א״ט ב״ח, ורשימין בהאי רקיעא.

שמז. בשעתא דאתנהיר האי רקיעא, אתנהרן ביה ארבע רזין דשמהן קדישין, ואינון צרופא בצרופין דתלתין ותרין שבילין. כדין נחית טלא מהאי רקיעא, באינון אתוון דרזא דשמא קדישא, ואתזנו כל אינון רתיכין, וכל אינון חיילין ומשיריין קדישין, ונטלי כלהו בחדוה.

שמח. בשעתא דדינא תליא, אלין אתוון אתטמרו, ואתגניזו ד׳ גו ד׳, ואינון ט״ז ז״ו. בשעתא דאלין אתגניזו ואתטמרו, כדין קלא דסטר צפון אתער, וידעי דדינא שרייא על עלמא. ובהאי רקיעא אתרשים גוונא חדא, דכליל כל גוונין.

שמט. כד נטיל האי רקיעא מסטרא דמזרח, אינון ארבע רישין דקאמרן, בארבע אתוון, נטלין כלהו במטלנין, וסלקי בסליקו לעילא. וכד אינון נטלין וסלקין לעילא, אסתלקת מאן דאסתלקת. ואתוון אתהדרו ואתחזיין בשלימו, ברזא קדמאה, א״ט ב״ח ג״ז ד״ו, ואתרקם ההוא רקיעא, כדין אתנהיר בנהירו.

שנ. וכד האי רקיעא אתנהיר כמלקדמין, באלין אתוון, כולהו אתהדרו ושאגי למטרף טרפא ומזונא. כיון דאינון שאגי וסלקין קלא, ההוא קלא אשתמע לעילא לעילא, וכדין נטלא ברכאן וקדושן, מאן דנטלא.

שנא. סחרן אתוון ומתגלגלן, וסחרן ההוא רקיעא, וקיימן אינון אתוון לסטר דרום. כיון דקיימין אינון אתוון לסטר דרום, סלקין ונצצן בנציצו ולהטין. כדין באמצעיתא דההוא רקיעא, רשימו חד אתרשים, וההוא רשימו איהו את חד, ואיהו י׳. כיון דאת דא אתרשים ואתחזייא, כדין להטין אבתריה, תלת אתוון אחרנין, ואינון הו״ה.

שנב. אלין אתוון מנצצן באמצעו דהאי רקיעא, סלקין ונחתין, מלהטין בתריסר להטין. כדין לבתר דאלין תריסר זמנין מלהטן, נחתא מאן דנחתא, ואתכלילת באינון אתוון, ואתעטרת בהו, ולא אתיידעת. כדין, כלהו חיילין, וכלהו משיריין, בחידו. וסלקין שירין ותושבחן.

שנג. רקיעא דא נטלא תניינות, וסחרא ומתגלגלא, ואינון אתוון קדמאי דקאמרן, דאינון א״ט ב״ח, כלהו אתכלילו באינון אתוון עלאין, רזא דשמא קדישא דקאמרן, וסחרן ההוא רקיעא, וקיימין אינון אתוון דהוו באמצעיתא רזא דשמא קדישא, כלהו אתרשימו לסטר צפון, ואתרשימו ולא אתרשימו. לית מאן דיסתכל בההוא סטרא, כלהו אתחפיין, ואמרי בקל נעימו ברוך כבוד יי׳ ממקומו. אתחפיין מסטרא דצפון

וְאָמְרִין דָּא אִתְחַזְּיָין מִכָּל סִטְרִין וְאַמְרִין דָּא.

שנד. רְקִיעָא דָּא סְחֲרָא כְּמִלְּקַדְמִין, וְאִתְגַּלְגְּלָא מִסִּטְרָא לְסִטְרָא. כְּדֵין קָל נְעִימוּ דְּמַשִּׁירְיָין סַגִּיאִין בְּסִטְרָא דָּא, וְקָל נְעִימוּ דְּמַשִּׁירְיָין סַגִּיאִין בְּסִטְרָא דָּא, וְכֵן לְד' סִטְרִין. בְּהַהִיא שַׁעֲתָא הַהוּא רְקִיעָא אִתְנְהִיר בִּנְהִירוּ אַחֲרָא, יַתִּיר מִכְּמָה דַּהֲוָה, וְקַיְימָא בִּנְהִירוּ בְּגַוָּון אַחֲרָא, כְּלִילָא בְּכָל גַּוְונִין.

שנה. וְאִלֵּין אַתְוָון דְּקָאָמְרָן, סַלְּקִין לְעֵילָּא בְּהַהוּא רְקִיעָא, וּמְקַבְּלִין לְאָת חַד דְּאִיהִי עִלָּאָה, דְּקָא מִתְחַבְּרָא בִּשְׁמָא דָּא, דְּאִלֵּין אַתְוָון. בְּגִין דְּאע"ג דְּאִלֵּין אַתְוָון דִּשְׁמָא קַדִּישָׁא, הַאי אִיהוּ שְׁמָא דְּאִתְכְּלִיל לְתַתָּא, בְּגִין דְּרָזָא דָּא אִתְכְּלִיל לְעֵילָּא, וְאִתְכְּלִיל לְתַתָּא, וְכַד אִתְכְּלִיל לְתַתָּא, אִלֵּין אַתְוָון סַלְּקִין לְקַבְּלָא לְאָת חַד דְּהָא מֵהַהוּא אָת אִתְזָנוּ אִלֵּין אַתְוָון לְתַתָּא, וְהַהוּא אָת אִיהוּ ו'. וְנָחִית וְאִתְחַבְּרוּ אִלֵּין אַתְוָון. בְּהַהוּא אָת, וּכְדֵין כֻּלְּהוּ בְּעִטּוּרָא חֲדָא, וְאִתְעֲבֵיד שְׁמָא שְׁלִים.

שנו. לְתַתָּא, שְׁמָא שְׁלִים וְלָא שְׁלִים. שְׁמָא שְׁלִים בַּחֲמֵשׁ אַתְוָון אִיהוּ, וַיְדֹוָ"ד. רָזָא דְּכַר וְנוּקְבָּא בִּרְמִיזוּ. שְׁמָא שְׁלִים בְּתֵשַׁע אַתְוָון, אִינּוּן יְדֹוָ"ד אֱלֹהִים. דָּא אִיהוּ שְׁמָא שְׁלִים מִכֹּלָּא. שְׁמָא אַחֲרָא אִיהוּ בִּרְמִיזוּ, וְאִיהוּ בְּחָמֵשׁ כְּדְקָאָמְרָן. אֲבָל דָּא אִיהוּ שְׁלִים בְּכֹלָּא.

שנז. כֵּיוָן דְּמִתְחַבְּרָן אִלֵּין אַתְוָון, הַהוּא רְקִיעָא אַנְהִיר בִּתְלָתִין וּתְרֵין נְהוֹרִין, כְּדֵין כֹּלָּא אִיהוּ בְּחֶדְוָה, כֹּלָּא קָאִים בְּרָזָא חֲדָא עֵילָּא וְתַתָּא. כָּל אִינּוּן רְתִיכִין, וְכָל אִינּוּן מַשִּׁירְיָין, כֻּלְּהוּ קַיְימִין בְּרָזָא דִּשְׁלִימוּ. וְכָל דַּרְגִּין מִתַּקְּנָן עַל אַתְרַיְיהוּ, כָּל חַד וְחַד כְּדְקָא יָאוּת.

שנח. בְּהַאי רְקִיעָא קָאִים לִסְטַר צָפוֹן, חַד שַׁלְהוֹבָא נָהִיר, דְּלָא שָׁכִיךְ תָּדִיר, וְאִיהוּ רָשִׁים בְּאַתְוָון אַחֲרָנִין, לְיָמִין, וְאִינּוּן עֶשֶׂר שְׁמָהָן, וְסַלְּקִין לְשַׁבְעִין שְׁמָהָן, וְכֻלְּהוּ רְשִׁימִין בְּהַאי רְקִיעָא, וְנַהֲרִין כֻּלְּהוּ כַּחֲדָא.

שנט. מֵהַאי רְקִיעָא, נַטְלִין כָּל אִינּוּן רְקִיעִין דִּלְתַתָּא, דִּלִסְטַר קְדוּשָׁה, עַד דְּמָטוּ לְאִינּוּן רְקִיעִין אַחֲרָנִין דִּלִסְטַר אַחֲרָא, וְאִלֵּין אִקְרוּן יְרִיעוֹת עִזִּים, כד"א וַיַּעַשׂ יְרִיעֹת עִזִּים לְאֹהֶל עַל הַמִּשְׁכָּן.

שס. בְּגִין דְּאִית יְרִיעוֹת וְאִית יְרִיעוֹת, יְרִיעוֹת הַמִּשְׁכָּן, אִינּוּן יְרִיעוֹת דְּאִקְרוּן רְקִיעֵי וִזְיוָון דְּמַשְׁכְּנָא קַדִּישָׁא. יְרִיעוֹת עִזִּים. אִינּוּן רְקִיעִין אַחֲרָנִין דְּסִטְרָא אַחֲרָא. אִלֵּין רְקִיעִין בְּרָזָא דִּרְתִיכִין דְּרוּחִין קַדִּישִׁין. וְאִלֵּין רְקִיעִין דִּלְבַר, דְּקַיְימִין בְּמִלִּין דְּעָלְמָא, וְאִינּוּן סִטְרִין דְּתִיּוּבְתִּין, וְעוֹבָדִין דְּגוּפָא. וְאִלֵּין חַפְיָין עַל אִינּוּן רְקִיעִין דִּלְגוֹ, כִּקְלִיפָּה עַל מוֹחָא. רְקִיעִין דִּלְגוֹ אִינּוּן הַהוּא קְלִישׁוּ, דְּקַיְימָא עַל מוֹחָא, וְאִלֵּין אִקְרוּן שָׁמַיִם לַיְיָ'. לִשְׁמָא חֲדָא דָּא דִּלְתַתָּא.

שסא. רְקִיעִין אַחֲרָנִין לְעֵילָּא, וְאִינּוּן רְקִיעִין פְּנִימָאִין, דְּאִקְרוּן רְקִיעֵי הַחַיּוֹת, דְּאִינּוּן רָזָא דִּשְׁמָא קַדִּישָׁא, בְּרָזָא דְּחֵיוָון רַבְרְבָן עִלָּאִין, וְאִלֵּין אִינּוּן רָזִין דְּאַתְוָון עִלָּאִין, בְּרָזֵי דְּאוֹרַיְיתָא, כְּלָלָא דְּעֶשְׂרִין וּתְרֵין אַתְוָון, מְחַקְּקָן רְשִׁימִין, דְּנַפְקֵי מִגּוֹ רְקִיעָא עִלָּאָה תְּמִינָאָה. דְּאִיהוּ רָקִיעַ דְּעַל גַּבֵּי חֵיוָון עִלָּאִין, וְהַאי אִיהוּ דְּלֵית לֵיהּ חֵיזוּ. הַאי אִיהוּ טָמִיר וְגָנִיז, לֵית בֵּיהּ גַּוָּון.

שסב. כָּל גַּוְונִין מִנֵּיהּ נַפְקֵי. בֵּיהּ לֵית גַּוָּון, לָא אִתְחֲזֵי, וְלָא אִתְגַּלְיָיא, הַאי אִיהוּ דְּאַפִּיק כָּל נְהוֹרִין. בֵּיהּ לָא אִתְחֲזֵי, לָא נְהִירוּ, וְלָא חָשׁוֹךְ, וְלָא גַּוָּון כְּלַל, בַּר נִשְׁמָתִין

דְּצַדִּיקַיָּיא, דְּוַזְמַאן מִגּוֹ רְקִיעָא תַּתָּאָה, כְּמִבָּתַר כּוֹתָלָא, נְהִירוּ דְּאַפִּיק וְנָהִיר הַאי רְקִיעָא עִלָּאָה, וְהַהוּא נְהִירוּ דְּלָא פָּסַק, לֵית מַאן דְּיָדַע לֵיהּ, לֵית מַאן דְּקָאֵים בֵּיהּ.

שסג. מִתְּחוֹת דָּא, כָּל אִינּוּן רְקִיעִין אִתְכְּלִילוּ בִּשְׁמָא דָּא אִקְרֵי שָׁמַיִם וְאִלֵּין אִקְרוּן הַשָּׁמַיִם אִינּוּן דִּשְׁמָא עִלָּאָה אִקְרֵי בְּהוֹן, אִינּוּן דִּשְׁמָא קַדִּישָׁא אִתְעֲטַר בְּהוֹן. וְעַ"ד כְּתִיב, הַשָּׁמַיִם שָׁמַיִם לַיְיָ, לְהַהוּא גְּנִיזוּ דִּרְקִיעָא עִלָּאָה, דְּקָאֵים עֲלַיְיהוּ.

שסד. עַד הָכָא רֶמֶז לִשְׁמָא קַדִּישָׁא, דְּקֻבְּ"ה אִקְרֵי בִּשְׁמָהָן. מִכָּאן וּלְהָלְאָה, לֵית וַחֲכִּים בְּסָכְלְתָנוּ, דְּיָכִיל לְמִנְדַּע וּלְאִתְדַּבְּקָא כְּלָל. בַּר נְהִירוּ חַד זְעֵיר בְּלָא קִיּוּמָא, לְאִתְיַישְּׁבָא בֵּיהּ. זַכָּאָה חוּלָקֵיהּ מַאן דְּעָאל וְנָפַק, וְיָדַע לְאִסְתַּכְּלָא בְּרָזִין דְּמָארֵיהּ, וּלְאִתְדַּבְּקָא בֵּיהּ.

שסה. בְּרָזִין אִלֵּין יָכִיל בַּר נָשׁ לְאִתְדַּבְּקָא בְּמָארֵיהּ, לְמִנְדַּע שְׁלִימוּ דְּחָכְמְתָא בְּרָזָא עִלָּאָה, כַּד פָּלַח לְמָארֵיהּ בִּצְלוֹתָא, בִּרְעוּתָא, בְּכִוּוּן לִבָּא, אַדְבַּק רְעוּתֵיהּ כְּנוּרָא בְּגַחַלְתָּא, לְיַיחֲדָא אִינּוּן רְקִיעִין תַּתָּאִין דִּסְטְרָא דִּקְדוּשָׁה, לְאַעְטְרָא לוֹן בִּשְׁמָא חֲדָא תַּתָּאָה. וּמִתַּמָּן וּלְהָלְאָה לְיַיחֲדָא אִינּוּן רְקִיעִין עִלָּאִין פְּנִימָאִין, לְמֶהֱוֵי כֻּלְּהוּ חַד, בְּהַהוּא רְקִיעָא עִלָּאָה דְּקַיְּימָא עֲלַיְיהוּ.

שסו. וּבְעוֹד דְּפוּמֵיהּ וְשִׂפְוָותֵיהּ מְרַחֲשָׁן, לִבֵּיהּ יְכַוֵּין, וּרְעוּתֵיהּ יִסְתַּלַּק לְעֵילָּא לְעֵילָּא, לְיַיחֲדָא כֹּלָּא בְּרָזָא דְּרָזִין, דְּתַמָּן תְּקִיעוּ דְּכָל רְעוּתִין וּמַחֲשָׁבִין בְּרָזָא דְּקַיְּימָא בְּאֵין סוֹף, וּלְכַוְּונָא בְּהַאי בְּכָל צְלוֹתָא וּצְלוֹתָא, בְּכָל יוֹמָא וְיוֹמָא לְאַעְטְרָא כָּל יוֹמוֹי, בְּרָזָא דְּיוֹמִין עִלָּאִין בְּפוּלְחָנֵיהּ.

שסז. בְּלֵילְיָא יְשַׁוֵּי רְעוּתֵיהּ, דְּהָא אִתְפְּטַר מֵעָלְמָא דָּא, וְנִשְׁמְתֵיהּ נָפְקַת מִנֵּיהּ, וִיהַדַּר לָהּ לְמָארֵי דְּכֹלָּא, בְּגִין דְּכָל לֵילְיָא וְלֵילְיָא, הַהִיא נְקוּדָה קַיְּימָא, לְאַכְלְלָא בְּגַוָּוהּ אִינּוּן נִשְׁמָתִין דְּצַדִּיקַיָּיא.

שסח. רָזָא דְּרָזִין לְמִנְדַּע לְאִינּוּן חַכִּימֵי לִבָּא. רְקִיעָא דָּא תַּתָּאָה, בְּרָזָא דְּהַהִיא נְקוּדָה קַיְּימָא, כְּמָה דַּאֲמָרָן. הַהוּא רְקִיעָא אִיהוּ כָּלִיל מֵעֵילָּא וּמִתַּתָּא, וִיסוֹדָא דִּילֵיהּ לְתַתָּא כְּהַאי שְׁרָגָא דְּסַלְקָא נְהוֹרָא אוּכָמָא, לְאִתְאַחֲדָא בִּנְהוֹרָא חִוָּורָא, וִיסוֹדָא דִּילָהּ אִיהוּ לְתַתָּא, בְּהַהִיא פְּתִילָה בִּמְשַׁחָא. אוּף הָכִי לְתַתָּא, הַהִיא נְקוּדָה. בִּימָמָא אִתְכְּלִילַת מִלְּעֵילָּא, וּבְלֵילְיָא אִתְכְּלִילַת מִתַּתָּא, בְּאִינּוּן נִשְׁמָתִין דְּצַדִּיקַיָּיא.

שסט. וְכָל מִלִּין דְּעָלְמָא, אַהַדְרוּ כֻּלְּהוּ, לְעִקָּרָא וִיסוֹדָא וְשָׁרְשָׁא, דְּנַפְקוּ מִנֵּיהּ. וְכַמָּה לֵילָוָון זְמִינִין לְנַטְלָא כָּל חַד וְחַד מַה דְּאִתְחֲזֵי לֵיהּ. כד"א אַף לֵילוֹת יִסְּרוּנִי כִלְיוֹתָי. נַפְשָׁא אָזְלַת וְשָׁטְאת, וְתָבַת לְהַהוּא עִקָּרָא דְּאִתְחֲזֵי לָהּ. גּוּפָא קָאֵים שָׁכִיךְ כְּאַבְנָא, וְאַהֲדַר לְהַהוּא אֲתַר דְּאִתְחֲזֵי לֵיהּ, לְמִשְׁרֵי עֲלוֹי, וּבְגִין כַּךְ תָּב גּוּפָא לְסִטְרֵיהּ, וְנַפְשָׁא לְסִטְרָהּ.

שע. גּוּפָא שָׁרֵי עֲלוֹי רָזָא דִּסְטְרָא אַחֲרָא, וּבְגִין כַּךְ אִסְתָּאֲבוּ יְדוֹי, וּבָעֵי לְאַסְחָאָה לוֹן. כְּמָה דְּאוֹקִימְנָא, דְּהָא בְּלֵילְיָא כֹּלָּא תָּב לְאַתְרֵיהּ, וְנִשְׁמָתְהוֹן דְּצַדִּיקַיָּיא סַלְּקִין וְאִתְהַדְרָן לְאַתְרַיְיהוּ, וְאִתְעַטְּרַת בְּהוּ מַה דְּאִתְעַטְּרַת, וְאִתְכְּלִילַת מִכָּל סִטְרִין, כְּדֵין סַלְּקָא יְקָרָא דְּקֻבְּ"ה וְאִתְעַטַּר מִכֹּלָּא.

שעא. בְּלֵילְיָא שַׁלְטָאן מְמָנָן דְּאִתְפְּקָדוּ עַל אִינּוּן נִשְׁמָתִין דְּצַדִּיקַיָּיא, לְסַלְּקָא לוֹן לְעֵילָּא, וּלְקָרְבָא לוֹן קָרְבַּן נַיְיחָא לְגַבֵּי מָארֵיהוֹן. הַהוּא מְמָנָא דְּאִתְפְּקַד עַל כָּל אִינּוּן מַשִּׁירְיָין, סורי"א שְׁמֵיהּ רַב מְמָנָא. כֵּיוָן דְּנִשְׁמְתָא סַלְּקָא בְּכָל אִינּוּן רְקִיעִין, כְּדֵין

מְקָרְבִין לָהּ לְגַבֵּיהּ, וְאָרַח בָּהּ כְּמָה דְּאַתְּ אָמַר, וַהֲרִיחוֹ בְּיִרְאַת יְיָ. כְּמָה דְּזַמִּין מַלְכָּא מְשִׁיחָא לְמֶעְבַּד בְּעָלְמָא, וְעַל יְדֵיהּ אַעְבָּרוּ כֻּלְּהוּ בְּפִקּוּדָא עַל יְדֵיהּ, לְאִתְקָרְבָא לְהָלְאָה.

שעב. וְכֻלְּהוּ נִשְׁמָתִין כַּד אִתְקְרִיבוּ לְהַהוּא אֲתַר דְּאִתְקְרִיבוּ, וְאִתְחָזוּן תַּמָּן, דָּא אִיהוּ רָזָא, כֻּלְּהוּ נִשְׁמָתִין אִתְכְּלִילוּ בְּהַהִיא נְקוּדָה, וְנַטְלָא לוֹן זִמְנָא חֲדָא, כְּמַאן דְּבָלַע בְּלִיעוּ דְּמִלָּה, וְאִתְעַבְּרָא כְּאִתְּתָא דְּמִתְעַבְּרָא. רָזָא דָּא לְמָארֵי מִדִּין. כַּד הַאי נְקוּדָה אִתְעַבְּרַת, כְּאִתְּתָא דְּמִתְעַבְּרָא, אִתְהֲנֵי מֵהַהִיא הֲנָאוּתָא, דְּאִתְכְּלִילַת נִשְׁמָתָא מֵהַאי עָלְמָא, בְּאִינּוּן עוֹבָדִין, וּבְהַהִיא אוֹרַיְיתָא דְּאִשְׁתַּדְּלַת בָּהּ בִּימָמָא. וְנַטְלָא הַהוּא רְעוּ דְּהַאי עָלְמָא, וּבֵיהּ אִתְהֲנֵי בְּחֶדְוָה, וְאִתְכְּלִילַת מִכָּל סִטְרִין.

שעג. לְבָתַר אַפִּיקַת לוֹן לְבַר, וְאוֹלִידַת לוֹן כְּמִלְּקַדְמִין, וְנִשְׁמָתָא אִיהִי חַדְתָּא הַשְׁתָּא כְּמִלְּקַדְמִין, וְרָזָא דָּא חֲדָשִׁים לַבְּקָרִים. חֲדָשִׁים וַדַּאי כְּמָה דְּאִתְּמַר. מַה טַּעַם אִינּוּן חֲדָשִׁים. בְּגִין רָזָא דִּכְתִיב, רַבָּה אֱמוּנָתֶךָ. רַבָּה וַדַּאי, דְּיָכְלָא לְאַכְלְלָא לוֹן, וּלְאַעֲלָא לוֹן לְגַוָּוהּ, וְאַפִּיקַת לוֹן וְאִינּוּן חַדְתִּין. וְעַל דָּא נַקְטָא אַחֲרָנִין מִלְּעֵילָּא בִּימָמָא. זַכָּאִין אִינּוּן צַדִּיקַיָּיא בְּעָלְמָא דֵּין, וּבְעָלְמָא דְּאָתֵי.

שעד. אַדְּהָכִי נָהַר יְמָמָא, אָמַר רַבִּי אַבָּא, נְקוּם וְנֵהַךְ, וְנוֹדֶה לְרִבּוֹן עָלְמָא. קָמוּ וְאָזְלוּ, וְצַלּוּ, וּלְבָתַר אַהַדְרוּ חַבְרַיָּיא לְגַבֵּיהּ, אֲמַרוּ לֵיהּ, מַאן דְּשָׁרֵי, לְסַיֵּים שְׁבָחָא. זַכָּאָה חוּלָקָנָא בְּאוֹרְחָא דָּא, דְּכָל הַאי זָכֵינָא לְאַעְטְרָא לֵיהּ לְקוּדְשָׁא בְּרִיךְ הוּא, בְּרָזִין דְּחָכְמְתָא.

שעה. פָּתַח רַבִּי אַבָּא וְאָמַר, וַיַּעַשׂ בְּצַלְאֵל אֶת הָאָרוֹן עֲצֵי שִׁטִּים וְגוֹ'. הָכָא, אַף עַל גַּב דְּכָל רָזִין דְּמַשְׁכְּנָא הָא אוֹקְמוּהָ חַבְרַיָּיא בְּאִדְרָא קַדִּישָׁא. הָכָא אִית לְאִסְתַּכְּלָא, דְּהָא רָזָא דָּא מִתְעַטְּרָא בְּכַמָּה רָזִין, לְמֵילַף חָכְמְתָא. אָרוֹן דָּא אִיהוּ רָזָא לְמֵיעַל תּוֹרָה שֶׁבִּכְתָב. וְאִתְגְּנִיז בֵּיהּ בְּשִׁית לוּחִין מְסַחֲרִין, וְדָא אִקְרֵי אָרוֹן. כַּד סָחֲרָן אִינּוּן שִׁית לְמֶהֱוֵי כַּחֲדָא, כְּדֵין אִיהוּ גּוּפָא חַד לְאַעֲלָא בֵּיהּ רָזָא דְּאוֹרַיְיתָא, בְּשִׁית סִטְרִין.

שעו. וְאִינּוּן לוּחִין, אִינּוּן חָמֵשׁ, וְעָאלִין בֵּיהּ חָמֵשׁ סְפָרִים, וְאִינּוּן חָמֵשׁ אִינּוּן שִׁית, בְּחַד דַּרְגָּא דְּאָעִיל בָּהּ בִּגְנִיזוּ, דְּאִקְרֵי רָזָא דְּכֹלָּא, וְהַאי אִיהוּ רָזָא דִּבְרִית. כַּד עָאל דָּא, גּוֹ אִינּוּן חָמֵשׁ לוּחִין, כְּדֵין קַיְּימָא אֲרוֹנָא וְאוֹרַיְיתָא, בְּרָזָא דְּתֵשַׁע דַּרְגִּין, דְּאִינּוּן תְּרֵין שְׁמָהָן, יְהֹוָ"ה אֱלֹהִי"ם. וּלְבָתַר קַיְּימָא לוּחָא חֲדָא, רָזָא לְמֵיעַל תּוֹרָה שֶׁבִּכְתָב. וְאִתְגְּנִיז בֵּיהּ בְּשִׁית לוּחִין מְסַחֲרִין, וְדָא אִקְרֵי כֹּלָּא, וְכֻלְּהוּ קַיְּימֵי בִּגְנִיזוּ.

שעז. הָכָא אִית לָן לְאִסְתַּכְּלָא, וּלְמִנְדַּע רָזִין דַּאֲרוֹנָא, אִית אָרוֹן וְאִית אָרוֹן, דָּא לָקֳבֵל דָּא. פָּתַח וְאָמַר, הַכֹּל נָתַן אֲרַוְנָה הַמֶּלֶךְ לַמֶּלֶךְ וְגוֹ'. וְכִי אֲרַוְנָה מֶלֶךְ הֲוָה וְאַף עַל גַּב דְּחַבְרַיָּיא אוֹקְמוּהָ, אֶלָּא דָּוִד, דִּכְתִיב בֵּיהּ כָּל מַכֵּה יְבוּסִי וְיִגַּע בַּצִּנּוֹר וְגוֹ' וְאִיהוּ נָטַל וְתָפִיס לִירוּשָׁלַ͏ִם, וּמִדִּידֵיהּ הֲוָה, אַמַּאי קָנָה בְּכַסְפָּא. וְאִי תֵּימָא אַף עַל גַּב דַּהֲוַות יְרוּשָׁלַ͏ִם דִּידֵיהּ דְּדָוִד, הַהוּא אֲתַר אַחְסַנְתֵּיהּ דַּאֲרַוְנָה הֲוָה, כְּמָה דַּהֲוָה בְּנָבוֹת הַיִּזְרְעֵאלִי, דְּאַף עַל גַּב דְּשַׁלִּיט אַחְאָב, וַהֲוָה מַלְכָּא, אִצְטְרִיךְ לְמִתְבַּע לְנָבוֹת הַהוּא כֶּרֶם, אוּף הָכִי דָּוִד.

שעח. אֶלָּא וַדַּאי אֲרַוְנָה מַלְכָּא הֲוָה, וְהַהוּא אֲתַר בִּרְשׁוּתֵיהּ הֲוָה, וַהֲוָה שַׁלִּיט עֲלוֹי, וְכַד מָטָא זִמְנָא לְנָפְקָא מִתְּחוֹת יְדֵיהּ, לָא נָפִיק אֶלָּא בְּסַגִּיאוּת דָּמָא וְקַטּוֹלָא בְּיִשְׂרָאֵל. לְבָתַר קָאִים הַהוּא מַלְאָכָא מְחַבְּלָא עַל הַהוּא אֲתַר, וְתַמָּן כַּד הֲוָה קָטִיל, וְקָאִים בְּהַהוּא אֲתַר, לָא הֲוָה יָכִיל, וְתָשַׁשׁ חֵילֵיהּ.

שעט. וְהַהוּא אֲתַר, אֲתַר דְּאִתְעֲקַד בֵּיהּ יִצְחָק הֲוָה, דְּתַמָּן בָּנָה אַבְרָהָם מַדְבְּחָא, וְעָקַד לֵיהּ לְיִצְחָק בְּרֵיהּ. כֵּיוָן דְּחָמָא קב"ה הַהוּא אֲתַר, אִתְמְלֵי רַחֲמִין, הה"ד, רָאָה יְיָ וַיִּנָּחֶם וְגוֹ'. מַהוּ רָאָה יְיָ. חָמָא עֲקֵידַת יִצְחָק בְּהַהוּא אֲתַר, וְתָב וְרִיחֵם עֲלַיְיהוּ מִיַּד.

שפ. וַיֹּאמֶר לַמַּלְאָךְ הַמַּשְׁחִית רַב עַתָּה וְגוֹ'. מַהוּ רַב. הָא אוּקְמוּהָ, טוֹל הָרַב. אֶלָּא הָכִי הוּא, כְּתִיב הָכָא רַב, וּכְתִיב הָתָם, רַב לָכֶם שֶׁבֶת בָּהָר הַזֶּה. אוּף הָכִי נָמֵי רַב, רַב לָךְ לְמֶהֱוֵי הַאי אֲתַר תְּחוֹת יְדָךְ, שְׁנִין סַגִּיאִין הֲוָה תְּחוֹת יְדָךְ, מִכָּאן וּלְהָלְאָה רַב, אֲהַדַּר אַתְרָא לְמָארֵיהּ. וְעַכ"ד בְּמוֹתָא וּמָמוֹנָא נָפַק מִתְּחוֹת יְדֵיהּ.

שפא. אֲמַאי אִקְרֵי אֲרַוְנָה. אֶלָּא כְּתִיב אֲרַוְנָה וּכְתִיב אָרְנָן. בְּעוֹד דְּהַהוּא אֲתַר הֲוָה תְּחוֹת יְדֵיהּ, אִקְרֵי אֲרַוְנָה אֲרוֹן דְּסִטְרָא אַחֲרָא. וְעַל דְּאִתּוֹסְפוּ בֵּיהּ אַתְוָון יַתִּיר, הָכִי אִצְטְרִיךְ לְאִתּוֹסְפָא לְהַהוּא רַע עַיִן, רָזָא דְּסִטְרָא אַחֲרָא, וְהַהוּא תּוֹסֶפֶת אִיהוּ גְּרִיעוּתָא לְגַבֵּיהּ.

שפב. בְּסִטְרָא קְדוּשָׁה גָּרְעִין לֵיהּ אַתְוָון, וְאִתּוֹסַף קְדוּשָׁתֵיהּ. וְדָא רָזָא דִּכְתִּיב, עַל שְׁנֵי עָשָׂר בָּקָר. גָּרַע מֵ"ם דְּלָא כְּתִיב שְׁנַיִם, אֶלָּא שְׁנֵי. וּלְסִטְרָא אַחֲרָא יַהֲבִין לֵיהּ תּוֹסֶפֶת אַתְוָון, דִּכְתִּיב וַיַּעַשׂ יְרִיעוֹת עִזִּים לְאֹהֶל עַל הַמִּשְׁכָּן עַשְׁתֵּי עֶשְׂרֵה יְרִיעוֹת, תּוֹסֶפֶת אַתְוָון וְאִיהוּ גְּרִיעוּתָא. וּבְסִטְרָא דִּקְדוּשָׁה, שְׁנֵי עָשָׂר וְלָא יַתִּיר. וְהָכָא עַשְׁתֵּי עֶשְׂרֵה. וְכֹלָּא אִיהוּ גְּרִיעוּ לְגַבֵּיהּ, וְהָכִי אִצְטְרִיךְ לְהַהוּא רַע עַיִן, לְאַשְׁלְמָא עֵינֵיהּ וְאִיהוּ בִּגְרִיעוּ.

שפג. ת"ח, סִטְרָא דִּקְדוּשָׁה אִקְרֵי אֲרוֹן הַבְּרִית. וְהַהוּא אֲרוֹן הַבְּרִית, אִתְחֲזֵי לְגוּפָא לְמֵיעַל בֵּיהּ דְּיוּקְנָא דְּאָדָם. וְעַל רָזָא דָּא, אִינּוּן חֲסִידֵי קַדִּישִׁין, כַּד הֲווֹ מִפְטְרֵי מֵהַאי עָלְמָא, הֲווֹ אַעֲלִין לוֹן בְּאָרוֹן. דְּהָא סִטְרָא אַחֲרָא לָא מִתְתַּקַּן בְּגוּפָא, וְלָאו אִיהִי בִּכְלָלָא דְּגוּפָא דְּאָדָם. וּבְגִין דָּא לָא אִתְחַבְּרוּן גּוּפַיָּיא לְהַהוּא סִטְרָא אַחֲרָא, בְּגִין דְּלָאו אִינּוּן בִּכְלָלָא דְּגוּפָא דְּאָדָם.

שפד. בְּיוֹסֵף מַה כְּתִיב, וַיִּישֶׂם בָּאָרוֹן תְּרֵין יוּדִין אַמַּאי. אֶלָּא דְּאִתְחַבַּר בְּרִית בִּבְרִית. רָזָא דִּלְתַתָּא בְּרָזָא דִּלְעֵילָּא. וְעָאל בַּאֲרוֹנָא. מַאי טַעְמָא. בְּגִין דְּנָטַר בְּרִית קַדִּישָׁא, וְאִתְקַיַּים בֵּיהּ. לְהָכִי אִתְחֲזֵי לְאַעֲלָה בַּאֲרוֹנָא, וְכֹלָּא כַּדְקָא חֲזֵי.

שפה. בָּכָה ר' אַבָּא וְאָמַר, וַוי לִבְנֵי עָלְמָא, דְּלָא יָדְעֵי לְהַהוּא כִּסּוּפָא. וַוי לְהַהוּא עוֹנְשָׁא, דְּכָל מַאן דְּבָעֵי עָאל בַּאֲרוֹנָא. בְּגִין דְּלָא אִצְטְרִיךְ לְמֵיעַל בַּאֲרוֹנָא, בַּר צַדִּיק, דְּיָדַע בְּנַפְשֵׁיהּ, וְאִשְׁתְּמוֹדַע בְּגַרְמֵיהּ, דְּלָא חָטָא בְּהַהוּא בְּרִית, אָת קַיָּימָא קַדִּישָׁא, מֵעוֹלָמוֹי, וְקָא נָטִיר לֵיהּ כַּדְקָא יָאוֹת. וְאִי לָאו, לָא אִצְטְרִיךְ לֵיהּ לְמֵיעַל בַּאֲרוֹנָא, וּלְמִפְגַּם אֲרוֹנָא.

שפו. רָזָא אִצְטְרִיךְ לְאִתְחַבְּרָא בְּאָת קַיָּימָא קַדִּישָׁא דְּאִיהוּ רָזָא דְּאִתְחֲזֵי לֵיהּ, וְלָא לְאַחֲרָא. דְּהָא אֲרוֹן לָא אִתְחַבַּר אֶלָּא בְּצַדִּיק, דְּנָטִיר אָת קַיָּימָא קַדִּישָׁא. וּמַאן דְּפָגִים בְּרִית וְעָאל בַּאֲרוֹנָא, וַוי לֵיהּ, דְּפָגַם לֵיהּ בְּחַיּוֹי. וַוי לֵיהּ דְּפָגִים לֵיהּ בְּמִיתָתֵיהּ. וַוי לֵיהּ מֵהַהוּא עוֹנְשָׁא. וַוי לֵיהּ דְּפָגִים אָת וַאֲרוֹן קַיָּימָא קַדִּישָׁא. וַוי לֵיהּ לְהַהוּא כִּסּוּפָא, דְּנַקְמִין מִנֵּיהּ נִקְמַת עָלְמִין, נוּקְמָא דְּעָלְמָא דָּא, וְנוּקְמָא דְּהַהוּא פְּגִימוּ. וְרָזָא דָּא כְּתִיב כִּי לֹא יָנוּחַ שֵׁבֶט הָרֶשַׁע עַל גּוֹרַל הַצַּדִּיקִים.

שפז. בְּשַׁעֲתָא דְּדַיְינִין לֵיהּ בְּהַהוּא עָלְמָא, מִסְתַּכְּלָן בְּעוֹבָדוֹי, אִי הֲוָה פָּגִים רָזָא דִּבְרִית קַדִּישָׁא דְּחָתִים בְּבִשְׂרֵיהּ. וְהַשְׁתָּא פָּגִים אֲרוֹנָא דִּילֵיהּ בְּהַאי. הַאי לֵית לֵיהּ

וְזוּלָקָא בְּצַדִּיקַיָּיא. מִסְתַּכְּלָן בֵּיהּ, וְדַיְינִין לֵיהּ, וּמַפְּקֵי לֵיהּ לְבַר מִכְּלָלָא דְּאָדָם. כֵּיוָן דְּאַפְּקֵי לֵיהּ מִכְּלָלָא דְּאָדָם, אַפְּקֵי לֵיהּ מִכְּלָלָא דְּכֻלְּהוּ אַחֲרָנִין, דְּאִתְעֲתָדוּ לְוָזַיֵּי עָלְמָא, וְיַהֲבֵי לֵיהּ לְהַהוּא סִטְרָא דְּלָא אִתְכְּלִיל בְּרָזָא דְּגוּפָא דְּאָדָם. כֵּיוָן דְּאִתְמְסַר לְהַהוּא סִטְרָא, וַוי לֵיהּ, דְּאַעֲלִין לֵיהּ בְּגֵיהִנָּם, וְלָא נָפִיק מִנֵּיהּ לְעָלְמִין. ע״ד כְּתִיב וְיָצְאוּ וְרָאוּ בְּפִגְרֵי הָאֲנָשִׁים הַפּוֹשְׁעִים בִּי וְגוֹ׳. אִינּוּן דְּאִשְׁתָּאֲרוּ מִכְּלָלָא דְּאָדָם.

שפח. וְהָנֵי מִלֵּי כַּד לָא עָבֵד תְּיוּבְתָּא שְׁלֵימָתָא. תְּיוּבְתָּא דְּאִיהִי אִתְוַזְיָּיא לְוָזַפְּיָּיא עַל כָּל עוֹבָדוֹי. וְעכ״ד טַב לֵיהּ דְּלָא יֵעוֹל בַּאֲרוֹנָא, דְּהָא כָּל זִמְנָא דְּגוּפָא קַיָּים, נִשְׁמְתָא אִתְדָּנַת, וְלָא עָאלַת לְאַתְרָהּ. בַּר אִינּוּן וַחֲסִידֵי עֶלְיוֹנִין קַדִּישִׁין, דְּאִתְוַזְזוּן לְסַלְקָא בְּגוּפֵיהוֹן, זַכָּאָה וְזוּלָקֵיהוֹן בְּעָלְמָא דֵּין וּבְעָלְמָא דְּאָתֵי.

שפט. בְּגִין דְּלֵית וְזוֹבָא דְּקַשְׁיָא קַמֵּיהּ קב״ה, כְּהַאי מַאן דִּמְשַׁקֵּר וּפָגִים לְהַאי אָת קַיְּימָא קַדִּישָׁא. וְדָא לָא וָזָמֵי אַנְפֵּי שְׁכִינְתָּא, עַל וְזוֹבָא דָּא כְּתִיב וַיְהִי עֵר בְּכוֹר יְהוּדָה רַע בְּעֵינֵי יְיָ׳. וּכְתִיב לֹא יְגוּרְךָ רָע.

שצ. מַה כְּתִיב הָכָא, וַיַּעַשׂ בְּצַלְאֵל אֶת הָאָרוֹן. וְכִי אַמַּאי לָא עָבְדוּ אִינּוּן וַחֲכִימִין, דְּעָבְדוּ מַשְׁכְּנָא, יַת אֲרוֹנָא. אֶלָּא בְּצַלְאֵל, סִיּוּמָא דְּגוּפָא דְּאִיהוּ רָזָא דִּבְרִית קַדִּישָׁא, וְנָטַר לֵיהּ, וְאִיהוּ קָאִים בְּעַדְבָא דְּוָזוּלָקֵיהּ. אִיהוּ אִשְׁתַּדַּל בְּעוֹבָדָא דִּילֵיהּ, וְלָא אַוְזֲרָא. אָתוּ כֻּלְּהוּ וַחֲבְרַיָּיא, וְנַשְׁקוּ לֵיהּ.

שצא. כַּד מָטוּ לְגַבֵּי דְּרַבִּי שִׁמְעוֹן, וְסַדְּרוּ מִלִּין אִלֵּין קַמֵּיהּ, כָּל מַה דְּאִתְּמַר בְּהַהוּא אוֹרְוָזָא. פָּתַח וְאָמַר, וְאוֹרַח צַדִּיקִים כְּאוֹר נֹגַהּ הוֹלֵךְ וָאוֹר עַד נְכוֹן הַיּוֹם. הַאי קְרָא אִתְּמַר. אֲבָל הַאי קְרָא אִית לְאִסְתַּכְּלָא בֵּיהּ, וְאוֹרַח צַדִּיקִים, הַהוּא אוֹרְוָזָא דְּצַדִּיקַיָּיא אָזְלוּ בֵּיהּ, אִיהוּ אֹרַח קְשׁוֹט. אוֹרְוָזָא דְּקב״ה אִתְרְעֵי בֵּיהּ. אוֹרְוָזָא דְּאִיהוּ אָזִיל קָמַיְיהוּ, וְכָל אִינּוּן רְתִיכִין, אַתְיָין לְמִשְׁמַע מִלִּין דְּאִינּוּן מְמַלְּלָן וְאָמְרֵי בְּפוּמַיְיהוּ. כְּאוֹר נֹגַהּ: דְּנָהִיר וְאָזִיל, וְלָא אִתְוַזֲשַׁךְ כְּלָל, כְּאוֹרַח דְּאִינּוּן וַחַיָּיבַיָּא, דְּאוֹרַח דִּילְהוֹן אִתְוַזֲשַׁךְ תָּדִיר, כד״א דֶּרֶךְ רְשָׁעִים כָּאֲפֵלָה וְגוֹ׳.

שצב. ד״א וְאֹרַח צַדִּיקִים. מַה בֵּין אֹרַח לְדֶרֶךְ, הָא אוֹקְמוּהָ. אֲבָל אֹרַח הוּא, דְּהַשְׁתָּא אִתְפְּתַח וְאִתְגַּלְיָיא, וְאִתְעֲבִיד בְּהַהוּא אֲתָר אֹרַח, דְּלָא כְּתִישׁוּ בֵּיהּ רַגְלִין מִקַּדְמַת דְּנָא. דֶּרֶךְ: כד״א כְּדוֹרֵךְ בְּגַת, דְּכַתְשִׁין בֵּיהּ רַגְלִין כָּל מַאן דְּבָעֵי.

שצג. וע״ד לְצַדִּיקַיָּיא קָארֵי אֹרַח, דְּאִינּוּן הֲווֹ קַדְמָאֵי לְמִפְתַּח הַהוּא אֲתָר. וְלָא עַל אֲתָר אִיהוּ אֶלָּא אע״ג דְּאַוְזֲרָנִין בְּנֵי עָלְמָא אָזְלֵי בְּהַהוּא אֲתָר, הַשְׁתָּא דְּאָזְלִין בֵּיהּ צַדִּיקַיָּיא, אִיהוּ אֲתָר וַחֲדְתָא, דְּהַשְׁתָּא וַחֲדְתָא אִיהוּ הַהוּא אֲתָר כְּמָה דְּלָא אָזִיל בֵּיהּ בַּר נָשׁ אַוְזֲרָא לְעָלְמִין. בְּגִין דְּצַדִּיקַיָּיא עָבְדִין וַחֲדְתָא לְכָל הַהוּא אֲתָר, בְּכַמָּה מִלִּין עִלָּאִין דְּקב״ה אִתְרְעֵי בְּהוֹן.

שצד. וְתוּ, דִּשְׁכִינְתָּא אָזְלָא בְּהַהוּא אֲתָר, מַה דְּלָא הֲוַת מִקַּדְמַת דְּנָא. וּבג״כ אֹרַח צַדִּיקִים אִקְרֵי, בְּגִין דְּאִתְאָרַח בֵּיהּ אוּשְׁפִּיזָא עִלָּאָה קַדִּישָׁא. דֶּרֶךְ: אִיהוּ פָּתוּחַ לְכֹלָּא, וְכַתְשִׁין בֵּיהּ כָּל מַאן דְּבָעֵי, אֲפִילּוּ אִינּוּן וַחַיָּיבִין. דֶּרֶךְ, רָזָא דָּא, הַנּוֹתֵן בַּיָּם דָּרֶךְ, בְּגִין דְּדָרִיךְ בֵּיהּ סִטְרָא אַוְזֲרָא, דְּלָא אִצְטְרִיךְ, וְשָׁלִיט לְסָאֳבָא מַשְׁכְּנָא. וע״ד, צַדִּיקַיָּיא בִּלְוָזוֹדַיְיהוּ, קַיְימֵי וְשַׁלְטֵי בְּהַהוּא אֲתָר דְּאִקְרֵי אֹרַח. כְּמָה דְּאוֹקִימְנָא דֶּרֶךְ פָּתוּחַ לְכֹלָּא, לְהַאי סִטְרָא וּלְהַאי סִטְרָא.

שצה. וְאַתּוּן קַדִּישֵׁי עֶלְיוֹנִין, אֹרַח קַדִּישָׁא עִלָּאָה אִזְדַּמַּן לְגַבַּיְיכוּ, וְאָרְוָזְתּוּן בֵּיהּ

וּמִלִּין מְעַלְיָין עִלָּאִין אִתְסָדָּרוּ קָמֵי עַתִּיק יוֹמִין. זַכָּאָה חוּלָקֵיכוֹן.

שצו. פָּתַח ר"ש וְאָמַר, וִיהוֹשֻׁעַ בִּן נוּן מָלֵא רוּחַ חָכְמָה כִּי סָמַךְ מֹשֶׁה וְגוֹ', בְּכַמָּה אֲתַר תָּנִינָן, דְּמֹשֶׁה אַנְפּוֹי כְּאַנְפֵּי שִׁמְשָׁא, וִיהוֹשֻׁעַ כְּאַנְפֵּי סִיהֲרָא. דְּלֵית נְהוֹרָא לְסִיהֲרָא, אֶלָּא נְהוֹרָא דְּשִׁמְשָׁא כַּד נָהַר לְסִיהֲרָא, וְסִיהֲרָא מִגּוֹ שִׁמְשָׁא אִתְמַלְיָיא. וְכַד אִתְמַלְיָיא, כְּדֵין קַיְּימָא בְּאַשְׁלְמוּתָא.

שצז. אַשְׁתְּלִימוּתָא דְּסִיהֲרָא, מַאן אִיהוּ. רָזָא דְּכֹלָּא, דְּאִקְרֵי דְּמוּת בְּרָזָא דִּשְׁמָא עִלָּאָה יְיָ'. דְּהָא בִּשְׁמָא דָּא לָא קָאִים, בַּר בְּזִמְנָא דְּקַיְּימָא בְּאַשְׁלְמוּתָא. דְּהָא כַּמָּה שְׁמָהָן אִינּוּן דְּאַחְסִינָא, וְאִתְקְרֵי בְּהוּ כָּךְ כְּפוּם שַׁעֲתָא דְּקַיְּימָא בֵּיהּ, הָכִי אִקְרֵי בְּהַהוּא שְׁמָא מַמָּשׁ. וְכַד קַיְּימָא בְּרָזָא דְּאַשְׁלָמוּתָא וְאִשְׁתְּלִימַת מִכָּל סִטְרִין, כְּדֵין אִקְרֵי יְדֹוָ"ד אַשְׁלְמוּתָא דִּילָהּ, כְּאַשְׁלָמוּתָא דִּלְעֵילָּא. דְּיָרְתָא בְּרַתָּא לְאִמָּהּ.

שצח. וְהַיְינוּ בַּחֲמֵיסַר יוֹמִין, דִּכְתִּיב בַּחֲמִשָּׁה עָשָׂר יוֹם לַחֹדֶשׁ הַשְּׁבִיעִי הַזֶּה. וּכְתִיב אַךְ בֶּעָשׂוֹר לַחֹדֶשׁ הַשְּׁבִיעִי. וְכֹלָּא רָזָא וַחֲדָא, כַּד קַיְּימָא עָלְמָא דְּאָתֵי בְּרָזָא דְּכָל עֶשֶׂר אֲמִירָן, עַל הַאי חֹדֶשׁ, אִקְרֵי בֶּעָשׂוֹר. וְכַד אִתְרְשִׁימַת סִיהֲרָא בְּאַשְׁלְמוּתָא וַחֲדָא בֵּינַיְיהוּ, אִקְרֵי בַּחֲמִשָּׁה עָשָׂר, דְּהָא ה' אִתְחַבְּרַת וְאִתְאַחֲדַת בֵּינַיְיהוּ.

שצט. וְרָזָא דָּא י"ה ו"ה וְכַד קַיְּימָא בִּשְׁמָא דָּא, כְּדֵין אִתְחַבַּר בָּהּ, וְאִיהִי אִתּוֹסְפָא אִיהִי, בְּרָזָא דְּאָת ה' כִּמְלְקַדְּמִין. וַחֲדָא, לְאִתְאַחֲדָא וּלְאִתְחַבְּרָא בְּרָזָא דִּלְעֵילָּא. וַחֲדָא לְמֵיהַב מְזוֹנָא לְתַתָּא. וּכְדֵין קַיְּימָא סִיהֲרָא בְּאַשְׁלְמוּתָא לְכָל סִטְרִין, עֵילָּא וְתַתָּא, בְּרָזָא דִּשְׁמָא דָּא, לְמֶהֱוֵי כֹּלָּא רָזָא וַחֲדָא, וּשְׁלִימוּ חַד.

ת. יְהוֹשֻׁעַ דָּא אִיהוּ רָזָא דְּאַשְׁלָמוּתָא דְּסִיהֲרָא, בְּאִלֵּין אַתְוָון בִּן נוּ"ן, נוּ"ן וַדַּאי דְּהָא נוּן רָזָא דְּסִיהֲרָא אִיהִי. מָלֵא בְּרָזָא דְּאַשְׁלָמוּתָא דִּשְׁמָא קַדִּישָׁא, כְּדֵין אִיהוּ מָלֵא רוּחַ חָכְמָה וַדַּאי.

תא. בְּגִין דִּנְקוּדָה עִלָּאָה דְּאִיהִי י', אִתְפָּשַׁט וְאַפִּיק רוּחַ, וְהַהוּא רוּחַ עָבִיד הֵיכָלָא. וְהַהוּא רוּחַ אִתְפָּשַׁט, וְאִתְעֲבֵיד שִׁית סִטְרִין. הַהוּא רוּחַ אִתְפָּשַׁט, בְּרָזָא דְּכָל אִלֵּין. וְאַמְלֵי וְעָבֵיד הֵיכָלָא לְתַתָּא, וְאִתְמְלֵי כֹּלָּא, וְאִתְעֲבֵיד רָזָא דִּשְׁמָא קַדִּישָׁא, בְּאַשְׁלְמוּתָא וַחֲדָא.

תב. וּבְגִ"ד יְהוֹשֻׁעַ מָלֵא רוּחַ חָכְמָה, בְּגִין כִּי סָמַךְ מֹשֶׁה אֶת יָדָיו עָלָיו, דְּאִיהוּ אֲרִיק בִּרְכָאן עָלֵיהּ, וְאִתְמְלֵי בֵּירָא מִנֵּיהּ. וְאַתּוּן קַדִּישֵׁי עֶלְיוֹנִין, כָּל וַחַד מִנַּיְיכוּ אִתְמְלֵי רוּחַ וְחָכְמָה, וְקַיְּימָא בְּאַשְׁלְמוּתָא, בְּרָזִין דְּחָכְמְתָא. בְּגִין דְּקֻבְּ"ה הוּא אִתְרְעֵי בְּכוּ, וְאַסְמִיךְ יְדוֹי עֲלַיְיכוּ. זַכָּאָה חוּלָקֵי דְּעֵינַי חָמוּ דָּא, וְחָמוּ שְׁלִימוּ דְּרוּחַ וְחָכְמְתָא בְּכוּ.

תג. פָּתַח וְאָמַר, כְּתִיב לֹא תֹאכְלוּ עַל הַדָּם לֹא תְנַחֲשׁוּ וְלֹא תְעוֹנֵנוּ. הַאי קְרָא אוּקְמוּהָ, וְרָזָא דְּמִלָּה, הַאי מַאן דְּאָכִיל בְּלָא צְלוֹתָא, דְּיַצְלֵי עַל דָּמֵיהּ, שָׁקִיל אִיהוּ כִּמְנַחֵשׁ וּמְעוֹנֵן.

תד. בְּגִין דִּבְלֵילְיָא נִשְׁמְתָא סַלְקַת לְמֶחֱמֵי בְּרָזָא דִּיקָרָא עִלָּאָה, כָּל וַחַד וְחַד כְּמָה דְּאִתְחֲזֵי לֵיהּ. וְאִשְׁתְּאַר ב"נ בְּהַהוּא חֵילָא דְּאִתְפָּשַׁט גּוֹ דָּמָא, לְאִתְקַיְּימָא גּוּפָא. וְעַל דָּא טָעִים טַעֲמָא דְּמוּתָא, וְהַהוּא חֵילָא לָא מִתְעַתְּדָא לְאִתְעָרָא גּוֹ הַהוּא חֵילָא דְּנִשְׁמְתָא, וּלְקַבְּלָא לֵיהּ. וְכַד אִתְעַר בַּר נָשׁ, לָאו אִיהוּ דָּכִי. וְהָא אוּקִימְנָא, דְּסִטְרָא אַחֲרָא שַׁלִּיט, עַל אֲתַר דְּקַיְּימָא בְּלָא נִשְׁמְתָא.

תה. כֵּיוָן דְּאִתְדְּכֵי בְּמַיָּא, וְאע"ג דְּאִשְׁתַּדַּל בַּר נָשׁ בְּאוֹרַיְיתָא, הַהִיא נִשְׁמְתָא לָא

אתקיימת באתרה, ולא שלטא ביה בב"נ, בר חילא דדמא בלחודוי, דאקרי נפש, ההיא דאתפשטא בדמא תדיר, והא אוקימנא. וכד יצלי ב"נ צלותא דפולחנא דמאריה, כדין מתיישבא חילא דדמא באתריה, ואתגבר חילא דנשמתא, ואתיישבא על ההוא אתר. וכדין בר נש אשתלים קמי מאריה, כמה דאצטריך, נפש לתתא, ורזא דמלה דנשמתא לעילא.

תו. ועו"ד, מאן דצלי צלותא עד לא ייכול, קאים גרמיה כמה דאצטריך, וסלקא נשמתא על אתר מותבה כמה דאצטריך, ואי אכיל עד לא צלי צלותיה לאתיישבא דמא על אתריה, הא איהו כמנחש ומעונן. בגין דהא איהו ארחיה דמנחש, לסלקא לסטר אחרא, ולמאכא סטרא דקדושה.

תז. אמאי אקרי בר נש ההוא דאשתדל בההוא סטרא מנחש. על דאשתדל בההוא נחש, לאתקפא חיליה ולאתגברא. ודא איהו כמאן דפלח לאלהים אחרים. וכן האי פלח לההוא חילא דדמא, ולא פלח ליה לקב"ה, לאתקפא סטרא דנשמתא, סטרא דקדושה.

תח. מעונן, דאשתדל בחובא, ולא אשתדל בזכו. ואי תימא הא קיימא נ' באמצעיתא. הכי הוא ודאי, דהא לא יכלין לשלטאה בההוא סטרא אחרא, עד דאתערבי ביה ערובא דסטר קדושה, כחוטא חד דקיק. מאן דבעי לקיימא שקרא, יערב בה מלה דקשוט, בגין דיתקיים ההוא שקרא. ועל דא עון מלה דשקר הוא, ובגין לקיימא ליה, עאלין בה מלה דקשוט, ודא איהו נ', בדא מקיימי לההוא שקר. ומאן דלא צלי צלותא לקמי קב"ה, עד לא ייכול על דמיה, כמנחש ומעונן.

תט. צלותא דבר נש, כמה דאמרתון אתון קדישי עליונין, זכאה חולקיכון, דהא בצלותא מתתקן גופיה ונפשיה דבר נש, ואתעביד שלים. צלותא איהי תקונין מתקנן דמתתקנן כחדא, ואינון ארבע. תקונא קדמאה, תקונא דגרמיה, לאשתלמא. תקונא תניינא, תקונא דהאי עלמא. תקונא תליתאה, תקונא דעלמא לעילא, בכל אינון חילי שמיא. תקונא רביעאה, תקונא דשמא קדישא, ברזא דרתיכין קדישין, וברזא דעלמין כלהו, עילא ותתא בתקונא כדקא יאות.

תי. תקונא קדמאה תקונא דגרמיה, בגין דאצטריך לאתקנא גרמיה, במצוה וקדושה, ולאתתקנא בקרבנין ועלוון לאתדכאה. תקונא תניינא, בתקונא דקיומא דהאי עלמא, בעובדא דבראשית, לברכא לקודשא בריך הוא, על כל עובדא ועובדא, באינון הללויה, הללוהו כל כוכבי אור הללוהו שמי השמים וגו' לקיימא קיומא דהאי עלמא. ועל דא בברוך שאמר, ברוך, ברוך על כלא.

תיא. תקונא תליתאה, דאיהו תקונא לעלמא לעילא, בכל אינון חילי וחיילין ומשריין. יוצר משרתים ואשר משרתיו וגו', והאופנים וחיות הקדש. תקונא רביעאה, תקונא דצלותא, בתקונא דרזא דשמא קדישא כדקא אמרתון, זכאה חולקיכון. והכא רזא דתקונא דשמא שלים. זכאה חולקי עמכון בהאי עלמא ובעלמא דאתי.

תיב. פקודי אורייתא דאמרתון בצלותא ודאי הכי הוא. פתח ואמר, כתיב את יי' אלהיך תירא אותו תעבוד. וכתיב, ויראת מאלהיך. האי קרא אית למימר הכי, ויראת אלהיך, בגין דהא כתיב את יי' אלהיך תירא, מהו מאלהיך. אלא רזא איהו, מאלהיך ודאי, מההוא אתר דאתחבר וסחרא למוחא דלגו, ודא איהו מאלהיך, דחילו

דָּא לְמִדְחַל לֵיהּ, דְּהָא תַּמָּן שַׁרְיָיא דִּינָא, וְאִיהוּ דִּינָא דְּאִשְׁתְּאִיב מִגּוֹ דִּינָא דִּלְעֵילָּא, בְּהַאי אֲתָר.

תיג. תְּלַת גַּוְונֵי אֶשָּׁא הָכָא. אֶשָּׁא קַדְמָאָה, אִיהוּ אֶשָּׁא דְּקַבִּיל אֶשָּׁא בְּחֵידוּ, וְחַדָּאן דָּא בְּדָא בִּרְחִימוּ. אֶשָּׁא תִּנְיָינָא, אִיהוּ אֶשָּׁא דִּכְתִּיב בֵּיהּ וְנֹגַהּ לָאֵשׁ דְּאִתְחָזֵי בֵּיהּ נֹגַהּ. וְדָא אִיהוּ אֶשָּׁא, דְּקַיְּימָא גּוֹ אֶשָּׁא פְּנִימָאָה בְּחֵידוּ, כְּמָה דְּאִתְּמַר. אֶשָּׁא תְּלִיתָאָה, אִיהוּ אֶשָּׁא דִּסְחֲרָא לְהַהוּא נֹגַהּ. וּבְהַאי אֶשָּׁא שַׁארֵי דְּחִילוּ דְּדִינָא, לְאַלְקָאָה חַיָּיבַיָּא.

תיד. וְאַף ע"ג דְּתָנֵינָן, דְּאַרְבְּעָה גַּוְונֵי אֶשָּׁא נִינְהוּ, וְאִינּוּן אַרְבַּע דְּאִינּוּן חַד. אֲבָל הָכָא בְּהַהוּא אֶשָּׁא דְּקָאָמְרָן, שַׁאֲרֵי דְּחִילוּ דְּדִינָא, וְעַל דָּא כְּתִיב, וְיָרֵאתָ מֵאֱלֹהֶיךָ, מֵהַהוּא עוֹנְשָׁא דִּילֵיהּ.

תטו. וּבְהַהוּא יִרְאָה בָּעֵי לְשַׁוָּואָה רְעוּתֵיהּ, בִּדְחִילוּ וּרְחִימוּ כַּחֲדָא, לְמִדְחַל בְּהַאי סִטְרָא, וּלְמִרְחַם בְּהַאי סִטְרָא. וּבְאִינּוּן גַּוְונִין דְּקָאָמְרָן, וְהַהוּא דְּחִילוּ לֶהֱוֵי לְמִדְחַל מֵעוֹנְשָׁא. דְּמַאן דְּעָבַר עַל פִּקּוּדֵי אוֹרַיְיתָא, אִתְעֲנָשׁ בְּהַהוּא סִטְרָא דְּכַד שַׁארֵי הַהוּא סִטְרָא לְאַלְקָאָה, לָא שָׁכִיךְ עַד דְּשֵׁצֵי לֵיהּ מֵהַאי עָלְמָא, וּמֵעָלְמָא דְּאָתֵי. וּבג"כ בָּעֵי לְמִדְחַל מֵהַאי אֶשָּׁא, דִּדְחִילוּ שַׁרְיָיא בֵּיהּ.

תטז. וּמִנֵּיהּ אִתְפָּשַׁט אֶשָּׁא לְבַר דְּדַחֲלָא אַחֲרָא, וְעַל דָּא כְּתִיב, לֹא תִירְאוּ אֶת אֱלֹהֵי הָאֱמוֹרִי, דְּאָסִיר לְמִדְחַל מִנֵּיהּ. וְהַאי אֶשָּׁא דִּדְחִילוּ דְּקָאָמְרָן, אִיהוּ קָדֵשׁ וְאִשְׁתָּתַּף בִּקְדוּשָּׁה, וְהַאי אִיהוּ דִּסְחֲרָא לְהַהוּא נֹגַהּ דְּקָאָמְרָן. וְהַהִיא אֶשָּׁא אַחֲרָא דִּלְבַר, אִיהוּ דְּאִתְחַבָּר בְּהַאי לִזְמַנִּין. וּלְזִמְנִין אִתְעֲבַר מִנֵּיהּ, וְלָא אִתְחַבָּר בַּהֲדֵיהּ. וְכַד גָּרִים דְּאִתְחַבָּר בְּהַאי, כְּדֵין הוּא אֶשָּׁא דְּחָשׁוּךְ, וְאַחְשִׁיךְ וְכַסֵּי נְהִירוּ דְּאִלֵּין אַחֲרָנִין. וְסִימָנִיךְ וְאֵשׁ מִתְלַקַּחַת, וְלָא דְּקַיְּימָא תָּדִיר, וְהָא אִתְּמַר

תיז. לְבָתַר אַהֲבָה, כְּמָה דְּאוֹקְמוּהָ דְּאַהֲבָה שַׁרְיָיא לְבָתַר יִרְאָה. וְרָזָא דְּמִלָּה, כֵּיוָן דְּשָׁארֵי יִרְאָה עַל רֵישֵׁיהּ דְּבַר נָשׁ, אִתְּעַר לְבָתַר אַהֲבָה, דְּאִיהוּ יְמִינָא. דְּמַאן דְּפָלַח מִגּוֹ אַהֲבָה, אִתְדַּבַּק בַּאֲתַר עִלָּאָה לְעֵילָּא, וְאִתְדַּבַּק בִּקְדוּשָּׁה דְּעָלְמָא דְּאָתֵי, בְּגִין דְּהָא סָלִיק לְאִתְעַטְּרָא וּלְאִתְדַּבְּקָא בְּסִטַר יְמִינָא.

תיח. וְאִי תֵּימָא דְּפוּלְחָנָא דְּאִיהוּ מִסִּטְרָא דְּיִרְאָה לָאו אִיהוּ פּוּלְחָנָא. פּוּלְחָנָא יַקִּירָא אִיהוּ, אֲבָל לָא סָלִיק לְאִתְדַּבְּקָא לְעֵילָּא. וְכַד פָּלַח מֵאַהֲבָה, סָלִיק וְאִתְעַטַּר לְעֵילָּא, וְאִתְדַּבַּק בְּעָלְמָא דְּאָתֵי, וְדָא אִיהוּ בַּר נָשׁ דְּאִזְדַּמַּן לְעָלְמָא דְּאָתֵי, זַכָּאָה חוּלָקֵיהּ דְּהָא שַׁלִּיט עַל אֲתַר דְּיִרְאָה, דְּהָא לֵית מַאן דְּשַׁלִּיט עַל דַּרְגָּא דְּיִרְאָה, אֶלָּא אַהֲבָה, רָזָא דִּימִינָא.

תיט. רָזָא דְּיִחוּדָא דְּאִצְטְרִיךְ לֵיהּ לְהַהוּא דְּאִתְחָזֵי לְעָלְמָא דְּאָתֵי, לְיַחֲדָא שְׁמָא דְּקוּדְשָׁא בְּרִיךְ הוּא, וּלְיַיחֲדָא שַׁיְיפִין וְדַרְגִּין עִלָּאִין וְתַתָּאִין, לְאַכְלְלָא כֹּלְהוּ, וּלְאַעֲלָאָה בַּאֲתַר דְּאִצְטְרִיךְ לְקַשְׁרָא קִשְׁרָא. וְדָא אִיהוּ רָזָא דִּכְתִיב, שְׁמַע יִשְׂרָאֵל יְיָ' אֱלֹהֵינוּ יְיָ' אֶחָד.

תכ. וְרָזָא דִּשְׁמַע, שֵׁם דְּסָלִיק לְע' שְׁמָהָן, וְדָא כְּלָלָא וְחַדָּא. יִשְׂרָאֵל: יִשְׂרָאֵל סָבָא, בְּגִין דְּאִית זוּטָא, דִּכְתִיב נַעַר יִשְׂרָאֵל וָאֹהֲבֵהוּ. וְדָא אִיהוּ יִשְׂרָאֵל סָבָא, רָזָא וְחַדָא בִּכְלָלָא וְחַדָא. שְׁמַע יִשְׂרָאֵל, הָכָא אִתְכְּלִילַת אִתְּתָא בְּבַעְלָהּ.

תכא. וּלְבָתַר דְּאִתְכְּלִילוּ דָּא בְּדָא בִּכְלָלָא וְחַדָא, כְּדֵין אִצְטְרִיכוּ לְיַיחֲדָא שַׁיְיפִין, וּלְחַבְּרָא תְּרֵין מַשְׁכְּנִין כַּחֲדָא, בְּכֹלְהוּ שַׁיְיפִין, בִּרְעוּ דְּלִבָּא, לְאִסְתַּלְּקָא בִּדְבֵקוּתָא דְּאֵין

סוֹף, לְאִתְדַּבְקָא כֹּלָּא תַּמָּן, לְמֶהֱוֵי רְעוּתָא וַחֲדָא עִלָּאֵי וְתַתָּאֵי.

תכב. וְרָזָא דָּא יִהְיֶה, כד"א יִהְיֶה יְיָ' אֶחָד, בְּרָזָא דִּיהְיֶה. י', לְיַחֲדָא וּלְאִתְדַּבְקָא בה', דְּאִיהוּ הֵיכָלָא פְּנִימָאָה, לְאֲתַר גְּנִיזוּ דְּהַאי נְקוּדָה עִלָּאָה, דְּאִיהִי י'. וְדָא אִיהוּ רָזָא יְדֹוָ"ד אֱלֹהֵינוּ. אִלֵּין תְּרֵין שְׁמָהָן דְּאִינּוּן יָ"ה.

תכג. וּלְאִסְתַּכְּלָא כָּל שַׁיְיפִין בְּהַהוּא אֲתַר דְּנַפְקוּ מִנֵּיהּ, דְּאִיהוּ הֵיכָלָא פְּנִימָאָה, לְאַתְבָא מִלִּין לְאַתְרַיְיהוּ, לְעִקָּרָא וִיסוֹדָא וְשָׁרְשָׁא דִּילְהוֹן, עַד הַהוּא אֲתַר דְּשָׁרְשָׁא דִּבְרִית.

תכד. וּלְבָתַר אִינּוּן תְּרֵין אַתְוָון אַחֲרָנִין לְיַחֲדָא וּלְאִתְדַּבְקָא י' בה'. י' אִיהוּ רָזָא דִּבְרִית קַדִּישָׁא. וְהַאי ה' אִיהוּ הֵיכָלָא, אֲתַר גְּנִיזוּ דְּהַאי רָזָא דִּבְרִית קַדִּישָׁא דְּאִיהוּ י'. וְאע"ג דְּאוּקִימְנָא דְּאִיהוּ ו' תִּנְיָינָא. אֲבָל י', רָזָא דִּילֵיהּ לְיַחֲדָא לוֹן כַּחֲדָא.

תכה. אֶחָד, לְיַחֲדָא מִתַּמָּן וּלְעֵילָּא, כֹּלָּא כַּחֲדָא, וּלְסַלְקָא רְעוּתָא לְאִתְקַשְּׁרָא כֹּלָּא בְּקִשּׁוּרָא וְחַד. לְסַלְקָא רְעוּתֵיהּ בִּדְחִילוּ וּרְחִימוּ לְעֵילָּא לְעֵילָּא עַד אֵין סוֹף וְלָא יִשְׁתְּבַק רְעוּתָא מִכָּל אִינּוּן דַּרְגִּין וְשַׁיְיפִין, אֶלָּא בְּכֻלְּהוּ יִסְתַּלַּק רְעוּתֵיהּ לְאַדְבְּקָא לוֹן, וּלְמֶהֱוֵי כֹּלָּא קִשּׁוּרָא וַחֲדָא בְּאֵין סוֹף.

תכו. וְדָא הוּא יִחוּדָא דְּרַב הַמְנוּנָא סָבָא, דְּאוֹלִיף מֵאֲבוֹי, וַאֲבוֹי מֵרַבֵּיהּ, עַד פּוּמָא דְּאֵלִיָּהוּ, וְשַׁפִּיר אִיהוּ, וְיִחוּדָא בְּתִקּוּנָא. וְאע"ג דַּאֲנָן אוּקִימְנָא לְהַאי בְּכַמָּה רָזִין, כֻּלְּהוּ רָזִין סַלְקִין לְחַד. אֲבָל רָזָא דָּא אַשְׁכַּחְנָא בְּסִפְרֵיהּ, וְשַׁפִּיר אִיהוּ, וְיִחוּדָא בְּתִקּוּנָא. וְהָא אֲנָן בְּיִחוּדָא דְּרָזָא אַחֲרָא אִתְעֲרָנָא מִלִּין, וְאִיהוּ שַׁפִּיר, וְיִחוּדָא כַּדְקָא חֲזֵי וְהָכִי הוּא. אֲבָל יִחוּדָא דָּא, יִחוּדָא בְּתִקּוּנָא, וְדָא אִיהוּ יִחוּדָא דְּרַב הַמְנוּנָא סָבָא.

תכז. וְתוּ הֲוָה אָמַר, מַאן דִּרְעוּתֵיהּ לְאִסְתַּכְּלָא כָּל רָזִין דְּיִחוּדָא בְּמִלָּה דְּאֶחָד שַׁפִּיר טְפֵי. וּלְהָכִי אֲנָן מַאֲרִיכִין בְּאֶחָד, לְסַלְקָא רְעוּתֵיהּ מֵעֵילָּא לְתַתָּא, וּמִתַּתָּא לְעֵילָּא, לְמֶהֱוֵי כֹּלָּא וְחַד. אֲבָל בְּרָזָא דָּא יִהְיֶ"ה, סִימָנָא אִיהוּ לְהַאי.

תכח. וְהָא דְּתָנֵינָן אֶחָד רָזָא עֵילָּא וְתַתָּא, וְאַרְבַּע סִטְרִין דְּעָלְמָא, הָכִי אִיהוּ. לְיַחֲדָא עֵילָּא וְתַתָּא כְּמָה דְּאִתְּמַר וְאַרְבַּע סִטְרִין דְּעָלְמָא, אִלֵּין אִינּוּן רָזָא רְתִיכָא עִלָּאָה, לְאִתְכַּלְלָא כֹּלָּא כַּחֲדָא, בְּקִשְׁרָא וַחֲדָא, בְּיִחוּדָא וַחֲדָא עַד אֵין סוֹף, כְּמָה דְּאוּקִימְנָא.

תכט. רָזָא לְאַדְכָּרָא יְצִיאַת מִצְרַיִם לְבָתַר. בְּגִין דַּהֲוַות שְׁכִינְתָּא בְּגָלוּתָא, וּבִזְמְנָא דְּאִיהִי בְּגָלוּתָא, לָאו אִיהוּ חִבּוּרָא, לְאִתְחַבְּרָא דָּא בְּדָא עָלְמָא תַּתָּאָה בְּעָלְמָא עִלָּאָה, וּלְאַחֲזָאָה חֵירוּ דְּהַהִיא גְּאוּלָה, דַּהֲוַות בְּכַמָּה אָתִין, בְּכַמָּה נִסִּין דְּעָבַד קב"ה. וְאִצְטְרִיךְ הַהוּא פּוּרְקָנָא לְאִתְדַּכְּרָא, וּלְאִתְחֲזָאָה דְּאַף עַל גַּב דַּהֲוַות בְּגָלוּתָא, הַשְׁתָּא חֵירוּ אִית לָהּ, מִיּוֹמָא דְּאִינּוּן קִשְׁרִין בְּמִצְרַיִם אִשְׁתְּרִיאוּ, אִינּוּן אָתִין וְנִסִּין אִתְעֲבִידוּ.

תל. וְאִצְטְרִיךְ לְאַחֲזָאָה חֵירוּ דִּילָהּ, בְּגִין דְּאִתְחַבְּרָא בְּבַעְלָהּ וּבְגִין לְאַסְמְכָא גְּאוּלָה לִתְפִלָּה, לְמֶהֱוֵי כֹּלָּא וְחַד בְּלָא פֵּרוּדָא, וְלָא לְאַחֲזָאָה תֵּרוּכִין, וְסִימָנִיךְ וְאִשָּׁה גְּרוּשָׁה מֵאִישָׁהּ לֹא יִקָּחוּ.

תלא. וְאִי תֵּימָא, וְהָא בְּגָלוּתָא אִיהִי, וְהָא אִתְתְּרַכַת, לָאו הָכִי, אֶלָּא וַדַּאי בְּגָלוּתָא אִיהִי, לְדַיְּירָא עִמְּהוֹן דְּיִשְׂרָאֵל, וּלְאַגָּנָא עֲלַיְיהוּ, אֲבָל לָא אִתְתְּרַכַת. וְהָא שְׁכִינְתָּא לָא אִתְחֲזֵי בְּבַיִת רִאשׁוֹן וּבְבַיִת שֵׁנִי. עַד דְּלָא גָּלוּ יִשְׂרָאֵל סַלְקָא לְעֵילָּא, וּלְבָתַר אִיהִי שַׁוְּיאַת מָדוֹרָהּ עִמְּהוֹן. אֲבָל תֵּרוּכִין לָא הֲוַות לְעָלְמִין.

תלב. וּבְגִּ"ד בָּעֵי לְאַחֲזָאָה פּוּרְקָנָא, דְּאִית בָּהּ אַרְבַּע גְּאוּלוֹת. וְרָזָא הָכָא, בְּשַׁעֲתָא דְּנָפְקָא שְׁכִינְתָּא מִגָּלוּתָא דְּמִצְרַיִם, תַּבְעַת מִקּוּדְשָׁא בְּרִיךְ הוּא, דְּיִפְרוֹק לָהּ הַשְׁתָּא ד'

זִמְנִין, דְּאִינּוּן ד' גְּאוּלוֹת, לְקַבֵּל אַרְבַּע גָּלֻיוֹת. בְּגִין דְּתֶהֱוֵא בַּת חוֹרִין, וְלָא תֶּהֱוֵא מִתְתַּרְכָא. וּבְהַהִיא שַׁעֲתָא קַיְּימָא וְאִתְפָּרְקַת אַרְבַּע גְּאוּלוֹת, בְּהַהִיא יְצִיאַת מִצְרַיִם. וְהַשְׁתָּא דְּאִצְטְרִיכַת בְּתִקּוּנָהָא לְאִתְחַבְּרָא בְּבַעְלָהּ, אִצְטְרִיךְ לְאַחֲזָאָה הַהִיא גְּאוּלַּת מִצְרַיִם, דְּאִית בָּהּ אַרְבַּע גְּאוּלוֹת.

תלג. וְעַל דָּא אִית לְאַדְכְּרָא בְּהַהִיא גְּאוּלָּה, ד' זִמְנִין אֱמֶת. אֱמֶת. אֱמֶת. אֱמֶת. עַד עֶזְרַת אֲבוֹתֵינוּ. דְּדָא הוּא עֶזְרָה וְסֶמֶךְ לְיִשְׂרָאֵל כֻּלְּהוּ. וּמִתַּמָּן וּלְהָלְאָה אַרְבַּע זִמְנִין אַחֲרָנִין, אֱמֶת, אֱמֶת, אֱמֶת, אֱמֶת. לְמֶהֱוֵי אַרְבַּע גְּאוּלוֹת אִלֵּין בְּקִיּוּמָא תַּקִּיף, בְּחוֹתָמָא תַּקִּיף דְּגוּשְׁפַּנְקָא דְּמַלְכָּא. ד' גְּאוּלוֹת כְּפוּלִין בְּקִיּוּמָא.

תלד. וְכֻלְּהוּ בְּהַהִיא יְצִיאַת מִצְרַיִם, דְּאִילּוּ לָא אִשְׁתְּכָחוּ אִינּוּן ד' גְּאוּלוֹת בְּהַהִיא יְצִיאַת מִצְרַיִם, כָּל זִמְנָא דְּלֶהֱוֵי גָּלוּתָא, לָא אִתְחַבְּרַת בְּתִקּוּנָהָא לְאִתְיַיחֲדָא שְׁמָא קַדִּישָׁא. וְע"ד אִית לְאַדְכְּרָא גְּאוּלָּה דְּמִצְרַיִם תָּדִיר, בְּכָל קִדּוּשִׁין דְּקֻבְּ"ה, בְּרִיךְ שְׁמֵיהּ לְעָלַם וּלְעָלְמֵי עָלְמַיָּא.

תלה. רָזָא דִּקְדוּשָּׁה הָא אוּקִימְנָא, דְּהָא בִּקְדוּשָּׁה מִתְקַדְּשֵׁי כֹּלָּא, עֵילָּא וְתַתָּא, וְכָל דַּרְגִּין, וְכָל רְתִיכִין עִלָּאִין וְתַתָּאִין, כֻּלְּהוּ מִתְקַדְּשֵׁי בִּקְדוּשָּׁתָא דָּא. וּבִקְדוּשָּׁה דָּא, אוּקִימְנָא רָזִין עִלָּאִין, לְאִינּוּן מָארֵי רָזִין דְּמִסְתַּכְּלִין בִּקְדוּשָּׁה דְּמָארֵיהוֹן, זַכָּאָה חוּלָקֵיהוֹן.

תלו. רָזָא לְמִמְסַר נַפְשָׁא לְמָארֵיהּ, שַׁפִּיר אִיהוּ, דְּהָא אֲמַרְתּוּן חַבְרַיָּיא, זַכָּאָה חוּלָקֵיכוֹן, וְזַכָּאִין עַיְינִין דְּחָמוּ כַּךְ, דְּזָכֵינָא בְּחַיַּי, דְּמִתְעָרִין מִלִּין קַדִּישִׁין אִלֵּין בְּהַאי עָלְמָא, וְכֻלְּהוּ כְּתִיבִין לְעֵילָּא קַמֵּי מַלְכָּא קַדִּישָׁא.

תלז. פָּתַח וְאָמַר אָז נִדְבְּרוּ יִרְאֵי יְיָ' אִישׁ אֶל רֵעֵהוּ וַיַּקְשֵׁב יְיָ' וַיִּשְׁמָע וַיִּכָּתֵב סֵפֶר זִכָּרוֹן לְפָנָיו לְיִרְאֵי יְיָ' וּלְחוֹשְׁבֵי שְׁמוֹ. הַאי קְרָא אִית לְאִסְתַּכְּלָא בֵּיהּ, אָז נִדְבְּרוּ, אָז דִּבְּרוּ מִבָּעֵי לֵיהּ, מַאי נִדְבְּרוּ. אֶלָּא נִדְבְּרוּ לְעֵילָּא, מִכָּל אִינּוּן רְתִיכִין קַדִּישִׁין, וְכָל אִינּוּן חַיָּילִין קַדִּישִׁין.

תלח. בְּגִין דְּאִינּוּן מִלִּין קַדִּישִׁין, סַלְקִין לְעֵילָּא, וְכַמָּה אִינּוּן דְּמַקְדְּמֵי וְנַטְלִין לוֹן קַמֵּי מַלְכָּא קַדִּישָׁא, וּמִתְעַטְּרָן בְּכַמָּה עִטְרִין, בְּאִינּוּן נְהוֹרִין עִלָּאִין, וְכֻלְּהוּ נִדְבְּרוּ מִקַּמֵּי מַלְכָּא עִלָּאָה. מַאן חָמֵי חֶדְוָון, מַאן חָמֵי תּוּשְׁבְּחָן, דְּסַלְקִין בְּכָל אִינּוּן רְקִיעִין, כַּד סַלְקִין מִלִּין אִלֵּין, וּמַלְכָּא קַדִּישָׁא מִסְתַּכֵּל בְּהוּ, וְאִתְעַטַּר בְּהוּ, וְאִינּוּן סַלְקִין וְיַתְבִין עַל חֵיקֵיהּ, וּמִשְׁתַּעֲשַׁע בְּהוּ, מִתַּמָּן סַלְקִין עַל רֵישֵׁיהּ, וַהֲווּ עֲטָרָה. וְע"ד אָמְרָה אוֹרַיְיתָא, וָאֶהְיֶה שַׁעֲשׁוּעִים יוֹם יוֹם. וְהָיִיתִי לָא כְּתִיב, אֶלָּא וָאֶהְיֶה, בְּכָל זְמַן, וּבְכָל עִידָן, דְּמִלִּין עִלָּאִין סַלְקִין קַמֵּיהּ.

תלט. תְּרֵי זִמְנֵי כְּתִיב יִרְאֵי יְיָ' יִרְאֵי יְיָ'. אֶלָּא יִרְאֵי יְיָ' לְעֵילָּא, יִרְאֵי יְיָ' לְתַתָּא. יִרְאֵי יְיָ' קַיְּימִין לְתַתָּא, וְאִינּוּן מִלִּין קַיְּימִין בְּדִיוּקְנֵיהוֹן לְעֵילָּא. וְרָזָא דָּא אַשְׁכַּחְנָא בְּסִפְרָא דַּחֲנוֹךְ, דְּכָל מִלִּין דְּצַדִּיקַיָּיא דִּי בְּאַרְעָא, אִינּוּן מִתְעַטְּרָן, וְקַיְּימָן קַמֵּי מַלְכָּא, וּמִשְׁתַּעֲשַׁע בְּהוּ קֻבְּ"ה. וּלְבָתַר אִינּוּן נָחֲתֵי, וְקַיְּימִין קַמֵּיהּ בְּדִיוּקְנָא דְּהַהוּא צַדִּיק דְּקָאָמַר לוֹן, וְאִשְׁתַּעֲשַׁע קֻבְּ"ה בְּהַהוּא דִּיוּקְנָא. וּלְבָתַר אַכְתִּיבוּ בְּסֵפֶר זִכָּרוֹן לְפָנָיו, לְקַיְּימָא קַמֵּיהּ בְּקִיּוּמָא תָּדִיר.

תמ. וּלְחוֹשְׁבֵי שְׁמוֹ, מַאי וּלְחוֹשְׁבֵי שְׁמוֹ. הָא אוּקְמוּהָ, כָּל אִינּוּן דִּמְחַשְּׁבֵי מִלִּין דְּאוֹרַיְיתָא, לְאַדְבְּקָא לְמָארֵיהוֹן בְּרָזָא דִּשְׁמָא קַדִּישָׁא, בְּגִין לְמִנְדַּע לֵיהּ, וּלְאִתְתַּקְנָא

וְחָכְמָה דִשְׁמֵיהּ בְּלִבַּיְיהוּ, דִכְתִיב וּלְחוֹשְׁבֵי שְׁמוֹ, דְהוּא רָזָא דִשְׁמָא קַדִּישָׁא.

תמא. כְּתִיב וּמִמַּעַל לָרָקִיעַ אֲשֶׁר עַל רֹאשָׁם כְּמַרְאֵה אֶבֶן סַפִּיר דְּמוּת כִּסֵּא, הַאי קְרָא הָא אוֹקְמוּהָ. אֲבָל וּמִמַּעַל לָרָקִיעַ, בְּהַהוּא רָקִיעַ לְתַתָּא, כְּמָה דְאַמַרְתּוּן וְחַבְרַיָּיא, זַכָּאָה חוּלָקִי, וְזַכָּאָה חוּלָקֵיכוֹן. דְּהָא בִרְקִיעָא דִלְעֵילָּא, לֵית מַאן דְּאִסְתָּכַּל בֵּיהּ. וּמִלְעֵילָּא מִנֵּיהּ קַיְּימָא הַהוּא אֶבֶן סַפִּיר, דְּהָא אִתְעָרְנָא בֵּיהּ בְּרָזָא דְּהַהוּא מַרְגָּלִית טָבָא יַקִּירָא, כְּמָה דְּאוֹקִימְנָא.

תמב. דְּמוּת כִּסֵּא, וְלָא כְּתִיב דְּמוּת הַכִּסֵּא. בְּגִין דְּאִית כִּסֵּא, וְאִית כִּסֵּא. הַכִּסֵּא: עִלָּאָה טְמִירָא גְּנִיזָא דְּלָא אִתְגַּלְיָיא, וְלֵית מַאן דְּקַיְּימָא בֵּיהּ לְמִנְדַּע וּלְאִסְתַּכְּלָא. וְע״ד כְּתִיב כִּסֵּא סְתָמָא, דָּא כִּסֵּא דִּלְתַתָּא.

תמג. דְּמוּת כְּמַרְאֵה אָדָם, כֵּיוָן דְּאָמַר דְּמוּת, אֲמַאי כְּמַרְאֵה, דְּהָא סַגֵּי לֵיהּ דְּמוּת אָדָם. אֶלָּא דְּמוּת אָדָם, דָּא אִיהוּ רָזָא עִלָּאָה, בְּהַהוּא כָּבוֹד עִלָּאָה, דְּיוּקְנָא דְּאָדָם. אֲבָל הָא דְּאִתּוֹסַף כְּמַרְאֵה, לְאַכְלְלָא אִינּוּן דְּיוּקְנִין דְּמִלִּין דְּחָכְמְתָא, וְאִינּוּן רָזִין דְּחָכְמְתָא דְּסַלְּקָן וּמִתְעַטְּרָן לְעֵילָּא, וּלְבָתַר קַיְּימִין בִּדְיוּקְנָא דְּאָדָם בְּהַהוּא דְּיוּקְנָא דְּצַדִּיקַיָּיא דְּמִתְעַטְּרִין לוֹן, וּבְכֻלְּהוּ אִשְׁתַּעְשַׁע קב״ה בְּעִטְרוֹי.

תמד. וְאַתּוּן וְחַבְרַיָּיא, הָא קב״ה אִשְׁתַּעְשַׁע הַשְׁתָּא, בְּאִינּוּן מִלִּין דְּקָא אֲמַרִיתוּ, מִתְעַטְּרָן בְּהַהוּא אוֹרְחָא. וְהָא קַיְּימִתּוּן קַמֵּי מָארֵיכוֹן בְּדִיוּקְנַיְיכוּ קַדִּישִׁין, דְּהָא אֲנָא בְּשַׁעֲתָא דְּחָמֵינָא לְכוּ, וְאִסְתַּכַּלְנָא בְּדִיוּקְנַיְיכוּ, וְחָמֵינָא בְּכוּ דְּאַתּוּן רְשִׁימִין בְּרָזָא דְּאָדָם, וְיָדַעְנָא דְּהָא דְּיוּקְנָא דִּילְכוֹן אִתְעֲדָא לְעֵילָּא. וְהָכִי אִזְדַּמְּנָן צַדִּיקַיָּיא לִזְמְנָא דְּאָתֵי, לְאִשְׁתְּמוֹדְעָא לְעֵינֵיהוֹן דְּכֹלָּא, וּלְאַחֲזָאָה פַּרְצוּפָא קַדִּישָׁא לְקַמֵּי כָּל עָלְמָא, הה״ד כָּל רוֹאֵיהֶם יַכִּירוּם כִּי הֵם זֶרַע בֵּרַךְ יְיָ.

תמה. אַדְּהָכִי חָמָא לְרִבִּי יוֹסֵי, דַּהֲוָה מְהַרְהֵר בְּמִלֵּי דְעָלְמָא. אָמַר לֵיהּ, יוֹסֵי קוּם אַשְׁלִים דְּיוּקְנָךְ, דְּאַתְּ חַד חָסֵר בָּךְ. קָם רִבִּי יוֹסֵי וְחָדֵי בְּמִלִּין דְּאוֹרַיְיתָא, וְקָם קַמֵּיהּ, אִסְתַּכַּל בֵּיהּ ר״ש, א״ל, ר׳ יוֹסֵי, הַשְׁתָּא אַנְתְּ שְׁלִים קַמֵּי עַתִּיק יוֹמִין, וְדִיוּקְנָךְ שְׁלִים.

תמו. פָּתַח וְאָמַר, וַיַּעַשׂ אֶת צִיץ נֵזֶר הַקֹּדֶשׁ זָהָב טָהוֹר וְגו׳. אֲמַאי אִקְרֵי צִיץ. אִסְתַּכְּלוּתָא לְאִסְתַּכְּלָא בֵּיהּ. וּבְגִין דַּהֲוָה קַיְּימָא עַל אִסְתַּכְּלוּתָא דְּבַר נָשׁ, אִקְרֵי צִיץ. וְכָל מַאן דְּאִסְתַּכַּל בֵּיהּ בְּהַהוּא צִיץ אִשְׁתְּמוֹדְעָא בֵּיהּ.

תמז. בְּצִיץ הֲווּ אַתְוָון דִּשְׁמָא קַדִּישָׁא גְּלִיפָן בִּגְלוּפָא, וּמְחַקְקָן בֵּיהּ. וְאִי זַכָּאָה הֲוָה הַהוּא דְּקַיְּימָא קַמֵּיהּ, אִינּוּן אַתְוָון דִּמְחַקְקָן בֵּיהּ גּוֹ דַהֲבָא, הֲווּ בַּלְטִין מִתַּתָּא לְעֵילָּא, וְסַלְּקִין מֵהַהוּא גְּלִיפוּ בִּנְהִירוּ, וְהֲווּ נָהֲרִין בְּאַנְפִּין דְּהַהוּא בַּר נָשׁ.

תמח. נָצִיץ נְצִיצוּ בֵּיהּ, וְלָא נָצְצִין. בְּשַׁעֲתָא קַדְמֵיתָא דְּאִסְתַּכַּל כַּהֲנָא בֵּיהּ, הֲוָה חָמֵי נְהִירוּ דְּאַתְוָון כֻּלְּהוּ בְּאַנְפִּין. וְכַד הֲוָה מִסְתַּכְּלָא לְעַיְינָא בֵּיהּ, לָא הֲוָה חָמֵי מִדֵּי, אֶלָּא נְהִירוּ דְּאַנְפּוֹי דְּנָהִיר, כְּאִילּוּ נִיצוֹצָא דְּדַהֲבָא הֲוָה נָצִיץ בֵּיהּ, בַּר דְּכַהֲנָא הֲוָה יָדַע וְחָזוּ דְּאִסְתַּכְּלוּתָא קַדְמָאָה, דְּהֲוָה חָמֵי לְפוּם שַׁעֲתָא, דְּהָא רְעוּתָא דְּקוּדְשָׁא ב״ה הֲוָה בֵּיהּ בְּהַהוּא ב״נ, וְיָדַע דְּאִיהוּ זַמִּין לְעָלְמָא דְּאָתֵי, בְּגִין דְּחֵיזוּ דָּא נָהֲרִין עָלֵיהּ מִלְּעֵילָּא, וְקב״ה הֲוָה אִתְרְעֵי בֵּיהּ. וְכַד מִסְתַּכְּלִין בֵּיהּ לָא חָמָאן מִדֵּי, בְּגִין דְּחֵיזוּ דִּלְעֵילָּא לָא אִתְגַּלְיָיא אֶלָּא לְפוּם שַׁעֲתָא.

תמט. וְאִי קַיְּימָא ב״נ קַמֵּי הַהוּא צִיץ, וְאַנְפּוֹי לָא אִתְחֲזְיָין לְפוּם שַׁעֲתָא, וְחֵיזוּ

קַדִּישָׁא. הֲוָה יָדַע כַּהֲנָא דְּהָא אִיהוּ תַּקִּיף מִצְוָוא, וּבָעֵי לְכַפְּרָא עָלֵיהּ, וּלְמִבְעֵי עֲלוֹי רַחֲמִין.

תנ. וַיַּעַשׂ אֶת צִיץ נֵזֶר הַקֹּדֶשׁ. ר' יְהוּדָה פָּתַח קְרָא בְּרוּת, עֵינַיִךְ בַּשָּׂדֶה אֲשֶׁר יִקְצֹרוּן וְגוֹ'. הַאי קְרָא אִית לְאִסְתַּכְּלָא בֵּיהּ, אֲמַאי אִצְטְרִיךְ הָכָא לְמִכְתַּב. א"ל ר' יִצְחָק, אִי הָכִי כַּמָּה קְרָאִין אִינּוּן בְּאוֹרַיְיתָא דְּאִתְחֲזִיאוּ דְּלָא אִצְטְרִיכוּ לְמִכְתַּב, וְזַמִּינָן דְּכֻלְּהוּ רָזִין עִלָּאִין. א"ר יְהוּדָה, הַאי קְרָא מַאן דְּחָמֵי וְלָא אִסְתַּכַּל בֵּיהּ, כְּמָה דְּלָא טָעִים תַּבְשִׁילָא דָּמֵי.

תנא. אֶלָּא רָזָא הָכָא, וּבְרוּחַ קוּדְשָׁא אִתְּמַר, בְּגִין דְּחָמָא בֹּעַז דִּינָא דְּיִשְׂרָאֵל, עַנְוְותָנוּתָא דְּהַהִיא צַדֶּקֶת, דְּלָא מְסַלְּקָא עֵינָא לְמֶחֱמֵי בַּאֲתַר אַחֲרָא, אֶלָּא לְקַמָּהּ. וְחָמָאת כָּל מַה דְּחָמָאת, בְּעֵינָא טָבָא, וְתוּקְפָּא דְּמִצְוָוא לָא הֲוָה בָּהּ, שַׁבַּח עֵינָהָא.

תנב. בְּגִין דְּאִית עַיְינִין דִּבְגִינֵיהוֹן לָא שָׁלְטָא בִּרְכָתָא בְּהַהוּא אֲתַר, וְאִיהוּ עֵינָא טָבָא וְחָמָא בָּהּ, דְּכָל מַה דְּאִסְתַּכְּלַת הֲוָה בְּעֵינָא טָבָא. וְתוּ, דְּחָמָא, דַּהֲוָה אַצְלַח בִּידָהָא, כָּל מַה דַּהֲוַות לַקְטָא, אִתּוֹסַף בְּחַקְלָא. וּבֹעַז אִסְתַּכַּל דְּרוּחָא קַדִּישָׁא שַׁרְיָיא עָלָהּ, כְּדֵין פָּתַח וְאָמַר, עֵינַיִךְ בַּשָּׂדֶה אֲשֶׁר יִקְצֹרוּן וְגוֹ'. אִי תֵּימָא בְּגִין אִינּוּן לַקְטִין כָּל אִינּוּן אַחֲרָנִין, הֵיךְ אָמַר דְּתֵיהַךְ אֲבַתְרַיְיהוּ, לָא אִצְטְרִיךְ לְמִכְתַּב אֶלָּא וְלָקַטְתְּ אַחֲרֵיהֶן, מַאי וְהָלַכְתְּ אַחֲרֵיהֶן, אֶלָּא בְּגִין עֵינָהָא קָאָמַר. עֵינָהָא דַּהֲווּ גָּרְמִין בִּרְכָאן סַגִּיאִין, וְעַ"ד, וְהָלַכְתְּ אַחֲרֵיהֶן, בָּתַר עֵינַיִךְ. כָּל שְׁאַר בְּנֵי עָלְמָא לֵית לְהוּ רְשׁוּ לְמֵיהַךְ בָּתַר עֵינוֹי. וְאַנְתְּ לְבָתַר עֵינַיִךְ, דְּעֵינַיִךְ גָּרְמִין בִּרְכָאן סַגִּיאִין.

תנג. ד"א עֵינַיִךְ בַּשָּׂדֶה אֲשֶׁר יִקְצֹרוּן. בֹּעַז חָמָא בְּרוּחַ קוּדְשָׁא, דְּזַמִּינִין לְנָפְקָא מִינָּהּ מַלְכִּין עִלָּאִין שַׁלִּיטִין דְּאִינּוּן עַיְינִין דְּכֹלָּא. כְּמָה דַּהֲוַות תָּמָר, דִּכְתִיב בָּהּ, וַתֵּשֶׁב בְּפֶתַח עֵינַיִם. אִתְיַישְׁבַת בְּפִתְחָא דְּנָפְקִין מִינָּהּ מַלְכִּין שַׁלִּיטִין עִלָּאִין, דְּאִקְרוּן עַיְינִין, כד"א אִם מֵעֵינֵי הָעֵדָה. כְּמָה דְּכָל שַׁיְיפֵי גּוּפָא לָא אָזְלִין אֶלָּא בָּתַר עַיְינִין, וְעַיְינִין אִינּוּן מְנַהֲגִין לְכָל גּוּפָא. אוּף הָכִי מַלְכִּין וְסַנְהֶדְרִין, וְכָל אִינּוּן שַׁלִּיטִין, כֹּלָּא אָזְלִין אֲבַתְרַיְיהוּ וּבְגִין כָּךְ אָמַר לָהּ עֵינַיִךְ אִלֵּין מַלְכִּין וְשַׁלִּיטִין, דְּזַמִּינִין לְמֵיפַּק מִינָּהּ.

תנד. בַּשָּׂדֶה. מַאן שָׂדֶה. דָּא צִיּוֹן וִירוּשָׁלַ‍ִם, דִּכְתִיב צִיּוֹן שָׂדֶה תֵחָרֵשׁ. וּכְתִיב כְּרֵיחַ שָׂדֶה אֲשֶׁר בֵּרְכוֹ יְיָ', דָּא יְרוּשָׁלַ‍ִם. וְעַ"ד כְּתִיב עֵינַיִךְ בַּשָּׂדֶה, דְּאִינּוּן עַיְינִין דִּילָהּ, דְּזַמִּינִין לְמֵיפַּק מִינָּהּ, לָא יְהוֹן שַׁלִּיטִין אֶלָּא בַּשָּׂדֶה. אֲשֶׁר יִקְצֹרוּן, דְּהָא מֵהַהוּא שָׂדֶה, הֲווּ נַקְטִין כָּל בְּנֵי עָלְמָא, תּוֹרָה, וּנְהוֹרָא דְּנָהִיר, דִּכְתִיב כִּי מִצִּיּוֹן תֵּצֵא תוֹרָה.

תנה. וְהָלַכְתְּ אַחֲרֵיהֶן, בְּאִלֵּין עוֹבָדִין דְּכַשְׁרָן, דַּאֲנָא וְחָמֵינָא בָּךְ. הֲלֹא צִוִּיתִי אֶת הַנְּעָרִים וְגוֹ'. כְּמַשְׁמָעוֹ דִּילֵיהּ, בְּגִין דְּאִתְּתָא דַּעְתָּא קַלָּה. וְצָמִית, לִישָּׁנָא דִּנְקִיוּת נָקַט, וְצָמִית, דְּאִי תִּיאוּבְתֵּךְ לְאַדְבְּקָא בְּבַר נָשׁ לְקַיְּימָא זַרְעָא בְּעָלְמָא, וְהָלַכְתְּ אֶל הַכֵּלִים, אִלֵּין אִינּוּן צַדִּיקַיָּיא, דְּאִקְרוּן כְּלֵי יְיָ', דִּכְתִיב הִבָּרוּ נֹשְׂאֵי כְּלֵי יְיָ'. דְּזַמִּינִין צַדִּיקַיָּיא לְאַיְיתָאָה לוֹן כָּל עָלְמָא, דּוֹרוֹנָא לְמַלְכָּא מְשִׁיחָא, וְאִינּוּן כְּלֵי יְיָ', מָאנִין דְּקֻדְשָׁא בְּרִיךְ הוּא אִתְהֲנֵי בְּהוּ, אִלֵּין אִינּוּן מָאנִין תְּבִירִין, תְּבִירִין אִינּוּן בְּהַאי עָלְמָא, בְּגִין לְקַיְּימָא אוֹרַיְיתָא. וְשִׁימּוּשָׁא דְּקֻדְשָׁא בְּרִיךְ הוּא אִשְׁתַּמַּשׁ בְּהוּ, לָא אִשְׁתַּמַּשׁ אֶלָּא מִגּוֹ הָנֵי כֵּלִים. וְכַד תִּתְדַּבַּק בְּהוּ וְשָׁתִית וְגוֹ'.

תנו. רִבִּי יוֹסֵי פָּתַח וְאָמַר, וַיֹּאכַל בֹּעַז וַיֵּשְׁתְּ וַיִּיטַב לִבּוֹ. מַהוּ וַיִּיטַב לִבּוֹ. דְּבָרִיךְ עַל מְזוֹנֵיהּ, וְאוּקְמוּהָ. וְדָא הוּא רָזָא, דְּמַאן דִּמְבָרֵךְ עַל מְזוֹנֵיהּ, דָּא אוֹטִיב לְלִבֵּיהּ, וּמַאן

אִיהוּ כְּמָה דִכְתִּיב לְךָ אָמַר לִבִּי. וּכְתִיב צוּר לְבָבִי וְגוֹ'.

תנז. וּבְגִין דְּבִרְכַּת מְזוֹנָא וַחֲבִיבָא קַמֵּי קוּדְשָׁא בְּרִיךְ הוּא, כָּל מַאן דְּבָרִיךְ עַל שַׂבְעָא, אוֹטִיב וְחַדֵּי לְאֲתָר אַחֲרָא, וְסִימָנָךְ סְעוּדָתֵי דְּשַׁבָּת, דְּאֲתָר אַחֲרָא אִתְהֲנֵי מֵהַהִיא בְּרָכָה דְּשַׂבְעָא וְחֵידוּ. וְהָכָא אִתְהֲנֵי מֵהַהוּא בְּרָכָה דְּשַׂבְעָא דְּהַהוּא צַדִּיק בְּעֵז וְדָא וַיִּיטַב לִבּוֹ.

תנח. מ"ט. בְּגִין דִּמְזוֹנָא אִיהוּ קָשֶׁה קַמֵּי קוּדְשָׁא בְּרִיךְ הוּא הַהוּא אֲתָר, וְכֵיוָן דְּבַר נָשׁ אָכִיל וְשָׁתֵי, וְקָא מְבָרֵךְ. הַהִיא בִּרְכָתָא סַלְּקָא, וְאִתְהֲנֵי מֵאִינּוּן מִלִּין דְּשַׂבְעָא דְּסַלְּקִין, וְאִשְׁתְּכַח דְּאִתְהֲנֵי מִמְּזוֹנָא מִתַּתָּא וּמִלְּעֵילָּא.

תנט. וְדָא אִיהוּ רָזָא דְּבֵין חַבְרַיָּיא. רָזָא בְּחוֹל לָא אִתְהֲנֵי הַהוּא אֲתָר, אֶלָּא מֵאִינּוּן מִלִּין דְּסַלְּקִין מִגּוֹ שַׂבְעָא, וְכֻלְּהוּ מִלִּין מִתְעַטְּרָן וְרַוְון וְשַׂבְעִין בְּחֵידוּ, וְהַהוּא אֲתָר אִתְהֲנֵי מִנַּיְיהוּ. בְּשַׁבָּת אִיהוּ רָזָא אָחֳרָא, בִּמְזוֹנָא מַמָּשׁ, וּבְהַהוּא חֶדְוָה דִּמְזוֹנָא דְּמִצְוָה דְּשַׁבָּת, וּבְכֹלָּא אִשְׁתְּכַח כְּלִילָא מֵעֵילָּא וְתַתָּא. וְרָזָא דָּא כִּי מִמְּךָ הַכֹּל וּמִיָּדְךָ נָתַנּוּ לָךְ. וַדַּאי בַּהֲנָאוּתֵיהּ דָּא, וּבְהַהוּא חֶדְוָה דִּמְזוֹנָא דְּמִצְוָה דְּשַׁבָּת, כְּמָה דְּאוּקְמוּהָ.

תס. מַאן דִּמְבָרֵךְ לְקוּדְשָׁא בְּרִיךְ הוּא מִגּוֹ שַׂבְעָא, בָּעֵי לְכַוְּונָא לִבֵּיהּ, וּלְשַׁוָּואָה רְעוּתֵיהּ בְּחֶדְוָה, וְלָא יִשְׁתְּכַח עָצִיב, אֶלָּא דִּיבָרֵךְ בְּחֶדְוָה בְּרָזָא דָּא, וּלְשַׁוָּואָה רְעוּתֵיהּ דְּהָא אִיהוּ יָהִיב הַשְׁתָּא לְאָחֳרָא בְּחֶדְוָה, בְּעֵינָא טָבָא, וּכְמָה דְּאִיהוּ מְבָרֵךְ בְּחֶדְוָה וּבְעֵינָא טָבָא. הָכִי יָהֲבִין לֵיהּ בְּחֶדְוָה וּבְעֵינָא טָבָא. וּבְגִין כָּךְ לָא יִשְׁתְּכַח עָצִיב כְּלָל, אֶלָּא בְּחֶדְוָה, וּבְמִלִּין דְּאוֹרַיְיתָא, וִישַׁוֵּי לִבֵּיהּ וּרְעוּתֵיהּ לְמֵיהַב בְּרָכָה דָּא, בְּרָזָא דְּאִצְטְרִיךְ.

תסא. רָזָא הָכָא, אַרְבַּע רְתִיכִין שַׁלִּיטִין, בְּד' סִטְרִין וּמַשִּׁירְיָין, אִתְּזָנוּ מֵהַהִיא בִּרְכָתָא דְּשַׂבְעָא, וּבְאִינּוּן מִלִּין דְּבָרוּךְ אַתָּה, אִתְהֲנֵי וְאִתְרַבֵּי וְאִתְעַטָּר בֵּיהּ. וּמַאן דִּמְבָרֵךְ אִצְטְרִיךְ רְעוּתָא בְּחֶדְוָה, וּבְעֵינָא טָבָא, וְעַל דָּא כְּתִיב, טוֹב עַיִן הוּא יְבוֹרָךְ.

תסב. וְהָכָא שַׁפִּיל לְסֵיפֵיהּ דִּקְרָא, דִּכְתִיב כִּי נָתַן מִלַּחְמוֹ לַדָּל. דְּאִי לָא תֵּימָא הָכִי, הַאי קְרָא לָאו רֵישֵׁיהּ סֵיפֵיהּ, וְלָאו סֵיפֵיהּ רֵישֵׁיהּ. אֶלָּא טוֹב עַיִן, כְּמָה דְּאוּקִימְנָא, הוּא יְבָרֵךְ וַדַּאי, בְּעֵינָא טָבָא בְּחֶדְוָה. וְלָאו אִיהוּ לְמַגָּנָא לְבָרְכָא בְּחֶדְוָה, דְּהָא מֵהַהוּא בִּרְכָתָא, וּמֵהַהוּא חֵידוּ נָתַן מִלַּחְמוֹ לַדָּל, אֲתָר דְּאִצְטְרִיךְ לְאִתְּזָנָא מִכָּל סִטְרִין. אֲתָר דְּלֵית לֵיהּ מִגַּרְמֵיהּ כְּלוּם. אֲתָר דְּאִתְהֲנֵי מִכָּל סִטְרִין וְאִתְכְּלִיל מִכָּל סִטְרִין. מִלִּין אִלֵּין לָא אִתְמְסָרוּ אֶלָּא לְחַכִּימִין דְּיַדְעִין רָזִין עִלָּאִין וְאוֹרְחִין דְּאוֹרַיְיתָא.

תסג. תָּא חֲזֵי, בְּעֵז טַב עֵינָא הֲוָה תּוּקְפָּא דְּמִצְוָוא לָא הֲוָה בֵּיהּ לְעָלְמָא. מַה כְּתִיב, וַיָּבֹא לִשְׁכַּב בִּקְצֵה הָעֲרֵמָה, רָזָא דִּכְתִיב, בִּטְנֵךְ עֲרֵמַת חִטִּים. מֵהָכָא אוֹלִיפְנָא, כָּל מַאן דִּמְבָרֵךְ בִּרְכַּת מְזוֹנָא כִּדְקָא יָאוּת, בְּחֶדְוָה בִּרְעוּתָא דְּלִבָּא, כַּד סָלִיק מֵהַאי עָלְמָא, אֲתַר אִתְתַּקְנָא לֵיהּ, גּוֹ רָזִין עִלָּאִין בְּהֵיכָלִין קַדִּישִׁין. זַכָּאָה אִיהוּ בַּר נָשׁ דְּנָטִיר פִּקּוּדֵי דְּמָארֵיהּ, וְיָדַע רָזָא דִּילְהוֹן, דְּלֵית לָךְ פִּקּוּדָא וּפִקּוּדָא בְּאוֹרַיְיתָא, דְּלָא תַּלְיָין בֵּיהּ רָזִין עִלָּאִין, וּנְהוֹרִין וְזִיוִין עִלָּאִין, וּבְנֵי נָשָׁא לָא יָדְעֵי, וְלָא מַשְׁגִּיחִין בִּיקָרָא דְּמָארֵיהוֹן. זַכָּאָה חוּלָקֵיהוֹן דְּצַדִּיקַיָּיא, אִינּוּן דְּמִשְׁתַּדְּלֵי בְּאוֹרַיְיתָא זַכָּאִין אִינּוּן בְּעָלְמָא דֵּין וּבְעָלְמָא דְּאָתֵי.

תסד. תָּא חֲזֵי דְּהָא אָמְרוּ, דְּכָל אִינּוּן תַּקִּיפֵי מִצְוָוא, דְּלֵית לְהוּ כִּסּוּפָא, לֵית לְהוֹן חוּלָקָא בְּעָלְמָא דֵּין וּבְעָלְמָא דְּאָתֵי. כָּל אִינּוּן תַּקִּיפֵי מִצְוָוא דַּהֲווּ בְּהוּ בְּיִשְׂרָאֵל, כַּד הֲווּ מִסְתַּכְּלָן בְּהַהוּא צִיץ, הֲווּ מִתְבָּרְן לִבַּיְיהוּ, וּמִסְתַּכְּלָן בְּעוֹבָדַיְיהוּ. בְּגִין דְּצִיץ עַל אֶת הֲוָה קָאֵים, וְכָל מַאן דְּמִסְתַּכֵּל בֵּיהּ, הֲוָה מַכְסִיף בְּעוֹבָדוֹי. וְעַל דָּא צִיץ מְכַפְּרָא עַל אִינּוּן

תַּקִּיפֵי אַנְפִּין, תַּקִּיפֵי מִצְוָוא.

תסה. אַתְוָון דְּרָזָא דִּשְׁמָא קַדִּישָׁא דַּהֲווּ גְּלִיפִין עַל צִיצָא, הֲווּ נָהֲרִין וּבַלְטִין וְנָצְצִין. כָּל מַאן דַּהֲוָה מִסְתַּכַּל בְּהַהוּא נְצִיצוּ דְּאַתְוָון, אַנְפּוֹי נַפְלִין מֵאֵימָתָא, וַהֲוָה אִתְבַּר לִבֵּיהּ, וּכְדֵין צִיצָא מְכַפְּרָא עֲלַיְיהוּ. כְּגַוְונָא דָּא כֵּיוָן דְּאִיהוּ גָּרִים לְתַבְרָא לִבֵּיהּ, וּלְאִתְכַּנְּעָא מִקַּמֵּי מָארֵיהּ.

תסו. כְּגַוְונָא דָּא קְטֹרֶת, כָּל מַאן דְּאָרַח בְּהַהוּא תְּנָנָא, כַּד סָלִיק הַהוּא עַמּוּדָא מֵהַהוּא מַעֲלֶה עָשָׁן, הֲוָה מְבָרֵר לִבֵּיהּ, בִּבְרִירוּ לְמִפְלַח לְמָארֵיהּ, וְאַעְבַּר מִנֵּיהּ זוּהֲמָא דְּיֵצֶר הָרָע, וְלָא הֲוָה לֵיהּ אֶלָּא לִבָּא וְחָדָא, לְקַבֵּל אֲבוּהָ דְּבִשְׁמַיָּא. בְּגִין דִּקְטֹרֶת, תְּבִירוּ דְּיֵצֶר הָרָע אִיהוּ וַדַּאי בְּכָל סִטְרִין. וּכְמָה דְּצִיץ הֲוָה קָאִים עַל נִיסָא, אוּף קְטֹרֶת. דְּלֵית לָךְ מִלָּה בְּעָלְמָא, לְמִתְבַּר לֵיהּ לְסִטְרָא אַחֲרָא, בַּר קְטֹרֶת.

תסז. ת"ח מַה כְּתִיב, קַח אֶת הַמַּחְתָּא וְתֵן עָלֶיהָ אֵשׁ מֵעַל הַמִּזְבֵּחַ וְשִׂים קְטֹרֶת. מ"ט. כִּי יָצָא הַקֶּצֶף מִלִּפְנֵי יְיָ', הוּחַל הַנָּגֶף. דְּהָא לֵית תְּבִירוּ לְהַהוּא סִטְרָא בַּר קְטֹרֶת. דְּלֵית לָךְ מִלָּה וַחֲבִיבָה קַמֵּי קֻבְּ"ה, כִּקְטֹרֶת. וְקַיְּימָא לְבַטְּלָא חַרְשִׁין, וּמִלִּין בִּישִׁין מִבֵּיתָא. רֵיחָא וַעֲשָׁנָא דִּקְטֹרֶת דְּעַבְדֵי בְּנֵי נָשָׁא, בְּהַהוּא עוֹבָדָא אִיהוּ מְבַטֵּל, כ"ש קְטֹרֶת.

תסח. מִלָּה דָּא גְּזֵרָה קַיְּימָא קַמֵּי קֻבְּ"ה, דְּכָל מַאן דְּאִסְתַּכַּל וְקָרֵי בְּכָל יוֹמָא עוֹבָדָא דִּקְטֹרֶת, יִשְׁתְּזִיב מִכָּל מִלִּין בִּישִׁין וְחַרְשִׁין דְּעָלְמָא. וּמִכָּל פְּגָעִין בִּישִׁין, וּמֵהִרְהוּרָא בִּישָׁא, וּמִדִּינָא בִּישָׁא, וּמִמּוֹתָנָא, וְלָא יִתְּזַק כָּל הַהוּא יוֹמָא, דְּלָא יָכִיל סִטְרָא אַחֲרָא לְשַׁלְטָא עָלֵיהּ, וְאִצְטְרִיךְ דִּיכַוֵּין בֵּיהּ.

תסט. אר"ש, אִי בְּנֵי נָשָׁא הֲווּ יָדְעֵי כַּמָּה עִלָּאָה אִיהוּ עוֹבָדָא דִּקְטֹרֶת קַמֵּי קֻבְּ"ה, הֲווּ נַטְלֵי כָּל מִלָּה וּמִלָּה מִנֵּיהּ, וַהֲווּ סַלְקֵי לָהּ עֲטָרָה עַל רֵישַׁיְיהוּ, כְּכִתְרָא דְּדַהֲבָא. וּמַאן דְּאִשְׁתַּדַּל בֵּיהּ, בָּעֵי לְאִסְתַּכְּלָא בְּעוֹבָדָא דִּקְטֹרֶת, וְאִי יְכַוֵּין בֵּיהּ בְּכָל יוֹמָא, אִית לֵיהּ חוּלָקָא בְּהַאי עָלְמָא, וּבְעָלְמָא דְּאָתֵי, וְיִסְתַּלַּק מוֹתָנָא מִנֵּיהּ, וּמֵעָלְמָא, וְיִשְׁתְּזִיב מִכָּל דִּינִין דְּהַאי עָלְמָא, מִסִּטְרִין בִּישִׁין, וּמִדִּינָא דְּגֵיהִנָּם, וּמִדִּינָא דְּמַלְכוּ אַחֲרָא.

תע. בְּהַהוּא קְטֹרֶת כַּד הֲוָה סָלִיק תְּנָנָא בְּעַמּוּדָא, כַּהֲנָא הֲוָה חָמֵי אַתְוָון דְּרָזָא דִּשְׁמָא קַדִּישָׁא, פַּרְחִין בַּאֲוִירָא, וְסַלְקֵי לְעֵילָּא בְּהַהוּא עַמּוּדָא. לְבָתַר כַּמָּה רְתִיכִין קַדִּישִׁין סָחֲרִין לֵיהּ מִכָּל סִטְרִין, עַד דְּסָלִיק בִּנְהִירוּ וְחֶדְוָה, וְחַדֵּי לְמַאן דְּחַדֵּי, וְקָשַׁר קִשְׁרִין לְעֵילָּא וְתַתָּא לְיַיחֲדָא כֹּלָּא, וְהָא אוֹקִימְנָא. וְדָא מְכַפֵּר עַל יֵצֶר הָרָע, וְעַל ע"ז, דְּאִיהוּ סִטְרָא אַחֲרָא. וְהָא אוֹקְמוּהָ.

תעא. פָּתַח וְאָמַר, וַיַּעַשׂ מִזְבֵּחַ מִקְטַר קְטֹרֶת וְגוֹ'. הַאי קְרָא אִית לְאִסְתַּכְּלָא בֵּיהּ, בְּגִין דִּתְרֵין מַדְבְּחִין הֲווּ, מַדְבְּחָא דְּעָלָוָון, וּמַדְבְּחָא דִּקְטֹרֶת בּוּסְמִין, דָּא לְבַר, וְדָא לְגוֹ. הַאי מַדְבְּחָא דִּקְטֹרֶת, דְּאִיהוּ פְּנִימָאָה, אֲמַאי אִקְרֵי מִזְבֵּחַ, וְהָא לָא דַּבְחִין בֵּיהּ דִּבְחִין, וּמִזְבֵּחַ ע"ד אִקְרֵי.

תעב. אֶלָּא בְּגִין דְּבָטִיל וְכָפִית לְכַמָּה סִטְרִין בִּישִׁין, וּבְגִין דְּהַהוּא סִטְרָא בִּישָׁא כְּפִית לָא יָכִיל לְשַׁלְטָאָה, וְלָא לְמֶהֱוֵי קַטֵּיגוֹרָא, וְע"ד אִקְרֵי מִזְבֵּחַ. כַּד הַהוּא סִטְרָא בִּישָׁא הֲוָה חָמֵי עֲשָׁנָא דִּקְטֹרֶת דְּסָלִיק, אִתְכַּפְיָיא וְעָרַק, וְלָא יָכִיל לְקָרְבָא כְּלַל לְמַשְׁכְּנָא. וּבְגִין דָּא אִתְדַּכֵּי וְלָא אִתְעָרַב בְּהַהוּא חֶדְוָה דִּלְעֵילָּא, בַּר קֻבְּ"ה בִּלְחוֹדוֹי, וּבְגִין דַּחֲבִיבָא כ"כ, לָא קָאִים הַהוּא מִזְבֵּחַ, אֶלָּא לְגוֹ. דְּהַאי אִיהוּ מִזְבֵּחַ דְּבִרְכָאן

אִשְׁתְּכָחוּ בֵּיהּ, וְע״ד סָתִים מַעְיָנָא.

תעג. מַה כְּתִיב בְּאַהֲרֹן, וַיַּעֲמוֹד בֵּין הַמֵּתִים וּבֵין הַחַיִּים וַתֵּעָצַר הַמַּגֵּפָה, דְּכָפִית לֵיהּ לְמַלְאַךְ הַמָּוֶת, דְּלָא יָכִיל לְשַׁלְטָאָה כְּלַל, וְלָא לְמֶעְבַּד דִּינָא. סִימָנָא דָּא אִתְמְסַר בִּידָנָא, דִּי בְּכָל אֲתַר דְּקָאָמְרֵי בְּכַוָּונָה, וּרְעוּתָא דְּלִבָּא עוֹבָדָא דִּקְטֹרֶת, דְּלָא שַׁלְטָא מוֹתָנָא בְּהַהוּא אֲתַר, וְלָא יִתְּזַק, וְלָא יַכְלִין שְׁאַר עַמִּין לְשַׁלְטָאָה עַל הַהוּא אֲתַר.

תעד. ת״ח מַה כְּתִיב, מִזְבֵּחַ מִקְטַר קְטֹרֶת. כֵּיוָן דִּכְתִיב מִזְבֵּחַ, אַמַּאי אִקְרֵי מִקְטַר קְטֹרֶת. אֶלָּא בְּגִין דְּנַטְלֵי מֵהַאי אֲתַר לְאַקְטְרָא, כְּמָה דְּעָבֵד אַהֲרֹן. תּוּ, מִזְבֵּחַ אִצְטְרִיךְ לְאַקְטְרָא לְקַדְּשָׁא לֵיהּ בְּהַהוּא קְטֹרֶת, וְע״ד מִקְטַר קְטֹרֶת. תּוּ, מִקְטַר קְטֹרֶת, כְּתַרְגּוּמוֹ, לְאַקְטְרָא קְטֹרֶת, דְּהָא אָסִיר לְאַקְטְרָא בַּאֲתַר אַחֲרָא קְטֹרֶת, בַּר מִמַּדְבְּחָתָה.

תעה. ת״ח, הַאי מַאן דְּדִינָא רָדִיף אֲבַתְרֵיהּ, אִצְטְרִיךְ לְהַאי קְטֹרֶת, וּלְאַתָבָא קַמֵּי מָארֵיהּ, דְּהָא סִיּוּעָא אִיהוּ לְאִסְתַּלְּקָא דִּינִין מִנֵּיהּ, וּבְהַאי וַדַּאי מִסְתַּלְּקִין מִנֵּיהּ, אִי הוּא רָגִּיל בְּהַאי, לְאַדְכְּרָא תְּרֵין זִמְנִין בְּיוֹמָא, בְּצַפְרָא וּבְרַמְשָׁא, דִּכְתִיב קְטֹרֶת סַמִּים בַּבֹּקֶר בַּבֹּקֶר וּכְתִיב בֵּין הָעַרְבַּיִם יַקְטִירֶנָּה. וְדָא אִיהוּ קִיּוּמָא דְּעָלְמָא תָּדִיר, דִּכְתִיב קְטֹרֶת תָּמִיד לִפְנֵי יְיָ׳ לְדוֹרוֹתֵיכֶם וַדַּאי הוּא קִיּוּמָא דְּעָלְמָא לְתַתָּא, וְקִיּוּמָא דְּעָלְמָא לְעֵילָּא.

תעו. בְּהַהוּא אֲתַר דְּלָא אַדְכַּר בְּכָל יוֹמָא עוֹבָדָא דִּקְטֹרֶת, דִּינִין דִּלְעֵילָּא שַׁרְיָין בֵּיהּ, וּמוֹתָנִין סַגִּיאוּ בֵּיהּ, וְעַמִּין אַחֲרָנִין שַׁלְטִין עָלֵיהּ. בְּגִין דִּכְתִיב, קְטֹרֶת תָּמִיד לִפְנֵי יְיָ׳. תָּמִיד אִיהוּ קַיְּימָא לִפְנֵי יְיָ׳, יַתִּיר מִכָּל פּוּלְחָנִין אַחֲרָנִין, וַחֲבִיבָא אִיהוּ עוֹבָדָא דִּקְטֹרֶת, דְּהוּא יַקִּיר וְחָבִיב קַמֵּי קב״ה, יַתִּיר מִכָּל פּוּלְחָנִין וּרְעוּתִין דְּעָלְמָא. וְאע״ג דִּצְלוֹתָא אִיהִי מְעַלְיָיא מִכֹּלָּא, עוֹבָדָא דִּקְטֹרֶת הוּא יַקִּיר וְחָבִיב קָמֵי קב״ה.

תעז. תָּא חֲזֵי, מַה בֵּין צְלוֹתָא לְעוֹבָדָא דִּקְטֹרֶת. צְלוֹתָא אַתְקִינוּ לָהּ בַּאֲתַר דְּקָרְבְּנִין, דַּהֲווּ עָבְדֵי יִשְׂרָאֵל, וְכָל אִינּוּן קָרְבְּנִין דַּהֲווּ עַבְדִין יִשְׂרָאֵל, לָאו אִינּוּן חֲשִׁיבִין כִּקְטֹרֶת. וְתוּ מַה בֵּין הַאי לְהַאי. אֶלָּא צְלוֹתָא אִיהוּ תִּקּוּנָא לְאַתְקָנָא מַה דְּאִצְטְרִיךְ, קְטֹרֶת עָבֵיד יַתִּיר, מְתַקֵּן וְקָשִׁיר קִשְׁרִין, וְעָבֵיד נְהִירוּ יַתִּיר מִכֹּלָּא. וּמַאן אִיהוּ דְּאַעְבַּר זוּהֲמָא וְאִידְכֵּי מַשְׁכְּנָא, וְכֹלָּא אִתְנְהִיר וְאִתְתְּקַן וְאִתְקַשַּׁר כַּחֲדָא.

תעח. וְע״ד בָּעֵינָן לְאַקְדְּמָא עוֹבָדָא דִּקְטֹרֶת לִצְלוֹתָא, בְּכָל יוֹמָא וְיוֹמָא, לְאַעְבְּרָא זוּהֲמָא מֵעָלְמָא, דְּאִיהוּ תִּקּוּנָא דְּכֹלָּא, בְּכָל יוֹמָא וְיוֹמָא. כְּגַוְונָא דְּהַהוּא קָרְבְּנָא וַחֲבִיבָא דְּאִתְרְעֵי בֵּיהּ קב״ה.

תעט. מַה כְּתִיב בְּמֹשֶׁה וַיֹּאמֶר יְיָ׳ אֶל מֹשֶׁה קַח לְךָ סַמִּים נָטָף וְגוֹ׳ אע״ג דְּאוֹקְמוּהָ, אֲבָל מַאי שְׁנָא בְּעוֹבָדָא דָּא יַתִּיר מִכָּל מַה דְּאָמַר לֵיהּ. אֶלָּא קַח לְךָ, לַהֲנָאתְךָ וּלְתוֹעַלְתְּךָ. בְּגִין דְּכַד אִתְּתָא אִתְדַּכְּאַת, הֲנָאוּתָא דְּבַעְלָהּ אִיהוּ. וְרָזָא דָּא קַח לְךָ סַמִּים, לְאַעְבְּרָא זוּהֲמָא, לְאִתְקַדְּשָׁא אִתְּתָא בְּבַעְלָהּ. זַכָּאָה חוּלָקֵיהּ דְּמֹשֶׁה.

תפ. כְּגַוְונָא דָּא קַח לְךָ עֵגֶל בֶּן בָּקָר, דְּאִתְמַר לְאַהֲרֹן. לְכַפָּרָא עַל חוֹבֵיהּ, עַל הַהוּא עֵגֶל דְּאִיהוּ גָּרִים לוֹן לְיִשְׂרָאֵל. וְע״ד כְּתִיב בְּמֹשֶׁה, קַח לְךָ, לַהֲנָאתְךָ, וּלְתוֹעַלְתְּךָ.

תפא. קְטֹרֶת קָשִׁיר קְשִׁירוּ, נָהִיר נְהִירוּ וְאַעְבַּר זוּהֲמָא. וְד׳ אִתְעָבֵיד ה׳, ה׳ אִתְחַבָּר בּוֹ׳. ו׳ סָלִיק וְאִתְעַטָּר בְּה׳. ה׳ אִתְנְהִיר בְּי׳. וְכֹלָּא סָלִיק רְעוּתָא לְאֵין סוֹף. וַהֲוֵי כֹּלָּא קְשִׁירוּ חַד, וְאִתְעָבֵיד חַד קְשִׁירוּ, בְּרָזָא וַחֲדָא דְּאִיהוּ קִשְׁרָא עִלָּאָה דְּכֹלָּא.

תפב. מִכָּאן וּלְהָלְאָה, כֵּיוָן דְּכֹלָּא אִתְקַשְּׁרָא בְּהַאי קִשְׁרָא, אִתְעֲטַר כֹּלָּא בְּרָזָא

דְּאֵין סוֹף. וְרָזָא דִּשְׁמָא קַדִּישָׁא אִתְנְהִיר, וְאִתְעַטָּר בְּכָל סִטְרִין, וְעָלְמִין כֻּלְּהוּ בְּחֶדְוָה. וְאִתְנְהִירוּ בּוֹצִינִין וּמְזוֹנִין וּבִרְכָּאן אִשְׁתְּכָחוּ בְּכָל עָלְמִין, וְכֹלָּא בְּרָזָא דִּקְטֹרֶת. וְאִי זוּהֲמָא לָא אִתְעֲבַר כֹּלָּא לָא אִתְעֲבִיד. דְּכֹלָּא בְּהַאי תַּלְיָיא.

תפג. ת"ח, קְטֹרֶת אִיהוּ קַדְמָאָה תָּדִיר, קָדָם לְכֹלָּא. וּבְגִ"כ עוֹבָדָא דִּקְטֹרֶת אִצְטְרִיךְ לְאַקְדְּמָא לִצְלוֹתָא, לְשִׁירִין וְתוּשְׁבְּחָן. בְּגִין דְּכָל דָּא לָא סַלְקָא, וְלָא אִתְתָּקַן, וְלָא אִתְקַשַּׁר, עַד דְּאִתְעֲבַר זוּהֲמָא, מַה כְּתִיב וְכִפֶּר עַל הַקֹּדֶשׁ וְגוֹ' בְּקַדְמֵיתָא, וּלְבָתַר וּמִפִּשְׁעֵיהֶם לְכָל חַטֹּאתָם. וְעַל דָּא בָּעְיָין לְכַפָּרָא עַל קוּדְשָׁא, וּלְאַעְבְּרָא זוּהֲמָא, וּלְאִתְדַּכְּאָה קֻדְשָׁא. וּלְבָתַר שִׁירִין וְתוּשְׁבְּחָאן וּצְלוֹתִין, כֹּלָּא כִּדְקָאֲמָרָן.

תפד. זַכָּאִין אִינּוּן יִשְׂרָאֵל בְּעָלְמָא דֵּין, וּבְעָלְמָא דְּאָתֵי, דְּהָא אִינּוּן יַדְעִין לְתַקְּנָא תִּקּוּנָא דִּלְעֵילָּא וְתַתָּא, כִּדְבָעְיָין לְתַקְּנָא תִּקּוּנָא מִתַּתָּא לְעֵילָּא עַד דְּאִתְקַשַּׁר כֹּלָּא כַּחֲדָא, בְּקִשּׁוּרָא חַד, בְּהַהוּא קִשּׁוּרָא עִלָּאָה כַּד בָּעְיָין לְתַקְּנָא בְּתִקּוּנָא דְּאַתְוָון רְשִׁימִין, דְּקֻבְּ"ה אִתְקְרֵי בְּהוֹן.

תפה. ר"ש וְר' אֶלְעָזָר בְּרֵיהּ, הֲווֹ יָתְבֵי לֵילְיָא חַד, וְלָעָאן בְּאוֹרַיְיתָא. א"ר אֶלְעָזָר לְר"ש אֲבוֹי. הָא כְּתִיב וְאֶל הָאִשָּׁה אָמַר הַרְבָּה אַרְבֶּה עִצְּבוֹנֵךְ וְהֵרוֹנֵךְ בְּעֶצֶב תֵּלְדִי בָנִים וְאֶל אִישֵׁךְ תְּשׁוּקָתֵךְ וְגוֹ'. וְאוֹלִיפְנָא דְּדָא אִיהוּ רָזָא עִלָּאָה. תִּינַח לְתַתָּא, אֲבָל אִיהוּ כְּגַוְונָא דִּלְעֵילָּא, מַאי אִיכָּא לְמֵימַר.

תפו. פָּתַח ר"ש וְאָמַר, כְּאַיָּל תַּעֲרֹג עַל אֲפִיקֵי מָיִם וְגוֹ'. הַאי קְרָא אוֹקְמוּהָ. אֲבָל חַיָּה וַחֲדָא אִית בְּעָלְמָא, וְאִיהִי שַׁלְטָא בְּשֻׁלְטָנָא עַל אֶלֶף מַפְתְּחָן בְּכָל יוֹמָא. וְאִיהִי נוּקְבָא וְתִיאוּבְתָּא דִּילָהּ תָּדִיר עַל אֲפִיקֵי מַיִם לְמִשְׁתֵּי וּלְאִתְרַוָּאָה מִצַּחוּתָא, דִּכְתִּיב כְּאַיָּל תַּעֲרוֹג עַל אֲפִיקֵי מָיִם.

תפז. הָכָא אִית לְאִסְתַּכְּלָא. בְּקַדְמֵיתָא כְּתִיב כְּאַיָּל, וְלָא כְּתִיב כְּאַיֶּלֶת, וּלְבָתַר תַּעֲרוֹג, וְלָא כְּתִיב יַעֲרוֹג. אֲבָל רָזָא דָּא, דְּכַר וְנוּקְבָא תַּרְוַויְיהוּ כַּחֲדָא דְּלָא לְאַפְרְשָׁא לוֹן, וְחַד אִיהוּ, דְּלָא אִצְטְרִיךְ לְסַלְקָא דָּא מִן דָּא, אֶלָּא תַּרְוַויְיהוּ כַּחֲדָא. וְהַאי נוּקְבָא, תַּעֲרוֹג עַל אֲפִיקֵי מַיִם, וְאִיהִי מִתְעַבְּרָא מִן דְּכוּרָא, וְקָשֵׁי עָלָהּ דְּהָא עַל דִּינָא קַיְּימָא.

תפח. וְכַד אוֹלִידַת קֻבְּ"ה זַמִּין לָהּ חַד חִוְיָא עִלָּאָה רַבְרְבָא, וְאָתֵי וְנָשִׁיךְ לְגַבֵּי הַהוּא אֲתָר, וְאוֹלִידַת. וְרָזָא דָּא הַרְבָּה אַרְבֶּה עִצְּבוֹנֵךְ וְהֵרוֹנֵךְ, בְּגִין דְּאִיהִי מִתְחַלְחְלָא בְּכָל יוֹמָא, וּבְעַצִּיבוּ עַל עוֹבָדִין דְּעָלְמָא. בְּעֶצֶב תֵּלְדִי בָּנִים. בְּעֶצֶב, דָּא רָזָא דְּחִוְיָא, דְּעָצִיב אַנְפֵּיהוֹן דְּעָלְמָא.

תפט. וְאֶל אִישֵׁךְ תְּשׁוּקָתֵךְ, כד"א תַּעֲרוֹג עַל אֲפִיקֵי מָיִם. וְהוּא יִמְשָׁל בָּךְ, הָא אוֹקִימְנָא רָזָא, דְּאִיהוּ שַׁלִּיט עָלָהּ. וְכָל דָּא לָמָּה. בְּגִין דְּאָמְרָה סִיהֲרָא, כְּמָה דְּתָנֵינָן. וּבְגִ"כ אַזְעִירַת נְהוֹרָאָהּ, וְאַזְעִירַת שׁוּלְטָנָהָא, וְלֵית לָהּ רְשׁוּ מִגַּרְמָהּ, בַּר כַּד יָהֲבִין לָהּ חֵילָא.

תצ. בְּעֶצֶב תֵּלְדִי בָּנִים, כְּמָה דְּאוֹקִימְנָא. וְאִי תֵּימָא אֲמַאי אִצְטְרִיךְ חִוְיָא לְדָא. אֶלָּא דָּא פָּתַח אוֹרְחָא לְנַחְתָּא כָּל אִינּוּן נִשְׁמָתִין דְּעָלְמָא. דְּאִלְמָלֵא לָא פָּתַח אוֹרְחִין לְנַחְתָּא לְתַתָּא, לָא יָשְׁרֵי בְּגַוֵּיהּ דְּבַר נָשׁ, מַה כְּתִיב לַפֶּתַח חַטָּאת רֹבֵץ. מַאי לַפֶּתַח. לְהַהוּא פֶּתַח דְּאִתְעַתְּדָא לְאוֹלָדָא, לְאַפָּקָא נִשְׁמָתִין לְעָלְמָא, אִיהוּ קָאִים לְגַבֵּי הַהוּא פֶּתַח.

תצא. וְכָל אִינּוּן נִשְׁמָתִין דְּאִצְטְרִיכוּ לְנַחְתָּא בְּגוּפִין קַדִּישִׁין, לָא קָאִים אִיהוּ לְהַהוּא

פָּתַח, וְלֵית לֵיהּ רְשׁוּ בְּהַהִיא נִשְׁמְתָא. וְאִי לָאו, הָא חִוְיָא נָשִׁיךְ, וְאִסְתָּאַב הַהוּא אֲתָר, וְלָאו אִיהִי נִשְׁמְתָא דְּאִתְדַּכְּיָא וְהָכָא אִיהוּ רָזָא עִלָּאָה, בְּעֶצֶב תֵּלְדִי בָנִים. רָזָא דָּא, דָּא נָחָשׁ, דְּהָא עִמֵּיהּ אוֹלִידַת נִשְׁמָתִין, בְּגִין דְּדָא אִיהוּ עַל גּוּפָא, וְדָא עַל נִשְׁמְתָא, וְתַרְוַויְיהוּ דָּא בְּדָא. דָּא נָקִיט נִשְׁמְתָא, וְדָא נָקִיט גּוּפָא.

תצב. וּזְמִינָא דָּא חִוְיָא, לְאוֹלָדָא כָּל אִינּוּן גּוּפִין, עַד לָא יֵיתֵי זִמְנָא דִּילֵיהּ, הה"ד בְּטֶרֶם תָּחִיל יָלָדָה. זִמְנָא דְּחִוְיָא לְאוֹלָדָא בְּשֶׁבַע שְׁנִין, וְהָכָא בְּשִׁית, מַה דְּלָאו אִיהוּ זִמְנֵיהּ. וּבְהַהוּא זִמְנָא דְּאוֹלִיד לוֹן, מֵהַהוּא לֵידָה יָמוּת. דִּכְתִּיב בִּלַּע הַמָּוֶת לָנֶצַח. וּכְתִיב יִחְיוּ מֵתֶיךָ נְבֵלָתִי יְקוּמוּן.

תצג. אר"ש, בְּהַהוּא זִמְנָא דְּיִתְעָרוּן מֵתֵי עָלְמָא, וְיִתְעַתְּדוּן בְּאַרְעָא קַדִּישָׁא, יְקוּמוּן חַיָּילִין חַיָּילִין, כֻּלְּהוּ עַל אַרְעָא דְּגָלִיל, בְּגִין דְּתַמָּן זַמִּין מַלְכָּא מְשִׁיחָא לְאִתְגַּלָּאָה, בְּגִין דְּאִיהוּ חוּלָקֵיהּ דְּיוֹסֵף, וְתַמָּן אִתְבָּרוּ בְּקַדְמֵיתָא. וּמִתַּמָּן שָׁארוּ לְאַגְלָאָה מִכָּל אַתְרַיְיהוּ, וּלְאִתְבַּדְּרָא בֵּינֵי עַמְמַיָּא, כד"א וְלֹא נֶחְלוּ עַל שֵׁבֶר יוֹסֵף.

תצד. וַאֲמַאי יְקוּמוּן תַּמָּן, בְּגִין דְּאִיהוּ חוּלָקֵיהּ דְּהַהוּא דְּאִשְׁתַּוֵּי בַּאֲרוֹנָא, דִּכְתִּיב וַיִּישֶׂם בָּאָרוֹן בְּמִצְרָיִם, וּלְבָתַר אִתְקְבַר בְּאַרְעָא קַדִּישָׁא, דִּכְתִּיב וְאֶת עַצְמוֹת יוֹסֵף אֲשֶׁר הֶעֱלוּ בְנֵי יִשְׂרָאֵל מִמִּצְרַיִם קָבְרוּ בִשְׁכֶם. וְדָא אִיהוּ דְּקָאִים בְּקִיּוּמָא דִּבְרִית, יַתִּיר מִכֹּלָּא.

תצה. וּבְהַהוּא זִמְנָא דְּיִתְעָרוּן כֻּלְּהוּ חַיָּילִין חַיָּילִין, כֻּלְּהוּ יְהָכוּן דָּא לְחוּלָק אֲבָהָתְהוֹן, וְדָא לְחוּלָק אֲבָהָתְהוֹן, דִּכְתִּיב וְשַׁבְתֶּם אִישׁ אֶל אֲחוּזָּתוֹ. וְיִשְׁתְּמוֹדְעוּן דָּא לְדָא. וְזַמִּין קב"ה לְאַלְבְּשָׁא לוֹן לְכָל חַד וְחַד לְבוּשֵׁי מְרֻקָּמָן, וְיֵיתוּן כֻּלְּהוּ וִישַׁבְּחוּן לְמָארֵיהוֹן בִּירוּשְׁלֵם, וְיִתְחַבְּרוּן תַּמָּן אוּכְלוֹסִין, וִירוּשְׁלֵם יִתְמְשַׁךְ לְכָל סִטְרִין, יַתִּיר מִמַּה דְּאִתְמְשַׁךְ כַּד אִתְחַבָּרוּ תַּמָּן מִגָּלוּתָא.

תצו. כֵּיוָן דְּיִתְחַבְּרוּן וִישַׁבְּחוּן לְמָארֵיהוֹן, קב"ה יֶחֱדֵי עִמְּהוֹן, הה"ד וּבָאוּ וְרִנְּנוּ בִמְרוֹם צִיּוֹן, וּלְבָתַר וְנָהֲרוּ אֶל טוּב יְיָ' וְגוֹ', כָּל חַד וְחַד לְחוּלָקֵיהּ, וְחוּלָק אֲבָהָתוֹי. וְאַחֲסָנְתְּהוֹן דְּיִשְׂרָאֵל תֵּהֵא, עַד רָמְתָא דְּרוֹמָא, וְתַמָּן יֵלְפוּן אוֹרַיְיתָא, וְהָא אוֹקְמוּהָ, וּכְתִיב הָקִיצוּ וְרַנְּנוּ שׁוֹכְנֵי עָפָר וְגוֹ'.

בָּרוּךְ ה' לְעוֹלָם אָמֵן וְאָמֵן.

PEKUDEI

פְּקוּדֵי

א. אֵלֶּה פְקוּדֵי הַמִּשְׁכָּן מִשְׁכַּן הָעֵדוּת אֲשֶׁר פֻּקַּד עַל פִּי מֹשֶׁה וְגוֹ'. ר' חִיָּיא פָּתַח, כָּל הַנְּחָלִים הוֹלְכִים אֶל הַיָּם וְהַיָּם אֵינֶנּוּ מָלֵא וְגוֹ'. הַאי קְרָא אוֹקְמוּהָ וְאִתְּמַר, אֲבָל כָּל הַנְּחָלִים אִלֵּין רָזִין דְּנַחֲלִין וּמַבּוּעִין קַדִּישִׁין, דְּאִתְמַלְיָין, וְנָפְקִין לְאַנְהָרָא וּלְמַלְיָיא לְהַאי יַמָּא רַבָּא, וְכֵיוָן דְּהַאי יַמָּא רַבָּא אִתְמְלֵי מִסִּטְרָא דְּאִינּוּן נַחֲלִין כְּדֵין הוּא אַפִּיק מַיָּא, וְאַשְׁקֵי לְכָל חֵיוָון בָּרָא, כד"א יַשְׁקוּ כָּל חַיְתוֹ שָׂדָי.

ב. מַה כְּתִיב לְעֵילָּא, הַמְשַׁלֵּחַ מַעְיָנִים וְגוֹ', וּלְבָתַר, יַשְׁקוּ כָּל חַיְתוֹ שָׂדָי יִשְׁבְּרוּ פְרָאִים צְמָאָם. אִלֵּין אִינּוּן רְתִיכִין דִּלְתַתָּא, דְּכַד יַמָּא נָקִיט לוֹן, כֻּלְּהוּ נָקִיט לוֹן, וְשָׁאִיב לוֹן בְּגַוֵּיהּ, וּלְבָתַר אַפִּיק מַיִין לְסִטְרָא אַחֲרָא, דְּאִינּוּן רְתִיכִין קַדִּישִׁין דִּלְתַתָּא, וְאַשְׁקֵי לוֹן. וְכֻלְּהוּ אִתְמְנוּן וְאִתְפָּקְדוּן בִּשְׁמָא, כד"א לְכֻלָּם בְּשֵׁם יִקְרָא. וּבְגִין כָּךְ, אֵלֶּה פְקוּדֵי הַמִּשְׁכָּן מִשְׁכַּן הָעֵדוּת.

ג. רִבִּי יוֹסֵי פָּתַח, מָה רַב טוּבְךָ אֲשֶׁר צָפַנְתָּ לִּירֵאֶיךָ פָּעַלְתָּ לַחוֹסִים בָּךְ נֶגֶד בְּנֵי אָדָם. מָה רַב טוּבְךָ. כַּמָּה אִית לוֹן לִבְנֵי נָשָׁא, לְאִסְתַּכְּלָא וּלְמִנְדַּע בְּאוֹרְחוֹי דְּקוּדְשָׁא בְּרִיךְ הוּא, דְּהָא בְּכָל יוֹמָא וְיוֹמָא קָלָא נָפִיק, וְאַכְרִיז וְאָמַר, אִסְתַּמְּרוּ בְּנֵי עָלְמָא, טְרוּקוּ גַּלֵּי חוֹבִין, אִסְתַּלָּקוּ מֵרִשְׁתָּא דְּתָפִיס, עַד לָא יִתָּפְסוּן רַגְלַיְיכוּ בְּהַאי רִשְׁתָּא. גַּלְגַּלָּא סָחֲרָא תָּדִיר, סָלִיק וְנָחִית. וַוי לְאִינּוּן דְּדָחְיָין רַגְלַיְיהוּ מִגּוֹ גַּלְגַּלָּא, דְּהָא נָפְלֵי לְגוֹ עוּמְקָא, דְּטָמִיר לְאִינּוּן חַיָּיבֵי עָלְמָא.

ד. וַוי לְאִינּוּן דְּנַפְלִין וְלָא יְקוּמוּן, וְלָא יִנְהֲרוּ בִּנְהוֹרָא דְּגָנִיז לְצַדִּיקַיָּיא לְעָלְמָא דְּאָתֵי. זַכָּאִין אִינּוּן צַדִּיקַיָּיא לְעָלְמָא דְּאָתֵי, דְּכַמָּה נְהוֹרִין גְּנִיזִין לוֹן, כַּמָּה עִדּוּנִין בְּהַהוּא עָלְמָא טְמִירִין לוֹן, דִּכְתִּיב מָה רַב טוּבְךָ אֲשֶׁר צָפַנְתָּ לִּירֵאֶיךָ. מָה רַב טוּבְךָ, הָא אוֹקְמוּהָ, דָּא הוּא אוֹר דְּגָנִיז לְצַדִּיקַיָּיא לְעָלְמָא דְּאָתֵי, דִּכְתִּיב וַיַּרְא אֱלֹהִים אֶת הָאוֹר כִּי טוֹב, וּכְתִיב אוֹר זָרוּעַ לַצַּדִּיק וּלְיִשְׁרֵי לֵב שִׂמְחָה. וְעַל דָּא מָה רַב טוּבְךָ.

ה. כְּתִיב הָכָא מָה רַב טוּבְךָ, וּכְתִיב הָתָם וַיַּרְא אֱלֹהִים אֶת הָאוֹר כִּי טוֹב. אֲשֶׁר צָפַנְתָּ, בְּגִין דְּאִסְתַּכַּל קוּדְשָׁא בְּרִיךְ הוּא בְּהַהוּא נְהוֹרָא, וְאִסְתַּכַּל בְּאִינּוּן חַיָּיבַיָּא דִּזְמִינִין לְמֵחְטֵי בְּעָלְמָא, וְגָנִיז לֵיהּ לְהַהוּא נְהוֹרָא, לְמִזְכֵּי בֵּיהּ צַדִּיקַיָּיא לְעָלְמָא דְּאָתֵי, כְּמָה דְּאִתְּמַר.

ו. פָּעַלְתָּ, בְּקַדְמֵיתָא צָפַנְתָּ, וּלְבָתַר פָּעַלְתָּ. אֶלָּא צָפַנְתָּ כְּמָה דְּאִתְּמַר. פָּעַלְתָּ בְּגִין דְּהַהוּא נְהוֹרָא דְּגָנִיז, בֵּיהּ עָבִיד קוּדְשָׁא בְּרִיךְ הוּא אוּמָנוּתָא דְּעָלְמָא. מְנָלָן. דִּכְתִּיב, אֵלֶּה תוֹלְדוֹת הַשָּׁמַיִם וְהָאָרֶץ בְּהִבָּרְאָם, בְּאַבְרָהָם כְּתִיב, וְהַהוּא נְהוֹרָא דְּאַבְרָהָם, גָּנִיז לֵיהּ קוּדְשָׁא בְּרִיךְ הוּא, וּבֵיהּ עָבִיד אוּמָנוּתָא דְּעָלְמָא, דִּכְתִיב פָּעַלְתָּ לַחוֹסִים בָּךְ, לְאִינּוּן דְּיָתְבֵי תְּחוֹת צִלָּא דְּקוּדְשָׁא בְּרִיךְ הוּא.

ז. נֶגֶד בְּנֵי אָדָם, דְּהָא בְּהַאי אוּמָנוּתָא דְּאִתְעָבֵיד בְּהַאי נְהוֹרָא, קַיְימִין בְּנֵי נָשָׁא בְּעָלְמָא, וְקִיּוּמָא דִּילְהוֹן הֲוֵי. אַף עַל גַּב דְּאִיהוּ גָּנִיז, בֵּיהּ קַיְימִין בְּנֵי נָשָׁא בְּעָלְמָא דֵּין. פָּעַלְתָּ, אוּמָנוּתָא דְּעָלְמָא דָּא, דְּבֵיהּ אִתְעָבֵיד כֹּלָּא בְּחוּשְׁבָּנָא, אוּמָנוּתָא דְּעָלְמָא,

כְּגַוְונָא דָא אוּמָנוּתָא דְמַשְׁכְּנָא, דְּאִיהוּ אוּמָנוּתָא כְּגַוְונָא דְעָלְמָא, וְהָא אוֹקִימְנָא.

ח. כְּתִיב הָכָא אֵלֶּה פְקוּדֵי הַמִּשְׁכָּן, וּכְתִיב הָתָם אֵלֶּה תוֹלְדוֹת הַשָּׁמַיִם וְהָאָרֶץ. בְּגִין דְּכָל אִינּוּן תוֹלְדִין דְּעָבְדוּ וְאַפִּיקוּ שְׁמַיָּא וְאַרְעָא, כֻּלְּהוּ בְּחֵילָא דְּהַהוּא נְהוֹרָא דְּגָנִיז אִתְעָבִידוּ וְנַפְקוּ. פְּקוּדֵי הַמִּשְׁכָּן בְּהַהוּא חֵילָא נַפְקוּ. מְנָלָן. דִּכְתִיב וּבְצַלְאֵל בֶּן אוּרִי בֶן חוּר לְמַטֵּה יְהוּדָה, דָּא אִיהוּ מִסִּטְרָא דִּימִינָא. וְאִתּוֹ אָהֳלִיאָב דָּא אִיהוּ מִסִּטְרָא דִּשְׂמָאלָא. וּמַשְׁכְּנָא מִסִּטְרָא דִּימִינָא וּשְׂמָאלָא אִתְקַם וְאִתְעָבִיד. וּמֹשֶׁה דַּהֲוָה בֵּינַיְיהוּ, אוֹקִים לֵיהּ.

ט. רִבִּי אֶלְעָזָר פָּתַח וְאָמַר, וְהוּכַן בַּחֶסֶד כִּסֵּא וְיָשַׁב עָלָיו בֶּאֱמֶת וְגוֹ'. וְהוּכַן בַּחֶסֶד כִּסֵּא, הָא אוֹקִימְנָא, כַּד מַחֲשָׁבָה סָלִיק, בִּרְעוּ דְּחֶדְוָה מִטְמִירָא דְּכָל טְמִירִין דְּלָא אִתְיְידַע וְלָא אִתְדְּבַק, מָטֵי הַהוּא חֶדְוָה, וּבָטַשׁ גּוֹ מַחֲשָׁבָה, וּכְדֵין עָאל בַּאֲתַר דְּעָאל.

י. עַד דְּאִתְגְּנִיז בְּחַד הֵיכָלָא עִלָּאָה, דְּאִיהוּ טָמִיר לְעֵילָּא. וּמִתַּמָּן נַגְדִּין וְאִתְמַשְׁכָן כָּל נְהוֹרִין, דִּימִינָא דְּנָטִיל בְּקַדְמֵיתָא, וּלְבָתַר נָטִיל כֻּלְּהוּ. וּמֵהַהוּא סְטַר יְמִינָא, אִתְקַן כּוּרְסְיָיא לְתַתָּא. דְּהָא קֻבְּ"ה, אַתְקִין לְהַהוּא כּוּרְסְיָיא בְּחֶסֶד, וְיָשַׁב עָלָיו בֶּאֱמֶת, דְּאִיהוּ תִּקּוּנָא דְּחוֹתָמָא דְּכֹלָּא. וְלָא יָתִיב עַל הַהוּא כּוּרְסְיָיא, אֶלָּא בְּחוֹתָמָא דָּא דְּאִיהוּ אֱמֶת. בְּאֹהֶל דָּוִד, דְּאִיהוּ בֵּי כּוּרְסְיָיא לְתַתָּא.

יא. שׁוֹפֵט וְדוֹרֵשׁ מִשְׁפָּט וּמְהִיר צֶדֶק. שׁוֹפֵט מִסִּטְרָא דְּדִינָא. וְדוֹרֵשׁ מִשְׁפָּט, מִסִּטְרָא דְּרַחֲמֵי. וּמְהִיר צֶדֶק, אִיהוּ כּוּרְסְיָיא דְּדִינָא, דְּאִיהוּ בֵּי דִּינָא לְתַתָּא. ת"ח, כְּגַוְונָא דָא, מַשְׁכְּנָא לָא אִתְתְּקַן אֶלָּא בְּסִטְרָא דָא כְּגַוְונָא דָא, דְּחֶסֶד כְּדְקָאֲמָרָן לְעֵיל, וְע"ד אִתְמְנוּן תוֹלְדִין וְאִתְתְּקָנוּ כֻּלְּהוּ לְתַתָּא.

יב. אֵלֶּה פְקוּדֵי הַמִּשְׁכָּן מִשְׁכַּן הָעֵדוּת אֲשֶׁר פֻּקַּד עַל פִּי מֹשֶׁה. ר"ש פָּתַח, בְּרֵאשִׁית בָּרָא אֱלֹהִים אֵת הַשָּׁמַיִם וְאֵת הָאָרֶץ, הַאי קְרָא אוֹקְמוּהָ וְאִתְּמַר בְּכַמָּה סְטָרִין. אֲבָל כַּד בָּרָא קֻבְּ"ה עָלְמָא, בָּרָא לֵיהּ כְּגַוְונָא דִּלְעֵילָּא, לְמֶהֱוֵי עָלְמָא דָא בְּדִיוּקְנָא דְּעָלְמָא דִּלְעֵילָּא. וְכָל אִינּוּן גַּוְונִין דִּלְעֵילָּא, אַתְקִין לוֹן לְתַתָּא, לְאִתְדַּבְּקָא וּלְאִתְקַשְּׁרָא עָלְמָא בְּעָלְמָא.

יג. וְכַד בָּעָא קֻבְּ"ה לְמִבְרֵי עָלְמָא, אִשְׁגַּח בְּאוֹרַיְיתָא וּבָרָא לֵיהּ. וְאִסְתַּכַּל בִּשְׁמָא קַדִּישָׁא, כְּלָלָא דְּאוֹרַיְיתָא, וְקַיֵּים עָלְמָא. בִּתְלַת סִטְרִין אִתְקַיָּים עָלְמָא, וְאִינּוּן חָכְמָה וּתְבוּנָה וָדַעַת. בְּחָכְמָה, דִּכְתִיב יְיָ' בְּחָכְמָה יָסַד אָרֶץ. בִּתְבוּנָה, דִּכְתִיב כּוֹנֵן שָׁמַיִם בִּתְבוּנָה. בְּדַעַת, דִּכְתִיב בְּדַעְתּוֹ תְּהוֹמוֹת נִבְקָעוּ. הָא כֻּלְּהוּ בְּקִיּוּמָא דְּעָלְמָא. וּבְאִלֵּין תְּלָתָא אִתְבְּנֵי מַשְׁכְּנָא, דִּכְתִיב וָאֲמַלֵּא אוֹתוֹ רוּחַ אֱלֹהִים בְּחָכְמָה בִּתְבוּנָה וּבְדַעַת.

יד. וְכֻלְּהוּ תְּלָתָא רְמִיזִין בִּקְרָא דָא, בְּרֵאשִׁית, הַיְינוּ דִּכְתִיב בְּחָכְמָה. בָּרָא אֱלֹהִים, הַיְינוּ דִּכְתִיב בִּתְבוּנָה. אֵת הַשָּׁמַיִם, הַיְינוּ דִּכְתִיב בְּדַעַת. וְכֻלְּהוּ כְּתִיבֵי בַּעֲבִידַת מַשְׁכְּנָא. וּבְרָזָא דָא כְּתִיב, אֵלֶּה פְקוּדֵי הַמִּשְׁכָּן, דָּא רָזָא דְּחָכְמָה. מִשְׁכַּן הָעֵדוּת, דָּא רָזָא דִּתְבוּנָה, אֲשֶׁר פֻּקַּד עַל פִּי מֹשֶׁה, דָּא רָזָא דְּדַעַת. וְכֹלָּא דָא לָקֳבֵל דָּא, בְּגִין דְּכָל מַה דְּבָרָא קֻבְּ"ה בְּעָלְמָא דֵין, בָּרָא לֵיהּ כְּגַוְונָא דִּלְעֵילָּא. וְכֹלָּא אִתְרְשִׁים בַּעֲבִידַת מַשְׁכְּנָא.

טו. תָּא חֲזֵי, בְּשַׁעֲתָא דְּאָמַר לֵיהּ קֻבְּ"ה לְמֹשֶׁה עֲבִיד מַשְׁכְּנָא, הֲוָה קָאִים מֹשֶׁה תּוֹהֵא, דְּלָא יָדַע מַה לְמֶעְבַּד, עַד דְּאַחֲזֵי לֵיהּ קֻבְּ"ה בְּעֵינָא, כְּמָה דִּכְתִיב וּרְאֵה וַעֲשֵׂה בְּתַבְנִיתָם אֲשֶׁר אַתָּה מָרְאֶה בָּהָר. מַאי בְּתַבְנִיתָם. אֶלָּא אוּלִיפְנָא, דְּאַחֲזֵי לֵיהּ קֻבְּ"ה

לְמֹשֶׁה, דְּיוֹקְנָא דְּכֹל מִלָּה וּמִלָּה, כְּהַהוּא דְּיוֹקְנָא דְּאִיהוּ לְעֵילָּא, וְכָל וְחַד וְחַד הֲוָה עָבִיד דְּיוֹקְנָא דִּילֵיהּ כִּדְיוֹקְנָא דְּאִיהוּ אִתְעֲבִיד בְּאַרְעָא.

טז. אֲשֶׁר אַתָּה מָרְאֶה בָּהָר, אֲשֶׁר אַתָּה רוֹאֶה מִבָּעֵי לֵיהּ. אֶלָּא אוּלִיפְנָא, דְּאִסְפַּקְלַרְיָא דְּלָא נַהֲרָא, הֲוָה אַחְזֵי לֵיהּ בְּגַוָּיהּ כָּל אִינּוּן גַּוְונִין וְדִיוֹקְנִין דְּאִתְעֲבִידוּ לְתַתָּא, כְּהַאי וְוִיזוּ דְּאַחְזֵי בְּגַוָּיהּ כָּל אִינּוּן דְּיוֹקְנִין.

יז. מַשְׁמַע דִּכְתִיב אֲשֶׁר אַתָּה מָרְאֶה, אַתָּה, רָזָא דְּאִסְפַּקְלַרְיָא דְּלָא נַהֲרָא, דְּאַחְזֵי לֵיהּ בְּגַוָּיהּ כָּל אִינּוּן דְּיוֹקְנִין. וַהֲוָה חָמֵי לוֹן מֹשֶׁה כָּל מִלָּה וּמִלָּה עַל תִּקּוּנֵיהּ, כְּמָה דְּחָמֵי גּוֹ עֲשָׁשִׁיתָא, וְגוֹ וְוִיזוּ דְּאַחְזֵי כָּל דְּיוֹקְנִין. וְכַד אִסְתַּכַּל בְּהוּ מֹשֶׁה, אִתְקְשֵׁי קַמֵּיהּ, אָמַר לֵיהּ קב"ה, מֹשֶׁה, אַתְּ בְּסִימָנָיךְ, וַאֲנִי בְּסִימָנֵי כְּדֵין אִתְיַישַּׁב מֹשֶׁה בְּכָל עֲבִידְתָּא.

יח. כַּד אִתְעֲבִיד כָּל עֲבִידְתָּא, אִצְטְרִיךְ מֹשֶׁה לְמִמְנֵי כֹּלָּא, בְּגִין דְּלָא יֵימְרוּן יִשְׂרָאֵל דְּאִשְׁתְּאַר כַּסְפָּא וְדַהֲבָא, וְאִסְתְּלִיק לְנַטְלָא לֵיהּ. וְעַל דָּא אִצְטְרִיךְ לְמִמְנֵי וְחוּשְׁבָּנָא קַמַּיְיהוּ דְּיִשְׂרָאֵל, בְּגִין דִּכְתִיב וִהְיִיתֶם נְקִיִּים מֵיְיָ' וּמִיִּשְׂרָאֵל.

יט. וּבְגִין דָּא כְּתִיב, אֵלֶּה פְקוּדֵי הַמִּשְׁכָּן מִשְׁכַּן הָעֵדוּת, דְּהָא רוּחָא דְּקוּדְשָׁא, הֲוָה אַחְזֵי לְכֹלָּא, חוּשְׁבָּנָא דְּכָל דַּהֲבָא וְכַסְפָּא דְּנַדִּיבוּ יִשְׂרָאֵל, וְרוּחַ קוּדְשָׁא הֲוָה אָמַר וְכֶסֶף פְּקוּדֵי הָעֵדָה מְאַת כִּכָּר וְגוֹ', כָּל הַזָּהָב הֶעָשׂוּי לַמְּלָאכָה וְגוֹ'. בְּגִין דְּקב"ה אִתְרְעֵי בְּהוּ, בְּאִינּוּן אוּמָנִין, וּבָעָא לְאַפָּקָא מְהֵימְנוּתָא דִּילְהוֹן קַמֵּי כֹּלָּא.

כ. אֵלֶּה פְקוּדֵי הַמִּשְׁכָּן. ת"ח, בְּהַהִיא שַׁעֲתָא דַּעֲבִידְתָּא דְּמַשְׁכְּנָא אִתְעֲבִיד, הֲוָה סִטְרָא אַחֲרָא אָזִיל וְשָׁאט לְאַסְטָאָה, וְלָא אַשְׁכַּחַת עִילָּה עַל מְהֵימְנוּתָא דְּאוּמָנִין, עַד דְּקב"ה כָּפִיף לֵיהּ לְקַמֵּיהּ דְּמֹשֶׁה, וְאִיהוּ עָבִיד חוּשְׁבָּנָא דִּמְהֵימְנוּתָא בְּעַל כָּרְחֵיהּ, וְסָלִיק מְהֵימְנוּתָא דִּילְהוֹן לְגַבֵּי כֹּלָּא. וְרָזָא דָּא דִּכְתִיב אֵלֶּה פְקוּדֵי הַמִּשְׁכָּן. וְהָא אוֹקִימְנָא, אֵלֶּה: כְּד"א, גַּם אֵלֶּה תִּשְׁכַּחְנָה. וּכְתִיב, אֲשֶׁר פֻּקַּד עַל פִּי מֹשֶׁה, דְּתַמָּן אִתְמְנֵי וְאִתְפְּקִיד, עַד דְּאִתְעֲבִיד חוּשְׁבָּנָא דְּבֵי מַשְׁכְּנָא, קַמֵּי מֹשֶׁה וְיִשְׂרָאֵל כֻּלְּהוּ.

כא. אֵלֶּה פְקוּדֵי הַמִּשְׁכָּן מִשְׁכַּן הָעֵדוּת. מַאן עֵדוּת. אֶלָּא תְּרֵי זִמְנֵי כְּתִיב הָכָא מִשְׁכָּן, חַד לְעֵילָּא, וְחַד לְתַתָּא. וּמִשְׁכָּן אִקְרֵי מִשְׁכַּן הָעֵדוּת. וּמַאן עֵדוּת. כְּד"א שִׁבְטֵי יָהּ עֵדוּת לְיִשְׂרָאֵל. שְׁמָא דָּא, אִיהוּ עֵדוּת לְיִשְׂרָאֵל.

כב. כְּגַוְונָא דָּא עֵדוּת בִּיהוֹסֵף שָׂמוֹ, עֵדוּת שֵׁם יָהּ בִּיהוֹסֵף, אִיהוּ עֵדוּת וַדַּאי, אִלֵּין תְּרֵין אַתְוָון סָהֲדִין סַהֲדוּתָא בְּכָל אֲתַר, וְהָכָא אִיהוּ עֵדוּת. וּבְגִין כָּךְ, מִשְׁכַּן הָעֵדוּת, מַשְׁכְּנָא דְּהַאי עֵדוּת. וְעַל דָּא מַשְׁכְּנָא אִקְרֵי, עַל רָזָא דִּשְׁמָא דָּא קַדִּישָׁא. וְהַיְינוּ דִּכְתִיב, וְעֵדוֹתִי זוֹ אֲלַמְּדֵם, בְּגִין דְּהַאי אֲתַר, אִיהוּ סְתִימוּ וּגְנִיזוּ דְּכֹלָּא.

כג. אֲשֶׁר פֻּקַּד עַל פִּי מֹשֶׁה, עַד הָכָא לָא יָדַעְנָא, אִי הַאי מַשְׁכְּנָא פָּקַד, אוֹ הַאי עֵדוּת. אֶלָּא פָּקַד וַדַּאי הַאי עֵדוּת. בְּגִין דְּמִן יוֹמָא דְּאִסְתַּלִּיקוּ אֲבָהָן מֵעָלְמָא, וְכָל אִינּוּן שִׁבְטִין בְּנוֹי דְּיַעֲקֹב, וְאִשְׁתָּאֲרוּ יִשְׂרָאֵל בְּגָלוּתָא, בְּאִינּוּן עָאקָן, אִתְנְשֵׁי מִנַּיְיהוּ יְדִיעָא דְּרָזָא דִּשְׁמָא קַדִּישָׁא עִלָּאָה דָּא, דְּאִיהוּ שְׁמָא דְּעֵדוּת, קִיּוּמָא דִּשְׁמַיָּא וְאַרְעָא, דְּאִלֵּין תְּרֵין אַתְוָון, אוֹקִימוּ עִילָּאֵי וְתַתָּאֵי, וְכֻלְּהוּ סִטְרִין דְּעָלְמָא.

כד. כֵּיוָן דְּאָתָא מֹשֶׁה, אִתְפְּקַד וְאִדְּכַר שְׁמָא דָּא בְּעָלְמָא. דְּכַד הֲוָה בַּסְּנֶה מִיַּד שָׁאִיל עַל שְׁמָא דָּא, דִּכְתִיב וְאָמְרוּ לִי מַה שְּׁמוֹ מָה אוֹמַר אֲלֵיהֶם. וְתַמָּן אִתְפְּקַד שְׁמָא דָּא עַל פִּי מֹשֶׁה.

כה. עֲבֹדַת הַלְוִיִּם, מַאי עֲבֹדַת הַלְוִיִּם. אֶלָּא רָזָא דָּא דִּכְתִיב, וְעָבַד הַלֵּוִי הוּא. הוּא:

דָּא רָזָא דִשְׁמָא קַדִּישָׁא, דְּאִקְרֵי הוּא, וְלָא אִקְרֵי אַתָּה. וּבְגִין דָּא עֲבוֹדַת הַלְוִיִּם וַדַּאי. דָּ"א עֲבֹדַת הַלְוִיִּם, דְּאִינּוּן נַטְלִין מַשְׁכְּנָא עַל כִּתְפַּיְיהוּ מֵאֲתָר לְאֲתָר, דִּכְתִיב וְלִבְנֵי קְהָת לֹא נָתָן כִּי עֲבֹדַת הַקֹּדֶשׁ עֲלֵיהֶם בַּכָּתֵף יִשָּׂאוּ.

כו. אֵלֶּה פְקוּדֵי הַמִּשְׁכָּן מִשְׁכַּן הָעֵדוּת וְגוֹ'. רִבִּי אַבָּא פָּתַח, וְהָיָה בַיּוֹם הַהוּא שֹׁרֶשׁ יִשַׁי וְגוֹ'. וְהָיָה בַיּוֹם הַהוּא, בְּזִמְנָא דְּקֻב"ה יַסְגֵּי שֻׁלְטָנָא בְּעָלְמָא, יִתְקַיֵּים שָׁרְשָׁא דְּאִילָנָא דְלְעֵילָּא, וְהַהוּא שָׁרְשָׁא, מִנֵּיהּ יִתְקַיְּימוּ שְׁאָר שָׁרְשִׁין לְתַתָּא, דְּכֻלְּהוּ אִשְׁתָּרְשָׁן וְאִתְקַיְּימָן מִנֵּיהּ.

כז. אֲשֶׁר עֹמֵד לְנֵס עַמִּים, דְּהַאי אִיהוּ קַיְּימָא לְנִסָּא וּלְאָת לְרָזָא דִשְׁמָא קַדִּישָׁא. אֵלָיו גּוֹיִם יִדְרֹשׁוּ, דְּתַמָּן רָזָא דְקַיּוּמָא דִשְׁמָא קַדִּישָׁא, וּבְגִין כָּךְ אֵלָיו גּוֹיִם יִדְרֹשׁוּ. כַּד"א, וְהָלְכוּ עַמִּים רַבִּים וְאָמְרוּ לְכוּ וְנַעֲלֶה אֶל הַר יְיָ' וְגוֹ', וְעַל דָּא, אֵלָיו גּוֹיִם יִדְרֹשׁוּ. וְהָיְתָה מְנוּחָתוֹ כָּבוֹד, מְנוּחָתוֹ, דָּא בֵּי מַקְדְּשָׁא. דִּכְתִיב זֹאת מְנוּחָתִי עֲדֵי עַד. כָּבוֹד, דְּהָכִי אִקְרֵי כָּבוֹד יְיָ' בְּהַהוּא זִמְנָא, דִּכְתִיב וְהָיָה אוֹר הַלְּבָנָה כְּאוֹר הַחַמָּה וְאוֹר הַחַמָּה יִהְיֶה שִׁבְעָתָיִם.

כח. וּמְנוּחָתוֹ דְּהַהוּא שֹׁרֶשׁ יִשַׁי, דְּאִתְקְרֵי כְּבוֹד יְיָ', לָא יִתְמְנֵי, וְלָא יְקוּם בְּחוּשְׁבְּנָא לְעָלְמָא. מַאי טַעְמָא. בְּגִין דְּכָל מַה דְּקַיְּימָא בְּחוּשְׁבְּנָא, לָא שַׁרְיָין תַּמָּן בִּרְכָּאן בְּשֵׁלִימוּ. וּבִרְכָּאן שַׁרְיָין בְּמַה דְּלָא קַיְּימָא בְּחוּשְׁבְּנָא. בְּזִמְנָא קַדְמָאָה קַיְּימָא בְּחוּשְׁבְּנָא, דִּכְתִיב אֵלֶּה פְקוּדֵי הַמִּשְׁכָּן.

כט. תָּא חֲזֵי, מַשְׁכְּנָא דָּא קַיְּימָא בְּחוּשְׁבְּנָא, וּבְגִין כָּךְ אִצְטְרִיךְ לִצְלוֹתָא דְמֹשֶׁה, דְּיִשְׁרֵי עֲלֵיהּ בִּרְכָּאן, דִּכְתִיב וַיְבָרֶךְ אוֹתָם מֹשֶׁה, וּמַה בִּרְכָּה בָּרִיךְ לוֹן, יְהֵא רַעֲוָא דְּתִשְׁרֵי בִּרְכָּה עַל עוֹבְדֵי יְדֵיכוֹן. וּבִרְכָּאן לָא שַׁרְיָין עַל הַאי חוּשְׁבְּנָא עַד דְּאַקְשַׁר לֵיהּ מֹשֶׁה בְּמַשְׁכְּנָא דִלְעֵילָּא, דִּכְתִיב אֵלֶּה פְקוּדֵי הַמִּשְׁכָּן מִשְׁכַּן הָעֵדוּת אֲשֶׁר פֻּקַּד עַל פִּי מֹשֶׁה. דְּאִי לָאו דְּאִתְעֲבַד חוּשְׁבְּנָא עַל יְדָא דְמֹשֶׁה, לָא יַכְלִין אִינּוּן לְמֶעְבַּד חוּשְׁבְּנָא, דִּכְתִיב אֲשֶׁר פֻּקַּד עַל פִּי מֹשֶׁה.

ל. פָּתַח וְאָמַר, וַיְהִי דְּבַר יְיָ' אֵלָיו לֵאמֹר קוּם לֵךְ צָרְפַתָה וְגוֹ' הִנֵּה צִוִּיתִי שָׁם אִשָּׁה אַלְמָנָה לְכַלְכְּלֶךָ. וְכִי אָן פָּקִיד לֵיהּ קוּדְשָׁא ב"ה. אֶלָּא עַד לָא יֵיתֵי לְעָלְמָא, פָּקִיד קֻב"ה בִּגְזֵירָה דִּילֵיהּ לְעֵילָּא עַל הָעוֹרְבִים, לְמֵיתֵי מְזוֹנָא לְאֵלִיָּהוּ, וּלְהָהִיא אִתְּתָא לְמֵיתָב לֵיהּ מְזוֹנָא.

לא. מַה כְּתִיב, וַתֹּאמֶר חַי יְיָ' אֱלֹהֶיךָ אִם יֶשׁ לִי מָעוֹג כִּי אִם מְלֹא כַף קֶמַח בַּכַּד וּמְעַט שֶׁמֶן בַּצַּפָּחַת וְגוֹ'. וְהָא הָכָא מִדִּידוּ הֲוָה בְּהַהוּא קְמוֹזָא, דְּהָא הֲוָה בֵּיהּ מְלֹא כַף קֶמַח בַּכַּד, כַּף הוּא מִדִּידוּ דִּילֵיהּ, וְאִתְחֲזֵי דְּלָא שַׁרְיָין בֵּיהּ בִּרְכָן, הוֹאִיל וְקָאִים בְּמִדָּה. מַה כְּתִיב, כִּי כֹה אָמַר יְיָ' אֱלֹהֵי יִשְׂרָאֵל כַּד הַקֶּמַח לֹא תִכְלֶה וְצַפַּחַת הַשֶּׁמֶן לֹא תֶחְסָר עַד יוֹם תֵּת יְיָ' גֶּשֶׁם.

לב. תֵּת, תִּתֵּן כְּתִיב, מַאי טַעְמָא. בְּגִין דִּבְכָל דָּרָא לָא אִשְׁתְּכַח מַאן דְּיִזְכֵּי לְזָכוּ כְּהַאי אִתְּתָא, וְעַל דָּא כְּתִיב תִּתֵּן, אַנְתְּ תִּתֵּן מִטְרָא עַל עָלְמָא, בְּגִין דִּזְכוּתָךְ סַגִּי.

לג. וּכְתִיב כַּד הַקֶּמַח לֹא כַלְתָה וְצַפַּחַת הַשֶּׁמֶן לֹא חָסֵר כִּדְבַר יְיָ' אֲשֶׁר דִּבֶּר בְּיַד אֵלִיָּהוּ. וְכִי אִם הַהוּא קְמוֹזָא דְּקַיְּימָא בְּמִדִּידוּ, דַּהֲוָה מְלֹא כַף קֶמַח, לָא פָּסְקוּ מִנֵּיהּ בִּרְכָאן בְּגִין מִלָּה דְּאֵלִיָּהוּ, דִּכְתִיב כַּד הַקֶּמַח לֹא תִכְלֶה, וּכְתִיב כַּד הַקֶּמַח לֹא כַלְתָה.

מִשְׁכַּן הָעֵדוּת אע״ג דְּקַיְּימָא בְּחוּשְׁבָּנָא, הוֹאִיל וְאִתְפְּקַד עַל יְדָא דְּמֹשֶׁה, כָּל שֶׁכֵּן וְכָל שֶׁכֵּן דְּשַׁרְיָין בֵּיהּ בִּרְכָאן. וְעַל דָּא כְּתִיב, אֵלֶּה פְקוּדֵי הַמִּשְׁכָּן מִשְׁכַּן הָעֵדוּת אֲשֶׁר פֻּקַּד עַל פִּי מֹשֶׁה.

לד. אֵלֶּה פְקוּדֵי הַמִּשְׁכָּן. ר׳ חִזְקִיָּה פָּתַח וְאָמַר, אַל תִּקְרַב הֲלוֹם שַׁל נְעָלֶיךָ מֵעַל רַגְלֶיךָ וְגוֹ׳. הַאי קְרָא אוֹקְמוּהָ, דְּפָרִישׁ לֵיהּ קֻבָּ״ה מֵאִתְּתֵיהּ, בְּגִין לְאִתְדַּבְּקָא בִּשְׁכִינְתָּא, דִּכְתִּיב כִּי הַמָּקוֹם אֲשֶׁר אַתָּה עוֹמֵד עָלָיו אַדְמַת קֹדֶשׁ הוּא. אַדְמַת קֹדֶשׁ, דָּא שְׁכִינְתָּא, אִתְדַּבְּקוּתָא קַדִּישָׁא אִתְדַּבַּק מֹשֶׁה בְּהַהִיא שַׁעֲתָא לְעֵילָּא.

לה. דְּכָדֵין קֻבָּ״ה קָשִׁיר לֵיהּ בַּחֲבִיבוּתָא דִּלְעֵילָּא, וְאִתְפְּקַד רַב מְמָנָא עַל בֵּיתָא, וְאִיהוּ גָּזִיר, וְקֻבָּ״ה עָבֵיד, דִּכְתִּיב וּפָצְתָה הָאֲדָמָה אֶת פִּיהָ וְגוֹ׳, וּכְתִיב וַיְהִי כְּכַלּוֹתוֹ לְדַבֵּר וְגוֹ׳, וַתִּבָּקַע הָאֲדָמָה. וּכְתִיב, קוּמָה יְיָ׳. שׁוּבָה יְיָ׳. הֲדָא הוּא דִּכְתִּיב אֲשֶׁר פֻּקַּד עַל פִּי מֹשֶׁה. עַל פִּי מֹשֶׁה אִתְתָּקַן, וְאִתְפְּקַד בְּכֹלָּא. פְּקִידָא דְּמִשְׁכָּן הֲוָה עַל יְדָא דְּמֹשֶׁה, דִּכְתִּיב פָּקֹד פָּקַדְתִּי אֶתְכֶם, דְּאִיהוּ הֲוָה קוֹל, דְּאַפִּיק לְהַהוּא דִּבּוּר, וְעָבֵד לֵיהּ פְּקִידָה לְנַפְּקָא מִן גָּלוּתָא. וְהַשְׁתָּא אִתְפַּקְדָא לְאַמְשָׁכָא קְדוּשָּׁה מֵעֵילָּא לְתַתָּא, כמד״א וְעָשׂוּ לִי מִקְדָּשׁ וְשָׁכַנְתִּי בְּתוֹכָם.

לו. וּבְצַלְאֵל בֶּן אוּרִי בֶן חוּר לְמַטֵּה יְהוּדָה וְגוֹ׳. א״ר יְהוּדָה, הָא אִתְּמַר, דְּהָא בְּצַלְאֵל מִסִּטְרָא דִּימִינָא הֲוָה, וְאִיהוּ אַתְקִין תִּקּוּנָא דְּכֹלָּא. וְתוּ, דְּהָא יְהוּדָה אִיהוּ שַׁלִּיטָא וּמַלְכָּא עַל כָּל שְׁאַר שְׁבָטִין, וּמִנֵּיהּ נָפַק מַאן דְּאַתְקִין כָּל מַשְׁכְּנָא. בְּצַלְאֵל, הָא אוֹקְמוּהָ, בְּצֵל אֵל, וּמַאן אִיהוּ בְּצֵל אֵל. דָּא יְמִינָא. וְתוּ, מִסִּטְרָא דָּא אַתְקִין כֹּלָּא, וְיָרִית חָכְמְתָא לְמֶעְבַּד כָּל עֲבִידְתָּא.

לז. וְאִתּוֹ אָהֳלִיאָב בֶּן אֲחִיסָמָךְ לְמַטֵּה דָן, דָּא אִיהוּ מִסִּטְרָא דִּשְׂמָאלָא, דָּא אִיהוּ מִסִּטְרָא דְּדִינָא קַשְׁיָא, וְהָא אוֹקְמוּהָ, דְּהָא מִתְּרֵין סִטְרִין אִלֵּין, אִתְעֲבֵיד מַשְׁכְּנָא, וְאִתְתַּקַּן בְּהוּ, לְאִתְקַשְּׁרָא בְּהוּ, לְמֶהֱוֵי בֵּין יְמִינָא וּשְׂמָאלָא, וְהָא אִתְּמַר וְאוֹקְמוּהָ.

לח. פָּתַח וְאָמַר, יְפֵה נוֹף מְשׂוֹשׂ כָּל הָאָרֶץ הַר צִיּוֹן יַרְכְּתֵי צָפוֹן קִרְיַת מֶלֶךְ רָב. תָּא חֲזֵי, כַּד בָּרָא קֻבָּ״ה עָלְמָא, אַשְׁדֵּי חַד אַבְנָא יַקִּירָא מִתְּחוֹת כֻּרְסֵי יְקָרֵיהּ, וְשָׁקַע עַד תְּהוֹמָא, וְרֵישָׁא חֲדָא דְּהַהוּא אַבְנָא נָעִיץ גּוֹ תְּהוֹמֵי, וְרֵישָׁא אַחֲרָא לְעֵילָּא, וְהַהוּא רֵישָׁא אַחֲרָא עִלָּאָה, אִיהוּ חַד נְקוּדָה דְּקַיְּימָא בְּאֶמְצָעִיתָא דְּעָלְמָא, וּמִתַּמָּן אִתְפָּשַׁט עָלְמָא לִימִינָא וּשְׂמָאלָא וּלְכָל סִטְרִין, וְאִתְקַיַּים בְּהַהִיא נְקוּדָה אֶמְצָעִיתָא, וְהַהִיא אַבְנָא אִתְקְרֵי שְׁתִיָּה, דְּמִנָּהּ אִשְׁתִּיל עָלְמָא לְכָל סִטְרִין. תּוּ שְׁתִיָּ״ה, שָׁת יָ״ה, קֻבָּ״ה שַׁוֵּי לָהּ לְמֶהֱוֵי יְסוֹדָא דְּעָלְמָא וּשְׁתִילוּ דְּכֹלָּא.

לט. בִּתְלַת גַּוְונִין אִתְפַּשְּׁטַת אַרְעָא סַחֲרָנֵיהּ דְּהַהוּא נְקוּדָה, אִתְפַּשְּׁטוּתָא קַדְמָאָה, סַחֲרָנֵיהּ דְּהַהוּא נְקוּדָה, כָּל צָחוּתָא וְזַכּוּתָא דְּאַרְעָא קַיְּימָא תַּמָּן, וְתַמָּן אִיהוּ. וְהַאי קַיְּימָא לְעֵילָּא עַל כָּל אַרְעָא סַחֲרָנֵיהּ דְּהַהוּא נְקוּדָה. אִתְפַּשְּׁטוּתָא תִּנְיָינָא, סַחֲרָנֵיהּ דְּהַהוּא אִתְפַּשְּׁטוּתָא קַדְמָאָה, לָאו אִיהוּ צָחוּתָא וְזַכּוּתָא כְּהַהוּא קַדְמָאָה, אֲבָל אִיהוּ דָּקִיק וְצַח בְּצָחוּתָא דְּעַפְרָא, יַתִּיר מִכָּל שְׁאַר עָפָר אַחֲרָא. אִתְפַּשְּׁטוּתָא תְּלִיתָאָה, אִיהוּ חָשׁוּךְ וְגַס דְּעַפְרָא יַתִּיר מִכֻּלְּהוּ, וְסַחֲרָנֵיהּ דְּהַאי, קַיְּימִין מַיִין דְּיַמָּא דְּאוֹקְיָינוּס, דְּאַסְחַר כָּל עָלְמָא. אִשְׁתְּכַח דְּהַהוּא נְקוּדָה קַיְּימָא בְּאֶמְצָעִיתָא, וְכֻלְּהוּ גַּוְונִין דְּאִתְפַּשְּׁטוּתָא דְּעָלְמָא סַחֲרָנֵיהּ.

מ. אִתְפַּשְּׁטוּתָא קַדְמָאָה אִיהוּ בֵּי מַקְדְּשָׁא, וְכָל אִינּוּן הֵיכְלִין וַעֲזָרוֹת, וְכָל הַהוּא

תִּקּוּנָא דִּילֵיהּ, וִירוּשְׁלַם, וְכָל מָתָא מִשּׁוּרָא וּלְגוֹ. אִתְפַּשְּׁטוּתָא תִּנְיָינָא, כָּל אַרְעָא דְּיִשְׂרָאֵל דְּאִתְקַדְּשַׁת בִּקְדוּשָׁה. אִתְפַּשְּׁטוּתָא תְּלִיתָאָה, אִיהוּ כָּל שְׁאַר אַרְעָא, אֲתַר בֵּי מוֹתְבָא דִּשְׁאַר עַמִּין. וְיַמָּא דְּאוֹקְיָינוֹס דְּסַחֲרָא כֹּלָּא.

מא. וְהָא אוֹקְמוּהָ, הֶזְוָא דָּא גַּוְונִין דְּעֵינָא, דְּסַחֲרָן לְהַהוּא נְקוּדָה דְּאֶמְצָעִיתָא דְּעֵינָא, דְּאִיהוּ וֶזִיווּ דְּכָל עֵינָא, כְּגַוְונָא דְּהַהִיא נְקוּדָה אֶמְצָעִיתָא דְּקָאַמְרָן, דְּאִיהוּ וֶזִיווּ דְּכֹלָּא, וְתַמָּן קָאִים בֵּית קֹדֶשׁ הַקֳּדָשִׁים, וְאָרוֹן וְכַפֹּרֶת, דְּאִינּוּן וֶזִיווּ דְּכֹלָּא. אִשְׁתְּכַח, הַהוּא נְקוּדָה וֶזִיווּ דְּכָל עָלְמָא. וְעַל דָּא כְּתִיב, יְפֵה נוֹף מְשׂוֹשׂ כָּל הָאָרֶץ הַר צִיּוֹן וְגוֹ'. יְפֵה: שַׁפִּיר הַהוּא וֶזִיווּ וְחֶדְוָה דְּכֹלָּא. נוֹף: נוֹפָא דְּאִילָנָא דְּאִיהוּ שְׁפִירוּ דְּכֹלָּא.

מב. תָּא וְזַזֵי, שְׁפִירוּ דְּעָלְמָא, וְזִיווּ דְּעָלְמָא, לָא אִתְחֲזֵי בְּעָלְמָא, עַד דְּאִתְבְּנֵי וְאִתְקַם מַשְׁכְּנָא, וְעָאל אֲרוֹנָא לְגוֹ קוּדְשָׁא. מֵהַהִיא שַׁעֲתָא, אִתְחֲזֵי וֶזִיווּ דְּכֹלָּא בְּעָלְמָא, וְאִתְתָּקַן עָלְמָא, וְאַזְלֵי בְּהַהוּא מַשְׁכְּנָא וּבְהַהוּא אֲרוֹנָא, עַד דְּמָטֵי לְהַהִיא נְקוּדָה דְּאִיהִי יְפֵה נוֹף וְחֶדְוָה דְּכֹלָּא. כֵּיוָן דְּמָטוּ לְהָתָם כְּדֵין פָּתַח אֲרוֹנָא וְאָמַר, זֹאת מְנוּחָתִי עֲדֵי עַד פֹּה אֵשֵׁב כִּי אִוִּיתִיהָ.

מג. רִבִּי יֵיסָא אָמַר, הַאי קְרָא כְּנֶסֶת יִשְׂרָאֵל אָמְרָה לֵיהּ, בְּשַׁעֲתָא דְּאִתְבְּנֵי בֵּי מַקְדְּשָׁא, וְעָאל אֲרוֹנָא לְאַתְרֵיהּ. ר' וִזְקִיָּה אָמַר, קֻבָּ"ה אָמַר לֵיהּ, עַל כְּנֶסֶת יִשְׂרָאֵל, כַּד יִשְׂרָאֵל עַבְדִּין רְעוּתֵיהּ, דְּהָא כְּדֵין קֻבָּ"ה יָתִיב עַל כּוּרְסֵי יְקָרֵיהּ, וְזָיֵיס עַל עָלְמָא, וּבְרָכָה וְשָׁלוֹם וַחֲבִיבוּתָא דְּכֹלָּא אִשְׁתְּכַח. וּכְדֵין אָמַר זֹאת מְנוּחָתִי עֲדֵי עַד.

מד. וְתָא וְזַזֵי, בְּשַׁעֲתָא דְּכֻלְּהוּ אוּמָּנִין שָׁארוּ לְמֶעְבַּד אוּמָּנוּתָא, הַהוּא עוֹבָדָא מַמָּשׁ דְּשָׁרָאן, אִיהִי אִשְׁתְּלִימַת מִגַּרְמָהּ. אִינּוּן שָׁרָאן, וְאִיהִי אַשְׁלִימַת עֲבִידְתָּא, אִיהִי מַמָּשׁ, מְנָלָן, דִּכְתִיב וַתֵּכֶל כָּל עֲבוֹדַת מִשְׁכַּן אֹהֶל מוֹעֵד.

מה. כְּגַוְונָא דָּא וַיְכֻלּוּ הַשָּׁמַיִם וְהָאָרֶץ. וְאִי תֵּימָא, וַיְכַל אֱלֹהִים בַּיּוֹם הַשְּׁבִיעִי. וַדַּאי הָכִי הוּא, דְּכָל עָלְמָא, אע"ג דְּכָל עֲבִידָן אִשְׁתְּלִימוּ כָּל וְזַד וְזַד, עָלְמָא כֹּלָּא לָא הֲוָה שְׁלִים בְּקִיּוּמֵיהּ, עַד דְּאָתָא יוֹמָא שְׁבִיעָאָה, דְּכַד אָתָא יוֹמָא שְׁבִיעָאָה, כְּדֵין אִשְׁתְּלִימוּ כָּל עֲבִידָן, וְאַשְׁלִים בֵּיהּ קֻבָּ"ה עָלְמָא, הה"ד וַיְכַל אֱלֹהִים בַּיּוֹם הַשְּׁבִיעִי מְלַאכְתּוֹ אֲשֶׁר עָשָׂה. בְּהַאי, אִשְׁתְּלִים בְּקִיּוּמָא כָּל עֲבִידְתָּא דְּעָבֵד, וְע"ד וַיְכַל אֱלֹהִים בַּיּוֹם הַשְּׁבִיעִי.

מו. וְכַד אִתְבְּנֵי בֵּי מַקְדְּשָׁא, כָּל עֲבִידְתָּא דְּאִתְעֲבֵיד, אִיהִי מִגַּרְמָהּ אִתְעֲבִידַת אוּמָּנִין שָׁרָאן, וַעֲבִידְתָּא אִתְחֲזִיאַת לוֹן לְמֶעְבַּד, וְאִתְרְשִׁימַת קָמַיְיהוּ, וְאִשְׁתְּלִימַת הִיא מִגַּרְמָהּ. וְהָא אוֹקְמוּהָ, דִּכְתִיב וְהַבַּיִת בְּהִבָּנוֹתוֹ. וְהַבַּיִת כַּאֲשֶׁר בָּנוּהוּ לָא כְּתִיב. אֶלָּא בְּהִבָּנוֹתוֹ. דְּאִיהִי אִשְׁתְּלִימַת מִגַּרְמָהּ. וּכְתִיב אֶבֶן שְׁלֵמָה מַסָּע נִבְנָה. בָּנוּהוּ לָא כְּתִיב. אֶלָּא נִבְנָה הוּא מִגַּרְמֵיהּ נִבְנָה, וְכֵן בְּכָל עֲבִידְתָּא דְּאִיהִי קַדִּישָׁא, אִיהִי אִשְׁתְּלִימַת מִגַּרְמָהּ.

מז. וּבְצַלְאֵל בֶּן אוּרִי בֶּן וזוּר. הַאי קְרָא אוֹלִיפְנָא, דְּרוּוזָ קוּדְשָׁא אַכְרִיז עָלֵיהּ לְעֵינֵיהוֹן דְּיִשְׂרָאֵל, וְאָמַר וּבְצַלְאֵל בֶּן אוּרִי בֶּן וזוּר לְמַטֵּה יְהוּדָה עָשָׂה אֵת כָּל אֲשֶׁר צִוָּה יְיָ' אֶת מֹשֶׁה. וְאִתּוֹ אָהֳלִיאָב בֶּן אֲחִיסָמָךְ. מַאי וְאִתּוֹ. אֶלָּא אוֹלִיפְנָא, דְּאָהֳלִיאָב לָא עָבִיד עֲבִידְתָּא בִּלְחוֹדוֹי, אֶלָּא עִם בְּצַלְאֵל, וְעִמֵּיהּ עָבֵד כָּל מַה דְּעָבֵד. הה"ד וְאִתּוֹ, וְאִתּוֹ וְלָא בִּלְחוֹדוֹי. מִכָּאן דִּשְׂמָאלָא אִיהִי בִּכְלַל יְמִינָא תָּדִיר. וְע"ד כְּתִיב וַאֲנִי הִנֵּה נָתַתִּי אִתּוֹ אֵת אָהֳלִיאָב, דָּא יְמִינָא וְדָא שְׂמָאלָא.

מח. אֵלֶּה פְקוּדֵי הַמִּשְׁכָּן מִשְׁכַּן הָעֵדֻת אֲשֶׁר פֻּקַּד עַל פִּי מֹשֶׁה וְגוֹ'. ר' יֵיסָא אָמַר,

כֵּיוָן דְּעָבְדוּ כָּל חַכִּימַיָּיא יַת מַשְׁכְּנָא, אִצְטְרִיךְ לְמֶהֱדַר חוּשְׁבְּנָא, מִכָּל אִינּוּן עֲבִידָן דְּאִתְעֲבִידוּ בֵּיהּ. מַאי טַעֲמָא. בְּגִין דְּכָל חוּשְׁבָּן וְחוּשְׁבָּן, כַּד הֲוָה אִתְעֲבִיד חוּשְׁבְּנָא, הָכִי אִתְקַיָּים הַהוּא עֲבִידְתָּא, וְאִתְקַיָּים בְּאַתְרֵיהּ.

מט. וְיִשְׂרָאֵל כֻּלְּהוּ כְּמָה דְּאִתְרְעוּ בְּמָה דְּנַדִּיבוּ בְּקַדְמֵיתָא, הָכִי נָמֵי אִתְרְעוּ בְּהַהוּא חוּשְׁבְּנָא, וּכְדֵין אִתְקַיָּים כָּל עֲבִידְתָּא, בְּהַהוּא רְעוּתָא. וְעַל דָּא אִצְטְרִיךְ הָכָא חוּשְׁבְּנָא, בְּגִין דִּבְהַאי אִתְקַיָּים עֲבִידְתָּא. אֵלֶּה כְּתִיב, וְלָא כְּתִיב וְאֵלֶּה. אֶלָּא דָּא אִיהוּ חוּשְׁבְּנָא דְּפָסִיל כָּל חוּשְׁבְּנִין דְּעָלְמָא, וְדָא אִתְקַיָּים יַתִּיר מִכֻּלְּהוּ, דִּבְהַאי אִתְקַיָּים מַשְׁכְּנָא, וְלָא בְּאַחֲרָא.

נ. פָּתַח וְאָמַר, וְהָיָה אֱמוּנַת עִתֶּיךָ חֹסֶן יְשׁוּעוֹת חָכְמַת וָדָעַת יִרְאַת יְיָ' הִיא אוֹצָרוֹ. הַאי קְרָא אוֹקְמוּהָ חַבְרַיָּיא, אֲבָל הָא תָּנֵינָן, כָּל ב"נ דְּאִתְעַסַּק בְּאוֹרַיְיתָא בְּהַאי עָלְמָא, וְזָכֵי לְמִקְבַּע עִתִּין לָהּ, אִצְטְרִיךְ בֶּאֱמוּנָה, דִּרְעוּתָא דִּילֵיהּ יִתְכַּוֵּין לְקֻבְּ"ה, יִתְכַּוֵּין לְשֵׁם שָׁמַיִם, בְּגִין דֶּאֱמוּנָה לְהָכִי אִתְכְּוָון. חֹסֶן יְשׁוּעוֹת, לְאַכְלְלָא רַחֲמֵי בְּדִינָא. חָכְמַת וָדַעַת, דִּתְרֵין אִלֵּין שָׁרָאן דָּא עַל דָּא. דָּא טָמִיר וְגָנִיז, לְאַשְׁרָאָה דָּא עַל דָּא.

נא. יִרְאַת יְיָ' הִיא אוֹצָרוֹ. אוֹצָרוֹ דְּכָל אִלֵּין, בְּגִין דְּהַאי יִרְאַת יְיָ', נָקִיט כָּל אִינּוּן נַחֲלִין, וְאִיהִי אִתְעֲבֵידַת אוֹצָר לְכֻלְּהוּ. וְכַד נָפְקִין מִנָּהּ כָּל אִינּוּן גְּנִיזִין כֻּלְּהוּ, אַפִּיק לוֹן בְּחוּשְׁבְּנָא. מְנָלָן. דִּכְתִּיב עֵינַיִךְ בְּרֵכוֹת בְּחֶשְׁבּוֹן. בְּחֶשְׁבּוֹן וַדַּאי עָבֵיד, וְאַפִּיק אִינּוּן בְּרֵכוֹת מַיִם, וְאַשְׁגַּח לְאַפָּקָא כֹּלָּא בְּחוּשְׁבְּנָא.

נב. וְעַל דָּא אִקְרֵי אֱמוּנָה. וּבְכֹלָּא אִקְרֵי אֱמוּנָה, וְהָא אוֹקִימְנָא. וּמַה אִי הָכָא אִצְטְרִיךְ לְאַחֲזָאָה מְהֵימְנוּתָא, לִשְׁאַר מִלֵּי דְּעָלְמָא עאכ"ו. וְעַל דָּא, קֻבְּ"ה הֲוָה אוֹדַע לְהוּ לְכָל יִשְׂרָאֵל, רָזָא דִּמְהֵימְנוּתָא דִּילְהוּ, בְּכָל מַה דְּעָבְדוּ, וְכֹלָּא אִתְּמַר.

נג. ר' יוֹסֵי וְרִבִּי יִצְחָק הֲווֹ אַזְלֵי בְּאָרְחָא, אָמַר ר' יוֹסֵי, וַדַּאי דְּקֻבְּ"ה אִתְרְעֵי בֵּיהּ בִּבְצַלְאֵל לַעֲבִידַת מַשְׁכְּנָא, יַתִּיר מִכָּל יִשְׂרָאֵל, אֲמַאי. אָמַר לֵיהּ, שְׁמָא גָּרִים, וְהָא אוֹקְמוּהָ, דְּקֻבְּ"ה שָׁוֵי שְׁמָהָן בְּאַרְעָא, לְאִתְעַטְּרָא בְּהוּ, וּלְמֶעְבַּד בְּהוּ עֲבִידְתָּא בְּעָלְמָא, הה"ד אֲשֶׁר שָׂם שַׁמּוֹת בָּאָרֶץ.

נד. אָמַר לֵיהּ, רָזָא אִיהוּ הָכָא, יְהוּדָה מִסְּטַר שְׂמָאלָא הֲוָה, וְאַהְדַּר וְאִתְדַּבַּק בִּימִינָא. וְעַל דָּא, בְּסִטְרָא דָּא אִתְעֲבֵיד מַשְׁכְּנָא, שָׁארֵי מִסְּטַר שְׂמָאלָא, וְאִתְדַּבַּק בִּסְטַר יְמִינָא, וּלְבָתַר אִתְכְּלִיל דָּא בְּדָא, וְאִתְעֲבִיד כֹּלָּא יְמִינָא. כְּגַוְונָא דָּא אוֹרַיְיתָא, שָׁארֵי מִשְּׂמָאלָא, וְאִתְדַּבַּק בִּימִינָא, וְאִתְכְּלִיל דָּא בְּדָא, וְאִתְעֲבֵיד כֹּלָּא יְמִינָא. רְאוּבֵן שָׁרָא מִימִינָא, וְסָטָא לִשְׂמָאלָא, וְנַטְלוּ עִמֵּיהּ אִינּוּן שְׁאַר שִׁבְטִין, דְּאִינּוּן שְׂמָאלָא, בְּגִין דְּשָׁארֵי מִימִינָא וְסָטָא לִשְׂמָאלָא.

נה. יְהוּדָה שָׁרָא מִשְּׂמָאלָא, וְסָטָא לִימִינָא, שָׁרָא מִשְּׂמָאלָא, בְּגִין דְּאָתֵי מִסְּטַר שְׂמָאלָא, וְאִתְדַּבַּק בִּימִינָא, וּמַשְׁכְּנָא בְּסִטְרָא דָּא אִתְעֲבֵיד. שָׁארֵי מִסְּטַר שְׂמָאלָא, וְאִתְדַּבַּק בִּסְטַר יְמִינָא, וְע"ד, בְּצַלְאֵל אִיהוּ דְּאָתֵי מִסִּטְרֵיהּ, עָבֵד מַשְׁכְּנָא וְאִתְתַּקַּן לְגַבֵּיהּ. וְהָא אוֹקְמוּהָ, דְּקֻבְּ"ה אִתְרְעֵי בֵּיהּ, וּבָרִיר לֵיהּ מִכֹּלָּא לַעֲבִידְתָּא דָּא.

נו. וְיָהַב לֵיהּ חָכְמָה וּתְבוּנָה וָדַעַת, כְּמָה דְּאוֹקְמוּהָ. בְּגִין דְּעִמֵּיהּ הֲוָה בְּקַדְמֵיתָא סָכְלְתָנוּ דְּלִבָּא, דִּכְתִּיב וּבְלֵב כָּל חֲכַם לֵב נָתַתִּי חָכְמָה. בְּגִין דְּקֻבְּ"ה לָא יָהִיב חָכְמְתָא, אֶלָּא לְמַאן דְּאִית בֵּיהּ חָכְמְתָא, וְאוֹקְמוּהָ חַבְרַיָּיא וְאִתְּמַר. וְכֵן כְּגַוְונָא דָּא בְּצַלְאֵל. ר' שִׁמְעוֹן אָמַר, בְּצַלְאֵל שְׁמֵיהּ גָּרִים לֵיהּ, וְעַל חָכְמְתֵיהּ אִקְרֵי הָכִי, וְרָזָא דְּמִלָּה בְּצַלְאֵל, בְּצֵל אֵל.

נז. פָּתַח וְאָמַר, כְּתַפּוּחַ בַּעֲצֵי הַיַּעַר כֵּן דּוֹדִי וְגוֹ'. בְּצִלּוֹ: הַיְינוּ בְּצַלְאֵל, דְּאִיהוּ אַתְקִין מַשְׁכְּנָא, וְעָבֵד לֵיהּ. דִּכְתִּיב חִמַּדְתִּי וְיָשַׁבְתִּי. דְּמַשְׁכְּנָא וְחֶמְדָּא אִיהוּ לְמֵיתַב בֵּיהּ, דְּאִיהוּ עָבֵיד חֶמְדָּא לִכְנֶסֶת יִשְׂרָאֵל, וּכְנֶסֶת יִשְׂרָאֵל יָתְבָא בְּצִלָּא דְּאֵל. וְדָא אִיהוּ בְּצַלְאֵל.

נח. וּפִרְיוֹ מָתוֹק לְחִכִּי, דְּדָא אִיהוּ דְּעָבֵיד פֵּירִין טָבִין בְּעָלְמָא, דִּכְתִּיב מִמֶּנִּי פֶּרְיְךָ נִמְצָא. מַאן הוּא פְּרִי. אִלֵּין אִינּוּן נִשְׁמַתְהוֹן דְּצַדִּיקַיָּיא, דְּאִינּוּן אִיבָּא דְּעוֹבָדוֹי דְּקוּדְשָׁא בְּרִיךְ הוּא. דְּהַהוּא נָהָר דְּנָפִיק מֵעֵדֶן, אִיהוּ אַפִּיק וְזָרִיק נִשְׁמָתִין לְעָלְמָא, וְאִינּוּן פֵּרִין דְּקוּדְשָׁא בְּרִיךְ הוּא, וּבְגִין כָּךְ פִּרְיוֹ. דָּא אִיהוּ כְּדְקָאֲמָרָן.

נט. בְּצִלּוֹ: דָּא הוּא בְּצַלְאֵל. וְעַל דָּא תִּקּוּנָא דְּמַשְׁכְּנָא עַל יְדָא דִּבְצַלְאֵל הֲוָה. וּבְגִין כָּךְ וּבְצַלְאֵל בֶּן אוּרִי בֶּן חוּר. בֶּן אוּרִי, דָּא נְהוֹרָא דְּשִׁמְשָׁא דְּנָפִיק. בֶּן אוּרִי, דָּא יְמִינָא. בֶּן חוּר, דָּא אִיהוּ שְׂמָאלָא. בֶּן אוּרִי בֶּן חוּר, וְעַל דָּא אִשְׁתְּלִים בֵּיהּ דִּינָא דְּקוּדְשָׁא בְּרִיךְ הוּא בְּעוֹבָדָא דְּעֶגְלָא.

ס. כָּל הַזָּהָב הֶעָשׂוּי. מֵהַהִיא שַׁעֲתָא דִּיהָבוּ לֵיהּ יִשְׂרָאֵל, הֲוָה עָשׂוּי וְאִתְתְּקַן מִקַּדְמַת דְּנָא, בְּכָל מְלֶאכֶת הַקֹּדֶשׁ, כָּל הַהוּא דַּהֲבָא, אִתְעָבֵיד וְאִתְתְּקַן בְּכָל מְלֶאכֶת הַקֹּדֶשׁ. מַאי טַעְמָא. בְּגִין דִּבְכָל דַּרְגָּא וְדַרְגָּא, הֲוָה אִתְתְּקַן בֵּיהּ דַּהֲבָא. דְּלֵית שְׁלִימוּ אֶלָּא רַחֲמֵי וְדִינָא, וְעַל דָּא דַּהֲבָא הֲוָה אָזִיל בְּכָל מְלֶאכֶת הַקֹּדֶשׁ, בְּכָל הַהִיא עֲבִידְתָּא דְּאִקְרֵי קֹדֶשׁ, הֲוָה אָזִיל בָּהּ דַּהֲבָא, דַּהֲבָא בְּכֹלָּא.

סא. רִבִּי אַבָּא רִבִּי יוֹסֵי וְרִבִּי חִזְקִיָּה הֲווּ יַתְבִין וְלָעָאן בְּאוֹרַיְיתָא, אָמַר לֵיהּ ר' חִזְקִיָּה לְר' אַבָּא, הָא חֲמֵינָן דְּקוּדְשָׁא בְּרִיךְ הוּא אִתְרְעֵי בְּדִינָא בְּכֹלָּא, לְאִתְעָרְבָא דָּא בְּדָא, וְאִיהוּ אָרִיךְ דִּינָא בְּחַיָּיבֵי עָלְמָא, אִי אִיהוּ אִתְרְעֵי בְּדִינָא, אַמַּאי סָלִיק לֵיהּ מֵחַיָּיבַיָּא. אָמַר לֵיהּ, כַּמָּה טוּרִין אִתְעֲקָרוּ בְּמִלָּה דָּא, אֲבָל כַּמָּה מִלִּין גַּלֵּי בּוּצִינָא קַדִּישָׁא בְּהַאי.

סב. וְתָּא חֲזֵי, דִּינָא דְּקוּדְשָׁא בְּרִיךְ הוּא אִתְרְעֵי בֵּיהּ, אִיהוּ דִּינָא בָּרִיר, אִיהוּ דִּינָא דְּאִתְעַר רְחִימוּ וְחֶדְוָה. אֲבָל חַיָּיבַיָּא כַּד אִינּוּן בְּעָלְמָא, כֻּלְּהוּ דִּינָא דְּזוּהֲמָא. כֻּלְּהוּ דִּינָא דְּלָא אִתְרְעֵי בֵּיהּ קוּדְשָׁא בְּרִיךְ הוּא כְּלָל. וְעַל דָּא, לָא בָּעֵי לְאִתְעָרְבָא דִּינָא קַדִּישָׁא בְּדִינָא מְסָאֳבָא דְּזוּהֲמָא, עַד דְּאִיהוּ אִשְׁתְּצֵי מִגַּרְמֵיהּ, וּלְאוֹבָדָא לֵיהּ מִן עָלְמָא דְּאָתֵי, וְהַהוּא דִּינָא דְּזוּהֲמָא דְּבֵיהּ אִיהוּ אוֹבִיד לֵיהּ מֵעָלְמָא.

סג. פָּתַח וְאָמַר בִּפְרֹחַ רְשָׁעִים כְּמוֹ עֵשֶׂב וַיָּצִיצוּ כָּל פּוֹעֲלֵי אָוֶן לְהִשָּׁמְדָם עֲדֵי עַד, הַאי קְרָא אוּקְמוּהָ, אֲבָל תָּא חֲזֵי, בִּפְרֹחַ רְשָׁעִים כְּמוֹ עֵשֶׂב. כְּהַאי עִשְׂבָּא דְּאִיהוּ בִּיבִישׁוּ דְּאַרְעָא, וְאִיהוּ יְבִישָׁא, כַּד שָׁרָאן בֵּיהּ מַיָּא אַפְרִיחַ, וְהַהוּא יְבִישׁוּ אִתְפְּרַח. וּכְהַאי אִילָנָא קְצִיצָא דְּנָצִיץ, וְלָא סָלִיק אֶלָּא אִינּוּן פֵּארוֹת, לִסְטַר דָּא וְלִסְטַר דָּא, דְּאִינּוּן עַנְפִּין דְּסַלְקִין, וּלְעָלְמִין לָא סָלִיק אִילָנָא, כַּד הֲוָה בְּקַדְמֵיתָא לְמֶהֱוֵי אִילָנָא. וְכָל דָּא, לְהִשָּׁמְדָם עֲדֵי עַד, לְאַעֲקְרָא לוֹן מִשָּׁרְשִׁין וּמִכֹּלָּא.

סד. תּוּ רָזָא אָחֳרָא אִית בְּהַאי, עַד דְּקוּדְשָׁא בְּרִיךְ הוּא אָרִיךְ רוּגְזֵיהּ בְּחַיָּיבַיָּא בְּהַאי עָלְמָא, בְּגִין דְּהַאי עָלְמָא, אִיהוּ חוּלָקָא דְּסִטְרָא אָחֳרָא. וְעָלְמָא דְּאָתֵי אִיהוּ סִטְרָא דִּקְדוּשָׁה. וְאִיהוּ חוּלָקָא דְּצַדִּיקַיָּיא, לְמֶהֱוֵי צַדִּיקַיָּיא אִינּוּן בְּעִטְרָא דִּיקָרָא דְּמָארֵיהוֹן בֵּיהּ. וּתְרֵין סִטְרִין אִלֵּין, קַיְימִין דָּא לָקֳבֵל דָּא. דָּא סִטְרָא דִּקְדוּשָׁה. וְדָא סִטְרָא אָחֳרָא דִּמְסָאֲבָא. דָּא קַיְּימָא לְצַדִּיקַיָּיא, וְדָא קַיְּימָא לְרַשִּׁיעַיָּיא, וְכֹלָּא דָּא לָקֳבֵל דָּא. זַכָּאִין אִינּוּן

צַדִּיקַיָּיא, דְּלֵית לוֹן חוּלָקָא בְּהַאי עָלְמָא, אֶלָּא בְּעָלְמָא דְּאָתֵי.

סה. ת"ח כֹּלָּא אִתְתָּקַּן וְאִתְגְּלֵי קַמֵּי קֻבְּ"ה. וְאע"ג דְּבָלָק וּבִלְעָם לָא אִתְכַּוְּונוּ לְגַבֵּי קֻבְּ"ה, כֹּלָּא אִיהוּ מִתְתַּקַּן קַמֵּיהּ, וְלָא גָּרַע מֵאֲגַר דִּלְהוֹן כְּלוּם בְּהַאי עָלְמָא. בְּהַהוּא זִמְנָא שְׁלִיטוּ עַל יִשְׂרָאֵל, דְּגָרַם הַהוּא קוּרְבָּנָא, לְאִסְתַּלְּקָא מִיִּשְׂרָאֵל אַרְבָּעָה וְעֶשְׂרִין אַלְפִין, בַּר כָּל אִינּוּן דְּאִתְקְטָלוּ, דִּכְתִיב הִרְגוּ אִישׁ אֲנָשָׁיו הַנִּצְמָדִים לְבַעַל פְּעוֹר, וּכְתִיב קַח אֶת כָּל רָאשֵׁי הָעָם וְהוֹקַע אוֹתָם לַיְיָ. וְעַד כְּעַן הַהוּא קָרְבָּנָא הֲוָה תָּלֵי לְאִתְפָּרְעָא מִנַּהוֹן דְּיִשְׂרָאֵל. שִׁבְעָה מַדְבְּחָן כְּחוּשְׁבַּן אַרְבְּעִין וּתְרֵין.

סו. רַבִּי שִׁמְעוֹן אָמַר, תָּא חֲזֵי, אִינּוּן אַרְבְּעִין וּתְרֵין קָרְבָּנִין עָבְדוּ בִּלְעָם וּבָלָק, וְנַטְלוּ לוֹן מֵהַהוּא סִטְרָא אַחֲרָא לְגַבֵּי קֻבְּ"ה, וְע"ד הֲוָה תָּלֵי הַהוּא קָרְבְּנָא, לְנַטְלָא לֵיהּ הַהוּא סִטְרָא אַחֲרָא דְּאִקְרֵי קְלָלָה מִיִּשְׂרָאֵל, וְעַד הַשְׁתָּא לָא גָּבָה מִנַּיְיהוּ. וְדָא אִיהוּ רָזָא וַיִּפֶן אַחֲרָיו וַיִּרְאֵם. וַיִּפֶן אַחֲרָיו, אֲחוֹרֵי שְׁכִינְתָּא, דְּקַיְּימָא סִטְרָא אַחֲרָא לַאֲחוֹרָא. וַיִּרְאֵם. אִסְתָּכַּל בְּהוּ הַהוּא סִטְרָא אַחֲרָא, וְחָמָא לוֹן דְּאִתְחָזוּן לְאִתְעַנְשָׁא, וְעַל דָּא וַיְקַלְלֵם בְּשֵׁם יְיָ. בְּשֵׁם יְיָ לְאַפָּקָא הַהוּא שֵׁם יְיָ מֵחוֹבָא דָא. מֵהַהוּא חוֹבָא דְּהַהוּא קָרְבַּן דְּאַקְרִיב הַהוּא סִטְרָא לְגַבֵּיהּ. וְכֹלָּא אִיהוּ מִתְתַּקַּן קַמֵּיהּ דְּקֻבְּ"ה, וְלָא אִתְאֲבִיד מִלָּה. כְּגַוְונָא דָא, כֹּלָּא אִתְתָּקַּן קַמֵּיהּ דְּקֻבְּ"ה, הֵן לְטָב הֵן לְבִישׁ.

סז. ת"ח, דָּוִד אִיהוּ הֲוָה דְּעָרַק קַמֵּיהּ דְּשָׁאוּל. וְעַל דָּא גָּרִים, דְּאִתְאֲבִידוּ כָּל אִינּוּן כַּהֲנֵי דְּנוֹב, וְלָא אִשְׁתְּאַר מִכֻּלְּהוּ בַּר אֶבְיָתָר בִּלְחוֹדוֹי דְּעָרַק. וְדָא גָּרִים כַּמָּה בִּישִׁין בְּיִשְׂרָאֵל, וּמִית שָׁאוּל וּבְנוֹי, וְנָפְלוּ מִיִּשְׂרָאֵל כַּמָּה אַלְפִין וְרִבְבָן. וְעַכ"ד, הַהוּא חוֹבָה הֲוָה תָּלֵי עַל דָּוִד לְגַבּוֹת מִנֵּיהּ, עַד דְּכָל בְּנוֹי דְּדָוִד אִתְאֲבִידוּ בְּיוֹמָא חַד, וְלָא אִשְׁתְּאַר מִנַּיְיהוּ אֶלָּא יוֹאָשׁ בִּלְחוֹדוֹי, דְּאִתְגְּנִיב. כְּגַוְונָא דְּלָא אִשְׁתְּאַר מֵאֲחִימֶלֶךְ בַּר אֶבְיָתָר בִּלְחוֹדוֹי. וְעַד כְּעַן הַהוּא חוֹבָא הֲוָה תָּלֵי, לְמֶעְבַּד דִּינָא עַל נוֹב, עַל הַהוּא חוֹבָה דְּנוֹב, דִּכְתִיב עוֹד הַיּוֹם בְּנוֹב לַעֲמוֹד וְאוּקְמוּהָ.

סח. כְּגַוְונָא דָא, כָּל הַזָּהָב הֶעָשׂוּי לַמְּלָאכָה. מַאי הֶעָשׂוּי. הָכָא אִסְתָּכַּל קֻבְּ"ה, כַּד יָהֲבוּ יִשְׂרָאֵל דַּהֲבָא לְעֶגְלָא, וְקֻבְּ"ה אַקְדִּים לוֹן דַּהֲבָא דָא לְאַסְוָותָא, דְּהַאי דַּהֲבָא דְּמַשְׁכְּנָא אַקְדִּים לוֹן, לְהַהוּא דַּהֲבָא דְּיָהֲבוּ לְעֶגְלָא, דְּכָל דַּהֲבָא דַּהֲוָה עִמְּהוֹן, וְאִשְׁתְּכַח עִמְּהוֹן, יָהֲבוּ לְאֲרָמַת מַשְׁכְּנָא. ס"ד, דְּכַד עָבְדוּ יַת עֶגְלָא אִשְׁתְּכַח עִמְּהוֹן דַּהֲבָא, וְאִינּוּן פְּרִיקוּ אוּדְנַיְיהוּ לְנַטְלָא הַהוּא דַּהֲבָא, דִּכְתִיב וַיִּתְפָּרְקוּ כָּל הָעָם אֶת נִזְמֵי הַזָּהָב אֲשֶׁר בְּאָזְנֵיהֶם. וְע"ד אַקְדִּים דַּהֲבָא דְּאֲרָמוּתָא. לְכַפְּרָא עַל עוֹבָדָא דָא.

סט. וּבְצַלְאֵל בֶּן אוּרִי בֶּן חוּר לְמַטֵּה יְהוּדָה, מִסִּטְרָא דְּמַלְכוּתָא עָשָׂה אֶת כָּל אֲשֶׁר צִוָּה יְיָ אֶת מֹשֶׁה. דְּהָא כָּל אוּמָנוּתָא דְּמַשְׁכְּנָא אִתְתַּקְנַת בְּהוּ, וְעַל יְדַיְיהוּ. בְּצַלְאֵל אִיהוּ עָבֵיד אוּמָנוּתָא, וּמֹשֶׁה אִיהוּ אַתְקִין כֹּלָּא לְבָתַר. מֹשֶׁה וּבְצַלְאֵל כַּחֲדָא הֲווֹ, מֹשֶׁה לְעֵילָא, בְּצַלְאֵל תְּחוֹתֵיהּ, סִיּוּמָא דְּגוּפָא כְּגוּפָא. בְּצַלְאֵל וְאָהֳלִיאָב, הָא אוּקְמוּהָ, דָּא יְמִינָא, וְדָא שְׂמָאלָא, וְכֹלָּא חַד. וּבְגִ"כ, וּבְצַלְאֵל בֶּן אוּרִי בֶּן חוּר לְמַטֵּה יְהוּדָה וְגוֹ', וְאִתּוֹ אָהֳלִיאָב בֶּן אֲחִיסָמָךְ לְמַטֵּה דָן וְגוֹ'.

ע. כָּל הַזָּהָב הֶעָשׂוּי לַמְּלָאכָה בְּכֹל מְלֶאכֶת הַקֹּדֶשׁ וְגוֹ'. ר' יוֹסֵי פָּתַח קְרָא בֶּאֱלִישָׁע, דִּכְתִיב וַיַּעַל מִשָּׁם בֵּית אֵל וְהוּא עוֹלֶה בַּדֶּרֶךְ וְגוֹמֵר. וּנְעָרִים קְטַנִּים. הָא אוּקְמוּהָ, מְנוּעָרִים הֲווֹ מִכָּל מִלֵּי אוֹרַיְיתָא וּמִכָּל פִּקּוּדֵי אוֹרַיְיתָא. קְטַנִּים זְעִירֵי מְהֵימְנוּתָא, וְאִתְחַיָּיבוּ בְּחוֹבָא דְּהַאי עָלְמָא, וּבְחוֹבָא דְּעָלְמָא דְּאָתֵי. יָצְאוּ מִן הָעִיר, נָפְקוּ מֵרָזָא

דמהימנותא. כתיב הכא יצאו מן העיר, וכתיב התם ולא אבא בעיר.

עא. ויפן אחריו ויראם, ויפן אחריו, דאסתכל לאחורא, אי יהדרון בתיובתא, ואם לאו. ויראם, מאי ויראם. אסתכל בהו, דהא לית זרעא מתתקנא זמין לנפקא מנייהו, ואוקמוה. ויראם, הא אוקמוה, דאתעבידו בליליא דכפורי. מיד ויקללם בשם יי'.

עב. ורזא איהו בהאי קרא, ויפן אחריו, אסתכל בהו, אי יתענש עלייהו, ואתפני מהאי. כד"א, ויפן אהרן, דאתפני מצרעתיה. אוף הכא אתפני מעונשא דלהון. ויראם, דהוו קיימין לבתר למעבד כמה בישין בישראל.

עג. ויפן אחריו, כד"א ותבט אשתו מאחריו. מאי מאחריו. מאחורי שכינתא. אוף הכא ויפן אחריו, אסתכל מאחורי שכינתא. וחמא לכלהו, דהא בההוא ליליא דשלטא על כפרה דחוביהון דישראל, אתעברו אמהון מנייהו, מיד ויקללם בשם יי'. ותצאנה שתים דובים מן היער. שתים דובים, שנים דובים מבעי ליה, מאי שתים דובים. נוקבין הוו, ובנייהו. ותבקענה מהם ארבעים ושנים ילדים, הא אוקמוה לקבל קרבנין דבלק.

עד. ויהי זהב התנופה, אמאי אקרי זהב התנופה, ולא אקרי הכי כסף התנופה. אלא, תרין אינון דאקרון הכי. זהב התנופה, ונחשת התנופה. ולא אקרי הכי כסף התנופה, אלא אלין אקרון הכי, בגין דאיהו אסתלקותא לעילא, דהא אית הכי לתתא. ולאו איהו זהב דארמותא. ובכל אתר תנופה איהו ארמותא לעילא ולא לנחתא לתתא.

עה. ואיהו רזא דחושבנא דא, דכל אלין דרגין ורתיכין כלהו, קיימי בארמותא, ואיהו דהב ארמותא, ודא איהו דהבא. דכל מה דמתפשטא לתתא, אסתים זיוו וטיבו ונהירו דיליה, וכד איהו בארמותא, כדין איהו דהב טב ברזא דנהירו דיליה. וכל ההוא דלתתא, סוספיתא דדהבא, ואיהו התוכא דיליה.עו. וכסף פקודי העדה, בגין דהאי, איהו כל מה דאתפשט לתתא הכי הוא טב, ואף ע"ג דלאו איהו בהאי ארמותא, כלא הוא לטב. אבל דהבא, כל מה דאתפשט לתתא, כלא הוא לביש. דא, אתפשט לטב. ודא אתפשט לביש. ובגין כך, דא אצטריך לארמא ארמותא, ולאסתלקא לעילא. ודא, אצטריך לאתפשטא לתתא, ולכל סטרין, בגין דכלהו קאים לטב.

עז. פתח ואמר כי שמש ומגן יי' וגו'. כי שמש, דא קודשא בריך הוא. ומגן, דא קודשא ב"ה. שמש: דא הוא רזא דשמא קדישא ידו"ד, דהכא קיימין כל דרגין לנייחא. ומגן: דא איהו רזא דשמא קדישא דאקרי אלהים. ורזא דא דכתיב, אנכי מגן לך. ושמש ומגן דא איהו רזא דשמא שלים. חן וכבוד יתן יי', למהוי כלא רזא חדא.

עח. לא ימנע טוב להולכים בתמים, רזא דא דכתיב וימנע מרשעים אורם. ודא איהו נהורא קדמאה, דכתיב ביה וירא אלהים את האור כי טוב, דגניז וסתים ליה קודשא בריך הוא, כמה דאוקמוה, ומן חייביא גניז ליה, ומנע ליה בהאי עלמא, ובעלמא דאתי. אבל לצדיקייא מה כתיב, לא ימנע טוב להולכים בתמים. דא אור קדמאה דכתיב ביה וירא אלהים את האור כי טוב.

עט. וע"ד, לא אצטריך דא לאסתלקא ולארמא ליה, אלא לאתפשטא ולאתגלאה, ולא לאסתלקא כההוא אחרא, דאיהו שמאלא, וע"ד אקרי ההוא תנופה, ולאו האי. ובג"כ וכסף פקודי העדה מאת ככר וגו'.

פ. ת"ח, סִטְרָא דִּימִינָא, אִיהוּ תָּדִיר קַיְּימָא לְקַיְּימָא בְּכָל עָלְמָא, וּלְאַנְהָרָא וּלְבָרְכָא לֵיהּ. וּבְגִ"כ, כַּהֲנָא דְּאִיהוּ מִסִּטְרָא דִּימִינָא, אִזְדַּמַּן תָּדִיר לְבָרְכָא עַמָּא, דְּהָא מִסִּטְרָא דִּימִינָא, אַתְיָין כָּל בִּרְכָאן דְּעָלְמָא, וְכַהֲנָא נָטִיל בְּרֵישָׁא, וְעַל דָּא אִתְמְנָא אִיהוּ לְבָרְכָא לְעֵילָּא וְלְתַתָּא.

פא. תָּא וַחֲזֵי, בְּשַׁעֲתָא דְּכַהֲנָא פָּרִישׂ יְדוֹי לְבָרְכָא עַמָּא, כְּדֵין שְׁכִינְתָּא אַתְיָא וְשַׁרְיָא עֲלוֹהִי, וְאַמְלֵי יְדוֹי, יְדָא דִּימִינָא זַקְפָא לְעֵילָּא עַל יְדָא דִּשְׂמָאלָא, בְּגִין לְסַלְּקָא יְמִינָא, וּלְאִתְגַּבְּרָא עַל שְׂמָאלָא. וּכְדֵין כֻּלְּהוּ דַּרְגִּין דְּקָא פָּרִישׂ בְּהוּ יְדוֹי, כֻּלְּהוּ אִתְבָּרְכָאן מִמְּקוֹרָא דְּכֹלָּא. מְקוֹרָא דְּבֵירָא מַאן אִיהוּ. דָּא צַדִּיק. מְקוֹרָא דְּכֹלָּא, דָּא אִיהוּ עָלְמָא דְּאָתֵי, דְּאִיהוּ מְקוֹרָא עִלָּאָה דְּכָל אַנְפִּין נְהִירִין מִתַּמָּן, דְּהָא אִיהוּ מַבּוּעָא וּמְקוֹרָא דְּכֹלָּא. וְכָל בּוּצִינִין וּנְהוֹרִין, מִתַּמָּן אִתְדְּלִיקוּ.

פב. כְּגַוְונָא דָּא, מְקוֹרָא וּמַבּוּעָא דְּבֵירָא, כָּל אִינּוּן בּוּצִינִין דִּלְתַתָּא, כֻּלְּהוּ אִתְנְהֲרִין וְאִתְמַלְיָין נְהוֹרִין מִנֵּיהּ. וְדָא קַיְּימָא לְקַבֵּל דָּא. וּבְגִ"כ, בְּשַׁעֲתָא דְּכַהֲנָא פָּרִישׂ יְדוֹי, וְשָׁארֵי לְבָרְכָא עַמָּא. כְּדֵין שָׁרָאן בִּרְכָאן עִלָּאִין, מִמְּקוֹרָא עִלָּאָה, לְאַדְלְקָא בּוּצִינִין, וְנַהֲרִין כָּל אַנְפִּין. וּכְנֶסֶת יִשְׂרָאֵל אִתְעַטְּרַת בְּעִטְרִין עִלָּאִין. וְכָל אִינּוּן בִּרְכָאן נַגְּדִין וְאִתְמַשְׁכָן מֵעֵילָּא לְתַתָּא.

פג. תָּא וַחֲזֵי, מֹשֶׁה פָּקִיד, וּבְצַלְאֵל עָבִיד, לְמֶהֱוֵי כֹּלָּא בְּרָזָא דְּגוּפָא, וְסִיּוּמָא דְּגוּפָא דְּאִיהוּ אֶת קַיָּימָא קַדִּישָׁא, לְאַסְגָּאָה רְוִיחוּ וְקִשּׁוּרָא דְּיִחוּדָא בְּמַשְׁכְּנָא. וְכֹלָּא בְּרָזָא דִּימִינָא קָא אִתְעֲבֵיד. וְעַל דָּא, בְּכָל אֲתַר דְּסִטְרָא דִּימִינָא אִשְׁתְּכַח, עֵינָא בִּישָׁא לָא שַׁלְטָא בֵּיהּ. וּבְגִ"כ, וְכֶסֶף פְּקוּדֵי הָעֵדָה. וּבְגִין דְּהַהוּא כֶּסֶף מִסִּטְרָא דִּימִינָא קָא אַתְיָא. וְעַל דָּא אִתְמְנָא כֹּלָּא בְּמִנְיָינָא.

פד. רִבִּי יִצְחָק שָׁאִיל לְרִ"שׁ, א"ל, הָא אוֹקְמוּהָ דְּבִרְכְתָא לָא שַׁרְיָא בְּמִלָּה דְּקָאִים בְּמְדִידוּ, וּבְמִלָּה דְּקָאִים בְּחוּשְׁבְּנָא, הָכָא בְּמַשְׁכְּנָא אַמַּאי הֲוָה כֹּלָּא בְּחוּשְׁבְּנָא. אָמַר לֵיהּ הָא אִתְמַר, אֲבָל בְּכָל אֲתַר דְּסִטְרָא דִּקְדוּשָׁה שַׁרְיָא עֲלֵיהּ, אִי הַהוּא חוּשְׁבְּנָא אַתְיָא מִסִּטְרָא דִּקְדוּשָׁה, בִּרְכְתָא שַׁרְיָא עֲלֵיהּ תָּדִיר, וְלָא אִתְעֲדֵי מִנֵּיהּ. מְנָלָן. מִמַּעֲשֵׂר. בְּגִין דְּאַתְיָא חוּשְׁבְּנָא לְקַדְשָׁא. בִּרְכְתָא אִשְׁתְּכַחַת בֵּיהּ. כָּל שֶׁכֵּן מַשְׁכְּנָא דְּאִיהוּ קֹדֶשׁ, וְאַתְיָא מִסִּטְרָא דְּקֹדֶשׁ.

פה. אֲבָל כָּל שְׁאָר מִלֵּי דְּעָלְמָא, דְּלָא אַתְיָין מִסִּטְרָא דִּקְדוּשָׁה, בִּרְכְתָא לָא שַׁרְיָא עֲלַיְיהוּ, כַּד אִינּוּן בְּחוּשְׁבְּנָא. בְּגִין דְּסִטְרָא אַחֲרָא, דְּאִיהוּ רַע עַיִן, יָכִיל לְשַׁלְטָאָה עֲלֵיהּ. וְכֵיוָן דְּיָכִיל לְשַׁלְטָאָה עֲלֵיהּ, בִּרְכְתָא לָא אִשְׁתְּכַחַת בֵּיהּ, בְּגִין דְּלָא יִמְטוּ בִּרְכָאן לְהַהוּא רַע עַיִן.

פו. וּמְדִידוּ דִּקְדוּשָׁה, וְחוּשְׁבְּנָא דִּקְדוּשָׁה, תָּדִיר בִּרְכָאן אִתּוֹסְפָאן בֵּיהּ. וְעַ"ד, וְכֶסֶף פְּקוּדֵי הָעֵדָה. פְּקוּדֵי הָעֵדָה בְּקוּשְׁטָא וַדַּאי, וְלָא דְּחִילוּ מֵעֵינָא בִּישָׁא, וְלָא דְּחִילוּ מִכָּל חוּשְׁבְּנָא דָּא, דְּהָא בְּכֹלָּא שָׁרָאן בִּרְכָאן מִלְּעֵילָּא.

פז. וְתָא וַחֲזֵי, בְּזַרְעָא דְּיוֹסֵף לָא שַׁלְטָא בֵּיהּ עֵינָא בִּישָׁא, בְּגִין דְּאָתֵי מִסִּטְרָא דִּימִינָא, וְעַל דָּא אִתְעֲבֵיד מַשְׁכְּנָא עַל יְדָא דִּבְצַלְאֵל, דְּהָא אִיהוּ בְּרָזָא דְּיוֹסֵף קָא שַׁרְיָא, דְּאִיהוּ רָזָא דִּבְרִית קַדִּישָׁא. וְעַ"ד, מֹשֶׁה פָּקִיד, וּבְצַלְאֵל עָבִיד, לְמֶהֱוֵי כֹּלָּא בְּרָזָא דְּגוּפָא, וְסִיּוּמָא דְּגוּפָא, דְּאִיהוּ אֶת קַיָּימָא קַדִּישָׁא, לְאַסְגָּאָה רְוִיחוּ וְקִשּׁוּרָא דְּיִחוּדָא בְּמַשְׁכְּנָא, וְכֹלָּא בְּרָזָא דִּימִינָא קָא אִתְעֲבֵיד, וּבְגִין כַּךְ וְכֶסֶף פְּקוּדֵי הָעֵדָה,

וְהַהוּא חוּשְׁבָּנָא, אִיהוּ חוּשְׁבָּן דַּרְגִּין רַבְרְבִין מִמְּנַן, דְּאִתְאַחֲדָן מִסִּטְרָא דִּימִינָא. וְעַל דָּא כְּתִיב מֵאֵת כִּכַּר וְגוֹ'.

פו. רִבִּי אַבָּא, וְר' אַחָא, וְרִבִּי יוֹסֵי, הֲווֹ אַזְלֵי מִטְּבֶרְיָה לְצִפּוֹרִי, עַד דַּהֲווֹ אָזְלֵי, חָמוּ לֵיהּ לְרִבִּי אֶלְעָזָר דַּהֲוָה אָתֵי, וְרִבִּי חִיָּיא עִמֵּיהּ. אָמַר רִבִּי אַבָּא, וַדַּאי נִשְׁתַּתַּף בַּהֲדֵי שְׁכִינְתָּא. אוֹרִיכוּ לְהוֹ, עַד דִּמְטוֹ לְגַבַּיְיהוּ. כֵּיוָן דִּמְטוֹ גַּבַּיְיהוּ, אָמַר רִבִּי אֶלְעָזָר, כְּתִיב עֵינֵי יְיָ' אֶל צַדִּיקִים וְאָזְנָיו אֶל שַׁוְעָתָם. הַאי קְרָא קַשְׁיָא, מַאי עֵינֵי יְיָ' אֶל צַדִּיקִים. אִי בְּגִין דְּאִשְׁתְּגַחוּתָא דְּקֻבָּ"ה עֲלַיְיהוּ לְאוֹטָבָא לוֹן בְּהַאי עָלְמָא, הָא וַחֲמֵינָן, כַּמָה זַכָּאִין אִינּוּן בְּהַאי עָלְמָא, וַאֲפִילוּ מְזוֹנָא כְּעוֹרְבֵי בָּרָא לוֹן יַכְלִין לְאַדְבְּקָא, אִי הָכִי מַאי עֵינֵי יְיָ' אֶל צַדִּיקִים.

פט. אֶלָּא רָזָא הָכָא, תָּא חֲזֵי, כָּל אִינּוּן בְּרִיִין דְּעָלְמָא, כֻּלְּהוּ אִשְׁתְּמוֹדְעָאן לְעֵילָּא, בֵּין לְסִטְרָא דָּא, וּבֵין לְסִטְרָא דָּא. אִינּוּן דִּלְסִטְרָא דִּקְדוּשָׁה, אִשְׁתְּמוֹדְעָאן לְעֵילָּא לְגַבֵּיהּ, וְאַשְׁגְּחוּתָא דִּילֵיהּ תָּדִיר עֲלַיְיהוּ. וְאִינּוּן דִּלְסִטְרָא מְסָאֲבָא, אִשְׁתְּמוֹדְעָאן לְגַבֵּיהּ, וְאַשְׁגְּחוּתָא דִּילֵיהּ תָּדִיר עֲלַיְיהוּ. וּבְאַתְר דְּשָׁלְטָא הַהִיא אַשְׁגְּחוּתָא דְּסִטְרָא דִּקְדוּשָׁה, לָא אַשְׁגַּח עֲלֵיהּ סִטְרָא אַחֲרָא, וְלָא יִקְרַב לְגַבֵּיהּ לְעָלְמִין, וְלָא יָכִיל לְדַוְיָיא לֵיהּ מֵאַתְרֵיהּ, בְּכֹלָּא בְּכֹל מַה דְּאִיהוּ עָבֵד. וְעַל דָּא, עֵינֵי יְיָ' אֶל צַדִּיקִים וְגוֹ', בְּגִין דָּא סִטְרָא אַחֲרָא לָא יָכִיל לְשַׁלְטָאָה עֲלֵיהּ. וְהַשְׁתָּא סַיַּיעְתָּא דִּשְׁמַיָּא הָכָא, וְכָל אַשְׁגְּחוּתָא טָבָא דִּלְעֵילָּא הָכָא, וְכָל סִטְרָא אַחֲרָא, וְכָל מִלָּה בִּישָׁא, לָא יָכִיל לְשַׁלְטָאָה עֲלַיְיכוּ.

צ. אָמַר רִבִּי אַבָּא, הָא אוֹלִיפְנָא דִּבְכָל אֲתַר דְּסִטְרָא דִּקְדוּשָׁה שַׁרְיָא עֲלוֹי, אַע"ג דְּקַיְימָא בְּחוּשְׁבָּנָא, בִּרְכְתָא לָא אִתְמְנַע מִתַּמָּן. אָמַר רִבִּי אֶלְעָזָר, וַדַּאי הָכִי הוּא. אָמַר לֵיהּ, הָא יִשְׂרָאֵל אִינּוּן קֹדֶשׁ, וְאַתְיָין מִסִּטְרָא דִּקְדוּשָׁה, דִּכְתִיב קֹדֶשׁ יִשְׂרָאֵל לַיְיָ', וּכְתִיב וִהְיִיתֶם קְדוֹשִׁים כִּי קָדוֹשׁ אָנִי, אֲמַאי כַּד עָבַד דָּוִד חוּשְׁבָּנָא לְיִשְׂרָאֵל, הֲוָה בְּהוֹן מוֹתָנָא, דִּכְתִיב וַיִּתֵּן יְיָ' דֶּבֶר בְּיִשְׂרָאֵל מִן הַבֹּקֶר וְעַד עֵת מוֹעֵד.

צא. אָמַר לֵיהּ, בְּגִין דְּלָא נָטַל מִנַּיְיהוּ שְׁקָלִים, דְּאִיהוּ פּוּרְקָנָא. דִּכְתִיב וְנָתְנוּ אִישׁ כֹּפֶר נַפְשׁוֹ לַיְיָ' בִּפְקֹד אוֹתָם וְלֹא יִהְיֶה בָהֶם נֶגֶף בִּפְקֹד אוֹתָם. בְּגִין דְּאִצְטְרִיךְ קָדְשָׁא, לְמֵיהַב פּוּרְקָנָא דִּקְדֻשָׁה, וְהַהִיא פּוּרְקָנָא דִּקְדֻשָׁה לָא אִתְנְטִיל מִנַּיְיהוּ. ת"ח, יִשְׂרָאֵל אִיהוּ קֹדֶשׁ, דְּקַיְימָא בְּלָא חוּשְׁבָּנָא, וְעַל דָּא אִצְטְרִיךְ פּוּרְקָנָא דְּיִתְנְטִיל מִנַּיְיהוּ, וְהַהוּא פּוּרְקָנָא קַיְימָא בְּחוּשְׁבָּנָא, וְאִינּוּן לָא קַיְימוּ בְּחוּשְׁבָּנָא.

צב. מ"ט. בְּגִין דִּקְדֻשָׁה אִיהוּ רָזָא עִלָּאָה דְּכָל דַּרְגִּין, מַה הַהוּא קֹדֶשׁ קֹדֶשׁ אִיהוּ סָלִיק עַל כֹּלָּא, וְאִית לֵיהּ לְבַר קֹדֶשׁ אַחֲרָא לְתַתָּא דְּקַיְימָא תְּחוֹתֵיהּ, וְקָאִים בְּחוּשְׁבָּנָא וּבְמִנְיָינִין. אוּף הָכִי יִשְׂרָאֵל אִינּוּן קֹדֶשׁ, דִּכְתִיב קֹדֶשׁ יִשְׂרָאֵל לַיְיָ', וְאִינּוּן יַהֲבֵי קֹדֶשׁ אַחֲרָא, פּוּרְקָן דִּלְהוֹן, דְּקַיְימֵי בְּחוּשְׁבָּנָא, וְרָזָא דָּא, יִשְׂרָאֵל אִינּוּן אִילָנָא דְּקַיְימָא לְגוֹ, פּוּרְקָנָא אַחֲרָא קַיְימָא לְבַר, וְסָלִיק לְחוּשְׁבָּנָא, וְאִינּוּן דָּא עַל דָּא. אֲזְלוּ.

צג. פָּתַח רִבִּי אֶלְעָזָר וְאָמַר, וְהָיָה מִסְפַּר בְּנֵי יִשְׂרָאֵל כְּחוֹל הַיָּם אֲשֶׁר לֹא יִמַּד וְלֹא יִסָּפֵר וְגוֹ'. מַהוּ כְּחוֹל הַיָּם. וְדָא כְּחוֹל הַיָּם הָכָא. תְּרֵין גַּוְונִין אִינּוּן הָכָא. וְדָא כְּחוֹל דְּיַמָּא כַּד סַלְקִין גַּלֵּי בְּזַעְפָּא וְרוּגְזָא, וְאִינּוּן גַּלִּין סַלְקָאן לְשַׁטְפָא עָלְמָא, כַּד מָטָאן וְחַזְיָין וְחוֹלָא דְּיַמָּא, מִיָּד אִתְבְּרוּ וְתַבִין לַאֲחוֹרָא, וְאִשְׁתְּכַכֵּי, וְלָא יַכְלִין לְשַׁלְטָאָה וּלְשַׁטְפָא עָלְמָא.

צד. כְּגַוְונָא דָּא, יִשְׂרָאֵל אִינּוּן חוֹלָא דְּיַמָּא, וְכַד שְׁאַר עַמִּין דְּאִינּוּן גַּלֵּי יַמָּא, מָארֵי דְּרוּגְזָא, מָארֵי דְּדִינִין קַשְׁיָן, בָּעָאן לְשַׁלְטָאָה וּלְשַׁטְפָא עָלְמָא, וְחָמָאן לְהוֹ לְיִשְׂרָאֵל

דאינון מתקשראן בקב"ה, ותבין ואתחברו קמייהו, ולא יכלין לשלטאה בעלמא. גוונא אחרא, בגין דחולא דימא לית ליה חושבנא, ולא קיימא בחושבנא, ולא במדידו, דכתיב אשר לא ימד ולא יספר, אוף הכי ישראל לית להו חושבנא, ולא קיימין בחושבנא.

צה. תא חזי, אית מדידו טמיר וגניז, ואית חושבן דקיימא בגניזו טמיר וגניז, והאי קיימא במדידו, והאי קיימא בחושבן. ודא איהו רזא וקיומא דכלא דלעילא ותתא, בגין דההוא מדידו לא אתיידע לעלמין, על מה קיימא רזא דההוא מדידו. ועל מה קיימא רזא דההוא חושבנא, ודא איהו רזא דמהימנותא דכלא.

צו. וישראל לתתא לא קיימין בחושבנא, אלא סטרא דמלה אחרא, ופורקנא איהו דקיימא בחושבנא. ובגין כך ישראל כד עאלין בחושבנא נטלי מנייהו פורקנא כמה דאתמר. ועל דא ביומוי דדוד, כד עבד חושבנא בישראל, ולא נטיל מנהון פורקנא, הוה רוגזא, ואתאבידו מישראל כמה חיילין וכמה משריין.

צז. ובג"כ כתיב בעובדא דמשכנא, וכסף פקודי העדה וגו', וכל העובר על הפקדים. וכלא אתקדש לעבידת משכנא, והא אוקמוה ככרין חושבנא חדא. שקלים חושבנא חדא. בגין דאית עלאין דסלקן לחושבנא עלאה, ואית אחרנין דסלקן לחושבנא אחרא. דא עלאה ודא תתאה. ובגין כך כתיב ויהי מאת ככר הכסף לצקת את אדני הקדש וגו'. אלין אדנים הא אוקמוה.

צח. תו פתח ואמר, שיר המעלות לשלמה אם יי' לא יבנה בית וגו', האי קרא שלמה מלכא א"ל, בשעתא דהוה בני בי מקדשא ושארי למבני, והוה חמי דעובדא אתתקנת בידייהו, והוה מתבני מגרמיה, כדין שארי ואמר אם יי' לא יבנה בית וגו', היינו רזא דכתיב בראשית ברא אלהים, דהא קודשא ב"ה, ברא ואתקין להאי עלמא, בכל מה דאצטריך, דאיהו בית.

צט. שוא עמלו בוניו בו, אלין רזא דאינון נהרין, דנפקין ועאלין כלהו בגו האי בית, לאתקנא ליה בכל מה דאצטריך. ואע"ג דכלהו קא אתיין לאתקנא למעבד תקונייה, ודאי אם יי', דאיהו רזא דעלמא עלאה, דאתקין ועביד ביתא כדקא יאות, אינון בונין למגנא אינון, אלא מה דאיהו עביד ואתקין. אם יי' לא ישמר עיר, כמה דכתיב תמיד עיני יי' אלהיך בה מרשית השנה ועד אחרית שנה ואוקמוה. ובאשגחותא דא, איהי נטירא בכל סטרין.

ק. ואף ע"ג דכתיב הנה מטתו שלשלמה ששים גבורים סביב לה מגבורי ישראל. וכלהו נטרי לה. מ"ט נטרי לה. בגין דכתיב מפחד בלילות, דא פחדא דגיהנם, דקאים לקבלה, בגין לדוויא לה, ובגין דא כלהו סחרין לה קא. ואע"ג דכלהו קיימי בנהירו דמחשבה דלא אתיידע. וכדין, האי נהירו דמחשבה דלא אתיידע, בטש בנהירו דפריסא ונהרין כחדא ואתעבידו תשע היכלין.

קב. והיכלין לאו אינון נהורין, ולאו אינון רוחין, ולאו אינון נשמתין, ולא אית מאן דקיימא בהו. רעותא דכל תשע נהורין דקיימי כלהו במחשבה, דאיהי חד מנייהו בחושבנא, דכלהו למרדף אבתרייהו, בשעתא דקיימי במחשבה. ולא מתדבקן, ולא אתיידעו, אלין לא קיימי, לא ברעותא, ולא במחשבה עלאה. תפסין בה ולא תפסין. באלין קיימין כל רזי מהימנותא, וכל אינון נהורין מרזא דמחשבה עלאה. דלתתא

כֻּלְּהוּ אִקְרוּן אֵין סוֹף. עַד הָכָא מָטוֹן נְהוֹרִין וְלָא מָטוֹן, וְלָא אִתְיְידִיעוּ. לָאו הָכָא מַחֲשָׁבָה וְלָאו רְעוּתָא.

קג. כַּד נָהִיר מַחֲשָׁבָה, וְלָאו אִתְיְידַע מִמַּה נָהִיר כְּדֵין אִתְלַבַּשׁ וְאַסְתִּים גּוֹ בִּינָה, וְנָהִיר לְמַה דְּנָהִיר, וְעָאִיל דָּא בְּדָא, עַד דְּאִתְכְּלִילוּ כֻּלְּהוּ כַּחֲדָא, וְהָא אוּקְמוּהָ. וּבְרָזָא דְּקָרְבְּנָא, כַּד סָלִיק כֹּלָּא, אִתְקְשַׁר דָּא בְּדָא, וְנָהִיר דָּא בְּדָא, כְּדֵין קַיְימִין כֻּלְּהוּ בִּסְלִיקוּ, וּמַחֲשָׁבָה אִתְעַטַּר בְּאֵין סוֹף, הַהוּא נְהִירוּ דְּנָהִיר מִנֵּיהּ מַחֲשָׁבָה עִלָּאָה, אִקְרֵי אֵין סוֹף.

קד. כֵּיוָן דְּאַנְהִיר וְאִתְפַּשַּׁט מִנֵּיהּ וְחֵילִין, הַהִיא מַחֲשָׁבָה אַסְתִּים וְאַגְנִיז וְלָא יְדִיעַ, וּמִתַּמָּן אִתְפַּשַּׁט פְּשִׁיטוּתָא לְכָל סִטְרִין, וְאִתְפַּשַּׁט מִנֵּיהּ חַד פְּשִׁיטוּ, דְּאִיהוּ רָזָא דְּעָלְמָא עִלָּאָה.

קה. וְדָא קַיְּימָא בִּשְׁאֶלְתָּא, וְאִיהוּ מַאֲמָר עִלָּאָה, וְאוּקְמוּהָ דְּאִקְרֵי מִי. דִּכְתִּיב שְׂאוּ מָרוֹם עֵינֵיכֶם וּרְאוּ מִי בָרָא אֵלֶּה. שְׁאֶלְתָּא הַהוּא דְּבָרָא אֵלֶּה. לְבָתַר אִתְפַּשַּׁט וְאִתְעָבֵיד יָם, סוֹפָא דְּכָל דַּרְגִּין, דְּאִיהוּ לְתַתָּא. וּמִתַּמָּן שָׁארֵי לְמִבְנֵי לְתַתָּא. וְכֹלָּא עָבִיד בְּהַהוּא גַּוְונָא מַמָּשׁ דִּלְעֵילָּא דָּא, לְקָבֵל דָּא. וְדָא כְּגַוְונָא דְּדָא. וּבְגִ"כ, נְטִירוּ דְּכֹלָּא מֵעֵילָּא וְתַתָּא.

קו. וְהַאי פְּשִׁיטוּ, דְּמַחֲשָׁבָה אִיהוּ, דְּאִיהוּ עָלְמָא עִלָּאָה. וְדָא אִיהוּ אִם יְיָ' לֹא יִשְׁמָר עִיר שָׁוְא שָׁקַד שׁוֹמֵר, דְּאִיהוּ שׁוֹמֵר יִשְׂרָאֵל. דְּלָאו בֵּיהּ קַיְּימָא נְטִירוּ, אֶלָּא בְּעָלְמָא עִלָּאָה.

קז. תָּא חֲזֵי, תִּכְלָא דְּמַשְׁכְּנָא, כֹּלָּא קַיְּימָא בְּרָזָא עִלָּאָה, וְאוּקְמוּהָ. תְּכֵלֶת וְאַרְגָּמָן חַד, לְאִתְקַשְּׁרָא בְּחַד. וְהָא אִתְּמַר בְּרָזָא דִּכְתִּיב, כִּי יְיָ' אֱלֹהֶיךָ אֵשׁ אוֹכְלָה הוּא. וְהָא אִתְּמַר דְּאִית אֶשָּׁא אָכְלָא אֶשָּׁא, וְאָכִיל לֵיהּ וְשֵׁצֵי לֵיהּ. בְּגִין דְּאִית אֶשָּׁא תַּקִּיפָא מֵאֶשָּׁא.

קח. וְאֶת הָאֶלֶף וּשְׁבַע הַמֵּאוֹת וַחֲמִשָּׁה וְשִׁבְעִים עָשָׂה וָוִים לָעַמּוּדִים וְצִפָּה רָאשֵׁיהֶם וְגוֹ'. תָּא חֲזֵי, אוֹלִיפְנָא דְּאִינּוּן תִּקְלִין אַנְשֵׁי לוֹן מֹשֶׁה, וְלָא יָדַע מַה דְּאִתְעָבֵיד מִנַּיְיהוּ, עַד דְּנָפַק קָלָא וְאָמַר, וְאֶת הָאֶלֶף וּשְׁבַע הַמֵּאוֹת וַחֲמִשָּׁה וְשִׁבְעִים עָשָׂה וָוִים לָעַמּוּדִים.

קט. רִבִּי חִזְקִיָּה פָּתַח וְאָמַר, עַד שֶׁהַמֶּלֶךְ בִּמְסִבּוֹ נִרְדִּי נָתַן רֵיחוֹ. הַאי קְרָא אִתְּמַר, אֲבָל עַד שֶׁהַמֶּלֶךְ בִּמְסִבּוֹ, דָּא קֻבְּ"ה, כַּד יָהַב אוֹרַיְיתָא לְיִשְׂרָאֵל, וְאָתָא לְסִינַי. וְכַמָּה רְתִיכִין הֲווּ עִמֵּיהּ, כֻּלְּהוּ רְתִיכִין קַדִּישִׁין, וְכָל קְדוּשִׁין עִלָּאִין, דִּקְדוּשָּׁה דְּאוֹרַיְיתָא, כֻּלְּהוּ הֲווּ תַּמָּן, וְאוֹרַיְיתָא אִתְיְיהִיבַת בְּלַהֲטֵי אֶשָּׁא, וְכֹלָּא בְּסִטְרָא דְּאֶשָּׁא, וּכְתִיבָא בְּאֶשָּׁא חִוָּורָא, עַל גַּבֵּי אֶשָּׁא אוּכְמָא. וְאַתְוָון הֲווּ פַּרְחִין וְסַלְּקִין בַּאֲוִירָא.

קי. וְאֶת קַדְמָאָה דְּאוֹרַיְיתָא, אִתְפְּלִיג לְשַׁבַע מֵאָה וְשִׁבְעִים וַחֲמִשָּׁה לְכָל סְטָר, וְכֻלְּהוּ אִתְחָזוּן בַּאֲוִירָא דִּרְקִיעָא בְּאָת ו', ו' לְסִטְרָא דָּא, ו' לְסִטְרָא דָּא. וְכֵן לְכָל סִטְרִין.

קיא. וְאִלֵּין וָוִין הֲווּ קַיְימִין עַל עַמּוּדִין, וְאִינּוּן עַמּוּדִין הֲווּ קַיְימִין עַל נִיסָא, וְכֻלְּהוּ וָוִין עֲלַיְיהוּ. בְּגִין דְּרָזָא דְּאוֹרַיְיתָא עַל וָ"ו קַיְּימָא. וְאִינּוּן וָוִין דְּאִינּוּן רָזָא דִּמְהֵימְנוּתָא דְּאוֹרַיְיתָא, כֻּלְּהוּ עַל אִינּוּן עַמּוּדִים קַיְימִין, דְּאִינּוּן רָזִין דְּנָפְקִין בְּהוּ נְבִיאִים, רָזָא דִּלְהוֹן בְּכָל סְטָר. וְעַל אִינּוּן קַיְימִין, קַיְימָן אִינּוּן וָוִין.

קיב. ו' עִלָּאָה, אִיהוּ רָזָא דְּקוֹל דְּאִשְׁתְּמַע, וְאִיהוּ רָזָא דְּקַיְּימָא בֵּיהּ אוֹרַיְיתָא, בְּגִין דְּאוֹרַיְיתָא נָפְקָא מֵהַהוּא קָלָא פְּנִימָאָה, דְּאִקְרֵי קוֹל גָּדוֹל. וְדָא קוֹל גָּדוֹל אִיהוּ רָזָא

דְּאוֹרַיְיתָא. וְעַל דָּא כְּתִיב קוֹל גָּדוֹל וְלֹא יָסָף.

קי״ג. ת״ח, הַאי קוֹל גָּדוֹל, אִיהוּ עִקָּרָא דְּכֹלָּא, וְרָזָא דִּשְׁמָא קַדִּישָׁא עִלָּאָה, וְעַל דָּא אוּקְמוּהָ, דְּאָסִיר לֵיהּ לְבַר נָשׁ לְאַקְדְּמָא שְׁלָמָא לְחַבְרֵיהּ, עַד לָא יְצַלֵּי צְלוֹתֵיהּ. וְרָזָא דָּא אוּקְמוּהָ, דִּכְתִּיב מְבָרֵךְ רֵעֵהוּ בְּקוֹל גָּדוֹל בַּבֹּקֶר הַשְׁכֵּם קְלָלָה תֵּחָשֶׁב לוֹ וְלָאו אִיהוּ אָסוּר, עַד דִּמְבָרֵךְ לֵיהּ בְּרָזָא דְּקוֹל גָּדוֹל, דְּאִיהוּ עִקָּרָא דִּשְׁמָא קַדִּישָׁא.

קי״ד. וְעַל דָּא, רָזָא דְּאוֹרַיְיתָא נָפְקָא מֵהַהוּא קוֹל גָּדוֹל, וְדָא אִיהוּ מֶלֶךְ. בִּמְסִבּוֹ: דָּא מַעֲמַד הַר סִינַי, וְאוּקְמוּהָ נִרְדִּי נָתַן רֵיחוֹ, דָּא כְּנֶסֶת יִשְׂרָאֵל. בְּגִין דְּאָמְרוּ יִשְׂרָאֵל, כֹּל אֲשֶׁר דִּבֶּר יְיָ׳ נַעֲשֶׂה וְנִשְׁמָע. שֶׁהַמֶּלֶךְ: דָּא אִיהוּ מֶלֶךְ עִלָּאָה, וְאוּקְמוּהָ.

קט״ו. תָּא חֲזֵי, כַּד קֻבְּ״ה אַיְיתֵי טוּפָנָא עַל עָלְמָא, בְּגִין לְחַבָּלָא כֹּלָּא, אָמַר לֵיהּ קֻבְּ״ה לְנֹחַ, בָּעֵי לָךְ לְאִסְתַּמְּרָא, וְלָא תִּתְחֲזֵי גַּרְמָךְ קַמֵּיהּ דִּמְחַבְּלָא, דְּלָא יִשְׁלוֹט עֲלָךְ, בְּגִין דְּלָא הֲוָה מַאן דְּיָגִין עָלוֹי. כֵּיוָן דְּאִתְקְרִיב קָרְבְּנָא, דְּקָרִיב נֹחַ, כְּדֵין אִתְבְּסָם עָלְמָא, וְלָא אִתְבְּסָם כּוֹלֵי הַאי עַד דְּקַיְּימוּ יִשְׂרָאֵל עַל טוּרָא דְּסִינַי. כֵּיוָן דְּקַיְּימוּ יִשְׂרָאֵל עַל טוּרָא דְּסִינַי, כְּדֵין אִתְבְּסָם עָלְמָא, וּמְחַבְּלָא לָא אִשְׁתְּכַח בְּעָלְמָא.

קט״ז. וּבָעָא קֻבְּ״ה בְּהַהוּא זִמְנָא, לְאַעְבְּרָא הַהוּא מְחַבְּלָא מֵעָלְמָא, בַּר דְּיִשְׂרָאֵל סָרְחוּ בְּהַהוּא זִמְנָא, לְיוֹמִין זְעִירִין, וַעֲבָדוּ יַת עֶגְלָא. וּכְדֵין מַה כְּתִיב, וַיִּתְנַצְּלוּ בְנֵי יִשְׂרָאֵל אֶת עֶדְיָם מֵהַר חוֹרֵב. וְעֶדְיָם הֲוָה רָזִין דִּשְׁמָא קַדִּישָׁא, דְּאַעְטַר לוֹן קֻבְּ״ה, וְאִתְנְטַל מִנַּיְיהוּ, כְּדֵין שַׁלְטָא מְחַבְּלָא עַל עָלְמָא, וְאַהְדַּר כְּמִלְּקַדְּמִין, כְּהַהוּא זִמְנָא דְּשַׁלְטָא בְּעָלְמָא, וְעָבֵיד דִּינָא.

קי״ז. אָמַר רִבִּי יוֹסֵי, בְּיוֹמוֹי דְּטוּפָנָא, מַאן יָהִיב תַּמָּן מְחַבְּלָא, דְּהָא מַיָּא הֲווּ דְּאִתְגַּבָּרוּ, תָּא חֲזֵי, לֵית לָךְ דִּינָא בְּעָלְמָא, אוֹ כַּד אִתְמְחֵי עָלְמָא בְּדִינָא, דְּלָא אִשְׁתְּכַח הַהוּא מְחַבְּלָא בֵּינַיְיהוּ, דְּאָזִיל בְּגוֹ אִינּוּן דִּינִין דְּאִתְעֲבִידוּ בְּעָלְמָא. אוּף הָכָא, טוּפָנָא הֲוָה, וּמְחַבְּלָא אָזִיל בְּגוֹ טוּפָנָא, וְאִיהוּ אִקְרֵי הָכִי. וְעַל דָּא אָמַר לֵיהּ קֻבְּ״ה לְנֹחַ, לְטַמְּרָא גַּרְמֵיהּ, וְלָא יִתְחֲזֵי בְּעָלְמָא. וְהָא אוּקְמוּהָ. תָּא חֲזֵי, אָמַר רִבִּי יוֹסֵי לָא אִתְיַישַּׁב עָלְמָא וְלָא נָפְקַת אַרְעָא מְזוּהֲמָא וְכוּ׳.

קי״ח. תָּא חֲזֵי, א״ר אֶלְעָזָר, וְאֶת הָאֶלֶף וּשְׁבַע הַמֵּאוֹת וַחֲמִשָּׁה וְשִׁבְעִים עָשָׂה וָוִים לָעַמּוּדִים. אַמַּאי וָוִים. אֶלָּא כְּמִין וָ״ו הֲווּ, וְרֵישַׁיְיהוּן חָפָּא בְּדַהֲבָא. אִינּוּן דְּכֶסֶף, וְרֵישַׁיְיהוּן מְחוֹפָּן בְּדַהֲבָא, בְּגִין דְּכָל וָ״ו בְּסִטְרָא דְּרַחֲמֵי קָא אַתְיָא, וְכֻלְּהוּ הֲווּ אִשְׁתְּמוֹדְעָן לְעֵילָּא בְּחוּשְׁבְּנָא. וּבְגִין דְּאָתוּ מִסִּטְרָא דְּרַחֲמֵי, הֲווּ אִקְרוּן וָוִים. וְכָל שְׁאָר תַּלְיָין בְּהוּ. וְלֵית וָ״ו אֶלָּא דַּהֲבָא וְכַסְפָּא כַּחֲדָא. וּבְגִין כָּךְ, כָּל אִינּוּן אִקְרוּן, וָוֵי דְּאִינּוּן עַמּוּדִים. מַאן עַמּוּדִים. כד״א וְהָעַמּוּדִים שְׁנַיִם וְגוֹ׳. בְּגִין דְּהָא אִלֵּין לְבַר מִגּוּפָא, לְתַתָּא הֲווּ קַיְּימִין.

קי״ט. אָמַר רִבִּי יִצְחָק, לָא יְדַעְנָא אִי דָּא עֲבִידְתָּא דְּקֹדֶשׁ, אוֹ חוֹל. בְּגִין דִּכְתִּיב וְאֶת הָאֶלֶף, דְּהָא כְּתִיב הָכָא הָאֶלֶף, וּכְתִיב הָתָם הָאֶלֶף לְךָ שְׁלֹמֹה, מַה לְּהַלָּן הָאֶלֶף חוֹל, אוּף הָכָא הָאֶלֶף חוֹל.

ק״כ. אָמַר לֵיהּ, לָאו הָכִי, דְּאִי הוּא הֲוָה חוֹל, לָא יִתְעֲבִיד מִנַּיְיהוּ וָוִים. וְתוּ, דְּהָא תַּמָּן כְּתִיב הָאֶלֶף וְלָא יַתִּיר, וְהָכָא כְּתִיב הָאֶלֶף וּשְׁבַע הַמֵּאוֹת וַחֲמִשָּׁה וְשִׁבְעִים. הָאֶלֶף דְּהָתָם אִינּוּן חוֹל, דִּכְתִּיב הָאֶלֶף לְךָ שְׁלֹמֹה. וְדָא אִיהוּ חוֹל, בְּגִין דְּכָל חוֹל לָאו אִיהוּ בְּסִטְרָא דִּקְדוּשָּׁה כְּלָל. חוֹל אִיהוּ מִסִּטְרָא אַחֲרָא מְסָאֲבָא. וְעַל דָּא הַבְדָּלָה בֵּין קֹדֶשׁ לְחוֹל, בְּגִין דְּבָעֵינָן לְאַפְרְשָׁא בֵּין קֹדֶשׁ לְחוֹל. וְרָזָא דִּקְרָא הָכִי הוּא, וּלְהַבְדִּיל בֵּין

הקדש ובין החול ובין הטמא ובין הטהור.

קכא. ועם כל דא אף על גב דפרישו אית לקדש מן החול, חולקא חדא אית ליה בקדושה מסטרא דשמאלא. הה"ד האלף לך שלמה, דאינון אלף יומי החול. ואינון יומי דגלותא. כמה דאית אלף יומין דקדושה, הכי נמי אלף יומין לסטרא אחרא. וע"ד אתערו חבריא, אינון יומין דגלותא, אלף שנין הוו.

קכב. וע"ד, אית אלף ואית אלף, ואינון אלף שנין דגלותא, אף על גב דישראל יהון בגלותא, ויתמשכון יתיר, בהני אלף שנין יתמשכון, דאינון אלף יומין דקאמרן. ובגין דא אוקמוה, כל שלמה דאית בשיר השירים קדש, בר מהאי דאיהו חול. האלף דהכא, קדש איהו, וכל עובדוי קדש, ועל דא עשה ווים לעמודים.

קכג. תא חזי, הא אמרן כל ו' ברזא דרחמי איהו, וכל אתר דאתי ו' בשמא קדישא, רחמי איהו. כגון ויי' המטיר על סדום. ויי' אמר אל אברם. רחמי ודינא כחדא. דמאי שנא בטופנא, דכתיב אלהים בכל אתר, אמאי לא כתיב ויי'. אלא תנינן, בכל אתר דכתיב ויי', הוא ובית דינו. אלהים סתם, דינא בלחודוי.

קכד. אלא בסדום, אתעביד דינא, ולא לשיצאה עלמא. ובג"כ אתערב איהו בהדי דינא. אבל בטופנא, כל עלמא שיצי, וכל אינון דאשתכחו בעלמא. ואי תימא, דהא נח ודעמיה אשתזיבו. הא סתים מעינא הוה, דלא אתחזי. ועל דא כל מה דאשתכח בעלמא שיצי ליה.

קכה. ועל דא ויי' באתגלייא, ולא שיצי כלא. אלהים סתים, ובעי לאסתמרא, דהא כלא שיצי. ועל דא אלהים בלחודוי הוה, ורזא דא יי' למבול ישב. מהו ישב. אלמלא קרא כתיב, לא יכלינן למימר. ישב ישב בלחודוי, דלא אתא עם דינא. כתיב הכא ישב, וכתיב התם בדד ישב בלחודוי.

קכו. ורזא אוליפנא, קב"ה סתים וגליא. גליא הוא בי דינא לתתא. סתים הוא אתר, דכל ברכאן נפקי מתמן, בגין כך, כל מלוי דבר נש דאינון בסתימו, ברכאן שריין עליה וכל דאינון באתגלייא, ההוא אתר דבי דינא שריא עלוי, בגין דאיהו אתר באתגלייא. וכלא איהו ברזא עלאה, כגוונא דלעילא.

קכז. עד שהמלך במסבו, בההוא חברותא ותפנוקא דעדן עלאה, בההוא שביל דסתים וגניז ולא אתיידע, ואתמליא מניה, ונפקין בנחלין ידיעאן. נרדי נתן ריחו, דא ים בתראה, דברא עלמא תתאה, כגוונא דלעילא, וסליק ריחא טבא עלאה, לשלטאה ולמעבד, ויכיל ושליט ונהיר בנהורא עלאה.

קכח. תא חזי, בשעתא דהאי נרדא סלקא ריחא לעילא, כדין חביבותא אתקשרת, וסלקא האי נרדא לאתאחדא לעילא. וכלהו רתיכין קדישין, כלהו סלקין ריחין לאתעטרא לגבי דלעילא. אינון רתיכין כלהו אקרון עלמות שיר, כד"א על עלמות שיר, והא אוקמוה. מאי עלמות שיר. אלא כד"א, ועלמות אין מספר. מאי ועלמות אין מספר. כד"א היש מספר לגדודיו. ובגין דלית להו חושבנא כתיב ועלמות אין מספר.

קכט. ווים לעמודים, כלהו דכורין. כל אינון דסלקין ברבו משוח לעילא, כלהו קיימין ברזא דדכורין, ולא אקרי דכר אלא ו', רזא דשמיא, דאינון דכורין. וכל אינון דלתתא, אקרון נוקבי. ובג"כ כל אינון דאתיין מסטרא דשמאלא, מסטרא דנוקבא,

אתמנן על השיר, ואמרי שירתא תדיר. וע"ד כתיב, על עלמות שיר. וכלהו נפקו ברזא דה'. ה' אפיקת כמה חיילין לזנייהו ברזא דו'. ו', דא רזא דדכורא דקיימא למיהב מזונא לנוקבא.

קל. ובג"כ, כל אינון ווין עבד בצלאל, למיהב לון לאשראה על נוקבי. ונפקי מרזא דאלף, דאיהו וחושבן שלים. ושבע מאות, דאיהו רזא שלים. וחמשה הכי נמי. ושבעים כלא רזא חדא. ועל דא, מרזא דנא, וחושבן דא, עשה ווים. וכלהו ברזא דו', ובדיוקנא דו' אתעבידו, וכלא ברזא עלאה, ובחושבנא נטלי.

קלא. ונחשת התנופה שבעים ככר, אמר רבי יהודה, כל דא נחתא לתתא, בדיוקנא עלאה דרזא דמהימנותא. כגוונא דא עבד נבוכדנצר הרשע ההוא צלמא דאתקין. אמר רבי יוסי, איהו לא עביד הכי, אבל בחלמיה חמא הכי, דהא בחלמיה חמא, רישא די דהבא, ולבתר כספא, ולבתר נחשא. ואי תימא פרזלא וחספא אמאי לאו הכי. בגין דלאו אינון כדאי לאעלא לקודשא, ואלין תלתא אחרנין עאלו.

קלב. ורזא דיליה דמשכנא, בתלת תלת באלין מתכן. ובשארא ארבע, כגון תכלת וארגמן ותולעת שני ושש. וכגון ארבעה טורי אבן.

קלג. אמר רבי יהודה, מנהון בתלת. מנהון בד'. מנהון בתרין. מנהון בחד. אבל כל סדרא וסדרא לאו איהו אלא בתלת. תלת סדרין אינון דמתפרשין לכל סטר, לארבע סטרי עלמא, וכל סדרא וסדרא דאיהו לכל סטר, תלת סדרין אינון. ואוקימנא.

קלד. סדרא קדמאה דלסטר מזרח, תלת סדרין אינון ואינון תשעה סדרין, בגין דכל סדרא מאינון ג', אית ליה תלת סדרין, ואשתכחו דאינון תשעה. וכמה אלף ורבבן תחותייהו. והני סדרין תשעה, כלהו מתנהגי באתוון רשימן. וכל סדרא אסתכי לאינון אתוון רשימן, והא אוקמוה. וכן לכל סדרא וסדרא, וכלהו נטלי באתוון רשימן. ואלין עלאי מאלין, וקיימן אלין על אלין.

קלה. וכד אינון אתוון פרחין, גו אוירא דרוחא, ההוא דממנא על כלא, כדין כלהו נטלי, והא אוקמוה. וחד את בטש מתתא, וההוא את סלקא ונחתא, ותרין אתוון פרחי עלה. והאי את מתתא, סלקא מתתא לעילא, ואתחבר בהו, ואתעבידו תלת אתוון, כלהו לפום אתוון יד"ו, דאינון תלת גו אספקלריא דנהרא. מאלין אתפרשו תלת סדרין. ואינון אתוון תרין, וההוא את דסלקא מתחברא עמהון, ואינון תלת.

קלו. תא חזי, אינון תרין אתוון עלאין דסלקין באוירא, אינון כלילן דא בדא, רחמי ודינא, ובגין כך אינון תרין, ואינון מעלמא דלעילא. ברזא דדכורא. והאי דסלקא ומתחברא עמהון, איהי נוקבא, ואתכלילת בתרווייהו.

קלז. כגוונא דנוקבא אתכלילת בתרין סטרין, בימינא ושמאלא, ואתחברת בהו. הכי נמי, האי את נוקבא, ואתחברת בתרין אתוון אחרנין, ואינון בתרין סטרין, אלין עלאין, ואלין תתאין, וכלא איהו חד, דכר ונוקבא.

קלח. דכד אתברי עלמא, אינון אתוון מעלמא עלאה נינהו, דאינון אולידו כל עובדין לתתא, כגוונא דלהון ממש. בג"כ, מאן דידע לון, ואזדהר בהו, רחים לעילא רחים לתתא.

קלט. ר' שמעון אמר, אלין אתוון כלהו דכר ונוקבא, לאתכללא כחדא, ברזא דמיין עלאין ומיין תתאין, וכלא חד, ודא הוא יחודא שלים. ועל דא, מאן דידע לון, ואזדהר בהו, זכאה איהו בהאי עלמא, וזכאה איהו בעלמא דאתי. בגין דאיהו עקרא

דְּיוּוּדָא שְׁלִים כַּדְקָא וְיָאוּת. תְּלַת תְּלַת מִסִּטְרָא דָּא וּמִסִּטְרָא דָּא, בְּיִחוּדָא חֲדָא, בִּשְׁלִימוּ דְּכֹלָּא. וְכֻלְּהוּ רָזָא דְּסִדְרָא עִלָּאָה כַּדְקָא יָאוּת כְּגַוְונָא דִּלְעֵילָּא, דְּהַהוּא סִדְרָא תְּלַת תְּלַת בְּרָזָא חֲדָא.

קמ. סִדְרָא תִּנְיָינָא דִּלְסִטַר דָּרוֹם, תְּלַת סִדְרִין אִינּוּן לְהַהוּא סִטְרָא. וְכָל סִדְרָא וְסִדְרָא תְּלַת תְּלַת, וְאִינּוּן ט', כְּמָה דְּאִתְּמַר. וְאַתְוָון אִתְפְּלָגוּ הָכִי לְכָל סִטְרֵי, לְאִתְחַבְּרָא כֹּלָּא בְּחַד, בְּגִין דְּאִית אַתְוָון בְּרָזָא דְּנוּקְבָא, וְאַתְוָון בְּרָזָא דִּדְכוּרָא, וְאִתְחַבָּרוּ כֻּלְּהוּ כַּחֲדָא, וַהֲווּ חַד, בְּרָזָא דִּשְׁמָא קַדִּישָׁא שְׁלִים. וּלְגַבַּיְיהוּ סִדְרִין מִמָּנָן, תְּלַת תְּלַת, כְּמָה דְּאִתְּמַר. וְכֹלָּא נָפְקָא מִסִּדְרָא דַּאֲבָהָן דִּלְעֵילָּא כְּסִדְרָא דְּאִתְתְּקַנָן אַתְוָון דִּשְׁמָא קַדִּישָׁא יד"ו, כְּמָה דְּאִתְּמַר. הָנֵי סִדְרִין כֻּלְּהוּ, מִתְנַהֲגֵי בְּאִלֵּין אַתְוָון יְדִיעָן, וְנַטְלֵי בְּהוּ. וְכַמָּה חַיָּילִין וְרַבְרְבָן, כֻּלְּהוּ לְתַתָּא, דְּנַטְלֵי וְאִתְנַהֲגֵי בְּסִדְרָא דָּא.

קמא. סִדְרָא תְּלִיתָאָה דִּלְסִטַר צָפוֹן, בִּתְלַת סִדְרִין אִינּוּן לְהַהוּא סִטְרָא, וְאִינּוּן תִּשְׁעָה. וּבִתְלַת סִטְרִין תְּלַת תְּלַת לְכָל סְטַר, וְאִינּוּן תִּשְׁעָה. וְאִינּוּן סִדְרִין מִתְּלַת סִטְרִין כְּמָה דְּאִתְּמַר.

קמב. שִׁבְעָה וְעֶשְׂרִין בְּרָזָא דְּאַתְוָון, דְּאִינּוּן שִׁבְעָה וְעֶשְׂרִין. וְאַע"ג דְּאִינּוּן תְּרֵין וְעֶשְׂרִים, שְׁלִימוּ דְּאַתְוָון שִׁבְעָה וְעֶשְׂרִין אִינּוּן. וְאִשְׁתְּכָחוּ, כְּמָה דְּאַתְוָון כ"ז, הָכִי סִדּוּרָא דְּסִדְרִין אִלֵּין, שִׁבְעָה וְעֶשְׂרִין, לִתְלַת תְּלַת סִדְרִין לְכָל סְטָר. וְאִשְׁתְּכָחוּ אִלֵּין תְּלַת דְּהַאי סִטְרָא דְּאִינּוּן ט'. וְאִלֵּין תְּלַת דְּהַאי סִטְרָא דְּאִינּוּן ט'. וְאִלֵּין תְּלַת דְּהַאי סִטְרָא דְּאִינּוּן תִּשְׁעָה. אִשְׁתְּכָחוּ כֻּלְּהוּ לְשִׁבְעָה וְעֶשְׂרִין.

קמג. וְרָזָא דְּאִלֵּין שִׁבְעָה וְעֶשְׂרִין, אִינּוּן ט' אַתְוָון דְּאִינּוּן בְּרָזָא דְּנוּקְבָא, לְאִתְחַבְּרָא עִם אִינּוּן תַּמְנֵיסַר אַחֲרָנִין בְּרָזָא דִּדְכַר, וְכֹלָּא אִיהוּ כַּדְקָא יָאוּת.

קמד. תָּא חֲזֵי, כְּגַוְונָא דְּאַתְוָון עִלָּאִין דְּעָלְמָא עִלָּאָה, הָכִי נָמֵי אַתְוָון אַחֲרָנִין לְתַתָּא. אַתְוָון עִלָּאִין רַבְרְבִין, וְאַתְוָון תַּתָּאִין זְעִירִין. וְכֹלָּא דָּא כְּגַוְונָא דָּא. וְכָל הָנֵי רָזִין בְּרָזָא דִּדְכַר וְנוּקְבָא כֹּלָּא חַד בִּשְׁלִימוּ. וְעַל דָּא כֹּלָּא אִיהוּ בְּרָזָא עִלָּאָה.

קמה. בְּאַרְבְּעִין וְחָמֵשׁ זִינֵי גְּוָונֵי נְהוֹרִין אִתְפְּלִיג עָלְמָא.

קמו. שִׁבְעָה מִתְפַּלְגִין לְשִׁבְעָה תְּהוֹמִין. כָּל חַד בָּטַשׁ בִּתְהוֹמָא דִּילֵיהּ, וְאַבְנִין מִתְגַּלְגְּלָן בְּגוֹ תְּהוֹמָא, וְעָיֵיל הַהוּא נְהוֹרָא, בְּאִינּוּן אַבְנִין, וְנָקִיב לוֹן, וּמַיִין נָפְקִין בְּהוּ. וְשַׁקְיָין כָּל חַד וְחַד עַל תְּהוֹמָא, וְחַפְיָא לִתְרֵין סִטְרִין.

קמז. נָפְקֵי מַיָּא בְּאִינּוּן נוּקְבִין, וְעָאל נְהוֹרָא, וּבָטַשׁ לְאַרְבַּע סִטְרֵי תְּהוֹמָא, מִתְגַּלְגְּלָא נְהוֹרָא בַּחֲבֶרְתֵּיהּ, וְאִעֲרָעוּ בְּחַד, וּפַלְגִין מַיָּא.

קמח. וַאֲחִידָן כָּל אִינּוּן שִׁבְעָה, בְּשִׁבְעָה תְּהוֹמֵי, וְכַרְאָן בַּחֲשׁוֹכֵי תְּהוֹמֵי, וַחֲשׁוֹכֵי אִינּוּן מִתְעָרְבֵי בְּהוּ. סַלְקִין מַיִין, וְנַחְתִּין מִתְגַּלְגְּלָן בְּאִינּוּן נְהוֹרִין, וְאִתְעָרְבָן כַּחֲדָא, נְהוֹרִין וַחֲשׁוֹכִין וּמַיִין, וְאִתְעֲבֵידוּ מִנַּיְיהוּ נְהוֹרִין דְּלָא אִתְחֲזְיָין וַחֲשׁוֹכָאן.

קמט. בָּטַשׁ כָּל חַד בְּחַבְרֵיהּ, וּמִתְפַּלְגִין לְשַׁבְעִין וְחָמֵשׁ צִנּוֹרֵי תְּהוֹמִין וּבְהוּ נַגְדִין מַיָּא.

קנ. כָּל צִנּוֹרָא וְצִנּוֹרָא סָלִיק בְּקָלֵיהּ, וְאִזְדַעְזְעָן תְּהוֹמִין. וְכַד הַהוּא קָלָא אִשְׁתְּמַע, כָּל תְּהוֹמָא קָארֵי לְחַבְרֵיהּ, וְאָמַר פְּלִיג מֵימָךְ, וְאֵיעוּל בָּךְ, הה"ד תְּהוֹם אֶל תְּהוֹם קוֹרֵא לְקוֹל צִנּוֹרֶיךָ.

קנא. תְּחוֹת אִלֵּין, תְּלַת מֵאָה וְשִׁתִּין וְחָמֵשׁ גִּידִין, מִנְּהוֹן חִוָּורִין, מִנְּהוֹן אוּכָמִין, מִנְּהוֹן סוּמָקִין, אִתְכְּלִילָן דָּא בְּדָא, וְאִתְעֲבִידוּ גַּוָּון חַד. אִינּוּן גִּידִין אִתְרְקִימוּ בְּשִׁבַע עֶשְׂרֵה

רְשָׁתוֹת, וְכָל וַחַד רֶשֶׁת גִּידִין אִקְרֵי. אִתְרְקִימוּ דָּא בְּדָא, וְנַחְתִּין בְּשִׁפּוּלֵי תְּהוֹמָא. תְּחוֹת אִלֵּין, תְּרֵין רְשָׁתִין קַיְימִין בְּחֵיזוּ דְּפַרְזְלָא, וּתְרֵין רְשָׁתִין אַחֲרָנִין בְּחֵיזוּ דִּנְחָשָׁא.

קנב. תְּרֵין כּוּרְסְוָון קַיְימֵי עֲלַיְיהוּ, וַחַד מִימִינָא, וְחַד מִשְּׂמָאלָא. כָּל אִינּוּן רְשָׁתִין מִתְחַבְּרָן כַּחֲדָא, וּמַיִין נַחְתִּין מֵאִינּוּן צִנּוֹרִין, וְעָאלִין בְּאִלֵּין רְשָׁתִין. אִינּוּן תְּרֵין כּוּרְסְוָון, וְחַד כּוּרְסַיָּיא דִּרְקִיעָא אוּכָמָא, וְחַד כּוּרְסַיָּיא דִּרְקִיעָא סַסְגוֹנָא. אִלֵּין תְּרֵין כּוּרְסְוָון, כַּד אִינּוּן סַלְּקִין, סַלְּקִין בְּהַהוּא כּוּרְסַיָּיא דִּרְקִיעָא אוּכָמָא. וְכַד נַחְתִּין, נַחְתִּין בְּהַהוּא כּוּרְסַיָּיא דִּרְקִיעָא סַסְגוֹנָא.

קנג. אִלֵּין תְּרֵין כּוּרְסְוָון, וַחַד מִימִינָא וְחַד מִשְּׂמָאלָא. הַהוּא כּוּרְסַיָּיא דִּרְקִיעָא אוּכָמָא מִימִינָא. וְהַהוּא כּוּרְסַיָּיא דִּרְקִיעָא סַסְגוֹנָא מִשְּׂמָאלָא. כַּד סַלְּקִין בְּכוּרְסַיָּיא דִּרְקִיעָא אוּכָמָא. מָאִיךְ כּוּרְסַיָּיא דִּרְקִיעָא שְׂמָאלָא וְנַחְתִּין בֵּיהּ.

קנד. מִתְגַּלְגְּלָן כּוּרְסְוָון וַחַד בְּחַד. נַקְטִין כָּל אִינּוּן רְשָׁתִין בְּגַוַויְיהוּ, וְעָאלִין לוֹן בְּשִׁפּוּלֵי דִּתְהוֹמָא תַּתָּאָה.

קנה. קָאִים וַחַד כּוּרְסַיָּיא, וְסָלִיק לְעֵילָּא מִכָּל אִינּוּן תְּהוֹמֵי, וְקָאִים כּוּרְסַיָּיא אַחֲרָא, לְתַתָּא דְּכָל תְּהוֹמֵי. בֵּין תְּרֵין כָּרְסְוָון אִלֵּין מִתְגַּלְגְּלָן כָּל אִינּוּן תְּהוֹמֵי, וְכָל אִינּוּן צִנּוֹרִין, אִתְנְעִיצוּ בֵּין תְּרֵין כָּרְסְוָון אִלֵּין.

קנו. שַׁבְעִין וְחָמֵשׁ צִנּוֹרִין אִינּוּן, שִׁבְעָה אִינּוּן עִלָּאֵי דְּכֹלָּא. וְכָל אִינּוּן אַחֲרָנִין אֲחִידָן בְּהוּ, וְכֻלְּהוּ נְעִיצִין בְּגַלְגְּלוֹי דְּהַאי כּוּרְסַיָּיא בְּסִטְרָא דָּא, וּנְעִיצִין בְּגַלְגְּלוֹי דְּהַאי כּוּרְסַיָּיא בְּסִטְרָא דָּא.

קנז. בְּהוּ, מַיִין סַלְּקִין וְנַחְתִּין, אִינּוּן דְּנַחְתֵּי כָּרְאָן בִּתְהוֹמֵי, וּבַקְעֵי לוֹן. אִינּוּן דְּסַלְּקִין עָאלִין בְּאִינּוּן נוּקְבֵי אַבְנִין, וְסַלְּקִין וּמַלְיָין לְשִׁבְעָה יַמִּים. עַד כָּאן שִׁבְעָה גַּוְונֵי נְהוֹרִין בְּרָזָא עִלָּאָה.

קנח. תָּא חֲזֵי, נְחוֹשֶׁת הַתְּנוּפָה דְּקָא אַמָרָן, אִלֵּין אִינּוּן טוּרֵי נְחֹשֶׁת, דְּאִקְרוּן הָרֵי נְחֹשֶׁת. וְאִינּוּן דְּאִקְרוּן אַדְנֵי נְחֹשֶׁת. וְאִלֵּין קַיְימִין תַּרְעִין, בְּכָל אִינּוּן פִּתְחִין, וְסַחֲרִין לְהוּ, לְכָל אִינּוּן דְּקַיְימִן לְגוֹ, בְּגִין דְּאִלֵּין אִינּוּן תַּרְעִין דְּקַיְימִין לְפִתְחִין לְבַר, וְאִלֵּין עָאלִין וְנַפְקֵי בְּבֵי מַלְכָּא.

קנט. וּמִן נְחֹשֶׁת דָּא, כָּל אִינּוּן מָאנִין דְּמַדְבְּחָא לְשַׁמְּשָׁא בָּהּ. וְאִלֵּין אִינּוּן מָאנִין לְמַדְבְּחָא, דְּכַד נִשְׁמָתִין מִתְקָרְבִין לְסַלְּקָא עַל גַּבֵּי מַדְבְּחָא, אִלֵּין אִינּוּן פַּלְחִין הַהוּא פּוּלְחָנָא דְּמַדְבְּחָא, וְכֻלְּהוּ מְסַיְּיעֵי לְשַׁמְּשָׁא הַהוּא שִׁמּוּשָׁא, וְאִקְרוּן כְּלֵי הַמִּזְבֵּחַ. וְכָל אִלֵּין מָאנִין, וְכָל אִינּוּן יְתֵדוֹת הַמִּשְׁכָּן, כֻּלְּהוּ בִּשְׁמָהָן אִקְרוּן, מָאנֵי דְּשִׁמּוּשָׁא לְשַׁמְּשָׁא בְּקוּדְשָׁא. וְעַל דָּא קַיְימִין כֻּלְּהוּ מִמְּנָן יְדִיעָאן, וּרְתִיכִין יְדִיעָאן, וּרְווּחִין יְדִיעָאן, כָּל וַחַד וְחַד כַּדְקָא חֲזֵי לֵיהּ. וּבְהֵיכָלִין דְּקוּדְשָׁא דְּאִינּוּן הֵיכָלִין יְדִיעָאן, כֻּלְּהוּ בְּחוּשְׁבְּנָא.

קס. קִשּׁוּרָא דְּדַהֲבָא בְּדַהֲבָא. כַּסְפָּא בְּכַסְפָּא. נְחָשָׁא בִּנְחָשָׁא. אִלֵּין דִּנְחֹשֶׁת דִּלְתַתָּא, נַטְלֵי חֵילָא מִנְּחֹשֶׁת דִּלְעֵילָּא, וְכֵן כֹּלָּא. כָּל אִינּוּן גַּוְונִין מִתְעָרְבֵי אִלֵּין בְּאִלֵּין, לְאַחֲדָא לְאִתְקַשְּׁרָא אִלֵּין בְּאִלֵּין.

קסא. קַרְסֵי זָהָב אִינּוּן קַיְימִין לְקַשְּׁרָא אִינּוּן יְרִיעָן וַחַד בְּחַד. קַרְסֵי נְחֹשֶׁת אִינּוּן קַיְּימָאן לְקַשְּׁרָא מַשְׁכְּנָא. וְאִלֵּין לָקֳבֵל אִלֵּין. וְכֻלְּהוּ קַיְימִין כְּכֹכָבַיָּא אִלֵּין בִּרְקִיעָא, כְּמָה דְּנְהִירִין כֹּכָבַיָּא בִּרְקִיעָא וְאִתְחֲזוּן, הָכִי נָמֵי נְהִירִין אִינּוּן קְרָסִים בְּמַשְׁכְּנָא. וְהָא אוּקִימְנָא. וּנְהִירִין אִינּוּן קְרָסִים וְאִתְחֲזוּן, כְּכֹכָבַיָּא דְּקַיְימֵי וּבַלְטֵי וְנַצְצֵי. וְאִינּוּן חַמְשִׁין

דְּדַהֲבָא, וְחַמְשִׁין דִּנְחָשָׁא, וְנַהֲרִין אִלֵּין לְקָבֵל אִלֵּין.

קסב. מִגּוֹ נְהוֹרָא דִּלְעֵילָּא, נָפַק חַד נְצִיצוּ דְּנָצִיץ, וְאַנְהִיר בְּגוֹ אַסְפַּקְלַרְיָא דְּלָא נַהֲרָא, וְהַהוּא נְצִיצוּ כָּלִיל מִכָּל גַּוְונִין דְּנַהֲירִין, וְאִקְרֵי אַרְגָּמָן. וְכַד בָּטַשׁ הַאי אַרְגָּמָן בְּהַהוּא נְהוֹרָא וַחֲשׁוֹכָא, כְּדֵין נָפַק חַד נְצִיצוּ אוּכָמָא דְּלָא לָהִיט, וְאִתְעָרְבוּ דָּא בְּדָא. וְאִינּוּן הֲווֹ לְבוּשִׁין דְּקוּדְשָׁא, דְּאִתְלָבַשׁ בְּהוּ מִיכָאֵל כַּהֲנָא רַבָּא.

קסג. וְכַד אִתְלְבַשׁ בְּהוּ בְּאִינּוּן לְבוּשֵׁי יְקָר, כְּדֵין עָאל לְשַׁמְּשָׁא בְּקוּדְשָׁא, וְעַד לָא לָבִישׁ בְּמַלְבּוּשִׁין אִלֵּין, לֹא עָאל לְקוּדְשָׁא. כְּגַוְונָא דָּא, וַיָּבֹא מֹשֶׁה בְּתוֹךְ הֶעָנָן וַיַּעַל אֶל הָהָר, וְאוֹלִיפְנָא דַּהֲוָה מִתְלַבַּשׁ בַּעֲנָנָא. וְכַד הֲוָה מִתְלָבַשׁ בַּעֲנָנָא, כְּדֵין וַיַּעַל אֶל הָהָר. וְעַד לָא אִתְלַבַּשׁ בֵּיהּ, לָא יָכִיל לְמֵיעַל לְגוֹ. כְּגַוְונָא דָּא כַּהֲנָא רַבָּא, לָא עָאל לְקוּדְשָׁא, עַד דְּאִתְלָבַשׁ בְּאִלֵּין לְבוּשִׁין, בְּגִין לְאַעֲלָא לְקוּדְשָׁא.

קסד. וּבְגִין דְּנַפְקוּ מֵרָזִין עִלָּאִין, וְאִינּוּן כְּגַוְונָא דִּלְעֵילָּא, אִקְרוּן בִּגְדֵי שְׂרָד. בְּגִין דְּאִשְׁתְּאָרוּ מֵאִינּוּן לְבוּשִׁין עִלָּאִין, בְּגִין דַּהֲווֹ מִמַּה דְּאִשְׁתְּאַר מִנְּהוֹרִין דְּזִיוִין עִלָּאִין. תְּכֵלֶת וְאַרְגָּמָן, גַּוְונִין דְּרָזָא דִּשְׁמָא קַדִּישָׁא, דְּאִקְרֵי שְׁמָא שְׁלִים, יְדֹוָ"ד אֱלֹהִים. וְדָא אִיהוּ רָזָא, לְאִתְלַבְּשָׁא כַּהֲנָא רַבָּא, לְמֵיעַל לְקוּדְשָׁא. תּוֹלַעַת שָׁנִי אִינּוּן גַּוְונִין סוּמָקָא, וְתִכְלָא וְאַרְגַּוְונָא, דְּאִיהוּ כָּלִיל בְּכָל אִינּוּן גַּוְונִין. וּמִגּוֹ דְּאִיהוּ אִתְלָבַשׁ בְּהוּ בִּלְבוּשִׁין דְּגַוְונִין אִלֵּין, הֲוָה עָאל לְגוֹ וְלָא דַּחְיָין לֵיהּ לְבַר.

קסה. ת"ח, כֹּלָּא אִתְעֲבֵיד בְּרָזָא דִּמְהֵימְנוּתָא, לְמֶהֱוֵי כֹּלָּא כְּגַוְונָא דִּלְעֵילָּא. וְעַ"ד כְּתִיב, בִּגְדֵי הַשְּׂרָד לְשָׁרֵת בַּקֹּדֶשׁ. וְאִקְרוּן בִּגְדֵי קֹדֶשׁ בְּגִין דְּלָא אִקְרוּן קֹדֶשׁ, אֶלָּא כַּד שָׁרָאן בֵּיהּ אִינּוּן גַּוְונִין. דִּכְתִּיב בִּגְדֵי קֹדֶשׁ הֵם. וּכְתִיב קֹדֶשׁ יִשְׂרָאֵל לַיְיָ רֵאשִׁית תְּבוּאָתֹה. קֹדֶשׁ יִשְׂרָאֵל: בְּגִין דְּבְיִשְׂרָאֵל אִתְחָזוּן כָּל גַּוְונִין. כֹּהֲנִים וּלְוִיִּם וְיִשְׂרָאֵל. וְאִלֵּין אִינּוּן גַּוְונִין לְאִתְחֲזָאָה לְגוֹ.

קסו. ת"ח, נִשְׁמְתָא לָא סַלְקָא לְאִתְחֲזָאָה קָמֵי מַלְכָּא קַדִּישָׁא, עַד דְּזָכְאת לְאִתְלַבְּשָׁא בִּלְבוּשָׁא דִּלְעֵילָּא לְאִתְחֲזָאָה תַּמָּן. וְכֵן כְּגַוְונָא דָּא לָא נַחְתָּא לְתַתָּא, עַד דְּאִתְלַבְּשַׁת בִּלְבוּשָׁא דְּהַאי עָלְמָא.

קסז. כְּגַוְונָא דָּא מַלְאָכִין קַדִּישִׁין דִּלְעֵילָּא, דִּכְתִּיב בְּהוּ עוֹשֶׂה מַלְאָכָיו רוּחוֹת מְשָׁרְתָיו אֵשׁ לוֹהֵט. כַּד עַבְדִּין שְׁלִיחוּתָא בְּהַאי עָלְמָא, לָא נַחְתִּין לְתַתָּא, עַד דְּמִתְלַבְּשִׁין בִּלְבוּשָׁא דְּהַאי עָלְמָא. וְכֹלָּא אִיהוּ כְּגַוְונָא דְּהַהוּא אֲתַר דְּאָזִיל תַּמָּן. וְהָא אוֹקִימְנָא, דְּנִשְׁמְתָא לָא סַלְקָא, אֶלָּא בִּלְבוּשָׁא דְּנָהִיר.

קסח. וְתָא חֲזֵי, אָדָם הָרִאשׁוֹן כַּד הֲוָה בְּגִנְתָּא דְּעֵדֶן, הֲוָה מִתְלָבַשׁ בִּלְבוּשָׁא כְּגַוְונָא דִּלְעֵילָּא, וְאִיהוּ לְבוּשָׁא דִּנְהוֹרָא עִלָּאָה. כֵּיוָן דְּאִתְתָּרַךְ מִגִּנְתָּא דְּעֵדֶן, וְאִצְטְרִיךְ לְגַוְונִין דְּהַאי עָלְמָא, מַה כְּתִיב וַיַּעַשׂ יְיָ אֱלֹהִים לְאָדָם וּלְאִשְׁתּוֹ כָּתְנוֹת עוֹר וַיַּלְבִּישֵׁם. בְּקַדְמֵיתָא הֲווֹ כָּתְנוֹת אוֹר, אוֹר, דְּהַהוּא נְהוֹרָא עִלָּאָה, דְּשַׁמֵּשׁ בֵּיהּ בְּגַן עֵדֶן.

קסט. בְּגִין דְּהָא גִּנְתָּא דְּעֵדֶן, נְהוֹרָא עִלָּאָה דְּנָהִיר מְשַׁמֵּשׁ בֵּיהּ. וְעַל דָּא, אָדָם קַדְמָאָה כַּד עָאל לְגוֹ גִּנְתָּא, אַלְבִּישׁ לֵיהּ קב"ה בִּלְבוּשָׁא דְּהַהוּא נְהוֹרָא, וְאָעִיל לֵיהּ תַּמָּן. וְאִי לָא אִתְלָבַשׁ בְּקַדְמֵיתָא בְּהַהוּא נְהוֹרָא, לָא יֵיעוּל לְתַמָּן. כֵּיוָן דְּאִתְתָּרַךְ מִתַּמָּן, אִצְטְרִיךְ לְמַלְבּוּשָׁא אַחֲרָא, כְּדֵין, וַיַּעַשׂ יְיָ אֱלֹהִים לְאָדָם וּלְאִשְׁתּוֹ כָּתְנוֹת עוֹר. וְכֹלָּא כְּמָה דְּאִצְטְרִיךְ. וְהָכָא כְּגַוְונָא דָּא, עָשׂוּ בִּגְדֵי שְׂרָד לְשָׁרֵת בַּקֹּדֶשׁ, לְאַעֲלָא בְּקוּדְשָׁא.

קע. וְהָא אוּקְמוּהָ, דְּעוֹבָדִין טָבִין דְּבַר נָשׁ דְּעָבֵיד בְּהַאי עָלְמָא, אִינּוּן עוֹבָדִין מַשְׁכֵי

מִנְּהוֹרָא דְּזִיוָא עִלָּאָה, לְבוּשָׁא, לְאִתְתַּקְּנָא בֵּיהּ לְהַהוּא עָלְמָא, לְאִתְחֲזָאָה קָמֵי קֻבְּ"ה. וּבְהַהוּא לְבוּשָׁא דְּלָבִישׁ, אִתְהֲנֵי וְחָמֵי גּוֹ אַסְפַּקְלַרְיָא דְּנַהֲרָא, כְּמָה דְּאַתְּ אָמֵר לַחֲזוֹת בְּנֹעַם יְיָ' וּלְבַקֵּר בְּהֵיכָלוֹ.

קעא. וְעַ"ד, נִשְׁמָתָא אִתְלַבְּשַׁת בִּתְרֵין עָלְמִין, לְמֶהֱוֵי לָהּ שְׁלִימוּ בְּכֹלָּא, בְּהַאי עָלְמָא דִּלְתַתָּא, וּבְעָלְמָא דִּלְעֵילָּא. וְעַל דָּא כְּתִיב, אַךְ צַדִּיקִים יוֹדוּ לִשְׁמֶךָ יֵשְׁבוּ יְשָׁרִים אֶת פָּנֶיךָ. אַךְ צַדִּיקִים יוֹדוּ לִשְׁמֶךָ בְּהַאי עָלְמָא, יֵשְׁבוּ יְשָׁרִים אֶת פָּנֶיךָ בְּהַהוּא עָלְמָא.

קעב. וַיַּעַשׂ אֶת הָאֵפוֹד זָהָב, הָא אוּקְמוּהָ. אָמַר רַבִּי יוֹסֵי, אֵפוֹד וְחֹשֶׁן כַּחֲדָא הֲווֹ, וְאוּקְמוּהָ דְּהָא בְּאֲתַר דְּהוּא קַיּוּמָא, קַיְּימָן כָּל אִינּוּן תְּרֵיסַר אַבְנִין, כֻּלְּהוּ נַטְלֵי שְׁמָהָן בְּנֵי יִשְׂרָאֵל, וְכֻלְּהוּ תְּרֵיסַר תְּחוּמִין עִלָּאִין, כֻּלְּהוּ בְּרָזָא דְּשִׁבְטֵי יִשְׂרָאֵל אִינּוּן.

קעג. וְרָזָא דָּא כְּתִיב, שֶׁשָּׁם עָלוּ שְׁבָטִים שִׁבְטֵי יָהּ עֵדוּת לְיִשְׂרָאֵל לְהוֹדוֹת לְשֵׁם יְיָ'. שֶׁשָּׁם עָלוּ שְׁבָטִים, אִלֵּין אִינּוּן תְּרֵיסַר שְׁבָטִין עִלָּאִין לְעֵילָּא, דְּאִינּוּן שִׁבְטֵי יָהּ, דְּהָא שְׁמָא דָּא עֵדוּת לְיִשְׂרָאֵל.

קעד. אָמַר רַבִּי חִיָּיא, תְּרֵי זִמְנֵי כְּתִיב שְׁבָטִים. אֶלָּא, שֶׁשָּׁם עָלוּ שְׁבָטִים, אִלֵּין שְׁבָטִין דִּלְתַתָּא. שִׁבְטֵי יָהּ, אִלֵּין שְׁבָטִין דִּלְעֵילָּא. עֵדוּת לְיִשְׂרָאֵל, דָּא רָזָא דִּשְׁמָא קַדִּישָׁא עִלָּאָה דָּא, דְּאִקְרֵי עֵדוּת, כְּמָה דְּאַתְּ אָמֵר, וְעֵדוֹתִי זוֹ אֲלַמְּדֵם. וְאִינּוּן תְּרֵיסַר שְׁבָטִין קַדִּישִׁין עִלָּאִין, אִינּוּן תְּרֵיסַר אַבְנִין קַדִּישִׁין. וְעַל דָּא אִינּוּן קַיְּימִין לְתַתָּא, כְּגַוְונָא דִּלְעֵילָּא, וְכָל אִינּוּן שְׁמָהָן דִּתְרֵיסַר שְׁבָטִין, כֻּלְּהוּ גְּלִיפָן בְּאִינּוּן אַבְנִין, וְכַהֲנָא רַבָּא נָטִיל לוֹן.

קעה. תָּא חֲזֵי, יַעֲקֹב כַּד הֲוָה אָזִיל לְחָרָן, מַה כְּתִיב וַיִּקַּח מֵאַבְנֵי הַמָּקוֹם וַיָּשֶׂם מְרַאֲשׁוֹתָיו. אִלֵּין תְּרֵיסַר אַבְנִין קַדִּישִׁין, וְכֻלְּהוּ אִתְעֲבִידוּ חַד אַבְנָא, דִּכְתִיב וְהָאֶבֶן הַזֹּאת אֲשֶׁר שַׂמְתִּי מַצֵּבָה. וְקָרֵי לְהוּ אֶבֶן, מַאי טַעֲמָא. בְּגִין דְּכֻלְּהוּ תְּרֵיסַר אַבְנִין, אִתְכְּלִילוּ בְּאַבְנָא חַד קַדִּישָׁא עִלָּאָה, דְּאִיהִי לְעֵילָּא מִנְּהוֹן, דִּכְתִיב וְהָאֶבֶן הַזֹּאת אֲשֶׁר שַׂמְתִּי מַצֵּבָה יִהְיֶה בֵּית אֱלֹהִים.

קעו. וְעַל דָּא הָכָא, כַּהֲנָא רַבָּא שַׁוֵּי לוֹן עַל לִבֵּיהּ, לְדִכְרָא לְהוֹן תָּדִיר, דִּכְתִיב וְנָשָׂא אַהֲרֹן אֶת שְׁמוֹת בְּנֵי יִשְׂרָאֵל עַל לִבּוֹ לִפְנֵי יְיָ' תָּמִיד. וּבְגִין כַּךְ, כֹּלָּא אִיהוּ בְּרָזָא דִּתְרֵיסַר, תְּרֵיסַר עִלָּאִין טְמִירִין לְעֵילָּא, דְּאִתְגְּנִיזוּ בְּרָזָא עִלָּאָה קַדִּישָׁא, וְאִינּוּן רָזָא דְּאוֹרַיְיתָא, וְנָפְקֵי מִקּוֹל חַד דָּקִיק וְהָא אוּקְמוּהָ. תְּרֵיסַר אַחֲרָנִין טְמִירִין לְתַתָּא, כְּגַוְונָא דִּלְהוֹן, וְנָפְקֵי גּוֹ קָלָא אַחֲרָא, דְּאִיהִי אֶבֶן דִּכְתִיב, מִשָּׁם רוֹעֶה אֶבֶן יִשְׂרָאֵל.

קעז. וְעַ"ד אוּקְמוּהָ בְּרָזָא דִּקְרָא דִּכְתִיב, וְנֶאֶסְפוּ שָׁמָּה כָל הָעֲדָרִים וְגָלְלוּ אֶת הָאֶבֶן. דָּא שְׁכִינְתָּא, דְּאִקְרֵי אֶבֶן בֹּחַן, אֶבֶן יִשְׂרָאֵל. דִּמְגַנְדְּרִין לָהּ, וְעָאלִין לָהּ בְּגָלוּתָא, וּכְתִיב וְהֵשִׁיבוּ אֶת הָאֶבֶן עַל פִּי הַבְּאֵר לִמְקוֹמָהּ, וְעַל שְׁמָהּ אִקְרוּן כֻּלְּהוּ אַבְנִין.

קעח. וְכַמָּה אַבְנִין לְאַבְנִין. אִית אַבְנִין וְאִית אַבְנִין, אִית אַבְנִין יְסוֹדֵי בֵּיתָא, דִּכְתִיב וַיְצַו הַמֶּלֶךְ וַיַּסִּיעוּ אֲבָנִים גְּדוֹלוֹת אֲבָנִים יְקָרוֹת לְיַסֵּד הַבָּיִת אַבְנֵי גָזִית. וְאִית אַבְנִין עִלָּאִין יַקִּירִין, וְאִינּוּן תְּרֵיסַר. וְאִינּוּן אַרְבַּע סִדְרִין, תְּלָתָא תְּלָתָא לְכָל סִדְרָא, לְאַרְבַּע רוּחֵי עָלְמָא. כְּגַוְונָא דָּא אִינּוּן אַרְבַּע דְּגָלִים, דַּהֲווֹ אָזְלֵי בְּמַדְבְּרָא, וְאִינּוּן תְּרֵיסַר שְׁבָטִין, תְּלָתָא תְּלָתָא לְכָל סִטְרָא, לְאַרְבַּע רוּחֵי עָלְמָא. וְכֹלָּא רָזָא חֲדָא וְהָא אוּקְמוּהָ.

קעט. וְתָא חֲזֵי, בְּשַׁעֲתָא דְּכַהֲנָא רַבָּא הֲוָה שַׁוֵּי אִלֵּין תְּרֵיסַר אַבְנִין, וְלָבִישׁ לוֹן

בְּחוֹשֶׁנָא וְאֵפוֹדָא, כְּדֵין שַׁרְיָא עָלֵיהּ שְׁכִינְתָּא. וְאִינּוּן תְּרֵיסַר אַבְנִין, גְּלִיפִין בִּשְׁמָהָן דְּכֻלְּהוּ שִׁבְטִין. וְכָל שִׁבְטָא וְשִׁבְטָא אִתְגְּלִיף עַל אַבְנָא חַד. מִשַּׁקְּעָן הֲווּ אַתְוָון עַל אַבְנִין. וְכַד נְהִירִין אַבְנִין, אַתְוָון הֲווּ בַּלְטִין לְבַר, וְנָהֲרִין עַל מַה דְּאִצְטְרִיכוּ.

קפ. וּבִשְׁבָטִין כֻּלְּהוּ, לָא הֲווּ תְּרֵין אַתְוָון ח' ט', בְּגִין דְּלָא אִשְׁתְּכַח חוֹבָה בְּכֻלְּהוּ. אָמַר רַבִּי חִזְקִיָּה, אִי הָכֵי ח' דִּשְׁמָא גָּרִים יָאוֹת. אֲבָל ט', דְּאִיהִי אָת טָב, וְתָנֵינָן מַאן דְּחָמֵי אָת ט' בְּחֶלְמֵיהּ, טָב לֵיהּ, בְּגִין דְּבֵיהּ פָּתְחָא אוֹרַיְיתָא כִּי טוֹב. דִּכְתִיב וַיַּרְא אֱלֹהִים אֶת הָאוֹר כִּי טוֹב, וְהוֹאִיל וְהִיא אָת טָב, אַמַּאי לָא אִכְתּוּב בְּאִינּוּן שְׁבָטִין.

קפא. אָמַר לֵיהּ, בְּגִין דְּסָמִיכִין תְּרֵין אַתְוָון אַהֲדָדֵי. וְתוּ, דְּהָא אָת ט' גָּנִיז וְטָמִיר. וְאִיהוּ נְהִיר נְהִירוּ דְּכֻלְּהוּ, דְּהָא אָת דָּא נְהִירוּ דְּכֻלְּהוּ הֲוֵי. וְלָאו נְהִירוּ אִשְׁתְּכַח בַּר מֵאָת דָּא, דִּכְתִיב וַיַּרְא אֱלֹהִים אֶת הָאוֹר כִּי טוֹב. וְהוּא נְהִירוּ דְּהַהוּא נְהוֹרָא דְּגָנִיז וְטָמִיר. וְעַל דָּא כְּתִיב, לֹא יִמְנַע טוֹב לַהוֹלְכִים בְּתָמִים. וְדָא אִיהוּ נְהוֹרָא דְּכֻלְּהוּ שְׁבָטִין. וּבְגִין כָּךְ לָא אִתְגְּלַף בְּהוּ. וְתוּ, דְּכֻלְּהוּ תְּרֵיסַר נָפְקֵי מִגּוֹ אַכְסַדְרָא דָּא טְמִירָא, דְּאִיהִי בְּרָזָא דְּאָת ט', וּבג"כ אִיהוּ טָמִיר וְגָנִיז, וְלָא אִתְחֲזֵי בְּהוּ.

קפב. ת"ח, כָּל הָנֵי אַבְנִין, קַיְימֵי בְּאוֹרַח אָת וְנִיסָא. וְכֻלְּהוּ כַּד הֲווּ נָהֲרִין, כְּדֵין כַּהֲנָא רַבָּא הֲווּ נְהִירִין אַנְפּוֹי, וְאַתְוָון נְהִירִין וּבַלְטִין לְאִשְׁתְּמוֹדְעָא לְבַר. וְכַד הֲווּ נָהֲרִין אַנְפּוֹי דְּכַהֲנָא כְּדֵין הֲווּ אִשְׁתְּמוֹדְעָן בְּלִיטוּ דְּאַתְוָון, דְּאִיהוּ לְטָב. וּבְדָא אִשְׁתְּמוֹדַע כַּהֲנָא, אִי זַכָּאָה הוּא אִי לָאו. וְעַל דָּא כֹּלָּא אִיהוּ בְּאָת וְנִיסָא, וְהָא אוֹקְמוּהָ.

קפג. רַבִּי אַבָּא הֲוָה שְׁכִיחַ קַמֵּיהּ דְּרַבִּי שִׁמְעוֹן, אָמַר לֵיהּ, הָא דִּכְתִיב וְנָתַתָּ אֶל חֹשֶׁן הַמִּשְׁפָּט אֶת הָאוּרִים וְאֶת הַתֻּמִּים, וְתָנֵינָן, אוּרִים: דְּנָהֲרִין בְּמִלָּה דְּאִצְטְרִיכוּ. תּוּמִים: דְּאַשְׁלִימוּ בְּמִלַּיְיהוּ. תּוּ אֲנָן צְרִיכִין לְמִנְדַּע.

קפד. אָמַר לֵיהּ, וַדַּאי, וְהָכֵי אִיהוּ, חֹשֶׁן וְאֵפוֹד לְקָבֵל אוּרִים וְתוּמִים. וְדָא רָזָא, דִּתְפִלִּין, וְקִשְׁרָא דִּתְפִלִּין, לְקָבֵל תְּרֵין אִלֵּין. פָּתַח וְאָמַר וְרָאִיתָ אֶת אֲחוֹרָי וּפָנַי לֹא יֵרָאוּ. וְרָאִיתָ אֶת אֲחוֹרָי, הָא תָּנֵינָן, דְּאַחֲזֵי לֵיהּ קוּדְשָׁא ב"ה לְמֹשֶׁה, קֶשֶׁר שֶׁל תְּפִלִּין. וּפָנַי: אִלֵּין תְּפִלִּין מַמָּשׁ. וּפָנַי אִינּוּן תְּפִלִּין, דְּאִינּוּן רָזָא עִלָּאָה שְׁמָא קַדִּישָׁא. אֲחוֹרָי, אִיהוּ רָזָא דְּקִשְׁרָא דִּתְפִלִּין. וְהָא יְדִיעָא לְגַבֵּי חַבְרַיָּיא. בְּגִין דְּדָא אִסְפַּקְלַרְיָא דְּנָהֲרָא. וְדָא אִיהִי אִסְפַּקְלַרְיָא דְּלָא נַהֲרָא.

קפה. לְקָבֵל דָּא, אוּרִים: דְּנָהֲרִין בְּמִלַּיְיהוּ. תּוּמִים: דְּאַשְׁלִימוּ בְּמִלַּיְיהוּ. דָּא פָּנִים. וְדָא אָחוֹר. וְרָזָא דָּא קוֹל וְדִבּוּר, לְמַלְּלָא. קוֹל אַנְהִיר לְדִבּוּר, דִּבּוּר אַשְׁלִים מִלָּה. וְתָדִיר דָּא בְּדָא סַלְקָן, וְלָא אִתְפָּרְשָׁן דָּא מִן דָּא לְעָלְמִין, וּבג"כ, חֹשֶׁן וְאֵפוֹד, דָּא פָּנִים וְדָא אָחוֹר וְכֹלָּא רָזָא וַחֲדָא בְּלָא פְּרִישׁוּ כְּלָל.

קפו. אָמַר לֵיהּ, אִי הָכֵי דְּלָא מִתְפָּרְשָׁן לְעָלְמִין, וּמַאן דְּאַפְרִישׁ לוֹן, הָא תָּנֵינָן, דִּכְתִיב מַפְרִיד אַלּוּף, מַהוּ דִּכְתִיב וַיְהִי בִּבְרוֹחַ אֶבְיָתָר בֶּן אֲחִימֶלֶךְ אֶל דָּוִד קְעִילָה אֵפוֹד יָרַד בְּיָדוֹ, וְאִלּוּ חֹשֶׁן לָא קָאָמַר.

קפז. אָמַר לֵיהּ, וַדַּאי הָכֵי הוּא, כָּל מַה דְּהוּא חָשִׁיב, אִיהוּ טָמִיר וְגָנִיז, וְלָא אִדְכַּר כָּל כָּךְ. כְּגַוְונָא דָּא נוֹשְׂאֵי אֵפוֹד בַּד, מַה דְּאִיהוּ בְּאִתְגַּלְיָיא יַתִּיר, אִיהוּ אִדְכַּר, בְּגִין דְּיִתְכַּסֵּי מַה דְּאִיהוּ בִּגְנִיזוּ וּטְמִירוּ. וע"ד אִדְכַּר מַה דְּאִיהוּ בְּאִתְגַּלְיָיא יַתִּיר.

קפח. וּבג"כ, שְׁמָא עִלָּאָה אִיהוּ רָזָא בִּטְמִירוּ וּגְנִיזוּ, וְלָא אִדְכַּר אֶלָּא בִּשְׁמָא דְּאִיהוּ בְּאִתְגַּלְיָיא. דָּא אִדְכַּר, וְדָא אִגְנִיז. דָּא בְּאִתְגַּלְיָא, וְדָא בִּסְתִירוּ, וְכָל מַה דְּאִתְגַּלְיָא

אִיהוּ אַדְכַּר לְעָלְמִין. שְׁמָא דְּגָנִיז אִיהוּ יְדוָ"ד, שְׁמָא דְּאִיהוּ בְּאִתְגַּלְיָיא אִיהוּ אֲדֹנָ"י, וע"ד אַכְתּוּב בְּאַתְוָון טְמִירִין, וְאִקְרֵי בְּאַתְוָון אִלֵּין, וְאִתְכַּסֵּי דָּא בְּדָא, לְמֶהֱוֵי יְקָרָא עִלָּאָה טָמִיר וְגָנִיז לְעָלְמִין. דְּכָל אוֹרְזֵי דְּאוֹרַיְיתָא הָכִי הוּא, אִתְגַּלְיָיא וּסְתִימָא. וְכָל מִלִּין דְּעָלְמָא בֵּין דְּעָלְמָא דֵּין, וּבֵין דְּעָלְמָא דִּלְעֵילָּא, כֻּלְּהוּ אִיהוּ טָמִיר וְגַלְיָא.

קפט. פָּתַח וְאָמַר, וַיֹּאמְרוּ אֵלָיו הַגִּידָה נָּא לָנוּ בַּאֲשֶׁר לְמִי הָרָעָה הַזֹּאת לָנוּ וְגוֹ'. הַאי קְרָא אִית לְאִסְתַּכְּלָא בֵּיהּ, כֻּלְּהוּ בְּרָזָא דְּחָכְמְתָא שָׁאִילוּ. דִּכְתִּיב הַגִּידָה נָּא לָנוּ בַּאֲשֶׁר לְמִי, בַּאֲשֶׁר, רָזָא דְּחָכְמְתָא שָׁאִילוּ. הָכָא שָׁאִילוּ רָזָא דְּאִיהוּ בְּאִתְגַּלְיָיא, לְמִנְדַּע אִי מִזַּרְעָא דְּיוֹסֵף קָאֲתֵי, דְּיַמָּא כֵּיוָן דְּחָמָא אֲרוֹנָא דִּילֵיהּ, מִיַּד אִתְבְּקַע, וַהֲוָה יַבֶּשְׁתָּא, דִּכְתִּיב הַיָּם רָאָה וַיָּנוֹס, הַיָּם רָאָה, הַהוּא דִּכְתִּיב בֵּיהּ וַיָּנָס וַיֵּצֵא הַחוּצָה. מִיַּד הַיַּרְדֵּן יִסּוֹב לְאָחוֹר.

קצ. וְעַל דָּא שָׁאִילוּ לֵיהּ בַּאֲשֶׁר, דִּכְתִּיב בֵּיהּ בְּיוֹסֵף, בַּאֲשֶׁר אַתְּ אִשְׁתּוֹ. אִי מֵהַהוּא זַרְעָא קָא אָתֵית, צַלֵּי דְּיִשְׁתּוֹק יַמָּא מִינָּן. לְמִי, וְאִי מִזַּרְעָא דְּיַעֲקֹב קָא אָתֵית, דִּכְתִּיב בֵּיהּ, לְמִי אַתָּה וְאָנָה תֵלֵךְ, וְאִינּוּן הֲווֹ מַלְאֲכִין קַדִּישִׁין, דְּשָׁדַר בִּשְׁלִיחוּתֵיהּ, וְאִשְׁתְּזִיב מֵהַהוּא עָאקוּ. צַלֵּי לְמָרָךְ, וְיִשַׁדֵּר מַלְאֲכֵיהּ, וְנִשְׁתְּזִיב מֵהַהוּא עָאקוּ.

קצא. וְאִי לָאו, מַה מְּלַאכְתְּךָ, בְּמָה אִשְׁתַּדְּלוּתָךְ בְּכָל יוֹמָא. וּמֵאַיִן תָּבֹא, מַאן אִינּוּן אֲבָהָתָךְ. מָה אַרְצֶךָ, אִי הִיא אַרְעָא דְּאִתְחֲזִיָּיא לְאִתְעַנְּשָׁא. וְאֵי מִזֶּה עַם אָתָּה, אִי הוּא עֲמָלֵק, אוֹ חַד מִשִּׁבְעָה עַמְמִין, דְּאִתְחֲזוּן לְאִתְעַנְּשָׁא. כֹּלָּא שָׁאִילוּ לֵיהּ כַּדְקָא יֵאוֹת.

קצב. מַה אָתִיב לוֹן, וַיֹּאמֶר אֲלֵיהֶם עִבְרִי אָנֹכִי, מֵהַהוּא זַרְעָא דְּאַבְרָהָם הָעִבְרִי, דְּאַקְדִּישׁ שְׁמָא דְּמָארֵיהּ בְּכָל יוֹמָא בְּעָלְמָא. וְאֶת יְיָ' אֱלֹהֵי הַשָּׁמַיִם אֲנִי יָרֵא וְגוֹ', אִינּוּן לָא שָׁאִילוּ לֵיהּ אֶלָּא מִלָּה בְּאִתְגַּלְיָא וּבְאִתְכַּסְיָא לְמִנְדַּע בֵּיהּ. וְאִיהוּ אָתִיב לוֹן כֹּלָּא בְּאִתְגַּלְיָא.

קצג. מַה כְּתִיב וַיִּירְאוּ הָאֲנָשִׁים יִרְאָה גְדוֹלָה, כֵּיוָן דְּשָׁמְעוּ שְׁמָא דְּקֻבְּ"ה, מִיַּד דָּחִילוּ, בְּגִין דְּכֻלְּהוּ הֲווּ יַדְעִין נִסִּין וּגְבוּרָאן דְּעָבֵד קוּדְשָׁא בְּ"ה בְּיַמָּא, וְכֵיוָן דְּאָמַר לוֹן שְׁמָא דְּקוּדְשָׁא בְּרִיךְ הוּא, מִיַּד דָּחִילוּ קַמֵּיהּ דְּחִילוּ סַגְיָא. תּוּ אָמַר לוֹן, דְּאִיהוּ עָרַק מִקַּמֵּי קוּדְשָׁא בְּרִיךְ הוּא. וְעַל דָּא אָמְרוּ לֵיהּ, מַה זֹּאת עָשִׂיתָ, דְּאַנְתְּ עָרַקְתְּ מִקַּמֵּיהּ, וְלָא עֲבַדְתְּ פִּקּוּדוֹי. וּבְגִין כַּךְ מַה זֹּאת עָשִׂיתָ דְּאַנְתְּ עֲבַרְתָּ עַל פִּקּוּדֵי דְּמָארָךְ.

קצד. וְתָא חֲזֵי, כָּל אִלֵּין אִתְגַּיְּירוּ לְבָתַר, כַּד חָמוּ נִסִּין וּגְבוּרָן דְּעָבֵד לֵיהּ קֻבְּ"ה לְיוֹנָה בְּיַמָּא. וְכֻלְּהוּ חָמוּ לֵיהּ כַּד נָפַל בְּיַמָּא, וְהַהוּא נוּנָא דְּסָלִיק וּבָלַע לֵיהּ קַמַּיְיהוּ. וְכַד אָתָא הַהוּא נוּנָא רַבָּא צַלְעַיְינֵיהוֹן דְּכֹלָּא, וּפָלַט לֵיהּ לְיַבֶּשְׁתָּא, אָתוּ לְגַבֵּיהּ וְאִתְגַּיְּירוּ כֻּלְּהוּ. הה"ד, מְשַׁמְּרִים הַבְלֵי שָׁוְא חַסְדָּם יַעֲזוֹבוּ.

קצה. וְתָא חֲזֵי, כֻּלְּהוּ אִלֵּין הֲווּ גֵּרֵי צֶדֶק, וְאִתְחַכָּמוּ בְּאוֹרַיְיתָא, וַהֲווּ זַכִּימִין עִלָּאִין, בְּגִין דְּהָא קֻבְּ"ה אִתְרְעֵי בְּהוּ, וּבְכָל אִינּוּן דְּמִקָּרְבֵי לְגַבֵּיהּ, וּמְקַדְּשִׁין שְׁמֵיהּ בְּאִתְגַּלְיָא דְּכַד אִתְקַדַּשׁ שְׁמֵיהּ בְּאִתְגַּלְיָא, שְׁמֵיהּ דְּאִתְכַּסְיָא, אִסְתַּלִּיק עַל כּוּרְסֵי יְקָרֵיהּ, דִּכְתִּיב וְנִקְדַּשְׁתִּי בְּתוֹךְ בְּנֵי יִשְׂרָאֵל.

קצו. וַיִּרְכְּסוּ אֶת הַחֹשֶׁן מִטַּבְּעוֹתָיו אֶל טַבְּעוֹת הָאֵפוֹד בִּפְתִיל תְּכֵלֶת. אַמַּאי בִּפְתִיל תְּכֵלֶת. אֶלָּא לְאַחֲזָאָה בְּהַאי תְּכֵלָא אִתְקַשַּׁר בְּכֹלָּא. וְעַל דָּא כֹּלָּא אִיהוּ בְּרָזָא עִלָּאָה.

קצז. מַה כְּתִיב, פַּעֲמוֹן זָהָב וְרִמּוֹן, וְאוֹקִימְנָא, וְכֹלָּא אִיהוּ בְּרָזָא עִלָּאָה כְּדְקָאֲמָרָן. מַה כְּתִיב, וְנִשְׁמַע קוֹלוֹ בְּבֹאוֹ אֶל הַקֹּדֶשׁ לִפְנֵי יְיָ'. בְּגִין דְּאִצְטְרִיךְ קָלָא דְּאִשְׁתְּמַע,

וּבִרְכָּאן יִשְׁרוּן עַל עָלְמָא בְּגִינֵיהּ דְּכַהֲנָא, דְּאִיהוּ מְבָרֵךְ כֹּלָּא, וּפָלַח כֹּלָּא. פַּעֲמֹן זָהָב, הָא אוֹקִימְנָא. רִמּוֹן, דְּאִתְמַלְיָּיא כְּרִמּוֹנָא דָּא, דְּאִיהוּ אִתְמַלְיָּיא מִכֹּלָּא, וְכֹלָּא אוֹקִימְנָא.

קצוז. וַיַּעַשׂ אֶת מְעִיל הָאֵפוֹד מַעֲשֵׂה אוֹרֵג כְּלִיל תְּכֵלֶת. הָא אִתְּמַר בְּרָזָא דְּחוֹשֶׁן וְאֵפוֹד, וְכֹלָּא חַד. כְּלִיל תְּכֵלֶת, דְּהָכִי אִתְחֲזֵי כְּמָה דְּאוֹקִימְנָא, דִּתְכֵלָא אִיהוּ רָזָא דְּנְהוֹרָא דְּכוּרְסְיָּיא תִּכְלָא. דְּאִיהוּ בִּקְשׁוּרָא דִּנְהִירוּ חִוָּורָא, כֹּלָּא כַּחֲדָא. וְעַל דָּא תִּכְלָא לְאֵפוֹדָא אִיהוּ.

קצט. אָמַר רִבִּי שִׁמְעוֹן, הָנֵי מָאנֵי דִּלְבוּשִׁין דְּכַהֲנָא, כֻּלְּהוּ בְּרָזָא עִלָּאָה אִיהוּ, לְמֶהֱוֵי לְבוּשִׁין דִּלְתַתָּא, כְּגַוְונָא דִּלְעֵילָּא. תָּא חֲזֵי, כֵּיוָן דְּמִיכָאֵל כַּהֲנָא רַבָּא אִיהוּ, וְאָתֵי מִסִּטְרָא דִּימִינָא, אַמַּאי כְּתִיב בְּגַבְרִיאֵל, הָאִישׁ לְבוּשׁ הַבַּדִּים, דְּהָא לְבוּשִׁין לְכַהֲנָא רַבָּא אִיהוּ, וּמִיכָאֵל אִיהוּ כַּהֲנָא, וְאָתֵי מִסִּטְרָא דִּימִינָא. אֶלָּא מֵהָכָא, דִּשְׂמָאלָא אִתְכְּלִיל בִּימִינָא תָּדִיר, וְאִתְלְבַשׁ גַּבְרִיאֵל בִּלְבוּשִׁין אִלֵּין.

ר. תּוּ, דְּהָא גַּבְרִיאֵל אִיהוּ אִתְמַנָּא שְׁלִיחָא בְּהַאי עָלְמָא, וְכָל שְׁלִיחָא דְּאִתְמַנָּא בְּהַאי עָלְמָא, אִצְטְרִיךְ לְאִתְלַבְּשָׁא בִּלְבוּשִׁין דְּהַאי עָלְמָא, וְהָא אוֹקִימְנָא בְּרָזָא דְּנִשְׁמְתָא, כַּד סַלְקַת לְעֵילָּא אִתְלַבְּשַׁת בִּלְבוּשָׁא כְּגַוְונָא דִּלְעֵילָּא, בְּגִין לְמֶהֱוֵי תַּמָּן. וְכֵן כַּד נַחְתַּת לְתַתָּא מִלְעֵילָּא, כֹּלָּא אִיהוּ כְּגַוְונָא דְּהַהוּא אֲתַר דְּאָזְלַת תַּמָּן. כְּגַוְונָא דָּא כָּל אִינּוּן שְׁלִיחָן דְּאִתְמְנָן בִּשְׁלִיחוּתָא בְּהַאי עָלְמָא, וְהָא אוֹקִימְנָא.

רא. ות"ח, הַאי מְעִילָא דְּאֵפוֹדָא, לְחַפְיָא עָלֵיהּ, כַּד לָבִישׁ לֵיהּ. כְּתִיב אָזוֹר וָקֶדֶם צַרְתָּנִי וַתָּשֶׁת עָלַי כַּפֶּכָה.

רב. הַאי קְרָא הָא אוֹקְמוּהָ. אֲבָל ת"ח, בְּשַׁעְתָּא דְּבָרָא קב"ה לְאדה"ר. דְּכַר וְנוּקְבָא אִתְבְּרִיאוּ, וַהֲווּ תַּרְוַויְיהוּ דָּא עִם דָּא קְשׁוּרָא, נוּקְבָא לַאֲחוֹרָא, וּדְכוּרָא לְקָמָא, עַד דְּנָסַר לוֹן קב"ה, וְאַתְקִין לָהּ, וְאָעִיל לָהּ לְקַמֵּיהּ דְּאָדָם, לְאִסְתַּכְּלָא אַנְפִּין בְּאַנְפִּין, וְכֵיוָן דְּאִסְתַּכְּלוּ אַנְפִּין בְּאַנְפִּין, כְּדֵין אִתְסָגֵי רְחִימוּתָא בְּעָלְמָא, וְאוֹלִידוּ תּוֹלְדִין בְּעָלְמָא, מַה דְּלָא הֲוַות מִקַּדְמַת דְּנָא, וְהָא אוֹקִימְנָא.

רג. וּלְבָתַר דְּחָב אָדָם וְאִתְּתָא, וְאָתָא נָחָשׁ עַל חַוָּה, וְאָטִיל בָּהּ זוּהֲמָא, אוֹלִידַת חַוָּה לְקַיִן, וַהֲוָה דְּיוֹקְנֵיהּ, דְּיוֹקְנָא דִּלְעֵילָּא וְתַתָּא, מֵרָזָא דְּזוּהֲמָא דְּסִטְרָא אַחֲרָא, וּמִסִּטְרָא דִּלְתַתָּא. וְעַל דָּא אִיהוּ הֲוָה קַדְמָאָה, דְּעָבַד מוֹתָא בְּעָלְמָא, בְּגִין דְּסִטְרָא דִּילֵיהּ גָּרִים. וְחִוְיָא אוֹרְחֵיהּ הוּא לְמֶהֱוֵי כָּמִין לְקַטּוֹלָא, הַהוּא דְּאָתֵי מִנֵּיהּ אוֹרְחֵיהּ נָקִיט וְאָזִיל, וְעַל דָּא כְּתִיב וַיְהִי בִּהְיוֹתָם בַּשָּׂדֶה וַיָּקָם קַיִן אֶל הֶבֶל אָחִיו וַיַּהַרְגֵהוּ.

רד. אַשְׁכַּחְנָא בְּסִפְרִין קַדְמָאִין, דְּכַד קָטַל לֵיהּ קַיִן לְהֶבֶל, הֲוָה נָשִׁיךְ לֵיהּ נְשִׁיכִין, כְּחִוְיָא, עַד דְּאַפִּיק נִשְׁמָתֵיהּ, וְקָטַל לֵיהּ.

רה. וְכָל מִלִּין אֲהַדְרוּ לִיסוֹדָא קַדְמָאָה, וְאִי לָאו דַּהֲוָה קַיִן מֵהַהוּא סִטְרָא, לָא אִשְׁתְּכַח הָכִי לְגַבֵּי אָחוּהָ. וע"ד, כֵּיוָן דְּחָזָא אָדָם דְּאִתְקְטִיל הֶבֶל, וְאִתְתְּרִיךְ קַיִן, אָמַר, מַה אֲנָא אוֹלִיד מִכָּאן וּלְהָלְאָה, אִתְפְּרַשׁ מֵאִתְּתֵיהּ מְאָה וּתְלָתִין שְׁנִין, וְרוּחִין נוּקְבֵי מְסָאֲבֵי, הֲווּ אַתְיָין וּמִתְחַמְּמָן מִנֵּיהּ, וַהֲוָה אוֹלִיד רוּחִין וְשֵׁדִין, וְאִקְרוּן נִגְעֵי בְּנֵי אָדָם, וְאוֹקִימְנָא.

רו. לְבָתַר קָנֵי וְאִתְלְבַשׁ בְּקִנְאָה, וְאִתְחֲבַר בְּאִתְּתֵיהּ, וְאוֹלִיד לְשֵׁת. דִּכְתִּיב וַיּוֹלֶד בִּדְמוּתוֹ כְּצַלְמוֹ וַיִּקְרָא אֶת שְׁמוֹ שֵׁת. דָּא אִיהוּ בִּדְמוּתוֹ כְּצַלְמוֹ, מַה דְּלָא הֲוָה הָכִי בְּקַדְמֵיתָא, בְּאִינּוּן בְּנִין קַדְמָאֵי, דַּהֲווּ מִקַּדְמַת דְּנָא.

רו. בְּגִין, דְּהָא בְּקַדְמֵיתָא, אִתְחַבְּרוּתָא אַחֳרָא הֲוָת לְגַבֵּיהּ, וְאוּקְמוּהָ, עַד דְּאָתַת חַוָּה, וְאַתְקִין לָהּ קֻבָּ"ה לְגַבֵּיהּ דְּאָדָם, וְאִתְחֲבָרוּ אַנְפִּין בְּאַנְפִּין. וְעַל דָּא כְּתִיב, לְזֹאת יִקָּרֵא אִשָּׁה, דָּא אִיהִי אִתְּתָא, אֲבָל אַחֳרָא לָא אִקְרֵי הָכִי. וְהָא אוּקְמוּהָ.

רוח. וּבְגִין דְּאָדָם וְחַוָּה כַּחֲדָא אִתְבְּרִיאוּ, כְּתִיב זָכָר וּנְקֵבָה בְּרָאָם וַיְבָרֶךְ אוֹתָם, תַּרְוַוייהוּ כַּחֲדָא הֲווֹ. וְעַל דָּא כְּתִיב, אָחוֹר וָקֶדֶם צַרְתָּנִי.

רט. ת"ח, אָפוֹד וְחוֹשֶׁן, אָחוֹר וָקֶדֶם הֲווֹ, וְכַד כַּהֲנָא אִתְלְבַּשׁ בְּהוֹ, הֲוָה דָּמֵי בְּדִיוּקְנָא עִלָּאָה. וְהָא אִתְּמַר, דִּכְדֵין אַנְפּוֹי נְהִירִין, וְאַתְוָון בַּלְטִין, וְסַלְקִין לְעֵילָּא מִנַּהֲרָן, וּכְדֵין הֲוָה יָדַע מִלָּה.

רי. וּבְגִין כָּךְ, תִּקּוּנָא דְחוֹשֶׁנָא, וְתִקּוּנָא דְאָפוֹדָא, כַּחֲדָא מִתְקַשְּׁרָן. וְאע"ג דְּתִקּוּנָא דְּדָא לָאו אִיהוּ כְּתִקּוּנָא דְּדָא, וְכֹלָּא בְּרָזָא חֲדָא. קְשׁוּרָא דְּדָא בְּדָא, לְאִתְאַחֲדָא וְחוֹשֶׁנָא בְּאָפוֹדָא, בְּאַרְבַּע עִזְקָן, דְּאִתְקְשָׁרוּ בְּהַאי אֲתָר, וּבְהַאי אֲתָר. וְאִינוּן רָזָא דְּאִינוּן רְתִיכִין, דְּמִתְקַשְּׁרָן בְּהַאי סִטְרָא דִלְתַתָּא, לְאִינוּן דִלְעֵילָּא, וְכֹלָּא אִיהוּ בְּרָזָא דְאוֹפַנִּין וְחֵיוָת.

ריא. כְּתִיב, בְּרֵאשִׁית בָּרָא אֱלֹהִים אֵת הַשָּׁמַיִם וְאֵת הָאָרֶץ. וְהָא אוּקְמוּהָ, דְּהָא כֹּלָּא כְּגַוְונָא דָא אִתְעֲבֵיד מַשְׁכְּנָא, כְּגַוְונָא דְּעָלְמָא תַּתָּאָה, עָבַד כְּגַוְונָא דְּעָלְמָא עִלָּאָה, וְכָל עוֹבָדוֹי דְּעָבַד כְּגַוְונָא דִלְעֵילָּא. ה"נ מַשְׁכְּנָא, כָּל עוֹבָדוֹי אִינוּן כְּעוֹבָדָא וּכְגַוְונָא דְּעָלְמָא עִלָּאָה.

ריב. וְרָזָא דָא כָּל עוֹבָדִין דְּמַשְׁכְּנָא, כֻּלְּהוּ עוֹבָדִין דִּלְעֵילָּא וְתַתָּא, בְּגִין לְאַשְׁרָאָה שְׁכִינְתָּא בְּעָלְמָא, בְּדִיּוּרִין עִלָּאִין, וּבְדִיּוּרִין תַּתָּאִין. כְּגַוְונָא דָא, גַּן עֵדֶן לְתַתָּא, אִיהוּ כְּגַוְונָא עִלָּאָה. וּכְגַוְונָא תַּתָּאָה, כָּל צִיּוּרִין, וְכָל דִּיּוּקְנִין דְּעָלְמָא כֻּלְּהוּ תַּמָּן. וְעַל דָּא, עֲבִידַת מַשְׁכְּנָא, וַעֲבִידַת שָׁמַיִם וָאָרֶץ, כֻּלְּהוּ בְּרָזָא חֲדָא.

ריג. כְּתִיב שְׂאוּ מָרוֹם עֵינֵיכֶם וּרְאוּ מִי בָרָא אֵלֶּה וְגוֹ'. הַאי קְרָא אוּקְמוּהָ, אֲבָל ת"ח, וְכִי בְּגִין דְּיִסְתְּכַּל ב"נ עֵינוֹי לְעֵילָּא, וְזָקִיף לוֹן לְעֵילָּא, יָכִיל לְמִנְדַּע וּלְאִסְתַּכְּלָא בְּמָה דְּלָא אִתְרַשְׁוּ לְמִנְדַּע וּלְמֵחֱמֵי.

ריד. אֶלָּא שְׂאוּ מָרוֹם עֵינֵיכֶם, מַאן דְּבָעֵי לְאִסְתַּכְּלָא וּלְמִנְדַּע בְּעוֹבָדוֹי דְקֻבָּ"ה, יָזְקִיף עֵינוֹי לְעֵילָּא, וְיֶחֱמֵי כַּמָּה חֵילִין, וְכַמָּה מַשִּׁרְיָין, עוֹבָדִין מְשַׁנְיָין דָּא מִן דָּא, רַבְרְבִין אִלֵּין מֵאִלֵּין. וּכְדֵין חֲמָן וְיִשְׁאֲלוּן וְיֵימְרוּן, מַאן בָּרָא אִלֵּין. מִי בָרָא אֵלֶּה, הָא אוּקִימְנָא רָזָא דְמִי. בָּרָא אֵלֶּה. דְּהֲהוּא אֲתָר דְּקַיְימָא מָרוֹם וְגָנִיז וְסָתִים וְלָא יְדִיעַ, וְקַיְימָא תָּדִיר לִשְׁאֵלָה, בְּגִין דְּלָא אִתְגַּלְיָיא לְהַהוּא אֲתָר.

רטו. הַמּוֹצִיא בְּמִסְפָּר צְבָאָם, מַאי הַמּוֹצִיא. אֶלָּא בְּגִין דְּהַהוּא אֲתָר דְּאִיהוּ טָמִיר וְגָנִיז, אִיהוּ אַפִּיק כֹּלָּא, בְּרָזָא דְּקוֹל דְּנָפִיק בְּשִׁעוּרָא. וְהַהוּא קוֹל, אִיהוּ מִסְפָּר דְּכָל חֵילִין עִלָּאִין, וְחוּשְׁבָּנָא דְּכֹלָּא. וּמִתַּמָּן אִשְׁתְּכָחוּ רָזָא דִּמְהֵימְנוּתָא עִלָּאָה, בְּכָל אִינוּן סִטְרִין עִלָּאִין, עַד דְּנַגְדִּין דַּרְגִּין, וְאִתְמַשְּׁכָאן לְתַתָּא, וְאִתְפָּרְשָׁאן כַּמָּה חֵילִין לְזִנַיְיהוּ, וְכֻלְּהוּ קַיְימִין בְּחוּשְׁבָּנָא, וְאִקְרוּן בִּשְׁמָא. מֵרוֹב אוֹנִים, דָּא סִטְרָא דִימִינָא. וְאַמִּיץ כֹּחַ, דָּא סִטְרָא דִשְׂמָאלָא. אִישׁ לֹא נֶעְדָּר, סִטְרִין דְּנַגְדִּין מִתְּרֵין עֲבָרִין.

רטז. דָּבָר אַחֵר שְׂאוּ מָרוֹם עֵינֵיכֶם וּרְאוּ מִי בָרָא אֵלֶּה, הַאי קְרָא כַּד אִתְקָם מַשְׁכְּנָא. וַהֲוָה אִתְתְּקַן, כָּל מַאן דַּהֲוָה חָמֵי לֵיהּ לְמַשְׁכְּנָא, אִסְתְּכַּל בֵּיהּ לְעֵילָּא וְתַתָּא, וְכֹלָּא חָמֵי בֵּיהּ בְּמַשְׁכְּנָא. בְּגִין דְּכָל עוֹבָדִין דְּעָלְמָא עִלָּאָה וְתַתָּאָה, כֻּלְּהוּ אִתְתְּקָנוּ בֵּיהּ בְּמַשְׁכְּנָא, וְהָא אוּקִימְנָא, כָּל מַאן דַּהֲוָה חָמֵי קְרָסִים אִינוּן קְרָסִים בְּמַשְׁכְּנָא, וְאִסְתְּכַּל בְּהוֹ, הֲוָה

מִסְתַּכֵּל בְּנָהִירוּ דִּלְהוֹן, בִּנְהִירוּ דְּכֹכְבַיָּא, בְּגִין דְּהָכִי קַיְימָן כֹּכְבַיָּא בִּרְקִיעָא.

רי״ז. פָּתַח וְאָמַר, הַלְלוּיָהּ הַלְלוּ אֶת יְיָ מִן הַשָּׁמַיִם וְגוֹ', ת״ח תּוּשְׁבְּחָתָא דָּא אָמַר דָּוִד, לָקֳבֵל רָזָא דִשְׁמָא קַדִּישָׁא, דְּאִיהוּ כְּלָלָא דְּתוּשְׁבְּחָתָא דְכֹלָּא. תְּרֵין תּוּשְׁבְּחָן אִינּוּן, כְּגַוְונָא דְּרָזָא דִשְׁמָא קַדִּישָׁא עִלָּאָה, דְּאִיהוּ כְּלָלָא דְּתוּשְׁבְּחָתָא דְכֹלָּא. וְאִינּוּן: דָּא, וְתוּשְׁבְּחָתָא בַּתְרָאָה, דְּאִיהִי כְּלָלָא דְּתוּשְׁבְּחָתָא דְכֹלָּא, דִּכְתִּיב הַלְלוּיָהּ הַלְלוּ אֵל בְּקָדְשׁוֹ וְגוֹ'. אֲבָל דָּא הֲוָה, עַל עֶשֶׂר מִינִים. וְדָא הוּא עַל שֶׁבַע, וְכֹלָּא רָזָא בִּשְׁמָא קַדִּישָׁא.

רי״ח. הַלְלוּיָהּ הַלְלוּ אֶת יְיָ מִן הַשָּׁמַיִם, אִיהוּ שֵׁירוּתָא דְּשֵׁירִין לְאִתְפַּשְּׁטָא לְתַתָּא, דְּדָא אִיהוּ רָזָא דְקַיְּימָא לִשְׁאֵלָה, כד״א, כִּי שְׁאַל נָא לְיָמִים רִאשׁוֹנִים אֲשֶׁר הָיוּ לְפָנֶיךָ וְגוֹ', עַד הָכָא אִית רְשׁוּ לִשְׁאֵלָה, מִן הַיּוֹם אֲשֶׁר בָּרָא וְגוֹ', וְעַד קְצֵה הַשָּׁמַיִם מִכָּאן וּלְהָלְאָה, לָאו קַיְּימָא לִשְׁאֵלָא, בְּגִין דְּאִיהוּ אֲתָר טָמִיר וְגָנִיז.

רי״ט. וע״ד הַלְלוּ אֶת יְיָ מִן הַשָּׁמַיִם הַלְלוּהוּ בַּמְּרוֹמִים, אִלֵּין תְּרֵין סִטְרִין, יְמִינָא וּשְׂמָאלָא. וּמֵהָכָא אִתְפַּשְּׁטָאן כֻּלְּהוּ אוֹרְזִין לְתַתָּא, בְּרָזָא דְדַרְגִין לְאִתְתַּקְּנָא כִּדְקָא יָאוּת. הַלְלוּהוּ כָל מַלְאָכָיו, אִלֵּין תְּרֵין דְּקַיְימִין תְּחוֹת גּוּפָא, לְמִשְׁעַן גּוּפָא עֲלַיְיהוּ.

ר״כ. ת״ח, אִינּוּן קַיְימִין דְּגוּפָא אִשְׁתְּעַן עֲלַיְיהוּ, קַיְימֵי הָכָא בְּרָזָא דְּמַלְאָכִין, בְּגִין דְּדַרְכִין אִינּוּן עִלָּיוֹן, לְמֵיזַל מֵאֲתָר לְאֲתָר, וּמֵרָזָא דָא, נָפְקִין אִינּוּן דְּאִקְרוּן מַלְאָכִין, דְּאִינּוּן עִלָּיוֹן לְמֵהַךְ בִּשְׁלִיחוּתָא דְּמָארֵיהוֹן, מֵאֲתָר לְאֲתָר.

רכ״א. הַלְלוּהוּ כָל צְבָאָיו, דָּא אִיהוּ אֲתָר דְּנַפְקֵי מִנֵּיהּ כָּל חֵילִין קַדִּישִׁין עִלָּאִין, רָזָא דְּאַת קַיְימָא קַדִּישָׁא, וְאִיהוּ רָשִׁים בְּכָל שְׁאַר רִבְבָון, כְּדְקָא אַמְרָן, דִּכְתִּיב יְיָ צְבָאוֹת שְׁמוֹ, אוֹת אִיהוּ בְּכָל שְׁאַר חֵילִין וְרִבְבָון.

רכ״ב. הַלְלוּהוּ שֶׁמֶשׁ וְיָרֵחַ, בֵּיהּ קַיְימָא רָזָא דָא, וְאִיהוּ שִׁמְשָׁא לְאַנְהָרָא, וּבֵיהּ קַיְימִין כֹּכְבַיָּא עִלָּאִין דְּנָהֲרִין, וּמַזָּלֵי, וְהָא אוֹקִימְנָא. לְבָתַר אַהֲדָר לְעֵילָּא, לְהַהוּא אֲתָר דְּקָאִים בְּרוּמָא דְמָרוֹמִים, וְתַמָּן תְּקִיעוּ שְׁמֵי דְכֹלָּא, הַלְלוּהוּ שְׁמֵי הַשָּׁמָיִם. לְבָתַר הַלְלוּ אֶת יְיָ מִן הָאָרֶץ, לָקֳבֵל אִלֵּין אֵשׁ וּבָרָד וְגוֹ'.

רכ״ג. ת״ח, אִינּוּן כֹּכְבִים לְתַתָּא, קַיְימִין בְּמִשִׁיכוּ דְּאִתְמַשִּׁיכָאן מֵרָזָא עִלָּאָה, בְּגִין דְּכֹלָּא קַיְימָא בְּדִיּוּקְנָא עִלָּאָה, וְהָא אוֹקִימְנָא. וּבְגִין כָּךְ כָּל אִינּוּן כֹּכְבַיָּא וּמַזָּלֵי, מְרוֹם רְקִיעָא, כֻּלְּהוּ קַיְימֵי לְאַנְהָגָא בֵּיהּ עָלְמָא דִלְתַתָּא מִנֵּיהּ, וּמִתַּמָּן אִתְפַּשְּׁטָאן דַּרְגִין, עַד דְּקַיְימִין דַּרְגִין לְאִינּוּן כֹּכְבַיָּא דִלְתַתָּא, דְּכֻלְּהוּ לָא קַיְימֵי בִּרְשׁוּתַיְיהוּ כְּלוּם, וְהָא אוֹקִימְנָא, וְכֻלְּהוּ קַיְימָאן בִּרְשׁוּתָא דִלְעֵילָּא. וְעַל דָּא כְּתִיב, יַעַמְדוּ נָא וְיוֹשִׁיעֻךָ הוֹבְרֵי שָׁמַיִם הַחוֹזִים בַּכּוֹכָבִים, וְכֹלָּא אִיהוּ בִּרְשׁוּתָא וְאִתְמַר.

רכ״ד. וַיַּעֲשׂוּ אֶת הַכְּתֹנֹת שֵׁשׁ וְגוֹ' וְאֶת הַמִּצְנֶפֶת שֵׁשׁ וְגוֹ'. ר' יוֹסֵי פָּתַח, וְהָיָה בְּאַחֲרִית הַיָּמִים נָכוֹן יִהְיֶה הַר בֵּית יְיָ בְּרֹאשׁ הֶהָרִים וְגוֹ'. וְהָיָה בְּאַחֲרִית הַיָּמִים, כַּד יִפְקוֹד לָהּ קָבָּ״ה לִבְרַתָּא דְּיַעֲקֹב, וְיוֹקִים לָהּ מֵעַפְרָא, וְיִתְחַבֵּר שִׁמְשָׁא בְּסִיהֲרָא, כְּדֵין נָכוֹן יִהְיֶה הַר בֵּית יְיָ, דָּא יְרוּשָׁלֵם לְעֵילָּא, דְּתֵהֵא מִתְתַּקְּנָא בְּתִקּוּנָהָא לְאִתְהַדְּרָא בִּנְהוֹרָא דִלְעֵילָּא, דְּכָל נְהוֹרָהָא לָאו אִיהוּ מִתְתַּקְּנָא, אֶלָּא בִּנְהוֹרָא דִלְעֵילָּא. וּבְהַהוּא זִמְנָא יִתְנְהִיר עֲלָהּ נְהוֹרָא עִלָּאָה, עַל וַד שֶׁבַע מִטָּה דַּהֲוַת מִקַּדְמַת דְּנָא, כְּמָה דִכְתִּיב, וְהָיָה אוֹר הַלְּבָנָה כְּאוֹר הַחַמָּה וְאוֹר הַחַמָּה יִהְיֶה שִׁבְעָתַיִם וְגוֹ'.

רכ״ה. בְּרֹאשׁ הֶהָרִים. בְּרָאשֵׁי הֶהָרִים מִבָּעֵי לֵיהּ. מַאי בְּרֹאשׁ אֶלָּא נְהוֹרָא דָא

דִּיהָא לָהּ בְּרֵאשׁ הֶהָרִים אִיהוּ. וּמַאן אִיהוּ רֵאשׁ הֶהָרִים. דָּא כַּהֲנָא רַבָּא. דְּאִיהוּ רֵאשׁ הֶהָרִים. רֵישָׁא דְּכֹלָּא סְטָר יְמִינָא. וְדָא אִיהוּ דִּמְתַקֵּן לְבֵיתָא תָּדִיר, וּמְבָרֵךְ לָהּ לְאַנְהָרָא אַנְפָּהָא. וְעַל דָּא, יְהֶיה נָכוֹן.

רַכ. וּבַמֶּה יְתַקֵּן לָהּ. בְּאִינּוּן לְבוּשִׁין דְּאִינּוּן כְּגַוְונָא דִּלְעֵילָּא, כְּמָה דְּאוּקְמוּהָ. וְאִינּוּן לְבוּשִׁין כֻּלְּהוּ קַיָּימָן בְּרָזָא דְּשִׁית. וְהַאי בֵּיתָא כַּד יְהֵא מִתְתַקֵּן בְּהַאי רֵאשׁ הֶהָרִים, דְּאִיהוּ כַּהֲנָא רַבָּא, כְּדֵין אִתְקְשַׁר וְאִסְתְּלַּק לְעֵילָּא בְּקִיּוּמָא עִלָּאָה, וְיִתְנְהִיר עָלְמָא מֵהַהוּא נְהִירוּ עִלָּאָה, וְדָא הוּא וְנָשָׂא מִגְבָּעוֹת, מִכָּל שְׁאַר וְזִילִין וּמַעַרְיָין עִלָּאִין, וּכְדֵין וְנָהֲרוּ אֵלָיו כָּל הַגּוֹיִם.

רכז. תָּא וַחֲזֵי, בְּשַׁעֲתָא דְּכַהֲנָא דִּלְתַתָּא פָּרִישׂ יְדוֹי, כְּדֵין רְווַֹזָא עִלָּאָה אַנְהִיר, וְנָפִיק, וְכָל בּוּצִינִין נְהִירִין, וּנְהוֹרִין אִתְמַשְׁכָאן וְאִתְנַהֲרָן וְאִתְקְשָׁרָן אֵלֵּין בְּאִלֵּין, עַד דְּאִתְנְהִירוּ אַנְפָּהָא דִּכְנֶסֶת יִשְׂרָאֵל, וְכֹלָּא עַל יְדָא דְּנְהוֹרָא קַדְמָאָה דְּאִיהוּ כַּהֲנָא. וְכַד כַּהֲנָא אִתְעַר לְתַתָּא, כַּהֲנָא אִתְעַר לְעֵילָּא. וּבְעוֹבָדִין דִּלְתַתָּא, אִתְעַר אִתְעָרוּתָא דִּלְעֵילָּא.

רכו. וְעַל דָּא נָכוֹן יִהְיֶה הַר בֵּית יְיָ' בְּרֵאשׁ הֶהָרִים וְגו', וְנָהֲרוּ אֵלָיו כָּל הַגּוֹיִם. בְּגִין דְּהַשַּׁעְתָּא, כָּל שְׁאַר עַמִּין, אִית לוֹן מְמַנָּן בִּרְקִיעָא עָלַיְיהוּ. וּבַהַהוּא זִמְנָא יְבַעֵר לוֹן, וַיַּעֲבִיל לוֹן קָבֵּ"ה מֵעוֹלְטָנֵיהוֹן, דִּכְתִיב יִפְקוֹד יְיָ' עַל צְבָא הַמָּרוֹם בַּמָּרוֹם, וְכֵיוָן דְּכֻלְּהוּ יִתְעַבְרוּן מֵעוֹלְטָנֵיהוֹן, כְּדֵין קָבֵּ"ה יִתְתַּקַּף בִּלְחוֹדוֹהִי, כד"א וְנִשְׂגַּב יְיָ' לְבַדּוֹ בַּיּוֹם הַהוּא, וּכְדֵין וְנָהֲרוּ אֵלָיו כָּל הַגּוֹיִם. וההד"א, וְהָלְכוּ עַמִּים רַבִּים וְאָמְרוּ לְכוּ וְנַעֲלֶה אֶל הַר יְיָ' אֶל בֵּית אֱלֹהֵי יַעֲקֹב וְגו'.

רכט. וְכֹלָּא אִיהוּ, בְּשַׁעֲתָא דְּכַהֲנָא, דְּאִיהוּ רֵאשׁ הֶהָרִים יַנְהִיר לָהּ, וְכֹלָּא אִיהוּ בְּרָזָא דְּשִׁית, עִיֵּית אִינּוּן בְּכָל סִטְרִין דִּינְהִיר לָהּ, דְּהָא בְּרָזָא דְּשִׁית יַנְהִיר לָהּ.

רל. רַבִּי אֶלְעָזָר וְרַבִּי יִצְחָק וְרַבִּי יְהוּדָה הֲווֹ אַזְלֵי בְּאוֹרְחָא, א"ר אֶלְעָזָר, עִידָן אִיהוּ לְמֵהַךְ בִּשְׁכִינְתָּא, בְּגִין דִּשְׁכִינְתָּא לָא תַשְׁרֵי עֲלָן, אֶלָּא מִגּוֹ מִלֵּי דְּאוֹרַיְיתָא. אֲמַר ר' יְהוּדָה, מַאן דְּאִיהוּ רֵישָׁא, לִיפְתַּח בְּרֵישָׁא.

רלא. פָּתַח רַבִּי אֶלְעָזָר וְאָמַר, צָעִיר אָנֹכִי וְנִבְזֶה פִּקֻּדֶיךָ לֹא שָׁכָחְתִּי. צָעִיר אָנֹכִי וְנִבְזֶה, דָּוִד מַלְכָּא, לְזִמְנִין אִיהוּ קָא מְשַׁבַּח גַּרְמֵיהּ, דִּכְתִיב, וְעָשֹׂה חֶסֶד לִמְשִׁיחוֹ לְדָוִד וּלְזַרְעוֹ עַד עוֹלָם. וּכְתִיב, נְאֻם דָּוִד בֶּן יִשַׁי וּנְאֻם הַגֶּבֶר הוּקַם עַל מְשִׁיחַ אֱלֹהֵי יַעֲקֹב. וּלְזִמְנִין עֲבַד גַּרְמֵיהּ מִסְכֵּנָא, דִּכְתִיב כִּי עָנִי וְאֶבְיוֹן אָנִי. וּכְתִיב צָעִיר אָנֹכִי וְנִבְזֶה. וְאִיהוּ אֲמַר אֶבֶן מָאֲסוּ הַבּוֹנִים הָיְתָה לְרֵאשׁ פִּנָּה.

רלב. אֶלָּא, בְּזִמְנָא דַּהֲוָה סָלִיק בְּדַרְגָּא דִּשְׁלָמָא, וְאִסְתְּלַּק בְּדִינָא דִּקְשׁוֹט, וַהֲוָה עַלִּיט עַל שַׂנְאוֹי, הֲוָה קָא מְשַׁבַּח גַּרְמֵיהּ. וּבְזִמְנָא דַּהֲוָה זִמְנָא גַּרְמֵיהּ בְּעָקוּ, וְשַׂנְאוֹי קָא דְּחָזְקִין לֵיהּ, כְּדֵין מָאִיךְ גַּרְמֵיהּ, וַהֲוָה קָרֵי גַּרְמֵיהּ מִסְכֵּנָא, זְעֵירָא לְכֹלָּא. מַאי טַעֲמָא. בְּגִין, דְּהָא לְזִמְנִין הֲוָה עַלִּיט, וּלְזִמְנִין הֲוָה בְּעָקוּ דִּשְׂנְאוֹי.

רלג. וַעכ"ד אִיהוּ שַׁלִּיט עֲלַיְיהוּ תָּדִיר, וְלָא יָכִיל לֵיהּ. וְדָוִד מַלְכָּא, תָּדִיר אִיהוּ הֲוָה שָׁפִיל גַּרְמֵיהּ לְגַבֵּי קָבֵּ"ה, דְּכָל מַאן דְּמָאִיךְ גַּרְמֵיהּ קָמֵי קָבֵּ"ה, אִיהוּ זָקִיף לֵיהּ עַל כֹּלָּא. וּבג"כ, אַתְרְעֵי בֵּיהּ קָבֵּ"ה בְּהַאי עָלְמָא, וּבְעָלְמָא דְּאָתֵי. בְּעָלְמָא דֵּין, דִּכְתִיב וְגַנּוֹתִי עַל הָעִיר הַזֹּאת לְהוֹשִׁיעָהּ לְמַעֲנִי וּלְמַעַן דָּוִד עַבְדִּי. וּבְעָלְמָא דְּאָתֵי, דִּכְתִיב וּבִקְשׁוּ אֶת יְיָ' אֱלֹהֵיהֶם וְאֵת דָּוִד מַלְכָּם וּפָחֲדוּ אֶל יְיָ' וְאֶל טוּבוֹ בְּאַחֲרִית הַיָּמִים. דָּוִד

אִיהוּ הֲוָה מַלְכָּא בְּהַאי עָלְמָא, וְדָוִד יְהֵא מַלְכָּא לִזְמְנָא דְּאָתֵי. וע"ד אָמַר, אֶבֶן מָאֲסוּ הַבּוֹנִים הָיְתָה לְרֹאשׁ פִּנָּה.

רלד. תָּא חֲזֵי, בְּשַׁעְתָּא דְּשִׁמְשָׁא מְהַדֵּר אַנְפּוֹי, וְלָא נָהִיר לְסִיהֲרָא, אִתְעֲבַר נְהוֹרָהָא וְלָא נְהִירַת, כְּדֵין אִיהִי בְּמִסְכְּנוּתָא בְּכָל סִטְרִין, וְאִתְקַדְּרַת. וְלֵית לָהּ נְהוֹרָא כְּלָל. וְכַד שִׁמְשָׁא אַהֲדַר לְקֳבְלָהּ, וְאַנְהִיר לָהּ, כְּדֵין אִתְנְהִירַת אַנְפָּהָא, וְאִתְקַשְּׁטַת לְגַבֵּיהּ, כְּנוּקְבָא דְּאִתְקַשְּׁטַת לְגַבֵּי דְּכוּרָא, וּכְדֵין אִיהִי שַׁלְטָא בְּשׁוּלְטָנוּ בְּעָלְמָא.

רלה. וְעַל דָּא, דָּוִד הֲוָה מְעַטֵּר גַּרְמֵיהּ, בְּהַהוּא גַּוְונָא מַמָּשׁ. לִזְמְנִין אִיהוּ מִסְכְּנָא, וּלְזִמְנִין אִיהוּ בְּעוּתְרָא בְּעַתִּירוּ דְּכֹלָּא, וּבְגִ"כ הֲוָה אָמַר, צָעִיר אָנֹכִי וְנִבְזֶה. וְעִם כָּל דָּא, פִּקּוּדֶיךָ לֹא שָׁכָחְתִּי. כְּגַוְונָא דָּא, אִית לֵיהּ לְבַ"נ לְמֶהֱוֵי נִבְזֶה בְּעֵינָיו, לְאַשְׁפְּלָא גַּרְמֵיהּ בְּכֹלָּא, לְמֶהֱוֵי אִיהוּ מָאנָא דְּקֻבְּ"ה אִתְרְעֵי בֵּיהּ, וְהָא אוּקְמוּהָ, דִּכְתִּיב וְאֶת דַּכָּא וּשְׁפַל רוּחַ. הַשְׁתָּא אֲנָא אַפְתַּח בְּרֵישָׁא.

רלו. פָּתַח וְאָמַר, וַיָּבֵא אוֹתִי שָׁמָּה וְהִנֵּה אִישׁ מַרְאֵהוּ כְּמַרְאֵה נְחֹשֶׁת וּפְתִיל פִּשְׁתִּים בְּיָדוֹ וּקְנֵה הַמִּדָּה וְהוּא עוֹמֵד בַּשָּׁעַר. הַאי חָמָא לֵיהּ יְחֶזְקֵאל, בְּהַהוּא חֵיזוּ דִּנְבוּאָה, וְהַאי אִיהוּ אִישׁ, דְּאִיהוּ שְׁלִיחָא בְּאִינּוּן לְבוּשִׁין.

רלז. וְהָכָא לָא אָמַר אֶלָּא אִישׁ, וְלָא אָמַר אִישׁ לְבוּשׁ הַבַּדִּים. אֶלָּא, בְּשַׁעְתָּא דְּעָבֵיד שְׁלִיחוּתָא לְמֶעְבַּד דִּינָא, אוֹ לְאַחֲזָאָה דִּינָא, אִקְרֵי לְבוּשׁ הַבַּדִּים. וּבְשַׁעְתָּא דְּלָא אָתֵי לְהָכִי, אִשְׁתַּנֵּי לְגַוְונָא אָחֲרָא, כְּפוּם שְׁלִיחוּתָא, הָכִי שָׁנֵי חֵיזוּ דִּילֵיהּ בְּאִינּוּן לְבוּשִׁין, וְאִשְׁתַּנֵּי מִלְבוּשִׁין לִלְבוּשִׁין, בְּגִין דְּאִיהוּ תָּדִיר בִּסְטַר שְׂמָאלָא, וְכַמָּה גַּוְונִין אִינּוּן דְּאִתְלַבַּשׁ בְּהוּ, וְכָל אִינּוּן דְּאַתְיָין מִסִּטְרֵיהּ.

רלח. מַרְאֵהוּ כְּמַרְאֵה נְחֹשֶׁת, הָכָא אִתְלַבַּשׁ בְּהַהוּא לְבוּשָׁא דְּאִינּוּן טוּרֵי נְחֹשֶׁת, דְּאִקְרוּן הַרְרֵי נְחֹשֶׁת. וְדָא אַיְיתֵי מְדִידוּ, לְמֶעְבַּד מְשׁוּחְתָּא.

רלט. הַאי לָאו אִיהוּ בּוּצִינָא דְּקַרְדִּינוּתָא דְּטָמִיר וְגָנִיז, אֶלָּא מִתַּמָּן נָפְקַת הַאי קָנֶה לְתַתָּא, דְּאִתְגְּלִיד מִגּוֹ נְהִירוּ דְּאִשְׁתְּבִיק מִבּוּצִינָא דְּקַרְדִּינוּתָא, כַּד אִסְתַּלְּקַת לְעֵילָא, וְאִתְגְּלִיפַת גּוֹ סְפִירוּ דְּנָצִיץ וְלָא אִתְיְידַע. וְעַל דָּא, הַהוּא קְנֵה הַמִּדָּה אִיהוּ קַיְּימָא בִּמְדִידוּ דִּמְשׁוּחְתָּא, דְּקַיְּימָא לְתַתָּא.

רמ. וּלְזִמְנִין קְנֵה הַמִּדָּה, וּלְזִמְנִין קַו הַמִּדָּה, וְעַל דָּא פְּתִיל וְקָנֶה, וְכֹלָּא מְשׁוּחְתָּא לְמֶעְבַּד מְדִידוּ, כָּל מְדִידוּ דִּיחֶזְקֵאל, אִיהוּ הֲוָה בְּהַהוּא קְנֵה הַמִּדָּה, וּבְעוֹבָדָא דְּמַשְׁכְּנָא כֹּלָּא הֲוָה בְּקַו הַמִּדָּה.

רמא. בְּמַשְׁכְּנָא, בְּהַהוּא מְדִידוּ דִּלְתַתָּא, דְּאִיהוּ קַו הַמִּדָּה, כְּגַוְונָא דְּהַהוּא פְּתִיל, דְּכַד שָׁרֵי לְאִתְפַּשְּׁטָא, בְּכָל אַמָּה וְחַד קִשְׁרָא, וּבְהַהוּא מְשׁוּחְתָּא מְדִיד, וְאִקְרֵי אַמָּה. וּבְגִ"כ, שְׁמֹנֶה וְעֶשְׂרִים בָּאַמָּה, דְּדָא הוּא אַרְכָּא וּפוּתְיָא אַרְבַּע בָּאַמָּה, וְלָא כְּתִיב אַרְבַּע אַמּוֹת, בְּגִין דְּאַמָּה מְדִיד לְכָל סְטַר.

רמב. וְהַאי נָפְקָא, מֵרָזָא דְּבוּצִינָא דִּלְעֵילָא, דִּמְדִידוּ דְּהַאי לְתַתָּא מֵהַאי מְדִידוּ דִּלְעֵילָא אִשְׁתְּכַח. מְדִידוּ דִּלְתַתָּא, אֶלֶף וַחֲמֵשׁ מֵאָה סִטְרִין, וְכָל סִטְרָא וְסִטְרָא תְּרֵיסַר אַלְפֵי אַמִּין, וְעַל דָּא אַמָּה וְחַד אָזִיל בְּכֻלְּהוּ, וְהַהוּא אַמָּה דִּמְדִיד דָּא, אִתְפַּשַּׁט קַו מְשׁוּחְתָּא וְאִתְגַּלְיָיא אַמָּה וּמְדִיד, וְכֵן בְּכָל אִינּוּן מְשׁוּחָתֵי.

רמג. שְׁמֹנֶה וְעֶשְׂרִים בָּאַמָּה, אִיהוּ אַרְכָּא, דְּחַד אַמָּה, וּפוּתְיֵהּ אַרְבַּע בְּהַהוּא אַמָּה. אִשְׁתְּכַח, אַמָּה וְחַד דְּאִיהוּ תְּלָתִין וּתְרֵין שְׁלִישִׁים. כד"א וְכָל בַּשָּׁלִשׁ עֲפַר הָאָרֶץ, וְאִינּוּן

ל"ב, לְקַבֵּל ל"ב שְׁבִילִין דְּנָפְקִין מִלְעֵילָּא.

רמד. וְכַד אִתְעָבֵיד מִשְׁחָתָא דְּאַרְכָּא בְּהַאי מְדִידוּ, אִיהוּ אַרְבַּע סִטְרִין הַהוּא אַרְכָּא. וְכָל סִטְרָא ז' אַמִּין, דִּלְהָכִי סַלְקָן אִינּוּן שִׁבְעָה אַמִּין, לְאַרְבַּע סִטְרִין, בְּרָזָא דְּשֶׁבַע, דְּאִינּוּן תְּמַנְיָא וְעֶשְׂרִים דְּאִינּוּן בְּאַרְכָּא, בְּגִין דְּשֶׁבַע אִיהוּ רָזָא עִלָּאָה בְּכֹלָּא. וְכָל אִינּוּן תְּלָתִין וּתְרֵין שְׁבִילִין כְּלִילָן בְּשֶׁבַע, בְּרָזָא דִּשְׁמָא קַדִּישָׁא.רמה. וְאִי תֵּימָא, הָא כְּתִיב מִדָּה אַחַת לְכָל הַיְרִיעוֹת. וַדַּאי מִדָּה אַחַת אִיהוּ, אע"ג דְּאִתְפָּשַׁט אַמָּה בָּתַר אַמָּה, וְדָא בָּתַר דָּא, וְכֹלָּא בְּרָזָא דְּבוּצִינָא דִּלְעֵילָּא קָא אַתְיָא, לְמֶהֱוֵי עֵילָּא וְתַתָּא מִשְׁחָתָא וְחָדָא.

רמו. וְדָא אִיהוּ מִשְׁחָתָא דְּאִיהוּ בִּקְדוּשָׁה יַתִּיר, בְּגִין דְּאִית מִשְׁחָתָא אַחֲרָא, דְּאִיהִי לְחַפְיָא עַל דָּא דְּאִיהִי לְגוֹ. דְּהָא בְּמִשְׁחָתָא אַחֲרָא דְּחַפְיָא עַל דָּא, סַלְקָא בְּחוּשְׁבְּנָא בְּחוּשְׁבַּן ד"ל, וּלְגָאו בְּחוּשְׁבַּן ל"ב וְדָא אִיהוּ רָזָא דְּחַפְיָא דָּא עַל דָּא, ל"ב לְגוֹ, ד"ל לְבַר.

רמז. בְּגִין דְּהָא מִשְׁחָתָא קַדְמָאָה, דְּאִיהוּ קַדִּישָׁא בְּגַוְונִין קַדִּישִׁין, דְּאִינּוּן שֵׁשׁ מָשְׁזָר וּתְכֵלֶת וְאַרְגָּמָן וְתוֹלַעַת שָׁנִי, אִלֵּין גַּוְונִין קַדִּישִׁין, וְכָל חוּשְׁבַּן דִּילֵיהּ סַלְקָא לְחוּשְׁבַּן ל"ב. וּמִשְׁחָתָא תִּנְיָינָא דְּאִיהוּ לְבַר לְחַפְיָא עַל דָּא, אִיהִי סַלְקָא לְחוּשְׁבַּן ד"ל. וְדָא אִיהוּ רָזָא דִּכְתִּיב, אַשְׁרֵי מַשְׂכִּיל אֶל דָּל בְּיוֹם רָעָה יְמַלְּטֵהוּ יְיָ'. בְּיוֹם רָעָה מַמָּשׁ, יְמַלְּטֵהוּ יְיָ'.

רמח. רָזָא דְּחוּשְׁבְּנָא לְגוֹ, דְּאִיהוּ רָזָא ל"ב. וּבְהַהוּא חוּשְׁבְּנָא דִּלְבַר, מַה כְּתִיב, וְעָשִׂיתָ יְרִיעוֹת עִזִּים. יְרִיעוֹת עִזִּים, אֲמַאי עִזִּים. אֶלָּא רָזָא דְּגַוְונָא דִּילֵיהּ, לְמֵיהַב דּוּכְתָּא בְּרָזָא דְּקוּדְשָׁא, וּבְגִּ"כ יְרִיעוֹת עִזִּים וַדַּאי. כְּתִיב אֶל גִּנַּת אֱגוֹז יָרַדְתִּי וְגוֹ', הָא אוֹקְמוּהָ, אֲבָל מַה אֱגוֹז אִית לֵיהּ קְלִיפָּה, דְּסָחֲרָא וְחַפְיָא עַל מוֹחָא, וּמוֹחָא לְגוֹ, אוּף הָכִי בְּכָל מִלָּה דְּקוּדְשָׁא, קְדוּשָׁה לְגוֹ, וְסִטְרָא אַחֲרָא לְבַר. וְרָזָא דָּא, רָשָׁע מַכְתִּיר אֶת הַצַּדִּיק. וְעַל דָּא אִקְרֵי אֱגוֹז, וְהָא אוֹקְמוּהָ.

רמט. ת"ח, בְּהַהוּא דִּלְבַר, כָּל מַה דְּאוֹסִיף גָּרַע, וְסִימָנִיךְ פְּרֵי הֶחָג, דְּמִתְמַעֲטִין וְאָזְלִין. אוּף הָכָא נָמֵי, בְּמָה דִּלְגָאו כְּתִיב, וְאֶת הַמִּשְׁכָּן תַּעֲשֶׂה עֶשֶׂר יְרִיעוֹת. בְּמָה דִּלְבַר כְּתִיב, עַשְׁתֵּי עֶשְׂרֵה יְרִיעוֹת. אוֹסִיף אַתְוָון וְגָרַע מֵחוּשְׁבְּנָא. אוֹסִיף חוּשְׁבְּנָא וְגָרַע, אוֹסִיף חוּשְׁבְּנָא, דִּכְתִיב אֹרֶךְ הַיְרִיעָה הָאַחַת שְׁלֹשִׁים בָּאַמָּה וְרֹחַב אַרְבַּע בָּאַמָּה הַיְרִיעָה. וְכַד סָלִיק לְחוּשְׁבְּנָא, סָלִיק לְחוּשְׁבַּן דַּ"ל. דְּלֵית בְּכָל אִינּוּן זִינֵי מִסְכְּנוּתָא, כְּהַהוּא דְּאִקְרֵי דַּ"ל, וּבְגִּ"כ כַּד סָלִיק לְחוּשְׁבְּנָא יַתִּיר, סָלִיק בְּגַרִיעוּ.

רנ. וְכַד אִיהוּ גָּרַע בְּחוּשְׁבְּנָא, סָלִיק בִּסְלִיקוּ, דְּסָלִיק לְרָזָא דל"ב, דְּאִיהוּ רָזָא דְּכָל מְהֵימְנוּתָא, וְאִיהוּ רָזָא דִּשְׁמָא קַדִּישָׁא, וְעַל דָּא, דָּא סָלִיק, וְדָא גָּרַע. דָּא סָלִיק וְגָרַע. וְדָא גָּרַע וְסָלִיק. דָּא לְגוֹ. וְדָא לְבַר.

רנא. הַאי קַו הַמִּדָּה, שָׁרֵי לְאִתְפַּשְּׁטָא, וּמְדִיד מִשְׁחָתָא לַקְּרָשִׁים, דִּכְתִיב וַיַּעַשׂ אֶת הַקְּרָשִׁים לַמִּשְׁכָּן עֲצֵי שִׁטִּים עוֹמְדִים, וְאִלֵּין אִינּוּן רָזָא דִּשְׂרָפִים, וְהָא אוֹקְמוּהָ, דִּכְתִיב עֲצֵי שִׁטִּים עוֹמְדִים, וּכְתִיב שְׂרָפִים עוֹמְדִים.

רנב. מְדִידוּ דְּמִשְׁחָתָא דָּא, עֶשֶׂר אַמּוֹת אֹרֶךְ הַקָּרֶשׁ וְאַמָּה וַחֲצִי הָאַמָּה. הָכָא כְּתִיב עֶשֶׂר אַמּוֹת, וְלָא כְּתִיב עֶשֶׂר בָּאַמָּה. אִלֵּין תְּלַת תְּלַת תְּלַת, דְּאִינּוּן תֵּשַׁע, וְחַד דְּשַׁרְיָא עֲלַיְיהוּ, וְדָא אִיהוּ רוּחָא וְחָדָא דְּשַׁרְיָא עֲלַיְיהוּ.

רנג. וְהָא אַמָרָן, כַּמָּה אִיהוּ שִׁיעוּרָא דְּאַמָּה. וְדָא אִיהוּ רָזָא דְּשִׁיעוּרָא וְחַד סְרֵי וּפַלְגָּא, דְּסַלְקִין, וְלָא סַלְקִין, בְּגִין דְּגַרְעִין מֵאִינּוּן אוֹפַנִּים. וְאוּקְמוּהָ בְּרָזָא דִּרְתִיכָא

קַדִּישָׁא, וְאִינּוּן עֶשְׂרִין, לְהַאי סִטְרָא עֶשֶׂר, וּלְהַאי סִטְרָא עֶשֶׂר, עַד דְּסַלְּקִין לְרָזָא דִּשְׂרָפִים עִלָּאִין. וּלְבָתַר סָלִיק רָזָא דְּקוּדְשָׁא, עַד דְּאִתְּעֲרוּ כֻּלְּהוּ, בְּרָזָא דְּהַהוּא בְּרִיחַ הַתִּיכוֹן, כְּמָה דְּאוֹקְמוּהָ, וְעַל דָּא פְּלַג אִית בֵּיהּ בְּלָא שְׁלִימוּ.

רנד. רָזָא דְּהַאי מִשְׁחָתָא, לְעֶשְׂרִין דַּפִּין אִינּוּן מָאתָן וּתְלָתִין. וְכָל הַאי קַיְּימָא בִּמְדִידוּ בְּחוּשְׁבְּנָא, וְהָכִי סָלִיק כָּל חוּשְׁבָּן דְּנָפְקָא מֵהַאי מְדִידוּ בְּרָזָא דְּאִינּוּן שְׂרָפִים.

רנה. יְרִיעוֹת הַמִּשְׁכְּנָא דְּאַמְרָן דְּאִינּוּן רָזִין עִלָּאִין. רָזָא דִּשְׁמַיָּא וְהָא אוּקְמוּהָ, נוֹטֶה שָׁמַיִם כַּיְרִיעָה. וְרָזָא דְּהַאי בְּהַהוּא חוּשְׁבָּן דְּקָאַמְרָן. וְאִית יְרִיעָן דְּקָאַמְרָן בְּרָזָא חֲדָא וְאִית יְרִיעָן בְּרָזָא אַחֲרָא, וְכֹלָּא אִיהוּ בְּרָזָא דִּלְעֵילָּא. וע"ד כֹּלָּא אִיהוּ לְמִנְדַּע חָכְמְתָא, דְּכָל סִטְרָא וְסִטְרָא, וְכָל מִלָּה וּמִלָּה. וע"ד אַבְחִין ב"נ בֵּין טַב לְבִישׁ, בֵּין רָזָא דְּחָכְמְתָא, וּבֵין מִלָּה דְּלָא קַיְּימָא בְּחָכְמְתָא. וּבְרָזָא דִּמְדִידוּ קַדְמָאָה, הָא אִתְּמַר בְּכַמָּה סִטְרִין אִיהוּ.

רנו. רָזָא דָּא רָזָא דַּאֲרוֹנָא דְּקָאִים בְּחוּשְׁבְּנָא, מִמָּה דְּאִיהוּ נָטִיל, וּמִמָּה דְּאִיהוּ קַבִּיל, וּמִמָּה דְּאִית בֵּיהּ,

וּמִמָּה אִיהוּ מְקַבֵּל: דְּאִיהוּ תְּרֵין סִטְרִין, וְנָטִיל מֵאִינּוּן תְּרֵין סִטְרִין. וְעַל דָּא אַמָּה אִיהוּ בְּסִטְרָא דָּא, וְאַמָּה בְּסִטְרָא דָּא, וּפַלְגָּא דִּילֵיהּ. וּבְגִ"כ אַמָּתַיִם וָחֵצִי אָרְכּוֹ, אַמָּתַיִם מִתְּרֵין סִטְרִין, וּפַלְגָּא דִּילֵיהּ, הַאי בְּאַרְכָּא. בְּפוּתְיָא וְרוּמָא, אַמָּה וָחֵצִי, וְחַד מֵהַהוּא סִטְרָא יַתִּיר, דְּקָא נָטִיל כְּגַוְונָא דִּימִינָא וּשְׂמָאלָא. וּפַלְגָּא דִּילֵיהּ. דְּהָא לָא שַׁרְיָא מִלָּה, אֶלָּא עַל מִלָּה וּבְגִ"כ, פַּלְגָּא בְּכָל חוּשְׁבָּן וְחוּשְׁבָּן, וּבְגִין כָּךְ, אֲרוֹנָא מְקַבְּלָא מִכֹּלָּא, וְקַיְּימָא בְּרָזָא דְּחוּשְׁבְּנָא דְּכֹלָּא.

רנז. וְהָא אוּקְמוּהָ, עַל מָה אִיהוּ מְחַפְּיָא בְּדַהֲבָא, לְגוֹ וּלְבַר, וְהַאי אִיהוּ שִׁיעוּרָא לְמֵיקָם בִּמְדִידוּ קַדְמָאָה, וְכֹלָּא קָאִים בְּרָזָא חֲדָא. פָּתוֹרָא, כְּהַאי גַּוְונָא דְּמָדִיד בְּהַהוּא שִׁיעוּרָא קַדְמָאָה.

רנח. אֲבָל הַאי מְדִידוּ דַּאֲרוֹנָא, דְּקַיְּימָא בְּרָזָא דְּאוֹרַיְיתָא, וּבְהַהוּא מִשְׁחָתָא קַדְמָאָה דְּקָאֲמַר אַבָּא, לֵית בָּהּ לְמֶעְבַּד שִׁיעוּרָא יַתִּיר כְּמָה דְּאִיהוּ גַּלֵּי בְּרָזָא לְחַכִּימֵי עֶלְיוֹנִין, לְמִנְדַּע בָּהּ רָזָא דְּחָכְמְתָא, לְאַבְחָנָא בֵּין טַב לְבִישׁ, בֵּין חָכְמְתָא עִלָּאָה, לְחָכְמְתָא אַחֲרָא. כֻּלְּהוּ עוֹבָדִין אַחֲרָנִין, כֻּלְּהוּ בִּמְדִידוּ דְּאַמָּה, בְּהַהוּא מִשְׁחָתָא, בַּר מִשְׁחָתָא דְּחוֹשֶׁן, דְּאִיהוּ זֶרֶת, וְהָא אוּקְמוּהָ.

רנט. ת"ח, כְּתֹנֶת דְּכֻלְּהוּ אִתְעֲבִידוּ בְּרָזָא דְּקוּדְשָׁא, כֹּלָּא אִיהוּ בְּרָזָא דְּשֵׁשׁ, וּבְעוֹבָדָא דְּשֵׁשׁ, וְקַיְּימָא בְּשֵׁשׁ. וְכֻלְּהוּ תִּקּוּנִין, לְאִתְלַבְּשָׁא וּלְאִתְתַּקְּנָא בְּהוּ שֵׁשׁ, וּבְרָזָא דְּשֵׁשׁ.

רס. וְכֹלָּא בְּרָזָא דְּקַו הַמִּדָּה. וּקְנֵה הַמִּדָּה בְּהַהוּא מְדִידוּ דִּיחֶזְקֵאל, בְּגִין דְּאִיהוּ בֵּיתָא לְאִתְקַיְּימָא בְּאַתְרֵיהּ, בְּאִינּוּן כּוֹתָלִין, בְּאִינּוּן שׁוּרִין, בְּאִינּוּן פִּתְחִין, בְּאִינּוּן דַּלְתִין, בְּגִין לְמֶהֱוֵי כֹּלָּא בִּמְדִידוּ. אֲבָל לִזְמְנָא דְּאָתֵי, מִשְׁחָתָא הַהוּא מַה כְּתִיב בָּהּ, וְרָחֲבָה וְנָסְבָה לְמַעְלָה לְמַעְלָה. בְּשַׁעֲתָא דִּישָׁרֵי לְמִבְנֵי בֵּיהּ הַאי קְנֵה הַמִּדָּה, סָלְקָא לְעֵילָּא לְעֵילָּא, לְאַרְכָּא וּלְפוּתְיָא, לְמֶהֱוֵי אִתְפַּשְּׁטוּתָא דְּבֵיתָא בְּכָל סִטְרִין וְלָא יִשְׁגְּחוּן עָלֵיהּ לְבִישׁ, כְּמָה דְּאוּקְמוּהָ, דִּכְתִיב וְדַמֶּשֶׁק מְנוּחָתוֹ. דְּהָא בְּהַהוּא זִמְנָא דִּינָא לָא יִשְׁתְּכַח בְּעָלְמָא, בְּגִ"כ כֹּלָּא אִתְקַיַּים עַל קִיּוּמֵיהּ בְּקִיּוּמָא שְׁלִים, כד"א לֹא יִרְגַּז עוֹד וְלֹא יוֹסִיפוּ בְּנֵי עַוְלָה לְעַנּוֹתוֹ וְגוֹ'.

רסא. ות"ו, כָּל מִשְׁזָתִין, וְכָל מְדִידִין, כֻּלְּהוּ קַיְּימִין בְּהַאי עָלְמָא, בְּגִין לְאִתְקַיְּימָא הַאי עָלְמָא, בְּרָזָא דְּגַוְונָא דִּלְעֵילָא, לְאִתְקַשְּׁרָא הַאי עָלְמָא בְּעָלְמָא דִּלְעֵילָא, לְמֶהֱוֵי כֹּלָּא חַד בְּרָזָא וְחָדָא. וּבְהַהוּא זִמְנָא דְּקוּדְשָׁא בְּ"ה אִתְעַר לְחַדְּתוּתֵי עָלְמָא, כְּדֵין יִשְׁתַּכְּחוּן כֻּלְּהוּ עָלְמִין בְּרָזָא וְחָדָא, וִיקָרָא דְּקֻבְּ"ה בְּכֹלָּא, וּכְדֵין כְּתִיב, בַּיּוֹם הַהוּא יִהְיֶה יְיָ' אֶחָד וּשְׁמוֹ אֶחָד.

רסב. פָּתַח ר' יְהוּדָה אֲבַתְרֵיהּ וְאָמַר, סוֹד יְיָ' לִירֵאָיו וּבְרִיתוֹ לְהוֹדִיעָם. הַאי קְרָא הָא אוּקְמוּהָ, אֲבָל סוֹד יְיָ' לִירֵאָיו, הַהוּא רָזָא עִלָּאָה דְּקַיְּימָא בִּגְנִיזוּ, לָא קַיְּימָא אֶלָּא לִירֵאָיו, דְּאִינּוּן דַּחֲלִין לְקֻבְּ"ה תָּדִיר, וְאִינּוּן אִתְחָזוּן לְאִינּוּן רָזִין עִלָּאִין, וּלְמֶהֱוֵי אִינּוּן רָזִין עִלָּאִין בִּגְנִיזוּ וּבִסְתִימוּ כִּדְקָא יָאוּת, בְּגִין דְּאִינּוּן רָזִין עִלָּאִין. אֲבָל וּבְרִיתוֹ לְהוֹדִיעָם, רָזָא דְּאִיהוּ קַיְּימָא בִּבְרִית קַיְּימָא, לְהוֹדִיעָם, בְּגִין דְּאִיהוּ אֲתַר דְּקַיְּימָא לְגַלָּאָה לְמִנְדַּע.

רסג. תּוּ סוֹד יְיָ' לִירֵאָיו, דְּאִינּוּן רָזִין דְּקַיְּימִין בִּדְחִילוּ, וְאִינּוּן דַּחֲלֵי חַטָּאָה דַּחֲלִין בְּהוּ, בְּאִינּוּן רָזִין עִלָּאִין. אֲבָל וּבְרִיתוֹ לְהוֹדִיעָם: לְמִנְדַּע וּלְפָרְשָׁא מִלִּין, בְּגִין דְּאִינּוּן מִלִּין דְּקַיְּימִן לְפָרְשָׁא.

רסד. תָּא חֲזֵי, בְּאַרְבְּעִין וּתְרֵין אַתְוָון אִתְגְּלִיף עָלְמָא, וְאִתְקַיָּים. וְכֻלְּהוּ עִטְרָא דִּשְׁמָא קַדִּישָׁא. כַּד מִצְטָרְפִין, סַלְּקִין בְּאַתְווֹי לְעֵילָּא, וְנַחְתִּין לְתַתָּא, מִתְעַטְּרָן עִטְרִין, בְּאַרְבַּע סִטְרֵי עָלְמָא, וְיָכִיל לְאִתְקַיְּימָא.

רסה. וּלְבָתַר נָפְקוּ אַתְוָון וּבָרוּ עָלְמָא לְעֵילָּא וְתַתָּא. בְּעָלְמָא דְּיִחוּדָא, וּבְעָלְמָא דְּפֵרוּדָא, וְאִתְקְרוּן הָרֵי בָתֶר, טוּרֵי דְּפֵרוּדָא דְּמִשְׁתַּקְיָין. כַּד סִטְרָא דְּדָרוֹם שָׁארֵי לְקָרְבָא בַּהֲדֵיהּ, וּכְדֵין מַיָּא נַגְדִּין, וּבְחֵילָא דָּא דְּעֵילָּא, נָגִיד, כֹּלָּא הוּא בְּחֶדְוָה.

רסו. כַּד מַחֲשָׁבָה, סָלִיק בִּרְעוּ דְּחֶדְוָה, מִטְּמִירָא דְּכָל טְמִירִין, מָטֵי וְנָגִיד מִגַּוֵּיהּ חַד זִיהֲרָא, מִתְקָרְבִין דָּא בְּדָא, וְהָא אוּקְמוּהָ.

רסז. וְאִינּוּן אַרְבְּעִין וּתְרֵין אַתְוָון, אִינּוּן רָזָא עִלָּאָה, וּבְאִינּוּן אִתְבְּרֵי עָלְמָא עִלָּאָה וְעָלְמָא תַּתָּאָה. וְאִינּוּן קִיּוּמָא וְרָזָא דְּכָל עָלְמִין. וְעַל דְּאִיהוּ רָזָא דְּעָלְמִין, כְּתִיב סוֹד יְיָ' לִירֵאָיו וּבְרִיתוֹ לְהוֹדִיעָם. דָּא רָזָא, דְּאַתְוָון גְּלִיפִין, בְּגִלְּפוֹי בְּאִתְגַּלְיָיא.

רסח. כְּתִיב וְנָתַתָּ אֶל חֹשֶׁן הַמִּשְׁפָּט אֶת הָאוּרִים וְאֶת הַתֻּמִּים, וְהָא אוּקְמוּהָ. אֶת הָאוּרִים: דִּנְהִירִין, רָזָא דְּאַסְפַּקְלַרְיָא דְּנַהֲרָא, וְדָא אִיהוּ גְּלִיפוּ דְּאַתְוָון דִּשְׁמָא קַדִּישָׁא, בְּרָזָא דְּאַרְבְּעִין וּתְרֵין, דִּבְהוּ אִתְבְּרוּן עָלְמִין, וַהֲווּ מִשְׁקְעִין בֵּיהּ. וְאֶת הַתֻּמִּים: רָזָא דְּאִינּוּן אַתְוָון, דִּכְלִילָן בַּאֲתַר דְּאַסְפַּקְלַרְיָא דְּלָא נַהֲרָא. וְאִיהִי אִתְנַהֲרָא בְּעֶ"ב אַתְוָון גְּלִיפִין, דְּאִינּוּן רָזָא דִּשְׁמָא קַדִּישָׁא, וְכֻלְּהוּ אִקְרוּן אוּרִים וְתוּמִים.

רסט. תָּא חֲזֵי, כַּד אִינּוּן אַתְוָון מְשַׁקְעָאן תַּמָּן, בְּהַהוּא חֵילָא, נָהֲרִין אַתְוָון אַחֲרָנִין, בְּגִלְּפוּ דְּאִינּוּן שְׁמָהָן דִּשְׁבָטִין, וְנָהֲרִין אוֹ אִתְחַשְּׁכָאן, וְכֹלָּא בְּהַהוּא רָזָא דְּאִינּוּן אַתְוָון דִּשְׁמָהָן קַדִּישִׁין כִּדְקָאַמְרָן. וְאִינּוּן אַתְוָון דִּשְׁמָהָן קַדִּישִׁין, אִינּוּן אַתְיָין עַל רָזָא דְּאוֹרַיְיתָא, וְכֻלְּהוּ עָלְמִין אִתְבְּרוּן, בְּרָזָא דְּאִלֵּין אַתְוָון. אִלֵּין שְׁמָהָן הֲווּ גְּנִיזִין מְשַׁקְעִין תַּמָּן, וּשְׁמָהָן דִּשְׁבָטִין הֲווּ בַּלְטִין אַתְוָון דִּלְהוֹן לְעֵילָּא. וְעַל דָּא כֹּלָּא מֵרָזָא דְּאִינּוּן אַתְוָון, וְכֹלָּא אוּקִימְנָא.

רע. וְהָא אִתְּמַר בְּרָזָא דְּאַתְוָון דְּאוֹרַיְיתָא. ב', דְּאוֹרַיְיתָא שָׁרָאת בָּהּ, וְהָא אוּקְמוּהָ ב' בָּרָא וַדַּאי בְּחֵילָא עִלָּאָה, בְּתַקִּיפוּ דְּרָזָא דְּאִינּוּן אַתְוָון. ב' נוּקְבָא, א' דְּכוּרָא. כְּמָה דְּב' בָּרָא, הָכִי נָמֵי א', אַפִּיק אַתְוָון, כְּלָלָא דְּעֶשְׂרִין וּתְרֵין אַתְוָון.

רעא. ה', זִוּוּגָא וְחָדָא בַּשָּׁמַיִם, לְמֵיהַב לֵיהּ חַיִּין, וּלְאַשְׁרָאָה לֵיהּ. ו', הָאָרֶץ, לְמֵיהַב לָהּ מְזוֹנָא, וּלְאַתְקְנָא לָהּ סִפּוּקָא דְּאִתְחֲזֵי לָהּ. וְרָזָא דָּא בְּרֵאשִׁית וְגוֹ', עַד הַשָּׁמַיִם וְאֵת הָאָרֶץ. ו' וְאֵת, כְּלָלָא דְּעֶשְׂרִין וּתְרֵין אַתְוָון, וּמִתָּזָן אַרְעָא, וְאַרְעָא כָּלִיל לוֹן לְגַוָּהּ, כְּמָה דְּאַתְּ אָמֵר, כָּל הַנְּחָלִים הוֹלְכִים אֶל הַיָּם, וְהַיְינוּ רָזָא, וְאֵת הָאָרֶץ, דְּכָנִישׁ לְכֹלָּא בְּגַוֵּיהּ, וְקַבִּילַת לוֹן. הָאָרֶץ נָטְלַת ו', וְקַבִּילַת לָהּ לְאִתְזָנָא.

רעב. וְרָזָא דָּא, מַשְׁכְּנָא לָא אִתְקַן אֶלָּא עַל יְדָא דְּמֹשֶׁה, בְּגִין דְּמֵהַהוּא סִטְרָא, אִתְעַר דַּרְגָּא אַחֲרָא עִלָּאָה, לְקַיְּימָא לֵיהּ, לְמֶהֱוֵי קִיּוּמָא דְּכֹלָּא. וְרָזָא דָּא, וַיָּקֶם מֹשֶׁה אֶת הַמִּשְׁכָּן, קִיּוּמָא דִּילֵיהּ הֲוָה, בְּאִינּוּן אַתְוָון דְּאִתְבְּרִיאוּ בְּהוּ שְׁמַיָּא וְאַרְעָא.

רעג. וּבְגִין כָּךְ, כָּל עֲבִידָן דְּמַשְׁכְּנָא, הֲוָה בְּצַלְאֵל עָבִיד לוֹן, בְּרָזָא דִּגְלוּפָא דְּאַתְוָון, דְּאִתְבְּרִיאוּ בְּהוֹן שְׁמַיָּא וְאַרְעָא. וְעַל דָּא אִקְרֵי בְּצַלְאֵל, בְּגִין דַּהֲוָה יָדַע בְּצַלְאֵל, גְּלוּפָא דְּאַתְוָון, דְּאִתְבְּרִיאוּ בְּהוּ שְׁמַיָּא וְאַרְעָא. וְאִי לָא דַּהֲוָה יָדַע לְהוּ בְּצַלְאֵל, לָא הֲוָה יָכִיל לְמֶעְבַּד אִיהוּ אִינּוּן עֲבִידָאן דְּמַשְׁכְּנָא. מַאי טַעֲמָא. אֶלָּא, כְּמָה דְּמַשְׁכְּנָא עִלָּאָה, לָא הֲוָה וְלָא אִתְקִינוּ כָּל עוֹבָדוֹי, אֶלָּא בְּהַהוּא רָזָא דְּאִינּוּן אַתְוָון, אוּף הָכָא מַשְׁכְּנָא דִּלְתַתָּא, לָא הֲוָה וְלָא אִתְתְּקַן, אֶלָּא בְּרָזִין דְּאִינּוּן אַתְוָון.

רעד. בְּצַלְאֵל הֲוָה מְצָרֵף אִינּוּן אַתְוָון, וּבְרָזָא דְּכָל צֵרוּפָא וְצֵרוּפָא הֲוָה עָבִיד אוּמָנוּתָא. וְכָל עֲבִידָא וַעֲבִידָא דְּמַשְׁכְּנָא, בְּכָל צֵרוּפָא הֲוָה עָבִיד חַד אוּמָנוּ, וְכָל מַה דְּאִתְחֲזֵי לֵיהּ. וְכֵן בְּכָל עֲבִידָאן דְּמַשְׁכְּנָא, וְכָל אִינּוּן שַׁיְיפִין וְתִקּוּנִין דְּמַשְׁכְּנָא, כֹּלָּא הֲוָה בְּצֵרוּפָא דְּאַתְוָון דִּשְׁמָא קַדִּישָׁא.

רעה. וְכַד אָתָא לַאֲקָמָא לֵיהּ, לָא הֲוָה יָכִיל לְמֵיקַם לֵיהּ. מ"ט. בְּגִין דִּרְעוּתָא דִּסְלִיק עַל אִינּוּן אַתְוָון, לָא אִתְמְסַר אֶלָּא לְמֹשֶׁה בִּלְחוֹדוֹי, וְאִיהוּ הֲוָה יָדַע הַהוּא רְעוּתָא דִּסְלִיק לְאִינּוּן אַתְוָון, וְעַל דָּא אִתְקַם מַשְׁכְּנָא עַל יְדֵיהּ, דִּכְתִּיב וַיָּקֶם מֹשֶׁה. וַיִּתֵּן מֹשֶׁה. וַיָּשֶׂם מֹשֶׁה. וּבְצַלְאֵל לָא הֲוָה יָדַע, וְלָא הֲוָה יָכִיל לְמֵיקַם לֵיהּ.

רעו. פָּתַח ר' יִצְחָק אֲבַתְרֵיהּ וְאָמַר, יְיָ' בְּעָזְּךָ יִשְׂמַח מֶלֶךְ וּבִישׁוּעָתְךָ מַה יָּגֶיל מְאֹד תַּאֲוַת לִבּוֹ וְגוֹ', חַיִּים שָׁאַל מִמְּךָ וְגוֹ', שִׁירָתָא דָּא לָא אָמַר לָהּ דָּוִד, אֶלָּא עַל תּוּשְׁבְּחָתָא דִּכְנֶסֶת יִשְׂרָאֵל, דְּקֻבָּ"ה חָדֵי לָהּ בְּחֵידוּ דְּאוֹרַיְיתָא, דְּאִקְרֵי עֹז, דִּכְתִּיב יְיָ' עֹז לְעַמּוֹ יִתֵּן וְגוֹ'. יִשְׂמַח מֶלֶךְ: דָּא קֻבָּ"ה דְּאִתְקְרֵי מֶלֶךְ, דִּכְתִּיב וַיְהִי בִישֻׁרוּן מֶלֶךְ.

רעז. וּבִישׁוּעָתְךָ מַה יָּגֶיל מְאֹד, דָּא יְשׁוּעָה דִּימִינָא, כד"א הוֹשִׁיעָה יְמִינְךָ וַעֲנֵנִי. וַתּוֹשַׁע לוֹ יְמִינוֹ. מַה יָּגֶיל מְאֹד, ו' יַתִּירָה, וְדָא אִיהוּ רָזָא דִּבְרִית קַיָּימָא קַדִּישָׁא, דְּאִיהוּ חֶדְוָה דְּכֹלָּא, וְכֹלָּא עַל הַאי מֶלֶךְ אִתְּמַר.

רעח. חַיִּים שָׁאַל מִמְּךָ נָתַתָּה לוֹ אֹרֶךְ יָמִים עוֹלָם וָעֶד. מֵהָכָא אוֹלִיפְנָא, דְּדָוִד מַלְכָּא לָא הֲווּ לֵיהּ חַיִּים כְּלַל, בַּר דְּאָדָם קַדְמָאָה יָהַב לֵיהּ מִדִּילֵיהּ. וְהָא אוֹקְמוּהָ, דְּדָוִד מַלְכָּא אִתְקַיָּים שַׁבְעִין שְׁנִין. וְאִינּוּן ע' שְׁנִין יָהַב לֵיהּ קֻבָּ"ה מֵאִינּוּן שְׁנִין דְּאָדָם קַדְמָאָה, וּבְהוּ אִתְקַיָּים, וְאִתְיְיהִיב לֵיהּ אוֹרִיכוּ דְּיוֹמִין בְּהַאי עָלְמָא, וּבְעָלְמָא דְּאָתֵי, וְעַל דָּא חַיִּים שָׁאַל מִמְּךָ נָתַתָּה לוֹ.

רעט. גָּדוֹל כְּבוֹדוֹ, בְּגִין דְּאִיהוּ גָּדוֹל, דִּכְתִּיב גָּדוֹל אֲדוֹנֵינוּ וְרַב כֹּחַ. וַדַּאי אִקְרֵי גָּדוֹל, וְרָזָא דָּא, וַיַּעַשׂ אֱלֹהִים אֶת שְׁנֵי הַמְּאוֹרוֹת הַגְּדוֹלִים, גְּדוֹלִים הֲווּ וַדַּאי. ועכ"ד, אִיהוּ אִקְרֵי גָּדוֹל, כְּמָה דְּאִתְּמַר גָּדוֹל אֲדוֹנֵינוּ וְרַב כֹּחַ. וקב"ה לָא אִקְרֵי גָּדוֹל, אֶלָּא בְּהַאי, דִּכְתִּיב, גָּדוֹל יְיָ' וּמְהֻלָּל מְאֹד בְּעִיר אֱלֹהֵינוּ הַר קָדְשׁוֹ. בְּמָה אִיהוּ גָּדוֹל, בְּעִיר

אֱלֹהֵינוּ הַר קָדְשׁוֹ.

רפ. כִּי תְשִׁיתֵהוּ בְרָכוֹת לָעַד. כִּי תְשִׁיתֵהוּ בְּרָכוֹת, בְּגִין דְּהַאי אִיהוּ בִּרְכָתָא דְּכָל עָלְמָא, וְכָל בִּרְכָאן דְּכָל עָלְמָא מֵהָכָא נַפְקֵי, וְדָא אִיהוּ בְּרָכָה. וְרָזָא דָּא, וֶהְיֵה בְּרָכָה. דְּהָא הָכָא שַׁרְיָאן כָּל בִּרְכָאן דִּלְעֵילָּא, וּמֵהָכָא נַפְקֵי לְכָל עָלְמָא, וְעַל דָּא אִקְרֵי בְּרָכָה.

רפא. תְּחַדֵּהוּ בְשִׂמְחָה, כְּתִיב הָכָא תְּחַדֵּהוּ בְּשִׂמְחָה, וּכְתִיב הָתָם וַיִּחַדְּ יִתְרוֹ, בְּגִין דְּזַמִּין קֻדְשָׁא בְּרִיךְ הוּא לְאַקָמָא לָהּ לִכְנֶסֶת יִשְׂרָאֵל מֵעַפְרָא, וּלְאַתְקְפָא בָּהּ בְּרָזָא דִּימִינָא, וּלְחַדְּתוּתֵי לָהּ וַחֲדְתוּתָא דְּסִיהֲרָא בְּשִׁמְשָׁא.

רפב. כְּתִיב תְּחַדֵּהוּ בְשִׂמְחָה אֶת פָּנֶיךָ, לְמֶהֱוֵי קַמָּךְ, וּלְמֶהֱוֵי בְּחֵידוּ לְקַבֵּל אַנְפָּךְ, בְּהַהוּא שְׁלִימוּ דְּתִשְׁתַּכְלִּים בְּהַהוּא זִמְנָא. דְּהָא בְּזִמְנָא דְּאִתְחֲרַב בֵּי מַקְדְּשָׁא, אִתְרְקִינַת מִכָּל מַה דְּאִתְמַלְיָא. כד"א אֻמְלְלָה יוֹלֶדֶת הַשִּׁבְעָה. וּכְתִיב אִמָּלְאָה הָחֳרָבָה.

רפג. ת"ח, בְּהַהוּא זִמְנָא דְּאוֹקִים מֹשֶׁה יַת מַשְׁכְּנָא, אִסְתָּכַל בְּכָל אִינּוּן עֲבִידָאן, דַּהֲווּ כַּדְקָא יָאוּת, וּכְדֵין אוֹקִים לֵיהּ. וְכָל אִינּוּן עֲבִידָאן דַּהֲווּ בֵּיהּ בְּמַשְׁכְּנָא, כָּל חַד וְחַד אַיְיתִיאוּ לֵיהּ לְמֹשֶׁה. וְרָזָא דָּא בְּתוּלוֹת אַחֲרֶיהָ רֵעוֹתֶיהָ מוּבָאוֹת לָךְ. מוּבָאוֹת לָךְ דִּכְתִּיב. וַיָּבִיאוּ אֶת הַמִּשְׁכָּן אֶל מֹשֶׁה.

רפד. אֲמַאי וַיָּבִיאוּ אֶת הַמִּשְׁכָּן. בְּגִין דְּהָא בְּהַהִיא שַׁעֲתָא, הֲוָה זִווּגָא דְּמֹשֶׁה לְאִזְדַּוְּוגָא, וְעַל דָּא וַיָּבִיאוּ אֶת הַמִּשְׁכָּן אֶל מֹשֶׁה, כְּמָה דְּאַיְיתֵי כַּלָּה לְבֵי חָתָן. בְּגִין דְּהָא בְּקַדְמֵיתָא אִצְטְרִיךְ לְאַעֲלָא לְכַלָּה לְגַבֵּי חָתָן, כד"א אֶת בִּתִּי נָתַתִּי לָאִישׁ הַזֶּה לְאִשָּׁה. וּלְבָתַר אִיהוּ יֵיתֵי לְגַבָּהּ, דִּכְתִּיב וַיָּבֹא אֵלֶיהָ. וּכְתִיב וַיָּבֹא מֹשֶׁה אֶל אֹהֶל הָעֵדוּת.

רפה. וְהָכָא מַה כְּתִיב, וְלֹא יָכֹל מֹשֶׁה לָבֹא אֶל אֹהֶל מוֹעֵד כִּי שָׁכַן עָלָיו הֶעָנָן וְגוֹ'. מַאי טַעֲמָא. בְּגִין דַּהֲוַת אִיהִי מִתְתַּקְנָא, כְּהַאי אִתְּתָא דְּאִתְתַּקְנַת וְאִתְקַשְּׁטַת לְגַבֵּי בַּעְלָהּ, וּבְהַהִיא שַׁעֲתָא דְּאִיהִי קָא מִתְקַשְּׁטָא, לָא אִתְחֲזֵי לְבַעְלָהּ לְאַעֲלָא לְגַבָּהּ. וע"ד וְלֹא יָכֹל מֹשֶׁה לָבֹא אֶל אֹהֶל מוֹעֵד כִּי שָׁכַן עָלָיו הֶעָנָן בְּגִין כָּךְ וַיָּבִיאוּ אֶת הַמִּשְׁכָּן אֶל מֹשֶׁה. עוֹד מַה כְּתִיב וַיַּרְא מֹשֶׁה אֶת כָּל הַמְּלָאכָה וְגוֹ'.

רפו. תָּא חֲזֵי, בְּכָל עֲבִידָן דְּמַשְׁכְּנָא, בְּכֻלְּהוּ הֲוָה גַּוְונָא דִּתְכְלָא. בְּגִין דִּתְכְלָא אִיהוּ גַּוְונָא לְאִתְעַטְּרָא בְּרָזָא דְּכָל גַּוְונִין. מַה כְּתִיב וַיַּעֲשׂוּ אֶת צִיץ נֵזֶר הַקֹּדֶשׁ וְגוֹ', וַיִּתְּנוּ עָלָיו פְּתִיל תְּכֵלֶת וְגוֹ', וְהָא אוּקְמוּהָ, בְּרָזָא דִּכְתִּיב, וְעָשִׂיתָ צִּיץ זָהָב טָהוֹר וּפִתַּחְתָּ עָלָיו פִּתּוּחֵי חוֹתָם קֹדֶשׁ לַה'. וַיִּכְתְּבוּ עָלָיו מִכְתַּב פִּתּוּחֵי חוֹתָם קֹדֶשׁ לַה'.

תוספתא

רפז. בְּרָזִין עִלָּאִין. טַסְקוּרֵי קְמִיטִין שְׁכִיחִין, אִלֵּין סַלְקִין וְנַחְתִּין, וְאִלֵּין קַיְימִין בְּקִיּוּמַיְיהוּ. גַּלְגַּלִּין דְּסַחֲרָאן, הֲווּ קַיְימָן מֵהַהוּא זִמְנָא דְּעַפְרָא אִתְכְּנִישׁ. אִינּוּן גַּלְגַּלִּין סַחֲרִין עָלְמָא, בְּסַחֲרָנוּתָא.

רפח. סַחֲרָנוּתָא דְּסָחֲרִין מְדַבְּרִין, טִיפְסְרָא דְּקוּלְטָא בְּגַוַּויְיהוּ. חַד גַּלְגַּלָּא אִית בְּגַוַּויְיהוּ, הַאי גַּלְגַּלָּא סָחֲרָא וְלָא סָחֲרָא. קַיְימָא בִּתְרֵיסַר אַלְפֵי עָלְמִין. בֵּינַיְיהוּ שְׁכִיחַ, סָלִיק וְנָטִיל בְּגַוַּויְיהוּ.

רפט. תְּחוֹת הַהוּא גַּלְגַּלָּא, קַיְימָא חַד עַמּוּדָא דְּנָעִיץ עַד תְּהוֹמָא רַבָּא. בֵּיהּ, מִתְגַּלְגְּלָאן

אבנין גו תהומי, אינון סלקין ונחתין. ההוא עמודא קאים עלייהו, נטיל ולא נטיל, נעיץ מעילא לתתא, סחראן מאתן ועשרין גלגלין אחרנין, סחרניה דההוא עמודא.

רצ. ההוא גלגלא אחרא דעליה, דקאים בתריסר אלפי עלמא, איהו סחרא גו משכנא, סחרא ולא סחרא. ההוא משכנא קאים על תריסר אלפי עלמין, ביה קיימא ההוא כרוזא, דקרי אסתמרו מגלגלא דסחרא.

רצא. מאן דאיהו מארי דעיינין בסכלתנו, ינדע ויסתכל בחכמתא דמאריה, וינדע דאינון מלין עלאין, דמפתחן דמאריה קיימן תמן, די אינון טמירן גו משכנא קדישא. זכאין אינון בהאי עלמא, וזכאין אינון בעלמא דאתי, עלייהו כתיב אשרי אדם עוז לו בך מסלות בלבבם. אשרי תבחר ותקרב ישכון חצריך נשבעה בטוב ביתך קדוש היכלך. (ע"כ תוספתא)

רצב. ברזא דמשכנא קיימן רזין עלאין, ברזא דשמא קדישא אדנ"י, האי איהו רזא דמשכנא, כגוונא רזא עלאה, רזא דארונא, כמה דכתיב הנה ארון הברית אדון כל הארץ. אדון כל הארץ, דא הוא רזא קדישא דשמא דאל"ף דל"ת נו"ן יו"ד. ודא הוא כגוונא דרזא דשמא קדישא עלאה יהו"ד. ואתוון אלין כגוונא דאלין.

רצג. א' איהי י', רזא דיו"ד כגוונא דא א', והא אוקמוה. ד', איהו רזא ה', ודא כגוונא דדא, וכלא כגוונא ורזא חדא. נ', איהי רזא דאת ו', ואע"ג דדא דכר, ודא נוקבא. אבל דא אתכליל בדא, והא אוקמוה ן' ו' איהו באמצעיתא, בגין דאיהו כללא חדא. ה' איהו רזא דאת י', בגין דהכא, דא איהי חכמה זעירא, דאקרי חכמת שלמה.

רצד. ואתכלילו אתוון אלין באלין, וכלא איהי רזא חדא, כליכן אלין באלין, וכלא חד, וכלא איהו רזא חדא, באתוון קדישין. ועל דא משכנא דלתתא בארעא, קיימא ברזא דמשכנא עלאה, וההוא משכנא עלאה, קיימא ברזא דמשכנא אחרא עלאה על כלא. וכלא איהו כליל דא בדא למהוי חד, ועל דא כתיב, והיה המשכן אחד.

רצה. כתיב ראשית גוים עמלק ואחריתו עדי אובד. ת"ח, ביומא דאתקם משכנא, דאקים ליה משה, כמה דאתמר, דכתיב ויקם משה את המשכן, דלא הוה יכיל למיקם, עד דאוקים ליה איהו. למטרוניתא, דלית רשו לבר נש אחרא למיקם לה אלא בעלה. אוף הכי, כל אינון אומנין, כלהו אתי לאקמא משכנא, ולא יכיל למיקם על ידייהו, עד דאתא משה, ואוקים ליה, בגין דאיהו מאריה דביתא.

רצו. כיון דאקים משה ית משכנא לתתא, אתקם משכנא אחרא לעילא, כמה דאוקמוה, דכתיב הוקם, ולא פריש על ידא דמאן, דלא אתקם אלא מרזא דעלמא עלאה, דאיהו סתים וגניז, על ידא דרזא דמשה, בגין לאתתקנא בהדיה.

רצז. מה כתיב לעילא, ויבאו כל החכמים העושים את כל מלאכת הקדש וגו', מאן אינון וחכמים העושים. אלין אינון ימינא ושמאלא, וכל שאר סטרין, דאינון אורחין ושבילין לאעלא גו ימא, ולמליא ליה, ואינון עבדו משכנא לעילא, ואתקינו ליה.

רצח. כגוונא דא לתתא, ועשה בצלאל ואהליאב, דא בסטר ימינא, ודא בסטר שמאלא, בצלאל לימינא, ואהליאב לשמאלא, דא מיהודה, ודא מדן, ולבתר וכל איש חכם לב, ויבאו כל החכמים העושים, והא אוקימנא, וכלא כגוונא דלעילא.

רצט. בההוא יומא דאתקם משכנא, אתבטל מותא מעלמא. אתבטל לא תימא,

אֶלָּא אִסְתַּלַּק מֵעָלְמָא, דְּלָא יָכִיל לְשַׁלְטָאָה. כְּמָה דְּאוֹקִימְנָא. בְּגִין דְּלָא יִתְבְּטַל יֵצֶר הָרַע מֵעָלְמָא, עַד דְּיֵיתֵי מַלְכָּא מְשִׁיחָא, וקב"ה יֶחֱדֵי בְּעוֹבָדוֹי וּכְדֵין בִּלַּע הַמָּוֶת לָנֶצַח. כַּד אִתְּקָם מַשְׁכְּנָא ע"י דְּמֹשֶׁה, כְּדֵין אִתְפָּרְשַׁת וְזִילָא דְּיֵצֶר הָרַע, וְאִתְכַּפְיָא, וְלָא הֲוָה יָכִיל לְשַׁלְטָאָה. בְּהַהִיא שַׁעֲתָא, אִתְפְּרַשׁ סָמָאֵ"ל, תַּקִּיפָא רוּגְזָא דִּשְׂמָאלָא, מֵעַל תּוּקְפָּא דְּחִוְיָא בִּישָׁא, וְלָא יָכִיל לְשַׁלְטָא עַל עָלְמָא, וְלָא יָכִיל לְאִתְחַבְּרָא בֵּיהּ בְּבַר נָשׁ, וּלְמִסְטֵי לֵיהּ.

ש. רִבִּי יְהוּדָה אָמַר, כַּד עָבְדוּ יִשְׂרָאֵל יַת עֶגְלָא, מַה כְּתִיב וּמֹשֶׁה יִקַּח אֶת הָאֹהֶל וְנָטָה לוֹ מִחוּץ לַמַּחֲנֶה. מַאי טַעֲמָא. בְּגִין דְּחָמָא יֵצֶר הָרַע דַּהֲוָה אָזִיל בֵּינַיְיהוּ. אָמַר מֹשֶׁה, סִטְרָא דִּקְדוּשָׁה לָא תִּשְׁרֵי בְּגוֹ סִטְרָא דִּמְסָאֲבָא. רִבִּי אֶלְעָזָר אָמַר, כָּל זִמְנָא דְּסִטְרָא דִּקְדוּשָׁה שַׁלְטָא, סִטְרָא מְסָאֲבָא לָא יָכִיל לְשַׁלְטָאָה, וְאִתְכַּפְיָא קַמֵּיהּ. וְעַל דָּא תָּנֵינָן, כָּל זִמְנָא דִּירוּשְׁלֵם תִּהְיֶה מְלֵאָה, צוֹר וַחֲיָּבָא יְהֵא וְחָרֵבָה.

שא. פָּתַח וְאָמַר, וַתֹּאמֶר אֶל הָעֶבֶד מִי הָאִישׁ הַלָּזֶה הַהוֹלֵךְ בַּשָּׂדֶה לִקְרָאתֵנוּ וַיֹּאמֶר הָעֶבֶד וְגוֹ'. מַה כְּתִיב לְעֵילָּא, וַתִּשָּׂא רִבְקָה אֶת עֵינֶיהָ וַתֵּרֶא אֶת יִצְחָק וַתִּפּוֹל מֵעַל הַגָּמָל. הַאי קְרָא אַמַּאי אִצְטְרִיךְ לְמִכְתַּב בְּאוֹרַיְיתָא. וְתוּ, וְכִי בְּגִין דְּחָמַאת שַׁפִּירוּ דְּיִצְחָק אִתְרְכִינַת מִגַּמְלָא.

שב. אֶלָּא, הַאי קְרָא רָזָא אִיהוּ. ת"ח, בְּשַׁעֲתָא דְּמָטָאת רִבְקָה לְגַבֵּי דְּיִצְחָק, שַׁעֲתָא דִּצְלוֹתָא דְּמִנְחָה הֲוָה, וּבְהַהוּא זִמְנָא דִּינָא אִתְּעַר בְּעָלְמָא, וְחָמָאת לֵיהּ בְּרוּגְזָא דְּדִינָא קַשְׁיָא, וְחָמָאת דְּהָא סִיּוּם דְּרוּגְזָא קַשְׁיָא אִיהוּ גָּמָל לְתַתָּא, וְדָא אִיהוּ רָזָא דְּמוֹתָא, וּבְגִין כָּךְ אִתְרְכִינַת וְאִשְׁמִיטַת גַּרְמָהּ מֵהַהוּא גָּמָל. דְּהָא כַּד אִסְתַּכַּל דִּינָא קַשְׁיָא, הַהוּא גָּמָל אִתְתָּקַף. וּבְגִין כָּךְ אַשְׁמִיטַת גַּרְמָהּ מִינֵּיהּ, וְלָא יָתְבַת תַּמָּן.

שג. תָּא חֲזֵי, הַאי גָּמָל, הַיְינוּ רָזָא דִּכְתִיב וּגְמוּלוֹ יְשַׁלֶּם לוֹ, דָּא גְּמוּל דְּאִינּוּן חַיָּיבַיָּא, דִּכְתִיב אוֹי לְרָשָׁע רָע כִּי גְּמוּל יָדָיו יֵעָשֶׂה לוֹ. וְהַאי אִיהוּ גָּמָל, דְּקַיְּימָא לְאַכְלָא כֹּלָּא, וּלְשֵׁיצָאָה כֹּלָּא. וְהַאי אִיהוּ זַמִּין תָּדִיר לְקַבֵּל בְּנֵי נָשָׁא. וּבְגִין כָּךְ הַאי מַאן דְּחָמֵי בְּחֶלְמֵיהּ גָּמָל, אַחְמִיוּ לֵיהּ מוֹתָא דְּאִתְגְּזָרַת עָלֵיהּ, וְאִשְׁתְּזִיב מִנֵּיהּ.

דש. תָּא חֲזֵי, הַאי סִטְרָא דִּמְסָאֲבָא אִקְרֵי הָכִי, דְּגָרִים מִיתָה לְכָל עָלְמָא, וְהַאי הֲוָה דְּאַסְטֵי לְאָדָם וּלְאִתְּתֵיהּ, וְהַהוּא דְּרָכִיב עָלֵיהּ אִיהוּ סָמָאֵ"ל, וְאִיהוּ אָתָא לְמִטְעֵי עָלְמָא, וְגָרַם מוֹתָא לְכֹלָּא. וּבְגִין כָּךְ אָתָא וְשַׁלִּיט עַל כֹּלָּא. אָדָם אִיהוּ אַמְשִׁיךְ לֵיהּ לְגַבֵּיהּ, וְכֵיוָן דְּאִיהוּ אַמְשִׁיךְ לֵיהּ לְגַבֵּיהּ, כְּדֵין אִיהוּ אִתְמְשַׁךְ אֲבַתְרַיְיהוּ, עַד דְּאַסְטֵי לוֹן. וּבְגִין כָּךְ אָמַר שְׁלֹמֹה, וְאַל תִּקְרַב אֶל פֶּתַח בֵּיתָהּ, דְּכָל מַאן דְּאִתְקְרִיב לְבֵיתָהּ, כְּדֵין אִיהִי נָפְקַת וּמִתְקַשְּׁרַת וְאִתְמַשְּׁכַת אֲבַתְרֵיהּ.

שה. וְעַל דָּא רִבְקָה, כַּד חָמַאת דַּהֲוָה לֵיהּ לְאִתְדַּבְּקָא בְּסִטְרָא דְּדִינָא קַשְׁיָא. כֵּיוָן דְּחָמַאת לֵיהּ לְיִצְחָק בְּרָזָא דְּדִינָא קַשְׁיָא, וְחָמַאת דְּמֵהַהוּא סִטְרָא נָפַק דִּינָא אוּחֲרָא תַּקִּיפָא, מְזוּהֲמָא דִּדְהָבָא, כַּד חָמַאת הַאי, מִיָּד וַתִּפּוֹל מֵעַל הַגָּמָל, בְּגִין לְאִתְרַפְּיָיא מִן דִּינָא מֵהַהוּא זוּהֲמָא. כְּתִיב קוֹל יְיָ' מְשַׁלֵּם גְּמוּל לְאוֹיְבָיו, מֵהַהוּא זוּהֲמָא.

שו. תָּא חֲזֵי כַּד עָבְדוּ יִשְׂרָאֵל הַהוּא עוֹבָדָא, וְגָרְמוּ לְהַהוּא חוֹבָא, מַאי טַעֲמָא עֵגֶל, וְלָא סִטְרָא אוּחֲרָא. וְאִי תֵּימָא, דְּאִינּוּן בְּרִירוּ עֶגְלָא, לָאו הָכִי. אֶלָּא אִינּוּן אָמְרוּ, קוּם עֲשֵׂה לָנוּ אֱלֹהִים אֲשֶׁר יֵלְכוּ לְפָנֵינוּ, וְאַהֲרֹן רְעוּתֵיהּ הֲוָה לְאַעַכְּבָא לוֹן.

שז. אֶלָּא וַדַּאי עֲבִידְתָּא אִתְעֲבִיד כַּדְקָא חֲזֵי, דְּהָא מִסִּטְרָא דִּדְהָבָא, נָפְקָא

סוֹסְפִיתָא, כַּד אִתְבְּרִיר דַּהֲבָא, וּמִתַּמָּן מִתְפַּשְּׁטֵי כָּל אִינּוּן סִטְרֵי שְׂמָאלָא, דְּאִינּוּן הַתּוּכָא דְּהַהוּא סוֹסְפִיתָא דְּדַהֲבָא, וּמִתְפָּרְשָׁאן לְכַמָּה סִטְרִין. וְכָל אִינּוּן דְּאִית לוֹן חֵיזוּ סוּמְקָא, גַּוְון דְּדַהֲבָא קַיְּימָא בְּטוּרֵי, כַּד שִׁמְשָׁא בְּתוּקְפֵיהּ, בְּגִין דְּתוּקְפָּא דְּשִׁמְשָׁא אוֹזֵי דַּהֲבָא, וְאוֹלִיד לֵיהּ בְּאַרְעָא. וְהַהוּא דִּמְמָנָא בְּהַהוּא תּוּקְפָּא דְּשִׁמְשָׁא, וְחֵיזוּ דִּילֵיהּ כְּעֶגְלָא, וְאִקְרֵי קֶטֶב יָשׁוּד צָהֳרָיִם, וְדָא נָפְקָא מִגּוֹ עֶגְלָא הַתּוּכָא סוּמְקָא דְּדַהֲבָא, וְכָל הָנֵי אַתְיָין מֵהַהוּא סִטְרָא סוּמְקָא, רוּחַ מְסָאֲבָא, דְּכָל אִינּוּן דְּמִתְפָּרְשֵׁי מֵרוּחַ מְסָאֲבָא מִתְפַּשְּׁטֵי בְּעָלְמָא.

שח. וְהַאי רוּחַ מְסָאֲבָא, אִיהוּ חֶזְוָא בִּישָׁא. וְאִית מַאן דְּרָכִיב עָלֵיהּ, וְאִינּוּן דְּכַר וְנוּקְבָּא. וְאִקְרוּן אֵלֶּה, דְּאִינּוּן מִזְדַּמְּנִין בְּעָלְמָא, בְּכָל אִינּוּן סִטְרִין דִּלְהוֹן. וְרוּחַ קוּדְשָׁא אִקְרֵי זֹאת, דְּאִיהִי רָזָא דִּבְרִית, רְשִׁימָא קַדִּישָׁא דְּאִשְׁתְּכַח תָּדִיר עִמֵּיהּ דְּב"נ. וְכֵן זֶה יְיָ, זֶה אֵלִי, אֲבָל אִלֵּין אִקְרוּן אֵלֶּה, וְעַל דָּא כְּתִיב, אֵלֶּה אֱלֹהֶיךָ יִשְׂרָאֵל. וּבְגִ"כ כְּתִיב, גַּם אֵלֶּה תִשְׁכַּחְנָה. וְאָנֹכִי רָזָא דְּזֹאת, לֹא אֶשְׁכָּחֵךְ. וּכְתִיב עַל אֵלֶּה אֲנִי בוֹכִיָּה, דְּהַהוּא חוֹבָה גָּרִים לְמִבְכֵּי לוֹן כַּמָּה בִּכְיָין.

שט. ד"א עַל אֵלֶּה אֲנִי בוֹכִיָּה. מ"ט. בְּגִין דְּאִתְיְיהִיב רְשׁוּ לְאֲתַר דָּא לְשַׁלְטָאָה עַל יִשְׂרָאֵל, וּלְחָרְבָא בֵּי מַקְדְּשָׁא. וּבְגִין דְּאִתְיְיהִיב לוֹן רְשׁוּ לְשַׁלְטָאָה, כְּתִיב עַל אֵלֶּה אֲנִי בוֹכִיָּה, רָזָא דְּמִלָּה עַל אֵלֶּה דָּא סִטְרָא דִּמְסָאֲבָא דְּאִתְיְיהִיב לוֹן רְשׁוּ לְשַׁלְטָאָה. אֲנִי בוֹכִיָּה דָּא רוּחַ קוּדְשָׁא דְּאִקְרֵי אֲנִי.

שי. וְאִי תֵּימָא, הָא כְּתִיב אֵלֶּה דִּבְרֵי הַבְּרִית. הָכִי הוּא וַדַּאי, דְּכָל אִינּוּן לָא מִתְקַיְּימִין, אֶלָּא מִגּוֹ אֵלֶּה, דְּתַמָּן כָּל לְוָוטִין כְּמָה דְּאוֹקִימְנָא דְּאִיהוּ אָרוּר, דִּכְתִּיב אָרוּר אַתָּה מִכָּל הַבְּהֵמָה. וּבְגִ"כ, אַקְדִּים וְאָמַר אֵלֶּה, דְּקַיְּימָא לְמַאן דְּעָבַר דִּבְרֵי הַבְּרִית. אֵלֶּה הַמִּצְוֹת אֲשֶׁר צִוָּה יְיָ' אֶת מֹשֶׁה, בְּגִין דְּפִקּוּדַיָּא דְּאוֹרַיְיתָא לְאִתְדַּכָּאָה בַּר נָשׁ, וְלָא יִסְטֵי לְאוֹרְחָא דָּא, וְיִסְתָּמַר מִתַּמָּן, וְיִתְפְּרַשׁ מִנַּיְיהוּ.

שיא. וְאִי תֵּימָא אֵלֶּה תּוֹלְדוֹת נֹחַ נֹחַ. הָכִי הוּא וַדַּאי, דְּהָא נָפַק חָם, דְּאִיהוּ אֲבִי כְּנַעַן, וּכְתִיב אָרוּר כְּנָעַן, וְאִיהוּ רָזָא דָּא דְּאֵלֶּה.

שיב. וְעַל דָּא כָּל הָנֵי הַתּוּכָא סוֹסְפִיתָא דְּדַהֲבָא. וְאַהֲרֹן קָרִיב דַּהֲבָא, דְּאִיהוּ סִטְרָא דִּילֵיהּ, דִּכְלִיל אִיהוּ בְּתוּקְפָּא דְּאֶשָּׁא, וְכֹלָּא חַד, וְסִטְרָא דָּא דַּהֲבָא וְאֶשָּׁא.

שיג. וְרוּחַ מְסָאֲבָא דְּאִשְׁתְּכַח תָּדִיר בְּמַדְבְּרָא, אַשְׁכַּח אֲתַר בְּהַהוּא זִמְנָא לְאִתְתַּקְּפָא בֵּיהּ. וּמַה דַּהֲווּ יִשְׂרָאֵל דְּכַיָּין, מֵהַהוּא זוּהֲמָא קַדְמָאָה, דְּאַטִּיל בְּעָלְמָא, וְגָרִים מוֹתָא לְכֹלָּא, כַּד קַיְּימוּ עַל טוּרָא דְּסִינַי, גָּרַם לוֹן כְּמִלְּקַדְּמִין, לְסָאֲבָא לוֹן, וּלְאִתְתַּקְּפָא עָלַיְיהוּ, וְגָרִים לוֹן מוֹתָא, וּלְכָל עָלְמָא, וּלְדָרֵיהוֹן בַּתְרֵיהוֹן, הֲדָא הוּא דִּכְתִּיב אֲנִי אָמַרְתִּי אֱלֹהִים אַתֶּם וְגוֹ'. אָכֵן כְּאָדָם תְּמוּתוּן וְגוֹ'. וּבְגִין כַּךְ, אַהֲרֹן אַהְדַּר לְבָתַר לְאִתְדַּכָּאָה, בְּרָזָא דִּמְהֵימְנוּתָא עִלָּאָה, בְּאִינּוּן שִׁבְעָה יוֹמִין קַדִּישִׁין, וּלְבָתַר לְאִתְדַּכָּאָה בְּעֶגְלָא.

שיד. וְתָא חֲזֵי, בְּכֹלָּא בָּעָא אַהֲרֹן לְאִתְדַּכָּאָה, דְּאִלּוּ אִיהוּ לָא הֲוָה, לָא נָפַק עֶגְלָא. מ"ט. בְּגִין דְּאַהֲרֹן אִיהוּ יְמִינָא. וְאִיהוּ תּוּקְפָּא דְּשִׁמְשָׁא, וְדַהֲבָא מִשִּׁמְשָׁא. רוּחַ מְסָאֲבָא נָחַת, וְאִתְכְּלִיל תַּמָּן, וְאִסְתָּאֲבוּ יִשְׂרָאֵל, וְאִסְתָּאַב אִיהוּ, עַד דְּאִתְדַּכֵּי.

שטו. מ"ט אִסְתָּאַב. בְּגִין דְּנָפַק עֵגֶל, דְּאִיהוּ מִסִּטְרָא דִּשְׂמָאלָא, דְּאִיהוּ שׁוֹר, וּמִמִּינֵיהּ עֵגֶל. וְאִיהוּ שְׂמָאלָא, כְּמָה דְּאִתְּמַר, דִּכְתִּיב וּפְנֵי שׁוֹר מֵהַשְּׂמֹאל לְאַרְבַּעְתָּן.

וְאַהֲרֹן דְּאִיהוּ יְמִינָא, אִתְכְּלִיל בֵּיהּ שְׂמָאלָא, וְנָפַק עַל יְדֵיהּ. וְעַל דָּא, אִתְיְיהִיב לֵיהּ עֵגֶל, כְּמָה דְּאִיהוּ גָּרִים.

שטז. וּבְגִ"כ, כַּד הַאי רוּחָא מְסַאֲבָא אִתְתָּקַף, וְשַׁלִּיט כְּמִלְּקַדְמִין עַל עָלְמָא, דְּהָא בְּזִמְנָא דְּחָאבוּ יִשְׂרָאֵל, אַמְשִׁיכוּ עֲלַיְיהוּ הַהוּא יֵצֶר הָרָע כְּמִלְּקַדְמִין. כַּד אִתְדָּכוּ יִשְׂרָאֵל, וּבָעוּ לְאִתְדַּכָּאָה, אִצְטְרִיכוּ לְקָרְבָא שָׂעִיר, בְּגִין דְּשָׂעִיר אִיהוּ חוּלָקָא דְּהַהוּא יצה"ר, הַהוּא רוּחַ מְסַאֲבָא כְּדְקָאָמְרָן.

שיז. כְּתִיב וַיָּמִירוּ אֶת כְּבוֹדָם בְּתַבְנִית שׁוֹר אוֹכֵל עֵשֶׂב. מַאי תַּבְנִית שׁוֹר. דָּא עֵגֶל. שׁוֹר מִסִּטְרָא דִּשְׂמָאלָא, אַהֲרֹן יְמִינָא, אִתְכְּלִיל שְׂמָאלָא בֵּיהּ, וְאִתְתַּקַּף בֵּיהּ, וְנָפַק עַל יְדֵיהּ. תָּא חֲזֵי, וַיָּמִירוּ אֶת כְּבוֹדָם, דָּא שְׁכִינְתָּא, דְּאַזְלַת קַמַּיְיהוּ, וְאַחְלְפוּ לָהּ בְּדוּכְתָּא מְסַאֲבָא, אֵל אַחֵרָא. וּבְגִ"כ לָא אִתְעֲבַר זוּהֲמָא דָּא מֵעָלְמָא, עַד הַהוּא זִמְנָא דְּיַעֲבַר לֵיהּ קֻבְּ"ה מֵעָלְמָא, כד"א וְאֶת רוּחַ הַטּוּמְאָה אַעֲבִיר מִן הָאָרֶץ, וְהָא אוֹקִימְנָא.

שיח. כְּתִיב וַיַּעֲשֵׂהוּ עֵגֶל מַסֵּכָה, וּכְתִיב וָאַשְׁלִיכֵהוּ בָאֵשׁ וַיֵּצֵא הָעֵגֶל הַזֶּה, מַשְׁמַע דְּלָא עָבַד לֵיהּ, אִי הָכִי מַאי וַיַּעֲשֵׂהוּ. אֶלָּא וַדַּאי כְּמָה דְּאוֹקִימְנָא, דְּאִלְמָלֵא אַהֲרֹן, לָא אִתְתַּקַּף רוּחָא מְסַאֲבָא לְאִתְכַּלְלָא בְּדַהֲבָא, אֲבָל כָּל תִּקּוּנָא דְּאִצְטְרִיךְ, אַשְׁכַּח לְאִתְבְּנָאָה.

שיט. תָּא חֲזֵי, אִית מַאן דְּעָבֵיד חַרְשִׁין וְאַצְלַח בִּידוֹי. וְאִית מַאן דְּעָבֵיד לוֹן כְּהַהוּא גַּוְונָא מַמָּשׁ, וְלָא אַצְלַח בִּידוֹי, דְּהָא לְעוֹבָדִין אִלֵּין גַּבְרָא מְתַקְנָא אִצְטְרִיךְ.

שכ. תָּא חֲזֵי מִבִּלְעָם, דְּאִיהוּ הֲוָה מְתַקְנָא, לְאִינּוּן חַרְשִׁין דִּילֵיהּ, לְאַצְלָחָא בִּידוֹי, בְּגִין דִּכְתִיב וּנְאֻם הַגֶּבֶר שְׁתֻם הָעָיִן. שְׁתוּם הָעָיִן, סְתוּם הָעַיִן כְּלָא חַד. דְּחַד עֵינָא סָתִים תָּדִיר, וְחֵיזוּ דְּעֵינוֹי לָא הֲוָה בְּאֹרַח מֵישָׁר, מוּמָא הֲוָה בֵּיהּ בְּעֵינוֹי. כְּתִיב וְשִׁלַּח בְּיַד אִישׁ עִתִּי, זַמִּין בְּכֹלָּא, וְחֵיזוּ דְּעֵינוֹי דְּלָא יִתְכְּשַׁר. אֲבָל רוּחַ קוּדְשָׁא, מַאן דְּיִשְׁתַּמֵּשׁ בַּהֲדֵיהּ מַה כְּתִיב, כָּל אִישׁ אֲשֶׁר בּוֹ מוּם לֹא יִקְרָב אִישׁ עִוֵּר אוֹ פִסֵּחַ.

שכא. וְהָכָא, כֹּלָּא אִתְקַן לְרוּחָא מְסַאֲבָא, לְמֵיהַב לֵיהּ דּוּכְתָּא לְשַׁלְטָאָה. אַשְׁכַּח מַדְבְּרָא דְּאִיהוּ חָרוּב מִכֹּלָּא, כְּמָה דִּכְתִיב נָחָשׁ שָׂרָף וְעַקְרָב וְגוֹ', דְּמִתַּמָּן אִיהוּ שׁוּלְטָנוּתָא דִּילֵיהּ. אַשְׁכַּח דַּהֲבָא סִפּוּקָא כַּדְקָא יָאוּת. אַשְׁכַּח אַהֲרֹן, לְאִתְתַּקְּפָא בִּימִינָא, וּלְאִתְכַּלְלָא בֵּיהּ. כְּדֵין אַשְׁלִים דּוּכְתֵּיהּ כַּדְקָא יָאוּת, וְנָפִיק וְאִשְׁתְּלִים עוֹבָדָא.

שכב. וּמְנָלָן דְּרוּחַ מְסַאֲבָא הֲוָה. דִּכְתִיב אָנָּא חָטָא הָעָם הַזֶּה חֲטָאָה גְּדוֹלָה, דָּא רוּחַ מְסַאֲבָא, נָחָשׁ קַדְמָאָה, כְּדְקָאָמְרָן בְּכַמָּה דּוּכְתִּין. וּבְזִמְנָא דְּבָעָא אַהֲרֹן לְאִתְדַּכָּאָה, אַקְרִיב עֵגֶל, מֵהַהוּא סִטְרָא, לְמֶעְבַּד בֵּיהּ דִּינָא. בְּקַדְמֵיתָא עָבַד לֵיהּ לְשַׁלְטָאָה, וְהַשְׁתָּא דְּיַעֲבִיד בֵּיהּ דִּינָא, לְאַכְפְּיָיא לֵיהּ, דְּהָא כַּד אִתְעֲבִיד דִּינָא בְּסִטְרָא דָּא, אִתְכַּפְיָין כָּל אִינּוּן דְּשַׁלְטִין מִסִּטְרֵיהּ.

שכג. תָּא חֲזֵי, בְּמִצְרַיִם, בְּהַהוּא סִטְרָא דִּלְהוֹן כְּתִיב, אַל תֹּאכְלוּ מִמֶּנּוּ נָא וְגוֹ'. צְלִי אֵשׁ, בְּגִין דְּיִסְתַּלַּק רֵיחוֹ נוֹדֵף. רֹאשׁוֹ עַל כְּרָעָיו, לְתַבְרָא לֵיהּ וּלְאַכְפְּיָיא לֵיהּ, וּכְדֵין כָּל אִינּוּן דְּאַתְיָין מִסִּטְרֵיהּ לָא שַׁלְטֵי. כְּגַוְונָא דָּא פָּרָה אֲדוּמָּה תְּמִימָה וְגוֹ' בְּגִין לְאַכְפְּיָיא כָּל אִינּוּן סִטְרֵי מְסַאֲבָא, דְּלָא יִשְׁלְטוּן.

שכד. א"ל רִבִּי אַבָּא, וְהָא פָּרָה קַדִּישָׁא אִיהִי, דַּכְיָא אִיהִי, וְאַמַּאי. אָמַר לֵיהּ הָכִי הוּא, וְהָא אוּקְמוּהָ, כְּלָלָא דְּאַרְבַּע מַלְכְוָון הֲוַת. פָּרָה, כד"א כִּי כְּפָרָה סוֹרֵרָה סָרַר יִשְׂרָאֵל. אֲדוּמָּה, דָּא מַלְכוּת בָּבֶל, דִּכְתִיב אַנְתְּ הוּא רֵישָׁא דִּי דַהֲבָא. תְּמִימָה, דָּא

מַלְכוּת מָדַי. אֲשֶׁר אֵין בָּהּ מוּם, דָּא מַלְכוּת יָוָן. אֲשֶׁר לֹא עָלָה עָלֶיהָ עוֹל, דָּא מַלְכוּת אֱדוֹם, דְּלָא סָלִיק עָלֵיהּ עוֹל. וְרָזָא דְּמִלָּה דָּא, אַף עַל גַּב דְּכַמָּה מִלִּין אִתְיְיהִיבוּ לְמִדְרַשׁ בִּקְרָאֵי, כֻּלְּהוּ וַדַּאי.

שכה. הָא אִתְּמַר, דִּכְתִּיב מִי יִתֵּן טָהוֹר מִטָּמֵא לֹא אֶחָד. מִי יִתֵּן טָהוֹר מִטָּמֵא, רָזָא דָּא, הָכִי הוּא, דְּדָא אִיהוּ טָהוֹר דְּנָפַק מִטָּמֵא. דְּהָא בְּקַדְמֵיתָא טָמֵא, וְהַשְׁתָּא דְּאִתְעֲבִיד בֵּיהּ דִּינָא, וְאִתְיְיהִיב לִיקִידַת אֶשָּׁא בְּנוּרָא דְּדָלִיק, וְאִתְעֲבִיד עָפָר, הַשְׁתָּא אִיהוּ טָהוֹר מִטָּמֵא, טָהוֹר דְּנָפִיק מִטָּמֵא.

שכו. וּבְגִין כַּךְ, כָּל אִינּוּן דְּמִשְׁתַּדְּלֵי בָּהּ, כֻּלְּהוּ מִסְתָּאֲבֵי, דְּהָא הָכִי הוּא וַדַּאי, וְכֵיוָן דְּאִתְעֲבִיד אֵפֶר, כְּדֵין עַד דְּיִתְכְּנִישׁ וְיִסְתַּלִּיק מִתַּמָּן, מְסָאִיב לְכֻלְּהוּ, כְּמָה דְּאַתְּ אָמֵר וְכִבֵּס הָאוֹסֵף וְגוֹ' וְטָמֵא. אֵפֶר, מ"ט. כד"א וְעַסּוֹתֶם רְשָׁעִים כִּי יִהְיוּ אֵפֶר תַּחַת כַּפּוֹת רַגְלֵיכֶם. וְכֵיוָן דְּאִתְיְיהִיב עַל הַהוּא אֵפֶר מַיִם, כְּדֵין אִיהוּ טָהוֹר מִטָּמֵא.

שכז. וְרָזָא דְּמִלָּה, דִּכְתִּיב מֵי חַטָּאת, כד"א לַפֶּתַח חַטָּאת רוֹבֵץ. וּבְגִין דְּאִיהִי פֶּתַח חַטָּאת רוֹבֵץ וַדַּאי, בְּקַדְמֵיתָא כְּתִיב, וְהוֹצִיא אוֹתָהּ אֶל מִחוּץ לַמַּחֲנֶה. וּבְגִין כַּךְ אִתְיְיהִיבַת לְסִגָּן, וְלָא לְכַהֲנָא רַבָּא, וְדָא הוּא טָהוֹר מִטָּמֵא, בְּקַדְמֵיתָא טָמֵא, וְהַשְׁתָּא טָהוֹר. וְכָל סְטַר רוּחַ מְסָאֲבָא, כֵּיוָן דְּחָמָא דָּא, עָרַק, וְלָא יָתִיב בְּהַהוּא דּוּכְתָּא.

שכח. מֵי חַטָּאת וַדַּאי, מֵי נִדָּה, כְּלָּא מְסָאֲבָא. וְעַל דָּא שַׁלְטָא רוּחַ קוּדְשָׁא, וְרוּחַ מְסָאֲבָא אִתְכַּפְיָא, דְּלָא שַׁלְטָא כְּלָל. וְדָא הוּא דִּינָא דְּרוּחַ מְסָאֲבָא, מִחוּץ לַמַּחֲנֶה. בְּגִין דְּאִיהִי רוּחַ מְסָאֲבָא, דִּכְתִּיב וְהָיָה מַחֲנֶיךָ קָדוֹשׁ. אָתָא רִבִּי אַבָּא וּנְשָׁקֵיהּ.

שכט. אר"ש, אַף עַל גַּב דְּכָל הָנֵי מִלִּין כִּדְקָאֲמָרָן, קב"ה יָהִיב לֵיהּ שׁוּלְטָנוּ. וְרוּחַ מְסָאֲבָא בָּעֵי לְאַכְפְּיָא לֵיהּ בְּכָל סִטְרִין. תָּא וְאֵימָא לָךְ רָזָא חֲדָא, וְלָא אִתְיְיהִיב לְגַלָּאָה בַּר לְאִינּוּן קַדִּישֵׁי עֶלְיוֹנִין.

של. ת"ח, לְהַאי אֲתַר דְּאִיהוּ רוּחַ מְסָאֲבָא. קב"ה יָהִיב לֵיהּ שׁוּלְטָנוּ, לְמִשְׁלַט בְּעָלְמָא, בְּכַמָּה סִטְרִין, וְיָכִיל לְנַזְקָא, וְלֵית לָן רְשׁוּ, לְאַנְהָגָא בֵּיהּ קְלָנָא, דְּבָעֵינָן לְאִסְתַּמְרָא מִנֵּיהּ, דְּלָא יְקַטְרֵג עִלָּן בְּגוֹ קְדוּשָׁה דִּילָן. וע"ד רָזָא וַדַּאי אִית לָן, דְּבָעֵינָן לְמֵיהַב לֵיהּ דּוּכְתָּא זְעֵיר, בְּגוֹ קְדוּשָׁה דִּילָן דְּהָא מִגּוֹ קְדוּשָׁה נָפִיק שׁוּלְטָנוּ דִּילֵיהּ.

שלא. דְּבָעֵינָן גּוֹ רָזָא דִּתְפִלִּין, לְאַצְנְעָא חַד שַׂעֲרָא דְּעֶגְלָא, דְּיִפּוּק לְבַר וְיִתְחֲזֵי. דְּהָא חוּטָא דְּשַׂעֲרָא דָּא לָא מְסָאִיב, בַּר דְּאִי אִתְחַבַּר הַאי שַׂעֲרָא, וְאִתְעֲבִיד כִּשְׂעוֹרָא, אֲבָל פָּחוֹת מִן דָּא לָא מְסָאִיב. וְהַהוּא שַׂעֲרָא בָּעֵי לְאַעֲלָא לֵיהּ בְּגוֹ קְדוּשָׁה עִלָּאָה דִּילָן, וּלְמֵיהַב לֵיהּ דּוּכְתָּא, בְּגִין דְּלָא יְקַטְרֵג לָן בְּקִדּוּשָׁן.

שלב. וְיִפּוּק מִן הַהוּא שַׂעֲרָא לְבַר, דְּיִתְחֲזֵי, דְּכַד חָמֵי לְהַהוּא ב"נ בִּקְדוּשָׁה עִלָּאָה, וְחוּלָקָא דִּילֵיהּ מִשְׁתַּתֵּף לְתַמָּן, כְּדֵין לָא יְקַטְרֵג לֵיהּ, וְלָא יָכִיל לְאַבְאָשָׁא לֵיהּ לְעֵילָּא וְתַתָּא, דְּהָא דּוּכְתָּא יָהַב לֵיהּ. וְאִי הַהוּא חוּלָקָא לָא יָהֲבִין לֵיהּ בְּהַאי קְדוּשָׁה, יָכִיל לְאַבְאָשָׁא לֵיהּ לְתַתָּא, וְסָלִיק מְקַטְרְגָא לֵיהּ לְעֵילָּא, וְאָמַר פְּלוֹנִי דְּקָא מְקַדֵּשׁ הַשְׁתָּא, כָּךְ וְכָךְ עָבֵד יוֹמָא פְּלוֹנִי, וְכָךְ אִינּוּן חוֹבוֹי, עַד דְּיִמְטֵי דִּינָא עַל הַהוּא ב"נ, וְיִתְעֲנַשׁ עַל יְדוֹי.

שלג. וְכָךְ הֲווּ יִשְׂרָאֵל עָבְדֵי, דַּהֲווּ יָדְעֵי רָזָא דָּא, כַּד שָׁרָאן לְאִתְקַדְּשָׁא בִּקְדוּשָׁה עִלָּאָה בְּיוֹמָא דְּכִפּוּרֵי, הֲווּ מִסְתַּכְּלֵי מִיָּד לְמֵיהַב חוּלָקֵיהּ לְהַאי אֲתַר, וּלְמֵיהַב לֵיהּ

וְחוּלָקָא בֵּינַיְיהוּ, בְּגִין דְּלָא יִשְׁתַּכַּח מְקַטְרְגָא עֲלַיְיהוּ, וְלָא יֵיתוּן לְאַדְכְּרָא חוֹבֵיהוֹן דְּיִשְׂרָאֵל. דְּכַמָּה חֲבִילִין, וְכַמָּה מַשִּׁרְיָין, אִינּוּן דְּאִזְדַּמְּנָן לְנַטְלָא מִלָּה מִנֵּיהּ, כַּד אָתֵי לְקַטְרְגָא. זַכָּאָה חוּלָקֵיהּ, מַאן דְּיָכִיל לְאִסְתַּמְּרָא, דְּלָא יִדְכְּרוּן חוֹבוֹי לְעֵילָּא, וְלָא יַשְׁגְּחוּן עָלֵיהּ לְבִישׁ.

שלד. אַדְּהָכִי הֲווּ זַלְגִּין עֵינוֹי דְּרִבִּי אַבָּא. אָמַר לֵיהּ, אַבָּא אַבָּא, זִיל טַנְּפִיר קְטוֹרָךְ, וְאַקְפִּיד בְּקוּלְטָךְ, דְּהָא רָזִין דְּאוֹרַיְיתָא לְזַכָּאֵי אִתְיְיהִיבוּ דִּכְתִּיב סוֹד יְיָ' לִירֵאָיו.

שלה. תָּא חֲזֵי, בְּיוֹמָא דְּרֹאשׁ הַשָּׁנָה, עָלְמָא אִתְדָּן, וְקוּדְשָׁא בְּרִיךְ הוּא יָתִיב, וְדָן כָּל עָלְמָא. וְהַהוּא סִטְרָא אַחֲרָא קָאִים מִסִּטְרָא דָּא, וְכָל אִינּוּן דְּאִתְדָּנוּ לְמוֹתָא אַשְׁגַּח עֲלַיְיהוּ, וְאִתְרְשִׁימוּ קָמֵיהּ. וּבְשַׁעֲתָא דְּיִשְׂרָאֵל מִתְעָרֵי רַחֲמֵי, בְּהַהוּא קוֹל שׁוֹפָר, כְּדֵין אִתְעַרְבְּבָא לֵיהּ כֹּלָּא, דְּלָא יָדַע וְלָא מַשְׁגַּח, בְּאִינּוּן דְּאִתְדָּנוּ. עַד דְּלְבָתַר כָּל אִינּוּן דְּלָא מְהַדְּרֵי בְּתִיּוּבְתָּא, וְאִגְּזַר עֲלַיְיהוּ מוֹתָא, וַדַּאי נָפְקִין פִּתְקִין מִבֵּי מַלְכָּא, וְאִתְמְסָרוּ לֵיהּ, כֵּיוָן דְּאִתְמְסָרוּ לֵיהּ, לָא אַהַדְרוּ פִּתְקִין, עַד דְּאִתְעֲבֵיד דִּינָא.

שלו. וְיִשְׂרָאֵל כֻּלְּהוּ, בַּעְיָין לְאִסְתַּמְּרָא מִנֵּיהּ, כָּל שֶׁכֵּן בַּר נָשׁ בִּלְחוֹדוֹי. דְּהָא בִּרְזָא עִלָּאָה דִּלְעֵילָּא, בָּעְיָין לְאִסְתַּמְּרָא, וּלְמֵיהַב לֵיהּ בְּכָל יַרְחָא וְיַרְחָא, כַּד סִיהֲרָא בָּעֵי לְאִתְחַדְּתָא, חַד שָׂעִיר, בְּגִין דְּלָא יְקַטְרֵג וְחֶדְוָותָא וְיִטּוֹל חוּלָקֵיהּ כַּדְקָא חֲזֵי לֵיהּ. וְסִיהֲרָא קַדִּישָׁא לְיִנְקָא בִּקְדוּשָּׁה לְחַדְתוּתֵי כַּדְקָא יֵאוֹת.

שלז. וְכַד מִתְחַדְּשָׁא בְּכָל יַרְחָא וְיַרְחָא, בְּגִין כָּךְ אִקְרֵי נַעַר, וְהָא אוֹקִימְנָא. וְהַאי אַחֲרָא דָּא, דְּאִיהוּ תָּדִיר בִּמְסָאֲבוּ, וְלָא נָפִיק מִנֵּיהּ, אִקְרֵי מֶלֶךְ זָקֵן וּכְסִיל. וּבְגִין כָּךְ, יִשְׂרָאֵל קַדִּישִׁין דְּאִינּוּן עַמָּא חַד, בְּיִחוּדָא קַדִּישָׁא, קוּדְשָׁא בְּרִיךְ הוּא יָהִיב לוֹן עֵיטָא, לְאִשְׁתֵּזָבָא מִכֹּלָּא. זַכָּאִין אִינּוּן בְּעָלְמָא דֵּין, וּבְעָלְמָא דְּאָתֵי, דִּכְתִּיב וְעַמֵּךְ כֻּלָּם צַדִּיקִים לְעוֹלָם יִרְשׁוּ אָרֶץ נֵצֶר מַטָּעַי מַעֲשֵׂה יָדַי לְהִתְפָּאֵר.

שלח. וַיָּבִיאוּ אֶת הַמִּשְׁכָּן אֶל מֹשֶׁה וְגוֹ'. כְּתִיב וּמִמַּעַל לָרָקִיעַ, דָּא אִיהוּ רְקִיעָא, דְּקַיְּימָא עֲלַיְיהוּ דְּאַרְבַּע חֵיוָון, דְּכַד מִסְתַּלְּקֵי בְּגוֹ חַד אֲוִירָא דְּבָטַשׁ בְּהוּ, לָא זַקְפִין רֵישָׁא לְאִסְתַּכְּלָא לְעֵילָּא.

שלט. בְּגִין דְּהַהוּא רוּחַ הַחַיָּה, בָּטַשׁ בְּכֻלְּהוּ, וּבְהַהוּא רוּחַ מִסְתַּלְּקֵי כֻּלְּהוּ, דִּכְתִּיב, וּבְהִנָּשֵׂא הַחַיּוֹת מֵעַל הָאָרֶץ יִנָּשְׂאוּ הָאוֹפַנִּים לְעֻמָּתָם. וּכְתִיב כִּי רוּחַ הַחַיָּה בָּאוֹפַנִּים.

שמ. אֲמַאי מִסְתַּלְּקֵי. אֶלָּא כַּד בָּטַשׁ הַהוּא אֲוִירָא עֲלַיְיהוּ, סָלִיק לְאִלֵּין אַרְבַּע דְּתְחוֹת הַאי חַיָּה, וְאִינּוּן סַלְּקֵי לָהּ לְעֵילָּא, עַד דְּמַטְיָין לָהּ לְגַבֵּי זִהֲרָא עִלָּאָה, וְהַיְינוּ רָזָא דִּכְתִּיב, בְּתוּלוֹת אַחֲרֶיהָ רֵעוֹתֶיהָ מוּבָאוֹת לָךְ, בְּגִין דְּהָנֵי אַרְבַּע אִקְרוּן הָכִי, וְלָא זָזוּ מִן חַיָּה דָּא, דְּאִיהִי כּוּרְסְיָיא, לְעָלְמִין. וְסַלְּקִין לָהּ מִתַּתָּא לְעֵילָּא, לְאַתְקְנָא כּוּרְסְיָיא לְגַבֵּי עֵילָּא, וְרָזָא דָּא וַיִּשְׂאוּ אֶת הַתֵּבָה וַתָּרָם מֵעַל הָאָרֶץ. וְכַד אִסְתַּלָּקַת לְעֵילָּא, וְאִלֵּין סַלְּקִין לָהּ, כְּדֵין כְּתִיב, וַיָּבִיאוּ אֶת הַמִּשְׁכָּן אֶל מֹשֶׁה.

שמא. וַיָּבִיאוּ אֶת הַמִּשְׁכָּן, כְּדָבָר אַחֵר מוּבָאוֹת לָךְ, וּכְתִיב וַיִּשְׂאוּ אֶת הַתֵּבָה. אֶל מֹשֶׁה, כְּדָבָר אַחֵר דְּמוּת כְּמַרְאֵה אָדָם עָלָיו מִלְמָעְלָה, וְהַיְינוּ רָזָא דְּאָדָם. וּמְנָלָן דְּאִקְרֵי אָדָם, דִּכְתִּיב לֹא יָדוֹן רוּחִי בָאָדָם לְעוֹלָם בְּשַׁגַּם הוּא בָשָׂר, וְהַיְינוּ מֹשֶׁה. וּבְגִין כָּךְ, עַל הַאי כּוּרְסְיָיא, דְּיוּקְנָא דְּאָדָם קַיְּימָא עָלֵיהּ, וְהַיְינוּ מֹשֶׁה.

שמב. וַיָּבִיאוּ אֶת הַמִּשְׁכָּן, אִלֵּין אַרְבַּע חֵיוָון, כַּד סַלְּקִין כִּדְקָאֲמָרָן. וַיָּבִיאוּ אֶת הַמִּשְׁכָּן, אִלֵּין כָּל שַׁיְיפִין דְּגוּפָא, דְּכֻלְּהוּ בְּתִיאוּבְתָּא קַדִּישָׁא, כֻּלְּהוּ אַחֲדִין בֵּיהּ,

לאתדבקא דכר ונוקבא כחדא. ויביאו את המשכן, למיעל כלה לחופה בקדמיתא, אינון צריכין לסלקא לה, ולאייתאה לה לגביה, ולבתר איהו ייתי לגבה תדיר, והא אוקימנא.

שמג. ויביאו את המשכן, רזא דכל אינון דקשרי קשרין דיחודא, ויחדי יחודא דרזי דמהימנותא כל יומא, אינון סלקין לה לכורסייא דא, עד דאתיין לה לגבי משה, וכיון דדבקי לה לגבי משה, כדין אינון הוו דרווחי ברכאן ממקורא דחיי, על רזא דא, בקשורא דיחודא דאינון קשרין. ורזא דא, כד מתקשרין יחודא דכלא כדקא יאות, ורזא דא כתיב, וירא משה את כל המלאכה וגו', ויברך אותם משה, רווחי ברכאן מאתר דרגא דמשה שריא ביה, ודא איהו החכמים העושים את כל מלאכת הקדש, בגין דאינון ידעי לסדרא עבידתא דקודשא כדקא חזי.

שדמ. ועל דא, כל מאן דצלי צלותא, וקשיר יחודא, מסתכלין ביה אי איהי צלותא וקשורא כדקא יאות, ואי ההיא צלותא וההוא קשורא כדקא יאות, כדין אתברך איהו בקדמיתא, מאתר דכל ברכאן נפקין. הה"ד והנה עשו אותה וגו', מיד ויברך אותם משה.

שמה. ובג"כ, ויביאו את המשכן אל משה, דאיהו מארי דביתא, לאחזאה בתקונא דביתיה, וליה אצטריך למחזי תקונהא ורזין דילה, דלא אתייהיבו לאחרא, לאסתכלא ולמחזי בה, באינון סתרין ובאינון רזין דילה, בר משה בלחודוי.

שמו. ועל דא ויביאו את המשכן אל משה את האהל ואת כל כליו. וכד אייתיאו ליה למשה, כלא אייתיאו ליה בשייפין ידיען, כל חד וחד לאתקנא, שייפא בשייפא, לאעלא דא בדא, וכד הוו בען לתקנא דא בדא, ולאעלאה דא בדא, לא הוה סליק בידייהו. כיון דאייתיאו ליה למשה, מיד כלא אסתליק בידיה, וכל שייפא ושייפא הוה אסתליק ועאל בדוכתיה, הה"ד, ויקם משה את המשכן וכתיב הוקם המשכן, והא אוקימנא.

שמז. ת"ח, בההיא שעתא כד שארי משה לאקמא משכנא, ושארי לאתקנא תקונא דשייפין, לאעלא דא בדא. כדין, אתרפיו כל שייפין וכל תקונין דסטרא אחרא מסאבא, כד שרי לאתקפא האי סטרא דאיהי קדישא, אתרפי סטרא אחרא מסאבא, אתקף דא ואתרפי דא. והא אוקימנא, דכל זמנא דהיא בתקיפו, סטרא אחרא אתרפן כל שייפוי, דא מליא, דא חרוב, ורזא דא ירושלם וצור חייבא, כד מליא דא, חרוב דא. וע"ד, כד אתקף דא אתרפי דא.

שמח. ובגין כך, ויקם משה את המשכן, לאתתקפא מרזא דלעילא, ולא יתקף מרזא דלתתא. ועל דא משה דהוה מרזא דגו אספקלריא דנהרא, אצטריך איהו לאקמא משכנא, לאנהרא מניה, ולא מאחרא. סיהרא אצטריך לאנהרא מן שמשא, ולא מאחרא. תא חזי, כנסת ישראל אצטריכת לאסתלקא לעילא, ולאתדבקא גו שמשא.

שמט. פתח ואמר, זאת תורת העולה היא העולה, אמר ר"ש, כתיב, אדם ובהמה תושיע יי'. עולה סליקו וקשירו דכ"י לעילא, ודבוקא דילה בגו עלמא דאתי, למהוי כלא חד. אקרי עולה קדש קדשים. ובגין כך אקרי עולה, דסלקא ואתעטרא למהוי כלא חד. בקשורא חדא בחדו.

שנ. וּבְגִין דְּסַלְּקָא לְעֵילָּא לְעֵילָּא, כְּתִיב זֹאת תּוֹרַת הָעוֹלָה. רָזָא דְּכַר וְנוּקְבָא כַּחֲדָא, תּוֹרָה שֶׁבִּכְתָב וְתוֹרָה שֶׁבְּעַל פֶּה. הָעוֹלָה: דְּסַלְּקָא גּוֹ עָלְמָא דְּאָתֵי, לְאִתְקַשְּׁרָא בְּגַוֵּיהּ, דְּאִקְרֵי קֹדֶשׁ הַקֳּדָשִׁים וַדַּאי, וְעוֹלָה נָמֵי קֹדֶשׁ הַקֳּדָשִׁים הִיא.

שנא. וּבְגִין כָּךְ, סִדּוּרָא דִּנְכִיסוּ דִּילָהּ לִסְטַר צָפוֹן, דְּאִיהוּ סְטַר שְׂמָאלָא. דְּהַאי תּוֹרָה שֶׁבְּעַ"פ לָא סַלְּקָא בַּחֲבִיבוּתָא, אֶלָּא כַּד אַתְעַר סִטְרָא דְּצָפוֹן, דִּכְתִּיב שְׂמֹאלוֹ תַּחַת לְרֹאשִׁי וִימִינוֹ תְּחַבְּקֵנִי, וּכְדֵין אִיהִי סַלְּקָא בַּחֲבִיבוּתָא, וְאִתְעַטְּרָא בִּימִינָא, וְאִתְחַבְּרַת בְּאֶמְצָעִיתָא, וְאִתְנְהִיר כֹּלָּא, מֵרָזָא דְּקֹדֶשׁ הַקֳּדָשִׁים, וְדָא מִגּוֹ רָזָא דְּאָדָם, בִּרְעוּ דְּכַהֲנָא, וּבְשִׁירָתָא דְּלֵיוָאֵי, וּבִצְלוֹתָא דְּיִשְׂרָאֵל.

שנב. וְהָא אוֹקִימְנָא, דְּעוֹלָה קֹדֶשׁ הַקֳּדָשִׁים, בְּרָזָא דְּרוּחַ עִלָּאָה, בְּגִין דִּתְלַת רוּחִין קְשִׁירִין כַּחֲדָא, רוּחַ תַּתָּאָה, דְּאִקְרֵי רוּחַ הַקֹּדֶשׁ רוּחַ דִּלְגּוֹ בְּאֶמְצָעִיתָא דְּאִקְרֵי רוּחַ חָכְמָה וּבִינָה. וְכֵן אִקְרֵי רוּחַ תַּתָּאָה, אֲבָל הַאי אִקְרֵי רוּחַ דְּנָפִיק מִגּוֹ שׁוֹפָר, כָּלוּל בְּאֶשָּׁא וּבְמַיָּא. רוּחַ עִלָּאָה, דְּאִיהוּ סָתִים בַּחֲשָׁאי, דְּבֵיהּ קַיְּימָן כָּל רוּחִין קַדִּישִׁין, וְכָל אַנְפִּין נְהִירִין. וּבְגִין כָּךְ, אַהֲדְרַת עוֹלָה רוּחַ מַמָּשׁ.

שנג. וּלְבָתַר, מֵרָזָא דִּבְהֵמָה, מִסְתַּפְּקֵי וְאִתְזָנוּ, לְאִתְקַשְּׁרָא רוּחַ אַחֲרָא דְּאִיהוּ גּוֹ מִסְאֲבוּ, מֵאִינּוּן תַּרְבִּין וְשַׁמְנוּנִין כְּמָה דְּאִתְּמַר. בְּגִ"כ, עוֹלָה קֹדֶשׁ הַקֳּדָשִׁים, שְׁאַר קָרְבָּנִין לְמֶעְבַּד שְׁלָמָא בְּעָלְמָא, כֻּלְּהוּ מִכַּמָּה סִטְרִין, וּמָארֵי דִּינִין לְאִתְעַטְּרָא וּלְאִתְנַהֲרָא מִגּוֹ רְעוּתָא לְאִתְבַּסְּמָא, אִקְרוּן קָדָשִׁים קַלִּים, בְּגִין דְּלָא מִתְעַטְּרָא לְעֵילָּא לְעֵילָּא בְּקֹדֶשׁ הַקֳּדָשִׁים, וְעַל דָּא אִינּוּן קָדָשִׁים קַלִּים, וּנְכִיסוּ דִּילְהוֹן בְּכָל אֲתַר כְּמָה דְּאוֹקִימְנָא. אֲבָל עוֹלָה דְּאִיהוּ רָזָא דְּקֹדֶשׁ הַקֳּדָשִׁים, לָאו אִיהוּ כִּשְׁאַר קָרְבָּנִין, דְּכָל עוֹבָדָהָא קֹדֶשׁ.

שנד. ת"ח, מַה כְּתִיב וְלָבַשׁ הַכֹּהֵן מִדּוֹ בַד, אִלֵּין לְבוּשִׁין מְיַיחֲדִין לִקְדוּשָּׁה. בַּד: יְחִידָאִי, מְיַיחֲדָא לִקְדוּשָּׁה. וּכְתִיב בִּגְדֵי קֹדֶשׁ הֵם וְרָחַץ בַּמַּיִם אֶת בְּשָׂרוֹ וּלְבֵשָׁם. מַאי טַעֲמָא. אֶלָּא רָזָא דְּמִלָּה כְּדְקַאֲמָרָן, דְּאִיהִי קֹדֶשׁ הַקֳּדָשִׁים, דְּסַלְּקָא כֹּלָּא וְאִתְעַטְּרָא בְּקֹדֶשׁ הַקֳּדָשִׁים, בְּקִשּׁוּרָא חֲדָא. וּלְבָתַר מְפַנֵּי וְאַעֲבַר רוּחַ מִסְאֲבָא דְּסָאִיב כֹּלָּא, דְּלָא שַׁלְטָא, וְלָא יִתְקְרִיב גּוֹ מַקְדְּשָׁא, וְאִתְעֲבַר מִכָּל סִטְרֵי קוּדְשָׁא, וְאִשְׁתְּאַר כֹּלָּא קֹדֶשׁ בִּקְדוּשָּׁה יְחִידָאי.

שנה. וְאָמַר ר' שִׁמְעוֹן, הָא אִתְּמַר דִּכְתִּיב אָדָם וּבְהֵמָה תּוֹשִׁיעַ יְיָ'. וְהָכִי סַלְּקָא רָזָא דְּאָדָם, מִסִּטְרָא דְּאָדָם וַדַּאי. בְּהֵמָה, מִסִּטְרָא דִּבְהֵמָה. וּבְגִ"כ כְּתִיב, אָדָם כִּי יַקְרִיב מִכֶּם, אָדָם וַדַּאי, דְּדָא קָרְבָּנֵיהּ לְעֵילָּא, לְקַשְּׁרָא קִשְׁרָא בְּרָזָא דְּאָדָם. וּלְבָתַר מִן הַבְּהֵמָה, וְכֹלָּא אִיהוּ בְּרָזָא דְּאָדָם וּבְהֵמָה. וְדָא הוּא רָזָא דְּאִצְטְרִיךְ לְקָרְבְּנָא, אָדָם וּבְהֵמָה כְּדְקַאֲמָרָן. תָּא חֲזֵי, כַּד בָּרָא קֻבָּ"ה עָלְמָא, הָכִי עָבַד אָדָם וּבְהֵמָה.

שנו. וְאִי תֵּימָא, וְהָא כְּתִיב וְעוֹף יְעוֹפֵף עַל הָאָרֶץ, דְּהָא מִנַּיְיהוּ מְקָרְבִין קָרְבָּנִין, וַאֲפִילּוּ עוֹלָה, כְּמָה דִּכְתִּיב וְאִם מִן הָעוֹף עוֹלָה קָרְבָּנוֹ. ת"ח, מִכָּל אִינּוּן עוֹפֵי, לָא מְקָרְבִין אֶלָּא תּוֹרִים וּבְנֵי יוֹנָה, מַה דְּאִתְכְּשַׁר בְּדָא, פָּסִיל בְּדָא דָּא יְמִינָא, וְדָא שְׂמָאלָא.

שנז. אֲבָל רָזָא דָּא הָא אוֹקִימְנָא, כְּתִיב וְעוֹף יְעוֹפֵף עַל הָאָרֶץ, דְּאִינּוּן רָזָא דִּרְתִיכָא, וּבְהוּ אִסְתַּלַּק רוּחַ הַקֹּדֶשׁ, לְסַלְּקָא לְעֵילָּא, דְּאִינּוּן תְּרֵי, חַד לִימִינָא, וְחַד לִשְׂמָאלָא, עוֹף לִימִינָא, וְדָא מִיכָאֵל. יְעוֹפֵף, לִשְׂמָאלָא, וְדָא גַּבְרִיאֵל. דָּא לִימִינָא וְדָא לִשְׂמָאלָא. וּבְגִ"כ, מְקָרְבִין תְּרֵין אִלֵּין, לְסַלְּקָא רוּחַ קוּדְשָׁא, וּשְׂמָאלָא מְעַטֵּר וְזַיִין

לְתַתָּא, לְהַהוּא סְטַר שְׂמָאלָא. וִימִינָא לִימִינָא וְאִתְקַשְּׁרָא אִתְּתָא בְּבַעְלָהּ, לְמֶהֱוֵי חַד, וְכֹלָּא אִסְתַּלַּק וְאִתְקָשַּׁר כַּחֲדָא לְעֵילָּא וְתַתָּא, וְקֻבְּ"הּ אִסְתַּלַּק בִּלְחוֹדוֹי וְאִתְּקַף.

שנז. וּבְסִפְרֵי קַדְמָאֵי, מִסְכְּנָא, לָא יָהִיב חוּלָקָא לְאַתְזָנָא, אֶלָּא לְעֵילָּא לְאִתְקַשְּׁרָא, אֲבָל כֹּלָּא לְעֵילָּא וְתַתָּא מִתְקָשַּׁר, כָּל חַד וְחַד לְסִטְרֵיהּ כַּדְקָא יָאוּת, וְהָא אוּקִימְנָא.

שנט. רִבִּי אֶלְעָזָר שָׁאִיל לְרִבִּי שִׁמְעוֹן, אָמַר, הָא קִשּׁוּרָא דְעוֹלָה, אִתְקָשַּׁר בְּקֹדֶשׁ הַקֳּדָשִׁים, לְאִתְנַהֲרָא. אִתְדַּבְּקוּתָא דִּרְעוּתָא דְכַהֲנָא וְלֵיוָאֵי וְיִשְׂרָאֵל לְעֵילָּא, עַד הֵיכָן אִיהוּ סַלְקָא.

שס. א"ל, הָא אוּקִימְנָא, עַד אֵין סוֹף, דְּכָל קִשּׁוּרָא וְיִחוּדָא וּשְׁלִימוּ, לְאִצְנְעָא בְּהַהוּא צְנִיעוּ, דְּלָא אִתְדַּבַּק, וְלָא אִתְיְדַע, דִּרְעָוָא דְכָל רַעֲוִין בֵּיהּ, אֵין סוֹף לָא קַיְּימָא לְאוֹדְעָא, וְלָאו לְמֶעְבַּד סוֹף, וְלָאו לְמֶעְבַּד רֹאשׁ, כְּמָה דְאַיִן קַדְמָאָה אַפִּיק רֹאשׁ וְסוֹף. מַאן רֹאשׁ. דָּא נְקוּדָה עִלָּאָה, דְּאִיהוּ רֵישָׁא דְּכֹלָּא סְתִימָאָה, דְּקַיְּימָא גּוֹ מַחֲשָׁבָה. וְעָבֵיד סוֹף, דְּאִקְרֵי סוֹף דָּבָר. אֲבָל לְהָתָם, אֵין סוֹף.

שסא. לָאו רְעוּתִין, לָאו נְהוֹרִין, לָאו בּוֹצִינִין, בְּהַהוּא אֵין סוֹף, כָּל אִלֵּין בּוֹצִינִין וּנְהוֹרִין, תַּלְיָין לְאִתְקַיְּימָא בְּהוּ, וְלָא קַיְּימָא לְאִתְדַּבְּקָא מַאן דְּיָדַע וְלָא יָדַע, לָאו אִיהוּ אֶלָּא רְעוּ עִלָּאָה, סְתִימָא דְּכָל סְתִימִין, אָיִן.

שסב. וְכַד נְקוּדָה עִלָּאָה, וְעָלְמָא דְּאָתֵי, אִסְתַּלְּקוּ, לָא יָדְעֵי בַּר רֵיחָא, כְּמַאן דְּאָרַח בְּרֵיחָא וְאִתְבְּסָם. וְלָאו דָּא נַיְיחָא נִחוֹחַ, דְּהָא כְּתִיב וְלֹא אָרִיחַ בְּרֵיחַ נִיחֹחֲכֶם, דְּהָא רֵיחַ נִיחוֹחַ, רֵיחָא דִּרְעוּתָא דְּכָל הָנֵי רְעוּתָא דִּצְלוֹתָא, וּרְעוּתָא דְּשִׁירָתָא, וּרְעוּתָא דְּכַהֲנָא, דְּכֻלְּהוּ רָזָא דְּאָדָם. כְּדֵין כֻּלְּהוּ אִתְעֲבִידוּ רְעוּתָא חֲדָא, וְהַהוּא אִקְרֵי נִיחוֹחַ, רַעֲוָא, כְּתַרְגּוּמוֹ. כְּדֵין כֹּלָּא אִתְקָשַּׁר וְאִתְנְהִיר כַּחֲדָא, כַּדְקָא יָאוּת, כְּמָה דְּאִתְּמַר.

שסג. וְעַל דָּא אִתְיְיהִיבַת הַאי סִטְרָא אָחֳרָא, בִּידָא דְכַהֲנָא, דִּכְתִּיב צַו אֶת אַהֲרֹן וְאֶת בָּנָיו לֵאמֹר, רָזָא הָכָא, דְּהָא אוּקִימְנָא לֵית צַו אֶלָּא ע"ז, וְהָכָא אִתְיְיהִיבַת לֵיהּ, לְאִתּוֹקְדָא הַהִיא מַחֲשָׁבָה רָעָה, וּלְאַעֲבְרָא לָהּ מִגּוֹ קוּדְשָׁא, בְּהַאי רְעוּתָא דְסַלְקָא לְעֵילָּא, וּבְהָא תְּנָנָא, וְתַרְבִּין דְּאִתּוֹקְדָן. בְּגִין לְאִתְעַבְרָא מִן קוּדְשָׁא. וְהַאי צַו, בִּרְשׁוּתַיְיהוּ קַיְּימָא, לְאַפְרְשָׁא לָהּ מִן קוּדְשָׁא, מִגּוֹ הַאי קָרְבְּנָא. וְאִי תֵּימָא צַו אֶת בְּנֵי יִשְׂרָאֵל. הָכִי נָמֵי, דְּהָא בִּרְשׁוּתַיְיהוּ קַיְּימָא, כָּל זִמְנָא דְעָבְדֵי רְעוּתָא דְמָארֵיהוֹן, דְּלָא יָכְלָא לְשַׁלְטָאָה עֲלַיְיהוּ.

שסד. וְהַאי קְרָא כֹּלָּא, אַתְיָא לְאַחֲזָאָה רָזָא דְמִלָּה, לְאַעְטְרָא לְהַהוּא רוּחַ קוּדְשָׁא, לְעֵילָּא לְעֵילָּא, וּלְאַפְרְשָׁא לָהּ לְדָא רוּחַ טוּמְאָה, לְנַחְתָּא לָהּ לְתַתָּא לְתַתָּא, דָּא בִּרְעוּתָא וּבִצְלוֹתָא כִּדְקָאֲמָרָן, וְדָא בְּעוֹבָדָא, כֹּלָּא כִּדְקָחֲזֵי לֵיהּ.

שסה. וְהַאי קְרָא מוֹכַח עֲלַיְיהוּ, דִּכְתִּיב, צַו אֶת אַהֲרֹן וְאֶת בָּנָיו לֵאמֹר. צַו: דָּא ע"ז רוּחַ מִסְאֲבָא. לֵאמֹר: דָּא אִתְּתָא, דְּאִקְרֵי יִרְאַת יְיָ'. כְּתִיב הָכָא לֵאמֹר, וּכְתִיב הָתָם לֵאמֹר הֵן יְשַׁלַּח אִישׁ אֶת אִשְׁתּוֹ, וְהָא אוּקְמוּהָ. וּבְגִ"כ, כֹּלָּא אִתְּמַר, וְכַהֲנָא קַיְּימָא לְאַתְקְנָא כֹּלָּא, בְּרָזָא דְּאָדָם וּבְהֵמָה. זַכָּאָה חוּלָקֵיהוֹן דְּצַדִּיקַיָּיא, בְּעָלְמָא דֵין, וּבְעָלְמָא דְּאָתֵי, לְאִינּוּן יָדְעֵי אָרְחֵי דְּאוֹרַיְיתָא, וְאַזְלֵי בָהּ בְּאֹרַח קְשׁוֹט, עֲלַיְיהוּ כְּתִיב, יְיָ' עֲלֵיהֶם יִחְיוּ. מַאי עֲלֵיהֶם. אִלֵּין אָרְחוֹי דְּאוֹרַיְיתָא. יִחְיוּ, יִתְקַיְּימוּ בְּהַאי עָלְמָא, וּבְעָלְמָא דְּאָתֵי.

שסו. תָּא חֲזֵי, כְּתִיב זֹאת תּוֹרַת הָעוֹלָה, אָמַר ר' חִיָּיא, הַאי קְרָא אוּקִימְנָא לֵיהּ בְּהַאי גַּוְונָא, זֹאת תּוֹרַת: דָּא כְּנֶסֶת יִשְׂרָאֵל. הָעוֹלָה: דְּאִיהִי סַלְקַת וְאִתְעַטְּרַת לְעֵילָּא

לְעֵילָּא, לְאִתְקַשְּׁרָא כַּדְקָא יָאוּת, עַד אֲתָר דְּאִקְרֵי קֹדֶשׁ הַקֳּדָשִׁים.

שסז. ד״א, זֹאת תּוֹרַת: דָּא כְּנֶסֶת יִשְׂרָאֵל. הָעוֹלָה: דָּא מַחֲשָׁבָה רָעָה, דְּאִיהִי סַלְּקָא עַל רְעוּתָא דְּבַר נָשׁ, לְאַסְטָאָה לֵיהּ מֵאוֹרְחָא דִּקְשׁוֹט. הִיא הָעוֹלָה, הִיא הִיא דְּסַלְּקָא, וְאַסְטִיאַת לֵיהּ לְבַר נָשׁ, בָּעֵי לְאוֹקְדָא לֵיהּ בְּנוּרָא, בְּגִין דְּלָא יִתְיְיהִיב לָהּ דּוּכְתָּא לְאַסְגָּאָה.

שסח. ובג״כ, עַל מוֹקְדָה עַל הַמִּזְבֵּחַ כָּל הַלַּיְלָה, מַאן לַיְלָה, דָּא כְּנֶסֶת יִשְׂרָאֵל. דְּאַתְיָא לְדַכְּאָה לֵיהּ לְבַר נָשׁ, מֵהַהוּא רְעוּתָא. עַל מוֹקְדָה. בְּגִין דִּי נָהָר דִּינוּר, אִיהוּ אֲתָר לְאוֹקְדָא לְכָל אִינּוּן, דְּלָא קַיְימֵי בְּקִיּוּמַיְיהוּ, דְּהָא עָאלִין לוֹן בְּהַהוּא נוּרָא דְּדָלִיק, וּמַעֲבְרֵי שׁוּלְטָנֵיהוֹן מֵעָלְמָא. וּבְגִין דְּלָא יִשְׁלוֹט, אִצְטְרִיךְ עַל מוֹקְדָה עַל הַמִּזְבֵּחַ כָּל הַלַּיְלָה, וְאִתְכַּפְיָיא וְלָא שַׁלְטָא.

שסט. וְעַל דָּא, כַּד אִתְכַּפְיָיא הַאי, סַלְּקָא כְּנֶסֶת יִשְׂרָאֵל, דְּאִיהִי רוּחַ קוּדְשָׁא, דְּסַלְּקָא וְאִתְעַטְּרָא לְעֵילָּא, דְּהָא סְלִיקוּ דִּילָהּ, כַּד אִתְכַּפְיָיא הַאי וְזִילָא אַחֲרָא, וְאִתְפַּרְשָׁא מִינָּהּ. ובג״כ, בָּעֵינָן בְּרָזָא דְּקָרְבְּנָא, לְאַפְרָשָׁא לְהַאי סִטְרָא מֵרוּחַ קוּדְשָׁא, וּלְמֵיהַב לָהּ חוּלְקָא, בְּגִין דְּרוּחַ קוּדְשָׁא אִסְתַּלַּק לְעֵילָּא.

שע. וְתָא חֲזֵי, בְּזִמְנָא דְּאִתְבְּנֵי בֵּי מַקְדְּשָׁא, וְאִתְעָבֵיד. אִתְכַּפְיָיא סִטְרָא אַחֲרָא, וְאִסְתַּלָּק מֵעָלְמָא. וְכַד אִסְתַּלָּק מֵעָלְמָא, וְאִתְקַם מַשְׁכְּנָא עַל יְדָא דְּמֹשֶׁה, כְּדֵין אִתְקַם לְעֵילָּא וְתַתָּא. הה״ד, וַיָּקֶם מֹשֶׁה אֶת הַמִּשְׁכָּן. מַאי וַיָּקֶם. אֶלָּא דְּאוֹקִים לָהּ, לְאִסְתַּלְּקָא לְעֵילָּא לְעֵילָּא. וְעַל דָּא, וַיָּקֶם מֹשֶׁה, מַאן דַּהֲוָה מָאִיךְ אוֹקְמֵיהּ, כְּמַאן דְּאוֹקִים לְמַאן דְּנָפִיל. כְּגַוְונָא דָּא, לְזִמְנָא דְּאָתֵי כְּתִיב אָקִים אֶת סֻכַּת דָּוִד הַנּוֹפֶלֶת.

שעא. כְּתִיב, נָפְלָה לֹא תוֹסִיף קוּם בְּתוּלַת יִשְׂרָאֵל, מַאי לֹא תוֹסִיף קוּם. אֶלָּא בְּזִמְנָא אַחֲרָא קָמַת. הִיא קָמַת מִגַּרְמָהּ, וְלָא אוֹקִים לָהּ קֻבָּ״ה. דְּהָא בְּגָלוּתָא דְּמִצְרַיִם, קֻבָּ״ה אוֹקִים לָהּ, וְעָבַד כַּמָּה נִסִּין, בְּגִין לְאַקָּמָא לָהּ, וּבְגָלוּתָא דְּבָבֶל הוּא לָא אוֹקִים לָהּ, בְּגִין דְּלָא עָבַד לוֹן נִסִּים, דְּגָרִים חוֹבָה, אֶלָּא הִיא קָמַת. וּסְלִיקוּ בְּנֵי גּוֹלָה, כְּאִינּוּן דְּלָא הֲוָה לוֹן פּוּרְקָנָא, וְלָא הֲוָה תִּיאוּבְתָּא דְּקֻבָּ״ה עֲלַיְיהוּ, בְּגִין דְּגָרַם הַהוּא חוֹבָא, דְּאִינּוּן נָשִׁים נָכְרִיּוֹת.

שעב. וע״ד, קֻבָּ״ה לָא אוֹקִים לָהּ לִכְנֶסֶת יִשְׂרָאֵל, וְלָא עָבֵד לָהּ נִסִּין וּגְבוּרָאן בְּהַהוּא זִמְנָא כַּדְקָא יָאוּת. אֲבָל לְזִמְנָא דְּאָתֵי, לֹא תוֹסִיף קוּם כְּתִיב, לָא תוֹסִיף, קוּם מִגַּרְמָהּ, אֶלָּא קֻבָּ״ה יוֹקִים לָהּ, דִּכְתִּיב אָקִים אֶת סוּכַּת דָּוִד הַנּוֹפֶלֶת. וּכְתִיב וְאֵת דָּוִד מַלְכָּם אֲשֶׁר אָקִים לָהֶם. וּבְגִין כַּךְ כְּתִיב הָכָא, וַיָּקֶם מֹשֶׁה אֶת הַמִּשְׁכָּן. וַיָּקֶם מֹשֶׁה וְגוֹ׳.

שעג. ת״ח, כַּד אוֹקִים לֵיהּ מֹשֶׁה לְמַשְׁכְּנָא, אִתְקַם מַשְׁכְּנָא אַחֲרָא עִמֵּיהּ. וּמַשְׁכְּנָא עִלָּאָה, אוֹקִים וְסָעִיד כֹּלָּא, בְּגִין דְּמַשְׁכְּנָא עִלָּאָה, סָתִים וְגָנִיז אִיהוּ לְעֵילָּא לְעֵילָּא. וּמַשְׁכְּנָא אַחֲרָא אִתְקַם עַל מַשְׁכְּנָא דִּלְתַתָּא וְקַיְּימָא עָלֵיהּ, בְּחֵילָא דְּהַהוּא מַשְׁכְּנָא עִלָּאָה עַל כֹּלָּא. וְכַמָּה דְּאִתְקַם מַשְׁכְּנָא דִּלְתַתָּא עַל יְדָא דְּמֹשֶׁה, אוּף הָכִי לְעֵילָּא, ע״י דְּהַהוּא דַּרְגָּא דְּמֹשֶׁה. מְנָלָן. דִּכְתִּיב, וַיָּקֶם מֹשֶׁה אֶת הַמִּשְׁכָּן. אֶת דַּיְיקָא, לְאִתְחֲזָאָה דִּתְרֵי מַשְׁכְּנִין בְּרָזָא דְּמֹשֶׁה אִתְקָנוּ.

שעד. אָמַר רִבִּי יוֹסֵי, וְכִי וַיָּקֶם מֹשֶׁה, וְהָא כֹּלָּא עַד לָא אִתְתַּקַּן, וְקִימָה לָאו אִיהוּ אֶלָּא כַּד אִשְׁתְּלִים כֹּלָּא, וְעָאל שַׁיְיפָא בְּשַׁיְיפֵיהּ, מַאי וַיָּקֶם. א״ר יִצְחָק, בִּתְלַת סִטְרִין אוֹקִים מֹשֶׁה יַת מַשְׁכְּנָא, מַה כְּתִיב וַיָּקֶם מֹשֶׁה אֶת הַמִּשְׁכָּן, וַיִּתֵּן אֶת אֲדָנָיו, וַיָּשֶׂם אֶת

קַרְשׁוֹי. בִּהֲנֵי תְּלַת סִטְרֵי, אוֹקִים מֹשֶׁה יָת מַשְׁכְּנָא. וּבְהֲנֵי תְּלַת סִטְרֵי, אִסְתַּלַּק מַשְׁכְּנָא. וְאִתְכַּפְיָיא סִטְרָא אַחֲרָא. וְע"ד, כַּד אוֹקִים מֹשֶׁה לְהַאי סִטְרָא, אִתְכַּפְיָיא סִטְרָא אַחֲרָא. בְּג"כ מֹשֶׁה אוֹקִים לֵיהּ וְלָא אַחֲרָא.

שע"ה. תָּא חֲזֵי, כְּתִיב וַיִּתֵּן אֶת אֲדָנָיו, בְּהַהִיא שַׁעֲתָא אוֹדְעוּ סָמָא"ל מֵאֲתַרֵיהּ, וְאַרְבְּעִין רְתִיכִין דַּעֲמֵיהּ, וְעָרַק אַרְבַּע מֵאָה פַּרְסֵי, גּוֹ טִיסִירוֹ דְּנוּקְבָּא דְּעַפְרָא. אָעִיל מֹשֶׁה אִינּוּן סַמְכִין, וְאִתָּקַּף סִטְרָא דָּא, כְּדֵין אִינּוּן סַמְכִין דְּסִטְרָא אַחֲרָא, נָפְלוּ וְאִתָּרְפוּ.

שע"ו. פָּתַח וְאָמַר, בַּיּוֹם הַהוּא אָקִים אֶת סֻכַּת דָּוִד הַנֹּפֶלֶת וְגוֹ', מַאי בַּיּוֹם הַהוּא. בְּיוֹמָא דְּקוּדְשָׁא ב"ה יַעֲבִיד דִּינָא בְּעָלְמָא, וְיִפְקוֹד עַל וַיְּיבֵי עָלְמָא כְּעוֹבָדֵיהוֹן. דְּהָא לֵית קִימָה לִכְנֶסֶת יִשְׂרָאֵל מֵעַפְרָא, בְּעוֹד דְּאִינּוּן וַיְּיבִין דְּיִשְׂרָאֵל יְקוּמוּן בְּעָלְמָא. מַה כְּתִיב לְעֵילָּא, בָּחֶרֶב יָמוּתוּ כֹּל וַטָּאֵי עַמִּי הָאוֹמְרִים לֹא תַגִּישׁ וְתַקְדִּים בַּעֲדֵינוּ הָרָעָה. מַה כְּתִיב בַּתְרֵיהּ, בַּיּוֹם הַהוּא אָקִים אֶת סֻכַּת דָּוִד הַנֹּפֶלֶת וְגוֹ'.

שע"ז. הַאי קְרָא אִית לְאִסְתַּכְּלָא בֵּיהּ, אֶת פִּרְצֵיהֶן, אֶת פִּרְצָה מִבָּעֵי לֵיהּ. וַהֲרִיסוֹתָיו, וַהֲרִיסוֹתֵיהָ מִבָּעֵי לֵיהּ. אֶלָּא וְגָדַרְתִּי אֶת פִּרְצֵיהֶן מִמַּאן, מֵאִינּוּן וַיְּיבִין, דִּכְתִיב בְּחֶרֶב יָמוּתוּ כֹּל וַטָּאֵי עַמִּי, דְּהָא כְּדֵין יִתְעֲבִיד פֻּרְקָן בְּיִשְׂרָאֵל, וְע"ד וְגָדַרְתִּי אֶת פִּרְצֵיהֶן. וַהֲרִיסוֹתָיו אָקִים, הֲרִיסוֹתָיו דְּמַאן, הֲרִיסוֹתָיו דְּסוּכַת דָּוִד. בְּגִין, דְּכַד אִתָּקַּף מַלְכוּ וַיְּיבָא בְּעָלְמָא, כְּדֵין הַאי מַלְכוּ קַדִּישָׁא אִתָּרְפֵי, וְסֻכַּת דָּוִד אַסְתִּיר בִּנְיָינָא דִּילֵיהּ, וְע"ד וַהֲרִיסוֹתָיו אָקִים.

שע"ח. דְּהָא תְּנֵינָן, כָּל זִמְנָא דְּהַאי אִתָּקַּף, הַאי אִתָּרְפֵי. דָּא מַלְיָא, וְדָא חֲרֵבָה. וּבְג"כ, עַד דְּהַהוּא יוֹמָא, מַלְכוּ וַיְּיבָא יִתָּקַּף. בְּהַהוּא יוֹמָא, יִתָּקַּף וְיִיקוּם לָהּ קַב"ה, לְהַאי מַלְכוּ קַדִּישָׁא. וְע"ד וַהֲרִיסוֹתָיו אָקִים. וּבְנִיתִיהָ כִּימֵי עוֹלָם, מַאי וּבְנִיתִיהָ כִּימֵי עוֹלָם. הַיְינוּ דִּכְתִיב, וְהָיָה אוֹר הַלְּבָנָה כְּאוֹר הַחַמָּה וְגוֹ'.

שע"ט. וַיָּקֶם מֹשֶׁה אֶת הַמִּשְׁכָּן, בְּמַאי אוֹקִים לֵיהּ. דִּכְתִיב וַיִּתֵּן אֶת אֲדָנָיו וְיָהַב אִינּוּן סַמְכִין דִּתְחוֹתֵיהּ, לְקַיְּימָא עֲלֵיְיהוּ, וּלְאַסְחֲרָא בְּהוֹ אִינּוּן צִירִים דְּפַתְחִין. בְּגִין דְּאִינּוּן סַמְכִין דִּתְחוֹתַיְיהוּ, אִינּוּן קִיּוּמָא לְאַסְחֲרָא. אֲמַאי וַיִּתֵּן. אַתָּקַּף וְאַתְקִין לוֹן בְּתוּקְפוֹי. בְּהַהִיא שַׁעֲתָא אַעֲדִיו אִינּוּן סַמְכִין אַחֲרָנִין דְּסִטְרָא אַחֲרָא.

שפ. תָּא חֲזֵי, כְּתִיב זְכוֹר יְיָ לִבְנֵי אֱדוֹם אֵת יוֹם יְרוּשָׁלַ͏ִם הָאוֹמְרִים עָרוּ עָרוּ עַד הַיְסוֹד בָּהּ. וְעַל דָּא זַמִּין קוּדְשָׁא בְּרִיךְ הוּא לְמִבְנֵי יְסוֹדֵי יְרוּשָׁלַ͏ִם, מִיְּסוֹדִין אַחֲרָנִין, דְּיִשְׁלְטוּן עַל כֹּלָּא. וּמַאן אִינּוּן. סַפִּירִין. דִּכְתִיב, וִיסַדְתִּיךְ בַּסַּפִּירִים, דְּאִלֵּין אִינּוּן יְסוֹדִין, וְסַמְכִין תַּקִּיפִין וְעִלָּאִין, דְּלֵית לְהוֹ וְחָלִישׁוּ כְּקַדְמָאֵי. מַאי טַעֲמָא. בְּגִין דְּאַבְנִין קַדְמָאִין מֵאִינּוּן יְסוֹדֵי, יָכִילוּ שְׁאָר עַמִּין לְמִשְׁלַט עֲלַיְיהוּ. מַאי טַעֲמָא. בְּגִין דְּלֵית בְּהוֹ נְהִירוּ עִלָּאָה, כְּדְקָא יֵאוֹת. אֲבָל אִלֵּין, יְהוֹן נְהִירִין מִגּוֹ נְהִירוּ עִלָּאָה, וּבְמַשְׁקְעָאן גּוֹ תְּהוֹמֵי, דְּלָא יָכְלִין לְשַׁלְּטָאָה עֲלַיְיהוּ. וְאִלֵּין אִינּוּן סַפִּירִין, דְּיַנְהֲרוּן לְעֵילָּא וְתַתָּא. בְּגִין דְּבַהַהוּא זִמְנָא, יִתּוֹסַף נְהִירוּ עִלָּאָה, לְעֵילָּא וְתַתָּא.

שפא. וְאִי תֵּימָא אִינּוּן יְסוֹדֵי קַדְמָאֵי, יִתְבַּטְלוּן. הָא כְּתִיב הִנֵּה אָנֹכִי מַרְבִּיץ בַּפוּךְ אֲבָנָיִךְ. מַרְבִּיץ לְאַתְקָנָא תְּבִירָא. מַאי בַּפוּךְ. כד"א וַתִּקְרַע בַּפוּךְ עֵינַיִךְ. אֲבָנִים אִית דְּאִקְרוּן פּוּךְ. מַאי טַעֲמָא הַאי. א"ר אֶלְעָזָר רָזָא אִיהוּ, וְרָזָא דָּא לְמֶחֱצְדֵי חַקְלָא אִתְיְהִיב לְמִנְדַּע.

שפב. תָּא חֲזֵי, אִינּוּן אֲבָנִין דִּיסוֹדֵי צִיּוֹן וִירוּשָׁלַ͏ִם, וַו דְּשַׁלִּיטוּ עֲלַיְיהוּ שְׁאָר עַמִּין,

ולא אוקדו לון, ולא אתוקדון, אלא כלהו אתגניזו, וגניז לון קב"ה, וכל אינון יסודי ביתא קדישא כלהו אתגניזו, ולא אתאבידו מנייהו אפילו חד. וכד יהדר קב"ה ויוקים לה לירושלם על אתריה, אינון יסודי אבנין קדמאי, יהדרון לאתרייהו, ולא ישליט בהו עינא אחרא, בר בזמנא דיכוזול בר נש עינוי בההוא פוכא, וימלי עיניה מניה, וכדין יחזמי כל אבנין וכל יסודי ירושלם, מתקנן על אתרייהו, דלא שליטו בהו שאר עמין, וכל אינון אבנין יקרין אחרנין, וכל אינון בנייני אבנין, כלהו קיימי על קיומייהו.

שפג. וכדין כי עין בעין יראו בשוב יי'. מאי בשוב יי'. אלא כד שליטו עלה שאר עמין, קב"ה סליק לה לעילא, ובההוא זמנא איהו יהדר לה לאתרה, דכתיב בשוב יי' ציון. בשוב יי' ודאי.

שפד. ותא חזי, כל מאן דאסתים מן עינא, ולא אתייהיב רשו לשלטאה ביה עינא, לא יכלין למשלט ביה עינא, בר בכוחלא דעינא, במלין ידיען. ובג"כ, הנה אנכי מרביץ בפוך אבניך. ות"ח, כל אלין אבנין יתקיימון באתרייהו, ולהוו יסודין כקדמיתא, ויסודי ספירין יתקיימון באתר אחרא סחרנא, לפותיא ולארכא, הה"ד ויסדתיך בספירים.

שפה. בזמנא דיוקים קב"ה לביתיה, בההוא זמנא מה כתיב, בלע המות לנצח. בלע, כדאמרינן בלע יי' ולא חמל, ההוא כוס דשתה האי, ישתה האי.

שפו. ואי תימא, ההוא בלע איהו לזמן ידיעא וקציב כישראל, לאו הכי. כתיב לנצח, מאי לנצח. לדרי דרין. ולאו כישראל, ולאו כההוא זמנא דאוקים משה ית משכנא. אלא לנצח לעלמין.

שפז. וכדין קב"ה יוקים לה לכנסת ישראל, ואיהו יוקים סמכין, וסיפי, וכל אינון תקרי ביתא, בתקונוי, לעלם ולעלמי עלמיא. וכתיב הרחיבי מקום אהלך וגו', בגין דיתבלע סטרא אחרא, ולא יקום לעלמין וכדין, וחרפת עמו יסיר מעל כל הארץ כי יי' דבר.

שפח. ויקם משה את המשכן, בההוא זמנא דאלין סמכין אתקמו, ואתייהיבו באתרייהו, ההוא זמנא אתרפו ואתעברו מאתרייהו סמכין באתר סטר אחרא, ועל דא, ויתן את אדניו.

שפט. מאי ויתן. אלא אוליפנא, דחמא משה לקמיה לסמא"ל חייבא, דהוה אזיל לגביה לקטרגא ליה, וכדין אתקיף ביה משה, וקשיר ליה קמיה, ואוקים ליה למשכנא, ויהב לסמכוי. דכתיב ויתן את אדניו. ויתן: בתקיפו, דלא יכיל ב"נ אחרא לשלטאה עליה, ולמיהב סמכין באתרייהו, כמשה. דהא בתקיפו רב, אוקים ליה משה.

שצ. בההוא יומא דאתקם משכנא, כד שארי משה לאקמא ליה, בחד בניסן הוה, ובההוא זמנא, תקיפו דסט"א הוה בעלמא, דהא ביומי דניסן, ריש תורא בדיקולא. תנינן. ובניסן שארי משה, וחמא ליה לסמא"ל, אזיל סחרניה, לערבבא ליה, ואתגבר עליה משה, וכדין, ויתן את אדניו. שארי הוא ויהב לתתא, ושארי מאן דשארי ויהב לעילא דא לקבל דא.

שצא. ביומא דאתקם האי משכנא לתתא, אתקם משכנא אחרא קדישא לעילא, ומשכנא עלאה טמיר וגניז, אפיק נהורין לכל סטר, ואתנהרון עלמין.

שצב. רִבִּי יוֹסֵי שָׁאִיל לְרִבִּי שִׁמְעוֹן, א"ל, תְּלַת מַשְׁכְּנִין זַמִּינָן בִּקְרָא, דִּכְתִּיב וּבְיוֹם הָקִים אֶת הַמִּשְׁכָּן, כִּסָּה הֶעָנָן אֶת הַמִּשְׁכָּן לְאֹהֶל הָעֵדוּת, וּבָעֶרֶב יִהְיֶה עַל הַמִּשְׁכָּן כְּמַרְאֵה אֵשׁ עַד בֹּקֶר, הָא תְּלַת מַשְׁכְּנִין הָכָא. וַאֲמַאי מַשְׁכְּנָא, וְלָא בַּיִת, דְּהָא בַּיִת אִצְטְרִיךְ וְלָא מִשְׁכָּן.

שצג. פָּתַח וְאָמַר, כֹּה אָמַר יְיָ' הַשָּׁמַיִם כִּסְאִי וְגוֹ'. תָּא חֲזֵי, קֻבְּ"ה אִתְרְעֵי בְּהוּ בְּיִשְׂרָאֵל לְאַחֲסַנְתֵּיהּ וְעַדְבֵיהּ, וְקָרִיב לוֹן לְגַבֵּיהּ. וְהָא אוֹקִימְנָא דְּעָבַד מִנַּיְיהוּ דַּרְגִּין יְדִיעָן בְּהַאי עָלְמָא, כְּגַוְונָא דִּלְעֵילָּא, לְשַׁכְלְלָא עָלְמִין כֻּלְּהוּ כְּחַד, עֵילָּא וְתַתָּא. דִּכְתִּיב הַשָּׁמַיִם כִּסְאִי וְהָאָרֶץ הֲדוֹם רַגְלָי לְשַׁכְלְלָא עֵילָּא וְתַתָּא לְמֶהֱוֵי חַד.

שצד. ת"ח, הַשָּׁמַיִם כִּסְאִי, דָּא רְקִיעָא דְּיַעֲקֹב שַׁרְיָא בֵּיהּ, דְּאִיהוּ דְּיוֹקְנָא עִלָּאָה, לְכוּרְסְיָיא עִלָּאָה קַדִּישָׁא. וְהָאָרֶץ הֲדוֹם רַגְלָי, דָּא רְקִיעָא דְּדָוִד מַלְכָּא שַׁרְיָא בֵּיהּ, לְאִתְהֲנָאָה מִזִּיוָא דְּאַסְפַּקְלַרְיָא דְּנַהֲרָא. וּבְגִין דְּבָעֵי לְאִתְפַּשְּׁטָא יַתִּיר לְתַתָּא אָמַר הֲדוֹם רַגְלָי. אֵיזֶה בַיִת אֲשֶׁר תִּבְנוּ לִי, דָּא בִּנְיַן בֵּית מַקְדְּשָׁא. וְאֵיזֶה מָקוֹם מְנוּחָתִי, דָּא בֵּית קֹדֶשׁ הַקֳּדָשִׁים דִּלְתַתָּא.

שצה. אֲבָל תָּא חֲזֵי, כָּל זִמְנָא דְּאָזְלוּ יִשְׂרָאֵל בְּמַדְבְּרָא, הֲוָה לְהוּ מִשְׁכָּן, עַד דְּאָתוּ לְשִׁילֹה, וַהֲוָה תַּמָּן. וְדָא אִיהוּ רָזָא, לְאַמְשָׁכָא דָּא בְּדָא, וּלְאַעֲלָא דָּא בְּדָא, לְאִתְקַשְּׁרָא דָּא בְּדָא, בְּגִין לְאַנְהָרָא. אֲבָל לָאו לְנַיְיחָא. דְּהָא לָאו נַיְיחָא, בַּר כַּד אִתְבְּנֵי בֵּי מַקְדְּשָׁא, בְּיוֹמוֹי דִּשְׁלֹמֹה מַלְכָּא, דְּהָא כְּדֵין אִיהוּ מְנוּחָה לְעֵילָּא וְתַתָּא. בְּגִין דְּתַמָּן תְּקִיפוּ דְּנַיְיחָא, וְלָא לְנַטְלָא מֵאֲתַר לַאֲתַר.

שצו. וּבְגִין כַּךְ אִית מִשְׁכָּן, וְאִית בַּיִת. מִשְׁכָּן: כְּמָה דְּאַתְּ אָמֵר, וְנָתַתִּי מִשְׁכָּנִי בְּתוֹכְכֶם וְלֹא תִגְעַל נַפְשִׁי אֶתְכֶם. מַאי מִשְׁכָּנִי. מִשְׁכְּנוֹתָיו דְּקוּדְשָׁא בְּרִיךְ הוּא, דְּלֶהֱווֹן גַּבַּיְיהוּ דְּיִשְׂרָאֵל. מַאי טַעְמָא. בְּגִין דִּכְתִּיב וְלֹא תִגְעַל נַפְשִׁי אֶתְכֶם.שצז. מַה בֵּין הַאי לְהַאי. אֶלָּא מִשְׁכָּן, כְּמַלְכָּא דְּאָתֵי לְגַבֵּי רְחִימֵיהּ, וְלָא מַיְיתֵי כָּל אֻכְלוּסִין דִּילֵיהּ עִמֵּיהּ, בְּגִין דְּלָא לְאַטְרְחָא עָלֵיהּ, אִיהוּ אָתֵי לְגַבֵּיהּ בִּזְעֵיר חֵילִין. בַּיִת: דְּכָל חֵילִין וְכָל אֻכְלוּסִין דִּילֵיהּ, כֻּלְּהוּ אַיְיתֵי עִמֵּיהּ, לְדַיְּירָא בְּהַהוּא בֵּיתָא, וְדָא אִיהוּ בֵּין מִשְׁכָּן וּבֵין בַּיִת. בֵּית הַמִּקְדָּשׁ, אִיהוּ דִּיוּרָא דְּנַיְיחָא לְעָלְמִין, בְּכָל אִינּוּן רְתִיכִין, בְּכָל אִינּוּן דְּיוֹקְנִין, בְּכָל אִינּוּן עוֹבָדִין, כְּגַוְונָא דִּלְעֵילָּא. לְחַבְּרָא עוֹבָדִין דִּלְתַתָּא, כְּגַוְונָא דִּלְעֵילָּא. מִשְׁכָּן, בִּזְעֵיר דְּיוֹקְנִין, בִּזְעִירִין עוֹבָדִין, לְנַטְלָא מֵאֲתַר לַאֲתַר, וְכֹלָּא בְּרָזָא דִּלְעֵילָּא.

שצח. תָּא חֲזֵי, כַּד פָּקִיד קֻבְּ"ה לְמֹשֶׁה עַל מַשְׁכְּנָא, לָא הֲוָה יָכִיל לְמֵיקַם בֵּיהּ, עַד דְּקֻבְּ"ה אַחְמֵי לֵיהּ כֹּלָּא בִּדְיוֹקְנֵיהּ, כָּל מִלָּה וּמִלָּה. בְּמָה אַחְזֵי לֵיהּ. בְּאֶשָּׁא חִוָּורָא, וּבְאֶשָּׁא אוּכָמָא, וּבְאֶשָּׁא סוּמָקָא, וּבְאֶשָּׁא יְרוֹקָא. מַה כְּתִיב, וּרְאֵה וַעֲשֵׂה כְּתַבְנִיתָם אֲשֶׁר אַתָּה מָרְאֶה בָּהָר. עִם כָּל דָּא אַקְשֵׁי לֵיהּ לְמֹשֶׁה.

שצט. תָּא חֲזֵי, אַף עַל גַּב דְּאַחְזֵי לֵיהּ עֵינָא בְּעֵינָא לָא בָּעָא מֹשֶׁה לְמֶעְבַּד. וְאִי תֵּימָא דְּאִיהוּ לָא יָדַע לְמֶעְבַּד, אוֹ חָכְמְתָא לָא הֲוָה עִמֵּיהּ. תָּא חֲזֵי, בְּצַלְאֵל וְאָהֳלִיאָב, וְכָל אִינּוּן שְׁאַר אַחֲרָנִין, אַף עַל גַּב דְּלָא חָמוּ כְּמֹשֶׁה, מַה כְּתִיב, וַיַּרְא מֹשֶׁה אֶת כָּל הַמְּלָאכָה וְהִנֵּה עָשׂוּ אוֹתָהּ וְגוֹ', אִי אִינּוּן דְּלָא חָמוּ, עָבְדוּ כַּךְ. מֹשֶׁה דְּחָמָא, עַל אַחַת כַּמָּה וְכַמָּה. אֶלָּא מֹשֶׁה, אַף עַל גַּב דְּאִסְתַּלַּק מִן מַשְׁכְּנָא מֵעֲבִידְתָּא, כֹּלָּא הֲוָה בִּידֵיהּ, וְעַל יְדֵיהּ, וְאִיהוּ אִקְרֵי עַל שְׁמֵיהּ, וע"ד כְּתִיב וּרְאֵה וַעֲשֵׂה.

ת. ד"א, מֹשֶׁה אִסְתַּלַּק מִן דָּא, וְיָהִיב דּוּכְתֵּיהּ לְאַחֲרָא, עַד דְּאָמַר לֵיהּ קוּדְשָׁא

בְּרִיךְ הוּא רְאֵה קָרָאתִי בְשֵׁם בְּצַלְאֵל, וְאִתּוֹ אָהֳלִיאָב. וּכְתִיב וְעָשָׂה בְצַלְאֵל וְאָהֳלִיאָב וְכֹל אִישׁ חֲכַם לֵב. אִי יְקָרָא דָּא, הֲוָה דְּמֹשֶׁה, דְּאִיהוּ יַעֲבִיד לֵיהּ, יִתְקַיֵּים בֵּיהּ תָּדִיר.

תא. וְעִם כָּל דָּא, כֵּיוָן דְּאִיהוּ פָּקִיד, וּבְפִקּוּדֵיהּ יִתְעֲבִיד, אִיהוּ עָבִיד כֹּלָּא. תו, כָּל עֲבִידְתָּא לָא קַיְימָא, אֶלָּא בְּסִיּוּמָא דְּעוֹבָדָא, וְעַל דָּא, וַיָּקֶם מֹשֶׁה אֶת הַמִּשְׁכָּן. בָּעוּ לְאַקָּמָא לֵיהּ כָּל אִינּוּן חַכִּימֵי לִבָּא, וְלָא הֲוָה מִתְקַיֵּים, בְּגִין יְקָרֵיהּ דְּמֹשֶׁה, עַד דְּאָתָא מֹשֶׁה, וְאוֹקִים לֵיהּ. וְהָא אוּקְמוּהָ.

תב. וַיָּקֶם מֹשֶׁה אֶת הַמִּשְׁכָּן רִבִּי יְהוּדָה פָּתַח, אַל תִּשְׂמְחִי אוֹיַבְתִּי לִי כִּי נָפַלְתִּי קַמְתִּי וְגוֹ'. מַאן אוֹיַבְתִּי לִי. דְּבָבוּ דְּמַלְכוּ חַיָּיבָא בְּמַלְכוּת קַדִּישָׁא. וְהַאי קְרָא כְּנֶסֶת יִשְׂרָאֵל אָמַר לֵיהּ, אַל תִּשְׂמְחִי אוֹיַבְתִּי לִי כִּי נָפַלְתִּי קַמְתִּי, מַה דְּלֵית לָךְ הָכִי לְמַלְכוּ אַחֲרָא, דְּכֵיוָן דְּתִפּוֹל לָא תָקוּם לְעָלְמִין. אֲבָל כְּנֶסֶת יִשְׂרָאֵל, אַף עַל גַּב דְּנַפְלַת, תָּקוּם וְקָמַת שְׁאַר זִמְנִין. דִּכְתִּיב כִּי נָפַלְתִּי קַמְתִּי.

תג. דְּהָא כַּמָּה זִמְנִין נַפְלַת כְּנֶסֶת יִשְׂרָאֵל בְּגָלוּתָא, וְיָתְבָא בֵּין אִינּוּן מָארֵי דְּבָבוּ, וּשְׁאַר עַמִּין קָמוּ עֲלַיְיהוּ דְּיִשְׂרָאֵל לְשֵׁיצָאָה לוֹן מֵעָלְמָא, כד"א, עַל עַמְּךָ יַעֲרִימוּ סוֹד, וּכְתִיב כִּי נוֹעֲצוּ לֵב יַחְדָּיו וְגוֹ', אָמְרוּ לְכוּ וְנַכְחִידֵם מִגּוֹי. וְעִם כָּל דָּא, אַף עַל גַּב דִּשְׁאַר עַמִּין קָמוּ עֲלַיְיהוּ, קב"ה לָא אַנַּח לוֹן בִּידַיְיהוּ, וְאִי נָפְלוּ קָמוּ, דִּכְתִיב כִּי נָפַלְתִּי קַמְתִּי. דְּהָא קב"ה אָקִים לָהּ תָּדִיר.

תד. וּזְמִינָא כְּנֶסֶת יִשְׂרָאֵל, לוֹמַר בְּהַהוּא זִמְנָא דקב"ה יוֹקִים לָהּ מֵעַפְרָא דְּגָלוּתָא, וְתִסְתַּלַּק מִנֵּיהּ, אַל תִּשְׂמְחִי אוֹיַבְתִּי לִי כִּי נָפַלְתִּי קַמְתִּי. כִּי נָפַלְתִּי בְּגָלוּתָא, וְאִשְׁתַּעְבְּדוּ בָּנַי, קַמְתִּי בְּהַאי זִמְנָא. וּבְגִין כַּךְ, בְּהַהוּא זִמְנָא דְּאַפִּיק מֹשֶׁה לוֹן לְיִשְׂרָאֵל, כַּד עָבַד לוֹן קב"ה אִינּוּן נִסִּין וּגְבוּרָאן דַּעֲבַד לוֹן. כְּדֵין וַיָּקֶם מֹשֶׁה אֶת הַמִּשְׁכָּן כְּתִיב, דְּהָא עַל יְדָא דְּמֹשֶׁה אִתְּקָם בְּכָל זִמְנָא.

תה. רִבִּי שִׁמְעוֹן פָּתַח וְאָמַר, בְּלֶכְתָּם יֵלֵכוּ וְגוֹ'. בְּלֶכְתָּם יֵלֵכוּ וּבְעָמְדָם יַעֲמֹדוּ. הַאי קְרָא אִית לְאִסְתַּכָּלָא בֵּיהּ. בְּלֶכְתָּם יֵלֵכוּ, וְכִי לָא יַדְעְנָא דְּהָא בְּלֶכְתָּם יֵלֵכוּ, וּבְעָמְדָם יַעֲמֹדוּ. אֶלָּא בְּלֶכְתָּם דְּמַאן. בְּלֶכְתָּם דְּחַיּוֹת. דְּכַד אִינּוּן אָזְלִין, אִינּוּן אוֹפַנִּים יֵלֵכוּ. כד"א וּבְלֶכֶת הַחַיּוֹת יֵלְכוּ הָאוֹפַנִּים אֶצְלָם. וע"ד בְּלֶכְתָּם יֵלֵכוּ וּבְעָמְדָם יַעֲמֹדוּ, בְּגִין דְּכָל מַטְלָנֵיהוֹן דְּאִינּוּן אוֹפַנִּים, לָאו אִינּוּן אֶלָּא בְּמַטְלָנִין דְּחַיּוֹת, וְקִיּוּמָא דִּילְהוֹן לָא קַיְימֵי בְּאַתְרַיְיהוּ, אֶלָּא כֹּלָּא תַּלְיָא בַּחַיּוֹת. וְכֵן כְּתִיב וּבְהִנָּשֵׂא הַחַיּוֹת מֵעַל הָאָרֶץ יִנָּשְׂאוּ הָאוֹפַנִּים לְעֻמָּתָם בְּגִין דְּחַיּוֹת וְאוֹפַנִּים כַּחֲדָא אָזְלִין.

תו. ות"ו, עֶשְׂרִין וְאַרְבַּע מַשְׁקוֹפִין, דְּמַטְרָנִין עִלָּאִין קַיְימִין גּוֹ מַשְׁקוֹפָא חֲדָא דְּבִסְטַר מִזְרָח. לְהַאי פִּתְחָא, נַטְרִין אַרְבַּע וְעֶשְׂרִין מִשְׁמָרוֹת, טְמִירִין גּוֹ תּוֹקְפָּא דְּשַׁלְהוֹבָא, דְּעַטְרָא וְסָחֲרָא לְגוֹ הַהוּא מַשְׁקוֹפָא מֵהַהוּא סִטְרָא דְּמִזְרָח.

תז. וְאַרְבַּע וְעֶשְׂרִין סַמְכִין תְּחוֹתַיְיהוּ, וְעַל אִלֵּין סַמְכִין קַיְימִין עֶשְׂרִין וְאַרְבַּע עַמּוּדִין, וְאִלֵּין אִינּוּן דְּקַיְימִין תָּדִיר, וְלָא פַּרְחִין גּוֹ אֲוִירָא כְּאִינּוּן אַחֲרָנִין, וְאִלֵּין אִינּוּן דְּאִקְרוּן עוֹמְדִים, כד"א, וְנָתַתִּי לְךָ מַהְלְכִים בֵּין הָעוֹמְדִים הָאֵלֶּה. וְאִלֵּין עַמּוּדִים, קַיְימִין עַל אִינּוּן סַמְכִין, בְּהוּ סָחֲרָן לְאִתְקַיְּימָא בְּדוּכְתַּיְיהוּ.

תח. כַּד אִלֵּין עַמּוּדִים קַיְימִין עַל קִיּוּמַיְיהוּ, כֻּלְּהוּ שַׁלִּיטִין דְּקַיְימִין עֲלַיְיהוּ, מְעַפְפֵי וְטָסִין כָּל עָלְמָא, וְאַשְׁגְּחָן עַיְינִין. וְאִינּוּן דְּצַיְיתֵי קָלִין, סַלְּקִין מִלִּין לְעֵילָּא, כְּמָה דְּאַתְּ אָמֵר כִּי עוֹף הַשָּׁמַיִם יוֹלִיךְ אֶת הַקּוֹל. וּבְגִין כַּךְ, אִינּוּן סַמְכִין קַיְימִין בְּקִיּוּמָא תָּדִיר.

תט. תָּא חֲזֵי, בְּלֶכְתָּם יֵלֵכוּ כִּדְקַאמְרָן. וּבְהִנָּשְׂאָם מֵעַל הָאָרֶץ יִנָּשְׂאוּ הָאוֹפַנִּים לְעוּמָּתָם. דְּהָא כְּמָה דְּאִלֵּין חֵיוֹת נַטְלִין וְסַלְקִין, הָכִי אִינּוּן. מַאי טַעֲמָא. בְּגִין, כִּי רוּחַ הַחַיָּה בָּאוֹפַנִּים. רוּחַ הַחַיָּה, רוּחַ קוּדְשָׁא, דְּנָשִׁיב וּבָטַשׁ בְּכֻלְּהוּ אוֹפַנִּים, לְמֵהַךְ. אִשְׁתְּכַח, דְּכָל מַאן דְּאִיהוּ בְּדַרְגָּא עִלָּאָה, אִיהוּ נָטִיל לְמַאן דְּנָטִיל לֵיהּ. תָּא חֲזֵי, דְּאָרוֹן אִיהוּ הֲוָה נָטִיל לְמַאן דְּנָטִיל לֵיהּ. אוּף הָכָא, חֵיוֹת, אִינּוּן נַטְלִין לְאוֹפַנִּים.

תי. וְאִי תֵּימָא כִּי רוּחַ הַחַיָּה בָּאוֹפַנִּים כְּתִיב. הָכִי נָמֵי, דָּא חַיָּה, דְּאִיהוּ לִסְטַר יְמִינָא, לִסְטַר שְׂמָאלָא, וְלִסְטַר קָמָא, וְלִסְטַר אֲחוֹרָא, וְדָא אִיהִי חַיָּה, וְאִלֵּין אִינּוּן חֵיוֹת.

תיא. כְּתִיב הִיא הַחַיָּה אֲשֶׁר רָאִיתִי תַּחַת אֱלֹהֵי יִשְׂרָאֵל בִּנְהַר כְּבָר, דָּא הִיא חַיָּה דִּמְרַבְּעָא לְאַרְבַּע סִטְרִין דְּעָלְמָא. וְדָא אִיהִי דְּקַיְּימָא כּוּרְסְיָּיא, לְדִיוּקְנָא דְּאָדָם. כְּמָה דִּכְתִּיב, וְעַל דְּמוּת הַכִּסֵּא דְּמוּת כְּמַרְאֵה אָדָם עָלָיו מִלְמָעְלָה. וְכֹלָּא לְהַהוּא דַּרְגָּא עִלָּאָה קַדִּישָׁא סְתִימָאָה, דְּאִקְרֵי אֱלֹהֵי יִשְׂרָאֵל.

תיב. וְדָא חַיָּה דִּלְתַתָּא, דְּקַיְּימָא תְּחוֹת כֻּלְּהוּ חֵיוָון עִלָּאִין קַדִּישִׁין. בְּגִין דְּאִית חֵיוָון עִלָּאִין אִלֵּין עַל אִלֵּין. כּוּרְסְיָּיא דִּתְחוֹת אֱלֹהֵי יִשְׂרָאֵל, דָּא דְּיוּקְנָא דְּיַעֲקֹב. וְכוּרְסְיָּיא דִּלְתַתָּא, דָּא דְּיוּקְנָא דְּדָוִד. אִיהִי דִּמְרַבְּעָא לְאַרְבַּע סִטְרִין דְּעָלְמָא. וּבְגִין כַּךְ רוּחָא נָפִיק מִלְּעֵילָּא, וְנָגִיד וְאִתְמְשַׁךְ מִדַּרְגָּא לְדַרְגָּא, עַד דְּבָטַשׁ בְּכֻלְּהוּ תַּתָּאֵי דִּלְתַתָּא, וְהַהוּא רוּחָא אַנְהִיג לְכֹלָּא, וְאַתְקִין תִּקּוּנָא דְּכֻלְּהוּ לְאַתְקְנָא.

תיג. וּבְהַהוּא גַּוְונָא מַמָּשׁ, אִתְתָּקַן לְתַתָּא. מַה כְּתִיב לְעֵילָּא, כִּי רוּחַ הַחַיָּה בָּאוֹפַנִּים. וּכְתִיב אֶל אֲשֶׁר יִהְיֶה שָׁמָּה הָרוּחַ לָלֶכֶת יֵלֵכוּ. לְתַתָּא מַה כְּתִיב, וַיָּקֶם מֹשֶׁה אֶת הַמִּשְׁכָּן. בְּמָה. לְמֶהֱוֵי רוּחַ דְּהַהוּא דַּרְגָּא דִּלְתַתָּא, בְּהַהוּא דְּיוּקְנָא דְּהַהוּא רוּחַ עִלָּאָה, הִיא הַחַיָּה אֲשֶׁר רָאִיתִי תַּחַת אֱלֹהֵי יִשְׂרָאֵל, וּמֵהַאי חַיָּה נָפְקָא רוּחָא לְאַתְקְנָא כֹּלָּא. הָכִי נָמֵי מֹשֶׁה. הִיא הַחַיָּה דְּיָהַב רוּחָא לְתַתָּא, לְאַתְקְנָא כֹּלָּא. בְּגִ"כ כְּתִיב, וַיָּקֶם, וַיִּתֵּן, וַיָּשֶׂם. וּבְכֹלָּא שַׁוֵּי רוּחָא, לְאַתְקְנָא כֹּלָּא.

תיד. ת"ח, בְּקַדְמֵיתָא, בְּמַשְׁכְּנָא דְּעָבַד מֹשֶׁה, אִיהוּ אַתְקִין לֵיהּ, בְּרָזָא דְּהַהוּא דַּרְגָּא עִלָּאָה דְּאִיהוּ קַיְּימָא בֵּיהּ. בְּמַקְדְּשָׁא דְּעָבֵד שְׁלֹמֹה, אִיהוּ תַּקִּין לֵיהּ, בְּרָזָא דְּהַהוּא נָהָר דְּנָפִיק מֵעֵדֶן, דְּאִיהוּ שְׁלָמָא דְּבֵיתָא, וְאִיהוּ נַיְיחָא דְּבֵיתָא. וְע"ד בְּרָזָא דְּמַשְׁכְּנָא, אִיהוּ קוּרְבָא דַּחֲבִיבוּתָא, בְּרָזָא דְּגוּפָא, הַהוּא דַּרְגָּא דְּמֹשֶׁה, קַיְּימָא בֵּיהּ קוּרְבָא דַּחֲבִיבוּתָא, וְלָאו דְּנַיְיחָא. כַּד אָתָא שְׁלֹמֹה, וְאַתְקִין מַקְדְּשָׁא, הַהוּא מַקְדְּשָׁא אִתְתָּקַן, בְּרָזָא דַּחֲבִיבוּ דְּנַיְיחָא. וְע"ד כְּתִיב בִּשְׁלֹמֹה, הוּא יִהְיֶה אִישׁ מְנוּחָה.

תטו. וּבְגִ"כ, דָּא אַתְקִין בְּחַד דַּרְגָּא, וְדָא אַתְקִין בְּחַד דַּרְגָּא, דְּיוּקְנָא דְּהַאי בְּהַאי, וְרָזָא דָּא, אֵלֶּה תּוֹלְדוֹת יַעֲקֹב יוֹסֵף.

תטז. שֵׁירוּתָא דְּשָׁארֵי מֹשֶׁה, לְאַתְקְנָא בְּהַאי אֲתַר, דְּאִיהוּ סִטְרָא דִּקְדוּשָּׁה אוֹקִים קִימָה דִּנְקוּדָה דְּקַיְּימָא בְּאֶמְצָעִיתָא, דַּהֲוָה חָשׁוּךְ וְשָׁקוּעַ בְּאַתְרֵיהּ, וְלָא אִתְחֲזֵי, וְלָא נָהִיר כְּלַל, וְשֵׁירוּתָא דְּכֹלָּא אוֹקִים לָהּ לְהַאי נְקוּדָה, דְּאִשְׁתְּקָעַת בְּאַתְרָהָא. וּלְבָתַר לְכָל אַחֲרָא, דְּאִיהוּ בִּנְיָינָא דְּהַאי נְקוּדָה.

תיז. וְאִם הַאי נְקוּדָה לָא אִתְתַּקַּן בְּקַדְמֵיתָא, כָּל מַאן דְּאִתְפָּשַׁט מִנָּהּ, לָא יָכִיל לְאִתְתַּקְּנָא. וְכֵיוָן דְּהַאי נְקוּדָה אִתְקָמַת וְאִתְנְהִירַת, כְּדֵין, כָּל שְׁאַר תִּקּוּנָא אַחֲרָא אִתְתַּקַּן, וְאִתְיַישְׁבַת בְּדוּכְתָהּ. וְע"ד, וַיָּקֶם מֹשֶׁה אֶת הַמִּשְׁכָּן. דָּא נְקוּדָה דַּהֲוַות חֲשׁוּכָא וּשְׁקִיעָא בְּאַתְרֵיהּ. וּלְבָתַר, וַיִּתֵּן אֶת אֲדָנָיו, אִינּוּן סַמְכִין דְּאִינּוּן מִכָּאן וּמִכָּאן. וְכֻלְּהוּ הֲווּ מֵאָה

לְחֻשְׁבְּנָא, וְכֻלְּהוּ אִתְפַּלְּגוּ לְאַתְרַיְיהוּ, דִּכְתִּיב, מְאַת אֲדָנִים לִמְאַת הַכִּכָּר כִּכָּר לָאָדֶן.

תיז. וְאִלֵּין אֲדָנִים הָא אוֹקִימְנָא, אֲבָל לָא כְּתִיב בְּהוּ קִימָה, אֶלָּא וַיִּתֵּן, נְתִינָה לְשַׁוָּואָה עֲלַיְיהוּ מַה דְּאִצְטְרִיךְ, בְּגִין דְּאִית תַּתָּאִין וְעִלָּאִין, רְכִיבִין דָּא עַל דָּא. וְעַל דָּא כְּתִיב בְּהוּ נְתִינָה.

תיט. בְּהַהִיא שַׁעֲתָא דְּהַאי נְקוּדָה אִתְקָמַת, אִשְׁתְּקָעַת סִטְרָא אַחֲרָא. וְלָא אִתְמַחֲזַת כְּלַל, דְּהָא לָא אִתְמְחֵזֵי, אֶלָּא לְהַהוּא זִמְנָא דְּאָתֵי, דְּאִתְמְחֵזֵי מֵעָלְמָא, כְּמָה דְּאִתְּמַר, אִתְקָם דָּא וְאִשְׁתְּקָעַת דָּא.

תכ. וַיִּתֵּן אֶת אֲדָנָיו, כְּדֵין שָׁארֵי לְאַתְקְפָא הַאי סִטְרָא דִּקְדוּשָּׁה וְכַד אִתְיְיהִיבוּ אִלֵּין סַמְכִין, אִשְׁתְּקָעוּ כֻּלְּהוּ דְּסִטְרָא אַחֲרָא, וְעָאלוּ בְּנוּקְבָא דִּתְהוֹמָא רַבָּא. בְּגִין דְּאִסְתַּלָּק הַאי סִטְרָא דִּקְדוּשָּׁה עִלָּאָה, וְאִיהוּ חוּלָקָא לְאִסְתַּלְּקָא, וּכְדֵין הַאי סִטְרָא אַחֲרָא אִשְׁתְּקַע, וְעָאל בְּהַהוּא נוּקְבָא דִּתְהוֹמָא.

תכא. וְאִלְמָלֵא דְּיִשְׂרָאֵל חָאבוּ, לָא יָכִיל לְשַׁלְטָאָה בְּעָלְמָא יַתִּיר. וּלְבָתַר אוּף הָכִי חָאבוּ, וְאַמְשִׁיכוּ לֵיהּ עֲלַיְיהוּ כְּקַדְמֵיתָא. וּמֵהַהוּא יוֹמָא, לָא הֲוָה עֵיטָא, אֶלָּא לְמֵיהַב חוּלָקָא לְהַהוּא סִטְרָא אַחֲרָא בְּכֹלָּא, בְּרָזָא דְּקָרְבְּנִין וְנִסְכִין וְעַלָּוָון. ות״ח בְּג״כ עוֹלָה אִתּוֹקְדָא כֹּלָּא בְּאֶשָּׁא, לְאַכְפְּיָיא הַאי סִטְרָא, וּלְאִסְתַּלְּקָא סִטְרָא דִּקְדוּשָּׁה, וּבְגִין כַּךְ כַּד מֹשֶׁה אוֹקִים לְאֲתַר דָּא. אִשְׁתְּקַע אֲתַר דָּא.

תכב. ת״ח וַיָּקֶם מֹשֶׁה, הַאי סִטְרָא דִּקְדוּשָּׁה. וְאִשְׁתְּקַע סִטְרָא אַחֲרָא מְסָאֲבָא. וַיִּתֵּן. לְהַאי סִטְרָא דִּקְדוּשָּׁה, וְאִתְרַפְּיָא הַאי סִטְרָא אַחֲרָא מְסָאֲבָא. וַיָּשֶׂם, לְהַאי סִטְרָא דִּקְדוּשָּׁה, וְאִתְכַּפְיָא הַאי סִטְרָא אַחֲרָא דִּמְסָאֲבָא. וּלְבָתַר אַהֲדַר וַיִּתֵּן אֶת בְּרִיחָיו.

תכג. וּלְבָתַר וַיָּקֶם. מ״ט. בְּגִין דִּיְהֵא שֵׁירוּתָא וְסִיּוּמָא בְּקִימָה, שָׁארֵי בְּקִימָה, וְסַיֵּים בְּקִימָה. בְּגִין דְּבְכֹלָּא בָּעֵי קִימָה, שֵׁירוּתָא וְסִיּוּמָא. קִימָה בְּשֵׁירוּתָא דְּסִטְרָא אַחֲרָא אִתְרַפֵּי. וְדָא, אִיהוּ קִימָה לְסִטְרָא דִּקְדוּשָּׁה, בְּגִין לְאִתְקַיְּימָא וּלְאִסְתַּלְּקָא לְעֵילָּא, לְמֶהֱוֵי אִתְקַשְּׁרוּתָא חֲדָא כַּדְקָא יָאוּת. בְּגִין דְּכָל זִמְנָא דִּקְדוּשָּׁה שַׁלְטָא וְסַלְּקָא, מְסָאֲבוּ שָׁפִיל, וּמָאִיךְ לְתַתָּא.

תכד. רֵישָׁא דִּנְקוּדָה, דְּקַיְּימָא תְּחוֹת דַּרְגִּין דִּי בְּסִטְרָא אַחֲרָא, אִיהוּ רֵישׁ דַּרְגָּא דִּלְבַר, רֵישָׁא דִּדְכוּרָא, וְקַיְּימָא רָכִיב עַל חַד גָּמָל, אִיהוּ רֵישָׁא לְבַר דְּחַד עִרְבוּבָא דְּחֹשֶׁךְ דְּאִתְפָּשַׁט.

תכה. דְּכַר תְּנָנָא נָפְקָא מִגּוֹ רוּגְזָא תַּקִּיף, אִתְפָּשַׁט הַהוּא תְּנָנָא, וְאָזִיל רוּגְזָא בָּתַר רוּגְזָא, דָּא עַל דָּא, וְדָא רָכִיב וְשָׁלִיט עַל דָּא, בְּזִוּוּגָא דִּדְכַר וְנוּקְבָא לְמֶהֱוֵי כֹּלָּא רוּגְזָא תַּקִּיף.

תכו. וְכַד שָׁארֵי תְּנָנָא לְאִתְפַּשְּׁטָא, דָּחִיק מִגּוֹ רוּגְזָא בִּדְחִיקוּ דְּחַד נְקוּדָה לְאִתְפַּשְּׁטָא, וּלְבָתַר אִתְפָּשַׁט תְּנָנָא דְּרוּגְזָא בְּעַקִּימוּ, כְּחַד חִוְיָא חַכִּים לְאַבְאָשָׁא.

תכז. רֵישָׁא דְּנָפְקָא לְאִתְפַּשְּׁטָא, אִיהוּ דַּרְגָּא דְּאִיהוּ חָשׁוּךְ, סָלִיק וְנָחִית, אָזִיל וְשָׁאט, וְנָח בְּדוּכְתֵּיהּ, וְקַיְּימָא דַּרְגָּא לְאִתְיַישְּׁבָא, מֵהַהוּא תְּנָנָא דְּנָפִיק מִגּוֹ רוּגְזָא, וְאִיהוּ צֵל. צִלָּא, עַל אֲתַר אַחֲרָא דְּאִקְרֵי מָוֶת. וְכַד מִתְחַבְּרָן תַּרְוַויְיהוּ כַּחֲדָא, אִקְרֵי צַלְמָוֶת, וְהָא אוֹקִימְנָא, תְּרֵין דַּרְגִּין אִינּוּן דְּמִתְחַבְּרָאן כַּחֲדָא.

תכח. הַאי צֵל, אִיהוּ שֵׁירוּתָא דִּנְקוּדָה תַּתָּאָה דִּלְבַר, חֲשׁוֹכָא דִּמְרַחֲקָא מִנְּקוּדָה קַדִּישָׁא, דְּקַיְּימָא בְּאֶמְצָעִיתָא. וְהַאי אִיהוּ נְקוּדָה, דְּלָא קַיְּימָא, וְלָא אִתְרְשִׁימַת בְּגַוְונָהָא. וּמִינָּהּ אִתְפַּשְּׁטַת פְּשִׁיטוּ לְבַר וּלְתַתָּא. וְאִיהִי אִשְׁתְּקָעַת וְלָא אִתְחֲזִיאַת, וְלָא

אִתְרְשִׁימַת.

תכט. הַאי אִתְפַּשְּׁטַת לְתַתָּא, לִימִינָא וְלִשְׂמָאלָא, וְאִתְפַּשְּׁטַת בְּאֶמְצָעִיתָא, גּוֹ וָשׁוּךְ, קָבֵל אֶלֶף וּמֵאָה. תְּרֵין סַמְכִין מִתְגַּלְּפִין לִסְטְרָא דָא, וּלְסִטְרָא דָא, אִתְפָּשַׁט וַחֲשׁוֹכָא, בְּגוֹ גַּוְון אוּכָם וְלָא אוּכָם, דְּהָא לֵית לֵיהּ גַּוְון לְאִתְקַיְּימָא בֵּיהּ. וּבְהַהוּא פְּשִׁיטוּ, קַיְּימִין וַחֲשׁוּכִין אִינּוּן דְּשַׁמְשׁוּ בְּמִצְרַיִם, דִּכְתִיב לֹא רָאוּ אִישׁ אֶת אָחִיו וְלֹא קָמוּ אִישׁ מִתַּחְתָּיו שְׁלֹשֶׁת יָמִים. וּכְתִיב וְיָמֵשׁ חֹשֶׁךְ.

תל. הַאי פְּשִׁיטוּ, אִתְפָּשַׁט בְּכַמָּה זִינִין, מְשַׁנְיָין אִלֵּין גּוֹ אִלֵּין. גּוֹ הַהוּא פְּשִׁיטוּ, נָפְקָא חַד זְהָרָא דְּאִצְטְבַע בְּדַהֲבָא, וְדָא אִיהוּ דַּהֲבָא סוּמְקָא. אִתְפָּשַׁט הַאי זְהָרָא, וְחָפֵי וָשׁוּךְ דְּרֵישָׁא, וְאִיהוּ דַּהֲבָא, דְּאִתְכְּלִיל בֵּיהּ וַחֲשׁוֹכָא.

תלא. הַאי וַחֲשׁוֹכָא אִתְפָּשַׁט לִימִינָא וְלִשְׂמָאלָא. וּמִגּוֹ אִלֵּין תְּרֵין סִטְרִין, נָפְקָא חַד גַּוְונָא דְּכַסְפָּא, דְּלָא זָהִיר. אִתְפָּשַׁט הַאי גַּוְון דְּכֶסֶף, וְחָפֵי וַחֲשׁוֹכָא, וְאִתְכְּלִיל דָּא בְּדָא, וְנָחִית לְתַתָּא.

תלב. אִתְפָּשַׁט וַחֲשׁוֹכָא, וְקַיְּימָן תְּרֵין וַחֲשׁוֹכִין, רֵישׁ אוּכְמָא דְּקַיְּימִין, וּמִתַּמָּן מִתְפָּשַׁט וְנָפִיק חַד גַּוְון דִּנְחֹשֶׁת.

תלג. וּמִתַּמָּן אִתְפָּשַׁט לְתַתָּא, הַהוּא וָשׁוּךְ, וְקָאִים קַיְּימָא, וְנָפִיק חַד גַּוְון אוּכָם וְחֵיזוּ דְּפַרְזְלָא. וְכֹלָּא בְּרָזָא דַּחֲשׁוֹכָא.

תלד. מִבֵּין תְּרֵין קַיְּימִין, נָפִיק קַיְּימָא חַד, וָשׁוּךְ בַּחֲשׁוֹכָא, וְכָל אִלֵּין גַּוְונִין אִתְחָזוּן בֵּיהּ. וְהַאי אִיהוּ עָרְלָה, דְּאַנְהִיג דְּכַר לְנוּקְבָה, לְאִזְדַּוְּוגָא כַּחֲדָא, לְמֶהֱוֵי חַד.

תלה. הָנֵי קַיְּימִין, בְּג' דַּרְגִּין רַבְרְבִין יְדִיעָאן. דַּרְגָּא קַדְמָאָה, אִיהוּ דַּרְגָּא דְּקָאִים בְּסִטְרָא דְּהַאי וַחֲשׁוֹכָא. דָּא וַחֲשׁוֹכָא סַלְקָא, גּוֹ טְמִירוּ דִּתְנָנָא דְּאֶשָּׁא, הַאי כָּלִיל בְּגַוְון תְּנָנָא, וּבְגַוְון אֶשָּׁא, וּבְגַוְון אוּכָם. אִלֵּין תְּלַת גַּוְונִין, מִתְפָּרְשָׁן לְכַמָּה סִטְרִין, לְאִתְעַקְּמָא בְּעִמְקֵי עָלְמָא.

תלו. גַּוְון תְּנָנָא הַאי, נָחְתָא לְעָלְמָא, וְאָעִיל לְכַמָּה סִטְרִין, וְדָא אִתְפָּשַׁט בְּעָלְמָא, וְאַסְטֵי לְרוּחֵי בְּנֵי נָשָׁא בְּרָגְזוּ, לְאַסְטָאָה אָרְחַיְיהוּ, וּלְאִתְתַּקְּפָא בְּרוּגְזַיְיהוּ. וְעַ"ד כְּתִיב, לֹא יִהְיֶה בְךָ אֵל זָר וְלֹא תִשְׁתַּחֲוֶה לְאֵל נֵכָר. לֹא יִהְיֶה בְךָ אֵל זָר דָּא דְּכוּרָא. וְלֹא תִשְׁתַּחֲוֶה לְאֵל נֵכָר דָּא נוּקְבָא. הַאי אִיהוּ רוּגְזָא דְּשַׁלְטָא וְאִתְקַף בְּעָלְמָא, וְעָאל בְּגוֹ בְּנֵי נָשָׁא, וְאַתְקִיף לוֹן לְאַבְאָשָׁא.

תלז. גַּוְון אֶשָּׁא, הַאי גַּוְונָא נָחְתָא לְעָלְמָא, וְעָאל לְכַמָּה סִטְרִין, לְאַבְאָשָׁא, לְקַטְלָא, וּלְאוֹשְׁדָא דָּמִין, וּלְקַפְּחָא לִבְנֵי נָשָׁא. וְעַל דָּא כְּתִיב, אִם יֹאמְרוּ לְכָה אִתָּנוּ נֶאֶרְבָה לְדָם נִצְפְּנָה לְנָקִי חִנָּם. בְּגִין דְּאִית אוֹשְׁדֵי דָּמִין לְמַגָּנָא, וְקַטְלֵי לְמַגָּנָא. וְאִית דְּאוֹשְׁדֵי דָּמִין וְקַטְלֵי בִּקְרָבָא, וְהַאי מִסִּטְרָא דִּדְכוּרָא וְהַאי מִסִּטְרָא דְּנוּקְבָא. סִטְרָא דִּדְכוּרָא אוֹשִׁיד דָּמִין לְמַגָּנָא, כְּדְקָאַמְרָן. סִטְרָא דְּנוּקְבָא, לְאַגָּחָא קְרָבִין, וּלְאִתְקַטְלָא אִלֵּין בְּאִלֵּין, וְכָל קְרָבִין וְקַטוּלִין אִלֵּין בְּאִלֵּין, מֵהַהוּא סִטְרָא דְּנוּקְבָא קָא אַתְיָין.

תלח. גַּוְון אוּכָם, הַאי גַּוְונָא נָחְתָא לְעָלְמָא, וְנָחְתָא לְאִתְמַנָּאָה עַל כָּל פְּצוּעִין, וּמַחֲזָיִין, וְתַפִּיסֵי דְּגוּפִין, וּצְלִיבוּ, וַחֲנִיקוּ, לְאַבְאָשָׁא תָּדִיר לִבְנֵי נָשָׁא. אִלֵּין תְּלַת גַּוְונִין, מִתְפָּרְשָׁן לְכַמָּה סִטְרִין דְּעָלְמָא, וְאִתְפַּשְּׁטָן גּוֹ בְּנֵי עָלְמָא.

תלט. גַּוְון תְּנָנָא נָחְתָא בְּעָלְמָא, וְהַאי אִיהוּ גַּוְון קַדְמָאָה, דְּנָפְקָא מִגּוֹ נְקוּדָה דְּשַׁקְיָע מֵהַהוּא צֵל דְּקָאַמְרָן, דְּאִיהוּ סַמָּאֵ"ל, דְּקָא רָכִיב עַל גָּמָל, כְּמָה דְּאִתְּמַר, וְהַאי גַּוְון

תְּנָנָא אִקְרֵי קַצְפִּיאֵ"ל רַבְרְבָא. וְהַאי אִיהוּ רוּגְזָא דִּבְנֵי נָשָׁא, דְּאַתְקִיפוּ לִבָּא בְּרוּגְזָא.

תמ. תְּחוֹת הַאי, מְמַנָּן אֶלֶף וְשִׁית מֵאָה חֲבִילִין, דְּאִינּוּן רוּגְזָא דְּגוּפַיְיהוּ דִּבְנֵי נָשָׁא. בְּגִין דְּאִית רוּגְזָא דְּשַׁלְטָא בְּעָלְמָא לְמֶעְבַּד דִּינָא. אֲבָל הַאי אִיהוּ רוּגְזָא, דְּשַׁלְטָא וְעָאל בְּגוּפַיְיהוּ דִּבְנֵי נָשָׁא, דְּאִתְרְגִיזוּ בְּהַאי רוּגְזָא. וְהַאי רוּגְזָא, אִיהוּ יְסוֹדָא דְּכָל שְׁאַר גְּוָונֵי, לְמֶעְבַּד בְּהוּ, בִּנְיָינָא לְאַבְאָשָׁא, בְּגִין דְּהַאי תְּנָנָא, נָפְקָא מִגּוֹ רוּגְזָא דְּאֶשָּׁא עִלָּאָה, דְּמִלַּהֲטָא, וְהַאי אִיהוּ קַדְמָאָה לְהַהוּא אֶשָּׁא.

תמא. אַרְבַּע רוּגְזֵי מִתְפָּרְשָׁאן מֵהַהוּא רוּגְזָא. רוּגְזָא קַדְמָאָה, אִקְרֵי רֹגֶז וְדָא אִיהוּ דְּאַרְגִּיז לְבַיְיהוּ דִּבְנֵי נָשָׁא, וְדָא אִיהוּ דְּנַוְּותָא וְאַזְלָא וְסַטְיָא לִבְנֵי נָשָׁא, וְאִתְרְגִיזוּ בְּרוּגְזַיְיהוּ. וְדָא אִיהוּ דְּאַמְשִׁיךְ מְחַבְּלָא עַל עָלְמָא.

תמב. רוּגְזָא תִּנְיָינָא, הַאי אִיהוּ נַוְּותָא לְעָלְמָא, וְשָׁאט וְאִתְפָּשַׁט לְכָל סִטְרִין, וְהַאי אִקְרֵי שִׂנְאָה. וְהַאי נַוְּותָא וְעָאל בִּבְנֵי נָשָׁא, וְהַאי כֵּיוָן דְּעָאל, אִקְרֵי מְחַבְּלָא שְׁתִיקָא וְהַאי אִיהוּ רָגְזָא דִּשְׁתִיק, וְהַאי אִיהוּ דְּאִשְׁתַּתֵּף בְּהַהוּא אֲתָר דְּנוּקְבָא. וְהַאי אִיהוּ רוּגְזָא דִּשְׁתִיקָה, דְּקַיְימָא בְּעַקִּימוּ. הַאי קַשְׁיָא מִכֻּלְּהוּ, בְּגִין דְּאִיהוּ כְּגַוְונָא דְּחִוְיָא, דִּשְׁתִיק תָּדִיר, וְקָטִיל לְבָתַר.

תמג. רוּגְזָא תְּלִיתָאָה, הַאי אִיהוּ רוּגְזָא בְּהִפּוּכָא מִקַּדְמָאָה, דְּאַזְלָא וְאִתְקַף וְלָא שָׁתִיק, אֶלָּא אִתְגְּלֵי הַהוּא רוּגְזָא, וְכָל מַאן דְּאִתְגְּלֵי הָכִי אִתְבַּר כָּל מַה דְּאִתְגְּלֵי וְלָא שָׁתִיק, הָכִי אִתְבַּר, וְהָכִי אִקְרֵי רוּגְזָא תְּבִירָא.

תמד. רוּגְזָא רְבִיעָאָה, שֵׁירוּתָא תַּקִּיף, סוֹפָא תָּבִיר. וע"ד הַאי אִיהוּ רוּגְזָא, דְּמִתְהַפְּכָא מִן קַדְמַיְיתָא. בְּגִין כַּךְ, הַאי אִיהוּ סִטְרָא תְּבִירָא מִכֻּלְּהוּ. וע"ד, כֹּלָּא אִיהוּ בְּדַרְגָּא קַדְמָאָה.

תמה. דַּרְגָּא תִּנְיָינָא, אִיהוּ דַּרְגָּא דְּנָפִיק מֵחֲשׁוֹכָא, וְהַאי אִיהוּ גָּוֶון חֲשׁוּךְ, דְּקַיְימָא מִגּוֹ הַאי חֲשׁוֹכָא בְּגִין דְּכֹלָּא קַיְימָא מִגּוֹ חֲשׁוֹכָא. וְקַיְימָא בְּדַרְגִּין יְדִיעָאן. וְהַאי אִתְפָּשַׁט לְתַתָּא בִּגְוָונִין יְדִיעָאן.

תמו. בְּדַרְגָּא דָּא, קַיְימִין תְּלַת מֵאָה סִטְרִין, מִתְפָּרְשִׁין דָּא מִן דָּא, וְכֻלְּהוּ כְּלִילָן דָּא בְּדָא. וְאַף עַל גַּב דְּמִשְׁנַיְין דָּא מִן דָּא, וְאִתְגַּבְּרָן דָּא מִן דָּא, כֹּלָּא כָּלִיל דָּא בְּדָא. וּבְגִין כַּךְ, כָּל דַּרְגִּין יְדִיעָאן בְּהַאי סִטְרָא לְאַבְאָשָׁא.

תמז. מֵהָכָא נַפְקֵי כָּל אִלֵּין מְחַבְּלִין דְּשַׁטְיָין בְּעָלְמָא, וְעַבְדֵי דִּינָא בְּאִתְגַּלְיָיא, עַל עוֹבָדִין סְתִימִין דְּאִתְעֲבִידוּ גּוֹ חֲשׁוּךְ בִּטְמִירוּ, וְאִינּוּן שַׁטְיָין בְּעָלְמָא, וְעַבְדֵי דִּינָא בְּאִתְגַּלְיָיא בְּהוּ. וּבְגִין כַּךְ, כָּל אִלֵּין דְּשַׁטְיָין בְּעָלְמָא, וְעַבְדֵי דִּינָא בְּאִתְגַּלְיָיא, כֻּלְּהוּ קַיְימִין בְּקִבְלַיְיהוּ דִּבְנֵי נָשָׁא, לְאִתְעַתְּדָא תָּדִיר, גַּבֵּי אִינּוּן חוֹבִין טְמִירִין דְּקָאָמַרָן, וְאִינּוּן דְּאִקְרוּן אַף וְחֵמָה, מִתְחַבְּרָן עִמְּהוֹן וְעַבְדֵי עָלַיְיהוּ דִּינָא דִּבְנֵי נָשָׁא. הַאי אִתְעֲבֵיד בְּעָלְמָא, מֵאִלֵּין מָארֵי דְּדִינָא כְּדְקָאָמְרָן.

תמח. דַּרְגָּא דָּא קַיְימָא גּוֹ חֲשׁוֹכָא וְאֶשָּׁא, דְּאִיהוּ רָזָא וְחֵדָא, וּמִגּוֹ דַּרְגָּא דָּא, מִתְפָּרְשָׁן כַּמָּה דַּרְגִּין תַּקִּיפִין דְּקַיְימָן תְּחוֹת סִטְרָא דִּרְקִיעָא וְחֵדָא, דְּאִקְרֵי רְקִיעָא אוּכָמָא. דַּרְגָּא תְּלִיתָאָה, הַאי אִיהוּ רְקִיעָא, דְּמִתְפַּשְׁטָא עַל כָּל אִינּוּן דַּרְגִּין, דְּאִינּוּן סוּמָקִין כְּוַורְדָּא. וְאִלֵּין אִקְרוּן דְּרוֹעִין דְּהַאי סִטְרָא.

תמט. תְּחוֹת אִלֵּין, מִתְפַּשְׁטִין לְתַתָּא דַּרְגִּין, עַד דְּמָטוּ לְגוֹ הַהוּא רְקִיעָא אוּכָמָא בְּגִין דְּאִלֵּין דִּי בְּדַרְגָּא תִּנְיָינָא, נַפְקֵי מִגּוֹ הַהוּא רְקִיעָא אוּכָמָא, וְשַׁטְיָין בְּעָלְמָא.

תנ. אִלֵּין מִימִינָא, וְאִלֵּין מִשְּׂמָאלָא. אִלֵּין דִּימִינָא, מִתְפָּרְשָׁן לִתְלַת סִטְרִין, דְּאִינּוּן תְּלַת קִשְׁרִין. וְאִלֵּין דִּשְׂמָאלָא, מִתְפָּרְשָׁן לִתְלַת סִטְרִין, דְּאִינּוּן תְּלַת קִשְׁרִין אַחֲרָנִין.

תנא. קִשְׁרָא קַדְמָאָה, קַיְּימָא לְעֵילָּא. וּתְנָנָא וַחֲשׁוֹכָא בְּרוּגְזָא, אִתְקְשַׁר בֵּיהּ. הַאי קִשְׁרָא, אִית בָּהּ תְּלַת גַּוְונִין וַחֲשׁוֹכִין, וּמְשַׁנְיָין דָּא מִן דָּא, וְאִתְכְּלִילוּ דָּא בְּדָא. וְהַאי קִשְׁרָא, אִיהוּ כָּפִיף, וְלָא אִתְפָּשַׁט, בַּר לִזְמְנִין יְדִיעָאן, הַאי אִקְרֵי עֶבְרָ"ה.

תנב. וְאִיהוּ קַיְּימָא בְּלָא שְׁכִיכוּ, בְּגִין דְּלָא שָׁכִיךְ, בַּר בְּזִמְנָא דְּיִשְׂרָאֵל מְקָרְבִין קָרְבְּנָא לְתַתָּא, בְּגִין דִּבְהַהוּא זִמְנָא אִשְׁתְּכַךְ הַהוּא רוּגְזָא, וְאִתְכַּפְיָיא לְתַתָּא, וְאִתְחַלָּשׁ רוּגְזֵיהּ. וְלָא יָכִיל לְשַׁלְטָאָה וּלְאִתְתַּקְפָא. וְכַד אִתְחֲלָשׁ הַאי, כְּדֵין קִשְׁרָא תִּנְיָינָא, דְּאִיהוּ בְּאֶמְצָעִיתָא לָא יָכִיל לְנַטְלָא וּלְאַנְהֲגָא.

תנג. קִשְׁרָא תִּנְיָינָא, דָּא הוּא דְּאִקְרֵי זַעַם, הַאי קִשְׁרָא אִיהוּ דְּנָטִיל מֵאֲתָר לַאֲתָר, וְאַנְהִיג לְכָל שְׁאַר קִשְׁרִין, וְכָל שְׁאַר קִשְׁרִין כֻּלְּהוּ, אִתְנַהֲגָן בֵּיהּ, וְכֻלְּהוּ אִתְקָפוּ בְּהַאי קִשְׁרָא. הַאי אִיהוּ דְּמַנְהִיג כָּל צַעֲרִין לְעָלְמָא, בְּגִין דְּכַד אִתְחַבַּר בְּדַרְגָּא אַחֲרָא, לְזַוְּוגָא לְנוּקְבָא, כְּדֵין נַחְתֵּי לְעָלְמָא, כָּל צַעֲרִין, וְכָל דַּחֲקִין, וְכָל עָאקוּ, דְּהָא לָא יָכִילוּ לְשַׁלְטָאָה דָּא בְּלָא דָּא. וְכֻלְּהוּ דַּרְגִּין, אִתְיְיהִיבוּ לְנוּקְבָא, לְשַׁלְטָאָה, וּלְמִסְטֵי עָלְמָא, וְאִי לָאו דְּרָכִיב דָּא עַל דָּא, וְאִתְחַבַּר דָּא בְּדָא, לָא יַכְלִין לְשַׁלְטָאָה.

תנד. תָּא חֲזֵי, כַּד הֲוָה אָדָם בְּגִנְתָּא דְּעֵדֶן, לְאִשְׁתַּדְּלָא בְּפוּלְחָנָא דְּמָארֵיהּ. נָחַת הַאי סָמָאֵ"ל, וְכָל אִינּוּן דַּרְגִּין דְּבֵיהּ, וַהֲוָה רָכִיב עַל הַהוּא חִוְיָא בִּישָׁא, בְּגִין לְאַסְטָאָה לוֹן. בְּגִין דְּהַהוּא חִוְיָא דַּהֲוָה קָאִים תְּחוֹתֵיהּ, אִיהוּ עֲקִימָא לְאַסְטָאָה, בְּנֵי נָשָׁא, וּלְפַתָּאָה לוֹן. בְּגִין דִּכְתִּיב כִּי נֹפֶת תִּטֹּפְנָה שִׂפְתֵי זָרָה וְחָלָק מִשֶּׁמֶן חִכָּהּ. וְדָא יָהִיב חֵילָא, וְדָא עָבִיד אוּמָּנוּתָא בְּעָלְמָא, וְדָא בְּלָא דָּא לָא יַכְלֵי לְשַׁלְטָאָה.

תנה. בג"כ, כַּד הַהוּא קִשְׁרָא דְּאֶמְצָעִיתָא, אִתְחַבַּר בְּנוּקְבָא, כְּדֵין נַחְתֵּי דִּינִין, וְכָל דַּחֲקִין לְעָלְמָא וְכַד הַאי לָא אִתְתַּקַּף דְּלָא נָטִיל, כְּלָא אִתְּבַר וְאִתְכַּפְיָיא, דְּלָא יָכִיל לְשַׁלְטָאָה. וע"ד, כְּלָא אִתְּבַר וְאִתְכַּפְיָיא, בְּרָזָא דְּקָרְבְּנִין דִּלְתַתָּא. וְסַלְקָא מַאן דְּסַלְקָא, לְאִתְעַטְּרָא לְעֵילָּא, וּלְאִתְבָּרְכָא מֵעֻמְקָא עִלָּאָה, דְּנָהִיר לְכָל אַנְפִּין.

תנו. קִשְׁרָא תְּלִיתָאָה הַאי אִיהוּ תַּקִּיפָא בְּתָקִיפוּ יַתִּיר, וְהַאי אִקְרֵי צָרָ"ה, בְּגִין דְּמֵהַאי נַפְקֵי שׁוּלְטָנוּ, לְאַשְׁרָאָה דַּחֲקִין, וּלְמֶעְבַּד עָאקוּ לִבְנֵי נָשָׁא. וְרָזָא דִּתְלַת קִשְׁרִין אִלֵּין, דִּכְתִּיב עֶבְרָה וָזַעַם וְצָרָה. אִלֵּין תְּלַת קִשְׁרִין דִּימִינָא.

תנז. תְּלַת קִשְׁרִין דִּשְׂמָאלָא, כַּד מִתְתַּקְפֵי כַּחֲדָא, כְּדֵין הַהִיא שְׂמָאלָא אִקְרֵי, מִשְׁלַחַ"ת מַלְאֲכֵי רָעִים. בְּגִין דְּמֵהַאי שְׂמָאלָא, אִשְׁתַּדְּרוּ לְתַתָּא, וְנַטְלֵי תּוּקְפָּא, כָּל אִינּוּן מַלְאָכִין בִּישִׁין, אִינּוּן דְּנַפְקֵי מִסִּטְרָא דִּלְתַתָּא, כְּדְקָאַמְרָן. וְכָל דָּא מִגּוֹ דַּרְגָּא תִּנְיָינָא וְדַרְגָּא תְּלִיתָאָה.

תנח. דַּרְגָּא רְבִיעָאָה, הַאי דַּרְגָּא קַיְּימָא, מִגּוֹ עֲקִימוּ דְּרוּגְזָא, גַּוְון אֶשָּׁא. וְהַאי אִקְרֵי אֶמְצָעִיתָא. דְּאִיהוּ גּוּפָא, דְּקַיְּימָא בֵּין תְּרֵין דְּרוֹעִין. הָכָא אִית לַהֲטָא, דִּמְלַהֲטָא בְּסוּמָקָא כְּוַורְדָּא. מֵהָכָא נַפְקֵי תְּקִיפוּ לְנַחְתָּא לְתַתָּא, לְאִתְקְפָא לְאוֹשָׁדָא דָּמִין. בְּגִין דְּהַאי אִיהוּ דְּיָהִיב רְשׁוּ וְשׁוּלְטָנָא לְתַתָּא, לְאִתְקְפָא וּלְאוֹשָׁדָא דָּמִין. הַאי נָבִיעַ לְנוּקְבָא, וְדָא אִצְטְרִיךְ לְדָא, כְּמָה דְּאִצְטְרִיךְ גּוּפָא לְנַפְשָׁא, וְנַפְשָׁא לָא עָבִיד אוּמָּנוּתָא, אֶלָּא בְּגוּפָא. וע"ד, כָּל חֵילָא, וְכָל תְּקִיפוּ, מֵהָכָא נָפִיק, לְאִתְקְפָא, וּלְמֶעְבַּד אוּמָּנוּתָא בְּעָלְמָא, לְאַבְאָשָׁא. כְּנוּקְבָא דִּמְקַבְּלָא מִן דְּכוּרָא תָּדִיר.

תנט. בכל דרגא ודרגא, ובכל קשרא וקשרא, אית כמה ממנן, וכמה טריקי וחבילין, דכלהו אתנהגן בגינייהו, וכלהו דאתנהגן בגינייהו, כלהו לתתא, דאינון חיילין די בנוקבא, וכלהו אית לון דרגא ידיעא לעילא לאתנהגא ביה.

תס. כמה דאית לסטרא עלאה קדישא, היכלין ידיעאן, לגבי דרגין עלאין, לאתכללא אלין באלין, ה״נ לתתא בהפוכא, בסטרא אחרא, אית דרגין, לגבי אינון היכלין דנוקבא, לאתכללא אלין באלין.

תסא. בהאי דרגא, דאיהו רביעאה, קיימן דינין בישין, לנחתא לתתא, ולאתמסרא לאינון דעבדין דינא בישא תקיפא. מהכא ינקי תוקפא דילהון, לאתקפא, ולאשלמא ההוא דינא דעבדי. ובג״כ, כל הני דרגין כלילן בהו, בכל אינון היכלין תתאין, דלסטר נוקבא דלתתא. זכאה חולקהון דצדיקייא, דסטו ארחייהו מאורחא דא, ואזלי בתר דחלתא דקב״ה, לאתקדשא בקדושה דמאריהון, זכאין אינון בעלמא דין, ובעלמא דאתי.

תסב. דרגא חמישאה. האי דרגא אתפליג לתרין דרגין ימינא, ושמאלא. ואלין אקרון שוקין, מתדבקן לאבאשא ולמרדף. בגין דהכא תקיפו דרדיפו. דכל מרעין, וכל בישין, דרדפי בתרייהו דחייביא. וכד דינא דא אתקריב, כדין הרצים יצאו דחופים. ואינון רצים אינון לתתא, למרהט לאבאשא. וכל אינון אקרון רודפים, וע״ד כתיב קלים היו רודפנו מנשרי שמים.

תסג. האי דרגא אתפלג לתרין סטרין, לימינא ולשמאלא. תלת קשרין אינון לימינא. ותלת קשרין אינון לשמאלא, ואלין קשרין, ואינון קשרין דקאמרן, כלהו מסתכלן לאחורא. בגין דאינון קשרין עלאין קדישין, כלהו מסתכלן לגו פנימאי לגופא, כד״א וכל אחוריהם ביתה. ואלין כלהו מסתכלן לאחורא.תסד. מה בין האי להאי. אלא אלין קשרין, עלאין קדישין כלהו ברזא דאדם, ובגין דכלא איהו ברזא דאדם, כל אחוריהם ביתה כתיב. ואלין קשרין אחרנין דקאמרן, אינון קשרין דאמצעיתא, כלהו מסתכלן לאחורא, ואלין אינון ברזא דבהמה. ובג״כ כל אחוריהם לאחורא. ורזא דא כמה דאוקימנא, אדם ובהמה תושיע יי׳. דא בסטרא דאדם, ודא בסטרא דבהמה. וקרבנא הכי סלקא, אדם ובהמה.

תסה. קשרא קדמאה, ביה קיימא גוונא דחשוכא גו עורפלא, דצמוח באתלטייא תוות אבנא דקיימא עליה, דלא צמוח. והאי קיימא עלייהו דזכאי, דאית בהו זכיין, ולא אית בהו זכו דאבהתא לאתתקפא בהו, ולאגנא עלייהו.

תסו. וקשרין אחרנין, רדפי בתר חייביא דסטו ארחייהו מקדמת דנא, ורדפי אבתרייהו, וכל אינון דרשימו אתחזי בהו לאשתמודעא. בגין דכל אינון דאתחזון לאתענשא, חד מלאכא, שליחא קדישא, די מסטרא דגבורה, נחית ורשים בהו רשימא, וההוא רשימא אשתמודע לעילא, לגבי כל אינון מאריהון דדינא. וכד ההוא רשימא אשתמודע לגבייהו, מאן דאתחזי למרעין, אלקי ליה במרעין. מאן דאתחזי למכאובין, ולשאר עונשין, כלא חמאן בההוא רשימו.

תסז. ובגין דא, אינון קשרין כלהו קיימו לאחורא, ובעטי באינון דבעטי במאריהון, ובכל אינון דאתחזון לבעטא בהו. בר צדיקי וחסידי ואית לון זכו דאבהן, דמרעין

רַדְפִּין אֲבַתְרַיְיהוּ, דְּאִלֵּין לָא שַׁלְטֵי בְּהוּ, וְלָא אָתֵי לוֹן מַרְעִין מִסִּטְרָא דָא.

תסוז. וְאִי תֵּימָא, מַאן אֲתַר אָתֵי לוֹן מַרְעִין. ת"ח כְּתִיב, וַיְיָ חָפֵץ דַּכְּאוֹ הֶחֱלִי. וַיְיָ חָפֵץ, דַּכְּאוֹ, אִתְרְעֵי לְמֶחֱזֵי לֵיהּ, וּלְמֵיהַב לֵיהּ מַרְעִין, בְּגִין לְזַכָּאָה לוֹן לְעָלְמָא דְּאָתֵי, וְלָא מִסִּטְרָא אַחֲרָא, וְאִלֵּין אִקְרוּן יִסּוּרִין דְּאַהֲבָה, וְכֹלָּא בְּחַד מִתְקְלָא דְּקוּדְשָׁא סַלְּקָא.

תסט. דַּרְגָּא שְׁתִיתָאָה. הַאי אִקְרֵי עָרְלָה. וְדָא, וְכָל אִינּוּן דַּרְגִּין תַּתָּאִין, לְתַתָּא, כֻּלְּהוּ אִקְרוּן עָרְלָה, בְּגִין דְּיַנְקֵי מִסִּטְרָא דָא. וְהַאי אִיהוּ גּוֹ רָזָא דְּנָחָ"שׁ בָּרִיחַ. וְהַאי יָנִיק, לְהַהוּא נָחָ"שׁ עֲקַלָּתוֹ"ן. וְכֻלְּהוּ דַּרְגִּין אַחֲרָנִין, דְּאִתְאַחֲדָן בְּהַאי סִטְרָא, אִקְרוּן גּוּהַרְקֵי דְּעָרְלָה. וְכֹלָּא בְּרָזָא חֲדָא קָא אָזְלֵי.

תע. ות"ח, עַל דָּא, כָּל אִינּוּן אִילָנִין דְּאִתְנְטָעוּ בְּאַרְעָא, עַד לָא אִשְׁתָּרְשׁוּ, שַׁרְיָא עֲלַיְיהוּ רוּחָא מִסִּטְרָא דְּהַאי עָרְלָה, וְעַל דָּא כְּתִיב, וַעֲרַלְתֶּם עָרְלָתוֹ אֶת פִּרְיוֹ שָׁלֹשׁ שָׁנִים יִהְיֶה לָכֶם עֲרֵלִים לֹא יֵאָכֵל. בְּגִין דְּקֻבְּ"ה, חֲבִיבוּתָא דְּיִשְׂרָאֵל תָּדִיר לְגַבֵּיהּ, וְרָחִיק לוֹן, מִכָּל אוֹרְחִין בִּישִׁין, וְסִטְרִין בִּישִׁין וּמְסָאֲבִין, לְאִתְדַּבְּקָא בְּסִטְרָא דִּקְדוּשָּׁה. זַכָּאִין אִינּוּן בְּהַאי עָלְמָא וְזַכָּאִין אִינּוּן בְּעָלְמָא דְּאָתֵי.

היכלות מסטרא דקדושה

תעא. אָמַר רַבִּי שִׁמְעוֹן, הָא תָּנֵינָן בְּאִינּוּן הֵיכָלִין, דְּאִינּוּן קַיְימִין, לְסַדְּרָא סִדּוּרָא דִּשְׁבָחָא דְּקֻבְּ"ה בֵּין סִדּוּרָא דְּקַיְימָא בְּמִלָּה בֵּין סִדּוּרָא דְּקַיְימָא בִּרְעוּתָא. בְּגִין דְּאִית סִדּוּרָא דְּקַיְימָא בְּמִלָּה, וְאִית סִדּוּרָא דְּקַיְימָא בִּרְעוּתָא וְכַוָּונָה דְּלִבָּא, לְמִנְדַּע וּלְאִסְתַּכְּלָא, בְּגִין לְאִסְתַּכְּלָא לְעֵילָּא לְעֵילָּא עַד אֵין סוֹף, דְּתַמָּן תְּקִיעוּ דְּכָל רְעוּתִין וּמַחֲשָׁבִין, וְלָא קַיְימִין בְּמִלָּה כְּלַל, אֶלָּא כְּמָה דְּאִיהוּ סָתִים, הָכִי כָּל מִלּוֹי בִּסְתִימוּ.

תעב. ת"ח הַאי דְּאַמָרָן בְּאִינּוּן הֵיכָלִין כֻּלְּהוּ, כָּל אִינּוּן סִדּוּרִין אִינּוּן כְּלָלָא חֲדָא, בְּגִין לְאִתְכַּלְּלָא תַּתָּאֵי בְּעִלָּאֵי.

תעג. אֲבָל תָּא חֲזֵי, מֹשֶׁה כַּד סִדֵּר צְלוֹתֵיהּ בְּגִינַיְיהוּ דְּיִשְׂרָאֵל, אָרִיךְ בְּהַאי צְלוֹתָא, בְּגִין דְּאִיהִי צְלוֹתָא דְּקַיְימָא לְעֵילָּא. וְכַד סִדֵּר צְלוֹתֵיהּ בְּקַצִּירוּ דַּאֲחוֹתֵיהּ, לָא אָרִיךְ בָּהּ, בְּגִין דְּקַיְימָא לְתַתָּא. דִּכְתִיב, אֵל נָא רְפָא נָא לָהּ, וְלָא אָרִיךְ יַתִּיר, בְּגִין דְּאִיהוּ מָארֵי דְּבֵיתָא, וּפָקִיד בֵּיתֵיהּ כִּדְקָא חֲזֵי, וּבְגִ"כ לָא אָרִיךְ יַתִּיר בִּבְעוּתֵיהּ. וְכֻלְּהוּ סִדּוּרִין, לְאַשְׁרָאָה שְׁכִינְתָּא בְּעָלְמָא, כְּמָה דְּאוֹקִימְנָא בְּכָל אִינּוּן הֵיכָלִין דְּקָאַמְרָן.

תעד. ר"ש קָם וְאָמַר, זַכָּאָה חוּלָקָא דִּילָךְ אָדָם קַדְמָאָה, בְּרִירָא דְּכָל נִבְרָאִין, דְּקַיְימִין בְּעָלְמָא, דְּרַבֵּי לָךְ קֻבְּ"ה עַל כֹּלָּא, וְאָעִיל לָךְ בְּגִנְּתָא דְּעֵדֶן, וְאַתְקִין לָךְ ז' חוּפּוֹת בֵּיהּ, לְאִשְׁתַּעְשְׁעָא בְּעִנּוּגָא דְּנֹעַם עִלָּאָה, כד"א לַחֲזוֹת בְּנֹעַם יְיָ וּלְבַקֵּר בְּהֵיכָלוֹ. לַחֲזוֹת בְּנֹעַם יְיָ לְעֵילָּא. וּלְבַקֵּר בְּהֵיכָלוֹ לְתַתָּא. לַחֲזוֹת בְּנוֹעַם יְיָ, בְּאִינּוּן שִׁבְעָה רְקִיעִין לְעֵילָּא, וּלְבַקֵּר בְּהֵיכָלוֹ בְּאִינּוּן שִׁבְעָה רְקִיעִין דִּלְתַתָּא, וְאִלֵּין קַיְימִין אִלֵּין לְקָבֵל אִלֵּין.

תעה. וּבְכֻלְּהוּ קָמַת בְּגִנְּתָא דְּעֵדֶן. אִינּוּן שִׁבְעָה חוּפּוֹת עִלָּאִין קַדִּישִׁין, קַיְימוּ עֲלָךְ לְעֵילָּא, לְאִתְעַטְּרָא בְּהוּ. וְאִינּוּן ז' תַּתָּאִין, קָמַת בְּהוּ לְאִשְׁתַּעְשְׁעָא בְּהוּ, וּבְכֻלְּהוּ אַשְׁלִים לָךְ מָארָךְ, לְמֶהֱוֵי שְׁלִים בְּכֹלָּא.

תעו. עַד דְּאִתְדְּחוּ רַגְלָךְ, בָּתַר עֵיטָא דְּהַהוּא חִוְיָא בִּישָׁא, וְאִתְתְּרַכְתְּ מִגִּנְּתָא דְּעֵדֶן, וְגָרַמְתְּ מוֹתָא לָךְ, וּלְכָל עָלְמָא, בְּגִין דְּשַׁבְקַתְּ אִלֵּין עִדּוּנִין דִּלְעֵילָּא וְתַתָּא, וְאִתְמַשַּׁכְתְּ בָּתַר אִינּוּן כְּסוּפִין מְסָאֲבִין, דְּאִקְרוּן רֹאשׁ פְּתָנִים, דְּגוּפָא מָשִׁיךְ בְּהוּ, וְלָא רוּחָא. כד"א, וְרֹאשׁ פְּתָנִים אַכְזָר. וּכְתִיב עִנְּבֵימוֹ עִנְּבֵי רֹאשׁ. עַד דְּאָתָא אַבְרָהָם חֲסִידָא, וּשְׁאָרֵי

לאתקנא עלמא, ועאל גו מהימנותא קדישא, ואתקן לעילא ותתא, באינון רקיעין עלאין, ובאינון רקיעין תתאין.

תעז. אינון תתאין, היכלין לאינון רקיעין עלאין, לאתאחדא דא בדא, ולאתקשרא דא בדא, כמה דאוקימנא באינון היכלין דקאמרן. ואע"ג דאוקימנא התם גו כללא, הכא אית לן לפרטא מלין, ולאתקנא ליחודא כדקא יאות, בגין דלא יטעון חבריא, ויהכון בארח מישר, כמה דכתיב כי ישרים דרכי יי' וצדיקים וגו'.

תעח. היכלא קדמאה. שירותא גו מהימנותא, והאי איהו שירותא לרזא דמהימנותא, ובדרגין דחיזו דמהימנותא. נביאי קשוט, הוו חמאן מגו דא אספקלריא דאינה מאירה, ובגין דהאי איהו שירותא דמהימנותא, כתיב תחלת דבר יי' בהושע. דחמא מגו דרגא דא, דאיהו שירותא דכל דרגין לסלקא לעילא, וסופא דכל דרגין לנחתא לתתא.

תעט. ובגין דהושע חמא מגו שירותא דא, סופא דכל דרגין, אצטריך לנטלא האי אשת זנונים, בגין דישראל אתדחו ואתמשכו מתמן לתתא, לגבי ההוא אתר דאקרי אשת זנונים, בגין דשבקו, ולא אתדבקו בהאי אשת חיל. וחמא מתמן כל אינון היכלין דאינון בסטרא מסאבא.

תפ. היכלין דמסאבא, כלהו מסאבין למאן דאתדבק בהון, ועל דא כתיב, קח לך אשת זנונים וגו'. וכי נביאה דקשוט אצטריך לדא. אלא, בגין דאסיר ליה לבר נש לאעלא באינון היכלין, בגין דלא יתמשך אבתרייהו, כגוונא דעבד נח, דכתיב וישת מן היין וישכר ויתגל.

תפא. והושע דחיל לאסתכלא באינון היכלין דאסתאבו בהו ישראל ואתדבקו, דלא יתמשך אבתרייהו, כמה דכתיב בנח וישת מן היין וישכר ויתגל. עד דאמר ליה, קח לך אשת זנונים וילדי זנונים. וכתיב וילך ויקח את גמר בת דבלים. למנדע במה דאתדבקו ואסתאבו, ושבקו רזא דמהימנותא, בגין אל נכר. ועל דא, חמא מגו היכלא דא, שירותא דכל דרגין.

תפב. היכלא דא, שירותא דכלא, לסלקא בדרגין. האי היכלא, איהו מדורא דקיימא בנהירו. לאתעטרא בדרגוי, לאסתכלא באינון דרגין עלאין, דכתיב ויראו את אלהי ישראל.

תפג. בהאי היכלא, חד ממנא שמשא טהריא"ל שמיה. ואיהו קיימא על פתחא דההוא היכלא, וכל נשמתין דסלקין, קיימא האי ממנא בהאי פתחא, וכמה ממנן אחרנין עמיה, כלהו אשא דמלהטא, ושרביטין דאשא בידייהו, וכלהו מארי דעיינין. האי ממנא קיימא בסטרא דא, אי זכאת האי נשמתא למיעל, האי ממנא פתח פתחא ועאלת.

תפד. ואי לא זכאת, ההוא ממנא אחרא דקיימא בסטרא אחרא, זמין, וכמה אלף ורבבן גרדיני נימוסין עמיה. דחי לה ההוא ממנא אחרא קדישא, ונקיט לה האי אחרא, די בסטרא דמסאבא, ואעיל לה גו אינון היכלי מסאבי. וכל אינון גרדיני נימוסין אחדי לה, עד דנחתי לה לגיהנם, ואתדנת תמן תריסר ירחי. תקונא דההוא סטרא אחרא, בי דינא לאתדנא בהו חייביא.

תפה. כגוונא דא, ההוא ממנא קדישא, דקיימא על ההוא פתחא, כל אינון צלותין, דבקעי אוירין ורקיעין, למיעאל קמי מלכא, אי צלותא דסגיאין אינון פתח פתחא,

וְאָעִיל הַהוּא צְלוֹתָא עַד דְּאִתְעֲבִידוּ כָּל צְלוֹתִין דְּעָלְמָא, עֲטָרָא בְּרֵישָׁא דְּצַדִּיק חַי עָלְמִין, כְּמָה דְּאוּקְמוּהָ.

תפו. וְאִי צְלוֹתָא דְּיָחִיד, סַלְקָא עַד דְּמָטֵי לְפִתְחָא דְּהֵיכָלָא דָּא, דְּהַאי מְמָנָא קַיְּימָא בֵּיהּ. אִי יָאָה הַהִיא צְלוֹתָא, לְאַעֲלָא קַמֵּי מַלְכָּא קַדִּישָׁא, מִיַּד פָּתַח פִּתְחָא, וְאָעִיל לָהּ. וְאִי לָא יָאָה, דָּחֵי לָהּ לְבַר, וְנַחְתָּא וְאִתְשַׁטְיָא בְּעָלְמָא, וְקַיְּימָא גּוֹ רְקִיעָא תַּתָּאָה מֵאִינּוּן רְקִיעִין דִּלְתַתָּא, דִּמְדַבְּרֵי גּוֹ עָלְמָא, וּבְהַהוּא רְקִיעָא, קַיְּימָא חַד מְמָנָא דִּי שְׁמֵיהּ סַהֲדִיאֵ"ל, וּמְמָנָא עַל הַאי רְקִיעָא. וְנָטִיל כָּל הָנֵי צְלוֹתִין דְּאִתְדַּחְיָין, דְּאִקְרוּן צְלוֹתֵי פְּסִילָאן וְגָנִיז לוֹן, עַד דְּתָב הַהוּא ב"נ.

תפז. אִי תָּב לְגַבֵּי מָארֵיהּ כַּדְקָא יָאוּת, וְצַלֵּי צְלוֹתָא אַחֲרָא זַכָּאָה, הַהִיא צְלוֹתָא זַכָּאָה כַּד סַלְקָא, נָטִיל הַהוּא מְמָנָא סַהֲדִיאֵ"ל הַאי צְלוֹתָא, וְסָלִיק לָהּ לְעֵילָּא, עַד דְּאִעָרַע בְּהַהִיא צְלוֹתָא זַכָּאָה, וְסַלְקִין וְאִתְעָרְבוּן כַּחֲדָא, וְעָאלִין קַמֵּי מַלְכָּא קַדִּישָׁא.

תפח. וּלְזִמְנִין אִתְדַּחְיָא הַהִיא צְלוֹתָא, בְּגִין דְּהַהוּא ב"נ אִתְמְשַׁךְ בָּתַר סִטְרָא אַחֲרָא, וְאִיהוּ אִסְתָּאַב בְּהַהוּא סִטְרָא, וְנָטִיל לָהּ הַהוּא מְמָנָא דִּי בְּהַהוּא סִטְרָא אַחֲרָא מְסָאֳבָא. וּכְדֵין קַיְּימָא הַהוּא סִטְרָא אַחֲרָא מְסָאֳבָא. סָלִיק וְאַדְכַּר חוֹבוֹי דְּהַהוּא ב"נ קָמֵי קב"ה, וְאַסְטֵי עָלֵיהּ לְעֵילָּא. וְעַל דָּא, כָּל צְלוֹתִין, וְכָל נִשְׁמָתִין, כַּד סַלְקָן, כֻּלְּהוֹן סַלְקָן וְקַיְּימָן קָמֵי הֵיכָלָא דָּא. וְהַאי מְמָנָא קַיְּימָא עַל פִּתְחָא דְּהֵיכָלָא דָּא, לְאַעֲלָא נִשְׁמָתִין וּצְלוֹתִין, אוֹ לְדַחְיָיא לוֹן לְבַר.

תפט. לְעֵילָּא מֵהַאי פִּתְחָא, אִית פִּתְחָא אַחֲרָא, דְּקב"ה חָתִיר לָהּ וְאִתְפְּתַח תְּלַת זִמְנֵי בְּיוֹמָא, וְלָא אִנְעִיל, וְקַיְּימָא לְאִינּוּן מָארֵיהוֹן דִּתְיוּבְתָּא, דִּי אוֹשְׁדִין דִּמְעָה בִּצְלוֹתְהוֹן קָמֵי מָארֵיהוֹן. וְכָל תַּרְעִין וּפִתְחִין נִנְעֲלוּ, עַד דְּעַיְילֵי בִּרְשׁוּתָא, בַּר תַּרְעִין אִלֵּין, דְּאִקְרוּן שַׁעֲרֵי דִּמְעָה.

תצ. וְכַד הַאי צְלוֹתָא דְּדִמְעָה סַלְקָא לְעֵילָּא, לְאַעֲלָא בְּאִינּוּן תַּרְעִין, אִזְדַּמַּן הַהוּא אוֹפָן דְּקַיְּימָא עַל שִׁית מֵאָה חֵיוָן רַבְרְבָן, וְרַזְמִיאֵ"ל שְׁמֵיהּ, וְנָטִיל הַהִיא צְלוֹתָא, בְּאִינּוּן דִּמְעִין, צְלוֹתָא עָאלַת וְאִתְקַשְּׁרַת לְעֵילָּא. וְאִינּוּן דִּמְעִין אִשְׁתָּאֲרוּ הָכָא, וּרְשִׁימִין בְּהַאי פִּתְחָא.

תצא. וְאִית דִּמְעִין אַחֲרָנִין, וּרְשִׁימִין תָּדִיר עַל כָּל אִינּוּן רְתִיכִין עִלָּאִין, דְּלָא אִתְמְחוּן. אִלֵּין אִינּוּן דִּמְעִין, דְּאוֹשְׁדוּ לְעֵילָּא וְתַתָּא, כַּד אִתְחָרַב בֵּי מַקְדְּשָׁא, דִּכְתִּיב הֵן אֶרְאֶלָּם צָעֲקוּ חוּצָה מַלְאֲכֵי שָׁלוֹם מַר יִבְכָּיוּן. וְאִינּוּן דִּמְעִין דְּאוֹשְׁדִין עַל צַדִּיקַיָּיא, וְזַכָּאִין, כַּד מִסְתַּלְּקֵי מֵעָלְמָא. כֻּלְּהוּ נַטְלֵי לוֹן אִינּוּן רְתִיכִין, וְעָרְבֵי לוֹן בְּאִינּוּן דִּמְעִין, דְּאִתּוֹשְׁדוּ עַל חָרִיבוּ דְּבֵי מַקְדְּשָׁא וְעַל דָּא כְּתִיב, וּמָחָה יְיָ' אֱלֹהִים דִּמְעָה מֵעַל כָּל פָּנִים. מַאן פָּנִים. אִלֵּין רְתִיכִין עִלָּאִין קַדִּישִׁין. וּלְבָתַר וְחֶרְפַּת עַמּוֹ יָסִיר מֵעַל כָּל הָאָרֶץ כִּי יְיָ' דִּבֵּר.

תצב. בְּהַאי הֵיכָלָא, אִית רוּחַ דְּאִקְרֵי סטוטרי"ה, וְהַאי אִיהוּ חֵיזוּ סַפִּירָא, דְּנָצִיץ לְכָל עִיבָר, וְהַאי אִיהוּ דְּקַיְּימָא לִתְרֵין סִטְרִין, וּמֵאִלֵּין מִתְפָּרְשָׁאן נְצִיצִין כִּנְצִיצוּ דִּשְׁרָגָא, כְּמָה דְּאוּקִימְנָא בְּכַמָּה סִטְרִין. וְכַמָּה גַּוְונִין מְלַהֲטָן מֵהַאי בְּסִטְרָא דִּימִינָא.

תצג. כַּד הַהוּא רְקִיעָא עִלָּאָה, נָהָר דְּנָגִיד וְנָפִיק מֵעֵדֶן, אַפִּיק נִשְׁמָתִין, לְאַעֲלָא גּוֹ הֵיכָלָא שְׁבִיעָאָה לְעֵילָּא, הַהוּא הֵיכָלָא שְׁבִיעָאָה נָקִיט לוֹן. וְכַד נַפְקֵי אִינּוּן נִשְׁמָתִין קַדִּישִׁין, מִגּוֹ הַהוּא הֵיכָלָא שְׁבִיעָאָה, נָחְתִּין עַד דְּמָטוּן לְהַאי הֵיכָלָא, וְנָקִיט לוֹן הַאי רוּחָא קַדִּישָׁא סטוטרי"ה שְׁמֵיהּ, דְּאִיהוּ לִימִינָא. וְכָל אִינּוּן נִשְׁמָתִין דְּכוּרִין, דְּאִינּוּן זְמִינִין לְאִתְפָּרְחָא בְּזַכָּאִין דְּכוּרִין, לִימִינָא כֻּלְּהוּ נָקִיט לוֹן, וּמִתְעַכְּבֵי תַּמָּן, עַד דְּאִתְכְּלִילוּ

בְּנִשְׁמָתִין דְּנוּקְבֵי.

תצד. מֵהַאי רוּחָא נָפְקָא רוּחָא אַחֲרָא, לִשְׂמָאלָא. דְּאִתְחֲזֵי וְאִתְגְּנִיז וְאִתְכְּלִיל בְּהַאי רוּחָא קַדְמָאָה, וְאִינּוּן וְחַד, כְּלִילָן דָּא בְּדָא. וְהַאי רוּחָא אַחֲרָא, אִקְרֵי אַדִירִי"ה סְנוּגְיָ"א. הַאי אִיהוּ רוּחָא לִשְׂמָאלָא. וְהַאי קַיְּימָא, דְּכַד תִּיאוּבְתָּא דְּהֵיכָלָא שְׁבִיעָאָה לְאִתְדַּבְּקָא בְּהַהוּא נָהָר דְּנָגִיד וְנָפִיק, הַהוּא רְעוּתָא דְּסַלְקָא מִתַּתָּא לְעֵילָּא, עַבְדָא נִשְׁמָתִין בִּרְעוּתָא דִּילֵיהּ, וְאִינּוּן נוּקְבֵי.

תצה. וְכַד רְעוּתָא דְּהַהוּא נָהָר, נַחְתָּא וְאִתְדַּבְּקָא מֵעֵילָּא לְתַתָּא, עַבְדִין נִשְׁמָתִין דְּכוּרִין. רְעוּתָא דִּלְעֵילָּא עָבִיד דְּכוּרִין. רְעוּתָא דִּלְתַתָּא עָבִיד נוּקְבִין.

תצו. וְכַד אִלֵּין נִשְׁמָתִין נוּקְבִין נָפְקִין מִגּוֹ הַהוּא הֵיכָלָא שְׁבִיעָאָה, נַחְתִּין עַד דְּמָטוּ לְהַאי רוּחָא שְׂמָאלָא, דְּאִקְרֵי אַדִירִי"ה. וְאִקְרֵי לִבְנַ"ת הַסַּפִּי"ר. כְּמָה דְּאוֹקִימְנָא בְּסִתְרִין אַחֲרָנִין.

תצז. כֵּיוָן דְּמָטוּ לְהַאי רוּחָא אִינּוּן נִשְׁמָתִין נוּקְבִין, נַקְטָא לוֹן הַאי רוּחָא, וְקַיְּימָאן בֵּיהּ. וּלְבָתַר אִתְכְּלִילוּ רוּחָא דָּא דִּשְׂמָאלָא, בְּרוּחָא דָּא דִּימִינָא. וּכְדֵין אִתְעֲבִידוּ אִינּוּן נִשְׁמָתִין, כְּלִילָן דְּכַר וְנוּקְבָא כַּחֲדָא וּפַרְחָאן מֵהַאי הֵיכָלָא וְאִתְפָּרְשָׁן בִּבְנֵי נָשָׁא. כָּל וְחַד כְּפוּם אָרְחֵיהּ, וּלְבָתַר מִזְדַּוְּוגָן כַּחֲדָא.

תצח. כַּד אָתָא לְאִתְכַּלְלָא רוּחָא דָּא דִּשְׂמָאלָא בִּימִינָא, בָּטַשׁ דָּא בְּדָא לְאִתְכַּלְלָא. וְנַפְקֵי נְצִיצִין דְּמִתְפַּשְׁטֵי לְכָל עִיבָר, וְאִתְעֲבִידוּ אִינּוּן אוֹפַנִּים מִנַּיְיהוּ, מֵאִינּוּן נְצִיצִין דְּנַפְקֵי מִגּוֹ רוּחָא שְׂמָאלָא, דִּכְתִּיב בְּהוּ, מַרְאֵה הָאוֹפַנִּים וּמַעֲשֵׂיהֶם כְּעֵין תַּרְשִׁישׁ. וְאִלֵּין אִינּוּן אוֹפַנִּים דְּמִלַּהֲטָן אֶשָּׁא, וְקַיְּימִין בְּשִׁירָתָא.

תצט. כֵּיוָן דְּאִתְבְּסָמוּ רוּחָא בְּרוּחָא, וְאִתְכְּלִילוּ כַּחֲדָא, כְּדֵין נָפְקָא וְחַד נְהִירוּ דְּסַלְקָא וְנַחְתָּא, וּמִתְיַשְּׁבָא עַל אַרְבַּע שׁוּרִין דְּאוֹפַנִּים, וְאִיהוּ וְחַד וְזִיוָתָא דְּשַׁלְטָא עֲלַיְיהוּ, וְאִקְרֵי בָּזָק, הַאי בָּזָק נָהִיר בִּנְהוֹרָא דִּנְצִיץ גּוֹ שַׁלְהוֹבָא, וְשַׁלְטָא עַל כָּל אִינּוּן אוֹפַנִּים.

תק. וְאִתְפָּשַׁט מִנֵּיהּ וַחַד רְקִיעָא, דְּקַיְּימָא עַל תְּרֵין סַמְכִין, וְאִינּוּן תְּרֵין סַמְכִין אִינּוּן תְּרֵין כְּרוּבִין, וְחַד מִסִּטְרָא דָּא, וְחַד מִסִּטְרָא דָּא. וְהַאי רָקִיעַ עַל רֵישַׁיְיהוּ, כְּמָה דִּכְתִּיב וָאֶרְאֶה וְהִנֵּה אֶל הָרָקִיעַ אֲשֶׁר עַל רֹאשׁ הַכְּרוּבִים. וְלָאו הַאי רָקִיעַ דְּעַל רֵישׁ וְזִיוָתָא. וְהַאי בָּזָק מְמַנָּא עֲלֵיהּ, וְרוּחָא עִלָּאָה דְּאִתְכְּלִיל, עַל כֹּלָּא.

תקא. כָּל אִינּוּן צְלוֹתִין, דְּמַקְדְּמֵי עַל לָא סַיְּימֵי יִשְׂרָאֵל כֻּלְּהוּ צְלוֹתְהוֹן, מִתְעַכְּבֵי בְּהַאי רְקִיעָא, וְהַאי בָּזָק דְּשַׁלְטָא עַל הַאי רְקִיעָא, מְתַקֵּן לוֹן. עַד דְּאָתָא סַנְדַּלְפוֹ"ן רַב מְמַנָּא, רוּחַ עִלָּאָה, דְּשַׁלִּיט עַל כֹּלָּא, וְכַד סַיְּימֵי יִשְׂרָאֵל כֻּלְּהוּ צְלוֹתִין, נָטִיל לוֹן מֵהַאי רְקִיעָא, וְסַלְקָא וְקָשִׁיר לוֹן קִשְׁרִין לְמָארֵיהּ כְּמָה דְּאוֹקְמוּהָ.

תקב. הַאי בָּזָק, קָאִים לְמִמְנֵי כָּל אִינּוּן צְלוֹתִין דְּסַלְקָן, וְכָל אִינּוּן מִלֵּי דְּאוֹרַיְיתָא דְּמִתְעַטְּרָן בְּלֵילְיָא, כַּד רוּחָא דְּצָפוֹן אִתְּעַר, וְלֵילְיָא אִתְפְּלַג כָּל מַאן דְּקָאִים בְּהַהִיא שַׁעֲתָא, וְאִתְעָסַק בְּאוֹרַיְיתָא, כָּל אִינּוּן מִלִּין סַלְקִין, וְנָטִיל לוֹן הַאי בָּזָ"ק, וְאַנַּח לוֹן בְּהַאי רְקִיעָא, עַד דְּסַלְקָא יְמָמָא.

תקג. וּלְבָתַר דְּסָלִיק יְמָמָא, סַלְקָן אִינּוּן מִלִּין, וְשָׁארָן בַּאֲתַר דִּרְקִיעָא, דְּבֵיהּ תַּלְיָין כֹּכְבַיָּא וּמַזָּלֵי שִׁמְשָׁא וְסִיהֲרָא. וְהַאי אִקְרֵי סֵפֶר הַזִּכָּרוֹן, דִּכְתִּיב וַיִּכָּתֵב סֵפֶר זִכָּרוֹן לְפָנָיו. לְפָנָיו, בְּגִין דְּסֵפֶר וְזִכָּרוֹן כְּתַב בְּקִשּׁוּרָא וְחָדָא.

תקד. אינון ארבע גלגלין, אינון נטלין על תריסר סמכין. אלין ד', אהניא"ל. קדומיא"ל מלכיא"ל יאהדונה"י, יהדוני"ה. די מפתחאן דשמא קדישא בידייהו.

תקה. ואלין ארבע אינון כלילן ברזא דאתוון אדנ"י, די סנדלפו"ן מארי רתיכין. משתמש בהו. אלין ארבע אתוון פרחין באוירא, דההוא אוירא כליל באתוון דשמא קדישא, יהו"ה, יו"ד ה"א וא"ו ה"א. וההוא אוירא כליל לון, ואתכלילו אלין באלין. ואלין ד' נטלין לון, ברזא דההוא בזק.

תקו. ואלין ד' עאלין בד', אלין באלין, דכתיב מקבילות הלולאות אחת אל אחת. והא אוקימנא, ורזא איהו לאתכללא אלין באלין, ולשלבא אלין באלין, ברזא דההוא רווחא דכליל ברזא דשמא קדישא. דכליל שמא דא בשמא דא.

תקז. וכלא בהאי היכלא מתנהגי, ונטלי בההוא רווחא, ברזא דשמא קדישא דשליט על כלא. בהאי היכלא איהו יאהדונה"י, כללא דתרין שמהן, מגו דאיהו רווחא ברווחא. וכד שמא דא, דכליל ברזא דרווחא ברווחא, וכליל דא בדא. נהיר דא בדא, כדין נהיר כלא, וסלקא נהורא ונחתא, כנהורא דשמשא גו מיא ואוקימנא.

תקח. וכדין האי רווחא נטיל, כלא נטלין בגיניה, דכתיב אל אשר יהיה שמה הרוח ללכת ילכו לא יסבו בלכתן. וכד רווחא דא נהיר בשמא דא, כדין עאלין כלהו דא בדא, ואתקשרו כלהו כחדא, לסלקא לעילא, ברזא דשמא דא קדישא.

תקט. באמצעיתא דהיכלא דא, קיימא חד עמודא, נעיץ מהיכלא דא להיכלא תניינא, בהאי סליק רווחא דלתתא לגבי רווחא דלעילא, לאתאחדא רווחא ברווחא, וכן עד לעילא מכלהו, למהוי כלהו רווחא חדא, כד"א ורוח אחד לכל.

תקי. עמודא דא דקיימא באמצעיתא, אדרהני"אל שמיה, ורזין דמפתחן דשמא קדישא בידיה. כד צלותין סלקאן ומטאן להאי עמודא, כדין נטלי כלהו דאינון בהיכלא דא, לגו היכלא תניינא, לאתאחדא דא בדא, למהוי כלא ברזא חדא, לאתייחדא עילא ותתא כחדא למהוי שמא קדישא שלים כדקא יאות.

היכל עצם השמים הוד

תקיא. היכלא תניינא היכלא דא, קיימא גו רזא דמהימנותא, לאתאחדא ברזא דלעילא. האי היכלא, טמיר וגניז יתיר מן קדמאה. בהיכלא דא, אית תלת פתחין, וחד שמשא ממנא עלייהו, אורפני"אל שמיה. האי ממנא, שליט על תלת סטרי עלמא, דרום וצפון ומזרח. דרום מהאי סטרא, וצפון מהאי סטרא, ומזרח באמצעיתא.

תקיב. אלין תלת פתחין, לתלת סטרין אלין. תרין סתימין, וחד באמצעיתא פתיחא, ברזא דכתיב, וכעצם השמים לטהר. האי ממנא אתפקד וקיימא בההוא פתחא דאיהו פתיחא, ותחות ידיה תרין ממנן אחרנין, דממנן על אינון פתחין אחרנין סתימין.

תקיג. וכל אינון נשמתין, דאינון קטולי בית דין, או אינון קטולי שאר עממין, כלהו אתמנן תחות ידיהון, והאי ממנא דעלייהו, וחקיק לון לדיוקניהון בלבושוי, דאינון נור דליק, וסליק לון לעילא, ואחזי לון למאריה, וכדין נטיל לון, וחקיק לון בפורפוריה, לאינון קטולי שאר עממין.

תקיד. ואינון קטולי בית דין, נחית לון האי ממנא, ועאיל לון בתר אינון תרין פתחין סתימין, דאינון תרין ממנן אחרנין קיימין עלייהו, ותמן זמנין יקרא דכל אינון דקיימו אורייתא, ונטרו פקודוי, ואינון כסיפין בגרמייהו, ונכוין מחופה דלהון. עד דהאי ממנא

דְּקַיְּימָא עֲלַיְיהוּ, פָּתַח לוֹן תַּרְעָא דְּמִזְרָח, וְנָהִיר לוֹן, וְיָהִיב לוֹן חַיִּים דְּאִתְפָּתְחוּ בְּהַהוּא תַּרְעָא דְּמִזְרָח. וּבִידָא דְּהַהוּא מְמָנָא חַד כַּסָּא דְּחַיִּין, דְּאִיהוּ מַלְיָא נְהוֹרִין, וְהַאי אִקְרֵי כּוֹס תַּנְחוּמִין, כַּסָּא דְּחַיֵּי. דְּהָא בְּגִין כַּסָּא אַחֲרָא דְּשָׁתוּ בְּקַדְמֵיתָא, זָכוּ לְהַאי.

תקטו. כְּגַוְונָא דָּא אִית בְּסִטְרָא אַחֲרָא, בְּהֵיכָלָא דְּמִסְאֲבָא, מְמָנָא אַחֲרָא, וּבִידֵיהּ כּוֹס דְּאִקְרֵי כּוֹס תַּרְעֵלָה, כּוֹס חֲמָתוֹ. כְּמָה דְּתָנֵינָן, אִית יַיִן וְאִית יַיִן, הָכִי נָמֵי אִית כּוֹס וְאִית כּוֹס, וְכֹלָּא, דָּא לְטָב, וְדָא לְבִישׁ. יַיִן לְטָב, דִּכְתִּיב וְיַיִן יְשַׂמַּח לְבַב אֱנוֹשׁ. וְיַיִן לְבִישׁ, דִּכְתִּיב וְיַיִן חָמַר מָלֵא מֶסֶךְ וְגוֹ'. כּוֹס לְטָב, דִּכְתִּיב, כּוֹס יְשׁוּעוֹת אֶשָּׂא. כּוֹס לְבִישׁ, דִּכְתִּיב כּוֹס חֲמָתוֹ כּוֹס הַתַּרְעֵלָה.

תקטז. כְּמָה דְּאִית בְּסִטְרָא דִּקְדוּשָּׁה, הֵיכָלִין וּמְמָנָן כֹּלָּא לְטָב, וְרוּחִין קַדִּישִׁין וְכָל סִטְרִין קַדִּישִׁין. הָכִי נָמֵי אִית בְּסִטְר מִסַּאֲבָא, הֵיכָלִין וּמְמָנָן כֻּלְּהוּ לְבִישׁ, וְרוּחִין מִסָאֲבִין, מְמָנָן, וְכָל סִטְרִין מִסָאֲבִין. וְדָא לָקֳבֵל דָּא, כְּגוֹן יֵצֶר הַטּוֹב וְיֵצֶר הָרָע, וְכֹלָּא בְּרָזָא חֲדָא.

תקיז. הֵיכָלָא דָּא אִקְרֵי הֵיכָל זוֹהַר, בְּגִין דְּאִית בֵּיהּ רוּחָא, דְּאִקְרֵי אוּרְפָּנִיאֵ"ל. וְאִיהוּ זוֹהַר דְּלָא אִשְׁתַּנֵּי, וְקַיְּימָא בִּנְהִירוּ סְתִימָא, דְּנָהִיר מֵעֵילָּא, וּבִנְהִירוּ דְּנָהִיר לְתַתָּא. וְכַד בָּטַשׁ נְהִירוּ דִּלְתַתָּא בִּנְהִירוּ עִלָּאָה, נָהִיר הַאי רוּחָא, כְּגַוְונָא דְּחֵיזוּ דְּעֵינָא, דְּכַד מִתְגַּלְגְּלָא, כְּדֵין אַפִּיק נְהוֹרָא דְּנָצִיץ וְזָהֲרָא, הָכִי נָמֵי הַאי רוּחָא. וְעַל דָּא, הֵיכָלָא דָּא אִקְרֵי זוֹהַר.

תקיח. הַאי רוּחָא דְּאִקְרֵי אוּרְפָּנִי"אֵל, הַאי אִיהוּ דְּנָהִיר לְהֵיכָלָא דָּא, וְנָהִיר לְהֵיכָלָא קַדְמָאָה, בְּגִין דְּהַהוּא רוּחָא דְּהֵיכָלָא קַדְמָאָה, נָהִיר בְּאִתְגַּלְיָא, מֵהַאי רוּחָא דְּאִיהוּ סְתִימָאָה. דָּא רוּחָא נָטִיל לְעֵילָּא וְנָטִיל לְתַתָּא, בְּרָזָא דִּכְתִּיב חַמּוּקֵי יְרֵכַיִךְ כְּמוֹ חֲלָאִים. וּמַה דְּאָמַר חַמּוּקֵי יְרֵכַיִךְ. בְּגִין דְּאִית רוּחָא אַחֲרָא דְּנָפִיק מִנֵּיהּ לְסִטְר שְׂמָאלָא, וְאִתְקַשַּׁר בַּהֲדֵיהּ. וְעַל דָּא כְּתִיב חַמּוּקֵי תְּרֵין. וְהַאי רוּחָא שְׂמָאלָא אִקְרֵי הֲדַרְנִיאֵ"ל, וְאִתְכְּלִילוּ דָּא בְּדָא, כְּלִילָן כַּחֲדָא, וְאִינּוּן עֶצֶם הַשָּׁמַיִם, דִּכְלִילָא בְּאֵשׁ וּבְמַיִם.

תקיט. כְּתִיב כְּמַרְאֵה הַקֶּשֶׁת אֲשֶׁר יִהְיֶה בֶעָנָן בְּיוֹם הַגֶּשֶׁם וְגוֹ'. הַאי רוּחָא קַדְמָאָה אוּרְפָּנִיאֵ"ל, דְּאִיהוּ סָתִים בֵּין עֵילָּא וְתַתָּא, וְנָהִיר, אִיהוּ כְּעֵין חַשְׁמַל, הַאי אִיהוּ כְּעֵין חַשְׁמַל, וּלְזִמְנִין אִיהוּ חַשְׁמַל. בְּגִין דְּמִנֵּיהּ קַיְּימִין כָּל אִינּוּן שְׂרָפִים חֵיוָון אֶשָּׁא מְמַלְּלָן, חֵיוָון דְּקַיְּימֵי וְלָא קַיְּימֵי, וְעַל דָּא אִיהוּ חַשְׁמַל.

תקכ. אוּרְפָּנִיאֵ"ל דְּקָאמְרָן, בְּדָא אִשְׁתְּמוֹדְעָן חַיִּין לְעָלְמָא. כַּד אִתְדָּן עָלְמָא לְטָב, כְּדֵין נָהִיר רוּחָא דָּא, וְכָל חַיִּין וְכָל חֶדְוָה אִשְׁתְּכַח, דְּהָא כֵּיוָן דִּזְכוּתָא נָפְקָא, וּנְהִירוּ, דִּינִין כְּדֵין רוּחָא דָּא אַנְהִיר. וְסִימָנָךְ בְּאוֹר פְּנֵי מֶלֶךְ חַיִּים.

תקכא. וְכַד אִתְדָּן עָלְמָא בְּדִינָא, כְּדֵין הַהוּא סִטְרָא אַחֲרָא מִסַּאֲבָא, שַׁלְטָא וְאִתְתַּקַּף, וְהַאי רוּחָא אִגְנִיז וְאִתְחֲשַׁךְ, וּכְדֵין כָּל עָלְמָא קַיְּימָא בְּדִינָא וְאִתְדָּן. וְכֹלָּא קַיְּימָא בְּהַאי רוּחָא. וְסִימָנֵיךְ וְאַרְכֻבָּתֵיהּ דָּא לְדָא נָקְשָׁן.

תקכב. הָכָא קַיְּימָן, כָּל אִינּוּן מַלְבּוּשִׁין דְּנִשְׁמָתְהוֹן דְּצַדִּיקַיָּיא, דְּסַלְּקִין לְאִתְחֲזָאָה קַמֵּי מָארֵיהוֹן, וּלְקַיְּימָא קַמֵּיהּ. וְכַד נִשְׁמְתָא סַלְקָא וּמָטֵי לְהַאי הֵיכָלָא, כְּדֵין אִזְדַּמַּן חַד מְמָנָא, דְּאִתְפַּקַּד עַל אִינּוּן לְבוּשִׁין, וְצַדְקִיאֵ"ל שְׁמֵיהּ. דְּהָא בְּזִמְנָא דְּבַ"נ עָבֵיד פִּקּוּדִין דְּאוֹרַיְיתָא בְּהַאי עָלְמָא, כְּגַוְונָא דְּאִיהוּ אִשְׁתָּדַּל גַּרְמֵיהּ, הָכִי אִתְעֲבֵיד לֵיהּ בְּהַאי הֵיכָלָא לְעֵילָּא, מַלְבּוּשָׁא לְאִתְלַבְּשָׁא בֵּיהּ, בְּהַהוּא עָלְמָא.

תקכג. וְכַד נִשְׁמְתָא סַלְקָא, הַהוּא מְמָנָא נָטִיל הַהוּא לְבוּשָׁא דִּילָהּ, וְאָזִיל עִמָּהּ עַד דִּי מָטָא לִנְהַר דִּינוּר, דִּי נִשְׁמְתָא אִצְטְרִיכָא לְאִתְסַחֲיָיא וּלְאִתְלַבְּנָא תַּמָּן, וּלְזִמְנִין דְּטַבְעָא הַהִיא נִשְׁמְתָא תַּמָּן וְאִתּוֹקְדָא, וְלָא סַלְקָא כֹּלָּא יוֹמָא, עַד בְּצַפְרָא, כַּד אִתְּעַר רוּחָא דְּסִטְרָא דְּדָרוֹם, כְּדֵין קַיְימֵי כֻּלְּהוּ וּמִתְחַדְשָׁן, וְאַמְרֵי שִׁירָתָא, וּמְזַמְּרָן כְּגַוְונָא דְּאִינּוּן מַלְאֲכִין דְּאִתְעֲבַר שׁוּלְטָנֵהוֹן וְאִתּוֹקְדָן, וְקַיְימָן וּמִתְחַדְשָׁן כְּמִלְּקַדְמִין, וְאַמְרֵי שִׁירָתָא, הָכִי נָמֵי אִלֵּין נִשְׁמָתִין.

תקכד. וְאִי זַכָּאת הַאי נִשְׁמְתָא וְסַלְקַת. הַאי מְמָנָא צְדְקִיאֵ"ל, נָטִיל לָהּ לְהַאי נִשְׁמְתָא, וְאַלְבִּישׁ לָהּ בְּהַהוּא לְבוּשָׁא, וְאִתְתַּקְנַת בֵּיהּ, וְסַלְקָא לְקָרְבְּנָא עַל יְדָא דְּמִיכָאֵל כַּהֲנָא, לְקַיְימָא תָּדִיר כָּל יוֹמִין קָמֵי עַתִּיק יוֹמִין, זַכָּאָה חוּלָקָא דְּהַאי נִשְׁמְתָא, דְּקַיְימָא וְזָכָאת לְהַאי.

תקכה. וּבְכֹלָּא, אִתְמְנָא הַאי רוּחָא אוּרְפָנִיאֵ"ל דְּקָאֲמָרָן, וְאִיהוּ שַׁלִּיט עַל הַאי הֵיכָלָא. מִכְּלָלָא דָא, כַּד אִתְכְּלִיל רוּחָא בְּרוּחָא, וּבָטַשׁ דָּא בְּדָא לְאִתְכַּלְלָא כַּחֲדָא, אִתְבְּרִיאוּ אִינּוּן שַׁלִּיטִין אַחֲרָנִין דְּאִתְמְנָן עַל עָלְמָא, וְאִלֵּין אִינּוּן שְׂרָפִים דְּשִׁית גַּדְפִּין. דְּמְקַדְּשֵׁי לְמָרֵיהוֹן תְּלַת זִמְנִין בְּיוֹמָא. וְאִלֵּין אִינּוּן דְּמְדַקְדְּקֵי עִם צַדִּיקַיָּיא, אֲפִילּוּ כְּחוּט נִימָא דְּשַׂעֲרָא. וְאִלֵּין אִינּוּן דְּקַיְימֵי לְאַעֲנָשָׁא, בְּהַאי עָלְמָא וּבְעָלְמָא דְּאָתֵי. וּלְאִינּוּן דִּמְזַלְזְלֵי לְב"נ דְּאוֹלִיפוּ מִנֵּיהּ אֲפִילּוּ מִלָּה חֲדָא בְּאוֹרַיְיתָא, וְלָא מְנַהֲגֵי בֵּיהּ יְקָר. וּלְכָל אִינּוּן דְּמִשְׁתַּמְשֵׁי, בְּמַאן דְּקָארֵי שִׁית סִדְרֵי מִשְׁנָה, לְיִחֲדָא יִחוּדָא דְּמָארֵיהוֹן.

תקכו. כַּד מִתְיַשְּׁבָן רוּחָא בְּרוּחָא, וְאִתְנַהֲרָן כַּחֲדָא. מֵהַהוּא נְהִירוּ נָפְקָא חֵיוָתָא חֲדָא, דְּשַׁלְטָא עַל אִינּוּן שְׂרָפִים, וְאַרְבַּע תְּחוֹתָהּ, דְּאַנְפַּיְיהוּ אַנְפִּין דְּנֶשֶׁר, הַאי חֵיוָתָא יוֹפִיאֵ"ל שְׁמֵיהּ, וְאִיהִי קַיְימָא בְּכָל רָזֵי דְּחָכְמְתָא, לְכָל אִינּוּן מַפְתְּחָאן דְּחָכְמְתָא קַיְימִין בֵּיהּ.

תקכז. הַאי חֵיוָתָא, קַיְימָא לְמִתְבַּע אַגְרָא מֵעִם קֻבָּ"ה, לְמֵיהַב לְכָל אִינּוּן דְּרַדְפֵי בָּתַר כָּל מָארֵיהוֹן דְּחָכְמָה, וַאֲפִילּוּ מִכָּל ב"נ, וְאוֹלְפֵי חָכְמָה לְמִנְדַּע לְמָארֵיהוֹן, וְהַהוּא אַגְרָא דְּיָהִיב לִבְנֵי נָשָׁא דְּרַדְפֵי בָּתַר חָכְמָה לְמִנְדַּע לְמָארֵיהוֹן.

תקכח. דְּכַד נָפַק ב"נ מֵהַאי עָלְמָא, הַאי חֵיוָתָא נָפְקָא עַל ד' שְׂרָפִים מְעַפְפִין, וְטָאסַת קַמֵּיהּ, וְלָא שָׁבִיק כָּל אִינּוּן גַּרְדִּינֵי נִימוּסִין דִּי בְּסִטְרָא אַחֲרָא, לְמִקְרַב בַּהֲדֵיהּ, וְכַמָּה אִינּוּן שְׁלִיחָן דִּשְׁלָם, סַחֲרָנֵיהּ. וְאִלֵּין שְׂרָפִים כַּד נַטְלִין וְאִתְחַזְיָין, אִתְכַּפְיָין אִינּוּן שְׂרָפִים נְחָשִׁים, דְּנַפְקָן מֵהַהוּא נָחָשׁ דְּגָרִים מוֹתָא לְכָל עָלְמָא.

תקכט. הַאי חֵיוָתָא קַדִּישָׁא קַיְימָא כַּד נִשְׁמְתָא סַלְקָא וּמָטָאת לְגַבֵּיהּ, כְּדֵין שָׁאַל לָהּ בְּרָזָא דְּחָכְמְתָא דְּמָארֵיהּ, וּכְפוּם הַהִיא חָכְמְתָא דְּרָדִיף אֲבַתְרָהּ וְאַדְבַּק, הָכִי יַהֲבֵי לֵיהּ אַגְרֵיהּ. וְאִי יָכִיל לְאַדְבְּקָא וְלָא אַדְבַּק, דָּחֵי לֵיהּ לְבַר, וְלָא עָיְילָהּ, וְקַיְימָא תְּחוֹת הַהוּא הֵיכָלָא בְּכִסִּיפוּ, וְכַד נַטְלֵי גַּדְפַּיְיהוּ, אִלֵּין שְׂרָפִים דִּתְחוֹתָהּ, כְּדֵין כֻּלְּהוּ בַּטְשֵׁי בְּגַדְפַּיְיהוּ, וְאוֹקְדוּן לָהּ וְאִתּוֹקְדַת וְלָא אִתּוֹקְדַת, וְקַיְימָא וְלָא קַיְימָא, וְהָכִי אִתְדָּנַת בְּכָל יוֹמָא, נְהִירַת וְלָא נְהִירַת.

תקל. וְאַף ע"ג דְּעוֹבָדִין טָבִין אִית לָהּ, בְּגִין דְּלֵית אַגְרָא בְּהַהוּא עָלְמָא, כְּאִינּוּן דְּמִשְׁתַּדְּלֵי בְּחָכְמְתָא, לְאִסְתַּכְּלָא בִּיקָרָא דְּמָארֵיהוֹן, וְלֵית שִׁיעוּרָא לְאַגְרָא, דְּאִינּוּן דְּיָדְעֵי חָכְמְתָא, לְאִסְתַּכְּלָא בִּיקָרָא דְּמָארֵיהוֹן. זַכָּאָה חוּלָקֵיהוֹן בְּעָלְמָא דֵּין, וּבְעָלְמָא דְּאָתֵי, דִּכְתִּיב אַשְׁרֵי אָדָם מָצָא חָכְמָה וְאָדָם יָפִיק תְּבוּנָה.

תקלא. רוּחָא דָא, שַׁלְטָא עַל כֹּלָּא. כֹּלָּא כְּלִילָן בָּהּ, כֹּלָּא אִסְתַּכְיָין לְגַבָּהּ. הַאי

וְזִיוָתָא, שַׁלְטָא עַל אַרְבַּע אַוֲּרְנִין, וְאַרְבַּע גַּלְגַּלִּין לְכָל וַחַד וְוַחַד. גַּלְגַּלָּא וְוַדָא אִסְתָּכֵי לִסְטַר מִזְרָח. וְגַלְגַּלָּא וְוַדָא אִסְתָּכֵי לִסְטַר צָפוֹן. וְגַלְגַּלָּא וְוַדָא אִסְתָּכֵי לִסְטַר דָּרוֹם. וְגַלְגַּלָּא וְוַדָא אִסְתָּכֵי לִסְטַר מַעֲרָב. וְכָל וַחַד וְוַחַד בִּתְלַת סַמְכִין. גַּלְגַּלָּא דִּלִסְטַר מִזְרָח. וַחֲנִיאֵ"ל שְׁמֵיהּ. גַּלְגַּלָּא דִּלִסְטַר צָפוֹן, קַרְשִׁיאֵ"ל שְׁמֵיהּ. גַּלְגַּלָּא דִּלִסְטַר דָּרוֹם, עַזְרִיאֵ"ל שְׁמֵיהּ. גַּלְגַּלָּא דִּלִסְטַר מַעֲרָב, עֲנִיאֵ"ל שְׁמֵיהּ. וְאִינּוּן תְּלַת סַמְכִין דְּאִינּוּן לְכָל וַחַד וְוַחַד, כֻּלְּהוּ אִסְתַּכְּיָין לְאֶמְצָעִיתָא. בְּגִין דְּאֶמְצָעִיתָא אִיהוּ נָטִיל לוֹן, וְכֻלְּהוּ נַטְלוּ בְּגִינֵיהּ דְּאֶמְצָעִיתָא.

תקלב. אִלֵּין דְּקַיְימֵי בְּאֶמְצָעִיתָא, כֻּלְּהוּ מְמַנָּן בְּשִׁירָתָא. וְאִלֵּין דִּימִינָא אָמְרֵי שִׁירָתָא, דְּסַלְקָא רְעוּתָא לְעֵילָּא, וְאָמְרֵי קָדוֹשׁ. וְאִלֵּין דִּשְׂמָאלָא אָמְרֵי שִׁירָתָא, וְסַלְקֵי רְעוּתָא לְעֵילָּא, וְאַמְרֵי בָּרוּךְ. קָדוֹשׁ לְעֵילָּא, וּבָרוּךְ לְתַתָּא. אִלֵּין דְּקַיְימֵי לְעֵילָּא לִסְטַר יְמִינָא, נַטְלֵי קְדוּשָּׁה, וּמִתְחַבְּרָאן בִּקְדוּשָּׁה, בְּכָל אִינּוּן דְּיָדְעֵי לְקַדְּשָׁא לְמָארֵיהוֹן, בְּיִחוּדָא בְּרָזָא דְּחָכְמְתָא. וְאִלֵּין דְּקַיְימֵי בִּשְׂמָאלָא, נַטְלֵי קְדוּשָּׁה, וּמִתְחַבְּרָאן בְּכָל אִינּוּן דְּלָא יַדְעֵי לְקַדְּשָׁא לְמָארֵיהוֹן כַּדְקָא יָאוּת. וְכֻלְּהוּ כְּלִילָן אִלֵּין בְּאִלֵּין בְּיִחוּדָא וְוַדָא, וּמִתְקַשְּׁרָאן דָּא בְּדָא, עַד דְּכֻלְּהוּ אִתְעֲבִידוּ קִשּׁוּרָא וְוַדָא, וְרָזָא וְוַדָא, וּמִתְקַשְּׁרָן בְּאִינּוּן דִּלְעֵילָּא, לְמֶהֱוֵי כֹּלָּא וַחַד, לְאִתְכַּלְּלָא דָּא בְּדָא.

תקלג. מֵאֲתַר דָּא, יַנְקֵי כָּל אִינּוּן מָארֵיהוֹן דְּחָכְמְתָא, דְּקַיְּימָן לְמִנְדַּע בְּמַרְאֶה, אוֹ בְּרָזָא דְּחֶלְמָא, בְּגִין דִּנְבִיאִים יַנְקֵי מִלְּעֵילָּא. וְאִלֵּין מָארֵי דְּחֶלְמָא, אוֹ דְּמַרְאֶה, יַנְקֵי מֵהָכָא. וְכַד מִתְחַבְּרָא אַתְרָא דָּא בְּאַתְרָא דִּלְעֵילָּא בְּקִשּׁוּרָא וְוַדָא, כְּדֵין נְבִיאִים, יַנְקֵי מֵעֵילָּא וּמִתַּתָּא, בְּקִשּׁוּרָא וְוַדָא.

תקלד. וּבְגִ"כ, אִית מָשָׁל בְּמִלַּיְיהוּ, דְּלָא צַחְצָחָא נְבוּאַתְהוֹן כַּדְקָא יָאוּת, כְּמָה דַּהֲוָה בֵּיהּ בְּמֹשֶׁה, דַּהֲוָה צַחְצָחָא בִּנְבוּאָתֵיהּ בְּכֹלָּא. בְּגִין דִּנְהִירוּ נָפִיק מֵעֵילָּא, מֵאֲתַר דְּכָל נְהוֹרִין נָפְקִין מִנֵּיהּ, וּמָטָא לְדַרְגֵּיהּ, וּמִתַּמָּן יָנִיק נְבוּאָתֵיהּ, וְנָהִיר, מַה דְּלָא הֲוָה כְּדֵין לְכֹלָּא, לְכָל שְׁאַר נְבִיאִין. אִינּוּן מָארֵיהוֹן דְּחֶלְמָא, מָארֵיהוֹן דְּמַרְאֶה, כֻּלְּהוּ יַנְקֵי מֵאֲתַר דָּא לְתַתָּא, בְּלָא חִבּוּרָא דִּלְעֵילָּא, עַל יְדָא דְּדַרְגָּא אָחֳרָא תַּתָּאָה מִינֵּיהּ דְּאִיהוּ לְבַר.

תקלה. כְּמָה דְּדַרְגָּא דִּנְבִיאִים דִּלְעֵילָּא, לָא הֲווּ וְזִמְנִין לֵיהּ נְבִיאִים, בַּר עַל יְדָא דְּדַרְגָּא אָחֳרָא תַּתָּאָה. הָכִי נָמֵי אִלֵּין, דַּרְגָּא דְּיָנְקוּ דִּילְהוֹן אִיהוּ לְעֵילָּא, בְּהַאי דַּרְגָּא תַּתָּאָה, אֲבָל לָא אִתְגַּלְיָא לוֹן, אֶלָּא עַל יְדָא דְּדַרְגָּא אָחֳרָא לְבַר, דְּאִיהוּ תַּתָּאָה מִנֵּיהּ, בְּגִין דְּנַפְקָא מֵהַאי הֵיכָלָא, וּמָטָא מִלָּה עַד הַהוּא מְמַנָּא דְּקַיְּימָא עַל תַּרְעָא דְּהֵיכָלָא דָּא, וּמִתַּמָּן לְהַהוּא מְמַנָּא דִּתְחוֹת יְדֵיהּ, וְכֵן עַד כֻּלְּהוּ דְּכַמָּה אִינּוּן דְּנַטְלֵי הַהִיא מִלָּה, וְאִתְעָרְבוּ בַּהֲדָהּ. וְעַל דָּא כַּד מָטָא לְגַבֵּיהּ דְּבַר נָשׁ, כַּמָּה אִינּוּן דְּאִתְעָרְבֵי בַּהֲדָהּ, וע"ד לָא צַחְצָחָא מִלָּה כַּדְקָא יָאוּת.

תקלו. כַּד מִתְחַבְּרָן אִלֵּין אַרְבַּע גַּלְגַּלִּין, בְּאַרְבַּע אִינּוּן דִּי בְּאֶמְצָעִיתָא, כְּדֵין כֻּלְּהוּ אִקְרוּן חֲמוּדוֹת. וְאִינּוּן מָארֵיהוֹן, דְּמַרְאֶה. וּבְגִ"כ, הַאי וְזִיוָתָא דְּקָאמְרָן, שַׁלְטָא עֲלַיְיהוּ. וּבְגִ"כ, אִקְרֵי דָּנִיאֵל, אִישׁ חֲמוּדוֹת. דִּכְתִּיב, כִּי חֲמוּדוֹת אָתָּה. וְכֹלָּא רָזָא כַּדְקָא יָאוּת. זַכָּאִין אִינּוּן דְּיָדְעִין רָזֵי דְּמָארֵיהוֹן, לְמֵיהַךְ בְּאֹרַח קְשׁוֹט, בְּעָלְמָא דֵּין וּבְעָלְמָא דְּאָתֵי.

הֵיכַל נוֹגַהּ נֵצַח

תקלז. הֵיכָלָא תְּלִיתָאָה. הֵיכָלָא דָּא, הֵיכָלָא דְּקַיְּימָא בִּנְהִירוּ עִלָּאָה, יַתִּיר עַל כָּל אִלֵּין קַדְמָאֵי. בְּהֵיכָלָא דָּא קַיְּימִין אַרְבַּע פִּתְחִין, וַחַד לִסְטַר דָּרוֹם, וַחַד לִסְטַר מִזְרָח,

וְחַד לִסְטַר צָפוֹן, וְחַד לִסְטַר מַעֲרָב. בְּכָל פִּתְחָא וּפִתְחָא אִית מְמָנָא חֲדָא, דְּקַיְּימָא מְמָנָא עַל כָּל פִּתְחָא וּפִתְחָא.

תקלז. פִּתְחָא קַדְמָאָה, דָּא פִּתְחָא דְּקַיְּימָא בֵּיהּ חַד מְמָנָא, מַלְכִּיאֵ"ל שְׁמֵיהּ. וְאִיהוּ שַׁלִּיטָא עַל כָּל אִינּוּן פִּתְקִין, דְּנַפְקֵי מִבֵּי דִּינָא דְּמַלְכָּא, לְאִתְדָּנָא עָלְמָא. בְּגִין דְּהַאי אִיהוּ מְמָנָא לְאַשְׁגָּחָא בְּהוּ בְּאִינּוּן פִּתְקִין, וּתְרֵין סוֹפְרִין תְּחוֹת יְדֵיהּ, חַד מִימִינָא וְחַד מִשְּׂמָאלָא.

תקלט. לְהַאי, אִתְיְיהִיבוּ תִּקּוּנֵי פִּתְקִין לְאַתְקְנָא, עַד לָא יִפְקוּן מֵהַאי תַּרְעָא לְבַר, וְיִתְמְסְרוּ בִּידָא דְּהַהוּא מְמָנָא, דִּי בְּהֵיכָלָא קַדְמָאָה. דְּהָא מִזְּמְנָא דְּאִתְמְסָרוּ בִּידָא דְּהַהוּא מְמָנָא דִּבְהֵיכָלָא קַדְמָאָה, הָא נַפְקֵי מִתַּמָּן, וְלֵית רְשׁוּ לְאָתָבָא לוֹן.

תקמ. דְּהָא מִיַּד אִזְדַּמַּן מְמָנָא דְּסִטְרָא אַחֲרָא מְסַאֲבָא, מָארֵיהּ דְּדִינָא קַשְׁיָא תַּקִּיפָא, דְּלָא מְרַחֵם, וְסַנְגַּדִיאֵ"ל שְׁמֵיהּ, וְאִיהוּ מְמָנָא עַל תַּרְעָא דְּהֵיכָלָא אַחֲרָא דִּי בְּסִטְרָא אַחֲרָא, דְּאִיהוּ גֵּיהִנָּם, וְכַמָּה אִינּוּן גַּרְדִּינֵי נִימוּסִין מְזַמְּנָן לְשַׁטְיָא בְּעָלְמָא, וּזְמִינִין לְמֶעְבַּד דִּינָא.

תקמא. וּבְגִין כַּךְ, קַיְּימָא הַהוּא מְמָנָא לְעַיְּינָא בְּפִתְקִין, וְאִינּוּן תְּרֵין סוֹפְרִין דְּקַיְּימֵי תְּחוֹת מְמָנָא דָא, שַׁמְשִׁיאֵ"ל וְקָמוּאֵ"ל, אִלֵּין סוֹפְרִין לְאַתְקְנָא פִּתְקִין, וְהַהוּא מְמָנָא עָלַיְיהוּ דְּאִיהוּ מַלְכִּיאֵ"ל. בְּגִין דִּבְאִינּוּן הֵיכָלִין דִּי בִּסְטַר אַחֲרָא מְסַאֲבָא, אִתְפְּקִידוּ מְמָנָן יְדִיעָאן, בְּהִפּוּכָא מֵאִלֵּין מְמָנָן דִּי בְּהֵיכָלִין אִלֵּין, וְכָל אִינּוּן רוּחִין וְכָל אִינּוּן מְמָנָן, דְּתַמָּן, כֻּלְּהוּ לְאַבְאָשָׁא.

תקמב. ת"ח, הַאי סַנְגַּדִיאֵ"ל כַּד נָטִיל פִּתְקָא, מִסִּטְרָא דְּהַהוּא מְמָנָא דְּקַיְּימָא לְפִתְחָא קַדְמָאָה, פָּתַח חַד פִּתְחָא, לְסִטְרָא דַּחֲשׁוֹכָא, דְּאִקְרֵי בְּאֵר שַׁחַת, וְתַמָּן מְמָנָן אֶלֶף וְרִבְבָן זְמִינִין לְנַטְלָא אִינּוּן פִּתְקִין, וְהַאי מְמָנָא עָלַיְיהוּ. וּכְדֵין כָּרוֹזִין נָפְקִין, וְכַמָּה גַּרְדִּינֵי שַׁטְיָין בְּעָלְמָא, וְהַהוּא דִּינָא אִשְׁתְּלִים, וע"ד, מְמָנָא דָא קַיְּימָא לְעַיְּינָא בְּפִתְקִין, וּלְאַתְקְנָא נִימוּסֵי פִּתְקִין, עַד לָא נַפְקוּ מֵהַאי פִּתְחָא, וְהַאי פִּתְחָא אִיהוּ פִּתְחָא דְּדָרוֹם.

תקמג. פִּתְחָא תִּנְיָינָא, דָּא פִּתְחָא דְּחַיִּין וּמוֹתִין תַּלְיָין בֵּיהּ, בְּגִין דְּהַאי פִּתְחָא, חַתְמִין וְחָתִימִין דְּכָל פִּתְקִין, דְּכֵיוָן דְּפִתְקִין אִתְקְנוּ כַּדְקָא יָאוֹת, חַד שַׁמָּשָׁא זָמִין, גַּזְרִיאֵ"ל שְׁמֵיהּ, וְנָטִיל פִּתְקִין בְּהַאי פִּתְחָא תִּנְיָינָא, וְתַמָּן חַתְמִין לְהוּ.

תקמד. מְמָנָא חֲדָא קַיְּימָא עַל הַהוּא פִּתְחָא, וְעַזְרִיאֵ"ל שְׁמֵיהּ, וְכָל פִּתְחָא וּפִתְחָא אִתְקְרֵי עַל שְׁמָא דְּהַהוּא מְמָנָא דְּאִתְפַּקְדָא עָלֵיהּ. הַאי מְמָנָא תְּחוֹת שׁוּלְטָנֵיהּ, וּתְחוֹת יְדֵיהּ, תְּרֵין שַׁמָּשִׁין דִּי שְׁמָהוֹן סָנוּרְיָ"א, עָדִיאֵ"ל. חַד מִימִינָא וְחַד מִשְּׂמָאלָא. הַהוּא מִימִינָא, בֵּיהּ תַּלְיָין חַיִּין. וְהַהוּא דִּשְׂמָאלָא, בֵּיהּ תַּלְיָא מוֹתָא. וּתְרֵין חוֹתָמִין בִּידַיְיהוּ, חוֹתָם חַיִּים וְחוֹתָם מָוֶת. דָּא קָאִים לְסִטְרָא דָא, וְדָא קָאִים לְסִטְרָא דָא.

תקמה. הַאי פִּתְחָא סָתִים כָּל יוֹמֵי שַׁתָּא, וּבְיוֹמָא דְּשַׁבְּתָא, וּבְיוֹמֵי דְּחָדְשָׁא אִתְפַּתַּח, לְאַחֲזָאָה חַיִּים בְּהַהוּא חוֹתָמָא, דְּתַלְיָין בֵּיהּ חַיִּים, בְּגִין דְּשַׁבָּת וְחֹדֶשׁ חוֹתָמָא דְּחַיִּים אִתְקַיָּים בְּהוּ.

תקמו. בְּיוֹמָא דְּכִפּוּרֵי, דְּיִשְׂרָאֵל כֻּלְּהוּ קַיְימֵי בִּצְלוֹתִין וּבָעוּתִין, וּמִשְׁתַּדְּלֵי בְּפוּלְחָנָא דְּמָארֵיהוֹן, סָתִים הַהוּא פִּתְחָא, עַד שַׁעֲתָא דִּצְלוֹתָא, דְּמִנְחָה. כֵּיוָן דְּאַעְבַּר הַאי צְלוֹתָא דְּמִנְחָה, מֵאֲתַר בֵּי דִּינָא דְּהֵיכָלָא דִּזְכוּתָא, חַד אֲוִירָא נָפְקָא, וּפִתְחָא דָא אִתְפַּתַּח, וְהַאי מְמָנָא דְּהֵיכָלָא דָא קַיְּימָא, וְאִינּוּן תְּרֵין שַׁמָּשִׁין חַד מִימִינָא וְחַד מִשְּׂמָאלָא,

וזותמי דחיים ומותא בידייהו, וכל פתקין דעלמא קמייהו, וכדין אחתימו הן לחיים הן למות. ודא הוא פתחא דמזרח.

תקמז. פתחא תליתאה, דא פתחא דקיימא בקיומא, למנדע כל אינון די דינא יעבר עלייהו, בין למרעין, בין למכאובין, בין למסכנו. דינא דלא קיימא למותא. כד תרעא דפתחא דא סגיר, כדין דינא אתרשים על ב"נ, דלא תייבין ליה, בר בחילא דצלותא תקיפא, ותיובתא שלים. דכתיב יסגור על איש ולא יפתח.

תקמח. וחד ממנא קיימא על פתחא דא, וקפציא"ל שמיה, והאי ממנא על פתחא דא, בגין לסגרא האי פתחא, על ההוא בר נש, דאתחזי לאתענשא, בגין דלא יתקבל בצלותא, עד דיתוב לקמי מאריה.

תקמט. ובההוא זמנא דאתגזר דינא בבנוי דלא חאבו, באינון רביין זעירין, וחד ממנא שמשא תחות ידיה, עיריא"ל שמיה, ונפק וכריז לסטר שמאלא, עד דאתער חד רוחא, דאיהו רוחא דפגימו, אתברי בפגימו דסיהרא, ואקרי אסכר"ה, והאי איהו רוחא דקיימא על דרגא רביעאה, בהיכלא תליתאה, די בסטר מסאבא, ודא קיימא על קטולא דלהון, ויתחזי לון לרביי, כאתתא דרביאת לרביי, ואוחידת לון, וקטלת לון.

תקנ. וכדין ההיא נשמתא, סלקא, ואוחיד לה האי ממנא, וסלקא לה לממנא דקיימא על היכלא רביעאה, וההוא ממנא מגדלא לון, ואשתעשע בהו, וסליק לון לאתחזאה קמי מלכא קדישא, בכל שבת ושבת, ובכל ריש ירחא וריש ירחא, ואתחזון קמיה, ואתברכון מניה. ובשעתא דרוגזא שלטא, אסתכל בהו קב"ה, וחייס על עלמא.

תקנא. וכל אינון רביין, דלא אשלימו שנין, עד תליסר שנין ויומא חד, כלהו אתמסרו בידא דהאי, מתליסר שנין עד עשרין, כלהו אתמסרו על ידא דרוחא אחרא, דאקרי אגיריסו"ן, דנפקא מהאי נחש עקימא, דגרים מותא לכל עלמא, ואיהו יצה"ר. מעשרין שנין ולעילא, אתדן ב"נ מבי דינא, אתר דאקרי זכותא, איהו בגרמיה אתא, ובחובוי אתדן, ואתמסר בידא דהאי חויא דאיהו מלאך המות.

תקנב. בגין דהא מעשרין שנין ולתתא, עד תליסר שנין, האי רוחא דקיימא ביה כנחש, אזיל אבתריה, דא אגיריסו"ן דקאמרן. בגין דלא אתנטיר כד הוה רביא דקיק כדקא יאות. וחזמי ביה סימן דיתפגים לבתר. והאי אתנטיל בלא רשו, וע"ד כתיב, ויש נספה בלא משפט. ורזא דא כתיב והנה טוב מאד, ותנינן, והנה טוב מאד, דא מלאך המות, דאקדים ליה עד לא יתפגים לבתר. והאי ממנא דקאים על האי פתחא, אעיל נשמתיה וסלקא לה לעילא.

תקנג. מתליסר שנין ולתתא, אתדן על חובוי דאבוי, ואתמסר בידא דהאי אסכרא דקאמרן. וכל חד וחד, היכלא דא לקבל היכלא דא. דא בהפוכא מן דא, כדקאמרן, והאי פתחא איהו לסטר צפון.

תקנד. פתחא רביעאה, פתחא דא קיימא לאסוותא, ואקרי פתחא דאסוותא, בהאי פתחא קיימא חד ממנא, פדיא"ל שמיה. והאי קיימא על כל אינון אסוותין דעלמא, ולאעלא צלותין דכל אינון מארי דמכאובין ומרעין וצערין, והאי איהו סליק בכל אינון צלותין, ואעיל לון קמי קב"ה.

תקנה. והאי איהו מלאך מלי"ץ אחד מני אלף, בגין דאינון אלף קיימין בההוא

פִּתְוָא, וְהַאי וַחַד מִנַּיְיהוּ, וּכְתִיב וַיְזַנֶּהוּ וַיֹּאמֶר פְּדָעֵהוּ מֵרֶדֶת שַׁחַת מָצָאתִי כֹפֶר. בְּגִין דְּסָלִיק בְּהַאי צְלוֹתָא, וְקַיְימָא מֵלִיץ טוֹב עָלֵיהּ דְּבַר נָשׁ, וְאַדְכַּר זְכוּתֵיהּ דְּעָבֵד קָמֵי מַלְכָּא קַדִּישָׁא, בְּגִין דְּהַאי אִיהוּ דְּקַיְימָא תָּדִיר לְטָב, וע״ד, כָּל אַסְוָותָא קַיְימָא בְּהַאי פִּתְוָא דִּי פְּדָיאֵ״ל מְמַנָּא בֵּיהּ. פִּתְוָא דָא אִיהוּ לִסְטַר מַעֲרָב. וּבְגִין דָּא, אִלֵּין אַרְבַּע פִּתְוִין קַיְימִין בְּהֵיכָלָא דָא.

תקנו. בְּהֵיכָלָא דָא קַיְימָא רוּוְחָא וְחַדָא דְּאִקְרֵי נֹגַהּ, הַאי אִיהוּ רוּוְחָא שַׁלִּיטָא בְּהַאי הֵיכָלָא, כָּל זִיוָא וְכָל תִּיאוּבְתָּא קַיְימָאן בֵּיהּ. הַאי רוּוְחָא אִיהוּ קַיְימָא לְכָל אִינּוּן דְּאִית לוֹן זוּלְקָא בְּעָלְמָא דְּאָתֵי, דָּא אַעְטַר לְאִינּוּן נִשְׁמָתִין בְּזִיוָא דִּיקָרָא, בְּגִין לְמִנְדַּע כָּל אִינּוּן רוּחִין דִּי בְּהֵיכָלִין אַחֲרָנִין, דְּדָא אִיהוּ בַּר עָלְמָא דְּאָתֵי, וְיַעֲבַר בְּכֻלְּהוּ, וְלֵית מַאן דִּימְחֵי בִּידֵיהּ.

תקנז. הַאי רוּוְחָא, אִיהוּ רוּוְחָא דַּכְיָא, בָּרִיר מֵאִלֵּין תַּתָּאִין, וְזָהֲרִיאֵ״ל שְׁמֵיהּ, מֵהַהוּא מִשְׁוָא דִּרְבוּת קוּדְשָׁא דְּנָגִיד מֵעָלְמָא דְּאָתֵי, נָגִיד בֵּיהּ, וּמֵהַהוּא מִשְׁוָא אִתְרַבֵּי וְאִצְטַמַּח. וְהַאי אִיהוּ נֵר, כְּמָה דְּאַתְּ אָמֵר עָרַכְתִּי נֵר לִמְשִׁיחִי. בְּגִין דְּהַאי אִיהוּ סְדוּרָא לְאַדְלָקָא בּוּצִינִין מִתַּתָּא לְעֵילָּא, כַּד שָׁרָא עָלֵיהּ נְהִירוּ דְּנָגִיד מִלְּעֵילָּא, בְּגִין דְּהַאי אִתְסָדַר, כַּד אִתְכְּלִילוּ בֵּיהּ כָּל אִינּוּן תַּתָּאִין לְתַתָּא.

תקנח. וְכַד אִתְסָדַר הַאי רוּוְחָא בְּכָל אִינּוּן תַּתָּאִין, וְנָהִיר, כְּדֵין אַפִּיק מִנֵּיהּ נְהוֹרָא וַחַד, דִּי שְׁמֵיהּ אַהֲדִיאֵ״ל וְהַאי כְּלִיל בְּרוּוְחָא דָא, הַאי קַיְימָא תְּחוֹת הַאי רוּוְחָא, לְאַמְשׁוָא לְכָל אִינּוּן נִשְׁמָתִין דְּסָלְקִין, דְּאִית לוֹן זוּלְקָא בְּעָלְמָא דְּאָתֵי, וְאִתְחֲזוּן לְסַלְקָא לְעֵילָּא.

תקנט. בְּגִין דְּכַד נִשְׁמְתָא סַלְקָא, וְעָאלַת בְּאִינּוּן הֵיכָלִין תַּתָּאִין, רְשִׁימָא אִיהִי בְּעֶשְׂרִין וּתְרֵין אַתְוָון דְּאוֹרַיְיתָא, דִּרְשִׁימִין בְּהַאי נִשְׁמְתָא. וְכַד נִשְׁמְתָא זַכָּאת וְקָמַת קַמֵּיהּ דְּהַהוּא רוּוְחָא, דָּא מְמַנָּא אַהֲדִיאֵ״ל מָשַׁח לוֹן. וְסַלְקִין וְעָאלִין בְּהַהוּא נְהַר דִּינוּר וְסַלְקִין וְאִתְקְרִיבוּ לְקָרְבְּנָא.

תקס. הַאי נְהוֹרָא כְּלִיל בִּתְלַת נְהוֹרִין, בְּגִין דְּהַהוּא רְבוּת מִשְׁוָא, אִתְכְּלִיל בִּתְלַת גְּוָונִין. וְכַד נָצִיץ הַאי נְהוֹרָא, נָצִיץ מִנֵּיהּ עֶשְׂרִין וּתְרֵין נְהוֹרִין, לְקָבֵל כ״ב אַתְוָון דְּאוֹרַיְיתָא, דִּרְשִׁימִין בְּהַאי נִשְׁמְתָא. וְאִלֵּין עֶשְׂרִין וּתְרֵין נְהוֹרִין, כֻּלְּהוּ מְמַנָּן שַׁמָּשִׁין דְּקַיְימֵי עִמֵּיהּ, וְכֻלְּהוּ אִתְקְרוּן עַל שְׁמָא דְּהַאי נְהוֹרָא דַּעֲלַיְיהוּ, וְכֻלְּהוּ אִתְכְּלִילוּ בֵּיהּ. הַאי נְהוֹרָא בְּכָל אִינּוּן נְהוֹרִין, אִתְכְּלִיל בְּהַאי רוּוְחָא, וְהַאי רוּוְחָא כְּלִיל בֵּיהּ, וְאִסְתָּכֵי לְאִתְיַשְּׁבָא גּוֹ הֵיכָלָא רְבִיעָאָה.

תקסא. רוּוְחָא דָא, כַּד אִתְכְּלִיל מִנְּהוֹרָא דָא, וּמִכֻּלְּהוּ נְהוֹרִין, כַּד דָּחֲקִין לְאִתְנַצְּצָא נָפְקָא מִנַּיְיהוּ וַחַד חֵיוְתָא קַדִּישָׁא, כְּלִילָא בִּתְרֵי גְּוָונֵי, אַרְיֵא וְנִשְׁרָא, וְאִיהִי וַחַד דְּיוּקְנָא, וְהַאי אִקְרֵי אֲהִיאֵ״ל.

תקסב. וְהַאי חֵיוְתָא קַדִּישָׁא, נָפְקֵי מִנְּצִיצוּ דִּילָהּ, כַּד מָטֵי נְהִירוּ דְּהַאי רוּוְחָא עָלָאָה בָּהּ, אַרְבַּע אוֹפַנִּים, כְּלִילָן בְּכָל גְּוָונִין, וְאִינּוּן הַדְרִיאֵ״ל, יְהַדְרִיאֵ״ל, אַהֲדוּרִיָּ״א, אָסִימוֹ״ן. כָּל אִלֵּין בִּתְמַנְיָא גַּדְפִּין, וְאִלֵּין אִינּוּן מְמַנָּן, עַל כָּל חֵילֵי שְׁמַיָּא, מְגִיחֵי קְרָבָא. בְּגִין דְּלָא אִשְׁתַּכַּח קְרָבָא בְּעָלְמָא, אוֹ עֲקִירוּ דְּמַלְכוּתָא מֵאַתְרַיְיהוּ, עַד דְּחֵילֵי שְׁמַיָּא, וְכֹכְבַיָּא דִּשְׁאַר רְקִיעִין, כֻּלְּהוּ אַחְזִיו קְרָבִין וְסִכְסוּכִין אִלֵּין בְּאִלֵּין. וְאִלֵּין אַרְבַּע אוֹפַנִּים, קַיְימֵי עֲלַיְיהוּ לְאַרְבַּע סִטְרִין דְּעָלְמָא.

תקסג. אִלֵּין אַרְבַּע, כַּד נַטְלִין לְאַגָּוָּא קָרְבִין, מֵרָזָא דְּהֵיכָלָא דִּלְעֵילָּא נַטְלִין, דְּאִיהוּ בֵּי דִּינָא, וְאִקְרֵי זְכוּתָא. מִזִּיעָא דִּלְהוֹן אַפִּיקוּ כַּמָּה חֵילִין וּמַשִּׁרְיָין דְּלֵית לוֹן חוּשְׁבָּנָא. וְכֻלְּהוּ קַיְימֵי תְּחוֹת אִלֵּין אוֹפַנִּים.

תקסד. מִנְּהוֹן קַיְימֵי עַל שִׁירָתָא, וּמִנְּהוֹן שַׁלִּיטָן עַל עָלְמָא. לָקֳבֵל אִינּוּן שַׁלִּיטָן דִּלְסִטַר מְסָאֲבָא, דְּנַפְקֵי מִגּוֹ הַהוּא הֵיכָלָא תְּלִיתָאָה דִּילֵיהּ, וְאִינּוּן מְקַטְרְגֵי עָלְמָא לְאַבְאָשָׁא. וְאִלֵּין אִשְׁתְּכָחוּ לָקֳבְלַיְיהוּ, דְּלָא יִשְׁלְטוּן לְגַבֵּי אִינּוּן דְּמִשְׁתַּדְּלֵי בְּאוֹרַיְיתָא, כד״א כִּי מַלְאָכָיו יְצַוֶּה לָּךְ וְגוֹ׳. וּכְתִיב עַל כַּפַּיִם יִשָּׂאוּנְךָ פֶּן תִּגֹּף בָּאֶבֶן רַגְלֶךָ וְגוֹ׳. דָּא אֶבֶן נֶגֶף צוּר מִכְשׁוֹל. הַאי אִקְרֵי אֶבֶן נֶגֶף צוּר מִכְשׁוֹל. וְהַאי אִקְרֵי אֶבֶן בֹּחַן פִּנַּת יִקְרַת, צוּר יִשְׂרָאֵל. וְכֹלָּא קַיְימָא דָּא לָקֳבֵל דָּא.

תקסה. מֵרָזָא דְּהֵיכָלָא תְּלִיתָאָה דִּי בְּסִטְרָא אַחֲרָא, נַפְקֵי תְּרֵין רוּחִין, דְּאִקְרוּן אַ״ף וְחֵמָ״ה, וּמִתְּרֵין אִלֵּין, נָפְקִין כָּל אִינּוּן שַׁלִּיטָן דְּאָזְלִין לְאַסְטָאָה בְּנֵי נָשָׁא מֵאָרְחָא דִּקְשׁוֹט, וְאִלֵּין אִינּוּן דְּקַיְימָאן, וְאַקְדִּימוּ עַל ב״נ, דְּקָא אָזִיל לְאוֹרְחָא דְּמִצְוָה. וְעַל דָּא אִלֵּין אוֹפַנִּים קַיְימִן לָקֳבְלַיְיהוּ, בְּגִין לְאַגָּנָא עָלֵיהּ דב״נ דְּלָא יִתְנַזְּקוּן. מֵאִלֵּין תְּרֵין רוּחִין דְּחִיל מֹשֶׁה, כַּד הֲוָה נָחִית מִן טוּרָא, דִּכְתִיב כִּי יָגֹרְתִּי מִפְּנֵי הָאַף וְהַחֵמָה.

תקסו. בְּאֶמְצָעִיתָא דְּהֵיכָלָא דָּא, אִית אַתְרָא אַחֲרָא, דְּקַיְימָא לְעֵילָּא לְעֵילָּא, בְּאַרְבַּע פִּתְחִין, לְאַרְבַּע סִטְרֵי עָלְמָא, עֶשֶׂר מְמַנָּן לְכָל פִּתְחָא וּפִתְחָא, וְחַד מְמַנָּא עָלַיְיהוּ. וְהַאי כָּלִיל בִּנְהוֹרָא דְּאִקְרֵי אַהֲדִיאֵ״ל, וְהַאי אִיהוּ אוֹפָן בְּתוֹךְ הָאוֹפָן, מְשֻׁלְּבָן דָּא בְּדָא.

תקסז. אִלֵּין אַרְבְּעִין, נַטְלֵי דִּינָא מִבֵּי זְכוּתָא, לְאַלְקָאָה לְהַאי נִשְׁמָתָא דְּחָבָאת וּבָעָאת לְאַלְקָאָה. וְאִלֵּין קַיְימֵי בְּשַׁלְהוֹבֵי נוּרָא לְגַבֵּי אִינּוּן נִשְׁמָתִין, וְטָאסִין לְבַר מֵהֵיכָלָא דָּא, וְאַלְקָאן לְנִשְׁמָתָא דָּא, וְקַיְימָא נְזִיפָא לְבַר, כָּל אִינּוּן יוֹמִין דְּאִתְגְּזָרַת עָלָהּ, וְלָא עָאלַת לְפַרְגּוֹדָא.

תקסח. וְאִלֵּין אַרְבָּעִים, אִינּוּן דְּקַיְימִין וְאַנְזִיפוּ וּמְנַדִּין, לְכָל אִינּוּן דְּאַפִּיקוּ מִפּוּמַיְיהוּ מִלָּה דְּלָא אִצְטְרִיכָא, וּבָתַר דָּא אַפִּיקוּ מִפּוּמַיְיהוּ מִלָּה קַדִּישָׁא, מִלָּה דְּאוֹרַיְיתָא, וּמְטַנְּפֵי פּוּמַיְיהוּ בָּהּ. וְאִלֵּין קַיְימֵי, וּמְנַדִּין לוֹן, וְקַיְימֵי בְּהַאי נִדּוּיָא אַרְבְּעִין יוֹמִין, דְּלָא אִשְׁתְּמַע צְלוֹתְהוֹן.

תקסט. וְכֵן לְכָל אִינּוּן דְּחָאבוּ אִינּוּן חוֹבִין, דְּבַעְיָין לְנְזִפָּא, עֲשָׂרָה כָּרוֹזִין נָפְקֵי בְּכָל יוֹמָא, וּמַכְרְזֵי בְּכָל אִינּוּן רְקִיעִין, וּבְכָל אִינּוּן חֵילִין וּמַשִּׁרְיָין, אִזְדְּהָרוּ בִּפְלַנְיָא דְּאִיהוּ נְזִיפָא. נְזִיפָא אִיהוּ עַל חוֹבָא פְּלוֹנִי דְּעָבַד, עַד דְּתָב קַמֵּי מָארֵיהּ, רַחֲמָנָא לִישֵׁזְבָן.

תקע. כַּד תָּב מֵהַהוּא חוֹבָא, מִתְכַּנְּפֵי אִלֵּין אַרְבְּעִין, וְשָׁרָאן לֵיהּ. וּכְדֵין אַכְרִיזוּ עָלֵיהּ, פְּלַנְיָא שָׁרָא נְזִיפָא. מִכָּאן וּלְהָלְאָה צְלוֹתָא עָאלַת. וְעַד לָא תָּב, נָזִיף אִיהוּ לְעֵילָּא וְתַתָּא, וּנְטִירוּ דְּמָארֵיהּ אִתְעֲדֵי מִנֵּיהּ. וַאֲפִילוּ בְּלֵילְיָא נִשְׁמָתֵיהּ נְזִיפָא, דְּסָתְמִין לָהּ כָּל תַּרְעֵי שְׁמַיָּא וְלָא סַלְקָא, וְדַחְיָין לָהּ לְבַר.

תקעא. הַאי אוֹפָן דְּקַיְימָא עַל אִלֵּין אַרְבְּעִין, כַּד נָטִיל מָטָא לְהַהוּא אֲתַר דְּאִקְרֵי תָּא הָרָצִי״ם. וְכַד עָאל, עָאלוּ עִמֵּיהּ אִינּוּן אַרְבְּעִין, דִּי מְמַנָּן בְּאַרְבַּע פִּתְחִין, וְסַלְקִין כָּל אִינּוּן מְגִינִּין דִּי דַּהֲבָא. וְאִלֵּין אִינּוּן מַלְאָכִין דְּאִקְרוּן חַשְׁמַלִּי״ם. וְאִינּוּן מְגִינִּין וְסַיְיפִין וְרוּמְחִין, דְּרַהֲטֵי לְאַגָּנָא עָלַיְיהוּ דְּיִשְׂרָאֵל מִשְּׁאַר עַמִּין, וּלְאַגָּחָא קְרָבָא בְּהוּ, וּלְנַקְמָא לוֹן כְּפוּם שַׁעֲתָא, בְּלָא אֲרִיכוּ.

תקעב. ובג״כ אִקְרֵי תָּא הָרָצִים, אֲתַר דְּאִינּוּן רָצִים רַהֲטֵי, וְאָוְזוּ לְאַגָּחָא, וּלְנַקְמָא

נוּקְמִין לְקַבֵּל רָצִים אַחֲרָנִין, דְּרַהֲטֵי לְאַבְאָשָׁא וּלְאַתְרְעָא מִזָּלִין, לְשַׁלְטָאָה עֲלַיְיהוּ. וְרָזָא דָּא, הָרָצִים יָצְאוּ דְּחוּפִים. רָצִים מִסִּטְרָא דָּא, וְרָצִים מִסִּטְרָא דָּא, וּבְגִינֵיהוֹן, וְהָעִיר שׁוּשָׁן צָהֲלָה וְשָׂמֵחָה, אוֹ נָבוֹכָה. אִי מְקַדְּמֵי אִלֵּין דְּהָכָא, הָעִיר שׁוּשָׁן שָׂמֵחָה. וְאִי מְקַדְּמֵי אִלֵּין דְּסִטְרָא אַחֲרָא, הָעִיר שׁוּשָׁן נָבוֹכָה.

תקעג. וְהָא אוֹקִימְנָא, דְּבְכֹלָּא קַיְימִין אִלֵּין לָקֳבֵל אִלֵּין, סִטְרָא דָּא לָקֳבֵל סִטְרָא דָּא. וּבְגַ"כ, אִלֵּין אִינּוּן מְגִינִּין לְכֹלָּא. כַּד סַלְּקִין אִלֵּין בְּאִלֵּין, נָפַק חַד אֲוִירָא דִּלְעֵילָּא, וְאִתְעֲבִידוּ כֻּלְּהוּ מָגֵן חַד. וְסִימָנָךְ, אָנֹכִי מָגֵן לָךְ.

תקעד. תְּרֵיסָר גַּלְגַּלִּין, אִינּוּן דְּסַחֲרָאן גּוֹ הֵיכָלָא דָּא, וְאִינּוּן אִקְרוּן שְׂרָפִים, דִּתְרֵין גַּוְונִין, חִוָּור וְסוּמָק, רַחֲמֵי וְדִינָא, אִלֵּין אִינּוּן קַיְימֵי לְאַשְׁגָּחָא תָּדִיר, עַל כָּל אִינּוּן מָארֵי דְּצַעֲרָא, דְּצַעֲרִין לוֹן שְׁאָר עַמִּין, וְדַחֲקִין לוֹן, וְאִקְרוּן חַלּוֹנוֹת. וְהַיְינוּ דִּכְתִּיב, מַשְׁגִּיחַ מִן הַחַלּוֹנוֹת.

תקעה. וְאִלֵּין קַיְימֵי לְאִסְתַּכְּלָא, כָּל אִינּוּן דִּמְצַלָּאן צְלוֹתַיְיהוּ, דִּמְקַדְּמֵי לְבֵי כְּנִישְׁתָּא, וְאִתְמְנוּן מֵאִינּוּן עֲשָׂרָה קַדְמָאֵי. כְּדֵין סַלְּקִין וְכַתְבִין לוֹן לְעֵילָּא, בְּגִין דְּאִלֵּין אִקְרוּן חֲבֵרִים לְגַבַּיְיהוּ. הה"ד וַחֲבֵרִים מַקְשִׁיבִים לְקוֹלֵךְ הַשְׁמִיעִינִי.

תקעו. זַכָּאִין אִינּוּן צַדִּיקַיָּיא, דְּיַדְעֵי לְסַדְּרָא צְלוֹתְהוֹן כַּדְקָא יֵאוֹת, בְּגִין דְּכַד הַאי צְלוֹתָא שָׁרָאת לְאִסְתַּלְּקָא, אִלֵּין סַלְּקִין בְּהַאי צְלוֹתָא, וְעָאלִין בְּכָל אִינּוּן רְקִיעִין, וּבְכָל אִינּוּן הֵיכָלִין, עַד תַּרְעָא דְּפִתְחָא עִלָּאָה, וְעָאלַת הַהִיא צְלוֹתָא קָמֵי מַלְכָּא, לְאִתְעַטְּרָא. כְּמָה דְּאִתְּמַר.

תקעז. תָּא חֲזֵי, כָּל אִינּוּן דִּמְצַלָּאן צְלוֹתִין, וּמְקַדְּשֵׁי לְמָרֵיהוֹן בִּרְעוּתָא שְׁלִים, הַאי צְלוֹתָא בַּעְיָא לְאַפָּקָא לָהּ מִגּוֹ מַחֲשָׁבָה, וּבִרְעוּתָא דְּמִלּוּלָא וּרְוָוחָא, וּכְדֵין אִתְקַדַּשׁ שְׁמֵיהּ דְּקֻבְּ"ה. וְכַד מָטָאת לְגַבֵּי אִלֵּין חֲבֵרִים, כֻּלְּהוּ נַטְלֵי לְהַהִיא צְלוֹתָא, וְאַזְלָן בַּהֲדָהּ עַד הֵיכָלָא רְבִיעָאָה, בְּהַהוּא פִּתְחָא. וְאִלֵּין מְשַׁבְּחִין בְּהַהוּא זִמְנָא דִּמְצַלָּאן צְלוֹתִין, וּמְקַדְּשֵׁי בְּהַהוּא זִמְנָא, אִלֵּין אִינּוּן דִּי מְמָנָן בִּימָמָא בְּהוּ בְּיִשְׂרָאֵל, לְמֶהֱוֵי עִמְּהוֹן חֲבֵרִים. וּבְלֵילְיָא, בְּאִינּוּן אַחֲרָנִין, דְּאַמְרֵי שִׁירָתָא בְּלֵילְיָא.

תקעח. וְתָא חֲזֵי כְּתִיב, גּוֹזֵל אָבִיו וְאִמּוֹ וְאוֹמֵר אֵין פָּשַׁע חָבֵר הוּא לְאִישׁ מַשְׁחִית. וְהָא אוֹקְמוּהָ, בְּגִין דְּמָנַע בִּרְכָאן דְּקֻבְּ"ה, דְּאִיהוּ אָבִיו. כְּמָה דִּכְתִּיב, שְׁאַל אָבִיךָ וְיַגֶּדְךָ. וּכְתִיב יִשְׂמַח אָבִיךָ. וְאוֹקְמוּהָ.

תקעט. חָבֵר הוּא לְאִישׁ מַשְׁחִית, מַאן אִישׁ מַשְׁחִית. דָּא אִיהוּ הַהוּא אִישׁ, דְּפָגִים לְסִיהֲרָא. וְאִקְרֵי אִישׁ תַּהְפּוּכוֹת. אִישׁ לָשׁוֹן. אִישׁ יוֹדֵעַ צַיִד אִישׁ שָׂדֶה. וְהַאי אִיהוּ אִישׁ מַשְׁחִית, דְּהַאי אִיהוּ מָנַע בִּרְכָאן מֵעָלְמָא. אוּף הָכִי, מַאן דְּמָנַע בִּרְכָאן מֵעָלְמָא, חָבֵר הוּא לְהַאי אִישׁ מַשְׁחִית כְּדְקָאמְרָן. וְדָא הוּא רָזָא, בְּגִין דְּאִצְטְרִיךְ לֵיהּ לְבַ"נ לְבָרְכָא לְקֻבְּ"ה, וּלְצַלָּאָה צְלוֹתָא כַּדְקָא יֵאוֹת. בְּגִין דְּיִתְבָּרֵךְ שְׁמֵיהּ קַדִּישָׁא, וְיִתְחַבַּר בְּאִלֵּין חֲבֵרִין קַדִּישִׁין, וְלָא יִפְגּוֹם צְלוֹתֵיהּ. בְּגִין דְּיִמְנַע בִּרְכָאן מֵעָלְמָא, וְיִתְחַבַּר בְּהַהוּא חָבֵר אִישׁ מַשְׁחִית דְּאִיהוּ מָנַע בִּרְכָאן מֵעָלְמָא, וְגָרִים מוֹתָא לְכֻלְּהוּ.

תקפ. כְּתִיב וְחוֹבֵר חָבֶר, מַאי וְחוֹבֵר חָבֶר. הַהוּא מַאן דְּאָזִיל בָּתַר סִטְרָא אַחֲרָא, וְחָרֵשׁ חַרְשִׁין, אִיהוּ מָשִׁיךְ עָלֵיהּ רוּחָא אַחֲרָא מְסַאֲבָא, וְאִתְחַבָּר בְּהַהוּא חַבְרוּתָא דְּהַהוּא חָבֵר רָע, וְשָׁארֵי בְּחַבְרוּתָא בַּהֲדֵי, הַהוּא חָבֵר אִישׁ מַשְׁחִית. אַמַּאי אִקְרֵי חָבֵר. בְּגִין דִּבְשַׁעֲתָא דְּאִתְיְילִיד בַּ"נ אִתְחַבָּר עִמֵּיהּ. וְתָדִיר קַיְימָא בַּהֲדֵיהּ חָבֵר. לְבָתַר, אִתְהַפָּךְ לֵיהּ חָבֵר אִישׁ מַשְׁחִית.

תקפא. וְהָכִי אִית בְּסִטְרָא דִקְדוּשָׁה, בְּסִטְרָא דִימִינָא, וַחֲבַר טוֹב, דְּעָבֵיד טִיבוּ
עִמֵּיהּ דְּבַר נָשׁ בְּעַלְמָא דֵּין וּבְעַלְמָא דְּאָתֵי. וְאִלֵּין חַבְרִים קַיְימֵי תָּדִיר עֲלֵיהּ דְּב"נ,
בְּחוֹבַרְתָּא דָּא, לְשֵׁיזָבָא לֵיהּ, וּלְאַגָּנָא עֲלֵיהּ, וּלְמֶהֱוֵי עִמֵּיהּ וְחַבְרִים לְקַדְּשָׁא שְׁמָא
דְּמָארֵיהוֹן, וּלְזַמְּרָא וּלְשַׁבּוּחָא קַמֵּיהּ. תָּדִיר.

תקפב. מֵאִלֵּין נָפְקֵי אַרְבַּע סַמְכִין אוֹחֲרָנִין, לְאִינּוּן תְּרֵיסַר דְּקָאֲמָרָן, הָנֵי וַחֲבֵרִים.
וְאִלֵּין אִינּוּן קַיְימֵי לְגַבֵּי דְּיַיעֲטִין עֵיטָא לְאַבְאֲשָׁא לְצַדִּיקַיָּיא. אע"ג דְּלָא עַבְדֵי,
וְסַלְקֵי וְאוֹדְעֵי מִלָּה לְעֵילָא, וּבַטְלֵי לְהַהוּא עֵיטָא, וְאִלֵּין אִקְרוּן אֶרְאֵלִי"ם וְאע"ג דְּכֻלְּהוּ
אִתְמְנוּן לְדָא, כָּל חַד וְחַד אִתְמְנָא וְאִתְפְּקַד עַל מִלִּין יְדִיעָאן. וּתְחוֹת אִלֵּין לֵית לוֹן
חוּשְׁבְּנָא.

תקפג. אִלֵּין אַרְבַּע, קַיְימֵי לְאַרְבַּע סִטְרֵי עָלְמָא, וְכָל חַד קָאִים לְאַשְׁגָּחָא עֲלַיְיהוּ
דְּיִשְׂרָאֵל. וְאִלֵּין אִקְרוּן וְחַרְכִים, כְּמָה דְּאַתְּ אָמַר מִצִּיץ מִן הַחֲרַכִּים. שְׁמָא דְּאִלֵּין
אַרְבַּע דְּאִקְרוּן וְחַרְכִים, עִגָּא"ל. יְהִירָא"ל. עֲרִי"ה. עִירִי"ה. עִגָּא"ל אִיהוּ קָאִים לִסְטַר
מִזְרָח, וְדָא קַיְימָא לְאַשְׁגָּחָא עַל כָּל אִינּוּן דְּעָבְדִין עוֹבָדִין טָבִין, וְעַל כָּל אִינּוּן דִּמְחַשְּׁבֵי
מַחֲשָׁבָה דְּמִצְוָה, אַף ע"ג דְּלָא יָכִיל לְמֶעְבַּד.

תקפד. עֲרִי"ה, קַיְימָא לִסְטַר דָּרוֹם. וְדָא קַיְימָא לְאַשְׁגָּחָא, לְכָל אִינּוּן דִּמְנַחֲמֵי
לְמִסְכְּנָא, אוֹ דְצַעֲרֵי לְבַיְיהוּ עֲלֵיהּ, אַף ע"ג דְּלָא יָכִיל לְמֵיהַב לֵיהּ. וּלְאִינּוּן דְּאָזְלֵי
לְאוֹרְחָא דְמִצְוָה. וּלְאִינּוּן דְּעָבְדֵי חֶסֶד עִם מֵתִים. וְאִיהוּ קַיְימָא קַיּוּמָא דְּאֱמֶת. וְהָאי
אִתְמְנָא לְאַדְכְּרָא לֵיהּ לְעֵילָא, וּלְאַוְחֲזָקָא דְּיוּקְנֵיהּ לְעֵילָא, לְאַעֲלָא לֵיהּ לְעָלְמָא דְּאָתֵי.

תקפה. עֲרִי"ל, קַיְימָא לִסְטַר צָפוֹן. וְדָא קַיְימָא לְאַשְׁגָּחָא לְכָל אִינּוּן דְּחַשְׁיבוּ
לְמֶעְבַּד בִּישִׁין, וְלָא עָבְדֵי. אוֹ בַּעְיָין לְמֶחֱטֵי, וְאָתוּ לְמֶעְבַּד, וְאִתְּקַף בִּיצְרֵיהּ וְלָא עָבֵיד.

תקפו. יְהִירָא"ל קַיְימָא לִסְטַר מַעֲרָב. וְהָאי קַיְימָא לְאַשְׁגָּחָא לְכָל אִינּוּן דְּלָעָאן
בְּאוֹרַיְיתָא. וְעָיְילֵי בְּנַיְיהוּ לְמִלְעֵי בְּאוֹרַיְיתָא לְבֵי רַב. וּלְכָל אִינּוּן דְּמִסְתַּכְּלֵי עַל מֵרַע,
כַּד אִיהוּ בְּבֵי מַרְעֵיהּ. וְאַשְׁגָּחוּ עֲלֵיהּ, וְאוֹדְעוּ לֵיהּ דְּיִסְתַּכַּל בְּחוֹבוֹי וּבְעוֹבָדוֹי, וְיֵיתוּב
מִנַּיְיהוּ לְמָארֵיהּ. בְּגִין דְּכָל מַאן דְּיִשְׁתָּדַל דְּיִשְׁתַּכַּל בְּהַהוּא מֵרַע, דְּיִסְתַּכַּל בְּעוֹבָדוֹי, וְיֵיתוּב
בִּתְיוּבְתָּא קַמֵּי קב"ה, אִיהוּ גָּרִים לֵיהּ לְאִשְׁתְּזָבָא, וּלְאַתָּבָא לֵיהּ רוּחֵיהּ.

תקפז. וע"ד כְּתִיב אַשְׁרֵי מַשְׂכִּיל אֶל דָּל בְּיוֹם רָעָה יְמַלְּטֵהוּ יְיָ. מַאי בְּיוֹם רָעָה,
בְּיוֹם רַע מִבַּעְיָ לֵיהּ. אֶלָּא בְּיוֹם רָעָה, בְּיוֹמָא דְּשָׁלְטָא הַהוּא רָעָה לְמֵיסַב נִשְׁמָתֵיהּ.
אַשְׁרֵי מַשְׂכִּיל אֶל דָּל, דָּא הוּא מֵרַע. כד"א. מַדּוּעַ אַתָּה כָּכָה דַּל בֶּן הַמֶּלֶךְ. ובג"כ,
בְּיוֹם רָעָה יְמַלְּטֵהוּ יְיָ. וְאִלֵּין אִינּוּן דְּמִסְתַּכְּלֵי בְּהַהוּא מֵרַע, לְאַתָּבָא לֵיהּ מֵחוֹבוֹי גַּבֵּי
קב"ה, כְּמָה דְּאוֹקִימְנָא. בְּהֵיכְלָא דָּא קַיְימָא עֲלֵיהּ, לְאַשְׁגָּחָא. וּבְיוֹמָא דְּשַׁרְיָא דִּינָא עַל
עָלְמָא, יִשְׁתְּזִיב מִנֵּיהּ, כד"א בְּיוֹם רָעָה יְמַלְּטֵהוּ יְיָ. יוֹמָא דְּאִתְבְּמַסַּר דִּינָא לְהַהִיא רָעָה
לְשַׁלְטָאָה בֵּיהּ וְכֻלְּהוּ אִלֵּין קַיְימֵי לְאַשְׁגָּחָא. וע"ד אִקְרוּן וְחַרְכִים.

תקפח. בְּיוֹמָא דְּרֵאשׁ הַשָּׁנָה, כַּד קב"ה קָאִים בְּדִינָא עַל עָלְמָא, וְהַהוּא סִטְרָא
בִּישָׁא אָתֵי לְאַסְטָאָה, כְּדֵין מִתְכַּנְּפֵי כָּל הָנֵי, וְקַיְימִין קָמֵי קב"ה. וּכְדֵין מִתְעַטְּרָן כֻּלְּהוּ,
וְקַיְימִין קָמֵי קב"ה. בְּהַהוּא זִמְנָא מַה כְּתִיב. מַשְׁגִּיחַ מִן הַחֲלוֹנוֹת מֵצִיץ מִן הַחֲרַכִּים.
מֵצִיץ: כְּמַאן דְּאַשְׁגַּח מֵאֲתַר דְּקִיק, דְּחָמֵי וְלָא וְחָמֵי כָּל וּמַה דְּאִצְטְרִיךְ. וּלְבָתַר, מַשְׁגִּיחַ
מִן הַחֲלוֹנוֹת, אֲתַר אַשְׁגָּחוּתָא יַתִּיר, דְּפָתוּחַ פְּתִיחָן לְרַוְוחָא עַל כֹּלָּא, וְכַד קב"ה אַשְׁגַּח
עַל עָלְמָא, אִסְתַּכַּל בְּאִלֵּין חַלּוֹנוֹת, וּבְאִלֵּין וְחַרְכִים, וְחָיֵיס עַל כֹּלָּא.

תקפט. וּכְדֵין כַּד יִשְׂרָאֵל תַּקְעִין בְּהַהוּא שׁוֹפָר וְאִתְּעַר מִתַּתָּא הַהוּא קוֹל דְּנָפִיק מִשּׁוֹפָר, כָּלִיל מֵאֶשָּׁא וּמַיָּא וְרוּחָא, וְאִתְעֲבֵיד מִכֹּלָּא הַהוּא קוֹל, בְּגִין לְאִתְּעָרָא קוֹל עִלָּאָה, דְּנָפְקָא מִגּוֹ הַהוּא שׁוֹפָר, דְּאִיהוּ כְּגַוְונָא דָּא, כָּלִיל בְּאֶשָּׁא וּבְמַיָּא וְרוּחָא. כְּדֵין כָּרוֹזָא נָפְקָא, וְאַכְרִיז בְּכֻלְּהוּ רְקִיעִין, וְאָמַר קוֹל דּוֹדִי הִנֵּה זֶה בָּא וְגוֹ', מַשְׁגִּיחַ מִן הַחַלּוֹנוֹת מֵצִיץ מִן הַחֲרַכִּים.

תקצ. וּכְדֵין יַדְעֵי כֻּלְּהוּ, דְּהָא קוּדְשָׁא בְּרִיךְ הוּא חָיֵיס עֲלַיְיהוּ דְּיִשְׂרָאֵל, וְאַמְרֵי זַכָּאִין אִינּוּן יִשְׂרָאֵל, דְּאִית לוֹן עֵיטָא בְּאַרְעָא, בְּגִין לְאִתְּעָרָא רַחֲמֵי מִלְּעֵילָּא, כְּדֵין כְּתִיב אַשְׁרֵי הָעָם יוֹדְעֵי תְרוּעָה, יוֹדְעֵי תְּרוּעָה וַדַּאי, יוֹדְעֵי תְרוּעָה: מְתַבְּרֵי הַאי תְּרוּעָה, דְּאִיהוּ דִּינָא קַשְׁיָא, דְּכֹלָּא אִתְדָּנוּ בֵּהּ. זַכָּאִין אִינּוּן יִשְׂרָאֵל בְּעָלְמָא דֵּין, וּבְעָלְמָא דְּאָתֵי, בְּגִין דְּאִינּוּן יַדְעֵי אָרְחוֹי דְּקוּדְשָׁא בְּרִיךְ הוּא, וְיַדְעֵי לְמֵהַךְ בְּאָרְחוֹי, וּלְיִחֲדָא יִחוּדָא כַּדְקָא יֵאוֹת.

תקצא. אִלֵּין חַלּוֹנוֹת, וְאִלֵּין חֲרַכִּים, קַיְימֵי כֻּלְּהוּ לְאַחֲדָא כָּל צְלוֹתִין, דְּסַלְּקִין מִתַּתָּא לְעֵילָּא, וּלְאַשְׁגָּחָא בְּהוּ, לְאַעֲלָא לוֹן קָמֵי קוּדְשָׁא בְּרִיךְ הוּא. וְעַל דָּא כָּל בֵּית הַכְּנֶסֶת דְּלָאו בֵּיהּ חַלּוֹנוֹת, לָאו אֲתַר לְצַלָּאָה בֵּיהּ כַּדְקָא יֵאוֹת.

תקצב. דְּהָא בֵּית הַכְּנֶסֶת לְתַתָּא, לָקֳבֵל בֵּית הַכְּנֶסֶת דִּלְעֵילָּא. בֵּית הַכְּנֶסֶת דִּלְעֵילָּא דְּאִית בֵּיהּ חַלּוֹנוֹת כְּמָה דְּאַמָרָן, הָכִי נָמֵי לְתַתָּא. לְעֵילָּא כְּנֶסֶת הַגְּדוֹלָה, אִית בֵּיהּ תְּרֵיסַר חַלּוֹנוֹת עִלָּאִין, הָכִי נָמֵי לְהַאי בֵּית הַכְּנֶסֶת תַּתָּאָה. וְכֹלָּא קַיְימָאן דָּא לָקֳבֵל דָּא, בְּגִין דְּעָלְמִין קַיְימִין אִלֵּין בְּגַוְונָא דְּאִלֵּין, וְקוּדְשָׁא בְּרִיךְ הוּא סָלִיק יְקָרֵיהּ בְּכֹלָּא. וְעַל דָּא בְּיוֹם רָעָה יְמַלְּטֵהוּ יְיָ', כַּד שַׁלְטָא הַהִיא סִטְרָא בִּישָׁא, יְמַלְּטֵהוּ יְיָ'.

תקצג. כְּגַוְונָא דָּא, הַאי מְמָנָא יְהִירָאֵ"ל, קַיְימָא עַל כָּל אִינּוּן דְּחַיְיסֵי עַל מִסְכְּנֵי, כד"א אַשְׁרֵי מַשְׂכִּיל אֶל דָּל. וּבְגִין דָּא כֹּלָּא קַיְימָא בְּהֵיכָלָא דָּא, וְהֵיכָלָא דָּא אִתְכְּלִיל בְּהֵיכָלָא אַחֲרָא רְבִיעָאָה, דְּתַמָּן הוּא גְּזִרִין וְדִינִין לְכֹלָּא. זַכָּאָה חוּלָקֵיהּ מַאן דְּיָדַע גִּנְזֵי דְּמָארֵיהּ, לְיַחֲדָא לֵיהּ, וּלְקַדְּשָׁא שְׁמֵיהּ דְּמָארֵיהּ תְּדִירָא, לְמִזְכֵּי לֵיהּ בְּעָלְמָא דֵּין וּבְעָלְמָא דְּאָתֵי.

הֵיכַל הַזְּכוּת גְּבוּרָה

תקצד. הֵיכָלָא רְבִיעָאָה. הֵיכָלָא דָּא, דִּי קוּדְשָׁא בְּרִיךְ הוּא אִשְׁתְּמוֹדַע שׁוּלְטָנֵיהּ בְּאַרְעָא בְּגִינֵיהּ. וְדָא אִיהוּ הֵיכָלָא, דְּקַיְימָא לְמִטַּר אָרְחוֹי דְּאוֹרַיְיתָא. דָּא הֵיכָלָא אִקְרֵי דִּזְכוּת, דְּבֵיהּ אִתְדָּנוּ כָּל דִּינִין דְּעָלְמָא, וְכָל זַכְיָין, וְכָל חוֹבִין, וְכָל עוֹנָשִׁין, וְכָל אֲגַר טַב, לְאִינּוּן דְּנַטְרֵי פִּקּוּדֵי אוֹרַיְיתָא.

תקצה. הֵיכַל דָּא דִּזְכוּת, מְשַׁנְּיָיא מִכָּל שְׁאַר הֵיכָלִין, וְהַאי הֵיכָלָא, כְּלִילָן בֵּיהּ אַרְבַּע הֵיכָלִין, מְשַׁנְּיָין דָּא מִן דָּא, וְכֻלְּהוּ חַד הֵיכָלָא. בְּהֵיכָלָא דָּא אִית רוּחָא חֲדָא, דְּאִקְרֵי זְכוּת אֵל. וְהֵיכָלָא דָּא אִקְרֵי עַל שְׁמֵיהּ זְכוּת, וְהַאי אִיהוּ אֵל. וְהָכָא אִתְדָּנוּ כָּל דִּינִין דְּעָלְמָא, וְהַאי אִיהוּ רָזָא דִּכְתִיב, וְאֵל זוֹעֵם בְּכָל יוֹם.

תקצו. ד' הֵיכָלִין, ד' אִלֵּין דְּאִינּוּן בְּהֵיכָלָא דָּא, דָּא לְגוֹ מִן דָּא, כֻּלְּהוּ כְּלִילָן דָּא בְּדָא, וְכֻלְּהוּ חַד הֵיכָלָא, וְאִקְרֵי זְכוּתָא. אַרְבַּע הֵיכָלִין אִלֵּין, אִית לְהוּ פִּתְחִין. חַד מְמָנָא עִלָּאָה דְּקַיְימָא לְבַר לְפִתְחָא קַדְמָאָה דְּהֵיכָלָא דָּא, סַנְסַנְיָ"ה שְׁמֵיהּ, וְעַל שְׁמָא דָּא, אִית מְמָנָא אַחֲרָא לְסִטְרָא אַחֲרָא דִּשְׂמָאלָא, דְּנָטִיל דִּינִין בְּהַהוּא הֵיכָלָא דִּילֵיהּ, לְאִתְּעָרָא לְמֶעְבַּד בְּעָלְמָא. וּבְגִין דְּנָטִיל מִנֵּיהּ, אִקְרֵי עַל שְׁמֵיהּ, סַנְסַנְיָ"ה. וְאִיהוּ שַׁלִּיט עַל הַהוּא אַסְכָּרָ"א דְּרַבְיֵי.

תקצ"ז. וְהַאי מְמַנָּא עִלָּאָה סַנְסְנַ"ה, כַּד נָטִיל דִּינָא, אַכְרִיז לְאִינּוּן מְמַנָּן דְּקַיְימִין עַל
תְּרֵיסַר פִּתְחִין, וְאִינּוּן כָּרוֹזִין דְּמַכְרְזֵי כָּל אִינּוּן דִּינִין, דְּאִתְדָּנוּ מֵהֵיכְלָא דְּזַכְוָתָא דָּא.

תקצ"ח. רוּחָא דָּא דְּנָטִיל כֹּלָּא, דְּאִקְרֵי זְכוּת אֵ"ל דְּקָאֲמַרָן, כֹּלָא כָּלִיל בֵּיהּ. מִנֵּיהּ
נַפְקוּ עוֹבְדִין נְהוֹרִין נְצִיצִין, וְכֻלְהוּ בְּעִגּוּלָא קַיְימֵי, בְּגִין לְאַחֲזָאָה דָּא בְּדָא דְּלָא אִתְכַּסֵּי
דָּא מִן דָּא. כָּל זָכִין, וְכָל עוֹנְשִׁין, וְכָל דִּינִין, קַמֵּי כֻּלְּהוּ אַלֵּין נְהוֹרִין אַלֵּין קַיְימִין.

תקצ"ט. מִנֵּיהוּ נַפְקֵי תְּרֵין נְהוֹרִין, דְּקַיְימֵי קָמַיְיהוּ תָּדִיר. וְאַלֵּין ע' נְהוֹרִין, וּתְרֵין
נְהוֹרִין דְּקַיְימֵי קָמַיְיהוּ, אִינּוּן לְגוֹ בְּאַמְצָעִיתָא דְּהֵיכְלָא. וְעַל רָזָא דְּהֵיכְלָא דָּא כְּתִיב,
שָׁרְרֵךְ אַגַּן הַסַּהַר אַל יֶחְסַר הַמָּזֶג.

ת"ר. לָקֳבֵל אִינּוּן נַפְקֵי אַבְעִין וּתְרֵין נְהוֹרִין, מִסִּטְרָא דִּימִינָא. וְשַׁבְעִין וּתְרֵין
נְהוֹרִין אָחֳרָנִין, מִסִּטְרָא דִּשְׂמָאלָא. וְאַלֵּין קַדְמָאֵי אִינּוּן פְּנִימָאֵי לְגוֹ, בְּאַמְצָעִיתָא
דְּהֵיכְלָא. לָקֳמֵי נְהוֹרִין אַלֵּין, עָאלִין כָּל זָכוּן וְכָל חוֹבִין לְאִתְדַּכָּאָה. כָּל עוֹבָדִין
דְּעָלְמָא, מֵאַלֵּין פְּנִימָאֵי נַפְקֵי. אֶשְׁתְּכָחוּ כָּל נְהוֹרִין דְּנַפְקֵי מֵרוּחָא דָּא עִלָּאָה, מְאָתָן
וְעֶשִׂרִים סְרֵי נְהוֹרִין, וְכֻלְהוּ כְּלִילָן בְּרוּחָא דָּא.

תר"א. אִינּוּן תְּרֵי נְהוֹרִין, דְּקַיְימֵי קָמֵי אַלֵּין אַבְעִין, אִינּוּן סָהֲדֵי סַהֲדוּתָא תָּדִיר,
וְכַתְבֵי פִּתְקֵי דִּינָא דְּזָכוּ אוֹ דְּחוֹבָה. אַלֵּין אַבְעִין אִינּוּן גָּזְרִין וְדַיְינִין דִּינִין. וְכָל דִּינִין
דְּעָלְמָא הֵן לְטָב הֵן לְבִישׁ הָכָא אִיהוּ.

תר"ב. רוּחָא דָּא, דְּאִיהוּ זְכוּת אֵ"ל כְּדָקָאֲמַרָן, בֵּיהּ רְשִׁימִין תְּלַת אַתְוָון, דְּמִתְדַּבְּקָן
בֵּיהּ מִלְעֵילָּא, דְּאִינּוּן יה"ו. וְהָא אוֹקִימְנָא דְּכַד אַלֵּין אַתְוָון מִתְדַּבְּקָאן בְּהַאי אֲתָר,
דְּאִתְדַּבְּקוּתָא דִּדְכוּרָא בְּנוּקְבָּא. כְּדֵין אִתְרְשִׁימוּ בְּהַאי רוּחָא, אִינּוּן אַתְוָון. וְהָכָא אָמַר
דָּוִד, וֵאלֹהַי לְצוּר מַחְסִי. רָזָא דְּרוּחָא דָּא דְּאִקְרֵי אֵ"ל וְרָזָא דְּאִינּוּן אַתְוָון דִּרְשִׁימִין בֵּיהּ,
דְּאִקְרוֹן יה"ו, אַלֵּין תְּלַת סִטְרִין דִּנְהוֹרִין דְּקָאֲמַרָן.

תר"ג. אִינּוּן תְּלַת בָּתֵּי דִּינָא, דְּמִתְפַּלְּגֵי בְּדִינִין אָחֳרָנִין, בְּמִלֵּי דְּעָלְמָא, בְּעוּתְרָא
בְּמִסְכְּנוּ, בְּמַרְעִין בְּשְׁלִימוּ, דְּאִינּוּן אַרְבַּע הֵיכָלִין דְּאִינּוּן מִתְתַּקְּנָן לְכָל אִינּוּן אָחֳרָנִין, תְּרֵין
הֵיכָלִין לְאַלֵּין תְּרֵי סִטְרֵי נְהוֹרִין אָחֳרָנִין, וְחַד הֵיכְלָא לְכָל אִינּוּן מָארֵי דְעַיְינִין, דְּעַבְדֵי
וְשַׁעְבְּדָנָא מִכָּל עוֹבָדִין דְעָלְמָא. וְחַד הֵיכְלָא, לְסוֹפְרִין אָחֳרָנִין, דִּי תְחוֹת אַלֵּין קַדְמָאֵי
פְּנִימָאֵי. אַלֵּין אַרְבַּע הֵיכָלִין, כְּלִילָן בְּהֵיכְלָא דָּא, דְּאִקְרֵי עַל שְׁמָא דְּהַאי רוּחָא זְכוּתָא,
כְּדָקָאֲמַרָן.

תר"ד. בְּכָל פִּתְחָא וּפִתְחָא דְּאַלֵּין הֵיכָלִין, אִית מְמַנָּא חַד, בְּפִתְחָא קַדְמָאָה אִית
מְמַנָּא וְחַד, דְּשָׁמֵיהּ אִקְרֵי גַּזְרִיאֵ"ל. הַהוּא מְמַנָּא אִיהוּ לְגַלָּאָה דִּינִין, דְּאִתְדָּנוּ וְאִתְגְּזָרוּ
לְהַהוּא מְמַנָּא קַדְמָאָה, דְּשָׁמֵיהּ סַנְסְנַ"ה דְּמִנֵּיהּ דְּמִנֵּיהּ נָטִיל הַאי מְמַנָּא אָחֳרָא, דְּקַיְימָא עַל
הֵיכְלָא דְּסִטְרָא אָחֳרָא, וְקַיְימָא עַל אַסְכָּרָה דְּרַבְיֵי, כְּדָקָאֲמַרָן.

תר"ה. וְהַאי מְמַנָּא גַּזְרִיאֵ"ל, נָטִיל מִלָּה דְּבֵי דִּינָא פְּנִימָאָה. דְּכֹלָּא, אִתְגְּזַר תַּמָּן, וּכְדֵין
אוֹדַע מִלָּה לְהַאי מְמַנָּא דְּלְבַר, וְכָל אִינּוּן כָּרוֹזֵי מַכְרְזֵי וְאָמְרֵי בְּכָל רְקִיעִין, כָּךְ וְכָךְ
אִתְגְּזַר מִבֵּי מַלְכָּא, עַד דְּנָטְלֵי הַהִיא מִלָּה בְּהֵיכְלָא דִּלְתַתָּא, וּמִתַּמָּן נַפְקֵי וּמַכְרְזֵי מִלָּה,
עַד דְּאִשְׁתְּמַע בְּכֻלְהוּ רְקִיעִין תַּתָּאִין, וְנָחֲתֵי וְאוֹדְעֵי מִלָּה, לְכֻלְּהוּ דִּלְתַתָּא.

תר"ו. וְנָטְלֵי מִלָּה כֻּלְהוּ תַּתָּאִין, מִדַּרְגָּא לְדַרְגָּא, אֲפִילוּ צִפֳּרֵי שְׁמַיָּא, וְעוֹפֵי דְּאַרְעָא
כֻּלְהוּ נָטְלֵי מִלָּה, וְאוֹדְעֵי לָהּ בְּעָלְמָא. עַד דְּנָטְלֵי מִלָּה כָּל אִינּוּן גַּרְדִּינֵי נִימוּסִין, וְאַוְזְנִין
בְּחֶלְמָא לִבְנֵי נָשָׁא, וְאַתְיָא הַהִיא מִלָּה לְזִמַּן קָרִיב.

תרז. וּלְזִמְנִין דְּהַהִיא מִלָּה דְּאִצְטְרִיכָא לְמַלְכֵי אַרְעָא, דְּאִינּוּן מְמַנָּן לְאַתְוָונָא, וּלְדַבְּרָא עַמִּין. דְּאוֹדְעִין הַהִיא מִלָּה עַד רְקִיעָא דְּשִׁמְשָׁא דִּלְתַתָּא, וְקַיְּימָא תַּמָּן. עַד דְּאִינּוּן מְמַנָּן שִׁמְשָׁא, דְּאִתְמְנוּן עַל שִׁמְשָׁא, נַטְלֵי הַהִיא מִלָּה, וְאוֹדְעֵי לָהּ לְאִינּוּן מְמַנָּן עִלָּאִין דִּי בְּסִטְרָא אָחֳרָא, וְאִינּוּן מוֹדְעִין הַהִיא מִלָּה לְמַלְכֵי אַרְעָא, דְּאִינּוּן בְּסִטְרָא דִּלְהוֹן.

תרח. וְכַד הֲווּ נְבִיאִים בְּהוּ בְּיִשְׂרָאֵל, הֲווּ נַטְלִין נְבוּאָה דִּלְהוֹן, מִתְּרֵין עַמּוּדִין עִלָּאִין דְּאוֹרַיְיתָא סָמִיךְ עֲלַיְיהוּ. לְבָתַר דְּאִסְתַּלָּקוּ נְבִיאִים מֵעָלְמָא, וְאָתוּ מָארֵי דְּמַרְאָה, וּמָארֵי דְּחֶלְמָא, נַטְלֵי מִלָּה מֵאַתְרֵיהּ כִּדְקָאֲמָרָן. וְכַד מַלְכֵי הֲווּ בֵּינַיְיהוּ דְּיִשְׂרָאֵל, וּנְבִיאִים אִסְתַּלָּקוּ, וּמָארֵי דְּחֶלְמָא וּמַרְאָה לָא אִשְׁתְּכָחוּ, אוֹדְעִין מִלָּה לְאִינּוּן מַלְכִּין, מֵהַאי פִּתְחָא כִּדְקָאֲמָרָן.

תרט. וְאִי תֵּימָא הֵיךְ נָטִיל מִלָּה מֵהַאי אֲתַר. תָּא חֲזֵי, כָּל דַּרְגָּא וְדַרְגָּא, וְכָל פִּתְחָא וּפִתְחָא, כֻּלְּהוּ אִית לוֹן לְבַר, מְמַנָּן יְדִיעָן, דְּאִתְמְנוּן בְּכָל אִינּוּן רְקִיעִין, עַד דְּנַחְתֵּי לְתַתָּא בִּרְקִיעִין תַּתָּאִין וְאוֹדְעִין מִלָּה לְאִינּוּן דְּאִצְטְרִיךְ בְּגִין דְּהָא מֵאִלֵּין הֵיכָלִין דְּאִינּוּן סִטְרָא דִּקְדוּשָּׁה וְרָזָא דִּמְהֵימְנוּתָא, אִתְפָּרְשׁוּ דַּרְגִּין לְתַתָּא, כֻּלְּהוּ בְּרָזָא דִּמְהֵימְנוּתָא, וְנַחְתּוּ דַּרְגִּין עַל דַּרְגִּין, עַד דִּפְרוּזִין מֵהַאי עָלְמָא, וְאִתְמְנוּן בֵּיהּ.

תרי. מִנְּהוֹן, לְנַטְרָא בְּנֵי נָשָׁא מִסִּטְרָא אָחֳרָא, וּמִנְּזִיקֵי עָלְמָא, וּבְאִינּוּן אָרְחֵי דְּקָא אָזְלֵי. וּמִנְּהוֹן, לְסַיְּיעָא לִבְנֵי נָשָׁא, כַּד אָתָאן לְאִתְדַּכָּאָה. וּמִנְּהוֹן, לְמֶעְבַּד אָתִין וְנִסִּין בְּעָלְמָא. וּמִנְּהוֹן דְּקַיְימֵי לְאַשְׁגָּחָא בְּעוֹבָדִין דִּבְנֵי נָשָׁא, לְמִסְהַד סַהֲדוּתָא. וְכֵן מִתְפָּרְשִׁין כַּמָּה דַּרְגִּין לְסִטְרַיְיהוּ, וְכֻלְּהוּ בְּרָזָא דִּמְהֵימְנוּתָא עִלָּאָה, בִּקְדוּשָּׁה עִלָּאָה.

תריא. כְּגַוְונָא דָּא בְּסִטְרָא אָחֳרָא, סִטְרָא מְסָאֲבָא, מִתְפָּרְשִׁין דַּרְגִּין מֵאִינּוּן הֵיכָלִין לְתַתָּא, כֻּלְּהוּ דַּרְגִּין לְאַבְאָשָׁא, וּלְאַסְטָאָה עָלְמָא: מִנְּהוֹן, קַיְימֵי לְאַסְטָאָה בְּנֵי נָשָׁא, מֵאָרְחָ טַב לְאָרְחָ בִּישָׁא. וּמִנְּהוֹן קַיְימֵי לְסָאֲבָא בְּנֵי נָשָׁא, לְאִינּוּן דְּאָתוּ לְאִסְתַּאֲבָא, כְּמָה דְּתָנֵינָן, אָתָא בַּר נָשׁ לְאִסְתַּאֲבָא, מְסָאֲבִין לֵיהּ בְּהַאי עָלְמָא, וּמְסָאֲבִין לֵיהּ בְּהַהוּא עָלְמָא, וְאִינּוּן אִקְרוּ צוֹאָה רוֹתַחַת. כד"א צֵא תֹּאמַר לוֹ. וְאִינּוּן דַּרְגִּין דְּקַיְּימָן לְסָאֲבָא יַתִּיר, וּבְגִין כָּךְ, אִלֵּין תָּדִיר לְקַבֵּל אִלֵּין, וְכֹלָּא אִיהוּ בְּדַרְגִּין יְדִיעָאן כִּדְקָא חֲזֵי.

תריב. פִּתְחָא תִּנְיָינָא. בְּהַאי פִּתְחָא אִית מְמַנָּא, דַּהֲרִיאֵ"ל שְׁמֵיהּ. וְאִיהוּ לִסְטַר יְמִינָא, וְהַאי אִיהוּ מְמַנָּא, לְאַעֲלָא כָּל זְכוּתִין דִּזְכוֹ בְּהוּ בְּנֵי נָשָׁא, בְּגִין דְּיִתְדָּן בַּר נָשׁ לְטָב עֲלַיְיהוּ כַּד אִתְדָּן לְטָב, וְאִינּוּן זַכָּיָין קַיְּימָן סַגִּיאָן עַל חוֹבֵי בְּנֵי נָשָׁא, כְּדֵין הַאי מְמַנָּא, פָּקִיד עַל אַגְרָא וְחוּלָקָא דְּאִינּוּן זַכָּיָין וְאַגְרָן לְטָב.

תריג. וְאַפִּיק הַהוּא דִּינָא, וּמַנֵּי לֵיהּ לְהַהוּא מְמַנָּא, דְּאִקְרֵי פְּדָיאֵ"ל, דִּי בְּהֵיכְלָא תְּלִיתָאָה. וּכְדֵין א"ל, פְּדָעֵהוּ מֵרֶדֶת שַׁחַת. בְּגִין דְּכַד ב"נ קָאִים בְּבֵי מַרְעֵיהּ, וְאִתְפַּס בִּתְפִיסוּ דְּמַלְכָּא, כְּדֵין אִתְדָּן ב"נ. וְכָל זְכוּ וְכָל חוֹבָה דְּעֲבַד בְּהַאי עָלְמָא, כֹּלָּא עָאל בְּהַאי הֵיכְלָא לְאִתְדָּנָא.

תריד. וְכַד אִתְדָּן לְטָב, בְּהַאי פִּתְחָא נָפַק דִּינֵיהּ לְטָב, לִימִינָא דְּהַאי מְמַנָּא דַּהֲרִיאֵ"ל, דְּקַיְּימָא בֵּיהּ, וְאוֹדְעִין דִּינֵיהּ לְטָב, עַד דְּאִשְׁתְּזִיב. וְנַחְתָּא הַהוּא דִּינָא, בְּכָל אִינּוּן מְמַנָּן, דַּרְגִּין דְּאִשְׁתְּמוֹדְעוּ לְטָב לְתַתָּא, כֻּלְּהוּ דַּרְגִּין עַל דַּרְגִּין, וְכֹלָּא, בֵּין לְטָב בֵּין לְבִישׁ, מִבֵּי מַלְכָּא אִתְדָּן הַהוּא ב"נ.

תרטו. פִּתְחָא תְּלִיתָאָה. בְּהַאי פִּתְחָא אִית מְמַנָּא חַד, גַּדְרִיאֵ"ל שְׁמֵיהּ. וְאִיהוּ לִסְטַר

שְׂמָאלָא, וְהַאי אִיהוּ מְמָנָא, לְאַעֲלָא כָּל חוֹבִין וְכָל בִּישִׁין, דְּב"נ אַסְטֵי אֲבַתְרַיְיהוּ בְּהַאי עָלְמָא. וְנָחִית לוֹן גּוֹ מַתְקְלָא לְאַתְקְלָא, בְּאִינּוּן זַכְוָון דְּעָאלוּ בִּידָא דְּהַהוּא מְמָנָא אַחֲרָא דְּקָאֲמָרָן.

תרטז. וְהַהוּא מַתְקְלָא קַיְּימָא גּוֹ פִּתְחָא רְבִיעָאָה, וְתַמָּן אִתְקָלוּ זַכְוָון וְחוֹבִין כַּחֲדָא. מַאן דְּנָצַח מִנַּיְיהוּ, הָכִי אִית לֵיהּ מְמָנָן בְּהַהוּא סִטְרָא. אִי נַצְחָן זַכְוָון, כַּמָּה מְמָנָן אִית בְּסִטַר דִּימִינָא, וְנַטְלֵי הַהוּא דִּינָא, וּמַעֲבְרִין בִּישִׁין וּמַרְעִין מֵהַהוּא ב"נ, עַד דְּאִשְׁתְּזִיב. אִי נַצְחָן חוֹבִין, כַּמָּה מְמָנָן אִית לֵיהּ בְּהַהוּא סִטְרָא דִּשְׂמָאלָא, עַד דְּנַטְלֵי מִלָּה הַהוּא סִטְרָא אַחֲרָא, וְכָל אִינּוּן גַּרְדִּינֵי נִמּוּסִין, עַד דְּאִתְרַע מַזָּלֵיהּ. וּכְדֵין נַחְתָּא הַהוּא סִטְרָא אַחֲרָא, וְנָטִיל נִשְׁמְתָא. זַכָּאָה חוּלָקֵיהוֹן דְּצַדִּיקַיָּיא בְּעָלְמָא דֵּין וּבְעָלְמָא דְּאָתֵי.

תריז. פִּתְחָא רְבִיעָאָה. בְּהַאי פִּתְחָא, קַיְּימָא חַד מְמָנָא, מֹאזְנִיָּ"ה שְׁמֵיהּ. וְהַאי אִיהוּ מַתְקְלָא, דְּנַטְלָא זַכְוָון וְחוֹבִין, וּבֵיהּ אִתְקָלוּ כֻּלְּהוּ כַּחֲדָא. וְדָא אִקְרֵי מֹאזְנֵי צֶדֶק. כְּדִכְתִּיב מֹאזְנֵי צֶדֶק. בְּהַאי אִתְקָלוּ כֻּלְּהוּ לְאִתְדְּנָא.

תריח. תְּחוֹת הַאי מְמָנָא, אִית תְּרֵין מְמָנָן, חַד לִימִינָא וְחַד לִשְׂמָאלָא. חַד לִימִינָא, הַרִיאֵ"ל שְׁמֵיהּ. חַד לִשְׂמָאלָא, גְּדוּדִיאֵ"ל שְׁמֵיהּ. וְכַד אִתְקָלוּ זַכְוָון וְחוֹבִין, דָּא אַכְרַע לְסִטַר יְמִינָא, וְדָא אַכְרַע לְסִטַר שְׂמָאלָא. וְכֻלְּהוּ אִתְכְּלִילוּ בְּהַאי רוּחָא דְּאִקְרֵי זְכוּ"ת אֵל.

תריט. וְכַד אִתְכְּלִילָן כֻּלְּהוּ בֵּיהּ, אַפִּיק חַד חֵיוָתָא, קַדִּישָׁא, וְהַאי חֵיוָתָא מְלַהֲטָא, וְאִקְרֵי שְׁמֵיהּ, תּוּמִיאֵ"ל. הַאי חֵיוָתָא, אִיהִי חֵיוָתָא דְּקַיְּימָא לְאַשְׁגָּחָא בְּעָלְמָא, בְּאִינּוּן עֵינֵי יְיָ', דְּאַזְלָן וְשָׁטָאן בְּעָלְמָא. וְאִינּוּן עֵינֵי יְיָ', כֻּלְּהוּ נַטְלֵי אַשְׁגָּחוּתָא, מֵאִינּוּן עוֹבָדִין טָבִין דְּאִתְעֲבִידוּ בִּטְמִירוּ, וּלְאַשְׁגָּחָא בְּאִינּוּן עוֹבָדִין דְּאִינּוּן בִּשְׁלִימוּ דְּלִבָּא, וְאַע"ג דְּלָא אִתְעֲבִידוּ כַּדְקָא יָאוּת.

תרכ. הַאי חֵיוָתָא אִיהִי קַיְּימָא בְּאַשְׁגָּחוּתָא דִּצְלוֹתִין. בְּגִין דְּאִינּוּן שְׁאֶלְתִּין דְּשָׁאֲלֵי בְּנֵי נָשָׁא בִּצְלוֹתְהוֹן, כֻּלְּהוּ קַיְימֵי בִּידָא דְּהַאי חֵיוָתָא, וְאָנַח לְהוּ בְּהַאי הֵיכָלָא, וְקַיְּימִין אִינּוּן שְׁאֶלְתִּין בְּהַאי הֵיכָלָא עַד אַרְבְּעִין יוֹמִין, לְאַשְׁגָּחָא בְּהוּ.

תרכא. דְּהָא בְּכָל אַרְבְּעִין וְאַרְבְּעִין, נָפְקָא הַאי חֵיוָתָא, וְנָטִיל לְכָל אִינּוּן שְׁאֶלְתִּין, וְאָנַח לוֹן קָמַיְיהוּ דְּאִינּוּן שַׁבְעִין וּתְרֵין נְהוֹרִין, וְדַיְינִין לוֹן. וּכְדֵין הַאי רוּחָא דְּאִקְרֵי זְכוּ"ת אֵל, מְעַיֵּין בְּהוּ, אִי זָכֵי אִי לָא זָכֵי. אִי זָכֵי, נָפְקָא הַאי צְלוֹתָא, וּמִתְגַּלְגְּלָא הַאי שְׁאֶלְתָּא, וְנָפְקָן עִמֵּיהּ תְּרֵיסַר מְמָנָן, וְכָל חַד וְחַד תַּבְעִין מֵעִם הַהוּא רוּחָא, קִיּוּמָא בְּהַאי שְׁאֶלְתָּא, וְאִתְקַיְּימָא בְּהוּ.

תרכב. תְּחוֹת הַאי חֵיוָתָא, אַרְבָּעָה שְׂרָפִין מְלַהֲטָן, שְׂרָפִאֵ"ל, בַּרְקִיאֵ"ל, קְרִישִׁיאֵ"ל קְדוּמִיָּ"ה. וְאִלֵּין אַרְבַּע תְּחוֹת הַאי חֵיוָתָא קַיְימֵי לְאַרְבַּע סִטְרֵי עָלְמָא, אִלֵּין ד' קַיְימֵי לְד' סִטְרֵי עָלְמָא, וְאִינּוּן מְמָנָן לְאַשְׁגָּחָא בְּכָל אִינּוּן דְּנַטְרֵי יוֹמָא דְּשַׁבְּתָא, וּמְעַנְּגֵי שַׁבְּתָא כַּדְקָא יָאוּת.

תרכג. מֵאִלֵּין אַרְבַּע כַּד נַטְלֵי, נָפְקֵי שְׁבִיבִין דְּאֶשָּׁא, וּמֵאִלֵּין שְׁבִיבִין אִתְעֲבִידוּ שַׁבְעִין וּתְרֵין גַּלְגַּלִּין, מְלַהֲטָן בְּאֶשָּׁא. מֵהָכָא אִתְעֲבֵיד נְהַר דִּינוּר. אֶלֶף אַלְפִין יְשַׁמְּשׁוּנֵיהּ לְהַהוּא נַהֲרָא, כָּל אִינּוּן דִּמְעַנְּגֵי שַׁבְּתָא, אִלֵּין אַרְבַּע מְמָנָן מַשְׁגְּחָן בְּכָל אִינּוּן דִּמְעַנְּגֵי שַׁבְּתָא, וְהַאי חֵיוָתָא קַיְּימָא עָלַיְיהוּ, וְנַטְלֵי בְּגִינָהּ תְּחוֹתָהּ.

תרכד. בְּכָל יוֹמָא וְיוֹמָא, נָגִיד הַהוּא נְהַר דִּינוּר, וְאוֹקִיד לְכַמָּה רוּחִין, וּלְכַמָּה

שלטין. וכד עייל שבתא, כרוזא נפקא, ושכיך ההוא נהר דינור, וזעפין וזיקין ושביבין אשתככו. והאי חיותא אזלא וסלקא על ארבעה אלין שרפים דקאמרן. ועאל גו אמצעיתא דהיכלא דא, בההוא אתר דאקרי ענג.

תרכה. בגין דבהאי אתר, כד עייל שבתא, מתסדראן תמן כל פתורי דבני עלמא, דאקרו בני היכלא דמלכא, ואלף אלפין, ורבו רבוון ממנן, קיימי על אינון פתורי. והאי חיותא עלאה על אלין ארבעה שרפים, ועאל בההוא אתר, וחזמא כל אינון פתורי, ואשגח בכל פתורא ופתורא, והיך מענגי ליה לכל פתורא ופתורא, וקיימא ובריך ליה לההוא פתורא. וכל אינון אלף אלפין, ורבוא רבבן, כלהו פתחי ואמרי אמן.

תרכו. ומה ברכה היא דבריך על האי פתורא דמתסדר ואתענגא כדקא יאות. אז תתענג על יי' וגו' כי פי יי' דבר. וכלהו אמרי, אז תקרא ויי' יענה וגו'. רוחא עלאה דאקרי זכו"ת אל, כד ההוא פתורא אתענג בכלהו סעודתי, בסעודתא בתראה תליתאה מסיים ואמר, על כל אינון קדמאי, ואמר אז יבקע כשחר אורך וגו', כבוד יי' יאספך. כל אינון שבעין נהורין אחרנין בכל סטרין, פתחי ואמרי, הנה כי כן יבורך גבר ירא יי'.

תרכז. וכד פתורא דבר נש לא קיימא בההוא אתר בסדורא דענוגא כדקא יאות, כדין האי חיותא, ואינון ארבע דתחותה, וכל אינון אלף אלפין ורבו רבבן, כלהו דחיין ליה לבר, לההוא סטרא אחרא, וכמה גרדיני נימוסין, כלהו נטלי ליה ועיילי ליה לההוא אתר, דאיהו בהפוכא מן דא, ואקרי נגע. וכד עייל לה תמן, ואמרי ויאהב קללה ותבואהו ולא חפץ בברכה ותרחק ממנו. ינקש נושה לכל אשר לו וגו', אל יהי לו מושך חסד וגו'. רחמנא לשזבן.

תרכח. בגין דענוגא דשבתא, ומהימנותא דקב"ה איהו. ובג"ד, כל אינון דמענגי ענוגא דשבתא וזמני ומועדי, אלין ארבע דקיימי תחות האי חיותא, קיימא לקבל ההוא נהר דינור, ולא שבקי לאתוקדא ביה, לכל אינון דמתענגי ענוגייהו כדקא יאות.

תרכט. תחות אלין ארבע, אית ממנן אחרנין, דקיימי לבר, דאשתמודעאן מסטרא דהיכלא דא ומכרזי לכלא אינון דינין, וכל אינון גזרין דאתגזרו בהאי היכלא.

תרל. כלא אתדן הכא, בר תלת מלין, דלא אתייהיב רשו הכא בהיכלא דא דאקרי זכותא. ואלין אינון: בני, חיי, ומזוני. דהא אלין תלתא, לא קיימי הכא, בגין דהא במזלא תליאן. דהא ההוא נהר דנגיד ונפיק, תמן תליין חיין דלעילא, ותמן תליין מזוני, ותמן תליין בני, דהא אלין תלתא מתמן נפקי, ונגדי ואתמשכאן לתתא. ובגין כך, כלא קיימא בהיכלא דא, בר הני תלתא.

תרלא. בר נש כד איהו בבי מרעיה, הכא אתדן, וכל שאר דינין דעלמא. ואי תימא, בר נש בבי מרעיה, אי אתדן לחיים יהבין ליה. לאו דחיין תליין הכא, אלא כד אתדן הכא לחיים, כדין נגדין חיים מלעילא, ויהבי ליה. זכאה חולקיהון דצדיקיא דידעי ארחוי דאורייתא, וזכאן בה לחיי עלמא, עלייהו כתיב ועמך כולם צדיקים לעולם ירשו ארץ.

היכל אהבה חסד

תרלב. היכלא חמישאה, היכלא דא קיימא לאנהרא לאלין תתאי. והאי איהו היכלא דקיימא לאנהרא ברזא דמהימנותא. פתחא חדא קיימא בהאי היכלא, וחד

מִמְּנָא עֲלֵיהּ, וְהַהוּא מְמַנָּא אִקְרֵי סַנֵּיגוֹרְי"ה. הַאי מְמַנָּא קַיְּימָא עַל פִּתְחָא דָּא, בְּגִין לְמֵילַף סַנֵּיגוֹרְיָא דִּלְהוֹן, קַמֵּיהּ דְּמָארֵיהוֹן. וְלָא יִשְׁלוֹט עֲלַיְיהוּ סִטְרָא אָחֳרָא.

תרלג. בְּהֵיכָלָא דָּא, קַיְּימָא חַד רוּחָא, דִּכְלִיל בְּאַרְבַּע, דְּהָא רוּחָא דָּא כָּלִיל בְּאַרְבַּע גַּוְונִין, חִוָּור וְאוּכָם יָרוֹק וְסוּמָק. וְהַאי אִיהוּ רוּחָא דְּקַיְּימָא כָּלִיל בְּכֹלָּא, וְאִקְרֵי סוּרִיָּי"ה, רַב עַל כָּל אִינּוּן חַיָּילִין תַּתָּאִין. וְכֻלְּהוּ קַיְּימִין תְּחוֹתֵיהּ, וּמִמְּנָן תְּחוֹת יְדֵיהּ.

תרלד. הַאי רוּחָא, דְּסָגִּיר וּפָתַח. כָּל מַפְתְּחָאן עִלָּאִין כֻּלְּהוּ אִתְמַסְרָן בִּידֵיהּ. כָּל חַיָּילִין תַּתָּאִין, כֻּלְּהוּ אִתְכְּלִילָן וְקַיְּימָן תְּחוֹתֵיהּ, וּמִנֵּיהּ אִתְזָנוּ הַאי קַיְּימָא בְּכָל רָזִין דְּמָארֵיהּ, כָּל גְּנָזִין עִלָּאִין כֻּלְּהוּ אִתְמַסְרָן בִּידֵיהּ.

תרלה. הַאי רוּחָא אִקְרֵי אַהֲבָה. וּבג"ד, אִקְרֵי הֵיכַל דָּא, הֵיכַל אַהֲבָה. בְּגִין דְּהָכָא אִתְגְּנִיזוּ כָּל רָזָא דְּרָזִין, לְמַאן דְּאִצְטְרִיךְ לְאִתְדַּבְּקָא בֵּיהּ. וְהָכָא הוּא רָזָא דִּכְתִיב, שָׁם אֶתֵּן אֶת דּוֹדַי לָךְ.

תרלו. רוּחָא דָּא, אִיהוּ נָטִיר כָּל נְטִירוּ דִּלְעֵילָא, וְדָא אִקְרֵי שׁוֹמֵר יִשְׂרָאֵל. שׁוֹמֵר הַבְּרִית. בְּגִין דְּהָכָא אִיהוּ נְטִירוּ דְּכָל גְּנָזִין עִלָּאִין, וְעַל דָּא גְּנִיזִין דְּמָארֵיהּ גְּנִיזִין בֵּיהּ. מֵהַאי נָפְקֵי שְׁבִילִין וְאָרְחִין לְאִינּוּן דִּלְתַתָּא, בְּגִין לְאִתְעָרָא בְּהוּ רוּחָא דִּרְחִימוּתָא.

תרלז. אִלֵּין ד' גַּוְונִין דְּבֵיהּ, אִתְכְּלִילָן דָּא בְּדָא. וְכַד בָּעָאן לְאִכְלְלָא, בָּטַשׁ דָּא בְּדָא, וְנָפַק מִכֻּלְּהוּ חַד חֵיוָתָא קַדִּישָׁא, דְּאִקְרֵי זֹהַר. וְהַאי חֵיוָתָא עַל דָּא כְּתִיב, הִיא הַחַיָּה אֲשֶׁר רָאִיתִי עַל נְהַר כְּבָר.

תרלח. מֵהֵיכָלָא דָּא, נָפְקִין כָּל רוּחִין קַדִּישִׁין דְּקַיְּימִין בְּקִיּוּמָא דִּנְשִׁיקִין עִלָּאִין. דְּהָא מֵאִינּוּן נְשִׁיקִין, נָפְקָא אֲוִירָא דְּרוּחָא, לְקִיּוּמָא דְּנַפְשָׁא לְכָל אִינּוּן נִשְׁמָתִין עִלָּאִין, דְּאִתְיְיהִיבוּ בִּבְנֵי נָשָׁא. וְרָזָא הַהוּא דִּכְתִיב, כִּי עַל כָּל מוֹצָא פִּי יְיָ' יִחְיֶה הָאָדָם. בְּגִין דִּבְהַאי הֵיכָלָא קַיְּימִין כָּל נִשְׁמָתִין, וְכָל רוּחִין, דִּזְמִינִין לְנַחְתָּא בִּבְנֵי נָשָׁא, מִיּוֹמָא דְּאִתְבְּרֵי עָלְמָא. וְעַל דָּא, הֵיכָלָא דָּא נֻקְבָא, כָּל אִינּוּן נִשְׁמָתִין דְּנָפְקִין מֵהַהוּא נָהָר דְּנָגִיד וְנָפִיק. וּבְגִין דָּא, הֵיכָלָא דָּא לָא קַיְּימָא לְעָלְמָא בְּרֵיקָנַיָּא.

תרלט. וּמִיּוֹמָא דְּאִתְחָרַב בֵּי מַקְדְּשָׁא, לָא עָאלוּ הָכָא נִשְׁמָתִין אָחֳרָנִין. וְכַד יִסְתַּיְּימוּן אִלֵּין, הֵיכָלָא קַיְּימָא בְּרֵיקָנַיָּא, וְיִתְפְּקַד מִלְּעֵילָא, וּכְדֵין יֵיתֵי מַלְכָּא מְשִׁיחָא. וְאִתְּעַר הֵיכָלָא דָּא לְעֵילָא, וְיִתְּעַר הֵיכָלָא לְתַתָּא.

תרמ. וּבְרָזָא דְּהֵיכָלָא דָּא כְּתִיב, שְׁנֵי שָׁדַיִךְ כִּשְׁנֵי עֳפָרִים וְגוֹ'. בְּגִין דִּבְהֵיכָלָא דָּא הַהוּא רוּחָא דְּקָאָמְרָן, וְהַהוּא חֵיוָתָא, אַפִּיק תְּרֵין נְהוֹרִין כְּלִילָן דָּא בְּדָא, מִתְקַשְּׁרָן דָּא בְּדָא, וְאִקְרוּן אֵ"ל שַׁדַּ"י. אִלֵּין אִקְרוּן שַׁדַּ"י, וְאֵ"ל דִּלְתַתָּא, מִתְחַבְּרָן דָּא בְּדָא, וְאָעִיל דָּא בְּדָא, וְאִקְרֵי אֵ"ל שַׁדַּ"י. בְּגִין דְּנָפַק מִכְּלָלָא דְּאִלֵּין שָׁדַיִם.

תרמא. וְהַאי אֵ"ל דְּאִיהוּ מִסִּטְרָא דִּימִינָא, נָטִיל מֵאֲתַר דָּא, כָּל אִינּוּן רַחֲמִין, דְּקַיְּימֵי לְאִתְזָנָא הַהוּא הֵיכָלָא דִּלְתַתָּא, דְּאִקְרֵי זְכוּת"א, עַל שְׁמָא דְּהַאי רוּחָא דְּבֵיהּ דְּקָאָמְרָן. הַאי שַׁדַּי, יָנִיק לְכָל אִינּוּן תַּתָּאִין, וּלְכָל אִינּוּן הֵיכָלִין, וּלְכָל אִינּוּן דִּלְבַר, דְּקַיְּימֵי מִסִּטְרָא דָּא, דְּאִקְרוּן יְתֵדוֹת הַמִּשְׁכָּן, כְּמָה דְּאוֹקִימְנָא. וְעַל דָּא אִקְרֵי שַׁדַּי, בְּגִין דִּמְסַפְּקָא מְזוֹנָא לְכֻלְּהוּ תַּתָּאֵי, כְּמָה דְּאִיהוּ מְקַבְּלָא, מִסִּטְרָא דִּימִינָא.

תרמב. מֵהָכָא, נָפְקוּ אִינּוּן נְהוֹרִין, דְּאִקְרוּן לַהַט הַחֶרֶב הַמִּתְהַפֶּכֶת. בְּגִין דְּמִתְהַפְּכָא לְכַמָּה גַּוְונִין, וְהָא אוֹקִימְנָא, דְּאִלֵּין מִתְעָרֵי דִּינָא בִּשְׁלִיחוּתָא דִּלְעֵילָא, וְאִינּוּן בְּעָלְמָא מִסְּטַר שְׂמָאלָא, כַּד אִתְפְּשַׁט רוּחָא דָּא, וּבָטַשׁ לְאַפָּקָא נְהוֹרִין לְכָל סִטְרִין, כְּאִינּוּן

עֳדִים דְּרַמְיָאן וְזַלְבָּא לְכָל סְטָר, הָכִי נָמֵי מֵהַאי רוּחָא, נָפְקֵי לְכָל סְטָר, וְאַפִּיקוּ וָד
וְזַיְוָתָא אוֹחֲרָא, דִּי מִמַּנָּא עַל אִלֵּין, דְּאִקְרֵי לַהַט הַחֶרֶב הַמִּתְהַפֶּכֶת. וְדָא אִקְרֵי.

תרמג. וְהַהוּא וְהַאי דִּמְמַנָּא עַל עָלְמָא. בְּזִמְנָא דִּי מִמַּנָּא כַּפְנָא עַל עָלְמָא וְאִתְדָּן
בֵּיהּ, כְּדֵין הַאי וְזַיְוָתָא אִתְפָּקְדָא עַל עָלְמָא, וְאַפִּיק רוּחָא דִּמְזוֹנָא, לְכָל אִינּוּן בְּנֵי
מְהֵימְנוּתָא, דְּלָא יְמוּתוּן בְּכַפְנָא, וְסָעִיד לְבַיְיהוּ. בְּגִין דְּהָא מִסִּטְרָא אוֹחֲרָא, כַּד שֻׁלְטָא
כַּפְנָא בְּעָלְמָא, נָפְקֵי מֵהַאי סִטְרָא תְּרֵין רוּחִין מִסְאֲבִין, וְאִקְרוּן שׁוֹד וְכֶפֶן. וְדָא אִיהוּ
רָזָא, לְשׁוֹד וּלְכָפָן תִּשְׂחָק. בְּגִין דְּאִלֵּין קַיְימִין בְּעָלְמָא, וְעָבְדִין לוֹן לִבְנֵי נָשָׁא קַטְרוּגָא.
וָד, הַהוּא דְּקָא מְעַדֵּר לְהוּ כַּפְנָא, וּמַיְיתֵי. וְוָד, דְּקָא אָכִיל בְּנֵי נָשָׁא וְלָא עַבְדִין, בְּגִין
דְּהָא רוּחָא בִּישָׁא שָׁלְטָא בְּעָלְמָא.

תרמד. וְזַיְוָתָא דָּא, אַפִּיק וָד נִיצוֹצָא, דְּקָא נָפִיק מִנִּיצוֹצָא דִּתְרֵין נִיצוֹצִין דְּאַמְרָן, דְּאִינּוּן
מִתְהַדְּבָּקָאן לְכַמָּה גְּוָונִין. וְהַאי נִיצוֹצָא אִקְרֵי שְׂרָפִים, וְהַאי אָוְזִיד בְּהוֹן, וְלָהִיט לוֹן.

תרמה. בְּהֵיכְלָא דָּא אִית תְּרֵין מִמַּנָּן, נְהוֹרִין דְּקַיְימִין עַל אֶלֶף וְרִבּוֹא רִבָּן דְּאִקְרוּן
גָּפְנִים, וְאֶלֶף, וְרִבּוֹא רִבָּן דְּאִקְרוּן רִמּוֹנִים, וְכֻלְּהוּ קַיְימִין בְּוַזְבִיבוּתָא, וְאִלֵּין אִינּוּן
דְּעַאלֵי רְוָוחְמוּתָא בֵּין יִשְׂרָאֵל לְתַתָּא, וקב"ה לְעֵילָּא. וְכֻלְּהוּ מִתְעָרֵי רְוָוחְמוּתָא, וְקַיְימָן
בִּרְוָוחֵימוּ. וְכַד אִתְעָר רְוָוחִימוּ מִתַּתָּא לְעֵילָּא, וּמֵעֵילָּא לְתַתָּא, כְּדֵין אִתְמַלְיָא הֵיכְלָא, דָּא,
מִכַּמָּה טָבִין, מִכַּמָּה וְסַדִּין, מִכַּמָּה רַחֲמִין וּכְדֵין רְוָוחִימוּ דִלְתַתָּא, גּוֹ רְוָוחִימוּ עֵלָּאָה,
אִתְדַּבָּק דָּא בְּדָא.

תרמו. מֵהָכָא נָפְקֵי תְּרֵין מִמַּנָּן, וְאִקְרוּן אַהֲבָה, עַל שְׁמָא דְהֵיכְלָא. וְאִלֵּין קַיְימִין
לְאַשְׁגָּחָא עַל כָּל אִינּוּן דִּמְיַחֲדֵי יוֹחֲדָא דְּמָארֵיהוֹן בִּרְוָוחִימוּ, וּמַסְּרֵי נַפְשַׁיְיהוּ עֲלֵיהּ
בִּרְוָוחִימוּ, וְסָלְקֵי וְאַסְהֲדִיוּ לְעֵילָּא וְכָל אִינּוּן דְּעָבְדֵי וְחֶסֶד בְּעָלְמָא, אִינּוּן וְסַדִּין סַלְקִין
וְעַאלִין גּוֹ הַאי הֵיכְלָא, וּמִתְעַטְּרֵי תַּמָּן, וְסָלְקֵי לְאִתְעַטְּרָא גּוֹ אַהֲבָה עֵלָּאָה. וְעַל דָּא
כְּתִיב, כִּי גָדוֹל מֵעַל שָׁמַיִם וַסְדֶּךָ. בְּהֵיכְלָא דָּא כְּתִיב, מַיִם רַבִּים לֹא יוּכְלוּ לְכַבּוֹת
אֶת הָאַהֲבָה וּנְהָרוֹת לֹא יִשְׁטְפוּהָ וְגוֹ'.

הֵיכַל רָצוֹן תִּפְאֶרֶת

תרמז. הֵיכְלָא שְׁתִיתָאָה. דָּא הוּא הֵיכְלָא דְּאִקְרֵי הֵיכְלָא דְּרָצוֹן, דְּאִיהוּ רַעֲוָא,
דְּאִקְרֵי מוֹצָא פִי יְיָ', וְזִדְּוָה דְּאִתְדַּבְּקוּתָא דְּכֹלָּא. וְהָכָא אִיהוּ רַעֲוָא דְּרַעֲוִין, בְּרָזָא
דִכְתִיב, כְּווּט הָעֵנִי עֲפַּחְתְּוָתִיךְ. רַעֲוָא דְּכָל נִשְׁמָתִין, דְּנַפְקֵי מֵהַהוּא מוֹצָא פִי יְיָ'.

תרמח. הַאי הֵיכְלָא, הֵיכְלָא דְּרַעֲוָא. דְּקַיְימָן הָכָא כָּל שְׁאֶלְתִּין, וְכָל בָּעוּתִין
דְּעָלְמָא. בְּגִין דְּרַעֲוָא דְּכָל רַעֲוִין, כַּד נְשִׁיקִין אִשְׁתְּכָחוּ, בְּרָזָא דִכְתִיב, וַיִּשַּׁק יַעֲקֹב
לְרָחֵל. וּכְדֵין כַּד נָשִׁיק דָּא לְדָא, כְּדֵין אִקְרֵי עֵת רָצוֹן. בְּגִין דְּהָא כְּדֵין שְׁלִימוּ
אִשְׁתְּכָחוּ, וְכָל אַנְפִּין נְהִירִין. וְכַד צְלוֹתִין סַלְקִין, כְּדֵין אִיהוּ עֵת רָצוֹן לְאִשְׁתְּכָחָא, וע"ד
כְּתִיב וַאֲנִי תְפִלָּתִי לְךָ יְיָ' עֵת רָצוֹן. דְּאִיהוּ וְהַבּוֹרָא דָּא עִם דָּא.

תרמט. בְּהֵיכְלָא דָּא קַיְימָן ד' פִּתְחִין לְד' סִטְרִין דְּעָלְמָא, וְוָד לְעֵילָּא,
וְוָד לְתַתָּא. בְּאִלֵּין פִּתְחִין אִתְמַנָּא וָד רוּחָא, דְּאִיהוּ רַב עַל כֻּלְּהוּ דִּי מִמַּנָּן בְּכָל אִלֵּין
פִּתְחִין, וְרַזִיא"ל שְׁמֵיהּ. וְהַאי אִתְמַנָּא וְאִתְפָּקַד בְּכָל אִינּוּן רָזִין עִלָּאִין, דְּפוּמָא לְפוּמָא
מְמַלְּלָן, דְּנַשְׁקִין דָּא לְדָא בִּרְוָוחִימוּ דִּרְוָוחִימוּתָא.

תרנ. רָזִין אִלֵּין לָא קַיְימָן לְגַלָּאָה, אֲבָל כַּד תַּרְעִין אִתְפָּתְחוּ, כְּדֵין יַדְעִין כֻּלְּהוּ
הֵיכְלִין, וְכָל אִינּוּן רוּחִין, וְכָל אִינּוּן מַשִּׁרְיָין, דְּהָא תַּרְעֵי דְּרָצוֹן אִתְפָּתְחוּ. וְלָא עָאלִין

בְּאִלֵּין תַּרְעִין, אֶלָּא רַעֲוֵי דִּצְלוֹתִין, רַעֲוֵי דִּשְׁבָחָא, רַעֲוֵי דְּנִשְׁמָתִין קַדִּישִׁין עִלָּאִין.

תרנא. הַאי אִיהוּ הֵיכָלָא דְּמֹשֶׁה, בְּהַאי הֵיכָלָא אִתְכְּנִישׁ מֹשֶׁה בִּרְחִימוּ, וְנָשִׁיק נְשִׁיקִין. בְּהַאי הֵיכָלָא, מֹשֶׁה יְדַבֵּר וְהָאֱלֹהִים יַעֲנֶנּוּ בְקוֹל.

תרנב. כַּד אִתְדַּבְּקוּ נְשִׁיקִין בִּנְשִׁיקִין, דָּא עִם דָּא, וְעַל דָּא כְּתִיב, יִשָּׁקֵנִי מִנְּשִׁיקוֹת פִּיהוּ וְגוֹ'. לֵית נְשִׁיקִין דְּחֶדְוָה וּרְחִימוּתָא אֶלָּא כַּד מִתְדַּבְּקָן דָּא בְּדָא, פּוּמָא בְּפוּמָא, רוּחָא בְּרוּחָא, דִּכְדֵין רָוָואן דָּא עִם דָּא, בְּתַפְנוּקִין דְּכֹלָּא, וּבְחֶדְוָה, מִנְּהִירוּ עִלָּאָה.

תרנג. תָּא חֲזֵי, מֹשֶׁה יְדַבֵּר, דִּכְתִיב הִנָּךְ יָפָה רַעְיָתִי, וּכְתִיב כְּחוּט הַשָּׁנִי שִׂפְתוֹתַיִךְ. וְהָאֱלֹהִים יַעֲנֶנּוּ בְקוֹל, דִּכְתִיב הִנְּךָ יָפֶה דוֹדִי אַף נָעִים, וּכְתִיב שִׂפְתוֹתָיו שׁוֹשַׁנִּים נוֹטְפוֹת מוֹר עוֹבֵר.

תרנד. הַאי רוּחָא, אִתְמְסָרוּ בִּידֵיהּ, כָּל רָזִין דְּאִינּוּן נִשְׁמָתִין עִלָּאִין, דְּמִתְעָרֵי תִּיאוּבְתָּא דִּרְחִימוּ דִּלְעֵילָּא וְתַתָּא כַּחֲדָא. אִינּוּן נִשְׁמָתִין עִלָּאִין, כְּגוֹן רַבִּי עֲקִיבָא וְחַבְרוֹי, דְּאִלֵּין לָא אִתְקְרִיבוּ לְאִסְתַּחֲאָה בִּנְהַר דִּינוּר, כְּמָה דִּשְׁאַר נִשְׁמָתִין אִסְתַּחְיָין תַּמָּן וְעָבְרוּ בֵּיהּ, וְהָא אוֹקִימְנָא.

תרנה. רוּחָא דָּא, אַפִּיק תְּרֵיסַר נְהוֹרִין, וְכֻלְּהוּ קַיְימֵי בְּרָזָא דְּתְחוֹת הַאי רוּחָא. בְּאַרְבַּע סִטְרִין דְּעָלְמָא, קַיְימִין ד' נְהוֹרִין עִלָּאִין, דְּשַׁלְטִין לְאַרְבַּע סִטְרִין. בְּסִטְרָא דְּדָרוֹם, קַיְּימָא חַד נְהוֹרָא עִלָּאָה יְמִינָא דְּכָל עָלְמָא, דְּהָא מִנֵּיהּ שָׁרָאן יִשְׂרָאֵל לְאִתְאַחֲדָא בְּרָזָא דִּמְהֵימְנוּתָא, וְאִיהוּ מִיכָאֵל, רַב חֵילָא דִּנְהוֹרָא עִלָּאָה, דְּנַחְתָּא מִסִּטְרָא דְּדָרוֹם, דְּתַמָּן נְהוֹרָא קַיְּימָא בְּתוּקְפֵּיהּ.

תרנו. הַאי מִיכָאֵל, נְהוֹרָא יְמִינָא, אַפִּטְרוֹפּוֹסָא רַבָּא דְּיִשְׂרָאֵל. בְּגִין, דְּכַד סִטְרָא אָחֳרָא קַיְּימָא לְאַסְטָאָה עָלַיְיהוּ דְּיִשְׂרָאֵל, כְּדֵין מִיכָאֵל טָעִין עִמֵּיהּ, וְאִתְעָבֵיד סַנֵּיגוֹרְיָא עָלַיְיהוּ דְּיִשְׂרָאֵל, וְאִשְׁתְּזָבָן מֵהַהוּא קַטֵּיגוֹרְיָא דְּמָארֵי בְּעָלֵי דְּבָבוּ יִשְׂרָאֵל

תרנז. בַּר בְּזִמְנָא דְּאִיחֲרַב יְרוּשְׁלֵם, דְּהָא כְּדֵין אִתְגַּבָּרוּ חוֹבִין וּמִיכָאֵל לָא יָכִיל בַּהֲדֵיהּ דְּסִטְרָא אָחֳרָא, דְּטַעֲנְתֵּיהּ דְּמִיכָאֵל תְּבִירָא עָלַיְיהוּ דְּיִשְׂרָאֵל, וּכְדֵין הֵשִׁיב אָחוֹר יְמִינוֹ מִפְּנֵי אוֹיֵב.

תרנח. בְּסִטְרָא דְּצָפוֹן, קַיְּימָא נְהוֹרָא אָחֳרָא, דְּהָא אִיהוּ קַיְּימָא לְבַטְּלָא דִּינָא מִבֵּי הֵיכָלָא רְבִיעָאָה. וְיָהֵב לִמְמָנָא דִּפְתְחָא דִּבְהַהוּא פִּתְחָא קַיְּימָא מְמָנָן אָחֳרָן דְּאִינּוּן דְּבִסְטַר מְסָאֲבָא, מוּזַכָּאן לְהַהוּא מְמָנָא וְנַטְלֵי דִּינָא. וּלְזִמְנִין דְּהַאי נְהוֹרָא דִּבְסִטְרָא דְּצָפוֹן, אִיהוּ עָבֵיד דִּינָא, וְלָא יִתְמְסַר בִּידָא דְּסִטְרָא אָחֳרָא. בְּגִין דְּכָל דִּינִין דְּאִתְעָבֵידוּ בֵּיהּ, אִית לוֹן אַסְוָותָא. וְקוּדְשָׁא בְּרִיךְ הוּא עָבֵיד חֶסֶד בְּאִינּוּן אַתְרֵי.

תרנט. גַּבְרִיאֵ"ל אִיהוּ הַאי נְהוֹרָא דִּבְסִטְרָא דְּצָפוֹן, וּבְכָל אֲתַר דְּאִיהוּ מָחֵי, שָׁרֵי בֵּיהּ חֶסֶד. בְּגִין דְּגַבְרִיאֵ"ל בִּתְרֵין סִטְרִין, כָּלִיל בִּתְרַוַויְיהוּ, וְעַל דָּא, מַחְיָא וְאַסְוָותָא בֵּיהּ. בְּסִטְרָא דָּא קַיְּימָא רָזָא דִּכְתִיב, כִּי כַּאֲשֶׁר יְיַסֵּר אִישׁ אֶת בְּנוֹ יְיָ' אֱלֹהֶיךָ מְיַסְּרֶךָּ. וְאִלֵּין יִסּוּרִין דִּרְחִימוּתָא, דִּכְלִילָן בְּסִטְרָא דָּא וּבְסִטְרָא דָּא.

תרס. בְּסִטְרָא דְּמִזְרָח, קַיְּימָא נְהוֹרָא אָחֳרָא, דְּאִיהוּ קַיְּימָא בְּכָל מִלֵּי דְּאַסְוָותָא, לְמֵיעַל קַמֵּי מָארֵיהּ, כָּל אִינּוּן דְּאִתְנַשְׁיָין בְּבֵי מַרְעַיְיהוּ, וּלְקָרְבָא זִמְנִין וְקִצִּין לְאִינּוּן מַרְעִין דְּאִשְׁתְּלִימוּ מֵהֵימְנוּתַיְיהוּ. וְאַסְחַר עָלְמָא בְּכָל יוֹמָא וְיוֹמָא, בְּגִין לְאַשְׁלְמָא אַסְוָותָא בְּפִקּוּדָא דְּמָארֵיהּ, וְהַאי נְהוֹרָא רְפָאֵ"ל שְׁמֵיהּ. וְאַף עַל גַּב דְּהָא אוֹקִימְנָא לֵיהּ לְסִטְרָא אָחֳרָא. וְדָא אָחִיד לְסִטְרָא דָּא, וּלְסִטְרָא דָּא, לְסִטְרָא דְּמִיכָאֵל, וּלְסִטְרָא

דְּגַבְרִיאֵל.

תרסא. וְהַאי אִיהוּ מִמְּנָא, בְּשַׁעְתָּא דְּאִתְדָּן בַּר נָשׁ בְּהֵיכָלָא רְבִיעָאָה לְחַיִּים, כְּדֵין אִיהוּ אַקְדִּים בְּאַסְוָותָא. וְהַאי אַסְוָותָא מִגּוֹ דְּוִזִיקוּ נָפְקָא, בְּגִין דְּמִתְּרֵין סִטְרִין נָפְקָא, וְהַאי דְּוִזִיקוּ אַתְיָא מִגּוֹ סְטָר שְׂמָאלָא, וְאַסְוָותָא מִגּוֹ סְטָר יְמִינָא. וְעַל דָּא, הַהוּא מְרַע כַּד אַתְיָא לֵיהּ אַסְוָתָא, מִגּוֹ דְּוִזִיקוּ סַגְיָא אַתְיָא לֵיהּ.

תרסב. וְהָכִי הוּא מִסִּטְרָא דְּמַעֲרָב, וְאַף עַל גַּב דְּאַמְרָן דְּרְפָאֵל בִּסְטָר מִזְרָח, וְאוּקְמוּהָ בִּסְטָר דָּא דְּמַעֲרָב, אַסְוָותָא וְחַיִּין לָאו אִיהוּ אֶלָּא מִסְּטָר מִזְרָח, דְּהָא מִתַּמָּן אִתְמַשְׁכָאן חַיִּין לְתַתָּא.

תרסג. וּבְהַאי סִטְרָא דְּמַעֲרָב, נְהוֹרָא חַד וְנוּרִיאֵ"ל שְׁמֵיהּ, וְאִיהוּ אוּרִיאֵ"ל. וְדָא אִיהוּ כְּלִיל מִכֻּלְּהוּ, וְקַיְּימָא שְׁלִימָא בְּכֹלָּא. וְאִית לֵיהּ ג' סִטְרִין, אֲבָל תְּרֵין אִינּוּן, בְּגִין דְּכָל חַד מֵאִלֵּין כָּלִיל בְּחַבְרֵיהּ, דְּאִינּוּן אַרְבַּע יְסוֹדִין תַּתָּאִין, מֵאִינּוּן אַרְבַּע יְסוֹדֵי עָלְמָא, עִלָּאִין עַל כֹּלָּא. וּבְגִין דְּכֻלְּהוּ מִתְקַשְׁרָן דָּא בְּדָא, רָמִז קְרָא וְאָמַר, אֶל גִּנַּת אֱגוֹז יָרַדְתִּי לִרְאוֹת.

תרסד. אִינּוּן תְּרֵיסַר נְהוֹרִין, קַיְּימִין בְּהַהוּא רְוָוחָא דְּקַאמְרָן, וְהַהוּא רְוָוחָא עֲלַיְיהוּ בִּשְׁלִימוּ, אִלֵּין אַרְבַּע נְהוֹרִין עִלָּאִין, אִית תְּחוֹתַיְיהוּ תְּמַנְיָא אַחֲרָנִין, לְמֶהֱוֵי בִּשְׁלִימוּ, וּבְכֻלְּהוּ שְׁלִימוּ חַד, וְכַד מִתְפָּרְשִׁין כֻּלְּהוּ, אִינּוּן תְּלַת לְכָל סְטָר.

תרסה. אִלֵּין אַרְבַּע סַמְכִין, קַיְּימִין לְסַלְקָא וּלְאִתְאַחֲדָא הַאי הֵיכָלָא לְעֵילָא, בְּאֲתַר דְּאִקְרֵי שָׁמַיִם, לְאִתְחַבְּרָא נְשִׁיקִין אִלֵּין בְּאִלֵּין כַּחֲדָא. תְּחוֹת אִלֵּין, כַּמָּה דַּרְגִּין לְדַרְגִּין, כֻּלְּהוּ נָפְקֵי מִנַּיְיהוּ, מֵאִלֵּין יְסוֹדִין תַּתָּאִין, מִנַּיְיהוּ מִסִּטְרָא דְּמַיָּא, וּמִנַּיְיהוּ מִסִּטְרָא דְּאֶשָּׁא, וּמִנַּיְיהוּ, מִסִּטְרָא דְּרוּחָא, וּמִנַּיְיהוּ מִסִּטְרָא דְּעַפְרָא.

תרסו. כְּגַוְונָא דָּא תָּנֵינָן, אַרְבָּעָה נִכְנְסוּ לַפַּרְדֵּס, וְכֻלְּהוּ אִתְבְּרִירוּ לְדוּכְתָּא דָּא, לְאִלֵּין אַרְבַּע יְסוֹדֵי. וְכָל חַד וְחַד אִתְקְשַׁר בְּדוּכְתֵּיהּ, דָּא בְּסִטְרָא דְּאֶשָּׁא, וְדָא בְּסִטְרָא דְּמַיָּא, וְדָא בְּסִטְרָא דְּרוּחָא, וְדָא בְּסִטְרָא דְּעַפְרָא. וְכֻלְּהוּ אִטְבָּעוּ בִּיסוֹדָא דִּילֵיהּ, כְּמָה דְּאָעִלוּ. בַּר הַהוּא שְׁלִימָא וַחֲסִידָא, דְּאַתְיָא בְּסִטְרָא דִּימִינָא, וְאִתְדַּבַּק בִּימִינָא, וְסָלִיק לְעֵילָּא.

תרסז. וְכַד מָטָא לְהַאי אֲתַר דְּאִקְרֵי הֵיכַל אַהֲבָה, אִתְדַּבַּק בֵּיהּ בִּרְעוּ דְּלִבָּא. אָמַר, הַאי הֵיכָלָא, צְרִיכָא אִיהוּ לְדַבְקָא לֵיהּ, בְּהֵיכָלָא דִּלְעֵילָּא, בְּאַהֲבָה רַבָּה. כְּדֵין אִשְׁתְּלִים בְּרָזָא דִּמְהֵימְנוּתָא, וְאִיהוּ סָלִיק וְאִשְׁלִים אַהֲבָה זוּטָא בְּאַהֲבָה רַבָּא, כַּדְקָא חֲזֵי. וע"ד מִית בְּאַהֲבָה, וְנָפַק נִשְׁמָתֵיהּ בְּהַאי קְרָא, וְאָהַבְתָּ. זַכָּאָה חוּלָקֵיהּ.

תרסח. כָּל אִינּוּן אַחֲרָנִין, נַחְתּוּ לְתַתָּא כָּל חַד וְחַד, וְאִתְעֲנָשׁוּ בְּהַהוּא יְסוֹדָא דְּנָחַת לְתַתָּא. אֱלִישָׁע נָחַת לְתַתָּא בִּסְטָר שְׂמָאלָא, דְּאִיהוּ אֶשָּׁא, וְנָחִית בֵּיהּ וְלָא סָלִיק, וְאִעֲרַע בְּהַהוּא סִטְרָא אַחֲרָא, דְּאִקְרֵי אֵל אַחֵר. וְאִתְמְנַע מִנֵּיהּ תְּשׁוּבָה, וְאִתְתְּרַךְ בְּגִין דְּאִתְדַּבַּק בֵּיהּ, וְעַל דָּא אִקְרֵי אַחֵר, וְאוּקִימְנָא.

תרסט. בֶּן עַזַּאי, נָחִית בִּיסוֹדָא דְּעַפְרָא, וְעַד לָא מָטָא לְאוֹקִידוּ דְּעַפְרָא, דְּמָטֵי לְהַהוּא סְטָר אַחֲרָא, אִטְבַּע בְּהַהוּא עַפְרָא, וּמִית. וְעַל דָּא כְּתִיב, יָקָר בְּעֵינֵי יְיָ' הַמָּוְתָה לַחֲסִידָיו.

תרע. בֶּן זוֹמָא, נָחִית בִּיסוֹדָא דְּרוּחָא, וְאִעֲרַע בְּרוּחָא אַחֲרָא, דְּמָטָא לִסְטָר מִסְאֲבָא, דְּאִקְרֵי פֶּגַע רַע, וּבְגִין כָּךְ פָּגַע בֵּיהּ, וְלָא אִתְיַישַּׁב בֵּיהּ, וְכֻלְּהוּ לָא אִשְׁתְּזָבָן מֵעוֹנְשָׁא. וְעַל דָּא אָמַר שְׁלֹמֹה, יֵשׁ הֶבֶל אֲשֶׁר נַעֲשָׂה עַל הָאָרֶץ אֲשֶׁר יֵשׁ צַדִּיקִים שֶׁמַּגִּיעַ אֲלֵיהֶם כְּמַעֲשֵׂה הָרְשָׁעִים. בְּגִין דְּאִלֵּין נַחְתּוּ בְּדַרְגִּין אִלֵּין, וְאִתְעֲנָשׁוּ.

תרעא. תא חזי, בגין דר' עקיבא סליק לעילא כדקא יאות, עאל בשלם ונפק בשלם. דוד שאיל שאלתא, ולא אתפרש, דכתיב ממתים ידך יי' ממתים מחלד חלקם בחיים. תווהא על מה דא אלין דאתקטלו בקטולי עלמא צדיקייא, זכאין דלא חאבו וחובה בגין דיתענשון. ת"ח, ממתים ידך יי', ממתים מחלד חלקם בחיים, הכא איהו תרי סטרי, ידך יי'. וחלד. ידך יי', דא קב"ה, דנשמתא אתכניש לגביה. ממתים מחלד, דא סטרא אחרא, דגופא איהו שלטא עלוי, דכתיב לא אביט אדם עוד עם יושבי חלד.

תרעב. תא חזי, נשמתא דאלין, לאשלמותא דרוחא קדישא, דלהון עשרה רוחין מתתא כדקא יאות, וגופא דלהון יתמסר למלכו חייבא. כל חד נטיל חולקיה, ברזא דקרבנין.

תרעג. ותא חזי, רישא שירותא דמהימנותא, גו מחשבה, בטש בוצינא דקרדינותא, וסליק גו מחשבה, ואפיק נצוצין, נציצין זריק לתלת מאה ועשרין עיבר, וברירו פסולת מגו מחשבה, ואתברר.

תרעד. אוף הכי, כגוונא דא סליק במחשבה, כמה דאתברר ביה פסולת, ויתברר אלין, בהו אשתלים מאן דאצטריך, ודאי כד סליק, במחשבה סליק וכלא כמה דאצטריך. וחידו מסטרא דא, ועציבו מסטרא דא.

תרעה. כתיב ושבחתי אני את השמחה אשר אין טוב לאדם תחת השמש כי אם לאכול ולשתות ולשמוח והוא ילונו בעמלו ימי חייו אשר נתן לו האלהים תחת השמש, ושבחתי אני את השמחה, וכי שלמה מלכא משבח דא. אלא ושבחתי אני את השמחה, דא חדוותא דמלכא קדישא, בזמנא דאיהו שלטא, בשבתא וביומין טבין, דמכל עובדין טבין דב"נ עביד, אין טוב לאדם תחת השמש, כי אם לאכול ולשתות, ולאחזאה חדוותא בההוא, סטרא בגין דיהא ליה חולקא לעלמא דאתי.

תרעו. והוא ילונו בעמלו. מאן. דא קב"ה, הוא ילונו, ויהך עמיה לאעלא ליה לעלמא דאתי. דבר אחר והוא ילונו, מאן הוא. ההוא ב"נ דאכיל ושתי וחדי, כל מאי דאפיק למיכל ולמשתי, הוא ילונו לקב"ה בהלואה, ואיהו יהיב ליה כפלי כפלים, מכל מה דאפיק בהאי. בתרין אלין, אוזיף ב"נ לקב"ה, כד חייס ליה למסכנא. וכד אפיק בשבתי וזמני. דהא כלא אוזיף לקב"ה, כד"א מלוה יי' חונן דל וגמולו ישלם לו.

תרעז. ובג"כ, דא שמחה, ודא עציבו. דא חיים ודא מות. דא טוב, ודא רע, דא גן עדן, ודא גיהנם. וכלא, דא בהפוכא דדא, וע"ד גופא דלהון הוה בעציבו, ונשמתא בחדוה. וכד הוו אלין עשרה דאקרון הרוגי מלכות, הרוגים הוו מסטרא אחרא, ואשלימו אתר אחרא דקדושה. ובג"כ, כלא גלי קמי קב"ה, ואתעביד כדקא יאות.

תרעח. בהיכלא דא קיימין אינון תריסר. ארבע אלין לעילא, ותמניא עמהון. בגין דכל חד, נטיל עמיה תרין, כמה דאיהו סדורא דדגלים וכן בסדורא דלתתא, עד סוף דכל דרגין.

תרעט. בהיכלא דא, עאלין כל אינון צלותין, וכל אינון רעוין דשבחין דאתעבידו ברחימו, וכד עאלין בהאי היכלא, כלהו מתדבקן ביה. ובכל יומא, ובכל זמנא דנשיקין אתחברו, כדין איהו זמנא, דקב"ה אשתעשע בנשמתין דצדיקייא, ומהו השעשוע דמתערין אינון נשיקין, ואינון אקדימו לההוא ענוגא, וע"ד כתיב אז תתענג

עַל יְיָ' וְאוּקִימְנָא.

תרפ. הֵיכָלָא דָא, כְּלָלָא דְּכָל אִינּוּן הֵיכָלִין תַּתָּאִין, כֻּלְּהוּ כְּלִילָן בְּהַאי הֵיכָלָא. הֵיכָלָא קַדְמָאָה, דְּתַמָּן קַיְימָא הַהוּא רוּחָא דְּקָאֲמָרָן, וְכָל אִינּוּן זַיְינִין דְּבֵיהּ, אִסְתְּמִיךְ בִּתְרֵין סַמְכִין לִסְטַר מִזְרָח, וּבִתְרֵין סַמְכִין לִסְטַר דָּרוֹם, וּבִתְרֵין סַמְכִין לִסְטַר מַעֲרָב, וּבִתְרֵין סַמְכִין לִסְטַר צָפוֹן, וְאִינּוּן תְּמַנְיָא. וְאִלֵּין אִקְרוּן יְתֵדוֹת הַמִּשְׁכָּן, וְקַיְימֵי לְבַר.

תרפא. כַּד מַלְכָּא עִלָּאָה אָתֵי, נַטְלֵי אִינּוּן יְתֵדוֹת, וְאִתְעַקְּרָן מֵאַתְרַיְיהוּ אִינּוּן מֵיתָרִים, דְּאִינּוּן תְּמַנְיָא אַחֲרָנִין, בַּר מֵאִינּוּן יְתֵדוֹת דְּקָא אֲמָרָן. וְהַהוּא רוּחָא קַדְמָאָה דִּי בְּגוֹ הֵיכָלָא דָא, קָדִים וְעָאל, וְאִתְכְּלִיל בְּגוֹ הַהוּא רוּחָא תִּנְיָינָא דְּבֵיהּ.

תרפב. אִינּוּן תְּרֵין סַמְכִין דִּלְסְטַר מִזְרָח, אִינּוּן קַרְעִיאֵ"ל, דְּאִתְמַנָּא לְבַר עַל תְּרֵיסַר אַלְפֵי מְמַנָּן, דְּכֻלְּהוּ אִקְרוּן יְתֵדוֹת הַמִּשְׁכָּן, דָּא לִימִינָא לִשְׂמָאלָא שַׁמּוּעִיאֵ"ל, וְאִתְמַנָּא עַל תְּרֵיסַר אַלְפֵי מְמַנָּן אַחֲרָנִין, וְכֻלְּהוּ יְתֵדוֹת כִּדְקָאֲמָרָן. סַמְכִין דְּאִתְמַנּוּן לִסְטַר דָּרוֹם, חַד סַעֲדִיאֵ"ל, וְחַד סְטַרִיאֵ"ל, כָּל חַד וְחַד, עַל תְּרֵיסַר אַלְפֵי מְמַנָּן אַחֲרָנִין. אִלֵּין לָא אִתְעֲדִין מִשּׁוּלְטָנֵהוֹן לְעָלְמִין.

תרפג. אִלֵּין כֻּלְּהוּ, מְמַנָּן עַל קִיּוּמָא דְּעָלְמָא, אִלֵּין אִינּוּן דְּתַקְלֵי בְּמַתְקְלָא דְּכוּרִין וְנוּקְבִין, לְאִתְנַסְבָא דָּא עִם דָּא. וְאִלֵּין אִקְרוּן מֹאזְנַיִם, עַל דָּא כְּתִיב, בְּמֹאזְנַיִם לַעֲלוֹת, וְלָא אִינּוּן דִּכְתִיב בְּהוּ מֹאזְנֵי צֶדֶק, דְּקָאֲמָרָן. כָּל אִינּוּן דִּשְׁקִילִין דָּא עִם דָּא, וְלָא שָׁקִיל דָּא יַתִּיר מִן דָּא, סַלְּקִין וְאִתְחַבְּרָן כַּחֲדָא, וְאִינּוּן חִבּוּרָא דִּדְכַר וְנוּקְבָא כַּחֲדָא, וְעַל דָּא בְּמֹאזְנַיִם לַעֲלוֹת. וְאַעַ"ג דִּלְזִמְנִין מִסְתַּיְּיעָא מִלְּתָא, וְשָׁקִיל דָּא יַתִּיר מִן דָּא, סַלְּקִין וּמִתְחַבְּרָן כַּחֲדָא, וְהָא אוּקִימְנָא.

תרפד. אִינּוּן תְּרֵין סַמְכִין דִּלְסְטַר צָפוֹן, פְּתוּיאֵ"ל, עֲטָרִיאֵ"ל. וּמְמַנָּן כָּל חַד וְחַד, עַל תְּרֵיסַר אַלְפִין מְמַנָּן אַחֲרָנִין, וְאִינּוּן יְתֵדוֹת הַמִּשְׁכָּן, וּבְאִלֵּין אַחֲרָנִין דְּקָאֲמָרָן. אִינּוּן מְמַנָּן תְּרֵין סַמְכִין אַחֲרָנִין דִּלְסְטַר מַעֲרָב, אִינּוּן פְּדַתִּיאֵ"ל תּוּמִיהָאֵ"ל, וְאִתְמַנּוּן כָּל חַד עַל תְּרֵיסַר אַלְפֵי מְמַנָּן אַחֲרָנִין, וְכֻלְּהוּ יְתֵדוֹת הַמִּשְׁכָּן כִּדְקָאֲמָרָן.

תרפה. אִלֵּין אִינּוּן דְּאוֹשְׁדֵי דִּמְעִין, עַל כָּל אִינּוּן דְּמִתְרַכֵּי נְשַׁיְיהוּן קַמַּיְיתָא. בְּגִין דְּאִינּוּן שֶׁבַע בִּרְכָאן דְּאִתְמַסְרוּ לָהּ, אִתְעֲדָן, וְלָא אִתְקַיְּימוּ, בְּגִין דְּאִתְתָּרְכָא, וְלָא אִתְדַּבְקוּ בַּעְלָהּ וְאִתְּתָא כַּחֲדָא. וְעַל דָּא כֻּלְּהוּ אוֹשְׁדֵי דִּמְעִין, דְּאַחֲזֵי תֵּירוּכִין, דְּאִינּוּן שֶׁבַע בִּרְכָאן כַּמָּה דְּאִתְעֲדָן מֵאֲתַר אַחֲרָא. כְּדֵין בְּהַהִיא שַׁעֲתָא קָלָא נָפֵק וְאָמַר, אֵי זֶה סֵפֶר כְּרִיתוּת אִמְּכֶם אֲשֶׁר שִׁלַּחְתִּיהָ.

תרפו. הֵיכָלָא תִּנְיָינָא, דְּקָא אֲמָרָן דִּכְלִיל לְהֵיכָלָא קַדְמָאָה, לְאִתְיַיחֲדָא בֵּיהּ. וְכָל אִינּוּן זַיְינִין, הָכִי נָמֵי אִית לֵיהּ תְּמַנְיָא סַמְכִין כְּקַדְמָאֵי. וְכֻלְּהוּ מְמַנָּן, כָּל חַד וְחַד, עַל תְּרֵיסַר אַלְפֵי מְמַנָּן אַחֲרָנִין, כְּאִלֵּין קַדְמָאֵי כִּדְקָאֲמָרָן. תְּרֵין סַמְכִין אִינּוּן לִסְטַר מִזְרָח, תְּרֵין סַמְכִין לִסְטַר דָּרוֹם, וּתְרֵין סַמְכִין לִסְטַר צָפוֹן, וּתְרֵין סַמְכִין לִסְטַר מַעֲרָב.

תרפז. אִלֵּין תְּרֵין סַמְכִין דִּלְסְטַר מִזְרָח, יְהַדְנִיאֵ"ל, גְּזוֹרִי"ה. תְּרֵיסַר אַלְפֵי מְמַנָּן דְּכָל חַד, וְכֻלְּהוּ יְתֵדוֹת. אִינּוּן תְּרֵין סַמְכִין דִּלְסְטַר דָּרוֹם, אֲהַרִיאֵ"ל, בְּרַהִיאֵ"ל. כָּל חַד וְחַד, אִינּוּן עַל תְּרֵיסַר אַלְפִין כְּקַדְמָאֵי.

תרפח. אִלֵּין מְמַנָּן עַל מַשְׁבֵּר, וְנַטְלֵי אִינּוּן קָלֵי דְּנָשִׁין, וּמְנַהֲרָן לוֹן קָמֵי הַהוּא הֵיכָלָא. וְכַד הַהוּא סִטְרָא אַחֲרָא אָתֵי לְקַטְרְגָא בְּהַאי שַׁעֲתָא, דְּאִיהוּ שַׁעֲתָא דְּסַכָּנָה, קַיְימֵי אִלֵּין, וְעָאלִין הָנֵי קָלֵי לִמְמַנָּא דְּעַל פִּתְחָא, וְלָא יָכִיל הַהוּא סִטְרָא אַחֲרָא לְקַטְרְגָא.

וּלְזִמְנִין דְּקָדִים הַהוּא סְטָר אַחֲרָא וְעָאל וְקַטְרִיג, וְיָכִיל לְנַזְקָאָה.

תרפט. אִלֵּין תְּרֵין סַמְכִין דְּלִסְטַר צָפוֹן, חַלְחָלִיאֵ״ל, קַרְסְפִיהָאֵ״ל, אִינּוּן מְמָנָן כָּל חַד עַל תְּרֵיסַר אַלְפִין אַחֲרָנִין. דְּלִסְטַר מַעֲרָב אִינּוּן, סוּגַדְיָ״ה. גַּדְרִיָ״ה. וְאִלֵּין עַל תְּרֵיסַר אַלְפֵי אַחֲרָנִין.

תרצ. וְאִלֵּין מְמָנָן עַל הַהוּא דָּמָא דִּבְרִית, כַּד אִתְגְּזַר הַהוּא וַלְדָּא לִתְמַנְיָא יוֹמִין וְאִלֵּין נַטְלֵי הַהוּא דָּמָא, וּמַנְחָן לֵיהּ קָמֵי הַאי הֵיכָלָא. וְכַד רוּגְזָא אִתְעַר בְּעָלְמָא, אַשְׁגַּח קֻבְּ״ה עַל הַהוּא דָּמָא, וְלָא אִתְיְיהִיב לְהַהוּא סִטְרָא אַחֲרָא רְשׁוּ לְאַעֲלָא תַּמָּן.

תרצא. תָּא חֲזֵי, בְּזִמְנָא דְּאִתְגְּזַר הַהוּא בַּר נָשׁ לִתְמַנְיָא יוֹמִין, וְשָׁרַאת עָלֵיהּ שַׁבָּת, מַלְכוּת קַדִּישָׁא, הַהִיא עָרְלָה דִּגְזָרִין וְשַׁדְיָאן לֵיהּ לְבַר, כְּדֵין קַיְּימָא הַהוּא סִטְרָא אַחֲרָא, וְחָמָא דְּהַאי אִיהוּ חוּלָקֵיהּ מִקָּרְבְּנָא דָּא, כְּדֵין אִתְבַּר, וְלָא יָכִיל לְשַׁלְטָאָה וּלְקַטְרְגָא עֲלוֹי, וְסָלִיק וְאִתְעֲבַד סַנֵּיגוֹרְיָא עַל יִשְׂרָאֵל, קָמֵי קֻבְּ״ה.

תרצב. הֵיכָלָא תְּלִיתָאָה. הֵיכָלָא דָּא דְּקַיְּימָא לְאַכְלָלָא, וּלְיַיחֲדָא בֵּיהּ הַהוּא הֵיכָלָא תִּנְיָינָא, וְהַהוּא רוּחָא, וְכָל אִינּוּן חֵיזוּן דְּבֵיהּ, כֻּלְּהוּ כְּלִילָן וְאִתְיַיחֲדָן דָּא בְּדָא. וְאִינּוּן חַד רוּחָא דְּכָלִיל דָּא בְּדָא, הָכִי נָמֵי אִית לֵיהּ תְּמַנְיָא סַמְכִין, לְאַרְבַּע סִטְרִין דְּעָלְמָא, וְכֻלְּהוּ אִקְרוּן יִתֵדוֹת הַמִּשְׁכָּן. תְּרֵין סַמְכִין דְּלִסְטַר דָּרוֹם, אִינּוּן שַׂכְנִיאֵ״ל, עֲזוּזָ״ה. תְּרֵין סַמְכִין דְּלִסְטַר מִזְרָח, יְהוּדִיָ״ה עַזְרִיאֵ״ל. וְאִלֵּין קַיְּימֵי כָּל חַד וְחַד, עַל י״ב אַלְפֵי מְמָנָן אַחֲרָנִין, וְכֻלְּהוּ אִקְרוּן יִתֵדוֹת הַמִּשְׁכָּן.

תרצג. וְאִלֵּין אִתְמָנוּן עַל הַהוּא הֶבֶל דְּתִינוֹקוֹת דְּלָעָאן בְּאוֹרַיְיתָא, לְקַיְּימָא עָלְמָא. וְאִלֵּין נַטְלֵי הַהוּא הֶבֶל, וְסַלְקֵי לֵיהּ לְעֵילָא. וְכָל הֶבֶל וַהֶבֶל דְּאִינּוּן תִּינוֹקוֹת דְּלָעָאן בְּאוֹרַיְיתָא לְקַיְּימָא עָלְמָא, אִתְעֲבֵיד מִנֵּיהּ רוּחָא חֲדָא, וְסַלְקָא הַהוּא רוּחָא לְעֵילָא, וְאִתְעַטַּר בְּעִטְרָא קַדִּישָׁא, וְאִתְמְנָא נְטוּרָא דְּעָלְמָא, וְכֵן כֻּלְּהוּ.

תרצד. תְּרֵין סַמְכִין דְּאִינּוּן לִסְטַר צָפוֹן, עַזְפִיאֵ״ל, קַטְטְרִיהָאֵ״ל. וְאִינּוּן מְמָנָן עַל תְּרֵיסַר אַלְפֵי מְמָנָן אַחֲרָנִין כָּל חַד וְחַד כִּדְקָאֲמָרָן. תְּרֵין סַמְכִין דְּלִסְטַר מַעֲרָב, אִינּוּן עֲסַסְנִיָ״ה, אַדִּירִירָ״ה. וְאִלֵּין מְמָנָן עַל תְּרֵיסַר אַלְפִין מְמָנָן אַחֲרָנִין, כָּל חַד וְחַד כִּדְקָאֲמָרָן.

תרצה. אִלֵּין אִתְמָנוּן לְאַכְרְזָא בְּכָל רְקִיעִין, לְכָל אִינּוּן דִּמְעַבְּרִין בְּנַיְיהוּ מֵאוֹרַיְיתָא, וְסַלְּקִין לוֹן דְּלָא יִלְעוֹן בָּהּ, כְּדֵין נַפְקֵי כָּל הָנֵי מְמָנָן וּמַכְרְזֵי וְאַמְרֵי, וַוי לִפְלַנְיָא דְּאַעְבַּר בְּרֵיהּ מֵאוֹרַיְיתָא, וַוי לֵיהּ דְּהָא אִתְאֲבִיד מֵעָלְמָא דֵּין, וּמֵעָלְמָא דְּאָתֵי.

תרצו. הֵיכָלָא רְבִיעָאָה. הֵיכָלָא דָּא הֵיכָלָא דְּקַיְּימָא בִּנְהִירוּ יַתִּיר. הֵיכָלָא דָּא, סְחֲרִין לֵיהּ תְּלָתִין וּתְרֵין יִתֵדוֹת עִלָּאִין, וְחָמֵשׁ מֵאָה אֶלֶף אַחֲרָנִין דִּמְמָנָן תְּחוֹת אִלֵּין. וְאַרְבַּע אַחֲרָנִין, עִלָּאִין עַל כֻּלְּהוּ, וְכֻלְּהוּ יִתֵדוֹת דְּהֵיכָלָא דָּא. אִלֵּין אַרְבַּע אִינּוּן: חַסְדִיהָאֵ״ל. קָסִירִיָ״ה. קְדוּמִיָ״ה. דַּהֲרִיאֵ״ל. אִלֵּין אַרְבַּע מְמָנָן עַל כֻּלְּהוּ, וְכֻלְּהוּ אַחֲרָנִין, כֻּלְּהוּ מְמָנָן תְּחוֹתַיְיהוּ.

תרצז. וְעַל יְדָא דְּאִלֵּין, אִתְיְדַע דִּינָא לְמֶעְבַּד בְּעָלְמָא, וְעַל אִלֵּין כְּתִיב וּמֵאמַר קַדִּישִׁין שְׁאֶלְתָּא. לְהָנֵי אַרְבַּע, אַתְיָין כָּל אִינּוּן חַיָּילִין, דִּי מְמָנָן עַל דִּינָא, לְשָׁאֲלָא הֵיךְ אִתְגְּזַר דִּינָא בְּעָלְמָא. כָּל אִינּוּן דִּינִין דְּלָא אִתְיְיהִיבוּ בְּפִתְקִין, לְקִיוּמָא דְּעָלְמָא, וְעַל דָּא כֻּלְּהוּ אַתְיָין לְשָׁאֲלָא. וּבְגִין כָּךְ כֻּלְּהוּ מְמָנָן עַל דָּא.

תרצח. אִינּוּן תְּלָתִין וּתְרֵין אַחֲרָנִין, אִינּוּן מְמָנָן עַל כָּל אִינּוּן דְּלָעָאן בְּאוֹרַיְיתָא תָּדִיר,

וְלָא פַּסְקֵי בִּימָמָא וּבְלֵילְיָא, וְאִלֵּין אַחֲרָנִין כֻּלְּהוּ דִּתְחוֹתַיְיהוּ, אִינּוּן מְמָנָן עַל כָּל אִינּוּן דְּקַבְעִין זִמְנִין יְדִיעָאן לְאוֹרַיְיתָא. וְעַל דָּא אִינּוּן מְמָנָן כֻּלְּהוּ, וּלְאַעֲנְשָׁא כֻּלְּהוּ, לְכָל אִינּוּן דְּיַכְלֵי לְאִשְׁתַּדְּלָא בְּאוֹרַיְיתָא, וְלָא מִשְׁתַּדְּלֵי. תרצט. הֵיכָלָא חֲמִישָׁאָה. הֵיכָלָא דָּא, קַיְימִין בֵּיהּ תְּלַת מְאָה וְשִׁתִּין וַחֲמֵשׁ מְמָנָן, כְּחוּשְׁבַּן יְמֵי שַׁתָּא. וְעֵילָּא מִנַּיְיהוּ אַרְבַּע סַמְכִין עִלָּאִין עַל כֻּלְּהוּ. וְאִלֵּין אִינּוּן: קְרַשִׁיהָאֵ"ל. סַרְטִיהָאֵ"ל. עֲסִירְיָ"ה. קַדְמִיאֵ"ל. וְאִלֵּין אִקְרוּן יְתֵדוֹת דְּהֵיכָלָא דָּא.

תש. אִלֵּין אִתְמְנוּן לְבַדְּחָא עָלְמָא. כַּד נִשְׁמְתָא אִתּוֹסֶפֶת מֵעֶרֶב שַׁבָּת לְעֶרֶב שַׁבָּת. וְאִיהִי נַפְקַת, כַּד אִיהִי נַפְקַת, נָפְקִין אִלֵּין עִמָּהּ, וּמַעַבְרֵי מִיִּשְׂרָאֵל כָּל עֲצִיבוּ, וְכָל יְגִיעָא, וְכָל מְרִירוּ דְּנַפְשָׁא, וְכָל רוּגְזָא דְּעָלְמָא, וְאִלֵּין אִינּוּן בְּדִיוּזֵי עָלְמָא.

תשא. כָּל אִינּוּן דִּלְתַתָּא מֵאִלֵּין אַרְבָּעָה, כֻּלְּהוּ אִתְמְנוּן לְאַעְבְּרָא דִּינָא, מֵאִינּוּן מָארֵי דְּדִינָא, וּמֵאִינּוּן דְּטַרְדֵי לוֹן בְּגֵיהִנָּם, דְּיִסְתַּלְקוּן דִּינָא מִנַּיְיהוּ. וְעַל דָּא, כָּל אִלֵּין יְתֵדוֹת כֻּלְּהוּ קַיְימֵי בְּחֶדְוָה, וּמֵחֶדְוָה נָפְקֵי, וְכֻלְּהוּ הֵיכָלִין קַיְימֵי לְאִתְעַטְּרָא לְעֵילָּא. כְּמָה דְּאִתְּמַר.

תשב. הֵיכָלָא שְׁתִיתָאָה. הֵיכָלָא דָּא, הֵיכָלָא דְּקַיְּימָא עַל כָּל הֵיכָלִין תַּתָּאִין. בְּהַאי, מְאָה אַחֲרָנִין דְּקַיְּימָאן לְבַר, דְּאִקְרוּן יְתֵדוֹת כְּאִינּוּן אַחֲרָנִין. וְאִינּוּן מְאָה לְסִטַר יְמִינָא, וּמְאָה אַחֲרָנִין לְסִטַר שְׂמָאלָא.

תשג. תְּרֵין מְמָנָן עִלָּאִין לְסִטַר יְמִינָא, וּתְרֵין מְמָנָן אַחֲרָנִין עִלָּאִין לְסִטַר שְׂמָאלָא. אִלֵּין דִּימִינָא אִינּוּן: מַלְכִּיאֵ"ל. שְׁמַעְיָהאֵ"ל. וְאִלֵּין דִּשְׂמָאלָא, אִקְרוּן מַסְרְסַנְיָ"ה. צַפְצְפָיָ"ה. אִלֵּין אִינּוּן יְתֵדוֹת עִלָּאִין, מִימִינָא וּמִשְּׂמָאלָא.

תשד. וְאִלֵּין אִינּוּן קַיְימֵי וּזְמִינִין בְּעָלְמָא. בְּהַהוּא זִמְנָא, דְּצַדִּיקָא מָטָא זִמְנֵיהּ לְאִסְתַּלְּקָא מֵעָלְמָא, וְאִתְיְיהִיב רְשׁוּ לְסִטְרָא אָחֳרָא. אִלֵּין אַרְבַּע קַיְימֵי לְאִתְעַתְּדָא תַּמָּן, בְּגִין דְּתִפּוֹק נִשְׁמָתֵיהּ בִּנְשִׁיקָה, וְלָא תִּצְטַעַר בְּשׁוּלְטָנוּ דְּסִטְרָא אָחֳרָא. זַכָּאִין אִינּוּן צַדִּיקַיָּיא בְּעָלְמָא דֵּין, וּבְעָלְמָא דְּאָתֵי. דְּמָארֵיהוֹן אַקְדִּים עָלַיְיהוּ שׁוּלְטָנֵיהוֹן, לְמֶהֱוֵי נְטִירָן בְּעָלְמָא דֵּין, וּבְעָלְמָא דְּאָתֵי.

תשה. מֵהֵיכָלָא דָּא, שָׁרָאן כָּל רָזִין, וְכָל דַּרְגִּין עִלָּאִין וְתַתָּאִין, לְאִתְחַבְּרָא. בְּגִין דְּיִשְׁתַּכְּחוּ כֹּלָּא עֵילָּא וְתַתָּא בִּשְׁלִימוּ, לְמֶהֱוֵי כֹּלָּא חַד, וְחִבּוּרָא חַד, לְאִתְיַיחֲדָא שְׁמָא קַדִּישָׁא כַּדְקָא יָאוּת, וּלְאִשְׁתַּלְמָא, לְאַנְהָרָא נְגִידוּ עִלָּאָה בְּתַתָּאָה, וּנְהִירוּ דְּבוּצִינִין כְּחַד, דְּלָא תַּעֲדֵי דָּא מִן דָּא. וּכְדֵין נָגִיד וְאִתְמְשַׁךְ מַאן דְּאִתְמְשַׁךְ, דְּלָא אִתְיְדַע וְלָא אִתְגַּלְיָיא, בְּגִין דְּיִתְקָרֵב וְיִתְיַיחַד דָּא עִם דָּא, לְמֶהֱוֵי כֹּלָּא בְּיִחוּדָא שְׁלִים כַּדְקָא יָאוּת.

תשו. זַכָּאָה חוּלָקֵיהּ, מַאן דְּיָדַע בְּרָזִין דְּמָארֵיהּ, לְאִשְׁתְּמוֹדְעָא לֵיהּ כַּדְקָא יָאוּת. דְּהָא אִינּוּן אַכְלִין חוּלָקֵיהוֹן בְּעָלְמָא דֵּין, וּבְעָלְמָא דְּאָתֵי. עַל דָּא כְּתִיב הִנֵּה עֲבָדַי יֹאכֵלוּ. זַכָּאִין אִינּוּן צַדִּיקַיָּיא דְּמִשְׁתַּדְּלֵי בְּאוֹרַיְיתָא יְמָמָא וְלֵילֵי. בְּגִין דְּאִינּוּן יָדְעֵי אוֹרְחוֹי דְּקֻבְּ"ה, וְיָדְעֵי לְיַחֲדָא יִחוּדָא קַדִּישָׁא כַּדְקָא יָאוּת, דְּכָל דְּיָדַע לְיַחֲדָא שְׁמָא קַדִּישָׁא בִּשְׁלִימוּ כַּדְקָא חֲזֵי, זַכָּאָה אִיהוּ בְּעָלְמָא דֵּין, וּבְעָלְמָא דְּאָתֵי.

תשז. קְשׁוּרָא דְּכָל הָנֵי הֵיכָלִין, הָכָא מִתְקַשְּׁרָן. לְאִתְדַּבְּקָא רוּחָא בְּרוּחָא, תַּתָּאָה בְּעִלָּאָה. וּבְאִלֵּין נְשִׁיקִין אִסְתַּלַּק רוּחָא דִּלְתַתָּא לְאִתְדַּבְּקָא בְּרוּחָא דִּלְעֵילָּא. וְכַד מִתְדַּבְּקָן רוּחָא בְּרוּחָא, כְּדֵין רוּחָא עִלָּאָה סְתִימָאָה שָׁארֵי עַל הַאי רוּחָא דְּאֶמְצָעִיתָא. וְעַד לָא אִתְעַר לְאִתְדַּבְּקָא רוּחָא בְּרוּחָא, רוּחָא עִלָּאָה. לָא שַׁרְיָא עַל רוּחָא דְּאֶמְצָעִיתָא.

תשז. וְרָזָא דָּא, כַּד אִתְאֲחִיד רוּחָא בְּרוּחָא, כְּדֵין שָׁרָאן נְשִׁיקִין לְאִתְחַבְּרָא וּמִתְעָרִין שְׁאַר שַׁיְיפִין בְּתִיאוּבְתָּא, וְרוּחָא דָּא מִתְדַּבְּקָא בְּדָא. וּכְדֵין, שַׁיְיפִין כֻּלְּהוּ מִתְעָרֵי אִלֵּין בְּאִלֵּין, לְאִתְקַשְּׁרָא שַׁיְיפָא בְּשַׁיְיפֵיהּ.

תשח. וְאִי תֵּימָא, מַאן אַתְעַר שַׁיְיפֵי תַּתָּאֵי, אוֹ שַׁיְיפֵי עִלָּאֵי. שַׁיְיפֵי תַּתָּאֵי מִתְעָרֵי תָּדִיר לְגַבֵּי עִלָּאֵי, מַאן דְּאִיהוּ בַּחֲשׁוֹכָא, תָּאִיב תָּדִיר לְמֶהֱוֵי בִּנְהוֹרָא. שַׁלְהוֹבָא אוּכָמָא דִּלְתַתָּא, אַתְעַר תָּדִיר לְגַבֵּי שַׁלְהוֹבָא חִוָּורָא דִּלְעֵילָּא, בְּגִין לְאִתְדַּבְּקָא בֵּיהּ, וּלְמִשְׁרֵי תְּחוֹתֵיהּ, וְרָזָא דָּא, אֱלֹהִים אַל דֳּמִי לָךְ אַל תֶּחֱרַשׁ וְאַל תִּשְׁקוֹט אֵל.

תשי. כַּד נָטִיל יַעֲקֹב הַאי הֵיכָלָא שְׁתִיתָאָה, כְּדֵין אִקְרֵי בִּשְׁמָא קַדִּישָׁא עִלָּאָה שְׁלֵימָא, יְיָ'. וְאִי תֵּימָא שְׁלֵימָא דְּכֹלָּא. לָאו הָכִי, אֶלָּא כַּד אִשְׁתְּלִימוּ כֻּלְּהוּ הֵיכָלִין אִלֵּין בְּאִלֵּין, כְּדֵין אִקְרֵי כֹּלָּא בִּשְׁמָא שְׁלִים, יְדֹו"ד אֱלֹהִים. וְדָא הוּא שְׁמָא שְׁלִים מִכֹּלָּא. וְעַד לָא אִתְחַבְּרוּ דָּא עִם דָּא, הֵיכָלִין בְּהֵיכָלִין, לָא אִקְרֵי בִּשְׁמָא שְׁלֵימָא דָּא. וְכַד מִתְחַבְּרָן כַּחֲדָא אִלֵּין בְּאִלֵּין, כְּדֵין אִשְׁתְּלִים כֹּלָּא מֵעֵילָּא וְתַתָּא. וּנְהִירוּ דְּעֵילָּא לְעֵילָּא, נַחְתָּא וְשַׁרְיָא עַל כֹּלָּא, וְאִתְקַשַּׁר כֹּלָּא כַּחֲדָא, לְמֶהֱוֵי כֹּלָּא חַד.

תשיא. וְרָזָא דְּמִלָּה, יַעֲקֹב נָטִיל אַרְבַּע נָשִׁין, וְכָלִיל לוֹן בְּגַוֵּיהּ. וְאַף עַל גַּב דְּאוֹקִימְנָא לְהַאי מִלָּה בְּרָזָא אַחֲרָא, דְּאִיהוּ קַיְימָא בֵּין תְּרֵין עָלְמִין. וְרָזָא דְּכֹלָּא, כַּד יַעֲקֹב נָטִיל הַאי הֵיכָלָא, דְּאִיהוּ שְׁתִיתָאָה, נָטִיל וְכָלִיל בְּגַוֵּיהּ כָּל אִינּוּן אַרְבַּע נָשִׁין, אַרְבַּע מַלְאָכִין, וְכֻלְּהוּ דַּבְקֵי בְּהֵיכָלָא דָּא. אִלֵּין אִינּוּן אַרְבַּע רֵישֵׁי נַהֲרִין, דִּכְתִּיב וּמִשָּׁם יִפָּרֵד וְהָיָה לְאַרְבָּעָה רָאשִׁים. אִלֵּין אַרְבַּע רֵישִׁין, אִינּוּן אַרְבַּע נָשִׁין נָטִיל לוֹן יַעֲקֹב, נָטִיל הֵיכָלָא דָּא.

תשיב. וּכְדֵין אִקְרֵי הַאי הֵיכָלָא יְיָ', כַּד אִיהוּ לְטָב כד"א וַיְיָ' הוֹלֵךְ לִפְנֵיהֶם יוֹמָם. וַיְיָ' אָמַר הַמְכַסֶּה אֲנִי מֵאַבְרָהָם. וְכַד אִתְחַבַּר יִצְחָק, בְּהֵיכָלָא דְּבֵי דִּינָא, דְּאִקְרֵי זְכוּתָ"א, כְּדֵין אִקְרֵי כֹּלָּא יְיָ', לְאַעֲנְשָׁא לְחַיָּיבַיָּא, כד"א וַיְיָ' הִמְטִיר עַל סְדוֹם וְגוֹ', וְכֹלָּא בְּרָזָא וְחָדָא כַּדְקָא יָאוּת.

תשיג. וְכַד יַעֲקֹב נָטִיל הֵיכָלָא דָּא, כְּדֵין אִקְרֵי כֹּלָּא רָצוֹן שָׁלוֹם. וְדָא הוּא עֵת רָצוֹן. וּמִכָּאן וּלְהָלְאָה, שָׁרָאן הֵיכָלִין לְאִתְחַבְּרָא וּלְאִתְקַשְּׁרָא אִלֵּין בְּאִלֵּין. וְאַף עַל גַּב דְּתָנֵינָן דְּרוֹמִית מִזְרָחִית. וְכֹלָּא אִיהוּ כַּחֲדָא, הָכָא אִיהוּ רוּחָא בְּרוּחָא, דְּבֵקוּתָא וַחֲדָא.

תשיד. מִכָּאן שָׁרֵי אַבְרָהָם, דְּאִיהוּ יְמִינָא, דְּאִקְרֵי אַהֲבָה רַבָּה דְּקָאמְרָן. וְאִיהוּ נָטִיל הֵיכָלָא דְּאִקְרֵי אַהֲבָ"ה. כְּדֵין, שָׁדַיִם נָכוֹנוּ, וְאִתְמַלְיָין מִכָּל טוּב, לְסַפְּקָא וּלְאַתְזָנָא כֹּלָּא מֵהָכָא. וְכַד אִלֵּין שָׁדַיִם נָכוֹנוּ וְאִתְמַלְיָין מִגּוֹ רְחִימוּ עִלָּאָה, כְּדֵין אִקְרֵי הֵיכָלָא דָּא אֵל שַׁדַּ"י כְּדְקָאמְרָן. וּבְהַאי אִסְתַּפַּק כָּל עָלְמָא כַּד אִתְבְּרֵי, דְּהָא כַּד אִתְבְּרֵי עָלְמָא, לָא יָכִיל לְמֵיקַם בְּקִיּוּמָא, וְלָא הֲוָה קָאִים, עַד דְּאִתְגַּלֵּי הֵיכָלָא דָּא דְּנָטִיל אַבְרָהָם, וְכַד אִתְגַּלֵּי אַבְרָהָם בְּהַאי הֵיכָלָא, כְּדֵין אָמַר לְעָלְמָא דַּי, הָא סִפּוּקָא לְאַתְזָנָא מִנֵּיהּ עָלְמָא וּלְאִתְקַיְּימָא. וּבג"כ, אֵל שַׁדַּי אִקְרֵי, א"ל שַׁדַּ"י לְכֹלָּא בֵּיהּ.

תשטו. וְזַמִּין קב"ה לְמַלְיָא לֵיהּ, וּלְאַתְקְנָא לֵיהּ לִזְמְנָא דְּאָתֵי דִּכְתִיב לְמַעַן תִּינְקוּ וּשְׂבַעְתֶּם מִשֹּׁד תַּנְחוּמֶיהָ לְמַעַן תָּמוֹצּוּ וְהִתְעַנַּגְתֶּם מִזִּיז כְּבוֹדָהּ. שֹׁד תַּנְחוּמֶיהָ וְזִיז כְּבוֹדָהּ, כֹּלָּא אִיהוּ בְּהַאי הֵיכָלָא. וּכְדֵין בְּהַהוּא זִמְנָא כְּתִיב, מִי מִלֵּל לְאַבְרָהָם הֵינִיקָה בָנִים שָׂרָה, דְּהָא יְנִיקָא תַּלְיָא בֵּיהּ בְּאַבְרָהָם.

תשטז. יִצְחָק דְּאִיהוּ שְׂמָאלָא, דקב"ה, אֲתַר דְּמִנֵּיהּ מִתְעָרִין כָּל דִּינִין דְּעָלְמָא,

וְאִיהוּ דְּרוֹעָא דִּשְׂמָאלָא, שֵׁירוּתָא דְּכָל דִּינִין, וְכָל דִּינִין מִתְעָרֵי מִתַּמָּן, הַאי אִיהוּ נָטִיל וְאָחִיד הַהוּא הֵיכָלָא דְּאִקְרֵי זְכוּתָא, לְאִתְחַבְּרָא דִּינָא בְּדִינָא, וּלְמֶהֱוֵי כֹּלָּא קְשׁוּרָא וְחָדָא, בְּגִין דְּהַאי אִיהוּ דִּינָא דִּלְעֵילָּא, וּרְשִׁימִין דְּדִינִין קַיְימִין בֵּיהּ.

תשיז. וְהָכָא אִתְרְשִׁים שְׁמָא קַדִּישָׁא, דְּאִקְרֵי אֱלֹהִים. בְּגִין דְּאִית אֱלֹהִים חַיִּים, דְּאִיהוּ לְעֵילָּא לְעֵילָּא, סָתִים מִכֹּלָּא. וְאִית אֱלֹהִים, דְּאִיהוּ בֵּי דִּינָא דִּלְעֵילָּא. וֵאלֹהִים, דְּאִיהוּ בֵּי דִּינָא דִּלְתַתָּא. הה״ד אַךְ יֵשׁ אֱלֹהִים שׁוֹפְטִים בָּאָרֶץ. אֱלֹהִים עִלָּאָה, רָזָא דֶּאֱלֹהִים חַיִּים, כָּלִיל לְאִלֵּין דִּלְתַתָּא, וְכֹלָּא אִיהוּ חַד.

תשיח. בְּהַאי הֵיכָלָא, אִתְּעַר יִצְחָק, וְכֻלְּהוּ שַׁבְעִין וּתְרֵין נְהוֹרִין דִּכְלִילָן בֵּיהּ, דְּמִנַּיְיהוּ אִתְגְּזָרוּ כָּל דִּינִין דְּעָלְמָא דִּלְתַתָּא, דִּכְתִיב בִּגְזֵרַת עִירִין פִּתְגָּמָא. וַאֲמַאי אִקְרוּן עִירִין. אֶלָּא בְּגִין דִּכְלְהוּ קַיְימִין בְּהַאי עִיר. עִיר יְיָ׳ צְבָאוֹת. עִיר אֱלֹהֵינוּ. כָּל אִינּוּן הֵיכָלִין לְעֵילָּא, כָּל חַד וְחַד אִקְרֵי עִיר, כד״א עִיר וְקַדִּישׁ. וְאִלֵּין אִינּוּן עִירִין, דְּקַיְימִין לְגוֹ בְּגוֹ דְּהֵיכָלָא, דְּקַיְימָן בְּעִיר, בג״כ אִקְרוּן עִירִי״ן.

תשיט. הַאי הֵיכָלָא, אִתְכְּלִיל בְּיִצְחָק, וְכֹלָּא אִיהוּ בְּהֵיכָלָא דְּאַבְרָהָם, בְּגִין דִּימִינָא אַכְלִיל לִשְׂמָאלָא. וְתָא חֲזֵי, כָּל חַד וְחַד כָּלִיל לְחַבְרֵיהּ. וְהָא אוּקִימְנָא, דִּבְגִ״ד אַבְרָהָם עָקַד לְיִצְחָק, בְּגִין לְאַכְלְלָא בֵּיהּ דִּינָא, וּלְאִשְׁתַּכְּחָא שְׂמָאלָא כָּלִיל בִּימִינָא וּלְאַשְׁלְטָא יְמִינָא עַל שְׂמָאלָא.

תשכ. וְע״ד קב״ה פָּקִיד לֵיהּ לְאַבְרָהָם, לְקָרְבָא בְּרֵיהּ לְדִינָא, וּלְאִתְקַפָּא עֲלוֹי, וְלָא פָּקִיד לְיִצְחָק, אֶלָּא לְאַבְרָהָם. וְע״ד אִשְׁתְּכַח, דָּא בְּדִינָא, וְדָא בְּחֶסֶד, וְכֹלָּא חַד, וְאִתְכְּלִיל דָּא בְּדָא. וְהָכִי, אִתְכְּלִילוּ הֵיכָלִין תַּתָּאִין בְּעִלָּאִין.

תשכא. כַּד נָטִיל יִצְחָק הֵיכָלָא דָּא, כְּדֵין כֹּלָּא אִיהוּ לְטָב. דִּינָא בִּזְכוּתָא. וְע״ד, בָּעֵי ב״נ דְּדָאִין דִּינָא, לְמֵידָן דִּינָא בִּזְכוּתָא. בְּגִין דְּאִיהוּ רָזָא עִלָּאָה, שְׁלִימוּ דְּדִינָא. בְּגִין דְּלֵית שְׁלִימוּ דְּדִינָא, אֶלָּא בִּזְכוּתָא, דָּא בְּלָא דָּא לָאו אִיהוּ שְׁלִימוּ. דִּינָא בִּזְכוּתָא, דָּא אִיהוּ שְׁלִימוּ דִּמְהֵימְנוּתָא, כְּגַוְונָא דִּלְעֵילָּא.

תשכב. בְּיוֹמָא דר״ה, כַּד דִּינָא אִתְּעַר בְּעָלְמָא, בָּעָאן יִשְׂרָאֵל לְתַתָּא, לְאַתְעָרָא רַחֲמֵי מִגּוֹ שׁוֹפָר, כְּגַוְונָא דְּרָזָא עִלָּאָה. וְהָא אוּקִימְנָא. וּבָעְיָא לְחַבְּרָא דִּינָא לְקָבֵל זְכוּתָא, בְּגִין דְּכַד קַיְימָא דִּינָא בִּזְכוּתָא, כֹּלָּא אִיהוּ בְּחִבּוּרָא וְחָדָא. וְעֵילָּא וְתַתָּא בִּשְׁלִימוּ. וּכְדֵין, וְעוֹלָתָה קָפְצָה פִּיהָ, דְּלֵית לָהּ רְשׁוּ לְאַסְטָאָה וּלְקַטְרְגָא בְּעָלְמָא. וּכְדֵין כֹּלָּא בְּיִחוּדָא חֲדָא כַּדְקָא יָאוֹת. וְדִינָא בְּלָא זְכוּ לָאו אִיהוּ דִּינָא.

תשכג. וְדָא אִיהוּ דְּיִשְׂרָאֵל, דְּאִית לוֹן דִּינָא בִּזְכוּתָא. אֲבָל שְׁאָר עַמִּין, לָא אִית לוֹן דִּינָא בִּזְכוּתָא, וְע״ד אָסִיר לָן, לְסַדְּרָא דִּינִין דִּילָן בְּעַרְכָּאֵי דְּעַמִּין עוֹבְדֵי עֲבוֹדָה זָרָה, דְּהָא לֵית לוֹן חוּלָקָא בְּסִטְרָא מְהֵימְנוּתָא דִּילָן. דִּכְתִיב, לֹא עָשָׂה כֵן לְכָל גּוֹי וּמִשְׁפָּטִים בַּל יְדָעוּם. וּמִסִּטְרָא דְּיִשְׂרָאֵל כָּל מַאן דְּדָאִין דִּינָא, וְלָא אַכְלִיל בֵּיהּ זְכוּת, דָּא אִיהוּ חָטֵי, דְּקָא גָּרַע רָזָא דִּמְהֵימְנוּתָא, וְאַסְטֵי גַּרְמֵיהּ לְהַהוּא סִטְרָא, דְּאִית בֵּיהּ דִּינָא בְּלָא זְכוּת.

תשכד. ות״ח, כַּד קַיְימֵי סַנְהֶדְרִין לְתַתָּא, לְמֵידָן דִּינֵי נְפָשׁוֹת, אִצְטְרִיכוּ לְמִפְתַּח בִּזְכוּתָא. בְּגִין לְאַכְלְלָא זְכוּתָא בְּדִינָא. וְתוּ, דְּהָא אִקְרוּן מִבֵּי זְכוּתָא. וְע״ד, אִשְׁתַּדְּלוּתָא דִּילְהוֹן, לְמִפְתַּח בִּזְכוּתָא, וְשָׁרָאן בִּזְכוּתָא מִזְּעֵירָא, וּלְבָתַר אִשְׁתְּלִים דִּינָא מֵעִלָּאָה. לְמֶהֱוֵי זְכוּתָא כָּלִיל בְּדִינָא. דָּא לְעֵילָּא, וְדָא לְתַתָּא. דִּינָא בִּזְכוּתָא, שְׁלִימוּ דְּדִינָא. דָּא

בְּלָא דָא, לָאו אִיהוּ שְׁלִימוּ. וּבְגִין כַּךְ, יִצְחָק וְרִבְקָה כַּחֲדָא אִינּוּן, דָא דִינָא, וְדָא זְכוּתָא, לְמֶהֱוֵי שְׁלִימוּ כַּחֲדָא. זַכָּאָה חוּלָקֵיהוֹן דְיִשְׂרָאֵל, דְקוּדְשָׁא בְּרִיךְ הוּא יָהַב לוֹן אוֹרַיְיתָא שְׁלֵימָתָא, לְמֵיהַךְ בְּאֹרַח קְשׁוֹט, כְּגַוְונָא דִלְעֵילָא.

תשכה. תָּא חֲזֵי, דְאִינּוּן לָא דַיְינִין דִינָא, אֶלָּא בִּזְכוּ, וּלְעַיְינָא זְכוּתָא בְּקַדְמֵיתָא, לְמֶהֱוֵי כָּלִיל דָא בְּדָא. וְסַנְהֶדְרִין קָא מְהַפְּכֵי בִּזְכוּתָא בְּדִינָא, לְאַכְלְלָא כֹּלָּא כַּחֲדָא, בְּגִין דְלָא יִשְׁלוֹט סִטְרָא אַחֲרָא. דְהָא כַּד זְכוּתָא לָא אִשְׁתְּכַח, סִטְרָא אַחֲרָא אִשְׁתְּכַח, דְאִקְרֵי חוֹבָה, וְאִתְחַבְּרַת בְּדִינָא, וְאִתְתְּקָפַת וְדָא הוּא דִינָא בְּחוֹבָה.

תשכו. וְעַל דָא, בְּיוֹמָא דְרֹאשׁ הַשָּׁנָה, בָּעֵינָא לְחַבְּרָא זְכוּתָא בְּדִינָא, וְלָא יִתְגַּבַּר חוֹבָה. וּבְגִין כַּךְ, בָּעֵינָא זְכוּתָא וְדִינָא לְמֶהֱוֵי כַּחֲדָא, בְּגִין דְאִיהוּ שְׁלִים. דְכַד סִטְרָא אַחֲרָא שַׁלְטָא, לָאו אִיהוּ שְׁלִים, אֶלָּא קִטְרוּגָא, כְּמָה דְאִיהוּ קִטְרוּגָא, וְאִינּוּן אַרְבַּע מִיתוֹת, וְכַד סִטְרָא דְאִיהוּ זְכוּת שַׁלְטָא, כֹּלָּא אִיהוּ שְׁלִים, שָׁלוֹם וֶאֱמֶת חֶסֶד וְרַחֲמִים.

תשכז. וְכַד אִתְחַבְּרַת סִטְרָא אַחֲרָא בְּדִינָא, שַׁלְטָא בְּקִטְרוּגָא, בְּאִינּוּן אַרְבַּע מִיתוֹת בֵּית דִין: סְקִילָה, שְׂרֵיפָה, הֶרֶג, וְחֶנֶק. כֻּלְּהוּ שׁוּלְטָנוּתָא דְקִטְרוּגָא בִּישָׁא. סְקִילָה, בְּגִין דְאִיהוּ אֶבֶן נֶגֶף. שְׂרֵיפָה, בְּגִין דְאִיהוּ צוּר מִכְשׁוֹל, אֶשָּׁא תַּקִּיפָא. הֶרֶג, דָא חֶרֶב תֹּאכַל בָּשָׂר. תֹּאכַל בָּשָׂר וַדַּאי, דְשַׁלְטָא בְּבִשְׂרָא, וְדָא הוּא קֵץ כָּל בָּשָׂר. וְחֶנֶק, בְּגִין דְאִיהוּ קִלְלַת אֱלֹהִי"ם, הַהוּא דְשַׁלְטָא עַל חֶנֶק, עַל צְלִיבוּ. וְאוּקִימְנָא, בְּגִין דְלָא יִשְׁתְּאַר אֶלָּא בִּשְׂרָא בִּלְחוֹדוֹי, וְהַהוּא קִלְלַת אֱלֹהִים, שַׁלְטָא בְּבִשְׂרָא, מָרָה חֲשׁוֹכָא. וּבְגִין כַּךְ, דָא לְטָב וְדָא לְבִישׁ.

תשכח. וְאִצְטְרִיכוּ יִשְׂרָאֵל דְרָזָא דִמְהֵימְנוּתָא בְּהוּ, לְאִסְתַּמְרָא, בְּגִין דְיִשְׁלוֹט סִטְרָא דִמְהֵימְנוּתָא, וְלָא יַהֲבוּן דוּכְתָא לְסִטְרָא אַחֲרָא לְשַׁלְטָאָה זַכָּאִין אִינּוּן בְּעָלְמָא דֵין, וּבְעָלְמָא דְאָתֵי, עֲלַיְיהוּ כְּתִיב וְעַמֵּךְ כֻּלָּם צַדִּיקִים וְגוֹ'.

תשכט. נְבִיאִין, דְאִינּוּן סִטְרִין עִלָּאִין, תְּרֵין יַרְכִין דְסַמְכִין לְאוֹרַיְיתָא קַדִּישָׁא, אִינּוּן נַטְלִין לְהֵיכָלָא דִתְרֵין רוּחִין בֵּיהּ, דְאִינּוּן נֹגַהּ וְזֹהַר. וְאִינּוּן תְּרֵין יַרְכִין לְתַתָּא, לְסַמְכָא לְאִינּוּן הֵיכָלִין דִלְעֵילָא, דְאִקְרוּן תּוֹרָה שֶׁבְּעַל פֶּה. כְּמָה דְאִית סַמְכִין לְאוֹרַיְיתָא דְאִיהִי תּוֹרָה שֶׁבִּכְתָב, כַּךְ אִית סַמְכִין קַיְימִין לְאוֹרַיְיתָא דְאִיהִי תּוֹרָה שֶׁבְּעַל פֶּה. וְאִתְכְּלִילוּ דָא בְּדָא. כְּדֵין אִלֵּין תְּרֵין סַמְכִין דִלְתַתָּא, כַּד מִתְחַבְּרָן בְּאִלֵּין עִלָּאִין, אִתְרְשִׁים בְּהוּ סִטְרָא דִנְבוּאָה, וּמַאן אִיהוּ. מַרְאֶה, דְאִיהוּ כְּגַוְונָא דִנְבוּאָה.

תשל. וְכָל אִינּוּן מָארֵיהוֹן דְמַרְאֶה, מֵהָכָא יַנְקִין. לְעֵילָא נְבוּאָה, הָכָא מַרְאֶה. וְע"ד, אִיהוּ דָא כְּגַוְונָא דָא, וְדָא כְּגַוְונָא דָא. וְכַד מִתְחַבְּרָן דָא בְּדָא, כְּדֵין שַׁלִּיט עַל הַאי אֲתָר, שְׁמָא קַדִּישָׁא, דְאִקְרֵי צְבָאוֹת. בְּגִין דְכָל אִינּוּן חַיָּילִין קַדִּישִׁין, כֻּלְּהוּ קַיְימֵי הָכָא, וְכֻלְּהוּ אִקְרוּן מִסִּטְרָא דִנְבוּאָה, מַרְאֶה וְחֶלְמָא מִסִּטְרָא דִנְבוּאָה הֲווּ.

תשלא. וְאע"ג דְקָא אַמְרִינָן, דִּי בְּגוֹ הַהוּא אוֹת קַיָּימָא קַדִּישָׁא, שַׁרְיָא שְׁמָא דָא. בְּגִין דְכֻלְּהוּ חַיָּילִין נַפְקֵי מֵהַאי אוֹת. עִם כָּל דָא, יַרְכִין דְאִינּוּן קַיְימִין לְבַר, קָרֵינָן עַל שְׁמָא דָא, וְאִלֵּין אִינּוּן דְאִקְרוּן בַּרַיְיתֵי, דְהָא בָּרַיְיתָא לְבַר מִמִּשְׁנָה. מַתְנִיתִין קַיְימָא לְגוֹ בָּרַיְיתֵי, וְאִקְרוּן יַרְכִין בָּתֵּי בָּרָאֵי, כְּגַוְונָא דִי לְעֵילָא.

תשלב. מַתְנִיתִין אִיהוּ רָזָא דְקַיְימָא לְגוֹ, דְאוֹלִפֵּי תַּמָּן עִקָּרָא דְכֹלָּא, וְעַל תְּנָאֵי, וְרָזָא דְהַךְ, אֶנְהָגְךָ אֲבִיאֲךָ אֶל בֵּית אִמִּי תְּלַמְּדֵנִי. אֶל בֵּית אִמִּי: דָא קֹדֶשׁ הַקֳּדָשִׁים. תְּלַמְּדֵנִי: דָא הוּא רָזָא דְמַתְנִיתִין. דְכַד עָאל דָא נָהָר דְנָגִיד וְנָפִיק, בְּהַהוּא בֵּית קֹדֶשׁ הַקֳּדָשִׁים,

כְּתִיב תַּלְמִדֵנִי. וְדָא הוּא רָזָא, דְּאִקְרֵי מִשְׁנָה. כד"א אֶת מִשְׁנֵה הַתּוֹרָה הַזֹּאת.

תשלג. כַּד אִתְמַשְׁכָא לְבַר, אִקְרֵי בָּרַיְיתָא. תְּרֵין יַרְכִין אִינּוּן בָּרַיְיתֵי, רָזָא דְּרָזִין דְּלָא אִתְיְיהִיב לְאִתְגַּלָּאָה. בְּגִין דְּלָא אִתְמַסַר רָזָא בַּר לְחַכִּימֵי עֶלְיוֹנִין. וַוי אִי אִתְגְּלֵי, וַוי אִי לָא אִתְגְּלֵי, בְּגִין דְּאִיהוּ רָזָא מֵרָזִין עִלָּאִין דקב"ה אַנְהִיג בֵּיהּ עָלְמָא.

תשלד. בַּיִת רִאשׁוֹן קַיְימָא בִּימֵי שְׁלֹמֹה, לְקַבֵּל עָלְמָא עִלָּאָה, וְאִיהוּ אִקְרֵי בַּיִת רִאשׁוֹן, וְאִשְׁתַּמַּשׁ כֹּלָּא בְּבֵית קֹדֶשׁ הַקֳּדָשִׁים, אֲתָר דְּאִשְׁתַּמֵּשׁ בֵּיהּ שִׁמּוּשָׁא בְּסִיהֲרָא. וְרָזִין עִלָּאִין כֻּלְּהוּ בִּשְׁלִימוּ, וְקַיְּימָא עָלְמָא בְּאַשְׁלְמוּתָא. וּלְבָתַר גָּרְמוּ חוֹבִין, וְאִתְמְשָׁכוּ רָזִין, וְאִתְדַּחְיָין מִבֵּית קֹדֶשׁ הַקֳּדָשִׁים לְבַר. כַּד אִתְדָּחוּ לְיַרְכִין, כְּדֵין קַיְימוּ לְבַר, דְּאִקְרוּן בָּתֵּי בָּרָאֵי, וְאִצְטְרִיכוּ לְבָרַיְיתֵי.

תשלה. בַּיִת שֵׁנִי קַיְימוּ בְּבָתֵּי בָּרָאֵי בְּיַרְכִין, וּמִנַּיְיהוּ אֲהַדְרוּ וְשָׁאֲרוּ בְּבֵית קֹדֶשׁ הַקֳּדָשִׁים וְאִיהוּ בַּיִת שֵׁנִי. וְאִינּוּן אַחֲרָנִין אִשְׁתָּאֲרוּ בְּבָרַיְיתָא לְבַר, בֵּינֵי יַרְכִין. וַהֲווּ אוֹלְפִין מִמַּתְנִיתִין, וְאִתְנְהִיגוּ מִינָּהּ, וְהַיְינוּ רָזָא דִּכְתִיב, כִּי מִצִּיּוֹן תֵּצֵא תוֹרָה.

תשלו. וּלְבָתַר כַּד גָּרְמוּ חוֹבִין, אִתְעֲדֵי שׁוּלְטָנוּתָא דְּהַאי בַּיִת שֵׁנִי, ואע"ג דְּשׁוּלְטָנָא דִּילֵיהּ לָא הֲוָה כְּבַיִת רִאשׁוֹן, דַּהֲוָה בֵּיהּ שְׁלָמָא תָּדִיר, בְּגִין דְּמַלְכָּא דִּשְׁלָמָא דִּילֵיהּ תָּדִיר הֲוָה בְּגַוֵּיהּ, וע"ד הֲוָה בְּשָׁלֵם. בַּיִת שֵׁנִי לָא הֲוָה בֵּיהּ שָׁלֵם הָכִי, בְּגִין דְּעָרְלָה קַטְרוּגָא בֵּיהּ תָּדִיר, וע"ד הֲווּ כַּהֲנֵי זְמִינִין בְּגַוֵּיהּ, לְקַטְרְגָא בְּהַאי עָרְלָה, וּלְהוּ אִצְטְרִיךְ מִלָּה, לְקַטְרְגָא בַּהֲדָהּ, וּלְאַגָּנָא עַל בַּיִת שֵׁנִי. וְכֹלָּא בְּרָזָא כַּדְקָא וְזֵי.

תשלז. לְבָתַר גָּרְמוּ חוֹבִין, וְשַׁלְטָא הַהִיא עָרְלָה, וְאִתְדַּחְיָין מִבַּיִת שֵׁנִי לְבַר, וְנַחֲתוּ מִתַּמָּן לְחַמּוּקֵי יַרְכִין, לְתַתָּא, עַד דִּי שָׁרוּן לְתַתָּא בְּרַגְלִין. וְכַד יִתְבוּן בְּרַגְלִין, כְּדֵין, וְעָמְדוּ רַגְלָיו בַּיּוֹם הַהוּא, וְעָלְמָא בְּכֹלָּא יִתְנְהִיג בְּרָזָא עִלָּאָה כַּדְקָא וְזֵי. וְאַף ע"ג דְּאִתְדַּחוּ וְלָא אִשְׁתְּבָקוּ מִנֵּיהּ, וּלְעָלְמִין אִתְאֲחִידוּ בֵּיהּ.

תשלח. וּמַאן דְּיָדַע וּמָדִיד בְּשִׁיעוּרָא דְּקַו הַמִּדָּה, אַרְכָּא דְּמַשִּׁיכוּ דְּיַרְכִין עַד רַגְלִין, יָכִיל לְמִנְדַּע מְשִׁיחָא דְּגָלוּתָא דְּאִתְמְשָׁךְ. וְרָזָא אִיהוּ בֵּין מְחַצְּדֵי חַקְלָא, וְכֹלָּא בְּרָזָא עִלָּאָה. וּבְגִין דָּא, כֻּלְּהוּ בָּרַיְיתֵי, וְכֻלְּהוּ תַּנָּאֵי, וְכֻלְּהוּ אָמוֹרָאֵי, קַיְימֵי בְּדוּכְתַּיְיהוּ כַּדְקָא וְזֵי, אִלֵּין לְגוֹ, וְאִלֵּין לְבַר, בְּאִינּוּן חַמּוּקֵי יַרְכִין וּלְתַתָּא מִבִּרְכִין. וּבְכֻלְּהוּ אִקְרֵי תּוֹרָה שבע"פ. וּבְכֻלְּהוּ נַחְתֵּי יִשְׂרָאֵל וְאִתְגָּלוּ.

תשלט. וּכְדֵין כַּד יִסְתַּיְּים גָּלוּתָא, בְּמַשִּׁיכוּ דְּרַגְלִין, כְּדֵין וְעָמְדוּ רַגְלָיו בַּיּוֹם הַהוּא, וְיִתְעֲבַר הַהוּא רוּחָא מְסָאֲבָא עָרְלָה מִן עָלְמָא, וְיִתְהַדְרוּן יִשְׂרָאֵל בִּלְחוֹדַיְיהוּ לְשַׁלְטָאָה כַּדְקָא יָאוּת, בְּגִין דְּהַהוּא עָרְלָה, נַחִית לוֹן לְתַתָּא, עַד הַשְׁתָּא. וּמִכָּאן וּלְהָלְאָה, דְּהַאי עָרְלָה אִתְקְצַץ וְאִתְעֲבַר מִגּוֹ עָלְמָא, כְּדֵין וַיִּשְׁכֹּן יִשְׂרָאֵל בֶּטַח בָּדָד עֵין יַעֲקֹב. בְּהַהוּא עֵין יַעֲקֹב, וְלָא אִשְׁתְּכַח מְקַטְרְגָא עֲלַיְיהוּ. זַכָּאָה חוּלָקֵיהוֹן דְּיִשְׂרָאֵל בְּעָלְמָא דֵּין בְּעָלְמָא דְּאָתֵי.

תשמ. יוֹסֵף הַצַּדִּיק, עַמּוּדָא דְּעָלְמָא, אִיהוּ נָטִיל בִּרְשׁוּתָא הֵיכָלָא טָמִיר וְגָנִיז, וּבִרְשׁוּתֵיהּ קַיְּימָא הֵיכָלָא שְׁבִיעָאָה. ואע"ג דְּקָא אֲמָרָן דְּהֵיכָלָא דִּלְבְנַת הַסַּפִּיר בִּרְשׁוּתֵיהּ קַיְּימָא, הָכִי הוּא דְּבֵיהּ מִתָּקַן. אֲבָל ת"ח, נְבִיאִים דְּקָא אֲמָרָן. כַּד מִתְחַבְּרֵי לְתַתָּא, תְּרֵין דַּרְגִּין מִתְפָּרְשִׁין מִנַּיְיהוּ, מַרְאֶה וַחֲלוֹם, וְקַיְּימֵי בְּיַרְכִין. בְּאִינּוּן חַמּוּקִין קַיְימֵי מַרְאֶה, וְהַהוּא דְּאִקְרֵי נְבוּאָה קְטַנָּה. מִיַּרְכִין וּלְתַתָּא קָאִים חֲלוֹם, עַד דְּמָאטוּ רַגְלִין בְּרַגְלִין. וְתַמָּן קָאִים הֵיכָלָא תַּתָּאָה וְאִקְרֵי לִבְנַת הַסַּפִּיר.

תשׁמא. כֹּלָּא יָרְכִין בִּירְכִין, לְאִשְׁתַּלְּמָא וַחד בְּוַחד, וְכֻלְּהוּ דַּרְגִּין דִּנְבוּאָה, דְּהָא מִתַּמָּן נָפְקֵי וְשָׁרָאן, וְאִתְעֲבֵידוּ מִנַּיְיהוּ מַרְאֶה, וְשָׁרָאן עַל הַאי אֲתַר, וְאִתְעֲבֵיד מִנַּיְיהוּ וְחָלוֹם. יוֹסֵף הַצַּדִּיק, אִיהוּ שְׁלִימָא דְּכֹלָּא, אִיהוּ נָטִיל כֹּלָּא. בְּגִין דְּכֹלָּא אִתְקַן בְּגִינֵיהּ, כֹּלָּא תָּאִיב בְּתִיאוּבְתָּא בְּגִינֵיהּ.

תשׁמב. תָּא חֲזֵי, בְּשַׁעֲתָא דְּיוֹסֵף הַצַּדִּיק קַיְּימָא לְאַתְקְנָא כֹּלָּא, כְּדֵין אִיהוּ נָטִיל כֹּלָּא. וְכַד אִתְחַבַּר בְּהֵיכָלֵיהּ, כְּדֵין מִתְעָרֵי כֻּלְּהוּ, לְנַטְלָא תִּיאוּבְתָּא וּרְעוּתָא, עִלָּאֵי וְתַתָּאֵי, וְכֹלָּא אִינּוּן בִּרְעוּתָא חֲדָא וּשְׁלִימוּ חַד, לְמֶהֱוֵי עִלָּאֵי וְתַתָּאֵי, רְעוּתָא חֲדָא כַּדְקָא יָאוּת. וְכֻלְּהוּ תַּתָּאֵי קַיְימֵי בְּקִיּוּמָא בְּגִינֵיהּ, וע"ד כְּתִיב, וְצַדִּיק יְסוֹד עוֹלָם. וְעַל הַאי יְסוֹדָא קָאִים הַאי עָלְמָא.

תשׁמג. הַאי לִבְנַ"ת הַסַּפִּי"ר, לָא קָאִים בְּקִיּוּמֵיהּ, עַד דְּהַאי יוֹסֵף הַצַּדִּיק. אִתְתָּקַן. וְכַד אִיהוּ אִתְתָּקַן, כֹּלָּא מִתְתַּקְנֵי דָּא הוּא יְסוֹדָא דְּכֻלְּהוּ בִּנְיָינָא. וְעַל דָּא כְּתִיב, וַיִּבֶן יְיָ' אֱלֹהִים אֶת הַצֵּלָע, וְלָא כְּתִיב וַיִּיצֶר, וְלָא כְּתִיב וַיִּבְרָא. בְּגִין דְּהַאי קַיְּימָא עַל יְסוֹדָא, וּלְבָתַר דִּיסוֹדָא אִתְקַן, כֹּלָּא אִתְבְּנֵי עָלֵיהּ. וּבג"ד, כֻּלְּהוּ קַיְימִין בְּהַאי, וְהָא אוֹקִימְנָא.

תשׁדמ. ת"ח, כְּתִיב וַיִּבֶן יְיָ' אֱלֹהִים אֶת הַצֵּלָע, דַּהֲוַת מִסִּטְרָא דַּאֲחוֹרָא, וְאַתְקִין לָהּ לְאַהְדְּרָא אַנְפִּין בְּאַנְפִּין. הָכִי אוֹקִימְנָא. אֲבָל וַיִּבֶן, אִסְתָּכַּל לְסַלְּקָא לָהּ בְּהַהוּא דַּרְגָּא דְּעָלְמָא עִלָּאָה שַׁרְיָא בֵּיהּ, לְמֶהֱוֵי דָּא כְּגַוְונָא דְּדָא.

תשׁמה. תּוּ וַיִּבֶן, אִסְתָּכַּל בְּסִטְרוֹי, וְאַתְקִין וְכַוִּין כָּל רְווֹחוֹתֶיהָ, לְמִזְרַע וּלְאַשְׁקָאָה וּלְאוֹלָדָא, לְמֶעֱבַד לָהּ כָּל צָרְכוֹי, כְּמָה דְּאִצְטְרִיךְ. וּלְבָתַר וַיְבִיאֶהָ, בְּמָה. בְּהַאי צַדִּיק. דִּכְתִיב, וּבָזֶה הַנַּעֲרָה בָּאָה אֶל הַמֶּלֶךְ, דְּהַאי אַמְשִׁיךְ לְכֹלָּא, לְסַלְּקָא לְאִתְעַטְּרָא בִּשְׁלִימוּ. הָכָא מִנַּיְיעוּ דְּכָל חוֹבִין, הָכָא מִנַּיְיעוּ דְּכָל תִּיאוּבְתִּין בִּישִׁין.

תשׁמו. מַה דְּלָא אִיהוּ בְּהַהוּא הֵיכָלָא שְׁתִיתָאָה, בְּסִטְרָא אַחֲרָא, דְּתַמָּן כָּל עִנּוּגִין בִּישִׁין, וְכָל סִטְרִין דְּתִיאוּבְתִּין דְּעִנּוּגָא דְּהַאי עָלְמָא, וְכַד הַאי עָלְמָא אִתְנְהִיג בְּהוּ, בְּנֵי נָשָׁא כַּשְׁלֵי בְּהוּ לְהַהוּא עָלְמָא. דְּזִמְנָא כַּמָּה עִנּוּגִין וְתִיאוּבְתִּין, דְּגוּפָא אִתְהֲנֵי וְאִתְעַנַּג מִנַּיְיהוּ, וְטַעְיָין אֲבַתְרַיְיהוּ. הֲדָא ה"ד, וַתֵּרֶא הָאִשָּׁה כִּי טוֹב הָעֵץ לְמַאֲכָל וְגוֹ'. דְּהָא כָּל תִּיאוּבְתִּין וְכָל עִנּוּגִין דְּעָלְמָא בֵּיהּ תַּלְיָין.

תשׁמז. וע"ד, כְּגַוְונָא דָּא, אִית מִלִּין דְּגוּפָא אִתְהֲנֵי בְּהוּ, וְעַיְילֵי לְגוּפָא, וְלָא לְנִשְׁמָתָא. וְאִית מִלִּין דְּנִשְׁמָתָא אִתְהֲנֵי מִנַּיְיהוּ, וְלָא גּוּפָא. וְעַל דָּא, דַּרְגִּין פְּרִישִׁין דָּא מִן דָּא. זַכָּאִין אִינּוּן צַדִּיקַיָּיא, דְּנַטְלֵי אוֹרַח מֵישָׁר, וּמַנְעֵי גַּרְמַיְיהוּ מֵהַהוּא סִטְרָא, וּמִתְדַּבְּקָן בְּסִטְרָא דִּקְדוּשָּׁה.

תשׁמח. בְּהֵיכָלָא דָּא, כְּלִילָן כָּל שְׁאַר שְׁמָהָן, דְּכָל אִלֵּין הֵיכָלִין דִּלְתַתָּא. תְּרֵי שְׁמָהָן אִינּוּן דִּכְלִילוּ שְׁאַר שְׁמָהָן אַחֲרָנִין. וְחַד דְּכַד אִתְחַבַּר עֵילָא בְּתַתָּא, וְיַעֲקֹב נָטִיל הֵיכָלֵיהּ, בְּאִינּוּן נְשִׁיקִין, בְּרָזָא עִלָּאָה. כְּדֵין כָּלִיל כָּל שְׁאַר שְׁמָהָן, וְאִקְרֵי יְהֹוָ"ה אֱלֹהִי"ם, וְדָא אִקְרֵי שֵׁם מָלֵא, כְּמָה דְּאוֹקִימְנָא. וְחַד, כַּד אִתְחַבַּר יְסוֹדָא דְּעָלְמָא בְּהֵיכָלֵיהּ, וְכֻלְּהוּ מִתְעָרֵי בַּחֲבִיבוּתָא וּבְתִיאוּבְתָּא לְגַבֵּיהּ, וְכֻלְּהוּ כְּלִילָן בֵּיהּ, כְּדֵין כָּלִיל שְׁאַר שְׁמָהָן, וְאִקְרֵי יְהֹוָ"ה צְבָאוֹת. וְדָא אִקְרֵי שְׁמָא קַדִּישָׁא שְׁלִים, וְלָאו אִיהוּ שְׁלִים כְּהַאי אַחֲרָא.

תשׁמט. מַה בֵּין הַאי לְהַאי. דָּא שַׁלִּיט עִלָּאָה בְּתַתָּאָה, גּוּפָא בְּגוּפָא כְּדְקַאֲמָרָן. וְדָא שַׁלִּיט מֵאֲתַר דְּסִיּוּמָא דְּגוּפָא וּלְתַתָּא, בְּאִינּוּן הֵיכָלִין וּבְכֹלָּא דִּלְתַתָּא, וְרָזָא דָּא, בַּיִת

רִאשׁוֹן וּבַיִת שֵׁנִי. ובג"ד, הֵיכָלָא דָא כָּלִיל כָּל שְׁאָר שְׁמָהָן דִּלְתַתָּא, כְּמָה דְּאוֹקִימְנָא. וע"ד, שְׁמָהָן אִלֵּין, דָּא סַלְקָא וְדָא נָחִית. זַכָּאִין אִינּוּן צַדִּיקַיָּיא, דְּיָדְעִין אָרְחוֹי דְּאוֹרַיְיתָא.

תשנ. יְסוֹדָא דָא, אִתְתָּקַן לִתְרֵין סִטְרִין. וַחַד, לְאַתְקְנָא כָּל שְׁאָר דִּלְתַתָּא. וְחַד, לְאַתְקְנָא הֵיכָלָא שְׁבִיעָאָה, וּלְאַתְקְנָא דָא בְּדָא, לְמֶהֱוֵי כֹּלָּא רְעוּ וְחָדָא כַּדְקָא יָאוּת. עַד הָכָא יְחוּדָא דִּתְרֵין סִטְרִין, דִּלְעֵילָּא וְתַתָּא, לְאִתְיַיחֲדָא כַּחֲדָא בִּשְׁלִימוּ, לְמֵיהַךְ בְּאֹרַח מֵישָׁר.

תשנא. זַכָּאָה חוּלָקֵיהּ, מַאן דְּיָדַע לְיַיחֲדָא יִחוּדָא, וּלְסַדּוּרֵי סִדּוּרָא דִּמְהֵימְנוּתָא, לְמֵיהַךְ בְּאֹרַח מֵישָׁר. זַכָּאָה אִיהוּ בְּהַאי עָלְמָא, וּבְעָלְמָא דְּאָתֵי. וע"ד כְּתִיב, וְחֶסֶד וֶאֱמֶת נִפְגָּשׁוּ צֶדֶק וְשָׁלוֹם נָשָׁקוּ. וּכְדֵין אֱמֶת מֵאֶרֶץ תִּצְמָח וְצֶדֶק מִשָּׁמַיִם נִשְׁקָף. גַּם יְיָ' יִתֵּן הַטּוֹב וְאַרְצֵנוּ תִּתֵּן יְבוּלָהּ.

היכל ק"ק דזעיר דבריאה

תשנב. הֵיכָלָא שְׁבִיעָאָה. הֵיכָלָא דָא, הֵיכָלָא פְּנִימָאָה מִכָּל הָנֵי הֵיכָלִין. הַאי הֵיכָלָא אִיהוּ סְתִימוּ, דְּלָאו בֵּיהּ דְּיוֹקְנָא מַמָּשׁ, וְלֵית גּוּפָא כְּלַל. הָכָא סְתִימוּ דְּגוֹ רָזָא דְּרָזִין, הַאי אִיהוּ רָזָא, דְּאִיהוּ אֲתַר, לְאַעֲלָא תַּמָּן בְּגוֹ אִינּוּן צִנּוֹרִין דִּלְעֵילָּא. רוּחָא דְּכָל רוּחִין, רַעֲוִון דְּכָל רַעֲוִין, לְאִתְחַבְּרָא כֹּלָּא כַּחֲדָא. רוּחָא דְּחַיֵּי בְּהַאי, לְמֶהֱוֵי כֹּלָּא תִּקּוּנָא וְחָדָא.

תשנג. הֵיכָלָא דָא, אִקְרֵי בֵּית קֹדֶשׁ הַקֳּדָשִׁים. אֲתַר לְקַבְּלָא הַאי נִשְׁמְתָא עִלָּאָה, דְּאִקְרֵי הָכִי, לְאִתְעָרָא עָלְמָא דְּאָתֵי לְגַבֵּיהּ.

תשנד. הַאי עָלְמָא עוֹלָם אִקְרֵי. עוֹלָם: סְלִיקָא, דְּסָלִיק עָלְמָא תַּתָּאָה לְגַבֵּי עָלְמָא עִלָּאָה, וְאִסְתַּתָּר בְּגַוֵּיהּ, וְאִתְעַלַּם בֵּיהּ, אִתְגַּלְיָיא בִּסְתִירָה. עוֹלָם: דְּסָלִיק אִיהוּ, בְּכָל אִינּוּן דְּקָרְבִין בֵּיהּ, וְאִסְתַּתְּרָן גּוֹ סְתִירוּ עִלָּאָה. עוֹלָם עִלָּאָה: סָלִיק וְאִסְתַּתַּר בִּרְעוּתָא עִלָּאָה, גּוֹ טְמִירוּ דְּכָל טְמִירִין דְּלָא אִתְיְידַע כְּלַל, וְלָא אִתְגְּלֵי, וְלֵית מַאן דְּיָדַע לֵיהּ.

תשנה. פָּרוֹכְתָּא דְּפַרְסָא פְּרִיסָא, וְחַפְיָא גּוֹ טְמִירוּ סָתִים. כַּפּוֹרְתָּא פְּרִיסָא גּוֹ טְמִירִין עִלָּאִין, לְאַסְתְּמָא סְתִימִין דְּהָא טְמִירִין וּסְתִימִין.

תשנו. לְגוֹ מִן כַּפּוֹרְתָּא, אִית אֲתַר סָתִים וְטָמִיר וְגָנִיז, לְאַכְנָשָׁא לֵיהּ בְּגַוֵּיהּ. מִשַּׁחַ רְבוּת עִלָּאָה, רוּחָא דְּחַיֵּי, עַל יְדָא דְּהַהוּא נָהָר דְּנָגִיד וְנָפִיק, וְהַהוּא נָהָר אִקְרֵי מַבּוּעָא דְּבֵירָא, דְּלָא פַּסְקִין מֵימוֹי לְעָלְמִין. וְכַד הַאי עָיִיל וְנָגִיד כָּל הַהוּא רְבוּת קוּדְשָׁא מִלְּעֵילָּא, מֵאֲתַר דקה"ק. נְהִירוּ נְגִידוּ נָחִית וְאָתֵי, גּוֹ אִינּוּן צִנּוֹרִין. הַאי אִתְמַלְיָיא מִתַּמָּן, כְּנוּקְבָא דְּמִתְעַבְּרָא וְאִתְמַלְיָא מִן דְּכוּרָא. אוּף הָכִי נָמֵי הַאי הֵיכָלָא, מִתַּתְקְנָא תָּדִיר לְקַבְּלָא, כְּנוּקְבָא דִּמְקַבְּלָא מִן דְּכוּרָא. קַבִּילוּ דְּקַבִּילוּ, כָּל אִינּוּן רוּחִין וְנִשְׁמָתִין קַדִּישִׁין דְּנָחְתִין לְעָלְמָא, וְאִתְעַכָּבוּ תַּמָּן. כָּל הַהוּא זִמְנָא דְּאִצְטְרִיךְ.

תשנז. יִתְעַכְּבוּן עַד דְּיֵיתֵי מַלְכָּא מְשִׁיחָא, וְיִסְתַּפְּקוּן כָּל אִינּוּן נִשְׁמָתִין, וְיֵיתוּן וְיִחֲדֵי עָלְמָא כְּמִלְּקַדְּמִין. וּכְדֵין, יֶחֱדֵי קב"ה כְּמִלְּקַדְּמִין, כד"א יִשְׂמַח יְיָ' בְּמַעֲשָׂיו.

תשנח. בְּהַאי הֵיכָלָא, קַיְימִין עִנּוּגִין וְתַפְנוּקִין דְּרוּחֵי, וְאִשְׁתַּעְשְׁעוּתָא דְּאִשְׁתַּעֲשַׁע קב"ה בְּגִנְתָּא דְּעֵדֶן. הָכָא אִיהוּ תִּיאוּבְתָּא דְּכֹלָּא, וְעִנּוּגָא דְּכֹלָּא, לְאִתְחַבְּרָא כֹּלָּא כַּחֲדָא, וּלְמֶהֱוֵי כֹּלָּא חַד, קִשּׁוּרָא דְּכֹלָּא בְּיִחוּדָא וְחָדָא הָכָא קַיְּימָא.

תשנט. דְּכַד שַׁיְיפֵי כֻּלְּהוּ מִתְחַבְּרָאן בְּשַׁיְיפִין עִלָּאִין, כָּל חַד וְחַד כַּדְקָא חֲזֵי לֵיהּ,

לֵית לוֹן תִּיאוּבְתָּא, וְלֵית לוֹן עִנּוּגָא, בַּר בְּיִחוּדָא דְּהַאי הֵיכָלָא, כֹּלָּא הָכָא תַּלְיָא. כַּד אִתְחַבְּרוּתָא דְּהָכָא אִתְיְיחָד בְּיִחוּדָא חֲדָא, כְּדֵין כָּל נְהִירוּ דְּשַׁיְיפִין, וְכָל נְהִירוּ דְּאַנְפִּין, וְכָל חֶדְוָון, כֻּלְּהוּ נְהִירִין וְחַדָאן.

תשס. זַכָּאָה חוּלָקֵיהּ, מַאן דְּיָדַע לְסַדְּרָא סִדּוּרִין, וּלְאַתְקְנָא תִּקּוּנֵי אִשְׁתַּלְמוּתָא כַּדְקָא יֵאוֹת, רְחִימוּ דקב"ה בְּהַאי עָלְמָא, וּבְעָלְמָא דְּאָתֵי. וּכְדֵין, כָּל דִּינִין, וְכָל גְּזֵרִין בִּישִׁין, מִתְעַבְּרִין וּמִתְבַּטְלִין מֵעָלְמָא.

תשסא. הֵיכָלָא דָּא, הֵיכָלָא דְּתִיאוּבְתָּא, הֵיכָלָא דְּעִנּוּגָא, הֵיכָלָא לְאִשְׁתַּעְשְׁעָא עֵילָּא וְתַתָּא כַּחֲדָא. וּמְקַבְּלָא כֹּלָּא נְהִירוּ דְּבוּצִינָא עִלָּאָה דְּנָהִיר לְכֹלָּא, וּלְאִתְיַיחֲדָא כֹּלָּא כַּדְקָא יֵאוֹת. בְּיִחוּדָא שְׁלִים. וְעַל דָּא, הֵיכָלָא דָּא קָאִים בִּטְמִירוּ דְּכֹלָּא, גָּנִיז מִכֹּלָּא. אע"ג דְּכֻלְּהוּ טְמִירִין. דָּא טָמִיר וְגָנִיז יַתִּיר. לְמֶהֱוֵי בְּרִית קַיָּימָא כֹּלָּא כַּחֲדָא, דְּכַד וְנוּקְבָא לְמֶהֱוֵי שְׁלִים.

תשסב. הֵיכָל דָּא אִקְרֵי אֲרוֹן הַבְּרִית, דְּאִיהוּ אֲדוֹן כָּל הָאָרֶץ. בְּגִין דְּהַאי אִיהוּ אֲתָר, דְּנַפְקוּ מִנֵּיהּ כָּל נִשְׁמָתִין דְּעָלְמָא, לְיַיחֲדָא יִחוּדָא לְתַתָּא, וּלְאַמְשָׁכָא יִחוּדָא דקב"ה מֵעֵילָּא לְתַתָּא, לְיַהֲבָא לְצַדִּיק, בְּגִין דְּנַפְקוּ מִצַּדִּיק, וְעַיְילֵי בְּצַדִּיק. וּלְבָתַר נַפְקֵי מִצַּדִּיק, וְעַיְילֵי בַּאֲתָר דְּנַפְקֵי מִתַּמָּן.

תשסג. הַאי אֲרוֹן הַבְּרִית, נָקִיט כֹּלָּא מִצַּדִּיק. וּלְבָתַר, נַפְקֵי מִנֵּיהּ, וְעַיְילֵי בְּצַדִּיק לְתַתָּא. לְבָתַר נַפְקֵי מִצַּדִּיק דִּלְתַתָּא, וְעַיְילֵי בְּהַאי אֲרוֹן הַבְּרִית. לְמֶהֱוֵי כָּל נִשְׁמָתִין כְּלִילָן מֵעֵילָּא וּמִתַּתָּא. לְמֶהֱוֵי שְׁלִים מִכָּל סִטְרִין. וְהַאי אֲרוֹן הַבְּרִית, נָקִיט מִצַּדִּיק אִינּוּן נִשְׁמָתִין, מִתְּרֵין סִטְרִין.

תשסד. ת"ח, מַבּוּעָא דְּבֵירָא לָא מִתְפָּרְשָׁא מִבֵּירָא לְעָלְמִין, וְעַל דָּא, הַאי אֲתָר, שְׁכְלוּלָא דְּכֹלָּא, קִיּוּמָא דְּכָל גּוּפָא, לְמֶהֱוֵי שְׁלִים בְּכֹלָּא כַּדְקָא יֵאוֹת. הָכָא, הוּא יִחוּדָא וְקִשּׁוּרָא כַּחֲדָא, לְמֶהֱוֵי עֵילָּא וְתַתָּא חַד, בְּקִשּׁוּרָא חֲדָא, דְּלָא מִתְפָּרְשָׁן כָּל שַׁיְיפִין דָּא מִן דָּא, וּלְאִשְׁתַּכְּחָא כֹּלָּא אַנְפִּין בְּאַנְפִּין.

תשסה. וְעַל דָּא תָּנֵינָן, מַאן דְּשַׁמִּישׁ עַרְסֵיהּ מֵאֲחוֹרָא, אַכְחִישׁ תִּקּוּנָא דְּאִסְתַּכְּלוּתָא אַנְפִּין בְּאַנְפִּין, לְאַנְהָרָא כֹּלָּא כַּחֲדָא, וּלְאִשְׁתַּכְּחָא כֹּלָּא אַנְפִּין בְּאַנְפִּין, בִּדְבֵקוּתָא כַּדְקָא יֵאוֹת, כְּמָה דְּאַתְּ אָמֵר וְדָבַק בְּאִשְׁתּוֹ, בְּאִשְׁתּוֹ דַּיְיקָא, וְלָא אֲחוֹרֵי אִשְׁתּוֹ.

תשסו. תְּרֵין אִינּוּן, יַעֲקֹב אִיהוּ לְעֵילָּא, יוֹסֵף לְתַתָּא. תְּרֵין תִּיאוּבְתִּין אִינּוּן. חַד הֵיכָלָא שְׁתִיתָאָה. וְחַד הַאי הֵיכָלָא שְׁבִיעָאָה. תִּיאוּבְתָּא לְעֵילָּא, בְּאִינּוּן נְשִׁיקִין דְּנָטִיל יַעֲקֹב. תִּיאוּבְתָּא לְתַתָּא, בְּהַאי שִׁמּוּשָׁא דְּנָטִיל יוֹסֵף. מִתְּרֵין סִטְרִין אִלֵּין, נָטִיל אֲרוֹן הַבְּרִית רוּחָא דְּחַיֵּי. מִסִּטְרָא דְּיַעֲקֹב, נָטִיל רוּחָא דְּחַיֵּי דִּלְעֵילָּא, דְּאִתְדְּבַק בֵּיהּ בְּאִינּוּן נְשִׁיקִין, וְאָעִיל רוּחָא דְּחַיֵּי דִּלְעֵילָּא בֵּיהּ, לְאִתְזָנָא מִנֵּיהּ. מִסִּטְרָא דְּיוֹסֵף, דְּאִיהוּ לְתַתָּא, בְּסִיּוּמָא דְּגוּפָא, בְּהַאי הֵיכָלָא. נָטִיל רוּחִין וְנִשְׁמָתִין לְאַרְקָא לְתַתָּא, לְהַאי עָלְמָא.

תשסז. אִלֵּין תְּרֵין סִטְרִין, מִתְפָּרְשָׁן לִתְרֵין סִטְרִין. סִטְרָא דְּיַעֲקֹב, אִתְפָּשַׁט וְיָהִיב תּוּקְפָּא, לְנַבְעָא בְּאִינּוּן שָׁדַיִם, דְּאִתְמַלְיָין מֵהַהוּא רוּחָא דְּחַיֵּי, וְיָנִיק בְּהוּ לְאִינּוּן מַלְאֲכִין קַדִּישִׁין, דְּאִינּוּן חַיִּין וְקַיְימִין לְעָלְמִין, וְקַיְימִין בְּקִיּוּמָא בֵּיהּ, סִטְרָא דְּיוֹסֵף, עָיֵיל בְּתִיאוּבְתָּא וְיָהֵב תּוּקְפָּא לְגוֹ, וְעָבֵיד נִשְׁמָתִין וְרוּחִין, לְנַחְתָּא לְתַתָּא, וּלְאִתְזָנָא בְּהוּ בְּנֵי עָלְמָא.

תשסח. וְעַל דָּא, קַיְימִין תְּרֵין סִטְרִין אִלֵּין, דָּא לְעֵילָּא, וְדָא לְתַתָּא. דָּא לְאִתְזְנָא לְעֵילָּא, וְדָא לְמֵיזַן לְתַתָּא. כָּל חַד וְחַד כַּדְקָא חֲזֵי לֵיהּ, וְכֹלָּא אִיהוּ חַד, וְחַד רָזָא אִיהוּ.

ועם כל דא, יוסף זן לכל גופא, ואשקי ליה. דמהאי רווזא דוזיי דאתדבקותא דיעקב, נוזית לתתא, וביה אתדבק האי ארון הברית, ברעותא לעילא, ונוזית ההוא רווזא דוזיי לתתא, בההוא אתדבקותא דיוסף, וכד אתוזבר כלא כוזדא, אתמליין אינון שדים לינקא לכלא, ובגין כך כלא איהי וזד, זכאה וזולקיה, מאן דידע לקשרא קשרין, וליוזדא יוזודא בצלותא ברעותא דלבא כדקא יאות, בגין לדבקא שייפא בשייפא, רווזא ברווזא, כלא בכללא וזדא, למהוי כלא וזד כדקא וזזי.

תשסט. תא וזזי, האי היכלא, כד אלין רווזין קדישין, וכל אינון היכלין ורתיכין, כלהו מתייוזדי כוזדא, ואשתכוזו בקשורא וזדא, כדין האי רווזא עלאה דכלהו, דאיהו נקודה וזדא, אסתים בהו, ולא אתגלייא, ואתעביד רווזא סתים כגוונא עלאה. וסימניך אגוזא, יזוודא בקשורא דכלא כדקאמרן, לאתקשרא דא בדא, למהוי כלא שלים, בשלימו כוזדא.

תשע. והא אוקימנא כגוונא דא, קרבנא סלקא ליוזדא יזוודא ולאסתפקא כל וזד ווזד כדקא וזזי ליה מההוא תננא דסליק, כהנא דאיהו ימינא, בקשורא דיזוודא ברעותא, וליואי בשירתא. כליל דא בדא. היכלא בהיכלא, רווזא ברווזא, עד דמתוזברן באתרייהו, שייפא בשייפא, למהוי כלא כליל כוזדא כדקא יאות.

תשעא. והא אוקימנא דכד אשתלים כלא כוזדא, שייפין עלאין בתתאין, כדין, נשמתא עלאה דכלא, אתערת, ועאלת בכלהו, ונהיר לכלא, וכלהו מתברכאן עלאין ותתאין. וההוא דלא אתיידע, ולא עאל בוזושבנא, רעותא דלא אתפס לעלמין, כדין כלא סליק עד אין סוף, ואתקשר כלא בקשורא וזדא, ובסים, ההוא רעותא לגו בגו בסתימו.

תשעב. נהירו דנשמתא עלאה, סלקא לגו בגו, ונהיר לכלא. בגו דהאי נהירו, אעיל סתימו דמוזשבה, דאיהו כליל כלא, ובגו לגו, בההוא רעו דמוזשבה, אנהיר ואתבסם ותפיס ולא תפיס, וסלקא רעו דמוזשבה לתפשא ביה, וכד האי סליק, נהירו דלתתא תפיס ביה.

תשעג. וכן כלא, לאתקשרא ולאתמליא ולאתברכא כלא כוזדא, כדקא יאות. וכדין אתקשר דא בדא כדקא אמרן, היכלין בהיכלין, תתאין בעלאין, רזא דכר ונוקבא כוזדא, נהירו עלאה, בנהירו דסתים וגניז יתיר ביה. וההוא דגניז, כליל במה דגניז יתיר, עד דאשתכוז כלא כדקא יאות, ביזוודא וזדא.

תשעד. ועל דא, משה הוה ידע לסדרא סדורא דמאריה מכל בני עלמא, כד אצטריך לארכא, אריך. לקצרא, קצר. כמה דאוקימנא, אל נא רפא נא לה. תנינן, מאן דאריך בצלותיה ויסתכל ביה, לסוף אתא לידי כאב לב. ותנינן, מאן דאוריך בצלותיה, יורכון יומוי.

תשעה. ורזא דמלה, מאן דאריך באתר דבעי לקצרא, אתי לידי כאב לב, מאן לב. דא הוא דכתיב, וטוב לב משתה תמיד. בגין דאיהו אתר דבעי לקצרא, ולא לארכא ביה, דהא כלא קאים לעילא, ובעי דלא לאמשכא ליה, לקשרא ליה בקשורא דלעילא, בלא אריכו למהוי כלא וזד ביזוודא וזד. וכיון דאתקשר כוזדא, כדין לא בעי לארכא באריכו, ולאתוזננא בתוזנוני. וכד אריך באריכו, באתר דאצטריך, קב"ה קביל צלותיה, ודא הוא יקרא דקב"ה, בגין דיזוודא דצלותא קא

מְקַשֵּׁר קִשְׁרִין, וְאַסְגֵּי בִּרְכָאן לְעֵילָּא וְתַתָּא.

תשע״ו. גּוֹ הֵיכָלָא דָּא, קַיְּימָא נְקוּדָה חֲדָא טְמִירְתָּא, וְהַאי נְקוּדָה אִיהִי רוּחָא, לְקַבְּלָא רוּחָא אַחֲרָא עִלָּאָה. וְכַד שַׁרְיָא רוּחָא בְּרוּחָא, כְּדֵין עָאל דָּא בְּדָא וְאִיהוּ חַד, וּדְבֵיקוּתָא חֲדָא. וְאִתְרְכִיב דָּא בְּדָא לְמֶהֱוֵי חַד, כְּהַאי אִילָנָא דְּאַרְכִּיב דָּא בְּדָא וְאִיהוּ חַד, זִינָא בְּזִינֵיהּ. וַוי מַאן דְּאַרְכִּיב זִינָא בְּלָא זִינֵיהּ, כְּאִינּוּן בְּנֵי אַהֲרֹן, דְּבָעוּ לְאַרְכָּבָא אִילָנָא בְּאַחֲרָא דְּלָאו אִיהוּ זִינֵיהּ.

תשע״ז. וּמַאן דְּאַרְכִּיב זִינָא בְּזִינֵיהּ, וְיָדַע לְקַשְּׁרָא קִשְׁרָא בְּקִשְׁרֵיהּ, הֵיכָלָא בְּהֵיכָלֵיהּ, דַּרְגָּא בְּדַרְגֵּיהּ, דָּא אִית לֵיהּ חוּלָקָא בְּעָלְמָא דְּאָתֵי, כְּמָה דְּאוֹקִימְנָא. וְעַל דָּא, הַאי אִיהוּ שְׁלִימוּ דְּכֹלָּא. וְכַד אִשְׁתְּלִים דָּא בְּדָא, וְאִיהוּ כֹּלָּא חַד עוֹבָדָא זִינָא בְּזִינֵיהּ דְּנָפִיק מֵהַאי שְׁלִימוּ הַהוּא אִקְרֵי מַעֲשֵׂה מֶרְכָּבָה.

תשע״ח. וְרָזָא דָּא וַיִּיצֶר יְיָ׳ אֱלֹהִים אֶת הָאָדָם, שֵׁם מָלֵא. וְאָדָם אִיהוּ עוֹבָדָא דְּהַאי מֶרְכָּבָה, דְּאַרְכִּיב דָּא בְּדָא, עוֹבָדָא דִּשְׁלִימוּ דְּכֹלָּא, וְכַד אִשְׁתְּלִים דָּא בְּדָא, כְּדֵין יְיָ׳ אֱלֹהִים, שֵׁם מָלֵא. זַכָּאָה אִיהוּ מַאן דְּיָדַע לְקַשְּׁרָא קִשְׁרֵי מְהֵימְנוּתָא. וּלְיַחֲדָא יִחוּדָא כַּדְקָא חָזֵי.

תשע״ט. ת״ח, כְּמָה דְּאִיתְנְהוּ שְׁמָהָן קַדִּישִׁין עִלָּאִין, מִתְחַבְּרִין אִלֵּין בְּאִלֵּין, הָכִי אִיהוּ שְׁמָא קַדִּישָׁא. אִתְפְּרַשׁ לְעֵילָּא, וְאִתְפְּרַשׁ לְתַתָּא. שְׁמָא דָּא אִיהוּ לְעֵילָּא, שְׁמָא דָּא אִיהוּ בְּאֶמְצָעִיתָא, שְׁמָא דָּא אִיהוּ לְתַתָּא. יְהֹוָ״ה דְּאִיהוּ רָזָא דִּשְׁמָא קַדִּישָׁא, אִיהוּ וַדַּאי. רָזָא דְּכֹלָּא. עָלְמָא עִלָּאָה, בִּסְתִימוּ דִּסְתִימוּתָא דְּעָלֵיהּ, דְּאִשְׁתַּתַּף בַּהֲדֵיהּ, וְאִיהוּ וַדַּאי. עָלְמָא תַּתָּאָה, בִּסְתִימוּ דְּאֶמְצָעִיתָא, רָזָא רְתִיכָא קַדִּישָׁא עִלָּאָה דְּעָלֵיהּ, וְאוֹקִימְנָא.

תשפ. מֵהַאי גִּיסָא, ד׳ רְתִיכִין נָפְקִין, וּמֵהַאי גִּיסָא אַרְבַּע רְתִיכִין נָפְקִין, בְּגִין דְּכָל חַד וְחַד מִתְפְּרַשׁ לְאַרְבַּע, כָּל רְתִיכָא אַרְבַּע אִינּוּן, כַּד מִסְתַּכְּלִין דַּרְגִּין. וְכֵן כֻּלְּהוּ אַרְבַּע בְּאַרְבַּע, עַד דְּנָחְתִּין דַּרְגָּא לְתַתָּא בְּהַהוּא אֲתַר דְּאִקְרֵי בְּרָזָא דִּשְׁמָא קַדִּישָׁא דְּאִיהוּ אֲדֹנָ״י, בְּאִינּוּן רְתִיכִין דְּקַיְּימֵי וְנַטְלֵי בִּשְׁמָא דָּא, וְאִינּוּן אִקְרוּן הָרֵי נְחֹשֶׁת, בְּגִין דְּאִית הָרִים וְאִית הָרִים. אִית הָרִים עִלָּאִין, וְהָרִים תַּתָּאִין. וְאִינּוּן בִּתְלַת סִטְרִין קַיְּימֵי, וְנַפְקֵי מִגּוֹ זָהָב וָכֶסֶף וּנְחֹשֶׁת.

תשפא. נְחֹשֶׁת לְתַתָּא, בְּגִין דְּאִינּוּן רְתִיכִין דְּנַפְקֵי מִגּוֹ אָלֶ״ף דָּלֶ״ת נוּ״ן יוּ״ד דִּי בְּגוֹ הֵיכָלָא קַדְמָאָה, דְּאִינּוּן אַרְבַּע רְתִיכִין דְּנָפְקִין מִגּוֹ אִינּוּן תְּרֵין רוּחִין יְמִינָא וּשְׂמָאלָא, מִגּוֹ לִבְנַת הַסַּפִּיר, כְּדְקָאמְרָן. אִלֵּין תְּרֵין רוּחִין דְּקָאָמְרִינָן הָתָם, אִינּוּן אִקְרוּן תְּרֵי טוּרִים, וְאִינּוּן הָרֵי נְחֹשֶׁת.

תשפב. מֵאִינּוּן תְּרֵי רוּחִין דְּאִקְרוּן הָרֵי נְחֹשֶׁת, נַפְקֵי אִינּוּן ד׳ רְתִיכִין, דִּמְשַׁמְּשֵׁי בְּהַהוּא שְׁמָא דְּאָלֶ״ף דָּלֶ״ת, דְּאִשְׁתְּקַע בְּסַנְדַּלְפוֹ״ן, מָארֵיהּ דְּאַפַּיָּא. וְכֻלְּהוּ שַׁלִּיטָן עַל אִלֵּין בְּעָלְמָא, בְּרָזָא דְּסוּסְוָון וּרְתִיכִין, בְּגִין דְּאִית רְתִיכָא עַל סוּסְוָון, דְּנַטְלֵי לָהּ.

תשפג. וְדָא שְׁמָא קַדִּישָׁא, אִתְכְּלִיל בְּיוּ״ד הֵ״א, כְּמָה דְּאוֹקִימְנָא, דְּאִתְכְּלִיל אָלֶ״ף דָּלֶ״ת בְּיוּ״ד הֵ״א, וְאִיהוּ יְאֲהֲדוֹנָהִ״י. וְהָא אִתְּמַר, אֱלֹהִים לָא אִתְכְּלִיל בִּשְׁמָא אַחֲרָא, בְּגִין דְּאִית אֱלֹהִים חַיִּים, וּמֵהַאי, אִתְפָּשַׁט לְכַמָּה סִטְרִין, וְלָא אִתְכְּנִישׁ, אֶלָּא אִתְפָּשַׁט.

תשפד. שְׁמָא דְּכָלִיל כָּל שְׁמָהָן, יוּ״ד הֵ״א וָא״ו הֵ״א, בְּרָזָא דְּאַתְוָון צְרוּפָא דִּשְׁמָא קַדִּישָׁא, דְּבֵיהּ הֲוָה יָדַע כַּהֲנָא, לְצָרְפָא בְּכָל סִטְרוֹי, עַד דְּסַלְקֵי שְׁמָהָן בְּכַמָּה סִטְרִין, בְּאַרְבְּעִין וּתְרֵין גַּוְונִין, בְּאִשְׁתְּטָחוּ דְּבוּצִינָא דְּקַרְדִּינוּתָא, דְּהַאי אִיהוּ כָּלִיל כָּל שְׁמָהָן.

תשפה. וּשְׁמָא דָא, כָּלִיל כָּל שְׁמָהָן. אהו"ל דיג"ם סִימָן. בְּאִלֵּין אַתְוָון כְּלִילָן אַחֲרָנִין מִתְחַבְּרָן. וְנַפְקֵי אִלֵּין, וְעַיְילֵי אִלֵּין. לְבָתַר כַּד אִתְנְטֵי וְאִתְפְּשַׁט בּוּצִינָא דְקַרְדִינוּתָא, מִצְטָרְפֵי אַתְוָון בְּגַוֵּיהּ, וְאָעֲלֵי אַתְוָון, וְנַפְקֵי אַתְוָון, בְּרָזָא דְאִלֵּין תֵּשַׁע אַתְוָן. וְאִלֵּין אִתְמְסָרוּ לְקַדִּישֵׁי עֶלְיוֹנִין, לְמֵהַךְ בְּאוֹרְחָא דְרָזָא דְאַתְוָון. לְצָרְפָא יְחוּדָא דִשְׁמָהָן דְאַתְוָון, כְּמָה דַהֲוָה יָדַע כַּהֲנָא לְצָרְפָא שְׁמָהָן, בְּאַתְוָון רְשִׁימָן.

תשפו. וִידֵי אָדָם מִתַּחַת כַּנְפֵיהֶם. כֻּלְּהוּ יְדֵי אָדָם, הָא אוֹקִימְנָא, דְאִינּוּן רוּחִין וְחֵיוָון וְאוֹפַנִּים. כֻּלְּהוּ בְּגַדְפִּין, וִידִין תְּחוֹת גַּדְפַּיְיהוּ, לְקַבְּלָא צְלוֹתִין, וּלְקַבְּלָא מָארֵי דִתְיוּבְתָּא. יְדֵי אָדָם אַתְרִין וְדוּכְתִּין, לְקַבְּלָא בְּנֵי נָשָׁא, בִּצְלוֹתְהוֹן וּבְעוּתְהוֹן, וּלְאַפְתְּחָא פִּתְחִין לְקַבְּלָא לוֹן, לְיַחֲדָא וּלְקַשְּׁרָא קִשְׁרִין, וּלְמֶעְבַּד רְעוּתְהוֹן.

תשפז. וְאִלֵּין אַתְרִין וְדוּכְתִּין דְאִקְרוּן יְדֵי אָדָם, דְקַיְימֵי לִבְנֵי נָשָׁא, אִלֵּין אִינּוּן שְׁמָהָן קַדִּישִׁין, דְשָׁלְטִין בְּכָל דַרְגָּא וְדַרְגָּא, דְבְהוֹן עָאלִין בְּנֵי נָשָׁא, בִּצְלוֹתְהוֹן וּבְעוּתְהוֹן, בְּכָל תַּרְעִין עִלָּאִין. וּבְדָא שָׁלְטִין תַּתָּאִין לְעֵילָּא. וְרָזָא דָא, יָדֶיךָ עָשׂוּנִי וַיְכוֹנְנוּנִי, וְאִלֵּין שְׁמָהָן קַדִּישִׁין.

תשפח. וַיֹּאמֶר יְיָ' אֶל מֹשֶׁה נְטֵה אֶת יָדְךָ עַל הַשָּׁמַיִם. וְכִי הֵיךְ יָכִיל לְאַרְמָא יְדֵיהּ עַל שְׁמַיָּא. אֶלָּא נְטֵה: אַרְכִּין. כד"א, וַיֵּט שָׁמַיִם וַיֵּרַד, מְשִׁיכוּ מִלְּעֵילָּא לְתַתָּא. יָדְךָ: אַתְרָךְ. אַתְרָא דְדַרְגָּא דִילָךְ, דְאַת שַׁארֵי בְּגַוֵּיהּ, וְדָא בְּרָזָא דִשְׁמָא קַדִּישָׁא. וְכָלָּא עִלָּאֵי וְתַתָּאֵי, בְּרָזָא דִשְׁמָהָן נָטְלֵי וְקַיְּימֵי. וּבְהוּ עָאלִין בְּנֵי נָשָׁא לְהֵיכָלִין עִלָּאִין, וְלֵית מַאן דְיִמְחֵי בִּידַיְיהוּ. זַכָּאִין אִינּוּן דְיָדְעִין לְסַדְּרָא יְחוּדָא דְמָארֵיהוֹן כִּדְקָא יָאוּת, וּלְמֵיהַךְ בְּאֹרַח קְשׁוֹט, בְּגִין דְלָא יִטְעוּן בְּרָזָא דִמְהֵימְנוּתָא.

תשפט. ת"ח, בְּהֵיכָלִין אִלֵּין, אִית רָזָא עִלָּאָה גּוֹ מְהֵימְנוּתָא. וְכֻלְּהוּ וְזִיוָון רְתִיכִין, כֻּלְּהוּ מְשַׁנְּיָין דָא מִן דָא, לְאִתְכַּלְּלָא אִלֵּין בְּאִלֵּין לְטָב, לְאַתְקְנָא. וְסִימָנִיךְ וַיְשַׁנֶּהָ וְאֶת נַעֲרוֹתֶיהָ לְטוֹב. בְּשִׁבְעָה הֵיכָלִין אִלֵּין, שְׁלִימוּ דְעֵילָּא. כַּד אִשְׁתְּלִים דָא בְּדָא, וְעָאלוּ צְלוֹתִין וּבְעוּתִין. דְמַאן דְיָדַע לְסַדְּרָא לוֹן, לְאַתְקְנָא לוֹן לְעֵילָּא. כד"א וְאֵת שֶׁבַע הַנְּעָרוֹת הָרְאוּיוֹת לָתֶת לָהּ מִבֵּית הַמֶּלֶךְ.

תשצ. הֵיכָלָא קַדְמָאָה. יוֹצֵר אוֹר וּבוֹרֵא חשֶׁךְ. נְהִירוּ דְאֶבֶן טָבָא סַפִּירוּ, דְאֶבֶן טָבָא נָצִיץ לִתְרֵין סִטְרִין, כְּמָה דְאוֹקִימְנָא לִימִינָא וְלִשְׂמָאלָא, אוֹר וְחשֶׁךְ. מָה רַבּוּ מַעֲשֶׂיךָ יְיָ' כֻּלָּם בְּחָכְמָה עָשִׂיתָ, כֻּלְּהוּ אוֹפַנִּים וְגַלְגַּלִּים, מָלְאָה הָאָרֶץ קִנְיָנֶךָ וְגוֹ'. הַמֶּלֶךְ הַמְרוֹמָם לְבַדּוֹ מֵאָז שְׁמָא קַדִּישָׁא יאהדונה"י, כְּלָלָא דִשְׁמָא קַדִּישָׁא, שְׁלִים בִּתְרֵי שְׁמָהָן, וְדָא הוּא סָלִיק בַּאֲוִירָא, וּמִתְנַשֵּׂא מִימוֹת עוֹלָם.

תשצא. הֵיכָלָא תִּנְיָינָא, אֵל בָּרוּךְ גְּדוֹל דֵּעָה, אוֹרְפַנִיאֵ"ל, דְכָלִיל רָזִין דְאַתְוָון זְעִירִין דְאַלְפָא בֵּיתָא. הָכָא אִינּוּן דְקָאמְרֵי קָדוֹשׁ וּבָרוּךְ. וְהָכָא אִיהוּ קְדוּשָׁה, וּבָרוּךְ כְּבוֹד יְיָ'. הֵיכָלָא תְּלִיתָאָה, לָאֵל בָּרוּךְ נְעִימוֹת יִתֵּנוּ.

תשצב. הֵיכָלָא רְבִיעָאָה הַמְחַדֵּשׁ בְּטוּבוֹ בְּכָל יוֹם תָּמִיד מַעֲשֵׂה בְרֵאשִׁית. בְּגִין דְהָכָא מִתְגַּלְגְּלִין נְהוֹרִין, וְדִינִין דְעָלְמָא. מַאן דְאִיהוּ לְחַיִּים, מִתְחַדֵּשׁ כְּמִלְּקַדְמִין, לְאִתְקַיְּימָא בְּעָלְמָא, בִּנְהוֹרָא דִימִינָא, דְאִקְרֵי אֵל כִּדְקָאמְרָן.

תשצג. הֵיכָלָא חֲמִישָׁאָה. הֵיכָלָא דָא אִקְרֵי אַהֲבַת עוֹלָם. וְדָא אִיהוּ מְשִׁיכוּ דִרְחִימוּתָא דְהֵיכָלָא דְאִקְרֵי אַהֲבָה, וְדָא הִיא אַהֲבַת עוֹלָם אֲהַבְתָּנוּ יְיָ' אֱלֹהֵינוּ, בא"י הַבּוֹחֵר בְּעַמּוֹ יִשְׂרָאֵל בְּאַהֲבָה, בְּרָזָא דְאֵ"ל שַׁדַּ"י.

תשצד. הֵיכָלָא שְׁתִיתָאָה, אֱמֶת וְיַצִּיב וְנָכוֹן וְקַיָּים. וּבָעֵינָן דְּלָא לְאַפְסְקָא בֵּין הֵיכָלִין אִלֵּין. דְּהָא בְּמְשִׁיכוּ דִּצְלוֹתָא וּרְעוּתָא מִתְחַבְּרָאן כַּחֲדָא, וְאִתְקַשְּׁרָאן אִלֵּין בְּאִלֵּין, בְּרָזָא דִּשְׁמָהָן קַדִּישִׁין דְּשַׁלִּיטִין בְּכָל חַד וְחַד.

תשצה. הֵיכָלָא שְׁבִיעָאָה, אֲדֹנָי שְׂפָתַי תִּפְתָּח, רָזָא דְּרָזִין בִּלְחִישׁוּ, וְלָא אִשְׁתְּמַע קָלָא. הָכָא אִיהוּ רְעוּתָא דְּלִבָּא, לְאִתְכַּוְּונָא וּלְסַלְּקָא רְעוּתָא מִתַּתָּא לְעֵילָּא, עַד אֵין סוֹף, וּלְקַשְּׁרָא שְׁבִיעָאָה בִּשְׁבִיעָאָה, דָּא בְּדָא מִתַּתָּא לְעֵילָּא וּלְבָתַר, מֵעֵילָּא לְתַתָּא, לְאַמְשָׁכָא בִּרְכָאן בְּכֻלְּהוּ עָלְמִין, מִמְּקוֹרָא דְּחַיֵּי, דְּאִיהוּ הֵיכָלָא שְׁבִיעָאָה עִלָּאָה בִּרְעוּתָא דְּלִבָּא, וּבִסְתִּימוּ דְּעַיְינִין, דְּרָזָא דְּאַתְוָון דְּשֶׁבַע שְׁמָהָן עִלָּאִין קַדִּישִׁין.

תשצו. הֵיכָלָא שְׁבִיעָאָה עִלָּאָה דָּא, דְּאִיהוּ מְקוֹרָא דְּחַיֵּי, דָּא אִיהוּ בִּרְכְתָא קַמַּיְיתָא. וְדָא אִיהוּ הֵיכָלָא קַדְמָאָה, שֵׁירוּתָא דְּכֹלָּא מֵעֵילָּא לְתַתָּא, וּלְנַטְלָא שְׁבִיעָאָה מִתַּתָּא, לְאִתְחַבְּרָא דָּא בְּדָא, שְׁבִיעָאָה בִּשְׁבִיעָאָה. דְּהָא מֵהַאי דִּלְתַתָּא, עָיֵיל מַאן דְּעָיֵיל, לְהֵיכָלָא עִלָּאָה.

תשצז. וְדָא הוּא רָזָא, בָּרוּךְ, רִבּוּיָא דְּכֻלְּהוּ תַּתָּאֵי, כְּלִילָא בְּחֵיוָון וּשְׂרָפִים וְאוֹפַנִּים, וְכֻלְּהוּ הֵיכָלִין רִבּוּיָא דְּרָזָא דְּקֹדֶשׁ הַקֳּדָשִׁים, דְּשַׁרְיָא בְּגַוֵּיהּ בִּגְנִיזוּ, וּכְדֵין אִקְרֵי בָּרו״ךְ, בְּכָל אִלֵּין רִבּוּיִין וּבִרְכָאן, וְרָזִין דְּאִשְׁתְּלִימוּ בָּהּ.

תשצח. אַתָּ״ה, עֲטוּרָא דִּסְתִּימוּ דְּאַתְוָון, כְּלָלָא דְּכֻלְּהוּ כ״ב אַתְוָון. וְדָא הוּא אֶ״ת. ה׳ דְּכָלִיל לוֹן מֵעֵילָּא, בְּהַאי ה׳, וְכָנִישׁ לוֹן בְּגַוֵּיהּ, וְדָא אִיהוּ אֶ״ת ה׳. וְכַד אִיהִי בִּשְׁלִימוּ בְּהַהוּא נָהָר דְּאַוְּשִׁיד בָּהּ, סַלְּקָא לְאִתְעַטְּרָא לְעֵילָּא, וְדָא אִיהוּ רָזָא דִּכְתִּיב, וּבָזֶה הַנַּעֲרָה בָּאָה אֶל הַמֶּלֶךְ, וּכְדֵין אֵת כָּל אֲשֶׁר תֹּאמַר יִנָּתֶן לָהּ. וְדָא אִיהוּ רָזָא בָּרוּךְ אַתָּה, וּבָעֵי לְאִתְכַּוְּונָא בְּהַאי רָזָא, וּלְקַשְּׁרָא רְעוּתָא בְּהַאי רָזָא.

תשצט. יְיָ׳ אֱלֹהֵינוּ: דָּא אִיהוּ קִשּׁוּרָא וְיִחוּדָא דְּמַלְכָּא עִלָּאָה לְעֵילָּא, בְּהַאי, כַּד הַנַּעֲרָה בָּאָה אֶל הַמֶּלֶךְ אֵת כָּל אֲשֶׁר תֹּאמַר יִנָּתֶן לָהּ.

תת. וֵאלֹהֵי אֲבוֹתֵינוּ: דָּא רָזָא דַּאֲבָהָן, לְבָרְכָא לָהּ. וְדָא אִיהוּ רָזָא, אֱלֹהֵי אַבְרָהָם אֱלֹהֵי יִצְחָק וֵאלֹהֵי יַעֲקֹב. כְּמָה דְּהַאי נַעֲרָה לָא אִשְׁתְּדָּבְקַת מִתַּתָּאֵי, הָכִי נָמֵי לָא אִשְׁתְּדָּבְקַת מֵאֲבָהָן לְעָלְמִין. אִיהוּ אֲחִידַת בְּהוֹן לְעַטְּרָא לָהּ.

תתא. וּבְגִין דְּאִתְבָּרְכָא מִכָּל חַד מִנַּהוֹן, בָּעֵי לְאַדְכְּרָא לָהּ עַל כָּל חַד וְחַד. וּלְבָתַר יִתְכַּנְּשׁוּן כֻּלְּהוּ בְּחִבּוּרָא חֲדָא, וּמִתְעַטְּרֵי בַּהֲדָהּ, הָאֵל הַגָּדוֹל הַגִּבּוֹר וְהַנּוֹרָא, הָא כֻּלְּהוּ כַּחֲדָא, לְסַלְּקָא לְעֵילָּא בְּקַדְמִיתָא מֵעֵילָּא לְתַתָּא וְהַשְׁתָּא מִתַּתָּא לְעֵילָּא. לְאַכְלְלָא לוֹן בַּהֲדֵיהּ דְּכֵיוָן דְּאָמַר הָאֵל הַגָּדוֹל הַגִּבּוֹר וְהַנּוֹרָא כֻּלְּהוּ כְּלִילָן בָּהּ. וּכְדֵין, אֵל עֶלְיוֹן גּוֹמֵל חֲסָדִים טוֹבִים קוֹנֵה הַכֹּל. וְדָא כְּלָלָא דְּכֹלָּא.

תתב. וְזוֹכֵר חַסְדֵּי אָבוֹת, דְּאִשְׁתָּהוּ בַּהֲדָהּ וְעָאלוּ בִּמְעָהָא, וְאִתְבָּרְכוּן תַּמָּן. וּלְבָתַר שָׁאֲרֵי לוֹן וְאַפִּיק לוֹן כַּד אִינּוּן אִתְבָּרְכָאן מִגַּוָּוהּ. וּבְהַהִיא הִשְׁתַּחֲוָאָה דְּאָמַר בא״י מָגֵן אַבְרָהָם, הָכָא נַפְקֵי כֻּלְּהוּ בִּכְלָלָא, דְּהָא בִּימִינָא כֻּלְּהוּ מִתְבָּרְכָאן כַּדְקָא וְזֵי.

תתג. ת״ח, הֵיכָלָא שְׁבִיעָאָה דָּא, רָזָא דְּמַלְכָּא עִלָּאָה, וּמִתְעַטְּרָן בֵּיהּ אֲבָהָן כְּדְקָאמְרָן, וְאִתְכְּלִילוּ בֵּיהּ. וְעַד הַשְׁתָּא אִתְכְּלִילוּ, וּבָעֵי לְאַפָּקָא לוֹן, אִיהוּ הֵיכָלָא דָּא, וְכַד אַפִּיק לוֹן מְבָרְכָאן, בְּגִין הַאי נַעֲרָה, כְּדֵין אִיהִי אֲחִידַת בְּהוּ, בְּכָל אִינּוּן בִּרְכָאן. וְאַף ע״ג דְּהָא אִתְכְּלִילוּ הֵיכָלִין בְּהֵיכָלִין, הַשְׁתָּא אִתְאֲחִידוּ בְּאִינּוּן בִּרְכָאן כַּחֲדָא, וְכַד אָמַר מֶלֶךְ עוֹזֵר וּמוֹשִׁיעַ וּמָגֵן, כְּדֵין אַפִּיק לוֹן מְבָרְכָאן.

תתד. וְהַאי, אִיהוּ חַד הֵיכָלָא שְׁבִיעָאָה, בְּרָזָא דִּשְׁמָא קַדִּישָׁא עִלָּאָה, בוכ"ו. 'בְּרָכָה 'וָחֶסֶד 'כּוּן 'וּמִשְׁפָּט, כְּלָלָא כֹּלָּא וְרָזָא דָּא, הוּא רָזָא דְּאֶהְיֶ"ה כְּלָלָא דְּכֹלָּא. בְּגִין דְּאִלֵּין אַתְוָון כְּלָלָא דְּכֹלָּא. בְּגִין דְּאִלֵּין אַתְוָון, אַפִּיקוּ אִלֵּין דְּנַפְקוּ מִנַּיְיהוּ, כְּלָלָא דְּאַבָהָן, וְדָא אִיהוּ דְּמִתְחַבְּרָא בַּהֲדַיְיהוּ, דְּאִקְרֵי בְּרָכָה.

תתה. כֵּיוָן דְּאָמַר בא"י מָגֵן אַבְרָהָם, הָא אֲוִידַת בִּרְכָאן מִנַּיְיהוּ, בְּרָזָא דְּהֵיכָלָא וְחֲמִישָׁאָה אַהֲבָה, דְּאִיהוּ יְמִינָא, וְאִיהוּ וְחֲמִישָׁאָה, לְאִתְקַשְּׁרָא בִּרְחִימוּ דְּבִרְכָאן דִּימִינָא. וְהָכִי אִצְטְרִיךְ, מֵעֵילָּא לְתַתָּא לְאִתְבָּרְכָא. בְּקַדְמֵיתָא אִתְכְּלִלוּ הֵיכָלָא בְּהֵיכָלָא כִּדְקַאמְרָן, וְהַשְׁתָּא נַטְלֵי בִּרְכָאן לְאִשְׁתַּכְּחָא אִלֵּין מִקַּדְמַת אִלֵּין. וְאע"ג דְּאִית דְּנָטִיל בְּקַדְמֵיתָא. כֵּיוָן דְּאִשְׁתַּכְּחוּ מִסִּטְרָא דִּימִינָא בִּרְכָאן, בְּהֵיכָלָא וְחֲמִישָׁאָה שָׁארֵי לְאַחֲדָא.

תתו. וּלְבָתַר בְּסִטְר שְׂמָאלָא, בְּרָזָא דָּא אַתָּה גִּבּוֹר. וְהַאי אִיהוּ גְּבוּרָא אַתָּה וְגִבּוֹר, תְּרֵין דִּינִין. וְכֵיוָן דְּאִתְמְשְׁכָאן בִּרְכָאן, אִתְכְּלִיל בִּרְחִימֵי, וְאִשְׁתְּכַח בְּהַהוּא סִטְרָא כֹּלָּא כַּחֲדָא, וְדָא הוּא מְחַיֶּה מֵתִים סוֹמֵךְ נוֹפְלִים וְרוֹפֵא חוֹלִים וְכוּ'.

תתז. וְדָא אִיהוּ בְּרָזָא דִּשְׁמָא קַדִּישָׁא דְּאִקְרֵי אֲכַדְטַ"ם, רָזָא אִיהוּ בְּאַתְוָון דִּשְׁמָא דְּאִקְרֵי אֱלֹהִי"ם. בְּגִין דְּאִלֵּין אַתְוָון סַלְקִין לְאִתְעַטְּרָא לְעֵילָּא, וְאַפִּיקוּ לְהוּ אִלֵּין לְאִתְקְרֵי בְּהוֹן, וְסַלְקִין לְאִתְעַטְּרָא לְעֵילָּא אֱלֹהִים חַיִּים, וְגָרַע בְּאַתְוָון, לְאַחֲדָא בִּגְרִיעוּ. וּמֵהָכָא אִתְפְּשַׁט לְתַתָּא, לְנַטְלָא מִגּוֹ אִלֵּין אַתְוָון אַחֲרָנִין, וּלְסַלְקָא מֵאִלֵּין אַתְוָון, לִשְׁמָא דֶּאֱלֹהִים.

תתח. כֵּיוָן דְּאִתְמַשְׁכָאן אַתְוָון בַּחֲמִישָׁאָה וּרְבִיעָאָה מֵעֵילָּא כִּדְקַאמְרָן, שָׁארֵי וְאוֹרִיד בִּרְכָאן מֵאֶמְצָעִיתָא דְּכֹלָּא, מֵהֵיכָלָא שְׁתִיתָאָה, וְאוֹרִיד בִּרְכָאן בְּהַאי וּבְהַאי. ובג"כ אַתָּה קָדוֹשׁ, אִתְכְּלִיל אַתָּה בְּקָדוֹשׁ.

תתט. וְשִׁמְךָ קָדוֹשׁ, כֵּיוָן דְּאָמַר אַתָּה קָדוֹשׁ, אֲמַאי וְשִׁמְךָ קָדוֹשׁ, הַיְינוּ שֵׁם, הַיְינוּ אַתָּה. אֶלָּא הָא תָּנֵינָן, בְּכָל אֲתַר דְּאִשְׁתְּכַח יִחוּדָא וְקִשּׁוּרָא, בָּעֵינָן קְדוּשָּׁה, וְתוֹסֶפֶת קְדוּשָּׁה, וְהַהוּא תּוֹסֶפֶת עִקָּרָא הוּא יַתִּיר מִכֹּלָּא. ובג"כ, בְּכֻלְּהוּ כְּתִיב אַתָּה, וְלָא יַתִּיר, וְהָכָא בְּהַאי אֲתַר, אָמַר קְדוּשָּׁה, וְתוֹסֶפֶת קְדוּשָּׁה. אַתָּה קָדוֹשׁ קְדוּשָּׁה, וְשִׁמְךָ קָדוֹשׁ תּוֹסֶפֶת קְדוּשָּׁה. וּקְדוֹשִׁים בְּכָל יוֹם: אִלּוּ שְׁאַר קְדוֹשִׁין עִלָּאִין, דִּי בְּכָל הֵיכָלָא וְהֵיכָלָא, דְּמִתְקַדְּשֵׁי מֵהַאי תּוֹסֶפֶת. בְּגִין דִּקְדוּשָּׁה קַמַּיְיתָא אִיהִי לָהּ, וְתוֹסֶפֶת קְדוּשָּׁה, לְאִתְקַדְּשָׁא כָּל אִינּוּן שְׁאַר דְּקַאמְרָן.

תתי. וּלְבָתַר אִתְקַדְּשָׁא כֹּלָּא מֵעֵילָּא, וּמִכֻּלְּהוּ אֲבָהָן, אִתְקְשַׁר בְּקִשּׁוּרָא חֲדָא, וְהַיְינוּ בָּרוּךְ אַתָּה יְיָ' הָאֵל הַקָּדוֹשׁ. הָכָא כֹּלָּא קִשּׁוּרָא חֲדָא, בְּגִין דְּאָמַר בא"י הָאֵל הַקָּדוֹשׁ. וְעַל דָּא אִקְרֵי צְרוֹרָא וְקִשּׁוּרָא דְּכֹלָּא בְּיִחוּדָא חַד. זַכָּאָה חוּלָקֵיהּ, מַאן דְּיָדַע לְסַדְּרָא שְׁבָחֵי דְּמָארֵיהּ בַּאֲתַר דְּאִצְטְרִיךְ. עַד הָכָא, דְּבֵיקוּתָא וּבִרְכָאן וּקְדוּשָּׁה כַּחֲדָא בַּאֲבָהָן.

תתיא. מִכָּאן וּלְהָלְאָה, קַיְּימִין שְׁאֶלְתִּין וּבָעוּתִין. שֵׁירוּתָא דְּבָעֵי בַּר נָשׁ לְמִשְׁאַל, לְמִנְדַּע בְּמִלִּין דְּמָארֵיהּ, בְּגִין לְמֶחֱזֵי תְּיאוּבְתֵּיהּ לְגַבֵּיהּ, וְלָא אִתְפְּרַשׁ מִנֵּיהּ. בְּגִין דְּבָעֵי ב"נ לְאִשְׁתַּתְּפָא בִּקְדוּשָּׁה דִּשְׁמָא קַדִּישָׁא עִלָּאָה, לְאִתְעַטְּרָא בֵּיהּ, וְאִיהוּ שְׁמָא דְּבִרְכָאן וּקְדוּשִׁין, כוו"ו. רָזָא דִּשְׁמָא קַדִּישָׁא יְדוּ"ד דְּאִיהוּ קַדִּישׁ בִּקְדוּשָּׁה. וְאִלֵּין אַתְוָון אַפִּיקוּ מִנֵּיהּ הָנֵי אַתְוָון אַחֲרָנִין, וְחִבּוּרָא דְּהָנֵי, כְּחִבּוּרָא דִּדְכַר בְּנוּקְבָא. וְהָנֵי קַדִּישִׁין עִלָּאִין, רָזָא דִּקְדוּשָּׁה.

תתיב. אִלֵּין אַתְוָון אַחֲרָנִין אִקְרוּן טַ"ל. טַל הַשָּׁמַיִם. רָזָא דְּחוּשְׁבְּנָא דְּאַתְוָון דִּילֵיהּ, בְּגִין דְּהָכָא לְתַתָּא, קַיְּימָן כָּל מִלִּין בְּחוּשְׁבְּנָא, וְלָא חוּשְׁבְּנָא, אֶלָּא לְסִיהֲרָא. וּבְג"כ בָּעֵי לְאִתְקַשְּׁרָא בִּקְדוּשָּׁה דְּמָארֵיהּ, וְלָא יִתְפְּרַשׁ ב"נ מִנֵּיהּ. וְכַד שָׁאִיל, שֵׁירוּתָא דִּשְׁאֶלְתִּין לְמִנְדַּע לְמָארֵיהּ, לְאַחֲזָאָה דְּתִיאוּבְתֵּיהּ לְגַבֵּיהּ. מִכָּאן וּלְהָלְאָה, יִתְפְּרַשׁ זְעֵיר זְעֵיר, וְיִשְׁאַל שְׁאֶלְתוֹי מַה דְּאִצְטְרִיךְ לְשָׁאֲלָא.

תתיג. וְכָל שְׁאֶלְתוֹי יֶהֱוֹן, לְבָתַר דִּיסַדֵּר סִדּוּרָא דָּא דְּקָאמְרָן. כְּגַוְונָא דָּא, כָּל שְׁאֶלְתוֹי יֶהֱוֹן בְּתַחֲנוּנִים וּבָעוּתִין לְקַמֵּי מָארֵיהּ, וְלָא יַרְוִיק גַּרְמֵיהּ מִנֵּיהּ. זַכָּאָה חוּלָקֵיהּ, מַאן דְּיָדַע לְסַדְּרָא סִדּוּרָא דָּא, לְמֵהַךְ בְּאֹרַח מֵישָׁר, כַּדְקָא חֲזֵי.

תתיד. כְּגַוְונָא דְּאִתְאַחֲדָא אֶשָּׁא בְּמַיָּא, וּמַיָּא בְּאֶשָּׁא. דָּרוֹם בִּצְפוֹן, וְצָפוֹן בְּדָרוֹם. מִזְרָח בְּמַעֲרָב, וּמַעֲרָב בְּמִזְרָח. הָכִי נָמֵי אִתְקַשַּׁר כֹּלָּא כַּחֲדָא, וְיִחוּדָא אִשְׁתְּלִים דָּא בְּדָא.

תתטו. וְכָל אִינּוּן דְּיָדְעִין לְסַדְּרָא צְלוֹתְהוֹן כַּדְקָא יָאוּת, לְאִתְכַּלְּלָא הָנֵי הֵיכָלִין אִלֵּין בְּאִלֵּין, וּלְאִתְקַשְּׁרָא דָּא בְּדָא. הַאי ב"נ אִתְקַשַּׁר בְּהוּ, וְקָרִיב לֵיהּ לְאִתְכַּלְּלָא בְּהוּ. שְׁאֶלְתָּא שָׁאִיל וְיָהִיב לֵיהּ. זַכָּאָה חוּלָקֵיהּ בְּהַאי עָלְמָא, וּבְעָלְמָא דְּאָתֵי.

תתטז. בָּתַר דְּסַיֵּים שְׁאֶלְתִּין וְגוּפָא שְׁלִים בְּכָל סִטְרִין בְּחֶדְוָה דְּלִבָּא וְאִיהוּ שָׁאִיל וְסַיֵּים שְׁאֶלְתִּין. יֶהְדַּר לְאַמְשָׁכָא בִּרְכָאן וְחֶדְוָואן לְתַתָּא, בְּרָזָא דְּהֵיכָלָא תְּלִיתָאָה, לְאַמְשָׁכָא לְתַתָּא, וְדָא הוּא רְצֵה יְיָ' אֱלֹהֵינוּ בְּעַמְּ"ךָ יִשְׂרָאֵ"ל. וּבְגִין דְּמַעֲמָדוֹת אִינּוּן סַמְכִין דְּגוּפָא. שֵׁירוּתָא לְתַתָּא מִן גּוּפָא תְּרֵין יַרְכִין, עַד דְּמָטֵי לְבִרְכִּין.

תתיז. וְאִלֵּין אִינּוּן רָזָא דְּמַעֲמָדוֹת, דְּקַיְּימֵי עַל קָרְבְּנָא. וְהָכָא אִיהוּ רָזָא שֵׁירוּתָא דִּתְרֵין יַרְכִין מִלְּעֵילָּא, עַד בִּרְכִּין, וְחִבּוּרָא דִּנְבִיאִים. וּמַרְאוֹת, בְּרָזָא דְּאַתְוָון דִּשְׁמָא קַדִּישָׁא, דְּאִקְרֵי הַשְׁתָּפָ"א. דְּאִיהוּ רָזָא דִּשְׁמָא דְּאִקְרֵי צְבָאוֹת. דָּא סָלִיק, וְדָא נָחִית. דָּא נְבִיאִים, וְדָא מַרְאוֹת.

תתיח. וְהָכָא אִיהוּ רָזָא עִלָּאָה דִּבְרַיְיתֵי דְּקָאמְרָן, וְכַד מָטֵי אִינִישׁ לְבִרְכִּין, יִכְרַע בָּרוּךְ א"י הַמַּחֲזִיר שְׁכִינָתוֹ לְצִיּוֹן, וְהָא הָכָא אֲהַדְרוּ בְּרַיְיתֵי לְמַתְנִיתִין וְאִתְבָּרְכָאן כַּחֲדָא.

תתיט. הֵיכָלָא תִּנְיָינָא לְתַתָּא, דְּאִתְפְּקָדוּ בֵּיהּ נִשְׁמָתִין לְסַלְּקָא, לְאַחֲזָאָה בְּחֵיזוּ דְּחֶלְמָא. מוֹדִים, לְאַכְרְעָה בִּרְכִּין, לְאוֹדָאָה עַל נִשְׁמָתִין, כִּדְקָאמְרָן עַל נִשְׁמוֹתֵינוּ הַפְּקוּדוֹת, עַד דְּמָטֵי לְהַטּוֹב שִׁמְךָ וּלְךָ נָאֶה לְהוֹדוֹת.

תתכ. וְדָא הוּא גּוֹ רָזָא דִּשְׁמָא קַדִּישָׁא, דְּאִקְרֵי בָּ"ם בְּמוּכְ"ז. דָּא אִקְרֵי אֵל אֱלֹהִים, דְּאִיהוּ בְּרָזָא עִלָּאָה. אֵל אֱלֹהִי"ם יְהֹוָ"ה הוּא יוֹדֵעַ. כְּלָלָא דְּאִלֵּין אַתְוָון אַחֲרָנִין דְּנַפְקֵי מִנַּיְיהוּ, וּלְתַתָּא, רָזָא דְּחֶלְמָא. רָזָא לְהַהוּא אֲתַר לְאַעֲלָא בְּהוּ נִשְׁמָתִין. וּבָעֵינָן לְאַמְשָׁכָא בְּהָנֵי בִּרְכָאן, בְּגִין לְאַשְׁכְּחָא נַיְיחָא בְּהַאי עָלְמָא, וּבְעָלְמָא דְּאָתֵי.

תתכא. הֵיכָלָא תַּתָּאָה לְתַתָּא, שִׂים שָׁלוֹם טוֹבָה וּבְרָכָה. הָכָא אִיהוּ כְּלָלָא דְּשָׁלוֹם. שָׁלוֹם לְעֵילָּא, שָׁלוֹם לְתַתָּא, שָׁלוֹם לְכָל סִטְרִין, שָׁלוֹם בְּפַמַלְיָא דִּלְעֵילָּא, שָׁלוֹם בְּפַמַלְיָא דִּלְתַתָּא, וְהֵיכָלָא דָּא אִיהוּ פַּמַלְיָא דִּלְתַתָּא. בְּחִבּוּרָא חֲדָא בְּפַמַלְיָא דִּלְעֵילָּא. וּמֵהָכָא נָגִיד לְכָל אִינּוּן תַּתָּאֵי דִּלְבַר.

תתכב. וְהָכָא אִתְכְּלִיל וְאִשְׁתְּלִים כֹּלָּא כַּחֲדָא, עֵילָּא וְתַתָּא, בִּנְהִירוּ חֲדָא, לְאִשְׁתַּלְמָא שֵׁם מָלֵא, יְיָ' אֱלֹהִים. שֵׁם דָּא דְּאִיהוּ שָׁלֵם, בְּכָל אִינּוּן הֵיכָלִין, בְּכָל אִינּוּן נְהוֹרִין עִלָּאִין, לְמֶהֱוֵי כֻּלְּהוּ חַד.

תתכג. הַאי ב״נ, כַּד אִשְׁתְּאִיל מֵהֵיכְלָא דָּא לְנָפְקָא לְבַר. יְשַׁוֵּי גַּרְמֵיהּ, כְּמַאן דְּנָפִיק מִוַּזבְרוּתָא דְּמַלְכָּא, וּמִגּוֹ הֵיכָלֵיהּ, וְיִמְאִיךְ גַּרְמֵיהּ קַמֵּיהּ. אֲבָל יְיַחֵד גַּרְמֵיהּ, דְּהָא קַדְמָאָה אִיהוּ, לְנַטְלָא עִטְרָא דְּמַשִׁיכוּ דְּבִרְכָאן דְּנַגְדִּין מִיִּחוּדָא דְּמָארֵיהּ. דָּא אִיהוּ בַּר, דְּאִיהוּ מֵהֵיכְלָא דְּמַלְכָּא. דְּהָא בְּהַאי שַׁעֲתָא דְּקָא נָפִיק מִקַּמֵּי מַלְכָּא, וְכֹלָּא קָשִׁיר בְּכָל הָנֵי סִטְרִין, בְּקִשּׁוּרָא דְּיִחוּדָא, וּבִרְכָאן, וּקְדוּשָׁה, וְתוֹסֶפֶת קְדוּשָׁה. קב״ה קָרֵי לְפַמַלְיָא דִּלְעֵילָּא, וְאָמַר לוֹן, כְּתוֹבוּ לְהַאי ב״נ פְּלַנְיָא, מֵאִינּוּן דְּאִקְרוּן וְיוֹשְׁבֵי שְׁמוֹ.

תתכד. מַאן וְיוֹשְׁבֵי שְׁמוֹ. אִינּוּן דִּמְחַשְּׁבֵי וּמְכַוְּונִין בִּרְזָא דִּשְׁמֵיהּ, לְיַחֲדָא הֵיכָלִין בְּהֵיכָלִין, לְקַשְּׁרָא קִשְׁרִין, וּלְיַחֲדָא כֻּלְּהוּ בְּיִחוּדָא חֲדָא. וְאִלֵּין אִינּוּן וְיוֹשְׁבֵי שְׁמוֹ, כד״א וּלְחוֹשְׁבֵי שְׁמוֹ. כְּדֵין אַכְתִּיבוּ לֵיהּ, וְאִתְרְשִׁים וְאִשְׁתְּמוֹדַע לְעֵילָּא, וְאִשְׁתְּלִים אִיהוּ לְעֵילָּא וְתַתָּא.

תתכה. וּמַאן דְּקָרִיב קַמֵּי מָארֵיהּ, וְצַלֵּי צְלוֹתֵיהּ, וְלָא אַשְׁלִים יִחוּדָא, וְלָא חָיִישׁ עַל יְקָרָא דְּמָארֵיהּ, לְקַשְּׁרָא קִשְׁרִין כְּדְקָאַמְרָן, טַב לֵיהּ דְּלָא אִבְרֵי. וְקב״ה אָמַר כְּתִבוּ אֶת הָאִישׁ הַזֶּה עֲרִירִי גֶּבֶר לֹא יִצְלַח בְּיָמָיו. וְדָא אִיהוּ גּוֹזֵל אָבִיו וְאִמּוֹ.

תתכו. הָכָא אִשְׁתְּלִים כֹּלָּא לְעֵילָּא וְתַתָּא, רָזָא דִּשְׁמָא קַדִּישָׁא שַׁלִּיטָא לְעֵילָּא. מִצְפַּ״ץ מִצְפַּ״ץ. יְיָ׳ יְיָ׳ אֵל רַחוּם וְחַנּוּן. הָכָא אִיהוּ רָזָא דִּשְׁמָא קַדִּישָׁא דָּא, לְאִתְקַדְּשָׁא בְּאַתְוֵוי בְּבֵי עֲשָׂרָה, וְאַתְוָון אַחֲרָנִין בִּקְדוּשָׁה דְּיוֹמָאי בִּצְלוֹתָא. בָּתַר דְּסַיֵּים, קָאִים עַל רַגְלוֹי, לְאוֹדָאָה עַל חוֹבוֹי, בְּגִין דְּלָא יְהֵא פִּטְרָא דְּפוּמָא לְסִטְרָא אַחֲרָא, לְאַסְטָאָה לֵיהּ, וְאִתְכַּפְיָא קַמֵּיהּ. וְיֵקוּם בְּקִיּוּמֵיהּ לְאִתְבָּרְכָא מִבֵּי מַלְכָּא.

תתכז. זַכָּאָה חוּלָקֵיהּ מַאן דְּאִתְקַדַּשׁ בְּהַאי גַּוְונָא בִּצְלוֹתָא כְּדְקָאַמְרָן, וְקָשַׁר קִשְׁרִין, וְיִיחֵד יִחוּדִין, וְיִתְכַּוֵּון בְּכֹלָּא כְּדְקָא יָאוּת, וְלָא יִסְטֵי לִימִינָא וְלִשְׂמָאלָא. צְלוֹתֵיהּ לָא אַהְדַּר בְּרֵיקַנְיָא. קב״ה גָּזִיר וְאִיהוּ מְבַטֵּל. עַל דָּא כְּתִיב יִשְׂמַח אָבִיךָ וְאִמֶּךָ וְתָגֵל יוֹלַדְתֶּךָ. אִית לֵיהּ חוּלָקָא בְּעָלְמָא דֵּין, וּבְעָלְמָא דְּאָתֵי.

תתכח. כְּתִיב וַתָּקָם בְּעוֹד לַיְלָה וַתִּתֵּן טֶרֶף לְבֵיתָהּ וְגוֹ׳ מֵהַהוּא רְבוּיָא דְּבִרְכָאן, וּקְדוּשָׁה, וְתוֹסֶפֶת קְדוּשָׁה דְּקָא נַטְלָא. כד״א וְלָעֶרֶב יְחַלֵּק שָׁלָל, דְּפַלִּיגַת חוּלָקָא לְכֹלָּא, וַאֲפִילּוּ לְסִטְרָא אַחֲרָא חוּלָקָא בִּלְחוֹדָהָא.

תתכט. וְרָזָא דָּא, רָזָא לִבְנֵי מְהֵימְנוּתָא. חוּלָקָא דְּסִטְרָא אַחֲרָא מְסָאֲבָא, כָּל אִינּוּן חוֹבִין, וְכָל אִינּוּן חַטָּאִין, דְּהַהוּא ב״נ דְּקָשַׁר קִשְׁרִין דְּיִחוּדָא, דְּאִתְוַדָּה עֲלַיְיהוּ, כֻּלְּהוּ שַׁרְיָין עֲלֵיהּ דְּסט״א. וְאִינּוּן חוּלָקָא וְאַחֲסַנְתָּא דְּסִטְרָא אַחֲרָא מְסָאֲבָא. וְאִי לָא אוֹדֵי עֲלֵיהּ, אִשְׁתְּכַח מְקַטְרְגָא וְיָכִיל לֵיהּ.

תתל. וְאִי אוֹדֵי עַל כָּל חוֹבוֹי, בְּהַהִיא צְלוֹתָא, דְּקָשִׁיר קִשְׁרִין דְּיִחוּדָא, וְאִתְבָּרְכָאן עִלָּאֵי וְתַתָּאֵי. וּמֵהַהוּא חוּלָקָא דְּסִטְרָא אַחֲרָא, כָּל אִינּוּן חוֹבִין וְחַטָּאִין דְּאוֹדֵי עֲלַיְיהוּ, נַטְלָא לוֹן לְחוּלָקֵיהּ. וְרָזָא דָּא שָׂעִיר. דִּכְתִּיב וְהִתְוַדָּה עָלָיו אֶת כָּל עֲוֹנוֹת וְגוֹ׳, וּכְתִיב וְנָשָׂא הַשָּׂעִיר וְגוֹ׳, דָּא הוּא חוּלָקֵיהּ וְעַדְבֵיהּ וְאַחֲסַנְתֵּיהּ. וְאִי הַהוּא ב״נ תָּב לְסָרְחָנֵי דְּחוֹבוֹי, וַוי לֵיהּ, דְּכֻלְּהוּ נָטִיל לוֹן מֵהַהוּא סִטְרָא, בְּעַל כָּרְחֵיהּ דְּהַהוּא סִטְרָא. וּמִגּוֹ דְּנָטִיל לוֹן מֵהַאי סִטְרָא בְּעַל כָּרְחֵיהּ דְּהַהוּא סִטְרָא, כְּדֵין אַבְאִישׁ לֵיהּ, וְאִתְהַפַּךְ עֲלֵיהּ מְקַטְרְגָא, וְקַטְרִיג לֵיהּ. וְכַד אוֹדֵי עֲלוֹי, נָטִיל לוֹן הַהוּא סִטְרָא אַחֲרָא, וְאִיהוּ עַדְבֵיהּ וְחוּלָקֵיהּ.

תתלא. וְרָזָא דָּא, הָכִי נָמֵי קָרְבְּנָא, דְּבָעֵי לְאוֹדָאָה עַל הַהוּא קָרְבְּנָא, כָּל חוֹבוֹי

וְחַטָּאוֹי, לְמֵיהַב חוּלָקָא לְמַאן דְּאִצְטְרִיךְ. קָרְבְּנָא כֹּלָּא לְסִטְרָא דָּא חוּלָקָא דְּקוּדְשָׁא, וּרְעוּתָא דְּקוּדְשָׁא. וּלְסִטְרָא דָּא, הַהוּא חוּלָקָא דְּאִינּוּן חוֹבִין, וְחַטָּאִין דְּאִתְיְיהִיבוּ בְּהוֹדָאָה עַל הַהוּא בִּשְׂרָא דְּקָרְבְּנָא. כְּמָה דִּכְתִּיב, אִם רָעֵב שׂוֹנַאֲךָ הַאֲכִילֵהוּ לֶחֶם וְגוֹ'. כִּי גֶּחָלִים אַתָּה חוֹתֶה וְגוֹ', וְסִימָנֵיךְ יָבֹא הַמֶּלֶךְ וְהָמָן אֶל הַמִּשְׁתֶּה. זַכָּאָה אִיהוּ מַאן דְּיָדַע אָרְחוֹי לְמֵהַךְ בְּאֹרַח קְשׁוֹט.

תתלב. וְכָל מַאן דְּלָא יָדַע לְסַדְּרָא שְׁבָחָא דְּמָארֵיהּ, טַב לֵיהּ דְּלָא אִבְרֵי. בְּגִין דְּאִצְטְרִיךְ צְלוֹתָא דְּאִיהוּ שְׁלֵמָא לְעֵילָּא. מִגּוֹ מַחֲשָׁבָה, וּרְעוּתָא דְּלִבָּא, וְקָלָא, וּמִלָּה דְּשִׂפְוָון. לְמֶעְבַּד שְׁלִימוּ וְקִשּׁוּרָא וְיִחוּדָא לְעֵילָּא, כְּגַוְונָא דְּאִיהוּ לְעֵילָּא. כְּגַוְונָא דְּנָפְקָא שְׁלִימוּ מֵעֵילָּא לְתַתָּא, הָכִי אִצְטְרִיךְ מִתַּתָּא לְעֵילָּא, לְקַשְּׁרָא קִשְׁרָא כַּדְקָא יָאוֹת.

תתלג. רָזָא לְחַבְרַיָּיא דְּיְהַכוּן בְּאֹרַח מֵישַׁר, מַחֲשָׁבָה. וּרְעוּתָא. וְקָלָא. וּמִלָּה. אִלֵּין אַרְבַּע מְקַשְּׁרִין קִשְׁרִין. לְבָתַר קָשִׁירוּ קִשְׁרִין כֻּלְּהוּ כַּחֲדָא, אִתְעֲבִידוּ כֻּלְּהוּ רְתִיכָא חֲדָא, לְאַשְׁרָאָה עֲלַיְיהוּ שְׁכִינְתָּא, וְאִתְעֲבִידוּ כֻּלְּהוּ לְבָתַר אַרְבְּעָה סַמְכִין לְאִתְעַטְּרָא בְּהוּ, וּשְׁכִינְתָּא אִסְתְּמִיךְ עֲלַיְיהוּ, בְּכָל אִינּוּן קִשְׁרִין עִלָּאִין.

תתלד. מַחֲשָׁבָה אַפִּיק רְעוּתָא, רְעוּתָא דְּנָפִיק מִגּוֹ מַחֲשָׁבָה, אַפִּיק קָלָא דְּאִשְׁתְּמַע, וְהַהוּא קָלָא דְּאִשְׁתְּמַע, סָלִיק לְקַשְּׁרָא קִשְׁרִין מִתַּתָּא לְעֵילָּא, הֵיכָלִין תַּתָּאִין בְּעִלָּאִין. קָלָא דְּאִיהוּ קָשִׁיר קִשְׁרִין וּמָשִׁיךְ בִּרְכָאן מֵעֵילָּא לְתַתָּא בִּלְחִישׁוּ, סָמִיךְ אִלֵּין אַרְבְּעָה סַמְכִין: מַחֲשָׁבָה. וּרְעוּתָא. קָלָא. וּמִלָּה. סַמִּיכוּ בְּסִיּוּמָא דְּקִשּׁוּרָא, אֲתַר דְּכֹלָּא אִתְקַשַּׁר בֵּיהּ כַּחֲדָא, וְאִתְעֲבִידוּ כֻּלְּהוּ חַד.

תתלה. זַכָּאָה אִיהוּ בַּר נָשׁ דְּקָשַׁר קִשְׁרִין דְּמָארֵיהּ, וְסָמִיךְ סַמִּיכִין כַּדְקָא יָאוֹת, וְאִתְכַּוָּון בְּכָל הָנֵי מִלִּין דְּקָאמְרָן. זַכָּאָה אִיהוּ בְּהַאי עָלְמָא, וּבְעָלְמָא דְּאָתֵי. עַד הָכָא אִשְׁתְּכְלָלוּ הֵיכָלִין בְּסִטְרָא דִּקְדוּשָּׁה.

תתלו. רִבִּי שִׁמְעוֹן פָּתַח וְאָמַר, וְהֵמָּה כְּאָדָם עָבְרוּ בְרִית שָׁם בָּגְדוּ בִי. מַאן יְגַלֶּה עָפָר מֵעֵינָךְ אָדָם קַדְמָאָה, דְּקֻבְּ"ה פָּקִיד לָךְ פִּקּוּדָא חֲדָא, וְלָא יָכִילַת לְקַיְּימָא בָּהּ. בְּגִין דְּאִתְפַּתֵּית עַל מִלִּין בִּישִׁין, דְּאַסְטֵי לָךְ הַהוּא חִוְיָא בִּישָׁא, דִּכְתִּיב וְהַנָּחָשׁ הָיָה עָרוּם. וּבְגִין כָּךְ, אִתְפַּתִּית אֲבַתְרֵיהּ, וְגָרְמַת מִיתָה לְגַרְמָךְ, וּלְכָל אִינּוּן תּוֹלְדִין דְּנַפְקוּ מִינָךְ. תָּא חֲזֵי, דְּכָל מַאן דְּאִתְפַּתָּא אֲבַתְרֵיהּ וְנָטִית לְגַבֵּיהּ בִּרְגְעָא חֲדָא, יִתְאֲבִיד לְגַבֵּיהּ.

תתלז. תָּא חֲזֵי, דָּוִד הֲוָה קִיּוּמָא נָעִי"ן בִּמְקוֹרָא דְּמַיִין נַבְעִין, וְכַד אִתְדַּחְיָא לְאַרְעָא אָחֳרָא, וְצַעֲרִין לֵיהּ, וּלְפוּם צַעֲרֵיהּ אִתְדַּחְיָא מֵאַרְעָא קַדִּישָׁא. אַף עַל גַּב דְּנָחִית מִדַּרְגּוֹי לְדַרְגָּא תַּתָּאָה, קָם בְּקִיּוּמֵיהּ, וְלָא עָאל לְסִטְרָא אָחֳרָא, וְאִסְתְּמַר מִנֵּיהּ. מַה כְּתִיב וְאוּלָם חַי יְיָ' וְחֵי נַפְשְׁךָ כִּי כְפֶשַׂע בֵּינִי וּבֵין הַמָּוֶת. דְּהָא נָחִית בְּדַרְגּוֹי, עַד דַּהֲוָה בֵּיהּ הַאי שִׁעוּרָא. וְזַכָּאָה חוּלָקֵיהּ, מַאן דְּאִסְתְּמַר מֵהַהוּא סִטְרָא בִּישָׁא, וּמִכָּל דַּרְגִּין דְּהַהוּא סִטְרָא, דְּמִשְׁתַּכְּחֵי בְּעָלְמָא.

תתלח. דְּכַמָּה סִטְרִין וְדַרְגִּין אִית לְיֵצֶר הָרָע: נָחָשׁ עֲקַלָּתוֹן. שָׂטָן. מַלְאַךְ הַמָּוֶת. יֵצֶר הָרָע. וְהָא אוּקְמוּהָ. דְּאַע"ג דְּבִשְׁמָהָן אִלֵּין אִקְרֵי, שֶׁבַע שְׁמָהָן אִינּוּן לֵיהּ: שָׂטָן. טָמֵא. שׂוֹנֵא. אֶבֶן מִכְשׁוֹל. עָרֵל. רָע. צְפוֹנִי. אִלֵּין אִינּוּן שֶׁבַע שְׁמָהָן, לָקֳבֵל שֶׁבַע דַּרְגִּין דְּהֵיכָלִין דִּילֵיהּ, דְּכֻלְּהוּ מִסִּטְרָא מְסָאֲבָא כְּדְקָאמְרָן. לָקֳבֵל אִלֵּין שִׁבְעָה שְׁמָהָן, אִינּוּן דְּאִקְרֵי בְּהוּ גֵּיהִנָּם, אֲתַר דְּאִתְדָּנוּ בֵּיהּ חַיָּיבַיָּא דְּעָלְמָא. וְאִלֵּין אִינּוּן: בּוֹר. שַׁחַת. דּוּמָה.

טִיט הַיָּוֵן. שְׁאוֹל. צַלְמָוֶת. אֶרֶץ תַּחְתִּית. כָּל אִלֵּין שִׁבְעָה מָדוֹרִין דְּגֵיהִנָּם, לְקַבֵּל אִלֵּין שֶׁבַע שְׁמָהָן, דְּאִית לֵיהּ לְיֵצֶר הָרָע.

תתלט. וְהָא אוֹקִימְנָא, דִּכְמָה דְּאִית דַּרְגִּין וְהֵיכָלִין לִסְטַר קְדוּשָׁה, הָכִי נָמֵי לִסְטַר מִסְאֲבָא. וְכֻלְּהוּ מִשְׁתַּכְּחֵי וְשַׁלְטֵי בְּעָלְמָא, בִּסְטַר מִסְאֲבָא. שִׁבְעָה הֵיכָלִין אִינּוּן, דְּאִינּוּן לְקָבֵל שִׁבְעָה שְׁמָהָן, דְּאִקְרֵי בְּהוּ גֵּיהִנָּם. וְכֻלְּהוּ קַיְימֵי לְדִינָא, וּלְסַאֲבָא, לְאִינּוּן חַיָּיבֵי עָלְמָא דְּדַבְקֵי בְּהוּ, וְלָא אִסְתַּמְרָן אָרְחַיְיהוּ מִנַּיְיהוּ, כַּד אִינּוּן בְּהַאי עָלְמָא.

תתמ. דְּהָא מַאן דְּאָתֵי לְאִתְדַּכָּאָה בְּהַאי עָלְמָא, בְּסִטְרָא דְּדַכְיָא, מְדַכְּאִין לֵיהּ, בְּהַהוּא אֲתַר דְּאִקְרֵי רָזָא דִּמְהֵימְנוּתָא. דִּכְמָה דַּרְגִּין אִינּוּן, וְכַמָּה מְמָנָן, דְּכֻלְּהוּ קַיְימִין לְקָרְבָא לִבְנֵי נָשָׁא לְפוּלְחָנֵיהּ דְּקֻבְּ"הֻ, וּלְדַכָּאָה לֵיהּ. וּמַאן דְּאָתֵי לְאִסְתַּאֲבָא, מְסָאֲבִין לֵיהּ בְּהַאי סִטְרָא אַחֲרָא דְּאִיהוּ מִסְאֲבָא. דְּהָא כַּמָּה דַּרְגִּין, וְכַמָּה מְמָנָן, כֻּלְּהוּ קַיְימֵי לְסָאֲבָא לוֹן לִבְנֵי נָשָׁא.

תתמא. מַאן דְּיִקְרַב בְּהוּ, וְאָתֵי לְאִתְמַשְׁכָא בָּתַר הַהוּא סִטְרָא בִּישָׁא, עָלֵיהּ כְּתִיב, מִי גֶבֶר יִחְיֶה וְלֹא יִרְאֶה מָּוֶת יְמַלֵּט נַפְשׁוֹ וְגוֹ'. מַאן אִיהוּ בַּר נָשׁ דְּאִתְעֲבַר בְּעָלְמָא דְּלָא יֶחֱמֵי מוֹתָא, הַהוּא דְּכָל עָלְמָא אִתְמַשְׁכָאן אֲבַתְרֵיהּ. דְּהָא בְּהַהוּא זִמְנָא דְּאָתֵי ב"נ לְמֵיהַב חוּשְׁבְּנָא קָמֵי מָארֵיהּ, עַד לָא יִפּוּק מֵהַאי עָלְמָא, וְחָמֵי לֵיהּ, וְהָא אוֹקִימְנָא.

תתמב. וְאִלֵּין שִׁבְעָה הֵיכָלִין, דְּאִינּוּן שִׁבְעָה מָדוֹרִין לַגֵּיהִנָּם. תְּרֵיסַר יַרְחִין אִקְרוּן, בְּגִין דְּהָא כְּמָה דְּאִית לִסְטַר מְהֵימְנוּתָא תְּרֵיסַר יַרְחִין, דַּרְגִּין קַדִּישִׁין, הָכִי נָמֵי אִית לְסִטְרָא אַחֲרָא דָּא תְּרֵיסַר יַרְחִין, דְּחַיָּיבַיָּא אִתְדָּנוּ בְּהוּ, וְנִשְׁמָתָא דִּלְהוֹן אִתְדָּנַת בְּהוּ. זַכָּאָה חוּלָקֵיהוֹן דְּצַדִּיקַיָּיא, דְּאִתְמַנְעָן רַגְלַיְיהוּ מִנַּיְיהוּ בְּהַאי עָלְמָא, וְלָא מִתְקָרְבֵי לְתַרְעַיְיהוּ, בְּגִין לְאִשְׁתְּזָבָא מִנַּיְיהוּ בְּהַהוּא עָלְמָא.

תתמג. הֵיכָלָא קַדְמָאָה. שֵׁירוּתָא דְּסִטְרָא דְּיֵצֶה"ר. הַאי הֵיכָלָא קַדְמָאָה, אִקְרֵי בּוֹר רֵיקָא מִכֹּלָּא. מַאן דְּאָתֵי לְאַעֲלָא בֵּיהּ, לֵית מַאן דְּאָחִיד בֵּיהּ. כֻּלְּהוּ דַּחְיָין לֵיהּ לְמִנְפַּל דְּלָא יְקוּם, לֵית בֵּיהּ סָמִךְ לְטָב.

תתמד. בְּהַאי הֵיכָלָא, קַיְימָא חַד מְמָנָא, וְדוּמָה שְׁמֵיהּ. וְהַאי אִיהוּ קַיְימָא לְעֵילָא וְתַתָּא. דָּא אִיהוּ אָחִיד בְּנִשְׁמָתָא, כַּד אִתְדַּחְיָיא מֵהֵיכָלָא קַדִּישָׁא, עַל יְדָא דְּהַהוּא מְמָנָא טָהֲרִיאֵ"ל, וְהַאי אִיהוּ קָאִים לְגַבֵּי הַהוּא תַּרְעָא דְּהַהוּא סִטְרָא קַדִּישָׁא, וּבְגִין כַּךְ קַיְימָא הַאי דוּמָה, לְאוֹזְדָא לָהּ לְנִשְׁמָתָא, וְכַמָּה גַּרְדִּינֵי נִימוּסִין בַּהֲדֵיהּ.

תתמה. וּתְחוֹת הַאי מְמָנָא, קַיְימָא חַד מְמָנָא אַחֲרָא, דִּי אֶלֶף וְרִבְבָן תְּחוֹתֵיהּ. וְהַאי מְמָנָא אִקְרֵי פְּתוּ"ת. דָּא הוּא דְּאִיהוּ קַיְימָא לְפִתְחָא בְּנֵי נָשָׁא. וְהַאי אִיהוּ דְּשָׁרֵי לְגַבֵּיהּ, וְאַסְטֵי לֵיהּ, לְאִסְתַּכְּלָא וּלְעַיְּינָא בְּמָה דְּלָא אִצְטְרִיךְ בְּכַמָּה זְנוּנִין וּבְכַמָּה נִאוּפִין. וְכָל אִינּוּן דְּעִמֵּיהּ, כֻּלְּהוּ קַיְימָן לְגַבֵּיהּ, וְאָזְלִין קַמֵּיהּ, וְאַכְרִיזָן לֵיהּ לְאַסְטָאָה עַיְינוֹי, לְאִסְתַּכְּלָא בְּמָה דְּלָא אִצְטְרִיךְ.

תתמו. וְהַאי אִיהוּ סַרְסוּרָא בִּישָׁא, לְכָל אִינּוּן בִּישִׁין, הַאי קָאִים עַל קִבְרָא בְּזִמְנָא דְּאִתְדָּן הַהוּא גּוּפָא, וְתָבַר לֵיהּ עַיְינוֹי. בְּגִין דְּאִיהוּ רָוַוח לוֹן, כַּד אִיהוּ בְּהַאי עָלְמָא, וְדִילֵיהּ אִינּוּן.

תתמז. וּבְהַאי אֲתַר אִתְדָּנַת נִשְׁמָתָא, עַד דְּעָאלַת לְהַאי אֲתַר דְּאִקְרֵי בּוֹר, וְכַמָּה נְחָשִׁים וְעַקְרַבִּים אִית בֵּיהּ, דְּכֻלְּהוּ עָקְצֵי לָהּ לְהַאי נִשְׁמָתָא, וְאוֹדֵי בָּהּ, וְדַיְינִין לָהּ.

תתמח. לְגוֹ מִן דָּא, אִית חַד רוּחָא אַחֲרָא מִסְאֲבָא, דְּאִיהוּ עִלָּאָה עַל כֹּלָּא. וְדָא

קַיְּימָא עַל כָּל הֵיכָלָא דָּא, וְכֻלְּהוּ נַטְלֵי בְּגִינֵיהּ, וְהַאי אִקְרֵי גַּמְגִּימָ"א. הַאי הוּא סוּמָקָא כְּוַורְדָּא, אִיהוּ קָאֵים לְאַבְאָשָׁא תָּדִיר, דְּהָא כַּד צְלוֹתָא דְּב"נ אִתְדַּחְיָא, וְלָא זָכֵי בָּהּ הַהוּא ב"נ, הַאי רוּחָא קַיְּימָא, וְסַלְקָא וְאִשְׁתָּתַּף בְּרוּחָא מִסְאֲבָא עִלָּאָה עַל כֹּלָּא, וְאַסְטֵי לְעֵילָּא, וְאַדְכִּיר חוֹבוֹי דְּבַר נָשׁ קָמֵי קב"ה, וְסִימָנָיךְ וַיָּבֹא גַּ"ם הַשָּׂטָ"ן בְּתוֹכָם, וְלָא כְּתִיב וַיָּבֹא הַשָּׂטָן אֶלָּא גַּם.

תתמט. וּמֵהַאי רוּחָא בִּישָׁא, תַּלְיָין כַּמָּה גַּרְדִּינִין אַחֲרָנִין, דְּאִינּוּן מְמָנָן לְאַחֲדָא מִלָּה בִּישָׁא, אוֹ מִלָּה טִנּוּפָא דְּאַפִּיק בַּר נָשׁ מִפּוּמֵיהּ, וּלְבָתַר אַפִּיק מִלִּין קַדִּישִׁין. וַוי לוֹן, וַוי לְחַיֵּיהוֹן, אִלֵּין אִינּוּן בְּנֵי נָשָׁא דְּגַרְמֵי לְאִלֵּין גַּרְדִּינִין אַחֲרָנִין לְשַׁלְטָאָה, לְמִפְגַּם אֲתַר קַדִּישָׁא. וַוי לוֹן בְּהַאי עָלְמָא, וַוי לוֹן לְעָלְמָא דְּאָתֵי. בְּגִין, דְּאִלֵּין רוּחִין מְסָאֲבִין, נַטְלִין הַאי מִלָּה מְסָאֲבָא, וְכַד אַפִּיק בַּר נָשׁ לְבָתַר מִלָּה קַדִּישָׁא, אַקְדִּימוּ אִלֵּין רוּחֵי מְסָאֲבֵי, וְנַטְלֵי הַהִיא מִלָּה מְסָאֲבָא, וּמְסָאֲבֵי לְהַהִיא מִלָּה קַדִּישָׁא, וְלָא זָכֵי בֵּיהּ ב"נ, וְכַבְיָכוֹל תָּשַׁשׁ חֵילָא קַדִּישָׁא.

תתנ. וְעֵילָּא מֵאִלֵּין אִית חַד מְמָנָא סַפְסִירִיטָ"א שְׁמֵיהּ. וְכַמָּה גַּרְדִּינֵי נִימוּסִין, וְהַאי מְמָנָא דְּעָלַיְיהוּ, נַטְלֵי אִינּוּן מִלִּין בִּישִׁין, וְהָכִי נָמֵי נַטְלֵי כָּל אִלֵּין מִלִּין דְּזָרִיק ב"נ בִּידוֹי, כַּד רוּגְזָא שַׁרְיָא עֲלוֹי, דְּהָא כְּדֵין הַאי מְמָנָא סַפְסִירִיטָ"א נָקִיט הַאי מִלָּה, דְּזָרִיק ב"נ בְּרוּגְזֵיהּ, וְסָלִיק וְאָמַר, דָּא הוּא קָרְבְּנָא דִּפְלַנְיָא, דְּקָרִיב לְסִטְרָא דִּילָן.

תתנא. בְּגִין דְּכָל סִטְרָא דְּנַיְיחָא, אִיהוּ מִסִּטְרָא דִּימִינָא, וּמִסִּטְרָא דִּמְהֵימְנוּתָא. וְכָל סִטְרָא דְּרוּגְזָא, אִיהוּ מִסִּטְרָא אָחֳרָא בִּישָׁא, סִטְרָא מְסָאֲבָא. וְעַל דָּא מַאן דְּאַשְׁדֵּי מִן יְדוֹי מִדֵּי בְּרוּגְזָא, כָּל אִלֵּין נַטְלִין לָהּ לְהַאי מִלָּה דְּאִזְדְּרִיק, וְסַלְקֵי לָהּ לְעֵילָּא, וְאִתְקְרִיב לְהַהוּא סִטְרָא, וְאָמְרֵי דָּא קָרְבְּנָא דִּפְלַנְיָא.

תתנב. וְכָרוֹזָא קָארֵי בְּכָל אִינּוּן רְקִיעִין וְאָמְרֵי, וַוי לִפְלַנְיָא דְּאַסְטֵי בָּתַר אֵל זָר, וּפָלַח לְאֵל אַחֵר. וְכָרוֹזָא קָארֵי זִמְנָא תִּנְיָנָא וְאָמַר, אוֹי לָהֶם כִּי נָדְדוּ מִמֶּנִּי וְגוֹ'. זַכָּאָה אִיהוּ בַּר נָשׁ, דְּאִסְתְּמַר מֵאָרְחוֹי, וְלָא יִסְטֵי לִימִינָא וְלִשְׂמָאלָא. וְלָא יִנְפּוֹל בְּגוֹ בֵּירָא עֲמִיקָא, דְּלָא יָכִיל לְסַלְּקָא מִנֵּיהּ.

תתנג. הֵיכָלָא תִּנְיָינָא, הֵיכָלָא דָּא, אִיהוּ חָשׁוּךְ יַתִּיר עַל הֵיכָלָא קַדְמָאָה, הַאי אִקְרֵי שָׁוַחַת, לְקָבֵל שְׁמָא דְּאִקְרֵי טָמֵא. בְּגִין דְּהֵיכָלָא קַדְמָאָה אִקְרֵי בּוֹר, לָקֳבֵל שְׁמָא דְּאִקְרֵי שָׂטָן. וְהַאי אִקְרֵי שָׁוַחַת, לָקֳבֵל שְׁמָא דְּאִקְרֵי טָמֵא. בְּהֵיכָלָא דָּא קַיְימִין תְּלַת פִּתְחִין, לִתְלַת סִטְרִין.

תתנד. פִּתְחָא קַדְמָאָה. בֵּיהּ קַיְּימָא חַד מְמָנָא, עַסְטִירִיָ"א שְׁמֵיהּ. וְכַמָּה אֶלֶף וְרִבְבָן מְמָנָן תְּחוֹתֵיהּ, וְהַאי אִיהוּ קַיְּימָא עַל כָּל אִינּוּן דִּמְחַבְּלֵי אָרְחַיְיהוּ, לְאוֹשָׁדָא זַרְעָא עַל אַרְעָא. אוֹ דְּמַפְקֵי זַרְעָא, דְּלָא כְּאָרְחָא. אוֹ לְכָל אִינּוּן דְּמִזְנוּ בִּידַיְיהוּ. אִלֵּין אִינּוּן דְּלָא חָמָאן אַנְפֵּי שְׁכִינְתָּא כְּלַל. אֶלָּא הַאי מְמָנָא דְּבִסְטַר מְסָאֲבָא דְּקָאמְרָן, נָפִיק בְּהַהוּא זִמְנָא, וְכַמָּה אִינּוּן אֶלֶף וְרִבְבָן, כֻּלְּהוּ מִתְכַּנְּפֵי עַל הַהוּא ב"נ, וּמְסָאֲבֵי לֵיהּ בְּהַאי עָלְמָא. וּלְבָתַר כַּד נָפַק נִשְׁמָתֵיהּ מִנֵּיהּ מֵהַאי עָלְמָא, הַאי מְמָנָא וְכָל אִינּוּן דְּעִמֵּיהּ, מְסָאֲבִין לֵיהּ לְנִשְׁמָתֵיהּ, וְאַחֲדִין בָּהּ, וְאָעִילוּ לָהּ לְאִתְדָּנָא בְּהוּ.

תתנה. וְאִלֵּין אִקְרוּן שִׁכְבַת זֶרַע רוֹתַחַת. דְּכֻלְּהוּ רוּגְזִין מְסָאֲבִין קַיְּימִין כֻּלְּהוּ עַל דָּא, בְּגִין דְּכֻלְּהוּ קַיְּימִין וְשָׁרָאן עָלֵיהּ דְּבַר נָשׁ, בְּהַהוּא זִמְנָא דְּאַרְתַּח גַּרְמֵיהּ, וְחָמִים לֵיהּ לְתֵיאוּבְתָּא דָּא. וּכְדֵין נַטְלִין לֵיהּ לְהַהוּא תֵּיאוּבְתָּא. וְהַהוּא זַרְעָא דְּאִתּוֹשַׁד בְּאַרְעָא.

וְאִתְתַּקְפוּ בֵּיהּ, וְנַטְלֵי לֵיהּ. וְסַלְּקֵי לֵיהּ לְעֵילָּא, וְגָרְמוּ דִּבְרִית דָּא דְּיִשְׁתַּעְבֵּד בְּסִטְרָא מְסָאֲבָא.

תתנו. פִּתְחָא תִּנְיָינָא, בֵּיהּ קַיְּימָא מְמָנָא אַחֲרָא, טַסְקִיפָ"ה שְׁמֵיהּ, וְהַאי אִיהוּ מְמָנָא, עַל כָּל אִינּוּן דִּמְחַבְּלֵי אָרְחַיְיהוּ, דְּלָא אוֹשְׁדֵי זַרְעָא עַל אַרְעָא, אֶלָּא דְּאוֹשְׁדֵי זַרְעָא בִּבְעִירֵי, אוֹ בְּאִיסוּרִין וַחֲמוּרִין דְּאוֹרַיְיתָא, בְּאִינּוּן עֲרָיוֹת, הַאי מְמָנָא וְכַמָּה אֶלֶף וְרִבְּבָן דְּעִמֵּיהּ, כֻּלְּהוּ קַיְּימֵי עָלֵיהּ, לְאִתְדָּנָא לֵיהּ כְּמָה דְּאִתְּמַר בְּאִינּוּן אַחֲרָנִין.

תתנז. ת"ח, מַאי מְמָנָא בִּידֵיהּ כַּסָּא וַחֲדָא, וְאִקְרֵי כּוֹס הַתַּרְעֵלָה כּוֹס חֲמָתוֹ, וְכָל אִינּוּן קְטוּלֵי בֵּית דִּין, דְּאִתְקְטָלוּ, אוֹ אִתְעֲנָשׁוּ עַל חוֹבִין אִלֵּין, כֻּלְּהוּ אִתְעֲקָרוּ מֵאִלֵּין סִטְרִין מְסָאֲבִין, וְלָא אִית לוֹן חוּלָקָא בְּהוֹן, וּבְהַאי כַּסָּא דְּאִקְרֵי כּוֹס הַתַּרְעֵלָה, בְּגִין כַּסָּא אַחֲרָא דְּשָׁתוּ בְּקַדְמֵיתָא.

תתנח. וְכָל אִינּוּן דְּלָא שָׁתוּ הַהוּא כַּסָּא דב"ד, לְאִתְעַקְּרָא מֵהַאי כּוֹס הַתַּרְעֵלָה, לְבָתַר כַּד נָפִיק נִשְׁמָתֵיהּ מֵהַאי עָלְמָא, הַאי מְמָנָא וְכָל אִינּוּן דְּעִמֵּיהּ, אֲחִידָן בֵּיהּ וְדָא הוּא יוֹם הַמַּר, וְרַוֵּי לָהּ לְהַאי נִשְׁמָתָא, מִכַּמָּה דִּינִין מְשַׁנְיָין אִלֵּין מֵאִלֵּין.

תתנט. בְּהֵיכָלָא דָּא, קַיְּימָא חַד רוּחָא, דְּאִלֵּין מְמָנָן תְּחוֹתֵיהּ, וְדָא הוּא נִיאֲצִירִיאֵ"ל. מֵהַאי רוּחָא תַּקִּיפָא, נָפְקֵי תְּלַת טִיפִּין, מְרִירָן, דְּנָפְלֵי בְּהַאי כּוֹס הַתַּרְעֵלָה. חַד אִקְרֵי חָצָ"ץ. וְחַד, אִקְרֵי מַר הַמָּוֶת וְחַד אִקְרֵי קוּבַּעַ"ת, וְאִלֵּין תְּלַת טִיפִּין נָפְלוּ לְבָתַר מֵהַאי כּוֹס, בְּהַהִיא חַרְבָּא דְּקַטְלָא בְּנֵי נָשָׁא, כְּמָה דְּאוֹקְמוּהָ.

תתס. פִּתְחָא תְּלִיתָאָה, בֵּיהּ קַיְּימָא מְמָנָא חַד סַנְגַּדִּיאֵ"ל שְׁמֵיהּ, וְהַאי אִיהוּ מְמָנָא, עַל כָּל אִינּוּן דְּעַיְילֵי הַאי בְּרִית קַדִּישָׁא, בְּאִינְתּוּ אַחֲרָא, דְּאִיהוּ מֵהַהוּא סִטְרָא דְּאֵל נֵכָר. וְכָל אִינּוּן דִּמְחַבְּלֵי אָרְחַיְיהוּ בְּדָא, וּמְשַׁקְּרֵי בְּאָת קַיָּימָא קַדִּישָׁא, הַאי מְמָנָא, וְכָל אִינּוּן מְמָנָן דְּעִמֵּיהּ, כֻּלְּהוּ מְצַיְּירֵי בְּגַוְויְיהוּ, צִיּוּרִין דְּאִינּוּן נָשִׁין מְסָאֲבִין, דְּאִסְתָּאַב בְּהוּ הַהוּא קַיָּימָא קַדִּישָׁא, וְכֻלְּהוּ אִתְרְשִׁימוּ קַמֵּיהּ, כַּד נָפִיק בַּר נָשׁ מֵהַאי עָלְמָא, וּמְסָאֲבֵי לֵיהּ לְבָתַר לְהַהוּא רוּחָא.

תתסא. וְהֵיכָלָא דָּא, תַּלְיָין כָּל רָזֵי דְּחַרְשִׁין, לְקַטְלָא בְּנֵי נָשָׁא עַד לָא יִמְטֵי זִמְנַיְיהוּ, וְכֻלְּהוּ חַרְשִׁין דְּאִצְטְרִיכוּ בְּנֵי נָשָׁא. אִינּוּן דְּחָרְשֵׁי חַרְשַׁיְיהוּ לְאִסְתָּאֲבָא בְּהוּ, כְּגוֹן דַּהֲוָה בִּלְעָם, וְחָרֵשׁ בְּחַרְשׁוֹי, וְאִסְתָּאַב בְּקַדְמֵיתָא בְּמִסְאֲבוּ דְּזַרְעָא רוּתַחַת דְּאַשְׁדֵי בִּבְעִירֵי, וּבְגִין דָּא, בֵּיהּ אִתְדָּן, בְּהַהוּא שִׁכְבַת זֶרַע רוּתַחַת דְּקַאמְרָן. וע"ד, הַאי הֵיכָלָא אִקְרֵי, שְׁחוֹת טָמֵא.

תתסב. וּבְהַאי הֵיכָלָא, אִית רוּחָא אַחֲרָא, דִּי מְמָנָא תְּחוֹת הַהוּא רוּחָא דִּלְעֵילָּא, וְהַאי אִקְרֵי סַרְטַ"יָּא, וְכַמָּה אֶלֶף וְרִבְּבָן תְּחוֹתֵיהּ. וְכֻלְּהוּ קַיְּימֵי עַל הַהִיא מִלָּה, דְּנָפִיק בַּהֲדֵי רוּחָא דב"נ בְּחֶלְמָא, מִגּוֹ סִטְרָא קַדִּישָׁא. הַאי רוּחָא מְסָאֲבָא, וְכָל אִינּוּן גַּרְדִּינִין דְּעִמֵּיהּ, כֻּלְּהוּ נָפְקֵי וּמִתְחַבְּרָאן בְּהַהִיא מִלָּה, וְנַחְתֵּי בָּהּ, וּמִתְעָרְבֵי בַּהֲדָהּ, בְּגִין לְאַכְחָשָׁא לָהּ מִנֵּיהּ, וְאוֹדְעִין לֵיהּ לב"נ מִלִּין אַחֲרָנִין, מִילִּין כְּדִיבִין, בְּמִלָּה דִּקְשׁוֹט.

תתסג. דְּכַךְ אָרְחוֹי דִּכְדִיבָא, דְּאַלְמָלֵא לָא נָטִיל מִלָּה דִּקְשׁוֹט, לָא יָכִיל לְתַקְּנָא כְּדִיבוֹי. אוּף הָכָא אִלֵּין, כֵּיוָן דְּמִתְעָרֵי בְּמִלֵּי קְשׁוֹט, וּמַכְחִישֵׁי לוֹן מִנֵּיהּ, מוֹדָעֵי לֵיהּ מִלָּה דִּקְשׁוֹט, בְּגִין לְקַיְּימָא כְּדִיבוֹי. לְבָתַר מִתְפַּשְּׁטָא הַהִיא מִלָּה, בְּאִינּוּן תַּתָּאֵי לְתַתָּא, דְּלֵית לוֹן קִיּוּמָא. וְלָא מִתְקַיְּימֵי, וְאוֹדְעֵי מִילִּין בְּעָלְמָא, לְכַמָּה סִטְרִין לְכַמָּה זַיְינִין.

תתסד. מֵהֵיכָלָא דָּא, נָפְקִין תְּרֵין רוּחִין, דְּמִתְהַפְּכָאן, לִזְמְנִין גּוּבְרִין, לִזְמְנִין נָשִׁין,

וְאִלֵּין אָזְלִין וְשָׁטָאן בְּעָלְמָא בַּאֲוִירָא, וְחַזְיָיכָאן בִּבְנֵי נָשָׁא בְּגוֹ חֶלְמָא, וְאִתְחֲזוּן לוֹן לְגוּבְרִין, כִּנְשִׁין שַׁפִּירָן בְּחֵיזוּ דְּחֶלְמָא, וְנַטְלֵי תֵּיאוּבְתָּא דְּבַר נָשׁ. אוּף הָכִי לְנָשִׁין, אִתְחֲזוּן כְּגוּבְרִין, וְאִלֵּין אִקְרוּן רָעָה וְנֶגַע, כד"א לֹא תְאֻנֶּה אֵלֶיךָ רָעָה וְנֶגַע לֹא יִקְרַב בְּאָהֳלֶךָ.

תתסה. וְאִלֵּין אִקְרוּן רוּחֵי תַּתָּאֵי לְתַתָּא. דְּנַפְקֵי מִגּוֹ שַׁלְהוֹבָא דְּאֶשָּׁא. דְּכַד נַטְלִין אִלֵּין רוּחִין דִּלְעֵילָּא, דִּי בְּגוֹ הֵיכָלָא דָּא, נַפְקוּ תְּרֵי שַׁלְהוֹבֵי דְּאֶשָּׁא, וְאִלֵּין טָסָאן בְּעָלְמָא, וְאִתְעֲבֵידוּ אִלֵּין תְּרֵין רוּחִין כַּדְקָא אֲמָרָן, וְכֹלָּא בְּסִטְרָא דָּא מִסְאֲבָא. זַכָּאִין אִינּוּן צַדִּיקַיָּיא דְּאִתְמְנָעָן מִסִּטְרִין אִלֵּין וְאִסְתְּמָרוּ מִנַּיְיהוּ. וְעַל דָּא כְּתִיב, לִשְׁמָרְךָ מֵאִשָּׁה זָרָה וְגוֹ'.

תתסו. הֵיכָלָא תְּלִיתָאָה. הֵיכָלָא דָּא, אִיהוּ הֵיכָלָא דְּאָפִיל וְחָשִׁיךְ, וְלֵית בֵּיהּ נְהוֹרָא כְּלַל, וְאִיהוּ אָפִיל יַתִּיר מִן קַדְמָאֵי. וְהַאי אִיהוּ דְּאִקְרֵי דוּמָ"ה, לָקֳבֵל שְׁמָא דְּאִקְרֵי שׁוֹנ"א. בְּהֵיכָלָא דָּא קַיְימֵי אַרְבַּע פִּתְחִין, חַד קַיְימָא לְסִטְרָא דָּא, וְחַד לְסִטְרָא דָּא, וְכֵן לְאַרְבַּע סִטְרִין.

תתסז. חַד מְמָנָא קַיְימָא עַל הַאי פִּתְחָא קַדְמָאָה, וְהַאי מְמָנָא קַיְימָא בְּהַהוּא תַּקִּיפוּ דְּרוּגְזָא דְּעָלְמָא. כַּד דִּינָא שַׁרְיָא בְּעָלְמָא, הַאי מְמָנָא דְּשָׁרֵי בְּהַאי פִּתְחָא, נָטִיל זַיְינִין, וְאָנַח לוֹן לְאִינּוּן תַּרְעִין דְּבֵי כְּנִישְׁתָּא, וְהַאי אִקְרֵי סַקְפּוֹרְטַיָ"א וְדָא הוּא כִּשְׁלוֹנָא דְּעָלְמָא, וְעַל דָּא כְּתִיב דֶּרֶךְ רְשָׁעִים כָּאֲפֵלָה לֹא יָדְעוּ בַּמֶּה יִכָּשֵׁלוּ, בְּהַהוּא זִמְנָא דְּאִיהוּ שַׁלִּיט, וְשַׁרְיָא דִּינָא בְּעָלְמָא, אִיהוּ קַיְימָא לְמֶחֱמֵי בְּמַאן דְּאָזִיל יְחִידָאי בְּשׁוּקָא, וְאִי הוּא אַעֲרַע בַּהֲדֵיהּ, יָכִיל לְנַזְקָא לֵיהּ, וּלְאַתְרַע מַזָּלֵיהּ.

תתסח. פִּתְחָא תִּנְיָינָא, בֵּיהּ קַיְימָא חַד מְמָנָא אַחֲרִינָא, וְדָא אִיהוּ קַיְימָא לְנַטְלָא פִּתְקִין דְּדִינָא, וְדָא אִיהוּ סַנְגַּדִּיאֵ"ל. וּתְחוֹת יְדֵיהּ, כַּמָּה גַּרְדִּינֵי נִמּוּסִין, דְּשַׁלְטָאן, דְּקַיְימִין לְקַבְּלָא אִינּוּן פִּתְקִין דְּדִינָא, וְהַאי קַיְימָא עַל פִּתְחָא דָּא.

תתסט. וְכַד נָטִיל פִּתְקָא דְּדִינָא, הַאי קַיְימָא עַל פִּתְחָא דָּא, וְנָחִית לְתַתָּא, לְאִינּוּן פִּתְחִין חֲשׁוֹכָאן דִּלְתַתָּא. חַד לְהַהוּא דְּאִקְרֵי שַׁחַת. וְחַד לְהַהוּא דְּאִקְרֵי בּוֹר, דְּאִינּוּן לְתַתָּא. וְתַמָּן, כַּמָּה אֶלֶף, וְכַמָּה רִבְבָן, מְמָנָן דְּשַׁלְטֵי בְּעָלְמָא לְמֶעְבַּד דִּינָא, וְאִשְׁתְּלִים דִּינָא בְּהַהוּא פִּתְקָא.

תתע. פִּתְחָא תְּלִיתָאָה. בְּהַאי פִּתְחָא, אִית מְמָנָא אַחֲרָא, אַנְגַּרִיּ"ן שְׁמֵיהּ וְדָא אִיהוּ קַיְימָא, עַל כָּל אִינּוּן מַרְעִין וּמַכְאוֹבִין, וְחִלְחוּלִין וְאֶשָּׁא דְּגַרְמֵי. דְּהָא מִנֵּיהּ נַפְקֵי כַּמָּה וְכַמָּה אֶלֶף וְרִבְבָן דִּמְמָנָן עִמֵּיהּ, עַל כָּל אִינּוּן מַרְעִין וּמַכְאוֹבִין כְּמָה דְּאִתְּמַר.

תתעא. פִּתְחָא רְבִיעָאָה, הָכָא אִיהוּ חַד רוּחָא, דְּאִתְבְּרֵי בִּפְגִימוּ דְּסִיהֲרָא, וְאִקְרֵי אַסְכָּרָ"א. וְהַאי קַיְימָא עַל קְטוּלֵי דְּרַבְיֵי, וְדָא אִתְחֲזֵי לוֹן, וְחַיִיךְ בְּהוֹן, עַד דְּקָטִיל לוֹן, וְאִדְמֵי לוֹן כְּאִתְּתָא אִמֵּיהּ דְּרַבְיָא, וּמְנִיקָא לוֹן, וְחַיְיכָא בְּהוּ, וַאֲחִידַת לוֹן, וְקָטְלַת לוֹן.

תתעב. בְּאֶמְצָעִיתָא דְּהַאי הֵיכָלָא, קַיְימָא חַד רוּחָא, דְּאִקְרֵי אַגִּירִיסוֹ"ן. הַאי אִתְמַנָּא, עַל כָּל אִינּוּן דְּמֵתִין מִבַּר תְּלֵיסַר שְׁנִין, עַד עֶשְׂרִין שְׁנִין. הַאי אִיהוּ קְטוּלָא דִּלְהוֹן, כְּמָה דְּאוֹקִימְנָא, וְדָא אִיהוּ בְּחַבְרוּתָא דְּהַהוּא נָחָשׁ כַּדְקָאֲמָרָן וְקַיְימָא בַּהֲדֵיהּ, וְאָזִיל אֲבַתְרֵיהּ. וְעַל דָּא אִקְרֵי מַלְאַךְ הַמָּוֶת טוֹב מְאֹד, דִּכְתִיב וְהִנֵּה טוֹב מְאֹד, וְאוֹקִימְנָא.

תתעג. מֵהָכָא מִתְפַּשְּׁטִין וְנַפְקִין תְּרֵין רוּחִין, אַ"ף וְחֵמָ"ה. וְאִלֵּין אִתְמְנוּן, עַל כָּל אִינּוּן דְּשַׁמְעֵי נְזִיפָא מִמַּאן דְּלָעֵי בְּאוֹרַיְיתָא, וְאִתְרַחֲצָן בֵּיהּ, וְלָא חַיְישֵׁי עָלֵיהּ. וְכֵן עַל כָּל

אינון דחזייכאן ממלי דאורייתא, או ממלי דרבנן.

תתעד. מאף וחמה אלין, נפקין כמה אלף, וכמה רבבן, וכלהו נפקי ושארן עלייהו דבני נשא, אינון דמשתדלין באורייתא, או דמשתדלי במלי דמצוה, ואזלי בארחא דמצוה. בגין דיתעצבון, ולא יחדון בה. ומתרין אלין דחיל משה, כד חאבו ישראל, ונחית מן טורא דכתיב, כי יגרתי מפני האף והחמה.

תתעה. תחות אלין, אית רווחא חדא, דקיימא על כל אינון מארי דלישנא בישא, דכד מתערי בני נשא בלישנא בישא, או ההוא ב"נ דאתערי בלישנא בישא, כדין אתער האי רווחא בישא מסאבא דלעילא, דאקרי סכסיכ"א. ואיהו שארי על ההוא אתערותא דלישנא בישא, דשארי ביה בני נשא, ואיהו עאל לעילא, וגרים בההוא אתערו דלישנא בישא, מותא וחרבא וקטולא בעלמא. ווי לאינון דמתערי להאי סטרא בישא, ולא נטרי פומייהו ולישנהון, ולא חיישי על דא, ולא ידעי דהא באתערו דלתתא, תליא אתערו דלעילא, בין לטב בין לביש.

תתעו. תא חזי, כד האי אתערו דלישנא בישא אתער לתתא, כדין האי נחש עקלתון, סליק קשקשוי, ואוקים לון בסליקו, ואתער מרישא עד רגלוי. וכד קשקשוי סליקו ומתערי, כדין כל גופא אתער. קשקשוי, אלין אינון כל גרדיני נימוסין דלבר.

תתעז. וכלהו מתערי ואחדין בההוא מלה בישא, ומתערי לגבי ההוא נחש בריח, כדין כל גופא בישא, אתער מרישיה ועד רגלוי, בכל הני היכלין דקאמרן. וכל אינון קשקשין בההוא גלדא, נחתין לתתא, וההוא גלדא אתפשט מניה ונחית לתתא. וגופא סליק, ואתער למהוי דלטורא לעילא.

תתעח. תא חזי, אף על גב דזמנא קביעא איהו, לכל חויין דעלמא, לאתפשטא משכא דלהון, לא מתפשטי, אלא בזמנא דמתערי בלישנא בישא לתתא, וכדין אתער ההוא חויא בישא לעילא, ופשט משכיה וקשקשוי מניה. דא סליק, ודא נחית, וקשיא עליה ההוא אתפשטותא דקשקשוי במשכיה מכלא. מאי טעמא. בגין דאתפרש מזווגיה. דאלמלא הוה כלא בחבורא חדא, לא יכלין עלמין למסבל לון, וכלא בגין אתערותא דלישנא בישא דלתתא.

תתעט. וכד חויין דלתתא מתפשטי מההוא משכא, כדין כל חד וחד יהיב קלא, ואתער לכמה חויין דקיימי בההוא אתר, דאקרי בור, דתמן כמה נחשין קיימין. וכלהו דלטורין, לאתערא להאי חויא רבא, למהוי דלטורא על עלמא. וכלא בגין האי אתערו דלישנא בישא, כד קיימא אתערותא דיליה לתתא.

תתפ. כגוונא דא, מאן דלעי באורייתא, כמה אינון דאקרון לשון הקדש, דמתחברן ואתערי אתערותא, לההוא אתר דאקרי לשון הקדש. לשון מההוא קדש דלעילא. וכמה קדושות וקדושין מתערין מכל סטרין. זכאה חולקיהון דצדיקייא, אינון דגרמי לאתערא קדושין לעילא ולתתא, קדושה דלעילא וקדושה דלתתא.

תתפא. ועל דא כתיב, והתקדשתם והייתם קדושים. והתקדשתם: אלו מים ראשונים. ואינון אתקרון מיין עלאין. והייתם קדושים: אלין מיין תתאין, ואקרון מים אחרונים. ומזון באמצע, בין מים ראשונים למים אחרונים. ועל דא מזון, לאו איהו במים אחרונים, אלא במים ראשונים. מים ראשונים מעילא דמזונא תליא ביה. ולא במים אחרונים. ורזא לקדישי עליונין אתייהיב. זכאה חולקיהון בעלמא דין, ובעלמא דאתי.

תתפב. הֵיכָלָא רְבִיעָאָה. הֵיכָלָא דָא, אִיהוּ דְּאִקְרֵי חוֹבָ"ה. וְדָא אִיהוּ טִיט הַיָּוֵן, לָקֳבֵל שְׁמָא אַחֲרָא דְּאִקְרֵי אֶבֶן מִכְשׁוֹל, וְכֹלָּא חַד. אִיהוּ חוֹבָ"ה, בְּגִין דְּתַמָּן קַיְימֵי כָּל חוֹבֵי דְעָלְמָא, אַכְרָעוּתָא דְחוֹבִין.

תתפג. בְּגִין דְּכַד חָבָאן בְּנֵי נָשָׁא, כָּל אִינּוּן גַּרְדִּינֵי נִימוּסִין, נַטְלִין אִינּוּן חוֹבִין, וּמַנְחֵי לוֹן בְּהַאי הֵיכָלָא דְּאִקְרֵי חוֹבָה. וְכָל זַכְיָין דְּעָלְמָא, כֻּלְּהוּ מַלְאֲכִין קַדִּישִׁין דִּמְמַנָּן עַל זַכְוָון דְּעָלְמָא, כֻּלְּהוּ נַטְלֵי לְאִינּוּן זַכְוָון, וְאוֹקְמֵי לוֹן בְּהֵיכָלָא רְבִיעָאָה דְּאִקְרֵי זְכוּת, וְתַמָּן קַיְימֵי זַכְוָון דִּבְנֵי נָשָׁא. וְחוֹבִין קַיְימֵי בְּהֵיכָלָא אַחֲרָא, דְּאִקְרֵי חוֹבָה. וְאִתְקְלוּ כַּחֲדָא בְּיוֹמָא דְּרֹאשׁ הַשָּׁנָה כִּי גַּם אֶת זֶה לְעֻמַּת זֶה עָשָׂה הָאֱלֹהִים. וּלְבָתַר דְּאַכְרָעוּ זַכְיָין, אוֹ חוֹבִין, לְסִטְרָא דָא, אוֹ לְסִטְרָא דָא, הָכִי נַצַּח.

תתפד. וע"ד, בְּיוֹמָא דְּרֹאשׁ הַשָּׁנָה, כַּד מִתְעָרִין אִלֵּין תְּרֵין סִטְרִין, זְכוּת וְחוֹבָה. וּבְהוּ תַּלְיָין חַיִּים וּמָוֶת. אִי זַכְיָין אַכְרָעוּ, לְסִטְרָא דָא דְּאִקְרֵי זְכוּת, אִכְתּוּב בַּר נָשׁ בְּהַהוּא סִטְרָא דְּאִקְרֵי חַיִּים. בְּגִין, דְּהָנֵי תְּרֵין סִטְרִין קַיְימֵי בְּהַהוּא יוֹמָא, דָא בְּסִטְרָא דָא, וְדָא בְּסִטְרָא דָא. אִי זָכֵי הַהוּא בַּר נָשׁ, וְנַצְחִין אִינּוּן זַכְיָין, הָא אִכְתּוּב הַהוּא ב"נ לְחַיִּים. בְּגִין דְּאָחִיד בֵּיהּ הַאי סִטְרָא קַדִּישָׁא, דְּאִקְרֵי זְכוּת, וְחַיִּים אָחִיד בֵּיהּ, וְאָמַר דָּא דִּילִי הוּא, וְדִידִי הֲוֵה, וּכְדֵין אִכְתּוּב הַהוּא ב"נ לְחַיִּים.

תתפה. וְאִי נַצְחָן חוֹבִין, הַאי סִטְרָא אַחֲרָא מִסְאֲבָא, דְּאִקְרֵי חוֹבָה וּמָוֶת, אָחִיד בֵּיהּ, אָמַר הַאי דִּידִי הוּא, וְדִידִי הֲוֵי, וּכְדֵין אִכְתּוּב דְּאִיהוּ דִּילֵיהּ. וְדָא הוּא דְּתָנֵינָן, דְּהָא בְּיוֹמָא דָא דר"ה, אִכְתּוּב ב"נ, אוֹ לְחַיִּים אוֹ לְמִיתָה. אִי אִכְתּוּב בְּסִטְרָא דִּקְדוּשָׁה, אִכְתּוּב לְחַיִּים, וְאִתְקַיַּים תַּמָּן, וְאִתְדַּבַּק בֵּיהּ. וְאִי אִכְתּוּב בְּסִטְרָא אַחֲרָא, אִתְקַיַּים בְּסִטְרָא דְּמִסָאֲבוּתָא, וְדָבִיק בֵּיהּ, וְדָא הוּא הֵן לְחַיִּים הֵן לַמָּוֶת. וְאִתְמְשַׁךְ בְּהַאי סִטְרָא אוֹ בְּהַאי סִטְרָא.

תתפו. כָּל זִמְנָא דְּאִיהוּ קַיְימָא בְּסִטְרָא דָא דִּקְדוּשָׁה, כָּל קְדוּשִׁין וְכָל דַּכְיָין מִתְדַּבְּקִין בֵּיהּ. יִקְרָא וקב"ה יָתִיב וְיִשְׁמַע לֵיהּ, עָלֵיהּ כְּתִיב יִקְרָאֵנִי וְאֶעֱנֵהוּ עִמּוֹ אָנֹכִי בְצָרָה אֲחַלְּצֵהוּ וַאֲכַבְּדֵהוּ אוֹרֶךְ יָמִים אַשְׂבִּיעֵהוּ וְאַרְאֵהוּ בִּישׁוּעָתִי. וְכָל זִמְנָא דְּאִיהוּ קַיְימָא בְּסִטְרָא אַחֲרָא דְּמִסָאֲבָא, כָּל מִסְאֲבוּ, וְכָל חוֹבָה, וְכָל בִּישִׁין מִתְדַּבְּקָן בֵּיהּ. יִקְרָא, וְלֵית מַאן דְּיִשְׁמַע לֵיהּ. מְרַחֲקָא אִיהוּ מִקּב"ה, עָלֵיהּ כְּתִיב רָחוֹק מֵרְשָׁעִים יְשׁוּעָה וּכְתִיב גַּם כִּי תַרְבּוּ תְפִלָּה אֵינֶנִּי שׁוֹמֵעַ.

תתפז. הֵיכָלָא דָא, אִיהוּ אֲתַר דְּכָל אִינּוּן דְּאִקְרוּן אֱלֹהִים אֲחֵרִים, בְּגִין דְּאִתְגַּלְיָין הָכָא. וְכָל אִינּוּן דִּמְפַתּוּ לְהוּ לִבְנֵי נָשָׁא בְּעִנּוּגִין דְּהַאי עָלְמָא, לְאַזְנָאָה לְאִתְעַנְגָא בְּעִנּוּגֵי נִאוּפִין דְּעָלְמָא, וּמַשְׁכֵי לְהוּ בָּתַר עִנּוּגִין וְנִאוּפִין דְּהַאי עָלְמָא, כִּדְקָאַמְרָן.

תתפח. בְּהַאי הֵיכָלָא, אִתְחֲזֵי חַד רוּחָא שַׁלִּיט תַּקִּיפָא, דְּאִיהוּ עַל כֻּלְּהוּ, וְדָא אִקְרֵי אוּף הָכִי אֵל, כְּגַוְונָא דְּאַחֲרָא דִּבְסִטַר קְדוּשָׁה. הַאי אִיהוּ אֵ"ל נֵכָ"ר. וְדָא אִיהוּ דִּמְפַתֵּי לְבַר נָשׁ דְּלָעֵי בְּאוֹרַיְיתָא, אוֹ דְּקָאִים בְּבֵי מִדְרָשָׁא. הַאי רוּחָא תַּקִּיפָא מְפַתֵּי לֵיהּ, וְחָשִׁיב כַּמָּה הִרְהוּרִין, וְאָמַר מַה אַתְּ קָאִים הָכָא, טַב לָךְ לְמֵהַךְ בְּחִבּוּרַת אִינּוּן דְּגָאוּ עַל בְּנֵי נָשָׁא, וְאִינּוּן דְּאָזְלִין בָּתַר נָשִׁין שַׁפִּירָאן, וּמִתְעַנְּגֵי בְּעִנּוּגֵי עָלְמָא. כֵּיוָן דְּב"נ אִתְפַּתֵּי אֲבַתְרֵיהּ, כְּדֵין כֻּלְּהוּ שַׁטְיָין וְאָזְלֵי וְאִתְמַשְׁכָאן אֲבַתְרֵיהּ.

תתפט. וְכַמָּה אִינּוּן אַחֲרָנִין דְּקַיְימִין תְּחוֹתֵיהּ, וְכֻלְּהוּ מְסָאֲבֵי לֵיהּ בְּהַאי עָלְמָא, וּמְסָאֲבֵי לֵיהּ בְּהַהוּא עָלְמָא. וְאִינּוּן אִקְרוּן צוֹאָה רוֹתַחַת דִּכְתִּיב צֵא תֹּאמַר לוֹ. אִינּוּן

דַּרְגִּין דְּקַיְּימִין לְסַאֲבָא תָּדִיר, וְהָא אִתְּמַר.

תתצ. בְּאֶמְצָעִיתָא דְּהַאי הֵיכָלָא, אִית רוּחָא אַוְורָא, דְּאִקְרֵי נֶגַע. וּמֵהַאי נָפְקָא רוּחָא אַוְורָא דְּאִקְרֵי נֶגַע צָרַעַת. וְאִיהוּ קַיְּימָא תָּדִיר, לְסַאֲבָא לְכָל אִינּוּן מָארֵיהוֹן דְּלִישָׁנָא בִּישָׁא, יַתִּיר עַל כָּל מַה דִּמְסָאֲבִין לֵיהּ. וְהַאי נֶגַע עִלָּאָה, אִיהוּ מְמָנָא עַל כָּל אִינּוּן פָּתוּרֵי דְּשַׁבְּתָא, דְּכַד עָיֵיל שַׁבְּתָא, וְלָא אִתְסַדְּרוּ בְּעִנּוּגָא דְּשַׁבְּתָא כַּדְקָא יָאוּת, וְאִינּוּן קָא מְבַזֵּי עִנּוּגָא דְּשַׁבְּתָא, הַאי נֶגַע נָטִיל לְאִינּוּן פָּתוּרֵי דְּלָאו אִינּוּן בְּעִנּוּגָא דְּשַׁבְּתָא כִּדְקָאַמְרָן.

תתצא. וְכַד הַאי נָטִיל לְאִינּוּן פָּתוּרֵי, כָּל אִינּוּן גַּרְדִּינֵי נִימוּסִין דְּקַיְּימֵי בֵּיהּ, כֻּלְּהוּ פָּתְחֵי וְאָמְרֵי, וַיֶּאֱהַב קְלָלָה וַתְּבוֹאֵהוּ וְלֹא חָפֵץ בִּבְרָכָה וַתִּרְחַק מִמֶּנּוּ. וַיִּלְבַּשׁ וְגוֹ'. יְנַקֵּשׁ נוֹשֶׁה לְכָל אֲשֶׁר לוֹ וְגוֹ'. אַל יְהִי לוֹ מוֹשֵׁךְ חָסֶד וְגוֹ'.

תתצב. וְהָא אוֹקִימְנָא, בְּהַהוּא לֵילְיָא דְּשַׁבְּתָא, כַּד פָּתוּרֵי אִתְיְיהִיבוּ לְהַהוּא סִטְרָא בִּישָׁא, כְּדֵין אִתְתְּקַף הַהוּא סִטְרָא בִּישָׁא, מְסָאֲבָא, וְהַהוּא ב"נ אִתְמְסַר לְהַהוּא סִטְרָא. וַוי לֵיהּ דְּאִתְגְּרַע מֵהַהוּא סִטְרָא קַדִּישָׁא, דִּמְהֵימְנוּתָא. וְאִתְפְּקַד בְּסִטְרָא אַחֲרָא מְסָאֲבָא. כְּגַוְונָא דָּא בְּכָל אִינּוּן סְעוּדָתֵי דְּיוֹ"ט.

תתצג. הָכָא בְּהַאי הֵיכָלָא, בְּנֵי וְחַיֵּי וּמְזוֹנֵי בְּהִפּוּכָא אִיהוּ. וּבְהַהוּא הֵיכָלָא אַחֲרָא קַדִּישָׁא, לָא קַיְּימֵי תְּלַת אִלֵּין, וְתַלְיָין לְעֵילָא, וְהָכָא קַיְּימִין לְבִישׁ. דְּכַד מָטֵי ב"נ לְהַאי הֵיכָלָא, הָא תַּמָּן קַיְּימִין וַזִיוָון לְשֵׁיצָאָה לוֹן. וְהָא תַּמָּן בְּנִין כַּד אִינּוּן זְעִירִין, מֵהָכָא נָפְקָא, בְּגִין לְאִתְמְנָאָה קַטֵּיגוֹרָא עָלַיְיהוּ. וְהָא תַּמָּן קַיְּימִין מְזוֹנֵי, לְאַעְבְּרָא לוֹן מִנֵּיהּ. וְכֹלָּא תַּלְיָא בְּחוֹבָה. וְעַל דָּא אִקְרֵי הַאי הֵיכָלָא חוֹבָה. כְּמָה דְּאִתְּמַר.

תתצד. וּמֵהָכָא נָפְקָא חַד רוּחָא מְסָאֲבָא, דְּאִקְרֵי אֲרִירָ"א. וְכַמָּה אֲלַף וְרִבְבָן עִמֵּיהּ, וְכֻלְּהוּ אִקְרוּן אוֹרְרֵי יוֹם, כַּד"א יִקְּבוּהוּ אוֹרְרֵי יוֹם. וְהַאי רוּחָא וְכָל אִינּוּן דְּעִמֵּיהּ, כֻּלְּהוּ קַיְּימֵי לְנַטְלָא הַהִיא מִלָּה דְּלָיִיט בַּר נָשׁ גַּרְמֵיהּ בְּרוּגְזֵיהּ, וְאִלֵּין מִתְעָרֵי לְהַאי חִוְיָא, דְּאִקְרֵי לִוְיָתָן נָחָשׁ עֲקַלָּתוֹן, בְּגִין לְאַיְיתָאָה וּלְאִתְעֲרָא לְוָוטִין עַל עָלְמָא, הה"ד יִקְּבוּהוּ אוֹרְרֵי יוֹם וְגוֹ'.

תתצה. וְאִלֵּין אוֹרְרֵי יוֹם, שַׁלְטִין עַל רִגְעֵי וְשַׁעְתֵּי דְּיוֹמָא, וְנַטְלֵי אִינּוּן מִילִּין דְּלָיִיט בַּר נָשׁ גַּרְמֵיהּ, בֵּין בְּרוּגְזָא, בֵּין בְּאוּמָאָה, וּבְהַהִיא מִלָּה, מִתְעָרֵי לְהַאי נָחָשׁ עֲקַלָּתוֹן, דְּאִקְרֵי לִוְיָתָן, בְּגִין לְקַיְּימָא לֵיהּ לְחַבְּלָא לְעָלְמָא. וְעַל דָּא לָיִיט אִיּוֹב יוֹמֵיהּ בְּצַעֲרֵיהּ, וְלָא גּוּפֵיהּ. דִּכְתִּיב וַיְקַלֵּל אֶת יוֹמוֹ בִּתְחִלָּה, וּלְבָתַר יִקְּבוּהוּ אוֹרְרֵי יוֹם. רַחֲמָנָא לִישֵׁזְבָן מִסִּטְרָא בִּישָׁא, וּמִתּוּקְפוֹי. וּמִכָּל מִלָּה בִּישָׁא.

תתצו. הֵיכָלָא חֲמִישָׁאָה. הֵיכָלָא דָּא, אִיהוּ הֵיכָלָא דְּאִקְרֵי שְׁאוֹ"ל, לְקַבֵּל הַהוּא שְׁמָא דְּאִקְרֵי עָרֵל, וְהָא אוֹקִימְנָא דְּדָא אִיהוּ רָזָא דְּעָרְלָה. בְּהַאי הֵיכָלָא, אִית חַד פִּתְחָא, וְחַד מְמָנָא עָלֵיהּ. וְדָא אִיהוּ מְמָנָא לְאִתְעֲרָא תָּדִיר קַטְרוּגָא עַל עָלְמָא, וְהַאי רוּחָא אִקְרֵי אֵיבָ"ה, בְּגִין דִּשְׁמָא דְּהַאי פִּתְחָא אֵיבָ"ה שְׁמֵיהּ, וְסִימָנִיךְ וְאֵיבָה אָשִׁית בֵּינְךָ וּבֵין הָאִשָּׁה וְגוֹ'.

תתצז. בְּהַאי הֵיכָלָא קַיְּימָא חַד רוּחָא דְּשַׁלִּיט עַל כֹּלָּא, וְהַאי אִקְרֵי שׁוֹדֵ"ד. וְאִיהוּ שׁוֹד וָשֶׁבֶר. וְדָא הוּא שׁוֹדֵד בְּטוּרֵי רָמָאֵי, גּוֹ טִנָּרִין וְטוּרִין. מֵהֵיכָלָא דָּא יַנְקֵי כָּל אִינּוּן מְשַׁדְּדֵי וּמְשַׁצֵּי בְּחַרְבִּין. וּמֵהָכָא נָפְקִין, כָּל אִינּוּן דְּקַטְלֵי בְּסַיְיפִין וְרוּמְחִין, וְאָזְלִין בָּתַר לַהַט הַחֶרֶב הַמִּתְהַפֶּכֶת לְשֵׁיצָאָה כֹּלָּא.

תתצח. מֵהַאי נָפִיק רוּחָא אַחֲרָא, וְאִקְרֵי שׁוֹד. וְכַד שַׁלִּיט כַּפְנָא עַל עָלְמָא, הַאי רוּחָא דְּאִקְרֵי שׁוֹ"ד, אִיהוּ אִשְׁתְּכַח. וְרוּחָא אַחֲרָא אִשְׁתְּתַּף עִמֵּיהּ, דְּאִקְרֵי כָּפָ"ן. וְאִלֵּין אָזְלֵי בְּעָלְמָא, וּמִשְׁתַּכְחֵי לְקַבֵּל בְּנֵי נָשָׁא, וְהַיְינוּ דִּכְתִּיב, לְשֹׁד וּלְכָפָן תִּשְׂחָק. וְאִלֵּין עַבְדִּין קִטְרוּגָא לִבְנֵי נָשָׁא, וּמְשַׁדְּדֵי לְכֹלָּא. חַד דְּאִקְרֵי שׁוֹד, דְּבָתַר דְּאָזִיל בְּגוֹ טוּרִין רָמָאִין, וְשַׁדִּיד וְחָרִיב וְשֵׁיצֵי כֹּלָּא. כְּדֵין תָּב וְשַׁדַּד לִבְנֵי נָשָׁא, וּמֵתִין בְּחוּלְשָׁא דִּילֵיהּ. וְכַד אַכְלֵי בְּנֵי נָשָׁא, לָא שַׂבְעִין, בְּגִין דְּאִיהוּ שַׁלְטָא בְּעָלְמָא.

תתצט. וּבְהַהוּא זִמְנָא, מַאן דְּעָבִיד חֶסֶד עִם בְּנֵי נָשָׁא, וְיָהִיב לוֹן לְמֵיכַל וּלְמִשְׁתֵּי, כְּדַאי אִיהוּ לְדַחְיָיא לוֹן לְאִלֵּין תְּרֵין רוּחִין לְבַר, דְּלָא שַׁלְטֵי בְּעָלְמָא. וְכַד יִשְׂרָאֵל לָא עָבְדֵי חֶסֶד עִם בְּנֵי נָשָׁא, וּשְׁאַר עַמִּין עַבְדֵי חֶסֶד בְּעָלְמָא. כְּדֵין אִלֵּין תְּרֵין רוּחִין מִתְבַּסְמִין מִכַּלַּיְיהוּ, וּמִתְקְפֵי עֲלַיְיהוּ דְּיִשְׂרָאֵל. בְּגִין דְּהָא כְּדֵין אִתְקַף הַהוּא סִטְרָא אַחֲרָא, וְיִשְׂרָאֵל אִתְכַּפְיָין.

תתק. וְכַד יִשְׂרָאֵל עָבְדֵי חֶסֶד, אִתְכַּפְיָא הַהוּא סִטְרָא אַחֲרָא וְאִתְחַלָּשׁ, וְסִטְרָא דִּקְדוּשָּׁה אִתְקַף. וְכַד יִשְׂרָאֵל לָא מִתְעָרֵי בְּחֶסֶד, אִינּוּן תְּרֵין רוּחִין מִתְהַפְּכֵי לְאַכְפְּיָיא לוֹן לְיִשְׂרָאֵל, וּכְדֵין אִינּוּן בִּרְכָאן דְּנַחְתֵּי מִלְּעֵילָּא, מִסִּטְרָא יְמִינָא, יַנְקֵי לוֹן שְׁאַר עַמִּין. וְהה"ד שָׂמֻנִי נוֹטֵרָה אֶת הַכְּרָמִים, אִלֵּין שְׁאַר עַמִּין. כַּרְמִי שֶׁלִּי לֹא נָטָרְתִּי, אִלֵּין יִשְׂרָאֵל. בְּגִין דִּשְׁאָר עַמִּין מַשְׁכֵי לֵיהּ בְּגַוַּויְיהוּ, בְּאִינּוּן חֲסָדִים דְּעָבְדִין עִם בְּנֵי נָשָׁא. וְיִשְׂרָאֵל מְרַחֲקָן לֵיהּ מִגַּוַּויְיהוּ, בְּגִין דְּלָא מִשְׁתַּדְּלֵי בְּאִינּוּן חֲסָדִים כִּשְׁאָר עַמִּין.

תתקא. וּתְחוֹת אִלֵּין רוּחִין, קַיְימִין כָּל אִינּוּן דְּאִקְרוּן עָרְלָה. זְמוֹרֵי עָרְלָה, עַנְפֵי עָרְלָה. וְעֵילָּא מִנַּיְיהוּ חַד מְמָנָא, דְּאִקְרֵי גַּזַּר דִּינָ"א. וְהַאי אִיהוּ קַיְּימָא עַל כָּל אִינּוּן דְּלָא נַטְרֵי שְׁנֵי עָרְלָה דְּאִילָנָא. וְעַל כָּל אִינּוּן, דִּמְעַכְּבֵי אֶת קַיְּימָא לִבְרַיְיהוּ. וְעַל דָּא, בָּעָא וְחָוָא לְקַטְלָא לִבְרֵיהּ דְּמֹשֶׁה. עַד דְּגַזְרַת לֵיהּ צִפּוֹרָה, דִּכְתִּיב וַתִּקַּח צִפּוֹרָה צֹר וַתִּכְרֹת אֶת עָרְלַת בְּנָהּ וְגוֹ'.

תתקב. וְהַאי רוּחָא, מְמָנָא עַל בְּנֵי נָשָׁא דִּמְחַבְּלֵי אָרְחַיְיהוּ, וְלָא חַיְישֵׁי לִיקָרָא דְּמָארֵיהוֹן, לְמֵיטַר אֶת קַיָּימָא קַדִּישָׁא. וְהַאי אָעִיל לוֹן לַגֵּיהִנָּם, לְהַהוּא אֲתַר דְּאִקְרֵי שְׁאוֹל וַאֲבַדּוֹן, וְאִתְדָּן תַּמָּן, כְּמָה דְּאוֹקִימְנָא הָכָא.

תתקג. בְּהַאי הֵיכָלָא לְגוֹ בְּאֶמְצָעִיתָא, קַיְּימָא חַד רוּחָא, דְּאִיהוּ קַיְּימָא וְכָמִין עַל אוֹרְחִין וּשְׁבִילִין, לְמֶחֱמֵי לְכָל אִינּוּן דְּעָבְרִין עַל פִּתְגָּמֵי אוֹרַיְיתָא. כְּדֵי לְמֵיעַל דְּבָבוּ, בֵּין תַּתָּא לְעֵילָּא. בְּגִין דְּכָל הַאי הֵיכָלָא אֵיבָה אִיהוּ.

תתקד. הַאי וְכָל אִינּוּן אַחֲרָנִין, כֻּלְּהוּ קַיְימִין לְאַחֲזָאָה אַנְפִּין נְהִירִין לִבְנֵי נָשָׁא, וּלְמִפְתֵּי לְהוּ, בְּגִין דְּיִסְטוּן מֵאֹרַח קְשׁוֹט, וּלְאַמְשָׁכָא לוֹן אֲבַתְרַיְיהוּ, וּלְבָתַר אִינּוּן קַטְלֵי לוֹן, וִימוּתוּן בִּתְרֵין עָלְמִין. דִּכְתִּיב, וְאַחֲרִיתָהּ מָרָה כַלַּעֲנָה חַדָּה כְּחֶרֶב פִּיּוֹת.

תתקה. הַאי רוּחָא, אִיהוּ אִקְרֵי אַפְרִיר"א. עַפְרָא דְּקִיטְמָא. דְּלָא עָבִיד תּוֹלְדִין וְאִיבִּין לְעָלְמִין, בְּגִין דְּהַאי אִיהוּ עַפְרָא דְּקִיטְמָא. ואע"ג דְּאִקְרֵי עָפָר, לָאו אִיהוּ עַפְרָא קַדִּישָׁא, דְּעָבִיד אִיבִּין, וְאִקְרֵי עַפְרוֹת זָהָב. אֶלָּא כְּמָה דְּאַתְּ אָמֵר, מֵעֲפַר שְׂרֵפַת הַחַטָּאת. וְדָא הוּא עֲפַר שְׂרֵפַת הַחַטָּאת, וְסִימָנָא דָּא אַתְיָא בִּתְרֵין סִטְרִין. חַד, בְּגִין דְּאִיהוּ כָּלִיל בְּהַאי חַטָּאת, רָזָא דְּהַהוּא חִוְיָא תַּקִּיפָא. וְחַד, דְּכַד ב"נ עָבִיד חַטָּאת, אִיהוּ אַתְקִיף לְהַאי עָפָר, וְשַׁלְטָא בְּעָלְמָא.

תתקו. וְהַאי אִיהוּ כְּלִיל בְּמֵי הַמָּרִים הַמְאָרְרִים, וע״ד, אִצְטְרִיךְ לְאַנְתּוּ דְּאִסְטִיאַת תְּוּזוּת בַּעְלָהּ, וְעַבְדַּת עוֹבְדָא דְּאֵשֶׁת זְנוּנִים, לְאַשְׁקָאָה לָהּ מַיָּא כְּלִילָן בְּעַפְרָא, דְּאִיהוּ מִקַּרְקַע הַמִּשְׁכָּן. וְהַאי עָפָר אִיהוּ מֵהַהוּא אֲתַר דְּאִקְרֵי קַרְקַע וְהַהוּא אִקְרֵי קַרְקַע דְּהַהוּא מִשְׁכָּן. וְהַאי עָפָר מֵהַהוּא קַרְקַע אִיהוּ. ובג״כ, אִצְטְרִיךְ כַּהֲנָא לְאַשְׁקָאָה לְהַאי אִתְּתָא, כְּגַוְונָא דָּא. וְכֹלָּא אִיהוּ בִּרְמִיזָא עִלָּאָה.

תתקז. זַכָּאָה ווּלְקֵהוֹן דְּיִשְׂרָאֵל, דְּקב״ה מְדַכֵּי לוֹן בְּמַיִין דַּכְיָין עִלָּאִין דִּכְתִּיב וְזָרַקְתִּי עֲלֵיכֶם מַיִם טְהוֹרִים וּטְהַרְתֶּם. מַיִם טְהוֹרִים הָא אַמָרָן, בֵּין מַיִם רִאשׁוֹנִים לְמַיִם אַחֲרוֹנִים. ואע״ג דְּהָא אוֹקִימְנָא, מַיִם רִאשׁוֹנִים מִצְוָה, הָכִי אִתְקְרוּן. וּמַיִם אַחֲרוֹנִים חוֹבָה הָכִי נָמֵי אִתְקְרוּן, וְהָא אוֹקִימְנָא עַל תְּרֵין סִטְרִין אִלֵּין, דָּא סִטְרָא דִּקְדוּשָׁה אִתְקְרֵי מִצְוָה. וְדָא סִטְרָא אַחֲרָא, אִתְקְרֵי חוֹבָה. ובג״כ ווּלְקֵיהּ נָטַל בְּהַהוּא מַיָּא, וע״ד כְּתִיב, וְזָרַקְתִּי עֲלֵיכֶם מַיִם טְהוֹרִים וּטְהַרְתֶּם.

תתקח. הֵיכָלָא שְׁתִיתָאָה. הֵיכָלָא דָּא, קַיְּימָא עִלָּאָה, עַל כָּל אִינּוּן שְׁאָר הֵיכָלִין תַּתָּאִין. אַרְבַּע פִּתְחִין, אִית לְהֵיכָלָא דָּא. חַד, אִקְרֵי מָוֶת. וְחַד, אִקְרֵי רָע. וְחַד, אִקְרֵי צַלְמָוֶ״ת. וְחַד, אִקְרֵי אֹפֶ״ל. אִלֵּין אַרְבַּע פִּתְחִין, קַיְימִין תָּדִיר לְאַבְאָשָׁא. אִלֵּין אִינּוּן כְּלָלָא דְּכֹלָּא.

תתקט. כְּמָה דְּאִית בְּסִטְרָא דִּקְדוּשָׁה, בְּרָזָא דִּמְהֵימְנוּתָא, אַרְבַּע פִּתְחִין לְאַרְבַּע סִטְרִין, דְּמִתְקַשְּׁרָן דָּא בְּדָא, וְכֻלְּהוּ קַדִּישִׁין. הָכִי נָמֵי לְתַתָּא, הָכָא. וְכַד אִלֵּין מִתְקַשְּׁרָן וּמִתְחַבְּרָן דָּא עִם דָּא כַּחֲדָא, בְּהֵיכָלָא דָּא, כְּדֵין אִקְרֵי בֵּית חָבֶר. כְּמָה דְּאַתְּ אָמֵר, מֵאֵשֶׁת מִדְיָנִים וּבֵית חָבֶר. וְהַאי הֵיכָלָא, קַיְּימָא לְאַבְאָשָׁא תָּדִיר.

תתקי. עַל הַאי הֵיכָלָא כְּתִיב, וְנַעְתָּרוֹת נְשִׁיקוֹת שׂוֹנֵא, בְּגִין דְּהָכָא קַיְימָן, כָּל אִינּוּן נְשִׁיקִין בִּישִׁין, וְתִיאוּבְתִּין בִּישִׁין, וְכָל עִדּוּנִין דְּגוּפָא דְּהַאי עָלְמָא, דִּי בְּאִינּוּן עִדּוּנִין אִתְתָּרַךְ בַּר נָשׁ מֵהַאי עָלְמָא, וּמֵעָלְמָא דְּאָתֵי. וְעַל הַאי הֵיכָלָא כְּתִיב, כִּי נֹפֶת תִּטֹּפְנָה שִׂפְתֵי זָרָה וְגוֹ׳.

תתקיא. בְּהַאי הֵיכָלָא, קַיְּימָא חַד רוּחָא, דְּאִיהוּ מְמַנָּא עַל כָּל אִלֵּין דִּלְתַתָּא, וְאִיהוּ כְּלָלָא עַל כָּל שְׁאָר רוּחִין. הַאי הֵיכָלָא, מִתְקַשְּׁטָא בְּקִשּׁוּטוֹי דְּשַׁפִּירוּ, עַל כָּל אִינּוּן הֵיכָלִין. בְּהֵיכָלָא דָּא, מִתְלַכְּדֵי רַגְלַיְיהוּ דְּטִפְּשָׁאֵי. עַל הַאי הֵיכָלָא כְּתִיב, אַל תַּחְמוֹד יָפְיָהּ בִּלְבָבֶךָ וְאַל תִּקָּחֲךָ בְּעַפְעַפֶּיהָ.

תתקיב. בְּהַאי הֵיכָלָא, תַּלְיָין כָּל תִּיאוּבְתִּין דְּעָלְמָא. וְכָל אִינּוּן עֲנוּגִין דְּטִפְּשָׁאֵי, וְחַסְרֵי לִבָּא, וְחַסְרֵי דַּעְתָּא. כד״א וָאֵרֶא בַפְּתָאִים אָבִינָה בַבָּנִים נַעַר. חֲסַר לֵב. עוֹבֵר בַּשּׁוּק אֵצֶל פִּנָּהּ וְגוֹ׳. בְּנֶשֶׁף בְּעֶרֶב יוֹם וְגוֹ׳. וּכְדֵין אִתְקְרִיבוּ רַגְלוֹי לְהַאי הֵיכָלָא, דְּאִיהוּ כְּלָלָא דְּכֻלְּהוּ תַּתָּאִין. כְּדֵין, וְהִנֵּה אִשָּׁה לִקְרָאתוֹ שִׁית זוֹנָה וּנְצֻרַת לֵב. שִׁית, דָּא אִיהוּ הַאי הֵיכָלָא, דְּאִיהוּ שְׁתִיתָאָה לְכָל שְׁאָר הֵיכָלִין. וְהָכָא קַיְּימָא זוֹנָה, לְאַפְתָּאָה לְטִפְּשָׁאִין.

תתקיג. בְּהַאי הֵיכָלָא קַיְּימָא וְלָא קַיְּימָא. נַחְתָּא וּמְפַתָּא, סַלְקָא וְאַסְטִיאַת. כד״א בְּבֵיתָהּ לֹא יִשְׁכְּנוּ רַגְלֶיהָ. פַּעַם בַּחוּץ פַּעַם בָּרְחוֹבוֹת, כַּד סַלְקָא לְעֵילָּא. וְאֵצֶל כָּל פִּנָּה תֶּאֱרוֹב כַּד נָטִיל נִשְׁמָתָא.

תתקיד. מַה כְּתִיב, וְהֶחֱזִיקָה בּוֹ וְנָשְׁקָה לוֹ. אִלֵּין אִינּוּן נְשִׁיקִין, לְסָאֲבָא, וּלְאַטְעָאָה בְּנֵי נָשָׁא אֲבַתְרָהּ. בְּגִין דְּהָכָא, אִיהוּ אֲתַר דְּכָל אִינּוּן נְשִׁיקִין בִּישִׁין, וּמִכָּל זְנוּנִים נוּכְרָאִין, דְּאִינּוּן מְתִיקִין לְפוּם שַׁעְתָּא. וַוי לְסוֹפַיְיהוּ, כְּמָה דִּכְתִּיב וְחָלָק מִשֶּׁמֶן חִכָּהּ.

תתקטו. וּכְתִיב וְאַחֲרִיתָהּ מָרָה כַלַּעֲנָה. מַאי מָרָה כַלַּעֲנָה. אֶלָּא, כַּד ב"נ אִתְפַּתָּא אֲבַתְרָהּ בְּהַאי עָלְמָא, וּמָטָא זִמְנֵיהּ לְאִסְתַּלְּקָא מֵהַאי עָלְמָא, אִיהִי קַיְּימָא עָלֵיהּ דב"נ, וְאִתְגְּלִימַת קַמֵּיהּ בְּגְלִימָא דְגוּפָא דְאֶשָּׁא וְחַרְבָּא שִׁינָּנָא בְּיָדָהּ, וּתְלַת טִיפִּין בָּהּ.

תתקטז. וְאוֹקְמוּהָ, וּבָהּ טִפָּה וַדָּאי, מֵאִינּוּן טִיפִּין דְּאִיהִי מְרִירָא, וּבְשַׁעֲתָא דְאַטִּיל לָהּ לְפוּמֵיהּ דב"נ, עָאל בְּמֵעוֹי. וּכְדֵין נִשְׁמְתָא אִתְבַּלְבְּלָא, וְהַהִיא טִיפָּה שַׁטְיָא וְאָזְלַת בְּגוֹ גּוּפָא, וְאַעְקָרַת לָהּ לְנִשְׁמְתָא מֵאַתְרָהּ, וְלָא שָׁבִיק לָהּ לְנִשְׁמְתָא אֲתַר לְמֵיתַב, וְאִיהִי מָרָה כַלַּעֲנָה, וְאַטְעִים לָהּ ב"נ בִּמְרִירוּ, וְחַלָּף הַהוּא מְתִיקָא, דְּטָעֲמוּ בָּהּ בְּהַאי עָלְמָא, כַּד אִתְמְשָׁכוּ בַּתְרָהּ, לְבָתַר אַשְׁדֵי טִפָּה אַחֲרָא, וְנִשְׁמְתָא נָפְקָאת, וּמִית ב"נ. וּלְבָתַר אַשְׁדֵי טִיפָּה אַחֲרָא, וְירוֹקִין אַנְפּוֹי, וְאַבְאִישׁ. בְּגִין דְּנִשְׁמְתָא הִיא קַדִּישָׁא, וְכַד שַׁלְטָא עָלָהּ דָּא סִטְרָא אַחֲרָא מִסְאֲבָא, עַקְרַת מִקַּמֵּיהּ, וְלָא אִתְיַשְּׁבָא כַּחֲדָא.

תתקיז. בְּגִין כָּךְ, כְּמָה דְּאִתְדְּבַק בְּאִינּוּן נְשִׁיקִין בִּישִׁין בְּהַאי עָלְמָא, אוּף הָכִי נָמֵי בְּהַאי שַׁעֲתָא. דְּאִי ב"נ אִתְמְשַׁךְ אֲבַתְרָהּ בְּהַאי עָלְמָא, וְשָׁבַק סִטְרָא קַדִּישָׁא, כְּדֵין נִשְׁמְתָא לָא אַהַדְרַת לְהַהוּא אֲתַר קַדִּישָׁא. וּכְמָה דְּאִתְמְשַׁךְ אֲבַתְרָהּ בְּהַאי עָלְמָא, הָכִי נָמֵי שַׁלְטָא עַל נִשְׁמָתֵיהּ, וּכְדֵין נִשְׁמָתֵיהּ נַפְקַת בְּפִטּוּרֵי, וְאוֹקְמוּהָ. וְכָל דָּא, בְּגִין אִינּוּן נְשִׁיקִין דְּנַשְׁקָא לֵיהּ בְּהַאי עָלְמָא, דְּאִינּוּן מְתִיקִין. וּלְבָתַר, מְרִירָן לֵיהּ בְּהַאי שַׁעֲתָא. וע"ד, וְהֶחֱזִיקָה בּוֹ וְנָשְׁקָה לוֹ, בְּהַאי עָלְמָא, כְּמָה דְּאוֹקִימְנָא.

תתקיח. הֵעֵזָּה פָנֶיהָ וַתֹּאמַר לוֹ, בְּגִין דִּבְהַאי הֵיכָלָא קַיְּימִין כָּל קַטֵּיגוֹרִין, וְכָל שַׁלִּיוָאן בִּישִׁין דְּמִשְׁתַּכְּחֵי לְגַבֵּי דְבַר נָשׁ, וְעַבְדֵי לֵיהּ דְּיִתַּקַּן בְּתִקּוּנוֹי, וִיסַלְסֵל בְּשַׂעֲרֵיהּ, וְיִתְסוֹזֵי, וְיִתְתַּקַּן בְּגִין דְּיִסְתַּכְּלוּן בֵּיהּ. הָכָא קַיְּימָא רוּחָא וַדָּאי, דְּאִקְרֵי סְקָטוּפָ"ה. וְדָא הוּא מְמָנָּא עַל כָּל תִּקּוּנָא וְסַלְסוּלָא דִּבְנֵי נָשָׁא.

תתקיט. לְגוֹ דְּהַאי הֵיכָלָא, קַיְּימָא חַד מְמָנָּא אַחֲרָא, דְּהַאי מְמָנָּא אַחֲרָא, אִיהוּ אַתְעַר לֵיהּ לב"נ לְבָתַר, לְאַתְעֲרָא לוֹן, דְּהָא אִיהוּ מְתַקֵּן גַּרְמֵיהּ, וּמְסַלְסֵל בְּשַׂעֲרֵיהּ, דְּיִטּוֹל בִּידֵיהּ חַד מַרְאָה לְאִסְתַּכְּלָא בֵּיהּ, וְשַׁוֵּי לֵיהּ בִּידֵיהּ, וְאִסְתַּכַּל בֵּיהּ, וְחָמֵי דְּיוֹקְנֵיהּ בְּהַהוּא זִיווּ. וּבְהַאי אַתְעַר לְהַהוּא רוּחָא חֵילָא אַחֲרָא. דְּאִקְרֵי עַסִירְטָ"א, וּמֵהָכָא נַפְקֵי, כָּל אִינּוּן דְּאַחֲזִיו כְּדִיבִין לִבְנֵי נָשָׁא בְּחֶלְמַיְיהוּ. וְכָל אִינּוּן דְּאַחֲזְיָין מִלִּין וְלָא מִתְקַיְּימֵי בְּהוּ, אֶלָּא לְעַרְבְּבָא לוֹן.

תתקכ. וּלְבָתַר, כַּד אִינּוּן בְּנֵי נָשָׁא אִתְמַשְׁכָאן בְּהַהוּא זִיווּ, דְּאִקְרֵי מַרְאָה. כְּדֵין כֻּלְּהוּ בְּגַסּוּתָא דְרוּחָא דִּילְהוֹן, וְהַאי רוּחָא דְּאִקְרֵי עַסִירְטָ"א, אִיהוּ אַתְעַר לְחַד רוּחָא מְמָנָא דְּאִיהוּ תְּחוֹת יְדֵיהּ, וְעָאל בְּנוּקְבָא דִּלְתַתָּא דְּכָל נוּקְבִין, וְסָלִיק מִתַּמָּן חַד רוּחָא אַחֲרָא, דְּאִיהוּ מְמָנָּא עִם הַהוּא רוּחָא דְּאִקְרֵי אַסְכָּרָא כְּדְקָאמְרָן. וְדָא אִיהוּ לִילִית אִימָּא דְשֵׁדִין. וְכַד הַהוּא ב"נ אַתְעַר לְהַאי רוּחָא אַחֲרָא דְּאִקְרֵי עַסִירְטָ"א, כְּדֵין אִתְחֲבַר עִמֵּיהּ דְּהַהוּא ב"נ, וְאִתְקַשַּׁר עִמֵּיהּ תָּדִיר. וּכְדֵין בְּכָל רֵישׁ יַרְחָא וְיַרְחָא, אַתְעַר הַהוּא רוּחָא, דְּחֵיזוּ בִּישָׁא בַּהֲדָהּ דְּלִילִית, וּלְזִמְנִין דְּאִתְזַק מִנַּיְיהוּ הַהוּא בַּר נָשׁ, וְיִפּוֹל לְאַרְעָא, וְלָא יָכִיל לְמֵיקַם, אוֹ יָמוּת. וְכָל דָּא גָּרִים, הַהוּא חֵיזוּ דְמַרְאָה, דְּאִיהוּ מִסְתַּכֵּל בֵּיהּ. דְּהָא כְּמָה דְּאַחֲזֵי גַּסּוּתָא דְרוּחָא בְּלִיבֵּיהּ, הָכִי נָמֵי אַסְגֵּי רוּחָא בִּישָׁא לְגַבֵּיהּ. וְעַל דָּא כֹּלָּא קַיְּימָא בְּהַהוּא אִתְעֲרוּ דִּלְתַתָּא.

תתקכא. זִבְחֵי שְׁלָמִים עָלָי. תָּא חֲזֵי, שְׁלָמִים לָא אַתְיָין עַל חוֹבָה, וְלָא עַל חַטָּאת, אֶלָּא עַל שָׁלוֹם. מַאי שְׁלָמִים. אֶלָּא שְׁלָמִים מִתְּרֵין סִטְרִין, דְּלָא אִשְׁתַּכַּח מְקַטְרְגָא

עָלֵיהּ, לָא לְעֵילָּא, וְלָא לְתַתָּא. מַאן אִיהוּ מְקַטְרְגָא. אֶלָּא הַהוּא סִטְרָא דִשְׂמָאלָא דְיֵצֶר הָרָע, דְאִשְׁתְּכַח בִּשְׁלָמָא דִימִינָא. וע״ד, זִבְחֵי שְׁלָמִים עָלָי.

תתקכב. ד״א זִבְחֵי שְׁלָמִים עָלָי. הָא אֲנָא בִּשְׁלֵוָה לְגַבָּךְ, לְאַחֲזָאָה לָךְ שָׁלֹם. ובג״כ, הַיּוֹם שִׁלַּמְתִּי נְדָרָי, לְאַפְתָּאָה בְּנֵי עָלְמָא תָּדִיר. עַל כֵּן יָצָאתִי לִקְרָאתֶךָ וְגוֹ׳, דְיָדַעְנָא דְאַנְתְּ וְחַסֵּר לְבָא, וְחַסֵּר טוֹבָה. לְשַׁחֵר פָּנֶיךָ, לְאִתְחַבְּרָא בַּהֲדָךְ בְּכָל בִּישִׁין דְעָלְמָא. וְיֵאוֹת לָךְ לְאַהֲנָאָה, וּלְמִטְעֵי בָּתַר תִּיאוּבְתִין דְהַאי עָלְמָא. וְדָוֵי לֵיהּ מִמּוּכָה לְמוּכָה, וּמִבִּישׁ לְבִישׁ. אַהֲדַרְנָא בְּאִינּוּן טִפְּשָׁאִין, וְשַׁוִּירְנָא פָּנֶיךָ, וָאֶמְצָאֶךָ, כְּבַר אַשְׁכַּחְנָא לָךְ לְאִתְדַּבְּקָא בָּךְ.

תתקכג. לְכָה נִרְוֶה דוֹדִים עַד הַבֹּקֶר, הה״ד, וְעֵין נוֹאֵף שָׁמְרָה נֶשֶׁף. דְּהָא כְּדֵין אִיהוּ זִמְנָא לְשַׁלְטָאָה. לְכָה נִרְוֶה דוֹדִים, נְהַךְ כַּחֲדָא, הָא אֲנָא עִמָּךְ, דְּהָא עַל כְּעַן אַתְּ רַבְיָא אַנְתְּ בְּחֵילָךְ, אִי הַשְׁתָּא לָא תִתְעַנַּג גַּרְמָךְ, אֵימָתַי, כַּד תְּהֵא סִיב, הַשְׁתָּא הוּא זִמְנָא. מ״ט. כִּי אֵין הָאִישׁ בְּבֵיתוֹ, דָא יֵצֶר טוֹב, דְּלָא שַׁרְיָא הָכָא בְּגַוָּוךְ, וְלָאו אִיהוּ זִמְנָא, הָלַךְ בְּדֶרֶךְ מֵרָחוֹק, דְּלָא שַׁרְיָא בְּב״נ, אֶלָּא בְּדֶרֶךְ מֵרָחוֹק, כַּד אִיהוּ מִתְלֵיסַר שְׁנִין וּלְהָלְאָה. וְלָאו בְּכָל ב״נ, וַאֲנָא קָאִים עִמָּךְ מִיּוֹמָא דְאִתְיְלִידַת, הה״ד לַפֶּתַח חַטָּאת רוֹבֵץ. וְהַשְׁתָּא דְאַנְתְּ רָווּק, הַשְׁתָּא זִמְנָא לָךְ לְאִתְעַנְּגָא גַּרְמָךְ.

תתקכד. צְרוֹר הַכֶּסֶף לָקַח בְּיָדוֹ, לְסַלְּקָא לְעֵילָּא, וּלְאִתְעַכְּבָא תַּמָּן וּלְאִתְעַנְּגָא. לְיוֹם הַכֶּסֶא יָבוֹא בֵיתוֹ, אֵימַת יָבֹא לְקַבְּלֵיהּ, לְיוֹם הַכֶּסֶא דְּאִיהוּ יוֹמָא דְדִינָא, לְאַשְׁגָּחָא בְּדִינָא, דִּכְתִיב בַּכֶּסֶה לְיוֹם חַגֵּנוּ. בְּזִמְנָא דְּאִצְטְרִיךְ ב״נ לְאִתְעַנְּגָא בְּעָלְמָא, וּלְאִתְהֲנֵי בֵּיהּ, אִתְרַחֲקָא מִנֵּיהּ. וּבְזִמְנָא דְּשַׁרְיָא דִינָא בְּעָלְמָא, כְּדֵין אָתֵי לְגַבֵּיהּ לְמֶעְבַּד עִמֵּיהּ דִּינָא, וע״ד הִטַּתּוּ בְּרֹב לִקְחָהּ וְגוֹ׳. עַד יְפַלַּח חֵץ כְּבֵדוֹ. זַכָּאִין אִינּוּן צַדִּיקַיָּיא, דְּיָדְעִין אָרְחִין קַדִּישִׁין, לְמֵהַךְ בְּהוּ, וְלָא יִסְטוּן לִימִינָא וְלִשְׂמָאלָא, זַכָּאִין אִינּוּן בְּעָלְמָא דֵין, וּבְעָלְמָא דְּאָתֵי.

תתקכה. הֵיכָלָא שְׁבִיעָאָה. הֲדָא הוּא הֵיכָלָא דְּשִׁמְרֵי דְחַמְרָא, לְאִתְרַוָּאָה בֵּיהּ. כד״א וַיֵּשְׁתְּ מִן הַיַּיִן וַיִּשְׁכָּר וַיִּתְגַּל. סוּחִיטָא דְּכָל אִינּוּן עֲנָבִין, כֻּלְּהוּ עֲנָבִין בִּישִׁין, הָכָא אִיהוּ סוּחִיטָא דִלְהוֹן. וְדָא אִיהוּ יַיִן וְחֹמֶר. שְׁמָרִים דְּחֹמֶר דְּלֵית מַאן דְּשָׁתֵי מִנֵּיהּ, דְּלָא גָּרִים מוֹתָא לְגַרְמֵיהּ. מִיַּיְנָא דָא, אַטְעִימַת חַוָּה לְבַעְלָהּ, וְעָאלַת לֵיהּ בְּהֵיכָלָא דָא, דְּתָנֵינָן, סָחֲטָה עֲנָבִין, וְיָהִיבַת לֵיהּ, וְגָרִימַת מוֹתָא לֵיהּ, וּלְכָל עָלְמָא אֲבַתְרֵיהּ.

תתקכו. בְּהֵיכָלָא דָא, קַיְימִין כָּל אִינּוּן נִשְׁמָתִין מְסָאֲבִין, דְּנַחְתֵּי לְכָל אִינּוּן דִּי בְּסִטְרָא דָא מִתְדַּבְּקֵי, וְהַהוּא רוּחָא דִּזְנוּתָא לְכָל אִינּוּן דִּי מִסִּטְרָהָא, מֵהָכָא נַפְקֵי. כְּגַוְונָא דְּאִינּוּן סָטוּ אָרְחַיְיהוּ בְּהַאי עָלְמָא, וְאִשְׁתַּדָּלוּ בִּזְנוּתָא, בַּאֲתַר דְּלָא אִצְטְרִיךְ, לְאִתְרַחֲקָא מֵאֹרַח קְשׁוֹט. כְּדֵין, כְּמָה דְּאִיהוּ אִתְדְּבַק בְּהַהוּא סִטְרָא דְּיֵצֶר הָרָע בִּזְנוּתָא, הָכִי נָמֵי נָפִיק מֵהֵיכָלָא דָא רוּחָא מְסָאֲבָא, לְסָאֲבָא לֵיהּ, וְלִבְרָא דְּנָפִיק מִתַּמָּן.

תתקכז. וְהַהוּא בְּרָא אִקְרֵי מַמְזֵר, דְּאָתֵי מִסִּטְרָא דְּאֵל זָר. כְּמָה דְּאִיהוּ אִשְׁתְּכַח בְּהַהוּא תִּיאוּבְתָא, וּבְהַהוּא זְנוּתָא בְּהַהוּא סִטְרָא דְּיֵצֶר הָרָע, הָכִי נָמֵי מָשִׁיךְ לְגַבֵּיהּ דְּהַהוּא בְּרָא רוּחָא אַחֲרָא מְסָאֲבָא, דְּסָאִיב, וְכֹלָּא סַהֲדִין עָלֵיהּ דְּאִיהוּ מַמְזֵר, וְהָכִי כָּל עוֹבָדוֹי וְסִטְרוֹי בְּהַהוּא גַּוְונָא מַמָּשׁ.

תתקכח. מֵהֵיכָלָא דָא נָפִיק חַד רוּחָא, דִּי מְמַנָּא עַל אִינּוּן רוּחִין דְּאִקְרֵי צְפוֹנִי. וְסִמַּנִּיךְ, צְפִּנֶיהָ צָפַן רוּחַ. וְהַאי אִיהוּ מְמַנָּא עַל דָא. וְהַאי הֵיכָלָא שְׁבִיעָאָה, לְקַבֵּל הַהוּא

שְׁמָא דְּאִקְרֵי אֶרֶץ תַּחְתִּית. וְעַל דָּא כְּתִיב, וְאֶת הַצְּפוֹנִי אַרְחִיק מֵעֲלֵיכֶם.

תתקכט. הָכָא אִיהוּ נְקוּדָה חֲדָא, דְּקַיְּימָא לְגוֹ בְּגוֹ, וּמֵהָכָא נַפְקֵי כָּל אִינּוּן רוּחִין אַחֲרָנִין דְּשַׁטְאָן בְּעָלְמָא, וְשַׁלְטִין בְּהַאי עָלְמָא, בְּכָל אִינּוּן מִלִּין וְעוֹבָדִין, דְּאִתְמְסָרוּ בְּסִטְרָא דִּשְׂמָאלָא. וּמֵהָכָא נַפְקֵי כָּל אִינּוּן זִיקִין נְצִיצִין, דְּמִתְדַּעֲכֵי לְאַלְתָּר, לַהֲטֵי וּמִתְדַּעֲכֵי. וּמֵאִלֵּין נָפְקִין רוּחִין אַחֲרָנִין, דְּשַׁטְיָין בְּעָלְמָא, וּמִשְׁתַּתְּפֵי לְאִינּוּן דְּנָפְקוּ מִגּוֹ תְּהוֹמָא רַבָּא. וְאִיהוּ הַאי הֵיכָלָא, כד"א מִשְׁפָּטֶיךָ תְּהוֹם רַבָּה. וְאִינּוּן רוּחִין דְּלָא אִתְמְסָרוּ לְמִגְלַם בְּעָלְמִין, וְאִתְחֲזוּן וְלָא אִתְחֲזוּן כְּמָה דְּאִתְּמַר.

תתקל. וּלְבָתַר אִינּוּן רוּחִין דְּשַׁטְיָין בְּעָלְמָא, וְאִלֵּין קַיְימֵי לְמֶרְחַשׁ נִסִּין לִבְנֵי נָשָׁא. בְּגִין דְּאִלֵּין לָא קַיְימִין בְּטִנּוּפָא דְּמִסְאֲבָא כָּל כַּךְ כְּאַחֲרָנִין. וְחַד רוּחָא מְמַנָּא עֲלַיְיהוּ, וְאִקְרֵי נְסִירָ"א, דְּאִיהוּ אִתְנְסַר מֵאִינּוּן סִטְרִין דְּמִסְאֲבוּ יַתִּיר, וְאִלֵּין פַּרְחֵי בַּאֲוִירָא, וְאַבְאִישׁוּ לְסִטְרָא דִּלְהוֹן, בְּגִין לְמֶעְבַּד נִסִּין לְאִינּוּן דִּי בְּסִטְרָא דִּקְדוּשָּׁה.

תתקלא. וּמֵרוּחָא דָּא דְּאִתְנְסַר, דְּאִקְרֵי נְסִירָ"א, מִנֵּיהּ נַפְקֵי כַּמָּה סִטְרִין אַחֲרָנִין, מִתְפָּרְשָׁן לִזְנַיְיהוּ, וְכֻלְּהוּ קַיְימָאן שְׁלִיחָאן בְּעָלְמָא, כָּל חַד כַּדְקָא חֲזֵי לֵיהּ, עַד דְּאִתְמְנוּן לְתַתָּא מַלְכִין וְסַרְכִין. וְלֵית לוֹן קִיּוּמָא תָּדִיר, כְּאִינּוּן אַחֲרָנִין דִּלְעֵילָּא.

תתקלב. בְּהֵיכָלָא דָּא אִתְדַּבְקוּתָא דְּסִטַר מִסְאֲבָא, וְכָל תִּיאוּבְתִּין מִסְאֲבִין, וּמְסָאֲבֵי לְעָלְמָא. הַאי אִיהוּ זַמִּין לְאַפָּקָא בְּכָל רִגְעָא וְשַׁעֲתָא אֶשָּׁא, וְלֵית מַאן דְּקָאִים קָמֵּיהּ. מֵהָכָא נָפִיק אֶשָּׁא דְּרוּחָא תַּקִּיפָא לְתַתָּא, לְאִתְדָּנָא בֵּיהּ חַיָּיבֵי עָלְמָא. וּמֵהָכָא נָפְקָא רוּחָא מְלַהֲטָא, דְּאִיהוּ אֶשָּׁא וְתַלְגָּא, דְּאִקְרֵי צַלְמוֹן. כְּמָה דְּאַתְּ אָמֵר תַּשְׁלֵג בְּצַלְמוֹן.

תתקלג. בְּהֵיכָלָא דָּא, קַיְּימָאן אַרְבָּעָה פִּתְחִין, דְּמִתְפָּרְשָׁן לְאַרְבַּע סִטְרִין לְבַר. וְאִלֵּין אַחֲדִין וְלָא אַחֲדִין בְּסִטְרָא דִּקְדוּשָּׁה. לָא אִתְאֲחָד, אֶלָּא דְּאִתְחֲזֵי בְּאִינּוּן פִּתְחִין נְהוֹרָא דְּנָהִיר, וְאִיהוּ אֲתַר דְּמִתְתַּקַּן בְּכָל פִּתְחָא וּפִתְחָא, לְאִינּוּן חֲסִידֵי דִּשְׁאַר עַמִּין, אִינּוּן דְּלָא אַבְאִישׁוּ לוֹן לְיִשְׂרָאֵל, וְאִשְׁתַּדָּלוּ עִמְּהוֹן בִּקְשׁוֹט. אִלֵּין קַיְימֵי בְּאִלֵּין פִּתְחִין, וְנַיְיחֵי תַּמָּן.

תתקלד. בְּפִתְחָא דְּהַאי הֵיכָלָא בְּאֶמְצָעִיתָא, לְבַר, שִׁית פִּתְחִין דְּמִתְאַחֲדֵי בְּהַאי הֵיכָלָא, וְכֻלְּהוּ אַחֲדִין בֵּיהּ. הָכָא אִית כַּוִּין פְּתִיחָן, לְסִטְרָא דִּנְהוֹרָא קַדִּישָׁא, וְאִינּוּן דּוּכְתִּין מִתְתַּקְּנֵי לְמַלְכֵי שְׁאַר עַמִּין, אִינּוּן דְּלָא עָאקוּ לוֹן לְיִשְׂרָאֵל, וְאַגִּינוּ עֲלַיְיהוּ תָּדִיר. אִלֵּין אִית לוֹן יְקָר בְּגִינַיְיהוּ דְּיִשְׂרָאֵל, וְאִתְהֲנוּ בְּהַהוּא אֲפֵלָה דְּאִינּוּן יַתְבִין, מִגּוֹ נְהוֹרָא דְּנָהִיר מִסִּטְרָא דִּקְדוּשָּׁה. כְּמָה דְּאַתְּ אָמֵר, כָּל מַלְכֵי גּוֹיִם כֻּלָּם שָׁכְבוּ בְכָבוֹד.

תתקלה. וְאִי עָבְדוּ עָאקוּ לְיִשְׂרָאֵל, אוֹ דְּחִיקוּ לוֹן. כַּמָּה אִינּוּן דְּאַחֲדִין בְּהוּ, וְדַיְינִין לְהוּ לְתַתָּא תְּלַת זִמְנִין בְּיוֹמָא, מִכַּמָּה דִּינִין מְשַׁנְיָין אִלֵּין מֵאִלֵּין, לְאִינּוּן מַלְכִין דְּעָאקוּ לְהוּ, דְּאִתְדָּנוּ בְּהַהוּא עָלְמָא בְּכַמָּה דִּינִין. וְכָל יוֹמָא וְיוֹמָא סָהֲדִין סַהֲדוּתָא עֲלַיְיהוּ דְּיִשְׂרָאֵל, וְעַל מְהֵימְנוּתָא דִּלְהוֹן, וְנַחְתֵּי לְתַתָּא וְאִתְדָּנוּ תַּמָּן. זַכָּאִין אִינּוּן יִשְׂרָאֵל בְּעָלְמָא דֵּין, וּבְעָלְמָא דְּאָתֵי.

תתקלו. עַד הָכָא שֶׁבַע הֵיכָלִין, מְדוֹרֵי דְּסִטְרָא מִסְאֲבָא, מִסִּטְרָא דְּנָחָשׁ. זַכָּאָה וְזוּלָקֵיהּ מַאן דְּאִשְׁתְּזִיב מִנֵּיהּ, וּמִלְּחִישׁוּתֵיהּ, דְּלָא יִתְנְשִׁיךְ מִנֵּיהּ, וְלָא יָטִיל בֵּיהּ אַרְסָא, דְּיִמוּת בֵּיהּ. מִכָּל סִטְרִין אִית לְאִסְתַּמְּרָא מִינֵּיהּ, מֵעֵילָּא וּמִתַּתָּא. מַאן דְּיִשְׁתְּזִיב מֵרֵישָׁא, לָא יִשְׁתְּזִיב מִזַּנְבָא. כַּד אָכִיף רֵישָׁא, זָקִיף זַנְבָא, מָחֵי וְקָטִיל.

תתקלז. וְעִם כָּל דָּא, אִם יִשּׁוֹךְ הַנָּחָשׁ בְּלֹא לָחַשׁ. כְּמָה דְּתָנֵינָן, נָטִיל רְשׁוּ וְאַפִּיק

נִשְׁמְתָא. בְּגִ"כ אִצְטְרִיךְ לֵיהּ לְבַ"נ לְאִסְתַּמְרָא, דְּלָא יְחוּב קָמֵי קֻבָּ"ה, בְּגִין דְּלָא יַלְחִישׁוּ לֵיהּ לְהַהוּא חִוְיָא דְּיִנְשׁוֹךְ וְיִקְטֹל.

תתקלח. וַיִּיצֶר יְיָ' אֱלֹהִים אֶת הָאָדָם עָפָר מִן הָאֲדָמָה. עָפָר אִיהוּ, וְלָא חוֹמֶר. עָפָר אִיהוּ, וְיָתוּב לְעַפְרָא. כד"א, כִּי עָפָר אַתָּה וְאֶל עָפָר תָּשׁוּב. לְבָתַר דְּחָטָא, ובגִ"כ כְּתִיב בֵּיהּ בְּנָחָשׁ, וְעָפָר תֹּאכַל כָּל יְמֵי חַיֶּיךָ. עָפָר דָּא הוּא אָדָם, דִּכְתִּיב כִּי עָפָר אַתָּה וְגוֹ'. ובגִ"כ כְּתִיב עָפָר, וְלָא כְּתִיב אֲדָמָה, וְלָא חוֹמֶר, וּכְתִיב וְנָחָשׁ עָפָר לַחְמוֹ.

תתקלט. עַד דְּיִתְעַר קֻבָּ"ה, וִיבַעַר לְהַהוּא רוּחָא מִסְאֲבָא מֵעָלְמָא, דִּכְתִּיב, בִּלַּע הַמָּוֶת לָנֶצַח וְגוֹ', וְיָקִים לְהַהוּא עָפָר, וְיִתְעַר לֵיהּ לְמֵיחְדֵי בְּעָלְמָא, דִּכְתִּיב הָקִיצוּ וְרַנְּנוּ שׁוֹכְנֵי עָפָר וְגוֹ'.

תתקמ. כְּתִיב וְהַנָּחָשׁ הָיָה עָרוּם, וְהָא אוֹקִימְנָא. אֲבָל סִטְרָא דְּרָכִיב עָלֵיהּ, יָהִיב לֵיהּ חֵילָא לְשַׁלְטָאָה, וּלְמִפְתֵּי, וּלְאַסְטָאָה. וְדָא הוּא רָזָא דִּדְכוּרָא, דְּהָא דְּכוּרָא שַׁלִּיט עַל נוּקְבָא, וְיָהִיב בָּהּ חֵילָא. שִׁמְשָׁא וְסִיהֲרָא מְשַׁמְּשִׁין כַּחֲדָא, וְלָא מִתְפָּרְשִׁין לְעָלְמִין, חֹשֶׁךְ וַאֲפֵילָה מְשַׁמְּשִׁין כַּחֲדָא. אִיהוּ חֹשֶׁךְ, וְאִיהִי אֲפֵילָה. כד"א וַיְהִי חֹשֶׁךְ אֲפֵלָה. חֹשֶׁךְ וַעֲרָפֶל. בְּגִין דְּאִית חֹשֶׁךְ, וְאִית חֹשֶׁךְ.

תתקמא. תְּנָן, מַאן דְּחָמָא גָּמָל בְּחֶלְמֵיהּ, מִיתָה אִתְגְּזֵרַת עָלֵיהּ, וְאִשְׁתְּזִיב מִינָּהּ. בְּגִין דְּאִיהוּ סִטְרָא מִסְאֲבָא, וְהַאי אִיהוּ קֵץ כָּל בָּשָׂר.

תתקמב. יוֹמָא חַד הֲוָה יָתִיב ר' אֶלְעָזָר קַמֵּיהּ דְּרַבִּי שִׁמְעוֹן, אָמַר רַבִּי אֶלְעָזָר, הַאי קֵץ כָּל בָּשָׂר אִתְהֲנֵי מֵאִינּוּן קָרְבְּנִין דַּהֲווּ יִשְׂרָאֵל מְקָרְבִין עַל גַּבֵּי מַדְבְּחָא, אוֹ לָא. אָמַר לֵיהּ, כֹּלָּא הֲווּ מִסְתַּפְּקֵי כַּחֲדָא, לְעֵילָּא וּלְתַתָּא.

תתקמג. וְתָא חֲזֵי, כַּהֲנֵי וְלֵיוָאֵי וְיִשְׂרָאֵל, אִינּוּן אִקְרוּן אָדָם, בְּחִבּוּרָא דְּאִינּוּן רְעוּתִין קַדִּישִׁין, דְּסַלְקָא מִגַּוַויְיהוּ. וְהַהוּא אִמְּרָא, אוֹ כִּבְשָׂא, אוֹ הַהוּא בְּהֵמָה, הַאי דְּקָרְבִין, אִצְטְרִיךְ עַד לָא אִתְקְרִיב עַל מַדְבְּחָא, לְפָרְשָׁא עָלֵהּ כָּל חַטָּאִין, וְכָל חוֹבִין, וְכָל הִרְהוּרִין בִּישִׁין דְּעָבַד. וּכְדֵין הַהִיא, אִתְקְרֵי בְּהֵמָה בְּכֹלָּא, בְּגוֹ אִינּוּן חַטָּאִין וּבִישִׁין וְהִרְהוּרִין.

תתקמד. כְּגַוְונָא דְּקָרְבְּנָא דַּעֲזָאזֵל, דִּכְתִּיב וְהִתְוַדָּה עָלָיו אֶת כָּל עֲוֹנוֹת בְּנֵי יִשְׂרָאֵל וְגוֹ', הָכִי נָמֵי הָכָא. וְכַד סַלְקָא עַל גַּבֵּי מַדְבְּחָא, מָטוּ לָהּ עַל חַד תְּרֵין. וּבגִ"כ, דָּא סַלְקָא לְאַתְרֵיהּ, וְדָא סַלְקָא לְאַתְרֵיהּ, דָּא בְּרָזָא דְּאָדָם, וְדָא בְּרָזָא דִּבְהֵמָה, כְּמָה דְּאַתְּ אָמֵר אָדָם וּבְהֵמָה תּוֹשִׁיעַ יְיָ'.

תתקמה. וַחֲבִיתִּין וְכָל שְׁאַר מְנָחוֹת, לְאִתְעָרָא רוּחָא דְּקוּדְשָׁא, בִּרְעוּתָא דְּכַהֲנָא, וְשִׁירָתָא דְּלֵיוָאֵי, וּצְלוֹתָא דְּיִשְׂרָאֵל. וּבְהַהוּא תְּנָנָא, וְשַׁמְנָא וְקִמְחָא דְּסַלִּיק, מִתְרַוָון וּמִסְתַּפְּקֵי כָּל שְׁאַר מָארֵי דְּדִינִין, דְּלָא יַכְלֵי לְשַׁלְטָאָה בְּהַהוּא דִּינָא דְּאִתְמְסַר לוֹן, וְכֹלָּא בִּזְמְנָא וְחָדָא. תָּא חֲזֵי, כֹּלָּא אִתְעָבֵיד בְּרָזָא דִּמְהֵימְנוּתָא, לְאִסְתַּפְּקָא דָּא בְּדָא, וּלְאִסְתַּלְּקָא לְעֵילָּא מַאן דְּאִצְטְרִיךְ, עַד אֵין סוֹף.

תתקמו. אָמַר רַבִּי שִׁמְעוֹן, אֲרֵימִית יְדַי בִּצְלוֹתִין לְעֵילָּא, דְּכַד רְעוּתָא עִלָּאָה, לְעֵילָּא לְעֵילָּא, קַיְּימָא עַל הַהוּא רְעוּתָא דְּלָא אִתְיְידַע, וְלָא אִתְפַּס לְעָלְמִין, רֵישָׁא דִּסְתִים יַתִּיר לְעֵילָּא, וְהַהוּא רֵישָׁא אַפִּיק מַה דְּאַפִּיק, וְלָא יְדִיעַ. וְנָהִיר מַה דְּנָהִיר, כֹּלָּא בִּסְתִּימוּ.

תתקמז. רְעוּ דְּמַחֲשָׁבָה עִלָּאָה, לְמִרְדַּף אֲבַתְרֵיהּ, וּלְאִתְנַהֲרָא מִנֵּיהּ, וְחַד פְּרִיסוּ אִתְפְּרַס, וּמִגּוֹ הַהוּא פְּרִיסָא בִּרְדִיפוּ דְּהַהִיא מַחֲשָׁבָה עִלָּאָה, מָטֵי וְלָא מָטֵי, עַד הַהוּא

פְּרִיסָא נָהִיר מַה דְּנָהִיר. וּכְדֵין הַהוּא מַחֲשָׁבָה עִלָּאָה, נָהִיר בִּנְהִירוּ סָתִים דְּלָא יְדִיעַ. וְהַאי מַחֲשָׁבָה לָא יָדַע.

תתקמח. כְּדֵין בָּטַשׁ הַאי נְהִירוּ דְּמַחֲשָׁבָה דְּלָא אִתְיְדַע, בִּנְהִירוּ דִּפְרָסָא, דְּקַיְּימָא דְּנָהִיר מִמַּה, דְּלָא יְדִיעַ, וְלָא אִתְיְדַע, וְלָא אִתְגַּלְיָא. וּכְדֵין, דָּא נְהִירוּ דְּמַחֲשָׁבָה דְּלָא אִתְיְדַע, בָּטַשׁ בִּנְהִירוּ דִּפְרִיסָא, וְנָהֲרִין כַּחֲדָא.

תתקמט. וְאִתְעֲבִידוּ תִּשְׁעָה הֵיכָלִין, וְהֵיכָלִין לָאו אִינּוּן נְהוֹרִין, וְלָאו אִינּוּן רוּחִין, וְלָאו אִינּוּן נִשְׁמָתִין, וְלָא אִית מַאן דְּקַיְּימָא בְּהוּ. רְעוּתָא דְּכָל תֵּשַׁע נְהוֹרִין, קַיְימֵי כֻּלְּהוּ בְּמַחֲשָׁבָה, דְּאִיהִי חַד מִנַּיְיהוּ בְּחוּשְׁבָּנָא, כֻּלְּהוּ לְמִרְדַּף אֲבַתְרַיְיהוּ. בְּשַׁעֲתָא דְּקַיְימֵי בְּמַחֲשָׁבָה, וְלָא מִתְדַּבְּקָן וְלָא אִתְיְידִיעוּ. וְאִלֵּין לָא קַיְימֵי, לָאו בִּרְעוּתָא, וְלָאו בְּמַחֲשָׁבָה עִלָּאָה, תַּפְסִין בָּהּ וְלָא תַּפְסִין. בְּאִלֵּין קַיְימִין כָּל רָזִין דִּמְהֵימְנוּתָא, וְכָל אִינּוּן נְהוֹרִין, מֵרָזָא דְּמַחֲשָׁבָה עִלָּאָה וּלְתַתָּא, כֻּלְּהוּ אִקְרוּן אֵין סוֹף. עַד הָכָא מָטוּן נְהוֹרִין, וְלָא מָטוּן, וְלָא אִתְיְידִיעוּ לָאו הָכָא רְעוּתָא, וְלָא מַחֲשָׁבָה.

תתקנ. כַּד נָהִיר מַחֲשָׁבָה, וְלָא אִתְיְדַע מִמַּאן דְּנָהִיר, כְּדֵין אִתְלַבַּשׁ וְאַסְתִּים גּוֹ בִּינָה, וְנָהִיר מַאן דְּנָהִיר, וְאָעִיל דָּא בְּדָא, עַד דְּאִתְכְּלִילוּ כֻּלְּהוּ כַּחֲדָא.

תתקנא. וּבְרָזָא דְּקָרְבְּנָא כַּד סָלִיק, כֹּלָּא אִתְקַשַּׁר דָּא בְּדָא, וְנָהִיר דָּא בְּדָא, כְּדֵין קַיְימֵי כֻּלְּהוּ בִּסְלִיקוּ, וּמַחֲשָׁבָה אִתְעֲטַר בְּאֵין סוֹף. הַהוּא נְהִירוּ דְּנָהִיר מִנֵּיהּ מַחֲשָׁבָה עִלָּאָה, דְּלָא יָדַע אִיהִי בָּהּ כְּלַל, אִקְרֵי אֵין סוֹף, דְּמִנֵּיהּ אִשְׁתְּכַח וְקַיְּימָא וְנָהִיר לְמַאן דְּנָהִיר, וְעַל דָּא כֹּלָּא קָאִים. זַכָּאָה חוּלָקֵיהוֹן דְּצַדִּיקַיָּיא בְּעָלְמָא דֵּין, וּבְעָלְמָא דְּאָתֵי.

תתקנב. תָּא חֲזֵי, הַאי סִטְרָא אַחֲרָא, דְּאִקְרֵי קֵץ כָּל בָּשָׂר, כְּמָה דְּקִשּׁוּרָא אִשְׁתְּכַח לְעֵילָּא בְּחִדּוּ, אוּף הָכִי נָמֵי לְתַתָּא, בְּחֶדְוָותָא, וּרְעוּתָא לְאִסְתַּפְּקָא כֹּלָּא לְעֵילָּא וְתַתָּא, וְאִימָּא קַיְּימָא עֲלַיְיהוּ דְּיִשְׂרָאֵל, כַּדְקָא יָאוֹת.

תתקנג. ת"ח, בְּכָל רֵישׁ יַרְחָא וְיַרְחָא, כַּד סִיהֲרָא אִתְחַדְּשָׁא, יָהֲבִין לֵיהּ לְהַאי קֵץ כָּל בָּשָׂר, חוּלָקָא חֲדָא יַתִּיר עַל קָרְבְּנִין, לְאִתְעַסְקָא בֵּיהּ, וְאִשְׁתַּמַּשׁ בְּחוּלָקֵיהּ, וִיהֵא סִטְרָא דְּיִשְׂרָאֵל בִּלְחוֹדַיְיהוּ, בְּגִין דְּיִתְאַחֲדוּן בְּמַלְכֵּיהוֹן.

תתקנד. וְדָא אִיהוּ שָׂעִיר, בְּגִין דְּאִיהוּ חוּלָקָא דְּעֵשָׂו, דִּכְתִּיב בֵּיהּ שָׂעִיר. הֵן עֵשָׂו אָחִי אִישׁ שָׂעִיר. וְע"ד אִיהוּ אִשְׁתַּמַּשׁ בְּחוּלָקֵיהּ, וְיִשְׂרָאֵל אִינּוּן מִשְׁתַּמְּשֵׁי בְּחוּלָקֵיהוֹן. בג"כ כְּתִיב, כִּי יַעֲקֹב בָּחַר לוֹ יָהּ יִשְׂרָאֵל לִסְגֻלָּתוֹ.

תתקנה. ות"ח, הַאי קֵץ כָּל בָּשָׂר, כָּל רְעוּתֵיהּ לָאו אִיהוּ אֶלָּא בְּבִשְׂרָא תָּדִיר. וּבְגִ"כ, תִּקּוּנָא דְּבִשְׂרָא תָּדִיר לְגַבֵּיהּ, וְע"ד אִקְרֵי קֵץ כָּל בָּשָׂר. וְכַד אִיהוּ שַׁלִּיט, שַׁלִּיט עַל גּוּפָא, וְלָאו עַל נִשְׁמָתָא, נִשְׁמָתָא סַלְקָא לְאַתְרָהּ, וּבִשְׂרָא אִתְיְיהִיב לְאֲתַר דָּא, כְּגַוְונָא דְּקָרְבְּנָא, דִּרְעוּתָא סַלְקָא לַאֲתַר חַד, וּבִשְׂרָא לַאֲתַר חַד.

תתקנו. וּבַ"נ דְּאִיהוּ זַכָּאָה, אִיהוּ קָרְבְּנָא מַמָּשׁ לְכַפָּרָא, וְאַחֲרָא דְּלָאו אִיהוּ זַכָּאָה, לָא. בְּגִין דְּבֵיהּ מוּמָא, דִּכְתִּיב כִּי לֹא לְרָצוֹן יִהְיֶה לָכֶם. וְע"ד צַדִּיקָא כַּפָּרָה אִיהוּ בְּעָלְמָא, וְקָרְבְּנָא מַמָּשׁ. זַכָּאִין אִינּוּן צַדִּיקַיָּיא בְּעָלְמָא דֵּין, וּבְעָלְמָא דְּאָתֵי.

תתקנז. וַיְכַס הֶעָנָן אֶת אֹהֶל מוֹעֵד, דְּהָא כַּד חָפָא עֲנָנָא יָת מַשְׁכְּנָא, שָׁרָאת שְׁכִינְתָּא בְּאַרְעָא, וְאִתְעֲבַר רוּחָא מִסְּאֲבָא, דְּאִיהוּ קֵץ כָּל בָּשָׂר מֵעָלְמָא, וְאִסְתַּלַּק וְעָאל בְּנוּקְבָא דִּתְהוֹמָא רַבָּא, וְרוּחָא קַדִּישָׁא שָׁרָא עַל עָלְמָא, דִּכְתִּיב וַיְכַס הֶעָנָן אֶת אֹהֶל מוֹעֵד.

תתקנז. וּכְתִיב וְלֹא יָכוֹל מֹשֶׁה לָבֹא אֶל אֹהֶל מוֹעֵד כִּי שָׁכַן עָלָיו הֶעָנָן, בְּגִין דְּרוּחָא קַדִּישָׁא שָׁרָא עַל עָלְמָא, וְרוּחָא מִסְּאֲבָא אִסְתַּלַּק, בַּר דְּאַמְשִׁיכוּ לֵיהּ אִינּוּן וַזַיְּבַיָּא כִּמְלַקַּדְּמִין עַל עָלְמָא, דְּאִי אִינּוּן לָא אַמְשִׁיכוּ לֵיהּ עַל עָלְמָא, לָא אִשְׁתְּכַח.

תתקנט. וּלְזִמְנָא דְּאָתֵי, זַמִּין קב"ה לְאַעְבְּרָא לֵיהּ מֵעָלְמָא, דִּכְתִיב בִּלַּע הַמָּוֶת לָנֶצַח וּמָחָה יְיָ' אֱלֹהִים דִּמְעָה מֵעַל כָּל פָּנִים וְחֶרְפַּת עַמּוֹ יָסִיר מֵעַל כָּל הָאָרֶץ כִּי יְיָ' דִּבֵּר. וּכְתִיב וְאֶת רוּחַ הַטֻּמְאָה אַעֲבִיר מִן הָאָרֶץ.

בָּרוּךְ יְיָ' לְעוֹלָם אָמֵן וְאָמֵן. יִמְלוֹךְ יְיָ' לְעוֹלָם אָמֵן וְאָמֵן

VAYIKRA

וַיִּקְרָא

א. רִבִּי אֶלְעָזָר פָּתַח, שְׁאַל לְךָ אוֹת מֵעִם יְיָ' אֱלֹהֶיךָ הַעְמֵק שְׁאָלָה אוֹ הַגְבֵּהַ לְמָעְלָה. אִסְתַּכַּלְנָא בְּדָרִין קַדְמָאִין וְדָרִין בַּתְרָאִין, מַה בֵּין דָּרִין קַדְמָאִין לְדָרִין בַּתְרָאִין. דָּרִין קַדְמָאִין הֲווּ יַדְעִין וּמִסְתַּכְּלִין בְּחָכְמְתָא עִלָּאָה, וְיַדְעִין לְצָרְפָא אַתְוָון דְּאִתְיְהִיבוּ לֵיהּ לְמֹשֶׁה בְּסִינַי, וַאֲפִילּוּ חַיָּיבִין דִּבְהוֹן בְּיִשְׂרָאֵל, הֲווּ יַדְעִין גּוֹ אַתְוָון וְחָכְמְתָא עִלָּאָה. וְיַדְעִין גּוֹ אַתְוָון עִלָּאִין, וְגוֹ אַתְוָון תַּתָּאִין, וְחָכְמְתָא לְאַנְהָגָא עוֹבָדִין בְּהַאי עָלְמָא.

ב. בְּגִין דְּכָל אָת וְאָת דְּאִתְמְסַר לֵיהּ לְמֹשֶׁה, הֲווּ מִתְעַטְּרִין וְסַלְּקִין עַל רֵישַׁיְיהוּ דְּחֵיוָון עִלָּאִין קַדִּישִׁין. וְכֻלְּהוּ חֵיוָון הֲווּ מִתְעַטְּרֵי בְּהוּ, וּפַרְחִין גּוֹ אֲוִירָא, דְּנָחְתָא מִגּוֹ אֲוִירָא עִלָּאָה, דָּקִיק דְּלָא יְדִיעַ.

ג. וְסַלְּקִין וְנַחְתִּין אַתְוָון רַבְרְבִין וְאַתְוָון דְּקִיקִין. אַתְוָון רַבְרְבִין נַחְתִּין מִגּוֹ הֵיכָלָא עִלָּאָה טְמִירָא דְּכֹלָּא, וְאַתְוָון דְּקִיקִין הֲווּ נַחְתִּין מִגּוֹ הֵיכָלָא אָחֳרָא תַּתָּאָה, וְאִלֵּין וְאִלֵּין אִתְמְסָרוּ לֵיהּ לְמֹשֶׁה בְּסִינַי.

ד. וְחִבּוּרָא דְּאַתְוָון דְּאִינּוּן מִתְחַבְּרָאן בִּטְמִירוּ בְּכָל אָת וְאָת, כְּגוֹן אָת יוֹ"ד דְּאִיהִי מִתְחַבְּרָאן עִמָּהּ בִּטְמִירוּ תְּרֵין אָחֳרָנִין לְקָ. וְכֵן כֻּלְּהוּ אִתְמְסָרוּ לֵיהּ לְמֹשֶׁה בְּסִינַי, וְכֻלְּהוּ טְמִירִין גּוֹ חַבְרַיָּיא זַכָּאִין אִינּוּן.

ה. שְׁאַל לְךָ אוֹת, אוֹת מַמָּשׁ. דְּכֻלְּהוּ הֲווּ נַטְלִין בְּרָזָא דְּאַתְוָון. וְכֵן בְּרָחָב מַה כְּתִיב, וּנְתַתֶּם לִי אוֹת אֱמֶת, דָּא אָת ו', דְּדָא אִקְרֵי אוֹת אֱמֶת. וְאִי תֵּימָא שְׁאָר אַתְוָון לָאו אִינּוּן אֱמֶת. אִין אֶלָּא אוֹת דָּא אוֹת אֱמֶת אִקְרֵי.

ו. הַעְמֵק שְׁאָלָה, דָּא אוֹת ה' בַּתְרָאָה דִּבִשְׁמָא קַדִּישָׁא. אוֹ הַגְבֵּהַ לְמָעְלָה, דָּא אָת יוֹ"ד רֵישָׁא דִּבִשְׁמָא קַדִּישָׁא. וְדָא אִיהוּ רָזָא דִּכְתִיב, שְׁאַל לְךָ אוֹת מֵעִם יְיָ' אֱלֹהֶיךָ, אוֹת מִשְּׁמָא קַדִּישָׁא, מַשְׁמַע דִּכְתִיב מֵעִם יְיָ', דְּדָא אִיהוּ שְׁמָא דקב"ה, אָת חַד דְּבֵיהּ, וּמַשְׁכְּנָא קָאִים עַל דָּא.

ז. תָּא חֲזֵי, כַּד סָלִיק עֲנָנָא עַל מַשְׁכְּנָא וְשָׁרָא עֲלוֹי, כָּל אִינּוּן רְתִיכִין, וְכָל אִינּוּן מָאנֵי מַשְׁכְּנָא דִּלְעֵיל, כֻּלְּהוּ הֲווּ גּוֹ עֲנָנָא. מַה כְּתִיב, וְלֹא יָכוֹל מֹשֶׁה לָבֹא אֶל אֹהֶל מוֹעֵד כִּי שָׁכַן עָלָיו הֶעָנָן. וּכְתִיב, וַיָּבֹא מֹשֶׁה בְּתוֹךְ הֶעָנָן, וַיְהִי מֹשֶׁה בָּהָר אַרְבָּעִים יוֹם וְאַרְבָּעִים לַיְלָה אִי מֹשֶׁה לָא הֲוָה יָכִיל לְאַעֲלָא לְמַשְׁכְּנָא, אַמַּאי הֲוָה יָתִיב בְּטוּרָא כָּל אִינּוּן אַרְבְּעִין יוֹמִין.

ח. אֶלָּא תְּרֵי עֲנָנֵי הֲווּ, חַד דְּעָאל בֵּיהּ מֹשֶׁה. וְחַד דְּשָׁארִי עַל מַשְׁכְּנָא. תָּא חֲזֵי, מַה כְּתִיב וּכְבוֹד יְיָ' מָלֵא אֶת הַמִּשְׁכָּן, מִלֹּא לָא כְּתִיב, אֶלָּא מָלֵא, דַּהֲוָה שְׁלִים לְעֵילָּא וְתַתָּא, עִם מַשְׁכְּנָא דִּלְתַתָּא. תִּקּוּנָא טְמִירָא דְּנָחַת לְתַתָּא וְאִתְתַּקְּנַת שְׁכִינְתָּא.

ט. אַרְבַּע סִטְרִין דְּמַשִׁרְיָין אִתְגְּנִיזוּ. תִּקּוּנָא קַדְמָאָה דְּחַד מִשְׁמָרָה, מֵאִינּוּן ד' מַשִׁרְיָין, כֹּלָּא עַד דְּאִתְתַּקָּנוּ. רֵישָׁא לִסְטַר יְמִינָא צַדְקִיאֵ"ל, רַב מְמָנָא, רַב מַשִׁירְיָין, דְּאִיהוּ תְּחוֹת שׁוּלְטָנָא דְּמִיכָאֵ"ל, וְעִמֵּיהּ הֲווּ מִתְתַּקְּנָן כָּל אִינּוּן מַשִׁרְיָין תְּחוֹת יְדֵיהּ.

י. וְחַד מְמָנָא אִתְקַם עַל אַרְבַּע תְּלַת, אַרְבַּע לְתַתָּא, בְּגִין דְּכָל אִינּוּן מַשִׁרְיָין עִלָּאִין,

כַּד נָחְתִין לְתַתָּא, מִשְׁנַיְין שְׁמָא דִלְהוֹן, בִּשְׁמָהָן אוּחְרָנִין, כַּד אִינּוּן עָלְאִין לָא מִשְׁתַּנִּין לְעָלְמִין. וְהַאי מְמָנָא עִלָּאָה צַדְקִיאֵ"ל קָאִים עֲלַיְיהוּ לְגוֹ. אָת וַחַד נָצִיץ עַל רֵישַׁיְיהוּ, וְאִיהִי א' זְעִירָא, כַּד הַאי אָת נָצִיץ, כֻּלְהוּ נַטְלִין לְהַהוּא אֲתַר דְּנָצִיץ הַאי נְצִיצוּ.

יא. לְגוֹ מִנַּיְיהוּ, רְזִיאֵ"ל רַב מְמָנָא, רַב מַשִּׁרְיָין, דְּקַיְימָא לְגוֹ תְּחוֹת שׁוּלְטָנוּתָא דְּמִיכָאֵ"ל. וְעִמֵּיהּ כָּל אִינּוּן מַשִּׁרְיָין דִּתְחוֹת יְדֵיהּ. וְחַד מְמָנָא קָאִים עֲלַיְיהוּ בְּתַרְעָא, דְּאִתְקְרֵי רוּמִיאֵ"ל. וְסַחֲרִין לֵיהּ י"ב מְמָנָן, תְּלַת תְּלַת ד' זִמְנִין. וּרְזִיאֵ"ל רַב מְמָנָא קַיְימָא עַל כֻּלְהוּ, דְּלָא אִשְׁתַּנֵּי שְׁמֵיהּ. אָת וַחַד נָצִיץ עַל רֵישַׁיְיהוּ דְּכָל אִינּוּן מַשִּׁרְיָין, וְאִיהִי אָת ר'. כַּד הַאי נָצִיץ, נַטְלִין כֻּלְהוּ לְהַהוּא סִטְרָא דְּהַהוּא נְצִיצוּ, הַאי אָת קַיְימָא עַל עוֹנְשָׁא דִּמְגַלֵּה רָזִין וְסִימָנָךְ רֵישׁ וְקָלוֹן.

יב. לְגוֹ מִנַּיְיהוּ, יוֹפִיאֵ"ל רַב מְמָנָא, רַב מַשִּׁרְיָין, תְּחוֹת שׁוּלְטָנוּתָא דְּמִיכָאֵ"ל, וְעִמֵּיהּ הֲווֹ מִתְתַּקְנָן כָּל אִינּוּן מַשִּׁרְיָין דִּתְחוֹת יְדֵיהּ. וְלָא אִתְגַּלְיָין הָכָא בְּחֻשְׁבְּנָא, בְּגִין דְּלָא אִשְׁתְּלִימוּ הָכָא עַד דְּאָתוּ לְבֵית עוֹלָמִים. דְּתַמָּן אִשְׁתְּלִימוּ כֻּלְהוּ, וְאַסְגּוּ מַשִּׁרְיָין בִּשְׁלִימוּ. וּמַה דְּאַמְרָן הָכָא, כָּל אִינּוּן מַשִּׁרְיָין דִּתְחוֹת יְדֵיהּ, דְּאִתְמְסָרוּ בְּהַהוּא שַׁעֲתָא לְאַעֲלָא עִמֵּיהּ וְחַד מְמָנָא קַיְימָא עֲלַיְיהוּ, וְזַכְמִיאֵ"ל שְׁמֵיהּ, וי"ב מְמָנָן סַחֲרִין לֵיהּ לְכָל עִיבַר תְּלַת תְּלַת, כְּמָה דְּאַמְרָן. וְיוֹפִיאֵ"ל רַב מְמָנָא קַיְימָא עַל כֻּלְהוּ, דְּלָא אִשְׁתַּנֵּי שְׁמֵיהּ.

יג. אָת וַחַד נָצִיץ עַל רֵישַׁיְיהוּ דְּכָל אִלֵּין מַשִּׁרְיָין, וְאִיהִי אָת ק'. כַּד נָצִיץ דָּא, נַטְלִין כֻּלְהוּ לְהַהוּא סִטְרָא דְּהַהוּא נְצִיצוּ. הַאי אָת ק' תַּלְיָיא בַּאֲוִירָא, וְאַכְפְּיָא תְּלַת זִמְנִין בְּיוֹמָא. וְסַלְקָא וְנָחְתָא, תְּרֵין אַתְוָון אִלֵּין קר, אִינּוּן אַתְוָון דְּקַיְימִין בְּאֶמְצָעִיתָא, וְחַד דְּחָפֵי לְאָת א', וְחַד דְּחָפְיָא עַל י', דְּאִיהִי לְבָתַר.

יד. לְגוֹ מִנַּיְיהוּ, קְדוּמִיאֵ"ל רַב מְמָנָא, רַב מַשִּׁרְיָין, תְּחוֹת שׁוּלְטָנוּתָא דְּמִיכָאֵ"ל, עִמֵּיהּ הֲווֹ מִתְתַּקְנָן כָּל אִינּוּן מַשִּׁרְיָין דִּתְחוֹת יְדֵיהּ. וְחַד מְמָנָא קַיְימָא עֲלַיְיהוּ בְּתַרְעָא, דְּאִתְקְרֵי אֲרִיאֵ"ל. וי"ב מְמָנָן סַחֲרִין לֵיהּ, תְּלַת תְּלַת לְכָל סְטַר. וְהַאי מְמָנָא קְדוּמִיאֵ"ל קַיְימָא עֲלַיְיהוּ, דְּלָא אִשְׁתַּנֵּי שְׁמֵיהּ לְעָלְמִין. וְחַד אָת קַיְימָא נָצִיץ עַל רֵישַׁיְיהוּ, וְהוּא אָת י', כַּד הַאי נָצִיץ, נַטְלִין כֻּלְהוּ לְהַהוּא נְצִיצוּ דְּנָצִיץ. אוֹת ק' דְּקָאמְרָן חָפְיָא עַל הַאי אָת י' ר' חָפְיָא עַל א'.

טו. לְגוֹ לְגוֹ, בַּאֲתַר דְּאִקְרֵי קֹדֶשׁ, נָצִיץ וְחַד אָת בִּטְמִירוּ וּבִגְנִיזוּ, וְאִיהִי אָת ו'. וְהַאי אָת ו' נָצִיץ בִּנְצִיצוּ עַל כֻּלְהוּ אַתְוָון. וְקָלָא נָפִיק מִבֵּינַיְיהוּ דְּאִלֵּין אַתְוָון, כְּדֵין בָּטַשׁ נְצִיצוּ דְּאָת ו', לִנְצִיצוּ דְּאָת י', וְנָפַק הַהוּא נְצִיצוּ מִגּוֹ אֲתַר דְּקֹדֶשׁ וּבָטַשׁ לְגוֹ נְצִיצוּ דְּאָת י'.

טז. וּכְדֵין נְצִיצוּ דְּאָת י', בָּטַשׁ לְגוֹ נְצִיצוּ דְּאָת ק' וְנָפְקָא נְצִיצוּ דְּאָת ק', וּבָטַשׁ לְגוֹ נְצִיצוּ דְּאָת ר', וְנָפְקֵי נְצוֹצִין כֻּלְהוּ, וּמִתְחַבְּרִין לְגוֹ נְצִיצוּ דְּאָת א', דְּקַיְימָא. וְקָלָא הֲוָא נָפִיק, וּבָטַשׁ בְּכָל אִינּוּן נְצִיצִין דְּאַתְוָון כַּחֲדָא, נְצִיצוּ דְּאָת ו' בְּיוּ"ד, נְצִיצוּ דְּיוּ"ד בְּק', נְצִיצוּ דְּק' בְּר', נְצִיצוּ דְּר' בְּא'. וּמִתְחַבְּרָן גְּלִיפִין דִּנְצִיצִין, וְנָפְקֵי לְבָתַר. וּבָתַר דְּמִתְחַבְּרִין בִּנְצִיצוּצֵיהוֹן, נָפִיק קָלָא מִבֵּינַיְיהוּ, וּמִתְחַבְּרָן בְּרָזָא דָּא וַיִּקְרָא אֶל מֹשֶׁה. וּמֹשֶׁה הֲוָה מִסְתַּכַּל כָּל אִינּוּן יוֹמִין דְּלָא עָאל.

יז. לְבָתַר אִתְהַדְּרוּ אַתְוָון, וַהֲווֹ מִתְגַּלְגְּלִין בְּקוּלְפוֹי, בְּצֵירוּפִין דְּאַתְוָון דְּאִתְמְסָרוּ לְאָדָם בְּגִנְתָּא דְעֵדֶן. אָת לְאַעֲלָא בְּגוֹ טְמִירָא, לַאֲתַר דְּאִקְרֵי קֹדֶשׁ, וְנָפַק ו', וְיָהִיב דּוּכְתָּא לְאָת א', וְאִתְחַבַּר א' לְגוֹ ו', דְּבַתְרֵיהּ קר, וי' עָאל בֵּין ק' ור' וְאִשְׁתְּכַח קיר. וְאִתְגְּלִיפוּ וְאִתְנְצִיצוּ כְּמִלְּקַדְמִין, וְקָלָא נָפַק מִבֵּינַיְיהוּ, וּמִתְחַבְּרָן נְצִיצִין דְּאַתְוָון, וְנָפִיק

לבר ואתגליין לגבי כל אינון משריין, דהוו נטלין אינון אתוון. וכד מתחברן נציצין דאתוון, קלא בטש ביניהו, אתחזון בגלופייהו לכל אינון רתיכין אוקיר. וקלא אהדר מביניהו וקרי בין אינון רתיכין אוקיר אנוש מפז ואדם מכתם אופיר.

יח. זכאה חולקיה דמשה דחמי כל דא, אבל צרופא דא לא אתחמי לעיני דמשה, אלא צרופא קדמאה דאיהו ויקרא, דא הוה חמי משה, הה"ד ויקרא אל משה. וצרופא דא אחרא לא גליין ליה. בגין דשבחא דב"נ לא מודעין לקמיה. וסימניך, צאו שלשתכם, וכתיב ויקרא אהרן ומרים, וכתיב פה אל פה אדבר בו, וכתיב לא כן עבדי משה, בגין דלא מודעין שבחיה דב"נ לקמיה.

יט. סלקין אתוון, ואתהדרו בכל אינון משריין כגוונא דא, בצרופא דא אוקיר וקלא נפק ואכריז ואמר, אוקיר אנוש מפז וגו'. לבתר אתמשכו אתוון, והוו נציצין על רישייהו דכל אינון רתיכין, ואשתככו עד דאתתקנו לדוכתייהו.

כ. רישא לסטר שמאלא חזקיא"ל רב ממנא, רב משריין לכל אינון דקיימי לתרעא דמשכנא, תחות שולטנותא דגבריא"ל. ועמיה מתתקנן בההוא תרעא, כל אינון משריין דתחות ידיה. וחד ממנא אתקם על תרעא לבר, וגזריא"ל שמיה. ועמיה י"ב ממנן דסחרין ליה תלת תלת לכל סטר, לד' סטרין.

כא. ואלין שננא דלהטא דחרבא דמתהפכא בידייהו. והאי ממנא חזקיא"ל, קאים עלייהו לעילא לעילא לגו. את חד נציץ על רישייהו, ואיהי את א'. דהא לא קיימי אלין, ולא נטלי, אלא ברזא דא', דאיהי ימינא. בגין דשמאלא לא נטיל אלא בימינא. ימינא נטיל תדיר לשמאלא, דא' את נציץ ונפיק מן ימינא. כדין נטלין לההוא אתר דנציץ ההוא נציצו.

כב. לגו מניה רהטיא"ל רב משריין, דקיימא לגו תחות שלטנותא דגבריא"ל. ועמיה כל אינון משריין תחות ידיה. וחד ממנא קאים עלייהו בתרעא, דאתקרי קדשיא"ל, וסחרין ליה י"ב ממנן, תלת תלת ד' זמנין. וההוא ממנא רהטיא"ל קיימא על כלהו, דלא אשתני שמיה. את חד נציץ על רישייהו דכל אלין משריין, ואת דא איהו ז', ואיהו אתחלף גו תקונא דמשכנא באת האי אתחלף ברזא דיזל מים מדליו. ואתחלף בגלופי אתוון, ואקרי חלופא ל'. כד האי נציץ על רישייהו דכל אלין משריין, כדין כלהו נטלין לההוא סטרא דההוא נציצו.

כג. לגו מן דא, קפציא"ל רב ממנא, רב משריין, תחות שלטניה דגבריאל, ועמיה הוו מתתקנן כל אינון משריין דתחות ידיה, אינון דאתמסרו ליה בההיא שעתא, וחד ממנא קאים עלייהו עזא"ל שמיה. וי"ב ממנן סחרין ליה לכל עיבר, תלת תלת כמה דאוקימנא, וקפציא"ל רב ממנא קיימא על כלהו. את חד נציץ על רישייהו דכל אלין משריין, ואיהי את ד', וכלהו נטלי לההוא נציצו דההוא את. האי את תלייא גו אוירא, על תרין אתוון אחרנין.

כד. לגו מן דא שמעיא"ל רב ממנא, האי אתחלף לד' שמהן, בגין דלא קיימא בגלפוי. זמנין לסטר ימינא, וזמנין לסטר שמאלא, ועמיה י"ב ממנן דסחרין ליה לכל עיבר תלת תלת, כמה דאוקימנא, ורגשיא"ל רב ממנא על אלין י"ב, תחותיה דההוא ממנא אחרא. ואת חד נציץ על רישייהו לעילא, ואת דא איהי את ה', ודא תליא באוירא על כל שאר אתוון, בההוא את ד' דקאמרן. אלין תרין סליקו לעיל על כל

שְׁאָר אַחֲרָנִין, וְכֻלְּהוּ נַטְלִין לְהַהוּא נְצִיצוּ דְּתַלְיָא מֵהַהוּא אָת.

כה. לְגוֹ לְגוֹ, בַּאֲתָר דְּאִקְרֵי קֹדֶשׁ, נְצִיץ אָת וָד גּוֹ טְמִירוּ דְקֹדֶשׁ, וְאִיהִי אָת סְתִימָא. הַאי נְצִיצוּ בִּנְצִיצוּ עַל כֻּלְּהוּ אַתְוָון, וְקָלָא הוּא נָפִיק מִבֵּינַיְיהוּ דְּאִלֵּין אַתְוָון. כְּדֵין בָּטַשׁ נְצִיצוּ דְּהַאי אָת, וְנָטִיל תְּרֵין אַתְוָון אַחֲרָנִין נְצִיצִין דְּתַלְיָין בַּאֲוִירָא, וְאִינּוּן ד' ה' וְאִשְׁתְּאַר אל, וְאִתְחַבְּרָן בְּאִלֵּין אַחֲרָנִין דְּסְטָר יְמִינָא, וּבָטְשׁוּ אִלֵּין בְּאִלֵּין, וְנַטְלֵי כֻּלְּהוּ, וְאִתְהַדְרָן קַדְמָאי כְּמִלְּקַדְמִין וְנָפְקֵי לְבַר, וּכְדֵין אִקְרוֹן וַיִּקְרָא אֶל מֹשֶׁה.

כו. וַיִּקְרָא אֶל מֹשֶׁה וַיְדַבֵּר יְיָ אֵלָיו מֵאֹהֶל מוֹעֵד לֵאמֹר. רִבִּי וַיָּיא פָּתַח וְאָמַר, בָּאתִי לְגַנִּי אֲחוֹתִי כַלָּה אָרִיתִי מוֹרִי עִם בְּשָׂמִי אָכַלְתִּי יַעְרִי עִם דִּבְשִׁי שָׁתִיתִי יֵינִי עִם חֲלָבִי וְגוֹ', הַאי קְרָא לָאו רֵישֵׁיהּ סֵיפֵיהּ, וְלָאו סֵיפֵיהּ רֵישֵׁיהּ. כְּתִיב אָכַלְתִּי יַעְרִי עִם דִּבְשִׁי שָׁתִיתִי יֵינִי עִם חֲלָבִי, לְבָתַר אִכְלוּ רֵעִים. מָאן דִּמְזַמֵּן לְאַחֲרָא, כַּד מְזוֹנָא מִתַּתְקָן קָמֵיהּ. בָּתַר דְּאִיהוּ אָכַל הֵיאַךְ זַמִּין לְאַחֲרָא.

כז. אֶלָּא זַכָּאִין אִינּוּן יִשְׂרָאֵל, דְּקַבַּ"ה בָּעָא לְדַכָּאָה לְהוֹן, וְאִתְרְעֵי בְּהוֹן מִכָּל שְׁאָר עַמִּין עע"ז, וּמִדְּאִתְרְעֵי בְּהוֹן בָּעָא לְסַלְּקָא לְהוֹן מִכָּל מְקַטְרְגֵי עָלְמָא. תָּ"ח, בְּיוֹמָא דְּאִתָּקַם מַשְׁכְּנָא לְתַתָּא, בְּהַהוּא יוֹמָא אִתָּקַם מַשְׁכְּנָא אַחֲרָא לְעֵילָּא עִמֵּיהּ, דִּכְתִיב הוּקַם הַמִּשְׁכָּן סְתָם, וְהַהוּא יוֹמָא חֶדְוָותָא דְקַבַּ"ה הֲוָה.

כח. כֵּיוָן דְּאִתָּקַם מַשְׁכְּנָא מַה כְּתִיב, וְלֹא יָכוֹל מֹשֶׁה לָבֹא אֶל אֹהֶל מוֹעֵד. כַּד וַוּמָא קַבַּ"ה כָּךְ אָמַר, וּמַה עַל יְדֵי דְּמֹשֶׁה אִתָּקַם, וְאִיהוּ לְבַר, מִיַּד וַיִּקְרָא אֶל מֹשֶׁה. אָ"ל: מֹשֶׁה, וְחֶדְוָותָא דְּבֵיתָא בְּמַאי הֲוָה, בְּסְעוּדָתָא, אָדָם כִּי יַקְרִיב מִכֶּם קָרְבָּן לַיְיָ. הה"ד בָּאתִי לְגַנִּי אֲחוֹתִי כַלָּה וְגוֹ'.

כט. ד"א בָּאתִי לְגַנִּי, דָּא גַּן עֵדֶן דִּלְעֵילָּא. אֲחוֹתִי כַלָּה, דָּא כְּנֶסֶת יִשְׂרָאֵל, דְּבְהַהוּא יוֹמָא אוֹדִיווּ זוּוּגִין בְּכֹלָּא, אוֹדִיווּ זוּוּגִין בְּהַהוּא גַּן עֵדֶן, בְּגִין דְּאִתְבָּרְכוּ כֻּלְּהוּ בְּמַשְׁקְיוּ דְּנַחֲלָא, וְאִתְקְשָׁרוּ כָּל וָד בְּחַבְרֵיהּ, הֲדָא הוּא דִּכְתִיב אָרִיתִי מוֹרִי עִם בְּשָׂמִי אָכַלְתִּי יַעְרִי עִם דִּבְשִׁי שָׁתִיתִי יֵינִי עִם חֲלָבִי כֻּלְּהוֹן אִתְשַׁקְיָין וְאִתְרְווּ מִמַּבּוּעָא דְּנַחֲלָא.

ל. אִכְלוּ רֵעִים שְׁתוּ וְשִׁכְרוּ דּוֹדִים, כָּל אִינּוּן דִּלְתַתָּא. וְכֻלְּהוּ עַנְפִין כֻּלְּהוּ, אִתְבָּרְכוּ וְאִתְזָנוּ, כַּד אִלֵּין אִתְבָּרְכוּ לְעֵילָּא. וּבַמֶּה מִתְבָּרְכָאן וּמִתְבַּסְּמָאן, כֻּלְּהוּ בְּרִיוָּוא דְּקָרְבְּנָא.

לא. תָּא חֲזֵי, בְּשַׁעְתָּא דְּנָחֲתַת כ"י לְאַשְׁרָאָה דִּיּוּרָהָא בְּאַרְעָא, קַבַּ"ה אָמַר לֵיהּ, לְהַאי קְרָא, בְּגִין דְּאִשְׁתְּכָחוּ בִּרְכָּאן וְחֶדְוָה בְּכֻלְּהוּ עָלְמִין, וְאִתְבַּסְּמַת הִיא, לְנָפְקָא מִנָּהּ בִּרְכָּאן לְכֹלָּא. דְּכַד אִלֵּין שִׁית אִתְבָּרְכָאן, כְּדֵין כֻּלְּהוּ עָלְמִין אִתְבָּרְכָאן כַּחֲדָא לְתַתָּא, וּמִתְבָּרְכָאן לְעֵילָּא. וְיִשְׂרָאֵל אִתְבָּרְכוּ מִכֻּלְּהוּ. ד"א בָּאתִי לְגַנִּי אֲחוֹתִי כַלָּה. ר' יִצְחָק אָמַר, לָא אוֹדִיוְנָא קַבַּ"ה בכ"י, אֶלָּא בְּזִמְנָא דְּאִלֵּין שִׁית אַתְוָון, מַשְׁקְיוּ דְּנַחֲלָא דְּלָא פָּסַק.

רעיא מהימנא

לב. פָּתַח וְאָמַר בָּאתִי לְגַנִּי אֲחוֹתִי כַלָּה, אִיהִי מַלְכוּת, אֲדֹנָ"י. אָרִיתִי מוֹרִי, דָּא חֶסֶד, דַּרְגָּא דְּאַבְרָהָם, דְּאִתְּמַר עֲלֵיהּ אֵלֵךְ לִי אֶל הַר הַמּוֹר. עִם בְּשָׂמִי, דָּא נְצַח, דַּרְגָּא דְּאַהֲרֹן, דִּכְתִיב בֵּיהּ וְאַתָּה קַח לְךָ בְּשָׂמִים רֹאשׁ. וְאִינּוּן דְּרוֹעָא יְמִינָא, בִּירְכָא יְמִינָא. וְרָזָא דְּמִלָּה, נְעִימוֹת בִּימִינְךָ נֶצַח. וְאִינּוּן תְּרֵין בִּרְכָּן לְקַבְלַיְיהוּ, וָד מָגֵן אַבְרָהָם, וְתִנְיָינָא עֲבוֹדָה, דְּהוּא רָצָה.

לג. אָכַלְתִּי יַעְרִי, דָּא גְבוּרָה פּוֹד יִצְחָק. עִם דִּבְשִׁי זֶה תַלְמוּד. וְהַיְינוּ דְּרוֹעָא שְׂמָאלָא, עִם יַרְכָא שְׂמָאלָא. שָׁתִיתִי יֵינִי עִם חֲלָבִי, גּוּף וּבְרִית, יַעֲקֹב עִם שְׁלֹמֹה. לְבָתַר אִכְלוּ רֵעִים שְׁתוּ וְשִׁכְרוּ דּוֹדִים, י"ב שְׁבָטִים, בי"ב בִּרְכָּאן. תּוֹסֶפֶת

בִּרְכַּת הַמִּינִין, מַאן אָכִיל לָהּ, הַהוּא דְּאִתְּמַר בֵּיהּ בָּאתִי לְגַנִּי אֲחוֹתִי כַלָּה.

לד. וְאִית דְּפָלִיג לוֹן בְּרָזָא אָחֳרָא, אָרִיתִי מוֹרִי עִם בְּשָׂמִי, גּוּף וּבְרִית, יַעְרִי עִם דִּבְשִׁי, שׁוֹקָא יְמִינָא עִם שְׂמָאלָא. יֵינִי עִם חֲלָבִי, דְּרוֹעָא שְׂמָאלָא בִּימִינָא, דְּאִינּוּן יֵינִי גְּבוּרָה, חֲלָבִי חֶסֶד. (ע"כ רעיא מהימנא)

לה. ר' יְהוּדָה אָמַר, אִכְלוּ רֵעִים שְׁתוּ וְשִׁכְרוּ דּוֹדִים, אִלֵּין כָּל מָארֵי דְּיַבָּבָא וִילָלָה, דְּאִתְבְּסָמוּ כֻּלְּהוּ וְאִתְבְּרָכוּ כַּחֲדָא. דְּהָא מִסְעוּדָתָא דְּמַלְכָּא מִתְהַנְיָין כֹּלָּא. וְאֵימָתַי אַכְלֵי כֻּלְּהוּ. בְּשַׁעֲתָא דְּמַלְכָּא אָתֵי וְחַדֵּי. וְעַל דָּא מַלְכָּא אִתְחַדֵּי, וְחַדֵּי לְמַטְרוֹנִיתָא בְּקַדְמֵיתָא, לְבָתַר כֻּלְּהוּ אַכְלִין וְחַדָּאן.

לו. ר' אַבָּא אָמַר, אִכְלוּ רֵעִים שְׁתוּ וְשִׁכְרוּ דּוֹדִים, אִלֵּין אִינּוּן שִׁית דְּקָאמְרָן, וְאִלֵּין אִינּוּן דִּכְתִיב בְּהוּ, הֱבִיאַנִי הַמֶּלֶךְ חֲדָרָיו וְגוֹ'. שְׁתוּ וְשִׁכְרוּ, מֵהַהוּא יַיִן דְּרַוֵּי לְכֹלָּא. רַבִּי אֶלְעָזָר אָמַר, כָּל אִינּוּן דִּלְתַתָּא, דְּכֵיוָן דְּאִינּוּן שִׁית אִתְבָּרְכָאן, כֻּלְּהוּ דִּלְתַתָּא מִתְבָּרְכָאן.

לז. ר' שִׁמְעוֹן אָמַר, כֹּלָּא שַׁפִּיר, אֲבָל רָזָא דְּמִלָּה, אִכְלוּ רֵעִים לְעֵילָּא, שְׁתוּ וְשִׁכְרוּ דּוֹדִים לְתַתָּא. אָמַר לֵיהּ רַבִּי אֶלְעָזָר, מַאן אִינּוּן לְעֵילָּא, וּמַאן אִינּוּן לְתַתָּא. אָמַר לֵיהּ יָאוּת שָׁאִילְתָּא, דָּא אֲתַר עִלָּאָה דְּאִינּוּן בְּאַחֲדוּתָא בְּחֶדְוָותָא דְּלָא מִתְפָּרְשָׁן לְעָלְמִין, אִלֵּין אִקְרוּן רֵעִים. הה"ד וְנָהָר יוֹצֵא מֵעֵדֶן, וְעֵדֶן וְהַהוּא נָהָר לָא מִתְפָּרְשָׁן לְעָלְמִין, וְאִשְׁתְּכָחוּ לְעָלְמִין בִּרְעוּתָא בְּאַחֲדוּתָא בְּחֶדְוָותָא. שְׁתוּ וְשִׁכְרוּ דּוֹדִים, אִלֵּין אִינּוּן לְתַתָּא, דְּאִקְרוּן דּוֹדִים, לִזְמְנִין יְדִיעָן וְהָא אוֹקִימְנָא.

לח. ת"ח בְּאִינּוּן עִלָּאֵי כְּתִיב בְּהוּ אֲכִילָה בְּלָא שְׁתִיָּה. מ"ט. מַאן דְּאִית לֵיהּ גַּרְבֵּי דְּחַמְרָא, אֲכִילָה בָּעְיָא. וּבְגִין דְּתַמָּן שַׁרְיָא חַמְרָא דְּמִנְטְרָא, כְּתִיב בְּהוּ אֲכִילָה. וּבְאִינּוּן תַּתָּאֵי דְּבַעְיָין שַׁקְיוּ, כְּתִיב בְּהוּ שְׁתִיָּה, דְּהָא כָּל נְטִיעָן שַׁקְיוּ בָּעְיָין מִנַּחֲלָא דְּעָמִיקָא. וְעַל דָּא, בְּאִלֵּין אֲכִילָה, וּבְאִלֵּין שְׁתִיָּה. אִלֵּין רֵעִים וְאִלֵּין דּוֹדִים.

לט. א"ל רַבִּי אֶלְעָזָר, אִתְחֲזֵי דְּהָא דּוֹדִים וַחֲבִיבוּתָא אִינּוּן, אֲמַאי אִינּוּן תַּתָּאֵי. א"ל, אִינּוּן דְּתָאֳבִין דָּא לְדָא, וְלָא מִשְׁתַּכְּחִין תָּדִיר, אִקְרוּ דּוֹדִים. וְאִינּוּן דְּמִשְׁתַּכְּחֵי תָּדִיר, וְלָא מִתְכַּסְּיָין וְלָא מִתְפָּרְשָׁן דָּא מִן דָּא, אִקְרוּ רֵעִים. וְעַ"ד, אִלֵּין דּוֹדִים, וְאִלֵּין רֵעִים, אִלֵּין בִּרְעוּתָא בְּאַחֲדוּתָא תָּדִיר, וְאִלֵּין בְּתֵיאוּבְתָּא לִזְמְנִין. וְדָא הוּא שְׁלִימוּתָא דְּכֹלָּא, בְּגִין דְּיִתְבָּרַךְ כ"י, וּכְדֵין חֶדְוָותָא בְּכֻלְּהוּ עָלְמִין.

מ. רַבִּי חִזְקִיָּה אוֹקִים הַאי קְרָא בְּקָרְבְּנִין, בְּגִין דְּאִינּוּן סְעוּדָתָא דְּמַלְכָּא, לְקָרְבָא קַמֵּיהּ, וּמִתְהַנְיָין מִינֵּיהּ מָארֵיהוֹן דְּדִינִין, וּמִתְבַּסְּמָן כֻּלְּהוּ, וְאִשְׁתְּכַח חֶדְוָותָא בְּכֹלָּא.

מא. רַבִּי אַחָא אוֹקִים הַאי קְרָא, בְּשַׁעֲתָא דְּעָאלַת שְׁכִינְתָּא לְמַשְׁכְּנָא, דְּאִשְׁתְּכָחוּ בִּרְכָאן וְחֶדְוָון בְּכֹלָּא, וְעָאלַת שְׁכִינְתָּא כְּכַלָּה לַחוּפָּה, וּכְדֵין אִשְׁתְּלִימוּ יִשְׂרָאֵל לְתַתָּא, וְאִתְאַחֲדוּ בֵּיהּ בְּקֻבְּ"ה בְּאַרְעָא. הה"ד וְעָשׂוּ לִי מִקְדָּשׁ וְשָׁכַנְתִּי בְּתוֹכָם, וּכְדֵין עִלָּאֵי וְתַתָּאֵי אִתְבְּסָמוּ.

מב. וַיִּקְרָא אֶל מֹשֶׁה. ר"ש פָּתַח, הַנִּצָּנִים נִרְאוּ בָאָרֶץ עֵת הַזָּמִיר הִגִּיעַ וְקוֹל הַתּוֹר נִשְׁמַע בְּאַרְצֵנוּ. הַאי קְרָא אִית בֵּיהּ לְאִסְתַּכָּלָא, כֵּיוָן דִּכְתִיב נִרְאוּ בָאָרֶץ, מַהוּ דִּכְתִיב נִשְׁמַע בְּאַרְצֵנוּ, דְּהָא בְּחַד אֶרֶץ סַגְיָא. אֶלָּא הַנִּצָּנִים, אִלֵּין אִינּוּן נְטִיעָן דְּעָקַר קֻבְּ"ה וְשָׁתִיל לוֹן בְּאַתְרָא אָחֳרָא, וְאִתְרַבִּיאוּ, כִּנְטִיעָתָא כַּד אַפִּיק פֵּרוֹחִין.

מג. נִרְאוּ בָאָרֶץ, דְּהַאי אֶרֶץ מִתְבָּרְכָא מִנַּיְיהוּ כַּדְקָא חֲזֵי. וּמַאי אִיהִי. אֶרֶץ קַדִּישָׁא, אֶרֶץ עִלָּאָה, אֶרֶץ וַדַּאי. עֵת הַזָּמִיר הִגִּיעַ, עִידָּן לְאַעְקְרָא שׁוּלְטָנוּתָא דְּרַבְרְבֵי

עַמִּין דְּלָא יִשְׁלְטוּן בְּהוּ בְּיִשְׂרָאֵל, בְּשַׁעֲתָא דְּאִתְּקַם מַשְׁכְּנָא.

מד. וְקוֹל הַתּוֹר נִשְׁמַע בְּאַרְצֵנוּ, דָּא אֶרֶץ דִּלְתַתָּא, דְּאוֹחֲסָנוּ יִשְׂרָאֵל עַל יְדָא דִּיהוֹשֻׁעַ. מַאן הוּא קוֹל הַתּוֹר. דָּא הוּא תַּיָּיר עִלָּאָה, דְּאִזְדַּוּוֹג עִמֵּהּ כַּד בָּנָה שְׁלֹמֹה בֵּי מִקְדְּשָׁא לְתַתָּא, וּכְדֵין אִתְעֲטַּר קֻבָּ"ה בְּעִטְרוֹי, כְּחָתָן בְּכַלָּה. כְּדַ"א צְאֶינָה וּרְאֶינָה בְּנוֹת צִיּוֹן בַּמֶּלֶךְ שְׁלֹמֹה וְגוֹ'.

מה. בְּסִפְרָא דְּאַגַּדְתָּא אָמַר, קוֹל הַתּוֹר, דָּא תּוֹרָה שֶׁבְּעַל פֶּה, דְּתּוֹרָה דִּבְכְתָב אִקְרֵי תּוֹרָה סְתָם, תּוֹרָה שֶׁבְּעַל פֶּה אִקְרֵי תּוֹר, כְּדַ"א וַיִּקֶר אֱלֹהִים וַיִּקְרָא, דָּא שְׁלִימוּ, וְדָא לַאו הָכִי, וַאֲנָא אוֹקִימְנָא כְּמָה דְּאִתְּמָר, וְהָכִי הוּא.

מו. תָּא חֲזֵי, כַּד נָחֲתַת שְׁכִינְתָא לְמַשְׁכְּנָא, כְּתִיב כַּלַּת מֹשֶׁה, וְחָסֵר וָ', כַּלַּת מֹשֶׁה וַדַּאי, וְאוֹקִימוּהָ. אֲבָל רָזָא דְּמִלָּה. כַּלַּת מֹשֶׁה: דָּא כְּנֶסֶת יִשְׂרָאֵל, וְכֹלָּא חַד מִלָּה, וּלְמַלְכָּא עִלָּאָה אִתְּמָר. כֵּיוָן דְּאִתְּתְקַם מַשְׁכְּנָא קָאֵים מֹשֶׁה לְבַר, אָמַר לָא אִתְחֲזֵי לְמֵיעַל אֶלָּא בִּרְשׁוּתָא, מִיַּד וַיִּקְרָא אֶל מֹשֶׁה. מַאן וַיִּקְרָא. דָּא הַהִיא דְּבֵיתָא דִּילָהּ הִיא, הַהִיא כַּלָּה דְּכֹל בֵּיתָא בִּרְשׁוּתָא דִּילָהּ. וַיְדַבֵּר יְיָ' אֵלָיו, הַהוּא דְּאִקְרֵי קוֹל, הַהוּא דְּאָחֵיד בֵּיהּ מֹשֶׁה.

מז. וַיִּקְרָא אֶל מֹשֶׁה, רַבִּי אֶלְעָזָר פָּתַח, מַדּוּעַ בָּאתִי וְאֵין אִישׁ קָרָאתִי וְאֵין עוֹנֶה הַקָּצוֹר קָצְרָה יָדִי מִפְּדוּת. זַכָּאִין אִינּוּן יִשְׂרָאֵל, דְּבְכָל אֲתָר דְּאִשְׁתַּכְּחוּ, קֻבָּ"ה אִשְׁתַּכַּח עִמְּהוֹן, וְקֻבָּ"ה אִשְׁתַּכַּח בֵּינַיְיהוּ, וּמִתְפָּאַר בְּהוּ בְּיִשְׂרָאֵל, הֲדָ"ה יִשְׂרָאֵל אֲשֶׁר בְּךָ אֶתְפָּאָר.

מח. וְלָא עוֹד, אֶלָּא דְּיִשְׂרָאֵל אַשְׁלִימוּ מְהֵימְנוּתָא בְּאַרְעָא. וְיִשְׂרָאֵל שְׁלִימוּ דִּשְׁמָא קַדִּישָׁא אִינּוּן. וְכַד יִשְׂרָאֵל אִשְׁתְּלִימוּ בְּעוֹבָדַיְיהוּ, כִּבְיָכוֹל, שְׁמָא קַדִּישָׁא אִשְׁתְּלִים. וְכַד יִשְׂרָאֵל לָא אִשְׁתְּלִימוּ לְתַתָּא בְּעוֹבָדַיְיהוּ, וְאִתְחֲזִיבוּ גָּלוּתָא, כִּבְיָכוֹל שְׁמָא קַדִּישָׁא לָא שְׁלִים לְעֵילָּא. דִּתְנָן דָּא סָלִיק וְדָא נָחֵית, יִשְׂרָאֵל דִּלְעֵילָּא סָלִיק לְעֵילָּא. כְּנֶסֶת יִשְׂרָאֵל נָחֲתַת לְתַתָּא, אִתְרְחִיזְקוּ דָּא מִן דָּא, כִּבְיָכוֹל אִשְׁתְּאַר שְׁמָא קַדִּישָׁא בְּלָא שְׁלִימוּ. וְכֹלָּא בְּגִין דִּכְנֶסֶת יִשְׂרָאֵל בְּגָלוּתָא.

מט. וְאַף עַל גַּב דְּיִשְׂרָאֵל בְּגָלוּתָא, קֻבָּ"ה אִשְׁתַּכַּח בֵּינַיְיהוּ, וְאָתֵי וְאַקְדִּים לְבֵי כְּנִשְׁתָּא, וְקָרֵי וְאָמַר, שׁוּבוּ בָּנִים שׁוֹבְבִים אֶרְפָּא מְשׁוּבוֹתֵיכֶם. וְלֵית מַאן דְּאִתְּעַר רוּחֵיהּ, כְּדֵין קֻבָּ"ה אָמַר, מַדּוּעַ בָּאתִי וְאֵין אִישׁ קָרָאתִי וְאֵין עוֹנֶה. אַקְדָּמִית, וְלֵית מַאן דְּיִתְעַר רוּחֵיהּ.

נ. תָּא חֲזֵי, בְּהַהוּא יוֹמָא דְּאִשְׁתַּכְלַל בֵּי מַשְׁכְּנָא, קֻבָּ"ה אַקְדִּים וְשָׁארֵי בֵּיהּ. מִיַּד, וַיִּקְרָא אֶל מֹשֶׁה וַיְדַבֵּר יְיָ' אֵלָיו מֵאֹהֶל מוֹעֵד לֵאמֹר. וְאוֹדַע לֵיהּ דְּזִמְנִין יִשְׂרָאֵל לְמֵיחוֹב קַמֵּיהּ, וּלְאִתְמַשְׁכְּנָא הַאי אֹהֶל מוֹעֵד בְּחוֹבַיְיהוּ, וְלָא יִתְקַיְּים בִּידַיְיהוּ, הֲדָ"ה וַיְדַבֵּר יְיָ' אֵלָיו מֵאֹהֶל מוֹעֵד לֵאמֹר. מַאי אָ"ל. מֵאֹהֶל מוֹעֵד, מֵעַסְקֵי אֹהֶל מוֹעֵד, דְּזִמְנִין לְאִתְמַשְׁכְּנָא בְּחוֹבַיְיהוּ דְּיִשְׂרָאֵל, וְלָא יִתְקַיְּים בְּקִיּוּמֵיהּ. אֲבָל אַסְוָותָא לְהַאי, אָדָם כִּי יַקְרִיב מִכֶּם קָרְבָּן לַיְיָ'. הֲרֵי לָךְ קָרְבָּנִין דְּאַגֵּין עַל כֹּלָּא.

נא. רַבִּי חִזְקִיָּה, הֲוָה שָׁכִיחַ קַמֵּיהּ דְּרַבִּי שִׁמְעוֹן, אָמַר לֵיהּ, הַאי דְּאִקְרֵי קָרְבָּן, קָרוּב מִבָּעֵי לֵיהּ, אוֹ קְרִיבוּת, מַאי קָרְבָּן. אָ"ל הָא יְדִיעַ הוּא לְגַבֵּי חַבְרַיָּיא, קָרְבָּן מֵאִינּוּן כִּתְרִין קַדִּישִׁין, דְּמִתְקָרְבֵי כֻּלְּהוּ כַּחֲדָא, וּמִתְקַשְּׁרָן דָּא בְּדָא, עַד דְּאִתְעֲבִידוּ כֻּלְּהוּ חַד, בְּיִחוּדָא שְׁלִים, לְאַתְקָנָא שְׁמָא קַדִּישָׁא כַּדְקָא יֵאוֹת, הֲדָ"ה הַקְרֵב קָרְבָּן לַיְיָ'. קָרְבָּן לַיְיָ' וַדַּאי. קָרְבָּן דְּאִינּוּן כִּתְרִין קַדִּישִׁין לַיְיָ' הוּא, לְאַתְקָנָא שְׁמָא קַדִּישָׁא וּלְיַחֲדָא לֵיהּ כַּדְקָא יֵאוֹת, בְּגִין דְּיִשְׁתַּכְּחוּ רַחֲמִין בְּכֻלְּהוּ

עָלְמִין. וּשְׁמָא קַדִּישָׁא דְּאִתְעֲטַר בְּעִטְרוֹי לְאִתְבַּסְּמָא כֹּלָּא.

נב. וְכָל דָּא בְּגִין לְאַתְעָרָא רַחֲמֵי, וְלָא לְאַתְעָרָא דִּינָא. וּבְגִין כַּךְ לַיְיָ' הוּא, וְלָא לֵאלֹהִים. לַיְיָ': אֲנָן צְרִיכִים לְאַתְעָרָא רַחֲמֵי, וְלָא לֵאלֹהִים, רַחֲמֵי בָּעֵינָן וְלָא דִּינָא. אָמַר, זַכָּאָה חוּלָקֵי דְּשָׁאִילְנָא וְרַוַוחְנָא מִלִּין אִלֵּין, וְדָא בְּרִירוּ דְּמִלָּה. אֲבָל הָא כְּתִיב זִבְחֵי אֱלֹהִים רוּחַ נִשְׁבָּרָה, לֵב נִשְׁבָּר וְנִדְכֶּה אֱלֹהִים לֹא תִבְזֶה. זִבְחֵי אֱלֹהִים כְּתִיב, וְלָא זִבְחֵי יְיָ'.

נג. אָמַר לֵיהּ, וַדַּאי הָכִי הוּא, קָרְבַּן אֱלֹהִים לָא כְּתִיב, אֶלָּא זִבְחֵי אֱלֹהִים. וְעַל דָּא שְׁחִיטָתָן בַּצָּפוֹן, דְּהָא זְבִיחָה הוּא בְּגִין אֱלֹהִים, הַהוּא סְטַר גְּבוּרָה, דְּיִתְבַּסַּם וְיִתְּבַר רוּחָא דְּדִינָא, וְיִתְחַלַּשׁ דִּינָא, וְיִתְגַּבְּרוּן רַחֲמֵי עַל דִּינָא. וְעַל דָּא זִבְחֵי אֱלֹהִים, לְתַבְּרָא חֵילָא וְתוּקְפָּא דְּדִינָא קַשְׁיָא, דִּכְתִּיב רוּחַ נִשְׁבָּרָה, לְמֶהֱוֵי הַהוּא רוּחָא תַּקִּיפָא נִשְׁבָּרָה, וְלָא יִתְגַּבַּר רוּחֵיהּ וְחֵילֵיהּ וְתוּקְפֵּיהּ. וּב"נ בָּעֵי כְּדֵין, לְמֵיקַם עַל מַדְבְּחָא, בְּרוּחַ נִשְׁבָּרָה, וְיִכְסִף מֵעוֹבָדוֹי, בְּגִין דִּיהֱוֵי הַהוּא רוּחָא תַּקִּיפָא תְּבִירָא, וְכֹלָּא בְּגִין דְּדִינָא יִתְבְּסָם, וְיִתְגַּבְּרוּן רַחֲמֵי עַל דִּינָא.

נד. אָדָם כִּי יַקְרִיב מִכֶּם קָרְבָּן לַיְיָ'. א"ר אֶלְעָזָר, הַאי קְרָא הָכִי הֲוָה לֵיהּ לְמִכְתַּב, אָדָם כִּי יַקְרִיב קָרְבָּן לַיְיָ'. מַהוּ מִכֶּם. אֶלָּא לַאֲפוּקֵי אָדָם הָרִאשׁוֹן, דְּהוּא אַקְרִיב קָרְבְּנָא כַּד בָּרָא קֻבְּ"ה עָלְמָא, וְהָא אוּקְמוּהָ, וְהָכָא מִכֶּם כְּתִיב, הַאי אָדָם, לַאֲפוּקֵי אָדָם אָחֳרָא, דְּלָא הֲוָה מִכֶּם. א"ל ר' שִׁמְעוֹן, שַׁפִּיר קָאַמְרַת, וְהָכִי הוּא.

נה. רִבִּי אַבָּא פָּתַח, שִׁיר מִזְמוֹר לִבְנֵי קֹרַח. הַאי שִׁיר תּוּשְׁבַּחְתָּא מְעַלְיָא הוּא, עַל כָּל שְׁאָר תּוּשְׁבְּחָן, דְּזָכוּ לְשַׁבְּחָא לֵיהּ בְּנֵי קֹרַח. שִׁיר מִזְמוֹר: תּוּשְׁבַּחְתָּא עַל תּוּשְׁבַּחְתָּא. תּוּשְׁבַּחְתָּא דְּאִתְפַּלַּג לְתְרֵין תּוּשְׁבְּחָן.

נו. וְזָכוּ בְּנֵי קֹרַח לְשַׁבְּחָא לָהּ לִכְנֶסֶת יִשְׂרָאֵל. וּשְׁבָחָא דִּכְנֶסֶת יִשְׂרָאֵל קָא אַמְרֵי. וּמַאי הוּא. דִּכְתִּיב גָּדוֹל יְיָ' וּמְהֻלָּל מְאֹד בְּעִיר אֱלֹהֵינוּ הַר קָדְשׁוֹ. אֵימָתַי אִקְרֵי קֻבְּ"ה גָּדוֹל, בְּזִמְנָא דִּכְנֶסֶת יִשְׂרָאֵל אִשְׁתְּכָחַת עִמֵּיהּ, הה"ד בְּעִיר אֱלֹהֵינוּ, הוּא גָּדוֹל בְּעִיר אֱלֹהֵינוּ, עִם עִיר אֱלֹהֵינוּ.

נז. אָמַר לֵיהּ רִבִּי יְהוּדָה, אֱלֹהֵינוּ מַאי בָּעֵי הָכָא. א"ל הָכִי הוּא וַדַּאי, הַאי עִיר דְּחֵילָא אֱלֹהֵינוּ, וְתוּשְׁבַּחְתָּא דְּיִשְׂרָאֵל הוּא. מַאי מַשְׁמַע. אִשְׁתְּמַע, דְּמַלְכָּא בְּלָא מַטְרוֹנִיתָא, לָאו הוּא מַלְכָּא, וְלָאו הוּא גָּדוֹל, וְלָא מְהוּלָל. וּבְגִין כַּךְ, כָּל מַאן דְּלָא אִשְׁתְּכַח דְּכַר וְנוּקְבָא, כָּל שְׁבָחָא אַעְדוֹי מִנֵּיהּ, וְלָאו הוּא בִּכְלָלָא דְּאָדָם. וְלָא עוֹד אֶלָּא דְּלָאו אִיהוּ כְּדַאי לְאִתְבָּרְכָא.

נח. כְּתִיב וַיְהִי הָאִישׁ הַהוּא גָּדוֹל מִכָּל בְּנֵי קֶדֶם, תָּנֵינָן בְּסִפְרָא דְּרַב הַמְנוּנָא סָבָא, דְּבַת זוּגוֹ בְּדְחִילוּ דְּקֻבְּ"ה הֲוַת כְּוָותֵיהּ, וּמִסִּטְרָא דְּאִתְּתֵיהּ אִקְרֵי גָּדוֹל. אוּף הָכָא, גָּדוֹל יְיָ' וּמְהֻלָּל מְאֹד, וּבְמָּה הוּא גָּדוֹל. הָדַר וְאָמַר, בְּעִיר אֱלֹהֵינוּ הַר קָדְשׁוֹ.

נט. וּבְגִין כַּךְ, תּוּשְׁבַּחְתָּא דָּא בַּשֵּׁנִי. וְאִי תֵּימָא אַמַּאי לָא כְּתִיב כִּי טוֹב בַּשֵּׁנִי. בְּגִין דִּזְמִינִין לְאִתְפָּרְשָׁא. וְרָזָא דְּמִלָּה לֹא טוֹב הֱיוֹת הָאָדָם לְבַדּוֹ, בְּזִמְנָא דְּאִיהוּ לְבַדּוֹ לֹא טוֹב כְּתִיב. וְעַל דָּא לָא כְּתִיב כִּי טוֹב בַּשֵּׁנִי.

ס. גָּדוֹל ה' וּמְהֻלָּל כְּדְקַאמְרָן. יְפֵה נוֹף מְשׂוֹשׂ כָּל הָאָרֶץ, תּוּשְׁבַּחְתָּא דְּזִוּוּגָא דִּלְהוֹן. יְפֵה נוֹף, דָּא קֻבְּ"ה, וְדָא צַדִּיק, מְשׂוֹשׂ כָּל הָאָרֶץ, כְּדֵין הוּא חֶדְוָותָא דְּכֹלָּא, וּכְנֶסֶת יִשְׂרָאֵל מִתְבָּרְכָא.

סא. אֱלֹהִים בְּאַרְמְנוֹתֶיהָ נוֹדַע לְמִשְׂגָּב וְגוֹ', אִלֵּין אִינּוּן נֶצַ"ח וְהוֹ"ד, דְּתַמָּן כְּנִישׁוּתָא דְּכָל בִּרְכָאן, כְּנִישׁוּתָא דְּחֶדְוָותָא. מִתַּמָּן נָפְקָא ע"י דְּהַאי דַּרְגָּא דְּאִקְרֵי צַדִּיק, וְתַמָּן

אִתְכְּנָשׁוּ בִּרְכָאן, לְבַסְּמָא לְהַאי עִיר קַדִּישָׁא, וּלְאִתְבָּרְכָא מִתַּמָּן. כִּי הִנֵּה הַמְּלָכִים נֹועֲדוּ. אִלֵּין כָּל כִּתְרֵי מַלְכָּא בְּכֹלָּא וַדַּאי, וְלַאֲתַר אָחֳרָא מִלִּין אִלֵּין סַלְקִין.

סב. תָּ"ח, בְּשַׁעֲתָא דְּבַר נָשׁ מִתְקַן עֹובָדֹוי ע"י דְּקָרְבָּנָא, כֹּלָּא אִתְבַּסַּם וְאִתְקְרַב, וְאִתְקְשַׁר דָּא בְּדָא, בְּיִחוּדָא שְׁלִים. הֲדָא הוּא דִכְתִיב אָדָם כִּי יַקְרִיב מִכֶּם. כִּי יַקְרִיב לְקַשְּׁרָא מִלִּין כַּדְקָא חֲזֵי.

סג. תָּ"ח, אָדָם כִּי יַקְרִיב, לְאַפּוּקֵי מַאן דְּלָא אִתְנְסִיב, דְּהָא קָרְבְּנֵיהּ לָאו קָרְבָּן, וּבִרְכָאן לָא מִשְׁתַּכְּחָן לְגַבֵּיהּ, לָא לְעֵילָא, וְלָא לְתַתָּא. מִמַּשְׁמַע דִּכְתִיב אָדָם כִּי יַקְרִיב, שָׁאנֵי הָכָא, דְּלָאו אִיהוּ אָדָם, וְלָא בְּכֹלָּא דְאָדָם הוּא, וּשְׁכִינְתָּא לָא שַׁרְיָא עֲלֹוהִי, בְּגִין דְּאִיהוּ פָּגִים, וְאִקְרֵי בַּעַל מוּם, וּמָארֵי דְּמוּמָא אִתְרַחֲקָא מִכֹּלָּא, כָּ"שׁ לְמִדְבְּחָא לְקָרְבָא קָרְבָּנָא.

סד. וְנָדָב וַאֲבִיהוּא אֹוכָחַן, דִּכְתִיב וַתֵּצֵא אֵשׁ מִלִּפְנֵי יְיָ'. וּבְגִינֵי כָךְ כְּתִיב כִּי אָדָם כִּי יַקְרִיב מִכֶּם קָרְבָּן לַיְיָ', אָדָם דְּאִשְׁתַּכְחוּ דְּכַר וְנוּקְבָא, הַאי חֲזֵי לְקָרְבָא קָרְבָּנָא דָּא, וְלָא אָחֳרָא.

סה. וְאָמַר רִבִּי אַבָּא, אע"ג דְּאֹוקִמוּהָ לְנָדָב וַאֲבִיהוּא בְּמִלָּה אָחֳרָא, הָכִי הוּא וַדַּאי. אֲבָל קְטֹרֶת, עִלָּאָה הוּא מִכָּל קָרְבָּנִין דְּעָלְמָא, דַּעֲלֵיהּ אִתְבָּרְכָן עִלָּאֵי וְתַתָּאֵי. וְקָרְבָּנָא דָּא דְּאִיהוּ לְעֵילָּא מִכָּל קָרְבָּנִין לָא אִתְחֲזוּן לְקָרְבָא, דְּהָא לָא אִתְנְסִיבוּ, לְקָרְבָּנָא לָא אִתְחֲזוּן, כָּל שֶׁכֵּן לְמִלִּין עִלָּאִין, דְּיִתְבָּרְכוּן עַל יְדַיְיהוּ.

סו. וְאִי תֵּימָא וַתֵּצֵא אֵשׁ מִלִּפְנֵי יְיָ' וַתֹּאכַל אֹותָם, אֲמַאי. לב"נ דְּאָתָא קַמֵּי מַטְרֹונִיתָא, לְבַשְּׂרָא לָהּ דְּהָא מַלְכָּא אָתֵי לְבֵיתָהּ, וְיִשְׁרֵי בָהּ בְּמַטְרֹונִיתָא, לְמֹוזְדֵּי עִמָּהּ. אָתָא לְקַמֵּי מַלְכָּא, וְזָמַן מַלְכָּא הַהוּא ב"נ דְּאִיהוּ מָארֵי דְּמוּמִין. אָמַר מַלְכָּא, לָא הוּא יְקָרָא דִּילִי, דְּעַל יְדֹוי דְּהַאי פָּגִים, יֵיעֹול לְמַטְרֹונִיתָא. אַדְּהָכִי אַתְקִינַת מַטְרֹונִיתָא בֵּיתָא לְמַלְכָּא, כֵּיוָן דְּיֹומָא דְּמַלְכָּא הֲוָה זַמִּין לְמֵיתֵי לְגַבָּהּ, וְהַהוּא ב"נ גָּרִים לְאִסְתַּלְּקָא מַלְכָּא מִינָהּ, כְּדֵין פְּקִידַת מַטְרֹונִיתָא לְקַטְלָא לְהַהוּא ב"נ.

סז. כָּךְ בְּזִמְנָא דְּעָאלוּ נָדָב וַאֲבִיהוּא, וְקָטְרֶת בִּידַיְיהוּ, וַדַּאת מַטְרֹונִיתָא, וְאִתְתַּקְּנַת לְקַבְּלָא לְמַלְכָּא. כֵּיוָן דַּחֲזֹו מַלְכָּא אִינּוּן גַּבְרִין פְּגִימִין, מָארֵי דְמוּמִין, לָא בָּעָא מַלְכָּא דְּעַל יְדַיְיהוּ יֵיתֵי לְמִשְׁרֵי עִמָּהּ. כַּד וְזָאת מַטְרֹונִיתָא דִּבְגִינֵיהֹון אִסְתַּלָּק מַלְכָּא מִינָהּ, מִיָּד וַתֵּצֵא אֵשׁ מִלִּפְנֵי יְיָ' וַתֹּאכַל אֹותָם.

סח. וְכָל דָּא בְּגִין דְּמַאן דְּלָא אִתְנְסִיב הוּא פָּגִים. מָארֵיהּ דְּמוּמִין קֳדָם מַלְכָּא, קַדִּישָׁא דְּמַלְכָּא אִסְתַּלָּק מִנֵּיהּ, וְלָא שַׁרְיָא בִּפְגִימוּ. וְעַל דָּא כְּתִיב אָדָם כִּי יַקְרִיב מִכֶּם קָרְבָּן, מַאן דְּאִקְרֵי אָדָם יַקְרִיב, וּמַאן דְּלָא אִקְרֵי אָדָם לָא יַקְרִיב.

סט. מִן הַבְּהֵמָה כְּלָל. מִן הַבָּקָר וּמִן הַצֹּאן פְּרָט, לְבָתַר אִלֵּין דְּכַשְׁרִין לְמֵיכַל, וּדְלָא כַשְׁרִין לְמֵיכַל אָסִיר לְקָרְבָא. וְלַאֲתַר אָחֳרָא אִסְתַּלִּיקוּ אִינּוּן דְּכַשְׁרָן וְאִינּוּן דְּלָא כַשְׁרָן.

ע. אִם עֹלָה קָרְבָּנֹו, ר' חִיָּיא פָּתַח, כִּי לֹא מַחְשְׁבֹתַי מַחְשְׁבֹותֵיכֶם וְלֹא דַרְכֵיכֶם דְּרָכָי. כִּי לֹא מַחְשְׁבֹתַי מַחְשְׁבֹותֵיכֶם, מַחְשְׁבֹותַי כְּתִיב וְחָסֵר בְּלָא ו', תָּ"ח, מַחֲשָׁבָה דְּקוּבָּ"ה, הִיא עִלָּאָה וְרֵישָׁא דְּכֹלָּא, וּמֵהַהִיא מַחֲשָׁבָה אִתְפְּשָׁטוּ אָרְחִין וּשְׁבִילִין, לְאִשְׁתַּכְּחָא שְׁמָא קַדִּישָׁא, וּלְאִתְתַּקְּנָא לֵיהּ בְּתִקּוּנֹוי כַּדְקָא יָאֹות. וּמֵהַהִיא מַחֲשָׁבָה אִתְנְגִיד וְנָפִיק שַׁקְיוּ דְּגִנְּתָא דְּעֵדֶן, לְאַשְׁקָאָה כֹּלָּא. וּמֵהַהִיא מַחֲשָׁבָה, קָיְימִין עִלָּאִין וְתַתָּאִין. וּמֵהַהִיא מַחֲשָׁבָה, מִשְׁתַּכְּחֵי תֹּורָה שֶׁבִּכְתָב וְתֹורָה שֶׁבְּע"פ.

עא. מַחֲשָׁבָה דְּב"נ, הִיא רֵישָׁא דְּכֹלָּא, וּמֵהַהִיא מַחֲשָׁבָה, אִתְפַּשְּׁטוּ אָרְחִין וּשְׁבִילִין, לְאַסְטָאָה אוֹרְחוֹי, בְּהַאי עָלְמָא, וּבְעָלְמָא דְּאָתֵי. וּמֵהַהִיא מַחֲשָׁבָה, אִתְנְגִיד וְנָפִיק זוּהֲמָא דְּיֵצֶר הָרָע, לְאַבְאָשָׁא לֵיהּ וּלְכֹלָּא. וּמֵהַהִיא מַחֲשָׁבָה, אִשְׁתְּכָחוּ עֲבֵירוֹת וְחַטָּאוֹת וּזְדוֹנוֹת, עֲ"ז, גִּ"ע וּשְׁ"ד. וְעַל דָּא, כִּי לֹא מַחְשְׁבֹתַי מַחְשְׁבוֹתֵיכֶם.

עב. וּבְגִ"כ, רֵישָׁא דְּכֹלָּא כְּתִיב, אִם עוֹלָה קָרְבָּנוֹ. מִן הַבָּקָר, וְלָא בָּקָר, וּמַאן אִיהוּ. פַּר בֶּן בָּקָר אִיהוּ, דְּאִיהוּ דְּכַר. ר' יִצְחָק אָמַר, מִן הַבָּקָר סְתָם, וְחָזַר וּפֵירֵשׁ זָכָר תָּמִים יַקְרִיבֶנּוּ, זָכָר וְלָא נְקֵבָה, דְּהָא דְּכַר אִשְׁתְּמוֹדַע לְעֵילָּא, וְנוּקְבָא אִשְׁתְּמוֹדְעָא לְתַתָּא. וְכֵן מִן הַצֹּאן מִן הַכְּבָשִׂים וּמִן הָעִזִּים.

עג. מַאן דְּאָתֵי לְעוֹלָה, כֻּלְּהוּ דְּכַר, וְלָא נוּקְבָא, בְּגִין דְּעוֹלָה עוֹלָה עַל הַלֵּב, עַל הַלֵּב וַדַּאי, וְאִשְׁתְּמוֹדַע מַאן דְּקָאִים עַל הַלֵּב. וּבְגִ"כ סַלְּקָא לְעֵילָּא, וְכֻלְּהוּ דִּכְרִין. וְעַל דָּא פָּתַח קְרָא בְּרֵישָׁא בְּעוֹלָה יַתִּיר מִכָּל שְׁאָר קָרְבְּנִין, דְּהָא מַחֲשָׁבָה רֵישָׁא דְּכֹלָּא.

עד. אָמַר ר' יְהוּדָה, אִי הָכִי בַּאֲתַר דְּמַחֲשָׁבָה דִּלְעֵילָּא בָּעְיָא לְקָרְבָא, אֲמַאי לְתַתָּא יַתִּיר. לָא הֲוָה בִּידֵיהּ. אָתָא לְקַמֵּיהּ דְּרַבִּי שִׁמְעוֹן, אָמַר לֵיהּ, רֵישָׁא דְּכֹלָּא מַחֲשָׁבָה הוּא, וְסִיּוּמָא דְּהַהִיא מַחֲשָׁבָה אֲתַר דְּאִקְרֵי בֹּקֶר, וּמַאי אִיהוּ. הַהוּא סִיּוּמָא דְּגוּפָא, דִּמְבַסֵּם לְנוּקְבָא. כָּךְ מַחֲשָׁבָה דְּב"נ, רֵישָׁא דְּכֹלָּא. סִיּוּמָא דְּהַהִיא מַחֲשָׁבָה, כַּד אִתְעֲבֵיד עוֹבָדָא. אֵימָתַי. בַּבֹּקֶר. הה"ד הוֹי חוֹשְׁבֵי אָוֶן וּפוֹעֲלֵי רָע, אֵימָתַי, עַל מִשְׁכְּבוֹתָם בְּאוֹר הַבֹּקֶר יַעֲשׂוּהָ. וְעַ"ד לְהַהוּא אֲתַר דְּמַחֲשָׁבָה, מַחֲשָׁבָה אִסְתַּלִּיק. וְעוֹבָדָא מִתְקָרְבָא לְסִיּוּמָא דְּמַחֲשָׁבָה וַדַּאי.

עה. רַבִּי אַחָא הֲוָה אָזִיל בְּאָרְחָא, וַהֲוָה עִמֵּיהּ ר' יְהוּדָה, עַד דַּהֲווּ אַזְלֵי, א"ר יְהוּדָה, הָא דִּתְנֵינָן בְּתוּלַת יִשְׂרָאֵל, בְּתוּלָה דְּאִתְבָּרְכָא מִן שֶׁבַע, דְּאִקְרֵי בַּת שֶׁבַע, וְאוֹקְמוּהָ בְּכַמָּה אֲתַר. וּבְתוּלָה לְתַתָּא, יָרְתָא ז' בְּרָכוֹת בְּגִינָהּ. וְהָא כְּתִיב וְאַתָּה בֶן אָדָם שָׂא קִינָה עַל בְּתוּלַת יִשְׂרָאֵל, וַדַּאי עָלָהּ אִתְּמַר, עַל כְּנֶסֶת יִשְׂרָאֵל. וְדָא קַשְׁיָא מִכֹּלָּא, דִּכְתִּיב נָפְלָה לֹא תוֹסִיף קוּם בְּתוּלַת יִשְׂרָאֵל. וְהַאי דְּקָא אַמְרֵי כֻּלְּהוּ חַבְרַיָּיא בְּמִלָּה דָּא שַׁפִּיר הוּא. אֲבָל אִי פַּרְשְׁתָּא אִתְּמַר בְּאֹרַח נֶחָמָה הֲוֵינָן אַמְרֵי הָכִי. אֲבָל בְּהַאי קִינָה אִתְּמַר, וְהָא קְרָא אוֹכַח הָכִי.

עו. א"ל וַדַּאי הָכִי הוּא, וְהָא הֲוָה קַשְׁיָא לִי הַהוּא מִלָּה יַתִּיר מִכֹּלָּא, וַאֲתֵינָן לְגַבֵּי דְּר' שִׁמְעוֹן, בַּחֲשׁוֹכָן דְּאַנְפִּין. אָמַר לִי, מֵחֵיזוּ דְּאַנְפָּךְ, אִשְׁתְּמוֹדַע מַה דִּבְלִבָּךְ. אֲמֵינָא לֵיהּ וַדַּאי, דְּאַנְפַּי וְלִבַּי שָׁוִין. אָמַר לִי אֵימָא לִי מִלָּךְ. אֲמֵינָא לֵיהּ, כְּתִיב נָפְלָה לֹא תוֹסִיף קוּם בְּתוּלַת יִשְׂרָאֵל, מַאן דְּאִית לֵיהּ רוּגְזָא בִּדְבֵיתְהוּ, וְנָפְקָא מִנֵּיהּ, לָא תֶּהְדַּר לְעָלְמִין, אִי הָכִי וַוי לִבְנִין דְּאִתְתָּרְכוּ עִמָּהּ. אָמַר לִי, וְלָא סַגֵּי לָךְ מַה דְּאַמְרוּ כֻּלְּהוּ חַבְרַיָּיא. אֲמֵינָא, הָא שְׁמַעְנָא מִלַּיְיהוּ, דְּהֲוָה מְרַחֲמֵי, וְלָא מִתְיַשְּׁבָן בְּלִבָּאִי.

עז. אָמַר, כָּל מַה דְּאַמְרוּ חַבְרַיָּיא כֹּלָּא שַׁפִּיר וְיָאוּת, אֲבָל וַוי לְדָרָא כַּד רַעְיָין לָא מִשְׁתַּכְּחִין, וְעָנָא סָאטָן וְאָזְלִין, וְלָא יַדְעִין לְאָן אֲתַר אַזְלֵי, לָא לִימִינָא וְלָא לִשְׂמָאלָא. וַדַּאי הַאי קְרָא בָּעְיָא לְמִנְדַּע, וְכֻלְּהוּ גַּלְיָין לְאִינּוּן דְּחַמָּאן בְּאָרְחָא דְּאוֹרַיְיתָא בְּאֹרַח קְשׁוֹט.

עח. ת"ח, בְּכֻלְּהוּ גָּלֻוָתָא דְּגָלוּ יִשְׂרָאֵל, לְכֻלְּהוּ שַׁוֵּי זִמְנָא וְקִצָּא, וּבְכֻלְּהוּ הֲווּ יִשְׂרָאֵל תַּיְיבִין לְקֻבְּ"ה, וּבְתוּלַת יִשְׂרָאֵל הֲוָה תָּבַת לְאַתְרָהָא, בְּהַהוּא זִמְנָא דְּגָזַר עָלָהּ. וְהַשְׁתָּא בְּגָלוּתָא דָּא בַּתְרָאָה לָאו הָכִי, דְּהָא הִיא לָא תֵּיתוּב הָכִי כְּזִמְנִין אָחֳרָנִין, וְהַאי קְרָא אוֹכַח, דִּכְתִּיב נָפְלָה לֹא תוֹסִיף קוּם בְּתוּלַת יִשְׂרָאֵל, נָפְלָה וְלֹא אוֹסִיף לַהֲקִימָהּ לָא כְּתִיב.

עט. מְתַל לְמַלְכָּא דִּרְגַז עַל מַטְרוֹנִיתָא, וְאַשְׁדֵּי לָהּ מֵהֵיכָלֵיהּ, לְזִמְנָא יְדִיעָא. כַּד

הֲוָה מָטֵי הַהוּא זִמְנָא, מִיַּד מַטְרוֹנִיתָא הֲוַת עָאלַת וְתָבַת קָמֵי מַלְכָּא. וְכֵן זִמְנָא וְחַד, וּתְרֵין, וּתְלַת זִמְנִין. לְזִמְנָא בַּתְרַיְיתָא, אִתְרַחֲקַת מֵהֵיכְלָא דְמַלְכָּא, וְאַשְׁדֵּי לָהּ מַלְכָּא מֵהֵיכָלֵיהּ לְזִמְנָא רְחִיקָא. אָמַר מַלְכָּא, הַאי זִמְנָא לָאו הוּא כִּשְׁאָר זִמְנִין דְּהִיא תֵּיתֵי קָמָאי הָכִי, אֶלָּא אֲנָא אֵיזִיל עִם כָּל בְּנֵי הֵיכָלִי וְאִתְבַּע עָלָהּ.

פ. כַּד מָטָא לְגַבָּהּ, וְחָמָא לָהּ דַּהֲוָה שְׁכִיבַת לְעַפְרָא. מַאן וְחָמָא יְקָרָא דְמַטְרוֹנִיתָא בְּהַהִיא זִמְנָא, וּבָעוּתִין דְמַלְכָּא לְקַבְּלָהּ עַד דְּאָחִיד לָהּ מַלְכָּא בִּידוֹי, וְאוֹקִים לָהּ, וְאַיְיתֵי לָהּ לְהֵיכָלֵיהּ, וְאוֹמֵי לָהּ דְּלָא יִתְפְּרַשׁ מִינָּהּ לְעָלְמִין, וְלָא יִתְרְחִיק מִינָּהּ.

פא. כָּךְ קֻבָּ"ה, כָּל זִמְנִין דִּכְנֶסֶת יִשְׂרָאֵל בְּגָלוּתָא, כַּד הֲוָה מָטֵי זִמְנָא, הִיא אַתְיָאת וְהַדְרַת קָמֵי מַלְכָּא. וְהַשְׁתָּא בְּגָלוּתָא דָא לָאו הָכִי, אֶלָּא קֻבָּ"ה יוֹחִיד בִּידָהָא, וִיוֹקִים לָהּ, וְיִתְפַּיֵּיס בַּהֲדָהּ וְיָתִיב לָהּ לְהֵיכָלֵיהּ. וְתָא חֲזֵי דְּהָכִי הוּא, דְּהָא כְּתִיב נָפְלָה לֹא תוֹסִיף קוּם, וְעַל דָא כְּתִיב, בַּיּוֹם הַהוּא אָקִים אֶת סֻכַּת דָּוִד הַנֹּפֶלֶת, הִיא לֹא תוֹסִיף קוּם כִּזְמְנִין אָחֳרָנִין, אֲבָל אֲנָא אוֹקִים לָהּ. וְעַל דָּא כְּתִיב בַּיּוֹם הַהוּא אָקִים אֶת סֻכַּת דָּוִד הַנֹּפֶלֶת, אֲנִי אָקִים אֶת סוּכַּת דָּוִד. מַאן סֻכַּת דָּוִד. דָּא בְּתוּלַת יִשְׂרָאֵל. הַנּוֹפֶלֶת: כְּמָה דִכְתִּיב נָפְלָה. וְדָא הִיא יְקָרָא דִבְתוּלַת יִשְׂרָאֵל, וְתוּשְׁבַּחְתָּא דִילָהּ. וְדָא אוֹלִיפְנָא בְּהַהִיא שַׁעֲתָא.

פב. א"ר יְהוּדָה, וַדַּאי מִלְּתָא עַל לִבָּאִי, וְאִתְיַשְּׁבָא, וְדָא בְּרִירוּ דְמִלָּה. וְאִלְמָלֵא הַאי, כְּמִלָּה וְחָדָא דְּשַׁמְעֲנָא וְשַׁכְחְנָא, וְהַשְׁתָּא רְוִוחְנָא לָהּ, דְּתַנְיָא, א"ר יוֹסֵי, זַמִּין קֻבָּ"ה לְאַכְרְזָא עַל כְּנֶסֶת יִשְׂרָאֵל וְיֵימָא, הִתְנַעֲרִי מֵעָפָר קוּמִי שְׁבִי יְרוּשָׁלִַם, כְּמַאן דְּאָחִיד בִּידָא דְּחַבְרֵיהּ וְיֵימָא הִתְנָעֵר, קוּם, כָּךְ קֻבָּ"ה יוֹחִיד בָּהּ וְיֵימָא הִתְנַעֲרִי, קוּמִי.

פג. א"ל ר' אַבָּא, וְכֵן כָּל אִינּוּן בְּנֵי הֵיכְלָא דְמַלְכָּא בְּלִישָׁנָא דָא פַּתְחִין, הה"ד קוּמִי אוֹרִי כִּי בָא אוֹרֵךְ, הָא מַלְכָּא הָכָא, וַדַּאי כְּדֵין הוּא יְקָרָא דִילָהּ, וְחֶדְוָותָא דְכֹלָּא, כַּד מַלְכָּא אִתְפַּיֵּיס בַּהֲדָהּ. בְּכָל אִינּוּן זִמְנִין אִיהִי אָתַת לְגַבֵּי דְמַלְכָּא, וְקָמַת קָמֵיהּ, הה"ד וַתָּבֹא לִפְנֵי הַמֶּלֶךְ, וַתַּעֲמוֹד לִפְנֵי הַמֶּלֶךְ. אֲבָל בְּזִמְנָא דָא לָאו הָכִי, אֶלָּא מַלְכָּא יֵיתֵי לְגַבָּהּ, וְיִתְפַּיֵּיס בַּהֲדָהּ, וְיָתִיב לָהּ לְהֵיכָלֵיהּ. הה"ד הִנֵּה מַלְכֵּךְ יָבֹא לָךְ וַדַּאי, וְלָא אַנְתְּ לְגַבֵּיהּ, יָבֹא לָךְ, לְפַיְּיסָא לָךְ. יָבֹא לָךְ, לְאַקָמָא לָךְ. יָבֹא לָךְ, לְאַשְׁלְמָא לָךְ בְּכֹלָּא. יָבֹא לָךְ, לְאַעֲלָאָה לָךְ לְהֵיכָלֵיהּ, וּלְאִזְדַּוְּוגָא עִמָּךְ זִוּוּגָא דְעָלְמִין, כד"א וְאֵרַשְׂתִּיךְ לִי בֶּאֱמוּנָה.

פד. עַד דַּהֲווּ אָזְלֵי פָּגַע בְּהוּ רַבִּי אַבָּא. אָמְרוּ, הָא מָארֵיהּ דְחָכְמְתָא אָתֵי, נְקַבֵּל אַנְפֵּי שְׁכִינְתָּא. כַּד קָרִיבוּ בַּהֲדֵיהּ, אִשְׁתְּמִיט מִקִּסְטוּרָא דְקוּפְטְרָא, וּנְחַת גַּבַּיְיהוּ.

פה. פָּתַח וְאָמַר, וַיְהִי קוֹל הַשּׁוֹפָר הוֹלֵךְ וְחָזֵק מְאֹד וְגו'. וַיְהִי קוֹל הַשּׁוֹפָר, הָכָא אַפְלִיגוּ סִפְרֵי קַדְמָאֵי, וְכֻלְּהוּ בְּחַד מִלָּה אִתְתַּקְעוּ. אִית מַאן דְּאָמַר, קוֹל הַשּׁוֹפָר תְּרֵי, קוֹל חַד, הַשּׁוֹפָר תְּרֵי. וְדַיְיק לָהּ, מִדְּלָא כְּתִיב וַיְהִי הַשּׁוֹפָר הוֹלֵךְ וְחָזֵק, אֶלָּא קוֹל הַשּׁוֹפָר, קוֹל דְּנָפִיק מִשּׁוֹפָר, דְּוַדַּאי שׁוֹפָר אִקְרֵי, כד"א יִתָּקַע בְּשׁוֹפָר גָּדוֹל, וְהַאי אִיהוּ שׁוֹפָר גָּדוֹל, דְּבֵיהּ נָפְקִין עַבְדִין לְחֵירוּת עָלְמִין. וְהָא אוֹקְמוּהָ.

פו. וְאִית מַאן דְּתָנֵי וְדַיְיק דְּכֹלָּא חַד, בְּגִין דִּכְתִּיב קוֹל הַשּׁוֹפָר, קוֹל דְּאִקְרֵי שׁוֹפָר. וּמנ"ל דְּאִקְרֵי קוֹל. מִמָּה דִכְתִּיב קוֹל גָּדוֹל וְלֹא יָסָף, וְהַאי קוֹל גָּדוֹל אִקְרֵי שׁוֹפָר. וְעַל דָּא קוֹל הַשּׁוֹפָר הוֹלֵךְ כְּתִיב. לְאָן הוֹלֵךְ. אִי תֵּימָא לְהַר סִינַי, אוֹ לְיִשְׂרָאֵל. יוֹרֵד מִבָּעֵי לֵיהּ. אֶלָּא אוֹרַיְיתָא מֵהָכָא נָפְקָא. וּמֵאֲתַר דָּא, דְּאִיהוּ כְּלָלָא דְכָל שְׁאָר קָלִין אִתְיְהִיבַת, וְכַד יִסְתַּכְּלוּן מִלֵּי כֹּלָּא חַד.

פז. וְעַל דָּא, לוּזֵי קַדְמָאֵי רְשִׁימִין מֵהַאי אֲתַר הֲווֹ, וְדָא הוּא רָזָא דְּמִלָּה דִּכְתִּיב וְזָרוּת עַל הַלּוּזוֹת, אַל תִּקְרֵי וְזָרוּת, אֶלָּא וְזֵירוּת, וְזֵירוּת מַמָּשׁ, אֲתַר דְּכָל וְזֵירוּ בֵּיהּ תַּלְיָא. ות״וֹז, לֵית לָךְ מִלָּה בְּאוֹרַיְיתָא, דְּאַמְרִין כֻּלְּהוּ וַזְבְרַיָּיא דָּא הָכִי וְדָא הָכִי, דְּלָא אָזִיל כֹּלָּא לַאֲתַר וַזָד, וּלְמַבּוּעָא וַזָד אִתְכְּנַשׁ.

פוז. הוֹלֵךְ: כד״א, כָּל הַנְּוֹזָלִים הוֹלְכִים אֶל הַיָּם. וּכְתִיב הַכֹּל הוֹלֵךְ אֶל מָקוֹם אֶוֹזָד. וְוֹזָזֵק מְאֹד, כְּמָה דִּתְנֵינָן כְּלִי מַוֲוֹזִיק אַרְבָּעִים סְאָה. וְוֹזָזֵק מְאֹד, דְּלֵית לָךְ מִלָּה בְּאוֹרַיְיתָא וַזַלָּשָׁא אוֹ תְּבִירָא, דְּכַד תִּסְתַּכַּל וְתִנְדַּע בָּהּ, דְּלָא תִּשְׁכַּוֹז לָהּ תַּקִּיפָא כְּפַטִּישָׁא דְּמִתְבַּר טִינָּרִין. וְאִי אִיהִי וַזַלָּשָׁא, מִינָּךְ הוּא. כְּמָה דְּאוֹקְמוּהָ, דִּכְתִּיב כִּי לֹא דָבָר רֵק הוּא, וְאִם רֵק הוּא, מִכֶּם אִיהוּ. וְעַל דָּא וְוֹזָזֵק מְאֹד.

פט. כְּתִיב מֹשֶׁה יְדַבֵּר וְהָאֱלֹהִים יַעֲנֶנּוּ בְקוֹל, בַּאֲתַר דָּא אִתְכְּלִילוּ מִלִּין עִלָּאִין, הָא אוֹקְמוּהָ וְהָאֱלֹהִים יַעֲנֶנּוּ בְקוֹל, בְּקוֹלוֹ שֶׁל מֹשֶׁה, בְּהַהוּא קוֹל דְּאָוֹזִיד בֵּיהּ מֹשֶׁה. הָכָא אִית לְאִסְתַּכְּלָא דְּהָא אִפְּכָא הֲוָה, דִּכְתִּיב וַיְדַבֵּר אֱלֹהִים, וְהָכָא כְּתִיב מֹשֶׁה יְדַבֵּר.

צ. אֶלָּא אִית דְּאַמְרֵי, בְּגִין דִּכְתִּיב, וַיֹּאמְרוּ אֶל מֹשֶׁה דַּבֵּר אַתָּה עִמָּנוּ וְנִשְׁמָעָה וְאַל יְדַבֵּר עִמָּנוּ אֱלֹהִים. וְעַ״ד מֹשֶׁה יְדַבֵּר, וְהָאֱלֹהִים יַעֲנֶנּוּ. בְּגִין דְּלָא אִשְׁתְּכַוֹז מִלָּה בְּאוֹרַיְיתָא מִפּוּמָא דְּמֹשֶׁה בִּלְוֹזוֹדוֹי, וְדָא הוּא דְּאוֹקְמוּהָ, קְלָלוֹת שֶׁבְּמִשְׁנֵה תּוֹרָה מֹשֶׁה מִפִּי עַצְמוֹ אֲמָרָן. מֵעַצְמוֹ לָא תָּנֵינָן, אֶלָּא מִפִּי עַצְמוֹ, הַלָּלוּ מִפִּי הַגְּבוּרָה. וְהַלָּלוּ מִפִּי עַצְמוֹ, מִפִּי הַהוּא קוֹל דְּאָוֹזִיד בֵּיהּ, דְּאִקְרֵי הָכִי. וְשַׁפִּיר מִלָּה.

צא. וּבְסִפְרָא דְּאַגַּדְתָּא דְּבֵי רַב אַמְרֵי, אע״ג דְּאוֹרַיְיתָא מִפִּי הַגְּבוּרָה אִתְּמַר כּוּלָּהּ, מִפִּי עַצְמוֹ שֶׁל מֹשֶׁה כְּמוֹ כֵּן אִתְּמַר. וּמַאי אִיהוּ. כְּגוֹן קְלָלוֹת שֶׁבְּמִשְׁנֵה תוֹרָה. וּלְבָתַר אִתְכְּלִילָן בִּגְבוּרָה, הה״ד מֹשֶׁה יְדַבֵּר וְהָאֱלֹהִים יַעֲנֶנּוּ בְקוֹל. מֹשֶׁה יְדַבֵּר, דָּא קוֹלוֹ שֶׁל מֹשֶׁה. וְהָאֱלֹהִים יַעֲנֶנּוּ בְקוֹל, דָּא גְּבוּרָה, דְּאוֹדֵי לֵיהּ לְהַהוּא קָלָא. הה״ד יַעֲנֶנּוּ בְּקוֹל בְּהַהוּא קוֹל דְּמֹשֶׁה. וְהַשְׁתָּא מַאן דְּפָתַוז בְּמִלֵּי דְּאוֹרַיְיתָא, לִיפְתַּוז וְיֵימָא, יָתִבוּ.

צב. פָּתַוז רִבִּי אַבָּא וְאָמַר, כְּתִיב וּבַת כֹּהֵן כִּי תִהְיֶה אַלְמָנָה וּגְרוּשָׁה וְזֶרַע אֵין לָהּ וְגוֹ׳, זַכָּאָה וֹזוּלָקֵיהוֹן דְּיִשְׂרָאֵל מִכָּל עַמִּין עע״ז, דְּהָא קֻבּ״ה כַּד בָּרָא עָלְמָא, לָא בָּרָא לֵיהּ אֶלָּא בְּגִינֵיהוֹן דְּיִשְׂרָאֵל, בְּגִין דִּיקַבְּלוּן אוֹרַיְיתָא בְּטוּרָא דְּסִינַי, וְיִתְדַּכּוּן בְּכֹלָּא, וְיִשְׁתַּכְּוֹזוּן זַכָּאִין קָמֵיהּ.

צג. תָּא וַזֵי, כַּד אִשְׁתְּלִים הַאי עָלְמָא בְּהוּ בְּיִשְׂרָאֵל, כְּגַוְונָא דִּלְעֵילָּא, וְהַהוּא אָדָם אִתְנְעִיץ בְּאַרְעָא, וְרוּמֵיהּ מָטֵי עַד צֵית שְׁמַיָּא, בָּעָא קֻבּ״ה לְאַשְׁלְמָא נִשְׁמְתָא קַדִּישָׁא מֵעֵילָּא לְתַתָּא, בְּגִין דְּיִתְאֲוֹזִיד וְיִתְקְשַׁר דָּא בְּדָא, הה״ד וַיִּיצֶר יְיָ׳ אֱלֹהִים אֶת הָאָדָם עָפָר מִן הָאֲדָמָה וְגוֹ׳. לְמֶהֱוֵי קָשִׁיר דָּא בְּדָא, וְיִשְׁתַּכַּוז שְׁלִים כְּגַוְונָא דִּלְעֵילָּא, וְיִשְׁלֶם וְיִתַּקַּן גַּרְמֵיהּ הָכִי.

צד. וּבְגִ״כ בָּרָא לֵיהּ דְּכַר וְנוּקְבָא, לְמֶהֱוֵי שְׁלִים. וְאֵימָתַי אִקְרֵי ב״נ שְׁלִים כְּגַוְונָא דִּלְעֵילָּא בְּשַׁעֲתָא דְּאִזְדַּוָּוג בְּבַת זוּגֵיהּ בְּאַוֲזְדוּתָא בְּוֶוזְדְוָותָא בִּרְעוּתָא, וְיַפִּיק מִנֵּיהּ וּמִנּוּקְבֵיהּ בֵּן וּבַת. וּכְדֵין הוּא בַּר נָשׁ שְׁלִים כְּגַוְונָא דִּלְעֵילָּא, וְאַשְׁלִים הוּא לְתַתָּא, כְּגַוְונָא דִּשְׁמָא קַדִּישָׁא עִלָּאָה, וּכְדֵין אִתְקְרֵי שְׁמָא קַדִּישָׁא עִלָּאָה עָלֵיהּ.

צה. וּבַר נָשׁ דְּלָא בָּעֵי לְאַשְׁלְמָא שְׁמָא קַדִּישָׁא לְתַתָּא, טַב לֵיהּ דְּלָא אִתְבְּרֵי, דְּהָא לֵית לֵיהּ וֹזוּלָקָא כְּלַל בִּשְׁמָא קַדִּישָׁא. וְכַד נָפִיק נִשְׁמָתֵיהּ מִנֵּיהּ, לָא אִתְאֲוֹזְדָא בֵּיהּ כְּלַל, דְּהָא אַזְעַר דְּיוּקְנָא דְּמָארֵיהּ עַד דְּאִתְקַשְׁרָא וְאִתְתַּקְּנַת בְּכֹלָּא.

צו. הה"ד וּבַת כֹּהֵן כִּי תִהְיֶה אַלְמָנָה וּגְרוּשָׁה וְגוֹ'. וּבַת כֹּהֵן, דָּא נִשְׁמְתָא קַדִּישָׁא, דְּאִתְקְרֵי בְּרַתָּא דְּמַלְכָּא, דְּהָא אוֹקְמוּהָ דְּנִשְׁמְתָא קַדִּישָׁא מִזִּוּוּגָא דְּמַלְכָּא וּמַטְרוֹנִיתָא נָפְקַת. וּבְגִינֵי כַּךְ הֵיךְ גּוּפָא דִּלְתַתָּא מִדְּכַר וְנוּקְבָא, אוּף הָכִי נִשְׁמְתָא לְעֵילָּא. כִּי תִהְיֶה אַלְמָנָה מֵהַהוּא גּוּפָא דְּאִזְדַּוְּוגַת בֵּיהּ, וּמִית. וּגְרוּשָׁה, דְּאִתְתָּרְכַת מֵהַהוּא חוּלָקָא דִּשְׁמָא קַדִּישָׁא. וְכָל כַּךְ לָמָּה, בְּגִין דְּזֶרַע אֵין לָהּ לְאִשְׁתַּכְּחָא כְּגַוְונָא דִּלְעֵילָּא, וּלְאִתְקַשְּׁרָא בִּשְׁמָא קַדִּישָׁא. וְשָׁבָה אֶל בֵּית אָבִיהָ, מַאן וְשָׁבָה. וְשָׁבָה סְתָם, לְאִתְתַּקְנָא כְּמִלְּקַדְמִין. וּכְדֵין וְשָׁבָה אֶל בֵּית אָבִיהָ, דָּא קב"ה. כִּנְעוּרֶיהָ: כְּקַדְמֵיתָא. מִלֶּחֶם אָבִיהָ תֹּאכֵל, לְאִתְעַנְּגָא בְּעִנּוּגָא דְּמַלְכָּא.

צז. מִכָּאן וּלְהָלְאָה, וְכָל זָר לֹא יֹאכַל קֹדֶשׁ. מַאן הוּא זָר. הַהוּא דְּלָא אוֹקִים שְׁמָא קַדִּישָׁא דְּתַתָּא, וְלֵית לֵיהּ בֵּיהּ חוּלָקָא. לֹא יֹאכַל קֹדֶשׁ, לֵית בֵּיהּ חוּלָקָא מֵעִנּוּגָא דִּלְעֵילָּא דְּאִית בֵּיהּ אֲכִילָה, דִּכְתִיב אִכְלוּ רֵעִים, אֲכִילָה דִּלְעֵילָּא, עִנּוּגָא דקב"ה הֲוֵי, וְהַאי עִנּוּגָא שַׁרְיָא, בְּאֲתַר דְּשַׁרְיָא כַּד רֵיחָא דְּקָרְבְּנָא הֲוָה סָלִיק.

צח. תָּא חֲזֵי, בְּשַׁעְתָּא דְּאִשְׁתְּכַח מְזוֹנָא לְתַתָּא, אִשְׁתְּכַח מְזוֹנָא לְעֵילָּא. לְמַלְכָּא דְּאִתְקַן סְעוּדָתָא דִּילֵיהּ, וְלָא אִתְקַן לְעַבְדוֹהִי. כַּד אִתְקַן לְעַבְדוֹהִי, אָכִיל הוּא סְעוּדָתָא דִּילֵיהּ, וְאִינּוּן אָכְלֵי סְעוּדָתַיְיהוּ, הה"ד אָכַלְתִּי יַעְרִי עִם דִּבְשִׁי, דָּא סְעוּדָתָא דְּמַלְכָּא. אִכְלוּ רֵעִים שְׁתוּ וְשִׁכְרוּ דּוֹדִים, דָּא סְעוּדָתָא דִּידְהוּ מֵרֵיחָא דְּקָרְבְּנָא, כַּד רֵיחָא דְּקָרְבְּנָא הֲוָה סָלִיק. וּבְגִינֵי כַּךְ אִקְרֵי רֵיחַ נִיחוֹחַ לַיְיָ'. רֵיחַ לְעַבְדוֹהִי. נִיחוֹחַ לַיְיָ'. וְעַל דָּא סְעוּדָתָא דְּמַלְכָּא אִתְעַכַּב, בְּגִין סְעוּדָתָא דְּעַבְדוֹהִי. וּבְגִין כַּךְ, יִשְׂרָאֵל מְפַרְנְסֵי לַאֲבִיהֶן שֶׁבַּשָּׁמַיִם תָּנֵינָן. וּמִסְּעוּדָתָא דְּמַלְכָּא מַאן אָכִיל. אֶלָּא אִינּוּן נִשְׁמָתִין דְּצַדִּיקַיָּיא.

צט. תּוּ פָּתַח וְאָמַר, הִנֵּה מַה טּוֹב וּמַה נָּעִים שֶׁבֶת אַחִים גַּם יָחַד, זַכָּאִין אִינּוּן יִשְׂרָאֵל, דְּלָא יָהַב לוֹן קב"ה לְרַבְרְבָא, אוֹ לִשְׁלִיחָא, אֶלָּא יִשְׂרָאֵל אֲחִידָן בֵּיהּ, וְהוּא אָחִיד בְּהוּ, וּמֵחֲבִיבוּתָא דִּלְהוֹן קָרָא לוֹן קב"ה עַבְדִין. הה"ד כִּי לִי בְנֵי יִשְׂרָאֵל עֲבָדִים עֲבָדַי הֵם. לְבָתַר קָרָא לוֹן בָּנִים, הה"ד בָּנִים אַתֶּם לַיְיָ' אֱלֹהֵיכֶם. לְבָתַר קָרָא לוֹן אַחִים, הה"ד לְמַעַן אַחַי וְרֵעָי וְגוֹ'. וּבְגִין דְּקָרָא לוֹן אַחִים, בָּעָא לְשַׁוָּואָה מְדוֹרֵיהּ בְּהוּ, וְלָא יַעְדֵּי מִנַּיְיהוּ. כְּדֵין כְּתִיב הִנֵּה מַה טּוֹב וּמַה נָּעִים שֶׁבֶת אַחִים גַּם יָחַד.

ק. וּבוּצִינָא קַדִּישָׁא הָכִי אָמַר, הִנֵּה מַה טּוֹב וּמַה נָּעִים וְגוֹ', כְּד"א וְאִישׁ אֲשֶׁר יִקַּח אֶת אֲחוֹתוֹ. וּבְסִפְרָא דְּרַב יֵיבָא סָבָא, וְאִישׁ: דָּא קב"ה. אֲשֶׁר יִקַּח אֶת אֲחוֹתוֹ: דָּא כנ"י. וְכָל כַּךְ לָמָּה. חֶסֶד הוּא, חֶסֶד הוּא וַדַּאי, וְהָא אוֹקְמוּהָ. וְעַל דָּא הִנֵּה מַה טּוֹב וּמַה נָּעִים שֶׁבֶת אַחִים גַּם יָחַד, קב"ה וּכְנֶסֶת יִשְׂרָאֵל. גַּם, לְרַבּוֹת יִשְׂרָאֵל דִּלְתַתָּא. כְּדְאָמְרִינָן, דְּהָא בְּשַׁעְתָּא דִּכְנֶסֶת יִשְׂרָאֵל בְּאַחְדוּתָא בקב"ה, יִשְׂרָאֵל דִּלְתַתָּא שַׁרְיָין בְּחֶדְוָותָא גַּם אִינּוּן בקב"ה. וּבג"כ גַּם יָחַד כְּתִיב. וּבְסִפְרָא דְּרַב הַמְנוּנָא סָבָא, גַּם יָחַד, לְרַבּוֹת צַדִּיק. בָּהּ, בִּכְנֶסֶת יִשְׂרָאֵל, דְּאִינּוּן זִוּוּגָא חַד, וְכֹלָּא מִלָּה חָדָא.

קא. וְתָנֵינָן בְּפָרְשָׁתָא דִּשְׁמַע יִשְׂרָאֵל יְיָ' אֱלֹהֵינוּ יְיָ' אֶחָד, מַהוּ אֶחָד. דָּא כְּנֶסֶת יִשְׂרָאֵל דְּאָחִיד בֵּיהּ בקב"ה. דְּאָמַר רַבִּי שִׁמְעוֹן, זִוּוּגָא דִּדְכַר וְנוּקְבָא אִקְרֵי אֶחָד. בַּאֲתַר דְּנוּקְבָא שַׁרְיָא, אֶחָד אִקְרֵי. מַאי טַעֲמָא. בְּגִין דִּדְכַר בְּלָא נוּקְבָא פַּלְגּ גּוּפָא אִקְרֵי, וּפַלְגּ לָאו הוּא חַד. וְכַד מִתְחַבְּרָן כַּחֲדָא תְּרֵי פַּלְגֵי גּוּפָא, אִתְעֲבִידוּ חַד גּוּפָא, וּכְדֵין אִקְרֵי אֶחָד.

קב. וְהַשְׁתָּא קב"ה לָא אִקְרֵי אֶחָד. וְרָזָא דְּמִלָּה, כְּנֶסֶת יִשְׂרָאֵל בְּגָלוּתָא, וקב"ה סָלִיק לְעֵילָּא לְעֵילָּא, וְזִוּוּגָא אִתְפְּרַשׁ, וּשְׁמָא קַדִּישָׁא לָא אִשְׁתְּכַח שְׁלִים, וְאֶחָד לָא

אִקְרֵי. וְאֵימָתַי יִתְקְרֵי אֶחָד, בְּשַׁעֲתָא דְּמַטְרוֹנִיתָא תִּשְׁתְּכַח בֵּיהּ בְּמַלְכָּא, וְיִזְדַּוְּוגוּן כַּחֲדָא. הה״ד, וְהָיְתָה לַיְיָ׳ הַמְּלוּכָה. מַאן מְלוּכָה. דָּא כְּנֶסֶת יִשְׂרָאֵל, דְּמַלְכוּ בָּהּ אִתְקְשַׁר, כְּדֵין בַּיּוֹם הַהוּא יִהְיֶה יְיָ׳ אֶחָד וּשְׁמוֹ אֶחָד. וְעַל דָּא, הִנֵּה מַה טוֹב וּמַה נָּעִים שֶׁבֶת אַחִים גַּם יָחַד.

קג. כַּשֶּׁמֶן הַטּוֹב עַל הָרֹאשׁ. מַאן שֶׁמֶן הַטּוֹב. דָּא מְשַׁח רְבוּת קוּדְשָׁא, דְּנָגִיד וְנָפִיק מֵעַתִּיקָא קַדִּישָׁא, דְּאִשְׁתְּכַח בְּהַהוּא נָהָר עִלָּאָה, דְּיָנְקָא לִבְנִין, לְאַדְלָקָא בּוֹצִינִין, וְהַהוּא מְשַׁח נָגִיד בְּרֵישָׁא דְּמַלְכָּא, וּמֵרֵישֵׁיהּ לִיקִירוּ דְּדִיקְנָא קַדִּישָׁא, וּמִתַּמָּן נָגִיד לְכָל אִינּוּן לְבוּשֵׁי יְקָר דְּמַלְכָּא אִתְלְבַּשׁ בְּהוּ. הה״ד שֶׁיּוֹרֵד עַל פִּי מִדּוֹתָיו. עַל פִּי מִדּוֹתָיו מַמָּשׁ, וְאִלֵּין אִינּוּן כִּתְרֵי מַלְכָּא דִּשְׁמֵיהּ קַדִּישָׁא אִשְׁתְּכַח בְּהוּ.

קד. תָּא חֲזֵי, כָּל נְגִידוּ, וְכָל חֵידוּ דְּעָלְמִין, לָא נָחִית לְבִרְכָא, אֶלָּא עַל יְדָא דְּאִלֵּין כִּתְרִין קַדִּישִׁין, דְּאִינּוּן שְׁמָא דְּמַלְכָּא קַדִּישָׁא, וּבְגִ״כ שֶׁיּוֹרֵד עַל פִּי מִדּוֹתָיו. עַל פִּי מִדּוֹתָיו וַדַּאי כד״א עַל פִּי אַהֲרֹן וּבָנָיו תִּהְיֶה. כַּךְ עַל פִּי מִדּוֹתָיו, נָחִית וְנָגִיד לְכֻלְּהוּ עָלְמִין, לְאִשְׁתַּכְּחָא בִּרְכָאן לְכֹלָּא. וְתָא חֲזֵי, הַאי שֶׁמֶן טוֹב לָא זַמִּין, עַד הַהוּא זִמְנָא דְּפוּלְחָנָא דִּלְתַתָּא הֲוָה סָלִיק, וְאִתְעֲרָן דָּא בְּדָא, הה״ד שֶׁמֶן וּקְטֹרֶת יְשַׂמַּח לֵב. שֶׁמֶן לְעֵילָּא, וּקְטֹרֶת לְתַתָּא, כְּדֵין הוּא חֶדְוָותָא דְּכֹלָּא. רַבִּי אַחָא וְר׳ יְהוּדָה זְקִיפוּ יְדַיְין, וְאוֹדוּ לְרַבִּי אַבָּא.

קה. ר׳ אַחָא פָּתַח, וַיָּבֹא אֱלֹהִים אֶל אֲבִימֶלֶךְ בַּחֲלוֹם הַלָּיְלָה, וּכְתִיב וַיֹּאמֶר אֵלָיו הָאֱלֹהִים בַּחֲלוֹם גַּם אָנֹכִי יָדַעְתִּי כִּי בְתָם לְבָבְךָ עָשִׂיתָ זֹּאת. הַאי וַיָּבֹא אֱלֹהִים אֶל אֲבִימֶלֶךְ, מַאי שְׁנָא בְּאוּמוֹת הָעוֹלָם, וַיָּבֹא אֱלֹהִים, וּלְיִשְׂרָאֵל לָא. אֶלָּא הָכִי תָּנֵינָן, כָּל אֱלֹהִים דְּהָכָא, הַהוּא חֵילָא רַבְרְבָא דִּמְמַנָּא עֲלַיְיהוּ הֲוָה, כְּגַוְונָא דָּא וַיָּבֹא אֱלֹהִים אֶל בִּלְעָם לַיְלָה, הַהוּא חֵילָא דְּאִתְפְּקַד עָלֵיהּ.

קו. וְאִי תֵּימָא וַיֹּאמֶר אֵלָיו הָאֱלֹהִים בַּחֲלוֹם. הָכִי הוּא וַדַּאי, גַּם אָנֹכִי יָדַעְתִּי, גַּם אַמַּאי הָכָא. אֶלָּא לְרַבּוֹת קָא אָתָא, דְּאע״ג דִּלְעֵילָּא מִנַּאי יְדִיעַ, גַּם אָנֹכִי יָדַעְתִּי. וָאֶחְשׂוֹךְ גַּם אָנֹכִי, גַּם לְרַבּוֹת, אוֹתְךָ מֵחֲטוֹ לִי, מֵחֲטוֹ וְחָסֵר אָלֶף כְּתִיב, מַאי קָאָמַר בְּגִין דְּחַטָּאָה לָאו בְּחֵילָא קַיְּימָא.

קז. אֶלָּא הָכִי אוֹלִיפְנָא, בְּחוֹבֵיהוֹן דְּעַמָּא דִּלְתַתָּא, אִתְפְּגִים לְעֵילָּא. בְּחוֹבֵי עַמָּא דִּלְתַתָּא, אִתְעֲבַר רַבְרְבָא דִּלְהוֹן דִּלְעֵילָּא מִשּׁוּלְטָנֵיהּ. הה״ד וָאֶחְשׂוֹךְ גַּם אָנֹכִי אוֹתְךָ, דְּאע״ג דִּלְעֵילָּא מִנַּאי תַּלְיָא מִלְּתָא, גַּם אָנֹכִי לְרַבּוֹת לְגַרְמֵיהּ, מֵחֲטוֹ לִי, בְּגִין דְּלָא יִשְׁתְּכַח גַּבַּאי, כְּהַאי מַחַט דְּנָעִיץ בְּבִשְׂרָא, דְּלָא תִּגְרוֹם לִי אַתְּ בְּחוֹבָךְ לְאַעְבְּרָא לִי מִשּׁוּלְטָנִי, וְיִקּוּצוּן בִּי, דְּלָא תָקוּץ לִי בְּמַחֲטָךְ, כד״א וָאָקֻץ בָּם, כְּהָנֵי קוֹצִין דְּנָעִיצִין בְּבִשְׂרָא. מַאי מַשְׁמַע. מַשְׁמַע דְּבְחוֹבֵי בְּנֵי אֱנָשָׁא, עַבְדִּין פְּגִימוּ לְעֵילָּא, מַאי אִיהוּ. כד״א וּבְפִשְׁעֵכֶם שֻׁלְּחָה אִמְּכֶם.

קח. וְעַ״ד קָרְבָּן אִתְקְרִיב, מַאי קָרְבָּן. הַאי דְּקָאמְרָן דִּכְתִיב, וּבְפִשְׁעֵכֶם שֻׁלְּחָה אִמְּכֶם. דְּהָא חֵטְא גָּרִים פְּרוּדָא בְּחוֹבֵיהּ. קָרְבָּן קָרִיב עָלְמָא עִלָּאָה בְּעָלְמָא תַּתָּאָה וְאִתְעֲבֵיד כֹּלָּא חַד. אָתוּ ר׳ אַבָּא וְר׳ יְהוּדָה, וְאוֹדוּ לֵיהּ לְרַבִּי אַחָא.

קט. פָּתַח רַבִּי יְהוּדָה וְאָמַר, עִבְדוּ אֶת יְיָ׳ בְּשִׂמְחָה וְגוֹ׳. עִבְדוּ אֶת יְיָ׳ בְּשִׂמְחָה, הָכִי אוֹלִיפְנָא, דְּכָל פּוּלְחָנָא דְּבָעֵי ב״נ לְמִפְלַח לְקֻבָּ״ה, בָּעֵי בְּחֶדְוָותָא, בִּרְעוּתָא דְּלִבָּא, בְּגִין דְּיִשְׁתְּכַח פּוּלְחָנֵיהּ בִּשְׁלִימוּ. וְאִי תֵּימָא פּוּלְחָנָא דְּקָרְבְּנָא הָכִי הוּא. לָא אֶפְשָׁר, דְּהָא הַהוּא בַּר נָשׁ דְּעָבַר עַל פִּקּוּדָא דְּמָארֵיהּ, עַל פִּקּוּדָא דְּאוֹרַיְיתָא, וְתָב לְקַמֵּי דְּמָארֵיהּ,

בְּמַאן אַנְפִּין יְקוּם קָמֵיהּ, הָא וַדַּאי בְּרוּחַ תְּבִירָא, בְּרוּחַ עָצִיב, אָן הוּא שִׂמְחָה, אָן הוּא רְנָנָה.

קי. אֶלָּא תַּמָּן תָּנֵינָן, הַהוּא ב"נ דְּחָטֵי קַמֵּי מָארֵיהּ, וְעָבַר עַל פִּקּוּדוֹי, וְאָתֵי לְקָרְבָא קָרְבְּנָא, וּלְתַקְּנָא גַּרְמֵיהּ, בְּרוּחַ תְּבִירָא, בְּרוּחַ עֲצִיבָא בָּעֵי לְאִשְׁתַּכְּחָא, וְאִי בָּכֵי שַׁפִּיר מִכֹּלָּא. הָא שִׂמְחָה הָא רְנָנָה לָא אִשְׁתְּכַח. אֶלָּא בְּמַאי אִתְתַּקַּן. בְּהַנְהוּ כַּהֲנֵי וְלֵיוָאֵי, דְּהָא אִינּוּן אַשְׁלִימוּ שִׂמְחָה וּרְנָנָה בְּגִינֵיהּ. שִׂמְחָה בְּכַהֲנָא אִתְקַיָּים, בְּגִין דְּהוּא רְחִיקָא מִן דִּינָא תָּדִיר, וְכַהֲנָא בָּעֵי לְאִשְׁתַּכְּחָא תָּדִיר בְּאַנְפִּין נְהִירִין, וַחֲדָאן יַתִּיר מִכָּל עַמָּא. דְּהָא כִּתְרָא דִּילֵיהּ גָּרִים. רְנָנָה בְּלֵיוָאֵי, וְהָכִי הוּא, דְּהָא לֵיוָאֵי מִשְׁתַּכְּחֵי עַל שִׁיר לְעָלְמִין, כְּמָה דְּאוֹקְמוּהָ.

קיא. וְאִלֵּין קַיְימִין עָלֵיהּ, וּבֵיהּ אִשְׁתְּלִים פּוּלְחָנָא לְקֻבְּ"ה. כַּהֲנָא קָאִים עָלֵיהּ וְכַוֵּון מִילִּין, בְּחֶדְוָותָא בִּרְעוּתָא, לְיַיחֲדָא שְׁמָא קַדִּישָׁא כִּדְקָא יָאוּת. וְלֵיוָאֵי בְּשִׁיר. כְּדֵין כְּתִיב דְּעוּ כִּי יְיָ' הוּא אֱלֹהִים. דָּא הוּא קָרְבָּן לְקָרְבָא רַחֲמֵי בְּדִינָא, וּמִתְבַּסֵּם כֹּלָּא.

קיב. הַשְׁתָּא דְּלָא אִשְׁתְּכַח קָרְבְּנָא, מַאן דְּחָטֵי קַמֵּי מָארֵיהּ וְתָב לְגַבֵּיהּ, וַדַּאי בִּמְרִירוּ דְּנַפְשָׁא, בַּעֲצִיבוּ, בִּבְכִיָּה, בְּרוּחַ תְּבִירָא, הֵיאַךְ אוֹקִים שִׂמְחָה וּרְנָנָה, הָא לָא אִשְׁתְּכָחוּ גַּבֵּיהּ. אֶלָּא הָכִי אוֹקְמוּהָ, דְּתוּשְׁבְּחָן דְּמָארֵיהּ, וְחֶדְוָותָא דְּאוֹרַיְיתָא, וּרְנָנָה דְּאוֹרַיְיתָא, דָּא הוּא שִׂמְחָה וּרְנָנָה. וְהָא תָּנֵינָן וְלָא מִתּוֹךְ עַצְבוּת וְכוּ', דְּלָא יְקוּם בַּר נָשׁ קָמֵיהּ מָארֵיהּ בַּעֲצִיבוּ וְהָא לָא יָכִיל וּמַאי תַּקַּנְתֵּיהּ.

קיג. אֶלָּא רָזָא דְּמִלָּה, הָא תָּנֵינָן לְעוֹלָם יִכָּנֵס אָדָם שִׁיעוּר שְׁנֵי פְּתָחִים וְכוּ', וִיצַלֵּי צְלוֹתֵיהּ הֲדָא הוּא דִּכְתִיב, לִשְׁמוֹר מְזוּזוֹת פְּתָחַי, שְׁנֵי פְּתָחִים ס"ד, אֶלָּא אֵימָא שִׁיעוּר שְׁנֵי פְּתָחִים. כָּאן רֶמֶז לְמָה שֶׁאָמַר דָּוִד, שְׂאוּ שְׁעָרִים רָאשֵׁיכֶם, אִינּוּן מָעוֹן וּמָכוֹן, דְּאִינּוּן גּוֹ לְגוֹ, שֵׁירוּתָא דְּדַרְגִּין: חֶסֶד, וּפַחַד. וְאִינּוּן פִּתְחִין דְּעָלְמָא. עַל דָּא אִצְטְרִיךְ בַּר נָשׁ דְּיִתְכַּוֵּון בִּצְלוֹתֵיהּ לְקַבֵּל קֹדֶשׁ קוּדְשִׁין, דְּאִינּוּן שְׁמָא קַדִּישָׁא, וִיצַלֵּי צְלוֹתֵיהּ. וְהַנְהוּ אִלֵּין שִׁיעוּר ב' פִּתְחִין, ב' כִּתְרִין.

קיד. וְאִית דְּמַתְנֵי הָכֵי, שִׂמְחָה, דָּא כְּנֶסֶת יִשְׂרָאֵל. וְשִׂמְחָה הָא אוֹקְמוּהָ, כְּדִכְתִיב, כִּי בְשִׂמְחָה תֵצֵאוּ וְגוֹ'. וּזְמִינִין יִשְׂרָאֵל לְנָפְקָא מִן גָּלוּתָא, בְּהַאי שִׂמְחָה. וּמַאן אִיהִי כְּנֶסֶת יִשְׂרָאֵל. וְעַ"ד עִבְדוּ אֶת יְיָ' בְּשִׂמְחָה, כְּמָה דִּכְתִיב בְּזֹאת יָבֹא אַהֲרֹן אֶל הַקֹּדֶשׁ, וְכֹלָּא חַד.

קטו. בֹּאוּ לְפָנָיו בִּרְנָנָה, דָּא שְׁלִימוּ דִּילָהּ. דְּשִׂמְחָה בַּלֵּב, וּרְנָנָה בַּפֶּה. וְדָא הוּא שְׁלִימוּ יַתִּיר. וּשְׁלִימוּ דְּהַאי שִׂמְחָה הָא אִשְׁתְּמוֹדְעָא, וְהָא יְדִיעָא. וְדָא הוּא תִּקּוּנָא דְּבַר נָשׁ לְקַמֵּיהּ מָארֵיהּ. כְּדֵין דְּעוּ כִּי יְיָ' הוּא הָאֱלֹהִים. וְכֹלָּא בְּחַד מִלָּה אַתְיָא, דְּבָעֵי לְבָתַר לְיַיחֲדָא שְׁמָא קַדִּישָׁא כִּדְקָא יָאוּת, וּלְקַשְּׁרָא דָּא בְּדָא לְמֶהֱוֵי כֹּלָּא חַד, וְדָא הוּא פּוּלְחָנָא דְּקֻבְּ"ה. אָמְרוּ לֵיהּ רִבִּי אֲחָא וְר' אַבָּא, וַדַּאי הָכִי הוּא. זַכָּאָה חוּלָקֵיהוֹן דְּצַדִּיקַיָּיא דְּמִשְׁתַּדְּלֵי בְּאוֹרַיְיתָא, וְיַדְעֵי אָרְחוֹי דְּקֻבְּ"ה, קָמוּ וְאָזְלוּ אֲבַתְרֵיהּ דְּרִבִּי אַבָּא, ג' מִילִין.

קטז. פָּתַח ר' אַבָּא וְאָמַר, וַאֲנִי בְּרוֹב חַסְדְּךָ אָבֹא בֵיתֶךָ, הָכִי אוֹקְמוּהָ, דְּלָא לִבְעֵי לֵיהּ לְבַר נָשׁ לְמֵיעַל לְבֵי כְּנִישְׁתָּא, אֶלָּא אִי אִימְלַךְ בְּקַדְמֵיתָא, בְּאַבְרָהָם וְיִצְחָק וְיַעֲקֹב. בְּגִין דְּאִינּוּן תַּקִּינוּ צְלוֹתָא לְקַמֵּי דְּקֻבְּ"ה, הה"ד, וַאֲנִי בְּרוֹב חַסְדְּךָ אָבֹא בֵיתֶךָ. אָבֹא בֵיתֶךָ: דָּא אַבְרָהָם. אֶשְׁתַּחֲוֶה אֶל הֵיכַל קָדְשְׁךָ: דָּא יִצְחָק. בְּיִרְאָתֶךָ: דָּא יַעֲקֹב, וּבָעֵא לְאַכְלְלָא לוֹן בְּרֵישָׁא, וְיֵעוֹל לְבֵי כְּנִישְׁתָּא, וִיצַלֵּי צְלוֹתֵיהּ. כְּדֵין כְּתִיב, וַיֹּאמֶר לִי

עַבְדִּי אָתָּה יִשְׂרָאֵל אֲשֶׁר בְּךָ אֶתְפָּאָר.

קיז. אִם עוֹלָה קָרְבָּנוֹ מִן הַבָּקָר. אָמַר רִבִּי יוֹסֵי, מַאי שְׁנָא מִן הַבָּקָר לְעוֹלָה, וּמִן הַצֹּאן לְעוֹלָה, וּמִן הָעוֹף לְעוֹלָה. אִי כֹּלָּא וַחַד, בְּגִין מַה שַׁנְיָא דָּא מִן דָּא, דְּהָא מִן כֹּלָּא אִתְעֲבִיד וְחַד מִלָּה. אֶלָּא, מַאן דְּאַדְבַּק יְדֵיהּ לְדָא, מַקְרִיב מִן הַבָּקָר. וְאִי לָא יָכִיל, מִן הַצֹּאן. וְאִי לָא יָכִיל מִן הָעוֹף. דְּהָא כְּתִיב, וְאִם דַּל הוּא וְאֵין יָדוֹ מַשֶּׂגֶת, דְּהָא קֻבָּ"ה לָא אַטְרַח עָלֵיהּ דְּבַר נָשׁ יַתִּיר, בְּמִלָּה דְּלָא יָכִיל.

קיח. אָמַר רִבִּי אֶלְעָזָר, כְּמָה דַּהֲוָה וְחָטָאָה הָכִי הֲוָה מַקְרִיב. עֲתִירָא, דְּזִמְנִין דְּלִבֵּיהּ גַּס בֵּיהּ, הֲוָה מַקְרִיב תּוֹרָא. בְּגִין דְּלִבֵּיהּ וְחָשִׁיב יַתִּיר לְמֶוֱטֵי קָמֵיהּ מָארֵיהּ. בֵּינוֹנִי, מַקְרִיב מִן הַצֹּאן, בְּגִין דִּרְעוּתֵיהּ לָאו גַּס בֵּיהּ כָּל כָּךְ לְמֶוֱטֵי. מִסְכְּנָא דְּלִבֵּיהּ לָא גַּס בֵּיהּ, רְעוּתֵיהּ נָמוּךְ מִכֹּלָּא, מַקְרִיב מֵהַהוּא קָלִיל מִכֹּלָּא. וְאִשְׁתְּמוֹדְעָן קָרְבְּנַיְיהוּ לְכֻלְּהוּ, כָּל וְחַד וְחַד בִּלְווּדַיְיהוּ, וְקֻבָּ"ה דָּאִין דִּינָא כָּל וְחַד וְחַד בְּמַתְקְלָא יְשָׁרָה.

קיט. רִבִּי אֶלְעָזָר שָׁאִיל לְר' שִׁמְעוֹן אֲבוּהִי, א"ל, הָא תָּנֵינָן דְּעַל תְּלַת חוֹבֵי עָלְמָא רָעָב בָּא לָעוֹלָם, וְכֻלְּהוּ חוֹבֵי לָא מִשְׁתַּכְּחֵי אֶלָּא בַּעֲתִירֵי, בְּגִין דְּלִבַּיְיהוּ גַּס בְּהוּ, וְלָא מִשְׁתַּכְּחֵי בְּמִסְכְּנֵי, מַה דִּינָא הוּא, דְּקֻבָּ"ה קָטִיל לְמִסְכְּנֵי, וְקָאִים לַעֲתִירֵי, דְּהָא מֵהַשְׁתָּא יוֹסְפוּן לְמֶוֱטֵי קָמֵיהּ. אָמַר לֵיהּ יָאוּת שָׁאֲלַתְּ וְהָא אוֹקְמוּהָ חַבְרַיָּיא וְאָמְרוּ, כַּד בָּעָא קֻבָּ"ה לְאִתְפָּרְעָא מִן רַשִּׁיעַיָּא וּלְאוֹבְדָא לְהוּ מִן עָלְמָא, כְּדֵין יָהִיב לְהוּ שָׁלוֹם, וְאַשְׁלִים לְהוּ בְּכֹלָּא.

קכ. אֲבָל ת"ח, דְּכָל בְּנֵי עָלְמָא לָא מִשְׁתַּכְּחִין קְרִיבִין לְמַלְכָּא עִלָּאָה, כְּאִלֵּין מָאנִין דְּאִיהוּ אִשְׁתַּמַּשׁ בְּהוּ. וּמַאן אִינּוּן. לֵב נִשְׁבָּר וְנִדְכֶּה. וְאֶת דַּכָּא וּשְׁפַל רוּחַ. אִלֵּין אִינּוּן מָאנֵי דְּמַלְכָּא. וְכַד אִשְׁתַּכַּח בַּצּוֹרֶת בְּעָלְמָא, וְכַפְנָא וְדִינָא אִתְתַּקַּף עַל מִסְכְּנֵי, כְּדֵין בָּכָאן וְגָעָאן קָמֵי מַלְכָּא, וְקֻבָּ"ה קָרִיב לוֹן יַתִּיר מִכֹּלָּא, הה"ד כִּי לֹא בָזָה וְלֹא שִׁקַּץ עֱנוּת עָנִי. וּכְדֵין קֻבָּ"ה פָּקִיד עַל מַה אַתְיָא כַּפְנָא לְעָלְמָא. וַוי לְאִינּוּן חַיָּיבַיָּא דְּגַרְמֵי הַאי.

קכא. כַּד אִתְּעַר מַלְכָּא לְאַשְׁגָּחָא בְּעָלְמָא עַל קָלָא דְּמִסְכְּנֵי, רַחֲמָנָא לִישֵׁזְבָן מִנַּיְיהוּ, וּמֵעוּלְבָּנַיְיהוּ, כְּדֵין כְּתִיב, שָׁמוֹעַ אֶשְׁמַע צַעֲקָתוֹ. שָׁמוֹעַ אֶשְׁמַע תְּרֵי זִמְנֵי: וְחַד לְאַשְׁגָּחָא בְּקָלֵיהוֹן. וְחַד לְאִתְפָּרְעָא מִן אִינּוּן דְּגַרְמִין לוֹן הַאי. הה"ד, וְשָׁמַעְתִּי כִּי חַנּוּן אָנִי וְחָרָה אַפִּי וְגוֹ'. וְעַל דָּא בְּשַׁעֲתָא דְּכַפְנָא אִשְׁתְּכַח בְּעָלְמָא, וַוי לְאִינּוּן עֲתִירֵי לְחַיָּיבַיָּא, בְּקָלֵיהוֹן דְּמִסְכְּנֵי לְקָמֵי קֻבָּ"ה.

קכב. תָּא חֲזֵי דְּהַהוּא קָרְבְּנָא דְּמִסְכְּנָא, קָלִיל מִכֹּלָּא, בְּגִין דְּלִבֵּיהּ תָּבִיר, ואע"ג דְּחָשִׁיב לְמֶוֱטֵי, אִתְעֲבָר מִנֵּיהּ. דְּהָא דַּי לֵיהּ בְּצַעֲרֵיהּ, וּדְאִינְשֵׁי בֵּיתֵיהּ. וְעַ"ד כָּל קָרְבְּנָא וְקָרְבְּנָא, כָּל וְחַד וְחַד בִּלְווּדוֹי, אִשְׁתְּמוֹדְעָן כֻּלְּהוּ לְגַבֵּי כַּהֲנָא.

קכג. עוֹבָדָא בְּהַהוּא עֲתִירָא, דְּקָרִיב קָמֵי כַּהֲנָא תְּרֵין יוֹנִין, כַּד חָמָא לֵיהּ כַּהֲנָא, אָמַר לֵיהּ, לָאו דִּידָךְ הוּא הַאי קָרְבְּנָא. אָתָא לְבֵיתֵיהּ וַהֲוָה עָצִיב. אָמְרוּ לֵיהּ אֲחוֹי אֲמַאי אַתְּ עָצִיב. אָמַר לְהוּ, דְּלָא קָרִיב לִי כַּהֲנָא קָרְבְּנָא דִּילִי. אָמְרוּ לֵיהּ וּמַאי אִיהוּ. אָמַר לְהוּ תְּרֵין יוֹנִין. אָמְרוּ לֵיהּ, וְהָא מִן מִסְכְּנָא אִיהוּ, וְלָאו דִּידָךְ. דְּהָא כְּתִיב, וְאִם דַּל הוּא וְאֵין יָדוֹ מַשֶּׂגֶת וְגוֹ'. אֶלָּא קָרִיב קָרְבְּנָךְ. אָמַר לְהוּ מַאי אִיהוּ. אָמְרוּ לֵיהּ וְחַד תּוֹרָא.

קכד. אָמַר לְהוּ, וּמַה כָּל כָּךְ וְחֲמִירָא מַחֲשָׁבָה דְּחַטָּאָה. נַדַּרְנָא, דְּלָא אַסְלַק עַל לִבָּאי מַחֲשָׁבָה דְּחַטָּאָה. מִתַּמָּן וּלְהָלְאָה מַה עֲבַד. כָּל יוֹמָא אִשְׁתְּדַל בְּסְחוֹרָתָא,

וּבְלֵילְיָא הֲוָה נָאִים, כַּד אִתְעַר, הֲוָה קָרֵי לְאַוּוזֵי, וְאוֹלִיפוּ לֵיהּ מִילֵי דְאוֹרַיְיתָא, וַהֲוָה לָעֵי עַד דְסָלִיק יְמָמָא. וְאִשְׁתְּכַח דְאוֹלִיף אוֹרַיְיתָא, וַהֲוָה קָארֵי לֵיהּ יְהוּדָה אַוְזָרָא. יוֹמָא חַד אִיעֲרַע בֵּיהּ רִבִּי יֵיסָא סָבָא, וַהֲוָה פָּרִישׁ נִכְסוֹי, פַּלְגּוּ לְמִסְכְּנֵי וּפַלְגּוּ לִסְחוֹרְתָא עַל יַמָּא, בְּאִינּוּן גַּבְרִין פָּרִישֵׁי יַמִּין. וַהֲוָה יָתִיב וְלָעֵי בְּאוֹרַיְיתָא.

קכה. פָּתַח וְאָמַר, וַיֹּאמֶר שָׁאוּל אֶל הַקֵּינִי. מַאן הוּא קֵינִי. אִלֵּין בְּנֵי יִתְרוֹ וְחָמוּי דְמֹשֶׁה, דַעֲבָדוּ קִנָּא בְּמַדְבְּרָא, כְּהַאי צִפּוֹר, וּדְרוֹר, כד"א, וּדְרוֹר קֵן לָהּ. בְּגִין לְמִלְעֵי בְּאוֹרַיְיתָא. דְאוֹרַיְיתָא לָא בַּעְיָא תַּפְנוּקִין, וְלָא סְחוֹרְתָא, אֶלָּא לְאַעֲמָלָא בָּהּ יְמָמָא וְלֵילֵי. בְּגִ"כ נָטְלוּ לְמַדְבְּרָא, מֵעַנְוְתָנָא דִירִיחוֹ, הה"ד וּבְנֵי קֵינִי חוֹתֵן מֹשֶׁה עָלוּ מֵעִיר הַתְּמָרִים וְגוֹ'.

קכו. וְאַתָּה עָשִׂיתָ חֶסֶד עִם כָּל בְּנֵי יִשְׂרָאֵל. בְּגִין דְאַהֲנֵי לְמֹשֶׁה בְּבֵיתֵיהּ. וּמֹשֶׁה כְּלָלָא דְכָל יִשְׂרָאֵל הֲוָה. וְתוּ, בְּגִין דְאוֹלִיף פָּרְשְׁתָא חֲדָא יַתִּיר בְּאוֹרַיְיתָא, וּבְדָא עָבִיד חֶסֶד עִם יִשְׂרָאֵל.

קכז. אֲמַאי קָא אָתָא הָכָא מִלָּה דָא בְּמַלְחַמְתָּא דַעֲמָלֵק. אֶלָּא אָמַר שָׁאוּל, כַּד נָפְקוּ יִשְׂרָאֵל מִמִּצְרַיִם, מִכָּל שְׁאָר אוּמִין דְעָלְמָא לָא הֲוָה מַאן דְאִזְדַּוַּוג לְהוּ לְיִשְׂרָאֵל לְקַטְרְגָא לְהוּ, אֶלָּא עֲמָלֵק, וְהוּא עָבַד בִּישׁ לְיִשְׂרָאֵל וְאַגַּח קְרָבָא בְּהוּ, וְאַנְתְּ אַקְדִּמַת לְהוּ שְׁלָם, וַעֲבַדְתְּ חֶסֶד עִם כֻּלְּהוּ, וּבְגִינֵי כָּךְ לֵית אַנְתְּ כְּדַאי לְאִתְחַבְּרָא בַּהֲדֵיהוֹן.

קכח. וְלֹא עוֹד, אֶלָּא מַה כְּתִיב בֵּיהּ בְּיִתְרוֹ, וַיִּקַּח יִתְרוֹ חוֹתֵן מֹשֶׁה עוֹלָה וּזְבָחִים לֵאלֹהִים, דְהוּא אַקְרִיב קָרְבְּנָא לְקֻבְּ"ה, וְאָתָא לְאִתְגַּיְירָא. מַאי קָא מַיְירֵי. דְקָרְבְּנֵיהּ חָשִׁיב קָמֵי קֻבְּ"ה. וּבְגִין דְאִיהוּ אַקְרִיב קָרְבְּנָא לְקֻבְּ"ה, כְּתִיב, וַיָּבֹא אַהֲרֹן וְכֹל זִקְנֵי יִשְׂרָאֵל לֶאֱכָל לֶחֶם עִם חוֹתֵן מֹשֶׁה לִפְנֵי הָאֱלֹהִים. לִפְנֵי הָאֱלֹהִים דַיְיקָא. מִכָּאן אוֹלִיפְנָא דְכָל מַאן דְאַקְרִיב קָרְבְּנָא בִּרְעוּתָא דְלִבָּא, קֻבְּ"ה אַזְמִין לְקַבְּלֵיהּ.

קכט. ת"ח, קָרְבְּנָא דְמִסְכְּנָא חָשִׁיב קָמֵי קֻבְּ"ה, דְהָא הוּא קָרִיב תְּרֵי קָרְבְּנִין לְקָמֵיהּ. חַד חֶלְבֵּיהּ וְדָמֵיהּ. וְחַד הַהוּא דְקָרִיב. דְהָא לֵית לֵיהּ לְמֵיכַל, וְהוּא אַיְיתֵי קָרְבְּנָא. קָרְבְּנָא דְעָנִי קָלִיל מִכֹּלָּא תְּרֵין תּוֹרִין, אוֹ תְּרֵין בְּנֵי יוֹנָה, וְאִי לָאו, זְעֵיר קִמְחָא, וּמִתְכַּפֵּר בֵּיהּ וְהַהוּא שַׁעְתָּא מַכְרִיזִין וְאָמְרֵי, כִּי לֹא בָזָה וְלֹא שִׁקַּץ עֱנוּת עָנִי. כָּל כָּךְ לָמָּה. בְּגִין דְקָרְבְּנָא דְעָנִי עָדִיף מִכֹּלָּא. דְהָא הוּא גָּרִים לִי לְמֶהֱוֵי בְּעַדְבֵיהּ דְקֻבְּ"ה, הוּא גָּרִים לִי לְמֶהֱוֵי בְּחוּלָקָא דְאוֹרַיְיתָא. בְּגִ"כ פַּלֵּיגְנָא כָּל נִכְסֵי לְמִסְכְּנֵי, דְהָא אִינּוּן גָּרְמוּ לִי כּוּלֵי הַאי.

קל. כַּמָּה דְמִסְכְּנָא אַרְתַּח חֶלְבֵּיהּ וְדָמֵיהּ, כָּךְ הַהוּא קִמְחָא מַרְתְּחִין לֵיהּ בְּמִשְׁח רְבוּת. וְהָכִי אוֹלִיפְנָא, דַאֲפִילּוּ כָּל בַּר נָשׁ מִקָּרֵב הַאי מִנְחָה עַל הַמַּחֲבַת וּמִנְחַת מַרְחֶשֶׁת. בְּגִין, דִכְמָה דְחוֹטָאָה אַרְתַּח חֶלְבֵּיהּ וְדָמֵיהּ בְּאֶשָּׁא דְיֵצֶר הָרָע, וְכָל שַׁיְיפוֹי רְתִיחֵי בְּאֶשָּׁא, כָּךְ קָרְבְּנָא דָא, כְּהַאי גַּוְונָא מַמָּשׁ. וְעִקָּרָא דְקָרְבְּנָא כְּגַוְונָא דְחוֹטָאָה, וּלְקָרְבָא קָמֵי קֻבְּ"ה, רְעוּתָא דְלִבֵּיהּ, וּרְוּחֵיהּ וְנַפְשֵׁיהּ, דְהַאי חֲבִיבָא מִן כֹּלָּא קָמֵיהּ.

קלא. זַכָּאָה חוּלְקֵיהוֹן דְצַדִּיקַיָּיא, דְאִינּוּן מְקָרְבִין בְּכָל יוֹמָא וְיוֹמָא הַאי קָרְבְּנָא לְקָמֵי קֻבְּ"ה. וּמַאי אִיהוּ, גַּרְמַיְיהוּ וְנַפְשַׁיְיהוּ דִמְקָרְבִין קָמֵיהּ. וַאֲנָא בָּעֵינָא לְקָרְבָא הַאי קָרְבְּנָא, וְדָא בָּעֵי קֻבְּ"ה מִבְּ"נ בְּהַאי עָלְמָא. וְעִם כָּל דָא קָרְבְּנָא מַמָּשׁ עָדִיף, בְּגִין דְיִתְבָּרְכוּן עָלְמִין כֻּלְּהוּ.

קלב. תּוּ פָּתַח וְאָמַר, בָּרוּךְ יְיָ' מִצִּיּוֹן שׁוֹכֵן יְרוּשָׁלַם הַלְלוּיָהּ. וְכִי מִצִּיּוֹן הוּא בָּרוּךְ,

וְהָא מִנְּהֲרָא עֲמִיקָא עִלָּאָה אִיהוּ בָּרוּךְ. אֶלָּא בָּרוּךְ יְיָ׳, כַּד נָהִיר סִיהֲרָא מִנְּהִירוּ דְּשִׁמְשָׁא, וּמִתְקָרְבֵי דָּא בְּדָא, וְלָא אַעְדִּיאוּ נְהוֹרָא דָּא מִן דָּא. וּלְזִמְנִין דְּסִיהֲרָא אִתְקְרֵי בִּשְׁמָא דְּמַלְכָּא, כְּמָה דְּאִיהוּ אִקְרֵי יְהֹוָ״ה, כַּךְ הִיא נִקְרֵאת יְהֹוָ״ה. כְּמָה דְּאַתְּ אָמֵר, וַיְיָ׳ הִמְטִיר עַל סְדוֹם וְעַל עֲמוֹרָה גָּפְרִית וָאֵשׁ מֵאֵת ה׳ מִן הַשָּׁמָיִם. וְלָא דָּא בִּלְחוֹדוֹהִי, אֶלָּא אֲפִילּוּ חַד שְׁלִיחָא, לְזִמְנִין אִתְקְרֵי בִּשְׁמָא דְּמַלְכָּא.

קלג. דָּבָר אַחֵר בָּרוּךְ יְיָ׳ מִצִּיּוֹן. מֵאָן אֲתַר אִשְׁתְּמוֹדַע דְּקב״ה הוּא בָּרוּךְ. הָדָר וְאָמַר מִצִּיּוֹן, מֵאֲתַר דְּצִיּוֹן אִשְׁתְּמוֹדַע דְּהוּא בָּרוּךְ. מַאי טַעֲמָא. בְּגִין דִּכְתִּיב כִּי שָׁם צִוָּה יְיָ׳ אֶת הַבְּרָכָה וְגוֹ׳. אָמַר לֵיהּ רִבִּי יֵיסָא זַכָּאָה חוּלָקָךְ דְּזָכִית לְכוּלֵּי הַאי. זַכָּאִין אִינּוּן דְּמִשְׁתַּדְּלִין בְּאוֹרַיְיתָא, דְּכָל מַאן דְּאִשְׁתַּדַּל בְּאוֹרַיְיתָא, כְּאִלּוּ אָחִיד בְּקב״ה, הה״ד, וְאַתֶּם הַדְּבֵקִים בַּיְיָ׳ אֱלֹהֵיכֶם חַיִּים כֻּלְּכֶם הַיּוֹם.

קלד. אִם זֶבַח שְׁלָמִים קָרְבָּנוֹ. רִבִּי יְהוּדָה פָּתַח, וַיֹּאמֶר אֱלֹהִים יְהִי רָקִיעַ בְּתוֹךְ הַמָּיִם וְגוֹ׳. ת״ח, בְּשַׁעֲתָא דְּבָרָא קב״ה עָלְמָא, בָּרָא ז׳ רְקִיעִים לְעֵילָּא, בָּרָא ז׳ אֲרָצוֹת לְתַתָּא, ז׳ יַמִּים, ז׳ נְהָרוֹת, ז׳ יוֹמִין, ז׳ שָׁבוּעוֹת, ז׳ שָׁנִים. ז׳ פְּעָמִים. ז׳ אַלְפֵי שְׁנִין דַּהֲוֵי עָלְמָא, קב״ה בִּשְׁבִיעָאָה דְּכֹלָּא.

קלה. ז׳ שְׁחָקִים לְעֵילָּא, וּבְכָל חַד וְחַד כֹּכָבִים וּמַזָּלוֹת, וְשַׁמָּשִׁין דִּמְשַׁמְּשִׁין בְּכָל רְקִיעָא וּרְקִיעָא. וּבְכֻלְּהוּ מֵאִלֵּין, רְתִיכִין אִלֵּין עַל אִלֵּין, לְקַבְּלָא עֲלַיְיהוּ עוֹל מַלְכוּתָא דְּמָארֵיהוֹן. וּבְכֻלְּהוּ רְקִיעִין אִית רְתִיכִין וְשַׁמָּשִׁין, מְשַׁנְיָין דָּא מִן דָּא, אִלֵּין עַל אִלֵּין, מִנְּהוֹן בְּו׳ גַּדְפִּין, וּמִנְּהוֹן בְּד׳ גַּדְפִּין. מִנְּהוֹן בְּד׳ פָּנִים. וּמִנְּהוֹן בִּתְרֵין פָּנִים, וּמִנְּהוֹן בְּחַד. מִנְּהוֹן אֶשָּׁא דְּלָהִיט. מִנְּהוֹן מַיָּא. מִנְּהוֹן רוּחָא. הֲדָא הוּא דִּכְתִּיב, עוֹשֶׂה מַלְאָכָיו רוּחוֹת מְשָׁרְתָיו אֵשׁ לוֹהֵט.

קלו. וְכֻלְּהוּ רְקִיעִין, אִלֵּין עַל אִלֵּין כְּגִלְדֵי בְּצָלִים, אִלֵּין לְתַתָּא, וְאִלֵּין לְעֵילָּא. וְכָל רְקִיעָא וּרְקִיעָא, אַזְלָא וְרַעֲשָׁא מֵאֵימְתָא דְּמָארֵיהוֹן. עַל פּוּמֵיהּ נַטְלִין, וְעַל פּוּמֵיהּ קַיְימִין. וְעֵילָּא מִכֻּלְּהוּ קוּדְשָׁא בְּרִיךְ הוּא, דְּנָטִיל כֹּלָּא בְּחֵילֵיהּ וְתוּקְפֵּיהּ. כְּגַוְונָא דָּא שִׁבְעָה אֲרָצוֹת לְתַתָּא, וְכֻלְּהוּ בְּיִשּׁוּבָא בַּר. תְּדְאִלֵּין עִלָּאִין וְאִלֵּין תַּתָּאִין. וְאֶרֶץ יִשְׂרָאֵל עִלָּאָה מִכֹּלָּא, וִירוּשְׁלֵם עִלָּאָה מִכָּל יִשּׁוּבָא.

קלז. וְחַבְרָנָא יָתְבֵי דָּרוֹמָא, חָמוּ בְּסִפְרֵי קַדְמָאֵי, וּבְסִפְרָא דְּאָדָם, דְּהָכֵי מְחַלֵּק כָּל אִינּוּן אֲרָצוֹת, דְּכֻלְּהוּ מִשְׁתַּכְּחֵי לְתַתָּא, כְּגַוְונָא דְּאִינּוּן רְקִיעִין דִּלְעֵילָּא. אִלֵּין עַל אִלֵּין, וְאִלֵּין עַל אִלֵּין וּבֵין כָּל אַרְעָא וְאַרְעָא, רָקִיעַ דִּמְפָרֵשׁ בֵּין דָּא לְדָא. וְעַ״ד כֻּלְּהוּ אֲרָצוֹת פְּרִישָׁן בִּשְׁמָהָן. וּבֵינַיְיהוּ ג״ע וְגֵיהִנָּם. וְאִית בֵּינַיְיהוּ בִּרְיָין מְשַׁנְיָין, אִלֵּין מִן אִלֵּין, כְּגַוְונָא דִּלְעֵילָּא. מִנְּהוֹן בִּתְרֵין אַנְפִּין, וּמִנְּהוֹן בְּד׳, וּמִנְּהוֹן בְּא׳. וְחֵיזוּ דְּאִלֵּין לָאו כְּאִלֵּין.

קלח. וְאִי תֵּימָא, הָא כָּל בְּנֵי עָלְמָא מֵאָדָם נַפְקוּ, וְכִי נָחִית אָדָם הָרִאשׁוֹן לְכֻלְּהוּ אֲרָצוֹת, וְאוֹלִיד בְּנִין, וְכַמָּה נָשִׁין הֲווּ לֵיהּ. אֶלָּא, אָדָם לָא אִשְׁתְּכַח אֶלָּא בְּהַאי עָלְמָא עִלָּאָה מִכֻּלְּהוּ, דְּאִקְרֵי תֵּבֵל, כִּדְאַמְרִינָן דִּכְתִּיב וַיְצַו לְתֵבֵל אַרְצוֹ. וְהַאי תֵּבֵל אֲחִידָא בְּרָקִיעַ דִּלְעֵילָּא, וְאִתְאֲחִידָא בִּשְׁמָא עִלָּאָה. הה״ד וְהוּא יִשְׁפּוֹט תֵּבֵל בְּצֶדֶק. בְּצֶדֶק וַדַּאי. בג״כ בְּנוֹי דְּאָדָם, אִשְׁתְּכָחוּ בְּהַאי אַרְעָא עִלָּאָה דְּאִקְרֵי תֵּבֵל. וְאִינּוּן עִלָּאִין עַל כֹּלָּא, כְּגַוְונָא דִּלְעֵילָּא.

קלט. מ״ט. כְּמָה דִּלְעֵילָּא לְכֻלְּהוּ רְקִיעִים, אִית רָקִיעַ עִלָּאָה, מִכֻּלְּהוּ, וּלְעֵילָּא אִשְׁתְּכַח כֻּרְסְיָא דְּקוּדְשָׁא ב״ה, כד״א כְּמַרְאֵה אֶבֶן סַפִּיר דְּמוּת כִּסֵּא וְעַל דְּמוּת הַכִּסֵּא דְּמוּת כְּמַרְאֵה אָדָם עָלָיו מִלְמָעְלָה. אוּף הָכָא בְּהַאי תֵּבֵל, אִשְׁתְּכַח מַלְכָּא דְּכֹלָּא,

וּמַאן אִיהוּ אָדָם. מַה דְּלָא אִשְׁתְּכַח בְּכֻלְּהוּ תַּתָּאִין.

קמ. וְאִינּוּן תַּתָּאִין מַאן אִנּוּ. אֶלָּא מִקִּסְטוֹרָא דְּאַרְעָא, וְסִיוּעָא דִּרְקִיעָא דִּלְעֵילָּא, נָפְקִין בִּרְיָין מְשַׁנְיָין אִלֵּין מִן אִלֵּין, מִנְּהוֹן בִּלְבוּשִׁין, מִנְּהוֹן בִּקְלִיפִּין, כְּאִלֵּין תּוֹלָעִין דְּמִשְׁתַּכְּחֵי בְּאַרְעָא, מִנְּהוֹן בִּקְלִיפִּין סוּמָקִין, אוּכָמִין וְחִוָּורִין, וּמִנְּהוֹן מִכָּל גַּוְונִין. כָּךְ כָּל בִּרְיָין כְּגַוְונָא דָּא. וְלָא אִשְׁתְּכָחוּ בְּקִיּוּמָא בַּר עֶשֶׂר שְׁנִין.

קמא. וּבְסִפְרָא דְּרַב הַמְנוּנָא סָבָא, פָּרִישׁ יַתִּיר, דְּהָא כָּל יִשׁוּבָא מִתְגַּלְגְּלָא בְּעִגּוּלָא כְּכַדּוּר, אִלֵּין לְתַתָּא, וְאִלֵּין לְעֵילָּא, וְכָל אִינּוּן בִּרְיָין מְשַׁנְיָין בְּחֶזְוַויְיהוּ מִשִּׁנּוּיָא דַּאֲוִירָא. כְּפוּם כָּל אֲתַר וַאֲתַר, וְקַיְימִין בְּקִיּוּמַיְיהוּ כִּשְׁאָר בְּנֵי נָשָׁא.

קמב. וְעַל דָּא אִית אֲתַר בְּיִשׁוּבָא, כַּד נְהִיר לְאִלֵּין, חָשִׁיךְ לְאִלֵּין, לְאִלֵּין יְמָמָא, וּלְאִלֵּין לֵילְיָא. וְאִית אֲתַר דְּכוּלֵּיהּ יְמָמָא, וְלָא אִשְׁתְּכַח בֵּיהּ לֵילְיָא, בַּר בְּשַׁעֲתָא חֲדָא זְעֵירָא. וְהַאי דְּאָמַר בְּסִפְרֵי קַדְמָאֵי, וּבְסִפְרָא דְּאָדָם הָרִאשׁוֹן הָכִי הוּא. דְּהָכִי כְּתִיב, אוֹדְךָ עַל כִּי נוֹרָאוֹת נִפְלֵיתִי נִפְלָאִים מַעֲשֶׂיךָ. וּכְתִיב, מַה רַבּוּ מַעֲשֶׂיךָ ה'. וְעַל דָּא, כֹּלָּא שַׁפִּיר. וְרָזָא דָּא אִתְמְסַר לְמָארֵיהוֹן דְּחָכְמְתָא, וְלָא לְמַפְלְגֵי תְּחוּמִין, בְּגִין דְּאִיהוּ רָזָא עֲמִיקָא דְּאוֹרַיְיתָא.

קמג. כְּגַוְונָא דָּא אִית בְּיַמָּא. דְּאִית בֵּיהּ כַּמָּה בִּרְיָין מְשַׁנְיָין דָּא מִן דָּא. הה"ד זֶה הַיָּם גָּדוֹל וּרְחַב יָדַיִם שָׁם רֶמֶשׂ וְאֵין מִסְפָּר חַיּוֹת קְטַנּוֹת עִם גְּדוֹלוֹת שָׁם אֳנִיּוֹת יְהַלֵּכוּן לִוְיָתָן וְגוֹ'. וְכֹלָּא תַּלְיָיא דָּא בְּדָא, וְכֹלָּא כְּגַוְונָא דִּלְעֵילָּא. וּבְכֻלְּהוּ עָלְמִין לָא שַׁלְטָא בְּכֹלָּא בַּר אָדָם, וְקוּדְשָׁא בְּרִיךְ הוּא עָלֵיהּ.

קמד. ר' נְהוֹרָאִי סָבָא פָּרִישׁ לְיַמָּא רַבָּא, וְאִתְרְגִישׁ יַמָּא, וְאִתְאֲבִידוּ כָּל אִינּוּן דַּהֲווּ בְּאַרְבָּא, וְאִתְרְחִישׁ לֵיהּ נִיסָא, וְנָחַת בִּשְׁבִילִין יְדִיעָן בְּלִבָּא דְּיַמָּא, וְנָפַק תְּחוֹת יַמָּא לְיִשׁוּבָא חֲדָא, וְחָמָא מֵאִינּוּן בִּרְיָין, כֻּלְּהוּ זְעִירִין. וַהֲווּ מְצַלֵּי צְלוֹתָא, וְלָא יָדַע מַאי קָא אַמְרֵי. אִתְרְחִישׁ לֵיהּ נִיסָא, וְסָלִיק. אָמַר, זַכָּאִין אִינּוּן צַדִּיקַיָּיא, דְּמִשְׁתַּדְּלֵי בְּאוֹרַיְיתָא, וְיַדְעִין סְתִימִין דְּרָזֵי עִלָּאֵי. וַוי לְאִינּוּן דְּאַפְלִיגוּ עַל מִלַּיְיהוּ וְלָא מְהֵימְנֵי.

קמה. מֵהַהוּא יוֹמָא, כַּד הֲוָה אָתֵי לְבֵי רַב, וְאַמְרֵי מִלְּתָא דְּאוֹרַיְיתָא, הֲוָה בָּכֵי. אַמְרֵי לֵיהּ, אַמַּאי קָא בָּכִית. אָמַר לוֹן, בְּגִין דַּעֲבַרְנָא עַל מְהֵימְנוּתָא דְּמִלֵּי דְּרַבָּנָן, וּמִסְתְּפֵינָא מִדִּינָא דְּהַהוּא עָלְמָא.

קמו. וַיֹּאמֶר אֱלֹהִים יְהִי רָקִיעַ בְּתוֹךְ הַמָּיִם. ר' יְהוּדָה אָמַר, אִלְמָלֵא הַהוּא רְקִיעָא דְּאַפְרִישׁ בֵּין מַיִין עִלָּאֵי לְתַתָּאֵי, הֲוָה פַּלִיגוּ בְּעָלְמָא מִנַּיְיהוּ. אֲבָל הַאי רָקִיעַ, עָבִיד שְׁלָמָא בֵּינַיְיהוּ, וְעָלְמָא לָא מִתְקַיְּימָא אֶלָּא עַל שָׁלוֹם. ת"ח, קוּדְשָׁא בְּרִיךְ הוּא אִקְרֵי שָׁלוֹם, הוּא שָׁלוֹם. וּשְׁמֵיהּ שָׁלוֹם, וְאִתְקַשַּׁר כֹּלָּא בְּשָׁלוֹם. ר' אַבָּא אָמַר, זִמְנָא דְּהַאי שְׁמָא קַדִּישָׁא עִלָּאָה כֹּלָּא הוּא שָׁלוֹם, וְכֹלָּא חַד. וְאָרְחִין מִתְפָּרְשָׁאן לְהַאי סִטְרָא, וּלְהַאי סִטְרָא.

קמז. יו"ד דִּשְׁמָא קַדִּישָׁא אִתְקַשַּׁר בִּתְלַת קִשְׁרִין, בְּגִין דָּא, הַאי י', קוֹצָא חַד לְעֵילָּא, וְקוֹצָא חַד לְתַתָּא, וְחַד בְּאֶמְצָעִיתָא. בְּגִין דִּתְלַת קִשְׁרִין אִשְׁתַּלְשְׁלוּ בָּהּ חַד קוֹצָא לְעֵילָּא, כִּתְרָא עִלָּאָה, דְּהוּא עִלָּאָה מִכָּל עִלָּאִין, רֵישָׁא דְּכָל רֵישִׁין, וְהוּא קָאִים עַל כֹּלָּא.

קמח. חַד קוֹצָא בְּאֶמְצָעִיתָא, דְּהוּא רֵישָׁא אָחֳרָא. בְּגִין דִּתְלַת רֵישִׁין הֲווּ, וְכָל חַד וְחַד רֵישָׁא בִּלְחוֹדוֹי. וְעַ"ד קוֹצָא דְּאֶמְצָעִיתָא, דָּא הוּא רֵישָׁא אָחֳרָא, דְּנָפִיק מִקּוֹצָא דִּלְעֵילָּא, וְהוּא רֵישָׁא לְכָל שְׁאָר רֵישִׁין, לְאִתְבְּנָהָא שְׁמָא קַדִּישָׁא, וְהַאי רֵישָׁא סְתִימָא דְּכֹלָּא.

קמט. רֵישָׁא אָוֳּרָא תַּתָּאָה, הוּא רֵישָׁא לְאַשְׁקָאָה לְגִנְתָּא, וְהוּא מַבּוּעַ דְּמַיִין, דְּכָל נְטִיעָן אִשְׁתַּקְיָין מִנֵּיהּ. וְדָא הוּא י' בִּתְלַת קִשְׁרִין. וְעַל דָּא שַׁלְשֶׁלֶת אִקְרֵי. כְּהַאי שַׁלְשֶׁלֶת, דְּאִתְקְשַׁר דָּא בְּדָא, וְכֹלָּא חַד.

קנ. תָּאנָא בְּסִפְרָא דַּחֲנוֹךְ, בְּשַׁעֲתָא דְּאַחֲזִיאוּ לֵיהּ וְחָכְמְתָא דְּרָזִין עִלָּאִין, וְחָמָא אִילָנָא דְּגִנְתָּא דְּעֵדֶן, אַחֲזִיו לֵיהּ וְחָכְמְתָא, בְּרָזָא עִלָּאָה. וְחָמָא, דְּכֻלְּהוּ עָלְמִין הֲווּ מִתְקַשְּׁרָן דָּא בְּדָא, שָׁאִיל לוֹן, עַל מַה קַיְימִין. אָמְרוּ לֵיהּ, עַל י' קַיְימֵי כֻּלְּהוּ. מִנֵּיהּ אִתְבְּנִיאוּ וְאִשְׁתַּלְשְׁלוּ. דִּכְתִּיב, כֻּלָּם בְּחָכְמָה עָשִׂיתָ. וְחָמָא, דְּכֻלְּהוּ מִזְדַּעְזְעוּ מִדְּחִילוּ דְּמָארֵיהוֹן, וְעַל שְׁמֵיהּ אִתְקְרוּן כֻּלְּהוּ.

קנא. וּבְסִפְרָא דִּשְׁלֹמֹה מַלְכָּא אָמַר, מָטוֹן דִּי בְּקַטְפּוּרָא דִּתְלָתָא, דִּכְלִילָן בְּקִיטְפָּא דְּגוּפֵיהּ. חַד דְּחִילוּ דְּכֹלָּא. וְחַד סָתִים שְׁבִילִין. וְחַד נָהָר עֲמִיקָא.

קנב. לְבָתַר פָּרִיט בְּאַתְוָון, בֵּיתָא בְּשַׁכְלוּלֵיהּ יו"ד הֵ"א. בִּנְיָנָא דְּכֹלָּא. שְׁלִימוּ דִּשְׁמָא קַדִּישָׁא י' רֵישָׁא דְּכֹלָּא, אָב לְכֹלָּא. ו' בֵּן דְּאוֹלִיד וְנָפִיק מִנֵּיהּ. וּמִנֵּיהּ אִשְׁתַּכַּח ד', בַּת. מַטְרוֹנִיתָא דְּכָל דִּינִין בִּידָהָא אִשְׁתְּכָחוּ טְמִירָא בְּכֻלְּהוּ עָלְמִין, דְּעִלָּאִין נָפְקִין, וְעִלָּאִין וְתַתָּאִין מִנָּהּ אִתְּזָנוּ. הָא יו"ד שְׁלִימוּ דְּכֹלָּא, וּשְׁמָא קַדִּישָׁא אִשְׁתַּכְלַל בֵּיהּ, וְאִשְׁתְּכַח סָתִים בְּגַוֵּיהּ.

קנג. לְבָתַר יו"ד אַפִּיק כֹּלָּא, וְשַׁלְשֵׁל כֹּלָּא בְּקִשּׁוּרָא חֲדָא, דָּא בְּדָא. וְהָא אוּקְמֵיהּ בּוּצִינָא קַדִּישָׁא, י' אַפִּיק הַהוּא נָהָר, דִּכְתִּיב בֵּיהּ וְנָהָר יוֹצֵא מֵעֵדֶן לְהַשְׁקוֹת אֶת הַגָּן. דָּא ה', רָזָא דְּבִינָה, וְהִיא אִימָּא עִלָּאָה.

קנד. וְהַהוּא נָהָר, אַפִּיק תְּרֵין בְּנִין, כְּמָה דְּאִתְּמַר. וּמִנָּהּ אִתְּזָנוּ. לְבָתַר נָפְקִין תְּרֵין בְּנִין, וּבְרַתָּא אִתְּזָנַת מִבֵּן, דָּא ו', הָא בֵּן הַאי מַלְכָּא דִּשְׁלָמָא כֹּלָּא דִּילֵיהּ, רָזָא דְּתַ"ת. וּלְבָתַר אִשְׁתַּכַּח ה', דְּאִתְּזָנַת מִן ו'. וְהָא אוּקְמֵיהּ. אִשְׁתַּכַּח, דִּי' עִקָּרָא וְשָׁרְשָׁא וּשְׁלִימוּ דְּכֹלָּא. הה"ד בְּחָכְמָה יִבָּנֶה בָּיִת.

קנה. תָּנָן, י' שֵׁמוֹת אִשְׁתַּכְלָלוּ וְנָפְקוּ מֵהַאי יו"ד. י' דְּהִיא עֲשִׂירָאָה דְּאַתְוָון. וְכֻלְּהוּ אָעִיל לוֹן לְהַהוּא נָהָר קַדִּישָׁא, כַּד אִתְעַבְּרָא. וַעֲשָׂרָה שְׁמָהָן כֻּלְּהוּ סְתִימִין בְּחַד. וְכֻלְּהוּ סְתִימִין בֵּי'. י' כָּלִיל לוֹן. י' אַפִּיק לוֹן. הוּא אָב לְכֹלָּא. אָב לַאֲבָהָן.

קנו. מִנֵּיהּ נַפְקוּ ו"ד. רֶמֶז לַעֲשָׂרָה בְּחֻשְׁבּוֹן. אַתְוָון יו"ד כָּלִיל לוֹן ו"ד, שְׁלִימוּ דְּכֹלָּא. ו"ד: דְּכַר וְנוּקְבָא. דוּ קָרֵינָן לוֹן, תְּרֵין. וְעַ"ד אָדָם דּוּ פַּרְצוּפִין אִתְבְּרֵי, וְאִינּוּן פַּרְצוּפִין דְּכַר וְנוּקְבָא הֲווּ, כְּגַוְונָא דִּלְעֵילָא. ו"ד מֵעֵילָא לְתַתָּא. ד"ו מִתַּתָּא לְעֵילָא. וְכֹלָּא חַד מִלָּה. י"ג מְכִילָן תַּלְיָין בֵּיהּ, וְעַ"ד יו"ד כָּלִיל ו"ד כְּמָה דְּאִתְּמַר, וְהָא אוּקְמוּהָ.

קנז. וְת"ו, י' שְׁמָהָן אִינּוּן, לְקָבֵל י' אַתְוָון. וּבְסִפְרָא דְּרַב הַמְנוּנָא סָבָא תְּמַנְיָא אִינּוּן, וּתְרֵין דַּרְגִּין, לְקָבֵל תְּרֵין רְקִיעִין. וּמִשְׁתַּנְיָין שְׁמָהָן, עֲשָׂרָה, וְתִשְׁעָה, וּתְמַנְיָא, וְשִׁבְעָאָה.

קנח. קַדְמָאָה י"ה, בְּגִין דִּי' כָּלִיל ה'. וְה' נַפְקָא מִן י'. בג"כ וְחָכְמָה יָ"ה אִקְרֵי.

קנט. תִּנְיָנָא יְהֹוִה דְּאִקְרֵי אֱלֹהִים. בְּגִין דְּהַהוּא נָהָר רַחֲמֵי, וּבְגִין דְּדִינִין מִתְעָרֵי מִנֵּיהּ, אַתְוָון דְּרַחֲמֵי כְּתִיב, וְנָקוּד אֱלֹהִים. וְלָא אֱלֹהִים דִּינָא.

קס. תְּלִיתָאָה, אֵל. וְהוּא גְּדוּלָה, וְהוּא אִקְרֵי הָאֵל הַגָּדוֹל. רְבִיעָאָה, אֱלֹהִים. דְּדִינִין בֵּיהּ אִתְעָרָן, וְהוּא דִּינָא תַּקִּיפָא. וַחֲמִישָׁאָה, יְהֹוָ"ה. כְּלָלָא דְּכָל שְׁלִימוּ דִּמְהֵימְנוּתָא, וְדָא הוּא רַחֲמֵי בִּשְׁלִימוּ וְדָא הוּא תִּפְאֶרֶת. שְׁתִיתָאָה וּשְׁבִיעָאָה, צְבָאוֹת אִקְרוּן.

קסא. תְּמִינָאָה, אֵ"ל חָי. כד"א כִּי שָׁם צִוָּה יְיָ' אֶת הַבְּרָכָה חַיִּים וְגוֹ'. וְדָא צַדִּיק, דְּכָל חַיִּים נָפְקִין מִתַּמָּן, וְאִקְרֵי יְהֹוָ"ה. כד"א יְיָ' צַדִּיק יִבְחָן. וְדָא הִיא ו' זְעֵירָא דִּשְׁמָא

קַדִּישָׁא. בגי״כ וָ״ו וָוִין תְּרֵין.

קסב. תְּשִׁיעָאָה, אֲדֹנָ״י. וְדָא מַלְכוּת קַדִּישָׁא, דְּדִינִין נָפְקִין מִתַּמָּן לְעָלְמָא. וְדָא הוּא כִּתְרָא בַּתְרָאָה, דִּכְלְהוֹ שְׁמָהָן. וְשֵׁם אֶהְיֶ״ה, כְּלָלָא וּסְתִימָא דְּקַדְמֵיתָא. וְדָא הוּא כִּתְרָא עִלָּאָה, רֵישָׁא דְּכָל רֵישִׁין, שְׁמֵיהּ סָתִים וְלָא אִתְגַּלְיָיא, וְאִתְּמַר. וּבְסִפְרָא דְּאַגַּדְתָּא, עֶשֶׂר שְׁמָהָן כְּתִיבָן בְּגַוְונָא אָחֳרָא וַאֲנָא לָא תָּנֵינָא הָכִי.

קסג. רִבִּי אַבָּא פָּתַח, עוּרִי צָפוֹן וּבוֹאִי תֵימָן הָפִיחִי גַנִּי יִזְּלוּ בְשָׂמָיו יָבֹא דוֹדִי לְגַנּוֹ וְיֹאכַל פְּרִי מְגָדָיו. עוּרִי צָפוֹן, אִלֵּין עוֹלוֹת דְּנִשְׁחָטוֹת בַּצָּפוֹן, בְּגִין דְּאִינּוּן מַחֲשָׁבוֹת בִּצְפוּנֵי לִבָּא, וּבְאֲתַר דְּדִינָא. בְּגִין דְּמַחֲשָׁבָה אִשְׁתְּכַח בְּלֵילְיָא, בְּזִמְנָא דְּדִינָא אִשְׁתְּכַח. רוּחַ צָפוֹן מְנַשְּׁבָא בְּפַלְגוּתָא דְּלֵילְיָא, כַּד מִתְעָרֵי אִנְשֵׁי, וְכִנּוֹר דְּדָוִד מְנַגֵּן מֵאֵלָיו, וּמַחֲשַׁבְתָּן דִּבְנֵי נָשָׁא מִתְעָרֵי.

קסד. וּבוֹאִי תֵימָן, אִלֵּין שְׁלָמִים דְּנִשְׁחָטִין בַּדָּרוֹם, בְּגִין דְּאִינּוּן שְׁלָמָא דְּכֹלָּא, שְׁלָמָא דְּעִלָּאֵי וְדְתַתָּאֵי. וְאִלֵּין שְׁלִימוּ דְּסִטְרֵי עָלְמָא. שְׁלִימוּ דְּכֹלָּא מִסִּטְרָא דִּמְהֵימְנוּתָא. וּשְׁלָמִים: בְּגִין דְּאִינּוּן שְׁלָמָא דְּכֹלָּא. בְּעָלִים אָכְלִין מִנַּיְיהוּ, וּמִתְהַנְיָין מִנַּיְיהוּ. דְּהָא שְׁלָמָא הוּא לֵיהּ, וּלְכָל עָלְמָא, בְּדַרְגָּא חֲדָא. חַטָּאוֹת וַאֲשָׁמוֹת נֶאֱכָלִין לְכֹהֲנֵי, בְּגִין דְּאִינּוּן זְמִינִין לְכַפָּרָא עֲלַיְיהוּ, וּלְאַעְבְּרָא חוֹבַיְיהוּ. וּמִכָּל קָרְבָּנֵי לָא חֲבִיבִין קָמֵי קֻבָּ״ה כְּמוֹ שְׁלָמִים, בְּגִין דְּאִשְׁתְּכַח שְׁלָמָא בְּעִלָּאֵי וְתַתָּאֵי.

קסה. וְעֵילָּא מִכֻּלְּהוּ קְטֹרֶת, דְּאִיהוּ שְׁלִים מִכֹּלָּא, וְלָא אַתְיָא לָא עַל חֵטְא, וְלָא עַל אָשָׁם, וְלָא עַל עָוֹן, אֶלָּא עַל שִׂמְחָה. כד״א שֶׁמֶן וּקְטֹרֶת יְשַׂמַּח לֵב, וְהָא אוֹקְמוּהָ. וְעַ״ד, קְטֹרֶת לָא מִתְקָרֵב אֶלָּא בְּזִמְנָא דְּשֶׁמֶן מִתְקָרֵב, הה״ד וְהִקְטִיר עָלָיו אַהֲרֹן קְטֹרֶת סַמִּים בַּבֹּקֶר בַּבֹּקֶר בְּהֵיטִיבוֹ אֶת הַנֵּרוֹת יַקְטִירֶנָּה. וּכְתִיב, וּבְהַעֲלוֹת אַהֲרֹן אֶת הַנֵּרוֹת בֵּין הָעַרְבַּיִם יַקְטִירֶנָּה. בְּגִין דְּאִשְׁתְּכָחוּ שֶׁמֶן וּקְטֹרֶת כַּחֲדָא. ת״ח, שְׁלָמִים בְּכֹלָּא הוּא שְׁלָמָא. וּקְטָטָה וְקִטְרוּגָא לָא אִתְעַר בְּעָלְמָא, אֲבָל קְטֹרֶת, קָשִׁיר קְשִׁירוּ דִּמְהֵימְנוּתָא.

קסו. ר׳ אֶלְעָזָר אָמַר, כֻּלְּהוּ עֲשָׂרָה שְׁמָהָן כְּתִיבֵי, וַאֲנַן תָּנֵינַן. קַדְמָאָה, אֶהְיֶה, דָּא סְתִימָא עִלָּאָה, כְּמַאן דְּאָמַר אֲנָא מַאן דַּאֲנָא, וְלָא אִתְיְידַע מַאן הוּא. לְבָתַר אֲשֶׁר אֶהְיֶה, אֲנָא דִּזְמִין לְאִתְגַּלְיָא, בְּאִינּוּן כִּתְרִין, דְּהָא בְּקַדְמֵיתָא סָתִים, וּלְבָתַר שָׁרֵי לְאִתְגַּלְיָא, עַד דְּמָטֵי לְגַלּוּיָא דִּשְׁמָא קַדִּישָׁא.

קסז. וְכָךְ כְּתִיב בְּמֹשֶׁה, אֶהְיֶה בְּקַדְמֵיתָא, סְתִימוּ דְּכֹלָּא, אֲנָא הוּא מַאן דַּאֲנָא. לְבָתַר אֲשֶׁר אֶהְיֶה, אֲנָא זַמִּין לְאִתְגַּלְיָא. לְבָתַר אֶהְיֶה בַּתְרָאָה, וְדָא כַּד אִימָּא מִתְעַבְּרָא, וַעֲדַיִין הוּא סָתִים. אֵימָתַי אִתְגַּלְיָא. בְּזִמְנָא דִּכְתִיב לֵךְ וְאָסַפְתָּ אֶת זִקְנֵי יִשְׂרָאֵל וְאָמַרְתָּ אֲלֵיהֶם יְיָ׳ אֱלֹהֵי אֲבוֹתֵיכֶם וְגוֹ׳, דָּא שְׁלִימוּ דְּכֹלָּא, וְהָכָא הוּא גְּלוּיָא וּקְשׁוּרָא דִּשְׁמָא קַדִּישָׁא.

קסח. בגי״כ, קַדְמָאָה דְּכֹלָּא, אֶהְיֶה. תִּנְיָינָא, יָהּ. בְּגִין דְּחָכְמָה אַפִּיק ה׳, וְסָתִים בֵּיהּ, וְלָא אִתְפָּרְשָׁא לְעָלְמִין מִנֵּיהּ. וְהָא אוֹקְמוּהָ דִּכְתִיב, וְנָהָר יוֹצֵא מֵעֵדֶן כְּהַאי גַּוְונָא.

קסט. וְהָכִי אוֹלִיפְנָא מֵאַבָּא, י׳ כְּמָה דְּאִתְּמַר. לְבָתַר יָ״ה, דְּלָא מִתְפָּרְשָׁן לְעָלְמִין, י׳ אַפִּיק ה׳, כְּהַאי גַּוְונָא הֲרֵי י׳. וְהַהוּא נָהָר דְּנָפִיק מִנֵּיהּ.

קע. וְאִתְמְשַׁךְ מִנֵּיהּ וּלְתַתָּא, תְּרֵין בְּנִין דְּנָפְקִין מִנַּיְיהוּ. מִסִּטְרָא דְּאַבָּא י׳, נָפִיק בֵּן, דְּהָא אָחִיד בֵּיהּ בִּי׳, וְאוֹחִיד בְּהַהוּא נָהָר. וּמִסִּטְרָא דְּאִימָּא נָפְקַת בַּת, דְּאִיהוּ נָהָר תַּתָּאָה, וְהַאי בֵּן אִתְמְשַׁךְ לְבָתַר וְנָפִיק מִנַּיְיהוּ, וְהוּא ו׳, וְדָא יָרִית לְאַבָּא וּלְאִימָּא, וְאִתְקְשַׁר בֵּיהּ מְהֵימְנוּתָא דְּכֹלָּא. וּמִנֵּיהּ אִתְּזָנַת בְּרַתָּא, מֵהַהוּא יְרוּתָא דְּאִיהוּ יָרִית.

קעא. וְעַל דָּא בָּעֵי לְמִכְתַּב שְׁמָא קַדִּישָׁא, י' בְּקַדְמֵיתָא, קוֹצָא וַחֲד לְעֵילָּא, וְקוֹצָא וַחֲד בְּאֶמְצָעִיתָא, וְקוֹצָא וַחֲד לְתַתָּא, וְהָא אִתְּמַר. לְבָתַר יָהּ, דְּלָא מִתְפָּרְשָׁן דָּא מִן דָּא לְעָלְמִין, כְּגַוְונָא דָּא בְּגִין דְּיִשְׁתַּכְּחוּן תַּרְוַויְיהוּ בִּשְׁלִימוּ דְּכֹלָּא, אָב וָאֵם בֵּן וּבַת. כְּגַוְונָא דָּא י"ה. הֲרֵי לָךְ כָּל שְׁלִימוּ דִּמְהֵימְנוּתָא.

קעב. לְבָתַר אִתְפָּשַׁט מְהֵימְנוּתָא, וְנָפְקִין תְּרֵין בְּנִין מִכְּלָלָא וַחֲד, בְּאַרְחַוַויְיהוּ. בֵּן נָפִיק מִתַּרְוַויְיהוּ, וְהוּא ו' דִּשְׁמָא קַדִּישָׁא. בַּת נָפְקַת מִסִּטְרָא דְּאִימָּא, וְהִיא ה' בַּתְרָאָה דִּשְׁמָא קַדִּישָׁא. וְלָא אִשְׁתְּלִימַת אֶלָּא עִם ו', בְּגִין דְּמִנֵּיהּ אִתְּזָנַת, וְעַל דָּא בָּעֵי לְמִכְתַּב ו', וּלְבָתַר ה', כְּגַוְונָא דָּא הֲרֵי ו' וְהַהוּא אִתְפַּשְּׁטוּתָא דְּנָפִיק מִנֵּיהּ, כְּגַוְונָא דְּהַהוּא נָהָר דְּנָפִיק מִן י', בְּגִין דְּמִנֵּיהּ אִתְּזָנַת. ו' הֲרֵי בֵּן דְּנָפִיק מִנֵּיהּ לְתַתָּא.

קעג. וְהָא מִלִּין אִלֵּין אוּקִים לוֹן אַבָּא, וְהָא אִתְּמָרוּ. וַאֲנָא כַּד מָטֵינָא לְמִלִּין אִלֵּין, אֵימָא לוֹן, בְּגִין דְּפִקְדוּנָא דְּאַבָּא הָכִי. וְהָכִי בָּעֵי ב"נ לְאִזְדַּהֲרָא בִּשְׁמָא קַדִּישָׁא, דְּיִכְתּוֹב שְׁמָא קַדִּישָׁא כְּגַוְונָא דָּא, וְדָא אִיהוּ כַּדְקָא חֲזֵי. וְאִי לָאו, לָא אִקְרֵי שְׁמָא קַדִּישָׁא וְאִקְרֵי פָּגִים. וּמַאן דְּפָגִים שְׁמָא קַדִּישָׁא, טַב לֵיהּ דְּלָא אִתְבְּרֵי.

קעד. תְּלִיתָאָה, יְהֹוָ"ה דְּאִקְרֵי אֱלֹהִים כְּמָה דְּאִתְּמַר, רַחֲמֵי, וְנָפִיק מִנֵּיהּ דִּינָא. וְדָא הוּא הַהוּא נָהָר, דְּנָגִיד וְנָפִיק מֵעֵדֶן. רְבִיעָאָה, אֵל גָּדוֹל. וְהָא אִתְּמַר, וְדָא גְּדוּלָּה. חֲמִשָּׁאָה, אֱלֹהִים. וּבְכָל אֲתַר הוּא גְּבוּרָה. שְׁתִיתָאָה, יְהֹוָ"ה, רַחֲמֵי, שְׁלִימוּ דְּכֹלָּא. עִקָּרָא דְּכֹלָּא. קִשְׁרָא דִּי מְהֵימְנוּתָא. אָחִיד לְכָל סִטְרִין. וְדָא תִּפְאֶרֶת יִשְׂרָאֵל.

קעה. שְׁבִיעָאָה וּתְמִינָאָה צְבָאוֹת. וְעַל דָּא, יְהֹוָ"ה קָרִיב בְּכֹלָּא. אָחִיד בְּכָל סִטְרִין, לִזְמְנִין יְיָ' אֱלֹהִים, דְּהָא קָרִיבִין אִינּוּן תִּפְאֶרֶת לְגַבֵּי גְּבוּרָה. לִזְמְנִין יְיָ' צְבָאוֹת, דְּהָא קָרִיבִין אִינּוּן תִּפְאֶרֶת לְגַבֵּי נֶצַח וְהוֹד, דְּאִקְרוּן צְבָאוֹת. וְהָא אִתְּמַר דְּאִשְׁתְּמוֹדְעָן מִלֵּי נְבִיאֵי מְהֵימְנֵי מִפּוּמַיְיהוּ. כַּד אָמְרֵי, כֹּה אָמַר יְיָ' אֱלֹהִים. וְכַד אַמְרֵי, כֹּה אָמַר יְיָ' צְבָאוֹת. הֲווֹ יַדְעִין מֵאָן אֲתַר אַתְיָין מִלִּין.

קעו. תְּשִׁיעָאָה שַׁדַּי. דְּאָמַר לְעָלְמָא דַּי, דְּהָא דַּי סִפּוּקָא הוּא. וְסִפּוּקָא לָא אָתֵי לְעָלְמָא, אֶלָּא מִן צַדִּיק, דְּאִיהוּ יְסוֹד עוֹלָם, דְּאָמַר לָעוֹלָם דַּי. עֲשִׂירָאָה, אֲדֹנָ"י. דְּהָא דִּינָא דְּמַלְכוּתָא דִּינָא וַדַּאי. וְהַאי לְאַגְוָזָא קָרְבִין דְּמַלְכָּא בְּעָלְמָא. וְדָא גְּבוּרָה תַּתָּאָה, וְדָא אִיהוּ צֶדֶק.

קעז. וְאִלֵּין אִינּוּן עֲשָׂרָה שְׁמָהָן דְּקֻבְּ"ה אִקְרֵי בְּהוּ, מִתְקַשְּׁרָן דָּא בְּדָא, בְּיִחוּדָא שְׁלִים. וְאִלֵּין אִינּוּן כִּתְרִין קַדִּישִׁין דְּמַלְכָּא, דְּהוּא אִשְׁתְּמוֹדַע בְּהוּ, וְאִינּוּן שְׁמֵיהּ, וְהוּא אִינּוּן. וְכַד מִתְקַשְּׁרָן כֻּלְּהוּ כַּחֲדָא, עַל רֵיחָא דִּקְטֹרֶת, כְּדֵין אִקְרֵי קְטֹרֶת, קִשּׁוּרָא דְּמִתְקַשְּׁרִין כַּחֲדָא. זַכָּאָה חוּלָקֵיהוֹן דְּצַדִּיקַיָּיא, דְּיָדְעִין אוֹרְחִין דְּאוֹרַיְיתָא, וְיַדְעִין לְאִשְׁתְּמוֹדְעָא בִּיקָרָא דְּמָארֵיהוֹן, עֲלַיְיהוּ כְּתִיב וּבָאוּ וְרָאוּ אֶת כְּבוֹדִי.

קעח. וְאִם זֶבַח שְׁלָמִים קָרְבָּנוֹ. ר"ש אוֹמֵר, כְּתִיב עֲשָׂרָה עֲשָׂרָה הַכַּף בְּשֶׁקֶל הַקֹּדֶשׁ. עֲשָׂרָה עֲשָׂרָה לְמַאי קָא אַתְיָא. אֶלָּא, עֲשָׂרָה לְמַעֲשֵׂה בְרֵאשִׁית. וַעֲשָׂרָה לְמַתַּן תּוֹרָה. עֲשָׂרָה מַאֲמָרוֹת בְּמַעֲשֵׂה בְּרֵאשִׁית, וַעֲשָׂרָה מַאֲמָרוֹת בְּמַתַּן תּוֹרָה. בְּמַאי קָא מַיְירֵי. בְּגִין דְּעָלְמָא לָא אִתְבְּרֵי אֶלָּא בְּגִין אוֹרַיְיתָא, וְכָל זִמְנָא דְּיִשְׂרָאֵל מִתְעַסְקֵי בְּאוֹרַיְיתָא, עָלְמָא מִתְקַיְּימָא. וְכָל זִמְנָא דְּיִשְׂרָאֵל מִתְבַּטְּלֵי מֵאוֹרַיְיתָא, מַה כְּתִיב, אִם לֹא בְרִיתִי יוֹמָם וָלָיְלָה חֻקּוֹת שָׁמַיִם וָאָרֶץ לֹא שָׂמְתִּי.

קעט. תָּא חֲזֵי, עֲשָׂרָה מַאֲמָרוֹת לְמַעֲשֵׂה בְרֵאשִׁית, כְּדִתְנָן בַּעֲשָׂרָה מַאֲמָרוֹת נִבְרָא הָעוֹלָם. עֲשָׂרָה מַאֲמָרוֹת לְמַתַּן תּוֹרָה, אֵלּוּ עֲשֶׂרֶת הַדִּבְּרוֹת. כְּתִיב אָנֹכִי יְיָ' אֱלֹהֶיךָ.

וּכְתִיב בְּמַעֲשֵׂה בְּרֵאשִׁית יְהִי אוֹר וַיְהִי אוֹר. דָּא מְהֵימְנוּתָא דְּקֻבְּ״ה אוֹר אִקְרֵי, דִּכְתִּיב יְיָ׳ אוֹרִי וְיִשְׁעִי מִמִּי אִירָא וְגוֹ׳.

קפ. כְּתִיב לֹא יִהְיֶה לְךָ אֱלֹהִים אֲחֵרִים עַל פָּנָי. וּכְתִיב בְּמַעֲשֵׂה בְּרֵאשִׁית, יְהִי רָקִיעַ בְּתוֹךְ הַמָּיִם וְגוֹ׳. יְהִי רָקִיעַ, אִלֵּין יִשְׂרָאֵל, דְּאִינּוּן חוּלָקָא דְּקֻבְּ״ה, דְּאַחֲדִין בְּהַהוּא אַתְרָא דְּאִקְרֵי שָׁמַיִם. וְהַיְינוּ רָזָא, דִּזְמְנָא חֲדָא שָׁאַל רִבִּי יֵיסָא סָבָא לְרִבִּי אֶלְעַאי, אָמַר, הָא שְׁאָר עַמִּין יָהַב לוֹן קֻבְּ״ה לְרַבְרְבִין מְמַנָּן שַׁלִּיטִין, יִשְׂרָאֵל בְּאָן אֲתַר יָהַב לוֹן. שָׁלַח לֵיהּ, וַיִּתֵּן אֹתָם אֱלֹהִים בִּרְקִיעַ הַשָּׁמַיִם, וְשַׁפִּיר שָׁלַח לֵיהּ.

קפא. בְּתוֹךְ הַמָּיִם, בֵּין מִלּוּלֵי אוֹרַיְיתָא. וִיהִי מַבְדִּיל בֵּין מַיִם לָמָיִם, בֵּין קֻבְּ״ה, דְּאִקְרֵי בְּאֵר מַיִם חַיִּים. וּבֵין עַ״זָ, דְּאִקְרֵי בּוֹרוֹת נִשְׁבָּרִים וְגוֹ׳ דְּאִינּוּן מַיִם הַמָּרִים, מַיִם עֲכוּרִין, מְכוּנָּסִים, סְרוּחִים וּמְטוּנָּפִים. וְעַ״ד יִשְׂרָאֵל קַדִּישִׁין מַבְדִּילִין בֵּין מַיִם לָמָיִם.

קפב. כְּתִיב לֹא תִשָּׂא אֶת שֵׁם יְיָ׳ אֱלֹהֶיךָ לַשָּׁוְא, וּכְתִיב בְּמַעֲשֵׂה בְּרֵאשִׁית, יִקָּווּ הַמַּיִם מִתַּחַת הַשָּׁמַיִם אֶל מָקוֹם אֶחָד. תָּא חֲזֵי, כָּל מַאן דְּאוֹמֵי בִּשְׁמָא קַדִּישָׁא לְשִׁקְרָא, כְּאִילּוּ פָּרִישׁ אִימָּא מֵאַתְרָהּ לְעֵילָּא. וְכִתְרִין קַדִּישִׁין לָא מִתְיַישְּׁבֵי בְּדוּכְתַּיְיהוּ, כְּמָה דְּאַתְּ אָמַר, וְנִרְגָּן מַפְרִיד אַלּוּף. וְאֵין אַלּוּף אֶלָּא קֻבְּ״ה. וּכְתִיב יִקָּווּ הַמַּיִם מִתַּחַת הַשָּׁמַיִם אֶל מָקוֹם אֶחָד, לָא תַּשְׁוֵי פֵּרוּדָא, בְּגִין אוֹמָאָה דְּשִׁקְרָא. אֶל מָקוֹם אֶחָד, כִּדְקָא חֲזֵי בְּאַתַר דִּקְשׁוֹט, וְלָא בְּאַתַר אָחֳרָא לְשִׁקְרָא. וּמַאי שִׁקְרָא. הוּא דְּאָזְלִין מַיָּא לְאַתַר אָחֳרָא, דְּלָאו אִיהוּ דִּילֵיהּ.

קפג. כְּתִיב זָכוֹר אֶת יוֹם הַשַּׁבָּת לְקַדְּשׁוֹ, וּכְתִיב בְּמַעֲשֵׂה בְּרֵאשִׁית, תַּדְשֵׁא הָאָרֶץ דֶּשֶׁא עֵשֶׂב. אֵימָתַי אִתְרַבִּיאַת אַרְעָא קַדִּישָׁא וְאִתְעַטְּרַת בְּעִטְרָהָא, הֲוֵי אוֹמֵר בְּיוֹם הַשַּׁבָּת, דְּהָא כְּדֵין אִתְחַבְּרַת כַּלָּה בְּמַלְכָּא, לְאַפָּקָא דִּשְׁאִין וּבִרְכָאן לְעָלְמָא.

קפד. כְּתִיב כַּבֵּד אֶת אָבִיךָ וְאֶת אִמֶּךָ. וּכְתִיב בְּמַעֲשֵׂה בְּרֵאשִׁית, יְהִי מְאֹרֹת בִּרְקִיעַ הַשָּׁמַיִם. מַאי קָא מַיְירֵי. אֶלָּא אִלֵּין מְאוֹרוֹת, דָּא הוּא אָבִיךָ וְאִמֶּךָ. אָבִיךָ, דָּא שִׁמְשָׁא. אִמֶּךָ, דָּא סִיהֲרָא. וְאֵין שִׁמְשָׁא אֶלָּא קֻבְּ״ה, דִּכְתִּיב כִּי שֶׁמֶשׁ וּמָגֵן יְיָ׳ אֱלֹהִים. וְלֵית סִיהֲרָא אֶלָּא כְּנֶסֶת יִשְׂרָאֵל, דִּכְתִּיב וִירֵחֵךְ לֹא יֵאָסֵף, וְעַל דָּא כֹּלָּא חַד.

קפה. כְּתִיב לֹא תִּרְצָח, וּכְתִיב בְּמַעֲשֵׂה בְּרֵאשִׁית, יִשְׁרְצוּ הַמַּיִם שֶׁרֶץ נֶפֶשׁ חַיָּה, וְאַנְתְּ לָא תִּקְטוֹל בַּר נָשׁ, דְּאִקְרֵי הָכֵי, דִּכְתִּיב וַיְהִי הָאָדָם לְנֶפֶשׁ חַיָּה. וְלָא תֶּהֱווּ כְּדָגִים הַלָּלוּ, דְּרַבְרְבֵי בַּלְעֵי לִזוּטְרֵי.

קפו. כְּתִיב לֹא תִּנְאָף, וּכְתִיב בְּמַעֲשֵׂה בְּרֵאשִׁית, תּוֹצֵא הָאָרֶץ נֶפֶשׁ חַיָּה לְמִינָהּ. מִכָּאן אוֹלִיפְנָא, דְּלָא יְשַׁקֵּר בַּר נָשׁ בְּאִנְתּוּ אָחֳרָא דְּלָאו אִיהִי בַּת זוּגֵיהּ. וְעַ״ד כְּתִיב, תּוֹצֵא הָאָרֶץ נֶפֶשׁ חַיָּה לְמִינָהּ, דְּלָא תּוֹלִיד אִתְּתָא אֶלָּא מִמִּינָהּ, וּמַאן אִיהוּ מִינָהּ, דָּא בֶּן זוּגָהּ.

קפז. כְּתִיב לֹא תִּגְנֹב, וּכְתִיב בְּמַעֲשֵׂה בְּרֵאשִׁית, וַיֹּאמֶר אֱלֹהִים הִנֵּה נָתַתִּי לָכֶם אֶת כָּל עֵשֶׂב זוֹרֵעַ זֶרַע, מַאי דִּיהֲבִית לְכוּ וְאַפְקִידַת לְכוּ יְהֵא לְכוּ, וְלָא תִּגְנְבוּ מַה דְּהוּא מֵאָחֳרָא.

קפח. כְּתִיב לֹא תַעֲנֶה בְרֵעֲךָ עֵד שָׁקֶר, וּכְתִיב בְּמַעֲשֵׂה בְּרֵאשִׁית, וַיֹּאמֶר אֱלֹהִים נַעֲשֶׂה אָדָם בְּצַלְמֵנוּ. מַאן דְּהוּא בְּדִיוּקְנָא דְּמַלְכָּא, לָא תַסְהִיד בֵּיהּ שֶׁקֶר. וּמַאן דְּאַסְהִיד שֶׁקֶר בְּחַבְרֵיהּ, כְּאִילּוּ אַסְהִיד לְעֵילָּא.

קפט. כְּתִיב לֹא תַחְמוֹד אֵשֶׁת רֵעֶךָ, וּכְתִיב בְּמַעֲשֵׂה בְּרֵאשִׁית, לֹא טוֹב הֱיוֹת הָאָדָם

לְבַדּוֹ וְגוֹ'. הָא בַּת זוּגָךְ לְקָבְלָךְ, וְעַ"ד לֹא תַחְמוֹד אֵשֶׁת רֵעֶךָ.

קצ. וְהַיְינוּ עֲשָׂרָה מַאֲמָרוֹת לְמַעֲשֵׂה בְּרֵאשִׁית, וַעֲשָׂרָה מַאֲמָרוֹת לְמַתַּן תּוֹרָה. וְהַיְינוּ דִּכְתִּיב, עֲשָׂרָה עֲשָׂרָה הַכַּף בְּשֶׁקֶל הַקֹּדֶשׁ. אִתְקְלוּ כַּחֲדָא בְּשִׁקּוּלָא חֲדָא. וּבְגִין כַּךְ קָאִים עָלְמָא, וְאִשְׁתְּכַח בֵּיהּ שְׁלָמָא. וְעַל דָּא, וְאִם זֶבַח שְׁלָמִים קָרְבָּנוֹ, לְקַיְּימָא עָלְמָא בִּשְׁלָמָא. וְלֹא עוֹד, אֶלָּא דִּמְכַפֵּר עַל מִצְוֹת עֲשֵׂה, וְעַל מִצְוֹת ל"ת, בְּגִין לְאַטָּלָא שָׁלוֹם עַל כֹּלָּא.

קצא. כְּתִיב הַמְשֵׁל וָפַחַד עִמּוֹ עוֹשֶׂה שָׁלוֹם בִּמְרוֹמָיו, הַאי קְרָא אוּקְמוּהָ חַבְרַיָּיא. אֲבָל הַמְשֵׁל, דָּא אַבְרָהָם, דִּכְתִּיב בֵּיהּ נְשִׂיא אֱלֹהִים אַתָּה בְּתוֹכֵנוּ, וּכְתִיב וַאֲבָרֶכְךָ וַאֲגַדְּלָה שְׁמֶךָ. וָפַחַד, דָּא יִצְחָק. דִּכְתִּיב, וּפַחַד יִצְחָק הָיָה לִי. עוֹשֶׂה שָׁלוֹם בִּמְרוֹמָיו, דָּא יַעֲקֹב. דִּכְתִּיב, תִּתֵּן אֱמֶת לְיַעֲקֹב, וּכְתִיב וְהָאֱמֶת וְהַשָּׁלוֹם אֱהָבוּ. דֶּאֱמֶת וְשָׁלוֹם קָשִׁיר דָּא בְּדָא. וְעַ"ד הוּא שְׁלֵימוּתָא דְּכֹלָּא.

קצב. וּשְׁלָמִים שְׁלֵימוּתָא הוּא, וּשְׁלָמָא דְּכֹלָּא. וּמַאן דְּאַקְרִיב שְׁלָמִים אַסְגֵּי שְׁלָמָא בְּעָלְמָא. יַעֲקֹב אִיהוּ עָבֵיד שָׁלוֹם, כְּמָה דְּאַמָרָן. בְּגִין דְּאָחִיד לְהַאי וּלְהַאי. וּשְׁלָמִים אֲחִידָן בְּמִצְוֹת עֲשֵׂה, וּבְמִצְוֹת לֹא תַעֲשֶׂה, בְּהַאי סִטְרָא, וּבְהַאי סִטְרָא. וְעַל דָּא אִקְרֵי שְׁלָמִים. וְרָזָא דְּמִלָּה, דִּכְתִּיב, וְיַעֲקֹב אִישׁ תָּם: גְּבַר שְׁלִים. שְׁלִים לְעֵילָּא, וּשְׁלִים לְתַתָּא. דָּבָר אַחֵר הַמְשֵׁל דָּא מִיכָאֵל. וָפַחַד דָּא גַּבְרִיאֵל. דָּא יְסוֹדָא דִּילֵיהּ מִמַּיָּא וְדָא יְסוֹדָא דִּילֵיהּ מֵאֶשָּׁא וְקוּדְשָׁא בְּרִיךְ הוּא עָבֵיד שְׁלָמָא בֵּינַיְיהוּ דִּכְתִּיב עוֹשֶׂה שָׁלוֹם בִּמְרוֹמָיו.

קצג. רִבִּי אַחָא אָמַר, כְּתִיב אִם עַל תּוֹדָה יַקְרִיבֶנּוּ וְהִקְרִיב עַל זֶבַח הַתּוֹדָה וְגוֹ'. מַאי קָא מַיְירֵי. כְּמָה דְּאַתְּ אָמֵר, וְהִתְוַדָּה אֲשֶׁר חָטָא עָלֶיהָ, עָלֶיהָ דַּיְיקָא. וְעַ"ד וְחַלֹּת מַצּוֹת וְגוֹ'. וְחַלֹּת מַצּוֹת, הָא אוּקְמוּהָ, וְעַל מַה אַתְיָא. מַצַּת וְחַלֹּת כְּתִיב חָסֵר, בְּגִין דְּחָטָא עָלֶיהָ.

קצד. תָּאנֵי רִבִּי חִיָּיא, כְּתִיב עַל זֶבַח תּוֹדַת שְׁלָמָיו, דָּא שְׁלֵימוּ דְּכֹלָּא. שְׁלָמָיו: תְּרֵי. תּוֹדָה, אִתְיְידַע. אָמַר לֵיהּ רִבִּי יְהוּדָה, תּוֹדָה יְדִיעַ, שְׁלָמָיו מַהוּ תְּרֵי. אָמַר לֵיהּ, תְּרֵין וָוִין, וָ"ו דְּהַיְינוּ שְׁלָמָיו, שְׁלָמָא דְּכֹלָּא.

קצה. אָמַר רִבִּי יִצְחָק, תּוֹדַת שְׁלָמָיו, דְּאַטִּיל שְׁלָמָא בְּכֹלָּא, וְאִתְעַר רַחֲמֵי בְּכֻלְּהוּ עָלְמִין. תּוֹדַת שְׁלָמָיו, רִבִּי יוֹסֵי אָמַר, הָא דְּאָמַר רִבִּי חִיָּיא שַׁפִּיר, דְּכ"י אִתְבָּרְכָא מֵאִינּוּן תְּרֵי, דְּאִינּוּן שְׁלָמָא דְּכֹלָּא. רִבִּי יוֹסֵי אָמַר, לֶחֶם וְחָמֵץ הָא יְדִיעַ, וְהָא אִתְּמַר כְּמָה דַּהֲוָה וְחָטָאָה, כַּךְ הֲוָה מְקָרֵב בְּהַהוּא גַּוְונָא מַמָּשׁ.

קצו. ת"ח, וְחַלֹּת מַצַּת וְחָסֵר, כְּמָה דְּאִתְּמַר בְּלוּלוֹת בַּשֶּׁמֶן וּרְקִיקֵי מַצּוֹת מְשׁוּחִים בַּשָּׁמֶן. לְמַאי קָא רְמִיזָא. אָמַר ר' שִׁמְעוֹן, הָנֵי אִינּוּן לַהַט הַחֶרֶב הַמִּתְהַפֶּכֶת וְגוֹ'. בְּגִין דְּכֻלְּהוּ אִתְמָנָן עַל אָרְחַיְיהוּ דִּבְנֵי נָשָׁא, עַל אִינּוּן דְּעַבְרִין עַל פִּקּוּדֵי אוֹרַיְיתָא, וְעַל דָּא כֹּלָּא סֹלֶת בְּלוּלָה בַּשֶּׁמֶן, לְאַמְשָׁכָא מִשַּׁח רְבוּת מֵאֲתַר עִלָּאָה לְתַתָּא, וְיִתְבָּרְכוּן כֻּלְּהוּ כַּחֲדָא, מֵהַהוּא מְשַׁח רְבוּת קוּדְשָׁא.

קצז. וְדָא הוּא יַיִן לַנֶּסֶךְ, וְהָא אוּקִימְנָא רְבִיעִית הַהִין. וַאֲתַר חַד מָלֵי יַיִן וְשֶׁמֶן וּמַיִם לְנַסּוּךְ, וְהָא אוּקִימְנָא מִלֵּי, מַיִם לְאַשְׁקָאָה גִּנְּתָא, וְכָל אִינּוּן נְטִיעָן. וְעַל דָּא, אִית מַיִם וְאִית מַיִם. יַיִן, אִית אֲתַר דְּאִיהוּ טוֹב, וְאִית אֲתַר דְּאִיהוּ לְאַעְנְשָׁא דְּאִיהוּ דִּינָא.

קצח. עַל דָּא, מַאן דְּחָמֵי יַיִן בְּחֶלְמֵיהּ, אִית לְמַאן דְּאִיהוּ טַב, וְאִית לְמַאן דְּאִיהוּ דִּינָא. אִי תַּלְמִיד חָכָם הוּא, כְּתִיב וְיַיִן יְשַׂמַּח לְבַב אֱנוֹשׁ. וּכְתִיב כִּי טוֹבִים דּוֹדֶיךָ מִיָּיִן, וְדָא הוּא יַיִן דִּמְנַטְּרֵי, דְּחַדֵּי לְכֹלָּא. וְאִי לָא, תְּנוּ שֵׁכָר לְאוֹבֵד וְיַיִן לְמָרֵי נָפֶשׁ. אִית יַיִן

אוֹזְרָא דְּאִיהוּ דִינָא. וְעַל דָּא, יָאוֹת לְקָרְבָא אִלֵּין מִלִּין בְּקָרְבָּנֵיהּ, בְּגִין דְּיִתְעֲבַר דִּינָא, וְיִתְעַר רַחֲמֵי. אַעֲבַר יַיִן, וְאַיְיתֵי יַיִן, וְכֵן בְּכֹלָּא.

קצט. וְשֶׁמֶן לֹא אַעֲדֵי מִקָּרְבָּנֵיהּ לְעָלְמִין, בַּר מִמְּנָחוֹת קְנָאוֹת דִּכְתִיב לֹא יִצֹק עָלָיו שֶׁמֶן וְגוֹ'. דְּהָא הָכָא לָא בַּעְיָא רַחֲמֵי, דְּהָא כֹּלָּא דִּינָא, דִּכְתִיב וְצָבְתָה בִטְנָהּ וְנָפְלָה יְרֵכָהּ. וּכְתִיב יִתֵּן יְיָ' וְגוֹ', וְעַל דָּא וְזֹאת תּוֹרַת זֶבַח הַשְּׁלָמִים אִם עַל תּוֹדָה יַקְרִיבֶנּוּ.

ר. רִבִּי וְחִזְקִיָּה הֲוָה יָתִיב קַמֵּיהּ דְּרִבִּי יִצְחָק, קָמוּ בְּפַלְגוּת לֵילְיָא לְמִלְעֵי בְּאוֹרַיְיתָא. פָּתַח רִבִּי יִצְחָק וְאָמַר, הִנֵּה בָּרְכוּ אֶת יְיָ' כָּל עַבְדֵי יְיָ' וְגוֹ', הַאי קְרָא הָא אוּקְמוּהָ וְחַבְרַיָּיא, וְהָא אִתְּמַר. אֲבָל הַאי שְׁבָחָא הוּא דְּכָל אִינּוּן בְּנֵי מְהֵימְנוּתָא. וּמַאן אִינּוּן בְּנֵי מְהֵימְנוּתָא. אִינּוּן דְּמִשְׁתַּדְּלֵי בְּאוֹרַיְיתָא, וְיַדְעִין לְיַחֲדָא שְׁמָא קַדִּישָׁא כַּדְקָא יָאוֹת. וּשְׁבָחָא דְּאִינּוּן בְּנֵי מְהֵימְנוּתָא, אִינּוּן דְּקַיְימִין בְּפַלְגּוּ לֵילְיָא לְמִלְעֵי בְּאוֹרַיְיתָא וּמִתְדַּבְּקֵי בָּהּ בִּכְנֶסֶת יִשְׂרָאֵל, לְשַׁבְּחָא לֵיהּ לְקוּדְשָׁא בְּרִיךְ הוּא בְּמִלֵּי דְּאוֹרַיְיתָא.

רא. ת"ח, בְּשַׁעֲתָא דְּבַר נָשׁ קָם בְּפַלְגּוּת לֵילְיָא לְמִלְעֵי בְּאוֹרַיְיתָא, וְרוּחַ צָפוֹן אִתְעַר בְּפַלְגּוּת לֵילְיָא, הַהִיא אַיַּלְתָּא קָיְימָא וּמְשַׁבַּחַת לֵיהּ לְקוּדְשָׁא בְּרִיךְ הוּא. וּבְשַׁעֲתָא דְּהִיא קָיְימָא, כַּמָּה אֶלֶף, וְכַמָּה רִבְבָן, קָיְימִין עִמָּהּ בְּקִיּוּמַיְיהוּ, וְכֻלְּהוּ שָׁארָן לְשַׁבְּחָא לְמַלְכָּא קַדִּישָׁא.

רב. הַהוּא מַאן דְּזָכֵי וְקָם בְּפַלְגּוּת לֵילְיָא לְמִלְעֵי בְּאוֹרַיְיתָא, קָב"ה אָצִית לֵיהּ, כְּמָה דְּאוּקְמוּהָ, דִּכְתִיב הַיּוֹשֶׁבֶת בַּגַּנִּים וְחֲבֵרִים מַקְשִׁיבִים לְקוֹלֵךְ הַשְׁמִיעִינִי. וְכָל אִינּוּן אֻכְלוּסִין לְעֵילָּא, וְכָל בְּנֵי תוּשְׁבְּחָתָא דִּמְזַמְּרָן לְמָארֵיהוֹן, כֻּלְּהוּ מִשְׁתַּכְּכֵי בְּגִין תוּשְׁבְּחָתָא דְּאִינּוּן דְּלָעָאן בְּאוֹרַיְיתָא, וּמַכְרִזֵי וְאָמְרֵי, הִנֵּה בָּרְכוּ אֶת יְיָ' כָּל עַבְדֵי יְיָ'. אַתּוּן בָּרְכוּ אֶת יְיָ'. אַתּוּן שַׁבָּחוּ לְמַלְכָּא קַדִּישָׁא אַתּוּן אַעֲטְרוּ לֵיהּ לְמַלְכָּא.

רג. וְהָהִיא אַיַּלְתָּא מִתְעַטְּרָא בֵּיהּ בְּהַהוּא בַּר נָשׁ, וְקָמַת קַמֵּי מַלְכָּא, וְאָמְרַת וְזַמֵּי בְּמַאי בְּרָא אַתֵּינָא לְקַמָּךְ, בְּמַאי בְּרָא אִתְעֲרָנָא לְגַבָּךְ, וּמַאן אִינּוּן דְּשַׁבְּחָא כֹּלָּא דִּלְהוֹן קַמֵּי מַלְכָּא. הָדַר וְאָמַר, הָעוֹמְדִים בְּבֵית יְיָ' בַּלֵּילוֹת. אִלֵּין אִקְרוּן עַבְדֵי יְיָ', אִלֵּין אִתְחֲזוּן לְבָרְכָא לְמַלְכָּא. וּבִרְכָתָא דִּלְהוֹן בִּרְכְתָּא, הה"ד שְׂאוּ יְדֵיכֶם קֹדֶשׁ וּבָרְכוּ אֶת יְיָ' וְגוֹ'. אַתּוּן אִתְחֲזוּן דְּמַלְכָּא קַדִּישָׁא יִתְבָּרַךְ עַל יְדַיְיכוּ וּבִרְכָתָא דְּעַל יְדַיְיכוּ בִּרְכָתָא הִיא.

רד. שְׂאוּ יְדֵיכֶם קֹדֶשׁ. מַהוּ קֹדֶשׁ. אֲתַר עִלָּאָה, דִּמְבּוּעָא דְּנַחֲלָא עֲמִיקָא נָפִיק מִנֵּיהּ. דִּכְתִיב, וְנָהָר יוֹצֵא מֵעֵדֶן לְהַשְׁקוֹת. וְעֵדֶן הוּא דְּאִקְרֵי קֹדֶשׁ עִלָּאָה, בְּגִין כָּךְ שְׂאוּ יְדֵיכֶם קֹדֶשׁ. וּבַר נָשׁ דְּעָבִיד כֵּן, וְזָכֵי לְהַאי, מַאי קָא מַכְרֵזֵי עֲלֵיהּ. יְבָרֶכְךָ יְיָ' מִצִּיּוֹן, אַתְּ תְּבָרֵךְ לְקָב"ה, מֵאֲתַר דְּאִקְרֵי קֹדֶשׁ עִלָּאָה. וְהוּא יְבָרֵךְ לָךְ מֵאֲתַר דְּאִקְרֵי צִיּוֹן, דְּאַתְּ וּמַטְרוֹנִיתָא תִּתְבָּרְכוּן כַּחֲדָא.

רה. כְּמָה דְּזִוּוּגָא דִּלְכוֹן הֲוָה כַּחֲדָא לְשַׁבָּחָא לְמַלְכָּא. כָּךְ מֵהַהוּא אֲתַר דְּמִתְבָּרְכָא כְּנֶסֶת יִשְׂרָאֵל, מֵהַהוּא אֲתַר יְזַמֵּי לָךְ בִּרְכָאן, הה"ד יְבָרֶכְךָ יְיָ' מִצִּיּוֹן וּרְאֵה בְּטוּב יְרוּשָׁלָ‍ִם. מַאן הוּא טוּב יְרוּשָׁלָ‍ִם. אִינּוּן בִּרְכָאן דְּנָפְקָא לָהּ מִמַּלְכָּא, עַל יְדֵי דְּהַהוּא דַּרְגָּא קַדִּישָׁא דְּצַדִּיק. וְעַל דָּא, יְבָרֶכְךָ יְיָ' מִצִּיּוֹן וּרְאֵה בְּטוּב יְרוּשָׁלָ‍ִם, וְכֹלָּא חַד מִלָּה.

רו. וּרְאֵה בָּנִים לְבָנֶיךָ וְגוֹ', וּרְאֵה בָנִים לְבָנֶיךָ עֲפִיר, מַאי קָא בָּעֵי הָכָא עַל יִשְׂרָאֵל. אֶלָּא, בְּגִין דְּאַסְגֵּי שְׁלָמָא לְעֵילָּא, דְּכַד הוּא זָכֵי לְכוּלֵּי הַאי, אַסְגֵּי שְׁלָמָא לְעֵילָּא וְתַתָּא. שָׁלוֹם עַל יִשְׂרָאֵל, סְתָם. וְשָׁלוֹם שְׁבָחָא הוּא דְּעֶלָּאֵי וְתַתָּאֵי,

שבחא הוא דכל עלמין. ומלי דאורייתא אסגיאו שלמא בעלמא, דכתיב יי' עז לעמו יתן יי' יברך את עמו בשלום.

רז. נפש כי תחטא. רבי יוסי פתח, עד שיפוח היום ונסו הצללים וגו', כמה אית להו לבני נשא לאזדהרא מחוביהון, דלא למחטי קמי מאריהון, דהא בכל יומא ויומא כרוזא נפיק וקארי, אתערו בני עלמא לבייכו לקמי מלכא קדישא. אתערו לאזדהרא מחוביכו. אתערו נשמתא קדישא דיהב בגווייכו מאתר קדישא עלאה.

רח. דתנינן, בשעתא דקודשא ב"ה אפיק נשמתא לנחתא בבני נשא, אסהיד בה בכמה יעודין, בכמה קסטורין, בגין לנטרא פקודוי. ולא עוד אלא דאעבר לה באלף ותמניא עלמין לאשתעשעא, ולמחמי בהו יקרא דאינון דמשתדלי באורייתא. וקיימא קמי מלכא בלבוש יקר, בדיוקנא דהאי עלמא, בלבוש יקר עלאה אסתכלת ביקרא דמלכא כל יומא, ואעטר לה בכמה עטרין.

רט. בשעתא דמטי זמנא לנחתא לעלמא, עבדת מדורהא בגנתא דעדן דארעא תלתין יומין, למחמי יקרא דמאריהון דצדיקייא, וסלקא לאתרהא לעילא, ובתר דא נחתת לעלמא, אעטר לה מלכא קדישא, בשבע עטרין, עד דאתת ועאלת בגו גופא דב"נ. וכד איהי בגופא דב"נ, וחבת בהאי עלמא, ואשתדלת בחשוכהא. אורייתא תווהא עלה, ואמרת, ומה כל יקרא דא, וכל אשלמותא אשלים לנפשתא מלכא עלאה, והיא חבאת קמיה, נפש כי תחטא, מה דין הוא דתחטא.

רי. אמר ר' יוסי, נפש כי תחטא אהדרנא לקרא עד שיפוח היום, עיטא להאי נפש לאזדהרא מחובהא, ותיתוב לאתדכאה, עד שיפוח היום, עד שלא יפוח יומא דהאי עלמא, וייתי ההוא יומא תקיפא, דיתבע לה מלכא דינא, לנפקא מהאי עלמא. ונסו הצללים, דא הוא רזא בין חבריא דקא אמרי, דבשעתא דמטי זמנא דב"נ לנפקא מן עלמא, צולמא דבר נש אתעבר מניה, הה"ד עד שיפוח היום, עד דלא ינשוף יומא לנפקא מהאי עלמא. ונסו הצללים, דאתעבר צולמא, יתוב קמי מאריה.

ריא. רבי אלעזר אמר, תרין צולמין אית ליה לב"נ כד איהו בקיומיה, חד רברבא, וחד זעירא, דכתיב הצללים, תרי. וכד משתכחי כחדא, כדין הוא ב"נ בקיומיה. ועל דא, ונסו הצללים כתיב. כדין בעי בר נש לאסתכלא בעובדוי, ולתקנא לון קמי מאריה, ויודי עלייהו. בגין דקב"ה אקרי רחום וחנון, ומקבל לאינון דתבין קמיה.

ריב. ודא הוא עד שיפוח היום ונסו הצללים, דכיון דאינון צללים מתעברן מניה, ואיהו תפיס בקולרא, תשובה היא אבל לא מעליא כ"כ כזמנא דקאים איהו בקיומיה. ושלמה מלכא אכריז ואמר, וזכור את בוראך בימי בחורותיך עד אשר לא יבאו ימי הרעה וגו'.

ריג. וע"ד עד שיפוח היום, דבעי בר נש לאתקנא עובדוי. דכד מטון יומוי לאסתלקא מן עלמא, קב"ה תוהא עליה, ואומר, ונפש כי תחטא ושמעה קול אלה, והא אומינא לה באומאה דשמי דלא לשקרא בי, ואסהדית בה כד נחתת לעלמא, והוא עד ודאי, מכמה זמנין דאסהדית בה, לנטרא פקודי. בגין כך הואיל וב"נ הוא עד, בשעתא דייתוב קמי מלכא, או ראה או ידע. או ראה, אינון חובין דעבד ואסתכל בהו. או ידע בבירורא דמלה דעבר על פקודא דמאריה, אם לא יגיד, אם לא יודי עלייהו קמי מאריה כד יפוק מהאי עלמא, ונשא עונו. וכד ישא עונו, היאך פתחון ליה פתחא, והיאך יקום קמי מאריה, ועל דא נפש כי תחטא כתיב.

ריד. נֶפֶשׁ כִּי תֶחֱטָא. רִבִּי אַבָּא פָּתַח, כָּל זֹאת בָּאַתְנוּ וְלֹא שְׁכַחֲנוּךְ וְלֹא שִׁקַּרְנוּ בִּבְרִיתֶךָ. כָּל זֹאת בָּאַתְנוּ, כָּל אִלֵּין בָּאוּ עֲלָנוּ מִבָּעֵי לֵיהּ. אֶלָּא כָּל דִּינִין דִּלְעֵילָא אָתוּ עֲלָנָא. וְלֹא שְׁכַחֲנוּךְ, וְלֹא אַנְשֵׁינָא בְּמִילוּלֵי אוֹרַיְיתָךְ. מִכָּאן אוֹלִיפְנָא, כָּל מַאן דְּאַנְשֵׁי מִלּוּלֵי אוֹרַיְיתָא, וְלֹא בָּעֵי לְמִלְעֵי בָּהּ, כְּאִלּוּ אַנְשֵׁי לְקֻבָּ"ה, דְּהָא אוֹרַיְיתָא כֹּלָּה שְׁמָא דְקֻבָּ"ה הֲוֵי.

רטו. וְלֹא שִׁקַּרְנוּ בִּבְרִיתֶךָ, דְּכָל מַאן דִּמְשַׁקֵּר בֵּיהּ בְּהַאי אָת קַיָּימָא קַדִּישָׁא דְרָשִׁים בֵּיהּ, כְּאִלּוּ מְשַׁקֵּר בִּשְׁמָא דְּמַלְכָּא, בְּגִין דִּשְׁמָא דְּמַלְכָּא אִתְרְשִׁים בֵּיהּ בְּבַר נָשׁ. וְקְרָא אַחֲרָא אוֹדֵי בֵּיהּ בְּהַאי קְרָא, דִּכְתִיב אִם שְׁכַחֲנוּ שֵׁם אֱלֹהֵינוּ וַנִּפְרוֹשׂ כַּפֵּינוּ לְאֵל זָר. אִם שְׁכַחֲנוּ שֵׁם אֱלֹהֵינוּ, כד"א וְלֹא שְׁכַחֲנוּךְ. וַנִּפְרוֹשׂ כַּפֵּינוּ לְאֵל זָר, כד"א וְלֹא שִׁקַּרְנוּ בִּבְרִיתֶךָ. וְכֹלָּא חַד מִלָּה. מַאי שִׁקְרָא הָכָא. דְּפָרִישׂ כַּפּוֹי לִרְשׁוּתָא אָחֳרָא, וּמְשַׁקֵּר בְּהַאי בְּרִית. וְעַ"ד אוֹרַיְיתָא אַזְהָרַת בְּהַאי, דְּכָל מַאן דְּנָטִיר הַאי בְּרִית, כְּאִלּוּ נָטִיר אוֹרַיְיתָא כֹּלָּה, וּמַאן דִּמְשַׁקֵּר בְּהַאי, כְּאִלּוּ מְשַׁקֵּר בְּאוֹרַיְיתָא כֹּלָּה.

רטז. ת"ח, אַבְרָהָם עַד דְּלָא אִתְגְּזַר, הָא לָא אִתְּמַר דְּאִיהוּ נָטִיר אוֹרַיְיתָא, כֵּיוָן דְּאִתְגְּזַר מַה כְּתִיב, עֵקֶב אֲשֶׁר שָׁמַע אַבְרָהָם בְּקוֹלִי וַיִּשְׁמוֹר מִשְׁמַרְתִּי מִצְוֹתַי וְחֻקּוֹתַי וְתוֹרֹתָי. וְכֹלָּא בְּגִין דְּאִתְגְּזַר, אִתְרְשִׁים בֵּיהּ רְשִׁימָא קַדִּישָׁא, וְנָטִיר לֵיהּ כְּדְקָא יֵאוֹת, סָלִיק לֵיהּ כְּאִלּוּ נָטַר אוֹרַיְיתָא כֹּלָּה. יִצְחָק אוּף הָכִי כְּתִיב, וְאֶת בְּרִיתִי אָקִים אֶת יִצְחָק. וְעַל דָּא אוֹרַיְיתָא אִקְרֵי בְּרִית.

ריז. ת"ח, יוֹסֵף בְּגִין דְּנָטַר לֵיהּ לְהַאי בְּרִית, וְלָא בָּעָא לְעַשְׁקְרָא בֵּיהּ, זָכָה לִיקָרָא בְּהַאי עָלְמָא, וְלִיקָרָא לְעָלְמָא דְּאָתֵי. וְלֹא עוֹד, אֶלָּא דְּקֻבָּ"ה אַשְׁרֵי שְׁמֵיהּ בְּגַוֵּיהּ, דִּכְתִיב עֵדוּת בִּיהוֹסֵף שָׂמוֹ. וְזָכָה לְבִרְכָתָא דְּהַאי עָלְמָא, וּלְבִרְכָתָא דְּעָלְמָא דְּאָתֵי.

ריח. א"ר יִצְחָק, כְּתִיב בְּכוֹר שׁוֹרוֹ הָדָר לוֹ וְגוֹ'. יוֹסֵף בְּגִין דְּנָטִיר לְהַאי בְּרִית, זָכָה בְּשׁוֹר, דְּאִיהוּ קַדְמָאָה לְקָרְבָּנָא. א"ל רִבִּי יְהוּדָה, אִי הָכִי אַמַּאי אִתְבְּרַךְ בְּמִלָּה דְּאִיהִי שְׂמָאלָא, בִּימִינָא מִבָּעֵי לֵיהּ, דְּהָא כְּתִיב שׁוֹר וּפְנֵי שׁוֹר מֵהַשְּׂמֹאל. אָ"ל בְּגִין דִּינִין עַל חוֹבֵי דְיָרָבְעָם.

ריט. א"ל, רָזָא אוֹלִיפְנָא בְּהַאי קְרָא, דְּכֵיוָן דְּיוֹסֵף נָטַר לֵיהּ לְהַאי בְּרִית, דְּהַאי בְּרִית אָחִיד בִּתְרֵין דַּרְגִּין, וְאִינּוּן תְּרֵין דַּרְגִּין לְעֵילָא, בִּשְׁמָהָן אִתְקְרוּן. וְאוֹלִיפְנָא בְּפָרְשַׁת פָּרָה אֲדוּמָּה, דְּהַאי פָּרָה וְחַד דַּרְגָּא מֵאִינּוּן תְּרֵין דַּרְגִּין הֲוֵי, וְזוּוְגָא דְּפָרָה שׁוֹר אִקְרֵי, וְדָא הוּא בְּכוֹר שׁוֹרוֹ הָדָר לוֹ וְקַרְנֵי רְאֵם קַרְנָיו הָדָר לוֹ וַדַּאי. וְלָאו הַאי כְּשׁוֹר דְּעָלְמָא, אֶלָּא וְקַרְנֵי רְאֵם קַרְנָיו. קַרְנָא עִלָּאָה הוּא עַל כָּל אַחֳרָנִין, וְעַל דָּא בָּהֶם עַמִּים יְנַגַּח יַחְדָּו אַפְסֵי אָרֶץ.

רכ. א"ר אַבָּא, מַשְׁמַע, דְּכָל מַאן דְּנָטִיר לְהַאי אָת רְשִׁימָא קַדִּישָׁא, אִינּוּן תְּרֵין דַּרְגִּין אִתְקְשָׁרַן בֵּיהּ. לְנַטְרָא לֵיהּ בְּכֹלָּא, וּלְאַעֲטְרָא לֵיהּ בִּיקָרָא עִלָּאָה. וְעַל דָּא זָכָה בִּתְרֵין מַלְכוּ. וְחַד הוּא. וְחַד בְּנוֹ. דְּכֵיוָן דִּשְׁלֹמֹה מַלְכָּא אִתְדְּבַק בְּנָשִׁים נָכְרִיּוֹת, אִתְיְהִיב מַלְכוּתָא לִירָבְעָם, וְעַל דָּא בְּרִית וְזָבִיב מִכֹּלָּא.

רכא. בְּגִין כָּךְ א"ר שִׁמְעוֹן, הַאי בַּר נָשׁ דְּאוֹלִיד בַּר, אִתְקְשַׁר בִּשְׁכִינְתָּא, דְּהִיא פְּתִיחָא דְּכָל פְּתִיחִין עִלָּאִין, פְּתִיחָא דְּאִתְקְשַׁר בִּשְׁמָא קַדִּישָׁא. וְהַהוּא דְּמָא דְּנָפִיק בְּהַהוּא רְבִיָּא, נָטִיר קָמֵי קוּדְשָׁא בְּרִיךְ הוּא, וּבְשַׁעֲתָא דְּדִינִין מִתְעָרִין בְּעָלְמָא, אַשְׁגַּח קוּדְשָׁא בְּרִיךְ הוּא בְּהַהוּא דְּמָא, וְשֵׁזִיב עָלְמָא. וּבְגִין כָּךְ כְּתִיב וּבֶן שְׁמֹנַת יָמִים יִמּוֹל לָכֶם כָּל זָכָר. וּכְתִיב וְאִם בִּגְבוּרוֹת שְׁמֹנִים שָׁנָה. וְכֹלָּא בְּחַד מַתְקְלָא סַלְקָא.

רכב. תָּאנָא בְּהַהוּא דְּמָא, דְּכֵי עָלְמָא לְאִתְבַּסְּמָא בְּחֶסֶד, וְקַיְימִין כֻּלְהוּ עָלְמִין,

דכתיב אם לא בריתי יומם ולילה חקות שמים וארץ וגו'. אם לא בריתי תינח. יומם ולילה למה.

רכג. א״ר שמעון, תנינן תרין כתרין אתאחדן כחדא, ואינון פתחא דכל שאר כתרין, ותאנא, חד דינא, וחד רחמי, ומתבסמאן דא בדא, דכר ונוקבא. בסטרא דדכורא שריא חסד. בסטרא דנוקבא שריא דינא. חד חוורא וחד סומקא. ובגין לאתבסמא דא בדא, מתקשרן דא בדא. והאי ברית אחיד בהו ביומם ולילה, בדינא וחסד. בדינא בקדמיתא. ולבתר שריא ביה בחסד, ואתבסם בכלא. ודא הוא ברית דאקרי יומם ולילה, דאחיד בתרוייהו.

רכד. ומאן דזכי לנטרא להאי ברית כדקא יאות, ולא חטי ביה כל יומוי, אחיד בהו ביומם ולילה. וזכי לתרין עלמין, עלמא דא ועלמא דאתי. ועל דא אקרי אברהם שלים, דכתיב התהלך לפני והיה תמים, ואימתי אקרי שלים. כד זכה בתרוייהו, ביומם ולילה. דכתיב יומם יצוה יי' חסדו ובלילה שירה עמי. ותרווייהו אחסין אברהם. ולא אתקיימא ביה חסד בקיומא שלים, עד דאתגזר. כיון דאתגזר, אתקיים ביה, וזכה לתרווייהו, ואקרי שלים.

רכה. כמה דתנינן דכתיב, והוא יושב פתח האהל כחום היום. פתח האהל, דא הוא כתרא עשיראה דמלכא, דאיהו פתחא לכל משכנא קדישא דשאר כתרין, וקרייה דוד מלכא פתחא, דכתיב פתחו לי שערי צדק, וכתיב זה השער ליי'. כחום היום. כד נהרא נהירו דחסד, וסלק עדביה, כמה דיתיב בהאי, יתיב בהאי. אימתי אתקיימו ביה, כד אתגזר. ובגין כך אקרי ברית יומם ולילה. תאנא כתיב, ופסח יי' על הפתח. מאי ופסח יי' על הפתח. דשריא על האי פתחא חסד, לאתבסמא. ובגיני כך ולא יתן המשחית וגו'.

רכו. אמר רבי אלעזר, הא תנינן, גיורא כד אתגזר ועייל תחות גדפי דשכינתא, אקרי גר צדק ולא יתיר, גר צדק ודאי, זכי למיעל בההוא כתרא דצדק ואת אמרת יומם ולילה דזכו לתרווייהו.

רכז. א״ל ר״ש, אלעזר ברי, לא דמי מאן דאתי משרשא קדישא, ומגזעא דקשוט, למאן דאתי מגזעא בישא, ומשרשא דגעלי בישין תקיפין. בישראל כתיב בהו, ואנכי נטעתיך שורק כלה זרע אמת. באומות עע״ז כתיב אשר בשר חמורים בשרם וזרמת סוסים זרמתם.

רכח. ובגין כך, ישראל קדישין זרעא דקשוט, גזעא דאתבסמו בטורא דסיני, ואתפסק מנייהו כל זוהמא, כלהו מתבסמין, וכלהו עיילי בקיימא קדישא דיומם ולילה, למהוי שלמים בכלא. אבל באומות עובדי ע״ז, קשיא למעבר מנייהו זוהמא, ואפילו עד ג' דרין. ובגין כך גר צדק. ודאי.

רכט. דאמר רב המנונא סבא, אומות עובדי ע״ז, עד לא אתגזרו שריין בכתרין תתאין דלא קדישין, ורוח מסאבא שריא עלייהו. כיון דאתגיירו ואתגזרו, שריין בכתרא קדישא דשריא על שאר כתרין תתאין, ורוחא קדישא שריא עלייהו. אבל ישראל, קדישין בני קדישין, דגזעין ושרשין, ואתבסמו בטורא דסיני, ועאלו במהימנותא שלימתא קדישא. בשעתא דאתגזר שריא בכלא, דכתיב ואתם הדבקים ביי' אלהיכם חיים כלכם היום.

רל. והיה כי יחטא ואשם והשיב את הגזלה וגו'. רבי יוסי אמר, כי מי נח זאת לי

אֲשֶׁר נִשְׁבַּעְתִּי מֵעֲבֹר מֵי נֹחַ. הַאי קְרָא קַשְׁיָא, כְּתִיב וּמֵי הַמַּבּוּל הָיוּ עַל הָאָרֶץ. וּכְתִיב וְלֹא יִכָּרֵת כָּל בָּשָׂר עוֹד מִמֵּי הַמַּבּוּל. מֵי הַמַּבּוּל כְּתִיב, וְלָא מֵי נֹחַ, וְהָכָא כְּתִיב כִּי מֵי נֹחַ זֹאת לִי. זֹאת לִי, הֵם לִי מִבָּעֵי לֵיהּ.

רל״א. אֶלָּא הָכִי תָּאנָא, כַּד זַכָּאִין סַגִּיאוֹ בְּעָלְמָא, קֻבְּ״ה חַדֵּי וּמִשְׁתַּבַּח בְּהוּ. דְּתָנִינָן כַּד שָׁארֵי זַכָּאָה בְּעָלְמָא, וְאִשְׁתַּכַּח בֵּיהּ, כִּבְיָכוֹל אָטִיל שָׁלְמָא בְּעָלְמָא, וְכָל עָלְמָא מִתְבָּרְכָא בְּגִינֵיהּ, וְאָטִיל שָׁלְמָא בְּפָמַלְיָא שֶׁל מַעְלָה. מְנָא לָן. דִּכְתִיב, אוֹ יַחֲזֵק בְּמָעֻזִּי יַעֲשֶׂה שָׁלוֹם לִי שָׁלוֹם יַעֲשֶׂה לִי. תְּרֵין שְׁלוֹמִין אֲמַאי הָכָא. אֶלָּא יַעֲשֶׂה שָׁלוֹם לִי, דִּדְכַר וְנוּקְבָא. שָׁלוֹם יַעֲשֶׂה לִי, דְּמִתְבָּרְכָאן אֲבָהָן.

רל״ב. מַאי אִיכָּא בֵּינַיְיהוּ, אָמַר רַבִּי יוֹסֵי, כַּד מִתְבָּרְכָאן אֲבָהָן, שָׁלוֹם יַעֲשֶׂה לִי, דְּאַקְדִּים שָׁלוֹם בְּכֹלָּא. וּבְגִין כַּךְ שָׁלוֹם קָדִים. יַעֲשֶׂה שָׁלוֹם לִי, מַאי טַעְמָא לָא אַקְדִּים שָׁלוֹם הָכָא. אֶלָּא בְּגִין דְּאִתְעֲבַר וְזוּנָא דִּשְׂעָרַיָא בְּנוּקְבָא בְּקַדְמֵיתָא, וְיֵיתֵי דְכוּרָא לְמִשְׁרֵי בְּאַתְרֵיהּ, וּבְגִין כַּךְ יַעֲשֶׂה אַקְדִּים, וּלְבָתַר שָׁלוֹם.

רל״ג. תָּאנָא בְּזִמְנָא דְּזַכָּאָה דְּשָׁארֵי בְּעָלְמָא, דִּינִין לָא מִתְעָרִין, וְלָא שַׁלְטִין בְּעָלְמָא, מִשּׁוּם דְּהַהוּא בַּר נָשׁ זַכָּאָה הוּא אָת בְּעָלְמָא, וְקֻבְּ״ה בָּעֵי בִּיקָרֵיהּ, וְעָלְמָא מִתְקַיֵּים בְּגִינֵיהּ.

רל״ד. תַּנְיָא אָמַר רַבִּי יוֹסֵי, בְּזִמְנָא דִּבְנֵי עָלְמָא אִשְׁתַּכָּחוּ וְחַיָּיבִין קָמֵי קֻבְּ״ה, הַהוּא זַכָּאָה דְּאִשְׁתַּכַּח בְּעָלְמָא, קֻבְּ״ה אִשְׁתָּעֵי בַּהֲדֵיהּ, בְּגִין דִּיבְעֵי רַחֲמִין עַל עָלְמָא, וְיִתְפַּיַּיס בַּהֲדַיְיהוּ. מַה עֲבַד קֻבְּ״ה, אִשְׁתָּעֵי בַּהֲדֵיהּ, עַל אִינוּן חַיָּיבֵי עָלְמָא. אָ״ל לְאוֹטָבָא לֵיהּ בִּלְחוֹדוֹי, וּלְשֵׁיצָאָה לְכֻלְּהוּ. מַה אָרְחֵיהּ דְּהַהוּא בַּר נָשׁ זַכָּאָה. שָׁבִיק דִּידֵיהּ, וְנָסִיב לְדָכֻלֵּי עָלְמָא בְּדִיל דְּיִתְפַּיַּיס קֻבְּ״ה בַּהֲדַיְיהוּ.

רל״ה. מְנָא לָן. מִמֹּשֶׁה. דְּאָמַר לֵיהּ קֻבְּ״ה, וְזָבוּ יִשְׂרָאֵל, עָשׂוּ לָהֶם עֵגֶל מַסֵּכָה וַיִּשְׁתַּחֲווּ לוֹ וְגוֹ' תּוּ אָמַר לֵיהּ, הֶרֶף מִמֶּנִּי וְאַשְׁמִידֵם וְגוֹ', בְּהַאי שַׁעְתָּא אָמַר מֹשֶׁה אִי בְּגִין יְקָרָא דִּילִי יִשְׁתְּצוּן יִשְׂרָאֵל בְּעָלְמָא, טַב לִי מוֹתָא, וְלָא יֵימְרוּן דְּשִׁבְתִּיקָנָא הַאי דְּכוֹלֵי עָלְמָא, בְּגִין יְקָרָא דִּילִי. מִיַּד וַיְחַל מֹשֶׁה אֶת פְּנֵי יְיָ' אֱלֹהָיו. וְאוֹשִׁיט גַּרְמֵיהּ לַמִּיתָה בְּכַמָּה אַתְרֵי בְּגִינֵיהוֹן דְּיִשְׂרָאֵל, דִּכְתִיב וְעַתָּה אִם תִּשָּׂא חַטָּאתָם וְאִם אַיִן מְחֵנִי נָא מִסִּפְרְךָ וְגוֹ'. וְתָאנָא, לָא זָז מֹשֶׁה מִתַּמָּן, עַד דְּמָחַל קֻבְּ״ה לְיִשְׂרָאֵל, הֲדָא הוּא דִּכְתִיב וַיִּנָּחֶם יְיָ' עַל הָרָעָה אֲשֶׁר דִּבֶּר לַעֲשׂוֹת לְעַמּוֹ. וּכְתִיב וַיֹּאמֶר ה' סָלַחְתִּי כִּדְבָרֶךָ.

רל״ו. וְאִלּוּ בְּנֹחַ כְּתִיב, וַיֹּאמֶר אֱלֹהִים לְנֹחַ קֵץ כָּל בָּשָׂר בָּא לְפָנַי וְגוֹ'. אָמַר לֵיהּ נֹחַ, וְלִי מַה אַתְּ עֲבִיד. אָ״ל וַהֲקִמֹתִי אֶת בְּרִיתִי אִתָּךְ וְגוֹ' עֲשֵׂה לְךָ תֵּיבַת עֲצֵי גֹפֶר. וְלָא בָּעָא רַחֲמֵי עַל עָלְמָא, וְנָחֲתוּ מַיָּא, וְאוֹבִידוּ בְּנֵי עָלְמָא, וּבְגִין כַּךְ מֵי נֹחַ כְּתִיב. מֵי נֹחַ וַדַּאי, דְּבֵיהּ הֲווֹ תַּלְיָין, דְּלָא בָּעָא רַחֲמֵי עַל עָלְמָא.

רל״ז. מִכָּאן אָמַר רַבִּי יוֹסֵי, מַאי דִּכְתִיב וַיָּחֶל נֹחַ אִישׁ הָאֲדָמָה. וַיֹּאכַל: כְּדָ״א, לֹא יָחֵל דְּבָרוֹ, דְּאִתְעֲבֵיד וְחוֹל. אִישׁ הָאֲדָמָה וָזוֹל. אִישׁ הָאֲדָמָה, דְּבִגְינֵיהּ אִשְׁתְּצִיאוּ בְּנֵי עָלְמָא, דְּלָא בָּעָא רַחֲמֵי עֲלַיְיהוּ. דְּ״א אִישׁ הָאֲדָמָה, דְּבִגְינֵיהּ אִתְקַיְּימַת לְבָתַר דְּאִשְׁתְּצִיאוּ קַדְמָאֵי, דִּכְתִיב לֹא אוֹסִיף לְקַלֵּל עוֹד אֶת הָאֲדָמָה בַּעֲבוּר הָאָדָם וְגוֹ'.

רל״ח. תָּאנָא מֵי נֹחַ אִקְרוֹן, דְּהוּא גָּרִים דְּאִקְרוֹן עַל שְׁמֵיהּ. אָ״ר יוֹסֵי, זֹאת לִי מַאי קָא מַיְירֵי. אֶלָּא אָמַר קֻבְּ״ה, מֵי נֹחַ גָּרְמוּ לִי, דְּאַגְלֵי זֹאת בְּעָלְמָא. דִּכְתִיב וַאֲנִי זֹאת בְּרִיתִי אוֹתָם. זֹאת אוֹת הַבְּרִית וְגוֹ'. אֶת קַשְׁתִּי נָתַתִּי בֶּעָנָן. כְּלוֹמַר לֵית מָאן דְּאִשְׁתְּגַח

אֶלָּא לִיקָרָא דִּשְׁמֵי דִּרְמִיזָא בְּזֹאת. וּמַאן גָּרִים לֵיהּ, מֵי נֹחַ.

רלט. מִכָּאן סִימָנָא לַחֲסִידָא זַכָּאָה, דְּלָא אִתְגַּלְּיָיא הַאי קֶשֶׁת בְּיוֹמוֹי, וְלָא אִצְטְרִיךְ עָלְמָא בְּיוֹמוֹי לְהַאי אוֹת. וּמַאן אִיהוּ. הַהוּא דְּבָעֵי רַחֲמֵי עַל עָלְמָא, וְאִתְחֲזֵי לְאַגָּנָא עֲלוֹי. כְּגוֹן רשב״י, דְּלָא אִצְטְרִיךְ עָלְמָא בְּיוֹמוֹי לְהַאי אוֹת, דְּהָא הוּא אוֹת סִימָנָא בְּעָלְמָא הֲוָה.

רמ. דְּלָא הֲוָה גְּזֵרָה דְּאִתְגְּזַר עַל עָלְמָא לְעֵילָּא, דְּלָא מְבַטֵּל לָהּ. וְהַיְינוּ דִּכְתִּיב, מוֹשֵׁל בָּאָדָם, קָבָּ״ה מוֹשֵׁל בָּאָדָם. וּמִי מוֹשֵׁל בְּקָבָּ״ה כִּבְיָכוֹל. צַדִּיק. דְּקָבָּ״ה גָּזִיר, וְאִיהוּ מְבַטֵּל.

רמא. כְּגוֹן ר״ש בֶּן יוֹחָאי, דְּיוֹמָא חַד הֲוָה יָתִיב אַבָּבָא דְּתַרְעָא דְּלוֹד, זָקַף עֵינוֹי, וְחָזָא שִׁמְשָׁא דְּנָהִיר, וְאַסְתִּים נְהוֹרָא ג׳ זִמְנִין, אַדְּהָכִי אִתְחֲשָׁךְ נְהוֹרָא, וְאִתְחֲזֵי בֵּיהּ בְּשִׁמְשָׁא אוּכְמָא וִירוֹקָא. אָ״ל לְר׳ אֶלְעָזָר בְּרֵיהּ, תָּא אֲבַתְרַאי בְּרִי, וְנֶחֱמֵי דְּהָא וַדַּאי גְּזֵרָה אִתְגְּזַר לְעֵילָּא, וְקָבָּ״ה בָּעֵי לְאוֹדָעָא לִי, דְּוַדַּאי תְּלָתִין יוֹמִין תַּלְיָא הַהוּא מִלְּתָא דְּאִתְגְּזַר לְעֵילָּא. וְלָא עָבִיד קָבָּ״ה, עַד דְּאוֹדְעֵיהּ לְצַדִּיקַיָּיא, הה״ד כִּי לֹא יַעֲשֶׂה יְיָ׳ אֱלֹהִים דָּבָר כִּי אִם גָּלָה סוֹדוֹ אֶל עֲבָדָיו הַנְּבִיאִים.

רמב. עַד דַּהֲווּ אַזְלֵי עָאלוּ בְּהַהוּא כֶּרֶם. חָמוּ חַד חִוְיָא דַּהֲוָה אָתֵי, וּפוּמֵיהּ פְּתִיחָא, וּמְלַהֲטָא בְּאַרְעָא בְּעַפְרָא. אִשְׁתְּנִיק ר״ש, וְקַטְפָּר יְדוֹי בְּרֵישֵׁיהּ דְּחִוְיָא, שָׁכִיךְ חִוְיָא, מָאִיךְ פּוּמֵיהּ. וְחָמָא לִישָׁנֵיהּ מְרַחִישׁ. אָ״ל חִוְיָא חִוְיָא, זִיל וְאֵימָא לְהַהוּא חִוְיָא עִלָּאָה, דְּהָא ר״ש בֶּן יוֹחָאי בְּעָלְמָא שְׁכִיחַ. עַיְילֵיהּ לְרֵישֵׁיהּ לְחַד נוּקְבָא דְּעַפְרָא. אָמַר גּוֹזֵר אֲנָא, כְּשֵׁם דְּתַתָּאָה אִתְהֲדַר לְנוּקְבָא דְּעַפְרָא, כֵּן עִלָּאָה יִתְהֲדַר לְנוּקְבָא דִּתְהוֹמָא רַבָּא.

רמג. רָחִישׁ ר״ש בִּצְלוֹתָא, עַד דַּהֲווּ מְצַלֵּי שָׁמְעוּ חַד קָלָא, פּוּטְקְרָא דְּקִיטְפָא עוּלוּ לְאַתְרַיְיכוּ, קַטְפִּירָא דְּבוּרְיָינֵי לָא שָׁרָאן בְּעָלְמָא, דְּהָא, ר״ש בֶּן יוֹחָאי בַּטִּיל לוֹן. זַכָּאָה אַנְתְּ ר״ש, דְּמָארָךְ בָּעֵי בִּיקָרָךְ עַל כָּל בְּנֵי עָלְמָא. בְּמֹשֶׁה כְּתִיב וַיְחַל מֹשֶׁה וְגוֹ׳, דְּמַשְׁמַע דְּאָחִיד לֵיהּ פַּרְגּוֹדָא, וְאַנְתְּ ר״ש גּוֹזֵר, וְקָבָּ״ה מְקַיֵּים. הוּא גּוֹזֵר, וְאַנְתְּ מְבַטֵּל.

רמד. אַדְּהָכִי חָמָא דְּנָהִיר שִׁמְשָׁא, וְאִתְעֲבַר הַהוּא אוּכָמָא, אר״ש, וַדַּאי הָא עָלְמָא אִתְבְּסַם, עָאל לְבֵיתֵיהּ וְדָרַשׁ, כִּי צַדִּיק יְיָ׳ צְדָקוֹת אָהֵב יָשָׁר יֶחֱזוּ פָנֵימוֹ. מ״ט כִּי צַדִּיק יְיָ׳ צְדָקוֹת אָהֵב, מִשּׁוּם דְּיָשָׁר יֶחֱזוּ פָנֵימוֹ. מַאי פָּנֵימוֹ. פָּנִים עִלָּאִין דִּבְנֵי עָלְמָא, בָּעוּן לְמִבְעֵי רַחֲמֵי מִנֵּיהּ, עַל כָּל מַה דְּאִצְטְרִיכָן.

רמה. אָ״ל רִבִּי אֶלְעָזָר בְּרֵיהּ, אִי הָכִי יָשָׁר יֶחֱזֶה פָנֵימוֹ מִבָּעֵי לֵיהּ, אוֹ יְשָׁרִים יֶחֱזוּ, מַאי יָשָׁר יֶחֱזוּ. אָ״ל רָזָא עִלָּאָה, דְּאִינּוּן יְמֵי קֶדֶם דְּעַתִּיקָא קַדִּישָׁא, סְתִימָא דְּכָל סְתִימִין. וִימֵי עוֹלָם, דִּזְעֵיר אַנְפִּין, דְּאִינּוּן אִקְרוּן פָּנֵימוֹ, וְחָמָאן בְּאֹרַח מֵישָׁר מַה דְּאִצְטְרִיךְ לְמֶחֱמֵי.

רמו. דְּתָאנָא בְּשַׁעֲתָא דְּקָבָּ״ה אַשְׁגַּח בְּעָלְמָא, וְחָמָא דְּמִתְכַּשְׁרָן עוֹבָדֵיהוֹן דִּבְנֵי נָשָׁא לְתַתָּא, אִתְגַּלְּיָיא עַתִּיקָא קַדִּישָׁא בִּזְעֵיר אַנְפִּין, וּמִסְתַּכְּלָן כָּל אִינּוּן אַנְפִּין בְּאַנְפִּין סְתִימִין, וּמִתְבָּרְכָן כֻּלְּהוּ. מ״ט מִתְבָּרְכָן. מִשּׁוּם דְּמִסְתַּכְּלִין אִלֵּין בְּאִלֵּין בְּאֹרַח מֵישָׁר, דְּלָא סָטוּ לִימִינָא וְלִשְׂמָאלָא, הה״ד יָשָׁר יֶחֱזוּ פָנֵימוֹ. וּמִתְבָּרְכָן כֻּלְּהוּ, וּמַשְׁקְיָין דָּא לְדָא, עַד דְּאִתְבָּרְכָן כֻּלְּהוּ עָלְמַיָּיא. וּמִשְׁתַּכְּחֵי כֻּלְּהוּ עָלְמִין כְּחַד, וּכְדֵין אִתְקְרֵי יְיָ׳ אֶחָד וּשְׁמוֹ אֶחָד.

רמז. וְכַד חוֹבֵי עָלְמָא סַגִּיאוּ, אַסְתִּים עַתִּיקָא קַדִּישָׁא, וְלָא מַשְׁגְּחִין אַנְפִּין בְּאַנְפִּין, וּכְדֵין דִּינִין מִתְעָרֵי בְּעָלְמָא, וְכוּרְסָוָון רְמִיוּ, וְעַתִּיק יוֹמִין אַסְתִּים, וְלָא אִתְגַּלְיָיא. הֲדָא הוּא דִּכְתִּיב חָזֵה הֲוֵית עַד דִּי כָרְסָוָון רְמִיו וְעַתִּיק יוֹמִין יְתִיב. עַד דִּי כוּרְסָוָון רְמִיו,

דְּאִינּוּן כִּתְרִין עִלָּאִין, דְּמַשְׁקְיָין לְכֻלְּהוּ אָחֳרָנִין, לְאוֹקוּמֵי בְּקִיּוּמַיְיהוּ. וּמַאן אִינּוּן. אֲבָהָן. וְעַתִּיק יוֹמִין יָתִיב, וְלָא אִתְגַּלְיָיא. וּכְדֵין מְהַפְּכִין חַיָּיבֵי עָלְמָא רַחֲמֵי לְדִינָא.

רמח. תָּאנָא. מִסִּטְרָא דְּאִימָּא, נָפְקִין גַּרְדִּינִין נִימוֹסִין קְלִיפִין, וְאַחֲדִין בְּקוּלְפוֹי דִּגְבוּרָה, שַׁלְטִין עַל רַחֲמֵי, כד"א הַנּוֹעָדִים עַל יְיָ, עַל יְיָ מַמָּשׁ. וּכְדֵין אִשְׁתְּכָחוּ עָלְמִין חַסְרִין, דְּלָא שְׁלֵמִין, וְקַטְטוּתָא אִתְּעַר בְּכֻלְּהוּ.

רמט. וְכַד בְּנֵי עָלְמָא מַכְשְׁרִין עוֹבָדֵיהוֹן לְתַתָּא, מִתְבַּסְּמָן דִּינִין, וּמִתְעַבְּרָן, וּמִתְעָרֵי רַחֲמֵי וְשַׁלְטָן עַל הַהוּא בִּישָׁא דְּאִתְּעַר מִן דִּינָא קַשְׁיָא. וְכַד מִתְעָרָן רַחֲמֵי, חֶדְוָה וְנִיחוּמִין מִשְׁתַּכְּחִין, מִשּׁוּם דְּשַׁלִּיטִין עַל הַהוּא בִּישָׁא. הה"ד וַיִּנָּחֶם יְיָ עַל הָרָעָה. וַיִּנָּחֶם מִשּׁוּם דְּאִתְכַּפְיָא דִּינָא קַשְׁיָא, וְשַׁלְטִין רַחֲמֵי.

רנ. תָּאנָא, בְּשַׁעֲתָא דְּמִתְבַּסְּמָן דִּינִין, וְשַׁלְטִין רַחֲמֵי, כָּל כִּתְרָא וְכִתְרָא תָּב בְּקִיּוּמֵיהּ, וּמִתְבָּרְכָאן כֻּלְּהוּ כַּחֲדָא. וְכַד תַּיְיבִין כָּל חַד וְחַד לְאַתְרֵיהּ, וּמִתְבָּרְכָאן כֻּלְּהוּ כַּחֲדָא, וּמִתְבַּסְּמָא אִימָּא בְּקַלְדִּיטֵי גְּלִיפִין וְתַיְיבִין לְסִטְרָהָא, כְּדֵין אִקְרֵי תְּשׁוּבָה שְׁלִימָה, וְאִתְכַּפַּר עָלְמָא, דְּהָא אִימָּא בְּחֶדְוָותָא שְׁלִימְתָא יָתְבָא, דִּכְתִיב אֵם הַבָּנִים שְׂמֵחָה, וּכְדֵין אִתְקְרֵי יוֹם הַכִּפּוּרִים, דִּכְתִּיב בֵּיהּ לְטַהֵר אֶתְכֶם מִכֹּל חַטֹּאתֵיכֶם. וּמִתְפַּתְּחִין נ' תַּרְעִין דְּסִטְרִין גְּלִיפִין.

רנא. תָּאנָא, כְּתִיב וְהָיָה כִּי יֶחֱטָא וְאָשֵׁם, מַהוּ כִּי יֶחֱטָא, וּלְבַסּוֹף וְאָשֵׁם. אֶלָּא הָכִי תָּאנָא, כִּי יֶחֱטָא מֵאִינּוּן חוֹבִין דְּאִקְרוּן חֵטְא, דִּכְתִיב מִכָּל חַטֹּאת הָאָדָם. וְאָשֵׁם: כד"א הָאָשָׁם הַמּוּשָׁב לַיְיָ. וְאָשֵׁם: וְיִתְקַן, כְּלוֹמַר אִם יְתַקֵּן עוֹבָדוֹי, וְהֵשִׁיב אֶת הַגְּזֵלָה אֲשֶׁר גָּזָל. א"ר יוֹסֵי מַמַּשְׁמַע דִּכְתִיב וְהֵשִׁיב, וְיָשִׁיב לָא כְּתִיב אֶלָּא וְהֵשִׁיב, וְהֵשִׁיב דַּיְיקָא.

רנב. תַּנְיָא, בְּאַרְבַּע תְּקוּפִין דְּשַׁתָּא, קָלָא אִתְפְּסַק, וְדִינִין מִתְעָרִין, וּתְשׁוּבָה תַּלְיָא עַד דְּאִתְתַּקַּן. וְכַד דִּינִין מִתְעָרִין, קָלָא נָפִיק, וְד' זַוְיָין דְּעָלְמָא, סַלְקִין וְנַחְתִּין. כָּרוֹזָא קָרֵי, וְלֵית מַאן דְּיַשְׁגַּח וְיִתְּעַר. וְקוּדְשָׁא בְּרִיךְ הוּא זַמִּין, אִם יְתוּבוּן יְתוּב, וְאִי לָאו, קָלָא אִתְפְּסַק, וְדִינָא אִתְעָבִידוּ וּכְדֵין אִתְקְרֵי וַיִּתְעַצֵּב, וַיִּתְעַצֵּב בְּבָתֵּי בָּרָאֵי.

רנג. א"ר יְהוּדָה, תָּנֵינָן, מִן יוֹמָא דְּאִתְחָרַב בֵּי מַקְדְּשָׁא, לֵית יוֹמָא דְּלָא אִשְׁתְּכַח בֵּיהּ רִתְחָא בִּישָׁא. מ"ט. מִשּׁוּם דְּתָנֵינָן, א"ר יוּדָאי א"ר יֵיסָא, נִשְׁבַּע הקב"ה שֶׁלֹּא יִכָּנֵס בִּירוּשָׁלַם דִּלְעֵילָּא, עַד שֶׁיִּכָּנְסוּ יִשְׂרָאֵל בִּירוּשָׁלַם דִּלְתַתָּא. וּבְגִין כָּךְ, רִתְחָא אִשְׁתְּכַחַת בְּעָלְמָא.

רנד. א"ר יוֹסֵי, כְּתִיב עֶרְוַת אָבִיךָ וְעֶרְוַת אִמְּךָ לֹא תְגַלֵּה. וּכְתִיב, אִמְּךָ הִיא לֹא תְגַלֶּה עֶרְוָתָהּ. וְתָנֵינָן אִמְּךָ הִיא וַדַּאי. הָא אִם גַּלֵּה עֶרְיְיתָהּ, לְמַאן בָּעֵי לְאַתָּבָא לָהּ, וַדַּאי לְתַקְּנָא. מַאי דְּגַלֵּי.

רנה. דְּתַנְיָא כַּד סַגְיָא יִצְרָא בִּישָׁא בְּב"נ, לָא סַגֵּי אֶלָּא בְּאִינּוּן עָרְיָין, וְכֻלְּהוּ חוֹבֵי אֲחִידָן בְּהַהוּא עֶרְיָא. וּכְתִיב לֹא תְגַלֶּה. כַּד אִתְתַּקַּן, אִתְתַּקַּן לְקַבֵּל הַהוּא דְּגַלֵּי, וְדָא אִקְרֵי תְּשׁוּבָה.

רנו. א"ר יִצְחָק, כָּל חוֹבֵי עָלְמָא אֲחִידָן בְּדָא, עַד דְּאִימָּא אִתְגַּלְיָא בְּגִינַיְיהוּ. וְכַד אִיהִי אִתְגַּלְיָא, כָּל אִינּוּן בְּנִין אִתְגַּלְיָין. וּכְתִיב לֹא תִקַּח הָאֵם עַל הַבָּנִים. וְכַד אִתְתַּקַּן עָלְמָא לְתַתָּא, אִתְתַּקַּן כֹּלָּא, עַד דְּסַלְּקָא תִּקוּנָא לְאִימָּא קַדִּישָׁא, וּמִתְתַּקְּנָא, וְאִתְכַּסְיָא מִמָּה דְּאִתְגַּלְיָא. וּבְגִין כָּךְ כְּתִיב, אַשְׁרֵי נְשׂוּי פֶּשַׁע כְּסוּי חֲטָאָה, וּכְדֵין אִקְרֵי תְּשׁוּבָה, תְּשׁוּבָה וַדַּאי. וּכְדֵין יוֹם הַכִּפּוּרִים אִתְקְרֵי, כְּמָה דִּכְתִיב מִכֹּל חַטֹּאתֵיכֶם לִפְנֵי יְיָ תִּטְהָרוּ.

רנז. אָמַר רִבִּי יְהוּדָה אֵימָתַי אִתְקְרֵי תְּשׁוּבָה. כַּד אִימָּא מִתְכַּסְיָא וְקַיְּימָא בְּחֶדְוָה עַל בְּנִין, דִּכְתִּיב אֵם הַבָּנִים שְׂמֵחָה. וְתָבָאת בְּקִיוּמָא וּמַאן דַּהֲוָה סָגִיר, תָּב לְאַתְרֵיהּ. וְכֻלְּהוּ תָּבִין חַד לְחַד, וּמִתְבָּרְכָאן כָּל חַד וְחַד, וּכְדֵין אִתְקְרֵי תְּשׁוּבָה, תְּשׁוּבָה סְתָם לְאַכְלְלָא כֹּלָּא.

רנח. אָמַר רִבִּי יִצְחָק, כַּד מִתְכַּשַּׁר עָלְמָא, כּוּלֵּיהּ מִתְכַּשַּׁר כַּחֲדָא. כְּתִיב כִּי גָּדוֹל מֵעַל שָׁמַיִם חַסְדֶּךָ. מֵעַל שָׁמַיִם, דְּסַלְקָא לְעֵילָּא מֵאֲתַר דְּאִקְרֵי שָׁמַיִם. וּמַאי אִיהוּ. דָּא אִיהִי אִימָּא. וְהַיְינוּ דְּאִקְרֵי תְּשׁוּבָה.

רנט. ר' יְהוּדָה אָמַר, דַּיְיקָא דִּכְתִּיב מֵעַל שָׁמַיִם. אִלְמָלֵא כְּתִיב עַל שָׁמַיִם, מַשְׁמַע הַהוּא אֲתַר דְּקַיְּימָא עַל שָׁמַיִם, וְלָא יַתִּיר. כֵּיוָן דְּאָמַר מֵעַל שָׁמַיִם, מַשְׁמַע הַהוּא אֲתַר דְּקַיְּימָא עַל הַשָּׁמַיִם לְעֵילָּא לְעֵילָּא.

רס. דְּתָאנָא, בְּהַהוּא זִמְנָא דְּמִתְכַּשְּׁרָן עוֹבָדִין לְתַתָּא, וְאִימָּא בְּחֶדְוָותָא, אִתְגַּלְיָא עַתִּיקָא קַדִּישָׁא, וְתָב נְהוֹרָא לִזְעֵיר אַנְפִּין, וּכְדֵין כֹּלָּא בְּחֶדְוָותָא, כֹּלָּא בִּשְׁלִימוּ, כֹּלָּא אִשְׁתְּכָחוּ בְּבִרְכָאן, וְרַחֲמִין זְמִינִין, וְעָלְמִין כֻּלְּהוּ בְּחֶדְוָותָא, הה"ד יָשׁוּב יְרַחֲמֵנוּ יִכְבּוֹשׁ עֲוֹנוֹתֵינוּ. מַאן יָשׁוּב. יָשׁוּב עַתִּיקָא קַדִּישָׁא לְאִתְגַּלְיָיא בִּזְעֵירָא, יָשׁוּב לְאִתְגַּלְיָיא דַּהֲוָה סָתִים בְּקַדְמֵיתָא, וְכֹלָּא אִתְקְרֵי תְּשׁוּבָה.

רסא. אָמַר ר' יְהוּדָה, כֹּלָּא בִּכְלָל, כֹּלָּא סְתָם. וּכְתִיב לְמַעַן יָשׁוּב יְיָ' מֵחֲרוֹן אַפּוֹ וְנָתַן לְךָ רַחֲמִים. א"ר יִצְחָק, כֹּלָּא הוּא וַדַּאי, וְהָא אוֹקִימְנָא מִלֵּי קַמֵּיהּ דר"ש.

רסב. וְהֵשִׁיב אֶת הַגְּזֵלָה, תַּמָּן שָׁאִילוּ חַבְרַיָּיא, מִפְּנֵי מַה בִּגְזֵלָה כְּתִיב, וְהֵשִׁיב אֶת הַגְּזֵלָה וְלָא יַתִּיר. אֶלָּא הָא אוֹקִימְנָא, דָּא שַׁוֵּי דְּחִילוּ עִלָּאָה כְּתַתָּאָה. וְדָא דְּגָנִיב, שַׁוֵּי דְּחִילוּ תַּתָּאָה לְקָבְלֵיהּ, וְלָא דְּחִילוּ עִלָּאָה.

רסג. מַה כְּתִיב לְעֵילָּא, נֶפֶשׁ כִּי תֶחֱטָא. כְּדְקָאַמְרָן, דְּאוֹרַיְיתָא וְקוּדְשָׁא בְּרִיךְ הוּא תַּוְוהִין עָלֵיהּ, וְאַמְרֵי נֶפֶשׁ כִּי תֶחֱטָא וְגוֹ'. וּכְתִיב נֶפֶשׁ כִּי תִמְעוֹל מַעַל וְגוֹ'. אוֹ נֶפֶשׁ כִּי תִשָּׁבַע וְגוֹ'. אָמַר ר' יִצְחָק, נֶפֶשׁ כְּתִיב, וְלָא רוּחַ, וְלָא נְשָׁמָה. וְהָכָא גּוּפָא וְנֶפֶשׁ. דִּכְתִּיב, וְהָיָה כִּי יֶחֱטָא וְאָשֵׁם וְהֵשִׁיב אֶת הַגְּזֵלָה. מַאן דְּבָעֵי לְתַקְנָא עוֹבָדוֹי, כְּמָה דְּאַמְרָן וְהֵשִׁיב. מַאן וְהֵשִׁיב, אֶלָּא כְּמַאן דְּיִתְקַן עוֹבָדִין, בְּגִין דְּיָתִיב מַבּוּעֵי מַיָּא לְאַתְרַיְיהוּ, לְאַשְׁקָאָה נְטִיעָן, דְּהָא הוּא גָּרִים בְּחוֹבוֹי לְאִתְמַנְעָא מִנַּיְיהוּ. וְעַ"ד וְהֵשִׁיב אֶת הַגְּזֵלָה וְגוֹ'. כְּמָה דְּאִתְּמַר.

רסד. רִבִּי אַבָּא הֲוָה יָתִיב קַמֵּיהּ דר"ש, שָׁאל ר' אֶלְעָזָר בְּרֵיהּ, אָמַר ר"ש, כְּתִיב, צַדִּיק כַּתָּמָר יִפְרָח וְגוֹ'. צַדִּיק כַּתָּמָר, מַאי כַּתָּמָר. דְּהָא מִכָּל אִילָנֵי עָלְמָא לֵית דְּמִתְעַכֵּב לְאַפְרָחָא, כְּמוֹ תָּמָר. דְּסָלִיק לְשַׁבְעִין שְׁנִין. מ"ט כַּתָּמָר. אֶלָּא אע"ג דְּקָרָא אַסְהִיד, חַבְרַיָּיא כֻּלְּהוּ לָא בָּעוּ לְגַלָּאָה.

רסה. אֲבָל צַדִּיק כַּתָּמָר יִפְרָח, עַל גָּלוּתָא דְּבָבֶל אִתְּמַר, דְּהָא לָא תָּבַת שְׁכִינְתָּא לְאַתְרָהָא, אֶלָּא בְּסוֹף שַׁבְעִין שְׁנִין. הה"ד כִּי לְפִי מְלֹאת לְבָבֶל שִׁבְעִים שָׁנָה אֶפְקוֹד אֶתְכֶם. וְדָא הוּא צַדִּיק כַּתָּמָר יִפְרָח, דְּסָלִיק דְּכַר וְנוּקְבָא לְשַׁבְעִין שְׁנִין. צַדִּיק: דָּא קָבָּ"ה, הה"ד כִּי צַדִּיק יְיָ' צְדָקוֹת אָהֵב. וּכְתִיב, יְיָ' הַצַּדִּיק. וּכְתִיב, אִמְרוּ צַדִּיק כִּי טוֹב.

רסו. כְּאֶרֶז בַּלְּבָנוֹן יִשְׂגֶּא, מַהוּ אֶרֶז. דָּא קָבָּ"ה. דִּכְתִּיב, בָּחוּר כָּאֲרָזִים. בַּלְּבָנוֹן יִשְׂגֶּא, בַּלְּבָנוֹן וַדַּאי, וְדָא הוּא עֵדֶן דִּלְעֵילָּא, דְּעָלֵיהּ כְּתִיב עַיִן לֹא רָאָתָה אֱלֹהִים זוּלָתְךָ. וְהַאי אֶרֶז, בְּהַהוּא אֲתַר עִלָּאָה, יִשְׂגֶּא.

רסז. וְדָא בְּגָלוּתָא בַּתְרָאָה הוּא כְּהַאי אֶרֶז, דְּאִתְעַכַּב לְסַלְקָאָה. וּמִשַּׁעְתָּא, דְּסָלִיק עַד דְּקָאֵים בְּקִיּוּמֵיהּ, הוּא יוֹמָא. וְשֵׁירוּתָא דְּיוֹמָא אַחֲרִינָא, עַד דְּעָבֵיד צֵל בִּנְהוֹרָא

דִּימְמָא. וְאֶרֶז לָא סָלִיק, אֶלָּא בְּעִדּוּנָא דְּמַיָּא. כד"א כַּאֲרָזִים עֲלֵי מָיִם. כְּךְ אֶרֶז בַּלְּבָנוֹן יִשְׂגֶּא. דְּמִתַּמָּן נָפִיק מַבּוּעָא וְנַהֲרָא דְּמַיָּא, לְאַשְׁקָאָה. וְאֶרֶז, דָּא קב"ה, דִּכְתִּיב בָּחוּר כָּאֲרָזִים.

רסח. שְׁתוּלִים בְּבֵית יְיָ', לְזִמְנָא דְּמַלְכָּא מְשִׁיחָא. בְּחַצְרוֹת אֱלֹהֵינוּ יַפְרִיחוּ, בִּתְחִיַּית הַמֵּתִים. עוֹד יְנוּבוּן בְּשֵׂיבָה, בְּהַהוּא יוֹמָא דְּיִשְׁתַּכַּח עָלְמָא וְחָרוּב. דְּשֵׁנִים וְרַעֲנַנִּים יִהְיוּ, לְבָתַר דִּכְתִּיב הַשָּׁמַיִם הַחֲדָשִׁים וְהָאָרֶץ הַחֲדָשָׁה, וּכְדֵין יִשְׂמַח יְיָ' בְּמַעֲשָׂיו כְּתִיב. וכ"כ לְמָה לְהַגִּיד כִּי יָשָׁר יְיָ' צוּרִי וְלֹא עַוְלָתָה בּוֹ.

רסט. תּוּ פָּתַח וְאָמַר, אִישׁ תַּהְפּוּכוֹת יְשַׁלַּח מָדוֹן וְנִרְגָּן מַפְרִיד אַלּוּף. אִישׁ תַּהְפּוּכוֹת יְשַׁלַּח מָדוֹן, כְּמָה דְּאַמָרָן, וְחַיָּיבַיָּא עַבְדֵי פְּגִימוּ לְעֵילָּא. וְנִרְגָּן מַפְרִיד אַלּוּף, מַפְרִיד אַלּוּפוֹ שֶׁל עוֹלָם, וְדָא קב"ה.

ער. ד"א אִישׁ תַּהְפּוּכוֹת יְשַׁלַּח מָדוֹן. מַהוּ יְשַׁלַּח. יְשַׁלַּח לְאִינּוּן נְטִיעָן. מָדוֹן: דְּיָנְקָן מִסִּטְרָא דְּדִינָא. וְנִרְגָּן מַפְרִיד אַלּוּף, כְּמָה דְּאַמָרָן, וְחַיָּיבַיָּא עָבְדִין פְּגִימוּ לְעֵילָּא. מַפְרִיד: דְּיִחוּדָא לָא אִשְׁתַּכַּח, מַפְרִיד, לְמַטְרוֹנִיתָא מִמַּלְכָּא. וּלְמַלְכָּא מִמַּטְרוֹנִיתָא. וּבְגִין כָּךְ לָא אִקְרֵי אֶחָד, דְּאֶחָד לָא אִקְרֵי, אֶלָּא כַּד אִינּוּן בְּזִוּוּגָא חֲדָא. וַוי לְאִינּוּן חַיָּיבַיָּא דְּעָבְדִין פְּרוּדָא לְעֵילָּא. זַכָּאִין אִינּוּן צַדִּיקַיָּיא, דְּאִינּוּן מְקַיְּימִין קִיּוּמָא דִּלְעֵילָּא, וְזַכָּאִין אִינּוּן מָארֵיהוֹן דִּתְשׁוּבָה דְּתַיְיבִין כֹּלָּא לְאַתְרַיְיהוּ.

רעא. וְעַל דָּא תָּנֵינָן, אֲתַר דְּבַעֲלֵי תְּשׁוּבָה יַתְבֵי, צַדִּיקִים גְּמוּרִים לָא יַתְבֵי בֵּיהּ. מ"ט. אֶלָּא אִינּוּן אִתְתְּקָנוּ בַּאֲתַר עִלָּאָה, בַּאֲתַר דְּשַׁקְיָיא דְּגִנְתָּא מִשְׁתַּכַּח מִתַּמָּן. וְדָא הוּא תְּשׁוּבָה. וְעַל דָּא אִקְרוּן בַּעֲלֵי תְּשׁוּבָה. וְאִלֵּין אִתְתְּקָנוּ בַּאֲתַר אָחֳרָא, דְּאִקְרֵי צַדִּיק.

רעב. וְעַל דָּא אִלֵּין יַתְבִין בַּאֲתַר עִלָּאָה, וְאִלֵּין יַתְבִין בַּאֲתַר זוּטְרָא. מ"ט. אִלֵּין תַּיְיבִין מַיָּא לְאַתְרַיְיהוּ, מֵאֲתַר עִלָּאָה דְּנַהֲרָא עֲמִיקָא, עַד הַהוּא אֲתַר דְּאִקְרֵי צַדִּיק. וְצַדִּיקִים גְּמוּרִים, נַגְּדִין לוֹן מֵהַהוּא אֲתַר דְּאִינּוּן יַתְבֵי, לְהַאי עָלְמָא. וְעַ"ד אִלֵּין עִלָּאִין וְאִלֵּין תַּתָּאִין. זַכָּאָה חוּלָקֵיהוֹן דְּמָארֵי תְּשׁוּבָה. וְזַכָּאָה חוּלָקֵיהוֹן דְּצַדִּיקַיָּיא, דִּבְגִינַיְיהוּ עָלְמָא מִתְקַיְּימָא.

רעג. הה"ד וְהָיָה כִּי יֶחֱטָא וְאָשֵׁם וְגוֹ'. מַה כְּתִיב לְעֵילָּא, אוֹ מָצָא אֲבֵדָה וְכִחֶשׁ בָּהּ וְגוֹ', דְּהָא בְּגִין דָּא אִסְתַּלַּק קב"ה מִכֹּלָּא. כִּבְיָכוֹל קב"ה לָא אִשְׁתַּכַּח בְּקִיּוּמֵיהּ, דְּהָא כְּנֶסֶת יִשְׂרָאֵל אִתְפָּרְשָׁא מֵאַתְרָהָא, הה"ד, אָבְדָה הָאֱמוּנָה. מַאי אֱמוּנָה. דָּא כְּנֶסֶת יִשְׂרָאֵל. כד"א וֶאֱמוּנָתְךָ בַּלֵּילוֹת. אָבְדָה הָאֱמוּנָה כד"א עַל מָה אָבְדָה הָאָרֶץ, וְכֹלָּא חַד. וְהָא אוֹקִימְנָא אָבְדָה, וְלָא נֶאֶבְדֶת, וְלָא אֲבוּדָה. כְּגַוְונָא דָּא, הַצַּדִּיק אָבָד, אָבוּד, אוֹ נֶאֱבַד, לָא כְּתִיב, אֶלָּא אָבָד. הֲדָא הוּא דִּכְתִּיב אָבְדָה הָאֱמוּנָה, בְּגִין כָּךְ וְהֵשִׁיב אֶת הַגְּזֵלָה אוֹ אֶת הָאֲבֵדָה וְגוֹ'.

רעיא מהימנא

רעד. אָמַר ר"מ, דּוּכְתִּין אִית בְּגֵיהִנָּם, רְשִׁימִין לִמְחַלְּלֵי שַׁבָּתוֹת בְּפַרְהֶסְיָא, וְלָא חָזְרִין בִּתְיוּבְתָּא מֵאוֹתוֹ חִלּוּל. וּמְמַנָּן עָלַיְיהוּ. וְאוּף הָכִי דּוּכְתִּין אִית בְּגֵיהִנָּם, לְאִינּוּן דִּמְגַלֵּי עֶרְיָין. וּלְאִינּוּן דִּמְגַלִּין פָּנִים בַּתּוֹרָה שֶׁלֹּא כַּהֲלָכָה. וּלְאִינּוּן דְּשָׁפְכִין דָּם נָקִי. וּלְאִינּוּן דְּאוּמִין לְשִׁקְרָא. וּלְאִינּוּן דְּשָׁכְבִין עִם נִדָּה. אוֹ בַּת אֵל נֵכָר. אוֹ זוֹנָה. אוֹ שִׁפְחָה. וְאוּף הָכִי, לְעוֹבֵר עַל ש"ה לָא תַעֲשֶׂה.

רעה. לְכָל חוֹבָא, אִית דּוּכְתָּא בְּגֵיהִנָּם, וּמְמַנָּא עָלֵיהּ. וְשָׂטָן יֵצֶר הָרָע דִּילֵיהּ, מְמַנָּא

עַל כֻּלְּהוּ חוֹבִין, וְדוּכְתִּין וּמְמַנָּן דִּילֵיהּ. וְאִי הֲדַר בִּתְיוּבְתָּא, מַה כְּתִיב, מָחִיתִי כָעָב פְּשָׁעֶיךָ, אִתְמָחוּ רְשִׁימִין דְּרַשִׁיעַיָּיא דְּדוּכְתָּא דְּגֵיהִנָּם מִכָּל חוֹבָה וְחוֹבָה.

רעו. וְאִית חוֹבִין רְשִׁימִין לְעֵילָּא, וְלָא לְתַתָּא. וְאִית דִּרְשִׁימִין לְתַתָּא, וְלָא לְעֵילָּא. וְאִית דִּרְשִׁימִין לְתַתָּא וּלְעֵילָּא. אִתְמָחוּן לְתַתָּא אִתְמְחוּן לְעֵילָּא, בָּתַר דְּאַהֲדָר בִּתְיוּבְתָּא. וְעוֹד אוּקְמוּהָ מָארֵי מַתְנִיתִין, רָשָׁע עֲוֹנוֹתָיו חֲקוּקִים לוֹ עַל עַצְמוֹתָיו. צַדִּיק, זְכֻיּוֹתָיו חֲקוּקִים לוֹ עַל עַצְמוֹתָיו. אֲמַאי. בְּגִין לְמֶהֱוֵי רְשִׁימִין בֵּין בַּעֲלֵי חוֹבֵיהוֹן, לְאִשְׁתְּמוֹדְעָא בְּהוּ, וְקָלָא נָפִיק עָלֵיהּ, הַאי רָשָׁע אִיהוּ יִשָּׂרְפוּ עַצְמוֹתָיו בְּגֵיהִנָּם.

רעז. וְאוּקִימְנָא, נִשְׁמוֹת שֶׁל רְשָׁעִים הֵן הֵן הַמַּזִּיקִים בָּעוֹלָם. וְדִינָא דִּלְהוֹן אוּקְמוּהָ עֲלַיְיהוּ מָארֵי מַתְנִיתִין, דְּנִשְׁמָתְהוֹן נִשְׂרֶפֶת וְנַעֲשֵׂית אֵפֶר תַּחַת כַּפּוֹת רַגְלֵי הַצַּדִּיקִים. וּבְמַאי אִתּוֹקְדוּן. בְּאֵשׁ דְּכוּרְסְיָא, דְּאִתְּמַר בֵּיהּ, כָּרְסְיֵהּ שְׁבִיבִין דִּי נוּר גַּלְגִּלּוֹהִי נוּר דָּלִיק. מִד' חֵיוָון דְּאֶשָּׁא, דְּסַחֲרִין לְכוּרְסְיָא דְּדִין, דְּאִיהוּ אֲדֹנָי, דִּינָא דְּמַלְכוּתָא דִּינָא.

רעח. וְהַהוּא נְהַר, אִתְּמַר בֵּיהּ, נְהַר דִּי נוּר נָגִיד וְנָפֵק מִן קֳדָמוֹהִי. נִשְׁמָתְהוֹן דְּצַדִּיקַיָּיא, טַבְלִין וּמִתְדַּכְּיָן בֵּיהּ. וְנִשְׁמָתְהוֹן דְּרַשִׁיעֵי, נִדּוֹנִין בֵּיהּ, וְאִתְבְּעִירוּ קַמֵּיהּ, כְּקַשׁ לִפְנֵי אֵשׁ, וְהַיְינוּ אֵשׁ אוֹכֶלֶת אֵשׁ. יְהֹוָה אִיהִי חַמָּה. נַרְתִּיקָהּ דִּילֵיהּ, אֲדֹנָי. וְהַיְינוּ רָזָא דְּאוּקְמוּהָ, לֶעָתִיד לָבֹא מוֹצִיא הקב"ה חַמָּה מִנַּרְתִּיקָהּ צַדִּיקִים מִתְרַפְּאִין בָּהּ, וּרְשָׁעִים נִדּוֹנִין בָּהּ.

רעט. וּמֵחֵיוָון דְּכוּרְסְיָא דְּדִינָא, הֲוָה נָחִית אַרְיֵה דְּאֶשָּׁא לְמֵיכַל קָרְבְּנִין, אִינּוּן דִּמְמַנָּן, עַל כָּל אֵבֶר דְּחָב מְחַבֵּל קַטֵּיגוֹר אֶחָד, כְּמָה דְּאוּקְמוּהָ, עָשָׂה עֲבֵירָה אַחַת, קָנָה לוֹ קַטֵּיגוֹר א'. וּמִיַּד דְּנָחַת אֵשׁ שֶׁל גָּבוֹהַּ, וְאוֹקִיד לוֹן לְאִלֵּין אֵבָרִין וּפְדָרִין וְאֵמוּרִין דְּפָרִים וּכְבָשִׂים וְעַתּוּדִים וְעִזִּים. יְהֹוָ"ה דְּנָחִית כְּאַרְיֵה דְּאֶשָּׁא לְאוֹקְדָא לוֹן, אִתּוֹקְדוּן אֵבָרִים דִּלְהוֹן, אִתּוֹקְדוּן מְחַבְּלִים דִּמְמַנָּן עֲלַיְיהוּ, וּמִתְכַּפְּרִין חוֹבִין דְּיִשְׂרָאֵל, דְּאִינּוּן אֵבָרִים דִּשְׁכִינְתָּא.

רפ. בְּהַהוּא זִמְנָא, חֵיוָון מִתְקָרְבִין דִּמְמַנָּן עַל זַכְוָון, דְּאִינּוּן מִכּוּרְסְיָיא דְּרַחֲמֵי, דְּאִיהִי תְּשׁוּבָה, אִימָּא עִלָּאָה. וּבְמָה מִתְקָרְבִין. בְּשֵׁם יְדֹוָ"ד, דְּעָאל בְּהוֹן. וּבְגִין דָּא, קָרְבָּן לַידֹוָ"ד. דְּלֵית מַאן דְּיָכִיל לְקָרֵב חֵיוָון וִיסוֹדִין, לְאַעֲלָאָה שָׁלוֹם בֵּינַיְיהוּ, אֶלָּא שְׁמֵיהּ, דְּקָרִיב בִּשְׁמֵיהּ מַיִם לְאֵשׁ, וְלָא מְכַבֶּה דָּא לְדָא, וְקָרִיב רוּחָא לְעַפְרָא, וְלָא מַפְרִיד לֵיהּ.

רפא. בְּהַהוּא זִמְנָא, אִינּוּן שְׁלָמִים חֵיוָון וִיסוֹדִין, וְאִתְקְרִיאוּ קֳדָשִׁים, דְּלֵית טְמֵאִים בֵּינַיְיהוּ. וְעוֹד, שְׁלָמִים דָּא ה' בַּתְרָאָה, דְּאִיהוּ שְׁלִימוּ דְּעַמּוּדָא דְּאֶמְצָעִיתָא, בְּכָל הֲוָיוֹת דִּכְלִילָן בֵּיהּ, לְכָל שִׁית סִטְרִין דִּילֵיהּ, דְּאִינּוּן שִׁית סְפִירָאן.

רפב. וְרָזָא דְּמִלָּה, חָתַם רוּם וּפָנָה לְמַעְלָה, בְּיה"ו, לִימִינָא דְּחֶסֶד. בְּהו"י, לִשְׂמָאלָא דִּגְבוּרָה וה"י, בְּעַמּוּדָא דְּאֶמְצָעִיתָא. יו"ה בְּנֶצַח. בְּהוֹד הי"ו. בִּיסוֹד וְי"ה. אִילָנָא דְּאָחִיד לוֹן כֻּלְּהוּ, תִּפְאֶרֶת. עֵץ עוֹשֶׂה פְּרִי. וּבְגִין דָּא מְקוֹם שֶׁיִּפּוֹל הָעֵץ, שָׁם יה"ו. וְאוּף הָכִי בְּכָל הֲוָיָה, ה' בַּתְרָאָה שְׁלָמִים לָהּ. וּלְכָל הֲוָיִין, דַּאֲחִידָן בָּהּ. כְּגַוְונָא דָּא, יה"ו עִם ה', יְהֹוָה. הו"י עִם ה', הֲוָיָה. וה"י עִם ה', וְהָיָ"ה וְאוּף הָכִי שְׁאָר הֲוָיִין.

רפג. וְאִינּוּן וז"י אַתְוָון דְּשִׁית סִטְרִין, דִּכְלִילָן בְּצַדִּיק חַי עָלְמִין, וְעִם ה' אִתְעֲבֵיד וְחַיָּ"ה. וְרָזָא דְּמִלָּה אִיהִי ה', כְּגוֹן תֵּיבַת נֹחַ, דְּאִתְכְּנִישׁ בָּהּ מִכָּל מִין וּמִין, דְּאִינּוּן שְׁנַיִם שְׁנַיִם שִׁבְעָה שִׁבְעָה לְקָרְבְּנָא. שְׁנַיִם שְׁנַיִם אַרְבָּעָה. שִׁבְעָה שִׁבְעָה אַרְבָּעָה עָשָׂר. הָא י"ח. וְתֵיבָה ה', בָּהּ אִשְׁתְּלִים חַיָּ"ה.

רפד. וְצַדִּיק אִיהוּ כָּלִיל ו' דַּרְגִּין. וּבג"ד תַּקִּינוּ לְמִפְתַּר בֵּיהּ וְזָלְמָא בְּג' שְׁלוּמוֹת, בְּג' פְּדִיּוֹנוֹת, דְּאִיהוּ ו', בְּחוּשְׁבַּן ו'. וְאִיהוּ סֻלָּם דְּחֶלְמָא דְּיַעֲקֹב, כָּלִיל ו' סְפִירָאן. מֻצָּב אַרְצָה, שְׁכִינְתָּא תַּתָּאָה, וְדָא ה' תַּתָּאָה. וְרֹאשׁוֹ, דָּא י', בֵּיהּ אִיהוּ צַדִּיק שְׁבִיעָאָה. מַגִּיעַ הַשָּׁמַיְמָה, דָּא אִימָּא עִלָּאָה, וְדָא ה' עִלָּאָה, דְּמִסִּטְרָא דְּחֶלְמָא, ה' שַׁלְטָא עַל י', דְּאִיהוּ רֵישָׁא דְּסוּלְמָא, ה"י מִן אֱלֹקִים. וּבְגִין דָּא, וְהִנֵּה מַלְאֲכֵי אֱלֹהִים עוֹלִים וְגוֹ', וְלָא מַלְאֲכֵי יְדֹוָ"ד.

רפה. אַתְוָון כְּסִדְרָן, עוֹלִים בְּחוֹלָם, דְּאִיהוּ כֶּתֶר עַל ד' אַתְוָון, דְּאִתְפַּשְּׁטוּתָא דִּלְהוֹן, מֵחָכְמָה עַד מַלְכוּת קַדִּישָׁא. בְּגִין דְּחָכְמָה אִיהִי י', בִּינָה ה', שִׁית סְפִירָאן ו', מַלְכוּת ה' בַּתְרָאָה. וְחֹלֶם כֶּתֶר עַל כָּל אַתְוָון. (ע"כ רעיא מהימנא)

רפו. אִם הַכֹּהֵן הַמָּשִׁיחַ יֶחֱטָא לְאַשְׁמַת הָעָם. רִבִּי אַבָּא פָּתַח הַגִּידָה לִּי שֶׁאָהֲבָה נַפְשִׁי וְגוֹ', אִם לֹא תֵדְעִי לָךְ הַיָּפָה בַּנָּשִׁים צְאִי לָךְ וְגוֹ', הָנֵי קְרָאֵי אוֹקְמוּהָ וְחַבְרַיָּיא בְּמֹשֶׁה, בְּשַׁעְתָּא דַּהֲוָה סָלִיק מֵעָלְמָא, דְּאָמַר יִפְקֹד יְיָ' אֱלֹהֵי הָרוּחוֹת לְכָל בָּשָׂר וְגוֹ', אֲשֶׁר יֵצֵא לִפְנֵיהֶם וְגוֹ', וְתָנֵינָן דְּעַל גָּלוּתָא אִתְּמַר.

רפז. ות"ח, הָנֵי קְרָאֵי כ"י אָמְרָן לְמַלְכָּא קַדִּישָׁא. הַגִּידָה לִּי שֶׁאָהֲבָה נַפְשִׁי, כד"א אֵת שֶׁאָהֲבָה נַפְשִׁי רְאִיתֶם. וּלְמַלְכָּא קַדִּישָׁא אִתְּמַר, אַנְתְּ שֶׁאָהֲבָה נַפְשִׁי אֵיכָה תִרְעֶה.

רפח. בְּסִפְרָא דְּרַב הַמְנוּנָא סָבָא אָמַר, כָּל זִמְנָא דכ"י אִשְׁתַּכַּח בֵּיהּ בְּקוּדְשָׁא בְּרִיךְ הוּא, כִּבְיָכוֹל קוּדְשָׁא בְּרִיךְ הוּא בִּשְׁלִימוּ, וְרָעֵי בִּרְעוּתָא לֵיהּ וּלְאַחֲרָנִין זָן לֵיהּ לְגַרְמֵיהּ, מֵהַהוּא יְנִיקוּ דְּחַלְבָּא דְּאִימָּא עִלָּאָה, וּמֵהַהוּא יְנִיקוּ דְּאִיהוּ יָנִיק, אַשְׁקֵי לְכָל שְׁאָר אָחֳרָנִין, וְיָנִיק לוֹן. וְאוֹלִיפְנָא דאר"ש, כָּל זִמְנָא דכ"י אִשְׁתַּכְּחַת בְּקוּדְשָׁא בְּרִיךְ הוּא, קוּדְשָׁא בְּרִיךְ הוּא בִּשְׁלִימוּ, בְּחֶדְוָה, בִּרְכָאן בֵּיהּ שַׁרְיָין, וְנָפְקִין מִנֵּיהּ לְכָל שְׁאָר אָחֳרָנִין. וְכָל זִמְנָא דִּכְנֶסֶת יִשְׂרָאֵל לָא אִשְׁתַּכְּחַת בֵּיהּ בְּקוּדְשָׁא בְּרִיךְ הוּא, כִּבְיָכוֹל בִּרְכָאן אִתְמְנָעוּ מִנֵּיהּ וּמִכָּל שְׁאָר אָחֳרָנִין.

רפט. וְרָזָא דְּמִלְּתָא, בְּכָל אֲתַר דְּלָא אִשְׁתַּכַּח דְּכַר וְנוּקְבָא, בִּרְכָאן לָא שַׁרְיָאן עָלוֹי, וְעַל דָּא קוּדְשָׁא בְּרִיךְ הוּא גָּעֵי וּבָכֵי, כד"א שָׁאֹג יִשְׁאַג עַל נָוֵהוּ. וּמַאי אוֹמֵר, אוֹי שֶׁהֶחֱרַבְתִּי אֶת בֵּיתִי וְשָׂרַפְתִּי אֶת הֵיכָלִי וְכוּ'.

רצ. וּבְשַׁעְתָּא דכ"י נָפְקַת בְּגָלוּתָא, אָמְרַת קַמֵּיהּ, הַגִּידָה לִּי שֶׁאָהֲבָה נַפְשִׁי, אַנְתְּ רְחִימָא דְּנַפְשָׁאי, אַנְתְּ דְּכָל רְחִימוּ דְּנַפְשִׁי בָּךְ. אֵיכָה תִרְעֶה, אֵיךְ תָּזוּן גַּרְמָךְ, מֵעֲמִיקָא דְּנַחְלָא דְּלָא פָּסִיק. אֵיךְ תָּזוּן גַּרְמָךְ מִנְּהִירוּ דְּעֵדֶן עִלָּאָה. אֵיכָה תַּרְבִּיץ בַּצָּהֳרָיִם, אֵיךְ תָּזוּן לְכָל אִינּוּן אָחֳרָנִין דְּאִשְׁתַּקְיָין מִנָּךְ תְּדִירָא.

רצא. וַאֲנָא הֲוֵינָא אִתְּזָנָא מִנָּךְ בְּכָל יוֹמָא, וּמִשְׁתַּקְיָא, וְאַשְׁקֵינָא לְכָל אִינּוּן תַּתָּאֵי, וְיִשְׂרָאֵל אִתְּזָנוּ בִּי, וְהַשְׁתָּא שַׁלָּמָה אֶהְיֶה כְּעֹטְיָה, אֵיךְ אֶהֱוֵי מִתְעַטְּפָא, בְּלָא בִּרְכָאן, כַּד יִצְטָרְכוּן אִינּוּן בִּרְכָאן, וְלָא יִשְׁתַּכְּחוּן בִּידַי. עַל עֶדְרֵי חֲבֵרֶיךָ, הֵיאַךְ אֵיקוּם עֲלַיְיהוּ, וְלָא אֶהֱוֵי רַעְיָא לְהוּ, וְזָנָא לְהוּ. עֶדְרֵי חֲבֵרֶיךָ, אִלֵּין אִינּוּן יִשְׂרָאֵל, דְּאִינּוּן בְּנֵי אֲבָהָן, דְּאִינּוּן רְתִיכָא קַדִּישָׁא לְעֵילָּא.

רצב. א"ל קוּדְשָׁא בְּרִיךְ הוּא, שְׁבוֹק אַנְתְּ דִּידִי, דְּהָא דִּידִי מִלָּה טְמִירָא הוּא לְאִתְיַדְּעָא. אֲבָל אִם לֹא תֵדְעִי לָךְ, לְגַרְמָךְ, הֲרֵי לָךְ עֵיטָא. הַיָּפָה בַּנָּשִׁים, כד"א הִנָּךְ יָפָה רַעְיָתִי. צְאִי לָךְ בְּעִקְבֵי הַצֹּאן, אִלֵּין אִינּוּן צַדִּיקַיָּיא, דְּאִינּוּן נְדִישִׁין בֵּין עֲקֵבִין, וּבְגִינַיְיהוּ יְהִיב לָךְ חֵילָא לְקַיְּימָא. וּרְעִי אֶת גְּדִיּוֹתַיִךְ עַל מִשְׁכְּנוֹת הָרוֹעִים, אִלֵּין אִינּוּן תִּינוֹקוֹת שֶׁל בֵּית רַבָּן, דְּעָלְמָא מִתְקַיְּימָא בְּגִינַיְיהוּ, וְיָהֲבִין חֵילָא לכ"י בְּגָלוּתָא. מִשְׁכְּנוֹת הָרוֹעִים, אִלֵּין בָּתֵּי רַבָּן אֲתַר בֵּית מִדְרָשָׁא דְּאִשְׁתַּכַּח אוֹרַיְיתָא בְּהוֹן תְּדִירָא.

רצג. ד"א אִם לֹא תֵדְעִי לָךְ הַיָּפָה בַּנָּשִׁים וְגוֹ'. ת"ח, בְּשַׁעֲתָא דְּצַדִּיקַיָּיא אִשְׁתְּכָחוּ בְּעָלְמָא, וְאִינּוּן תִּנוֹקוֹת שֶׁל בֵּית רַבָּן מִשְׁתַּכְּחֵי וְלָעָאן בְּאוֹרַיְיתָא, יַכְלָא כ"י לְקַיְּימָא עִמְּהוֹן בְּגָלוּתָא. וְאִי לָאו, כִּבְיָכוֹל הִיא וְאִינּוּן לָא יַכְלֵי לְאִתְקַיְּימָא בְּעָלְמָא. וְאִי זַכָּאִין אִשְׁתְּכָחוּ, אִינּוּן אִתְפְּסָן בְּקַדְמֵיתָא. וְאִי לָא, אִינּוּן גַּדְיָין דְּעָלְמָא מִתְקַיְּימָא בְּגִינַיְיהוּ, מִתְפַּסִּין בְּקַדְמֵיתָא, וקב"ה סָלִיק לוֹן מֵעָלְמָא, אע"ג דְּלָא אִשְׁתְּכַח בְּהוּ חוֹבָה. וְלָא דָּא בִּלְחוֹדוֹי, אֶלָּא רָחִיק מִנֵּיהּ לכ"י וְאִתְגַּלְיָיא בְּגָלוּתָא.

רצד. הה"ד אִם הַכֹּהֵן הַמָּשִׁיחַ יֶחֱטָא לְאַשְׁמַת הָעָם. אֲמַאי יֶחֱטָא. לְאַשְׁמַת הָעָם, בְּגִין חוֹבֵי עָלְמָא דְּגַרְמוּ הַאי, לְאַשְׁמַת הָעָם וַדַּאי, וְלָא לְאַשְׁמָה דִּילֵיהּ. יֶחֱטָא: יִגְרַע טוּבֵיהּ, וְדָאִין דִּינֵיהּ בְּכֹלָּא, כד"א וְהָיִיתִי אֲנִי וּבְנִי שְׁלֹמֹה חַטָּאִים. ד"א אִם הַכֹּהֵן הַמָּשִׁיחַ, דָּא קב"ה כִּדְקָאַמָרָן. יֶחֱטָא, יִגְרַע מִן כ"י וּמֵעָלְמָא, דְּלָא יָהִיב לְהוֹן סִפּוּק בִּרְכָאן. אֲמַאי. אִיהוּ לְאַשְׁמַת הָעָם וַדַּאי, בְּגִין חוֹבָה דְּעַמָּא הִיא.

רצה. אִם הַכֹּהֵן הַמָּשִׁיחַ יֶחֱטָא. רִבִּי יִצְחָק פָּתַח, זְכוֹר לְאַבְרָהָם לְיִצְחָק וּלְיִשְׂרָאֵל עֲבָדֶיךָ, הַאי קְרָא קַשְׁיָא, הָכִי מִבָּעֵי לֵיהּ לְמִכְתַּב, זְכוֹר לְאַבְרָהָם וּלְיִצְחָק וּלְיִשְׂרָאֵל, מַאי לְיִצְחָק. אֶלָּא הָכִי תָּנֵינָן, בְּכָל אֲתַר שְׂמָאלָא אִתְכְּלִיל בִּימִינָא, וּבִכְלָלָא דִּימִינָא הוּא. דְּהַאי יְמִינָא, אִתְתַּקְּנַת לְעָלְמִין, לְאַכְלְלָא בֵּיהּ שְׂמָאלָא. וְעַל דָּא לָא פָּלִיג, בְּגִין לְאַכְלְלָא לֵיהּ בֵּיהּ בְּאַבְרָהָם. ובג"כ לְאַבְרָהָם לְיִצְחָק כְּלָלָא חַד. וּלְיִשְׂרָאֵל, דְּהָא בִּתְרַוַויְיהוּ אָחִיד לוֹן בְּגַדְפּוֹי, וְהוּא שְׁלִים בְּכֹלָּא.

רצו. אֲשֶׁר נִשְׁבַּעְתָּ לָהֶם בָּךְ. אוֹמָאָה אוֹמֵי קב"ה לַאֲבָהָן, בַּאֲבָהָן דִּלְעֵילָּא הֲדָא הוּא דִּכְתִּיב אֲשֶׁר נִשְׁבַּעְתָּ לָהֶם בָּךְ, בְּאִינּוּן דִּלְעֵילָּא דְּשָׁרָאן בָּךְ. וַתְּדַבֵּר אֲלֵיהֶם אַרְבֶּה אֶת זַרְעֲכֶם וְגוֹ'. אֲשֶׁר אָמַרְתִּי, אֲשֶׁר אָמַרְתָּ מִבָּעֵי לֵיהּ. אֶלָּא קב"ה אָמַר כַּךְ לַאֲבָהָן, זִמְנָא וּתְרֵין זִמְנִין. אֲשֶׁר אָמַרְתִּי: דִּצְבִיתִי בִּרְעוּ נַפְשִׁי, דְּהָא אֲמִירָה רְעוּתָא הוּא, הה"ד אֲדֹנָי אָמַר לִשְׁכּוֹן בָּעֲרָפֶל. וְעוֹד מַה תֹּאמַר נַפְשְׁךָ וְאֶעֱשֶׂה לָּךְ.

רצז. וְנָחֲלוּ לְעוֹלָם, מַאי לְעוֹלָם. עוֹלָם דִּלְעֵילָּא, דַּאֲחִידָא בֵּיהּ הַהִיא אֶרֶץ, וְאִתְזָנַת מֵהַהוּא עוֹלָם, וְאִי הַאי אֶרֶץ אִתְרְכַת, בְּמַאי הוּא. לְאַשְׁמַת הָעָם הוּא דַּהֲוֵי.

רחצ. ר' יִצְחָק אָמַר, אִם הַכֹּהֵן הַמָּשִׁיחַ יֶחֱטָא, דָּא כֹּהֵן דִּלְתַתָּא, דְּאִתְתָּקַן לַעֲבוֹדָה וְאִשְׁתְּכַח בֵּיהּ חַטָּאָה, לְאַשְׁמַת הָעָם הוּא דַּהֲוֵי וַדַּאי. וַוי לְאִינּוּן דְּסָמִיכִין עָלֵיהּ, כְּגַוְונָא דָּא, שְׁלִיחָא דְּצִבּוּרָא דְּאִשְׁתְּכַח בֵּיהּ חַטָּאָה, וַוי לְאִינּוּן דְּסָמְכִין עָלֵיהּ. א"ר יְהוּדָה, וכ"ש כַּהֲנָא, דְּכָל יִשְׂרָאֵל, וְעִלָּאִין וְתַתָּאִין כֻּלְּהוּ מְחַכָּאן וּמְצַפָּאן לְאִתְבָּרְכָא עַל יְדוֹי.

רצט. דְּהָא תָּנֵינָן, בְּשַׁעֲתָא דְּכַהֲנָא שָׁארֵי לְכַוְּונָא מִלִּין, וּלְקָרְבָא קָרְבְּנָא עִלָּאָה, כֹּלָּא אִשְׁתְּכָחוּ בְּבִרְכָתָא וּבְחֶדְוָותָא. יְמִינָא, שָׁארֵי לְאִתְּעָרָא. שְׂמָאלָא אִתְכְּלִיל בִּימִינָא, וְכֹלָּא אִתְאֲחִיד וְאִתְקְשַׁר דָּא בְּדָא, וְאִתְבָּרְכוּן כֻּלְּהוּ כַּחֲדָא. אִשְׁתְּכַח, דְּעַל יְדָא דְּכַהֲנָא, מִתְבָּרְכָאן עִלָּאֵי וְתַתָּאֵי, וְהָא אוֹקְמוּהָ. וּבְגִין כַּךְ בָּעֵי לְקָרְבָא קָרְבְּנָא עָלֵיהּ, בְּגִין דְּיִתְכַּפֵּר חוֹבֵיהּ.

ש. אָמַר רִבִּי יוֹסֵי, הָא תָּנֵינָן, דְּעַל יְדָא דְּכַהֲנָא אִתְכַּפַּר חוֹבָא דְּב"נ, כַּד קָרִיב קָרְבְּנָא. הַשְׁתָּא דְּאִיהוּ חָטֵי, מַאן מַקְרִיב עָלֵיהּ, וּמַאן יְכַפֵּר עָלֵיהּ. אִי תֵּימָא דְּאִיהוּ מַקְרִיב עַל נַפְשֵׁיהּ, הָא אִיהוּ אִתְקַלְקַל, וְלָאו אִיהוּ כְּדַאי דְּיִתְבָּרְכוּן עָלֵיהּ עִלָּאֵי וְתַתָּאֵי. תַּתָּאֵי לָא יִתְבָּרְכוּן עַל יְדֵיהּ, כָּל שֶׁכֵּן עִלָּאֵי. אָמַר רִבִּי יְהוּדָה, וְלָא. וְהָא כְּתִיב וְכִפֶּר

בַּעֲדוֹ וּבְעַד בֵּיתוֹ, אֲמַאי בַּעְיָא לְכַפְּרָא עָלֵיהּ, בְּגִין דְּאִיהוּ וָזָב יְכַפֵּר עַל גַּרְמֵיהּ, דִּכְתִּיב וְכִפֶּר בַּעֲדוֹ.

שא. אָמַר רִבִּי חִיָּיא, הָא יְדִיעַ בְּאָן אֲתַר אִתְקְשַׁר כַּהֲנָא רַבָּא. וּבְאָן אֲתַר אִתְקְשַׁר כַּהֲנָא אָחֳרָא, וְהַהוּא דְּאִקְרֵי סְגָן יְדִיעָא. בְּגִין כַּךְ, כֹּהֵן אָחֳרָא קָא מַקְרִיב קָרְבָּנֵיהּ בְּקַדְמֵיתָא, וְסָלִיק לֵיהּ עַד הַהוּא אֲתַר דְּאִתְקְשַׁר בֵּיהּ. בָּתַר דְּכַהֲנָא סָלִיק לְהַהוּא אֲתַר, לָא מְעַכְּבִין לֵיהּ לְסַלְקָא לְאַתְרֵיהּ, וּלְאִתְכַּפְּרָא חוֹבֵיהּ. וְעַל דָּא, אָחֳרָא קָא מַקְרִיב עָלֵיהּ קָרְבָּנֵיהּ. כֵּיוָן דְּאָחֳרָא הוּא מַקְרִיב, וְלָא מִסְתַּפְּקִין כָּל כַּךְ עַל יְדֵיהּ, לְבָתַר אִיהוּ מַקְרִיב, וְאִינּוּן עָלְאִין, כֻּלְּהוּ מִתְחַבְּרָן לְכַפְּרָא חוֹבֵיהּ. וּמַלְכָּא קַדִּישָׁא אִסְתַּכַּם עַל יְדַיְיהוּ. כְּגַוְונָא דָּא, הַמִּתְפַּלֵּל וְטָעָה יַעֲמוֹד אַחֵר תַּחְתָּיו.

שב. רִבִּי אֶלְעָזָר וְרִבִּי אַבָּא הֲווּ יַתְבֵי. א״ר אֶלְעָזָר, זַמִּינָא לְאַבָּא בְּיוֹמֵי דְּרֹאשׁ הַשָּׁנָה וְיוֹם הַכִּפּוּרִים, דְּלָא בָּעֵי לְמִשְׁמַע צְלוֹתָא מִכָּל בַּר נָשׁ, אֶלָּא אִי קָאִים עָלֵיהּ תְּלָתָא יוֹמִין קוֹדֶם, לְדַכָּאָה לֵיהּ. דְּרִבִּי שִׁמְעוֹן הֲוָה אָמַר הָכִי, בִּצְלוֹתָא דְּהַאי בַּר נָשׁ דַּאֲנָא מְדַכֵּינָא, אִתְכַּפָּר עָלְמָא. וְכָל שֶׁכֵּן בִּתְקִיעָה דְּשׁוֹפָר, דְּלָא מְקַבֵּל תְּקִיעָתָא דְּבַ״נ דְּלָאו אִיהוּ זַכִּים לְמִתְקַע בְּרָזָא דִּתְקִיעָה.

שג. דְּתָנֵינָן, ר׳ יֵיסָא סָבָא אָמַר, הָנֵי תְּקִיעָתָא כְּסִדְרָן. קַדְמָאָה, כְּלִילָא מִכֹּלָּא. תִּנְיָינָא, וְהָדָא כְּסִדְרָא וְחָדָא כְּסִדְרָא, גְּבוּרָה גְּדוֹלָה בֵּינַיְיהוּ. תְּלִיתָאָה, חַד הָכָא וְחַד הָכָא גְּבוּרָה בֵּינַיְיהוּ. פּוּסְקָא סַלְקָא, קוּמַטְרָא נָחֲתָא. חַד תַּקִּיפָא וְחַד רַפְיָא. וְהָא אוּקְמוּהָ. וְאִינּוּן עֲשָׂרָה. וְאִינּוּן תֵּשַׁע. וְחַד כְּלָלָא דְּכֹלָּא.

דש. וּבְהַאי יוֹמָא מִתְעַטְּרָא יִצְחָק, וְהוּא רֵישָׁא לַאֲבָהָן. בְּהַאי יוֹמָא כְּתִיב, פָּחֲדוּ בְצִיּוֹן חַטָּאִים. בְּהַאי יוֹמָא יִצְחָק אִתְעֲקַד, וְעָקִיד כֹּלָּא, וְשָׂרָה מְיַלֶּלֶת וְקוֹל שׁוֹפָרָא תַּקִּיף לְחֶדְוָא. זַכָּאָה חוּלָקֵיהּ, מַאן דְּעָבַר בֵּינַיְיהוּ, וְאִשְׁתְּזִיב מִנַּיְיהוּ. א״ר אַבָּא, בְּגִ״כ קָרֵינָן פַּרְשָׁתָא דְּיִצְחָק בְּהַאי יוֹמָא, דִּבְהַאי יוֹמָא אִתְעֲקַד יִצְחָק לְתַתָּא, וְאִתְקְשַׁר בְּהַהוּא דִּלְעֵילָּא. אֵימָתַי אִתְקְשַׁר. בְּשַׁעְתָּא דִּכְתִּיב וַיַּעֲקוֹד אֶת יִצְחָק בְּנוֹ וְגוֹ׳.

שה. אָמַר רִבִּי אֶלְעָזָר, בְּהַאי יוֹמָא אַעְטַר יִצְחָק לְאַבְרָהָם, דִּכְתִּיב וְהָאֱלֹהִים נִסָּה אֶת אַבְרָהָם. מַאי נִסָּה. כד״א, וְאֶל עַמִּים אָרִים נִסִּי. וַיִּקְרָא שְׁמוֹ יְיָ׳ נִסִּי. מַאי קמ״ל. בְּגִין דְּאִשְׁתַּכְלִיל יְמִינָא וְאִשְׁתְּלִים. הה״ד וְהָאֱלֹהִים נִסָּה אֶת אַבְרָהָם. וְהָאֱלֹהִים דַּיְיקָא, וְדָא הוּא וּפַחַד יִצְחָק.

שו. רִבִּי אַבָּא אָמַר, כְּתִיב כִּי אֱלֹהִים שׁוֹפֵט זֶה יַשְׁפִּיל וְזֶה יָרִים. כִּי אֱלֹהִים שׁוֹפֵט, אִלְמָלֵא דְּאַעְבַּר דִּינָא דְּיִצְחָק, בְּאֲתַר דְּיַעֲקֹב שָׁארֵי, וְאִתְבְּסַם תַּמָּן, וַוי לְעָלְמָא דְּיֶעֱרַע בְּגִינֵיהּ, וְרָזָא דְּמִלָּה, כִּי בָאֵשׁ יְיָ׳ נִשְׁפָּט. וְדָא הוּא אִתְבַּסְּמוּתָא דְּעָלְמָא.

שז. וְכֵיוָן דְּעָאל בְּאַתְרָא דְּיַעֲקֹב, וְיַעֲקֹב אָחִיד בֵּיהּ, כְּדֵין שָׁכִיךְ אֶשָּׁא, וְאִצְטַנְנוּ גּוּמְרֵיהּ. לְבַ״נ, דַּהֲוָה רָגִיז, וְזָגַר וְזַיֵּין גַּרְמֵיהּ, וְנָפַק בְּרוּגְזֵיהּ לְקַטְלָא לִבְנֵי נָשָׁא. וְחַד חַכִּימָא קָם עַל פִּתְחָא, וְאָחִיד בֵּיהּ, אָמַר אִלְמָלֵא לָא אָחִיד בִּי וְאִתְתְּקַף בִּי, הָא קְטוּלָא בִּבְנֵי נָשָׁא אִשְׁתְּכַח. בְּעוֹד דְּאִתְתַּקְפוּ דָּא בְּדָא, וְאָחִיד דָּא בְּדָא, אִצְטַנַּן רוּגְזֵיהּ עַל דְּנָפַק לְקַטְלָא. נָפַק לְאוּכְחָא, מַאן סָבִיל רוּגְזָא וְתוּקְפָּא דְּדִינָא דְּהַהוּא ב״נ. הֱוֵי אֵימָא, דָּא דְּקָאִים אַפִּתְחָא.

שח. כַּךְ אָמַר קֻבָּ״ה לְיִשְׂרָאֵל, בָּנַי, לָא תִּדְחֲלוּן, הָא אֲנָא קָאִים עַל פִּתְחָא, אֲבָל אִזְדָּרְזוּ בְּהַאי יוֹמָא וְהָבוּ לִי חֵילָא. וּבְמָה. בְּשׁוֹפָר. דְּאִי אִשְׁתְּכַח קוֹל שׁוֹפָר כַּדְקָא

יָאוֹת, וּמְכַוְּונֵי בֵּיהּ לְתַתָּא, הַהוּא קָלָא סָלִיק, וּבֵיהּ מִתְעַטְּרֵי אֲבָהָן, וְקַיְימֵי בְּמַשְׁכְּנֵיהּ דְּיַעֲקֹב. וְעַ"ד בָּעֵי לְאַזְדַּהֲרָא בְּשׁוֹפָרָא, וּלְמִנְדַּע בְּהַהוּא קָלָא וּלְכַוְּונָא.

שט. וְלֵית לָךְ קָלָא בְּשׁוֹפָרָא, דְּלָא סָלִיק רְקִיעָא חַד. וְכָל אִינּוּן אוּכְלוֹסִין דְּהַהוּא רְקִיעָא, יָהֲבִין אֲתַר לְהַהוּא קָלָא, וּמַאי קָא אָמְרֵי. יְיָ' נָתַן קוֹלוֹ לִפְנֵי חֵילוֹ וְגוֹ'. וְקָאִים הַהוּא קָלָא בְּהַהוּא רָקִיעַ, עַד דְּאָתֵי קָלָא אָחֳרָא, וְאִתְעֲתָדוּ כַּחֲדָא, וְסַלְּקִין בְּזִוּוּגָא לִרְקִיעָא אָחֳרָא. וְעַל דָּא תָּנֵינָן, אִית קוֹל דְּסָלִיק קוֹל, וּמַאי אִיהוּ. הַהוּא קָלָא דִּתְקִיעָתָא דְּיִשְׂרָאֵל דִּלְתַתָּא.

שי. וְכֵיוָן דְּמִתְחַבְּרָן כָּל אִינּוּן קָלִין דִּלְתַתָּא, וְסַלְּקִין לְהַהוּא רְקִיעָא עִלָּאָה דְּמַלְכָּא קַדִּישָׁא שָׁארֵי בֵּיהּ, מִתְעַטְּרָן כֻּלְּהוּ קָמֵי מַלְכָּא, וּכְדֵין כּוּרְסְוָון רְמִיו וְכוּרְסְיָיא אָחֳרָא דְּיַעֲקֹב קָאִים וְאִתְתָּקַן.

שיא. עַל דָּא אַשְׁכַּחְנָא בְּסִפְרָא דְּרַב הַמְנוּנָא סָבָא, בְּאִינּוּן צְלוֹתֵי דר"ה, דַּהֲוָה אָמַר, צְלוֹתָא וְקָל שׁוֹפָרָא דְּאַפִּיק הַהוּא זַכָּאָה, דְּאִשְׁתְּכַח מֵרוּחֵיהּ וּמִנַּפְשֵׁיהּ בְּהַהוּא שׁוֹפָרָא, דְּהַהוּא קוֹל סָלִיק לְעֵילָּא. וּבְהַהוּא יוֹמָא קַיְימִין וּמִשְׁתַּכְּחֵי מְקַטְרְגִין לְעֵילָּא. וְכַד סָלִיק הַהוּא קָלָא דְּשׁוֹפָרָא, כֻּלְּהוּ אִתְדַּחְיָין קָמֵיהּ, וְלָא יַכְלִין לְקַיְּימָא. זַכָּאָה חוּלָקֵיהוֹן דְּצַדִּיקַיָּיא, דְּיַדְעִין לְכַוְּונָא רְעוּתָא לְקָמֵי מָארֵיהוֹן, וְיַדְעִין לְתַקְּנָא עָלְמָא בְּהַאי יוֹמָא, בְּקָל שׁוֹפָרָא. וְעַל דָּא כְּתִיב, אַשְׁרֵי הָעָם יוֹדְעֵי תְרוּעָה. יוֹדְעֵי, וְלָא תּוֹקְעֵי.

שיב. בְּהַאי יוֹמָא, בָּעֵי עַמָּא לְאִסְתַּכְּלָא בְּבַ"נ שְׁלִים מִכֹּלָּא, דְּיָדַע אָרְחוֹי דְּמַלְכָּא קַדִּישָׁא, דְּיָדַע בִּיקָרָא דְּמַלְכָּא, דְּיִבְעֵי עָלַיְיהוּ בָּעוּתָא בְּהַאי יוֹמָא. וּלְזַמְּנָא קָל שׁוֹפָרָא בְּכֻלְּהוּ עָלְמִין, בְּכַוָּונָה דְּלִבָּא, בְּחָכְמְתָא, בִּרְעוּתָא, בִּשְׁלִימוּ. בְּגִין דְּיִסְתַּלַּק דִּינָא עַל יְדוֹי מִן עָלְמָא. וַוי לְאִינּוּן דִּשְׁלִיחָא דִּלְהוֹן לָא אִשְׁתְּכַח כַּדְקָא יָאוֹת, דְּהָא חוֹבֵי עָלְמָא אַתְיָין לְאַדְכָּרָא בְּגִינֵיהּ. הה"ד, אִם הַכֹּהֵן הַמָּשִׁיחַ יֶחֱטָא, דְּהוּא שְׁלִיחָא דְּכָל יִשְׂרָאֵל, לְאַשְׁמַת הָעָם הוּא, בְּגִין דְּדִינָא שַׁרְיָא עֲלַיְיהוּ.

שיג. וְכַד שְׁלִיחָא הוּא זַכָּאָה כַּדְקָא יָאוּת, זַכָּאִין אִינּוּן עַמָּא, דְּכָל דִּינִין מִסְתַּלְּקִין מִנַּיְיהוּ עַל יְדֵיהּ, כ"ש כַּהֲנָא, דְּעָלֵיהּ מִתְבָּרְכָאן עִלָּאֵי וְתַתָּאֵי. א"ר אֶלְעָזָר, וְעַ"ד, כֹּהֵן וְלֵוִי עַד לָא יִסְלַק לְפוּלְחָנָא, בָּדְקִין אֲבַתְרֵיהּ, וְיַדְעִין אָרְחוֹי וְעוֹבָדוֹי, וְאִי לָא, לָא סָלִיק לְפוּלְחָנָא, וְכֵן בְּסַנְהֶדְרִין לְמֵידָן דִּינָא.

שיד. וְאִי אִשְׁתְּכַח כַּדְקָא יָאוּת, יָהֲבִין עָלֵיהּ חוּמְרָא דְּמַקְדְּשָׁא. וְאִי לָא, לָא סָלִיק לְפוּלְחָנָא. הה"ד, וּלְלֵוִי אָמַר תֻּמֶּיךָ וְאוּרֶיךָ לְאִישׁ חֲסִידֶךָ. מִפְּנֵי מַה זָּכָה לְאוּרִים וּלְתוּמִים, וּלְמִפְלַח פּוּלְחָנָא. הֱוֵי אוֹמֵר אֲשֶׁר נִסִּיתוֹ וְגוֹ'. הָאוֹמֵר לְאָבִיו וּלְאִמּוֹ לֹא רְאִיתִיו וְגוֹ'. וְכֵיוָן דְּאִשְׁתְּכָחוּ בְּאִלֵּין דַּרְגִּין, כְּדֵין יוֹרוּ מִשְׁפָּטֶיךָ לְיַעֲקֹב וְגוֹ', יָשִׂימוּ קְטוֹרָה וְגוֹ'. לְשַׁכְּכָא רוּגְזָא, וּלְזַמְּנָא שְׁלָמָא. וְכָלִיל עַל מִזְבְּחֶךָ, בְּגִין דְּיִתְבַּסְּמוּן כֹּלָּא, וְיִשְׁתַּכְּחוּן בִּרְכָאן בְּכֻלְּהוּ עָלְמִין, כְּדֵין בָּרֵךְ יְיָ' חֵילוֹ וְגוֹ'.

שטו. וְאִם כָּל עֲדַת יִשְׂרָאֵל יִשְׁגּוּ וְנֶעְלַם וְגוֹ'. ר"ש פָּתַח, נָשִׁים שַׁאֲנַנּוֹת קוֹמְנָה שְׁמַעְנָה קוֹלִי וְגוֹ'. כַּמָּה אִית לֵיהּ לְבַ"נ, לְאִסְתַּכְּלָא בִּיקָרָא דְּמָארֵיהּ, בְּגִין דְּיִשְׁתְּכַח בִּרְיָה שְׁלִים קַמֵּיהּ קֻבְּ"ה, דְּכַד בָּרָא קֻבְּ"ה לְבַ"נ בָּרָא לֵיהּ שְׁלִים, כְּמָה דְּאִתְּמַר, אֲשֶׁר עָשָׂה הָאֱלֹהִים אֶת הָאָדָם יָשָׁר וְגוֹ'. אֶת הָאָדָם דְּכַר וְנוּקְבָא. וְנוּקְבָא אִתְכְּלִילַת בִּדְכוּרָא, וּכְדֵין יָשָׁר כְּתִיב. לְבָתַר וְהֵמָּה בִקְשׁוּ חִשְּׁבוֹנוֹת רַבִּים.

שטז. תָּא חֲזֵי, מִנּוּקְבָא דִּתְהוֹמָא רַבָּא עִלָּאָה, אִשְׁתְּכַחַת חַד נוּקְבָא רוּחָא דְּכָל רוּחִין, וְהָא אוֹקִימְנָא לִילִית שְׁמָהּ. וְהִיא אִשְׁתְּכַחַת בְּקַדְמֵיתָא לְגַבֵּי אָדָם. וּבְשַׁעֲתָא

דְּאִתְבְּרֵי אָדָם, וְאִשְׁתְּלִים גּוּפֵיהּ, אִזְדַּמְּנוּ עַל הַהוּא גּוּפָא אֶלֶף רוּחִין מִסִּטְרָא דִּשְׂמָאלָא. דָּא בָּעָא לְאָעֳלָא בֵּיהּ, וְדָא בָּעָא לְאָעֳלָא בֵּיהּ, וְלָא הֲווּ יַכְלֵי, עַד דְּגָעַר בְּהוּ קב"ה, וְאָדָם הֲוָה שָׁכִיב גּוּפָא בְּלָא רוּחָא, וְחֵיזוּ דִּילֵיהּ יְרוֹקָא הֲוָה, וְכָל אִינּוּן רוּחִין סַחֲרָן עָלֵיהּ.

שיז. בְּהַהִיא שַׁעֲתָא נָחִית עֲנָנָא חַד, וְדָחָא לְכָל אִינּוּן רוּחִין. וּבְשַׁעֲתָא דָּא כְּתִיב, וַיֹּאמֶר אֱלֹהִים תּוֹצֵא הָאָרֶץ נֶפֶשׁ חַיָּה וְהָא אוּקִימְנָא, דְּנוּקְבָא אִתְעַבְּרַת מִן דְּכוּרָא מִן הַהוּא נֶפֶשׁ דְּאָדָם, וְהִיא אַפִּיקַת הַהוּא רוּחָא, לְנָשְׁבָא בֵּיהּ בְּאָדָם, כָּלִיל מִתְּרֵין סִטְרִין כַּדְקָא חָזֵי, הה"ד וַיִּפַּח בְּאַפָּיו נִשְׁמַת חַיִּים וַיְהִי הָאָדָם לְנֶפֶשׁ חַיָּה. לְנֶפֶשׁ חַיָּה מַמָּשׁ. וּמַאן דְּאִסְתַּפַּק בְּהַאי, בְּגִין דְּלָא יָדַע, אִי חַיָּה זוֹ הִיא חַיָּה תַּתָּאָה, אוֹ חַיָּה דִּשְׁמָהּ יִשְׂרָאֵל, אוֹ מִדְּכוּרָא אוֹ מִנּוּקְבָא. אֲבָל לָא כְּתִיב לְנֶפֶשׁ הַחַיָּה, אֶלָּא לְנֶפֶשׁ חַיָּה סְתָם, דְּמַשְׁמַע כֹּלָּא.

שיח. וְכַד קָם אָדָם, הֲוַת נוּקְבְתֵיהּ תְּקוּעָה בְּסִטְרוֹי. וְהַהִיא נִשְׁמְתָא קַדִּישָׁא דְּבֵיהּ, הֲוָה אַסְגֵּי לְהַאי סִטְרָא, וּלְהַאי סִטְרָא, וְסַגֵּי לְהַאי וּלְהַאי, בְּגִין דְּהָכִי אִתְכְּלִילַת. לְבָתַר נָסַר קב"ה לְאָדָם, וְתַקִּין לְנוּקְבֵיהּ, הה"ד וַיִּבֶן יְיָ' אֱלֹהִים אֶת הַצֵּלָע וְגו'. אֶת הַצֵּלָע הָא אוּקִימְנָא, כד"א וּלְצֶלַע הַמִּשְׁכָּן. וַיְבִיאֶהָ אֶל הָאָדָם, בְּתִקּוּנָהָא כְּכַלָּה לְחוּפָּה.

שיט. כֵּיוָן דְּחָזַמַת לִילִית דָּא, עָרְקַת, וְהִיא בִּכְרַכֵּי יַמָּא, וְעַד כְּעַן הִיא זְמִינָא לְאַבְאָשָׁא בְּנֵי עָלְמָא. וְכַד זַמִּין קב"ה לְחָרְבָא רוֹמִי רַשִׁיעָתָא, וּלְמֶהֱוֵי חָרְבָּן לְעָלְמִין, יִסַּלַּק לְהַאי לִילִית, וְיַשְׁרֵי לָהּ לְהַאי חוּרְבָּא, בְּגִין דְּהִיא חוּרְבְּנָא דְּעָלְמָא. הה"ד אַךְ שָׁם הִרְגִּיעָה לִּילִית וּמָצְאָה לָהּ מָנוֹחַ.

שכ. וּבְסִפְרֵי קַדְמָאֵי אָמְרֵי, דְּאִיהִי עָרְקַת מִן אָדָם מִקַּדְמַת דְּנָא, וַאֲנָן לָא תָּנֵינָן הָכֵי, בְּגִין דְּהָא נוּקְבָא דָּא אִשְׁתַּכְּחַת עִמֵּיהּ, אֲבָל עַד לָא אִתְתַּקְּנַת נוּקְבָא דָּא עִמֵּיהּ דְּאָדָם כַּדְקָא יָאוּת, הֲוַת מִזְדַּוְּגָא עִמֵּיהּ וְכַד הַאי אִתְתַּקְּנַת עִמֵּיהּ כַּדְקָא יָאוּת, עָרְקַת הִיא לְיַמָּא, וּזְמִינָא לְאַבְאָשָׁא בְּנֵי עָלְמָא.

שכא. אַסְוָתָא לְהַאי, בְּהַהִיא שַׁעֲתָא דְּאִזְדַּוַּג בַּר נָשׁ בְּאִתְּתֵיהּ, יְכַוֵּון לִבֵּיהּ בִּקְדוּשָּׁה דְּמָארֵיהּ, וְלֵימָא הָכֵי, עֲטִיפָא בְּקַטִּיפָא אִזְדַּמְּנַת, שָׁארֵי שָׁארֵי, לָא תֵּעוֹל וְלָא תִּנְפּוֹק, לָא דִּידָךְ וְלָא בְּעַדְבָךְ. תּוּב תּוּב, יַמָּא אִתְרְגִישָׁא, גַּלְגַּלּוֹי לָךְ קָרָאן, בְּחוּלָקָא קַדִּישָׁא אֲחִידְנָא, בִּקְדוּשָּׁה דְּמַלְכָּא אִתְעַטְּפְנָא.

שכב. וּלְחַפְיָא לֵיהּ לְרֵישֵׁיהּ וּלְאִתְּתֵיהּ עַד שַׁעֲתָא חֲדָא, וְכֵן בְּכָל זִמְנָא, עַד ג' יוֹמִין לְקָלִיטָה, דְּכָל הַרְכָּבָה דְּלָא קוֹלֶטֶת לג' יוֹמִין, תּוּב לֵיתָא קוֹלֶטֶת. וּבְסִפְרָא דְּאַגָּנוּז אַשְׁמְדָאי לִשְׁלֹמֹה מַלְכָּא אָמַר, תְּלָתִין יוֹמִין. וְאָמַר דִּלְבָתַר דְּסַיֵּים עוֹבָדָא, לִישַׁדֵּי מַיִין צְלִילָן סוֹחֲרָנֵיהּ לְעַרְסֵיהּ. וְנַטּוּרָא דְּכֹלָּא.

שכג. מַאן דְּיָנְקָא לְרַבְיָא, לָא תִּזְדַּוַּג לְבַר נָשׁ, אֶלָּא בְּשַׁעֲתָא דְּרַבְיָא נָאִים. וּלְבָתַר לָא תְּנִיק לֵיהּ, עַד שַׁעֲתָא חֲדָא, כִּתְרֵין מִילִין, אוֹ חַד מִיל, אִי לָא יַכְלָא בְּגִין צַעֲרָא דְּרַבְיָא, בְּזִמְנָא דְּאִיהוּ בָּכֵי. וּבְדָא לָא מִסְתַּפֵּי מִנָּהּ לְעָלְמִין.

שכד. זַכָּאִין אִינּוּן צַדִּיקַיָּיא, דְּקוּדְשָׁא בְּרִיךְ הוּא אוֹלִיף לוֹן רָזִין עֲמִיקִין דִּלְעֵילָּא וְתַתָּא, וְכֹלָּא בְּגִין אוֹרַיְיתָא, דְּהָא אוֹרַיְיתָא, מַאן דְּיִשְׁתַּדַּל בָּהּ, מִתְעַטַּר בְּעִטְרִין דִּשְׁמָא קַדִּישָׁא, דְּהָא אוֹרַיְיתָא שְׁמָא קַדִּישָׁא הוּא. וּמַאן דְּיִשְׁתַּדַּל בָּהּ, אִתְרְשִׁים וְאִתְעַטַּר בִּשְׁמָא קַדִּישָׁא, וּכְדֵין יָדַע אָרְחִין סְתִימִין, וְרָזִין עֲמִיקִין דִּלְעֵילָּא וְתַתָּא, וְלָא מִסְתַּפֵּי לְעָלְמִין.

שכה. תָּא חֲזֵי, בְּהַהוּא יוֹמָא אִתְפַּקְּדוּ עַל אִילָנָא חַד, וְעָבְרוּ עַל פִּקּוּדָא דְּמָארֵיהוֹן,

וּבְגִּין דְּאִתְּתָא הִיא וְזָכַת בְּקַדְמֵיתָא, וְאַתְיָא עָלָה הַהוּא נָחָשׁ, כְּתִיב, וְהוּא יִמְשָׁל בָּךְ. מִכָּאן וּלְהָלְאָה, בְּכָל זִמְנִין דְּגּוּבְרִין אִשְׁתְּכָחוּ חַיָּיבִין קַמֵּי קֻדְשָׁא בְּרִיךְ הוּא, הָא אוֹקִימְנָא דְּאִינּוּן נָשִׁים מִסִּטְרָא דְּדִינָא קַשְׁיָא, זְמִינִין לְשַׁלְטָאָה עֲלַיְיהוּ, מִסִּטְרָא דְּדִינָא קַשְׁיָא, הה״ד עַמִּי נוֹגְשָׂיו מְעוֹלֵל וְנָשִׁים מָשְׁלוּ בוֹ, נָשִׁים מָשְׁלוּ בוֹ וַדַּאי.

שכו. וְאִלֵּין אִקְרוּן לַהַט הַחֶרֶב הַמִּתְהַפֶּכֶת, לָאו דְּאִינּוּן חֶרֶב הַמִּתְהַפֶּכֶת, אֶלָּא לַהַט מֵהַהוּא חֶרֶב, דְּאִקְרֵי חֶרֶב נוֹקֶמֶת נְקַם בְּרִית, חֶרֶב לַיְיָ מָלְאָה דָם. וְהַהוּא לַהַט הַחֶרֶב מִתְהַפֶּכֶת, לִזְמַנִּין גּוּבְרִין וְלִזְמַנִּין נוּקְבִין, וְהָא אוֹקִימְנָא.

שכז. וַוי לְעָלְמָא, כַּד אִינּוּן נָשִׁין שַׁלְטָן בְּעָלְמָא, כַּד חָמָא נְבִיאָה, דְּיִשְׂרָאֵל מְעַקְּמֵי אָרְחַיְיהוּ, וְאִינּוּן אִשְׁתְּכָחוּ בְּחוֹבִין קַמֵּי מָארֵיהוֹן, כְּדֵין אָמַר, נָשִׁים שַׁאֲנַנּוֹת הֵיךְ אַתּוּן שְׁקִיטָאן, הֵיךְ אַתּוּן יַתְבָן דְּלָא לְאִתְעָרָא בְּעָלְמָא, קוֹמְנָה. וּבְאֲתַר אָחֳרָא אוֹקִימְנָא לְהַאי קְרָא וְהָא אוֹקְמוּהָ חַבְרַיָּיא.

שכח. אֲבָל לָא אִתְּמַר, אֶלָּא כְּמָה דְּאַשְׁכְּחָן בִּדְבוֹרָה. דִּכְתִיב הִיא שׁוֹפְטָה אֶת יִשְׂרָאֵל בָּעֵת הַהִיא. וְעַל דָּא תָּנֵינָן, וַוי לב״נ דְּאִתְּתָא קָא מְבָרְכָא לֵיהּ לְפָתוֹרָא. כַּךְ דְּבוֹרָה, הִיא שׁוֹפְטָה אֶת יִשְׂרָאֵל בָּעֵת הַהִיא, וַוי לְדָרָא דְּלָא אִשְׁתְּכַח בְּהוּ מַאן דְּדָאִין לְעַמָּא, אֶלָּא חַד נוּקְבָא.

שכט. תָּא חֲזֵי, תְּרֵין נָשִׁין אִינּוּן דְּאִשְׁתְּכָחוּ בְּעָלְמָא, וְאָמְרֵי תּוּשְׁבַּחְתָּא דְּקֻדְשָׁא בְּרִיךְ הוּא, דְּכָל גּוּבְרִין דְּעָלְמָא לָא יֵימְרוּן הָכֵי. וּמַאן אִינּוּן. דְּבוֹרָה. וְחַנָּה. חַנָּה אָמְרָה, אֵין קָדוֹשׁ כַּיְיָ כִּי אֵין בִּלְתֶּךָ וְכֻלְּהוּ קְרָאֵי. דְּהִיא פַּתְחַת פִּתְחָא דִּמְהֵימְנוּתָא לְעָלְמָא, כְּגוֹן מֵקִים מֵעָפָר דָּל מֵאַשְׁפּוֹת יָרִים אֶבְיוֹן, הָא פִּתְחָא דִּמְהֵימְנוּתָא. לְהוֹשִׁיבִי עִם נְדִיבִים, הָא מְהֵימְנוּתָא דִּלְעֵילָּא, בַּאֲתַר דַּאֲבָהָן שַׁרְיָין. מַאן נְדִיבִים. אִלֵּין אֲבָהָן, כְּדִכְתִיב נְדִיבֵי עַמִּים נֶאֱסָפוּ.

של. ד״א לְהוֹשִׁיבִי עִם נְדִיבִים, נִבְּאָה עַל שְׁמוּאֵל, דְּאִיהוּ זַמִּין לְאִתְקַשָּׁא עִם מֹשֶׁה וְאַהֲרֹן, דִּכְתִיב מֹשֶׁה וְאַהֲרֹן בְּכֹהֲנָיו וּשְׁמוּאֵל בְּקוֹרְאֵי שְׁמוֹ. וְכִסֵּא כָבוֹד יַנְחִילֵם. מַאן יַנְחִילֵם. דָּא שְׁמוּאֵל. דְּאַחְסִין יְקָרָא דְּמַלְכוּתָא לִתְרֵין מַלְכִּין. ד״א וְכִסֵּא כָבוֹד יַנְחִילֵם, דָּא קֻדְשָׁא בְּרִיךְ הוּא דְּהוּא אַחְסִין כּוּרְסַיָּיא דִּילֵיהּ לְעַבְדוֹהִי, הה״ד וְכִסֵּא כָבוֹד יַנְחִילֵם.

שלא. יְיָ יֵחַתּוּ מְרִיבָו, מְרִיבוֹ חָסֵר, מַאי קָא מַיְירֵי. אֶלָּא מְרִיבוֹ תָּנֵינָן, מְרִיב ו׳, וְדָא מַלְכָּא קַדִּישָׁא וְרָזָא דְּחָכְמְתָא אִתְּמַר הָכָא, בְּשַׁעֲתָא דְּדִינִין מִתְעָרִין וְשַׁלִּיטִין שַׁלְטִין עַל רַחֲמֵי, וְרַחֲמֵי אִתְכַּפְיָין, וּבְשַׁעֲתָא דְּקֻדְשָׁא בְּרִיךְ הוּא אִתְבָּרַךְ מִמַּבּוּעָא דְּנַחֲלָא, כְּדֵין גַּבְרִין רַחֲמֵי וְאִתְכַּפְיָין דִּינֵי, הה״ד יְיָ יֵחַתּוּ מְרִיבָו מְרִיב ו׳.

שלב. עָלָיו בַּשָּׁמַיִם יַרְעֵם. עָלָיו. מַאי עָלָיו. בְּשַׁעֲתָא דְּטַלָּא דְּעַתִּיקָא קַדִּישָׁא שַׁרְיָא עָלֵיהּ, וּמַלְיָא רֵישֵׁיהּ, בְּהַהוּא אֲתַר דְּאִקְרֵי שָׁמַיִם, כְּדֵין יַרְעֵם: יִתְּבַר חֵילֵיהוֹן וְתוּקְפֵּיהוֹן דְּדִינִין תַּקִּיפִין. וְיִתֶּן עֹז לְמַלְכּוֹ, דָּא קֻדְשָׁא בְּרִיךְ הוּא. וְיָרֵם קֶרֶן מְשִׁיחוֹ, דָּא כ״י דְּאִקְרֵי קֶרֶן הַיּוֹבֵל כְּמָה דְּאוֹקִימְנָא. מְשִׁיחוֹ כד״א מְשִׁיחַ אֱלֹהֵי יַעֲקֹב, בְּגִּ״כ קֶרֶן מְשִׁיחוֹ, וְהָא אִתְּמַר.

שלג. דְּבוֹרָה דְּאָתַת לְשַׁבְּחָא שְׁבָחָא דְּמַלְכָּא קַדִּישָׁא, יְיָ בְּצֵאתְךָ מִשֵּׂעִיר בְּצַעְדְּךָ מִשְּׂדֵה אֱדוֹם. מְלַמֵּד, דְּקֻדְשָׁא בְּרִיךְ הוּא אַזְמִין לְכָל שְׁאָר עַמִּין לְקַבְּלָא לְאוֹרַיְיתָא, וְלָא בָּעוּ. וְכִי לָא הֲוָה גַּלֵּי קַמֵּיהּ דְּלָא בָּעָאן, אֶלָּא דְּלָא יְהֵא לוֹן פִּתְחוֹן פֶּה, דְּאִלְמָלֵא יָהַב לוֹן קֻדְשָׁא בְּרִיךְ הוּא אוֹרַיְיתָא הֲווּ נַטְרֵי לָהּ. וְכָל אִינּוּן קְרָאֵי דְּאָמְרָה דְּבוֹרָה, כֻּלְּהוּ בְּרָזָא דְּחָכְמְתָא, עַד הַהִיא שַׁעֲתָא דְּשַׁבְּחַת גַּרְמָהּ, שֶׁנֶּאֱמַר עַד שַׁקַּמְתִּי דְּבוֹרָה שַׁקַּמְתִּי אֵם בְּיִשְׂרָאֵל, דְּהָא אוֹקְמוּהָ דְּאִסְתַּלָּק מִנָּהּ רוּחַ נְבוּאָה, וּבְגִּ״כ עוּרִי עוּרִי דְּבוֹרָה עוּרִי עוּרִי דַּבְּרִי שִׁיר.

שלד. וְכָל דָּא, כַּד אִשְׁתְּכָחוּ גּוּבְרִין בְּחַטָּאָה, וְלָאו אִינּוּן כְּדָאִין לְמִשְׁרֵי עֲלַיְיהוּ רוּחַ

קוּדְשָׁא וַדַּאי. וְאִם כָּל עֲדַת יִשְׂרָאֵל יִשְׁגּוּ וְגוֹ', כְּמָה דְּאוּקִימְנָא בְּהוֹרָאָה דְּטָעוּ בָּהּ. אֲבָל וְאִם כָּל עֲדַת יִשְׂרָאֵל יִשְׁגּוּ, וְאִם כָּל יִשְׂרָאֵל יִשְׁגּוּ מִבָּעֵי לֵיהּ, מַאי כָּל עֲדַת יִשְׂרָאֵל. אֶלָּא אִינּוּן דְּאִשְׁתַּכְּחָן בִּירוּשְׁלֵם, דְּהָא מִתַּמָּן נָפְקָא אוֹרַיְיתָא לְכָל עַמָּא, וְאִי אִינּוּן דַּהֲווּ תַּמָּן טָעָאן, כָּל יִשְׂרָאֵל טָעָאן, וְתָנֵינָן דְּכֵיוָן דְּתַמָּן טָעָאן, כָּל עַמָּא טָעָאן, בְּגִין דְּכֻלְּהוּ מַשְׁכֵי אֲבַתְרַיְיהוּ. וְנֶעְלַם דָּבָר מֵעֵינֵי הַקָּהָל, עֵינֵי הַקָּהָל אִלֵּין סַנְהֶדְרֵי, אִלֵּין אִינּוּן דִּמְמַנָּן עַל יִשְׂרָאֵל.

רַעְיָא מְהֵימְנָא

שלה. פִּקּוּדָא דָּא לְהָבִיא קָרְבָּן עַל סַנְהֶדְרֵי גְּדוֹלָה שֶׁטָּעוּ, תַּנָּאִין וַאֲמוֹרָאִין ע' סַנְהֶדְרֵי גְּדוֹלָה הָיוּ, וּמֹשֶׁה עֲלַיְיהוּ. וְע' סַנְהֶדְרֵי קְטַנָּה הֲווּ, וְאַהֲרֹן עֲלַיְיהוּ. וּבְגִין דָּא אָמְרוּ מָארֵי מַתְנִיתִין, מֹשֶׁה שׁוֹשְׁבִינָא דְּמַלְכָּא הֲוָה, וְדָא תִּפְאֶרֶת, מִתַּמָּן סַנְהֶדְרֵי גְּדוֹלָה. אַהֲרֹן שׁוֹשְׁבִינָא דְּמַטְרוֹנִיתָא, וְדָא מַלְכוּת, ה"א זְעֵירָא קָרֵינָן לֵיהּ, כְּגוֹן אֶעֱבָדְךָ שֶׁבַע שָׁנִים בְּרָחֵל בִּתְּךָ הַקְּטַנָּה. וְעַל שְׁמָהּ אִתְקְרֵי סַנְהֶדְרֵי קְטַנָּה.

שלו. וּמִתַּמָּן הֲווּ יָדְעִין סַנְהֶדְרִין שַׁבְעִין לָשׁוֹן, דְּאִינּוּן שִׁבְעִים פָּנִים לַתּוֹרָה, דְּאִית שִׁבְעִים לָשׁוֹן מִסִּטְרָא דְּמַלְכוּת הָרְשָׁעָה וְכוּ', כֻּלָּא בְּפֵרוּדָא. הה"ד מֵאֵלֶּה נִפְרְדוּ אִיֵּי הַגּוֹיִם בְּאַרְצוֹתָם לִלְשׁוֹנוֹתָם כֻּלְּהוּ שַׁבְעִין לָשׁוֹן בְּפֵרוּדָא דָּא מִן דָּא.

שלז. אֲבָל בְּאוֹרַיְיתָא, ע' פָּנִים לַתּוֹרָה בְּלָשׁוֹן חַד. וְדָא יְסוֹד. י' הֲלָכָה וַדָּאי, וְחָכְמָה זְעֵירָא מַלְכוּת, דְּבָהּ שַׁבְעִין לָשׁוֹן, כְּחוּשְׁבַּן סוֹד, מִן יְסוֹד. וִיסוֹד אִיהוּ לָשׁוֹן הַקֹּדֶשׁ, סוֹד הַמֶּרְכָּבָה, בְּשַׁבְעִין קַתֶּדְרָאִין, עֲלַיְיהוּ אִתְּמַר כָּל הָעוֹנֶה אָמֵן יְהֵא שְׁמֵיהּ רַבָּא מְבָרַךְ בְּכָל כֹּחוֹ, קוֹרְעִין לוֹ גְּזַר דִּינוֹ שֶׁל שִׁבְעִים שָׁנָה. לָשׁוֹן חַד, אִיהוּ שִׁבְעִים לָשׁוֹן, עַל מִדָּה זְעֵירָא דְּחָכְמָה זְעֵירָא, דְּאִיהִי י' זְעֵירָא. ב', תְּרֵין שִׂפְוָון, דִּבְהוֹן דַּעַת וּתְבוּנָה, בְּהוֹן אִשְׁתְּלִימוּ שַׁבְעִין וּתְרֵין. (ע"כ רעיא מהימנא)

שלח. רַבִּי חִיָּיא וְרַבִּי יוֹסֵי הֲווּ אַזְלֵי בְּאוֹרְחָא, עַד דַּהֲווּ אַזְלֵי. אָמַר ר' יוֹסֵי לְר' חִיָּיא, נִשְׁתַּדֵּל בְּמִלֵּי דְּאוֹרַיְיתָא, בְּמִלֵּי דְּעַתִּיק יוֹמִין. פָּתַח רַבִּי חִיָּיא וְאָמַר, וְחַטָּאתִי אוֹדִיעֲךָ וְגוֹ', מִכָּאן אוֹלִיפְנָא, דְּכָל ב"נ דִּמְכַסֵּי חֶטְאוֹי וְלָא מְפָרֵשׁ לוֹן קָמֵי מַלְכָּא קַדִּישָׁא, וְיִתְבַּע עֲלַיְיהוּ רַחֲמֵי, לָא יָהֲבִין לֵיהּ לְמִפְתַּח פִּתְחָא דִּתְשׁוּבָה, בְּגִין דְּאִיהוּ מְכַסֵּי מִנֵּיהּ. וְאִי אִיהוּ פָּרִישׁ לוֹן קָמֵי קוּדְשָׁא בְּרִיךְ הוּא, קוּדְשָׁא בְּרִיךְ הוּא חָיֵיס עֲלֵיהּ וְיִתְגַּבְּרוּן רַחֲמֵי עַל דִּינָא.

שלט. וכ"ש אִי אִיהוּ בָּכֵי, דְּהָא כָּל פִּתְחִין סְתִימִין אִיהוּ פָּתַח, וְאִתְקַבַּל צְלוֹתֵיהּ, וְעַל דָּא, פְּרִישׁוּ דְּחֶטְאוֹי, יְקָרָא הוּא דְּמַלְכָּא, לְאַגְבָּרָא רַחֲמֵי עַל דִּינָא. וְעַל דָּא כְּתִיב זוֹבֵחַ תּוֹדָה יְכַבְּדָנְנִי. מַהוּ יְכַבְּדָנְנִי. תְּרֵין כְּבוֹדִין אִינּוּן, חַד לְעֵילָּא, וְחַד לְתַתָּא, חַד בְּעָלְמָא דֵּין, וְחַד בְּעָלְמָא דְּאָתֵי.

שמ. הַאי קְרָא קַשְׁיָא בְּכֹלָּא, בִּסְגִיאוּת מִלִּין, דְּהָא בְּאוֹדֶה עֲלֵי פְשָׁעַי סַגִּי. מַהוּ וְחַטָּאתִי אוֹדִיעֲךָ וַעֲוֹנִי לֹא כִסִּיתִי, וּלְבָתַר אוֹדֶה עֲלֵי פְשָׁעַי לַיְיָ, וְעוֹד דְּהָא אוֹדֶה עֲלֵי פְשָׁעַי לַיְיָ, לָךְ מִבָּעֵי לֵיהּ.

שמא. אֶלָּא דָּוִד, כָּל מִלּוֹי בְּרוּחַ הַקֹּדֶשׁ אַמְרָן, וּלְמַלְכוּתָא דִּשְׁמַיָּא אָמַר, בְּגִין דְּאִיהִי שְׁלִיחָא מִתַּתָּאֵי לְעֵילָּאֵי, וּמֵעֵילָּאֵי לְתַתָּאֵי, וּמַאן דְּבָעֵי לְמַלְכָּא, לָהּ אוֹדַע בְּקַדְמִיתָא. וְעַל דָּא וְחַטָּאתִי אוֹדִיעֲךָ, לְמַלְכוּתָא דִּשְׁמַיָּא קָאָמַר וַעֲוֹנִי לֹא כִסִּיתִי, מִצַּדִּיקוֹ שֶׁל עוֹלָם. אָמַרְתִּי אוֹדֶה עֲלֵי פְשָׁעַי לַיְיָ, דָּא מַלְכָּא קַדִּישָׁא, דִּשְׁלָמָא כֹּלָּא דִּילֵיהּ, וּשְׁלָמָא דְּבָעֵי ב"נ לְאַעֲלָאָה קָמֵיהּ בְּהוֹדָאָה. דְּהָא שְׁלָמִים הָכִי מִתְקָרְבִין בְּהוֹדָאָה, דִּכְתִיב עַל זֶבַח תּוֹדַת שְׁלָמָיו. וְאַתָּה נָשָׂאתָ עֲוֹן חַטָּאתִי סֶלָה. דָּא לְעֵילָּא

לְעֵילָּא, אֲתַר דְּעַתִּיקָא קַדִּישָׁא שַׁרְיָא. בְּג״כ, הַאי קְרָא אָחִיד בְּכֹלָּא.

שמב. כְּגַוְונָא דָּא, מַאן דְּיִתְבַּע בָּעוּתֵיהּ לְמַלְכָּא, בָּעֵי לְיַיחֲדָא שְׁמָא קַדִּישָׁא בִּרְעוּתֵיהּ, מִתַּתָּא לְעֵילָּא וּמֵעֵילָּא לְתַתָּא, וּלְקַשְּׁרָא כֹּלָּא בְּחַד קִשְׁרָא, וּבְהַהוּא קִשּׁוּרָא אִשְׁתְּכַח בָּעוּתֵיהּ. א״ר יוֹסֵי, מַאן הוּא וְחַכִּימָא, לְמִתְבַּע בָּעוּתֵיהּ כְּדָוִד מַלְכָּא, דְּהוּא הֲוָה נָטִיר פִּתְחָא דְּמַלְכָּא. אָ״ל ר׳ חִיָּיא וַדַּאי הָכִי הוּא. וְעַ״ד אוֹרַיְיתָא אוֹלִיף לָן, אָרְחֵי דְּמַלְכָּא, קַדִּישָׁא, בְּגִין דְּנִנְדַּע לְמֵיהַךְ אֲבַתְרֵיהּ, כד״א אַחֲרֵי יְיָ׳ אֱלֹהֵיכֶם תֵּלֵכוּ וְגוֹ׳.

שמג. רִבִּי יוֹסֵי פָּתַח וְאָמַר, כֹּה אָמַר יְיָ׳ קוֹל בְּרָמָה נִשְׁמָע נְהִי בְּכִי וְגוֹ׳. כֹּה אָמַר יְיָ׳, הָא אוֹקְמוּהָ, בְּכָל אֲתַר דִּנְבִיאָה שָׁרֵי לְמַלְּלָא, הֲווּ מִלּוֹי אִשְׁתְּמוֹדְעָן, וְהָכָא הַאי כֹּה אָמַר יְיָ׳, קֻבְּ״ה. וּמַה אָמַר, קוֹל בְּרָמָה נִשְׁמָע.

שדמ. הָכִי תָּנֵינָן, דִּבְהַהוּא יוֹמָא דְּאִתְחָרַב בֵּי מַקְדְּשָׁא לְתַתָּא, וְיִשְׂרָאֵל אָזְלוּ בְּגָלוּתָא, רֵיחַיָין עַל צַוְּארֵיהוֹן, וִידֵיהוֹן מְהַדְּקָן לַאֲחוֹרָא. וּכְנֶסֶת יִשְׂרָאֵל, אִתְתָּרְכַת מִבֵּית מַלְכָּא לְמֵיהַךְ בַּתְרֵיהוֹן. בְּשַׁעֲתָא דְּנָחֲתַת, אַמְרַת אֵיהָךְ בְּקַדְמֵיתָא וְאֶבְכֶּה עַל מְדוֹרָאי, וְעַל בְּנַי, וְעַל בַּעֲלִי. כַּד נַחֲתַת, וְחָמַת אַתְרָהָא חָרִיב, וְכַמָּה דָּמָא דַּחֲסִידֵי אִתּוֹשַׁד בְּגַוָּוהּ, וְהֵיכְלָא קַדִּישָׁא וּבֵיתָא אִתּוֹקַד בְּאֶשָּׁא.

שמה. כְּדֵין אֲרִימַת קָלָא, וְאִתְרְגִישׁוּ עִלָּאֵי וְתַתָּאֵי, וּמָטָא קָלָא לְעֵילָּא, עַד אֲתַר דְּמַלְכָּא שָׁרֵי בֵּיהּ. וּבָעָא מַלְכָּא לְאַהֲדְרָא עָלְמָא לְתֹהוּ וָבֹהוּ, עַד דְּנַחֲתוּ כַּמָּה אוּכְלוּסִין, וְכַמָּה מַשִּׁרְיָין, לְקַבְּלָהּ וְלָא קַבְּלָה תַּנְחוּמִין מִנַּיְיהוּ. הה״ד קוֹל בְּרָמָה נִשְׁמָע נְהִי בְּכִי תַמְרוּרִים רָחֵל מְבַכָּה עַל בָּנֶיהָ מֵאֲנָה לְהִנָּחֵם עַל בָּנֶיהָ, דְּלָא קַבְּלָה מִנַּיְיהוּ תַּנְחוּמִים. כִּי אֵינֶנּוּ: בְּגִין דְּמַלְכָּא קַדִּישָׁא הֲוָה סָלִיק לְעֵילָּא לְעֵילָּא, וְלָא אִשְׁתְּכַח בְּגַוָּוהּ, הה״ד כִּי אֵינֶנּוּ, וְלָא כְּתִיב כִּי אֵינָם.

שמו. אָמַר לֵיהּ רִבִּי חִיָּיא, מַאי רָחֵל מְבַכָּה עַל בָּנֶיהָ. אָמַר לֵיהּ אוֹלִיפְנָא, דְּהִיא כְּנֶסֶת יִשְׂרָאֵל. וְדָא אִנְתּוּ דְּיַעֲקֹב וַדַּאי, דִּכְתִּיב וַיֶּאֱהַב יַעֲקֹב אֶת רָחֵל. וּכְתִיב, וְרָחֵל עֲקָרָה. וּכְתִיב, הָתָם מוֹשִׁיבִי עֲקֶרֶת הַבַּיִת אֵם הַבָּנִים שְׂמֵחָה.

שמז. דָּבָר אַחֵר כִּי אֵינֶנּוּ, כְּמָה דְּאִתְּמַר, אֵינֶנּוּ גָּדוֹל בַּבַּיִת וְגוֹ׳, אֵינֶנּוּ: דְּהָא אִסְתַּלִּיק לְעֵילָּא וְאִתְרְחִיק מִכֹּלָּא. אֵינֶנּוּ: בְּזִוּוּגָא בַּהּ. אֵינֶנּוּ: לְאִשְׁתַּכְחָא שְׁמֵיהּ רַבָּא.

שמח. א״ר חִיָּיא, מַאן אֲתַר שַׁרְיָא לְאִתְגַּלָּאָה. אָמַר לֵיהּ, מִבֵּי מַקְדְּשָׁא. דְּתַמָּן שַׁרְיָא וּלְבָתַר אַסְחָרַת כָּל אַרְעָא דְּיִשְׂרָאֵל. לְבָתַר כַּד נָפְקַת מִן אַרְעָא, קָמַת עַל מַדְבְּרָא וְיָתִיבַת תַּמָּן תְּלַת יוֹמִין. דַּבְּרַת אוּכְלְסָהָא וּמַשִּׁרְיָיהָא וְיָתְבָהָא מִבֵּי מַלְכָּא, וְקָרָאת עָלָהּ אֵיכָה יָשְׁבָה בָדָד וְגוֹ׳. בָּכוּ רִבִּי חִיָּיא וְרִבִּי יוֹסֵי.

שמט. אָמַר רִבִּי יוֹסֵי, לָא גָּלוּ יִשְׂרָאֵל מֵאַרְעָא, וְלָא אִתְחָרַב בֵּי מַקְדְּשָׁא, עַד דְּיִשְׂרָאֵל כֻּלְּהוּ אִשְׁתְּכָחוּ בְּחִיּוּבָא קָמֵי מַלְכָּא, וְעַד דְּדַבְּרֵי עָלְמָא אִשְׁתְּכָחוּ בְּחִיּוּבָא בְּקַדְמֵיתָא. הה״ד עַמִּי מְאַשְּׁרֶיךָ מַתְעִים וְדֶרֶךְ אוֹרְחוֹתֶיךָ בִּלֵּעוּ. דְּכֵיוָן דְּרֵישֵׁי עַמָּא אָזְלִין בְּחִיּוּבָא, כָּל עַמָּא אִתְמַשְּׁכוּ אֲבַתְרַיְיהוּ. רִבִּי חִיָּיא אָמַר מֵהָכָא, וְאִם כָּל עֲדַת יִשְׂרָאֵל יִשְׁגּוּ, בְּמַאי הֲוֵי. בְּגִין וְנֶעְלַם דָּבָר מֵעֵינֵי הַקָּהָל. דְּעֵינֵי עַמָּא אִינּוּן רֵישַׁיְיהוּ, דְּכָל עַמָּא אִתְמַשְּׁכָן אֲבַתְרַיְיהוּ.

שנ. אָזְלוּ. עַד דַּהֲווּ אָזְלֵי וְחָמוּ חַד אֲתַר מְדַשְּׁנָא בַּעֲשָׂבִין, וּנְהַר מַיָּא דַּהֲוָה נָגִיד בֵּיהּ. יָתְבוּ. עַד דַּהֲווּ יָתְבֵי, פָּרַח חַד עוֹפָא וְרָחִישׁ קָמַיְיהוּ. אָמַר רִבִּי חִיָּיא, נֵיקוּם מֵהָכָא, דְּוַדַּאי נַגְּרֵי טוּרַיָּא הָכָא מִשְׁתַּכְּחִין, קָמוּ וְאָזְלוּ. עַד דְּאַהֲדְרוּ רֵישַׁיְיהוּ, וְחָמוּ אִינּוּן לִסְטִין

דְּרָהֲטִין אֲבַתְרַיְיהוּ, אִתְרְחִישׁ לוֹן נִיסָא, וְאַשְׁכְּחוּ קָמַיְיהוּ חַד טִינָרָא, וְחַד מְעַרְתָּא בֵּיהּ, עָאלוּ תַּמָּן יָתְבוּ כָּל הַהוּא יוֹמָא וְכָל לֵילְיָא.

שנא. פָּתַח רַבִּי חִיָּיא וְאָמַר, וְאַתָּה אַל תִּירָא עַבְדִּי יַעֲקֹב וְגוֹ', כִּי הִנְנִי מוֹשִׁיעֲךָ מֵרָחוֹק. מֵרָחוֹק, מִקָּרוֹב מִבָּעֵי לֵיהּ. וְהָא אוֹקְמוּהָ הַאי קְרָא, מֵרָחוֹק, כד"א וְשָׁבוּ מֵאֶרֶץ מֶרְחָק. אֲבָל מֵרָחוֹק, כְּהַהוּא דִּכְתִּיב מֵרָחוֹק יְיָ' נִרְאָה לִי. וּכְתִיב מִמֶּרְחָק תָּבִיא לַחְמָהּ. וּמַאן הִיא. עֲמִיקָא דְּנַחֲלָא, אֲתַר דְּהַהוּא נָהָר נָגִיד וְנָפִיק. וְשָׁב יַעֲקֹב, כֵּיוָן דִּכְתִּיב אַל תִּירָא עַבְדִּי יַעֲקֹב, מַהוּ וְשָׁב יַעֲקֹב. אֶלָּא כְּמָה דְּתָנֵינָן, קוּדְשָׁא בְּרִיךְ הוּא סָלִיק לְעֵילָּא לְעֵילָּא, כְּמָה דִּכְתִּיב לָמָה יְיָ' תַּעֲמוֹד בְּרָחוֹק, וּמֵהַהוּא אֲתַר רָחוֹק הִנְנִי מוֹשִׁיעֲךָ.

שנב. וְשָׁב יַעֲקֹב, לְאַתְרֵיהּ, לְאִזְדַּוְּוגָא בִּכְנֶסֶת יִשְׂרָאֵל. וְשָׁקַט: דָּא יְסוֹד. וְשַׁאֲנַן, לְמִשְׁרֵי דִּיּוּרֵיהּ בָּהּ. וְאֵין מַחֲרִיד, מִיִּצְחָק. כְּמָה דְּאַתְּ אָמֵר, וַיֶּחֱרַד יִצְחָק חֲרָדָה גְּדוֹלָה וְעַל דָּא וּפַחַד יִצְחָק כְּתִיב. וְהַהוּא פַּחַד כַּד אִתְּעַר, אִסְתַּלַּק יְסוֹד לַאֲתַר אָחֳרָא, הה"ד פָּחֲדוּ בְצִיּוֹן חַטָּאִים. בְּצִיּוֹן דַּיְיקָא, וְעַל דָּא וְאֵין מַחֲרִיד, וְהַשְׁתָּא קב"ה שֵׁזִיב לָן מֵרְוִיחִיק, וְאַסְתִּיר לָן בְּהַאי אֲתַר, בְּהַשְׁקֵט וּבְשַׁלְוָה, וְאֵין מַחֲרִיד מִכֹּלָּא. דְּכַד קב"ה עָבֵיד נִיסָא בְּכֹלָּא עָבֵיד.

שנג. רַבִּי יוֹסֵי פָּתַח, וַיֹּאמֶר אֵלֶיהָ בָּרָק אִם תֵּלְכִי עִמִּי וְהָלָכְתִּי וְגוֹ', מַאי קָא מַיְירֵי. אֶלָּא אָמַר בָּרָק הוֹאִיל וְרוּחַ קַדִּישָׁא שַׁרְיָא עָלָהּ, בִּזְכוּתָהּ אִשְׁתְּזִיב, וְלָא לִישְׁרֵי עָלַי נִזְקָא. וּמַה בָּרָק סָמִיךְ עַל אִתְּתָא לְאִשְׁתְּזָבָא בְּגִינָהּ. אֲנָן דְּאוֹרַיְיתָא עִמָּנָא דְּהִיא שְׁמֵיהּ דְּמַלְכָּא קַדִּישָׁא, עאכ"ו.

שנד. יָתְבוּ גּוֹ הַהוּא מְעַרְתָּא כָּל הַהוּא יוֹמָא, כַּד רָמַשׁ לֵילְיָא, אִתְנְהִיר סִיהֲרָא בִּמְעַרְתָּא. עָבְרוּ תְּרֵי טַיָּיעֵי, וַחֲמָרֵיהוֹן טְעִינִין מֵחַמְרָא וּמֵיכְלָא לְגַרְמַיְיהוּ שָׁארֵי עַל מָטוּלָא. אָמְרֵי הַאי לְהַאי, נְבִית הָכָא, נֵיהַב מֵיכְלָא וּמִשְׁתְּיָיא לַחֲמָרֵי, וַאֲנָן נֵיעוּל לִמְעַרְתָּא דָּא. א"ל חַבְרֵיהּ עַד לָא נֵיעוּל, תֵּימָא הַאי קְרָא דְּלָא מִתְיַישְּׁבָא.

שנה. א"ל מַאי הוּא. א"ל מִלָּה חַד, דִּכְתִּיב אוֹדְךָ לְעוֹלָם כִּי עָשִׂיתָ וְגוֹ'. מַהוּ כִּי עָשִׂיתָ, וְלָא כְּתִיב מָה. וּכְתִיב כִּי טוֹב נֶגֶד חֲסִידֶיךָ. וְכִי לְגַבֵּי אָחֳרָא לָאו אִיהוּ טוֹב, לָא הֲוָה בִּידֵיהּ. אָמַר וַוי לְטַיְיעָא, דְּשַׁבְקָנָא לְקב"ה בְּגִינֵיהּ. רַבִּי חִיָּיא וְר' יוֹסֵי דַּהֲווּ יָתְבֵי בִּמְעַרְתָּא חָדוּ, א"ר חִיָּיא לְרַבִּי יוֹסֵי, וְלָא אֲמָרִית לָךְ דְּכַד עָבֵיד קב"ה נִיסָא, בְּכֹלָּא עָבֵיד. נָפְקוּ.

שנו. כַּד נַפְקוּ אַקְדִּים ר' חִיָּיא וּפָתַח, שָׁלוֹם שָׁלוֹם לָרָחוֹק. תְּרֵי שְׁלָמָא הָכָא, חַד לָרָחוֹק, וְחַד לַקָּרוֹב, וְכֹלָּא חַד. לָרָחוֹק, דְּאִתְעָבֵיד קָרוֹב. דָּא הוּא מָארֵיהּ דִּתְשׁוּבָה, קוֹדֶם הֲוָה רָחוֹק, וְהַשְׁתָּא אִיהוּ קָרוֹב. תּוּ רָחוֹק, כַּד בַּר נָשׁ אִתְרְחִיק מֵאוֹרַיְיתָא. רָחִיק הוּא מִקב"ה. וּמַאן דְּקָרִיב לְאוֹרַיְיתָא, קָרִיב לֵיהּ קב"ה בַּהֲדֵיהּ, וְהַשְׁתָּא אִתְחַבָּרוּ עִמָּנָא וְעוּלוּ לִמְעַרְתָּא אִתּוּ אִינּוּן טַיָּיעִין וְאִשְׁתְּתָפוּ עִמְּהוֹן. אִשְׁתְּנָקְלוּ לַחֲמָרַיְיהוּ, וְאַתְקִנוּ לְמֵיכַל, נַפְקוּ כֻּלְּהוּ לְפוּם מְעַרְתָּא.

שנז. אָמַר חַד מִן טַיָּיעָן נֵימְרוּ לָן מָארֵי דְּאוֹרַיְיתָא, הַאי קְרָא אוֹדְךָ לְעוֹלָם כִּי עָשִׂיתָ וַאֲקַוֶּה וְגוֹ'. כִּי עָשִׂיתָ, מַהוּ כִּי עָשִׂיתָ, וְלָא כְּתִיב מָה. וּכְתִיב כִּי טוֹב נֶגֶד חֲסִידֶיךָ, וְכִי לְגַבֵּי אָחֳרָא לָאו הוּא כִּי טוֹב.

שנח. א"ר חִיָּיא, כִּי עָשִׂיתָ וַדַּאי, וּמַה עָשִׂיתָ. לְעוֹלָם. דִּבְגִין הַאי עוֹלָם, דַּעֲבַד קב"ה וְאַתְקַן לֵיהּ, אוֹדֵי בַּר נָשׁ לְקב"ה בְּכָל יוֹמָא. וַאֲקַוֶּה שִׁמְךָ כִּי טוֹב נֶגֶד חֲסִידֶיךָ, הָכִי

הוא ודאי, לקבל אינון זכאין, שמא דקב"ה טוב. ולא לקבלי חייביא, דמבזין ליה בכל יומא ולא משתדלי באורייתא. א"ל, יאות הוא. אבל מלה שמענא מבתר כותלא, ומסתפינא לגלאה. אמרו ליה רבי חייא ורבי יוסי, אימא מילך, דאורייתא לאו איהו ירותא לאתר חד.

שנט. אמר לון, יומא חד הוינא אזיל ללוד, עאלנא למתא, ואסמכנא גרמאי בתר כותלא חד, ור"ש בן יוחאי הוה בההוא ביתא, ושמענא מפומיה האי קרא, אודך לעולם כי עשית. אודך, דוד המלך ע"ה אמרו, על ההוא עולם בתראה, דאיהו עבד דדוד מלכא אחיד ביה בההוא עולם, וביה ירית מלכותא. ואקוה שמך כי טוב, דא קב"ה, ביחודא דהאי עלמא דאקרי טוב. אימתי אקרי טוב. נגד חסידיך. מאן אינון חסידיך.

שס. אלא אית חסד ואית חסד, ואלין אקרון חסדי דוד הנאמנים. וכד אלין חסדי דוד אתמליין מההוא טיבו דנגידו דעתיקא קדישא, כדין אקרי יסוד טוב. כדין אשתכח טוב לגבייהו. דהא כמה דאשתכח דאיהו ביה, הכי איהו מבסם להאי עלמא בתראה. וכלא אשתכח בברכה, ועל דא דוד הוה מוחכה להאי דרגא, דנהיר להאי עולם דאיהו אחיד ביה.

שסא. מלין אלין הכי שמענא לון, אבל לא ידענא מאי הוא. אתו רבי חייא ורבי יוסי ונשקו ליה ברישיה. אמר רבי חייא, מאן חפי עיניך בעפרא ר"ש בן יוחאי, דאנת באתרך ואנת מרעיש טוריא עלאי, ואפילו צפורי שמיא וכלא חדאן במלולך ווי לעלמא בההיא שעתא כד תסתלק מניה.

שסב. תו פתח ואמר ההוא גברא, הא מלה אחרא שמענא מניה בההיא שעתא, בקרא דכתיב, ועתה שמע אלהינו אל תפלת עבדך ואל תחנוניו וגו' למען אדני. ואמר הכי, אי שמא דא מעליא מכלא, שפיר הוא, דהכי אמרין עביד בדיל מלכא. אבל שמא דא, הא ידיע דהוא אתר בי דינא, דמניה נפיק דינא לעלמא. מאן חמא דאמרין למלכא, עביד בגין עבדך, או בגין מלה זעירא מנך.

שסג. אלא הכי אצטריך, דשמא דא אתקין ביתא למלכא, ובי מקדשא לתתא, ודא אחיד בדא, בגין דאתקשר דא בדא. וכד מקדשא לתתא קאים בקיומיה, האי שמא לעילא קאים בקיומיה. ודא הוא כמאן דאמר למלכא בני ביתא דא, והיכלא דא, בגין דלא ישתכחות מטרוניתא דיתבא לבר מהיכלה. אוף הכא, והאר פניך על מקדשך השמם למען אדני. מ"ט למען אדני. דלא ישתכח לבר מן דיוריה.

שסד. תווהו רבי חייא ורבי יוסי, וחדו בההוא ליליא. בתר דאכלו, פתח חבריה טייעא ואמר, אימא קמייכו מלה חד, דאשתדלנא ביה האי יומא, האי קרא דכתיב, מזמור לדוד בהיותו במדבר יהודה, דוד אמר שירתא, כד הוה עריק מחמוי, אמאי אמר אלהים אלי אתה אשחרך צמאה לך נפשי וגו'. אלהים אלי אתה, דהא בגבורה אחידא תדירא. אשחרך, וכי דוד היך יכיל לשחרא ליה לקב"ה, בארעא רחיקא, ואתתרך מארעא דשכינתא שריא.

שסה. אלא, אע"ג דאתתרך מתמן, לא שביק דידיה לשחרא ליה לקב"ה. ואנא שמענא, אשחרך: כמאן דאמר, איזיל לאתחזאה קמך, בר דלא יכילנא. כך אשחרך, בר דאנא לבר מאתר דשכינתא שריא. צמאה לך נפשי, דהא נפשאי וגופא דילי תאיבין לגבך, לאתחזאה קמך, ולא יכילנא, בגין דאנא בארץ ציה ועיף בלי מים, דהא ארץ ציה ועיף אקרי לבר מאתר דשכינתא שריא. בגין דמים חיים לא שכיח

הָכָא. וּמַאן אִינּוּן מַיִם חַיִּים. דָּא שְׁכִינְתָּא, דִּכְתִיב בָּהּ בְּאֵר מַיִם חַיִּים, וְעַ"ד אֶרֶץ צִיָּה וְעָיֵף בְּלִי מָיִם כְּתִיב.

שסו. אָמְרוּ רִבִּי חִיָּיא וְר' יוֹסֵי, וַדַּאי אוֹרְחָא תַּקִּינָא קָמָן, עָאלוּ לִמְעַרְתָּא וְדָמְכוּ. בְּפַלְגּוּ לֵילְיָא, שַׁמְעוּ קָל חֵיוָתָא בְּמַדְבְּרָא דְּנַהֲמֵי. אִתְעֲרוּ. אָמַר ר' חִיָּיא, הָא עִידָּן הוּא לְסַיְּיעָא לִכְנֶסֶת יִשְׂרָאֵל, דְּהִיא מְשַׁבַּחַת לְמַלְכָּא. אָמְרוּ, כָּל חַד וְחַד לֵימָא מִלָּה מִמָּה דְּשָׁמַע וְיָדַע בְּאוֹרַיְיתָא, יָתְבוּ כֻּלְּהוּ.

שסז. פָּתַח רִבִּי חִיָּיא וְאָמַר, לַמְנַצֵּחַ עַל אַיֶּלֶת הַשַּׁחַר מִזְמוֹר לְדָוִד. מַאן אַיֶּלֶת הַשַּׁחַר. דָּא כְּנֶסֶת יִשְׂרָאֵל. דְּאִקְרֵי אַיֶּלֶת אֲהָבִים וְיַעֲלַת חֵן. וְכִי אַיֶּלֶת הַשַּׁחַר, וְלָא כָּל יוֹמָא. אֶלָּא, אַיֶּלֶת: מֵהַהוּא אֲתַר, דְּאִקְרֵי אַיֶּלֶת אֲהָבִים וְיַעֲלַת חֵן. וְהִיא אַתְיָא מֵהַהוּא אֲתַר דְּאִקְרֵי שַׁחַר, כד"א כְּשַׁחַר נָכוֹן מוֹצָאוֹ, וְדָוִד מַלְכָּא עַל כְּנֶסֶת יִשְׂרָאֵל קָאָמַר דָּא, מַשְׁמַע דִּכְתִיב עַל אַיֶּלֶת הַשַּׁחַר.

שסח. תָּא חֲזֵי, בְּשַׁעֲתָא דְּרָמַשׁ לֵילְיָא, פִּתְחִין סְתִימִין דְּעִלָּאֵי וְתַתָּאֵי מִשְׁתַּכְּחֵי. וְכָל אִינּוּן רְוִיקִין, מִתְעָרִין וְאַזְלִין וְשָׁטְאן כָּל עָלְמָא, וּמְהַדְּרִין עַל גּוּפֵי בְּנֵי נָשָׁא, וְסַחֲרֵי לְאַתְרַיְיהוּ וּלְעַרְסַיְיהוּ. וְחָמָאן דְּיוּקְנָא דְּמַלְכָּא קַדִּישָׁא, וּמִסְתַּפֵּי. דְּהָא אִתְקָפוּ בְּעַרְסַיְיהוּ בְּמִלֵּי דִּשְׁמָא קַדִּישָׁא. וּבְנֵי נָשָׁא, נִשְׁמָתְהוֹן סַלְקִין כָּל חַד וְחַד כִּדְחָזֵי לֵיהּ, וְהָא אוּקְמוּהָ. זַכָּאָה חוּלָקֵיהוֹן דְּצַדִּיקַיָּיא, דְּנִשְׁמָתְהוֹן סַלְקִין לְעֵילָּא, וְלָא מִתְעַכְּבֵי בַּאֲתַר אָחֳרָא דְּלָא אִצְטְרִיךְ.

שסט. כַּד אִתְפְּלַג לֵילְיָא, כָּרוֹזָא קָאִים וְכָרִיז, וּפִתְחִין פְּתִיחוּ. כְּדֵין רוּחָא חַד דִּסְטַר צָפוֹן אִתְּעַר, וְאָקִישׁ בְּכִנּוֹר דְּדָוִד, וּמְנַגֵּן מֵאֵלָיו. וְשַׁבַּחַת לְמַלְכָּא, וְקוּדְשָׁא בְּרִיךְ הוּא מִשְׁתַּעֲשַׁע בְּצַדִּיקַיָּיא בְּגִנְתָּא דְּעֵדֶן.

שע. זַכָּאָה חוּלָקֵיהּ מַאן דְּאִתְּעַר בְּהַהוּא זִמְנָא וְאִשְׁתַּדַּל בְּאוֹרַיְיתָא, וְכָל מַאן דְּקָאִים בְּהַהוּא זִמְנָא וְאִשְׁתַּדַּל בְּאוֹרַיְיתָא, אִקְרֵי חַבְרֵיהּ דְּקוּדְשָׁא בְּרִיךְ הוּא וּכְנֶסֶת יִשְׂרָאֵל. וְלָא עוֹד, אֶלָּא דְּאִלֵּין אִקְרוּן אַחִים וְרֵעִים לֵיהּ. דִּכְתִיב לְמַעַן אַחַי וְרֵעָי אֲדַבְּרָה נָּא שָׁלוֹם בָּךְ. וְאִקְרוּן חֲבֵרִים בַּהֲדֵי מַלְאֲכִין עִלָּאִין, וּמַשְׁרְיָין עִלָּאִין, דִּכְתִיב וַחֲבֵרִים מַקְשִׁיבִים לְקוֹלֵךְ.

שעא. כַּד אָתֵי יְמָמָא, כָּרוֹזָא קָאִים וְכָרִיז, וּפִתְחִין דִּסְטַר דָּרוֹמָא אִתְפַּתְּחוּ. וּמִתְעָרִין כֹּכָבִים וּמַזָּלוֹת, וּפִתְחִין דְּרַחֲמִין אִתְפַּתְּחוּ. וּמַלְכָּא יָתִיב וְקַבִּיל תּוּשְׁבְּחָן. כְּדֵין כְּנֶסֶת יִשְׂרָאֵל נַטְלָא לְאִינּוּן מִלִּין וְסַלְקָא. וְכָל אִינּוּן חֲבֵרִים אֲחִידָן בְּגַדְפָּהָא, וּמִלַּיְיהוּ אַתְיָין וְשַׁרְיָין בְּהֵיכָלָא דְּמַלְכָּא. כְּדֵין פָּקִיד מַלְכָּא, לְמִכְתַּב כָּל אִינּוּן מִלִּין.

שעב. וּבְסִפְרָא כְּתִיבוּ כָּל אִינּוּן בְּנֵי הֵיכָלֵיהּ, וְחוּטָא דְּחֶסֶד אִתְמְשַׁךְ עֲלַיְיהוּ, דְּמֵהַהוּא חוּטָא אִתְעֲטַר ב"נ בְּעִטְרָא דְּמַלְכָּא, וּמִנֵּיהּ דַּחֲלִין עִלָּאִין וְתַתָּאִין, הוּא עָאל בְּכָל תַּרְעֵי מַלְכָּא, וְלֵית מַאן דְּיִמְחֵי בִּידוֹי. וַאֲפִילוּ בְּזִמְנָא דְּמָארֵיהוֹן דְּדִינָא קַיְימִין לְמֵידַן עָלְמָא, לָא דַּיְינִין עָלֵיהּ דִּינָא. בְּגִין דְּהָא אִתְרְשִׁים בִּרְשִׁימוּ דְּמַלְכָּא, דְּאִשְׁתְּמוֹדְעָא דְּאִיהוּ מֵהֵיכָלָא דְּמַלְכָּא, וּבְגִין דָּא לָא דַּיְינִין עָלֵיהּ דִּינָא. זַכָּאָה חוּלָקֵיהוֹן דְּצַדִּיקַיָּיא דְּמִשְׁתַּדְּלֵי בְּאוֹרַיְיתָא, וְכָל שֶׁכֵּן בְּזִמְנָא דְּמַלְכָּא תָּאִיב עַל מִלֵּי דְּאוֹרַיְיתָא.

שעג. ת"ח, רָזָא דְּמִלָּה, לָא קַיְּימָא כְּנֶסֶת יִשְׂרָאֵל קָמֵי מַלְכָּא אֶלָּא בְּאוֹרַיְיתָא. וְכָל זִמְנָא דְּיִשְׂרָאֵל בְּאַרְעָא אִשְׁתַּדְּלוּ בְּאוֹרַיְיתָא. כְּנֶסֶת יִשְׂרָאֵל שָׁרָאת עִמְּהוֹן. כַּד אִתְבַּטְּלוּ מִמִּלֵּי אוֹרַיְיתָא, לָא יָכְלָא לְקַיְּימָא עִמְּהוֹן שַׁעֲתָא חֲדָא. בְּגִינֵי כָּךְ, בְּשַׁעֲתָא דִּכְנֶסֶת יִשְׂרָאֵל אִתְּעָרַת לְגַבֵּי מַלְכָּא בְּאוֹרַיְיתָא, אִתְתָּקַף חֵילָהָא, וּמַלְכָּא קַדִּישָׁא חָדֵי לְקַבְּלָא לָהּ.

שעד. וְכָל זִמְנָא דִּכְנֶסֶת יִשְׂרָאֵל אָתַת לְקָמֵי מַלְכָּא, וְאוֹרַיְיתָא לָא אִשְׁתַּכְּחַת עִמָּהּ, כִּבְיָכוֹל תָּשַׁשׁ חֵילָהָא. וַוי לְאִינּוּן דְּמַחֲלִשִׁין חֵילָא דִּלְעֵילָא, בְּגִינֵי כַּךְ, זַכָּאִין אִינּוּן דְּמִשְׁתַּדְּלֵי בְּאוֹרַיְיתָא, וכ״ש בְּהַהִיא שַׁעֲתָא דְּאִצְטְרִיךְ לְאִשְׁתַּתְּפָא בָּהּ בִּכְנֶסֶת יִשְׂרָאֵל. כְּדֵין קֻבָּ״ה קָארֵי עָלֵיהּ, וַיֹּאמֶר לִי עַבְדִּי אָתָּה יִשְׂרָאֵל אֲשֶׁר בְּךָ אֶתְפָּאָר.

שעה. רִבִּי יוֹסֵי פָּתַח וְאָמַר, מַשָּׂא דּוּמָה אֵלַי קוֹרֵא מִשֵּׂעִיר שׁוֹמֵר מַה מִּלַּיְלָה שׁוֹמֵר מַה מִּלֵּיל. הַאי קְרָא אוֹקְמוּהָ חַבְרַיָּיא, בְּכַמָּה אֲתַר. אֲבָל מַשָּׂא דּוּמָה, כָּל זִמְנִין דְּיִשְׂרָאֵל אִשְׁתְּכָחוּ בְּגָלוּתָא, אִתְיְידַע זִמְנָא וְקִצָּא דִּלְהוֹן, וְזִמְנָא וְקִצָּא דְּהַהוּא גָּלוּתָא. וְגָלוּתָא דֶּאֱדוֹם, הוּא מַשָּׂא דּוּמָה, דְּלָא אִתְגַּלְיָיא וְלָא אִתְיְידַע כְּאִינּוּן אָחֳרָנִין.

שעו. קֻבָּ״ה אָמַר, אֵלַי קוֹרֵא מִשֵּׂעִיר, קָלָא שְׁמַעְנָא בְּגָלוּתָא דְּשֵׂעִיר, אִינּוּן דְּדַחֲקֵי בֵּינַיְיהוּ, אִינּוּן דְּשַׁכְבֵי לְעַפְרָא. וּמַאי אַמְרֵי. שׁוֹמֵר מַה מִּלַּיְלָה שׁוֹמֵר מַה מִּלֵּיל אִינּוּן תַּבְעָן לִי עַל מַטְרוֹנִיתָא, מַה עֲבַדִית מִן מַטְרוֹנִיתָא דִּילִי.

שעז. כְּדֵין קֻבָּ״ה כָּנִישׁ לְפַמַלְיָא דִּילֵיהּ, וְאָמַר, חָמוּ בָּנַי רְחִימַי, דְּאִינּוּן דְּחִיקִין בְּגָלוּתָא, וְשַׁבְקִין צַעֲרָא דִּלְהוֹן, וְתַבְעִין לִי עַל מַטְרוֹנִיתָא. וְאַמְרֵי, שׁוֹמֵר: אַנְתְּ דְּאִקְרֵי שׁוֹמֵר, אָן הוּא שְׁמִירָה דִּילָךְ אָן הוּא שְׁמִירָה דְּבֵיתָךְ. מַה מִּלַּיְלָה: מַה עֲבַדְתְּ מִלַּיְלָה, הָכִי נַטְרַת לָהּ. מַה מִּלֵּיל. דְּהָא לִזְמְנִין אִתְקְרֵי לַיְלָה, וְלִזְמְנִין אִתְקְרֵי לֵיל, הה״ד לֵיל שִׁמּוּרִים הוּא. וּכְתִיב הוּא הַלַּיְלָה הַזֶּה.

שעח. כְּדֵין קֻבָּ״ה אָתִיב לוֹן, הָא שְׁמִירָה דִּידִי אִשְׁתְּכַח, דְּהָא אֲנָא זַמִּין לְקַבְּלָהּ, וּלְאִשְׁתַּכְּחָא בַּהֲדָהּ, הה״ד אָמַר שׁוֹמֵר, הַהוּא דְּנָטִיר בֵּיתָא, אָתָא בֹקֶר וְגַם לַיְלָה. דְּהָא בְּקַדְמֵיתָא אִסְתַּלַּק לְעֵילָּא לְעֵילָּא, וְסָלִיק לְהַהוּא בֹּקֶר דְּאִזְדַּמַּן בֵּיהּ תְּדִירָא. הַשְׁתָּא אָתָא בֹּקֶר. הָא זַמִּין לְאִתְחַבְּרָא בַּלַּיְלָה. וְגַם לַיְלָה, הָא זְמִינָא הִיא. אֲבָל בְּגִינֵיכוֹן אִתְעַכְּבוּ. וְאִי אַתּוּן בָּעָאן דָּא, עַל מַה אַתּוּן מִתְעַכְּבֵי, שׁוּבוּ. שׁוּבוּ בִּתְשׁוּבָה. כְּדֵין אֵתָיוּ, אָתוּ לְגַבָּאי, וְנֶהֱוֵי כֹּלָּא בְּמָדוֹרָא חָדָא, וְכַלָּנָא נֵתוּב לְאַתְרָנָא. הה״ד וְשָׁב יְיָ׳ אֱלֹהֶיךָ אֶת שְׁבוּתְךָ, וְהֵשִׁיב לָא נֶאֱמַר, אֶלָּא וְשָׁב. תְּרֵין וְשָׁב וְשָׁב כְּתִיב הָכָא. אֶלָּא, חַד לִכְנֶסֶת יִשְׂרָאֵל. וְחַד לְקֻבָּ״ה. הה״ד וְשָׁב יְיָ׳ אֱלֹהֶיךָ אֶת שְׁבוּתְךָ וְשָׁב וְקִבֶּצְךָ מִכָּל הָעַמִּים.

שעט. פָּתַח הַהוּא טַיְּיעָא וְאָמַר, בְּרָן יַחַד כֹּכְבֵי בֹקֶר וַיָּרִיעוּ כָּל בְּנֵי אֱלֹהִים. ת״ח, כַּד קֻבָּ״ה אָתֵי לְאִשְׁתַּעְשְׁעָא עִם צַדִּיקַיָּיא בְּגִנְתָא דְעֵדֶן, כָּל מִלֵּי דְּעָלְמָא תַּתָּאָה, וְכָל עִלָּאִין וְתַתָּאִין מִתְעָרִין לְקַבְּלֵיהּ. וְכָל אִילָנֵי דִּבְגִנְתָא דְעֵדֶן, פַּתְחֵי שְׁבָחָא לְקַבְּלֵיהּ. הה״ד, אָז יְרַנְּנוּ עֲצֵי הַיָּעַר מִלִּפְנֵי יְיָ׳ כִּי בָא. וַאֲפִילּוּ עוֹפֵי דְּאַרְעָא, כֻּלְּהוּ מְרַחֲשֵׁי שְׁבָחָא קַמֵּיהּ. כְּדֵין שַׁלְהוֹבָא נָפַק, וּבָטַשׁ בְּגַדְפוֹי דְּתַרְנְגוֹלָא, וְקָרֵי וְשַׁבַּח לְמַלְכָּא קַדִּישָׁא. וְקָרֵי לִבְנֵי נָשָׁא דְּיִשְׁתַּדְּלוּן בְּאוֹרַיְיתָא, וּבִשְׁבָחָא דְּמָארֵיהוֹן, וּבְפוּלְחָנֵיהּ. זַכָּאָה חוּלָקֵיהוֹן דְּמַאן דְּקַיְימִין מֵעַרְסַיְיהוּ, לְאִשְׁתַּדְּלָא בְּאוֹרַיְיתָא.

שפ. כַּד אָתֵי צַפְרָא, פִּתְחִין דְּדָרוֹמָא נִפְתָּחִין, וְתַרְעֵי דְּאַסְוָותָא נָפְקִין לְעָלְמָא, וְרוּחָא דְּמִזְרָח אִתְּעַר, וְרַחֲמֵי אִשְׁתְּכָחוּ, וְכָל אִינּוּן כֹּכְבַיָּא וּמַזָּלֵי דִּמְמַנָּן תְּחוֹת שׁוּלְטָנֵיהּ דְּהַאי בֹּקֶר, כֻּלְּהוּ פָּתְחִין שְׁבָחָא וְזַמְּרִין לְמַלְכָּא עִלָּאָה. הה״ד, בְּרָן יַחַד כֹּכְבֵי בֹקֶר וַיָּרִיעוּ כָּל בְּנֵי אֱלֹהִים, מַה בָּעָאן הָכָא בְּנֵי אֱלֹהִים, דְּאִינּוּן מְזַמְּנִין תְּרוּעָה בְּהַאי בֹּקֶר, וְהָא כָּל דִּינִין אִתְעֲבָרוּ בְּזִמְנָא דְּחֶסֶד אִתְּעַר בְּעָלְמָא. אֶלָּא וַיָּרִיעוּ כָּל בְּנֵי אֱלֹהִים, הָא אִתְּבַר תּוֹקְפָּא דְּדִינִין קַשְׁיָין, אִתְּבַר חֵילָא דִּלְהוֹן, כד״א רֹעָה הִתְרוֹעֲעָה אָרֶץ.

שפא. וְכָל כַּךְ, בְּגִין דְּהַאי בֹּקֶר אִתְּעַר בְּעָלְמָא, וְאַבְרָהָם אִתְּעַר וְאָתֵי לְמִנְטַע אֵשֶׁל

בבאר שבע. מלה דא הכי שמענא לה, בבאר שבע ודאי, וכתיב ויקרא שם בשם יי' אל עולם.

שפב. פתח וחבריה טייעא ואמר, הבקר אור והאנשים שלחו וגו', מאי הבקר אור. הכי אוליפנא, מהו בקר. אלא בזמנא דאתי צפרא, ודינין מתעברן, וחסד בעא לאתערא, כל אינון דאתיין מסטרא דא, מבקרי לאתרייהו, לזמנא ברכאן לעלמא. ודא הוא הבקר אור, דהא רחמי מתישבי לעלמא, וחסד קאי באתריה, כדין הוא בקר אור. וכתיב וירא אלהים את האור כי טוב.

שפג. תא חזי, כלא הוא בדרגין ידיען. ליליא, הא ידיעא. בקר אור, הא ידיעא, והוא דרגא עלאה דאשתכח ביה תדירא. אימתי. כד נהיר שמשא. שמשא ידיעא, והוא דרגא עלאה, דמבסם לכלא, ונהיר לכלא, כמה דאת אמר, כי שמש ומגן יי' אלהים. והאי בקר אור, נהיר משמשא, ודא נהיר לליליא. בגין כך, כלא תליא דא בדא. והאי בקר אור כד אתער, כל בני עלמא אתאחדן באחדותא בחדותא, ומשתכחי בעלמא, והשתא הא נהיר יממא, עידן רעותא הוא, למהך באורחא.

שפד. בריכו לון רבי חייא ורבי יוסי, ונשקו לון ברישייהו, ושדרו לון. אמר ר' חייא לרבי יוסי, בריך רחמנא, דתקין ארחנא קמן, ודאי קב"ה שדר לון גבן. זכאין אינון דמשתדלי באורייתא, ולא ארפין מינה שעתא חדא. נפקו רבי חייא ורבי יוסי, ואזלו לארחייהו. אמר רבי יוסי, ודאי רחימותא דלבאי קשיר באלין טייעי. א"ר חייא, לא תווהנא על דא, דהא ביומוי דרבי שמעון, אפילו צפרי שמיא מרחשן וחכמתא, דהא מלוי אשתמודען לעילא ותתא.

שפה. פתח רבי חייא ואמר, ויאמר יי' אל משה הנך שוכב עם אבותיך וגו'. ת"ח, כל זמנא דהוה משה קיים בעלמא, הוה ממחי בידייהו דישראל, בגין דלא ישתכחון בחובא קמי קב"ה ובגין דמשה אשתכח ביניהו לא יהא כההוא דרא עד דרא דייתי מלכא משיחא דיחמו יקרא דקב"ה כוותייהו דאינון אתדבקו מה דלא אתדבקו דרין אחרנין.

שפו. דתנינן, וחמאת שפחה חדא על ימא, מה דלא חמאת עינא דיחזקאל נביאה. אי אינון אתדבקו כל כך, נשיהון דישראל כ"ש. בנייהו כ"ש. גוברין כ"ש. סנהדרין כ"ש. נשיאים כ"ש, וכ"ש נביאה עלאה מהימנא משה, דאיהו על כלא. והשתא אלין טייעי מדברא מרחשין וחכמתא כל כך, כ"ש וחכימי דרא, כ"ש אינון דקיימי קמיה דר"ש, ואולפי מניה בכל יומא. כ"ש וכ"ש ר"ש דהוא עלאה על כלא.

שפז. בתר דמית משה, מה כתיב, וקם העם הזה וזנה וגו'. כך, ווי לעלמא כד יסתלק מניה ר"ש, דמבועי דחכמתא יסתתמו מעלמא, ויבעי ב"נ מלה דחכמתא, ולא ישכח מאן דיימא, וטעאן כל עלמא באורייתא, בגין דלא ישתכח ביניהו, מאן דאתער בחכמתא. על ההוא זמנא כתיב, ואם כל עדת ישראל ישגו. ואם ישגו באורייתא, ולא ינדעון אורחהא, במאי הוא, בגין ונעלם דבר מעיני הקהל, דלא ישתכח מאן דידע לגלאה עמיקתא דאורייתא ואורחהא. ווי לאינון דרין דמשתכחי כדין בעלמא.

שפח. אמר רבי יהודה, זמין קב"ה לגלאה רזין עמיקין דאורייתא, בזמנא דמלכא משיחא, בגין דמלאה הארץ דעה את יי' כמים לים מכסים. וכתיב, ולא ילמדו עוד

אִישׁ אֶת אָחִיו וְאִישׁ אֶת רֵעֵהוּ לֵאמֹר דְּעוּ אֶת יְיָ׳ כִּי כֻלָּם יֵדְעוּ אוֹתִי לְמִקְטַנָּם וְעַד גְּדוֹלָם אכי״ר.

שפט. אֲשֶׁר נָשִׂיא יֶחֱטָא וְעָשָׂה אַחַת וְגוֹ׳ בִּשְׁגָגָה וְאָשֵׁם. תָּאנֵי ר׳ יִצְחָק, מ״ש בְּכָל אֲתַר דִּכְתִּיב בְּהוּ וְאִם, כד״א אִם הַכֹּהֵן הַמָּשִׁיחַ יֶחֱטָא. וְאִם כָּל עֲדַת יִשְׂרָאֵל יִשְׁגּוּ, וְהָכָא אֲשֶׁר נָשִׂיא יֶחֱטָא, וְלָא כְּתִיב וְאִם נָשִׂיא יֶחֱטָא, מַאי קָא מַיְירֵי.

שצ. אֶלָּא, אִלֵּין כַּהֲנָא לָא מִשְׁתַּכְּחֵי הָכִי בְּחוֹבָה, דְּהָא כֹּהֵן נָטִיר גַּרְמֵיהּ תְּדִירָא, בְּגִין דְּמָטוּלָא דְּמָארֵיהּ עָלֵיהּ בְּכָל יוֹמָא, וּמָטוּלָא דְּיִשְׂרָאֵל כֻּלְּהוּ, וּמָטוּלָא דְּכָל חַד וְחַד, וְעַ״ד תַּוְוהָא אִיהוּ כַּד יֶחֱטָא, וּבג״כ וְאִם כְּתִיב. וְכֵן וְאִם כָּל עֲדַת יִשְׂרָאֵל יִשְׁגּוּ, תַּוְוהָא הוּא דְּכֻלְּהוּ יִשְׁתַּכְּחוּ בְּחוֹבָה חַד, דְּאִי אִלֵּין יֶחֶטְאוּן, אִלֵּין לָא יֶחֶטְאוּן, וּבְגִינֵי כַּךְ וְאִם כְּתִיב. אֲבָל הָכָא אֲשֶׁר נָשִׂיא יֶחֱטָא, וַדַּאי, בְּגִין דְּלִבֵּיהּ גַּס בֵּיהּ, וְעַמָּא אַזְלִין אֲבַתְרֵיהּ, וְאִתְמְנוּן תְּחוֹתוֹי. וְעַ״ד אֲשֶׁר נָשִׂיא יֶחֱטָא. כְּגוֹן דְּעָבַר עַל מִצְוֹת לֹא תַעֲשֶׂה, וְהוּא עָבֵיד חַד מִנַּיְיהוּ, וְעַ״ד לָא כְּתִיב בֵּיהּ וְאִם, דְּהָא מִלּוֹי לָא בְּסַפְקָא הֲווּ.

שצא. רִבִּי יְהוּדָה פָּתַח, וְהַנְּשִׂאִם הֵבִיאוּ אֵת אַבְנֵי הַשֹּׁהַם וְאֵת אַבְנֵי הַמִּלֻּאִים לָאֵפוֹד וְלַחֹשֶׁן. מ״ש דְּמִלִּין אִלֵּין אַקְרִיבוּ נְשִׂיאִים, וְלָא ב״נ אָחֳרָא, וְהָא כְּתִיב כֹּל נְדִיב לִבּוֹ יְבִיאֶהָ אֵת תְּרוּמַת יְיָ׳, וּכְתִיב וְאַבְנֵי שֹׁהַם וְאַבְנֵי מִלֻּאִים לָאֵפוֹד וְלַחֹשֶׁן.

שצב. אֶלָּא, אָמַר קב״ה, אע״ג דִּבְכֹלָּא תַּלְיָא הַאי נְדָבָה, סַלִּיקוּ אִלֵּין אֲבָנִים לַנְּשִׂיאִים. מ״ט, בְּגִין דְּעַל לִבָּא דְּכַהֲנָא אִשְׁתַּכְּחוּ. אָמַר קוּדְשָׁא ב״ה, לֵיתוּ נְשִׂיאִים דְּלִבַּיְיהוּ גַּס בְּהוּ, וְיֵיתוּן אִלֵּין אֲבָנִים דְּאִינּוּן מִשְׁתַּכְּחֵי עַל לִבָּא דְּכַהֲנָא, וְיִתְכַּפֵּר עֲלַיְיהוּ מִגַּסוּת לִבַּיְיהוּ, וּכְתִיב וְהָיוּ עַל לֵב אַהֲרֹן בְּבֹאוֹ לִפְנֵי יְיָ׳, וְעַ״ד וְהַנְּשִׂאִם הֵבִיאוּ אֵת אַבְנֵי הַשֹּׁהַם וְאֵת אַבְנֵי הַמִּלֻּאִים לְכַפָּרָא עֲלַיְיהוּ.

שצג. ובג״כ אֲשֶׁר נָשִׂיא יֶחֱטָא וַדַּאי. וְעָשָׂה אַחַת מִכָּל מִצְוֹת יְיָ׳ אֱלֹהָיו אֲשֶׁר לֹא תֵעָשֶׂנָה, כְּמָה דְּאוּקְמוּהָ, דְּעָבַר עַל מִצְוַת לֹא תַעֲשֶׂה. אוֹ הוֹדַע אֵלָיו חַטָּאתוֹ. דִּבְגִין דְּלִבֵּיהּ גַּס בֵּיהּ, לָא אַשְׁגַּח בְּחַטָּאֵיהּ, וּלְבָתַר אִתְיְידַע לֵיהּ, וְעָבֵד מִנֵּיהּ תְּשׁוּבָה.

שצד. רִבִּי יְהוּדָה וְר׳ יוֹסֵי הֲווּ יָתְבֵי חַד לֵילְיָא, וְלָעָאן בְּאוֹרַיְיתָא. א״ר יְהוּדָה לְרִבִּי יוֹסֵי, זִמְנָא דְּצָווֹתָא דְּאוֹרַיְיתָא בְּלֵילְיָא, הוּא יַתִּיר מִבִּימָמָא, אֲמַאי. א״ל, בְּגִין דְּצָוּוֹתָא דְּתוֹרָה שֶׁבִּכְתָב, תּוֹרָה שֶׁבְּעַל פֶּה הוּא. וְתוֹרָה שֶׁבְּעַל פֶּה, בְּלֵילְיָא שַׁלְטָא וְאִתְעֲרַת יַתִּיר מִבִּימָמָא, וּבִזְמְנָא דְּאִיהִי שַׁלְטָא, כְּדֵין אִיהוּ צָווֹתָא דְּאוֹרַיְיתָא.

שצה. פָּתַח ר׳ יוֹסֵי וְאָמַר, וְלֹא אָמַר אַיֵּה אֱלוֹהַּ עוֹשָׂי נוֹתֵן זְמִירוֹת בַּלָּיְלָה. תָּא חֲזֵי, בְּשַׁעֲתָא דְּאִתְעַר רוּחַ צָפוֹן, וְאִתְפְּלַג לֵילְיָא, הָא אוּקְמוּהָ, דְּשַׁלְהוֹבָא חַד נָפִיק, וּבָטַשׁ תְּחוֹת גַּדְפוֹי דְּתַרְנְגוֹלָא, וְאַקִּישׁ גַּדְפוֹי וְקָארֵי. וְהַהוּא שַׁלְהוֹבָא בִּזְמְנָא דְּמָטֵי גַּבֵּיהּ, וְאִתְעַר לְקַבְלֵיהּ, אִסְתְּכֵי בֵּיהּ, וְאוֹדַעְזַע וְקָארֵי, וְאִסְתְּכֵי וְאַשְׁגַּח בְּגִין יְקָרָא דְּמָארֵיהּ, לְמֶעְבַּד רְעוּתֵיהּ, וְקָארֵי לוֹן לִבְנֵי נָשָׁא.

שצו. וְעַל דָּא אִקְרֵי שֶׂכְוִי, אַשְׁגָּחָא. וְאִקְרֵי גֶּבֶר, בְּגִין דְּאִתְעַר בְּשַׁלְהוֹבָא דִּגְבוּרָה, בְּסִטְרָא דִּגְבוּרָה קָא אַתְיָא לְאִתְעָרָא בְּעָלְמָא. כְּדֵין אִינּוּן בְּנֵי מְהֵימְנוּתָא קַיְימִין, וְיָהֲבִין גְּבוּרָה וְחֵילָא לִכְנֶסֶת יִשְׂרָאֵל, וּכְדֵין אִקְרֵי רִנָּה דְּאוֹרַיְיתָא. וְעַל דָּא, יָרִית דָּוִד מַלְכוּתָא הוּא וּבְנוֹי לְעָלְמִין וּלְדָרֵי דָּרִין.

שצז. וְכַד תַּרְנְגוֹלָא קָארֵי, וּבְנֵי נָשָׁא נַיְימֵי בְּעַרְסַיְיהוּ, וְלָא מִתְעָרֵי. תַּרְנְגוֹלָא קָארֵי לְבָתַר, וְאָמַר מַה דְּאָמַר, וְהָא אוּקְמוּהָ. לְבָתַר בָּטַשׁ בְּגַדְפוֹי, וְאָמַר, וַוי לִפְלַנְיָא נָזִיף

דְּמָארֵיהּ, שַׁבְקָא דְּמָארֵיהּ, דְּלָא אִתְּעַר רְעוּתֵיהּ, וְלָא אַשְׁגַּח לִיקָרָא דְּמָארֵיהּ.

שצח. כַּד נָהִיר יְמָמָא, כָּרוֹזָא קָרֵי עָלֵיהּ וְאָמַר, וְלֹא אָמַר אַיֵּה אֱלוֹהַּ עוֹשָׂי נוֹתֵן זְמִירוֹת בַּלָּיְלָה, לְסַיְּיעָא לֵיהּ בְּאִינּוּן תּוּשְׁבְּחָן, וּלְמֶהֱוֵי כֹּלָּא בְּסִיּוּעָא חֲדָא. עוֹשָׂי, עוֹשָׂנִי מִבָּעֵי לֵיהּ, מַהוּ עוֹשָׂי. אֶלָּא, בְּשַׁעֲתָא דְּב"נ קָם בְּפַלְגּוּת לֵילְיָא, וְאִשְׁתַּדַּל בְּרִנָּה דְּאוֹרַיְיתָא, דְּרִנָּה דְּאוֹרַיְיתָא לָא אִתְקְרֵי, אֶלָּא בְּלֵילְיָא. וְכַד אִיהוּ אִשְׁתְּכַח בְּאוֹרַיְיתָא, כַּד נָהִיר יְמָמָא, קָבּ"ה וּכְנֶסֶת יִשְׂרָאֵל מְתַקְּנֵי לֵיהּ בְּחַד חוּטָא דְּחֶסֶד לְאִשְׁתְּזָבָא מִכֹּלָּא וּלְנַהֲרָא לֵיהּ בֵּין עִלָּאִין וְתַתָּאִין.

שצט. רִבִּי יְהוּדָה אָמַר, אֲנָא שְׁמַעְנָא דְּאָמַר רִבִּי אַבָּא הַאי קְרָא, אַיֵּה אֱלוֹהַּ עוֹשָׂי, עוֹשֶׂה לִי מִבָּעֵי לֵיהּ, מַהוּ עוֹשָׂי. אֶלָּא כְּמָה דְּאֲמָרַת, בְּשַׁעֲתָא דְּאִיהוּ קָם בְּפַלְגּוּת לֵילְיָא, וְאִשְׁתַּדַּל בְּאוֹרַיְיתָא, כַּד נָהַר יְמָמָא, אִתְּעַר אַבְרָהָם בְּהַהוּא חוּטָא דִּילֵיהּ, דִּכְתִּיב בֵּיהּ אִם מִחוּט וְעַד שְׂרוֹךְ נַעַל וְגוֹ'. וְקָבּ"ה וּכְנֶסֶת יִשְׂרָאֵל מְתַקְּנֵי לֵיהּ, וְעַבְדֵי לֵיהּ בְּכָל יוֹמָא בְּרִיָּה חֲדָשָׁה, הה"ד אֱלוֹהַּ עוֹשָׂי.

ת. וְהָא אוֹקְמוּהָ, א"ל ו"ה. א"ל: דָּא אַבְרָהָם. דִּכְתִּיב, בֵּיהּ, הָאֵל הַגָּדוֹל. ו' דָּא קָבּ"ה. ה' דָּא כְּנֶסֶת יִשְׂרָאֵל. וְדָא הוּא אֱלוֹהַּ. וְאִינּוּן עַבְדִין לֵיהּ לְב"נ, וּמְתַקְּנִין לֵיהּ בְּכָל יוֹמָא, וּבְגִ"כ כְּתִיב, עוֹשָׂי, כד"א יִשְׂמַח יִשְׂרָאֵל בְּעוֹשָׂיו. א"ר יוֹסֵי, וַדַּאי כָּךְ הוּא, וְכֹלָּא חַד מִלָּה.

תא. רִבִּי יְהוּדָה פָּתַח וְאָמַר, אוֹ הוֹדַע אֵלָיו חַטָּאתוֹ אֲשֶׁר חָטָא. הוֹדַע אֵלָיו, מִסִּטְרָא דְּמַאן, אוֹ יָדַע חַטָּאתוֹ מִבָּעֵי לֵיהּ, מַהוּ הוֹדַע אֵלָיו. אֶלָּא קָבּ"ה פָּקִיד לִכְנֶסֶת יִשְׂרָאֵל, לְאוֹדָעָא לֵיהּ לְבַר נָשׁ, הַהוּא חוֹבָא דְּהוּא חָב, וּבְמָה מוֹדַע לֵיהּ, בְּדִינָהָא. כד"א יְגַלּוּ שָׁמַיִם עֲוֹנוֹ וְאֶרֶץ מִתְקוֹמְמָה לוֹ. הוֹדַע אֵלָיו, כְּמַאן דְּפָקִיד לְאָחֳרָא.

תב. דְּתָנֵינָן בְּשַׁעֲתָא דְּב"נ חָב קָמֵי קָבּ"ה, וְלָא אַשְׁגַּח בְּחֶטְאֵיהּ לְאַהֲדְרָא בְּתִיּוּבְתָּא קָמֵי מָארֵיהּ, וְאַשְׁדֵּי לֵיהּ בָּתַר כַּתְפֵיהּ, נִשְׁמָתֵיהּ מַמָּשׁ סַלְּקַת וְאַסְהִידַת קָמֵי קָבּ"ה. כְּדֵין, פָּקִיד מַלְכָּא לִכְנֶסֶת יִשְׂרָאֵל, וְאָמַר אוֹ הוֹדַע אֵלָיו חַטָּאתוֹ אֲשֶׁר חָטָא, אוֹשִׁיט דִּינָא עָלֵיהּ, וְאוֹדַע לֵיהּ חוֹבֵיהּ, כד"א הוֹדַע אֶת יְרוּשָׁלַיִם אֶת תּוֹעֲבוֹתֶיהָ.

תג. בָּתַר דְּמָטֵי עָלֵיהּ דִּינָא, כְּדֵין אִתְּעַר רְעוּתָא לְמֶהְדַּר בְּתִיּוּבְתָּא קָמֵי מָארֵיהּ, וְאִתְכַּנַּע לְמִקְרַב קָרְבְּנָא, דְּהָא מַאן דְּלִבֵּיהּ גַּס בֵּיהּ, חָטֵי, וְאַנְשֵׁי חַטָּאֵיהּ, וְלָא אַשְׁגַּח עָלֵיהּ, וְקָבּ"ה זַמִּין לְקַבְּלֵיהּ, וּפָקִיד לְאוֹדָעָא לֵיהּ לְהַהוּא חוֹבָא, בְּגִין דְּלָא יִתְנְשֵׁי מִנֵּיהּ.

תד. א"ר יוֹסֵי, הָכִי הוּא וַדַּאי וְהָכִי אַשְׁכַּחְנָא בְּדָוִד, דְּכֵיוָן דְּעָבֵד הַהוּא עוֹבָדָא דְּבַת שֶׁבַע, לָא אַשְׁגַּח בֵּיהּ. אָ"ל קָבּ"ה, אַתְּ אַנְשִׁית לֵיהּ, אֲנָא אַדְכַּרְנָא לָךְ. מִיָּד מַה כְּתִיב, אַתָּה הָאִישׁ כֹּה אָמַר ה', אַתָּה הָאִישׁ דְּלָא דָּכְרַת לֵיהּ, אַתָּה הָאִישׁ דְּאַנְשִׁית לֵיהּ, וּבְמָה אוֹדַע לֵיהּ בְּדִינָא.

תה. אוּף הָכָא, קָבּ"ה קָאָמַר, הוֹדַע אֵלָיו חַטָּאתוֹ אֲשֶׁר חָטָא וְשַׁפִּיר מִלָּה, וְהָכִי הוּא, דְּלָא כְּתִיב אוֹ נוֹדַע אֵלָיו, כְּמָה דִּכְתִּיב אוֹ נוֹדַע כִּי שׁוֹר נַגָּח הוּא, וּמַאן דְּקָאִים בְּלֵילְיָא לְמִלְעֵי בְּאוֹרַיְיתָא, אוֹרַיְיתָא קָא מוֹדְעָא לֵיהּ חוֹבֵיהּ, וְלָא בְּאוֹרַח דִּינָא אֶלָּא כְּאִימָּא דְּאוֹדְעָא לִבְרָהּ, בְּמִלָּה רַכִּיךְ, וְהוּא לָא אַנְשֵׁי לֵיהּ, וְתָב בְּתִיּוּבְתָּא קָמֵי מָארֵיהּ.

תו. וְאִי תֵּימָא דָּוִד, דַּהֲוָה קָם בְּפַלְגּוּ לֵילְיָא, אֲמַאי אִתְּעָרוּ עָלֵיהּ בְּדִינָא, אֶלָּא שָׁאנֵי דָּוִד, דְּאִיהוּ עָבַר בְּמָה דְּאִתְקְשַׁר, וּבָעָא דִּינָא, וּבְמָה דְּעָבַר אִתְדָּן. הוּא חָטָא לְקַבְלֵיהּ דְּמַלְכוּתָא קַדִּישָׁא וּלְגַבֵּי יְרוּשָׁלֵם קַדִּישָׁא, וּבְגִ"ד אִתְתָּרַךְ מִירוּשָׁלֵם, וּמַלְכוּתָא אַעְדִּיוּ מִנֵּיהּ, עַד דְּאִתְתַּקַּן כִּדְקָא יָאוּת.

תז. אָמַר ר' יְהוּדָה, מַהוּ דְּקֻבְּ"ה אַעֲנִישׁ לֵיהּ לְדָוִד עַל יְדָא דִּבְרֵיהּ, דִּכְתִּיב הִנְנִי מֵקִים עָלֶיךָ רָעָה מִבֵּיתֶךָ. אָמַר ר' יוֹסֵי, הָא אוֹקִימְנָא, בְּגִין דְּאִי יְקוּם עָלֵיהּ ב"נ אָחֳרָא, לָא יְרַחֵם עָלֵיהּ. א"ל, וְהָא אַבְשָׁלוֹם בָּעָא לְקַטְלָא לַאֲבוּי בְּכַמָּה עֵיטִין בִּישִׁין עָלֵיהּ, יַתִּיר מִבּ"נ אָחֳרָא. א"ל לָא שְׁמַעְנָא.

תח. א"ל, אֲנָא שְׁמַעְנָא, דָּוִד חָטָא בְּבַת שֶׁבַע סְתָם. אָמַר קֻבְּ"ה, לֵיתֵי בְּרָא דְּבַת אֵל נֵכָר, וְיִנְקוֹם נוּקְמָתָא, וּמַאן אִיהוּ. דָּא אַבְשָׁלוֹם, דִּבְרָהּ דִּיפַת תֹּאַר הֲוָה, מִקְּרָבָא. מִכָּאן אוֹלִיפְנָא, מַאן דְּנָטִיל אִתְּתָא דָּא בִּקְרָבָא, וְחָמִיד בָּהּ, לְסוֹף נָפִיק מִנָּהּ בֵּן סוֹרֵר וּמוֹרֶה. מ"ט בְּגִין דְּעַד כְּעַן, לָא סְפֵקָא מִנָּהּ זוּהֲמָא, וְהָא אוֹקְמוּהָ.

תט. ר' יוֹסֵי פָּתַח וְאָמַר, נִשְׁבַּע יְיָ' בִּימִינוֹ וּבִזְרוֹעַ עֻזּוֹ, הַאי קְרָא אוֹקְמוּהָ. אֲבָל ת"ח, כָּל זִמְנָא דְּב"נ חָטֵי קַמֵּי דְּקֻבְּ"ה, אִית דַּרְגָּא דְּאִשְׁתְּמוֹדְעָא לְעֵילָּא לְקַבְּלֵי הַאי חַטָּאָה, לְדַיְינָא לֵיהּ לְב"נ, וְאִסְתַּכַּל עָלֵיהּ, אִי תָּב בִּתְיוּבְתָּא שְׁלֵימְתָא קָמֵי מָארֵיהּ, אִתְעֲבָר חוֹבֵיהּ, וְדִינָא לָא שַׁלְטָא עֲלוֹי, וְלָא מָאטֵי עֲלוֹי. אִי לָא תָּב, אִתְרְשִׁים הַהוּא חַטָּאָה לְגַבֵּי הַהוּא דַּרְגָּא. אוֹסִיף לְמֶחֱטֵי, הָא דַּרְגָּא אָחֳרָא אִזְדַּמַּן לְקַבְלֵיהּ, וְאִסְתַּכַּם בְּדַרְגָּא קַדְמָאָה, כְּדֵין בַּעְיָא תְּשׁוּבָה יַתִּיר. וְאִי אוֹסִיף לְמֶחֱטֵי, אוֹסִיף דַּרְגָּא עַל דַּרְגָּא, עַד דְּאַשְׁלִים לַחֲמִשָּׁה דַּרְגִּין.

תי. כֵּיוָן דְּאִתְתַּקַּן יְמִינָא לְקַבְלֵיהּ, וְאִסְתַּכַּם עָלֵיהּ. הָא שְׂמָאלָא זְמִינָא, לְאַסְכְּמָא בִּימִינָא, וּלְאִתְכַּלְלָא בֵּיהּ. כֵּיוָן דִּשְׂמָאלָא אִסְתַּכַּם בִּימִינָא, כְּדֵין לָא תַּלְיָא בִּתְשׁוּבָה, וְהָא אוֹקְמוּהָ, וּכְדֵין כֹּלָּא אִסְתַּכָּמוּ עָלֵיהּ בְּדִינָא, וְדִינָא שַׁרְיָא עָלֵיהּ.

תיא. וְכַד דִּינָא אִשְׁתְּלִים וְשַׁרְיָא עָלֵיהּ דְּב"נ, כְּדֵין אִסְתַּיָּים וְאִתְתַּקְּנוּ אֶצְבְּעָן, חָמֵשׁ בְּגוֹ חָמֵשׁ, יְמִינָא בִּשְׂמָאלָא, לְאַחֲזָאָה דְּהָא כֹּלָּא אִסְתַּכָּמוּ עָלֵיהּ בְּהַהוּא דִּינָא, וְיָדוֹי מִתְיַשְּׁרָן, לְאַחֲזָאָה מִלָּה בְּלָא כַּוָּונָה דְּב"נ, וְלָא יִתְכַּוַּון בֵּיהּ. וְעַ"ד כְּתִיב, יְמִינְךָ יְיָ' נֶאְדָּרִי בַּכֹּחַ יְמִינְךָ יְיָ' תִּרְעַץ אוֹיֵב. לְאִתְכַּלְלָא שְׂמָאלָא בִּימִינָא, וְאַשְׁלִים דִּינָא, וּכְדֵין הוּא קַיָּימָא דְּכֹלָּא. וְעַ"ד, כַּד בָּעָא קֻבְּ"ה לְקַיְּימָא כֹּלָּא, כְּתִיב נִשְׁבַּע יְיָ' בִּימִינוֹ וּבִזְרוֹעַ עֻזּוֹ וְגוֹ'.

תיב. רִבִּי יְהוּדָה פָּתַח, כְּתִיב פְּרִי עֵץ הָדָר כַּפֹּת תְּמָרִים. פְּרִי עֵץ הָדָר, מַאן הוּא. דָּא אֶתְרוֹג. וְכִי אֶתְרוֹג מֵעֵץ הָדָר הוּא, וְהָא כַּמָּה קוֹצִין אִית סַחֲרָנֵיהּ, מִכָּאן וּמִכָּאן, וְאַתְּ אַמְרַת פְּרִי עֵץ הָדָר. אֶלָּא רָזָא דְּמִלָּה, דִּכְתִּיב וַיִּבֶן יְיָ' אֱלֹהִים אֶת הַצֵּלָע אֲשֶׁר לָקַח מִן הָאָדָם לְאִשָּׁה וַיְבִאֶהָ אֶל הָאָדָם. וּכְתִיב עֶצֶם מֵעֲצָמַי וּבָשָׂר מִבְּשָׂרִי, וְדָא הוּא פְּרִי עֵץ הָדָר. מְנָלָן דְּאָדָם עֵץ אִקְרֵי. דִּכְתִּיב כִּי הָאָדָם עֵץ הַשָּׂדֶה.

תיג. כַּפֹּת תְּמָרִים, דְּסָלִיק לְשַׁבְעִין שְׁנִין, וּבֵיהּ אִשְׁתְּכָלְלוּ שַׁבְעִין שְׁנִין עִלָּאִין. וְדָא אַכְפַּת וְאִתְקְשַׁר לְעֵילָּא וְתַתָּא. וְעַ"ד אִקְרֵי כַּפּוֹת, כד"א כְּפִיתוּ, דְּסָלִיק לְהָכָא וּלְהָכָא. הה"ד כִּי כֹל בַּשָּׁמַיִם וּבָאָרֶץ דַּיְיקָא.

תיד. ר' יוֹסֵי אָמַר, פְּרִי עֵץ הָדָר דָּא מַדְבְּחָא, דְּעָבֵיד פֵּירִין, וְסָלִיק אִבִּין לְכָל סִטְרִין. מַאי טַעֲמָא. בְּגִין דְּכָל ע' שְׁנִין, יָהֲבִין לָהּ חוּלָקָא, וְאִתְבָּרְכָא מִכֻּלְּהוּ. מַאי קָא מַיְירֵי. בְּגִין דְּמַאן דְּחָטֵי לְגַבֵּי מַדְבְּחָא, בְּכֹלָּא חָטֵי, דְּהָא כְּפִית לָקֳבְלֵי הַהוּא דִּכְפִית לְעֵילָּא, וְעַל דָּא אִתְקְשַׁר דָּא בְּדָא, פְּרִי עֵץ הָדָר כַּפֹּת תְּמָרִים וְלָא כְּתִיב וְכַפֹּת תְּמָרִים.

תטו. כְּתִיב זֹאת מִשְׁחַת אַהֲרֹן וּמִשְׁחַת בָּנָיו. מַאי קָא מַיְירֵי. אֶלָּא, זֹאת: דָּא מַדְבְּחָא, דְּאִתְמְשַׁח עַל יְדָא דְּאַהֲרֹן, דִּכְתִּיב וּמָשַׁחְתָּ אֶת מִזְבַּח הָעוֹלָה וְאֶת כָּל כֵּלָיו. וּמִשְׁחַת

בָּנָיו, דְּהָא מִכֻּלְּהוּ אִתְמְשַׁח, וְאִתְרַבֵּי, וְאִתְבָּרְכָא, וְאִתְדַּכָּא.

תטז. ת"ח, בְּחַג סוֹבְבִים אֶת הַמִּזְבֵּחַ זִמְנָא חֲדָא בְּכָל יוֹמָא, וְשִׁבְעָה זִמְנִין לְבָתַר. מַאי קָא מַיְירֵי. אֶלָּא, לְמַלְכָּא דְּזַמִּין אוּשְׁפִּיזִין, וְאִתְעֲסַק בְּהוּ, וַהֲוָה לֵיהּ לְמַלְכָּא בַּת יְחִידָאָה, אֲמָרָה לֵיהּ, מָארִי מַלְכָּא, בְּגִין אוּשְׁפִּיזִין לָא אַשְׁגַּחְתְּ עָלַי. א"ל, חַיָּיךְ בְּרַתִּי פַּרְקְטָא חֲדָא אַסְלִיק לָךְ בְּכָל יוֹמָא, דְּשַׁוֵּי כְּכֻלְּהוּ.

תיז. כַּךְ, בְּכָל יוֹמָא וְיוֹמָא דְּחַג, מַקְרִיבִין יִשְׂרָאֵל לָקֳבֵל אוּמִין דְּעָלְמָא. אָמַר מִזְבֵּחַ לְמַלְכָּא קַדִּישָׁא, לְכֻלְּהוּ מִשְׁתַּכְּחֵי מָאנִין וְחוּלָקִין, וְלִי מַה אַנְתְּ יָהִיב. אָמַר לָהּ, בְּכָל יוֹמָא וְיוֹמָא יְסוֹבְבוּן לִיךְ שִׁבְעָה יוֹמִין עִלָּאִין, לְבָרְכָא לָךְ, וְיָהֲבִין לָךְ שַׁבְעִין חוּלָקִין בְּכָל יוֹמָא, לָקֳבֵל שַׁבְעִין פָּרִים דְּמִתְקָרְבִין בְּחַג.

תיח. רִבִּי יְהוּדָה אָמַר, שִׁבְעָה בְּכָל יוֹמָא, בְּגִין דְּהָא אִתְבָּרְכָא מִכֻּלְּהוּ, וּלְסוֹף, שִׁבְעָה יוֹמִין, מִתְבָּרְכָא מֵאֲתַר דִּמְשִׁיחַ רְבוּתָא אִשְׁתְּכַח. שִׁבְעָה זִמְנִין, לָקֳבֵל כָּל אִינּוּן שִׁבְעָה יוֹמִין, בְּגִין לְקַיְּימָא לָהּ בִּרְכָאן מִן מַבּוּעָא דְּנַחֲלָא, דְּנָגִיד תָּדִיר וְלָא פָּסִיק, אִשְׁתְּכַח דְּאִתְבָּרְכָא בְּכָל יוֹמָא וְיוֹמָא, עַד שִׁבְעָה יוֹמִין דְּאִתְבָּרְכָא מִמַּבּוּעָא דְּנַחֲלָא. וְכֵן זִמְנָא אָחֳרָא שִׁבְעָה זִמְנִין כַּחֲדָא וְאִתְקַיְּימוּ בִּרְכָאן לְבָתַר מֵאֲתַר עִלָּאָה דְּמַבּוּעָא נָפִיק וְלָא פָּסַק, כְּדְקָאמְרָן.

תיט. בְּכָל יוֹמָא, מַכְרִיזִין עָלָהּ וְאָמְרִין, עַד עֲקָרָה יָלְדָה שִׁבְעָה וְרַבַּת בָּנִים אֻמְלָלָה. עַד עֲקָרָה יָלְדָה שִׁבְעָה: דָּא כְּנֶסֶת יִשְׂרָאֵל, דְּאִתְבָּרְכָא מִשִּׁבְעָה בְּכָל יוֹמָא, וְסָלִיק לְחוּשְׁבָּן עִלָּאָה. וְרַבַּת בָּנִים אֻמְלָלָה, אִלֵּין אוּמִין עע"ז, דְּסַלְּקִין בְּיוֹמָא קַדְמָאָה לְחוּשְׁבָּן רַב, וּלְבָתַר מִתְמַעֲטִין וְאַזְלִין בְּכָל יוֹמָא וְיוֹמָא. וְעַ"ד, מִזְבֵּחַ מְכַפֵּר עַל חוֹבֵיהוֹן דְּיִשְׂרָאֵל מִזְבֵּחַ מַדְכֵּי לְהוֹן, וְאָרִיק לְהוֹן בִּרְכָאן מֵעֵילָּא לְתַתָּא.

תכ. וַעֲנַף עֵץ עָבוֹת: דָּא מַלְכָּא קַדִּישָׁא, דְּאָחִיד לִתְרֵין סִטְרִין. וּבג"כ הֲדַס תְּלַת עֲנָף, דְּיִתְעֲבֵד עֲנַף עֵץ עָבוֹת, דְּאָחִיד לְכָל סִטְרָא. וְעַרְבֵי נַחַל: אִלֵּין תְּרֵין קַיְּימִין, דְּמֵהָכָא נָפִיק, לְכַפּוֹת תְּמָרִים. כַּפּוֹת תְּמָרִים, אָחִיד לְעֵילָּא וְאָחִיד לְתַתָּא, וְהָא אִתְּמַר. אֶתְרוֹג נָפְקָא מִגּוֹ כּוּבִין דְּאִילָנָא וְהָכִי הוּא. כַּפּוֹת תְּמָרִים הָכִי נָמֵי אָחִיד בְּהוּ וַדַּאי, כָּל מַה דְּנָפִיק לְעָלְמָא מֵהָכָא נָפְקָא וּמֵהָכָא אַתְיָין.

תכא. רִבִּי יוֹסֵי פָּתַח, וְאָבוֹאָה אֶל מִזְבַּח אֱלֹהִים. מַאן מִזְבַּח אֱלֹהִים. דָּא הוּא מִזְבֵּחַ דִּלְעֵילָּא, מִזְבַּח אֱלֹהִים וַדַּאי. וְהַיְינוּ בְּאֵר דְּיִצְחָק. וּלְזִמְנִין מִזְבַּח יְיָ', כד"א קָם מִלִּפְנֵי מִזְבַּח יְיָ', וְעַ"ד יָרְתִין עָלְמִין מֵהָכָא דִּינָא וְרַחֲמֵי, בְּגִין דְּהִיא יָנְקָא בְּהַאי סִטְרָא וּבְהַאי סִטְרָא, וְהָא אוּקְמוּהָ מִלָּה.

תכב. נֶפֶשׁ כִּי תִמְעוֹל מַעַל וְגו', רִבִּי יִצְחָק אָמַר, הָא אוּקְמוּהָ נֶפֶשׁ וַדַּאי. כְּתִיב וְהָיְתָה נֶפֶשׁ אֲדוֹנִי צְרוּרָה בִּצְרוֹר הַחַיִּים אֵת יְיָ' אֱלֹהֶיךָ, וּכְתִיב וְאֵת נֶפֶשׁ אוֹיְבֶיךָ יְקַלְּעֶנָּה בְּתוֹךְ כַּף הַקָּלַע.

תכג. זַכָּאִין אִינּוּן צַדִּיקַיָּיא דְּאִית לוֹן חוּלָקָא עִלָּאָה בְּקוּדְשָׁא ב"ה, בְּחוּלָקָא קַדִּישָׁא, בְּקִדּוּשֵׁי מַלְכָּא, בְּגִין דְּאִינּוּן מְקַדְּשֵׁי גַּרְמַיְיהוּ בְּקִדּוּשֵׁי דְּמָארֵיהוֹן. וְכָל מַאן דְּאִתְקַדָּשׁ, קב"ה מְקַדֵּשׁ לֵיהּ, דִּכְתִיב וְהִתְקַדִּשְׁתֶּם וִהְיִיתֶם קְדוֹשִׁים. בַּר נָשׁ מְקַדֵּשׁ גַּרְמֵיהּ מִלְּרַע, מְקַדְּשִׁין לֵיהּ מִלְּעֵילָּא, וְכַד אִתְקַדַּשׁ ב"נ בִּקְדוּשָּׁה דְּמָארֵיהּ, מַלְבִּישִׁין לֵיהּ נִשְׁמְתָא קַדִּישָׁא, אַחְסָנָא דְּקוּדְשָׁא ב"ה וּכְנֶסֶת יִשְׂרָאֵל, וּכְדֵין יָרִית כֹּלָּא. וְאִלֵּין דְּאִקְרוּן בְּנִין

לקודשא בריך הוא, כמה דכתיב בנים אתם ליי' אלהיכם, והא אוקמוה.

תכד. תא חזי כתיב תוצא הארץ נפש חיה, ואוקמוה נפש חיה סתם. ומההוא חולקא ירית דוד מלכא, ואתקשר בקשורא עלאה, ואחסין מלכותא, כמה דאתמר. ובגין כך והיתה נפש אדוני צרורה בצרור החיים. והא אוקמוה דנפש אתקשר ברוח, ורוח בנשמה, ונשמה בקב"ה. זכאה חולקיה מאן דירית ירותא דא עלאה.

תכה. ווי לאינון רשיעיא דנפשאן דלהון לא זכאן בעלמא דין, כל שכן בעלמא דאתי. עלייהו כתיב ואת נפש אויביך יקלענה בתוך כף הקלע. דאזלן ושטאן בעלמא, ולא אשכחן אתר לנייחא, לאתקשרא ביה, ואסתאבן בגו סטרא דמסאבותא, וכרוזא קארי ואמר, נפש כי תמעול מעל ביי' מקדש יי' טמא. דהא בקדושה לא עייל, ולא אתכליל. ואינון מזיקי עלמא, בגין דמתדבקן בהו, ומסתאבן.

תכו. רבי יצחק, אמר הא אוקמוה, נפש, כד מתעטרא כ"י במלכא קדישא, אתעטר, ואקרי צרורא דחיי, בגין דבה אתקשר כלא. רבי אלעזר אמר, שכינתא כד נטלא, באבהתא נטלא, הה"ד ויסע מלאך האלהים ההולך וגו'.

תכז. רבי אבא אמר, כלא אתעביד חד עטרא, בגין דיתעטר כחדא, ושמא קדישא אתחזי בגווייהו. בההיא שעתא, אקרי כתפוח בעצי היער כן דודי בין הבנים. והוו חמאן ישראל זיו יקרא עלאה נטיל קמייהו, ודא הוא דתנינן, ויוציאך בפניו בכחו הגדול ממצרים. אלין אבהתא, ובג"כ, האי שמא מתבר טורין, ומתבר טנרין, ואית ביה לטב ולביש. זכאה חולקיהון דישראל.

רעיא מהימנא

תכח. פקודא דא, המועל בהקדש צריך להביא קרן וחומש. הה"ד, ואת חמישיתו יוסף עליו קרן ו'. וחומש דיליה ה'. ודא קרן היובל. קרן דהוה במצחיה דההוא פר דהקריב אדם הראשון. האי, איהו עקרא דכל קרבניא. הקרן קיימת לו לעולם הבא, ופירות דיליה בעלמא דין. ודא ה' ה'. (ע"כ רע"מ).

תכט. תא חזי, עז לקרבנא, אמאי. והא א"ר שמעון, עז שמא דיליה גרים, לאולף מן שמיה, דהא סטרא בישא זינא בישא הוא. אלא הכי אמר ר"ש, דא בעי לקרבא, דהא אי אעבר עליה רוחא דמסאבא, או אתעסק ביה, האי עז קרבניה, בההוא גוונא דאיהו וחטי ביה.

תל. וא"ר שמעון, הא תנינן אית מאן דזכה בנשמה, ואית מאן דזכה באתערותא דרוח, ואית מאן דלא זכי אלא בנפש, ולא סליק יתיר, הא אתדבק בההוא סטרא מסאבא, וכד איהו נאים, אינון סטרין בישין אתיין ומתדבקן ביה, ומודעין ליה בחלמא מלין דעלמא. מנהון כדיבין, ומנהון קשוט. ולזמנין דחייכן ביה, ואחזיאו ליה מלי שקר, וצערין ליה בחלמיה. ועד אומין עע"ז, מנהון דחמאן בחלמייהו מלי קשוט, בגין ההוא סטרא דמתדבקן ביה. וכלהו מלין לזמן קריב.

תלא. ת"ח, באלין זינין בישין, אית תלת דרגין, אלין על אלין. דרגא עלאה דלהון הנהו דתליאן באוירא. דרגא תתאה דלהון אינון דחייכן בבני נשא, וצערן להו בחלמייהו, בגין דכלהו חציפין ככלבי. ואית דרגא עלאה עלייהו, דאינון מעלאי ותתאי, ואלין מודעי ליה לב"נ מלין, מנהון כדיבין, ומנהון קשוט. ואינון מלי דקשוט כלהו לזמן קריב.

תלב. וההוא דרגא מאינון דתליין באוירא, דאינון עלאין יתיר. ההוא דלא זכי יתיר אלא בנפש, וההוא נפש בעי לאתתקנא לקבלא רוחא, עד לא רווח ליה, נפקא

מַה דִּנְפָקָא מֵהַהוּא נֶפֶשׁ, וְאִתְפָּשַׁט בְּעָלְמָא, וּבָעָא לְסַלְּקָא, וְלָא בָּעֵי, עַד דְּאַעֲרַע בְּהוּ בְּאִינּוּן דַּאֲוִירָא, וְאִינּוּן מוֹדְעִין לֵיהּ מִלִּין, מִנְּהוֹן קְרִיבִין, וּמִנְּהוֹן רְחִיקִין יַתִּיר, וּבְהַהוּא דַּרְגָּא אָזִיל וְאִתְקַשַּׁר בְּחֶלְמֵיהּ, עַד דְּקָנֵי רוּחַ.

תלג. כֵּיוָן דְּקָנֶה רוּחָא, הַהוּא רוּחָא נָפִיק, מִתְעַבַּר טוּרִין וְטִנָּרִין, סָלִיק וְאִתְפָּשַׁט וְאָעִיל בֵּין מַלְאֲכֵי עִלָּאֵי קַדִּישֵׁי, וְתַמָּן יָדַע מַה דְּיָדַע, וְאוֹלִיף מִלִּין, וְאִתְהֲדַר לְאַתְרֵיהּ. כְּדֵין הוּא קְשׁוּרָא דְּב"נ בִּקְדוּשָּׁה, עַד דְּזָכֵי בִּנְשָׁמָה וְקָנֵי לָהּ.

תלד. כֵּיוָן דְּקָנָה נְשָׁמָה, הִיא סַלְּקָא לְעֵילָּא לְעֵילָּא, וְנָטוּרֵי פִּתְחִין לָא מְעַכְּבֵי לָהּ, וַאֲזְלָא וּמִתְפַּשְּׁטָא וְעָיְילָא בֵּין אִינּוּן צַדִּיקַיָּא דִּצְרִירָן בִּצְרוֹרָא דְּחַיֵּי, וְתַמָּן וָחֲמֵי עִנּוּגָא דְּמַלְכָּא וּמִתְהַנְיָא מִן זִיוָא עִלָּאָה.

תלה. וְכַד אִתְעַר אַיַּלְתָּא קַדִּישָׁא, בְּרוּחַ צָפוֹן, נָחֲתָא, וְקָם הַהוּא זַכָּאָה דְּקָנֵי לָהּ, וְאִתְגַּבַּר כְּאַרְיֵה תַּקִּיפָא בְּאוֹרַיְיתָא, עַד דְּאָתֵי צַפְרָא, וְאָזִיל בְּהַהִיא אַיַּלְתָּא קַדִּישָׁא לְאִתְחֲזָאָה קָמֵי מַלְכָּא, לְקַבְּלָא חַד חוּטָא דְּחֶסֶד, וּמַאי אִיהוּ דָּא חוּטָא דְּאַבְרָהָם, דְּהוּא קָנֵי לֵיהּ, דִּכְתִּיב אִם מִחוּט וְעַד שְׂרוֹךְ נַעַל, הוּא לָא אִתְהֲנֵי מֵאֻחֲרָא כְּלוּם, וְאָמַר אִם מִחוּט, זָכָה לְהַאי חוּטָא, וְדָא אִקְרֵי חוּטָא דְּאַבְרָהָם.

תלו. וְכַד אָתֵי הַהוּא זַכָּאָה בְּהַאי אַיַּלְתָּא, כְּדֵין אִתְעַטַּר עִמָּהּ קָמֵי מַלְכָּא, וְדָוִד קָאָמַר, לַמְנַצֵּחַ עַל אַיֶּלֶת הַשַּׁחַר, דָּא כְּנֶסֶת יִשְׂרָאֵל, אַיֶּלֶת הַשַּׁחַר שִׁירָתָא דִּכְנֶסֶת יִשְׂרָאֵל, דְּקָאַמְרֵי בְּגָלוּתָא אֵלִי אֵלִי לָמָה עֲזַבְתָּנִי וְגוֹ'.

תלז. אָמַר ר"ש, זַכָּאִין אִינּוּן מָארֵי דְּנִשְׁמְתָא, מָארֵי דְּאוֹרַיְיתָא, בְּנֵי פּוּלְחָנָא דְּמַלְכָּא קַדִּישָׁא. וַוי לְאִינּוּן חַיָּיבַיָּא, דְּלָא זַכָּאן לְאִתְדַּבְּקָא בְּמָארֵיהוֹן, וְלָא זַכָּאן בְּאוֹרַיְיתָא, דְּכָל מַאן דְּלָא זָכֵי בְּאוֹרַיְיתָא, לָא זָכֵי לָא בְּרוּחַ, וְלָא בִּנְשָׁמָה. וְאִתְדַּבְּקוּתָא דִּלְהוֹן, בְּהַהוּא סִטְרָא דְּזִינִין בִּישִׁין. וְהַאי לֵית לֵיהּ חוּלָקָא בְּמַלְכָּא קַדִּישָׁא, לֵית לֵיהּ חוּלָקָא דִּקְדוּשָּׁה. וַוי לֵיהּ כַּד יִפּוֹק מֵהַאי עָלְמָא, דְּהָא אִשְׁתְּמוֹדַע הוּא לְגַבֵּי אִינּוּן זִינִין בִּישִׁין, מָארֵי חֲצִיפוּתָא, תַּקִּיפֵי כְּכַלְבָּא, שְׁלוּחֵי דְּנוּרָא דְּגֵיהִנָּם, דְּלָא מְרַחֲמֵי עָלַיְיהוּ.

תלח. ת"ח, מַה בֵּין יִשְׂרָאֵל לְעַמִּין עע"ז. יִשְׂרָאֵל, אע"ג דְּלָא זָכֵי ב"נ יִשְׂרָאֵל, אֶלָּא בְּנֶפֶשׁ, דַּרְגָּא עִלָּאָה קָאִים עָלֵיהּ, וְאִי אִיהוּ בָּעֵי לְמִקְנֵי רוּחַ, וְאִי אִיהוּ בָּעֵי לְמִקְנֵי נְשָׁמָה, קָנֵי וְזָכֵי בָּהּ. אֲבָל עַמִּין עע"ז, לָא קַנְיָין לְעָלְמִין, בַּר אִי אִתְגַּיַּיר, דְּקָנֵי נֶפֶשׁ מֵאֲתַר אָחֳרָא.

תלט. וְיִשְׂרָאֵל דְּקַיְימֵי בְּדַרְגָּא תַּתָּאָה בְּנֶפֶשׁ, אִי אִיהוּ לָא בָּעֵי לְמִזְכֵּי יַתִּיר, עוֹנְשֵׁיהּ סַגְיָא. וַוי לְהַהוּא חַיָּיבָא, דְּאַנְשֵׁי פִּקּוּדֵי דְּאוֹרַיְיתָא, וְלָא אִשְׁתַּדַּל בְּאוֹרַיְיתָא, אַנְשֵׁי לְמָארֵיהּ, עָלֵיהּ כְּתִיב יִתַּמּוּ חַטָּאִים מִן הָאָרֶץ.

תמ. ות"ח אִית בְּנֵי נָשָׁא דְּאִתְדַּבְּקָן בְּהַאי סִטְרָא, בְּגִין הַהוּא נֶפֶשׁ דְּלָא זַכָּאן יַתִּיר, וְכַד אַעְבַּר עָלַיְיהוּ הַהוּא רוּחָא מִסְאֲבָא, אַשְׁרֵי עָלַיְיהוּ וְאִתְדַּבְּקוּ בֵּיהּ. כְּדֵין הַהוּא חַטָּאָה דְּחָטֵי ב"נ, הוּא מִסִּטְרָא דְּהַהוּא רוּחַ מִסְאֲבָא, וְקָרְבָּנֵיהּ אִיהוּ חַד עֵז, בְּגִין דְּאִיהוּ בְּעִירָא דְּאָתֵי מֵהַהוּא סִטְרָא, לְכַפָּרָא עַל חוֹבֵיהּ.

תמא. אָמַר לֵיהּ ר' אֶלְעָזָר בְּרֵיהּ, וְהָא כְּתִיב לֹא תָלִין נִבְלָתוֹ עַל הָעֵץ וְגוֹ', וְלֹא תְטַמֵּא אֶת אַדְמָתְךָ. בְּגִין דְּאַרְעָא הִיא קַדִּישָׁא, וְרוּחַ מִסְאֲבָא לָא יִשְׁתְּכַח אַתְרָא בְּאַרְעָא קַדִּישָׁא לְמִשְׁרֵי עֲלוֹי, אִי הָכִי, כֵּיוָן דְּהַהוּא בְּעִירָא שָׁארֵי עָלֵיהּ רוּחַ מִסְאֲבָא וְאָתֵי מִסִּטְרָהָא, אַמַּאי מַקְרִיבִין לֵיהּ לְסִטַר קוּדְשָׁא. א"ל יָאוּת שָׁאַלְתָּ.

תמב. אֲבָל ת"ח בְּרִי, כְּתִיב כִּי יְיָ' אֱלֹהֶיךָ אֵשׁ אוֹכְלָה הוּא, אִית אֶשָּׁא אָכִיל אֶשָּׁא. אֶשָּׁתָא דְּקֻבְּ"ה, אָכִיל אֶשָּׁא אָחֳרָא. ות"ח אִית מַלְאָכִין דְּאַמְרִין שִׁירָתָא קָמֵי קֻבְּ"ה, וְאִינּוּן מִתְבַּטְּלֵי כַּד מְסַיְּימֵי הַהִיא שִׁירָתָא, בְּנִיצוֹצָא דְּאֶשָּׁא אַכְלָא. לְתַתָּא זַמִּין קֻבְּ"ה אֶשָּׁא דְּמַדְבְּחָא, וְהַאי אֶשָּׁא אַכְלָא וְשֵׁצֵי לְכָל הַהוּא סִטְרָא, וְאִתְבַּטַּל הַהוּא סִטְרָא, בְּהַהוּא שַׁלְהוֹבָא דְּאֶשָּׁא, וְלָא אִשְׁאַר מִנֵּיהּ בְּעָלְמָא. וְהַהוּא ב"נ דִּמְקָרֵב קָרְבָּנֵיהּ, קָאִים עָלֵיהּ, וּבְהַהוּא רֵיחָא דְּקָרְבְּנָא דְּסָלִיק, אִתְעֲבַר מִנֵּיהּ סִטְרָא דְּרוּחַ מִסְאֲבָא דְּשַׁרְיָא עֲלוֹי, וְיִתְכַּפַּר. בְּגִינֵי כַּךְ כֹּלָּא אִתְבְּטִיל וְיִשְׁתְּצֵי, וְלֵית מַאן דְּקָאִים לְגַבֵּי הַהוּא אֶשָּׁא.

תמג. רִבִּי אַחָא הֲוָה אָזִיל בְּאוֹרְחָא, וְרִבִּי חִיָּיא וְרִבִּי יוֹסֵי אַעְרָעוּ כַּחֲדָא. א"ר אַחָא, וַדַּאי אֲנַן תְּלַת, זְמִינִין לְקַבְּלָא אַנְפֵּי שְׁכִינְתָּא, אִתְחַבָּרוּ כַּחֲדָא וְאָזְלוּ. אָמַר ר' אַחָא, כָּל חַד וְחַד לֵימָא מִלָּה דִּקְטוֹרָא דְּאוֹרַיְיתָא וְנֵזִיל.

תמד. פָּתַח רִבִּי חִיָּיא וְאָמַר, הַרְעִיפוּ שָׁמַיִם מִמַּעַל וְגו', הַאי קְרָא רָזָא הוּא דְּחָכְמְתָא, דְּאוֹלִיפְנָא מִבּוּצִינָא קַדִּישָׁא. הַרְעִיפוּ שָׁמַיִם מִמַּעַל. מַאי הַרְעִיפוּ. כד"א יַעֲרוֹף כַּמָּטָר לִקְחִי. וְעַל סִטְרָא דְּמִטְרָא דְּהוּא מְזוֹנָא דְּכֹלָּא קָאָמַר. וְעַל דָּא, כָּל עֵינֵי עָלְמָא מְצַפָּן לְקֻבְּ"ה לִמְזוֹנֵי, בְּגִין דְּאִיהוּ יָהִיב מְזוֹנָא לְכֹלָּא, וְזָן כֹּל, כד"א, עֵינֵי כֹל אֵלֶיךָ יְשַׂבֵּרוּ וְגו'.

תמה. וְאִי תֵּימָא דְּבַאֲתַר דָּא דְּאִקְרֵי שָׁמַיִם תַּלְיָא מִלְּתָא. הָא תָּנֵינָן, דְּלָאו בִּזְכוּתָא תַּלְיָא מִלְּתָא. וּזְכוּתָא, הָא אוֹקְמוּהָ צְדָקָה. וְתַרְגּוּם צְדָקָה, זְכוּתָא. וּזְכוּתָא וְשָׁמַיִם חַד מִלָּה הוּא, וְהָכָא הַרְעִיפוּ שָׁמַיִם. כְּתִיב מִמַּעַל, מִמַּעַל וַדַּאי, מֵעַתִּיקָא קַדִּישָׁא קָא אַתְיָא, וְלָא מֵהַהוּא אֲתַר דְּאִקְרֵי שָׁמַיִם, וְאִקְרֵי זְכוּתָא, אֶלָּא מִמַּעַל דַּיְיקָא.

תמו. וּשְׁחָקִים יִזְּלוּ צֶדֶק, דְּכַד שָׁמַיִם נָטִיל לֵיהּ מִמַּעַל, מֵהַהוּא אֲתַר עִלָּאָה דְּשָׁארֵי עָלוֹי, כְּדֵין שְׁחָקִים יִזְּלוּ צֶדֶק. מַאן שְׁחָקִים. אֲתַר דְּטָחֲנִין מָנָא לְצַדִּיקַיָּיא. וּמַאי נִינְהוּ. נֶצַח וְהוֹד, דְּאִינּוּן וַדַּאי טָחֲנִין מָנָא לְצַדִּיקַיָּיא. לְמַאן. לְהַהוּא אֲתַר דְּאִקְרֵי צַדִּיק דְּהָא אִינּוּן טָחֲנִין לֵיהּ לְהַהוּא מָנָא דְּאַתְיָא מִלְעֵילָּא, וְכָל הַהוּא טִיבוּ מִתְכְּנִישׁ בְּגַוַּויְיהוּ, לְמֵיהַב לֵיהּ לְדַרְגָּא דְּצַדִּיק, בְּגִין דְּיִתְבָּרְכוּן צֶדֶק מֵהַהוּא נְזִילוּ דִּלְהוֹן, וְעַל דָּא טָחֲנִין מָנָא לְצַדִּיקַיָּיא. מַאן צַדִּיקַיָּיא דָּא צַדִּיק וְצֶדֶק, יוֹסֵף וְרָחֵל, דְּכַד מִזְדַּוְּוגָן כַּחֲדָא צַדִּיקִים אִקְרוּ.

תמז. וְאִלֵּין טָחֲנִין מָנָא לְצַדִּיקַיָּיא וַדַּאי, וְעַל דָּא וּשְׁחָקִים יִזְּלוּ צֶדֶק. כְּדֵין תִּפְתַּח אֶרֶץ לְתַתָּא. וְיִפְרוּ יֶשַׁע, בְּנֵי עָלְמָא. וּצְדָקָה תַצְמִיחַ יַחַד, כָּל רַחֲמֵי, וְכָל טִיבוּ דְּעָלְמָא סַגִּיאוּ, וּמְזוֹנַיְיהוּ דִּבְנֵי נָשָׁא מִשְׁתַּכְּחֵי בְּעָלְמָא, כְּדֵין חֶדְוָה עַל חֶדְוָה אִתּוֹסַף, וְכָל עָלְמִין מִתְבָּרְכָאן. אָמַר רִבִּי אַחָא, אִלְמָלֵא לָא אֲתֵינָא אֶלָּא לְמִשְׁמַע דָּא דַּיי.

תמח. פָּתַח ר' יוֹסֵי וְאָמַר, לִבִּי לְחוֹקְקֵי יִשְׂרָאֵל הַמִּתְנַדְּבִים בָּעָם בָּרְכוּ יְיָ'. ת"ח, כָּל רְעוּתָא, וְכָל לִבָּא, דְּבָעֵי ב"נ לְאַרְקָא בִּרְכָאן מֵעֵילָּא לְתַתָּא, לְיַחֲדָא שְׁמָא קַדִּישָׁא. לְבָעֵי בִּצְלוֹתָא לְקֻבְּ"ה בִּרְעוּתָא וּבְכַוָּונָה דְּלִבָּא, לְנַגְדָּא מֵהַהוּא נַחֲלָא עֲמִיקָא, כְּמָה דִּכְתִיב, מִמַּעֲמַקִּים קְרָאתִיךָ יְיָ', דְּתַמָּן עוֹמְקָא דְּכֹלָּא, בַּעֲמִיקֵי עִלָּאֵי, דְּאִינּוּן שֵׁירוּתָא עִלָּאָה, דְּאַבָּא וְאִימָּא מִזְדַּוְּוגִין. אוּף הָכָא לִבִּי לְחוֹקְקֵי יִשְׂרָאֵל, מַאן חוֹקְקֵי יִשְׂרָאֵל. לָא כְּתִיב חָקוּקֵי יִשְׂרָאֵל, אֶלָּא לְחוֹקְקֵי. אִלֵּין אַבָּא וְאִימָּא, דְּאִינּוּן מְחוֹקְקֵי לְיִשְׂרָאֵל קַדִּישָׁא, דְּאִיהוּ נָגִיד מִבֵּינַיְיהוּ.

תמט. הַמִּתְנַדְּבִים בָּעָם, אִלֵּין אִינּוּן אֲבָהָן, דְּאִקְרוּן נְדִיבִים, כד"א נְדִיבֵי עַמִּים נֶאֱסָפוּ עַם אֱלֹהֵי אַבְרָהָם. כְּדֵין בָּרְכוּ יְיָ', לְנַגְדָּא מִנֵּיהּ בִּרְכָאן לְתַתָּא, וְיִשְׁתַּכְּחוּן

בִּרְכָאן בְּעָלְמָא כֻּלְּהוּ, דְּכַד הָכָא מִשְׁתַּכְּחִין בִּרְכָאן מִלְעֵילָּא כֹּלָּא הוּא בְּחֶדְוָותָא כֹּלָּא הוּא בִּשְׁלִימוּ. זַכָּאָה חוּלָקֵיהוֹן דְּיִשְׂרָאֵל, דְּקוּדְשָׁא בְּרִיךְ הוּא מֵרִיק עֲלֵיהוֹן בִּרְכָאן, וְצַיִּית צְלוֹתְהוֹן, וְעָלַיְיהוּ כְּתִיב, פָּנָה אֶל תְּפִלַּת הָעַרְעָר וְלֹא בָזָה אֶת תְּפִלָּתָם וְגוֹ׳.

TZAV

צַו

א. זֹאת תּוֹרַת הָעוֹלָה וְגוֹ'. רִבִּי שִׁמְעוֹן פָּתַח וְאָמַר, צִדְקָתְךָ כְּהַרְרֵי אֵל מִשְׁפָּטֶיךָ תְּהוֹם רַבָּה וְגוֹ', הַאי קְרָא אוֹקִימְנָא לֵיהּ וְאִתְּמַר, ת"ח, הַאי עוֹלָה, סְלִיקוּ וְקִשּׁוּרוּ דְּכ"י לְעֵילָּא, וְדִבּוּקָא דִּילָהּ בְּגוֹ עָלְמָא דְּאָתֵי, לְמֶהֱוֵי כֹּלָּא חַד, בְּקִשּׁוּרָא חֲדָא, בְּחִידוּ. וּבְגִין דְּסַלְקָא לְעֵילָּא לְעֵילָּא, כְּתִיב זֹאת תּוֹרַת, רָזָא דְּכַר וְנוּקְבָא כַּחֲדָא, תּוֹרָה שֶׁבִּכְתָב, וְתוֹרָה שֶׁבְּעַל פֶּה, לְסַלְקָא בַּחֲבִיבוּתָא.

ב. כַּד אִתְעַר סִטְרָא דְּצָפוֹן, כְּמָה דְּאוֹקִימְנָא דִּכְתִּיב, שְׂמֹאלוֹ תַּחַת לְרֹאשִׁי, כְּדֵין אִיהִי סַלְקָא בַּחֲבִיבוּתָא, וְאִתְעַטְּרָא בִּימִינָא, וְאִתְחַבְּרָא בְּאֶמְצָעִיתָא, וְאִתְנְהִיר כֹּלָּא מֵרָזָא דְּקֹדֶשׁ הַקֳּדָשִׁים, וְדָא מִגּוֹ דְּרָזָא דְּאָדָם, בִּרְעוּ דְּכַהֲנָא, וּבִצְלוֹתָא, וּבְשִׁירָתָא.

ג. וְהָא אוֹקִימְנָא דְּעוֹלָה קֹדֶשׁ קָדָשִׁים, בְּרָזָא דְּרוּחַ עִלָּאָה, בְּגִין דִּתְלַת רוּחִין קְשִׁירָן כַּחֲדָא, רוּחַ תַּתָּאָה דְּאִקְרֵי רוּחַ הַקֹּדֶשׁ. רוּחַ דִּלְגוֹ בְּאֶמְצָעִיתָא, דְּאִקְרֵי רוּחַ חָכְמָה וּבִינָה. וְכֵן אִקְרֵי רוּחַ תַּתָּאָה. אֲבָל הַאי רוּחַ, דְּנָפִיק מִגּוֹ שׁוֹפָר, כְּלִילָן בְּאֶשָּׁא וּמַיָּא. רוּחַ עִלָּאָה דְּאִיהוּ סָתִים בַּחֲשָׁאי, דְּבֵיהּ קַיְימִין כָּל רוּחִין קַדִּישִׁין, וְכָל אַנְפִּין נְהִירִין. וּבְג"כ אַהֲדַרַת עוֹלָה רוּחַ מַמָּשׁ.

ד. וּלְבָתַר מֵרָזָא דִּבְהֵמָה, מִסְתַּפְּקֵי וְאִתְּזָנוּ, לְאִתְקַשְּׁרָא רוּחָא אָחֳרָא, דְּאִיהִי גּוֹ מְסָאֲבוּ, מֵאִינּוּן תַּרְבִּין וְשַׁמְנוּנִין, כְּמָה דְּאִתְּמַר. וּבְגִין כַּךְ עוֹלָה קֹדֶשׁ קָדָשִׁים, שְׁאָר קָרְבְּנִין לְמֶעְבַּד שְׁלָמָא בְּעָלְמָא כֻּלְּהוּ, מִכַּמָּה סִטְרִין וּמָארֵי דְּדִינִין. לְאִתְעַבְּרָא וּלְאִתְנַהֲרָא מִגּוֹ רְעוּתָא לְאִתְבַּסְּמָא, אִקְרוּן קָדָשִׁים קַלִּים, בְּגִין דְּלָא מִתְעַטְּרֵי לְעֵילָּא לְעֵילָּא בְּקֹדֶשׁ הַקֳּדָשִׁים. וְעַ"ד אִינּוּן קָדָשִׁים קַלִּים, וְנִכְסוּ דִּלְהוֹן בְּכָל אֲתַר כְּמָה דְּאוֹקְמוּהָ, אֲבָל עוֹלָה דְּאִיהִי רָזָא דְּקֹדֶשׁ הַקֳּדָשִׁים, לָאו אִיהִי כִּשְׁאָר קָרְבְּנִין, דְּכָל עוֹבָדָהָא קֹדֶשׁ.

ה. ת"ח, מַה כְּתִיב וְלָבַשׁ הַכֹּהֵן מִדּוֹ בַד, אִלֵּין לְבוּשִׁין מְיַיחֲדִין לִקְדוּשָּׁה. בַּד יְחִידָאי, מְיַיחֲדָא לִקְדוּשָּׁה. וּכְתִיב בִּגְדֵי קֹדֶשׁ הֵם וְרָחַץ בַּמַּיִם אֶת בְּשָׂרוֹ וּלְבֵשָׁם. מ"ט דָּא קֹדֶשׁ. אֶלָּא רָזָא דְּמִלָּה, כְּדְקָאָמַר דְּאִיהִי קֹדֶשׁ קָדָשִׁים, דְּסַלְקָא כֹּלָּא וְאִתְעַטְּרָא בְּקֹדֶשׁ הַקֳּדָשִׁים, בְּקִשּׁוּרָא חֲדָא. וּלְבָתַר מַפְּנֵי וְאַעְבַּר רוּחַ מְסָאֲבָא, דִּמְסָאֵב כֹּלָּא, דְּלָא שַׁלְטָא, וְלָא יִתְקְרִיב גּוֹ מַקְדְּשָׁא, וְאִתְעֲבַר מִכָּל סִטְרֵי דְּקוּדְשָׁא, וְאִשְׁתְּאַר כֹּלָּא קֹדֶשׁ בִּקְדוּשָּׁה יְחִידָאי.

ו. וְאָמַר ר"ש, הָא אִתְּמַר, דִּכְתִּיב, אָדָם וּבְהֵמָה תּוֹשִׁיעַ יְיָ'. וְהָכִי סַלְקָא רָזָא דְּאָדָם, מִסִּטְרָא דְּאָדָם. בְּהֵמָה, מִסִּטְרָא דִּבְהֵמָה. וּבְגִין כַּךְ כְּתִיב אָדָם כִּי יַקְרִיב מִכֶּם. אָדָם וַדַּאי, דְּהָא קָרְבְּנֵיהּ לְעֵילָּא, לְקַשְּׁרָא קִשְׁרָא. וּלְבָתַר מִן הַבְּהֵמָה. וְכֹלָּא אִיהוּ בִּקְרָא, אָדָם וּבְהֵמָה. וְדָא אִיהוּ רָזָא, דְּאִצְטְרִיךְ לְקָרְבְּנָא אָדָם וּבְהֵמָה, כִּדְקָאָמַר. תָּא חֲזֵי, כַּד בָּרָא קב"ה עָלְמָא, הָכִי עֲבַד אָדָם וּבְהֵמָה.

ז. וְאִי תֵּימָא וְהָא כְּתִיב וְעוֹף יְעוֹפֵף עַל הָאָרֶץ, דְּהָא מִנַּיְיהוּ מְקָרְבִין קָרְבְּנָא, וַאֲפִילּוּ עוֹלָה, כְּמָה דִּכְתִּיב וְאִם מִן הָעוֹף עוֹלָה קָרְבָּנוֹ. תָּא חֲזֵי, מִכָּל אִינּוּן עוֹפִין לָא מְקָרְבִין

אֶלָא מִן הַתוֹרִים אוֹ בְּנֵי יוֹנָה. אֶלָא רָזָא דָא, מַה דְאִתְכְּשַׁר בְּדָא, פָּסִיל בְּדָא. דָא יְמִינָא, וְדָא שְׂמָאלָא, וְכֹלָא חַד.

וז. עוֹף יְעוֹפֵף עַל הָאָרֶץ, הָא אוּקִימְנָא דְאִינוּן רָזָא דִרְתִיכָא. וּבְהוּ תִסְתַּלַּק רוּחַ הַקֹדֶשׁ, לְסַלְקָא לְעֵילָא. דְאִינוּן תְּרֵי, חַד לִימִינָא, וְחַד לִשְׂמָאלָא. עוֹף לִימִינָא, וְדָא מִיכָאֵל. יְעוֹפֵף לִשְׂמָאלָא, וְדָא גַבְרִיאֵל. דָא לִימִינָא, וְדָא לִשְׂמָאלָא.

ט. וּבְג"כ מִקְרָבִין תְּרֵין אִלֵּין, לְסַלְקָא רוּחַ קוּדְשָׁא, וּשְׂמָאלָא מְעַטֵּר וְזַיִּין לְתַתָּא, לְהַהוּא סְטָר שְׂמָאלָא. וִימִינָא לִימִינָא. וְאִתְקַשְׁרַת אִתְּתָא בְּבַעֲלָהּ, לְמֶהֱוֵי חַד. וְכֹלָא מִסְתַּלַּק וּמִתְקַשַּׁר כַּחֲדָא, לְעֵילָא וְתַתָּא, וְקוּדְשָׁא ב"ה אִסְתַּלַּק בִּלְחוֹדוֹי וְאִתְתַּקַף.

י. וּבְסִפְרֵי קַדְמָאֵי, מִסְכְּנָא לָא יָהִיב וְחוּלָקָא לְאִתְחֲזָא, אֶלָא לְעֵילָא לְאִתְקַשְּׁרָא, אֲבָל כֹּלָא לְעֵילָא וְתַתָּא כֹּל חַד וְחַד מִתְקַשַּׁר לְסִטְרֵיהּ כַּדְקָא יָאוֹת, וְהָא אוּקִימְנָא.

יא. ר' אֶלְעָזָר שָׁאִיל לְר"ע אֲבוֹי וְאָמַר, הָא קְשׁוּרָא דְכֹלָא אִתְקְשַׁר בְּקֹדֶשׁ הַקֳדָשִׁים לְאִתְנַהֲרָא, אִתְדַּבְּקוּתָא דִרְעוּתָא דְכַהֲנֵי לֵיוָאֵי וְיִשְׂרָאֵל לְעֵילָא, עַד הֵיכָן אִיהוּ סַלְקָא.

יב. אָ"ל הָא אוּקִימְנָא, עַד אֵין סוֹף, דְּכָל קְשׁוּרָא וְיִחוּדָא וּשְׁלִימוּ, לְאַצְנָעָא בְּהַהוּא צְנִיעוּ, דְלָא אִתְדַּבַּק, וְלָא אִתְיְדַע, דִרְעוּתָא דְכָל רַעֲוִין בֵּיהּ. אִ"ס לָא קַיְימָא לְאוֹדָעָא, וְלָא לְמֶעֱבַּד סוֹף, וְלָא לְמֶעֱבַּד רֵאשׁ. כְּמָה דְאֵין קַדְמָאָה, אַפִּיק רֵאשׁ וְסוֹף, מַאן רֵאשׁ. דָא נְקוּדָה עִלָּאָה, דְאִיהִי רֵישָׁא דְכֹלָא סְתִימָאָה, דְקַיְימָא גוֹ מַחֲשָׁבָה. וְעָבֵיד סוֹף, דְאִקְרֵי סוֹף דָבָר, אֲבָל לְהָתָם אֵין סוֹף.

יג. לָאו רְעוּתִין, לָאו נְהוֹרִין, לָאו בּוֹצִינִין, לָאו בּוֹצִינָא בְּהַהוּא אִ"ס, כָּל אִלֵּין נְהוֹרִין וּבוֹצִינִין תַּלְיָין לְאִתְקַיְימָא בְּהוֹ, וְלָא קַיְימֵי לְאִתְדַּבְּקָא, מַאן דְיָדַע וְלָא יָדַע, לָאו אִיהוּ אֶלָא רְעוּ עִלָּאָה סְתִימָאָה דְכָל סְתִימִין, אַיִן.

יד. וְכַד נְקוּדָה עִלָּאָה, וְעָלְמָא דְאָתֵי, אִסְתַּלְּקוּ, לָא יַדְעִין בַּר רֵיחָא, כְּמַאן דְאָרַח בְּרֵיחָא וְאִתְבַּסַּם, וְלָאו דָא נַיְיחָא, דְהָא כְּתִיב וְלָא אָרִיחַ בְּרֵיחַ נִיחוֹחֵכֶם, דְהָא רֵיחַ נִיחוֹחַ רֵיחָא דִרְעוּתָא, דְכָל הֲנֵי רַעֲוָתָא דִצְלוֹתָא, וּרְעוּתָא דִשְׂעִירָתָא, וּרְעוּתָא דְכַהֲנֵי, דְכֻלְּהוּ רָזָא דְאָדָם, כְּדֵין כֻּלְּהוּ אִתְעֲבִידוּ רְעוּתָא וְחַדָא, וְהַהוּא אִקְרֵי נִיחוֹחַ, רְעוּתָא: כְּתַרְגּוּמוֹ. כְּדֵין כֹּלָא אִתְקַשַּׁר וְאִתְנְהִיר כַּחֲדָא כַּדְקָא יָאוֹת, כְּמָה דְאִתְּמַר.

טו. וְעַ"ד אִתְיְהִיבַת הַאי סְטְרָא אַחֲרָא בִּידָא דְכַהֲנָא, דִכְתִיב צַו אֶת אַהֲרֹן וְאֶת בָּנָיו לֵאמֹר. רָזָא הָכָא, דְהָא אוּקִימְנָא, לֵית צַו אֶלָא עַ"ז. וְהָכָא אִתְיְהִיבַת לֵיהּ לְאִתּוּקְדָא הַהוּא מַחֲשָׁבָה רָעָה, וּלְאַעְבְּרָא לָהּ מִגּוֹ קוּדְשָׁא, בְּהַאי רַעֲוָתָא דְסַלְקָא לְעֵילָא, וּבְהַאי תַּנְיָא וְתַרְבִּין דְאִתּוּקְדָן, בְּגִין לְאִתְעַבְּרָא מִן קוּדְשָׁא, וְהַאי צַו בִּרְשׁוּתַיְיהוּ קַיְימָא, לְאַפְרְשָׁא לֵיהּ מִן קוּדְשָׁא מִגּוֹ הַאי קָרְבְּנָא וְאִי תֵימָא צַו אֶת בְּנֵי יִשְׂרָאֵל, הָכִי נָמֵי דְהָא בִּרְשׁוּתַיְיהוּ קַיְימָא, כָּל זִמְנָא דְעָבְדֵי רְעוּתָא דְמָארֵיהוֹן, דְלָא יָכְלָא לְשַׁלְּטָאָה עֲלַיְיהוּ.

טז. וְהַאי קְרָא כֹּלָא אַתְיָא לְאַוְוזָאָה רָזָא דְמִלָּה, לְאַעְטְרָא לְהַאי רוּחַ קוּדְשָׁא לְעֵילָא, וּלְאַפְרְשָׁא לָהּ לְדָא רוּחַ טוּמְאָה, לְנַחֲתָא לָהּ לְתַתָּא לְתַתָּא. דָא בִּרְעוּתָא וּבִצְלוֹתָא כְּדְקָאמָרָן, וְדָא בְּעוֹבָדָא כֹּלָא כִּדְקָחֲזֵי לֵיהּ.

יז. וְהַאי קְרָא מוֹכַחָא עֲלַיְיהוּ, דִכְתִיב צַו אֶת אַהֲרֹן וְאֶת בָּנָיו לֵאמֹר. צַו: דָא עַ"ז,

רוח מסאבא. לאמר: דא אתתא, דאקרי יראת יי'. כתיב הכא לאמר, וכתיב התם לאמר הן ישלח איש את אשתו. והא אוקמוה. בג"כ כלא אתמר, וכהנא קיימא לאתתקנא כלא ברזא דאדם ובהמה.

יח. זכאה חולקיהון דצדיקייא בעלמא דין ובעלמא דאתי, דאינון ידעי אורחי דאורייתא, ואזלי בה בארח קשוט, עלייהו כתיב יי' עליהם יחיו. מאן עליהם. אלין ארחי דאורייתא. יחיו: יתקיימון, בעלמא דין ובעלמא דאתי.

יט. ת"ח, כתיב זאת תורת העולה, אמר ר' חייא, האי קרא אוקימנא ליה בהאי גוונא, זאת תורת, דא כ"י. העולה: דהיא סלקא, ומתעטרא לעילא לעילא, לאתקשרא כדקא יאות, עד אתר דאקרי קדש קדשים.

כ. ד"א זאת תורת, דא כנסת ישראל. העולה: דא מחשבה רעה, דאיהי סלקא על רעותא דב"נ לאסטאה ליה מארח קשוט, היא העולה, היא דסלקא ואסטיאת ליה לבר נש, ובעי לאוקדא לה בנורא. בגין דלא יתייהיב לה דוכתא לאסטאה.

כא. ובג"כ, על מוקדה על המזבח כל הלילה. מאן לילה. דא כ"י. דאיהי זאת, בגין דאתי לדכאה לב"נ מההוא רעותא. על מוקדה, בגין דנהר דינור איהו אתר לאוקדא לכל אינון דלא קיימי בקיומייהו, דהא עאלין לון בההוא נורא דדליק, ומעברי שולטניהון מעלמא, ובגין דלא ישלוט, אצטריך על מוקדה על המזבח כל הלילה, ואתכפיא ולא שלטא.

כב. ועל דא, כד אתכפיא האי, סלקא כ"י, דאיהי רוח קודשא, דסלקא ואתעטרא לעילא, דהא סליקו דילה, כד אתכפיא האי חילא אחרא, ואתפרש מנה. ובגין כך בעינן ברזא דקרבנא, לאפרשא להאי סטרא, מרוח קודשא, ולמיהב לה חולקא, בגין דרוח קודשא תסתלק לעילא.

כג. רבי אחא פתח ואמר, והאש על המזבח תוקד בו וגו', והאש על המזבח תוקד בו, אמאי. ובער עליה הכהן עצים בבקר בבקר, אמאי. וכהנא אמאי. והא תנינן אשא בכל אתר דינא הוא, וכהנא מסטרא דימינא קא אתי, ורחיקא הוא מן דינא, דהא כהנא לא אזדמן בדינא לעלמין, והכא הוא בעי לאוקדא דינא בעלמא, דכתיב ובער עליה הכהן.

כד. אלא הכי אוליפנא, ב"נ דאתי למחטי קמי מאריה, הוא אוקיד גרמיה בשלהוביתא דיצר הרע. ויצר הרע מסטרא דרוח מסאבא קא אתיא, והא שריא ביה רוח מסאבא. ולזמנין אשתמודען קרבני דאתיין מהאי סטרא, ובעא לקרבא על מדבחא כדדמי ליה. ולא אשתצי, ולא אתבטל ההוא רוח מסאבא, בין מב"נ, ובין מההוא סטרא דאתי מניה, אלא באשא דמדבחא, דההוא אשא מבערא רוח מסאבא, וזינין בישין מעלמא, וכהנא בדא אתכוון, לתקנא אשא דיבער זינין בישין מעלמא.

כה. ועל דא בעי, דלא ידעכון ליה לעלמין, ולא יתחלש חילא ותוקפא דיליה, לתברא חילא דתוקפא אחרא בישא מעלמא, ועל דא לא תכבה. וכהנא יסדר עליה אשא בבקר בבקר, בזמנא דשלטא סטרא דיליה ואתער בעלמא, בגין לבסמא עלמא, ואתכפיין דינין, ולא מתערי בעלמא, ועל דא תנינן, אית אשא אכלא אשא. אשא דלעילא אכלא אשא אחרא, אשא דמדבחא אכלא אשא אחרא, ועל דא, אשא דא לא תכבה לעלמין, וכהנא מסדר ליה בכל יומא.

רעיא מהימנא

כו. פִּקּוּדָא לַעֲשׂוֹת הָעוֹלָה כְּמִשְׁפָּטָהּ, וְעָלָה אִתְּמַר זֹאת תּוֹרַת הָעוֹלָה וְגו'. וְחָמֵשׁ אִשִּׁים הֲווּ נַחְתִּין עַל קָרְבְּנָא. אֵשׁ אוֹכֵל וְאֵינוֹ שׁוֹתֶה. אֵשׁ שׁוֹתֶה וְאֵינוֹ אוֹכֵל. אֵשׁ אוֹכֵל וְשׁוֹתֶה. אֵשׁ אוֹכֵל לַחִים וִיבֵשִׁים. אֵשׁ שֶׁאֵינוֹ אוֹכֵל וְאֵינוֹ שׁוֹתֶה. לְקַבְּלַיְיהוּ אִינּוּן, זֹאת תּוֹרַת הָעוֹלָה, חַד. הִיא הָעוֹלָה עַל מוֹקְדָה, ב'. עַל הַמִּזְבֵּחַ, ג'. כָּל הַלַּיְלָה, ד'. וְאֵשׁ הַמִּזְבֵּחַ תּוּקַד בּוֹ ה'.

כז. וְאוֹקְמוּהָ מָארֵי מַתְנִיתִין, עוֹלָה כּוּלָּהּ סַלְקָא לְגָבוֹהַּ. וְדָא בִּינָה, ה', ה' מַרְאוֹת דִּילָהּ. י', בַּת יְחִידָה, וּמַרְאֶה כְּבוֹד יְיָ' כְּאֵשׁ אוֹכֶלֶת . ו' אוֹר דְּבַת עַיְינָא, וְהִיא אֵשׁ שׁוֹתָה כָּל מַיִין דְּאוֹרַיְיתָא, וְאוֹכֶלֶת כָּל קָרְבְּנִין דִּצְלוֹתָא. וְאוֹכֶלֶת לַחִין וִיבֵשִׁין, אִינּוּן פְּשָׁטֵי דְּאוֹרַיְיתָא דְּאִינּוּן כְּעֵצִים יְבֵשִׁים. וְרָזֵי אוֹרַיְיתָא אִינּוּן כְּעֵצִים לַחִים. וְהַאי אִיהוּ אֵשׁ אוֹכֶלֶת לַחִין וִיבֵשִׁין.

כח. וְעוֹד אוֹכֶלֶת לַחִין, כָּל קָרְבְּנִין דַּהֲווּ קָרְבִין בִּצְלוֹתָא, עַל מִצְוַת עֲשֵׂה. וִיבֵשִׁין, כָּל קָרְבְּנִין דַּהֲווּ קָרְבִין בִּצְלוֹתָא, עַל מִצְוֹת לֹא תַעֲשֶׂה. וְהַאי אִיהוּ, סְקִילָה שְׂרֵיפָה הֶרֶג וְחֶנֶק, עַל מִצְוֹת עֲשֵׂה, וְעַל מִצְוֹת לֹא תַעֲשֶׂה, אִלֵּין אִינּוּן קָרְבְּנַיָּא דִּשְׁכִינְתָּא, צְלוֹתָא, דְּפִקּוּדִין דַּעֲשֵׂה וְלֹא תַעֲשֶׂה. וּלְקָבֵל ה' מַרְאוֹת אִלֵּין, תַּקִּינוּ חָמֵשׁ צְלוֹתֵי בְּיוֹמָא דְּכִפּוּרֵי. וּלְקָבֵל בַּת עַיְינָא, אִינּוּן עֲשֶׂרֶת יְמֵי הַתְּשׁוּבָה ה' לְקָבֵל אוֹר דְּבַת עַיְינָא. ה' עֲנוּיִין, לְקָבֵל ה' בַּתְרָאָה.

כט. פִּקּוּדָא בָּתַר דָּא, לַעֲשׂוֹת הַחַטָּאת כְּמִשְׁפָּטָהּ. תַּנָּאִים וַאֲמוֹרָאִים, אַתּוּן דְּמִסִּטְרָא דְּמִדּוֹת דְּקוּדְשָׁא בְּרִיךְ הוּא אַתִּיתוּ, דְּטַרְחֲתוּן סַגֵּי לְנַקָּאָה בְּרַתָּא דִּילֵי דְּאִיהִי הֲלָכָה, מֵאִלֵּין קְלִיפִּין, דְּעֵרֶב רַב, קוּשְׁיָין בִּישִׁין, דְּלֵית לוֹן תֵּירוּץ, וְלָא פֵּרוּקָא, דַּעֲלַיְיהוּ אִתְּמַר, מְעֻוָּת לֹא יוּכַל לִתְקוֹן, וְחֶסְרוֹן לֹא יוּכַל לְהִמָּנוֹת, אֶלָּא אִתְּמַר תֵּיקוּ בְּהוֹן. וְכָל תֵּיקוּ דְּאִסּוּרָא לְחוּמְרָא, וְאִיהוּ תֵּיקוּ וְחָסֵר ן' דְּלֵית לֵיהּ תִּקּוּן. וְחָסֵר נוּן, דְּאִיהִי עָלְמָא דְּאָתֵי, דְּתֵיקוּ דְּעָלְמָא דְּאָתֵי, שְׁתִיקָה. כְּגוֹן שְׁתוֹק כָּךְ עָלָה בְּמַחֲשָׁבָה.

ל. וְאִית קוּשְׁיָין דְּאִינּוּן לְבוּשִׁין דַּהֲלָכָה, דְּאִתְּמַר בְּהוֹן מִשְׁבְּצוֹת זָהָב. הה"ד, כָּל כְּבוּדָּה בַּת מֶלֶךְ פְּנִימָה מִמִּשְׁבְּצוֹת זָהָב לְבוּשָׁהּ. וְאַתּוּן, פָּסְקִין לוֹן בְּכַמָּה פְּסָקוֹת, וּלְבָתַר מְתַקְּנִין וּמְפָרְקִין לוֹן בְּכַמָּה פֵּרוּקִין.

לא. וְאִי חָסֵר שׁוּם פֶּסֶק מִמַּתְנִיתִין, כְּמָה דְּאוֹקְמוּהָ זֶה חָסֵר מִן הַמִּשְׁנָה, אַתּוּן מְתַקְּנִין לוֹן, וְהַאי הוּא חֶסְרוֹן שֶׁיּוּכַל לְהִמָּנוֹת . וְאִי יֵיתֵי טִפְּשׁ וְיַפִּיק שׁוּם בִּישׁ עַל הַהוּא אוּמָנָא דְּחָתִיךְ לְבוּשִׁין, וְיֵימָא וְכִי אוֹרַיְיתָא אִיהִי חָסֵר, וְהָא כְּתִיב תּוֹרַת יְיָ' תְּמִימָה, תְּמִימָה בְּכָל אֵבָרִין דְּגוּפָא, דְּאִינּוּן רמ"ח פִּקּוּדִין. הה"ד כֻּלָּךְ יָפָה רַעְיָתִי וּמוּם אֵין בָּךְ. תְּמִימָה בִּלְבוּשָׁהָא, וְאֵיךְ חָסֵר מִן הַמִּשְׁנָה.

לב. אַתּוּן תֵּימְרוּן לֵיהּ, דּוּק וְתִשְׁכַּח חֲתִיכָה, וְתִשְׁכַּח לָהּ מְעוֹרֶבֶת בִּשְׁאָר פְּסָקוֹת וּמִשְׁנָיוֹת. דְּאוֹרַח אוּמָנָא לְמֶחְתַּךְ לְבוּשִׁין בְּכַמָּה חֲתִיכוֹת, וְתַלְמִיד דְּלָאו אִיהוּ בָּקִי לְמִקְשַׁר הַהֲלָכָה בְּאִלֵּין חֲתִיכוֹת, מִתְחַלְּפֵי לֵיהּ פְּסָקוֹת וְקוּשְׁיָין, וְלָא אַשְׁכַּח לוֹן פֵּרוּקָא. עַד דְּיֵיתֵי אוּמָנָא, וּפָרִיק לוֹן כָּל אִלֵּין סְפֵקוֹת דִּלְהוֹן. בְּהַהוּא זִמְנָא, הֲלָכָה דְּאִיהִי בְּרַתָּא, סְלִיקַת קֳדָם מַלְכָּא, שְׁלֵימָא בְּכֹלָּא, בְּגוּפָא בִּלְבוּשָׁא וּבְתַכְשִׁיטָהָא, וְאִתְקַיַּים בָּהּ וּרְאִיתִיהָ לִזְכּוֹר בְּרִית עוֹלָם. וּלְזִמְנִין אִית לְאוּמָנָא תַּלְמִיד בָּקִי, דְּיִשַׁדֵּר לֵיהּ לְתַקְּנָא לוֹן.

לג. קָמוּ כֻּלְּהוּ וְאָמְרוּ, וַדַּאי אַנְתְּ הוּא אוּמָנָא ר"מ. דְּאִתְּמַר בָּךְ מֹשֶׁה קִבֵּל תּוֹרָה

מִסִּינַי, וּמִתַּמָּן וְאֵילָךְ כֻּלְּהוּ תַּלְמִידִים אִינּוּן דִּילָךְ, מִן יְהוֹשֻׁעַ עַד סוֹף כָּל דָּרִין. הָדָא הוּא דְּאָמַר וּמְסָרָהּ לִיהוֹשֻׁעַ, וִיהוֹשֻׁעַ לִזְקֵנִים, וּזְקֵנִים לִנְבִיאִים, עַד סוֹף כֻּלְּהוּ. תַּלְמִיד בָּקִי דִּילָךְ מַאן הוּא הָא וַדַּאי, דְּאִתְּמַר, הַכֹּל יְהֵא מוּנָּח עַד שֶׁיָּבֹא אֵלִיָּהוּ.

לד. אָמַר לוֹן, וַדַּאי הָכִי הוּא, דְּאִיהוּ תַּלְמִיד וְחָבֵר, דְּעָלֵיהּ אִתְּמַר בֶּן אַהֲרֹן הַכֹּהֵן. כְּגַוְונָא דְּאִתְּמַר בְּאַהֲרֹן הוּא יִהְיֶה לְּךָ לְפֶה, הָכִי נָמֵי בְּרֵיהּ, יִהְיֶה לִּי לְפֶה, דְּאִיהִי אוֹרַיְיתָא דִּבְעַל פֶּה. בְּגִין דְּהֵיכִי דַּהֲוֵינָא בְּקַדְמֵיתָא כְּבַד פֶּה וּכְבַד לָשׁוֹן, וְהָכִי יוֹקִים לִי קוּדְשָׁא בְּרִיךְ הוּא, כְּבַד פֶּה בְּאוֹרַיְיתָא דבע"פ, וּכְבַד לָשׁוֹן בְּאוֹרַיְיתָא שֶׁבִּכְתָב, דְּלָא יֵימְרוּן אִלֵּין דְּלָא אִשְׁתְּמוֹדְעִין לִי, אֲוֹזְרָא אִיהוּ. וְאֵלִיָּהוּ הוּא יִהְיֶה לִי לְפֶה, יֵיתֵי לְתַקְּנָא כָּל אִלֵּין סְפֵקוֹת, וּלְפָרְקָא לוֹן.

לה. בְּהַהוּא זִמְנָא, זֹאת תּוֹרַת הָעוֹלָה, בְּרַתָא, דַּהֲוַת מֵהַדְּקָא שְׁפָלָה בְּגָלוּתָא, סְלִיקַת עַל כָּל דַּרְגִּין דִּלְעֵילָּא, הה"ד רַבּוֹת בָּנוֹת עָשׂוּ חָיִל וְאַתְּ עָלִית עַל כֻּלָּנָה, וּסְלִיקוּ דִילָהּ תְּהֵא לְאַבָּא דְּאִיהוּ לִימִינָא חֶסֶד, דְּבֵיהּ הָרוֹצֶה לְהַחְכִּים יַדְרִים, מִתַּמָּן חָכְמָ"ה, כ"ח מ"ה.

לו. אָמַר חַד תָּנָא, בְּוַדַּאי בְּגִין דָּא אִתְּמַר בָּךְ, מוֹלִיךְ לִימִין מֹשֶׁה בְּגִין כַּלָּה דִּילָךְ, דְּלָא יְהֵא לָךְ שְׁלִימוּ אֶלָּא בָּהּ. דְּכַד אַנְתְּ תְּהֵא שְׁלִימָא בָּהּ, אִתְּמַר בָּךְ פֶּה אֶל פֶּה אֲדַבֶּר בּוֹ וּמַרְאֶה וְלֹא בְחִידוֹת. בְּמַרְאֶה: כְּגַוְונָא דְּכַלָּה דְּאִתְפַּשְׁטַת מִלְּבוּשָׁהָא, וּמִתְיַיחֶדֶת עִם בַּעְלָהּ בְּקֵירוּב בָּשָׂר, בְּרָמָ"ח אֵבָרִים דִּילָהּ, וְלָא כַּסִּיאַת אֵבֶר חַד מִנָּהּ. וְהַאי אִיהוּ בְּמַרְאֶה רמ"ח בְּחוּשְׁבָן.

לז. אָמַר בּוֹצִינָא קַדִּישָׁא, בְּקַדְמֵיתָא אִתְחֲזֵי לָךְ הַאי חֵיזוּ, דְּאִתְּמַר בָּהּ בְּמַרְאֶה, דְּאִיהוּ לָךְ הַמַּרְאֶה הַגָּדוֹל בַּסְּנֶה, דְּאִדְּכַר בֵּיהּ חֲמִשָּׁה זִמְנִין הַסְּנֶה. וּכְעַן אִתְגַּלְיָא לָךְ חֵיזוּ דָּא, בְּרָמָ"ח פִּקּוּדִין, דְּאִינּוּן בַּחֲמִשָּׁה חוּמְשֵׁי תּוֹרָה. וְלֹא בְחִידוֹת, דְּאִינּוּן לְבוּשִׁין דִּילָהּ, דִּבְהוֹן חָזוּ כָּל נְבִיאֵי. דְּלֵית אֹרַח לְאִתְגַּלְּאָה כַּלָּה בְּקֵירוּב בָּשָׂר, אֶלָּא לְחָתָן דִּילָהּ.

לח. בְּהַהוּא זִמְנָא יִתְקַיֵּים בְּהוּ, וַיִּהְיוּ שְׁנֵיהֶם עֲרוּמִּים הָאָדָם וְאִשְׁתּוֹ וְלֹא יִתְבּוֹשָׁשׁוּ. כְּגוֹן אָדָם וְאִשְׁתּוֹ דִּכְבַר אִתְעֲבַר עִרְבּוּבְיָא בִּישָׁא, עֵרֶב רַב, קוּשְׁיָא בִּישָׁא מֵעָלְמָא. דְּאִינּוּן עֶרְיָין דְּקֻבָּ"ה וּשְׁכִינְתֵּיהּ, עֶרְיָין דְּיִשְׂרָאֵל. כ"ש עֶרְיָין דִּילָךְ רַעְיָא מְהֵימָנָא. וּמַהֲלָכָה דִּילָךְ. דִּבְגִינַיְיהוּ צָרִיךְ לְכַסָּאָה רָזִין דְּאוֹרַיְיתָא, כְּמָה דְּאוֹקְמוּהָ כְּבוֹד אֱלֹהִים הַסְתֵּר דָּבָר, עַד דְּמִתְעַבְּרִין מֵעָלְמָא. וְלֵית מְלָכִים אֶלָּא יִשְׂרָאֵל, כְּמָה דְּאוֹקְמוּהָ, כָּל יִשְׂרָאֵל בְּנֵי מְלָכִים הֵם, בְּהַהוּא זִמְנָא, וּכְבוֹד מְלָכִים חֲקוֹר דָּבָר. אָמַר רַעְיָא מְהֵימָנָא, בְּרִיךְ אַנְתְּ לְעַתִּיק יוֹמִין, דְּמִתַּמָּן אַנְתְּ, כְּעַנְפָּא דְּאִתְפַּשַּׁט מֵאִילָנָא, הָכִי נִשְׁמְתִין עַנְפָּא מִנֵּיהּ.

לט. תַּנָּאִים וְאָמוֹרָאִין, הָא וַדַּאי עוֹלָה וְחַטָּאת וְאָשָׁם, תְּלַת פִּקּוּדִין אִינּוּן, תְּלַת אֲבָהָן. שְׁלָמִים מַטְרוֹנִיתָא. אֵבֶר, דְּאִיהִי תַּשְׁלוּמִין דְּכָל אֵבֶר, כְּגַוְונָא דְּיוֹמָא קַדְמָאָה דְּחַג.

מ. מִי שֶׁלֹּא חַג יו"ט הָרִאשׁוֹן עַל חַג עָלֵיהּ אִתְּמַר מְעֻוָּת לֹא יוּכַל לִתְקוֹן וְחֶסְרוֹן לֹא יוּכַל לְהִמָּנוֹת. וְהַאי אִיהוּ חַטָּאת דִּמְעַכֵּב לָעוֹלָה. חֵטְא אִיהוּ דְּכַר. חַטָּאת, נוּקְבָא. וּלְזִמְנִין דְּהָא אִתְבְּסָם חַטָּאת, וְאִתְפְּרַשׁ מֵעוֹלָה. בְּהַהוּא שָׂעִיר, דְּאִתְּמַר וּשְׂעִיר עִזִּים אֶחָד לְחַטָּאת.

מא. אָשָׁם תָּלוּי אָחִיד בִּתְרַוַויְיהוּ, כְּמַאן דְּאָחִיד לְכָאן וּלְכָאן, וְאִיהוּ תָּלוּי בְּאֶמְצָעִיתָא. כְּגוֹן, הַכֹּל תָּלוּי עַד שֶׁיָּבֹא אֵלִיָּהוּ, וְיַפְרִישׁ לֵהּ מִתַּמָּן. הָכִי אָשָׁם תָּלוּי, אִיהוּ אָחִיד בִּתְרַוַויְיהוּ, עַד דְּיָהֲבִין לֵיהּ מְזוֹנָא דִּילֵיהּ, שׁוֹחַד דִּילֵיהּ, וְיִתְפְּרַשׁ מִתַּמָּן, וּמִתְקָרְבִין אֵבָרִין דְּכַלָּה דָּא לְדָא. דְּהָכִי אִיהוּ אָשָׁם וְחַטָּאת, כִּסְרְכוֹת דַּאֲחִידָן

בְּרֵיאָה, וְלָא מְנַיְיחִין לָהּ לְפָרְחָא לְסַלְקָא לְגַבֵּי עֵילָא, לְנַשְׁבָא בְּרוּחָא דְּקוּדְשָׁא.

מב. שֶׂה אִיהוּ לְעוֹלָה, דִּכְתִיב וְאַיֵּה הַשֶּׂה לְעוֹלָה. וְאִתְּמַר בֵּיהּ שֶׂה תָמִים זָכָר, הה"ד אִישׁ תָּמִים. וְהָא צָרִיךְ לְמִשְׁאַל, דְּהָא שֶׂה אִיהוּ לִימִינָא, שָׂעִיר אִיהוּ לִשְׂמָאלָא, דְּהַיְינוּ שְׂעִיר עִזִּים אֶחָד לְחַטָּאת, וְאִית שָׂעִיר, וְאִית שָׂעִיר. שָׂעִיר אֶחָד לַיְיָ, וְשָׂעִיר אֶחָד לַעֲזָאזֵל. וְהַיְינוּ דִּכְתִיב, וְנָתַן אַהֲרֹן עַל שְׁנֵי הַשְּׂעִירִים גּוֹרָלוֹת גּוֹרָל אֶחָד לַיְיָ וְגוֹרָל אֶחָד לַעֲזָאזֵל. וּבְהַהוּא שָׂעִיר, אִתְּמַר בְּעֵשָׂו, אִישׁ שָׂעִיר. וְדָא כָּבֵד. דְּנָטִיל כָּל אִינּוּן שְׁמָרִים דְּדָם. שְׁוִין אֲבַעְבּוּעוֹת פּוֹרְחוֹת, סַפָּחוֹת, וְכָל מִינֵי צָרַעַת. וְהַיְינוּ דִּכְתִיב, וְנָשָׂא הַשָּׂעִיר עָלָיו אֶת כָּל עֲוֹנוֹתָם אֶל אֶרֶץ גְּזֵרָה. וְאִינּוּן עֲוֹנוֹת תָּם, דְּאִיהוּ לִבָּא, וּכְדֵין אִתְפְּרַשׁ מִלְעָרְבָא בְּלִבָּא, וּכְדֵין אִתְכַּבַּס, וְאִיהוּ כָּבֵד בְּאִלֵּין חוֹבִין, וְלָא קַל לְסַלְקָא לְגַבֵּי יַעֲקֹב אִישׁ תָּם. וַחֲדוּ מָארֵי מַתְנִיתִין דִּמְתִיבְתָּאן, דְּקָא נָחוֹתֵי עִם תַּנָּאִין וְאָמוֹרָאִין.

מג. קָם חַד מִנַּיְיהוּ וְאָמַר, רַעְיָא מְהֵימְנָא, הַב לִי רְשׁוּ לְמִשְׁאַל, בָּתַר דְּזָכִינָא לְמִשְׁמַע מִלִּין יַקִּירִין אִלֵּין מִפּוּמָךְ, דְּאוֹרַיְיתָא דָּא דְּנָפְקַת מִפּוּמָךְ יְקָרָה הִיא מִפְּנִינִים וְכָל וַחֲפָצֶיךָ לֹא יִשְׁווּ בָהּ, וְעַל כָּל דָּא הֲלָכָה הִיא וְלִלְמוֹד אֲנִי צָרִיךְ. הָא שָׂעִיר דַּעֲזָאזֵל שַׁפִּיר, אָשָׁם תָּלוּי בְּאָן אֲתַר אִיהוּ.

מד. אָמַר לֵיהּ, בְּרִיךְ אַנְתְּ בְּרִי, שַׁפִּיר קָא שָׁאַלְתְּ. אֶלָּא, מַה עַמּוּדָא דְּאֶמְצָעִיתָא, אָחִיד בֵּיהּ יְמִינָא וּשְׂמָאלָא, דְּאִינּוּן חֶסֶד וּגְבוּרָה, כְּגוּפָא דְּאָחִיד בֵּין תְּרֵין דְּרוֹעִין דְּבַר נָשׁ. אוֹ כְּנֶשֶׁר, דַּאֲחִידָן בֵּיהּ תְּרֵין גַּדְפִּין לְפָרְחָא בְּהוֹן. וְכִיוֹנָה, דַּאֲחִידַת בָּהּ תְּרֵין גַּדְפִּין, דְּאִתְמְתִילַת לְאוֹרַיְיתָא, וְגַדְפִּין דִּילָהּ לְמִצְוֹת עֲשֵׂה, וּבְהוֹן הִיא הָעוֹלָה, וּפָרְחַת לְעֵילָא. הָכִי פִּקּוּדִין דְּלָא תַעֲשֶׂה, אִינּוּן תְּפִישׂוּ דִּילָהּ, כְּגוֹן צִפֳּרִים הַנֶּאֱחָזִים בַּפָּח. וְכָל תְּפִישִׂין דִּילָהּ, דִּמְעַכְּבִין לָהּ לְפָרְחָא, אִתְקְרִיאוּ סִרְכוֹת כְּאִלֵּין סִרְכוֹת, דִּמְעַכְּבֵי לְכַנְפֵי רֵיאָה, לְנַשְׁבָא.

מה. הָכִי אָשָׁם. דְּיִשְׂרָאֵל אָחִיד בְּגַדְפוֹי דִּשְׁכִינְתָּא, דְּאִינּוּן חֵיוָון דְּכוּרְסְיָיא, דְּלָא תְהֵא עוֹלָה בְּהוֹן בְּזִכּוּן דְּיִשְׂרָאֵל, לְגַבֵּי קֻבְּ"ה, וּמְעַכְּבִין לָהּ, וּמַכְבִּידִין גַּדְפָהָא וְחַטָּאוֹת דִּלְהוֹן. וְאָשָׁם אִימָא דְּעֵרֶב רַב, סִרְכָא אֲחִידָא בְּכוּרְסְיָיא, דְּתַמָּן מַטְרוֹנִיתָא, וְלָא מְנַוְּחַת לָהּ לְסַלְקָא מִגָּלוּתָא. וְזִכּוּן אֲחִידָן בָּהּ לְסַלְקָא, אִשְׁתְּאָרַת בַּאֲוִירָא, כְּגוֹן סִרְכָא תָּלוּי בַּאֲוִירָא. וְדָא עַמּוּדָא דְּאֶמְצָעִיתָא. הָכִי אָשָׁם תָּלוּי בְּצַדִּיק, דְּאִיהוּ אָחִיד בֵּין שְׁמַיָּא וְאַרְעָא.

מו. וְחַטָּאת אִיהִי יוֹתֶרֶת הַכָּבֵד, אַכְבִּידַת עָלָהּ בְּחַטָּאוֹת, דִּלְכְלוּכִין דְּחוֹבִין דְּיִשְׂרָאֵל, כְּגַוְונָא דְּכָבֵד מַכְבִּיד שְׁמָרִים, דְּאִינּוּן דָּמִים, עַל עַרְקִין דְּלִבָּא. הָכִי אִלֵּין וְחַטָּאוֹת, מַכְבִּידִין עַל גַּדְפוֹי דִּשְׁכִינְתָּא, דְּאִינּוּן פִּקּוּדִין דַּעֲשֵׂה, דְּדַמְיָין לְכַנְפֵי יוֹנָה. לֹא תַעֲשֶׂה כַּד אִינּוּן מַכְבִּידִין עַל עֲשֵׂה, דְּאִינּוּן כַּד חוֹבִין דְּיִשְׂרָאֵל מְרוּבִּין מִזִּכְוָון, אִתְּמַר בְּאוֹרַיְיתָא דְּאִיהוּ גּוּפָא, וְתַשְׁלֵךְ אֱמֶת אַרְצָה, וְאִיהִי צַוְוחַת נְתָנַנִי יְיָ בִּידֵי לֹא אוּכַל קוּם נָפְלָה לֹא תוֹסִיף קוּם.

מז. וּבְגִין דָּא, תַּקִּינוּ תַּנָּאִים וַאֲמוֹרָאִים צְלוֹתִין בַּאֲתַר דְּקָרְבְּנִין, לְאַעְבְּרָא וְחַטָּאוֹת וַאֲשָׁמוֹת מִינָּהּ. וּבְגִין דָּא תַּקִּינוּ צְלוֹתָא דְּשַׁחֲרִית, כְּקָרְבַּן הַשַּׁחַר. וּצְלוֹתָא דְּמִנְחָה, כְּקָרְבַּן בֵּין הָעַרְבַּיִם. וּצְלוֹתָא דְּעַרְבִית, כְּאֵמוּרִים וּפְדָרִים דַּהֲווּ מִתְאַכְּלִים כָּל הַלַּיְלָה. וּתְלַת אֲבָהָן דְּתַקִּינוּ תְּלַת צְלוֹתִין, לְקַבֵּל מֶרְכַּבְתָּא דְּאִינּוּן קְטִירִין בָּהּ. כְּמָה דְּאוּקְמוּהָ, הָאָבוֹת הֵן הֵן הַמֶּרְכָּבָה, דְּאִינּוּן פְּנֵי אַרְיֵה אֶל הַיָּמִין לְאַרְבַּעְתָּם. (ע"כ רעיא מהימנא).

מח. אֵשׁ תָּמִיד תּוּקַד עַל הַמִּזְבֵּחַ לֹא תִכְבֶּה. רִבִּי חִיָּיא פָּתַח, וַיֹּאמֶר יִצְחָק אֶל

אַבְרָהָם אָבִיו וַיֹּאמֶר אָבִי וַיֹּאמֶר הִנֶּנִּי בְנִי וְגוֹ', וַיֹּאמֶר וַיֹּאמֶר תְּלַת זִמְנִין דְּיִצְחָק, וַיֹּאמֶר וְחַד דְּאַבְרָהָם, אֲמַאי הָכִי. אֶלָּא, ג' לְמַעֲשֵׂה בְרֵאשִׁית, דְּאִינּוּן תְּלַת דְּיִצְחָק הֲווֹ. וְחַד דְּאַבְרָהָם בִּרְבִיעָאִי, דִּכְתִּיב הִנֶּנִּי בְנִי דְּוַדָּאי הִנֶּנִּי. וּכְתִיב, יְהִי מְאֹרֹת בִּרְקִיעַ הַשָּׁמַיִם מְאֹרֹת חָסֵר.

מט. וְאִי תֵּימָא וַיֹּאמֶר וַיֹּאמֶר יַתִּיר אִינּוּן. אֶלָּא, אִינּוּן סְתִימִין הֲווֹ בְּמַחֲשָׁבָה. וְאִלֵּין, אִתְגַּלְיָין מִגּוֹ חֲשׁוֹכָא. וַיֹּאמֶר יִצְחָק אֶל אַבְרָהָם, וּכְתִיב וַיֹּאמֶר אֱלֹהִים יְהִי אוֹר וַיְהִי אוֹר. וַיֹּאמֶר אָבִי, וּכְתִיב וַיֹּאמֶר אֱלֹהִים יְהִי רָקִיעַ בְּתוֹךְ הַמָּיִם וִיהִי מַבְדִּיל בֵּין מַיִם לָמָיִם. וַיֹּאמֶר הִנֵּה הָאֵשׁ, וַיֹּאמֶר אֱלֹהִים יִקָּווּ הַמַּיִם. וַיֹּאמֶר הִנֶּנִּי, וַיֹּאמֶר אֱלֹהִים יְהִי מְאוֹרוֹת.

רַעְיָא מְהֵימְנָא

נ. וְעוֹד אֵשׁ תָּמִיד תּוּקַד עַל הַמִּזְבֵּחַ וְגוֹ'. דָּא אוֹרַיְיתָא, דְּאִתְמַר בָּהּ הֲלֹא כֹה דְבָרִי נְאֻם יְיָ. לֹא תִכְבֶּה וַדַּאי, דַּעֲבֵירָה אֵינָהּ מְכַבָּה תּוֹרָה. אֲבָל עֲבֵירָה מְכַבָּה מִצְוָה, וּמַאן דְּעָבִיד עֲבֵירָה דִּמְכַבָּה מִצְוָה דְּאִיהִי נֵר, הָכִי מְכַבָּה נֵר דִּילֵיהּ, דְּאִתְמַר בָּהּ נֵר יְיָ נִשְׁמַת אָדָם מִגּוּפֵיהּ, וְהַאי הוּא כִּבּוּי, דְּאִשְׁתְּאַר גּוּפָא בַּחֲשׁוֹכָא. וְהָכִי מַאן דְּסָלִיק שְׁכִינְתָּא מֵאַתְרָהָא, גָּרִים כִּבּוּי וַחֲשׁוֹכָא לְהַהוּא אֲתַר. וַחֲשׁוֹכָא אִיהִי עֲבֵירָה, וְשִׁפְחָה כִּי תִירַשׁ גְּבִירְתָּהּ.

נא. וְסַלִּיקוּ דְּמִצְוָה מִסִּטְרָא דְּעַמֵּי הָאָרֶץ, לְהוֹן מְכַבָּה מִצְוָה, לְקַיֵּים בְּהוֹן, וּרְשָׁעִים בַּחֹשֶׁךְ יִדָּמּוּ. אֲבָל לְגַבֵּי מָארֵי תּוֹרָה, לֵית לֵיהּ כְּבִיָּה עָלְמִית, בְּהוֹן דְּנָהֲרִין לָהּ בְּכַמָּה רָזִין דְּאוֹרַיְיתָא, דְּאוֹר רָ"ז אִתְקְרֵי. וּמִצְוֹת דְּאוֹרַיְיתָא דִּמְקַיְּימִין לָהּ רַבָּנָן, תּוֹרָה אִיהוּ לְגַבַּיְיהוּ, לַיְלָה וְיוֹמָם לָא תִכְבֶּה עֲלַיְיהוּ, בְּגִין דִּמְקַיְּימִין בָּהּ וְהָגִיתָ בּוֹ יוֹמָם וָלַיְלָה.

נב. וְעָשָׁן דְּסָלִיק מִפּוּמַיְיהוּ בְּמִלֵּי דְּאוֹרַיְיתָא, אִיהוּ עָשָׁן הַמַּעֲרָכָה, דִּמְסַדְּרִין לָהּ, וּמַעֲרִיכִין לָהּ לְגַבֵּי בַּעְלָהּ, כְּגוֹן בְּהַעֲלוֹתְךָ אֶת הַנֵּרוֹת, דְּאִתְמַר בְּהוֹן לְהַעֲלוֹת נֵר תָּמִיד. וּבְעָשָׁן הַמַּעֲרָכָה וַעֲנַן הַקְּטֹרֶת, דְּאוֹרַיְיתָא עָשָׁן דִּילָהּ, יִתְעַר מִלִּבָּא, לְגַבֵּי חָכְמְתָא, דְּאִיהוּ כְּמוֹחָא, כְּגַוְונָא דַּעֲנָנָא. דְּאִתְעֲרוּתָא דַּעֲנָנָא מִלִּבָּא, הֲדָא הוּא דִּכְתִיב וְאֵד יַעֲלֶה מִן הָאָרֶץ, וּלְבָתַר וְהִשְׁקָה אֶת כָּל פְּנֵי הָאֲדָמָה.

נג. הָכִי יִתְעַר עָשָׁן, מִבִּינָה, דְּאִיהוּ בְּלִבָּא, דְּאוֹקְמוּהָ לְגַבֵּיהּ, הַלֵּב מֵבִין. וְסָלִיק לְגַבֵּי חָכְמָה, דְּאִיהִי כְּמוֹחָא. וּמַאן עָשָׁן. דָּא, עַמּוּדָא דְּאֶמְצָעִיתָא, דַּעַת, לֵב מֵבִין דַּעַת.

נד. לְבָתַר דְּנָחִית עָשָׁן, וְחָכְמָה לְגַבֵּי בִּינָה, דְּאִינּוּן דָּא לִשְׂמָאלָא, וְדָא לִימִינָא. אִיהוּ נָחִית מָלֵא מֵאַבָּא וְאִימָּא, מָלֵא י"ה, לְאוֹקְדָא עֵצִים דְּאִינּוּן ת"ו, מִסִּטְרָא דְּעֵץ חַיִּים, דְּאִינּוּן אֵבָרִים דְּגוּפָא, דְּתַמָּן ה' הָעֵצִים וַדַּאי, לְאוֹקְדָא לוֹן בְּשַׁלְהוֹבִין דְּאוֹרַיְיתָא, דְּאִתְמַר בֵּיהּ הֲלֹא כֹה דְבָרִי כָּאֵשׁ נְאֻם יְיָ. בְּשַׁלְהוֹבִין דְּנֵר מִצְוָה בִּרְחִימוּ.

נה. פִּקּוּדָא לְהַקְרִיב בְּכָל יוֹמָא תְּמִידִין. וַאֲבַתְרֵיהּ לְהַדְלִיק אֵשׁ, הה"ד אֵשׁ תָּמִיד תּוּקַד עַל הַמִּזְבֵּחַ לֹא תִכְבֶּה. וַאֲבַתְרֵיהּ, תְּרוּמַת הַדֶּשֶׁן. וַאֲבַתְרֵיהּ, קָרְבַּן נֶדֶר אוֹ נְדָבָה. תַּנָּאִים וְאָמוֹרָאִים, כָּל אִלֵּין תְּמִידִין, אִינּוּן מִדּוֹת דְּקֻבְּ"ה, דִּצְרִיכֵי לְמֶהֱוֵי לוֹן נַיְיחָא. וְאַעַ"ג דְּכָל סְפִירָן כֻּלְּהוּ חַד, מ"מ, כָּל סְפִירָה וּסְפִירָה מְמַנָּא עַל שַׁבָּתוֹת וּזְמַנִּין וְיוֹמִין טָבִין, וְהַהִיא מִדָּה דְּשׁוּלְטָנוּתָא דְּהַהוּא זִמְנָא, כָּל סְפִירָן אִתְכְּלִילוּ בָּהּ, וְאִתְקְרִיאוּ כֻּלְּהוּ עַ"שׁ הַהִיא מִדָּה, בְּחֶסֶד חֲסָדִים, בִּגְבוּרָה גְּבוּרוֹת וְהָכִי בְּכָל מִדָּה.

נו. וְאִית הַשְׁבָּתַת מְלָאכָה, כְּגוֹן שׁוֹר, דְּאִית לֵיהּ עוֹל. וַחֲמוֹר, דְּאִית לֵיהּ מַשְׂאוּי. בֵּין עוֹל מַלְכוּת שָׁמַיִם, כְּגוֹן תְּפִילִין. בֵּין עוֹל מַלְכוּת עכו"ם, כְּפוּם עוֹבָדַיְיהוּ, בְּאִלֵּין יוֹמִין

אִית לוֹן הַשְׁבָּתַת מְלָאכָה וְנַיְיחָא. מַאן דְּלָא אִתְעֲסַק בְּאוֹרַיְיתָא וּבְפִקּוּדִין, אִית לֵיהּ עוֹל מַלְכוּת עכו"ם. וּמַאן דְּאִתְעֲסַק בְּאוֹרַיְיתָא וּבְפִקּוּדִין, אִית לוֹן עוֹל מַלְכוּת שָׁמַיִם, דְּאִיהִי ה' בַּתְרָאָה, מַלְכוּת שָׁמַיִם אִתְקְרִיאַת.

נז. עוֹל מִצְוֹת אִיהִי וַדַּאי, בְּגִין דְּבָהּ אִתְבְּרִיאוּ כָּל בִּרְיָין דִּשְׁמַיָּא וְאַרְעָא, הה"ד אֵלֶּה תוֹלְדוֹת הַשָּׁמַיִם וְהָאָרֶץ בְּהִבָּרְאָם. בְּה' בְּרָאָם. וְכַד יֵיתֵי שַׁבָּת וי"ט, נַחַתַּת בִּינָה דְּאִיהוּ יד"ו, עַל ה', דְּאִיהִי מַלְכוּת שָׁמַיִם נְשָׁמָה יְתֵירָה, וְאִיהוּ וְחֵרוּת עַל הַלּוּחוֹת. אָנֹכִי בִּיצִיאַת מִצְרַיִם, וּפְרִישַׁת גַּדְפָּהָא עַל בְּרַתָּא, וְעַל מַשִּׁרְיָין דִּילָהּ, וְאִית לוֹן נַיְיחָא. וְאִתְּמַר בְּמַשִּׁרְיָין דְּסמא"ל וְנָחָשׁ, וְרָאוּ כָּל עַמֵּי הָאָרֶץ כִּי שֵׁם יְיָ' נִקְרָא עָלֶיךָ וְיָרְאוּ מִמֶּךָּ, אוֹת תְּפִלִּין וְאוֹת שַׁבָּת, וְאוֹת דְּיוֹמִין טָבִין, וְאוֹת בְּרִית כֻּלְּהוּ שְׁקִילִין.

נח. וְאִית אוֹת דְּשַׁדַּ"י, דְּאִיהוּ מְטַטְרוֹ"ן עֶבֶד, וְכַמָּה עַבְדִין תַּלְיָין מִנֵּיהּ, דִּמְמַנָּא עַל אִלֵּין דְּעַבְדִין פִּקּוּדֵי עַל מְנָת לְקַבֵּל פְּרָס. מְטַטְרוֹ"ן וּמַשִּׁרְיָין דִּילֵיהּ מְמַנָּן עֲלַיְיהוּ. בְּגִינַיְיהוּ אִתְּמַר, לְמַעַן יָנוּחַ שׁוֹרְךָ וַחֲמֹרְךָ וְעַבְדְּךָ וַאֲמָתֶךָ. אֲבָל אִינּוּן דְּעַבְדִין פִּקּוּדִין שֶׁלֹּא עַל מְנָת לְקַבֵּל פְּרָס, אִינּוּן בְּנוֹי דְּמַלְכָּא וּמַטְרוֹנִיתָא. וְאִינּוּן כִּתְרִין וְתָגִין עַל רֵישָׁא, דְּעַבְדִין בְּיוֹמִין דְּחוֹל. וּבְגִינַיְיהוּ אִתְּמַר וּדְאִשְׁתַּמַּשׁ בְּתָגָא חֲלַף, וְהַזָּר הַקָּרֵב לְגַבַּיְיהוּ יוּמָת. דְּשַׁבָּתוֹת אִתְקְרִיאוּ לְגַבֵּי עַבְדִין.

נט. וּבג"ד, אִם כְּבָנִים אִם כַּעֲבָדִים. אִם כְּבָנִים, דְּאִתְּמַר בְּהוֹן בָּנִים אַתֶּם לַיְיָ' אֱלֹהֵיכֶם. אִם כַּעֲבָדִים, כִּי לִי בְנֵי יִשְׂרָאֵל עֲבָדִים וְלָא שְׁאָר אוּמִין. אֲבָל אִינּוּן חַיָּיבַיָּא דְּלָא מִשְׁתַּדְּלִין בְּאוֹרַיְיתָא וּמִצְוֹת, וְלֵית עֲלַיְיהוּ עוֹל תּוֹרָה וְעוֹל תְּפִלִּין, וּשְׁאָר פִּקּוּדִין, אִינּוּן עַבְדִין לְאוּמִין דְּעָלְמָא, וּמִשְׁתַּעְבְּדִין בְּהוּ. כְּגוֹן עֲבָדִים הָיִינוּ לְפַרְעֹה בְּמִצְרַיִם.

ס. וְאִי נָטְרֵי שַׁבָּתוֹת וְיָמִים טוֹבִים, אִתְּמַר בְּהוּ וַיּוֹצִיאֵנוּ יְיָ' אֱלֹהֵינוּ. וְיִתְקַיֵּים בְּהוּ, לְמַעַן יָנוּחַ שׁוֹרְךָ וַחֲמֹרְךָ, חֲמוֹר בְּתוֹרָה וּבְמִצְוֹת, וְיִנָּפֵשׁ בֶּן אֲמָתְךָ וּבְהֶמְתֶּךָ, עַם הָאָרֶץ בְּהֵמָה אִקְרֵי. וּלְבָתַר דְּיֵיעוֹל גַּרְמֵיהּ תְּחוֹת אָדָם בְּתוֹרָה, יִתְקַיֵּים בֵּיהּ אָדָם וּבְהֵמָה תּוֹשִׁיעַ יְיָ'. אִם הוּא כְּסוּס דְּרָכִיב עָלֵיהּ מָארֵיהּ, וְסָבִיל לֵיהּ, וְלָא מְבַעֵט מָארֵיהּ.

סא. וּמַאי סְבִילוּ דְּעַם הָאָרֶץ לְת"ח. בְּגִין, דְּת"ח כְּיוֹם שַׁבָּת צָרִיךְ אִיהוּ, דְּלֵית לֵיהּ מִדִּילֵיהּ, וְאִי עַם הָאָרֶץ סָבִיל לֵיהּ בְּמָמוֹנֵיהּ, וְאִתְנְהִיג בֵּיהּ כְּפוּם רְעוּתֵיהּ לְשַׁמְּשָׁא לֵיהּ, וּלְאִתְנַהֲגָא בְּפִקּוּדִין כְּפוּם רְעוּתֵיהּ, יִתְקַיֵּים בֵּיהּ אָדָם וּבְהֵמָה תּוֹשִׁיעַ יְיָ'. יוֹשִׁיעַ לֵיהּ מִשּׁוֹד וּגְזֵלָה, יוֹשִׁיעַ לֵיהּ מִמַּלְאַךְ הַמָּוֶת, דְּלָא שַׁלִּיט עָלֵיהּ, וְיִשְׁוֹחֵט לֵיהּ בְּסַכִּין פָּגוּם דִּילֵיהּ. וְכָל מַאן דְּשָׁחִיט בְּסַכִּין פָּגוּם, נְבֵלָה אִיהוּ, דְּאִתְּמַר בֵּיהּ לַכֶּלֶב תַּשְׁלִיכוּן אוֹתוֹ, דְּאִיהוּ סמא"ל.

סב. וְנֶפֶשׁ דְּת"ח אִתְקְרִיאַת שַׁבָּת מַלְכְּתָא, נֶפֶשׁ יְתֵירָה דְּשַׁבָּת. וְעֹנֶג דִּילֵיהּ נִשְׁמַת חַיִּים, וְרוּחַ שִׂכְלִי. וְאִינּוּן נְשָׁמָה יְתֵירָה, רוּחַ יְתֵירָה, עַל נְשָׁמָה וְרוּחָא וְנַפְשָׁא, דְּאִינּוּן עַבְדִין, דְּשַׁלְטִין בְּגוּפָא, דְּיוֹמִין דְּחוֹל. נְשָׁמָה יְתֵירָה, נִשְׁמַת כָּל חַי, כֶּתֶר בְּרֹאשׁ צַדִּיק, דְּאִיהוּ יוֹם שַׁבָּת. וּבְהַאי נְשָׁמָה יְתֵירָה תְּהַלֵּל יָהּ, דְּאִינּוּן אַבָּא וְאִימָּא, דְּעָלָהּ אִתְּמַר, עַיִן לֹא רָאֲתָה אֱלֹהִים זוּלָתְךָ, בְּגִין דְּאִיהוּ מֶרְכָּבָה לְעִלַּת הָעִלּוֹת, דְּאִיהוּ מְכוּסֶּה וְלָא שַׁלִּיט עָלֵיהּ עֵינָא, וּבג"ד עַיִן לֹא רָאֲתָה.

סג. רוּחָא יְתֵירָה, נָהָר דְּנָפִיק מֵעֵדֶן, מִבֵּין אַבָּא וְאִימָּא. וּמַהֲלָכוֹ חֲמֵשׁ מֵאָה שְׁנִין, וּמָטֵי לְשְׁתִיתָאָה דְּאִיהוּ צַדִּיק. לְהַשְׁקוֹת אֶת הַגָּן, דְּאִיהִי נֶפֶשׁ יְתֵירָה, מַלְכוּת.

סד. נְשָׁמָה דְּשַׁלְטָא בְּיוֹמִין דְּחוֹלָא, עַל עֶבֶד יְיָ', אִיהִי מִכִּסֵּא הַכָּבוֹד. כַּמָּה

דְּאוּקְמוּהָ מָארֵי מַתְנִיתִין, כָּל הַנְּשָׁמוֹת גְּזוּרוֹת מִתַּחַת כִּסֵּא הַכָּבוֹד. וְרוּחַ דְּשַׁלְטָא בְּיוֹמֵי דְּחוֹל, עַל עֶבֶד יְיָ', אִיהִי מֵעַבְדָא דְּמַלְכָּא מְטַטְרוֹ"ן, כְּלִיל שִׁית סִדְרֵי מִשְׁנָה, וְאִיהִי שֵׁשׁ מַעֲלוֹת לַכִּסֵּא. וְנֶפֶשׁ דְּשַׁלִּיט בְּחוֹל, אִיהִי מִכִּסֵּא דִּין, סַנְדַּלְפוֹ"ן, תְּכֵלֶת שֶׁבַּצִּיצִית, כְּמַעֲשֵׂה לִבְנַת הַסַּפִּיר. אֲבָל בְּרַתָּא דְּמַלְכָּא. בְּפֶסַח, אִיהִי נֶפֶשׁ הַשִּׂכְלִית, לֵיל שִׁמּוּרִים, מַצָּה שְׁמוּרָה, וְרוּחַ שָׁמוֹר לְקַבְּלֵיהּ אִיהִי י"ט, וְאִיהִי יוֹם שַׁבָּת, זָכוֹר וְשָׁמוֹר. בְּגִין דְּאִיהִי אֲצִילוּת מִמַּלְכוּת.

סה. וְהָכִי ת"ח, בְּנוֹי דְּמַלְכָּא וּמַטְרוֹנִיתָא, אִתְקְרִיאוּ שַׁבָּתוֹת וְיָמִים טוֹבִים, וְלֵית לוֹן מִדִּלְהוֹן, דְּלָאו אִינּוּן בַּעֲלֵי מְלָאכָה, כְּשְׁאָר עֲבָדִין בְּנוֹי דְּחוֹלִין. אַגְרָא דִּלְהוֹן בְּעָלְמָא דֵּין, וּבְעָלְמָא דְּאָתֵי, לְעַנְּגָא לוֹן בְּכָל מִינֵי מַאֲכָל וּמִשְׁתֶּה, וּלְאוֹקְרָא לוֹן בִּלְבוּשִׁין שַׁפִּירִין, כְּגַוְונָא דְּשַׁבָּת, דְּאִתְּמַר בֵּיהּ, כַּבְּדֵהוּ בִּכְסוּת נְקִיָּה. כָּל מַה דְּעָבֵד בַּר נָשׁ לְשַׁבָּתוֹת וְיָמִים טוֹבִים, אִית לְמֶעְבַּד לוֹן.

סו. וּמַאן דִּמְחַלֵּל שַׁבָּת חַיָּיב סְקִילָה. וְהָכִי מַאן דְּאִשְׁתַּמַּשׁ בְּתָגָא, וְחָלַף. וְהָכִי הוּא הַמִּשְׁתַּמֵּשׁ בְּמִי שֶׁשּׁוֹנֶה הֲלָכוֹת, דִּמְחַלֵּל תּוֹרְתֵיהּ. וְכ"ש הַמְבַזֶּה לֵיהּ, כְּאִילּוּ מְבַזֶּה שַׁבָּתוֹת וּמוֹעֲדוֹת. וְאוּקְמוּהָ מָארֵי מַתְנִיתִין, כָּל הַמְבַזֶּה אֶת הַמּוֹעֲדוֹת, כְּאִלּוּ כּוֹפֵר בָּעִיקָר.

סז. וּכְגַוְונָא דְּכָל מָאנֵי בֵּית הַמִּקְדָּשׁ וְאִתְקְרִיאוּ קֹדֶשׁ, הָכִי כָּל אִינּוּן דִּמְשַׁמְּשֵׁי תַּלְמִידֵי חֲכָמִים, אִתְקְרִיאוּ קֹדֶשׁ. וְתַלְמִידֵי דְּרַב דְּאִינּוּן לְקָבֵל אֵבָרִים דְּגוּפָא, אִתְקְרִיאוּ קֹדֶשׁ קֳדָשִׁים. וְרָזָא דְּמִלָּה קָא רָמִיז בְּהוֹן, וְהִבְדִּילָה הַפָּרֹכֶת לָכֶם בֵּין הַקֹּדֶשׁ וּבֵין קֹדֶשׁ הַקֳּדָשִׁים. וּמְטַטְרוֹ"ן, אַתְּ וּמַשִׁרְיָין דִּילָךְ, צְרִיכִין לְקָרְבָא לוֹן קָרְבְּנָא קֳדָם יְיָ' בְּכָל לֵילְיָא.

סח. עֲשִׂיָּה לְקַבֵּל עָלֵיהּ עוֹל מַלְכוּת שָׁמַיִם, דָּא קַבָּלַת יִסּוּרִין דַּעֲנִיּוּת לְת"ח אִיהוּ מָוֶת לְגוּפָא דִּבְעִירָן. דִּמְזוֹנָא דְּאוֹרַיְיתָא, אִיהוּ מְזוֹנָא דְּנִשְׁמָתָא וְרוּחָא וְנַפְשָׁא שִׂכְלִיִּים, דְּאִינּוּן כֹּהֵן לֵוִי וְיִשְׂרָאֵל. כֹּהֵן בֵּיהּ י', וְחָכְמָה וַדַּאי. לֵוִי, בֵּיהּ ה', תְּבוּנָה. יִשְׂרָאֵל, בֵּיהּ דַּעַת, וְדָא ו'. נֶפֶשׁ יְתֵירָה, ה' בַּתְרָאָה, רמ"ח מִצְוֹת עֲשֵׂה ושס"ה לֹא תַעֲשֶׂה. וְתוֹרָה דָּא אָדָם, הֲדָא הוּא דִּכְתִיב, זֹאת הַתּוֹרָה אָדָם. וְדָא כְּלִיל שְׁמָא מְפָרַשׁ, יו"ד הֵ"א וָא"ו הֵ"א. הַאי אִיהוּ אוֹרַיְיתָא מְזוֹנָא לְאָדָם, בְּד' אַנְפִּין דִּילֵיהּ. מְזוֹנָא דִּבְעִירָן, נַהֲמָא וְחַמְרָא וּבִשְׂרָא, וְכָל מִינֵי פֵּירוֹת, זֶה לְעֻמַּת זֶה עָשָׂה הָאֱלֹהִים.

סט. וְצָרִיךְ בַּר נָשׁ, לְקָרְבָא בְּכָל לֵילְיָא, קָרְבַּן נַפְשָׁא וְרוּחָא וְנִשְׁמָתָא דִּבְעִירָן, קֳדָם יְיָ'. וְיִתְוַדֶּה בְּכַמָּה מִינֵי וִדּוּיִין, וְיִסְלַק לוֹן בְּמַחֲשַׁבְתֵּיהּ, קָרְבְּנָא קֳדָם יְיָ'. לְאַפָּקָא לוֹן בְּק"שׁ, לְקָמֵי קֻבְּ"ה, וְיַפִּיק רוּחֵיהּ דְּדָפִיק בְּעַרְקִין דְּלִבָּא. נֶפֶשׁ, יְכַוֵּין בִּשְׂרֵפָתָהּ, וּבִשְׁחִיטָתָהּ, וּבִנְחִירָתָהּ, דַּהֲוּוּ נָחִירִין כַּהֲנַיָּיא, הה"ד וּמָלַק אֶת רֹאשׁוֹ מִמּוּל עָרְפּוֹ וְלֹא יַבְדִּיל. וְהַיְינוּ וְחֶנֶק. וּתְלָתָא מִיתוֹת אִלֵּין, הֲווּ כְּמָרָה סוּמָקָא, יְרוֹקָא, אוּכָמָא. דְּאִינּוּן בַּכָּבֵד בַּמָּרָה בַּטְּחוֹל, וְאִינּוּן כִּתְלַת קְלִיפִּין דֶּאֱגוֹזָא.

ע. וְקוֹדֶם דָּא, יְתַקֵּן מִזְבַּח אֲבָנִים, וִיכַוֵּין לְמֶעְבְּדָהּ סְקִילָה, מִמָּרָה חִוָּורָא, דְּשַׁלְטַת בְּכַנְפֵי רֵיאָה, בְּאִינּוּן סִרְכוֹת דְּאִלֵּין בְּעִירָן תְּפוּסִין תַּמָּן. וּנְחִיתַת אֶשָּׁא תְּכֵלָא, וְיֵשֵׁיצֵי לוֹן, וִיהוֹן חֵיוָון וּבְעִירָן וְעוֹפִין דַּכְיָין, לְקָרְבָא לַיְיָ', וּלְשַׁרְיָיא שְׁמֵיהּ עֲלַיְיהוּ. בְּהַהוּא זִמְנָא יִתְקַיֵּים בְּהוּ, וְאַתֶּם הַדְּבֵקִים בַּיְיָ' אֱלֹהֵיכֶם חַיִּים. וִיהוֹן כְּסוּסְיָא דְּרָכִיב מָארֵיהּ עֲלַיְיהוּ, הה"ד כִּי תִרְכַּב עַל סוּסֶיךָ מַרְכְּבוֹתֶיךָ יְשׁוּעָה, וּבְהַהוּא זִמְנָא אָדָם וּבְהֵמָה תוֹשִׁיעַ יְיָ'.

עא. ות"ח אִיהוּ שָׁקִיל לְכָל מָארֵי תוֹרָה, וְהָכִי צָרִיךְ לְמֶהֱוֵי שָׁקִיל גַּרְמֵיהּ מִסִּטְרָא

דְּאוֹרַיְיתָא, וּמִסִּטְרָא דְּאֵבָרִים דְּגוּפָא, צָרִיךְ לְמִשְׁקַל גַּרְמֵיהּ לְכָל עַמֵּי הָאָרֶץ. כְּמָה דְּאוּקְמוּהָ מָארֵי מַתְנִיתִין, לְעוֹלָם יִרְאֶה אָדָם עַצְמוֹ, כְּאִלּוּ כָּל הָעוֹלָם כֻּלּוֹ תָּלוּי בּוֹ. וִיכַוֵּין בְּנַפְשֵׁיהּ וּבְרוּחֵיהּ וּבְנִשְׁמָתֵיהּ, לְמֶעְבַּד לוֹן קָרְבְּנִין, עִם כָּל בְּנֵי עָלְמָא. וְקוּדְשָׁא בְּרִיךְ הוּא מְצָרֵף מַחֲשָׁבָה טוֹבָה לְמַעֲשֶׂה. וּבְדָא אָדָם וּבְהֵמָה תוֹשִׁיעַ יְיָ'. קָמוּ כֻּלְּהוּ תַּנָּאִין וְאָמוֹרָאִין לְגַבֵּיהּ, וְאָמְרוּ כֻּלְּהוּ בְּקָלָא חֲדָא, אַנְתְּ הוּא רַעְיָא מְהֵימָנָא, דְּאִית לָךְ רְשׁוּ לְמֶעְבַּד כָּל דָּא, דְּאַנְתְּ שָׁקִיל לְכָל יִשְׂרָאֵל, וּבְגִין דָּא שַׁלִּיט לָךְ קוּדְשָׁא בְּרִיךְ הוּא בֵּינַיְיהוּ. (ע"כ רעיא מהימנא).

תוספתא

עב. זֹאת תּוֹרַת הָעוֹלָה. א"ר חִיָּיא, הַאי קְרָא אוֹקִימְנָא לֵיהּ בְּהַאי גַּוְונָא, זֹאת תּוֹרַת: דָּא כְּנֶסֶת יִשְׂרָאֵל. הָעוֹלָה דָּא מַחֲשָׁבָה רָעָה, דְּאִיהִי סַלְקָא עַל רְעוּתָא דְּבַר נָשׁ, לְאַסְטָאָה לֵיהּ מֵאָרְחָא דִּקְשׁוֹט. הִיא הָעוֹלָה: הִיא הִיא דְּסַלְקָא וְאַסְטְיָיא לֵיהּ לְבַר נָשׁ, בָּעֵי לְאוֹקְדָא לֵיהּ בְּנוּרָא. בְּגִין דְּלָא יִתְיְיהִיב לֵיהּ דּוּכְתָּא לְאַסְטָאָה, וּבְגִין כָּךְ עַל הַמִּזְבֵּחַ כָּל הַלַּיְלָה. מַאן לַיְלָה. דָּא כְּנֶסֶת יִשְׂרָאֵל, דְּאִיהִי זֹאת לְאִתְדַּכְּאָה בַּר נָשׁ מֵהַהוּא רְעוּתָא.

עג. עַל מוֹקְדָה, בְּגִין דִּנְהַר דִּי נוּר אִיהוּ אֲתַר לְאוֹקְדָא, לְכָל אִינּוּן דְּלָא קַיְּימֵי בְּקִיּוּמַיְיהוּ, דְּהָא עָאלִין לוֹן בְּהַהוּא נוּרָא דְּדָלִיק וּמַעַבְרֵי שׁוּלְטָנֵיהוֹן מֵעָלְמָא. וּבְגִין דְּלָא תִשְׁלוֹט אִצְטְרִיךְ עַל מוֹקְדָה כָּל הַלַּיְלָה, וְאִתְכַּפְיָיא וְלָא שַׁלְטָא. (ע"כ תוספתא).

עד. כְּתִיב וְהִנֵּה יְיָ' עֹבֵר וְרוּחַ גְּדוֹלָה וְחָזָק וְגוֹ'. רוּחַ גְּדוֹלָה דְּאָמָרָן, וּכְתִיב לֹא בָרוּחַ יְיָ'. וְאַחַר הָרוּחַ רַעַשׁ דִּכְתִיב וַתִּשָּׂאֵנִי רוּחַ וָאֶשְׁמַע אַחֲרַי קוֹל רַעַשׁ גָּדוֹל. הֲרֵי רַעַשׁ אֲבַתְרֵיהּ דְּרוּחַ. וְאַחַר הָרַעַשׁ אֵשׁ, דָּא הוּא דִּכְתִיב נְהַר דִּי נוּר נָגִיד וְנָפֵק מִן קֳדָמוֹהִי וְגוֹ'.

עה. רַבִּי יִצְחָק אָמַר הַיְינוּ דִּכְתִיב וּדְמוּת הַחַיּוֹת מַרְאֵיהֶן כְּגַחֲלֵי אֵשׁ בּוֹעֲרוֹת כְּמַרְאֵה הַלַּפִּידִים הִיא מִתְהַלֶּכֶת בֵּין הַחַיּוֹת וְנֹגַהּ לָאֵשׁ וּמִן הָאֵשׁ יוֹצֵא בָרָק וְאַחַר הָאֵשׁ קוֹל דְּמָמָה דַּקָּה. קוֹל דָּא, קוֹל בַּתְרָאָה, דְּהִיא דְּמָמָה, דְּלֵית לָהּ מִלָּה פַּרְטָא, אֶלָּא הִיא דְּמָמָה מִגַּרְמָהּ. וְכַד מִתְכַּנְּשֵׁי עָלָהּ, הִיא אִשְׁתְּמַע בְּכֻלְּהוּ עָלְמִין, וְכֻלְּהוּ מִזְדַּעְזְעֵי מִנָּהּ. דְּמָמָה דַּקָּה, אַמַּאי הִיא דַּקָּה. בְּגִין דְּאִיהִי זְעֵירָא מִכֹּלָּא.

עו. ר' חִיָּיא אָמַר, אֵשׁ תָּמִיד תּוּקַד עַל הַמִּזְבֵּחַ לֹא תִכְבֶּה, דָּא אֶשּׁוֹ דְּיִצְחָק. דִּכְתִיב, הִנֵּה הָאֵשׁ וְהָעֵצִים, וְהַיְינוּ אֵשׁ תָּמִיד, דְּקַיְּימָא תָּדִיר. וְהָעֵצִים, אִלֵּין עֵצִים דְּאַבְרָהָם, דִּכְתִיב וּבִעֵר עָלֶיהָ הַכֹּהֵן עֵצִים בַּבֹּקֶר בַּבֹּקֶר.

עז. תָּנָן, מֵאֶשָּׂא דְּיִצְחָק נָגִיד וּמָטֵי לְהַאי מִזְבֵּחַ, וְנָפִיק גּוּמְרָא חַד לְסִטַר מִזְרָח, וְגוּמְרָא חַד לְסִטַר מַעֲרָב, וְגוּמְרָא חַד לְסִטַר צָפוֹן, וְגוּמְרָא חַד לְסִטַר דָּרוֹם, לְד' זָוְויָין דְּמַדְבְּחָא, וְכַהֲנָא אַסְחַר לָהּ לְד' זָוְויָין.

עח. בְּמַדְבְּחָא אִית כֶּבֶשׁ חַד, בְּדַרְגִּין יְדִיעָן. וְדַרְגָּא תַּתָּאָה, מָטֵי וְנָחִית לִתְהוֹמָא עִלָּאָה, מִגּוֹ שִׁית חַד. וּבְשַׁעֲתָא דְּאִינּוּן גּוּמְרִין מָטוּ לְד' זָוְויָין, חַד זִיקָא אִתְּעַר וְנָחִית לְהַהוּא תְּהוֹמָא עִלָּאָה.

עט. וּבְהַהוּא אֲתַר, אִית חַיָּילִין חַיָּילִין דְּאָמְרֵי קָדוֹשׁ, בְּקָל רַב עִלָּאָה. וּמִסִּטְרָא אָחֳרָא אָמְרֵי קָדוֹשׁ, בְּקָל נְעִימוּתָא עִלָּאָה. וּמִסִּטְרָא אָחֳרָא, חַיָּילִין אָחֳרָנִין דְּאָמְרֵי קָדוֹשׁ. וְכֵן לְד' זָוְויָין. שִׁית מְאָה אֶלֶף רִבְוָון חַיָּילִין בְּכָל זָוִויָּא אִשְׁתְּכַח, וְעָלַיְיהוּ חַד מְמַנָּא, וְכֻלְּהוּ מִתְלַבְּשֵׁי אֵפוֹדָא, וְקַיְּימֵי לְסִדְרָא פּוּלְחָנָא דְּמַדְבְּחָא לָקֳבֵל תַּתָּאֵי.

פ. בַּאֲתַר אָחֳרָא מִשְׁתַּכְּחֵי גַּלְגַּלֵּי יַמָּא דְּנַהֲמִין, וְנַחְתִּין בְּדַרְגִּין יְדִיעָן, וְתַמָּן חַיָּילִין

אמרין בקל נעימותא, ברוך כבוד יי' ממקומו. וכלהו משבחי בשירתא, ולא משתככי בימָמא ובליליא, וכלהו מסדרי שבחא בקל נעימותא.

פא. באתר אחרא, משתכחי חיילין וחיילין, קיימין בדחילו בזיע ברתת, כד"א וגבה להם ויראה להם. וכלהו מסתכלי לגבי ההוא מדבחא דלעילא.

פב. ובשעתא דמטי אשא דיצחק על גבי מדבחא, כמה זיקין סלקין ונחתין לכל עיבר, ומתלהטין מנייהו, כמה תקיפין מארי דחילא, גיברין דעלמא. ואלמלא דכהנא קאים על מדבחא, ומסדר אעין, לא יכיל עלמא למיקם קמייהו. מאלין גומרין וזיקין דנפקין, מתלהטן גביהון דאינון חיוון, כד"א ודמות החיות מראיהם כגחלי אש בוערות כמראה הלפידים.

פג. מסטרא דימינא דאינון חיוון, אתער רוחא וחדא מלעילא, נשיב ויתיב בההוא אשא, ומתלהטא ומתבסמא, ולהיט, ושכיך בזיווא יקירא, ונהיר לכמה חיילין דקיימין בסטרא דימינא. מסטרא דשמאלא, אתער רוחא אחרא תקיפא, מתבר טנרין, ונשיב בההוא אשא, ואתתקף ואתגבר. כדין אתלבש מניה ההוא רוחא דמסטרא דשמאלא, ונהיר לכמה חיילין דקיימין לההוא סטר. וכן לארבע סטרין, לד' משריין. וכלהו מתבסמן בשעתא דכהנא סליק על מדבחא.

פד. אמר ר' אבא תרין מדבחאן אינון לתתא, ותרין לעילא. חד פנימאה דכלא, דמתקרב ביה קטרת פנימאה, ודקה. קשורא דמהימנותא, וכהנא עלאה מכלא, אקטר קטורתא דא, בקשורא דמהימנותא, ודא אתקרי מזבח הזהב, ומהכא אתקטר ואתקשר קשרא דמהימנותא, בחד קשרא. וחד מדבחא אחרא, ואקרי מזבח הנחשת, ודא הוא לבר, ומיכאל השר הגדול, מקריב עליה קרבנא ניחא דקב"ה. ולתתא, מזבח הזהב, ומזבח הנחשת, בדא קטרת. ובדא חלבין ואמורין.

פה. ועל דא כתיב, שמן וקטרת ישמח לב. ולא כתיב שמן וחלבין ואמורין ישמח, אע"ג דאתבסמותא דרוגזא ודינא אינון. אבל שמן וקטרת, חדוותא דכלא איהו, ולא מסטרא דרוגזא ודינא. ודא מדבחא דאיהו פנימאה דקטרת דקה, בדקותא דכלא, בקשורא דמהימנותא, אקרי קול דממה דקה, ובגין דאיהו מדבחא פנימאה, דאתקשר בקשורא דמהימנותא.

פו. מדבחא אחרא, אקרי מזבח החיצון. ופנימאה אקרי מזבח יי'. אחרא, אקרי מזבח הנחשת, כד"א מזבח הנחשת אשר לפני יי' קטן מהכיל וגו'. רבי יוסי אמר מהכא, וכליל על מזבחך, תרי. וכתיב על מזבחותי לרצון.

פז. רבי אחא אמר, כתיב ויבן משה מזבח וגו', לקבל ההוא פנימאה בנה האי, ועל דא אתקרי יי' נסי. מהו נסי. דרשים רשימא דאת קיימא קדישא. דבשעתא דעמלק אתא לאעברא האי רשימא קדישא מנייהו דישראל, האי מזבח קיימא לקבליה לנקמא ההוא נוקמא דאת קיימא, ועל דא אתקרי חרב נוקמת נקם ברית. ודא אתקנת להו לישראל רשימא קדישא. ומשה בנה לקבל האי מזבח, וקרי ליה יי' נסי. ודא הוא מזבח פנימי, קול דממה דקה.

פח. ועל דא אש תמיד תוקד על המזבח וגו', אש דאשתכח תדירא. ומאי איהו. אשא דיצחק. וכדין, שמא דא, אדנ"י. וכד יסדר עלה כהנא אינון אעין, אתבסמא בשמא, וקרינן לה בשמא דרחמי, יי', וקרינן לה בשמא דא. ולזמנין קיימא כגוונא

דָּא, וּלְזִמְנִין קַיְּימָא כְּגַוְונָא דָּא. ר' שִׁמְעוֹן אָמַר, תְּרֵי הֲווֹ, וּפְנִימָאָה קַיְּימָא עַל הַהוּא דִּלְבַר, וּמִנֵּה אִתְזָן, וְאִתְקַשְּׁרָא דָּא בְּדָא.

פט. זֶה קָרְבַּן אַהֲרֹן. ר' חִזְקִיָּה פָּתַח, צַדִּיק יְיָ' בְּכָל דְּרָכָיו וְחָסִיד בְּכָל מַעֲשָׂיו. צַדִּיק יְיָ' בְּכָל דְּרָכָיו, הָא תָּנִינָן, כַּמָּה אִית לוֹן לִבְנֵי נָשָׁא לְאִסְתַּכְּלָא בִּיקָרָא דְּמָארֵיהוֹן, וְלָא יִסְטוּ מֵאָרְחוֹי לְבַר. דְּהָא בְּכָל יוֹמָא וְיוֹמָא דִּינָא תָּלֵי בְּעָלְמָא, בְּגִין דְּעָלְמָא עַל דִּינָא אִתְבְּרֵי וְקַיְּימָא.

צ. וְעַל דָּא, בָּעֵי ב"נ לְאִסְתַּמְּרָא מֵחוֹבוֹי, דְּלָא יָדַע זִמְנָא דְּדִינָא שַׁרְיָא עֲלוֹי. יָתִיב בְּבֵיתֵיהּ, דִּינָא שַׁרְיָא עֲלוֹי. נָפַק מִבֵּיתֵיהּ לְבַר, דִּינָא שַׁרְיָא עֲלוֹי. וְלָא יָדַע אִי יְתוּב לְבֵיתֵיהּ אִי לָאו. נָפִיק לְאָרְחָא, עַל אַחַת כַּמָּה וְכַמָּה, דְּהָא כְּדֵין דִּינָא נָפְקָא קַמֵּיהּ, הה"ד צֶדֶק לְפָנָיו יְהַלֵּךְ. בְּגִ"כ, בָּעֵי לְאַקְדְּמָא וּלְמִבְעֵי רַחֲמֵי קָמֵי מַלְכָּא, בְּגִין דְּיִשְׁתְּזִיב מִן דִּינָא, בְּשַׁעֲתָא דְּשַׁרְיָא בְּעָלְמָא. דְּהָא כָּל יוֹמָא וְיוֹמָא שַׁרְיָא דִּינָא בְּעָלְמָא, הה"ד וְאֵל זוֹעֵם בְּכָל יוֹם.

צא. הַשְׁתָּא אִית לְמֵימַר, הָא תָּנִינָן, וְאִתְּעָרוּ חַבְרַיָּא, אֵל בְּכָל אֲתַר וְחֶסֶד הוּא, כד"א הָאֵל הַגָּדוֹל, וְדָא נְהִירוּ דְּחָכְמָה עִלָּאָה, וְאַתְּ אַמְרַת וְאֵל זוֹעֵם בְּכָל יוֹם, שָׁבִיק קְרָא כָּל אִלֵּין שְׁמָהָן, וְאָחִיד בְּהַאי, אִי הָכִי לָא קַיְּימִין מִלֵּי. וְעוֹד, דִּכְתִיב אֵל גִּבּוֹר, אוֹ נוֹקִים לֵיהּ דִּינָא, אוֹ נוֹקִים לֵיהּ רַחֲמֵי.

צב. אֶלָּא הָכִי שְׁמַעְנָא, חַיָּיבַיָּא מְהַפְּכֵי רַחֲמֵי לְדִינָא. דְּלֵית לָךְ בְּכָל אִינּוּן כִּתְרִין עִלָּאִין דְּמַלְכָּא קַדִּישָׁא, דְּלָא כְּלִילָן רַחֲמֵי בְּדִינָא, וְדִינָא בְּרַחֲמֵי. וְחַיָּיבַיָּא, מְהַפְּכֵי רַחֲמֵי לְדִינָא.

צג. א"ל ר' יְהוּדָה, שַׁפִּיר בְּהַהוּא דִּכְתִיב אֵל גִּבּוֹר, אֶלָּא אֵל זוֹעֵם בְּכָל יוֹם מַהוּ, דְּהָא בְּכָל יוֹמָא וְיוֹמָא קַיְּימָא בְּדִינָא, בֵּין דִּבְנֵי עָלְמָא זַכָּאִין, בֵּין דְּלָא זַכָּאִין. לָא הֲוָה בִּידֵיהּ, אָתוּ שָׁאִילוּ לֵיהּ לְר"ש. אָמַר לוֹן, וַדַּאי אֵל זוֹעֵם בְּכָל יוֹם, וְהָא אוּקְמוּהָ חַבְרַיָּיא, לְזִמְנִין הוּא דִּינָא, לְזִמְנִין הוּא רַחֲמֵי. אִי זַכָּאִין בְּנֵי עָלְמָא, הָא אֵל קַיְּימָא, וְהוּא חֶסֶד. וְאִי לָא זַכָּאן, הָא אֵל קַיְּימָא, וְאִקְרֵי גִּבּוֹר, וְעַל דָּא קַיְּימָא בְּכָל יוֹמָא.

צד. אֲבָל מִלָּה שַׁפִּיר הוּא, אֵל בְּכָל אֲתַר, נְהִירוּ דְּחָכְמְתָא עִלָּאָה הוּא, וְקַיְּימָא בְּקִיּוּמֵיהּ בְּכָל יוֹמָא, דִּכְתִיב חֶסֶד אֵל כָּל הַיּוֹם. וְאִלְמָלֵא דְּהַאי אֵל אִתְּעַר בְּעָלְמָא, לָא יָכִיל עָלְמָא לְמֵיקָם אֲפִילּוּ שַׁעֲתָא חֲדָא, מִקַּמֵּי דִּינִין תַּקִּיפִין דְּמִתְעָרִין בְּעָלְמָא בְּכָל יוֹמָא, הה"ד אֵלֶּה תוֹלְדוֹת הַשָּׁמַיִם וְהָאָרֶץ בְּהִבָּרְאָם, אַל תִּקְרֵי בְּהִבָּרְאָם, אֶלָּא בְּאַבְרָהָם, בְּאִתְעָרוּתָא דְּאַבְרָהָם קַיְּימֵי, וְכַד אִתְּעַר אַבְרָהָם בְּעָלְמָא, כָּל אִינּוּן דִּינִין דְּמִשְׁתַּכְּחֵי בְּכָל יוֹמָא וְיוֹמָא דָּחֵי לְהוּ לְבַר, וְלָא קַיְּימִין קַמֵּיהּ.

צה. הה"ד, וְאֵל זוֹעֵם בְּכָל יוֹם, נֹעֵם, אוֹ זוֹעֵם בְּכָל יוֹם, לָא כְּתִיב, אֶלָּא זוֹעֵם. בְּכָל יוֹמָא וְיוֹמָא דְּדִינָא אִשְׁתְּכַח, דָּחֵי לוֹן לְבַר, וְקַיְּימָא הוּא וּמְבַסֵּם עָלְמָא, הה"ד יוֹמָם יְצַוֶּה יְיָ' חַסְדּוֹ. וְאִלְמָלֵא הַאי, לָא יָכִיל עָלְמָא לְמֵיקָם אֲפִילּוּ רִגְעָא חֲדָא. וְעַל דָּא כֹּלָּא קַיְּימוּ בְּגִינֵיהּ דְּאַבְרָהָם.

צו. וְהַאי דִּכְתִיב אֵל גִּבּוֹר, לָאו דְּאִיהוּ גִּבּוֹר, אֶלָּא הַאי קְרָא רֶמֶז הוּא דְּקָא רָמִיז לַאֲבָהָן, וּרְמִיזָא הוּא דְּקָא רָמִיז לִמְהֵימְנוּתָא עִלָּאָה קַדִּישָׁא, דִּכְתִיב פֶּלֶא יוֹעֵץ אֵל גִּבּוֹר אֲבִי עַד שַׂר שָׁלוֹם. פֶּלֶא, דָּא חָכְמְתָא עִלָּאָה, דְּהִיא פְּלִיאָה וְאִתְכַּסְיָא מִכֹּלָּא, כד"א כִּי יִפָּלֵא מִמְּךָ דָּבָר. יוֹעֵץ, דָּא הוּא נָהָר עִלָּאָה דְּנָגִיד וְנָפִיק, וְלָא פָּסְקָא, וְדָא

יוֹעֵץ לְכֹלָּא, וְאַשְׁקֵי לְכֹלָּא. אֵל דָּא אַבְרָהָם, כְּמָה דְּאוֹקִימְנָא הָאֵל הַגָּדוֹל. גִּבּוֹר, דָּא יִצְחָק, דְּלָא כְּתִיב הַגִּבּוֹר. אֲבִי עַד, דָּא יַעֲקֹב, דְּאָחִיד לְהַאי סִטְרָא וּלְהַאי סִטְרָא, וְקַיְּימָא בְּקִיּוּמָא שְׁלִים. שַׂר שָׁלוֹם, דָּא צַדִּיק, דְּאִיהוּ שְׁלָמָא דְּעָלְמָא, שְׁלָמָא דְּבֵיתָא, שְׁלָמָא דְּמַטְרוֹנִיתָא.

צז. אָתוּ ר' חִזְקִיָּה וְר' יְהוּדָה, וְנַשְׁקוּ יְדוֹי. בָּכוּ, וְאָמְרוּ זַכָּאָה חוּלָקָנָא, דְּשָׁאִילְנָא הַאי. זַכָּאָה הוּא דָּרָא, דְּאַתְּ שָׁארֵי בְּגַוַּויְיהוּ.

צח. א"ר שִׁמְעוֹן, כְּתִיב. זֶה קָרְבַּן אַהֲרֹן וּבָנָיו אֲשֶׁר יַקְרִיבוּ לַיְיָ'. ת"ח, וַחֲיֵּיבֵי עָלְמָא, גַּרְמִין לֵיהּ לְקֻבְּ"ה, לְאִסְתַּלְּקָא מִכ"י. הה"ד, אִישׁ תַּהְפּוּכוֹת יְשַׁלַּח מָדוֹן וְנִרְגָּן מַפְרִיד אַלּוּף. מַאן הוּא אַלּוּף. דָּא קֻבְּ"ה, כד"א, אַלּוּף נְעוּרַי אָתָּה. וְאִינּוּן מַפְרִישִׁין לְזֹאת מִזֶּה, דְּאִיהוּ שְׁלָמָא דְּבֵיתָא, וְאִינּוּן זִוּוּגָא חֲדָא.

צט. אָתָא אַהֲרֹן קַדִּישָׁא וּבְנוֹי, וְעַל יְדַיְיהוּ מִתְקָרְבִין תַּרְוַויְיהוּ, וְאִזְדַּוַּוג זֶה בְּזֹאת. הה"ד, בְּזֹאת יָבֹא אַהֲרֹן אֶל הַקֹּדֶשׁ. זֶה קָרְבַּן אַהֲרֹן וּבָנָיו. וְאִינּוּן מְזַוְּוגֵי לְמַלְכָּא קַדִּישָׁא עִלָּאָה בְּמַטְרוֹנִיתָא, וְעַל יְדַיְיהוּ מִתְבָּרְכָאן עִלָּאִין וְתַתָּאִין, וּמִשְׁתַּכְחִין בִּרְכָאן בְּכֻלְּהוּ עָלְמִין, וְאִשְׁתַּכַּח כֹּלָּא חַד בְּלָא פֵּרוּדָא.

ק. וְאִי תֵּימָא, אַמַּאי לָא כְּתִיב זֹאת קָרְבָּן, לְקָרְבָא זֹאת לְאַתְרֵיהּ. לָאו הָכֵי, דְּהָא כַּהֲנָא מֵעֵילָּא קָא שָׁרֵי לְאַיְיתָאָה זִוּוּגָא לָהּ לִכְנֶסֶת יִשְׂרָאֵל, עַד דְּמָטֵי לְהַאי זֶה, לְאִזְדַּוְּוגָא בְּזֹאת וּלְקָרְבָא לוֹן כַּחֲדָא. וּבג"כ כַּהֲנָא אַשְׁלִים קָרְבְּנָא וְקָרִיב זִוּוּגָא, זַכָּאָה חוּלָקֵיהוֹן בְּעָלְמָא דֵּין וּבְעָלְמָא דְּאָתֵי.

קא. ר' חִיָּיא וְר' יוֹסֵי הֲווּ אָזְלֵי מֵאוּשָׁא לִטְבֶרְיָה, אָמַר רִבִּי חִיָּיא, כְּתִיב כִּי בָחַר יְיָ' בְּצִיּוֹן וְגוֹ'. זֹאת מְנוּחָתִי וְגוֹ', לִזְמְנִין קָרָאן לְהַאי וַחֲבֵרַיָּיא כֻּלְּהוּ דְּכוּרָא, בְּגִין דְּצִיּוֹן אִיהוּ רַחֲמֵי. וְהָכָא קָרָא נוּקְבָא קָרָא לֵיהּ.

קב. אָמַר ר' יוֹסֵי, הָכֵי שְׁמִיעַ לִי מִבּוּצִינָא קַדִּישָׁא, בְּשַׁעֲתָא דְּזִוּוּגָא אִזְדַּוַּוג כַּחֲדָא, לְאַחֲזָאָה דְּהָא נוּקְבָא אִתְכְּלִילַת בֵּיהּ בִּכְלָלָא חֲדָא, אִתְקְרֵי נוּקְבָא בִּשְׁמָא דִּדְכוּרָא, דְּהָא כְּדֵין בִּרְכָאן דְּמַטְרוֹנִיתָא אִשְׁתְּכָחוּ, וְלָא הֲוֵי בָּהּ פְּרִישׁוּתָא כְּלַל. וְעַל דָּא לְמוֹשָׁב לוֹ כְּתִיב. וּכְתִיב כִּי בָחַר יְיָ' בְּצִיּוֹן, בְּצִיּוֹן דַּיְיקָא, בְּהַהוּא דְּאִית בְּגַוֵּיהּ דְּשַׁרְיָא בֵּיהּ, וְלָא כְּתִיב לְצִיּוֹן. וְכֹלָּא חַד, בֵּין דְּקָרָא לְהַאי בִּשְׁמָא דִּדְכוּרָא, וּבֵין דְּקָרָא לְהַאי בִּשְׁמָא דְּנוּקְבָא כֹּלָּא חַד וּבְדַרְגָּא חַד קַיְימִין.

קג. וְעַל דָּא כְּתִיב, וּלְצִיּוֹן יֵאָמַר אִישׁ וְאִישׁ יוּלַּד בָּהּ חַד לְדִינָא, וְחַד לְרַחֲמֵי. כַּד מִזְדַּוְּוגֵי כַּחֲדָא בְּזִוּוּגָא חַד, כְּדֵין צִיּוֹן אִקְרֵי, וְצִיּוֹן וִירוּשָׁלַ͏ִם אִשְׁתְּמוֹדַע, וְאִשְׁתְּכַח דְּדָא בְּדָא תַּלְיָיא.

קד. פָּתַח ר' יוֹסֵי וְאָמַר, כְּתִיב וְהִתְקַדִּשְׁתֶּם וִהְיִיתֶם קְדוֹשִׁים. מַאן דִּמְקַדֵּשׁ גַּרְמֵיהּ מִלְּרַע, מְקַדְּשִׁין לֵיהּ מִלְעֵילָּא. מַאן דִּמְסָאִיב גַּרְמֵיהּ מִלְּרַע, מְסָאֲבִין לֵיהּ מִלְעֵילָּא. מְקַדְּשִׁין לֵיהּ מִלְעֵילָּא יָאוּת, דְּהָא קְדוּשָּׁה דְּמָארֵיהּ שַׁרְיָא עֲלֵיהּ, אֲבָל מְסָאֲבִין לֵיהּ מֵאָן אֲתַר. וְאִי תֵּימָא מִלְעֵילָּא, וְכִי מְסָאֲבוּתָא שַׁרְיָא לְעֵילָּא.

קה. א"ר חִיָּיא, הַיְינוּ דְּתָנֵינָן, בְּעוֹבָדָא דִּלְתַתָּא אִתְּעַר עוֹבָדָא לְעֵילָּא. אִי עוֹבָדָא דִּלְתַתָּא הִיא בִּקְדוּשָּׁה, אִתְּעַר קְדוּשָּׁה לְעֵילָּא, וְאָתֵי וְשַׁרְיָא עֲלֵיהּ, וְאִתְקַדַּשׁ בֵּיהּ. וְאִי אִיהוּ אִסְתָּאַב לְתַתָּא, אִתְּעַר רוּחַ מְסָאֲבוּתָא לְעֵילָּא, וְאָתֵי וְשַׁרְיָא עֲלֵיהּ, וְאִסְתָּאַב בֵּיהּ. דְּהָא בְּעוֹבָדָא תַּלְיָא מִלְּתָא.

קו. דְּהָא לֵית לָךְ טַב וּבִישׁ, קְדוּשָּׁא וּמְסָאֲבוּתָא, דְּלֵית לֵיהּ עִקָּרָא וְשָׁרְשָׁא לְעֵילָּא.

וּבְעוֹבָדָא דִלְתַתָּא אִתְּעַר עוֹבָדָא דִלְעֵילָּא, מַה דְּתָלֵי בְּעוֹבָדָא, בְּעוֹבָדָא אִתְּעַר לְעֵילָּא, וְאִתְעָבֵיד עוֹבָדָא. וּמַה דְּתָלֵי בְּמִלִּין, בְּמִלִּין. כַּד אִתְגְּזַר בְּמִלָּה, אִתְּעַר הָכִי לְעֵילָּא.

קז. וְאִי תֵּימָא, מִלָּה מַה אִתְּעַר. אֶלָּא הָכִי כְּתִיב, וְדַבֵּר דָּבָר. הַהוּא דָּבָר, אִתְּעַר מִלָּה אָחֳרָא לְעֵילָּא, דְּאִקְרֵי דָּבָר. דְּבַר יְיָ' אֲשֶׁר הָיָה. וּדְבַר יְיָ' הָיָה יָקָר. בִּדְבַר יְיָ' שָׁמַיִם נַעֲשׂוּ. דְּהָא תָּנִינָן, הַהִיא מִלָּה סַלְקָא, וּבָקַע רְקִיעִין עַד, דְּסַלְקָא בְּדוּכְתֵּיהּ, וְאִתְּעַר מַה דְּאִתְּעַר, אִי טַב, טַב. אִי בִּישׁ, בִּישׁ. וְעַל דָּא כְּתִיב, וְנִשְׁמַרְתָּ מִכֹּל דָּבָר רָע.

קח. ד' מִינִין בַּלּוּלָב, וְאִינּוּן שִׁבְעָה. וְאִי תֵּימָא דְּד' מִינִין אִינּוּן. לָאו הָכֵי, אֶלָּא אַרְבְּעָה נִינְהוּ וְאִינּוּן מִתְפָּרְשִׁין לִתְלָתָא אוּזְרָנִין. וּבְעוֹבָדָא דִלְהוֹן אִתְּעָרוּ שִׁבְעָה אֻזְרָנִין לְעֵילָּא, לְאוֹטָבָא עָלְמָא בְּכַמָּה סִטְרִין.

קט. כ"י, אע"ג דְּאִיהִי בִּכְלָלָא, מִתְבָּרְכָא מִכֻּלְּהוּ שִׁית, וּמִנַּחֲלָא דַּעֲמִיקָא דְּמַבּוּעָא, דְּנָגִיד וְלָא פָּסִיק לְעָלְמִין מֵימוֹי מִלְּנַגְדָא עֲלַיְיהוּ, וְיַנְקָא לְבַת. דְּהָא בְּגִין דְּאִיהִי בַּת לָהּ לְעָלְמָא עִלָּאָה וְתַתָּאָה, אִתְבָּרְכָא מִנַּיְיהוּ בְּאִתְעָרוּתָא דָּא. דְּהָא בְּשַׁעֲתָא דִּכְנֶסֶת יִשְׂרָאֵל אִתְבָּרְכָא מִנַּיְיהוּ, כֻּלְּהוּ עָלְמִין אִתְבָּרְכָן. עַ"ד סוֹבְבִים אֶת הַמִּזְבֵּחַ כְּמָה דְּאִתְּמַר.

קי. וְעוֹד בְּאִתְעָרוּתָא דָּא, שִׁיתָא כֻּלְּהוּ מִתְבָּרְכָא בְּמַיָּא, לְאַסְתַּפְּקָא בֵּיהּ, וְאִשְׁתְּאֲבִין כֻּלְּהוּ מִמַּבּוּעָא דְּנַחֲלָא עֲמִיקָא דְּכֹלָּא, לְנַחְתָּא לְעָלְמָא. וּבְגִ"כ, בַּעְיָין כֻּלְּהוּ לַחִין וְלָא יְבֵשִׁין, לְאַמְשָׁכָא בִּרְכָאן לְעָלְמָא, בְּגִין דְּאִילָנֵי אִלֵּין, כֻּלְּהוּ לַחִין תְּדִירָא, וְטַרְפִּין דִּלְהוֹן מִשְׁתַּכְּחִין תְּדִירָא, וּזְמַן וְחֶדְוָותָא דִלְהוֹן בְּהַאי זִמְנָא.

קיא. וְתָנֵינָן בְּסִפְרָא דְּרַב הַמְנוּנָא סָבָא, דְּהָא הַהוּא חֵילָא דְּאִתְפַּקְדָא עַל אִילָנִין אִלֵּין, כָּל חַד וְחַד מֵאִלֵּין, לָא נָטִיל בִּרְכָאן דְּחֶדְוָותָא לְעֵילָּא, אֶלָּא בְּזִמְנָא דָּא. וְחֶדְוָותָא דִלְהוֹן כֻּלְּהוּ לְעֵילָּא, וְחֶדְוָותָא דְּאִילָנִין אִלֵּין לְתַתָּא, כֻּלְּהוּ בְּזִמְנָא דָּא הוּא. וְאִתְעָרוּתָא דִלְהוֹן בְּאִינּוּן קַדִּישֵׁי מַלְכָּא תַּלְיָין. וְכַד יִשְׂרָאֵל נַטְלֵי לוֹן, כֹּלָּא אִתְּעַר בְּזִמְנָא דָּא, וְעָלְמָא מִתְבָּרְכָא, לְאַרְקָא בִּרְכָאן לְעָלְמָא.

קיב. כְּתִיב קוֹל יְיָ' עַל הַמָּיִם אֵל הַכָּבוֹד, א"ר יוֹסֵי, דָּא אַבְרָהָם. קוֹל יְיָ' בַּכֹּחַ: דָּא יִצְחָק. קוֹל יְיָ' בֶּהָדָר: דָּא יַעֲקֹב. קוֹל יְיָ' שׁוֹבֵר אֲרָזִים: דָּא נֶצַח. קוֹל יְיָ' חוֹצֵב לַהֲבוֹת אֵשׁ: דָּא הוֹד. קוֹל יְיָ' יָחִיל מִדְבָּר: דָּא צַדִּיק. קוֹל יְיָ' יְחוֹלֵל אַיָּלוֹת: דָּא צֶדֶק. וְכֻלְּהוּ מִתְגַּדְּלֵי עַל יַמָּא וְאִתְשַׁקְיָין בְּמַיָּא, לְגַדְּלָא. הה"ד, וְנָהָר יוֹצֵא מֵעֵדֶן לְהַשְׁקוֹת אֶת הַגָּן. וְכֻלְּהוּ הָנֵי מִתְעָרֵי בִּרְכָאן לְעָלְמָא, מֵהַהוּא שַׁקְיוּ, דְּאִתְשַׁקְיָין כֻּלְּהוּ.

קיג. ת"ח, הָנֵי שֶׁבַע קָלִין, תַּלְיָין בְּמִלָּה דְּפוּמָא בִּשְׁאָר יוֹמֵי שַׁתָּא, וְהַשְׁתָּא, לָא תַּלְיָין אֶלָּא בְּעוֹבָדָא, וַאֲנָן עוֹבָדָא קָא בָּעֵינָן, וְלָא מִלָּה. בְּגִין דִּבְזִמְנָא דָּא, מִבָּרֵךְ לְכָל שַׁתָּא.

קיד. בְּיוֹמָא שְׁבִיעָאָה דְּחַג, הוּא סִיּוּמָא דְּדִינָא דְּעָלְמָא, וּפִתְקִין נָפְקִין מִבֵּי מַלְכָּא, וּגְבוּרָן מִתְעָרֵי וּמִסְתַּיְּימָן בְּהַאי יוֹמָא, וְעַרְבֵי נַחַל תַּלְיָין בְּהוּ. וּבָעֵינָן לְאַתְעָרָא גְּבוּרָן לְמַיָּא. וּלְסַחֲרָא ז' זִמְנִין, לְרַוָּאָה לְהַאי מִזְבֵּחַ, מִמַּיָּא דְּיִצְחָק, בְּגִין דְּאִתְמַלְיָא מַיָּא הַאי בֵּירָא דְּיִצְחָק, וְכַד הוּא אִתְמַלְיָא, כָּל עָלְמָא אִתְבָּרְכָא בְּמַיָּא.

קטו. וּבְהַאי יוֹמָא גְּבוּרוֹת בָּעֵינָן לְמַיָּא, וּלְסַיְּימָא לוֹן לְבָתַר, דְּהָא בְּהַאי יוֹמָא מִסְתַּיְּימֵי דִּינָא. וּבְגִ"כ בָּעֵינָן לְבַטְשָׁא לוֹן בְּאַרְעָא, וּלְסַיְּימָא לוֹן דְּלָא מִשְׁתַּכְּחוּ, דְּהַאי יוֹמָא אִתְעָרוּתָא וְסִיּוּמָא הוּא. וְעַ"ד אִתְעָרוּתָא וְסִיּוּמָא הוּא דְּעָבְדִינָן בְּעַרְבֵי נַחַל.

קטז. א"ר חִיָּיא וַדַּאי הָכִי הוּא, וְשַׁפִּיר. וְעַרְבֵי נַחַל, מִסִּטְרָא דְּנַחַל, נָפְקֵי גְּבוּרָאן. וּבְהַאי יוֹמָא מִתְעָרֵי וּמִסְּיְימֵי. בְּהַאי יוֹמָא כְּתִיב, וַיָּשָׁב יִצְחָק וַיַּחְפֹּר אֶת בְּאֵרֹת הַמַּיִם.

בְּאֵרֹת כְּתִיב וָחֵסֵר. וַיֵּשֶׁב, מַהוּ וַיֵּשֶׁב. אֶלָּא יוֹמָא קַדְמָאָה דִּירַחָא, שֵׁירוּתָא דְּדִינָא הֲוָה בְּכָל עָלְמָא, וְיִצְחָק קַיְּימָא לְכוּרְסַיָּיא לְמֵידָן עָלְמָא. בְּהַאי יוֹמָא, וַיֵּשֶׁב יִצְחָק לְאִתְעֲרָא דִּינִין וּלְסַיְּימָא דִּינִין. וַיַּחְפּוֹר אֶת בְּאֵרֹת הַמַּיִם, לְאַרְקָא גְּבוּרָן לִכְנֶסֶת יִשְׂרָאֵל, לְאִתְעֲרָא לְמַיָּא, דְּהָא מַיָּא בִּגְבוּרָן נָחְתִין לְעָלְמָא.

קיז. וּבְגִין דְּאִלֵּין גְּבוּרָן, לָא נָחְתִין אֶלָּא בְּעֵיבָא, וְיוֹמָא דְּעֵיבָא לָא נַיְיחָא רוּחַיְיהוּ דְּקַיְּימֵי עָלְמָא, אֶלָּא בְּגִין דְּעָלְמָא אִצְטְרִיךְ לְהוּ. מַאי טַעְמָא. בְּגִין דְּעָלְמָא בְּדִינָא אִתְבְּרֵי, וְכֹלָּא בָּעְיָא הָכִי. בְּג"כ כֹּלָּא בְּעוֹבָדָא תַּלְיָא מִלְּתָא. וְע"ד, כַּהֲנָא בְּעוֹבָדָא וְתִקּוּנָא דְּאִיהוּ עָבֵיד לְתַתָּא, אִתְעֲרוּ עִלָּאִין וְתַתָּאִין לְתַקְּנָא לוֹן, וּמִתְתַּקְּנֵי עַל יְדוֹי.

קיח. א"ר יוֹסֵי הָא תָּנֵינָן, הָעַרְבָה דְּדַמְיָא לְשׁוֹפָר בְּהַאי יוֹמָא, וּמַאי הִיא. אָמַר ר' חִיָּיא, אע"ג דִּלְדַרְשָׁא הוּא דְּאָתֵי, הָכִי הוּא וַדַּאי. דְּהָא בְּהַאי יוֹמָא בְּשׁוֹפָר תַּלְיָא, בְּהַאי יוֹמָא פָּקִיד מַלְכָּא לְמֵיהַב פִּתְקִין לְסִנְטִירָא, וּמִסְתַּיְּימֵי דִּינִין, וְאַסְתִּים לִישָׁנָא בִּישָׁא מֵעָלְמָא. בְּיוֹמָא קַדְמָאָה דִּירַחָא שֵׁירוּתָא דְּדִינָא הוּא, וְסִיּוּמָא הוּא בְּהַאי יוֹמָא. וְהָא אִתְּמַר.

קיט. ת"ח, בְּיוֹמָא דָּא שְׁלָמִין וּמְסַיְּימֵי עַמִּין עע"ז בִּרְכָאן דִּלְהוֹן, וְשָׁרָאן בְּדִינָא. וְיִשְׂרָאֵל בְּיוֹמָא דָּא מְסַיְּימֵי דִּינִין דִּלְהוֹן וְשָׁרָאן בְּבִרְכָתָא. דְּהָא לְיוֹמָא אָחֳרָא זְמִינִין לְאִשְׁתַּעְשְׁעָא בְּמַלְכָּא, לְנָטְלָא מִינֵּיהּ בִּרְכָאן לְכָל שַׁתָּא, וּבְהַהוּא חֶדְוָותָא לָא מִשְׁתַּכְּחֵי בְּמַלְכָּא אֶלָּא יִשְׂרָאֵל בִּלְחוֹדַיְיהוּ. וּמַאן דְּיָתִיב עִם מַלְכָּא, וְנָטֵל לֵיהּ בִּלְחוֹדֵיהּ, כָּל מַה דְּבָעֵי שָׁאִיל, וְיָהִיב לֵיהּ. וְע"ד יִשְׂרָאֵל שָׁרָאן, וְעַמִּין עע"ז מְסַיְּימֵי. וְע"ד כְּתִיב, אָהַבְתִּי אֶתְכֶם אָמַר יְיָ' וְגוֹ'.

קכ. אָמַר לֵיהּ, הָא חֲמֵינָא לֵיהּ לְעֵשָׂו בִּשְׁלָוָה, בְּמַלְכוּ, בִּכְרִיכָן עִלָּאִין, וְשַׁלִּיט עַל עָלְמָא, וְאַתְּ אָמַר וָאָשִׂים אֶת הָרָיו שְׁמָמָה. א"ל, בְּכָל אֲתַר הָכִי הוּא. כֵּיוָן דְּמַלְכָּא קַדִּישָׁא גָּזַר גְּזֵרָה, וְשַׁוֵּי הַהִיא גְּזֵרָה בְּפִתְקֵיהּ, קָרָא אַסְהִיד כְּמָה דְּאִתְעָבֵיד. וְע"ד וָאָשִׂים אֶת הָרָיו שְׁמָמָה, הָא שַׁוִּיתִי בְּפִתְקָא דִּילִי. וְכֵן כָּל אִינּוּן טָבָן דְּגָזַר עָלַיְיהוּ דְּיִשְׂרָאֵל, דִּכְתִּיב אֲנִי יְיָ' דִּבַּרְתִּי וְעָשִׂיתִי.

קכא. וְזֹאת תּוֹרַת הָאָשָׁם וְזֹאת תּוֹרַת הַמִּנְחָה וְזֹאת תּוֹרַת זֶבַח הַשְּׁלָמִים זֹאת תּוֹרַת הַחַטָּאת. ר' יִצְחָק אָמַר, הָא אוֹקְמוּהָ אִי לְתַתָּא דָּא בְּכֹלָּא. אִי לְעֵילָּא דָּא בְּכֹלָּא. וּמַאן דְּאִשְׁתַּדַּל בְּאוֹרַיְיתָא, נָטְלָא לְחוּלָקֵיהּ בְּכֹלָּא, וְאִתְאֲחִיד בְּכָל סִטְרִין, וְלָא בָּעֵי לְקָרְבָא קָרְבְּנָא עַל נַפְשֵׁיהּ, וְהָא אִתְּמַר.

קכב. רִבִּי יִצְחָק פָּתַח, הַכֹּהֲנִים לֹא אָמְרוּ אַיֵּה יְיָ' וְתוֹפְשֵׂי הַתּוֹרָה לֹא יְדָעוּנִי וְהָרוֹעִים פָּשְׁעוּ בִי. הַכֹּהֲנִים, אִלֵּין כַּהֲנִים דִּמְשַׁמְּשִׁין בִּכְהוּנָּה גְּדוֹלָה, וּמְקָרְבִין מִלִּין קַדִּישִׁין לְאַתְרַיְיהוּ, וּמְיַיחֲדִין יִחוּדָא כָּל חַד וְחַד כִּדְקָא חֲזֵי. וְתוֹפְשֵׂי הַתּוֹרָה מַאן אִינּוּן תּוֹפְשֵׂי הַתּוֹרָה, וְכִי כַּהֲנֵי לָאו תּוֹפְשֵׂי הַתּוֹרָה נִינְהוּ. אֶלָּא, אִלֵּין אִינּוּן לֵיוָאֵי, דְּתַפְשֵׂי בְּכִנּוֹרוֹת, דְּאַתְיָין מִסִּטְרָא דְּאוֹרַיְיתָא. וְאִתְיְיהִיבַת מִסִּטְרָא דִּלְהוֹן אוֹרַיְיתָא. וְאִינּוּן מְמַנָּן עַל שְׁבָחָא דְּתוּשְׁבַּחְתָּא דְּמַלְכָּא קַדִּישָׁא, לְיַחֲדָא לֵיהּ יִחוּדָא שְׁלִים כִּדְקָא יָאוּת. וְהָרוֹעִים פָּשְׁעוּ בִי. אִלֵּין אִינּוּן רַבְרְבֵי עַמָּא, דְּאִינּוּן רַעְיָין לְעַמָּא, כְּרַעְיָא דְּמַדְבַּר עָאנֵיהּ.

קכג. וְאִלֵּין אִינּוּן ג' דַּרְגִּין, דְּבָעְיָא לְאִשְׁתַּכְּחָא תָּדִיר עַל קָרְבְּנָא, לְאַשְׁכְּחָא רַעֲוָא לְעֵילָּא וְתַתָּא, וּלְאִשְׁתַּכְּחָא בִּרְכָאן בְּכֻלְּהוּ עָלְמִין. כַּהֲנָא מְקָרֵב קָרְבְּנָא, וְאִתְכַּוַּון לְיַחֲדָא שְׁמָא קַדִּישָׁא כִּדְקָא חֲזֵי, וּלְאִתְעֲרָא סִטְרָא דִּילֵיהּ. וְלֵיוָאֵי אִתְכַּוְּונָן בְּשִׁיר,

לאתערא סטרא דלהון, ולאתכללא בסטרא דכהנא. וישראל אתכוון לבא ורעותא לתיובתא שלימתא, ואתכנע קמי מלכא קדישא, והאי נטיל כלא, ואתכפר חוביה, ואשתכח חדוותא בעלאי ותתאי.

קכד. רבי יהודה פתח, המקרה במים עליותיו וגו'. קב"ה כד ברא עלמא, מגו מיא אפיק ליה, וסדיר ליה על מיא. מה עבד. פליג מיא לתרין. פלגותא לתתא, ופלגותא לעילא. ועביד מנייהו עובדין, מפלגותא תתאה עבד ותקן עלמא דא, וסדר ליה על פלגותא דא, ואתקין ליה לעילא עלייהו. הה"ד כי הוא על ימים יסדה. ופלגו אחרא סלקיה לעילא, ותקר ביה תקראין עלאין, הה"ד המקרה במים עליותיו וגו'.

קכה. ועבד רקיע בין תרין פלגותיא אלין, הה"ד יהי רקיע בתוך המים וגו', ועלייהו אתקין וסדר מלאכי עלאי קדישי, מגו רוחא דאתגזר מפומיה. דכתיב וברוח פיו כל צבאם.

קכו. ובאלין אתקין וסדר מזמרי תושבחתיה ביומא, ואתערבו בשלהובי אשא. ואינון גדודי וחיילין, אמרין שירתא ביומא, תושבחן בצפרא, וזמירן ברמשא. כד מטי ליליא, כלהו פסקי שירתא. לעילא מנייהו, גדודין דאשא, בשלהובא תקיף, קיימין ומריחין אשא דאכלא, ואהדרי לאתרייהו.

קכז. ואית בסטרא אחרא, דתהומין סלקין אלין על אלין. ואית תהומא עלאה, ותהומא תתאה, ובכלהו שארן מאריהון דדינין מסטרא דדינא קשיא. ואית בגו סטרא דתהומא תתאה, שלהובן דאוקדין זיקין נורין, ממנן על דינין דעלמא, לאוקדא לחייביא בנורא, דנגדי מההוא נהר דינור. וכלהו אשא, וחיזו דלהון אשא דלהיט, וקיימין בין עלאי ותתאי.

קכח. וכד תננא דמדבחא סליק, מתעברן וסלקין מההוא דרגא, דקיימין לשיצאה ולאובדא, וההוא נגידו דאשא תקיפא דנהר דינור, דאיהו תקיף ועלאה, אהדר לאתריה. וכלהו, מתהניין מתננא דמדבחא, בגין דאתתקנת לקבלי מדבחא עלאה, ובג"כ מתהניין מניה, ואינון קרבין להכא. ותננא אחרא סליק, והא אוקימנא, לכל חד וחד, רעותא דכלא דסלקא לעילא, דאיהו נייחא דרוחא, לגבי מלכא קדישא.

קכט. הא אתמר, דבמדבחא סלקא ואתחזי אוריא"ל, כחיזו דחד אריה תקיפא, רביע על טרפיה. והוו חמאן כהני וישראל, וחדאן, דהוו ידעין דאתקבל ברעוא קמי מלכא קדישא. ואשא אחרא עלאה קדישא נחית, לקבלא אשא תתאה, כדין ב"נ אזיל ואודעזע קמי מאריה, ותב בתיובתא שלימתא.

קל. למלכא דשדרו ליה דורונא, ואתיישר קמיה, אמר לעבדיה, זיל וטול דורון דא, דאייתיאו לי. כך אמר קודשא ב"ה לאוריא"ל, זיל וקביל דורונא דבני מקריבין קמאי. כמה חדווה משתכחי בכלא, כמה בסימותא בכלא משתכח, כד כהנא וליואה, וההוא דמקריב קרבנא, מכווני לקרבא קרבנא כדקא יאות, ביחודא שלים.

קלא. תא חזי, כתיב, ותצא אש מלפני יי' ותאכל על המזבח את העולה וגו'. דא אוריא"ל, דנחית בחיזו דאשא בשלהובא, עד דנחית למדבחא, לקבלא דורונא ואתחזי כאריה רברבא, רביע על קרבנא.

קלב. וכד ישראל לא אשתכחו זכאין, או ההוא דמקריב קרבנא לא קריב כדקא יאות, ולא אתקבל קרבניה, הוו חמאן דלא סליק תננא בארח מישר, והוה קם חד רוחא מנוקבא דצפון, ועאל למדבחא, והוו חמאן דיוקנא דחד כלבא חציפא, רביע

עַל קָרְבְּנָא. כְּדֵין הֲווּ יַדְעֵי דְּלָא אִתְקַבָּל בְּרַעֲוָא הַהוּא קָרְבְּנָא.

קלג. לְמַלְכָּא דְּשַׁדְּרוּ לֵיהּ דּוֹרוֹן, וְזִמְנָא לֵיהּ מַלְכָּא דְּלָאו אִיהוּ כְּדַאי לְקָרְבָא קַמֵּיהּ, אָמַר מַלְכָּא, אֲסִיקוּ הַהוּא דּוֹרוֹנָא, וְהָבוּ לֵיהּ לְכַלְבָּא, דְּלָאו אִיהוּ כְּדַאי לְאַעֲלָא קָמָאי. כָּךְ בְּשַׁעֲתָא דְּקָרְבְּנָא אִתְקְרִיב, וְלָא אִתְקַבַּל בְּרַעֲוָא, דּוֹרוֹנָא לְכַלְבָּא אִתְמְסַר. וּבְגָ"כ הֲווּ זְמִנִין, דְּיוּקְנָא דְּכַלְבָּא ע"ג מַדְבְּחָא.

קלד. ת"ח כְּתִיב וַתֵּצֵא אֵשׁ מִלִּפְנֵי יְיָ' וַתֹּאכַל עַל הַמִּזְבֵּחַ אֶת הָעוֹלָה. א"ר יְהוּדָה, דָּא אוּרִיאֵ"ל, דְּאִתְחֲזֵי בְּשַׁלְהוֹבִיתָא דְּאֶשָּׁא עַל מַדְבְּחָא, כְּמָה דְּאִתְמַר רְבִיעַ עַל קָרְבְּנָא. וּכְדֵין חֶדְוָותָא הֲוָה בְּכֹלָּא, דְּהָא אִתְקַבַּל בְּרַעֲוָא, כְּמָה דִּכְתִיב, וַיֵּרָא כְבוֹד יְיָ' אֶל כָּל הָעָם. וְאִי לָא הֲוָה עִרְבּוּבְיָא דִּבְנֵי אַהֲרֹן, מִן יוֹמָא דְּנָפְקוּ יִשְׂרָאֵל מִמִּצְרַיִם, לָא אִשְׁתְּכַח רַעֲוָא הָכִי לְעֵילָּא וְתַתָּא.

רעיא מהימנא

קלה. פִּקּוּדָא דָּא לִשְׂרוֹף קֳדָשִׁים בָּאֵשׁ. וַאֲבַתְרֵיהּ וְהַנּוֹתָר מִבְּשַׂר הַזָּבַח בַּיּוֹם הַשְּׁלִישִׁי בָּאֵשׁ יִשָּׂרֵף. תַּנָּאִין וְאָמוֹרָאִין. בְּסִתְרֵי תּוֹרָה, אִית קֹדֶשׁ, וְאִית קֳדָשִׁים, וְאִית קֹדֶשׁ קֳדָשִׁים. מַה הֲנָאָה אִית לְקָבָּ"ה בְּקֳדָשִׁים דְּאִתּוֹקְדוּ. אִי תֵּימָא בְּגִין יִצְחָק, דִּבְשַׁעֲתָא דְּיִשְׂרָאֵל בְּעָקוּ, סָלִיק אֶפְרוֹ שֶׁל יִצְחָק קַמֵּיהּ, דְּאִי וַדַּאי חַיָּיבִין שְׂרֵיפָה אִשְׁתֵּזִיבוּ בְּגִינֵיהּ. הַאי לִדְרָשָׁא אִיהוּ. וְאִי תֵּימְרוּן בְּגִין בְּנֵי אַהֲרֹן דַּהֲווּ שְׂרֵיפַת קֳדָשִׁים, דִּכְתִיב בְּהוֹן וַתֵּצֵא אֵשׁ מִלִּפְנֵי יְיָ' וַתֹּאכַל אוֹתָם וַיָּמוּתוּ. וּמִיתַתְהוֹן כַּפָּרָה לְיִשְׂרָאֵל כְּמוֹ שְׂרֵיפַת קֳדָשִׁים, אוּף דָּא לִדְרָשָׁא קָא אָתֵי.

קלו. אֶלָּא, תְּלַת אֶשִּׁין בְּשְׁרַגָּא: אֶשָּׁא חִוָּורָא, וְאֶשָּׁא אוּכְמָא, וְאֶשָּׁא תְּכֶלְתָּא. לָקֳבֵל: תּוֹרָה, נְבִיאִים, וּכְתוּבִים. לָקֳבֵל: כֹּהֵן, לֵוִי, וְיִשְׂרָאֵל. וּתְכֵלֶת אִיהִי שְׁכִינְתָּא, קְרִיבָא לָן, וְאִיהִי אֲחִידָא בְּאִינּוּן פְּתִילוֹת, בְּכַנְפֵי מִצְוָה, דְּאִתְמַר בְּהוֹן וְעָשׂוּ לָהֶם צִיצִית. וְהַאי תְּכֵלֶת דְּאִיהִי שְׁכִינְתָּא, אִיהִי דִּינָא, דַּאֲכִילַת קָרְבְּנִין וְעָלָוָון.

קלז. אִי אַשְׁכָּחַת בְּנֵי נָשָׁא, דְּאִינּוּן עֵצִים יְבֵשִׁים, כְּגַוְונָא דְּאִינּוּן פְּתִילוֹת יְבֵשִׁין, בְּלָא מִשְׁחָא, דְּאִיהִי אוֹרַיְיתָא רַחֲמֵי, אִיהִי לוֹן שְׂרֵיפָה, וְאוֹקִידַת לוֹן. וּבְגִין דְּעַמֵּי הָאָרֶץ אִינּוּן בְּעִירָן, כְּמָה דְּאוֹקְמוּהָ דְּאִינּוּן שֶׁקֶץ. תְּכֵלֶת, דְּאִיהִי אֲדֹנָי, אוֹקִידַת לוֹן, בְּגִין דְּקָרְבִין לְגַבָּהּ עִם שֶׁרֶץ, דְּאִיהוּ יֵצֶר הָרַע, זָר, הה"ד וְהַזָּר הַקָּרֵב יוּמָת.

קלח. וְאִי בְּמִיתָתְהוֹן וַהֲדָרִין בְּתְיוּבְתָּא, כַּד שָׁוִיט לוֹן מַלְאָךְ מִיכָאֵל דְּאִיהוּ כַּהֲנָא רַבָּא, אַרְיֵה דְּאָכִיל קָרְבְּנִין, נָחִית עֲלַיְיהוּ, לְקָרְבָא לוֹן קָרְבְּנָא קֳדָם יְיָ'.

קלט. וְקֹדֶם דְּתִפּוֹק נִשְׁמָתֵיהּ, מִתְוַדֶּה בְּכַמָּה וִדּוּיִין, וְכַד נָפִיק נִשְׁמָתֵיהּ הוּא הֲוָה מִתְכַּוֵּין לִגְמוֹר אֶת הַשֵּׁם, שְׁמַע יִשְׂרָאֵל וּבָרוּךְ שֵׁם, לְקָרְבָא נִשְׁמָתֵיהּ קָרְבְּנָא לְשֵׁם יְהֹוָ"ה, וְצָרִיךְ לְמִתְוַדֶּה לְקוּדְשָׁא בְּרִיךְ הוּא, לְקַבְּלָא לְקָרְבָא ה' בִּשְׁמֵיהּ, דְּאָכִיל וְשָׁצֵי, וּלְאַהְדְּרָה בְּתְיוּבְתָּא לְגַבֵּי יה"ו, אֶהֱיֶ"ה כְּחוּשְׁבַּן מ"ב. דַּאֲדֹנָי קְרֵינָא לֵיהּ דִּינָא דְּמַלְכוּתָא דִּינָא.

קמ. וִיכַוֵּין בִּשְׁמָא מְפֹרָשׁ, דְּאִיהוּ יו"ד הֵ"א וָא"ו הֵ"א, בְּלֵב אֶחָד. וּבֵיהּ יִפּוֹק רוּחֵיהּ. בְּנֶפֶשׁ דִּילֵיהּ מְקַבֵּל עָלֵיהּ מִיתָה וְיִסּוּרִין. וּבְנִשְׁמְתָא מוֹדֶה בְּכַמָּה וִדּוּיִין וּמִתְחָרֵט.

קמא. בְּנֶפֶשׁ מְקַבֵּל עָלֵיהּ מִיתָה שׁוּזִיטָה שְׂרֵיפָה, וְאִי צָרִיךְ ד' מִיתוֹת בֵּית דִּין, דְּאִינּוּן סְקִילָה שְׂרֵיפָה הֶרֶג וְחֶנֶק, מְקַבֵּל לֵיהּ מֵאַדְנָ"י בְּנֶפֶשׁ דִּילֵיהּ. וּבְנִשְׁמָתֵיהּ מוֹדֶה בְּכַמָּה וִידּוּיִין, וְחָזַר בִּתְיוּבְתָּא לְגַבֵּי אֶהֱיֶ"ה, דְּאָחִיד בִּתְרֵין שְׁמָהָן, יְהֹוָ"ה יְהֹוָ"ה.

קמב. בְּמַחֲשַׁבְתֵּיהּ יְכַוֵּין לְאַפָּקָא וִדּוּי, וְקַבָּלַת מִיתָה עָלֵיהּ, בְּלֵב א', דְּאִיהוּ שְׁמָא

מְפֹרָשׁ, כְּגַוְונָא דָא יו"ד הֵ"א וָא"ו הֵ"א. בֵּיהּ כֹּהֲנִים כּוֹרְעִים וּמִשְׁתַּחֲוִים עַל פְּנֵיהֶם, וְאוֹמְרִים בשכמל"ו. כָּבוֹד, אִיהוּ ל"ב בְּחוּשְׁבָּן. וּבֵיהּ הָיָה מִתְכַּוֵּין לִגְמוֹר אֶת הַשֵּׁם.

קמג. וְתַנָּאִין וְאָמוֹרָאִין, אִי תֵּימְרוּן וְכִי עַם הָאָרֶץ מְנָא יָדַע דָא. אֶלָּא וַדַּאי עַם הָאָרֶץ אִיהוּ כְּשׁוֹר, אוֹ שֶׂה, אוֹ עֵז, אוֹ תּוֹר, אוֹ יוֹנָה. מַה בְּעִירָן לָא יָדְעֵי אוֹרַיְיתָא, דְּאִיהִי שֵׁם יְדֹוָ"ד. הָכִי עַם הָאָרֶץ, לָא יָדַע. אֶלָּא מִיכָאֵל כַּהֲנָא רַבָּא, אִיהוּ עָבֵיד לֵיהּ עוֹלָה וְקָרְבְּנָא קֳדָם יְיָ, וְאִיהוּ מְכַוֵּון בִּשְׁמָא מְפֹרָשׁ, בְּסַלְּקוּ דִרְוִוחָיָה, דְּתִפּוּק בְּלֵב אֶחָד, כְּגַוְונָא דְּכַד נָפִיק רוּחָא דְּב"נ בְּכָל לֵילְיָא.

קמד. וּבְגִין דָּא אוֹקְמוּהָ רַבָּנָן, שׁוּב יוֹם א' לִפְנֵי מִיתָתְךָ, דִּבְכָל יוֹם וְיוֹם צָרִיךְ ב"נ לְאַהֲדְרָא בְּתִיּוּבְתָּא, וּלְמִמְסַר רוּחֵיהּ לְגַבֵּיהּ, דְּיִפּוּק בְּאֶחָד, הה"ד בְּיָדְךָ אַפְקִיד רוּחִי.

קמה. וְאִם הוּא ת"ח, עָלֵיהּ אִתְּמַר יוֹדֵעַ צַדִּיק נֶפֶשׁ בְּהֶמְתּוֹ דְּלֵית חָכָם, כְּמוֹ כַּהֲנָא. כְּמָה דְּאוֹקְמוּהָ הָרוֹצֶה לְהַחְכִּים יַדְרִים. וְאִם ת"ח הוּא, צָרִיךְ שֶׁיְּהֵא בֵּיהּ, חֶסֶד, וְעִם יְיָ דְּאִיהוּ חָכְמָה, חָסִיד. וּמַאן דְּלֵית בֵּיהּ חָכְמָה, לָאו אִיהוּ חָסִיד. וּבְגִ"ד אוֹקְמוּהָ, וְלֹא עַם הָאָרֶץ חָסִיד. וְאִי אִית בֵּיהּ ה', חֲמִשָּׁה חוּמְשֵׁי תוֹרָה, דְּאִתְיְיהִיבוּ מִשְּׂמָאלָא, אִתְקְרֵי גִּבּוֹר בַּתּוֹרָה, וִירֵא חֵטְא. וְאִי אִיהוּ בּוּר, אִתְּמַר בֵּיהּ, אֵין בּוּר יְרֵא חֵטְא.

קמו. וּמַאן דְּזָכֵי לְתִפְאֶרֶת, דְּאִיהוּ ו', וְאִיהוּ חָכָם מֵבִין בַּתּוֹרָה וִירֵא חֵטְא, יִרְאַת מַלְכוּתֵיהּ, דְּאִיהוּ הֵ"א, מִצְוַת הַמֶּלֶךְ, אִי עָבֵיד פִּקּוּדֵי מַלְכָּא. כֵּיוָן דְּזָכֵי לְשֵׁם יְהֹוָ"ה, זָכֵי לִשְׁמָא מְפֹרָשׁ דְּאִתְקְרֵי אָדָם, וְדָא יו"ד הֵ"א וָא"ו הֵ"א. בְּהַהוּא זִמְנָא שַׁלִּיט עַל גּוּפֵיהּ, דְּאִיהוּ שׁוּתָּפוּ דְּנֶפֶשׁ הַבַּהֲמִית. וְרוּחַ הַבַּהֲמִית דִּבְנֶפֶשׁ הַבַּהֲמִית עֲשִׂיַּית הַבְלֵי עָלְמָא, רוּחַ מְמַלְּלָא בְּהַבְלֵי עָלְמָא נִשְׁמָה דְּבָהּ כָּל הִרְהוּרִין וּמַחֲשָׁבוֹת דְּהַבְלֵי עָלְמָא. וְת"ח שַׁלִּיט עֲלַיְיהוּ.

קמז. הה"ד וְיִרְדּוּ בִדְגַת הַיָּם וּבְעוֹף הַשָּׁמַיִם וּבַבְּהֵמָה וּבְכָל הָאָרֶץ. מַאי וּבְכָל הָאָרֶץ. דָּא גּוּפָא, עוֹלָם קָטָן, וְדַחֲלִין מִנֵּיהּ, הה"ד וּמוֹרַאֲכֶם וְחִתְּכֶם. מִסִּטְרָא דִּימִינָא, שַׁלִּיט עֲלַיְיהוּ, בֵּיהּ וְיִרְדּוּ, כד"א, וְיֵרְדְּ מִיָּם עַד יָם. מִסִּטְרָא דִּשְׂמָאלָא, דַּחֲלִין מִנֵּיהּ, הה"ד וּמוֹרַאֲכֶם וְחִתְּכֶם. וְעָלֵיהּ אִתְּמַר, יוֹדֵעַ צַדִּיק נֶפֶשׁ בְּהֶמְתּוֹ.

קמח. בָּתַר דְּאִיהוּ צַדִּיק, לָא יָהִיב לֵיהּ שְׂכַר מִצְוֹת, לֵית לֵיהּ אַגְרָא בְּעָלְמָא דָא, וְלָא מְזוֹנָא לִבְעִירָן דְּעָנֵי וְחָשׁוּב כַּמֵּת. אִיהוּ עִם שְׁכִינְתָּא בִּקְבִיעוּ עִמָּהּ עַל כֹּלָּא.

קמט. כִּי יְיָ אֱלֹהֶיךָ אֵשׁ אוֹכְלָה הוּא. הַאי אֵשׁ, צָרִיךְ לֵיהּ תָּמִיד עִמָּהּ, דְּלֵית לֵיהּ כְּבָיָה, דְּאִיהוּ אָכִיל כָּל קָרְבְּנִין דִּצְלוֹתִין, וּמִלִּין דְּאוֹרַיְיתָא. דְּאִיהִי שְׁכִינְתָּא אִיהוּ פַּרְנָסָה דִּילֵיהּ, וּבְמָה. בִּצְלוֹתִין, הה"ד, פִּתְחִי לִי. בִּצְלוֹתָא דְּאִתְּמַר בָּהּ אֲדֹנָי שְׂפָתַי תִּפְתָּח, דְּאִיהִי אֲחוֹתִי רַעְיָתִי, וְלֵית רַעְיָתִי אֶלָּא פַּרְנָסָתִי, דְּבָהּ מְתַקְּנִין מַאַכְלִין דְּקָרְבְּנִין דְּמַלְכָּא בְּנִין קַדִּישִׁין, בְּכַמָּה מִינֵי מַאֲכָלִים, בְּנַהֲמָא דְּאוֹרַיְיתָא.

קנ. דְּאִתְּמַר בָּהּ לְכוּ לַחֲמוּ בְלַחְמִי, מִימִינָא. וּבְחַמְרָא, דְּאִיהוּ יֵינָא דְּאוֹרַיְיתָא, מִשְּׂמָאלָא. בְּנִסּוּךְ הַמַּיִם, וְיַיִן דְּאוֹרַיְיתָא דְּבִכְתָב וּבְעַ"פ, מֵעַמּוּדָא דְּאֶמְצָעִיתָא, דְּכָלִיל תַּרְוַיְיהוּ. בְּבִשְׂרָא, דְּאִיהִי בְּשַׂר הַקֹּדֶשׁ, בְּכַמָּה קָרְבְּנִין, דְּעָלָה אוֹקְמוּהָ מָארֵי מַתְנִיתִין בָּשָׂר הַיּוֹרֵד מִן הַשָּׁמַיִם עַסְקִינָן. מַאי מִן הַשָּׁמַיִם. עַמּוּדָא דְּאֶמְצָעִיתָא. דְּעָלָה אִתְּמַר, וּבָשָׂר מִבְּשָׂרִי.

קנא. וְדָא בְּשַׂר הַקֹּדֶשׁ, דְּאַדְלִיקַת בְּכַמָּה שַׁלְהוֹבִין, מִסִּטְרָא דִּגְבוּרָה בִּרְחִימוּ דְּבַעְלָהּ, אִתּוֹקְדַת בִּרְחִימוּ דְּאַהֲבָה בְּקַ"שׁ, בִּרְחִימוּ דְּיִחוּדָא, דְּלֵילְיָא וְיוֹמָם לָא תִכְבֶּה.

וְחַבְרַיָּיא בְּחַיֵּיכוֹן אַל תִּתְּנוּ דֳּמִי לוֹ לְקֻבְּ"ה, לְמֶהֱוֵי אִיהוּ בְּשַׁלְהוֹבִין דִּרְחִימוּ דְּיִחוּדֵיהּ דְּקֻ"שׁ. לְקַיְּימָא בֵּיהּ, אֵשׁ תָּמִיד תּוּקַד עַל הַמִּזְבֵּחַ לֹא תִכְבֶּה. (ע"כ רעיא מהימנא)

קנב. תָּא חֲזֵי, אע"ג דִּבְנֵי אַהֲרֹן מִיתוּ בְּהַהִיא שַׁעֲתָא, יָאוּת הֲוָה בְּכַמָּה גַּוְונִין. חַד דָּא, דְּלָא הֲוָה שַׁעֲתָא דִּקְטֹרֶת, דְּהָא קְטֹרֶת לָא סַלְקָא, אֶלָּא בִּזְמְנִין יְדִיעָן, דִּכְתִיב וְהִקְטִיר עָלָיו אַהֲרֹן קְטֹרֶת סַמִּים בַּבֹּקֶר בַּבֹּקֶר. וְאֵימָתַי בְּהֵטִיבוֹ אֶת הַנֵּרוֹת וְגוֹ' לְאִשְׁתַּכְּחָא שֶׁמֶן וּקְטֹרֶת כַּחֲדָא. וּכְתִיב וּבְהַעֲלוֹת אַהֲרֹן אֶת הַנֵּרוֹת בֵּין הָעַרְבַּיִם יַקְטִירֶנָּה וְגוֹ'.

קנג. וּבִזְמְנִין אִלֵּין אִתְקְרִיב, וְלָא בִּזְמְנָא אָחֳרָא, בַּר בִּזְמְנָא דְּמוֹתָנָא שַׁרְיָא בְּעָלְמָא, כְּמָה דְּאִרַע דִּכְתִיב וַיֹּאמֶר מֹשֶׁה אֶל אַהֲרֹן קַח אֶת הַמַּחְתָּה וְתֶן עָלֶיהָ אֵשׁ וְגוֹ'. וּבְנֵי אַהֲרֹן לָא קָרִיבוּ בְּשַׁעֲתָא דְּשֶׁמֶן וּקְטֹרֶת מִשְׁתַּכְּחֵי כַּחֲדָא.

קנד. וְעוֹד דְּדָחֲקוּ שַׁעֲתָא בְּחַיֵּי דַּאֲבוּהוֹן. וְעוֹד דְּלָא אַנְסִיבוּ, וַהֲווּ פְּגִימִין, דְּמַאן דְּלָא אַנְסִיב, פָּגוּם הוּא, וְלָאו הוּא כְּדַאי לְאִשְׁתַּכְּחָא בִּרְכָאן בְּעָלְמָא עַל יְדוֹי, עֲלוֹי לָא שַׁרְיָין, כ"שׁ עַל יְדוֹי לַאֲחֵרִים. וְעוֹד, דְּהָא תְּנָן רְווּי חַמְרָא הֲווּ, וּבְגִין כָּךְ, וַתֵּצֵא אֵשׁ מִלִּפְנֵי יְיָ' וַתֹּאכַל אוֹתָם וְגוֹ'. דְּהָא קְטֹרֶת חָבִיב הוּא מִכֹּלָּא, וְחֶדְוְותָא דְּעִלָּאִין וְתַתָּאִין, וּכְתִיב שֶׁמֶן וּקְטֹרֶת יְשַׂמַּח לֵב.

רעיא מהימנא

קנה. לֵית מְצוֹרָע אֶלָּא הַהוּא דְּאִתְעֲבֵיד בְּזָבוּתָא. דְּחָמֵשׁ דָּמִים אִינּוּן דְּדַם נִדָּה מְסָאֲבִין, דְּאִינּוּן כֻּלְּהוּ דַּם טָמֵא. וְה' דָּמִין דַּכְיָין. וּמַאן דְּאַעְבַּר עָלַיְיהוּ, כְּאִלּוּ אַעְבַּר עַל עֶשֶׂר דִּבְּרוֹת, דְּאִינּוּן כְּלַל תרי"ג פִּקּוּדִין.

קנו. וְשִׁפְחָה יצה"ר אִיהִי מַלְיָא מוּמִין. וּבְגִין דָּא, כָּל אֲשֶׁר בּוֹ מוּם לֹא יִקְרָב. וּבְגִין דָּא, כַּהֲנָא לָא הֲוָה צָרִיךְ לְקָרְבָא לְגַבֵּי מַאן דְּאִית בֵּיהּ מוּמָא, מִכָּל מוּמִין דְּעָלְמָא. בְּגִין דְּמַטְרוֹנִיתָא אִתְּמַר בָּהּ, כֻּלָּךְ יָפָה רַעְיָתִי וּמוּם אֵין בָּךְ, הָכִי לָא צָרִיךְ לְקָרְבָא לְגַבָּהּ מַאן דְּאִית בֵּיהּ מוּם, וְאוּף הָכִי לָא צָרִיךְ לְמִקְרַב לְגַבָּהּ זָר וְהַזָּר הַקָּרֵב יוּמָת וְהַיְינוּ מַמְזֵ"ר, מו"ם זָר. מוּם נוּקְבָא, זָר זָכָר. וּבג"ד מָנֵי. וְאֶל אִשָּׁה בְּנִדַּת טוּמְאָתָהּ לֹא תִקְרַב וְעַל אִינּוּן דְּקָרִיבִין לָהּ, כְּתִיב בְּהוֹן וַיַּקְרִיבוּ לִפְנֵי יְיָ' אֵשׁ זָרָה אֲשֶׁר לֹא צִוָּה אוֹתָם וַתֵּצֵא אֵשׁ מִלִּפְנֵי יְיָ'. וַתֹּאכַל אוֹתָם וַיָּמוּתוּ.

קנז. וְקָרְבַּן דְּאַתְוָון אִינּוּן, י' בְּאִישׁ, ה' בְּאִשָּׁה, ו' בַּבֵּן וְחָתָן, ה' בַּכַּלָּה. זַכָּאָה אִיהוּ מַאן דְּאַקְרִיב אַתְוָון דִּידוָ"ד, בֵּיהּ וּבְאִתְּתֵיהּ וּבִבְרֵיהּ וּבִבְרַתֵּיהּ, בִּקְדוּשָּׁה וּבִבְרָכָה בִּנְקִיו בַּעֲנָוָה וּבְבֹשֶׁת פָּנִים בְּכָל מִדּוֹת טָבִין דִּכְתִיבִין עַל מָארֵי מַתְנִיתִין.

קנח. וּמִתְוַחֲמִין בְּאֶשִּׁין קַדִּישִׁין, דְּאִישׁ וְאִשָּׁה דְּאִינּוּן אֵשׁ, עוֹלֶה וְיוֹרֵד, אֵשׁ קֹדֶשׁ דַּעֲצֵי הַמַּעֲרָכָה, דְּאִינּוּן עֲצֵי הַקֹּדֶשׁ אֵבָרִין קַדִּישִׁין, וְאֵשׁ שֶׁל גָּבוֹהַּ נְוִית, דְּאִיהוּ קֹדֶשׁ הַקֳּדָשִׁים, וּבְגִין תְּרֵין אֶשִּׁין אִלֵּין אָמַר נָבִיא, בָּאוּרִים כַּבְּדוּ יְיָ'. דְּאִינּוּן אֶשִּׁין דִּשְׁכִינְתָּא, דְּבָהּ כְּתִיב כִּי יְיָ' אֱלֹהֶיךָ אֵשׁ אוֹכְלָה הוּא.

קנט. וְאִינּוּן אֵשׁ עִלָּאָה כִּסֵּא רַחֲמִים. אֵשׁ תַּתָּאָה כִּסֵּא דִּין. וְאִינּוּן בִּינָה וּמַלְכוּת מַלְכוּת אֵשׁ עוֹלֶה. בִּינָה אֵשׁ יוֹרֵד. יְהוָ"ה, עַמּוּדָא דְּאֶמְצָעִיתָא, אָחִיד בְּתַרְוַויְיהוּ. בִּינָה יה"ו ה' מַלְכוּת.

קס. תִּפְאֶרֶת כַּד אָחִיד לוֹן, שַׁרְיָא עָלֵיהּ חָכְמָה, דְּבֵיהּ כֹּ"חַ מַ"ה. מָ"ה: אִיהוּ יו"ד הֵ"א וָא"ו הֵ"א. כֹּחַ דִּילֵיהּ, יו"ד וָא"ו דָּלֶ"ת. הֵ"א אָלֶ"ף. וָא"ו אָלֶ"ף וָא"ו. הֵ"א אָלֶ"ף. וְכֻלְּהוּ מ"ב אַתְוָון, מִשְׁתַּכְּחִין בב"נ וּבְאִתְּתֵיהּ וּבִבְנוֹי, וּבְגִין דָּא לֵית ב"נ שְׁלִים, אֶלָּא בְּבֵן וּבַת.

קסא. ומאן דלית ליה בן דאיהו ו', אסתלק י' מיניה. ומאן דלית ליה בת, דאיהי ה', אסתלק ה' עלאה, דאיהי אם, מן בת זוגיה. דאתוון לא שריין דא בלא דא. ובג"ד, באיש ואשה בן ובת, דאתעבידו כדקא יאות, שריא עלייהו יהו"ה, ואתקריאו בנים לקודשא ב"ה. הדא הוא דכתיב בנים אתם לידו"ד אלהיכם. (ע"כ רעיא מהימנא).

קסב. זאת משחת אהרן ומשחת בניו. רבי יוסי אמר, זאת ודאי משיחותא דאהרן. דהא אהרן אתמשח, ואייתי ממשחא רבות עלאה מעילא, ונגיד ליה לתתא. ועל ידא דאהרן אתמשח, ממשיחותא קדישא לאתברכא, ועל דא זאת משחת אהרן ומשחת בניו ודאי.

קסג. רבי יהודה פתח, ויאמר אליה אלישע מה אעשה לך הגידי לי מה יש לך בבית. מהכא אוליפנא, דלית ברכתא שריא בפתורא ריקניא, ועל מלה ריקנית. ותאמר אין לשפחתך כל בבית כי אם אסוך שמן. אמר לה, ודאי סיועא דניסא הוא, דהא ודאי באתריה הוא, ומתמן ברכאן נפקין ושריין. מה כתיב הם מגישים אליה והיא מוצקת. והיא מוצקת סתם.

קסד. רבי יוסי אמר, ויעמוד השמן, כמה דאוקמוה, דכתיב בקרן בן שמן. וכתיב שמן תורק שמך, לאחזאה דהא מהאי שמן, נגידין ברכאן על ידא דכהנא, וכהנא נגיד להו לתתא, ואמשח להאי זאת, הה"ד זאת משחת אהרן ומשחת בניו, וכתיב כשמן הטוב על הראש והא אתמר.

קסה. קח את אהרן ואת בניו אתו ואת הבגדים. רבי חייא פתח כי עמך מקור חיים באורך נראה אור. כי עמך מקור חיים, דא שמן עלאה, דנגיד ולא פסיק לעלמין, דשריא בגו חכמה עלאה דכלא, הה"ד כי עמך, עמך שריא, ולא מתפרשא מנך לעלמין, בחביבותא דכלא. מקור חיים, בגין דהיא מקורא ומבועא דחיים, לאפקא חיים לאילנא עלאה, ולאדלקא בוצינין. וע"ד ההוא אילנא אקרי עץ חיים, אילנא דנטיע ואשתרשא בגין ההוא מקורא דחיים.

קסו. וע"ד באורך נראה אור. באורך: דא אור דגניז לצדיקייא לזמנא דאתי, דכתיב וירא אלהים את האור כי טוב. ומההוא נהירו זמינין ישראל לאנהרא לעלמא דאתי.

קסז. ד"א כי עמך מקור חיים וגו', דא קב"ה, דאיהו אילנא עלאה במציעות גנתא, דאחיד לכל סטרין. מ"ט. בגין דאחיד ביה ההוא מקור חיים, ואעטר ליה בעטרין עלאין סחרניה דגנתא. כאימא דמעטרא לברה על כלא, הדא הוא דכתיב, צאינה וראינה בנות ציון וגו'. ובג"כ כי עמך מקור חיים, וע"ד באורך נראה אור.

קסח. רבי יצחק אמר, כי עמך מקור חיים, דא כהן גדול לעילא, לקבליה כהן גדול לתתא. בגין כך, אנגיד כהנא משח רבות עלאה קדישא לתתא, ואדליק בוצינין לעילא. דכהן גדול שלים בשלימו דז' יומין עלאין, ולאתעטרא על כלא.

קסט. לקבל דא ז' ימי מלואים, לכהנא דלתתא, לאשתכחא כלא כגוונא דלעילא. וע"ד ימי מלואים אקרון: יומי אשלמותא. בגין דישתלים כהנא בשאר יומין אחרנין, לאשלמא ז' כחדא. ואלין ימי מלואים אקרון, בגין דאתאחדן שאר אחרנין ביה. מאי קא מיירי. דכד כהנא אתער, כל שאר אחרנין מתערין עמיה.

קע. ובג"כ כתיב ומפתח אהל מועד וגו', עד יום מלאת וגו'. ז' יומין ודאי, כדין אתעטר כהנא לתתא בכלא, כגוונא דלעילא. בגין דבשעתא דכהנא דלתתא אתער, כלא יתערון על ידיה לעילא, וישתכחון ברכאן לעילא ותתא.

קעא. רִבִּי אַבָּא אָמַר, מַאי שְׁנָא דִּמְשַׁח מֹשֶׁה לְאַהֲרֹן. אֶלָּא, בְּגִין דְּאִיהוּ בְּרָא דְּהַהוּא אֲתַר מְקוֹרָא דְּחַיֵּי. וּכְתִיב מוֹלִיךְ לִימִין מֹשֶׁה זְרוֹעַ תִּפְאַרְתּוֹ. וּמֹשֶׁה שִׁמֵּשׁ כָּל אִינּוּן ז' יְמֵי מִלּוּאִין, לְאַשְׁרָאָה כֹּלָּא עִמֵּיהּ דְּאַהֲרֹן.

קעב. רִבִּי חִזְקִיָּה הֲוָה יָתִיב קָמֵי דְּרִבִּי אֶלְעָזָר, אָ"ל, כַּמָּה נְהוֹרִין אִתְבְּרִיאוּ עַד לָא אִבְרֵי עָלְמָא. אָ"ל ז'. וְאִלֵּין אִינּוּן: אוֹר תּוֹרָה. אוֹר גֵּיהִנֹּם. אוֹר גַּן עֵדֶן. אוֹר כִּסֵּא הַכָּבוֹד. אוֹר בֵּית הַמִּקְדָּשׁ. אוֹר תְּשׁוּבָה. אוֹרוֹ שֶׁל מָשִׁיחַ. וְאִלֵּין אִתְבְּרִיאוּ עַד לָא אִתְבְּרֵי עָלְמָא. ז' נְהוֹרִין בּוֹצִינִין אִתְאֲחָדוּ בֵּיהּ בְּאַהֲרֹן, וְהוּא אַדְלִיק בּוֹצִינִין מֵעֵילָּא לְתַתָּא.

קעג. ר' אֶלְעָזָר פָּתַח הַכֹּל הָיָה מִן הֶעָפָר וְהַכֹּל שָׁב אֶל הֶעָפָר. הָא תָּנֵינָן, הַכֹּל הָיָה מִן הֶעָפָר, אֲפִילּוּ גַּלְגַּל חַמָּה. מַאן הֶעָפָר. הַהוּא דִּשְׁרְיָא תְּחוֹת כּוּרְסֵי יְקָרָא קַדִּישָׁא.

קעד. בְּסִפְרָא דְּבֵי רַב יֵיסָא סָבָא, הַכֹּל הָיָה מִן הֶעָפָר, אֲתַר דְּכָנִישׁ לְכֹלָּא, מְלַמֵּד, דְּנַפְקוּ שְׁבִילִין לְהַאי סִטְרָא וּלְהַאי סִטְרָא, וְאִתְכְּנָשׁוּ לְאַנְהָרָא, כְּעַפְרָא דָּא דְּזַרְקִין לֵהּ לְכָל עִבַר. וְעַ"ד הַכֹּל הָיָה מִן הֶעָפָר, וְהַכֹּל שָׁב אֶל הֶעָפָר וַדַּאי.

קעה. אֶלָּא מִן הֶעָפָר, דְּבֵי מַקְדְּשָׁא קַדִּישָׁא. וְהַאי עָפָר מֵעַפְרָא עִלָּאָה, כד"א וְעַפְרוֹת זָהָב לוֹ. כְּמָה דְּאִשְׁתְּכַח עוֹבָדָא לְתַתָּא, הָכִי נָמֵי הוּא לְעֵילָּא כְּגַוְונָא דָּא. וְאוֹקִימְנָא עָפָר עָפָר דְּבֵי מַקְדְּשָׁא. דְּעָלְמָא דָּא בְּהֵ' אִתְבְּרֵי. וְעַ"ד, אֲפִילּוּ גַּלְגַּל חַמָּה. כְּמָה דְּאַתְּ אָמֵר, אֵלֶּה תוֹלְדוֹת הַשָּׁמַיִם וְהָאָרֶץ בְּהִבָּרְאָם, בְּהֵ' בְּרָאָם. וּבְגִינֵי כָּךְ, הַכֹּל הָיָה מִן הֶעָפָר. מַאן עָפָר. הַהוּא דִּשְׁרֵי תְּחוֹת כּוּרְסֵי יְקָרָא קַדִּישָׁא.

קעו. כְּתִיב כֻּלָּךְ יָפָה רַעְיָתִי וּמוּם אֵין בָּךְ. כֻּלָּךְ יָפָה רַעְיָתִי, דָּא כְּנֶסֶת יִשְׂרָאֵל. וּמוּם אֵין בָּךְ, אֵלּוּ סַנְהֶדְרִין דְּאִינּוּן לָקֳבֵיל שַׁבְעִין וּתְרֵין שְׁמָהָן. ע' נֶפֶשׁ דְּנַחְתּוּ עִם יַעֲקֹב, וְקוּדְשָׁא בְּרִיךְ הוּא עַל כֹּלָּא. וְעַל דָּא אֵין בּוֹדְקִין מִן הַסַּנְהֶדְרִין וּלְמַעְלָה.

קעז. תְּנָן, כְּתִיב וְאַתֶּם תִּהְיוּ לִי מַמְלֶכֶת כֹּהֲנִים וְגוֹי קָדוֹשׁ. מַאן מַמְלֶכֶת כֹּהֲנִים. כד"א, זֹאת מִשְׁחַת אַהֲרֹן וּמִשְׁחַת בָּנָיו, דְּכַד אִתְבָּרְכָא כְּנֶסֶת יִשְׂרָאֵל עַל יְדָא דְּכַהֲנֵי, כְּדֵין אִתְקְרֵי עַל שְׁמֵיהוֹן, הה"ד מַמְלֶכֶת כֹּהֲנִים.

קעח. ר"ש אָמַר, תָּא חֲזֵי, מַלְכוּת כֹּהֲנִים לָא אִקְרֵי, אֶלָּא מַמְלֶכֶת, דְּאַמְלְכוּ לָהּ כַּהֲנֵי, וְעַבְדוּ לָהּ גְּבִירְתָּא עַל כֹּלָּא. אֲבָל מַלְכוּת כֹּהֲנִים לָא אִקְרֵי, דְּהָא מִן הַשָּׁמַיִם אִקְרֵי מַלְכוּת, מַלְכוּת שָׁמַיִם וַדַּאי. וְהָכָא מַמְלֶכֶת, כד"א דְּכַהֲנֵי אַמְלְכוּ לָהּ, וּמִתְחַבְּרָאן לָהּ בְּמַלְכָּא, וּכְדֵין הִיא מַמְלֶכֶת, עַל כָּל גִּנְזֵי מַלְכָּא. מַמְלֶכֶת עַל כָּל זַיְינֵי מַלְכָּא. מַמְלֶכֶת בְּעִלָּאֵי וְתַתָּאֵי. מַמְלֶכֶת עַל כָּל עָלְמָא.

קעט. ר' יוֹסֵי אָמַר, כְּתִיב וַאֲגֻדָּתוֹ עַל אֶרֶץ יְסָדָהּ. וַאֲגֻדָּתוֹ: כַּד אִזְדַּוַּוג מַלְכָּא לְקַבְּלָהּ, בְּכָל אִינּוּן עִטְרִין קַדִּישִׁין, בִּכְנוּפְיָא חַד, כְּדֵין וַאֲגֻדָּתוֹ כְּתִיב.

קפ. רִבִּי יִצְחָק אָמַר, וַאֲגֻדָּתוֹ: כד"א, וּלְקַחְתֶּם אֲגֻדַּת אֵזוֹב. מַאי קָא מַיְירֵי. דְּכַד מִתְחַבְּרָאן כַּחֲדָא, וְאִתְבָּרְכָא מִנַּיְיהוּ, כְּדֵין שַׁלְטָא עַל כֹּלָּא, וְנַהֲרָא לְעֵילָּא וְתַתָּא. וְכֹלָּא בְּשַׁעְתָּא דְּכַהֲנָא פָּלַח פּוּלְחָנָא, וְאַקְרִיב קָרְבְּנָא, וְאַקְטַר קְטֹרֶת, וּמְכַוֵּין מִלִּין לְקָרְבָא כֹּלָּא כַּחֲדָא. כְּדֵין כְּתִיב, וַאֲגֻדָּתוֹ עַל אֶרֶץ יְסָדָהּ.

קפא. רִבִּי יוֹסֵי אָמַר, כַּד נָטַל אַהֲרֹן כֹּלָּא נַטְלִין עִמֵּיהּ, עַד דְּאִתְבָּרְכָא כְּנֶסֶת יִשְׂרָאֵל, וְאִתְבָּרְכָאן עִלָּאֵי וְתַתָּאֵי. כְּדֵין כְּתִיב, בָּרוּךְ יְיָ' מִצִּיּוֹן שׁוֹכֵן יְרוּשָׁלָם הַלְלוּיָהּ. וּבָרוּךְ שֵׁם כְּבוֹדוֹ לְעוֹלָם וְיִמָּלֵא כְבוֹדוֹ אֶת כָּל הָאָרֶץ אָמֵן וְאָמֵן.

קפב. ר' אֶלְעָזָר הֲוָה אָזִיל מִקַּפּוֹטְקִיָּא לְלוֹד, וַהֲווּ עִמֵּיהּ ר' יֵיסָא וְרִבִּי חִזְקִיָּה. פָּתַח ר'

אֶלְעָזָר וְאָמַר, וָאָשִׂים דְּבָרַי בְּפִיךָ וּבְצֵל יָדִי כִּסִּיתִיךָ וְגוֹ'. תָּנֵינָן, כָּל ב"נ דְּאִשְׁתָּדַּל בְּמִלֵּי דְּאוֹרַיְיתָא, וְשִׂפְוָותֵיהּ מְרַחֲשָׁן אוֹרַיְיתָא, קב"ה חָפֵּא עָלֵיהּ, וּשְׁכִינְתָּא פַּרְשָׂא עָלֵיהּ גַּדְפָּהָא, הה"ד וָאָשִׂים דְּבָרַי בְּפִיךָ וּבְצֵל יָדִי כִּסִּיתִיךָ. וְלֹא עוֹד, אֶלָּא דְּהוּא מְקַיֵּים עָלְמָא, וקב"ה חַדֵּי עִמֵּיהּ, כְּאִלּוּ הַהוּא יוֹמָא נָטַע שְׁמַיָּא וְאַרְעָא. הה"ד, לִנְטוֹעַ שָׁמַיִם וְלִיסוֹד אָרֶץ וְלֵאמֹר לְצִיּוֹן עַמִּי אָתָּה.

קפג. מִכָּאן אוֹלִיפְנָא, דְּיִשְׂרָאֵל אִקְרוּן בִּשְׁמָא דְּצִיּוֹן, דִּכְתִיב וְלֵאמֹר לְצִיּוֹן עַמִּי אַתָּה, וְזִמְנִין דִּכְנֶסֶת יִשְׂרָאֵל אִקְרֵי בִּשְׁמָא דְּצִיּוֹן, דִּכְתִיב צִיּוֹן בְּמִשְׁפָּט תִּפָּדֶה וְשָׁבֶיהָ בִּצְדָקָה.

קפד. תּוּ פָּתַח וְאָמַר, צוֹר תְּעוּדָה חֲתוֹם תּוֹרָה בְּלִמֻּדָי. צוֹר תְּעוּדָה. דָּא סַהֲדוּתָא דְּדָוִד, דִּכְתִיב וְעֵדוֹתִי זוֹ אֲלַמְּדֵם. צוֹר: הִיא קְשׁוּרָא, כְּמַאן דְּקָטַר קְטוּרָא בַּאֲתַר חַד. חֲתוֹם תּוֹרָה בְּלִמֻּדָי. חֲתוֹם תּוֹרָה: חֲתִימָה דְּאוֹרַיְיתָא, וְכָל נְגִידוּ וּרְבוּ דְּנָגִיד מִלְּעֵילָּא, כָּאן חֲתִימָה דִּילֵיהּ. בְּלִמֻּדָי. בְּגִין דְּתַמָּן אִתְכְּנַשׁ רְבוּ וּמִשְׁחָא, בֵּין תְּרֵין קַיָּימִין, דְּתַמָּן שַׁרְיָין, אֲתַר כְּנִישׁוּ דְּכָל רְבוּת וּמִשְׁחָא דְּנָגִיד מִלְּעֵילָּא, לְאַשְׁדָּאָה לֵיהּ בְּפוּמָא דְּאַמָּה, וּלְאַרְקָא לֵיהּ בְּהַאי תְּעוּדָה. וּכְדֵין אִתְקְשַׁר כֹּלָּא קִשְׁרָא חַד מְהֵימְנָא.

קפה. תָּא חֲזֵי, מַה בֵּין אִינּוּן דְּמִשְׁתַּדְּלֵי בְּאוֹרַיְיתָא, לִנְבִיאֵי מְהֵימְנֵי. אִינּוּן דְּמִשְׁתַּדְּלֵי בְּאוֹרַיְיתָא, עֲדִיפֵי מִנְּבִיאֵי בְּכָל זִמְנָא. מַאי טַעֲמָא. דְּאִינּוּן קַיְימֵי בְּדַרְגָּא עִלָּאָה, יַתִּיר מִנְּבִיאֵי, אִינּוּן דְּמִשְׁתַּדְּלֵי בְּאוֹרַיְיתָא קַיְימֵי לְעֵילָּא, בְּאַתְרָא דְּאִקְרֵי תּוֹרָה, דְּהוּא קִיּוּמָא דְּכָל מְהֵימְנוּתָא. וּנְבִיאֵי קַיְימֵי לְתַתָּא, בַּאֲתַר דְּאִקְרוּן נֶצַח וְהוֹד. וְעַל דָּא, אִינּוּן דְּמִשְׁתַּדְּלֵי בְּאוֹרַיְיתָא, עֲדִיפֵי מִנְּבִיאֵי, וְעִלָּאִין מִנַּיְיהוּ יַתִּיר. דְּאִלֵּין קַיְימִין לְעֵילָּא, וְאִלֵּין קַיְימִין לְתַתָּא. אִינּוּן דְּאַמְרֵי מִלִּין בְּרוּחַ הַקֹּדֶשׁ, קַיְימֵי לְתַתָּא מִכֻּלְּהוּ.

קפו. זַכָּאִין אִינּוּן דְּמִשְׁתַּדְּלֵי בְּאוֹרַיְיתָא, דְּאִינּוּן בְּדַרְגָּא עִלָּאָה יַתִּיר עַל כֹּלָּא. מַאן דְּלָעֵי בְּאוֹרַיְיתָא, לָא אִצְטְרִיךְ לָא לְקָרְבְּנִין, וְלָא לַעֲלָוָון. דְּהָא אוֹרַיְיתָא עֲדִיף מִכֹּלָּא, וְקִשּׁוּרָא דִּמְהֵימְנוּתָא דְּכֹלָּא. וְעַל דָּא כְּתִיב, דְּרָכֶיהָ דַּרְכֵי נֹעַם וְכָל נְתִיבוֹתֶיהָ שָׁלוֹם. וּכְתִיב, שָׁלוֹם רָב לְאוֹהֲבֵי תּוֹרָתֶךָ וְאֵין לָמוֹ מִכְשׁוֹל.

קפז. עַד דַּהֲווּ אָזְלֵי, אַשְׁכָּחוּ חַד גַּבְרָא דַּהֲוָה אָתֵי, וְג' עַנְפֵי הֲדַס בִּידֵיהּ, קָרִיבוּ גַּבֵּיהּ, אָמְרוּ לֵיהּ לָמָּה לָךְ הַאי. אָמַר לְרַוְוחָא אוֹבְדָא. אָמַר רִבִּי אֶלְעָזָר שַׁפִּיר קָאֲמַרְתְּ. אֲבָל ג' אִלֵּין לָמָּה. אָמַר לֵיהּ, חַד לְאַבְרָהָם. חַד לְיִצְחָק, וְחַד לְיַעֲקֹב. וְקַשִּׁירְנָא לְהוּ כַּחֲדָא, וְאָרַחְנָא בְּהוּ. בְּגִין דִּכְתִיב, לְרֵיחַ שְׁמָנֶיךָ טוֹבִים שֶׁמֶן תּוּרַק שְׁמֶךָ. בְּגִין דְּבְהַאי רֵיחָא, אִתְקַיַּים חוּלְשָׁא דְּנַפְשָׁא, וּבְהֵימְנוּתָא דָּא אִתְקַיְּימָא, וְאִתְנְגִידוּ בִּרְכָאן מֵעֵילָּא וְתַתָּא. אָמַר רִבִּי אֶלְעָזָר זַכָּאָה חוּלָקֵיהוֹן דְּיִשְׂרָאֵל בְּעָלְמָא דֵּין וּבְעָלְמָא דְּאָתֵי.

קפח. תָּא חֲזֵי, לֵית עָלְמָא מִתְקַיְּימָא, אֶלָּא עַל רֵיחָא, וּמֵרֵיחָא דָּא אִשְׁתְּמוֹדְעָא רֵיחָא אָחֳרָא. דְּהָא בְּשַׁעֲתָא דְּנָפִיק שַׁבְּתָא, וְסַלְּקָא נַפְשָׁא יְתֵירָא, וְאִשְׁתָּאֲרוּן נַפְשָׁא וְרוּחָא מִתְפָּרְשָׁן עֲצִיבִין, אָתָא רֵיחָא דָּא, וּמִתְקָרְבָן דָּא בְּדָא וְחַדָאן.

קפט. וְעַל דָּא, בָּעֵי רוּחָא בָּתַר רוּחָא, לְקַבְּלָא רֵיחָא, כֵּיוָן דְּאִתְקַבַּל רֵיחָא מִתְקָרְבָן כַּחֲדָא וְחַדָאן. כִּי הַאי גַּוְונָא רֵיחָא דְּקוּרְבְּנָא, בְּרֵיחָא מִתְקָרְבִין כֹּלָּא כַּחֲדָא, וּמִתְלַהֲטָן בּוּצִינֵי וְחַדָאן.

קצ. ת"ח, תְּרֵי בּוּצִינֵי, חַד לְעֵילָּא וְחַד לְתַתָּא, אִי לָהִיט ב"נ הַאי בּוּצִינָא דִּלְתַתָּא, וְכָבֵי לָהּ לְהַהוּא דִּלְעֵילָּא, הַהוּא תְּנָנָא דְּסָלִיק מִבּוּצִינָא תַּתָּאָה, לָהִיט הַהוּא בּוּצִינָא

עִלָּאָה. כַּךְ תְּנָנָא דְּקָרְבְּנִין, הַאי תְּנָנָא דְּסָלִיק, לָהִיט בּוּצִינֵי עִלָּאֵי, וּמִתְלַהֲטָן בְּחַד, וּמִתְקָרְבִין כֻּלְּהוּ כַּחֲדָא, בִּרְעוּתָא דָּא. וּבג״כ, רֵיחַ נִיחוֹחַ לַיְיָ, וְהָא אוּקְמוּהָ.

קצא. וְעַל דָּא, רַעֲוָא דְּקָרְבְּנָא, קִיּוּמָא דְּכֹלָּא, וְקִיּוּמָא דְּעָלְמָא. וְקָרְבְּנָא עַל יְדָא דְּכַהֲנָא, דִּמְקָרֵב כֹּלָּא. וּבג״כ, שִׁבְעָה יוֹמֵי אַשְׁלְמוּתָא, אִשְׁתְּלִימוּ בֵּיהּ, בְּגִין דְּיִתְבָּרְכוּן כֻּלְּהוּ בְּפוּלְחָנֵיהּ, וְיִשְׁתַּכְּחוּ חֶדְוָואן וּבִרְכָאן לְעֵילָּא וְתַתָּא.

קצב. כְּתִיב יְיָ׳ אֱלֹהַי אַתָּה אֲרוֹמִמְךָ וְגוֹ׳, הַאי קְרָא אוּקְמוּהָ, יְיָ׳ אֱלֹהַי אַתָּה. דְּבָעֵי ב״נ לְאוֹדָאָה לִשְׁמָא קַדִּישָׁא, וּלְשַׁבְּחָא לֵיהּ עַל כֹּלָּא. וּמַאן אֲתַר שְׁבָחָא דִּילֵיהּ, כְּמָה דְּאוּקְמוּהָ. וְהָכָא מֵעֲמִיקָא דְּכֹלָּא, דִּכְתִּיב כִּי עָשִׂיתָ פֶּלֶא. פֶּלֶא: כְּמָה דִּכְתִּיב, וַיִּקְרָא שְׁמוֹ פֶּלֶא, וְהָא אִתְּמַר. עֵצוֹת מֵרָחוֹק, עֵצוֹת: כד״א, יוֹעֵץ. מֵרָחוֹק: דִּכְתִּיב מֵרָחוֹק יְיָ׳ נִרְאָה לִי. וּכְתִיב, מִמֶּרְחָק תָּבִיא לַחְמָהּ.

קצג. אֱמוּנָה אֹמֶן, כד״א, אֵל אֱמוּנָה וְאֵין עָוֶל. וְאוּקְמוּהָ אֱמוּנָה בַּלַּיְלָה, כד״א וֶאֱמוּנָתְךָ בַּלֵּילוֹת. וּכְתִיב חֲדָשִׁים לַבְּקָרִים רַבָּה אֱמוּנָתֶךָ, וְזַמִּין קוּדְשָׁא בְּרִיךְ הוּא לְדַכָּאָה לוֹן לְיִשְׂרָאֵל מֵחוֹבֵיהוֹן, כְּמָה דִּכְתִּיב וְזָרַקְתִּי עֲלֵיכֶם מַיִם טְהוֹרִים וּטְהַרְתֶּם מִכֹּל טֻמְאוֹתֵיכֶם וּמִכָּל גִּלּוּלֵיכֶם אֲטַהֵר אֶתְכֶם.

בילא״ו.

SHEMINI

שמיני

א. ויהי ביום השמיני וגו'. ר' יצחק פתח, ברן יחד כוכבי בקר ויריעו כל בני אלהים. זכאין אינון ישראל, דקודשא ב"ה יהיב לון אורייתא קדישא, חדוותא דכלא, חדוותא דקב"ה, ואטיילותא דיליה, דכתיב, ואהיה שעשועים יום יום. ואורייתא כלא, חד שמא קדישא איהי דקב"ה. ובאורייתא אתברי עלמא דכתיב, ואהיה אצלו אמון אל תקרי אמון אלא אומן.

ב. ובאורייתא אתברי ב"נ, הה"ד ויאמר אלהים נעשה אדם. אמר קודשא ב"ה לאורייתא, בעינא למברי אדם. אמרה קמיה, האי ב"נ זמין למחטי ולארגזא קמך, אי לא תאריך רוגזך עליה, היך יקום בעלמא. אמר לה, אנא ואת נוקים ליה בעלמא, דהא לאו למגנא אתקרינא ארך אפים.

ג. רבי חייא אמר, תורה שבכתב ותורה שבעל פה אוקמוה ליה לב"נ בעלמא, הה"ד נעשה אדם בצלמנו כדמותינו. רבי יוסי אמר מהכא, את אשר כבר עשוהו, עשוהו ודאי. ודא הוא צלם ודמות, צלם: בדכורא. דמות: בנוקבא וע"ד שירותא דאורייתא ב', ואוקמוה.

ד. ר' יצחק אמר, מפני מה ב' פתיחא וסתימא. אלא, בשעתא דב"נ אתי לאתחברא באורייתא, הרי היא פתיחא לקבלא ליה, ולאשתתפא בהדיה. ובשעתא דב"נ, סתים עינוי מנה, ויהך לארחא אחרא, הרי היא סתימא, מסטרא אחרא. כד"א, אם יום תעזבני יומים אעזבך. ולא ישכח פתחא, עד דיתוב לאתחברא בה באורייתא אנפין באנפין, ולא יתנשי מנה. וע"ד אורייתא פתחת קמי בני נשא ואכרזא וקרי להון אליכם אישים אקרא וגו' וכתיב בראש הומיות תקרא בפתחי שערים בעיר אמריה תאמר.

ה. ר' יהודה אמר, ב' תרין גגין, וחד דאחיד לון. מאי קא מיירי. אלא חד לשמיא וחד לארעא, וקב"ה אחיד וקביל לון.

ו. ר' אלעזר אמר, ג' נהורין אינון עלאין קדישין, דאחידן כחדא, ואינון כללא דאורייתא, ואלין פתחין פתחא לכלא. פתחין פתחא למהימנותא, ואלין ביתא דכלא. ועל דא בית אקרו, דאלין אינון ביתא. ובג"כ שירותא דאורייתא ב'. דהא היא אורייתא הוי אסוותא דעלמא.

ז. ובג"כ, מאן דאשתדל באורייתא, כאלו אשתדל ביה בשמא קדישא. והא אתמר, דאורייתא כלא, חד שמא קדישא עלאה איהי. ובגין דאיהי שמא קדישא, פתחא בבית, דאיהי כללא דשמא קדישא, בתלת קשרי מהימנותא.

ח. ת"ח, כל אינון דמשתדלי באורייתא, מתדבקין ביה בקב"ה, ומתעטרי בעטרי דאורייתא, ואתרחימו לעילא ותתא, וקב"ה אושיט לון ימיניה כ"ש אינון דמשתדלי באורייתא נמי בליליא. והא אוקמוה, דאינון משתתפי בשכינתא ואתחברו כחדא. וכד אתי צפרא, קב"ה מעטר להו, בחד חוטא דחסד, לאשתמודעא בין עלאין ותתאין.

ט. וכל אינון ככבי צפרא, בשעתא דכנסת ישראל, וכל אינון דלעאן באורייתא,

אָתָאן לְאִתְחֲזָאָה קָמֵי מַלְכָּא, כֻּלְּהוּ מְזַמְּרֵי כַּחֲדָא, הה״ד בְּרָן יַחַד כֹּכְבֵי בֹקֶר וַיָּרִיעוּ כָּל בְּנֵי אֱלֹהִים. מַאי וַיָּרִיעוּ. כד״א, רוֹעָה הִתְרוֹעֲעָה הָאָרֶץ. דְּאִינּוּן דִּינִין מִתַּבְּרִין, וְאִתְּבָּרוּ כֻּלְּהוּ מִקַּמֵּי בֹּקֶר, כַּד אִתְּעַר בֹּקֶר בְּעָלְמָא, כד״א, וַיַּשְׁכֵּם אַבְרָהָם בַּבֹּקֶר. וְעַ״ד וַיָּרִיעוּ כָּל בְּנֵי אֱלֹהִים.

י. ר׳ אֶלְעָזָר הֲוָה אָזִיל בְּאוֹרְחָא, אַשְׁכְּחֵיהּ לְר׳ פִּנְחָס בֶּן יָאִיר דַּהֲוָה אָתֵי, גָּעָא חֲמָרֵיהּ. א״ר פִּנְחָס, וַדַּאי בְּקָלָא דְּחֶדְוְותָא דַּחֲמָרָא, וְחֲמֵינָא אַנְפִּין חַדְתִּין יִשְׁתַּכְּחוּן הָכָא, כֵּיוָן דְּנָפַק מִבָּתַר עַנְפּוֹי דְּטוּרָא, וְחָמָא לֵיהּ לְר׳ אֶלְעָזָר דַּהֲוָה אָתֵי, אָמַר וַדַּאי קָלָא דְּחֶדְוְותָא אִשְׁתְּלִים. נָחַת ר׳ אֶלְעָזָר לְגַבֵּיהּ, וְנָשִׁיק לֵיהּ, אָ״ל אִי טוּפְסָא דְּאָרְחָא, וְחַד לְגַבָּךְ, נֵיזִיל וְנִתְחַבֵּר כַּחֲדָא. וְאִי לָאו טוֹל אָרְחָךְ וְזִיל. אָ״ל, וַדַּאי לְקַבְּלָךְ אֲזִילְנָא, כֵּיוָן דְּאַשְׁכַּחְנָא לָךְ, אֵיזִיל אֲבַתְרָךְ וְנִתְחַבֵּר כַּחֲדָא.

יא. פָּתַח רִבִּי פִּנְחָס וְאָמַר, יְבָרֶכְךָ יְיָ׳ מִצִּיּוֹן וּרְאֵה בְּטוּב וְגוֹ׳. יְבָרֶכְךָ יְיָ׳ מִצִּיּוֹן, מ״ט מִצִּיּוֹן. בְּגִין דְּהָא מִתַּמָּן נָפְקֵי בִּרְכָאָן לְכֹלָּא. הה״ד כִּי שָׁם צִוָּה יְיָ׳ אֶת הַבְּרָכָה חַיִּים עַד הָעוֹלָם. וּבְגִ״כ יְבָרֶכְךָ יְיָ׳ מִצִּיּוֹן דְּהָא מִתַּמָּן נָפְקֵי בִּרְכָאן לְכֹלָּא. וּרְאֵה בְּטוּב יְרוּשָׁלָםִ, דִּבְגִינֵי צִיּוֹן יְרוּשָׁלַםִ אִתְבָּרְכָא, דְּכֵיוָן דְּצִיּוֹן אִתְמְלֵי בִּרְכָאן, כְּדֵין יְרוּשָׁלַםִ אִתְבָּרְכָא, וְאִשְׁתְּכָחוּ בָּהּ רַחֲמִים. וְכַד יְרוּשָׁלַםִ אִתְבָּרְכָא, כָּל עַמָּא אִתְבָּרְכָא.

יב. כָּל יְמֵי חַיֶּיךָ, דְּלָא יִתְחֲזֵי קֶשֶׁת בְּיוֹמָךְ, כְּמָה לְאָבוּךְ. וְעַל דָּא וּרְאֵה בְּטוּב יְרוּשָׁלַםִ כֹּל יְמֵי חַיֶּיךָ. וּרְאֵה בָנִים לְבָנֶיךָ, דַּחֲלֵי חַטָּאָה, חֲסִידִין, קַדִּישִׁין, כְּדֵין שָׁלוֹם עַל יִשְׂרָאֵל. מַאי שָׁלוֹם עַל יִשְׂרָאֵל. אֶלָּא, כְּמַאן דְּאָמַר שְׁלָמָא עַל רֵישֵׁיהּ דְּמַלְכָּא, דְּלָא יֶחְסַר כֹּלָּא. כָּךְ שָׁלוֹם עַל יִשְׂרָאֵל, בִּזְמְנָא דְּצַדִּיקַיָּיא יִשְׁתַּכְּחוּן בְּעָלְמָא.

יג. פָּתַח ר׳ אֶלְעָזָר וְאָמַר, עֲטֶרֶת זְקֵנִים בְּנֵי בָנִים וְתִפְאֶרֶת בָּנִים אֲבוֹתָם. בָּנִים הָא אוֹקִימְנָא. בְּנֵי בָנִים, אִלֵּין שְׁאָר כִּתְרֵי מַלְכָּא, כד״א וְכָל בָּנַיִךְ לִמּוּדֵי יְיָ׳. וּכְתִיב בְּנֵי צִיּוֹן הַיְקָרִים, כד״א וְתִפְאֶרֶת בָּנִים אֲבוֹתָם, לָא מִתְעַטְּרָן בְּנִין אֶלָּא בַּאֲבָהָן. מִכָּאן אוֹלִיפְנָא, דִּבְנִין לָא מִתְעַטְּרֵי, וְלָא מִשְׁתַּקְיָין מִשְׁקְיוּ דְּנַחֲלָא, אֶלָּא בִּזְמְנָא דַּאֲבָהָן מִתְעַטְּרָאן וּמִתְבָּרְכָאן, הֲדָא הוּא דִּכְתִיב וְתִפְאֶרֶת בָּנִים אֲבוֹתָם.

יד. עַד דַּהֲווּ אָזְלֵי, מָטָא עִדָּן צְלוֹתָא, נַחְתּוּ וְצַלּוּ. עַד דַּהֲווּ מְצַלֵּי, קָפַטְר חַד חִוְיָא בְּרַגְלוֹי דַּחֲמָרָא, דְּרִבִּי פִּנְחָס. קַפְטָא וְגָעָא תְּרֵי זִמְנֵי. בָּתַר דְּסַיְּימוּ צְלוֹתָא, אָמַר רִבִּי פִּנְחָס, וַדַּאי צַעֲרָא הוּא לִבְעִירָא דִּילִי, דְּהָא יוֹמָא דָּא אַקְדִּימְנָא, וַהֲוֵינָא מַרְחִישׁ בְּאוֹרַיְיתָא, וְאַעְבַּר לִי בְּאֲתַר דִּלְכְלוּכָא שַׁרְיָא, וְהַשְׁתָּא מְצַעֲרֵי לָהּ. קָמוּ וְחָמוּ חַד חִוְיָא קָטִיר אַרְגְּלֵיהּ, א״ר פִּנְחָס, חִוְיָא חִוְיָא, זִיל וְאַסְחַר קוּטְרָךְ, בְּקִטְפּוּרָא דְּחִוּוּרָא. אַדְּהָכִי אִתְנְשַׁר חִוְיָא, וְנָפַל קַפְסִירֵי קַפְסִירֵי.

טו. אָמַר ר׳ אֶלְעָזָר, וּמַה כ״כ מְדַקְדֵּק קב״ה בְּצַדִּיקַיָּיא. אָמַר לֵיהּ, וַדַּאי קב״ה מְדַקְדֵּק בְּהוּ בְּצַדִּיקַיָּיא, וְנָטִיר לוֹן, וּבָעָא לְאוֹסְפָא לוֹן קְדוּשָּׁה עַל קְדוּשָּׁתַיְיהוּ וְהַשְׁתָּא הַאי חֲמָרָא, עַל דְּלָא נָטַר קְדוּשָּׁתָא דִּילִי אִצְטָעַר. וְדָא חִוְיָא שְׁלִיחָא הַוְיָא, וְכַמָּה שְׁלוּחִין אִית לֵיהּ לְקב״ה וּבְכֻלְּהוּ עָבֵיד שְׁלִיחוּתֵיהּ, וַאֲפִילּוּ בְּחֵיוָת בָּרָא. הה״ד וְשִׁלַּחְתִּי בָכֶם אֶת חַיַּת הַשָּׂדֶה וְשִׁכְּלָה אֶתְכֶם. וַאֲפִילּוּ בְּיַד גּוֹי, הה״ד, יִשָּׂא יְיָ׳ עָלֶיךָ גּוֹי מֵרָחוֹק מִקְצֵה הָאָרֶץ.

טז. א״ר אֶלְעָזָר, וּבִידָא דְּיִשְׂרָאֵל עָבֵיד שְׁלִיחוּתָא. אָמַר לֵיהּ, אִין. כְּגוֹן רָשָׁע בִּידָא דְּצַדִּיק. אֲבָל רָשָׁע בִּידָא דְּיִשְׂרָאֵל רָשָׁע אָחֳרָא, לָא עָבֵיד בֵּיהּ שְׁלִיחוּתָא, אֶלָּא בִּזְמְנָא דְּאִיהוּ לָא מְכַוֵּון בֵּיהּ. הה״ד, וַאֲשֶׁר לֹא צָדָה וְהָאֱלֹהִים אִנָּה לְיָדוֹ. וַאֲשֶׁר לֹא צָדָה

דַּיְיקָא, דְּלָא לְקַטְלָא לֵיהּ. דָּא, וְהָאֱלֹהִים אִנָּה לְיָדוֹ, בְּגִין לְאַעֲנָשָׁא לִתְרַוַויְיהוּ.

יז. אָמַר ר' אֶלְעָזָר, הֵיכִי עָבִיד קב"ה שְׁלִיחוּתָא בִּידָא דְּהָנֵי, וּבִידָא דְּגוֹי. אָ"ל וְאָבוּךְ לָא קָאָמַר לָךְ. אָ"ל עַד לָא שָׁאִילְנָא.

יח. פָּתַח וְאָמַר, וְהוּא יַשְׁקִיט וּמִי יַרְשִׁיעַ וְגוֹ'. וְהוּא יַשְׁקִיט, בְּזִמְנָא דְּקב"ה יָהִיב שְׁקִיטוּ וְשַׁלְוָה לב"נ, מַאן הוּא רַשַּׁאי לְאַבְאָשָׁא לֵיהּ, וּלְמֶעְבַּד לֵיהּ קַטֵיגוֹרְיָא. וְיַסְתֵּר פָּנִים וּמִי יְשׁוּרֶנּוּ. וּבְזִמְנָא דְּאִיהוּ אַסְתִּיר עֵינֵיהּ מִלְּאַשְׁגְּחָא עָלֵיהּ, מַאן הוּא דְּיִשְׁגַּח עָלֵיהּ, לְנַטְרָא לֵיהּ, וּלְמֶעְבַּד לֵיהּ נְטִירוּ. וְאוֹרְחוֹי דְּקוּדְשָׁא בְּרִיךְ הוּא בְּדָא, עַל גּוֹי, וְעַל אָדָם יַחַד. בֵּין לְעָלְמָא כֻּלָּא, בֵּין לְעַמָּא חַד, בֵּין לְחַד בִּלְחוֹדוֹי.

יט. תָּא חֲזֵי, בְּזִמְנָא דִּבְנֵי נָשָׁא מִתְכַּשְּׁרָן עוֹבָדִין לְתַתָּא, אִתְּעַר לְגַבַּיְיהוּ לְעֵילָּא יְמִינָא דְּקוּדְשָׁא ב"ה. כְּדֵין מִתְעָרִין כַּמָּה רְחִימִין, כַּמָּה נְטוּרֵי עָלְמָא, כַּמָּה נְטוּרֵי דְּבַר נָשׁ, מִימִינָא וּמִשְּׂמָאלָא. וּכְדֵין אִתְכַּפְיָא שְׂמָאלָא, וְלָא יַכְלָא לְשַׁלְטָאָה. וּבְזִמְנָא דִּבְנֵי אֱנָשָׁא לָא מִתְכַּשְּׁרָן עוֹבָדִין לְתַתָּא, שְׂמָאלָא אִתְּעַר, וְכָל אִינּוּן דְּאָתוּ מִסִּטְרָא דִּשְׂמָאלָא, כֻּלְּהוּ אִתְעֲרוּ, וְכֻלְּהוּ אִתְעֲבִידוּ שְׁלוּחִין לְאַבְאָשָׁא לְגַבַּיְיהוּ דִּבְנֵי נָשָׁא. דְּהָא אִינּוּן דְּעָבְרוּ עַל פִּתְגָּמֵי אוֹרַיְיתָא, כֻּלְּהוּ רְשִׁימִין בְּאַנְפַּיְיהוּ, וְאִשְׁתְּמוֹדְעָן לְגַבֵּי אִינּוּן דְּמִתְעָרֵי מִסִּטְרָא דִּשְׂמָאלָא.

כ. וּבג"כ, חֲיָוותָא וְעַ"ז, וְכָל אִינּוּן דְּאָתוּ מִסִּטְרָא דִּשְׂמָאלָא, כֻּלְּהוּ אִקְרוּן שְׁלוּחִין, לְגַבֵּי אִינּוּן רְשִׁימִין דְּמִתְעָרֵי לְהוּ. וְיִשְׂרָאֵל, אע"ג דְּלָא מְכַשְּׁרָן עוֹבָדִין, כֻּלְּהוּ מִן סִטְרָא דִּימִינָא קָא אַתְיָין. וּבְגִין דְּאִתְכַּפְיָיא יְמִינָא בְּעוֹבָדַיְיהוּ, שַׁלְטָא עָלַיְיהוּ שְׂמָאלָא, וְכָל אִינּוּן דְּאָתוּ מִסִּטְרָא דִּשְׂמָאלָא, וְעַל דָּא, שְׁלִיחוּתָא בִּידָא דְּחֵיוָותָא וְגוֹי, וְכָל דְּדָמֵי לוֹן, דְּאִינּוּן מִסִּטְרָא דִּשְׂמָאלָא, וְלָא בִּידָא דְּיִשְׂרָאֵל, דאע"ג דְּחַיָּיבָא אִיהוּ, מִסִּטְרָא דִּימִינָא קָא אָתֵי.

כא. וְיִשְׂרָאֵל חַיָּיבָא, דְּנָפַל בִּידָא דְּיִשְׂרָאֵל חַיָּיבָא אָחֳרָא, בְּזִמְנָא דְּלָא אִתְכַּוַּון בֵּיהּ, בְּגִין דְּיִתְעַנְשׁוּ תַּרְוַויְיהוּ, וְיַקַבְּלוּן עוֹנְשָׁא לְדַכָּאָה לוֹן. א"ר אֶלְעָזָר, מְנָלָן. אָ"ל אִינּוּן בִּימִינָא. וְלָא אִתְדַּבְּקוּ בִּשְׂמָאלָא, וְלָא אִתְעָרְבוּ בַּהֲדֵהּ לְעָלְמִין, וְעַל דָּא, לְזִמְנָא אָחֳרָא אִתְעָבְרוּ.

כב. אָמַר רִבִּי אֶלְעָזָר, מְנָא לָן. אָמַר לֵיהּ, תָּא חֲזֵי מִן פִּלֶּגֶשׁ בַּגִּבְעָה, דְּאַף עַל גַּב דְּחַיָּיבֵי נִינְהוּ, לָא בָּעָא קוּדְשָׁא בְּרִיךְ הוּא דְּיִתְעָרוּן גַּבַּיְיהוּ חַיָּיבֵי יִשְׂרָאֵל אָחֳרָנִין. וְעַל דָּא מִיתוּ כָּל אִינּוּן זִמְנִין דְּמִיתוּ. עַד דְּכֻלְּהוּ חַיָּיבִין דְּאִתְעָרוּ לְגַבַּיְיהוּ, מִיתוּ וְאִתְאֲבִידוּ, וְאִשְׁתָּאָרוּ אִינּוּן זַכָּאִין יַתִּיר, דְּיַעַבְדוּן מִלָּה בְּאֹרַח קְשׁוֹט. וְאע"ג דְּזַכָּאִין אִינּוּן, לָא אִתְיְיהִיב מִלָּה, אֶלָּא לְאִינּוּן דְּאִתְיְיהִיב. כַּד שְׁקִילָן עָלְמִין כַּחֲדָא, עָלְמָא תַּתָּאָה כְּגַוְונָא דְּעָלְמָא עִלָּאָה, וְהַהוּא זִמְנָא, לָא אִשְׁתְּכָחוּ עָלְמִין שְׁקִילָן כַּחֲדָא.

כג. וְעַל דָּא, חַיָּיבִין דְּיִשְׂרָאֵל לְגַבַּיְיהוּ דְּחַיָּיבִין אָחֳרָנִין, לָאו אִינּוּן שְׁלוּחֵי מַלְכָּא, דְּהָא לָא אַתְיָין מִסִּטְרָא דִּשְׂמָאלָא. מְתַל לִבְנֵי נָשָׁא דְּחָבוּ לְמַלְכָּא, אִתְּעַר סַנְטִירָא לְגַבַּיְיהוּ, לְתַפְשָׂא לוֹן, וּלְאַעֲנָשָׁא לוֹן, לְאִינּוּן דְּחָבוּ לְמַלְכָּא. קָם וַחֲכִים חַד מִנַּיְיהוּ, וְאִתְעָרַב בַּהֲדֵי בְּנֵי סַנְטִירָא, זָקַף סַנְטִירָא עֵינוֹי וְחָמָא לֵיהּ. אָ"ל מַאן יָהֵבָךְ לְגַבָּן, וְלָאו אַנְתְּ מֵאִינּוּן דְּחָבוּ לְמַלְכָּא, הָא אַנְתְּ אִתְעֲנַשׁ בְּקַדְמֵיתָא, שְׁקִילוּ לֵיהּ וְקַטְלוּהוּ.

כד. כַּךְ יִשְׂרָאֵל מִסִּטְרָא דִּימִינָא קָא אַתְיָין, וְלָא אִתְדַּבְּקוּ בִּשְׂמָאלָא, וְלָא אִתְעָרְבוּ בַּהֲדֵהּ לְעָלְמִין. וְכַד אִינּוּן גָּרְמִין בְּחוֹבַיְיהוּ, דְּאִתְכַּפְיָא יְמִינָא, וְאִתְּעַר שְׂמָאלָא וְכָל

אִינּוּן דְּאָתוּ מִסִּטְרֵיהּ, אִי וַחַד מִיִּשְׂרָאֵל קָם לְאִתְעָרְבָא בַּהֲדַיְיהוּ, אִשְׁתְּמוֹדְעָן בֵּיהּ, אָמְרֵי לֵיהּ לָאו אַנְתְּ מֵאִינּוּן דְּקָא אַתְיָין מִסִּטְרָא דִּימִינָא, דְּאִתְכַּפְיָא מְחוֹבַיְיהוּ, וְלָאו אַנְתְּ מֵאִינּוּן דְּחָבוּ לְמַלְכָּא מַאן יָהֲבָךְ לְגַבָּן. אִשְׁתְּכַח דְּאִיהוּ אִתְעֲנַשׁ בְּקַדְמֵיתָא. וּשְׁלֹמֹה מַלְכָּא צָוַוח לְקָבְלַיְיהוּ, וְאָמַר עֵת אֲשֶׁר שָׁלַט הָאָדָם בְּאָדָם לְרַע לוֹ. לְרַע לוֹ וַדַּאי, בְּגִין דְּלָאו שְׁלִיחָא דְּמַלְכָּא אִיהוּ, וְלָא אָתֵי מֵהַהוּא סִטְרָא.

כה. אָמַר רִבִּי אֶלְעָזָר וַדַּאי הָכִי הוּא, דְּהָא תָּנֵינָן, דְּאִית יְמִינָא וְאִית שְׂמָאלָא, רַחֲמֵי וְדִינָא, יִשְׂרָאֵל לִימִינָא, וְעַכּוּ"ם לִשְׂמָאלָא. יִשְׂרָאֵל אַע"ג דְּחַיָּיבֵי נִינְהוּ, וְאִתְכַּפְיָין, אִינּוּן בִּימִינָא, וְלָא אִתְדַּבְּקָן בִּשְׂמָאלָא, וְלָא אִתְעָרְבוּן בַּהֲדָהּ לְעָלְמִין. וּבְגִ"כ כְּתִיב, הוֹשִׁיעָה יְמִינְךָ וַעֲנֵנִי. דְּכַד אִסְתַּלָּק יְמִינָא יִשְׂרָאֵל דְּאִתְדַּבְּקוּן בַּהֲדֵיהּ, יִסְתַּלְּקוּן וְיִתְעַטְּרוּן בֵּיהּ. כְּדֵין אִתְכַּפְיָא שְׂמָאלָא, וְכָל אִינּוּן דְּאָתוּ מִסִּטְרֵיהּ, הה"ד יְמִינְךָ יְיָ' תִּרְעַץ אוֹיֵב.

כו. פָּתַח רִבִּי אֶלְעָזָר וְאָמַר וַיְהִי בַּיּוֹם הַשְּׁמִינִי קָרָא וְגוֹ'. וַיְהִי בַּיּוֹם הַשְּׁמִינִי, מַאי יוֹם הַשְּׁמִינִי. אֶלָּא כְּתִיב וּמִפֶּתַח אֹהֶל מוֹעֵד וְגוֹ', כִּי שִׁבְעַת יָמִים יְמַלֵּא אֶת יֶדְכֶם. כִּי שִׁבְעַת, בְּשִׁבְעַת יָמִים מִבָּעֵי לֵיהּ, אוֹ שִׁבְעָה יָמִים יְמַלֵּא אֶת יֶדְכֶם, מַאי כִּי שִׁבְעַת יָמִים יְמַלֵּא.

כז. אֶלָּא, זַכָּאִין אִינּוּן כַּהֲנֵי, דְּמִתְעַטְּרֵי בְּעִטְרוֹי דְּמַלְכָּא קַדִּישָׁא, וּמְשִׁיחִין בִּמְשַׁח רְבוּת קַדִּישָׁא, בְּגִין דְּאִתְּעַר מִשְׁחָא עִלָּאָה, דְּמַשְׁקֵי לְכָל שִׁבְעָה, וְאִתְמְשָׁחָן מֵהַהוּא רְבוּת קַדִּישָׁא, וְאִתְדְּלָקוּ מִנֵּיהּ כָּל אִינּוּן שִׁבְעָה בּוֹצִינִין, וְהַאי מְשַׁח רְבוּת הוּא כְּלָלָא דְּכָל שִׁבְעָה, וְכֻלְּהוּ בֵּיהּ אִתְכְּלִילוּ.

כח. וְתָנֵינָן שִׁיתָא אִינּוּן, וְכֻלְּהוּ אִתְכְּלִילָן בְּהַאי, וְדָא הוּא כְּלָלָא דְּכֻלְּהוּ, וּבְגִין כַּךְ שִׁבְעַת יָמִים יְמַלֵּא, דְּהָא בְּהַאי תַּלְיָין. וְעַ"ד, אִקְרֵי כ"י, בַּת שֶׁבַע. מַאי אִיהִי בַּת שֶׁבַע. דְּאִיהִי כְּלִילָא מִשִּׁיתָא אָחֳרָנִין.

כט. כֵּיוָן דְּהַאי שִׁבְעָה, אַשְׁלִים לְהוּ לְכַהֲנֵי, וְאַעְטַר לוֹן, וּמָשַׁח לוֹן בְּכֹלָּא, כַּד מָטוּ לְכ"י דְּאִיהִי תְּמִינָאָה, אִתְפְּקַד אַהֲרֹן לְקָרְבָא עֵגֶל, בְּגִין דְּאִיהוּ בְּרֵיהּ דְּפָרָה, לְכַפָּרָא עַל הַהוּא חוֹבָא דְּעֵגֶל אָחֳרָא דַּעֲבַד אַהֲרֹן, וְחָב לְגַבֵּי פָּרָה, דְּאִיהִי תְּמִינָאָה, שְׁלִימוּ דֶּאֱמוּנֵי יִשְׂרָאֵל. וְאִשְׁתְּכַח כַּהֲנָא שְׁלִים בְּכֹלָּא, בִּתְמַנְיָא מִינֵי לְבוּשִׁין דִּיקָר, שְׁלִים בְּכָל כִּתְרִין, שְׁלִים לְעֵילָּא, שְׁלִים לְתַתָּא.

ל. וּבְכֹלָּא, בָּעֵי לְאַחֲזָאָה עוֹבָדָא. וְעַ"ד אִתְעֲבֵיד בֵּיהּ בְּאַהֲרֹן עוֹבָדָא לְתַתָּא, בְּגִין דְּיִתְּעַר הָכִי לְעֵילָּא, וְיִשְׁתְּכַח כֹּלָּא בְּגַוְונָא חַד, וּכְדֵין אִתְבָּרְכָאן עָלְמִין כֻּלְּהוּ, וּמִשְׁתַּכְּחִין בִּרְכָאן עַל יְדָא דְּכַהֲנָא. וְהָכָא אִשְׁתְּלִים כַּהֲנָא בְּכֹלָּא כִּדְקָא יָאוּת.

לא. עֵגֶל לָמָּה. דִּכְתִּיב עֵגֶל בֶּן בָּקָר לְחַטָּאת, בְּגִין הַהוּא חַטָּאת, דַּעֲבַד בְּקַדְמֵיתָא. וְאַיִל לְעוֹלָה, מ"ט אַיִל. בְּגִין אַיִל דְּיִצְחָק, דְּהַהוּא עוֹלָה תְּמִימָה, וְהַאי אִתְחֲזֵי לְקָרְבָא, לְאַשְׁלָמָא כֹּלָּא. וְהַאי אֲתַר, מִסִּטְרָא דְּיִצְחָק אִשְׁתְּאַב. וְהַאי אַיִל בְּגִין אַיִל דְּיִצְחָק מִתְקָרְבָא עוֹלָה, דְּהָא עוֹלָה לְעֵילָּא סַלְּקָא, וּבְגִין לְאַעְטְרָא לָהּ בִּשְׁלִימוּתָא. עֵגֶל וְאַיִל: עֵגֶל בְּגִינָהּ, כִּדְקָאַמְרָן. אַיִל, לְאַשְׁלָמָא לָהּ בִּשְׁלִימוּ דְּיִצְחָק כִּדְקָא יָאוּת.

לב. וְיִשְׂרָאֵל דְּחָבוּ עִמֵּיהּ דְּכַהֲנָא בְּהַאי, מַקְרִיבִין כְּגַוְונָא דָּא, דִּכְתִּיב וְשׁוֹר וָאַיִל לִשְׁלָמִים לִזְבּוֹחַ לִפְנֵי יְיָ'. שׁוֹר, עַל מַה דְּחָבוּ. וְאַיִל לְאַשְׁלָמָא לְהַאי אֲתַר בִּשְׁלִימוּ דְּיִצְחָק.

לג. מ"ש בְּכַהֲנָא דִּכְתִּיב בֵּיהּ עֵגֶל לְחַטָּאת, וְלָא כְּתִיב בְּיִשְׂרָאֵל שׁוֹר לְחַטָּאת. אֶלָּא, יִשְׂרָאֵל הָא קַבִּילוּ עוֹנְשָׁא בְּקַדְמֵיתָא, וּבְגִין דְּקַבִּילוּ עוֹנְשָׁא בְּכַמָּה אֲתַר, עַל דָּא קוּדְשָׁא בְּרִיךְ הוּא

לָא בָּעָא לְאַדְכְּרָא לוֹן חוֹבַיְיהוּ כִּדְקַדְמֵיתָא, וְעַל דָּא לָא כְּתִיב הָכָא לְחַטָּאת, אֶלָּא לִשְׁלָמִים, בְּגִין לְאַחֲזָאָה שְׁלָמָא, דְּהָא קב"ה בִּשְׁלָמָא בְּהוּ בְּיִשְׂרָאֵל עַל דָּא.

לד. אֲבָל אַהֲרֹן, דְּהָא לָא קַבִּיל עוֹנְשָׁא מִצְּלוֹתָא דְּמֹשֶׁה, דִּכְתִיב וּבְאַהֲרֹן הִתְאַנַּף יְיָ' וְגוֹ'. וּכְתִיב וָאֶתְפַּלֵּל גַּם בְּעַד אַהֲרֹן בָּעֵת הַהִיא, וְעַד כְּעַן חוֹבָא הֲוָה תָּלֵי, כְּתִיב וְעֵגֶל בֶּן בָּקָר לְחַטָּאת, לְחַטָּאת וַדַּאי, בְּגִין דִּיכַפֵּר חוֹבֵיהּ, וְיִתְדְּכֵי וְיִשְׁתְּלִים בְּכֹלָּא.

לה. וּבְהַהוּא יוֹמָא אִשְׁתְּלִימוּ עָלְאִין וְתַתָּאִין. וְאִשְׁתְּכַח שְׁלָמָא בְּכֹלָּא, בְּחֶדְוָותָא דִּלְעֵילָּא וְתַתָּא וְאַלְמָלֵא דְּאִשְׁתְּכַח עִרְבּוּבְיָא דִּבְנֵי אַהֲרֹן בְּהַהוּא יוֹמָא, מִן יוֹמָא דְּאִסְתַּלְּקוּ יִשְׂרָאֵל מִן יַמָּא, לָא אִשְׁתְּכַח חֶדְוָותָא דְּעִלָּאֵי וְתַתָּאֵי כְּהַהוּא יוֹמָא. בְּהַהוּא יוֹמָא אִתְעֲבַר הַהוּא חוֹבָא מִן עָלְמָא, וְאִשְׁתְּכָחוּ כַּהֲנָא וְיִשְׂרָאֵל מִתְדַּכְאָן מִנֵּיהּ. הַהוּא יוֹמָא, אִתְעֲבָרוּ כָּל אִינּוּן מְקַטְרְגִין דִּלְעֵילָּא, וַהֲווּ אָזְלִין וְשָׁטָאן בְּסַחֲרָנַיְיהוּ דְּיִשְׂרָאֵל, וְלָא אִשְׁתְּכָחוּ בְּהַהוּא עִדָּנָא.

לו. עַד דִּגְרָים שַׁעֲתָא, וְקָמוּ נָדָב וַאֲבִיהוּא וְעִרְבְּבוּ חֶדְוָותָא דְּכֹלָּא. וְאִשְׁתְּכַח רוּגְזָא בְּעָלְמָא, הה"ד, וַיֵּרָא כְבוֹד יְיָ' אֶל כָּל הָעָם, מִיַּד וַיִּקְחוּ שְׁנֵי בְנֵי אַהֲרֹן נָדָב וַאֲבִיהוּא אִישׁ מַחְתָּתוֹ וְגוֹ'.

לז. תָּנָן, בְּהַהוּא יוֹמָא חֶדְוָותָא דכ"י הֲוַת, לְאִתְקַטְּרָא בְּקִיטוּרָא דִּמְהֵימְנוּתָא בְּכֻלְּהוּ קִשְׁרִין קַדִּישִׁין. דְּהָא קְטֹרֶת קָשִׁיר כֹּלָּא כַּחֲדָא, וּבג"כ אִקְרֵי קְטֹרֶת. וְאִינּוּן אָתוּ, וְקַשִּׁירוּ כָּל אִינּוּן אָחֳרָנִין כַּחֲדָא, וְשָׁרוּ לָהּ לְבַר, דְּלָא קָשְׁרוּ לָהּ בַּהֲדַיְיהוּ, וְקַשִּׁירוּ מִלָּה אָחֳרָא. וּבְגִין כָּךְ, אַזְהַר לוֹן לְכַהֲנֵי לְבָתַר, דִּכְתִיב בְּזֹאת יָבֹא אַהֲרֹן אֶל הַקֹּדֶשׁ.

לח/א. וּבְכַמָּה גַּוְונִין עִרְבְּבוּ חֶדְוָותָא דכנ"י. חַד דְּלָא אִתְנְסִיבוּ, וְלָא אִתְחַזְיָין לְקָרְבָא, וּלְאִתְבָּרְכָא עָלְמִין עַל יְדַיְיהוּ. וְחַד דְּלָא הֲוָה שַׁעֲתָא כִּדְקָא יָאוֹת. וְחַד דְּדָחֲקוּ שַׁעֲתָא. וְחַד, דְּהָא מִקַּדְמַת דְּנָא, נָפַק נִימוּסָא דִּלְהוֹן, וַיַּקְרִיבוּ לִפְנֵי יְיָ' אֵשׁ זָרָה וְגוֹ'. וַדַּאי מִלָּה אָחֳרָא אִתְקְשָׁרוּ בְּקִשּׁוּרָא דָּא, וְשָׁרוּ לכנ"י לְבַר.

לח/ב. אָ"ל רִבִּי פִּנְחָס, לָא תֵּימָא דְּאִינּוּן שָׁארוּ לָהּ לְבַר, אֶלָּא כ"י לָא אִתְקַשְּׁרָא עַל יְדַיְיהוּ. דְּהָא בְּכָל אֲתַר דְּלָא אִשְׁתְּכַח דְּכַר וְנוּקְבָא, כ"י לָא שַׁרְיָא בֵּינַיְיהוּ כְּלָל. בְּגִין כָּךְ אַזְהַר לְכַהֲנֵי, דִּכְתִיב בְּזֹאת יָבֹא אַהֲרֹן אֶל הַקֹּדֶשׁ, דְּיִשְׁתְּכַח דְּכַר וְנוּקְבָא. וְעַל דָּא לָא יֵיעוּל כַּהֲנָא לְקוּדְשָׁא, עַד דְּיִתְנְסִיב. בְּגִין דְּיִשְׁתַּתַּף בְּקִשּׁוּרָא דכ"י. דְּמַאן דְּלָא אִנְסִיב, שָׁארֵי לָהּ לכ"י לְבַר, וְהִיא לָא אִשְׁתַּתְּפָא בַּהֲדֵיהּ, וְעַל דָּא אִשְׁתְּכַח עִרְבּוּבְיָא בְּהַהוּא יוֹמָא לְגַבַּיְיהוּ.

לט. וַיְהִי בַּיּוֹם הַשְּׁמִינִי, רִבִּי יוֹסֵי פָּתַח וְאָמַר, כְּשׁוֹשַׁנָּה בֵּין הַחוֹחִים כֵּן רַעְיָתִי בֵּין הַבָּנוֹת. כְּשׁוֹשַׁנָּה בֵּין הַחוֹחִים, דָּא כְּנֶסֶת יִשְׂרָאֵל, וְהָא אוֹקְמוּהָ דְּקב"ה מְשַׁבַּח לָהּ לִכְנֶסֶת יִשְׂרָאֵל, וַחֲבִיבוּתָא דְּקב"ה לְקַבְּלָהָא, לְאִתְדַּבְּקָא בָּהּ. וְעַל דָּא, מַאן דְּאִנְסִיב, בָּעֵי לְשַׁבְּחָא לֵיהּ לְקב"ה, וּלְשַׁבְּחָא לָהּ לכנ"י, דְּהָא תָּנִינָן בְּכֹלָּא בָּעֵי לְאַחֲזָאָה עוֹבָדָא, כְּמָה דְּאִיהוּ ב"נ מִתְדַּבַּק בְּבַת זוּגֵיהּ, וַחֲבִיבוּתָא דִּילֵיהּ לְקַבְּלָהּ, כַּד אָתֵי לְמִפְלַח קָמֵי מַלְכָּא קַדִּישָׁא, הוּא אִתְעַר זִוּוּגָא אָחֳרָא, דְּהָא קב"ה וַחֲבִיבוּתָא דִּילֵיהּ לְאִתְדַּבְּקָא בכ"י, וּמַאן דְּאִתְעַר מִלָּה, קב"ה מְבָרֵךְ לֵיהּ, וכ"י מְבָרְכָא לֵיהּ, וְהָא אִתְּמַר.

מ. וְעַל דָּא שְׁבָחָא דְּקב"ה דִּמְשַׁבַּח לָהּ לכ"י, כְּשׁוֹשַׁנָּה דְּאִיהִי בֵּין הַחוֹחִים, דְּאִיהִי מְעַלְּיָא וְסַלְקָא עַל כֹּלָּא. כָּךְ כְּנֶסֶת יִשְׂרָאֵל בֵּין שְׁאָר אוּכְלוּסִין, בְּגִין דְּהִיא סַלְקָא וּמִתְעַטְּרָא עַל כֹּלָּא. וְדָא שׁוֹשַׁנָּה בֵּין הַחוֹחִים, וְאִתְרוֹג בֵּין הַחוֹחִים, לְאַחֲזָאָה שְׁבָחָא דכ"י, עַל כֹּלָּא.

מא. ת"ח, כ"י מִתְבָּרְכָא ע"י דְּכַהֲנָא, וְיִשְׂרָאֵל מִתְבָּרְכָאן ע"י דְּכַהֲנָא. וְכַהֲנָא מִתְבָּרְכָא ע"י דְּכַהֲנָא עִלָּאָה, הה"ד, וְשָׂמוּ אֶת שְׁמִי עַל בְּנֵי יִשְׂרָאֵל וַאֲנִי אֲבָרְכֵם.

מב. כְּתִיב זְכֹר רַחֲמֶיךָ יְיָ' וַחֲסָדֶיךָ כִּי מֵעוֹלָם הֵמָּה. זְכֹר רַחֲמֶיךָ, דָּא יַעֲקֹב. וַחֲסָדֶיךָ, דָּא אַבְרָהָם. כִּי מֵעוֹלָם הֵמָּה, וּמֵעוֹלָם נָטַל לוֹן קב"ה, וְסָלִיק לוֹן לְעֵילָּא, וְעָבַד מִנַּיְיהוּ רְתִיכָא קַדִּישָׁא, לְאַגָּנָא עַל עָלְמָא. וּבְגִין דַּהֲווּ מֵעוֹלָם, הוּא דְּכִיר לְהוֹן לְאַגָּנָא וּלְרַחֲמָא עַל עָלְמָא. כְּגַוְונָא דָּא. נָטִיל קב"ה לְצַדִּיקַיָּיא מִן עָלְמָא, וְסָלִיק לוֹן לְעֵילָּא, לְאַגָּנָא עַל עָלְמָא.

מג. וְאִי תֵּימָא יִצְחָק אַמַּאי לָא אַדְכַּר הָכָא. אֶלָּא אִשְׁתְּאַר לְאִתְפָּרְעָא מֵאִינּוּן דְּעָאקִין לִבְנוֹי, הה"ד עוֹרְרָה אֶת גְּבוּרָתֶךָ. וּכְתִיב, יְיָ' כַּגִּבּוֹר יֵצֵא כְּאִישׁ מִלְחָמוֹת יָעִיר קִנְאָה וְגוֹ', וְדָא הוּא יִצְחָק, דְּאִסְתַּלַּק מֵהָכָא. ר' חִיָּיא אָמַר, זְכֹר רַחֲמֶיךָ יְיָ' וַחֲסָדֶיךָ, אִלֵּין אִינּוּן יַעֲקֹב וְאַבְרָהָם, דְּבָעֵינָן לְהוֹן לְאַגָּנָא עֲלָן. אֲבָל יִצְחָק, לְמֶעְבַּד קְרָבִין קַיְּימָא, וּבְגִינֵי כַּךְ לָא בָּעֵינָן לֵיהּ לְגַבַּיְיהוּ.

מד. ד"א כִּי מֵעוֹלָם הֵמָּה, דְּכַד בָּרָא קב"ה עָלְמָא, נָטַל יִצְחָק וּבָרָא בֵּיהּ עָלְמָא. חָמָא דְּלָא יָכִיל לְמֵיקַם בִּלְחוֹדוֹי, נָטַל אַבְרָהָם וְקַיֵּים בֵּיהּ עָלְמָא. הה"ד אֵלֶּה תוֹלְדוֹת הַשָּׁמַיִם וְהָאָרֶץ בְּהִבָּרְאָם, אַל תִּקְרֵי בְּהִבָּרְאָם, אֶלָּא בְּאַבְרָהָם. חָמָא דְּבָעְיָין קִיּוּמָא יַתִּיר, נָטַל לְיַעֲקֹב, וְשַׁתַּף לֵיהּ בְּיִצְחָק, וְקַיֵּים עָלְמָא. הה"ד בְּיוֹם עֲשׂוֹת יְיָ' אֱלֹהִים אֶרֶץ וְשָׁמָיִם. וְעַל דָּא, בְּאַבְרָהָם וְיַעֲקֹב אִתְקַיַּים עָלְמָא. וּבְגִּ"כ כִּי מֵעוֹלָם הֵמָּה.

מה. ר' יְהוּדָה פָּתַח, וַיְהִי בַּיּוֹם הַשְּׁמִינִי, לְבָתַר דְּאִשְׁתְּלִים אַהֲרֹן, בְּאִינּוּן ז' יוֹמִין, וְאִתְעַטַּר בְּהוּ, יוֹמָא תְּמִינָאָה בָּעְיָא לְאִשְׁתַּלְּמָא מִן שִׁבְעָה, דְּאַשְׁלְמוּתָא ע"י דְּכַהֲנָא, וְעַל דָּא פּוּלְחָנָא בִּתְמִינָאָה, לְאִתְעַטְּרָא מִן שִׁבְעָה. וּלְאִתְתַּקְּנָא כַּהֲנָא עַל הַהוּא דְּחָב בְּקַדְמֵיתָא.

מו. הה"ד, וַיֹּאמֶר אֶל אַהֲרֹן קַח לְךָ עֵגֶל, הָא אוּקְמוּהָ עֵגֶל וַדַּאי, לְכַפְּרָא עַל הַהוּא עֵגֶל, דִּכְתִיב וַיַּעֲשֵׂהוּ עֵגֶל מַסֵּכָה. בֶּן בָּקָר, מ"ט בֶּן בָּקָר, וְלָא בֶּן פָּרָה. אֶלָּא אִיהוּ בָּעֵי לְאִתְתַּקְּנָא לְגַבֵּי פָּרָה, לָא אִתְחֲזֵי לְקָרְבָא מִינָּהּ לְגַבָּהּ. מַאן דְּשַׁדַּר דּוֹרוֹן לְמַלְכָּא, וַחֲמִיתוּן דְּנָסִיב מִבֵּי מַלְכָּא, וְיָהִיב לְמַלְכָּא, אֶלָּא דּוֹרוֹנָא לְשַׁדְּרָא לְמַלְכָּא, מִבֵּי אָחֳרָא אִצְטְרִיךְ, וְלָא מִבֵּי מַלְכָּא. ר' יוֹסֵי אָמַר, מִדִּידֵיהּ לְדִידֵיהּ לָא אִתְחֲזֵי. אָמַר ר' יְהוּדָה בְּגִּ"כ בֶּן בָּקָר וַדַּאי וְלָא בֶּן פָּרָה.

מז. לְחַטָּאת: לְדַכָּאָה עַל הַהוּא חוֹבָה דְּחָב בֵּיהּ. וְאַיִל לְעוֹלָה תְּמִימִים. תְּמִימִים, תָּמִים מִבָּעֵי לֵיהּ. אִי תֵּימָא דְּעַל אַיִל וְעֵגֶל קָאָמַר, לָאו הָכֵי. דְּהָא תַּרְוַויְיהוּ לָא סַלְּקִין לְעוֹלָה, דְּהָא כְּתִיב לְעוֹלָה תְּמִימִים, וְעֵגֶל לְחַטָּאת סַלְּקָא, מַהוּ תְּמִימִים, וּכְתִיב אַיִל.

מח. אֶלָּא אֵילוֹ דְּיִצְחָק, לְקָרְבָא לְגַבֵּי פָּרָה, דְּאַדְכַּר תְּרֵי זִמְנֵי בִּקְרָא, חַד דִּכְתִיב וַיִּשָּׂא אַבְרָהָם אֶת עֵינָיו וַיַּרְא וְהִנֵּה אַיִל, הָא חַד, וְחַד וַיֵּלֶךְ אַבְרָהָם וַיִּקַּח אֶת הָאַיִל, הָא תְּרֵי, וַיַּעֲלֵהוּ לְעוֹלָה. וְעַ"ד אַיִל לְעוֹלָה תְּמִימִים, תְּרֵי אַיִל, דְּאִיהוּ תְּרֵי. וְעַל דָּא גְּבוּרוֹת תַּנְיָנָן, וּמִנַּיְיהוּ מִתְפָּרְשִׁין לְכַמָּה אָחֳרָנִין.

מט. וְאֶל בְּנֵי יִשְׂרָאֵל תְּדַבֵּר לֵאמֹר קְחוּ שְׂעִיר עִזִּים לְחַטָּאת, עֵגֶל לְחַטָּאת מִבָּעֵי לֵיהּ, כְּגַוְונָא דְּכַהֲנָא. אֶלָּא יִשְׂרָאֵל הָא קַבִּילוּ עוֹנְשָׁא, וְעַ"ד לָא כְּתִיב בְּהוּ עֵגֶל לְחַטָּאת, אֶלָּא עֵגֶל לְעוֹלָה. מ"ט. דְּכָל אִינּוּן דְּחָבוּ בֵּיהּ, קַבִּילוּ עוֹנְשָׁא, בֵּין בְּמִלּוּלָא, בֵּין בְּעוֹבָדָא, בֵּין בְּפוּלְחָנָא, וַאֲפִילּוּ אִינּוּן דְּלָא עָבְדוּ מִדֵּי, אֶלָּא דְּסַלִּיקוּ לֵיהּ בִּרְעוּתָא דְּלִבַּיְיהוּ לְמִפְלַח לֵיהּ, אִתְעָנְשׁוּ, כְּמָה דִּכְתִיב וַיַּשְׁקְ אֶת בְּנֵי יִשְׂרָאֵל. אֲבָל כָּל אִינּוּן

דְסַלִּיקוּ לֵיהּ בִּרְעוּתָא דְּלָא לְמִפְלַח לֵיהּ, אֶלָּא דְסַלִּיקוּ גַּוְונָא דִרְעוּתָא מִנֵּיהּ, הָכָא אִתְדַּכָּן, וּמְקָרְבִין לֵיהּ לְעוֹלָה וְלָא לְחַטָּאת.

נ. אֲבָל קְרִיבוּ שְׂעִיר עִזִּים לְחַטָּאת, אַמַּאי. אֶלָּא בְּגִין דְּהָווּ מְקָרְבִין בְּקַדְמֵיתָא לִשְׂעִירִים, דְּשַׁלְטִין עַל טוּרֵי רָמָאֵי. וְדָא הוּא לְחַטָּאת, וּבָעְיָין לְאִתְדַּכָּאָה מֵהַהוּא חוֹבָא, וְלָא עוֹד אֶלָּא לְחַדְּתוּתֵי דְסִיהֲרָא אִצְטְרִיךְ.

נא. וְשׁוֹר וָאַיִל לִשְׁלָמִים. שׁוֹר וְלָא פַּר, בְּגִין דְּשׁוֹר שְׁלִים אִיהוּ, לְאַחֲזָאָה שְׁלָמָא, הה"ד לִשְׁלָמִים. רִבִּי יוֹסֵי אָמַר, שׁוֹר וָאַיִל מִסִּטְרָא דִשְׂמָאלָא קָא אַתְיָין. שׁוֹר מִסִּטְרָא דִשְׂמָאלָא, דִּכְתִיב וּפְנֵי שׁוֹר מֵהַשְּׂמֹאל. אַיִל, בְּגִין אֵילוֹ דְיִצְחָק. וְסַלְּקִין לִשְׁלָמִים, לְאַשְׁלְמָא לוֹן לְכ"י וְעַ"ד שׁוֹר וָאַיִל לִשְׁלָמִים.

נב. א"ר יְהוּדָה, כֹּלָּא בְּגִין דִּכְנ"י מִתְעַטְּרָא וּמִתְבָּרְכָא עַל יְדָא דְכַהֲנָא, בְּאַשְׁלְמוּתָא. וְהַאי יוֹמָא חֶדְווּתָא דְכֹלָּא הֲוָה, חֶדְווּתָא דִכְנ"י בְּקֻבּ"ה, חֶדְווּתָא דְעִלָּאִין וְתַתָּאִין. וּכְמָה דְאִשְׁתְּלִים כַּהֲנָא לְתַתָּא, כְּבְיָכוֹ"ל אִשְׁתְּלִים כַּהֲנָא לְעֵילָּא, בַּר נָדָב וַאֲבִיהוּא דְאִתְעָרוּ עַרְבּוּבְיָא בֵּין מַטְרוֹנִיתָא וּמַלְכָּא. וּבְגִ"כ וַתֵּצֵא אֵשׁ מִלִּפְנֵי יְיָ' וַתֹּאכַל אוֹתָם וְגוֹ'.

נג. וַיֹּאמֶר מֹשֶׁה אֶל אֶלְעָזָר וְאֶל אִיתָמָר רָאשֵׁיכֶם אַל תִּפְרָעוּ וְגוֹ', כִּי שֶׁמֶן מִשְׁחַת יְיָ' עֲלֵיכֶם. רִבִּי אַבָּא אָמַר, הָא תָּנֵינָן בְּעוֹבָדִין דִּלְתַתָּא, אִתְעָרוּן עוֹבָדִין לְעֵילָּא, וְעוֹבָדָא דִלְתַתָּא בָּעֵי לְאִתְחֲזָאָה כְּגַוְונָא דְעוֹבָדָא דִלְעֵילָּא.

נד. ת"ח, כָּל חֶדְווּתָא דִלְעֵילָּא, תַּלְיָא בְּהַהוּא שִׁמְנָא קַדִּישָׁא, דְּמִתַּמָּן נָפִיק חֶדְוָה וּבִרְכָאן לְכֻלְּהוּ בּוֹצִינִין, וְכַהֲנָא עִלָּאָה אִתְעַטַּר בְּנְגִידוּ דִמְשִׁחָא, וּבְגִ"כ כַּהֲנָא, דְּרִבּוּ מִשְׁחָא אִתְנְגִיד עֲלֵיהּ כְּגַוְונָא דִלְעֵילָּא, בָּעֵי לְאַחֲזָאָה חֵידוּ, וּנְהִירוּ דְאַנְפִּין, וְלָא יִתְחֲזֵי גִּרְעוֹנָא בְּרֵישֵׁיהּ, וְלָא בִלְבוּשֵׁיהּ, אֶלָּא לְמֶהֱוֵי כֹּלָּא שְׁלִים כְּגַוְונָא דִלְעֵילָּא, וְלָא יִתְחֲזֵי בֵיהּ פְּגִימוּ כְּלַל, בְּגִין דְּלָא יַעֲבִיד פְּגִימוּ בְּאֲתַר אָחֳרָא.

נה. ת"ח, אִלְמָלֵא אֶלְעָזָר וְאִיתָמָר אִתְחֲזוּן פְּגִימוּ בְּהַהִיא שַׁעֲתָא בִּלְבוּשַׁיְיהוּ אוֹ בְרֵאשַׁיְיהוּ, לָא אִשְׁתְּזִיבוּ בְּהַהִיא שַׁעֲתָא, דְּהָא שַׁעֲתָא קַיְּימָא לְמֶעְבַּד דִּינָא. וְעַל דָּא תָּנֵינָן, בְּשַׁעֲתָא דְמוֹתָנָא אִעֲרַע בְּעָלְמָא, לָא יִתְעַר אִינִישׁ גַּרְמֵיהּ לְמִכְלָה בְּעָלְמָא, בְּגִין דְּלָא יִתְעָרוּן עֲלֵיהּ. בַּר אִי אִתְעַר גַּרְמֵיהּ לְטָב, וְיָכִיל לְדַחְיָיא שַׁעֲתָא, דְּהָא בְּזִמְנָא וְשַׁעֲתָא דְדִינָא קַיְּימָא בְּעָלְמָא, מַאן דְּיִעֲרַע בֵּיהּ, לַקְטֵי לֵיהּ וְיִסְתַּלַּק מֵעָלְמָא. וּבְגִ"כ וְלֹא תָמוּתוּ. כְּתִיב וַאֲחֵיכֶם כָּל בֵּית יִשְׂרָאֵל יִבְכּוּ אֶת הַשְּׂרֵפָה, בְּגִין דְאִינּוּן לָא אַתְיָין מִסִּטְרָא דְכַהֲנֵי, וְלָא מִתְזַקְּקֵי.

נו. רִבִּי אֶלְעָזָר פָּתַח, וַיִּקַּח אַהֲרֹן אֶת אֱלִישֶׁבַע בַּת עַמִּינָדָב אֲחוֹת נַחְשׁוֹן לוֹ לְאִשָּׁה. וַיִּקַּח אַהֲרֹן. כֹּלָּא כְּמָה דְאִצְטְרִיךְ, כֹּלָּא כְּגַוְונָא דִלְעֵילָּא. ת"ח, רְאוּיָה הָיְתָה בַּת שֶׁבַע לְדָוִד, מִיּוֹמָא דְאִתְבְּרֵי עָלְמָא. רְאוּיָה הָיְתָה אֱלִישֶׁבַע לְאַהֲרֹן מִיּוֹמָא דְאִתְבְּרֵי עָלְמָא.

נז. מַה בֵּין הַאי לְהַאי. אֶלָּא כֹּלָּא חַד. אֲבָל הָתָם לְדִינָא, הָכָא לְרַחֲמֵי. כַּד אִתְחַבְּרָא בְּדָוִד, לְדִינָא, לְאַגָּחָא קְרָבִין, לְאוֹשָׁדָא דָמִין. הָכָא בְּאַהֲרֹן, לִשְׁלָמָא, לְחֶדְוָה, לִנְהִירוּ דְאַנְפִּין, לְאִתְבָּרְכָא. וְעַל דָּא אִתְקְרֵי הָתָם בַּת שֶׁבַע, הָכָא אֱלִישֶׁבַע. אֱלִישֶׁבַע: דְאִתְחַבְּרָא בְּחֶסֶד, בַּת שֶׁבַע לְדִינָא, לְיָרְתָא מַלְכוּתָא וּלְאִתְתַּקְּפָא.

נח. א"ר שִׁמְעוֹן, הָא דְתָנֵינָן דִּכְתִיב קוֹל הַשּׁוֹפָר, שַׁפִּיר הוּא, וְדָא הוּא יַעֲקֹב, דְאִסְתַּלַּק בְּמַחֲשָׁבָה דְאֲבָהָן, וְנָפְקוּ כַּחֲדָא מִגּוֹ שׁוֹפָר, דְּהָא שׁוֹפָר אַפִּיק מַיָּא וְאֶשָּׁא וְרוּחָא כַּחֲדָא, וְאִתְעֲבִיד מִנַּיְיהוּ קָלָא. כַּךְ אִמָּא עִלָּאָה, אַפִּיק לַאֲבָהָן, בְּקָל חַד. וּמִגּוֹ

מַחֲשָׁבָה אִסְתַּלָּקוּ כַּחֲדָא בְּחַד קוֹל, וְהַהוּא קוֹל אִקְרֵי קוֹל הַשּׁוֹפָר, וְדָא יַעֲקֹב דְּכָלִיל לַאֲבָהָן כַּחֲדָא, וְאִקְרֵי קוֹל.

נט. וּתְרֵי קָלֵי נִינְהוּ, דְּהָא מִגּוֹ קָלָא, נָפִיק קָלָא. אֲבָל קוֹל חַד דְּאִקְרֵי קוֹל הַשּׁוֹפָר, וּמֵהָכָא נָפְקוּ שְׁאָר קוֹלוֹת, מִגּוֹ הַהוּא שׁוֹפָר בְּזִוּוּגָא דְּמַחֲשָׁבָה. וְשִׁבְעָה קוֹלוֹת נִינְהוּ, דְּנָפְקִין בְּזִוּוּגָא דְּמַחֲשָׁבָה בְּשׁוֹפָר, וְדָא שׁוֹפָר דְּאַשְׁקֵי לוֹן וְרַוֵּי לוֹן לַאֲבָהָן בְּקַדְמֵיתָא, וּלְבָתַר לִבְנִין, וְהָא אוֹקְמוּהָ מִלָּה.

ס. תָּא חֲזֵי, וַיִּקַּח אַהֲרֹן אֶת אֱלִישֶׁבַע, לְבַסְּמָא לָהּ, לְמֶחֱדֵי לָהּ, לְחַבְּרָא לָהּ בְּמַלְכָּא, בְּזִוּוּגָא שְׁלִים, לְאִשְׁתַּכְּחָא בִּרְכָאן לְעָלְמִין כֻּלְּהוּ, ע״י דְּאַהֲרֹן. בְּגִ״כ, בָּעֵי כַּהֲנָא לְאִשְׁתַּכְּחָא בִּנְהִירוּ דְּאַנְפִּין, בְּחֶידוּ, כֹּלָּא כְּגַוְונָא דִּלְעֵילָּא, דְּהָא עַל יְדוֹי בִּרְכָאן וְחֶדְוָון מִשְׁתַּכְּחֵי. וְעַל דָּא אִתְרַחֲקָא מִנֵּיהּ דִּינָא וְרוּגְזָא וְעַצִּיבוּ, בְּגִין דְּלָא יִתְפְּגַם מֵהַהוּא אֲתַר דְּאִתְקְטַר בֵּיהּ. וְעַ״ד וַאֲחֵיכֶם כָּל בֵּית יִשְׂרָאֵל יִבְכּוּ אֶת הַשְּׂרֵפָה, וְלָאו כַּהֲנָא. עֲלַיְיהוּ כְּתִיב בָּרֵךְ יְיָ׳ חֵילוֹ וּפֹעַל יָדָיו תִּרְצֶה וְגוֹ׳.

סא. יַיִן וְשֵׁכָר אַל תֵּשְׁתְּ אַתָּה וּבָנֶיךָ אִתָּךְ וְגוֹ׳. אָמַר רִבִּי יְהוּדָה, מִגּוֹ פָּרְשְׁתָא דָּא שְׁמַעְנָן, דְּנָדָב וַאֲבִיהוּא רְוֵי חַמְרָא הֲווּ, מִדְּאַזְהַר לְכַהֲנֵי בְּהָא. ר׳ חִיָּיא פָּתַח, וְיַיִן יְשַׂמַּח לְבַב אֱנוֹשׁ וְגוֹ׳, אִי בָּעֵי כַּהֲנָא לְמֶחֱדֵי וּלְאִשְׁתַּכְּחָא בִּנְהִירוּ דְּאַנְפִּין יַתִּיר מִכֹּלָּא, אֲמַאי אָסִיר לֵיהּ חַמְרָא, דְּהָא חֶידוּ בֵּיהּ אִשְׁתְּכַח, נְהִירוּ דְּאַנְפִּין בֵּיהּ אִשְׁתְּכַח.

סב. אֶלָּא שֵׁירוּתָא דְּחַמְרָא חֶדְוָותָא. סוֹפֵיהּ עַצִּיבוּ. וְעוֹד דְּיַיִן מִסִּטְרָא דְּלֵיוָאֵי אָתֵי, מֵאֲתַר דְּחַמְרָא שָׁרֵי, דְּהָא אוֹרַיְיתָא וְחַמְרָא דְּאוֹרַיְיתָא, מִסִּטְרָא דִּגְבוּרָה הוּא. וְסִטְרָא דְּכַהֲנָא מַיִין צְלִילִין נְהִירִין.

סג. ר׳ יוֹסֵי אָמַר כָּל חַד אוֹזִיף לְחַבְרֵיהּ, וְכָלִיל כֹּלָּא דָּא בְּדָא, וּבְגִ״כ, חַמְרָא שָׁרֵי חֶדְוָותָא, בְּגִין דְּכָלִיל מִגּוֹ מַיָּא, וּלְבָתַר אַהְדַּר לְאַתְרֵיהּ, וְעָצִיב וְרָגִיז וְדָאִין דִּינָא.

סד. ר׳ אַבָּא אָמַר, מֵאֲתַר חַד נָפְקוּ, יַיִן וְשֶׁמֶן וּמַיִם. מַיִם וְשֶׁמֶן לִימִינָא, נַטְלֵי כַּהֲנֵי וְיַרְתֵי לוֹן, וְשֶׁמֶן יַתִּיר מִכֹּלָּא. דְּאִיהוּ חֶדְוָותָא שֵׁירוּתָא וְסִיּוּמָא, דִּכְתִיב כַּשֶּׁמֶן הַטּוֹב עַל הָרֹאשׁ יוֹרֵד עַל הַזָּקָן זְקַן אַהֲרֹן. וְיַיִן לִשְׂמָאלָא, יָרְתֵי לֵיוָאֵי, לְאַרְמָא קָלָא וּלְזַמְּרָא, וְלָא לְשַׁתּוּק, דְּהָא חַמְרָא לָא שָׁתִיק, לְעָלְמִין וְשֶׁמֶן בַּחֲשַׁאי הוּא תָּדִיר.

סה. מַה בֵּין הַאי לְהַאי. אֶלָּא, שֶׁמֶן דְּאִיהוּ בַּחֲשַׁאי בִּלְחִישׁוּ תָּדִיר, אָתֵי מִסִּטְרָא דְּמַחֲשָׁבָה, דְּאִיהוּ בִּלְחִישׁוּ תָּדִיר וְלָא אִשְׁתְּמַע, וְהוּא בַּחֲשַׁאי, וְעַל דָּא הוּא מִימִינָא. וְיַיִן דְּאִיהוּ לְאַרְמָא קָלָא, וְלָא שָׁתִיק לְעָלְמִין, אָתֵי מִסִּטְרָא דְּאִימָא, וְיָרְתִין לֵיוָאֵי לְסְטַר שְׂמָאלָא, וְקַיְימֵי לְזַמְּרָא לְאַרְמָא קָלָא, וְקַיְימֵי בְּדִינָא. וּבְגִ״כ כְּתִיב, וְעַל פִּיהֶם יִהְיֶה כָּל רִיב וְכָל נָגַע.

סו. בְּגִ״כ, כַּהֲנָא כַּד יֵיעוּל לְמַקְדְּשָׁא לְמִפְלַח פּוּלְחָנָא, אָסִיר לֵיהּ לְמִשְׁתֵּי חַמְרָא, דְּהָא עוֹבָדוֹי בַּחֲשַׁאי אִינּוּן, וּבַחֲשַׁאי אַתְאָן וְאִתְכְּוָון, וְזַוֵּיג לְמַאן דְּזַוֵּיג, וְנָגִיד בִּרְכָאן לְעָלְמִין כֻּלְּהוּ, וְכֹלָּא בַּחֲשַׁאי, וְעוֹבָדוֹי כֻּלְּהוּ בְּרָזָא. וְחַמְרָא מְגַלֶּה רָזִין הוּא, דְּהָא כָּל עוֹבָדוֹי לְאַרְמָא קָלָא קָאִים.

סז. רִבִּי יְהוּדָה וְרִבִּי יִצְחָק הֲווּ אָזְלֵי בְּאָרְחָא, מִבֵּי מְרוֹנְיָא לְצִפּוֹרִי, וַהֲוָה רַבְיָא חַד שְׁכִיחַ לְגַבַּיְיהוּ, בְּחַמְרָא בְּקִינְטָא דְּדוּבְשָׁא אָמַר רִבִּי יְהוּדָה נֵימָא מִלָּה דְּאוֹרַיְיתָא וְנֵיזִיל.

סח. פָּתַח רִבִּי יִצְחָק וְאָמַר, וְחִכֵּךְ כְּיֵין הַטּוֹב הוֹלֵךְ לְדוֹדִי לְמֵישָׁרִים וְגוֹ׳. וְחִכֵּךְ כְּיֵין הַטּוֹב, דָּא יֵינָא דְּאוֹרַיְיתָא, דְּאִיהוּ טָב. דְּהָא יֵינָא אָחֳרָא לָאו אִיהוּ טָב, וְיֵינָא

דְּאוֹרַיְיתָא, טָב לְכֹלָּא. טָב לְעָלְמָא דָּא, וְטָב לְעָלְמָא דְּאָתֵי. וְדָא הוּא יֵינָא דְּנִיחָא לֵיהּ לְקֻבְּ"ה יַתִּיר מִכֹּלָּא, וּבְזַכּוּ דָּא, מַאן דְּמִרְוֵי מִיֵּינָא דְּאוֹרַיְיתָא, יִתְּעַר לְעָלְמָא דְּאָתֵי, וְיִזְכֵּי לְאַחֲיָיא, כַּד יוֹקִים קֻבְּ"ה לְצַדִּיקַיָּיא. א"ר יְהוּדָה, דּוֹבֵב שִׂפְתֵי יְשֵׁנִים, הָא תָּנֵינָן דַּאֲפִילּוּ בְּהַהוּא עָלְמָא, יִזְכֵּי לְמִלְעֵי בְּאוֹרַיְיתָא, הה"ד דּוֹבֵב שִׂפְתֵי יְשֵׁנִים.

סט. אָמַר הַהוּא רַבְיָא, אִי כְּתִיב וְחִכֵּךְ מִיַּיִן הַטּוֹב, הֲוֵינָא אַמְרֵי הָכֵי. אֲבָל כְּיַיִן הַטּוֹב כְּתִיב, וְלָא מִיַּיִן. אַשְׁגָּחוּ בֵּיהּ, אָמַר ר' יְהוּדָה, בְּרִי אֵימָא מִילָּךְ, דְּשַׁפִּיר קָא אָמְרַת.

ע. אָמַר, אֲנָא שְׁמַעְנָא, דְּמַאן דְּאִשְׁתְּדַל בְּאוֹרַיְיתָא, וְדָבִיק בָּהּ, וְהַהִיא מִלָּה דְּאוֹרַיְיתָא אִשְׁתְּמַע בְּפוּמֵיהּ, וְלָא לָחִישׁ לָהּ בִּלְחִישׁוּ, אֶלָּא אָרִים קָלֵיהּ בָּהּ. דְּאוֹרַיְיתָא הָכֵי בָּעְיָא לְאַרְמָא קָלָא, דִּכְתִּיב בְּרֹאשׁ הוֹמִיּוֹת תִּקְרָא, לְאַרְמָא רִנָּה דְּאוֹרַיְיתָא, וְלָא בִּלְחִישׁוּ. כְּיַיִן הַטּוֹב, כְּחַמַּר טָב דְּלָא שָׁתִיק. וְהוּא עָתִיד לְאַרְמָא קָלָא, כַּד יִפּוּק מֵהַאי עָלְמָא. הוֹלֵךְ לְדוֹדִי לְמֵישָׁרִים, דְּלָא יִסְטֵי לִימִינָא וְלִשְׂמָאלָא, לָא יִשְׁתְּכַח דִּימְחֵי בִּידוֹי. דּוֹבֵב שִׂפְתֵי יְשֵׁנִים, אֲפִילּוּ בְּהַהוּא עָלְמָא שִׂפְוָותֵיהּ מְרַחֲשָׁן אוֹרַיְיתָא.

עא. תּוּ שְׁמַעְנָא וְחִכֵּךְ כְּיַיִן הַטּוֹב, הַאי קְרָא לְכ"י אִתְּמַר, וּבְתוּשְׁבַּחְתָּא אִתְּמַר. אִי הָכֵי, מַאן הוּא דִּמְשַׁבְּחָה לָהּ בְּהַאי. אִי קֻבְּ"ה, מַהוּ הוֹלֵךְ לְדוֹדִי, הוֹלֵךְ אֵלַי מִבְּעֵי לֵיהּ.

עב. אֶלָּא וַדַּאי קֻבְּ"ה קָא מְשַׁבַּח לָהּ לְכ"י, כְּמָה דְּהִיא קָא מְשַׁבַּחַת לֵיהּ, דִּכְתִּיב חִכּוֹ מַמְתַקִּים, כַּךְ קֻבְּ"ה מְשַׁבַּח לָהּ לְכ"י. וְחִכֵּךְ כְּיַיִן הַטּוֹב, יַיִן הַטּוֹב: דְּהוּא חַמְרָא דִּמְנַטְרָא. הוֹלֵךְ לְדוֹדִי: דָּא יִצְחָק, דְּאִקְרֵי יְדִיד מִבֶּטֶן. לְמֵישָׁרִים: כד"א, אַתָּה כּוֹנַנְתָּ מֵישָׁרִים, לְאִתְכַּלְּלָא שְׂמָאלָא בִּימִינָא. וְדָא הוּא מֵישָׁרִים, דִּבְגִין חֶדְוְותָא דְּהַהוּא חֲמַר טָב, אִתְכְּלִיל שְׂמָאלָא בִּימִינָא, וְחַדָּאן כֹּלָּא. דְּהָא כֹּלָּא מִתְעָרֵי בְּחֶדְוָואן וּבִרְכָאן, וְעָלְמִין כֻּלְּהוּ מִשְׁתַּכְּחֵי בְּחֵדוּ, וּמִתְעָרֵי לְאַרְקָא בִּרְכָאן לְתַתָּא.

עג. אָתוּ ר' יְהוּדָה וְר' יִצְחָק וְנַשְּׁקוּ לֵיהּ רֵישֵׁיהּ, וְחַדּוּ עִמֵּיהּ, אָ"ל מַה שְּׁמָךְ. א"ל יֵיסָא. אָמְרוּ רַבִּי יֵיסָא תֶּהֱוֵי. יַתִּיר תְּהֵא שְׁכִיחַ בְּעָלְמָא מֵרַבִּי יֵיסָא חַבְרָנָא, דְּאִסְתַּלַּק מִבֵּינָנָא. אָמְרוּ לֵיהּ וּמַאן אֲבוּךְ. א"ל, אִפְטַר מֵעָלְמָא, וַהֲוָה אוֹלִיף לִי כָּל יוֹמָא ג' מִלִּין דְּאוֹרַיְיתָא, וּבְלֵילְיָא ג' מִלִּין דְּחָכְמְתָא דְּאַגַּדְתָּא. וְהָנֵי מִלֵּי אוֹלִיפְנָא מֵאַבָּא, וְהַשְׁתָּא דִּיוּרֵי בַּחֲדָא ב"נ, וְסָלִיק לִי מֵאוֹרַיְיתָא. וַאֲנָא אָזִיל כָּל יוֹמָא לַעֲבִידְתָּא, וּבְכָל יוֹמָא אַהַדַרְנָא אִינוּן מִלִּין דְּאוֹלִיפְנָא מֵאַבָּא.

עד. א"ל הַהוּא בַּר נָשׁ יָדַע בְּאוֹרַיְיתָא. אָמַר לוֹן לָאו. סָבָא הוּא, וְלָא יָדַע לְבָרְכָא לֵיהּ לְקֻבְּ"ה, וְאִית לֵיהּ בְּנִין, וְלָא שַׁוֵּי לוֹן בְּבֵי רַב. אָמַר ר' יְהוּדָה אִי לָא הֲוָה הָכֵי, הֲוָה אֲעִילְנָא לְגַבֵּי הַאי כְּפַר לְמַלְּלָא עָלָךְ, הַשְׁתָּא אָסִיר לָן לְמֶחֱזֵי אַנְפּוֹי. שְׁדֵי וְחַמְרָא מִנָּךְ, וְאָתְ זִיל לְגַבָּן. אָמְרוּ לֵיהּ מַאן הוּא אֲבוּךְ. אָמַר רַבִּי זְעֵירָא דִּכְפַר רָאמִין.

עה. שְׁמַע רַבִּי יְהוּדָה וּבָכָה, אָמַר אֲנָא הֲוֵינָא בְּבֵיתֵיהּ, וְאוֹלִיפְנָא מִנֵּיהּ ג' מִלִּין בְּכַסָּא דְּבִרְכָה, וְאוֹלִיפְנָא מִנֵּיהּ בְּמַעֲשֵׂה בְּרֵאשִׁית תְּרֵי. אָמַר ר' יִצְחָק, וּמָה מֵהַאי רַבְיָא בְּרֵיהּ אוֹלִיפְנָא, מִנֵּיהּ לָא כ"שׁ. אָזְלוּ וְאַחִידוּ בִּידֵיהּ. חָמוּ חַד חֲקַל וְיָתְבוּ תַּמָּן. אָמְרוּ לֵיהּ אֵימָא חַד מִלָּה, מֵאִינוּן דְּאוֹלִיף לָךְ אֲבוּךְ בְּמַעֲשֵׂה בְּרֵאשִׁית.

עו. פָּתַח וְאָמַר, וַיִּבְרָא אֱלֹהִים אֶת הַתַּנִּינִם הַגְּדוֹלִים וְגוֹ'. וַיִּבְרָא אֱלֹהִים, כָּל אֲתַר דְּדִינָא אֱלֹהִים אִקְרֵי. וְהַהוּא אֲתַר עִלָּאָה אֲתַר דְּנָפְקוּ מִנֵּיהּ, הָכֵי קָרֵי לֵיהּ הָכָא. ואע"ג דְּרַחֲמֵי הוּא, מִנֵּיהּ נָפְקוּ דִּינִין, וּבֵיהּ תַּלְיָין.

עז. אֶת הַתַּנִּינִם הַגְּדוֹלִים, אִלֵּין אֲבָהָן. דְּאִינּוּן מִתְשַׁקְיָין בְּקַדְמֵיתָא, וּמִשְׁתָּרְשִׁין עַל כֹּלָּא. וְאֵת כָּל נֶפֶשׁ הַחַיָּה הָרוֹמֶשֶׂת, וְאֵת כָּל נֶפֶשׁ הַחַיָּה, דָּא נֶפֶשׁ, דְּהַהִיא אֶרֶץ עִלָּאָה אַפִּיקַת מֵהַהִיא חַיָּה עִלָּאָה עַל כֹּלָּא, דִּכְתִּיב תּוֹצֵא הָאָרֶץ נֶפֶשׁ חַיָּה. וְדָא אִיהִי נֶפֶשׁ דְּאָדָם קַדְמָאָה, דְּמָשִׁיךְ בְּגַוֵּיהּ. הָרוֹמֶשֶׂת: דָּא הִיא חַיָּה דְּרָחֲשָׁא בְּכָל טוּרִין, לְעֵילָּא וְתַתָּא. אֲשֶׁר שָׁרְצוּ הַמַּיִם, דְּהַהוּא נָהָר עִלָּאָה נָגִיד וְנָפִיק מֵעֵדֶן, וְאַשְׁקֵי לְהַאי אִילָנָא, לְאִשְׁתָּרְשָׁא בְּשָׁרְשׁוֹי עַל כֹּלָּא, וּלְאִשְׁתַּכְּחָא בֵּיהּ מְזוֹנָא לְכֹלָּא.

עח. ד"א הַחַיָּה הָרוֹמֶשֶׂת, דָּא הוּא דָּוִד מַלְכָּא, דִּכְתִּיב בֵּיהּ לֹא אָמוּת כִּי אֶחְיֶה וְגוֹ'. וְאֵת כָּל עוֹף כָּנָף לְמִינֵהוּ, אִלֵּין כָּל אִינּוּן מַלְאָכִין קַדִּישִׁין, דְּמִשְׁתַּכְּחֵי לְקַדְּשָׁא שְׁמָא דְּמָארֵיהוֹן בְּכָל יוֹמָא וְיוֹמָא, דִּכְתִּיב בְּהוּ שֵׁשׁ כְּנָפַיִם שֵׁשׁ כְּנָפַיִם לְאֶחָד. וּמִנְּהוֹן טָאסִין בְּעָלְמָא לְמֶעְבַּד רְעוּתָא דְּמָארֵיהוֹן, כָּל חַד וְחַד כַּדְקָא חָזֵי. א"ר יְהוּדָה, וַדַּאי כ"כ לְהַאי רַבְיָא לָא אִתְחֲזֵי, אֲבָל אֲנָא חָמֵי בֵּיהּ דִּלְאָתַר עִלָּאָה יִסְתְּלַק.

עט. א"ר יִצְחָק, וַדַּאי. הַחַיָּה הָרוֹמֶשֶׂת דָּא הִיא חַיָּה עִלָּאָה עַל כֹּלָּא, דְּהָא אָחֳרָא אֶרֶץ קַרְיֵיהּ קְרָא. הָכָא דִּכְתִּיב וְהָעוֹף יִרֶב בָּאָרֶץ, בָּאָרֶץ וַדַּאי, וְלָא בַּמַּיִם. דְּהָא הַהוּא נָהָר, נָגִיד וְנָפִיק וְאַשְׁקֵי, בְּלָא פֵּירוּדָא, עַד הַהוּא אֲתַר דְּאִקְרֵי אֶרֶץ, וּמִתַּמָּן כְּתִיב וּמִשָּׁם יִפָּרֵד וְגוֹ'. וְהָעוֹף, וְהַהוּא עוֹף בְּהַאי אֶרֶץ תַּלְיָין וְאִתְשַׁקְיָין, וְדָא הוּא דִּכְתִּיב וְהָעוֹף יִרֶב בָּאָרֶץ. קָמוּ וְאָזְלוּ. א"ר יְהוּדָה, נִשְׁתַּתֵּף לְהַאי רַבְיָא עִמָּנָא, וְכָל חַד וְחַד לֵימָא מִלָּה דְּאוֹרַיְיתָא.

פ. פָּתַח ר' יְהוּדָה וְאָמַר, סַמְּכוּנִי בָּאֲשִׁישׁוֹת רַפְּדוּנִי בַּתַּפּוּחִים וְגוֹ'. הַאי קְרָא הָא אִתְּמַר וְשַׁפִּיר. אֲבָל כ"י קָאָמַר דָּא בְּגָלוּתָא. סַמְּכוּנִי, מַהוּ סַמְּכוּנִי. אֶלָּא מַאן דְּנָפִיל בָּעֵי לְאַסְמְכָא לֵיהּ, הה"ד סוֹמֵךְ יְיָ' לְכָל הַנּוֹפְלִים וְגוֹ'. ובג"כ, כ"י דְּנָפְלָה, דִּכְתִּיב נָפְלָה לֹא תוֹסִיף קוּם, בַּעְיָא לְאַסְמְכָא, וְהִיא אָמְרָה סַמְּכוּנִי. לְמַאן אָמְרָה. לְיִשְׂרָאֵל בְּנָהָא דְּאִינּוּן בְּגָלוּתָא עִמָּהּ.

פא. וּבְמָה בָּאֲשִׁישׁוֹת. אִלֵּין אִינּוּן אֲבָהָן, דְּאִינּוּן אִתְמַלְיָין בְּקַדְמֵיתָא, מֵהַהוּא חֲמַר טַב דְּמִנְטְרָא. וְכַד אִינּוּן אִתְמַלְיָין, הָא בִּרְכָאן מִשְׁתַּכְּחֵי לְגַבָּהּ, עַל יְדָא דְּחַד דַּרְגָּא דְּאִיהוּ צַדִּיק. וּמַאן דְּיָדַע לְיַחֲדָא שְׁמָא קַדִּישָׁא, אע"ג דְּבִרְכָאן לָא מִשְׁתַּכְּחֵי בְּעָלְמָא, אִיהוּ סָמִיךְ וְסָעִיד לָהּ לכ"י בְּגָלוּתָא.

פב. רַפְּדוּנִי בַּתַּפּוּחִים, כֹּלָּא חַד כְּמָה דְּאַמָרָן, אֲבָל רָזָא דָּא, אֲשִׁישָׁא: עָיֵיל חַמְרָא. תַּפּוּחַ: אַפִּיק חַמְרָא, וּמְכַוֵּין רְעוּתָא. וְעַל דָּא אֲשִׁישׁוֹת וְתַפּוּחִים. אֲשִׁישׁוֹת, לִרְוָאָה מֵחַמְרָא. תַּפּוּחִים, לְכַוְּונָא רְעוּתָא דְּלָא יָזִיק חַמְרָא. וְכָל דָּא לָמָּה. כִּי חוֹלַת אַהֲבָה אָנִי, בְּגָלוּתָא. וּמַאן דִּמְיַיחֵד שְׁמָא קַדִּישָׁא, בָּעֵי לְיַחֲדָא דִּינָא בְּרַחֲמֵי, וּלְאַכְלְלָא לוֹן כַּדְקָא חָזֵי, לְאִתְבַּסְמָא וּלְאִתְתַּקְנָא כֹּלָּא כַּדְקָא יָאוֹת, וְדָא סָמִיךְ לָהּ לכ"י בְּגָלוּתָא.

פג. רִבִּי יִצְחָק פָּתַח, אֲשֶׁר חֵלֶב זְבָחֵימוֹ יֹאכֵלוּ יִשְׁתּוּ יֵין נְסִיכָם. זַכָּאִין אִינּוּן יִשְׂרָאֵל דְּאִינּוּן קַדִּישִׁין, וְקוּדְשָׁא בְּרִיךְ הוּא בָּעֵי לְקַדְּשָׁא לוֹן. ת"ח יִשְׂרָאֵל קַדִּישִׁין, כָּל חַיֵּי עָלְמָא דְּיָרְתִין, כֹּלָּא תַּלְיָין בְּהַהוּא עָלְמָא דְּאָתֵי, בְּגִין דְּאִיהוּ חַיִּין דְּכֹלָּא, לְעֵילָּא וְתַתָּא, וְהוּא אֲתַר, דְּיַיִן דְּמִנְטְרָא שָׁארֵי וּמִתַּמָּן נָפְקִין חַיִּין וְקִדּוּשָׁא לְכֹלָּא. וְיַיִן דְּיִשְׂרָאֵל בְּגִין יַיִן דְּיִשְׂרָאֵל אָחֳרָא, וְדָא בְּדָא תַּלְיָא. דְּהָא יִשְׂרָאֵל לְעֵילָּא, בֵּיהּ נָטִיל חַיִּין, ובג"כ אִקְרֵי עֵץ חַיִּים, עֵץ מֵהַהוּא אֲתַר דְּאִקְרֵי חַיִּים, וְנַפְקֵי מִתַּמָּן חַיִּין, וְעַל דָּא מְבָרְכִין לֵיהּ לקב"ה בְּיַיִן. וְיַיִן דְּיִשְׂרָאֵל לְתַתָּא כְּהַאי גַּוְונָא.

פד. עובד עכו"ם, דאיהו מסאב, ומאן דקריב בהדיה יסתאב, כד יקרב ביין דישראל, הא אסתאב ואסיר, כ"ש ההוא יין דאיהו עביד. ועכ"ד לא תימא דדא הוא בלחודוי, אלא כל מה דעבדי ישראל לתתא, כלא הוא כעין דוגמא דלעילא, כ"ש יין, דקאי באתר עלאה, דוגמא דיין דמנטרא.

פה. בג"כ ישראל שתיין יין דישראל, דאתעביד כדקא חזי בקדושה, כגוונא דישראל לעילא, דשתי ואשתרשא ואתברכא בההוא יין עלאה קדישא, ולא שתאן יין דאתעביד במסאבותא, ומסטרא דמסאבותא, דהא ביה שריא רווחא דמסאבותא. ומאן דשתי ליה, אסתאב רוחיה, ואסתאב איהו, ולאו הוא מסטרא דישראל, ולית ליה חולקא בעלמא דאתי. דהא ההוא עלמא דאתי, יין דמנטרא איהו.

פו. ועל דא ישראל קדישין, בעיין לנטרא דא על כלא, בגין דאתקשר באתר דעלמא דאתי. ובג"כ, ביין אתבריך קב"ה יתיר מכלא, בגין דאיהו חדי לסטרא שמאלא, ובגו חדוותא דיליה אתכליל בימינא. וכד אתעביד כלא ימינא, כדין שמא קדישא בחידו, וברכאן משתכחי בכלהו עלמין. ובעובדא דלתתא יתער עובדא דלעילא, ועכ"ד מזמני יין לקביל יין.

פז. ובגין דאיהו מנטרא לעילא, בעי לנטרא ליה לתתא, וכל נטירו דיליה קדושה הוא לישראל, ומאן דפגים ליה לתתא בסטרא דמסאבותא, יסתאב איהו בהאי עלמא, ולית ליה חולקא בעלמא דאתי, אתר דההוא יין דמנטרא שריא. הוא לא נטיר ליה, לא יתנטר הוא לעלמא דאתי. הוא סאיב ליה, יסאבון ליה בההוא עלמא, לא יהא ליה חולקא בההוא יין דעלמא דאתי. זכאין אינון ישראל, דמקדשי נפשייהו בקדושה עלאה, ונטרי מה דאצטריך לאתנטרא, ומקדשי למלכא בנטירו עלאה דא. זכאין אינון בעלמא דין ובעלמא דאתי.

פח. פתח ההוא רביא ואמר, מלך במשפט יעמיד ארץ וגו'. מאן מלך. דא קודשא בריך הוא. במשפט דא יעקב, דאיהו כללא דאבהן. ואיש תרומות, תרומת כתיב, כד"א וזאת התרומה. ואיש תרומות, דא עשו, דבעי על תרומות ועל מעשרות כל יומא, ולא עביד מדי. ואיש תרומות דלאו איהו משפט. דהא תרומה אסתלקותא דרחמי, בגין דא לא אתיא במשפט, כד"א ויש נספה בלא משפט, ועל דא, ואיש תרומות יהרסנה.

פט. ואי תימא, הא דוד מלכא איש תרומה הוה, אלא ברחמי. ולא עוד אלא דהא כתיב חסדי דוד הנאמנים, כמה דאתדבק בהאי, אתדבק בהאי.

צ. ת"ח, כל יומוי דדוד מלכא, הוה משתדל דהאי תרומה, יתקשר במשפט, ויזדווגון כחדא. אתא שלמה וזווג לון כחדא, וקיימא סיהרא באשלמותא, וקיימא ארעא בקיומא. אתא צדקיהו ואפריש לון, ואשתארת ארעא בלא משפט, ואתפגימת סיהרא, ואתחריבת ארעא, כדין ואיש תרומת יהרסנה.

צא. ותא חזי, שמן לכהני, ויין לליואי. לא בגין דבעיין יין, אלא מיין דמנטרא אתי לסטרא דלהון, לחברא כלא כחדא, ולמחדי עלמין כלהו, לאשתכחא בהו כלא, ימינא ושמאלא כליל דא בדא. לאשתכחא בהו חביבותא דכלא, ורחימותא דבני מהימנותא.

צב. מאן דאתדבק רעותיה בהאי, הוא שלים בהאי עלמא, ובעלמא דאתי, וישתכח כל יומוי דאתדבק בתשובה, אתר דיין ושמן משתכחי. כדין לא יתדבק

בָּתַר עָלְמָא דָּא, לָא לְעוּתְרָא, וְלָא לְכִסּוּפָא דִּילֵיהּ. וּשְׁלֹמֹה מַלְכָּא צָוַוח עַ"ד וְאָמַר, אוֹהֵב יַיִן וָשֶׁמֶן, לֹא יַעֲשִׁיר, דְּהָא עוּתְרָא אָחֳרָא יִזְדַּמַּן לֵיהּ, לְמֶהֱוֵי לֵיהּ חוּלָקָא בֵּיהּ, וּלְמֶהֱוֵי בֵּיהּ חוּלָקָא בְּעָלְמָא דְּאָתֵי, אֲתַר דְּיַיִן וְשֶׁמֶן שַׁרְיָין בְּעָלְמָא דָּא וּבְעָלְמָא דְּאָתֵי. וּמַאן דְּרָחִים לֵיהּ לְהַאי אֲתַר, לָא בָּעֵי עוּתְרָא וְלָא רָדִיף אֲבַתְרֵיהּ. זַכָּאִין אִינּוּן צַדִּיקַיָּיא דְּמִשְׁתַּדְּלֵי בְּעוּתְרָא עִלָּאָה כָּל יוֹמָא, דִּכְתִּיב לֹא יַעַרְכֶנָּה זָהָב וּזְכוֹכִית וּתְמוּרָתָהּ כְּלִי פָז. הַאי בְּהַאי עָלְמָא. לְבָתַר, לְהַנְחִיל אֹהֲבַי יֵשׁ וְאוֹצְרוֹתֵיהֶם אֲמַלֵּא.

צג. תּוּ פָּתַח וְאָמַר, וַיֹּאמֶר יְיָ' אֶל מֹשֶׁה עֲלֵה אֵלַי הָהָרָה וְגוֹ'. וְהַתּוֹרָה, דָּא תּוֹרָה שֶׁבִּכְתָב. וְהַמִּצְוָה, דָּא תּוֹרָה שֶׁבְּעַל פֶּה. לְהוֹרֹתָם כְּתִיב חָסֵר, כד"א וְאַל תֶּחְדַּר הוֹרָתִי. הָכָא אִית לְאִסְתַּכְּלָא, לְהוֹרֹתָם דְּמֵי, אִי תֵּימָא הוֹרָתָם דְּיִשְׂרָאֵל, לָאו הָכֵי, דְּהָא יִשְׂרָאֵל לָא אַדְכָּרוּ בְּהַאי קְרָא. אֶלָּא הוֹרָתָם דְּתוֹרָה וּמִצְוָה. וּמַאי הִיא. דָּא יַיִן דְּמִנְטְרָא. בְּגִין דְּכָל כְּתִיבָה דְּסֵפֶר עִלָּאָה תַּמָּן שַׁרְיָא, וּמִתַּמָּן נָפְקָא תּוֹרָה, וְעַל דָּא קָרֵינָן תּוֹרָה שֶׁבִּכְתָב. וְדָא הוּא אֲשֶׁר כָּתַבְתִּי לְהוֹרֹתָם, לְהוֹרֹתָם וַדַּאי.

צד. תּוֹרָה שֶׁבְּעַל פֶּה, תּוֹרָה אָחֳרָא, דְּקַיְּימָא עַל פֶּה. מַאן אִיהוּ פֶּה. דָּא הוּא דַּעַת, דְּאִיהוּ פֶּה דְּסֵפֶר וּכְתִיבָה. וְתוֹרָה דָּא, הִיא תּוֹרָה אָחֳרָא, דְּאִקְרֵי תּוֹרָה שֶׁבְּעַל פֶּה, דְּאִיהִי קַיְּימָא עַל הַהוּא פֶּה דְּאִיהִי תּוֹרָה שֶׁבִּכְתָב, בְּגִין כַּךְ אִסְתַּלִּיק מֹשֶׁה בְּכֹלָּא, עַל כָּל שְׁאָר נְבִיאֵי מְהֵימְנֵי, דִּכְתִּיב וְאֶתְּנָה לְךָ, לְךָ דַּיְיקָא.

צה. כְּתִיב הָגוֹ סִיגִים מִכָּסֶף וַיֵּצֵא לַצּוֹרֵף כֶּלִי הָגוֹ רָשָׁע לִפְנֵי מֶלֶךְ וְיִכּוֹן בַּחֶסֶד כִּסְאוֹ. ת"ח, בְּשַׁעֲתָא דְּאַסְגִּיאוּ חַיָּיבִין בְּעָלְמָא, כּוּרְסַיָּיא דְּמַלְכָּא קַדִּישָׁא אִתְתַּקְּנַת בְּדִינָא, וְאִשְׁתְּאָבַת בְּדִינָא, וְשַׁלְהוֹבוֹי אוֹקְדִין עָלְמָא. וּבְשַׁעֲתָא דְּאִתְעֲבָרוּ חַיָּיבַיָּא מֵעָלְמָא, כְּדֵין וְיִכּוֹן בַּחֶסֶד כִּסְאוֹ. בַּחֶסֶד, וְלָא בְּדִינָא מַאי מַשְׁמַע.

צו. מַשְׁמַע דְּעָלְמָא תַּתָּאָה תַּלְיָא בְּעָלְמָא עִלָּאָה, וְעָלְמָא עִלָּאָה לְפוּם אָרְחֵי דְּעָלְמָא תַּתָּאָה. וְיִכּוֹן בַּחֶסֶד כִּסְאוֹ. מַאן דְּבָעֵי לְבָרְכָא לֵיהּ, וּלְאַתְקְנָא כּוּרְסְיֵיהּ, בְּחֶסֶד וְלָא בְּדִינָא. מַאי מַשְׁמַע. דְּכַד עָיֵיל כַּהֲנָא לְבֵי מַקְדְּשָׁא, דְּיֵעוּל בְּחֶסֶד דְּאִיהוּ מַיָּא, וְלָא יֵיעוּל בְּיַיִן דְּשָׁתֵי דְּאִיהוּ גְּבוּרָה. יֵיעוּל בְּמַיָּא, וְלָא יֵיעוּל בְּחַמְרָא.

צז. אָתוּ רַבִּי יְהוּדָה וְר' יִצְחָק, וְנַשְׁקוּ רֵישֵׁיהּ, וּמֵהַהוּא יוֹמָא לָא אִתְפְּרַשׁ מִבֵּי ר' יְהוּדָה, וְכַד הֲוָה עָיֵיל לְבֵי מִדְרָשָׁא, הֲוָה קָם ר' יְהוּדָה קַמֵּיהּ, אָמַר מִלָּה אוֹלִיפְנָא מִנֵּיהּ, וְיָאוּת לְאַנְהָגָא בֵּיהּ יְקָר. לְבָתַר אִסְתַּלַּק בֵּין חַבְרַיָּיא, וַהֲווֹ קָארָן לֵיהּ ר' יֵיסָא, רֵישָׁא דְּפַטִּישָׁא דְּמַתְבַּר טִנָּרִין, וְאַפִּיק שַׁלְהוֹבִין לְכָל סְטָר. וַהֲוָה קָרֵי עָלֵיהּ ר' אֶלְעָזָר, בְּטֶרֶם אֶצָּרְךָ בַבֶּטֶן יְדַעְתִּיךָ.

צח. וַיְדַבֵּר יְיָ' אֶל מֹשֶׁה וְאֶל אַהֲרֹן לֵאמֹר אֲלֵיהֶם זֹאת הַחַיָּה אֲשֶׁר תֹּאכְלוּ וְגוֹ', מ"ש הָכָא אַהֲרֹן. אֶלָּא בְּגִין דְּאִיהוּ קַיְּימָא תָּדִיר לְאַפְרְשָׁא בֵּין מִסְאֲבָא וּבֵין דַּכְיָא. דִּכְתִּיב לְהַבְדִּיל בֵּין הַטָּמֵא וּבֵין הַטָּהוֹר.

צט. ר' אַבָּא פָּתַח וְאָמַר, מִי הָאִישׁ הֶחָפֵץ חַיִּים וְגוֹ'. נְצוֹר לְשׁוֹנְךָ מֵרָע וְגוֹ'. סוּר מֵרָע וְגוֹ'. וּכְתִיב שׁוֹמֵר פִּיו וּלְשׁוֹנוֹ וְגוֹ'. מִי הָאִישׁ הֶחָפֵץ חַיִּים. מַאן חַיִּים. אֶלָּא אִלֵּין חַיִּים דְּאִקְרוּן עָלְמָא דְּאָתֵי, וְחַיִּים תַּמָּן שַׁרְיָין. וְעַל דָּא תָּנֵינָן, עֵץ חַיִּים, הִיא אִילָנָא מֵאִינּוּן חַיִּים, אִילָנָא דְּאִתְנְטַע בְּאִינּוּן חַיִּין. וְעַ"ד מִי הָאִישׁ הֶחָפֵץ חַיִּים כְּתִיב.

ק. אוֹהֵב יָמִים לִרְאוֹת טוֹב, מַאן יָמִים. אֶלָּא דָּא הוּא שְׁמָא דְּמַלְכָּא קַדִּישָׁא, דַּאֲחִידָא בְּאִינּוּן יוֹמִין עִלָּאִין, דְּאִקְרוּן יְמֵי הַשָּׁמַיִם עַל הָאָרֶץ, יְמֵי הַשָּׁמַיִם וַדַּאי, עַל הָאָרֶץ וַדַּאי. מַאן דְּבָעֵי חַיִּים דִּלְעֵילָּא, לְמֶהֱוֵי לֵיהּ חוּלָקָא בְּהוּ. וּמַאן דְּבָעֵי יוֹמִין עִלָּאִין

לְאִתְדַּבְּקָא בְּהוּ וּלְרַוְּזָמָא לְהוּ. יִנְטַר פּוּמֵיהּ מִכֹּלָּא, יִנְטַר פּוּמֵיהּ וְלִישָׁנֵיהּ, יִנְטַר פּוּמֵיהּ מִמֵּיכְלָא וּמִמִּשְׁתְּיָא, דִּמְסָאֵב לְנַפְשָׁא, וּמְרַוְזָקָא לְב"נ מֵאִינּוּן וַזַיִּין וּמֵאִינּוּן יוֹמִין, וְיִנְטַר לִישָׁנֵיהּ מִמִּלִּין בִּישִׁין, דְּלָא יִסְתָּאַב בְּהוּ, וְיִתְרַוְזֵק מִנַּיְיהוּ, וְלָא יְהֵא לֵיהּ וזוּלָקָא בְּהוּ.

קא. ת"וז, פּוּמָא וְלִישָׁן, אֲתַר עִלָּאָה הָכִי אִקְרֵי, וּבְג"כ לָא יַפְגִּים אִינִישׁ פּוּמֵיהּ וְלִישָׁנֵיהּ, וכ"ש לְאִסְתַּאֲבָא נַפְשֵׁיהּ וְגַרְמֵיהּ, בְּגִין דְּאִסְתָּאַב הוּא בְּעָלְמָא אָוזֳרָא, וְהָא אוֹקִימְנָא.

קב. זֹאת הַוזַיָּה אֲשֶׁר תֹּאכְלוּ מִכָּל הַבְּהֵמָה וְגוֹ', הַאי קְרָא לָאו רֵישֵׁיהּ סֵיפֵיהּ, וְלָאו סֵיפֵיהּ רֵישֵׁיהּ. זֹאת הַוזַיָּה בְּקַדְמֵיתָא, וּלְבָתַר מִכָּל הַבְּהֵמָה. אֶלָּא אָמַר קב"ה, בְּכָל זִמְנָא דְּיִשְׂרָאֵל מְנַטְרֵי נַפְשַׁיְיהוּ, וְגַרְמַיְיהוּ, דְּלָא לְסָאֲבָא לוֹן, וַדַּאי זֹאת הַוזַיָּה אֲשֶׁר תֹּאכְלוּ, יֶהוֹן שְׁכִיוזִין בִּקְדוּשָׁה עִלָּאָה, לְאִתְדַּבְּקָא בִּשְׁמִי, בְּבִרִירוּ דְּהַהִיא בְּהֵמָה דְּבָרִירְנָא לְכוּ לְמֵיכַל, לָא תִסְתַּאֲבוּ בְּהוּ, וְתֶהֱווֹן דְּבֵקִין בִּשְׁמִי.

קג. וְכָל זִמְנָא דְּלָאו אִינּוּן נַטְרִין נַפְשַׁיְיהוּ וְגַרְמַיְיהוּ מִמֵּיכְלָא וּמִשְׁתְּיָא, יִתְדַּבְּקוּן בַּאֲתַר אָוזֳרָא מְסָאֲבָא, לְאִסְתַּאֲבָא בְּהוּ. וּבְגִין כַּךְ כְּתִיב, זֹאת הַוזַיָּה אֲשֶׁר תֹּאכְלוּ מִכֹּל, מִכֹּל וַדַּאי, דְּאִיהוּ רָזָא דִּשְׁמָא קַדִּישָׁא, לְאִתְדַּבְּקָא בֵּיהּ. מִכָּל הַבְּהֵמָה אֲשֶׁר עַל הָאָרֶץ, בְּגִין דְּהַאי מֵיכְלָא דְּהַאי בְּהֵמָה אִשְׁתְּכַוז דַּכְיָא, וְלָא יְסָאֵב לְכוּ, יְהֵא לְכוּ וזוּלָקָא בִּשְׁמִי, לְאִתְדַּבְּקָא בֵּיהּ.

קד. תּו, זֹאת הַוזַיָּה אֲשֶׁר תֹּאכְלוּ. בְּפַרְעֹה כְּתִיב, בְּזֹאת תֵּדַע כִּי אֲנִי יְיָ'. הָא זֹאת לְקַבְלָךְ, לְאִתְפָּרְעָא מִנָּךְ. אוּף הָכָא זֹאת הַוזַיָּה אֲשֶׁר תֹּאכְלוּ מִכָּל הַבְּהֵמָה, הָא זֹאת לְקָבְלֵיכוֹן, לְאִתְפָּרְעָא מִנַּיְיכוּ, אִי תְּסָאֲבוּן נַפְשְׁכוֹן. מַאי טַעֲמָא. בְּגִין דְּנַפְשְׁתָא מִנָּהּ הֲווֹ, וְאִי אַתּוּן תְּסָאֲבוּן לְהַהוּא דִּילָהּ, הָא זֹאת לְקָבְלַיְיכוּ, אִי לְטָב הִיא קַיְּימָא לְגַבַּיְיכוּ, אִי לְבִישׁ הִיא קַיְּימָא לְגַבַּיְיכוּ.

קה. אָמַר רַבִּי אֶלְעָזָר, זֹאת הַוזַיָּה אֲשֶׁר תֹּאכְלוּ מִכָּל הַבְּהֵמָה, מִכָּל אִינּוּן דַּאֲוזִידָן מִן סְטָר דָּא, שָׁארֵי לְכוּ לְמֵיכַל, וְכָל אִינּוּן דְּלָא אַתְיָין מִסִּטְרָא דָּא, אָסִיר לְכוּ לְמֵיכַל. בְּגִין דְּאִית בְּעִירָן דְּאַתְיָין מִסִּטְרָא דָּא, וְאִית דְּאַתְיָין מִסִּטְרָא אָוזֳרָא מְסָאֲבָא. וְסִימָנָא דִּלְהוֹן דִּכְתִיב, כֹּל מַפְרֶסֶת פַּרְסָה. וְגַמְרִינָן כֻּלְּהוּ רְשִׁימִן, וְכֻלְּהוּ אַרְשִׁים לְהוּ קְרָא. וּבְגִין כַּךְ, כָּל מַאן דְּאָכִיל מֵאִינּוּן דְּאַתְיָין מִסִּטְרָא דָּא מְסָאֲבָא, אִסְתָּאַב בְּהוּ, וְסָאִיב לְנַפְשֵׁיהּ דְּאַתְיָא מִסִּטְרָא דַּכְיָא.

קו. ר"ש אָמַר כְּלַל כֹּלָּא, כְּמָה דְּאִית עֶשֶׂר כִּתְרִין דִּמְהֵימְנוּתָא לְעֵילָּא. כַּךְ אִית עֶשֶׂר כִּתְרֵי דְּוזַרְשֵׁי מְסָאֲבֵי לְתַתָּא. וְכָל מַה דִּי בְּאַרְעָא, מִנַּיְיהוּ אֲוזִידָן בְּסִטְרָא דָּא, וּמִנַּיְיהוּ אֲוזִידָן בְּסִטְרָא אָוזֳרָא.

קז. וְאִי תֵּימָא, הַאי עֵז, דְּשַׁרְיָא עָלֵיהּ רוּוזַ מְסָאֲבָא. לָאו הָכֵי. דְּאִי רוּוזַ מְסָאֲבָא שַׁרְיָא בֵּיהּ, אָסִיר לָן לְמֵיכַל. אֶלָּא אַעְבְּרָן בְּגַוַּיְיהוּ, וְיִתְוַזְוּוֹן לְקָבְלֵיהוֹן, וְלָא שַׁרְיָא לְדַיְירָא בְּהוּ, דְּכַד אִינּוּן שַׁרְיָין, רוּוזַ אָוזֳרָא אַעְבַּר עֲלַיְיהוּ, וּפְרִישָׁן מִגַּרְמַיְיהוּ. וּבְגִין כַּךְ אִתְוַזְוּוֹן לְקָבְלַיְיהוּ, וּמְקַטְרְגֵי בְּגַוַּיְיהוּ, וְלָא שַׁלְטֵי בְּהוּ בְּגַרְמַיְיהוּ, וְעַ"ד שָׁרֵי לָן לְמֵיכַל.

קח. ת"וז, כֵּיוָן דְּאַתְיָין לְשַׁלְטָאָה בְּהוּ, אַעְבַּר רוּוזָא וְזָדָא, זַקְפָן עַיְינִין וְזָמְאָן רְשִׁימִין דִּלְהוֹן, וְאִתְפָּרְשָׁן מִנַּיְיהוּ, אֲבָל אִתְוַזֲזוּ לְקָבְלֵיהוֹן, וְלָא אֲסִירֵי לָן לְמֵיכַל.

קט. בֵּין בִּבְעִירֵי, בֵּין בְּוזֵיוָתָא, בֵּין בְּעוֹפֵי, בֵּין בְּנוּנֵי יַמָּא, בְּכֻלְּהוּ אִתְוַזְזוּן יְמִינָא וּשְׂמָאלָא, וְכָל מַאן דְּאָתֵי מִסִּטְרָא דִּימִינָא, שָׁארֵי לָן לְמֵיכַל. וְכָל אִינּוּן דְּאַתְיָין מִסִּטְרָא דִּשְׂמָאלָא, כֻּלְּהוּ אָסִיר לָן לְמֵיכַל. בְּגִין דְּדַרְגָּא דְּכֻלְּהוּ מְסָאֲבָא, וְכֻלְּהוּ מְסָאֲבִין, וְרוּוזַ מְסָאֲבָא שַׁרְיָא בְּגַוַּיְיהוּ, וְדָרֵי בְּהוּ. וְעַל דָּא רוּוזָא קַדִּישָׁא דְּיִשְׂרָאֵל, לָא יִתְעָרַב בְּהוּ,

וְלָא יִסְתָּאַב בְּהוּ, בְּגִין דְּיִשְׁתַּכְּחוּן קַדִּישִׁין, וְיִשְׁתְּמוֹדְעוּן לְעֵילָּא וְתַתָּא. זַכָּאָה חוּלָקֵיהוֹן דְּיִשְׂרָאֵל, דְּמַלְכָּא קַדִּישָׁא אִתְרְעֵי בְּהוּ, וּבָעֵי לְדַכָּאָה לְהוּ, וּלְקַדְּשָׁא לְהוּ עַל כֹּלָּא, בְּגִין דְּאִינּוּן אֲחִידָן בֵּיהּ.

קי. תָּא חֲזֵי, כְּתִיב יִשְׂרָאֵל אֲשֶׁר בְּךָ אֶתְפָּאָר, אִי קב"ה מִתְפָּאַר בְּהוּ בְּיִשְׂרָאֵל, הֵיךְ אַתְיָין לְאִסְתָּאֲבָא וּלְאִתְדַּבְּקָא בְּסִטְרָא מְסָאֲבָא. וְעַ"ד כְּתִיב, וְהִתְקַדִּשְׁתֶּם וִהְיִיתֶם קְדוֹשִׁים כִּי קָדוֹשׁ אָנִי וְלֹא תְשַׁקְּצוּ אֶת נַפְשׁוֹתֵיכֶם וְגוֹ', מַאן דְּאִיהוּ בְּדִיוּקְנָא דְּמַלְכָּא, לָא לִבְעֵי לֵיהּ לְאִפְרְשָׁא מֵאוֹרְחוֹי דְּמַלְכָּא. וּבְגִין כָּךְ רָשִׁים לְהוּ קוּדְשָׁא בְּרִיךְ הוּא לְיִשְׂרָאֵל, כָּל אִינּוּן דְּאַתְיָין מִסִּטְרָא דָּא, וְכָל אִינּוּן דְּאַתְיָין מִסִּטְרָא אָחֳרָא. זַכָּאָה חוּלָקֵיהוֹן דְּיִשְׂרָאֵל, דִּכְתִּיב בְּהוּ, כָּל רוֹאֵיהֶם יַכִּירוּם כִּי הֵם זֶרַע בֵּרַךְ יְיָ', בֵּרַךְ יְיָ' מַמָּשׁ, בֵּרַךְ יְיָ' בְּכֹלָּא.

קיא. ות"ח, כָּל מַאן דְּאָכִיל מֵאִינּוּן מַאֲכָלֵי דְּאַסִּירֵי, אִתְדְּבַק בְּסִטְרָא אָחֳרָא, וְעָיֵיל נַפְשֵׁיהּ וְגַרְמֵיהּ, וְרוּחַ מְסָאַב שַׁרְיָא עָלֵיהּ, וְאַחֲזֵי גַּרְמֵיהּ דְּלֵית לֵיהּ חוּלָקָא בֶּאֱלָהָא עִלָּאָה, וְלָא אָתֵי מִסִּטְרֵיהּ, וְלָא אִתְדְּבַק בֵּיהּ. וְאִי יִפּוּק הָכִי מֵהַאי עָלְמָא, אֲחִידָן בֵּיהּ כָּל אִינּוּן דַּאֲחִידָן בִּסְטָר דִּמְסָאֲבָא, וּמְסָאֲבִין לֵיהּ וְדַיְינִין לֵיהּ כְּבַ"נ דְּאִיהוּ גְּעָלָא דְּמָארֵיהּ, גְּעָלָא בְּהַאי עָלְמָא, וּגְעָלָא בְּעָלְמָא דְּאָתֵי.

קיב. וְעַ"ד כְּתִיב, וְנִטְמֵתֶם בָּם בְּלָא א', דְּלָא אִשְׁתְּכַח אַסְוָותָא לִגְעוּלֵיהּ, וְלָא נָפִיק מִמְּסָאֲבוּתֵיהּ לְעָלְמִין. וַוי לוֹן, וַוי לְנַפְשַׁיְיהוּ, דְּלָא יִתְדַּבְּקוּן בִּצְרוֹרָא דְּחַיֵּי לְעָלְמִין, דְּהָא אִסְתָּאֲבוּ. וַוי לְגַרְמַיְיהוּ, עָלַיְיהוּ כְּתִיב כִּי תוֹלַעְתָּם לֹא תָמוּת וְגוֹ', וְהָיוּ דֵרָאוֹן לְכָל בָּשָׂר. מַאי דֵּרָאוֹן. סִרְחוֹנָא. מַאן גָּרִים לֵיהּ, הַהוּא סְטָר דְּאִתְדַּבַּק בֵּיהּ.

קיג. יִשְׂרָאֵל אַתְיָין מִסִּטְרָא דִּימִינָא, אִי אִתְדַּבְּקָן בִּסְטָר שְׂמָאלָא, הָא פַּגְמִין לִסְטַר דָּא, וּפַגְמִין לְגַרְמַיְיהוּ, וּפַגְמִין לְנַפְשַׁיְיהוּ, פְּגִימִין בְּעָלְמָא דֵּין, וּפְגִימִין, בְּעָלְמָא דְּאָתֵי. כ"ש מַאן דְּאִתְדַּבַּק בִּסְטָר דִּמְסָאֲבָא, דְּכֹלָּא אֲחִיד דָּא בְּדָא, וּכְתִיב כִּי עַם קָדוֹשׁ אַתָּה לַיְיָ' אֱלֹהֶיךָ וְגוֹ'.

קיד. ר' יוֹסֵי פָּתַח וְאָמַר, כָּל עֲמַל הָאָדָם לְפִיהוּ וְגוֹ'. אִסְתַּכַּלְנָא בְּמִלֵּי דִּשְׁלֹמֹה מַלְכָּא, וְכֻלְּהוּ אֲחִידָן בְּחָכְמָה עִלָּאָה. כָּל עֲמַל הָאָדָם לְפִיהוּ, הַאי קְרָא, בְּשַׁעֲתָא דְּדַיְינִין לֵיהּ לְבַ"נ בְּהַהוּא עָלְמָא כְּתִיב, כָּל הַהוּא דִּינָא, וְכָל מַאי דְּסָבִיל בְּהַהוּא עָלְמָא, וְנָקְמִין מִנֵּיהּ נִקְמְתָא דְּעָלְמָא. לְפִיהוּ: בְּגִין פִּיהוּ, דְּלָא נָטִיר לֵיהּ, וְסָאִיב לֵיהּ לְנַפְשֵׁיהּ, וְלָא אִתְדַּבַּק בְּסִטְרָא דְּחַיֵּי, בְּסִטְרָא דִּימִינָא. וְגַם הַנֶּפֶשׁ לֹא תִמָּלֵא, לָא תִשְׁתְּלִים דִּינָהָא לְעָלַם וּלְעָלְמֵי עָלְמִין. ד"א לֹא תִמָּלֵא, לָא תִשְׁתְּלִים לְסַלְּקָא לְאַתְרָהָא לְעָלְמִין, בְּגִין דְּהָא אִסְתָּאֲבַת, וְאִתְדַּבְּקַת בְּסִטְרָא אָחֳרָא.

קטו. רִבִּי יִצְחָק אָמַר, כָּל מַאן דְּאִסְתָּאַב בְּהוּ, כְּאִילּוּ פָּלַח לע"ז, דְּאִיהוּ תּוֹעֲבַת יְיָ', וּכְתִיב לֹא תֹאכַל כָּל תּוֹעֵבָה. מַאן דְּפָלַח לע"ז, נָפִיק מִסִּטְרָא דְּחַיֵּי, נָפִיק מֵרְשׁוּתָא קַדִּישָׁא, וְעָיֵיל בִּרְשׁוּתָא אָחֳרָא. אוּף מַאן דְּאִסְתָּאַב בְּהָנֵי מֵיכְלֵי, נָפִיק מִסִּטְרָא דְּחַיֵּי, וְנָפִיק מֵרְשׁוּ קַדִּישָׁא, וְעָיֵיל בִּרְשׁוּתָא אָחֳרָא. וְלֹא עוֹד, אֶלָּא דְּאִסְתָּאַב בְּהַאי עָלְמָא, וּבְעָלְמָא דְּאָתֵי. וְעַ"ד וְנִטְמֵתֶם בָּם כְּתִיב בְּלָא א'.

קטז. וּכְתִיב, וְלֹא תְשַׁקְּצוּ אֶת נַפְשׁוֹתֵיכֶם בַּבְּהֵמָה וּבָעוֹף וּבְכֹל אֲשֶׁר תִּרְמוֹשׂ הָאֲדָמָה אֲשֶׁר הִבְדַּלְתִּי אֶתְכֶם לְטַמֵּא. מַאי לְטַמֵּא. לְטַמֵּא לְעַמִּין עַ"ז, דְּהָא אִינּוּן מְסָאֲבִין, וּמִסִּטְרָא דִּמְסָאֲבָא קָא אַתְיָין. וְכָל חַד אִתְדַּבַּק בְּאַתְרֵיהּ.

קיז. רִבִּי אֶלְעָזָר הֲוָה יָתִיב קַמֵּי דְּר' שִׁמְעוֹן אֲבוֹי, א"ל, הָא דְּתָנֵינָן זַמִּין קב"ה

לְדַכָּאָה לְהוּ לְיִשְׂרָאֵל, בְּמָה. אָמַר לֵיהּ, בְּמָה דִּכְתִּיב, וְזָרַקְתִּי עֲלֵיכֶם מַיִם טְהוֹרִים וּטְהַרְתֶּם וְגוֹ'. כֵּיוָן דְּאִתְדַּכְאָן מִתְקַדְּשָׁן, וְיִשְׂרָאֵל דְּאִתְדַּבְקָן בֵּיהּ בְּקֻבְּ"ה, קֹדֶשׁ אִקְרוּן, דִּכְתִּיב קֹדֶשׁ יִשְׂרָאֵל לַיְיָ' רֵאשִׁית תְּבוּאָתֹה, וּכְתִיב וְאַנְשֵׁי קֹדֶשׁ תִּהְיוּן לִי, זַכָּאִין אִינּוּן יִשְׂרָאֵל, דְּקֻבְּ"ה קָאָמַר עֲלַיְיהוּ, וִהְיִיתֶם קְדוֹשִׁים כִּי קָדוֹשׁ אֲנִי יְיָ', בְּגִין דִּכְתִּיב וּבוֹ תִדְבָּק, וּכְתִיב לֹא עָשָׂה כֵן לְכָל גּוֹי וּמִשְׁפָּטִים בַּל יְדָעוּם הַלְלוּיָהּ.

רעי"א מהימנא

קיוז. דָּגִים וַחֲגָבִים, אֵינָן טְעוּנִין שְׁחִיטָה, אֶלָּא אֲסִיפָתָם הִיא הַמַּתֶּרֶת אוֹתָם. הָכִי מָארֵי מְתִיבְתָּא, אֵין צְרִיכִין שְׁחִיטָה, אֶלָּא דְּאִתְּמַר בְּהוֹן, וַיִּגְוַע וַיֵּאָסֶף אֶל עַמָּיו. מַה נּוּנֵי יַמָּא, וְזִיוּתָן בְּיַמָּא. אַף תַּלְמִידֵי וַחֲכָמִים, מָארֵי מַתְנִיתִין, וְזִיוּתַיְיהוּ בְּאוֹרַיְיתָא, וְאִי אִתְפָּרְשָׁן מִנָּהּ, מִיַּד מֵתִים. תַּנָּאִין דְּמַתְנִיתִין, דְּבָה אִתְרַבּוּ כְּנוּנֵי יַמָּא, וְאִי אִינּוּן דְּבְיַבֶּשְׁתָּא יַעֲלוּן לְמַיָּא, וְלָא יָדְעִין לְשַׁטְּטָא, אִינּוּן מַיְיתִין. אֲבָל אָדָם דְּאִינּוּן מָארֵי קַבָּלָה, דְּאִיהוּ לְעֵילָּא מִכֻּלְּהוּ, אִתְּמַר בֵּיהּ וְיִרְדּוּ בִּדְגַת הַיָּם וּבְעוֹף הַשָּׁמַיִם.

קיט. דְּאִינּוּן מָארֵי מַתְנִיתִין תַּנָּאֵי, הַתַּנִּין הַגָּדוֹל, נָחָשׁ בָּרִיחַ, לְקָבֵל וְהַבְּרִיחַ הַתִּיכוֹן בְּתוֹךְ הַקְּרָשִׁים, בְּזִמְנָא דְּתַנְיָין מָארֵי מִשְׁנָה אִית בְּהוֹן מַחֲלוֹקֶת, וּמַקְשִׁין דָּא לְדָא, בָּלַע לְחַבְרֵיהּ. וְהַאי אִיהוּ תַּלְמִיד זְעֵיר שֶׁלֹּא הִגִּיעַ לְהוֹרָאָה וּמוֹרֶה, וְחַיָּיב מִיתָה. וְאִי אִינּוּן שָׁוִין דָּא לְדָא, וְאִית בְּהוֹן מַחֲלוֹקֶת, וְקוּשְׁיָא, אִתְּמַר בְּהוֹן אֶת וָהֵב בְּסוּפָה, אוּקְמוּהָ אַהֲבָה בְּסוּפָה. (ע"כ רע"מ).

TAZRIA

תַּזְרִיעַ

א. וַיְדַבֵּר יְיָ' אֶל מֹשֶׁה לֵּאמֹר אִשָּׁה כִּי תַזְרִיעַ וְיָלְדָה זָכָר וְגוֹ'. ר' אֶלְעָזָר פָּתַח, עַל מִשְׁכָּבִי בַּלֵּילוֹת בִּקַּשְׁתִּי וְגוֹ'. עַל מִשְׁכָּבִי, בְּמִשְׁכָּבִי מִבָּעֵי לֵיהּ, מַהוּ עַל מִשְׁכָּבִי. אֶלָּא כְּנֶסֶת יִשְׂרָאֵל אָמְרָה קַמֵּי קֻבְּ"ה, וּבָעָאת מִנֵּיהּ עַל גָּלוּתָא, בְּגִין דְּהִיא יָתְבָא בֵּין שְׁאָר עַמִּין עִם בְּנָהָא, וּשְׁכִיבַת לְעַפְרָא, וְעַל דְּהִיא שְׁכִיבַת בְּאַרְעָא אָחֳרָא מְסָאֲבָא, אָמְרָה, עַל מִשְׁכָּבִי בָּעֵינָא, דִּשְׁכִיבְנָא בְּגָלוּתָא, וְעַל דָּא, בִּקַּשְׁתִּי אֵת שֶׁאָהֲבָה נַפְשִׁי וּלְאַפָּקָא לִי מִנֵּיהּ.

ב. בִּקַּשְׁתִּיו וְלֹא מְצָאתִיו, דְּלָאו אָרְחֵיהּ לְאִזְדַּוְּוגָא בִּי אֶלָּא בְּהֵיכָלֵיהּ, קְרָאתִיו וְלֹא עָנָנִי. דְּהָא בֵּינֵי עַמִּין אָחֳרָנִין יָתִיבְנָא, וְקָלֵיהּ לָא שַׁמְעִין אֶלָּא בְּנוֹי. דִּכְתִּיב, הֲשָׁמַע עָם קוֹל אֱלֹהִים וְגוֹ'.

ג. רִבִּי יִצְחָק אָמַר, עַל מִשְׁכָּבִי בַּלֵּילוֹת. אָמְרָה כנ"י עַל מִשְׁכָּבִי אִתְרַעַמְנָא קַמֵּיהּ, דְּיֵהֵא מִזְדַּוֵּוג עִמִּי לְמֶחֱדֵי לִי, וּלְבָרְכָא לִי, בְּחֶדְוָו שְׁלִים. דְּהָכִי תָּנֵינָן דְּמִזְוּוּגָא דְּמַלְכָּא בכ"י, כַּמָּה צַדִּיקִים יָרְתוּ יְרוּתַת אַחְסַנְתָּא קַדִּישָׁא, וְכַמָּה בִּרְכָאן מִשְׁתַּכְּחֵי בְּעָלְמָא.

ד. ר' אַבָּא הֲוָה אָזִיל לִכְפַר קַנְיָא, לְמֶעְרְתָא דְּלוּד. וַהֲווּ עִמֵּיהּ ר' יוֹסֵי וְר' חִיָּיא. א"ר יוֹסֵי, כְּתִיב, אֵשֶׁת חַיִל עֲטֶרֶת בַּעְלָהּ וְגוֹ'. אֵשֶׁת חַיִל, דָּא כ"י. וּכְרָקָב בְּעַצְמוֹתָיו מְבִישָׁה. אִלֵּין עַמִּין עע"ז, דְּקֻבְּ"ה לָא יָכִיל לְמִסְבַּל לוֹן בְּעָלְמָא, כד"א, וָאָקוּץ בָּם. כְּהָנֵי קוֹצִין וְגוֹבִין דְּדַחֲקִין לֵיהּ לב"נ וְלָא יָכִיל לְמִסְבַּל לוֹן. א"ר אַבָּא, הָכִי הוּא וַדַּאי, אֵשֶׁת חַיִל, דָּא כ"י, דְּהִיא גְּבִירְתָּא מִכַּמָּה חַיָּילִין וְכַמָּה מַשִּׁרְיָין דְּמִשְׁתַּכְּחֵי בְּעָלְמָא, עֲטֶרֶת בַּעְלָהּ, כד"א, עֲטֶרֶת תִּפְאֶרֶת, וְכֹלָּא וַחַד. עַד דַּהֲווּ אָזְלֵי, א"ר אַבָּא כָּל חַד לֵימָא מִלָּה, בכ"י.

ה. ר' אַבָּא פָּתַח וְאָמַר. אֵשֶׁת חַיִל מִי יִמְצָא, דָּא כ"י, דְּאִיהִי אֵשֶׁת חַיִל, כְּמָה דְּאַמָרָן. מִי יִמְצָא, כד"א, אֲשֶׁר יִמְצָא אֶתְכֶם בְּאַחֲרִית הַיָּמִים. מִי יִמְצָא, מַאן יִזְכֶּה לְמֶהֱוֵי בַּהּ בִּשְׁלִימוּ, וּלְאִשְׁתַּכְּחָא עִמָּהּ תָּדִיר.

ו. וְרָחוֹק מִפְּנִינִים מִכְרָהּ, מִכְרָהּ, מִקְוָה מִבָּעֵי לֵיהּ. אֶלָּא, לְכָל אִינּוּן דְּלָא אִתְדַּבְּקָן בַּהּ בִּשְׁלִימוּ, וְלָא שְׁלֵמִין בַּהֲדָהּ, הִיא מְכָרָה לוֹן וְאַסְגְּרָא לוֹן בִּידָא דְּעַמְמִין אָחֳרָנִין. כד"א, וַיַּעַזְבוּ בְּנֵי יִשְׂרָאֵל אֶת יְיָ' וַיִּמְכּוֹר אוֹתָם בְּיַד סִיסְרָא. וּכְדֵין כֻּלְּהוּ רְחִיקִין מֵאִלֵּין פְּנִינִים עִלָּאִין קַדִּישִׁין, דְּלָא יֶהֱא חוּלָקָא בְּהוּ. הה"ד וְרָחוֹק מִפְּנִינִים מִכְרָהּ.

ז. ר' חִיָּיא פָּתַח קְרָא אֲבַתְרֵיהּ וְאָמַר, בָּטַח בָּהּ לֵב בַּעְלָהּ וְשָׁלָל לֹא יֶחְסָר. בָּטַח בָּהּ לֵב בַּעְלָהּ, דָּא קֻבְּ"ה, דִּבְגִינֵי כָּךְ מַנֵּי לָהּ עַל עָלְמָא, לְאִתְדַּבְּרָא עָלָהּ, כָּל זַיְינִין דִּילֵיהּ אַפְקִיד בִּידָהָא, וְכָל אִינּוּן מָגִינֵי קְרָבָא, וְעַל דָּא, וְשָׁלָל לֹא יֶחְסָר.

ח. ר' יוֹסֵי פָּתַח קְרָא אֲבַתְרֵיהּ, וְאָמַר, גְּמָלַתְהוּ טוֹב וְלֹא רָע כֹּל יְמֵי חַיֶּיהָ. גְּמָלַתְהוּ טוֹב, הִיא זְמִינַת טָב לְעָלְמָא, זְמִינַת טָב לְהֵיכָלָא דְּמַלְכָּא וְלִבְנֵי הֵיכָלֵיהּ. וְלֹא רָע. בְּגִין דִּכְתִּיב, וְעֵץ הַדַּעַת טוֹב וָרָע, טוֹב אֵימָתַי, בְּזִמְנָא דְּאִינּוּן יְמֵי הַשָּׁמַיִם, נַהֲרִין עָלָהּ, וּמִזְדַּוְּוגָן עִמָּהּ כַּדְקָא יָאוּת, דְּאִינּוּן יְמֵי חַיֶּיהָ. בְּגִין דְּעֵץ הַחַיִּים, שַׁדַּר לָהּ חַיִּים, וְנָהִיר

לָהּ. וּבְהַהוּא זִמְנָא גְּמַלְתְּהוּ טוֹב וְלֹא רָע. א"ר אַבָּא שַׁפִּיר הוּא, וְכֻלְּהוּ קְרָאֵי בִּכְנֶסֶת יִשְׂרָאֵל אִתְמָרוּ.

ט. אִשָּׁה כִּי תַזְרִיעַ. תָּנֵינָן, אִשָּׁה מַזְרַעַת תְּחִלָּה יוֹלֶדֶת זָכָר. ר' אַחָא אָמַר, הָא תָּנֵינָן, דְּקב"ה גָּזַר עַל הַהִיא טִפָּה, אִי אִיהוּ דְּכַר אִי אִיהִי נוּקְבָא, וְאַתְּ אֲמַרְתְּ אִשָּׁה מַזְרַעַת תְּחִלָּה יוֹלֶדֶת זָכָר. א"ר יוֹסֵי, וַדַּאי קב"ה אַבְחִין בֵּין טִפָּה דִּדְכוּרָא וּבֵין טִפָּה דְּנוּקְבָא, וּבְגִין דְּאַבְחִין לֵיהּ, גָּזַר עָלֵיהּ, אִי לֶהֱוֵי דְּכַר אוֹ נוּקְבָא.

י. א"ר אַחָא, וְיָלְדָה זָכָר, וְכִי כֵּיוָן דְּמַזְרַעַת יוֹלֶדֶת, דִּכְתִּיב, וְיָלְדָה, הַאי קְרָא הָכִי מִבָּעֵי לֵיהּ, אִשָּׁה כִּי תַהַר וְיָלְדָה זָכָר. מַהוּ, כִּי תַזְרִיעַ וְיָלְדָה. אָמַר רַבִּי יוֹסֵי, אִתְּתָא, מִן יוֹמָא דְּאִתְעַבְּרַת עַד יוֹמָא דְּיוֹלֶדֶת לֵית לָהּ בְּפוּמָא, אֶלָּא יְלִידוּ דִּילָהּ אִי לֶהֱוֵי דְּכַר, וְעַ"ד, אִשָּׁה כִּי תַזְרִיעַ וְיָלְדָה זָכָר.

יא. אִשָּׁה כִּי תַזְרִיעַ. רַבִּי חִזְקִיָּה פָּתַח, מָה רַבּוּ מַעֲשֶׂיךָ יְיָ'. כַּמָּה סַגִּיאִין עוֹבָדוֹהִי דְּמַלְכָּא קַדִּישָׁא בְּעָלְמָא, מְתַל לְב"נ דְּנָטִיל בִּידוֹהִי כַּמָּה מִקְטוּרִין כַּחֲדָא, וְזָרַע לוֹן בִּזְמְנָא חֲדָא, וּלְבָתַר נָפִיק כָּל חַד וְחַד בִּלְחוֹדוֹי. כַּךְ קוּדְשָׁא בְּרִיךְ הוּא עָבִיד עוֹבָדוֹהִי בְּחָכְמָה, וּבְחָכְמָה נָטִיל כֹּלָּא כַּחֲדָא וְזָרַע לוֹן, וּלְבָתַר נָפְקוּ כָּל חַד וְחַד בִּזְמְנֵיהּ, הה"ד כֻּלָּם בְּחָכְמָה עָשִׂיתָ.

יב. אָמַר רַבִּי אַבָּא, מָה רַבּוּ מַעֲשֶׂיךָ יְיָ', כַּמָּה סַגִּיאִין אִינּוּן עוֹבָדוֹהִי דְּמַלְכָּא קַדִּישָׁא, וְכֻלְּהוּ, סְתִימִין בְּחָכְמָה, הה"ד כֻּלָּם בְּחָכְמָה עָשִׂיתָ. כֻּלְּהוּ בְּחָכְמָה כְּלִילָן, וְלָא נָפְקֵי לְבַר אֶלָּא בִּשְׁבִילִין יְדִיעָן, לְגַבֵּי בִּינָה. וּמִתַּמָּן, אִתְעֲבִידוּ כֹּלָּא וְאִתְתְּקָנוּ, הה"ד וּבִתְבוּנָה יִתְכּוֹנָן. וְעַל דָּא כֻּלָּם בְּחָכְמָה עָשִׂיתָ, בְּבִינָה.

יג. מָלְאָה הָאָרֶץ, הָאָרֶץ: דָּא כ"י, דְּמִתַּמָּן אִתְמַלְיָא מִכֹּלָּא, כד"א כָּל הַנְּחָלִים הוֹלְכִים אֶל הַיָּם וְגוֹ'. קִנְיָנֶךָ. דְּהִיא אַפִּיקַת לוֹן לְבָתַר, הה"ד אֵלֶּה תוֹלְדוֹת הַשָּׁמַיִם וְהָאָרֶץ בְּהִבָּרְאָם, בְּה' בְּרָאָם. בְּגִינֵי כַּךְ מָלְאָה הָאָרֶץ קִנְיָנֶךָ.

יד. ת"ח, בְּשַׁעְתָּא דְּבַר נָשׁ אָתֵי לְאִתְקַדְּשָׁא לְאִזְדַּוְּגָא בְּנוּקְבֵיהּ, בִּרְעוּתָא קַדִּישָׁא דִּילֵיהּ, אִתְּעַר עָלֵיהּ רוּחָא קַדִּישָׁא, כָּלִיל דְּכַר וְנוּקְבָא. וְרָמִיז קב"ה לְחַד שְׁלוּחָא מְמַנָּא עַל עִדּוּיֵיהוֹן דִּבְנֵי נָשָׁא, וּמָנֵי בִּידֵיהּ הַהוּא רוּחָא, וְאוֹדַע לֵיהּ, לְאָן אֲתַר יִפְקוֹד לֵיהּ. הֲדָא הוּא דִכְתִּיב, וְהַלַּיְלָה אָמַר הֹרָה גָבֶר. הַלַּיְלָה אָמַר, לְהַהוּא מְמַנָּא, הֹרָה גֶּבֶר מִפְּלַנְיָא, וְקב"ה אַפְקִיד לֵיהּ, לְהַהוּא רוּחָא, כָּל מַה דְּאַפְקִיד, וְהָא אוֹקְמוּהָ.

טו. כְּדֵין רוּחָא נַחְתָּא, וְחַד צוּלְמָא עִמֵּיהּ, הַהוּא דְּקָאִים בִּדְיוֹקְנֵיהּ לְעֵילָּא, בְּהַהוּא צוּלְמָא אִתְבְּרֵי, בְּהַהוּא צוּלְמָא אָזִיל בְּהַאי עָלְמָא. הֲדָא הוּא דִכְתִּיב, אַךְ בְּצֶלֶם יִתְהַלֶּךְ אִישׁ. בְּעוֹד דְּהַאי צוּלְמָא אִשְׁתְּכַח עִמֵּיהּ בַּר נָשׁ, קָאִים בְּהַאי עָלְמָא, וּתְרֵין אִינּוּן דְּמִתְחַבְּרָן כַּחֲדָא, וּשְׁלֹמֹה מַלְכָּא אַזְהַר לִבְנֵי נָשָׁא וְאָמַר, עַד שֶׁיָּפוּחַ הַיּוֹם וְנָסוּ הַצְּלָלִים, תְּרֵי.

טז. וּבְסִפְרָא דְּחָרְשִׁין דְּאַשְׁמְדַאי, אַשְׁכַּחְנָא דְּאִינּוּן דְּבָעוּ לְחָרְשָׁא חַרְשִׁין מִסִּטְרָא שְׂמָאלָא, וּלְאִתְדַּבְּקָא בְּהוּ, יְקוּם לִנְהוֹרָא דִשְׁרָגָא, אוֹ בַּאֲתַר דְּיִתְחֲזוּן אִינּוּן צוּלְמִין דִּילֵיהּ, וְיֵימָא אִינּוּן מִלִּין דְּמִתְתַּקְּנֵי לְאִינּוּן חַרְשִׁין, וְיִקְרֵי לוֹן, לְאִינּוּן סִטְרִין מְסָאֲבִין, בִּשְׁמָהָן מְסָאֲבִין דִּילְהוֹן, וְיַזְמִין צוּלְמִין דִּילֵיהּ לְאִינּוּן דְּקָארֵי, וְיֵימָא דְּהוּא אִתְתְּקַן בִּרְעוּתֵיהּ לְהוּ לְפִקּוּדַיְיהוּ, וְהַהוּא בַּר נָשׁ נָפַק מֵרְשׁוּ דְּמָארֵיהּ וּפִקְדוֹנָא דִּילֵיהּ, יָהַב לְסִטְרָא מְסָאֲבָא.

יז. וּבְאִינּוּן מִלִּין דְּחָרְשִׁין דְּאִיהוּ יֵימָא, וְיַזְמִין לוֹן לְצוּלְמֵי, אִתְחֲזוּן תְּרֵין רוּחִין

וּמִתְתַּקְּנִין בְּאִינּוּן צוּלְמִין דִּילֵיהּ, בְּחֵיזוּ דִּבְנֵי אֱנָשָׁא, וּמוֹדְעִין לֵיהּ מִלִּין לְאַבְאָשָׁא, וּמִלִּין לְאוֹטָבָא, לְזִמְנִין יְדִיעָן. וְאִלֵּין תְּרֵי רוּחִין, דְּלָא אִתְכְּלִילוּ בִּכְלָלָא דְּגוּפָא, הַשְׁתָּא אִתְכְּלִילָן בְּאִלֵּין צוּלְמִין, וּמִתְתַּקְּנָן בְּהוּ וּמוֹדְעִין לֵיהּ לְבַר נָשׁ מִלִּין לְאַבְאָשָׁא, וְדָא הוּא דְּנָפִיק מֵרְשׁוּתָא דְּמָארֵיהּ, וּפִקְדוֹנָא דִּילֵיהּ, יָהִיב לְסִטַר מִסְאֲבָא.

יח. תָּא חֲזֵי, אָסִיר לֵיהּ לְבַר נָשׁ לְאַשְׁדָּאָה מָאנֵי דְּבֵיתָא, וּלְאַפְקְדָא לֵיהּ לְסִטְרָא אָחֳרָא, דְּלָא אִצְטְרִיךְ, אוֹ מִלָּה אָחֳרָא דִּכְוָותֵיהּ, דְּהָא כַּמָּה גַּרְדִּינֵי נִימוּסִין זְמִינִין לְהַהוּא מִלָּה לְקַבְּלָא לֵיהּ, וּמֵהַהוּא זִמְנָא, לָא שָׁארוּ עָלֵיהּ בִּרְכָאן, דְּהָא מִסִּטְרָא אָחֳרָא הוּא. כ״ש מַאן דְּאַזְמִין בִּרְעוּתֵיהּ עַל הַהוּא טִיבוּ עִלָּאָה דִּילֵיהּ, לְאָחֳרָא וּלְסִטְרָא אָחֳרָא. דְּהָא, מֵהַהוּא דְּאַזְמִין לֵיהּ הֲוֵי.

יט. וְכַד קָרִיבוּ יוֹמִין דְּב״נ לְנָפְקָא מֵהַאי עָלְמָא, הַהוּא צוּלְמָא עִלָּאָה דְּיָהֲבֵי לֵיהּ, אַתְיָא הַהוּא רוּחָא בִּישָׁא דַּהֲוָה מִתְדַּבַּק בֵּיהּ בְּכָל יוֹמָא, וְנָטִיל לֵיהּ לְהַהוּא צוּלְמָא, וְאִתְתָּקַּן בֵּיהּ וְאָזִיל לֵיהּ, וְלָא אִתְהֲדַר בֵּיהּ בב״נ לְעָלְמִין. כְּדֵין יִנְדַּע דְּהָא אִתְדַּוְּיָא הוּא מִכֹּלָּא.

כ. תָּא חֲזֵי, בְּשַׁעֲתָא דְּנִשְׁמְתָא נָחֲתָא לְאַעֲלָא לֵיהּ בְּהַאי עָלְמָא, נָחֲתָא בְּגִנְתָּא דְּעֵדֶן דְּאַרְעָא, וְחָמָאת יְקָרָא דְּרוּחֵיהוֹן דְּצַדִּיקַיָּיא קַיְימִין שׁוּרִין שׁוּרִין. לְבָתַר אַזְלַא לַגֵּיהִנָּם, וְחָמָאת לְהוּ לְרַשִּׁיעַיָּיא דְּצַוְוחִין וַוי וַוי, וְלָא מְרַחֲמֵי עָלַיְיהוּ. וּבְכֹלָּא אַסְהִידוּ בָּהּ סַהֲדוּתָא, וְהַהוּא צוּלְמָא קַדִּישָׁא קַיְּימָא עָלֵיהּ, עַד דְּנָפִיק לְעָלְמָא.

כא. כַּד נָפִיק לְעָלְמָא, אִזְדַּמַּן הַהוּא צוּלְמָא לְגַבֵּיהּ, וְאִשְׁתְּתַּף בַּהֲדֵיהּ, וְאִתְרַבֵּי עִמֵּיהּ. כְּמָה דְּאִתְּמַר, אַךְ בְּצֶלֶם יִתְהַלֶּךְ אִישׁ. וּבְהַהוּא צֶלֶם אִשְׁתָּתְפוּ יוֹמוֹי דְּבַר נָשׁ, וְתַלְיָין בֵּיהּ, הה״ד, כִּי תְמוֹל אֲנַחְנוּ וְלֹא נֵדָע כִּי צֵל יָמֵינוּ עֲלֵי אָרֶץ. כִּי צֵל יָמֵינוּ וַדַּאי. וּמִן יוֹמָא דְּמִתְעַבְּרָא אִתְּתָא עַד יוֹמָא דְּאוֹלִידַת, לָא יַדְעִין בְּנֵי נָשָׁא עוֹבָדוֹי דְּקֻבְּ״ה, כַּמָּה אִינּוּן רַבְרְבִין, וְכַמָּה אִינּוּן עִלָּאִין. הה״ד, מָה רַבּוּ מַעֲשֶׂיךָ יְיָ׳ וְגוֹ׳.

כב. תָּא חֲזֵי, כָּל רוּחִין דְּעָלְמָא כְּלִילָן דְּכַר וְנוּקְבָא, וְכַד נָפְקִין, דְּכַר וְנוּקְבָא נָפְקִין, וּלְבָתַר מִתְפָּרְשָׁן בְּאָרְחַיְיהוּ, אִי זָכֵי בַּר נָשׁ, לְבָתַר מִזְדַּוְּוגֵי כַּחֲדָא. וְהַיְינוּ בַּת זוּגוֹ, וּמִתְחַבְּרָן בְּזִוּוּגָא חַד בְּכֹלָּא, רוּחָא וְגוּפָא. דִּכְתִיב, תּוֹצֵא הָאָרֶץ נֶפֶשׁ חַיָּה לְמִינָהּ. מַאי לְמִינָהּ. הַהוּא רוּחָא דְּב״נ דְּנָפִיק זוּגֵיהּ דְּדָמֵי לֵיהּ.

כג. וּמַאי הָאָרֶץ, כד״א, רֻקַּמְתִּי בְּתַחְתִּיּוֹת אָרֶץ. וְהָא אוֹקְמוּהָ. תּוֹצֵא הָאָרֶץ וַדַּאי, דְּהָא מִנָּהּ נָפְקִין נֶפֶשׁ חַיָּה, כְּמָה דְּאוֹקִימְנָא, דָּא רוּחֵיהּ דְּאָדָם קַדְמָאָה, הַיְינוּ דִּכְתִיב, וּמִפְּרִי הָעֵץ אֲשֶׁר בְּתוֹךְ הַגָּן. וּמִפְּרִי הָעֵץ, דָּא קֻבְּ״ה, אֲשֶׁר בְּתוֹךְ הַגָּן, אֲשֶׁר בְּתוֹךְ הָאִשָּׁה, תָּנֵינָן, הַיְינוּ, אִשָּׁה כִּי תַזְרִיעַ וְיָלְדָה זָכָר, כְּתִיב. וְלָא כְּלִיל דְּכַר וְנוּקְבָא, כְּפוּם אוֹרְחוֹי דְּעָלְמָא, דְּאִינּוּן, גָּרְמוּ לֵיהּ, דְּלָא מִתְחַבְּרָן, כְּמָה דְּנָפְקָן מִלְּעֵילָּא זוּגוֹת.

כד. בְּגִין דְּאָדָם קַדְמָאָה, וְזִוּוּג דִּילֵיהּ, חָבוּ לְקֻבְּ״ה, וְעַ״ד מִתְפָּרְשִׁין, כַּד נָפְקִין מִלְּעֵילָּא, עַד דַּהֲוָה רַעֲוָא קַמֵּי קֻבְּ״ה, אִי זָכָה ב״נ, יָהֲבִין לֵיהּ זוּגְתוֹ, וְאִי לָא, מַפְרִישִׁין לָהּ מִנֵּיהּ, וְיָהֲבִין לָהּ לְאָחֳרָא, מוֹלִידִין בְּנִין דְּלָא כַּדְקָא יָאוּת. וְעַ״ד כְּתִיב, לֹא יָדוֹן רוּחִי בָאָדָם. מַאי רוּחִי, רוּחוֹ מִבָּעֵי לֵיהּ, אִינּוּן תְּרֵין רוּחֵי, דְּנַפְקֵי זוּגוֹת, לָא יְדוּנוּן כַּחֲדָא, וְעַ״ד כְּתִיב, וְיָלְדָה זָכָר, וְלָא כְּלִיל דְּכַר וְנוּקְבָא, כְּפוּם אוֹרְחוֹי דְּעָלְמָא, דְּאִינּוּן גָּרְמוּ.

כה. רַבִּי אֶלְעָזָר אָמַר לָאו הָכִי, דְּהָא כֹּלָּא, דְּכַר וְנוּקְבָא כְּלִילָן כַּחֲדָא, וּמִתְפָּרְשָׁן לְבָתַר, אֲבָל וְיָלְדָה זָכָר, כְּלִילָן כַּחֲדָא מִסִּטְרָא דִּימִינָא, וְאִם נְקֵבָה תֵלֵד, כְּלִילָן בְּחַד

נוקבא ודכר מסטרא שמאלא, דשלטא סטר שמאלא על סטר ימינא יתיר, ודכורא אתכפיא בימינא דלא שלטא, וכדין ההוא דכר דנפיק מגו נוקבא, מסטר שמאלא, כל אורחוי כנוקבא, אבל דכר דנפיק מגו ימינא, הוא שלטא, ונוקבא דנפקא מניה אתכפיא, דהא סטר שמאלא לא שלטא, ועל דא וילדה זכר כתיב.

כו. וכמה אלף ורבבן נפקי בזמנא חדא לעלמא. ומן יומא דאפקת לון, לא אקרון נפשן, עד דאתיישבן בגופא. וכמה הוא, ל"ג ימים. היינו דכתיב, ושלשים יום ושלשת ימים וגו'. וטמאה שבעת ימים, דהא כל שבעת ימים לא עאלין רוחין לגבה, לאתקשרא בה, וכל אלין שבעת ימים, רוחא אזלא בגופא, לאשכחא אתריה. וכדין כתיב, והיה שבעת ימים תחת אמו.

כז. וביומא תמינאה, אתהדרו רוחא וגופא לאתחזאה קמי מטרוניתא, ולאתקשרא בה, ובדכורא, בגופא וברוחא. ושלשים יום ושלשת ימים תשב על דמי טהרה, לאתיישבא רוחא בגופא. וג' ימים מאי עבידתייהו. אלא שלשת ימים דמילה, דרביא כאיב, ורוחא לא שריא מדוריה בגופא כשאר יומין, ועל דא ושלשים יום ושלשת ימים תשב בדמי טהרה.

כח. בדמי טהרה בקדמיתא, ולבתר ימי טהרה. בדמי טהרה, אלין, דמי מילה, דמא בתר דמא דאתי מרביא, וקב"ה נטיר לאינון דמי כל אלין יומין, הה"ד, תשב בדמי טהרה. טהרה סתם, ולא אדכיר ה"א בתראה, דלא תימא טהרה דמטרוניתא, אלא טהרה סתם, דמי טהרה אקרון אלין דמי דכיא.

כט. בכל קדש לא תגע ואל המקדש וגו'. תא חזי, בכל יומא ויומא, כ"י, נטלא מבי מלכא מזונא לרוחיהון דבני נשא, וזנת להו בקדושה. בר להני, עד דאתיישבן בגופא אינון רוחין, בתר תלתין ותלת יומין, אשגחת עלייהו כל יומא, דהא רוחין מתקשרן בגופא כשאר בני עלמא, כמה דהיא לא שריא אלא באתר שלים, כך כל עובדוי כהאי גוונא, עד דאשתלימו. בכל קדש לא תגע, לאשגחא עלייהו.

ל. ואם נקבה תלד. כמה דאוקימנא, דשלטא סטר שמאלא יתיר ואתכפיא ימינא, ועל דא כלא על חד תרין, רוחיקא נוקבא, מדכורא, לאתקשרא רוחא בגופא, דהא שמאלא לא אתיישבא הכי כימינא, ואשתכחת בתוקפא יתיר.

רעיא מהימנא

לא. וביום השמיני ימול בשר ערלתו. פקודא דא, למגזר לתמניא יומין גזירו דקיימא קדישא. רזא עלאה, דכתיב, סוד יי' ליראיו ובריתו להודיעם. למאן, לאינון יראיו אינון דחלי חטאה, דהא רזא דקיימא קדישא לא אתחזי לגלאה בר להו. ורזא דקיימא קדישא, הא אוקמוה ואתמר בכמה דוכתין.

לב. ורזא דא, לח' יומין, איהו זיובא על עלמא, לכל עמא קדישא. דכתיב, וביום השמיני ימול בשר ערלתו. יום השמיני, דא הוא את קיימא קדישא, ואיהו תמינאה לכל דרגין. וגזירו דההוא קיימא, לאעברא ההוא ערלה. מקמי ברית.

לג. דהא בההוא זמנא דמתכנשי עמא קדישא לאעברא ההוא ערלה מקמי ברית, קב"ה כניש כל פמליא דיליה, ואתגלי ודאי לאעברא לההוא ערלה לעילא, מקמי ברית קיימא קדישא. דהא כל עובדין דישראל עבדין לתתא, מתערי עובדא לעילא. ובההוא זמנא אתדחייא ההוא ערלה, מכל עמא קדישא לעילא. ולההוא ערלה מתקני מאנא חדא בעפרא, לאשראה ההוא ערלה בגויה. ברזא דכתיב, ונחש עפר לחמו.

וְעָפָר תֹּאכַל כָּל יְמֵי חַיֶּיךָ.

לד. מִכָּאן, דְּלָא אִצְטְרִיךְ לְאַנְהֲגָא קָלָנָא בְּהַהוּא אֲתַר, אע״ג דִּמְעַבְרֵי לֵיהּ מִקַּמֵּי הַאי בְּרִית, וְדוּכְתֵּיהּ, כַּד מִתְעַבְּרָא מֵהַאי בְּרִית, עַפְרָא אִיהוּ, דְּהָרֵי בָּתַר דְּהַהוּא נָחָשׁ אִתְעֲבָר מִקַּמֵּי אָדָם, קֻבָּ״ה שַׁוֵּי לֵיהּ מָדוֹרֵיהּ בֶּעָפָר, דִּכְתִּיב וְעָפָר תֹּאכַל כָּל יְמֵי חַיֶּיךָ. וְכֵיוָן דְּקֻבָּ״ה כַּד אַעְבָּר לֵיהּ מִקַּמֵּי אָדָם שַׁוֵּי מָדוֹרֵיהּ בְּעַפְרָא וְאַתְקִין לֵיהּ, כָּךְ בְּהַהוּא גַּוְונָא מַמָּשׁ, אֲנָן צְרִיכִין כַּד מְעַבְרִין לַעָרְלָה, לְאִתְתַּקְנָא לֵיהּ עַפְרָא, לְמֶהֱוֵי בֵּיהּ מָדוֹרֵיהּ.

לה. כָּל בַּר נָשׁ אִצְטְרִיךְ לְקָרְבָא הַהוּא בְּרָא קָרְבְּנָא לְקֻבָּ״ה, בְּחֶדְוָה, בִּרְעוּ דְּלִבָּא, לְמֵיעַל לֵיהּ תְּחוֹת גַּדְפוֹי דִּשְׁכִינְתָּא, וְאִתְחַשַּׁב קָמֵי קֻבָּ״ה דְּאִיהוּ קָרְבְּנָא, שְׁלִים לְאִתְקַבְּלָא בְּרַעֲוָא.

לו. וְקָרְבְּנָא דָּא, כְּגַוְונָא דְּקָרְבְּנָא דִּבְעִירָא, דָּא לָוֹז׳ יוֹמִין, וְדָא לָוֹז׳ יוֹמִין, דִּכְתִּיב, וּמִיּוֹם הַשְּׁמִינִי וָהָלְאָה יֵרָצֶה, בְּמַאי יֵרָצֶה. בִּמְעַבַּר עָלֵיהּ חַד שַׁבְּתָא, כֵּיוָן דְּאַעְבָּר עָלֵיהּ חַד שַׁבְּתָא, כְּדֵין יֵרָצֶה דָּא לְקָרְבְּנָא, וְדָא לְקָרְבְּנָא. אֲמַאי. בְּגִין דְּאִתְדַּבַּק וְאִזְדְּמַן לְגַבֵּי הַהוּא שַׁבָּת, רָזָא דִּבְרִית קַדִּישָׁא, וְעַל דָּא כֹּלָּא בְּרָזָא עִלָּאָה אִיהוּ. (ע״כ רעיא מהימנא)

לז. אִשָּׁה כִּי תַזְרִיעַ וְיָלְדָה זָכָר וְגוֹ׳. ר׳ יְהוּדָה פָּתַח, אֵין קָדוֹשׁ כַּיְיָ כִּי אֵין בִּלְתֶּךָ וְאֵין צוּר כֵּאלֹהֵינוּ, הַאי קְרָא קַשְׁיָא, אֵין קָדוֹשׁ כַּיְיָ, מַשְׁמַע דְּאִיכָּא קָדוֹשׁ אָחֳרָא, בְּגִין דִּכְתִּיב כַּיְיָ, וְאֵין צוּר כֵּאלֹהֵינוּ, מַשְׁמַע דְּאִיכָּא צוּר אָחֳרָא.

לח. אֶלָּא וַדַּאי, אֵין קָדוֹשׁ כַּיְיָ, דְּכַמָּה קַדִּישִׁין נִינְהוּ, קַדִּישִׁין לְעֵילָּא, דִּכְתִּיב, וּמֵאמַר קַדִּישִׁין שְׁאֶלְתָּא. יִשְׂרָאֵל קַדִּישִׁין נִינְהוּ, דִּכְתִּיב, קְדוֹשִׁים תִּהְיוּ. וְכֻלְּהוּ קַדִּישִׁין, וְלָאו קַדִּישִׁין כַּיְיָ. ומ״ט. בְּגִין דִּכְתִּיב, כִּי אֵין בִּלְתֶּךָ. מַאי, כִּי אֵין בִּלְתֶּךָ, אֶלָּא קְדוּשָּׁה דְּקוּדְשָׁא ב״ה בִּלְתִּי קְדוּשָּׁא דִּלְהוֹן, דְּהוּא לָא אִצְטְרִיךְ לִקְדוּשָּׁה דִּלְהוֹן. אֲבָל אִינּוּן, לָאו אִינּוּן קַדִּישִׁין בִּלְתֶּךָ, וְדָא הוּא, כִּי אֵין בִּלְתֶּךָ, אֵין קְדוּשָּׁה דִּלְהוֹן, בִּלְתֶּךָ.

לט. וְאֵין צוּר כֵּאלֹהֵינוּ. כְּמָה דְּאוּקְמוּהָ, דְּקֻבָּ״ה צָר צוּרָה בְּגוֹ צוּרָה, וְתָקִין לֵיהּ, וְנָפַח רוּחָא דְּחַיֵּי, וְאַפִּיק לֵיהּ לַאֲוִירָא דְּעָלְמָא, ד״א, וְאֵין צוּר כֵּאלֹהֵינוּ. אִית צוּר, דְּאִקְרֵי צוּר, הַבִּיטוּ אֶל צוּר חוּצַּבְתֶּם. וְהִכִּיתָ בַצּוּר. הִנְנִי עוֹמֵד לְפָנֶיךָ שָּׁם עַל הַצּוּר בְּחוֹרֵב. וְכֻלְּהוּ אִקְרוּן צוּר, וְאֵין צוּר בְּכֻלְּהוּ כֵּאלֹהֵינוּ, דִּילֵיהּ שׁוּלְטָנוּ וּמַלְכוּתָא עַל כֹּלָּא.

מ. רִבִּי חִיָּיא וְר׳ אַחָא הֲווּ יַתְבֵי לֵילְיָא חַד קַמֵּיהּ דְּרִבִּי אַבָּא. קָמוּ בְּפַלְגוּת לֵילְיָא לְמִלְעֵי בְּאוֹרַיְיתָא. עַד דְּנָפְקוּ לְבַר, חָמוּ חַד כֹּכָבָא דַּהֲוָה בָּטַשׁ ג׳ זִמְנֵי בְּכֹכָבָא אָחֳרָא וְסָתִים נְהוֹרֵיהּ. אַדְּהָכִי שָׁמְעוּ תְּרֵי קָלֵי בִּתְרֵי סִטְרֵי, קָלָא חַד לִסְטַר צָפוֹן לְעֵילָּא, וְקָלָא חַד לְתַתָּא. וְהַהוּא קָלָא אַכְרִיז וְאָמַר, עוּלוּ וְאִתְכְּנִישׁוּ לְאַתְרַיְיכוּ, הַשְׁתָּא אִסְתַּמְרוּתָא דְּנוּקְבָא פְּתִיחָא, קֻבָּ״ה עָאל לְטַיְילָא בְּגִנְתָּא, לְאִשְׁתַּעְשְׁעָא בְּצַדִּיקַיָּיא דִּי בְּגִנְתָּא, אַעְבַּר הַהוּא קָלָא וְשָׁכִיךְ.

מא/א. אַהַדְרוּ ר׳ אַחָא וְר׳ חִיָּיא, אָמְרוּ, הָא וַדַּאי עִדָּן רְעוּתָא, דְּאִתְעָרוּתָא דְּכ״י הוּא לְאִתְחַבְּרָא בְּמַלְכָּא קַדִּישָׁא, א״ר אַחָא, וַדַּאי, לָא אִתְחַבְּרַת לָהּ כ״י בְּקֻבָּ״ה אֶלָּא מִגּוֹ שִׁירָתָא, מִגּוֹ שְׁבָחָא דִּילָהּ לְגַבֵּיהּ.

מא/ב. עַד דְּאָתֵי צַפְרָא, וְאוֹשִׁיט לָהּ מַלְכָּא חוּטָא דְּחֶסֶד, וְרָזָא דְּמִלָּה כְּמָה דְּאַמְרִינָן, וַיּוֹשֶׁט הַמֶּלֶךְ לְאֶסְתֵּר אֶת שַׁרְבִיט הַזָּהָב אֲשֶׁר בְּיָדוֹ וְגוֹ׳. וְלָא תֵּימָא דִּלָהּ בִּלְחוֹדָהָא אוֹשִׁיט לָהּ מַלְכָּא דָּא, אֶלָּא לָהּ, וּלְכָל אִינּוּן דְּמִתְחַבְּרָן בָּהּ. תָּא וְנִתְחַבַּר

כוזרא. יתבו.

מב. פתח רבי אחא ואמר, ויאמר יי' אלהים לא טוב היות האדם לבדו וגו'. אמאי פתח קרא הכי, אלא הא אתמר, דעל דא לא כתיב, כי טוב בשני, בגין דזמין אדם לאתפרשא, וכתיב, לא טוב היות האדם לבדו.

מג. וכי לבדו הוה, והא כתיב, זכר ונקבה בראם. ותנינן אדם דו פרצופין אתברי, ואת אמרת, לא טוב היות האדם לבדו. אלא דלא אשתדל בנוקביה, ולא הות ליה, סמך לקבליה, בגין דהות בסטרוי, והוו כחדא מאחורא, וכדין הוה האדם לבדו.

מד. אעשה לו עזר כנגדו. מהו כנגדו, לקבל אנפוי, לאתדבקא דא בדא אנפין באנפין, מה עבד קב"ה, נסר ליה ונטיל נוקבא מניה, הה"ד, ויקח אחת מצלעותיו. מהו אחת. דא נוקבא דיליה. כד"א, אחת היא יונתי תמתי. ויביאה אל האדם, אתקין לה ככלה ואייתי לה למהוי לקביל אנפוי נהירין אנפין באנפין. ובעוד דהוה מתדבקא נוקבא בסטרוי, הוה האדם לבדו. לבתר, סליקו תרין, וקמו שבע כחדא.

מה. ת"ח, בשעתא דאתתקנת לגבי אדם, קב"ה בריך לון, הה"ד, ויברך אותם אלהים. כגוון דמברך לכלה בשבע ברכות. מכאן אוליפנא, חתן וכלה, כיון דאתברכן בשבע ברכות אתדבקן כחדא, כדוגמא דלעילא.

מו. ועל דא מאן דאתי לאתחברא באנתו דאחרא, הא פגים זווגא, דהא זווגא דכ"י, ביה בקב"ה בלחודוי, בזמנא דאיהו ברחמי, ובזמנא דאיהו בדינא. ת"ח, מאן דמתחבר באנתו דאחרא, כאילו משקר ביה בקב"ה ובכ"י, ועל דא קב"ה לא מכפר ליה בתשובה, ותשובה תליא עד דיסתלק מעלמא, הה"ד, אם יכופר העון הזה לכם עד תמותון. ואימתי, בשעתא דעאל בתשובה לההוא עלמא, ואית ליה לקבלא עונשא.

מז. רבי אלעזר אמר, מאן דמשקר בכ"י, לא יתקבל בתשובה, עד דיתדן בדינא דגיהנם. כ"ש, מאן דמשקר בכ"י ובקב"ה. וכ"ש אי אטרח ליה לקודשא ב"ה למעבד דיוקנא דממזר באנתו דאחרא, ואכחיש פומבי דמלכא.

מח. ר' חייא פתח ואמר, גוזל אביו ואמו וגו'. אביו, דא קב"ה. אמו, דא כ"י. מאי גוזל. כד"א, גזלת העני בבתיכם. ומאן איהו, מאן דחמיד אתתא אחרא דלאו איהי בת זוגיה.

מט. תמן תנינן, כל הנהנה מן העולם הזה בלא ברכה, כאלו גוזל לקב"ה וכ"י, דכתיב גוזל אביו ואמו וגו'. כל הנהנה מן העולם הזה, כלל דא, איהו אינתו. מאן דאתדבק באנתו למהני מנה, ואע"ג, דאיהי פנויה, ואהני מנה בלא ברכה, כאלו גוזל קב"ה וכנסת ישראל. מ"ט, בגין דזווגא דלהון, בשבע ברכות הוא. ומה על פנויה כך, מאן דיתדבק באנתו דאחרא, דקאים כגוונא דלעילא, בזווגא דז' ברכות, על אחת כמה וכמה.

נ. וחבר הוא לאיש משחית, דא ירבעם, כמה דאוקמוה, ואמר אין פשע דאמר הא פנויה היא, אמאי אסור. בגין דא גוזל אביו ואמו הוי. ולא עוד אלא דחבר הוא לאיש משחית. מאן הוא איש משחית. דפגים דיוקנא ותקונא דלעילא. כ"ש מאן דחמיד לאנתו דחבריה לאתדבקא בה, דפגים יתיר. ועל דא אתפגים הוא לעלמין. איש משחית, דפגים לעילא, ופגים לתתא, ופגים לנפשיה, דכתיב משחית, וכתיב, משחית נפשו הוא יעשנה.

נא. רבי אבא פתח ואמר, ויאמר שלחני כי עלה השחר וגו'. ויאמר שלחני, וכי עקוד הוה בידיה דיעקב. אלא זכאין אינון צדיקייא, דקודשא ב"ה חס על יקרא דלהון, ולא שביק לון לעלמין. הה"ד, לא יתן לעולם מוט לצדיק. והא כתיב, ותקע כף ירך יעקב.

נב. אלא לדידיה גבה. והא אתמר, כתיב והוא לן בלילה ההוא במחנה. וכתיב ויקחם ויעבירם את הנחל מאי הוה דעתיה דיעקב, למעברא להון בנחלא בליליא. אלא וחמא מקטרגא אזיל בין משרייא דיליה, אמר יעקב אעבר לגיסא אחרא דנהרא, דלמא לא ישתכח ערבוביא.

נג. מאי קא חמא. חמא שלהובא דאשא מלהטא, אזלא וטאס בין משרייתיה אמר יעקב מוטב לנטלא מהכא, ונהרא פסיק בגוון, ולא ישתכח ערבוביא. מיד ויקחם ויעבירם את הנחל. ויותר יעקב לבדו, מכאן אוליפנא מאן דאשתכח בלחודוי בביתא בליליא, או ביממא בבית מיחדא, כ"ש בליליא, מאי מיחדא. מיחדא משאר ביתין. או מאן דאזיל בלחודוי בליליא יכיל לאתזקא.

נד. תא חזי ויותר יעקב לבדו, כדין ויאבק איש עמו וגו'. תנינן מסטרא דדינא קא אתי, ושולטניה בסטר ליליא. מאי בסטר ליליא. לאעלא בגלותא כיון דסליק נהורא, תשש חיליה, ואתגבר עליה חיליה דיעקב. דהא מסטרא דליליא קא אתי, ובזמנא דהוה ליליא לא הוה יכיל ביה יעקב. כד סליק נהורא אתתקף חילא דיעקב, ואחיד ביה, ואתגבר עליה. וחמא ליה יעקב דהא שליחא הוא.

נה. א"ל שבוק לי דהא לא יכילנא לך. מ"ט לא יכיל ליה. בגין דהוה סליק נהורא, ואתבר חילא דיליה, דכתיב ברן יחד כוכבי בקר ויריעו כל בני אלהים. מאי ויריעו. דאתברו כל אינון דאתיין מסטרא דדינא. כדין אתתקף יעקב ואחיד ביה.

נו. אמר ליה שלחני כי עלה השחר, מטא זמנא לשבחא שבחא דקב"ה, ולאתכנשא. ויאמר לא אשלחך כי אם ברכתני, אם תברכני מבעי ליה, מאי אם ברכתני. אלא אמר ליה יעקב, ודאי אבא בריך לי אינון ברכאן דבעא לברכא לעשו, ומסתפינא מנך, על אינון ברכאן, אי אודית עלייהו, אי לאו, או תשתכח עלי מקטרגא בגינייהו.

נז. מיד אמר ליה, ויאמר לא יעקב יאמר עוד שמך. מאי קאמר ליה, אלא הכי קאמר ליה, לאו בחכימו, ולאו בעוקבא, רווחת לאינון ברכאן, לא יאמר עוד שמך יעקב, דהא לאו בעוקבא הוה, כי אם ישראל, ישראל ודאי אודי עלך, ומניה נפקו ברכאן, בגין דאנת אחיד ביה, ועל דא, אנא וכל שאר אוכלוסין, אודינא עלייהו.

נח. כי שרית עם אלהים ועם אנשים ותוכל, עם אלהים כל אינון דאתיין מסטרא דדינא קשיא. ועם אנשים, דא עשו ואוכלוסין דיליה. ותוכל, יכילת להון, ואינון לא יכלין לך. ולא שביק ליה יעקב, עד דאודי ליה על אינון ברכאן, הה"ד ויברך אותו שם.

נט. ת"ח, בשעתא דסליק נהורא, אתכפיין כל אינון מארי דדינין, ולא משתכחי, וכ"י משתעי ביה בקב"ה. וההיא שעתא עידן דרעוא הוא לכלא, ואושיט לה מלכא ולכל אינון דמשתכחי עמה, שרביטא דחוטא דחסד, לאשתכחא בשלימו במלכא קדישא, והא אתמר.

ס. תא חזי, בשעתא דקב"ה אשתכח בה בכ"י, באינון זמנין דאשתכח עמה, והיא

מִתְעָרַת רְעוּתָא לְגַבֵּיהּ בְּקַדְמֵיתָא, וּמְשַׁכְאַת לֵיהּ לְגַבָּהּ, בִּסְגִיאוּת חֲבִיבוּתָא וְתִיאוּבְתָּא, כְּדֵין אִתְמַלְיָא מִסִּטְרָא דִּימִינָא, וְכַמָּה אוּכְלוּסִין מִשְׁתַּכְחֵי בְּסִטְרָא דִּימִינָא, בְּכֻלְּהוּ עָלְמִין. וְכַד קֻבָּ"ה אִתְּעַר חֲבִיבוּתָא וּרְעוּתָא בְּקַדְמֵיתָא, וְהִיא אִתְּעָרַת לְבָתַר, וְלָאו בִּזְמְנָא דְּאִיהוּ אִתְּעַר, כְּדֵין כֹּלָּא בְּסִטְרָא דְּנוּקְבָא אִשְׁתַּכַּח, וּשְׂמָאלָא אִתְּעַר, וְכַמָּה אוּכְלוּסִין קַיְימֵי וּמִתְעָרֵי בְּסִטְרָא דִּשְׂמָאלָא בְּכֻלְּהוּ עָלְמִין. כה"ג כְּתִיב, אִשָּׁה כִּי תַזְרִיעַ וְיָלְדָה זָכָר וְגוֹ'. מ"ט. תָּנֵינָן, עָלְמָא תַּתָּאָה כְּגַוְונָא דְּעָלְמָא עִלָּאָה אִשְׁתַּכַּח, וְדָא כְּדוּגְמָא דְּדָא.

סא. וְעַל דָּא, קֻבָּ"ה גָּזַר דְּכַר אוֹ נוּקְבָא, לְאִשְׁתַּכְּחָא רְעוּתָא בְּעָלְמָא. וּבְכֹלָּא בָּעֵי בְּ"נ לְאִתְדַּבְּקָא רְעוּתָא לְעֵילָּא לְגַבֵּי קֻבָּ"ה, לְאִשְׁתַּכְּחָא רַעֲוָון בְּעָלְמָא. זַכָּאָה חוּלָקֵיהוֹן דְּצַדִּיקַיָּיא, דְּאִינּוּן יַדְעִין לְאַדְבְּקָא רְעוּתְהוֹן לְגַבֵּי מַלְכָּא קַדִּישָׁא, עָלַיְיהוּ כְּתִיב, וְאַתֶּם הַדְּבֵקִים בַּיְיָ' אֱלֹהֵיכֶם חַיִּים כֻּלְּכֶם הַיּוֹם.

סב. אָדָם כִּי יִהְיֶה בְעוֹר בְּשָׂרוֹ שְׂאֵת אוֹ סַפַּחַת אוֹ בַהֶרֶת וְגוֹ'. רִבִּי יְהוּדָה פָּתַח וְאָמַר, אַל תִּרְאוּנִי שֶׁאֲנִי שְׁחַרְחֹרֶת שֶׁשְּׁזָפַתְנִי הַשָּׁמֶשׁ, הַאי קְרָא אִתְּמַר, אֲבָל בְּשַׁעְתָּא דְּסִיהֲרָא אִתְכַּסְיָא בְּגָלוּתָא, הִיא אָמְרָה, אַל תִּרְאוּנִי. לָאו דְּאִיהִי פְּקִידַת דְּלָא לְמֶחֱזֵי לָהּ, אֶלָּא בְּגִין דְּאִיהִי חָמַת תִּיאוּבְתָּא דְּיִשְׂרָאֵל לְגַבָּהּ, לְמֶחֱזֵי נְהוֹרָהָא, הִיא אָמְרַת אַל תִּרְאוּנִי, לָא תֵּיכְלוּן לְמֶחֱזֵי לִי. אַל תִּרְאוּנִי וַדַּאי. מ"ט. בְּגִין שֶׁאֲנִי שְׁחַרְחֹרֶת, בְּגִין דַּאֲנָא בְּקַדְרוּתָא.

סג. מַאי שְׁחַרְחֹרֶת, שְׁחוֹרָה מִבָּעֵי לֵיהּ. אֶלָּא, תְּרֵין קַדְרוּתֵי, חַד שֶׁשְּׁזָפַתְנִי הַשָּׁמֶשׁ, דְּאִסְתַּלַּק מִנַּאי שִׁמְשָׁא, לְאַנְהֲרָא לִי, וּלְאִסְתַּכְּלָא בִּי. וְחַד דִּבְנֵי אִמִּי נִחֲרוּ בִי.

סד. שֶׁשְּׁזָפַתְנִי, שֶׁזָּפַתְנִי מִבָּעֵי לֵיהּ. אֶלָּא רֶמֶז הוּא דְּקָא רָמִיז, בְּשֵׁשׁ. דְּכַד נַהֲרָא שִׁמְשָׁא בְּשֵׁשׁ נְהוֹרִין נָהִיר, וְכַד אִסְתַּלַּק, כָּל אִינּוּן שִׁית נְהוֹרִין אִסְתַּלְּקוּ. בְּנֵי אִמִּי, אִלֵּין אִינּוּן דְּאַתְיָין מִסִּטְרָא דְּדִינָא קַשְׁיָא. נִחֲרוּ בִי, כד"א נִחַר גְּרוֹנִי, הה"ד עַל צַוָּארֵנוּ נִרְדָּפְנוּ דְּכַד הֲווֹ עָיְילִין יִשְׂרָאֵל בְּגָלוּתָא, הֲווֹ אָזְלֵי יְדַיְיהוּ מְהַדְּקָן לַאֲחוֹרָא, וְרֵיחַיָין עַל צַוָּארֵיהוֹן, וְלָא יָכִילוּ לְאַפְתְּחָא פּוּמָא.

סה. שָׂמֻנִי נוֹטֵרָה אֶת הַכְּרָמִים, לְמֵהַךְ בְּגָלוּתָא, לְנַטְרָא לִשְׁאָר עַמִּין בְּגִינֵיהוֹן דְּיִשְׂרָאֵל. כַּרְמִי שֶׁלִּי לֹא נָטָרְתִּי, דְּהָא לָא יָכֵילְנָא לְנַטְרָא לְהוֹן כַּד בְּקַדְמֵיתָא. בְּקַדְמֵיתָא נְטִירְנָא כַּרְמִי שֶׁלִּי, וּמִנֵּיהּ אִתְנַטְּרוּ שְׁאָר כַּרְמִין. הַשְׁתָּא נְטִירְנָא שְׁאָר כַּרְמִין בְּגִין כַּרְמִי שֶׁלִּי דְּלֶהֱוֵי נָטִיר בֵּינַיְיהוּ.

סו. רִבִּי חִיָּיא וְר' יוֹסֵי הֲווֹ אָזְלֵי בְּאוֹרְחָא, כַּד מָטוּ חַד בֵּי חֲקַל, חָמוּ חַד דִּפְטִירָא דְּקִיטְפָא בֵּין אָרְחָא לִסְטַר יְמִינָא. א"ר יוֹסֵי, עֲטִיפָא דְּקוּטְרָא בְּעַיְינִין שְׁכִיחַ, לֵית לָן רְשׁוּ לְמֶחֱזֵי בְּחֶדְוָותָא, מִיּוֹמָא דְּאִתְחָרִיב בֵּי מַקְדְּשָׁא.

סז. פָּתַח וְאָמַר, לַיְיָ' הָאָרֶץ וּמְלוֹאָהּ תֵּבֵל וְיוֹשְׁבֵי בָהּ, כֵּיוָן דְּאָמַר לַיְיָ' הָאָרֶץ וּמְלוֹאָהּ, אֲמַאי תֵּבֵל וְיוֹשְׁבֵי בָהּ, וְכִי תֵּבֵל לָאו מִן אַרְעָא הוּא. אֶלָּא הָכִי קָאָמַר, לַיְיָ' הָאָרֶץ וּמְלוֹאָהּ, דָּא אַרְעָא קַדִּישָׁא, דְּאִקְרֵי אֶרֶץ הַחַיִּים. תֵּבֵל וְיוֹשְׁבֵי בָהּ, דָּא שְׁאָר אַרְעָאן, כד"א וְהוּא יִשְׁפֹּט תֵּבֵל בְּצֶדֶק, דְּתֵבֵל בְּצֶדֶק תַּלְיָא, וְכֹלָּא חַד מִלָּה.

סח. ר' חִיָּיא אָמַר, לַיְיָ' הָאָרֶץ וּמְלוֹאָהּ. הָאָרֶץ תִּנַּח, וּמְלוֹאָהּ מַאי הִיא. אֶלָּא אִלֵּין נִשְׁמָתִין דְּצַדִּיקַיָּיא. תֵּבֵל וְיוֹשְׁבֵי בָהּ, תֵּבֵל: דָּא אַרְעָא דִּלְתַתָּא. וְיוֹשְׁבֵי בָהּ: אִלֵּין אִינּוּן בְּנֵי נָשָׁא. אָמַר רִבִּי יוֹסֵי, אִי הָכִי בְּמַאי אוֹקִימְנָא כִּי הוּא עַל יַמִּים יְסָדָהּ וְעַל נְהָרוֹת יְכוֹנְנֶהָ. אָמַר לֵיהּ וַדַּאי הָכִי הוּא, דְּהַהִיא אֶרֶץ הַחַיִּים עַל יַמִּים יְסָדָהּ וְעַל נְהָרוֹת

יְכוֹנְנֶהָ, דְּכֻלְּהוּ נַפְקֵי מֵהַהוּא נָהָר עִלָּאָה דְּנָגִיד וְנָפִיק מֵעֵדֶן, וּבְהוּ אִתְתְּקָנַת לְאִתְעַטְּרָא בְּמַלְכָּא קַדִּישָׁא, וּלְמֵיזַן עָלְמִין.

סט. מִי יַעֲלֶה בְהַר יְיָ' וְגוֹ', נְקִי כַפַּיִם וּבַר לֵבָב אֲשֶׁר לֹא נָשָׂא לַשָּׁוְא נַפְשִׁי וְגוֹ'. נַפְשׁוֹ כְּתִיב, מַהוּ נַפְשִׁי וְנַפְשׁוֹ. אֶלָּא כֹּלָּא חַד מִלָּה, כְּמָה דְּאַתְּ אָמֵר נִשְׁבַּע יְיָ' בְּנַפְשׁוֹ כַּאֲשֶׁר בִּלְבָבִי וּבְנַפְשִׁי יַעֲשֶׂה. וְדָוִד מַלְכָּא אִתְאֲחִיד בְּהַהוּא לֵב וּבְהַהוּא נֶפֶשׁ, וְעַל דָּא לֹא נָשָׂא לַשָּׁוְא נַפְשׁוֹ.

ע. עַד דַּהֲווֹ אָזְלֵי, אִעֲרָעוּ בְּחַד בַּר נָשׁ, וְאַנְפּוֹי מַלְיָין מַכְתְּשִׁין, וַהֲוָה קָם מִתְּחוֹת אִילָנָא חַד, אִסְתַּכְּלוּ בֵּיהּ, וְחָמוּ אַנְפּוֹי סוּמָקִין בְּאִינּוּן מַכְתְּשִׁין. א"ר חִיָּיא מַאן אַנְתְּ. אָ"ל יוּדָאִי אֲנָא. א"ר יוֹסֵי וַדַּאי חַטָּאָה הוּא, דְּאִי לָאו הָכִי, לָא אִתְרְשִׁימוּ אַנְפּוֹי בְּאִלֵּין מַרְעִין בִּישִׁין, וְאִלֵּין לָא אִקְרוּן יִסּוּרִין דְּאַהֲבָה. א"ר חִיָּיא הָכִי הוּא וַדַּאי, דְּיִסּוּרִין דְּאַהֲבָה מִתְחַפְיָין אִינּוּן מִבְּנֵי נָשָׁא.

עא. תָּא חֲזֵי, דִּכְתִיב אָדָם כִּי יִהְיֶה בְעוֹר בְּשָׂרוֹ שְׂאֵת אוֹ סַפַּחַת אוֹ בַהֶרֶת. הָא ג' זִינִין הָכָא, וְכֻלְּהוּ אִקְרוּן נֶגַע צָרַעַת , הה"ד וְהָיָה בְעוֹר בְּשָׂרוֹ לְנֶגַע צָרָעַת. מַאי נֶגַע צָרַעַת. סְגִירוּ. סְגִירוּ בְּכֹלָּא, וּכְתִיב וְהוּבָא אֶל אַהֲרֹן הַכֹּהֵן וְגוֹ'. אֲבָל אִינּוּן דְּיִתְחֲזוּן לְבַר כְּתִיב, וְרָאָהוּ הַכֹּהֵן וְטִמֵּא אוֹתוֹ. דְּהָא וַדַּאי אִינּוּן דְּיִתְחֲזוּן לְבַר בִּבְנֵי נָשָׁא, מִסִּטְרָא דְּמִסְאֲבָא קָא אַתְיָין, וְלָאו יִסּוּרִין דְּאַהֲבָה נִינְהוּ.

עב. א"ר יוֹסֵי, מ"ל. א"ר חִיָּיא, דִּכְתִיב טוֹבָה תּוֹכַחַת מְגוּלָּה מֵאַהֲבָה מְסוּתָּרֶת. אִי הַהִיא תּוֹכַחַת מֵאַהֲבָה, מְסוּתֶּרֶת מִבְּנֵי נָשָׁא. כְּגַוְונָא דָּא מַאן דְּאוֹכַח לְחַבְרֵיהּ בִּרְחִימוּתָא, בָּעֵי לְאַסְתְּרָא מִלּוֹי מִבְּנֵי נָשָׁא, דְּלָא יִכְסוּף מִנַּיְיהוּ חַבְרֵיהּ, וְאִי מִלּוֹי אִינּוּן בְּאִתְגַּלְיָיא קָמֵי בְּנֵי נָשָׁא, לָאו אִינּוּן בִּרְחִימוּתָא.

עג. כָּךְ קוּדְשָׁא בְּרִיךְ הוּא כַּד אוֹכַח לְבַר נָשׁ, בְּכֹלָּא אוֹכַח בִּרְחִימוּתָא, בְּקַדְמֵיתָא מָחֵי לֵיהּ בְּגַרְמֵיהּ דִּלְגוֹ. אִי הָדַר בֵּיהּ, מוּטָב. וְאִי לָאו מָחֵי לֵיהּ תְּחוֹת תּוּתְבֵיהּ, וְאִלֵּין אִקְרוּן יִסּוּרִין דְּאַהֲבָה, אִי הָדַר בֵּיהּ מוּטָב, וְאִי לָאו מָחֵי לֵיהּ בְּאִתְגַּלְיָיא בְּאַנְפּוֹי, קָמֵי כֹּלָּא, בְּגִין דְּיִסְתַּכְּלוּן בֵּיהּ, וְיִנְדְּעוּן דְּהָא חַטָּאָה אִיהוּ, וְלָאו רְחִימָא דְּמָארֵיהּ הוּא.

עד. אָמַר לוֹן הַהוּא בַּר נָשׁ, בְּקִיטְרָא דְּעֵיטָא חַד אֲתִיתוּן גַּבָּאי, וַדַּאי לָאו אַתּוּן אֶלָּא מֵאִינּוּן דְּדִיּוּרֵיהוֹן בְּבֵי רשב"י דְּלָא דָּחֲלִין מִכֹּלָּא. אִי בְּנֵי דְּאַתְיָין אֲבַתְרַאי יְקַטְרְגוּ בְּכוּ, אֵיךְ מַלְיָיכוּ בְּאִתְגַּלְיָיא. אָ"ל אוֹרַיְיתָא הָכִי הוּא, דִּכְתִיב בְּרֹאשׁ הוֹמִיּוֹת תִּקְרָא בְּפִתְחֵי שְׁעָרִים בָּעִיר אֲמָרֶיהָ תֹאמֵר. וּמַה אִי בְּמִלֵּי דְּאוֹרַיְיתָא אֲנָן דַּחֲלֵי מִקַּמָּךְ, הָא נִשְׁתַּכַּח בִּכְסוּפָא קָמֵי קוּדְשָׁא בְּרִיךְ הוּא. וְלֹא עוֹד, אֶלָּא דְּאוֹרַיְיתָא בָּעֵי צַוְוחָא. פָּתַח הַהוּא גַּבְרָא וְאָמַר מִי אֵל כָּמוֹךָ נוֹשֵׂא עָוֹן וְגוֹ'. אָרִים יְדוֹי וּבָכָה. אַדְּהָכִי מָטוֹן בְּנוֹי. אָמַר בְּרֵיהּ זְעֵירָא סַיְיעְתָּא דִּשְׁמַיָּיא הָכָא.

עה. פָּתַח וְאָמַר אֶת הַכֹּל רָאִיתִי בִּימֵי הֶבְלִי יֵשׁ צַדִּיק אוֹבֵד בְּצִדְקוֹ וְיֵשׁ רָשָׁע מַאֲרִיךְ בְּרָעָתוֹ. הַאי קְרָא אוֹלִיפְנָא בֵּי רַבִּי דּוֹסְתָּאי סָבָא, דַּהֲוָה אָמַר מִשְּׁמֵיהּ דְּרַבִּי יֵיסָא סָבָא. אֶת הַכֹּל רָאִיתִי בִּימֵי הֶבְלִי, וְכִי שְׁלֹמֹה מַלְכָּא דַּהֲוָה חַכִּים עַל כֹּלָּא, אֵיךְ אָמַר הָכִי דְּאִיהוּ חָמָא כֹּלָּא בִּזְמְנָא דְּאִיהוּ אָזִיל בַּחֲשׁוֹכֵי עָלְמָא דְּהָא כָּל מַאן דְּאִשְׁתַּדַּל בַּחֲשׁוֹכֵי עָלְמָא, לָא חָמֵי מִדֵּי, וְלָא יָדַע מִדֵּי.

עו. אֶלָּא הָכִי אִתְּמַר, בְּיוֹמוֹי דִּשְׁלֹמֹה מַלְכָּא, קַיְּימָא סִיהֲרָא בְּאַשְׁלְמוּתָא, וְאִתְחַכַּם שְׁלֹמֹה עַל כָּל בְּנֵי עָלְמָא, וּכְדֵין חָמָא כֹּלָּא, וְיָדַע כֹּלָּא. וּמַאי חָמָא. חָמָא כ"ל, דְּלָא

אַעְדֵּי מִן סִיהֲרָא. וַהֲוָה נָהִיר לָהּ שִׁמְשָׁא. הה״ד אֶת הַכֹּל רָאִיתִי בִּימֵי הֶבְלִי. מַאן הֶבְלִי. דָּא סִיהֲרָא דְּאִתְכְּלִילַת מִן כֹּלָּא, מִן מַיָּא וְאֶשָּׁא וְרוּחָא כַּחֲדָא. כְּהֶבֶל דְּנָפִיק מִן פּוּמָא, דְּכָלִיל מִכֹּלָּא.

עז. וְהוּא וְזִמְנָא כ״ל, בְּהַהוּא הֶבֶל דִּילֵיהּ, דְּאוֹזִיד בֵּיהּ. יֵשׁ צַדִּיק אוֹבֵד בְּצִדְקוֹ, ת״ח, בְּזִמְנָא דְּאַסְגִּיאוּ זַכָּאִין בְּעָלְמָא, הַאי כ״ל לָא אַעְדֵּי מִן סִיהֲרָא לְעָלְמִין, וְהַאי כ״ל נָטַל כָּל מְשַׁח וּרְבוּ וְחֶדְוָו דִּלְעֵילָּא, וְאִתְמְלֵי וְחָדֵי וְרַבֵּי, בְּגִין לְאִזְדַּוְּוגָא בְּסִיהֲרָא, וְהוּא רָוַוח בְּגִינָהּ.

עח. וּבְזִמְנָא דְּאַסְגִּיאוּ וְחַיָּיבִין בְּעָלְמָא, וְסִיהֲרָא אִתְחֲשְׁכַת, כְּדֵין צַדִּיק אוֹבֵד בְּצִדְקוֹ, צַדִּיק נֶאֱבַד לָא כְּתִיב, אֶלָּא צַדִּיק אוֹבֵד, דְּהָא לָא אִתְחֲזֵי בְּסִיהֲרָא, וְלָא נָטִיל מְשַׁח וּרְבוּ וְחֶדְוָו לְמַלְיָא לָהּ, וּלְאִזְדַּוְּוגָא עִמָּהּ. וְעַ״ד צַדִּיק אוֹבֵד, בְּצִדְקוֹ, דָּא סִיהֲרָא, דִּבְגִין סִיהֲרָא דְּלָא אִשְׁתְּכַחַת לְאִזְדַּוְּוגָא עִמֵּיהּ, הוּא אָבִיד, דְּלָא שָׁאִיב מְזוֹנֵיהּ כְּמָה דַּהֲוָה עָבֵיד. וּכְדֵין כָּל סְטַר שְׂמָאלָא אִתְּעַר, וְחַיָּיבִין מַאֲרִיכִין בְּשַׁלְוָה בְּעָלְמָא, הֲדָא הוּא דִּכְתִיב, וְיֵשׁ רָשָׁע מַאֲרִיךְ בְּרָעָתוֹ. מַאי בְּרָעָתוֹ בְּהַהוּא סְטַר דְּאִתְדַּבַּק בֵּיהּ.

עט. תּו יֵשׁ צַדִּיק אוֹבֵד בְּצִדְקוֹ, דְּכַד חַיָּיבִין סַגִּיאוּ בְּעָלְמָא, וְדִינָא תַּלְיָא צַדִּיק אוֹבֵד בְּצִדְקוֹ, אִיהוּ אִתְפַּס בְּחוֹבַיְיהוּ, כְּגוֹן אַבָּא דְּאִתְפַּס בְּחוֹבַיְיהוּ דִּבְנֵי מָאתֵיהּ, דַּהֲווֹ כֻּלְּהוּ חֲצִיפִין, וְהוּא לָא אַסְהִיד בְּהוּ וְלָא אַכְסִיף לְהוּ לְעָלְמִין, וּמְוַזֵּי בִּידָן, דְּלָא נִתְגְּרֵי בְּהוּ בְּרַשִּׁיעַיָּא. וַהֲוָה אָמַר לָן, לְדָוִד אַל תִּתְחַר בַּמְּרֵעִים אַל תְּקַנֵּא בְּעוֹשֵׂי עַוְלָה. אָמַר אַבּוּי, וַדַּאי קב״ה אַעֲנִישׁ לִי בְּדָא, דְּהָא הֲוָה רְשׁוּ בִּידִי לְמִחָאָה בִּידַיְיהוּ, וְלָא עֲבָדִית, וְלָא אַכְסִיפְנָא לְהוּ, לָא בִּטְמִירוּ, וְלָא בְּאִתְגַּלְיָא.

פ. תּו פָּתַח בְּרֵיהּ אוֹחֲרָא וְאָמַר, וַיִּיצֶר יְיָ׳ אֱלֹהִים אֶת הָאָדָם עָפָר מִן הָאֲדָמָה וְגו׳. וַיִּיצֶר יְיָ׳ אֱלֹהִים, בִּתְרֵי יוּדִין, בִּתְרֵין יִצְרִין, יֵצֶר טוֹב וְיֵצֶר רָע, חַד לְקַבֵּל מַיָּא, וְחַד לְקַבֵּל אֶשָּׁא. יְיָ׳ אֱלֹהִים, שֵׁם מָלֵא. אֶת הָאָדָם, כָּלִיל דְּכַר וְנוּקְבָא. עָפָר מִן הָאֲדָמָה, דָּא עַפְרָא דְּאַרְעָא קַדִּישָׁא, דְּמִתַּמָּן אִתְבְּרֵי, וְהוּא אֲתַר דְּבֵי מַקְדְּשָׁא.

פא. וַיִּפַּח בְּאַפָּיו נִשְׁמַת חַיִּים, דָּא נִשְׁמְתָא קַדִּישָׁא, דְּאִתְמַשְׁכָא מֵאִינוּן חַיִּים דִּלְעֵילָּא. וַיְהִי הָאָדָם לְנֶפֶשׁ חַיָּה, אָדָם אִתְכְּלִיל בְּנַפְשָׁא קַדִּישָׁא, מֵחַיָּה עִלָּאָה. דְּאַפִּיקַת אַרְעָא דִּכְתִיב תּוֹצֵא הָאָרֶץ נֶפֶשׁ חַיָּה, נֶפֶשׁ דְּהַהִיא חַיָּה עִלָּאָה.

פב. ת״ח, בְּכָל זִמְנָא דְּהַאי נִשְׁמְתָא קַדִּישָׁא, אִתְדַּבְּקַת בֵּיהּ בְּבַר נָשׁ. רְחִימָא הוּא דְּמָארֵיהּ. כַּמָּה נְטוּרִין נַטְרִין לֵיהּ מִכָּל סִטְרִין, רְשִׁימָא הוּא לְטָב לְעֵילָּא וְתַתָּא, וּשְׁכִינְתָּא קַדִּישָׁא שַׁרְיָא עֲלוֹי.

פג. וּבְזִמְנָא דְּאִיהוּ אַסְטֵי אָרְחוֹי, שְׁכִינְתָּא אִסְתַּלְּקַת מִנֵּיהּ, וְנִשְׁמְתָא קַדִּישָׁא לָא אִתְדַּבְּקַת בֵּיהּ. וּמִסִּטְרָא דְּחִוְיָא בִּישָׁא תַּקִּיפָא, אִתְּעַר רוּחָא חַד, דְּשָׁט וְאָזִיל בְּעָלְמָא, דְּלָא שַׁרְיָא אֶלָּא בַּאֲתַר דִּקְדוּשָּׁה עִלָּאָה אִסְתַּלַּק מִתַּמָּן. וּכְדֵין אִסְתָּאַב ב״נ, וְאִתְפְּגִים בִּבְשָׂרֵיהּ, בְּזִיוָו דְּאַנְפּוֹי בְּכֹלָּא.

פד. ות״ח, בְּגִין דְּהַאי נֶפֶשׁ חַיָּה אִיהִי קַדִּישָׁא עִלָּאָה, כַּד אַרְעָא קַדִּישָׁא מַשְׁכָא לָהּ, וְאִתְכְּלִילַת בְּגַוָּוהּ, כְּדֵין קָרֵינָן לָהּ נְשָׁמָה. וְדָא הִיא דְּסַלְקָא לְעֵילָּא, וּמְמַלְּלָא קָמֵי מַלְכָּא קַדִּישָׁא, וְעַיְּילָא בְּכָל תַּרְעִין, וְלֵית דְּיִמְחֵי בִּידָהָא. וְעַל דָּא אִתְקְרֵי רוּחָא מְמַלְּלָא, דְּהָא כָּל שְׁאָר נַפְשָׁתָא לֵית לוֹן רְשׁוּ לְמַלְּלָא קָמֵי מַלְכָּא, בַּר הַאי.

פה. וְעַל דָּא אוֹרַיְיתָא אַכְרִיזַת וְאַמְרַת, נְצוֹר לְשׁוֹנְךָ מֵרָע וְגו׳, וּכְתִיב שׁוֹמֵר פִּיו וּלְשׁוֹנוֹ וְגו׳, בְּגִין דְּאִי שִׂפְוָותֵיהּ וְלִישָׁנֵיהּ מְמַלְּלָן מִלִּין בִּישִׁין, אִינוּן מִלִּין סַלְקִין לְעֵילָּא,

וּבְשַׁעֲתָא דְּסַלְקִין, כֹּלָּא מַכְרִיזִין וְאָמְרִין אִסְתַּלָּקוּ מִסּוֹחֲרָנֵיהּ דְּמִלָּה בִּישָׁא דְּפַלְנְיָא, פְּנוּן אֲתַר לְאָרְוְזֵיהּ דְּחִוְיָא תַּקִּיפָא. כְּדֵין נִשְׁמְתָא קַדִּישָׁא אִתְעַבְרָא מִנֵּיהּ וְאִסְתַּלְּקַת, וְלָא יַכְלָא לְמַלְּלָא, כד״א נֶאֱלַמְתִּי דוּמִיָּה הֶחֱשֵׁיתִי מִטּוֹב.

פו. וְהַהִיא נִשְׁמְתָא סַלְקָא בְּכִסּוּפָא, בְּעָאקוּ דְּכֹלָּא, וְלָא יַהֲבִין לָהּ אֲתַר כְּמִלְּקַדְמִין. וְעַל דָּא כְּתִיב, שׁוֹמֵר פִּיו וּלְשׁוֹנוֹ שׁוֹמֵר מִצָּרוֹת נַפְשׁוֹ. נַפְשׁוֹ וַדַּאי הַהִיא דַּהֲוַת מְמַלְּלָא, אִתְעֲבֵידַת מַשְׁתּוּקָא, בְּגִין מִלּוּלָא בִּישָׁא. וּכְדֵין חִוְיָא אִזְדַּמַּן, דְּכֹלָּא לְאַתְרֵיהּ אִתְהַדַּר, וְכַד הַהִיא מִלָּה בִּישָׁא סַלְקָא בְּאוֹרְחִין יְדִיעָן, וְשָׁארֵי קַמֵּיהּ דְּחִוְיָא תַּקִּיפָא, כַּמָּה רוּחִין מִתְעָרִין בְּעָלְמָא, וְרוּחָא נָחְתָא מֵהַהוּא סִטְרָא, וְאַשְׁכַּח דְּהַהוּא ב״נ אִתְּעַר לֵיהּ בְּמִלָּה בִּישָׁא, וְהָא רוּחָא מְמַלְּלָא קַדִּישָׁא אִתְעַבְרָא מִנֵּיהּ, כְּדֵין שַׁרְיָא עֲלוֹי וְסָאִיב לֵיהּ, וּכְדֵין הוּא סָגִיר.

פז. כַּמָּה דְּעוֹנְשָׁא דְּהַאי ב״נ בְּגִין מִלָּה בִּישָׁא. כָּךְ עוֹנְשֵׁיהּ בְּגִין מִלָּה טָבָא, דְּקָאתֵי לִידֵיהּ, וְיָכִיל לְמַלְּלָא, וְלָא מַלִּיל. בְּגִין דְּפָגִים לְהַהוּא רוּחָא מְמַלְּלָא, דְּהִיא אִתְתַּקְּנַת לְמַלְּלָא לְעֵילָּא, וּלְמַלְּלָא לְתַתָּא, וְכֹלָּא בִּקְדוּשָּׁה. כ״ש אִי עַמָּא אַזְלִין בְּאוֹרְחָא עֲקִימָא, וְהוּא יָכִיל לְמַלְּלָא לְהוּ וּלְאוֹכָחָא לְהוּ, וְשָׁתִיק וְלָא מַלִּיל, כְּמָה דְּאַמֵּינָא דִּכְתִּיב, נֶאֱלַמְתִּי דוּמִיָּה הֶחֱשֵׁיתִי מִטּוֹב וּכְאֵבִי נֶעְכָּר. נֶעְכָּר בְּמַכְתְּשִׁין דְּמִסְאֲבוּתָא, וְדָא הוּא דְּאָמַר דָּוִד מַלְכָּא אַלְקֵי בְּהַאי, וְאִתְפְּנֵי מִנֵּיהּ, דִּכְתִּיב פְּנֵה אֵלַי וְחָנֵּנִי. מַהוּ פְּנֵה אֵלַי. כד״א וַיִּפֶן אַהֲרֹן. נָחְתּוּ ר׳ חִיָּיא וְר׳ יוֹסֵי, וְנַשְּׁקוּהוּ. אִזְדְּוָוגוּ כַּחֲדָא כָּל הַהוּא אוֹרְחָא, קָרָא רַבִּי חִיָּיא עֲלַיְיהוּ, וְאֹרַח צַדִּיקִים כְּאוֹר נֹגַהּ הוֹלֵךְ וָאוֹר עַד נְכוֹן הַיּוֹם.

פח. נֶגַע צָרַעַת כִּי תִהְיֶה בְּאָדָם וְהוּבָא אֶל הַכֹּהֵן. א״ר יוֹסֵי, הַאי נֶגַע, כָּל גַּוְונִין דִּילֵיהּ אִתְּעָרוּ בְּהוּ חַבְרַיָּא, וְכַהֲנָא הֲוָה יָדַע בְּהוּ לְדַכְיָא וּלְמִסְאֲבָא, הֲוָה יָדַע, אִינּוּן דַּהֲווּ יִסּוּרִין דִּרְחִימוּתָא, אוֹ אִינּוּן דְּאִשְׁתְּכָחוּ בְּמַאן דְּמָאִיס בֵּיהּ מָארֵיהּ וְרָחִיק בֵּיהּ, דְּהָא לְפוּם אָרְחוֹי דְּב״נ גָּרִים נֶגַע בְּעָלְמָא.

פט. כְּתִיב אַל תַּט לִבִּי לְדָבָר רָע לְהִתְעוֹלֵל עֲלִילוֹת בְּרֶשַׁע, מִכָּאן תָּנֵינָן בְּאָרְחָא דְּב״נ בָּעֵי לְמֵיהַךְ בָּהּ מַדְבְּרִין לֵיהּ. א״ר יִצְחָק, הַאי קְרָא קַשְׁיָא, וְכִי קב״ה אַסְטֵי לֵיהּ לְבַר נָשׁ לְמֵהַךְ בְּאֹרַח חַטָּאָה, וּלְמֶעְבַּד עוֹבָדִין בִּישִׁין, אִי הָכִי לֵית דִּינָא בְּעָלְמָא דָּא, וְלָא בְּעָלְמָא דְּאָתֵי, וְאוֹרַיְיתָא לָא אִתְתַּקְּנַת, דִּכְתִּיב בָּהּ אִם תִּשְׁמַע וְאִם לֹא תִשְׁמַע.

צ. אֶלָּא דָּוִד אַזְהַר לְלִבֵּיהּ, לְדַבְרָא לֵיהּ בְּאֹרַח קְשׁוֹט, כד״א וַהֲשֵׁבֹתָ אֶל לְבָבֶךָ. מַאי וַהֲשֵׁבֹתָ. אֶלָּא זִמְנָא חַד, וּתְרֵין, וּתְלַת, לְאַהְדְּרָא לְקַבְלֵיהּ, וּלְדַבְרָא, וּלְאַזְהָרָא לֵיהּ. וְהָכִי קָאָמַר לֵיהּ, לִבִּי, אַל תַּט לְדָבָר רָע, דְּהָא דָּבָר רָע גָּרִים נֶגַע בְּעָלְמָא, וְדִינָא שַׁרְיָא בְּעָלְמָא, וְהַיְינוּ נֶגַע צָרַעַת.

צא. נֶגַע צָרַעַת, הָא אִתְּעָרוּ חַבְרַיָּיא, אֲבָל צָרַעַת כְּתַרְגּוּמוֹ, א״ר יְהוּדָה, מַאי כְּתַרְגּוּמוֹ. סְגִירוּ, דְּסָגִיר וְלָא פָּתַח, וְכַד סָגִיר הוּא וְלָא פָּתַח, נֶגַע הוּא דְּאִקְרֵי. רַבִּי יוֹסֵי אָמַר, דְּלָא מִסְתַּפְּקִין אֲבָהָן, כָּל שֶׁכֵּן בְּנִין. וְהַיְינוּ דִּכְתִּיב נֶגַע צָרַעַת כִּי תִהְיֶה בְּאָדָם, בְּאָדָם מַמָּשׁ, וּמִכָּאן נָחִית לְמַאן דְּנָחִית, אִשְׁתְּכַח נֶגַע לְכֹלָּא, מֵהַהוּא סְגִירוּ.

צב. א״ר יִצְחָק, וַדַּאי דָּא הוּא רָזָא דְּמִלָּה, דִּכְתִּיב נֵאֵר מִקְדָּשׁוֹ. מ״ט. מִשּׁוּם דִּבְנֵי עָלְמָא גָּרְמוּ הַאי, דִּכְתִּיב אֶת מִקְדַּשׁ יְיָ׳ טִמֵּא, טִמֵּא מַמָּשׁ. א״ר אֶלְעָזָר, טִמֵּא, מִשּׁוּם דְּאִסְתַּלְּקַת מַאן דְּאִסְתַּלַּק, וְחִוְיָא תַּקִּיפָא שַׁרְיָא, וְאַטִּיל זוּהֲמָא, וְסָאִיב לְמַאן דְּסָאִיב, וְכֻלְּהוּ בְּגִין חוֹבֵי עָלְמָא.

צג. תָּאנֵי, כַּד שָׁארֵי חִוְיָא לְאִתְגַּלָּאָה, מִסְתַּלְּקִין סַמְכִין וּבִנְיָינִין וּמִתְעַבְּרִין, וְאָתֵי

חִוְיָא תַקִּיפָא וְאַטִּיל זוּהֲמָא, וּכְדֵין אִשְׁתְּכַח מַקְדְּשָׁא מִסְאָב, מַאן מַקְדְּשָׁא. כְּמָה דְּאַתְּ אָמֵר וְנָתַתִּי נֶגַע צָרַעַת בְּבֵית אֶרֶץ אֲחֻזַּתְכֶם. וּכְתִיב וְהַנָּחָשׁ הָיָה עָרוּם מִכֹּל חַיַּת הַשָּׂדֶה אֲשֶׁר עָשָׂה יְיָ' אֱלֹהִים וַיֹּאמֶר אֶל הָאִשָּׁה. אֶל הָאִשָּׁה מַמָּשׁ, דַּאֲתַר מַקְדְּשָׁא אִתְאֲחִיד בְּגַוֵּוהּ, וְהַיְינוּ אֶת מִקְדַּשׁ יְיָ' טִמֵּא בְּגִין חוֹבוֹי, מִשּׁוּם דְּאִתְגַּלְיָא חִוְיָא תַקִּיפָא.

צד. מַאן חוֹבוֹי. דָּא לִישָׁנָא בִּישָׁא, דִּבְגִין לִישָׁנָא בִּישָׁא, חִוְיָא אִזְדְּמַן, בֵּין לְעֵילָּא בֵּין לְתַתָּא, דִּכְתִיב וַיְשַׁלַּח יְיָ' בָּעָם אֶת הַנְּחָשִׁים הַשְּׂרָפִים. הַשּׂוֹרְפִים אוֹ הַשְּׂרוּפִים לָא כְּתִיב, אֶלָּא הַשְּׂרָפִים, מַאן שְׂרָפִים. דִּכְתִיב רָאשֵׁי תַנִּינִים תְּרֵי, חַד אִתְאֲחִיד לְעֵילָּא, וְחַד לְתַתָּא וּכְתִיב שְׂרָפִים עוֹמְדִים מִמַּעַל לוֹ, מִמַּעַל לוֹ וַדַּאי, כד"א לְהִתְיַצֵּב עַל יְיָ', וּכְדֵין סְגִירוּ בְּכֹלָּא, וְלֵית מַאן דְּפָתַח, וְעַל דָּא כְּתִיב כֵּן דֶּרֶךְ אִשָּׁה מְנָאָפֶת אָכְלָה וּמָחֲתָה פִיהָ וְגוֹ', מַאי מְנָאָפֶת. מְנָאֶפֶת מַמָּשׁ וַדַּאי, אָכְלָה וּמָחֲתָה פִּיהָ וְאָמְרָה לֹא פָעַלְתִּי אָוֶן.

צה. אָמַר רִבִּי חִיָּיא אָמַר ר' יִצְחָק, בִּרְעוּתָא דְּכֹלָּא לָא אִשְׁתְּכַח לְתַתָּא, אֶלָּא בְּגִין דְּאִשְׁתְּכַח לְעֵילָּא. וּלְעֵילָּא לָא אִשְׁתְּכַח, אֶלָּא כַּד אִשְׁתְּכַח לְתַתָּא בְּחוֹבֵי עָלְמָא, דִּילְפִינָן דְּכֹלָּא תַלְיָיא הַאי בְּהַאי, וְהַאי בְּהַאי.

צו. וְאִישׁ כִּי יִמָּרֵט רֹאשׁוֹ וְגוֹ'. רִבִּי חִיָּיא פָּתַח וְאָמַר וְרָאִיתִי אָנִי שֶׁיֵּשׁ יִתְרוֹן לַחָכְמָה מִן הַסִּכְלוּת וְגוֹ', בְּכַמָּה אֲתַר אִסְתַּכַּלְנָא בְּמִלּוֹי דִּשְׁלֹמֹה מַלְכָּא, וְאִשְׁגַּחְנָא בְּחָכְמְתָא סַגִּיאָה דִּילֵיהּ, וְאַסְתִּים מִלּוֹי בְּגוֹ, לְגוֹ הֵיכְלָא קַדִּישָׁא. הַאי קְרָא אִית לְאִסְתַּכְּלָא בֵּיהּ, אַמַּאי אָמַר וְרָאִיתִי אָנִי, וְכִי שְׁאַר בְּנֵי עָלְמָא לָא יָדְעֵי וְלָא חָמָאן דָּא. אֲפִילּוּ מַאן דְּלָא יָדַע חָכְמְתָא מִן יוֹמוֹי, וְלָא אַשְׁגַּח בָּהּ, יָדַע הַאי שֶׁיֵּשׁ יִתְרוֹן לַחָכְמָה מִן הַסִּכְלוּת כִּיתְרוֹן הָאוֹר מִן הַחֹשֶׁךְ. וְהוּא שַׁבַּח גַּרְמֵיהּ וְאָמַר רָאִיתִי אָנִי.

צז. אֶלָּא הָכִי תָּאנָא, מַאן חַכִּים כִּשְׁלֹמֹה דִּבְשִׁבְעָה דַּרְגִּין דְּחָכְמָה אִתְקְרֵי כְּגַוְונָא דִּלְעֵילָּא. שִׁיתָא יוֹמִין לְעֵילָּא, שְׁבִיעָאָה עִלָּאָה עֲלַיְיהוּ. שִׁיתָא יוֹמִין לְתַתָּא, שְׁבִיעָאָה עֲלַיְיהוּ. שִׁיתָא דַּרְגִּין לְכוּרְסְיָיא, הוּא עַל כּוּרְסְיָיא, דִּכְתִיב, וַיֵּשֶׁב שְׁלֹמֹה עַל כִּסֵּא יְיָ' לְמֶלֶךְ. שִׁבְעָה כִּתְרִין דְּיוֹמִין לְעֵילָּא, וּכְדֵין לְקָבְלֵיהוֹן שִׁבְעָה שְׁמָהָן לִשְׁלֹמֹה. לְאִתְחֲזָאָה בֵּיהּ חָכְמְתָא קַדִּישָׁא. וּבְגִ"כ אִתְקְרֵי שֶׁבַע שְׁמָהָן: שְׁלֹמֹה. יְדִידְיָה. אָגוּר. בִּן יָקֶה. לְמוּאֵל, אִיתִיאֵל, קֹהֶלֶת.

צח. וְאָמַר שִׁבְעָה הֲבָלִים. וּמַה דְּאִיהוּ חָמָא לָא חָמָא ב"נ אָחֳרָא, וְכַד כָּנַשׁ חָכְמְתָא וְאִסְתַּלַּק בְּדַרְגִּין דְּחָכְמְתָא, אִקְרֵי קֹהֶלֶת. וְשִׁבְעָה הֲבָלִין אָמַר, לָקֳבֵיל ז' כִּתְרִין דִּלְעֵילָּא, וְכָל הֶבֶל קָלָא אִתְעֲבֵיד מִנֵּיהּ, וְעָלְמָא לָא מִתְקַיְּימָא אֶלָּא בְּהֶבֶל.

צט. וְתָאנָא מִשְּׁמֵיהּ דר"ש, הֶבֶל אַפִּיק קָלָא בְּרוּחָא וּמַיָּא דְּבֵיהּ, וְלֵית קָלָא אֶלָּא בְּהֶבֶל. וְתָאנָא בְּשִׁבְעָה הֲבָלִין אִתְקַיְּימִין עִלָּאִין וְתַתָּאִין. וְתָאנֵי ר' יִצְחָק, ת"ח, דְּעַל הֶבֶל מִתְקַיֵּים עָלְמָא, דְּאִלְמָלֵא לָא הֲוָה הֶבֶל דְּנָפִיק מִפּוּמָא, לָא אִתְקַיַּים ב"נ אֲפִילּוּ שַׁעֲתָא חֲדָא.

ק. כְּגַוְונָא דָּא אָמַר שְׁלֹמֹה מִלּוֹי, דְּעָלְמָא מִתְקַיְּימָא בְּהוּ, דְּהַאי הֶבֶל דְּמִתְקַיֵּים בֵּיהּ עָלְמָא. וְהַאי הֶבֶל דְּמִתְקַיֵּים בֵּיהּ עָלְמָא, מֵהֲבָלִים דִּלְעֵילָּא קָאָתֵי, הה"ד הֲבֵל הֲבָלִים, הֲבֵל מֵהֲבָלִים דִּלְעֵילָּא. וְכָל מִלּוֹי הָכִי הֲווֹ. וּבַהֲבָלִים דִּלְעֵילָּא כְּתִיב, כִּי עַל כָּל מוֹצָא פִי יְיָ' יִחְיֶה הָאָדָם. מַאי מוֹצָא פִי יְיָ'. דָּא הֲבָלִים דִּלְעֵילָּא.

קא. וְתַנְיָא, וְרָאִיתִי אָנִי שֶׁיֵּשׁ יִתְרוֹן לַחָכְמָה מִן הַסִּכְלוּת. מִן הַסִּכְלוּת מַמָּשׁ, אָתֵי תּוֹעַלְתָּא לְחָכְמְתָא, דְּאִלְמָלֵא לָא אִשְׁתְּכַח שְׁטוּתָא בְּעָלְמָא, לָא אִשְׁתְּמוֹדְעָא חָכְמְתָא

וּמִלּוֹי. וְתָאנָא וְחִיּוּבָא הוּא עַל ב"נ דְּאוֹלִיף וְחָכְמְתָא, לְמֵילַף זְעֵיר מִן שְׁטוּתָא, וּלְמִנְדַּע לָהּ. בְּגִין דְּאָתֵי תּוֹעַלְתָּא לְחָכְמְתָא בְּגִינֵיהּ. כְּמָה דְּאַתְיָא תּוֹעַלְתָּא לִנְהוֹרָא מֵחֲשׁוֹכָא, דְּאִלְמָלֵא חֲשׁוֹכָא לָא אִשְׁתְּמוֹדַע נְהוֹרָא. וְלָא אַתְיָא תּוֹעַלְתָּא לְעָלְמָא מִנֵּיהּ.

קב. תָּנָא שֶׁיֵּשׁ יִתְרוֹן לַחָכְמָה, לַחָכְמָה סְתָם. דְּאָמַר ר' שִׁמְעוֹן לְרַבִּי אַבָּא, תָּא וַחֲזֵי רָזָא דְּמִלָּה, לָא נָהִיר וְחָכְמְתָא דִּלְעֵילָּא, וְלָא אִתְנְהִיר, אֶלָּא בְּגִין שְׁטוּתָא דְּאִתְּעַר מֵאֲתַר אָחֳרָא, וְאִלְמָלֵא הַאי, נְהִירוּ וּרְבוּ סַגִּיא וְיַתִּיר לָא הֲוָה, וְלָא אִתְחֲזְיָא תּוֹעַלְתָּא דְּחָכְמְתָא. וּבְגִין שְׁטוּתָא אִתְנְהִיר יַתִּיר, וּנְהִירִין לֵיהּ יַתִּיר, הה"ד שֶׁיֵּשׁ יִתְרוֹן לַחָכְמָה, לַחָכְמָה סְתָם, מִן הַסִּכְלוּת סְתָם. וְכַךְ לְתַתָּא, אִלְמָלֵא לָא הֲוָה שְׁטוּתָא שְׁכִיחַ בְּעָלְמָא, לָא הֲוֵי חָכְמְתָא שְׁכִיחַ בְּעָלְמָא.

קג. וְהַיְינוּ דְּרַב הַמְנוּנָא סָבָא, כַּד הֲווּ יַלְפִין מִנֵּיהּ וְחַבְרַיָּיא רָזֵי דְּחָכְמְתָא, הֲוָה מְסַדֵּר קָמַיְיהוּ פִּרְקָא דְּמִלֵּי דִּשְׁטוּתָא, בְּגִין דְּיֵיתֵי תּוֹעַלְתָּא לְחָכְמְתָא בְּגִינֵיהּ. הה"ד יָקָר מֵחָכְמָה וּמִכָּבוֹד סִכְלוּת מְעָט, מִשּׁוּם דְּהִיא תִּקּוּנָא דְּחָכְמְתָא, וִיקָרָא דְּחָכְמְתָא. וְעַל דָּא כְּתִיב, וְלִבִּי נוֹהֵג בַּחָכְמָה וְלֶאֱחוֹז בְּסִכְלוּת.

קד. רִבִּי יוֹסֵי אָמַר יָקָר מֵחָכְמָה וּמִכָּבוֹד, כְּלוֹמַר יְקָרָא דְּחָכְמְתָא וְנוֹי דִּילָהּ, וִיקָרָא דְּכָבוֹד דִּלְעֵילָּא, מַאי הִיא. סִכְלוּת מְעַט. זְעֵיר דִּשְׁטוּתָא אַחְזֵי וְגַלֵּי יְקָרָא דְּחָכְמְתָא וְכָבוֹד דִּלְעֵילָּא, יַתִּיר מִכָּל אָרְחִין דְּעָלְמָא.

קה. כִּיתְרוֹן הָאוֹר מִן הַחֹשֶׁךְ, תּוֹעַלְתָּא דִּנְהוֹרָא לָא אַתְיָא אֶלָּא מִן חֲשׁוֹכָא. תִּקּוּנָא דְּחִוָּורָא מַאי הִיא. אוּכָמָא, אִלְמָלֵא אוּכָמָא לָא אִשְׁתְּמוֹדַע חִוָּורָא, וּבְגִין אוּכָמָא, אִסְתַּלִּיק חִוָּורָא וְאִתְיְקָר. אָמַר ר' יִצְחָק, מָשָׁל לְמָתוֹק בְּמַר, דְּלָא יָדַע אֱינָשׁ טַעֲמָא דְּמִתִיקָא, עַד דְּטָעִים מְרִירָא, מַאן עָבֵיד לְהַאי מְתִיקָא. הֱוֵי אוֹמֵר הַאי מְרִירָא. וְהַיְינוּ דִּכְתִיב גַּם אֶת זֶה לְעוּמַּת זֶה עָשָׂה הָאֱלֹהִים. וּכְתִיב טוֹב אֲשֶׁר תֶּאֱחוֹז בָּזֶה וְגַם מִזֶּה אַל תַּנַּח יָדֶךָ.

קו. תָּאנָא בְּכַמָּה דַּרְגִּין אִתְקְרֵי ב"נ: אָדָם, גֶּבֶר, אֱנוֹשׁ, אִישׁ. גָּדוֹל שֶׁבְּכֻלָּם אָדָם. דִּכְתִיב, וַיִּבְרָא אֱלֹהִים אֶת הָאָדָם בְּצַלְמוֹ. וּכְתִיב כִּי בְּצֶלֶם אֱלֹהִים עָשָׂה אֶת הָאָדָם. וְלָא כְּתִיב, גֶּבֶר, אֱנוֹשׁ, אִישׁ. א"ר יְהוּדָה, אִי הָכִי, וְהָא כְּתִיב אָדָם כִּי יַקְרִיב מִכֶּם קָרְבָּן לַיְיָ. מַאן בָּעֵי לְמִקְרַב קָרְבְּנָא. מַאן דְּאִיהוּ חַטָּאָה וּכְתִיב אָדָם.

קז. אָמַר ר' יִצְחָק ת"ח, קִיּוּמָא דְּעָלְמָא דְּעִלָּאִין וְתַתָּאִין, הוּא קָרְבְּנָא. נַיְיחָא דְּקֻבּ"ה. וּמַאן אִתְחֲזֵי לְמִקְרַב קַמֵּיהּ הַאי נַיְיחָא, הֱוֵי אוֹמֵר הַאי אָדָם, דְּיַקִּירָא מִכֹּלָּא. אֲ"ל אִי הָכִי, הָא כְּתִיב, אָדָם כִּי יִהְיֶה בְעוֹר בְּשָׂרוֹ וְגוֹ', וְהָיָה בְעוֹר בְּשָׂרוֹ לְנֶגַע צָרָעַת. אָמַר לֵיהּ, לְהַאי בָּעֵי קֻבּ"ה לְדַכָּאָה יַתִּיר מִכֹּלָּא, דְּמַאן דְּאִיהוּ בְּדַרְגָּא עִלָּאָה דְּכֻלְּהוּ, לָא לֵיתִיב הָכֵי.

קח. וּבְגִין כַּךְ כְּתִיב בְּאָדָם, וְהוּבָא אֶל הַכֹּהֵן. וּבָא לָא כְּתִיב, אֶלָּא וְהוּבָא, דְּכָל מַאן דְּחָמֵי לֵיהּ, אִתְחַיָּיב בֵּיהּ לְאַקְרוּבֵי קָמֵי כַּהֲנָא, דְּדִיוּקְנָא קַדִּישָׁא לָא לֵיתִיב הָכֵי. וּכְתִיב אִישׁ אוֹ אִשָּׁה כִּי יִהְיֶה בוֹ נָגַע וְגוֹ', וְאִישׁ אוֹ אִשָּׁה כִּי יִהְיֶה בְעוֹר בְּשָׂרָם בֶּהָרוֹת וְגוֹ', וְלָא כְּתִיב בְּהוּ וְהוּבָא.

קט. אָמַר לֵיהּ, וְהָא כְּתִיב וְהָאִישׁ מֹשֶׁה, כִּי זֶה מֹשֶׁה הָאִישׁ, אֲמַאי לָא אִקְרֵי אָדָם. אָמַר לֵיהּ מִשּׁוּם דְּאִקְרֵי עֶבֶד לְמַלְכָּא, דִּכְתִיב לֹא כֵן עַבְדִּי מֹשֶׁה. מֹשֶׁה עַבְדִּי. וְאוּף הָכִי אִקְרֵי אִישׁ לְגַבֵּי אָדָם דִּלְעֵילָּא. אָמַר לֵיהּ אִי הָכִי, וְהָא כְּתִיב יְיָ' אִישׁ מִלְחָמָה, וְלָא כְּתִיב אָדָם. אָ"ל סוֹד יְיָ' לִירֵאָיו. אָ"ל אִי הָכִי אֲנָא בֵּינַיְיהוּ יָתִיב בְּכֹלָּא, וּבַאֲתַר דָּא לָא זָכִינָא.

קי. אָ"ל זִיל לְרִבִּי אַבָּא, דַּאֲנָא אוֹלִיפְנָא מִנֵּיהּ עַל מְנָת דְּלָא לְגַלָּאָה. אָזַל לְגַבֵּי דְּרִבִּי אַבָּא, אַשְׁכְּחֵיהּ דַּהֲוָה דָּרִישׁ וְאָמַר, אֵימָתַי אִתְקְרֵי שְׁלֵימוּתָא דְּכֹלָּא, כַּד יָתִיב קוּדְשָׁא בְּרִיךְ הוּא קב"ה בְּכוּרְסְיָּיא. וְעַד דְּלָא יָתִיב בְּכוּרְסְיָּיא, לָא אִשְׁתְּכַח שְׁלֵימוּתָא. דִּכְתִּיב וְעַל דְּמוּת הַכִּסֵּא דְּמוּת כְּמַרְאֵה אָדָם עָלָיו מִלְמָעְלָה, מַשְׁמַע דִּכְתִּיב אָדָם, דְּהוּא כְּלָלָא, וּשְׁלֵימוּתָא דְּכֹלָּא. אָמַר ר' יְהוּדָה, בְּרִיךְ רַחֲמָנָא דְּאַשְׁכְּחִית לָךְ בְּהַאי. אָ"ל אִי הָכִי הָא כְּתִיב יְיָ' אִישׁ מִלְחָמָה, וְלָא כְּתִיב אָדָם. אָ"ל יָאוּת שָׁאַלְתְּ.

קיא. ת"ח, הָתָם לָא אִשְׁתְּכַח שְׁלֵימוּתָא דְּכֹלָּא, וּבְגִינֵי כָּךְ אִקְרֵי אִישׁ. אֲבָל הָכָא, שְׁלֵימוּתָא דְּכֹלָּא, וּכְלָלָא דְּכֹלָּא, בְּגִין כָּךְ אִקְרֵי אָדָם. קָארֵי עָלֵיהּ טוֹב לִי תוֹרַת פִּיךָ מֵאַלְפֵי זָהָב וָכָסֶף.

קיב. תּוּ אָמַר לֵיהּ, כְּתִיב אָדָם וּבְהֵמָה, וְלָא כְּתִיב אִישׁ וּבְהֵמָה. אָמַר לֵיהּ וְלָא. וְהָכְתִיב לְמֵאִישׁ וְעַד בְּהֵמָה. אֲבָל מַה דִּכְתִּיב אָדָם וּבְהֵמָה, כְּמָה דִּכְתִּיב מִן הָאֶרֶז אֲשֶׁר בַּלְּבָנוֹן עַד הָאֵזוֹב אֲשֶׁר יוֹצֵא בַּקִּיר. אוֹרְחֵיהּ דִּקְרָא הוּא, דְּנָקִיט עִלָּאָה מִכֻּלְּהוּ, וְנָמִיךְ מִכֻּלְּהוּ. אוּף הָכָא עִלָּאָה דְּכֹלָּא, אָדָם, וְנָמִיךְ מִכֹּלָּא בְּהֵמָה.

קיג. אָמַר לֵיהּ וְהָא כְּתִיב וְאָדָם אַיִן לַעֲבוֹד אֶת הָאֲדָמָה. אָ"ל, תָּא חֲזֵי, דְּכָל מַה דִּי בְּעָלְמָא לָא הֲוֵי אֶלָּא בְּגִינֵיהּ דְּאָדָם, וְכֻלְּהוּ בְּגִינֵיהּ מִתְקַיְּימֵי, וְלָא אִתְחֲזִיאוּ בְּעָלְמָא, וְכֻלְּהוּ אִתְעַכָּבוּ עַד דְּיֵיתֵי הַהוּא דְּאִקְרֵי אָדָם. הה"ד, וְכָל שִׂיחַ הַשָּׂדֶה טֶרֶם יִהְיֶה בָאָרֶץ וְגוֹ'. טֶרֶם: עַד לָא, כְּתַרְגּוּמוֹ. מִשּׁוּם דְּדִיוּקְנָא עִלָּאָה לָא אִתְחֲזֵי, הה"ד וְאָדָם אַיִן, כְּלוֹמַר, כֻּלְּהוּ אִתְעַכָּבוּ בְּגִינֵיהּ דְּהַאי דִּיוּקְנָא, עַד דְּאִתְחֲזֵי. וּבג"כ לָא אִתְבְּרֵי הַאי דִּיוּקְנָא, אֶלָּא בְּדִיוּקְנָא דְּאִתְחֲזֵי לֵיהּ, הה"ד וַיִּיצֶר יְיָ' אֱלֹהִים אֶת הָאָדָם, בְּשֵׁם מָלֵא. כְּמָה דְּאוּקִימְנָא, דְּאִיהוּ שְׁלֵימוּתָא דְּכֹלָּא, וּכְלָלָא דְּכֹלָּא.

קיד. תָּאנָא, בַּשִּׁשִּׁי נִבְרָא אָדָם, בְּשָׁעָה שֶׁנִּשְׁלַם הַכִּסֵּא. וְנִקְרָא כִּסֵּא, דִּכְתִּיב שֵׁשׁ מַעֲלוֹת לַכִּסֵּא. וּלְפִיכָךְ נִבְרָא הָאָדָם בַּשִּׁשִּׁי, שֶׁהוּא רָאוּי לֵישֵׁב עַל הַכִּסֵּא. וְתָאנָא כֵּיוָן דְּנִבְרָא אָדָם אִתְתַּקַּן כֹּלָּא, וְכָל מַה דִּלְעֵילָּא וְתַתָּא, וְכֹלָּא אִתְכְּלִיל בְּאָדָם.

קטו. תַּנְיָא א"ר יוֹסֵי, כְּתִיב וּדְמוּת פְּנֵיהֶם פְּנֵי אָדָם, כְּלָלָא דְּכֹלָּא, וְכֹלָּא כְּלִילָן בְּהַאי דִּיוּקְנָא. א"ר יְהוּדָה וְהָא כְּתִיב וּפְנֵי אַרְיֵה אֶל הַיָּמִין לְאַרְבַּעְתָּם, וּפְנֵי שׁוֹר מֵהַשְּׂמֹאל לְאַרְבַּעְתָּן, אָמַר לֵיהּ כֹּלָּא אַפֵּי אָדָם הֲווּ, וּבְהַהוּא דִּיוּקְנָא דְּאָדָם, אִתְחֲזְיָין כָּל גַּוְונִין וְכָל דִּיוּקְנִין. כְּמָה דְּתָנֵינָן אַנְפּוֹי אַנְפֵּי נִשְׁרָא, לָא דְּהוּא נִשְׁרָא, אֶלָּא דְּאִתְחֲזֵי בְּדִיוּקְנָא דְּאָדָם, מִשּׁוּם דִּכְלִיל כָּל גַּוְונִין וְכָל דִּיוּקְנִין.

קטז. א"ר יִצְחָק, ת"ח, כָּל מַאן דְּאִיהוּ תְּחוֹת שׁוּלְטָנֵי דְּאָדָם, אִתְקְרֵי אִישׁ. מִשּׁוּם דְּאִתְתַּקַּן בְּגַוְונָא דְּאָדָם, מִדַּרְגָּא אָחֳרָא דַּהֲוָה בֵּיהּ בְּקַדְמֵיתָא. דְּתַנְיָא בְּרָזָא עִלָּאָה בְּסִפְרָא דִּצְנִיעוּתָא, כַּד אִתְבְּרֵי אָדָם, נָחַת בְּדִיוּקְנָא קַדִּישָׁא עִלָּאָה, וְנַחְתּוּ עִמֵּיהּ תְּרֵין רוּחִין, מִתְּרֵין סִטְרִין, מִימִינָא וּמִשְּׂמָאלָא, כְּלָלָא דְּאָדָם. וְרוּחָא דִּימִינָא, אִתְקְרֵי נִשְׁמְתָא קַדִּישָׁא, דִּכְתִּיב וַיִּפַּח בְּאַפָּיו נִשְׁמַת חַיִּים. וְרוּחָא דִּשְׂמָאלָא, אִתְקְרֵי נֶפֶשׁ חַיָּה, וַהֲוָה אָזִיל וְנָחִית מֵעֵילָּא לְתַתָּא, וְלָא אִתְיַישְּׁבָא בַּהֲדֵי אָחֳרָא.

קיז. כַּד הֲוָה עָיֵיל שַׁבְּתָא, וַהֲוָה חָב אָדָם, אִתְעֲבִידוּ מֵהַהוּא רוּחָא שְׂמָאלָא, בִּרְיָין מִתְפַּשְּׁטָן בְּעָלְמָא, וְלָא אִסְתַּיְּימוּ גּוּפָא דִּלְהוֹן. וְאִתְחַבָּרוּ בְּהַאי גּוּפָא דְּאָדָם, בִּדְכוּרָא וְנוּקְבָא, וְאִתְיְלִידוּ בְּעָלְמָא. וְאִלֵּין אִקְרוּן נִגְעֵי בְּנֵי אָדָם. תָּנָא, עִלָּאִין, מִנַּיְיהוּ דְּלָא אִתְדַּבְּקוּ

לְתַתָּא, וְתַלְיָין בַּאֲוִירָא, וְשַׁמְעִין מַה דְּשַׁמְעִין מִלְּעֵילָּא. וּמִנַּיְיהוּ יַדְעִין אִינּוּן אֻחֲרָנִין לְתַתָּא.

קיז. תָּנָא, מִן בּוּצִינָא דְּקַרְדִינוּתָא, נָפְקִין תְּלַת מְאָה וְעֶשְׂרִים וְחָמֵשׁ נִיצוֹצֵי, מִתְגַּלְּפִין וּמִתְאַחֲדָן כַּחֲדָא מִסִּטְרָא דִּגְבוּרָה, דְּאִקְרוּן גְּבוּרוֹת, וּמִתְלַכְּדָן כַּחֲדָא, וְאִתְעֲבֵידוּ וַחַד. וְכַד עַיְילִין אִלֵּין בְּגוּפָא, אִקְרֵי אִישׁ. דָּא דְּתָנֵינָן אִישׁ תָּם וְיָשָׁר אִישׁ צַדִּיק, וְאִישׁ דְּהָכָא, אִישׁ מִלְחָמָה כְּתִיב, דְּכֹלָּא סָלִיק דִּינָא, וְכֹלָּא וְחָדָא. א״ר יְהוּדָה אֲמַאי. לָא הֲוָה בִּידֵיהּ. אָתוּ שָׁאִילוּ קָמֵיהּ דר״ש, אָמַר לוֹן, תּוּ קַשְׁיָא, דְּהָא תָּנֵינָן כְּתִיב לְזֹאת יִקָּרֵא אִשָּׁה כִּי מֵאִישׁ לֻקֳחָה זֹּאת, וְתָנֵינָן מַאן אִישׁ דָּא חֶסֶד, וְהָכָא אַמְרִיתוּ דְּהוּא דִּינָא.

קיט. אֶלָּא הָכִי תָּאנָא, כֹּלָּא הוּא בְּחַד מִתְקְלָא סַלְקָא, וְכֹלָּא וַחַד. וּמִשּׁוּם דְּדִינֵי תַּתָּאֵי מִתְאַחֲדָן וּמִתְחַבְּרָן בְּשַׂעֲרוֹי דְּהַאי. אִקְרֵי הוּא דִּינָא קַשְׁיָא, וְכַד אִתְעֲבָר מִנֵּיהּ שַׂעֲרָא דְּרֵישָׁא, אִתְבְּסָם, וְדִינִין דִּלְתַתָּא לָא אִזְדְּמָנוּ. וּבג״כ אִקְרֵי טָהוֹר. דְּלָא אִקְרֵי טָהוֹר, אֶלָּא כַּד נָפִיק מִסִּטְרָא דִּמְסָאֲבָא, וְכַד נָפִיק מִן מְסָאֲבָא, אִקְרֵי טָהוֹר. דִּכְתִיב, מִי יִתֵּן טָהוֹר מִטָּמֵא. מִטָּמֵא וַדַּאי, וְהָכָא כְּתִיב, וְאִישׁ כִּי יִמָּרֵט רֹאשׁוֹ קֵרֵחַ הוּא טָהוֹר הוּא.

קכ. ות״ח, בְּרֵישָׁא דְּהַאי אִישׁ, בּוּצִינָא דְּקַרְדִינוּתָא. וּבג״כ גּוּלְגַּלְתָּא דְּרֵישָׁא דְּהַאי, סוּמָקָא כֹּלָּא כְּוַורְדָּא, וְשַׂעֲרֵי סוּמָקֵי בְּגוֹ סוּמָקֵי, וְתַלְיָין מִנֵּיהּ כִּתְרִין תַּתָּאִין דִּלְתַתָּא, דְּמִתְעָרִין דִּינִין בְּעָלְמָא. וְכַד אִתְעֲבָר מִנֵּיהּ שַׂעֲרָא וְאִתְגְּלִישׁ, מֵחֶסֶד עִלָּאָה אִתְבְּסָם כֹּלָּא, וְאִתְקְרֵי טָהוֹר עַל שְׁמֵיהּ.

קכא. א״ר יְהוּדָה, אִי אִתְקְרֵי עַל שְׁמֵיהּ, קָדוֹשׁ אִתְקְרֵי, וְלָא טָהוֹר. אָמַר לֵיהּ לָאו הָכִי, דְּקָדוֹשׁ לָא אִתְקְרֵי אֶלָּא כַּד תָּלֵי שַׂעֲרָא. דִּקְדוּשָּׁה בְּשַׂעֲרָא תָּלֵי, דִּכְתִיב קָדוֹשׁ יִהְיֶה גַּדֵּל פֶּרַע שְׂעַר רֹאשׁוֹ. וְהַאי אִקְרֵי טָהוֹר, מִסִּטְרָא דְּתַלְיָין לְתַתָּא מִנֵּיהּ, וּבְגִינֵי כָּךְ אִתְעֲבָר מִנֵּיהּ שַׂעֲרָא, וְאִתְדַּכְיָא.

קכב. וְתָא חֲזֵי כָּל מַאן דְּאִיהוּ מִסִּטְרָא דְּדִינָא, וְדִינִין מִתְאַחֲדִין בֵּיהּ, לָא אִתְדְּכֵי, עַד דְּאִתְעֲבָר מִנֵּיהּ שַׂעֲרָא, וּמִדְּאִתְעֲבָר מִנֵּיהּ שַׂעֲרָא אִתְדְּכֵי. וְאִי תֵּימָא אָדָם. לָאו הָכִי, דְּהָא הוּא שְׁלֵימוּתָא דְּכֹלָּא, וְרַחֲמֵי אִשְׁתְּכָחוּ בֵּיהּ. בְּגִין כָּךְ לָאו הָכִי דְּכֻלְּהוּ קַדִּישָׁאן וְקַדִּישִׁין אִתְיְיחֲדוּ בֵּיהּ. אֲבָל הַאי, הוּא דִּינָא, וְדִינֵי אִתְאַחֲדָן בֵּיהּ, לָא אִתְבְּסָם עַד דְּאִתְעֲבָר מִנֵּיהּ שַׂעֲרָא.

קכג. ת״ח, דְּהָא לֵיוָאֵי דְּאָתוּ מֵהַאי סִטְרָא דְּדִינָא, לָא מִתְדַּכָּאן עַד דְּאִתְעֲבָרוּ מִנְּהוֹן שַׂעֲרָא, דִּכְתִיב וְכֹה תַעֲשֶׂה לָהֶם לְטַהֲרָם הַזֵּה עֲלֵיהֶם מֵי חַטָּאת וְהֶעֱבִירוּ תַעַר עַל כָּל בְּשָׂרָם וְגוֹ׳. וּבְגִין דְּיִתְבַּסְּמוּן יַתִּיר, בָּעֵי כַּהֲנָא דְּאָתָא מִסִּטְרָא דְּחֶסֶד עִלָּאָה, לַאֲרָמָא לוֹן, דִּכְתִיב וְהֵנִיף אַהֲרֹן אֶת הַלְוִיִּם תְּנוּפָה לִפְנֵי יְיָ׳. כְּמָה דְּאִיהוּ לְהַאי אִישׁ דִּלְעֵילָּא, דְּכַד בָּעֵי לְאִתְבַּסְּמָא יַתִּיר, אִתְגַּלְיָיא בֵּיהּ חֶסֶד עִלָּאָה, וְאִתְבְּסָם. וּמְבַסֵּם הוּא, לְתַתָּא.

קכד. וְהַאי אִישׁ בִּכְלָלָא דְּאָדָם הוּא. וְכַד בָּעֵי קב״ה לַאֲגָחָא קְרָבָא, בְּהַאי אִישׁ אֲגַח בְּהוּ קְרָבָא, דִּכְתִיב יְיָ׳ אִישׁ מִלְחָמָה, בְּהַאי אִישׁ מַמָּשׁ. וְלָא אֲגַח בְּהוּ קְרָבָא, עַד דְּאַעֲבָר לֵיהּ שַׂעֲרָא דְּרֵישָׁא, בְּגִין דְּיִשְׁתַּלְשְׁלוּן מִשַּׁלְשׁוּלֵיהוֹן, וְיִתָּבְרוּן כָּל אִינּוּן כִּתְרִין דְּמִתְאַחֲדָן בְּשַׂעֲרֵי. הה״ד בַּיּוֹם הַהוּא יְגַלַּח יְיָ׳ וְגוֹ׳. בְּעֶבְרֵי נָהָר בְּמֶלֶךְ אַשּׁוּר אֶת הָרֹאשׁ וְשַׂעַר הָרַגְלָיִם וְגַם אֶת הַזָּקָן תִּסְפֶּה.

קכה. תָּאנָא, וְכֹה תַעֲשֶׂה לָהֶם לְטַהֲרָם. מַאי וְכֹה. כְּגַוְונָא דִלְעֵילָּא, הַזֵּה עֲלֵיהֶם מֵי חַטָּאת, שִׁיּוּרֵי טַלָּא דִבְדוּלְחָא הָכָא מֵי חַטָּאת, דְּאִינּוּן שִׁיּוּרֵי טַלָּא. לִזְמְנָא דְּאָתֵי כְּתִיב, וְזָרַקְתִּי עֲלֵיכֶם מַיִם טְהוֹרִים. וְכִבְּסוּ בִגְדֵיהֶם, כְּגַוְונָא דִלְעֵילָּא, דְּתִקּוּנוֹי דְּהַאי אִישׁ אִתְסְחָן בְּחֶסֶד עִלָּאָה וְאִתְדַּכֵּי מִכֹּלָּא.

קכו. וְתָנֵינָן, אֲמַאי כְּתִיב בְּתַעַר וְלָא בְּמִסְפָּרַיִם. אֶלָּא מִשּׁוּם דְּיִתְעֲבַר שַׂעֲרָא בְּשָׁרְשׁוֹי, וְיִתְעַבְרוּן מִנֵּיהּ דִּינִין תַּתָּאִין מִשּׁוּלְשׁוּלֵיהוֹן. וְלִזְמְנָא דְּיִתְכַּשְּׁרוּן עוֹבָדִין לְתַתָּא, זַמִּין קב"ה שַׂעֲרָא דָא לְאַעֲבָרָא לֵיהּ, וּלְמִגְלְשֵׁיהּ בְּגִין דְּלָא יִצְמְחוּ וְיִרְבֶּה, דִּכְתִּיב כִּי יָמֹרֶט רֹאשׁוֹ.

קכז. א"ר יִצְחָק, רַב מִכָּל לֵיוָאֵי, קֵרֵחַ הֲוָה, דְּעַבְדֵיהּ קב"ה לְתַתָּא, כְּגַוְונָא דִלְעֵילָּא, וְקַרְיֵיהּ קֵרֵחַ. אֵימָתַי. בְּשַׁעֲתָא דְּגָלִישׁ בְּגִינֵיהּ לְהַאי אִישׁ, דִּכְתִּיב קֵרֵחַ הוּא.

קכח. וְכַד חָמָא קֵרֵחַ רֵישֵׁיהּ בְּלָא שַׂעֲרָא, וְחָמָא לְאַהֲרֹן מִתְקַשַּׁט בְּקִשּׁוּטֵי מַלְכִּין, אִתְזְלְזַל בְּעֵינֵיהּ וְקִנֵּא לְאַהֲרֹן. א"ל קב"ה, אֲנָא עֲבָדִית לָךְ כְּגַוְונָא דִלְעֵילָּא, לָא בָּעֵאת לְאַעֲלָאָה בְּעִלָּאִין, חוּת לְתַתָּא וֶהֱוֵי בְּתַתָּאִין. דִּכְתִּיב וַיֵּרְדוּ חַיִּים שְׁאוֹלָה. מַאי אִיהוּ שְׁאוֹל. גֵּיהִנָּם. דְּתַמָּן צַוְוחִין חַיָּיבִין, וְלֵית מַאן דִּמְרַחֵם עֲלַיְיהוּ. וּזְמִינִין אִינּוּן לְאַחֲיָיא וּלְאַעֲלָא, כַּד יִתְעַר קב"ה לְעַמֵּיהּ, וּלְאַחֲיָיא לְהוּ. דִּכְתִּיב, יְיָ' מֵמִית וּמְחַיֶּה מוֹרִיד שְׁאוֹל וַיָּעַל.

קכט. וְאִם מִפְּאַת פָּנָיו יִמָּרֵט רֹאשׁוֹ. תָּאנָא, אִית פָּנִים וְאִית פָּנִים, וּמַאן פָּנִים הַלָּלוּ. אִלֵּין אִינּוּן דְּאִקְרוּן פָּנִים שֶׁל זַעַם. וְכָל אִלֵּין דְּתַלְיָין מֵאִינּוּן פָּנִים חֲצִיפִין, כֻּלְּהוּ תַּקִּיפִין. כֻּלְּהוּ דְּלָא מְרַחֲמֵי, וְכַד אִתְעֲבַר שַׂעֲרָא מִסִּטְרָא דְּאִינּוּן פָּנִים, מִתְעַבְרָן כֻּלְּהוּ וְאִתְבָּרוּ.

קל. דְּתַנְיָא, כָּל אִינּוּן דְּתַלְיָין מִשַּׂעֲרָא דְּרֵישָׁא, אִינּוּן עִלָּאִין עַל אַחֲרָנִין, וְלָא חֲצִיפִין כְּוָותַיְיהוּ. וְכָל אִינּוּן דְּתַלְיָין מִסִּטְרָא דְּשַׂעֲרָא דְּאִינּוּן פָּנִים, כֻּלְּהוּ חֲצִיפִין וְתַקִּיפִין, וּבְגִ"כ אַנְפּוֹי מִתְלַהֲטָן כְּאֶשָּׁא, מִשּׁוּם נִיצוֹצָא דְּבוּצִינָא דְּקַרְדִּינוּתָא. וּבְהַאי כְּתִיב, פְּנֵי יְיָ' חִלְּקָם. פְּנֵי יְיָ' בְּעוֹשֵׂי רָע.

קלא. א"ר יִצְחָק מַהוּ נֶגַע לָבָן אֲדַמְדָּם. נֶגַע מַמָּשׁ הוּא, אִי חִוָּורָא אִתְחֲזֵי, וְסוּמָקָא לָא אִתְעֲבַר. מַשְׁמַע דִּכְתִּיב לָבָן אֲדַמְדָּם. א"ר יוֹסֵי, דְּחִוָּורָא לָא אִתְחֲזֵי אֶלָּא בְּסוּמָקָא, כְּגַוְונָא חִוָּורָא וְסוּמָקָא. רַבִּי יִצְחָק אָמַר, אע"ג דְּחִוָּורָא אִתְחֲזֵי, אִי סוּמָקָא לָא אָזִיל, נֶגַע הוּא. דִּכְתִּיב אִם יִהְיוּ חֲטָאֵיכֶם כַּשָּׁנִים כַּשֶּׁלֶג יַלְבִּינוּ. וְכַד אִתְחֲוָור, כֹּלָּא רַחֲמֵי אִשְׁתַּכְחוּ, וְדִינִין לָא אִשְׁתַּכְחוּ.

קלב. תָּאנֵי רַבִּי אַבָּא, כְּתִיב נֶגַע הוּא, וּכְתִיב נֶגַע הִיא. חַד דְּכַר וְחַד נוּקְבָּא. אֶלָּא כַּד נוּקְבָּא, אִסְתְּאָבַת בְּגִין חוֹבֵי תַּתָּאֵי, כְּתִיב נֶגַע הִיא. וְכַד דְּכַר לָא אִתְדַּכֵּי בְּגִין חוֹבֵי תַּתָּאֵי, כְּתִיב נֶגַע הוּא.

קלג. וְאִשְׁתְּמוֹדְעָן מִלִּין אִלֵּין לְגַבֵּי כַּהֲנָא, דִּינִין דְּאָתוּ מֵהַאי, וְדִינִין דְּאָתוּ מֵהַאי. וְאִשְׁתְּמוֹדְעָן קָרְבָּנֵי דְּבָעְיָין לְקָרְבָא, דִּכְתִּיב זָכָר תָּמִים. וּכְתִיב נְקֵבָה תְמִימָה יְבִיאֶנָּה, דְּהָא אִשְׁתְּמוֹדְעָן מִלֵּי, מַאן אָתוּ דִּינִין, וּמַאן אִינּוּן חוֹבֵי. דְּאִתְאַחֲדָן בְּהַאי אוֹ בְּהַאי. וְעַל דָּא כְּתִיב, זִבְחֵי אֱלֹהִים רוּחַ נִשְׁבָּרָה. לְאַפָּקָא שְׁאָר קָרְבְּנִין דְּלָא כְּתִיב רוּחַ נִשְׁבָּרָה, דְּאִינּוּן שְׁלָמָא לְעָלְמָא, וְחֶדְוָה דְּעִלָּאִין וְתַתָּאִין.

קלד. וְאִם יִרְאֶנָּה הַכֹּהֵן. תָּאנֵי רַבִּי יוֹסֵי, כְּתִיב שׁוֹמֵעַ תְּפִלָּה עָדֶיךָ וְגוֹ'. שׁוֹמֵעַ תְּפִלָּה, דָּא קב"ה. ר' חִזְקִיָּה אָמַר, שׁוֹמֵעַ תְּפִלָּה, שׁוֹמֵעַ תְּפִלּוֹת מִבָּעֵי לֵיהּ, מַהוּ שׁוֹמֵעַ תְּפִלָּה. אֶלָּא תְּפִלָּה, דָּא כ"י, דְּאִיהִי תְּפִלָּה, דִּכְתִּיב וַאֲנִי תְפִלָּה וְדָוִד בְּגִין כנ"י קָאָמַר

לָהּ. וּמַה דְּאָמַר וַאֲנִי תְפִלָּה, כֹּלָּא וַחַד, וְעַל דָּא שׁוֹמֵעַ תְּפִלָּה, וְדָא תְּפִלָּה שֶׁל יַד, דִּכְתִּיב עַל יָדְכָה בְּהֵ״א.

קלה. עָדֶיךָ כָּל בָּשָׂר יָבוֹאוּ. בְּשַׁעֲתָא דְּגוּפָא שַׁרְיָא בְּצַעֲרָא, בְּמַרְעִין בְּמַכְתְּשִׁין. כד״א וּבָשָׂר כִּי יִהְיֶה בְעוֹרוֹ. אֶת הַנֶּגַע בְּעוֹר הַבָּשָׂר. הַבָּשָׂר הַחַי. ובג״כ לָא כְּתִיב, כָּל רוּחַ יָבֹאוּ, אֶלָּא כָּל בָּשָׂר יָבֹאוּ. מַהוּ עָדֶיךָ. אֶלָּא כְּמָה דְּאִתְּמַר, וְהוּבָא אֶל הַכֹּהֵן, דָּא הוּא קָבּ״ה. הה״ד, וְאִם יֵרָאֶנָּה הַכֹּהֵן. ת״ח, בַּאֲתַר וַחַד אַהֲרֹן הַכֹּהֵן, וּבְאַתְרָא אָחֳרָא הַכֹּהֵן סְתָם, וְדָא קָבּ״ה.

קלו. א״ר יִצְחָק, וְהָא כְּתִיב נֶגַע צָרַעַת כִּי תִהְיֶה בְּאָדָם וְהוּבָא אֶל הַכֹּהֵן, אִי הָכִי דָּא קָבּ״ה. אָ״ל אִין. בְּגִין דְּבֵיהּ תַּלְיָא כָּל דַּכְיוּתָא וְכָל קְדוּשָּׁה. אָ״ל, אִי הָכִי, אֲמַאי וְהוּבָא, וְהוּעֲלָה מִבְּעֵי לֵיהּ. אָ״ל, כד״א וְהוּבָא אֶת בַּדָּיו בַּטַּבָּעוֹת, דְּעָיֵיל דָּא בְּגוֹ דָּא. אוּף הָכָא וְהוּבָא, דְּיִכְנְסוּן לֵיהּ לְכַהֲנָא, לְדַכְאָה לֵיהּ וְיֵעָלוּן מִלָּה קַמֵּיהּ.

קלז. א״ר יִצְחָק, הָכִי תָּנֵינָן, נֶגַע צָרַעַת. נֶגַע הוּא דִּינָא תַּקִּיפָא שַׁרְיָא בְּעָלְמָא. צָרַעַת: סְגִירוּ. כד״א, סְגִירוּ דִּנְהוֹרָא עִלָּאָה. סְגִירוּ דְּטִיבוּ עִלָּאָה, דְּלָא נָחִית לְעָלְמָא. כִּי תִהְיֶה בְּאָדָם, בְּאָדָם סְתָם. וְהוּבָא אֶל הַכֹּהֵן. דָּא כֹּהֵן דִּלְתַתָּא, דְּהוּא אִתְתַּקַּן לְמִפְתַּח הַהוּא סְגִירוּ, וּלְאַדְלָקָא בּוֹצִינָיא דְּיִשְׁתַּכְחוּ עַל יְדוֹי בִּרְכָן לְעֵילָּא וּלְתַתָּא. וְיִתְעֲבַר וְיִסְתַּלַּק הַהוּא נֶגַע, וְיִשְׁרֵי נְהִירוּ דְּרַחֲמֵי עַל כֹּלָּא, ובג״כ וְהוּבָא אֶל הַכֹּהֵן.

קלח. אָמַר רִבִּי אַבָּא, וְחֲמֵינָא לְאִינְהוּ בְּנֵי עָלְמָא, דְּלָא מַשְׁגִּיחִן, וְלָא יָדְעִין בִּיקָרָא דְּמָארֵיהוֹן, כְּתִיב בְּהוּ בְּיִשְׂרָאֵל, אֲשֶׁר הִבְדַּלְתִּי אֶתְכֶם מִן הָעַמִּים לִהְיוֹת לִי. וּכְתִיב, וְהִתְקַדִּשְׁתֶּם וִהְיִיתֶם קְדוֹשִׁים כִּי קָדוֹשׁ אֲנִי יְיָ. אִי אִינּוּן מִתְרַחֲקָן, אָן הוּא קְדוּשָּׁה דִּלְהוֹן, הָא רְעוּתָא דִּלְהוֹן אִתְרַחֲקַת מִנֵּיהּ. וְקָרָא אַכְרִיז וְאָמַר, אַל תִּהְיוּ כְּסוּס כְּפֶרֶד אֵין הָבִין, בְּמָה אִתְפָּרְשָׁן בְּנֵי נָשָׁא מִסּוּס וָפֶרֶד, בִּקְדוּשָּׁה דְּגַרְמַיְיהוּ, לְאִשְׁתַּכְּחָא שְׁלֵימִין וּרְשִׁימִין מִכֹּלָּא.

קלט. וְעַ״ד זִוּוּגָא דִּבְנֵי נָשָׁא הוּא בִּזְמְנִין יְדִיעָן, לְכַוְּונָא רְעוּתָא לְאִתְדַּבְקָא בֵּיהּ בְּקָבּ״ה. וְהָא אִתְּעָרוּ, בְּפַלְגּוּת לֵילְיָא קָבּ״ה עָאל בְּגִנְּתָא דְּעֵדֶן, לְאִשְׁתַּעְשְׁעָא עִם צַדִּיקַיָּיא, וכ״י מְשַׁבַּחַת לֵיהּ לְקָבּ״ה, וְהִיא שַׁעֲתָא דִּרְעוּתָא לְאִתְדַּבְקָא בְּהוּ.

קמ. וְחַבְרַיָּיא דְּמִשְׁתַּדְּלֵי בְּאוֹרַיְיתָא, מִשְׁתַּתְּפֵי בָּהּ בכ״י, לְשַׁבְּחָא לְמַלְכָּא קַדִּישָׁא, וְאִתְעַסְקָן בְּאוֹרַיְיתָא, שְׁאָר בְּנֵי נָשָׁא כְּדֵין עִידָּן רְעוּתָא לְאִתְקַדְּשָׁא בִּקְדוּשָּׁה דְּקָבּ״ה, וּלְכַוְּונָא רְעוּתָא לְאִתְדַּבְקָא בֵּיהּ. וְאִינּוּן וְחַבְרַיָּיא דְּמִשְׁתַּדְּלֵי בְּאוֹרַיְיתָא זִוּוּגָא דִּלְהוֹן בְּשַׁעֲתָא דְּזִוּוּגָא אָחֳרָא אִשְׁתְּכַח, וְהַאי מִשַּׁבָּת לְשַׁבָּת לְכַוְּונָא רְעוּתָא לְאִתְדַּבְקָא בֵּיהּ בְּקוּדְשָׁא בְּרִיךְ הוּא וּבִכְנֶסֶת יִשְׂרָאֵל, דְּהוּא עִידָּן רְעוּתָא דְּמִתְבָּרְכָן כֹּלָּא עִלָּאֵי וְתַתָּאֵי.

קמא. אִי בְּנֵי נָשָׁא אִתְרַחֲקוּ מִנֵּיהּ, וְעַבְדָּן כִּבְעִירֵי, אָן הוּא קְדוּשָּׁה דִּלְהוֹן, לְאִשְׁתַּכְּחָא קַדִּישִׁין. אָן אִינּוּן נַפְשָׁאן קַדִּישִׁין דְּמַשְׁכָן מֵעֵילָּא. וּשְׁלֹמֹה מַלְכָּא צָוַוח וְאָמַר, גַּם בְּלֹא דַעַת נֶפֶשׁ לֹא טוֹב. גַּם בְּלֹא דַעַת, מַאן הוּא דַעַת. דָּא קָבּ״ה. נֶפֶשׁ לֹא טוֹב, דָּא הוּא נֶפֶשׁ, דְּאִינּוּן מַשְׁכִין בְּעוֹבָדַיְיהוּ, לֹא טוֹב, דְּהָא מִסִּטְרָא אָחֳרָא אִתְמַשְׁכָאן עֲלַיְיהוּ נַפְשָׁתָא דְּלָאו אִיהוּ טוֹב, בְּגִין דְּלָא מְכַוְּונֵי לְבַיְיהוּ לְקָבּ״ה.

קמב. מַאן דְּאִתְלְהִיט בְּיֵצֶר הָרָע, בְּלָא רְעוּתָא וְכַוָּונָה דְּלִבָּא לְקָבּ״ה. מִסִּטְרָא דְּיֵצֶר הָרָע אִתְמְשַׁךְ עֲלֵיהּ נַפְשָׁא, דְּלָאו אִיהִי טוֹב, הה״ד גַּם בְּלֹא דַעַת נֶפֶשׁ לֹא טוֹב וְאָץ בְּרַגְלַיִם חוֹטֵא. מַאן דְּאִיהוּ אָץ בְּרַגְלַיִם וְדָחֵי שַׁעֲתָא בְּלָא רְעוּתָא קַדִּישָׁא, חוֹטֵא. חוֹטֵא וַדַּאי, בְּכֹלָּא.

קמג. וְעַל דָּא שָׁרְיָין מַכְתְּשִׁין בִּישִׁין בִּבְנֵי נָשָׁא, וְאַסְהִידוּ בְּאַנְפַּיְיהוּ בְּחֲצִיפוּתָא דִּלְהוֹן, לְאַחֲזָאָה דְּהָא קוּדְשָׁא בְּ"ה מָאִיס בְּהוּ, וְלָאו דַּעְתֵּיהּ בְּהוֹן, עַד דְּאִינּוּן זַכָּאן וּמַכְשְׁרָאן עוֹבָדַיְיהוּ כְּמִלְּקַדְמִין, וּמִתְבָּרְכָן. וְעַ"ד אִשְׁתְּמוֹדְעָן מַכְתְּשִׁין לְגַבֵּי כַּהֲנָא, אִינּוּן דְּאַתְיָין מִסִּטְרָא דְּמִסְאֲבָא, וְאִינּוּן דְּאַתְיָין מִסִּטְרָא אָחֳרָא.

קמד. כְּגַוְונָא דָּא כְּתִיב, כִּי תָבֹאוּ אֶל אֶרֶץ כְּנַעַן וְגוֹ', וְנָתַתִּי נֶגַע צָרַעַת בְּבֵית אֶרֶץ אֲחֻזַּתְכֶם. וְכִי אַגְרָ טָב הוּא, דְּיִשְׁתַּכַּח בְּאִינּוּן דְּזַכָּאן לְמֵיעַל בְּאַרְעָא. אֶלָּא הָא אוֹקְמוּהָ לְאַשְׁכְּחָא מַטְמוֹנִין דְּאַטְמְרָן בְּבֵיתַיְיהוּ, וּלְאַהֲנָאָה לוֹן לְיִשְׂרָאֵל.

קמה. אֲבָל ת"ח, זַכָּאִין אִינּוּן יִשְׂרָאֵל, דְּאִינּוּן מִתְדַּבְּקָן בֵּיהּ בְּקֻבָּ"ה, וְקֻבָּ"ה רָחִים לְהוּ, דִּכְתִיב אָהַבְתִּי אֶתְכֶם אָמַר יְיָ'. וּמִגּוֹ רְחִימוּתָא דִּילֵיהּ, אָעִיל לְהוּ לְאַרְעָא קַדִּישָׁא, לְאַשְׁרָאָה שְׁכִינְתֵּיהּ בֵּינַיְיהוּ, וּלְמֶהֱוֵי דִּיוֹרֵיהּ עִמְּהוֹן, וְיִשְׂרָאֵל דְּיִשְׁתַּכְּחוּן קַדִּישִׁין עַל כָּל בְּנֵי עָלְמָא.

קמו. ת"ח, כְּתִיב וְכָל הַנָּשִׁים אֲשֶׁר נָשָׂא לִבָּן וְגוֹ'. בְּשַׁעְתָּא דַּהֲווּ עָבְדִין עֲבִידְתָּא, הֲווּ אַמְרֵי, דָּא לְמַקְדְּשָׁא. דָּא לְמַשְׁכְּנָא. דָּא לְפָרוֹכְתָּא. וְכֵן כָּל אִינּוּן אוּמָנִין בְּגִין דְּיִשְׁרֵי קְדוּשָּׁה עַל יְדַיְיהוּ, וְאִתְקַדַּשׁ הַהוּא עֲבִידְתָּא. וְכַד סָלִיק לְאַתְרֵיהּ, בִּקְדוּשָּׁה סָלִיק.

קמז. כְּגַוְונָא דָּא מַאן דְּעָבִיד עֲבִידְתָּא לע"ז, אוֹ לְסִטְרָא אָחֳרָא, דְּלָא קַדִּישָׁא. כֵּיוָן דְּאַדְכַּר לֵיהּ עַל הַהוּא עֲבִידְתָּא, הָא רוּחַ מִסְאֲבָא שַׁרְיָא עֲלוֹי, וְכַד סָלִיק עֲבִידְתָּא, בְּמִסְאֲבָא סָלִיק. כְּנַעֲנִים פַּלְחֵי לע"ז אִינְהוּ, וּמִתְדַּבְּקָן כֻּלְּהוּ כַּחֲדָא בְּרוּחַ מִסְאֲבָא בע"ז, וַהֲווּ בָּנְיָין בִּנְיָין לְפַרְצוּפַיְיהוּ וּלְגִעוּלַיְיהוּ לְסִטַר מִסְאֲבָא לע"ז, וְכַד שָׁרָאן לְמִבְנֵי, הֲווּ אַמְרֵי מִלָּה, וְכֵיוָן דְּאִתְדְּכַר בְּפוּמַיְיהוּ, סָלִיק עָלֵיהּ רוּחַ מִסְאֲבָא. כַּד אִסְתַּלִּיק עֲבִידְתָּא, בְּרוּחַ מִסְאֲבָא אִסְתַּלִּיק.

קמח. כֵּיוָן דְּעָאלוּ יִשְׂרָאֵל לְאַרְעָא, בָּעָא קֻבָּ"ה לְדַכָּאָה לוֹן, וּלְקַדְּשָׁא לוֹן אַרְעָא, וּלְאַפְּנָאָה אֲתַר לִשְׁכִינְתָּא דְּלָא תִשְׁרֵי שְׁכִינְתָּא גּוֹ מִסְאֲבָא. וְעַ"ד בְּהַהוּא נֶגַע צָרַעַת, הֲוֵי סָתְרִין בִּנְיָינִין דְּאָעִין וְאַבְנִין דְּאִתְעֲבִידוּ בְּמִסְאֲבוּ.

קמט. ת"ח, אִי עוֹבָדָא דָּא הֲוָה לְאַשְׁכְּחָא מַטְמוֹנִין בִּלְחוֹדוֹי, יַהַדְרוּן אַבְנִין לְבָתַר כְּמָה דְּאִינּוּן לְאַתְרַיְיהוּ, וְעַפְרָא לְאַתְרֵיהּ. אֲבָל קְרָא כְּתִיב, וְחִלְּצוּ אֶת הָאֲבָנִים. וּכְתִיב וְעָפָר אַחֵר יִקַּח. בְּגִין דְּיִתְעֲבַר רוּחַ מִסְאֲבָא, וְיִתְפְּנֵי וְיִתְקַדַּשׁ הַשְׁתָּא כְּמִלְּקַדְמִין, וְיִשְׁתַּכְּחוּ יִשְׂרָאֵל בִּקְדוּשָּׁה, וּבְדִיוּרָא קַדִּישָׁא, לְמִשְׁרֵי בֵּינַיְיהוּ שְׁכִינְתָּא.

קנ. וְעַל דָּא מַאן דְּבָנֵי בִּנְיָן כַּד שָׁארֵי לְמִבְנֵי, בָּעֵי לְאַדְכְּרָא בְּפוּמֵיהּ, דְּהָא לְפוּלְחָנָא דְּקֻבָּ"ה הוּא בָּנֵי. בְּגִין דִּכְתִיב הוֹי בּוֹנֶה בֵיתוֹ בְּלֹא צֶדֶק וְגוֹ', וּכְדֵין סִיַּיעְתָּא דִּשְׁמַיָּא שָׁארֵי עֲלוֹי, וְקֻבָּ"ה זַמִּין עָלֵיהּ קְדוּשְׁתָּא, וְקָארֵי עָלֵיהּ שָׁלוֹם, הה"ד וְיָדַעְתָּ כִּי שָׁלוֹם אָהֳלֶךָ וְגוֹ'. מַהוּ וּפָקַדְתָּ נָוֶךָ, הָא אוֹקְמוּהָ, אֲבָל וּפָקַדְתָּ, לְאַפְקְדָא מִלָּה בְּפוּמָא כַּד אִיהוּ בָּנֵי. וּכְדֵין וְלֹא תֶחֱטָא כְּתִיב. וְאִי לָאו הָא זַמִּין לְבֵיתֵיהּ סִטְרָא אָחֳרָא.

קנא. כ"ש, מַאן דְּבָנֵי וּרְעוּתֵיהּ בְּגַוְונָא אָחֳרָא, בְּגִין דִּמְיַיחֵד בֵּיתָא לְסִטְרָא אָחֳרָא, לְאִסְתַּאֲבָא בֵּיהּ. הָא וַדַּאי שַׁרְיָא בֵּיהּ רוּחַ מִסְאֲבָא, וְלָא נָפִיק הַהוּא ב"נ מֵעָלְמָא, עַד דְּאִתְעֲנַשׁ בְּהַהוּא בֵּיתָא, וּמַאן דְּדָיִיר בֵּיהּ, יָכִיל לְאִתְּזְקָא, דְּהָא הַהוּא דִּירָה רוּחַ מִסְאֲבָא שַׁרְיָא בֵּיהּ, וְאַזִּיק מַאן דְּאִשְׁתַּכַּח בֵּיהּ.

קנב. וְאִי תֵּימָא בְּמָה יָדִיעַ. כְּגוֹן דְּאִתּוֹק בְּהַהוּא בֵּיתָא, הַהוּא דְּבָנֵי לֵהּ, אוֹ אַנְשֵׁי בֵּיתֵיהּ, אוֹ בְּנִזְקֵי דְּגוּפָא, אוֹ בְּנִזְקֵי מָמוֹנָא, הוּא וּתְרֵין אָחֳרָנִין אֲבַתְרֵיהּ. הָא וַדַּאי יַעֲרוֹק

ב"נ לְטוּרָא, וְלָא יָדוּר בֵּיהּ. יָדוּר בְּטִינָלָא דְעַפְרָא, וְלָא יָדוּר בֵּיהּ.

קנג. וּבְגִין כַּךְ, קֻבְּ"ה חָס עֲלַיְיהוּ דְיִשְׂרָאֵל, דְאִינּוּן לָא יַדְעִין מִלָּה בְּכָל אִינּוּן בָּתֵּי. וְהוּא אָמַר, אַתּוּן לָא יַדְעִין, אֲנָא יַדְעְנָא, וְאַרְשִׁימְנָא לוֹן בְּנֶגַע. נֶגַע דָיֵיר בְּבֵיתָא, הָא נֶגַע אָחֳרָא תַקִּיפָא, דְיָפִיק לֵיהּ, וְיַעֲבַר לֵיהּ מִן עָלְמָא. וּכְדֵין וְנָתַץ אֶת הַבַּיִת אֶת אֲבָנָיו וְאֶת עֵצָיו. כֵּיוָן דְאָזִיל לֵיהּ, מַאי טַעֲמָא וְנָתַץ אֶת הַבַּיִת. אֶלָּא בְּכָל זִמְנָא דְהַהוּא בִּנְיָן לֶהֱוֵי קַיָּים, דִילֵיהּ הוּא, וְיָכִיל לְאַהֲדְרָא.

קנד. הַאי בְּאַרְעָא קַדִּישָׁא, כ"ש בְּאַרְעָא אָחֳרָא, דִזְמִינָא רוּחַ מִסְאֲבָא יַתִּיר, וְיָכִיל ב"נ לְאִתְּזְקָא. א"ר אֶלְעָזָר, וכ"ש דְאִקְרֵי בְּקִלְפּוֹי דְחַבְרוֹי אָחֳרָנִין, לְאִשְׁתַּכְּחָא תַּמָּן, וַאֲפִילוּ טוּרְפֵי דְקַסְפְּתָא לָא מַעַבְרָן לֵיהּ מֵהַהוּא בֵּיתָא, ובג"כ הַאי קְרָא אַכְרִיז וְאָמַר, הוֹי בּוֹנֶה בֵיתוֹ בְּלֹא צֶדֶק. הוֹי וַדַּאי קָאַמְרֵי כָּל יוֹמָא בְּהַהִיא בֵּיתָא.

קנה. ר' יוֹסֵי עָאל וַחַד יוֹמָא בְּחַד בֵּיתָא, מָטָא בְּסִפְּתָא, עָאל לְגוֹ. שָׁמַע וַחַד קָלָא דְאָמַר, אִתְכְּנָשׁוּ עוּלוּ, הָא וַחַד פְּלוּגְתָּא דִילָן. סִיפְתוּ וְנְנְזִיק לֵיהּ עַד לָא יִנְפּוֹק, אָמְרוּ, לָא נֵיכוֹל אֶלָּא אִי דְיוּרֵיהּ הָכָא. נָפַק ר' יוֹסֵי וְדָחִיל. אָמַר, וַדַּאי מַאן דְאַעְבַּר עַל מִלּוֹי דְחַבְרַיָּא, אִתְחַיַּיב בְּנַפְשֵׁיהּ.

קנו. אָ"ל ר' חִיָּיא, וְהָא גּוֹיִם וּשְׁאָר בְּנֵי נָשָׁא דַיְירֵי בְּגַוַּיהּ, וְאִשְׁתְּלִימוּ. אָ"ל, אִינּוּן מִסִּטְרַיְיהוּ קָא אַתְיָין, אֲבָל מַאן דְדָחִיל וְחָטָאָה, יָכִיל לְאִתְּזְקָא. וַאֲפִילוּ אִינּוּן, אִי יַעַכְבוּ דְיוּרֵיהוֹן בֵּיהּ, לָא יִפְקוּן בִּשְׁלָם. אָ"ל, וְהָא כְּתִיב בָּתֵּיהֶם שָׁלוֹם מִפָּחַד. אָ"ל כְּגוֹן דַהֲוָה מֵאָחֳרָא, וְאִתְבְּנֵי מִצֶּדֶק. וְקְרָא הָכִי הוּא, בָּתֵּיהֶם שָׁלוֹם מִפָּחַד, כְּשֶׁבָּתֵּיהֶם שָׁלוֹם מִפָּחַד שֵׁבֶט אֱלוֹהַ לָא שַׁרְיָא עֲלֵיהֶם.

קנז. וּבָא אֲשֶׁר לוֹ הַבַּיִת וְהִגִּיד וְגוֹ'. וְהִגִּיד, וַיֹּאמֶר מִבָּעֵי לֵיהּ, אוֹ וַיְדַבֵּר, מַהוּ וְהִגִּיד. אֶלָּא בְּכָל אֲתַר מִלָּה דְחָכְמְתָא הוּא, וְהָא אוּקְמוּהָ. כְּנֶגַע נִרְאָה לִי בַּבָּיִת, כְּנֶגַע, נֶגַע מִבָּעֵי לֵיהּ. נִרְאָה לִי, יֵשׁ לִי מִבָּעֵי לֵיהּ. דְהָא כְּתִיב, וְנָתַתִּי נֶגַע צָרַעַת בְּבֵית אֶרֶץ אֲחֻזַּתְכֶם, דְיִתְחֲזֵי לְכֹלָּא. אֲמַאי כְּנֶגַע נִרְאָה לִי.

קנח. אֶלָּא בְּשַׁעֲתָא דְהַאי עָיֵיל, אָחֳרָא אִתְגַּלְיָא. וּמְקַטְרְגָא דָא בְּדָא. וְעַ"ד נִרְאָה לִי, הַהוּא דְאִתְכַּסֵּי אִתְגַּלְיָא, וּדְאִתְגַּלְיָא אִתְכַּסֵּי, וּלְבָתַר מִתְחֲזֵי לֵיהּ בְּדִיוּקְנָא דְהַהוּא נֶגַע דְבֵיתָא, וְאִתְכַּסְיָא אָחֳרָא. וְעַל דָא וְהִגִּיד לַכֹּהֵן, דְמִלָּה דְחָכְמְתָא הִיא.

קנט. וּכְדֵין אָתֵי כַּהֲנָא, וְיִרְמוּן בֵּיתָא, וְיִנְתְּצוּן לֵיהּ אַבְנִין וְאָעִין וְכֹלָּא. כֵּיוָן דְאִנְתְּצָן וְאִתְדְּכָן כֹּלָּא, מִתְבָּרְכָאן, כְּדֵין כְּתִיב, וּבָתִּים טוֹבִים תִּבְנֶה וְיָשָׁבְתָּ. אִלֵּין אִקְרוּן טוֹבִים, דְהָא קַדְמָאֵי לָאו אִינּוּן טוֹבִים, וְלָאו בִּכְלָלָא דִקְדוּשָׁה וְדַכְיוּ נִינְהוּ.

קס. א"ר יְהוּדָה, אִי הָכִי בְּמַאי מוּקְמִינָן קְרָא דִכְתִיב, וּבָתִּים מְלֵאִים כָּל טוּב אֲשֶׁר לֹא מִלֵּאתָ. אִי רוּחַ מִסְאֲבָא שַׁרְיָא בְּגַוַּויְיהוּ הֵיךְ מְלֵאִים כָּל טוּב. א"ר אֶלְעָזָר, מְלֵאִים כָּל טוּב: בְּמָמוֹנָא, בְּכַסְפָּא, וּבְדַהֲבָא, וּבְכֹלָּא. כד"א כִּי טוּב כָּל אֶרֶץ מִצְרַיִם. וא"ר יְהוּדָה, וְהָא כָּל בָּתֵּי דְמִצְרָאֵי, מַלְיָין חַרְשִׁין וְטַעֲוָון הֲווֹ. אֶלָּא בְּגִין עוּתְרָא דְאַרְעָא אִתְּמַר. אוּף הָכָא בְּגִין עוּתְרָא וּמָמוֹנָא הוּא.

קסא. תְּרֵין עוּתְרִין נַטְלוּ יִשְׂרָאֵל, וַחַד כַּד נָפְקוּ מִגָּלוּתָא דְמִצְרַיִם. וְחַד כַּד עָאלוּ לְאַרְעָא. ר' שִׁמְעוֹן אָמַר, כָּל דָא וַדַּאי הֲוָה לְאִתְקַדְּשָׁא אַרְעָא, וּלְאַעְבְּרָא רוּחַ מִסְאֲבָא מֵאַרְעָא, וּמִגּוֹ יִשְׂרָאֵל. וְכַד בֵּיתָא הֲוָה נָתִיץ, הֲוָה אִשְׁתְּכַח בָּהּ מָמוֹנָא, לְמִבְנֵי לֵיהּ, וּלְמַלְיָא בֵּיתֵיהּ, בְּגִין דְלָא יִצְטָעֵר עַל בֵּיתָא, וְיִשְׁרוֹן בְּדִיוּרָא דִקְדוּשָׁה.

קסב. וְאִישׁ אוֹ אִשָּׁה כִּי יִהְיֶה בְעוֹר וְגוֹ'. ר' יוֹסֵי אָמַר, כְּסִילְתָא דְּמוּקְפֵי בְּבַהֶרֶת עַזָּה, וְזִיווֹ תְּנְיָנָא, וּבְזִיווֹ אַתְדָּן, בְּאִינּוּן גַּוְונִין. א"ר יִצְחָק ש' טַעְמֵי אִית מַאן דְּגָרִיס בְּבַהֶרֶת עַזָּה. וְכֻלְּהוּ אוּלִיפְנָא מֵהָכָא, בַּר וְזִיווּר וַחַד סָאִיב, סַהֲדָא וַחַד. תְּרֵין, תְּרֵי סַהֲדֵי, וְדַכֵּי. מִכָּאן וּלְהָלְאָה, אֲפִילּוּ מֵאָה כִּתְרֵי, וּתְרֵי כְּמֵאָה. וְדָא אוּלִיפְנָא לְבָתַר דִּכְתִיב, לֹא יָקוּם עֵד אֶחָד בְּאִישׁ וְגוֹ', עַל פִּי שְׁנַיִם עֵדִים וְגוֹ'.

קסג. ר' חִזְקִיָּה הֲוָה יָתִיב קַמֵּיהּ דְּרַבִּי שִׁמְעוֹן, אָמַר, כְּתִיב נֶגַע לָבָן אֲדַמְדָּם, כְּדֵין הוּא נֶגַע, דְּהָא חִוְּורָא לָא קָאִים בְּעֵינֵיהּ. פָּתַח ר"ש וְאָמַר, כְּתִיב אִם יִהְיוּ חֲטָאֵיכֶם כַּשָּׁנִים וְגוֹ', זַכָּאִין אִינּוּן יִשְׂרָאֵל, דְּקֻבְּ"ה בָּעֵי לְדַכָּאָה לוֹן בְּכֹלָּא, בְּגִין דְּלָא יִשְׁתַּכְּחוּן בְּדִינָא קַמֵּיהּ. וּמֵאַרְיְהוֹן דְּדִינָא לָא יִשְׁלְטוּן בְּהוֹן, דְּהָא כֹּלָּא אָזִיל בָּתַר זִינֵיהּ. סוּמָקָא לְסוּמָקָא, וְחִוְּורָא לְחִוְּורָא. יְמִינָא לִימִינָא, וּשְׂמָאלָא לִשְׂמָאלָא.

קסד. בְּעֵשָׂו כְּתִיב, וַיֵּצֵא הָרִאשׁוֹן אַדְמוֹנִי, וְעַל דָּא שַׁרְיָא בֵּיהּ זִינֵיהּ. וְאִי תֵּימָא אַדְמוֹנִי כְּתִיב בְּעֵשָׂו. וּכְתִיב בֵּיהּ בְּדָוִד, וַיְבִיאֵהוּ וְהוּא אַדְמוֹנִי. אֶלָּא דָּא מִזּוּהֲמָא דְּדַהֲבָא אִתְעֲבִיד, וְדָא בְּזוֹהֲרָא דְּדַהֲבָא אִתְדְּבַק, בְּעֵשָׂו כְּתִיב בֵּיהּ, אַדְמוֹנִי כֻּלּוֹ כְּאַדֶּרֶת שֵׂעָר, בְּזוּהֲמָא דְּהִתּוּכָא נָפַק. בֵּיהּ כְּתִיב בְּדָוִד, עִם יְפֵה עֵינַיִם וְטוֹב רֹאִי.

קסה. ת"ח, מ"ט. גַּוְונָא חִוְּורָא אִשְׁתְּמוֹדַע, וְגַוְונָא סוּמָקָא אִשְׁתְּמוֹדַע, סוּמָקָא בְּקַדְמֵיתָא, וְהָא אִתְחֲזֵי בֵּיהּ חִוְּורָא, הָא דַּכְיוּתָא אִתְיְילִיד בֵּיהּ, וְשָׁארֵי לְאִתְדַּכָּאָה. חִוְּורָא בְּקַדְמֵיתָא, וְאִתְחֲזֵי בֵּיהּ סוּמָקָא, הָא שָׁארֵי לְאִסְתַּאֲבָא, וּכְתִיב וְטִמְּאוֹ הַכֹּהֵן, דְּהָא אִתְיְילִיד בֵּיהּ סוּמָקָא, לְאִסְתַּאֲבָא. וְכַהֲנָא הֲוָה יָדַע בְּכָל אִינּוּן גַּוְונִין. וּלְזִמְנִין דְּאִתְחֲזֵי בֵּיהּ גַּוְונָא דְּדַכְיוּתָא, וְיִסְגַּר לֵיהּ לְמֶחֱמֵי אִי אִתְיְילִיד בֵּיהּ גַּוְונָא אָחֳרָא. וְאִי לָא, מְדַכֵּי לֵיהּ, הה"ד וְטִהֲרוֹ הַכֹּהֵן וְגוֹ'.

קסו. רַבִּי יִצְחָק וְר' יְהוּדָה הֲווּ אָזְלֵי בְּאָרְחָא, אָמַר רַבִּי יְהוּדָה, כְּתִיב וְצָרַעַת נַעֲמָן תִּדְבַּק בְּךָ וּבְזַרְעֲךָ לְעוֹלָם וְגוֹ', אִי הוּא חָטָא בְּנוֹי אֲמַאי יִלְקוּן. א"ל, אֱלִישָׁע יַתִּיר מִשְּׁאָר נְבִיאֵי חָמָא. חָמָא דְּלָא נָפִיק מִגַּחֲזִי בְּרָא דְּמַעַלְיָא, וְעַ"ד לָיִיט לְכֻלְּהוּ.

קסז. וְלֹא עוֹד, אֶלָּא א"ל, אֲנָא פּוּלְחָנָא בְּשִׁמּוּשָׁא עִלָּאָה לְגַבֵּי אֵלִיָּהוּ, וְזָכֵינָא בִּתְרֵין חוּלָקִין, דְּהָא פָּלְחָנָא לֵיהּ בִּקְשׁוֹט, וְאַנְתְּ רָשָׁע פָּגִימַת לִי, אוֹמֵית לְשִׁקְרָא, וַחֲמִידַת, הָא עָבַרְתְּ עַל אוֹרַיְיתָא כֹּלָּא, וּמַאן דְּאַעֲבַר עַל דָּא, מִית הוּא לְעָלְמָא דְּאָתֵי. אֲבָל בְּגִין דְּפָלַחַת לִי, שִׁמּוּשָׁא דִּילָךְ לָא לֶהֱוֵי לְמַגָּנָא, תֶּהֱוֵי מִיתָה דִּילָךְ בְּעָלְמָא דֵּין, וּבְעָלְמָא דְּאָתֵי לָא. וּבְגִין כַּךְ, וְצָרַעַת נַעֲמָן תִּדְבַּק בְּךָ וּבְזַרְעֲךָ.

קסח. א"ר יוֹסֵי, בֶּגֶד הַצֶּמֶר אוֹ הַפִּשְׁתִּים אֲמַאי. א"ר יִצְחָק, בְּכֹלָּא שַׁרְיָא, וּבְכֹלָּא שַׁלְטָא. וְאִית כְּגַוְונָא דָּא דִּכְתִיב, דָּרְשָׁה צֶמֶר וּפִשְׁתִּים. וּבְגִינֵי כַּךְ, שׁוּלְטָנֵיהּ דְּהַהוּא נֶגַע דְּנָפִיק מֵאֲתַר עִלָּאָה, דָּא שַׁלְטָא בְּכֹלָּא, בִּתְרֵי גַּוְונֵי, בְּצֶמֶר וּבְפִשְׁתִּים. וּבְגִין כַּךְ, זֹאת תּוֹרַת נֶגַע הַצָּרַעַת בֶּגֶד הַצֶּמֶר אוֹ הַפִּשְׁתִּים.

קסט. רַבִּי יִצְחָק הֲוָה אָזִיל לְקַטְפּוּרֵי דְּאַבּוֹי. חָמָא חַד ב"נ, דְּסָאטֵי בְּקוּטְרָא דְּמַטּוּלָא אַכְתְּפוֹי. אָמַר לֵיהּ, שׁוּרְטָא דְּקִישְׁטָא בְּכַתְפָּךְ אֲמַאי, לָא אָמַר לֵיהּ מִדֵּי. אָזַל אֲבַתְרֵיהּ, חָמָא דְּעָיֵיל בִּמְעַרְתָּא חֲדָא, עָאל אֲבַתְרֵיהּ, וְחָמָא קִטּוּרָא דִּתְנָנָא דַּהֲוָה סָלִיק מִתְּחוֹת אַרְעָא, וְעָאל הַהוּא בַּר נָשׁ בְּנוּקְבָא חַד, וְאִתְכַּסְיָא מִנֵּיהּ. דָּחִיל רַבִּי יִצְחָק, וְנָפַק לְפוּם מְעַרְתָּא.

קע. עַד דַּהֲוָה יָתִיב, אַעְבְּרוּ ר' יְהוּדָה וְרַבִּי חִזְקִיָּה, וְחָמָא לוֹן, וְקָרִיב גַּבַּיְיהוּ, סָח לוֹן

עוֹבָדָא. א״ר יְהוּדָה, בְּרִיךְ רַחֲמָנָא דְשֵׁיזְבָךְ. הַאי מְעַרְתָּא דְסָגִיר, דִסְרוֹנְיָא הִיא, וְכָל יַתְבֵי הַהִיא קַרְתָּא, וַחֲרָשִׁין אִינּוּן, וְאַתְיָין לְמַדְבְּרָא לְחֲוִויָין אוּכְמִין, דְאִינּוּן בְּנֵי עֲשַׂר שְׁנִין, אוֹ יַתִּיר, לְמֶעְבַּד חַרְשִׁין, וְלָא מִנַּטְרָא מִנַּיְיהוּ, וְאִתְעֲבִידוּ סְגִירִין וְכָל זַיְינֵי חַרְשִׁין דִלְהוֹן בְּהַאי מְעַרְתָּא אִינּוּן.

קעא. אָזְלוּ, עַד דַּהֲווּ אָזְלֵי, אִעַרְעָרוּ בְּחַד בַּר נָשׁ דַּהֲוָה אָתֵי, וּבְרֵיהּ דַּהֲוָה מְרַע, קָטִיר עַל חֲמָרָא. אָמְרוּ לֵיהּ מַאן אַתְּ. אָמַר לְהוּ יוּדָאִי, וְדָא הוּא בְּרִי דְאִיהוּ קָטִיר עַל חֲמָרָא. אָמְרוּ לֵיהּ, אַמַּאי הוּא קָטִיר. אָמַר לוֹן דִּיוּרֵי הוּא בְּחַד כְּפַר, דְאִיהוּ מִבְּנֵי רוֹמָאֵי, וְהַאי בְּרִי הֲוָה אוֹלִיף אוֹרַיְיתָא בְּכָל יוֹמָא, וַהֲוָה אַהֲדַר לְבֵיתָא, וְלָעֵי לוֹן לְאִינּוּן מִלִּין. וְג׳ שְׁנִין הֲוָה דִּיוּרִי בְּהַהוּא בֵּיתָא, וְלָא חֲמֵינָא מִדִּי. וְהַשְׁתָּא יוֹמָא חַד עָאל בְּרִי לְבֵיתָא לְאַהֲדְרָא מִלִּין, אַעְבַּר חַד רוּחָא קָמֵיהּ, וְנָזִיק לֵיהּ, אַעֲקָם פּוּמֵיהּ וְעֵינוֹי, וִידוֹי אִתְעֲקָמוּ, וְלָא יָכִיל לְמַלְּלָא. וַאֲתֵינָא לְגַבֵּי מְעַרְתָּא דִסְגִירוּ דִסְרוֹנְיָא דִלְמָא יִלְפוּן לִי מִלָּה דְאַסְווּתָא.

קעב. אָמַר לֵיהּ רַבִּי יְהוּדָה, וּבְהַהוּא בֵּיתָא יַדְעַת מִן קַדְמַת דְּנָא, דְאִתְנְזַק בֵּיהּ ב״נ אָחֳרָא. אָמַר לֵיהּ יַדְעְנָא, דְהָא מִכַּמָּה יוֹמִין אִתְנְזַק בֵּיהּ חַד ב״נ, וַהֲווּ אַמְרֵי דְמַרְעָא הֲוָה, וּמִנַּיְיהוּ אַמְרֵי דְרוּחָא דְבֵיתָא, וּלְבָתַר עָאלוּ בֵּיהּ כַּמָּה בְּנֵי נָשָׁא, וְלָא אִתְנְזִיקוּ. אָמְרוּ, הַיְינוּ דְאַמְרֵי חַבְרַיָּיא, וַוי לְאִינּוּן דְעַבְרִין עַל מִלַּיְיהוּ.

קעג. פָּתַח ר׳ יְהוּדָה וְאָמַר, הוֹי בּוֹנֶה בֵיתוֹ בְּלֹא צֶדֶק, דְהָא בְּכָל אֲתַר דְאִשְׁתְּכַח בֵּיהּ צֶדֶק, כָּל רוּחִין וְכָל מַזִּיקֵי עָלְמָא עַרְקֵי מִנֵּיהּ, וְלָא מִשְׁתַּכְּחֵי קַמֵּיהּ. וְעִם כָּל דָּא, מַאן דְאַקְדִּים וְנָטִיל אֲתַר, אָחִיד בֵּיהּ. אָמַר לֵיהּ רִבִּי חִזְקִיָּה, אִי הָכִי שָׁקִיל שְׁמָא קַדִּישָׁא כְּרוּחַ מִסְאֲבָא.

קעד. אָמַר לֵיהּ, לָאו הָכִי, אֶלָּא שְׁמָא קַדִּישָׁא לָא שַׁרְיָא בַּאֲתַר מִסְאֲבָא, וּבְגִין כָּךְ, אִי שְׁמָא קַדִּישָׁא נָטִיל אֲתַר מִקַּדְמַת דְּנָא, כָּל רוּחִין וְכָל מַזִּיקִין דְעָלְמָא לָא יַכְלִין לְאִתְחֲזָאָה בֵּיהּ, כָּל שֶׁכֵּן לְקָרְבָא בַּהֲדֵיהּ. אִי רוּחַ מִסְאֲבָא קָדִים, נָטִיל אֲתַר. שְׁמָא קַדִּישָׁא לָא שַׁרְיָא בֵּיהּ, דְהָא לָאו אַתְרֵיהּ.

קעה. וְכַד הֲוָה נָחִית נֶגַע צָרַעַת, הֲוָה מְדַכֵּי אַתְרָא, וְאַפִּיק לְרוּחַ מִסְאֲבָא מֵאַתְרֵיהּ, וּלְבָתַר מְנַתְּצֵי בֵּיתָא, אַבְנִין וְאָעִין וְכֹלָּא, וּבָנֵי לָהּ כְּמִלְּקַדְּמִין, בְּסִטְר קַדִּישָׁא בְּצֶדֶק, דְדָכִיר לֵיהּ לִשְׁמָא קַדִּישָׁא, וְלִשְׁרֵי עָלֵיהּ קְדוּשָׁה, וְעִם כָּל דָּא בְּעַפְרָא אָחֳרָא, וְיַרְחִיק בֵּיתָא מֵאַתְרֵיהּ, מִיסוֹדָא קַדְמָאָה תְּרֵי טְפָחִים.

קעו. הַשְׁתָּא דְלָא אִתְחֲזֵי, וְלָא נָחִית מַאן דְמִקַּטְרֵג בֵּיהּ בְּהַהוּא רוּחַ מִסְאֲבָא, לְאַפָּקָא לֵיהּ מֵאַתְרֵיהּ, מַאי תַּקַּנְתֵּיהּ. אִי יָכִיל לְנָפְקָא מֵהַאי בֵּיתָא שַׁפִּיר. וְאִי לָאו יִבְנֶה לֵיהּ כְּמִלְּקַדְּמִין, בְּאַבְנִין אָחֳרָנִין, וְאָעִין וְכֹלָּא, וְיַפִּיק וְיַרְחִיק לֵיהּ מֵאֲתַר קַדְמָאָה, וְיִבְנֵי לֵיהּ עַל שְׁמָא קַדִּישָׁא.

קעז. ועכ״ד, לָא נָפִיק הַהוּא רוּחָא מִן אֲתַר קַדְמָאָה, בְּגִין דִקְדוּשָׁה לָא שַׁרְיָא עַל אֲתַר מִסְאֲבָא. א״ר יִצְחָק לָמָּה לֵיהּ לְאַטְרְחָא כּוּלֵּי הַאי, בִּזְמְנָא דָא כְּתִיב, מְעֻוָּת לֹא יוּכַל לִתְקוֹן וְגוֹ׳. מִיּוֹמָא דְאִתְחֳרַב בֵּי מַקְדְּשָׁא, לָא אִשְׁתְּכַח אַסְווּתָא בְּעָלְמָא, בְּגִינֵי כַּךְ בָּעֵי ב״נ לְאִזְדַּהֲרָא, כִּי הֵיכִי דְלֶהֱוֵי נָטִיר.

קעח. אַמְרֵי נֵזִיל בַּהֲדֵי הַאי ב״נ וְנֶחֱמֵי. א״ר יִצְחָק, אָסִיר לָן. אִי הֲוָה אָזִיל לְגַבֵּי גַּבְרָא רַבָּא דְחָזִיל חַטָּאָה, כְּגוֹן נַעֲמָן לְגַבֵּי אֱלִישָׁע, נֵזִיל אֲבַתְרֵיהּ. הַשְׁתָּא דְאִיהוּ אָזִיל לְגַבֵּי רְחִיקֵי עָלְמָא, רְחִיקֵי אוֹרַיְיתָא, גַּעֲלֵי מִכֹּלָּא, אָסִיר לָן לְאִתְחֲזָאָה קָמַיְיהוּ. בְּרִיךְ

רַחֲמָנָא דִּי שֵׁיזִיב לָן מִנַּיְיהוּ. וְהַאי ב"נ אָסִיר לֵיהּ. א"ר יְהוּדָה, וְהָא תָּנֵינָן בַּכֹּל מִתְרַפְּאִין, חוּץ מֵעֲצֵי אֲשֵׁרָה וְכוּ'. אָמַר לֵיהּ, וַדַּאי ע"ז אִיהוּ, וְלָא עוֹד, אֶלָּא דְּהָא כְּתִיב לֹא יִמָּצֵא בְךָ מַעֲבִיר בְּנוֹ וּבִתּוֹ בָּאֵשׁ וְגוֹ'. אִלּוּ לְאַרְחַיְיהוּ.

קעט. אֲזַל הַהוּא ב"נ לְהַהִיא מְעַרְתָּא, הוּא וּבְרֵיהּ, שָׁרֵי לֵיהּ בִּמְעַרְתָּא. עַד דְּנָפַק אֲבוּי לְקַטְרָא לַחֲמָרֵיהּ, נָפַק קִיטוּרָא דְּאֶשָּׁא, וּמָחָא לֵיהּ בְּרֵישָׁא, וְקַטְלֵיהּ. אַדְּהָכִי עָאל אֲבוּי, וְאַשְׁכְּחֵיהּ מִית. נָטַל לֵיהּ וְלַחֲמָרֵיהּ, וְאָזַל לֵיהּ. וְאַשְׁכַּח לְהוּ לְבָתַר יוֹמָא חַד, לְר' יִצְחָק, וּלְר' יְהוּדָה, וְרִבִּי חִזְקִיָּה, דַּהֲווּ אָזְלֵי. בָּכָה קָמַיְיהוּ, וְסָח לוֹן עוּבָדָא. אָמַר רִבִּי יִצְחָק, וְלָא זִמְנִין סַגִּיאִין אֲמֵינָא לָךְ, דְּאָסִיר לְמֵיהַךְ תַּמָּן. בְּרִיךְ רַחֲמָנָא, דִּי כָל מַעֲבָדוֹהִי קְשׁוֹט, וְאוֹרְחָתֵיהּ דִּין. זַכָּאִין אִינּוּן צַדִּיקַיָּא, דְּאַזְלִין בְּאֹרַח קְשׁוֹט, בְּעָלְמָא דֵּין, וּבְעָלְמָא דְּאָתֵי, וְעָלַיְיהוּ כְּתִיב, וְאֹרַח צַדִּיקִים כְּאוֹר נֹגַהּ וְגוֹ'.

קפ. א"ר אֶלְעָזָר, בְּכָל עוֹבָדוֹי דְּב"נ, לִבְעֵי לֵיהּ דְּלֶהֱווֹן כֻּלְּהוּ לִשְׁמָא קַדִּישָׁא. מַאי לִשְׁמָא קַדִּישָׁא. לְאַדְכְּרָא בְּפוּמֵיהּ שְׁמָא קַדִּישָׁא עַל כָּל מַה דְּאִיהוּ עָבֵיד, דְּכֹלָּא הוּא לְפוּלְחָנֵיהּ, וְלָא יִשְׁרֵי עֲלוֹי סִטְרָא אָחֳרָא. בְּגִין דְּאִיהוּ זַמִּין תְּדִירָא לְגַבֵּי בְּנֵי נָשָׁא, וְיָכִיל לְאַשְׁרָאָה עַל הַהוּא עֲבִידְתָּא. וְעַל דָּא, הַשְּׁתִי אוֹ הָעֵרֶב הֲוָה אִסְתְּאַב, וְשַׁרְיָא עָלֵיהּ רוּחַ מִסְאֲבָא. וּמַה בְּהַאי כָּךְ, מַאן דְּפָקִיד מִלּוֹי לְסִטְרָא אָחֳרָא דְּלָא אִצְטְרִיךְ, עאכ"ו. ובג"כ כְּתִיב וְנִשְׁמַרְתָּ מִכֹּל דָּבָר רָע.

קפא. רִבִּי אֶלְעָזָר הֲוָה אָזִיל לְמֶחֱמֵי לַאֲבוֹי וַהֲוָה עִמֵּיהּ רִבִּי אַבָּא. א"ר אַבָּא נֵימָא מִלִּין דְּאוֹרַיְיתָא וְנֵזִיל. פָּתַח רִבִּי אֶלְעָזָר וְאָמַר, אִמְרִי נָא אֲחוֹתִי אָתְּ, הַאי קְרָא קַשְׁיָא. וְכִי אַבְרָהָם דְּאִיהוּ דָּחִיל חַטָּאָה, רְחִימוּ דְּקוּדְשָׁא ב"ה, הֲוָה אָמַר הָכִי עַל אִתְּתֵיהּ, בְּגִין דְּיוֹטְבִין לֵיהּ. אֶלָּא אַבְרָהָם, אע"ג דַּהֲוָה דָּחִיל חַטָּאָה, לָא סָמִיךְ עַל זְכוּתָא דִּילֵיהּ, וְלָא בָּעָא מִן קב"ה לְאַפָּקָא זְכוּתֵיהּ, אֶלָּא עַל זְכוּתָא דְּאִתְּתֵיהּ, דְּיִרְוַוח בְּגִינָהּ מָמוֹנָא דִּשְׁאַר עַמִּין, דְּהָא מָמוֹנָא בְּאִתְּתֵיהּ זָכֵי לֵיהּ ב"נ, הה"ד בַּיִת וָהוֹן נַחֲלַת אָבוֹת וּמֵיְיָ' אִשָּׁה מַשְׂכָּלֶת. מַאן דְּזָכֵי בְּאִשָּׁה מַשְׂכֶּלֶת, זוֹכֶה בְּכֹלָּא. וּכְתִיב, בָּטַח בָּהּ לֵב בַּעְלָהּ וְשָׁלָל לֹא יֶחְסָר.

קפב. וְאַבְרָהָם הֲוָה אָזִיל בְּגִינָהּ, לְמֵיכַל שְׁלָלָא מִשְּׁאַר עַמִּין, וְסָמִיךְ עַל זְכוּתָא דִּילָהּ, דְּלָא יָכְלוּן לְאַעֲנְשָׁא לֵיהּ, וּלְחַיְיכָא בָּהּ. וּבְגִינֵי כָּךְ לָא יָהִיב מִדִּי לְמֵימַר אֲחוֹתִי הִיא. וְלֹא עוֹד, אֶלָּא דְּחָמָא חַד מַלְאָכָא אָזִיל קַמָּהּ, וְאָמַר לֵיהּ לְאַבְרָהָם, לָא תִּדְחַל מִנָּהּ, קב"ה שַׁדַּר לִי, לְאַפָּקָא לָהּ מָמוֹנָא דִּשְׁאַר עַמִּין, וּלְנַטְרָא לָהּ מִכֹּלָּא. וּכְדֵין לָא דָחִיל אַבְרָהָם מֵאִתְּתֵיהּ, אֶלָּא מִנֵּיהּ, דְּלָא חָמָא עִמֵּיהּ מַלְאָכָא, אֶלָּא עִמָּהּ. אָמַר הָא הִיא מִתְנַטְרָא, וַאֲנָא לָא נְטִירְנָא. וּבְגִינֵי כָּךְ אָמַר, אִמְרִי נָא אֲחוֹתִי אַתְּ וְגוֹ'.

קפג. יִיטַב לִי, יֵיטִיבוּ לִי מִבָּעֵי לֵיהּ, דִּכְתִיב וְהָיָה כִּי יִרְאוּ אוֹתָךְ הַמִּצְרִים וְאָמְרוּ אִשְׁתּוֹ זֹאת, וְעַ"ד יֵיטִיבוּ לִי מִבָּעֵי לֵיהּ. אֶלָּא יִיטַב לִי, דָּא דְּאָזִיל קַמָּךְ. יִיטַב לִי בְּהַאי עָלְמָא קב"ה בְּמָמוֹנָא. וְחָיְתָה נַפְשִׁי בְּהַהוּא עָלְמָא בִּגְלָלֵךְ, דְּלָא תִּסְטֵי מִן אוֹרְחָא דִּקְשׁוֹט, דְּאִי אַזְכֵּי בְּגִינָךְ בְּמָמוֹנָא בְּהַאי עָלְמָא, וְתִסְטֵי אַנְתְּ בְּאוֹרְחָא, הָא מִיתָא זְמִינָא בְּהַהוּא עָלְמָא, אֶלָּא תִּסְתַּמֵּר, דִּתְחֵי נַפְשִׁי בְּהַהוּא עָלְמָא בִּגְלָלֵךְ.

קפד. וּבְגִין דְּהַהוּא מַלְאָכָא אָזִיל קַמָּהּ לְנַטְרָא לָהּ, מַה כְּתִיב. וַיְנַגַּע יְיָ' אֶת פַּרְעֹה וְגוֹ', עַל דְּבַר שָׂרַי וַדַּאי, דַּהֲוַת אַמְרַת לְמַלְאָכָא מְחֵי, וְהוּא מָחֵי. וְעַ"ד לָא דָּחִיל אַבְרָהָם מִנָּהּ כְּלוּם, דְּהָא הִיא מִתְנַטְרָא. וּמַה דְּדָחִיל, מִגַּרְמֵיהּ דָּחִיל, דְּלָא חָמָא עִמֵּיהּ נְטוּרָא הָכִי.

קפה. ת"ח, עֶשֶׂר זִמְנִין פְּקִידַת שָׂרָה לְמַלְאָכָא, לְמֶחֱאָה לְפַרְעֹה. וּבְעֶשֶׂר מַכְתָּשִׁין

אַלְקֵי. סִימָנָא עֲבְדַת שָׂרָה לִבְנָהָא בַּתְרָאָה בְּמִצְרַיִם.

קפו. ר' אַבָּא פָּתַח, כִּימֵי צֵאתְךָ מֵאֶרֶץ מִצְרַיִם אַרְאֶנּוּ נִפְלָאוֹת. זַמִּין קֻבְּ"ה לְאַחֲזָאָה פּוּרְקָנָא לִבְנוֹי, כְּאִינּוּן יוֹמִין דְּשָׁלַח קֻבְּ"ה לְאַפָּקָא לְיִשְׂרָאֵל, וְאַחֲזֵי אִינּוּן מַכְתְּשִׁין בְּמִצְרָאֵי, וְאַלְקֵי לוֹן בְּגִינֵיהוֹן דְּיִשְׂרָאֵל. תָּא חֲזֵי, מַה בֵּין פּוּרְקָנָא דָּא, לְפוּרְקָנָא דְּמִצְרַיִם. פּוּרְקָנָא דְּמִצְרַיִם הֲוָה בְּחַד מַלְכָּא, וּבְמַלְכוּ חֲדָא. הָכָא, בְּכָל מַלְכִין דְּעָלְמָא, וּכְדֵין יִתְיְיקַר קֻבְּ"ה בְּכָל עָלְמָא, וְיִנְדְּעוּן כֹּלָּא שׁוּלְטָנוּ דְּקֻבְּ"ה, וְכֻלְּהוּ יִלְקוּן בְּמַכְתְּשִׁין עִלָּאִין, עַל חַד תְּרֵין, בְּגִין דְּיִסָּרְבוּן כֻּלְּהוּ בְּיִשְׂרָאֵל.

קפז. וּכְדֵין יִתְגַּלֵּי שׁוּלְטָנֵיהּ דְּקֻבְּ"ה, דִּכְתִיב וְהָיָה יְיָ' לְמֶלֶךְ עַל כָּל הָאָרֶץ. וּכְדֵין כֻּלְּהוּ יִתְנַדְּבוּן בְּהוּ בְּיִשְׂרָאֵל לְקֻבְּ"ה, הה"ד, וְהֵבִיאוּ אֶת כָּל אֲחֵיכֶם וְגוֹ'. כְּדֵין קַיְימִין אֲבָהָן בְּחֶדְוָה, לְמֶחֱמֵי פּוּרְקָנָא דִּבְנַיְיהוּ כְּמִלְּקַדְּמִין. הה"ד, כִּימֵי צֵאתְךָ מֵאֶרֶץ מִצְרַיִם אַרְאֶנּוּ נִפְלָאוֹת. אָמֵן כֵּן יְהִי רָצוֹן

Metzora

מצורע

א. וידבר יי' אל משה לאמר. זאת תהיה תורת המצורע ביום טהרתו וגו'. ר' אבא פתח, גורו לכם מפני חרב כי חמה עונות חרב למען תדעון שדון. שדון, שדין כתיב. כמה אית לון לבני נשא לאסתמרא ארחייהו ולדחלא מקמי קב"ה, דלא יסטי מארחא דכשרא, ולא יעבור על פתגמי אורייתא, ולא יתנשי מנה.

ב. דכל מאן דלא לעי באורייתא, ולא ישתדל בה, נזיפא הוא מקב"ה, רחיקא הוא מניה, לא שריא שכינתא עמיה. ואינון נטורין, דאזלין עמיה, אסתלקו מניה, ולא עוד אלא דמכרזי קמיה ואמרי, אסתלקו סוחרניה דפלניא, דלא חש על יקרא דמאריה. ווי ליה, דהא שבקוהו עלאין ותתאין. לית ליה חולקא בארחא דחיי.

ג. וכד איהו אשתדל בפולחנא דמאריה, ולעי באורייתא, כמה נטורין זמינין לקבליה לנטרא ליה, ושכינתא שריא עליה, וכלא מכרזי קמיה ואמרי, הבו יקרא לדיוקנא דמלכא, הבו יקרא לבריה דמלכא, אתנטיר הוא בעלמא דין ובעלמא דאתי, זכאה חולקיה.

ד. ת"ח, בלישנא בישא דאמר נחש לאתתא, גרים לאתתא, ולאדם, למגזר עלייהו מיתה, ועל כל עלמא בלישנא בישא כתיב, ולשונם חרב חדה. בג"כ, גורו לכם מפני חרב, מפני לישנא בישא. כי חמה עונות חרב. מאי כי חמה עונות חרב. דא חרב ליי', דתנן, חרב אית ליה לקב"ה, דביה דאין לחייביא. הה"ד חרב ליי' מלאה דם. וחרבי תאכל בשר. ובג"כ גורו לכם מפני חרב כי חמה עונות חרב למען תדעון שדון, שדין כתיב. בגין דתדעון דהכי אתדן, מאן דאית ליה חרב בלישניה, אזדמן ליה חרב דשצי כלא, הה"ד זאת תהיה תורת המצורע.

ה. רבי אלעזר פתח, וכצפרים האחוזות בפח כהם יוקשים בני האדם. האי קרא הא אתמר. אבל ת"ח, בני נשא לא ידעין, ולא שמעין, ולא מסתכלי ברעותא דמאריהון, וכרוזא כל יומא קארי קמייהו, ולית מאן דציית ליה, ולית מאן דיתער רוחיה לפולחנא דמאריה.

ו. בשעתא דרמש ליליא, ותרעין סתימין, אתער נוקבא דתהומא רבא, וכמה חבילי טריקין משתכחי בעלמא. כדין אפיל קב"ה שינתא על כל בני עלמא, ואפילו על כל די בהון אתערותא דחיי, ואינון שאטן בעלמא, ומודעין להו לבני נשא, מלין, מנהון כדיבן, ומנהון קשוט, ובני נשא אתקטרו בשינתא.

ז. כד אתער רוחא דצפון, ואתפליג ליליא, שלהובא נפקא ובטש תחות גדפוי דתרנגולא, וקרי, וקודשא בריך הוא עאל בגנתא דעדן לאשתעשעא עם צדיקיא. וכדין כרוזא נפיק וקרי, וכל בני עלמא מתערי בערסייהו, אינון די בהון אתערותא דחיי, קיימין לפולחנא דמאריהון, ועסקי באורייתא ובשבחא דקב"ה עד דאתי צפרא.

ח. כד אתי צפרא, כל חיילין ומשריין דלעילא משבחן ליה לקודשא ב"ה. הה"ד ברן יחד כוכבי בקר וגו'. כדין כמה תרעין אתפתחו לכל סטרין. ותרעא דאברהם,

אִתְפַּתְּחוּ בָּהּ בִּכְנֶסֶת יִשְׂרָאֵל, לְזַמְּנָא לְכָל בְּנֵי עָלְמָא, הֲדָא הוּא דִכְתִּיב, וַיִּטַּע אֶשֶׁל בִּבְאֵר שָׁבַע.

ט. וּמַאן דְּלָא יִתְעַר רוּחֵיהּ בְּפוּלְחָנָא דְּמָרֵיהּ, בְּהַהִיא אַנְפִּין יְקוּם קָמֵי מַלְכָּא, כַּד יִתְּעָרוּן עָלֵיהּ בְּדִינָא, וְיִתְפְּשׁוּן לֵיהּ בְּקוֹלָרָא, וְלָא יִשְׁתְּכַח עָלֵיהּ זְכוּתָא לְאִשְׁתְּזָבָא, כְּדֵין כְּתִיב, וְכַצִּפֳּרִים הָאֲחֻזוֹת בַּפָּח כָּהֵם יוּקָשִׁים בְּנֵי אָדָם. וְעַד לָא יִנְפּוֹק ב"נ מֵהַאי עָלְמָא, בְּכַמָּה דִּינִין אִתְדָּן נַפְשָׁא עִם גּוּפָא, עַד לָא יִתְפָּרְשׁוּן דָּא מִן דָּא, וְלֵית מַאן דְּיַשְׁגַּח.

י. בְּהַהוּא זִמְנָא דְּמָטָא שַׁעֲתָא לְאִתְפָּרְשָׁא, לָא נָפְקָא נַפְשָׁא מִן גּוּפָא, עַד דְּאִתְגְּלֵי עָלֵיהּ שְׁכִינְתָּא, וְנַפְשָׁא, מִגּוֹ חֶדְוָתָא וַחֲבִיבוּתָא דִּשְׁכִינְתָּא, נָפְקָא מִגּוּפָא לְקַבְּלָהָא. אִי זַכָּאָה הוּא, מִתְקַשַּׁר בָּהּ וְאִתְדַּבַּק בָּהּ. וְאִי לָאו, שְׁכִינְתָּא אַזְלָא, וְהִיא אִשְׁתְּאָרַת, וְאַזְלַת וּמִתְאַבְּלָא עַל פְּרִישׁוּתָא דְּגוּפָא. מַתְלָא אַמְרֵי. שׁוּנְרָא מֵאֶשָּׁא לָא מִתְפָּרְשָׁא, וַחֲדֵי לְסַכִּינָא, אַזְלָא אֲבַתְרֵיהּ.

יא. לְבָתַר אִתְדָּנוּ תַּרְוַויְיהוּ עַל יְדוֹי דְּדוּמָה. גּוּפָא אִתְדָּן בְּקִבְרָא עַד דְּתָב לְעַפְרָא, וְנַפְשָׁא בְּאֶשָּׁא דְּגֵיהִנָּם בְּכַמָּה דִּינִין, עַד הַהוּא זִמְנָא דְּאִתְגְּזַר עָלָהּ לְקַבְּלָא עוֹנְשָׁא. בָּתַר דְּקַבִּילַת עוֹנְשָׁא, וּמָטֵי זִמְנָא לְאִתְדַּכָּאָה, כְּדֵין אִסְתַּלְּקָא מִגֵּיהִנָּם, וְאִתְלַבְּנַת מְחוֹבָהָא כְּפַרְזְלָא דְּאִתְלַבַּן בְּנוּרָא, וְסַלְּקִין עִמָּהּ, עַד דְּעָאלַת לְגִנְּתָא דְּעֵדֶן דִּלְתַתָּא, וְאִסְתַּחֵי תַּמָּן בְּאִינּוּן מַיָּא, וְאִסְתַּחֵי בְּבוּסְמִין דְּתַמָּן. כד"א, מְקֻטֶּרֶת מוֹר וּלְבוֹנָה. וְקַיְּימָא תַּמָּן עַד זִמְנָא דְּאִתְגְּזַר עָלֵיהּ לְאִתְרַחֲקָא מֵאֲתַר דְּיָתְבִין בֵּיהּ צַדִּיקַיָּא.

יב. וְכַד מָטָא זִמְנָא לְסַלְּקָא, כְּדֵין סַלְּקִין עִמָּהּ, דַּרְגָּא בָּתַר דַּרְגָּא, עַד דְּאִתְקְרִיבַת כְּקוּרְבְּנָא עַל מַדְבְּחָא. הה"ד, זֹאת תִּהְיֶה תּוֹרַת הַמְּצוֹרָע בְּיוֹם טָהֳרָתוֹ וְהוּבָא אֶל הַכֹּהֵן, כַּהֲנָא עִלָּאָה דִּלְעֵילָּא, הַאי נַפְשָׁא דְּלָא אִסְתָּאֲבַת כ"כ, בְּהַאי עָלְמָא, הַאי אִית לָהּ תַּקַּנְתָּא, כְּגַוְונָא דָּא. וְאִי לָאו, מְעֻוָּת לֹא יוּכַל לִתְקֹן וְגוֹ'.

יג. זֹאת תִּהְיֶה תּוֹרַת הַמְּצוֹרָע. ר' יִצְחָק פָּתַח, וְזָרַח הַשֶּׁמֶשׁ וּבָא הַשֶּׁמֶשׁ וְגוֹ'. הַאי קְרָא אִתְּמַר, וְאוּקִימְנָא לֵיהּ בְּנִשְׁמְתָא דְּב"נ, בְּשַׁעֲתָא דְּהִיא קַיְּימָא עִמֵּיהּ דְּב"נ בְּהַאי עָלְמָא, כְּדֵין, וְזָרַח הַשֶּׁמֶשׁ. וּבָא הַשֶּׁמֶשׁ, בְּזִמְנָא דְּנָפִיק ב"נ מֵהַאי עָלְמָא, וְאִשְׁתְּכַח בִּתְשׁוּבָה, כְּדֵין אֶל מְקוֹמוֹ שׁוֹאֵף זוֹרֵחַ הוּא שָׁם, אִי זַכָּאָה אִיהוּ, כד"א, וּבָא הַשֶּׁמֶשׁ וְטָהֵר, וְאַחַר יֹאכַל מִן הַקֳּדָשִׁים.

יד. ת"ח, כָּל חוֹבֵי עָלְמָא, קב"ה מְכַפֵּר עֲלַיְיהוּ, בִּתְשׁוּבָה, בַּר מֵהַהוּא לִישָּׁנָא בִּישָׁא, דְּאַפִּיק שׁוּם בִּישׁ עַל חַבְרֵיהּ. וְהָא אוּקְמוּהָ, דִּכְתִּיב, זֹאת תִּהְיֶה תּוֹרַת הַמְּצוֹרָע, זֹאת הִיא תּוֹרָתוֹ שֶׁל מוֹצִיא שֵׁם רָע. רַבִּי חִיָּיא אָמַר, כָּל מַאן דְּאַפִּיק לִישָּׁנָא בִּישָׁא, אִסְתָּאֲבָן לֵיהּ כָּל שַׁיְיפוֹי, וְיִתְחֲזֵי לְסַגְּרָא, בְּגִין דְּהַהִיא מִלָּה בִּישָׁא סַלְּקָא וְאִתְעַר רוּחָא מְסָאֲבָא עָלוֹי וְאִסְתְּאַב, אָתֵי לְאִסְתָּאֲבָא מְסָאֲבִין לֵיהּ, בְּמִלָּה דִּלְתַתָּא אִתְעַר מִלָּה אָחֳרָא.

טו. פָּתַח וְאָמַר, אֵיכָה הָיְתָה לְזוֹנָה קִרְיָה נֶאֱמָנָה וְגוֹ'. מַאן דַּהֲוַות מְהֵימְנָא לְבַעְלָהּ, אַהַדְרַת לְזוֹנָה. מְלֵאֲתִי מִשְׁפָּט, מִשְׁפָּט, וַדַּאי דָּא קב"ה, צֶדֶק, דָּא כ"י, וּבְגִין דְּאִתְּעָרַת מִלָּה אָחֳרָא, אִסְתַּלַּק מִנָּהּ קב"ה, וְשַׁרְיָא בָּהּ רוּחָא דְּקְטוֹלֵי. הה"ד וְעַתָּה מְרַצְּחִים. וּמָה יְרוּשָׁלַם קַרְתָּא קַדִּישָׁא כָּךְ, שְׁאָר בְּנֵי נָשָׁא עאכ"ו. הה"ד, זֹאת תִּהְיֶה תּוֹרַת הַמְּצוֹרָע.

טז. רַבִּי יְהוּדָה אָמַר, זֹאת תִּהְיֶה וַדַּאי לְקַבְּלֵיהּ לְאִתְפָּרְעָא מִנֵּיהּ, דְּהַהוּא מוֹצִיא שֵׁם רָע, בְּיוֹם טָהֳרָתוֹ וְהוּבָא אֶל הַכֹּהֵן, מַאי קמ"ל. מַשְׁמַע, מַאן דְּאִית לֵיהּ לִישָּׁנָא בִּישָׁא צְלוֹתֵיהּ לָא עָאלַת קָמֵי קב"ה, דְּהָא אִתְעַר עָלֵיהּ רוּחָא מְסָאֲבָא. כֵּיוָן דְּאַהֲדַר

בִּתְשׁוּבָה וְקַבִּיל עָלֵיהּ תְּשׁוּבָה, מַה כְּתִיב, בְּיוֹם טָהֳרָתוֹ וְהוּבָא אֶל הַכֹּהֵן וְגוֹ' וְרָאָה הַכֹּהֵן וְגוֹ'.

יז. וְצִוָּה הַכֹּהֵן וְלָקַח לַמִּטַּהֵר שְׁתֵּי צִפֳּרִים חַיּוֹת. ר' יִצְחָק וְר' יוֹסֵי הֲווֹ שְׁכִיחֵי קַמֵּיהּ דר"ש. יוֹמָא חַד אָ"ל, עֵץ אֶרֶז הָא יְדִיעַ, כד"א, מִן הָאֶרֶז אֲשֶׁר בַּלְּבָנוֹן, דְּהָא הַהוּא עֵץ אֶרֶז, לָא אִשְׁתְּרָשָׁן נְטִיעוֹי אֶלָּא בַּלְּבָנוֹן, וְהָא אִתְּמַר. אֵזוֹב לָמָּה, וּמַאי הוּא.

יח. פָּתַח וְאָמַר, וְלָקַח לַמִּטַּהֵר שְׁתֵּי צִפֳּרִים חַיּוֹת טְהוֹרוֹת וְעֵץ אֶרֶז וּשְׁנִי תוֹלַעַת וְאֵזוֹב. ת"ח, ב"נ דְּמִשְׁתַּדֵּל בְּפוּלְחָנָא דְּמָארֵיהּ, וְאִשְׁתַּדַּל בְּאוֹרַיְיתָא, קב"ה שָׁארֵי עֲלוֹי וּשְׁכִינְתָּא אִשְׁתַּתְּפָא בַּהֲדֵיהּ. כֵּיוָן דְּב"נ אָתֵי לְאִסְתַּאֲבָא, שְׁכִינְתָּא אִסְתַּלְּקַת מִנֵּיהּ, קב"ה אִתְרְחִיק מִנֵּיהּ, וְכָל סִטְרָא קַדִּישָׁא דְּמָארֵיהּ מִרַחֲקִין מִנֵּיהּ, וְשָׁארֵי עָלֵיהּ רוּחַ מִסְאֲבָא וְכָל סִטְרָא דְּמִסְאֲבָא, אָתֵי לְאִתְדַּכְּאָה מְסַיְּיעִין לֵיהּ. בָּתַר דְּאִתְדַּכֵּי וְאַהְדָּר בִּתְשׁוּבָה, הַהוּא דְּאִסְתַּלָּק מִנֵּיהּ אַהְדָּר, וְשָׁארֵי עֲלוֹי.

יט. ת"ח, כְּתִיב וְלָקַח לַמִּטַּהֵר שְׁתֵּי צִפֳּרִים חַיּוֹת טְהוֹרוֹת. כֵּיוָן דְּאָמַר, שְׁתֵּי צִפֳּרִים, לָא יָדַעְנָא דְּאִינּוּן חַיּוֹת, אֶלָּא, הָא אוּקְמוּהָ, אֲבָל חַיּוֹת, חַיּוֹת מַמָּשׁ. כד"א וָאֵרֶא הַחַיּוֹת, לְקַבֵּל אֲתַר דְּיַנְקֵי מִנַּיְיהוּ נְבִיאֵי מְהֵימְנֵי, וְעֵץ אֶרֶז הָא אִתְּמַר, וּשְׁנִי תוֹלַעַת, סְטַר סוּמָקָא דִּגְבוּרָה דְּאִשְׁתַּתַּף בַּהֲדֵיהּ בְּקַדְמֵיתָא. וְאֵזוֹב, דָּא ו' זְעִירָא, דְּיָנִיק לֵיהּ לכ"י, ובג"כ, עֵץ אֶרֶז וְאֵזוֹב, אִלֵּין כַּחֲדָא, וְעַל דָּא ו' ו' כַּחֲדָא אִשְׁתְּכָחוּ, חַד עִלָּאָה, וְחַד זְעִירָא, וְקָרְיָין לוֹן, ו' עִלָּאָה, ו' תַּתָּאָה. וְכֻלְּהוּ אַהְדָּרוּ לְשַׁרְיָא עֲלוֹי בְּגִין דְּהָא אִתְדַּכֵּי, לְקַבֵּל אִלֵּין, לְתַתָּא, עֵץ אֶרֶז וְאֵזוֹב וּשְׁנִי תוֹלַעַת אִשְׁתְּכָחוּ בְּדַכְיוּתָא דָּא, וְתַלְיָין מֵאִלֵּין עִלָּאִין.

כ. ר' יְהוּדָה וְר' יִצְחָק הֲווֹ אָזְלֵי בְּאָרְחָא. יָתְבוּ בְּהַהוּא בֵּי חַקְלָא וְצַלוֹ. בָּתַר דְּסַיִּימוּ צְלוֹתָא קָמוּ וְאָזְלוּ. פָּתַח ר' יְהוּדָה בְּמִלֵּי דְּאוֹרַיְיתָא. וְאָמַר, עֵץ חַיִּים הִיא לַמַּחֲזִיקִים בָּהּ וְתוֹמְכֶיהָ מְאוּשָּׁר. עֵץ חַיִּים, דָּא אוֹרַיְיתָא, דְּאִיהִי אִילָנָא עִלָּאָה רַבָּא וְתַקִּיף. תּוֹרָה, אֲמַאי אִקְרֵי תּוֹרָה. בְּגִין דְּאוֹרִי וְגַלֵּי בְּמָה דַּהֲוָה סָתִים דְּלָא אִתְיְדַע. חַיִּים, דְּכָל חַיִּים דִּלְעֵילָּא בָּהּ אִתְכְּלִילוּ, וּמִנָּהּ נָפְקִין. לַמַּחֲזִיקִים בָּהּ, לְאִינּוּן דְּאַחֲדִין בָּהּ, דְּמַאן דְּאָחִיד בְּאוֹרַיְיתָא אָחִיד בְּכֹלָּא, אָחִיד לְעֵילָּא וְתַתָּא. וְתוֹמְכֶיהָ מְאוּשָּׁר, מַאן תּוֹמְכֶיהָ. אִלֵּין אִינּוּן דְּמַטִּילִין מְלַאי, לְכִיסָן שֶׁל ת"ח, כְּמָה דְּאוּקְמוּהָ.

כא. וְתוֹמְכֶיהָ, זָכֵי לִנְבִיאֵי מְהֵימְנֵי דְּיִפְקוּן מִנֵּיהּ. מְאוּשָּׁר, אַל תִּקְרֵי מְאוּשָּׁר, אֶלָּא מֵרֹאשׁוֹ, אִינּוּן תַּמְכִין לְאוֹרַיְיתָא, מֵרֹאשׁוֹ וְעַד סוֹפוֹ. מֵרֹאשׁוֹ, דָּא רֵישָׁא דְּכֹלָּא דְּאִקְרֵי רֹאשׁ, דִּכְתִיב, מֵעוֹלָם נִסַּכְתִּי מֵרֹאשׁ. וְרֹאשׁ דָּא חָכְמָה, דְּאִיהִי רֵישָׁא לְכָל גּוּפָא, וְגוּפָא אִתְפַּשַּׁט בֵּיהּ עַד סִיּוּמָא דְּשִׁית סִטְרִין, וְתוֹמְכֶיהָ, כד"א, שׁוֹקָיו עַמּוּדֵי שֵׁשׁ. דְּאִינּוּן דְּמַטִּילִין מְלַאי לְכִיסָן שֶׁל ת"ח אִינּוּן תַּמְכִין לְאוֹרַיְיתָא מֵרֵישָׁא עַד סִיּוּמָא דְּגוּפָא, וְכָל מְהֵימְנוּתָא, בֵּיהּ תַּלְיָא, וְאִתְמַךְ. וְזָכֵי לִבְנִין דְּיִתְחֲזוּן לִנְבִיאֵי מְהֵימְנֵי.

כב. רִבִּי יִצְחָק פָּתַח, וַיִּקְרָא אֶל מֹשֶׁה וַיְדַבֵּר יְיָ' אֵלָיו מֵאֹהֶל מוֹעֵד לֵאמֹר. וַיִּקְרָא אָלֶף זְעִירָא, אֲמַאי. אֶלָּא בְּגִין לְאַחֲזָאָה מַאן הוּא הַהוּא דְּקָרָא, הַהוּא דְּשָׁרֵי בְּמַקְדְּשָׁא, וְכַדֵּין זַמִּין לְמֹשֶׁה, כְּמַאן דְּזַמִּין אוּשְׁפִּיזָא. הָכָא א' זְעִירָא, הָתָם א' רַבְּתָא, אָדָם שֵׁת אֱנוֹשׁ. דָּא שְׁלִימוּ דְּכֹלָּא.

כג. ת"ח, מַה בֵּין מֹשֶׁה לְאַהֲרֹן, הֵי מִנַּיְיהוּ עִלָּאָה. אֶלָּא מֹשֶׁה עִלָּאָה, מֹשֶׁה שׁוֹשְׁבִינָא דְּמַלְכָּא, אַהֲרֹן שׁוֹשְׁבִינָא דְּמַטְרוֹנִיתָא. מָתָל לְמַלְכָּא דה"ל מַטְרוֹנִיתָא עִלָּאָה.

מָה עָבֵד. יָהֵב לָהּ שׁוֹשְׁבִינָא לְתַקְנָא לָהּ וּלְאִסְתַּכְּלָא בְּמִלֵּי דְּבֵיתָא. וְעַ״ד, כַּד עָיֵיל שׁוֹשְׁבִינָא דָּא לְמַלְכָּא, לָא עָיֵיל אֶלָּא עִם מַטְרוֹנִיתָא, הה״ד, בְּזֹאת יָבֹא אַהֲרֹן וְגוֹ׳.

כד. מֹשֶׁה שׁוֹשְׁבִינָא לְמַלְכָּא, בְּגַ״כ אִזְדַּמַּן כְּאוּשְׁפִּיזָא, וּלְבָתַר, וַיְדַבֵּר יְיָ׳ אֵלָיו. אַהֲרֹן הוּא שׁוֹשְׁבִינָא לְמַטְרוֹנִיתָא, וְכָל מִלּוֹי הֲווֹ, לְפַיְּיסָא לְמַלְכָּא בְּמַטְרוֹנִיתָא, וְיִתְפַּיֵּיס מַלְכָּא בַּהֲדָהּ. וְעַ״ד בְּגִין דְּאִיהוּ, שׁוֹשְׁבִינָא לָהּ שַׁוֵּי מְדוֹרֵיהּ בַּהֲדָהּ, לְתַקְנָא בֵּיתָא וּלְעַיְּינָא תָּדִיר בְּמִלֵּי דְּבֵיתָא. וְעַ״ד אִתְתְּקַן כְּגַוְונָא דִּלְעֵילָּא, וְאִקְרֵי כֹּהֵן גָּדוֹל. מ״ל. דִּכְתִיב אַתָּה כֹהֵן לְעוֹלָם עַל דִּבְרָתִי מַלְכִּי צֶדֶק.

כה. וּבְגַ״כ כָּל מַה דְּאִצְטְרִיךְ מִבֵּי מַלְכָּא, נָטִיל, וְלֵית מַאן דִּימַחֵי בִּידֵיהּ. וְעַ״ד הוּא קָאִים לְדַכְּאָה לְכָל אִינּוּן דְּעָאלִין לְבֵי מַטְרוֹנִיתָא, בְּגִין דְּלָא יִשְׁתַּכַּח מְסָאֲבָא בְּאִינּוּן בְּנֵי הֵיכְלָא. וּבְגַ״כ כְּתִיב, וְלָקַח לַמִּטַּהֵר שְׁתֵּי צִפֳּרִים וְגוֹ׳.

כו. רַבִּי יְהוּדָה פָּתַח וְאָמַר, יוֹשֵׁב בַּשָּׁמַיִם יִשְׂחָק יְיָ׳ יִלְעַג לָמוֹ. יוֹשֵׁב בַּשָּׁמַיִם יִשְׂחָק, דָּא יִצְחָק דְּאָתֵי מִסִּטְרָא דְּחַמְרָא, נָהִיר בְּקַדְמֵיתָא, וְחַיֵּיךְ, וּלְבָתַר זָעִים וְתָרִיךְ. הה״ד יוֹשֵׁב בַּשָּׁמַיִם וְלָא כְּתִיב, יוֹשֵׁב שָׁמַיִם. יִשְׂחָק, נָהִיר וְחַיֵּיךְ. וְעַל דָּא דִּינָא נָהִיר וְחַיֵּיךְ, לְהוּ לְרַשִּׁיעַיָּיא.

כז. וּלְבָתַר מַה כְּתִיב, אָז יְדַבֵּר אֵלֵימוֹ בְאַפּוֹ וּבַחֲרוֹנוֹ יְבַהֲלֵמוֹ. וְכַךְ אָרְחוֹי דְּחַיָּיבַיָּא, קֻבְּ״ה נָהִיר לְהוּ בְּהַאי עָלְמָא, וְנָהִיר לוֹן אַנְפִּין כְּחַמְרָא, דְּנָהִיר בְּקַדְמֵיתָא, וּלְבָתַר זָעִים וְקָטִיל. וְקֻבְּ״ה מָשִׁיךְ לוֹן לְחַיָּיבַיָּא, אִי יַהַדְרוּן לְקַבְלֵיהּ, יָאוּת, וְאִי לָא שָׁצֵי לוֹן מֵהַהוּא עָלְמָא דְּאָתֵי, וְלֵית לוֹן בֵּיהּ חוּלָקָא, וְיִשְׁתֵּיצוּן מִכֹּלָּא. אָתוּן לְאִתְדַּכְּאָה, מְסַיְּיעִין לוֹן. וְקֻבְּ״ה מְדַכֵּי לוֹן וְקָרִיב לוֹן לְגַבֵּיהּ, וְקָארֵי עָלַיְיהוּ שָׁלוֹם. הֲדָא הוּא דִּכְתִיב שָׁלוֹם שָׁלוֹם לָרָחוֹק וְלַקָּרוֹב וְגוֹ׳.

כח. וְאִשָּׁה כִּי יָזוּב זוֹב דָּמָהּ יָמִים רַבִּים בְּלֹא עֶת נִדָּתָהּ וְגוֹ׳. ר׳ חִיָּיא פָּתַח וְאָמַר, הִנֵּה יוֹם בָּא לַיְיָ׳ וְחֻלַּק שְׁלָלֵךְ בְּקִרְבֵּךְ. הַאי קְרָא הָכִי מִבָּעֵי לֵיהּ, הִנֵּה יוֹם יָבֹא, מַאי, הִנֵּה יוֹם בָּא. אֶלָּא שֶׁכְּבָר בָּא, עַד לָא אִבְרֵי עָלְמָא, וְהוּא יוֹם דְּבֵיהּ יַעְבִיד דִּינָא לְחַיָּיבַיָּא. וְהוּא יוֹם דְּבֵיהּ יִתְפָּרַע קֻבְּ״ה מֵאִינּוּן דְּעָקוּ לוֹן לְיִשְׂרָאֵל. הַאי יוֹם בָּא וְקָאִים קָמֵי קֻבְּ״ה, וְתָבַע מִנֵּיהּ לְמֶעְבַּד דִּינָא וּלְשֵׁיצָאָה עכו״ם, וְאִתְיְהִיב לֵיהּ רְשׁוּ, כד״א וְאָסַפְתִּי אֶת כָּל הַגּוֹיִם אֶל יְרוּשָׁלַם לַמִּלְחָמָה וְגוֹ׳.

כט. רַבִּי יִצְחָק אָמַר, תְּרֵין יוֹמִין אִינּוּן לְקֻבְּ״ה, חַד שָׁארֵי עִמֵּיהּ, וְחַד אָתֵי לְקַמֵּיהּ, וּבְאִלֵּין עָבֵיד קֻבְּ״ה קְרָבִין בְּכֹלָּא. וְכַד הַאי יוֹמָא, אָתֵי לְאַגָּחָא קְרָבָא, אִזְדַּוַּוג בְּהַהוּא יוֹמָא אָחֳרָא, וְנָטִיל זַיְינִין עַל זַיְינֵיהּ, וְאַגַּח קְרָבָא בְּכֹלָּא, בְּאִינּוּן רָאמִין וּנְמוּכִין. הה״ד כִּי יוֹם לַיְיָ׳ צְבָאוֹת, עַל כָּל גֵּאֶה וָרָם וְעַל כָּל נִשָּׂא וְשָׁפֵל.

ל. רַבִּי שִׁמְעוֹן אָמַר, וְאִשָּׁה כִּי יָזוּב זוֹב דָּמָהּ וְגוֹ׳. הַיְינוּ דִּכְתִיב, חֶרֶב לַיְיָ׳ מָלְאָה דָם. מָלְאָה דָם וַדַּאי, דִּכְתִיב כִּי יָזוּב זוֹב דָּמָהּ יָמִים רַבִּים. בְּלֹא עֶת נִדָּתָהּ, הַיְינוּ דִּכְתִיב, וַיִּשְׁקוֹד יְיָ׳ עַל הָרָעָה וַיְבִיאֶהָ עָלֵינוּ. דִּתְנֵינָן, קֻבְּ״ה אַקְדִּים פּוּרְעָנוּתָא לְעָלְמָא, וְחַיָּיבַיָּא מְקַדְּמִין פּוּרְעָנוּתָא בְּחוֹבֵיהוֹן לְמֵיתֵי לְעָלְמָא, אוֹ כִי תָזוּב עַל נִדָּתָהּ. הַיְינוּ וְיָסַפְתִּי לְיַסְּרָה אֶתְכֶם, מַהוּ וְיָסַפְתִּי לְיַסְּרָה. אוֹסִיף דִּינָא עַל דִּינָא, וְאֶתֵּן דָּמָא עַל דָּמָא, יַתִּיר עַל מַה דְּאִית בְּהַהוּא חֶרֶב לַיְיָ׳ מָלְאָה דָם.

לא. כְּתִיב, לֹא אוֹסִיף לְקַלֵּל עוֹד אֶת הָאֲדָמָה בַּעֲבוּר הָאָדָם. מַהוּ לֹא אוֹסִיף. אֶלָּא, לָא אֶתֵּן עוֹד תּוֹסֶפֶת לְהַהוּא חֶרֶב, אֶלָּא כְּגַוְונָא דְּיָכִיל עָלְמָא לְמִסְבַּל. וְהָא כְּתִיב וְיָסַפְתִּי. אֶלָּא לְיַסְּרָה כְּתִיב, וְלָא לְשֵׁיצָאָה. הה״ד, אוֹ כִי תָזוּב עַל נִדָּתָהּ.

לב. כָּל יְמֵי זוֹב טוּמְאָתָהּ. מַהוּ כָּל יְמֵי זוֹב טוּמְאָתָהּ. אֶלָּא וַדַּאי מְסָאֲבִין בְּזוֹבֵיהוֹן לְגַרְמַיְיהוּ, וּמְסָאֲבִין לְאֲתַר אָחֳרָא, כד"א, כִּי אֶת מִקְדַּשׁ יְיָ' טִמֵּא. וְאִתְעַר רוּחַ מִסְאֲבָא עֲלַיְיהוּ. וּלְזִמְנָא דְּאָתֵי, זַמִּין קב"ה לְדַכְּאָה לְהוּ לְיִשְׂרָאֵל וּלְאַעֲבְרָא לְהַהוּא רוּחָא מִסְאֲבָא מֵעָלְמָא. דִּכְתִּיב, לֹא יוֹסִיף יָבֹא בָךְ עוֹד עָרֵל וְטָמֵא. וּכְתִיב וְאֶת רוּחַ הַטּוּמְאָה אַעֲבִיר מִן הָאָרֶץ. מִן הָאָרֶץ וַדַּאי.

לג. ר' חִזְקִיָּה הֲוָה יָתִיב קַמֵּיהּ דְּר' אֶלְעָזָר, לֵילְיָא חַד קָמוּ בְּפַלְגּוּת לֵילְיָא לְמִלְעֵי בְּאוֹרַיְיתָא. פָּתַח רַבִּי אֶלְעָזָר וְאָמַר, בְּיוֹם טוֹבָה הֱיֵה בְטוֹב וְגוֹ' גַּם אֶת זֶה לְעוּמַּת זֶה עָשָׂה הָאֱלֹהִים וְגוֹ'. בְּיוֹם טוֹבָה הֱיֵה בְטוֹב, בְּזִמְנָא דְּאַסְגֵּי קב"ה חֶסֶד בְּעָלְמָא, בָּעֵי בַּר נָשׁ לְמֵיהַךְ בְּשׁוּקֵי וּלְאִתְחֲזָאָה קָמֵי כֹּלָּא, דְּהָא כַּד שָׁארֵי טִיבוּתָא דְּקֻבָּ"ה בְּעָלְמָא, בְּכֹלָּא שָׁארֵי, וּבְכֹלָּא עָבֵיד טִיבוּ וְאַסְגֵּי לֵיהּ בְּעָלְמָא. וּבְגִ"כ, יִתְחֲזֵי ב"נ בְּאִתְגַּלְיָא בְּשׁוּקֵי, וְיַעֲבִיד טִיבוּ דִּלְשַׁרֵי עָלֵיהּ טִיבוּ אָחֳרָא. הֲדָא הוּא דִּכְתִיב בְּיוֹם טוֹבָה הֱיֵה בְטוֹב. הֱיֵה בְטוֹב וַדַּאי.

לד. וּבְיוֹם רָעָה רְאֵה. לָא כְּתִיב וּבְיוֹם רָעָה הֱיֵה בְּרַע, אֶלָּא, בְּיוֹם רָעָה רְאֵה. דְּהָא בְּשַׁעֲתָא דְּדִינָא תַּלְיָא בְּעָלְמָא, לָא לִבְעֵי לֵיהּ לְאֱינִישׁ לְאִתְחֲזָאָה בְּשׁוּקָא וּלְמֵיהַךְ יְחִידָאָה בְּעָלְמָא. דְּהָא כַּד דִּינָא שַׁרְיָא בְּעָלְמָא, עַל כֹּלָּא שָׁארֵי. וּמַאן דְּפָגַע בֵּיהּ, וְאִעֲרַע קַמֵּיהּ, יִתְדַּן בְּהַהוּא דִּינָא. וּכְדֵין כְּתִיב, וְיֵשׁ נִסְפֶּה בְּלֹא מִשְׁפָּט. דְּהָא מִשְׁפָּט אִסְתַּלַּק מִצֶּדֶק, וְלָא שַׁרְיָין דָּא בְּדָא עַל עָלְמָא. וְעַל דָּא רְאֵה. רְאֵה וֶהֱוֵי נָטִיר, אַשְׁגַּח וְעַיֵּין לְכָל סְטָר. וֶהֱוֵי יָדַע, דִּבְכֻלְּהוּ שַׁרְיָא דִּינָא, וְלָא תִּפּוֹק לְבַר, וְלָא תִּתְחֲזֵי בְּשׁוּקָא, בְּגִין דְּלָא יִשְׁרֵי עָלָךְ. מ"ט. בְּגִין דְּגַם אֶת זֶה לְעֻמַּת זֶה עָשָׂה הָאֱלֹהִים. כְּמָה דְּכַד שָׁארֵי טִיבוּ בְּעָלְמָא שָׁארֵי עַל כֹּלָּא, כַּךְ, כַּד שַׁרְיָא דִּינָא בְּעָלְמָא שָׁארֵי עַל כֹּלָּא, וּמַאן דְּאִעֲרַע בֵּיהּ אִתְפַּס.

לה. ת"ח, כַּד דִּינָא שַׁרְיָא בְּעָלְמָא, כַּמָּה סַיְיפִין תַּלְיָין, דְּנָפְקֵי מֵהַהוּא חֶרֶב עִלָּאָה, וְזַקְפִין רֵישָׁא וְזִמְנָא דְּהָא הַהוּא חֶרֶב עִלָּאָה סוּמָקָא, מַלְיָיא דָּמָא בְּכָל סִטְרִין, כְּדֵין גַּזְרִין נִימוּסִין. וְכַמָּה סַיְיפָא אִתְעֲרוּ, כד"א, אִישׁ חַרְבּוֹ עַל יְרֵכוֹ. וּכְתִיב, וְחַרְבּוֹ שְׁלוּפָה בְּיָדוֹ. וְכֻלְּהוּ מִשְׁתַּכְּחֵי לְמֶעְבַּד דִּינָא. וּמַאן דְּיִעֲרַע בְּהוּ אִתְּזַק. כְּתִיב, הִנֵּה נָא מָצָא עַבְדְּךָ חֵן בְּעֵינֶיךָ וַתַּגְדֵּל חַסְדְּךָ וְגוֹ'. מ"ט, בְּגִין דִּבְכָל אֲתַר דְּדִינָא שַׁרְיָא בְּכֹלָּא שַׁרְיָא, בֵּין בְּמָתָא בֵּין בְּמַדְבְּרָא וּבְסָחֲרָנָא דְּמָתָא.

לו. תּוּ פָּתַח וְאָמַר, שִׂימֵנִי כַחוֹתָם עַל לִבֶּךָ וְגוֹ'. שִׂימֵנִי כַחוֹתָם, כְּנֶסֶת יִשְׂרָאֵל אָמְרָה דָּא לְקֻבָּ"ה. שִׂימֵנִי כַחוֹתָם, מַאן הוּא חוֹתָם. דָּא חוֹתָם דְּגוּשְׁפַּנְקָא דִּקְשׁוֹט. כַּחוֹתָם עַל לִבֶּךָ, דָּא חוֹתָם שֶׁל תְּפִלִּין, דְּאָנַח ב"נ עַל לִבֵּיהּ. כַּחוֹתָם עַל זְרוֹעֶךָ, דָּא יַד כֵּהָה, דְּמָנָח בְּהַהוּא זְרוֹעַ, וּמְנוּ יִצְחָק. וכ"י קָאָמַר שִׂימֵנִי כַחוֹתָם, וְחוֹתָם מִבָּעֵי לֵיהּ, מַאי כַּחוֹתָם. כְּאִינּוּן תְּפִלִּין דְּרֵישָׁא, דְּאָתֵי שְׁבָחָא לְכָל גּוּפָא. וְעַל דָּא תְּפִלִּין בִּזְרוֹעַ, עַל הַלֵּב, וּבְדָא אִשְׁתַּכַּח בַּר נָשׁ שְׁלִים כְּגַוְונָא דִּלְעֵילָא.

לז. כִּי עַזָּה כַמָּוֶת אַהֲבָה. מַאי כִּי עַזָּה כַמָּוֶת. אֶלָּא לָא אִשְׁתַּכַּח קַשְׁיוּתָא בְּעָלְמָא, כְּמָה דְּפָרִישׁוּ דְּנַפְשָׁא מִגּוּפָא, כַּד בָּעְיָין לְאִתְפָּרְשָׁא. כַּךְ אַהֲבַת כְּנֶסֶת יִשְׂרָאֵל לְקֻבָּ"ה, דְּלָא אִתְפָּרְשָׁן לְעָלְמִין. וּבְגִ"כ תְּפִלָּה שֶׁל יָד, אִתְקַשְּׁרָא בִּזְרוֹעַ, לְקַיְּימָא דִּכְתִיב, שְׂמֹאלוֹ תַּחַת לְרֹאשִׁי.

לח. קָשָׁה כִשְׁאוֹל קִנְאָה. בְּכָל דַּרְגִּין דְּגֵיהִנָּם, לָא אִית קַשְׁיָא כִּשְׁאוֹל, דְּנָחִית לְתַתָּא מִנַּיְיהוּ, בַּר הַהוּא דַּרְגָּא דְּאִקְרֵי אֲבַדּוֹן, וְדָא וְדָא אִשְׁתַּתְּפוּ כַּחֲדָא. וְדָא קַשְׁיָא לְהוּ

לְחַיָּיבַיָּא מִכֹּלָּא. כַּךְ, קָשָׁה כִּשְׁאוֹל קִנְאָה, דְּלֵית קִנְאָה אֶלָּא בִּרְחִימוּתָא, וּמִגּוֹ רְחִימוּתָא אָתֵי קִנְאָה, וּמַאן דְּקַנֵּי לְהַהוּא דְּרָחִים יַתִּיר, קַשְׁיָא לֵיהּ לְאִתְפָּרְשָׁא מִנֵּיהּ מֵהַהוּא דַּרְגָּא דְּאִקְרֵי שְׁאוֹל, דְּאִיהוּ קַשְׁיָא מִכָּל דַּרְגִּין דְּגֵיהִנָּם.

לט. רְשָׁפֶיהָ רִשְׁפֵּי אֵשׁ שַׁלְהֶבֶת יָהּ. וּמַאן אִיהוּ שַׁלְהֶבֶת יָהּ, דָּא אֶשָּׁא דְּנָפִיק מִגּוֹ שׁוֹפָר, כְּלִיל מֵרוּחָא וּמַיָּא. וּמִגּוֹ הַהוּא שַׁלְהוֹבָא כַּד מִתְלַהֲטָא בכ"י, אוֹקִיד עָלְמָא בְּשַׁלְהוֹבוֹתָא בְּקִנְאָה דְּקב"ה, וּבְשַׁעֲתָא דְּהִיא מְקַנְּאָה לֵיהּ, וַוי דְּאַעֲרַע בְּשַׁלְהוֹבִיתָא, דְּאִיהוּ יִתּוֹקַד בְּהוּ.

מ. תּוּ פָּתַח וְאָמַר. מַיִם רַבִּים לֹא יוּכְלוּ לְכַבּוֹת וְגוֹ'. מַיִם רַבִּים דָּא דְּרוֹעָא יְמִינָא, דְּבָעֵי לְקַשְּׁרָא בֵּיהּ קִשְׁרָא דִּתְפִלָּה עַל דְּרוֹעָא שְׂמָאלָא, לְקַיְּימָא וִימִינוֹ תְּחַבְּקֵנִי. ד"א, מַיִם רַבִּים, דָּא הוּא נָהָר עִלָּאָה, דְּמִנֵּיהּ נָפְקִין נַהֲרִין לְכָל עֵבָר, וְכֻלְּהוּ נַגְּדִין וְאִתְמַשְׁכִן מִנֵּיהּ. כד"א, מִקּוֹלוֹת מַיִם רַבִּים. מֵאִינּוּן קוֹלוֹת דְּמַיִם רַבִּים, דְּנָפְקָן וְאִתְמַשְׁכָן מִנֵּיהּ. וּנְהָרוֹת, כד"א, נָשְׂאוּ נְהָרוֹת וְגוֹ'.

מא. אִם יִתֵּן אִישׁ אֶת כָּל הוֹן בֵּיתוֹ בְּאַהֲבָה, דְּרָחִים כ"י לְקוּדְשָׁא בְּרִיךְ הוּא, יָבוּזוּ לוֹ. בּוֹז יָבוּזוּ לוֹ, יָבוּז מִבָּעֵי לֵיהּ, מַאי יָבוּזוּ לוֹ. אֶלָּא, אִם יִתֵּן אִישׁ, דָּא קוּדְשָׁא ב"ה. אֶת כָּל הוֹן בֵּיתוֹ, כד"א כָּל הוֹן יָקָר וְנָעִים. בְּאַהֲבָה, דכ"י לְגַבֵּיהּ, וְלָא לְאִתְקַשְּׁרָא בַּהֲדָהּ, בּוֹז יָבוּזוּ לוֹ, כָּל אִינּוּן אוּכְלוּסִין וְכָל אִינּוּן מַשִׁרְיָין דִּלְעֵילָּא, לְהַהוּא הוֹן יָקָר, דְּהָא לֵית רְעוּתָא לְכֻלְּהוּ אֶלָּא בְּשַׁעֲתָא דכ"י מִתְקַשְּׁרָא בֵּיהּ בְּקב"ה, וּמִתְעַטְּרָא בַּהֲדֵיהּ, כְּדֵין כָּל אִינּוּן אוּכְלוּסִין, וְכָל אִינּוּן מַשִׁרְיָין, וְכֻלְּהוּ עָלְמִין כֻּלְּהוּ בְּחֶדְוָה, בִּנְהִירוּ, בְּבִרְכָאן, וְעַל דָּא אָמַר שְׂמֹאלוֹ תַּחַת לְרֹאשִׁי וִימִינוֹ תְּחַבְּקֵנִי.

מב/א. מַאן דְּאָנַח תְּפִלִּין, כַּד מָנַח תְּפִלָּה שֶׁל יָד, בָּעֵי לְאוֹשְׁטָא דְּרוֹעָא שְׂמָאלָא, לְקַבְּלָא לָהּ לכ"י, וּלְקַשְּׁרָא קִשְׁרָא עִם יְמִינָא, בְּגִין לְחַבְּקָא לָהּ, לְקַיְּימָא דִּכְתִּיב, שְׂמֹאלוֹ תַּחַת לְרֹאשִׁי וִימִינוֹ תְּחַבְּקֵנִי. לְאִתְחֲזָאָה בַּר נָשׁ כְּגַוְונָא דִּלְעֵילָּא, וּלְאִתְעַטְּרָא בְּכֹלָּא, וּכְדֵין ב"נ שְׁלִים בְּכֹלָּא, בִּקְדוּשָּׁה עִלָּאָה. וקב"ה קָארֵי עָלֵיהּ, יִשְׂרָאֵל אֲשֶׁר בְּךָ אֶתְפָּאָר.

תוספתא

מב/ב. בּוֹז יָבוּזוּ לוֹ. מַאי בּוֹז. יוֹמָא תִּנְיָינָא וְיוֹמָא שְׁתִיתָאָה וְיוֹמָא שְׁבִיעָאָה דְּסוּכּוֹת, דִּבְהוֹן הֲווּ מְנַסְּכֵי מַיִם וְיַיִן. דְּז' יוֹמִין דְּסוּכּוֹת, בְּהוֹן הֲווּ מַקְרִיבִין יִשְׂרָאֵל, ע' פָּרִים, לְכַפָּרָא עַל שִׁבְעִין מְמַנָּן, בְּגִין דְּלָא יִשְׁתְּאַר עָלְמָא חָרוּב מִנַּיְיהוּ, הה"ד וּבַחֲמִשָּׁה עָשָׂר יוֹם וְגוֹ' וְהִקְרַבְתֶּם עוֹלָה אִשֵּׁה וְגוֹ'. (ע"כ תוספתא)

מג. רִבִּי חִזְקִיָּה פָּתַח וְאָמַר, שִׁמְעָה יְיָ' צֶדֶק וְגוֹ'. כַּמָּה חֲבִיבָה כנס"י קָמֵי קב"ה, דִּבְכָל זִמְנָא דכ"י, אָתַת לְקַמֵּיהּ דְּקב"ה, קב"ה אִזְדַּמַּן לְקַבְּלָהּ. הה"ד שִׁמְעָה יְיָ' צֶדֶק הַקְשִׁיבָה רִנָּתִי הַאֲזִינָה תְּפִלָּתִי. אָמַר דָּוִד, אֲנָא אִתְקְטַרְנָא בכ"י. כְּמָה דְּהִיא אִשְׁתְּכַחַת לְקַמָּךְ, אֲנָא נָמֵי הָכִי אִשְׁתַּכַּחְנָא. וּבְגִין כַּךְ שִׁמְעָה יְיָ' צֶדֶק, בְּקַדְמֵיתָא, וּלְבָתַר, הַקְשִׁיבָה רִנָּתִי הַאֲזִינָה תְּפִלָּתִי.

מד. בְּלֹא שִׂפְתֵי מִרְמָה. מַאי בְּלֹא שִׂפְתֵי מִרְמָה. אֶלָּא הָכִי תָּנֵינָן. כָּל מִלָּה וּמִלָּה דִּצְלוֹתָא, דְּאַפִּיק ב"נ מִפּוּמֵיהּ, סַלְקָא לְעֵילָּא וּבַקְעָא רְקִיעִין, וְעָאלַת לַאֲתַר דְּעָאלַת, תַּמָּן אִתְבְּוָונַת הַהִיא מִלָּה, אִי הִיא מִלָּה דְּכַשְׁרָא אִי לָא, אִי אִיהִי מִלָּה דְּכַשְׁרָא עָאלִין לָהּ קָמֵי מַלְכָּא קַדִּישָׁא לְמֶעְבַּד רְעוּתֵהּ. וְאִי לָאו, סָאטִין לָהּ לְבַר, וְאִתְעַר בְּהַהִיא מִלָּה רוּחָא אָחֳרָא.

מה. ות"ח, כְּתִיב בֵּיהּ בְּיוֹסֵף, עִנּוּ בַכֶּבֶל רַגְלוֹ וְגוֹ'. עַד אֵימָתַי, עִנּוּ בַכֶּבֶל רַגְלוֹ. עַד

עֵת בֹּא דְבָרוֹ אִמְרַת יְיָ' צְרָפָתְהוּ. עַד עֵת בֹּא דְבָרוֹ דְּמַאן. אֶלָּא עַד עֵת בֹּא דְבָרוֹ דְּיוֹסֵף, וְאִתְבְּחִין הַהִיא מִלָּה, הה"ד, אִמְרַת יְיָ' צְרָפָתְהוּ. כְּדֵין, שָׁלַח מֶלֶךְ וַיַּתִּירֵהוּ מוֹשֵׁל עַמִּים וַיְפַתְּחֵהוּ. אַדְּהָכִי הֲוָה אָתָא צַפְרָא.

מו. א"ר אֶלְעָזָר, כְּתִיב, וְהָיְתָה נֶפֶשׁ אֲדוֹנִי צְרוּרָה בִּצְרוֹר הַחַיִּים. נֶפֶשׁ אֲדֹנִי, סְתָם. כד"א, אֲשֶׁר לֹא נָשָׂא לַשָּׁוְא נַפְשִׁי, הָא עִידָּנָא בְּצַפְרָא לְאִתְקַשְּׁרָא כ"י וּלְאִתְחַבְּרָא בְּבַעְלָהּ, זַכָּאִין אִינּוּן צַדִּיקַיָּא דְּמִשְׁתַּדְּלִין בְּאוֹרַיְיתָא בְּלֵילְיָא, וְאָתָאן לְאִתְקַשְּׁרָא בֵּיהּ בְּקֻבְּ"ה וּבכ"י. עָלַיְיהוּ כְּתִיב, יִשְׂמַח אָבִיךָ וְאִמֶּךָ וְתָגֵל יוֹלַדְתֶּךָ.

מז. א"ר אֶלְעָזָר כְּתִיב, וְהִזַּרְתֶּם אֶת בְּנֵי יִשְׂרָאֵל מִטּוּמְאָתָם וְגוֹ' בְּטַמְּאָם אֶת מִשְׁכָּנִי אֲשֶׁר בְּתוֹכָם. וְהִזַּרְתֶּם, כְּהַאי זָר, דְּאִיהוּ זָר מִכֹּלְהוּ, וְלָא אִתְחַבַּר בְּמָה דְּלֵיתֵיהּ דִּילֵיהּ.

מח. ות"ח, בְּשַׁעֲתָא דְּמִסְתַּאֲבִין בְּנֵי נָשָׁא לְתַתָּא, מְסָאֲבִין לוֹן בְּכֹלָּא, וְהָא אִתְּמַר. אֲבָל, בְּשַׁעֲתָא דְּרוּחַ מְסָאֲבָא אִתְעַר לְתַתָּא, אִתְעַר רוּחַ זָר, רוּחַ מְסָאֲבָא דִּלְתַתָּא, אִתְעַר רוּחַ מְסָאֲבָא אָחֳרָא, וְאִתְיְהִיב לֵיהּ רְשׁוּתָא לְנַחְתָּא לְעָלְמָא. מַאי רְשׁוּתָא, רְשׁוּתָא דִּקְדוּשָּׁה דַּהֲוָה נָחִית וּמָחֵי בֵּיהּ, לָא אִשְׁתְּכַח, וְאִסְתַּלַּק, וּכְדֵין אִתְגַּלְיָיא דִּינָא, לְקַבְּלֵיהוֹן דְּחַיָּיבִין, וְאוֹסִיף דִּינָא עַל דִּינֵיהּ, וּכְדֵין, תְּרֵין רוּחִין מִשְׁתַּכְחִין בְּעָלְמָא, חַד, רוּחָא דְּדִינָא, וְחַד, רוּחָא דִּמְסָאֲבָא.

מט. א"ר אֶלְעָזָר, אִצְטְרִיכְנָא הָכָא לְמֵימַר מִלָּה דְּאוֹלִיפְנָא מֵאַבָּא. ת"ח, הָכָא יַלְפִינָן מִנֶּגַע דְּבֵיתָא. דְּכַד רוּחָא מְסָאֲבָא שַׁרְיָא בְּבֵיתָא וְקֻבְּ"ה בָּעֵי לְדַכָּאָה לֵיהּ, שַׁדַּר נֶגַע צָרַעַת בְּבֵיתָא, לְקַטְרְגָא דָּא בְּדָא, וְהַהוּא נֶגַע לָא אַעֲדֵי מִבֵּיתָא, וְאע"ג דְּרוּחַ מְסָאֲבָא אִסְתַּלַּק מֵהַהוּא בֵּיתָא, עַד דְּיִנָּתְצוּן בֵּיתָא, אֲבָנִין וְאָעִין וְכֹלָּא, כְּדֵין אִתְדְּכֵי אַתְרָא.

נ. כְּהַאי גַּוְונָא, מַאן דְּאִסְתָּאַב וְאִתְעַר רוּחָא מְסָאֲבָא וְשָׁארֵי עֲלוֹי, כַּד בָּעֵי קֻבְּ"ה לְדַכָּאָה עָלְמָא, אִתְעַר רוּחַ דִּינָא תַּקִּיפָא, וְאִשְׁתְּכַח בְּעָלְמָא וְשַׁרְיָא עַל הַהוּא רוּחָא מְסָאֲבָא, וּמְקַטְרְגֵי דָּא בְּדָא, עַד דְּיִתְעֲבַר מֵעָלְמָא, וְהַהוּא רוּחָא דִּינָא תַּקִּיפָא, לָא אִסְתַּלַּק מֵאַתְרֵיהּ עַד דְּיִנָּתֵץ אֲתַר, שַׁיְיפִין וְגַרְמִין וְכֹלָּא, כְּדֵין אִתְדְּכֵי עָלְמָא וְאִתְעֲבָרוּ מִנֵּיהּ רוּחִין מְסָאֲבִין, וְעָלְמָא אִשְׁתְּכַח בְּדַכְיוּ.

נא. וְעַל דָּא תָּנֵינָן, אָתָא לְאִסְתַּאֲבָא מְסָאֲבִין לֵיהּ וַדַּאי. וַוי לֵיהּ לְבַ"נ כַּד שָׁארֵי עָלֵיהּ רוּחַ מְסָאֲבָא, וְאִשְׁתְּכַח בֵּיהּ בְּעָלְמָא, דְּוַדַּאי לֵינְדַע, דְּקוּדְשָׁא בְּ"ה בָּעֵי לְבַעֲרָא לֵיהּ מִן עָלְמָא. זַכָּאִין אִינּוּן צַדִּיקַיָּא דְּכֻלְּהוּ קַדִּישִׁין, וְאִשְׁתַּכְחוּ בִּקְדוּשָּׁה קָמֵי מַלְכָּא קַדִּישָׁא, וְשַׁרְיָא עָלַיְיהוּ רוּחַ קַדִּישָׁא, בְּהַאי עָלְמָא וּבְעָלְמָא דְּאָתֵי. כֵּיוָן דְּאָתָא צַפְרָא קָמוּ אַזְלוּ.

נב. עַד דַּהֲווּ אָזְלֵי, פָּתַח רִבִּי אֶלְעָזָר וְאָמַר, וְיַעֲקֹב הָלַךְ לְדַרְכּוֹ וַיִּפְגְּעוּ בוֹ מַלְאֲכֵי אֱלֹהִים. וְיַעֲקֹב הָלַךְ לְדַרְכּוֹ, דַּהֲוָה אָזִיל לְקַבֵּל אֲבוֹהִי. ת"ח, כָּל זִמְנָא, דְּיַעֲקֹב אִשְׁתְּכַח לְגַבֵּיהּ דְּלָבָן לָא מַלִּיל עִמֵּיהּ קֻבְּ"ה, וְאִי תֵּימָא, וְהָא כְּתִיב, וַיֹּאמֶר יְיָ' אֶל יַעֲקֹב שׁוּב אֶל אֶרֶץ אֲבוֹתֶיךָ וּלְמוֹלַדְתֶּךָ וְגוֹ'. הַאי בְּסוֹפָא הֲוָה, בְּזִמְנָא דְּבָעָא לְאִתְפָּרְשָׁא מִלָּבָן וְכַד אִתְפְּרַשׁ מִנֵּיהּ, אָתוּ לְקַבְּלֵיהּ אִינּוּן מַלְאֲכֵי וְאוֹזְפוּהוּ בְּאוֹרְחָא.

נג. ת"ח, כְּתִיב, וַיִּפְגְּעוּ בוֹ. וַיִּפְגַּע בְּמַלְאֲכֵי אֱלֹהִים מִבָּעֵי לֵיהּ, מַאי בּוֹ. אֶלָּא אִינְהוּ אָתוּ לְאִתְכַּלְּלָא בֵּיהּ. מַאי לְאִתְכַּלְּלָא בֵּיהּ. אֶלָּא אִינּוּן מִסִּטְרָא דִּגְבוּרָה קָאַתְיָין, דִּכְתִיב מַלְאֲכֵי אֱלֹהִים, וְחָמָא מִסִּטְרָא אָחֳרָא מַלְאֲכֵי דְּרַחֲמֵי, וְאִתְכְּלִילוּ בֵּיהּ רַחֲמֵי וְדִינָא.

נד. ת"ח, בְּקַדְמֵיתָא, מַחֲנֵה אֱלֹהִים, זֶה וְחַד. לְבָתַר וַיִּקְרָא שֵׁם הַמָּקוֹם הַהוּא מַחֲנָיִם,

תְּרֵי. וְחַד מִסִּטְרָא דְּדִינָא וְחַד מִסִּטְרָא דְּרַחֲמֵי, מַלְאֲכִין מֵהַאי גִּיסָא, וּמַלְאֲכִין מֵהַאי גִּיסָא, וְעַל דָּא כְּתִיב, וַיִּפְגְּעוּ בוֹ. בוֹ, דַּיְיקָא. וַיֹּאמֶר יַעֲקֹב כַּאֲשֶׁר רָאָם, רָאָה אוֹתָם מִבָּעֵי לֵיהּ, מַאי רָאָם. אֶלָּא וַדַּאי כֻּלְּהוּ כְּלִילָן כַּחֲדָא, מִתְדַּבְקָן דָּא בְּדָא, מִתְחַבְּרָן דָּא בְּדָא, וְעַל דָּא כְּתִיב רָאָם, וְכֻלְּהוּ אָתוּ לְאוֹזְפָא לֵיהּ וּלְשֵׁיזָבָא לֵיהּ מִידָא דְּעֵשָׂו.

נה. כְּתִיב בֵּיהּ בְּעֵשָׂו, וַיֵּצֵא הָרִאשׁוֹן אַדְמוֹנִי. וַיֵּצֵא הָרִאשׁוֹן, אִי תֵּימָא, דְּיַעֲקֹב טִפָּה קַדְמָאָה הֲוָה, לָאו הָכִי, דְּהָא כְּתִיב, וַיֵּצֵא הָרִאשׁוֹן, וְלָא כְּתִיב, וַיֵּצֵא רִאשׁוֹן. וּבְגִין דְּיִצְחָק אָתֵי מִסִּטְרָא דְּדִינָא קַשְׁיָא, נָפַק עֵשָׂו אַדְמוֹנִי, סוּמְקָא. דְּאִי יַעֲקֹב הֲוָה בּוּכְרָא, הַהִיא טִפָּה קַדְמָאָה נָפְקָא הָכִי סוּמְקָא. אֲבָל טִפָּה תִּנְיָינָא הֲוָה, וּבְגִין כָּךְ לָא נָפְקָא הָכֵי, דְּהָא מִסִּטְרָא דְּרַחֲמֵי הֲוַת הַהִיא טִפָּה, מֵהַאי גִּיסָא וּמֵהַאי גִּיסָא.

נו. וְטִפָּה דְּעֵשָׂו לָא הֲוַת כְּטִפָּה דְּיַעֲקֹב, דְּדָא שְׁלִים וְדָא לָא שְׁלִים. וּבְהַהִיא שַׁעֲתָא, יִצְחָק הֲוָה מְכַוֵּון בְּסִיוּמָא דְּדִינָא קַשְׁיָא, דְּאַפִּיק בְּסִטְרוֹי, בִּגְלִיפוֹי טְהִירִין בְּשַׁיְיפוֹי, וּבְגִין כָּךְ עֵשָׂו, זוּהֲמָא דְּאִתְהַתִּיךְ מִדַּהֲבָא.

נז. וְעַל דָּא תָּנֵינָן, דְּבָעֵי ב"נ לְכַוְּונָא בְּהַהִיא שַׁעֲתָא, בִּרְעוּתָא דְּמָארֵיהּ, בְּגִין דְּיִפּוּק בְּנִין קַדִּישִׁין לְעָלְמָא. וְאִי תֵּימָא, יִצְחָק לָא אִתְכַּוָּון. לָאו הָכִי, אֶלָּא אִתְכַּוָּון בִּקְדוּשָּׁה, וְאִתְכַּוָּון בְּסִיוּמָא דְּהַהוּא אֲתַר, וְאִשְׁתְּכַח כַּד נָפַק הַהִיא טִפָּה קַדְמָאָה, בְּהַהוּא אֲתַר מַמָּשׁ, וְעַל דָּא כְּתִיב, כֻּלּוֹ כְּאַדֶּרֶת שֵׂעָר.

נח. תָּא וַחֲזֵי, דָּוִד בְּשַׁפִּירוּ דְּסוּמְקָא נָפַק, וְאִתְאֲחַד בִּקְדוּשָּׁה דְּמָארֵיהּ. וְעַל דָּא כְּתִיב, וְהוּא אַדְמוֹנִי עִם יְפֵה עֵינַיִם וְטוֹב רֹאִי. אֲבָל יַעֲקֹב בּוּכְרָא הֲוָה מִנֵּיהּ דְּעֵשָׂו, לָא מִטִּפָּה, אֶלָּא דְּכַוָּונָה דִּרְעוּתָא, בְּאִילָנָא עִלָּאָה רַבְרְבָא וְתַקִּיף, וְעֵשָׂו בְּהַהוּא אֲתַר דְּסִיוּמָא דְּכֹלָּא, וּבְגִין כָּךְ כְּתִיב, הִנֵּה קָטֹן נְתַתִּיךָ בַּגּוֹיִם בָּזוּי אַתָּה מְאֹד.

נט. רִבִּי יְהוּדָה הֲוָה מַתְנֵי הָכִי. עֵשָׂו נִקְרָא רִאשׁוֹן, דִּכְתִיב, וַיֵּצֵא הָרִאשׁוֹן אַדְמוֹנִי כֻּלּוֹ. וְקֻבְּ"ה אִקְרֵי רִאשׁוֹן, דִּכְתִיב אֲנִי רִאשׁוֹן וַאֲנִי אַחֲרוֹן וְאֶת אַחֲרוֹנִים אֲנִי הוּא. וְזַמִּין לְאִתְפָּרְעָא רִאשׁוֹן מֵרִאשׁוֹן. וּלְמִבְנֵי רִאשׁוֹן, דִּכְתִיב, כִּסֵּא כָבוֹד מָרוֹם מֵרִאשׁוֹן. וּלְזִמְנָא דְּאָתֵי כְּתִיב, רִאשׁוֹן לְצִיּוֹן הִנֵּה הִנָּם וְלִירוּשָׁלַםִ מְבַשֵּׂר אֶתֵּן.

ס. תָּאנָא, זְמִינָא יְרוּשָׁלַםִ, לְמֶהֱוֵי שׁוּרָהָא לְעֵילָּא וּלְאִתְקָרְבָא עַד כּוּרְסֵי יְקָרָא דְּמַלְכָּא. הה"ד בָּעֵת הַהִיא יִקְרְאוּ לִירוּשָׁלַםִ כִּסֵּא יְיָ'. כְּדֵין כְּתִיב, וְהָיָה אוֹר הַלְּבָנָה כְּאוֹר הַחַמָּה וְאוֹר הַחַמָּה יִהְיֶה שִׁבְעָתַיִם. כְּדֵין בַּיּוֹם הַהוּא יִהְיֶה יְיָ' אֶחָד וּשְׁמוֹ אֶחָד. בילא"ו יילא"ו.

תוספתא

סא. רִבִּי אֶלְעָזָר, וְר' יוֹסֵי וְחַמוֹי, הֲווּ אָזְלֵי מֵאוּשָׁא לְלוֹד. א"ר יוֹסֵי לְר' אֶלְעָזָר, אֶפְשַׁר שָׁמַעְתְּ מֵאֲבוּךְ מַאי דִּכְתִיב, וְיַעֲקֹב הָלַךְ לְדַרְכּוֹ וְגוֹ'. א"ל לָא יָדַעְנָא. עַד דַּהֲווּ אָזְלֵי מָטוּ לִמְעַרְתָּא דְּלוֹד. שָׁמְעוּ הַהוּא קָלָא דְּאָמַר, תְּרֵי עוֹלִין דְּאַיַּלְתָּא עָבְרוּ קַמַּאי רְעוּתָא דְּנִיחָא לִי. וְאִינּוּן הֲווּ מַשִׁרְיָיתָא קַדִּישָׁא דְּעָרַע יַעֲקֹב קַמֵּיהּ. אִתְרְגִישׁ ר' אֶלְעָזָר, וְאִסְתָּעַר בְּנַפְשׁוֹי, וְאָמַר, מָרֵיהּ דְּעָלְמָא כָּךְ אוֹרְחוֹי, טַב לָן דְּלָא נִשְׁמַע, שְׁמַעְנָא וְלָא יָדַעְנָא.

סב. אִתְרְחִישׁ לֵיהּ נִיסָא, וְשָׁמַע הַהוּא קָלָא דְּאָמַר, אַבְרָהָם וְיִצְחָק הֲווּ, נָפַל עַל אַנְפּוֹי וְחָמָא דְּיוֹקְנָא דְּאֲבוֹי, א"ל, אַבָּא, שָׁאִילְנָא וַאֲתִיבוּנָא, דְּאַבְרָהָם וְיִצְחָק הֲווּ, דְּעָרְעוּ לְיַעֲקֹב כַּד אִשְׁתְּזִיב מִלָּבָן. א"ל בְּרִי, פּוּק פִּסְקָךְ, וְסַב סִבְתָּךְ, פּוּם מְמַלֵּל

רַבְרְבָן הֲוָה. וְלָא דָא הִיא בִּלְחוֹדוֹי, אֶלָּא לְכָל צַדִּיקַיָּא נִשְׁמָתְהוֹן דְצַדִּיקַיָּא מְעַרְעִין קֳדָמוֹהִי לְשֵׁיזָבוּתֵיהּ, וְאִינּוּן מַלְאֲכַיָּא קַדִּישֵׁי עִלָּאֵי.

סג. ות"ח, יִצְחָק קַיָּים הֲוָה בְּהַהִיא שַׁעֲתָא, אֲבָל נִשְׁמָתֵיהּ קַדִּישָׁא אִתְנְסִיבַת בְּכוּרְסַיָּא יְקָרָא דְמָארֵיהּ, כַּד אִתְעֲקַד עַל גַּבֵּי מַדְבְּחָא. וּמִכְּדֵין אַסְתְּמוּ עֵינוֹי מֵחֵיזוּ. הַיְינוּ דִכְתִיב, לוּלֵא וְגוֹ' וּפַחַד יִצְחָק הָיָה לִי. (ע"כ תוספתא)

Acharei Mot

אַחֲרֵי מוֹת

א. וַיְדַבֵּר יְיָ' אֶל מֹשֶׁה אַחֲרֵי מוֹת שְׁנֵי בְּנֵי אַהֲרֹן וְגוֹ'. וַיֹּאמֶר יְיָ' אֶל מֹשֶׁה. רַבִּי יְהוּדָה אָמַר, כֵּיוָן דִּכְתִּיב וַיְדַבֵּר יְיָ' אֶל מֹשֶׁה, אַמַּאי זִמְנָא אָחֳרָא וַיֹּאמֶר יְיָ' אֶל מֹשֶׁה דַּבֵּר אֶל אַהֲרֹן אָחִיךָ, דְּהָא בְּמִלּוּלָא קַדְמָאָה סַגֵּי. אֶלָּא הָכִי תָּנֵינָן, כְּתִיב, וַיִּקְרָא אֶל מֹשֶׁה וַיְדַבֵּר יְיָ' אֵלָיו. וּכְתִיב, וְאֶל מֹשֶׁה אָמַר עֲלֵה אֶל יְיָ'. וְהָא אוֹקְמוּהָ מִלָּה, דְּהָכָא דַּרְגָּא חַד. וּלְבָתַר, דַּרְגָּא אָחֳרָא. אוּף הָכָא, וַיְדַבֵּר יְיָ' אֶל מֹשֶׁה דַּרְגָּא חַד. וּלְבָתַר וַיֹּאמֶר יְיָ' אֶל מֹשֶׁה דַּבֵּר אֶל אַהֲרֹן אָחִיךָ, דַּרְגָּא אָחֳרָא. וְכֹלָּא, בְּחַד מִתְקְלָא סַלְּקָא, וּמִן שָׁרְשָׁא חָד כֹּלָּא אִתְחַבַּר.

ב. אַחֲרֵי מוֹת שְׁנֵי בְּנֵי אַהֲרֹן. רַבִּי יִצְחָק פָּתַח, עִבְדוּ אֶת יְיָ' בְּיִרְאָה וְגִילוּ בִּרְעָדָה. וּכְתִיב, עִבְדוּ אֶת יְיָ' בְּשִׂמְחָה בֹּאוּ לְפָנָיו בִּרְנָנָה. הָנֵי קְרָאֵי קַשְׁיָין אַהֲדָדֵי, אֶלָּא הָכִי תָּאנָא, עִבְדוּ אֶת יְיָ' בְּיִרְאָה. דְּכָל פּוּלְחָנָא דְּבָעֵי ב"נ לְמִפְלַח קָמֵי מָארֵיהּ, בְּקַדְמֵיתָא בָּעֵי יִרְאָה, לְדַחֲלָא מִנֵּיהּ, וּבְגִין דַּחֲלָא דְּמָארֵיהּ, יִשְׁתְּכַּח לְבָתַר דְּיַעֲבִיד בְּחֶדְוָותָא פִּקּוּדֵי אוֹרַיְיתָא. וְעַל דָּא כְּתִיב, מָה יְיָ' אֱלֹהֶיךָ שׁוֹאֵל מֵעִמָּךְ כִּי אִם לְיִרְאָה.

ג. וְגִילוּ בִּרְעָדָה. דְּאָסִיר לֵיהּ לְב"נ לְמֶחְדֵּי יַתִּיר בְּעָלְמָא דֵּין. הַאי בְּמִלֵּי דְּעָלְמָא, אֲבָל בְּמִלֵּי דְּאוֹרַיְיתָא וּבְפִקּוּדֵי דְּאוֹרַיְיתָא, בָּעֵי לְמֶחְדֵּי. לְבָתַר, יִשְׁתְּכַּח בַּר נָשׁ דְּיַעֲבִיד בְּחֶדְוָותָא פִּקּוּדֵי אוֹרַיְיתָא. דִּכְתִּיב, עִבְדוּ אֶת יְיָ' בְּשִׂמְחָה.

ד. ר' אַבָּא אָמַר, עִבְדוּ אֶת יְיָ' בְּיִרְאָה. רָזָא דְּמִלָּה הוּא, עִבְדוּ אֶת יְיָ' בְּיִרְאָה, מַה יִרְאָה הָכָא. אֶלָּא כְּמָה דְּאוֹקִימְנָא, דִּכְתִּיב, יִרְאַת יְיָ' רֵאשִׁית דָּעַת, וּכְתִיב, רֵאשִׁית חָכְמָה יִרְאַת יְיָ'. יִרְאַת יְיָ', קֻבְּ"ה הָכִי אִקְרֵי. ר' אֶלְעָזָר אָמַר, עִבְדוּ אֶת יְיָ' בְּיִרְאָה, מַאן דְּבָעֵי לְמֶעְבַּד פּוּלְחָנָא דְּמָארֵיהּ, מֵאָן אֲתַר שָׁארֵי, וּבְאָן אֲתַר יְכַוֵּון פּוּלְחָנָא לְיַיחֲדָא שְׁמָא דְּמָארֵיהּ. הָדַר וְאָמַר בְּיִרְאָה, בְּיִרְאָה הוּא שֵׁירוּתָא, מִתַּתָּא לְעֵילָּא.

ה. ת"ח, מַה כְּתִיב הָכָא אַחֲרֵי מוֹת, וּלְבָתַר דַּבֵּר אֶל אַהֲרֹן אָחִיךָ וְגוֹ' בְּזֹאת יָבֹא אַהֲרֹן, אֶלָּא מִכָּאן, שֵׁירוּתָא לְאַזְהָרָא לְכַהֲנֵי, כָּל מַאן , דְּבַעְיָין לְאִזְדַּהֲרָא בְּהַאי זֹאת, וְדָא הִיא יִרְאַת יְיָ'.

ו. דָּבָר אַחֵר. אַחֲרֵי מוֹת שְׁנֵי בְּנֵי אַהֲרֹן. ר' יוֹסֵי אָמַר, אַחֲרֵי מוֹת נָדָב וַאֲבִיהוּא, מִבָּעֵי לֵיהּ, מ"ט שְׁנֵי בְּנֵי אַהֲרֹן, וְהָא יְדִיעַ דִּבְנוֹי הֲווֹ. אֶלָּא הָכִי תָּאנָא, דְּעַד כָּאן לָאו בִּרְשׁוּתַיְיהוּ קַיְימֵי, אֶלָּא בִּרְשׁוּתָא דַּאֲבוּהוֹן, וּבְגִ"כ, בְּקָרְבָתָם לִפְנֵי יְיָ' וַיָּמוּתוּ, דְּאִינּוּן דָּחֲקוּ שַׁעֲתָא בְּחַיֵּי דַּאֲבוּהוֹן, וְכֹלָּא הֲוָה, בְּגִין הַהוּא חוֹבָא דְּעָבְדוּ, דִּכְתִּיב בְּהַקְרִיבָם אֵשׁ זָרָה. דְּתַנְיָא, בַּאֲתַר חַד, כְּתִיב בְּהַקְרִיבָם אֵשׁ זָרָה, וּבַאֲתַר חַד כְּתִיב, בְּקָרְבָתָם לִפְנֵי יְיָ'. וְהַאי וְהַאי הֲוָה, וּבְגִ"כ כְּתִיב הָכָא בְּנֵי אַהֲרֹן, וּכְתִיב בְּקָרְבָתָם.

ז. א"ר חִיָּיא, יוֹמָא חַד הֲוֵינָא אָזִיל בְּאָרְחָא, לְמֵיהַךְ גַּבֵּי דְּרַבִּי שִׁמְעוֹן, לְמֵילַף מִנֵּיהּ פַּרְשְׁתָא דִּפְסוּקָא. עָרְעִית בְּחַד טוּרָא, וְחָמֵינָא בְּקִיעָן גּוּמִין בְּחַד טִינָרָא, וּתְרֵין גּוּבְרִין בָּהּ. עַד דַּהֲוֵינָא אָזִיל, שְׁמַעְנָא קָלָא דְּאִינּוּן גּוּבְרִין, וַהֲווּ אַמְרִין, שִׁיר מִזְמוֹר לִבְנֵי קֹרַח

גדול יי' ומהלל מאד וגו'. מאי שיר מזמור. אלא הכי תאנא משמיה דר' שמעון, שיר דאיהו כפול, שיר דאיהו משובח משאר שירין, ועל דאיהו משובח משאר שירין, תרין זמנין אתמר ביה שירתא, וכן מזמור שיר ליום השבת. כה"ג, שיר השירים אשר לשלמה, שירתא לעילא מן שירתא.

ח. שיר מזמור, שירתא דקב"ה, דקא מזמרי בני קרח על אינון דיתבי, על פתחא דגיהנם. ומאן אינון, אחוהון דאינון דיתבי בתרעי דגיהנם. וע"ד, שירתא דא ביום שני אתמר. קריבנא גבייהו, אמינא להו, מאי עסקייכו באתר דא. אמרו מזבני אנן, ותרי יומי בשבתא, בדילנא מישובא ונעסק באורייתא. בגין דלא שבקין לן בני נשא, כל יומא ויומא. אמינא זכאה חולקיכון.

ט. תו פתחו ואמרו. בכל זמנא דצדיקיא מסתלקי מעלמא, דינא אסתלק מעלמא, ומיתתהון דצדיקיא מכפרת על חובי דרא. ועל דא פרשתא דבני אהרן, ביומא דכפורי קרינן לה, למהוי כפרה לחוביהון דישראל. אמר קודשא ב"ה, אתעסקו במיתתהון דצדיקיא אלין, ויתחשב לכו כאלו אתון מקרבין קרבנין בהאי יומא לכפרא עלייכו. דתנינן, כל זמנא דישראל יהון בגלותא, ולא יקרבון קרבנין בהאי יומא, ואינון תרין שעירין לא יכלין לקרבא, יהא להו דכרנא, דתרי בני אהרן, ויתכפר עלייהו.

י. דהכי אוליפנא, דכתיב ואלה שמות בני אהרן הכהנים וגו'. וכתיב, הבכור נדב ואביהוא אלעזר ואיתמר. ואלעזר ואיתמר מבעי ליה, מהו אלעזר ואיתמר. אלא שקול הוה אביהוא כתרי אחוי. ונדב ככלהו.

יא. ואית דמתני הבכור נדב, דא בלחודוי, ואביהוא בלחודוי, וכל חד אתחשיב בעיניה, כתרוייהו, כאלעזר ואיתמר. אבל נדב ואביהוא בלחודייהו, שקולין הוו לקבל שבעין סנהדרין, דהוו משמשין קמי משה. ובגין כך, מיתתהון מכפרא על ישראל. ועל דא כתיב, ואחיכם כל בית ישראל יבכו את השרפה. ואמר ר' שמעון, הבכור נדב, כלומר, ההוא, דכל שבחא ויקרא דליה. נדב ואביהוא, על אחת כמה וכמה, דהני תרי, לא אשתכחו כותייהו בישראל.

יב. וידבר יי' אל משה אחרי מות שני בני אהרן. רבי חזקיה פתח ואמר, לכן כה אמר יי' אל בית יעקב אשר פדה את אברהם וגו'. האי קרא קשיא, לכן כה אמר יי' אשר פדה את אברהם מבעי ליה. מאי, כה אמר יי' אל בית יעקב אשר פדה את אברהם.

יג. אלא הא אוקמוה והא אתמר, דיעקב פדה את אברהם ודאי. דבההיא שעתא דנפל בגו נורא דכשדאי, דנו דיניה קמי קב"ה, בגין מאי ישתזיב האי, זכות אבהן לית ליה. א"ל, ישתזיב בגין בנוי, דהכי תניא, ברא מזכי אבא. אמרו, הא ישמעאל דנפיק מניה. אמר קב"ה, הא יצחק, דיושיט קדליה על גבי מדבחא. אמרו, הא עשו דנפיק מניה. אמר, הא יעקב, דאיהו כורסיא שלימתא, וכל בנוהי שלימין קמאי. אמרו, הא ודאי בזכותא דא ישתזיב אברהם הה"ד אשר פדה את אברהם.

יד. לא עתה יבוש יעקב ולא עתה פניו יחורו כי בראותו ילדיו מעשה ידי בקרבו יקדישו שמי. מאן אינון ילדיו מעשה וגו'. אלין אינון, חנניה מישאל ועזריה. בני יהודה אקרון, ובג"כ לא עתה יבוש יהודה מבעי ליה, מאי לא עתה מאי בעי הכא יעקב,

וְהָא כְּתִיב, וַיְהִי בָהֶם מִבְּנֵי יְהוּדָה דָּנִיאֵל חֲנַנְיָה מִישָׁאֵל וַעֲזַרְיָה. בְּנֵי יְהוּדָה אַחֲרָנִין, וּבְגִ"כ לֹא עַתָּה יֵבוֹשׁ יְהוּדָה מִבָּעֵי לֵיהּ, מַאי לֹא עַתָּה יֵבוֹשׁ יַעֲקֹב.

טו. אֶלָּא הָכִי תָּנֵינָן. בְּהַאי שַׁעֲתָא דְּאִתְכַּפִּיתוּ, לְמִנְפַּל בְּנוּרָא, כָּל חַד אָרִים קָלֵיהּ וְאָמַר, גַּבֵּי כָּל אִינּוּן עַמִּין וּמַלְכִּין וְאַפַּרְכַיָא, חֲנַנְיָה אָמַר, יְיָ' לִי לֹא אִירָא מַה יַּעֲשֶׂה לִי אָדָם יְיָ' לִי בְּעוֹזְרָי וַאֲנִי אֶרְאֶה בְשׂוֹנְאָי טוֹב לַחֲסוֹת בַּיְיָ' וְגוֹ'. מִישָׁאֵל פָּתַח וְאָמַר, וְאַתָּה אַל תִּירָא עַבְדִּי יַעֲקֹב נְאֻם יְיָ' וְגוֹ' כִּי אִתְּךָ אֲנִי נְאֻם יְיָ' לְהוֹשִׁיעֶךָ כִּי אֶעֱשֶׂה וְגוֹ'. בְּהַהִיא שַׁעֲתָא, דְּשַׁמְעוּ כֻּלְּהוּ שְׁמָא דְּיַעֲקֹב. תַּוְוהוּ וְחַיְיכוּ בְּלֵיצָנוּתָא. עֲזַרְיָה פָּתַח וְאָמַר, שְׁמַע יִשְׂרָאֵל יְיָ' אֱלֹהֵינוּ יְיָ' אֶחָד.

טז. הה"ד, זֶה יֹאמַר לַיְיָ' אָנִי וְגוֹ'. זֶה יֹאמַר לַה' אָנִי, דָּא חֲנַנְיָה, וְזֶה יִקְרָא בְשֵׁם יַעֲקֹב, דָּא מִישָׁאֵל, וְזֶה יִכְתּוֹב יָדוֹ לַיְיָ' וּבְשֵׁם יִשְׂרָאֵל יְכַנֶּה, דָּא עֲזַרְיָה, בֵּיהּ שַׁעֲתָא כָּנַשׁ קב"ה פַּמַלְיָא דִּילֵיהּ, אָמַר לוֹן, בְּמַאן מִלָּה, מֵאִינּוּן מִלִּין דְּאָמְרוּ אִלֵּין תְּלָתָא, אֲשֵׁזִיב לוֹן. פָּתְחוּ וְאָמְרוּ, וְיֵדְעוּ כִּי אַתָּה שִׁמְךָ יְיָ' לְבַדֶּךָ עֶלְיוֹן עַל כָּל הָאָרֶץ.

יז. בָּהּ שַׁעֲתָא אָמַר קב"ה לְכוּרְסְיָיא, כּוּרְסְיָיא דִּילִי, בְּמַאן מִלָּה מֵאִינּוּן מִלִּין, אֲשֵׁזִיב לְאִינּוּן צַדִּיקַיָּיא. אָמַר לֵיהּ, בְּהַאי מִלָּה דְּכֻלְּהוּ חַיְיכִין בָּהּ, אֲשֵׁזִיב לוֹן לֹא עַתָּה יֵבוֹשׁ יַעֲקֹב וְלֹא עַתָּה פָּנָיו יֶחֱוָרוּ. כְּמָה דְּקָאִים יַעֲקֹב לְגַבֵּי דְּאַבְרָהָם בְּנוּרָא, יְקוּם הַשְׁתָּא לְגַבֵּי אִלֵּין, הה"ד, כֹּה אָמַר יְיָ' אֶל בֵּית יַעֲקֹב אֲשֶׁר פָּדָה אֶת אַבְרָהָם לֹא עַתָּה יֵבוֹשׁ יַעֲקֹב וְגוֹ'. מֵהַאי כְּסוּפָא דְּלֵיצָנוּתָא.

יח. תָּנָא, כֻּלְּהוּ דַּהֲווּ חַיְיכִין מִמִּלָּה דָּא, אִתּוֹקָדוּ בְּהַהוּא נוּרָא, וְקָטַל לוֹן שְׁבִיבָא דְּנוּרָא. מַאן שֵׁזִיב לְאִלֵּין. עַל דַּהֲווּ מְצַלָּן קָמֵי קב"ה וּמְיַיחֲדָן שְׁמֵיהּ כַּדְקָא יָאוֹת, וְעַל דִּמְיַיחֲדָן שְׁמֵיהּ כַּדְקָא יָאוֹת, אִשְׁתְּזִיבוּ מֵהַהוּא נוּרָא יְקִידְתָּא.

יט. תְּרֵי בְּנֵי אַהֲרֹן קְרִיבוּ אֶשָּׁא נוּכְרָאָה, דְּלָא אִתְיַיחֲדוּ שְׁמֵיהּ כַּדְקָא יָאוֹת, וְאִתּוֹקָדוּ בְּנוּרָא. רַבִּי יִצְחָק אָמַר, כְּתִיב, אַחֲרֵי מוֹת. וּכְתִיב וַיָּמוּתוּ. כֵּיוָן דְּאָמַר אַחֲרֵי מוֹת שְׁנֵי בְּנֵי אַהֲרֹן, לָא יָדַעְנָא, דְּהָא וַיָּמוּתוּ. אֶלָּא הָכִי תָּנֵינָן, תְּרֵי מִיתוֹת הֲווֹ, חַד לִפְנֵי יְיָ' וְחַד, דְּלָא הֲוּוּ לְהוּ בְּנִין, דְּכָל מַאן דְּלָא זָכֵי לִבְנִין מִית הוּא. בְּגִין כָּךְ, אַחֲרֵי מוֹת, וַיָּמוּתוּ.

כ. רַבִּי אַבָּא אָמַר, מַאי דִּכְתִּיב, וַיָּמָת נָדָב וַאֲבִיהוּא לִפְנֵי יְיָ' בְּהַקְרִיבָם אֵשׁ זָרָה לִפְנֵי יְיָ' בְּמִדְבַּר סִינַי וּבָנִים לֹא הָיוּ לָהֶם וַיְכַהֵן אֶלְעָזָר וְאִתָמָר. מַאי דָּא לְגַבֵּי דָּא, דִּכְתִּיב, וּבָנִים לֹא הָיוּ לָהֶם, וַיְכַהֵן אֶלְעָזָר וְאִתָמָר. אֶלָּא רָזָא דְּמִלְּתָא. הַאי דְּאָמֵינָא, וַיָּמוּתוּ, דְּלָא הֲווּ לְהוּ בְּנִין. וְהָכִי הוּא וַדַּאי. אֲבָל לָא כִּשְׁאָר בְּנֵי עָלְמָא, אע"ג דְּלָא אַנְסִיבוּ, דְּהָא אִלֵּין לָא מִיתוּ אֶלָּא מִיתַת גַּרְמֵיהוֹן, אֲבָל מִיתַת נַפְשָׁהוֹן לָא מִיתוּ.

כא. מְנָ"ל, דִּכְתִּיב, וְאֶלְעָזָר בֶּן אַהֲרֹן לָקַח לוֹ מִבְּנוֹת פּוּטִיאֵל לוֹ לְאִשָּׁה וַתֵּלֶד לוֹ אֶת פִּנְחָס אֵלֶּה רָאשֵׁי אֲבוֹת הַלְוִיִּם לְמִשְׁפְּחוֹתָם. אֵלֶּה, וְהָא פִּנְחָס בִּלְחוֹדוֹי הֲוָה. וּכְתִיב, רָאשֵׁי אֲבוֹת הַלְוִיִּם, בְּגִ"כ, מִיתַת גַּרְמֵיהוֹן מִיתוּ, מִיתַת נַפְשָׁהוֹן לָא מִיתוּ. א"ר אֶלְעָזָר וַדַּאי מַשְׁמַע אֵלֶּה, וּמַשְׁמַע רָאשֵׁי.

כב. וּבְגִ"כ כְּתִיב, פִּנְחָס בֶּן אֶלְעָזָר בֶּן אַהֲרֹן הַכֹּהֵן וּכְתִיב וּפִנְחָס בֶּן אֶלְעָזָר בֶּן אַהֲרֹן הַכֹּהֵן הָיָה כֹּהֵן בַּיָּמִים הָהֵם, פִּנְחָס בֶּן אֶלְעָזָר הַכֹּהֵן מִבָּעֵי לֵיהּ, אֶלָּא בְּכָל אֲתַר דְּאָתָא פִּנְחָס בֶּן אַהֲרֹן הַכֹּהֵן כְּתִיב, וְאֶלְעָזָר לָא כְּתִיב אֶלָּא אֶלְעָזָר הַכֹּהֵן. דִּכְתִּיב וְלִפְנֵי אֶלְעָזָר הַכֹּהֵן. וַיֹּאמֶר אֶלְעָזָר הַכֹּהֵן וְגוֹ'. וְעַל דָּא מִיתַת גַּרְמֵיהוֹן מִיתוּ, מִיתַת נַפְשָׁהוֹן לָא מִיתוּ.

כג. וְתָנֵינָן בְּרָזָא דְמַתְנִיתִין, תְּרֵי זוּג, פַּן חַס. וְהָא אִתְּמַר, יו"ד זְעֵירָא בֵּינֵי אַתְוָון דְּפִנְחָס. דְּהַאי יו"ד כְּלִיל תְּרֵי כַּחֲדָא, וְדָא הוּא רָזָא דְמִלָּה, וְהָא אִתְּמַר.

כד. ר' אֶלְעָזָר שָׁאִיל לַאֲבוֹי, א"ל, וְהָא תְּרֵי אִינּוּן וּתְרֵי הֲווֹ, אַמַּאי לָא אִשְׁתְּכָחוּ תְּרֵי. א"ל, תְּרֵי פַּלְגֵּי גּוּפָא הֲווֹ, דְּהָא לָא אַנְסִיבוּ, וּבְג"כ, בְּחַד אִתְכְּלִילוּ, דִּכְתִּיב, וַתֵּלֶד לוֹ אֶת פִּנְחָס אֵלֶּה רָאשֵׁי וְגוֹ'.

כה. וְיו"ד דְּפִנְחָס, לָא אִתְיְיהִיב בֵּיהּ לְחַבְרָא אַתְוָון, אֶלָּא בְּשַׁעֲתָא דְּקַנֵּי לְקֻבְּ"ה, וְאָתָא לְיִשְׂרָא עֲקִימָא, דְּחָמָא דְּהַאי אָת בְּרִית קַדִּישָׁא, עָיֵיל זִמְרִי בִּרְשׁוּתָא אָחֳרָא. וּבְמָה דְּאִתְעַקַּם בְּקַדְמֵיתָא, אִתְתַּקַּן הָכָא. בְּנוּכְרָאָה אִתְעַקַּם בְּקַדְמֵיתָא, דִּכְתִּיב, בְּהַקְרִיבָם אֵשׁ זָרָה, הָכָא בְּנוּכְרָאָה, אִתְתַּקַּן, כְּמָה דִּכְתִּיב, וּבָעַל בַּת אֵל נֵכָר. מַה לְּהַלָּן אֵשׁ זָרָה, אַף כָּאן נָמֵי אִשָּׁה זָרָה.

כו. מַאי אִתְחֲזֵי הָכָא. אֶלָּא בְּקַדְמֵיתָא רוּחִיקָא קָרִיבוּ, דִּכְתִּיב, בְּהַקְרִיבָם אֵשׁ זָרָה. אוּף הָכָא זִמְרִי, הֲוָה קָרִיב רוּחִיקָא, שְׁמָא דְמַלְכָּא, הֲוָה קָרִיב גַּבֵּי רוּחִיקָא, מִיַּד, וַיַּרְא פִּנְחָס בֶּן אֶלְעָזָר בֶּן אַהֲרֹן הַכֹּהֵן וַיָּקָם מִתּוֹךְ הָעֵדָה. הָכָא אִתְקִין עֲקִימָא דְּקַדְמֵיתָא, כְּדֵין אִתְיְיהִיב יו"ד בִּשְׁמֵיהּ לְחַבְּרָא אַתְוָון כַּחֲדָא, וְאִתְבַּשַּׂר בִּשְׁלוֹם, דִּכְתִּיב, לָכֵן אֱמוֹר הִנְנִי נוֹתֵן לוֹ אֶת בְּרִיתִי שָׁלוֹם. בְּרִיתִי מַמָּשׁ.

כז. מַאי שָׁלוֹם הָכָא, אֶלָּא בְּהַהוּא כִּתְרָא, וְחָבוּ בְּקַדְמֵיתָא, בְּהַהוּא כִּתְרָא, אִתְּעָרוּ קְטָטוּתָא בְּקַדְמֵיתָא, וְהַשְׁתָּא דְּאִתְתַּקַּן, כְּתִיב הִנְנִי נוֹתֵן לוֹ אֶת בְּרִיתִי שָׁלוֹם. בְּרִיתִי מַמָּשׁ, תְּהֵא עִמֵּיהּ בִּשְׁלוֹם, וּבְגִין כָּךְ, אִתְיְיהִיב יו"ד זְעֵירָא בִּשְׁמֵיהּ, דְּהָא מֵאַתְוָון זְעִירָאן הִיא, לְאַתְחֲזָאָה דְּהָא אִתְתַּקַּן מַה דְּאִתְעַקַּם בְּקַדְמֵיתָא, וְהָא אַשְׁלִימַת עִמֵּיהּ. אָתָא ר' אֶלְעָזָר וְנָשִׁיק יְדוֹי. אָמַר, בְּרִיךְ רַחֲמָנָא דְּשָׁאִילְנָא הַאי מִלָּה, וְלָא אִתְאֲבִיד מִנַּאי.

כח. תָּאנָא א"ר יוֹסֵי, בְּהַאי יוֹמָא דְּכִפּוּרֵי, אִתְתַּקַּן לְמִקְרֵי פָּרְשָׁתָא דָא, לְכַפָּרָא לְיִשְׂרָאֵל בְּגָלוּתָא, בְּגִין דָּא, סִדְרָא דְּיוֹמָא דָא, הָכָא אִתְסְדַּר, וּבְגִין דְּמִיתָתְהוֹן דִּבְנֵי אַהֲרֹן, מְכַפְּרָא עַל יִשְׂרָאֵל.

כט. מִכָּאן אוֹלִיפְנָא, כָּל הַהוּא ב"נ דְּיִסּוּרֵי דְמָארֵיהּ אַתְיָין עֲלֵיהּ, כַּפָּרָה דְּחוֹבוֹי אִינּוּן. וְכָל מַאן דְּמִצְטַעֵר עַל יִסּוּרֵיהוֹן דְּצַדִּיקַיָּא, מַעֲבִירִין חוֹבַיָּיא דִּלְהוֹן מֵעָלְמָא. וְעַ"ד בְּיוֹמָא דָא, קוֹרִין, אַחֲרֵי מוֹת שְׁנֵי בְּנֵי אַהֲרֹן, דְּיִשְׁמְעוּן עַמָּא, וְיִצְטַעֲרוּן עַל אֲבוּדְהוֹן דְּצַדִּיקַיָּא, וְיִתְכַּפַּר לְהוֹן חוֹבַיְיהוּ. וְכָל דְּמִצְטַעַר עַל אֲבוּדְהוֹן דְּצַדִּיקַיָּא, אוֹ אַחֵית דִּמְעִין עֲלַיְיהוּ, קֻבְּ"ה מַכְרִיז עֲלֵיהּ וְאוֹמֵר, וְסָר עֲוֹנֶךָ וְחַטָּאתְךָ תְּכֻפָּר. וְלָא עוֹד, אֶלָּא דְּלָא יְמוּתוּן בְּנוֹי בְּיוֹמוֹי. וַעֲלֵיהּ כְּתִיב, יִרְאֶה זֶרַע יַאֲרִיךְ יָמִים וְגוֹ'.

ל. וַיֹּאמֶר יְיָ' אֶל מֹשֶׁה דַּבֵּר אֶל אַהֲרֹן אָחִיךָ וְאַל יָבֹא בְכָל עֵת אֶל הַקֹּדֶשׁ וְגוֹ' ר"ש פָּתַח וְאָמַר, כָּל הַנְּחָלִים הוֹלְכִים אֶל הַיָּם וְהַיָּם אֵינֶנּוּ מָלֵא וְגוֹ'. אָמַר רַבִּי שִׁמְעוֹן, תַּוְהָנָא עַל בְּנֵי עָלְמָא, דְּהָא לֵית לְהוּ עַיְינִין לְמֶחֱזֵי, וְלִבָּא לְאַשְׁגָּחָא, וְלָא יַדְעִין, וְלָא שַׁוְיָין לִבַּיְיהוּ לְאִסְתַּכְּלָא בִּרְעוּתָא דְמָארֵיהוֹן, הֵיךְ נַיְימִין, וְלָא מִתְעָרֵי מִשֵּׁנְתַיְיהוּ, עַד לָא יֵיתֵי הַהוּא יוֹמָא דְּחוֹפֵי עֲלַיְיהוּ חֲשׁוֹכָא וְקַבְלָא, וְיִתְבַּע הַהוּא מָארֵיהּ דְּפִקְדוֹנָא, חוּשְׁבְּנָא מִנַּיְיהוּ.

לא. וְכָרוֹזָא כָּל יוֹמָא קָארֵי עֲלַיְיהוּ, וְנִשְׁמָתְהוֹן, אַסְהִידַת בְּהוֹן בְּכָל יוֹמָא וְלֵילְיָא, אוֹרַיְיתָא רָאמַת קָלִין לְכָל עִבָר, מַכְרֶזֶת וְאוֹמֶרֶת, עַד מָתַי פְּתָאִים תְּאֵהֲבוּ פֶתִי מִי פֶתִי יָסוּר הֵנָּה חֲסַר לֵב אָמְרָה לוֹ. לְכוּ לַחֲמוּ בְלַחְמִי וּשְׁתוּ בְּיַיִן מָסָכְתִּי. וְלֵית מַאן דְּיַרְכִין אוּדְנֵיהּ, וְלֵית מַאן דְּיִתְעַר לִבֵּיהּ.

לב. ת"ח, זִמְנִין דָּרֵי בַּתְרָאֵי דְּיֵיתוּן, דְּיִתְנְשֵׁי אוֹרַיְיתָא מִבֵּינַיְיהוּ, וְחַכִּימֵי לִבָּא

יִתְכַּנְּשׁוּן לְאַתְרַיְיהוּ, וְלָא יִשְׁתְּכַח מַאן דְּסָגִּיר וּפָתַח. וַוי לְהַהוּא דָּרָא. וּמִכָּאן וּלְהָלְאָה, לָא יְהֵא דָּרָא כְּדָרָא דָּא, עַד דָּרָא דְּיֵיתֵי מַלְכָּא מְשִׁיחָא, וּמַנְדְּעָא יִתְּעַר בְּעָלְמָא, דִּכְתִּיב, כִּי כֻלָּם יֵדְעוּ אוֹתִי לְמִקְּטַנָּם וְעַד גְּדוֹלָם.

לג. ת"ח, כְּתִיב, וְנָהָר יוֹצֵא מֵעֵדֶן. וְתָנֵינָן, מַה שְּׁמֵיהּ דְּהַהוּא נָהָר. אוֹקִימְנָא יוּבַל שְׁמֵיהּ, דִּכְתִּיב, וְעַל יוּבַל יְשַׁלַּח שָׁרָשָׁיו. וּבְסִפְרָא דְּרַב הַמְנוּנָא סָבָא, חַיִּים שְׁמֵיהּ, דְּמִתַּמָּן נָפְקִין חַיִּים לְעָלְמָא, וְאִינּוּן אִקְרוּן חַיֵּי מַלְכָּא. וְהָא אוֹקִימְנָא, הַהוּא אִילָנָא רַבָּא וְתַקִּיפָא, דְּמָזוֹן לְכֹלָּא בֵּיהּ. אִקְרֵי עֵץ חַיִּים. אִילָנָא דְּנָטַע שָׁרְשׁוֹי בְּאִינּוּן חַיִּים, וְכֹלָּא הוּא שַׁפִּיר.

לד. וְתָאנָא, הַהוּא נָהָר אַפִּיק נַחֲלִין עֲמִיקִין, בְּמִשְׁחָן רְבוּת, לְאַשְׁקָאָה גִּנְּתָא, וּלְרַוָּואָה אִילָנִין וּנְטִיעִין, דִּכְתִּיב יִשְׂבְּעוּ עֲצֵי יְיָ' אַרְזֵי לְבָנוֹן אֲשֶׁר נָטָע, וְאִינּוּן נַחֲלִין, נַגְּדִּין וְאִתְמַשְׁכָן וּמִתְכַּנְּשִׁין בִּתְרֵין סַמְכִין וְאִינּוּן בִּרְיָיתֵי קָרֵינָן לְהוּ, יָכִי"ן וּבוֹעַ"ז, וְשַׁפִּיר. וּמִתַּמָּן נָפְקִין כָּל אִינּוּן נַחֲלִין, וְשַׁרְיָין לוֹן בְּחַד דַּרְגָּא דְּאִקְרֵי צַדִּיק, דִּכְתִּיב, וְצַדִּיק יְסוֹד עוֹלָם. וְכֻלְּהוּ אַזְלִין וּמִתְכַּנְּשִׁין לְהַהוּא אֲתַר דְּאִקְרֵי יָם, וְהוּא יַמָּא דְּחָכְמְתָא, הה"ד, כָּל הַנְּחָלִים הוֹלְכִים אֶל הַיָּם וְגוֹ'.

לה. וְאִי תֵּימָא, דְּהָא מָטוּ לַאֲתַר דָּא, וּפָסְקִין, וְלָא תַּיְיבִין, לְבָתַר כְּתִיב, אֶל מְקוֹם שֶׁהַנְּחָלִים הוֹלְכִים שָׁם הֵם שָׁבִים לָלֶכֶת, בְּגִין דְּהַהוּא נַהֲרָא לָא פָּסִיק לְעָלְמִין. הֵם שָׁבִים, לְאָן אֲתַר שָׁבִים, לְאִינּוּן תְּרֵין קַיָּימִין, נֶצַח וְהוֹד. לָלֶכֶת, בְּהַאי צַדִּיק, לְאַשְׁכְּחָא בִּרְכָאָן וְחִידוּ. וְהַיְינוּ רָזָא דְּתָנֵינָן, לִוְיָתָן זֶה יָצַרְתָּ לְשַׂחֶק בּוֹ, דָּא צַדִּיק.

לו. כֻּלָּם אֵלֶיךָ יְשַׂבֵּרוּן לָתֵת אָכְלָם בְּעִתּוֹ. מַאן עִתּוֹ. דָּא מַטְרוֹנִיתָא, דְּאִקְרֵי עִתּוֹ דְּצַדִּיק, וּבְגִ"כ כֻּלְּהוּ מְחַכָּאן לְהַאי עִתּוֹ, כֻּלְּהוּ דְּאִתְּזָנָן לְתַתָּא, מֵאֲתַר דָּא אִתְּזָנָן, וְרָזָא דָּא אוֹקִימְנָא, עֵינֵי כֹל אֵלֶיךָ יְשַׂבֵּרוּ וְגוֹ' כְּמָה דְּאוֹקִימְנָא.

לז. ת"ח, בְּשַׁעֲתָא דְּהַאי כֹּל, מְבַסֵּם לְעִתּוֹ, וּמִתְחַבְּרָא עִמֵּיהּ, כֻּלְּהוּ עָלְמִין בְּחֶדְוָה, כֻּלְּהוּ עָלְמִין בְּבִרְכָאן, כְּדֵין שְׁלָמָא אִשְׁתְּכַח בְּעִלָּאֵי וְתַתָּאֵי. וְכַד גַּרְמִין חַיָּיבֵי עָלְמָא, דְּתַמָּן לָא אִשְׁתְּכָחוּ בִּרְכָאן דְּאִינּוּן נַחֲלֵי, וְיַנְקָא, הַאי עֵת, מִסִּטְרָא אָחֳרָא, כְּדֵין דִּינִין מִתְעָרִין בְּעָלְמָא, וּשְׁלָמָא לָא אִשְׁתְּכַח. וְכַד בָּעָאן בְּנֵי עָלְמָא לְאִתְבָּרְכָא, לָא יַכְלִין אֶלָּא עַל יְדָא דְּכַהֲנָא, בְּגִין דְּיִתְּעַר כִּתְרָא דִּילֵיהּ, וְיִתְבָּרַךְ מַטְרוֹנִיתָא, וְיִשְׁתַּכְּחוּ בִּרְכָאן בְּכֻלְּהוּ עָלְמִין.

לח. תָּאנָא, בְּהַהִיא שַׁעֲתָא, בָּעָא מֹשֶׁה קָמֵי קב"ה, מִלָּה דָּא, אָמַר לֵיהּ, אִי בְּנֵי עָלְמָא יְתוּבוּן קַמָּךְ, עַל יְדֵי דְּמַאן מִתְבָּרְכָאן. א"ל קוּדְשָׁא ב"ה, וְלִי אַתְּ אוֹמֵר, דַּבֵּר אֶל אַהֲרֹן אָחִיךָ, דְּהָא בִּידֵיהּ מְסִירָאן בִּרְכָאן לְעֵילָּא וְתַתָּא.

לט. וַיֹּאמֶר יְיָ' אֶל מֹשֶׁה דַּבֵּר אֶל אַהֲרֹן אָחִיךָ וְאַל יָבֹא בְכָל עֵת אֶל הַקֹּדֶשׁ וְגוֹ'. אָמַר רִבִּי אַבָּא, זִמְנִין אִית קָמֵי קב"ה, לְאַשְׁתַּכְּחָא רַעֲוָן, וּלְאַשְׁתַּכְּחָא בִּרְכָאן, וּלְמִתְבַּע בָּעוּתֵי, וְזִמְנִין, דְּרַעֲוָן לָא אִשְׁתְּכָחוּ, וּבִרְכָאן לָא מִזְדַּמְּנָן, וְדִינִין קַשְׁיָין מִתְעָרִין בְּעָלְמָא. וְזִמְנִין דְּדִינָא תָּלֵי. תָּא חֲזֵי, זִמְנִין אִית בְּשַׁתָּא, דְּרַעֲוָא אִשְׁתְּכַח. וְזִמְנִין אִית בְּשַׁתָּא, דְּדִינָא אִשְׁתְּכַח. וְזִמְנִין אִית בְּשַׁתָּא, דְּדִינָא אִשְׁתְּכַח וְתַלְיָא. זִמְנִין אִית בְּיַרְחֵי, דְּרַעֲוָא אִשְׁתְּכַח בְּהוּ. וְזִמְנִין אִית בְּיַרְחֵי, דְּדִינִין אִשְׁתְּכָחוּ, וְתַלְיָין עַל כֹּלָּא.

מ. זִמְנִין אִית בְּשָׁבוּעֵי, דְּרַעֲוָן מִשְׁתַּכְּחָן, וְזִמְנִין אִית בְּשָׁבוּעֵי, דְּדִינִין מִשְׁתַּכְּחָן בְּעָלְמָא. וְזִמְנִין אִית בְּיוֹמֵי, דְּרַעֲוָא אִשְׁתְּכַח בְּעָלְמָא וְעָלְמָא אִתְבַּסְּמָא. וְזִמְנִין אִית בְּיוֹמֵי דְּדִינִין תַּלְיָין וּמִשְׁתַּכְּחָן, וַאֲפִילּוּ בְּשַׁעְתֵּי. וְעַל דָּא כְּתִיב, וְעֵת לְכָל חֵפֶץ וְגוֹ'.

וכתיב, וַאֲנִי תְפִלָּתִי לְךָ וְגוֹ'. וּכְתִיב, דִּרְשׁוּ יְיָ' בְּהִמָּצְאוֹ. וּכְתִיב, לָמָּה יְיָ' תַּעֲמוֹד בְּרָחוֹק תַּעְלִים לְעִתּוֹת בַּצָּרָה. וּכְתִיב, מֵרָחוֹק יְיָ' נִרְאָה לִי. וְזִמְנִין דְּאִיהוּ קָרוֹב, דִּכְתִיב, קָרוֹב יְיָ' לְכָל קוֹרְאָיו. בְּגִ"כ, וְאַל יָבֹא בְּכָל עֵת אֶל הַקֹּדֶשׁ וְגוֹ'.

מא. רַבִּי שִׁמְעוֹן אָמַר, הָא אוֹקִימְנָא. מִלָּה בְּעִתּוֹ, וְהָכִי הוּא וַדַּאי, וְהָכָא אָתָא קְבָ"ה לְאַזְהָרָא לְאַהֲרֹן, דְּלָא יִטְעֵי בְּהַהוּא חוֹבָא, דְּטָעוּ בְּנוֹי, דְּהָא הַאי עֵת יְדִיעָא, בְּגִ"כ לָא יִטְעֵי לְחַבְּרָא עֵת אָחֳרָא, לְגַבֵּי מַלְכָּא. הה"ד, וְאַל יָבֹא בְּכָל עֵת אֶל הַקֹּדֶשׁ. כְּלוֹמַר, אַף עַל גַּב דְּיוֹמֵי עִידָּן, דְּאִתְמְסַר בִּידָא אָחֳרָא, לְאַתְנְהָגָא עָלְמָא, וְיִתְמְסַר בִּידוֹי לְיַיחֵד בֵּיהּ לְקָרְבָא לֵיהּ לְקוּדְשָׁא, דְּהָא אֲנָא וּשְׁמִי חַד הוּא. וּבְגִין כָּךְ, וְאַל יָבֹא בְּכָל עֵת אֶל הַקֹּדֶשׁ. וְאִי בָּעֵי לְמִנְדַּע בְּמָה יֵיעוֹל. בְּזֹאת. בְּזֹאת יָבֹא אַהֲרֹן אֶל הַקֹּדֶשׁ. דְּהַאי זֹאת, הִיא עֵת דְּאִתְאֲחִידַת בִּשְׁמִי, בְּהַאי י', דִּרְשִׁימָא בִּשְׁמִי, יֵיעוֹל אֶל הַקֹּדֶשׁ. וְאַל יָבֹא בְּכָל עֵת.

מב. תָּאנָא אָמַר ר' יוֹסֵי כְּתִיב אֶת הַכֹּל עָשָׂה יָפֶה בְעִתּוֹ הַאי מִלָּה אוֹקְמוּהָ בּוּצִינָא קַדִּישָׁא וְהָכִי הוּא דְּתָנֵינָא אֶת הַכֹּל עָשָׂה יָפֶה בְעִתּוֹ וְהָכִי הוּא וַדַּאי. אֶת הַכֹּל וַדַּאי. עָשָׂה יָפֶה בְעִתּוֹ, דָּא בְּדָא, וְלָא יִתְעָרְבוּן אָחֳרָנִין בֵּינַיְיהוּ. בְּעִתּוֹ מַמָּשׁ, וְלָא בְּאָחֳרָא. בְּגִין כָּךְ, אַזְהָרוּתָא לְאַהֲרֹן, וְאַל יָבֹא בְּכָל עֵת אֶל הַקֹּדֶשׁ. אֲבָל בְּמָה יֵיעוֹל. בְּזֹאת, כְּמָה דְּאוֹקִימְנָא, דִּכְתִיב בְּזֹאת יָבֹא אַהֲרֹן אֶל הַקֹּדֶשׁ.

מג. רַבִּי אֶלְעָזָר הֲוָה יָתִיב קַמֵּי אֲבוֹהָ, אָמַר לֵיהּ, כְּתִיב בִּכְנִישְׁתָּא דְּקֹרַח, וַיֹּאבְדוּ מִתּוֹךְ הַקָּהָל, מַאי וַיֹּאבְדוּ. אֶלָּא כְּמָה דִּכְתִיב, וְהַאֲבַדְתִּי אֶת הַנֶּפֶשׁ הַהִיא מִקֶּרֶב עַמָּהּ. א"ר שִׁמְעוֹן, שָׁאנֵי אִינּוּן בְּנֵי אַהֲרֹן, דְּלָא כְּתִיב בְּהוּ אֲבֵדָה, כְּאִינּוּן דִּכְנִישְׁתָּא דְּקֹרַח, דִּכְתִיב בְּהוּ, וַיֹּאבְדוּ מִתּוֹךְ הַקָּהָל. וּכְתִיב, הֵן גָּוַעְנוּ אָבַדְנוּ כֻּלָּנוּ אָבָדְנוּ. לְאַכְלְלָא אִינּוּן דְּאַקְרִיבוּ קְטֹרֶת בּוּסְמִין, מָאתָן וְחַמְשִׁין, דְּאִתְאֲבִידוּ וַדַּאי, וְאִלֵּין לָא אִתְאֲבִידוּ.

מד. א"ל כְּתִיב, וְאַל יָבֹא בְּכָל עֵת אֶל הַקֹּדֶשׁ. וּכְתִיב, בְּזֹאת יָבֹא אַהֲרֹן אֶל הַקֹּדֶשׁ. כֵּיוָן דְּאָמַר, וְאַל יָבֹא בְּכָל עֵת, אֲמַאי לָא כְּתִיב, בְּמָה זִמְנָא יֵיעוֹל. א"ל אֶלְעָזָר, הָא אִתְּמַר, וּמִלָּה חַד הוּא, וְזִמְנָא חַד הוּא הֲווּ יָדְעֵי כַּהֲנֵי. אֲבָל עַל מַה דְּחָאבוּ בְּנוֹי, בָּעָא לְאַזְהָרָא הָכָא, וְהָא אִתְּמַר. א"ל, וַאֲנָא הָכִי סְבִירְנָא, וּבְגִין לְאִתְיַישְּׁבָא מִלָּה בְּעֵינָא.

מה. א"ל, אֶלְעָזָר בְּרִי ת"ח, כָּל קָרְבְּנִין וְכָל עִלָּוִון, נַיְיחָא הוּא דִּקְבָ"ה, אֲבָל לָא הֲוָה נַיְיחָא, כְּמָה דְּהַאי קְטֹרֶת, דִּקְטֹרֶת מְעַלְיָא מִכֹּלָּא. וּבְגִ"כ, הֲווּ מְעַלִּין לֵיהּ לְגוֹ בְּגוֹ, בִּלְחִישׁוּ. וְהָא אִתְּמַר. וּבְגִ"כ, לָא אִתְעֲנָשׁוּ כָּל בְּנֵי נָשָׁא בִּשְׁאָר קָרְבְּנִין וְעִלָּוִון כְּמוֹ בִּקְטֹרֶת, דְּכָל פּוּלְחָנָא דִּקְבָ"ה, הָכָא אִתְקְטַר וְאִתְקְשַׁר יַתִּיר מִכֹּלָּא. וְעַ"ד אִקְרֵי קְטֹרֶת. וְהָא אִתְּמַר, שֶׁמֶן וּקְטֹרֶת יְשַׂמַּח לֵב.

מו. פָּתַח ר' שִׁמְעוֹן וְדָרַשׁ, לְרֵיחַ שְׁמָנֶיךָ טוֹבִים וְגוֹ'. הַאי קְרָא אִסְתַּכַּלְנָא בֵּיהּ, וְהָכִי הוּא. לְרֵיחַ, מַאי רֵיחַ. רֵיחַ דִּקְטֹרֶת דְּאִיהוּ דַּקִּיקָא וּמְעַלְיָא וּפְנִימָאָה מִכֹּלָּא, וְכַד סָלִיק הַהוּא רֵיחַ לְאִתְקַשְּׁרָא, בְּהַהוּא מִשְׁחָה רְבוּת דְּנַחֲלֵי מַבּוּעָא, אִתְּעָרוּ דָּא בְּדָא וְאִתְקַטְּרוּ כַּחֲדָא. וּכְדֵין אִינּוּן מִשְׁחָן טָבָאן לְאַנְהָרָא. כד"א, לְרֵיחַ שְׁמָנֶיךָ טוֹבִים.

מז. וּכְדֵין אִתְרַק מִשְׁחָא מִדַּרְגָּא לְדַרְגָּא, בְּאִינּוּן דַּרְגִּין דְּאִקְרוּן שְׁמָא קַדִּישָׁא, הה"ד, שֶׁמֶן תּוּרַק שְׁמֶךָ עַל כֵּן עֲלָמוֹת אֲהֵבוּךָ. מַאי עֲלָמוֹת. כְּמָה דְּאוֹקִימְנָא עוֹלָמוֹת, עוֹלָמוֹת מַמָּשׁ, ד"א עַל כֵּן עֲלָמוֹת אֲהֵבוּךָ. כד"א, עַל עֲלָמוֹת שִׁיר. וְכֹלָּא חַד.

מח. וּבְסִפְרָא דְּרַב הַמְנוּנָא סָבָא כְּתִיב, מַאי עוֹלָמוֹת. כְּמָה דְּאַתְּ אָמֵר, וַתִּתֵּן טֶרֶף לְבֵיתָהּ וְחֹק לְנַעֲרוֹתֶיהָ. נַעֲרוֹתֶיהָ הָנֵי עֲלָמוֹת, אֲהֵבוּךָ, לְבָרְכָא שְׁמָךְ, וּלְזַמְּרָא קַמָּךְ, וּמִתַּמָּן אִשְׁתַּכְּחָן בִּרְכָאן בְּכֻלְּהוּ תַּתָּאֵי, וּמִתְבָּרְכִין עִלָּאִין וְתַתָּאִין.

מט. ד״א ע״כ עֲלָמוֹת אֲהֵבוּךָ. שַׁפִּיר הוּא מַאן דְּאָמַר. עַל מָוֶת אֲהֵבוּךָ, דְּהָא בְּמִלָּה דָּא מָארֵיהוֹן דְּדִינִין אִתְבַּסְמָן, וּבְגִין דְּהַאי קְטֹרֶת, אִתְקְטַר בִּמְשִׁיחָא דִּלְעֵילָּא יַתִּיר, אִתְחֲשַׁב קָמֵיהּ דְּקֻבָּ״ה, מִכָּל קָרְבְּנִין וְעִלָּוָון. אָמְרָה כ״י, אֲנָא כִּקְטֹרֶת, וְאַנְתְּ כִּמְשִׁיחָא, מָשְׁכֵנִי אַחֲרֶיךָ נָּרוּצָה וְגוֹ׳. נָרוּצָה: כד״א, עַל כֵּן עֲלָמוֹת אֲהֵבוּךָ. אֲנָא וְכָל אוּכְלוּסִין, דְּהָא כֻּלְּהוּ בִּי אֲחִידָן, וְעַל דָּא מָשְׁכֵנִי, דְּהָא בִּי תַּלְיָין.

נ. הֱבִיאַנִי הַמֶּלֶךְ חֲדָרָיו. אִם יֵיעוֹל לִי מַלְכָּא בְּאִדְרוֹי, נָגִילָה וְנִשְׂמְחָה בָּךְ, אֲנָא וְכֻלְּהוּ אוּכְלוּסִין. תָּאנָא. כֻּלְּהוּ אוּכְלוּסִין, בְּשַׁעֲתָא דִּכְנֶסֶת יִשְׂרָאֵל חַדָּאת וּמִתְבָּרְכָא, כֻּלְּהוּ חַדָּאן, וְדִינָא לָא שַׁרְיָא כְּדֵין בְּעָלְמָא. וְעַל דָּא כְּתִיב, יִשְׂמְחוּ הַשָּׁמַיִם וְתָגֵל הָאָרֶץ.

נא. כִּי בֶּעָנָן אֵרָאֶה עַל הַכַּפֹּרֶת. א״ר יְהוּדָה, זַכָּאִין אִינּוּן צַדִּיקַיָּא, דְּקֻבָּ״ה בָּעֵי בִּיקָרֵיהוֹן. וְתַנְיָא, מֶלֶךְ בָּשָׂר וָדָם, אִי ב״נ רָכִיב עַל סוּסְיָא דִּילֵיהּ, בַּר קְטָלָא הוּא, קֻבָּ״ה אַרְכִּיב אֵלִיָּהוּ עַל דִּילֵיהּ, דִּכְתִיב, וַיַּעַל אֵלִיָּהוּ בַּסְּעָרָה הַשָּׁמָיִם וְגוֹ׳. הָכָא מַאי כְּתִיב, וְלֹא יָמוּת כִּי בֶּעָנָן אֵרָאֶה עַל הַכַּפֹּרֶת. וְקֻבָּ״ה עַיְילֵיהּ לְמֹשֶׁה בֵּיהּ, הה״ד, וַיָּבֹא מֹשֶׁה בְּתוֹךְ הֶעָנָן, בְּתוֹךְ הֶעָנָן מַמָּשׁ, כִּי בֶּעָנָן אֵרָאֶה עַל הַכַּפֹּרֶת. הה״ד, וּבָרָא יְיָ׳ עַל כָּל מְכוֹן הַר צִיּוֹן וְעַל מִקְרָאֶיהָ עָנָן יוֹמָם וְעָשָׁן. וּכְתִיב, כִּי עֲנַן יְיָ׳ עַל הַמִּשְׁכָּן יוֹמָם.

נב. וְתָאנָא, הַאי דִּכְתִיב, וַיֵּרֶד יְיָ׳ בֶּעָנָן. בֶּעָנָן אֵרָאֶה עַל הַכַּפֹּרֶת. תָּאנָא, אֲתַר דַּהֲווּ שָׁרָאן אִינּוּן כְּרוּבֵי, כְּמָה דְּאוֹקִימְנָא, כְּרוּבִים עַל אַת הֲווּ יַתְבִין. וְתָאנָא, ג׳ זִמְנִין בְּיוֹמָא אִתְרְחִישׁ נִיסָא, בְּגַדְפַּיְיהוּ. בְּשַׁעֲתָא דְּאִתְגַּלֵּי עֲלַיְיהוּ קְדוּשָׁה דְּמַלְכָּא, אִינּוּן מִגַּרְמַיְיהוּ סַלְקִין גַּדְפַּיְיהוּ, וּפַרְסִין לוֹן, וְחַפְיָין עַל כַּפּוֹרְתָּא. לְבָתַר קַמִּיטִין גַּדְפַּיְיהוּ, וְנָאֳחֲזִין בְּגוּפַיְיהוּ כד״א וְהָיוּ הַכְּרוּבִים פּוֹרְשֵׂי כְנָפַיִם לְמַעְלָה, פּוֹרְשֵׂי וְלָא פְּרוּשֵׂי. סוֹכְכִים וְלָא סְכוּכִים. דָּא בְּאָת הֲווּ קַיְימֵי וְחַדָּאן בִּשְׁכִינְתָּא.

נג. א״ר אַבָּא, מַה בָּעָא הָכָא, כִּי בֶּעָנָן אֵרָאֶה עַל הַכַּפֹּרֶת. וּכְתִיב בְּזֹאת יָבֹא אַהֲרֹן, וְהָא כַּהֲנָא לָא חָזֵי לִשְׁכִינְתָּא בְּשַׁעֲתָא כַּד הֲוָה עָאל. אֶלָּא עֲנָנָא הֲוָה נָחִית, וְכַד הֲוָה נָחִית מָטָא עַל הַאי כַּפֹּרֶת, וּמִתְעָרִין גַּדְפַּיְיהוּ דִּכְרוּבִין, וְאַקְשֵׁי לְהוּ וְאַמְרֵי שִׁירָתָא.

נד. וּמַה שִּׁירָתָא אַמְרֵי כִּי גָּדוֹל יְיָ׳ וּמְהֻלָּל מְאֹד נוֹרָא הוּא עַל כָּל אֱלֹהִים. הַאי כַּד סַלְקֵי גַּדְפַּיְיהוּ. בְּשַׁעֲתָא דְּפַרְסִין לְהוּ אַמְרֵי, כִּי כָּל אֱלֹהֵי הָעַמִּים אֱלִילִים וַיְיָ׳ שָׁמַיִם עָשָׂה. כַּד חַפְיָין עַל כַּפּוֹרְתָּא, אַמְרֵי, לִפְנֵי יְיָ׳ כִּי בָא לִשְׁפּוֹט הָאָרֶץ יִשְׁפּוֹט תֵּבֵל בְּצֶדֶק וְעַמִּים בְּמֵישָׁרִים.

נה. וְקָלְהוֹן הֲוָה שָׁמַע כַּהֲנָא בְּמַקְדְּשָׁא, כְּדֵין שַׁוֵּי קְטֹרֶת בְּאַתְרֵיהּ, וְאִתְכַּוָּון בְּמָה דְּאִתְכַּוָּון, בְּגִין דְּיִתְבָּרַךְ כֹּלָּא. וְגַדְפֵּי כְּרוּבַיָּיא, סַלְקִין וְנַחְתִּין, וְזַמְרֵי שִׁירָתָא, מְחַפְיָין לְכַפּוֹרְתָּא וְסַלְקֵי לְהוּ. הה״ד סוֹכְכִים סוֹכְכִים. דַּיְיקָא וּמנ״ל דְּקָלֵהוֹן אִשְׁתְּמַע, כד״א וָאֶשְׁמַע אֶת קוֹל וְגוֹ׳.

נו. א״ר יוֹסֵי, וְעַמִּים בְּמֵישָׁרִים. מַהוּ בְּמֵישָׁרִים. כד״א, מֵישָׁרִים אֲהֵבוּךָ, לְאַכְלְלָא תְּרֵין כְּרוּבִין, דְּכַר וְנוּקְבָא, מֵישָׁרִים וַדַּאי. וְעַל דָּא, וְעַמִּים בְּמֵישָׁרִים.

נז. וּכְתִיב, וַיִּשְׁמַע אֶת הַקּוֹל מִדַּבֵּר אֵלָיו מִבֵּין שְׁנֵי הַכְּרוּבִים וַיְדַבֵּר אֵלָיו. ר׳ יִצְחָק אָמַר, מִכָּאן אוֹלִיפְנָא דְּבְכָל אֲתַר דְּלָא אִשְׁתַּכַּח דְּכַר וְנוּקְבָא, לָאו כְּדַאי לְמֶחֱזֵי אַפֵּי שְׁכִינְתָּא. הה״ד, יֵשְׁבוּ יְשָׁרִים אֶת פָּנֶיךָ, וְתָנֵינָן, כְּתִיב, צַדִּיק וְיָשָׁר הוּא, דְּכַר וְנוּקְבָא,

אוּף הָכָא כְּרוּבִים דְּכַר וְנוּקְבָּא. וְעָלַיְיהוּ כְּתִיב, אַתָּה כּוֹנַנְתָּ מֵישָׁרִים. וְעַמִּים בְּמֵישָׁרִים. וּבְגִינֵי כָּךְ, וּפְנֵיהֶם אִישׁ אֶל אָחִיו, וְהָא אוֹקִימְנָא.

נח. תַּנְיָא א"ר יוֹסֵי, זִמְנָא חֲדָא, הֲוָה צְרִיכָא עָלְמָא לְמִטְרָא, אָתוּ לְקַמֵּיהּ דר"ש, ר' יֵיסָא וְרִבִּי חִזְקִיָּה וּשְׁאָר חַבְרַיָּיא. אַשְׁכְּחוּהוּ דַּהֲוָה אָזִיל לְמֶחֱמֵי, לר' פִּנְחָס בֶּן יָאִיר, הוּא ור"א בְּרֵיהּ. כֵּיוָן דְּחָמָא לוֹן, פָּתַח וְאָמַר, שִׁיר הַמַּעֲלוֹת הִנֵּה מַה טּוֹב וּמַה נָּעִים שֶׁבֶת אַחִים גַּם יָחַד. מַאי שֶׁבֶת אַחִים גַּם יָחַד.

נט. כד"א, וּפְנֵיהֶם אִישׁ אֶל אָחִיו, בְּשַׁעֲתָא דַּהֲווּ חַד בְּחַד מַשְׁגִּיחִין אַנְפִּין בְּאַנְפִּין, כְּתִיב, מַה טּוֹב וּמַה נָּעִים. וְכַד מְהַדַּר דְּכוּרָא אַנְפּוֹי מִן נוּקְבָּא, ווי לְעָלְמָא. כְּדֵין כְּתִיב, וְיֵשׁ נִסְפֶּה בְּלֹא מִשְׁפָּט. בְּלָא מִשְׁפָּט וַדַּאי, וּכְתִיב, צֶדֶק וּמִשְׁפָּט מְכוֹן כִּסְאֶךָ, דְּלָא אָזִיל דָּא בְּלָא דָּא, וְכַד מִשְׁפָּט, מִתְרַחֵק מִצֶּדֶק, ווי לְעָלְמָא.

ס. וְהַשְׁתָּא חֲמֵינָא, דְּאַתּוּן אֲתֵיתוּן, עַל דִּדְכוּרָא לָא שַׁרְיָא בְּנוּקְבָּא, אָמַר, אִי לְדָא אֲתֵיתוּן גַּבָּאי תִּיבוּ. דְּהַאי יוֹמָא אִסְתַּכַּלְנָא, דְּיִתְהַדַּר כֹּלָּא לְמִשְׁרֵי אַנְפִּין בְּאַנְפִּין. וְאִי לְאוֹרַיְיתָא אֲתֵיתוּן, שְׁרוּ גַּבָּאי. אָמְרוּ לֵיהּ, לְכֹלָּא, קָא אֲתֵינָא לְגַבֵּי דְּמָר, יִשְׁתַּמִּיט וְחַד מִינָן, לְבַשְּׂרָא לַאֲחוּנָא, שְׁאָר חַבְרַיָּיא, וַאֲנָן נֵתִיב לְקַמֵּיהּ דְּמָר.

סא. עַד דַּהֲווּ אָזְלֵי, פָּתַח וְאָמַר, שְׁחוֹרָה אֲנִי וְנָאוָה בְּנוֹת יְרוּשָׁלַיִם וְגוֹ'. אָמְרָה כְּנֶסֶת יִשְׂרָאֵל קָמֵי קב"ה, שְׁחוֹרָה אֲנִי בְּגָלוּתָא, וְנָאוָה אֲנִי בְּפִקּוּדֵי אוֹרַיְיתָא, דְּאע"ג דְּיִשְׂרָאֵל בְּגָלוּתָא לָא שַׁבְקֵי לוֹן. כְּאָהֳלֵי קֵדָר, דְּאִינּוּן בְּנֵי קְטוּרָה, דְּאִתְקַדְּרוּ אַנְפַּיְיהוּ תְּדִירָא, וְעִם כָּל דָּא כִּירִיעוֹת שְׁלֹמֹה, כְּהַהוּא זִיוָא שְׁמַיָּא לְמִדְכֵּי, דִּכְתִיב, נוֹטֶה שָׁמַיִם כַּיְרִיעָה.

סב. אַל תִּרְאוּנִי שֶׁאֲנִי שְׁחַרְחֹרֶת. מ"ט אַל תִּרְאוּנִי, בְּגִין שֶׁאֲנִי שְׁחַרְחֹרֶת. שֶׁשְּׁזָפַתְנִי הַשָּׁמֶשׁ, דְּלָא אִסְתַּכַּל בִּי שִׁמְשָׁא, לְאַנְהָרָא לִי כִּדְקָא יָאוּת. יִשְׂרָאֵל מַה אִינּוּן אָמְרִין. בְּנֵי אִמִּי נִחֲרוּ בִי. מַאן אִינּוּן בְּנֵי אִמִּי, אִלֵּין רַבְרְבִין מְמַנָּן תְּרִיסִין עַל שְׁאָר עַמִּין.

סג. ד"א, בְּנֵי אִמִּי מַמָּשׁ. כד"א, הִשְׁלִיךְ מִשָּׁמַיִם אֶרֶץ וְגוֹ'. וְכַד הִשְׁלִיךְ מִשָּׁמַיִם אֶרֶץ, שָׂמֻנִי נֹטֵרָה אֶת הַכְּרָמִים. מ"ט. כַּרְמִי שֶׁלִּי לֹא נָטָרְתִּי. וְתָנֵינָן, בְּנֵי אִמִּי וַדַּאי אִסְתַּכְּבוּ עָלַי, כְּלוֹמַר, כַּד אִתְעֲדֵי אֶרֶץ, מִשָּׁמַיִם, כְּמָה דְּאוֹקִימְנָא, דִּכְתִיב, וַתֵּתַצַּב אֲחוֹתוֹ מֵרָחוֹק.

סד. וְהָכָא אִתְּמַר וַדַּאי, הִנֵּה מַה טּוֹב וּמַה נָּעִים שֶׁבֶת אַחִים גַּם יָחַד. וּבְהוּ אוֹקִימְנָא, גַּם יָחַד. כד"א וְאַף גַּם זֹאת בִּהְיוֹתָם, שֶׁבֶת אַחִים בִּכְלָל, כֵּיוָן דִּכְתִיב, גַּם, לְאַכְלְלָא כָּל אִינּוּן דִּלְעֵילָא, דְּכָל שׁוּלְטָנוּתָא בְּהַהוּא אֲתַר אִשְׁתַּכַּח.

סה. ד"א. הִנֵּה מַה טּוֹב וּמַה נָּעִים וְגוֹ'. אִלֵּין אִינּוּן חַבְרַיָּיא, בְּשַׁעֲתָא דְּאִינּוּן יַתְבִין כַּחֲדָא, וְלָא מִתְפָּרְשָׁן דָּא מִן דָּא. בְּקַדְמֵיתָא אִתְחָזוּן גּוּבְרֵי מְגִיחֵי קְרָבָא, דְּבָעוּ לְקַטְלָא דָּא לְדָא. לְבָתַר, אִתְהַדְּרוּ בִּרְחִימוּתָא דְּאַחֲוָה. קב"ה מַהוּ אוֹמֵר, הִנֵּה מַה טּוֹב וּמַה נָּעִים שֶׁבֶת אַחִים גַּם יָחַד. גַּם, לְאַכְלְלָא עִמְּהוֹן שְׁכִינְתָּא. וְלֹא עוֹד, אֶלָּא קב"ה אָצִית לְמִלּוּלַיְיהוּ, וְנַיְיחָא לֵיהּ וְחָדֵי בְּהוּ. הה"ד אָז נִדְבְּרוּ יִרְאֵי יְיָ' אִישׁ אֶל רֵעֵהוּ וַיַּקְשֵׁב יְיָ' וַיִּשְׁמָע וַיִּכָּתֵב סֵפֶר זִכָּרוֹן לְפָנָיו וְגוֹ'.

סו. וְאַתּוּן חַבְרַיָּיא דְּהָכָא, כְּמָה דַּהֲוֵיתוּן בַּחֲבִיבוּתָא בִּרְחִימוּתָא, מִקַּדְמַת דְּנָא, הָכִי נָמֵי, מִכָּאן וּלְהָלְאָה לָא תִתְפָּרְשׁוּן דָּא מִן דָּא, עַד דְּקב"ה יֶחֱדֵי עִמְּכוֹן, וְיִקְרֵי עֲלַיְיכוּ שְׁלָם. וְיִשְׁתַּכַּח בְּגִינַיְיכוּ שְׁלָמָא בְּעָלְמָא. הה"ד לְמַעַן אַחַי וְרֵעָי אֲדַבְּרָה נָּא שָׁלוֹם בָּךְ.

סז. אָזְלוּ. עַד דַּהֲווּ אָזְלֵי, מָטוּ לְבֵי רִבִּי פִּנְחָס בֶּן יָאִיר. נָפַק רִבִּי פִּנְחָס, וְנַשְׁקֵיהּ.

אמר, זכינא לנשקא שכינתא. זכאה חולקי אתקין להו טיקלי דערסי, קפטורי דקילטא. אמר רבי שמעון, אורייתא לא בעי הכי, אעבר להון, ויתיבו. א"ר פנחס, עד לא ניכול, נשמע מפומיה דאורייתא מלה. דהא ר"ש כל מלוי באתגלייא אינון, איהו גברא דלא דחיל מעילא ומתתא, למימר לון, לא דחיל מעילא, דהא קב"ה אסתכם ביה, לא דחיל מתתא, כאריה דלא דחיל מבני ענא. אמר רבי שמעון לרבי אלעזר בריה, אלעזר קום בקיומך, ואימא מלה חדתא, לגבי דרבי פנחס ושאר חבריא.

סח. קם ר' אלעזר פתח ואמר, וידבר יי' אל משה אחרי מות שני בני אהרן וגו'. האי קרא אית לאסתכלא ביה, דאתחזי דיתירא איהו. דהא כתיב בתריה, ויאמר יי' אל משה דבר אל אהרן אחיך. מכאן שירותא דפרשתא, האי קרא דלעילא, מאי הוא, דכתיב, וידבר יי' אל משה. מאי הוא דאמר ליה, ולבתר ויאמר יי' אל משה.

סט. אלא בשעתא דקב"ה יהב קטרת בוסמין לאהרן, בעא, דלא ישתמש ביה בחייוי ב"נ אחרא. מ"ט. בגין דאהרן אסגי שלמא בעלמא. א"ל קב"ה, את בעי לאסגאה שלמא בעלמא, על ידך יסגי שלמא לעילא, הא קטרת בוסמין, יהא מסור בידך מכאן ולהלאה, ובחייך לא ישתמש ביה ב"נ אחרא. נדב ואביהוא אקדימו בחיי דאבוהון, לאקרבא מה דלא אתמסר להו. ומלה דא, גרים להון דטעו ביה.

ע. ותאנא, משה הוה מהרהר, מאן גרם לון טעותא דא, והוה עציב. מה כתיב, וידבר יי' אל משה אחרי מות שני בני אהרן. ומה אמר ליה, בקרבתם לפני יי' וימותו. בהקריבם לא כתיב, אלא בקרבתם. א"ל קב"ה למשה, דא גרמא להו, דדחקו שעתא בחיי אבוהון, וטעו בה, והיינו דכתיב, אשר לא צוה אותם, אותם לא צוה, אבל לאהרן צוה. ומה תרין בני אהרן, על דדחיקו שעתא בחיי אבוהון גרמו לגרמייהו כל כך, אנא לגבי אבא ורבי פנחס ושאר חבריא, על אחת כמה וכמה. אתא רבי פנחס נשקיה וברכיה.

עא. רבי שמעון פתח ואמר, הנה מטתו שלשלמה ששים גבורים סביב לה וגו'. הנה מטתו שלשלמה, מאי מטתו. דא כורסי יקרא דמלכא, דכתיב ביה, בטח בה לב בעלה. שלשלמה, מלכא די שלמא כלא דיליה הוא. ששים גבורים סביב לה, דאתאחדן בסטרהא מדינא קשיא, ואקרון, שתין פולסי דנורא, דההוא נער, אתלבש בהו.

עב. מימיניה, שננא דחרבא תקיפא, משמאליה גומרי דנורא תקיפא, דמתאחדא בגליפוי, בשבעין אלף להטי נורא דאכלא, ואינון שתין מזייני זייני קשיין, מאינון גבורן תקיפן, דההיא גבורה עלאה דקב"ה. הה"ד מגבורי ישראל.

עג. ותאנא, בהאי ערסא, מה כתיב בה, ותקם בעוד לילה, כד ינקא מסטרא דדינא. ותתן טרף לביתה. מאי טרף, כד"א וטרף ואין מציל. הה"ד כלם אחוזי חרב מלומדי מלחמה, זמינין בכל אתר למעבד דינא, ואקרון מארי דיבבא ויללה.

עד. איש חרבו על ירכו. כד"א, חגור חרבך על ירך גבור. מפחד בלילות. הא אוקמוה, מפחדה דגיהנם וכו' אבל מפחד בלילות, כלומר, כל דא מאן אתר נטלין, מפחד, מההוא אתר דאקרי פחד, כד"א ופחד יצחק היה לי. וישבע יעקב בפחד אביו יצחק. בלילות, בזמנין דאינון מתפקדין למעבד דינא.

עה. ותאנא, כתיב זממה שדה ותקחהו. הה"ד, וכל חית השדה ישחקו שם. ועל דא כתיב, זה הים גדול ורחב ידים וגו' שם אניות יהלכון וגו' כד"א. היתה כאניות סוחר ממרחק תביא לחמה. ממרחק ודאי. מרישא דמוחא, ומעילא דרישא, תביא לחמה. על

ידא דצדיק, כד מזדווגן כחד, כדין וחידו בכלא. הה"ד, לויתן זה יצרת לשחק בו.

עו. תאנא, אלף וחמש מאה, מארי תריסין, מארי דשולטנותא, אתאחדן מהאי סטרא, דאינון גיברין. בידוי דההוא דאקרי נער, ארבע מפתחין רברבן. תנינייא אזלין תחות ספינה, דהא ימא רבא, לארבע זוויין. דא אזיל לסטרא דא, ודא אזיל לסטרא דא. וכן כלהו. ארבע חיוו דאנפין אתחזיין בהו, וכד אתכלילן בחד, כתיב, ודמות פניהם פני אדם, פניהם דכלא.

עז. אפי רברבי, ואפי זוטרי, כלילן כחד לעילא, תרי סלקין ושאטין, ותרין מגרופין בידייהו. אלף טורין סלקין ועאלין בכל יומא, משקיו דההוא ימא, לבתר, אתעקרו מנה, וסלקין לימא אחרא.

עח. לית חושבנא לאינון דאתאחדן בשערהא, תרין בנין ינקין כל יומא, דאקרון מאללי ארעא. ודא הוא רזא דספרא דצניעותא, דכתיב, וישלח יהושע בן נון מן השטים שנים אנשים מרגלים חרש לאמר. ואלין, ינקין מתחות סטרי אברהא, תרין בנות בתחות רגלהא, ועל דא כתיב, ויראו בני האלהים את בנות האדם. ואלין מתאחדן בטופרי דההיא ערסא, ודא הוא דתנינן, דכתיב, אז תבאנה שתים נשים זונות אל המלך. אז תבאנה, ולא מקדמת דנא, ובזמנא דישראל לתתא, אהדרון קדל מבתר קב"ה, מאי כתיב, עמי נוגשיו מעולל ונשים משלו בו. ודאי.

עט. בידא שמאלא, שבעין ענפין, דמגדלין בין נוני ימא, כלהו סומקי כוורדא. ועילא מנהון, ענפא חד סומקא יתיר, דא סליק ונחית. וכלהו אתחפיין בשערהא.

פ. מארי דלישנא בישא. כד נחית חויא. אתעביד מקפץ על טורין, מדלגא על טנרי. עד דישכח טרפא, דאחיד בטופרי וייכול. כדין שכיך, ואתחזר לישניה לטב. וכאין אינון ישראל, דמזמנין ליה טרפיה. אהדר לאתריה, עייל בנוקבא דתהומא רבא.

פא. כד סלקין מארי דרומחין וסייפין, דלית לון חושבנא, סוחרנייהו דאינון שתין עלאין, דסוחרניה דהאי ערסא, אלף אלפין, ורבוא רבוון, קיימין בכל סטרא דהאי ערסא לעילא. ומניה אתזנן, כלהו מקמיה יקומון.

פב. מתחות כלהו, נפקין כמה אלף ורבבן, דלית לון חושבנא, ונחתין ושאטין בעלמא, עד דתקעי מארי שופרא, ומתכנשי. והני בזוהמא דטופרי אחידן.

פג. דא ערסא כליל לון, דא ערסא, רגלוהי אחידן בארבע סטרי עלמא, כלא עאלין בכללא, דאשתכח לעילא, ואשתכח לתתא, בשמים ממעל, ועל הארץ מתחת, ועל דא כתיב הנה. מאי הנה. בגין דזמינא לכלא לעילא ותתא. ורשומא האי ערסא מכלא, אדנ"י אתקרי, רבונא דכלא, רשימא בין חיילהא.

פד. בג"כ, כהנא בעי לכוונא מלי דלעילא, ליחדא שמא קדישא מאתר דבעא ליחדא, ועל דא תנינן, כתיב, בזאת יבא אהרן אל הקדש, בהאי בעי לקרבא קדושה לאתריה, מהאי אתר, בעי בר נש לדחלא מקמי קב"ה. ועל דא כתיב, לו חכמו ישכילו זאת מיד יבינו לאחריתם. כלומר, אי יסתכלון בני נשא בעונשא, היך אחידת זאת בין חיילהא, והיך אתמנו קמה כל אינון בני חיילין, ואחידן בפולחנא לאתפרעא מן חייביא, מיד יבינו לאחריתם, ויסתמרון עובדיהון, ולא יחובון קמי מלכא קדישא.

פה. תו אמר ר"ש, כל ב"נ דזכי למילף אורייתא, ונטיל לה להאי זאת. האי זאת נטירת ליה, וגזר עמיה קיימא על קיימא דיליה, דלא יתעדי מניה, ומן בנוהי ומן בני

בְּנוֹהִי לְעָלְמִין. הה״ד, וַאֲנִי זֹאת בְּרִיתִי אוֹתָם וְגוֹ׳. יָתְבוּ לְמֵיכַל. עַד דְּאָכְלוּ, אר״ש לְחַבְרַיָּיא, כָּל חַד וְחַד לֵימָא מִלָּה חַדְתָּא דְּאוֹרַיְיתָא. עַל פָּתוֹרָא, לְקַמֵּיהּ דר׳ פִּנְחָס.

פו. פָּתַח ר׳ חִזְקִיָּה וְאָמַר, יְיָ׳ אֱלֹהִים נָתַן לִי לְשׁוֹן לִמּוּדִים לָדַעַת לָעוּת אֶת יָעֵף דָּבָר וְגוֹ׳. זַכָּאִין אִינּוּן יִשְׂרָאֵל, דְּקוּדְשָׁא בְּרִיךְ הוּא אִתְרְעֵי בְּהוּ מִכָּל שְׁאָר עַמִּין, וּקְרָאָן, קֹדֶשׁ. דִּכְתִּיב, קֹדֶשׁ יִשְׂרָאֵל לַיְיָ׳. וְיָהִיב לְהוּ חוּלָק, לְאִתְאַחֲדָא בִּשְׁמָא קַדִּישָׁא. וּבְמָּה אֲחִידוּ יִשְׂרָאֵל בִּשְׁמָא קַדִּישָׁא. בְּגִין דְּזָכוּ בְּאוֹרַיְיתָא, דְּכָל מַאן דְּזָכֵי בְּאוֹרַיְיתָא זָכֵי בֵּיהּ בְּקוּדְשָׁא בְּרִיךְ הוּא.

פז. וְתָנֵינָן קַמֵּיהּ דְּמַר, מַאי קֹדֶשׁ. שְׁלֵימוּתָא דְּכֹלָּא דְּאִקְרֵי חָכְמָה עִלָּאָה, וּמֵהַאי אֲתַר נָגִיד מְשַׁח רְבוּת קַדִּישָׁא בִּשְׁבִילִין יְדִיעָן, לַאֲתַר דְּאִקְרֵי בִּינָה עִלָּאָה, וּמִתַּמָּן נָפְקִין מַבּוּעִין וְנַחֲלִין לְכָל עֵבֶר, עַד דְּמָטוּ לְהַאי זֹאת. וְהַאי זֹאת כַּד מִתְבָּרְכָא, אִקְרֵי קֹדֶשׁ, וְאִקְרֵי חָכְמָה, וּקְרָאן לֵיהּ רוּחַ הַקֹּדֶשׁ. כְּלוֹמַר, רוּחַ, מֵהַהוּא קֹדֶשׁ דִּלְעֵילָּא. וְכַד נָפְקִין וּמִתְעָרִין מִנֵּהּ רָזֵי אוֹרַיְיתָא, כְּדֵין אִתְקְרֵי לְשׁוֹן הַקֹּדֶשׁ.

פח. וּבְשַׁעֲתָא דְּנָגִיד הַהוּא רְבוּת קַדִּישָׁא, לְאִינּוּן תְּרֵי קַיָּימִין, דְּאִקְרוּן לִמּוּדֵי ה׳, וְאִקְרוּן צְבָאוֹת, אִתְכְּנַשׁ תַּמָּן, וְכַד נָפִיק מִתַּמָּן, בְּהַהוּא דַּרְגָּא דְּאִקְרֵי יְסוֹד, לְהַהוּא חָכְמָה זְעֵירָא, כְּדֵין אִתְקְרֵי לְשׁוֹן לִמּוּדִים. וְנָפִיק לְאַתְעָרָא לְאִינּוּן קַדִּישֵׁי עֶלְיוֹנִים. כְּדֵין כְּתִיב, יְיָ׳ אֱלֹהִים נָתַן לִי לְשׁוֹן לִמּוּדִים. וְלָמָּה. לָדַעַת לָעוּת אֶת יָעֵף דָּבָר. וְקוּדְשָׁא בְּרִיךְ הוּא יָהִיב הַאי לְבוּצִינָא קַדִּישָׁא, ר״ש. וְעוֹד דְּסָלִיק לֵיהּ לְעֵילָּא, לְעֵילָּא בְּגִין כָּךְ, כָּל מִלּוֹי בְּאִתְגַּלְיָיא אִתְמָרוּ, וְלָא אִתְכַּסְיָין. עָלֵיהּ כְּתִיב, פֶּה אֶל פֶּה אֲדַבֶּר בּוֹ וּמַרְאֶה וְלֹא בְחִידוֹת.

פט. פָּתַח רַבִּי יֵיסָא וְאָמַר, וַיְיָ׳ נָתַן חָכְמָה לִשְׁלֹמֹה כַּאֲשֶׁר דִּבֶּר לוֹ וַיְהִי שָׁלוֹם בֵּין חִירָם וּבֵין שְׁלֹמֹה וְגוֹ׳. וַיְיָ׳ נָתַן חָכְמָה לִשְׁלֹמֹה, דָּא הוּא דִּתְנֵינָן, בְּיוֹמֵי דִּשְׁלֹמֹה מַלְכָּא, קַיְּימָא סִיהֲרָא בְּאַשְׁלְמוּתָא, כַּאֲשֶׁר דִּבֶּר לוֹ, כְּמָה דְּאִתְּמַר לֵיהּ, הַחָכְמָה וְהַמַּדָּע נָתוּן לָךְ.

צ. וַיְהִי שָׁלוֹם בֵּין חִירָם וּבֵין שְׁלֹמֹה. וְכִי מַה בֵּין הַאי לְהַאי. אֶלָּא הָכִי תָּנֵינָן, וַיְיָ׳ נָתַן חָכְמָה לִשְׁלֹמֹה. וְהַאי חָכְמָה בְּמַאי אוֹקִים לָהּ. אָמַר ר׳ יוֹסֵי, אוֹקִים לָהּ בְּהַאי, בְּקַדְמֵיתָא, דִּשְׁלֹמֹה עֲבַד דְּנָחִית לְחִירָם מֵהַהוּא דַּרְגָּא, דַּהֲוָה אָמַר, מוֹשַׁב אֱלֹהִים יָשַׁבְתִּי וְגוֹ׳, דִּתַנְיָא, חִירָם מֶלֶךְ צוֹר עָבֵד גַּרְמֵיהּ אֱלוֹהַּ. בָּתַר דִּשְׁלֹמֹה אָתָא, עֲבַד לֵיהּ בְּחָכְמְתֵיהּ, דְּנָחִית מֵהַהוּא עִיטָא, וְאוֹדֵי לֵיהּ לִשְׁלֹמֹה. וּבְגִין כָּךְ, וַיְהִי שָׁלוֹם בֵּין חִירָם וּבֵין שְׁלֹמֹה.

צא. וְתָנֵינָן, א״ר יִצְחָק א״ר יְהוּדָה, דְּשַׁדַּר לֵיהּ, חַד שֵׁידָא, וְנָחִית לֵיהּ שִׁבְעָה מָדוֹרִין דְּגֵיהִנָּם וְסַלְקֵיהּ, וְשַׁדַּר לֵיהּ פִּתְקִין בְּכָל יוֹמָא וְיוֹמָא בִּידֵיהּ, עַד דְּאַהֲדַר, וְאוֹדֵי לֵיהּ לִשְׁלֹמֹה. וְתָנֵינָן. שְׁלֹמֹה יָרִית לָהּ לְסִיהֲרָא, בְּכָל סִטְרוֹי. בְּגִין כָּךְ, בְּכֹלָּא שַׁלִּיט בְּחָכְמְתֵיהּ. וְר״ש בֶּן יוֹחָאי, שַׁלִּיט בְּחָכְמְתֵיהּ עַל כָּל בְּנֵי עָלְמָא, כָּל אִינּוּן דְּסַלְקִין בְּדַרְגּוֹי, לָא סַלְקִין אֶלָּא לְאַשְׁלְמָא עִמֵּיהּ.

צב. פָּתַח ר׳ יוֹסֵי וְאָמַר, יוֹנָתִי בְּחַגְוֵי הַסֶּלַע בְּסֵתֶר הַמַּדְרֵגָה וְגוֹ׳. יוֹנָתִי, דָּא כ״י, מַה יוֹנָה לָא שַׁבְקַת בַּר זוּגָהּ לְעָלְמִין, כַּךְ כ״י לָא שַׁבְקַת לקוּדְשָׁא בְּרִיךְ הוּא לְעָלְמִין. בְּחַגְוֵי הַסֶּלַע, אִלֵּין ת״ח, דְּלָא מִשְׁתַּכְחֵי בְּנַיְיחָא בְּעָלְמָא דֵּין. בְּסֵתֶר הַמַּדְרֵגָה, אִלֵּין ת״ח, הַצְּנוּעִין, דִּבְהוֹן חֲסִידִין דְּחָלֵי קוּדְשָׁא בְּרִיךְ הוּא, דִּשְׁכִינְתָּא לָא אַעְדֵּי מִנַּיְיהוּ לְעָלְמִין. כְּדֵין, קוּדְשָׁא בְּרִיךְ הוּא מִתָּבַע בְּגִינַיְיהוּ לכ״י, וְאָמַר, הַרְאִינִי אֶת מַרְאַיִךְ הַשְׁמִיעִנִי אֶת קוֹלֵךְ כִּי קוֹלֵךְ עָרֵב, דְּלֵית קָלָא מִשְׁתְּמַע לְעֵילָּא, אֶלָּא קָלָא דְּאִינּוּן דְּמִתְעַסְקֵי בְּאוֹרַיְיתָא.

צג. וְתָאנָא, כָּל אִינּוּן דְּמִתְעַסְקֵי בְּאוֹרַיְיתָא, בְּלֵילְיָא, דְּיוּקְנֵיהוֹן אִתְחַקָּק לְעֵילָּא קָמֵי

קב"ה, וקב"ה מִשְׁתַּעְשַׁע בְּהוּ כּוּלֵיהּ יוֹמָא, וּמִסְתַּכַּל בְּהוּ. וְהַהוּא קָלָא, סָלִיק וּבָקַע כָּל אִינּוּן רְקִיעִין, עַד דְּסָלִיק קָמֵי קב"ה. כְּדֵין כְּתִיב, כִּי קוֹלֵךְ עָרֵב וּמַרְאֵךְ נָאוֶה. וְהַשְׁתָּא קב"ה וְחַקֵּק דְּיוּקְנָא דר"ש לְעֵילָּא וְקָלֵיהּ לְעֵילָּא לְעֵילָּא סַלְקָא, וּמִתְעַטְּרָא בְּכִתְרָא קַדִּישָׁא, עַד דְּקב"ה מִתְעַטָּר בֵּיהּ בְּכֻלְּהוּ עָלְמִין. וּמִשְׁתַּבַּח בֵּיהּ. עָלֵיהּ כְּתִיב, וַיֹּאמֶר לִי עַבְדִּי אָתָּה יִשְׂרָאֵל אֲשֶׁר בְּךָ אֶתְפָּאָר.

צד. פָּתַח רִבִּי חִיָּיא וְאָמַר, מַה שֶּׁהָיָה כְּבָר הוּא וַאֲשֶׁר לִהְיוֹת וְגוֹ'. מַה שֶּׁהָיָה כְּבָר, הַיְינוּ דְּתָנֵינָן, עַד לָא בָּרָא קוּדְשָׁא בְּרִיךְ הוּא הַאי עָלְמָא, הֲוָה בָּארֵי עָלְמִין וְחָרִיב לוֹן, עַד דְּקב"ה סָלִיק בִּרְעוּתֵיהּ, לְמִבְרֵי הַאי עָלְמָא, וְאַמְלִיךְ בְּאוֹרַיְיתָא. כְּדֵין אִתְתַּקַּן הוּא בְּתִקּוּנוֹי, וְאִתְעַטָּר בְּעִטְרוֹי, וּבָרָא הַאי עָלְמָא. וְכָל מַאי דְּאִשְׁתְּכַח בְּהַאי עָלְמָא, הָא הֲוָה קַמֵּיהּ, וְאִתְתַּקַּן קַמֵּיהּ.

צה. וְתָאנָא, כָּל אִינּוּן דַּבָּרֵי עָלְמָא, דְּאִשְׁתְּכָחוּ בְּכָל דָּרָא וְדָרָא, עַד לָא יֵיתוּן לְעָלְמָא, הָא הֲווּ קַיְימֵי קַמֵּיהּ בְּדִיוּקְנַיְיהוּ. אֲפִילּוּ כָּל אִינּוּן נִשְׁמָתִין דִּבְנֵי נָשָׁא, עַד לָא יֵיחֲתוּן לְעָלְמָא, כֻּלְּהוּ גְּלִיפִין קָמֵיהּ בִּרְקִיעָא, בְּהַהוּא דְּיוּקְנָא מַמָּשׁ, דְּאִינּוּן בְּהַאי עָלְמָא. וְכָל מַה דְּאוֹלְפִין בְּהַאי עָלְמָא, כֹּלָּא יָדְעוּ עַד לָא יֵיתוּן לְעָלְמָא. וְתָנֵינָא, הַאי בְּאִינּוּן זַכָּאֵי קְשׁוֹט.

צו. וְכָל אִינּוּן דְּלָא מִשְׁתַּכְּחִין זַכָּאִין בְּהַאי עָלְמָא, אֲפִילּוּ תַּמָּן, מִתְרַחֲקִין מִקַּמֵּי קב"ה, וְעָאלִין בְּנוּקְבָּא דִּתְהוֹמָא רַבָּא, וְדַחֲקִין שַׁעֲתָא, וְנַחְתִּין לְעָלְמָא. וְהַהִיא נִשְׁמָתָא דִּלְהוֹן, הָא אוֹלִיפְנָא, כְּמָה דְּאִינּוּן קְשֵׁי קְדָל בְּהַאי עָלְמָא, כַּךְ הֲווּ עַד לָא יֵיתוּן לְעָלְמָא. וְהַהוּא חוּלָקָא קַדִּישָׁא דְּיָהַב לוֹן רָמָאן לֵיהּ, וְאָזְלִין וְשָׁאטִין וְאִסְתָּאָבוּן, בְּהַהוּא נוּקְבָּא דִּתְהוֹמָא רַבָּא, וְנַטְלֵי חוּלָקֵיהוֹן מִתַּמָּן, וְדַחֲקִין שַׁעֲתָא וְנַחְתֵּי לְעָלְמָא. אִי זָכֵי לְבָתַר, וְתָב בִּתְיוּבְתָּא קָמֵי מָארֵיהּ, הוּא נָטִיל הַהוּא חוּלָקָא דִּילֵיהּ מַמָּשׁ, הה"ד, מַה שֶּׁהָיָה כְּבָר הוּא וַאֲשֶׁר לִהְיוֹת וְגוֹ' כְּבָר הָיָה.

צז. ת"ח בְּנֵי אַהֲרֹן לָא אִשְׁתְּכָחוּ בְּיִשְׂרָאֵל כְּוָותַיְיהוּ, בַּר מֹשֶׁה וְאַהֲרֹן, וְאִינּוּן אִקְרוּן אֲצִילֵי בְּנֵי יִשְׂרָאֵל. וְעַל דְּטָעוּ קָמֵי מַלְכָּא קַדִּישָׁא, מִיתוּ. וְכִי קב"ה בָּעָא לְאוֹבָדָא לוֹן, וְהָא תָּנֵינָן בְּרָזָא דְּמַתְנִיתִין, דְּקב"ה עָבֵד חֶסֶד בְּכֹלָּא, וַאֲפִילּוּ בְּרַשִׁיעֵי עָלְמָא לָא בָּעֵי לְאוֹבָדָא לוֹן. וְהָנֵי זַכָּאֵי קְשׁוֹט ס"ד דְּאִינּוּן אִתְאֲבִידוּ מֵעָלְמָא, זְכוּתָא דִּלְהוֹן אָן הוּא. זְכוּתָא דַּאֲבוּהוֹן אָן הוּא. זְכוּתָא דְּמֹשֶׁה הָכִי נָמֵי. וְאִינּוּן הֵיךְ אִתְאֲבִידוּ.

צח. אֶלָּא הָכִי אוֹלִיפְנָא מִבּוּצִינָא קַדִּישָׁא, דְּקב"ה חָס עַל יְקָרָא דִּלְהוֹן, וְאִתּוֹקַד גַּרְמֵיהוֹן לְגוֹ, וְנִשְׁמָתֵהוֹן לָא אִתְאֲבִידוּ, וְהָא אוֹקִימְנָא. ות"ח עַד לָא מִיתוּ בְּנֵי אַהֲרֹן כְּתִיב, וְאֶלְעָזָר בֶּן אַהֲרֹן לָקַח לוֹ וְגוֹ', אִקְרֵי שְׁמֵיהּ פִּנְחָס, דַּהֲוָה זַמִּין לְאִתְתַּקְּנָא עֲקִימָא, הה"ד וַאֲשֶׁר לִהְיוֹת כְּבָר הָיָה.

צט. וְתָאנָא, כֻּלְּהוּ זַכָּאֵי קְשׁוֹט, עַד לָא יֵיתוּן לְעָלְמָא, כֻּלְּהוּ אִתְתַּקְּנוּ לְעֵילָּא, וְאִקְרוּן בִּשְׁמָהָן. וְר"ש בֶּן יוֹחָאי, מִן יוֹמָא דְּבָרָא קב"ה עָלְמָא, הֲוָה אִזְדְּמַן קָמֵי קב"ה, וְאִשְׁתְּכַח עִמֵּיהּ. וקב"ה קָרֵי לֵיהּ בִּשְׁמֵיהּ, זַכָּאָה חוּלָקֵיהּ לְעֵילָּא וְתַתָּא, עָלֵיהּ כְּתִיב יִשְׂמַח אָבִיךָ וְאִמֶּךָ, אָבִיךָ: דָּא קב"ה. וְאִמֶּךָ: דָּא כ"י.

ק. פָּתַח ר' אַבָּא וְאָמַר עַד שֶׁהַמֶּלֶךְ בִּמְסִבּוֹ נִרְדִּי נָתַן רֵיחוֹ. הַאי קְרָא אוֹקְמוּהָ חַבְרַיָּיא, בְּשַׁעֲתָא דְּקב"ה אִשְׁתְּכַח וְזַמִּין בְּטוּרָא דְּסִינַי, לְמֵיהַב אוֹרַיְיתָא לְיִשְׂרָאֵל, נִרְדִּי נָתַן רֵיחוֹ, יִשְׂרָאֵל יָהֲבוּ וּסְלִיקוּ רֵיחָא טַב, דְּקָאִים וְאַגִּין עָלַיְיהוּ לְדָרֵי דָּרִין.

וְאָמְרוּ, כֹּל אֲשֶׁר דִּבֶּר יְיָ' נַעֲשֶׂה וְנִשְׁמָע. ד"א עַד שֶׁהַמֶּלֶךְ בִּמְסִבּוֹ, בְּעוֹד דְּסָלִיק מֹשֶׁה לְקַבְּלָא אוֹרַיְיתָא מִקֻּבְּ"ה, וְאִתְּחֲזָקַק בִּתְרֵי לוּחֵי אַבְנִין, יִשְׂרָאֵל שָׁבְקוּ הַהוּא רֵיחָא טָבָא דַּהֲוָה מִתְעַטֵּר עֲלַיְיהוּ, וְאָמְרוּ לָעֵגֶל, אֵלֶּה אֱלֹהֶיךָ יִשְׂרָאֵל.

קא. הַשְׁתָּא הַאי קְרָא בְּרָזָא דְּחָכְמְתָא הוּא, ת"ח, כְּתִיב וְנָהָר יוֹצֵא מֵעֵדֶן לְהַשְׁקוֹת אֶת הַגָּן, הַאי נַהֲרָא אִתְפָּשַׁט בִּסְטְרוֹי, בְּשַׁעֲתָא דְּמִזְדַּוֵּוג עִמֵּיהּ בְּזִוּוּגָא שְׁלִים, הַאי עֵדֶן בְּהַהוּא נָתִיב, דְּלָא אִתְיְּדַע לְעֵילָּא וְתַתָּא, כד"א נָתִיב לֹא יְדָעוֹ עָיִט. וְאִשְׁתְּכָחוּ בִּרְעוּתָא דְּלָא מִתְפָּרְשָׁן תְּדִירָא וְחַד מְיַחַד. כְּדֵין נָפְקִין מַבּוּעִין וְנַחֲלִין, וּמְעַטְּרִין לְבֵן קַדִּישָׁא, בְּכָל אִינּוּן כִּתְרִין, כְּדֵין כְּתִיב בַּעֲטָרָה שֶׁעִטְּרָה לוֹ אִמּוֹ. וּבְהַהִיא שַׁעֲתָא יָרִית הַהוּא בֵּן אַחֲסַנְתָּא דַּאֲבוֹי וְאִמֵּיהּ, כְּדֵין הוּא אִשְׁתַּעֲשַׁע, בְּהַהוּא עִנּוּגָא וְתַפְנוּקָא.

קב. וְתָאנָא, בְּשַׁעֲתָא דְּמַלְכָּא עִלָּאָה בְּתַפְנוּקֵי מַלְכִין, יָתִיב בְּעִטְרוֹי, כְּדֵין כְּתִיב עַד שֶׁהַמֶּלֶךְ בִּמְסִבּוֹ נִרְדִּי נָתַן רֵיחוֹ. דָּא יְסוֹד דְּאַפִּיק בִּרְכָאן לְאִזְדַּוְּוגָא מַלְכָּא קַדִּישָׁא בְּמַטְרוֹנִיתָא. וּכְדֵין אִתְיְיהֲבוּן בִּרְכָאן בְּכֻלְּהוּ עָלְמִין, וּמִתְבָּרְכָן עִלָּאִין וְתַתָּאִין. וְהַשְׁתָּא הָא בּוֹצִינָא קַדִּישָׁא מִתְעַטָּר בְּעִטְרוֹי דְּהַאי דַּרְגָּא, וְהוּא וְחַבְרַיָּיא סַלִּיקוּ תּוּשְׁבְּחָן מִתַּתָּא לְעֵילָּא, וְהִיא מִתְעַטְּרָא בְּאִינּוּן תּוּשְׁבְּחָן. הַשְׁתָּא אִית לְאַפָּקָא בִּרְכָאן לְכֻלְּהוּ חַבְרַיָּיא מֵעֵילָּא לְתַתָּא, בְּהַאי דַּרְגָּא קַדִּישָׁא, ור' אֶלְעָזָר בְּרֵיהּ לֵימָא מֵאִינּוּן מִלִּין מְעַלְּיָין דְּאוֹלִיף מֵאֲבוֹי.

קג. פָּתַח ר' אֶלְעָזָר וְאָמַר, וַיַּרְא וְהִנֵּה בְאֵר בַּשָּׂדֶה וְגוֹ'. וְנֶאֶסְפוּ שָׁמָּה כָל הָעֲדָרִים וְגוֹ'. הָנֵי קְרָאֵי אִית לְאִסְתַּכְּלָא בְּהוּ, וּבְרָזָא דְּחָכְמְתָא אִינּוּן, דְּאוֹלִיפְנָא מֵאַבָּא, וְהָכִי אוֹלִיפְנָא, וַיַּרְא וְהִנֵּה בְאֵר בַּשָּׂדֶה, מַאן בְּאֵר. דָּא הוּא דִּכְתִיב, בְּאֵר חֲפָרוּהָ שָׂרִים כָּרוּהָ נְדִיבֵי הָעָם. וְהִנֵּה שָׁם שְׁלֹשָׁה עֶדְרֵי צֹאן רוֹבְצִים עָלֶיהָ, אִלֵּין אִינּוּן נֶצַח הוֹד יְסוֹד, דְּאִלֵּין אִינּוּן רְבִיעִין עָלָהּ, וְקַיְימִין עָלָהּ, וּמֵאִלֵּין אִתְמַלְיָא בִּרְכָאן הַהִיא בְּאֵר.

קד. כִּי מִן הַבְּאֵר הַהִיא יַשְׁקוּ הָעֲדָרִים, דְּהָא מִן הַאי בְּאֵר אִתְּזָנוּ עִלָּאִין וְתַתָּאִין, וּמִתְבָּרְכָאן כֻּלְּהוּ כַּחֲדָא. וְהָאֶבֶן גְּדוֹלָה עַל פִּי הַבְּאֵר, דָּא הוּא דִּינָא קַשְׁיָא, דְּקַיְּימָא עָלָהּ מִסִּטְרָא אָחֳרָא לְיַנְקָא מִינָּהּ. וְנֶאֶסְפוּ שָׁמָּה כָל הָעֲדָרִים, אִלֵּין אִינּוּן שִׁית כִּתְרֵי מַלְכָּא, דְּמִתְכַּנְּשֵׁי כֻּלְּהוּ, וְנַגְדֵּי בִּרְכָאן מֵרֵישָׁא דְּמַלְכָּא, וּמְרִיקָן בָּהּ. וְכַד אִתְחַבְּרָאן כֻּלְּהוּ כַּחֲדָא לְאַרְקָא בָּהּ, כְּתִיב וְגָלְלוּ אֶת הָאֶבֶן מֵעַל פִּי הַבְּאֵר, מְגַנְּדְרִין לְהַהוּא דִּינָא קַשְׁיָא, וּמְעַבְּרָן לֵיהּ מִינָּהּ.

קה. וְהִשְׁקוּ אֶת הַצֹּאן, מְרִיקִין בִּרְכָאן מֵהַהִיא בְּאֵר, לְעִלָּאִין וְתַתָּאִין לְבָתַר וְהֵשִׁיבוּ אֶת הָאֶבֶן עַל פִּי הַבְּאֵר לִמְקוֹמָהּ. תָּב הַהוּא דִּינָא לְאַתְרֵיהּ, בְּגִין דְּאִצְטְרִיךְ לֵיהּ לְבַסְמָא עָלְמָא, וּלְתַקְּנָא עָלְמָא. וְהַשְׁתָּא הָא קֻבְּ"ה אָרִיק עֲלַיְיכוּ בִּרְכָאן, מִמַּבּוּעָא דְּנַחֲלָא, וּמִנַּיְיכוּ כָּל בְּנֵי דָּרָא מִתְבָּרְכִין. זַכָּאָה חוּלָקֵיכוֹן בְּעָלְמָא דֵּין, וּבְעָלְמָא דְּאָתֵי עֲלַיְיכוּ כְּתִיב, וְכָל בָּנַיִךְ לִמּוּדֵי יְיָ' וְרַב שְׁלוֹם בָּנָיִךְ.

קו. פָּתַח ר"ש וְאָמַר, יַעְלְזוּ חֲסִידִים בְּכָבוֹד יְרַנְּנוּ עַל מִשְׁכְּבוֹתָם וְגוֹ', תָּאנָא בי"ג מְכִילָן, אִתְקְשַׁר קִשְׁרָא דִּמְהֵימְנוּתָא, לְאִשְׁתַּכְּחָא בִּרְכָאן לְכֹלָּא. וְכָל מְהֵימְנוּתָא דְּקוּדְשָׁא ב"ה בִּתְלָתָא אַסְתִּימוּ. וְעַל הַאי, בי"ג מְכִילָן, אוֹרַיְיתָא מִתְעַטְּרָא, כְּמָה דְּאוֹקִימְנָא מק"ו ומג"ש וְכוּ', וְכַמָּה זִמְנִין אוֹקִימְנָא הַאי. וּשְׁמָא קַדִּישָׁא בְּהַאי מִתְעַטְּרָא.

קז. ת"ח, בְּהַהִיא שַׁעֲתָא דְּבָעָא יַעֲקֹב, דְּיִתְבָּרְכוּן בְּנוֹי בִּשְׁמָא דִּמְהֵימְנוּתָא. מַה כְּתִיב, כָּל אֵלֶּה שִׁבְטֵי יִשְׂרָאֵל שְׁנֵים עָשָׂר וְזֹאת, הָא תְּלֵיסַר, דְּאִשְׁתַּתַּף עִמְּהוֹן שְׁכִינְתָּא, וְאִתְקַיְּימוּ בִּרְכָאן. וְהַיְינוּ דִּכְתִיב, אִישׁ אֲשֶׁר כְּבִרְכָתוֹ בֵּרַךְ אוֹתָם. מַאי

כִּבְרְכָתוֹ. בְּהַהוּא דּוּגְמָא דִּלְעֵילָּא, כְּבִרְכָתוֹ דְּכָל מְכִילָא וּמְכִילָא.

קח. וְתָאנָא, כָּל אִינּוּן מְכִילָן סַלְקִין, וּמִתְעַטְּרִין וְנַיְיחִין בְּרֵישָׁא חֲדָא, וְתַמָּן מִתְעַטְּרָא רֵישָׁא דְּמַלְכָּא, הַהוּא דְּאִקְרֵי בְּדַרְגָּא עִלָּאָה דַּחֲסִידוּת. וַחֲסִידִים, יָרְתִין כָּל הַהוּא כָּבוֹד דִּלְעֵילָּא, דִּכְתִיב יַעְלְזוּ חֲסִידִים בְּכָבוֹד, בְּהַאי עָלְמָא. יְרַנְּנוּ עַל מִשְׁכְּבוֹתָם בְּעָלְמָא דְּאָתֵי. רוֹמְמוֹת אֵל בִּגְרוֹנָם, דְּיַדְעִין לְקַשְׁרָא קִשְׁרָא דִּמְהֵימְנוּתָא כַּדְקָא יָאוֹת, וּכְדֵין וְחֶרֶב פִּיפִיּוֹת בְּיָדָם. מַאן וְחֶרֶב פִּיפִיּוֹת. דָּא הוּא וְחֶרֶב לַה', חַרְבָּא דְּקֻב"ה. פִּיפִיּוֹת: לְהִיטָא בִּתְרֵין דִּינִין. וְלָמָּה. לַעֲשׂוֹת נְקָמָה בַּגּוֹיִם וְגוֹ'.

קט. וְהָא ר' פִּנְחָס בֶּן יָאִיר, כִּתְרָא דְּחֶסֶד, רֵישָׁא עִלָּאָה. בג"כ כָּבוֹד דִּלְעֵילָּא יָרִית, וְהוּא קָשִׁיר קִשְׁרָא עִלָּאָה, קִשְׁרָא קַדִּישָׁא, קִשְׁרָא דִּמְהֵימְנוּתָא. זַכָּאָה חוּלָקֵיהּ בְּעָלְמָא דֵּין וּבְעָלְמָא דְּאָתֵי. עַל הַאי פְּתוֹרָא אִתְּמַר, זֶה הַשֻּׁלְחָן אֲשֶׁר לִפְנֵי יְיָ'. קָם ר' פִּנְחָס, וְנָשִׁיק לֵיהּ, וּבָרִיךְ לֵיהּ, וְנָשִׁיק לר' אֶלְעָזָר, וּלְכֻלְּהוּ חַבְרַיָּיא, וּבָרִיךְ לוֹן, נָטַל כַּסָּא וּבָרִיךְ.

קי. פָּתַח וְאָמַר, תַּעֲרוֹךְ לְפָנַי שֻׁלְחָן נֶגֶד צוֹרְרַי וְגוֹ', יָתְבוּ תַּמָּן, כָּל הַהוּא יוֹמָא, וַהֲווּ חַבְרַיָּיא כֻּלְּהוּ חָדָן בְּמִלֵּי דְּאוֹרַיְיתָא, וְחֶדְוָותָא דר"ש הֲוָה סַגֵּי. נָטַל ר' פִּנְחָס לר' אֶלְעָזָר, וְלָא שַׁבְקֵיהּ כָּל הַהוּא יוֹמָא וְכָל לֵילְיָא, וַהֲוָה חַדֵּי עִמֵּיהּ, קָרָא עָלֵיהּ, אָז תִּתְעַנַּג עַל יְיָ', כָּל חֶדְוָותָא וְעִנּוּגָא יַתִּירָא דָּא דְּחוּלָקִי הוּא, וּמִינָּן בְּהַהוּא עָלְמָא לְאַכְרְזָא עָלַי, זַכָּאָה חוּלָקָךְ ר' פִּנְחָס, דְּאַנְתְּ זָכִית לְכָל הַאי, שָׁלוֹם לְךָ וְשָׁלוֹם לְעוֹזְרֶךָ כִּי עֲזָרְךָ אֱלֹהֶיךָ. אַשְׁכִּימוּ לְמֵיזַל, קָם ר' פִּנְחָס וְאָחִיד בֵּיהּ בר' אֶלְעָזָר, וְלָא שַׁבְקֵיהּ לְמֵיהַךְ. אוֹזִיף ר' פִּנְחָס לר"ש וּבָרְכֵיהּ, וּלְכֻלְּהוּ חַבְרַיָּיא. עַד דַּהֲווּ אָזְלֵי אָמַר לְהוּ ר' שִׁמְעוֹן לְחַבְרַיָּיא, עֵת לַעֲשׂוֹת לַיְיָ'.

קיא. אָתָא רִבִּי אַבָּא וְשָׁאִיל, כְּתִיב וְנָתַן אַהֲרֹן עַל שְׁנֵי הַשְּׂעִירִים גּוֹרָלוֹת וְגוֹ'. הָנֵי עַדְבִין לָמָּה. וְאַהֲרֹן לָמָּה לֵיהּ לְמֵיהַב עַדְבִין. וּפָרְשָׁתָא דָּא לָמָּה. וְהָא אוֹלִיפְנָא קַמֵּי דְּמַר סִדְרָא דְּיוֹמָא, וְהַאי בְּעֵינָא לְמִנְדַּע.

קיב. פָּתַח ר"ש וְאָמַר, וַיִּקַּח מֵאִתָּם אֶת שִׁמְעוֹן וַיֶּאֱסֹר אוֹתוֹ לְעֵינֵיהֶם. וְכִי מַה חָמָא יוֹסֵף לְמֵיסַב לְשִׁמְעוֹן עִמֵּיהּ יַתִּיר מֵאֲחוֹהִי. אֶלָּא, אָמַר יוֹסֵף, בְּכָל אֲתַר שִׁמְעוֹן פְּתִיחוּתָא דְּדִינָא אִיהוּ, וְהַהִיא שַׁעְתָּא דַּאֲזִילְנָא מֵאַבָּא לְגַבַּיְיהוּ דְּאַחַי, שִׁמְעוֹן פָּתַח בְּקַדְמֵיתָא בְּדִינָא, הה"ד וַיֹּאמְרוּ אִישׁ אֶל אָחִיו הִנֵּה בַּעַל הַחֲלוֹמוֹת הַלָּזֶה בָּא וְעַתָּה לְכוּ וְגוֹ'. לְבָתַר בִּשְׁכֶם, וַיִּקְחוּ שְׁנֵי בְנֵי יַעֲקֹב שִׁמְעוֹן וְלֵוִי, כֻּלְּהוּ בְּדִינָא הֲווּ. טַב לְמֵיסַב דָּא, וְלָא יִתְעַר קְטָטוּתָא בְּכֻלְּהוּ שִׁבְטִין.

קיג. וְתָנֵינָן, מַאי קָא חָמָא שִׁמְעוֹן לְאִזְדַּוְּוגָא בְּלֵוִי יַתִּיר מִכֻּלָּא. וְהָא רְאוּבֵן הֲוָה אֲחוּהָ וְסָמִיךְ לֵיהּ, אֶלָּא שִׁמְעוֹן חָמָא וְיָדַע דְּלֵוִי מִסִּטְרָא דְּדִינָא קָא אָתֵי, וְשִׁמְעוֹן מִסִּטְרָא דְּדִינָא קַשְׁיָא יַתִּיר אִתְאָחִיד. אָמַר נִתְעָרַב חַד בְּחַד וַאֲנַן נַחֲרִיב עָלְמָא. מָה עָבֵד קֻב"ה, נָטַל לֵיהּ לְחוּלָקֵיהּ לְלֵוִי, אָמַר מִכָּאן וּלְהָלְאָה שִׁמְעוֹן לֵיתִיב בְּקוּסְטִירָא בַּהֲדֵיהּ בִּלְחוֹדוֹי.

קיד. תָּאנָא בְּסִטְרָא דְּאִימָא, תְּרֵין גַּרְדִּינֵי טְהִירִין אִתְאֲחָדָן בִּידָא שְׂמָאלָא, וְהָא אוּקִימְנָא דְּאִינּוּן מְאַלְּלֵי אַרְעָא בְּכָל יוֹמָא וְיוֹמָא, וְהַיְינוּ רָזָא דִּכְתִיב שְׁנַיִם אֲנָשִׁים מְרַגְּלִים.

קטו. וְתָאנָא, זַכָּאָה חוּלָקֵיהוֹן דְּיִשְׂרָאֵל יַתִּיר מִכָּל עַמִּין עע"ז דְּקֻב"ה בָּעֵי לְדַכָּאָה לְהוּ, וּלְרַחֲמָא עָלַיְיהוּ, דְּאִינּוּן חוּלָקֵיהּ וְעַדְבֵיהּ, הה"ד כִּי חֵלֶק יְיָ' עַמּוֹ וְגוֹ', וּכְתִיב יַרְכִּיבֵהוּ עַל בָּמֳתֵי אָרֶץ. עַל בָּמֳתֵי אָרֶץ דַּיְיקָא. דְּהָא אִינּוּן אִתְאֲחָדָן לְעֵילָּא לְעֵילָּא.

וְעַ"ד קֻבְּ"ה רְחִימוּתָא דִּילֵיהּ אִתְדְּבַק בְּהוּ, הה"ד אָהַבְתִּי אֶתְכֶם אָמַר יְיָ', וּכְתִיב כִּי מֵאַהֲבַת יְיָ' אֶתְכֶם וְגוֹ', וּמִגּוֹ רְחִימוּתָא יַתִּירָא דְּרָחִים לְהוּ, יָהַב לוֹן יוֹמָא חַד בְּשַׁתָּא לְדַכְאָה לְהוּ, וּלְזַכָּאָה לְהוּ מִכָּל חוֹבֵיהוֹן, דִּכְתִיב כִּי בַיּוֹם הַזֶּה וְגוֹ'. בְּגִין דִּיהוֹן זַכָּאִין בְּעָלְמָא דֵּין, וּבְעָלְמָא דְּאָתֵי, וְלָא יִשְׁתְּכַח בְּהוּ חוֹבָא. וְעַ"ד בְּיוֹמָא דָּא, מִתְעַטְּרִין יִשְׂרָאֵל, וְשַׁלְטִין עַל כֻּלְּהוּ גַּרְדִּינִין, וְעַל כֻּלְּהוּ טְהִירִין.

קטז. תָּאנָא וְנָתַן אַהֲרֹן עַל שְׁנֵי הַשְּׂעִירִם גּוֹרָלוֹת. וְנָתַן אַהֲרֹן, בְּגִין דְּאָתֵי מִסִּטְרָא דְּחֶסֶד. עַל שְׁנֵי הַשְּׂעִירִם, עַל דַּיְיקָא, בְּגִין דְּתִתְבַּסַּם מַטְרוֹנִיתָא. גּוֹרָל אֶחָד לַיְיָ' וְגוֹרָל לַעֲזָאזֵל וְהָא תְּרֵין שְׂעִירִין אִינּוּן, אֲמַאי חַד לַיְיָ'. אֶלָּא אָמַר קֻבְּ"ה, יֵתִיב הַאי גַּבָּאי, וְחַד יֵזִיל וִישׁוּט בְּעָלְמָא, דְּאִלְמָלֵי תַּרְוַיְיהוּ מִזְדַּוְּוגָן, לָא יָכִיל עָלְמָא לְמִסְבַּל.

קיז. נָפַק הַאי, אָזִיל וְשָׁאט בְּעָלְמָא, וְאַשְׁכַּח לְהוּ לְיִשְׂרָאֵל, בְּכַמָּה פּוּלְחָנִין, בְּכַמָּה דַּרְגִּין, בְּכַמָּה נִמּוּסִין טָבָן, לָא יָכִיל לְהוּ, כֻּלְּהוּ שְׁלָמָא בֵּינַיְיהוּ, לָא יָכִיל לְמֵיעַל בְּהוּ בְּדַלְטוֹרָא. הַאי שְׂעִירָא שַׁלְחִין לֵיהּ בְּמַטּוּלָא דְּכָל חוֹבַיְיהוּ דְּיִשְׂרָאֵל.

קיח. תָּאנָא, כְּמָה דְּזַבִּילֵי טְרִיקִין מִזְדַּמְּנָן, דְּאִינּוּן תְּחוֹת יְדֵיהּ, וּמְמַנָּן לְאַלְקָאָה אַרְעָא, עַל כָּל אִינּוּן דְּעָבְרִין עַל פִּתְגָּמֵי אוֹרַיְיתָא. וְהַהוּא יוֹמָא, לָא שְׁכִיחַ דַּלְטוֹרָא לְמַלְּלָא בְּהוּ בְּיִשְׂרָאֵל. כַּד מָטָא הַאי שְׂעִירָא לְגַבֵּי טוּרָא, כַּמָּה חֵידוּ עַל חֵידוּ מִתְבַּסְּמִין כֻּלְּהוּ בֵּיהּ. וְהַהוּא גַּרְדִּינָא דְּנָפִיק, אַהֲדָר וְאָמַר תּוּשְׁבַּחְתָּא דְּיִשְׂרָאֵל, קַטֵּיגוֹרָא אִתְעָבֵיד סַנֵּיגוֹרָא.

קיט. ות"ח, לָאו דָּא בִּלְחוֹדוֹי הוּא, אֶלָּא בְּכָל אֲתַר דְּבַעְיָין יִשְׂרָאֵל לְאִתְדַּכְאָה מֵחוֹבַיְיהוּ, קֻבְּ"ה יָהִיב לוֹן עֵיטָא לְקַשְׁרָא מָארֵי דְּדִינָא, וּלְבַסְּמָא לְהוּ בְּאִינּוּן קָרְבְּנִין וְעִלָּוָון, דְּקָרְבִין קָמֵי קֻבְּ"ה, וּכְדֵין לָא יַכְלִין לְאַבְאָשָׁא. וְהַהוּא יוֹמָא יַתִּיר עַל כֹּלָּא, כְּמָה דְּמִבַּסְּמִין יִשְׂרָאֵל לְתַתָּא לְכֹלָּא, הָכִי מְבַסְּמִין לְכָל אִינּוּן דְּאִית לְהוּ דַּלְטוֹרָא וְכֹלָּא קָרְבְּנָא הוּא וּפוּלְחָנָא דְּקֻבְּ"ה.

קכ. תָּאנָא, בְּהַהִיא שַׁעֲתָא דִּכְתִיב, וְלָקַח אַהֲרֹן אֶת שְׁנֵי הַשְּׂעִירִם וְגוֹ', מִתְעָרִין אִינּוּן בְּהַהוּא יוֹמָא לְעֵילָּא, וּבַעְיָין לְשַׁלְטָאָה וּלְמֵיפַק בְּעָלְמָא. כֵּיוָן דְּכַהֲנָא מְקָרֵב אִלֵּין לְתַתָּא, מִתְקָרְבִין אִינּוּן לְעֵילָּא. כְּדֵין עַדְבִין סַלְּקִין בְּכָל סִטְרִין, כַּהֲנָא יָהַב עַדְבִין לְתַתָּא, כַּהֲנָא יָהִיב עַדְבִין לְעֵילָּא. כְּמָה דְּחַד אִשְׁתְּאַר בֵּיהּ בְּקֻבְּ"ה לְתַתָּא. וְחַד אַפְקִין לֵיהּ לְהַהוּא מַדְבְּרָא, הָכִי נָמֵי לְעֵילָּא, חַד אִשְׁתְּאַר בֵּיהּ בְּקֻבְּ"ה, וְחַד נָפִיק וְשָׁט בְּעָלְמָא, לְהַהוּא מַדְבְּרָא עִלָּאָה, וְחַד בְּחַד מִתְקַשַּׁר.

קכא. כְּתִיב וְסָמַךְ אַהֲרֹן אֶת שְׁתֵּי יָדָיו עַל רֹאשׁ הַשָּׂעִיר הַחַי וְהִתְוַדָּה עָלָיו וְגוֹ'. בְּגַ"כ וְסָמַךְ אַהֲרֹן אֶת שְׁתֵּי יָדָיו, דְּקֻבְּ"ה יִסְתְּכַם עַל יְדוֹי. עַל רֹאשׁ הַשָּׂעִיר הַחַי, הַחַי דַּיְיקָא, לְאַכְלָלָא הַהוּא דִּלְעֵילָּא.

קכב. וְהִתְוַדָּה עָלָיו אֶת כָּל עֲוֹנוֹת, כְּמָה דִּכְתִיב וְהִתְוַדָּה אֲשֶׁר חָטָא עָלֶיהָ. וְאוֹקִימְנָא עָלֶיהָ, דְּאִתְדְּכֵי ב"נ וְאִשְׁתְּאַר עָלֶיהָ כָּל הַהוּא חוֹבָא. אוּף הָכִי וְהִתְוַדָּה עָלָיו, בָּתַר דְּאוֹדֵי כַּהֲנָא בְּגִינַיְיהוּ דְּיִשְׂרָאֵל, עָלָיו: כְּלוֹמַר, יִשְׁתַּאֲרוּן כֻּלְּהוּ עָלָיו.

קכג. א"ל ר' אַבָּא, אִי הָכִי וְהָא כְּתִיב וְלֹא יִזְבְּחוּ עוֹד אֶת זִבְחֵיהֶם לַשְּׂעִירִם, אָמַר לֵיהּ שָׁאנֵי הָכָא, דְּהָתָם לַשְּׂעִירִם הֲווֹ קָרְבִין קָרְבְּנָא, וּבְגַ"כ לָא כְּתִיב וְלֹא יִזְבְּחוּ עוֹד אֶת זִבְחֵיהֶם שְׂעִירִים, אֶלָּא לַשְּׂעִירִם, דְּהָתָם לַשְּׂעִירִם הֲווֹ עָבְדֵי פּוּלְחָנָא, וְשׁוּלְטָנוּתָא. וְהָכָא וְנָשָׂא הַשָּׂעִיר עָלָיו אֶת כָּל עֲוֹנוֹתָם, וְקָרְבְּנָא לָא אִתְעָבֵיד אֶלָּא לְקֻבְּ"ה. ת"ח, דִּבְגִינֵי קָרְבְּנָא מִתְבַּסְּמָן עִלָּאִין וְתַתָּאִין, וְדִינָא לָא שַׁרְיָא וְשַׁלְטָא עָלַיְיהוּ דְּיִשְׂרָאֵל.

קכד. תָּאנָא, וְשִׁלַּח בְּיַד אִישׁ עִתִּי הַמִּדְבָּרָה. מַהוּ אִישׁ עִתִּי. אֶלָּא רָזָא דְּמִלָּה הָכִי

הוּא בְּכָל מַה דְּאִתְעֲבִיד, בָּעֵי ב"נ זַמִּין לְהַהִיא מִלָּה. אִית ב"נ דְּבִרְכָתָא אִתְקַיָּים עַל יְדֵיהּ יַתִּיר מֵאָחֳרָא. ת"ח, מַה כְּתִיב בֵּיהּ בְּכַהֲנָא, טוֹב עַיִן הוּא יְבוֹרָךְ, אַל תִּקְרֵי יְבוֹרָךְ, אֶלָּא יְבָרֵךְ, בְּגִין דְּהוּא זַמִּין דְּיִתְקַיָּים בִּרְכָתָא עַל יְדֵיהּ בְּהַאי.

קכה. וְאִית ב"נ דְּהוּא זַמִּין לְאִתְקַיְּימָא לְווּטִין עַל יְדֵיהּ, וּבְכָל מַה דְּיַשְׁגַּח לֵיתֵי לְווּטַיָּיא וּמְאֵרָה וּבְעִיתָא כְּגוֹן בִּלְעָם, דְּאִקְרֵי רַע עַיִן, דַּהֲוָה זַמִּין בְּכָל בִּישׁ, וְלָא הֲוָה זַמִּין לְטָב. וְאַף עַל גַּב דְּבָרֵךְ, בִּרְכָתֵיהּ לָא בִּרְכָתָא, וְלָא אִתְקַיָּים. וְכַד הֲוָה לָיִיט, כָּל מַאן דְּלָיִיט אִתְקַיָּים, וַאֲפִילּוּ בְּרִגְעָא חֲדָא, וְעַל דָּא כְּתִיב, שְׁתֻם הָעָיִן. בְּכָל אֲתַר דְּעֵינֵיהּ שַׁלְטָא אִתְלַטְיָיא.

קכו. ת"ח מַה כְּתִיב. וַיָּשֶׁת אֶל הַמִּדְבָּר פָּנָיו, בְּגִין דְּיִתְעַר מֵהַהוּא סִטְרָא הַהוּא דְּשַׁלְטָא תַּמָּן, וְיֵיתֵי בְּדַלְטוּרְיָא עֲלַיְיהוּ דְּיִשְׂרָאֵל. מַה כְּתִיב בְּהוּ בְּכַהֲנֵי, טוֹב עַיִן הוּא יְבוֹרָךְ, דְּהוּא הֲוָה זַמִּין בְּהַאי, וְשָׁארֵי בִּרְכָתָא בְּאַשְׁגָּחוּתָא דִּילֵיהּ. וְעַ"ד תָּנֵינָן, יִסְטֵי ב"נ אֲפִילּוּ מִמֵּאָה אֳרָחִין, וְלָא יִאֱרַע בְּב"נ דְּאִית לֵיהּ עֵינָא בִּישָׁא.

קכז. אוּף הָכָא וְשִׁלַּח בְּיַד אִישׁ עִתִּי, דְּהוּא זַמִּין לְהַאי. וְרָשִׁים לְהַאי, וְכַהֲנָא הֲוָה אִשְׁתְּמוֹדַע בֵּיהּ, וְחַד עֵינָא יַתִּיר מֵאָחֳרָא פּוּרְתָּא. סוּרְטָא דְּעַל עֵינָא אִתְחַפְיָא בְּשַׂעֲרִין סַגִּיאִין. מְכוּחְלָא עֵינָא, וְלָא מִסְתַּכַּל בְּמֵישָׁר. הַאי הוּא ב"נ זַמִּין לְהַאי, וְכַדְקָא חֲזֵי לֵיהּ. וְעַ"ד כְּתִיב בְּיַד אִישׁ עִתִּי.

קכח. בְּגוֹשׁ וְחַלְבָא הֲוָה ב"נ, דִּבְכָל אֲתַר דְּמוֹחֵי בִּידוֹי, הֲוָה מִית, וְלָא הֲווּ בְּנֵי נָשָׁא מְקָרְבִין בַּהֲדֵיהּ. בְּסוּרְיָא הֲוָה ב"נ, דִּבְכָל אֲתַר דְּאִסְתַּכַּל אֲפִילּוּ לְטָב, כֹּלָּא אִתְהַפַּךְ לְבִישׁ. יוֹמָא חַד הֲוָה חַד בַּר נָשׁ אָזִיל בְּשׁוּקָא, וַהֲווּ אַנְפּוֹי נְהִירִין. אָתָא הַהוּא בַּר נָשׁ וְאִסְתַּכַּל בֵּיהּ, וְאִתְבְּקַע עֵינֵיהּ. בְּג"כ, בְּכֹלָּא הֲוָה ב"נ זַמִּין, לְהַאי וּלְהַאי. וְעַל דָּא כְּתִיב טוֹב עַיִן הוּא יְבוֹרָךְ, אַל תִּקְרֵי יְבוֹרָךְ אֶלָּא יְבָרֵךְ.

קכט. וְתָאנָא, הַאי ב"נ דַּהֲוָה אָזִיל לְמַדְבְּרָא, כַּד מָטָא בֵּיהּ בְּהַהוּא שְׂעִירָא הֲוָה סָלִיק לְטוּרָא, וְדָחֵי לֵיהּ בִּתְרֵין יְדוֹי. וְלָא הֲוָה נָחִית לְפַלְגּוּת טוּרָא, עַד דְּאִתְעֲבֵיד שַׁיְיפִין שַׁיְיפִין. וְהַהוּא ב"נ הֲוָה אָמַר, כַּךְ יִמָּחוּ עֲוֹנוֹת עַמְּךָ וְגו'. וּבְגִין דְּסָלִיק הַהוּא קַטֵיגוֹרְיָא וְאִתְעֲבֵיד סַנֵּיגוֹרְיָא דְּיִשְׂרָאֵל, כְּדֵין קב"ה, כָּל חוֹבַיְיהוּ דְּיִשְׂרָאֵל, וְכָל מַה דִּכְתִּיב בְּאִינּוּן פִּתְקִין דִּלְעֵילָּא, לְאַדְכְּרָא חוֹבַיְיהוּ דִּבְנֵי נָשָׁא, נָטִיל לוֹן וְרָמֵי לוֹן כְּהַאי גַּוְונָא, לַאֲתַר דְּאִתְקְרֵי מְצוּלוֹת יָם. הה"ד, וְתַשְׁלִיךְ בִּמְצוּלוֹת יָם כָּל חַטֹּאתָם.

קל. תָּאנָא, וּמֵאֵת עֲדַת בְּנֵי יִשְׂרָאֵל יִקַּח שְׁנֵי שְׂעִירֵי עִזִּים לְחַטָּאת, וּמֵאֵת עֲדַת, בְּגִין דִּיהֵא מִכֻּלְּהוּ, וְיִתְכַּפֵּר לְכֻלְּהוּ. דְּהָא כָּל חוֹבַיְיהוּ דִּבְנֵי יִשְׂרָאֵל הָכָא תַּלְיָין, וְכֻלְּהוּ מִתְכַּפְּרֵי בְּדָא. וְלָא סַגֵּי מִב"נ חַד. וּמַאן אֲתַר אִתְנְסִיבוּ מֵאִינּוּן קוּפִּין דְּבַעֲזָרָה נַטְלִין אַגְרָא, וְאַיְיתֵי לְהוּ מֵאִינּוּן דָּמֵי דַּהֲווּ מִכֻּלְּהוּ.

קלא. וְהַהוּא שְׂעִירָא אָחֳרָא, דַּהֲוָה אִשְׁתְּאַר לְקב"ה, עַבְדִין לֵיהּ חַטָּאת בְּקַדְמֵיתָא. וְהָא אוֹקִימְנָא בְּאָן אֲתַר הֲוָה מִתְקַשְּׁרָא. וּלְבָתַר דָּא מִתְקָרְבִין הָנֵי, וּמִתְבַּסְּמִין כֹּלָּא, וְאִשְׁתָּאֲרוּ יִשְׂרָאֵל זַכָּאִין קָמֵי קב"ה, מִכָּל חוֹבִין דַּעֲבָדוּ וְחָבוּ קָמֵיהּ. הה"ד כִּי בַיּוֹם הַזֶּה יְכַפֵּר עֲלֵיכֶם וְגו'.

קלב. תּוּ אָמַר ר' שִׁמְעוֹן, וַיֹּאמֶר יַעֲקֹב אֶל רִבְקָה אִמּוֹ הֵן עֵשָׂו אָחִי אִישׁ שָׂעִיר וְאָנֹכִי אִישׁ חָלָק. מַאי קָא רְמִיזָא, אֶלָּא וַדַּאי עֵשָׂו אִישׁ שָׂעִיר, הוּא מֵהַהוּא דְּאִקְרֵי שָׂעִיר, דְּהָא מֵהַהוּא סִטְרָא אָתֵי. וְאָנֹכִי אִישׁ חָלָק: גְּבַר מֵהַהוּא דְּפָלִיג לְכָל שְׁאָר עַמִּין רַבְרְבִין מִמָּנָן.

דכתיב אשר חלק יי' אלהיך אותם, וכתיב כי חלק יי' עמו וגו'. תו איש חלק, מתרי שעירים ואשתאר חדא. דכהנא פליג להו, חד לחולקיה, וחד לקב"ה. אמאי. בגין דיטעין על כתפוי כל חובוי דיעקב, דכתיב ונשא השעיר עליו את כל עונותם, עונות תם.

קלג. תאנא, בההוא יומא כמה פתחין פתיחן לקבליהון דישראל לקבלא צלותיהון. זכאה חולקיהון דישראל, דהא קב"ה בעא לזכאה לון, ולדכאה לון, הה"ד כי ביום הזה יכפר וגו'. בהאי יומא אתעטר כהנא בכמה עטרין. בהאי יומא פולחנא דכהנא יקירא ורב מכל פולחנין. לכלא יהב חולקא באינון קרבנין דקב"ה. בהאי יומא אתעטר חסד בעלמא על ידא דכהנא, מקרב קרבנין על חוביהון דעמא. על חוביה בקדמיתא, ולבתר על חוביהון דעמא. מקרב עלוון עליה ועל עמא והא אוקימנא מלי.

רעיא מהימנא

קלד. פקודא דא, למפלח כהנא רבא פולחנא דההוא יומא כמה דאצטריך, ולמשלח שעיר לעזאזל. רזא דא כד"א, בגין לאתפרשא מעמא קדישא, ולא יתבע חוביהון קמי מלכא. ולא יקטרג עלייהו, דהא לית ליה תקיפו ושולטנו, בר כד אתתקף רוגזא מלעילא, ובההוא דורונא אתהפך לבתר אפוטרופוסא עלייהו, ועל דא אתדרוזייא מקמי מלכא. והא אוקימנא, בגין דאיהו קץ כל בשר.

קלה. ועמא קדישא יהבין ליה כמה דאצטריך ליה שעיר, ורזא דא הן עשו אחי איש שעיר. כמה דאיהו בסטר דקדושה דכר ונוקבא, אוף הכי בסטר מסאבו דכר ונוקבא. מתלא אמרי, לכלבא ארמי ליה גרמא, ילחך עפרא דרגלך.

קלו. שאלו לבן זומא, מהו לסרוסי כלבא. אמר להם, ובארצכם לא תעשו, כל שבארצכם לא תעשו. כמה דאצטריך עלמא להאי, הכי אצטריך עלמא להאי. ועל דא אתמר, והנה טוב מאד דא מלאך המות. לית לבטלא ליה מן עלמא, עלמא אצטריך ליה, אע"ג דכתיב ביה, והכלבים עזי נפש לא ידעו שבעה וגו', לא יתבטלון מן עלמא. כלא אצטריך טוב ורע.

קלז. ובגיני כך אית לן ביומא דא למרמי ליה גרמא לכלבא, עד דאיהו גריר, ייעול מאן דייעול לגבי היכלא דמלכא, ולית מאן דימחי בידוי. לבתר יכשכש ליה בזנביה.

קלח. מה כתיב והתודה עליו את כל עונות בני ישראל, וכתיב ונשא השעיר עליו את כל עונותם. כיון דאיהו חמי האי שעיר. תיאובתיה לגביה, ולאשתכללא בהדיה, ולא ידע מאינון חובין דקא נטיל שעיר. תב לגבייהו דישראל, חמי לון בלא חובין, בלא פשעין, דהא כלהו שראן ברישא דשעיר, סליק לעילא, ושבח לון קמי קב"ה. וקב"ה חמי סהדותא דההוא מקטרגא, והואיל ותיאובתיה לרחמא על עמיה, אע"ג דאיהו ידע כל עובדא, חס עלייהו דישראל.

קלט. וכלא שריא בדא, בגין דלא יתער רזא דדינא מלעילא, ויתתקף האי וישתצון בני עלמא, דהא דא מסטרא דדינא קשיא קא אתי. ואי יתער האי, בחובי בני אינשא אתער. דהא לית ליה אתערו לסלקא לעילא לאתערא דינא קשיא בר בדיל חובי בני נשא. דהא בשעתא דב"נ עביד חובא, אתכנש האי, וכמה אלף סייען דיליה, ומתכנפי תמן, ונטלי ליה, וסלקי לעילא רחמנא לישזבן. ועל כלא יהב קב"ה עיטא לישראל לאשתזבא מכל סטרין. וע"ד כתיב, אשרי העם שככה לו אשרי העם שיי' אלהיו. (ע"כ רעיא מהימנא).

קמ. עַד דַהֲווּ אָזְלֵי, יָתְבוּ כַּחֲדָא וַאֲכָלוּ, וְצַלּוּ. נָחַת חַד עֲנָנָא דְאֶשָּׁא, וְאַסְחַר לוֹן. א"ר שִׁמְעוֹן, הָא זִמְנָא דְקב"ה רְעוּתָא דִילֵיהּ הָכָא. נֵיתִיב. יָתְבוּ וַהֲווּ אַמְרֵי מִלֵּי דְאוֹרַיְיתָא. פָּתַח וְאָמַר, מַיִם קָרִים עַל נֶפֶשׁ עֲיֵפָה וּשְׁמוּעָה טוֹבָה מֵאֶרֶץ מֶרְחָק, הָא אִסְתַּכַּלְנָא בְּמִלּוֹי דִשְׁלֹמֹה מַלְכָּא, וְכֻלְּהוּ בְּחָכְמָה אַמְרָן.

קמא. ת"ח ג' סִפְרִין דְחָכְמְתָא אַפִּיק שְׁלֹמֹה לְעָלְמָא, וְכֻלְּהוּ בְּחָכְמְתָא עִלָּאָה. שִׁיר הַשִּׁירִים וְחָכְמָה, קֹהֶלֶת תְּבוּנָה, וּמִשְׁלֵי דַעַת. לָקֳבֵל ג' אִלֵּין, עֲבַד ג' סְפָרִים. שִׁיר הַשִּׁירִים כְּנֶגֶד חָכְמָה הָכֵי הֲוָה. קֹהֶלֶת לָקֳבֵל תְּבוּנָה, הָכֵי הֲוָה. מִשְׁלֵי לָקֳבֵל דַעַת. בְּמַאי אִתְחֲזֵי. אֶלָּא כָּל אִינּוּן קְרָאֵי בִּתְרֵי גַּוְונֵי אִינּוּן, רֵישָׁא וְסֵיפָא תְּרֵי גַּוְונֵי אִתְחֲזְיָיא. וְכַד מִסְתַּכְּלֵי קְרָאֵי, דָא כָּלִיל בְּדָא, וְדָא כָּלִיל בְּדָא, בְּג"כ שָׁקִיל לָקֳבְלֵיהּ דְדַעַת.

קמב. הַאי קְרָא לָאו רֵישֵׁיהּ סֵיפֵיהּ וְלָאו סֵיפֵיהּ רֵישֵׁיהּ. וְכַד אִסְתַּכַּלְנָא בֵּיהּ, כֹּלָּא כָּלִיל חַד בְּחַד, בֵּין מִסֵּיפֵיהּ לְרֵישֵׁיהּ, בֵּין מֵרֵישֵׁיהּ לְסֵיפֵיהּ. שְׁמוּעָה טוֹבָה מֵאֶרֶץ מֶרְחָק מַיִם קָרִים עַל נֶפֶשׁ עֲיֵפָה. מַיִם קָרִים עַל נֶפֶשׁ עֲיֵפָה וּשְׁמוּעָה טוֹבָה מֵאֶרֶץ מֶרְחָק, וְדָא וְדָא נַיְיחָא דְרוּחָא, כְּמָה דְהַאי נַיְיחָא דְרוּחָא, כָּךְ הַאי נַיְיחָא דְרוּחָא.

קמג. עַד דַהֲווּ יָתְבֵי, אָתָא חַד בַּר נָשׁ, אָמַר, אִנְתּוּ דְרַבִּי שִׁמְעוֹן אִתְּסִיאַת מִמַּרְעָהָא. וְחַבְרַיָּיא שָׁמְעוּ קָלָא, דְקב"ה שָׁבַק לְאִינּוּן חוֹבֵי דָרָא. א"ר שִׁמְעוֹן, הָא אִתְקַיָּים הָכָא קְרָא, וּשְׁמוּעָה טוֹבָה מֵאֶרֶץ מֶרְחָק, הָכֵי הוּא נַיְיחָא דְרוּחָא, כְּמוֹ מַיִם קָרִים עַל נֶפֶשׁ עֲיֵפָה. אָמַר לְהוּ נְקוּם וְנֵזִיל דְקב"ה אַרְחִישׁ לָן בְּנִסִּין.

קמד. פָּתַח וְאָמַר, מַיִם קָרִים עַל נֶפֶשׁ עֲיֵפָה, דָא אוֹרַיְיתָא. דְכָל מַאן דְזָכֵי לְמִלְעֵי בְּאוֹרַיְיתָא, וּמָרֵי נַפְשָׁא מִנָּהּ, מַה כְּתִיב וּשְׁמוּעָה טוֹבָה מֵאֶרֶץ מֶרְחָק קב"ה אַכְרִיז עָלֵיהּ כַּמָּה טָבָאן לְאוֹטָבָא לֵיהּ בְּעָלְמָא דֵין וּבְעָלְמָא דְאָתֵי. הה"ד, וּשְׁמוּעָה טוֹבָה, מַאן אֲתָר מֵאֶרֶץ מֶרְחָק, מֵאֲתַר דְקב"ה הֲוָה רָחִיק מִנֵּיהּ בְּקַדְמֵיתָא, מֵאֲתַר דַהֲוָה ב"נ בְּדַבְבוּ עִמֵּיהּ בְּקַדְמֵיתָא, דִכְתִּיב וְאֶרֶץ מִתְקוֹמָמָה לוֹ, מֵהַהוּא אֲתַר מַקְדִימִין לֵיהּ שָׁלֹם, הה"ד, מֵאֶרֶץ מֶרְחָק. וּכְתִיב מֵרָחוֹק יְיָ' נִרְאָה לִי וְאַהֲבַת עוֹלָם אֲהַבְתִּיךְ עַל כֵּן מְשַׁכְתִּיךְ חָסֶד.

קמה. וְיָצָא אֶל הַמִּזְבֵּחַ אֲשֶׁר לִפְנֵי יְיָ' וְכִפֶּר עָלָיו. ר' יְהוּדָה פָּתַח וְאָמַר, מִזְמוֹר לְאָסָף אֵל אֱלֹהִים יְיָ' דִּבֶּר וַיִּקְרָא אֶרֶץ מִמִּזְרַח שֶׁמֶשׁ עַד מְבוֹאוֹ. תָּאנָא, אֶלֶף וַחֲמֵשׁ מֵאָה וְחַמְשִׁין רִבּוֹא מָארֵי שִׁירָתָא, מְזַמְּרִין לְקב"ה, כַּד נָהִיר יְמָמָא. וְאֶלֶף וַחֲמֵשׁ מֵאָה וְאַרְבְּעִין וּתְמַנְיָא בְּסִיהֲרָא. וְאֶלֶף וַחֲמֵשׁ מֵאָה וְתִשְׁעִין אֶלֶף רִבּוֹא בְּהַהִיא שַׁעֲתָא דְאִקְרֵי בֵּין הָעַרְבַּיִם.

קמו. ר' יוֹסֵי אָמַר, כַּד נָהִיר יְמָמָא, כָּל אִינּוּן מָארֵי דִיבָבָא, מִשְׁכְּחָן בְּמִלֵּי תּוּשְׁבְּחָן, לָקֳבְלֵיהּ דְהַאי בֹּקֶר. דְכַד אִתְעַר הַאי בֹּקֶר, כֻּלְּהוּ מִתְבַּסְּמִין, וְדִינָא אִשְׁתְּכִיךְ, וְאַמְרִין תּוּשְׁבְּחָן. הה"ד, בְּרָן יַחַד כֹּכְבֵי בֹקֶר וַיָּרִיעוּ כָּל בְּנֵי אֱלֹהִים. וְהַהוּא זִמְנָא, חֶדְוָתָא וּבִרְכָאן מִשְׁתַּכְּחִין בְּעָלְמָא, וקב"ה אִתְעַר לְאַבְרָהָם לְאַחֲזָיָיא לֵיהּ, וְאִשְׁתַּעֲשַׁע בֵּיהּ, וְאַשְׁלְטֵיהּ בְּעָלְמָא. וּמְנָא לָן דְהַאי בֹּקֶר דְאַבְרָהָם הוּא. דִכְתִּיב וַיַּשְׁכֵּם אַבְרָהָם בַּבֹּקֶר.

קמז. בְּהַהוּא זִמְנָא דְבֵין הָעַרְבַּיִם, כָּל אִינּוּן אֶלֶף וַחֲמֵשׁ מֵאָה וְתִשְׁעִין אֶלֶף רִבּוֹא מָארֵי דִילָלָה אִקְרוּן, וּמְזַמְּרִין בְּהַהִיא שַׁעֲתָא, וְקַטְטוּתָא שַׁרְיָא בְּעָלְמָא, וְהַהִיא שַׁעֲתָא אִתְּעָרוּתָא דְאִתְעַר קב"ה לְיִצְחָק, וְקָם וְדָאִין לְחַיָּיבַיָּא דְעָבְרִין עַל פִּתְגָּמֵי אוֹרַיְיתָא, וְשִׁבְעָה נַהֲרֵי אֶשָּׁא נָגְדִין וְנָפְקִין וְחָלִין עַל רֵישֵׁיהוֹן דְרַשִּׁיעַיָּיא, וְשַׁלְהוֹבֵי גּוּמְרִין דְנוּרָא מִתְעָרִין מֵעֵילָּא לְתַתָּא, וּכְדֵין תָּב אַבְרָהָם לְאַתְרֵיהּ. כד"א, וְאַבְרָהָם שָׁב לִמְקֹמוֹ.

וְיוֹמָא אִתְפְּנֵי, וְחַיָּיבֵי גֵּיהִנֹּם צַוְוחִין וְאַמְרִין אוֹי לָנוּ כִּי פָּנָה הַיּוֹם כִּי יִנָּטוּ צִלְלֵי עָרֶב. וְהַהִיא שַׁעֲתָא, בָּעֵי ב"נ לְאִזְדַּהֲרָא, בִּצְלוֹתָא דְּמִנְחָה.

קמז. בִּזְמְנָא דְּמָטֵי לֵילְיָא אִינּוּן אֶלֶף וְה' מְאָה וְאַרְבְּעִין וּתְמַנְיָא, אִקְרוּן מִבָּרָא לְפָרוֹכְתָּא, וְאַמְרִין שִׁירָתָא כְּדֵין דִּינִין דִּלְתַתָּא מִתְעָרִין, וְאָזְלִין וְשָׁאטִין בְּעָלְמָא, וְאִלֵּין אַמְרִין שִׁירָתָא עַד דְּיִתְפְּלִיג לֵילְיָא מִשְׁמָרָה וּפַלְגָּא. בָּתַר דְּיִתְפְּלִיג לֵילְיָא מִזְדַּמְנֵי כֻּלְּהוּ אַחֲרָנִין כַּחֲדָא, וְאַמְרֵי תְּהִלּוֹת, כד"א וּתְהִלּוֹת יְיָ' יְבַשֵּׂרוּ. ר' יְהוּדָה אָמַר כַּד רַעֲוָא אִשְׁתְּכַח בְּצַפְרָא, תְּהִלּוֹת יְיָ' מְבַשְּׂרִין.

קמט. רִבִּי יוֹסֵי אָמַר, בָּתַר דְּרוּחָא דְּצָפוֹן אִתְּעַר בְּפַלְגּוּת לֵילְיָא וְאָזִיל לֵיהּ, תְּהִלּוֹת מְבַשְּׂרֵי, עַד דְּיֵיתֵי צַפְרָא, וְאִתְּעַר הַאי בֹּקֶר, כְּדֵין חֶדְוְותָא וּבִרְכָאן אִשְׁתְּכַח בְּעָלְמָא.

קנ. תָּאנָא, א"ר אַבָּא, כֻּלְּהוּ הָכִי, וְעֵילָא מִנְּהוֹן סַרְכִין תְּלָתָא. בְּהַהִיא שַׁעֲתָא דְּאִתְּעַר הַאי בֹּקֶר, וּמִתְעָרִין תּוּשְׁבְּחָן, כָּל אִינּוּן אֶלֶף וַחֲמֵשׁ מְאָה וְחַמְשִׁין רִבּוֹא, אִתְמְנָא עֲלַיְיהוּ חַד מְמָנָא, וְהֵימָן שְׁמֵיהּ לְקַבְּלֵיהּ דִּלְתַתָּא, וּתְחוֹת יְדֵיהּ סַרְכִין מְמָנָן עֲלַיְיהוּ לְאַתְקְנָא שִׁירָתָא

קנא. בְּהַהִיא שַׁעֲתָא דְּאִתְּעַר זִמְנָא דְּבֵין הָעַרְבַּיִם, וַחֲמַרִין כָּל אִינּוּן אֶלֶף וַחֲמֵשׁ מְאָה וְתִשְׁעִין אֶלֶף רִבּוֹא מָארֵי דְּיִלָלָה, אִתְמְנָא עֲלַיְיהוּ חַד מְמָנָא וִידוּתוּן שְׁמֵיהּ, לְקַבְּלֵיהּ דִּלְתַתָּא, וּתְחוֹת יְדֵיהּ סַרְכִין מְמָנָן עֲלַיְיהוּ, לְאַתְקְנָא הַהוּא זִמְרָא, כד"א זְמִיר עָרִיצִים.

קנב. בְּהַהִיא שַׁעֲתָא דְּמָטֵי לֵילְיָא, מִתְעָרִין כָּל אִינּוּן דְּמִבָּרָא לְפָרוֹכְתָּא, כְּדֵין שְׁכִיךְ כֹּלָּא, וּפִטְרָא לָא אִשְׁתְּכַח, וְדִינִין דִּלְתַתָּא מִתְעָרִין, כֻּלְּהוּ אִתְמְנָן כַּחֲדָא, אִלֵּין עַל אִלֵּין, עַד דְּאִתְפְּלִיג לֵילְיָא, וּמִתְכַּנְּשֵׁי כֻּלְּהוּ, אִתְמְנָא עֲלַיְיהוּ חַד מְמָנָא וְכָנִישׁ לְכָל מַשִׁרְיָין, כד"א מְאַסֵּף לְכָל הַמַּחֲנוֹת וְגוֹ', וְאָסָף שְׁמֵיהּ, לְקַבְּלֵיהּ דִּלְתַתָּא, וּתְחוֹת יְדֵיהּ כָּל אִינּוּן סַרְכִין מְמָנָן, וּמְבַשְּׂרֵי תְּהִלּוֹת.

קנג. עַד דְּאָתֵי צַפְרָא, כֵּיוָן דְּאָתֵי צַפְרָא, קָם הַהוּא נַעַ"ר, יוֹנֵק מִשְּׁדֵי אִמֵּיהּ, לְדַכְּאָה לְהוּ, וְעָאל לְשַׁמְּשָׁא. כַּד אִתְּעַר בֹּקֶר, כְּדֵין הִיא שַׁעֲתָא דְּרַעֲוָא, דְּאִשְׁתָּעֵי מַטְרוֹנִיתָא בְּמַלְכָּא, וּמַלְכָּא מוֹשִׁיךְ מִנֵּיהּ חַד חוּטָא דְּבִרְכָאן וּפָרִיס עַל מַטְרוֹנִיתָא, וְעַל אִינּוּן דְּמִזְדַּוְּוגֵי לָהּ. מַאן אִינּוּן דְּמִזְדַּוְּוגֵי עִמָּהּ. אִינּוּן דְּמִשְׁתַּדְּלֵי בְּאוֹרַיְיתָא בְּלֵילְיָא, כַּד אִתְפְּלַג.

קנד. ר' שִׁמְעוֹן אָמַר, זַכָּאָה חוּלָקֵיהּ מַאן דְּאָתֵי עִם מַטְרוֹנִיתָא, בְּשַׁעֲתָא דְּאָתַת לְקַבְּלָא אַנְפֵּי מַלְכָּא, לְאִשְׁתָּעֵי בֵּיהּ. וְאִשְׁתְּכַח עִמָּהּ. בְּשַׁעֲתָא דְּאוֹשִׁיט מַלְכָּא יְמִינָא, לְקַבְּלָא לְמַטְרוֹנִיתָא. הה"ד אֶשָּׂא כַנְפֵי שָׁחַר אֶשְׁכְּנָה בְּאַחֲרִית יָם. מַאי אַחֲרִית יָם. הַהִיא שַׁעֲתָא אַחֲרִית דְּהַהוּא יָם הוּא. דְּכַד אִתְפְּלַג, שֵׁירוּתָא הֲוָה, וְדִינָא הֲוָה, וְהַשְׁתָּא אַחֲרִית הוּא דִּילָהּ, דְּמִסְתַּלְּקִין דִּינָהָא. וְעָאלַת בְּגַדְפּוֹי דְּמַלְכָּא, הִיא וְכָל אִינּוּן דְּמִזְדַּוְּוגִין לָהּ, הה"ד אֶשְׁכְּנָה בְּאַחֲרִית יָם.

קנה. וְתָאנָא, כָּל אִינּוּן דְּמִשְׁתַּדְּלֵי בְּאוֹרַיְיתָא בְּשַׁעֲתָא דְּאִתְפְּלִיג לֵילְיָא. אִשְׁתְּתַּף בִּשְׁכִינְתָּא. וְכַד אָתֵי צַפְרָא, וּמַטְרוֹנִיתָא אִתְחַבְּרַת עִם מַלְכָּא, הוּא אִשְׁתְּכַח עִמָּהּ עִם מַלְכָּא. וּמַלְכָּא פָּרִיס עַל כֻּלְּהוּ גַּדְפּוֹי, הה"ד יוֹמָם יְצַוֶּה יְיָ' חַסְדּוֹ וּבַלַּיְלָה שִׁירֹה עִמִּי וְגוֹ'.

קנו. תָּאנָא, בְּהַהִיא שַׁעֲתָא, אֲבָהָן מִזְדַּמְנִין בְּמַטְרוֹנִיתָא, וְקַדְמִין לְאִשְׁתָּעֵי בַּהֲדָהּ, וּלְאִתְחַבְּרָא עִמָּהּ. וקב"ה מַלִּיל עִמָּהּ בְּהוּ. וְהוּא קָארֵי לָהּ לְפָרְסָא לָהּ גַּדְפּוֹי, הה"ד מִזְמוֹר לְאָסָף אֵל אֱלֹהִים יְיָ' דִּבֶּר וַיִּקְרָא אָרֶץ וְגוֹ'. אֵל: דָּא נְהִירוּ דְּחָכְמְתָא, וְאִקְרֵי חֶסֶד. אֱלֹהִים: דָּא גְּבוּרָה. יְדֹוָ"ד: דָּא שְׁלִימוּ דְּכֹלָּא, רַחֲמֵי. וְעַל דָּא, דִּבֶּר וַיִּקְרָא אֶרֶץ וְגוֹ'.

קנז. רִבִּי אֶלְעָזָר הֲוָה יָתִיב קָמֵיהּ דר"ש אֲבוּי, אָמַר לֵיהּ, הָא תָּנֵינָן אֱלֹהִים בְּכָל אֲתַר דִּינָא הוּא. יו"ד ה"א וא"ו ה"א. אִית אֲתַר דְּאִקְרֵי אֱלֹהִים, כְּגוֹן אֲדֹנָ"י יֱהֹוִ"ה. אַמַּאי אִקְרֵי אֱלֹהִים, וְהָא אַתְוָון רַחֲמֵי אִינּוּן בְּכָל אֲתַר.

קנח. אָמַר לֵיהּ, הָכִי הוּא כְּתִיב בִּקְרָא, דִּכְתִּיב וְיָדַעְתָּ הַיּוֹם וַהֲשֵׁבֹתָ אֶל לְבָבֶךָ כִּי יְיָ' הוּא הָאֱלֹהִים, וּכְתִיב יְיָ' הוּא הָאֱלֹהִים. אָמַר לֵיהּ מִלָּה דָּא יְדַעְנָא, דִּבְאֲתַר דְּאִית דִּינָא, אִית רַחֲמֵי. וּלְזִמְנָא, בַּאֲתַר דְּאִית רַחֲמֵי, אִית דִּינָא, א"ל תָּא חֲזֵי דְּהָכִי הוּא, יְדֹוָ"ד בְּכָל אֲתַר רַחֲמֵי. וּבְשַׁעְתָּא דִּמְהַפְּכֵי חַיָּיבַיָּא רַחֲמֵי לְדִינָא, כְּדֵין כְּתִיב יֱהֹוִ"ה, וְקָרֵינָן לֵיהּ אֱלֹהִים.

קנט. אֲבָל ת"ח רָזָא דְּמִלָּה, ג' דַּרְגִּין אִינּוּן, וְכָל דַּרְגָּא וְדַרְגָּא בִּלְחוֹדוֹי, ואע"ג דְּכֹלָּא חַד, וּמִתְקַשְּׁרֵי בְּחַד, וְלָא מִתְפָּרְשֵׁי דָּא מִן דָּא. ת"ח, כֻּלְּהוּ נְטִיעָן, וְכָל אִינּוּן בּוֹצִינִין כֻּלְּהוּ נְהִירִין וּמִתְלַהֲטָן וּמִשְׁתַּקְיָין וּמִתְבָּרְכָאן, מֵהַהוּא נַהֲרָא דְּנָגִיד וְנָפִיק, דְּכֹלָּא כָּלִיל בֵּיהּ, וּכְלָלָא דְּכֹלָּא בֵּיהּ.

קס. וְהַאי נַהֲרָא אִתְקְרֵי א"ם לְגִנְתָּא, וְעֵילָּא מִגִּנְתָּא, בְּגִין דְּעֵדֶן מִשְׁתַּתֵּף בַּהֲדָהּ, וְלָא פָּרִישׁ מִנָּהּ. וּבְגִין כַּךְ, כָּל מַבּוּעִין נָפְקִין וְנַגְדִּין וְאִשְׁתַּקְיָין לְכָל עִיבָר. וּפַתְחִין בָּהּ פִּתְחִין, וְעַל דָּא רַחֲמֵי מִנָּהּ מִשְׁתַּכְּחִין, וְרַחֲמִין פְּתִיחִין בָּהּ.

קסא. וּבְגִין דְּקָרֵינָן לָהּ אֵם, נוּקְבָא גְּבוּרָה, וְדִינָא מִנָּהּ נָפִיק. אִקְרֵי רַחֲמֵי בִּלְחוֹדָהָא, הָא מִסִּטְרָהָא דִּינִין מִתְעָרִין. וּבְגִין כַּךְ כְּתִיב בְּרַחֲמֵי, וְנָקוּד בְּדִינָא. אַתְוָון בְּרַחֲמֵי, וְאִתְנְגִיד דִּינָא מִסִּטְרָהָא, כְּגַוְונָא דָּא יֱהֹוִ"ה, הַאי דַּרְגָּא חַד.

קסב. דַּרְגָּא תִּנְיָינָא, מִסִּטְרָא דְּהַאי קַדְמָאָה, נָפִיק וְאִתְעַר דַּרְגָּא אָחֳרָא אִקְרֵי גְּבוּרָה, וְהַאי אִקְרֵי אֱלֹהִים, בְּאִלֵּין אַתְוָון מַמָּשׁ. וְשֵׁירוּתָא מִזְּעֵיר אַנְפִּין הוּא, וּבֵיהּ אִתְאֲחִיד. וּבְגִין דְּאִתְאֲחִיד בְּהַאי, כְּתִיב יְיָ' הָאֱלֹהִים, כִּי יְיָ' הוּא הָאֱלֹהִים, בְּאִלֵּין אַתְוָון, וְהוּא חַד, וְדָא הוּא דַּרְגָּא תִּנְיָינָא.

קסג. דַּרְגָּא תְּלִיתָאָה, צֶדֶק. כִּתְרָא בַּתְרָאָה, הַאי בֵּי דִּינָא דְּמַלְכָּא. וְתָאנָא אֲדֹנָ"י הָכִי כְּתִיב, וְהָכִי אִקְרֵי, וכ"ו בְּהַאי שְׁמָא אִתְקְרֵי. וְהַאי שְׁמָא בַּאֲתַר דָּא אִשְׁתְּלִים. וְאִלֵּין אִינּוּן ג' דַּרְגִּין, דְּאִקְרוּן בִּשְׁמָהוֹן דְּדִינָא. וְכֹלָּא מִתְקַשַּׁר חַד בְּחַד בְּלָא פֵּרוּדָא, כְּמָה דְּאוּקִימְנָא.

קסד. אָמַר לֵיהּ, אִי נֵיזָא קָמֵיהּ דְּאַבָּא, הָא שְׁמַעְנָא בְּהַאי, דִּכְתִּיב אֶהְיֶה אֲשֶׁר אֶהְיֶה, וְלָא קַיְּימָא בֵּיהּ. א"ל אֶלְעָזָר בְּרִי, הָא אוֹקְמוּהָ חַבְרַיָּיא, וְהַשְׁתָּא בְּחַד מִלָּה אִתְקַשַּׁר כֹּלָּא.

קסה. וְרָזָא דְּמִלָּה הָכִי הוּא. אֶהְיֶה, דָּא כְּלָלָא דְּכֹלָּא. דְּכַד שְׁבִילִין סְתִימִין וְלָא מִתְפָּרְשָׁן, וּכְלִילָן בְּחַד אֲתַר. כְּדֵין אִקְרֵי אֶהְיֶה, כְּלָלָא כֹּלָּא, סָתִים וְלָא אִתְגַּלְיָיא.

קסו. בָּתַר דְּנָפַק מִנֵּיהּ שֵׁירוּתָא, וְהַהוּא נָהָר אִתְעַבַּר לְאַמְשָׁכָא כֹּלָּא, כְּדֵין אִקְרֵי אֲשֶׁר אֶהְיֶה. כְּלוֹמַר, ע"כ אֶהְיֶה, אֶהְיֶה זַמִּין לְאַמְשָׁכָא וּלְאוֹלְדָא כֹּלָּא. אֶהְיֶה: כְּלוֹמַר, הַשְׁתָּא אֲנָא הוּא כְּלָל כֹּלָּא, כְּלָלָא דְּכָל פְּרָטָא. אֲשֶׁר אֶהְיֶה: דְּאִתְעַבְּרַת אִימָא, וְזַמִּינַת לְאַפָּקָא פְּרָטִין כֻּלְּהוּ, וּלְאִתְגַּלְיָיא שְׁמָא עִלָּאָה.

קסז. לְבָתַר בָּעָא מֹשֶׁה לְמִנְדַּע פְּרָטָא דְּמִלָּה מַאן הוּא, עַד דְּפָרִישׁ וְאָמַר אֶהְיֶה, דָּא הוּא פְּרָטָא, וְהָכָא לָא כְּתִיב אֲשֶׁר אֶהְיֶה. וְאַשְׁכַּחְנָא בְּסִפְרָא דִּשְׁלֹמֹה מַלְכָּא, אֲשֶׁר: בְּקִיטוּרָא דְּעִדּוּנָא קַסְטִירָא בְּחַבְרוּתָא עִלָּאָה אִשְׁתְּכַח. כד"א, בְּאָשְׁרִי כִּי

אִשְׁרוּנִי בָּנוֹת, אֶהְיֶה זְמִינָא לְאוֹלָדָא.

קסח. ת"ח הֵיךְ נָחִית מִדַּרְגָּא לְדַרְגָּא, לְאוֹדָעָא רָזָא דִּשְׁמָא קַדִּישָׁא לְמֹשֶׁה. בְּקַדְמֵיתָא אֶהְיֶה, כְּלָלָא דְּכֹלָּא, סָתִים דְּלָא אִתְגַּלְיָיא כְּלַל, כְּמָה דַּאֲמֵינָא. וְסִימָן, וָאֶהְיֶה אֶצְלוֹ אָמוֹן וְגוֹ', וּכְתִיב לֹא יָדַע אֱנוֹשׁ עֶרְכָּהּ וְגוֹ'. לְבָתַר אַפִּיק הַהוּא נַהֲרָא, אִימָא עִלָּאָה, אִתְעַבְּרַת, וּזְמִינָא לְאוֹלָדָא. וְאָמַר אֲשֶׁר אֶהְיֶה, זְמִינָא לְאוֹלָדָא, וּלְתַקְּנָא כֹּלָּא. לְבָתַר שָׁארֵי לְאוֹלָדָא, וְלָא כְּתִיב אֲשֶׁר, אֶלָּא אֶהְיֶה: כְּלוֹמַר, הַשְׁתָּא יָפִיק וְיִתְתַּקַּן כֹּלָּא.

קסט. בָּתַר דְּנָפִיק כֹּלָּא, וְאִתְתַּקַּן כָּל חַד וְחַד בְּאַתְרֵיהּ, שָׁבַק כֹּלָּא, וְאָמַר יְהֹוָ"ה. דָּא פְּרָטָא, וְדָא קִיּוּמָא. וּבְהַהִיא שַׁעֲתָא יָדַע מֹשֶׁה, רָזָא דִּשְׁמָא קַדִּישָׁא, סָתִים וְגַלְיָא וְאִתְדַּבַּק מַה דְּלָא אִתְדְּבָקוּ שְׁאָר בְּנֵי עָלְמָא, זַכָּאָה חוּלָקֵיהּ. אָתָא ר' אֶלְעָזָר וְנָשִׁיק יְדוֹי.

קע. א"ל, אֶלְעָזָר בְּרִי, מִכָּאן וּלְהָלְאָה, אִזְדְּהַר דְּלָא לְמִכְתַּב שְׁמָא קַדִּישָׁא, אֶלָּא כַּדְקָא יָאוּת. דְּכָל מַאן דְּלָא יָדַע לְמִכְתַּב שְׁמָא קַדִּישָׁא כַּדְקָא יָאוּת, וּלְקַשְּׁרָא קִשְׁרָא דִּמְהֵימְנוּתָא קִשְׁרָא דְּחַד בְּחַד, בְּגִין לְיַחֲדָא שְׁמָא קַדִּישָׁא. עָלֵיהּ כְּתִיב, כִּי דְּבַר יְיָ' בָּזָה וְאֶת מִצְוָתוֹ הֵפַר הִכָּרֵת תִּכָּרֵת וְגוֹ'. אֲפִילּוּ דְּגָרַע חַד דַּרְגָּא, אוֹ חַד קִשְׁרָא, מֵאָת חַד מִנַּיְיהוּ.

קעא. ת"ח, י' בְּקַדְמֵיתָא, כְּלָלָא דְּכֹלָּא, סָתִים מִכָּל סִטְרִין, שְׁבִילִין לָא מִתְפַּתְּחִין, כְּלָלָא דִּדְכַר וְנוּקְבָא. קוֹצָא דְּיוֹ"ד דִּלְעֵילָּא, רְמִיזָא לְאַיִן. לְבָתַר, י' דְּאַפִּיק הַהוּא נַהֲרָא דְּנָגִיד וְנָפִיק מִנֵּיהּ, וּלְאִתְעַבְּרָא מִנֵּיהּ ה', בְּהַאי כְּתִיב וְנָהָר יוֹצֵא מֵעֵדֶן. יוֹצֵא וְלָא יָצָא. בְּגִ"כ לָא בַּעְיָא לְאִתְפָּרְשָׁא מִנֵּיהּ. וּבְגִ"כ כְּתִיב רַעְיָתִי.

קעב. וְאִי תֵּימָא נָהָר כְּתִיב, מַשְׁמַע חַד, וְהָא הָכָא ג'. הָכִי הוּא וַדַּאי, י' אַפִּיק תְּלָתָא, וּבִתְלָתָא אִתְכְּלִיל כֹּלָּא. י' אַפִּיק לְקַמֵּיהּ הַהוּא נָהָר, וּתְרֵין בְּנִין דְּיַנְקָא לְהוּ אִימָא, וְאִתְעַבְּרַת מִנַּיְיהוּ, וְאַפִּיק לוֹן לְבָתַר. ה': כְּגַוְונָא דָּא ה', וְאִינּוּן בְּנִין תְּחוֹת אַבָּא וְאִימָא.

קעג. בָּתַר דְּאוֹלִידַת, אַפִּיקַת בֵּן דְּכַר, וְשַׁוְיֵיהּ לְקַמָּהּ, וּבָעֵי לְמִכְתַּב ו', וְהַאי יָרִית אַחֲסַנְתָּא דְּאַבָּא וְאִימָא, וְיָרִית תְּרֵין חוּלָקִין, וּמִנֵּיהּ אִתְּזָן בְּרַתָּא. וְעַל דָּא, בָּעֵי לְמִכְתַּב לְבָתַר, ו"ה כַּחֲדָא כְּמָה דְּהֵ"א קַדְמָאָה י"ה כַּחֲדָא, וְלָא בָּעֵי לְאַפְרְשָׁא לוֹן, אוּף הָכָא ו"ה כַּחֲדָא, וְלָא בָּעֵי לְאַפְרְשָׁא לוֹן. וְהָא אוֹקִימְנָא מִלֵּי. וּלְאֲתַר אָחֳרָא סַלְּקִין הָנֵי מִלֵּי. זַכָּאָה חוּלָקֵיהוֹן דְּצַדִּיקַיָּיא, דְּיַדְעִין רָזִין עִלָּאִין דְּמַלְכָּא קַדִּישָׁא, וְיִתְחֲזוּן לְאוֹדָאָה לֵיהּ, הה"ד אַךְ צַדִּיקִים יוֹדוּ לִשְׁמֶךָ יֵשְׁבוּ יְשָׁרִים אֶת פָּנֶיךָ.

קעד. תָּאנָא א"ר יְהוּדָה, אֵל אֱלֹהִים יְיָ' דִּבֶּר וַיִּקְרָא אָרֶץ. שְׁלִימוּ דְּכֹלָּא, שְׁלִימוּ דַּאֲבָהָן קַדִּישֵׁי. דִּבֶּר וַיִּקְרָא אָרֶץ, לְאִשְׁתַּכְּחָא בכ"י בִּשְׁלִימוּ בְּחֶדְוָותָא. וּמֵאָן אֲתַר הוּא אִשְׁתַּכַּח עִמָּהּ. הָדַר וְאָמַר, מִצִּיּוֹן מִכְלַל יוֹפִי אֱלֹהִים הוֹפִיעַ.

קעה. תָּאנָא כַּד בָּעָא קב"ה לְמִבְרֵי עָלְמָא דִּלְתַתָּא, כֹּלָּא כְּגַוְונָא דִּלְעֵילָּא עֲבַד לֵיהּ. עֲבַד יְרוּשָׁלַיִם, אֶמְצָעִיתָא דְּכָל אַרְעָא. וַאֲתַר חַד דְּאִקְרֵי צִיּוֹן, עָלָהּ. וּמֵהַאי אֲתַר מִתְבָּרְכָא. וּבְהַאי אֲתַר דְּצִיּוֹן שָׁארֵי עָלְמָא לְאִתְבְּנָאָה, וּמִנֵּיהּ אִתְבְּנֵי. הה"ד, אֵל אֱלֹהִים יְיָ' דִּבֶּר וַיִּקְרָא אָרֶץ מִמִּזְרַח שֶׁמֶשׁ עַד מְבוֹאוֹ. וּמֵאָן אֲתַר. מִצִּיּוֹן מִכְלַל יוֹפִי אֱלֹהִים הוֹפִיעַ. כְּלוֹמַר, מִצִּיּוֹן דְּהוּא שְׁלִימוּ דְּיוֹפִי דְּעָלְמָא, אֱלֹהִים הוֹפִיעַ. ת"ח, לָא אִתְבָּרְכָא יְרוּשָׁלַם, אֶלָּא מִצִּיּוֹן. וְצִיּוֹן מֵעֵילָּא, וְכֹלָּא חַד בְּחַד אִתְקְשַׁר.

קעו. תָּאנָא, אָמַר רַבִּי יְהוּדָה, וְיָצָא אֶל הַמִּזְבֵּחַ אֲשֶׁר לִפְנֵי יְיָ' וְכִפֶּר עָלָיו. אֶל הַמִּזְבֵּחַ

סתם. כמה דְּאִתְעֲבֵיד לְתַתָּא, אִתְעֲבֵיד לְעֵילָּא, וְכֹלָּא אִתְקְשַׁר וְחַד בְּחַד. וְתָאנָא, כְּמָה דְּבְהַאי יוֹמָא מְכַפֵּר כַּהֲנָא לְתַתָּא, הָכִי נָמֵי לְעֵילָּא. וְכַד כַּהֲנָא דִּלְתַתָּא מְסַדֵּר פּוּלְחָנֵיהּ, כַּהֲנָא דִּלְעֵילָּא הָכִי נָמֵי, לָא אִשְׁתְּכַח לְעֵילָּא, עַד דְּאִשְׁתְּכַח לְתַתָּא. וּמִתַּתָּא שָׁארֵי לְסַלְקָא קְדוּשָּׁה דְּמַלְכָּא עִלָּאָה, וּמִשְׁתַּכְּחִין כֻּלְּהוּ עָלְמִין וְחַד קַמֵּיהּ דְּקֻבְּ"ה.

קעז. א"ר יְהוּדָה, אִלְמָלֵא הֲווּ יָדְעֵי יִשְׂרָאֵל אַמַּאי קֻבְּ"ה פָּקִיד עָלַיְיהוּ דְּיִשְׂרָאֵל, לְאוֹכָחָא לְהוּ יַתִּיר מִכָּל שְׁאַר עַמִּין, יִנְדְּעוּן דְּהָא קֻבְּ"ה שָׁבִיק דִּידֵיהּ, וְלָא גָּבֵי מִנַּהוֹן וְחַד מִמֵּאָה. תָּאנָא, קֻבְּ"ה כַּמָּה רְתִיכִין, כַּמָּה חֲיָילִין אִית לֵיהּ, כַּמָּה שׁוּלְטָנִין מְמַנָּן מִשְׁתַּכְּחִין בְּפוּלְחָנֵיהּ, כַּד זַמִּין לְהוּ לְיִשְׂרָאֵל בְּהַאי עָלְמָא, אַכְתַּר לוֹן בְּכִתְרִין קַדִּישִׁין כְּגַוְונָא דִּלְעֵילָּא, אַשְׁרֵי לוֹן בְּאַרְעָא קַדִּישָׁא, בְּגִין דְּיִשְׁתַּכְּחוּ בְּפוּלְחָנֵיהּ, קָשִׁיר לְכֻלְּהוּ עִלָּאֵי בְּהוּ בְּיִשְׂרָאֵל.

קעח. וְחַדְוָון לָא עָאלִין קַמֵּיהּ, וּפוּלְחָנָא לָא אִתְעֲבֵיד קַמֵּיהּ לְעֵילָּא, עַד דְּיִשְׂרָאֵל עָבְדִין לְתַתָּא. כָּל זִמְנָא דְּיִשְׂרָאֵל מִשְׁתַּכְּחִין בְּפוּלְחָנֵיהּ דְּמָארֵיהוֹן לְתַתָּא, הָכִי נָמֵי לְעֵילָּא. בְּזִמְנָא דְּיִשְׂרָאֵל בַּטְּלֵי פּוּלְחָנָא לְתַתָּא. בַּטְּלֵי לְעֵילָּא, וּפוּלְחָנָא לָא אִשְׁתְּכַח לָא לְעֵילָּא וְלָא לְתַתָּא. וְעַל דְּיִשְׂרָאֵל בַּטְלוּ פּוּלְחָנָא דְּקֻבְּ"ה כַּד שָׁארָן בְּאַרְעָא, הָכִי נָמֵי לְעֵילָּא, כ"ש לְבָתַר.

קעט. אָמַר קֻבְּ"ה, יִשְׂרָאֵל אִי אַתּוּן יָדְעִין, כַּמָּה אוּכְלוּסִין, כַּמָּה חֲיָילִין, מִתְעַכְּבִין בְּגִינַיְיכוּ, תִּנְדְּעוּן דְּלֵית אַתּוּן כְּדָאֵי לְמֵיקַם בְּעָלְמָא, אֲפִילּוּ שַׁעֲתָא חֲדָא. וְעַכ"ד מַה כְּתִיב, וְאַף גַּם זֹאת בִּהְיוֹתָם בְּאֶרֶץ אוֹיְבֵיהֶם לֹא מְאַסְתִּים וְגוֹ', וְיָצָא אֶל הַמִּזְבֵּחַ, אֶל הַמִּזְבֵּחַ סְתָם, אֲשֶׁר לִפְנֵי יְיָ' סְתָם. וְכִפֶּר עָלָיו לְבָתַר, וְיָצָא וְעָשָׂה אֶת עוֹלָתוֹ וְאֶת עוֹלַת הָעָם וְגוֹ'. וְכִפֶּר עָלָיו מַאי קָא מַיְירֵי. א"ר יוֹסֵי, לְאִתְעָרָא חֶסֶד בְּעָלְמָא בְּקַדְמֵיתָא.

קפ. תָּאנָא, כְּתִיב וְכִפֶּר עַל הַקֹּדֶשׁ מִטֻּמְאֹת בְּנֵי יִשְׂרָאֵל. מַאי וְכִפֶּר עַל הַקֹּדֶשׁ. אֶלָּא א"ר אֶלְעָזָר, הָא תְּנִינָן, חַיָּיבַיָּא עָבְדִין פְּגִימוּתָא לְעֵילָּא, וּמִתְּעָרִין דִּינִין, וְגַרְמִין לְאִסְתַּאֲבָא מַקְדְּשָׁא. וְחִוְיָא תַּקִּיפָא שָׁארֵי לְאִתְגַּלָּאָה. וְכַדִּין דִּינִין מִתְּעָרִין בְּעָלְמָא, וּבְהַאי יוֹמָא, בָּעֵי כַּהֲנָא לְדַכָּאָה כֹּלָּא, וּלְאִתְעַטְּרָא כִּתְרָא קַדִּישָׁא דִּילֵיהּ, דְּהִיא רֵישָׁא דְּמַלְכָּא. בְּגִין דְּיֵיתֵי מַלְכָּא לְאִשְׁרָאָה בְּמַטְרוֹנִיתָא, וְכַד רֵישָׁא דְּמַלְכָּא נָטִיל, כֹּלָּא נָטִיל, וְיֵיתֵי לְאִזְדַּוְּוגָא בְּמַטְרוֹנִיתָא וּלְאִתְעָרָא חֵידוּ וּבִרְכָאן בְּעָלְמָא.

קפא. אִשְׁתְּכַח דְּכָל שְׁלִימוּ דְּעֵילָּא וְתַתָּא, בְּכַהֲנָא תַּלְיָיא. דְּאִי אִתְעַר כִּתְרָא דִּילֵיהּ, כֹּלָּא אִתְעַר וְכֹלָּא בִּשְׁלִימוּ אִשְׁתְּכַח. וְעַ"ד כְּתִיב וְכִפֶּר עַל הַקֹּדֶשׁ. בְּקַדְמֵיתָא וְכִפֶּר עַל הַקֹּדֶשׁ. לְאַסְגָּאָה שְׁלָמָא בְּעָלְמָא, וּלְאַסְגָּאָה חֵידוּ בְּעָלְמָא. וְכַד חֵידוּ דְּזִוּוּגָא אִשְׁתְּכַח בְּמַלְכָּא וּבְמַטְרוֹנִיתָא, כָּל שַׁמָּשִׁין, וְכָל בְּנֵי הֵיכָלָא, כֻּלְּהוּ אִשְׁתְּכָחוּ בְּחֵידוּ. וְכָל חוֹבִין דְּחָבוּ קָמֵי מַלְכָּא, אִתְכַּפַּר לְהוּ. הה"ד, מִכֹּל חַטֹּאתֵיכֶם לִפְנֵי יְיָ' תִּטְהָרוּ. וּבְגִ"כ כְּתִיב וְכָל אָדָם לֹא יִהְיֶה בְּאֹהֶל מוֹעֵד בְּבֹאוֹ לְכַפֵּר בַּקֹּדֶשׁ עַד צֵאתוֹ. בְּשַׁעֲתָא דְּעָאל לְזַוְּוגָא לְהוּ, וּבְשַׁעֲתָא דְּמִזְדַּוְּוגִין מַלְכָּא וּמַטְרוֹנִיתָא, הַהִיא שַׁעֲתָא וְכִפֶּר בַּעֲדוֹ וּבְעַד בֵּיתוֹ.

קפב. תָּאנָא, וְכָל אָדָם לֹא יִהְיֶה בְּאֹהֶל מוֹעֵד, רִבִּי יִצְחָק פָּתַח, וְזָכַרְתִּי אֶת בְּרִיתִי יַעֲקוֹב וְאַף אֶת בְּרִיתִי יִצְחָק וְגוֹ', וְהַאי קְרָא אוּקְמוּהָ. תָּא חֲזֵי, בְּשַׁעֲתָא דְּיִשְׂרָאֵל בְּגָלוּתָא, כִּבְיָכוֹל קֻבְּ"ה עִמְּהוֹן בְּגָלוּתָא, דְּהָא שְׁכִינְתָּא לָא אִתְעֲדֵי מִנַּיְיהוּ לְעָלְמִין. ת"ח, בְּזִמְנָא דְּיִשְׂרָאֵל אִשְׁתְּכָחוּ בְּגָלוּתָא דְּבָבֶל, שְׁכִינְתָּא בֵּינַיְיהוּ שַׁרְיָא, וְתָאבַת עִמְּהוֹן מִן גָּלוּתָא. וּבִזְכוּת אִינּוּן צַדִּיקַיָּיא דְּאִשְׁתָּאֲרוּ בְּאַרְעָא, שָׁארַת בְּאַרְעָא, וְלָא אַעֲדֵי

מנייהו לעלמין. א"ר יהודה, דאתהדרת מטרוניתא במלכא, ואתהדר כלא בהלולא דמלכא, בג"כ אקרון אנשי כנה"ג, כנה"ג ודאי.

קפג. תאנא, בכל זמנא דישראל בגלותא, אי אינון זכאין, קב"ה אקדים לרחמא עלייהו, ולאפקא לון מגלותא. ואי אינון לא זכאין, מעכב לון בגלותא, עד ההוא זמנא דאתגזר. וכד מטא זמנא, ואינון לא אתחזיין, קב"ה אשגח ליקרא דשמיה, ולא אנשי להו בגלותא, הה"ד וזכרתי את בריתי יעקב וגו'. אלין אבהן דכלא, רזא דשמא קדישא.

קפד. רבי חייא אמר, מאי טעמא יעקב קדמאה הכא. אלא, בגין דיעקב כללא דאבהן, והוא אילנא קדישא. בג"כ, ו' דשמא קדישא ביה אחידא, והכי קרינן יעקוב בו'. ר' יצחק, אמר וא"ו באתווי י"ג מכילן, דירית ירותא די"ג מבועין דמבועא סתימא קדישא.

קפה. ר' אבא אמר, וא"ו אמאי כליל ו' א' ו'. אלא , ו' דיתיב על כורסייא, כד"א ועל דמות הכסא דמות כמראה אדם עליו מלמעלה. א' סתים בגויה ולא אתגלייא, ודא הוא דכתיב בי נשבעתי נאם יי', בג"כ כתיב, ולא אקרי, בתראה, כללא דקדמאה. בתראה, הא אוקימנא דא יסוד, דאיהו סיומא דגופא, וכללא דיליה. ועד כלילן אתוון דא בדא, וא"ו, רישא וסיומא, כמה דאוקימנא.

קפו. ותאנא, תרין אתוון אינון, כהאי גוונא וא"ו דאמינא, נו"ן אוף הכי. ואע"ג דאוקמוה מלה, נו"ן הכי מתפרשא: נ' כפופה, דא מטרוניתא. וסמיכא לה ו', דאיהו יסוד, בגין לאתברכא מניה. ן' פשוטה, אתפשטותא דתפארת. ועד כלילן אתוון, ומתאחדן דא בדא. ואי תימא, אמאי אהדר ו' אנפוי מנו"ן כפופה, ואהדר אנפוי לגבי ן' פשוטה. אלא בגין יקרא דמלכא, אהדר אנפוי לקבליה דמלכא.

קפז. ותאנא, מ"ם לא כליל בגויה את אחרא, אלא מ' פתוחה, ם' סתומה. מ' פתוחה: דהוא כד דכר אתחבר עמה. ם' סתומה: יובלא. דהא סתימין ארחהא ואע"ג דמתפשטין לזמנין, ואית דמתני בהאי כד"א גן נעול אחותי כלה גל נעול מעין חתום.

קפח. אמר ר' יצחק, בשעתא דמלכא קדישא אדכר להו לישראל בגין שמיה, ואהדרת מטרוניתא לאתרהא, כתיב, וכל אדם לא יהיה באהל מועד בבאו לכפר בקדש. כך כהנא, בשעתא דעאל ליחדא שמא קדישא, ולכפרא בקודשא, לזווגא למלכא במטרוניתא. כתיב וכל אדם לא יהיה באהל מועד וגו'.

קפט. תאנא, ר' יהודה אמר, כהנא אתער שלמא בעלמא, לעילא ותתא. ותניא עאל בדרגא חד, אסחי גופיה. נפיק מהאי דרגא, לדרגא אחרא אסחי גופיה. אחיד שלמא בהאי ובהאי, קדש ידוי, ומתברכאן כחדא. ובכלא בעי לאחזאה עובדא, ובעי לאחזאה לבושוי, דיתלבש כגוונא דעובדא דיתכוון, עד דיסדר כלא כמה דאצטריך, ויתברכון עלאי ותתאי.

קצ. תאנא ר' שמעון, פתח יו"ד בגליפוי, אתוון בסטרין, אתקשרן ביו"ד. יו"ד אזיל ליו"ד יו"ד סליק ביו"ד. יו"ד אזיל לוי"ו, מתכנשי בה'. ומכוון דעתא, אתחבר ה' בוא"ו.

קצא. ה' עלאה אחיד תרעוי בגלופי תכסיסין, אחדא בנהירו אלף וחמש מאה ושבעין אכסדרין סתימין. סליק ה', ואתעטר וחמשין זמנין, לן' תרעין קיימין דקיימין, כד אתגלף בעטרוי, נהרין אנפין דמלכא, וא"ו אתפשט לע"ב גליפין.

קצב. מעטר ה' לו', בע' אלף וה' מאה כתרין, דמתעטרן בחד כתרא, הה"ד

בעטרה, שעטרה לו אמו. ו' בתרין רישין, גליפא רישא, קוצא וחד לעילא, וקוצא וחד לתתא, וי' נוית לו, גליפא דגלופין בגווייהו, שבעין אנפין דעטרין מעילא לתתא. ביה טאסין גביעין ופרוחין, דא סליק, ודא נוית מתגלפין וחד בחד.

קצג. אתקשר י' בה', ה' בו', ו' בה'. דא אוזיד בדא, כמה דאת אמר, ותשב באיתן קשתו ויפזו זרועי ידיו מידי אביר יעקב. וכתיב, איתן מושבך ושים בסלע קנך. כדין אתקשר כלא וחד בחד, דא בדא, נהרין מפתוחן, ונהרין אנפין כלהו, כדין כלהו נפלין על אנפייהו, ומזדעזען, ואמרי בריך שמא יקרא מלכותיה לעלם ולעלמי עלמין.

קצד. קלא מתקשר עמיה דכהנא, והוא אתיב לגבייהו. ואמר תטהרו. תטהרו לא אמרין שאר כהני ועמא, בר כהנא רבא, כד אתקשר ביה ההוא קלא.

קצה. תאנא, מכל חטאתיכם לפני יי', כיון דכתיב מכל חטאתיכם, אמאי לפני יי'. אלא א"ר יצחק, לפני יי' ממש.

קצו. דתניא, מרישא דירחא ספרין פתיחין, ודייני דיינין. בכל יומא ויומא בתי דינין אתמסרן, לאתפתחא בדינא, עד ההוא יומא דאקרי תשעה לירחא. בההוא יומא, סלקין דינין כלהו למארי דדינא, ומתקני כורסייא עלאה דרחמי, למלכא קדישא. בההוא יומא בעאן ישראל לתתא, למחדי בחדוותא לקדמות מאריהון, דזמין ליומא אחרא, למיתב עלייהו בכורסייא קדישא דרחמי, בכורסייא דחותרנותא.

קצז. וכל אינון ספרין דפתיחין קמיה, וכתיבין קמיה כל אינון חובין, הוא מזכי לון, ומדכי לון מכלהו, הה"ד מכל חטאתיכם לפני יי' תטהרו. לפני יי' ממש, אינון דאמרי קרא, עד הכא אמרין, ולא יתיר. ולית רשו לאחרא דילמא תטהרו, אלא כהנא רבא, דפלח פולחנא, וקשר שמא קדישא בפומיה, וכד הוה אתקשר ומתברך בפומיה, ההוא קלא נוית ובטש ביה, ואתנהיר מלה בפומיה דכהנא, ואומר תטהרו. פלח פולחנא, ומתברכין כל אינון עלאין דאשתארו.

קצח. ולבתר אסחי גופיה, וקדיש ידוי, לאעלא בפולחנא אחרא קדישא. עד דיתכוון למיעל לאתר אחרא עלאה, קדישא מכלא. ג' שורין סחרין ליה, כהני אחוי, וליואי, ומכל שאר עמא כלהו. זקפין ידין עליה בצלותא וקטרא דדהבא זקפא ברגליה.

קצט. נטיל ג' פסיען, וכלהו קיימין בקיומייהו, ולא נטלין בתריה. נטיל ג' פסיען אחרן, אסחר לדוכתיה. נטיל ג' פסיען, אסתים עייניה, ואתקשר לעילא. עאל לאתר דעאל, שמע קול גדפי דכרובייא מזמרין, ואקישן גדפין פרישאן לעילא. הוה אקטיר קטורת, משתככא קול גדפייהו ובלחישו אתדבקן.

ר. אי כהנא זכי, דהא לעילא בחידו אשתכח, אוף הכא בההיא שעתא נפיק רעוא דנהורא, מתבסמא מריחין דטורי אפרסמונא דכיא דלעילא, ואזלא בכל ההוא אתר, אעיל ריחא בתרי נוקבי דחוטמיה, ואתיישבא לבא. כדין כלא הוא בלחישו, ופטרא לא אשתכח תמן. פתח כהנא פומיה בצלותא ברעותא בחדוותא, וצלי צלותיה.

רא. בתר דסיים, זקפין כרובייא כמלקדמין גדפייהו, ומזמרין. כדין ידע כהנא דרעותא הוו, ועידן חדוותא לכלא, ועמא ידעין דאתקבל צלותיה, כמה דכתיב אם יהיו חטאיכם כשנים כשלג ילבינו. והוא תב לאחוריה, וצלי צלותיה. זכאה חולקיה דכהנא, דהא על ידוי חידו על חידו אשתכח ההוא יומא לעילא ותתא, על ההיא שעתא כתיב, אשרי העם שככה לו, אשרי העם שיי' אלהיו.

רב. והיתה לכם לחקת עולם בחדש השביעי בעשור לחדש תענו את נפשותיכם

וְגוֹ'. רִבִּי חִיָּיא פָּתַח, נַפְשִׁי אִוִּיתִיךָ בַּלַּיְלָה אַף רוּחִי בְּקִרְבִּי אֲשַׁחֲרֶךָּ וְגוֹ'. נַפְשִׁי אִוִּיתִיךָ בַּלַּיְלָה. נַפְשִׁי בַּלַּיְלָה מִבָּעֵי לֵיהּ, מַאי נַפְשִׁי אִוִּיתִיךָ. אַף רוּחִי בְּקִרְבִּי אֲשַׁחֲרֶךָּ, יְשַׁחֲרֶךָ מִבָּעֵי לֵיהּ. אֶלָּא הָכִי תָּאנָא, קֻבָּ"ה רוּחָא וְנַפְשָׁא דְּכֹלָּא, וְיִשְׂרָאֵל אַמְרֵי נַפְשִׁי וְרוּחִי אַנְתְּ. בְּגִין כַּךְ אִוִּיתִיךָ לְאַדְבְּקָא בָּךְ, וַאֲשַׁחֲרֶךָ לְאַשְׁכְּחָא רְעוּתָךְ.

רג. ר' יוֹסֵי אָמַר, בְּשַׁעֲתָא דְּבַ"נ נָאִים בְּעַרְסֵיהּ. נָפְקָא נַפְשֵׁיהּ, סַלְקָא וְאַסְהִידַת בֵּיהּ בְּבַ"נ, עַל כָּל מַה דַּעֲבַד בְּכָל יוֹמָא. גּוּפָא אָמַר לְנַפְשָׁא, נַפְשִׁי אִוִּיתִיךָ בַּלַּיְלָה, אַף רוּחִי בְּקִרְבִּי אֲשַׁחֲרֶךָּ.

רד. ד"א נַפְשִׁי אִוִּיתִיךָ, אָמְרָה כְּנֶסֶת יִשְׂרָאֵל קָמֵי קֻבָּ"ה, נַפְשִׁי אִוִּיתִיךָ בַּלַּיְלָה, בְּעוֹד דַּאֲנָא בְּגָלוּתָא בֵּינֵי עֲמַמְיָא, וּמְנִיעָא נַפְשִׁי מִכָּל בִּישָׁתָא דְּקוּטְרָא בְּנֵי עֲמַמְיָא, נַפְשִׁי אִוִּיתִיךָ, בְּגִין לְאָתָבָא לְאַתְרֵי. אַף רוּחִי בְּקִרְבִּי אֲשַׁחֲרֶךָּ, כְּלוֹמַר, אע"ג דְּאִינּוּן מְשַׁעְבְּדִין לִבְנַי, בְּכָל שִׁעְבּוּדָא, רוּחָא קַדִּישָׁא לָא אִתְעֲדֵי מִנַּאי, בְּגִין לְמִשְׁחַר לָךְ, וּלְמֶעְבַּד פִּקּוּדֶיךָ.

רה. ר' יִצְחָק אָמַר, אָמְרוּ יִשְׂרָאֵל קָמֵי קֻבָּ"ה, בְּעוֹד דְּנַפְשִׁי בִּי, אִוִּיתִיךָ בַּלַּיְלָה. מַאי טַעְמָא בַּלַּיְלָה, אֶלָּא בְּגִין דְּהַאי נֶפֶשׁ בְּהַאי שַׁעֲתָא, אִצְטְרִיךְ לְחַמְדָא לָךְ. אַף רוּחִי בְּקִרְבִּי אֲשַׁחֲרֶךָּ, כַּד אִתְּעַר בִּי רוּחָא קַדִּישָׁא, אֲשַׁחֲרֶךָּ בְּאִתְעָרוּתָא לְמֶעְבַּד רְעוּתָךְ. כִּי כַּאֲשֶׁר מִשְׁפָּטֶיךָ לָאָרֶץ בְּזִמְנָא דְּמִשְׁפָּט נָחִית בְּאַרְעָא, לְבַסְמָא עָלְמָא, כְּדֵין צֶדֶק לָמְדוּ יוֹשְׁבֵי תֵבֵל. כְּלוֹמַר יַכְלִין לְמִסְבַּל דִּינָא דְּצֶדֶק, וְלָא יִשְׁתְּצֵי עָלְמָא מִנֵּיהּ. אֵימָתַי צֶדֶק לָמְדוּ יוֹשְׁבֵי תֵבֵל, כַּאֲשֶׁר מִשְׁפָּטֶיךָ לָאָרֶץ רִבִּי חִזְקִיָּה אָמַר, נַפְשִׁי אִוִּיתִיךָ בַּלַּיְלָה, דָּא כְּנֶסֶת יִשְׂרָאֵל. אַף רוּחִי בְּקִרְבִּי אֲשַׁחֲרֶךָּ, דָּא קֻבָּ"ה.

רו. רִבִּי אַבָּא הֲוָה יָתִיב קַמֵּיהּ דְּרִבִּי שִׁמְעוֹן, קָם ר' שִׁמְעוֹן בְּפַלְגּוּ לֵילְיָא, לְמִלְעֵי בְּאוֹרַיְיתָא. קָמוּ ר' אֶלְעָזָר וְרִבִּי אַבָּא עִמֵּיהּ. פָּתַח ר' שִׁמְעוֹן וְאָמַר, כְּאַיָּל תַּעֲרוֹג עַל אֲפִיקֵי מָיִם כֵּן נַפְשִׁי תַעֲרוֹג אֵלֶיךָ אֱלֹהִים. הַאי קְרָא אוּקְמוּהָ חַבְרַיָּיא, זַכָּאִין אִינּוּן יִשְׂרָאֵל מִכָּל עַמִּין, דְּקֻבָּ"ה יָהַב לוֹן אוֹרַיְיתָא קַדִּישָׁא, וְאוֹרִית לוֹן נִשְׁמְתִין קַדִּישִׁין מֵאֲתַר קַדִּישָׁא, בְּגִין לְמֶעְבַּד פִּקּוּדוֹי, וּלְאִשְׁתַּעְשְׁעָא בְּאוֹרַיְיתָא, דְּכָל מַאן דְּאִשְׁתַּעְשַׁע בְּאוֹרַיְיתָא, לָא דָּחִיל מִכֹּלָּא. דִּכְתִיב לוּלֵי תוֹרָתְךָ שַׁעֲשׁוּעָי אָז אָבַדְתִּי בְעָנְיִי.

רז. מַאן אִינּוּן שַׁעֲשׁוּעָי. אוֹרַיְיתָא דְּאוֹרַיְיתָא שַׁעֲשׁוּעִים אִקְרֵי, דִּכְתִיב וָאֶהְיֶה שַׁעֲשׁוּעִים יוֹם יוֹם. וְדָא הוּא דְּתָנֵינָן, קֻבָּ"ה אָתֵי לְאִשְׁתַּעְשְׁעָא עִם צַדִּיקַיָּיא בְּגִנְתָּא דְּעֵדֶן. מַאי לְאִשְׁתַּעְשְׁעָא. בְּגִין לְמֶחֱדֵי בְּהוּ. דְּתָנֵינָן, זַכָּאִין אִינּוּן צַדִּיקַיָּא, דִּכְתִיב בְּהוּ, אָז תִּתְעַנַּג עַל יְיָ', בְּגִין לְאִתְעַנְּגָא מֵהַהוּא שַׁקְיוּ דְּנַחֲלָא, כד"א וְהִשְׂבִּיעַ בְּצַחְצָחוֹת נַפְשֶׁךָ. כִּבְיָכוֹל, קֻבָּ"ה מִשְׁתַּעֲשַׁע בְּהוּ, מֵהַהוּא שַׁקְיוּ דְּנַחֲלָא דְּמִתְעַנְּגֵי, בְּהוּ צַדִּיקַיָּיא. וְעַל דָּא אָתֵי לְאִשְׁתַּעְשְׁעָא עִם צַדִּיקַיָּיא. וְכָל מַאן דְּאִשְׁתַּדַּל בְּאוֹרַיְיתָא, זָכֵי לְאִשְׁתַּעְשְׁעָא עִם צַדִּיקַיָּיא, מֵהַהוּא שַׁקְיוּ דְּנַחֲלָא.

רח. תָּאנָא, כְּאַיָּל תַּעֲרוֹג עַל אֲפִיקֵי מָיִם, דָּא כְּנֶסֶת יִשְׂרָאֵל. כד"א, אֱיָלוּתִי לְעֶזְרָתִי חוּשָׁה. תַּעֲרוֹג עַל אֲפִיקֵי מָיִם, וַדַּאי לְאִשְׁתַּקְיָא מִשַּׁקְיוּ דְּמַבּוּעֵי דְּנַחֲלָא, ע"י דְּצַדִּיק. תַּעֲרוֹג: כד"א, כַּעֲרוּגַת הַבֹּשֶׂם, כֵּן נַפְשִׁי תַעֲרוֹג אֵלֶיךָ אֱלֹהִים. לְאִשְׁתַּקְיָיא מִנָּךְ, בְּעָלְמָא דֵּין וּבְעָלְמָא דְּאָתֵי.

רט. מַבּוּעֵי נַחֲלָא מַאן אִינּוּן. מַבּוּעָא חַד לְעֵילָּא, דִּכְתִיב וְנָהָר יוֹצֵא מֵעֵדֶן לְהַשְׁקוֹת אֶת הַגָּן וְגוֹ'. וּמִתַּמָּן נָגִיד וְנָפִיק, וּמַשְׁקֵי גִּנְתָּא, וְכָל אִינּוּן נַחֲלִין, נַגְדִּין וְנָפְקִין וּמִתְכַּנְּשִׁין בִּתְרֵי מַבּוּעִין, דְּאִקְרוּן נֶצַח וְהוֹד, וְאִלֵּין אִקְרוּן אֲפִיקֵי מַיִם, בְּהַהוּא דַּרְגָּא דְּצַדִּיק,

דְּמַנְיָה נָגִיד וְנָפִיק וּמִשְׁתַּקְיָא גִּנְתָּא. בְּגִין כָּךְ אַיָּל וּצְבִי כַּחֲדָא מִשְׁתַּכְחֵי, צֶדֶק וְצַדִּיק.

רי. תָּאנָא, כְּתִיב קוֹל יְיָ' יְחוֹלֵל אַיָּלוֹת, אַיָּלוֹת, אַיֶּלֶת כְּתִיב חָסֵר, דָּא אַיֶּלֶת הַשַּׁחַר. ד"א אַיְּלוֹת הַשָּׂדֶה, דְּתַנְיָא, בְּפַלְגּוּת לֵילְיָא, בְּשַׁעֲתָא דְּקֻדְשָׁא בְּרִיךְ הוּא עָאל לְגִנְתָּא דְּעֵדֶן לְאִשְׁתַּעְשְׁעָא עִם צַדִּיקַיָּיא, הַאי קוֹל נָפִיק, וְכָאִיב כָּל אִינּוּן אַיַּלְתָּא דְּסַחֲרָנֵי כּוּרְסְיָיא יְקָרָא קַדִּישָׁא, הה"ד שִׁשִּׁים גִּבּוֹרִים סָבִיב לָהּ. ד"א יְחוֹלֵל אַיָּלוֹת, כד"א חוֹלְלָה יָדוֹ נָחָשׁ בָּרִיחַ. וַיֶּחֱשׂוֹף יְעָרוֹת כד"א. בְּיַעֲרַת הַדְּבָשׁ, וּכְתִיב אָכַלְתִּי יַעְרִי עִם דִּבְשִׁי, וְיַנְקָא לְהוּ כְּאִמָּא דְּיַנְקָא לִבְנִין.

רַעְיָא מְהֵימְנָא

ריא. אָמַר רַעְיָא מְהֵימְנָא, בְּהַהוּא זִמְנָא, אִלֵּין מָארֵי מַתְנִיתִין מָארֵי חָכְמְתָא עִלָּאָה, מָארֵי קַבָּלָה, מָארֵי רָזֵי תּוֹרָה, שַׁעֲתָא דְּחֲזִיקַת לוֹן. וְהַאי אִיהוּ דְּאָמַר כְּאַיָּל תַּעֲרוֹג עַל אֲפִיקֵי מָיִם, דְּאִינּוּן אֲפִיקֵי מַיִם דְּאוֹרַיְיתָא לְגַבֵּי שְׁכִינְתָּא. וְלֵית תּוֹרָה, אֶלָּא עַמּוּדָא דְּאֶמְצָעִיתָא. דִּיהוֹן אִלֵּין אֲפִיקֵי מַיִם, בְּצַעֲרָא בְּגוֹנָא בְּעַנְיוּתָא, וְאִלֵּין אִינּוּן חֲבָלִים צִירִין דְּיוֹלֵדָה, דְּאִיהִי שְׁכִינְתָּא, דְּאִתְּמַר בָּהּ, וְתָגֵל יוֹלַדְתֶּךָ. וּבְאִינּוּן חֲבָלִים, תְּהֵא בְּצַעֲרָא דִּלְהוֹן.

ריב. וּבְאִינּוּן חֲבָלִים דְּצַוְוחַת בְּהוֹן, אִתְּעָרַת שַׁבְעִין סַנְהֶדְרִין דִּלְעֵילָּא, עַד דְּיִתְעַר קוֹל דִּילָהּ עַד יְהֹוָ"ה, וּמִיָּד קוֹל יְיָ' יְחוֹלֵל אַיָּלוֹת, דְּאִינּוּן מָארֵי מַתְנִיתִין, בְּתוּלוֹת אַחֲרֶיהָ רֵעוֹתֶיהָ, כֻּלְּהוֹן יְהוֹן לוֹן חִיל כַּיּוֹלֵדָה מַמָּשׁ, בְּדַחֲקִין, דְּדַחֲקָא לוֹן שַׁעֲתָא, בְּכַמָּה נְשִׁיכִין דְּיֵצֶר הָרָע, דְּחִוְיָא דְּנָשִׁיךְ לוֹן בְּכַמָּה דַּחֲקִין.

ריג. בְּהַהוּא זִמְנָא אִתְפַּתְּחַת לְאוֹלָדָא מְשִׁיחָא, בְּגִין חֲבָלִים וְדוֹחֲקִים דְּצַדִּיקִים, וּמָארֵי מִדּוֹת, וּמָארֵי רָזִין דְּאוֹרַיְיתָא, מָארֵי בּוֹשֶׁת וַעֲנָוָה, מָארֵי יִרְאָה וְאַהֲבָה, מָארֵי חֶסֶד, אַנְשֵׁי חַיִל יִרְאֵי אֱלֹהִים, אַנְשֵׁי אֱמֶת, שׂוֹנְאֵי בֶצַע, דְּדָחֲקָא לוֹן שַׁעֲתָא. וְהַאי הוּא דְּאוֹקְמוּהָ מָארֵי מַתְנִיתִין, דּוֹר שֶׁבֶּן דָּוִד בָּא, אַנְשֵׁי חַיִל יְסוֹבְבוּ מֵעִיר לָעִיר וְלֹא יְחוֹנָּנוּ, וְיִרְאֵי חֵטְא יִמָּאֲסוּ, וְחָכְמַת סוֹפְרִים תִּסְרַח, וּתְהִי הָאֱמֶת נֶעְדֶּרֶת, וְהַגֶּפֶן תִּתֵּן פִּרְיָהּ, וְהַיַּיִן בְּיוֹקֶר.

ריד. וּמֵאִינּוּן קָלִין דְּיָהֲבַת, דְּאִינּוּן שַׁבְעִין, לְקָבֵל שַׁבְעִין תֵּיבִין דְּיַעַנְךָ יְיָ' בְּיוֹם צָרָה, אִתְפַּתְּחַת רַחֲמָהּ, דְּאִיהִי ב', כְּלִילָא מִתְּרֵין בָּתִּין, לְאוֹלָדָא ב' מְשִׁיחִין, וְאָעִילַת רֵישָׁהּ בֵּין בִּרְכָּהָא, דְּאִיהוּ רֵישָׁא דִּילָהּ, עַמּוּדָא דְּאֶמְצָעִיתָא. תְּרֵין שׁוֹקָהָא, נֶצַח וְהוֹד, תְּרֵין נְבִיאִים. מִתַּמָּן אוֹלִידַת תְּרֵין מְשִׁיחִין. בְּהַהִיא זִמְנָא וַיֶּחֱשׂוֹף יְעָרוֹת, יִתְעֲבַר נָחָשׁ מֵעָלְמָא (ע"כ רַעְיָא מְהֵימְנָא).

רטו. אָ"ל ר' אַבָּא, נַפְשִׁי אִוִּיתִיךָ בַּלַּיְלָה אַף רוּחִי בְקִרְבִּי אֲשַׁחֲרֶךָּ, נַפְשִׁי בַּלַּיְלָה מִבָּעֵי לֵיהּ. אֲשַׁחֲרֶךָּ, יְשַׁחֲרֶךָּ מִבָּעֵי לֵיהּ. אָ"ל הָא אוֹקְמוּהָ, כד"א אֲשֶׁר בְּיָדוֹ נֶפֶשׁ כָּל חָי וְרוּחַ כָּל בְּשַׂר אִישׁ.

רטז. ת"ח נַפְשָׁא וְרוּחָא אִשְׁתַּתְּפֵי כַּחֲדָא לְעָלְמִין. תָּנָא פּוּלְחָנָא שְׁלֵימָתָא דְּבָעֵי בַּר נָשׁ לְמִפְלַח לְקֻדְשָׁא בְּרִיךְ הוּא, כְּמָה דְּתַנִּינָן וְאָהַבְתָּ אֵת יְיָ' אֱלֹהֶיךָ וְגוֹ'. דְּיִרְחִים לֵיהּ לְקֻדְשָׁא בְּרִיךְ הוּא רְחִימוּתָא דְּנֶפֶשׁ מַמָּשׁ, וְדָא הוּא רְחִימוּתָא שְׁלֵימָתָא, רְחִימוּתָא דְּנַפְשֵׁיהּ וְרוּחֵיהּ. כְּמָה דְּאִתְדַּבְּקוּ אִלֵּין בְּגוּפָא, וְגוּפָא רָחִים לוֹן. כָּךְ יִתְדַּבַּק ב"נ לְרַחֲמָא לֵיהּ לְקֻדְשָׁא בְּרִיךְ הוּא, רְחִימוּתָא דְּנַפְשֵׁיהּ וְרוּחֵיהּ, לְאִתְדַּבְּקָא בֵּיהּ. הה"ד נַפְשִׁי אִוִּיתִיךָ בַּלַּיְלָה נַפְשִׁי מַמָּשׁ.

ריז. אַף רוּחִי בְקִרְבִּי אֲשַׁחֲרֶךָּ, אִתְדַּבְּקָא בָּךְ בִּרְחִימוּתָא סַגִּיאָה, בַּלַּיְלָה. דְּבָעֵי בַּר

נָשׁ מֵרְחִימוּתָא דְּקוּדְשָׁא בְּרִיךְ הוּא, לְמֵיקַם בְּכָל לֵילְיָא, לְאִשְׁתַּדְּלָא בְּפוּלְחָנֵיהּ, עַד דְּיִתְעַר צַפְרָא, וְיִתְמְשַׁךְ עָלֵיהּ חוּטָא דְּחֶסֶד. דְּתַנְיָא, זַכָּאָה חוּלָקֵיהּ דְּהַהוּא בַּר נָשׁ דִּרְחִימוּתָא דָּא רָחִים לֵיהּ לְקוּדְשָׁא בְּרִיךְ הוּא, וְהָנֵי זַכָּאֵי קְשׁוֹט דִּמְרַחֲמִין לֵיהּ לְקוּדְשָׁא בְּרִיךְ הוּא הָכִי, עָלְמָא מִתְקַיְּימָא בְּגִינַיְיהוּ, וְשַׁלְטִין עַל כָּל גְּזִירִין קָשִׁין דִּלְעֵילָּא וְתַתָּא.

ריז. תָּאנָא, הַהוּא זַכָּאָה דְּאִתְדַּבָּק בִּרְחִימוּ וְנַפְשֵׁיהּ לְעֵילָּא, בְּמַלְכָּא קַדִּישָׁא, בִּרְחִימוּתָא כַּדְקָא יָאוּת. שַׁלִּיט בְּאַרְעָא דִּלְתַתָּא, וְכָל מַה דְּגָזַר עַל עָלְמָא אִתְקַיָּים. מְנָלָן, מֵאֵלִיָּהוּ. דִּכְתִיב חַי יְיָ' אֲשֶׁר עָמַדְתִּי לְפָנָיו אִם יִהְיֶה הַשָּׁנִים הָאֵלֶּה טַל וּמָטָר כִּי אִם לְפִי דְבָרִי.

ריט. תָּא חֲזֵי, בְּשַׁעֲתָא דְּאַתְיָין נִשְׁמָתִין קַדִּישִׁין מֵעֵילָּא לְתַתָּא, וְאִינּוּן זַכָּאֵי עָלְמָא, מִשַּׁלְּפֵי לְהוּ מִמַּלְכָּא וּמַטְרוֹנִיתָא, זְעִירִין אִינּוּן, דִּבְהַהוּא שַׁעֲתָא דְּנָחִית, קַיְּימָא קָמֵי מַלְכָּא, וּרְעוּתָא דְּמַלְכָּא לְאִסְתַּכְּלָא בָּהּ, כְּמָה דְּאוֹקִימְנָא, בְּשַׁעֲתָא דְּנָשַׁב קוּדְשָׁא בְּרִיךְ הוּא רוּחָא בְּכָל חֵילָא וְחֵילָא דִּשְׁמַיָּא, כֻּלְּהוּ חַיָּילִין אִתְעֲבִידוּ, וְקַיְימֵי בְּקִיּוּמַיְיהוּ, הה"ד וּבְרוּחַ פִּיו כָּל צְבָאָם. וּמִנַּיְיהוּ אִתְעַכְּבוּ עַד דְּקוּדְשָׁא בְּרִיךְ הוּא אָחִית לְהוּ לְתַתָּא.

רכ. וְתָאנָא, מִיּוֹמָא דְּאִתְבְּרֵי עָלְמָא, קַיְימֵי קַמֵּיהּ דְּקוּדְשָׁא בְּרִיךְ הוּא, וְאִתְעַכְּבוּ עַד דְּמָטָא זִמְנָא לְאַחֲתָא לוֹן בְּאַרְעָא, וְאִלֵּין שַׁלִּיטוּ לְעֵילָּא וְתַתָּא, הה"ד חַי יְיָ' אֲשֶׁר עָמַדְתִּי לְפָנָיו, אֲשֶׁר אֲנִי עוֹמֵד לָא כְתִיב, אֶלָּא אֲשֶׁר עָמַדְתִּי. לְבָתַר אַהֲדַר לְאַתְרֵיהּ, וְסָלִיק לְאַדְרֵיהּ, וְאִינּוּן אָחֳרָנִין לָא סַלְּקִין עַד דִּימוּתוּן. בְּגִין דְּלָא קַיְּימוּ קוֹדֶם לָכֵן כְּאִינּוּן אָחֳרָנִין. וּבְגִין כַּךְ אֵלִיָּהוּ אִתְעֲבֵיד שְׁלִיחָא, מַלְאָכָא לְעֵילָּא, וְאִלֵּין דְּמִתְדַּבְּקָן יַתִּיר לְמַלְכָּא.

רכא. אַשְׁכַּחְנָא בְּסִפְרָא דְּאָדָם קַדְמָאָה דְּכָל רוּחִין קַדִּישִׁין דִּלְעֵילָּא, עָבְדִין שְׁלִיחוּתָא, וְכֻלְּהוּ אַתְיָין מֵאֲתַר חַד. דְּנִשְׁמָתְהוֹן דְּצַדִּיקַיָּיא מִתְּרֵי דַּרְגִּין דִּכְלִילָן בְּחַד, וּבְגִין כַּךְ סַלְּקִין יַתִּיר, וְדַרְגַּיְיהוּ יַתִּיר, וְהָכִי הוּא. וְכָל אִינּוּן דַּהֲווֹ טְמִירִין תַּמָּן, נַחְתּוּ וּסְלִיקוּ בְּחַיַּיְיהוּ, כְּגוֹן חֲנוֹךְ דְּלָא אִשְׁתְּכַח בֵּיהּ מִיתָה. וְהָא אוֹקִימְנָא מִלָּה דָּא, בַּחֲנוֹךְ וְאֵלִיָּהוּ.

רכב. וְתָאנָא מֵאָה וְעֶשְׂרִין וַחֲמֵשׁ אֲלַף דַּרְגִּין לְנִשְׁמָתְהוֹן דְּצַדִּיקַיָּיא, סְלִיקוּ בִּרְעוּתָא, עַד לָא אִתְבְּרֵי עָלְמָא, דְּקוּדְשָׁא בְּרִיךְ הוּא מְזַמְּנָא לְהוּ בְּעָלְמָא דֵּין, בְּכָל דָּרָא וְדָרָא, וְסַלְּקִין וְטָאסִין עָלְמָא, וּמִתְקַשְּׁרֵי בִּצְרוֹרָא דְּחַיֵּי, וְזַמִּין קוּדְשָׁא בְּרִיךְ הוּא לְחַדְּתָא עָלְמָא בְּהוּ, עֲלַיְיהוּ כְּתִיב, כִּי כַּאֲשֶׁר הַשָּׁמַיִם הַחֲדָשִׁים וְהָאָרֶץ הַחֲדָשָׁה וְגוֹ'.

רכג. תְּעַנּוּ אֶת נַפְשׁוֹתֵיכֶם, נַפְשׁוֹתֵיכֶם קָאָמַר, בְּגִין דְּיִשְׂרָאֵל מִשְׁתַּכְּחִין קָמֵי מַלְכָּא קַדִּישָׁא זַכָּאִין, וִיהֵא רְעוּתָא דִּלְהוֹן לְגַבֵּי קוּדְשָׁא בְּרִיךְ הוּא, וּלְאִתְדַּבְּקָא בֵּיהּ, בְּגִין דְּיִתְכַּפַּר לְהוּ חוֹבַיְיהוּ. וְעַל דָּא, מַאן דְּאָכַל וְשָׁתֵי בְּתְשִׁיעָאָה, וּמְעַנְּגָא נַפְשֵׁיהּ בְּמֵיכְלָא וּמִשְׁתְּיָיא, אִשְׁתְּכַח בַּעֲשִׂירָאָה עִנּוּיָא דְּנַפְשָׁא בִּתְרֵין חוּלָקִין, וְאִשְׁתְּכַח כְּאִלּוּ אִתְעַנֵּי תְּשִׁיעָאָה וַעֲשִׂירָאָה. אֶת נַפְשׁוֹתֵיכֶם: לְאַכְלְלָא כֹּלָּא, גּוּפָא וְנַפְשָׁא, וּלְאִתְכַּנְּשָׁא בְּהַאי יוֹמָא, לְאִתְכַּפְּרָא עַל חוֹבֵיהוֹן.

רכד. תָּאנָא כִּי בַּיּוֹם הַזֶּה יְכַפֵּר עֲלֵיכֶם. בַּיּוֹם הַזֶּה. הַיּוֹם הַזֶּה מִבָּעֵי לֵיהּ. אֶלָּא בַּיּוֹם הַזֶּה דַּיְיקָא, דְּבֵיהּ אִתְגַּלֵּי עַתִּיקָא קַדִּישָׁא, לְכַפָּרָא עַל חוֹבֵיהוֹן דְּכֹלָּא.

רכה. ד"א תְּעַנּוּ אֶת נַפְשׁוֹתֵיכֶם. ר' אַבָּא פָּתַח וְאָמַר, עִיר קְטַנָּה וַאֲנָשִׁים בָּהּ מְעָט וְגוֹ', עִיר קְטַנָּה, הָא אוֹקְמוּהָ. אֲבָל עִיר קְטַנָּה, כד"א, עִיר עָז לָנוּ יְשׁוּעָה יָשִׁית וְגוֹ'. וּכְתִיב וְלֹא אָבֹא בְּעִיר. עִיר קְטַנָּה, זְעֵירָא הִיא, דְּהִיא בַּתְרָאָה מִכֹּלָּא, תַּתָּאָה מִכֹּלָּא, שׁוּרוֹי רַבְרְבִין, תַּקִּיפִין, קַדִּישִׁין, עִיר הַקֹּדֶשׁ אִקְרֵי. וַאֲנָשִׁים בָּהּ מְעָט, זְעִירִין אִינּוּן

דְּזַכָּאן לְסַלְּקָא לְגַוָּוהּ, וּלְמִשְׁרֵי בָּהּ, כד"א מִי יַעֲלֶה בְהַר יְיָ' וּמִי יָקוּם בִּמְקוֹם קָדְשׁוֹ וְגוֹ'. וְעַ"ד אֲנָשִׁים בָּהּ מְעָט.

רכו. וּבָא אֵלֶיהָ מֶלֶךְ גָּדוֹל, דָּא קֻבְּ"ה. לְאִזְדַּוְּוגָא בָּהּ, וּלְמִשְׁרֵי בָּהּ, וְסָבַב אוֹתָהּ, כד"א וַאֲנִי אֶהְיֶה לָּהּ נְאֻם יְיָ' חוֹמַת אֵשׁ סָבִיב וְגוֹ'. וּבָנָה עָלֶיהָ מְצוֹדִים גְּדוֹלִים, דְּבָנָה שׁוּרוֹי, רַבְרְבִין תַּקִּיפִין יָאִיאָן וְשַׁפִּירִין קַדִּישִׁין. עִיר הַקֹּדֶשׁ אִקְרֵי, וְכָל יְקָרָא דְּמַלְכָּא עָיֵיל בְּגַוָּוהּ. וּבְגִ"כ, הִיא בִּלְחוֹדָהָא כְּלִילָא מִכָּל עִטְרֵי דְּמַלְכָּא, וְכָל עִטְרֵי מַלְכָּא בָּהּ מִתְעַטְּרִין. בְּגִ"כ, וַאֲנָשִׁים בָּהּ מְעָט כְּתִיב.

רכז. וּמָצָא בָהּ אִישׁ מִסְכֵּן וְחָכָם, הה"ד נְקִי כַפַּיִם וּבַר לֵבָב. מִסְכֵּן: כד"א וַיִּבֶן עָרֵי מִסְכְּנוֹת לְפַרְעֹה, מִתְעַטַּר בְּעִטְרִין תַּקִּיפִין, בְּעִטְרֵי אוֹרַיְיתָא, בְּעִטְרֵי פִּקּוּדֵי אוֹרַיְיתָא דְּמַלְכָּא. וְחָכָם, דְּזָכֵי בָהּ בְּהַאי חָכְמָה. וְחָכָם, דְּהוּא חַכִּים יַתִּיר מִכֹּלָּא לְעַיְּינָא בְּפוּלְחָנָא דְּמָארֵיהּ, בְּגִין לְמִזְכֵּי בָהּ, וּלְאַעֲלָא בָהּ. הָדָא הוּא דִּכְתִיב, וּמִלַּט הוּא אֶת הָעִיר בְּחָכְמָתוֹ. וּמִלַּט: כְּמוֹ אִמָּלְטָה נָּא וְאֶרְאֶה אֶת אַחַי, אִמָּלְטָה נָּא שָׁמָּה. אוּף הָכָא וּמִלַּט הוּא אֶת הָעִיר בְּחָכְמָתוֹ.

רכח. וְאָדָם לֹא זָכַר אֶת הָאִישׁ הַמִּסְכֵּן הַהוּא, וְאָדָם לָא זָכַר, לְמֶעְבַּד פִּקּוּדֵי אוֹרַיְיתָא, לְאִשְׁתַּדְּלָא בְּאוֹרַיְיתָא, כְּהַהוּא גְּבַר מִסְכְּנָא דְּאִתְחַבַּר בְּכֹלָּא, בְּגִין לְמִזְכֵּי בָהּ. וְאָמַרְתִּי אָנִי טוֹבָה חָכְמָה מִגְּבוּרָה. דְּהָא בְּהַהוּא עָלְמָא, לָא יָהֲבִין רְשׁוּ לְמֵיעַל, בַּר הָנֵי זַכָּאֵי קְשׁוֹט, הָנֵי דְּמִשְׁתַּדְּלֵי בָהּ בְּאוֹרַיְיתָא יוֹמָא וְלֵילֵי, וּמִתְעַטְּרֵי בְּפִקּוּדֵי אוֹרַיְיתָא בְּהַאי עָלְמָא, לְמֵיעַל בְּהוּ לְעָלְמָא דְּאָתֵי.

רכט. וְחָכְמַת הַמִּסְכֵּן בְּזוּיָה וּדְבָרָיו אֵינָם נִשְׁמָעִים. דְּהָא בְּנֵי נָשָׁא לָא מִסְתַּכְּלִין בֵּיהּ, וְלָא בָּעָאן לְאִתְחַבְּרָא בֵּיהּ, וּלְאָצִית לְמִלּוֹי. דְּתָנָא, כָּל מַאן דְּאָצִית לְמִלּוֹי דְּאוֹרַיְיתָא, זַכָּאָה הוּא בְּהַאי עָלְמָא, וּכְאִלּוּ קִבֵּיל תּוֹרָה מִסִּינַי. וַאֲפִילּוּ מִכָּל בַּר נָשׁ נָמֵי בָּעֵי לְמִשְׁמַע מִלּוֹי דְּאוֹרַיְיתָא. וּמַאן דְּאַרְכִין אוּדְנֵיהּ לְקַבְּלֵיהּ, יָהִיב יְקָרָא לְמַלְכָּא קַדִּישָׁא, וְיָהִיב יְקָרָא לְאוֹרַיְיתָא. עָלֵיהּ כְּתִיב, הַיּוֹם הַזֶּה נִהְיֵיתָ לְעָם לַיְיָ' אֱלֹהֶיךָ.

רל. תָּאנָא, יוֹמָא חַד הֲווּ אָזְלֵי חַבְרַיָּיא עִמֵּיהּ דְּרַבִּי שִׁמְעוֹן, אָמַר ר"ש, חֲמֵינָא אִלֵּין עַמִּין כֻּלְּהוּ עִלָּאֵי, וְיִשְׂרָאֵל תַּתָּאֵי מִכֻּלְּהוּ, מַאי טַעֲמָא. בְּגִין דְּמַלְכָּא אַשְׁדַּר מַטְרוֹנִיתָא מִינֵּיהּ, וְאָעִיל אַמְּהוּ בְּאַתְרָהָא. כד"א, תַּחַת שָׁלֹשׁ רָגְזָה אֶרֶץ וְגוֹ'. תַּחַת עֶבֶד כִּי יִמְלוֹךְ וְגוֹ'. וְשִׁפְחָה כִּי תִירַשׁ גְּבִרְתָּהּ. מַאן שִׁפְחָה. הִיא כִּתְרָא נוּכְרָאָה, דְּקָטַל קֻבְּ"ה בּוּכְרָא דִּלְהוֹן בְּמִצְרַיִם. דִּכְתִיב עַד בְּכוֹר הַשִּׁפְחָה אֲשֶׁר אַחַר הָרֵחָיִם. אַחַר הָרֵחַיִם הֲוַת יָתְבָא בְּקַדְמֵיתָא, וְהַשְׁתָּא, הַאי שִׁפְחָה תִירַשׁ גְּבִרְתָּהּ.

רלא. בָּכָה ר"ש וְאָמַר, מַלְכָּא בְּלָא מַטְרוֹנִיתָא, לָא אִקְרֵי מַלְכָּא. מַלְכָּא דְּאִתְדַּבַּק בְּשִׁפְחָה בְּאַמְּהוּ דְּמַטְרוֹנִיתָא, אָן הוּא יְקָרָא דִּילֵיהּ. וְזַמִּינָא קָלָא לְבַשְּׂרָא לְמַטְרוֹנִיתָא, וְלֵימָא גִּילִי מְאֹד בַּת צִיּוֹן הָרִיעִי בַּת יְרוּשָׁלַם הִנֵּה מַלְכֵּךְ יָבֹא לָךְ צַדִּיק וְנוֹשָׁע הוּא. כְּלוֹמַר, צַדִּיק הוּא נוֹשָׁע, בְּגִין דְּהֲוָה רָכִיב עַד הַשְׁתָּא בְּאַתְרָא דְּלָאו דִּילֵיהּ, בְּאַתְרָא נוּכְרָאָה, וְיָנִיק לֵיהּ.

רלב. וְעַל דָּא כְּתִיב עָנִי וְרוֹכֵב עַל חֲמוֹר, עָנִי הֲוָה בְּקַדְמֵיתָא, וְרוֹכֵב עַל חֲמוֹר, כְּמָה דְּאוֹקִימְנָא, אִינּוּן כִּתְרִין תַּתָּאִין דְּעַמִּין עע"ז, דְּקָטִיל קֻבְּ"ה בּוּכְרָא דִּלְהוֹן בְּמִצְרַיִם, הה"ד וְכָל בְּכוֹר בְּהֵמָה, וְהָא אוֹקִימְנָא מִלֵּי. כִּבְיָכוֹל צַדִּיק וְנוֹשָׁע הוּא, הוּא וַדַּאי יַתִּיר מִכֹּלָּא. בְּגִין דְּעַד הַשְׁתָּא שָׁארֵי צַדִּיק בְּלָא צֶדֶק. וְהַשְׁתָּא דְּיִזְדַּוְּוגוּן כַּחֲדָא,

צַדִּיק וְנוֹשָׁע הוּא, דְּהָא לָא יָתִיב בְּסִטְרָא אָחֳרָא. תָּאנָא, הַצַּדִּיק אָבָד וְאֵין אִישׁ שָׂם עַל לֵב וְגוֹ', הַאי קְרָא קַשְׁיָא, הַצַּדִּיק אָבָד, נֶאֱבַד מִבָּעֵי לֵיהּ, מַהוּ אָבָד. אֶלָּא אָבָד מַמָּשׁ, וּמַאי אָבָד. אָבַד לְמַטְרוֹנִיתָא, וְאִתְדַּבַּק בַּאֲתַר אָחֳרָא, דְּאִקְרֵי שִׁפְחָה.

רלג. א"ר יִצְחָק לְר' שִׁמְעוֹן, אִי נִיחָא קַמֵּי דְּמַר, הָא דְּתָנֵינָן, דִּכְתִיב וְצַדִּיק יְסוֹד עוֹלָם, מַאן דְּאָמַר, דְּעַל שִׁבְעָה קַיְימִין קַיְּימָא עָלְמָא. וּמַאן דְּאָמַר, עַל וַחַד קַיְּימָא עָלְמָא, הֵיךְ מִתְיַישְּׁבָן מִלֵּי. אָמַר לֵיהּ, כֹּלָּא מִלָּה וַחֲדָא הוּא, דְּהָא ז' אִינּוּן וּבְהוּ אִית וַחַד קַיְּימָא, דְּאִקְרֵי צַדִּיק, וְקַיְימֵי עָלֵיהּ, וְעָלְמָא בְּהַאי אִתְקַיְּימָא. וְכַד אִתְקַיְּימָא עָלְמָא עָלֵיהּ, כְּאִלּוּ אִתְקַיָּים עַל כֻּלְּהוּ שִׁבְעָה. וְעַ"ד כְּתִיב, וְצַדִּיק יְסוֹד עוֹלָם. וְהָא אוֹקִימְנָא מִלֵּי בְּכַמָּה אֲתַר.

רלד. וְתָאנָא, הַאי שִׁפְחָה זְמִינָא לְשַׁלְטָאָה בְּאַרְעָא קַדִּישָׁא דִּלְתַתָּא, כְּמָה דַּהֲוַת מַטְרוֹנִיתָא שַׁלְטָא בְּקַדְמֵיתָא, דִּכְתִיב צֶדֶק יָלִין בָּהּ, וְהַשְׁתָּא שִׁפְחָה כִּי תִירַשׁ גְּבִרְתָּהּ בְּכֹלָּא. וּזְמִין קוּדְשָׁא בְּרִיךְ הוּא, לְאָתָבָא לְמַטְרוֹנִיתָא לְאַתְרָהָא כְּקַדְמֵיתָא, וּכְדֵין מַמָּאן הוּא חֶדְוָותָא, הֱוֵי אֵימָא חֶדְוָותָא דְּמַלְכָּא, וְחֶדְוָותָא דְּמַטְרוֹנִיתָא. חֶדְוָותָא דְּמַלְכָּא, בְּגִין דְּיֵיתוּב לָהּ וְיִתְפְּרַשׁ מִשִּׁפְחָה, כְּדְקָא אֲמֵינָא. וְחֶדְוָותָא דְּמַטְרוֹנִיתָא, בְּגִין דְּתֵיתוּב לְאִזְדַּוְּוגָא בְּמַלְכָּא, הה"ד גִּילִי מְאֹד בַּת צִיּוֹן וְגוֹ'.

רלה. תָּא חֲזֵי, כְּתִיב וְהָיְתָה זֹאת לָכֶם לְחֻקַּת עוֹלָם. וְהָיְתָה לָכֶם מִבָּעֵי לֵיהּ, מַאי זֹאת. הָא דְּאַמָרָן, לְחֻקַּת עוֹלָם. בְּכָל אֲתַר וַאֲתַר וְחֻקַּת עוֹלָם אִתְקְרֵי, גְּזֵרָה דְּמַלְכָּא, דְּעַיֵּיל כָּל נִמּוּסוֹי בַּאֲתַר דָּא, וְאַסְתִּים לוֹן, כְּמַאן דְּסָתִים כֹּלָּא, בְּאַסְקוּפָּא חֲדָא. וְחֻקַּת עוֹלָם וַדַּאי. בְּהַאי זֹאת רְשִׁים וְחָקַק כָּל גְּנִיזִין דִּילֵיהּ, וְכָל טְמִירִין דִּילֵיהּ.

רלו. בַּחֹדֶשׁ הַשְּׁבִיעִי בֶּעָשׂוֹר לַחֹדֶשׁ. בֶּעָשׂוֹר דַּיְיקָא, כְּמָה דְּאוֹקִימְנָא. תְּעַנּוּ אֶת נַפְשׁוֹתֵיכֶם, וַדַּאי הָכִי הוּא, וְהָא אִתְמַר נַפְשׁוֹתֵיכֶם וַדַּאי. דְּהָא בְּנַפְשָׁא תַּלְיָא מִלְּתָא, וּבְגִין כַּךְ, אֲכִילָה וּשְׁתִיָּה מִתְשַׁיְּיעָא, יַתִּיר מִיּוֹמָא אָחֳרָא. ואע"ג דְּהַאי מִלָּה אִתְּמַר בְּגַוְונָא אָחֳרָא, וְכֹלָּא שַׁפִּיר, וְהַאי וְהַאי מִלָּה חֲדָא, וְכָל וַחַד בְּאַתְרֵיהּ, וְהָכִי הוּא.

רלז. וְתָאנָא, בְּהַאי יוֹמָא, כָּל חֵידוּ, וְכָל נְהִירוּ, וְכָל פִּתְרוּנוּתָא דְּעָלְמִין, כֻּלְּהוּ תַּלְיָין בְּאִימָּא עִלָּאָה, דְּכָל מַבּוּעִין נַגְדִּין וְנָפְקִין מִנָּהּ. וּכְדֵין נְהִירִין כָּל אִינּוּן בּוֹצִינִין, וְנַהֲרִין בִּנְהִירוּ בְּחֶדְוָותָא, עַד דְּמִתְבַּסְּם כֹּלָּא. וּכְדֵין כָּל אִינּוּן דִּינִין אִשְׁתְּכָחוּ בִּנְהִירוּ, וְדִינָא לָא אִתְעָבֵיד, וְעַל דָּא תְּעַנּוּ אֶת נַפְשׁוֹתֵיכֶם.

רלח. אָמַר רִבִּי אַבָּא, הָא אוֹקִים לָהּ מָר, מִן גּוּפָא דְּמַתְנִיתָא, לָא גָּלוּ יִשְׂרָאֵל מֵאַרְצָם, עַד שֶׁכָּפְרוּ בְּקֻבְּ"ה. דִּכְתִיב, אֵין לָנוּ חֵלֶק בְּדָוִד וְלֹא נַחֲלָה בְּבֶן יִשַׁי, וְהָא אִתְּמַר. קְרָא אַחֲרִינָא אַשְׁכַּחְנָא בְּהַאי, דִּכְתִיב, רְאֵה בֵיתְךָ דָּוִד. א"ל, הָכִי הוּא וַדַּאי, בֵּית דָּוִד אִקְרֵי, כְּמָה דִּכְתִיב בֵּית יַעֲקֹב לְכוּ וְנֵלְכָה בְּאוֹר יְיָ'. בֵּית יַעֲקֹב, כד"א וּבֵית תִּפְאַרְתִּי אֲפָאֵר. לְכוּ וְנֵלְכָה בְּאוֹר יְיָ', דִּכְתִיב וְנָהָר יוֹצֵא מֵעֵדֶן לְהַשְׁקוֹת אֶת הַגָּן, וְנָטַע הַאי גַּן לְאִשְׁתַּעְשְׁעָא בֵּיהּ עִם צַדִּיקַיָּיא, דְּבֵיהּ שַׁרְיָין.

רלט. תָּאנָא, כְּתִיב אַךְ בֶּעָשׂוֹר לַחֹדֶשׁ הַשְּׁבִיעִי הַזֶּה יוֹם הַכִּפּוּרִים הוּא וְגוֹ' וְעִנִּיתֶם אֶת נַפְשׁוֹתֵיכֶם. וּכְתִיב וְהָיְתָה לָכֶם לְחֻקַּת עוֹלָם בַּחֹדֶשׁ הַשְּׁבִיעִי וְגוֹ'. אַךְ דִּכְתִיב מַאי קָא בָּעֵי הָכָא. א"ל, לְמַעוּטָא קָא אַתְיָא. דְּכֵיוָן דְּאָמַר וְעִנִּיתֶם אֶת נַפְשׁוֹתֵיכֶם בְּתִשְׁעָה לַחֹדֶשׁ, אָמַר לְבָתַר אַךְ בֶּעָשׂוֹר. אַךְ עָשׂוֹר מִבָּעֵי לֵיהּ, דִּבְעָשׂוֹר תַּלְיָא מִלְּתָא.

רמ. א"ל אִי הָכִי, אַךְ בַּיּוֹם הָרִאשׁוֹן תַּשְׁבִּיתוּ שְׂאֹר מִבָּתֵּיכֶם, וְתָנֵינָן אַךְ חִלֵּק, וְחֶצְיוֹ אָסוּר בַּאֲכִילַת חָמֵץ, וְחֶצְיוֹ מוּתָּר. אוּף הָכָא אַךְ בֶּעָשׂוֹר לַחֹדֶשׁ, אֵימָא דְּחֶצְיוֹ אָסוּר

בַּאֲכִילָה, וְחָצְיוֹ מוּתָר. אָ"ל אוּף הָכָא בְּעִנִּיתֶם אֶת נַפְשׁוֹתֵיכֶם תַּלְיָא, דְּהָא עִנּוּי לָא אִשְׁתְּכַח אֶלָּא מִפַּלְגּוּת יוֹמָא וּלְהָלְאָה, וְשַׁפִּיר הוּא אַךְ חִלֵּק בְּעִנִּיתֶם אֶת נַפְשׁוֹתֵיכֶם.

רמא. אָמַר רִבִּי אֶלְעָזָר, כְּתִיב, כִּי בַיּוֹם הַזֶּה יְכַפֵּר עֲלֵיכֶם וְגוֹ'. אֲכַפֵּר עֲלֵיכֶם מִבָּעֵי לֵיהּ. אֶלָּא יְכַפֵּר עֲלֵיכֶם, לְאַכְלְלָא יוֹבְלָא, דְּנָגִיד מַבּוּעֵי לְאַשְׁקָאָה בְּהַאי יוֹמָא לְכָל עִיבָר, לְאַרְוָאָה כֹּלָּא, וּלְאַשְׁקָאָה כֹּלָּא. וְדָא עֲלֵיכֶם, כְּלוֹמַר, בְּגִינֵיכוֹן לְדַכְאָה לְכוֹן בְּהַאי יוֹמָא, דִּכְתִיב לִפְנֵי יְיָ' תִּטְהָרוּ. וְלָא יִשְׁלוֹט עֲלַיְיכוּ דִּינָא.

רמב. רִבִּי יְהוּדָה, אָמַר זַכָּאִין אִינּוּן יִשְׂרָאֵל, דְּקוּדְשָׁא בְּרִיךְ הוּא אִתְרְעֵי בְּהוּ, וּבָעֵי לְדַכָּאָה לְהוּ, דְּלָא יִשְׁתַּכַּח בְּהוּ חוֹבָה, בְּגִין דִּיהוֹן בְּנֵי הֵיכָלֵיהּ, וְיִדּוּרוּן בְּהֵיכָלֵיהּ. וְלִזְמְנָא דְּאָתֵי כְּתִיב, וְזָרַקְתִּי עֲלֵיכֶם מַיִם טְהוֹרִים וְגוֹ'.

רמג. רִבִּי יְהוּדָה פָּתַח, שִׁיר הַמַּעֲלוֹת מִמַּעֲמַקִּים קְרָאתִיךָ יְיָ'. תָּנֵינָן, בְּשַׁעֲתָא דְּבָרָא קֻבָּ"ה עָלְמָא, בָּעָא לְמִבְרֵי בַּר נָשׁ, אַמְלִיךְ בְּאוֹרַיְיתָא, אָמְרָה קַמֵּיהּ, תִּבְעֵי לְמִבְרֵי הַאי בַּר נָשׁ, זַמִּין הוּא לְמֶחֱטֵי קַמָּךְ, זַמִּין הוּא לְאַרְגָּזָא קַמָּךְ. אִי תַּעֲבִיד לֵיהּ כְּעוֹבָדוֹי, הָא עָלְמָא לָא יָכִיל לְמֵיקַם קַמָּךְ, כ"ש הַהוּא בַּר נָשׁ. אָ"ל, וְכִי לְמַגָּנָא אִתְקְרֵינָא, אֵל רַחוּם וְחַנּוּן אֶרֶךְ אַפַּיִם.

רמד. וְעַד לָא בָּרָא קֻבָּ"ה עָלְמָא, בָּרָא תְּשׁוּבָה, אָמַר לָהּ לִתְשׁוּבָה, אֲנָא בָּעֵינָא לְמִבְרֵי בַּר נָשׁ בְּעָלְמָא, עַל מְנָת דְּכַד יְתוּבוּן לָךְ מֵחוֹבֵיהוֹן, דְּתֶהֱוֵי זְמִינָא לְמִשְׁבַּק חוֹבֵיהוֹן, וּלְכַפְּרָא עֲלַיְיהוּ. וּבְכָל שַׁעֲתָא וְשַׁעֲתָא תְּשׁוּבָה זְמִינָא לְגַבֵּי בְּנֵי נָשָׁא, וְכַד בְּנֵי נָשָׁא תַּיְיבִין מֵחוֹבַיְיהוּ, הַאי תְּשׁוּבָה תָּבַת לְגַבֵּי קֻבָּ"ה, וְכַפֵּר עַל כֹּלָּא, וְדִינִין אִתְכַּפְיָין, וּמִתְבַּסְּמָן כֻּלְּהוּ, וּבַר נָשׁ אִתְדְּכֵי מֵחוֹבֵיהּ.

רמה. אֵימָתַי אִתְדְּכֵי ב"נ מֵחוֹבֵיהּ. בְּשַׁעֲתָא דְּעָאל בְּהַאי תְּשׁוּבָה כַּדְקָא יָאוּת. ר' יִצְחָק אָמַר, דְּתָב קָמֵי מַלְכָּא עִלָּאָה, וְצַלֵּי צְלוֹתָא מֵעוּמְקָא דְּלִבָּא, הה"ד מִמַּעֲמַקִּים קְרָאתִיךָ יְיָ'.

רמו. רִבִּי אַבָּא אָמַר, מִמַּעֲמַקִּים קְרָאתִיךָ יְיָ', אֲתַר גָּנִיז הוּא לְעֵילָּא, וְהוּא עֲמִיקָא דְּבֵירָא, וּמֵהַאי נָפְקִין נַחֲלִין וּמַבּוּעִין לְכָל עִיבָר, וְהַהוּא עֲמִיקָא דַּעֲמִיקְתָא אִקְרֵי תְּשׁוּבָה. וּמַאן דְּבָעֵי לְאַתָבָא וּלְאִתְדַּכְאָה מֵחוֹבוֹי, בְּהַאי עוּמְקָא אִצְטְרִיךְ לְמִקְרֵי לְקֻבָּ"ה, הה"ד מִמַּעֲמַקִּים קְרָאתִיךָ יְיָ'.

רמז. תָּאנָא, בְּשַׁעֲתָא דַּהֲוָה ב"נ חָב קָמֵי מָארֵיהּ, וְקָרִיב קָרְבָּנֵיהּ עַל מַדְבְּחָא, וְכַהֲנָא מְכַפֵּר עָלֵיהּ, וּבָעֵי בָּעוּתֵיהּ עָלֵיהּ, מִתְעָרִין רַחֲמֵי, וְדִינִין מִתְבַּסְּמָן, וּתְשׁוּבָה אָרִיק בִּרְכָאן, בְּמַבּוּעִין דְּנַגְדִּין וְנָפְקִין, וּמִתְבָּרְכִין כֻּלְּהוּ בּוּצִינִין כַּחֲדָא, וּבַר נָשׁ אִתְדָּכֵי מֵחוֹבֵיהּ.

רמח. תָּא חֲזֵי, קֻבָּ"ה, אַפִּיק עֶשֶׂר כִּתְרִין, עִטְרִין קַדִּישִׁין לְעֵילָּא, דְּאִתְעַטָּר בְּהוּ, וּמִתְלַבָּשׁ בְּהוּ, וְהוּא אִינּוּן, וְאִינּוּן הוּא, כְּשַׁלְהוֹבָא דַּאֲחִידָא בְּגוּמְרָא, וְלֵית תַּמָּן פֵּרוּדָא. לָקֳבֵיל דְּנָא, אִית עֶשֶׂר כִּתְרִין דְּלָא קַדִּישִׁין לְתַתָּא, וְאִינּוּן אֲחִידָן בְּזוּהֲמָא דְּטוּפְרָא דְּחַד עִטְרָא קַדִּישָׁא, דְּאִקְרֵי חָכְמָה. וְעַל דָּא אִקְרוּן חָכְמוֹת.

רמט. וְתָאנָא, עֲשָׂרָה זִינֵי חָכְמוֹת אִלֵּין נָחֲתוּ לְעָלְמָא. וְכֻלְּהוּ אִסְתָּאָבוּ בְּמִצְרַיִם, בַּר מֵחַד דְּאִתְפַּשַּׁט בְּעָלְמָא, וְכֻלְּהוּ זִינֵי חַרְשֵׁי אִינּוּן, וּמִנַּיְיהוּ יָדְעֵי מִצְרַיִם חַרְשִׁין, עַל כָּל בְּנֵי עָלְמָא. וְכַד מִצְרָאֵי בָּעָאן לְמֶעְבַּד כְּנוּפְיָא בְּחַרְשַׁיְיהוּ לְעוֹבָדֵיהוֹן, הֲווּ נַפְקֵי לְחַקְלָא לְטוּרֵי רָמָאֵי, וְדַבְחִין דִּבְחִין, וְעַבְדִין גּוּמִין בְּאַרְעָא, וְסַחֲרִין הַהוּא דָּמָא סוּחֲרָנֵיהּ דְּהָנֵי

גּוּמִין, וּשְׁאָר דָּמָא מִתְכַּנְּפֵי בְּהַנְהוּ גּוּמִין, וּבִשְׂרָא שָׁוִין עָלַיְיהוּ. וְקַרְבִין קָרְבְּנַיְיהוֹן, לְאִינּוּן זַיְינִין בִּישִׁין, וְאִינּוּן זַיְינִין בִּישִׁין מִתְכַּנְּשִׁין וּמִתְקָרְבִין כַּחֲדָא, וּמִתְפַּיְיסִין בַּהֲדַיְיהוּ בְּהַהוּא טוּרָא.

רנ. יִשְׂרָאֵל דַּהֲווֹ בְּשִׁעְבּוּדֵיהוֹן, הָווּ מִתְקָרְבִין לְהוֹן, וְאוֹלְפוּ מִנַּיְיהוּ, וַהֲווֹ טָעָאן בַּתְרַיְיהוּ, וְהַיְינוּ דִּכְתִיב כְּמַעֲשֵׂה אֶרֶץ מִצְרַיִם אֲשֶׁר יְשַׁבְתֶּם בָּהּ לֹא תַעֲשׂוּ וּכְמַעֲשֵׂה אֶרֶץ כְּנַעַן וְגוֹ', וּכְתִיב וְלֹא יִזְבְּחוּ עוֹד אֶת זִבְחֵיהֶם לַשְּׂעִירִים וְגוֹ'. תָּאנָא, בְּשַׁעֲתָא דַּהֲווֹ מְקָרְבִין לְהוֹן עַל גַּבֵּי חַקְלָא, וַהֲווֹ מְזַמְּנֵי הַהוּא דָּמָא, וּמְקָרְבֵי קָרְבְּנַיְיהוּ, הָווּ מִתְכַּנְּפֵי כָּל אִינּוּן זַיְינִין בִּישִׁין, וְחָמָאן לְהוֹן כְּגַוְונָא דִּשְׂעִירִים, כֻּלְּהוּ מַלְיָין שַׂעֲרָא, וּמוֹדָעֵי לְהוּ מַה דְּאִינּוּן בָּעְיָין.

רנא. ת"ח, יִצְחָק מַה כְּתִיב בֵּיהּ, וַיִּגַּשׁ יַעֲקֹב אֶל יִצְחָק אָבִיו וַיְמֻשֵּׁהוּ, אָמַר, דָּא לָא אִתְעֲדֵי, אֶלָּא מִטַּלָּא דִּשְׁמַיָּא דְּנָגִיד עַל אַרְעָא. אָמַר רִבִּי יוֹסֵי, וּמִשְׁמַנֵּי הָאָרֶץ, בְּכֹלָּא בְּרָכֵיהּ. מ"ט. בְּגִין דְּחָמָא לֵיהּ בְּשַׂעֲרָא, אָמַר לְמֶעְבַּר דָּא, וּמִשְׁמַנֵּי הָאָרֶץ אִצְטְרִיךְ, וְלָא זוּהֲמָא דְּאַרְעָא, דְּהַאי זוּהֲמָא הוּא דְּאַרְעָא, וְכַד טַלָּא דִּשְׁמַיָּא וּמִגְדָּא דְּאַרְעָא מִתְחַבְּרָאן אִתְעֲבָר הַאי זוּהֲמָא.

רנב. אָמַר ר' חִיָּיא, בַּתְרַיְיתָא דְּאִינּוּן כִּתְרִין תַּתָּאִין דְּלָא קַדִּישִׁין, הַאי הוּא הה"ד וְדוֹרֵשׁ אֶל הַמֵּתִים, וְדָא הוּא עֲשִׂירָאָה דְּכֹלָּא. דְּתַנְיָא א"ר יִצְחָק אָמַר רִבִּי יְהוּדָה, נַפְשָׁתָא דְּרַשִׁיעַיָּיא אִלֵּין אִינּוּן מַזִּיקִין דְּעָלְמָא.

רנג. אָמַר רִבִּי יוֹסֵי, אִי הָכִי טַב לְהוּ לְחַיָּיבַיָּא דְּאִתְעֲבִידוּ מַזִּיקִין בְּעָלְמָא, אָן הוּא עוֹנְשָׁא דְּגֵיהִנָּם. אָן הוּא בִּישָׁא דְּזַמִּינָא לְהוֹן בְּהַהוּא עָלְמָא. אָמַר רִבִּי חִיָּיא, הָכִי תָּנֵינָן, וְהָא אוֹקִימְנָא מִלֵּי, נַפְשָׁתָא דְּרַשִׁיעַיָּיא בְּשַׁעֲתָא דְּנָפְקִין מֵעָלְמָא, כַּמָּה גַּרְדִּינֵי נִמוּסִין מְזַדַּמְּנֵי לְקַבְּלָא לְהוּ, וּלְאַעֲלָאָה לְהוּ לַגֵּיהִנָּם, וְעָאלִין לְהוּ בִּתְלַת דִּינִין בְּכָל יוֹמָא, בַּגֵּיהִנָּם. לְבָתַר מִזְדַּוְּוגֵי בְּהוּ, וְאַזְלִין וְשָׁאטִין בְּעָלְמָא, וּמַטְעָן לְהוּ לְרַשִׁיעַיָּיא, לְאִינּוּן דְּקָא אַסְתִּים תְּשׁוּבָה מִקַּמַּיְיהוּ. לְבָתַר תַּיְיבִין לְהוּ לַגֵּיהִנָּם, וְאִתְדָּנוּן תַּמָּן, וְכַךְ בְּכָל יוֹמָא.

רנד. לְבָתַר דְּאַזְלִין בְּהוּ, וְשָׁאטִין בְּהוּ בְּעָלְמָא, מְהַדְּרִין לְקִבְרַיְיהוּ, וְחָמָן תּוֹלַעְתָּא דְּגוּפָא מְנַקְּרֵי בִּשְׂרָא וּמִתְאַבְּלָן עָלַיְיהוּ, וְאִינּוּן חַרְשִׁין הֲווֹ אַזְלֵי לְבֵי קִבְרֵי, וְחַרְשֵׁי בְּחַרְשַׁיְיהוּ, וְעַבְדִין חַד צַלְמָא דְּבַר נָשׁ, וְדַבְחִין קַמֵּיהּ חַד צִפֳּרָא. לְבָתַר עָאלִין לְהַהוּא צִפֳּרָא, בְּהַהוּא קִבְרָא, וְהַהוּא צַלְמָא מִתַּבְּרִין לֵיהּ לְאַרְבַּע סִטְרִין, וּמַעֲלִין לֵיהּ לְאַרְבַּע זָוְויָין דְּקִבְרָא. כְּדֵין מִזְדָּרְשֵׁי בְּחַרְשַׁיְיהוּ, וּמִתְכַּנְּפֵי אִינּוּן כְּנוּפֵי, וְאִינּוּן זַיְינִין בִּישִׁין, וּמַיְיתִין הַהִיא נַפְשָׁתָא, וְעָאל בְּקִבְרָא וּמִשְׁתָּעֵי בַּהֲדַיְיהוּ.

רנה. א"ר יִצְחָק, זַכָּאִין אִינּוּן צַדִּיקַיָּיא בְּעָלְמָא דֵּין, וּבְעָלְמָא דְּאָתֵי, דְּהָא כֻּלְּהוּ קַדִּישִׁין. גּוּפָא דִּלְהוֹן קַדִּישָׁא. נַפְשָׁא דִּלְהוֹן קַדִּישָׁא. רוּחָא דִּלְהוֹן קַדִּישָׁא. נִשְׁמְתָא דִּלְהוֹן קֹדֶשׁ קֳדָשִׁים. תְּלַת דַּרְגִּין אִינּוּן, כְּגַוְונָא דִּלְעֵילָּא. דְּתַנְיָא א"ר יְהוּדָה, כְּתִיב תּוֹצֵא הָאָרֶץ נֶפֶשׁ חַיָּה, דָּא הִיא נִשְׁמְתָא דְּאָדָם קַדְמָאָה. תָּא חֲזֵי, תְּלַת דַּרְגִּין אִינּוּן, וְאִתְדַּבְּקוּ כַּחֲדָא, נֶפֶשׁ, רוּחַ, נְשָׁמָה. וְעִלָּאָה מִנַּיְיהוּ, נְשָׁמָה.

רנו. דא"ר יוֹסֵי, בְּכֻלְּהוּ בְּנֵי נָשָׁא אִית נֶפֶשׁ, וְאִית נֶפֶשׁ עִלָּאָה מִנֶּפֶשׁ. זָכָה ב"נ בְּהַאי נֶפֶשׁ, מְרִיקִין עָלֵיהּ עִטְרָא חַד, דְּאִקְרֵי רוּחַ. הה"ד, עַד יֵעָרֶה עָלֵינוּ רוּחַ מִמָּרוֹם. כְּדֵין אִתְּעַר ב"נ בְּאִתְּעָרוּתָא אָחֳרָא עִלָּאָה, לְאִסְתַּכְּלָא בְּנִמּוּסֵי מַלְכָּא קַדִּישָׁא. זָכָה בַּר נָשׁ בֵּיהּ בְּהַהוּא רוּחָא, מְעַטְּרִין לֵיהּ בְּכִתְרָא קַדִּישָׁא עִלָּאָה, דְּכָלִיל כֹּלָּא, דְּאִקְרֵי נְשָׁמָה.

דְּאִתְקְרֵי נִשְׁמַת אֱלוֹהַּ.

רנז. וְתָאנָא בְּרָזָא דְּרָזִין, בְּגוֹ רָזִין דְּסִפְרָא דִּשְׁלֹמֹה מַלְכָּא. הַאי קְרָא, דִּכְתִּיב וְשַׁבֵּחַ אֲנִי אֶת הַמֵּתִים שֶׁכְּבָר מֵתוּ, כֵּיוָן דִּכְתִּיב וְשַׁבֵּחַ אֲנִי אֶת הַמֵּתִים, אַמַּאי שֶׁכְּבָר מֵתוּ. אֶלָּא שֶׁכְּבָר מֵתוּ בְּהַאי עָלְמָא בְּפוּלְחָנָא דְּמָארֵיהוֹן.

רנח. וְתַמָּן כְּתִיב, תְּלַת מָדוֹרִין עָבַד קֻבָּ"ה לְצַדִּיקַיָּיא, חַד לְנַפְשָׁאן דְּאִינּוּן צַדִּיקַיָּיא, דְּלָא אִסְתַּלְּקוּ מֵהַאי עָלְמָא, וּשְׁכִיחִין בְּהַאי עָלְמָא. וְכַד אִצְטְרִיךְ עָלְמָא רַחֲמִין, וְאִינּוּן חַיִּין יָתְבִין בְּצַעֲרָא, אִינּוּן מְצַלּוּ צְלוֹתָא עָלַיְיהוּ, וְאָזְלִין וּמוֹדִיעִין מִלָּה לְאִינּוּן דְּמִיכִין דְּחֶבְרוֹן, וּמִתְעָרִין, וְעָאלִין לְגַ"ע דְּאַרְעָא, דְּתַמָּן רוּחֵיהוֹן דְּצַדִּיקַיָּיא, מִתְלַבְּשָׁן בְּעִטְרִין דִּנְהוֹרָא, וְאִתְיַיעֲטוּ בְּהוּ, וְגָזְרִין גְּזֵרָה, וְקֻבָּ"ה עָבִיד רְעוּתָא דִּלְהוֹן, וְחָס עַל עָלְמָא.

רנט. וְאִינּוּן נַפְשִׁין דְּצַדִּיקַיָּיא, מִשְׁתַּכְּחִין בְּהַאי עָלְמָא, לְאַגָּנָא עַל חַיָּיא, וְהַאי אִקְרֵי נֶפֶשׁ, וְדָא לָא אִסְתַּלְּקָא מֵהַאי עָלְמָא, וּשְׁכִיחָא בְּהַאי עָלְמָא, לְאִסְתַּכְּלָא וּלְמִנְדַּע וּלְאַגָּנָא עַל דָּרָא. וְהַאי הוּא דְּאָמְרוּ חַבְרַיָּיא, דְּמֵתֵי יָדְעֵי בְּצַעֲרָא דְּעָלְמָא. וְעוֹנְשָׁא דְּחַיָּיבִין דִּי בְּאַרְעָא, בְּהַאי הוּא, דִּכְתִּיב וְנִכְרְתָה הַנֶּפֶשׁ הַהִיא מֵעַמֶּיהָ.

רס. וּמָדוֹרָא תִּנְיָנָא הוּא גַ"ע דִּי בְּאַרְעָא. בֵּיהּ עָבַד קֻבָּ"ה מָדוֹרִין עִלָּאִין יַקִּירִין, כְּגַוְונָא דְּהַאי עָלְמָא, וּכְגַוְונָא דְּעָלְמָא עִלָּאָה. וְהֵיכְלִין בִּתְרֵין גַּוְונִין, דְּלֵית לְהוֹן חוּשְׁבְּנָא, וְאִילָנִין וַעֲשָׂבִין וְרֵיחִין דְּסַלְּקִין בְּכָל יוֹמָא. וּבְהַאי אֲתַר שַׁרְיָא הַהוּא דְּאִקְרֵי רוּחַ דְּאִינּוּן צַדִּיקַיָּיא, וּמָדוֹרָא דְּהַהוּא רוּחָא בֵּיהּ שַׁרְיָא. וְכָל רוּחַ וְרוּחַ מִתְלַבְּשָׁא בִּלְבוּשׁ יַקִּירָא, כְּגַוְונָא דְּהַאי עָלְמָא, וּכְגַוְונָא דְּהַהוּא עָלְמָא עִלָּאָה.

רסא. מָדוֹרָא תְּלִיתָאָה, הַהוּא מָדוֹרָא עִלָּאָה קַדִּישָׁא, דְּאִתְקְרֵי צְרוֹרָא דְּחַיֵּי. דְּתַמָּן מִתְעַדְּנָא הַהוּא דַּרְגָּא עִלָּאָה קַדִּישָׁא, דְּאִקְרֵי נְשָׁמָה. וְהַאי אִתְדַּבַּק לְאִתְעַנְּגָא בְּעִדּוּנָא עִלָּאָה. עָלֵיהּ כְּתִיב, אָז תִּתְעַנַּג עַל יְיָ' וְהִרְכַּבְתִּיךָ וְגוֹ'.

רסב. וְתָאנָא, בְּשַׁעֲתָא דְּאִצְטְרִיךְ עָלְמָא רַחֲמֵי, וְאִינּוּן צַדִּיקַיָּיא זַכָּאִין. הַהוּא נֶפֶשׁ דְּאִשְׁתַּכְּחָא בְּעָלְמָא, לְאַגָּנָא עַל עָלְמָא. נֶפֶשׁ סָלִיק וְאָזִיל וְשָׁאט בְּעָלְמָא, וּמוֹדַע לְרוּחַ. וְרוּחַ סָלִיק וְאִתְעַטַּר, וּמוֹדַע לִנְשָׁמָה. וּנְשָׁמָה לְקֻבָּ"ה. וּכְדֵין חָס קוּדְשָׁא בְּ"ה עַל עָלְמָא. כְּדֵין נָחְתָא מֵעֵילָּא לְתַתָּא, נְשָׁמָה אוֹדַע לְרוּחַ, וְרוּחַ אוֹדַע לְנַפְשָׁא.

רסג. וּבְכָל שַׁבְּתָא וְשַׁבְּתָא, וְרֵישׁ יַרְחָא, כֻּלְּהוּ, מִתְחַבְּרָן וּמִתְעַטְּרָן כַּחֲדָא, עַד דְּאִזְדַּוְּוגוּ לְמֵיתֵי לְסַגְּדָא לְמַלְכָּא עִלָּאָה. וּלְבָתַר תַּיְיבִין לְאַתְרַיְיהוּ. הה"ד וְהָיָה מִדֵּי חֹדֶשׁ בְּחָדְשׁוֹ, וּמִדֵּי שַׁבָּת בְּשַׁבַּתּוֹ יָבֹא כָל בָּשָׂר וְגוֹ'.

רסד. וּבְשַׁעֲתָא דְּאִצְטְרִיךְ עָלְמָא רַחֲמֵי, וְחַיָּיא אָזְלֵי וּמוֹדְעֵי לְהוּ לְנַפְשַׁיְיהוּ, דְּצַדִּיקַיָּיא, וּבָכָאן עַל קִבְרַיְיהוּ, אִינּוּן דְּאִתְחֲזוּ לְאוֹדְעָא לְהוּ. מ"ט. דְּשַׁוְיָין רְעוּתָא דִּלְהוֹן לְאִתְדַּבְּקָא נַפְשָׁא בְּנַפְשָׁא, כְּדֵין אִתְעָרִין נַפְשַׁיְיהוּ דְּצַדִּיקַיָּיא, וּמִתְכַּנְּפֵי וְאָזְלִין וְשָׁאטִין לְדְמִיכֵי חֶבְרוֹן, וּמוֹדִיעֵי לְהוּ צַעֲרָא דְּעָלְמָא. וְכֻלְּהוּ עָאלִין בְּהַהוּא פִּתְחָא דְּגַ"ע, וּמוֹדִיעֵי לְרוּחַ. וְאִינּוּן רוּחִין דְּמִתְעַטְּרָן בְּגַ"ע, מַלְאֲכֵי עִלָּאִין אָזְלֵי בֵּינַיְיהוּ. וְכֻלְּהוּ מוֹדִיעִין לִנְשָׁמָה. וּנְשָׁמָה אוֹדְעַת לְקֻבָּ"ה, וְכֻלְּהוּ בָּעָאן רַחֲמֵי עַל חַיִּין, וְחָס קֻבָּ"ה עַל עָלְמָא בְּגִינַיְיהוּ. וְעַל דָּא אָמַר שְׁלֹמֹה, וְשַׁבֵּחַ אֲנִי אֶת הַמֵּתִים שֶׁכְּבָר מֵתוּ וְגוֹ'.

רסה. אָמַר ר' חִיָּיא, תְּוָוהְנָא אִי אִית מַאן דְּיָדַע לְאוֹדְעָא לְהוּ לְמֵתַיָּיא, בַּר אֲנָן. אָמַר רַבִּי אַבָּא, צַעֲרָא מוֹדְעָא לְהוּ. אוֹרַיְיתָא מוֹדְעָא לְהוּ. דְּהָא בְּשַׁעֲתָא דְּלֵית מַאן

דְּיָדַע בְּהַאי, אַפְּקֵי אוֹרַיְיתָא סָמוּךְ לְקִבְרֵי, וְאִינוּן מִתְעָרֵי, עַל אוֹרַיְיתָא עַל מַה
אִתְגַּלְיָיא לְהַהוּא אֲתָר, כְּדֵין דּוּמָה אוֹדַע לְהוֹן.

רסו. אָמַר ר' יוֹסֵי, וְאִינוּן יָדְעֵי דְּהָא עָלְמָא בְּצַעֲרָא, וְחֵיָּיא לָא אִתְחֲזוּן, וְלָא יָדְעֵי
לְאוֹדְעָא לְהוּ. בֵּיה שַׁעֲתָא כֻּלְּהוּ צַוְוחִין עַל אוֹרַיְיתָא דְּאִתְקָלָנָא וְאִתְגַּלְיָיא לְהַהוּא אֲתָר.
אִי בְּנֵי נָשָׁא תַּיְיבִין וּבְכָאן בְּלִבָּא שְׁלִים, וְתַיְיבִין קָמֵי קָב"ה, כֻּלְּהוּ מִתְכַּנְּשֵׁי, וּבַעְאָן
רַחֲמֵי, וּמוֹדִיעִין לְאִינוּן דְּמִיכֵי דְּחֶבְרוֹן, וְעָאלִין וּמוֹדְעִין לְרוּחַ דְּבג"ע, כְּמָה דְּאַמְרָן.

רסז. וְאִי אִינוּן לָא תַּיְיבִין בְּלִבָּא שְׁלִים לְמִבְעֵי וּלְמִבְכֵּי עַל צַעֲרָא דְּעָלְמָא. וַוי לְהוֹן,
דְּכֻלְּהוּ מִתְכַּנְּשֵׁי לְרֵיקָא אָמְרֵי מַאן גָּרַם לְאוֹרַיְיתָא קַדִּישָׁא דְּאִתְגַּלְיָיא עַל יְדַיְיהוּ בְּלָא
תְּשׁוּבָה. וְכֻלְּהוּ אָתָאן לְאַדְכְּרָא וְחוֹבַיְיהוּ בְּגִינֵי כַּךְ לָא יַהֲכוּן תַּמָּן בְּלָא תְּשׁוּבָה וּבְלָא
תַּעֲנִיתָא לְמִבְעֵי בָּעוּתָא קַמַּיְיהוּ. ר' אַבָּא אָמַר, בְּלָא תְּלַת תַּעֲנִיָּתָא. רַבִּי יוֹסֵי אָמַר,
אֲפִילוּ חַד, וּבְהַהוּא יוֹמָא, וּבִלְבַד דְּעָלְמָא יָתִיב בְּצַעֲרָא טְפֵי, כְּדֵין כֻּלְּהוּ מִזְדַּוְוגֵי
לְמִבְעֵי רַחֲמִין עַל עָלְמָא.

רסח. תָּאנָא, אָמַר רַבִּי יְהוּדָה, יוֹמָא חַד הֲווֹ אָזְלֵי רַבִּי וְחִזְקִיָּה וְר' יֵיסָא בְּאוֹרְחָא,
עַרְעוּ בְּגוּשׁ חֲלָב, וַהֲוָה וָרִיב, יָתְבוּ סָמוּךְ לְבֵי קִבְרֵי, וְר' יֵיסָא הֲוָה בִּידֵיה חַד קִטְרָא
דס"ת דְּאִקְרַע, עַד דְּיָתְבוּ אִתְרְגִישׁ חַד קִבְרָא קַמַּיְיהוּ, וְצָווַח וַוי וַוי, דְּהָא עָלְמָא
בְּצַעֲרָא שְׁכִיחַ, הָא אוֹרַיְיתָא הָכָא דְּאִתְגַּלְיָיא, אוֹ וְחֵיָּיא אָתוּ לְוַיְיכָא עֲלָן, וּלְכַסְפָא
בְּכִסּוּפָא עֲלָן בְּאוֹרַיְיתַיְיהוּ. אִזְדַּעְזָעוּ רַבִּי וְחִזְקִיָּה וְר' יֵיסָא.

רסט. אָמַר ר' וְחִזְקִיָּה מַאן אַתְּ. אָמַר לֵיהּ מֵיתָא אֲנָא, וְהָא אִתְעָרְנָא לְגַבֵּי ס"ת.
דְּזִמְנָא וַחֲדָא הֲוָה יָתִיב עָלְמָא בְּצַעֲרָא, וְאָתוּ וְחֵיָּיא הָכָא, לְאִתְעָרָא כָּן לִי בְּסֵפֶר תּוֹרָה,
וַאֲנָא וְחוֹבְרַאי אַקְדִּימְנָא לְגַבֵּי דְּמִיכֵי דְחֶבְרוֹן, וְכַד אִתְחַבָּרוּ בְּגַן עֵדֶן בְּרוּחֵיהוֹן
דְּצַדִּיקַיָּיא, אִשְׁתְּכָחוּ קַמַּיְיהוּ, דְּהַהוּא ס"ת דְּאַיְיתוּ לְכַאן אִינוּן וְחֵיָּיא הֲוָה פָּסוּל וּמְשַׁקַּר
בִּשְׁמָא דְּמַלְכָּא, עַל דְּאִשְׁתְּכַח וָא"ו יַתִּיר בְּהַהוּא קְרָא דְּוַשְׁסַעַת שֶׁסַע שְׁתֵּי פְרָסוֹת,
וְאַמְרוּ דְּהוֹאִיל וְשַׁקְרוּ בִּשְׁמָא דְּמַלְכָּא דְּלָא יְתוּבוּן לְגַבֵּיהוֹן, וְדָחוּ לִי וּלְחַבְרַאי בְּהַהוּא
שַׁעֲתָא מִבֵּי מְתִיבָתָא.

ער. עַד דַּהֲוָה סָבָא דַּהֲוָה בֵּינַיְיהוּ, אֲזַל וְאַיְיתֵי סִפְרָא דְּרַב הַמְנוּנָא סָבָא, וּכְדֵין
אִתְעַר רַבִּי אֶלְעָזָר בר"ע, דַּהֲוָה קָבִיר עִמָּנָא, וְאָזַל וּבָעָא בג"ע עֲלַיְיהוּ, וְאִתְחֲסֵי עָלְמָא,
כְּדֵין שָׁארוּ כָּן, וּמִן הַהוּא יוֹמָא דְּסַלְּקוּ לֵיהּ לר"א מֵהַאי קִבְרָא דָּא, וְאִתְּיְהִיב לְגַבֵּי
אֲבוּהָ, לֵית מַאן דְּאִתְעָר לְמֵיקָם קַמַּיְיהוּ דִּדְמִיכֵי דְחֶבְרוֹן, דְּמִסְתַּפֵּינָא מִן הַהוּא יוֹמָא
דְּדָחוּ לִי וְלַחֲבֵרַאי. וְהַשְׁתָּא אֲתִיתוּן לְגַבָּן, וְסֵפֶר תּוֹרָה גַּבֵּיכוֹן, אֲמֵינָא דְּהָא עָלְמָא
בְּצַעֲרָא אִשְׁתְּכַח. וע"ד אִזְדַּעְזַעְנָא, דַּאֲמֵינָא מַאן יָקָדִים לְאוֹדְעָא לְאִינוּן זַכָּאֵי זַכָּאֵי קְשׁוֹט
דְּמִיכֵי דְחֶבְרוֹן, אִשְׁתְּמִיט ר' יֵיסָא בְּהַהוּא קִטְרָא דְּסֵפֶר תּוֹרָה. אָמַר ר' וְחִזְקִיָּה, וַס
וְשָׁלוֹם לֵית עָלְמָא בְּצַעֲרָא, וַאֲנָן לָא אָתֵינָן לְהַאי.

רעא. קָמוּ רַבִּי וְחִזְקִיָּה וְר' יֵיסָא וְאָזְלוּ. אָמְרֵי, וַדַּאי בְּשַׁעֲתָא דְּזַכָּאִין לָא אִשְׁתְּכָחוּ
בְּעָלְמָא, עָלְמָא לָא מִתְקַיְּימָא אֶלָּא בְּגִינֵיהוֹן דְּמֵתַיָּיא. אָמַר ר' יֵיסָא, בְּשַׁעֲתָא
דְּאִצְטְרִיךְ עָלְמָא לְמִמְטַר, אַמַּאי אוֹלֵינָן לְגַבֵּיהוֹן דְּמֵתַיָּיא, וְהָא כְּתִיב וְדוֹרֵשׁ אֶל
הַמֵּתִים וְאָסִיר. א"ל עַד כָּאן לָא וְחָמֵיתָא גַּדְפָּא דְּצִפָּרָא דְּעֶדֶן. וְדוֹרֵשׁ אֶל הַמֵּתִים, אֶל
הַמֵּתִים דַּיְיקָא. אִינוּן וְחַיָּיבֵי עָלְמָא, דְּאִינוּן מֵעַמִּין עע"ז, דְּאִשְׁתְּכָחוּ תָּדִיר מֵתִים. אֲבָל
יִשְׂרָאֵל דְּאִינוּן זַכָּאֵי קְשׁוֹט, עֲלַיְיהוּ קְרָא עֲלַיְיהוּ שְׁלֹמֹה וְשַׁבֵּחַ אֲנִי אֶת הַמֵּתִים שֶׁכְּבָר מֵתוּ,

בִּזְמַנָּא אָחֳרָא וְלָא הַשְׁתָּא. שֶׁכְּבָר מֵתוּ, וְהַשְׁתָּא אִינּוּן חַיִּין.

רבע. וְעוֹד, דִּשְׁאָר עַמִּין כַּד אָתָאן לְמֵתֵיהוֹן, אַתְיָין בְּחַרְשִׁין, לְאִתְעֲרָא עֲלַיְיהוּ זִינִין בִּישִׁין. וְכַד יִשְׂרָאֵל אָתָאן לְמֵתֵיהוֹן, אַתְיָין בְּכַמָּה תְּשׁוּבָה לְקַמֵּי קֻבְּ"ה. בִּתְבִירוּ דְּלִבָּא, בְּתַעֲנִיתָא לְקַבְּלֵיהּ, וְכֹלָּא בְּגִין דְּנִשְׁמָתִין קַדִּישִׁין יִבְעוּן רַחֲמֵי לְקַמֵּי קֻבְּ"ה עֲלַיְיהוּ, וְקֻבְּ"ה חָיֵיס עַל עָלְמָא בְּגִינַיְיהוּ.

רעג. וְעַל דָּא תָּנֵינָן, צַדִּיקָא אע"ג דְּאִתְפְּטַר מֵהַאי עָלְמָא, לָא אִסְתַּלָּק וְלָא אִתְאֲבִיד מִכֻּלְּהוּ עָלְמִין, דְּהָא בְּכֻלְּהוּ עָלְמִין אִשְׁתְּכַח יַתִּיר מֵחַיּוֹי. דִּבְחַיּוֹי אִשְׁתְּכַח בְּהַאי עָלְמָא בִּלְחוֹדוֹי, וּלְבָתַר אִשְׁתְּכַח בִּתְלַת עָלְמִין, וְזַמִּין לְגַבַּיְיהוּ, דִּכְתִּיב עֲלָמוֹת אֲהֵבוּךָ, אַל תִּקְרֵי עֲלָמוֹת, אֶלָּא עוֹלָמוֹת. זַכָּאָה חוּלָקֵיהוֹן.

רעד. תָּאנָא, כְּתִיב וְהָיְתָה נֶפֶשׁ אֲדוֹנִי צְרוּרָה בִּצְרוֹר הַחַיִּים, וְהָיְתָה נֶפֶשׁ אֲדוֹנִי, נִשְׁמַת אֲדוֹנִי מִבָּעֵי לֵיהּ. אֶלָּא כְּמָה דְּאַמָרָן, דְּזַכָּאָה חוּלָקֵיהוֹן דְּצַדִּיקַיָּיא דְּכֹלָּא אִתְקְשַׁר דָּא בְּדָא, נֶפֶשׁ בְּרוּחַ וְרוּחַ בִּנְשָׁמָה, וּנְשָׁמָה בְּקֻבְּ"ה. אִשְׁתְּכַח דְּנֶפֶשׁ צְרוּרָה בִּצְרוֹר הַחַיִּים.

רעה. א"ר אֶלְעָזָר, הַאי דְּאָמְרוּ חַבְרַיָּיא, גָּלוּתָא דס"ת אֲפִילּוּ מִבֵּי כְּנִישְׁתָּא לְבֵי כְּנִישְׁתָּא אָחֳרָא אָסִיר. וכ"ש לְבֵי רְחוֹב, אֲמַאי לְבֵי רְחוֹב. א"ר יְהוּדָה, כְּמָה דְּאַמָרָן, בְּגִין דְּיִתְעָרוּן עָלֵיהּ וְיִתְבְּעוּן רַחֲמֵי עַל עָלְמָא. אָמַר ר' אַבָּא, שְׁכִינְתָּא כַּד אִתְגַּלְיָיא הָכִי נָמֵי מֵאֲתַר לַאֲתַר, עַד דְּאָמְרָה מִי יִתְּנֵנִי בַמִּדְבָּר מְלוֹן אוֹרְחִים וְגוֹ' אוּף הָכָא בְּקַדְמֵיתָא מִבֵּי כְּנִישְׁתָּא לְבֵי כְּנִישְׁתָּא, לְבָתַר לְבֵי רְחוֹב, לְבָתַר בַּמִּדְבָּר מְלוֹן אוֹרְחִים. א"ר יְהוּדָה, בְּנֵי בָּבֶל מִסְתָּפוּ וְלָא קָא עָבְרֵי אֲפִילּוּ מִבֵּי כְּנִישְׁתָּא לְבֵי כְּנִישְׁתָּא, כ"ש הַאי.

רעו. תַּנְיָא, אָמַר לְהוּ ר"ש לְחַבְרַיָּא, בְּיוֹמַאי לָא יִצְטָרְכוּן בְּנֵי עָלְמָא לְהַאי. אָ"ל רַבִּי יוֹסֵי, צַדִּיקַיָּיא מְגִינִּין עַל עָלְמָא בְּחַיֵּיהוֹן, וּבְמִיתָתְהוֹן יוֹתֵר מֵחַיֵּיהוֹן. הה"ד וְגַנּוֹתִי עַל הָעִיר הַזֹּאת לְהוֹשִׁיעָהּ לְמַעֲנִי וּלְמַעַן דָּוִד עַבְדִּי, וְאִילּוּ בְּחַיּוֹהִי לָא כְּתִיב. א"ר יְהוּדָה מַאי שְׁנָא הָכָא דִּכְתִּיב לְמַעֲנִי וּלְמַעַן דָּוִד עַבְדִּי, דְּשָׁקִיל הַאי לְגַבֵּי הַאי. אֶלָּא, בְּגִין דְּדָוִד זָכָה לְאִתְקַשְּׁרָא בִּרְתִיכָא קַדִּישָׁא דַּאֲבָהָתָא, וּבְגִ"כ כֹּלָּא חַד, בְּרִיךְ הוּא לְעָלַם וּלְעָלְמֵי עָלְמַיָּא.

רעז. כְּמַעֲשֵׂה אֶרֶץ מִצְרַיִם אֲשֶׁר יְשַׁבְתֶּם בָּהּ לֹא תַעֲשׂוּ, ר' יִצְחָק פָּתַח, לְסַפֵּר בְּצִיּוֹן שֵׁם יְיָ' וּתְהִלָּתוֹ בִּירוּשָׁלָםִ. תַּמָּן תָּנֵינָן, שְׁמָא קַדִּישָׁא סָתִים וְגַלְיָא. וְאוֹרַיְיתָא דְּהִיא שְׁמָא קַדִּישָׁא עִלָּאָה, סָתִים וְגַלְיָא. וְכָל קְרָא דְּבְאוֹרַיְיתָא, וְכָל פַּרְשְׁתָא דְּאוֹרַיְיתָא, סָתִים וְגַלְיָא.

רעח. דְּתַנְיָא א"ר יְהוּדָה, מֵחֲצִיפוּתָא דְּצַדֶּקֶת חֲדָא, נַפְקָן כַּמָּה טָבָאן לְעָלְמָא. וּמַאן הִיא. תָּמָר. דִּכְתִּיב וַתֵּשֶׁב בְּפֶתַח עֵינַיִם. אָמַר רִבִּי אַבָּא, פַּרְשְׁתָא דָּא מוֹכַח, דְּאוֹרַיְיתָא סָתִים וְגַלְיָא. וְהָא אִסְתַּכַּלְנָא בְּאוֹרַיְיתָא כֹּלָּא, וְלָא אַשְׁכַּחְנָא אֲתַר דְּאִקְרֵי פֶּתַח עֵינַיִם, אֶלָּא כֹּלָּא סָתִים, וְרָזָא דְּרָזִין הוּא.

רעט. וְתַנְיָא, מַאי חָמָאת צַדֶּקֶת זוֹ לְעוֹבָדָא דָא. אֶלָּא יַדְעַת בְּבֵיתָא דַּחֲמוֹהִי אָרְחוֹי דְּקוּדְשָׁא ב"ה, הֵיךְ מַדְבַּר הַאי עָלְמָא עִם בְּנֵי נָשָׁא. וּבְגִין דְּהִיא יַדְעַת, קֻבְּ"ה אוֹקִים מִלָּה עַל יְדָהָא. וְאַזְלָא הָא כְּמָה דְּתָנֵינָן, אִזְדַּמְּנַת הֲוַת בַּת שֶׁבַע מִן' יְמֵי בְרֵאשִׁית

לְמֶהֱוֵי אִמֵּיהּ דִּשְׁלֹמֹה מַלְכָּא. אוּף הָכָא אִזְדַּמְּנַת הֲוַת תָּמָר לְדָא, מִיּוֹמָא דְּאִתְבְּרֵי עָלְמָא.

רפ. וַתֵּשֶׁב בְּפֶתַח עֵינַיִם, מַאן פֶּתַח עֵינַיִם כְּמָה דְּאַתְּ אָמֵר, וְהוּא יוֹשֵׁב פֶּתַח הָאֹהֶל. וּכְתִיב, וּפָסַח יְיָ' עַל הַפֶּתַח. וּכְתִיב פִּתְחוּ לִי שַׁעֲרֵי צֶדֶק וְגו'. עֵינַיִם: דְּכֹל עַיְינִין דְּעָלְמָא לְהַאי פִּתְחָא מְצַפָּאן. אֲשֶׁר עַל דֶּרֶךְ תִּמְנָתָה, מַאי תִּמְנָתָה. כד"א וּתְמוּנַת יְיָ' יַבִּיט. וְהָכִי אוֹקִימְנָא, תָּמָר אוֹקִימַת מִלָּה לְתַתָּא, וּפָרְחַת פָּרְחִין, וַאֲנִיצַת עַנְפִּין בְּרָזָא דִּמְהֵימְנוּתָא.

רפא. וִיהוּדָה עוֹד רָד עִם אֵל וְעִם קְדוֹשִׁים נֶאֱמָן. וַיִּרְאֶהָ יְהוּדָה וַיַּחְשְׁבֶהָ לְזוֹנָה וְגו'. כד"א, כֵּן דֶּרֶךְ אִשָּׁה מְנָאָפֶת. כִּי כִסְּתָה פָּנֶיהָ, וְאוֹקִימְנָא כִּי כִסְּתָה פָּנֶיהָ, כד"א, אָכְלָה וּמָחֲתָה פִיהָ, אוֹקִידַת עָלְמָא בְּשַׁלְהוֹבוֹי, וְאָמְרָה לֹא פָעַלְתִּי אָוֶן. מ"ט. בְּגִין כִּי כִסְּתָה פָּנֶיהָ, וְלֵית מַאן דְּיָדַע אוֹרְחָהָא, לְאִשְׁתְּזָבָא מִנָּהּ. וַיֵּט אֵלֶיהָ אֶל הַדֶּרֶךְ, אֶל הַדֶּרֶךְ מַמָּשׁ, לְאִתְחַבְּרָא וְזִוּוּגָא בְּסוּמָקָא. וַיֹּאמֶר הָבָה נָּא אָבוֹא אֵלַיִךְ וְגו', הָא אוֹקִימְנָא הָבָה בְּכָל אֲתַר.

רפב. כִּי לֹא יָדַע כִּי כַלָּתוֹ הִיא. כִּי כַלָּתוֹ הִיא דְּעָלְמָא, מְתַרְגְּמִינָן אֲרֵי שֵׁיצִיתָא דְּעָלְמָא הִיא. מַאי טַעֲמָא לֹא יָדַע. בְּגִין דְּהָא מְנַהֲרָן אַנְפָּהָא, לְקַבְּלָא מִנֵּיהּ, וְאִזְדַּמְּנָא לְאִתְבַּסְּמָא וּלְרַחֲמָא עָלְמָא ד"א כִּי כַלָּתוֹ הִיא, דָּא כַּלָּה מַמָּשׁ, דִּכְתִיב אִתִּי מִלְּבָנוֹן כַּלָּה.

רפג. וַתֹּאמֶר מַה תִּתֶּן לִי כִּי תָבֹא אֵלָי. הַשְׁתָּא כַּלָּה בָּעְיָא תַּכְשִׁיטָהָא. וַיֹּאמֶר אָנֹכִי אֲשַׁלַּח גְּדִי עִזִּים מִן הַצֹּאן. לְמַלְכָּא דַּהֲוָה לֵיהּ בְּרָא מֵאִמֵּהוּ וַדָּאי, וְאָזִיל בְּהֵיכָלָא, בָּעָא מַלְכָּא לְאִתְנַסְּבָא בְּמַטְרוֹנִיתָא עִלָּאָה, וּלְאַעֲלָאָה בְּהֵיכָלֵיהּ. אָמְרָה מַאן יָהִיב לֵיהּ לְדֵין בְּהֵיכָלֵיהּ דְּמַלְכָּא. אָמַר מַלְכָּא, מִכָּאן וּלְהָלְאָה אֲשַׁדַּר וְאַתְרִיךְ לִבְרָא דְּאִמֵּהוּ מֵהֵיכָלָא דִּילִי.

רפד. כַּךְ נָמֵי הָכָא, אָנֹכִי אֲשַׁלַּח גְּדִי עִזִּים מִן הַצֹּאן. וְהָא אוֹקִימְנָא, בְּלֹא תְּבַשֵּׁל גְּדִי. וְכָל אִינּוּן בְּסִטְרָא דִּבְכוֹר בְּהֵמָה קָא אָתוּ. וְעַל דָּא לָא כְּתִיב אָנֹכִי אֶתֵּן, אֶלָּא אָנֹכִי אֲשַׁלַּח, אַתְרִיךְ וְאֲשַׁדַּר לֵיהּ, דְּלָא יִשְׁתְּכַח בְּהֵיכָלִי.

רפה/א. וַתֹּאמֶר אִם תִּתֵּן עֵרָבוֹן עַד שָׁלְחֶךָ. אִלֵּין אִינּוּן סִימָנִין דְּמַטְרוֹנִיתָא, דְּאִתְבָּרְכָא מִן מַלְכָּא בְּזִוּוּגָהָא. וַיֹּאמֶר מָה הָעֵרָבוֹן אֲשֶׁר אֶתֶּן לָךְ, וַתֹּאמֶר חוֹתָמְךָ וּפְתִילֶךָ וּמַטְּךָ. אִלֵּין אִינּוּן קִטְרֵי עִלָּאֵי, תַּכְשִׁיטָהָא דְּכַלָּה אִתְבָּרְכָא מִתְּלָתָא אִלֵּין, נֶצַח הוֹד יְסוֹד, וְכֹלָּא אִשְׁתְּכַח בִּתְלָתָא אִלֵּין וְכַלָּה מֵהָכָא מִתְבָּרְכָא. מִיַּד וַיִּתֶּן לָהּ וַיָּבֹא אֵלֶיהָ וַתַּהַר לוֹ.

רפה/ב. וַיְהִי כְּמִשְׁלֹשׁ חֳדָשִׁים. מַאן מִשְׁלֹשׁ חֳדָשִׁים. בָּתַר דְּיִתַלְתּוּן יַרְחַיָּא, וְהָא ג' יַרְחִין אוֹקִימְנָא. וְהָכָא כְּמִשְׁלֹשׁ חֳדָשִׁים, דְּשָׁארֵי יַרְחָא רְבִיעָאָה לְאִתְעָרָא דִּינִין בְּעָלְמָא בְּחוֹבֵי בְּנֵי נָשָׁא, וְהִיא יָנְקָא מִסִּטְרָא אָחֳרָא. כְּדֵין, וַיֻּגַּד לִיהוּדָה לֵאמֹר זָנְתָה תָּמָר כַּלָּתֶךָ, הָא כַּלָּה בְּסִטְרָא אָחֳרָא אִשְׁתְּכַחַת. מַה כְּתִיב, הוֹצִיאוּהָ. כְּמָה דִּכְתִיב, הִשְׁלִיךְ מִשָּׁמַיִם אֶרֶץ תִּפְאֶרֶת יִשְׂרָאֵל. וְתִשָּׂרֵף, בְּשַׁלְהוֹבֵי טִיהֲרָא בְּגָלוּתָא.

רפה/ג. מַה כְּתִיב, הִיא מוּצֵאת, לְאִתְמַשְׁכָא בְּגָלוּתָא. וְהִיא שָׁלְחָה אֶל חָמִיהָ לֵאמֹר לָאִישׁ אֲשֶׁר אֵלֶּה לּוֹ. לָאִישׁ אֲשֶׁר אֵלֶּה מִמֶּנּוּ לָא כְּתִיב, אֶלָּא לָאִישׁ אֲשֶׁר אֵלֶּה לוֹ. דִּילֵיהּ סִימָנִין אִלֵּין מִשְׁתַּכְחִין, אָנֹכִי הָרָה. מִיַּד וַיַּכֵּר יְהוּדָה וַיֹּאמֶר צָדְקָה מִמֶּנִּי. צָדְקָה וַדַּאי, וּשְׁמָא גָּרִים. מַאן גָּרִים לָהּ, שְׁמָא דָּא. הֲדַר וְאָמַר מִמֶּנִּי, דִּכְתִיב כִּי צַדִּיק יְיָ' צְדָקוֹת אָהֵב יָשָׁר יֶחֱזוּ פָנֵימוֹ. צָדְקָה: צֶדֶק ה', דְּמִמֶּנִּי נַטְלַת שְׁמָא דָּא. מִמֶּנִּי יָרְתָא. מִמֶּנִּי אִשְׁתְּכַחַת.

רפו. א"ר יוֹסֵי, מ"ט חָמִיהָ כְּתִיב בַּאֲתַר חַד, יְהוּדָה בַּאֲתַר אָחֳרָא. א"ל, כֹּלָּא אִתְקְטַר דָּא בְּדָא. חָמִיהָ, בַּאֲתַר עִלָּאָה תַּלְיָ.

רפז. א"ר אלעזר, פרשתא דא אוקימנא ברזא עלאה, בכמה גוונין. כד יסתכלון מלי, מינה ישתמע רזין דאורחוי דקב"ה, ודינוי בכל אתר. והיא ידעת ואקדימת גרמאה למלה דא, לאשלמא אורחוי דקב"ה, בגין דינפקו מינה מלכין שליטין, וזמינין לשלטאה על עלמא. ורות כהאי גוונא עבדת.

רפח. א"ר אבא, פרשתא דא ברזא דחכמתא דאורייתא אתקשרא, וכלא סתים וגליא. ואורייתא כלא כהאי גוונא אשתכחת. ולית לך מלה באורייתא, דלא רשים בה שמא קדישא עלאה, דסתים וגליא. בגיני כך, סתימי דאורייתא, קדישי עליונין ירתין לה, ואתגליא בשאר בני עלמא. כגוונא דא כתיב, לספר בציון שם יי' ותהלתו בירושלם, דהא בציון במקדשא, שרי לאדכרא שמא קדישא כדקא חזי. ולבר בכינויו. ועל דא כלא סתים וגליא. תאנא, כל מאן דגרע את חד מאורייתא. או יוסיף את חד באורייתא, כמאן דמשקר בשמא קדישא עלאה דמלכא.

רפט. א"ר יצחק, עובדא דמצרים פלחין לשפחה, כמה דאוקימנא. עובדא דכנען, פלחין לההוא דאקרי שבי אשר בבית הבור. ועל דא כתיב, ארור כנען עבד עבדים יהיה לאחיו. בג"כ כלהו מכדבין במלין קדישין, ועבדין עובדין בכלא. בגיני כך כמעשה ארץ מצרים אשר ישבתם בה וגו'. ר' יהודה אמר, דעבדין דינין בישין לשלטא על ארעא, כד"א ולא תטמא את אדמתך. וכתיב ותטמא הארץ.

רצ. כמעשה ארץ מצרים וגו', רבי חייא פתח, לאחוז בכנפות הארץ וגו', תאנא, זמין קב"ה לדכאה לארעיה, מכל מסאבותא דעמין עע"ז, דסאיבו לה. כהאי מאן דאחיד בטליתיה, ואנער טנופא מניה. וכל אינון דאתקברו בארעא קדישא, למשדי לון לבר, ולדכאה ארעא קדישא מסטרא אחרא, כביכול דהוה מתזנא לשאר רברבי עמין, ולקבלא מסאבותא דלהון, ולדברא לון. וזמין לדכאה לה לאעברא לון לבר.

רצא. ר' שמעון הוה מדכי שוקי דטבריא, וכל דהוה תמן מית, הוה סליק ליה, ומדכי ארעא. תאנא, כתיב ותבאו ותטמאו את ארצי וגו', אמר רבי יהודה זכאה חולקיה מאן דזכי בחייוי למשרי מדורא בארעא קדישא. דכל מאן דזכי לה, זכי לאנגדא מטלא דשמיא דלעילא, דנחית על ארעא. וכל מאן דזכי לאתקשרא בחייוי בהאי ארעא קדישא, זכי לאתקשרא לבתר בארעא קדישא עלאה.

רצב. וכל מאן דלא זכי בחייוי, ומייתין ליה לאתקברא תמן, עליה כתיב, ונחלתי שמתם לתועבה. רוחיה נפיק ברשותא נוכראה אחרא, וגופיה אתי תחות רשותא דארעא קדישא כביכול, עביד קדש חול, וחול קדש. וכל מאן דזכי למיפק נשמתיה בארעא קדישא, אתכפרו חובוי, וזכי לאתקשרא תחות גדפוי דשכינתא, דכתיב וכפר אדמתו עמו. ולא עוד אלא אי זכי בחייוי, זכי לאתמשכא עליה רוחא קדישא תדיר, וכל מאן דיתיב ברשותא אחרא, אתמשך עליה רוחא אחרא נוכראה.

רצג. תאנא, כד סליק רב המנונא סבא להתם, הוו עמיה תריסר בני מתיבתא דיליה, אמר לון, אי אנא אזיל לארחא דא, לאו על דידי קא עבידנא, אלא לאתבא פקדונא למאריה. תנינן כל אינון דלא זכו להאי בחייוי, אתיבין פקדונא דמאריהון לאחרא.

רצד. א"ר יצחק, בגיני כך, כל מאן דאעבר מאינון זינין בישין, או רשותא אחרא בארעא, ארעא אסתאבת, ווי ליה לההוא גבר, ווי לנפשיה, דהא ארעא קדישא לא

מְקַבְּלָא לֵיהּ לְבָתַר. עָלֵיהּ כְּתִיב, יִתַּמּוּ חַטָּאִים מִן הָאָרֶץ, בְּעה״ז, וּבְעוה״ב, וּרְשָׁעִים עוֹד אֵינָם, בִּתְחִיַּית הַמֵּתִים, כְּדֵין בָּרְכִי נַפְשִׁי אֶת יְיָ׳ הַלְלוּיָהּ.

רצה. אֶת מִשְׁפָּטַי תַּעֲשׂוּ וְאֶת חֻקֹּתַי תִּשְׁמְרוּ לָלֶכֶת בָּהֶם וְגוֹ׳, רַבִּי אַבָּא אָמַר, זַכָּאָה חוּלָקָא דְּיִשְׂרָאֵל, דְּקֻב״ה אִתְרְעֵי בְּהוּ מִכָּל עַמִּין עע״ז, וּבְגִין רְחִימוּתָא דִּילֵיהּ עֲלַיְיהוּ, יָהִיב לוֹן נִימוּסִין דִּקְשׁוֹט, נָטַע בְּהוּ אִילָנָא דְּחַיֵּי, אַשְׁרֵי שְׁכִינְתָּא בֵּינַיְיהוּ. מ״ט. בְּגִין דְּיִשְׂרָאֵל רְשִׁימִין בִּרְשִׁימָא קַדִּישָׁא בִּבְשָׂרֵיהוֹן. וְאִשְׁתְּמוֹדְעָן דְּאִינְהוּ דִּילֵיהּ, מִבְּנֵי הֵיכָלֵיהּ.

רצו. וּבְגִינֵי כַּךְ, כָּל אִינּוּן דְּלָא רְשִׁימִין בִּרְשִׁימוּ קַדִּישָׁא בִּבְשָׂרֵיהוֹן לָאו אִינּוּן דִּילֵיהּ, וְאִשְׁתְּמוֹדְעָן דְּכֻלְּהוּ מִסִּטְרָא דִּמְסָאֲבוּתָא אַתְיָין, וְאָסִיר לְאִתְחַבְּרָא בְּהוּ, וּלְאִשְׁתָּעֵי בַּהֲדַיְיהוּ, בְּמִלּוֹי דְּקֻב״ה וְאָסִיר לְאוֹדָעָא לְהוּ מִלֵּי דְּאוֹרַיְיתָא, בְּגִין דְּאוֹרַיְיתָא כֻּלָּא שְׁמָא דְּקֻב״ה, וְכָל אָת דְּאוֹרַיְיתָא, מִתְקַשְּׁרָא בִּשְׁמָא קַדִּישָׁא. וְכָל מַאן דְּלָא אִתְרְשִׁים בִּרְשִׁימָא קַדִּישָׁא בִּבְשָׂרֵיהּ, אָסִיר לְאוֹדָעָא לֵיהּ מִלָּה דְּאוֹרַיְיתָא. וכ״ש לְאִשְׁתַּדְּלָא בֵּיהּ.

רצז. ר״ש פָּתַח, זֹאת חֻקַּת הַפָּסַח כָּל בֶּן נֵכָר לֹא יֹאכַל בּוֹ, וּכְתִיב וְכָל עֶבֶד אִישׁ וְגוֹ׳. וּכְתִיב תּוֹשָׁב וְשָׂכִיר לֹא יֹאכַל בּוֹ. וּמַה פִּסְחָא דְּאִיהוּ בִּשְׂרָא לְמֵיכְלָא, עַל דְּאִתְרְמִיז בְּמִלָּה קַדִּישָׁא, אָסִיר לְכָל הָנֵי לְמֵיכַל בֵּיהּ, וּלְמֵיהַב לְהוּ לְמֵיכַל, עַד דְּאִתְגְּזָרוּ. אוֹרַיְיתָא דְּהִיא קֹדֶשׁ קֳדָשִׁים שְׁמָא עִלָּאָה דְּקֻב״ה, עאכ״ו.

רוצח. רַבִּי אֶלְעָזָר שָׁאִיל לְרַבִּי שִׁמְעוֹן אֲבוּהִי, אָ״ל, הָא תָּנֵינָן אָסוּר לְלַמֵּד תּוֹרָה לְעַכּוּ״ם, וְשַׁפִּיר אִתְעֲרוּ חַבְרַיָּיא דְּבָבֶל, דִּכְתִיב לֹא עָשָׂה כֵן לְכָל גּוֹי, אֲבָל כֵּיוָן דְּאָמַר מַגִּיד דְּבָרָיו לְיַעֲקֹב, אַמַּאי חֻקָּיו וּמִשְׁפָּטָיו לְיִשְׂרָאֵל. אָ״ל, אֶלְעָזָר ת״ח, זַכָּאִין אִינּוּן יִשְׂרָאֵל, דְּחוּלָקָא עִלָּאָה קַדִּישָׁא דָּא נָטַע בְּהוּ קֻב״ה, דִּכְתִיב כִּי לֶקַח טוֹב נָתַתִּי לָכֶם, לָכֶם, וְלָא לְעַמִּין עע״ז.

רצט. וּבְגִין דְּאִיהִי גְּנִיזָא עִלָּאָה יַקִּירָא, שְׁמֵיהּ מַמָּשׁ, אוֹרַיְיתָא כֻּלָּא סָתִים וְגַלְיָא, בְּרָזָא דִּשְׁמֵיהּ. וְעַל דָּא, יִשְׂרָאֵל בִּתְרֵין דַּרְגִּין אִינּוּן, סָתִים וְגַלְיָא, דְּתָנֵינָן תְּלַת דַּרְגִּין אִינּוּן מִתְקַשְּׁרָן דָּא בְּדָא, קוּדְשָׁא בְּרִיךְ הוּא, אוֹרַיְיתָא, וְיִשְׂרָאֵל. וְכָל חַד, דַּרְגָּא עַל דַּרְגָּא, סָתִים וְגַלְיָא. קוּדְשָׁא בְּרִיךְ הוּא דַּרְגָּא עַל דַּרְגָּא, סָתִים וְגַלְיָא. אוֹרַיְיתָא הָכִי נָמֵי סָתִים וְגַלְיָא. יִשְׂרָאֵל הָכִי נָמֵי דַּרְגָּא עַל דַּרְגָּא, הֲדָא הוּא דִּכְתִיב, מַגִּיד דְּבָרָיו לְיַעֲקֹב חֻקָּיו וּמִשְׁפָּטָיו לְיִשְׂרָאֵל. תְּרֵי דַּרְגִּין אִינּוּן, יַעֲקֹב וְיִשְׂרָאֵל, חַד גַּלְיָא, וְחַד סָתִים.

ש. מַאי קָא מַיְירֵי. אֶלָּא כָּל מַאן דְּאִתְגְּזַר וְאִתְרְשִׁים בִּשְׁמָא קַדִּישָׁא, יָהֲבִין לֵיהּ בְּאִינּוּן מִלִּין דְּאִתְגַּלְיָין בְּאוֹרַיְיתָא, כְּלוֹמַר, מוֹדִיעִין לֵיהּ בְּרֵישֵׁי אַתְוָון, בְּרֵישֵׁי פִּרְקִין, יָהֲבִין עָלֵיהּ חוּמְרָא דְּפִקּוּדֵי אוֹרַיְיתָא, וְלָא יַתִּיר, עַד דְּיִסְתַּלַּק בְּדַרְגָּא אָחֳרָא, הה״ד מַגִּיד דְּבָרָיו לְיַעֲקֹב. אֲבָל חֻקָּיו וּמִשְׁפָּטָיו לְיִשְׂרָאֵל, דְּאִיהוּ בְּדַרְגָּא עִלָּאָה יַתִּיר. וּכְתִיב לֹא יִקָּרֵא שִׁמְךָ עוֹד יַעֲקֹב וְגוֹ׳. חֻקָּיו וּמִשְׁפָּטָיו לְיִשְׂרָאֵל, אִלֵּין רָזֵי אוֹרַיְיתָא וְנִמּוּסֵי אוֹרַיְיתָא, וְסִתְרֵי אוֹרַיְיתָא, דְּלָא יִצְטָרְכוּן לְגַלָּאָה אֶלָּא לְמַאן דְּאִיהוּ בְּדַרְגָּא עִלָּאָה יַתִּיר כַּדְקָא יֵאוֹת.

שא. וּמַה לְיִשְׂרָאֵל הַאי, לְעַמִּין עע״ז עאכ״ו, וְכָל מַאן דְּלָא אִתְגְּזַר וְיָהֲבִין לֵיהּ אֲפִילּוּ אָת זְעֵירָא דְּאוֹרַיְיתָא, כְּאִלּוּ חָרִיב עָלְמָא, וּמְשַׁקֵּר בִּשְׁמָא דְּקֻב״ה, דְּכֹלָּא בְּהַאי תַּלְיָא, וְדָא אִתְקְשַׁר, דִּכְתִיב אִם לֹא בְרִיתִי יוֹמָם וָלָיְלָה חֻקּוֹת שָׁמַיִם וָאָרֶץ לֹא שָׂמְתִּי.

שב. תָּא חֲזֵי, כְּתִיב וְזֹאת הַתּוֹרָה אֲשֶׁר שָׂם מֹשֶׁה לִפְנֵי בְּנֵי יִשְׂרָאֵל. לִפְנֵי בְּנֵי

יִשְׂרָאֵל שָׁם, אֲבָל לִשְׁאָר עַמִּין לָא שָׁם. בְּג״כ דַּבֵּר אֶל בְּנֵי יִשְׂרָאֵל. וְאֶל בְּנֵי יִשְׂרָאֵל תֹּאמַר. וְכֵן כֻּלְּהוּ. יְנוּקֵי אֲבָהָן דְּעָלְמָא, אִינּוּן הִלֵּל וְשַׁמַּאי, דְּהָכִי אָמְרוּ לְאוּנְקְלוּס, וְלָא אוֹדְעוּ לֵיהּ מִלָּה דְּאוֹרַיְיתָא עַד דְּאִתְגְּזַר.

שג. וְתָא חֲזֵי, מִלָּה קַדְמָאָה דְּאוֹרַיְיתָא, דְּיָהֲבִין לִינוֹקֵי, אָלֶ״ף בֵּי״ת, דָּא מִלָּה דְּלָא יַכְלִין בְּנֵי עָלְמָא לְאַדְבְּקָא בְּסוּכָלְתָנוּ, וּלְסַלְּקָא לֵיהּ בִּרְעוּתָא, וכ״ש לְמַלְּלָא בְּפוּמַיְיהוּ. וַאֲפִילּוּ מַלְאֲכֵי עִלָּאֵי, וְעִלָּאֵי דְּעִלָּאֵי, לָא יַכְלִין לְאַדְבְּקָא, בְּגִין דְּאִינּוּן סְתִימִין דִּשְׁמָא קַדִּישָׁא. וַאֲלַף וְאַרְבַּע מְאָה וַחֲמֵשׁ רִבְבָן דְּעָלְמִין, כֻּלְּהוּ תַּלְיָין בְּקוֹצָא דְּאָלֶ״ף, וְשַׁבְעִין וּתְרֵין שְׁמָהָן קַדִּישִׁין גְּלִיפִין בְּאַתְווֹי רְשִׁימִין, דְּקַיְּימוּ בְּהוּ עִלָּאֵי וְתַתָּאֵי, שְׁמַיָּא וְאַרְעָא, וְכוּרְסַיָּיא יְקָרָא דְּמַלְכָּא, תַּלְיָין מִסִּטְרָא וְחָדָא לְסִטְרָא וַחֲדָא, דִּפְשִׁיטוּתָא דְּאָלֶף, קִיּוּמָא דְּעָלְמִין כֻּלְּהוּ, וְסַמְכִין דְּעִלָּאִין וְתַתָּאִין בְּרָזָא דְּחָכְמְתָא.

דש. וּשְׁבִילִין סְתִימִין, וְנַהֲרִין עֲמִיקִין, וְעֶשֶׂר אֲמִירָן, כֻּלְּהוּ נָפְקִין מֵהַהוּא קוֹצָא תַּתָּאָה דִּתְחוֹת אָלֶף. מִכָּאן וּלְהָלְאָה שָׁארֵי לְאִתְפַּשְׁטָא אָלֶף בְּבֵית. וְלֵית חוּשְׁבָּן לְחָכְמְתָא דְּהָכָא אִתְגְּלִיף.

שה. בְּגִינֵי כָּךְ, אוֹרַיְיתָא קִיּוּמָא דְּכֹלָּא, וּמְהֵימְנוּתָא דְּכֹלָּא, לְקַשְּׁרָא קִשְׁרָא דִּמְהֵימְנוּתָא דָּא בְּדָא כַּדְקָא יָאוּת. וּמַאן דְּאִתְגְּזַר, אִתְקַשַּׁר בְּהַהוּא קִשְׁרָא דִּמְהֵימְנוּתָא. וּמַאן דְּלָא אִתְגְּזַר, וְלָא אִתְקַשַּׁר בֵּיהּ, כְּתִיב בֵּיהּ, וְכָל זָר לֹא יֹאכַל קֹדֶשׁ. וְכָל עָרֵל לֹא יֹאכַל בּוֹ. דְּהָא אִתְעַר רוּחַ מִסְּאֲבָא דְּמִסִּטְרֵיהּ, וְאָתֵי לְאִתְעָרְבָא בִּקְדוּשָׁה. בְּרִיךְ רַחֲמָנָא, דְּפָרִישׁ לְיִשְׂרָאֵל בְּנוֹי, רְשִׁימִין בִּרְשִׁימָא קַדִּישָׁא, מִנַּיְיהוּ וּמִזּוּהֲמָא דִּלְהוֹן. עֲלַיְיהוּ כְּתִיב, וְאָנֹכִי נְטַעְתִּיךְ שׂוֹרֵק כֻּלֹּה זֶרַע אֱמֶת. וּבְגִינֵי כָּךְ, תִּתֵּן אֱמֶת לְיַעֲקֹב, וְלָא לְאָחֳרָא. תּוֹרַת אֱמֶת, לְזֶרַע אֱמֶת. אָתָא רִבִּי אֶלְעָזָר וּנְשָׁקֵיהּ עַל יְדוֹי.

שו. רִבִּי חִזְקִיָּה אָמַר, כְּתִיב כִּי לֹא יִטּוֹשׁ יְיָ' אֶת עַמּוֹ בַּעֲבוּר שְׁמוֹ וְגוֹ', כִּי לֹא יִטּוֹשׁ יְיָ' אֶת עַמּוֹ, מ״ט בַּעֲבוּר שְׁמוֹ הַגָּדוֹל. בְּגִין דְּכֹלָּא אִתְקַשַּׁר דָּא בְּדָא, וּבַמֶּה אִתְקַשְּׁרוּ יִשְׂרָאֵל בְּקֻבְּ״ה. בְּהַהוּא רְשִׁימָא קַדִּישָׁא דְּאִתְרְשִׁים בִּבְשָׂרֵיהוֹן. וּבְגִינֵי כָּךְ, לֹא יִטּוֹשׁ יְיָ' אֶת עַמּוֹ. וְלָמָּה. בַּעֲבוּר שְׁמוֹ הַגָּדוֹל דְּאִתְרְשִׁים בְּהוּ.

שז. תָּאנָא, אוֹרַיְיתָא אִקְרֵי בְּרִית, וְקֻבְּ״ה אִקְרֵי בְּרִית. וְהַאי רְשִׁימָא קַדִּישָׁא אִקְרֵי בְּרִית. וְעַל דָּא כֹּלָּא אִתְקַשַּׁר דָּא בְּדָא, וְלָא אִתְפְּרַשׁ דָּא מִן דָּא. אָ״ל ר' יֵיסָא, אוֹרַיְיתָא וְיִשְׂרָאֵל שַׁפִּיר אֲבָל קֻבְּ״ה מְנָלָן דְּאִקְרֵי בְּרִית. אָ״ל דִּכְתִיב וַיִּזְכֹּר לָהֶם בְּרִיתוֹ, וְהָא אִתְיְידַע, וְהָא אִתְמַר.

שח. וְאֶת חֻקֹּתַי תִּשְׁמְרוּ, חֻקּוֹתַי: אִלֵּין אִינּוּן נִמּוּסֵי מַלְכָּא. מִשְׁפָּטַי: אִלֵּין אִינּוּן גְּזֵרֵי אוֹרַיְיתָא, רִבִּי יְהוּדָה אָמַר, כָּל אִינּוּן נִמּוּסִין מֵאֲתַר דְּאִקְרֵי צֶדֶק, אִקְרוּן חֻקּוֹתַי, וְאִינּוּן גְּזֵרַת מַלְכָּא. וּבְכָל אֲתַר דְּאִקְרֵי מִשְׁפָּט אִקְרוּן דִּינָא דְּמַלְכָּא, דְּאִיהוּ מַלְכָּא קַדִּישָׁא, קוּדְשָׁא ב״ה, מַלְכָּא דִּשְׁלָמָא כֹּלָּא דִּילֵיהּ. הוּא דְּהוּא מַלְכָּא קַדִּישָׁא, בַּאֲתַר דִּתְרֵין חוּלָקִין אֲחִידָן דָּא בְּדָא. וְעַל דָּא כְּתִיב, צֶדֶק וּמִשְׁפָּט מְכוֹן כִּסְאֶךָ, וְאִינּוּן דִּינָא וְרַחֲמֵי. וּבְגִינֵי כָּךְ חֹק וּמִשְׁפָּט. וְעַ״ד כְּתִיב חֻקָּיו וּמִשְׁפָּטָיו לְיִשְׂרָאֵל. לְיִשְׂרָאֵל וְלָא לִשְׁאָר עַמִּין.

שט. בַּתְרֵיהּ מַה כְּתִיב, לֹא עָשָׂה כֵן לְכָל גּוֹי. וְתָנֵינָן, אע״ג דְּאִתְגְּזַר וְלָא עָבֵיד פִּקּוּדֵי אוֹרַיְיתָא, הֲרֵי הוּא כְּגוֹי בְּכֹלָּא, וְאָסִיר לְמֵילַף לֵיהּ פִּתְגָּמֵי אוֹרַיְיתָא. וְעַ״ד תָּנֵינָן מִזְבַּח אֲבָנִים, דָּא מִזְבַּח אֲבָנִים מַמָּשׁ. וְהָא קַשְׁיוּ דְּלִבֵּיהּ בְּאַתְרֵיהּ קַיְּימָא, וְזוּהֲמָא לָא אִתְפְּסַק מִנֵּיהּ. בְּגִינֵי כָּךְ, לָא סָלִיק בִּידֵיהּ הַהוּא גְּזִירוּ, וְלָא מְהַנְּיָא לֵיהּ. וְעַ״ד כְּתִיב, כִּי

וַחַרְבֵּךְ הֵנַפְתָּ עָלֶיהָ וַתְּחַלְלֶהָ.

שי. בְּגִינֵי כָּךְ, לֹא עָשָׂה כֵן לְכָל גּוֹי סְתָם. וּמִשְׁפָּטִים בַּל יְדָעוּם לְעָלַם וּלְעָלְמֵי עָלְמִין. מִלָּה אָחֳרָא, לָא יַהֲבִינָן לְהוּ, כ״ש רָזֵי אוֹרַיְיתָא, וְנִמּוּסִין דְּאוֹרַיְיתָא. וּכְתִיב, כִּי חֵלֶק יְיָ׳ עַמּוֹ יַעֲקֹב חֶבֶל נַחֲלָתוֹ, אַשְׁרֵי הָעָם שֶׁכָּכָה לוֹ אַשְׁרֵי הָעָם שֶׁיְיָ׳ אֱלֹהָיו.

שיא. מַתְנִיתִין, בְּנִמּוּסֵי טְהִירִין. אַרְבַּע מַפְתְּחָן שָׁוְיין, לְאַרְבַּע סִטְרֵי עָלְמָא. בְּזָוְייתְהוֹן אִשְׁתְּכָחוּ. חַד לְסְטַר אַרְבַּע, וְאַרְבַּע לְסְטַר חַד. אִתְגַּלְּפָן בְּחַד גַּוְונָא. בְּהַהוּא גַּוְונָא, תְּכֵלָא, וְאַרְגְּוָונָא וְצֶבַע זְהוֹרִי, וְחִוָּורָא, וְסוּמָקָא. דָּא עָיֵיל בְּגַוְונָא דְּחַבְרֵיהּ, וְדִידֵיהּ בֵּיהּ רְשִׁים.

שיב. אַרְבַּע רֵישִׁין כַּחֲדָא אִסְתְּלִיקוּ, וּבְחַד דְּיוּקְנָא מִתְדַּבְּקָן. חַד רֵישָׁא אִסְתְּלִיק, מִגּוֹ סַחֲיו דְּאִסְתְּחֵי. תְּרֵי אַיְילְתָא קְצִיבִין בְּשִׁיעוּרָא חַד, סַלְקָן מֵהַהוּא סַחֲיוּתָא, דִּכְתִּיב כְּעֵדֶר הַקְּצוּבוֹת שֶׁעָלוּ מִן הָרַחְצָה. בְּשַׂעֲרָא דִּלְהוֹן, חֵיזוּ דְּאֶבֶן טָבָא דְּאַרְבַּע גַּוְונִין.

שיג. אַרְבַּע גַּדְפִּין דְּכַסְיָין עַל גּוּפָא, יְדִין זְעִירִין תְּחוֹת גַּדְפַּיְיהוּ. וְחָמֵשׁ בְּחָמֵשׁ גְּלִיפָן. טָאסִין לְעֵילָּא לְעֵילָּא מֵהֵיכָלָא, דְּשַׁפִּירָא בְּרֵיוָא וְיָאֶה לְמֵחֱזֵי.

שיד. חַד עוֹלֵים רַבְיָא, נָפִיק שִׁנָּן וְחַרְבָּא, דְּמִתְהַפְּכָא לְגוּבְרִין לְנוּקְבִין. נַטְלִין לְמִשִׁיחָא דְּאֵיפָה בֵּין שְׁמַיָּא וּבֵין אַרְעָא. לִזְמְנִין נַטְלִין לָהּ בְּכָל עָלְמָא, וְכָל מְשִׁיחִין בָּהּ מְשִׁיחִין, דִּכְתִּיב אֵיפַת צֶדֶק וְגוֹ׳.

שטו. חַד חֵיזוּ דְּבְדוֹלְחָא, קַיְימָא עַל חַרְבָּא חַד, בְּרֵישָׁא דְּהַהוּא חַרְבָּא מְלַהֲטָא סוּמָקָא מִגּוֹ בְּדוֹלְחָא. תְּרֵין סִטְרִין מֵהַאי גִּיסָא וּמֵהַאי גִּיסָא, אִתְחֲזֵי הַהוּא חַרְבָּא, בִּרְשִׁימִין עֲמִיקִין, חַד גְּבַר תַּקִּיף, עוֹלְמָא דְּקַיְימָא בי״ג עָלְמִין. חַגִּיר הַהוּא חַרְבָּא, לְמֶעְבַּד נוּקְמִין. עִמֵּיהּ חַגִּירִין שִׁתִּין אָחֳרָנִין, כֻּלְּהוּ מִתְיַילְפֵי נִצּוּחִין קְרָבָא, הה״ד חֲגוֹר חַרְבְּךָ עַל יָרֵךְ גִּבּוֹר הוֹדְךָ וַהֲדָרֶךָ. וּכְתִיב כֻּלָּם אֲחוּזֵי חֶרֶב מְלוּמְּדֵי מִלְחָמָה וְגוֹ׳. בְּכַמָּה גַּוְונִין מִתְהַפְּכִין אַנְפַּיְיהוּ, לֵית דְּיָדַע לוֹן, בַּר חַד תּוֹלַעְתָּא דְּשָׁאט בֵּין נוּנֵי יַמָּא, כָּל אַבְנִין דְּאַעְבַּר עֲלַיְיהוּ מִתְבַּקְעִין.

שטז. בְּהַהוּא זִמְנָא, קָלָא דְּנָפִיק מֵאִינּוּן דַּחֲגִירֵי חַרְבָּא, מְבַקַּע תְּמַנְיסַר טוּרִין רַבְרְבִין, וְלֵית מַאן דְּיַרְכִּין אוּדְנֵיהּ. כֻּלְּהוּ עָלְמָא סְתִימִין עַיְינִין, אֲטִימִין לִבָּא, לֵית מַאן דְּיַשְׁגַּח דְּהָא בִּנְיָינָא לְסְתוֹר כַּד עַבְדִין עוֹבְדָן דְּלָא מִתְכַּשְּׁרָן, סָאטִין מֵאָרְחָא דְּתַקְנָא, יְמִינָא אַעְדֵּי, וּשְׂמָאלָא שַׁלְטָא, כְּדֵין עֶרְיָין אִשְׁתְּכָחוּ. וַוי לְחַיָּיבַיָּא דְּגַרְמִין דָּא בְּעָלְמָא, דְּהָא לָא מִתְבָּרְכִין לְעֵילָּא, עַד דְּיִשְׁתְּצוּן אִינּוּן לְתַתָּא. הה״ד וּרְשָׁעִים עוֹד אֵינָם בָּרְכִי נַפְשִׁי אֶת יְיָ׳ הַלְלוּיָהּ. (ע״כ)

שיז. עֶרְוַת אָבִיךָ וְעֶרְוַת אִמְּךָ לֹא תְגַלֵּה רִבִּי חִיָּיא פָּתַח. כְּתַפּוּחַ בַּעֲצֵי הַיַּעַר כֵּן דּוֹדִי בֵּין הַבָּנִים וְגוֹ׳. הַאי קְרָא אוּקְמוּהָ חַבְרַיָּיא, אֲבָל כַּמָּה חֲבִיבָה כְּנֶסֶת יִשְׂרָאֵל קָמֵי קֻבָּ״ה. דְּהִיא מְשַׁבַּחַת לֵיהּ בְּהַאי. הָכָא אִית לְאִסְתַּכְּלָא, אֲמַאי מְשַׁבַּחַת לֵיהּ בְּתַפּוּחַ, וְלָא בְּמִלָּה אָחֳרָא, אוֹ בִּגְוָונִין אוֹ בְּרֵיחָא אוֹ בְּטַעְמָא.

שיח. אֲבָל הוֹאִיל וּכְתִיב תַּפּוּחַ, בְּכֹלָּא הִיא מְשַׁבַּחַת לֵיהּ, בִּגְוָונִין, בְּרֵיחָא, וּבְטַעְמָא. מַה תַּפּוּחַ הוּא אַסְוָותָא לְכֹלָּא, אוּף קֻבָּ״ה אַסְוָותָא לְכֹלָּא. מַה תַּפּוּחַ אִשְׁתְּכַח בִּגְוָונֵי, כְּמָה דְּאוּקִימְנָא, אוּף קֻבָּ״ה אִשְׁתְּכַח בִּגְוָונִין עִלָּאִין. מַה תַּפּוּחַ אִית בֵּיהּ רֵיחָא דַּקִּיק מִכָּל שְׁאָר אִילָנֵי, אוּף קֻבָּ״ה כְּתִיב בֵּיהּ וְרֵיחַ לוֹ כַּלְּבָנוֹן. מַה תַּפּוּחַ טַעְמֵיהּ מְתִיקָא, אוּף קֻבָּ״ה כְּתִיב בֵּיהּ חִכּוֹ מַמְתַקִּים.

שיט. וקב"ה מְשַׁבַּח לָהּ לכ"י כְּשׁוֹשַׁנָּה, וְהָא אוֹקִימְנָא מִלֵּי, אֲמַאי כְּשׁוֹשַׁנָּה, וְהָא אִתְּמַר. ר' יְהוּדָה אָמַר, בְּשַׁעֲתָא דְּאַסְגִּיאוּ זַכָּאֵי בְּעָלְמָא, כְּנֶסֶת יִשְׂרָאֵל סַלְּקָא רֵיחִין טָבִין, וּמִתְבָּרְכָא מִמַּלְכָּא קַדִּישָׁא, וְאַנְפָּהָא נְהִירִין. וּבְזִמְנָא דְּאַסְגִּיאוּ חַיָּיבִין בְּעָלְמָא, כִּבְיָכוֹל כ"י לָא סַלְּקָא רֵיחִין טָבִין, וְאִטְעֲמַת מִסִּטְרָא אָחֳרָא מְרִירָא. כְּדֵין, כְּתִיב הִשְׁלִיךְ מִשָּׁמַיִם אֶרֶץ וְגוֹ', וְאַנְפָּהָא חֲשׁוֹכָן.

שכ. רִבִּי יוֹסֵי אָמַר, בְּשַׁעֲתָא דְּאַסְגִּיאוּ זַכָּאִין בְּעָלְמָא, כְּתִיב שְׂמֹאלוֹ תַּחַת לְרֹאשִׁי וִימִינוֹ תְּחַבְּקֵנִי. וּבְזִמְנָא דְּאַסְגִּיאוּ חַיָּיבִין בְּעָלְמָא, כְּתִיב הֵשִׁיב אָחוֹר יְמִינוֹ. רִבִּי חִזְקִיָּה אָמַר מֵהָכָא, וְנִרְגָּן מַפְרִיד אַלּוּף, כְּלוֹמַר פָּרִישׁ מַלְכָּא מִן מַטְרוֹנִיתָא, הה"ד עֶרְוַת אָבִיךָ וְעֶרְוַת אִמְּךָ לֹא תְגַלֵּה.

שכא. רִבִּי אֶלְעָזָר הֲוָה יָתִיב קַמֵּי אֲבוֹי, אָמַר לֵיהּ, אִי פַּרְקְלִיטָא בְּעָלְמָא בְּמַטְרוֹנִיתָא אִשְׁתְּכַח, וְאִי קַטֵּיגוֹרְיָא בְּעָלְמָא, בְּמַטְרוֹנִיתָא אִשְׁתְּכַח, אֲמַאי. אָמַר לֵיהּ, לְמַלְכָּא דַּהֲוָה לֵיהּ בַּר מִמַּטְרוֹנִיתָא, כָּל זִמְנָא דְּהַהוּא בְּרָא עָבִיד רְעוּתָא דְּמַלְכָּא, מַלְכָּא עָבִיד מָדוֹרֵיהּ בְּמַטְרוֹנִיתָא. וְכָל זִמְנָא דְּלָא הֲוָה הַהוּא בַּר עָבִיד רְעוּתָא דְּמַלְכָּא, מַלְכָּא פָּרִישׁ מָדוֹרֵיהּ מִמַּטְרוֹנִיתָא.

שכב. כָּךְ קב"ה וכ"י, כָּל זִמְנָא דְּיִשְׂרָאֵל עָבְדִין רְעוּתָא דְּקב"ה, קב"ה שַׁוֵּי מָדוֹרֵיהּ בִּכְנֶסֶת יִשְׂרָאֵל. וְכָל זִמְנָא דְּיִשְׂרָאֵל לָא עָבְדִין רְעוּתָא דְּקב"ה, קב"ה לָא שַׁוֵּי מָדוֹרֵיהּ בכ"י. מ"ט. בְּגִין דְּיִשְׂרָאֵל הוּא בְּרָא בּוּכְרָא דְּקב"ה, דִּכְתִיב בְּנִי בְכוֹרִי יִשְׂרָאֵל. אִמָּא, דָּא הִיא כְּנֶסֶת יִשְׂרָאֵל דִּכְתִיב וְאַל תִּטּוֹשׁ תּוֹרַת אִמֶּךָ.

שכג. ת"ח, כָּל זִמְנָא דְּיִשְׂרָאֵל רְחִיקִין מֵהֵיכְלָא דְּמַלְכָּא, כִּבְיָכוֹל מַטְרוֹנִיתָא אִתְרְחִיקַת עִמְּהוֹן. מ"ט. בְּגִין דְּמַטְרוֹנִיתָא לָא אַקְדִּימַת קִיסְטָא לְהַאי בַּר, לְאַלְקָאָה לֵיהּ, לְמֵיהָךְ בְּאוֹרַח מֵישָׁר. בְּגִין דְּמַלְכָּא לָא אַלְקֵי לִבְרֵיהּ לְעָלְמִין. אֶלָּא שָׁבִיק כֹּלָּא בִּידָא דְּמַטְרוֹנִיתָא, לְאַנְהָגָא הֵיכְלָא, וּלְאַלְקָאָה בְּרָהּ, וּלְדַבְּרָא לֵיהּ בְּאוֹרַח קְשׁוֹט, לְקַבְלֵיהּ דְּמַלְכָּא.

שכד. וְרָזָא דְּמִלָּה דִּכְתִיב דִּבְרֵי לְמוּאֵל מֶלֶךְ מַשָּׂא אֲשֶׁר יִסְּרַתּוּ אִמּוֹ, דָּא בַּת שֶׁבַע, וְהָא אִתְּמַר כְּתִיב, מִשְׁלֵי שְׁלֹמֹה בֵּן חָכָם יְשַׂמַּח אָב וּבֵן כְּסִיל תּוּגַת אִמּוֹ. תּוּגַת אִמּוֹ וַדַּאי. וְחָמֵי מַה כְּתִיב, בֵּן חָכָם יְשַׂמַּח אָב, בְּעוֹד דְּהַאי בַּר אָזִיל בְּאוֹרַח מֵישָׁר, וְהוּא חַכִּימָא, יְשַׂמַּח אָב, דָּא מַלְכָּא קַדִּישָׁא לְעֵילָּא. יְשַׂמַּח אָב סְתָם. אִשְׁתְּכַח הַאי בַּר בְּאוֹרְחָא תַּקְלָא, מַה כְּתִיב וּבֵן כְּסִיל תּוּגַת אִמּוֹ. תּוּגַת אִמּוֹ וַדַּאי, דָּא כְּנֶסֶת יִשְׂרָאֵל. וְרָזָא דְּמִלָּה כְּתִיב, וּבְפִשְׁעֵכֶם שֻׁלְּחָה אִמְּכֶם.

שכה. ת"ח, לָא אִשְׁתְּכַח חֶדְוָותָא קַמֵּי קב"ה, כְּיוֹמָא דְּסָלִיק שְׁלֹמֹה לְחָכְמְתָא, וְאָמַר שִׁיר הַשִּׁירִים. כְּדֵין נְהִירוּ אַנְפּוֹי דְּמַטְרוֹנִיתָא, וְאָתֵי מַלְכָּא לְמִשְׁרֵי מָדוֹרֵיהּ עִמָּהּ. הה"ד, וַתֵּרֶב חָכְמַת שְׁלֹמֹה וְגוֹ'. מַאי וַתֵּרֶב. דְּסַלְּקָא שְׁפִירוּ דְּמַטְרוֹנִיתָא, וְאִתְרַבִּיאַת בְּדַרְגָּהָא עַל כָּל שְׁאָר דַּרְגִּין, בְּגִין דְּמַלְכָּא שַׁוֵּי מָדוֹרֵיהּ בָּהּ. וְכָל כָּךְ לָמָּה. בְּגִין דְּאַפִּיקַת בְּרָא חַכִּימָא דָּא לְעָלְמָא.

שכו. וְכַד אַפִּיקַת לֵיהּ לִשְׁלֹמֹה, לְכָל יִשְׂרָאֵל אַפִּיקַת, וְכֻלְּהוּ הֲווּ בְּדַרְגִּין עִלָּאִין זַכָּאִין כִּשְׁלֹמֹה. דְּקב"ה חַדֵּי בְּהוּ, וְאִינוּן בֵּיהּ. וּבְיוֹמָא דְּשַׁכְלַל שְׁלֹמֹה בֵּיתָא לְתַתָּא, אִתְקִינַת מַטְרוֹנִיתָא בֵּיתָא לְמַלְכָּא. וְשַׁווּ מָדוֹרֵיהוֹן כַּחֲדָא, וּנְהִירוּ אַנְפָּהָא בְּחֶדְוָה שְׁלִימוּ. כְּדֵין אִשְׁתְּכַח חֶדְוָותָא לְכֹלָּא, לְעֵילָּא וְתַתָּא. וְכָל כָּךְ לָמָּה. בְּגִין דִּכְתִיב, מַשָּׂא

אֲשֶׁר יִסְּרַתּוּ אִמּוֹ, דְּדַבְּרַת לֵיהּ לִרְעוּתָא דְּמַלְכָּא.

שכז. וְכַד הַאי בַּר כְּמָה דְּאֲמֵינָא, לָא אִתְדַּבַּר לִרְעוּתֵיהּ דְּמַלְכָּא. כְּדֵין הִיא עֶרְיְיתָא דְּכֹלָּא, עֶרְיְיתָא דְּכָל סִטְרִין דְּהָא מַלְכָּא פָּרִישׁ מִמַּטְרוֹנִיתָא, וּמַטְרוֹנִיתָא אִתְרַחֲקַת מֵהֵיכָלֵיהּ, וּבְגִ"כ עֶרְיְיתָא הִיא דְּכֹלָּא. וְכִי לָאו עֶרְיְיתָא הוּא, מַלְכָּא בְּלָא מַטְרוֹנִיתָא, וּמַטְרוֹנִיתָא בְּלָא מַלְכָּא. וְעַ"ד כְּתִיב, עֶרְוַת אָבִיךָ וְעֶרְוַת אִמְּךָ לֹא תְגַלֵּה אִמְּךָ הִיא. אִמְּךָ הִיא וַדַּאי, וְשַׁרְיָא עִמָּךְ, בְּגִינֵי כָּךְ לֹא תְגַלֶּה עֶרְוָתָהּ.

שכח. ר"ש אַקִּישׁ יְדוֹי וּבָכָה, וְאָמַר וַוי אִי אֵימָא וְגַלֵּינָא רָזָא, וַוי אִי לָא אֵימָא, דְּיֵיבְדוּן חַבְרַיָּיא מִלָּה. אֲהָהּ יְיָ' אֱלֹהִים כָּלָה אַתָּה עוֹשֶׂה אֶת שְׁאֵרִית יִשְׂרָאֵל. מַאי אֲהָהּ. וּמַאי כָּלָה אַתָּה עוֹשֶׂה. אֶלָּא רָזָא דְּמִלָּה, בִּזְמְנָא דְּה' תַּתָּאָה אִתְתָּרְכַת מֵהֵיכְלָא דְּמַלְכָּא, ה' אָחֳרָא עִלָּאָה בְּגִינָהּ מָנְעַת בִּרְכָתָא. וּכְדֵין כְּתִיב, אֲהָהּ כָּלָה אַתָּה עוֹשֶׂה. בְּגִין דְּכַד אִיהִי אִתְמְנַעַת מִבִּרְכָאן, ה' אָחֳרָא מָנְעַת לוֹן מִכֹּלָּא. מַאי טַעֲמָא. בְּגִין דְּבִרְכָאן לָא מִשְׁתַּכְּחֵי, אֶלָּא בְּאֲתַר דְּשַׁרְיָין דְּכַר וְנוּקְבָא.

שכט. וְעַל דָּא כְּתִיב, יְיָ' מִמָּרוֹם יִשְׁאָג וּמִמְּעוֹן קָדְשׁוֹ יִתֵּן קוֹלוֹ שָׁאֹג יִשְׁאַג עַל נָוֵהוּ עַל נָוֵהוּ מַמָּשׁ. דָּא מַטְרוֹנִיתָא, וְדָא הוּא וַדַּאי. וּמַאי אוֹמֵר. אוֹי שֶׁהֶחֱרַבְתִּי אֶת בֵּיתִי וְכוּ'. בֵּיתִי זִוּוּגָא דְּמַטְרוֹנִיתָא. וְדָא הוּא וַדַּאי, עֶרְוַת אָבִיךָ וְעֶרְוַת אִמְּךָ לֹא תְגַלֵּה. דְּהָא מִכָּל סִטְרִין עֶרְיְיתָא הוּא. וּכְדֵין, לְבָשׁוּ שָׁמַיִם קַדְרוּת וְשַׂק הוּשָׂם כְּסוּתָם דְּהָא אֲתַר אַחֲסַנַת בִּרְכָאן דְּמַבּוּעִין דְּנַחֲלִין דַּהֲווּ נַגְדִּין וְשַׁקְיָין כַּדְקָא יָאוֹת, אִתְמְנָעוּ.

של. תָּנֵינָן, כַּד אִתְפְּרַשׁ מַלְכָּא מִמַּטְרוֹנִיתָא, וּבִרְכָאן לָא מִשְׁתַּכְּחָן, כְּדֵין אִקְרֵי ו"י. מ"ט ו"י. דְּתַנְיָא, רֵישָׁא דְּיְסוֹד י', דְּהָא יְסוֹד ו' זְעֵירָא הוּא, וְקֻבְּ"ה ו' רַבְרְבָא עִלָּאָה. וְעַ"ד כְּתִיב וָ"ו תְּרֵין וָוִין כַּחֲדָא, וְרֵישָׁא דְּהַאי יְסוֹד י' הוּא. וְכַד אִתְרַחֲקַת מַטְרוֹנִיתָא מִמַּלְכָּא, וּבִרְכָאן אִתְמְנָעוּ מִמַּלְכָּא, וְזִוּוּגָא לָא אִשְׁתְּכַח בְּרֵישָׁא דִּיְסוֹד, נָטִיל ו' עִלָּאָה לְהַאי רֵישָׁא דִּיְסוֹד דְּהוּא י', וְנָגִיד לֵיהּ לְגַבֵּיהּ, כְּדֵין הוּא ו"י, ו"י לְכֹלָּא, לְעִלָּאִין וְתַתָּאִין.

שלא. וְעַ"ד תָּנֵינָן, מִיּוֹמָא דְּאִתְחֲרִיב יְרוּשְׁלֵם, בִּרְכָאן לָא אִשְׁתַּכְּחוּ בְּעָלְמָא, וְלֵית לָךְ יוֹם דְּלָא אִשְׁתַּכַּח בֵּיהּ לְוָטִין, דְּהָא בִּרְכָאן אִתְמְנָעוּ בְּכָל יוֹם. אָמַר לֵיהּ, אִי הָכִי, אוֹ"י אוֹ הוֹ"י, מַהוּ.

שלב. אָמַר לֵיהּ, כַּד מִלָּה תַּלְיָא בִּתְשׁוּבָה, וְלָא תַּיְיבִין, כְּדֵין ה' עִלָּאָה נָטִיל לוֹן, וְאַנְגִּיד לְוָאו ו', לְגַבָּהּ, בְּגִין דְּלָא תַּיְיבִין, כְּדֵין אִקְרֵי הוֹי. הוֹי כַּד אִסְתַּלַּק מַלְכָּא לְעֵילָּא לְעֵילָּא, וְצִוְוחִין בְּנֵי נָשָׁא וְלָא אַשְׁגַּח בְּהוּ. וְהַהוּא עִלָּאָה אֶהְיֶה טְמִירָא, סָלִיק לוֹ', וי' לְגַבֵּיהּ, בְּגִין דְּלָא אִתְקַבִּיל צְלוֹתֵיהּ, כְּדֵין אִקְרֵי אוֹי, דְּהָא א' סָלִיק לְגַבֵּיהּ דו' וי'. וּכְדֵין תְּשׁוּבָה לָא אִשְׁתַּכַּח. וְעַ"ד אִסְתַּלַּק מֵאִלֵּין אַתְוָון ה', דְּהָא בִּתְשׁוּבָה לָא תַלְיָיא.

שלג. וַדַּאי כַּד אַסְגִּיאוּ חוֹבֵי עָלְמָא טְפֵי, וּתְשׁוּבָה הֲוָה תַּלְיָא בְּקַדְמֵיתָא, וְלָא בָּעוּ, כְּדֵין אִסְתַּלַּק ה', וְא' סָלִיק לוֹ' יוּ"ד לְגַבֵּיהּ, וְאִקְרֵי אוֹי. וְכַד חָרִיב בֵּי מַקְדְּשָׁא, וּתְשׁוּבָה אִסְתַּלְּקַת, כְּדֵין צָוְוחוּ וְאָמְרוּ, אוֹי לָנוּ כִּי פָנָה הַיּוֹם. מַאי כִּי פָנָה הַיּוֹם. דָּא הוּא יוֹמָא עִלָּאָה, דְּאִקְרֵי תְּשׁוּבָה, דְּאִסְתַּלַּק וְאִתְעֲבַר, וְלָא שְׁכִיחַ. הַהוּא יוֹמָא דְּאִשְׁתְּמוֹדַע, לְפַשְׁטָא יְמִינָא לְקַבְּלָא חַיָּיבִין, וְהָא אִתְפְּנֵי מִכֹּלָּא, וְלָא אִשְׁתַּכַּח, וְעַל דָּא אָמְרוּ אוֹי, וְלָא הוֹי. כִּי יִנָּטוּ צִלְלֵי עָרֶב, דְּהָא אִתְיְיהִיב רְשׁוּ לְרַבְרְבֵי מְמַנָּן דִּשְׁאָר עַמִּין, לְמִשְׁלַט עֲלַיְיהוּ.

שלד. תָּאנָא, סָלִיק ו' לְעֵילָּא לְעֵילָּא, וְהֵיכְלָא אִתּוֹקַד, וְעַמָּא אִתְגְּלֵי, וּמַטְרוֹנִיתָא אִתְתָּרְכַת, וּבֵיתָא אִתְחֲרָבַת. לְבָתַר כַּד נָחִית וו' לְאַתְרֵיהּ, אַשְׁגַּח בְּבֵיתֵיהּ וְהָא

אִתְחֲרִיב, בָּעֵי לְמַטְרוֹנִיתָא, וְהָא אִתְרַחֲקַת וְאַזְלַת. וַחֲמָא לְהֵיכְלֵיהּ. בָּעָא
לְעַלְמָא, וְהָא אִתְגְּלֵי. וַחֲמָא לְבִרְכָאן דִּנְחַלִין עֲמִיקִין דַּהֲווֹ נַגְדִּין, וְהָא אִתְמַנָעוּ. כְּדֵין
כְּתִיב, וַיִּקְרָא יְיָ אֱלֹהִים צְבָאוֹת בַּיּוֹם הַהוּא לִבְכִי וּלְמִסְפֵּד וּלְקָרְחָה וְלַחֲגוֹר שָׂק. וּכְדֵין
לָבְשׁוּ שָׁמַיִם קַדְרוּת.

עֻלָּה. כְּדֵין ו' י' אִתְגְּנִיד וַד לָקֳבֵל וַד. וְה' עִלָּאָה, נָגִיד מַבּוּעֵי לְסִטְרָא אָחֳרָא,
וּבִרְכָאן לָא מִשְׁתַּכְחָן. דְּהָא דְּכַר וְנוּקְבָּא לָא אִשְׁתְּכָחוּ, וְלָא שַׁרְיָין כַּחֲדָא. כְּדֵין עֵאג
יְשַׁאג עַל נָוֵהוּ. בָּכָה ר"ע, וּבָכָה ר' אֶלְעָזָר, אָמַר ר' אֶלְעָזָר, בְּכִיָּיה תְּקִיעָא בְּלִבָּאי
מִסִּטְרָא חֲדָא, וְחֶדְוָותָא בְּלִבָּאי מִסִּטְרָא אָחֳרָא. דְּהָא שְׁמַעְנָא מִלִּין, דְּלָא שְׁמַעְנָא עַד
הַשְׁתָּא, זַכָּאָה חוּלָקִי.

עֻלֹּו. עֶרְוַת אֵשֶׁת אָבִיךָ לֹא תְגַלֵּה, מַאן אֵשֶׁת אָבִיךָ. אר"ע, הָא תָּנֵינָן, כָּל מִלֵּי
דְאוֹרַיְיתָא סָתִים וְגַלְיָא, כְּמָה דִשְׁמָא קַדִּישָׁא סָתִים וְגַלְיָא, אוֹרַיְיתָא דְּהִיא שְׁמָא
קַדִּישָׁא, הָכִי נָמֵי סָתִים וְגַלְיָא. הָכָא כֹּלָּא בְּאִתְגַּלְיָיא, יְדִיעָא סָתִים כְּמָה דְאוּקִימְנָא.

עֻלֹו. וְהַאי קְרָא הָכִי הוּא, אֵשֶׁת אָבִיךָ תָּאנָא, כָּל זִמְנָא דְמַטְרוֹנִיתָא אִשְׁתְּכַחַת
בְּמַלְכָּא, וְיָנְקָא לָךְ, אִקְרֵי אִמָּךְ. הַשְׁתָּא דְאִתְגַּלְיָא עַמָּךְ וְאִתְרַחֲקַת מִן מַלְכָּא, אֵשֶׁת
אָבִיךָ אִתְקְרֵי. אִנְתּוּ הִיא דְמַלְכָּא קַדִּישָׁא לָא אִתְפַּטָּרַת בִּתְרוּכִין מִנֵּהּ, אִנְתְּתֵיהּ הִיא
וַדַּאי. כְּמָה דִכְתִיב, כֹּה אָמַר יְיָ אֵי זֶה סֵפֶר כְּרִיתוּת אִמְּכֶם אֲשֶׁר שִׁלַּחְתִּיהָ. אֶלָּא וַדַּאי
אִנְתּוּ הִיא דְמַלְכָּא, אע"ג דְאִתְגַּלְיָיא.

עֻלוֹז. וע"ד פָּקִיד עֲלָהּ תְּרֵי זִמְנֵי, כַּד יָתְבָא בְּמַלְכָּא בְּזוּוּגָא וַד, וְאִתְקְרֵי אִמָּךְ,
דִכְתִיב עֶרְוַת אִמְּךָ לֹא תְגַלֵּה, לָא תַעֲבִיד דְּיִתְרַחֲקוּן דָּא מִן דָּא, וְתִשְׁתְּכַח עַל חוֹבָךְ,
כְּמָה דִכְתִיב וּבְפִשְׁעֲכֶם שֻׁלְּחָה אִמְּכֶם. ואוֹד, כַּד הִיא בְּגָלוּתָא עַמָּךְ, וְאִתְגַּלְיָיא
מֵהֵיכְלָא דְמַלְכָּא, וְאִתְקְרֵי אִנְתּוּ דְמַלְכָּא. אע"ג דְאִתְרַחֲקַת מִנֵּיהּ לָא תַעֲבִיד בְּגִין
דְּתַעֲדֵי מִבֵּינָךְ, וְיִשְׁלְטוֹן בָּךְ שַׂנְאָךְ, וְלָא תִסְתַּמֵּר עֲלָךְ בְּגָלוּתָא. הה"ד עֶרְוַת אֵשֶׁת
אָבִיךָ לֹא תְגַלֵּה. מַאי טַעֲמָא. בְּגִין כִּי עֶרְוַת אָבִיךָ הוּא. אע"ג דְאִתְרַחֲקַת מִן מַלְכָּא,
אִשְׁגָּחוּתָא דְמַלְכָּא בָּהּ תְּדִירָא, וּבָעֵי לְאִסְתַּמְּרָא לְקַבְּלָהּ יַתִּיר, וְלָא תְּיוּחַב לְגַבָּהּ.

עֻלֹט. רַבִּי שִׁמְעוֹן פָּתַח, כִּי יְיָ אֱלֹהֶיךָ מִתְהַלֵּךְ בְּקֶרֶב מַחֲנֶךָ לְהַצִּילְךָ וְגוֹ'. כִּי יְיָ
אֱלֹהֶיךָ: דָּא שְׁכִינְתָּא, דְּאִשְׁתְּכָחַת בְּהוּ בְּיִשְׂרָאֵל, וכ"ש בְּגָלוּתָא, לְאַגָּנָא עֲלַיְיהוּ תְּדִירָא
מִכָּל סִטְרִין, וּמִכָּל שְׁאָר עַמִּין, דְּלָא יְשֵׁיצוּן לְהוּ לְיִשְׂרָאֵל.

עֻמ. דְּתַנְיָא, לָא יָכְלִין שַׂנְאֵיהוֹן דְּיִשְׂרָאֵל לְאַבְאָשָׁא לְהוּ, עַד דְּיִשְׂרָאֵל מַחֲלִישִׁין
חֵילָא דִשְׁכִינְתָּא מִקַּמֵּי רַבְרְבֵי מְמַנָּן דִּשְׁאָר עַמִּין. כְּדֵין יָכְלִין לְהוֹן שַׂנְאֵיהוֹן דְּיִשְׂרָאֵל,
וְשַׁלְטִין עֲלַיְיהוּ, וְגָזְרִין עֲלַיְיהוּ כַּמָּה גְּזֵירִין בִּישִׁין. וְכַד אִינּוּן תַּיְיבִין לְקַבְּלָהּ, הִיא מִתְבַּרַת
חֵילָא וְתוּקְפָּא דְּכָל אִינוּן מְמַנָּן רַבְרְבִין, וְתַבְּרַת חֵילָא וְתוּקְפָּא דְּשַׂנְאֵיהוֹן דְּיִשְׂרָאֵל,
וְאִתְפְּרַע לְהוּ מִכֹּלָּא.

עֻמא. וְעַל דָּא וְהָיָה מַחֲנֶךָ קָדוֹשׁ, דְּבָעֵי ב"נ דְּלָא יִסְתְּאַב בְּחוֹבוֹי, וְיַעֲבָר עַל
פִּתְגָּמֵי אוֹרַיְיתָא. דְּאִי עָבִיד הָכִי, מְסָאֲבִין לֵיהּ, כְּמָה דִכְתִיב וְנִטְמֵתֶם בָּם, בְּלָא א'.
וְתָאנָא, מָאתָן וּתְמַנְיָא וְאַרְבְּעִין שַׁיְיפִין בְּגוּפָא, וְכֻלְּהוּ אִסְתָּאֲבָן, כַּד אִיהוּ אִסְתָּאַב.
כְּלוֹמַר, כַּד בָּעֵי לְאִסְתָּאֲבָא. וע"ד, וְהָיָה מַחֲנֶךָ קָדוֹשׁ. מַאי מַחֲנֶךָ, אִלֵּין אִינוּן שַׁיְיפֵי
גוּפָא. וְלֹא יִרְאֶה בְךָ עֶרְוַת דָּבָר, מַאי עֶרְוַת דָּבָר. עֶרְיָיתָא נוּכְרָאָה לְהַאי דָּבָר רְמַז,
כְּמָה דְאוּקִימְנָא. דְּאִי הָכִי, וְשָׁב מֵאַחֲרֶיךָ וַדַּאי. וְעַל דָּא עֶרְוַת אֵשֶׁת אָבִיךָ לֹא תְגַלֵּה.

מ״ט. בְּגִין דִּכְתִּיב עֶרְוַת אָבִיךָ הוּא, כְּמָה דְּאוֹקִימְנָא.

שמב. תָּאנָא, עַל ג׳ מִלִּין מִתְעַכְּבִין יִשְׂרָאֵל בְּגָלוּתָא. עַל דְּעַבְדִּין קְלָנָא בִּשְׁכִינְתָּא בְּגָלוּתָא. וּמְהַדְּרֵי אַנְפַּיְיהוּ מִן שְׁכִינְתָּא, וְעַל דִּמְסָאֲבֵי גַּרְמַיְיהוּ קָמֵי שְׁכִינְתָּא. וְכֻלְּהוּ אוֹקִימְנָא בְּמַתְנִיתָא דִּילָן.

שמג. רִבִּי אַבָּא, הֲוָה אָזִיל לְקַפּוּטְקְיָא, וַהֲוָה עִמֵּיהּ רִבִּי יוֹסֵי. עַד דַּהֲווּ אַזְלֵי, וְחָמוּ חַד בַּר נָשׁ, דַּהֲוָה אָתֵי, וּרְשִׁימָא חַד בְּאַנְפּוֹי. א״ר אַבָּא, נִסְטֵי מֵהַאי אוֹרְחָא, דְּהָא אַנְפּוֹי דְּדִין אַסְהִידוּ עָלֵיהּ, דְּעָבַר בְּעֶרְיָיתָא דְּאוֹרַיְיתָא, בְּגִינֵי כַּךְ אִתְרְשִׁים בְּאַנְפּוֹי. א״ל רִבִּי יוֹסֵי, אִי הַאי רְשִׁימָא הֲוָה לֵיהּ כַּד הֲוָה יַנּוּקָא, מַאי עֶרְיָיתָא אִשְׁתְּכַח בֵּיהּ. א״ל, אֲנָא חֲמֵינָא בְּאַנְפּוֹי, דְּאַסְהִידוּ בְּעֶרְיָיתָא דְּאוֹרַיְיתָא.

שדמ. קָרָא לֵיהּ רִבִּי אַבָּא, א״ל אֵימָא מִלָּה, הַאי רְשִׁימָא דְּאַנְפָּךְ, מַה הוּא. אָמַר לוֹן, בְּמָטוּתָא מִנַּיְיכוּ, לָא תַּעַנְשׁוּ יַתִּיר לְהַהוּא בַּר נָשׁ, דְּהָא חוֹבוֹי קָא גָּרְמוּ לֵיהּ. אָמַר רִבִּי אַבָּא מַהוּ אָמַר לֵיהּ. יוֹמָא חַד הֲוֵינָא אָזִיל בְּאָרְחָא אֲנִי וַאֲחוֹתִי, שָׁרֵינָא בְּחַד אוּשְׁפִּיזָא, וְרָוֵינָא חַמְרָא, וְכָל הַהוּא לֵילְיָא אֲחִידְנָא בַּאֲחוֹתִי. בְּצַפְרָא קַמְנָא, וְאוּשְׁפִּיזָאי קָטַט בְּחַד גַּבְרָא, עָיְילְנָא בֵּינַיְיהוּ, וְקַטְרוּ לִי דָּא מֵהַאי גִּיסָא, וְדָא מֵהַאי גִּיסָא, וּרְשִׁימָא דָּא הֲוָה עָיֵיל לְבֵי מוֹחָא, וְאִשְׁתְּזַבְנָא עַל יְדָא דְּחַד אַסְיָיא דְּאִית בְּגַוָּון.

שמה. אָמַר לֵיהּ, מַאן הוּא אַסְיָיא. אָמַר לֵיהּ, רִבִּי שַׂמְלָאִי הוּא. א״ל מַאי אַסְוָותָא יְהַב לָךְ. א״ל אַסְוָותָא דְּנַפְשָׁא. וּמֵהַהוּא יוֹמָא אַהֲדַרְנָא בִּתְשׁוּבָה. וּבְכָל יוֹמָא חֲזֵינָא אַנְפָּאי בְּחַד חֵיזוּ, וּבָכֵינָא קָמֵי קֻבְּ״ה, דְּהוּא רִבּוֹן עָלְמִין עַל הַהוּא חוֹבָה. וּמֵאִינּוּן דִּמְעִין אַסְוֵינָא אַנְפָּאי. אָמַר רִבִּי אַבָּא, אִי לָאו דְּאִתְמְנַע מִנָּךְ תְּשׁוּבָה, אַעֲבַרְנָא מֵאַנְפָּךְ הַהוּא רְשִׁימָא. אֲבָל קָרֵינָא עָלָךְ, וְסָר עֲוֹנֶךָ וְחַטָּאתְךָ תְּכוּפָּר. אָמַר לֵיהּ, ג׳ זִמְנִין אֵימָא. אָמַר לֵיהּ ג׳ זִמְנִין, וְאִתְעֲבַר רְשִׁימָא.

שמו. אָמַר ר׳ אַבָּא, וַדַּאי מָארָךְ הָא בָּעָא לְאַעְבְּרָא מִנָּךְ, דְּוַדַּאי בִּתְשׁוּבָה אִשְׁתְּכַחַת. אָמַר לֵיהּ, נָדַרְנָא מֵהַאי יוֹמָא לְאִתְעַסְקָא בְּאוֹרַיְיתָא יְמָמָא וְלֵילְיָא. אָמַר לֵיהּ,, מַה שְּׁמָךְ. אָמַר לֵיהּ אֶלְעָזָר. אָמַר לֵיהּ אֵל עָזַר, וַדַּאי שְׁמָא גָּרִים, דֶּאֱלָהָךְ סַיְּיעָךְ, וַהֲוָה בְּסַעֲדָךְ, שַׁדְּרֵיהּ רִבִּי אַבָּא וּבָרְכֵיהּ.

שמז. לְזִמְנָא אָחֳרָא, הֲוָה רִבִּי אַבָּא אָזִיל לְגַבֵּי ר״ש, עָאל בְּמָאתֵיהּ, אַשְׁכְּחֵיהּ דַּהֲוָה יָתִיב וְדָרִישׁ, אִישׁ בַּעַר לֹא יֵדָע וּכְסִיל לֹא יָבִין אֶת זֹאת. אִישׁ בַּעַר לֹא יֵדָע וְגוֹ׳, כַּמָּה טִפְּשִׁין אִינּוּן בְּנֵי עָלְמָא, דְּלָא מַשְׁגִּיחִין וְלָא יַדְעִין וְלָא מִסְתַּכְּלִין לְמִנְדַּע אוֹרְחוֹי דְּקֻבְּ״ה, עַל מַה קַיְימִין בְּעָלְמָא. מַאן מְעַכֵּב לְהוּ לְמִנְדַּע טִפְּשׁוּתָא דִּלְהוֹן. בְּגִין דְּלָא מִשְׁתַּדְּלֵי בְּאוֹרַיְיתָא, דְּאִילּוּ הֲווּ מִשְׁתַּדְּלֵי בְּאוֹרַיְיתָא יִנְדְּעוּן אוֹרְחוֹי דְּקֻבְּ״ה.

שמח. וּכְסִיל לֹא יָבִין אֶת זֹאת, דְּלָא מִסְתַּכַּל וְלָא יָדַע נִימוּסֵי דְּזֹאת בְּעָלְמָא. דְּע״ג דְּדָאִין עָלְמָא בְּדִינוֹי וְחַמָּאן לְדִינוֹי דְּהַאי זֹאת, דְּמָטָאן עַל בְּנֵי נָשָׁא דְּאִינּוּן זַכָּאִין, וְלָא מָטָאן עַל רַשִּׁיעַיָּיא, וְחַיָּיבִין, דְּעַבְרִין עַל פִּתְגָּמֵי אוֹרַיְיתָא, דִּכְתִּיב בִּפְרוֹחַ רְשָׁעִים כְּמוֹ עֵשֶׂב וְגוֹ׳. דְּהַאי עָלְמָא יָרְתִין לֵיהּ בְּכָל סִטְרוֹי, וְדִינִין לָא מָטוֹן עָלוֹי בְּהַאי עָלְמָא. וְאִלְמָלֵא דָּוִד מַלְכָּא אוֹדְעֵיהּ בְּסוֹפֵיהּ דִּקְרָא, לָא יַדְעֵינָן, דִּכְתִּיב לְהִשָּׁמְדָם עֲדֵי עַד, לְשֵׁיצָאָה לְהוֹן מֵהַהוּא עָלְמָא, וּלְמֶהֱוֵי עַפְרָא תְּחוֹת רַגְלֵיהוֹן דְּצַדִּיקַיָּיא, דִּכְתִּיב וְעַסּוֹתֶם רְשָׁעִים כִּי יִהְיוּ אֵפֶר תַּחַת כַּפּוֹת רַגְלֵיכֶם.

שמט. תּוּ פָּתַח וְאָמַר, וַיִּקְמְטֵנִי לְעֵד הָיָה. וַיָּקָם בִּי כַחֲשִׁי בְּפָנַי יַעֲנֶה. בְּמַאי קָא מַיְירֵי. אֶלָּא, זַכָּאָה

וְחוּלָקֵיהּ דְּב"נ דְּאִשְׁתְּדַל בְּאוֹרַיְיתָא, לְמִנְדַּע אוֹרְחוֹי דְּקֻבְ"ה. דְּכָל מַאן דְּאִשְׁתְּדַל בְּאוֹרַיְיתָא, כְּאִלּוּ אִשְׁתְּדַל בִּשְׁמֵיהּ מַמָּשׁ. מַה שְּׁמֵיהּ דְּקֻבְ"ה עָבֵיד נִימוּסִין. אוּף אוֹרַיְיתָא הָכִי נָמֵי. ת"ח, הַאי מַאן דְּעָבַר עַל פִּתְגָּמֵי אוֹרַיְיתָא, אוֹרַיְיתָא סַלְקָא וְנַחְתָּא וְעָבְדָא בֵּיהּ בְּב"נ רְשִׁימִין בְּאַנְפּוֹי, בְּגִין דְּיִסְתַּכְּלוּן בֵּיהּ עִלָּאֵי וְתַתָּאֵי, וְכֻלְּהוּ אוֹשְׁדָן לְוָוטִין עַל רֵישֵׁיהּ.

שנ. וְתָאנָא, כָּל אִינּוּן עֵינֵי יְיָ, דְּאַזְלִין וְשָׁאטִין בְּעָלְמָא לְמִנְדַּע אוֹרְחוֹי דִּבְנֵי נָשָׁא, כֻּלְּהוֹן זַקְפִין עַיְינִין, וּמִסְתַּכְּלִין בְּאַנְפּוֹי דְּהַהוּא ב"נ, וְזַמְּנָן לְהוּ, וְכֻלְּהוּ פָּתְחִין עָלֵיהּ וַוי וַוי. וַוי לֵיהּ בְּהַאי עָלְמָא, וַוי לֵיהּ בְּעָלְמָא דְּאָתֵי. אִסְתַּלְּקוּ מִסּוֹוְרָנֵיהּ דִּפְלַנְיָא, דְּהָא סַהֲדוּתָא בְּאַנְפּוֹי, וְרוּחָא דְּמִסְאֲבָא שַׁרְיָא עֲלוֹי. וְכָל אִינּוּן יוֹמִין דְּאִשְׁתַּכַּח רְשִׁימוּ בְּאַנְפּוֹי לְסַהֲדוּתָא, אִי אוֹלִיד בַּר, אַשְׁלִיף לֵיהּ רוּחָא מִסִּטְרָא דְּמִסְאֲבָא. וְאִלֵּין אִינּוּן חַיָּיבֵי דָּרָא, תַּקִּיפֵי אַנְפִּין, דְּמָארֵיהוֹן שָׁבִיק לוֹן בְּהַאי עָלְמָא, לְשֵׁיצָאָה לְהוּ בְּעָלְמָא דְּאָתֵי.

שנא. תָּנֵינָן, הַאי צַדִּיקָא זַכָּאָה דְּאִשְׁתְּדַל בְּאוֹרַיְיתָא יְמָמָא וְלֵילְיָא, קֻבְ"ה מָשִׁיךְ עָלֵיהּ חַד חוּטָא דְּחֶסֶד. וְאִתְרְשִׁים לֵיהּ בְּאַנְפּוֹי, וּמֵהַהוּא רְשִׁימָא דַּחֲלֵי עִלָּאֵי וְתַתָּאֵי. הָכִי נָמֵי מַאן דְּעָבַר עַל פִּתְגָּמֵי אוֹרַיְיתָא, מַשְׁכָאן עָלֵיהּ רוּחָא דְּמִסְאֲבָא, וְאִתְרְשִׁים לֵיהּ בְּאַנְפּוֹי, וּמִנֵּיהּ עַרְקִין עִלָּאֵי וְתַתָּאֵי. וְכָלָּא מַכְרְזֵי עָלֵיהּ, אִסְתַּלְּקוּ מִסַּחֲרָנֵיהּ דִּפְלַנְיָא, דְּעָבַר עַל פִּתְגָּמֵי אוֹרַיְיתָא, וְעַל פִּקּוּדֵי דְּמָארֵיהּ, וַוי לֵיהּ, וַוי לְנַפְשֵׁיהּ. הַאי אַשְׁלִיף רוּחָא דְּמִסְאֲבָא, דְּאִשְׁתַּכַּח עִמֵּיהּ, וְאוֹרִית לֵיהּ לִבְרֵיהּ, וְהַאי הוּא דְּקֻבְ"ה לֵית לֵיהּ בֵּיהּ חוּלָקָא, וְשָׁבִיק לֵיהּ, לְשֵׁיצָאָה לֵיהּ לְעָלְמָא דְּאָתֵי.

שנב. אָמַר לֵיהּ ר' אַבָּא, שַׁפִּיר קָאָמַרְתְּ, מְנָא לָךְ הַאי. אָמַר לֵיהּ הָכִי אוֹלִיפְנָא. וְאוֹלִיפְנָא, דְּהַאי יְרוּתָא בִּישָׁא, אַחֲסִינוּ כֻּלְּהוּ בְּנוֹי, אִי לָא יְתוּבוּן, דְּהָא לֵית מִלָּה קַיְימָא קָמֵי תְּשׁוּבָה. וַאֲנָא הָכִי אוֹלִיפְנָא, דְּאַסְוָותָא דָּא יַהֲבוּ לִי זִמְנָא חֲדָא, דַּהֲוֵינָא רָשִׁים בְּאַנְפַּאי, וְיוֹמָא חַד הֲוֵינָא אָזִיל בְּאוֹרְחָא, וְאִעֲרַעְנָא בְּחַד זַכָּאָה, וְעַל יְדוֹי אִתְעֲבַר מִנַּאי הַהוּא רְשִׁימָא. אָמַר לִי, מַה שְּׁמָךְ. א"ל אֶלְעָזָר, וְקָרֵי עָלַי אֶלְעָזָר אָחֳרָא. א"ל, בְּרִיךְ רַחֲמָנָא, דְּזַמִּינָא לָךְ, וְזָכֵינָא לְמֶחֱמֵי לָךְ בְּהַאי. זַכָּאָה חוּלָקָךְ בְּעָלְמָא דֵּין וּבְעָלְמָא דְּאָתֵי, אֲנָא הוּא דְּאִעֲרַעְנָא לָךְ.

שנג. אִשְׁתְּטַח קָמֵיהּ, אַיְיתֵיהּ לְבֵיתֵיהּ, אַתְקִין קָמֵיהּ טְרַטִּיסַאי דְּנַהֲמָא, וּבִשְׂרָא דְּעֶגְלָא תְּלִיתָאָה. בָּתַר דְּאָכְלוּ, א"ל הַהוּא גַּבְרָא, ר', אֵימָא לִי חַד מִלָּה, וְחָדָא תּוֹרְתָא סוּמָקָא אִית לִי, אִימָּא דְּעֶגְלָא דְּבִישְׂרָא דָּא דַּאֲכִילְנָא, וְיוֹמָא חַד עַד לָא אִתְעַבְּרַת וְאוֹלִידַת, אֲזִילְנָא בַּתְרָהּ לְמִרְעָא לְמַדְבְּרָא, עַד דַּהֲדַרְנָא לָהּ אַעְבַּר קָמַאי חַד גַּבְרָא, א"ל, מַה שְּׁמָהּ דְּתוֹרְתָא דָּא. אֲמֵינָא, מִן יוֹמָא דְּאִתְיְילִידַת לָא קָרֵינָא לָהּ בִּשְׁמָא. א"ל, בַּת שֶׁבַע אֵם שְׁלֹמֹה אִתְקְרֵי, אִי תִּזְכֶּה לְכַפָּרָה. וַאֲנָא בְּעוֹד דְּאַהֲדַרְנָא רֵישַׁאי, לָא חֲמֵינָא לֵיהּ, וַחֲיִיכְנָא מֵהַהוּא מִלָּה.

שנד. וְהַשְׁתָּא דְּזָכֵינָא בְּאוֹרַיְיתָא, אִתְעֲרַנָא עַל הַהִיא מִלָּה, וּמִן יוֹמָא דְּאִתְפְּטַר ר' שְׂמַלָּאי מֵהָכָא, לָא הֲוָה ב"נ דְּיַנְהִיר לָן בְּאוֹרַיְיתָא כְּוָותֵיהּ. וַאֲנָא דְּחִילְנָא לְמֵימַר מִלָּה דְּאוֹרַיְיתָא דְּלָא אוֹלִיפְנָא. וּמִלָּה דָּא דְּאִסְתַּכַּלְנָא דְּמִלָּה דְּחָכְמְתָא הִיא, וְלָא יָדַעְנָא. א"ל, וַדַּאי מִלָּה דְּחָכְמְתָא הִיא, וּרְמִיזָא עִלָּאָה הִיא לְעֵילָּא וּלְתַתָּא.

שנה. אֲבָל ת"ח, בַּת שֶׁבַע אִתְקְרֵי מַמָּשׁ בְּרָזָא דְּחָכְמְתָא. בְּג"כ כְּתִיב בָּהּ כֹּלָּא

בִּשְׁבַע. ז' פָּרוֹת. ז' שְׂרֵפוֹת. ז' הַזָּאוֹת. ז' כִּבּוּסִים. ז' טְמֵאִים. ז' טְהוֹרִים. ז' כֹּהֲנִים. וּמֹשֶׁה וְאַהֲרֹן בְּחוּשְׁבְּנָא דְּהָא כְּתִיב, וַיְדַבֵּר יְיָ' אֶל מֹשֶׁה וְאַהֲרֹן וְגוֹ'. וְשַׁפִּיר קָאָמַר הַהוּא גַּבְרָא, דְּאָמַר בַּת שֶׁבַע, וְכֹלָּא רָזָא דְּחָכְמְתָא הִיא.

שנו. א"ל, בְּרִיךְ רַחֲמָנָא דְּשָׁמַעְנָא מִלָּה דָּא. בְּרִיךְ הוּא דְּהָא אַקְדִּים לִי שְׁלָם בְּקַדְמֵיתָא, לְמִזְכֵּי לְהַאי. דִּכְתִּיב שָׁלוֹם שָׁלוֹם לָרָחוֹק וְלַקָּרוֹב אָמַר יְיָ'. אֲנָא כַּד הֲוֵינָא רָחוֹק, קב"ה אַקְדִּים לִי שְׁלָם לְמֶהֱוֵי קָרוֹב. קָרָא עָלֵיהּ ר' אַבָּא, אַתָּה שָׁלוֹם וּבֵיתְךָ שָׁלוֹם וְכֹל אֲשֶׁר לְךָ שָׁלוֹם.

שנז. עֶרְוַת אֲחוֹת אָבִיךָ לֹא תְגַלֵּה. רִבִּי חִיָּיא פָּתַח, וְאִישׁ אֲשֶׁר יִקַּח אֶת אֲחוֹתוֹ בַּת אָבִיו אוֹ בַת אִמּוֹ וְרָאָה אֶת עֶרְוָתָהּ וְגוֹ'. תַּמָּן תָּנֵינָן, מְאָה וּתְלָתִין שְׁנִין, אִתְפְּרַשׁ אָדָם מֵאִתְּתֵיהּ, וְלָא הֲוָה אוֹלִיד. מִדְּקָטַל קַיִן לְהֶבֶל, לָא בָּעָא אָדָם לְאִזְדַּוְּוגָא בְּאִתְּתֵיהּ. רִבִּי יוֹסֵי אָמַר, מִשַּׁעֲתָא דְּאִתְגְּזַר עָלֵיהּ וְעַל כָּל עָלְמָא מִיתָה, אָמַר, אֲמַאי אֲנָא אוֹלִיד לְבַעֲתוּתָא. מִיַּד אִתְפְּרַשׁ מֵאִתְּתֵיהּ.

שנח. וּתְרֵין רוּחִין נוּקְבִין, הֲווֹ אַתְיָין וְאִזְדַּוְּוגָן עִמֵּיהּ, וְאוֹלִידוּ. וְאִינּוּן דְּאוֹלִידוּ הֲווֹ מַזִּיקִין דְּעָלְמָא, וְאִקְרוּן נִגְעֵי בְּנֵי אָדָם. וְאִלֵּין סָאטָן לִבְנֵי אָדָם, וְשַׁרְיָין בְּפִתְחָא דְּבֵיתָא, וּבְבֵירָאֵי, וּבְבָתֵּי כִּסְאֵי. וְעַ"ד ב"נ, דְּאִשְׁתְּכַח בְּפִתְחָא דְּבֵיתֵיהּ שְׁמָא קַדִּישָׁא שַׁדַּי בְּכִתְרִין עִלָּאִין, כֻּלְּהוּ עַרְקָאן וְאִתְרַחֲקָן מִנֵּיהּ, הה"ד וְנֶגַע לֹא יִקְרַב בְּאָהֳלֶךָ. מַאי וְנֶגַע לֹא יִקְרַב. אִלֵּין נִגְעֵי בְּנֵי אָדָם.

שנט. וְתָאנָא, בְּשַׁעֲתָא דְּנָחַת אָדָם בְּדְיוֹקְנָא עִלָּאָה, בְּדְיוֹקְנָא קַדִּישָׁא, וְחָמוּ לֵיהּ עִלָּאֵי וְתַתָּאֵי, כֻּלְּהוּ קָרִיבוּ גַּבֵּיהּ, וְאַמְלִכוּהוּ עַל הַאי עָלְמָא. בָּתַר דְּאָתָא חִוְיָא עַל חַוָּה, וְאַטִּיל בָּהּ זוּהֲמָא, לְבָתַר אוֹלִידַת קַיִן. מִתַּמָּן נִתְיַיחֲסוּ כָּל דָּרִין חַיָּיבִין דְּעָלְמָא. וּמָדוֹרָא דְשֵׁדִין וְרוּחִין, מִתַּמָּן אִשְׁתְּכָחוּ, וּמִסִּטְרוֹי. וּבְגִינֵי כָּךְ כָּל רוּחִין וְשֵׁדִין, פַּלְגּוּתָא אִית בְּהוּ מִבְּנֵי נָשָׁא דִּלְתַתָּא, וּפַלְגּוּתָא מִמַּלְאֲכֵי עִלָּאֵי דִּלְעֵילָּא. וְכֵן כַּד אִתְיְלִידוּ מֵאָדָם אִינּוּן אָחֳרָנִין, כֻּלְּהוּ אִשְׁתְּכָחוּ כְּהַאי גַּוְונָא, פַּלְגוּ מִתַּתָּאֵי, וּפַלְגוּ מֵעִלָּאֵי.

שס. בָּתַר דְּאִתְיְלִידוּ מֵאָדָם, אוֹלִיד מֵאִינּוּן רוּחֵי בְּנָתָן, דְּדַמְיָין לְשַׁפִּירוּ דְּעִלָּאֵי, וּלְשַׁפִּירוּ דְּתַתָּאֵי. וְעַ"ד כְּתִיב, וַיִּרְאוּ בְנֵי הָאֱלֹהִים אֶת בְּנוֹת הָאָדָם כִּי טוֹבוֹת הֵנָּה וְגוֹ', וְטָעָן כֹּלָּא בַּתְרַיְיהוּ. וְחַד דְּכוּרָא אִשְׁתְּכַח, דְּאָתָא לְעָלְמָא מֵרוּחֵיהּ דְּסִטְרָא דְּקַיִן, וְקָרוּ לֵיהּ תּוּבַל קַיִן. וְחַדָא נוּקְבָא נָפְקַת עִמֵּיהּ, וַהֲווֹ בִּרְיָין וְטָעָאן בַּתְרָהּ, וְאִתְקְרֵי נַעֲמָ"ה. מִינָּהּ נַפְקוּ רוּחִין וְשֵׁדִין אָחֳרָנִין. וְאִינּוּן תַּלְיָין בַּאֲוִירָא, וְאוֹדְעִין מִלִּין לְאִינּוּן אָחֳרָנִין דִּשְׁכִיחִין לְתַתָּא.

שסא. וְדָא תּוּבַל קַיִן, אַפִּיק זַיְינֵי קְטוֹלָא לְעָלְמָא. וְדָא נַעֲמָה אִתְרְגִישַׁת בְּרִיגְשָׁהָא, וְאִתְדַּבְּקַת בְּסִטְרָהָא. וְעַד כְּעַן הִיא קַיְּימָא, וּמָדוֹרָהָא בֵּין רִיגְשֵׁי יַמָּא רַבָּא, וְנַפְקַת וְחַיְּיכַת בִּבְנֵי נָשָׁא, וְאִתְחַמְּמַת מִנַּיְיהוּ בְּחֶלְמָא, בְּהַהוּא תִּיאוּבְתָּא דְּב"נ, וְאִתְדַּבְקַת בֵּיהּ. תִּיאוּבְתָּא נַטְלַת וְלָא יַתִּיר. וּמֵהַהוּא תִּיאוּבְתָּא אִתְעַבְּרַת, וְאַפִּיקַת זִינִין אָחֳרָנִין לְעָלְמָא.

שסב. וְאִלֵּין בְּנִין דְּאוֹלִידַת מִבְּנֵי נָשָׁא, מִשְׁתַּכְחִין לְקַבְּלֵי נוּקְבֵי בְּנֵי נָשָׁא, וּמִתְעַבְּרָן מִנַּיְיהוּ, וְאוֹלִידָן רוּחִין, וְכֻלְּהוּ אַזְלִין לְלִילִית קַדְמֵיתָא, וְהִיא מְגַדֶּלֶת לוֹן. וְהִיא נַפְקַת לְעָלְמָא, וּבַעְיָא רַבְיָיהָא, וְחָמַת רַבְיֵי בְּנֵי נָשָׁא, וְאִתְדַּבְקַת בְּהוּ, לְקַטְלָא לְהוּ, וּלְאִשְׁתְּאֲבָא בְּרוּחַיְיהוּ דְּרַבְיֵי בְּנֵי נָשָׁא וְהִיא אַזְלַת בְּהַהוּא רוּחָא, וְאִזְדַּמְּנָן תַּמָּן ג' רוּחִין

קַדִּישִׁין, וְטָאסִין קַמֵּיהּ, וְנַטְלִין הַהוּא רוּחָא מִנֵּהּ, וּמְנַזְּוִין לֵיהּ קָמֵי קב"ה, וְתַמָּן מִתְאַלְפֵי קַמֵּיהּ.

שסג. בְּגִינֵי כָּךְ אוֹרַיְיתָא אַזְהֲרַת לְהוּ לִבְנֵי נָשָׁא, וְהִתְקַדִּשְׁתֶּם וִהְיִיתֶם קְדוֹשִׁים וַדַּאי. אִי אִשְׁתְּכַח ב"נ קַדִּישָׁא, לָא מִסְתָּפֵי מִינָּהּ, דִּכְדֵין זַמִּין קב"ה לְאִלֵּין ג' מַלְאֲכִין קַדִּישִׁין דְּאַמָרָן, וְנַטְרִין לֵיהּ לְהַהוּא רַבְיָיא, וְהִיא לָא יַכְלָא לְאַבְאָשָׁא לֵיהּ, הה"ד לֹא תְאוּנֶּה אֵלֶיךָ רָעָה וְנֶגַע לֹא יִקְרַב בְּאָהֳלֶךָ. מַאי טַעֲמָא לֹא תְאוּנֶּה אֵלֶיךָ רָעָה. בְּגִין כִּי מַלְאָכָיו יְצַוֶּה לָּךְ, וּכְתִיב כִּי בִי חָשַׁק וַאֲפַלְּטֵהוּ.

שסד. דְּאִי ב"נ לָא אִשְׁתְּכַח קַדִּישָׁא, וְאַשְׁלִיף רוּחָא מִסִּטְרָא דְּמִסְאֲבָא, כְּדֵין הִיא אַתְיָא וְחַיְיכַת בֵּיהּ בְּהַהוּא רַבְיָא. וְאִי קְטִילַת לֵיהּ, אִשְׁתְּאֲבַת בְּהַהוּא רוּחָא, וְלָא תַעְדֵּי מִנֵּיהּ לְעָלְמִין. וְאִי תֵּימָא אִינּוּן אָחֳרָנִין, דִּקְטִילַת לוֹן, וְאִזְדַּמְּנוּ קַמָּהּ אִינּוּן תְּלָתָא קַדִּישִׁין, וְנַטְלִין מִנָּהּ הַהוּא רוּחָא, הָא לָא בְּסִטְרָא דְּמִסְאֲבָא אִשְׁתְּכָחוּ, אַמַּאי שַׁלְטָא לְקַטְלָא לְהוּ. אֶלָּא, הָאִי כַּד ב"נ לָא אִתְקַדַּשׁ, אֲבָל לָא אִתְכַּוַּון לְאִסְתָּאֲבָא וְלָא אִסְתְּאַב, בְּגִין כָּךְ יַכְלָא לְשַׁלְטָאָה בְּגוּפָא, וְלָא בְּרוּחָא.

שסה. וּזְמָנִין אִשְׁתְּכַח דְּנָפְקַת נַעֲמָה לְעָלְמָא, לְאִתְחַמְּמָא מִבְּנֵי נָשָׁא, וְאִשְׁתְּכַח ב"נ בְּקִשְׁרָא דְּתִיאוּבְתָּא עִמָּהּ, וְאִתְּעַר מִשִּׁנְתֵּיהּ, וְאָחִיד בְּאִנְתְּתֵיהּ, וְשָׁכִיב עִמָּהּ, וּרְעוּתָא דִּילֵיהּ בְּהַהוּא תִּיאוּבְתָּא דַּהֲוָה לֵיהּ בְּחֶלְמֵיהּ, כְּדֵין הַהוּא בַּר דְּאוֹלִיד, מִסִּטְרָא דְּנַעֲמָה קָא אַתְיָא, דְּהָא בְּתִיאוּבְתָּא דִּילָהּ אִשְׁתְּכַח הַאי, כַּד נָפְקָא לִילִי"ת וְחָמָאת לֵיהּ, יַדְעַת מִלָּה, וְהִיא אִתְקַטְּרַת בֵּיהּ, וּמְגַדְּלַת לֵיהּ כְּאִינּוּן אָחֳרָנִין בְּנוֹי דְּנַעֲמָ"ה, וְאִשְׁתְּכָחַת עִמֵּיהּ זִמְנִין סַגִּיאִין, וְלָא קָטְלָא לֵיהּ.

שסו. הַאי הוּא ב"נ, דִּבְכָל סִיהֲרָא וְסִיהֲרָא אִתְפְּגִים, וְלָא אִתְיָאֲשָׁא מִנֵּיהּ לְעָלְמִין, דְּהָא בְּכָל סִיהֲרָא וְסִיהֲרָא כַּד אִתְחַדְּשָׁא בְּעָלְמָא, לִילִי"ת נָפְקָא, וּפַקְדָא עַל כֻּלְּהוּ דְּהִיא מְגַדְּלַת, וְחַיְיכָא בְּהוּ, וּכְדֵין הַהוּא ב"נ פָּגִים בְּהַהוּא זִמְנָא, זַכָּאִין אִינּוּן צַדִּיקַיָּיא, דְּמִתְקַדְּשֵׁי בִּקְדוּשָּׁה דְּמַלְכָּא, עֲלַיְיהוּ כְּתִיב וְהָיָה מִדֵּי חֹדֶשׁ בְּחָדְשׁוֹ וּמִדֵּי שַׁבָּת בְּשַׁבַּתּוֹ וְגוֹ'.

שסז. כִּמְלִין אִלֵּין גַּלֵּי שְׁלֹמֹה מַלְכָּא, בְּסִפְרָא דְּאַשְׁמְדַאי מַלְכָּא, וְאַשְׁכַּחְנָא בֵּיהּ אֶלֶף וְאַרְבַּע מְאָה וַחֲמֵשׁ זִינֵי מִסְאֲבוּתָא, דְּמִסְתָּאֲבֵי בְּהוּ בְּנֵי נָשָׁא. דְּגַלֵּי דָא אַשְׁמְדַאי לִשְׁלֹמֹה מַלְכָּא.

שסח. וַוי לְהוּ לִבְנֵי נָשָׁא, דְּכֻלְּהוּ אֲטִימִין וּסְתִימִין עַיְינִין, וְלָא יַדְעִין, וְלָא שָׁמְעִין, וְלָא מַשְׁגִּיחִין, הֵיךְ קַיְימִין בְּעָלְמָא. וְהָא עֵיטָא וְאַסְוָותָא קַמַּיְיהוּ, וְלָא מִסְתַּכְּלִין. דְּהָא לָא יַכְלִין בְּנֵי נָשָׁא לְאִשְׁתְּזָבָא, אֶלָּא בְּעֵיטָא דְּאוֹרַיְיתָא. דִּכְתִיב, כִּי יִהְיֶה בְךָ אִישׁ אֲשֶׁר לֹא יִהְיֶה טָהוֹר מִקְּרֵה לָיְלָה אֲשֶׁר לֹא יִהְיֶה טָהוֹר דַּיְיקָא, מִקְּרֵה לַיְלָה דַּיְיקָא, וְהָא אוֹקִימְנָא מִלֵּי, בְּעֵיטָא דְּאוֹרַיְיתָא קַדִּישָׁא. דְּהָכִי כְּתִיב בְּאוֹרַיְיתָא קַדִּישָׁא, וְהִתְקַדִּשְׁתֶּם וִהְיִיתֶם קְדוֹשִׁים כִּי אֲנִי יְיָ' אֱלֹהֵיכֶם.

שסט. תָּאנָא, בָּתַר דְּאִסְתַּלְּקוּ קַיִן וְהֶבֶל, אִתְהַדַּר אָדָם לְאִנְתְּתֵיהּ, וְאִתְלַבַּשׁ בְּרוּחָא אָחֳרָא, וְאוֹלִיד לְשֵׁת. מִכָּאן אִתְיַיחֲסוּ דָּרֵי דְּצַדִּיקַיָּיא בְּעָלְמָא. וְאַסְגֵּי קב"ה חֶסֶד בְּעָלְמָא, וּבְכָל חַד אִתְיְלִידַת נוּקְבָא עִמֵּיהּ, לְאִתְיַישְּׁבָא עָלְמָא. כְּגַוְונָא דִּלְעֵילָא. וְהָא אוֹקְמוּהָ חַבְרַיָּיא בִּסְתִימָאָה דְּמַתְנִיתִין, דִּכְתִיב וְאִישׁ אֲשֶׁר יִקַּח אֶת אֲחוֹתוֹ בַּת אָבִיו אוֹ בַת אִמּוֹ וְגוֹ', חֶסֶד הוּא. חֶסֶד הוּא וַדַּאי, וּבָתַר דְּשָׁארֵי חֶסֶד, גִּזְעִין וְשָׁרְשִׁין נָפְקִין

מִתְּוְוֹת לְעֵילָּא, וְאִתְפָּרְשָׁן עַנְפִּין, וְקָרִיב אִתְרְחַק. כְּדֵין עַנְפָּא אַסְגֵּי, וְאָתֵי לְאִתְחַבְּרָא בְּזִוּוּגָא חַד בְּאִילָנָא. הַאי בְּקַדְמֵיתָא, הַאי בִּסְתִּימָא דְעָלְמָא. בְּגִין דִּכְתִּיב אָמַרְתִּי עוֹלָם חֶסֶד יִבָּנֶה. אֲבָל מִכָּאן וּלְהָלְאָה בְּנֵי נָשָׁא דְּיִשְׁתַּכְּחוּן בֵּיהּ, וְנִכְרְתוּ לְעֵינֵי בְּנֵי עַמָּם.

שׂע. תָּאנָא עֶרְוַת אֲחוֹת אָבִיךָ, כְּמָה דְּאִתְגַּלְיָיא בִּסְתִּימָא. כְּתִיב, כִּי יְשָׁרִים דַּרְכֵי יְיָ' וְצַדִּיקִים יֵלְכוּ בָם וְגוֹ', זַכָּאָה חוּלָקֵיהוֹן דְּצַדִּיקַיָּיא, דְּיַדְעֵי אָרְחוֹי דְּקֻבְּ"ה, וְאַזְלִין בְּהוּ, וְאִשְׁתְּמוֹדְעָן גַּבַּיְיהוּ. זַכָּאָה חוּלָקֵיהוֹן.

שׂעא. תָּאנָא, אִתְעַבְּרַת הֵ"א עִלָּאָה בִּרְחִימוּתָא וַחֲבִיבוּתָא דְּלָא מִתְפָּרַשׁ מִנָּהּ יוֹ"ד לְעָלְמִין. אִתְעַבְּרַת וְאַפִּיקַת וָא"ו, לְבָתַר קָאִים קַמָּהּ, וְיַנְקָא לֵיהּ. וְדָא וָא"ו כַּד נָפְקָא, בַּת זוּגוֹ נָפְקָא עִמֵּיהּ. אָתְיָא חֶסֶד אִתְעַר גַּבֵּיהּ, וּפָרִישׁ לוֹן, וְנַפְקוּ גִּזְעִין מִתְּוְוֹת לְעֵילָּא, וְאִתְפָּשְׁטוּ עַנְפִּין, וְאַסְגִּיאוּ, וְאִתְעֲבֵידַת הֵ"א תַּתָּאָה. וְאִתְרַבִּיאַת בְּעַנְפָּהָא לְעֵילָּא לְעֵילָּא, עַד דְּאִזְדַּוְּוגַת בְּאִילָנָא עִלָּאָה, וְאִתְחַבָּרוּ וָא"ו עִם הֵ"א, מַאן גָּרִים לוֹן. חֶסֶד הוּא. חֶסֶד הוּא וַדַּאי. דְּחַבֵּר לוֹן כַּחֲדָא.

שׂעב. יוֹ"ד עִם הֵ"א עִלָּאָה. לָא תַּלְיָא חִבּוּרָא דִּלְהוֹן בְּחֶסֶד, אֶלָּא בְּמַזָּלָא תַּלְיָיא חִבּוּרָא דִּלְהוֹן, וַחֲבִיבוּתָא דִּלְהוֹן, דְּלָא מִתְפָּרְשָׁן לְעָלְמִין. יוֹ"ד אִתְקְשַׁר בְּהֵ"א, וְהֵ"א אִתְקְשַׁר בְּוָא"ו, וָא"ו אִתְקְשַׁר בְּהֵ"א, וְהֵ"א אִתְקְשַׁר בְּכֹלָּא. וְכֹלָּא חַד קְשׁוּרָא הוּא, וְחַד מִלָּה. לָא אִתְפָּרְשׁוּ דָּא מִן דָּא לְעָלְמִין. כִּבְיָכוֹל, מַאן דְּגָרִים פֵּרוּדָא, כְּאִלּוּ חָרִיב עָלְמָא, וְאִקְרֵי עֶרְיָיתָא דְּכֹלָּא.

שׂעג. וּלְזִמְנָא דְּאָתֵי, זַמִּין קֻבְּ"ה לְאָתָבָא שְׁכִינְתָּא לְאַתְרָהָא, וּלְאִשְׁתַּכְּחָא כֹּלָּא בְּזִוּוּגָא חַד דִּכְתִּיב בַּיּוֹם הַהוּא יִהְיֶה יְיָ' אֶחָד וְגוֹ'. וְאִי תֵּימָא הַשְׁתָּא לָאו הוּא אֶחָד. לָא, דְּהָא הַשְׁתָּא חַיָּיבֵי עָלְמָא גָּרְמוּ, דְּלָא אִשְׁתְּכַח חַד. דְּהָא מַטְרוֹנִיתָא אִתְרְחֲקַת מִן מַלְכָּא, וְלָא מִשְׁתַּכְּחֵי בְּזִוּוּגָא. אִמָּא עִלָּאָה אִתְרְחֲקַת מִן מַלְכָּא וְלָא יַנְקָא לֵיהּ.

שׂעד. בְּגִין דְּמַלְכָּא בְּלָא מַטְרוֹנִיתָא, לָא מִתְעַטֵּר בְּעִטְרוֹי דְּאִמָּא, כְּמָה בְּקַדְמֵיתָא כַּד אִתְחַבַּר בְּמַטְרוֹנִיתָא, דְּעַטְּרָא לֵיהּ, בְּכַמָּה עִטְרִין, בְּכַמָּה זְהִירִין בְּעִטְרִין קַדִּישִׁין עִלָּאִין. דִּכְתִּיב צְאֶינָה וּרְאֶינָה בְּנוֹת צִיּוֹן בַּמֶּלֶךְ שְׁלֹמֹה וְגוֹ', דְּאִזְדַּוַּוג בְּמַטְרוֹנִיתָא, כְּדֵין עַטְּרָא לֵיהּ אִימָּא עִלָּאָה כַּדְקָא יָאוּת. וְהַשְׁתָּא דְּלָא אִשְׁתְּכַח מַלְכָּא בְּמַטְרוֹנִיתָא, כְּדֵין אִימָּא עִלָּאָה נַטְלַת עִטְרָאָה וּמָנְעַת מִנֵּיהּ מַבּוּעֵי דְּנַחֲלִין, וְלָא אִשְׁתְּכַח בִּקְשׁוּרָא חַד. כִּבְיָכוֹל לָא אִשְׁתְּכַח חַד.

שׂעה. וּבְזִמְנָא דְּתֵיתוּב מַטְרוֹנִיתָא לַאֲתַר הֵיכָלָא, וּמַלְכָּא יִזְדַּוֵּוג עִמָּהּ בְּזִוּוּגָא חַד. כְּדֵין, יִתְחַבַּר כֹּלָּא כַּחֲדָא, בְּלָא פֵּרוּדָא, וְעַל דָּא כְּתִיב, בַּיּוֹם הַהוּא יִהְיֶה יְיָ' אֶחָד וּשְׁמוֹ אֶחָד. בַּיּוֹם הַהוּא: בְּזִמְנָא דְּיֵתוּב מַטְרוֹנִיתָא לְהֵיכָלָא, כְּדֵין כֹּלָּא אִשְׁתְּכַח חַד בְּלָא פֵּרוּדָא. וּכְדֵין וְעָלוּ מוֹשִׁיעִים בְּהַר צִיּוֹן לִשְׁפּוֹט וְגוֹ'.

שׂעו. דְּתַנְיָא, אָמַר ר' שִׁמְעוֹן, לָא תֵּיעוֹל מַטְרוֹנִיתָא בְּחֶדְוָותָא בְּהֵיכָלֵיהּ עַד דְּיִתְדַּן מַלְכוּתָא דְּעֵשָׂו, וְתִיסַּב מִנֵּיהּ נוּקְמִין דְּגַרְמָא כָּל הַאי. לְבָתַר תִּזְדַּוֵּוג בְּמַלְכָּא, וְיֶהֱא חֶדְוָה שְׁלִים, הה"ד, וְעָלוּ מוֹשִׁיעִים בְּהַר צִיּוֹן לִשְׁפּוֹט אֶת הַר עֵשָׂו בְּקַדְמֵיתָא, וּלְבָתַר וְהָיְתָה לַיְיָ' הַמְּלוּכָה. מַאן מְלוּכָה, דָּא מַטְרוֹנִיתָא. הה"ד, וְהָיְתָה לַיְיָ' הַמְּלוּכָה. וּלְבָתַר דְּיִזְדַּוְּוגָן כַּחֲדָא, מַה כְּתִיב. וְהָיָה יְיָ' לְמֶלֶךְ עַל כָּל הָאָרֶץ בַּיּוֹם הַהוּא יִהְיֶה יְיָ' אֶחָד וּשְׁמוֹ אֶחָד.

שׂעז. עֶרְוַת אֲחִי אָבִיךָ לֹא תְגַלֵּה. תָּאנֵי רַבִּי יְהוּדָה, דָּא יִשְׂרָאֵל לְתַתָּא. וַאֲחוֹת אִמְּךָ: דָּא יְרוּשְׁלֵם דִּלְתַתָּא. דִּבְחוֹבִין אִלֵּין, יִגְלוּן יִשְׂרָאֵל בֵּינֵי עַמְמַיָּיא, וְיִתְחֲרִיב

יְרוּשָׁלַםִ לְתַתָּא. וְעַ"ד תָּנֵינָן, רְחִימוּתָא דְקָבְ"ה דְקָרָא לְיִשְׂרָאֵל אַחִים, שֶׁנֶּאֱמַר לְמַעַן אַחַי וְרֵעָי אֲדַבְּרָה נָּא וְגוֹ'.

שעח. א"ר יְהוּדָה, אִי אַחַי לָמָּה רֵעַי, וְאִי רֵעַי לָמָּה אַחַי. אֶלָּא תָּאנָא, הַהוּא מִלָּה דְלָא אִתְעֲדֵי לְעָלְמִין, אִקְרֵי רֵעַ, כד"א רֵעֲךָ וְרֵעַ אָבִיךָ אַל תַּעֲזוֹב. וְהַאי רָזָא דְמִלָּה דְּאָמַר ר"ש, אִימָּא עִלָּאָה, רַעְיָא אִקְרֵי, בְּגִין דְּלָא אִתְעֲדֵי רְחִימוּתָא דְאַבָּא מִנָּהּ לְעָלְמִין. וְאִימָּא תַּתָּאָה כַּלָּה אִקְרֵי, וְאִקְרֵי אָחוֹת, כְּמָה דְאוֹקִימְנָא אָחוֹת לָנוּ קְטַנָּה.

שעט. וְהַיְינוּ סְתָם מַתְנִיתָא דִילָן, דִּכְתִּיב הָכָא, עֶרְוַת אֲחוֹתְךָ בַת אָבִיךָ אוֹ בַת אִמֶּךָ, כֵּיוָן דְּאָמַר בַּת אָבִיךָ, מַאי אוֹ בַת אִמֶּךָ. אֶלָּא, אִי מִסִּטְרָא דְאַבָּא אִשְׁתְּכַחַת, וְחָכְמָה אִתְקְרֵי. וְאִי מִסִּטְרָא דְאִימָּא, בִּינָה אִתְקְרֵי. ועכ"פ בֵּין הַאי וּבֵין הַאי, מֵאִימָּא וְאַבָּא אִשְׁתְּכַחַת. דְּהָא יו"ד לָא אִתְעֲדֵי מִן ה' לְעָלְמִין. וְדָא הוּא רָזָא דְמִלָּה, מוֹלֶדֶת בַּיִת: מִסִּטְרָא דְאַבָּא. אוֹ מוֹלֶדֶת חוּץ: מִסִּטְרָא דְאִימָּא.

שפ. רִבִּי אַבָּא אָמַר, בְּחָכְמָה יִבָּנֶה בָּיִת, מַאן הוּא בַּיִת דְּאִתְבְּנֵי בְּחָכְמָה. הֱוֵי אִימָּא דָא נָהָר דְּנָפִיק מֵעֵדֶן, בְּגִינֵי כָּךְ מוֹלֶדֶת בַּיִת. אוֹ מוֹלֶדֶת חוּץ. כַּד נָפְקַת מִן ו', כְּמָה דִכְתִּיב, עֶצֶם מֵעֲצָמַי וּבָשָׂר מִבְּשָׂרִי. וּכְתִיב וַיִּקַּח אַחַת מִצַּלְעוֹתָיו, וְדָא הוּא מוֹלֶדֶת חוּץ, מֵאֲתַר דִּזְעִיר אַנְפִּין אִשְׁתְּכַח, כְּמָה דְאִתְּמַר.

שפא. וְעַ"ד א"ר יְהוּדָה, יִשְׂרָאֵל אַחִין אִקְרוּן לקבָ"ה, דְּלָא אַעְדֵּי רְחִימוּתָא דִּלְהוֹן לְעָלְמִין. יְרוּשְׁלֵם דִּלְתַתָּא אָחוֹת אִמְּךָ אִתְקְרֵי, כְּמָה דִכְתִּיב יְרוּשָׁלַםִ הַבְּנוּיָה כְּעִיר שֶׁחוּבְּרָה לָּהּ יַחְדָּיו וְגוֹ'. מַאי שֶׁחוּבְּרָה לָהּ יַחְדָּיו. בְּגִין דְאִזְדְּוַוג בָּהּ מַלְכָּא מִשִּׁית סִטְרִין, בְּכָל סִטְרֵי מַלְכָּא, בְּדַרְגָּא דְצַדִּיק, וְכָל כִּתְרֵי מַלְכָּא כְּלִילָן בֵּיהּ. וְהַיְינוּ שֶׁחוּבְּרָה לָּהּ יַחְדָּיו.

שפב. רִבִּי יִצְחָק אָמַר, שֶׁשָּׁם עָלוּ שְׁבָטִים שִׁבְטֵי יָהּ. מַאן שְׁבָטִים. אִלֵּין תְּרֵיסַר תְּחוּמִין, דְּמִתְפָּרְשָׁן מֵהַהוּא אִילָנָא רַבָּא וְתַקִּיף, דְּאַחֲסִין לוֹן מִסִּטְרָא דְאַבָּא וְאִימָּא. הה"ד שִׁבְטֵי יָהּ, מִשּׁפַר סַהֲדוּתָא, דְּאַסְהִיד בְּרָא קַדִּישָׁא דִכְתִּיב שִׁבְטֵי יָהּ עֵדוּת לְיִשְׂרָאֵל, וְאִינוּן נַהֲרִין עֲמִיקִין, דְּנַגְדִּין וְאִתְמַשְׁכָן מִן יָהּ. וְכָל כָּךְ לָמָּה. לְהוֹדוֹת לְשֵׁם יְיָ'. כִּי שָׁמָּה יָשְׁבוּ כִסְאוֹת לְמִשְׁפָּט כִּסְאוֹת לְבֵית דָּוִד, לְאַחְסָנָא מַלְכוּתָא קַדִּישָׁא הוּא וּבְנוֹי לְדָרֵי דָּרִין, וְדָא הִיא שִׁירָתָא דְּאָמַר דָּוִד עַל מַלְכוּ עִלָּאָה קַדִּישָׁא.

שפג. רִבִּי חִזְקִיָּה אָמַר, כֹּלָּא בְּרָזָא עִלָּאָה הוּא, לְאַחֲזָאָה דְמַאן דְּפָגִים לְתַתָּא, פָּגִים לְעֵילָּא. עֶרְוַת כַּלָּתְךָ לֹא תְגַלֵּה, דְּתָנֵינָן עוֹנָתָן שֶׁל ת"ח מִשַּׁבָּת לְשַׁבָּת. בְּגִין דְּיַדְעִין רָזָא דְמִלָּה, וִיכַוְּונוּן לִבָּא, וְיִשְׁתַּכְּחוּ רְעוּתְהוֹן שְׁלִים. וּבְנִין דְּאוֹלִידוּ אִקְרוּן בְּנִין דְּמַלְכָּא. וְאִי אִלֵּין פָּגִימוּ מִלָּה לְתַתָּא, כִּבְיָכוֹל פָּגְמִין אִינוּן בְּכַלָּה דִלְעֵילָּא, כְּדֵין כְּתִיב עֶרְוַת כַּלָּתְךָ לֹא תְגַלֵּה. דָּא בְּגִין אִינוּן דְּיַדְעִין אוֹרְחִין דְאוֹרַיְיתָא. שְׁאַר עַמָּא הַהוּא דְּאִתְגַּלְיָא, כַּלָּתְךָ מַמָּשׁ, וּבְחוֹבָא דָא שְׁכִינְתָּא אִסְתַּלְּקַת מִבֵּינַיְיהוּ.

שפד. תָּאנָא, אִתְגְּלִיף שְׁמָא קַדִּישָׁא בְּסִטְרִין יְדִיעָן, בְּאַתְוָון רְשִׁימִין דְּעֶשְׂרִין וּתְרֵין י' בָּא' א' בִּי' י' בְּב', ב' בִּי' י' בְּד', ד', בִּי'. י' בְּה'. י' בְּג'. ה' בִּי'. ג' בִּי'. בִּי'. כֻּלְּהוּ מִתְגַּלְּפֵי בְּיו"ד יו"ד סָלִיק לוֹן.

שפה. הֵ"א כָּלִיל בְּיו"ד, מִנֵּיהּ נָפְקַת, כְּדֵין מְעַטְּרִין לַאֲבָהָן. אִתְפַּתְּחַת הֵ"א בְּנִמּוּסוֹי, וְאַעְטַּר לְרֵישָׁא דָו', דְּתַמָּן שַׁרְיָין אֲבָהָן.

עפו. ו' כָּלִיל עֵיַת אַתְוָון, וְכֻלְּהוּ כָּלִיל יוּ"ד. יוּ"ד אִתְגְּלִיף בְּגְלוּפוֹי, וְסָלִיק לְאִתְעַטְּרָא בִּתְרֵיסַר אַתְוָון אָחֳרָנִין, מִנֵּיהּ נַפְקוּ עֶשֶׂר אֲמִירָן בְּגְלוּפוֹי, וְכֻלְּהוּ שְׁבִילִין דְּאוֹרַיְיתָא עִלָּאָה, יַקִּירָא דְכֹלָּא. כְּדֵין הֵ"א אָחֳרָא אִתְכְּלִילַת מִן כֻּלְּהוּ, גְּלִיפָא מִסִּטְרָא מְתִיחָא סְתִימָא, לְאוֹלָדָא לְתַתָּא.

עפז. אִתְגְּלִיפוּ כֻּלְּהוּ בְּאַרְבְּעִין וּתְרֵין אַתְוָון, וְכֻלְּהוּ פָּרִישָׁנָא בְּמַתְנִיתָא דִידָן, וְכֻלְּהוּ סַלְקָן בְּרֵישָׁא דְמַלְכָּא.

עפח. עֶשֶׂר עֲבָתִין עִלָּאִין, מִתְפָּרְשָׁן בְּשִׁבְעִין אַתְוָון. שִׁבְעִין וּתְרֵין אִסְתַּלְּקוּ, וְאִסְתַּלְּקוּ בְּאוֹת ו', רְשִׁימָן בְּפ' וַיְהִי בְּשַׁלַּח פַּרְעֹה בַּקְרָא וַיִּסַּע וַיָּבֹא וַיֵּט. כַּד נָטְלַת שְׁכִינְתָּא, וְז' רְשִׁימִין אִתְרְשִׁימוּ בֵּיהּ, שִׁבְעִין אִסְתַּלְּקוּ מִנֵּיהּ, בְּאַתְוָון רְשִׁימִין. תָּאנָא, אִסְתַּלְּקוּ אַתְוָון בִּרְשִׁימִין יְדִיעָן, וְאָרְחִין סְתִּימִין, בַּר לְזַכָּאֵי קְשׁוֹט, סָמְכֵי עָלְמָא.

עפט. אָמַר רַבִּי שִׁמְעוֹן לְרַבִּי אֶלְעָזָר, ת"ח, הָנֵי עֶשְׂרִין וּתְרֵין אַתְוָון דִּגְלִיפִין בְּאוֹרַיְיתָא, כֻּלְּהוּ מִתְפָּרְשָׁן בְּהָנֵי עֶשֶׂר אֲמִירָן. כָּל אֲמִירָה וַאֲמִירָה מֵאִלֵּין עֶשֶׂר, דְּאִינּוּן כִּתְרֵי מַלְכָּא גְּלִיפִין כֻּלְּהוּ בְּאַתְוָון יְדִיעָן, בְּגִינֵי כַּךְ שְׁמָא קַדִּישָׁא אִתְכַּסְּיָא בְּאַתְוָון אָחֳרָנִין, וְכָל אֲמִירָה, אוֹזִיף לַאֲמִירָה עִלָּאָה מִנָּהּ אַתְוֵוי, בְּגִין דְּאִתְכְּלִיל הַאי בְּהַאי. וְעַ"ד שְׁמָא קַדִּישָׁא, גְּלִיפָנָא לֵיהּ בְּאַתְוָון אָחֳרָנִין, בְּגִין דְּאִתְכַּסְּיָין דָּא בְּדָא, וְדָא בְּדָא, עַד דְּמִתְקַשְּׁרָן כֻּלְּהוּ כַּחֲדָא.

עצ. וּמַאן דְּבָעֵי לְמִנְדַּע צְרוּפֵי שְׁמָהָן קַדִּישִׁין, לִינְדַּע אִינּוּן אַתְוָון דִּרְשִׁימִין בְּכָל כִּתְרָא וְכִתְרָא, וּכְדֵין לִינְדַּע לְמִנְדַּע וְיִתְקַיַּים בְּכֹלָּא. וְהָא גְּלִיפָנָא לוֹן, בְּכָל אִינּוּן אַתְוָון דִּרְשִׁימָן יְדִיעָן בְּכָל כִּתְרָא וְכִתְרָא, מִסִּפְרָא עִלָּאָה דִשְׁלֹמֹה. וְהָכִי סָלִיק בִּידָן, וְחוּבְרַיָּיא גְּלִיפִין לוֹן, וְשַׁפִּיר הוּא, דְּהָא כָּל כִּתְרָא וְכִתְרָא אוֹזִיף לְחַבְרֵיהּ אַתְווֹי, כַּמָּה דְּאוֹקִימְנָא, וּלְזִמְנִין דְּלָא אִצְטְרִיךְ אֶלָּא, בְּאַתְווֹי אִינּוּן דִּרְשִׁימִין בֵּיהּ. וְכֻלְּהוּ יְדִיעָן לְגַבֵּי חַבְרַיָּיא וְהָא אוֹקִימְנָא לוֹן.

עצא. זַכָּאִין אִינּוּן צַדִּיקַיָּיא בְּעָלְמָא דֵּין וּבְעָלְמָא דְּאָתֵי, דְּקוּדְשָׁא בְּרִיךְ הוּא בָּעֵי בִּיקָרֵיהוֹן, וּמְגַלֵּי לְהוֹן רָזִין עִלָּאִין דִּשְׁמֵיהּ קַדִּישָׁא, דְּלָא גַּלֵּי לְעִלָּאִין קַדִּישִׁין, וְעַ"ד יָכִיל מֹשֶׁה, לְאִתְעַטְּרָא בֵּינֵי עִלָּאִין קַדִּישִׁין, וְכֻלְּהוּ לָא יָכְלֵי לְמִקְרַב בַּהֲדֵיהּ, כְּנוּרָא יְקִידְתָּא, וְגוּמְרֵי דְאֶשָּׁא. דְּאִי לָאו הָכִי, מַאן הֲוָה לֵיהּ לְמֹשֶׁה, לְמֵיקַם בֵּינַיְיהוּ. אֶלָּא זַכָּאָה וְזוּלְקָא דְמֹשֶׁה, דְּהָא כַּד שָׁארֵי לְמַלְּלָא עִמֵּיהּ קָ"בָ"ה, בָּעָא לְמִנְדַּע דִּשְׁמֵיהּ קַדִּישָׁא, סְתִים וְגַלְיָא, בְּכָל חַד וְחַד כַּדְקָא חֲזֵי, וּכְדֵין אַדְבַּק וְיָדַע יַתִּיר מִכָּל בְּנֵי עָלְמָא.

עצב. תָּא חֲזֵי, בְּשַׁעֲתָא דְּסָלִיק מֹשֶׁה גּוֹ עֲנָנָא יַקִּירָא, עָאל בֵּינֵי קַדִּישִׁין, פָּגַע בֵּיהּ חַד מַלְאֲכָא בְּשַׁלְהוֹבֵי נוּרָא, בְּעַיְינִין מְלַהֲטָן, וְגַדְפוֹי מוּקְדָן, בָּעָא לְשַׁאֲפָא לֵיהּ בְּגַוֵּויהּ. וְהַהוּא מַלְאֲכָא קְמוּא"ל שְׁמֵיהּ, כְּדֵין אַדְכַּר מֹשֶׁה וְחַד שְׁמָא קַדִּישָׁא. הֲוָה גְּלִיף בִּתְרֵיסַר אַתְוָון, וְאִזְדַּעְזַע וְאִתְרְגַּשׁ, עַד דְּסָלִיק מֹשֶׁה בֵּינַיְיהוּ. וְכֵן לְכָל חַד וְחַד, זַכָּאָה וְזוּלְקֵיהּ וְהָא אוֹקִימְנָא מִלֵּי.

עצג. עֶרְוַת אִשָּׁה, וּבִתָּהּ לֹא תְגַלֵּה. תָּאנָא, בְּתִקּוּנֵי מַטְרוֹנִיתָא אוֹקִימְנָא אִלֵּין עֶרְיָין, אַ"ג דְּאִינּוּן בְּאִתְגַּלְיָיא וּבִסְתִימָא, וְתַמָּן בַּת בְּנָהּ וּבַת בִּתָּהּ. דְּהָא עָלְמָא אִצְטְרִיךְ לוֹן, וְאִינּוּן יְשׁוּבָא דְעָלְמָא, כְּמָה דְאוֹקִימְנָא. וּמַאן דְּגַלֵּי חַד עֶרְיָיתָא מִנַּיְיהוּ, וַוי לֵיהּ, וַוי לְנַפְשֵׁיהּ, דְּהָא גַּלֵּי בְּגִין דָּא עֶרְיָין אָחֳרָנִין.

עצד. וְתָנֵינָא מִלָּה בַּתְרָאָה דְּעֶשֶׂר אֲמִירָן דְּאוֹרַיְיתָא, לֹא תַחְמוֹד אֵשֶׁת רֵעֶךָ, בְּגִין

דהאי כללא דכלהו. ומאן דחמיד אתתא אחרא, כאלו אעבר על אורייתא כלא. ברם לא אית מלה דקיימא קמי תשובה. וכ"ש אי קביל עונשיה כדוד מלכא. אמר רבי יוסי, תנינן, כל מאן דחב ואתפרש מההוא חובא, תשובה קא מעליא ליה טפי. ואי לאו, לא סליק בידיה תשובה, ולא מעלייא ליה. אי הכי, דוד היך לא אתפרש מבת שבע לבתר. אמר ליה, בת שבע דידיה הות, ודידיה נטיל, דהא מית בעלה.

שצה. דתניא, אזדמנת הות בת שבע לדוד, מיומא דאתבריי עלמא, ומה עכבא ליה. דנטל ברתיה דשאול מלכא, וההוא יומא נטל לה אוריה ברחמי, אף על גב דלא הות דיליה. לבתר אתא דוד, ונטיל דיליה, ועל דדוד דחיק שעתא קמי קב"ה לקטלא לאוריה ולמעבד הכי. אבאיש קמיה, ואענש ליה לדוד, דהא קב"ה בעא לאתבא ליה לדוד, לקיימא ליה מלכותא קדישא עלאה. וכד תאב, לדידיה תאב.

שצו. תאנא, א"ר יוסי, מאי דכתיב אני יי': עתיד ליתן שכר טוב לצדיקים לעתיד לבא. אני יי' עתיד להפרע מן הרשעים לעתיד לבא. אינון דכתיב בהו הפושעים בי. כתיב אני יי', וכתיב אני אמית ואחיה. אעפ"י שאני במדת הרחמים, הרשעים הופכים אותי למדת הדין. דתניא, שם מלא: יי' אלהים. זכו יי', ואי לאו אלהים. א"ר שמעון, וחייבין עבדי פגימותא לעילא. מאי פגימותא כמה דאוקימנא פגימותא ממש, והא אתמר.

שצז. תאנא כתיב ואל אשה בנדת טומאתה לא תקרב לגלות ערותה, תני רבי יהודה, דרא דרשב"י שארי בגויה, כלהו זכאין, וחסידין, כלהו דחלי חטאה נינהו. שכינתא שריא ביינייהו, מה דלית כן בדרין אחרנין. בגיני כך מילין אינון מתפרשן, ולא אתטמרן בדרין אחרנין לאו הכי, ומלין דרזי עלאה לא יכלין לגלאה, ואינון דידעי מסתפו. דר"ש כד הוה אמר רזא דהאי קרא, וחבריא כלהו עיניהון נבעין דמעין, וכלהו מילין דאמר הוו בעינייהו גליין, כמה דכתיב פה אל פה אדבר בו ומראה ולא בחידות.

שצח. דיומא חד שאיל ר' ייסא אמר, ביעא דקוסטא, דנפקא מעופא דשריא בנורא, ואתבקע לארבע סטרין. תרין סלקין מנייהו, וחד מאיך, וחד רביע ברביעא דימא רבא. א"ר אבא, עבדת קמיה דר"ש, קדש וחול, דהא כתיב פה אל פה אדבר בו. א"ל ר"ש, עד לא יתבקע ביעא, תסתלק מעלמא. וכך הוה באדרא דר"ש.

שצט. תאנא, ביומוי דר"ש הוה אמר בר נש לחבריה, פתח פיך ויאירו דבריך. בתר דשכיב ר"ש, הוו אמרי אל תתן את פיך לחטיא את בשרך.

ת. תניא אר"ש, אי בני עלמא מסתכלן במה דכתיב באורייתא, לא ייתון לארגזא קמי מאריהון. תאנא, כד מתערין דינין קשיין לאחתא בעלמא, ואל אשה בנדת טומאתה וגו', הכא כתיב סוד יי' ליראיו, ובאדרא קדישא אתמר, הכא אצטריכנא לגלאה, דהא לאתר דא אסתלק.

תא. דתנינן, בשעתא דחויא תקיפא דלעילא אתער, בגין חובי עלמא, שארי ואתחבר עם נוקבא, ואטיל בה זוהמא, אתפרש דכורא מינה, בגין דהא אסתאבת, ואתקריאת מסאבא, ולא אתחזי לדכורא למקרב בהדה, דווי אי אסתאב הוא בהדה, בזמנא דאיהי אסתאבת.

תב. ותאנא, מאה ועשרין וחמש זיני מסאבותא נחתו לעלמא, דמתאחדן מסטרא

דְּזִוְּיָא תַּקִּיפָא, וְשִׁבְעָה וְעֶשְׂרִין רַבְרְבִין מִנַּיְיהוּ, מִתְאַחֲדָן בְּנוּקְבֵי, וְאִתְדַּבְּקָן בְּהוּ. וַוי לְמַאן דְּיִקְרַב בַּהֲדָהּ בְּהַהוּא זִמְנָא, דְּמַאן דְּיִקְרַב בַּהֲדָהּ, אַחְזֵי פְּגִימוּתָא לְעֵילָּא, דְּהָא בְּחוֹבָא דָּא, אִתְעַר זִוְּיָא תַּקִּיפָא לְעֵילָּא, וְאַשְׁדֵי זוּהֲמָא בַּאֲתַר דְּלָא אִצְטְרִיךְ, וְאִתְחַבַּר בְּנוּקְבָא, וְאִתְרַבֵּי שַׂעֲרֵיהּ לִדְכוּרָא, בְּנוּקְבָא אִסְתְּאָבַת, וְשַׂעֲרָהָא רַבָּא, וְטוּפְרָהָא סַגִּיאוּ, וּכְדֵין דִּינִין שָׁרְיָין לְאִתְעָרָא בְּעָלְמָא, וְיִסְתַּאֲבוּן כֹּלָּא. הה״ד, כִּי אֶת מִקְדַּשׁ יְיָ׳ טִמֵּא, מִקְדַּשׁ יְיָ׳ אִסְתְּאַב, בְּחוֹבַיְיהוּ דִּבְנֵי נָשָׁא.

תג. תָּאנָא, מַאי דִּכְתִּיב וְאֵיבָה אָשִׁית בֵּינְךָ וּבֵין הָאִשָּׁה, אַרְבָּעָה וְעֶשְׂרִים זִינֵי מִסְאֲבוּתָא אַטִּיל זִוְּיָא בְּנוּקְבָא, כַּד אִתְחַבַּר עִמָּהּ, כְּחוּשְׁבַּן וְאֵיבָה, וְעֶשְׂרִין וְד׳ זִינִין מִתְעָרִין לְעֵילָּא, וְעֶשְׂרִין וְאַרְבַּע לְתַתָּא. וְשַׂעֲרָא רַבָּא, וְטוּפְרִין סַגִּיאוּ, וּכְדֵין דִּינִין מִתְעָרִין בְּכֹלָּא. וְתָאנָא כַּד בָּעַת אִתְּתָא לְאִתְדַּכְּאָה, בַּעְיָא לְסַפְּרָא הַהוּא שַׂעֲרָא דְּרַבֵּי בְּיוֹמָא דְּאִיהִי מִסְאֲבָא, וּלְסַפְּרָא טוּפְרָהָא, וְכָל הַהוּא זוּהֲמָא דִּי בְּהוֹן.

תד. דְּתָאנָא בְּרָזֵי דִּמְסָאֲבוּתָא, זוּהֲמָא דְּטוּפְרִין, יִתְעַר זוּהֲמָא אָחֳרָא, וּבְגִינֵי כַּךְ, בָּעְיָין גְּנִיזָא, וּמַאן דְּאַעֲבַר לוֹן לְגַמְרֵי, כְּאִלּוּ אִתְעַר וְחֶסֶד בְּעָלְמָא. דְּתַנְיָא לָא לִבְעֵי לֵיהּ לְאִינִישׁ לְמֵיהַב דּוּכְרָנָא לְזִינִין בִּישִׁין. דְּתָנֵינָן אֶלֶף וְאַרְבַּע מְאָה וְה׳ זִינִין בִּישִׁין, מִתְאַחֲדָן בְּהַהוּא זוּהֲמָא, דְּאַטִּיל זִוְּיָא תַּקִּיפָא, וְכֻלְּהוּ מִתְעָרִין בְּהַהוּא זוּהֲמָא דְּטוּפְרִין.

תה. וַאֲפִילּוּ מַאן דְּבָעֵי, יַעֲבִיד בְּהוּ חַרְשִׁין לִבְנֵי נָשָׁא, מִשּׁוּם אִינוּן דְּתַלְיָין בְּהוּ, וּמַאן דְּאַעֲבַר לוֹן, כְּאִלּוּ אַסְגֵּי וְחֶסֶד בְּעָלְמָא, וְדִינִין בִּישִׁין לָא מִשְׁתַּכְּחִין. וְיַעֲבַר הַהוּא זוּהֲמָא וְטוּפְרָהָא דְּרָשִׁים בֵּיהּ. דְּתַנְיָא, מַאן דְּדָרִיךְ בְּרַגְלֵיהּ, אוֹ בְּמְסָאנֵיהּ עֲלַיְיהוּ, יָכִיל לְאִתְּזָקָא. וּמַה בְּהַאי שִׁיּוּרֵי דְּזוּהֲמָא דִּלְעֵילָּא כַּךְ, אִתְּתָא דִּמְקַבְּלָא וְאִתְחֲבָרַת בְּזִוְּיָא, וְאַטִּיל בָּהּ זוּהֲמָא, עאכ״ו. וַוי לְעָלְמָא דִּמְקַבְּלָא מִינָּהּ מֵהַהוּא זוּהֲמָא, בְּגִינֵי כַּךְ וְאֶל אִשָּׁה בְּנִדַּת טוּמְאָתָהּ לֹא תִקְרַב.

תו. אָמַר רִבִּי שִׁמְעוֹן, אָמַר קוּדְשָׁא ב״ה, הָבִיאוּ עָלַי כַּפָּרָה בְּר״ח. עָלַי וַדַּאי, בְּגִין דְּיִתְעֲבַר הַהוּא זִוְּיָא, וְיִתְבַּסֵּם מַאן דְּבַעְיָא. עָלַי: כְּמָה דִּכְתִּיב שְׂרָפִים עוֹמְדִים מִמַּעַל לוֹ. וְעַ״ד כְּתִיב בְּקָרַח, הַנּוֹעָדִים עַל יְיָ׳, דִּבְגִינַיְיהוּ אַתְעַר מַאן דְּאַתְעַר דְּאָתֵי מִסִּטְרַיְיהוּ. אוּף הָכִי הָבִיאוּ עָלַי כַּפָּרָה, עָלַי מַמָּשׁ. בְּגִין דְּיִתְבַּסַּם וְיִתְעֲבַר וְלָא אִשְׁתְּכַח זִוְּיָא בַּאֲתַר דְּשָׁארֵי. וכ״כ לָמָּה. עַל שֶׁמִּעֲטְתִּי אֶת הַיָּרֵחַ, וְשַׁלְטָא בָּהּ מַאן דְּלָא אִצְטְרִיךְ. וּבְגִ״כ כְּתִיב וְאֶל אִשָּׁה בְּנִדַּת טוּמְאָתָהּ לֹא תִקְרַב.

תז. זַכָּאָה דָּרָא, דר״ש בֶּן יוֹחָאי שָׁארֵי בְּגַוֵּיהּ. זַכָּאָה עַדְבֵיהּ בֵּין עִלָּאִין וְתַתָּאִין. עָלֵיהּ כְּתִיב, אַשְׁרֵיךְ אֶרֶץ שֶׁמַּלְכֵּךְ בֶּן חוֹרִין. מַהוּ בֶּן חוֹרִין. דְּזָקִיף רֵישָׁא לְגַלָּאָה, וּלְפָרְשָׁא מִלִּין וְלָא דָּחִיל. כְּהַאי דְּאִיהוּ בֶּן חוֹרִין, וְיֵימָא מַאי דְּבַעְיָא וְלָא דָּחִיל. מַהוּ מַלְכֵּךְ. דָּא הוּא רשב״י, מָארֵיהּ דְּאוֹרַיְיתָא, מָארֵיהּ דְּחָכְמְתָא. דְּכַד הֲוָה ר׳ אַבָּא וְחַבְרַיָּיא חָמָאן לְר׳ שִׁמְעוֹן, הֲווּ רַהֲטֵי אֲבַתְרֵיהּ, וְאַמְרֵי, אַחֲרֵי יְיָ׳ יֵלְכוּ כְּאַרְיֵה יִשְׁאָג.

תח. אָמַר ר׳ שִׁמְעוֹן, כְּתִיב וְהָיָה מִדֵּי חֹדֶשׁ בְּחָדְשׁוֹ וּמִדֵּי שַׁבָּת בְּשַׁבַּתּוֹ, אַמַּאי שָׁקִיל דָּא בְּדָא. אֶלָּא כֹּלָּא בְּחַד דַּרְגָּא סַלְקוּ, דָּא אִזְדַּוַּוג בְּדָא. וְחֶדְוָותָא דְּדָא בְּדָא לָא אִשְׁתְּכַח, אֶלָּא כַּד אִתְגְּלֵי עַתִּיקָא קַדִּישָׁא, וּכְדֵין חֶדְוָותָא דְּכֹלָּא. וְתָנֵינָן, כְּתִיב מִזְמוֹר שִׁיר לְיוֹם הַשַּׁבָּת, לְיוֹם הַשַּׁבָּת מַמָּשׁ. שְׁבָחָא דְּקָא מְשַׁבָּח קֻב״ה. כְּדֵין חֶדְוָותָא אִשְׁתְּכַח, וְנִשְׁמְתָא אִתּוֹסֶפֶת. דְּהָא עַתִּיקָא אִתְגְּלֵי וְזִוּוּגָא יִזְדַּמַּן.

תט. אוּף הָכִי בְּחַדְתּוּתֵי סִיהֲרָא, דְּהָא נָהִיר לָהּ שִׁמְשָׁא בְּחֶדְוָותָא דִּנְהִירוּ דְּעַתִּיקָא

לְעֵילָּא. בְּגִינֵי כַּךְ הַאי קָרְבְּנָא הוּא לְעֵילָּא, בְּגִין דְּיִתְבְּסַם כֹּלָּא, וְיִשְׁתְּכַּח חֶדְוָותָא בְּעָלְמָא, וְעַ"ד הֵבִיאוּ עָלַי כַּפָּרָה, דַּיְיקָא מִלָּה.

תי. תָּאנָא, כְּתִיב עוֹלַת שַׁבַּת בְּשַׁבַּתּוֹ עַל עוֹלַת הַתָּמִיד, דְּבָעֵי לְכַוְּונָא לִבָּא לְעֵילָּא לְעֵילָּא, יַתִּיר מִשְּׁאַר יוֹמִין. וְעַ"ד עַל עוֹלַת הַתָּמִיד דַּיְיקָא. תַּנְיָא, כְּתִיב בְּחַנָּה וַתִּתְפַּלֵּל עַל יְיָ', עַל דַּיְיקָא, בְּגִין דִּבְנִין בְּמַזָּלָא קַדִּישָׁא תַּלְיָין, כְּמָה דְּאוֹקִימְנָא וְלֵית לָךְ מִלָּה בְּאוֹרַיְיתָא, אוֹ אָת זְעֵירָא בְּאוֹרַיְיתָא. דְּלָא רְמִיזָא בְּחָכְמְתָא עִלָּאָה, וְתַלְיָין מִנֵּיהּ תִּלֵּי תִּלִּין רָזִין דְּחָכְמְתָא עִלָּאָה, הה"ד קְוּוצּוֹתָיו תַּלְתַּלִּים, וְהָא אִתְּמַר.

תיא. ר' יוֹסֵי אַשְׁכְּחֵיהּ לְר' אַבָּא, דַּהֲוָה יָתִיב וְקָארֵי, הַאי קְרָא דִּכְתִּיב, הַשְׁלֵךְ עַל יְיָ' יְהָבְךָ, עַל דַּיְיקָא, דְּהָא מְזוֹנֵי בְּמַזָּלָא תַּלְיָין. ר' יְהוּדָה הֲוָה קָארֵי, עַל זֹאת יִתְפַּלֵּל כָּל חָסִיד אֵלֶיךָ לְעֵת מְצֹא. עַל זֹאת וַדַּאי. לְעֵת מְצֹא, הָא אוֹקִימְנָא. אֲבָל לְעֵת מְצֹא, כְּמָה דִּכְתִּיב דִּרְשׁוּ יְיָ' בְּהִמָּצְאוֹ קְרָאוּהוּ בִּהְיוֹתוֹ קָרוֹב. ד"א לְעֵת מְצֹא, בְּשַׁעֲתָא דְּנַהֲרִין נַגְּדִין וְאִתְמַשְּׁכָאן, וּמִסְתַּפְּקֵי אַבָהָן, וּמִתְבָּרְכָאן כֹּלָּא. רַק לְשֵׁטֶף מַיִם רַבִּים, מַאן שֵׁטֶף מַיִם רַבִּים, דָּא עֲמִיקָא דְּמַבּוּעִין וְנַהֲרִין, דְּמַאן יִזְכֶּה לֵיהּ, וּמַאן יִזְכֶּה לְקָרְבָא וּלְסַלְּקָא תַּמָּן. הה"ד בֵּיהּ, רַק לְשֵׁטֶף מַיִם רַבִּים אֵלָיו לֹא יַגִּיעוּ דְּהָא לָא זַכָּאן, וְלָא יַכְלִין.

תיב. רִבִּי יִצְחָק אָמַר, כְּתִיב אַחַת שָׁאַלְתִּי מֵאֵת יְיָ' אוֹתָהּ אֲבַקֵּשׁ וְגוֹ'. זַכָּאִין אִינּוּן צַדִּיקַיָּיא, דְּכַמָּה גְּנִיזִין עִלָּאִין טְמִירִין לְהוֹ בְּהַהוּא עָלְמָא, דְּקֻבָּ"ה מִשְׁתַּעֲשַׁע בְּהוֹ בְּאִינּוּן עָלְמִין, כְּמָה דְּאוֹקִימְנָא בְּנֹעַם יְיָ', וְהָא אִתְּמַר. ר' חִזְקִיָּה אָמַר מֵהָכָא, עַיִן לֹא רָאָתָה אֱלֹהִים זוּלָתְךָ יַעֲשֶׂה לִמְחַכֵּה לוֹ. יַעֲשֶׂה, תַּעֲשֶׂה מִבָּעֵי לֵיהּ. אֶלָּא יַעֲשֶׂה וַדַּאי, הַיְינוּ יוֹסִיף עַל יָמֶיךָ חֲמֵשׁ עֶשְׂרֵה שָׁנָה. וְהַיְינוּ הַשְׁלֵךְ עַל ה' יְהָבְךָ. וּכְתִיב וַתִּתְפַּלֵּל עַל יְיָ'. וְכֹלָּא חַד.

תיג. זַכָּאָה חוּלָקֵיהוֹן דְּצַדִּיקַיָּיא, בְּעָלְמָא דֵּין וּבְעָלְמָא דְּאָתֵי, עָלַיְיהוּ כְּתִיב וְיִשְׂמְחוּ כָל חוֹסֵי בָךְ לְעוֹלָם יְרַנֵּנוּ וְתָסֵךְ עָלֵימוֹ וְיַעְלְצוּ בְךָ אוֹהֲבֵי שְׁמֶךָ. וּכְתִיב אַךְ צַדִּיקִים יוֹדוּ לִשְׁמֶךָ יֵשְׁבוּ יְשָׁרִים אֶת פָּנֶיךָ. וּכְתִיב וְיִבְטְחוּ בְךָ יוֹדְעֵי שְׁמֶךָ כִּי לֹא עָזַבְתָּ דוֹרְשֶׁךָ יְיָ'.

בָּרוּךְ יְיָ' לְעוֹלָם אָמֵן וְאָמֵן. יִמְלוֹךְ יְיָ' לְעוֹלָם אָמֵן וְאָמֵן.

KEDOSHIM

קְדוֹשִׁים

א. וַיְדַבֵּר יְיָ' אֶל מֹשֶׁה לֵּאמֹר. דַּבֵּר אֶל כָּל עֲדַת בְּנֵי יִשְׂרָאֵל וְאָמַרְתָּ אֲלֵיהֶם קְדוֹשִׁים תִּהְיוּ כִּי קָדוֹשׁ אֲנִי יְיָ' אֱלֹהֵיכֶם. ר' אֶלְעָזָר פָּתַח, אַל תִּהְיוּ כְּסוּס כְּפֶרֶד אֵין הָבִין וְגוֹ'. בְּכַמָּה זִמְנִין אוֹרַיְיתָא אַסְהִידַת בְּהוּ בִּבְנֵי נָשָׁא, כַּמָּה זִמְנִין אַרִימַת קָלִין, לְכָל סִטְרִין לְאִתְּעָרָא לְהוּ, וְכֻלְּהוּ דְּמִיכִין בְּשֵׁינָתָא בְּחוֹבֵיהוֹן, לָא מִסְתַּכְּלִין, וְלָא מַשְׁגִּיחִין, בְּהֵיךְ אַנְפִּין יְקוּמוּן לְיוֹמָא דְּדִינָא עִלָּאָה, כַּד יִתְבַּע לוֹן מַלְכָּא עִלָּאָה עֶלְבּוֹנָא דְּאוֹרַיְיתָא, דְּצָוְוחַת לְקַבְּלֵיהוֹן, וְלָא אַהַדְרוּ אַנְפִּין לְקַבְלָהּ, דְּכֻלְּהוּ פְּגִימִין בְּכֹלָּא, דְּלָא יָדְעוּ מְהֵימְנוּתָא דְּמַלְכָּא עִלָּאָה, וַוי לוֹן, וַוי לְנַפְשֵׁהוֹן.

ב. דְּהָא אוֹרַיְיתָא בֵּיהּ אַסְהִידַת, וְאַמְרַת מִי פֶתִי יָסוּר הֵנָּה וַחֲסַר לֵב אָמְרָה לוֹ. מַהוּ וַחֲסַר לֵב. דְּלֵית לֵיהּ מְהֵימְנוּתָא, דְּמַאן דְּלָא אִשְׁתַּדַּל בְּאוֹרַיְיתָא, לָאו בֵּיהּ מְהֵימְנוּתָא, וּפָגִים הוּא מִכֹּלָּא אָמְרָה לוֹ, אוֹמְרָה לוֹ מִבָּעֵי לֵיהּ, כד"א אוֹמְרָה לָאֵל סַלְעִי, מַהוּ אָמְרָה. אֶלָּא לְאַכְלְלָא וּלְאִתּוֹסְפָא אוֹרַיְיתָא דִּלְעֵילָּא, דְּהִיא קָרְיָיה לֵיהּ וַחֲסַר לֵב, פָּגִים מִמְּהֵימְנוּתָא.

ג. דְּהָכִי תָּנֵינָן, כָּל מַאן דְּלָא אִשְׁתַּדַּל בְּאוֹרַיְיתָא, אָסִיר לְמִקְרַב לְגַבֵּיהּ, לְאִשְׁתַּתְּפָא בַּהֲדֵיהּ, וּלְמֶעְבַּד בֵּיהּ סְחוֹרְתָא, וכ"ש לְמֵהַךְ עִמֵּיהּ בְּאוֹרְחָא. דְּהָא לֵית בֵּיהּ מְהֵימְנוּתָא. תָּנֵינָן כָּל ב"נ דְּאָזִיל בְּאוֹרְחָא, וְלֵית עִמֵּיהּ מִלֵּי דְּאוֹרַיְיתָא, אִתְחַיָּיב בְּנַפְשֵׁיהּ. כ"ש מַאן דְּאִזְדַּוָּוג בְּאוֹרְחָא, עִם מַאן דְּלֵית בֵּיהּ מְהֵימְנוּתָא, דְּלָא חָשִׁיב לִיקָרָא דְּמָארֵיהּ וְדִידֵיהּ דְּלָא חָס עַל נַפְשֵׁיהּ.

ד. רִבִּי יְהוּדָה אוֹמֵר, מַאן דְּלָא חָס עַל נַפְשֵׁיהּ, הֵיךְ יִשְׁלוֹף נַפְשָׁא דְּכַשְׁרָא לִבְרֵיהּ. א"ר אֶלְעָזָר, תַּוְוהָנָא עַל דָּרָא, וְהָא אִתְּמַר מִלָּה וְכוּ'. וְעַל דָּא כְּתִיב אַל תִּהְיוּ כְּסוּס כְּפֶרֶד אֵין הָבִין. זַכָּאִין אִינּוּן צַדִּיקַיָּא, דְּמִשְׁתַּדְּלֵי בְּאוֹרַיְיתָא, וְיַדְעִין אוֹרְחוֹי דְּקוּדְשָׁא בְּרִיךְ הוּא, וּמְקַדְּשֵׁי גַּרְמַיְיהוּ בְּקוּדְשָׁא דְּמַלְכָּא, וְאִשְׁתַּכְחוּ קַדִּישִׁין בְּכֹלָּא, וּבְגִ"כ מְשַׁלְּפֵי רוּחָא דְּקוּדְשָׁא מִלְּעֵילָּא, וּבְנַיְיהוּ כֻּלְּהוּ זַכָּאֵי קְשׁוֹט, וְאִקְרוּן בְּנֵי מַלְכָּא בְּנִין קַדִּישִׁין.

ה. וַוי לְהוֹן לְרַשִׁיעַיָּיא, דְּכֻלְּהוּ חֲצִיפִין, וְעוֹבָדַיְיהוּ חֲצִיפִין. בְּגִינֵי כַּךְ יָרְתִין בְּנַיְיהוּ נַפְשָׁא חֲצִיפָא, מִסִּטְרָא דִּמְסָאֲבָא. כְּמָה דִּכְתִיב וְנִטְמֵתֶם בָּם, אָתָא לְאִסְתַּאֲבָא, מְסָאֲבִין לֵיהּ. אַל תִּהְיוּ כְּסוּס כְּפֶרֶד, דְּאִינּוּן מָארֵי זְנוּתָא עַל כֹּלָּא. אֵין הָבִין, דְּלָא יִשְׁתַּדְּלוּן בְּנֵי נָשָׁא בְּאָרְחָא דָּא, דְּאִי הָכֵי, כְּתִיב הָכָא אֵין הָבִין. וּכְתִיב הָתָם וְהַכְּלָבִים עַזֵּי נֶפֶשׁ לֹא יָדְעוּ שָׂבְעָה וְהֵמָּה רוֹעִים לֹא יָדְעוּ הָבִין. כְּלוֹמַר יֶהוֹן מִזְדַּמְּנִין אִינּוּן דְּאִקְרוּן עַזֵּי נֶפֶשׁ. מַאי טַעְמָא. מִשּׁוּם דְּלָא יָדְעוּ הָבִין.

ו. וְהֵמָּה רוֹעִים, מַאי רוֹעִים, אִלֵּין אִינּוּן מַדְבְּרֵי וּמַנְהִגֵי לב"נ בְּגֵיהִנָּם, לֹא יָדְעוּ שָׂבְעָה, כד"א לַעֲלוּקָה שְׁתֵּי בָנוֹת הַב הַב, בְּגִ"כ דְּאִינּוּן הַב הַב, לָא יָדְעוּ שָׂבְעָה. כֻּלָּם לְדַרְכָּם פָּנוּ אִישׁ לְבִצְעוֹ מִקָּצֵהוּ. דְּהָא תַּיָּירֵי דְּגֵיהִנָּם אִינּוּן. וְכָל דָּא מַאן גָּרִים לְהוּ. בְּגִין דְּלָא

אִתְקַדְּשׁוּ בְּהַהוּא זִוּוּגָא כְּמָה דְּאִצְטְרִיךְ. וְעַ"ד כְּתִיב, קְדוֹשִׁים תִּהְיוּ כִּי קָדוֹשׁ אֲנִי יְיָ'. אָמַר קֻבְּ"ה, מִכָּל שְׁאָר עַמִּין לָא רָעִיתִי לְאִדַּבְּקָא בִּי, אֶלָּא יִשְׂרָאֵל, דִּכְתִּיב וְאַתֶּם הַדְּבֵקִים בַּיְיָ', אַתּוּן, וְלָא שְׁאָר עַמִּין. בְּגִ"כ, קְדוֹשִׁים תִּהְיוּ דַּיְיקָא.

ז. קְדוֹשִׁים תִּהְיוּ כִּי קָדוֹשׁ אֲנִי יְיָ'. רִבִּי יִצְחָק פָּתַח, הוֹי אֶרֶץ צִלְצַל כְּנָפַיִם וְגוֹ'. וְכִי בְּגִין דְּהִיא אֶרֶץ צִלְצַל כְּנָפַיִם, קַנְטוּרָא בֵּיהּ אִשְׁתְּכַח, דִּכְתִּיב הוֹי אֶרֶץ. אֶלָּא אָמַר רִבִּי יִצְחָק, בְּשַׁעְתָּא דְּקוּדְשָׁא בְּרִיךְ הוּא בָּרָא עָלְמָא, וּבָעָא לְגַלָּאָה עֲמִיקְתָא מִגּוֹ מְסִתְרָתָא, וּנְהוֹרָא מִגּוֹ חֲשׁוֹכָא, הֲווּ כְּלִילָן דָּא בְּדָא, וּבְגִין כַּךְ, מִגּוֹ חֲשׁוֹכָא נָפַק נְהוֹרָא, וּמִגּוֹ מְסִתְרָתָא נָפַק וְאִתְגַּלְיָיא עֲמִיקָא, וְדָא נָפְקָא מִן דָּא. דְּמִגּוֹ טַב, נָפִיק בִּישׁ. וּמִגּוֹ רַחֲמֵי, נָפִיק דִּינָא. וְכֹלָּא אִתְכְּלִיל דָּא בְּדָא. יֵצֶר טוֹב וְיֵצֶר רָע, יְמִינָא וּשְׂמָאלָא, יִשְׂרָאֵל וּשְׁאָר עַמִּין, חִוָּור וְאוּכָם, וְכֹלָּא חַד בְּחַד תַּלְיָא.

ח. תָּאנָא אָמַר ר' יִצְחָק אָמַר ר' יְהוּדָה, כָּל עָלְמָא כֻּלְּהוּ לָא אִתְּזָנוּ, אֶלָּא בְּחַד עֲטִירָא דְּקוֹטְפָא בְּקִיטְרוֹי כַּד אִתְדָּן עָלְמָא בְּדִינָא כְּלִיל בְּרַחֲמֵי אִתְּדָן. וְאִי לָאו, לָא יָכִיל עָלְמָא לְקַיְּימָא, אֲפִילּוּ רִגְעָא חֲדָא, וְהָא אוֹקִימְנָא מִלֵּי, כְּמָה דִּכְתִּיב כִּי כַּאֲשֶׁר מִשְׁפָּטֶיךָ לָאָרֶץ צֶדֶק לָמְדוּ יוֹשְׁבֵי תֵבֵל.

ט/א. וְתָאנָא בְּהַהוּא זִמְנָא דְּדִינָא תַּלְיָא בְּעָלְמָא, וְצֶדֶק אִתְעַטְּרָא בְּדִינוֹי, כַּמָּה מָארֵי דְּגַדְפִּין מִתְעָרֵי, לְקַבְּלֵי מָארֵי דְּדִינָא קַשְׁיָא, לְשַׁלְטָאָה בְּעָלְמָא. פָּרְסִין גַּדְפִּין מֵהַאי סִטְרָא, וּמֵהַאי סִטְרָא, לְאִשְׁגְּחָא בְּעָלְמָא. כְּדֵין מִתְעָרִין גַּדְפִּין לְמִפְרַס לוֹן, וּלְאִשְׁתְּאֲבָא בְּדִינָא קַשְׁיָא, וְשָׁאטִין בְּעָלְמָא לְאַבְאָשָׁא. כְּדֵין כְּתִיב, הוֹי אֶרֶץ צִלְצַל כְּנָפַיִם.

ט/ב. א"ר יְהוּדָה, וְזִמְנָא בְּנֵי עָלְמָא בְּחֲצִיפוּתָא, בַּר אִינּוּן זַכָּאֵי קְשׁוֹט. וּבְגִ"כ, כִּבְיָכוֹל, כֹּלָּא הָכִי אִשְׁתְּכַח, אָתָא לְאִתְדַּכָּאָה, מְסַיְּיעִין לֵיהּ. אָתָא לְאִסְתָּאֲבָא, כְּמָה דְּאוֹקִימְנָא, וְנִטְמֵתֶם בָּם.

י. רִבִּי יוֹסֵי הֲוָה אָזִיל בְּאוֹרְחָא, פָּגַע בֵּיהּ רִבִּי חִיָּיא, אָמַר לֵיהּ הַאי דְּאוֹקְמוּהָ חַבְרַיָּיא, דִּכְתִּיב בְּעֵלִי, וְלָכֵן נִשְׁבַּעְתִּי לְבֵית עֵלִי אִם יִתְכַּפֵּר עֲוֹן בֵּית עֵלִי בְּזֶבַח וּבְמִנְחָה עַד עוֹלָם. בְּזֶבַח וּבְמִנְחָה אֵינוֹ מִתְכַּפֵּר, אֲבָל מִתְכַּפֵּר הוּא בְּדִבְרֵי תוֹרָה. אַמַּאי. בְּגִין דְּדִבְרֵי תוֹרָה, סַלְּקִין עַל כָּל קָרְבְּנִין דְּעָלְמָא. כְּמָה דְּאוֹקְמוּהָ דִּכְתִּיב, זֹאת הַתּוֹרָה לָעוֹלָה לַמִּנְחָה וְלַחַטָּאת וְלָאָשָׁם וְלַמִּלּוּאִים, שָׁקִיל אוֹרַיְיתָא לְקָבִיל כָּל קָרְבְּנִין דְּעָלְמָא. אָ"ל, הָכִי הוּא וַדַּאי, דְּכָל מַאן דְּאִשְׁתַּדַּל בְּאוֹרַיְיתָא, אַע"ג דְּאִתְגְּזַר עָלֵיהּ עוֹנְשָׁא מִלְּעֵילָּא, נִיחָא לֵיהּ מִכָּל קָרְבְּנִין וְעַלָּוָון, וְהַהוּא עוֹנְשָׁא אִתְקְרַע.

יא. וְת"ח, לָא אִתְדְּכֵי ב"נ לְעָלְמִין, אֶלָּא בְּמִלִּין דְּאוֹרַיְיתָא. בְּגִינֵי כַּךְ מִלִּין דְּאוֹרַיְיתָא לָא מְקַבְּלִין טוּמְאָה, בְּגִין דְּאִיהִי קַיְּימָא לְדַכָּאָה לְאִלֵּין מְסָאֲבֵי, וְאַסְוָותָא בְּאוֹרַיְיתָא אִשְׁתְּכַח. דִּכְתִּיב, רִפְאוּת תְּהִי לְשָׁרֶּךָ וְשִׁקּוּי לְעַצְמוֹתֶיךָ. וְדַכְיוּתָא אִשְׁתְּכַח בְּאוֹרַיְיתָא, דִּכְתִּיב, יִרְאַת יְיָ' טְהוֹרָה עוֹמֶדֶת לָעַד. מַאי עוֹמֶדֶת לָעַד. דְּקַיְּימָא תְּדִירָא בְּהַהוּא דַּכְיוּתָא, וְלָא אִתְעֲדֵי מִנֵּיהּ לְעָלְמִין.

יב. אָ"ל יִרְאַת יְיָ' כְּתִיב, וְלָא תּוֹרָה. אָ"ל, הָכִי הוּא וַדַּאי, דְּהָא אוֹרַיְיתָא מִסִּטְרָא דִּגְבוּרָה קָא אַתְיָיא. אָ"ל, וּמֵהָתָם נָפְקָא, מֵהָכָא נָפְקָא, דִּכְתִּיב, רֵאשִׁית חָכְמָה יִרְאַת יְיָ', וּכְתִיב יִרְאַת יְיָ' טְהוֹרָה.

יג. וְאוֹרַיְיתָא קְדוּשָּׁה אִתְקְרֵי, דִּכְתִּיב כִּי קָדוֹשׁ אֲנִי יְיָ', וְדָא אוֹרַיְיתָא, דְּהִיא שְׁמָא קַדִּישָׁא עִלָּאָה. וְעַ"ד, מַאן דְּאִשְׁתַּדַּל בָּהּ אִתְדְּכֵי, וּלְבָתַר אִתְקַדַּשׁ, דִּכְתִּיב קְדוֹשִׁים תִּהְיוּ, קְדוֹשִׁים הֱיוּ לָא כְּתִיב, אֶלָּא תִּהְיוּ. תִּהְיוּ וַדַּאי. אָ"ל הָכִי הוּא, וּמִקְרָא כְּתִיב,

וְאַתֶּם תִּהְיוּ לִי מַמְלֶכֶת כֹּהֲנִים וְגוֹי קָדוֹשׁ, וּכְתִיב אֵלֶּה הַדְּבָרִים וְגוֹ׳.

יד. תָּאנָא, קְדוּשָּׁה דְּאוֹרַיְיתָא, קְדוּשָּׁה דִּסְלִיקַת עַל כָּל קְדוּשִּׁין. וּקְדוּשָּׁה דְּחָכְמְתָא עִלָּאָה סְתִימָא, סַלְקָא עַל כֹּלָּא. אָמַר לֵיהּ לָאו אוֹרַיְיתָא בְּלָא חָכְמְתָא, וְלָאו חָכְמְתָא בְּלָא אוֹרַיְיתָא, וְכֹלָּא בְּחַד דַּרְגָּא הוּא, וְכֹלָּא חַד, אֶלָּא אוֹרַיְיתָא בְּחָכְמָה עִלָּאָה אִשְׁתְּכַחַת, וּבָהּ קַיְּימָא, וּבָהּ אִתְנְטָעוּ שָׁרְשָׁהָא מִכָּל מִסְטְרִין.

טו. עַד דַּהֲווּ אַזְלֵי, אַשְׁכָּחוּ חַד ב״נ, בִּלְקִינְטָא דְּקוּסְטָא, רָכִיב עַל סוּסְיָא, אַשְׁמִיט יְדוֹי לְחַד עַנְפָּא דְּאִילָנָא. א״ר יוֹסֵי, הַאי הוּא דִּכְתִיב וְהִתְקַדִּשְׁתֶּם וִהְיִיתֶם קְדוֹשִׁים. אָדָם מְקַדֵּשׁ עַצְמוֹ מִלְּמַטָּה, מְקַדְּשִׁין אוֹתוֹ מִלְּמַעְלָה. הה״ד, קְדוֹשִׁים תִּהְיוּ כִּי קָדוֹשׁ אֲנִי יְיָ׳.

טז. תָּאנֵי רִבִּי אַבָּא, פַּרְשְׁתָּא דָּא כְּלָלָא דְּאוֹרַיְיתָא הִיא, וְחוֹתָמָא דִּקְשׁוֹטָא דְּגוּשְׁפַּנְקָא הִיא. בְּפַרְשְׁתָּא דָּא אִתְחַדְּשׁוּ רָזִין עִלָּאִין דְּאוֹרַיְיתָא, בַּעֲשַׂר אֲמִירָן, וְגִזְרִין וְעוֹנָשִׁין, וּפִקּוּדִין עִלָּאִין, דְּכַד מָטָאן חַבְרַיָּיא לְפַרְשְׁתָּא דָּא, הֲווּ חַדָּאן.

יז. אָמַר ר׳ אַבָּא, מ״ט פַּרְשְׁתָּא דַּעֲרָיוֹת, וּפַרְשְׁתָּא דִּקְדוֹשִׁים תִּהְיוּ, סְמוּכִין דָּא לְדָא. אֶלָּא הָכִי תָּאנָא, כָּל מַאן דְּאִסְתַּמַּר מֵאִלֵּין עֲרָיָין, בִּקְדוּשָּׁה אִתְעֲבֵיד וַדַּאי. וכ״ש אִי אִתְקַדַּשׁ בִּקְדוּשָּׁה דְּמָארֵיהּ. וְהָא אִתְּעֲרוּ חַבְרַיָּיא.

יח. אֵימָתַי עוֹנָתָן דְּכֹלָּא, לְאִתְקַדְּשָׁא ב״נ. ת״ח, מַאן דְּבָעֵי לְאִתְקַדְּשָׁא בִּרְעוּתָא דְּמָארֵיהּ, לָא לִישַׁמֵּשׁ אֶלָּא מִפַּלְגוּת לֵילְיָא וְאֵילָךְ, אוֹ בְּפַלְגוּת לֵילְיָא. דְּהָא בְּהַהִיא שַׁעֲתָא, קוּדְשָׁא בְּרִיךְ הוּא אִשְׁתְּכַח בְּגִנְתָּא דְּעֵדֶן, וּקְדוּשָּׁה עִלָּאָה אִתְּעַר, וּכְדֵין שַׁעֲתָא הִיא לְאִתְקַדְּשָׁא. הַאי לִשְׁאָר בְּנֵי נָשָׁא, תַּלְמִידֵי חֲכָמִים דְּיַדְעִין אוֹרְחוֹי דְּאוֹרַיְיתָא, בְּפַלְגוּת לֵילְיָא שַׁעֲתָא דִּלְהוֹן לְמֵיקָם לְמִלְעֵי בְּאוֹרַיְיתָא, לְאִזְדַּוְּוגָא בכ״י, לְשַׁבְּחָא לִשְׁמָא קַדִּישָׁא, לְמַלְכָּא קַדִּישָׁא.

יט. בְּלֵילְיָא דְּשַׁבְּתָא, דִּרְעוּתָא דְּכֹלָּא אִשְׁתְּכַח, זִוּוּגָא דִּלְהוֹן בְּהַהִיא שַׁעֲתָא. לְאַפָּקָא רְעוּתָא דְּקוּדְשָׁא בְּרִיךְ הוּא וכ״י, כְּמָה דְּאִתְּמַר דִּכְתִיב, בָּנִים אַתֶּם לַיְיָ׳ אֱלֹהֵיכֶם. וְאִלֵּין אִקְרוּן קַדִּישִׁין, דִּכְתִיב קְדוֹשִׁים תִּהְיוּ כִּי קָדוֹשׁ אֲנִי יְיָ׳. וּכְתִיב וְהָיָה כְּעֵץ שָׁתוּל עַל פַּלְגֵי מָיִם אֲשֶׁר פִּרְיוֹ יִתֵּן בְּעִתּוֹ וְגוֹ׳.

כ. קְדוֹשִׁים תִּהְיוּ, רִבִּי אַבָּא פָּתַח, וּמִי כְּעַמְּךָ כְּיִשְׂרָאֵל גּוֹי אֶחָד בָּאָרֶץ, תָּא חֲזֵי, בְּכָל עַמִּין דְּעָלְמָא, לָא אִתְרְעֵי בְּהוּ קוּדְשָׁא בְּרִיךְ הוּא, בַּר בְּיִשְׂרָאֵל בִּלְחוֹדַיְיהוּ, וְעָבֵד לוֹן עַמָּא יְחִידָאָה בְּעָלְמָא, וְקָרָא לוֹן גּוֹי אֶחָד כִּשְׁמֵיהּ. וְאַעְטַּר לוֹן בְּכַמָּה עִטְרִין, וְכַמָּה פִּקּוּדִין, לְאִתְעַטְּרָא בְּהוּ. וְעַ״ד תְּפִלִּין דְּרֵישָׁא וּתְפִלִּין דִּדְרוֹעָא, לְאִתְעַטְּרָא בְּהוּ ב״נ כְּגַוְונָא דִּלְעֵילָּא. וּלְאִשְׁתַּכְּחָא חַד שְׁלִים בְּכֹלָּא.

כא. וּבְהַהִיא שַׁעֲתָא דְּאִתְעַטַּר בְּהוּ ב״נ, וְאִתְקַדַּשׁ בְּהוּ, אִתְעֲבֵיד שְׁלִים, וְאִקְרֵי אֶחָד, דְּאֶחָד לָא אִקְרֵי אֶלָּא כַּד אִיהוּ שְׁלִים. וּמַאן דְּפָגִים, לָא אִקְרֵי אֶחָד. וְעַ״ד קוּדְשָׁא בְּרִיךְ הוּא אִקְרֵי אֶחָד, בִּשְׁלִימוּ דְּכֹלָּא, בִּשְׁלִימוּ דַּאֲבָהָן, בִּשְׁלִימוּ דִּכְנֶסֶת יִשְׂרָאֵל. בְּגִ״כ יִשְׂרָאֵל לְתַתָּא אִקְרוּן אֶחָד. דְּכַד ב״נ אַנַּח תְּפִלִּין, וְאִתְחֲפֵי בְּכִסּוּיָיא דְּמִצְוָה, כְּדֵין אִתְעֲטַּר בְּעִטְרִין קַדִּישִׁין כְּגַוְונָא דְּעֵילָּא, וְאִקְרֵי אֶחָד.

כב. וּבְגִינֵי כַּךְ, לֵיתֵי אֶחָד, וְיִשְׁתַּדַּל בְּאֶחָד. קוּדְשָׁא בְּרִיךְ הוּא דְּאִיהוּ אֶחָד, יִשְׁתַּדַּל בְּאֶחָד. דְּהָא לֵית מַלְכָּא מִשְׁתַּדַּל, אֶלָּא בְּמַאי דְּאִתְחֲזֵי לֵיהּ. וּבְגִ״כ כְּתִיב, וְהוּא בְאֶחָד וּמִי יְשִׁיבֶנּוּ, לָא שָׁארֵי קוּדְשָׁא בְּרִיךְ הוּא וְלָא אִשְׁתְּכַח אֶלָּא בְּאֶחָד. בְּאֶחָד, אֶחָד מִבָּעֵי לֵיהּ אֶלָּא

בְּמָאן דְּאִתְתַּקַּן בִּקְדוּשָּׁא עִלָּאָה לְמֶהֱוֵי וְחַד. כְּדֵין הוּא שַׁרְיָא בְּאֶחָד, וְלָא בַּאֲתַר אָחֳרָא.

כג. וְאֵימָתַי אִקְרֵי ב"נ אֶחָד. בְּשַׁעֲתָא דְּאִשְׁתְּכַח דְּכַר וְנוּקְבָא, וְאִתְקַדַּשׁ בִּקְדוּשָּׁה עִלָּאָה, וְאִתְכַּוַּון לְאִתְקַדְּשָׁא. ות"ח, בִּזְמְנָא דְּאִשְׁתְּכַח בַּר נָשׁ בְּזִוּוּגָא וְחַד דְּכַר וְנוּקְבָא, וְאִתְכַּוַּון לְאִתְקַדְּשָׁא כַּדְקָא יָאוּת. כְּדֵין הוּא שְׁלִים, וְאִקְרֵי אֶחָד בְּלָא פְּגִימוּ.

כד. בְּגִינֵי כָּךְ, בָּעֵי בַּר נָשׁ לְמֶחֱדֵי לְאִתְּתֵיהּ בְּהַהִיא שַׁעֲתָא, לְזַמְּנָא לָהּ בִּרְעוּתָא וְחָדָא עִמֵּיהּ. וְיִתְכַּוְּונוּן תַּרְוַויְיהוּ כַּחַד לְהַהִיא מִלָּה. וְכַד מִשְׁתַּכְּחֵי תַּרְוַויְיהוּ כַּחַד, כְּדֵין כֹּלָּא וְחַד בְּנַפְשָׁא וּבְגוּפָא. בְּנַפְשָׁא: לְאִדַּבְּקָא דָּא בְּדָא בִּרְעוּתָא וְחָדָא. וּבְגוּפָא: כְּמָה דְּאוֹלִיפְנָא דְּבַר נָשׁ דְּלָא נָסִיב, הוּא כְּמָאן דְּאִתְפְּלִיג, וְכַד מִתְחַבְּרָן דְּכַר וְנוּקְבָא, כְּדֵין אִתְעֲבִידוּ וְחַד גּוּפָא. אִשְׁתְּכַח דְּאִינְהוּ וְחַד נַפְשָׁא, וְחַד גּוּפָא, וְאִקְרֵי בַּר נָשׁ אֶחָד. כְּדֵין קֻבּ"ה שָׁארֵי בְּאֶחָד, וְאַפְקִיד רוּחָא דִּקְדוּשָּׁה בְּהַהוּא אֶחָד.

כה. וְאִלֵּין אִקְרוּן בְּנִין דְּקֻבּ"ה, כְּמָה דְּאִתְּמַר. וּבְגִינֵי כָּךְ קְדוֹשִׁים תִּהְיוּ כִּי קָדוֹשׁ אֲנִי יְיָ'. זַכָּאִין אִינּוּן יִשְׂרָאֵל דְּלָא אוֹקִים מִלָּה דָּא בַּאֲתַר אָחֳרָא, אֶלָּא בֵּיהּ מַמָּשׁ, דִּכְתִיב כִּי קָדוֹשׁ אֲנִי יְיָ'. בְּגִין לְאִתְדַּבְּקָא בֵּיהּ, וְלָא בְּאָחֳרָא. וְעַל דָּא קְדוֹשִׁים תִּהְיוּ כִּי קָדוֹשׁ אֲנִי יְיָ' אֱלֹהֵיכֶם.

כו. אִישׁ אִמּוֹ וְאָבִיו תִּירָאוּ וְגוֹ'. הָא תָּנֵינָן, דְּפַרְשָׁתָא דָּא כְּלָלָא דְּאוֹרַיְיתָא. מַקִּישׁ דְּחִילוּ דְּאַבָּא וְאִימָּא לְשַׁבְּתוֹתַי. אֶלָּא אָמַר ר' יוֹסֵי, כֹּלָּא וְחַד, מָאן דְּדָחִיל מֵהַאי, נָטִיר לְהַאי.

כז. אִישׁ אִמּוֹ, אַקְדִּים אִמּוֹ לְאָבִיו בִּדְחִילוּ מ"ט. כְּמָה דְּאוּקְמוּהָ. אֲבָל אִימָּא דְּלֵית רְשׁוּ בִּידָהָא כָּל כָּךְ כְּאָבִיו אַקְדִּים דְּחִילוּ דִּילָהּ.

כח. ר' יִצְחָק אָמַר, מַה כְּתִיב לְעֵילָּא, קְדוֹשִׁים תִּהְיוּ. אָתֵי ב"נ לְאִתְקַדְּשָׁא בְּאִתְּתֵיהּ כַּחַד. מִמָּאן הוּא שִׁבְחָא יַתִּיר בְּהַהִיא קְדוּשָּׁה. הֱוֵי אִימָּא מִנּוּקְבָא. בְּגִין כָּךְ אִישׁ אִמּוֹ וְאָבִיו תִּירָאוּ.

כט. ר' יְהוּדָה אָמַר, אִישׁ אִמּוֹ וְאָבִיו תִּירָאוּ, כְּהַאי גַּוְונָא, בְּיוֹם עֲשׂוֹת יְיָ' אֱלֹהִים אֶרֶץ וְשָׁמָיִם. וּבַאֲתַר אָחֳרָא, אַקְדִּים שָׁמַיִם לָאָרֶץ. אֶלָּא לְאַחֲזָאָה דְּתַרְוַויְיהוּ כַּחֲדָא אִתְעֲבִידוּ. אוּף הָכָא אַקְדִּים אִימָּא לְאַבָּא, וּבַאֲתַר אָחֳרָא אַקְדִּים אַבָּא לְאִימָּא, לְאַחֲזָאָה דְּתַרְוַויְיהוּ כַּחֲדָא אִשְׁתַּדְּלוּ בֵּיהּ.

ל/א. וְאֶת שַׁבְּתוֹתַי תִּשְׁמוֹרוּ, שָׁקִיל דָּא לְדָא, וְכֹלָּא כַּחֲדָא אִתְקְלוּ בְּמַתְקְלָא וְחַד. דִּכְתִיב וּשְׁמַרְתֶּם אֶת הַשַּׁבָּת כִּי קֹדֶשׁ הִיא לָכֶם, וּכְתִיב זָכוֹר אֶת יוֹם הַשַּׁבָּת לְקַדְּשׁוֹ. אֶלָּא וְחַד לְאַבָּא, וְחַד לְאִימָּא.

ל/ב. כְּתִיב הָכָא אִישׁ אִמּוֹ וְאָבִיו תִּירָאוּ וְאֶת שַׁבְּתוֹתַי תִּשְׁמוֹרוּ. וּכְתִיב הָתָם אֶת שַׁבְּתוֹתַי תִּשְׁמוֹרוּ וּמִקְדָּשִׁי תִּירָאוּ. מַהוּ מִקְדָּשִׁי. כְּמַשְׁמָעוֹ, תּוּ מִקְדָּשִׁי אִלֵּין אִינּוּן דִּמְקַדְּשֵׁי גַּרְמַיְיהוּ בְּהַהִיא שַׁעֲתָא. כְּגַוְונָא דָּא, וּמִמִּקְדָּשַׁי תָּחֵלּוּ. אַל תִּקְרֵי מִמִּקְדָּשַׁי, אֶלָּא מִמְּקוּדָשַׁי. מַה לְהַלָּן מִמְּקוּדָשַׁי, אַף כָּאן מִמְּקוּדָשַׁי, דְּאִינּוּן אַבָּא וְאִימָּא.

לא. אִישׁ אִמּוֹ וְאָבִיו תִּירָאוּ. ר"ש אָמַר, כְּתִיב וְאַתֶּם הַדְּבֵקִים בַּיְיָ', וְגוֹ'. זַכָּאִין אִינּוּן יִשְׂרָאֵל, דְּמִתְדַּבְּקָן בֵּיהּ בְּקֻבּ"ה, וּבְגִין דְּאִינּוּן מִתְדַּבְּקָן בֵּיהּ בְּקֻבּ"ה, כֹּלָּא אִתְדַּבְּקוּ כַּחֲדָא דָּא בְּדָא.

לב. ת"ח, בְּשַׁעֲתָא דְּב"נ מְקַדֵּשׁ לְתַתָּא, כְּגוֹן חַבְרַיָּיא דִּמְקַדְּשֵׁי גַּרְמַיְיהוּ מִשַּׁבָּת

לְשַׁבָּת, בְּשַׁעְתָּא דְּזִוּוּגָא עִלָּאָה אִשְׁתְּכַח, דְּהָא בְּהַהִיא שַׁעְתָּא רַעֲוָא אִשְׁתְּכַח, וּבִרְכְתָא אִזְדַּמְּנַת. כְּדֵין מִתְדַּבְּקָן כֻּלְּהוּ כְּחַד, נַפְשָׁא דְּשַׁבָּת, וְגוּפָא דְּאִזְדַּמַּן בְּשַׁבָּת. וְעַל דָּא כְּתִיב, אִישׁ אִמּוֹ וְאָבִיו תִּירָאוּ, דְּאִינּוּן זִוּוּגָא חַד בְּגוּפָא, בְּהַהִיא שַׁעְתָּא לְאִתְקַדְּשָׁא. וְאֶת שַׁבְּתוֹתַי תִּשְׁמֹרוּ. דָּא שַׁבָּת עִלָּאָה וְשַׁבָּת תַּתָּאָה, דְּאִינּוּן מְזַמְּנֵי לְנַפְשָׁא בְּהַהוּא גּוּפָא, מֵהַהוּא זִוּוּגָא עִלָּאָה. וְעַל דָּא וְאֶת שַׁבְּתוֹתַי תִּשְׁמֹרוּ, תְּרֵי וְכֹלָּא אִתְדַּבַּק דָּא בְּדָא, זַכָּאָה חוּלָקֵיהוֹן דְּיִשְׂרָאֵל.

לג. ד"א וְאֶת שַׁבְּתוֹתַי תִּשְׁמֹרוּ, לְאַזְהָרָה לְאִינּוּן דִּמְחַכָּן לְזִוּוּגַיְיהוּ מִשַּׁבָּת לְשַׁבָּת, וְהָא אוֹקִימְנָא, כְּמָה דִּכְתִּיב, לַסָּרִיסִים אֲשֶׁר יִשְׁמְרוּ אֶת שַׁבְּתוֹתַי. מַאן סָרִיסִים. אִלֵּין אִינּוּן חַבְרַיָּיא דִּמְסָרְסָן גַּרְמַיְיהוּ כָּל שְׁאָר יוֹמִין, בְּגִין לְמִלְעֵי בְּאוֹרַיְיתָא. וְאִינּוּן מְחַכָּאן מִשַּׁבָּת לְשַׁבָּת. הה"ד אֲשֶׁר יִשְׁמְרוּ אֶת שַׁבְּתוֹתַי, כד"א וְאָבִיו שָׁמַר אֶת הַדָּבָר. וּבג"כ אֶת שַׁבְּתוֹתַי תִּשְׁמֹרוּ. אִישׁ אִמּוֹ וְאָבִיו תִּירָאוּ, דָּא גּוּפָא. וְאֶת שַׁבְּתוֹתַי תִּשְׁמֹרוּ, דָּא נַפְשָׁא. וְכֹלָּא אִתְדַּבַּק דָּא בְּדָא. זַכָּאָה חוּלָקֵיהוֹן דְּיִשְׂרָאֵל.

רעיא מהימנא

לד. אִישׁ אִמּוֹ וְאָבִיו תִּירָאוּ וְאֶת שַׁבְּתוֹתַי תִּשְׁמֹרוּ. פִּקּוּדָא דָּא, שָׁקִיל דָּא לְדָא. שָׁקִיל יְקָרָא דְּאָב וָאֵם, לִיקָרָא דְּשַׁבָּת. לְאַבָּא אַקְדִּים כָּבוֹד, וְהַאי אִיהוּ דְּאָמַר קְרָא, וְאִם אָב אָנִי אַיֵּה כְבוֹדִי וְאִם אֲדוֹנִים אָנִי אַיֵּה מוֹרָאִי. כְּבוֹדִ"י סָלִיק בְּחוּשְׁבַּן עֶשֶׂר אֲמִירָן, ול"ב אֱלֹהִים דְּעוֹבָדָא דִּבְרֵאשִׁית.

לה. וּבְכָל אֲתַר כָּבוֹד וַחֲכָמִים יִנְחָלוּ, וְאוּקְמוּהָ רַבָּנָן, אֵין כָּבוֹד אֶלָּא תּוֹרָה. בְּגִין דְּאִינּוּן ל"ב אֱלֹהִים דְּתוֹרָה, יְקָרָא דִּילֵיהּ. וְאִלֵּין אִינּוּן חֲכָמִים דְּאוֹרַיְיתָא, וַחֲכָמִים בְּחָכְמָה, יָרְתִין הַאי כָּבוֹד וְלָא טִפְּשֵׁי, דְּעָלַיְיהוּ אִתְּמַר, וּכְסִילִים מֵרִים קָלוֹן. וּמִנָּלָן דְּמַאן דְּלָא יָדַע בְּאוֹרַיְיתָא אִקְרֵי כְּסִיל, דִּכְתִּיב וּכְסִיל לֹא יָבִין אֶת זֹאת. וְאֵין זֹאת, אֶלָּא תּוֹרָה, דִּכְתִּיב וְזֹאת הַתּוֹרָה אֲשֶׁר שָׂם מֹשֶׁה.

לו. רַעְיָא מְהֵימְנָא. בְּגִין דַּחֲלִישׁוּתָא, פְּתַחְנָא לְפָרְשְׁתָא בְּאִלֵּין פִּקּוּדִין, לְמֶהֱוֵי מְעַט עֵזֶר לָךְ. אִתְתַּקַּף בָּךְ, דְּהָא מַשִׁרְיָין דִּמְתִיבְתָּאן אַתְיָאן לְגַבָּךְ, בְּפִקּוּדָא בָּתַר דָּא, דְּאִיהוּ פִּקּוּדָא לְהַעֲמִיד עָלֶיךָ מֶלֶךְ לְעֵילָא. וקב"ה יוֹקִים לָךְ מֶלֶךְ בְּעִלָּאִין וְתַתָּאִין בִּדְיוֹקְנֵיהּ. בְּגִין דְּרַבָּנָן דִּמְתִיבְתָּא, עָלַיְיהוּ שְׁכִינְתָּא עִלָּאָה וְתַתָּאָה. וקב"ה מֶלֶךְ בְּאֶמְצָעִיתָא, אֲחִיד בְּעִלָּאִין וְתַתָּאִין הָכִי אַנְתְּ תְּהֵא בִּדְיוֹקְנֵיהּ, בְּרָא דִּילֵיהּ, קוּם בִּיקָרָא דְּמַלְכָּא.

לז. קָם רַעְיָא מְהֵימְנָא, וְסָלִיק יְדוֹי לְעֵילָא, וְאָמַר, יְהֵא רַעֲוָא דִּילָךְ עִלַּת הָעִלּוֹת, דְּאַנְתְּ מִתְעַלֶּה מֵעִלּוֹי לְעִלּוֹי, עַד דְּלֵית עִלּוֹי. אֶלָּא דְּאַנְתְּ לְעֵילָא מִכָּל עִלּוֹי. לְמֵיהַב לִי חֵילָא, לְמֶעְבַּד רְעוּתָךְ בְּדַרְגִּין דִּילָךְ, דְּאִינּוּן אַבָּא וְאִימָא, וַאֲנָא בְּרָא דִּלְהוֹן. וּבְיִחוּדָךְ תַּרְוַויְיהוּ אֶחָד. וְאַנְתְּ שָׁקְלַת דְּחִילוּ דְּאַבָּא וְאִימָא, לִדְחִילוּ דִּילָךְ, בָּתַר דְּאַנְתְּ בְּאֶמְצָעִיתָא חַד, וְלָא תְּרֵין, בְּלָא שׁוּתָפוּ, אע"ג דְּאִינּוּן חַד בְּשׁוּתָפוּ דִּילָךְ, אֲבָל אַנְתְּ חַד בְּלָא שׁוּתָפוּ דְּתִנְיָינָא. וּבְגִין דָּא אִתְּמַר בָּךְ, וְאֵין אֱלֹהִים עִמָּדִי.

לח. הַב לִי חֵילָא, לְאִתְעָרָא בִּיקָרָךְ בְּקַדְמֵיתָא. וּלְבָתַר בִּיקָרָא דְּאָבִי וְאִמִּי דְּבִשְׁמַיָּא, דְּאוּקְמוּהָ עָלַיְיהוּ, גּוֹזֵל אָבִיו וְאִמּוֹ וְאוֹמֵר אֵין פָּשַׁע חָבֵר הוּא לְאִישׁ מַשְׁחִית. וְאוּקְמוּהָ מָארֵי מַתְנִיתִין, אֵין אָבִיו, אֶלָּא קב"ה. וְאֵין אִמּוֹ, אֶלָּא כ"י. וִיקָרָא דִּילָךְ אַבָּא וְחָכְמָה, דִּכְלִיל עֶשֶׂר סְפִירוֹת מִתַּתָּא דִּילֵיהּ לְעֵילָא, וְתַרְוַויְיהוּ אִינּוּן כּוּרְסְיָיא סַפְסָל תְּחוֹתָךְ לִיקָרָךְ.

לט. וְהָכִי תַּקִּינוּ, לְמֶהֱוֵי קָטָן מְכַבֵּד לַגָּדוֹל דִּלְעֵילָּא מִנֵּיהּ. אַבָּא, אִיהוּ וְחָכְמָה, הֲלֹא אָב אֶחָד לְכֻלָּנוּ, לְמֶהֱוֵי מְשַׁמֵּשׁ תְּחוֹתָךְ, וְאַנְתְּ כֶּתֶר עֶלְיוֹן עַל רֵישֵׁיהּ. וְלֵית כֶּתֶר עֲלָךְ, וְלֵית אֱלָהָא אָחֳרָא. וְאִימָּא, לְשַׁמְּשָׁא לְאַבָּא. דְּאִיהוּ תְּחוֹתֵיהּ לְמֶהֱוֵי כִּסֵּא תְּחוֹתֵיהּ.

מ. וַיֹּאמֶר אִיהוּ, בְּכָל מַאֲמָר, עַד תְּלָתִין וּתְרֵין, יְהִי כֵן, וַיְהִי כֵן. וְאִיהִי, עֲבִידַת מַאֲמָרֵיהּ מִיַּד. וּבְגִין דַּעֲבִידַת מַאֲמָרֵיהּ וְצִוּוּיֵהּ בְּלָא עִכּוּבָא כְּלַל, בל"ב שְׁבִילִין דִּבְהוֹן אִתְבְּרֵי כָּל עוֹבָדָא דִּבְרֵאשִׁית, אִתְקְרִיאַת כָּבוֹד, וּבְהֵיכָלוֹ כֻּלּוֹ אוֹמֵר כָּבוֹד. בָּרוּךְ כְּבוֹד יְיָ' מִמְּקוֹמוֹ. אַיֵּה מְקוֹם כְּבוֹדוֹ לְהַעֲרִיצוֹ.

מא. וְתַרְגּוּם כְּבוֹד אָבִיו, יְקָרָא דַּאֲבוּהִי. וְדָא תּוֹרַת יְיָ' תְּמִימָה, עָלָהּ אִתְמַר יְקָרָה הִיא מִפְּנִינִים. וְיִשְׂרָאֵל דְּאִתְקְרִיאוּ בָּנִים, בִּכְלַל בֵּן וּבַת, מִסִּטְרָא דְּתִפְאֶרֶת וּמַלְכוּת. דְּאִינּוּן בֵּן וּבַת, יְקָרָא דְּאָבִיו וְאִמּוֹ, לְמֶעְבַּד צִוּוּיֵיהּ, וְצִוּוּי דִּילֵיהּ, אִינּוּן פִּקּוּדִין דַּעֲשֵׂה. וְהָא אוּקְמוּהָ מָארֵי מַתְנִיתִין, יֵשׁ מְצֻוֶּה וְעוֹשֶׂה. וּבְגִ"כ אִיהוּ נַעֲשֶׂה וְנִשְׁמָע. וְהַאי אִיהוּ כָּבוֹד דְּאַבָּא וְאִימָּא, דִּיְצַוֶּה לִבְרֵיהּ דְּיֶעְבַּד הָכֵי וְאִיהוּ עָבִיד מִיַּד, בְּלָא עִכּוּבָא כְּלַל.

מב. וְעִלַּת עַל כֹּלָּא, אֲנָא בָּעֵי לְאִשְׁתַּדְּלָא בִּיקָרָךְ, לְתַקֵּן מִדּוֹת דְּאַבָּא וְאִימָּא, לִיקָרָךְ. תְּהֵא בְּעֶזְרִי לְסַדְּרָא כֹּלָּא כַּדְּקָא יֵאוֹת. וְאַנְתְּ תְּסַדֵּר לִי, וּלְכָל מָארֵי מְתִיבְתָּאן עֵילָּא וְתַתָּא, וּמַשִּׁרְיָין דְּמַלְאָכִין עִלָּאִין וְתַתָּאִין, לְמֶהֱוֵי מְתַקְּנִין וּמְסַדְּרִין לִיקָרָא דִּילָךְ, וְלִיקָרָא דְּאַבָּא וְאִימָּא, לְמֶהֱוֵי סַפְסָל תְּחוֹת רַגְלוֹי. וּלְמֶעְבַּד צִוּוּיֵיהּ בְּכָל פִּקּוּדִין דִּילֵיהּ. וּלְמִדְחַל מִנֵּיהּ בְּכָל פִּקּוּדִין דְּלָא תַּעֲשֶׂה.

מג. וְהַאי אִיהוּ אִישׁ אִמּוֹ וְאָבִיו תִּירָאוּ, וְסָמִיךְ לֵיהּ וְאֶת שַׁבְּתוֹתַי תִּשְׁמוֹרוּ. וּבִקְרָא אַחֲרִינָא וְאֶת מִצְוֹתַי תַּעֲשׂוּ. מִסִּטְרָא דְּפִקּוּדִין דַּעֲשֵׂה דְּאִינּוּן כָּבוֹד, אַקְדִּים אַבָּא לְאִימָּא, וְדָא י"ה. מִסִּטְרָא דְּלָא תַּעֲשֶׂה, אַקְדִּים אִימָּא לְאַבָּא, וְדָא הֵ"י. וְהַיְינוּ כְּבוֹד אֱלֹהִים הַסְתֵּר דָּבָר. לְאִלֵּין דְּלָא מִשְׁתַּדְּלֵי בְּהַאי כָּבוֹד, הַסְתֵּר דָּבָר מִנַּיְיהוּ.

מד. וְעָלַיְיהוּ אִתְמַר, וּכְסִילִים מֵרִים קָלוֹן. אִלֵּין אִינּוּן עַמֵּי הָאָרֶץ, בָּתַר דְּלָא מִשְׁתַּדְּלִין בְּהַאי כָּבוֹד דְּאוֹרַיְיתָא, וְאֵיךְ אָמְרִין אָבִינוּ שֶׁבַּשָּׁמַיִם שְׁמַע קוֹלֵנוּ חוּס וְרַחֵם עָלֵינוּ וְקַבֵּל תְּפִלָּתֵנוּ. הָא אִיהוּ לֵימָא לוֹן, וְאִם אָב אָנִי אַיֵּה כְּבוֹדִי, אַיֵּה אִשְׁתַּדְּלוּתָא דִּלְכוֹן בְּאוֹרַיְיתָא, וּבְפִקּוּדִין דִּילִי, לְמֶעְבַּד צִוּוּיַי, דְּמַאן דְּלָא יָדַע בְּצִוּוּיֵיהּ דְּמָארֵיהּ, אֵיךְ יַעֲבִיד לֵיהּ.

מה. בַּר מִמַּאן דְּשָׁמַע מֵחֲכָמִים וְעָבֵד, וְהַאי אִיהוּ דְּקַבִּיל נַעֲשֶׂה וְנִשְׁמָע. וְעַכ"ד, מַאן דְּלָא קַבִּיל מִמָּארֵיהּ, אֶלָּא מִשְּׁלוּחֵיהּ, אִיכָּא אַפְרָשׁוּתָא. וּמַאי אַפְרָשׁוּתָא אִית בֵּין דָּא לְדָא. דְּהָא כְּתִיב, מֹשֶׁה קִבֵּל תּוֹרָה מִסִּינַי, וּלְבָתַר וּמְסָרָהּ לִיהוֹשֻׁעַ. אֲנָא קַבִּילְנָא, וּלְבָתַר מוֹסַרְנָא לְכֻלְּהוּ. וְהָכִי מַאן דִּמְקַבֵּל מֵאָחֳרָא, כְּקַבָּלַת סִיהֲרָא וְכֹכְבַיָּא מִשִּׁמְשָׁא, וּבְהַאי קִבּוּל אִתְמְלֵי. וּמַאן דִּמְקַבֵּל יָכִיל לְאִסְתַּלְּקָא מִנֵּיהּ נְבִיעוּ, כְּמָה דַּחֲזֵינָא בְּשִׁמְשָׁא וְסִיהֲרָא, דְּאִסְתַּלְּקַת נְהוֹרָא דִּלְהוֹן, בְּלֵילְיָא, דְּלָא נָהִיר שִׁמְשָׁא, אֶלָּא בִּימָמָא. וְסִיהֲרָא בְּלֵילְיָא.

מו. וְאִי תֵּימָא דְּהַהוּא נְהוֹרָא דְּסִיהֲרָא מִשִּׁמְשָׁא אִיהוּ, דְּאַע"ג דְּאִתְכְּנִישׁ, נָהִיר בְּסִיהֲרָא וְכֹכְבַיָּא, הָא חֲזֵינָן מִסִּטְרָא אָחֳרָא בְּלָקוּתָא דְּסִיהֲרָא וְשִׁמְשָׁא דְּאִסְתַּלַּק נְהוֹרַיְיהוּ, וְאִשְׁתָּאֲרוּ כְּגוּפָא בְּלָא נִשְׁמְתָא, דְּאִית אָדוֹן עֲלֵיהֶם מַחֲשִׁיךְ מְאוֹרֵיהֶם. אֲבָל עִקָּרָא דִּנְהוֹרָא, הַהוּא אֲתַר דְּנָבִיעַ דְּלֵית פָּסֵק לִנְהוֹרָא דִּילֵיהּ, וְלָא אִית עָלֵיהּ אֱלָהָא אָחֳרָא לְמִפְסַק מִנֵּיהּ נְהוֹרֵיהּ.

מז. וְעֹלַת הָעֹלוֹת, בָּתַר דְּאַנְתְּ תַּמָּן, לֵית פָּסֵק לְנַבִּיעוּ דִּנְהוֹרָא דְּאוֹרַיְיתָא. יְהֵא רַעֲוָא דִּילָךְ דְּלָא תָּזוּז מֵאַבָּא וְאִימָּא דִּילִי, וְלָא מִבְּנוֹי. וְהָכִי מַאן דְּאָמִית גַּרְמֵיהּ עַל אוֹרַיְיתָא, דְּהִיא יְקָרָה, אִתְקַיְּימַת בֵּיהּ, וְלָא מַפְסָקַת מִנֵּיהּ. מַה דְּלָאו הָכִי, מַאן דְּלָא יִשְׁתַּדֵּל בָּהּ, אֶלָּא אע״ג דְּעָבֵד צִוּוּי וַחֲכָמִים, אִיהוּ שַׁמָּשׁ דִּלְהוֹן, עֶבֶד וְלָא בֵּן, אֲבָל אִי אִיהוּ מְהֵימְנָא, מָארֵיהּ אַשְׁלִיט לֵיהּ בְּכָל דִּילֵיהּ.

מח. אֲבָל מַאן דְּלָא אִשְׁתַּדַּל בְּאוֹרַיְיתָא, וְלָא מְשַׁמֵּשׁ וַחֲכָמִים, לְמִשְׁמַע מִנַּיְיהוּ פִּקּוּדִין, לְקַיֵּים נַעֲשֶׂה וְנִשְׁמָע. אֶלָּא דְּסָרוּ וְעָבַר עַל לֹא תַעֲשֶׂה, אִיהוּ שָׁקִיל לְאוּמִין דְּעָלְמָא עע״ז, בְּנוֹי דְּסָמָאֵ״ל וְנָחָשׁ, דְּאִתְּמַר בְּהוּ, וּכְסִילִים מֵרִים קָלוֹן, דְּלָא בָּעוּ לְקַבְּלָא אוֹרַיְיתָא, דְּכָל דְּלֵית בֵּיהּ תּוֹרָה, לֵית בֵּיהּ כָּבוֹד, דְּאִתְּמַר בְּהֶם כָּבוֹד וַחֲכָמִים יִנְחָלוּ.

מט. וְעִם כָּל דָּא מָארֵי מְתִיבְתָּא, לָא כָּל כָּבוֹד שָׁוֶה, דְּהָא בֵּן יְכַבֵּד אָב וְעֶבֶד אֲדוֹנָיו. בֵּן יְכַבֵּד, עַל מְנָת דְּלָא לְקַבְּלָא אַגְרָא, אֲבָל מִצְוָה הוּא בִּכְבוֹד אַבָּא וְאִימָּא. וְאִי לָא בָּעֵי לְמֶעְבַּד צִוּוּיֵיהּ, יְכַתֵּשׁ לֵיהּ אַבָּא וְאִימָּא, עַד דְּיַעֲבֵד עַל כָּרְחֵיהּ. וְאִי הֲוֵי בְּרָא רַבְרְבָא, ב״ד כּוֹפִין לֵיהּ. דְּאִי לָא בָּעֵי לְמֶעְבַּד מַה כְּתִיב בֵּיהּ, בְּנֵנוּ זֶה סוֹרֵר וּמוֹרֶה אֵינֶנּוּ שׁוֹמֵעַ בְּקוֹלֵנוּ, וְדַיְינִין לֵיהּ בִּסְקִילָה. אֲבָל עֶבֶד דִּמְשַׁמֵּשׁ עַל מְנָת לְקַבֵּל פְּרָס, אִי לָא עָבֵיד צִוּוּיֵיהּ דְּרַבֵּיהּ, מָארֵיהּ אַעְבַּר לֵיהּ מִגּוֹ בֵּיתֵיהּ, וְיִטּוֹל אָחֳרָא. מַה דְּלָא הֲוָה יָכִיל לְמֶעְבַּד הָכִי לִבְרֵיהּ, אֶלָּא אוֹ יַעֲבִיד צִוּוּיֵיהּ אוֹ יִקְטוֹל לֵיהּ.

נ. א״ל בּוֹצִינָא קַדִּישָׁא, מַאן גָּרִים דְּלָא יַעֲבִיד צִוּוּיֵיהּ, הוֹאִיל וּבְרֵיהּ הוּא. אָמַר רַעְיָא מְהֵימְנָא, וַדַּאי תַּעֲרוֹבֶת דְּרַע, וְרָזָא דָּא גָּרִם לְיִשְׂרָאֵל, לְמֶהֱוֵי גַּבֵּי אֲבוּהוֹן דְּבִשְׁמַיָּא. וְרָזָא דָּא, וַיִּתְעָרְבוּ בַגּוֹיִם. וְדָא גָּרַם קְטוֹלָא לְיִשְׂרָאֵל, וְחָרִיב בֵּי מַקְדְּשָׁא. וּבְגִין דָּא, אֵין מְקַבְּלִים גֵּרִים לִימוֹת הַמָּשִׁיחַ, אֶלָּא יְיָ׳ בָּדָד יַנְחֶנּוּ וְאֵין עִמּוֹ אֵל נֵכָר.

נא. דְּיִשְׂרָאֵל אִינּוּן מֵאִילָנָא דְּחַיֵּי, עֶבֶד טוֹב וְעֶבֶד רָע, מִסִּטְרָא דְּמִטַּטְרוֹ״ן עֶבֶד טוֹב, עֶבֶד נֶאֱמָן לְרַבֵּיהּ. עֶבֶד רָע סָמָאֵ״ל. מַאן דְּאִיהוּ מֵאִילָנָא דְּחַיֵּי, אִיהוּ בֵּן הָעוֹה״ב, בֵּן מִסִּטְרָא דְּבֵן יָ״הּ, בִּינָ״ה. וְיָרִית מַלְכוּתָא דְּאִיהִי ה׳. וְאֵיךְ יָרִית לָהּ. אִי עָבֵיד צִוּוּיֵיהּ דְּאַבָּא וְאִימָּא, בְּגִין דְּאִיהוּ מַלְכוּתָא מִצְוַת הַמֶּלֶךְ, וְעָלֵיהּ אִתְּמַר, מַדּוּעַ אַתָּה עוֹבֵר אֵת מִצְוַת הַמֶּלֶךְ. אִיהִי מִצְוָה, וְצִוּוּיָא דְּמַלְכָּא עַל עֲשֵׂה וְלֹא תַעֲשֶׂה.

נב. מִצְוָה מִדְּאוֹרַיְיתָא, דְּאִיהִי תִּפְאֶרֶת. וְהָכָא לֵית תַּמָּן פֵּרוּדָא, קוּדְשָׁא ב״ה אֱמֶת, תּוֹרָתוֹ תּוֹרַת אֱמֶת, אִיהוּ תּוֹרָתוֹ וּמִצְוָתוֹ. כְּגַוְונָא דְּבִינָה, תּוֹרָתוֹ וּמִצְוָתוֹ דְּחָכְמָה. דְּאִית תּוֹרָה דִּבְרִיאָה, וְחָכְמָה דִּבְרִיאָה, וּבִינָה דִּבְרִיאָה, וְהָכִי בְּכָל מִדּוֹת. בְּהַאי, יָכִיל בֵּן בְּהַאי אוֹרַיְיתָא, לְמֶהֱוֵי בְּלָא מִצְוָה, וּמִצְוָה בְּלָא תּוֹרָה בְּפֵרוּדָא. וּמֵהָכָא, בֵּן סוֹרֵר וּמוֹרֶה. אֲבָל מִסִּטְרָא דַּאֲצִילוּת, לֵית אַפְרְשׁוּתָא, תַּמָּן, וְכֵן מִתַּמָּן אֵין חֵטְא בָּא עַל יָדוֹ וְלֵית בָּהּ עוֹנֶשׁ וְלָא שָׂכָר וְלָא מִיתָה.

נג. וּבְגִין דָּא, אוֹרַיְיתָא דָּא אִילָנָא דְּחַיֵּי, שְׂכַר הָעוֹלָם הַבָּא, וְאִילָנָא דָּא, אִילָנָא דְּחַיֵּי אִתְקְרֵי, וְאִתְקְרֵי הָעוֹלָם הַבָּא, וְלָא אִתְקְרֵי בֵּיהּ שָׂכָר. בְּגִין דְּאִיהוּ בֵּן. מִתַּמָּן, לָא אִשְׁתַּדַּל בְּאוֹרַיְיתָא לְקַבְּלָא אַגְרָא, לָא בְּמַעֲשֶׂה וְלָא בְּדִיבּוּר וְלָא בְּמַחֲשָׁבָה.

נד. אָתָא בּוֹצִינָא קַדִּישָׁא, לְנַשְּׁקָא לֵיהּ יְדֵיהּ. אָמַר, וַדַּאי אַנְתְּ הוּא בֵּן מִתַּמָּן, בְּדִיוּקְנָא דִּבְרָא בּוּכְרָא דִּילֵיהּ, תִּפְאֶרֶת בְּרָא דְּאַבָּא וְאִימָּא עִלָּאָה, אֲצִילוּת דִּילֵיהּ בְּלָא הַפְסָקָה, לָא קָדְמָךְ בְּרָא אָחֳרָא, לָא בְּמַחֲשָׁבָה, וְלָא בְּדִבּוּר, וְלָא בְּמַעֲשֶׂה. אָמַר רַעְיָא מְהֵימְנָא, וְאַנְתְּ, וְחַבְרַיָּיא, וְרָאשֵׁי מָארֵי מְתִיבְתָּאן, דִּמְזַמְּנִין הָכָא, אִתֵּי, בְּלָא

הַפְסָקָה כְּלָל, וּבְלָא תַּעֲרוֹבֶת. נַשְׁקוּ כֻּלְּהוּ דָּא לְדָא, וְאִשְׁתְּמוֹדְעוּ בְּאַוְזָה, וּבָכוּ.

נה. פָּתַח ר"ש וְאָמַר, עִם כָּל דָּא, בְּרָא בּוּכְרָא חַיָּיבִין כָּל אֲחוֹי בִּיקָרֵיהּ, דְּהָא כְּתִיב כַּבֵּד אֶת אָבִיךָ, וְאוֹקְמוּהָ רַבָּנָן, אֶת לְרַבּוֹת אָחִיךָ הַגָּדוֹל. וַאֲפִילוּ מִכָּל סִטְרָא אִיהוּ מְפָרֵשׁ עָלָךְ בְּאוֹרַיְיתָא, בְּשַׁגַּ"ם זֶה הֶבֶל. וְלָא הֲוָה לְאָדָם קַדְמָאָה בְּרָא קַדְמָאָה מִנֵּיהּ, וְאוֹקְמוּהָ רַבָּנָן, בְּשַׁגָּם, זֶה מֹשֶׁה. דִּבְרָא דְּמַלְכָּא בְּכָל אֲתַר, אַנְתְּ בּוּכְרָא מִסִּטְרָא דְּאִילָנָא דְּחַיֵּי דְּטוֹב וָרָע, אַנְתְּ הוּא טוֹב. הה"ד וַיַּרְא אֱלֹהִים אֶת הָאוֹר כִּי טוֹב, וַתֵּרֶא אוֹתוֹ כִּי טוֹב הוּא.

נו. וּמִתַּמָּן קָרָא יָתָךְ קב"ה עֶבֶד נֶאֱמָן. לְבָתַר סְלִיקַת לְמֶהֱוֵי מַלְכָּא, הה"ד וַיְהִי בִישׁוּרוּן מֶלֶךְ. לְבָתַר בֶּן בַּיִת לְעֵילָא. מֶלֶךְ מִסִּטְרָא דְּמַלְכוּת דִּבְרִיאָה. בֶּן בַּיִת, מִסִּטְרָא דְּבִינָה דִּבְרִיאָה. כְּעַן אַנְתְּ מֶלֶךְ, מִסִּטְרָא דְּאִילָנָא דְּמַלְכוּת דַּאֲצִילוּת. בֶּן בַּיִת, מִסִּטְרָא דְּבֶ"ן יָ"הּ, תִּפְאֶרֶת דַּאֲצִילוּת, זַכָּאָה חוּלָקָךְ. וּמַאן גָּרִים לָךְ דָּא, בְּגִין דְּאִשְׁתַּדְּלוּתָךְ בַּתּוֹרָה וּבַמִּצְוָה, לְיַחֲדָא קב"ה וּשְׁכִינְתֵּיהּ, לְאַעֲלָא מַלְכָּא עַל אַתְרֵיהּ, וְעַל מַשְׁרְיָיתֵיהּ לְעֵילָא, וְעַל יִשְׂרָאֵל לְתַתָּא.

נז. וּבְגִין כָּךְ יָרְתִין כֻּלְּהוּ נִשְׁמָתִין דַּאֲצִילוּת מִנֵּיהּ, וְאִתְקְרִיאוּ בְּנִין דִּילֵיהּ, מִשֵּׁם יְדֹוָ"ד דַּאֲצִילוּת, דְּלֵית תַּמָּן פֵּרוּד וְקִצּוּץ. דִּבְקַדְמֵיתָא אִתְּמַר בְּהוּ בְּנִין לְקב"ה וּשְׁכִינְתֵּיהּ, מִצַּד יְהֹוָ"ה דִּבְרִיאָה, דְּאִתְּמַר בֵּיהּ בְּרָאתִיו יְצַרְתִּיו אַף עֲשִׂיתִיו, וּכְעַן בָּנִים לַיְדֹוָ"ד דַּאֲצִילוּת.

נח. וּבָךְ אִתְקַיַּים פִּקּוּדָא, דְּאִיהִי מִצְוָה עַל יִשְׂרָאֵל, לְהַעֲמִיד עֲלֵיהֶם מֶלֶךְ. הה"ד, שׂוֹם תָּשִׂים עָלֶיךָ מֶלֶךְ. וְאִתְקַיַּים בָּךְ וַיְהִי בִישׁוּרוּן מֶלֶךְ, כַּד בְּקַדְמֵיתָא. וְכֻלְּהוּ מִתְנַהֲגִין אֲבַתְרָךְ, כְּאֵבָרִין דְּמִתְנַהֲגִין כֻּלְּהוּ בִּתְנוּעָה דְּנִשְׁמְתָא, דְּאִתְפַּשְׁטָא עַל כָּל אֵבֶר. בְּגִין דְּכֶתֶר עֶלְיוֹן אַנְתְּ תְּהֵא מְעוּטָּר בֵּיהּ, דְּבֵיהּ עִלַּת הָעִלּוֹת אִיהוּ כֶּתֶר עַל כֹּלָּא, טָמִיר וְגָנִיז מִכָּלְּהוּ מִנֵּיהּ. וּמִנֵּיהּ אִתְפַּשַּׁט עַל כָּל סְפִירָן, וּמְסַדֵּר לוֹן לְמֶהֱוֵי דָּא רַב, וְדָא זְעֵיר, וְדָא בֵּינוֹנִי, וְאַנְהִיג לוֹן לִרְעוּתֵיהּ, וְנָהִיר בְּהוּ, וּמְקַשֵּׁר לוֹן, וּמְיַיחֵד לוֹן.

נט. הָכִי אַנְתְּ תְּהֵא מַנְהִיג לְיִשְׂרָאֵל, בְּכָל מִדּוֹת טָבִין דִּילֵיהּ, וְתִסְדַּר כָּל חַד כִּדְחָזֵי לֵיהּ, הַבְּכוֹר כִּבְכוֹרָתוֹ, וְהַצָּעִיר כִּצְעִירָתוֹ, וּבֵינוֹנִי כְּפוּם דַּרְגֵּיהּ. וְתִקְשַׁר לוֹן קֶשֶׁר אֶחָד לְגַבֵּי אֲבוּהוֹן דְּבִשְׁמַיָּא. לְמֶהֱוֵי כֻּלְּהוּ בְּשָׂפָה בְּרוּרָה. לְבָרְכָא לְקב"ה. וּלְקַדְּשֵׁיהּ, וּלְיַיחֲדֵיהּ, בְּדַרְגָּא דִּילָךְ, בְּמַחֲשָׁבָה דִּילָךְ, בַּאֲצִילוּת דִּילָךְ, דְּאִתְקַיַּים בָּךְ וְאָצַלְתִּי מִן הָרוּחַ אֲשֶׁר עָלֶיךָ וְשַׂמְתִּי עֲלֵיהֶם. קוּם אִתְעַר בְּפִקּוּדָא, לְהַכְרִית זַרְעוֹ שֶׁל עֲמָלֵק.

ס. אִישׁ אִמּוֹ וְאָבִיו תִּירָאוּ וְגוֹ' פִּקּוּדָא דָּא, לְכַבֵּד אָב וָאֵם, דְּאִצְטְרִיךְ ב"נ לְמִדְחַל מֵאֲבוֹי וּמֵאִמֵּיהּ, וּלְאוֹקִיר לוֹן. כְּמָה דְּאִצְטְרִיךְ ב"נ לְאוֹקִיר לֵיהּ לְקב"ה. מִסִּטְרָא דְּרוּחָא דְּיָהַב בְּגַוֵּיהּ. וּלְמִדְחַל מִנֵּיהּ. הָכִי אִצְטְרִיךְ לֵיהּ לְאוֹקִיר לַאֲבוֹי וּלְאִמֵּיהּ, מִסִּטְרָא דְּגוּפָא דִּילֵיהּ, וּלְמִדְחַל מִנְּהוֹן, דְּהָא אִינּוּן מִשְׁתַּתְּפִין בְּקב"ה, וְעַבְדֵי לֵיהּ גּוּפָא, וְהוֹאִיל וְאִינּוּן שׁוּתָּפִין בְּעוֹבָדָא, לֶיהֱווּ שׁוּתָּפִין בִּדְחִילוּ וִיקָרָא.

סא. כְּגַוְונָא דָּא, ג' שׁוּתָּפִין אִשְׁתַּכְּחוּ לְעֵילָּא בְּרָזָא דְּאָדָם. אָדָם קַדְמָאָה, אַע"ג דְּגוּפָא דִּילֵיהּ הֲוָה מֵעַפְרָא, לָאו מֵעַפְרָא דְּהָכָא הֲוָה אֶלָּא מֵעַפְרָא דְּבֵי מַקְדְּשָׁא דִּלְעֵילָּא. אַבָּא וְאִימָּא אִשְׁתַּכְּחוּ, וּמַלְכָּא עִלָּאָה אִשְׁתַּתַּף בַּהֲדַיְיהוּ, וְשַׁדַּר בֵּיהּ רוּחָא דְּחַיֵּי, וְאִתְבְּרֵי. וּכְגַוְונָא דָּא, אִשְׁתַּכַּח כֹּלָּא עֵילָּא וְתַתָּא. וְעַ"ד אִצְטְרִיךְ לֵיהּ לְב"נ

לְמִדְחַל לְקוּדְשָׁא בּ״ה, וּלְמִדְחַל לַאֲבוּי וּלְאִמֵּיהּ.

סב. בס״ת, אָדָם קַדְמָאָה לָא הֲוָה לֵיהּ מֵהַאי עָלְמָא כְּלוּם. וְחַד צַדִּיק עָבַד שִׁמּוּשָׁא בְּנוּקְבֵיהּ, וְאִתְעֲבֵיד מֵהַהוּא שִׁמּוּשָׁא גּוּפָא חֲדָא, דִּנְהִירוּ דִּילֵיהּ יַתִּיר מִכָּל אִינּוּן מַלְאָכִין שַׁלִּיטִין לְעֵילָּא. וְכַד אִתְבְּרֵי הַהוּא גּוּפָא מַלְכָּא עִלָּאָה, שָׁדַר בְּהַהוּא צַדִּיק כ״ב אַתְוָון, וְאִשְׁתְּתַּף בַּהֲדַיְיהוּ, וְנָפַק לְעָלְמָא.

סג. כֵּיוָן דְּנָפַק, חָזְמוּ לֵיהּ שִׁמְשָׁא וְסִיהֲרָא, וְאִסְתִּימוּ נְהוֹרַיְיהוּ, דְּתַפּוּחָא דְּרַגְלֵיהּ אַחֲשִׁיךְ נְהוֹרָא דִּלְהוֹן. מַאי טַעֲמָא. בְּגִין דְּמֵעוֹבָדָא דְּשִׁמְשָׁא וְסִיהֲרָא עִלָּאָה נָפַק. כֵּיוָן דְּחָטָא, אִתְחֲשַׁךְ, וְאַזְעִיר גַּרְמֵיהּ, וְאִצְטְרִיךְ לְגוּפָא אָחֳרָא בְּמַשְׁכָּא וּבְבִשְׂרָא. דִּכְתִּיב, וַיַּעַשׂ יְיָ׳ אֱלֹהִים לְאָדָם וּלְאִשְׁתּוֹ כָּתְנוֹת עוֹר וַיַּלְבִּישֵׁם. כְּהַהוּא שִׁמּוּשָׁא דְּעָבַד הַהוּא צַדִּיק בְּנוּקְבֵיהּ, לָא אִשְׁתְּכַח מִקַּדְמַת דְּנָא, וּלְבָתַר דְּנָא, דְּהָא עַד לָא נָפַק לְצוֹרֶף אוּמָּנָא.

סד. עַד דְּאָתָא חֲנוֹךְ, וְנָטִיל לֵיהּ קב״ה מֵאַרְעָא, וְאַבְרִיר פְּסוֹלֶת וְקַסְטוּרָא מִכַּסְפָּא, וְכֵן בְּכָל אִינּוּן צַדִּיקַיָּיא דִּי בְּאַרְעָא. לְבָתַר אִתְתְּקַן הַהוּא אֲתַר, וְאִתְעֲבֵידוּ רוּחִין וְנִשְׁמָתִין בְּשִׁמּוּשַׁיְיהוּ וְגוּפָא מִתַּתָּא בְּאַרְעָא. וְעַ״ד בְּשׁוּתָּפוּ דִּלְעֵילָּא וְתַתָּא, בַּר נָשׁ אָתֵי לְעָלְמָא, וְאִצְטְרִיךְ לְמִדְחַל לְאִינּוּן שׁוּתָּפִין, וּלְאוֹקִיר לוֹן, כְּמָה דְּאִתְּמַר (ע״כ רעיא מהימנא).

סה. אַל תִּפְנוּ אֶל הָאֱלִילִים וֵאלֹהֵי מַסֵּכָה לֹא תַעֲשׂוּ לָכֶם. רִבִּי חִיָּיא פָּתַח, אַל תֵּפֶן אֶל קְשִׁי הָעָם הַזֶּה וְגוֹ׳. אַל תֵּפֶן. וְכִי מַאן הוּא דְּיֵימָא לְמַלְכָּא, אַל תֵּפֶן. וְהָא כְּתִיב כִּי עֵינָיו עַל דַּרְכֵי אִישׁ. וּכְתִיב אִם יִסָּתֵר אִישׁ בַּמִּסְתָּרִים וַאֲנִי לֹא אֶרְאֶנּוּ נְאֻם יְיָ׳, וְהָא בְּכֹלָּא אַשְׁגַּח קב״ה וְכָל עוֹבָדִין מִסְתַּכַּל, וְעָיֵיל בְּדִינָא עַל כֹּלְּהוּ, אִם טַב וְאִם בִּישׁ, כד״א, הָאֱלֹהִים יָבִיא בְמִשְׁפָּט עַל כָּל נֶעְלָם אִם טוֹב וְאִם רָע. וּמֹשֶׁה אָמַר אַל תֵּפֶן.

סו. אֶלָּא, כַּמָּה בָּעֵי בַּר נָשׁ לְאִסְתַּמְּרָא מֵחוֹבוֹי, בְּגִין דְּלָא יֶחֱטֵי קָמֵי מַלְכָּא קַדִּישָׁא. תָּא חֲזֵי, בַּר נָשׁ דְּעָבֵיד מִצְוָה, הַהִיא מִצְוָה סַלְקָא, וְקַיְּימָא קָמֵי קב״ה, וְאָמְרָה אֲנָא מִפְּלַנְיָיא דְּעָבַד לִי. וקב״ה מָנֵי לָהּ קַמֵּיהּ, לְאַשְׁגָּחָא בָּהּ כָּל יוֹמָא לְאוֹטָבָא לֵיהּ בְּגִינָהּ. עָבַר עַל פִּתְגָּמֵי אוֹרַיְיתָא, הַהִיא עֲבֵירָה סַלְקָא קָמֵיהּ, וְאָמְרָה אֲנָא מִפְּלַנְיָיא דַּעֲבַד לִי, וקב״ה מָנֵי לָהּ, וְקַיְּימָא תַּמָּן לְאַשְׁגָּחָא בָּהּ, לְשֵׁיצָאָה לֵיהּ. הה״ד, וַיַּרְא יְיָ׳ וַיִּנְאָץ מִכַּעַס בָּנָיו וּבְנוֹתָיו. מַהוּ וַיַּרְא. הַהוּא דְּקַיְּימָא קַמֵּיהּ.

סז. תָּב בִּתְשׁוּבָה, מַה כְּתִיב. גַּם יְיָ׳ הֶעֱבִיר חַטָּאתְךָ לֹא תָמוּת. דְּאַעְבַּר הַהוּא חוֹבָא מִקַּמֵּיהּ, בְּגִין דְּלָא יִסְתַּכַּל בֵּיהּ. לְאוֹטָבָא לֵיהּ. וְעַל דָּא אַל תֵּפֶן אֶל קְשִׁי הָעָם הַזֶּה וְאֶל רִשְׁעוֹ וְאֶל חַטָּאתוֹ. אָמַר רִבִּי יוֹסֵי, וְכֵן מֵהָכָא מַשְׁמַע, דִּכְתִּיב נִכְתָּם עֲוֹנֵךְ לְפָנַי.

סח. רִבִּי יוֹסֵי זְעֵירָא, עָאל קָמֵּיהּ דְּר׳ שִׁמְעוֹן יוֹמָא חַד, אַשְׁכְּחֵיהּ דַּהֲוָה יָתִיב וְקָאָרֵי, כְּתִיב, וַיֹּאמֶר הָאָדָם הָאִשָּׁה אֲשֶׁר נָתַתָּה עִמָּדִי הִיא נָתְנָה לִּי מִן הָעֵץ וָאוֹכֵל. מַשְׁמַע דְּאָדָם וְחַוָּה כַּחֲדָא אִתְבְּרִיאוּ, וּבְגוּפָא חֲדָא. דִּכְתִּיב אֲשֶׁר נָתַתָּ עִמָּדִי, וְלָא כְּתִיב אֲשֶׁר נָתַתָּ לִי, אָמַר לֵיהּ, אִי הָכִי, וְהָכְתִיב אֲנִי הָאִשָּׁה הַנִּצֶּבֶת עִמְּכָה בָּזֶה. וְלָא כְּתִיב הַנִּצֶּבֶת לְפָנֶיךָ. אָמַר לֵיהּ, אִי כְּתִיב הַנּוֹתֶנֶת עִמְּךָ, הֲוָה אֲמֵינָא הָכִי, כְּדִכְתִיב אֲשֶׁר נָתַתָּ עִמָּדִי, אֲבָל הַנִּצֶּבֶת כְּתִיב.

סט. אָמַר לֵיהּ, וְהָא כְּתִיב וַיֹּאמֶר יְיָ׳ אֱלֹהִים לֹא טוֹב הֱיוֹת הָאָדָם לְבַדּוֹ אֶעֱשֶׂה לּוֹ עֵזֶר כְּנֶגְדּוֹ. אֶעֱשֶׂה לוֹ הַשְׁתָּא. אָמַר לֵיהּ הָכִי הוּא וַדַּאי, דְּאָדָם לְבַדּוֹ הֲוָה, דְּלָא הֲוָה

לֵיהּ סָמַךְ מִנּוּקְבֵיהּ, בְּגִין דַּהֲוַת בִּסְטְרוֹי כְּמָה דְּאוֹקִימְנָא. וּמַה דְּאָמַר אֶעֱשֶׂה לּוֹ עֵזֶר, הָכִי הוּא, דְּלָא כְּתִיב אֶבְרָא לוֹ עֵזֶר, בְּגִין דִּכְתִיב זָכָר וּנְקֵבָה בְּרָאָם. אֲבָל אֶעֱשֶׂה כְּתִיב. וּמַהוּ אֶעֱשֶׂה. אַתְקֵן. מַשְׁמַע דְּקוּדְשָׁא ב"ה נָטִיל לָהּ מִסִּטְרוֹי, וְתַקִּין לָהּ בְּתִקּוּנָא, וְאַיְיתֵי לָהּ קַמֵּיהּ. וּכְדֵין אִשְׁתַּמֵּשׁ אָדָם בְּאִנְתְּתֵיהּ, וַהֲוָה לֵיהּ סָמַךְ.

ע. וְתָנֵינָן, שְׁפִּירוּ דְּאָדָם קַדְתִּירָא דְּקִיטְרָא עִלָּאָה, מִזִּיהֲרָא דְּנְהָרָא. שְׁפִּירוּ דְּחַוָּה, דְּלָא הֲווּ יַכְלִין כָּל בִּרְיָין לְאִסְתַּכְּלָא בָּהּ. וַאֲפִילוּ אָדָם לָא הֲוָה אִסְתַּכַּל בָּהּ, עַד הַהוּא זִמְנָא דְּחָאבוּ, וְאַעֲדִיאַת שְׁפִּירוּ דִּלְהוֹן. כְּדֵין אִסְתַּכַּל בָּהּ אָדָם, וְאִשְׁתְּמוֹדַע בָּהּ לְשַׁמְּשָׁא בָּהּ. הֲדָא הוּא דִּכְתִיב וַיֵּדַע אָדָם עוֹד אֶת אִשְׁתּוֹ. וַיֵּדַע: בְּכֹלָּא. וַיֵּדַע: בְּתַשְׁמִישׁ. וַיֵּדַע: דְּאִשְׁתְּמוֹדַע בָּהּ וְאִסְתַּכַּל בָּהּ.

עא. וְתָנֵינָן, אָסִיר לֵיהּ לְב"נ לְאִסְתַּכְּלָא בִּשְׁפִּירוּ דְּאִנְתְּתָא, בְּגִין דְּלָא יֵיתֵי בְּהִרְהוּרָא בִּישָׁא, וְיִתְעַקַּר לְמִלָּה אָחֳרָא. וְכַךְ הֲוָה ר"ש עָבִיד, כַּד הֲוָה אָזִיל בְּמָתָא, וַהֲווּ חַבְרַיָּיא אָזְלִין אֲבַתְרֵיהּ, וְחָמָא לְאִינְתּוּ שַׁפִּירָן, מָאִיךְ עֵינֵיהּ, וַהֲוָה אָמַר לְחַבְרַיָּיא אַל תִּפְנוּ.

עב. וְכָל מַאן דְּיִסְתַּכַּל בִּשְׁפִּירוּ דְּאִנְתְּתָא בִּימָמָא, אָתֵי לְהִרְהוּרֵי בְּלֵילְיָא. וְאִי סָלִיק הַהוּא הִרְהוּרָא בִּישָׁא עֲלוֹי, אַעֲבַר מִשּׁוּם וֵאלֹהֵי מַסֵּכָה לֹא תַעֲשׂוּ לָכֶם. תּוּ, אִי שַׁמֵּשׁ בְּאִנְתְּתֵיהּ בְּזִמְנָא דְּסָלִיק בֵּיהּ הַהוּא הִרְהוּרָא בִּישָׁא, אִינּוּן בְּנִין דְּאוֹלִידוּ אֱלֹהֵי מַסֵּכָה אִקְרוּן. וְעַל דָּא כְּתִיב, אַל תִּפְנוּ אֶל הָאֱלִילִים וֵאלֹהֵי מַסֵּכָה לֹא תַעֲשׂוּ לָכֶם. ר' אַבָּא אָמַר, אָסִיר לֵיהּ לְב"נ לְאִסְתַּכְּלָא בֶּאֱלִילֵי ע"ז, וּבִנְשֵׁי דְּעַמִּין, וְלָא לְאִתְהֲנָיָיא מִנַּיְיהוּ, וְלָא לְאִתְרַפְּאָה בְּהוּ, דְּאָסִיר לֵיהּ לְב"נ לְאִסְתַּכְּלָא בַּאֲתַר דְּלָא אִצְטְרִיךְ.

עג. ר' אַבָּא פָּתַח, פְּנֵה אֵלַי וְחָנֵּנִי תְּנָה עֻזְּךָ לְעַבְדֶּךָ, פְּנֵה אֵלַי וְחָנֵּנִי, וְכִי לָא הֲוָה לֵיהּ לְקֻבּ"ה בְּעָלְמָא שַׁפִּירָא כְּדָוִד, דְּאִיהוּ אָמַר פְּנֵה אֵלַי וְחָנֵּנִי. אֶלָּא הָכִי תָּנֵינָן, דָּוִד אָחֳרָא אִית לֵיהּ לְקֻבּ"ה וְהוּא מְמַנָּא עַל כַּמָּה אוּכְלוּסִין עִלָּאִין וּמַשִּׁרְיָין. וְכַד בָּעֵי קֻבּ"ה לְרַחֲמָא עַל עָלְמָא, אִסְתַּכַּל בְּהַאי דָּוִד, וְנָהִיר לֵיהּ אַנְפִּין, וְהוּא נָהִיר לְעָלְמִין, וְחָיֵיס עַל עָלְמָא.

עד. וּשְׁפִּירוּ דְּהַאי דָּוִד, נָהִיר לְעָלְמִין כֻּלְּהוּ רֵישֵׁיהּ גּוּלְגַּלְתָּא דְּדַהֲבָא, אִתְרַקִּימַת בְּשִׁבְעָה תַּכְשִׁיטֵי זִינִין דְּדַהֲבָא. וְהָא אוּקְמוּהָ. וַחֲבִיבוּתָא דְּקֻבּ"ה לְקַבְּלֵיהּ, וּמִסְּגִיאוּת רְחִימוּתָא דִּילֵיהּ גַּבֵּיהּ, אָמַר לֵיהּ לְקֻבּ"ה, דְּיַהְדַּר עֵינוֹי לְקַבְּלֵיהּ, וְיִסְתַּכַּל בֵּיהּ. בְּגִין דְּאִינּוּן שַׁפִּירָן בְּכֹלָּא, כד"א, הָסֵבִּי עֵינַיִךְ מִנֶּגְדִּי וְגו'. הָסֵבִּי עֵינַיִךְ מִנֶּגְדִּי דִּבְשַׁעֲתָא דְּאִלֵּין עַיְינִין מִסְתַּכְּלִין בֵּיהּ בְּקוּדְשָׁא ב"ה, כְּדֵין מִתְעָרִין בְּלִבֵּיהּ קִסְטִין דְּבִלְסְטְרַאֵי, בִּרְחִימוּתָא עִלָּאָה, וּבִסְגִיאוּת שַׁלְהוֹבִיתָא דִּרְחִימוּ עִלָּאָה לְגַבֵּיהּ, אָמַר הָסֵבִּי עֵינַיִךְ מִנֶּגְדִּי, אַסְחַר עֵינַיִךְ לִסְטַר אָחֳרָא מִנַּי, דְּאִינּוּן מוֹקְדִין לִי בְּשַׁלְהוֹבֵי רְחִימוּתָא. וְעַל דָּא כְּתִיב בֵּיהּ בְּדָוִד, וְהוּא אַדְמוֹנִי עִם יְפֵה עֵינַיִם וְטוֹב רֹאִי. וּבְגִין הַהוּא דָּוִד עִלָּאָה שַׁפִּירָא, רְחִימְנָא וְתִיאוּבְתָּא דְּקֻבּ"ה לְאִתְדַּבְּקָא בֵּיהּ. אָמַר דָּוִד פְּנֵה אֵלַי וְחָנֵּנִי.

עה. כְּגַוְונָא דָּא, וַיֹּאמֶר רְאֵה רֵיחַ בְּנִי כְּרֵיחַ שָׂדֶה אֲשֶׁר בֵּרֲכוֹ יְיָ'. מַשְׁמַע דְּעָאל עִמֵּיהּ עִם יַעֲקֹב גִּנְתָּא דְּעֵדֶן, דְּאִיהוּ שָׂדֶה דְּתַפּוּחִין קַדִּישִׁין. וְכִי הֵיךְ יָכִיל גִּנְתָּא דְּעֵדֶן לְאַעֲלָא עִמֵּיהּ, דְּהָא גִּנְתָּא דְּעֵדֶן כַּמָּה רַב הוּא בִּפְתָיָא וּבְאַרְכָּא. כַּמָּה זִינִין דְּבַיְיתִין עִלָּאִין קַדִּישִׁין, דַּרְגִּין עַל דַּרְגִּין, מְדוֹרִין עַל מְדוֹרִין אִית תַּמָּן.

עו. אֶלָּא גִּנְתָּא אָחֳרָא עִלָּאָה קַדִּישָׁא אִית לֵיהּ לְקֻבּ"ה, וְהַהוּא גִּנְתָּא רְחִימוּתָא דִּילֵיהּ, וְאִתְדַּבַּק בֵּיהּ, וְלָא אִתְנְטִיר אֶלָּא לְקֻבּ"ה בִּלְחוֹדוֹי, דְּהוּא עָיֵיל בֵּיהּ. וְדָא אַחְסִין קֻבּ"ה לְאִשְׁתַּכְּחָא תָּדִיר עִמְּהוֹן דְּצַדִּיקַיָּיא. וכ"ש לְאִשְׁתַּכְּחָא בֵּיהּ בְּיַעֲקֹב, וְדָא זַמִּין

לֵיהּ קֻבְּ״ה לְאַעֲלָאָה עִמֵּיהּ לְסַיְּיעָא לֵיהּ.

עז. כְּגַוְונָא דָּא, אֲנִי יְיָ׳ אֱלֹהֵי אַבְרָהָם אָבִיךָ וֵאלֹהֵי יִצְחָק הָאָרֶץ וְגוֹ׳. תְּנָן, מְלַמֵּד שֶׁנִּתְקַפְּלָה לוֹ אֶרֶץ יִשְׂרָאֵל. וְכִי אֶרֶץ יִשְׂרָאֵל, דְּאִיהִי ד׳ מֵאוֹת פַּרְסָה עַל ד׳ מֵאוֹת פַּרְסָה, הֵיךְ אִתְעַקְּרַת מֵאַתְרָהּ, וְיָתְבָא תְּחוֹתוֹי. אֶלָּא אֶרֶץ אוֹרְחָא עִלָּאָה קַדִּישָׁא אִית לְקֻבְּ״ה, וְאֶרֶץ יִשְׂרָאֵל אִקְרֵי. וְהִיא תְּחוֹת דַּרְגָּא דְּיַעֲקֹב דְּקָאִים עָלָהּ. וְאַחְסִין לָהּ קֻבְּ״ה לְיִשְׂרָאֵל בְּגִין רְחִימוּתָא דִּלְהוֹן, לְדַיְּירָא עִמְּהוֹן, וּלְדַבְּרָא לְהוֹן, וּלְאַגָּנָא לְהוֹן מַלְכָּא, וְאִקְרֵי אֶרֶץ חַיִּים.

עח. ת״ח, אָסִיר לֵיהּ לְבַר נָשׁ, לְאִסְתַּכְּלָא בַּאֲתַר דְּקֻבְּ״ה מָאִיס בֵּיהּ, וְרַחִיקָא בֵּיהּ נַפְשֵׁיהּ. וּמַה בְּמַה דְּרָחִים קֻבְּ״ה, אָסִיר לְאִסְתַּכְּלָא בֵּיהּ, בְּמַה דְּרָחִיק עאכ״ו. דת״ח, אָסִיר לֵיהּ לְבַר נָשׁ לְאִסְתַּכְּלָא בְּקֶשֶׁת, בְּגִין דְּאִיהוּ חֵיזוּ דְּדִיּוּקְנָא עִלָּאָה. אָסִיר לֵיהּ לְבַר נָשׁ לְאִסְתַּכְּלָא בְּאָת קַיָּימָא דִּילֵיהּ, בְּגִין דְּהוּא רָמִיז לְצַדִּיקָא דְּעָלְמָא. אָסִיר לֵיהּ לְבַר נָשׁ לְאִסְתַּכְּלָא, בְּאֶצְבְּעָן דְּכַהֲנֵי, בְּשַׁעֲתָא דְּפָרְסֵי יְדַיְיהוּ, בְּגִין דְּתַמָּן שַׁרְיָא יְקָרָא דְּמַלְכָּא עִלָּאָה. וּמַה בַּאֲתַר קַדִּישָׁא עִלָּאָה אָסִיר לְאִסְתַּכְּלָא, בַּאֲתַר מְסָאֲבָא רְחִיקָא לָא כָּל שֶׁכֵּן. בְּגִינֵי כָּךְ, אַל תִּפְנוּ אֶל הָאֱלִילִים. ר׳ יִצְחָק אָמַר, וּמַה לְאִסְתַּכְּלָא בְּהוּ אָסִיר, לְמִפְלַח לְהוּ, אוֹ לְמֶעְבַּד לְהוּ, עַל אַחַת כַּמָּה וְכַמָּה.

עט. וּבְגִינֵי כָּךְ, אַל תִּפְנוּ אֶל הָאֱלִילִים. הָכָא אָתָא לְאַזְהָרָא לְהוּ לְיִשְׂרָאֵל כְּקַדְמֵיתָא. לָקֳבֵיל לֹא יִהְיֶה לְךָ אֱלֹהִים אֲחֵרִים עַל פָּנָי. וֵאלֹהֵי מַסֵּכָה לֹא תַעֲשׂוּ לָכֶם, לָקֳבֵיל לֹא תַעֲשֶׂה לְךָ פֶסֶל אֲנִי יְיָ׳ אֱלֹהֵיכֶם. לָקֳבֵיל אָנֹכִי יְיָ׳ אֱלֹהֶיךָ, אִישׁ אִמּוֹ וְאָבִיו תִּירָאוּ. לָקֳבֵל כַּבֵּד אֶת אָבִיךָ וְאֶת אִמֶּךָ. וְאֶת שַׁבְּתוֹתַי תִּשְׁמוֹרוּ, זָכוֹר אֶת יוֹם הַשַּׁבָּת לְקַדְּשׁוֹ. לֹא תִשָּׁבְעוּ בִשְׁמִי לַשָּׁקֶר. לֹא תִשָּׂא אֶת שֵׁם יְיָ׳ אֱלֹהֶיךָ לַשָּׁוְא. לֹא תִּגְנוֹבוּ, לֹא תִּגְנוֹב. וְלֹא תְכַחֲשׁוּ, וְלֹא תְשַׁקְּרוּ אִישׁ בַּעֲמִיתוֹ. לֹא תַעֲנֶה בְרֵעֲךָ עֵד שָׁקֶר. מוֹת יוּמַת הַנּוֹאֵף וְהַנּוֹאָפֶת, לֹא תִנְאָף. לֹא תַעֲמוֹד עַל דַּם רֵעֶךָ, לֹא תִרְצַח. וְהָא אוֹקְמוּהָ, וְעַ״ד כְּלָלָא דְּאוֹרַיְיתָא, בְּפַרְשְׁתָא דָא.

פ. א״ר חִיָּיא, בְּקַדְמֵיתָא, אָנֹכִי יְיָ׳ אֱלֹהֶיךָ. זָכוֹר אֶת יוֹם הַשַּׁבָּת. לֹא תִשָּׂא. לֹא תִרְצַח. לֹא תִנְאָף. לֹא תִגְנוֹב. בְּלִישָּׁנָא יְחִידָאי. וְהָכָא, אֲנִי יְיָ׳ אֱלֹהֵיכֶם. אִישׁ אִמּוֹ וְאָבִיו תִּירָאוּ, וְאֶת שַׁבְּתוֹתַי תִּשְׁמֹרוּ. אַל תִּפְנוּ אֶל הָאֱלִילִים. בְּלִישָּׁנָא דְּסַגִּיאִין. אֶלָּא ת״ח, מִיּוֹמָא דַּהֲווּ יִשְׂרָאֵל שְׁכִיחִין בְּעָלְמָא, לָא אִשְׁתַּכָּחוּ קָמֵי קֻבְּ״ה, בְּלִבָּא חַד, וּבִרְעוּתָא חֲדָא, כְּמָה בְּהַהוּא יוֹמָא דְּקַיְּימוּ בְּטוּרָא דְּסִינַי. וְעַ״ד כֹּלָּא אִתְּמַר בִּלְשׁוֹן יְחִידָאי. לְבָתַר בְּלִישָּׁנָא דְּסַגִּיאִין, דְּהָא לָא אִשְׁתַּכָּחוּ כָּל כָּךְ בְּהַהוּא רְעוּתָא.

פא. רִבִּי אֶלְעָזָר הֲוָה אָזִיל לְמֶחֱמֵי לְר׳ יוֹסֵי בר״ש בֶּן לָקוֹנְיָא, חָמוֹי וַהֲווּ עִמֵּיהּ ר׳ חִיָּיא וְרִבִּי יוֹסֵי, כַּד מָטוּ חַד בֵּי חַקַל, יָתְבוּ תְּחוֹת אִילָנָא חֲדָא. א״ר אֶלְעָזָר, כָּל חַד לֵימָא מִלָּה דְּאוֹרַיְיתָא. פָּתַח רִבִּי אֶלְעָזָר וְאָמַר, וְאָנֹכִי יְיָ׳ אֱלֹהֶיךָ מֵאֶרֶץ מִצְרָיִם וֵאלֹהִים זוּלָתִי לֹא תֵדָע. לָא כְּתִיב אֲשֶׁר הוֹצֵאתִיךָ מֵאֶרֶץ מִצְרַיִם, אֶלָּא אָנֹכִי יְיָ׳ אֱלֹהֶיךָ מֵאֶרֶץ מִצְרָיִם, וְכִי מֵאֶרֶץ מִצְרַיִם הֲוָה לְהוּ מַלְכָּא, וְלָא מִקַּדְמַת דְּנָא, וְהָא כְּתִיב וַיֹּאמֶר יַעֲקֹב אֶל בָּנָיו הָסִירוּ אֶת אֱלֹהֵי הַנֵּכָר אֲשֶׁר בְּתוֹכְכֶם. וּכְתִיב וְנָקוּמָה וְנַעֲלֶה בֵּית אֵל, וְאַתְּ אֲמַרַת מֵאֶרֶץ מִצְרָיִם.

פב. אֶלָּא, מִן יוֹמָא דַּהֲווּ יִשְׂרָאֵל בְּעָלְמָא, לָא אִשְׁתְּמוֹדְעוּ יְקָרָא דְּקֻבְּ״ה. בַּר בְּאַרְעָא דְּמִצְרַיִם, דַּהֲווּ בְּהַהוּא פּוּלְחָנָא קַשְׁיָא, וְצָווחוּ לָקֳבְלֵיהּ, וְלָא אִשְׁתַּנּוּ מִנִּימוּסָא

דִּלְהוֹן לְעָלְמִין. וְתַמָּן אִתְבְּחִינוּ אֲבָהָתָנָא, כִּדְהֲבָא מִגּוֹ שַׁפְכָה. וְעוֹד, דַּהֲוֵי וְזַמָּן בְּכָל יוֹמָא, כַּמָּה וְזַרְשִׁין, כַּמָּה זִמְנִין בִּישִׁין, לְאַטְעָאָה לוֹן לִבְנֵי נָשָׁא, וְלָא סָטוּ מֵאָרְחָא לִימִינָא וְלִשְׂמָאלָא. וְאע"ג דְּלָא הֲווֹ יָדְעֵי כָּל כָּךְ בִּיקָרָא דְּקֻבָּ"ה, אֶלָּא הֲווֹ אַזְלִין בָּתַר נִימוּסֵי אֲבָהָתְהוֹן.

פג. וּלְבָתַר, וְזַמֵּי כַּמָּה נִסִּין, וְכַמָּה גְּבוּרָאן, וְנָטַל לוֹן קֻבָּ"ה לְפוּלְחָנֵיהּ. וּבְגִין דְּכֻלְּהוּ וְזַמֵּי כַּמָּה נִסִּין וְאָתִין בְּעֵינַיְהוּ, וְכָל אִינּוּן אָתִין וּגְבוּרָן. אָמַר וְאָנֹכִי יְיָ' אֱלֹהֶיךָ מֵאֶרֶץ מִצְרָיִם. דְּתַמָּן הֲוָה בְּאִתְגַּלְּיָא יְקָרָא דִּילֵיהּ. וְאִתְגְּלֵי עָלַיְהוּ עַל יַמָּא, וְחָזֵי זִיו יְקָרָא עִלָּאָה דִּילֵיהּ אַפִּין בְּאַפִּין. דְּלָא תֵּימְרוּן אֱלָהָא אָחֳרָא הוּא דְּמַלִּיל עִמְּנָא, אֶלָּא אֲנָא הוּא דְּוַחֲמִיתוּן בְּאַרְעָא דְּמִצְרַיִם, אֲנָא הוּא דְּקָטַלְנָא שַׂנְאֵיכוֹן בְּאַרְעָא דְּמִצְרַיִם. אֲנָא הוּא דְּעֲבַדְנָא כָּל אִינּוּן עָשַׂר מְוֹזָאן בְּאַרְעָא דְּמִצְרַיִם. וּבְגִינֵי כָּךְ, וֵאלֹהִים זוּלָתִי לֹא תֵדַע, דְּלָא תֵּימָא דְּאֳחֳרָא הוּא, אֶלָּא אֲנָא הוּא כְּלָא.

פד. תּוּ פָּתַח, לֹא תַעֲשֹׁק אֶת רֵעֲךָ וְלֹא תִגְזֹל לֹא תָלִין פְּעֻלַּת שָׂכִיר אִתְּךָ עַד בֹּקֶר. לֹא תָלִין פְּעֻלַּת שָׂכִיר אֲמַאי. אֶלָּא בְּמִקְרָא אָחֳרָא אִשְׁתְּמַע, דִּכְתִיב בְּיוֹמוֹ תִתֵּן שְׂכָרוֹ וְלֹא תָבֹא עָלָיו הַשֶּׁמֶשׁ כִּי עָנִי הוּא וְאֵלָיו הוּא נֹשֵׂא אֶת נַפְשׁוֹ. לֹא תָבֹא עָלָיו הַשֶּׁמֶשׁ, אִזְדְּהַר דְּלָא תִתְכְּנַע בְּגִינֵיהּ מֵעָלְמָא, עַד לָא יִמְטֵי זִמְנָךְ לְאִתְכַּנְּעָא. כְּמָה דְּאַתְּ אָמַר, עַד אֲשֶׁר לֹא תֶחְשַׁךְ הַשֶּׁמֶשׁ וְגוֹ'. מֵהָכָא אוֹלִיפְנָא מִכָּה אָחֳרָא, מַאן דְּאַשְׁלִים לְנַפְשָׁא דְּמִסְכְּנָא. אֲפִלּוּ דְּמָטוּ יוֹמוֹי לְאִסְתַּלְּקָא מֵעָלְמָא, קֻבָּ"ה אַשְׁלִים לְנַפְשֵׁיהּ, וְיָהִיב לֵיהּ וַיִּין יַתִּיר.

פה. לֹא תָלִין פְּעֻלַּת שָׂכִיר, ת"ז, מַאן דְּנָטִיל אַגְרָא דְּמִסְכְּנָא, כְּאִלּוּ נָטִיל נַפְשֵׁיהּ, וּדְאַנְשֵׁי בֵּיתֵיהּ. הוּא אוֹזֵיר נַפְשַׁיְיהוּ, קֻבָּ"ה אוֹזֵיר יוֹמוֹי, וְאוֹזֵיר נַפְשֵׁיהּ, מֵהַהוּא עָלְמָא. דְּהָא כָּל אִינּוּן הַבָּלִים דְּנָפְקֵי מִפּוּמֵיהּ, כָּל הַהוּא יוֹמָא, כֻּלְּהוּ סַלְּקִין קַמֵּיהּ דְּקֻבָּ"ה, וְקַיְימִין קַמֵּיהּ, לְבָתַר סַלְּקָא נַפְשֵׁיהּ, וְנַפְשַׁיְיהוּ דְּאַנְשֵׁי בֵּיתֵיהּ, וְקַיְימִין, בְּאִינּוּן הַבָּלִים דְּפוּמֵיהּ. וּכְדֵין, אֲפִלּוּ אִתְגְּזַר עַל הַהוּא בַּר נָשׁ כַּמָּה יוֹמִין, וְכַמָּה טָבָאן, כֻּלְּהוּ מִתְעַקְרָאן מִנֵּיהּ, וּמִסְתַּלְּקֵי מִנֵּיהּ.

פו. וְלָא עוֹד, אֶלָּא דְּנַפְשָׁא דִּילֵיהּ לָא סַלְּקָא לְעֵילָּא, וְהַיְינוּ דְּאָמַר רִבִּי אַבָּא, רַחֲמָנָא לְשֵׁזְבִינָן מִנַּיְיהוּ, וּמֵעָלְבּוֹנַיְיהוּ. וְאוּקְמוּהָ אֲפִלּוּ עָשִׁיר הוּא, וְאֵלָיו הוּא נֹשֵׂא אֶת נַפְשׁוֹ דַּיְיקָא מִכָּל בַּר נָשׁ נָמֵי, וְכָ"שׁ מִסְכְּנָא. וְהַיְינוּ דַּהֲוָה רַב הַמְנוּנָא עָבֵיד, כַּד הֲוָה הַהוּא אָגִיר מִסְתַּלְּק מֵעֲבִידְתֵּיהּ, הֲוָה יָהִיב לֵיהּ אַגְרֵיהּ, וְא"ל, טוֹל נַפְשָׁךְ דְּאַפְקִידַת בִּידָאי, טוֹל פִּקְדוֹנָךְ.

פז. וַאֲפִלּוּ אָמַר יְהֵא יְהֵא בְּיָדָךְ, דַּאֲנָא בָּעֵינָא לְסַלְּקָא אַגְרִי. לָא הֲוָה בָּעֵי. אָמַר פִּקְדוֹנָא דְּגוּפָךְ, לָא אִתְחֲזֵי לְאִתְפַּקְּדָא בִּידִי, כָּל שֶׁכֵּן פִּקְדוֹנָא דְּנַפְשָׁא. דְּהָא פִּקְדוֹנָא דְּנַפְשָׁא לָא אִתְיְהִיבַת, אֶלָּא לְקֻבָּ"ה. דִּכְתִיב בְּיָדְךָ אַפְקִיד רוּחִי, אָמַר ר' וַיְיא, וּבִידְךָ דְּאׇחֳרָא עָאלֵי, א"ל, אֲפִלּוּ בִּידֵיהּ, בָּתַר דִּיהִיב.

פח. כְּתִיב לֹא תָלִין פְּעֻלַּת שָׂכִיר, וּכְתִיב וְלֹא תָבֹא עָלָיו הַשֶּׁמֶשׁ. אֶלָּא הָא אוּקְמוּהָ, אֲבָל ת"ח לֵית לָךְ יוֹמָא וְיוֹמָא, דְּלָא שָׁלְטָא בֵּיהּ יוֹמָא עִלָּאָה אָחֳרָא. וְאִי אִיהוּ לָא יָהִיב לֵיהּ נַפְשָׁא דִּילֵיהּ בְּהַהוּא יוֹמָא, כְּמַאן דְּפָגִים לְהַהוּא יוֹמָא עִלָּאָה. וּבְגִינֵי כָּךְ בְּיוֹמוֹ תִתֵּן שְׂכָרוֹ, וְלֹא תָבֹא עָלָיו הַשֶּׁמֶשׁ. וְהָא דְּאִתְּמַר לֹא תָלִין, בְּגִין דְּנַפְשֵׁיהּ לָא סָלִיק, וְסָלִיק הַהוּא נַפְשָׁא דְּמִסְכְּנָא, וּדְאַנְשֵׁי בֵּיתֵיהּ, כְּמָה דְּאִתְּמַר.

פט. ר' וַיְיא פָּתַח וְאָמַר קְרָא אֲבַתְרֵיהּ, לֹא תְקַלֵּל חֵרֵשׁ וְלִפְנֵי עִוֵּר וְגוֹ', הַאי קְרָא

כְּמַשְׁמָעוֹ. אֲבָל פַּרְשְׁתָא דָא כֹּלָּא, אוֹלִיפְנָא מִינָּהּ מִלִּין אָחֳרָנִין, וְכֻלְּהוּ תַּלְיָין דָא בְּדָא. ת"ח, מַאן דְּלָייט לְחַבְרֵיהּ, וְאִיהוּ קַמֵּיהּ, וְאַכְסִיף לֵיהּ, כְּאִלּוּ אוֹשִׁיד דָּמֵיהּ, וְהָא אוֹקִימְנָא. וְהַאי קְרָא, דְּלָאו וַחֲבְרֵיהּ עִמֵּיהּ, וְהוּא לָייט לֵיהּ, הַהִיא מִלָּה סַלְקָא.

צ. דְּלֵית לָךְ מִלָּה וּמִלָּה דְּנָפִיק מִפּוּמֵיהּ, דְּלָא אִית לֵיהּ קָלָא, הַהוּא קָלָא סָלִיק לְעֵילָּא, וְכַמָּה קַסְטְרִין מִתְחַבְּרָן עִמֵּיהּ דְּהַהוּא קָלָא, עַד דְּסַלְקָא וְאִתְּעַר אֲתַר דִּתְהוֹמָא רַבָּא, כְּמָה דְּאוֹקְמוּהָ וְכַמָּה מִתְעָרִין עָלֵיהּ דְּהַהוּא ב"נ. וַוי לְמַאן דְּאַפִּיק מִלָּה בִּישָׁא מִפּוּמֵיהּ, וְהָא אוֹקְמוּהָ.

צא. וְלִפְנֵי עִוֵּר לֹא תִתֵּן מִכְשׁוֹל, כְּמַשְׁמָעוֹ. וְאוֹקְמוּהָ, בְּמַאן דְּגָרִים לְאָחֳרָא לְמֶחֱטֵי. וְכֵן מַאן דְּמָחֵי לִבְרֵיהּ רַבָּא. וְלִפְנֵי עִוֵּר לֹא תִתֵּן וְגו', בְּמַאן דְּלָא מָטָא לְהוֹרָאָה וְאוֹרֵי, דִּכְתִיב כִּי רַבִּים חֲלָלִים הִפִּילָה וַעֲצוּמִים כָּל הֲרוּגֶיהָ. וְהַאי אַעֲבַר, מִשּׁוּם וְלִפְנֵי עִוֵּר לֹא תִתֵּן מִכְשׁוֹל, בְּגִין דְּאַכְשִׁיל לֵיהּ לְחַבְרֵיהּ לְעָלְמָא דְּאָתֵי.

צב. דְּתָנֵינָן מַאן דְּאָזִיל בְּאוֹרַח מֵישַׁר בְּאוֹרַיְיתָא, וּמַאן דְּאִשְׁתְּדַל בְּאוֹרַיְיתָא כַּדְקָא יָאוֹת, אִית לֵיהּ חוּלְקָא טָבָא תָּדִיר לְעָלְמָא דְּאָתֵי. דְּהַהִיא מִלָּה דְּאוֹרַיְיתָא דְּאַפִּיק מִפּוּמֵיהּ, אַזְלָא וְשָׁאטָא בְּעָלְמָא, וְסַלְקָא לְעֵילָּא. וְכַמָּה עִלָּאִין קַדִּישִׁין מִתְחַבְּרָאן בְּהַהִיא מִלָּה, וְסַלְקָא בְּאוֹרַח מֵישַׁר, וְאִתְעַטַּר בְּעִטְרָא קַדִּישָׁא, וְאִסְתְּחֵי בְּנַהֲרָא דְּעָלְמָא דְּאָתֵי, דְּנָגִיד וְנָפִיק מֵעֵדֶן, וְאִתְקַבַּל בֵּיהּ, וְאִשְׁתְּאִב בְּגַוֵּיהּ, וְאִתְעַנַּג סוּחֲרָנֵיהּ דְּהַהוּא נַהֲרָא, אִילָנָא עִלָּאָה. וּכְדֵין נָגִיד וְנָפִיק נְהוֹרָא עִלָּאָה וְאִתְעַטַּר בֵּיהּ בְּהַהוּא בַּר נָשׁ כָּל יוֹמָא, כְּמָה דְּאִתְּמַר.

צג. וּמַאן דְּלָעֵי בְּאוֹרַיְיתָא, וְלָא אִשְׁתְּדַל בָּהּ בְּאוֹרַח קְשׁוֹט, וּבְאוֹרַח מֵישַׁר. הַהוּא מִלָּה סַלְקָא, וְסָטֵי אוֹרְחִין, וְלֵית מַאן דְּיִתְחַבַּר בָּהּ, וְכֹלָּא דַּחְיָין לָהּ לְבַר, וְאָזִיל וְשָׁאט בְּעָלְמָא וְלָא יִשְׁכַּח אֲתַר. מַאן גָּרִים לֵיהּ הַאי. הַהוּא דְּסָאטֵי לֵיהּ מֵאוֹרַח מֵישָׁר, הה"ד וְלִפְנֵי עִוֵּר לֹא תִתֵּן מִכְשׁוֹל. וּבְגִינֵי כָּךְ כְּתִיב, וְיָרֵאתָ מֵאֱלֹהֶיךָ אֲנִי יְיָ'.

צד. וּמַאן דְּתִיאוּבְתֵּיהּ לְמִלְעֵי בְּאוֹרַיְיתָא, וְלָא אַשְׁכַּח מַאן דְּיוֹלִיף לֵיהּ, וְהוּא בִּרְחִימוּתָא דְּאוֹרַיְיתָא, לָעֵי בָּהּ, וּמְגַמְגֵּם בָּהּ, בְּגִמְגּוּמָא דְּלָא יָדַע. כָּל מִלָּה וּמִלָּה סַלְקָא, וקוּדְשָׁא בְּרִיךְ הוּא חַדֵּי בְּהַהִיא מִלָּה, וְקַבִּיל לָהּ, וְנָטַע לָהּ סוּחֲרָנֵיהּ דְּהַהוּא נַחֲלָא, וְאִתְעֲבִידוּ מֵאִלֵּין מִלִּין אִילָנִין רַבְרְבִין, וְאִקְרוּן עַרְבֵי נַחַל, הה"ד בְּאַהֲבָתָהּ תִּשְׁגֶּה תָמִיד.

צה. וְדָוִד מַלְכָּא אָמַר, הוֹרֵנִי יְיָ' דַּרְכֶּךָ אֲהַלֵּךְ בַּאֲמִתֶּךָ. וּכְתִיב וּנְחֵנִי בְּאֹרַח מִישׁוֹר לְמַעַן שׁוֹרְרָי. זַכָּאִין אִינּוּן דְּיַדְעִין אוֹרְחוֹי דְּאוֹרַיְיתָא, וּמִשְׁתַּדְּלֵי בָּהּ בְּאֹרַח מֵישָׁר, דְּאִינּוּן נַטְעִין אִילָנִין דְּחַיִּין לְעֵילָּא, דְּכֻלְּהוּ אַסְוָותָא. וּבְגִין כָּךְ כְּתִיב, תּוֹרַת אֱמֶת הָיְתָה בְּפִיהוּ. וְכִי אִית תּוֹרָה דְּלָאו אִיהִי אֱמֶת. אִין כְּגַוְונָא דְּאַמָרָן, דְּאוֹרֵי מַאן דְּלָא יָדַע, וְלָאו אִיהוּ קְשׁוֹט וְהַהוּא דְּאוֹלִיף מִלָּה מִינֵּיהּ, אוֹלִיף מִלָּה דְּלָאו אִיהוּ אֱמֶת. וּבְגִינֵי כָּךְ כְּתִיב, תּוֹרַת אֱמֶת הָיְתָה בְּפִיהוּ.

צו. ועכ"ד, מִבָּעֵי לֵיהּ לְבַר נָשׁ לְמֵילַף מִלֵּי דְּאוֹרַיְיתָא מִכָּל ב"נ, אֲפִילּוּ מִמַּאן דְּלָא יָדַע. בְּגִין דע"ד יִתְעַר בְּאוֹרַיְיתָא, וְיֵיתֵי לְמֵילַף מִמַּאן דְּיָדַע, וּלְבָתַר אִשְׁתְּכַח, דְּאָזִיל בָּהּ בְּאוֹרַיְיתָא בְּאֹרַח קְשׁוֹט. ת"ח, יִשְׁתַּדַּל בַּר נָשׁ בְּעָלְמָא בְּאוֹרַיְיתָא וּפִקּוּדוֹי, אֲפִילּוּ דְּלָא עָבֵיד לִשְׁמָהּ, דְּמִתּוֹךְ שֶׁלֹּא לִשְׁמָהּ בָּא לִשְׁמָהּ.

צז. ר' יוֹסֵי פָּתַח קְרָא אֲבַתְרֵיהּ וְאָמַר, לֹא תַעֲשׂוּ עָוֶל בַּמִּשְׁפָּט וְגו'. לֹא תַעֲשׂוּ עָוֶל בַּמִּשְׁפָּט, כְּמַשְׁמָעוֹ. אֲבָל הָא אִתְּמַר, דְּפַרְשְׁתָא דָא מִלִּין עִלָּאִין וְיַקִּירִין אִית בָּהּ

בְּפִקּוּדֵי אוֹרַיְיתָא. הַאי קְרָא מִסּוֹפֵיהּ קָא מַשְׁמַע, דִּכְתִּיב בְּצֶדֶק תִּשְׁפֹּט עֲמִיתֶךָ. ת"ח, תְּרֵי דַּרְגִּין אִינּוּן הָכָא: מִשְׁפָּט, וְצֶדֶק. מַה בֵּין הַאי לְהַאי. אֶלָּא חַד רַחֲמֵי, וְחַד דִּינָא, וְדָא אִתְבְּסָם בְּדָא.

צח. כַּד אִתְעַר צֶדֶק, דָּאִין דִּינָא לְכֹלָּא כַּחֲדָא, דְּלֵית בֵּיהּ רַחֲמֵי, וְלָאו וַותְּרָנוּתָא. כַּד אִתְעַר מִשְׁפָּט, אִית בֵּיהּ רַחֲמֵי. יָכוֹל יְהֵא כֹּלָּא בְּמִשְׁפָּט. אָתָא קְרָא וְאָמַר, בְּצֶדֶק תִּשְׁפֹּט עֲמִיתֶךָ. מ"ט. בְּגִין דְּצֶדֶק לָאו דָּאִין לְדָא וְשָׁבִיק לְדָא, אֶלָּא כֻּלְּהוּ כַּחֲדָא בְּשִׁקּוּלָא חֲדָא. כְּגַוְונָא דָא לֹא תִשָּׂא פְּנֵי דָל וְלֹא תֶהְדַּר פְּנֵי גָדוֹל, אֶלָּא כֻּלְּהוּ בְּשִׁקּוּלָא חֲדָא, בְּצֶדֶק. יָכוֹל יְהֵא כֹּלָּא דִּינָא בְּצֶדֶק בִּלְחוֹדוֹי. אָתָא קְרָא וְאָמַר תִּשְׁפֹּט, דְּבָעֵי לְחַבְּרָא לְהוּ כַּחֲדָא, דְּלָא יִשְׁתְּכַח דָּא בְּלָא דָא, וְהַאי שְׁלִימוּ דְּדִינָא.

צט. וכ"כ לָמָּה. בְּגִין דְּקֻדְשָׁא בְּרִיךְ הוּא שְׁכִיחַ תַּמָּן. וּבְגִינֵי כָּךְ בָּעֵי לְאַשְׁלְמָא דִּינָא. כְּגַוְונָא דְּאִיהוּ עָבֵיד לְתַתָּא, כְּגַוְונָא דִּילֵיהּ מַמָּשׁ עָבֵיד לְעֵילָּא. ות"ח, קֻדְשָׁא בְּרִיךְ הוּא שַׁוֵּי כּוּרְסַיָּיא דְּדִינָא, בְּשַׁעֲתָא דְּדַיָּינֵי יַתְבִין, הה"ד, כּוֹנֵן לַמִּשְׁפָּט כִּסְאוֹ. וּמִתַּמָּן אִתְתָּקַן כּוּרְסְיָיהּ דְּקֻדְשָׁא בְּרִיךְ הוּא. וּמַאן אִיהוּ כּוּרְסְיָיהּ. אִלֵּין אִינּוּן צֶדֶק וּמִשְׁפָּט. הה"ד צֶדֶק וּמִשְׁפָּט מְכוֹן כִּסְאֶךָ. וּמַאן דְּדָאִין דִּינָא, בָּעֵי לְמֵיתַב בְּכוּרְסְיָיהּ דְּמַלְכָּא. וְאִי פָּגִים חַד מִנַּיְיהוּ, כְּאִלּוּ פָּגִים לְכוּרְסְיָיהּ דְּמַלְכָּא. וּכְדֵין קֻדְשָׁא בְּרִיךְ הוּא אִסְתַּלַּק מִבֵּינַיְיהוּ דְּדַיָּינֵי, וְלָא קָאִים בְּדִינַיְיהוּ. וּמַאי אָמַר. עַתָּה אָקוּם יֹאמַר יְיָ' וְגוֹ'. וְרוּחָא דְּקוּדְשָׁא אָמַר, רוּמָה עַל הַשָּׁמַיִם אֱלֹהִים.

רַעְיָא מְהֵימְנָא

ק. לֹא תִשְׂנָא אֶת אָחִיךָ בִּלְבָבֶךָ הוֹכֵחַ תּוֹכִיחַ אֶת עֲמִיתֶךָ וְגוֹ'. פִּקּוּדָא דָא, לְאוֹכָחָא לְהַהוּא דְּחָטֵי, לְמֶחֱזֵי לֵיהּ רְחִימוּ סַגִּיא, דְּרָחִים לֵיהּ, בְּגִין דְּלָא יִתְעֲנַשׁ אִיהוּ. דְּהָא בְּקֻדְשָׁא בְּרִיךְ הוּא כְּתִיב, כִּי אֶת אֲשֶׁר יֶאֱהַב יְיָ' יוֹכִיחַ. וּכְמָה דְּקֻדְשָׁא בְּרִיךְ הוּא עָבֵיד וְאוֹכַח לְמַאן דְּרָחִים לֵיהּ, הָכִי יוֹלִיף ב"נ מֵהַהוּא אָרְחָא, וְיוֹכַח לְחַבְרֵיהּ. קֻדְשָׁא בְּרִיךְ הוּא בְּמַאי אוֹכַח לב"נ. אוֹכַח לֵיהּ בִּרְחִימוּ בְּסִתְרָא, אִי יְקַבֵּל לֵיהּ יָאוּת. וְאִי לָא, אוֹכַח לֵיהּ בֵּין רְחִימוֹי. אִי יְקַבֵּל יָאוּת. וְאִי לָא, אוֹכַח לֵיהּ בְּאִתְגַּלְיָיא לְעֵינַיְיהוּ דְּכֹלָּא. אִי יְקַבֵּל יָאוּת. וְאִי לָאו, שָׁרֵי לֵיהּ, וְלָא אוֹכַח לֵיהּ, וְשָׁבִיק לֵיהּ יֵיזִיל וְיַעְבִיד רְעוּתֵיהּ.

קא. בְּקַדְמֵיתָא אוֹדַע לֵיהּ בְּסִתְרָא, בְּגִין לְאוֹכָחָא לֵיהּ, וּלְאִתְעָרָא לֵיהּ, דְּלָא יִנְדַּע בֵּיהּ ב"נ. וְדָא אִיהוּ בֵּינֵיהּ לְבֵינֵיהּ. אִי מְקַבֵּל יָאוּת. וְאִי לָאו, אוֹדַע לֵיהּ בֵּין רְחִימוֹי, בְּזִמְנָא דְּכַהֲנָא רַבָּא הֲוָה בְּעָלְמָא, יָהִיב לֵיהּ מַרְעִין בְּעַרְסֵיהּ, וְאָתוּ רְחִימוֹי דְּקֻדְשָׁא בְּרִיךְ הוּא, וְאוֹדְעָן לֵיהּ, אִי אִית בֵּיהּ חוֹבָא דְּיֵיתוּב מִנֵּיהּ, וּלְעַיֵּין בְּמִלֵּיהּ. אִי מְקַבֵּל יָאוּת, וְאִי לָאו אוֹכַח לֵיהּ בְּאִתְגַּלְיָיא, בְּמָמוֹנֵיהּ, בִּבְנוֹי, דְּכֹלָּא מְלַחֲשָׁן עָלֵיהּ, וְיֵיתוּן לְגַבֵּיהּ. אִי מְקַבֵּל יָאוּת. וְאִי לָאו שָׁארֵי לֵיהּ מָארֵיהּ לְמֶעְבַּד רְעוּתֵיהּ, וְלָא יִתְקִיף בֵּיהּ לְעָלְמִין. כְּגַוְונָא דָא אִצְטְרִיךְ לֵיהּ לְאוֹכָחָא לְחַבְרֵיהּ בְּקַדְמֵיתָא בְּסִתְרָא. לְבָתַר בֵּין רְחִימוֹי. לְבָתַר בְּאִתְגַּלְיָיא. מִכָּאן וּלְהָלְאָה יִשְׁבּוֹק לֵיהּ וְיַעְבִיד רְעוּתֵיהּ.

קב. וְעַ"ד כְּתִיב הוֹכֵחַ תּוֹכִיחַ. הוֹכֵחַ: בְּסִתְרָא, דְּלָא יִנְדַּע בֵּיהּ ב"נ. תּוֹכִיחַ: בֵּין חַבְרוֹי וּרְחִימוֹי. אֶת עֲמִיתֶךָ: בְּאִתְגַּלְיָיא. וְעַ"ד לָא כְּתִיב בְּקַדְמֵיתָא תּוֹכִיחַ, אֶלָּא הוֹכֵחַ. תּוּ הוֹכֵחַ, אִי אִיהוּ ב"נ דְּיִכְסוּף, לָא יֵימָא לֵיהּ וְלָא יוֹכִיחַ לֵיהּ אֲפִילּוּ בְּסִתְרָא, אֶלָּא יֵימָא קַמֵּיהּ, כְּמַאן דְּמִשְׁתָּעֵי בְּמִלִּין אָחֳרָנִין. בְּגוֹ אִינּוּן מִלִּין, יִדְכַּר מַאן דְּעָבֵד הַהוּא חוֹבָא הוּא כָּךְ וְכָךְ, בְּגִין דְּאִיהוּ יָדַע בְּגַרְמֵיהּ, וְיִשְׁתְּבִיק מֵהַהוּא חוֹבָא. וְעַ"ד הוֹכֵחַ. וְאִם לָאו, תּוֹכִיחַ. וּלְבָתַר אֶת עֲמִיתֶךָ בְּאִתְגַּלְיָיא. מִכָּאן וּלְהָלְאָה וְלֹא תִשָּׂא עָלָיו חֵטְא.

קג. ד"א ולא תשא עליו חטא, דהא כיון דב"נ אוכח לחבריה, ואזדמן לאוכחא ליה באתגליא, לא יסלק קמיה ההוא חובה דעביד, דאסיר ליה ודאי, אלא יימא סתם, ולא יסלק עלוי ההוא חובא באתגלייא, ולא ירשים עלוי חובא, דקב"ה חס על יקרא דבר נש, אפילו בחייביא. (ע"כ רעיא מהימנא).

קד. פתח ואמר, ויהי קול השופר הולך וגו'. ויהי קול השופר, הכא אתפליגו ספרי קדמאי וכו', עד דאתו רבי אבא ורבי יהודה, ואודו ליה לר' אחא.

קה. קמו, עד דהוו אזלי, אמר ר' אלעזר לא תלך רכיל בעמך לא תשנא את אחיך לא תקום ולא תטור. הא אוקימנא לון, וכלהו אתערו עלייהו חברייא, אבל נימא מלה בפרשתא דא, כתיב, את חקותי תשמורו בהמתך לא תרביע כלאים שדך לא תזרע כלאים ובגד כלאים שעטנז לא יעלה עליך.

קו. פתח ר' אלעזר ואמר, אתם עדי נאם יי' ועבדי אשר בחרתי למען תדעו ותאמינו וגו'. אתם עדי, אלין אינון ישראל. ותנינן, אלין אינון שמיא וארעא, דכתיב העידותי בכם היום את השמים ואת הארץ. אבל ישראל אינון סהדין אלין על אלין, ושמיא וארעא וכלא, סהדין עלייהו. ועבדי אשר בחרתי, דא יעקב, דכתיב ויאמר לי עבדי אתה ישראל אשר בך אתפאר, וכתיב, ואתה אל תירא עבדי יעקב. ואית דאמרי דא דוד. ודוד עבדי אקרי, דכתיב, למעני ולמען דוד עבדי אשר בחרתי, דא דוד עלאה.

קז. למען תדעו ותאמינו לי ותבינו כי אני הוא. מאי כי אני הוא. דאתרעיתי בההוא דוד, ובההוא יעקב. אנא, הוא ממש. לפני לא נוצר אל, דתנינן, קרא קב"ה ליעקב אל, דכתיב, ויקרא לו אל אלהי ישראל. קב"ה קרא ליעקב אל. הה"ד, לפני לא נוצר אל ואחרי לא יהיה. ובג"כ, אני, הוא, כלא. כמה דאתמר. ואחרי לא יהיה, דהא דוד הכי אקרי, ולאו אית בתריה אחרא.

קח. תא חזי, כד ברא קב"ה עלמא, אתקין כל מלה ומלה, כל חד וחד בסטרוי. ומני עלייהו חילין עלאין. ולית לך אפילו עשבא זעירא בארעא, דלית ליה חילא עלאה לעילא. וכל מה דעבדין בכל חד וחד, וכל מה דכל חד וחד עביד, כלא הוא בתקיפו דההיא חילא עלאה, דממנא עליה לעילא. וכלהו נמוסין גזירין מדינא, על דינא נטלין, ועל דינא קיימין. לית מאן דנפיק מן קיומיה לבר.

קט. וכלהו ממנן, מן יומא דאתברי עלמא, מתפקדן שלטונין על כל מלה ומלה. וכלהו נטלין על נימוסא אחרא עלאה, דנטלין כל חד וחד. כמה דכתיב, ותקם בעוד לילה ותתן טרף לביתה וחק לנערותיה. כיון דנטלין ההוא חק, כלהו אקרון חקות, וההוא חק דאתייהיב להו, מן שמיא קא אתי, וכדין אתקרון חקות שמים. ומנלן דמן שמים קא אתיין. דכתיב כי חק לישראל הוא.

קי. וע"ד כתיב, את חקותי תשמורו בגין דכל חד וחד ממנא על מלה ידיעא בעלמא, בההוא חק. בגין כך אסיר למחלף זינין, ולאעלא זינא בזינא אחרא. בגין דאעקר לכל חילא וחילא מאתרייהו, ואכחיש פומבי דמלכא.

קיא. כלאים, מהו כלאים. כמאן דיהיב אחרא בבי מטרא, כד"א אל בית הכלא, בגין דלא למעבד מידי. כלאים: מניעותא, דמנע לכל אינון חילין מעבידתא דלהון. כלאים: ערבוביא, דעביד ערבוביא בחילא דלעילא, ואכחיש פומבי דמלכא, כמה

דְּאִתְמַר, וּבֶגֶד כִּלְאַיִם שַׁעַטְנֵז לֹא יַעֲלֶה עָלֶיךָ.

קי״ב. תָּ״ח, כְּתִיב וּמֵעֵץ הַדַּעַת טוֹב וָרָע לֹא תֹאכַל מִמֶּנּוּ כִּי בְּיוֹם אֲכָלְךָ מִמֶּנּוּ מוֹת תָּמוּת. וְהָא אִתְמַר, דְּשַׁנֵּי פִּקּוּדוֹי דְּמַלְכָּא, וְאַחְלַף עֵץ וְיַיִם, דְּבֵיהּ אִשְׁתָּלִים כֹּלָּא, וּבֵיהּ תַּלְיָא מְהֵימְנוּתָא, וְאִתְדַּבַּק בַּאֲתַר אָחֳרָא. וְהָא תָּנִינָן, בְּכֹלָּא בָּעֵי בַּ״נ לְאַחֲזָאָה עוֹבָדָא כְּגַוְונָא דִּלְעֵילָּא, וּלְמֶעְבַּד עוֹבָדָא כְּמָה דְּאִצְטְרִיךְ. וְאִי אִשְׁתְּנֵי בְּמִלָּה אָחֳרָא, הוּא אַגְּזִיד לְשַׁרְיָא בֵּיהּ מִלָּה אָחֳרָא דְּלָא אִצְטְרִיךְ.

קי״ג. וְתָא וַחֲזֵי, בְּעַתָּא דְּבַר נָשׁ אַחֲזֵי עוֹבָדָא לְתַתָּא בְּאֹרַח מֵישָׁר, כְּמָה דְּאִצְטְרִיךְ, נָגְיד וְנָפְיק וְשַׁרְיָא עֲלוֹי רוּחַ קַדִּישָׁא עִלָּאָה. וּבְעַתָּא דְּאִיהוּ אַחֲזֵי עוֹבָדָא לְתַתָּא בְּאֹרְחָא עֲקִימָא, דְּלֵית אִיהוּ מֵישָׁר, כְּדֵין נָגְיד וְנָפְיק וְשָׁרֵי עֲלוֹי רוּחַ אָחֳרָא, דְּלָא אִצְטְרִיךְ, דְּסָטֵי לֵיהּ לְבַ״נ לְסִטְרָא בִּישָׁא. מַאן מָשִׁיךְ עֲלֵיהּ הַהוּא רוּחָא. הֱוֵי אוֹמֵר, הַהוּא עוֹבָדָא דְּאַחֲזֵי בְּסִטְרָא אָחֳרָא.

קי״ד. כְּתִיב דִּרְשָׁה צֶמֶר וּפִשְׁתִּים. דִּרְשָׁה, מַהוּ דִּרְשָׁה. דְּבַעְיָא וְדָרִישׁ עַל צֶמֶר וּפִשְׁתִּים, מַאן דִּמְחַבֵּר לוֹן כַּחֲדָא, וְאִי תֵּימָא בְּצִיצִית אַמַּאי שָׁרֵי. הָא אוּקְמוּהָ. אֲבָל הָתָם הוּא הַהוּא לְבוּשָׁא בְּתִקּוּנוֹי, בְּאַשְׁלָמוּת עוֹבָדָא כְּדְקָא חֲזֵי.

קט״ו. תּוּ, דִּרְשָׁה צֶמֶר וּפִשְׁתִּים, לְמֶעְבַּד נוּקְמָא בְּמַאן דִּמְחַבֵּר לוֹן כַּחֲדָא. אֲבָל אֵימָתַי שַׁרְיָא. בְּעַתָּא דְּאִיהוּ בְּאַשְׁלָמוּתָא, דִּכְתִיב, וַתַּעַשׂ בְּחֵפֶץ כַּפֶּיהָ. וְצִיצִית, הָא אוּקִימְנָא דְּהָתָם בְּהַהוּא כְּלָלָא דְּשְׁלֵימוּתָא אִשְׁתְּכַח, וְלָא עָבִיד מִדִּי. אֲבָל בְּעַתָּא דְּלָא אִשְׁתְּכַח בִּשְׁלֵימוּתָא, מַאן דְּאָתֵי לְחַבְּרָא לוֹן כַּחֲדָא, אִתְעַר עֲלֵיהּ רוּחָא דְּלָא אִצְטְרִיךְ.

קט״ז. מִלָּה דָּא מַאן אוֹכַח. קַיִן וְהֶבֶל אוֹכְחָן. דְּדָא אָתֵי מִסִּטְרָא וָד, וְדָא אָתֵי מִסִּטְרָא אָחֳרָא. וּבְגַ״כ לָא לִבְעֵי לָן לְחַבְּרָא לוֹן כַּחֲדָא. וְקָרְבְּנָא דְּקַיִן, אִתְרְחַק מִקַּמֵּי קָרְבְּנָא דְּהֶבֶל.

קי״ז. וְעַל דָּא וּבֶגֶד כִּלְאַיִם שַׁעַטְנֵז לֹא יַעֲלֶה עָלֶיךָ. לֹא יַעֲלֶה עָלֶיךָ סְתָם, לֹא יַעֲלֶה עָלֶיךָ רוּחָא אָחֳרָא לְשַׁלְטָאָה בָּךְ. וְאִצְטְרִיךְ לֵיהּ לְבַר נָשׁ לְאַחֲזָאָה עוֹבָדָא דִּכְשֵׁרָא כְּמָה דְּיָאוֹת, וּבְהַהוּא עוֹבָדָא שַׁרְיָא עֲלֵיהּ רוּחַ קַדִּישָׁא, רוּחַ עִלָּאָה, לְאִתְקַדְּשָׁא בֵּיהּ, אָתָא לְאִתְקַדְּשָׁא מְקַדְּשִׁין לֵיהּ, דִּכְתִיב וְהִתְקַדִּשְׁתֶּם וִהְיִיתֶם קְדוֹשִׁים כִּי קָדוֹשׁ אֲנִי יְיָ.

קי״ח. כְּתִיב וּמֵעֵץ הַדַּעַת טוֹב וָרָע, וּמַה עַל דָּא גָּרִים אָדָם מִיתָה בְּעָלְמָא, מַאן דְּאַחֲזֵי עוֹבָדָא אָחֳרָא דְּלָא אִצְטְרִיךְ, עַל אַחַת כַּמָּה וְכַמָּה. שׁוֹר וַחֲמוֹר אוֹכְחָן. מִסִּטְרָא דָּא אִקְרֵי שׁוֹרִי, וּמִסִּטְרָא דָּא אִקְרֵי חֲמוֹר, וְעַל דָּא כְּתִיב לֹא תַחֲרוֹשׁ בְּשׁוֹר וּבַחֲמוֹר יַחְדָּו. לָא תַעֲבִיד עִרְבּוּבְיָא כַּחֲדָא, בְּגִין דְּאִתְעַר לְאִתְחַבְּרָא סִטְרָא אָחֳרָא כַּחֲדָא, לְאַבְאָשָׁא עָלְמָא. וּמַאן דְּפָרִישׁ לוֹן, אַסְגֵּי שְׁלָמָא בְּעָלְמָא. אוּף הָכָא, מַאן דְּפָרִישׁ לוֹן בְּהַהוּא גַּוְונָא כְּמָה דְּאָמְרוּ, דְּלָא אִשְׁתְּכַח שׁוֹעַ טָוּוִי וְנוּז כַּחֲדָא, הַאי בַּר נָשׁ אַסְגֵּי שְׁלָמָא עֲלֵיהּ, וְעַל כָּל עָלְמָא.

קי״ט. קָרְבְּנָא דְּקַיִן הֲוָה פִּשְׁתִּים, וְקָרְבְּנָא דְּהֶבֶל הֲוָה צֶמֶר, לָאו דָּא כְּדָא, וְלָאו דָּא כְּדָא. רָזָא דְּמִלָּה,קַיִן כִּלְאַיִם הֲוָה, עִרְבּוּבְיָא דְּלָא אִצְטְרִיךְ, סִטְרָא אָחֳרָא, דְּלָא זִינָא דִּלְהוֹן אָדָם. וְקוּרְבְּנֵיהּ מֵהַהוּא סִטְרָא קָא אַתְיָא. הֶבֶל מִזִּינָא דָּא אָדָם וְזִינֵהּ. וּבְמַעֲשָׂא דִּלְהוֹן אִתְחַבָּרוּ אִלֵּין תְּרֵין סִטְרִין. וּבְגִין דְּאִתְחַבָּרוּ כַּחֲדָא, לָא אָתְיָא מִנַּיְיהוּ

תועלתא לעלמא, ואתאבידו.

קכ. ועד יומא דין, סטרא דלהון קיימא. ומאן דאוזיף גרמיה בעובדא דחבורא דא, אתער עליה אינון סטרין כחדא, ויכיל לאתזקא, ושארי עלוי רוחא אחרא, דלא אצטריך. וישראל בעאן לאתערא עלייהו רוחא קדישא למהוי קדישין, לאשתכחא בשלמא, בעלמא דין ובעלמא דאתי.

קכא. כתיב ולבש הכהן מדו בד ומכנסי בד יהיו על בשרו ובאבנט בד יחגור אמאי אקרי בד, יחידאי. בגין דלא בעי לחברא להאי פשתים באחרא, ועכ"ד לא כתיב מדו פשתים, אלא בד יחידאה.

קכב. וכהנא אמאי איהו בעי לאתחזאה בהאי. אלא אלין מאני בד, בעי לאתחזאה בהו על מזבח העולה, כד הוה מפני קטרא דדשנא דעולה, דהא עולה מסטרא דע"ז והרהורא בישא קא אתיא. ובג"כ, בעי לאתחזאה בהו בלחודייהו, ולא בערבוביא כמה דאמרן, בגין דיתכפר ליה לב"נ כל אינון חובין דאתיין מההוא סטרא.

קכג. וכד עייל למקדשא, אתר דשלימו אשתכח, וכל אינון פולחני דשלימותא, אע"ג דאתחברו, לית לן בה, כמה דאמרן בציצית, בגין דתמן אשתכחו ואתחברו כל אינון זינין דלעילא, וכל אינון מאני מקדשא, משתכחין ביה כמה זינין משניין דא מן דא, וכלהו אתכלילו תמן כגוונא דלעילא. זכאין אינון ישראל, דקב"ה יהיב להו אורייתא דקשוט, אורייתא דמהימנותא, ורווח להו מכל שאר עמין עע"ז, דכתיב אהבתי אתכם אמר יי'.

קכד. פתח ר' חייא אבתריה ואמר, כי תבאו אל הארץ ונטעתם כל עץ מאכל וגו'. ובשנה הרביעית יהיה כל פריו קדש הלולים ליי'. כי תבאו אל הארץ, הא אוקמוה חבריא, אבל ת"ח, דהא אילנא לא עביד פירין, אלא בארעא. וארעא אפיק להון, ואחזי ההוא איבא לעלמא. וארעא לא עבדא פירין אלא מגו חילא אחרא דעלה. כמה דנוקבא לא עבדא פירין, אלא מגו חילא דדכורא.

קכה. וההוא איבא, לא אשתלים באשלמותא, עד תלת שנין. וחילא לא אתפקדא עליה לעילא עד דאשתלים. בתר דאשתלים אתפקדא עליה חילא וארעא אתתקנת ביה. דהא עד תלת שנין ארעא לא אתתקנת ביה ולא אשתלימת עמיה. בתר דאשתלים ואתתקנו כחדא כדין הוא שלימותא.

קכו. תא חזי, נוקבא, עד תלת זמנין דאתעברא, איבא דמעהא לא אשתלים. בתר ג' עידואן, נוקבא אתתקנת בההוא איבא, ואסתכמו כחדא. כדין ההוא איבא שלימו דכלא, ושפירו דכלא. בתר דנפק, עד ג' שנין לא אית ליה חילא לעילא, דהא כדין אשתלים בשולא דיליה. לוי אתרעי מכלא, תליתאה לאמיה, דאתתקנת ביה, ואתבסמת בהדיה.

קכז. בתר ג' שנין, אתפקדת עליה חילא עלאה לעילא. ובשנה הרביעית, יהיה כל פריו קדש הלולים. מאי קדש הלולים. תושבחן, לשבחא ליה לקב"ה. עד הכא, מכאן ואילך רזא דמלה, דבשנה הרביעית מזדווגת כנסת ישראל לקב"ה, והלולא חד אשתכח. דכתיב קדש הלולים, הלולא וחדוה בזמנא חדא.

קכח. מאי שנה הרביעית דא קב"ה. ותנינן, שנה הרביעית, דא כנסת ישראל

דְּאִיהִי קַיְּימָא רְבִיעָאָה לְכוּרְסְיָיא, וְכֹלָּא וְחַד, דְּהָא כְּדֵין קב"ה מִזְדַּוֵּוג בָּהּ בכ"י, וּכְדֵין הִיא קֹדֶשׁ, וְהִלּוּלָא קַדִּישָׁא אִשְׁתְּכַח, וּכְדֵין וַחַיָּלִין אִתְמְנָן עַל עָלְמָא, עַל כָּל מִלָּה וּמִלָּה כַּדְקָא חֲזֵי לֵיהּ מִכָּאן וּלְהָלְאָה מִתְבָּרְכָאן כֻּלְּהוּ, וְשָׁארֵי לְמֵיכַל, דְּהָא כֻּלְּהוּ בִּשְׁלֵימוּתָא דְּכֹלָּא, בִּשְׁלֵימוּתָא דְּעֵילָּא וְתַתָּא.

קכט. וְעַד לָא אִשְׁתְּלִים בְּכֹלָּא מִתַּתָּא וּמֵעֵילָּא, אָסִיר לְמֵיכַל מִנֵּיהּ. וּמַאן דְּאָכִיל מִנֵּיהּ, כְּמַאן דְּלֵית לֵיהּ חוּלָקָא בְּקב"ה ובכ"י, דְּהָא הַהוּא אִיבָּא בְּלָא רְשׁוּתָא עִלָּאָה קַדִּישָׁא קַיְּימָא, דְּלָא שָׁארֵי עָלֵיהּ עַד דְּיִשְׁתְּלִים. וּבְלָא רְשׁוּתָא. תַּתָּאָה, דְּהָא לָא אִתְבַּסְּמַת חֵילָא דְּאַרְעָא בֵּיהּ. וְהַהוּא דְּאָכִיל מִנֵּיהּ, אַחֲזֵי גַּרְמֵיהּ דְּלֵית לֵיהּ חוּלָקָא לְעֵילָּא וְתַתָּא, וְאִי בָּרִיךְ עָלֵיהּ, בְּרָכָה לְבַטָּלָה הוּא. דְּהָא קב"ה עַד כְּעָן לָא שַׁרְיָא עָלוֹי, וְלֵית בֵּיהּ חוּלָקָא. רַחֲמָנָא לִישֵׁזְבִינָן מֵאִינּוּן דְּלָא מַשְׁגִּיחִין לִיקָרָא דְּמָארֵיהוֹן.

קל. זַכָּאִין אִינּוּן צַדִּיקַיָּיא בְּעָלְמָא דֵּין, וּבְעָלְמָא דְּאָתֵי, עֲלַיְיהוּ כְּתִיב וְאֹרַח צַדִּיקִים כְּאוֹר נֹגַהּ. בְּגִין דִּבְהַהוּא זִמְנָא, יִסְתַּלַּק חִוְיָא דְּשַׁרְיָא בְּנוּקְבָּא בְּקַדְמֵיתָא, וְיֵיתֵי דְּכוּרָא לְמִשְׁרֵי בְּאַתְרֵיהּ כַּד בְּקַדְמֵיתָא, וְכֹלָּא יְהֵא שְׁלִים. תָּאנָא בְּזִמְנָא דְּזַכָּאָה שָׁארֵי בְּעָלְמָא וְכוּ' עַד צַדִּיק כַּתָּמָר יִפְרָח.

קלא. רִבִּי יוֹסֵי פָּתַח קְרָא וְאָמַר, לֹא תֹאכְלוּ עַל הַדָּם. הָא בְּכַמָּה אֲתַר אוֹקְמוּהָ חַבְרַיָּיא, וְכָל הָנֵי קְרָאֵי אֲבַתְרֵיהּ. וְכָל חַד וְחַד בְּאִתְגַּלְיָיא. אֲבָל הַאי קְרָא אִית לְאִתְעָרָא בֵּיהּ, דִּכְתִיב מִפְּנֵי שֵׂיבָה תָּקוּם וְגוֹ'. מִפְּנֵי שֵׂיבָה, שֵׂיבָה דְּאוֹרַיְיתָא סְתָם. תָּקוּם, מִכָּאן דְּבָעֵי בַּר נָשׁ לְמֵיקָם מִקַּמֵּי ס"ת, וְהָכִי רַב הַמְנוּנָא סָבָא, כַּד הֲוָה חָמֵי ס"ת, הֲוָה קָם מִקַּמֵּיהּ, וְאָמַר מִפְּנֵי שֵׂיבָה תָּקוּם. כְּגַוְונָא דָּא, בָּעֵי בַּר נָשׁ לְמֵיקָם בְּקִיּוּמֵיהּ לְקַמֵּיהּ דת"ח, בְּגִין דְּאִיהוּ קָאִים בְּדִיוּקְנָא קַדִּישָׁא עִלָּאָה. וְרָמֵז לְכַהֲנָא קַדִּישָׁא עִלָּאָה, דִּכְתִיב וְהָדַרְתָּ פְּנֵי זָקֵן, דְּאִיהוּ בְּעָלְמָא. אר"ש, מִכָּאן רֶמֶז לְתוֹרָה שֶׁבִּכְתָב וְרָמַז לְתוֹרָה שֶׁבְּעַל פֶּה.

קלב. וְתוּ תָּנֵינָן, הַאי קְרָא לְדָרְשָׁא הוּא דְּאָתָא, מִפְּנֵי שֵׂיבָה תָּקוּם, כְּמָה דְּאִתְּעֲרוּ בֵּיהּ חַבְרַיָּיא, מִפְּנֵי שֵׂיבָה תָּקוּם, אַזְהַר לֵיהּ לְבַר נָשׁ, עַד לָא יִסְתַּלַּק בְּסִיבוּתָא, דְּיָקוּם בְּקִיּוּמָא טָבָא בְּעָלְמָא, בְּגִין דְּדֵין הוּא הַדּוּרָא לֵיהּ, אֲבָל לְסוֹף יוֹמוֹי לֵית שְׁבָחָא לֵיהּ לב"נ כ"כ, כַּד אִיהוּ סִיב וְלָא יָכִיל לְמֶהֱוֵי בִּישׁ. אֶלָּא שְׁבָחָא דִּילֵיהּ, כַּד אִיהוּ בְּתוּקְפֵיהּ, וְאִיהוּ טַב. וּשְׁלֹמֹה מַלְכָּא צָוַוח וְאָמַר, גַּם בְּמַעֲלָלָיו יִתְנַכֶּר נָעַר וְגוֹ'. כְּגַוְונָא דָּא כְּתִיב, וּזְכוֹר אֶת בּוֹרְאֶךָ בִּימֵי בְּחוּרוֹתֶיךָ. א"ר אֶלְעָזָר, וַדַּאי אוֹרְחָא דָּא מִתְקְנָא קָמָן, וְהַאי אוֹרְחָא דְּקב"ה הוּא.

קלג. פָּתַח וְאָמַר, כִּי יוֹדֵעַ יְיָ' דֶּרֶךְ צַדִּיקִים וְדֶרֶךְ רְשָׁעִים תֹּאבֵד. מַאי כִּי יוֹדֵעַ יְיָ'. אֶלָּא, קב"ה יוֹדֵעַ וְאַשְׁגַּח בְּאָרְחָא דְּצַדִּיקַיָּיא, לְאוֹטָבָא לְהוּ, וּלְאַגָּנָא לְהוּ, וְהוּא אָזִיל קַמַּיְיהוּ לְנַטְּרָא לְהוּ. ובג"כ, מַאן דְּנָפִיק לְאָרְחָא בָּעֵי דְּלֶהֱוֵי הַהִיא אָרְחָא דְּקב"ה, וְיִשְׁתַּתֵּף לֵיהּ בַּהֲדַיְיהוּ. ובג"כ כְּתִיב, כִּי יוֹדֵעַ יְיָ' דֶּרֶךְ צַדִּיקִים וְדֶרֶךְ רְשָׁעִים תֹּאבֵד. הִיא מִגַּרְמָהּ, בְּגִין דְּקב"ה לָא אִשְׁתְּמוֹדַע לֵיהּ לְהַהוּא אָרְחָא דִּלְהוֹן, וְלָא אָזִיל בַּהֲדַיְיהוּ.

קלד. כְּתִיב דֶּרֶךְ, וּכְתִיב אֹרַח, מַה בֵּין הַאי לְהַאי. אֶלָּא, דֶּרֶךְ: דְּשָׁאַר קַרְסוּלֵי בְּנֵי נָשָׁא אָזְלוּ בָּהּ. אֹרַח: דְּאִיהוּ אִתְפְּתַח מִן זִמְנָא זְעֵירָא וְעַל אָרְחָא דָּא כְּתִיב, וְאֹרַח

צַדִּיקִים כְּאוֹר נֹגַהּ הוֹלֵךְ וָאוֹר עַד נְכוֹן הַיּוֹם.

אָמֵן כֵּן יְהִי רָצוֹן

Emor

אמור

א. וַיֹּאמֶר יְיָ' אֶל מֹשֶׁה אֱמוֹר אֶל הַכֹּהֲנִים בְּנֵי אַהֲרֹן וְאָמַרְתָּ אֲלֵיהֶם לְנֶפֶשׁ לֹא יִטַּמָּא בְּעַמָּיו. א"ר יוֹסֵי, מ"ט דָּא לְקָבֵל דָּא, דִּכְתִּיב לְעֵילָּא, וְאִישׁ אוֹ אִשָּׁה כִּי יִהְיֶה בָהֶם אוֹב אוֹ יִדְּעוֹנִי מוֹת יוּמָתוּ, וְסָמִיךְ לֵיהּ אֱמוֹר אֶל הַכֹּהֲנִים. אֶלָּא כֵּיוָן דְּאַזְהַר לְהוּ לְיִשְׂרָאֵל, לְקַדְּשָׁא לְהוּ בְּכֹלָּא, אַזְהַר לְהוּ לְכַהֲנֵי לְקַדְּשָׁא לוֹן, וְכֵן לַלְוִיִּם. לְכַהֲנֵי מְנַיִן. דִּכְתִּיב אֱמוֹר אֶל הַכֹּהֲנִים. לְלֵוָאֵי מְנַיִן. דִּכְתִּיב וְאֶל הַלְוִיִּם תְּדַבֵּר וְאָמַרְתָּ אֲלֵיהֶם. בְּגִין דְּיִשְׁתַּכְּחוּן כֻּלְּהוּ זַכָּאִין קַדִּישִׁין דַּכְיָין.

ב. אֱמוֹר אֶל הַכֹּהֲנִים בְּנֵי אַהֲרֹן, מ"ט הָכָא בְּנֵי אַהֲרֹן, וְכִי לָא יַדְעָנָא דִּבְנֵי אַהֲרֹן נִינְהוּ. אֶלָּא בְּנֵי אַהֲרֹן, וְלָא בְּנֵי לֵוִי, דְּאַהֲרֹן דְּהוּא שֵׁירוּתָא דְּכָל כַּהֲנֵי דְּעָלְמָא, דְּבֵיהּ אִתְרְעֵי קֻבְּ"ה מִכֹּלָּא, בְּגִין לְמֶעְבַּד שְׁלָמָא בְּעָלְמָא, וּבְגִין דְּאַהֲרֹן אָרְחוֹי סְלִיקוּ לֵיהּ לְהַאי, דְּכָל יוֹמוֹי דְּאַהֲרֹן הֲוָה מִשְׁתַּדֵּל לְאַסְגָּאָה שְׁלָמָא בְּעָלְמָא. וּבְגִין דְּאוֹרְחוֹי כָּךְ, סָלִיק לֵיהּ קֻבְּ"ה לְהַאי, לְמֵיעַל שְׁלָמָא בְּפָמַלְיָא דִּלְעֵילָּא, וּבְגִין כָּךְ אֱמוֹר אֶל הַכֹּהֲנִים בְּנֵי אַהֲרֹן.

ג. אֱמוֹר אֶל הַכֹּהֲנִים בְּנֵי אַהֲרֹן וְאָמַרְתָּ אֲלֵיהֶם. ר' יְהוּדָה פָּתַח, מָה רַב טוּבְךָ אֲשֶׁר צָפַנְתָּ לִּירֵאֶיךָ וְגוֹ'. מָה רַב טוּבְךָ, כַּמָּה עִלָּאָה וְיַקִּירָא, הַהוּא נְהוֹרָא עִלָּאָה דְּאִקְרֵי טוֹב, דִּכְתִּיב וַיַּרְא אֱלֹהִים אֶת הָאוֹר כִּי טוֹב. וְדָא הוּא אוֹר הַגָּנוּז, דְּבֵיהּ עָבֵיד קֻבְּ"ה טַב בְּעָלְמָא, וְלָא מָנַע לֵיהּ בְּכָל יוֹמָא, בְּגִין דְּבֵיהּ מִתְקַיַּים עָלְמָא, וְקָאִים עָלֵיהּ. אֲשֶׁר צָפַנְתָּ לִּירֵאֶיךָ, דְּתָנֵן, נְהוֹרָא עִלָּאָה עָבֵד קֻבְּ"ה כַּד בָּרָא עָלְמָא, וְגָנִיז לֵיהּ לְצַדִּיקַיָּא לְזִמְנָא דְּאָתֵי. הה"ד, אֲשֶׁר צָפַנְתָּ לִּירֵאֶיךָ.

ד. פָּעַלְתָּ לַחוֹסִים בָּךְ. פָּעַלְתָּ, בְּזִמְנָא דְּאִתְבְּרֵי עָלְמָא, הַהוּא נְהוֹרָא הֲוָה קָאִים וְנָהִיר מֵרֵישָׁא דְּעָלְמָא לְסַיְיפֵי דְּעָלְמָא. כַּד אִסְתָּכַּל קֻבְּ"ה, לְאִינּוּן חַיָּיבִין דִּזְמִינִין לְקַיְּימָא בְּעָלְמָא, גָּנִיז לֵיהּ לְהַהוּא נְהוֹרָא, דִּכְתִּיב וְיִמָּנַע מֵרְשָׁעִים אוֹרָם. וְזַמִּין לְאַנְהָרָא לְצַדִּיקַיָּיא לְעָלְמָא דְּאָתֵי, וְדָא הוּא אֲשֶׁר צָפַנְתָּ לִּירֵאֶיךָ, וּכְתִיב וְזָרְחָה לָכֶם יִרְאֵי שְׁמִי שֶׁמֶשׁ צְדָקָה וּמַרְפֵּא בִּכְנָפֶיהָ.

ה. תָּא חֲזֵי, בְּשַׁעְתָּא דְּבַר נָשׁ קָאִים לְמֵיהַךְ לְהַהוּא עָלְמָא, וְהוּא בְּבֵי מַרְעֵיהּ, אַתְיָין עָלֵיהּ ג' שְׁלוּחִין, וְחָמֵי תַּמָּן, מַה דְּלָא יָכִיל בַּר נָשׁ לְמֶחֱמֵי כַּד אִיהוּ בְּהַאי עָלְמָא. וְהַהוּא יוֹמָא, יוֹמָא דְּדִינָא עִלָּאָה הוּא, דְּמַלְכָּא בָּעֵי פִּקְדוֹנָא דִּילֵיהּ. זַכָּאָה הַהוּא בַּר נָשׁ, דְּפִקְדוֹנֵיהּ אָתִיב לְמַלְכָּא כְּמָה דְּאִתְיְיהִיב לֵיהּ בְּגַוֵּיהּ. אִי הַהוּא פִּקְדוֹנָא אִתְטְנַף בְּטִנּוּפֵי גּוּפָא, מַה יֵּימָא לְמָארֵי פִּקְדוֹנָא.

ו. זָקִיף עֵינוֹי, וְחָמֵי לְמַלְאַךְ הַמָּוֶת קָאִים קַמֵּיהּ, וְסַיְיפֵיהּ שְׁלִיפָא בִּידֵיהּ, קָסְטַר בְּקַטְרִין, בְּקוּטְמָא דְּהַהוּא בַּר נָשׁ. וְלֵית לָהּ לְנַפְשָׁא קַשְׁיוּ בְּכֹלָּא, כְּפִרִישׁוּ דִּילָהּ מִן גּוּפָא. וּבַר נָשׁ לָא מִית, עַד דְּחָמֵי לִשְׁכִינְתָּא, וּמִגּוֹ סְגִיאוּת תִּיאוּבְתָּא דִּשְׁכִינְתָּא, נַפְשָׁא נָפְקַת לְקַבְּלָא לִשְׁכִינְתָּא. בָּתַר דְּנָפְקָא, מַאן אִיהִי נַפְשָׁא דְּאִתְדַּבַּק בָּהּ וְיִתְקַבֵּל בְּגַוָּוהּ

וְהָא אוּקְמוּהָ לְהָנֵי מִלֵּי.

ז. בָּתַר דְּנָפְקָא נַפְשָׁא מִן גּוּפָא, וְאִשְׁתְּאַר גּוּפָא בְּלָא רוּחָא, אָסִיר לְמִשְׁבַּק לֵיהּ בְּלָא קְבוּרְתָא, דִּכְתִּיב לֹא תָלִין נִבְלָתוֹ עַל הָעֵץ כִּי קָבוֹר תִּקְבְּרֶנּוּ בַּיּוֹם הַהוּא. בְּגִין דְּמִיתָא דְּיִשְׁתְּהֵי כ"ד שָׁעוֹת, דְּאִינּוּן יוֹמָם וָלַיְלָה, בְּלָא קְבוּרְתָא, יָהִיב חַלִּישׁוּתָא בְּשַׁיְיפוֹי דְּרְתִיכָא, וּמְעַכֵּב עֲבִידְתָּא דְּקֻבְּ"ה מִלְּעֲבַד. דְּאֶפְשָׁר דְּקוּדְשָׁא בְּ"ה גָּזַר עָלֵיהּ, בְּגִין לְמֵיתֵיהּ בְּגִלְגּוּלָא אָחֳרָא, מִיַּד בְּהַהוּא יוֹמָא דְּאִתְפְּטַר, לְאוֹטָבָא לֵיהּ. וְכָל זִמְנָא דְּלָא אִתְקְבַר גּוּפָא, נִשְׁמְתָא לָאו עָאלַת קָמֵי קֻבְּ"ה, וְלָא יַכְלָא לְמֶהֱוֵי בְּגוּפָא אָחֳרָא, בְּגִלְגּוּלָא תִּנְיָנָא, דְּלָא יָהֲבִין לְנִשְׁמְתָא גּוּפָא אָחֳרָא, עַד דְּיִתְקְבַר קַדְמָאָה. וְדָא דָּמֵי לְבַר נָשׁ דְּמִיתָא אִתְּתֵיהּ, לָא אִתְחֲזֵי לֵיהּ, לְמֵיסַב אִתְּתָא אָחֳרָא, עַד דְּקָבִיר לְקַדְמֵיתָא, וּבְגִין דָּא אָמְרָה אוֹרַיְיתָא, לֹא תָלִין נִבְלָתוֹ עַל הָעֵץ.

ח. דָּבָר אַחֵר, כַּד אִתְפָּרְשָׁא נִשְׁמְתָא מִן גּוּפָא, וּבַעְיָא לְמֵיזַל לְהַהוּא עָלְמָא, לָא תֵּיעוֹל לְהַהוּא עָלְמָא, עַד דְּיָהֲבִין לָהּ גּוּפָא אָחֳרָא מִנְּהוֹרָא, וּלְבָתַר יַכְלָא לְמֵיעַל. וּמֵאֵלִיָּהוּ תִּנְדַּע, דַּהֲווֹ לֵיהּ תְּרֵין גּוּפִין, חַד דְּבֵיהּ אִתְחֲזֵי לְתַתָּא לִבְנֵי נָשָׁא, וְחַד דְּבֵיהּ אִתְחֲזֵי לְעֵילָּא, בֵּין מַלְאָכִין עִלָּאִין קַדִּישִׁין. וְכָל כַּמָּה דְּגוּפָא לָא אִתְקְבַר, צַעֲרָא הוּא לְנִשְׁמְתָא, וְרוּחַ מִסְאֲבָא אִזְדְּמַן לְשַׁרְיָיא עֲלוֹי, וּלְסַאֲבָא לְהַהוּא גּוּפָא.

ט. וּבְגִין דְּהַהוּא רוּחַ מִסְאֲבָא, אִזְדְּמַן, לָא לִבְעֵי לֵיהּ לְאִינִישׁ, לְמֵיבַת הַהוּא גּוּפָא לֵילְיָא חַד, בְּגִין דְּרוּחַ מִסְאֲבָא אִשְׁתְּכַח בְּלֵילְיָא, וְאִשְׁתַּטַּח בְּכָל אַרְעָא, לְאַשְׁכְּחָא גּוּפָא בְּלָא נַפְשָׁא, לְסָאֲבָא לֵיהּ, וְאִסְתְּאַב יַתִּיר, וְעַל דָּא אַזְהַר לְכַהֲנֵי וְאָמַר, לְנֶפֶשׁ לֹא יִטַּמָּא בְּעַמָּיו, בְּגִין דְּאִינּוּן קַדִּישִׁין לָא יִשְׁרֵי עֲלַיְיהוּ רוּחַ מִסְאֲבָא, וְלָא יִסְתַּאֲבוּן.

י. אֱמוֹר אֶל הַכֹּהֲנִים, רִבִּי יִצְחָק אָמַר, אֱמוֹר אֶל הַכֹּהֲנִים, בִּלְחִישׁוּ. כְּמָה דְּכָל עוֹבָדֵיהוֹן דְּכַהֲנֵי בִּלְחִישׁוּ, כָּךְ אֲמִירָה דִּלְהוֹן בִּלְחִישׁוּ. אֱמוֹר וְאָמַרְתָּ: זִמְנָא חַד, וּתְרֵין זִמְנִין, לְאַזְהָרָא לְהוּ עַל קְדוּשַּׁיְיהוּ, בְּגִין דְּלָא יִסְתַּאֲבוּן. דְּמַאן דִּמְשַׁמֵּשׁ בַּאֲתַר קַדִּישָׁא, בַּעְיָא דְּיִשְׁתְּכַח קַדִּישָׁא בְּכֹלָּא. לְנֶפֶשׁ לֹא יִטַּמָּא, כְּמָה דְּאוֹקִימְנָא, דְּגוּפָא בְּלָא רוּחַ, מִסְאֲבָא הוּא, וְשָׁארֵי עָלֵיהּ רוּחַ מִסְאֲבָא. דְּהָא תֵּיאוּבְתָּא דְּרוּחֵי מִסְאֲבֵי לְגַבֵּי גּוּפֵיהוֹן דְּיִשְׂרָאֵל אִיהוּ, בְּגִין דְּאִתְרְקַ מִנַּיְיהוּ רוּחָא קַדִּישָׁא, וּבְמָנָא דְּקוּדְשָׁא, אַתְיָין לְאִתְחַבְּרָא. וְכַהֲנֵי דְּאִינּוּן קַדִּישִׁין, קְדוּשָּׁתָא עַל קְדוּשָּׁתָא, לָא בַּעְיָין לְאִסְתַּאֲבָא כְּלַל, בְּגִין דִּכְתִּיב כִּי נֵזֶר אֱלֹהָיו עַל רֹאשׁוֹ. וּכְתִיב כִּי שֶׁמֶן מִשְׁחַת אֱלֹהָיו עָלָיו אֲנִי יְיָ.

יא. וְהוּא כְּגַוְונָא דִּלְעֵילָּא קָאִים לְתַתָּא, דִּכְתִּיב כַּשֶּׁמֶן הַטּוֹב עַל הָרֹאשׁ יוֹרֵד עַל הַזָּקָן זְקַן אַהֲרֹן שֶׁיּוֹרֵד עַל פִּי מִדּוֹתָיו, הַאי קְרָא אוּקְמוּהָ, אֲבָל כַּשֶּׁמֶן הַטּוֹב עַל הָרֹאשׁ, דָּא מִשְׁחָה רְבוּת קַדִּישָׁא עִלָּאָה, דְּנָגִיד וְנָפִיק מֵאֲתַר דְּנַהֲרָא עֲמִיקָא דְּכֹלָּא. ד"א, דְּנָגִיד וְנָפִיק מֵרֵישָׁא דְּכָל רֵישִׁין, סְתִימָא דְּכָל סְתִימִין. עַל הָרֹאשׁ, עַל הָרֹאשׁ וַדַּאי, רֵישָׁא דְּאָדָם קַדְמָאָה.

יב. יוֹרֵד עַל הַזָּקָן, דָּא דִּיקְנָא יַקִּירָא, כְּמָה דְּאוּקְמוּהָ. זְקַן אַהֲרֹן, דָּא כֹּהֵן גָּדוֹל דִּלְעֵילָּא, וְהָא אוּקְמוּהָ. וְהַהוּא שֶׁמֶן, יוֹרֵד עַל פִּי מִדּוֹתָיו, דְּמֵאִינּוּן מְשִׁיחָן, נָגִיד וְנָפִיק וְנָזִית לְתַתָּאֵי, וּכְגַוְונָא דָּא נָגִיד וְאִתְעַטַּר כַּהֲנָא תַּתָּאָה, בִּמְשַׁח רְבוּת לְתַתָּא.

יג. הַאי קְרָא, לָאו רֵישֵׁיהּ סֵיפֵיהּ, וְלָאו סֵיפֵיהּ רֵישֵׁיהּ. כְּתִיב אֱמוֹר אֶל הַכֹּהֲנִים בְּנֵי אַהֲרֹן וְאָמַרְתָּ אֲלֵיהֶם לְנֶפֶשׁ לֹא יִטַּמָּא. לָא יִטַּמְּאוּ מִבְּעֵי לֵיהּ, מַהוּ לֹא יִטַּמָּא. אֶלָּא, עַל

הַהוּא כֹּהֵן עִלָּאָה מִכֹּלְּהוּ קָאָמַר. אָמַר רַבִּי יְהוּדָה וְהָא כְּתִיב וְהַכֹּהֵן הַגָּדוֹל מֵאֶחָיו. אֶלָּא וַדַּאי הָכִי הוּא כְּמָה דְּאִתְּמַר, וְאָמַר רַבִּי יִצְחָק, כַּהֲנָא דְּקָאִים לְתַתָּא, כְּגַוְונָא דִּלְעֵילָּא, בִּקְדוּשָׁה אִצְטְרִיךְ לְאִשְׁתַּכְּחָא יַתִּיר מִכֹּלָּא, כְּמָה דְּאִתְּמַר.

רעיא מהימנא

יד. פִּקּוּדָא דָּא, לְסַדְּרָא כַּהֲנָא בְּכָל יוֹמָא בּוֹצִינִין בְּבֵי מַקְדְּשָׁא, וְהָא אוֹקִימְנָא בְּרָזָא דִּמְנוֹרָא. וְאִיהוּ רָזָא כְּגַוְונָא דִּלְעֵילָּא, בְּגִין דִּנְהִירוּ עִלָּאָה בְּמִשְׁחָא רְבוּ, נָחִית עַל רֵישָׁא דְּכַהֲנָא בְּקַדְמֵיתָא לְבָתַר אִיהוּ אַדְלִיק וְאַנְהִיר כָּל בּוֹצִינִין. דִּכְתִיב כַּשֶּׁמֶן הַטּוֹב עַל הָרֹאשׁ וְגוֹ', וּכְתִיב כִּי שֶׁמֶן מִשְׁחַת אֱלֹהָיו עָלָיו וְגוֹ'. וְעַל דָּא אִתְיְיהִיב רְשׁוּ לְכַהֲנָא בִּלְחוֹדוֹי, לְסַדְּרָא בּוֹצִינִין, וּלְאַדְלָקָא לְהוֹן בְּכָל יוֹמָא תְּרֵין זִמְנִין, לְקַבֵּל נְהִירוּ דְּיִחוּדָא תְּרֵין זִמְנִין, קָרְבְּנָא בְּכָל יוֹמָא, תְּרֵין זִמְנִין, וְכֹלָּא אִצְטְרִיךְ.

טו. וְעַל יְדֵי דְּכַהֲנָא נַהֲרִין בּוֹצִינִין בְּכֹלָּא, עֵילָּא וְתַתָּא לְמֶהְוֵי יִחוּדָא, וּלְאִשְׁתַּכְּחָא חֶדְוָה בְּכָל סִטְרִין. בְּאַדְלָקוּתָא דְּבוֹצִינִין, דְּהָא תְּרֵין אִלֵּין עַל יְדֵי דְּכַהֲנָא, לְאִשְׁתַּכְּחָא חֶדְוָה בְּכָל סִטְרִין, וְאִלֵּין אִינּוּן אַדְלָקוּתָא דְּבוֹצִינִין וּקְטֹרֶת. וְהָא אוֹקִימְנָא שֶׁמֶן וּקְטֹרֶת יְשַׂמַּח לֵב, (ע"כ רעיא מהימנא).

טז. וְלַאֲחוֹתוֹ הַבְּתוּלָה הַקְּרוֹבָה אֵלָיו וְגוֹ'. מַה כְּתִיב לְעֵילָּא, כִּי אִם לִשְׁאֵרוֹ הַקָּרוֹב אֵלָיו וְגוֹ'. רַבִּי אַבָּא פָּתַח, מִי זֶה בָּא מֵאֱדוֹם חֲמוּץ בְּגָדִים מִבָּצְרָה וְגוֹ', מִי זֶה בָּא מֵאֱדוֹם, זַמִּין קֻבְּ"ה לְלַבְּשָׁא לְבוּשֵׁי נוּקְמָא עַל אֱדוֹם, דְּאַחֲרִיבוּ בֵּיתֵיהּ, וְאוֹקִידוּ הֵיכָלֵיהּ, וְגָלוּ לִכְנֶסֶת יִשְׂרָאֵל בֵּינֵי עַמְמַיָּא. וּלְמֶעְבַּד לְהוֹן נִקְמַת עָלְמִין, עַד דְּיִשְׁתַּכְחוּן כָּל טוּרִין מְטוּרֵי עָלְמָא, מַלְיָין מִקְּטוּלֵי עַמִּין, וּלְמִקְרֵי לְכָל עוֹפָא דִּשְׁמַיָּא עֲלַיְיהוּ, וְכָל חֵיוַות בָּרָא יִתְּזְנוּן מִנַּיְיהוּ תְּרֵיסַר יַרְחֵי, וְעוֹפָא דִּשְׁמַיָּא שֶׁבַע שְׁנִין, עַד דְּלָא תִּסְבַּל אַרְעָא נִיוּוּלָא דִּידְהוּ. הה"ד, כִּי זֶבַח לַיְיָ בְּבָצְרָה וְטֶבַח גָּדוֹל בְּאֶרֶץ אֱדוֹם, עַד דְּאִינּוּן לְבוּשִׁין יִסְתַּאֲבוּן, הה"ד וְכָל מַלְבּוּשַׁי אֶגְאָלְתִּי.

יז. חֲמוּץ בְּגָדִים מִבָּצְרָה, בְּגִין דְּמִינָּהּ נָפְקוּ אוֹכְלוּסִין דְּעָלְמָא, לְחַיְילָא עַל יְרוּשְׁלֵם, וְאִינּוּן שָׁרוּ לְאוֹקְדָא הֵיכָלָא, וּבְנֵי אֱדוֹם מְפַגְּרִין שׁוּרִין, וְרָמוּ אַבְנֵי יְסוֹדָא, הה"ד זְכוֹר יְיָ לִבְנֵי אֱדוֹם וְגוֹ', הָאוֹמְרִים עָרוּ עָרוּ עַד הַיְסוֹד בָּהּ.

יח. זֶה הָדוּר בִּלְבוּשׁוֹ, בְּאִינּוּן לְבוּשֵׁי דְּנוּקְמָא דְּזַמִּין לְאַלְבְּשָׁא. צוֹעֶה בְּרוֹב כֹּחוֹ, מַהוּ צוֹעֶה. מִתְּבַר. כְּמָה דִּכְתִיב עַמִּים תַּחְתֶּיךָ יִפְּלוּ וְגוֹ'. אָמְרוּ יִשְׂרָאֵל לִישַׁעְיָה, מַאן הוּא דֵּין דְּיַעֲבִיד כָּל כַּךְ. פָּתַח וְאָמַר, אֲנִי מְדַבֵּר בִּצְדָקָה, הַהוּא דְּאִיהוּ רַב לְהוֹשִׁיעַ, הַהוּא דִּכְתִיב בֵּיהּ, אוֹהֵב צְדָקָה וּמִשְׁפָּט. וְאִיהוּ צְדָקָה מַמָּשׁ, וְאִיהוּ רַב לְהוֹשִׁיעַ.

יט. וְכָל כַּךְ לָמָּה. בְּגִין דְּגַרְמוּ לכ"י לְמֶהֱוֵי שְׁכִיבַת לְעַפְרָא בְּגָלוּתָא, וּלְמִנְפַּל לְאַרְעָא, כְּמָה דִּכְתִיב נָפְלָה לֹא תוֹסִיף קוּם בְּתוּלַת יִשְׂרָאֵל. ובג"כ, קֻבְּ"ה יִלְבַּשׁ לְבוּשֵׁי נוּקְמָא עֲלַיְיהוּ, לְסָאֳבָא לוֹן בִּסְגִיאוּ דִּקְטוּלַיָּיא, דִּכְתִיב וְכָל מַלְבּוּשַׁי אֶגְאָלְתִּי.

כ. וְכָל כַּךְ לָמָּה, דִּכְתִיב וְלַאֲחוֹתוֹ הַבְּתוּלָה הַקְּרוֹבָה אֵלָיו אֲשֶׁר לֹא הָיְתָה לְאִישׁ. דְּלָאו חוּלָקֵיהּ דְּעֵשָׂו, וְלָא הֲוַת בְּעַדְבֵיהּ דְּהַהוּא דִּכְתִיב בֵּיהּ אִישׁ יוֹדֵעַ צַיִד אִישׁ שָׂדֶה, לָהּ יִטַּמָּא, בְּאִינּוּן לְבוּשִׁין דְּנוּקְמָא, דְּזַמִּין לְאִסְתַּאֲבָא בֵּין אִינּוּן אוֹכְלוּסִין, דִּכְתִיב בֵּיהּ לָהּ יִטַּמָּא, בְּגִינָהּ, בְּגִין דְּאִיהִי שְׁכִיבַת לְעַפְרָא, וְהוּא בָּעֵי לְאַקָּמָא לָהּ, הה"ד קוּמִי אוֹרִי כִּי בָא אוֹרֵךְ.

כא. לֹא יִקְרְחוּ קָרְחָה בְּרֹאשָׁם. רִבִּי יוֹסֵי אָמַר, לֹא יִקְרְחוּ בְּהֵ"א מַאי טַעֲמָא. אֶלָּא, הַהוּא שֶׁמֶן עִלָּאָה, דְּאִיהוּ מִשַּׁח רְבוּת קוּדְשָׁא, דְּאַשְׁלִים לְכָל שִׁבְעָה יוֹמִין כְּמָה דְּאִתְּמַר, דִּכְתִּיב כִּי שִׁבְעַת יָמִים יְמַלֵּא אֶת יֶדְכֶם, הַהוּא שֶׁמֶן עִלָּאָה אִתְעֲדֵי מִנֵּיהּ וְאִתְקְרַח, אִי אִיהוּ אַפְגִּים רֵישֵׁיהּ. בְּגִין דְּרֵישָׁא דְּכַהֲנָא עִלָּאָה, הַהוּא שֶׁמֶן עִלָּאָה הֲוֵי, וְעַל דָּא לָא לִיבְעֵי לֵיהּ לְכַהֲנָא דִּלְתַתָּא, לְאַחֲזָאָה בֵּיהּ בְּגַרְמֵיהּ פְּגִימוּ כְּלַל, וְהָא אִתְּמַר. וּבְגִין כָּךְ כְּתִיב בְּהֵ"א.

כב. פָּתַח וְאָמַר, בְּשׁוּב יְיָ' אֶת שִׁיבַת צִיּוֹן הָיִינוּ כְּחוֹלְמִים. בְּשׁוּב יְיָ' אֶת שִׁיבַת, דָּא בְּגָלוּת בָּבֶל אִתְּמַר. דְּלָא אִשְׁתְּכָחוּ יַתִּיר בְּגָלוּתָא אֶלָּא שַׁבְעִין שְׁנִין. דִּכְתִּיב, כִּי לְפִי מְלֹאות לְבָבֶל שִׁבְעִים שָׁנָה אֶפְקוֹד אֶתְכֶם. וּכְתִיב הָיִינוּ כְּחוֹלְמִים, מַאי כְּחוֹלְמִים. אֶלָּא הָא אִתְעֲרוּ חַבְרַיָּיא, דְּאִיכָּא שַׁבְעִין שְׁנִין בְּחֶלְמָא.

כג. וְתָא חֲזֵי, כְּתִיב כִּי שִׁבְעַת יָמִים יְמַלֵּא אֶת יֶדְכֶם. מַאן שִׁבְעַת יָמִים. הָא אִתְּמַר, הַהוּא אֲתַר עִלָּאָה, דְּהוּא כְּלָלָא דְּכָל שִׁיתָּא אָחֳרָנִין, אִקְרֵי שִׁבְעַת יָמִים, וְאִקְרֵי תְּשׁוּבָה. תָּנִינָן, מַאן דְּיָתִיב בְּתַעֲנִיתָא בְּשַׁבְּתָא, קוֹרְעִין לוֹ גְּזַר דִּינוֹ שֶׁל שִׁבְעִים שָׁנָה, וְשַׁבְעִין שָׁנָה אִינּוּן שֶׁבַע אַנְפֵּי מַלְכָּא, דַּאֲפִילּוּ אִסְתַּכָּמוּ עָלֵיהּ כֹּלָּא לְבִישׁ, הַהוּא גְּזַר דִּינָא אִתְקְרַע. מ"ט. בְּגִין דְּאָחִיד בֵּיהּ בְּהַהוּא יוֹמָא, בִּכְלָלָא דְּכֻלְּהוּ, דְּאִקְרֵי שִׁבְעָה, וְאִקְרֵי תְּשׁוּבָה, בְּגִין כָּךְ בְּכֻלְּהוּ אָחִיד, וְאַהֲדַר בִּתְשׁוּבָה, וְאִתְקְרַע גְּזַר דִּינָא בְּכֻלְּהוּ. וְעַל דָּא וַדַּאי שַׁבְעִין שְׁנִין אִיכָּא בְּחֶלְמָא.

כד. כְּגַוְונָא דָּא, כַּהֲנָא אִתְעֲטָּר בְּשֶׁבַע, דְּאִקְרֵי שִׁבְעַת יָמִים, אִי פָּגִים רֵישֵׁיהּ, הַהוּא שִׁבְעָה דְּאִיהוּ כְּלָלָא דְּכֻלְּהוּ, אַעְקַר מִנֵּיהּ כָּל הַהוּא קְדוּשָׁא דְּכֻלְּהוּ, דְּשַׁרְיָא עָלֵיהּ. וְעַ"ד אִזְדְּהָרוּ דְּלָא יִקְרְחוּ קָרְחָה בְּרֹאשָׁם, וְיִשְׁתַּכְּחוּ פְּגִימִין מִכֹּלָּא. וּבְגִ"כ כַּהֲנָא בָּעֵי לְאִשְׁתַּכְּחָא בִּשְׁלִימוּ יַתִּיר מִכֹּלָּא, כ"ש הַהוּא דְּאִיהוּ עִלָּאָה מִכֻּלְּהוּ.

כה. א"ר אַבָּא, כָּאן בְּהֵ"א תַּתָּאָה, כָּאן בְּהֵ"א עִלָּאָה. כ"ג דְּאִיהוּ עִלָּאָה מִכֻּלְּהוּ, בְּהֵ"א עִלָּאָה. דִּכְתִּיב אֲשֶׁר יוּצַק עַל רֹאשׁוֹ שֶׁמֶן הַמִּשְׁחָה וּמִלֵּא אֶת יָדוֹ וְגוֹ'. וּמִלֵּא יָדוֹ דִּכְתִּיב שִׁבְעַת יָמִים יְמַלֵּא אֶת יֶדְכֶם. כַּהֲנָא אָחֳרָא בְּה' תַּתָּאָה, דִּכְתִּיב, לֹא יִקְרְחוּ קָרְחָה בְּרֹאשָׁם, וּכְתִיב בַּתְרֵיהּ, וְלֹא יְחַלְּלוּ שֵׁם אֱלֹהֵיהֶם. וְהַאי שֵׁם הָא יְדִיעָא אִיהוּ. וּבְגִ"כ כְּתִיב, וְהַכֹּהֵן הַגָּדוֹל מֵאֶחָיו אֲשֶׁר יוּצַק עַל רֹאשׁוֹ שֶׁמֶן הַמִּשְׁחָה לִלְבּוֹשׁ אֶת הַבְּגָדִים, כְּמָה דְּאַמָרָן. וּבְגִין דְּאִיהוּ קַדִּישָׁא כְּגַוְונָא דִּלְעֵילָּא, כְּתִיב וּמִן הַמִּקְדָּשׁ לֹא יֵצֵא.

כו. ר' אַבָּא פָּתַח וְאָמַר, לְךָ יְיָ' הַצְּדָקָה וְלָנוּ בּוֹשֶׁת הַפָּנִים כַּיּוֹם הַזֶּה לְאִישׁ יְהוּדָה וּלְיוֹשְׁבֵי יְרוּשָׁלַםִ. זַכָּאִין אִינּוּן יִשְׂרָאֵל, דְּקֻבְּ"ה אִתְרְעֵי בְּהוּ, מִכָּל עַמִּין עע"ז, וּמִגּוֹ רְחִימוּתָא דִּלְהוֹן, יְהַב לְהוּ אוֹרַיְיתָא דִּקְשׁוֹט, לְמִנְדַּע אָרְחָא דְּמַלְכָּא קַדִּישָׁא. וְכָל מַאן דְּאִשְׁתַּדַּל בְּאוֹרַיְיתָא, כְּאִלּוּ אִשְׁתָּדַּל בֵּיהּ בְּקֻבְּ"ה, דְּאוֹרַיְיתָא כֹּלָּא שְׁמֵיהּ דְּקֻבְּ"ה הֲוֵי. וּבְגִ"כ מַאן דְּאִתְעַסָּק בְּאוֹרַיְיתָא, אִתְעֲסָק בֵּיהּ בִּשְׁמֵיהּ, וּמַאן דְּאִתְרְחַק מֵאוֹרַיְיתָא, רְחִיקָא הוּא מִקֻּבְּ"ה.

כז. תָּא חֲזֵי, לְךָ יְיָ' הַצְּדָקָה, כד"א, לְךָ יְיָ' הַגְּדוּלָּה וְהַגְּבוּרָה. מַאן צְדָקָה. אֲתַר דְּכָל אַנְפִּין נְהִירִין אֲחִידָן בֵּיהּ, וְהוּא אָחִיד בְּכֻלְּהוּ, וּבֵיהּ אִשְׁתְּכָחוּ. וְלָנוּ בּוֹשֶׁת הַפָּנִים אֲתַר דְּכָל אַנְפִּין נְהִירִין אִתְרְחָקָן מִנֵּיהּ. צְדָקָה, אֱמֶת קְשׁוֹט, וּנְהוֹרָא דְּכֹלָּא, וּנְהוֹרָא דְּאַנְפִּין וְחֵידוּ דְּכֹלָּא. בּוֹשֶׁת, כְּסוּפָא רְחִיקוּ דִּקְשׁוֹט מַאן דְּאַכְסִיף, בְּגִין דְּאֱמֶת דְּאִיהוּ צְדָקָה, אִתְרְחַק מִנֵּיהּ. רְחִיקוּ דְּאַנְפִּין נְהִירִין.

כח. ת"ח, כַּהֲנָא עִלָּאָה בָּעֵי לְאִתְחֲזָאָה בְּשַׁפִּירוּ דְאַנְפִּין, בִּנְהִירוּ דְאַנְפִּין, בְּחֶדְוָה יַתִּיר מִכֹּלָּא. וְלָא בָּעֵי לְאִתְחֲזָאָה בֵּיהּ עֲצִיבוּ וְרוּגְזָא, אֶלָּא כֹּלָּא כְּגַוְונָא דִלְעֵילָּא. זַכָּאָה חוּלָקֵיהּ, דַעֲלֵיהּ כְּתִיב, אֲנִי חֶלְקְךָ וְנַחֲלָתְךָ. וּכְתִיב יְיָ' הוּא נַחֲלָתוֹ. וְעַ"ד בָּעֵי לְאִתְחֲזָאָה שְׁלִים בְּכֹלָּא, בְּגַרְמֵיהּ, בִּלְבוּשֵׁיהּ, דְּלָא יַפְגִּים גַּרְמֵיהּ כְּלַל, כְּמָה דְאִתְּמַר.

כט. וְהוּא אִשָּׁה בִבְתוּלֶיהָ יִקָּח. ר' שִׁמְעוֹן פָּתַח, וְהִנֵּה הוּא שָׂם עֲלִילוֹת דְּבָרִים וְגוֹ'. וּכְתִיב וְעָנְשׁוּ אוֹתוֹ מֵאָה כֶסֶף וְגוֹ', כִּי הוֹצִיא שֵׁם רָע עַל בְּתוּלַת יִשְׂרָאֵל, וְכִי בְּתוּלַת יִשְׂרָאֵל הִיא, בְּתוּלַת אָבִיהָ, אוֹ בְּתוּלַת בַּעְלָהּ הִיא, מַהוּ בְּתוּלַת יִשְׂרָאֵל הָכָא. הָדָא הוּא דִכְתִיב, שְׁאַל אָבִיךָ וְיַגֵּדְךָ זְקֵנֶיךָ וְיֹאמְרוּ לָךְ. אוּף הָכָא כַּהֲנָא דְקָאִים כְּגַוְונָא דִלְעֵילָּא, כְּתִיב וְהוּא אִשָּׁה בִבְתוּלֶיהָ יִקָּח, הָכִי נָמֵי בִּבְתוּלֶיהָ, דְּלָא תִפּוּק מִבְּבָא דְנוּקְבָא מִזְמְנָא לְבַר, וְהָא אִתְּמַר.

ל. רַבִּי שִׁמְעוֹן הֲוָה אָזִיל בְּאָרְחָא, וַהֲווּ עִמֵּיהּ ר' יְהוּדָה ר' יוֹסֵי ר' חִזְקִיָּה. פָּתַח ר"ש וְאָמַר, טֶרֶף נָתַן לִירֵאָיו יִזְכּוֹר לְעוֹלָם בְּרִיתוֹ. טֶרֶף נָתַן לִירֵאָיו, אִלֵּין אִינּוּן זַכָּאִין, אִינּוּן דְּחָלֵי דְקֻבְּ"ה, דְּכָל מַאן דְּדָחִיל לֵיהּ, אִתְקְרֵי מֵאִינְשֵׁי דְבֵיתָא דְמַלְכָּא, וַעֲלֵיהּ כְּתִיב, אַשְׁרֵי אִישׁ יָרֵא אֶת יְיָ'.

לא. מַהוּ טֶרֶף נָתַן לִירֵאָיו. אֶלָּא כְּמָה דִכְתִיב, וַתָּקָם בְּעוֹד לַיְלָה וַתִּתֵּן טֶרֶף לְבֵיתָהּ. מֵהָכָא אוֹלִיפְנָא, דְּכָל ב"נ דְּלָעֵי בְּאוֹרַיְיתָא בְּלֵילְיָא, וְקָם בְּפַלְגוּת לֵילְיָא, בְּשַׁעֲתָא דִכְנֶסֶת יִשְׂרָאֵל אִתְעֲרַת לְאַתְקְנָא בֵּיתָא לְמַלְכָּא, הַאי אִשְׁתְּתַּף בַּהֲדָהּ, וְהַאי אִקְרֵי מִבֵּי מַלְכָּא, וְיַהֲבִין לֵיהּ כָּל יוֹמָא מֵאִינּוּן תִּיקוּנֵי בֵּיתָא, הה"ד וַתִּתֵּן טֶרֶף לְבֵיתָהּ, וְחֹק לְנַעֲרוֹתֶיהָ. מַאן בֵּיתָהּ. כָּל אִינּוּן דְּמִשְׁתַּתְּפֵי בַּהֲדָהּ בְּלֵילְיָא, אִקְרוּן בֵּיתָהּ. וּבְגִ"כ טֶרֶף נָתַן לִירֵאָיו.

לב. מַהוּ טֶרֶף. טֶרֶף מַמָּשׁ, דְאִיהִי נַטְלָא מֵאֲתַר רְחִיקָא עִלָּאָה, דִכְתִיב מִמֶּרְחָק תָּבִיא לַחְמָהּ. וּמַאן זָכֵי לְהַאי טֶרֶף, סוֹפֵיהּ דִקְרָא אוֹכַח, דִכְתִיב, יִזְכּוֹר לְעוֹלָם בְּרִיתוֹ. מַאן דְאִשְׁתַּדַּל בְּאוֹרַיְיתָא, לְאִשְׁתַּתְּפָא בַּהֲדָהּ בְּלֵילְיָא. וְלָא עוֹד, אֶלָּא דְצַדִּיק חַד עִלָּאָה אִית לֵיהּ לְקֻבְּ"ה, וְהוּא אִשְׁתַּתַּף בַּהֲדֵיהּ, וְיָרְתִין תַּרְוַויְיהוּ לִכְנֶסֶת יִשְׂרָאֵל, דִּכְתִיב צַדִּיקִים לְעוֹלָם יִירְשׁוּ אָרֶץ.

לג. תּוּ פָּתַח וְאָמַר, וְלֹא יְחַלֵּל זַרְעוֹ בְּעַמָּיו כִּי אֲנִי יְיָ' מְקַדְּשׁוֹ. ת"ח, כָּל מַאן דְּאַפִּיק זֶרַע לְבַטָּלָה, לָא זָכֵי לְמֶחֱמֵי אַפֵּי שְׁכִינְתָּא, וְאִקְרֵי רָע, דִּכְתִיב כִּי לֹא אֵל חָפֵץ רֶשַׁע אָתָּה לֹא יְגֻרְךָ רָע. הַאי מַאן דְּאַפִּיק לֵיהּ בִּידֵיהּ, אוֹ בְּאִנְתּוּ אָחֳרָא דְּלָא כַּשְׁרָא. וְאִי תֵימָא דְּאַפִּיק לֵיהּ בְּאִנְתּוּ דְּלָא מִתְעַבְּרָא, הָכִי נָמֵי. לָא. אֶלָּא כְּמָה דְאָמַרָן.

לד. וְעַל דָּא יִבְעֵי ב"נ מִקֻבְּ"ה, דְּיַזְמִין לֵיהּ מָאנָא דְכַשְׁרָא, דְּלָא יַפְגִּים זַרְעֵיהּ, מַאן דְּאַפִּיק זַרְעָא בְּמָאנָא דְּלָא כַּשְׁרָא, פָּגִים לֵיהּ לְזַרְעֵיהּ, וַוי לְמַאן דְּפָגִים זַרְעֵיהּ. וּמָה בִּשְׁאָר בְּנֵי נָשָׁא כָּךְ, בְּכַהֲנָא דְקָאִים לְתַתָּא כְּגַוְונָא דִלְעֵילָּא בִּקְדוּשָּׁה עִלָּאָה, עַל אַחַת כַּמָּה וְכַמָּה.

לה. בְּעַמָּיו, מַהוּ בְּעַמָּיו. דְּהָא כְּתִיב לְעֵילָּא, אַלְמָנָה וּגְרוּשָׁה וַחֲלָלָה זוֹנָה אֶת אֵלֶּה לֹא יִקָּח, וּכְתִיב וְלֹא יְחַלֵּל זַרְעוֹ בְּעַמָּיו. בְּהֶם מִבָּעֵי לֵיהּ, מַהוּ בְּעַמָּיו. אֶלָּא מִכָּל דָּא קַלְנָא בְּעַמָּיו, פְּגִימוּ בְּעַמָּיו, וְעַל דָּא כְּתִיב, כִּי אִם בְּתוּלָה מֵעַמָּיו יִקַּח אִשָּׁה. מֵעַמָּיו וַדַּאי, כֹּלָּא כְּגַוְונָא דִלְעֵילָּא, כִּי אֲנִי ה' מְקַדְּשׁוֹ, מַהוּ מְקַדְּשׁוֹ. אֶלָּא אֲנָא הוּא הַהוּא, דְּאִיהוּ מְקַדֵּשׁ לֵיהּ בְּכָל יוֹמָא, וּבְגִין כָּךְ לָא יַפְגִּים זַרְעֵיהּ, וְלָא יִשְׁתְּכַח בֵּיהּ פְּגִימוּ.

דְּהָא אֲנִי יְיָ׳ מְקַדְּשׁוֹ דַּאֲנָא בָּעֵינָא לְקַדְּשָׁא לֵיהּ וְיִשְׁתְּכַח קַדִּישָׁא בְּכֹלָּא, דְּקַדִּישָׁא יִשְׁתַּמֵּשׁ עַל יְדָא דְּקַדִּישָׁא.

לו. ת״ח, קב״ה יִשְׁתַּמֵּשׁ ע״י דְּכַהֲנָא, וְיִשְׁתְּכַח קַדִּישָׁא כַּד אָתֵי לְשַׁמְּשָׁא, וּבְגִין דְּקב״ה יִשְׁתַּמֵּשׁ עַל יְדָא דְּכַהֲנָא דְּאִיהוּ קַדִּישָׁא, כַּהֲנָא יִשְׁתַּמֵּשׁ ע״י דְּדַכְיָא, דְּאִתְקַדָּשׁ בְּדַכְיוּתֵיהּ, וּמַאי אִיהוּ. לֵיוָאֵי. בַּר נָשׁ אָחֳרָא, יִשְׁתַּמֵּשׁ ע״י דְּקַדִּישָׁא אָחֳרָא, בְּגִין דְּיִשְׁתַּכְּחוּן כֹּלָּא בִּקְדוּשָׁא, לְשַׁמְּשָׁא לְקב״ה. זַכָּאִין אִינּוּן יִשְׂרָאֵל בְּעָלְמָא דֵּין וּבְעָלְמָא דְּאָתֵי, דַּעֲלַיְיהוּ כְּתִיב, וָאַבְדִּיל אֶתְכֶם מִן הָעַמִּים לִהְיוֹת לִי. כַּמָּה פְּרִישָׁן יִשְׂרָאֵל מִכֹּלָּא, בִּקְדוּשָׁה, לְשַׁמְּשָׁא לְקב״ה, הה״ד וְהִתְקַדִּשְׁתֶּם וִהְיִיתֶם קְדוֹשִׁים כִּי אֲנִי יְיָ׳ אֱלֹהֵיכֶם.

לז. תּוּ פָּתַח וְאָמַר, לַיְיָ׳ הַיְשׁוּעָה עַל עַמְּךָ בִרְכָתֶךָ סֶּלָה. לַיְיָ׳ הַיְשׁוּעָה. הָכִי תָּנֵינָן, זַכָּאִין אִינּוּן יִשְׂרָאֵל, דִּבְכָל אֲתַר דְּאִתְגָּלוּ, שְׁכִינְתָּא אִתְגַּלְיָיא בַּהֲדַיְיהוּ. כַּד יִפְקוּן יִשְׂרָאֵל מִגָּלוּתָא, פּוּרְקָנָא לְמַאן, לְיִשְׂרָאֵל, אוֹ לְקב״ה. אֶלָּא הָא אוּקְמוּהָ בְּכַמָּה קְרָאֵי, וְהָכָא, לַיְיָ׳ הַיְשׁוּעָה וַדַּאי, אֵימָתַי. עַל עַמְּךָ בִרְכָתֶךָ סֶּלָה. בְּשַׁעֲתָא דְּקב״ה יַשְׁגַּח בְּבִרְכָאן עֲלַיְיהוּ דְּיִשְׂרָאֵל, לְאַפָּקָא לוֹן מִן גָּלוּתָא, וּלְאוֹטָבָא לְהוּ, כְּדֵין לַיְיָ׳ הַיְשׁוּעָה וַדַּאי. וְעַל דָּא תָּנֵינָן, דְּקב״ה יֵיתוּב עִמְּהוֹן דְּיִשְׂרָאֵל מִן גָּלוּתָא, הה״ד, וְשָׁב יְיָ׳ אֱלֹהֶיךָ אֶת שְׁבוּתְךָ וְרִחֲמֶךָ.

רעיא מהימנא

לח. כִּי אִם בְּתוּלָה מֵעַמָּיו יִקַּח אִשָּׁה, פָּתַח רַעְיָא מְהֵימְנָא וְאָמַר, פִּקּוּדָא דָּא, לְמֵיסַב כַּהֲנָא רַבָּא בְּתוּלְתָּא, הה״ד אַלְמָנָה וּגְרוּשָׁה וַחֲלָלָה זוֹנָה אֶת אֵלֶּה לֹא יִקָּח כִּי אִם בְּתוּלָה מֵעַמָּיו יִקַּח אִשָּׁה. וַאֲמַאי בָּעֵינָן דְּלָא יִסַּב אֶלָּא בְּתוּלְתָּא בְּלָא פְּגִימוּ. אֶלָּא, אִתְּתָא אִיהִי כּוֹס דִּבְרָכָה, טָעֲמוּ פָּגְמוֹ. וְכַהֲנָא דְּקָרִיב קָרְבְּנָא יְיָ׳, בָּעֵי דְּלֶהֱוֵי אִיהוּ שְׁלִים, בְּלָא פְּגִימוּ, שְׁלִים בְּאֵבָרוֹי בְּלָא פְּגִימוּ, דְּמוּמִין פַּסְלִין בְּכַהֲנַיָּא. שְׁלִים בְּגוּפֵיהּ, שְׁלִים בְּנוּקְבֵיהּ, לְקַיְּימָא בֵּיהּ, כֻּלָּךְ יָפָה רַעְיָתִי וּמוּם אֵין בָּךְ.

לט. דְּקָרְבְּנָא מִנְחָה אִיהוּ, וּצְרִיכִין יִשְׂרָאֵל לְמִשְׁלַח מִנְחָתָא דִּלְהוֹן לְמַלְכָּא, בִּגְבַר שְׁלִים. דְּאִינּוּן בְּהִפּוּכָא דְּסִטְרָא אָחֳרָא, דְּהָא בְּיַד אִישׁ עִתִּי פָּגִים, הֲווּ שַׁלְחִין לֵיהּ דּוֹרָנָא, דִּכְתִיב גּוֹרָל אֶחָד לַיְיָ׳ וְגוֹרָל אֶחָד לַעֲזָאזֵל. דֶּאֱלֹהִים אֲחֵרִים כֻּלְּהוּ פְּגִימִין מִסִּטְרָא דְּצָפוֹן וְהָכִי רוּבָּא דְּבָתֵּי עֲ״ז הֵם פְּגִימִים, בְּנוּקְבָא דִּלְהוֹן, וְחוּרְבָּא, לִילִית, פְּגִימוּתָא וְכוּ׳.

מ. ור״מ אִיהוּ ו׳ מָלֵא וְאִיהוּ בְּסִדּוּרָא דָּא יְה״ו. ה׳ בַּתְרָאָה, כּוֹס מָלֵא בִּרְכַּת ה׳, מִסִּטְרָא דִּימִינָא וּמִסִּטְרָא דִּגְבוּרָה דְּאִיהוּ דִּינָא, שְׁכִינְתָּא אִתְקְרִיאַת הוי״ה, הה״ד, הִנֵּה יַ״ד יְדוָ״ד הוֹיָה בְּמִקְנְךָ אֲשֶׁר בַּשָּׂדֶה. קָם ר״מ, וְאִשְׁתְּטַח קַמֵּיהּ. וְאָמַר זַכָּאָה חוּלָקִי דְּמָארֵי וּמַטְרוֹנִיתָא אִינְהוּ בְּעֶזְרִי. (ע״כ רעיא מהימנא)

מא. אִישׁ מִזַּרְעֲךָ לְדוֹרוֹתָם אֲשֶׁר יִהְיֶה בוֹ מוּם. רִבִּי יִצְחָק אָמַר, בְּגִין דְּאִיהוּ פָּגִים, וּמַאן דְּאִיהוּ פָּגִים, לָא אִתְחֲזֵי לְשַׁמְּשָׁא בְּקוּדְשָׁא. וְהָא אוּקְמוּהָ, דְּב״נ דְּאִשְׁתְּכַח פָּגִים, לֵית בֵּיהּ מְהֵימְנוּתָא, וְהַהוּא פְּגִימוּ אַסְהִיד עָלֵיהּ, כ״ש כַּהֲנָא, דְּבָעְיָא לְאִשְׁתַּכְחָא שְׁלִים, מָארֵיהּ דִּמְהֵימְנוּתָא, יַתִּיר מִכֹּלָּא, וְהָא אוּקְמוּהָ.

מב. ר׳ אֶלְעָזָר הֲוָה יָתִיב בְּקִסְטְרָא דְּבֵי חָמוֹי, וְהוּא הֲוָה אָמַר, זִילְגָּא דִּבְקִסְטִירָא בְּעֵיטָא שְׁכִיחַ. אַדְהָכִי, אַעְבַּר חַד ב״נ, פָּגִים מֵעֵינֵיהּ חַד. אָמַר חָמוֹי, נִשְׁאַל לְהַאי.

אֲמַר, פָּגִים הוּא, וְלָאו מְהֵימָנָא. אֲמַר, נִשְׁאַל בַּהֲדֵיהּ. אָתוּ שְׁאִילוּ לֵיהּ. אָ"ל, טוּפְסָא מַאן הוּא בְּעָלְמָא. אֲמַר עֲתִירָא, אֲבָל דְּיִשְׁלִיף, וַוי עַל דָּא, בַּהֲדֵיהּ אֲנָא מִכֻּלְּהוּ. אֲמַר ר' אֶלְעָזָר, בְּמִלּוֹי אִשְׁתְּמַע, דְּלָאו מְהֵימְנוּתָא גַּבֵּיהּ, וְלָאו בַּר מְהֵימְנָא הוּא. ת"ח, קֻבְּ"ה אֲמַר כָּל אִישׁ אֲשֶׁר בּוֹ מוּם לֹא יִקְרָב, דְּהָא קְדוּשָּׁא דִּלְעֵילָּא, לָא שַׁרְיָא בַּאֲתַר פָּגִים.

מג. פָּתַח וְאָמַר, לְתוֹרָה וְלִתְעוּדָה אִם לֹא יֹאמְרוּ כַּדָּבָר הַזֶּה. לְתוֹרָה וְלִתְעוּדָה. מַאן הוּא תּוֹרָה, וּמַאן הוּא תְּעוּדָה. אֶלָּא תּוֹרָה דָּא תּוֹרָה, שֶׁבִּכְתָב. תְּעוּדָה דָּא תּוֹרָה שֶׁבְּעַל פֶּה. תּוֹרָה שֶׁבְּעַל פֶּה לָא שַׁרְיָא בַּאֲתַר פָּגִים, דְּהָא מִתּוֹרָה שֶׁבִּכְתָב אִתְבְּנֵי. כְּתִיב צוֹר תְּעוּדָה וַחֲתוֹם תּוֹרָה בְּלִמֻּדָי, צוֹר תְּעוּדָה, דָּא תּוֹרָה שֶׁבְּעַ"פ, בְּגִין דְּתַמָּן אִתְצַר צְרוֹרָא דְּחַיֵּי, וּבִתְעוּדָה אִתְקַשַּׁר קִשְׁרָא דְּחַיֵּי דִּלְעֵילָּא, לְמֶהֱוֵי כֹּלָּא חַד.

מד. וּמִתַּמָּן לְתַתָּא אִתְפָּרְשָׁן אוֹרְחִין וּשְׁבִילִין, וּמִתַּמָּן מִתְפָּרְשִׁין אוֹרְחִין בְּעָלְמִין כֻּלְּהוּ הה"ד וּמִשָּׁם יִפָּרֵד וְהָיָה לְאַרְבָּעָה רָאשִׁים.

מה. וַחֲתוֹם תּוֹרָה, וַחֲתִימָה דְּאוֹרַיְיתָא, דְּאִיהִי תּוֹרָה שֶׁבִּכְתָב בְּאָן אֲתַר. בְּלִמֻּדָי, אִלֵּין נְבִיאֵי, כד"א וַיָּקֶם אֶת הָעַמּוּד הַיְמָנִי וַיִּקְרָא שְׁמוֹ יָכִין וַיָּקֶם אֶת הָעַמּוּד הַשְּׂמָאלִי וַיִּקְרָא שְׁמוֹ בֹּעַז. וּמִתַּמָּן אִתְפָּרְשָׁן אוֹרְחֵי לִנְבִיאֵי מְהֵימְנֵי, וְקַיְימֵי אִלֵּין בְּקִיּוּמָא לְגוּפָא, לְשִׁית טְהִירִין, הה"ד שׁוֹקָיו עַמּוּדֵי שֵׁשׁ. וְכֹלָּא לָא קַיְּימָא אֶלָּא בִּשְׁלִימוּ, וְלָא שַׁרְיָא קְדוּשָּׁה דְּכֹלָּא, אֶלָּא בִּשְׁלִימוּ, כַּד מִתְחַבְּרָאן דָּא בְּדָא, כֹּלָּא הוּא שְׁלִים, כֹּלָּא הוּא חַד, לָא אִתְפְּגִים אֲתַר. וְעַל דָּא אִקְרֵי כ"י שָׁלֵם, כד"א וּמַלְכִּי צֶדֶק מֶלֶךְ שָׁלֵם וַיְהִי בְשָׁלֵם סֻכּוֹ.

מו. וּבְגִין כָּךְ לָא שַׁרְיָא כֹּלָּא, אֶלָּא בַּאֲתַר שְׁלִים. וְעַל דָּא כָּל אִישׁ אֲשֶׁר בּוֹ מוּם לֹא יִקְרָב. כְּגַוְונָא דָּא קָרְבְּנָא דְּבֵיהּ מוּמָא לָא יִתְקְרִיב. מ"ט. דִּכְתִיב כִּי לֹא לְרָצוֹן יִהְיֶה לָכֶם. וְאִי תֵּימָא הָא קֻבְּ"ה לָא שָׁארֵי אֶלָּא בַּאֲתַר תְּבִירָא, בְּמָאנָא תְּבִירָא, דִּכְתִיב וְאֶת דַּכָּא וּשְׁפַל רוּחַ. הַאי אֲתַר שְׁלִים יַתִּיר הוּא מִכֹּלָּא, בְּגִין דְּמָאִיךְ גַּרְמֵיהּ לְמִשְׁרֵי עָלֵיהּ גָּאוּתָא דְּכֹלָּא, גָּאוּתָא עִלָּאָה, וְדָא הוּא שְׁלִים. אֲבָל לָא כְּתִיב, וְאֶת עִוֵּר וְשָׁבוּר וְחָרוּם וְשָׂרוּעַ. אֶלָּא וְאֶת דַּכָּא וּשְׁפַל רוּחַ, מַאן דְּמָאִיךְ גַּרְמֵיהּ, קֻבְּ"ה זָקִיף לֵיהּ.

מז. וּבְגִינֵי כָּךְ, כַּהֲנָא דְּקָאֵים לְתַתָּא כְּגַוְונָא דִּלְעֵילָּא, בָּעֵי לְמֶהֱוֵי שְׁלִים יַתִּיר מִכֹּלָּא, וְלָא יִתְחֲזֵי פָּגִים, וְעַ"ד אַזְהַר לְהוּ לְכַהֲנֵי, דִּכְתִיב אִישׁ מִזַּרְעֲךָ לְדֹרֹתָם אֲשֶׁר יִהְיֶה בוֹ מוּם.

מח. תּוּ פָּתַח וְאָמַר, וְכִי תַגִּישׁוּן עִוֵּר לִזְבֹּחַ אֵין רָע, וְכִי תַגִּישׁוּ פִּסֵּחַ וְחֹלֶה אֵין רָע, וְכִי קֻבְּ"ה אֲמַר אֵין רָע, אִי הָכִי טוֹב הוּא. אֶלָּא סוֹפֵיהּ דִּקְרָא אוֹכַח, דְּיִשְׂרָאֵל בְּאִינּוּן יוֹמִין הֲווֹ מְמַנָּן כַּהֲנֵי מָארֵי דְּמוּמִין, עַל גַּבֵּי מַדְבְּחָא, וּלְשַׁמְּשָׁא עַל מַקְדְּשָׁא, וְאַמְרֵי מַאי אַכְפַּת לֵיהּ לְקֻבְּ"ה דָּא, אוֹ אָחֳרָא. וְאִינּוּן הֲווֹ דְּאַמְרֵי אֵין רָע. וְקֻבְּ"ה אָתִיב לְהוֹן הַהִיא מִלָּה דַּהֲווֹ אַמְרֵי. אֲמַר: יִשְׂרָאֵל אַתּוּן אַמְרֵי כַּד מְקָרְבֵי מָארֵי דְּמוּמִין עַל פּוּלְחָנִי אֵין רָע, מַאי אַכְפַּת לֵיהּ לְקֻבְּ"ה.

מט. סוֹפֵיהּ דִּקְרָא מַה כְּתִיב, הַקְרִיבֵהוּ נָא לְפֶחָתֶךָ הֲיִרְצְךָ אוֹ הֲיִשָּׂא פָנֶיךָ. בַּר נָשׁ מִנַּיְיכוּ, אִי בָּעִיתוּ לְשַׁלּוֹמֵי לְמַלְכָּא, וּלְקָרְבָא קַמֵּיהּ דּוֹרוֹנָא, אַתּוּן מְשַׁדְּרִין לֵיהּ בִּפְגִימָא, אוֹ לָא. הֲיִרְצְךָ אוֹ הֲיִשָּׂא פָנֶיךָ בְּהַהוּא דּוֹרוֹנָא, כ"ש וכ"ש דְּאַתּוּן מְקָרְבִין קַמַּאי ב"נ פָּגִים לְקָרְבָא דּוֹרוֹנָא, הָא דּוֹרוֹנָא דִּלְכוֹן לְכַלְבָּא אִתְמְסַר, דְּוַדַּאי ב"נ דְּאִיהוּ פָּגִים, פָּגִים הוּא מִכֹּלָּא, פָּגִים הוּא מִהֵימְנוּתָא. וְעַ"ד כָּל אִישׁ אֲשֶׁר בּוֹ מוּם לֹא יִקְרָב.

נ. א"ר יוֹסֵי, זַמִּין קֻבְּ"ה לְאַשְׁלְמָא לְהוּ לְיִשְׂרָאֵל, וּלְאִשְׁתַּכְּחָא שְׁלֵימִין בְּכֹלָּא, דְּלָא יְהֵא בְּהוֹן מָארֵי דְמוּמִין כְּלַל, בְּגִין דִּיהוֹן תִּקּוּנָא דְעָלְמָא, כְּאִלֵּין מָאנֵי וּלְבוּשָׁא דְּב"נ דְּאִינּוּן תִּקּוּנָא דְגוּפָא, הה"ד וְיִתְיַצְּבוּ כְּמוֹ לְבוּשׁ.

נא. תָּא חֲזֵי, כַּד יִתְעֲרוּן מֵעַפְרָא, כְּמָה דְעָאלוּ, הָכִי יְקוּמוּן, חִגְּרִין אוֹ סוּמִין. עָאלוּ חִגְּרִין וְסוּמִין, יְקוּמוּן בְּהַהוּא לְבוּשָׁא, דְּלָא יֵימְרוּן דְּאָחֳרָא הוּא דְּאִתְעַר. וּלְבָתַר, קֻבְּ"ה יִיסֵי לוֹן, וְיִשְׁתַּכְּחוּן שְׁלֵימִין קַמֵּיהּ, וּכְדֵין יְהֵא עָלְמָא שְׁלִים בְּכֹלָּא, כְּדֵין בַּיּוֹם הַהוּא יִהְיֶה יְיָ' אֶחָד וּשְׁמוֹ אֶחָד.

נב. שׁוֹר אוֹ כֶשֶׂב אוֹ עֵז כִּי יִוָּלֵד וְהָיָה שִׁבְעַת יָמִים תַּחַת אִמּוֹ וְגוֹ'. ר' יוֹסֵי פָּתַח, צִדְקָתְךָ כְּהַרְרֵי אֵל מִשְׁפָּטֶיךָ תְּהוֹם רַבָּה אָדָם וּבְהֵמָה תוֹשִׁיעַ יְיָ'. הַאי קְרָא אִית לְאִסְתַּכְּלָא בֵּיהּ, אֲבָל תָּא חֲזֵי, צֶדֶק: כִּתְרָא קַדִּישָׁא עִלָּאָה. כְּהַרְרֵי אֵל: כְּאִינּוּן טוּרִין עִלָּאִין קַדִּישִׁין, דְּאִקְרוּן טוּרֵי דְּאֲפַרְסְמוֹנָא דַכְיָא. וּבְגִין דְּאִיהִי סַלְקָא לְאִתְקַשְּׁרָא בְּהוּ לְעֵילָּא, כָּל דִּינָהָא בְּשִׁקּוּלָא חֲדָא לְכֹלָּא, דְּלֵית בְּהַהוּא דִּינָא רַחֲמֵי. מִשְׁפָּטֶיךָ תְּהוֹם רַבָּה. מִשְׁפָּט דְּאִיהוּ רַחֲמֵי, נָחִית לְתַתָּא לְהַהוּא דַּרְגָּא לְתַקְּנָא עָלְמִין וְחָיֵיס עַל כֹּלָּא וְעָבֵיד דִּינָא בְּרַחֲמֵי לְבַסְּמָא עָלְמָא.

נג. וּבְגִין דְּאִיהוּ רַחֲמֵי, אָדָם וּבְהֵמָה תוֹשִׁיעַ יְיָ'. לְכֹלָּא בְּשִׁקּוּלָא חֲדָא. אָדָם וּבְהֵמָה, הָא אוֹקְמוּהָ, מַאן דְּהוּא אָדָם, וְשַׁוֵּי לְגַרְמֵיהּ כִּבְהֵמָה. אָדָם וּבְהֵמָה: דִּין אָדָם, וְדִין בְּהֵמָה, חַד הוּא. אָדָם: וּבֶן שְׁמֹנַת יָמִים יִמּוֹל לָכֶם כָּל זָכָר. בְּהֵמָה: וְהָיָה שִׁבְעַת יָמִים תַּחַת אִמּוֹ וּמִיּוֹם הַשְּׁמִינִי וָהָלְאָה יֵרָצֶה לְקָרְבַּן אִשֶּׁה לַיְיָ', בְּגִין דְּיֶעְבַּר עֲלַיְיהוּ שַׁבָּת חַד, וְהָא אוּקְמוּהָ.

נד. רִבִּי חִיָּיא פָּתַח יְיָ' בְּצֵאתְךָ מִשֵּׂעִיר בְּצַעְדְּךָ מִשְּׂדֵה אֱדוֹם אֶרֶץ רָעָשָׁה גַּם שָׁמַיִם נָטָפוּ. תָּא חֲזֵי, זַכָּאִין אִינּוּן יִשְׂרָאֵל בְּעָלְמָא דֵין, וּבְעָלְמָא דְּאָתֵי, דְּקוּדְשָׁא בְּרִיךְ הוּא אִתְרְעֵי בְּהוּ, וְאִינּוּן מִתְדַּבְּקִין בֵּיהּ, וְאִקְרוּן קַדִּישִׁין, עַם קָדוֹשׁ. וְכֵן עַד דְּסָלִיק לוֹן לְדַרְגָּא עִלָּאָה דְּאִקְרֵי קֹדֶשׁ, דִּכְתִּיב, קֹדֶשׁ יִשְׂרָאֵל לַיְיָ' רֵאשִׁית תְּבוּאָתֹה. כְּמָה דְּאוֹקִימְנָא, דְּהָא יִשְׂרָאֵל מִתְמַנְיָא יוֹמִין מִתְדַּבְּקִין בֵּיהּ בִּשְׁמֵיהּ, וּרְשִׁימִין בִּשְׁמֵיהּ, וְאִינּוּן דִּילֵיהּ. כְּמָה דְּאַתְּ אָמֵר, וּמִי כְעַמְּךָ כְּיִשְׂרָאֵל גּוֹי אֶחָד בָּאָרֶץ. וְעַמְמִין לָא מִתְדַּבְּקִין בֵּיהּ, וְלָא אָזְלִין בְּנִימּוּסֵיהּ, וּרְשִׁימָא קַדִּישָׁא אַעְדִּיאוּ מִנַּיְיהוּ, עַד דְּאִינּוּן מִתְדַּבְּקָן בְּסִטְרָא אָחֳרָא דְּלָאו קַדִּישָׁא.

נה. וְתָא חֲזֵי, בְּשַׁעֲתָא דְּבָעָא קֻבְּ"ה לְמֵיהַב אוֹרַיְיתָא לְיִשְׂרָאֵל, זַמִּין בָּהּ לִבְנֵי עֵשָׂו, אָמַר לוֹן, בָּעָאן אַתּוּן לְקַבְּלָא אוֹרַיְיתָא. בְּהַהִיא שַׁעֲתָא אִתְרְגִיזַת אַרְעָא קַדִּישָׁא, וּבָעָאת לְאַעֲלָא לְנוּקְבָא דִּתְהוֹמָא רַבָּה. אָמְרָה קַמֵּיהּ, מָארֵי דְעָלְמָא, פַּסְטִירָא דַּהֲדָוָה תְּרֵי אַלְפֵי שְׁנִין עַד לָא אִתְבְּרֵי עָלְמָא, אִזְדְּמַן קַמֵּי עָרְלִין דְּלָא רְשִׁימָן בִּקְיוּמָךְ.

נו. אָמַר לָהּ קֻבְּ"ה, כּוּרְסְיָיא כּוּרְסְיָיא, יֵיבְדוּן אֶלֶף אוּמִין כְּוָותַיְיהוּ, וְקַיָּימָא דְאוֹרַיְיתָא לָא יִזְדַּמַּן קַמַּיְיהוּ, הה"ד יְיָ' בְּצֵאתְךָ מִשֵּׂעִיר בְּצַעְדְּךָ מִשְּׂדֵה אֱדוֹם אֶרֶץ רָעָשָׁה. וַדַּאי בְּגִין דְּאוֹרַיְיתָא לָא אִתְיְיהִיבַת אֶלָּא לְמַאן דְּאִית בֵּיהּ קַיָּימָא קַדִּישָׁא. וּמַאן דְּיָלִיף אוֹרַיְיתָא לְמַאן דְּלָא אִתְגְּזַר, מְשַׁקֵּר בִּתְרֵי קַיָּימֵי, מְשַׁקֵּר בְּקַיָּימָא דְאוֹרַיְיתָא, וּמְשַׁקֵּר בְּקַיָּימָא דְּצַדִּיק וּכְנֶסֶת יִשְׂרָאֵל. דְּאוֹרַיְיתָא לְהַאי אֲתַר אִתְיְיהִיבַת, וְלָא לְאָחֳרָא.

נז. רִבִּי אַבָּא אָמַר, מְשַׁקֵּר בִּתְלַת דּוּכְתֵּי עִלָּאֵי, מְשַׁקֵּר בַּתּוֹרָה, מְשַׁקֵּר בַּנְּבִיאִים, מְשַׁקֵּר בַּכְּתוּבִים. מְשַׁקֵּר בַּתּוֹרָה, דִּכְתִּיב וְזֹאת הַתּוֹרָה וְגוֹ'. מְשַׁקֵּר בַּנְּבִיאִים דִּכְתִּיב

וְכָל בָּנַיִךְ לִמּוּדֵי יְיָ'. אִינּוּן לִמּוּדֵי יְיָ', וְלָא אָחֳרָא, וּכְתִיב וַחֲתוֹם תּוֹרָה בְּלִמֻּדָי, אִינּוּן, וְלָא אָחֳרָא. מִשַּׁקֵּר בִּכְתוּבִים, דִּכְתִיב וַיָּקֶם עֵדוּת בְּיַעֲקֹב וְתוֹרָה שָׂם בְּיִשְׂרָאֵל, וּכְתִיב אַךְ צַדִּיקִים יוֹדוּ לִשְׁמֶךָ. מַאן צַדִּיקִים. דָּא צַדִּיק וּכְנֶסֶת יִשְׂרָאֵל. דְּמַאן דְּלָא אִתְגְּזַר, וְלָא עָאל בְּקִיּוּמָא דִּלְהוֹן, לָא יוֹדוּן לִשְׁמֵיהּ קַדִּישָׁא, דְּהִיא אוֹרַיְיתָא. אָמַר רִבִּי חִיָּיא כֵּיוָן דְּאִתְגְּלֵי קֻבְּ"ה עַל טוּרָא דְּסִינַי, לְמֵיהַב אוֹרַיְיתָא לְיִשְׂרָאֵל, שְׁכִיבַת אַרְעָא, וְתָבַת בְּנַיְיחָא, הה"ד אֶרֶץ יָרְאָה וְשָׁקָטָה.

נח. תָּא חֲזֵי, בַּר נָשׁ דְּאִתְיְילִיד לָא אִתְמְנָא עָלֵיהּ חֵילָא דִּלְעֵילָּא, עַד דְּאִתְגְּזַר. כֵּיוָן דְּאִתְגְּזַר, אִתְּעַר עָלֵיהּ אִתְעָרוּתָא דִּרְוָחָא דִּלְעֵילָּא. זָכֵי לְאִתְעַסְּקָא בְּאוֹרַיְיתָא, אִתְּעַר עָלֵיהּ אִתְעָרוּתָא יַתִּיר. זָכֵי וְעָבֵיד פִּקּוּדֵי אוֹרַיְיתָא, אִתְּעַר עָלֵיהּ אִתְעָרוּתָא יַתִּיר. זָכֵי וְאִתְנְסִיב, זָכֵי וְאוֹלִיד בְּנִין, וְאוֹלִיף לוֹן אוֹרְחוֹי דְּמַלְכָּא קַדִּישָׁא, הָא כְּדֵין הוּא אָדָם שְׁלִים בְּכֹלָּא.

נט. אֲבָל בְּהֵמָה דְּאִתְיְלִידַת, בְּהַהִיא שַׁעֲתָא דְּאִתְיְלִידַת, הַהוּא חֵילָא דְּאִית לָהּ בְּסוֹפָהּ, אִית לָהּ בְּהַהִיא שַׁעֲתָא דְּאִתְיְלִידַת, וְאִתְמְנָא עָלֵיהּ. וּבְגִין כָּךְ כְּתִיב, שׁוֹר אוֹ כֶשֶׂב אוֹ עֵז כִּי יִוָּלֵד. עֵגֶל אוֹ טָלֶה, אוֹ שְׂעִיר אוֹ גְּדִי לָא אִתְּמַר, אֶלָּא שׁוֹר אוֹ כֶשֶׂב אוֹ עֵז, הַהוּא דְּאִית לֵיהּ לְסוֹפָא, אִית לֵיהּ בְּשַׁעֲתָא דְּאִתְיְילִיד.

ס. וְהָיָה שִׁבְעַת יָמִים תַּחַת אִמּוֹ, בְּגִין לְאִתְיַשְּׁבָא בֵּיהּ הַהוּא חֵילָא וְאִתְקַיָּים בֵּיהּ. וּבַמֶּה יִתְקַיָּים בֵּיהּ. כַּד יִשְׁרֵי עָלֵיהּ שַׁבָּת חַד, וְאִי לָא, לָא יִתְקַיָּים. וּלְבָתַר דְּיִתְקַיָּים בֵּיהּ הַהוּא חֵילָא, כְּתִיב יֵרָצֶה לְקָרְבַּן אִשֶּׁה לַיְיָ', בְּקִיּוּמָא דְּשַׁבָּת חַד, דְּאַעְבַּר עָלֵיהּ.

סא. וּבַר נָשׁ, בְּקִיּוּמָא דְּשַׁבָּת חַד, אִתְקַיָּים בֵּיהּ אִתְעָרוּתָא דְּהַאי עָלְמָא, וְחֵילָא דִּילֵיהּ. בָּתַר דְּאִתְגְּזַר, אִתְּעַר עָלֵיהּ אִתְעָרוּתָא דִּרְוָחָא עִלָּאָה, וְכ"ו אַעְבַּר עָלֵיהּ, וַחֲמָאת לֵיהּ, בִּרְשִׁימָא קַדִּישָׁא, וְאִתְעֲרַת עָלֵיהּ, וְשַׁרְיָא עָלֵיהּ רוּחָא דְּהַהוּא עָלְמָא קַדִּישָׁא, כְּמָה דְּאַתְּ אָמֵר, וָאֶעֱבוֹר עָלַיִךְ וָאֶרְאֵךְ מִתְבּוֹסֶסֶת בְּדָמָיִךְ וְגוֹ'. בְּדָמַיִךְ: בִּתְרֵי.

סב. וְאִי תֵּימָא, הָתָם כַּד נָפְקוּ יִשְׂרָאֵל מִמִּצְרַיִם, דְּשָׁכִיחַ בֵּינַיְיהוּ דַּם פֶּסַח וְדַם מִילָה, כְּדֵין כְּתִיב בְּדָמַיִךְ חַיִּי, הָכָא מַאי בְּדָמַיִךְ. אֶלָּא תְּרֵין, חַד דְּמִילָה, וְחַד דִּפְרִיעָה. חַד דְּגְזִירוּ, דִּכְנֶסֶת יִשְׂרָאֵל. וְחַד דִּפְרִיעָה, בְּצַדִּיק יְסוֹד עוֹלָם. וְאִלֵּין תְּרֵין דָּמִין דְּבַר נָשׁ קָאִים בְּגִינַיְיהוּ בְּקִיּוּמָא דְּעָלְמָא דְּאָתֵי, הה"ד בְּדָמַיִךְ חֲיִי.

סג. רִבִּי שִׁמְעוֹן אָמַר, סוֹד יְיָ' לִירֵאָיו וּבְרִיתוֹ לְהוֹדִיעָם. סוֹד יְיָ' לִירֵאָיו, דָּא כְּנֶסֶת יִשְׂרָאֵל. וּבְרִיתוֹ לְהוֹדִיעָם, דָּא צַדִּיק יְסוֹד עוֹלָם, בְּקִשּׁוּרָא חֲדָא.

סד. יו"ד, תְּלַת אַתְוָון, שְׁלִימוּתָא דְּכֹלָּא. י' רֵאשִׁיתָא דְּכֹלָּא. י' עִלָּאָה דְּכֹלָּא. וָא"ו אֶמְצָעִיתָא, שְׁלִימוּתָא דְּכָל סִטְרִין. מִעַבְּר לְכָל רוּחִין, בֵּיהּ תַּלְיָא מְהֵימְנוּתָא. דָּלֶ"ת, גִּנְתָּא, צְרוֹרָא דְּחַיֵּי. אַתְּ דָּא זְעִירָא, שְׁלֵימָא דְּכֹלָּא.

סה. אַתְּ דָּא סְתִימָא דְּכָל סִטְרִין. כַּד נָפִיק, נָפִיק כְּמַלְכָּא עִם חֵילוֹי. תָּב לְבָתַר, י' בִּלְחוֹדוֹי, בֵּיהּ אִסְתִּים מִלָּה, בֵּיהּ נָפִיק, סָגִיר וּפָתַח.

סו. הֵ"א שְׁלִימוּתָא דְּכֹלָּא, לְעֵילָּא וּלְתַתָּא. וְהָא אִתְּמַר, ה', הָא יְדִיעָא. א' הוּא יו"ד, שְׁלִימוּ דִּתְלַת אַתְוָון, דְּאִינּוּן בְּרֵישָׁא, דִּסְתִימָן בַּ' וְהָא אוֹקְמוּהָ, וְכֹלָּא חַד מִלָּה הוּא, שְׁלִימוּ דִּשְׁמָא קַדִּישָׁא, הוּא שְׁלִימוּ דְּעֵילָּא וְתַתָּא. בְּגִין כָּךְ, לִזְמְנִין הֵ"א נָטִיל א', בִּזְמְנָא דְּהִיא מִתְעַטְּרָא בְּעִטְרוֹי.

סז. תָּא חֲזֵי, כָּל אַתְּ וְאַתְּ דִּשְׁמָא קַדִּישָׁא, אִתְחֲזֵי בֵּיהּ שְׁלִימוּ דְּכָל שְׁמָא. יו"ד הָא אִתְּמַר

שְׁלִימוּ דְּכֹלָּא. ה' שְׁלִימוּ דְּכֹלָּא ואע"ג דְּלָאו אִיהוּ בְּאָלֶף, ה' בִּלְחוֹדוֹי, הָא אִתְּמַר בִּדְיוּקְנָא דָּא ה'. הוּא שְׁלֵימוּתָא דְּכֹלָּא. ו' בֵּין בְּסִטְרָא דָּא, בֵּין בְּסִטְרָא אוֹחֳרָא, שְׁלִימוּ הוּא דְּכֹלָּא. ו"ה הוּא שְׁלִימוּ יַתִּיר, לְאַעְטְרָא לְכֹלָּא הָא דְּכֹלָּא חַד, וְהָא אַתְעָרוּ בֵּיהּ חַבְרַיָּיא.

סוז. ת"ח, וְהָיָה שִׁבְעַת יָמִים וְגוֹ'. יו"ד הֵ"א וָא"ו הֵ"א אִתְגְּלִיפוּ אַתְוָון וְהָיָה. ו' ה', הָא שִׁבְעַת יוֹמִין אִתְכְּלִילוּ בְּחַד. י' ה', שִׁבְעַת יוֹמִין. י' חַד, כְּלָלָא דְּכֹלָּא. ה' תְּלַת, הִיא וּתְרֵין בְּנִין. וּבְרָא חַד תְּרֵין אֲבָהָן בֵּיהּ כְּלִילָן, הָא חֲמִשָּׁא. בְּרַתָּא נוּקְבָא חַד, הָא שִׁיתָּא, אִשְׁתְּמַע דְּהָ' עִלָּאָה כְּלָלָא דְּשִׁיתָא. י"ה הָא שִׁבְעָה. הַיְינוּ דִּכְתִּיב שִׁבְעַת יָמִים וְשִׁבְעַת יָמִים אַרְבָּעָה עָשָׂר יוֹם.

סט. וְהָיָה שִׁבְעַת יָמִים תַּחַת אִמּוֹ. תַּחַת אִמּוֹ, אִתְעַטְּרוּ שִׁבְעַת יָמִים, דִּכְתִּיב לְךָ יְיָ' הַגְּדוּלָּה וְהַגְּבוּרָה וְגוֹ'. וְעַל דָּא שִׁבְעַת יָמִים לְתַתָּא, לִיקָרָא דְּאִימָּא עִלָּאָה. תַּחַת אִמּוֹ לְתַתָּא. דִּכְתִּיב עַד עֲקָרָה יָלְדָה שִׁבְעָה וְרַבַּת בָּנִים אֻמְלָלָה. עִקָּרָא דְּכֹל בֵּיתָא, יָלְדָה שִׁבְעָה, אִלֵּין שִׁבְעַת יוֹמִין דְּחַג הַסּוּכּוֹת. וְרַבַּת בָּנִים אֻמְלָלָה, אִלֵּין קָרְבְּנִין דְּחַג, דְּנַחְתִּין בְּכֹל יוֹמָא מִן מִנְיָינָא.

ע. ות"ח אִלֵּין סַלְּקִין לְעֵילָּא לְעֵילָּא, וְאִלֵּין נַחְתִּין לְתַתָּא לְתַתָּא, כד"א אִם תַּגְבִּיהַּ כַּנֶּשֶׁר וְאִם בֵּין כּוֹכָבִים שִׂים קִנֶּךָ מִשָּׁם אוֹרִידְךָ נְאֻם יְיָ'. וְיִשְׂרָאֵל סַלְּקִין מִתַּתָּא לְעֵילָּא, דִּכְתִּיב וְהָיָה זַרְעֲךָ כַּעֲפַר הָאָרֶץ, וּכְתִיב וְהִרְבֵּיתִי אֶת זַרְעֲךָ כְּכוֹכְבֵי הַשָּׁמַיִם, וּלְבָתַר סַלְּקִין עַל כֹּלָּא, וּמִתְדַּבְּקָן בַּאֲתַר עִלָּאָה עַל כֹּלָּא, הֲדָא הוּא דִּכְתִּיב, וְאַתֶּם הַדְּבֵקִים בַּה' אֱלֹהֵיכֶם וְגוֹ'.

עא. וְשׁוֹר אוֹ שֶׂה אוֹתוֹ וְאֶת בְּנוֹ. אָמַר רַבִּי יוֹסֵי, כְּתַרְגּוּמוֹ לָהּ וְלִבְרָהּ. דְּעִקָּרָא דְּאִימָּא לְמִנְדַּע בְּרָהּ, וְאָזִיל בַּתְרָהּ, וְלָא אָזִיל בָּתַר אֲבוּהָ, וַאֲנָן לָא יָדְעִינָן מַאן הוּא.

עב. לֹא תִשְׁחֲטוּ בְּיוֹם אֶחָד. א"ר יְהוּדָה, מ"ט. אִי תֵּימָא מִשּׁוּם עַגְמַת נֶפֶשׁ דִּבְעִירָא, נֵיכוּס לְהַאי בְּבֵיתָא חַד, וּלְהַאי בְּבֵיתָא אוֹחֳרָא. אוֹ לְהַאי הַשְׁתָּא, וּלְהַאי לְבָתַר. א"ל, אִית מַאן דְּשָׁרֵי, וְלָאו הָכֵי, אֶלָּא בְּיוֹם אֶחָד מַמָּשׁ.

עג. ת"ח תָּנֵינָן יָפֶה תַּעֲנִית לַחֲלוֹם, כְּאֵשׁ לִנְעוֹרֶת. וְעִקָּרָא דְּתַעֲנִיתָא בְּהַהוּא יוֹמָא מַמָּשׁ, וְלָאו בְּיוֹמָא אוֹחֳרָא. מַאי טַעֲמָא. בְּגִין דְּלֵית לָךְ יוֹם לְתַתָּא, דְּלָא שַׁלְטָא בֵּיהּ יוֹמָא אוֹחֳרָא עִלָּאָה. וְכַד אִיהוּ שָׁארֵי בְּתַעֲנִיתָא דְּחֶלְמָא, אוֹלִיפְנָא דְּהַהוּא יוֹמָא לָא אִתְעֲדֵי, עַד דְּאִתְבְּטַל הַהוּא גְּזֵרָה. וְאִי דָּחֵי לֵיהּ לְיוֹמָא אוֹחֳרָא, הָא שׁוּלְטָנָא דְּיוֹמָא אוֹחֳרָא הוּא, וְלָא עָאל יוֹמָא בְּיוֹמָא אוֹחֳרָא דְּחַבְרֵיהּ. כְּהַאי גַּוְונָא, לֵית לָךְ יוֹם דְּלָא אִתְמְנָא עָלֵיהּ יוֹמָא עִלָּאָה לְעֵילָּא. וּבָעֵי בַּר נָשׁ לְאִסְתַּמְּרָא, דְּלָא יַעְבִּיד פְּגִימוּ בְּהַהוּא יוֹמָא, וְלָא יִתְפְּגִים קַמֵּי שְׁאָר יוֹמִין אוֹחֳרָנִין.

עד. וְתָנֵינָן, בְּעוֹבָדָא דִּלְתַתָּא אִתְּעַר עוֹבָדָא דִּלְעֵילָּא. אִי בַּר נָשׁ עָבֵיד עוֹבָדָא לְתַתָּא כְּדְקָא יָאוּת, הָכֵי אִתְּעַר חֵילָא כְּדְקָא יָאוּת לְעֵילָּא, עָבֵיד בַּר נָשׁ חֶסֶד בְּעָלְמָא, אִתְּעַר חֶסֶד לְעֵילָּא, וְשָׁארֵי בְּהַהוּא יוֹמָא, וְאִתְעַטָּר בֵּיהּ בְּגִינֵיהּ. וְאִי אִתְדַּבַּר בַּר נָשׁ לְרַחֲמֵי לְתַתָּא, אִתְּעַר רַחֲמֵי עַל הַהוּא יוֹמָא, וְאִתְעַטָּר בְּרַחֲמֵי בְּגִינֵיהּ. וּכְדֵין הַהוּא יוֹמָא קָאֵים עָלֵיהּ לְמֶהֱוֵי אַפּוֹטְרוֹפָּא בְּגִינֵיהּ, בְּשַׁעֲתָא דְּאִצְטְרִיךְ לֵיהּ.

עה. כְּגַוְונָא דָּא, בְּהִפּוּכָא דְּדָא. אִי עָבֵיד בַּר נָשׁ עוֹבָדָא דְּאַכְזָרִי, הָכֵי אִתְּעַר בְּהַהוּא יוֹמָא, וּפָגִים לֵיהּ, וּלְבָתַר קָאֵים עָלֵיהּ לְאַכְזָרִי לְשֵׁיצָאָה לֵיהּ מֵעָלְמָא. בְּהַהִיא מִדָּה דְּבַר נָשׁ מוֹדֵד, בָּהּ מוֹדְדִין לֵיהּ.

עו. תָּנָן, דְּיִשְׂרָאֵל אַכְזָרִיּוּת אִתְמְנַע מִנַּיְיהוּ, מִכֹּל שְׁאָר עַמִּין, וְלָא יִתְחֲזוּן מִנֵּיהּ

עוֹבָדָא בְּעָלְמָא. דְּהָא כְּמָה מָארֵי דְּעַיְינִין קַיְימִין עֲלֵיהּ דְּבַר נָשׁ בְּהַהוּא עוֹבָדָא, וְכָאָה מַאן דְּאַחְזֵי עוֹבָדָא דְּכַשְׁרָא לְתַתָּא, דְּהָא בְּעוֹבָדָא תַּלְיָיא מִלְּתָא בְּכֹלָּא, לְאִתְעָרָא מִלָּה אַחֲרָא.

עז. רִבִּי שִׁמְעוֹן פָּתַח, וַיַּרְא יַעֲקֹב כִּי יֶשׁ שֶׁבֶר בְּמִצְרַיִם, הַאי קְרָא רָזָא דְּחָכְמְתָא אִית בֵּיהּ, וְאִית כָּן לְאִסְתַּכְּלָא בֵּיהּ, דְּלָאו סֵיפֵיהּ רֵישֵׁיהּ, וְלָאו רֵישֵׁיהּ סֵיפֵיהּ.

עח. אֶלָּא ת"ח, בְּשַׁעְתָּא דְּקֻבְּ"ה בָּעֵי לְמֵידַן עָלְמָא בְּכַפְנָא, לָא יָהִיב מִלָּה דָּא לִידָא דְּכָרוֹזָא, דְּהָא כָּל דִּינִין אַחֲרָנִין דְּעָלְמָא, כָּרוֹזָא כָּרִיז עֲלוֹהִי עַד לָא יֵיתוּן לְעָלְמָא, וְדִינָא דָּא לָא אִתְיְהִיב לְכָרוֹזָא, אֶלָּא קֻבְּ"ה אַכְרִיז עֲלֵיהּ וְקָארֵי. הה"ד, כִּי קָרָא יְיָ' לָרָעָב. מֵהַהִיא שַׁעְתָּא אִתְפַּקְדָן עַל עָלְמָא מִמְּנָן אַחֲרָנִין, בְּפִקּוּדוֹי דְּרָעָב.

עט. וְאָסִיר לֵיהּ לְבַר נָשׁ דְּאִית לֵיהּ שַׂבְעָא, לְאַחֲזָאָה בְּגַרְמֵיהּ שַׂבְעָא, דְּהָא אַחְזֵי פְּגִימוּ לְעֵילָּא, וְאַכְחִישׁ מִלָּה דְּמַלְכָּא, וְכִבְיָכוֹל כְּאִלּוּ אַעְבָּר מִמְּנָן דְּמַלְכָּא מֵאַתְרַיְיהוּ. וְעַ"ד אָמַר יַעֲקֹב לִבְנוֹי, לָמָּה תִּתְרָאוּ, לָמָּה תַּעַבְדוּ פְּגִימוּ לְעֵילָּא וּלְתַתָּא, וּלְאַכְחָשָׁא מִלָּה דְּמַלְכָּא, וְכָל אִינּוּן מִמְּנָן בְּכָרוֹזוֹי דִּילֵיהּ.

פ. אֲבָל הִנֵּה שָׁמַעְתִּי כִּי יֶשׁ שֶׁבֶר בְּמִצְרַיִם רְדוּ שָׁמָּה, וְתַמָּן אַחְזִיאוּ גַּרְמַיְיכוּ בְּשַׂבְעָא, וְלָא תַּכְחִישׁוּ פַּמַּלְיָא דִּלְעֵילָּא הָכָא. ות"ח, יַעֲקֹב כַּמָּה תְּבוּאָה הֲוַת לֵיהּ, וְלָא בָּעֵי לִשְׁבּוֹר אֶלָּא בְּתוֹךְ הַבָּאִים בְּגִין דְּלָא יִשְׁתַּכַּח פְּגִימוּ בְּעוֹבָדָא דִּילֵיהּ.

פא. תּוּ פָּתַח וְאָמַר, וַיִּשָּׂא אַהֲרֹן אֶת יָדָיו אֶל הָעָם וַיְבָרְכֵם. וְתָנֵינָן יָדוֹ כְּתִיב, דְּבָעֵי לְזַקְפָא יְמִינָא עַל שְׂמָאלָא. וְאַמַּאי. לְאַחֲזָאָה עוֹבָדָא לְתַתָּא, בְּגִין דְּיִתְעַר עוֹבָדָא לְעֵילָּא.

פב. כְּתִיב וְהַעֲבַרְתָּ שׁוֹפַר תְּרוּעָה בַּחֹדֶשׁ הַשְּׁבִיעִי וְגו', שׁוֹפַר תְּרוּעָה אַמַּאי. אֶלָּא שׁוֹפָר, דְּמִתְּבַּר שַׁלְשְׁלָאִין, דְּמִתְּבַּר שׁוּלְטָנוּתָא מִכָּל עַבְדִּין. וּבָעְיָא לְאַחֲזָאָה שׁוֹפָר דְּאִיהוּ פָּשׁוּט, וְלָא כָּפִיף, לְאַחֲזָאָה וְזִירוּ לְכֹלָּא, דְּהָא יוֹמָא גָּרִים. וּבְכֹלָּא בָּעֵי לְאַחֲזָאָה עוֹבָדָא, וְעַ"ד שׁוֹפָר, וְלָא קֶרֶן, בְּגִין לְאַחֲזָאָה מַאן הוּא אֲתַר דְּאִקְרֵי שׁוֹפָר.

פג. זַכָּאִין אִינּוּן יִשְׂרָאֵל בְּעָלְמָא דֵּין וּבְעָלְמָא דְּאָתֵי, דְּאִינּוּן יָדְעִין לְאִתְדַּבְּקָא בְּמַלְכָּא קַדִּישָׁא, וּלְאִתְעָרָא חֵילָא דִּלְעֵילָּא, וּלְאַמְשָׁכָא קְדוּשָׁה דְּמָארֵיהוֹן עֲלַיְיהוּ, בְּגִ"כ כְּתִיב אַשְׁרֶיךָ יִשְׂרָאֵל מִי כָמוֹךָ וְגו'. וְאַתֶּם הַדְּבֵקִים בַּיְיָ' אֱלֹהֵיכֶם חַיִּים כֻּלְּכֶם הַיּוֹם.

הקדמת רעיא מהימנא

פד. וּשְׁמַרְתֶּם מִצְוֹתַי וַעֲשִׂיתֶם אוֹתָם וְגו'. פִּקּוּדִין דְּמָארֵי עָלְמָא, הָא תָּנֵינָן. דִּכְתִיב וּשְׁמַרְתֶּם מִצְוֹתַי וַעֲשִׂיתֶם אוֹתָם. אִי נָטוּרֵי קָא בָּעֵינָן, עֲבִידָא לָמָּה. תּוּ, כָּל פִּקּוּדֵי אוֹרַיְיתָא אִינּוּן בִּתְרֵין גַּוְונִין דְּאִינּוּן חַד, זָכוֹר וְשָׁמוֹר, זָכוֹר לִדְכוּרָא, וְשָׁמוֹר לְנוּקְבָא. וְכֻלְּהוּ כְּלָלָא חֲדָא, אִי שָׁמוֹר לְנוּקְבָא אַמַּאי כְּתִיב וּשְׁמַרְתֶּם מִצְוֹתַי.

פה. אֶלָּא כֹּלָּא בְּהַאי קְרָא, וּשְׁמַרְתֶּם: דָּא שָׁמוֹר. וַעֲשִׂיתֶם: דָּא זָכוֹר, דְּכֹלָּא רָזָא חֲדָא. זְכִירָה דָּא אִיהִי עֲשִׂיָּה, דְּהָא מַאן דְּאַדְכַּר מִלָּה לְתַתָּא, אַתְקִין וְאִתְעֲבִיד הַהוּא רָזָא דִּלְעֵילָּא. פִּקּוּדֵי אוֹרַיְיתָא אִלֵּין אִינּוּן שִׁית מְאָה וּתְלֵיסַר פִּקּוּדִין, דְּאִינּוּן כְּלָלָא דִּדְכַר וְנוּקְבָא, וְכֹלָּא רָזָא חֲדָא.

פו. וְלֹא תְחַלְּלוּ אֶת שֵׁם קָדְשִׁי וְנִקְדַּשְׁתִּי בְּתוֹךְ בְּנֵי יִשְׂרָאֵל וְגו'. פִּקּוּדָא דָּא, לְקַדְּשָׁא לֵיהּ בְּכָל יוֹמָא, לְסַלְּקָא קְדוּשָׁתֵיהּ מִתַּתָּא לְעֵילָּא, כְּמָה דְּאִיהוּ קַדִּישָׁא לְעֵילָּא, עַד דְּסָלִיק קְדוּשָׁתֵיהּ לַאֲבָהָן וּבְנִין. וְרָזָא דָּא, וְנִקְדַּשְׁתִּי בְּתוֹךְ בְּנֵי יִשְׂרָאֵל, עֵילָּא וְתַתָּא. עֵילָּא בְּג' דַּרְגִּין. לְתַתָּא בְּג' דַּרְגִּין.

פז. קְדוּשָׁה הָא, אוֹקִימְנָא בְּכַמָּה דוּכְתֵּי, אֲבָל כְּמָה דְּאִית קְדוּשָׁה לְעֵילָּא עַל כֹּלָּא, הָכִי אִית קְדוּשָׁה בְּאֶמְצָעִיתָא, קְדוּשָׁה לְתַתָּא. וְכֹלָּא בְּרָזָא דִּלְתַתָּא, קְדוּשָׁה דִּלְעֵילָּא לְעֵילָּא, בְּרָזָא וְחַדָא. קְדוּשָׁה בְּאֶמְצָעִיתָא וּלְתַתָּא תְּלַת דַּרְגִּין דְּאִינּוּן וְחַד.

פח. קָדוֹשׁ, אִיהוּ סְטַר עִלָּאָה, דְּאִשְׁתְּכַח רֵאשִׁיתָא לְכָל דַּרְגִּין. ואע"ג דְּאִיהוּ סְטַר טְמִירָא, וְאִקְרֵי קֹדֶשׁ. מִתַּמָּן אִתְפָּשַׁט פְּשִׁיטוּ, דְּנָהִיר בְּחַד שְׁבִילָא דְּקִיקָא טְמִירָא, גּוֹ אֶמְצָעִיתָא. כֵּיוָן דְּאִתְנְהִיר גּוֹ אֶמְצָעִיתָא, כְּדֵין אִתְרְשִׁים וְחַד ו', דְּנָהִיר גּוֹ הַאי קֹדֶשׁ, וְאִקְרֵי קָדוֹשׁ. מֵהַאי נְהִירוּ אִתְפָּשַׁט פְּשִׁיטוּ, לְתַתָּא, סוֹפָא דְּכָל דַּרְגִּין. כֵּיוָן דְּאִתְנְהִיר בְּסוֹפָא, כְּדֵין אִתְרְשִׁים בִּנְהִירוּ, וְחַד ה', וְאִקְרֵי קְדוּשָׁה, וְהָא אוֹקִימְנָא.

פט. וּמַה דְּאִקְרֵי קָדוֹשׁ קָדוֹשׁ, דְּהָא קֹדֶשׁ מִבָּעֵי לֵיהּ, רָזָא דְּרֵאשִׁיתָא דְּכֹלָּא, הוֹאִיל וּמִתַּמָּן אִשְׁתְּכַח, וְאִי הָכִי אַמַּאי אִקְרֵי לְעֵילָּא קָדוֹשׁ, דְּהָא תַּמָּן ו' לָא אִשְׁתְּכַח.

צ. אֶלָּא רָזָא הָכִי הוּא וַדַּאי, וְיִשְׂרָאֵל מְקַדְּשֵׁי לְתַתָּא, כְּגַוְונָא דְּמַלְאֲכֵי עִלָּאֵי לְעֵילָּא, דִּכְתִּיב בְּהוּ, וְקָרָא זֶה אֶל זֶה וְאָמַר קָדוֹשׁ. וְכֵיוָן דְּיִשְׂרָאֵל קָא מְקַדְּשֵׁי, סַלְקֵי מִתַּתָּא לְעֵילָּא יְקָרָא עִלָּאָה, עַד דְּאִסְתַּלַּק ו' רָזָא דְּשָׁמַיִם עִלָּאִין לְעֵילָּא. כֵּיוָן דְּאִינּוּן שָׁמַיִם אִסְתַּלָּקוּ לְעֵילָּא, נָהִיר הַהוּא קֹדֶשׁ בְּהוּ, וּכְדֵין אִקְרֵי לְעֵילָּא קָדוֹשׁ. וּלְבָתַר נָהִיר הַהוּא נְהִירוּ עִלָּאָה, עַל כּוּרְסְיָיא דְּאִיהוּ שָׁמַיִם. וְאִינּוּן שָׁמַיִם תַּיְיבִין לְדוּכְתַּיְיהוּ, וּמִתְיַישְּׁבוּ בֵּיהּ בְּהַהוּא נְהִירוּ, וּכְדֵין אִקְרֵי קָדוֹשׁ. לְבָתַר נָחִית הַהוּא נְהִירוּ, עַד דְּנָטִיל כֹּלָּא וְחַד צַדִּיק עִלָּאָה, דַּרְגָּא יַקִּירָא לְקַדְּשָׁא כֹּלָּא לְתַתָּא. כֵּיוָן דְּאִיהוּ נָטִיל כֹּלָּא, כְּדֵין אִקְרֵי קָדוֹשׁ. וְדָא אִיהוּ רָזָא דְּכֹלָּא.

צא. וּמַאן דְּשַׁוֵּי רְעוּתֵיהּ בְּהַאי, שַׁפִּיר קָא עָבֵיד. וּמַאן דְּשַׁוֵּי רְעוּתֵיהּ, בִּתְלַת דַּרְגִּין דַּאֲבָהָן בִּכְלָלָא וְחָדָא, לְיַיחֲדָא לוֹן גּוֹ קְדוּשָּׁתָא דָא, אִי לָא יָכִיל לְשַׁוָּואָה רְעוּתֵיהּ יַתִּיר, שַׁפִּיר קָא עָבֵיד. וְכֹלָּא לְנַחְתָא מִגּוֹ קְדוּשָּׁתָא דִּלְעֵילָּא לְתַתָּא, לְקַדְּשָׁא כָּל וְחַד גַּרְמֵיהּ בְּהַאי קְדוּשָׁה, וּלְנַטְרָא לֵיהּ, לְמִפְרַשׁ פְּרִישׁוּ דִּקְדוּשָּׁתָא עַל גַּבֵּיהּ. וְרָזָא דָא, וְנִקְדַּשְׁתִּי בְּתוֹךְ בְּנֵי יִשְׂרָאֵל בְּקַדְמֵיתָא, וּלְבָתַר אֲנִי יְיָ' מְקַדִּשְׁכֶם.

צב. בְּאָן אֲתַר יְקַדֵּשׁ בַּר נָשׁ גַּרְמֵיהּ גּוֹ קְדוּשָּׁתָא דָא, לְאַכְלְלָא גַּרְמֵיהּ בָּהּ. כַּד מָטֵי בַּר נָשׁ, לִשְׁמָא קַדִּישָׁא יְיָ' צְבָאוֹת. וְרָזָא דָא אֲנִי יְיָ' מְקַדִּשְׁכֶם. דָא אַשְׁכַּחְנָא בְּרָזָא דְּסִפְרֵי קַדְמָאֵי. וַאֲנָן לָא עָבְדִינָן הָכִי, אֶלָּא לְבָתַר יְיָ' צְבָאוֹת בִּלְחוֹדוֹי. וּלְבָתַר כַּד מָטֵי בַּר נָשׁ לִמְלֹא כָל הָאָרֶץ כְּבוֹדוֹ, כְּדֵין יִכְלוֹל גַּרְמֵיהּ בְּהַהוּא קְדוּשָׁה, לְאִתְקַדְּשָׁא לְתַתָּא, גּוֹ הַהוּא כָּבוֹד דִּלְתַתָּא, וְרָזָא דָא וְנִקְדַּשׁ בִּכְבוֹדִי. וּלְבָתַר יַעֲבִיד אוֹרַח פְּרָט, לְאִתְקַדְּשָׁא כֹּלָּא. כְּמָה דַּאֲנָן עָבְדִין לְעֻמָּתָם דְּמַלְאֲכֵי עִלָּאֵי, דְּאָמְרֵי בָּרוּךְ כְּבוֹד יְיָ' מִמְּקוֹמוֹ, דָא כָּבוֹד עִלָּאָה. וּלְבָתַר יִמְלוֹךְ יְיָ' לְעוֹלָם וְכוּ'. דָא כָּבוֹד דִּלְתַתָּא.

צג. וּבְסִפְרָא דְּרַב יֵיסָא סָבָא, קָדוֹשׁ קָדוֹשׁ וְכוּ', דָא אִיהִי קְדוּשָׁה לְאִתְקַדְּשָׁא תּוֹרָה שֶׁבִּכְתָב בִּכְלָלָא וְחָדָא. וּלְבָתַר לְעֻמָּתָם בָּרוּךְ כְּבוֹד יְיָ', אִלֵּין נְבִיאִים. וּלְבָתַר יִמְלוֹךְ יְיָ' לְעוֹלָם. רָזָא דָא, אֲנָן צְרִיכִין בִּקְדוּשָּׁתָא דָא, לְאַשְׁתַּכְחָא תַּמָּן קְדוּשָׁה וּבְרָכָה וּמַלְכוּת, לְאִשְׁתַּכְחָא כֹּלָּא כַּחֲדָא. קְדוּשָׁה, כְּמָה דְּאִתְּמַר קָדוֹשׁ. בְּרָכָה, בָּרוּךְ כְּבוֹד יְיָ' מִמְּקוֹמוֹ. מַלְכוּת, יִמְלוֹךְ יְיָ' לְעוֹלָם. וְעַל דָא כֹּלָּא אֲנָן צְרִיכִין לְאַשְׁלְמָא, וְעַל דָא יְכַוֵּון בַּר נָשׁ, וִישַׁוֵּי רְעוּתֵיהּ בְּכָל יוֹמָא. (ע"כ רע"מ).

צד. דַּבֵּר אֶל בְּנֵי יִשְׂרָאֵל וְאָמַרְתָּ אֲלֵיהֶם מוֹעֲדֵי יְיָ' אֲשֶׁר תִּקְרְאוּ אוֹתָם מִקְרָאֵי קֹדֶשׁ אֵלֶּה הֵם מוֹעֲדָי. רִבִּי יִצְחָק פָּתַח, וַיִּקְרָא אֱלֹהִים לָאוֹר יוֹם וְגוֹ'. תָּנֵינָן, אוֹר דַּהֲוָה

בְּקַדְמֵיתָא, הֲוָה נָהִיר מִסַּיְיפֵי עָלְמָא לְסַיְיפֵי עָלְמָא, כַּד אִסְתְּכַל קוּדְשָׁא בְּרִיךְ הוּא לְחַיָּיבִין דְּזְמִינִין לְמֵיקָם בְּעָלְמָא, גְּנָזֵיהּ לֵיהּ לְצַדִּיקַיָּיא לְעָלְמָא דְּאָתֵי, הֲדָא הוּא דִּכְתִיב וְיִמְנַע מֵרְשָׁעִים אוֹרָם. וּכְתִיב אוֹר זָרוּעַ לַצַּדִּיק.

צה. תָּא חֲזֵי, וַיִּקְרָא אֱלֹהִים לָאוֹר יוֹם וְלַחֹשֶׁךְ קָרָא לָיְלָה, הָא תָּנֵינָן, יְהִי אוֹר, אוֹר דִּכְבָר הֲוָה. וְהָכָא, אִי תֵּימָא אוֹר דְּאִיהוּ יוֹם בִּלְחוֹדוֹי, הֲדָר וְאָמַר וְלַחֹשֶׁךְ קָרָא לָיְלָה. אִי תֵּימָא כָּל חַד בִּלְחוֹדוֹי, הֲדָר וְאָמַר וַיְהִי עֶרֶב וַיְהִי בֹקֶר יוֹם אֶחָד. דְּלַיְלָה לֵית בְּלָא יוֹם, וְלֵית יוֹם בְּלָא לַיְלָה, וְלָא אִקְרֵי אֶחָד, אֶלָּא בְּזִוּוּגָא חַד, וְקב"ה וּכְנֶסֶת יִשְׂרָאֵל אִקְרֵי אֶחָד, וְדָא בְּלָא דָא לָא אִקְרֵי אֶחָד.

צו. תָּא חֲזֵי, בְּגִין דִּכְנֶסֶת יִשְׂרָאֵל הַשְׁתָּא בְּגָלוּתָא, כִּבְיָכוֹל לָא אִקְרֵי אֶחָד. וְאֵימָתַי אִקְרֵי אֶחָד. בְּעִדָּנָא דְּיִפְקוּן יִשְׂרָאֵל מִן גָּלוּתָא, וּכְנֶסֶת יִשְׂרָאֵל אַהְדָּרַת לְאַתְרָהָא, לְאִזְדַּוְּוגָא בֵּיהּ בְּקב"ה, הֲה"ד בַּיּוֹם הַהוּא יִהְיֶה יְיָ אֶחָד וּשְׁמוֹ אֶחָד. וְדָא בְּלָא דָא לָא אִקְרֵי אֶחָד.

צז. תָּא חֲזֵי, מוֹעֲדֵי יְיָ אֲשֶׁר תִּקְרְאוּ וְגו'. לְזִמְנָא כֹּלָּא לַאֲתַר חַד, וּלְאִשְׁתַּכְּחָא כֹּלָּא בִּשְׁלִימוּ, בְּרָזָא דְּאֶחָד. וּלְמֶחֱזֵי יִשְׂרָאֵל לְתַתָּא גּוֹי אֶחָד בָּאָרֶץ. תִּינַח קב"ה בִּכְנֶסֶת יִשְׂרָאֵל דְּאִקְרֵי אֶחָד, יִשְׂרָאֵל לְתַתָּא דְּאִינּוּן זִמְנִין כְּגַוְונָא דִּלְעֵילָּא, בַּמָּה יִקְרוּן אֶחָד.

צח. אֶלָּא, בִּירוּשָׁלַם דִּלְתַתָּא, יִקְרוּן יִשְׂרָאֵל אֶחָד. מְנָא לָן. דִּכְתִיב גּוֹי אֶחָד בָּאָרֶץ. וַדַּאי, בָּאָרֶץ הֵם גּוֹי אֶחָד אִקְרוּן אֶחָד, וְלָא אִינּוּן בִּלְחוֹדַיְיהוּ. דְּהָא וּמִי כְּעַמְּךָ יִשְׂרָאֵל גּוֹי אֶחָד סַגֵּי לֵיהּ, אֲבָל לָא אִקְרוּן אֶחָד, אֶלָּא בָּאָרֶץ, בְּזִוּוּגָא דְּהַאי אֶרֶץ כְּגַוְונָא דִּלְעֵילָּא. וּבְגִין כָּךְ, כֹּלָּא קָשִׁיר דָּא בְּדָא בְּזִוּוּגָא וַחֲדָא, זַכָּא וְחוּלָקֵיהוֹן דְּיִשְׂרָאֵל. שֵׁשֶׁת יָמִים תֵּעָשֶׂה מְלָאכָה אִתְּמַר, וְהָא אוּקְמוּהָ.

צט. רִבִּי יוֹסֵי וְרִבִּי וַיָּיא אָזְלֵי בְּאָרְחָא וְכו'. עַד הוֹשִׁיעָה יְמִינְךָ וַעֲנֵנִי. אָ"ל אָת וְחָמֵי וַאֲנָא וַחֲמֵינָא מִפּוּמֵיהּ דְּרִבִּי שִׁמְעוֹן שְׁמַעְנָא מִלָּה וּבְכֵינָא. אָ"ל מַאי הַאי.

ק. אֵלֶּה מוֹעֲדֵי יְיָ מִקְרָאֵי קֹדֶשׁ אֲשֶׁר תִּקְרְאוּ אוֹתָם בְּמוֹעֲדָם. רִבִּי יִצְחָק פָּתַח, לְךָ אָמַר לִבִּי בַּקְּשׁוּ פָנַי אֶת פָּנֶיךָ יְיָ אֲבַקֵּשׁ. הַאי קְרָא אוּקְמוּהָ וְחַבְרַיָּיא בְּכַמָּה אֲתָר, אֲבָל הַאי קְרָא הָכִי אִתְּמַר, לְךָ אָמַר לִבִּי, דָּוִד מַלְכָּא אָמַר דָּא בְּגִין כְּנֶסֶת יִשְׂרָאֵל, לְקַבֵּל מַלְכָּא קַדִּישָׁא. וּמַאי אָמַר. לְךָ אָמַר לִבִּי, בְּגִינָךְ אָמַר לִבִּי לִבְנֵי עָלְמָא, וְאָהַר לוֹן לִבִּי. דְּאִיהוּ אָחִיד בֵּיהּ, דְּדָא בְּגִין מַלְכָּא עִלָּאָה אָמַר. בַּקְּשׁוּ פָנָי, אִלֵּין עִטְרֵי מַלְכָּא, דְּאִיהוּ אָחִיד בְּהוּ, וְאִינּוּן בֵּיהּ. אִינּוּן שְׁמֵיהּ, וְאִיהוּ וּשְׁמֵיהּ, מִלָּה וַחֲדָא הוּא. בְּגִין כָּךְ אָמַר דָּוִד אֶת פָּנֶיךָ יְיָ אֲבַקֵּשׁ, כד"א, דִּרְשׁוּ יְיָ וְעֻזּוֹ בַּקְּשׁוּ פָנָיו תָּמִיד.

קא. תָּא חֲזֵי, יָאוֹת הֲוָה דָוִד מַלְכָּא לְמֵימַר שִׁירָתָא בְּגִין כְּנֶסֶת יִשְׂרָאֵל, יַתִּיר מִכָּל בְּנֵי עָלְמָא, וּלְמֵימַר מִלֵּי דִּכְנֶסֶת יִשְׂרָאֵל לְמַלְכָּא, בְּגִין דְּאִיהוּ אָחִיד בָּהּ.

קב. ד"א לְךָ אָמַר לִבִּי בַּקְּשׁוּ פָנָי, בְּגִינָךְ אָמַר לִבִּי לִבְנֵי עָלְמָא, בַּקְּשׁוּ פָנַי אִלֵּין זִמְנַיָּא וְחַגַּיָּיא דִּכְלְהוּ זְמִין לְהוֹן לַאֲתָר דְּאִקְרֵי קֹדֶשׁ, בְּגִין לְעַטְּרָא לוֹן, כָּל חַד וְחַד בְּיוֹמֵיהּ, כָּל חַד וְחַד בְּזִמְנֵיהּ, וְיִשְׁאֲבוּן כֻּלְּהוּ מֵהַהוּא עֲמִיקָא דְּעֲמִיקָתָא, דְּנָזְלִין וּמַבּוּעִין נָפְקִין מִנֵּיהּ, בְּגִין כָּךְ כְּתִיב מִקְרָאֵי קֹדֶשׁ, זְמִינִין אִינּוּן לְהַהוּא אֲתָר דְּאִקְרֵי קֹדֶשׁ, לְאִתְעַטְּרָא בֵּיהּ, וּלְאִשְׁתַּאֲבָא בֵּיהּ, בְּגִין דְּיִתְקַדְּשׁוּן כֻּלְּהוֹן כַּחֲדָא, וְיִשְׁתַּכְחוּן בְּהוּ וַחֲדְוָותָא.

קג. רִבִּי אַבָּא אָמַר, מִקְרָאֵי קֹדֶשׁ: זְמִינִין דְּקֹדֶשׁ. וְכַד מֵהַאי זְמִינִין, זְמִינִין מִן נַחֲלָא דְּנָגֵיד וְנָפִיק. לְמַלְכָּא דְּזַמִּין בְּנֵי נָשָׁא לִסְעוּדָתֵיהּ, אַעֲטַר קַמַּיְיהוּ מִכָּל זִינֵי מֵיכְלָא דְּעָלְמָא,

אַפְּתְּחוּ לְהוּ גַּרְבֵי וְזִמְרָא, שַׁפִּיר בְּרֵיוָוא, שַׁפִּיר לְמִשְׁתְּיָא. דְּהָכִי אִתְחֲזֵי, מַאן דִּמְזַמֵּין לְמֵיכְלָא וּלְמִשְׁתְּיָא זַמִּין. כַּךְ מִקְרָאֵי קֹדֶשׁ, כֵּיוָן דְּאִינּוּן זְמִינִין לִסְעוּדָתָא דְּמַלְכָּא, זְמִינִין אִינּוּן לְחַמְרָא טַב וְשַׁפִּיר דְּמִנְטְרָא. וְעַל דָּא מִקְרָאֵי קֹדֶשׁ כְּתִיב.

קד. אֲשֶׁר תִּקְרְאוּ אוֹתָם בְּמוֹעֲדָם, כְּתִיב וְאַנְשֵׁי קֹדֶשׁ תִּהְיוּן לִי, יִשְׂרָאֵל לְתַתָּא אִקְרוּן אַנְשֵׁי קֹדֶשׁ. כֵּיוָן דִּזְמִינִין אִינּוּן מִקֹּדֶשׁ דִּלְעֵילָּא אַתּוּן אַנְשֵׁי קֹדֶשׁ לְתַתָּא זְמִינָא לְהוּ, כְּדֵין אַתְקִינוּ סְעוּדָתָא, וְחַדּוּ, דְּהָא לְכוּ אִתְחֲזֵי, בְּגִין דְּאַתּוּן אִתְקְרוּן אַנְשֵׁי קֹדֶשׁ, וְיֵהוֹן כֻּלְּהוּ זְמִינִין בְּכָל סִטְרִין דְּקֹדֶשׁ לְעֵילָּא וְתַתָּא.

קה. ד"א אֵלֶּה מוֹעֲדֵי יְיָ'. מַהוּ מוֹעֲדֵי יְיָ'. ר"ש אָמַר, מִיְיָ' אִינּוּן. דְּבֵיהּ אִתְקַשָּׁרוּ מִתַּתָּא לְעֵילָּא, וּמֵעֵילָּא לְתַתָּא, כֻּלְּהוּ בֵּיהּ מִתְקַשְּׁרָן, וּמִתְעַטְּרָן כֻּלְּהוּ, לְאִתְקַשְּׁרָא קִשְׁרָא חַד בְּקִשְׁרָא דְּמַלְכָּא. מַאי טַעְמָא. כְּמָה דְּמַלְכָּא יָרִית לְאַבָּא וּלְאִימָּא, וְאָחִיד בְּהַהוּא קֹדֶשׁ, וְאִתְעַטַּר בְּהוּ. כַּךְ כָּל אִינּוּן דַּאֲחִידָן בֵּיהּ בְּמַלְכָּא, בָּעְיָין לְאִזְדַּמְּנָא בְּהַהוּא אֲתַר עִלָּאָה דְּאִקְרֵי קֹדֶשׁ, בְּגִין דְּיִתְאַחֲדוּ כֻּלְּהוּ כַּחֲדָא. וְעַל דָּא מוֹעֲדֵי יְיָ' אִקְרֵי וּלְבָתַר מִקְרָאֵי קֹדֶשׁ, דְּהָא בְּהוּ אִתְעֲטַר בְּמַלְכָּא.

קו. אֲשֶׁר תִּקְרְאוּ אוֹתָם בְּמוֹעֲדָם, תְּרֵין חוּלָקִין אִית לְיִשְׂרָאֵל בְּהוּ אִי מִסִּטְרָא דְּמַלְכָּא, חוּלָקָא עִלָּאָה אִית לְיִשְׂרָאֵל בֵּיהּ, דִּכְתִּיב וְאַתֶּם הַדְּבֵקִים בַּיְיָ' אֱלֹהֵיכֶם וְגוֹ', כִּי חֵלֶק יְיָ' עַמּוֹ. וְאִי מִסִּטְרָא עִלָּאָה דְּקֹדֶשׁ, חוּלָקָא עִלָּאָה אִית לְיִשְׂרָאֵל בֵּיהּ, דִּכְתִּיב וְאַנְשֵׁי קֹדֶשׁ תִּהְיוּן לִי, וּכְתִיב קֹדֶשׁ יִשְׂרָאֵל לַיְיָ'. וְעַ"ד לְכוּ אִתְחֲזֵי לְזַמְּנָא לְהוּ, וּלְתַקְּנָא קַמַּיְיהוּ חֶדְוָותָא וּסְעוּדָתָא וּלְמֶחֱדֵי בְּהוּ.

קז. וּמַאן דִּמְזַמֵּן לְאוֹרְחָא, בָּעֵי לְאַחֲזָאָה לֵיהּ חֵידוּ, וְאַנְפִּין נְהִירִין לְעַטְּרָא אוֹרְחֵיהּ דְּהַהוּא אוּשְׁפִּיזָא. לְמַלְכָּא דִּזְמִין אוּשְׁפִּיזָא יַקִּירָא, אָמַר לִבְנֵי הֵיכָלֵיהּ, כָּל שְׁאָר יוֹמִין הֲוֵיתוּן כָּל חַד וְחַד בְּבֵיתֵיהּ, דָּא עָבִיד עֲבִידְתֵּיהּ, וְדָא אָזִיל בִּסְחוֹרְתֵּיהּ, וְדָא אָזִיל בַּחֲקַלֵיהּ. בַּר הַהוּא יוֹמָא דִּילִי, דְּכֻלְּכוֹן מִתְעַתְּדֵי בְּחֶדְוָותָא דִּילִי, הַשְׁתָּא זְמִינִית אוּשְׁפִּיזָא עִלָּאָה וְיַקִּירָא, לָא בָּעֵינָא דְּתִשְׁתַּדְּלוּן בַּעֲבִידְתָּא, וְלָא בִּסְחוֹרְתָּא, וְלָא בְּמַדְּבְּרֵי אֶלָּא כֻּלְּכוּ אִזְדַּמְּנוּ, כְּגַוְונָא דְּהַהוּא יוֹמָא דִּילִי, וְאַתְקִינוּ גַּרְמַיְיכוּ לְקַבְּלָא לְהַהוּא אוּשְׁפִּיזָא, בְּאַנְפִּין נְהִירִין, בְּחֶדְוָותָא בְּתוּשְׁבַּחְתָּא. אַתְקִינוּ לֵיהּ סְעוּדָתָא יַקִּירָא, בְּגִין דִּיהֵא זְמִינֵי דִּילִי בְּכָל סִטְרִין.

קח. כַּךְ אָמַר קֻבְּ"הּ לְיִשְׂרָאֵל, בָּנַי, כָּל שְׁאָר יוֹמִין אַתּוּן מִשְׁתַּדְּלֵי בַּעֲבִידְתָּא בִּסְחוֹרְתָּא, בַּר הַהוּא יוֹמָא דִּילִי. הַשְׁתָּא אוּשְׁפִּיזָא עִלָּאָה וְיַקִּירָא זְמִינִית, אַתּוּן קַבִּילוּ לֵיהּ, בְּאַנְפִּין נְהִירִין, זַמִּינוּ לֵיהּ, אַתְקִינוּ לֵיהּ סְעוּדָתֵי עִלָּאֵי, פָּתוֹרֵי מְסַדְּרָן, כְּגַוְונָא דְּהַהוּא יוֹמָא דִּילִי. בְּגִ"כ תִּקְרְאוּ אוֹתָם בְּמוֹעֲדָם.

קט. ת"ח, בְּשַׁעֲתָא דְּיִשְׂרָאֵל לְתַתָּא חֲדָאן בְּהָנֵי מוֹעֲדַיָּא, וּמְשַׁבְּחִין שְׁבָחָא לְקֻבְּ"הּ, מְסַדְּרִין פָּתוֹרֵי, מְתַקְּנֵי גַּרְמַיְיהוּ בְּמָאנֵי יְקָר, מַלְאֲכֵי עִלָּאֵי אַמְרִין, מַה טִּיבָן דְּיִשְׂרָאֵל בְּכַךְ. קֻבְּ"הּ אָמַר, אוּשְׁפִּיזָא עִלָּאָה אִית לוֹן יוֹמָא דָּא. אַמְרֵי וְלָאו דִּילָךְ הוּא, מֵהַהוּא אֲתַר דְּאִקְרֵי קֹדֶשׁ. אָמַר לוֹן וְכִי יִשְׂרָאֵל לָאו קֹדֶשׁ נִינְהוּ, וְאִקְרוּן קֹדֶשׁ, לוֹן אִתְחֲזֵי לְזַמְּנָא אוּשְׁפִּיזָא דִּילִי, חַד מִסִּטְרָא דִּילִי, דְּהָא אִינּוּן דְּבֵקִים בִּי. וְחַד מִסִּטְרָא דְּקֹדֶשׁ, דִּכְתִּיב קֹדֶשׁ יִשְׂרָאֵל לַיְיָ', הוֹאִיל וְיִשְׂרָאֵל אִקְרוּן קֹדֶשׁ, אוּשְׁפִּיזָא דִּלְהוֹן הוּא וַדַּאי, בְּגִין דִּזְמִינוּ דְּהַאי אוּשְׁפִּיזָא מִקֹּדֶשׁ הוּא, דִּכְתִּיב מִקְרָאֵי קֹדֶשׁ. פָּתְחוּ כֻּלְּהוּ וְאָמְרוּ, אַשְׁרֵי הָעָם שֶׁכָּכָה לּוֹ.

קי. תלתא אינון זמינין מקדש, ולא יותר. חג המצות. וחג השבועות. וחג הסוכות. א"ל רבי אבא, וכי שבת לאו מקדש הוא זמין. א"ל לאו, בתרי סטרין, חד, דהוא ודאי קדש אקרי, דכתיב ושמרתם את השבת כי קדש היא לכם. וחד, דשבת לאו זמין הוא, דהא ירותא דיליה הוא ודאי. ירותא דקדש הוא ירית, ולאו זמיני. ועל דא כלהון זמינין בקדש, ומתקשרן בשבת, ומתעטרן ביה. בהאי, יומא שביעאה אתעטר ביה, ועי"ד שבת לאו זמין הוא.

קיא. לברא דעאל לביתא דאבוי ואמיה, ואכל ושתי, בשעתא דהוא בעי. למלכא דהוה ליה ברא יחידאי, וחביבא דנפשיה, יהב ליה שושבינא לנטרא ליה, ולאתחברא בהו. אמר מלכא, יאות הוא לזמנא לאלין שושבינין דברי, ולאחזאה יקרא וחביבותא דילי בהו, זמין לון להני שושבינין. ברא לא אתחזי לזמנא, אלא למיעל ולמיכל ולמשתי בביתא דאבוי, בשעתא דאיהו בעי. הדא הוא דכתיב, מי כמוכה באלים יי' מי כמוך נאדר בקדש, נאדר בקדש ודאי, כבר דאתתקן באבוי, נאדר בקדש, ולאו זמין מקדש.

קיב. ששת ימים תעשה מלאכה, ששת ימים מאי עבידתייהו. א"ר יוסי, כתיב כי ששת ימים עשה יי' את השמים ואת הארץ, ולא כתיב בששת. והא אוקמוה, וכל יומא ויומא עביד עבידתיה, ואקרון יומי מלאכה.

קיג. א"ר יצחק אי הכי אמאי אקרון ששת ימי חול, אמאי חול. א"ר יוסי, השתא אתנהיג עלמא על ידא דשלטנייהו, בג"כ יומי חול אקרון.

קיד. ר' חייא אמר, בגין דשרי למעבד בהון עבידתא, ובג"ד לא אקרון קדש. ומאן דלאו אקרון קדש, חול אקרון. ועל דא אתקינו חבריא בהבדלה, בין קדש לחול. מאי הבדלה הכא. אלא קדש מלה בגרמיה הוא, ושארא מניה אתיין. ועל דא אלין לעובדא, ואלין לנטרא. ואימתי אשתכח נטירו בהו. כד זמינין מקדש.

קטו. א"ר יהודה, חדוותא ונטירותא דיומא דשבתא על כלא הוא, ובגין דהא יומא אתעטר באבא ואימא, ואתוסף קדושה על קדושתיה, מה דלא אשתכח הכי בשאר יומי, דהא הוא קדש, ואתעטר בקדש, ואוסיף קדושה על קדושתיה. בגין כך האי יומא חדוותא דעלאי ותתאי, כלא חדאן ביה. מלי ברכאן בכלהו עלמין. כלהו מניה אתקנו, בהאי יומא נייחא דעלאי ותתאי. בהאי יומא נייחא דחייביא דגיהנם.

קטז. למלכא דעבד הלולא לבריה יחידאי, אעטר ליה בעטרא עלאה, מני ליה מלכא על כלא. בהאי יומא חדוותא לכלא. חד סנטירא דאתפקד על דינא דבני נשא, הוו בידיה גוברין דבעיין קטולא, גוברין דבעיין לאלקאה. בגין יקרא דהאי יומא דחדוותא דמלכא, שביק דינוי, ונטר לחדוותא דמלכא.

קיז. כך ההוא יומא, הלולא דמלכא במטרוניתא, וחדוותא דאבא ואימא עליה, וחדוותא דעלאין ותתאין. בחדוותא דמלכא, כלהו חדאן, ולא יצטערון ביה. על דא כתיב וקראת לשבת ענג. מאי ענג. ענג לא אשתכח אלא לעילא באתר דקדש עלאה שארי. כד"א, אז תתענג על יי'. דהאי ענג על יי' הוא. והאי יומא דהוא הלולא דמלכא, אתעטר בההוא עטרא דענג הה"ד וקראת לשבת ענג. מה דלא אשתכח הכי בשאר יומין.

קיח. בהאי יומא, תלת סעודתאן בעיין בני מלכא, לזמנא, ולסדרא פתורי. בגין

יְקָרָא דְּמַלְכָּא, כְּמָה דְּאוֹקִימְנָא. וְכַד אִזְדַּמַּן בֵּיהּ וַוגָּא, אוֹ זִמְנָא, לָא יְסַדֵּר ב"נ תְּרֵי פָּתוֹרֵי בְּכָל סְעוּדָתָא, וַחַד לְשַׁבָּת, וְחַד לְאוּשְׁפִּיזָא, בְּגִין דִּכְתִּיב עַל שֻׁלְחַן הַמֶּלֶךְ תָּמִיד הוּא אוֹכֵל, סְפוּקָא הוּא בְּפָתוֹרָא דְּמַלְכָּא, לְהַהוּא אוּשְׁפִּיזָא דְּאַתְיָא לֵיהּ. וְעַל דָּא בָּעֵי בַּר נָשׁ לְסַדּוּרֵי פָּתוֹרָא שְׁלֵימָא לְמַלְכָּא, וְהוּא יָהִיב מִינֵּיהּ לְאוּשְׁפִּיזָא.

קיט. אָמַר רַבִּי אֶלְעָזָר, סְעוּדָתָא תְּלִיתָאָה דְּשַׁבָּת, כַּד אִעֲרַע בֵּיהּ אוּשְׁפִּיזָא, שַׁבְקִין לֵיהּ אוֹ לָא שַׁבְקִין לֵיהּ, אִי לָא שַׁבְקִין לֵיהּ, אִשְׁתְּכַח אוּשְׁפִּיזָא דְּוַויָּיא מִפָּתוֹרָא דְּמַלְכָּא, אִי שַׁבְקִין לֵיהּ, אִשְׁתְּכַח פְּגִימוּ בִּסְעוּדָתָא דְּמַלְכָּא.

קכ. אָמַר לֵיהּ רַבִּי שִׁמְעוֹן אֲבוֹי, לְמַלְכָּא דְּאִיעֲרַע בֵּיהּ אוּשְׁפִּיזָא, וְנָטִיל מֵיכְלָא מִקַּמֵּיהּ, וְסַלְקָא לְאוּשְׁפִּיזֵיהּ, אִשְׁתְּכַח אַף עַל גַּב דְּמַלְכָּא לָא אָכַל עִמֵּיהּ, מִמֵּיכְלָא דְּמַלְכָּא קָא אָכִיל, וּמַלְכָּא יָהִיב לֵיהּ לְמֵיכַל. וְכָל דָּא, בְּגִין דְּהוּא אוּשְׁפִּיזֵיהּ דְּמַלְכָּא. וּבְבֵי רַב הַמְנוּנָא סָבָא, לָא חַיְישֵׁי לְאוּשְׁפִּיזָא בְּשַׁעֲתָא דָּא, וּלְבָתַר מְסַדְּרֵי פָּתוֹרָא לְאוּשְׁפִּיזָא.

קכא. בְּהַאי יוֹמָא מִלּוּלָא אָסִיר, הה"ד מִמְּצוֹא חֶפְצְךָ וְדַבֵּר דָּבָר, וּתְנָן וְחֶפְצְךָ כְּתִיב, בְּגִין דְּהַאי יוֹמָא כֹּל מְהֵימְנוּתָא אִתְקְשַׁר בֵּיהּ.

קכב. אָ"ל רַבִּי אֶלְעָזָר, וְהֵיךְ עֲבִידְנָא דְּלָא לְסַדְּרָא סְעוּדָתָא דְּמַלְכָּא לְאוּשְׁפִּיזָא, דְּהָא אַרְבֵּיסַר דְּחַל לִהְיוֹת בְּשַׁבָּת, סַלְקָא סְעוּדָתָא דְּמַלְכָּא לְפִסְחָא, אַף עַל גַּב דְּלָאו אִיהוּ אוּשְׁפִּיזֵיהּ.

קכג. אָ"ל הָכִי אֲמֵינָא דְּאִי הוּא אוּשְׁפִּיזֵיהּ, יַכְלָא לְסַלְקָא לֵיהּ, וְאִי לָאו לָאו סַלְקָא לֵיהּ. וְאִי נֵימָא דִּי"ד דְּחַל לִהְיוֹת בְּשַׁבָּת, אִתְדַּחְיָיא סְעוּדָתָא דְּמַלְכָּא מִקַּמֵּי סְעוּדָתָא דְּפִסְחָא. שָׁאנֵי פֶּסַח, דִּסְעוּדָתָא דְּשַׁבָּת אִתְדַּחְיָיא בְּכַמָּה גַּוְונִין. חַד, בְּגִין מַצּוֹת וּמְרוֹרִים, דְּבָעֵי בַּר נָשׁ דְּיִשְׁתְּכַח תָּאִיבָא. וְחַד, בְּגִין פֶּסַח וְהָא נָהֲמָא לָא אִשְׁתְּכַח מִי' שָׁעוֹת וּלְמַעְלָה, דְּסִדּוּרָא דְּפָתוֹרָא בְּלָא נַהֲמָא, לָאו הוּא סִדּוּרָא.

קכד. וְאִי תֵּימָא בְּחַמְרָא, וְחַמְרָא שָׁארֵי, בְּגִין דְּתָאִיב לִבָּא. אֲבָל מִיּוֹמֵי אִשְׁתַּדַּלְנָא דְּלָא בַּטֵּילְנָא סְעוּדָתָא דְּשַׁבָּת, אֲפִילוּ אִינּוּן יוֹמֵי, דְּאִשְׁתְּכַח בֵּיהּ. בְּהַאי יוֹמָא וְחַקַּל דְּתַפּוּחִין קַדִּישִׁין אִתְבָּרַךְ, וּמִתְבָּרְכָן עִלָּאִין וְתַתָּאִין, וְהַאי יוֹמָא קִשּׁוּרָא הוּא דְּאוֹרַיְיתָא.

קכה. א"ר אַבָּא, הָכִי הֲוָה עָבֵיד ר' שִׁמְעוֹן, בְּזִמְנָא דְּאִסְתַּלַּק סְעוּדָתָא דְּשַׁבָּת, מְסַדֵּר פָּתוֹרֵיהּ וְאִשְׁתַּדַּל בְּמַעֲשֵׂה מֶרְכָּבָה, וַהֲוָה אָמַר הָא סְעוּדָתָא דְּמַלְכָּא דְּיֵיתֵי לְמֵיכַל גַּבָּאי. בְּגִינֵי כַּךְ, שַׁבָּת, אִשְׁתְּכַח בְּכֹלָּא עָדִיף מִכָּל זִמְנִין וְחַגִּין, וְאִקְרֵי קֹדֶשׁ וְלָא מִקְרָא קֹדֶשׁ.

קכו. אָמַר רַבִּי יְהוּדָה, כֻּלְּהוּ מוֹעֲדִים מִקְרָאֵי קֹדֶשׁ קָרֵינָן בְּהוּ. אֲבָל נָפְקֵי ר"ה וְיוֹמָא דְּכִפּוּרָא דְּלָא אִשְׁתְּכַח בְּהוּ חֶדְוָתָא, דְּהָא אִינּוּן דִּינָא הֲווּ, אֲבָל אִלֵּין תְּלָתָא, זִמְנִין מִקֹּדֶשׁ, לְחֶדְוָתָא לְכֹלָּא, לְאִשְׁתַּעְשְׁעָא בְּהוּ בְּקֻבָּ"ה, הה"ד וּשְׂמַחְתֶּם לִפְנֵי יְיָ' אֱלֹהֵיכֶם, וּכְתִיב וְשָׂמַחְתָּ לִפְנֵי יְיָ' אֱלֹהֶיךָ. בְּהַאי יוֹמָא דְּשַׁבְּתָא, אִתְנְשֵׁי כָּל צַעֲרָא וְכָל רוּגְזָא וְכָל דּוּחֲקָא מִכָּל עָלְמָא, בְּגִין דְּאִיהוּ יוֹמָא דְּהִילוּלָא דְּמַלְכָּא, דְּנִשְׁמָתִין אִתּוֹסְפָן, כְּגַוְונָא דְּעָלְמָא דְּאָתֵי.

קכז. א"ר יִצְחָק לְרַבִּי יְהוּדָה, כְּתִיב זָכוֹר אֶת יוֹם הַשַּׁבָּת לְקַדְּשׁוֹ, וְתָנֵינָן זָכְרֵהוּ עַל הַיַּיִן, אֲמַאי עַל הַיַּיִן. אָ"ל, בְּגִין דְּיַיִן חֶדְוָותָא דְּאוֹרַיְיתָא, וְיֵינָא דְּאוֹרַיְיתָא, חֶדְוָותָא הוּא דְּכֹלָּא. וְהַאי יַיִן חַדֵּי לְמַלְכָּא, וְהַאי יַיִן מְעַטְּרָא לְמַלְכָּא בְּעִטְרוֹי, הה"ד צְאֶינָה וּרְאֶינָה בְּנוֹת צִיּוֹן בַּמֶּלֶךְ שְׁלֹמֹה בָּעֲטָרָה שֶׁעִטְּרָה לוֹ אִמּוֹ. וְתָנֵינָן בְּכֹלָּא בַּעְיָיא לְאַחֲזָאָה ב"נ

עובדא. דלא אשתכח קדושה אלא ביין, כד"א כי טובים דודיך מיין, מיין אינון טבאן, נזכירה דודיך מיין. וע"ד קדושה דשבת ביין, והא אוקמוה, והא אתמר.

קכח. ובחודש הראשון בארבעה עשר יום לחודש וגו'. רבי חייא פתח, אני ישנה ולבי ער קול דודי דופק וגו'. אמרה כנסת ישראל, אני ישנה בגלותא דמצרים, דהוו בני בשעבודא דקשיו. ולבי ער, לנטרא להו דלא ישתיצון בגלותא. קול דודי דופק, דא קב"ה, דאמר ואזכור את בריתי.

קכט. פתחי לי פתחא כחודא דמחטא, ואנא אפתח לך תרעין עלאין. פתחי לי אחותי, דהא פתחא לאעלא לי, בך הוא, דלא ייעלון לגבאי בני אלא בך, אנת הוא פתחא לאעלא לי בך, אי אנת לא תפתח פתחך, הא אנא סגיר. דלא ישכחון לי. בגין כך, פתחי לי. פתחי לי ודאי. ועל דא אמר דוד, כד בעא לאעלא למלכא, אמר פתחו לי שערי צדק, אבא בם אודה יה. זה השער ליי', דא הוא פתחא ודאי לאעלא למלכא. זה השער ליי', לאשכחא ליה, ולאתדבקא ביה, ועל דא פתחי לי אחותי רעיתי שראשי וגו'. בגין לאזדווגא עמך, ולמהוי עמך בשלם דעלמין.

קל. ת"ח, בשעתא דקב"ה הוה קטיל לבוכרי דמצראי, כל אינון דקטל בפלגות ליליא, ואחית דרגין מעילא לתתא. ביה שעתא עאלו ישראל בקיומא דאת קדישא, אתגזרו ואשתתפו בכנסת ישראל, ואתאחדו בה. כדין ההוא דמא אחזיאו ליה על פתחא. ותרין דמי הוו, חד דפסחא, וחד דמא דאתגזרו. והוה רשים על פתחא, רשימא דמהימנותא, חד הכא וחד הכא וחד ביניהו, והא אתמר, ונתנו על שתי המזוזות ועל המשקוף, בגין לאחזאה מהימנותא.

קלא. ובארבעה עשר, הא אתמר, דהא כדין מבטלין חמץ ושאור, ואסתלקו ישראל מרשותא אחרא, ואתעקרו מניה, ואתאחדו במצה, קשורא קדישא. בתר דאתגזרו, עאלו בה, עד דאתפרעו, ואתגלייא רשימא דלהון, וכדין יהב להון קשורא, באתר עלאה, בקשורא דמהימנותא, באתר דכתיב הנני ממטיר לכם לחם מן השמים, מן השמים דייקא, והא אוקמוה.

קלב. ת"ח, בארביסר בשעתא דזווגא דסיהרא אשתכח בשלימו עם שמשא, וכתרין תתאין לא משתכחין כל כך בעלמא, דהא בחדתותי דסיהרא, זיינין בישין משתכחין, ומתערי לאתפשטא בעלמא. ובשעתא דזווגא דסיהרא אשתכח בנהירו דשמשא בשלימו, מתכנשי כלהו לאתר חד, וקדושי מלכא אתערו. כדין כתיב ליל שמורים הוא ליי', דהא זווגא קדישא אשתכח, והוא שמורים בכלא.

קלג. ר' אחא אמר, בגין כך תקונא דכלה בההוא יומא, ובליליא אשתכח ישובא דביתא, ווי לאינון דלאו מבני ביתא נינהו, כד אתאן לאזדווגא אורייתא כחדא, ווי לאינון דלא אשתמודען גביהו. בגין כך ישראל קדישין מתקנין לון ביתא, כל ההוא יומא, ועל ידייהו, עיילי מאן דעיילי, ואינון חדאן וזמרן תרווייהו זכאין אינון ישראל בעלמא דין ובעלמא דאתי.

קלד. אמר ר' יוסי למה כן לאטרחא כולי האי, קרא שלים הוא, דהא בהאי ליליא, זווגא עלאה קדישא אתער ואשתכח, הה"ד, הוא הלילה הזה ליי' שמורים, מאי שמורים. תרי, זווגא דסיהרא בשמשא. לכל בני ישראל לדורתם, דהא מכאן ולהלאה, אתאחדו

וְאִתְקַשְּׁרוּ בְּקִשּׁוּרָא דִּשְׁמָא קַדִּישָׁא, וְנָפְקוּ מֵרְשׁוּתָא אָחֳרָא. בְּגִינֵי כָּךְ בְּאַרְבָּעָה עָשָׂר, מִתְקְנֵי גַּרְמַיְיהוּ, וּמְבַעֲרֵי חָמֵץ מִבֵּינַיְיהוּ, וְעַיְילֵי בִּרְשׁוּתָא קַדִּישָׁא, וּכְדֵין מִתְעַטְּרֵי חָתָן וְכַלָּה, בְּעִטְּרוֹי דְּאִימָּא עִלָּאָה, וּבָעֵי בַּר נָשׁ לְאַחֲזָאָה גַּרְמֵיהּ דְּאִיהוּ בַּר חוֹרִין.

קלה. א"ר יוֹסֵי, הָנֵי אַרְבַּע כָּסֵי דְּהַהוּא לֵילְיָא אַמַּאי. א"ר אַבָּא, הָא אוֹקְמוּהָ חַבְרַיָּיא, לָקֳבֵיל ד' גְּאוּלּוֹת. אֲבָל שַׁפִּיר הוּא בְּסִפְרָא דְּרַב יֵיסָא סָבָא, דְּקָאָמַר הוֹאִיל וְזִוּוּגָא קַדִּישָׁא אִשְׁתְּכַח בְּהַאי לֵילְיָא בְּכָל סִטְרִין, וְזִוּוּגָא הוּא בְּאַרְבַּע קִשְׁרִין, דְּאִינּוּן ד' דַּרְגִּין, וְלָא מִתְפָּרְשֵׁי דָּא מִן דָּא, כַּד זִוּוּגָא דָּא אִשְׁתְּכַח, וַאֲנָן בְּחֶדְוָותָא דִּלְהוֹן אִתְעָרְנָא, בְּגִין דְּהָא זָכֵינָא בְּהוּ, דְּמַאן דְּאָחִיד בְּדָא, זָכֵי בְּכֹלָּא. וְעַ"ד אִשְׁתַּנֵּי לֵילְיָא דָּא מִכָּל שְׁאָר לֵילָוָון, וּבָעֵינָן לְמֶעְבַּד שִׁמּוּשָׁא בְּכֹלָּא, וּלְמוֹדֵי בְּהַאי לֵילְיָא, בְּגִין דְּחֶדְוָותָא הוּא לְעֵילָּא וְתַתָּא.

קלו. וְעוֹד אָמַר, דְּאַרְבַּע אִלֵּין אַרְבַּע גְּאוּלּוֹת קָרֵינָן לְהוּ. מ"ט. בְּגִין דְּהַאי דַּרְגָּא בַּתְרָאָה, גּוֹאֵל אִתְקְרֵי, הַמַּלְאָךְ הַגּוֹאֵל. וְלָא אִקְרֵי גּוֹאֵל, אֶלָּא עַל יְדָא דְּדַרְגָּא אָחֳרָא עִלָּאָה, דְּקַיְּימָא עָלָהּ וְנָהִיר לָהּ. וְדָא לָא אַפִּיק לָהּ נְהוֹרָא, אֶלָּא בְּאִלֵּין תְּרֵין דַּרְגִּין דְּעָלֵיהּ. אִשְׁתְּכַח, דְּד' אִלֵּין אַרְבַּע גְּאוּלּוֹת נִינְהוּ.

קלז. ר' יְהוּדָה שָׁאַל לְר' אַבָּא, הָא כְּתִיב שִׁבְעַת יָמִים שְׂאוֹר לֹא יִמָּצֵא בְּבָתֵּיכֶם, וְחֶדְוָותָא הוּא כָּל שִׁבְעָה, אַמַּאי לָא אִשְׁתְּלִים הַלֵּל כָּל ז' יוֹמִין, כְּמוֹ בְּסֻכּוֹת, דְּאִשְׁתְּכַח ח' יוֹמִין הַלֵּילָא, בִּשְׁלִימוּ דְּחֶדְוָותָא כָּל יוֹמָא וְיוֹמָא.

קלח. א"ל שַׁפִּיר קָאָמַרְתְּ, אֲבָל יְדִיעָא הוּא, דְּהָא הָכָא לָא אִתְקַשְּׁרוּ יִשְׂרָאֵל כָּל כָּךְ בְּכֹלָּא, כְּמָה דְּאִתְקַשְּׁרוּ לְבָתַר. בְּגִין כָּךְ בְּהַאי לֵילְיָא, דְּזִוּוּגָא אִשְׁתְּכַח וְחֶדְוָותָא דְּכֹלָּא אִשְׁתְּכַח, וְיִשְׂרָאֵל אִתְקַשְּׁרוּ בְּהַהוּא חֶדְוָותָא, עֲבִידְנָא שְׁלִימוּ, וְהַלֵּילָא אִשְׁתְּלִים. אֲבָל לְבָתַר אע"ג דְּכֻלְּהוּ מִשְׁתַּכְחֵי, עַד כְּעַן יִשְׂרָאֵל לָא אִתְקַשְּׁרוּ בְּהוּ, וְלָא אִתְפְּרָעוּ לְאִתְגַּלְיָיא רְשִׁימָא קַדִּישָׁא, וְלָא קַבִּילוּ אוֹרַיְיתָא, וְלָא עָאלוּ בְּמָה דְּעָאלוּ לְבָתַר. בְּגִין כָּךְ בְּסֻכּוֹת שְׁלִימוּ דְּכֹלָּא אִשְׁתְּכַח בֵּיהּ, וְחֶדְוָותָא דְּכֹלָּא יַתִּיר, אֲבָל הָכָא עַד כְּעַן לָא זָכוּ, וְלָא אִשְׁתְּכַח שְׁלִימוּ בֵּיהּ כ"כ, אע"ג דְּאִשְׁתְּכָחוּ כָּל ז', לָאו הוּא בְּאִתְגַּלְיָיא, וְיִשְׂרָאֵל עַד לָא אִתְקַשְּׁרוּ בְּהוּ כִּדְקָא חָזֵי.

קלט. וְעַ"ד חֶדְוָותָא דְּכֹלָּא וּשְׁלִימוּ דְּהַלֵּילָא בְּהַאי לֵילְיָא, בְּגִין הַהוּא חוּלָקָא דְּאִתְקַשְּׁרוּ בֵּיהּ. מַאי טַעֲמָא. דְּכֵיוָן דִּבְהַהוּא לֵילְיָא זִוּוּגָא אִשְׁתְּכַח, כָּל קִשּׁוּרָא דְּכֹלָּא אִשְׁתְּכַח בְּסִטְרָא דְּזִוּוּגָא, וְלָא בְּסִטְרָא דְּיִשְׂרָאֵל, דְּכַד זִוּוּגָא אִשְׁתְּכַח בָּהּ מִשְׁתַּכְחֵי אִלֵּין תְּרֵין דַּרְגִּין דְּקַיְּימִין עָלָהּ. וְכַד אִלֵּין מִשְׁתַּכְחֵי, הָא כָּל גּוּפָא אִשְׁתְּכַח בְּהוּ, וּכְדֵין שְׁלִימוּ דְּכֹלָּא, וְחֶדְוָותָא מִכֹּלָּא, וְהַלֵּילָא אִשְׁתְּלִים, דְּהָא כְּדֵין אִתְעַטְּרַת סִיהֲרָא בְּכֹלָּא. אֲבָל לָא לְבָתַר, דְּכָל יוֹמָא וְיוֹמָא אִשְׁתַּכְחֵי, וְיִשְׂרָאֵל עַד לָא זָכוּ בְּהוּ, הָא לָאו הַלֵּילָא שְׁלֵימָא, כְּמוֹ בִּזְמַנִּין אָחֳרָנִין.

קמ. א"ל ר' יְהוּדָה, שַׁפִּיר הוּא, וְהָכִי הוּא וַדַּאי. וְהַאי זִמְנָא אָחֳרָא שְׁמַעְנָא לֵיהּ בְּהַאי גַּוְונָא, וְאַנְשֵׁינָא מִלֵּי. הַשְׁתָּא מִלָּה אָחֳרָא בָּעֵינָא לְמִנְדַּע, הָא חָזֵינָא בְּפֶסַח ז', וּבְסֻכּוֹת ז', וּשְׁלִימוּ דְּחֶדְוָותָא בְּיוֹמָא אָחֳרָא. בְּשָׁבוּעוֹת, אַמַּאי לָא אִשְׁתְּכָחוּ בֵּיהּ ז' יָמִים, וְהָא הָכָא אִתְחָזוּן יַתִּיר מִכֹּלָּא.

קמא. פָּתַח וְאָמַר, וּמִי כְּעַמְּךָ כְּיִשְׂרָאֵל גּוֹי אֶחָד בָּאָרֶץ. וְכִי מַאי שְׁנָא הָכָא דְּאִקְרוּן יִשְׂרָאֵל אֶחָד, יַתִּיר מֵאֲתַר אָחֳרָא. אֶלָּא, כֵּיוָן דְּשִׁבְחָא דְּיִשְׂרָאֵל, אַתְיָיא לְפָרְשָׁא, קָרָא לוֹן אֶחָד, דְּהָא בְּכָל אֲתַר שִׁבְחָא דְּיִשְׂרָאֵל אֶחָד הוּא. מ"ט. בְּגִין דְּכָל קִשּׁוּרוֹ דְּעִלָּאֵי

וְתַתָּאֵי, בְּהַאי אֲתַר דְּאִקְרֵי יִשְׂרָאֵל אִשְׁתַּכְּחוּ. דְּאִתְקְשַׁר בְּמַה דִּלְעֵילָּא, וְאִתְקְשַׁר בְּמַה דִּלְתַתָּא, וְאִתְקְשַׁר בְּכֹ"ל. וְעַ"ד אִקְרֵי כֹּלָּא אֶחָד. וּבְאֲתַר דָּא אִשְׁתְּמוֹדְעָא מְהֵימְנוּתָא, וְקִשּׁוּרָא שְׁלֵימָא, וְיִחוּדָא עִלָּאָה קַדִּישָׁא.

קמב. וְעַ"ד, יוֹמָא דָּא, קִשּׁוּרָא דִּמְהֵימְנוּתָא הוּא, קִשּׁוּרָא דְּכֹלָּא. וּכְתִיב עֵץ חַיִּים הִיא לַמַּחֲזִיקִים בָּהּ אִילָנָא הוּא דְּאִקְרֵי אֶחָד. וְעַ"ד בְּגִין דְּאִינּוּן מִתְקַשְּׁרֵי בַּאֲתַר דָּא, אִקְרֵי הָכִי. וְעֵץ חַיִּים אֶחָד הוּא וַדַּאי אִקְרֵי, בְּגִין דְּכֹלָּא בֵּיהּ אִתְקְשַׁר, וְיוֹמָא דִּילֵיהּ, אֶחָד וַדַּאי, קִשּׁוּרָא דְּכֹלָּא, וְאֶמְצָעִיתָא דְּכֹלָּא.

קמג. הה"ד וְעֵץ הַחַיִּים בְּתוֹךְ הַגָּן, בְּתוֹךְ מַמָּשׁ, בְּמְצִיעוּת, וְאָחִיד בְּכָל סְטְרִין, וְאִתְקְשַׁר בֵּיהּ. וְעַ"ד פֶּסַח וְסֻכּוֹת, וְהוּא בְּאֶמְצָעִיתָא. בְּגִין דְּאִיהוּ אֶמְצָעִיתָא דְּכֹלָּא, וְדָא הוּא שְׁבָחָא דְּאוֹרַיְיתָא בְּהַאי יוֹמָא, וְלָא יַתִּיר, שְׁבָחָא דִּמְהֵימְנוּתָא, וְקִשּׁוּרָא דְּכֹלָּא. א"ר יְהוּדָה, בְּרִיךְ רַחֲמָנָא דְּשָׁאִילְנָא, וְזָכֵינָא לְהָנֵי מִילֵּי.

קמד. א"ר יִצְחָק, חֶדְוָותָא וְשִׁירָתָא, וּזְמִינִין יִשְׂרָאֵל לְשַׁבְּחָא לְקֻבְּ"ה, כְּהַאי שְׁבָחָא דִּמְשַׁבְּחֵי יִשְׂרָאֵל בְּלֵילְיָא דְּפִסְחָא, דְּכ"י אִתְקַדְּשַׁת בִּקְדוּשָּׁה דְּמַלְכָּא. הה"ד הַשִּׁיר יִהְיֶה לָכֶם כְּלֵיל הִתְקַדֶּשׁ חָג. כְּלֵיל הִתְקַדֶּשׁ חָג דַּיְיקָא. בָּרוּךְ יְיָ' לְעוֹלָם אָמֵן וְאָמֵן.

קמה. וּבְיוֹם הַבִּכּוּרִים בְּהַקְרִיבְכֶם מִנְחָה חֲדָשָׁה לַיְיָ' בְּשָׁבֻעוֹתֵיכֶם מִקְרָא קֹדֶשׁ יִהְיֶה לָכֶם וְגוֹ'. ר"ש פָּתַח, אָז יְרַנְּנוּ עֲצֵי הַיַּעַר מִלִּפְנֵי יְיָ' כִּי בָא לִשְׁפּוֹט אֶת הָאָרֶץ. זַכָּאָה חוּלָקֵיהוֹן דְּאִינּוּן דְּמִשְׁתַּדְּלֵי בְּאוֹרַיְיתָא יְמָמָא וְלֵילֵי, דְּיַדְעִין אָרְחוֹי דְּקֻבְּ"ה, וְאִתְאַחֲדָן בִּשְׁמֵיהּ. וַוי לְאִינּוּן דְּלָא מִשְׁתַּדְּלֵי בְּאוֹרַיְיתָא, דְּהָא לֵית לוֹן חוּלָקָא בִּשְׁמָא קַדִּישָׁא, וְלָא אִתְאַחֲדָן בֵּיהּ, לָא בְּהַאי עָלְמָא, וְלָא בְּעָלְמָא דְּאָתֵי. מַאן דְּזָכֵי בְּהַאי עָלְמָא, זָכֵי בְּעָלְמָא דְּאָתֵי. דְּהָכִי תָּנִינָן, דּוֹבֵב שִׂפְתֵי יְשֵׁנִים, אע"ג דְּאִינּוּן בְּהַהוּא עָלְמָא, שִׂפְוָותַיְיהוּ מְרַחֲשָׁן תַּמָּן אוֹרַיְיתָא.

קמו. ת"ח, עַד הַשְׁתָּא אַקְרִיבוּ יִשְׂרָאֵל תְּבוּאַת הָאָרֶץ, תְּבוּאַת הָאָרֶץ וַדַּאי. וְאִתְעַסְּקוּ בֵּיהּ, וְאִתְקַשְּׁרוּ בְּהַהוּא קִשּׁוּרָא. וְאע"ג דְּדִינָא אִשְׁתַּכַּח, דִּינָא בִּשְׁלֵמָא אִשְׁתַּכַּח בֵּיהּ. וְאַקְרִיבוּ שְׂעוֹרִים, בְּגִין דְּאִיהוּ קַדְמָאָה מִכָּל שְׁאָר תְּבוּאָה, וּמִן קַדְמָאָה מִתְקָרְבָא, וְלָא מֵהַהוּא דְּמִתְאַחַר, דְּהָא אָחִידוּ קַדְמָאָה, דְּיִשְׂרָאֵל אִתְאֲחָדוּ בֵּיהּ בְּקֻבְּ"ה, הָכָא הוּא. אָמַר קֻבְּ"ה, אֲנָא יְהָבִית לְכוּ מַן בְּמַדְבְּרָא, מֵהַהוּא אֲתַר דְּאִקְרֵי שָׁמַיִם, דִּכְתִיב הִנְנִי מַמְטִיר לָכֶם לֶחֶם מִן הַשָּׁמָיִם, וְאַתּוּן מְקָרְבִין קַמָּאי שְׂעוֹרִים.

קמז. וְרָזָא דְּמִלָּה, זֹאת תּוֹרַת הַקְּנָאֹת, וְחָסֵר. אַזְהָרוּתָא לִנְשֵׁי עָלְמָא, דְּלָא יִשְׁטוּן תְּחוֹת בַּעֲלֵיהוֹן. וְאִי לָאו, קֶמַח שְׂעוֹרִים זְמִינָא לְקָרְבָא. וּמִמִּלָּה חֲדָא, אִשְׁתְּמוֹדַע מִלָּה אָחֳרָא. זַכָּאָה חוּלָקֵיהוֹן דְּיִשְׂרָאֵל, דְּהָא כְּנֶסֶת יִשְׂרָאֵל לָא שְׁקָרַת בְּמַלְכָּא קַדִּישָׁא לְעָלְמִין. כ"י תְּוָהַת, אֲשֶׁר תִּשְׂטֶה אִשָּׁה תַּחַת אִישָׁהּ, בְּגִין כָּךְ דִּינָא דְּהַאי אִתְּתָא מֵאַתְרָהָא קָא אַתְיָיא. וּמַאן הוּא אַתְרָהָא הַהוּא דִּכְתִיב בָּהּ אֵשֶׁת חַיִל מִי יִמְצָא וְרָחוֹק מִפְּנִינִים מִכְרָהּ. אֵשֶׁת חַיִל עֲטֶרֶת בַּעְלָהּ.

קמח. וְהַהוּא קֶמַח שְׂעוֹרִים, דְּאַיְיתִית הַהִיא אִתְּתָא, מִנְחַת קְנָאֹת אִתְקְרֵי, וְחָסֵר, כְּנֶסֶת יִשְׂרָאֵל הָכִי אִקְרֵי. וְעַל דָּא, בְּפִנְחָס כְּתִיב, תַּחַת אֲשֶׁר קִנֵּא לֵאלֹהָיו, דְּקִנְאָה הָכָא אִתְאֲחַד, דְּמַאן דִּמְשַׁקֵּר בְּהַאי בְּרִית, קִנְאָה אִתְעֲרַת עָלֵיהּ, וְעַל דָּא קַנָּאִין פּוֹגְעִין בּוֹ. תָּא חֲזֵי, קֶמַח שְׂעוֹרִים, הַאי עוֹמֶר, דְּכֵיוָן דְּהַהוּא מְטָא לְרֵיחַיָּין דִּגְרוּסוֹת, מַפִּיקִין מִנֵּיהּ עִשָּׂרוֹן מְנוּפֶּה בי"ג נָפָה.

קמט. וְדָא שֶׁבַע שַׁבָּתוֹת תְּמִימוֹת, לְבָתַר דְּסַלְּקִין שֶׁבַע שַׁבָּתוֹת אִלֵּין, אָתָא מַלְכָּא

קַדִּישָׁא לְאִזְדַּוְּוגָא בָּהּ בְּכ"י, וְאוֹרַיְיתָא אִתְיְיהִיבַת. וּכְדֵין אִתְעֲטָּר מַלְכָּא בְּיִחוּדָא שְׁלִים, וְאִשְׁתְּכַח אֶחָד לְעֵילָּא וְתַתָּא. וְכַד אִתְעַר מַלְכָּא קַדִּישָׁא, וּמָטָא זִמְנָא דְּאוֹרַיְיתָא. כָּל אִינּוּן אִילָנִין דְּמִבַּכְּרֵי אִבַּיְיהוּ, סַלְּקִין שִׁירָתָא. וּמַאי אַמְרֵי בְּשַׁעֲתָא דְּמִלַּקְטֵי לְהוֹן, פַּתְחֵי וְאַמְרֵי, יְיָ' בַּשָּׁמַיִם הֵכִין כִּסְאוֹ וּמַלְכוּתוֹ בַּכֹּל מָשָׁלָה. יְיָ' בְּהַשָּׁמַיִם חַסְדֶּךָ. וּכְתִיב, וְכָל עֲצֵי הַשָּׂדֶה יִמְחֲאוּ כָף.

קנ. תּוּ פָּתַח וְאָמַר, מִזְמוֹר שִׁירוּ לַיְיָ' שִׁיר חָדָשׁ כִּי נִפְלָאוֹת עָשָׂה. שִׁיר חָדָשׁ אִקְרֵי. בְּגִין כָּךְ בְּהַקְרִיבְכֶם מִנְחָה חֲדָשָׁה. הָתָם מִנְחַת קְנָאוֹת, הָכָא מִנְחָה חֲדָשָׁה. חֲדָשָׁה דְּחִדּוּשָׁא דְּכַלָּה הָכָא. קִשּׁוּרָא דְּכַלָּה דְּעֵילָּא וְתַתָּא, קִשּׁוּרָא דִּמְהֵימְנוּתָא. וְעַ"ד יַעֲקֹב שְׁלֵימָא אִתְעֲטָּר בְּעִטְרוֹי, וְאוֹרַיְיתָא אִתְיְיהִיבַת.

קנא. וְכַד מָטוֹן בִּכּוּרִים לְגַבֵּי כַּהֲנָא, הֲוָה בָּעֵי בַּר נָשׁ לְמֵימַר וּלְפָרְשָׁא מִלִּין, עַל הַהוּא אִילָנָא דְּאַרְעָא, דְּאִשְׁתְּלִים כְּגַוְונָא דִּלְעֵילָּא, בִּתְרֵיסַר תְּחוּמִין, בְּשַׁבְעִין עַנְפִּין, וּבָעָא לְאוֹבָדָא לֵיהּ לָבָן אֲרַמָּאָה, דְּאִתְפְּגִים עָלְמָא בְּגִינֵיהּ. וְקוּדְשָׁא בְּרִיךְ הוּא שֵׁזִיב לֵיהּ, וְאִתְעַטָּר בִּבְנוֹי כְּמָה דְּאוֹקִימְנָא. בְּגִין הַהוּא אִילָנָא, דְּכָל קִשְׁרָא דִּמְהֵימְנוּתָא, בֵּיהּ תַּלְיָא. וְעַל דָּא מִנְחָה חֲדָשָׁה אִתְקְרֵי. מ"ט. בְּגִין דְּחֶדְוָותָא דְּעִלָּאֵי וְתַתָּאֵי הוּא, וְחֶדְוָותָא דִּסִיהֲרָא. וּבְכָל זִמְנָא חַדְּתוּתֵי דְּסִיהֲרָא, קִשְׁרָא דִּמְהֵימְנוּתָא הוּא, וְחֶדְוָותָא דִּילָהּ.

קנב. לְמַלְכָּא דַּהֲווּ לֵיהּ בְּנִין, וּבְרַתָּא חֲדָא, אַתְקִין סְעוּדָתָא לְכֻלְּהוּ בְּנִין, לָא אִשְׁתְּכַחַת הַהִיא בְּרַתָּא עַל פָּתוֹרָא. כַּד אָתָאת, אֲמָרַת לְמַלְכָּא, מָארִי, לְכָל אַחַי זְמִינַת וְיָהֲבַת לְכָל חַד מָאנִין יְדִיעָן, וְלִי לָא יָהֲבַת חוּלָקָא בֵּינַיְיהוּ. א"ל, חַיֶּיךָ בְּרַתִּי, מְנָא דִּילָךְ יִשְׁתְּכַח עַל חַד תְּרֵין. הָא כַּלָּא יִתְּנוּן לָךְ מֵחוּלָקֵיהוֹן. אִשְׁתְּכַח לְבָתַר בִּידָהָא חוּלָקִין, עַל חַד תְּרֵין מַלְכָּא. כַּךְ כְּנֶסֶת יִשְׂרָאֵל, מִכֹּלָּא נַטְלָא חוּלָקִין, וְעַל דָּא אִתְקְרֵי כַּלָּה, כְּלוּלָא. כְּכַלָּה דְּכֻלְּהוּ מְזַמְּנִין לָהּ מָאנִין וְחוּלָקִין וְתַכְשִׁיטִין, כַּךְ הִיא כ"י, חַדְּתוּתֵי דִּילָהּ בְּכֹלָּא, וְכֹלָּא יָהֲבִין לָהּ חוּלָקִין וּמָאנִין.

קנג. תָּא חֲזֵי, בְּשַׁעֲתָא דְּמַלְכָּא קַדִּישָׁא אִשְׁתְּכַח בְּעִטְרוֹי, חֶדְוָותָא דִּכְנֶסֶת יִשְׂרָאֵל הוּא. וְכַד אוֹרַיְיתָא אִתְיְיהִיבַת, אִתְעַטְּרַת כְּנֶסֶת יִשְׂרָאֵל בְּעִטְרִין עִלָּאִין, וּבְגִין דְּכָל קִשְׁרָא דִּמְהֵימְנוּתָא, אִתְקַשַּׁר בְּהַאי אִילָנָא, אִקְרֵי יוֹם אֶחָד. דִּכְתִיב, וְהָיָה יוֹם אֶחָד הוּא יִוָּדַע לַיְיָ'. יוֹם אֶחָד וַדַּאי, דְּכ"י יוֹם אֶחָד, בְּקִשּׁוּרָא דִּלְעֵילָּא.

קנד. קִשּׁוּרָא דִּלְעֵילָּא, רֵישָׁא וְגוּלְגַּלְתָּא וּמוֹחֵי. קִשּׁוּרָא אָחֳרָא, תְּרֵין דְּרוֹעִין וְגוּפָא. דַּאֲחִידָן, מֵחֵילָא דְּרֵישָׁא. וְאוֹקְמָא רַב הַמְנוּנָא, בִּתְלַת קִשְׁרִין דַּאֲבָהָתָא. תְּרֵין קַיְימִין דִּלְתַתָּא דְּאִתְמְשְׁכוּ בְּמִשְׁחָ רְבוּת, בִּתְרֵין דַּרְגִּין, תְּרֵין נַחֲלִין, לְאַכְנְשָׁא זַרְעָא, לְאַפָּקָא בְּדַרְגָּא אָחֳרָא, בְּפוּם אַמָּה. אִילָנָא דָּא, הוּא גּוּפָא דְּאֶמְצָעִיתָא, דְּאָחִיד לְכָל הָנֵי, וְכֹלָּא מִתְקַשְּׁרָן בֵּיהּ, וְהוּא בְּהוֹן, וְעַל דָּא כֹּלָּא חַד. וְכַד אִזְדַּוְּוגַת בֵּיהּ מַטְרוֹנִיתָא, כְּדֵין הוּא אֶחָד, וְהָא אוֹקִימְנָא מִלֵּי.

קנה. תָּא חֲזֵי, כְּתִיב בַּיּוֹם הַשְּׁמִינִי עֲצֶרֶת. מַאן עֲצֶרֶת. אֶלָּא בְּהַהוּא אֲתַר, דְּכֹלָּא מִתְקַשְּׁרָן כַּחֲדָא, אִקְרֵי עֲצֶרֶת, מַאי עֲצֶרֶת, כְּנִישׁוּ. וְאִי תֵּימָא הָכָא דְּאִקְרֵי עֲצֶרֶת, מַאי טַעֲמָא. אֶלָּא בְּכָל אִינּוּן יוֹמִין, יוֹמֵי סְעוּדָתֵי דְּעַנְפֵי אִילָנָא הֲווֹ. וְעַל דָּא, שִׁבְעִים פָּרִים אִינּוּן. לְבָתַר, חֶדְוָותָא דְּאִילָנָא מַמָּשׁ, וְחֶדְוָותָא דְּאוֹרַיְיתָא. וּבְגִינֵיהּ הוּא יוֹמָא חַד עֲצֶרֶת. חֶדְוָותָא דְּאוֹרַיְיתָא, חֶדְוָותָא דְּאִילָנָא, דְּהוּא גּוּפָא.

קנו. וְעַל דָּא לֵית חוּלָקָא בְּהַאי יוֹמָא, אֶלָּא לְקוּדְשָׁא בְּרִיךְ הוּא וְכנ"י. בְּג"כ, עֲצֶרֶת תִּהְיֶה לָכֶם,

לָכֶם, וְלָא לְאָחֳרָא. דְּהָא בְּשַׁעֲתָא דְּמַלְכָּא אִשְׁתְּכַח, כֹּלָּא אִשְׁתְּכַח בֵּיהּ. וְעַ"ד תָּנֵינָן, בַּעֲצֶרֶת עַל פֵּירוֹת הָאִילָן, וְהָא אוּקְמוּהָ בְּגַ"כ אֶחָד אִקְרֵי, אֶחָד וַדַּאי, כְּמָה דְּאַמָרָן.

קנז. ת"ח, מַה כְּתִיב, מִמּוֹשְׁבוֹתֵיכֶם תָּבִיאוּ לֶחֶם תְּנוּפָה וְגוֹ', סֹלֶת תִּהְיֶינָה חָמֵץ תֵּאָפֶינָה. מַאי שְׁנָא הָכָא חָמֵץ, אֶלָּא בְּגִין דְּכֹלָּא אֲחִידָן בֵּיהּ בְּאִילָנָא, דְּהָא בְּאִילָנָא אֲחִידָן עַנְפִין, בְּאִילָנָא אֲחִידָן עָלִין, קְלִיפִין, דִּינִין סַגִּיאִין בְּכָל סִטְרִין, כֹּלָּא אִשְׁתְּכַח בֵּיהּ. וּבְגִין דְּהַאי אִילָנָא, מְכַפֵּר עַל יֵצֶר הָרַע, דְּהוּא בְּבֵי מוֹתְבֵיהּ דְּבַר נָשׁ.

קנח. אָמַר רַבִּי אֶלְעָזָר, מֵהַאי אִילָנָא אִתְּזָנוּ כָּל שְׁאָר אִילָנִין לְתַתָּא. וְהוּא אִשְׁתָּרְשָׁא עַל חַד נַהֲרָא עֲמִיקָא, דְּנָגִיד וְנָפִיק וְלָא פַּסְקִין מֵימוֹי לְעָלְמִין. עָלֵיהּ כְּתִיב וְהָיָה כְּעֵץ שָׁתוּל עַל מַיִם וְעַל יוּבַל יְשַׁלַּח שָׁרָשָׁיו, וְעַל דָּא אִקְרֵי אוֹרַיְיתָא, עֵץ חַיִּים הִיא וְגוֹ'. וּמַאי וְתוֹמְכֶיהָ מְאוּשָּׁר. הָא אוּקְמוּהָ, אֲבָל וְתוֹמְכֶיהָ מְאוּשָּׁר, כד"א בְּאָשְׁרִי כִּי אִשְּׁרוּנִי בָּנוֹת.

רעיא מהימנא

קנט. וְהֵנִיף אֶת הָעֹמֶר וְגוֹ'. פִּקּוּדָא דָּא, לְקָרְבָא קָרְבַּן הָעֹמֶר, קָרְבְּנָא דָּא, כֹּלָּא אִיהוּ בִּדְבֵקוּתָא עִילָּא וְתַתָּא, מַטְרוֹנִיתָא וּבְנָהָא כַּחֲדָא אַזְלִין. עֹמֶר דָּא, מְקָרְבִין יִשְׂרָאֵל בְּדַכְיוּתָא דִּלְהוֹן, וְהַהוּא קָרְבְּנָא אִיהוּ מִן שְׂעוֹרִים, וְדָא אִתְקְרִיבוּ, לְמֵיעַל רְחִימוּ בֵּין אִתְּתָא וּבַעְלָהּ.

קס. אֵשֶׁת זְנוּנִים, אִתְרְחָקַת גַּרְמָהּ מִבֵּינַיְיהוּ, דְּלָא יָכִילַת לְמֵיקָם עַל גַּבָּהּ. אֵשֶׁת חַיִל קְרִיבַת גַּרְמָהּ לְקָרְבָא לְגַבֵּי כַּהֲנָא רַבָּא, וַדַּאי טְהוֹרָה הִיא, וְנִקְּתָה וְנִזְרְעָה זָרַע, וְאוֹסִיפַת חֵילָא וּרְחִימוּ לְגַבֵּי בַּעְלָהּ. אֵשֶׁת זְנוּנִים עָרְקַת מִן מַקְדְּשָׁא, דְּלָא לְמִקְרַב לְגַבֵּיהּ, דְּאַלְמָלֵא בְּהַהוּא זִמְנָא דְּאֵשֶׁת חַיִל אַבְדִּיקַת גַּרְמָהּ, אִיהִי אִתְקְרִיבַת לְגַבָּהּ, אִתְאֲבִידַת מֵעָלְמָא. וְעַ"ד לָא בַּעְיָא לְקָרְבָא לְמַקְדְּשָׁא, וְעָרְקַת מִנֵּיהּ, וְאִשְׁתָּאֲרוּ יִשְׂרָאֵל זַכָּאִין, בְּלָא עַרְבּוּבְיָא אָחֳרָא, לְגַבֵּי רָזָא דִּמְהֵימְנוּתָא.

קסא. רָזָא דְּסִתְרָא דָּא, תַּרְתֵּין אִנּוּן. וְכַד אָרְחוֹת דָּא לְגַבֵּי דָּא, בְּבִדִּיקוּ דִּילָהּ, צָבְתָה בִטְנָהּ וְנָפְלָה יְרֵכָהּ. דְּהָא בְּדִיקוּ דְּאֵשֶׁת חַיִל, סַמָּא דְּמוֹתָא לְאֵשֶׁת זְנוּנִים. וְדָא אִיהוּ עֵיטָא, דְּיָהַב קֻבָּ"ה לִבְנוֹי, לְקָרְבָא קָרְבְּנָא דָּא בְּגִין אֵשֶׁת חַיִל, דְּתַעֲרוֹק אֵשֶׁת זְנוּנִים מִנָּהּ. וְאִשְׁתָּאֲרוּ יִשְׂרָאֵל בְּלָא עַרְבּוּבְיָא אָחֳרָא, זַכָּאִין אִינּוּן בְּעָלְמָא דֵּין, וּבְעָלְמָא דְּאָתֵי. (ע"כ רעיא מהימנא)

קסב. רַבִּי אַבָּא וְרַבִּי חִיָּיא הֲווּ אָזְלֵי בְּאוֹרְחָא, אָמַר ר' חִיָּיא, כְּתִיב, וּסְפַרְתֶּם לָכֶם מִמָּחֳרַת הַשַּׁבָּת מִיּוֹם הֲבִיאֲכֶם אֶת עֹמֶר הַתְּנוּפָה. מַאי קָא מַיְירֵי. א"ל, הָא אוּקְמוּהָ חַבְרַיָּיא. אֲבָל ת"ח, יִשְׂרָאֵל כַּד הֲווּ בְּמִצְרַיִם, הֲווּ בִּרְשׁוּתָא אָחֳרָא, וַהֲווּ אֲחִידָן בִּמְסָאֲבוּתָא, כְּאִתְּתָא דָּא, כַּד הִיא יָתְבָא בְּיוֹמֵי דִּמְסָאֲבוּתָא. בָּתַר דְּאִתְגְּזָרוּ, עָאלוּ בְּחוּלָקָא קַדִּישָׁא, דְּאִקְרֵי בְּרִית. כֵּיוָן דְּאִתְאֲחָדוּ בֵּיהּ, פָּסַק מְסָאֲבוּתָא מִנַּיְיהוּ, כְּדָא אִתְּתָא כַּד פָּסְקוּ מִנָּהּ דְּמֵי מְסָאֲבוּתָא. בָּתַר דְּאִתְפָּסְקוּ מִנָּהּ, מַה כְּתִיב. וְסָפְרָה לָּהּ שִׁבְעַת יָמִים. אוּף הָכָא, כֵּיוָן דְּעָאלוּ בְּחוּלָקָא קַדִּישָׁא, פָּסְקָא מְסָאֲבוּ מִנַּיְיהוּ, וְאָמַר קֻבָּ"ה, מִכָּאן וּלְהָלְאָה חוּשְׁבְּנָא לְדַכְיוּתָא.

קסג. וּסְפַרְתֶּם לָכֶם, לָכֶם דַּיְיקָא, כד"א וְסָפְרָה לָּהּ שִׁבְעַת יָמִים, לָהּ: לְעַצְמָהּ. אוּף הָכָא לָכֶם: לְעַצְמְכֶם. וְלָמָּה. בְּגִין לְאִתְדַּכָּאָה בְּמַיִין עִלָּאִין קַדִּישִׁין, וּלְבָתַר לְמֵיתֵי לְאִתְחַבְּרָא בֵּיהּ בְּמַלְכָּא, וּלְקַבְּלָא אוֹרַיְיתֵיהּ.

קסד. הָתָם וְסָפְרָה לָּהּ שִׁבְעַת יָמִים, הָכָא שֶׁבַע שַׁבָּתוֹת, אַמַּאי שֶׁבַע שַׁבָּתוֹת. בְּגִין

לְמִזְכֵּי לְאִתְדַּכְאָה בְּמַיִין, דְּהַהוּא נָהָר דְּנָגִיד וְנָפִיק. וְאִקְרֵי מַיִם חַיִּים. וְהַהוּא נָהָר, שֶׁבַע שַׁבָּתוֹת נָפְקוּ מִנֵּיהּ. וְעַ"ד שֶׁבַע שַׁבָּתוֹת וַדַּאי, בְּגִין לְמִזְכֵּי בֵּיהּ, כְּמָה דְּאִתְּתָא, דַּכְיוּ דִּילָהּ בְּלֵילְיָא, לְאִשְׁתַּמְּשָׁא בְּבַעְלָהּ.

קסה. כַּךְ כְּתִיב וּבְרֶדֶת הַטַּל עַל הַמַּחֲנֶה לָיְלָה. עַל הַמַּחֲנֶה כְּתִיב, וְלָא כְּתִיב וּבְרֶדֶת הַטַּל לָיְלָה. אֶלָּא עַל הַמַּחֲנֶה, בְּגִין דְּיוֹרֵד מֵהַהוּא נְקוּדָה, עַל אִינּוּן יוֹמִין דְּאִתְקְרִיאוּ מַחֲנֶה. וּמִתְחַבֶּרֶת בְּמַלְכָּא קַדִּישָׁא, וְאֵימָתַי נָחַת הַאי טַלָּא. כַּד קְרִיבוּ יִשְׂרָאֵל לְטוּרָא דְּסִינַי, כְּדֵין נָחַת הַהוּא טַלָּא בִּשְׁלִימוּ, וְאִדְּכֵי, וְאִתְפְּסֶקֶת זוּהֲמָתָן מִנַּיְיהוּ, וְאִתְחַבָּרוּ בֵּיהּ בְּמַלְכָּא וּכְנֶסֶת יִשְׂרָאֵל, וְקַבִּילוּ אוֹרַיְיתָא, וְהָא אוֹקִימְנָא. וּבְהַהוּא זִמְנָא, וַדַּאי כָּל הַנְּחָלִים הוֹלְכִים אֶל הַיָּם, לְאִתְדַּכְאָה וּלְאִסְתַּחֲאָה, וְכֹלָּא אִתְקָשָׁרוּ וְאִתְחַבָּרוּ בֵּיהּ בְּמַלְכָּא קַדִּישָׁא.

קסו. ת"ח, כָּל ב"נ דְּלָא מָנֵי חוּשְׁבְּנָא דָּא, אִינּוּן שֶׁבַע שַׁבָּתוֹת תְּמִימוֹת, לְמִזְכֵּי לְדַכְיוּתָא דָּא. לָא אִקְרֵי טָהוֹר, וְלָאו בִּכְלָלָא דְּטָהוֹר הוּא. וְלָאו הוּא כְּדַאי לְמֶהֱוֵי לֵיהּ חוּלָקָא בְּאוֹרַיְיתָא, וּמַאן דְּמָטֵי טָהוֹר לְהַאי יוֹמָא, וְחוּשְׁבָּנָא לָא אִתְאֲבִיד מִנֵּיהּ, כַּד מָטֵי לְהַאי לֵילְיָא, לִבְעֵי לֵיהּ לְמִלְעֵי בְּאוֹרַיְיתָא, וּלְאִתְחַבְּרָא בָּהּ, וּלְנַטְרָא דַּכְיוּ עִלָּאָה, דְּמָטֵי עָלֵיהּ בְּהַהוּא לֵילְיָא, וְאִתְדְּכֵי.

קסז. וְאוֹלִיפְנָא, דְּאוֹרַיְיתָא דְּבָעֵי לֵיהּ לְמִלְעֵי בְּהַאי לֵילְיָא, אוֹרַיְיתָא דבע"פ, בְּגִין דְּיִתְדַּכּוּן כַּחֲדָא, מִמַּבּוּעָא דְּנַחֲלָא עֲמִיקָא. לְבָתַר, בְּהַאי יוֹמָא, לֵיתֵי תּוֹרָה שֶׁבִּכְתָב, וְיִתְחַבַּר בָּהּ, וְיִשְׁתַּכְּחוּן כַּחֲדָא בְּזִוּוּגָא חַד לְעֵילָּא. כְּדֵין מַכְרִיזֵי עָלֵיהּ וְאַמְרֵי, וַאֲנִי זֹאת בְּרִיתִי אוֹתָם אָמַר יְיָ' רוּחִי אֲשֶׁר עָלֶיךָ וּדְבָרַי אֲשֶׁר שַׂמְתִּי בְּפִיךָ וְגוֹ'.

קסח. וְעַל דָּא, חֲסִידֵי קַדְמָאֵי לָא הֲווּ נַיְימֵי בְּהַאי לֵילְיָא, וַהֲווּ לָעָאן בְּאוֹרַיְיתָא, וְאַמְרֵי, נֵיתֵי לְאַחֲסָנָא יְרוּתָא קַדִּישָׁא, לָן, וְלִבְנָן, בִּתְרֵין עָלְמִין. וְהַהוּא לֵילְיָא כְּנֶסֶת יִשְׂרָאֵל אִתְעַטְּרָא עֲלַיְיהוּ, וְאַתְיָיא לְאִזְדַּוְּוגָא בֵּיהּ בְּמַלְכָּא, וְתַרְוַויְיהוּ מִתְעַטְּרֵי עַל רֵישַׁיְיהוּ, דְּאִינּוּן דְּזַכָּאן לְהָכִי.

קסט. ר"ש הָכִי אָמַר, בְּשַׁעֲתָא דְּמִתְכַּנְּשֵׁי חַבְרַיָּיא בְּהַאי לֵילְיָא לְגַבֵּיהּ, נֵיתֵי לְתַקְּנָא תַּכְשִׁיטֵי כַּלָּה, בְּגִין דְּתִשְׁתַּכַּח לְמָחָר בְּתַכְשִׁיטָהָא, וְתִקּוּנָהָא, לְגַבֵּי מַלְכָּא כַּדְקָא יָאוֹת. זַכָּאָה חוּלָקֵיהוֹן דְּחַבְרַיָּיא, כַּד יִתְבַּע מַלְכָּא לְמַטְרוֹנִיתָא, מַאן תַּקִּין תַּכְשִׁיטָהָא, וְאַנְהִיר עִטְרָהָא, וְשַׁוֵּי תִּקּוּנָהָא. וְלֵית לָךְ בְּעָלְמָא, מַאן דְּיָדַע לְתַקְּנָא תַּכְשִׁיטֵי כַּלָּה, אֶלָּא חַבְרַיָּיא, זַכָּאָה חוּלָקֵיהוֹן בְּעָלְמָא דֵּין וּבְעָלְמָא דְּאָתֵי.

קע. ת"ח, חַבְרַיָּיא מְתַקְּנֵי בְּהַאי לֵילְיָא תַּכְשִׁיטָהָא לְכַלָּה, וּמְעַטְּרֵי לָהּ בְּעִטְרָהָא, לְגַבֵּי מַלְכָּא. וּמַאן מְתַקִּין לֵיהּ לְמַלְכָּא, בְּהַאי לֵילְיָא, לְאִשְׁתַּכְּחָא בָּהּ בְּכַלָּה, לְאִזְדַּוְּוגָא בָּהּ בְּמַטְרוֹנִיתָא. נַהֲרָא קַדִּישָׁא עֲמִיקָא דְּכָל נַהֲרִין, אִימָּא עִלָּאָה. הה"ד, צְאֶינָה וּרְאֶינָה בְּנוֹת צִיּוֹן בַּמֶּלֶךְ שְׁלֹמֹה וְגוֹ'. לְבָתַר דְּאַתְקִינַת לֵיהּ לְמַלְכָּא, וְאַעְטְרַת לֵיהּ, אַתְיָית לְדַכְאָה לָהּ לְמַטְרוֹנִיתָא, וּלְאִינּוּן דְּמִשְׁתַּכְּחֵי גַּבָּהּ.

קעא. לְמַלְכָּא דַּהֲוָה לֵיהּ בַּר יְחִידָאי, אָתָא לְזַוְּוגָא לֵיהּ בְּמַטְרוֹנִיתָא עִלָּאָה, מַאי עַבְדַת אִמֵּיהּ כָּל הַהוּא לֵילְיָא, עָאלַת לְבֵי גְּנִיזָהָא, אַפִּיקַת עִטְרָא עִלָּאָה, בְּשַׁבְעִין אַבְנֵי יְקָר סַחֲרָנָא, וְאַעְטְרַת לֵיהּ. אַפִּיקַת לְבוּשִׁין דְּמֵילַת וְאַלְבִּישַׁת לֵיהּ, וְאַתְקְנַת לֵיהּ בְּתִקּוּנֵי דְּמַלְכִּין.

קעב. לְבָתַר עָאלַת לְבֵי כַּלָּה, וַחֲמָאת עוּלֵימְתָהָא, דְּקָא מְתַקְּנֵי עִטְרָהָא, וּלְבוּשָׁהָא, וְתַכְשִׁיטָהָא, לְתַקְּנָא לָהּ. אֲמַרָה לוֹן, הָא אַתְקִינַת בֵּי טְבִילָה, אֲתַר דְּמַיִין נַבְעִין, וְכָל רֵיחִין

ובוסמין סוּוְרָנֵי אִינּוּן מַיִין, לְדַכְּאָה לְכַלָּתִי, לֵיתֵי כַּלָּתִי, מַטְרוֹנִיתָא דִּבְרִי, וְעוּלֵימְתָהָא, וְיִתְדַּכּוּן בְּהַהוּא אֲתַר דְּאַתְקִינַת בְּהַהוּא בֵּי טְבִילָה, דְּמַיִין נַבְעִין דְּעָמִי. לְבָתַר תַּקִּינוּ לָהּ בְּתַכְשִׁיטָהָא, אַלְבִּישׁוּ לָהּ לְבוּשָׁהָא, אַעֲטְרוּ לָהּ בְּעִטְרָהָא. לְמָחָר כַּד יֵיתֵי בְּרִי לְאִזְדַּוְּוגָא בְּמַטְרוֹנִיתָא, יַתְקִין הֵיכָלָא לְכֻלְּהוּ, וְיִשְׁתַּכַּח מְדוֹרֵיהּ בְּכוּ כַּחֲדָא.

קעג. כַּךְ מַלְכָּא קַדִּישָׁא וּמַטְרוֹנִיתָא, וְחַבְרַיָּיא, כְּהַאי גַּוְונָא. וְאִימָא עִלָּאָה דְּמִתְקַנַּת כַּלָּא. אִשְׁתַּכַּח דְּמַלְכָּא עִלָּאָה, וּמַטְרוֹנִיתָא, וְחַבְרַיָּיא, מְדוֹרֵיהוֹן כַּחֲדָא, וְלָא מִתְפָּרְשִׁין לְעָלְמִין. הה"ד, יְיָ' מִי יָגוּר בְּאָהֳלֶךָ וְגוֹ', הוֹלֵךְ תָּמִים וּפוֹעֵל צֶדֶק. מַאן הוּא פּוֹעֵל צֶדֶק. אֶלָּא, אִלֵּין אִינּוּן דִּמְתַקְּנֵי לְמַטְרוֹנִיתָא בְּתַכְשִׁיטָהָא, בִּלְבוּשָׁהָא, בְּעִטְרָהָא. וְכָל חַד, פּוֹעֵל צֶדֶק אִקְרֵי. א"ר חִיָּיא, אִלְמָלֵא לָא זָכֵינָא בְּעָלְמָא, אֶלָּא לְמִשְׁמַע מִלִּין אִלֵּין דַּיי. זַכָּאָה חוּלָקֵיהוֹן דְּאִינּוּן דְּמִשְׁתַּדְּלֵי בְּאוֹרַיְיתָא, וְיַדְעִין אוֹרְחוֹי דְּמַלְכָּא קַדִּישָׁא, דִּרְעוּתָא דִּלְהוֹן בְּאוֹרַיְיתָא, עֲלַיְיהוּ כְּתִיב כִּי בִי חָשַׁק וַאֲפַלְּטֵהוּ. וּכְתִיב אֲחַלְּצֵהוּ וַאֲכַבְּדֵהוּ.

רעיא מהימנא

קעד. וּסְפַרְתֶּם לָכֶם מִמָּחֳרַת הַשַּׁבָּת וְגוֹ'. פִּקּוּדָא דָא, לִסְפּוֹר סְפִירַת הָעֹמֶר, הָא אוֹקִימְנָא, וְרָזָא דָא, יִשְׂרָאֵל, אַף עַל גַּב דְּאִתְדָּכוּ לְמֶעְבַּד פִּסְחָא, וְנָפְקוּ מִמְּסָאֲבוּ, לָא הֲווֹ שְׁלֵמִין וְדַכְיָין כַּדְקָא וְחֲזֵי. וְעַ"ד, לָאו הַלֵּל גָּמוּר בְּיוֹמֵי דְּפִסְחָא, דְּעַד כְּעַן לָא אִשְׁתְּלִימוּ כַּדְקָא יָאוֹת.

קעה. כְּאִתְּתָא דְּנָפְקָא מִמְּסָאֲבוּ, וְכֵיוָן דְּנָפְקָא, מִתַּמָּן וּלְהָלְאָה, וְסָפְרָה לָהּ. אוּף הָכָא יִשְׂרָאֵל, כַּד נָפְקוּ מִמִּצְרַיִם, נָפְקוּ מִמְּסָאֲבוּ, וְעָבְדוּ פֶּסַח, לְמֵיכַל בְּפָתוֹרָא דַּאֲבוּהוֹן, וּמִתַּמָּן וּלְהָלְאָה יַעַבְדוּן חוּשְׁבָּנָא, לְמִקְרַב אִתְּתָא לְבַעְלָהּ, לְאִתְחַבְּרָא בַּהֲדֵיהּ, וְאִינּוּן חַמְשִׁין יוֹמִין דְּדַכְיוּ, לְאַעֲלָא לְרָזָא דְּעָלְמָא דְּאָתֵי. וּלְקַבְּלָא אוֹרַיְיתָא, וּלְמִקְרַב אִתְּתָא לְבַעְלָהּ.

קעו. וּבְגִין דְּאִלֵּין יוֹמִין,יוֹמִין דְּעָלְמָא דִּדְכוּרָא, לָא אִתְמְסַר חוּשְׁבָּנָא דָא אֶלָּא לְגַבְרֵי בִּלְחוֹדַיְיהוּ. וְעַ"ד חוּשְׁבָּנָא דָא, בַּעֲמִידָה אִיהוּ, וּמִלִּין דְּעָלְמָא תַּתָּאָה, בִּישִׁיבָה, וְלָא בַּעֲמִידָה. וְרָזָא דָא, צְלוֹתָא דַּעֲמִידָה, וּצְלוֹתָא מְיוּשָּׁב.

קעז. וְאִלֵּין חַמְשִׁין, מ"ט אִינּוּן, כְּכַל אַנְפֵּי אוֹרַיְיתָא, דְּהָא בְּיוֹמָא דְּחַמְשִׁין, אִיהוּ רָזָא דְּאוֹרַיְיתָא מַמָּשׁ. וְאִלֵּין אִינּוּן חַמְשִׁין יוֹמִין, דְּבֵיהּ שְׁמִטָּה וְיוֹבְלָא. וְאִי תֵּימָא, חַמְשִׁין, מ"ט אִינּוּן. חַד טְמִירָא אִיהוּ, וְעָלְמָא אִסְתְּמִיךְ עָלֵיהּ. וּבְהַהוּא יוֹמָא דְּחַמְשִׁין, אִתְגַּלְיָא טְמִירָא, וְאִתְכַּסְיָא בֵּיהּ. כְּמַלְכָּא דְּאָתֵי לְבֵי שׁוּשְׁבִינֵיהּ, וְאִשְׁתַּכַּח תַּמָּן, אוּף הָכָא יוֹמָא דְּחַמְשִׁין, וְהָא אוֹקִימְנָא רָזָא דָא.

קעח. פִּקּוּדָא בָּתַר דָא, לְמֶעְבַּד חַג שָׁבוּעוֹת, דִּכְתִּיב וְעָשִׂיתָ חַג שָׁבוּעוֹת לַיְיָ' אֱלֹהֶיךָ. שָׁבוּעוֹת: עַל דְּעָאלוּ יִשְׂרָאֵל לְרָזָא דְּחַמְשִׁין יוֹמִין, דְּאִינּוּן שִׁבְעָה שָׁבוּעוֹת, וּבְקָרְבְּנָא דְּעֹמֶר, אִתְבַּטַּל יֵצֶר הָרָע, דְּעָרְקַת מֵאֵשֶׁת חַיִל. וְכַד תַּמָּן לָא אִתְקְרִיב, מִתְדַּבְּקִין יִשְׂרָאֵל בְּקוּדְשָׁא בְּרִיךְ הוּא, וְאִתְבַּטַּל מֵעֵילָּא וּמִתַּתָּא.

קעט. וּבְגִין כַּךְ אִקְרֵי בְּגַוְונָא דָא עֲצֶרֶת, דְּאִית בֵּיהּ בִּטּוּל יֵצֶר הָרָע. וְעַל דָּא לָא כְּתִיב בֵּיהּ חַטָּאת, כִּשְׁאָר זִמְנִין, דִּכְתִּיב בְּהוּ חַטָּאת לַיְיָ'. וּכְדֵין כָּל נְהוֹרִין אִתְכַּנְּשׁוּ לְאֵשֶׁת חַיִל, וּבְגִין כַּךְ עֲצֶרֶת.

קפ. שָׁבוּעוֹת, וְלָא כְּתִיב כַּמָּה אִינּוּן. אֶלָּא בְּכָל אֲתַר דְּאִתְּמַר סְתָם, שְׁמָא גָּרִים דְּאִינּוּן

מִן שֶׁבַע. וּכְתִיב שִׁבְעָה שָׁבוּעוֹת תִּסְפָּר לָךְ, אַמַּאי כְּתִיב שָׁבוּעוֹת בִּלְחוֹדוֹי. אֶלָּא הָכִי
אִצְטְרִיךְ שָׁבוּעוֹת סְתָם, לְאַכְלָלָא עֵילָּא וְתַתָּא, דְּהָא בְּכָל אֲתַר דְּאִלֵּין מִתְעָרֵי, אִלֵּין אוּף
הָכִי מִתְעָרֵי עִמְּהוֹן. עַד דְּלָא הֲוָה שְׁלִימוּ, לָא הֲווֹ אִתְגַּלְיָין, כֵּיוָן דְּאָתָא שְׁלִימוּ, עֲבַד מִנַּיְיהוּ
פְּרָט. דִּכְתִיב, שִׁבְעַת יָמִים וְשִׁבְעַת יָמִים, דָּא אִיהוּ פְּרָט.

קפא. בְּזִמְנָא אָחֳרָא בְּכְלַל, שָׁבוּעוֹת סְתָם. וְלָא אִצְטְרִיךְ לְבַּר נָשׁ אָחֳרָא לְמֶעְבַּד
מִנַּהוֹן פְּרָט, בַּר שְׁלֹמֹה. בְּגִין דְּאִינּוּן שִׁבְעַת יָמִים דִּלְתַתָּא, לָא נְהִירוּ בִּשְׁלִימוּ, עַד
דְּאָתָא שְׁלֹמֹה, וּכְדֵין קַיְימָא סִיהֲרָא בְּאַשְׁלְמוּתָא, בְּאִינּוּן שִׁבְעַת יוֹמִין. וְהָכָא חַג
שָׁבוּעוֹת סְתָם, בְּגִין דְּאִתְכְּלִילוּ תַּתָּאֵי בְּעִלָּאֵי, וְלָא אַנְהִירוּ כְּיוֹמָא דִשְׁלֹמֹה.

קפב. פִּקּוּדָא בָּתַר דָּא, לְהַקְרָבָא עֹשֶׂי הַלֶּחֶם. הָא אוֹקִימְנָא, שְׁתֵּי הַלֶּחֶם: תַּרְתֵּי
שְׁכִינָתֵּי, עֵילָּא וְתַתָּא, וְאִתְחַבָּרָן כַּחֲדָא. לְגַבַּיְיהוּ, תְּרֵין נַהֲמֵי בְּשַׁבַּתָּא, מְזוֹנָא חַד תְּרֵין,
דְּעֵילָּא וְתַתָּא. וְעַל דָּא כְּתִיב, שְׁנֵי הָעֹמֶר לָאֶחָד. לָאֶחָד וַדַּאי, לְאִתְיַחֲדָא בְּאֲתַר חַד.
לְהַהוּא דְּאִקְרֵי אֶחָד. וּמָאן אִיהוּ. הַקּוֹל קוֹל יַעֲקֹב, דְּאִיהוּ יָרִית עֵילָּא וְתַתָּא, תְּרֵין נַהֲמֵי
כַּחֲדָא. וּבְגִין דְּשַׁבַּת אִיהוּ רָזָא דְּעֵילָּא וְתַתָּא, וְכֹלָּא אִיהוּ שַׁבָּת, תְּרֵין נַהֲמֵי. (ע״כ רעיא
מהימנא).

קפג. פִּקּוּדָא בָּתַר דָּא לְהַסְדִּיר לֶחֶם וּלְבוֹנָה, לְהַקְרִיב עֹמֶר. דִּכְתִיב וַעֲשִׂיתֶם בְּיוֹם
הֲנִיפְכֶם אֶת הָעֹמֶר כֶּבֶשׂ תָּמִים לְעוֹלָה. וְכֵן בְּשָׁבוּעוֹת לְהַקְרִיב שְׁתֵּי הַלֶּחֶם, וְהָכִי בְּכָל
יוֹמִין טָבִין, לְהַקְרִיב קָרְבָּן דְּמוּסָפִין. אֶלָּא וַדַּאי בְּכָל יוֹמָא דְּמוֹעֲדַיָּיא צָרִיךְ לְקָרְבָא
קָרְבְּנָא דִּילֵיהּ. צָרִיךְ לְקָרְבָא עֲלֵיהּ תּוֹסֶפֶת דְּאִית לֵיהּ, כְּגוֹן תּוֹסֶפֶת כְּתוּבְתָּא וּמַתְּנָתָא,
דְּאוֹסִיף חֲתָן לְכַלָּה. וְעֹבַדַת מַלְכְּתָא, דְּאִיהִי כַּלָּה, בְּשַׁבַּתוֹת וּבְכָל יוֹמִין טָבִין, צְרִיכָה
תּוֹסֶפֶת, דְּאִינּוּן מוּסָפִין דְּקָרְבְּנִין, וּמַתְּנָתָא, דְּאִינּוּן מַתְּנוֹת כְּהֻנָּה.

קפד. וּבְשָׁבוּעוֹת דְּאִיהוּ מַתַּן תּוֹרָה, דְּאִתְיְהִיבוּ תְּרֵין לוּחִין דְּאוֹרַיְיתָא, מִסְּטְרָא
דְּאִילָנָא דְּחַיֵּי, צָרִיךְ לְקָרְבָא לְגַבַּיְיהוּ, שְׁתֵּי הַלֶּחֶם דְּאִינּוּן ה״ה דְּהָא אִיהוּ נַהֲמָא
דְּאוֹרַיְיתָא, דְּאִתְּמַר בֵּיהּ לְכוּ לַחֲמוּ בְלַחֲמִי, ה״ה, מִן הַמּוֹצִיא לֶחֶם מִן הָאָרֶץ.

קפה. וְהַאי אִיהוּ מַאֲכַל אָדָם, דְּאִיהוּ יו״ד ה״א וא״ו ה״א. זֹאת הַתּוֹרָה אָדָם. אָדָם
כִּי יַקְרִיב מִכֶּם קָרְבָּן לַיְיָ. עֹמֶר שְׂעוֹרִין, מַאֲכַל בְּעִירָן, דְּאִינּוּן חַיּוֹת הַקֹּדֶשׁ, דְּמִנַּהוֹן
צָרִיךְ לְקָרְבָא, הֲה״ד מִן הַבְּהֵמָה. אֵלִים: מִנְּגוּנִים בְּמַתְנִיתִין, בְּאִלֵּין פְּשַׁטִין. מִן הַבָּקָר:
פָּרִים מִנְּגוּנִים בְּמַתְנִיתִין, בְּתוּקְפָא יַתִּיר. וּמִן הַצֹּאן: שְׁאַר עַמָּא, קָרְבְּנָא דִּלְהוֹן צְלוֹתִין,
וַעֲלַיְיהוּ אִתְּמַר, וְאַתֵּן צֹאנִי צֹאן מַרְעִיתִי אָדָם אַתֶּם.

קפו. דְּמָארֵי קַבָּלָה, וּמָארֵי מִדּוֹת, אִינּוּן מִסְּטַר דְּאִילָנָא דְּחַיֵּי. שְׁאַר עַמָּא מִסְּטְרָא
דְּאִילָנָא דְּטוֹב וָרָע, אָסוּר וְהֶתֵּר. וּבְגִין דָּא, מִן הַבְּהֵמָה, מַאֲכַל דִּלְהוֹן, עֹמֶר לֶחֶם
שְׂעוֹרִים, וַיִּמָּד שֵׁשׁ שְׂעֹרִים. וְיֵשׁ עֲלֵיהּ, אוֹרַיְיתָא דִּבְעַל פֶּה, דְּעָשִׂית סִדְרֵי מִשְׁנָה.
אֲבָל אִלֵּין דְּאִילָנָא דְּחַיֵּי, דְּאִינּוּן אָדָם אוֹרַיְיתָא דִּלְהוֹן, נְהַמָּא דְּקָב״ה. הה״ד, לְכוּ לַחֲמוּ
בְלַחֲמִי וְהַיְינוּ שְׁתֵּי הַלֶּחֶם. וַהֲדוּ כֻּלְּהוּ תַּנָּאִין וְאָמוֹרָאִין, וְאָמְרוּ מָאן קָאִים קַמֵּי סִינַי.
(ע״כ רעיא מהימנא)

קפז. בַּחֹדֶשׁ הַשְּׁבִיעִי בְּאֶחָד לַחֹדֶשׁ, ר׳ יִצְחָק פָּתַח, תִּקְעוּ בַחֹדֶשׁ שׁוֹפָר בַּכֶּסֶה לְיוֹם
חַגֵּנוּ. זַכָּאִין אִינּוּן יִשְׂרָאֵל, דְּקָב״ה קָרִיב לוֹן לְגַבֵּיהּ, מִן כָּל אוּמִּין עע״ז, וְאִתְרְעֵי בְּהוּ,
וּמֵאֲתַר רְחִיקָא קָרִיב לוֹן לְגַבֵּיהּ, הה״ד, וַיֹּאמֶר יְהוֹשֻׁעַ אֶל כָּל הָעָם כֹּה אָמַר ה׳ אֱלֹהֵי
יִשְׂרָאֵל בְּעֵבֶר הַנָּהָר יָשְׁבוּ אֲבוֹתֵיכֶם מֵעוֹלָם. לְאַחֲזָאָה, דְּהָא מֵאֲתַר רְחִיקָא אִתְרְעֵי

בְּהוּ, וְקָרִיב לוֹן לְגַבֵּיהּ, וּכְתִיב, וָאֶקַּח אֶת אֲבִיכֶם אֶת אַבְרָהָם מֵעֵבֶר הַנָּהָר וְגוֹ'. הָנֵי קְרָאֵי אִית לְאִסְתַּכְּלָא בְּהוּ, וְכִי כָּל יִשְׂרָאֵל לָא הֲווּ יַדְעֵי דָּא, וְכָל שֶׁכֵּן יְהוֹשֻׁעַ.

קפח. אֶלָּא אוֹרַיְיתָא כּוּלָּהּ סְתִים וְגַלְיָא, כְּמָה דִּשְׁמָא קַדִּישָׁא סָתִים וְגַלְיָא, בְּגִין דְּאוֹרַיְיתָא כּוּלָּהּ שְׁמָא קַדִּישָׁא הִיא, וְעַל דָּא אִיהִי סָתִים וְגַלְיָא. אִי יִשְׂרָאֵל וִיהוֹשֻׁעַ הֲווּ יַדְעֵי, אֲמַאי כְּתִיב כֹּה אָמַר יְיָ'. אֶלָּא וַדַּאי סְתִימָא דְּמִלָּה, טִיבוּ סַגֵּי עֲבַד קוּדְשָׁא בְּרִיךְ בְּיִשְׂרָאֵל, דְּאִתְרְעֵי בְּהוּ בַּאֲבָהָתָא, וַעֲבִיד לוֹן רְתִיכָא קַדִּישָׁא עִלָּאָה לִיקָרֵיהּ, וְאַפִּיק לוֹן מִגּוֹ נַהֲרָא עִלָּאָה יַקִּירָא קַדִּישָׁא, בּוֹצִינָא דְּכָל בּוֹצִינִין, בְּגִין דְּיִתְעַטַּר בְּהוּ. הֲדָא הוּא דִּכְתִיב, כֹּה אָמַר יְיָ' בְּעֵבֶר הַנָּהָר יָשְׁבוּ אֲבוֹתֵיכֶם מֵעוֹלָם. הַנָּהָר: הַהוּא נָהָר דְּאִשְׁתְּמוֹדַע, וְאִתְיְידַע.

קפט. מֵעוֹלָם, מַאי קָא בָּעֵי הָכָא. אֶלָּא לְאַחֲזָאָה חָכְמְתָא. מֵעֵבֶר הַנָּהָר מֵעוֹלָם, אֶלָּא הַהוּא נָהָר עוֹלָם אִקְרֵי. וְעַל דָּא, בְּעֵבֶר הַנָּהָר יָשְׁבוּ אֲבוֹתֵיכֶם מֵעוֹלָם, לְאַחֲזָאָה טִיבוּ וּקְשׁוֹט דַּעֲבַד קוּדְשָׁא ב"ה לְיִשְׂרָאֵל. וָאֶקַּח אֶת אֲבִיכֶם אֶת אַבְרָהָם מֵעֵבֶר הַנָּהָר מַאי קָא מַיְירֵי. אֶלָּא אַבְרָהָם לָא אִתְדְּבַק בֵּיהּ בְּהַהוּא נָהָר, כְּמוֹ יִצְחָק דְּאִתְדַּבַּק בֵּיהּ בְּסִטְרֵיהּ לְאִתְתַּקְּפָא.

קצ. תָּא חֲזֵי, הַאי נָהָר, אַף עַל גַּב דְּלָאו אִיהוּ דִּינָא, דִּינִין נָפְקֵי מִסִּטְרֵיהּ, וְאִתְתָּקְפוּ בֵּיהּ. וְכַד יִצְחָק אִתְתָּקַף בְּדִינוֹי, כְּדֵין עָלְאִין וְתַתָּאִין מִתְכַּנְּפֵי לְדִינָא, וְכוּרְסְיָיא דְּדִינָא אִתְתַּקַּן, וּמַלְכָּא קַדִּישָׁא יָתִיב עַל כּוּרְסְיָיא דְּדִינָא, וְדָאִין עָלְמָא, כְּדֵין, תִּקְעוּ בַּחֹדֶשׁ שׁוֹפָר בַּכֶּסֶה לְיוֹם חַגֵּנוּ. זַכָּאִין אִינוּן יִשְׂרָאֵל, דְּיַדְעִין לְסַלְּקָא כּוּרְסְיָיא דְּדִינָא, וּלְתַקְּנָא כּוּרְסְיָיא דְּרַחֲמֵי. וּבְמָה. בְּשׁוֹפָר.

קצא. רִבִּי אַבָּא הֲוָה יָתִיב קַמֵּיהּ דְּרִבִּי שִׁמְעוֹן, אָמַר לֵיהּ, הָא זִמְנִין סַגִּיאִין שָׁאִילְנָא עַל הַאי שׁוֹפָר, מַאי קָא מַיְירֵי, וְעַד כָּאן לָא אִתְיַשְּׁבְנָא בֵּיהּ. אָמַר לֵיהּ, וַדַּאי הַאי הוּא בְּרִירָא דְּמִלָּה, דְּיִשְׂרָאֵל בַּעְיָין בְּיוֹמָא דְּדִינָא, שׁוֹפָר, וְלָא קֶרֶן. בְּגִין דְּקֶרֶן הָא אִתְיְידַע כָּאן אֲתַר אִיהוּ, וּלְאִתְדַּבְּקָא דִּינָא לָא בָּעֵינָא. אֲבָל הָא תָּנֵינָן, בְּמִלִּין וּבְעוֹבָדָא, בָּעֵינָן לְאַחֲזָאָה וּלְאַתְעָרָא מִלִּין סְתִימִין.

קצב. תָּא חֲזֵי, כַּד הַהוּא שׁוֹפָר עִלָּאָה, דִּנְהִירוּ דְּכֹלָּא בֵּיהּ, אִסְתַּלָּק וְלָא נָהִיר לִבְנִין, כְּדֵין דִּינָא אִתְעַר, וְכָרְסָוָון אִתְתְּקָנוּ לְבֵי דִּינָא, וְדָא שׁוֹפָר, אִילוּ דְּיִצְחָק אִקְרֵי, תּוֹקְפֵיהּ דְּיִצְחָק, תּוּשְׁבַּחְתֵּיהּ דַּאֲבָהָן, כַּד אִסְתַּלַּק הַהוּא שׁוֹפָר גָּדוֹל, דְּלָא יַנְקָא לִבְנִין, כְּדֵין יִצְחָק אִתְתַּקַּף, וְאִתְתַּקַּן לְדִינָא בְּעָלְמָא.

קצג. וְכַד אִתְעַר הַאי שׁוֹפָר וְכַד בְּנֵי נָשָׁא תַּיְיבִין מֵחַטָּאֵיהוֹן, בַּעְיָין לְנַגְּדָא קוֹל שׁוֹפָר מִתַּתָּא, וְהַהוּא קָלָא סָלִיק לְעֵילָּא, כְּדֵין אִתְעַר שׁוֹפָרָא אָחֳרָא עִלָּאָה, וְאִתְעַר רַחֲמֵי, וְאִסְתַּלָּק דִּינָא. וּבָעֵינָן לְאַחֲזָאָה עוֹבָדָא בְּשׁוֹפָר, לְאַתְעָרָא שׁוֹפָרָא אָחֳרָא, וּלְאַפָּקָא בְּהַאי שׁוֹפָר לְתַתָּא, אִינוּן קָלֵי, לְאַחֲזָאָה דְּכָל אִינוּן קָלִין דִּלְעֵילָּא, דִּכְלִילָן כֻּלְּהוּ בְּהַהוּא שׁוֹפָר עִלָּאָה, יִתְעָרוּן לְנָפְקָא.

קצד. וּבְהָנֵי קָלִין דִּלְתַתָּא, יָהֲבִין יִשְׂרָאֵל חֵילָא לְעֵילָּא, וְעַל דָּא בָּעֵינָן לְזַמְּנָא שׁוֹפָר בְּיוֹמָא דָּא, וּלְסַדְּרָא קָלִין, לְכַוְּנָא בֵּיהּ בְּגִין לְאַתְעָרָא שׁוֹפָר אָחֳרָא, דְּבֵיהּ כְּלִילָן קָלֵי לְעֵילָּא.

קצה. סִדְרָא קַדְמָאָה, קָלָא נָפִיק, וּמִתְעַטַּר לְעֵילָּא, סָלִיק רְקִיעִין, וְאִתְבְּקַע בֵּין טוּרֵי רָמָאֵי, וּמָטֵי לְגַבֵּיהּ דְּאַבְרָהָם, וְשָׁרְיָא בְּרֵישֵׁיהּ, וְאִתְעַטַּר, וְאִתְעַר הוּא, וְאַתְקִין

לְכוּרְסַיָּיא. וּבְסִפְרָא דְאַגַּדְתָּא תָּנֵינָן, בְּשַׁעֲתָא דְהַהוּא קָלָא קַדְמָאָה סָלִיק, אִתְעַר וְאִתְעֲטַר אַבְרָהָם, וְאַתְקַן לְכוּרְסַיָּיא, פַּקְדִין עָלֵיהּ אַבָּא.

קצו. אַדְהָכִי, סַלְקָא תִּנְיָינָא, תַּקִּיפָא לְתַבְרָא תּוֹקְפֵי רְגִיזִין. וְדָא סִדְרָא תִּנְיָינָא, הַהוּא קָלָא תְּבִירָא בְּתוּקְפוֹי. וּכְדֵין סַלְקָא, וְכָל דִּינִין דְּאִתְעָרְעָן קָמֵיהּ אִתְּבָרוּ, עַד דְּסָלִיק לְאַתְרֵיהּ דְּיִצְחָק. כֵּיוָן דְּיִצְחָק אִתְעַר, וְחָמֵי לְאַבְרָהָם מְתַקֵּן לְכוּרְסַיָּיא לְקַיְּימָא קַמֵּיהּ, כְּדֵין אִתְכַּפְיָא, וְתָבַר תּוֹקְפָּא קַשְׁיָא. וּבְהַאי, בָּעֵי מַאן דְּתָקַע, לְכַוְּונָא לִבָּא וּרְעוּתָא, בְּגִין לְתַבְרָא חֵילָא וְתוּקְפָּא דְּדִינָא קַשְׁיָא, הֲדָא הוּא דִכְתִיב, אַשְׁרֵי הָעָם יוֹדְעֵי תְרוּעָה, יוֹדְעֵי תְּרוּעָה וַדַּאי.

קצז. סִדְרָא תְּלִיתָאָה, קָלָא נָפִיק, וְסָלִיק, וּבָקַע כָּל אִינּוּן רְקִיעִין, וְרַחֲמֵי מִתְעָרָן, וּמָטֵי הַהוּא קָלָא לְרֵישֵׁיהּ דְּיַעֲקֹב וְיַעֲקֹב אִתְעַר, וְחָמֵי לְאַבְרָהָם מְתַתַּקֵּן בְּגִיסָא אָחֳרָא, כְּדֵין אֲחִידָן תַּרְוַויְיהוּ בֵּיהּ בְּיִצְחָק, דָּא מֵהַאי סִטְרָא, וְדָא, מֵהַאי סִטְרָא וְלָא יַכְלִין תּוּקְפוֹי לְנָפְקָא לְבַר. וְהָנֵי תְּלָתָא סִדְרִין, כֻּלְּהוּ סִדְרָא חַד.

קצח. סִדְרָא אָחֳרָא, קָלָא נָפִיק, וְסָלִיק, וְנָטִיל לְאַבְרָהָם מֵאַתְרֵיהּ, וְנָגִיד לֵיהּ לְתַתָּא, לַאֲתַר דְּתוּקְפֵיהוֹן דְּיִצְחָק שַׁרְיָין וְקַיְּימָן לֵיהּ לְאַבְרָהָם בְּגַוַּויְיהוּ.

קצט. סִדְרָא תִּנְיָינָא, נָפִיק קָלָא תְּבִירָא, לָא תַּקִּיפָא כְּקַדְמָאָה, לָא דְּחָלִישׁ הַהוּא קָלָא דְּתָקַע, אֶלָּא דְּהַהוּא קָלָא לָאו אִיהוּ לְגַבֵּי יִצְחָק בְּקַדְמֵיתָא, דְּתַמָּן תּוּקְפָּא תַּקִּיפָא שַׁרְיָא, אֶלָּא לְגַבֵּי אִינּוּן בֵּי דִּינָא דִּלְתַתָּא, דְּאִינּוּן רְפוּיִין יַתִּיר, וְכֻלְּהוּ חָמָאן לְאַבְרָהָם לְגַבַּיְיהוּ, וְאִתְכַּפְיָין קַמֵּיהּ.

ר. אַדְהָכִי, סִדְרָא תְּלִיתָאָה, קָלָא נָפִיק, וְסָלִיק, וְאִתְעֲטַר בְּרֵישֵׁיהּ דְּיַעֲקֹב, וְנָגִיד לֵיהּ לְתַתָּא לְהַהוּא אֲתַר דְּאִינּוּן גִּבּוֹרָאן שַׁרְיָין, וְקָאִים לָקֳבְלַיְיהוּ, אַבְרָהָם מֵהַאי סִטְרָא, וְיַעֲקֹב מֵהַאי סִטְרָא, וְאִינּוּן בְּאֶמְצָעִיתָא. כְּדֵין אִתְכַּפְיָין כֻּלְּהוּ, וּמִשְׁתַּכְחִין בְּאַתְרַיְיהוּ. וְהָנֵי כֻּלְּהוּ סִדְרָא אָחֳרָא תִּנְיָינָא.

רא. סִדְרָא בַּתְרָאָה, דְּבַעְיָיא לְסַלְּקָא לוֹן לְאַתְרַיְיהוּ, וּלְיַישְׁבָא בֵּינַיְיהוּ לְיִצְחָק כְּמִלְּקַדְמִין. בְּגִין דְּהַאי בָּעֵי לְיַשְּׁרָא לֵיהּ בַּאֲתָרֵיהּ, וְלָא יִפּוּק בְּתוּקְפוֹי לְבַר, כְּדֵין דִּינִין כֻּלְּהוּ אִתְכַּפְיָין, וְרַחֲמִין אִתְעָרוּ.

רב. עַל דָּא בָּעֵי לְכַוְּונָא לִבָּא וּרְעוּתָא בְּהָנֵי קָלֵי, וּלְמֶהֱדַר בְּתִיוּבְתָּא קָמֵי מָארֵיהוֹן. כְּדֵין כַּד יִשְׂרָאֵל מְתַקְּנֵי וּמְסַדְּרֵי קָלִין בִּרְעוּתָא דְּלִבָּא כַּדְקָא יָאוּת, בְּשׁוֹפָרָא דָּא, אַהֲדָר הַהוּא שׁוֹפָר עִלָּאָה, וְכַד אַהֲדָר, מְעַטְּרָא לֵיהּ לְיַעֲקֹב, וְאִתְתַּקַּן כֹּלָּא. וְכוּרְסַיָּיא אָחֳרָא רְמִיו, וּכְדֵין חֵידוּ אִשְׁתַּכַּח בְּכֹלָּא, וְקוּדְשָׁא בְּרִיךְ הוּא מְרַחֵם עַל עָלְמָא. זַכָּאָה חוּלָקֵיהוֹן דְּיִשְׂרָאֵל, דְּיַדְעִין לְנַגְדָא וּלְאַמְשָׁכָא לְמָארֵיהוֹן, מִדִּינָא לְרַחֲמֵי, וּלְתַקְּנָא כֻּלְּהוּ עָלְמִין עַל יְדַיְיהוּ.

רג. ת"ח, לָקֳבֵל דָּא, תְּלָתָא סִפְרִין פְּתִיחִין בְּיוֹמָא דָּא, וּכְמָה דְּרַחֲמִין מִתְעָרִין, וְדִינִין קַשְׁיָין אִתְכַּפְיָין וְעָאלִין לְדוּכְתַּיְיהוּ. כַּךְ הוּא לְתַתָּא כְּגַוְונָא דִּלְעֵילָּא, דִּינִין קַשְׁיָין אִתְכַּפְיָין וְאִתְעֲבָרוּ מֵעָלְמָא. וּמַאן אִינּוּן. אִלֵּין אִינּוּן רְשָׁעִים גְּמוּרִים, דְּאִינּוּן דִּינִין קַשְׁיָין דְּאִתְכַּפְיָין וְאִתְעֲבָרוּ מֵעָלְמָא. וְעַל דָּא נִכְתָּבִים וְנֶחְתָּמִים וְכוּ'. א"ר אַבָּא, וַדַּאי דָּא הוּא בְּרִירָא דְמִלָּה, בְּרִיךְ רַחֲמָנָא דְשָׁאִילְנָא וְרַוְוחְנָא בְּהָנֵי מִילֵּי.

רד. א"ר יְהוּדָה, כְּתִיב זִכְרוֹן תְּרוּעָה, זִכָּרוֹן עֲבְדִינָן, לְכַוְּונָא לִבָּא וּרְעוּתָא, יִשְׂרָאֵל עַבְדִין זִכָּרוֹן לְתַתָּא, בְּמָה. בְּעוֹבָדָא, בְּגִין דְּיִתְעַר מִלָּה כְּהַהוּא גַּוְונָא לְעֵילָּא.

רה. אָמַר ר' אֶלְעָזָר, כְּתִיב בַּכֶּסֶה לְיוֹם חַגֵּנוּ דְּאִתְכַּסְיָא בֵּיהּ סִיהֲרָא. וְהֵיךְ

אִתְכַּסְיָא. אֶלָּא, כַּד קַיְּימָא עִיבָא, וְשִׁמְשָׁא לָא נָהִיר, כְּדֵין סִיהֲרָא אִתְכַּסְיָא, וְלָא נָהִיר. וְעַל דָּא, מִקַּמֵּי עִיבָא שִׁמְשָׁא לָא נָהִיר, כ"ש סִיהֲרָא דְּאִתְכַּסְיָא וְלָא נְהִירָא. וְעַל דָּא בַּכֶּסֶה לְיוֹם חַגֵּנוּ, בְּהֵ"א, דְּאִתְכַּסְיָא סִיהֲרָא. וּבְמָה נָהִיר. כֹּלָּא בִּתְיוּבְתָּא, וּבְקָל שׁוֹפָרָא, דִּכְתִיב אַשְׁרֵי הָעָם יוֹדְעֵי תְרוּעָה כְּדֵין יְיָ' בְּאוֹר פָּנֶיךָ יְהַלֵּכוּן.

רַעְיָא מְהֵימְנָא

רו. בַּחֹדֶשׁ הַשְּׁבִיעִי בְּאֶחָד לַחֹדֶשׁ וְגוֹ'. פִּקּוּדָא דָּא, לִתְקוֹעַ שׁוֹפָר בְּרֹאשׁ הַשָּׁנָה, דְּהוּא יוֹמָא דְּדִינָא לְעָלְמָא, כְּמָה דְּאוֹקִימְנָא. וְהָא אוֹקְמוּהָ דִּכְתִיב, תִּקְעוּ בַחֹדֶשׁ שׁוֹפָר בַּכֶּסֶה לְיוֹם חַגֵּנוּ. וְהָא אִתְּמַר. דְּהַאי אִיהוּ יוֹמָא דְּסִיהֲרָא אִתְכַּסֵּי בֵּיהּ, וְקָאִים עָלְמָא בִּידָא בְּגִין, דְּהַהוּא מְקַטְרְגָא, וְחָפֵי וְכַסֵּי וְאַנְעַל פִּתְחָא עַל מַלְכָּא, אֲתַר דְּדִינָא שַׁרְיָא, לְמִתְבַּע דִּינָא עַל עָלְמָא.

רז. וְאִי תֵּימָא, אֵיךְ אִתְיְיהִיב לֵיהּ רְשׁוּ לְהַהוּא מְקַטְרְגָא לְחַפָּאָה וּלְמִתְבַּע דִּינָא. אֶלָּא וַדַּאי בִּידָא דְּהַאי מְקַטְרְגָא, שַׁוֵּי קֻבְּ"ה לְמִתְבַּע דִּינָא עַל כָּל עָלְמָא, וְשַׁוֵּי לֵיהּ יוֹמָא יְדִיעָא, לְמִתְבַּע קַמֵּיהּ כָּל דִּינִין דְּעָלְמָא, דְּהָא קֻבְּ"ה עָבֵד לֵיהּ וְשַׁוֵּי לֵיהּ קַמֵּיהּ, לְמֶהֱוֵי דְּחִילוּ דְּקוּדְשָׁא בְּרִיךְ הוּא סַלְקָא, וְשַׁרְיָא עַל כֹּלָּא. וְרָזָא דָּא, וְהָאֱלֹהִים עָשָׂה שֶׁיִּרְאוּ מִלְּפָנָיו. מַאי עָשָׂה. עָשָׂה לְהַאי מְקַטְרְגָא, וְאַתְקִין לֵיהּ קַמֵּיהּ, לְמֶהֱוֵי סַיְיפָא שְׁנִּנָא עַל כָּל עָלְמָא. וְכָל דָּא בְּגִין דִּידַחֲלוּן מִקַּמֵּי קוּדְשָׁא ב"ה כֹּלָּא. וְדָא אִיהוּ סַנְטִירָא, דְּתָבַע חוֹבֵי בְּנֵי נָשָׁא, וְתָבַע דִּינָא, וְתָפִיס בְּנֵי נָשָׁא וְקָטִיל לוֹן וְאַלְקֵי לוֹן, כֹּלָּא כְּמָה דְּנָפִיק מִן דִּינָא.

רח. כְּגַוְונָא דְּהַהוּא מְמוּנֶּה בֵּית דִּין דִּלְתַתָּא, דְּאִתְיְיהִיב לֵיהּ רְשׁוּ לְאַדְכְּרָא קַמֵּי בֵּי דִּינָא, פְּלוֹנִי עָבַד כָּךְ, וּפְלוֹנִי עָבַר עַל כָּךְ, וּלְמִתְבַּע עָלַיְיהוּ דִּינָא. וּתְנָן, רְשׁוּ אִתְיְיהִיב לְהַהוּא מְמוּנֶּה בֵּית דִּין, לְאַנְעֲלָא עַל בֵּי דִּינָא פִּתְחָא, עַד דְּיִגְזְרוּן דִּינָא עַל כָּל מַה דְּאִיהוּ תָּבַע, וְלֵית רְשׁוּ לְבֵית דִּין לְדַחְיָיא לֵיהּ. בְּגִין כִּי אֲנִי יְיָ' אוֹהֵב מִשְׁפָּט. וְאִיהוּ בָּעֵי דְּעָלְמָא יִתְקַיַּים בְּדִינָא, וּלְמִנְדַּע דְּאִית דִּין וְאִית דַּיָּין.

רט. כְּהַאי גַּוְונָא שַׁוֵּי קוּדְשָׁא ב"ה קַמֵּיהּ לְהַאי, דְּאִיהוּ תָּבַע דִּינָא קַמֵּי מַלְכָּא, עַל כָּל בְּנֵי עָלְמָא. וּבְהַאי יוֹמָא אִתְיְיהִיב לֵיהּ רְשׁוּ, לְכַסָּאָה פִּתְחָא דְּמַלְכָּא, וְסִיהֲרָא אִתְחַפְיָיא לְגוֹ, עַד דְּיִתְגְּזַר דִּינָא עַל כָּל בְּנֵי עָלְמָא. וְאַף עַל גַּב דְּכֹלָּא אִתְגְּלֵי קַמֵּי קוּדְשָׁא ב"ה, לָא בָּעֵי אֶלָּא בְּדִינָא.

רי. כְּהַאי גַּוְונָא חָדָא עֵילָּא וְתַתָּא, אַתְקִין כּוּרְסְיָא דְּדִינָא בְּהַאי יוֹמָא, וְסַנְטִירָא אָתָא, וְתָבַע דִּינָא עַל כָּל עוֹבָדֵי בְּנֵי עָלְמָא, כָּל חַד וְחַד כְּפוּם אָרְחוֹי, וּכְפוּם מַה דְּעָבַד. וְסַהֲדִין אַתְיָין וְסַהֲדֵי עַל כָּל עוֹבָדֵי בְּנֵי עָלְמָא. וְאִלֵּין אִינּוּן עֵינֵי יְיָ', דְּאִינּוּן מְשַׁטְּטֵי בְּכָל עָלְמָא. וּכְמָה אִינּוּן עֵינֵי יְיָ', דְּלֵית לוֹן חוּשְׁבְּנָא, דְּקָא אָזְלֵי וּמְשַׁטְּטֵי בְּכָל עָלְמָא, וְחָמָאן כָּל עוֹבָדֵי בְּנֵי עָלְמָא.

ריא. וַוי לְאִינּוּן דְּלָא מַשְׁגִּיחִין וְלָא מִסְתַּכְּלִין בְּעוֹבָדֵיהוֹן, דְּהָא לְגַבַּיְיהוּ קַיְימִין אִלֵּין סַהֲדֵי מַלְכָּא, וּמַשְׁגִּיחִין וְחָמָאן כָּל מַה דְּאִינּוּן עָבְדִין, וְקָאמְרֵי, דְּהָא אִינּוּן סַלְקֵי וְסַהֲדֵי קַמֵּי מַלְכָּא. וְהַאי סַנְטִירָא קָאִים קַמֵּי מַלְכָּא, וְתָבַע דִּינָא, פְּלוֹנִי עָבַר דִּינָא, פְּלוֹנִי עָבַד כָּךְ. וְהָא הָכָא סַהֲדֵי. וְעַד דְּקוּדְשָׁא ב"ה לָא שָׁאִיל לוֹן, לֵית לוֹן רְשׁוּ לְסַהֲדָא. כְּדֵין אִינּוּן סַהֲדֵי סַהֲדוּתָא.

רי״ב. וְכֹלָּא אַכְתִּיב קַמֵּי מַלְכָּא בְּפִתְקָא. בְּבֵי מַלְכָּא אִית וַחַד הֵיכָלָא. הֵיכָלָא דָּא מַלְיָא אֶשָּׁא וְזִוְורָא, וְהַאי אֶשָּׁא מִתְגַּלְגְּלָא בְּפַלְקָא, וְלַהִיט שְׁבִיבִין וְהַאי לָא פָּסִיק לְעָלְמִין. לְגוֹ הַאי הֵיכָלָא, אִית הֵיכָלָא אוּוְזָרָא, מַלְיָא אֶשָּׁא אוּכְמָא, דְּלָא פָּסִיק לְעָלְמִין. תְּרֵין סוֹפְרִין קַיְימִין תָּדִיר קַמֵּיהּ מַלְכָּא. בְּשַׁעֲתָא דְּדִינָא, סָהֲדִין כָּל סַהֲדֵי קַמֵּי מַלְכָּא. אִינּוּן סוֹפְרִין נַטְלִין מֵהַהוּא פַּלְקָא דְּאֶשָּׁא וְזִוְורָא, וְכַתְבֵי עָלֵיהּ בְּהַהוּא אֶשָּׁא אוּכָמָא.

רי״ג. וּכְדֵין מַלְכָּא אַוְזְמִיץ דִּינָא, עַד זִמְנָא יְדִיעָא, דִּלְמָא בֵּין כָּךְ וּבֵין כָּךְ יְהַדְרוּן בִּתְשׁוּבָה. אִי יְהַדְרוּן, פִּתְקִין נִקְרָעִין. וְאִי לָאו, מַלְכָּא יָתִיב, וְכָל אִינּוּן דְּבֵי זְכוּתָא קַיְימֵי קַמֵּיהּ, כָּרוֹזָא קָם וְכָרִיז, פְּלוֹנִי עֲבַד כָּךְ, מַאן יוֹלִיף עָלֵיהּ זְכוּת, אִי אִית מַאן דְּיוֹלִיף עָלֵיהּ זְכוּת, יָאוּת. וְאִי לָאו הָא אִתְמְסַר לְסַנְטִירָא.

רי״ד. וְכֹלָּא יָדַע קֻבְּ״ה, אַמַּאי אִצְטְרִיךְ לְכָל דָּא. אֶלָּא בְּגִין דְּלָא, יְהֵא פִּטְרָא דְּפוּמָא לִבְנֵי עָלְמָא. אֶלָּא לְאַוְזָאָה דְּכֹלָּא עֲבִיד בְּאֹרַוז קְשׁוֹט, וְנִיוְזָא קַמֵּיהּ מַאן דְּאִשְׁתְּזִיב מִן דִּינֵיהּ. וְאִי תֵּימָא מְנָלָן. הַאי, אִתְמְסַר לְוַזכִּימֵי, וַאֲפִילוּ לְמַאן דְּלָא יַדְעֵי, מַאן דְּבָעֵי לְאִסְתַּכְּלָא, יַשְׁגַּוז בְּמַה דְּאִיהוּ בְּאִתְגַּלְיָא, וְיֵדַע בְּמַה דְּאִיהוּ בְּסִתְרָא, דְּהָא כֹּלָּא כְּגַוְונָא וַזדָא, כָּל מַה דְּפָקִיד קֻבְּ״ה בְּאַרְעָא, כֹּלָּא אִיהוּ כְּגַוְונָא דִּלְעֵילָּא.

רט״ו. יוֹמָא דר״ה, אִיהוּ יוֹמָא דְּדִינָא, וּמַלְכָּא יָתִיב בְּכוּרְסְיָיא דְּדִינָא, סַנְטִירָא קָא אָתֵי וְוָזפֵי פִּתְוָזא דְּמַלְכָּא, וְתָבַע דִּינָא. וְאַף עַל גַּב דְּקוּדְשָׁא ב״ה רָוִזים לֵיהּ לְדִינָא, כְּמָה דְּאַתְּ אָמֵר, כִּי אֲנִי יְיָ׳ אוֹהֵב מִשְׁפָּט. נָצַוז רְוִזימוּ דִּבְנוֹי, לִרְוִזימוּ דְּדִינָא. וּבְשַׁעֲתָא דְּסַנְטִירָא קָם לְמִטְעַן מִלִּין עָלַיְיהוּ, פָּקִיד לְמִתְקַע בְּשׁוֹפָר, בְּגִין לְאִתְעָרָא רַוְזמֵי מִתַּתָּא לְעֵילָּא, בְּהַהוּא שׁוֹפָר.

רט״ז. סַלְקָא הַהוּא קָלָא, כְּלִילָא בְּאֶשָּׁא וְרוּוָזא וּמַיָּא, וְאִתְעֲבֵיד מִנַּיְיהוּ קָלָא וַזדָא, וְאִתְעַר קָלָא אֻוזְרָא לְעֵילָּא, כַּד הַהוּא קָלָא אִתְעַר מֵעֵילָּא וּמִתַּתָּא, כְּדֵין כָּל טַעֲנוּת דְּקָא טָעִין הַהוּא מְקַטְרְגָא מִתְעַרְבְּבֵי.

רי״ז. בְּיוֹמָא דְּרֹאשׁ הַשָּׁנָה, נָפִיק יִצְוזָק בִּלְוזוֹדוֹי, וְקָרֵי לְעֵשָׂו, לְאַטְעֲמָא לֵיהּ תַּבְשִׁילִין דְּכָל עָלְמָא, כָּל וַזד כְּפוּם אוֹרְוזוֹי, דְּהָא בְּהַהִיא שַׁעֲתָא וַתִּכְהֶןָ עֵינָיו מֵרְאוֹת, דְּנָפִיק מִנֵּיהּ מַאן דְּאַוְזשָׁךְ אַפֵּי בִּרְיָין, וְאִתְפְּרַשׁ, וְשָׁכִיב עַל עַרְסֵיהּ דְּדִינָא, וְקָרֵי לְעֵשָׂו, וְאָמַר וְצוּדָה לִי צָיִדה וַעֲשֵׂה לִי מַטְעַמִּים וְהָבִיאָה לִי.

רי״ח. וְרִבְקָה אָמְרָה אֶל יַעֲקֹב בְּנָהּ, רְוִזימָא דְּנַפְשָׁהּ, בְּנָהּ רְוִזימָא דְּאִתְמְסַר לָהּ מִיּוֹמָא דְּאִתְבְּרֵי עָלְמָא. וּפְקִידַת לֵיהּ, לְאִתְעָרָא אִיהוּ בְּאִינּוּן מַטְעַמִּים דִּילֵיהּ. וְיַעֲקֹב אִתְעַר מִתַּתָּא, וּמִתְלַבַּשׁ בִּצְלוֹתִין וּבָעוּתִין, וְהַקּוֹל קוֹל יַעֲקֹב בְּהַהוּא שׁוֹפָר דְּקָא סָלִיק, וְאִתְעַר יַעֲקֹב לְגַבֵּיהּ, וְאִתְקְרִיב בַּהֲדֵיהּ, וַיַּגֶּשׁ לוֹ וַיֹּאכַל, וְאִתְכְּלִיל דָּא בְּדָא. כֵּיוָן דְּאִתְכְּלִיל בַּהֲדֵיהּ, וַיָּבֵא לוֹ יַיִן, דָּא יַיִן דִּמְנַטְּרָא, יַיִן דְּהוּא וַזִידוּ דְּלִבָּא, רָזָא דְּעָלְמָא דְּאָתֵי, כְּדֵין וַיָּרַוז אֶת רֵיַוז בְּגָדָיו, צְלוֹתִין דְּסַלְקִין וּבָעוּתִין. וַיְבָרְכֵהוּ, נַוז רוּגְזָא, וְוַזדֵי לִבָּא, וְכֹלָּא אִיהוּ רַוְזמֵי.

רי״ט. כֵּיוָן דְּאִיהוּ אִתְכְּלִיל בְּיַעֲקֹב, כָּל אִינּוּן וַזיְילִין וְתוּקְפִין וְרוּגְזִין דַּהֲווּ זְמִינִין, אִתְבַּדְּרוּ, וְלָא אִשְׁתְּכָוזוּ תַּמָּן. וְיִשְׂרָאֵל נָפְקִין מִן דִּינָא, בְּוֶזדְוָה וּבְבִרְכָאן. וַיְהִי אַךְ יָצֹא יָצָא יַעֲקֹב מֵאֵת פְּנֵי יִצְוזָק אָבִיו, בְּיוֹמָא דָּא, בְּוֶזדְוָה, וּבְבִרְכָאן עִלָּאִין, וְעֵשָׂו אָוִזיו בָּא מִצֵּידוֹ, טָעִין טוּעֲנֵי מֵעוֹבָדֵי דְּעָלְמָא, וַיַּעַשׂ גַּם הוּא מַטְעַמִּים, וַזדִיד לִישָּׁנֵיהּ לְמִטְעַן טַעֲנוּת. אַתְקִין סַהֲדֵי, וַיָּבֵא לְאָבִיו וַיֹּאמֶר יָקוּם אָבִי, יִתְעַר בְּדִינוֹי, וְיֹאכַל כַּמָּה עוֹבָדִין בִּישִׁין דְּכָל עָלְמָא דְּקָא אַשְׁכַּוזְנָא.

רכ. וַיֶּחֱרַד יִצְחָק חֲרָדָה גְּדוֹלָה עַד מְאֹד, דְּהָא לָא יָכִיל לְאִתְפָּרְשָׁא מִכְּלָלָא דְּיַעֲקֹב, דְּאִיהוּ בְּחֶדְוָה. וַיֹּאמֶר מִי אֵפוֹא הוּא הַצָּד צַיִד, בְּכַמָּה צְלוֹתִין וּבָעוּתִין, וָאֹכַל מִכֹּל בְּטֶרֶם תָּבֹא וָאֲבָרְכֵהוּ גַּם בָּרוּךְ יִהְיֶה. כִּשְׁמֹעַ עֵשָׂו אֶת דִּבְרֵי יִצְחָק אָבִיו וַיִּצְעַק צְעָקָה וְגוֹ'. דְּחָמֵי דְּהָא צֵידוֹ לָא הֲוָה כְּלוּם. עַד לְבָתַר דְּאָמַר לֵיהּ, הִנֵּה מִשְׁמַנֵּי הָאָרֶץ וְגוֹ' אִלֵּין תַּקִּיפִין וְאוּכְלוּסִין דִּשְׁאָר עַמִּין וְדָא קַשְׁיָא לֵיהּ מִכֹּלָּא. וַיִּשְׂטֹם עֵשָׂו אֶת יַעֲקֹב, לְמֵיזַל אֲבַתְרֵיהּ, וּלְקַטְרְגָא לֵיהּ תָּדִיר.

רכא. וְיַעֲקֹב אָזִיל בְּאִינּוּן יוֹמִין דְּבֵין ר"ה לְיוֹם הַכִּפּוּרִים, עָרִיק לְאִשְׁתְּזָבָא מִנֵּיהּ. תָּב בְּתִיּוּבְתָּא, שַׁוֵּי גַּרְמֵיהּ בְּתַעֲנִיתָא, עַד דְּאָתֵי יְ"הּ, כְּדֵין יָדְעֵי יִשְׂרָאֵל דְּעֵשָׂו בָּא, וְעִמּוֹ אַרְבַּע מֵאוֹת אִישׁ, כֻּלְּהוּ מְקַטְרְגֵי זְמִינִין לְקַטְרְגָא לוֹן, מִיָּד וַיִּירָא יַעֲקֹב מְאֹד וַיֵּצֶר לוֹ וְאַסְגֵּי בִּצְלוֹתִין וּבָעוּתִין. וַיֹּאמֶר יַעֲקֹב אֱלֹהֵי אָבִי אַבְרָהָם וֵאלֹהֵי אָבִי וְגוֹ'. עַד דְּנָטִיל עֵיטָא וְאָמַר, כִּי אָמַר אֲכַפְּרָה פָנָיו בַּמִּנְחָה הַהוֹלֶכֶת לְפָנָי וַיִּקַּח מִן הַבָּא בְיָדוֹ מִנְחָה וְגוֹ', עִזִּים מָאתַיִם וּתְיָשִׁים עֶשְׂרִים רְחֵלִים מָאתַיִם וְגוֹ'.

רכב. גְּמַלִּים וְגוֹ', כָּךְ הוּא סִטְרָא דִּילֵיהּ. גְּמַלִּים הוּא נָחָשׁ, כְּמִין גָּמָל, בְּשַׁעֲתָא דְּפַתֵּי סָמָא"ל לְאָדָם, אַרְכִּיב עַל נָחָשׁ כְּמִין גָּמָל. תָּנִינָן, מַאן דְּחָמֵי גָּמָל בְּחֶלְמֵיהּ, מִיתָה נִקְנְסָה עָלָיו מִלְמַעְלָה, וְאִשְׁתְּזִיב מִינָּהּ. וְכֹלָּא חַד.

רכג. וּכְדֵין, אַהְדַּר עֵשָׂו אַפִּטְרוֹפּוֹסָא דְּיַעֲקֹב, וְיַעֲקֹב לָא בָּעָא דּוּבְשֵׁיהּ וְעוּקְצֵיהּ. יַעֲבָר נָא אֲדֹנִי לִפְנֵי עַבְדּוֹ. כְּדֵין וַיָּשָׁב בַּיּוֹם הַהוּא עֵשָׂו לְדַרְכּוֹ. אֵימָתַי. בְּשַׁעַת נְעִילָה, דְּהָא אִתְפְּרַשׁ מֵעַמָּא קַדִּישָׁא. וְקוּדְשָׁא בְּרִיךְ הוּא שָׁבִיק לְחוֹבֵיהוֹן, וְכַפֵּר עָלַיְיהוּ. כֵּיוָן דְּהַהוּא מְקַטְרְגָא אָזִיל בְּהַהוּא דוֹרוֹנָא, וְאִתְפְּרַשׁ מִנַּיְיהוּ, בָּעֵי קוּדְשָׁא בְּרִיךְ הוּא לְמֶחְדֵּי בִּבְנוֹי, מַה כְּתִיב, וְיַעֲקֹב נָסַע סֻכֹּתָה וַיִּבֶן לוֹ בָּיִת וְגוֹ'. עַל כֵּן קָרָא שֵׁם הַמָּקוֹם סוּכּוֹת, כֵּיוָן דְּיָתְבֵי בַּסֻּכּוֹת, הָא אִשְׁתְּזִיבוּ מִן מְקַטְרְגָא, וְקוּדְשָׁא בְּרִיךְ הוּא חַדֵּי בִּבְנוֹי. זַכָּאָה חוּלָקֵיהוֹן בְּהַאי עָלְמָא וּבְעָלְמָא דְּאָתֵי. (ע"כ רעיא מהימנא)

רכד. ת"ח, בְּהַאי יוֹמָא אִתְכַּסְּיָא סִיהֲרָא, וְלָא נָהִיר עַד בְּעָשׂוֹר לַחֹדֶשׁ, דְּיִשְׂרָאֵל תַּיְיבִין כֻּלְּהוּ בְּתִיּוּבְתָּא שְׁלִימְתָא, וְאִימָּא עִלָּאָה תָּאֲבַת וְנָהֲרַת לָהּ. וְהַאי יוֹמָא נְהִירוּ דְּאִימָּא נַטְלָא, וְאִשְׁתַּכַּח חֶדְוָה בְּכֹלָּא. וְעַל דָּא כְּתִיב, יוֹם הַכִּפּוּרִים הוּא. יוֹם כִּפּוּר מִבָּעֵי לֵיהּ, מַאן יוֹם הַכִּפּוּרִים. אֶלָּא בְּגִין דִּתְרֵי נְהוֹרִין נָהֲרִין כַּחֲדָא. בּוּצִינָא עִלָּאָה, נָהִיר לְבוּצִינָא תַּתָּאָה. וּבְהַאי יוֹמָא מִנְּהוֹרָא עִלָּאָה נָהִיר. וְלָא מִנְּהוֹרָא דְּשִׁמְשָׁא וּבג"כ בַּכֶּסֶה לְיוֹם חַגֵּנוּ כְּתִיב.

רכה. ר' אַבָּא שָׁלַח לֵיהּ לר"ש, אָמַר, אֵימָתַי זִוּוּגָא דִּכְנֶסֶת יִשְׂרָאֵל בְּמַלְכָּא קַדִּישָׁא. שָׁלַח לֵיהּ, וְגַם אָמְנָה אֲחֹתִי בַת אָבִי הִיא אַךְ לֹא בַת אִמִּי וַתְּהִי לִי לְאִשָּׁה. אִתְרְגִישׁ ר' אַבָּא, אָרִים קָלֵיהּ, בָּכָה וְאָמַר, ר' ר' בּוּצִינָא קַדִּישָׁא, וַוי, וַוי לְעָלְמָא כַּד תִּפּוּק מִנֵּיהּ, וַוי לְדָרָא דִּיהוֹן בְּעָלְמָא כַּד תִּסְתַּלֵּק מִנְּהוֹן וְיִשְׁתָּאֲרוּן יַתְמִין מִנָּךְ. א"ל רַבִּי חִיָּיא לְרַבִּי אַבָּא, הַאי דְּשָׁלַח לָקֳבְלָךְ. מַאי קָאָמַר.

רכו. אָמַר וַדַּאי לָאו זִוּוּגָא דְּמַלְכָּא בְּמַטְרוֹנִיתָא, אֶלָּא בְּזִמְנָא דְּנַהֲרָא מֵאַבָּא עִלָּאָה, וְכַד אִתְנְהָרָא מִנֵּיהּ, קָרֵינָן לָהּ קֹדֶשׁ דְּהָא מִבֵּי אַבָּא נַטְלָה הַאי. וּכְדֵין מִזְדַּוְּוגֵי כַּחֲדָא, בְּגִין דְּמַלְכָּא קֹדֶשׁ אִקְרֵי, דִּכְתִיב קֹדֶשׁ יִשְׂרָאֵל לַיְיָ, דְּנָטִיל מֵאֲתַר דְּאִקְרֵי קֹדֶשׁ. כְּדֵין אֲחוֹתִי בַת אָבִי הִיא אַךְ לֹא בַת אִמִּי, דְּהָא מִבֵּי אַבָּא שְׁמָא דָּא, וְלָא מִבֵּי אִימָּא, וְעַל דָּא וַתְּהִי לִי לְאִשָּׁה, לְאִזְדַּוְּוגָא כַּחֲדָא, בְּזִמְנָא דָּא, וְלָא בְּזִמְנָא אָחֳרָא, בְּזִמְנָא דְּנַטְלָא מִבֵּי אַבָּא,

וְלָא בִּזְמְנָא דְּנַטְלָא מִבֵּי אִימָא. וְיוֹם הַכִּפּוּרִים אוּכָּם, דְּתַשְׁמִישׁ הַמִּטָּה אָסוּר, בְּגִין דְּזִוּוּגָא לָא אִשְׁתְּכַח, דְּהָא מִבֵּי אִימָא נַטְלָא, וְלָא מִבֵּי אַבָּא. אָמַר רִבִּי חִיָּיא, וַדַּאי זַכָּאָה דָּרָא דר"ש שָׁארֵי בְּגַוֵּיהּ, זַכָּאִין אִינּוּן דְּקַיְּימִין קַמֵּיהּ כָּל יוֹמָא.

רכז/א. אָמַר רִבִּי אַבָּא, בְּרֹאשׁ הַשָּׁנָה נִבְרָא אָדָם, וְקָאִים בְּדִינָא קַמֵּי מָארֵיהּ, וְתָב בִּתְיוּבְתָּא, וְקַבִּיל לֵיהּ קב"ה. א"ל, אָדָם, אַנְתְּ תְּהֵא סִימָנָא לִבְנָיךְ לְדָרֵי דָּרִין, בְּהַאי יוֹמָא קַיְּימִין בְּדִינָא, וְאִי יְתוּבוּן אֲנָא אֲקַבֵּל לוֹן, וְאֵיקוּם מִכּוּרְסְיָּיא דְּדִינָא, וְאֶתְקַיֵּים עַל כּוּרְסְיָּיא דְּרַחֲמֵי, וַאֲרַחֵם עֲלַיְיהוּ. וְדָוִד אָמַר, אָהַבְתִּי כִּי יִשְׁמַע יְיָ' אֶת קוֹלִי תַּחֲנוּנָי. וְעַל דָּא כְּתִיב, כִּי עִמְּךָ הַסְּלִיחָה לְמַעַן תִּוָּרֵא. וּכְתִיב, כִּי עִמְּךָ מְקוֹר חַיִּים בְּאוֹרְךָ נִרְאֶה אוֹר.

רעיא מהימנא

רכז/ב. פִּקּוּדָא דָּא, לְאִתְעַנָּאָה בְּיוֹמָא דְכִפּוּרֵי, לְאַכְנְעָא גּוּפָא וְנַפְשָׁא, בְּרָזָא דְּחַמְשָׁה עִנּוּיִין, דְּחַמְשָׁה דַּרְגִּין דְּיוֹמָא דְכִפּוּרֵי. דְּהָא מְקַטְרְגָא קָא אָתֵי לְאַדְכָּרָא חוֹבֵיהוֹן, כְּמָה דְּאִתְּמַר. וְכֻלְּהוּ בִּתְיוּבְתָּא שְׁלֵימָתָא קַמֵּי אֲבוּהוֹן. כֹּלָּא, כְּמָה דְּאִתְּמַר בְּכַמָּה דוּכְתֵּי. (ע"כ רעיא מהימנא).

רכח. אַךְ בֶּעָשׂוֹר לַחֹדֶשׁ הַשְּׁבִיעִי הַזֶּה יוֹם הַכִּפּוּרִים הוּא מִקְרָא קֹדֶשׁ יִהְיֶה לָכֶם. ר' חִיָּיא פָּתַח, לְדָוִד מַשְׂכִּיל אַשְׁרֵי נְשׂוּי פֶּשַׁע כְּסוּי חֲטָאָה. לְדָוִד מַשְׂכִּיל, הָא תָּנֵינָן בִּי' זִינֵי זִמְרָא אִתְקְרֵי סֵפֶר תְּהִלִּים, בְּנִצּוּחַ, בְּנִגּוּן, בְּמַשְׂכִּיל, בְּמִכְתָּם, בְּמִזְמוֹר, בְּשִׁיר, בְּאַשְׁרֵי, בִּתְפִלָּה, בְּהוֹדָאָה, בְּהַלְלוּיָהּ, וְעִלָּאָה מִכֻּלְּהוּ הַלְלוּיָהּ, וְהָא אוּקְמוּהָ.

רכט. הָכָא מַשְׂכִּיל, אַתְרֵיהּ יְדִיעַ, מַהוּ מַשְׂכִּיל, מַיָּא דְּאַחְכִּימוּ לְאִינּוּן דְּשָׁתוּ לְהוּ, הַהוּא אֲתַר דְּאִקְרֵי מַשְׂכִּיל, כד"א, מַשְׂכִּיל עַל דָּבָר יִמְצָא טוֹב. וּבְגִין דְּאִקְרֵי הָכֵי, תַּלְיָא בֵּיהּ סְלִיחָה, וְחֵירוּ דְּחֵירִין. הה"ד אַשְׁרֵי נְשׂוּי פֶּשַׁע כְּסוּי חֲטָאָה.

רל. מַאי כְּסוּי חֲטָאָה. הָא אוּקְמוּהָ, דְּהוּא כְּסוּי מִבְּנֵי נָשָׁא, הַהוּא חֲטָאָה דְּחָב לְקֻבְ"ה, וְאוֹדֵי קַמֵּי קב"ה. אֲבָל ת"ח, כַּד בַּר נָשׁ חָטֵי, וְחָב זִמְנָא חֲדָא, וּתְרֵין וּתְלָתָא, וְלָא אַהֲדָר בֵּיהּ, הָא חוֹבוֹי בְּאִתְגַּלְיָא אִינּוּן וּמְפַרְסְמֵי לוֹן לְעֵילָּא, וּמְפַרְסְמֵי לוֹן לְתַתָּא. וְכָרוֹזֵי אָזְלִין קַמֵּיהּ וּמַכְרְזֵי, אִסְתַּלְּקוּ מִסְּחֲרָנֵיהּ דִּפְלַנְיָא, נָזִיף הוּא מִמָּארֵיהּ, נָזִיף הוּא לְעֵילָּא, נָזִיף הוּא לְתַתָּא, וַוי לֵיהּ דְּפָגִים דְּיוּקְנָא דְּמָארֵיהּ, וַוי לֵיהּ דְּלָא חָיֵישׁ לִיקָרָא דְּמָארֵיהּ, קב"ה גַּלֵּי חוֹבֵיהּ לְעֵילָּא, הה"ד, יְגַלּוּ שָׁמַיִם עֲוֹנוֹ וְאֶרֶץ מִתְקוֹמָמָה לוֹ. וְכַד בַּר נָשׁ אָזִיל בְּאוֹרְחָא דְּמָארֵיהּ, וְאִשְׁתַּדַּל בְּפוּלְחָנֵיהּ, וְאִזְדַּמַּן לֵיהּ חֲטָאָה חַד, כֹּלָּא מְכַסִּין עֲלוֹיֵיהּ, עִלָּאִין וְתַתָּאִין, דָּא אִקְרֵי כְּסוּי חֲטָאָה.

רלא. א"ל ר' אַבָּא, עַד כְּעַן לָא מָטִית לְעִקָּרָא דְּמִלָּה. וְשַׁפִּיר קָאַמְרַתְּ. וְהַאי דְּקָאָמְרוּ חַבְרַיָּיא שַׁפִּיר. אֲבָל אִי הָכֵי, מְכוּסֶּה חֲטָאָה מִבָּעֵי לֵיהּ, מַהוּ כְּסוּי חֲטָאָה.

רלב. אֶלָּא תְּרֵי מִלֵּי דְּחָכְמְתָא אִית בֵּיהּ, וְתַרְוַוְיְיהוּ הָכִי. חַד כְּמָה דְּתָנֵינָן, דְּעוֹבָדִין טָבִין דְּבַר נָשׁ עָבֵיד בְּהַאי עָלְמָא, עָבְדִין לֵיהּ בְּהַהוּא עָלְמָא לְבוּשָׁא יַקִּירָא עִלָּאָה, לְאִתְלַבְּשָׁא בְּהוּ. וְכַד ב"נ אַתְקִין עוֹבָדִין טָבִין, וְגַבְרִין עָלֵיהּ עוֹבָדִין בִּישִׁין, וְאַשְׁגַּח בֵּיהּ קב"ה, וְעוֹבָדוֹי בִּישִׁין סַגִּיאִין, וְאִיהוּ רָשָׁע, דְּאִשְׁתְּכַח חֲטָאָה קַמֵּי מָארֵיהּ, וְתוֹהֵא עַל אִינּוּן טָבָאן דַּעֲבַד בְּקַדְמֵיתָא, הָא אִתְאֲבִיד הוּא מִכֹּלָּא, מֵהַאי עָלְמָא, וּמֵעָלְמָא דְּאָתֵי. מָה עָבֵיד קב"ה מֵאִינּוּן טָבָאן דַּעֲבֵיד הַאי חֲטָאָה בְּקַדְמֵיתָא.

רלג. אֶלָּא קב"ה, אַף ע"ג דְּהַהוּא רָשָׁע חֲטָאָה אִתְאֲבִיד. אִינּוּן טָבָאן וְזַכְיָין לָא

אתאבידו. אית צדיק דאזיל בארחוי דמלכא עלאה, ואתקין לבושוי מעובדוי, ועד לא אשלים לבושוי, אסתלק. קב"ה אשלים ליה, מאינון עובדין דעבד האי רשע וחטאה, ואשלים לבושוי, לאתתקנא בהו בההוא עלמא, הה"ד, יכין וצדיק ילבש. ההוא חטאה אתקין, וצדיק אתחפי ממה דאיהו תקין הה"ד כסוי חטאה, ועל דא לא כתיב מכוסה, אלא כסוי.

רלד. ווה, דאתחפי ההוא חטאה דהאי זכאה, באינון דאקרון מצולות ים, דהא מאן דנפיל במצולות ים, לא אשתכח לעלמין בגין דמיין חפין עלייהו. כמה דאת אמר, ותשליך במצולות ים כל חטאתם. מאן מצולות ים. אלא רזא יקירא הוא, והא אוקמיה ר' שמעון, ואמר, כל אינון דאתו מסטרא תקיפא, ואתאחדו בזינין בישין, בכתרין תתאין, כגון עזאזל ביומא דכפורי, דא אקרי מצולות ים. כזפטא דכספא, כד בחנין ליה בנורא, הדא הוא דכתיב הגו סיגים מכסף.

רלה. כך האי, מאינון מצולות ים הוא, ומצולות ים אקרי, מצולות מההוא ים קדישא, מצולות, זוהמא דכספא. ועל דא, כל אינון חטאין דישראל שריין לגויה, והוא קביל לון, וישתאבון בגויה. מאי טעמא. בגין דאיהו חטאה אקרי. מאי חטאה. גרעונא. ועל דא הוא גרעונא דכלא, ונטל גרעונא דגופא ודנפשא. בהאי יומא נחית האי מצולות ים, זוהמא דנפשא, ונטיל זוהמא דגופא. מאן הוא זוהמא דגופא. דא אינון חובין דאתעבידו על ידי דיצר הרע, דאקרי מזוהם מנוול.

רלו. אמר רבי יוסי, תנן ונתן אהרן על שני השעירים גורלות, אי הכי יקרא הוא דעזאזל, וחמיתון עבדא דשדי עדבין במאריה, אורחוי דעלמא דעבדא לא נטל אלא מה דיהיב ליה מאריה. אבל, בגין דסמא"ל זמין האי יומא בדלטורא, ובגין דלא יהא ליה פטרא יהבין ליה חולקא בהאי.

רלז. והאי עדבא מגרמיה הוא דסליק ביה, דאמר רבי יהודה אמר ר' יצחק, מלה עלאה אשכחנא בעדבא. עדבא דיהושע, כתיב ביה, על פי הגורל, על פי הגורל ודאי, דאיהו אמר דא חולקא דיהודה, דא דבנימין וכו', וכן כלהו. אוף הכא, כיון דכהנא שוי ידוי, אינון עדבין מדלגי וסלקין בידא דכהנא, ושארן באתרייהו. הדא הוא דכתיב, והשעיר אשר עלה עליו הגורל, עלה עליו ודאי.

רלח. ולא דא בלחודוי, אלא בכל זמנא דדלטורא זמין, ואתייהיב ליה רשותא, בעינן לשואה לקבליה במה דיתעסק, ושביק לון לישראל. בהאי יומא דלטורא זמין לאכלא ארעא. הה"ד ויאמר יי' אל השטן מאין תבא. והא תנינן, משוט בארץ, מאי הוא. אלא האי הוא דלטורא רבא מקטרגא דישראל.

רלט. והא אתערו חבריא, בההיא שעתא דהוו זמינין ישראל למעבר ימא, ולאתפרעא ממצראי, אמר, אנא אעברנא בארעא קדישא, וחמינא דלא אתחזון אלין למיעל, בגוה, אי אנת דאין דינא, דינייהו הכא כמצראי, מה שניין אלין מאלין, או ימותון כלהו כחדא, או יהדרון כלהו למצרים. ולאו אנת הוא דאמרת, ועבדום וענו אותם ד' מאות שנה, והא לא סליקו משעבודא אלא רד"ו, ולא יתיר.

רמ. אמר קב"ה, מאי אעביד, אשתדלותא בעיא הכא, לאייתאה קרבא לקבליה, יהיבנא ליה במה דיתעסק, וישבוק בהו לבני, והא אשתכח במאן דיתעסק, מיד אמר

לֵיהּ, הֲשַׂמְתָּ לִבְּךָ אֶל עַבְדִּי אִיּוֹב כִּי אֵין כָּמוֹהוּ בָּאָרֶץ. מִיָּד פָּלֵג לֵיהּ דַּלְטוּרָא בְּמִלִּין, וַיַּעַן הַשָּׂטָן אֶת יְיָ' וַיֹּאמַר הַחִנָּם יָרֵא אִיּוֹב אֱלֹהִים.

רמא. לְרַעְיָא דְּבָעֵי לְאַעְבְּרָא עָאנֵיהּ בְּחַד נַהֲרָא, אַעְבָּר זְאֵבָא לְקַטְרְגָא לֵיהּ בְּעָאנֵיהּ, רַעְיָא הֲוָה חַכִּים, אָמַר מַאי אַעְבִּיד, דִּבְעוֹד דַּאֲנָא אַעְבָּר לְטַלְיָיא, יְקַטְרֵג הוּא בְּעָאנֵי. זָקַף עֵינוֹי, וְחָמָא בֵּין עָאנָא, חַד תַּיְישָׁא מֵאִלֵּין תַּיְישֵׁי בָּרָא, דַּהֲוָה רַב וְתַקִּיף. אָמַר, אַשְׁדֵּי דָּא לְקָבְלֵיהּ, וּבְעוֹד דְּמִקַטְרְגֵי דָּא בְּדָא, אַעְבָּר לְכָל עָאנָא, וְיִשְׁתֵּזְבוּן מִנֵּיהּ.

רמב. כַּךְ קוּדְשָׁא בְּרִיךְ הוּא. אָמַר, וַדַּאי הָא תַּיְישָׁא חַד רַב וְתַקִּיף וְאַלִּים, אַשְׁדֵּי לְקָבְלֵיהּ, וּבְעוֹד דְּהוּא יִשְׁתַּדַּל בֵּיהּ, יַעַבְרוּן בָּנַי, וְלָא יִשְׁתְּכַח קַטֵיגוֹרָא לְגַבַּיְיהוּ. מִיָּד, וַיֹּאמֶר יְיָ' אֶל הַשָּׂטָן הַשַׂמְתָּ לִבְּךָ. עַד דְּקֻבְּ"ה זִוֵּוג לְהוּ כַּחֲדָא, דִּכְתִּיב הִנּוֹ בְיָדֶךָ. בְּעוֹד דְּהוּא אִשְׁתָּדַּל בֵּיהּ, שָׁבִיק לוֹן לְיִשְׂרָאֵל, וְלָא אִשְׁתְּכַח קַטֵיגוֹרָא לְגַבַּיְיהוּ.

רמג. אוּף הָכִי בְּהַאי יוֹמָא, דִּלְטוּרָא זַמִּין לְאַלְּלָא אַרְעָא, וּבָעֵינָא לְשַׁדְּרָא לְקָבְלֵיהּ בְּמָה דְּיִתְעֲסַק, וּבְעוֹד דְּאִיהוּ אִשְׁתָּדַּל בֵּיהּ, שָׁבִיק לוֹן לְיִשְׂרָאֵל. וּמַתְלָא אַמְרֵי לְזַלְזוּלָא דְּבֵי מַלְכָּא, הַב לֵיהּ זְעֵיר חַמְרָא, וִישַׁבַּח קַמֵּי מַלְכָּא. וְאִי לָאו יֵימָא לְמַלְכָּא מִלָּה בִּישָׁא. לִזְמְנִין נַטְלִין לָהּ לְהַהִיא מִלָּה, עָלָאֵי דְּבֵי מַלְכָּא, וּמַלְכָּא עָבִיד דִּינָא בְּגִינֵיהּ.

רמד. רִבִּי יִצְחָק אָמַר, לְשַׁטְיָא דְּקָאִים קָמֵי מַלְכָּא, הַב לֵיהּ חַמְרָא, וּלְבָתַר אֵימָא לֵיהּ, וְאַחְזֵי לֵיהּ, כָּל אִינּוּן טַעֲוָון דַּעֲבַדְתְּ, וְכָל אִינּוּן בִּישִׁין, וְהוּא יֵיתֵי וִישַׁבְּחָךְ, וְיֵימָא דְּלָא יִשְׁתְּכַח בְּעָלְמָא כְּוָותָךְ. אוּף הָכָא, הָא קָאִים דַּלְטוּרָא תָּדִיר קַמֵּי מַלְכָּא, יִשְׂרָאֵל יַהֲבִין לֵיהּ הַאי דוֹרוֹן, וּבְהַאי דוֹרוֹן פִּתְקָא, לְכָל בִּישִׁין, וּלְכָל טַעֲוָון, וּלְכָל חוֹבִין דְּעַבְדוּ יִשְׂרָאֵל, וְהוּא אָתֵי וּמְשַׁבַּח לְהוּ לְיִשְׂרָאֵל, וְאִתְעֲבֵיד סַנֵּיגוֹרָא עֲלַיְיהוּ, וְקֻבְּ"ה אַהֲדָר כֹּלָּא לְרֵישָׁא דְּבִישֵׁי דְּעַמֵּיהּ, בְּגִין דִּכְתִּיב כִּי גֶחָלִים אַתָּה חוֹתֶה עַל רֹאשׁוֹ.

רמה. א"ר יוֹסֵי, וַוי לוֹן לְעַמָּא דְּעֵשָׂו, בְּשַׁעֲתָא דְּהַאי שָׂעִיר מְשַׁדְּרֵי לְהַהוּא דַּלְטוּרָא מְמָנָא דַּעֲלַיְיהוּ, דִּבְגִינֵיהּ אָתֵי לְשַׁבְּחָא לוֹן לְיִשְׂרָאֵל, וְקֻבְּ"ה אַהֲדָר כָּל אִינּוּן חוֹבִין לְרֵישָׁא דְּעַמֵּיהּ, בְּגִין דִּכְתִּיב דּוֹבֵר שְׁקָרִים לֹא יִכּוֹן לְנֶגֶד עֵינָי. א"ר יְהוּדָה, אִלְמָלֵי הֲווּ יַדְעֵי אוּמּוֹת הָעוֹלָם מֵהַאי שָׂעִיר, לָא שַׁבְקִין לוֹן לְיִשְׂרָאֵל, יוֹמָא חַד בְּעָלְמָא.

רמו. תָּא חֲזֵי, כָּל הַהוּא יוֹמָא מִשְׁתַּדַּל אִיהוּ בְּהַהוּא שָׂעִיר, וּבְגִ"כ קֻבְּ"ה מְכַפֵּר לְהוּ לְיִשְׂרָאֵל, וְדָכֵי לוֹן מִכֹּלָּא, וְלָא אִשְׁתְּכַח קַטֵיגוֹרְיָא קַמֵּיהּ. לְבָתַר, הוּא אָתֵי וּמְשַׁבַּח לְהוּ לְיִשְׂרָאֵל. וּכְדֵין שָׁאִיל לֵיהּ, כד"א, וַיֹּאמֶר יְיָ' אֶל הַשָּׂטָן מֵאַיִן תָּבֹא, אָתִיב בְּתוּשְׁבַּחְתַּיְיהוּ דְּיִשְׂרָאֵל, וְקַטֵיגוֹרָא אִתְעֲבֵיד סַנֵּיגוֹרָא וְאָזִיל לֵיהּ.רמז. כְּדֵין קֻבְּ"ה אָמַר לְשַׁבְעִין שָׂרִין דְּסַחֲרִין כּוּרְסְיָיא, חֲמִיתוּן הַאי דַּלְטוּרָא, הֵיאַךְ קָאִים עַל בָּנַי תָּדִיר, הָא שְׂעִירָא וַחֲדָא דְּאִשְׁתְּכַח גַּבֵּיהּ, בְּפִתְקָא דְּכָל חוֹבַיְיהוּ וְכָל טָעֲוָתַיְיהוּ, וְכָל מַה דְּחָטוּ וְחָבוּ קַמָּאי, וְהוּא קַבִּיל לוֹן. כְּדֵין אִסְתְּכָמוּ כֻּלְּהוּ, דְּיִתַּהַדְרוּן אִינּוּן חוֹבִין עַל עַמֵּיהּ.

רמח. ר' אַבָּא אָמַר, כָּל אִינּוּן חוֹבִין וְחַטָּאִין מִתְדַּבְּקִין בֵּיהּ, כְּמָה דִּכְתִּיב, וְתַשְׁלִיךְ בִּמְצוּלוֹת יָם כָּל חַטֹּאתָם. וּלְבָתַר, כֻּלְּהוּ מִתְהַדְּרָן בְּרֵישַׁיְיהוּ דְּעַמֵּיהּ, הה"ד וְנָשָׂא הַשָּׂעִיר עָלָיו אֶת כָּל עֲוֹנוֹתָם אֶל אֶרֶץ גְּזֵרָה. בְּהַאי יוֹמָא מִתְעַטַּר כַּהֲנָא בְּעִטְרִין עִלָּאִין, וְהוּא קָאִים בֵּין עִלָּאֵי וְתַתָּאֵי, וּמְכַפֵּר עָלֵיהּ וְעַל בֵּיתֵיהּ, וְעַל כַּהֲנֵי, וְעַל מַקְדְּשָׁא, וְעַל יִשְׂרָאֵל כֻּלְּהוּ.

רמט. תָּאנָא, בְּשַׁעֲתָא דְּעָאל בִּדְמָא דְּפָר, מְכַוֵּין בְּרֵישָׁא דִּמְהֵימְנוּתָא וְאַדֵּי

בְּאֶצְבְּעֵיהּ, כְּמָה דִּכְתִיב, וְהִזָּה אוֹתוֹ עַל הַכַּפֹּרֶת וְלִפְנֵי הַכַּפֹּרֶת וְהֵיךְ עָבִיד. בָּסִים בְּקִפְטָא דְּאֶצְבְּעָא, וְאַדֵּי כְּמַצְלִיף, בְּטִיפִין דְּאֶצְבְּעָא, לִסְטְרֵי קַפְּתוֹרָא, אַדֵּי וְאִתְכְּוַּון, וְשָׁארֵי לְמִמְנֵי אַחַת, אַחַת וְאַחַת. אַחַת בִּלְחוֹדָהָא, אַחַת דִּכְלִיל כֹּלָּא, אַחַת שְׁבָחָא דְּכֹלָּא, אַחַת דְּכֹלָּא אַהַדְרָן לְקִבְלָהּ, אַחַת רֵישָׁא דְּכֹלָּא. לְבָתַר אַחַת וְאַחַת, דְּאִינּוּן שָׁרְיָין כַּחֲדָא, בִּרְעוּתָא בְּאַחֲוָותָא, וְלָא מִתְפָּרְשָׁן לְעָלְמִין.

רנ. בָּתַר דְּמָטָא לְהַאי וְאַחַת, דְּהִיא אִימָּא דְּכֹלָּא. מִכָּאן שָׁארֵי לְמִמְנֵי בְּזִוּוּגָא, וּמָנֵי וְאָמַר, אַחַת וּשְׁתַּיִם. אַחַת וְשָׁלֹשׁ. אַחַת וְאַרְבַּע. אַחַת וְחָמֵשׁ. אַחַת וָשֵׁשׁ. אַחַת וָשֶׁבַע. בְּגִין לְאַמְשָׁכָא וּלְנַגְדָּא לְהַאי אַחַת, דְּהִיא אִימָּא עִלָּאָה, בְּדַרְגִּין יְדִיעָן, לְכִתְרָא דְּאִימָּא תַּתָּאָה. וּלְאַמְשָׁכָא נַהֲרִין עֲמִיקִין מֵאַתְרַיְיהוּ לכ"י. וְע"ד, יוֹמָא דָּא תְּרֵין נְהוֹרִין נַהֲרִין כַּחֲדָא, אִימָּא עִלָּאָה נַהֲרָא לְאִימָּא תַּתָּאָה. וְעַל דָּא כְּתִיב יה"כ, כְּמָה דְּאִתְּמַר.

רנא. א"ר יִצְחָק קִסְטְרָא וַחֲדָא קְשִׁירָא בְּרַגְלוֹי דְּכַהֲנָא, בְּשַׁעְתָּא דַּהֲוָה עָאל, דְּאִי יָמוּת הָתָם, יַפְּקוּהוּ מִלְּבַר. וּבְמָּה יָדְעֵי. בְּהַהוּא זְהוֹרִיתָא אִתְיְידַע וְאִשְׁתְּמוֹדַע, כַּד לָא יְהַפֵּךְ גַּוְונוֹי. בְּהַהִיא שַׁעְתָּא אִשְׁתְּמוֹדַע, דְּכַהֲנָא אִשְׁתְּכַח לְגוֹ בְּחַטָאָה. וְאִי יִפּוּק בִּשְׁלָם, בִּזְהוֹרִיתָא אִתְיְידַע וְאִשְׁתְּמוֹדַע, דְּיִתְהַפַּךְ גַּוְונוֹי לְחִוָּור. כְּדֵין חֶדְוָותָא הִיא בְּעִלָּאֵי וְתַתָּאֵי. וְאִי לָאו כֻּלְּהוּ אִשְׁתְּכָחוּ בְּצַעֲרָא, וַהֲווּ יָדְעֵי כֹּלָּא, דְּלָא אִתְקַבָּלוּ צְלוֹתְהוֹן.

רנב. אָמַר רַבִּי יְהוּדָה, כֵּיוָן דַּהֲוָה עָאל, וְטָמִים עֵינוֹי דְּלָא לְאִסְתַּכְּלָא בְּמָּה דְּלָא אִצְטְרִיךְ, וַהֲוָה שָׁמַע קָל גַּדְפֵּי כְּרוּבַיָּיא מְזַמְּרֵי וּמְשַׁבְּחֵי. הֲוָה יָדַע כַּהֲנָא, דְּכֹלָּא הֲוָה בְּחֶדְוָה, וְיִפּוּק בִּשְׁלָם. וְעִם כָּל דָּא בִּצְלוֹתֵיהּ הֲוָה יָדַע, דְּמִלִּין נָפְקִין בְּחֶדְוָותָא, וּמִתְקַבְּלָן וּמִתְבָּרְכָן כַּדְקָא יָאוּת, וּכְדֵין וְחֶדְוָותָא הִיא בְּעִלָּאֵי וְתַתָּאֵי.

רנג. רַבִּי אֶלְעָזָר שָׁאַל לר"ש אֲבוֹי, א"ל, הַאי יוֹמָא אֲמַאי הוּא בְּהַאי אֲתָר תָּלֵי, וְלָא בְּדַרְגָּא אָחֳרָא, דְּיָאוּת הוּא לְמֶהֱוֵי בְּדַרְגָּא דְּמַלְכָּא שָׁארֵי, יַתִּיר מִכֹּלָּא. אָמַר לֵיהּ ר' שִׁמְעוֹן אֶלְעָזָר בְּרִי, הָכִי הוּא וַדַּאי, וְיָאוּת שָׁאַלְתְּ.

רנד. ת"ח, מַלְכָּא קַדִּישָׁא, שָׁבִיק הֵיכָלֵיהּ וּבֵיתֵיהּ בִּידָא דְּמַטְרוֹנִיתָא, וְשָׁבַק לִבְנוֹי עִמָּהּ, בְּגִין לְדַבְּרָא לוֹן, וּלְאַלְקָאָה לוֹן, וּלְמִשְׁרֵי בְּגַוַויְיהוּ. דְּאִי זַכָּאן מַטְרוֹנִיתָא עָאלַת בְּחֶדְוָותָא בִּיקָרָא לְגַבֵּי מַלְכָּא. וְאִי לָא זַכָּאן, הִיא וְאִינּוּן, אִתְהַדָּרוּ בְּגָלוּתָא. וְהָא אוּקִימְנָא, כְּמָה דִּכְתִיב, מְשַׁדֶּד אָב יַבְרִיחַ אֵם. וּכְתִיב, וּבְפִשְׁעֵיכֶם שֻׁלְּחָה אִמְּכֶם.

רנה. וְעַל דָּא אִית יוֹמָא חַד בְּשַׁתָּא, לְאַשְׁגָּחָא בְּהוּ, וּלְעַיְּינָא בְּהוּ. וְכַד אִזְדְּמַן הַאי יוֹמָא, אִימָּא עִלָּאָה דְּכָל חֵירוּ בִּידָהָא, אִזְדְּמַן לְקַבְלֵיהּ, לְאִסְתַּכְּלָא בְּהוּ בְּיִשְׂרָאֵל. וְיִשְׂרָאֵל אִזְדָּרְזוּ בְּהַאי יוֹמָא, בְּכַמָּה פּוּלְחָנִין, בְּכַמָּה צְלוֹתִין, בְּכַמָּה עִנּוּיִין, כֻּלְּהוּ בִּזְכוּתָא. כְּדֵין אִזְדְּמַן לְהוּ חֵירוּ, מֵאֲתַר דְּכָל חֵירוּ בִּידָהָא דְּמַטְרוֹנִיתָא. בְּנֵי מַלְכָּא בְּנָהָא, דְּאִתְפַּקְדָן בִּידָהָא, כֻּלְּהוּ זַכָּאִין, כֻּלְּהוּ בְּלָא חַטָאן, בְּלָא חוֹבִין, כְּדֵין אִזְדַּוְּוגַת לְגַבֵּי מַלְכָּא, בִּנְהִירוּ, בְּחֶדְוָה, בִּשְׁלִימוּ, בִּרְעוּתָא. דְּהָא רַבִּיאַת בְּנִין לְמַלְכָּא עִלָּאָה כַּדְקָא יָאוּת.

רנו. וְכַד הַאי יוֹמָא לָא אִשְׁתְּכָחוּ כַּדְקָא יָאוּת, וַוי לוֹן, וַוי לִשְׁלוּחֵיהוֹן, וַוי דְּהָא מַטְרוֹנִיתָא אִתְרַחֲקַת מִן מַלְכָּא, וְאִימָּא עִלָּאָה אִסְתַּלָּקַת, וְלָא נָפִיק מִנָּהּ חֵירוּ לְעָלְמִין. זַכָּאִין אִינּוּן יִשְׂרָאֵל, דְּקוּדְשָׁא בְּרִיךְ הוּא אוֹלִיף לוֹן אוֹרְחוֹי, בְּגִין לְאִשְׁתְּזָבָא מִן דִּינָא, וְיִשְׁתַּכְּחוּן זַכָּאִין קַמֵּיהּ. הה"ד, כִּי בַיּוֹם הַזֶּה יְכַפֵּר עֲלֵיכֶם לְטַהֵר אֶתְכֶם. וּכְתִיב, וְזָרַקְתִּי עֲלֵיכֶם מַיִם טְהוֹרִים וּטְהַרְתֶּם מִכֹּל טֻמְאוֹתֵיכֶם וְגוֹ'.

רנז. וּבַחֲמִשָּׁה עָשָׂר יוֹם לַחֹדֶשׁ הַשְּׁבִיעִי וְגוֹ׳. ר׳ יוֹסֵי שָׁאַל לְרִבִּי אַבָּא, א״ל, הָנֵי חֲמִשָּׁה עָשָׂר יוֹם, מַאי קָא מַיְירֵי. א״ל, וַדַּאי רָזָא יַקִּירָא הוּא. ת״ח, בֵּין לְעֵילָּא בֵּין לְתַתָּא, כָּל חַד וְחַד, בְּאָרְחֵיהּ נַטְלָא. וּבְאָרְחֵיהּ יָתְבָא, וּבְאָרְחֵיהּ אִתְּעַר וְעָבֵיד מַאי דְּעָבֵיד. הַאי עָשׂוֹר מִכְּנֶסֶת יִשְׂרָאֵל אִינּוּן. וְיוֹמָא עֲשִׂירָאָה, בַּעֲשִׂירָאָה קַיְּימָא. וְעַל דָּא בֶּעָשׂוֹר לַחֹדֶשׁ הַזֶּה וְיִקְחוּ לָהֶם אִישׁ שֶׂה לְבֵית וְגוֹ׳. וְהַאי יוֹמָא, הוּא דִּילָהּ. וַחֲמִשָּׁה יוֹמִין אָחֳרָנִין, דְּמַלְכָּא הוּא. הַהוּא יוֹמָא דְּאָתֵי עָלָהּ. דְּהָא חֲמִשָּׁאָה, בֵּיהּ יָתִיב מַלְכָּא, בְּכוּרְסְיָּיא.

רנח. וּבְכָל אֲתַר בֶּעָשׂוֹר, דְּמַטְרוֹנִיתָא הוּא. וַחֲמִשָּׁה עָלַיְיהוּ, דְּמַלְכָּא הוּא. הַהוּא יוֹמָא דְּאָתֵי עָלָהּ. בְּג״כ חֲמִשָּׁה יוֹמִין מִירְחָא, לְאוֹרַיְיתָא. וְאִי תֵּימָא שְׁבִיעָאָה, בְּזִמְנָא דִּתְרֵין אֲבָהָן מִשְׁתַּכְּחֵי בֵּיהּ, דְּהָא מַלְכָּא בְּהוּ, וּכְדֵין מִתְעַטֵּר בְּכֹלָּא. וְחַד מִלָּה, שְׁבִיעָאָה וַחֲמִשָּׁאָה.

רנט. ת״ח, חֲמִשָּׁאָה דִּילֵיהּ הוּא וַדַּאי, כְּמָה דְּאִתְּמַר, וּכְדֵין נָהִיר אַבָּא לְאִימָּא, וְאִתְנְהִירוּ מִנָּהּ חַמְשִׁין תַּרְעִין לְאַנְהָרָא לַחֲמִשָּׁאָה. וְאִי תֵּימָא שְׁבִיעָאָה, בְּגִין דְּמַלְכָּא בִּשְׁלִימוּ דַּאֲבָהָן, וַעֲטָרָה יָרְית מִשְּׁבִיעָאָה, כְּמָה דִּכְתִּיב צְאֶינָה וּרְאֶינָה בְּנוֹת צִיּוֹן. וְעַ״ד בִּשְׁבִיעָאָה הוּא יוֹמָא דִּמְעַטְּרָא מַלְכָּא בְּעִטְרוֹי, וּכְדֵין יָרִית מַלְכָּא לְאַבָּא וְאִימָּא, דְּמִזְדַּוְּוגִין כַּחֲדָא. וְעַ״ד כֹּלָּא בְּחַד תַּלְיָיא.

רס/א. וּבַחֲמִשָּׁה עָשָׂר יוֹם, ר׳ יְהוּדָה פָּתַח, וַיִּשְׁמַע הַכְּנַעֲנִי מֶלֶךְ עֲרָד. תָּנֵינָן, ג׳ מַתְּנָן עִלָּאִין, אִזְדַּמְנוּ לְהוּ לְיִשְׂרָאֵל, ע״י תְּלָתָא אַחִין: מֹשֶׁה, אַהֲרֹן, וּמִרְיָם. מָן, בִּזְכוּת מֹשֶׁה. עֲנָנֵי כָבוֹד, בִּזְכוּת אַהֲרֹן. בְּאֵר, בִּזְכוּת מִרְיָם. וְכֻלְּהוּ אֲחִידָן לְעֵילָּא. מָן בִּזְכוּת מֹשֶׁה, דִּכְתִּיב הִנְנִי מַמְטִיר לָכֶם לֶחֶם מִן הַשָּׁמַיִם מִן הַשָּׁמַיִם, דָּא מֹשֶׁה.

רס/ב. עֲנָנֵי כָבוֹד בִּזְכוּת אַהֲרֹן, דִּכְתִּיב אֲשֶׁר עַיִן בְּעַיִן נִרְאָה אַתָּה יְיָ׳ וְגוֹ׳, וּכְתִיב וְכִסָּה עֲנַן הַקְּטֹרֶת. מַה לְהַלָּן, שִׁבְעָה. אַף כָּאן נָמֵי שִׁבְעָה. דְּהָא בַּקְּטֹרֶת שִׁבְעָה עֲנָנִין מִתְקַשְּׁרָן כַּחֲדָא. וְאַהֲרֹן רֵישָׁא לְכָל שִׁבְעָה עֲנָנִין הוּא וְהוּא קָשִׁיר לְשִׁית אָחֳרָנִין בֵּיהּ בְּכָל יוֹמָא.

רסא. בְּאֵר בִּזְכוּת מִרְיָם, דְּהָא הִיא וַדַּאי בְּאֵר אִתְקְרֵי. וּבְסִפְרָא דְּאַגַּדְתָּא, וַתֵּתַצַּב אֲחוֹתוֹ מֵרָחוֹק לְדֵעָה וְגוֹ׳. דָּא הוּא בְּאֵר מַיִם חַיִּים, וְכֹלָּא קְשׁוּרָא חַד. מֵתָה מִרְיָם, אִסְתַּלָּק בְּאֵר. דִּכְתִּיב, וְלֹא הָיָה מַיִם לָעֵדָה. וּבְהַהִיא שַׁעֲתָא בָּעָאת בְּאֵר אָחֳרָא לְאִסְתַּלְּקָא, דַּהֲוָה שְׁכִיחַ עִמְּהוֹן דְּיִשְׂרָאֵל. כַּד חָמָאת שִׁיתָא עֲנָנִין דַּהֲווּ קְשִׁירִין עָלָהּ, אִתְקַשְּׁרַת הִיא בְּהוּ.

רסב. מִית אַהֲרֹן, אִסְתַּלְּקוּ אִינּוּן עֲנָנִין, וְאִסְתַּלָּק עֲנָנָא דְּבֵירָא עִמְּהוֹן. אָתָא מֹשֶׁה, אַהֲדָר לְהוּ. הה״ד, עָלִיתָ לַמָּרוֹם שָׁבִיתָ שֶּׁבִי לָקַחְתָּ מַתָּנוֹת בָּאָדָם. לָקַחְתָּ מַתָּנוֹת וַדַּאי, אִינּוּן מַתָּנוֹת דַּהֲווּ בְּקַדְמֵיתָא בְּאֵר וַעֲנָנִין.

רסג. בְּאֵר, דָּא בְּאֵר דְּיִצְחָק. עֲנָנִים, אִלֵּין עֲנָנִים דְּאַהֲרֹן. א״ר יִצְחָק, מִפְּנֵי מָה זָכָה אַהֲרֹן לְדָא, בְּגִין דְּאִיהוּ קָשִׁיר בַּעֲנָנִים. וְהוּא אַקְשִׁיר כָּל יוֹמָא וְיוֹמָא לְכֻלְּהוּ כַּחֲדָא, דְּמִתְבָּרְכָאן כֻּלְּהוּ עַל יְדוֹי.

רסד. תָּא חֲזֵי, עַל כָּל חֶסֶד דְּעָבֵד קֻבְּ״ה בְּיִשְׂרָאֵל. קָשִׁיר עִמְּהוֹן ז׳ עֲנָנֵי יְקָרָן, וְקָשִׁיר לְהוּ בִּכְנֶסֶת יִשְׂרָאֵל, דְּהָא עֲנָנָא דִּילָהּ אִתְקְשַׁר בְּשִׁיתָא אָחֳרָנִין. וּבְכֻלְּהוּ שִׁבְעָה, אַזְלוּ יִשְׂרָאֵל בְּמַדְבְּרָא. מַאי טַעֲמָא, בְּגִין דְּכֻלְּהוּ קִשְׁרָא דִּמְהֵימְנוּתָא נִינְהוּ וְעַל

דָּא בַּסֻּכּוֹת תֵּשְׁבוּ שִׁבְעַת יָמִים. מַאי קָא מַיְירֵי. בְּגִין דִּכְתִיב, בְּצִלּוֹ חִמַּדְתִּי וְיָשַׁבְתִּי וּפִרְיוֹ מָתוֹק לְחִכִּי. וּבָעֵי בַּר נָשׁ לְאַחֲזָאָה גַּרְמֵיהּ, דְּיָתִיב תְּחוֹת צִלָּא דִּמְהֵימְנוּתָא.

רסה. ת"ח, כָּל אִינּוּן שְׁנִין דְּקָאִים אַהֲרֹן, הֲווּ יִשְׂרָאֵל בְּצִלָּא דִּמְהֵימְנוּתָא, תְּחוֹת אִלֵּין עֲנָנִין. בָּתַר דְּמִית אַהֲרֹן, אִסְתַּלַּק עֲנָנָא חַד, דְּהוּא יְמִינָא דְּכֹלָּא. וְכַד הַאי אִסְתַּלַּק, אִסְתַּלְּקוּ כָּל שְׁאָר עִמֵּיהּ וְאִתְחֲזִיאוּ כֻּלְּהוּ בְּגְרִיעוּתָא. וְהָא אוֹקְמוּהָ, דִּכְתִיב וַיִּרְאוּ כָּל הָעֵדָה כִּי גָוַע אַהֲרֹן. אַל תִּקְרֵי וַיִּרְאוּ, אֶלָּא וַיֵּרָאוּ. מִיַּד וַיִּשְׁמַע הַכְּנַעֲנִי מֶלֶךְ עֲרָד יוֹשֵׁב הַנֶּגֶב כִּי בָּא יִשְׂרָאֵל דֶּרֶךְ הָאֲתָרִים. שָׁמַע דְּאִסְתַּלְּקוּ אִינּוּן עֲנָנִים, וּמִית תַּיָּירָא רַבְרְבָא דְּכָל אִינּוּן עֲנָנִים אִתְקַשְּׁרוּ בֵּיהּ.

רסו. א"ר יִצְחָק, הַכְּנַעֲנִי מֶלֶךְ עֲרָד יוֹשֵׁב הַנֶּגֶב וַדַּאי. וְכַד אָתוּ אִינּוּן מְאַלְּלִין דְּשָׁדַר מֹשֶׁה, אֲמָרוּ עֲמָלֵק יוֹשֵׁב בְּאֶרֶץ הַנֶּגֶב, בְּגִין לְתַבְרָא לִבַּיְיהוּ. דְּהָא בַּעֲמָלֵק אִתְּבַּר חֵילֵיהוֹן בְּקַדְמֵיתָא.

רסז. א"ר אַבָּא, וַיִּשְׁמַע הַכְּנַעֲנִי, מַאי קָא מַיְירֵי הָכָא. בָּתַר דְּאִסְתַּלְּקוּ אִינּוּן עֲנָנִים. אֶלָּא כְּנַעַן כְּתִיב בֵּיהּ, וַיֹּאמֶר אָרוּר כְּנָעַן עֶבֶד עֲבָדִים יִהְיֶה לְאֶחָיו. הָכָא אוּלִיפְנָא, מַאן דְּאַפִּיק גַּרְמֵיהּ מִצִּלָּא דִּמְהֵימְנוּתָא, אִתְחֲזֵי לְמֶהֱוֵי עֶבֶד לְעַבְדֵי עַבְדִּין, הה"ד וַיִּלָּחֶם בְּיִשְׂרָאֵל וַיִּשְׁבְּ מִמֶּנּוּ שֶׁבִי. הוּא נָטַל עַבְדִּין מִיִּשְׂרָאֵל לְגַרְמֵיהּ.

רסח. וְעַל דָּא כְּתִיב, כָּל הָאֶזְרָח בְּיִשְׂרָאֵל יֵשְׁבוּ בַּסֻּכּוֹת. כָּל מַאן דְּאִיהוּ מִשָּׁרְשָׁא וְגִזְעָא קַדִּישָׁא דְּיִשְׂרָאֵל, יֵשְׁבוּ בַּסֻּכּוֹת, תְּחוֹת צִלָּא דִּמְהֵימְנוּתָא. וּמַאן דְּלֵיתֵיהּ מִגִּזְעָא וְשׁוֹרְשָׁא קַדִּישָׁא דְּיִשְׂרָאֵל, לָא יָתִיב בְּהוּ, וְיַפּוּק גַּרְמֵיהּ מִתְּחוֹת צִלָּא דִּמְהֵימְנוּתָא.

רסט. כְּתִיב כְּנַעַן בְּיָדוֹ מֹאזְנֵי מִרְמָה, דָּא אֱלִיעֶזֶר עֶבֶד אַבְרָהָם. ות"ח, כְּתִיב אָרוּר כְּנַעַן וּבְגִין דְּזָכָה כְּנַעַן דָּא, לְשַׁמְּשָׁא לְאַבְרָהָם, כֵּיוָן דְּשַׁמֵּשׁ לְאַבְרָהָם, יָתִיב תְּחוֹת צִלָּא דִּמְהֵימְנוּתָא, זָכָה לְמֵיפַּק מֵהַהוּא לְטָיָיא דְּאִתְלַטְיָיא, וְלֹא עוֹד אֶלָּא דִּכְתִיב בֵּיהּ בְּרָכָה. דִּכְתִיב, וַיֹּאמֶר בֹּא בְּרוּךְ יְיָ'. מַאי קָא מַיְירֵי. דְּכָל מַאן דְּיָתִיב תְּחוֹת צִלָּא דִּמְהֵימְנוּתָא, אַחְסִין חֵירוּ לֵיהּ וְלִבְנוֹי לְעָלְמִין, וְאִתְבָּרַךְ בְּבִרְכְתָא עִלָּאָה, וּמַאן דְּאַפִּיק גַּרְמֵיהּ מִצִּלָּא דִּמְהֵימְנוּתָא, אַחְסִין גָּלוּתָא לֵיהּ וְלִבְנוֹי, דִּכְתִיב וַיִּלָּחֶם בְּיִשְׂרָאֵל וַיִּשְׁבְּ מִמֶּנּוּ שֶׁבִי.

ער. בַּסֻּכּוֹת תֵּשְׁבוּ חָסֵר, וְדָא עֲנָנָא חַד, דְּכֻלְּהוּ קְשִׁירִין בֵּיהּ. דִּכְתִיב, כִּי עֲנָנְךָ יְיָ' עֲלֵיהֶם יוֹמָם. וּכְתִיב, וּבְעַמּוּד עָנָן אַתָּה הוֹלֵךְ לִפְנֵיהֶם יוֹמָם. דָּא הוּא עֲנָנָא דְּאַהֲרֹן, דְּאִקְרֵי יוֹמָם, דִּכְתִיב יוֹמָם יְצַוֶּה יְיָ' חַסְדּוֹ. עֲנָנָא חַד, נָטִיל עִמֵּיהּ חָמֵשׁ אָחֳרָנִין, וְאִינּוּן שִׁית. וַעֲנָנָא אָחֳרָא, דִּכְתִיב וּבְעַמּוּד אֵשׁ לָיְלָה, דָּא נְהָרָא לְהוּ לְיִשְׂרָאֵל, מִנְּהִירוּ דְּאִינּוּן שִׁית.

רעיא מהימנא

רעא. בַּסֻּכּוֹת תֵּשְׁבוּ שִׁבְעַת יָמִים וְגוֹ', פִּקּוּדָא דָּא, לֵישֵׁב בַּסּוּכָּה. וְהָא אוֹקִימְנָא, בְּגִין לְאַחֲזָאָה דְּיִשְׂרָאֵל יָתְבֵי בְּרָזָא דִּמְהֵימְנוּתָא, בְּלָא דְּחִילוּ כְּלָל, דְּהָא מְקַטְרְגָא אִתְפְּרַשׁ מִנַּיְיהוּ. וְכָל מַאן דְּאִיהוּ בְּרָזָא דִּמְהֵימְנוּתָא, יָתִיב בַּסּוּכָּה. כְּמָה דְּאוֹקִימְנָא, דִּכְתִיב, כָּל הָאֶזְרָח בְּיִשְׂרָאֵל יֵשְׁבוּ בַּסֻּכּוֹת. מַאן דְּאִיהוּ בְּרָזָא דִּמְהֵימְנוּתָא, וּמִזַּרְעָא וְשָׁרְשָׁא דְּיִשְׂרָאֵל, יֵשְׁבוּ בַּסֻּכּוֹת. וְרָזָא דָּא אִתְּמַר בְּכַמָּה דּוּכְתֵּי.

רעב. פִּקּוּדָא בָּתַר דָּא, לְקָרְבָא קָרְבְּנָא בְּכָל יוֹמָא, וְקָרְבְּנָא דָּא, לְמֶהֱוֵי חוּלָקָא בְּכֹלָּא, בְּחֶדְוָותָא דִּבְנוֹי. בְּגִין דְּכֻלְּהוּ אֲחִידָן בְּאִילָנָא. עַנְפִּין דִּלְתַתָּא דִּלְגַבֵּי שָׁרְשָׁא

דְּאִילָנָא, כֹּלָּא אִתְבָּרְכָן בְּגִין אִילָנָא. אַף עַל גַּב דְּלֵית בְּהוּ תּוֹעַלְתָּא, כֹּלָּא אִתְבָּרְכָאן. וְחֶדְוְותָא דְּיִשְׂרָאֵל בַּאֲבוּהוֹן דִּלְעֵילָּא, יַהֲבֵי חוּלָקָא דְּבִרְכָאן, לְכָל אִינּוּן שְׁאָר עַמִּין, דְּאִית לוֹן אֲחִידוּ, וְאִתְאַחֲדוּ בְּהוּ בְּיִשְׂרָאֵל.

רעג. וְכָל אִלֵּין קָרְבְּנִין, לְמֵיהַב מְזוֹנָא, לְאִינּוּן מְמַנָּן דִּשְׁאָר עַמִּין, דְּהָא מִגּוֹ רְחִימוּ דְּקָא רָחִים קֻבְּ"ה לִבְנוֹי, בָּעֵי דְּכֹלָּא יְהוֹן רְחִימִין דִּלְהוֹן. וְרָזָא דָּא, בִּרְצוֹת יְיָ' דַּרְכֵי אִישׁ גַּם אוֹיְבָיו יַשְׁלִים אִתּוֹ. אֲפִילּוּ כָּל אִינּוּן מְקַטְרְגֵי עִלָּאֵי כֻּלְּהוּ אֲהַדְרָן רְחִימִין לְיִשְׂרָאֵל וְכַד נַחְתִּין דִּלְעֵילָּא אֲהַדְרוּ רְחִימִין לְיִשְׂרָאֵל, כָּל אִינּוּן דִּלְתַתָּא, עַל אַחַת כַּמָּה וְכַמָּה.

רעד. וְאִי תֵּימָא לְהוֹן הֲווּ מְקָרְבֵי קָרְבְּנָא, לָאו הָכִי, אֶלָּא כֹּלָּא לְקֻבְּ"ה סָלִיק וּמִתְקָרֵב. וְאִיהוּ פָּרִישׁ מְזוֹנָא לְכֻלְּהוּ אוּכְלוּסִין דְּסִטְרִין אָחֳרָנִין, דְּיִתְהֲנוּן בְּהַהוּא דּוֹרוֹנָא דִּבְנוֹי, וְיִתְהַדְּרוּן רְחִימִין דִּלְהוֹן, דְּיִנְדְּעוּן עֵילָּא וְתַתָּא, דְּהָא לֵית עַמָּא כְּעַמָּא דְּיִשְׂרָאֵל, דְּאִינּוּן חוּלָקֵיהּ וְעַדְבֵיהּ דְּקֻבְּ"ה, וְאִסְתַּלַּק יְקָרָא דְּקֻבְּ"ה עֵילָּא וְתַתָּא כַּדְקָא יָאוּת. וְכָל אוּכְלוּסִין עִלָּאִין פַּתְחֵי וְאַמְרֵי, וּמִי כְּעַמְּךָ כְּיִשְׂרָאֵל גּוֹי אֶחָד בָּאָרֶץ. (ע"כ רעיא מהימנא)

רעה. רִבִּי אֶלְעָזָר פָּתַח, כֹּה אָמַר יְיָ' זָכַרְתִּי לָךְ חֶסֶד נְעוּרַיִךְ וְגוֹ'. הַאי קְרָא עַל כ"י אִתְּמַר, בְּשַׁעֲתָא דַּהֲוָת אַזְלָא בְּמַדְבְּרָא עִמְּהוֹן דְּיִשְׂרָאֵל. זָכַרְתִּי לָךְ חֶסֶד: דָּא עֲנָנָא דְּאַהֲרֹן, דְּנַטְלָא בְּחָמֵשׁ אָחֳרָנִין, דְּאִתְקַשְּׁרוּ עִמָּךְ, וּנְהִירוּ עִמָּךְ. אַהֲבַת כְּלוּלוֹתָיִךְ, דְּאִשְׁתַּכְלָלוּ לָךְ, וְאִתְעַטְּרוּ לָךְ, וְאִתְקִינוּ לָךְ כְּכַלָּה דְּתַעְדֵּי תַּכְשִׁיטָהָא. וְכָל כָּךְ לָמָּה. בְּגִין לֶכְתֵּךְ אַחֲרַי בַּמִּדְבָּר בְּאֶרֶץ לֹא זְרוּעָה.

רעו. תָּא חֲזֵי, בְּשַׁעֲתָא דְּבַר נָשׁ יָתִיב בְּמָדוֹרָא דָּא, צִלָּא דִּמְהֵימְנוּתָא, שְׁכִינְתָּא פַּרְסָא גַּדְפָהָא עָלֵיהּ מִלְּעֵילָּא, וְאַבְרָהָם וַחֲמִשָּׁה צַדִּיקַיָּיא אָחֳרָנִין שַׁוְיָין מָדוֹרֵיהוֹן עִמֵּיהּ. אָמַר רִבִּי אַבָּא, אַבְרָהָם וַחֲמִשָּׁה צַדִּיקַיָּיא, וְדָוִד מַלְכָּא, שַׁוְיָין מָדוֹרֵיהוֹן עִמֵּיהּ. הֲדָא הוּא דִּכְתִיב, בַּסֻּכּוֹת תֵּשְׁבוּ שִׁבְעַת יָמִים. שִׁבְעַת יָמִים כְּתִיב, וְלָא בְּשִׁבְעַת יָמִים. כְּגַוְונָא דָּא כְּתִיב כִּי שֵׁשֶׁת יָמִים עָשָׂה יְיָ' אֶת הַשָּׁמַיִם וְגוֹ'. וּבָעֵי בַּר נָשׁ לְמֶחְדֵּי בְּכָל יוֹמָא וְיוֹמָא, בְּאַנְפִּין נְהִירִין, בְּאוּשְׁפִּיזִין אִלֵּין דְּשַׁרְיָין עִמֵּיהּ.

רעז. וְאָמַר רִבִּי אַבָּא, כְּתִיב בַּסֻּכּוֹת תֵּשְׁבוּ שִׁבְעַת יָמִים, וּלְבָתַר יֵשְׁבוּ בַּסֻּכּוֹת. בְּקַדְמֵיתָא תֵּשְׁבוּ, וּלְבָתַר יֵשְׁבוּ. אֶלָּא, קַדְמָאָה לְאוּשְׁפִּיזֵי. תִּנְיָינָא, לִבְנֵי עָלְמָא. קַדְמָאָה לְאוּשְׁפִּיזֵי, כִּי הָא דְּרַב הַמְנוּנָא סָבָא, כַּד הֲוָה עָיֵיל לְסוּכָּה הֲוָה חַדֵּי, וְקָאִים עַל פִּתְחָא לְסוּכָּה מִלְּגָאו, וְאָמַר נְזַמֵּן לְאוּשְׁפִּיזִין. מְסַדֵּר פָּתוֹרָא, וְקָאִים עַל רַגְלוֹהִי, וּמְבָרֵךְ, וְאוֹמֵר בַּסֻּכּוֹת תֵּשְׁבוּ שִׁבְעַת יָמִים. תִּיבוּ אוּשְׁפִּיזִין עִלָּאִין, תִּיבוּ. תִּיבוּ אוּשְׁפִּיזֵי מְהֵימְנוּתָא, תִּיבוּ. אָרִים יְדוֹי, וְחַדֵּי, וְאָמַר זַכָּאָה חוּלָקָנָא, זַכָּאָה חוּלָקֵיהוֹן דְּיִשְׂרָאֵל, דִּכְתִיב, כִּי חֵלֶק יְיָ' עַמּוֹ וְגוֹ', וַהֲוָה יָתִיב.

רעח. תִּנְיָינָא, לִבְנֵי עָלְמָא, דְּמַאן דְּאִית לֵיהּ חוּלָקָא בְּעַמָּא וּבְאַרְעָא קַדִּישָׁא, יָתִיב בְּצִלָּא דִּמְהֵימְנוּתָא, לְקַבְּלָא אוּשְׁפִּיזִין, לְמֶחְדֵּי בְּהַאי עָלְמָא וּבְעָלְמָא דְּאָתֵי וּבָעֵי לְמֶחְדֵּי לְמִסְכְּנֵי. מַאי טַעֲמָא. בְּגִין דְּחוּלָקָא דְּאִינּוּן אוּשְׁפִּיזִין דְּזַמִּין דְּמִסְכְּנֵי הוּא. וְהַהוּא דְּיָתִיב בְּצִלָּא דָּא דִּמְהֵימְנוּתָא, וְזַמִּין אוּשְׁפִּיזִין אִלֵּין עִלָּאִין, אוּשְׁפִּיזֵי מְהֵימְנוּתָא, וְלָא יָהִיב לוֹן חוּלָקֵיהוֹן, כֻּלְּהוּ קַיְימֵי מִנֵּיהּ, וְאַמְרֵי אַל תִּלְחַם אֶת לֶחֶם רַע עָיִן וְגוֹ'. אִשְׁתַּכַּח דְּהַהוּא פָּתוֹרָא דְּתַקִּין, דִּילֵיהּ הוּא, וְלָאו דְּקוּדְשָׁא ב"ה, עָלֵיהּ כְּתִיב וְזֵרִיתִי פֶרֶשׁ עַל פְּנֵיכֶם וְגוֹ', פֶּרֶשׁ חַגֵּיכֶם, וְלָא חַגַּי. וַוי לֵיהּ לְהַהוּא בַּר נָשׁ, בְּשַׁעֲתָא דְּאִלֵּין אוּשְׁפִּיזֵי מְהֵימְנוּתָא קַיְימֵי מִפָּתוֹרֵיהּ.

רעט. וְאָמַר ר' אַבָּא, אַבְרָהָם, כָּל יוֹמוֹי הֲוָה קָאֵים בְּפָרָשַׁת אוֹרְחִין, לְזַמְּנָא אוּשְׁפִּיזִין, וּלְתַקְנָא לוֹן פָּתוֹרֵי, הַשְׁתָּא, דִּמְזַמְּנִין לֵיהּ, וּלְכֻלְּהוּ צַדִּיקַיָּיא, וּלְדָוִד מַלְכָּא, וְלָא יָהֲבִין לוֹן ווּלְקֵיהוֹן, אַבְרָהָם קָאֵים מִפָּתוֹרָא, וְקָרֵי, סוּרוּ נָא מֵעַל אָהֳלֵי הָאֲנָשִׁים הָרְשָׁעִים הָאֵלֶּה. וְכֻלְּהוּ סַלְקִין אֲבַתְרֵיהּ. יִצְחָק אָמַר, וּבֶטֶן רְשָׁעִים תֶּחְסָר. יַעֲקֹב אָמַר, פַּתְּךָ אָכַלְתָּ תְקִיאֶנָּה. וּשְׁאָר כָּל צַדִּיקַיָּיא אַמְרֵי, כִּי כָּל שֻׁלְחָנוֹת מָלְאוּ קִיא צֹאָה בְּלִי מָקוֹם.

רפ. דָּוִד מַלְכָּא אָמַר, וְאַשְׁלִים דִּינוֹי, דִּכְתִיב וַיְהִי כַּעֲשֶׂרֶת הַיָּמִים וַיִּגֹּף יְיָ' אֶת נָבָל וַיָּמֹת. מַאי קָא מַיְירֵי. בְּגִין דְּדָוִד שָׁאַל לְנָבָל, וְאִתְעֲבִיד לֵיהּ אוּשְׁפִּיזָא, וְלָא בָּעָא. וְדָא זְמִין לֵיהּ, וְלָא יָהַב לֵיהּ ווּלְקָא, וּבְאִינּוּן עֲשָׂרָה יוֹמִין דְּדָוִד מַלְכָּא דְּאִין עָלְמָא, אִתְדָּן עָלֵיהּ הַהוּא בַּר נָשׁ דְּאַשְׁלִים לֵיהּ בִּישׁ יַתִּיר מִנָּבָל.

רפא. אָמַר רִבִּי אֶלְעָזָר אוֹרַיְיתָא לָא אַטְרַח עָלֵיהּ דְּבַר נָשׁ יַתִּיר, אֶלָּא כְּמָה דְּיָכִיל, דִּכְתִיב אִישׁ כְּמַתְּנַת יָדוֹ וְגוֹ'. וְלָא לֵימָא אִינִישׁ אֱכוֹל וְאֶשְׂבַּע וְאַרְוֵי בְּקַדְמֵיתָא, וּמַה דְּיִשְׁתָּאַר אֶתֵּן לְמִסְכְּנֵי, אֶלָּא רֵישָׁא דְּכֹלָּא דְּאוּשְׁפִּיזִין הוּא, וְאִי חֲדֵי לְאוּשְׁפִּיזִין וְרַוֵּי לוֹן, קֻבְּ"ה חָדֵי עִמֵּיהּ, וְאַבְרָהָם קָרֵי עָלֵיהּ, אָז תִּתְעַנַּג עַל יְיָ' וְגוֹ'. וְיִצְחָק קָארֵי עָלֵיהּ, כָּל כְּלִי יוּצַר עָלַיִךְ לֹא יִצְלָח. אָמַר רִבִּי שִׁמְעוֹן, הַאי, דָּוִד מַלְכָּא אָ"ל, בְּגִין דְּכָל זַיְינִין דְּמַלְכָּא, וְקָרְבִין דְּמַלְכָּא, בִּידוֹי דְּדָוִד אִתְפַּקְּדוּ, אֲבָל יִצְחָק קָאָמַר, גִּבּוֹר בָּאָרֶץ יִהְיֶה זַרְעוֹ וְגוֹ', הוֹן וָעוֹשֶׁר וְגוֹ'.

רפב/א. יַעֲקֹב אָמַר, אָז יִבָּקַע כַּשַּׁחַר אוֹרֶךָ וְגוֹ', שְׁאָר צַדִּיקַיָּיא אַמְרֵי, וְנָחֲךָ יְיָ' תָּמִיד וְהִשְׂבִּיעַ וְגוֹ', דָּוִד מַלְכָּא אָמַר, כָּל כְּלִי יוּצַר עָלַיִךְ לֹא יִצְלָח, דְּהָא הוּא עַל כָּל זַיְינֵי עָלְמָא אִתְפְּקַד. זַכָּאָה ווּלְקֵיהּ דְּבַר נָשׁ, דְּזָכֵי לְכָל הַאי. זַכָּאָה ווּלְקֵיהוֹן דְּצַדִּיקַיָּיא, בְּעָלְמָא דֵּין, וּבְעָלְמָא דְּאָתֵי, עֲלַיְיהוּ כְּתִיב וְעַמֵּךְ כֻּלָּם צַדִּיקִים וְגוֹ'.

רעיא מהימנא

רפב/ב. פִּקּוּדָא דָּא לִיטּוֹל לוּלָב בְּהַהוּא יוֹמָא בְּאִינּוּן זִינִין דִּילֵיהּ וְהַאי רָזָא אוּקִימְנָא וְאוּקְמוּהָ חַבְרַיָּיא כְּמָה דְּקֻבְּ"ה נָטִיל לוֹן לְיִשְׂרָאֵל בְּהָנֵי יוֹמִין וְחַדֵּי בְּהוֹן. אוּף הָכִי יִשְׂרָאֵל נָטְלֵי לֵיהּ לְקֻבְּ"ה לְווּלְקֵיהוֹן וְחַדָאן בֵּיהּ. וְדָא הוּא רָזָא דְּלוּלָב. וּמִינִין דְּבֵיהּ דְּאִיהוּ רָזָא דְּיוֹקְנָא דְּאָדָם וְהָא אִתְּמַר. (ע"כ רעיא מהימנא)

רפג. וּלְקַחְתֶּם לָכֶם בַּיּוֹם הָרִאשׁוֹן וְגוֹ', רִבִּי שִׁמְעוֹן פָּתַח, כֹּל הַנִּקְרָא בִשְׁמִי וְלִכְבוֹדִי בְּרָאתִיו יְצַרְתִּיו אַף עֲשִׂיתִיו. כָּל הַנִּקְרָא בִשְׁמִי, דָּא אָדָם, דְּקֻבְּ"ה בָּרָא לֵיהּ בִּשְׁמֵיהּ, דִּכְתִיב וַיִּבְרָא אֱלֹהִים אֶת הָאָדָם בְּצַלְמוֹ. וְקָרָא לֵיהּ בִּשְׁמֵיהּ, בְּשַׁעֲתָא דְּאַפִּיק קְשׁוֹט וְדִינָא בְּעָלְמָא, וְאִקְרֵי אֱלֹהִים, דִּכְתִיב אֱלֹהִים לֹא תְקַלֵּל.

רפד. קָרָא לֵיהּ בִּשְׁמֵיהּ, דִּכְתִיב וַיִּבְרָא אֱלֹהִים אֶת הָאָדָם בְּצַלְמוֹ וְשַׁפִּיר. הָא אוּקִימְנָא, דִּכְתִיב נַעֲשֶׂה אָדָם בְּצַלְמֵנוּ כִּדְמוּתֵנוּ, בְּשַׁעֲתָא דְּזִוּוּגָא אִתְּמַר. וְכַךְ הוּא בְּזִוּוּגָא דְּתַרְוַיְיהוּ, בְּצֶלֶם וּדְמוּת. וְאָדָם מִדְּכַר וְנוּקְבָא נָפַק.

רפה. וַיִּבְרָא אֱלֹהִים אֶת הָאָדָם בְּצַלְמוֹ, בְּסִפְרָא דִּשְׁלֹמֹה מַלְכָּא אַשְׁכַּחְנָא, דִּבְשַׁעֲתָא דְּזִוּוּגָא אִשְׁתַּכַּח לְתַתָּא, שַׁדַּר קֻבְּ"ה חַד דְּיוֹקְנָא כְּפַרְצוּפָא דְּב"נ, רְשִׁימָא וַחֲקִיקָא בְּצוּלְמָא, וְקַיְּימָא עַל הַהוּא זִוּוּגָא. וְאִלְמָלֵא אִתְיְהִיב רְשׁוּ לְעַיְינָא לְמֶחֱזֵי, חָמֵי ב"נ עַל רֵישֵׁיהּ חַד צוּלְמָא, רְשִׁימָא כְּפַרְצוּפָא דְּב"נ, וּבְהַהוּא צוּלְמָא אִתְבְּרֵי ב"נ, וְעַד לָא קַיְּימָא הַהוּא צוּלְמָא דְּשַׁדַּר לֵיהּ מָארֵיהּ עַל רֵישֵׁיהּ, וְיִשְׁתַּכַּח תַּמָּן, לָא אִתְבְּרֵי ב"נ,

הה"ד, וַיִּבְרָא אֱלֹהִים אֶת הָאָדָם בְּצַלְמוֹ.

רפו. הַהוּא צֶלֶם אִזְדַּמַּן לְקַבְּלֵיהּ, עַד דְּנָפִיק לְעָלְמָא. כַּד נָפַק, בְּהַהוּא צֶלֶם אִתְרַבֵּי, בְּהַהוּא צֶלֶם אָזִיל, הה"ד אַךְ בְּצֶלֶם יִתְהַלֶּךְ אִישׁ. וְהַאי צֶלֶם אִיהוּ מִלְּעֵילָּא.

רפז. בְּשַׁעֲתָא דְּאִינּוּן רוּחִין נָפְקִין מֵאַתְרַיְיהוּ, כָּל רוּחָא וְרוּחָא אִתְתַּקַּן קַמֵּי מַלְכָּא קַדִּישָׁא בְּתִקּוּנֵי יְקָר, בְּפַרְצוּפָא דְּקָאִים בְּהַאי עָלְמָא. וּמֵהַהוּא דְּיוֹקְנָא תִּקּוּנָא יְקָר, נָפִיק הַאי צֶלֶם. וְדָא תְּלִיתָאָה לְרוּחָא, וְאַקְדִּימַת בְּהַאי עָלְמָא, בְּשַׁעֲתָא דְּזִוּוּגָא אִשְׁתְּכַח. וְלֵית לָךְ זִוּוּגָא בְּעָלְמָא, דְּלָא אִשְׁתְּכַח צֶלֶם בְּגַוַויְיהוּ. אֲבָל יִשְׂרָאֵל קַדִּישִׁין, הַאי צֶלֶם קַדִּישָׁא, וּמֵאֲתַר קַדִּישָׁא אִשְׁתְּכַח בְּגַוַויְיהוּ. וּלְעַכּו"ם, צֶלֶם מֵאִינּוּן זִינִין בִּישִׁין. מִסִּטְרָא דְּמִסְאֲבוּתָא אִשְׁתְּכַח בְּגַוַויְיהוּ. וְעַ"ד, לָא לִיבְעֵי לֵיהּ לְאִינִישׁ, לְאִתְעָרְבָא צוּלְמָא דִּילֵיהּ, בְּצוּלְמָא דְּעוֹבְדֵי עֲבוֹדָה זָרָה, בְּגִין דְּהַאי קַדִּישָׁא, וְהַאי מִסְאֲבָא. ת"ח מַה בֵּין יִשְׂרָאֵל לְעַכּו"ם וְכוּ'.

רפח. דִּכְתִּיב בַּיּוֹם הַשְּׁמִינִי עֲצֶרֶת תִּהְיֶה לָכֶם, דְּהָא יוֹמָא דָא, מִמַּלְכָּא הוּא בִּלְחוֹדוֹי, וְחֶדְוָותָא דִּילֵיהּ בְּהוּ בְּיִשְׂרָאֵל. מְתַל לְמַלְכָּא דְּזַמִּין אוּשְׁפִּיזִין, אִשְׁתַּדָּלוּ בְּהוּ כָּל בְּנֵי הֵיכָלֵיהּ, לְבָתַר אָמַר מַלְכָּא, ע"כ אֲנָא וְאַתּוּן אִשְׁתַּדַּלְנָא כֻּלְּהוּ בְּאוּשְׁפִּיזִין, וְקָרַבְתּוּן קָרְבְּנִין עַל שְׁאָר עַמִּין בְּכָל יוֹמָא, מִכָּאן וּלְהָלְאָה, אֲנָא וְאַתּוּן נֶחֱדֵי יוֹמָא חַד, הה"ד בַּיּוֹם הַשְּׁמִינִי עֲצֶרֶת תִּהְיֶה לָכֶם. לָכֶם: לְקָרְבָא קָרְבְּנִין עֲלַיְיכוּ. אֲבָל אוּשְׁפִּיזֵי מְהֵימְנוּתָא, בְּמַלְכָּא מִשְׁתַּכְּחֵי תְּדִירָא. וּבְיוֹמָא דְּחֶדְוָותָא דְּמַלְכָּא, כֻּלְּהוּ מִתְכַּנְּפֵי עִמֵּיהּ, וּמִשְׁתַּכְּחָן. וְעַל דָּא כְּתִיב, עֲצֶרֶת, תַּרְגּוּמוֹ: כְּנִישׁוּ.

רפט. וְהַאי יוֹמָא, יַעֲקֹב הוּא רֵישָׁא לְחֶדְוָותָא, וְכָל אִינּוּן אוּשְׁפִּיזֵי חַדָּאן עִמֵּיהּ. וְעַ"ד כְּתִיב, אַשְׁרֶיךָ יִשְׂרָאֵל מִי כָמוֹךָ. וּכְתִיב, וַיֹּאמֶר לִי עַבְדִּי אָתָּה יִשְׂרָאֵל אֲשֶׁר בְּךָ אֶתְפָּאָר.

רצ. וְיִקְחוּ אֵלֶיךָ שֶׁמֶן זַיִת זָךְ כָּתִית לַמָּאוֹר וְגו', א"ר אֶלְעָזָר, הָא אוֹקְמוּהָ. אֲבָל אֲמַאי אַסְמִיךְ קוּדְשָׁא בְּרִיךְ הוּא פָּרָשָׁה דָא, לְפָרָשַׁת מוֹעֲדִים. אֶלָּא, כֻּלְּהוּ בּוֹצִינִין עִלָּאִין, כֻּלְּהוּ בּוֹצִינִין לְאַדְלְקָא מִשַּׁח רְבוּת עִלָּאָה, וְהָא אִתְּמַר. וְעַל יְדַיְיהוּ דְּיִשְׂרָאֵל, מִתְבָּרְכָאן עִלָּאִין וְתַתָּאִין, וְאַדְלִיקוּ בּוֹצִינִין, כְּמָה דְּאוּקְמוּהָ דִּכְתִּיב, שֶׁמֶן וּקְטֹרֶת יְשַׂמַּח לֵב, וְחֶדְוָותָא דְּעִלָּאִין וְתַתָּאִין.

רצא. רִבִּי אַבָּא פָּתַח, שִׂמְחוּ בַּיְיָ' וְגִילוּ צַדִּיקִים, וּכְתִיב, זֶה הַיּוֹם עָשָׂה יְיָ' נָגִילָה וְנִשְׂמְחָה בוֹ. וְאוּקְמוּהָ, דְּהָא בְּקֻבְּ"ה בָּעֵי לְמֶחֱדֵי, וּלְאַנְהָרָא אַנְפִּין, וְיִשְׁתְּכַח ב"נ בְּחֶדְוָה, בְּגִין דְּהַהוּא חֶדְוָה דְּקֻבְּ"ה הֲוֵי, דִּכְתִּיב נָגִילָה וְנִשְׂמְחָה בוֹ בְּיוֹמָא. בוֹ: בְּקֻבְּ"ה, וְכֹלָּא חַד מִלָּה.

רצב. שִׂמְחוּ בַּיְיָ', כַּד דִּינִין אִתְכַּפְיָין, וְרַחֲמֵי אִתְּעָרוּ, וְכַד מִתְעָרֵי רַחֲמֵי, כְּדֵין וְגִילוּ צַדִּיקִים, צַדִּיק וְצֶדֶק מִתְבָּרְכָאן כַּחֲדָא, דְּאִקְרוּן צַדִּיקִים, כְּמָה דְּאִתְּמַר, דְּהָא אִלֵּין מִתְבָּרְכָאן לְעָלְמִין, וְחַדָּאן לְעָלְמִין כֻּלְּהוּ. וְהַרְנִינוּ כָּל יִשְׁרֵי לֵב, אִלֵּין בְּנֵי מְהֵימְנוּתָא, לְאִתְקַשְּׁרָא בְּהוּ.

רצג. וּבְכֹלָּא, בָּעֵי עוֹבָדָא לְתַתָּא, לְאִתְעָרָא לְעֵילָּא. ת"ח, מַאן דְּאָמַר דְּלָא בָּעְיָא עוֹבָדָא בְּכֹלָּא, אוֹ מִלִּין לְאַפָּקָא לוֹן וּלְמֶעְבַּד קָלָא בְּהוּ, תִּיפַּח רוּחֵיהּ. וְהָא הָכָא פָּרְשָׁתָא דָא אוֹכַח, אַדְלָקוּת בּוֹצִינַיָּא, וּקְטֹרֶת בּוּסְמִין, דִּכְתִּיב שֶׁמֶן וּקְטֹרֶת יְשַׂמַּח לֵב. וּבְעוֹבָדָא דָא אִשְׁתְּכַח אַדְלָקוּתָא וְחֶדְוָותָא לְעֵילָּא וְתַתָּא וְאִתְקַשְּׁרוּתָא כַּחֲדָא כִּדְקָא יָאוּת. אָמַר ר' יְהוּדָה, מִזְבֵּחַ דִּלְתַתָּא, אַתְעַר מִזְבֵּחַ אָחֳרָא. כֹּהֵן דִּלְתַתָּא, אַתְעַר כֹּהֵן

אֻוְרָא. בְּעוֹבָדָא דִלְתַתָּא, אִתְעַר עוֹבָדָא לְעֵילָּא.

רצד. ר' יוֹסֵי וְר' יִצְחָק הֲווּ אָזְלֵי בְּאוֹרְחָא, א"ר יוֹסֵי לְר' יִצְחָק, כְּתִיב וְקָרָאתָ לַשַּׁבָּת עֹנֶג לִקְדוֹשׁ יְיָ' מְכֻבָּד וְגוֹ', וְכִבַּדְתּוֹ מֵעֲשׂוֹת דְּרָכֶיךָ שַׁפִּיר. אֲבָל מִמְּצוֹא חֶפְצְךָ וְדַבֵּר דָּבָר מַה הוּא. וּמַאי גְּרִיעוּתָא הוּא לְשַׁבָּת.

רצה. א"ל, וַדַּאי גְּרִיעוּתָא הוּא, דְּלֵית לָךְ מִלָּה וּמִלָּה דְּנָפִיק מִפּוּמֵיהּ דְּב"נ, דְּלֵית לָהּ קָלָא, וְסַלְקָא לְעֵילָּא, וְאִתְעַר מִלָּה אָחֳרָא. וּמַאי הוּא. הַהוּא דְּאִקְרֵי חוֹל, מֵאִינּוּן יוֹמִין דְּחוֹל. וְכַד אִתְעַר חוֹל בְּיוֹמָא קַדִּישָׁא, גְּרִיעוּתָא הוּא לְעֵילָּא וַדַּאי. וְקוּדְשָׁא בְּרִיךְ הוּא וּכְנֶסֶת יִשְׂרָאֵל שָׁאֲלֵי עָלֵיהּ, מַאן הוּא דְּבָעֵי לְאַפְרְשָׁא זִוּוּגָא דִּילָן. מַאן הוּא דְּבָעֵי חוֹל הָכָא. עַתִּיקָא קַדִּישָׁא לָא אִתְחֲזֵי, וְלָא שַׁרְיָא עַל חוֹל.

רצו. בְּגִין כָּךְ, הִרְהוּר מוּתָּר. מ"ט. בְּגִין דְּהִרְהוּר לָא עָבֵיד מִדִּי וְלָא אִתְעָבֵיד מִנֵּיהּ קָלָא, וְלָא סָלִיק. אֲבָל לְבָתַר דְּאַפִּיק מִלָּה מִפּוּמֵיהּ, הַהוּא מִלָּה אִתְעָבֵיד קָלָא, וּבָקַע אֲוִירִין וּרְקִיעִין, וְסַלְקָא לְעֵילָּא, וְאִתְעַר מִלָּה אָחֳרָא. וְעַל דָּא מִמְּצוֹא חֶפְצְךָ וְדַבֵּר דָּבָר כְּתִיב. וּמַאן דְּאַפִּיק מִלָּה קַדִּישָׁא מִפּוּמֵיהּ, מִלָּה דְּאוֹרַיְיתָא, אִתְעָבֵיד מִנֵּיהּ קָלָא, וְסָלִיק לְעֵילָּא, וְאִתְעֲרוּ קַדִּישֵׁי מַלְכָּא עִלָּאָה, וּמִתְעַטְּרָן בְּרֵישֵׁיהּ, וּכְדֵין אִשְׁתַּכַּח חֶדְוְותָא לְעֵילָּא וְתַתָּא.

רצז. א"ל, וַדַּאי הָכִי הוּא. וְהָא שְׁמַעְנָא מִלָּה. אֲבָל מַאן דְּשָׁארִי בְּתַעֲנִיתָא בְּשַׁבַּתָּא, עָבֵיד גְּרִיעוּתָא לְשַׁבָּת, אוֹ לָא. אִי תֵּימָא דְּלָא עָבֵיד גְּרִיעוּתָא, הָא סְעוּדָתֵי דִּמְהֵימְנוּתָא בָּטִיל מִנֵּיהּ, וְעוֹנְשֵׁיהּ סַגֵּי, הָא חֶדְוְותָא דְּשַׁבָּת בָּטִיל מִנֵּיהּ.

רצח. א"ל, מִלָּה דָּא שְׁמַעְנָא, דְּדָא הוּא דְּאַשְׁגְּחָן עָלֵיהּ מִלְּעֵילָּא, מִכָּל בְּנֵי עָלְמָא. בְּגִין דְּהַאי יוֹמָא, חֶדְוְותָא הוּא לְעֵילָּא וְתַתָּא. חֶדְוְותָא דְּכָל חֶדְוָון. חֶדְוְותָא, דְּכָל מְהֵימְנוּתָא בֵּיהּ אִשְׁתַּכַּח. וַאֲפִילוּ רְשָׁעִים דְּגֵיהִנָּם נַיְיחִין בְּהַאי יוֹמָא. וְהַאי ב"נ לֵית לֵיהּ חֶדְוָה, וְלֵית לֵיהּ נַיְיחָא, וְשַׁנְיָא דָּא מִכָּל עִלָּאִין וְתַתָּאִין. כֻּלְּהוּ שָׁאֲלִין עָלֵיהּ, מַאי שַׁנְיָא דִּפְלַנְיָא הוּא בְּצַעֲרָא.

רצט. וּבְשַׁעֲתָא דְּעַתִּיקָא קַדִּישָׁא אִתְגְּלֵי בְּהַאי יוֹמָא, וְאִשְׁתְּכַח הַאי בְּצַעֲרָא, צְלוֹתֵיהּ סַלְקָא וְקַיְּימָא קַמֵּיהּ, כְּדֵין אִתְקְרָעוּ כָּל גְּזֵרֵי דִּינִין דְּאִתְגְּזָרוּ עָלֵיהּ, וַאֲפִילוּ אִסְתַּכְּמוּ בְּבֵי דִּינָא דְּמַלְכָּא עָלֵיהּ לְבִישׁ, כֹּלָּא אִתְקְרַע, בְּגִין דִּבְשַׁעֲתָא דְּעַתִּיקָא אִתְגַּלְיָיא, כָּל חֵירוּ וְכָל חֶדוּ אִשְׁתַּכַּח, בְּגִין דְּאִתְגַּלְיָיא בְּהִלּוּלָא דְּמַלְכָּא.

ש. וְעַל דָּא תָּנִינָן, קוֹרְעִין לוֹ גְּזַר דִּינוֹ שֶׁל ע' שָׁנָה. מַאן שִׁבְעִין שָׁנָה. אֶלָּא אַע"ג דְּאִסְתַּכְּמוּ עָלֵיהּ כָּל אִינּוּן שַׁבְעִין כִּתְרֵי מַלְכָּא, דְּהוּא אִתְחֲזֵי בְּהוּ, כֹּלָּא אִתְקְרַע. בְּגִין דְּעַתִּיקָא קַדִּישָׁא נָטִיל לֵיהּ לְב"נ, וְהָנֵי מִלֵּי, כַּד מִתְעָרֵי עָלֵיהּ בְּחֶלְמָא בְּלֵילְיָא דְּשַׁבַּתָּא.

שא. לְמַלְכָּא דַּעֲבֵיד הִלּוּלָא לִבְרֵיהּ, וּגְזַר חֶדְוָה עַל כֹּלָּא. בְּהַאי יוֹמָא דְּהִלּוּלָא, כָּל עָלְמָא הֲווּ חַדָאן, וּבַר נָשׁ חַד הֲוָה עָצִיב, תָּפִיס בְּקוֹלְרָא. אָתָא מַלְכָּא לְחֶדְוְותָא, וְחָמָא כָּל עַמָּא חַדָאן כְּמָה דְּאִיהוּ גָּזַר. זָקַף עֵינוֹי, וְחָמָא הַהוּא בַּר נָשׁ תָּפִיס בְּקוֹלְרָא עָצִיב. אָמַר, וּמַה כָּל בְּנֵי עָלְמָא חַדָאן בְּהִלּוּלָא דִּבְרִי, וְדָא תָּפִיס בְּקוֹלְרָא. מִיַּד פָּקִיד וְנַפְקֵי לֵיהּ, וְשָׁארוּ לֵיהּ מִקּוֹלְרֵיהּ.

שב. כָּךְ הַאי דְּשָׁארִי בְּתַעֲנִיתָא בְּשַׁבַּתָּא, כָּל עָלְמָא חַדָאן, וְאִיהוּ עָצִיב, וְהַאי אִתְפַּס בְּקוֹלְרָא. בְּשַׁעֲתָא דְּעַתִּיקָא קַדִּישָׁא אִתְגַּלְיָיא בְּהַאי יוֹמָא, וְאִשְׁתְּכַח הַאי בַּר

נָשׁ תָּפִיס בְּקוּלְרָא, אַף עַל גַּב דְּאַסְכִּימוּ עָלֵיהּ כָּל אִינּוּן שַׁבְעִין שְׁנִין דְּאַמָרָן, כֹּלָּא אִתְקְרַע, וְלָא שָׁארֵי עָלֵיהּ דִּינָא. בְּיוֹמָא אָחֳרָא אִית בֵּיהּ רְשׁוּ לְמִקְרַע לֵיהּ, בְּהַהוּא יוֹמָא, כ״ש שַׁבָּת.

שג. דְּלֵית לָךְ יוֹם דְּלָא אִשְׁתְּכַח בֵּיהּ חֵילָא, וּמַאן דְּשָׁארֵי בְּתַעֲנִיתָא דְּחֶלְמָא בְּהַהוּא יוֹמָא, לָא סָלִיק הַהוּא יוֹמָא עַד דְּקָרַע דִּינֵיהּ. אֲבָל לָאו דְּשִׁבְעִים שָׁנָה כְּיוֹמָא דְּשַׁבָּת. בְּגִ״כ, בְּהַהוּא יוֹמָא מַמָּשׁ, וְלָא בְּיוֹמָא אָחֳרָא, דְּלֵית רְשׁוּ לְיוֹמָא עַל יוֹמָא אָחֳרָא. כָּל יוֹמָא, מַה דְּאִירַע בְּיוֹמֵיהּ, עָבֵיד. דְּלָא אִירַע בְּיוֹמֵיהּ, לָא עָבֵיד. וְעַל דָּא לָא לִבְעֵי לֵיהּ לְאֱנָשׁ לְסַלְּקָא לֵיהּ מִיּוֹמָא דָּא לְיוֹמָא אָחֳרָא. וּבְגִין כַּךְ, דְּבַר יוֹם בְּיוֹמוֹ תָּנֵינָן, וְלָא דְּבַר יוֹם לְיוֹמָא אָחֳרָא.

דש. וְתָא חֲזֵי, לָאו לְמַגָּנָא מִתְעָרֵי עָלֵיהּ בְּחֶלְמָא, בְּגִין לְמִתְבַּע עָלֵיהּ רַחֲמֵי. וַוי לְהַהוּא ב״נ דְּלָא מִתְעָרֵי עָלֵיהּ, וְלָא אוֹדְעוּ לֵיהּ בְּחֶלְמָא, דְּהָא אִקְרֵי רָע. וּבְגִינֵי כַּךְ, לֹא יְגוּרְךָ רָע כְּתִיב. וּכְתִיב בַּל יִפָּקֵד רָע, בַּל יִפָּקֵד, בְּגִין דְּאִיהוּ רָע.

שה. אָמַר רִבִּי יוֹסֵי, כְּתִיב מִמְּצוֹא חֶפְצְךָ וְדַבֵּר דָּבָר, כֵּיוָן דִּכְתִיב מִמְּצוֹא חֶפְצְךָ, מַהוּ וְדַבֵּר דָּבָר. אֶלָּא, עַד דְּיִגְזַר מִלָּה כַּדְקָא יָאוּת, וִימַלֵּל לֵיהּ. וַדַּאי כַּךְ הוּא בְּרִירָא דְּמִלָּה, מַשְׁמַע דִּכְתִיב וְדַבֵּר דָּבָר. זַכָּאִין אִינּוּן יִשְׂרָאֵל בְּעָלְמָא דֵּין וּבְעָלְמָא דְּאָתֵי, עֲלַיְיהוּ כְּתִיב, וַיֹּאמֶר אַךְ עַמִּי הֵמָּה בָּנִים לֹא יְשַׁקֵּרוּ וַיְהִי לָהֶם לְמוֹשִׁיעַ.

שו. וַיֵּצֵא בֶּן אִשָּׁה יִשְׂרְאֵלִית וְהוּא בֶּן אִישׁ מִצְרִי וְגוֹ׳. וַיֵּצֵא, רִבִּי יְהוּדָה אָמַר, נָפַק מִכְּלָלָא דְּחוּלָקָא דְּיִשְׂרָאֵל, דְּנָפַק מִכְּלָלָא דְּכֹלָּא, נָפַק מִכְּלָלָא דִּמְהֵימְנוּתָא. וַיִּנָּצוּ בַּמַּחֲנֶה, מִכָּאן אוֹלִיפְנָא, כָּל מַאן דְּאָתֵי מִזּוּהֲמָא דְּזַרְעָא, לְסוֹף גַּלְיָיה לֵיהּ קַמֵּי כֹּלָּא. מַאן גָּרִים לֵיהּ, זוּהֲמָא דְּחוּלָקָא בִּישָׁא דְּאִית בֵּיהּ. דְּלֵית לֵיהּ חוּלָקָא בִּכְלָלָא דְּיִשְׂרָאֵל.

שז. רִבִּי חִיָּיא פָּתַח, כְּבוֹד אֱלֹהִים הַסְתֵּר דָּבָר וּכְבוֹד מְלָכִים חֲקוֹר דָּבָר. כְּבוֹד אֱלֹהִים הַסְתֵּר דָּבָר, דְּלֵית רְשׁוּ לְבַר נָשׁ לְגַלָּאָה מִלִּין סְתִימִין, דְּלָא אִתְמְסָרוּ לְאִתְגַּלְּיָיא. מִלִּין דְּחָפָא לוֹן עַתִּיק יוֹמִין, כד״א, לֶאֱכוֹל לְשָׂבְעָה וְלִמְכַסֶּה עָתִיק. לֶאֱכוֹל לְשָׂבְעָה, עַד הַהוּא אֲתַר דְּאִית לֵיהּ רְשׁוּ וְלָא יַתִּיר. וְעִם כָּל דָּא, וְלִמְכַסֶּה עָתִיק, לִמְכַסֶּה עָתִיק וַדַּאי.

שח. דָּבָר אַחֵר, לֶאֱכוֹל לְשָׂבְעָה, אִינּוּן חַבְרַיָּיא דְּיַדְעִין אָרְחִין וּשְׁבִילִין לִמְיהַךְ בְּאֹרַח מְהֵימְנוּתָא כַּדְקָא יָאוּת. כְּגוֹן דָּרָא דְּרִבִּי שִׁמְעוֹן שָׁארֵי בְּגַוֵּיהּ. וְלִמְכַסֶּה עָתִיק, מְדָרִין אָחֳרָנִין דְּהָא כֻּלְּהוֹן לָא אִתְחֲזוּן לֶאֱכוֹל וּלְשָׂבְעָה וּלְאִתְגַּלְּיָיא מִלִּין בְּגַוַּויְיהוּ, אֶלָּא לִמְכַסֶּה עָתִיק, כְּמָה דְּאַתְּ אָמֵר, אַל תִּתֵּן אֶת פִּיךָ לַחֲטִיא אֶת בְּשָׂרֶךָ.

שט. בְּיוֹמוֹי דְּרִבִּי שִׁמְעוֹן, הֲוָה בַּר נָשׁ אָמַר לְחַבְרֵיהּ, פְּתַח פִּיךְ וְיָאִירוּ דְּבָרֶיךָ. בָּתַר דְּשָׁכִיב, הֲווּ אַמְרֵי, אַל תִּתֵּן אֶת פִּיךָ וְגוֹ׳. בְּיוֹמוֹי, לֶאֱכוֹל לְשָׂבְעָה. בָּתַר דְּשָׁכִיב, וְלִמְכַסֶּה עָתִיק. דְּחַבְרַיָּיא מְגַמְגְּמֵי, וְלָא קַיְימֵי בְּמִלִּין. ד״א, לֶאֱכוֹל לְשָׂבְעָה: בְּאִינּוּן מִלִּין דְּאִתְגַּלְיָין. וְלִמְכַסֶּה עָתִיק: בְּאִינּוּן מִילִּין דְּאִתְחַפְיָין.

שי. וַיִּקּוֹב בֶּן הָאִשָּׁה הַיִּשְׂרְאֵלִית אֶת הַשֵּׁם, מַהוּ וַיִּקּוֹב. רִבִּי אַבָּא אָמַר, וַיִּקּוֹב וַדַּאי, כְּמָה דְּאַתְּ אָמֵר, וַיִּקּוֹב חוֹר בְּדַלְתּוֹ, נָקִיב מַה דַּהֲוָה סָתִים. וְשֵׁם אִמּוֹ שְׁלוֹמִית בַּת דִּבְרִי, עַד כָּאן סָתִים שְׁמָא דְּאִמֵּיהּ, כֵּיוָן דִּכְתִיב וַיִּקּוֹב, נָקִיב שְׁמָא דְּאִמֵּיהּ.

שיא. אָמַר רִבִּי אַבָּא, אִי לָאו דְּבוֹצִינָא קַדִּישָׁא קַיְּימָא בְּעָלְמָא, לָא אַרְשֵׁינָא לְגַלָּאָה, דְּהָא לָא אִתְיְיהִיב מִלָּה דָּא לְגַלָּאָה אֶלָּא לְחַבְרַיָּיא, דְּאִינּוּן בֵּין מוֹחֲדֵי חַקְלָא. תִּיפַּח רוּחַיְיהוּ דְּאִינּוּן דְּאַתְיָין לְגַלָּאָה, לְאִינּוּן דְּלָא יַדְעֵי.

שיב. תא חזי, כתיב ויצאו במחנה בן הישראלית ואיש הישראלי, האי קרא הא אוקימנא, אבל דא בר אינתו אוחרא דאבוי, בעלה דשלומית הוה. וכיון דאתא ההוא מצראה עלה, בפלגות ליליא, תב לביתא וידע מלה, אתפרש מנה ולא אתא עלה. ונטל אינתו אוחרא, ואוליד להאי, ואקרי איש הישראלי, ואוחרא בן הישראלית. אי אינון אינצו הכא כחדא, מאי קא בעי הכא שמא קדישא. ואמאי קלל שמא קדישא.

שיג. אלא, איש הישראלי אמר מלה מאמיה, מגו קטטה. מיד ויקוב בן האשה הישראלית. כמה דאת אמר, ויקוב חור בדלתו. רזא דמלה, נטל ה' דשמא קדישא, ולייט, לאגנא על אמיה. ודא הוא נקיבא, דאיהו נקיב ופריש שמא קדישא. ולמוחצדי וחקלא אתמר. ורזא דמלה, כן דרך אשה מנאפת וגו', זכאה חולקיהון דצדיקייא, דידעין מלה, ומכסיין לה. ועל דא אתמר, ריבך ריב את רעך וסוד אחר אל תגל.

שיד. ה' בתראה, הוות נוקבא דינקא בתרין סטרין, בגין כך נטלא זיינין דמלכא, ונקמת נקמהא, דכתיב הוצא את המקלל. על דא כתיב, איש אמו ואביו תיראו, דחילו דאימא אקדים לאבא. וזכאין אינון ישראל בעלמא דין ובעלמא דאתי.

שטו. ואל בני ישראל תדבר לאמר איש איש כי יקלל אלהיו ונשא חטאו. רבי יהודה אמר, הא אוקמוה. אבל כי יקלל אלהיו סתים. ובגין דאמר אלהיו סתם, לכך ונשא חטאו. דהא לא ידעינן מאן הוא אלהיו, מאן דחלא דיליה, אי אחד מן השרים, או חד מן כוכביא, או חד מדברי עלמא.

שטז. א"ר יוסי, אי צדיק גמור הוא, לא יתער חיליהון, וכיון דאתער מלה דא, חיישינן מינות אזדריקת ביה, ולא ימות על דא, בגין דאיהו מלה סתים.

שיז. ר' יהודה אמר, דאין ליה לטב בהא, דאי אמר אלהי, יכיל למטען אלהי דהוה עד השתא, דאתמשכנא אבתריה בלבאי, והשתא אהדרנא לקבלא מהימנותא עלאה. אבל אי אמר יי' אלהים, או יי', ונקיב ליה בשמא, האי לית ליה למטען בהאי, בגין דדא הוא מהימנותא דכלא, וכל את ואת דשמא קדישא דא, סלקא לשמא שלימא.

שיח. ד"א ויקוב בן האשה הישראלית את השם ויקלל. רבי יצחק אמר, ויקוב בן האשה, אמאי. אלא כמה דאוקמוה. אבל האיש הישראלי, בעלה דשלומית הוה. רבי יהודה אמר, בריה דבעלה דשלומית מאנתו אוחרא הוה. אמר רבי יצחק, נצו כחדא, וא"ל מלה מאימיה, וכי אבוי הוה דאתקטל בשמא קדישא, כמה דאוקמוה דכתיב הלהרגני אתה אומר, דהא בשמא קדישא, קטיל ליה משה, ועל דא אושיט מלה לקבליה.

שיט. ודא הוא דכתיב, ויקוב בן האשה הישראלית את השם ויקלל ויביאו אותו אל משה. אמאי. בגין דמטא לגביה דמשה, על דקטיל לאבוהי בשמא קדישא. בגין כך ויביאו אותו אל משה. כיון דחמא משה, מיד ויניחוהו במשמר, ואבא וברא נפלו בידא דמשה.

שכ. איש איש כי יקלל אלהיו ונשא חטאו. רבי יצחק פתח, שמע עמי ואעידה בך ישראל אם תשמע לי לא יהיה בך אל זר ולא תשתחוה לאל נכר, כיון דכתיב לא יהיה בך אל זר, מאי ולא תשתחוה לאל נכר. אלא לא יהיה בך אל זר, דלא ייעול ב"נ ליצר הרע בגויה, דכל מאן דאתי לאתחברא ביה, אל זר שריא בגויה, דהא כד

אִתְחַבַּר בַּ"נ בֵּיהּ מִיַּד אָתֵי לְאַעְבְּרָא עַל פִּתְגָּמֵי אוֹרַיְיתָא. אָתֵי לְאַעְבְּרָא עַל מְהֵימְנוּתָא דִּשְׁמָא קַדִּישָׁא, וְאָתֵי לְבָתַר לְמִסְגַּד לְטַעֲוָון אָחֳרָן, וְעַל דָּא כְּתִיב, לֹא יִהְיֶה בְךָ אֵל זָר, כֵּיוָן דְּלָא יִהְיֶה בְךָ אֵל זָר, לָא תֵיתֵי לְמִסְגַּד לְטַעֲוָון אָחֳרָן, וּלְמֶעְבַּר עַל מְהֵימְנוּתָא דִּשְׁמָא קַדִּישָׁא. הה"ד, וְלֹא תִשְׁתַּחֲוֶה לְאֵל נֵכָר, וּמְהֵימְנוּתָא בִּישָׁא דְּבַ"נ דָּא הוּא.

שכא. וְעַל דָּא כִּי יְקַלֵּל אֱלֹהָיו, דְּיָכִיל לְמִטְעָן דְּהוּא לָיְיט לְהַהוּא אֵל זָר, יִצְרָא בִּישָׁא דְּשַׁרְיָא עָלֵיהּ לִזְמְנִין, וַאֲנָן לָא יַדְעִינָן מִלּוֹי אִי קְשׁוֹט אוֹ לָאו. וְעַל דָּא, וְנָשָׂא וְחֶטְאוֹ. אֲבָל וְנוֹקֵב שֵׁם יְיָ' מוֹת יוּמָת.

שכב. א"ר יְהוּדָה, אִי הָכִי, אַמַּאי וְנָשָׂא וְחֶטְאוֹ, וְנִסְלַח וְחֶטְאוֹ מִבָּעֵי לֵיהּ. אָ"ל, כְּגוֹן דְּאָמַר אֱלָהֵי כְּמָה דְּאוֹקִימְנָא סְתָם, וְלָא פָּרִישׁ. רִבִּי חִיָּיא אָמַר, כִּי יְקַלֵּל אֱלֹהָיו סְתָם, וְלָא פֵּירַשׁ, וְהָא וַדַּאי וְנָשָׂא וְחֶטְאוֹ. אֲבָל וְנוֹקֵב שֵׁם יְיָ' מוֹת יוּמָת, דְּהָא הָכָא תַּלְיָיא מְהֵימְנוּתָא דְּכֹלָּא, וְלֵית לֵיהּ רְשׁוּ לְמִטְעַן עָלֵיהּ כְּלָל.

שכג. אָמַר רִבִּי יוֹסֵי, הָכִי הוּא וַדַּאי, דְּהָא שְׁמָא דָּא מְהֵימְנוּתָא דְּעִלָּאֵי וְתַתָּאֵי. וְעַל דָּא קַיְימִין עָלְמִין כֻּלְּהוּ, בְּאָת חַד זְעֵירָא, תַּלְיָין אֲלַף אַלְפִּין וְרִבּוֹא רִבְבָן עָלְמִין דְּכִסּוּפִין, וְעַל דָּא תָּנֵינָן, אַתְוָון אִלֵּין, קְשִׁירִין אִלֵּין בְּאִלֵּין, וְכַמָּה אֲלַף רִבְבָן עָלְמִין, תַּלְיָין בְּכָל אָת וְאָת, וְאִסְתַּלִּיקוּ וְאִתְקַשְּׁרוּ בִּמְהֵימְנוּתָא וְסָתִים בְּהוּ, מַה דְּלָא אִתְדַּבָּקוּ עִלָּאִין וְתַתָּאִין, אוֹרַיְיתָא בְּהוּ תַּלְיָיא, עָלְמָא דֵּין וְעָלְמָא דְּאָתֵי, הוּא וּשְׁמֵיהּ חַד. וְעַל דָּא כְּתִיב, אָמַרְתִּי אֶשְׁמְרָה דְּרָכַי מֵחֲטוֹא בִלְשׁוֹנִי. וּכְתִיב אַל תִּתֵּן אֶת פִּיךָ לַחֲטִיא אֶת בְּשָׂרֶךָ.

שכד. רִבִּי חִזְקִיָּה פָּתַח, לֹא תִגַּע בּוֹ יָד כִּי סָקוֹל יִסָּקֵל אוֹ יָרֹה יִיָּרֶה אִם בְּהֵמָה אִם אִישׁ לֹא יִחְיֶה בִּמְשׁוֹךְ הַיּוֹבֵל. וּמַה טוּרָא דְּסִינַי, דְּאִיהוּ טוּרָא כִּשְׁאָר טוּרֵי עָלְמָא, בְּגִין דְּאִתְחֲזֵי עָלֵיהּ יְקָרָא דְּמַלְכָּא קַדִּישָׁא, כְּתִיב לֹא תִגַּע בּוֹ יָד כִּי סָקוֹל יִסָּקֵל אוֹ יָרֹה יִיָּרֶה, מַאן דְּקָרִיב לְמַלְכָּא לָא כ"ש. וּמַה טוּרָא דְּסִינַי דְּיָכִיל ב"נ לְאוֹשִׁיט בֵּיהּ יְדָא אֹרַח יְקָר בִּדְחִילוּ, כְּתִיב לֹא תִגַּע בּוֹ יַד סְתָם, וַאֲפִילוּ בְּאֹרַח יְקָר. מַאן דְּאוֹשִׁיט יְדֵיהּ בְּאֹרַח קְלָנָא לְקַבֵּיל מַלְכָּא, לָא כָּל שֶׁכֵּן.

שכה. רִבִּי יֵיסָא פָּתַח וְאָמַר, אַל תִּקְרַב הֲלֹם שַׁל נְעָלֶיךָ מֵעַל רַגְלֶיךָ כִּי הַמָּקוֹם אֲשֶׁר אַתָּה עוֹמֵד עָלָיו אַדְמַת קֹדֶשׁ הוּא. וּמַה מֹשֶׁה, דְּמִן יוֹמָא דְּאִתְיְלִיד זִיהֲרָא קַדִּישָׁא עִלָּאָה לָא אַעְדֵּי מִנֵּיהּ, כְּתִיב בֵּיהּ אַל תִּקְרַב הֲלֹם. אָ"ל מֹשֶׁה, ע"כ לָא אַנְתְּ כְּדַאי לְאִשְׁתַּמְּשָׁא בִּיקָרִי, שַׁל נְעָלֶיךָ. וּמַה מֹשֶׁה כַּךְ, דַּהֲוָה קָרִיב בִּדְחִילוּ בִּקְדוּשָׁה כְּתִיב בֵּיהּ הָכִי. מַאן דְּקָרִיב בְּאֹרַח קְלָנָא לְגַבֵּי מַלְכָּא, עַל אַחַת כַּמָּה וְכַמָּה.

שכו. רִבִּי אַבָּא אָמַר, אִישׁ אִישׁ כִּי יְקַלֵּל אֱלֹהָיו וְנָשָׂא וְחֶטְאוֹ. ת"ח, כַּד הֲווּ יִשְׂרָאֵל בְּמִצְרַיִם, הֲווּ יַדְעֵי בְּאִינּוּן רַבְרְבֵי עָלְמָא, דִּמְמַנָּן עַל שְׁאָר עַמִּין, וְכָל חַד וְחַד הֲוָה לֵיהּ דַּחֲלָא בִּלְחוֹדוֹי מִנַּיְיהוּ. כֵּיוָן דְּאִתְקַשְּׁרוּ בְּקִשְׁרָא דִּמְהֵימְנוּתָא, וְקָרִיב לוֹן קב"ה לְפוּלְחָנֵיהּ, אִתְפָּרְשׁוּ מִנַּיְיהוּ וְקָרִיבוּ לְגַבֵּי מְהֵימְנוּתָא עִלָּאָה קַדִּישָׁא. וּבְג"כ כְּתִיב, אִישׁ אִישׁ כִּי יְקַלֵּל אֱלֹהָיו, ואע"ג דְּפוּלְחָנָא נוּכְרָאָה הוּא, כֵּיוָן דַּאֲנָא פְּקִידַת לוֹן מִמְּנָא לְדַבְּרָא עָלְמָא מַאן דְּלָיְיט וּמְבַזֵּי לוֹן, וְנָשָׂא וְחֶטְאוֹ וַדַּאי, דְּהָא בִּרְשׁוּתִי קַיְימִין וְאַזְלֵי וּמַדְבְּרִין בְּנֵי עָלְמָא. אֲבָל וְנוֹקֵב שֵׁם יְיָ' מוֹת יוּמָת, לָאו וְנָשָׂא וְחֶטְאוֹ כְּמָה לְאִלֵּין, אֶלָּא מוֹת יוּמָת. מוֹת בְּעָלְמָא דֵּין, יוּמָת בְּעָלְמָא דְּאָתֵי. לְאִלֵּין וְנָשָׂא וְחֶטְאוֹ, בְּגִין דִּמְבַזֵּי עוֹבָדֵי יְדוֹי, מְבַזֵּי לְשַׁמָּשֵׁי דַּאֲנָא

פָּקִידִית, וְאָסִיר הוּא, אֲבָל מִיתָה לָא אִתְחַיַּיב בְּהוּ.

שכז. ר"ש הֲוָה אָזִיל בְּאָרְחָא, וַהֲוָה עִמֵּיהּ ר' אֶלְעָזָר וְר' אַבָּא וְר' חִיָּיא וְר' יוֹסֵי וְר' יְהוּדָה מְטוֹ לְחַד טִיקְלֵי דְמַיָּא, פּוּסְקָרָא ר' יוֹסֵי בְּקִטְפוֹי לְגוֹ מַיָּא, אָמַר קוּטְרָא דְקוּסְטֵי דְּמַיָּא וּכְלָאי לָא שְׁכִיחַ. א"ל ר' שִׁמְעוֹן, אָסִיר לָךְ. שִׁמּוּשָׁא דְעָלְמָא הוּא, וְאָסִיר לְאַנְהָגָא קַלְנָא בְּשִׁמּוּשָׁא דְקוּדְשָׁא ב"ה וְכָל שֶׁכֵּן דְּאִינּוּן עוֹבְדֵי קְשׁוֹט, בְּנִימוּסֵי דְקַסְטִירָא עִלָּאָה שְׁכִיחֵי.

שכח. פָּתַח וְאָמַר, וַיַּרְא אֱלֹהִים אֶת כָּל אֲשֶׁר עָשָׂה וְהִנֵּה טוֹב מְאֹד. וַיַּרְא אֱלֹהִים אֶת כָּל אֲשֶׁר עָשָׂה, סְתָם, אֲפִילוּ נְחָשִׁים וְעַקְרַבִּים וִיתוּשִׁים, וַאֲפִילוּ אִינּוּן דְּאִתְחֲזוּן מְחַבְּלֵי עָלְמָא, בְּכֻלְּהוּ כְּתִיב וְהִנֵּה טוֹב מְאֹד כֻּלְּהוּ שַׁמָּשֵׁי עָלְמָא, מַדְבְּרֵי עָלְמָא, וּבְנֵי נָשָׁא לָא יָדְעֵי.

שכט. עַד דַּהֲווּ אָזְלֵי, חָמוּ חַד חִוְיָא מִדַּבַּר קַמַּיְיהוּ, א"ר שִׁמְעוֹן, וַדַּאי דָּא אָזִיל לְאַרְחָשָׁא לָן נִיסָא, רְהַט הַהוּא חִוְיָא קַמַּיְיהוּ, וְקָטַר בְּחַד אֶפְעֶה בְּקִיטְרָא דְאוֹרְחָא נָצַץ וַחַד בְּחַד וּמִיתוּ. כַּד מָטוֹ, וְחָמוּ לוֹן לְתַרְוַויְיהוּ שְׁכִיבִין בְּאָרְחָא. אָמַר ר"ש, בְּרִיךְ רַחֲמָנָא דְּרָחִישׁ לָן נִיסָא. דְּהָא כָּל מַאן דְּאִסְתַּכַּל בְּהַאי, כַּד אִיהוּ בְּקִיּוּמֵיהּ, אוֹ אִיהוּ יִסְתַּכַּל בב"נ, לָא יִשְׁתְּזִיב וַדַּאי, כ"ש אִי יִקְרַב בַּהֲדֵיהּ. קָרָא עָלֵיהּ, לֹא תְאֻנֶּה אֵלֶיךָ רָעָה וְנֶגַע לֹא יִקְרַב בְּאָהֳלֶךָ. וּבְכֹלָּא עָבִיד קב"ה שְׁלִיחוּתָא דִילֵיהּ, וְלֵית לָן לְאַנְהָגָא קַלְנָא בְּכָל מַה דְּאִיהוּ עָבֵד. וְעַל דָּא כְּתִיב, טוֹב יְיָ' לַכֹּל וְרַחֲמָיו עַל כָּל מַעֲשָׂיו, וּכְתִיב, יוֹדוּךָ יְיָ' כָּל מַעֲשֶׂיךָ.

של. רִבִּי שִׁמְעוֹן פָּתַח, אֲנִי חֲבַצֶּלֶת הַשָּׁרוֹן שׁוֹשַׁנַּת הָעֲמָקִים. כַּמָּה חֲבִיבָה כ"י קַמֵּי קוּדְשָׁא בְּרִיךְ הוּא, דְּקב"ה מְשַׁבַּח לָהּ, וְהִיא מְשַׁבַּחַת לֵיהּ תָּדִיר. וְכַמָּה שְׁבָחִין וּמִזְמוֹרִין אִתְקַנַּת לֵיהּ לְמַלְכָּא תָּדִיר. זַכָּאָה חוּלָקֵיהוֹן דְּיִשְׂרָאֵל, דְּאַחֲדָן בְּעַדְבָא דְחוּלְקָא קַדִּישָׁא, כְּמָה דִכְתִיב כִּי חֵלֶק יְיָ' עַמּוֹ יַעֲקֹב חֶבֶל נַחֲלָתוֹ.

שלא. אֲנִי חֲבַצֶּלֶת הַשָּׁרוֹן, דָּא כ"י, דְּאִקְרֵי חֲבַצֶּלֶת, דְּקַיְּימָא בְּשַׁפִּירוּ דְּנוֹי בְּגִנְתָא דְעֵדֶן לְאִתְנַטְּעָא. הַשָּׁרוֹן, דְּהִיא שָׁרָה וּמְשַׁבַּחַת לֵיהּ לְמַלְכָּא עִלָּאָה. ד"א אֲנִי חֲבַצֶּלֶת הַשָּׁרוֹן, דְּבָעְיָא לְאִשְׁתַּקָּאָה מִשַּׁקְיוּ דְּנַחְלָא עֲמִיקָא, מַבּוּעָא דְנַחֲלִין. כד"א הָיָה הַשָּׁרוֹן כָּעֲרָבָה. שׁוֹשַׁנַּת הָעֲמָקִים, דְּקַיְּימָא בַּעֲמִיקְתָא דְּכֹלָּא.

שלב. שׁוֹשַׁנַּת הָעֲמָקִים. מַאן אִינּוּן עֲמָקִים. כד"א מִמַּעֲמַקִּים קְרָאתִיךָ יְיָ'. חֲבַצֶּלֶת הַשָּׁרוֹן, מֵהַהוּא אֲתַר דְּשַׁקְיוּ דְּנַחֲלִין עֲמִיקִין נָפְקִין, וְלָא פָּסְקִין לְעָלְמִין. שׁוֹשַׁנַּת הָעֲמָקִים, שׁוֹשַׁנָּה דְּהַהוּא אֲתַר דְּאִקְרֵי עֲמִיקָא דְּכֹלָּא, סָתִים מִכָּל סִטְרִין.

שלג. תָּא חֲזֵי, בְּקַדְמֵיתָא חֲבַצֶּלֶת יְרוֹקָא, בְּטַרְפִּין יְרוֹקִין לְבָתַר שׁוֹשַׁנָּה, בִּתְרֵין גַּוְונִין סוּמָק וְחִוָּור. שׁוֹשַׁנַּת: בְּשִׁית טַרְפִּין. שׁוֹשַׁנַּת: דְּשַׁנְיָאת גַּוְונָהָא, וְאִשְׁתַּנְּיָאת מִגַּוְונָא לְגַוְונָא. שׁוֹשַׁנַּת, בְּקַדְמֵיתָא חֲבַצֶּלֶת, בְּזִמְנָא דְּבָעְיָא לְאִזְדַּוְּוגָא בֵּיהּ בְּמַלְכָּא, אִקְרֵי חֲבַצֶּלֶת. בָּתַר דְּאִתְדַּבְּקַת בֵּיהּ בְּמַלְכָּא, בְּאִינּוּן נְשִׁיקִין, אִקְרֵי שׁוֹשַׁנָּה. בְּגִין דִּכְתִיב שִׂפְתוֹתָיו שׁוֹשַׁנִּים. שׁוֹשַׁנַּת הָעֲמָקִים. דְּהִיא שַׁנְיָיא וּמְשַׁנְּיָאת גַּוְונָהָא, זִמְנִין לְטָב, וְזִמְנִין לְבִישׁ. זִמְנִין לְדִינָא, וְזִמְנִין לְרַחֲמֵי.

שלד. וַתֵּרֶא הָאִשָּׁה כִּי טוֹב הָעֵץ לְמַאֲכָל וְכִי תַאֲוָה הוּא לָעֵינַיִם וְגוֹ'. ת"ח, דְּהָא בְּנֵי נָשָׁא לָא יָדְעִין, וְלָא מִסְתַּכְּלִין, וְלָא מַשְׁגִּיחִין, בְּשַׁעְתָּא דְּבָרָא קב"ה לְאָדָם, וְאוֹקִיר לֵיהּ בִּיקִירוּ עִלָּאָה, בָּעָא מִנֵּיהּ לְאִתְדַּבְּקָא בֵּיהּ, בְּגִין דְּיִשְׁתְּכַח יְחִידָאי, וּבְלִבָּא יְחִידָאי,

וּבַאֲתַר דִּדְבֵיקוּתָא יְחִידָאָה, דְּלָא יִשְׁתַּנֵּי וְלָא יִתְהַפֵּךְ לְעָלְמִין, בְּהַהוּא קְשׁוּרָא דִּמְהֵימְנוּתָא יְחִידָאָה, דְּכֹלָּא בֵּיהּ אִתְקְשַׁר. הֲדָא הוּא דִּכְתִּיב וְעֵץ הַחַיִּים בְּתוֹךְ הַגָּן.

שלה. וּלְבָתַר סָטוּ מֵאוֹרְחָא דִּמְהֵימְנוּתָא, וְשָׁבְקוּ אִילָנָא יְחִידָאָה עִלָּאָה מִכָּל אִילָנִין, וְאָתוּ לְאִתְדַּבְּקָא בַּאֲתַר דְּמִשְׁתַּנֵּי וּמִתְהַפֵּךְ מִגַּוְונָא לְגַוְונָא, וּמִטָּב לְבִישׁ, וּמִבִּישׁ לְטָב, וְנַחְתוּ מֵעֵילָּא לְתַתָּא, וְאִתְדַּבְּקוּ לְתַתָּא בְּשִׁנּוּיִין סַגִּיאִין, וְשָׁבְקוּ עִלָּאָה דְּכֹלָּא, דְּהוּא חַד, וְלָא אִשְׁתַּנֵּי לְעָלְמִין. הֲדָא הוּא דִּכְתִּיב, אֲשֶׁר עָשָׂה הָאֱלֹהִים אֶת הָאָדָם יָשָׁר וְהֵמָּה בִקְשׁוּ חִשְּׁבוֹנוֹת רַבִּים. וְהֵמָּה בִּקְשׁוּ חִשְּׁבוֹנוֹת רַבִּים וַדַּאי, כְּדֵין אִתְהַפָּךְ לִבַּיְיהוּ בְּהַהוּא סִטְרָא מַמָּשׁ, זִמְנִין לְטָב, זִמְנִין לְבִישׁ זִמְנִין לְרַחֲמֵי, זִמְנִין לְדִינָא. כְּהַהוּא מִלָּה דְּאִתְדָּבְקוּ בָהּ וַדַּאי. וְהֵמָּה בִקְשׁוּ חִשְּׁבוֹנוֹת רַבִּים, וְאִתְדָּבְקוּ בְּהוּ.

שלו. אָ"ל קוּדְשָׁא בְּרִיךְ הוּא, אָדָם, שַׁבְקַת חַיֵּי, וְאִתְדַּבַּקַת בְּמוֹתָא. חַיֵּי, דִּכְתִּיב וְעֵץ הַחַיִּים בְּתוֹךְ הַגָּן, עֵץ דְּאִתְקְרֵי חַיִּים, דְּמַאן דְּאָחִיד בֵּיהּ, לָא טָעִים טַעֲמָא דְּמוֹתָא לְעָלְמִין. וְאִתְדַּבַּקַת בְּאִילָנָא אָחֳרָא, הָא וַדַּאי מוֹתָא הוּא לָקֳבְלָךְ. הה"ד, רַגְלֶיהָ יוֹרְדוֹת מָוֶת וְגוֹ'. וּכְתִיב וּמוֹצֶא אֲנִי מַר מִמָּוֶת אֶת הָאִשָּׁה. וַדַּאי. בַּאֲתַר דְּמוֹתָא אִתְדְּבַק, וְשָׁבַק אֲתַר דְּחַיֵּי, בְּגִּין כָּךְ אִתְגְּזַר עָלֵיהּ וְעַל כָּל עָלְמָא מוֹתָא.

שלז. אִי הוּא חָטָא, כָּל עָלְמָא מַאי חָטְאוּ. אִי תֵּימָא דְּכָל בִּרְיָין אָתוּ וְאָכְלוּ מֵאִילָנָא דָּא, וְאִתְרְמֵי מִכֹּלָּא. לָאו הָכִי, אֶלָּא בְּשַׁעְתָּא דְּאָדָם קָאִים עַל רַגְלוֹי, חָמוּ לֵיהּ בִּרְיָין כֻּלְּהוּ, וְדָחֲלוּ מִקַּמֵּיהּ, וַהֲווֹ נַטְלִין בַּתְרֵיהּ, כְּעַבְדִּין קַמֵּי מַלְכָּא. וְהוּא אָמַר לוֹן, אֲנָא וְאַתּוּן, בֹּאוּ נִשְׁתַּחֲוֶה וְנִכְרָעָה נִבְרְכָה לִפְנֵי יְיָ' עוֹשֵׂנוּ, וְכֻלְּהוּ אָתוּ בַּתְרֵיהּ. כֵּיוָן דְּחָמוּ דְּאָדָם סָגִּיד לְהַאי אֲתַר, וְאִתְדַּבַּק בֵּיהּ, כֻּלְּהוּ אִתְמְשָׁכוּ אֲבַתְרֵיהּ, וְגָרִים מוֹתָא לֵיהּ, וּלְכָל עָלְמָא.

שלח. כְּדֵין אִשְׁתַּנֵּי אָדָם לְכַמָּה גַּוְונִין, זִמְנִין לְטָב, זִמְנִין לְבִישׁ. זִמְנִין רוּגְזָא, זִמְנִין נַיְיחָא. זִמְנִין דִּינָא, וְזִמְנִין רַחֲמֵי. זִמְנִין חַיֵּי, זִמְנִין מוֹתָא. וְלָא קָאִים בְּקִיּוּמָא תָּדִיר בְּחַד מִנַּיְיהוּ. בְּגִּין דְּהַהוּא אֲתַר גַּרְמָא לֵיהּ. וְעַ"ד אִקְרֵי, לַהַט הַחֶרֶב הַמִּתְהַפֶּכֶת, מִן סִטְרָא דָּא, לְסִטְרָא דָּא, מִן טַב לְבִישׁ, מִן רַחֲמֵי לְדִינָא, מִן שָׁלוֹם לִקְרָבָא, אִתְהַפִּיכַת הִיא לְכֹלָּא. וְאִקְרֵי טוֹב וָרָע, דִּכְתִּיב וּמֵעֵץ הַדַּעַת טוֹב וָרָע לֹא תֹאכַל מִמֶּנּוּ.

שלט. וּמַלְכָּא עִלָּאָה, רַחֲמָא עַל עוֹבָדֵי יְדוֹי, אוֹכַח לֵיהּ, וְאָמַר לֵיהּ וּמֵעֵץ הַדַּעַת טוֹב וָרָע לֹא תֹאכַל מִמֶּנּוּ, וְהוּא לָא קַבִּיל מִנֵּיהּ, וְאִתְמְשַׁךְ בָּתַר אִתְּתֵיהּ, וְאִתְתָּרַךְ לְעָלְמִין. דְּהָא אִתְּתָא לַאֲתַר דָּא סַלְקָא, וְלָא יַתִּיר. וְאִתְּתָא גָּרִים מוֹתָא לְכֹלָּא.

שמ. ת"ח, לְעָלְמָא דְּאָתֵי כְּתִיב, כִּי כִימֵי הָעֵץ יְמֵי עַמִּי. כִּימֵי הָעֵץ: הַהוּא עֵץ דְּאִשְׁתְּמוֹדַע. בֵּיהּ זִמְנָא כְּתִיב, בִּלַּע הַמָּוֶת לָנֶצַח וּמָחָה יְיָ' אֱלֹהִים דִּמְעָה מֵעַל כָּל פָּנִים.

בָּרוּךְ יְיָ' לְעוֹלָם אָמֵן וְאָמֵן יִמְלוֹךְ יְיָ' לְעוֹלָם אָמֵן וְאָמֵן

Behar

בְּהַר

א. וַיְדַבֵּר יְיָ' אֶל מֹשֶׁה בְּהַר סִינַי לֵאמֹר. דַּבֵּר אֶל בְּנֵי יִשְׂרָאֵל וְאָמַרְתָּ אֲלֵהֶם כִּי
תָּבֹאוּ אֶל הָאָרֶץ וְגוֹ'. רִבִּי אֶלְעָזָר פָּתַח, זֹאת תּוֹרַת הָעוֹלָה הִיא הָעוֹלָה וְגוֹ'. הַאי קְרָא
בִּכְנֶסֶת יִשְׂרָאֵל אוּקִימְנָא, דְּהִיא סַלְקָא וּמִתְחַבְּרָא בְּמַלְכָּא קַדִּישָׁא בְּזִוּוּגָא שְׁלִים.

ב. הִיא הָעוֹלָה עַל מוּקְדָה עַל הַמִּזְבֵּחַ כָּל הַלַּיְלָה וְגוֹ'. ת"ח, כֵּיוָן דְּעָאל לֵילְיָא,
וְתַרְעִין סְתִימִין, דִּינִין תַּתָּאִין מִתְעָרִין בְּעָלְמָא, וְאָזְלִין וְשָׁאטִין, וְזַמְרֵי וְאַתְנֵי וְכַלְבֵּי.
וְזַמְרֵי הָא אוּקִימְנָא, וְכַלְבֵּי וְאַתְנֵי, לָא שָׁאטָן וְלָא אָזְלִין, אֶלָּא בְּהוּ עִבְדֵי וְזַרְעִיָּא לִבְנֵי
נָשָׁא. כְּגוֹן בִּלְעָם, וְאוּקְמוּהָ. כְּדֵין כָּל בְּנֵי עָלְמָא נַיְימִין, וּמִזְבֵּחַ תַּתָּאָה דִּלְבַר אִתּוֹקַד.

ג. בְּפַלְגּוּת לֵילְיָא, אִתְעַר רוּחַ צָפוֹן, וּמֵהַהוּא מִזְבֵּחַ תַּתָּאָה, נָפִיק שַׁלְהוֹבָא דְּאֶשָּׁא,
וְתַרְעִין אִתְפַּתְּחוּ, וְדִינִין תַּתָּאִין אִתְכְּנָשׁוּ בְּנוּקְבַיְיהוּ, וְהַהוּא שַׁלְהוֹבָא אָזִיל וְשָׁאט,
וְתַרְעִין דג"ע אִתְפַּתְּחוּ, עַד דְּמָטֵי הַהוּא שַׁלְהוֹבָא, אִתְפְּלַג לְכַמָּה סִטְרִין דְּעָלְמָא, וְעָאל
תְּחוֹת גַּדְפוֹי דְּתַרְנְגוֹלָא וְקָארֵי.

ד. כְּדֵין קב"ה אִשְׁתְּכַח בֵּין צַדִּיקַיָּיא, וכ"י מְשַׁבַּחַת לֵיהּ לקב"ה, עַד דְּאָתֵי צַפְרָא.
כֵּיוָן דְּאָתֵי צַפְרָא, אִשְׁתְּכָחוּ מְשַׁתְּעָן בְּרָזָא וַדָּא. וְאִית לָהּ נַיְיחָא בְּבַעְלָהּ. הה"ד, עַל
מוּקְדָה עַל הַמִּזְבֵּחַ כָּל הַלַּיְלָה וְגוֹ'. עַד הַבֹּקֶר, דְּהָא בְּצַפְרָא דִּינִין וְשַׁלְהוֹבִין אִשְׁתְּכָכוּ,
וּכְדֵין אִתְעַר אַבְרָהָם בְּעָלְמָא, וְנַיְיחָא הוּא דְכֹלָּא.

ה. ת"ח, כֵּיוָן דְּעָאלוּ יִשְׂרָאֵל לְאַרְעָא, לָא אִשְׁתְּכָחוּ בָּהּ דִּינִין תַּתָּאִין, וכ"י הֲוַת בָּהּ
בְּנַיְיחָא, עַל כַּנְפֵּי דִכְרוּבִים. כְּמָה דְּאִתְּמָר, דִּכְתִיב, צֶדֶק יָלִין בָּהּ. כְּדֵין הֲוַת לָהּ נַיְיחָא
מִכֹּלָּא. דְּהָא יִשְׂרָאֵל לָא נַיְימִין, עַד דִּמְקָרְבֵי קָרְבָּנָא דְּבֵין הָעַרְבַּיִם, וְאַסְתְּלִיקוּ דִּינִין.
וְעוֹלָה הֲוָה אִתּוֹקַד עַל מַדְבְּחָא, וּכְדֵין הֲוָה לָהּ נַיְיחָא מִכֹּלָּא, וְלָא אִשְׁתְּכַח אֶלָּא אִתְּתָא
בְּבַעְלָהּ, הה"ד כִּי תָבֹאוּ וְגוֹ' וְשָׁבְתָה הָאָרֶץ, נַיְיחָא וַדַּאי. וְשָׁבְתָה הָאָרֶץ שַׁבָּת לַיְיָ',
שַׁבָּת לַיְיָ' מַמָּשׁ.

ו. תּוּ פָּתַח רִבִּי אֶלְעָזָר, כִּי תִקְנֶה עֶבֶד עִבְרִי שֵׁשׁ שָׁנִים יַעֲבֹד וְגוֹ'. בְּגִין דְּכָל בַּר
יִשְׂרָאֵל דְּאִתְגְּזַר, דְּאִית בֵּיהּ רְשִׁימָא קַדִּישָׁא, אִית לֵיהּ נַיְיחָא בְּשֶׁמִטָּה. דְּהָא דִּילֵיהּ הוּא
הַהוּא שְׁמִטָּה, לְנַיְיחָא בֵּיהּ. וְדָא אִקְרֵי שַׁבַּת הָאָרֶץ, וַדַּאי וַיֵּירוּ אִית בָּהּ. נַיְיחָא בָּהּ, כְּמָה
דְּשַׁבָּת נַיְיחָא הוּא דְכֹלָּא, הָכִי נָמֵי שְׁמִטָּה נַיְיחָא דְּכֹלָּא, נַיְיחָא הוּא דְּרוּחָא וְגוּפָא.

ז. ת"ח, ה' נַיְיחָא הוּא דְּעִלָּאֵי וְתַתָּאֵי. בְּג"כ, ה' עִלָּאָה, ה' תַּתָּאָה. נַיְיחָא דְּעִלָּאִין,
נַיְיחָא דְּתַתָּאִין. ה' עִלָּאָה, שֶׁבַע שָׁנִים שֶׁבַע פְּעָמִים. ה' תַּתָּאָה, שֶׁבַע שָׁנִים בִּלְחוֹדַיְיהוּ.
דָּא שְׁמִטָּה, וְדָא יוֹבְלָא.

ח. וְכַד מִסְתַּכְּלִין בְּמִלֵּי כֹּלָּא חַד. בְּג"כ וְשָׁבְתָה הָאָרֶץ, בְּהַהוּא נַיְיחָא דְּאַרְעָא,
אִצְטְרִיכוּ עָבְדִין נַיְיחָא. וּבְג"כ, וּבַשְּׁבִיעִית יֵצֵא לַחָפְשִׁי חִנָּם. חִנָּם, מַהוּ חִנָּם, דְּלָא יָהִיב
לְמָארֵיהּ כְּלוּם.

ט. אֶלָּא דָא רָזָא, הָכָא אוֹלִיפְנָא, כְּתִיב זָכַרְנוּ אֶת הַדָּגָה אֲשֶׁר נֹאכַל בְּמִצְרַיִם חִנָּם,
בְּלָא בְרָכָה. דְּלָא הֲוָה עָלְמָא בְּמִצְרַיִם עוֹל דִּלְעֵילָּא. ת"ח, עַבְדִין פְּטוּרִין מֵעוֹל מַלְכוּתָא

דִּלְעֵילָּא, וְעַ״ד פְּטוּרִין מִן הַמִּצְוֹת. מַאי עוֹל מַלְכוּת שָׁמַיִם. אֶלָּא, כְּהַאי תּוֹרָא דְּיָהֲבִין עָלֵיהּ עוֹל בְּקַדְמֵיתָא, בְּגִין לְאַפָּקָא מִנֵּיהּ טַב לְעָלְמָא. וְאִי לָא קַבִּיל עָלֵיהּ הַהוּא עוֹל, לָא עָבֵיד מִדִּי. ה״נ אִצְטְרִיךְ לֵיהּ לְב״נ לְקַבְּלָא עָלֵיהּ עוֹל בְּקַדְמֵיתָא, וּלְבָתַר דְּיִפְלַח בֵּיהּ בְּכָל מַה דְּאִצְטְרִיךְ. וְאִי לָא קַבִּיל עָלֵיהּ הַאי בְּקַדְמֵיתָא, לָא יָכִיל לְמִפְלַח.

י. הה״ד עִבְדוּ אֶת יְיָ׳ בְּיִרְאָה. מַהוּ בְּיִרְאָה. כד״א רֵאשִׁית חָכְמָה יִרְאַת יְיָ׳. וְדָא מַלְכוּת שָׁמַיִם. וּבְגִין כָּךְ עוֹל מַלְכוּת שָׁמַיִם. וְעַ״ד הַאי בְּקַדְמֵיתָא הוּא דְּכֹלָּא. מַאן אוֹכַח. תְּפִלָּה, בְּקַדְמֵיתָא שֶׁל יָד. בְּגִין דְּהַהִיא עָיֵיל לִשְׁאָר קְדוּשָּׁה. וְאִי הַאי לָא אִשְׁתְּכַח לְגַבֵּיהּ, לָא שַׁרְיָא בֵּיהּ קְדוּשָּׁה לְעֵילָּא, בְּגִ״כ בְּזֹאת יָבֹא אַהֲרֹן אֶל הַקֹּדֶשׁ וְגוֹ׳ כְּתִיב.

יא. וְהַאי עוֹל לָא שַׁרְיָא, בְּמַאן דְּאִיהוּ כָּפִית בְּאוֹרְחָא. וְעַ״ד עַבְדִין פְּטוּרִין מֵעוֹל מַלְכוּת שָׁמַיִם. וְאִי מֵהַאי עוֹל פְּטוּרִין, מִכָּל שְׁאָר פְּטוּרִין. דְּהָא שְׁאָר לָא שַׁרְיָא עָלֵיהּ דְּב״נ, עַד דְּאִשְׁתְּכַח גַּבֵּיהּ בְּהַאי עוֹל. וּבְגִ״כ הֲווּ אָכְלֵי יִשְׂרָאֵל בְּמִצְרַיִם חִנָּם. אוּף הָכָא יֵצֵא לַחָפְשִׁי חִנָּם. דְּהָא עַבְדָּא הֲוָה, וְכָל מַה דְּעָבֵיד, חִנָּם הוּא, בְּלָא עוֹל מַלְכוּת שָׁמַיִם. וְאַע״ג דְּחִנָּם הֲווּ עוֹבָדוֹהִי יֵצֵא לַחָפְשִׁי, וְיֵהָא לֵיהּ נַיְיחָא.

יב. לְבָתַר דְּאִיהוּ בְּחֵירוּ, וְאִשְׁתְּכַח בֵּיהּ נַיְיחָא, יָהֲבִין עָלֵיהּ עוֹל, מֵהַהוּא אֲתַר דְּאַפִּיק לֵיהּ לְחֵירוּ. וְאִי ב״נ יְסָרֵב לְמֵיפַּק לְחֵירוּ, כד״א וְאִם אָמֹר יֹאמַר הָעֶבֶד אָהַבְתִּי אֶת אֲדוֹנִי וְגוֹ׳. הָא וַדַּאי פָּגִים לֵיהּ לְהַאי אֲתַר, דְּשָׁבִיק עוֹל מַלְכוּתָא דִּלְעֵילָּא, וְנָטִיל עוֹל דְּמָארֵיהּ. וְעַל דָּא מַה כְּתִיב, וְהִגִּישׁוֹ אֲדוֹנָיו אֶל הָאֱלֹהִים וְהִגִּישׁוֹ אֶל הַדֶּלֶת וְגוֹ׳. וְהִגִּישׁוֹ אֲדוֹנָיו אֶל הָאֱלֹהִים. אֶל הָאֱלֹהִים סְתָם. לְגַבֵּי הַהוּא אֲתַר דְּפָגִים לֵיהּ דְּה״נ אֱלֹהִים אִקְרֵי.

יג. וּלְאָן אֲתַר יִתְקְרִיב לְגַבֵּיהּ. אֶל הַדֶּלֶת אוֹ אֶל הַמְּזוּזָה. בְּגִין דְּהַאי אֲתַר פִּתְחָא הוּא דִּלְעֵילָּא, וּמְזוּזָה אִקְרֵי, וְהָא אִתְּמַר. וְכֵיוָן דְּאִיהוּ אַכְוֵון לְאַפְגָּמָא לְהַאי אֲתַר, הַהוּא פְּגִימוּ אִשְׁתְּאַר בַּהֲדֵיהּ בֵּיהּ בְּגוּפֵיהּ הה״ד, וְרָצַע אֲדוֹנָיו אֶת אָזְנוֹ בַּמַּרְצֵעַ וַעֲבָדוֹ לְעוֹלָם. יֶהֱוֵי עַבְדָּא תְּחוֹת רַגְלוֹי דְּמָארֵיהּ, עַד שַׁתָּא דְּיוֹבְלָא.

יד. אֶת אָזְנוֹ אַמַּאי. הָא אוֹקְמוּהָ. אֲבָל שְׁמִיעָה תַּלְיָא בְּהַאי אֲתַר, עֲשִׂיָּה לְעֵילָּא. וּבְגִין דְּיִשְׂרָאֵל כַּד קָרִיבוּ לְטוּרָא דְּסִינַי, וַהֲווּ בִּרְחִימוּ דְּלִבַּיְיהוּ לְאִתְקָרְבָא לְקוּדְשָׁא בְּרִיךְ הוּא, אַקְדִּימוּ עֲשִׂיָּה לִשְׁמִיעָה, דְּהָא שְׁמִיעָה בְּקַדְמֵיתָא, וּלְבָתַר עֲשִׂיָּה. שְׁמִיעָה בְּהַאי שְׁמִיטָּה תַּלְיָא. וְעַ״ד הוּא פָּגִים לְהַאי שְׁמִיעָה, יִתְפְּגִים שְׁמִיעָה דִּילֵיהּ, וְיִשְׁתְּאַר פְּגִימוּ בֵּיהּ. וְלָא יִשְׁתְּאַר הוּא עַבְדָּא לְמָארֵיהּ, עַד דְּיִתְקָרֵב לְהַהוּא אֲתַר דְּפָגִים, וְיִתְפְּגִים הוּא קַמֵּיהּ, וְיִשְׁתְּאַר בֵּיהּ הַהוּא פְּגִימוּ. וּבְגִ״כ, וְהִגִּישׁוֹ אֲדֹנָיו אֶל הָאֱלֹהִים סְתָם, כְּמָה דְּאוֹקִימְנָא. וְעַ״ד, וְשָׁבְתָה הָאָרֶץ שַׁבָּת לַיְיָ׳.

טו. שֵׁשׁ שָׁנִים תִּזְרַע שָׂדֶךָ וְגוֹ׳, וּבַשָּׁנָה הַשְּׁבִיעִית שַׁבַּת שַׁבָּתוֹן יִהְיֶה לָאָרֶץ שַׁבָּת לַיְיָ׳. וְהָא אוֹקְמוּהָ, דִּכְתִיב וְהַשְּׁבִיעִית תִּשְׁמְטֶנָּה וּנְטַשְׁתָּהּ וְגוֹ׳. מ״ט וְאָכְלוּ אֶבְיוֹנֵי עַמֶּךָ. בְּגִין דְּמִסְכְּנֵי בְּהַאי אֲתַר תַּלְיָין, וּבְגִ״כ שָׁבִיק לוֹן לְמֵיכַל. וְעַ״ד, מַאן דְּרָחִים לְמִסְכְּנָא, יָהִיב שְׁלָמָא בִּכְנֶסֶת יִשְׂרָאֵל, וְאוֹסִיף בִּרְכָתָא בְּעָלְמָא, וְיָהִיב חֵידוּ וְחֵילָא לַאֲתַר דְּאִתְקְרֵי צְדָקָה, לְאַרְקָא בִּרְכָתָא לִכְנֶסֶת יִשְׂרָאֵל, וְאוֹקִימְנָא.

רעיא מהימנא

טז. וּבַשָּׁנָה הַשְּׁבִיעִית שַׁבַּת שַׁבָּתוֹן וְגוֹ׳. פִּקּוּדָא דָּא לִשְׁבּוֹת בַּשָּׁנָה הַשְּׁבִיעִית וַאֲבַתְרֵיהּ

לשבות בשביעי. ואבתריה להשמיט כספים, בשביעית. ואבתריה למנות שבע שנים שבע פעמים והיו לך ימי שבע שבתות השנים תשע וארבעים שנה. הכא רזא דכל שביעיות, מסטרא דשכינתא דאתקריאת שבע מסטרא דצדיק דאיהו שביעי לבינה, ואיהי בת שבע, מסטרא דאימא עלאה, דאתמר בה שבע ביום הללתיך.

יז. שבע שמהן אינון אבגית"ץ, ובהון מ"ב אתוון, ככל אתוון ותיבין הם תשע וארבעין, אימא עלאה שנת החמשים שנה, דבה וקראתם דרור. בה תהא שכינתא תתאה, דרור פדות ושביתה לישראל, דאתמר בהון והיה זרעך כעפר הארץ.

יח. כל ספירה מאלין שבע, שית גדפין, דאינון שית אתוון לכל חד. ובהון קב"ה בכל ספירה מאלין שבע, בשתים יכסה פניו ובשתים יכסה רגליו ובשתים יעופף, ובינה איהו אחת, ושכינתא תתאה שבע. ולעילא מבינה, אחת ואחת, הא עשר ספירן. שתים, ג', וד', וה', וו', וז'.

יט. כאן וילך הלוך וגדל. מסטרא נוכראה, והמים היו הלוך וחסור, אימתי. באתר דשכינתא תתאה שריא בו'. הה"ד, ותנח התיבה בחדש השביעי, דא שכינתא תתאה. בשבעה עשר יום לחדש, איהי שביעאה ועשיראה.

כ. דסליקת בהון אהיה, דאיהי בינה, שנת היובל, איהי אהיה אשר אהיה, תרין זמנין אהיה חושבן מ"ב, ותמניא אתוון בהון חמשין. דבהון פקודא לחשוב שנת היובל. וביה פקודא לחזור לאחזתו ביובל, בשנת היובל הזאת תשובו וגו'. כל חד יחזור ביה לדרגא דיליה, דנשמתיה אחידא מתמן, כמה דאוקמוה והרוח תשוב אל האלהים וגו'.

כא. שמיטה: שכינתא תתאה, דאיהי משבע שנין. יובל: אימא עלאה, בינה, איהי לחמשין שנין. ובה אתייחסין ישראל במפקנותהון מן גלותא. הה"ד, ואיש אל משפחתו תשובו. כגוונא דמפקנו דמצרים דאינון מארי תורה בה, אתמר בהון וחמושים עלו בני ישראל, ואוקמוה אחד מחמשים.

כב. ושכינתא תתאה, איהי גאולת בתי ערי חומה אתמר בה, ובתי ערי החצרים. דתרי בתי אית בלבא, אם אינון ממארי תורה, אתקריאו בתי ערי חומה, כגוונא דאתמר במפקנו דמצרים, והמים להם חומה מימינם ומשמאלם. לאחרים, דלאו אינון מארי תורה אתקריאו בתי החצרים.

כג. אמר רבי שמעון, והא אשכחנא חצרים דאתמר ביה ותעמוד בחצר בית המלך הפנימית נכח בית המלך. ובכל אתר המלך סתם, דא קודשא ב"ה. ותעמוד, אין עמידה, אלא צלותא. נכח בית המלך: נכח בית המקדש, דכל ישראל צריכין לצלאה צלותא דלהון לתמן, ולמהוי נכח בית המקדש. הכא מאן חצר הפנימית. ודאי תרין אינון חצרות בית יי'.

כד. אמר ליה בוצינא קדישא, תרין חצרים, אינון חצוניים דלבא, ואינון תרין אזנים דלבא. ותרין בתים פנימיים, תרין בתי דלבא. ותרין אינון בתי גוואי, ותרין אינון בתי בראי. ובזמנא דיהא פורקנא, גאולה תהא לכלהו לאינון קריבין ללבא, דאיהו שכינתא, ולאלין רחיקין דאתקריבו, הה"ד שלום שלום לרחוק ולקרוב, ואוקמוה לרחוק מעבירה, ולקרוב ממצוה.

כה. בההוא זמנא, פקודא לתקוע שופר תרועה ביובל, הה"ד כנשא נס הרים

תִּרְאוּ וְכִתְקוֹעַ שׁוֹפָר תִּשְׁמָעוּ. כְּגַוְונָא דִּבְתְקִיעַת שׁוֹפָר דְּיוֹבְלָא, כֻּלְּהוּ עַבְדִּין נָפְקֵי לְחֵירוּת, הָכִי בְּפוּרְקָנָא בַּתְרַיְיתָא, בִּתְקִיעַת שׁוֹפָר, מִתְכַּנְשִׁין כָּל יִשְׂרָאֵל מֵאַרְבַּע סִטְרֵי עָלְמָא, דְּאִינּוּן עַבְדִּין דְּיוֹבְלָא. דְּמָארֵי תּוֹרָה, אִית בְּהוֹן עַבְדִּין עַל מְנָת לְקַבֵּל פְּרָס, וְאִתְקְרִיאוּ עַבְדֵי מַלְכָּא וּמַטְרוֹנִיתָא. אֲבָל בְּנוֹי דְּמַלְכָּא קַדִּישָׁא, וָאֶשָּׂא אֶתְכֶם עַל כַּנְפֵי נְשָׁרִים וָאָבִיא אֶתְכֶם אֵלָי, דְּאִינּוּן גַּדְפֵי וְזִיוָון דְּמֶרְכַּבְתָּא.

כו. פִּקּוּדָא בָּתַר דָּא, לָתֵת לַלְוִיִּם עָרִים לָשֶׁבֶת. וּבְגִין דְּאִינּוּן לָא אִשְׁתָּתְפוּ בְּעֶגְלָא, קוּדְשָׁא בְּרִיךְ הוּא וְהָלַךְ לוֹן לְגַבֵּיהּ. לְמֶהֱוֵי מְנַגְּנִין לֵיהּ בְּכַמָּה מִינֵי נִגּוּן. דְּכֹהֲנִים בַּעֲבוֹדָתָן, וּלְוִיִּם לְשִׁירָם וּלְזִמְרָם, וְיִשְׂרָאֵל לְנָוֵיהֶם. כֹּהֲנִים בַּעֲבוֹדָתָם, דְּאִית תַּמָּן כַּמָּה פִּקּוּדִין.

כז. פִּקּוּדָא חַד, לַעֲשׂוֹת שֶׁמֶן הַמִּשְׁחָה. ב', לְוִיִּם שׁוֹמְרִין בַּמִּקְדָּשׁ. ג' יִשְׂרָאֵל לִירָא מִן הַמִּקְדָּשׁ. ד', עֲבוֹדַת הַלְוִיִּם בְּבֵית הַמִּקְדָּשׁ. ה', לְהַקְטִיר קְטֹרֶת פַּעֲמַיִם. ו', כֹּהֲנִים תּוֹקְעִים בַּחֲצוֹצְרוֹת בַּמִּקְדָּשׁ. ז', לְקַדֵּשׁ זֶרַע אַהֲרֹן בַּמִּקְדָּשׁ. ח', לִלְבּוֹשׁ בִּגְדֵי כְּהוּנָּה בַּמִּקְדָּשׁ. ט', רְחִיצַת יָדַיִם וְרַגְלַיִם, לַעֲבוֹד בַּמִּקְדָּשׁ.

כח. י', לִהְיוֹת הַכֹּהֲנִים עוֹשִׂים קָרְבָּנוֹת בַּמִּקְדָּשׁ. י"א, לִפְדּוֹת פְּסוּלֵי הַמּוּקְדָּשִׁין. י"ב, קָרְבָּן הַיּוֹלֶדֶת בַּיּוֹם הַשְּׁמִינִי. י"ג, לִמְלוֹחַ קָרְבָּנוֹת בַּמִּקְדָּשׁ. י"ד, לַעֲשׂוֹת הָעוֹלָה כְּמִשְׁפָּטָהּ. ט"ו, לַעֲשׂוֹת הַחַטָּאת כְּמִשְׁפָּטוֹ. ט"ז, אֲכִילַת קֳדָשִׁים כְּמִשְׁפַּט לַכֹּהֲנִים. י"ז, אֲכִילַת שְׁיָרֵי מְנָחוֹת. ח"י, לַעֲשׂוֹת מְנָחוֹת כְּמִצְוָותָן. י"ט, לְהָבִיא קָרְבָּנוֹת לְבֵית הַמִּקְדָּשׁ. כ', לְהָבִיא נֶדֶר אוֹ נְדָבָה לְבֵית הַמִּקְדָּשׁ. כ"א, לְהָבִיא קָרְבָּנוֹת קֳדָשִׁים תְּמוּרוֹת וּוְלָדוֹת. כ"ב, לְהַקְרִיב שְׁנֵי תְּמִידִין כְּהִלְכָתָן. כ"ג, לְהַדְלִיק אֵשׁ תָּמִיד עַל הַמִּזְבֵּחַ.

כט. כ"ד, לַעֲשׂוֹת תְּרוּמַת הַדֶּשֶׁן. כ"ה, לְהַדְלִיק נֵרוֹת הַמְּנוֹרָה. כ"ו, לְהַקְרִיב מִנְחָה בְּכָל יוֹם. כ"ז, לְהַקְרִיב מוּסָף בְּשַׁבָּת. כ"ח, לְהַסְדִּיר לֶחֶם וּלְבוֹנָה. כ"ט, לְהַקְרִיב קָרְבָּן מוּסָף בְּר"ח. ל', לְהַקְרִיב בְּז' יְמֵי הַפֶּסַח. ל"א, לְהַקְרִיב בְּיוֹם הָעוֹמֶר כֶּבֶשׂ לְעוֹלָה. ל"ב, לְהַקְרִיב הָעוֹמֶר. ל"ג, לְהַקְרִיב קָרְבָּן מוּסָף בְּשָׁבוּעוֹת. ל"ד, לְהַקְרִיב שְׁתֵּי הַלֶּחֶם בְּשָׁבוּעוֹת ל"ה, לְהַקְרִיב מוּסָף בְּר"ה. ל"ו, לְהַקְרִיב מוּסָף בְּיוֹם הַכִּפּוּרִים. ל"ז, לְהַקְרִיב מוּסָף בְּז' יְמֵי הֶחָג. ל"ח, לְהַקְרִיב מוּסָף בִּשְׁמִינִי עֲצֶרֶת. ט"ל, לִשְׂרוֹף אֶת הַנּוֹתָר בָּאֵשׁ. מ', לִשְׂרוֹף קֳדָשִׁים שֶׁנִּטְמְאוּ. מ"א, לַעֲבוֹד כֹּהֵן גָּדוֹל בְּיוֹם הַכִּפּוּרִים.

ל. מ"ב, הַמּוֹעֵל בַּהֶקְדֵּשׁ קֶרֶן וְחוֹמֶשׁ. מ"ג, קָרְבָּן חַטָּאת. מ"ד, אָשָׁם תָּלוּי עַל סְפֵקוֹ. מ"ה, קָרְבָּן אָשָׁם וַדַּאי, עַל הַיָּדוּעַ. מ"ו, קָרְבָּן עוֹלֶה וְיוֹרֵד. מ"ז, קָרְבָּן סַנְהֶדְרֵי גְּדוֹלָה שֶׁטָּעוּ. מ"ח, לְהַקְרִיב הַזָּב אַחַר שֶׁיִּטָּהֵר. מ"ט, קָרְבָּן זָבָה אַחַר שֶׁתִּטָּהֵר. נ', קָרְבָּן יוֹלְדוֹת. נ"א, קָרְבָּן מְצוֹרָעִים, מִתַּמָּן וְאֵילָךְ שְׁאָר פִּקּוּדִין.

לא. מָארֵי מְתִיבְתָּאן, בְּאוּמָאָה עֲלַיְיכוּ, לָא תַּעְדּוּ מִנִּי, עַד דְּאַתְקִין קָרְבְּנִין לְקֻבְּ"ה. דִּשְׁכִינְתָּא אִיהִי קָרְבָּן לַיְיָ, בְּכָל אֵבֶר וְאֵבֶר דְּמַלְכָּא, בְּחִבּוּרָא שְׁלִים, בִּדְכַר וְנוּקְבָא. בְּכָל אֵבָרִים, דְּאִינּוּן: מִנְּהוֹן בְּרֵישָׁא, עַיְינִין בְּעַיְינִין. אוּדְנִין לְגַבֵּי אוּדְנִין. חוּטְמָא בְּחוּטְמָא. אַנְפִּין בְּאַנְפִּין. פּוּמָא בְּפוּמָא. כְּגוֹן וַיָּשֶׂם פִּיו עַל פִּיו וְעֵינָיו עַל עֵינָיו. וּבְדָא הֲוָה מְחַיֶּה הַיֶּלֶד. וְהָכִי יְדִין דְּמַלְכָּא, עִם יְדִין דְּמַטְרוֹנִיתָא, גּוּפָא בְּגוּפָא, בְּכָל אֵבָרִים דִּילֵיהּ. קָרְבְּנָא שְׁלִים.

לב. דְּבַ"נ בְּלָא אִתְּתָא, פַּלְגּוּ גּוּפָא אִיהוּ, וּשְׁכִינְתָּא לָא שַׁרְיָא עָלֵיהּ. הָכִי קֻבְּ"ה, לָאו

אִיהוּ בְּקָרְבְּנָא עִם שְׁכִינְתָּא, בְּכָל יִשְׂרָאֵל, דְּאִינּוּן אַנְשֵׁי מִדּוֹת, דְּאִינּוּן אֲבָרִים דִּילֵיהּ. עִלַּת הָעִלּוֹת לָא עַיְרָא תַּמָּן, וּכְאִלּוּ לָא הֲוָה קָבָּ"ה וַחַד, בַּתֵר דְּלָאו אִיהוּ עִם שְׁכִינְתֵּיהּ. וּבְחוֹצָה לָאָרֶץ דְּשְׁכִינְתָּא מְרַחֲקָא מִן בַּעְלָהּ, אִתְּמַר כָּל הַדָּר בְּחוּ"ל, דּוֹמֶה כְּמִי שֶׁאֵין לוֹ אֱלוֹהַּ. בְּגִין דְּלֵית תַּמָּן קָרְבְּנִין בְּחוּ"ל. וּלְזִמְנָא דְּקָבָּ"ה מִתְקָרֵב עִם שְׁכִינְתֵּיהּ, אִתְקַיַּים בֵּיהּ הַאי קְרָא, בַּיּוֹם הַהוּא יִהְיֶה יְיָ' אֶחָד וּשְׁמוֹ אֶחָד. וְעִלַּת הָעִלּוֹת שַׁרְיָא עֲלַיְיהוּ.

לג. אע"ג דְּתַקִּינוּ אֲבָהָן, צְלוֹתִין בַּאֲתָר דְּקָרְבְּנִין. הַאי אִיהוּ לְקָרְבָּא נַפְשִׁין וְרוּחִין וְנִשְׁמָתִין דְּאִינּוּן שְׁכֵלִים לְקָבָּ"ה וּשְׁכִינְתֵּיהּ. כְּאֵבָרִין לְגַבֵּי גוּפָא אֲבָל מִסִּטְרָא דְּכוּרְסַיָּין וּמַלְאָכִין, דְּאִינּוּן גּוּפִין וְאֵבָרִין, דִּלְבַר מְמַלְכָּא וּמְמַטְרוֹנִיתָא, לֵית תַּמָּן קָרְבְּנָא. וּבְגִין דָּא אִתְּמַר בְּכוּרְסַיָּיא, וַיֹּאמֶר כִּי יָד עַל כֵּס יָהּ. כִּסֵּא כְּבוֹד מָרוֹם מֵרִאשׁוֹן מְקוֹם מִקְדָּשֵׁנוּ. וְאֵבָרִין בְּפֵרוּדָא מִן גּוּפָא. אִיהוּ לְגוֹ, וְאִינּוּן לְבַר. הה"ד, הֵן אֶרְאֶלָּם צָעֲקוּ חוּצָה, וָחוֹצָה וַדַּאי.

לד. יְהֵא רַעֲוָא דִּילָךְ, לְאַוְזְדְּרָא כָּן לְבֵי מַקְדְּשָׁא, לְקַיֵּים צְלוֹתָא דְּאוּקְמוּהָ קַדְמָאֵי, יֵר"מ יְיָ' אֱלֹקֵינוּ וֵאלֹקֵי אֲבוֹתֵינוּ שֶׁתַּעֲלֵנוּ בְּשִׂמְחָה לְאַרְצֵנוּ וְתִטָּעֵנוּ בִּגְבוּלֵנוּ וְשָׁם נַעֲשֶׂה לְפָנֶיךָ אֶת קָרְבְּנוֹת חוֹבוֹתֵינוּ תְּמִידִין כְּסִדְרָן, כָּל וַחַד בְּסִדּוּרָא דִּילֵיהּ, וּמוּסָפִין כְּהִלְכָתָן. דִּכְעַן לְבַר מֵאַרְעָא דְּיִשְׂרָאֵל, לֵית תַּמָּן קָרְבְּנָא, כְּגוּפִין דִּבְרִיאָה, דְּקָבָּ"ה וּשְׁכִינְתֵּיהּ, מִסִּטְרָא דַּאֲצִילוּת דִּילֵיהּ, לֵית תַּמָּן פֵּרוּדָא וְאַפְרָשׁוּתָא. דִּשְׁכִינְתָּא אִיהִי יְחוּדֵיהּ, וּבִרְכָתֵיהּ, וּקְדוּשָׁתֵיהּ. וְלָא אִתְקְרִיאַת גּוּפָא, אֶלָּא כַּד אִתְעַשָּׁמוּ בְּכוּרְסַיָּין, וּמַלְאָכִין דִּבְרִיאָה, כְּנִשְׁמָתָא דְּאִתְלַבְּשָׁא בְּגוּפָא שְׁפָלָה. וּבְגִין דָּא, כַּד שְׁכִינְתָּא אִיהִי לְבַר מֵהֵיכָלָא דְּבֵי מַקְדְּשָׁא, וּלְבַר מִכּוּרְסַיָּין דִּילָהּ, כִּבְיָכוֹל כְּאִלּוּ לָא הֲוָה וַחַד עִמֵּיהּ.

לה. מִסִּטְרָא דְּכִסֵּא עִלָּאִין דְּאִיהוּ גּוּפָא לְקָבָּ"ה, וּמַלְאָכִין דְּתַלְיָין מִנֵּיהּ, כְּאֵבָרִין דְּתַלְיָין מִן גּוּפָא, דְּאִינּוּן דְּכוּרִין. וְנִשְׁמָתִין דְּאִתְגְּזָרוּ מִנֵּיהּ דְּכוּרִין. כִּסֵּא תִּנְיָינָא, גּוּפָא דִּשְׁכִינְתָּא, וְכָל נִשְׁמָתִין דְּתַלְיָין מִנֵּיהּ, נוּקְבִין. וּמַלְאָכִין דְּתַלְיָין מֵהַהוּא כּוּרְסַיָּיא, נוּקְבִין, וְקַרְיבוּ דִּלְהוֹן בְּקָבָּ"ה וּשְׁכִינְתֵּיהּ.

לו. הָכִי יְחוּד קָבָּ"ה וּשְׁכִינְתֵּיהּ, אע"ג דְּאִינּוּן כְּנִשְׁמָתִין לְגַבֵּי כוּרְסַיָּיא וּמַלְאָכִין, הָכִי אִינּוּן לְגַבָּךְ עִלַּת הָעִלּוֹת, כְּגוּפָא, דְּאַנְתְּ הוּא דִּמְיַוֵּחֵד לוֹן, וּמְקָרֵב לוֹן, וּבְגִין דָּא אֲמוּנָה דִּילָךְ בְּהוֹן, וְאַנְתְּ לֵית עֲלָךְ נִשְׁמָתָא, דְּתִתְהֲוֵי אַנְתְּ כְּגוּפָא לְגַבָּהּ, דְּאַנְתְּ הוּא נְשָׁמָה לְנִשְׁמוֹת, וְלֵית נְשָׁמָה עֲלָךְ, וְלָא אֱלָהָא עֲלָךְ, אַנְתְּ לְבַר מִכֹּלָּא, וּלְגָאו מִכֹּלָּא, וּלְעֵילָּא מִכֹּלָּא, וּלְתַתָּא מִכֹּלָּא. וְלֵית אֱלָהָא אַוְזְרָא, עֵילָּא וְתַתָּא, וּמִכָּל סִטְרָא, וּמִלְּגָאו דְּעֶשֶׂר סְפִירָן, דְּמִנְּהוֹן כֹּלָּא, וּבְהוֹן כֹּלָּא תַּלְיָא וְאַנְתְּ בְּכָל סְפִירָה, בְּאָרְכָּה וְרוּחְבָּהּ, עֵילָּא וְתַתָּא, וּבֵין כָּל סְפִירָה וּסְפִירָה, וּבְעוֹבֵי דְּכָל סְפִירָה וּסְפִירָה.

לז. וְאַנְתְּ הוּא דִּמְקָרֵב לְקָבָּ"ה וּשְׁכִינְתֵּיהּ, בְּכָל סְפִירָה וּסְפִירָה, וּבְכָל עַנְפִּין דִּנְהוֹרִין דְּתַלְיָין מִנְּהוֹן, כְּגַרְמִין, וְגִידִין, וְעוֹר, וּבְשַׂר, דְּתַלְיָין מִן גּוּפָא. וְאַנְתְּ לֵית לָךְ גּוּפָא, וְלָא אֲבָרִים, וְלֵית לָךְ נוּקְבָא. אֶלָּא אֲוֹד בְּלָא עֲנֵי. יְהֵא רַעֲוָא דִּילָךְ, דְּתִתְקָרֵב אַנְתְּ שְׁכִינְתָּא לְגַבֵּי קוּדְשָׁא בְּרִיךְ הוּא, בְּכָל דַּרְגִּין דְּאִינּוּן אֲצִילוּת דִּילָהּ, דְּאִינּוּן נִשְׁמָתִין דְּבַעְלֵי מִדּוֹת. נְשִׂיאֵי יִשְׂרָאֵל. וַחֲכָמִים. נְבוֹנִים. וַחֲסִידִים. גִּבּוֹרִים. אַנְשֵׁי אֱמֶת. נְבִיאִים. צַדִּיקִים. מְלָכִים. כֻּלְּהוּ דַּאֲצִילוּת. דְּאִית אֲוֹזְרָנִין דִּבְרִיאָה.

לח. דִּשְׁכִינְתָּא אִיהִי קָרְבָּן, שֶׁמֶן הַמִּשְׁחָה. מִיְמִינָא שֶׁמֶן לַמָּאוֹר, כְּגוֹן אֶת הַמָּאוֹר

הַגָּדוֹל. שֶׁמֶן מִשְׁחַת קֹדֶשׁ אִיהוּ מִסִּטְרָא דִּשְׂמָאלָא, דְּאִתְּמַר בָּהּ וְקִדַּשְׁתָּ אֶת הַלְוִיִּם. שֶׁמֶן כָּתִית, אִיהִי מִסִּטְרָא דְּצַדִּיק, דְּאִיהוּ כָּתִישׁ כְּתִישִׁין מֵאֵבָרִין דְּאִינּוּן זֵיתִים, לְאַוְתָא מִשְׁחָא לְגַבֵּי פְּתִילָה. פְּתִילָה תְּכֵלָא. וּגְבוּרָה מִתַּמָּן אִיהִי יִרְאָה, וּלְוִיִּם שׁוֹמְרִין הַמִּקְדָּשׁ.

לט. וּמִתַּמָּן פִּקּוּדָא לִירָא מִן הַמִּקְדָּשׁ, וְאִיהוּ מִצְוַת עֲבוֹדַת הַלְוִיִּם בַּמִּקְדָּשׁ בְּכ"ד מִשְׁמָרוֹת לְוִיִּם דִּבְהוֹן לְוִיִּם בְּשִׁירָה וּבְזִמְרָה הֲווּ מְזַמְּרִין קֳדָמָךְ, לְסַלְּקָא שְׁכִינְתָּא דְּאִיהִי שִׁירָה וְזִמְרָה בְּהוֹן לַיְיָ. כ"ד עִם שִׁירָה וְזִמְרָה כ"ו, כְּחוּשְׁבַּן יְדֹוָ"ד. וַאֲבַתְרֵיהּ פִּקּוּדָא אִיהִי מִצְוַת קְטֹרֶת תָּמִיד לְקֻבְּ"ה, וּקְטֹרֶת כְּקָרְבְּנָא.

מ. וְהִפְשִׁיט אֶת הָעוֹלָה וְנִתַּח אוֹתָהּ לִנְתָחֶיהָ. וְאֵמוּרִין וּפְדָרִין דְּאִינּוּן מִתְאַכְּלִין כָּל הַלַּיְלָה, אִינּוּן כַּפָּרָה דְּאֵבָרִין דְּגוּפָא דִּילֵיהּ וְנַפְשֵׁיהּ, דְּלָא יִתּוֹקְדוּן בַּגֵּיהִנָּם, וְלָא יִתְמַסְרוּן בִּידָא דְּמַלְאַךְ הַמָּוֶת, וּבְגִין דְּבַ"נ חָב בְּיֵצֶר הָרַע, דְּאִיהוּ צְפוֹנִי , הָכִי שְׁחִיטָתוֹ בַּצָּפוֹן לְשֵׁיזָבָא לֵיהּ מֵהַהוּא צְפוֹנִי.

מא. וּבְקָרְבְּנִין, טוֹל בְּהוּ קַל וָחוֹמֶר מִנְּבִיאִים, דְּאַעַ"ג דְּתוֹרָה אִיהוּ שֵׁם יְהֹוָ"ה, וּנְבוּאָה דְּאִתְּמַר בָּהּ רוּחַ יְיָ' תְּנִיחֶנּוּ. עִם כָּל דָּא, לָאו כָּל מָארֵי תוֹרָה שְׁקִילִין, וְלָאו כָּל נְבִיאִים שְׁקִילִין, דְּאִית נְבִיאִים, דִּנְבוּאָה דִּלְהוֹן בִּלְבוּשִׁין דְּמַלְכָּא, וְהָכִי הוּא אוֹרַיְיתָא דְּבְעַ"פ, כַּמָּה מָארֵי סְפֵקוֹת וּפֵרוּקִין, בִּלְבוּשָׁא דְּמַלְכָּא.

מב. וְאִית אֻחֲרָנִין דְּסַלְּקִין יַתִּיר, בְּאֵבָרִים דְּגוּפָא דְּמַלְכָּא, דְּאִתְּמַר בְּהוֹן וָאֵרֶא, וְרָאִיתִי, בַּמַּרְאֶה, בְּעַיְינִין. יְיָ' שָׁמַעְתִּי שִׁמְעֲךָ יָרֵאתִי, בִּשְׁמִיעָה. יְחֶזְקֵאל אִסְתַּכְּלוּתֵיהּ וּנְבִיאוּתֵיהּ מֵעַיְינִין. וַחֲבַקּוּק מֵאוּדְנִין בִּשְׁמִיעָה. וּבְגִין דָּא, יְחֶזְקֵאל חָזָא כָּל אִלֵּין מַרְאוֹת דְּמֶרְכָּבָה בִּרְאִיָּה, בְּעֵין הַשֵּׂכֶל. וַחֲבַקּוּק, בִּשְׁמִיעָה. וְאִית נְבִיאָה דִּנְבוּאָתֵיהּ בְּפוּמָא, הה"ד וַיַּגַּע עַל פִּי. נְבוּאָה אָחֳרָא מֵרֵיחָא דְּחוֹטָמָא, הה"ד וַתָּבֹא בִּי הָרוּחַ. וְאִית דִּנְבוּאָתֵיהּ בְּיַד, הה"ד וּבְיַד הַנְּבִיאִים אֲדַמֶּה. וְאַחֲרָנִין לִפְנִים בְּחַיֵּי הַמֶּלֶךְ, וְאָחֳרָנִין לִפְנַי לִפְנִים.

מג. וְהָכִי בְּאוֹרַיְיתָא, פְּשָׁטִי"ם, רְאָיוֹ"ת, דְּרָשׁוֹ"ת, סוֹדוֹ"ת דְּסִתְרֵי תוֹרָה, וּלְעֵילָא סִתְרֵי סְתָרִים לַה' הָכִי בְּקָרְבְּנִין אַעַ"ג דְּקָרְבְּנִין כֻּלְּהוּ לַיהֹוָ"ה, אִיהוּ נָטִיל כֹּלָּא, וּפָלִיג קָרְבְּנִין לִמְשִׁירְיָין דִּילֵיהּ. מִנְּהוֹן פָּלִיג לַכְּלָבִים, אִינּוּן קָרְבְּנִין פְּסוּלִין, דְּיָהִיב לְהוֹן לְסָמָאֵ"ל כֶּלֶב, וּלְמַשִׁרְיָיתֵיהּ. וּבְגִין דָּא הֲוָה נָחִית דְּיוֹקְנָא דְּכַלְבָּא. וּמִנְּהוֹן לַשֵּׁדִים, דְּאִית בְּהוֹן כִּבְעִירָן, וּמִנְּהוֹן כְּמַלְאֲכֵי הַשָּׁרֵת, וּמִנְּהוֹן כִּבְנֵי נָשָׁא. לְאִינּוּן דְּעוֹבָדֵיהוֹן כַּשֵּׁדִים, פָּלִיג קָרְבְּנֵיהוֹן לַשֵּׁדִים.

מד. אִלֵּין דְּעוֹבָדֵיהוֹן כְּמַלְאָכִין, פָּלִיג קָרְבְּנִין דִּלְהוֹן לְמַלְאָכִים, הה"ד אֶת קָרְבָּנִי לַחְמִי לְאִשַּׁי. דְּאִינּוּן קָרְבְּנִין דִּלְהוֹן, לָאו תַּלְיָין בִּבְעִירָן. דְּקָרְבְּנִין דִּבְעִירָן, אִינּוּן דְּעַמֵּי הָאָרֶץ. אִינּוּן קָרְבְּנִין דִּבְנֵי נָשָׁא, צְלוֹתִין וְעוֹבָדִין טָבִין. קָרְבְּנִין דְּת"ח, מָארֵי מִדּוֹת, אִלֵּין מָארֵי רָזֵי דְּאוֹרַיְיתָא, וְסִתְרִין גְּנִיזִין דִּבְהוֹן, קֻבְּ"ה נָחִית הוּא בְּגַרְמֵיהּ, לְקַבְּלָא קָרְבְּנִין דִּלְהוֹן, דְּאִיהִי תּוֹרַת ה' תְּמִימָה, שְׁכִינְתָּא קַדִּישָׁא, מִי' מִדּוֹת.

מה. וְתַלְמִידֵי דְּרַבָּנָן, אִינּוּן מִלִּין דִּלְהוֹן כַּאֲכִילַת שְׁיָרֵי מְנָחוֹת, וְאִית אָחֳרָנִין דְּמִתְגַּבְּרִין עֲלַיְיהוּ, דְּאוֹרַיְיתָא דִּלְהוֹן כַּאֲכִילַת מְנָחוֹת עַצְמָן, וְלָא שְׁיָרֵי מְנָחוֹת. וְאִית אָחֳרָנִין דְּאוֹרַיְיתָא דִּלְהוֹן אֲכִילַת קֳדָשִׁים, מַאֲכָלִים מִכַּמָּה מִינִין לְמַלְכָּא . וְכָל מְנָחוֹת דְּמַאֲכָלִין

דְּקָרְבְּנִין, מְנֵּי קב"ה לְקָרְבָא לֵיהּ כֻּלְּהוּ בְּבֵיתָא דִּילֵיהּ, דְּאִיהִי שְׁכִינְתָּא. וְהַאי אִיהוּ פִּקּוּדָא לְקָרְבָא קָרְבָּנוֹת בְּבֵית הַבְּחִירָה, לְקַיֵּים כִּי אִם בְּזֹאת יִתְהַלֵּל הַמִּתְהַלֵּל וְגוֹ'.

מו. לְמַלְכָּא דַּהֲוּוּ עַבְדּוֹי וַאֲפַרְכְּסוֹי וְשׁוּלְטָנֵי מַלְכוּתָא שַׁלְחֵי לֵיהּ כַּמָּה דּוֹרוֹנֵי, אָמַר, מַאן דְּבָעֵי לְמִשְׁלַח לִי דּוֹרוֹנָא, לָא יִשְׁלַח אֶלָּא בִּידָא דְּמַטְרוֹנִיתָא, לְקַיֵּים בָּהּ וּמַלְכוּתוֹ בַּכֹּל מָשָׁלָה. וּבְגִ"ד אִתְקְרִיאַת שְׁכִינְתָּא קָרְבָּן לַה', עוֹלָה לַה', אָשָׁם לַה', וַאֲפִילּוּ קָרְבַּן נִדּוֹת וְיוֹלְדוֹת וּמְצוֹרָעִים וְזָבִים וְזָבוֹת, כֹּלָּא צָרִיךְ לְקָרְבָא לַיְיָ', וּשְׁכִינְתֵּיהּ, וּלְבָתַר אִיהִי פְּלִיגַת לְכֹלָּא הה"ד וַתִּתֵּן טֶרֶף לְבֵיתָהּ וְחֹק לְנַעֲרוֹתֶיהָ, וַאֲפִילּוּ מְזוֹנָא דְּחֵיזְוָן, כְּגוֹן קָרְבַּן שְׂעוֹרִים מַאֲכָל בְּעִירָן, וּמַאֲכַל עֲבָדִים וּשְׁפָחוֹת דְּבֵי מַלְכָּא, וַאֲפִילּוּ דְּכַלְבֵּי וּדְחֲמָרֵי וּגְמַלֵּי, לְקַיֵּים בָּהּ וּמַלְכוּתוֹ בַּכֹּל מָשָׁלָה. וּמִנָּלָן דְּעַל יְדָהָא פָּלִיג כֹּלָּא, דִּכְתִיב וַתִּתֵּן טֶרֶף לְבֵיתָהּ וְחֹק לְנַעֲרוֹתֶיהָ.

מז. בְּגִין דְּקב"ה בֶּן י"ה, ו' בֶּן י"ה, כָּלִיל יה"ו. וּשְׁלִימוּ דִּילֵיהּ ה', אִיהִי עוֹלָה לַידֹוָ"ד. קָרְבָּן לַידֹוָ"ד. שְׁלָמִים לַיְיָ'. קְרִיבוּ דִּילֵיהּ, שְׁלִימוּ דִּילֵיהּ, דְּבֵיהּ אַשְׁלִים יה"ו, לְמֶהֱוֵי ידֹוָ"ד.

מח. וְכֹלָּא אִתְהַדָּר בֵּיהּ, וּבְגִין דָּא זוֹבֵחַ לָאֱלֹהִים יָחֳרָם, בִּלְתִּי לַידֹוָ"ד לְבַדּוֹ, דְּלָא יָהִיב שׁוּלְטָנוּתָא לְסִטְרָא אָחֳרָא בְּקָרְבְּנָא, דְּכָל אֱלֹהִים אֲחֵרִים עָלְמָא דְּפֵרוּדָא אִינּוּן, וְלֵית לוֹן קְרִיבָא וְיִחוּדָא, וקב"ה אַפְרִישׁ לוֹן מִשְּׁמֵיהּ, כְּגוֹן דְּאַפְרִישׁ חֹשֶׁךְ מֵאוֹר, הה"ד וַיַּבְדֵּל אֱלֹהִים בֵּין הָאוֹר וּבֵין הַחֹשֶׁךְ. וּמַאן דְּקָרִיב לְקוּדְשָׁא בְּרִיךְ הוּא מַה דְּאַפְרִישׁ, כְּמַאן דְּקָרִיב מִסָּאֲבוּ דְּנִדָּה לְבַעְלָהּ, וְהַאי אִיהוּ רָזָא וְאֶל אִשָּׁה בְּנִדַּת טוּמְאָתָהּ לֹא תִקְרַב לְגַלּוֹת עֶרְוָתָהּ.

מט. וְהַאי לֹא תְגַלֶּה עֶרְוָתָן, קֵירוּב, דְּכָל עֶרְיָין שְׁקִילִין לְע"ז, דְּכָל סִטְרִין אָחֳרָנִין, עֲלַיְיהוּ אִתְּמַר, מֵאֵלֶּה נִפְרְדוּ אִיֵּי הַגּוֹיִם בְּאַרְצוֹתָם. וּכְתִיב לִלְשׁוֹנוֹתָם בְּאַרְצוֹתָם בְּגוֹיֵהֶם. וּכְתִיב כִּי שָׁם בָּלַל יְיָ' שְׂפַת כָּל הָאָרֶץ וּמִשָּׁם הֱפִיצָם ידֹוָ"ד. וְכָל מַאן דְּקָרִיב שׁוּם קָרְבְּנָא לְסִטְרִין אָחֳרָנִין, קוּדְשָׁא ב"ה אַפְרִישׁ לֵיהּ מִשְּׁמֵיהּ, וְלֵית לֵיהּ חוּלָקָא בִּשְׁמֵיהּ. דְּקב"ה בָּחַר לוֹן לְיִשְׂרָאֵל מִכָּל שְׁאָר אוּמִין, הה"ד וּבְךָ בָּחַר ה'. וּפָלִיג לוֹן מִנַּיְיהוּ לְחוּלָקֵיהּ, הה"ד כִּי חֵלֶק יְיָ' עַמּוֹ.

נ. וּבְגִין דָּא יָהִיב לוֹן אוֹרַיְיתָא מִשְּׁמֵיהּ. זֶה שְּׁמִי לְעֹלָם וְזֶה זִכְרִי לְדֹר דֹּר, וְהָא אוֹקְמוּהָ י"ה עִם שְׁמִי, ש"ה. ו"ה עִם זִכְרִי, רמ"ח. בְּכָל מִצְוָה וּמִצְוָה, קָשִׁיר לוֹן לְיִשְׂרָאֵל בִּשְׁמֵיהּ, לְמֶהֱוֵי כָּל אֵבֶר וְאֵבֶר דִּלְהוֹן, חוּלַק עַדְבֵיהּ וְאַחֲסַנְתֵּיהּ. וּבְגִין דָּא זוֹבֵחַ לָאֱלֹהִים יָחֳרָם וְגוֹ'.

נא. צְרִיכִין יִשְׂרָאֵל לְשַׁתְּפָא לַיְיָ', בַּהֲלִיכָה דִּלְהוֹן, בְּהָקִיץ דִּלְהוֹן. הֲדָא הוּא דִכְתִיב, בְּהִתְהַלֶּכְךָ תַּנְחֶה אוֹתָךְ בְּשָׁכְבְּךָ תִּשְׁמוֹר עָלֶיךָ וַהֲקִיצוֹתָ הִיא תְשִׂיחֶךָ. קָם הַהוּא תַּלְמִידָא וְאִשְׁתַּטַּח קַמֵּיהּ, וְאָמַר זַכָּאָה אִיהוּ חוּלָקֵיהּ, דְּמַאן דְּזָכֵי לְמִשְׁמַע מִלִּין אִלֵּין, כֻּלְּהוּ שֵׁם יְיָ' בְּכָל סִטְרָא, וְלָא נָפִיק מִנֵּיהּ לְבַר בְּכָל סִטְרוֹי. (ע"כ רעיא מהימנא).

נב. וְכִי תֹאמְרוּ מַה נֹּאכַל וְגוֹ', רִבִּי יְהוּדָה פָּתַח, בְּטַח בַּיְיָ' וַעֲשֵׂה טוֹב שְׁכָן אֶרֶץ וּרְעֵה אֱמוּנָה. לְעוֹלָם בַּר נָשׁ יְהֵא זָהִיר בְּמָארֵיהּ, וְיִדַּבַּק לִבֵּיהּ בִּמְהֵימְנוּתָא עִלָּאָה, בְּגִין דִּיהֱוֵי שְׁלִים בְּמָארֵיהּ. דְּכַד יְהֱוֵי שְׁלִים בֵּיהּ, לָא יַכְלִין לְאַבְאָשָׁא לֵיהּ כָּל בְּנֵי עָלְמָא.

נג. תָּא חֲזֵי, בְּטַח בַּיְיָ' וַעֲשֵׂה טוֹב, מַאי וַעֲשֵׂה טוֹב. אֶלָּא. הָכִי תָּנִינָן, בְּעוֹבָדָא דִּלְתַתָּא, יִתְעַר עוֹבָדָא דִּלְעֵילָּא. וְהָא אוֹקְמוּהָ, וַעֲשִׂיתֶם אוֹתָם, כִּבְיָכוֹל, אַתּוּן תַּעַבְדוּן

להון, בגין דבההוא אתערותא דלכון דאתון עבדין לתתא, אתער לעילא ועל דא ועשה טוב כתיב, ואין טוב, אלא צדיק, דכתיב אמרו צדיק כי טוב. כיון דאתון עבדין האי, ודאי האי טוב יתער, כדין שכן ארץ ורעה אמונה, וכלא חד.

נד. שכן ארץ, ארץ עלאה. דהא לית לך בעלמא, דיכול למשרי בהדה, עד דיתער האי טוב לגבה, כיון דיתער ליה, כביכול הוא עביד ליה, וכדין שכן ארץ, שרי בגווה, איכול איבה, אשתעשע בהדה. ורעה אמונה, דא ארץ וכלא חד כמה דאת אמר ואמונתך בלילות. ורעה אמונה, הוי דבר לה בכל רעותך.

נה. ואי לא תתער לקבלה, האי טוב אתרחק מנה, ולא תקרב בהדה, לא תקרב לגו אתון נורא יקידתא, ואי תקרב בהדה, בדחילו, כמאן דדחיל מן מותא. דהא כדין נורא דליק, ואוקיד, עלמא בשלהובוי. וכיון דאתער לקבלה האי טוב, כדין, שארי בגווה, ולא תדחל מנה אנת, כדין, ותגזר אמר ויקם לך ועל דרכיך נגה אור.

נו. תא חזי, בני מהימנותא מדברי להאי לרעותהון בכל יומא. מאן אינון בני מהימנותא. אינון דמתערי האי טוב לקבליה, ולא חס על דיליה, וידעי דהא קב"ה יהיב ליה יתיר. כד"א, יש מפזר ונוסף עוד. מאי טעמא. בגין דהאי אתער ברכאן לקבליה, ולא יימא אי אתן האי השתא, מאי אעביד למחר. אלא קב"ה יהיב ליה ברכאן עד בלי די, כמה דאוקמוה.

נז. ובגין כך, וכי תאמרו מה נאכל בשנה השביעית וגו', מה כתיב. וצויתי את ברכתי לכם בשנה הששית ועשת את התבואה לשלש השנים. ועשת, ועשתה מבעי ליה, מאי ועשת. אלא לאפקא ה', דאית לה שמטה ונייחא, ולא עביד עבידתא. כתיב ראו כי יי', וגו' נותן לכם ביום הששי לחם יומים וגו', כגוונא דא וצויתי את ברכתי לכם בשנה הששית וגו'.

נח. רבי חייא ורבי יוסי הוו אזלי בארחא, פגעו בההוא טורא, אשכחו תרי גברי דהוו אזלי, אדהכי חמו חד בר נש דהוה אתי, ואמר לון, במטו מנייכו, הבו לי מזונא פתא דנהמא, דהני תרין יומין דתעינא במדברא, ולא אכלנא מדי. אשתמיט חד מאינון תרי גברי, ואפיק מזוניה דאיהו אייתי לאורחא, ויהיב ליה, ואכיל ואשקי ליה. אמר ליה חבריה, מה תעביד מן מזונא, דהא אנא דידי אכלנא. אמר ליה, ומה עלי דידך, אנא אזיל, יתיב גביה ההוא מסכנא, עד דאכל כל מה דהוה גביה, וההוא נהמא דאשתאר, יהב ליה לאורחא, ואזל ליה.

נט. אמר רבי חייא, לא בעא קב"ה דמלה דא יתעביד על ידן. אמר ר' יוסי דילמא דינא אתגזר על ההוא ב"נ, ובעא קב"ה לזמנא קמיה האי, בגין לשיזבא ליה. עד דהוו אזלי, לאה ההוא גברא באורחא, א"ל חבריה, ולא אמינא לך דלא תתן נהמא לאחרא. א"ר חייא לר' יוסי, הא מזונא גבן ניהב ליה למיכל. א"ר יוסי תבעי למיפק מניה זכותא, ניזיל ונחמי, דהא ודאי בקפטורי דדא טפסא דמותא אתאחיד, ובעא קודשא ב"ה לזמנא זכותיה, בגין לשיזביה.

ס. אדהכי, יתיב ההוא ב"נ, ונאים תחות חד אילנא, וחבריה אתרחיק מניה, ויתיב בדרך אחרא. א"ר יוסי לרבי חייא, השתא ניתיב ונחמי, דודאי קב"ה בעי למרחש ליה ניסא, קמו ואוריכו. אדהכי חמו חד טיפסא בשלהובוי קאים גביה. אמר רבי חייא, ווי על ההוא בר נש, דהשתא יימות. אמר רבי יוסי, זכאה ההוא בר נש,

דְּקוּדְשָׁא בְּ"ה יְרַוְוֵיעַ לֵיהּ נִיסָא. אַדְּהָכִי נָחַת מֵאִילָנָא חַד וְזַיָּא, וּבָעָא לְמִקְטְלֵיהּ. קָם הַהוּא טִפְסָא עֲלֵיהּ וְקַטְלֵיהּ. קָסְטֵר בְּרֵישֵׁיהּ טִפְסָא, וְאָזַל לֵיהּ.

סא. אָמַר רְבִּי יוֹסֵי, וְלָא אֲמֵינָא לָךְ דְּקֻבְּ"ה בָּעָא לְמֵירָוַוח לֵיהּ נִיסָא, וְלָא תִיפּוֹק זְכוּתֵיהּ מִנֵּיהּ. אַדְּהָכִי אִתְּעַר הַהוּא בַּ"ג, וְקָם וְאָזִיל לֵיהּ. אַוְזִידוּ בֵּיהּ רְבִּי חִיָּיא וּרְבִּי יוֹסֵי, וְיָהֲבוּ לֵיהּ לְמֵיכַל. בָּתַר דְּאָכַל, אַוְזִיאוּ לֵיהּ נִיסָא דְּרַוְוַיעַ לֵיהּ קֻבְּ"ה.

סב. פָּתַח רְבִּי יוֹסֵי וְאָמַר, בְּטַח בַּיְיָ וַעֲשֵׂה טוֹב שְׁכָן אֶרֶץ וּרְעֵה אֱמוּנָה, זַכָּאָה חוּלָקֵיהּ דְּבַר נָשׁ דְּעָבֵיד טוֹב מִדִּילֵיהּ, דְּהָא אִתְּעַר טוֹב בִּכְנֶסֶת יִשְׂרָאֵל. וּבַמֶּה. בִּצְדָקָה. דְּכַד אִתְּעַר צְדָקָה, הוּא טוֹב כְּדֵין אִתְּעַר לְגַבֵּי כ"י. וְעַ"ד כְּתִיב וּצְדָקָה תַּצִּיל מִמָּוֶת. מ"ט. בְּגִין דְּצְדָקָה אִילָנָא דְּחַיֵּי הוּא, וְאִתְּעַר עַל הַהוּא אִילָנָא דְּמוֹתָא, וְנָטִיל אִינּוּן דְּאָחִידָן בֵּיהּ, וְשֵׁזִיב לוֹן מִן מוֹתָא. מַאן גָּרִים לְהַהוּא אִילָנָא דְּחַיֵּי דְּאִתְּעַר לְהַאי, הֲוֵי אֵימָא הַהִיא צְדָקָה דְּאִיהוּ עָבֵיד, כִּבְיָכוֹל הוּא עָבֵיד לֵיהּ לְעֵילָּא, כד"א עוֹשֶׂה צְדָקָה בְּכָל עֵת. וְהָא אִתְּמַר.

רַעְיָא מְהֵימְנָא

סג. וְהִתְנַחַלְתֶּם אוֹתָם לִבְנֵיכֶם וְגוֹ', לְעוֹלָם בָּהֶם תַּעֲבוֹדוּ וְגוֹ'. פִּקּוּדָא דָּא לַעֲבוֹד בְּעֶבֶד כְּנַעֲנִי, דִּכְתִּיב, לְעוֹלָם בָּהֶם תַּעֲבוֹדוּ וְאִינּוּן מִסִּטְרָא דְּחָם דְּגַלֵּי עַרְיָין דְּאִתְּמַר עֲלֵיהּ אָרוּר כְּנַעַן עֶבֶד עֲבָדִים יִהְיֶה לְאֶחָיו. אֲמַאי עֶבֶד עֲבָדִים. אֶלָּא עֶבֶד לְהַהוּא עֶבֶד עוֹלָם, דְּאִיהוּ עוֹלָמוֹ שֶׁל יוֹבֵל. וְאִי תֵּימָא דְּהָא אָוְוהּ דְּשֵׁם וְיֶפֶת הֲוָה, אֲמַאי לָא הֲוָה הָכִי כְּוָותַיְיהוּ. וְהָכִי מִזַּרְעָא דְּחָם הֲוָה אֱלִיעֶזֶר עֶבֶד דְּאַבְרָהָם, אֲמַאי לָא הֲוָה כְּוָותֵיהּ, דְּנָפַק צַדִּיק, וְקֻבְּ"ה אוֹדִי בְּבִרְכָתֵיהּ, כַּד בָּרַךְ לֵיהּ לָבָן.

סד. אֶלָּא וַדַּאי הָכָא בְּרָזָא דְּגִלְגּוּלָא, גּוֹלֵל אוֹר מִפְּנֵי חֹשֶׁךְ, עַבְדָּא דְּאַבְרָהָם דְּנָפַק מֵחֹשֶׁךְ, וְדָא זַרְעָא דְּחָם, דָּיוּ לַעֲבַד לְהֶיוֹת כְּרַבּוֹ דְּאִיהוּ אַבְרָהָם, דְּנָפַק מִתַּרְוַוח עוֹבֵד ע"ז. וְחֹשֶׁךְ מִפְּנֵי אוֹר, דָּא יִשְׁמָעֵאל דְּנָפַק מֵאַבְרָהָם, וְעָשׂוּ מִיִּצְחָק.

סה. וְרָזָא תַּעֲרוֹבֶת טִפִּין, בַּאֲתָר דְּלָאו דִּילֵיהּ גָּרִים דָּא. מַאן דְּעָרִיב טִפָּה דִּילֵיהּ, בְּשִׁפְחָה מוֹחֲלַת בַּת יִשְׁמָעֵאל, אוֹ בְּבַת אֵל נֵכָר, דְּאִינּוּן רַע וְחֹשֶׁךְ, וְטִפָּה דִּילֵיהּ טוֹב אוֹר, וַיַּרְא אֱלֹהִים אֶת הָאוֹר כִּי טוֹב. מְעָרֵב טוֹב עִם רָע, עָבַר עַל מֵימְרָא דְּמָארֵיהּ, דְּאָמַר וּמֵעֵץ הַדַּעַת טוֹב וָרָע לֹא תֹאכַל מִמֶּנּוּ.

סו. קֻבְּ"ה, בְּהַהוּא דְּעָרַב, אַרְכִּיב לֵיהּ, וְאַיְיתֵי לֵיהּ בְּגִלְגּוּלָא לְקַבְּלָא עוֹנְשֵׁיהּ. וְחָזַר בִּתְיוּבְתָּא, אִשְׁתַּדַּל בְּאוֹרַיְיתָא, וְאַפְרִישׁ טוֹב מֵרַע, דְּאִינּוּן אָסוּר וְהֶתֵּר, טוּמְאָה וְטָהֳרָה, כָּשֵׁר וּפָסוּל. בְּדָא אִתְפְּרַע רַע מִטּוֹב, דְּאִתְּמַר בֵּיהּ יֵצֶר טוֹב, יְצִירָה לְטַב, וִיצִירָה לְבִישׁ. בְּאוֹרַיְיתָא אַפְרִישׁ לוֹן, קוּדְשָׁא בְּרִיךְ הוּא יָרִית לֵיהּ נִשְׁמָתָא מִנֵּיהּ, לְמֶהֱוֵי שֻׁלְטָא עַל תַּרְוַוְיְיהוּ, בְּחַד דְּאִיהוּ אוֹר. וּבְחַד דְּאִיהוּ חֹשֶׁךְ. עָלְמָא דְּאָתֵי. עָלְמָא דֵּין. הה"ד וַיִּפַּח בְּאַפָּיו נִשְׁמַת חַיִּים.

סז. וּכְפוּם זַכָּוָון וְחוֹבִין. כַּמָּה דְּאוּקְמוּהָ, הָעוֹשֶׂה מִצְוָה אַחַת מְטִיבִין לוֹ. בֵּינוֹנִי, זְכָוָון וְחוֹבִין שְׁקִילִין, פַּלְגּוּ זְכָוָון לְתַתָּא וּפַלְגּוּ חוֹבוֹי לְתַתָּא, וְרָזָא דָּא בַּמֶּה דְּאֶלְאַךְ וְיִנָּתֶן לָךְ וּמַה בַּקָּשָׁתֵךְ עַד חֲצִי הַמַּלְכוּת וְתֵעָשׂ. צַדִּיק גָּמוּר, כָּל זַכְוָוי לְעֵילָּא, וְחוֹבוֹי לְתַתָּא. רָשָׁע גָּמוּר, חוֹבוֹי לְעֵילָּא, וְזַכְוֵוי לְתַתָּא.

סח. וב"נ דְּיַחֲזֹב בְּאִתְגַּלְיָיא, בִּתְרֵין דַּרְגִּין אִיהוּ, אִי וְחָזַר בִּתְיוּבְתָּא בְּאִתְגַּלְיָיא, בֵּין

צַדִּיקַיָּיא, בְּגִין דְּיַדְעִין דִּינוֹי דְּקֻבְּ"ה, וְנַטְרִין גַּרְמַיְיהוּ מִלְּמֶחֱטֵי. וּבְאִתְכַּסְיָיא, בֵּין רַשִׁיעַיָּיא, לְקַיֵּים בְּהוּ וְעֵינֵי רְשָׁעִים תִּכְלֶינָה.

סט. וּבְגִין דָּא, וְחוֹבָא דְּאָדָם עָבַר, עַל וַיְצַו יְיָ' אֱלֹהִים, וְאוֹקְמוּהָ, אֵין צַו אֶלָּא עֲ"ז, אַעֲבַר עָלֵיהּ, אַרְכִּיב לֵיהּ בְּטֹפֶת תְּרֵוֹ, דְּבֵיהּ רָתַח לְקֻבְּ"ה, דְּעָבַר עַל צַו מֵעֲ"ז. הֲדַר בְּתִיּוּבְתָּא, וְתָבַר צוּלְמִין דַּעֲ"ז, וְכָל מְזוֹנֵי דִּילֵיהּ. הוּא תַּקִּין בָּמָה דְּזָהָב, וְתָבַר וְחוֹבָא, וּבְנַיְינָא בִּישָׁא, דְּבָנָה וְאַמְלִיךְ לֵיהּ לְקֻבְּ"ה וּשְׁכִינְתֵּיהּ. עַל עָלְמָא.

ע. בְּמַאי. בְּגִין דְּקַדִּישׁ שְׁמֵיהּ יִתְ' בְּרַבִּים, וְעָאל בְּנוּרָא לְאִתּוֹקְדָא גַּרְמֵיהּ. לְקַיֵּים בֵּיהּ פְּסִילֵי אֱלֹהֵיהֶם תִּשְׂרְפוּן בָּאֵשׁ. וְלֹא עוֹד אֶלָּא דִּלְאָבוֹי תֶּרַח אַהְדַּר בְּתִיּוּבְתָּא, וְאָעִיל לֵיהּ וּלְאִמֵּיהּ, וּלְכָל מָארֵי דְּהַהוּא דָּרָא בְּגַן עֵדֶן. וְהָכִי אִתְלַבַּן בְּנוּרָא כְּכַסְפָּא, דְּאִיהִי מוֹנֵי"טָא דְּמַלְכָּא, וְשִׁקֵּר לָהּ בְּעוֹפֶרֶת, אָעִיל לֵיהּ בְּנוּרָא, וְנָפַק הָעוֹפֶרֶת לְבַר, יִשְׁמָעֵאל. וּבְגִין דָּא נָפַק, מְצַוֵּחַ בַּעֲ"ז. וְאִשְׁתְּאַר אָדָם מְלוּבָן, וְהַאי אִיהוּ שִׁינּוּי הַשֵּׁם. דְּכַד אִתְגַּלְגַּל אָדָם, בָּעֵי לְמֶעְבַּד לֵיהּ שִׁנּוּי הַשֵּׁם, שִׁנּוּי מָקוֹם, וְשִׁנּוּי מַעֲשֶׂה.

עא. לְבָתַר אָתָא יִצְחָק, וְאִתְתַּקַּף בֵּיהּ, מֵחוֹבָא תִּנְיָינָא, דְּאִתְמַר בֵּיהּ עַל הָאָדָם, דְּדָא שְׁפִיכוּת דָּמִים, וְדָא גָּרַם נִסְיוֹנָא דְּיִצְחָק בְּסַכִּינָא. וְאִתְבָּרַר בֵּיהּ, כְּמַאן דְּבָרִיר אוֹכֶל מִגּוֹ פְּסוֹלֶת, וְנָפִיק פְּסוֹלֶת לְבַר, עֵשָׂו שׁוֹפֵךְ דָּמִים.

עב. לְבָתַר אָתָא יַעֲקֹב, וְאַרְכִּיב לֵיהּ בְּלָבָן, וְאִתְעָבֵיד עֶבֶד לְגַבֵּיהּ, הה"ד. אֶעֱבָדְךָ שֶׁבַע שָׁנִים בְּרָחֵל. וּבְהַהִיא סִבָּה דְּאַחְלַף לָהּ בַּאֲחוּתָא, עֲבַד שֶׁבַע שָׁנִים אָחֳרָנִין. לְאַפָּקָא תְּרֵין טִפִּין דְּזָרַק אָדָם בְּאַתַר נוּכְרָאָה, וְדָא גִּלּוּי עֲרָיוֹת, וְהַאי אִיהוּ לֵאמֹר. וְאַפִּיק לוֹן מִן לָבָן הָאֲרַמִּי, נָחָשׁ.

עג. וּבִתְלַת אִלֵּין, הֲוָה לְאָדָם שִׁנּוּי הַשֵּׁם, וְשִׁנּוּי מָקוֹם, וְשִׁנּוּי מַעֲשֶׂה. שִׁנּוּי הַשֵּׁם: בְּאַבְרָהָם. וְשִׁנּוּי מָקוֹם: בְּיִצְחָק. וְשִׁנּוּי מַעֲשֶׂה: בְּיַעֲקֹב. וְאִי לְהַאי דְּאִתְמַר בֵּיהּ, אָז רָאָהּ וַיְסַפְּרָהּ, קִבֵּל בְּתִיּוּבְתָּא כָּל שֶׁכֵּן לַאֲחֵרִים.

עד. וּבְגִין דָּא, עֶבֶד טוֹב אַתְרָא גָּרִים. וְעֶבֶד רָע, אוּף הָכִי. אֲבָל שְׁאָר עֲבָדִים, לְעוֹלָם בָּהֶם תַּעֲבוֹדוּ. קָמוּ מָארֵי מְתִיבְתָּא, וְאָמְרוּ אַשְׁרֵי הָעָם שֶׁכָּכָה לוֹ, שֶׁכָּכָ"ה בְּגִימַטְרִיָּא מֹשֶׁה. קָם רַעְיָא מְהֵימְנָא וְאָמַר, אַשְׁרֵי הָעָם שֶׁיְיָ' אֱלֹהָיו. (ע"כ רעיא מהימנא)

עה. כִּי לִי בְנֵי יִשְׂרָאֵל עֲבָדִים וְגוֹ'. פִּקּוּדָא לַעֲבוֹד בְּכָל מִינֵי עֲבוֹדָה בְּמִקְדָּשׁ, וּלְבַר מִמִּקְדָּשׁ, בְּכָל אִינּוּן פּוּלְחָנִין דְּאִקְרֵי עֲבוֹדָה, בִּצְלוֹתָא, לְאִשְׁתַּדְּלָא בָּתַר פִּקּוּדֵי אוֹרַיְיתָא דְּכֹלָּא אִקְרֵי עֲבוֹדָה, כְּעֶבֶד דְּאִשְׁתַּדַּל בָּתַר מָארֵיהּ, בְּכָל מַה דְּאִצְטְרִיךְ.

עו. בְּגִין דְּיִשְׂרָאֵל קָרֵי לוֹן עֲבָדִים, דִּכְתִּיב כִּי לִי בְנֵי יִשְׂרָאֵל עֲבָדִים עֲבָדַי הֵם. מַאי טַעְמָא אִינּוּן עֲבָדִים. בְּגִין דִּכְתִּיב אֲשֶׁר הוֹצֵאתִי אוֹתָם מֵאֶרֶץ מִצְרָיִם. וּבְגִ"כ כְּתִיב בַּעֲשַׂר אֲמִירָן לְבָתַר, דִּכְתִּיב אָנֹכִי יְיָ' אֱלֹהֶיךָ אֲשֶׁר הוֹצֵאתִיךָ מֵאֶרֶץ מִצְרַיִם, לְמִפְלַח לֵיהּ כְּעֶבֶד דְּפָלַח לְמָארֵיהּ דְּפָרִיק לֵיהּ מִן מוֹתָא, דְּפָרִיק לֵיהּ מִכָּל בִּישִׁין דְּעָלְמָא.

עז. בִּתְרֵין זִינִין אִקְרוּן יִשְׂרָאֵל לְקֻבְּ"ה, עֲבָדִים, דִּכְתִּיב עֲבָדַי הֵם. וְאִקְרוּן בָּנִים, דִּכְתִּיב בָּנִים אַתֶּם לַיְיָ' אֱלֹהֵיכֶם. בִּזְמְנָא דְּיָדַע לֵיהּ ב"נ לְקֻבְּ"ה בְּאוֹרַח כְּלָל, כְּדֵין אִקְרֵי עֶבֶד דְּעָבֵיד פִּקּוּדָא דְּמָארֵיהּ, וְלֵית לֵיהּ רְשׁוּ לְחַפְּשָׂא בְּגִנְזוֹי וּבְרָזִין דְּבֵיתֵיהּ.

בְּזִמְנָא דְּיָדַע לֵיהּ ב"נ בְּאֹרַח פְּרָט, כְּדֵין אִקְרֵי בֵּן רְחִימָא דִּילֵיהּ, כְּבֵן דְּחָפִישׂ בְּגְנִיזוֹי, בְּכָל רָזִין דְּבֵיתֵיהּ.

עז. ואע"ג דְּאִקְרֵי בֵּן בְּרָא בּוּכְרָא לְקוּדְשָׁא ב"ה, כד"א בְּנִי בְכוֹרִי יִשְׂרָאֵל, לָא יִפּוּק גַּרְמֵיהּ מִכְּלָלָא דְּעֶבֶד, לְמִפְלַח לַאֲבוֹי בְּכָל פּוּלְחָנִין דְּאִינּוּן יְקָרָא דַּאֲבוֹי. וְהָכִי אִצְטְרִיךְ לְכָל ב"נ לְמֶהֱוֵי לְגַבֵּי אֲבוֹי בֵּן, לְחַפְּשָׂא בִּגְנִיזוֹי וּלְמִנְדַּע רָזִין דְּבֵיתֵיהּ, וּלְאִשְׁתַּדְּלָא אֲבַתְרַיְיהוּ. וּלְמֶהֱוֵי לְגַבֵּי אֲבוֹי עֶבֶד.

עח. וְרָזָא דְּמִלָּה, תְּרֵין דַּרְגִּין אִינּוּן לְעֵילָּא, דְּאִצְטְרִיךְ בַּר נָשׁ לְאִתְעַטְּרָא בְּהוּ, וְאִינּוּן רָזָא דִּמְהֵימְנוּתָא, וְאִינּוּן חַד. וְחַד, רָזָא דְּעֶבֶד. וְחַד, רָזָא דְּבֵן. וְהַאי עֶבֶד, אִקְרֵי אֲדוֹן כָּל הָאָרֶץ. בֵּן, כְּמָה דְּאוֹקִימְנָא בְּנִי בְכוֹרִי יִשְׂרָאֵל. וְכֹלָּא רָזָא וְחָדָא דִּמְהֵימְנוּתָא. וְאִצְטְרִיךְ ב"נ לְאִתְעַטְּרָא בְּאִלֵּין דַּרְגִּין, לְאִתְכַּלְּלָא בְּרָזָא דִּמְהֵימְנוּתָא.

פ. עֶבֶד, לְמִפְלַח בְּכָל זִינֵי פּוּלְחָנָא, בִּצְלוֹתָא דְּאִקְרֵי עֲבוֹדָה, כְּהַאי עֶבֶד דְּאִיהוּ רָזָא עִלָּאָה, דְּלָא שָׁכִיךְ לְעָלְמִין תָּדִיר. וְקָא מְשַׁבְּחָא וּמְנַגְּנָא תָּדִיר. וְהָא אִתְּמַר בְּפוּלְחָנִין אַחֲרָנִין, דְּכָל פּוּלְחָנִין וּמִלִּין דְּעָלְמִין כֻּלְּהוּ אִיהוּ עָבֵיד וּפָלַח. ובג"ד אִקְרֵי אָדוֹן, בְּגִין דְּאִיהוּ עֶבֶד לְמִפְלַח, אִקְרֵי אֲדוֹן כָּל הָאָרֶץ. ב"נ דְּאִתְעַטַּר בְּרָזָא דָּא, לְמֶיהֱוֵי עֶבֶד לְמִפְלַח פּוּלְחָנֵיהּ דְּמָארֵיהּ, אִיהוּ סָלִיק וְאִתְעַטַּר לְמֶהֱוֵי בְּדַרְגָּא דָּא, וְאִקְרֵי אוּף הָכִי אֲדוֹן, דְּהָא אִיהוּ בָּרִיךְ בְּכָל אִינּוּן פּוּלְחָנִין, לְהַאי עָלְמָא, וְקַיֵּים לֵיהּ. וְעַ"ד אִקְרֵי אֲדוֹן.

פא. זַכָּאָה חוּלָקֵיהּ דְּהַאי בֵּן, דְּזָכֵי לְאִשְׁתַּדְּלָא לְמִנְדַּע בְּגִנְזֵי דַּאֲבוֹי, וּבְכָל רָזִין דְּבֵיתֵיהּ, כִּבְרָא יְחִידָאי דְּאַשְׁלְטֵיהּ אֲבוֹי בְּכָל גִּנְזוֹי, וְדָא אִיהוּ יְקָרָא, דְּשַׁלִּיט עַל כֹּלָּא מַאן דְּיִשְׁתַּדַּל בְּאוֹרַיְיתָא, לְמִנְדַּע לֵיהּ לְקֻבָּ"ה. וּבְאִינּוּן גְּנִיזִין דִּילֵיהּ, אִקְרֵי בֵּן לְקֻבָּ"ה, כָּל חֵילֵי שְׁמַיָּא, לֵית מַאן דְּיִמְחֵי בִּידֵיהּ, בְּכָל שַׁעֲתָא דְּאִצְטְרִיךְ לְמֵיעַל לְגַבֵּי אֲבוֹי. זַכָּאָה חוּלָקֵיהּ בְּעָלְמִין כֻּלְּהוּ. ובג"ד, כַּד אִשְׁתַּדַּל לְמִנְדַּע לֵיהּ בְּאֹרַח פְּרָט, בְּרָזָא דְּחָכְמְתָא, כְּדֵין אִקְרֵי בֵּן.

פב. בְּפוּלְחָנָא דְּב"נ פָּלַח לֵיהּ לְקֻבָּ"ה, אִית פּוּלְחָנָא, דְּאִצְטְרִיךְ ב"נ לְאִתְכַּלְּלָא בִּתְרַוַיְיהוּ, לְמֶהֱוֵי עֶבֶד וּבֵן, לְאִתְעַטְּרָא בֵּיהּ בְּקֻבָּ"ה. וּמָה אִיהוּ. דָּא פּוּלְחָנָא דִּצְלוֹתָא, דְּאִצְטְרִיךְ לְמֶהֱוֵי בָּהּ עֶבֶד וּבֵן, לְאִתְכַּלְּלָא בְּדַרְגִּין עִלָּאִין אִלֵּין. לְמִפְלַח וּלְאַתְקְנָא צְלוֹתָא בְּרָזָא דְּעֶבֶד, לְמִפְלַח פּוּלְחָנָא דְּתִקּוּנָא דְּעָלְמִין. וּלְאִתְדַּבְּקָא רְעוּתֵיהּ בְּרָזִין דְּחָכְמְתָא, לְאִתְדַּבְּקָא בְּמָארֵיהּ בִּגְנִיזִין עִלָּאִין כַּדְקָא וְזֵי.

פג. בֵּן אִתְדַּבַּק תָּדִיר בַּאֲבוֹי בְּלָא פֵּרוּדָא כְּלַל, לֵית מַאן דְּיִמְחֵי בִּידֵיהּ. עֶבֶד, עָבֵיד פּוּלְחָנָא דְּמָארֵיהּ, וְאַתְקִין תִּקּוּנֵי עָלְמָא. מַאן דַּהֲוֵי תַּרְוַיְיהוּ בִּכְלָלָא חֲדָא, בְּחִבּוּרָא חֲדָא, דָּא אִיהוּ בַּר נָשׁ דְּאַתְקִין רָזָא דְּכָל מְהֵימְנוּתָא בִּכְלָלָא חֲדָא, בְּלָא פֵּרוּדָא כְּלָל, וּמְחַבֵּר כֹּלָּא כַּחֲדָא. דָּא אִיהוּ ב"נ, דְּקֻבָּ"ה אַכְרִיז עֲלוֹי בְּכָל אִלֵּין חַיָּילִין וּמַשִּׁרְיָין דְּכָל עָלְמִין, וּבְכָל אִינּוּן רְקִיעִין, אִזְדְּהָרוּ בִּפְלָנְיָא מְהֵימָנָא דְּבֵי מַלְכָּא, דְּכָל גִּנְזֵי דְּמָארֵיהּ בִּידֵיהּ. זַכָּאָה אִיהוּ בְּהַאי עָלְמָא, וְזַכָּאָה אִיהוּ בְּעָלְמָא דְּאָתֵי.

פד. מֵהַהוּא יוֹמָא וּלְהַלְאָה, אִשְׁתְּמוֹדַע בַּר נָשׁ, וְאִתְרְשִׁים בְּעָלְמִין כֻּלְּהוּ. בְּשַׁעֲתָא דְּאִצְטְרִיךְ כָּל חֵילִין וּמַשִּׁרְיָין כֻּלְּהוּ אִזְדְּהָרָן לְמֶהֱוֵי גַּבֵּיהּ, וְקֻבָּ"ה לָא בָּעֵי אֶלָּא אִיהוּ בִּלְחוֹדוֹי. וְקָלָא אִתְעַר, יֵאוֹת הוּא לְיָחִיד לְמֶהֱוֵי גַּבֵּיהּ דְּיָחִיד, וּלְאִתְעַסְקָא יָחִיד בְּיָחִיד.

פה. וְרָזָא דִּתְרֵין דַּרְגִּין אִלֵּין, אַשְׁכַּחְנָא בְּחַד קְרָא, דִּכְתִיב וַיֹּאמֶר לִי עַבְדִּי אָתָּה יִשְׂרָאֵל אֲשֶׁר בְּךָ אֶתְפָּאָר. וַיֹּאמֶר לִי עַבְדִּי אָתָּה, הָא עֶבֶד. יִשְׂרָאֵל הָא בֵּן. דְּכַד אִינּוּן

כְּלָלָא וְחֲדָא, כְּדֵין כְּתִיב אֲשֶׁר בְּךָ אֶתְפָּאַר. בָּרוּךְ יְיָ' לְעוֹלָם אָמֵן וְאָמֵן יִמְלוֹךְ יְיָ' לְעוֹלָם אָמֵן וְאָמֵן

BECHUKOTAI
בְּחֻקֹתַי

א. אִם בְּחֻקֹּתַי תֵּלֵכוּ וְגוֹ'. ר' חִיָּיא פָּתַח, עַמִּי זְכָר נָא מַה יָּעַץ בָּלָק מֶלֶךְ מוֹאָב
וּמֶה עָנָה אוֹתוֹ בִּלְעָם בֶּן בְּעוֹר וְגוֹ'. עַמִּי זְכָר נָא, זַכָּאָה וְחוּלָקָא דְּעַמָּא דָּא, דְּמָארֵיהוֹן
אוֹכַח לוֹן הָכִי. עַמִּי זְכָר נָא, אע"ג דְּאִתּוּן סָטָאן מֵאוֹרְחִי, עַמִּי אַתּוּן, דְּלָא בָּעֵינָא
לְמֶעְבַּד לְכוּ כְּעוֹבָדֵיְיכוּ.

ב. ר' יִצְחָק אָמַר, זַכָּאָה וְחוּלָקָא דְּעַמָּא, דְּמָארֵיְיהוּ אָמַר לוֹן, עַמִּי מֶה עָשִׂיתִי לְךָ
וּמָה הֶלְאֵתִיךָ עֲנֵה בִי. מַה יָּעַץ בָּלָק מֶלֶךְ מוֹאָב. בְּכַמָּה מִלִּין וְעוֹבָדִין אָמַר לְשֵׁיצָאָה
לְכוּ מֵעָלְמָא, וְכַמָּה חַרְשִׁין אִתְעַר לְקָבְלַיְיכוּ.

ג. א"ר יוֹסֵי, אָמַר לוֹן קב"ה לְיִשְׂרָאֵל, זְכוֹר נָא. וַוי דַּאֲנַן צְוָוחִין בְּכָל יוֹמָא, וְעֵינַן
וּבְכֵינָן, זְכוֹר יְיָ מֶה הָיָה לָנוּ. זְכוֹר יְיָ לִבְנֵי אֱדוֹם, וְלָא בָּעֵי לְאַשְׁגְּוָחָא עֲלָנָא, הוּא אָמַר
כָּן בְּבָעוּ זְכוֹר נָא, אֵין נָא אֶלָּא לְשׁוֹן בַּעוּתָא, וַאֲנַן לָא אַשְׁגּוְיָנָא בֵּיהּ, כְּגַוְונָא דָּא אֲנַן
צְוָוחִין, זְכוֹר יְיָ מֶה הָיָה לָנוּ, זְכוֹר יְיָ לִבְנֵי אֱדוֹם, זְכוֹר עֲדָתְךָ קָנִיתָ קֶדֶם, זָכְרֵנִי יְיָ
בִּרְצוֹן עַמֶּךָ, וְלָא בָּעֵי לְאַשְׁגְּוָחָא עֲלָן.

ד. רַבִּי יְהוּדָה אָמַר, וַדַּאי קב"ה אַשְׁגַּח עֲלָן תָּדִיר, וְדָכִיר לָן, אִי לָאו דְּאִיהוּ אַשְׁגַּח
בְּהוּ בְּיִשְׂרָאֵל, וְדָכִיר לוֹן, לָא יְקוּמוּן חַד יוֹמָא בְּגָלוּתָא, הה"ד וְאַף גַּם זֹאת בִּהְיוֹתָם
בְּאֶרֶץ אוֹיְבֵיהֶם וְגוֹ'. קב"ה לָא עָבֵיד לָן כְּעוֹבָדָנָא.

ה. ת"ח, בָּלָק חַכִּים הֲוָה, וְרַב וְחַרְשִׁין בְּעוֹבָדֵי יְדוֹי, יַתִּיר מִן בִּלְעָם. וְהָכִי אוּלִיפְנָא
כָּל מַה דְּבָעֵי בַּר נָשׁ בְּהַאי עָלְמָא, בְּפוּלְחָנָא דְּקב"ה, בָּעֵי לְאִתְעָרָא בְּעוֹבָדָא לְתַתָּא.
דְּבְעוֹבָדָא דִּלְתַתָּא, אִתְעַר עוֹבָדָא לְעֵילָּא, וְעוֹבָדָא דָּא בָּעֵי בְּקַדְמוּתָא, וְהָא אוֹקְמוּהָ.
וּבְאֲתָר דְּלֵית עוֹבָדָא, אִית מִלָּה, וּבְמִלָּה דִּפוּמָא, תַּלְיָא עוֹבָדָא, לְאִתְעָרָא לְעֵילָּא.
כַּמָּה דְּבָעֵינָן לְאִתְעָרָא קְדוּשָׁה עִלָּאָה, בְּעוֹבָדָא וּבְמִלָּה. הָכִי נָמֵי אִינּוּן דְּאַתְיָין מִסִּטְרָא
דִּמְסָאֲבוּתָא, בָּעֵיין לְאִתְעָרָא סִטְרָא דִּלְהוֹן, בְּעוֹבָדָא וּבְמִלָּה דִּפוּמָא.

ו. וְאע"ג דְּבִלְעָם וְחַרְשָׁא הֲוָה רַב מִכָּל חַרְשִׁין דְּעָלְמָא, וְחַרְשָׁא עִלָּאָה מִנֵּיהּ הֲוָה
בָּלָק. בְּקֶסֶם הֲוָה בָּלָק רַב מִכָּל וְחַכִּימִין. וּבִלְעָם בְּנַחַשׁ. קֶסֶם וְנַחַשׁ תְּרֵין דַּרְגִּין אִינּוּן,
קֶסֶם תַּלְיָא בְּעוֹבָדָא. נַחַשׁ לָא תַּלְיָא בְּעוֹבָדָא אֶלָּא בְּאִסְתַּכְּלוּתָא, וּבְמִלָּה דִּפוּמָא.
וּכְדֵין מִתְעָרִין עֲלַיְיהוּ רוּחָא מִסָּאֲבָא, לְאִתְלַבְּשָׁא בְּהוּ, וְעָבֵיד מַה דְּעָבֵיד.

ז. וְיִשְׂרָאֵל קַדִּישִׁין לָאו הָכִי, אֶלָּא כֻּלְּהוּ קַדִּישִׁין, וְכָל עוֹבָדַיְיהוּ לְאִתְעָרָא עֲלַיְיהוּ
רוּחָא קַדִּישָׁא. כד"א, עַד יֵעָרֶה עָלֵינוּ רוּחַ מִמָּרוֹם. וְע"ד כְּתִיב, כִּי לֹא נַחַשׁ בְּיַעֲקֹב
וְלֹא קֶסֶם בְּיִשְׂרָאֵל, דְּהָא אִינּוּן בְּסִטְרָא דִּקְדוּשָׁה עִלָּאָה אֲחִידָן, וְעוֹבָדַיְיהוּ בִּקְדוּשָׁה
אָתוּ, וּקְדוּשָׁה מִתְעָרֵי עֲלַיְיהוּ וּמִתְלַבְּשָׁן בָּהּ.

ח. וְת"ח, בְּקֶסֶם הֲוָה בָּלָק רַב מִכָּל וְחַכִּימִין, וּבִלְעָם בְּנַחַשׁ. וְע"ד בְּעֵצָתָא דְּבָעָא
בָּלָק לְאִתְחַבְּרָא עִמֵּיהּ, מַה כְּתִיב וַיֵּלְכוּ זִקְנֵי מוֹאָב וְזִקְנֵי מִדְיָן וּקְסָמִים בְּיָדָם. ת"ח,
בְּמִלָּה דִּפוּמָא הֲוָה בִּלְעָם רַב מִכָּל וְחַרְשִׁין דְּעָלְמָא, וּבְאִסְתַּכְּלוּתָא דְּהַהוּא נַחַשׁ, הֲוָה

יָדַע לְכַוְּונָא שַׁעְתָּא. וְעַ"ד בָּעָא בָּלָק לְאַשְׁלְמָא מִלָּה קֶסֶם וְנַחַשׁ.

ט. אָ"ל קָבָּ"ה, רָשָׁע, הָא קַדְמוּךְ בְּנֵי. עוֹבָדָא אִית בְּגַוַּויְיהוּ, דְּכָל סִטְרִין בִּישִׁין וְזִינִין בִּישִׁין וְחָרָשִׁין דְּעָלְמָא לָא יַכְלִין לְקָרְבָא בַּהֲדַיְיהוּ, דְּכֻלְּהוּ עָרְקִין מִקַּמֵּיהּ. וּמַאי אִיהוּ. אֹהֶל מוֹעֵד, וּמָאנֵי קוּדְשָׁא, וְעָשׁוֹמֵי מַקְדְּשָׁא, וּקְטֹרֶת בּוּסְמִין, דְּקָא מְבַטֵּל כָּל רְתִיכָא וְרוּגְזָא דְּעָלְמָא, דִּלְעֵילָּא וְתַתָּא, וְעָלְוָון וְקָרְבָּנִין בְּכָל יוֹמָא, וּתְרֵי מַדְבְּחוֹת, לְמֶעְבַּד עוֹבָדָא מַדְבְּחוֹת, וְשָׁלְוָון וְלֶחֶם הַפָּנִים, וְאֵת הַכִּיּוֹר וְאֶת כַּנּוֹ, וְכַמָּה שַׁמּוֹשִׁין לְעוֹבָדָא, לְמִלָּה דִּפוּמָא, הָאָרוֹן וּתְרֵי לוּחַיָּיא דְּאוֹרַיְיתָא, וְאַהֲרֹן לְכַפָּרָא עַל עַמָּא בִּצְלוֹתָא בְּכָל יוֹמָא. כֵּיוָן דְּאִשְׁתְּגַח הַהוּא רָשָׁע בְּהַאי, אָמַר כִּי לֹא נַחַשׁ בְּיַעֲקֹב וְלֹא קֶסֶם בְּיִשְׂרָאֵל. מַ"ט. יְיָ' אֱלֹהָיו עִמּוֹ וּתְרוּעַת מֶלֶךְ בּוֹ.

י. וְעַ"ד עַמִּי זְכָר נָא, בִּבְעוּ מִנַּיְיכוּ, הֲווֹ דְּכִירִין הַהוּא זִמְנָא דְּאִתְחַבָּרוּ בָּלָק וּבִלְעָם לְשֵׁיצָאָה לְכוּ, וְלָא יַכְלוּ, דְּאֲנָא אוֹדַעְנָא בְּכוּ, כְּאַבָּא דְּאוֹזִיד בִּבְרֵיהּ, וְלָא עָשְׁבִיק לֵיהּ בִּידָא דְּאוֹחֲרָא. מִן הַשִּׁטִּים וְעַד הַגִּלְגָּל, מַאי דָא לָקֳבֵיל דָּא. אֶלָּא אָמַר קָבָּ"ה לְיִשְׂרָאֵל, בִּבְעוּ מִנַּיְיכוּ, הֲווֹ דְּכִירִין כָּל זִמְנָא דַּהֲוֵיתוּן אוֹזְדָן בִּי, וְלָא יַכִיל הַהוּא רָשָׁע בְּחָרָשׁוֹי וְקִסְמוֹי לְשַׁלְטָאָה עֲלַיְיכוּ. כֵּיוָן דְּעַבְדְּתוּן יְדַיְיכוּ לְאוֹזְדָא בִּי, וַהֲוֵיתוּן בִּשְׁטִים, מַה כְּתִיב. וַיֹּאכַל הָעָם וַיִּשְׁתַּחֲווּ לֵאלֹהֵיהֶם. בַּגִּלְגָּל, כְּד"א בַּגִּלְגָּל שְׂוֹרִים זִבֵּחוּ, וּכְדֵין שָׁלְטוּ בְּכוּ שַׂנְאֵיכוּ. וְכָל דָּא אֲמַאי. לְמַעַן דַּעַת צִדְקוֹת יְיָ' כָּל אִינוּן צִדְקוֹת, דְּעֲבָדְנָא לְכוּ, בְּזִמְנָא דְּאַתּוּן אוֹזְדָן בִּי, וְלָא עָשְׁבִיקְנָא מִלָּה דְּעָלְמָא לְשַׁלְטָאָה בְּכוּ, וְרוּגְזָא דִּלְעֵילָּא וְתַתָּא, וְזִינִין בִּישִׁין, לָא יַכְלִין לְקָרְבָא בְּכוּ.

יא. וַיֹּאמֶר אֲלֵיהֶם לִינוּ פֹה הַלַּיְלָה וַהֲשִׁבֹתִי אֶתְכֶם דָּבָר כַּאֲשֶׁר יְדַבֵּר יְיָ' אֵלָי. תָּ"ח, בְּשַׁעְתָּא דְּעָאל שִׁמְשָׁא, וְתַרְעִין כֻּלְּהוּ אִסְתִּימוּ, וְעָאל לֵילְיָא וְאִתְחַזְּעָךְ, כַּמָּה וְזַבִּילֵי שָׂרָאן מְעַלְעַלֵּיהוֹן, וְאָזְלִין וְשָׁטָאן בְּעָלְמָא, וְכַמָּה רַבְרְבֵי מְמַנָּן עֲלַיְיהוּ דִּמְדַבְּרֵי לְהוּ. וְאִית מְמַנָּא רַבְרְבָא עַל כֹּלָּא מִסִּטְרָא דִּשְׂמָאלָא וְהַהוּא רָשָׁע הֲוָה שָׁכִיחַ לְגַבֵּי הַהוּא מְמַנָּא עִלָּאָה מִכֹּלָּא בְּחָרָשׁוֹי. וְהוּא הֲוָה אָמַר בְּחָרָשׁוֹי בְּלֵילְיָא, בְּזִמְנָא דְּאִיהוּ שָׁלְטָא בְּכָל סִיַּעְתָּא דִּילֵיהּ, וְהוּא הֲוָה אָתֵי לְאִשְׁתַּכְּחָא גַּבֵּיהּ, וְאוֹדַע לֵיהּ מַה דְּאִיהוּ בָּעֵי.

יב. כְּגַוְונָא דָא וַיָּבֹא אֱלֹהִים אֶל לָבָן הָאֲרַמִּי, הַהוּא דְּשָׁכִיחַ גַּבֵּיהּ. וַיָּבֹא אֱלֹהִים אֶל אֲבִימֶלֶךְ, כֻּלְּהוּ כְּגַוְונָא דָא. בְּכָל אֲתָר אַקְרוּן לֵיהּ בְּאִינוּן חָרָשִׁין, וְעַל דָּא הֲוָה שָׁכִיחַ בְּלֵילְיָא יַתִּיר מִבִּימָמָא. וְהָא אוּקְמוּהָ. וְכָל הָנֵי חָרָשִׁין וְחָכִימִין הֲווֹ לְאֲבִימֶלֶךְ, דִּכְתִיב וַיַּשְׁקֵף אֲבִימֶלֶךְ מֶלֶךְ פְּלִשְׁתִּים בְּעַד הַחַלּוֹן. כְּתִיב הָכָא בְּעַד הַחַלּוֹן, וּכְתִיב הָתָם בְּעַד הַחַלּוֹן נִשְׁקְפָה וַתְּיַבֵּב אֵם סִיסְרָא. לָבָן הָא אוּקְמוּהָ, בִּלְעָם כְּדֵין.

יג. וְעַל דָּא בְּכֻלְּהוּ כְּתִיב אֱלֹהִים, וַיָּבֹא אֱלֹהִים אֶל בִּלְעָם, וַיָּבֹא אֱלֹהִים אֶל לָבָן, וַיָּבֹא אֱלֹהִים אֶל אֲבִימֶלֶךְ, הוּא אָתָא לְגַבַּיְיהוּ, וְלָאו אִינוּן לְגַבֵּיהּ, דְּהָא לֵית לְהוּ אֲתָר זְמִין. וְאִי תֵּימָא, הָא כְּתִיב אֱלֹהִים. אֶלָּא, שְׁמָא דָא אִשְׁתַּתָּף בְּכֹלָּא, וּבְכֹלָּא דְּאֱלֹהִים אוֹחֲרָנִים מְמַנָּן אֵלִין, וּבְכֹלָּא דָא הֲווֹ, וּבְגִין כָּךְ אִקְרֵי הָכִי. וְהַהוּא רָשָׁע הֲוָה אָמַר בְּחָרָשׁוֹי וְקָרֵי לֵיהּ, וְאָתֵי לְגַבֵּיהּ. וּבְגִין כָּךְ כְּתִיב לִינוּ פֹה הַלַּיְלָה וַהֲשִׁבֹתִי אֶתְכֶם דָּבָר כַּאֲשֶׁר יְדַבֵּר יְיָ' אֵלָי. הַהוּא רָשָׁע קָא מְשַׁקֵּר בְּגַרְמֵיהּ, דְּהָא לָא כְּתִיב בֵּיהּ, אֶלָּא וַיָּבֹא אֱלֹהִים.

יד. דָּבָר אָחֳר כַּאֲשֶׁר יְדַבֵּר יְיָ' אֵלָי, עַל יְדֵי דְּהַהוּא שַׁלְיָטָא דְּסִטְרָא אוֹחֲרָא. וְאִי תֵּימָא הָא בִּימָמָא אִשְׁתַּכַּח לְגַבֵּיהּ. אֶלָּא וַדַּאי בְּנַחַשׁ אִסְתַּכְּלוּתָא הֲוָה בֵּיהּ, וּבְהַהוּא זִמְנָא הֲוָה מִסְתַּכֵּל לְכַוְּונָא שַׁעְתָּא, הַהוּא דִּכְתִיב וְלֹא הָלַךְ כְּפַעַם בְּפַעַם לִקְרַאת נְחָשִׁים. וַיֵּרָא

בלעם כי טוב בעיני יי' לברך את ישראל. אלא דההוא יומא אסתכל לכוונא שעתא, ולא אשתכח כשאר יומי, וכדין זמנא דהא רוגזא רבא לא אשתכח בעלמא, כדין ידע כי טוב בעיני יי' לברך את ישראל. בההוא זמנא שביק גרמיה מכל נחשים דעלמא, ולא אסתכל בהו, הה"ד ולא הלך כפעם בפעם לקראת נחשים.

טו. תא חזי, בההיא שעתא דרתחא אשתכח, כדין שמאלא אתער, והוה ידע ההוא רשע אתר, לאחדא בסטרא שמאלא, למילט. ואסתכל בההוא זמנא, ולא אשתכח. כדין מה כתיב, מה אקב לא קבה אל ומה אזעום לא זעם יי'. ובגין כך, עמי זכר נא מה יעץ בלק וגו'. ומה ענה אותו בלעם בן בעור זכאין אינון ישראל, זכאה חולקיהון בעלמא דין ובעלמא דאתי.

טז. אם בחוקותי תלכו. דא אתר דגזירין דאורייתא תליין בההוא אתר, כד"א את חקותי תשמורו. חוק הוא דאקרי הכי, וגזירין דאורייתא בה אתכלילן. ואת משפטי תשמרו. משפטי, דא הוא אתר אחרא עלאה, דההיא חקה אחידת ביה, ומתחברן דא בדא דעילאי ותתאי. וכל פקודי אורייתא, וכל גזרי אורייתא, וכל קדושי אורייתא, בהני אחידן. בגין דהאי תורה שבכתב, והאי תורה שבעל פה.

יז. ועל דא אם בחוקותי, כל אינון גזירין ודינין ועונשין ופקודין, דאינון בההוא אתר דאקרי תורה שבעל פה, וחקה. ואת משפטי תשמרו, בההוא אתר דאקרי תורה שבכתב, כמה דאת אמר משפט לאלהי יעקב. ודא אחיד בדא ודא בדא, וכלא חד. ודא הוא כללא דשמא קדישא ומאן דאעבר על פתגמי אורייתא, כאלו פגים שמא קדישא, בגין דחוק ומשפט שמא דקב"ה הוי. ועל דא, אם בחוקותי תלכו: דא תורה שבעל פה. ואת משפטי תשמרו: דא תורה שבכתב. ודא הוא כללא דשמא קדישא.

יח. ועשיתם אותם. מאי ועשיתם אותם, כיון דאמר תלכו ותשמרו, אמאי ועשיתם. אלא, מאן דעביד פקודי אורייתא ואזיל באורחוי, כביכול כאלו עביד ליה לעילא. אמר קב"ה, כאלו עשאני, ואוקמוה. ועל דא ועשיתם אותם. ועשיתם אתם כתיב ודאי, והואיל ומתערי עלייכו לאתחברא דא בדא, לאשתכחא שמא קדישא כדקא יאות, ועשיתם אתם ודאי.

יט. כגוונא דא אמר רבי שמעון, ויעש דוד שם, וכי דוד עבד ליה. אלא בגין דאזיל בארחוי דאורייתא, ועביד פקודי אורייתא, ואנהיג מלכותא כדקא יאות, כביכול, עשה שם לעילא. ולא הוה מלכא בעלמא דזכה להאי כדוד, דהוה קם בפלגות ליליא, והוה משבח ליה לקב"ה, עד דסליק שמא קדישא בכורסייא, בשעתא דסליק נהורא דימאמא. כביכול הוא עבד שם ממש כד"א, ויקב בן האשה הישראלית את השם ויקלל. ובג"כ ויעש דוד שם. ועל דא ועשיתם אותם כתיב, ואי אתון תשתדלון למעבד לון, לאתתקנא שמא קדישא כדקא יאות, כל אינון ברכאן דלעילא ישתכחון גבייכו בתקוניהון כדקא יאות.

כ. ונתתי גשמיכם בעתם וגו'. כל חד וחד, יתן חילא דיליה עלייכו. מאן אינון. ההוא תקונא דעבדתון דההוא שמא קדישא כגוונא דא כתיב, ושמרו דרך יי' לעשות צדקה ומשפט. וכי כיון דכתיב ושמרו דרך יי'. אמאי לעשות צדקה ומשפט. אלא מאן דנטיר אורחוי דאורייתא, כביכול הוא עושה צדקה ומשפט. ומאי צדקה ומשפט. דא קב"ה. בכה ר"ש ואמר, ווי לון לבני נשא, דלא ידעין ולא משגיחין ביקרא דמאריהון, מאן עביד שמא קדישא בכל יומא, הוי אימא מאן דיהיב צדקה

לְמִסְכְּנֵי.

כא. ת"ח, הָא אוּקְמוּהָ הָכִי הוּא, דְּמִסְכְּנָא אָחִיד בֵּיהּ בְּדִינָא, וְכָל מֵיכְלַייהוּ בְּדִינָא הוּא, אֲתַר דְּאִקְרֵי צֶדֶק, כד"א תְּפִלָּה לְעָנִי כִי יַעֲטֹף. תְּפִלָּה, דָּא תְּפִלָּה שֶׁל יָד, וְאוּקִימְנָא. וּמַאן דְּיָהִיב לֵיהּ צְדָקָה לְמִסְכְּנָא, הוּא עָבֵיד לְעֵילָּא שְׁמָא קַדִּישָׁא שְׁלִים כַּדְקָא יָאוּת. בְּגִין דִּצְדָקָה דָּא אִילָנָא דְּחַיֵּי, וּצְדָקָה יָהִיב לְצֶדֶק. וְכַד יָהִיב לְצֶדֶק, כְּדֵין אִתְחַבַּר דָּא בְּדָא, וּשְׁמָא קַדִּישָׁא אִשְׁתְּכַח שְׁלִים. מַאן דְּעָבֵיד אִתְעֲרוּתָא דָּא דִּלְתַתָּא, וַדַּאי כְּאִלּוּ עָבֵיד שְׁמָא קַדִּישָׁא בִּשְׁלִימוּ. כְּגַוְונָא דְּאִיהוּ עָבֵיד לְתַתָּא, הָכִי אִתְעַר לְעֵילָּא. וְעַל דָּא כְּתִיב, אַשְׁרֵי שׁוֹמְרֵי מִשְׁפָּט עוֹשֵׂה צְדָקָה בְּכָל עֵת. עוֹשֵׂה צְדָקָה, דָּא קב"ה, כִּבְיָכוֹל הוּא עָבֵיד לֵיהּ.

כב. תָּא חֲזֵי, מִסְכְּנָא הָא אִתְּמַר מַאן הוּא אַתְרֵיהּ. מ"ט. בְּגִין דְּמִסְכְּנָא לָא אִית לֵיהּ מִדִּילֵיהּ כְּלוּם, אֶלָּא מַה דְּיָהֲבִין לֵיהּ וְסִיהֲרָא לָא אִית לָהּ נְהוֹרָא מִדִּילָהּ, אֶלָּא מַה דְּיָהִיב לָהּ שִׁמְשָׁא.

כג. ת"ח, אַמַּאי עָנִי וְחָשׁוּב כַּמֵּת, מ"ט. בְּגִין דְּהַהוּא אֲתַר גָּרִים לֵיהּ, דְּהָא בַּאֲתַר דְּמוֹתָא הוּא שְׁכִיחַ, וּבג"כ אִקְרֵי מֵת. הַהוּא דְּחַיִּיס עָלֵיהּ, הוּא יָהִיב לֵיהּ צְדָקָה, אִילָנָא דְּחַיֵּי שַׁרְיָא עָלוֹי. כד"א, וּצְדָקָה תַּצִּיל מִמָּוֶת. וּכְגַוְונָא דְּעָבֵיד ב"נ לְתַתָּא, הָכִי נָמֵי עָבֵיד לְעֵילָּא מַמָּשׁ. זַכָּאָה חוּלָקֵיהּ דְּזָכֵי לְמֶעְבַּד שְׁמָא קַדִּישָׁא לְעֵילָּא, בְּג"כ צְדָקָה סָלִיק עַל כֹּלָּא.

כד. וְהָנֵי מִלֵּי, צְדָקָה לִשְׁמָהּ. דְּהָא אִתְעַר צְדָקָה לְצֶדֶק, לְחַבְּרָא לוֹן כַּחֲדָא, וּלְמֶהֱוֵי כֹּלָּא שְׁמָא קַדִּישָׁא כַּדְקָא יָאוּת. דְּהָא צֶדֶק, לָא אִתְתָּקַן, וְלָא אִשְׁתְּלִים, אֶלָּא בִּצְדָקָה. דִּכְתִיב, בִּצְדָקָה תִּכּוֹנָנִי, וְלִכְנֶסֶת יִשְׂרָאֵל אִתְּמַר, וּבג"כ וַעֲשִׂיתֶם אוֹתָם וְגוֹ'.

כה. וְנָתַתִּי שָׁלוֹם בָּאָרֶץ וּשְׁכַבְתֶּם וְאֵין מַחֲרִיד וְגוֹ'. ר' יוֹסֵי פָּתַח, רִגְזוּ וְאַל תֶּחֱטָאוּ וְגוֹ'. רִגְזוּ וְאַל תֶּחֱטָאוּ, הַאי קְרָא אוּקְמוּהָ, דְּבָעֵי בַּר נָשׁ לְאַרְגָּזָא יֵצֶר טוֹב עַל יֵצֶר הָרַע, וְשַׁפִּיר. אֲבָל בְּשַׁעֲתָא דְּרָמַשׁ לֵילְיָא, וּבַר נָשׁ שָׁכִיב עַל עַרְסֵיהּ, כַּמָּה גַּרְדִּינֵי נִמּוּסִין מִתְעָרִין בְּעָלְמָא, וְאָזְלִין וְשָׁאטִין, וּבְנֵי נָשָׁא בָּעָאן לְאִתְרַגְּזָא מִקַּמֵּיהּ קב"ה, וּלְדַחֲלָא מִנֵּיהּ, בְּגִין דְּלָא יִשְׁתְּכַח נַפְשֵׁיהּ בְּגַוַּויְיהוּ, וְיִשְׁתְּזִיב מִנַּיְיהוּ. וְיִבְעֵי לֵיהּ לב"נ, דְּלָא יַפִּיק מִנַּיְיהוּ מִלָּה בְּפוּמֵיהּ. בְּגִין דְּלָא יִתְעַר לְהוּ לְגַבֵּיהּ, וְלָא יִשְׁתַּכְּחוּן בַּהֲדֵיהּ. הה"ד אִמְרוּ בִלְבַבְכֶם עַל מִשְׁכַּבְכֶם וְדֹמּוּ סֶלָה. דְּלָא יַפִּיק מִנַּיְיהוּ מִלָּה מִפּוּמֵיהּ.

כו. ת"ח, בְּשַׁעֲתָא דְּאִשְׁתַּכְּחוּ יִשְׂרָאֵל זַכָּאִין קָמֵי קב"ה, מַה כְּתִיב, וְנָתַתִּי שָׁלוֹם בָּאָרֶץ. הַאי לְעֵילָּא. דְּאָתֵי קב"ה לְאִתְחַבְּרָא בִּכְנֶסֶת יִשְׂרָאֵל. כְּדֵין וּשְׁכַבְתֶּם וְאֵין מַחֲרִיד. מ"ט. בְּגִין וְהִשְׁבַּתִּי חַיָּה רָעָה מִן הָאָרֶץ. דָּא וְחַיָּה דְּזִינָא בִּישָׁא לְתַתָּא. וּמַאי אִיהִי. אִגֶּרֶת בַּת מַחֲלַת, הִיא, וְכָל סִיעֲתָא דִּילָהּ. הַאי בְּלֵילְיָא. בִּימָמָא, בְּנֵי נָשָׁא דְּאָתוּ מִסִּטְרָהָא דָּא, הה"ד וְחֶרֶב לֹא תַעֲבוֹר בְּאַרְצְכֶם.

כז. ר' אַבָּא אָמַר, הָא אוּקְמוּהָ דַּאֲפִילּוּ חֶרֶב שֶׁל שָׁלוֹם, כְּגוֹן פַּרְעֹה נְכֹה. אֲבָל וְחֶרֶב לֹא תַעֲבוֹר, דָּא סִיעֲתָא דִּילָהּ. וְהִשְׁבַּתִּי חַיָּה רָעָה, דְּלָא תִשְׁלוֹט בְּאַרְעָא, וַאֲפִילּוּ הַעֲבָרָה בְּעָלְמָא לֹא תַעֲבוֹר עֲלַיְיכוּ, וַאֲפִילּוּ חֶרֶב דִּשְׁאָר עַמִּין, וַאֲפִילּוּ ב"נ מְזַיְּינָא, לָא יַעֲבוֹר עֲלַיְיכוּ.

כח. וְדָא דְּרִישׁ יֹאשִׁיָּהוּ מַלְכָּא, וְאוּקְמוּהָ דְּהוּא אִתְפַּס בְּחוֹבַיְיהוּ דְּיִשְׂרָאֵל. כְּמָה דִּכְתִיב, רוּחַ אַפֵּינוּ מְשִׁיחַ יְיָ' נִלְכַּד בִּשְׁחִיתוֹתָם וְגוֹ'. הָכָא אִית לְאִסְתַּכְּלָא, דְּהָא תָּנֵינָן

אִי רֵישָׁא דְעַמָּא הוּא טַב, כָּל עַמָּא מִשְׁתֵּזְבָן בְּגִינֵיהּ. וְאִי רֵישָׁא דְעַמָּא לָא אִתְכַּשַּׁר, כָּל עַמָּא אִתְפְּסָן בְּחוֹבֵיהּ. וְהָא יֹאשִׁיָּהוּ רֵישָׁא דְכַשְׁרָא הֲוָה, וְעוֹבָדוֹי מִתְכַּשְּׁרָן. אֲמַאי אִתְפַּס בְּחוֹבֵיהוֹן דְיִשְׂרָאֵל.

כט. אֶלָּא עַל דְּלָא הֵימִין בֵּיהּ בְּיִרְמְיָהוּ, וְלָא כָּפִית לְהוּ לְיִשְׂרָאֵל, דַּהֲוָה חָשִׁיב דְּכֻלְּהוּ זַכָּאִין כְּוָותֵיהּ. וַהֲוָה אָמַר לֵיהּ יִרְמְיָה, וְלָא הֵימִין בֵּיהּ. וּבְגִ"כ אִתְפַּס בְּחוֹבֵיהוֹן. וְעוֹד דְּסִיהֲרָא הֲוָה מָאִיךְ נְהוֹרָא, וּבַעְיָא לְאִסְתַּמָּא.

ל. וְנָתַתִּי מִשְׁכָּנִי בְּתוֹכְכֶם וְגוֹ'. וְנָתַתִּי מִשְׁכָּנִי, דָּא שְׁכִינְתָּא. מִשְׁכָּנִי: מַשְׁכּוֹנָא דִּילִי. דְּהִיא אִתְמַשְׁכְּנָא בְּחוֹבַיְיהוּ דְיִשְׂרָאֵל. וְנָתַתִּי מִשְׁכָּנִי, מַשְׁכּוֹנִי וַדַּאי. מְתַל לְבַ"נ דַּהֲוָה רְחִימָא לְאוּחְרָא, אָ"ל וַדַּאי בִּרְחִימוּתָא עִלָּאָה דְאִית לִי גַּבָּךְ, בָּעֵינָא לְדַיְירָא עִמָּךְ. אָמַר הֵיךְ אֶנְדַע דְּתֵידוּר גַּבַּאי, נָטַל כָּל כְּסוּפָא דְבֵיתֵיהּ, וְאַיְיתֵי לְגַבֵּיהּ, אָמַר הָא מַשְׁכּוֹנָא לְגַבָּךְ, דְּלָא אִתְפְּרַשׁ מִנָּךְ לְעָלְמִין.

לא. כַּךְ קוּדְשָׁא בְּרִיךְ הוּא, בָּעָא לְדַיְירָא בְּהוּ בְּיִשְׂרָאֵל, מָה עֲבַד, נָטַל כְּסוּפָא דִּילֵיהּ, וְנָחִית לְהוּ לְיִשְׂרָאֵל. אָמַר לוֹן, יִשְׂרָאֵל, הָא מַשְׁכּוֹנָא דִּילִי גַּבַּיְיכוּ, בְּגִין דְּלָא אֶתְפְּרַשׁ מִנַּיְיכוּ לְעָלְמִין. וְאַע"ג דְּקֻבְ"ה אִתְרְחִיק מִינָן, מַשְׁכּוֹנָא שָׁבִיק בִּידָן, וַאֲנָן נַטְרִין הַהוּא כְּסוּפָא דִּילֵיהּ, מַאן דְּיִבְעֵי מַשְׁכּוֹנֵיהּ יֵיתֵי לְדַיְירָא גַּבָּן בְּגִ"כ וְנָתַתִּי מִשְׁכָּנִי בְּתוֹכְכֶם, מַשְׁכּוֹנָא אֶתֵּן בִּידַיְיכוּ, בְּגִין דְּאֵדוּר עִמְּכוֹן. וְאַע"ג דְּיִשְׂרָאֵל הַשְׁתָּא בְּגָלוּתָא, מַשְׁכּוֹנָא דְקֻבְ"ה הוּא גַּבַּיְיהוּ. וְלָא שָׁבְקוּ לֵיהּ לְעָלְמִין.

לב. וְלֹא תִגְעַל נַפְשִׁי אֶתְכֶם, לְבַ"נ דְּרָחִים לְחַבְרֵיהּ, וּבָעָא לְדַיְירָא עִמֵּיהּ, מַה עֲבַד, נָטַל עַרְסָא דִּילֵיהּ וְאַיְיתֵי לְבֵיתֵיהּ. אָמַר דָּא עַרְסָא דִּילִי בְּבֵיתָךְ, בְּגִין דְּלָא אַרְחִיק מִינָּךְ, עַרְסָךְ, וּמָאנָךְ. כַּךְ קֻבְ"ה אָמַר, וְנָתַתִּי מִשְׁכָּנִי בְּתוֹכְכֶם וְלֹא תִגְעַל נַפְשִׁי אֶתְכֶם, הָא עַרְסָא דִּילִי בְּבֵיתַיְיכוּ, כֵּיוָן דְּעַרְסָא דִּילִי עִמְּכוֹן, תִּנְדְּעוּן דְּלָא אִתְפְּרַשׁ מִנַּיְיכוּ, וּבְגִ"כ וְלֹא תִגְעַל נַפְשִׁי אֶתְכֶם.

לג. וְהִתְהַלַּכְתִּי בְּתוֹכְכֶם וְהָיִיתִי לָכֶם לֵאלֹהִים, כֵּיוָן דְּמַשְׁכְּנָא דִּילִי גַּבַּיְיהוּ, בְּוַדַּאי תִּנְדְּעוּן דַּאֲנָא אָזִיל עִמְּכוֹן, כד"א כִּי יְיָ' אֱלֹהֶיךָ מִתְהַלֵּךְ בְּקֶרֶב מַחֲנֶיךָ לְהַצִּילְךָ וְלָתֵת אוֹיְבֶיךָ לְפָנֶיךָ וְהָיָה מַחֲנֶיךָ קָדוֹשׁ.

לד. רַבִּי יִצְחָק וְרַבִּי יְהוּדָה, הֲווֹ שְׁכִיחֵי לֵילְיָא חַד בִּכְפַר, קָרִיב לְיַמָּא דְטִבֶּרְיָא, קָמוּ בְּפַלְגוּת לֵילְיָא אָמַר ר' יִצְחָק לְרַבִּי יְהוּדָה נֵימָא בְּמִלֵּי דְאוֹרַיְיתָא דְאַע"ג דַּאֲנָן בַּאֲתַר דָּא, לָא בָּעֵינָא לְאִתְפָּרְשָׁא מֵאִילָנָא דְחַיֵּי.

לה. פָּתַח ר' יְהוּדָה וְאָמַר, וּמֹשֶׁה יִקַּח אֶת הָאֹהֶל וְנָטָה לוֹ מִחוּץ לַמַּחֲנֶה וְגוֹ'. וּמֹשֶׁה יִקַּח אֶת הָאֹהֶל, אֲמַאי. אֶלָּא אָמַר מֹשֶׁה, הוֹאִיל וְיִשְׂרָאֵל קָא מְשַׁקְּרֵי בֵּיהּ בְּקֻבְ"ה, וְאַחְלִיפוּ יְקָרָא דִּילֵיהּ, הָא מַשְׁכּוֹנָא דִּילֵיהּ, יְהֵא בִּידָא דִּמְהֵימְנָא, עַד דְּנֶחֱמֵי בְּמַאן יִשְׁתְּאַר.

לו. אָמַר לֵיהּ לִיהוֹשֻׁעַ, אַנְתְּ תְּהֵא מְהֵימְנָא בֵּין קוּדְשָׁא בְּרִיךְ הוּא, וּבֵין יִשְׂרָאֵל, וְיִשְׁתְּאַר מַשְׁכּוֹנָא בִּידָךְ בִּהֵימְנוּתָא, וְנֶחֱמֵי בְּמַאן יִשְׁתְּאַר. מַה כְּתִיב, וְשָׁב אֶל הַמַּחֲנֶה וּמְשָׁרְתוֹ יְהוֹשֻׁעַ בִּן נוּן נַעַר לֹא יָמִישׁ מִתּוֹךְ הָאֹהֶל. מַאי טַעֲמָא לִיהוֹשֻׁעַ בְּגִין דְּאִיהוּ כְּסִיהֲרָא לְגַבֵּי שִׁמְשָׁא, וְאִיהוּ אִתְחֲזֵי לְנַטְרָא מַשְׁכּוֹנָא. וְעַל דָּא, לֹא יָמִישׁ מִתּוֹךְ הָאֹהֶל.

לז. אָ"ל קוּדְשָׁא ב"ה לְמֹשֶׁה, מֹשֶׁה, לָא אִתְחֲזֵי הָכִי, דְּהָא מַשְׁכּוֹנָא דִּילִי יָהֲבִית בִּידַיְיהוּ, אַף עַל גַּב דְּאִינּוּן חָאבוּ לְגַבַּאי, מַשְׁכּוֹנָא יְהֵא לְגַבַּיְיהוּ, דְּלָא יִתְפָּרְשׁוּן מִנֵּיהּ. תִּבְעֵי דְּאִתְפְּרַשׁ מִנַּיְיהוּ דְיִשְׂרָאֵל, וְלָא אֵיתוּב לְגַבַּיְיהוּ, לְעָלְמִין, אֶלָּא אָתִיב מַשְׁכּוֹנָא

דִּילֵי לְגַבַּיְיהוּ, וּבְגִינֵיהּ לָא אֶשְׁבּוֹק לְהוֹן בְּכָל אֲתָר.

לח. אע״ג דְּיִשְׂרָאֵל חָבוּ לְגַבֵּיהּ דְּקֻדְשָׁא בְּרִיךְ הוּא, הַאי מַשְׁכּוֹנָא דִּילֵיהּ לָא שָׁבְקוּ, וְקוּדְשָׁא בְּרִיךְ הוּא לָא נָטִיל לֵיהּ מִבֵּינַיְיהוּ. וְעַל דָּא, בְּכָל אֲתַר דְּגָּלֵי יִשְׂרָאֵל, שְׁכִינָה עִמְּהוֹן. וְעַל דָּא כְּתִיב, וְנָתַתִּי מִשְׁכָּנִי בְּתוֹכְכֶם. וְהָא אוּקְמוּהָ.

לט. פָּתַח רַבִּי יִצְחָק וְאָמַר דּוֹמֶה דוֹדִי לִצְבִי אוֹ לְעֹפֶר הָאַיָּלִים הִנֵּה זֶה וְגוֹ׳. זַכָּאִין אִינּוּן יִשְׂרָאֵל, דְּזָכוּ דְּמַשְׁכּוֹנָא דָּא לְמֶהֱוֵי גַּבַּיְיהוּ, מִן מַלְכָּא עִלָּאָה. דְּאַף עַל גַּב דְּאִינּוּן בְּגָלוּתָא, קוּדְשָׁא בְּרִיךְ הוּא אָתֵי בְּכָל רֵישׁ יַרְחֵי וְשַׁבְּתֵי וּזְמַנֵּי, לְאַשְׁגָּחָא עֲלַיְיהוּ, וּלְאִסְתַּכְּלָא בְּהַהוּא מַשְׁכּוֹנָא דְּאִית לֵיהּ גַּבַּיְיהוּ, דְּאִיהוּ כְּסוּפָא דִּילֵיהּ.

מ. לְמַלְכָּא דְּסָרְחָא מַטְרוֹנִיתָא, אַפְקָהּ מֵהֵיכָלֵיהּ. מַה עָבְדַת. נָטְלַת בְּרָהּ דִּילֵיהּ כְּסוּפָא דְּמַלְכָּא, רְחִימָא דִּילֵיהּ. וּבְגִין דְּרַעֲוָתָא דְּמַלְכָּא עֲלָהּ, שַׁבְקֵיהּ בִּידָהָא. בְּשַׁעֲתָא דְּסָלִיק רְעוּתָא דְּמַלְכָּא, עַל מַטְרוֹנִיתָא, וְעַל בְּרָהּ, הֲוָה סָלִיק אִגָּרִין, וְנָחִית דַּרְגִּין, וְסָלִיק כּוֹתָלִין, לְאִסְתַּכְּלָא וּלְאַשְׁגָּחָא בֵּין נוּקְבֵי כּוֹתָלָא עֲלַיְיהוּ, כֵּיוָן דְּחָמֵי לוֹן, שָׁארֵי בָּכֵי מֵאֲחוֹרֵי קוּסְטֵי כּוֹתָלָא, וּלְבָתַר אָזִיל לֵיהּ.

מא. כָּךְ יִשְׂרָאֵל, אַף עַל גַּב דְּאִינּוּן נַפְקוּ מֵהֵיכָלֵיהּ דְּמַלְכָּא, הַהוּא מַשְׁכּוֹנָא לָא שָׁבְקוּ, וּבְגִין דְּרְעוּתָא דְּמַלְכָּא עֲלַיְיהוּ, שַׁבְקֵיהּ עִמְּהוֹן. בְּשַׁעֲתָא דְּסָלִיק רְעוּתָא דְּמַלְכָּא קַדִּישָׁא, עַל מַטְרוֹנִיתָא וְעַל יִשְׂרָאֵל. סָלִיק אִגָּרִין, נָחִית דַּרְגִּין, וְסָלִיק כּוֹתָלִין, לְאִסְתַּכְּלָא וּלְאַשְׁגָּחָא בֵּין קוּסְטֵי כּוֹתָלָא עֲלַיְיהוּ. כֵּיוָן דְּחָמֵי לוֹן, שָׁארֵי וּבָכֵי, הה״ד דּוֹמֶה דוֹדִי לִצְבִי אוֹ לְעֹפֶר הָאַיָּלִים לְדַלְּגָא מִכּוֹתָלָא לְאִגָּרָא, וּמֵאִגָּרָא לְכוֹתָלָא. הִנֵּה זֶה עוֹמֵד אַחַר כָּתְלֵנוּ, בְּבָתֵּי כְּנֵסִיּוֹת וּבְבָתֵּי מִדְרָשׁוֹת מַשְׁגִּיחַ מִן הַחַלּוֹנוֹת, דְּוַדַּאי בֵּי כְּנִישְׁתָּא בָּעְיָא חַלּוֹנוֹת. מֵצִיץ מִן הַחֲרַכִּים, לְאִסְתַּכְּלָא וּלְאַשְׁגָּחָא עֲלַיְיהוּ. וּבְגִין כָּךְ, יִשְׂרָאֵל בָּעוּ לְמֶחֱדֵי בְּהַהוּא יוֹמָא, דְּאִינְהוּ יַדְעֵי דָּא, וְאַמְרֵי. זֶה הַיּוֹם עָשָׂה יְיָ׳ נָגִילָה וְנִשְׂמְחָה בוֹ.

מב. וְאִם בְּחֻקֹּתַי תִּמְאָסוּ וְגוֹ׳. ר׳ יוֹסֵי פָּתַח, מוּסַר יְיָ׳ בְּנִי אַל תִּמְאָס וְאַל תָּקוֹץ בְּתוֹכַחְתּוֹ. כַּמָּה חֲבִיבִין יִשְׂרָאֵל קַמֵּי קוּדְשָׁא ב״ה, דְּקוּדְשָׁא בְּרִיךְ הוּא בָּעֵי לְאוֹכָחָא לְהוּ, וּלְדַבְּרָא לְהוּ בְּאֹרַח מֵישָׁר, כְּאַבָּא דִּרְחִים לִבְרֵיהּ, וּמִגּוֹ רְחִימוּ דִּילֵיהּ לְגַבֵּיהּ, שַׁרְבִיטָא בִּידֵיהּ תָּדִיר, לְדַבְּרָא לֵיהּ בְּאֹרַח מֵישָׁר, דְּלָא יִסְטֵי לִימִינָא וְלִשְׂמָאלָא. הה״ד כִּי אֶת אֲשֶׁר יֶאֱהַב יְיָ׳ יוֹכִיחַ וּכְאָב אֶת בֵּן יִרְצֶה. וּמַאן דְּלָא רָחִים לֵיהּ קוּדְשָׁא בְּרִיךְ הוּא, וְסָאנֵי לֵיהּ, סָלִיק מִנֵּיהּ תּוֹכָחָה, סָלִיק מִנֵּיהּ שַׁרְבִיטָא.

מג. כְּתִיב. אָהַבְתִּי אֶתְכֶם אָמַר יְיָ׳ וְגוֹ׳, מִגּוֹ רְחִימוּתָא דִּילֵיהּ, שַׁרְבִיטָא בִּידֵיהּ תָּדִיר, לְדַבְּרָא לֵיהּ. וְאֶת עֵשָׂו שָׂנֵאתִי, בְּגִין כָּךְ סְלִיקִית מִנֵּיהּ שַׁרְבִיטָא, סְלִיקַת מִנֵּיהּ תּוֹכַחְתָּא, בְּגִין דְּלָא אֶתֵּן לֵיהּ בֵּי חוּלָקָא, רְחִיקָא דְּנַפְשָׁאי הוּא. אֲבָל אַתּוּן, אָהַבְתִּי אֶתְכֶם וַדַּאי. וּבְגִין כָּךְ, מוּסַר יְיָ׳ בְּנִי אַל תִּמְאָס וְאַל תָּקוֹץ בְּתוֹכַחְתּוֹ. מַאי וְאַל תָּקוֹץ. לָא תִּקוּצוּן בֵּיהּ, כְּמַאן דְּעָרַק מִגּוֹ גּוּבִין, דְּאִינּוּן מַלְיָן כְּגוּבִין לְגַבֵּיהּ בְּגַרְמֵיהּ.

מד. תָּא חֲזֵי, בְּשַׁעֲתָא דְּאִתְּעַר צֶדֶק בְּדִינוֹי. כַּמָּה סִטְרֵי טְהִירִין, מִתְעָרִין מִימִינָא וּמִשְּׂמָאלָא, כַּמָּה שַׁרְבִיטִין נָפְקִין, מִנְּהוֹן שַׁרְבִיטֵי אֶשָּׁא, שַׁרְבִיטֵי גּוּמְרִין, שַׁרְבִיטֵי שַׁלְהוֹבָא, כֻּלְּהוּ נָפְקִין וּמִתְעָרִין בְּעָלְמָא, וְלָקָאן לִבְנֵי נָשָׁא. תְּחוֹתַיְיהוּ מִמַּנָּן אַחֲרָנִין, מָארֵי טַפְסִין, מִמַּנָּן דְּאַרְבְּעִין וְחָסֵר חַד. שָׁאטִין וְנַחְתִּין, לָקָאן וְסַלְּקִין, וְנַטְלִין רְשׁוּתָא, עָיְילֵי בְּנוּקְבָא דִּתְהוֹמָא רַבָּא, מִצַּבְעִין טַפְסֵי, וְנוּרָא דְּדָלִיק אִתְחַבַּר בְּהוּ, נַפְקֵי גּוּמְרִין

וְשָׂאטִין וְנַוְזִתִין, וְאִשְׁתַּכְּחוּ לְקָבְלֵיהוֹן דְּבְנֵי נָשָׁא. וְהַיְינוּ דִּכְתִּיב, וְיָסַפְתִּי לְיַסְּרָה אֶתְכֶם אַתְיָין לְמָארֵיהוֹן דְּדִינָא, תּוֹסֶפֶת עַל דִּינָא דִּלְהוֹן.

מה. כד"א, לֹא אוֹסִיף לְקַלֵּל עוֹד אֶת הָאֲדָמָה בַּעֲבוּר הָאָדָם. מַאי לֹא אוֹסִיף. לָא אַתְיָין תּוֹסֶפֶת לְמָארֵי דִּינָא לְשֵׁיצָאָה עָלְמָא, אֶלָּא תּוֹסֶפֶת כְּגַוְונָא דְּיָכִיל עָלְמָא לְמִסְבַּל. וְעַ"ד וְיָסַפְתִּי אַתְיָין תּוֹסֶפֶת וַדַּאי.

מו. תּוֹסֶפֶת אַמַּאי. בְּגִין לְיַסְּרָה אֶתְכֶם שֶׁבַע עַל חַטֹּאתֵיכֶם. שֶׁבַע, וְהָא קֻבְּ"ה אִי גָּבֵי הַהוּא דִּילֵיהּ לָא יָכִיל עָלְמָא לְמִסְבַּל אֲפִילוּ רִגְעָא חֲדָא, הה"ד, אִם עֲוֹנוֹת תִּשְׁמָר יָהּ יְיָ' מִי יַעֲמוֹד, וְאַתְּ אֲמַרְתְּ שֶׁבַע עַל חַטֹּאתֵיכֶם.

מז. אֶלָּא מַה ת"ל שֶׁבַע. אֶלָּא הָא שֶׁבַע לְקָבְלַיְיכוּ. וּמַאי אִיהִי. דָּא שְׁמִיטָה, דְּאִיהִי שֶׁבַע, דְּאִקְרֵי שֶׁבַע, כד"א, מִקֵּץ שֶׁבַע שָׁנִים תַּעֲשֶׂה שְׁמִיטָה. וְעַל דָּא שֶׁבַע עַל חַטֹּאתֵיכֶם, וְאִקְרֵי שֶׁבַע, וְאִקְרֵי בַּת שֶׁבַע. מַה בֵּין הַאי לְהַאי. אֶלָּא שֶׁבַע בִּלְחוֹדָהָא, לְמֶעְבַּד שְׁמִטָּה, וּלְמֶעְבַּד דִּינִין, לְאַפָּקָא חֵירוּ דְּכֹלָּא בָּהּ. בַּת שֶׁבַע אִקְרֵי, דְּאִתְחַבַּר בְּאוֹרָא כַּחֲדָא, לְאַנְהָרָא, לְמִשְׁלַט בְּמַלְכוּתָא, לְאוֹדָעָא מַלְכוּתָא בְּאַרְעָא וּבְכֹלָּא, בַּת שֶׁבַע אִקְרֵי. כְּתִיב, עַל כֵּן שֵׁם הָעִיר בְּאֵר שֶׁבַע עַד הַיּוֹם הַזֶּה. בְּאֵר שֶׁבַע, בְּאֵרָה דְּיִצְחָק הוּא, וְכֹלָּא חַד מִלָּה הוּא.

מח. רִבִּי אַבָּא אָמַר, וְיִסַּרְתִּי אֶתְכֶם אַף אֲנִי שֶׁבַע עַל חַטֹּאתֵיכֶם. וְיִסַּרְתִּי אֶתְכֶם, עַל יְדָא דְּמִמְּנָן אוֹחֲרָנִין, כְּמָה דְּאוּקְמוּהָ. אַף אֲנִי, הָא אֲנָא אִתְעַר לְקָבְלַיְיכוּ. הָא שֶׁבַע, לְאִתְעָרָא עֲלַיְיכוּ.

מט. ת"ח, רְחִימוּתָא עִלָּאָה דְּקֻבְּ"ה בְּיִשְׂרָאֵל, לְמַלְכָּא דַּהֲוָה לֵיהּ בַּר יְחִידָאי, וַהֲוָה חָטֵי קַמֵּי מַלְכָּא, יוֹמָא חַד סָרַח קַמֵּי מַלְכָּא, אָמַר מַלְכָּא, כָּל הָנֵי יוֹמִין אַלְקֵינָא לָךְ, וְלָא קַבֵּלְתְּ. מִכָּאן וְאֵילָךְ וַחְמֵי מַאי אַעֲבִיד לָךְ, אִי אַתְרִיךְ לָךְ מִן אַרְעָא, וְאַפִּיק לָךְ מִמַּלְכוּתָא, דִּילְמָא יְקוּמוּן עֲלָךְ דּוּבֵּי חַקְלָא, אוֹ זְאֵבֵי חַקְלָא, אוֹ לִסְטִין, וְיַעַבְרוּן לָךְ מֵעָלְמָא. מַה אַעֲבִיד. אֶלָּא אֲנָא וְאַנְתְּ נֵיפּוּק מֵאַרְעָא.

נ. כָּךְ אַף אֲנִי, אֲנָא וְאַנְתְּ נֵיפּוּק מֵאַרְעָא. כָּךְ אָמַר קֻבְּ"ה, יִשְׂרָאֵל מַה אַעֲבִיד לְכוּ, הָא אַלְקֵינָא לְכוּ, וְלָא אַרְכִּינְתּוּ אוּדְנַיְיכוּ, הָא אַיְיתֵינָא עֲלַיְיכוּ מָארֵי תְּרִיסִין, מָארֵי טַפְסִין, לְאַלְקָאָה לְכוֹן, וְלָא שְׁמַעְתּוּן. אִי אַפִּיק לְכוּ מֵאַרְעָא לְחוּדְכוֹן, דְּחִילְנָא עֲלַיְיכוּ מִכַּמָּה דּוּבִּין, מִכַּמָּה זְאֵבִין, דִּיקוּמוּן עֲלַיְיכוּ, וְיַעַבְרוּן לְכוּ מֵעָלְמָא. אֲבָל מַה אַעֲבִיד לְכוֹן, אֶלָּא אֲנָא וְאַתּוּן נִפּוּק מֵאַרְעָא, וְנֵהַךְ בְּגָלוּתָא. הה"ד וְיִסַּרְתִּי אֶתְכֶם לְמֵהַךְ בְּגָלוּתָא. וְאִי תֵּימְרוּן דְּאֶשְׁבּוֹק לְכוֹן, אַף אֲנִי עִמְּכוֹן. שֶׁבַע עַל חַטֹּאתֵיכֶם, דָּא שֶׁבַע דְּיִתְתָּרַךְ עִמְּכוֹן, וְאַמַּאי. עַל חַטֹּאתֵיכֶם.

נא. הה"ד, וּבְפִשְׁעֵיכֶם שֻׁלְּחָה אִמְּכֶם. אָמַר קֻבְּ"ה, אַתּוּן גְּרַמְתּוּן, דַּאֲנָא וְאַתּוּן לָא נֵידוּר בְּאַרְעָא. הָא מַטְרוֹנִיתָא נָפְקַת מֵהֵיכָלָהּ עִמְּכוֹן, הָא אִתְחֲרַב כֹּלָּא, הֵיכָלָא דִּילִי וְדִלְכוֹן אִתְחֲרַב. דְּהָא לְמַלְכָּא לָא אִתְחֲזֵי הֵיכָלָא, אֶלָּא כַּד אִיהוּ עָיֵיל עִם מַטְרוֹנִיתָא. וְחֶדְוָה דְּמַלְכָּא לָא אִשְׁתְּכַח, אֶלָּא בְּשַׁעֲתָא דְּעָאל בְּהֵיכָלָא דְּמַטְרוֹנִיתָא, וְאִשְׁתַּכַּח בְּרָהָא עִמָּהּ בְּהֵיכָלָא, וְחַדָּאן כֻּלְּהוּ כַּחֲדָא. הַשְׁתָּא דְּלָא אִשְׁתַּכְּחוּ בְּרָא וּמַטְרוֹנִיתָא, הָא הֵיכָלָא חֲרִיבָא מִכֹּלָּא. אֶלָּא אֲנָא מַה אַעֲבִיד. אַף אֲנָא עִמְּכוֹן. וְהַשְׁתָּא אע"ג דְּיִשְׂרָאֵל אִינְהוּ בְּגָלוּתָא, קֻבְּ"ה אִשְׁתַּכַּח עִמְּהוֹן, וְלָא שָׁבִיק לוֹן, דְּכַד יִפְקוּן, יִשְׂרָאֵל מִן גָּלוּתָא, קֻבְּ"ה, יְתוּב עִמְּהוֹן. דִּכְתִּיב, וְשָׁב יְיָ' אֱלֹהֶיךָ, וְשָׁב יְיָ' אֱלֹהֶיךָ וַדַּאי. וְהָא אִתְּמַר.

נב. רִבִּי חִיָּיא וְר' יוֹסֵי הֲווֹ אָזְלֵי בְּאָרְחָא, אַעֲרָעוּ בְּהַהִיא מְעַרְתָּא בְּחַקְלָא. א"ר חִיָּיא

לְרַבִּי יוֹסֵי, הַאי דִּכְתִּיב אֵלֶּה דִּבְרֵי הַבְּרִית וְגוֹ', מִלְּבַד הַבְּרִית. מַאי דִּבְרֵי הַבְּרִית. דִּבְרֵי גְּבוּרָה מִבָּעֵי לֵיהּ. אָמַר לֵיהּ הָא אוּקְמוּהָ, הַלָּלוּ מִפִּי הַגְּבוּרָה, וְהַלָּלוּ מִפִּי עַצְמוֹ שֶׁל מֹשֶׁה, וְהָא אִתְּמַר.

נג. ת"ח, אִלֵּין וְאִלֵּין דִּבְרֵי הַבְּרִית הֲווֹ, דְּאע"ג דְּמִפִּי הַגְּבוּרָה הֲווֹ מִלִּין. מִלֵּי בְּרִית הֲווֹ, דְּהָא טַב וּבִישׁ בֵּיהּ תַּלְיָין. טַב דְּאָתֵי מִצַּדִּיק. בִּישׁ דְּאָתֵי מִן דִּינָא. דִּינָא, מֵאֲתַר דְּדִינָא, וְהַיְינוּ צֶדֶק. וְצַדִּיק וְצֶדֶק בְּרִית אִינּוּן, בְּרִית אִקְרוּן. וְעַל דָּא, מִלִּין אִלֵּין, מִלֵּי בְּרִית אִינּוּן. וְקָשִׁיר בְּרִית כַּחֲדָא. וּבְגִינֵי כָּךְ זָכוֹר וְשָׁמוֹר, קָשִׁיר כַּחֲדָא. זָכוֹר בַּיּוֹם, שָׁמוֹר בַּלַּיְלָה. הָא בְּרִית כַּחֲדָא, וּבְגִין כָּךְ בְּרִית וַדַּאי, דִּבְרֵי הַבְּרִית נִינְהוּ. וּבְכָל אֲתַר בְּרִית בַּאֲתַר דָּא אִיהוּ.

נד. אָמַר רַבִּי חִיָּיא, וַדַּאי הָכִי הוּא, וּבְגִ"כ שַׁבָּת דְּאִיהוּ זָכוֹר וְשָׁמוֹר, אִקְרֵי בְּרִית. דִּכְתִּיב, וְשָׁמְרוּ בְנֵי יִשְׂרָאֵל אֶת הַשַּׁבָּת לַעֲשׂוֹת אֶת הַשַּׁבָּת לְדֹרֹתָם בְּרִית עוֹלָם. וְכֹלָּא מִלָּה חַד, וַאֲתַר דָּא, אִקְרֵי בְּרִית בְּכָל אֲתַר.

נה. ת"ח, כְּתִיב וְנָתַתִּי שָׁלוֹם בָּאָרֶץ, הוּא יְסוֹד, דְּאִיהוּ שְׁלָמָא דְּאַרְעָא, שְׁלָמָא דְּבֵיתָא, שְׁלָמָא דְּעָלְמָא. וְיִסַּרְתִּי אֶתְכֶם אַף אֲנִי שֶׁבַע. מַאי ז'. דָּא צֶדֶק. הָא וַדַּאי בְּרִית, וּבְגִ"כ דִּבְרֵי הַבְּרִית נִינְהוּ.

נו. א"ר יוֹסֵי כְּתִיב. וְאַף גַּם זֹאת בִּהְיוֹתָם בְּאֶרֶץ אוֹיְבֵיהֶם וְגוֹ'. וְאַף גַּם זֹאת, וְאַף, כד"א, אַף אֲנִי. גַּם, לְרַבּוֹת כ"י, דְּאִקְרֵי זֹאת, דְּלָא שַׁבְקַת לוֹן לְעָלְמִין. בִּהְיוֹתָם בְּאֶרֶץ אוֹיְבֵיהֶם, בִּהְיוֹתָם כֹּלָּא כַּחֲדָא. לֹא מְאַסְתִּים וְלֹא גְעַלְתִּים בְּגִין דְּלָא אִתְחֲבַר בְּהוּ. לְהָפֵר בְּרִיתִי אִתָּם, דְּאִי לָא אַפְרוֹק לְהוּ, הָא בְּרִיתִי פָּלִיג, וּבְגִ"כ לְהָפֵר בְּרִיתִי אִתָּם.

נז. א"ר חִיָּיא, אֲנָא שְׁמַעְנָא מִלָּה וַחֲדָתָא, דְּאָמַר רַבִּי אֶלְעָזָר לֹא מְאַסְתִּים וְלֹא גְעַלְתִּים לְכַלֹּתָם, לָא הִכִּיתִים וְלָא הֲרַגְתִּים לְכַלּוֹתָם מִבָּעֵי לֵיהּ. אֶלָּא לָא מְאַסְתִּים וְלָא גְעַלְתִּים, מַאן דְּסָאנֵי לְאִתְּתָא מָאִיס הוּא לְקַבְלֵיהּ, וְגָעֲלָא הוּא בְּגִיעוּלָא קַמֵּיהּ. אֲבָל הָכָא, לָא מְאַסְתִּים וְלָא גְעַלְתִּים. מ"ט. בְּגִין דַּחֲבִיבוּתָא דְּנַפְשָׁאי בֵּינַיְיהוּ. וּבְגִינָהּ כֻּלְּהוּ חֲבִיבִין גַּבָּאי, הה"ד לְכַלֹּתָם. לְכַלֹּתָם כְּתִיב, חָסֵר וָא"ו, בְּגִינָהּ לָא מְאַסְתִּים וְלָא גְעַלְתִּים, בְּגִין דְּאִיהִי רְחִימְתָא דְּנַפְשָׁאי, רְחִימוּתָא דִּילִי גַּבָּהָא.

נח. לְבַ"נ דְּרָחִים אִתְּתָא, וַהֲוַת דַּיְירָא בְּשׁוּקָא דְּבוּרְסְקֵי, אִי לָא הֲוַת הִיא תַּמָּן, לָא עָיֵיל בָּהּ לְעָלְמִין. כֵּיוָן דְּהִיא תַּמָּן, דָּמֵי בְּעֵינוֹי כְּשׁוּקָא דְּרוֹכְלֵי, דְּכָל רֵיחִין דְּעָלְמִין טָבִין אִשְׁתְּכָחוּ תַּמָּן.

נט. אוּף הָכָא, וְאַף גַּם זֹאת בִּהְיוֹתָם בְּאֶרֶץ אוֹיְבֵיהֶם, דְּאִיהוּ שׁוּקָא דְּבוּרְסְקֵי, לֹא מְאַסְתִּים וְלֹא גְעַלְתִּים. וְאַמַּאי. לְכַלֹּתָם. בְּגִין כַּלָּתָם, דַּאֲנָא רְחִימְנָא לָהּ, דְּאִיהִי רְחִימְתָא דְּנַפְשָׁאי, דְּשַׁרְיָא תַּמָּן, וְדָמֵי עָלַי כְּכָל רֵיחִין טָבָאן דְּעָלְמָא, בְּגִין הַהִיא כַּלָּה דִּבְגַוַּויְיהוּ. א"ר יוֹסֵי, אִלּוּ לָא אָתֵינָא הָכָא, אֶלָּא לְמִשְׁמַע מִלָּה דָּא דַּיִי.

ס. פָּתַח וְאָמַר, בֵּן יְכַבֵּד אָב וְעֶבֶד אֲדֹנָיו. בֵּן יְכַבֵּד אָב, כד"א כַּבֵּד אֶת אָבִיךָ וְאֶת אִמֶּךָ, וְאוּקְמוּהָ, בְּמֵיכְלָא וּמִשְׁתְּיָיא וּבְכֹלָּא. הַאי בְּחַיָּיו דְּאִתְחַיַּיב בֵּיהּ. בָּתַר דְּמִית, אִי תֵּימָא הָא פָּטוּר מִנֵּיהּ הוּא, לָאו הָכֵי. דְּאע"ג דְּמִית, אִתְחַיַּיב בִּיקָרֵיהּ יַתִּיר, דִּכְתִּיב כַּבֵּד אֶת אָבִיךָ. דְּאִי הַהוּא בְּרָא אָזִיל בְּאָרְחוּ תַּקְלָא, וַדַּאי מְבַזֶּה לַאֲבוּי הוּא, וַדַּאי עָבִיד לֵיהּ קְלָנָא. וְאִי הַהוּא בְּרָא אָזִיל בְּאָרְחוּ מֵישָׁר, וְתָקִין עוֹבָדוֹי, וַדַּאי דָּא אוֹקִיר לַאֲבוּי, אוֹקִיר לֵיהּ בְּהַאי עָלְמָא גַּבֵּי בְּנֵי נָשָׁא, אוֹקִיר לֵיהּ בְּהַהוּא עָלְמָא, גַּבֵּי קֻבָּ"ה.

וקב"ה וָזֵיס עָלֵיה, וְאוֹתִיב לֵיהּ בְּכוּרְסְיָיא דִּיקָרֵיהּ. וַדַּאי בֵּן יְכַבֵּד אָב.

סא. כְּגוֹן רִבִּי אֶלְעָזָר, דְּאִיהוּ אוֹקִיר לֵיהּ לַאֲבוּי בְּהַאי עָלְמָא, וּבְהַהוּא עָלְמָא הַשְׁתָּא אַסְגֵּי שְׁבָחָא דר"ש בִּתְרֵין עָלְמִין, בְּהַאי עָלְמָא, וּבְהַהוּא עָלְמָא יַתִּיר מִוַּזְיֵיוי. דְּזָכָה לִבְנִין קַדִּישִׁין, וּלְגִזְעִין קַדִּישִׁין. זַכָּאִין אִינּוּן צַדִּיקַיָּיא, דְּזַכָּאן לִבְנִין קַדִּישִׁין, לְגִזְעִין קַדִּישִׁין. עֲלַיְיהוּ אִתְקְרֵי, כָּל רוֹאֵיהֶם יַכִּירוּם כִּי הֵם זֶרַע בֵּרַךְ יְיָ'.

בָּרוּךְ יְיָ' לְעוֹלָם אָמֵן וְאָמֵן. יִמְלוֹךְ יְיָ' לְעוֹלָם אָמֵן וְאָמֵן.

סָלִיק סֵפֶר וַיִּקְרָא בְּסִיַּעְתָּא דִּשְׁמַיָּא.

BAMIDBAR

בְּמִדְבַּר

א. וַיְדַבֵּר יְיָ' אֶל מֹשֶׁה בְּמִדְבַּר סִינַי בְּאֹהֶל מוֹעֵד וְגוֹ', ר' אַבָּא פָּתַח, וַיִּבְרָא אֱלֹהִים אֶת הָאָדָם בְּצַלְמוֹ וְגוֹ', הַאי קְרָא אִתְּמַר. ת"ח, בְּשַׁעֲתָא דִּבְרָא קוּדְשָׁא בְּרִיךְ הוּא לְאָדָם עָבֵד לֵיהּ בְּדִיוּקְנָא דְּעִלָּאֵי וְתַתָּאֵי, וַהֲוָה כָּלִיל מִכֹּלָּא, וַהֲוָה נְהוֹרֵיהּ נָהִיר, מִסַּיְיפֵי עָלְמָא עַד סַיְיפֵי עָלְמָא. וַהֲווּ דַּחֲלִין קַמֵּיהּ כֹּלָּא.

ב. ואע"ג דְּהָא אוּקְמוּהָ, אִית לְאִסְתַּכְּלָא בֵּיהּ בְּהַאי קְרָא, וַיִּבְרָא אֱלֹהִים אֶת הָאָדָם בְּצַלְמוֹ בְּצֶלֶם אֱלֹהִים בָּרָא אוֹתוֹ, כֵּיוָן דְּאָמַר בְּצַלְמוֹ, מַאי בְּצֶלֶם אֱלֹהִים בָּרָא אוֹתוֹ. אֶלָּא וַדַּאי תְּרֵין דַּרְגִּין דִּכְלִילָן דְּכַר וְנוּקְבָא, חַד לִדְכַר, וְחַד לְנוּקְבָא.

ג. וּבְגִין כַּךְ דּוּ פַּרְצוּפִין הֲווּ וַדַּאי, וְסֵיפָא דִּקְרָא אוֹכַח, דִּכְתִּיב זָכָר וּנְקֵבָה בָּרָא אוֹתָם. וְכָלִיל הֲוָה מִתְּרֵין סִטְרִין ואע"ג דְּנוּקְבָא אֲחִידַת בְּסִטְרוֹי. הָא הִיא נָמֵי כְּלִילָא מִתְּרֵין סִטְרִין, לְמֶהֱוֵי שְׁלִים בְּכֹלָּא.

ד. וַהֲוָה מִסְתָּכַּל בְּחָכְמְתָא, לְעֵילָּא וְתַתָּא. כֵּיוָן דְּסָרַח, אִתְמַעֲטוּ פַּרְצוּפִין, וְחָכְמְתָא אִסְתַּלְּקַת מִנֵּיהּ, וְלָא הֲוָה מִסְתָּכַּל אֶלָּא בְּמִלֵּי דְּגוּפֵיהּ. לְבָתַר אוֹלִיד בְּנִין מֵעִלָּאֵי וְתַתָּאֵי, וְלָא אִתְיַשְּׁבוּ דָּא וְדָא בְּעָלְמָא, עַד דְּאוֹלִיד בַּר, וּמִנֵּיהּ אַשְׁתִּיל עָלְמָא, דְּאִקְרֵי שֵׁת, וְהָא אוּקְמוּהָ.

ה. ועכ"ד, עָלְמָא תַּתָּאָה לָא אִשְׁתְּלִים, וְלָא הֲוָה שְׁלִים, וְלָא אִשְׁתְּכַח בְּקִיּוּמֵיהּ, עַד דְּאָתָא אַבְרָהָם, וְאִתְקַיַּים עָלְמָא. אֲבָל לָא אִשְׁתְּלִים, עַד דְּאַבְרָהָם אִשְׁתְּכַח בֵּיהּ בְּעָלְמָא וְאָחִיד בֵּיהּ בִּימִינָא, כְּמַאן דְּאָחִיד בִּימִינֵיהּ, לְמַאן דְּנָפִיל. אָתָא יִצְחָק, וְאָחִיד בִּידֵיהּ דְּעָלְמָא בִּשְׂמָאלָא, וְאִתְקַיַּים יַתִּיר. כֵּיוָן דְּאָתָא יַעֲקֹב, אָחִיד בְּאֶמְצָעִיתָא בְּגוּפָא, וְאִתְכְּלִיל בִּתְרֵין סִטְרִין, אִתְקַיַּים עָלְמָא וְלָא הֲוָה מִתְמוֹטֵט.

ו. וְעִם כָּל דָּא לָא אַשְׁתִּיל בְּשָׁרְשׁוֹי, עַד דְּאוֹלִיד תְּרֵיסַר שְׁבָטִין, וְשַׁבְעִין נַפְשָׁאן, וְאַשְׁתִּיל עָלְמָא. ועכ"ד לָא אִשְׁתְּלִים, עַד דְּקַבִּילוּ יִשְׂרָאֵל אוֹרַיְיתָא בְּטוּרָא דְּסִינַי, וְאִתְקַם מַשְׁכְּנָא. כְּדֵין אִתְקַיְּימוּ עָלְמִין וְאִשְׁתְּלִימוּ, וְאִתְבְּסָמוּ עִלָּאִין וְתַתָּאִין.

ז. כֵּיוָן דְּאוֹרַיְיתָא וּמַשְׁכְּנָא אִתּוֹקָמוּ, בָּעָא קוּדְשָׁא בְּרִיךְ הוּא לְמִפְקַד חֵילוֹי דְּאוֹרַיְיתָא, כַּמָּה חַיָּילִין אִינּוּן דְּאוֹרַיְיתָא, כַּמָּה חַיָּילִין אִינּוּן דְּמַשְׁכְּנָא. ת"ח, כָּל מִלָּה דְּבָעֵי לְאִתְיַישְׁבָא בְּדוּכְתֵּיהּ, לָא מִתְיַישְּׁבָא עַד דְּאִדְכַּר בְּפוּמָא, וְאִתְמְנֵי עָלָהּ. אוּף הָכָא, בָּעָא קוּדְשָׁא בְּרִיךְ הוּא לְמִפְקַד חַיָּילִין דְּאוֹרַיְיתָא, וְחַיָּילִין דְּמַשְׁכְּנָא, וְכֻלְּהוּ הֲווּ כַּחַד וְלָא מִתְפָּרְשֵׁי דָּא מִן דָּא, כֹּלָּא כְּגַוְונָא דִּלְעֵילָּא, דְּהָא אוֹרַיְיתָא וּמַשְׁכְּנָא לָא מִתְפָּרְשֵׁי דָּא מִן דָּא, וְאָזְלִין כַּחֲדָא.

ח. וּבְגִין כַּךְ, וְחַיְילֵיהוֹן עָאלִין בְּחוּשְׁבָּנָא לְאִשְׁתְּמוֹדְעָא גַּבַּיְיהוּ, בַּר אִינּוּן אַחֲרָנִין דְּלֵית לוֹן חוּשְׁבָּנָא. וּבְגִין כַּךְ כְּתִיב, וַיְדַבֵּר יְיָ' אֶל מֹשֶׁה בְּמִדְבַּר סִינַי בְּאֹהֶל מוֹעֵד. אִי בְּאֹהֶל מוֹעֵד, אַמַּאי בְּמִדְבַּר סִינַי. אֶלָּא חַד לְאוֹרַיְיתָא וְחַד לְמַשְׁכְּנָא.

ט. וְהַאי וְהַאי, בְּאֶחָד לַחֹדֶשׁ הַשֵּׁנִי בַּשָּׁנָה הַשֵּׁנִית, וְכֹלָּא חַד, וְהַאי אִקְרֵי חֹדֶשׁ זִיו

רֶמֶז לְהַהוּא יְרוֹזָא וְשַׁעְתָּא דְּנָהֲרִיר לְסִיהֲרָא, דְּהָא כְּדֵין עָלְמִין כֻּלְּהוּ אִשְׁתַּכָּחוּ בְּשְׁלִימוּ. לְצֵאתָם מֵאֶרֶץ מִצְרַיִם, לְאִשְׁתְּמוֹדְעָא דְּהָא כַּד נָפְקוּ יִשְׂרָאֵל מִמִּצְרַיִם, בְּחֹדֶשׁ הָרִאשׁוֹן הֲוָה.

י. רַבִּי יִצְחָק פָּתַח, יְיָ' זְכָרָנוּ יְבָרֵךְ יְבָרֵךְ אֶת בֵּית וְגוֹ'. יְיָ' זְכָרָנוּ יְבָרֵךְ, אִלֵּין גּוּבְרִין. דַּהֲווֹ עִמְּהוֹן בְּוַוְשֻׁבְנָא בְּמַדְבְּרָא, וְקוּדְשָׁא בְּרִיךְ הוּא מְבָרֵךְ לוֹן, וְאוֹסִיף עֲלַיְיהוּ בְּכָל זִמְנָא.

יא. ת"ח, הַאי מַאן דְּאָמַר שִׁבְחָא דְּחַבְרֵיהּ, דִּבְנוֹי, אוֹ דְּמָמוֹנֵיהּ, בָּעֵי לְבָרְכָא לֵיהּ, וּלְאוֹדָאָה עֲלֵיהּ בִּרְכָאן. מְנָלָן. מִמּשֶׁה. דִּכְתִיב וְהִנְּכֶם הַיּוֹם כְּכוֹכְבֵי הַשָּׁמַיִם לָרוֹב, לְבָתַר מַה כְּתִיב, יְיָ' אֱלֹהֵי אֲבוֹתֵיכֶם יוֹסֵף עֲלֵיכֶם כָּכֶם אֶלֶף פְּעָמִים וְגוֹ'. תְּרֵין בִּרְכָאן הֲווֹ, וְזַד יְיָ' אֱלֹהֵי אֲבוֹתֵיכֶם וְגוֹ'. הָא זַד. לְבָתַר וִיבָרֵךְ אֶתְכֶם כַּאֲשֶׁר דִּבֶּר לָכֶם. לְאוֹדָאָה עֲלַיְיהוּ, בִּרְכָאן עַל בִּרְכָאן.

יב. וְאִי אִיהוּ מָנֵי שִׁבְחָא דְּחַבְרֵיהּ, וְלָא אוֹדֵי עֲלֵיהּ בִּרְכָאן. הוּא נִתְפַּס בְּקַדְמֵיתָא מִלְעֵילָּא. וְאִי אִיהוּ מִתְבָּרֵךְ לֵיהּ, הוּא מִתְבָּרֵךְ מִלְּעֵילָּא. וּבִרְכָתָא בָּעֵי לְבָרְכָא לָהּ בְּעֵינָא טָבָא, וְלָא בְּעֵינָא בִּישָׁא. וּבְכֹלָּא בָּעֵי קוּדְשָׁא בְּרִיךְ הוּא רְוָוחִימוּתָא דְלִבָּא. וּמַה מַאן דִּמְבָרֵךְ לְחַבְרֵיהּ, בָּעֵי קוּדְשָׁא בְּרִיךְ הוּא דִּיְבָרֵךְ לֵיהּ בְּעֵינָא טָבָא, בְּלִבָּא טָבָא. מַאן דִּמְבָרֵךְ לְקוּדְשָׁא בְּרִיךְ הוּא, עאכ"ו, דְּבָעֵי עֵינָא טָבָא, וְלִבָּא טָבָא, וּרְוָוחִימוּתָא דְלִבָּא. בג"כ וְאָהַבְתָּ אֵת יְיָ' אֱלֹהֶיךָ בְּכָל לְבָבְךָ וְגוֹ'.

יג. ת"ח, הָא אוֹקְמוּהַ לֵית בִּרְכָתָא דִּלְעֵילָּא שַׁרְיָא, עַל מִלָּה דְּאִתְמְנֵי. וְאִי תֵּימָא, יִשְׂרָאֵל אֵיךְ אִתְמְנוּן. אֶלָּא כּוּפְרָא נַטְלֵי מִנַּיְיהוּ, וְהָא אוֹקְמוּהָ, וְוַוְשֻׁבְנָא לָא הֲוֵי עַד דְּיִתְכְּנִישׁ כָּל הַהוּא כּוּפְרָא, וְסָלִיק לְוַוְשֻׁבְנָא, וּבְקַדְמֵיתָא מִבָּרְכָן לְהוּ לְיִשְׂרָאֵל, וּלְבָתַר מִנְיָן הַהוּא כּוּפְרָא, וּלְבָתַר מְהַדְּרִין וּמְבָרְכִין לוֹן לְיִשְׂרָאֵל. אִשְׁתַּכָּחוּ דְּיִשְׂרָאֵל מִתְבָּרְכָן בְּקַדְמֵיתָא וּבְסוֹפָא, וְלָא סָלִיק בְּהוּ מוֹתָנָא.

יד. מוֹתָנָא אֲמַאי סָלִיק בְּמִנְיָינָא. אֶלָּא בְּגִין דְּבִרְכָתָא לָא שַׁרְיָא בְּמִנְיָינָא, כֵּיוָן דְּאִסְתַּלָּק בִּרְכָתָא, סִטְרָא אָחֳרָא שַׁרֵי עֲלוֹי, וְיָכִיל לְאַתְּזְקָא. בְּגִין דָּא בְּמִנְיָינָא נַטְלִין כּוּפְרָא וּפִדְיוֹנָא, לְסַלְּקָא עֲלֵיהּ מִנַּיְיהוּ.

טו. יְבָרֵךְ אֶת בֵּית יִשְׂרָאֵל, אִלֵּין נָשִׁין, דְּלָא סַלְקִין בְּמִנְיָנָא. יְבָרֵךְ אֶת בֵּית אַהֲרֹן, דְּאִינּוּן מִבָּרְכִין לְעַמָּא, בְּעֵינָא טָבָא וּבְלִבָּא טָבָא וּבִרְוָוחִימוּתָא דְלִבָּא. אֶת בֵּית אַהֲרֹן, הָכִי נָמֵי נָשִׁין, דְּאִתְבָּרְכָן בְּבִרְכָתָא.

טז. יְבָרֵךְ יִרְאֵי יְיָ' אִלֵּין אִינּוּן לֵיוָאֵי, וְכֻלְּהוּ מִתְבָּרְכִין, בְּגִין דְּדַחֲלִין לֵיהּ לְקוּדְשָׁא בְּרִיךְ הוּא. הַקְּטַנִּים עִם הַגְּדוֹלִים, אע"ג דְּלָא עָאלִין בְּמִנְיָינָא.

יז. ת"ח לָא אִשְׁתַּכָּחוּ מִנְיָינָא בְּהוּ בְּיִשְׂרָאֵל דְּאִתְבָּרְכָן בֵּיהּ, כְּהַאי מִנְיָינָא. דְּהַאי מִנְיָינָא לְאִתְבָּרְכָא הֲוָה, וּלְאַשְׁלְמָא שְׁלִימוּתָא דְּעָלְמִין הֲוָה, וּבְאֲתָר דְּבִרְכָאן נָפְקִין אִתְמְנוּן, דִּכְתִיב בְּאֶחָד לַחֹדֶשׁ הַשֵּׁנִי, דְּאִיהוּ זִיוָּא דְּבִרְכָאן דְּעָלְמָא, דְּמִנֵּיהּ נָפִיק זִיוָּא לְעָלְמָא. וְעַל דָּא אִקְרֵי וֹדֶ"ש זִי"ו, דְּזִיוָּא דְּכֹלָּא נָפִיק מִנֵּיהּ, וְעַל דָּא כְּתִיב, יְבָרֶכְךָ יְיָ' מִצִּיּוֹן, וְכֹלָּא וַזד מִלָּה וּכְתִיב כִּי שָׁם צִוָּה יְיָ' אֶת הַבְּרָכָה וְגוֹ'.

יח. רַבִּי יְהוּדָה הֲוָה שְׁכִיחַ קַמֵּיהּ דְּר"ע, א"ל יִשְׂרָאֵל מַאן אֲתָר אִתְבָּרְכָן. א"ל, וַוי לְעָלְמָא, דְּלָא מַשְׁגִּיחִין וְלָא מִסְתַּכְּלִין בְּנֵי נָשָׁא, בִּיקָרָא דְּמַלְכָּא עִלָּאָה. תָּא וַזְחֵי, בְּעִדָּנָא דְּאִשְׁתַּכָּחוּ יִשְׂרָאֵל קַמֵּי קוּדְשָׁא בְּרִיךְ הוּא, וַהֲווֹ עָלְמִין שְׁכִיחִין בְּחַד

אִילָנָא עִלָּאָה קַדִּישָׁא, דִּמְזוֹנָא דְּכֹלָּא בֵּיהּ, הֲוָה מִתְבָּרֵךְ מֵאֲתַר דְּכֹל בִּרְכָאן כְּנִישִׁין בֵּיהּ. וּבֵיהּ אִתְנְטַע וְאַשְׁתִּילוּ שָׁרְשׁוֹי.

יט. וְיִשְׂרָאֵל לְתַתָּא, הֲווֹ מִתְבָּרְכָן מֵאֲתַר דְּכֹל אִינּוּן בִּרְכָאן נָפְקִין בֵּיהּ, וְלָא מִתְעַכְּבֵי לְמֵיפַּק, הה"ד יְבָרֶכְךָ יְיָ' מִצִּיּוֹן, וּכְתִיב כְּטַל חֶרְמוֹן שֶׁיּוֹרֵד עַל הַרְרֵי צִיּוֹן כִּי שָׁם צִוָּה יְיָ' אֶת הַבְּרָכָה חַיִּים עַד הָעוֹלָם. וְדָא אִיהוּ נְהִירוּ דְּעָלְמָא. דִּכְתִיב מִצִּיּוֹן מִכְלַל יוֹפִי אֱלֹהִים הוֹפִיעַ. הוֹפִיעַ: נָהִיר. כד"א הוֹפִיעַ מֵהַר פָּארָן. וְכַד יְנָהֵר, יְנָהֵר לְכֻלְּהוּ עָלְמִין.

כ. וְכַד הַאי נְהִירוּ אִתְּעַר, כֹּלָּא הוּא בְּחַבְרוּתָא, כֹּלָּא הוּא בִּרְחִימוּתָא, כֹּלָּא הוּא בִּשְׁלִימוּ, כְּדֵין הוּא שְׁלָמָא דְּכֹלָּא, שְׁלָמָא דְּעֵילָּא וְתַתָּא, הה"ד יְהִי שָׁלוֹם בְּחֵילֵךְ שַׁלְוָה בְּאַרְמְנוֹתָיִךְ.

כא. אִישׁ עַל דִּגְלוֹ בְּאוֹתוֹת לְבֵית אֲבוֹתָם יַחֲנוּ בְּנֵי יִשְׂרָאֵל וְגוֹ'. רִבִּי אֶלְעָזָר פָּתַח, שִׂמְחוּ אֶת יְרוּשָׁלַםִ וְגִילוּ בָהּ כָּל אֹהֲבֶיהָ וְגוֹ'. כַּמָּה חֲבִיבָא אוֹרַיְיתָא קַמֵּי קוּדְשָׁא בְּרִיךְ הוּא, דְּהָא בְּכָל אֲתַר דְּמִלֵּי דְּאוֹרַיְיתָא אִשְׁתְּמָעוּ, קוּדְשָׁא בְּרִיךְ הוּא וְכָל חַיָּילִין דִּילֵיהּ כֻּלְּהוּ צַיְיתִין לְמִלּוֹלֵיהּ. וְקוּדְשָׁא בְּרִיךְ הוּא אָתֵי לְדַיְּירָא עִמֵּיהּ, הה"ד בְּכָל הַמָּקוֹם אֲשֶׁר אַזְכִּיר אֶת שְׁמִי וְגוֹ'. וְלֹא עוֹד, אֶלָּא דְּשַׂנְאוֹי נָפְלִין קַמֵּיהּ, וְהָא אוֹקְמוּהָ.

כב. ת"ח, פִּקּוּדֵי אוֹרַיְיתָא עִלָּאִין אִינּוּן לְעֵילָּא. אָתֵי בַּר נָשׁ וְעָבֵיד פִּקּוּדָא חֲדָא, הַהוּא פִּקּוּדָא קַיְּימָא קַמֵּי קוּדְשָׁא בְּרִיךְ הוּא, וּמִתְעַטְּרָא קַמֵּיהּ, וְאָמַר פְּלַנְיָיא עֲבַד לִי, וּמִן פְּלַנְיָיא אֲנָא, בְּגִין דְּאִיהוּ אִתְּעַר לֵיהּ לְעֵילָּא. כְּגַוְונָא דְּאִיהוּ אִתְּעַר לֵיהּ לְתַתָּא, ה"נ אִתְּעַר לְעֵילָּא, וְעָבֵיד שְׁלָמָא לְעֵילָּא וְתַתָּא, כְּמָה דְּאַתְּ אָמֵר, אוֹ יַחֲזֵק בְּמָעוּזִּי יַעֲשֶׂה שָׁלוֹם לִי שָׁלוֹם יַעֲשֶׂה לִי. יַעֲשֶׂה שָׁלוֹם לִי, לְעֵילָּא. שָׁלוֹם יַעֲשֶׂה לִי, לְתַתָּא. זַכָּאָה חוּלָקֵיהּ דְּהַהוּא בַּר נָשׁ, דְּעָבֵיד פִּקּוּדֵי אוֹרַיְיתָא.

כג. שִׂמְחוּ אֶת יְרוּשָׁלַםִ וְגוֹ', בְּגִין דְּחֶדְוָה לָא אִשְׁתְּכַח, אֶלָּא בְּזִמְנָא דְּיִשְׂרָאֵל קַיְּימֵי בְּאַרְעָא קַדִּישָׁא. דְּתַמָּן אִתְחַבְּרַת אִתְּתָא בְּבַעְלָהּ, וּכְדֵין הוּא חֶדְוָותָא דְּכֹלָּא, חֶדְוָותָא דְּעֵילָּא וְתַתָּא. בְּזִמְנָא דְּיִשְׂרָאֵל לָא אִשְׁתְּכָחוּ בְּאַרְעָא קַדִּישָׁא, אָסִיר לֵיהּ לב"נ לְמֶחֱדֵי, וּלְאַחֲזָאָה חֵידוּ. דִּכְתִיב, שִׂמְחוּ אֶת יְרוּשָׁלַםִ וְגוֹ', וְגִילוּ בָהּ דַּיְיקָא.

כד. רִבִּי אַבָּא חָמָא חַד ב"נ, דַּהֲוָה חַדֵּי בְּבֵי טְרוּנְיָיא דְּבָבֶל, בָּטַשׁ בֵּיהּ, אָמַר שִׂמְחוּ אֶת יְרוּשָׁלַםִ כְּתִיב, בְּזִמְנָא דִּירוּשְׁלֵם בְּחֶדְוָה, בָּעֵי בַּר נָשׁ לְמֶחֱדֵי. ר' אֶלְעָזָר לְטַעְמֵיהּ, דְּאָמַר שִׂמְחוּ אֶת יְרוּשָׁלַםִ, הַיְינוּ דִּכְתִיב עִבְדוּ אֶת יְיָ' בְּשִׂמְחָה.

כה. כָּתוּב אֶחָד אוֹמֵר, עִבְדוּ אֶת יְיָ' בְּשִׂמְחָה, וְכָתוּב אֶחָד אוֹמֵר, עִבְדוּ אֶת יְיָ' בְּיִרְאָה וְגִילוּ בִּרְעָדָה. מַה בֵּין הַאי לְהַאי. אֶלָּא, כָּאן בְּזִמְנָא דְּיִשְׂרָאֵל שָׁרָאן בְּאַרְעָא קַדִּישָׁא. כָּאן בְּזִמְנָא דְּיִשְׂרָאֵל שָׁרָאן בְּאַרְעָא אַחֲרָא. עִבְדוּ אֶת יְיָ' בְּיִרְאָה, דָּא כ"י, בְּזִמְנָא דְּאִיהִי בְּגָלוּתָא בֵּינֵי עַמְמַיָּא.

כו. אָמַר ר' יְהוּדָה, וְהָא כְּתִיב כִּי בְשִׂמְחָה תֵצֵאוּ, וְדָא הִיא כ"י, כֵּיוָן דְּאָמַר תֵּצֵאוּ, מִן גָּלוּתָא הוּא, וְאִקְרֵי שִׂמְחָה. א"ל, וַדַּאי הָכִי הוּא, דְּכָל זִמְנָא דְּאִיהִי בְּגָלוּתָא וּשְׁכִיבַת לְעַפְרָא, לָא אִקְרֵי שִׂמְחָה, עַד דְּקוּדְשָׁא בְּרִיךְ הוּא יֵיתֵי לְגַבָּהּ, וִיוֹקִים לָהּ מֵעַפְרָא, וְיֵימָא הִתְנַעֲרִי מֵעָפָר וְגוֹ'. קוּמִי אוֹרִי וְגוֹ'. וְיִתְחַבְּרוּן כַּחֲדָא, כְּדֵין חֶדְוָותָא אִקְרֵי. חֶדְוָותָא דְּכֹלָּא, וּכְדֵין בְּשִׂמְחָה תֵצֵאוּ וַדַּאי. כְּדֵין כַּמָּה חַיָּילִין יִפְקוּן לְקַבְּלָא דְּמַטְרוֹנִיתָא, לְחֶדְוָותָא דְּהִלּוּלָא דְּמַלְכָּא, כד"א הֶהָרִים וְהַגְּבָעוֹת יִפְצְחוּ וְגוֹ', וּכְתִיב כִּי

הלך לפניכם יי' ומאספכם וגו'.

כז. איש על דגלו באותות. אלין ארבע משריין דכנסת ישראל, דאינון תריסר שבטין, תריסר תחומין, סחור סחור לה. כלא כגוונא דלעילא, כתיב ששם עלו שבטים שבטי יה וגו'. ששם עלו שבטים, אלין י"ב שבטין, י"ב תחומין דלתתא.

כח. שבטי יה, הא אוקמוה בגין דיו"ה עדות לישראל ודאי. ובגין דא, הראובני, השמעוני, י"ה בכל חד וחד. אבל ודאי הכי הוא, דהא אילנא עלאה קדישא, בהו אחתם בחותמוי. ואוקמוה דכתיב, ודמות פניהם פני אדם ופני אריה אל הימין וגו'. דיוקנא דאדם אתכליל בכלהו, ואפין הוו לד' סטרין דעלמא, ומתפרשן בדיוקניהון, וכלהון כלילן ביה באדם.

כט. מיכאל מימינא, גבריאל משמאלא, אוריאל לקדמייהו, רפאל לאחורייהו, שכינתא עלייהו. תרין מכאן, ותרין מכאן, והיא באמצעיתא. כגוונא דא בארעא דלתתא, תרי מכאן, ותרי מכאן, וי"ה ביניהו.

ל. כיון דנטלין תרין דגלים, מה כתיב. ונסע אהל מועד מחנה הלוים וגו'. ולבתר, אינון תרין אחרנין ד' משריין אינון לד' סטרי עלמא, ואשתכחו תריסר. אוף הכי לתתא כגוונא דלעילא.

לא. ונסע בראשונה דגל מחנה יהודה, לקביל משרייא דאוריאל. ומחנה דראובן לקביל משרייא דמיכאל. דא לדרום, ודא למזרח. מזבח ה"נ דרומית מזרחית. ומחנה דן לצפון. מחנה אפרים ימה. מחנה דן לקביל משרייא דגבריאל. מחנה אפרים למערב, לקביל משרייא דרפאל מזבח ה"נ צפונית מערבית. כלא אחיד דא בדא, עד דסלקא כלא ואתאחד בשמא קדישא, דאיהו שירותא דכלא. עלאה דכלא קדישא דכלא. כלא אתכליל ביה.

לב. י' מזרח הוא שירותא דנהורא, אזיל ושאט ואפיק לדרום. ודרום נפיק ותלייא בשירותא דמזרח. ה' דרום. מניה נפיק דרום בעלמא. ועייל י' בשירותא דמזרח, ואפיק ליה.

לג. ומן ה' תלייא דרום וצפון, וההוא דביניהו, י' מזרח י"ה דרום וצפון תליאן ביה. ו' באמצעיתא. ודא הוא בן דכר. בג"כ איהו בין צפון לדרום. וע"ד תנינן, מאן דיהיב מטתו בין צפון לדרום, הויין ליה בנים זכרים. דהאי בן דכר איהו בין צפון לדרום. ה' עלאה בה תליא צפון ודרום, ובן דכר ביניהו, ברזא דיו"ה. ה' בתראה מערב.

לד. וע"ד דרום אחיד מזרח, דאיהו שירותא דשמשא ותלייא ביה. וע"ד תנינן, מסטרא דאבא אחיד ותלייא חסד עלאה. מסטרא דאימא תלייא גבורה. כגוונא דא אחיד כלא דא בדא.

לה. זוויין דמדבחא ה"נ אסתחרן, ובא לו לקרן דרומית מזרחית. דדרום תוקפיה במזרח, דאיהו שירותא דשמשא, ותוקפא דשמשא לא שריא אלא בשירותא. מזרחית צפונית. כיון דדרום נטיל תוקפיה דמזרח, הוא אנהיר לצפון וצפון אתכליל בדרום, דהא שמאלא אתכליל בימינא.

לו. צפונית מערבית, דהא מערב דאיהי ה' בתראה, נטלא מצפון. וע"ד צפון אזיל למערב. מערבית דרומית, היא אזלא לאתחברא בדרום, כמה דדרום תלייא במזרח, ותוקפיה אזיל בשירותא. ה"נ מערב, אזלא לאתאחדא בדרום, הה"ד וימינו

תְּחַבְּקֵנִי. יְמִינָא דָּא הוּא דָּרוֹם. בג"כ יַנְקָא מִתְּרֵין סִטְרִין, מִצָּפוֹן וּמִדָּרוֹם. הה"ד שְׂמֹאלוֹ תַּחַת לְרֹאשִׁי וִימִינוֹ תְּחַבְּקֵנִי. שְׂמֹאלוֹ דָּא הוּא צָפוֹן, וִימִינוֹ דָּא הוּא דָּרוֹם.

לז. וְרָזָא דָּא אוֹלִיפְנָא, קוּדְשָׁא בְּרִיךְ הוּא יָהִיב מִטָּתֵיהּ, בֵּין צָפוֹן לְדָרוֹם. וְאַחִידַת לְהַאי בֵּן וַדַּאי. וע"ד אִית לְהוּ לִבְנֵי נָשָׁא לְמֵיהַב מִטָּתַיְיהוּ בֵּין צָפוֹן לְדָרוֹם. וְהָכִי אוֹלִיף לִי אַבָּא. דְּיַהֲבִין לְהוּ בְּנִין דִּכְרִין. דְּהָא אִיהוּ אִתְכַּוָּון כְּלַפֵּי מְהֵימְנוּתָא שְׁלֵימָא עִלָּאָה, בִּשְׁלֵימוּתָא דְּכֹלָּא. לְגַבֵּי קוּדְשָׁא בְּרִיךְ הוּא דְּאִיהוּ בֵּין צָפוֹן לְדָרוֹם, וּלְגַבֵּי כְּנֶסֶת יִשְׂרָאֵל דְּאִיהִי בֵּין צָפוֹן לְדָרוֹם. וַדַּאי יֶהֱוֻן לֵיהּ בְּנִין דִּכְרִין.

לח. וּבְכֹלָּא בָּעֵי לְאַחֲזָאָה עוֹבָדָא כְּגַוְונָא דִּלְעֵילָּא, וּכְמָה דְּאַחֲזֵי עוֹבָדָא לְתַתָּא, ה"נ אִתְעַר לְעֵילָּא, וְאוֹקְמוּהָ. שָׁמַע ר' פִּנְחָס, וּנְשָׁקֵיהּ לר' אֶלְעָזָר, וּבָכָה וְחַיֵּיךְ אָמַר, זַכָּאָה חוּלָקִי בְּהַאי עָלְמָא וּבְעָלְמָא דְּאָתֵי.

לט. פָּתַח וְאָמַר, יְיָ' אוֹרִי וְיִשְׁעִי מִמִּי אִירָא וְגוֹ'. יְיָ' אוֹרִי וְיִשְׁעִי, כֵּיוָן דְּבַר נָשׁ אִסְתַּכַּל בִּנְהוֹרָא דִּלְעֵילָּא, וְקוּדְשָׁא בְּרִיךְ הוּא אַנְהִיר עָלֵיהּ, לָא דָּחִיל מֵעִלָּאִין וְתַתָּאִין. כד"א, וְעָלַיִךְ יִזְרַח יְיָ' וּכְבוֹדוֹ עָלַיִךְ יֵרָאֶה. יְיָ' מָעוֹז חַיַּי, כֵּיוָן דְּקוּדְשָׁא בְּרִיךְ הוּא אָחִיד בֵּיהּ בְּבַר נָשׁ, לָא מִסְתְּפֵי בְּהַהוּא עָלְמָא מִכָּל מָארֵיהוֹן דְּדִינִין. אוֹף אֲנָא כְּהַאי גַּוְונָא, כֵּיוָן דְּאַחִידְנָא בְּאָבוּךְ וּבָךְ לָא אֶסְתְּפֵינָא בְּהַאי עָלְמָא וּבְעָלְמָא אַחֲרָא.

מ. וְעָלָךְ כְּתִיב, יִשְׂמַח אָבִיךָ וְגוֹ'. כֵּיוָן דִּכְתִיב יִשְׂמַח אָבִיךָ וְאִמֶּךָ, מַאי וְתָגֵל יוֹלַדְתֶּךָ, דְּהָא בְּאִמֶּךָ סַגְיָא. אֶלָּא יִשְׂמַח אָבִיךָ: דָּא קוּדְשָׁא בְּרִיךְ הוּא. וְאִמֶּךָ: דָּא כְּנֶסֶת יִשְׂרָאֵל. וְתָגֵל יוֹלַדְתֶּךָ: יוֹלַדְתֶּךָ דִּלְתַתָּא. ר' שִׁמְעוֹן אָבוּךְ אָן חֶדְוָותָא דִּילֵיהּ. אֶלָּא קְרָא הוּא בִּלְחוֹדוֹי דִּכְתִיב גִּיל יָגִיל אֲבִי צַדִּיק: דָּא קוּדְשָׁא בְּרִיךְ הוּא. וְיוֹלֵד חָכָם יִשְׂמַח בּוֹ: דָּא אָבִיךְ דִּלְתַתָּא. דָּבָר אַחֵר, גִּיל יָגִיל אֲבִי צַדִּיק: דָּא אָבִיךְ דִּלְתַתָּא. וְיוֹלֵד חָכָם יִשְׂמַח בּוֹ, כְּתִיב בְּתוֹסֶפֶת וָא"ו, דָּא קוּדְשָׁא בְּרִיךְ הוּא לְעֵילָּא.

מא. אָמַר ר' אֶלְעָזָר, כְּתִיב בְּיָדְךָ אַפְקִיד רוּחִי פָּדִיתָה אוֹתִי יְיָ' אֵל אֱמֶת. הַאי קְרָא אִית לֵיהּ לְאִסְתַּכְּלָא בֵּיהּ, וַחֲמִיתוּן מַאן דְּאַפְקִיד בִּידָא דְּמַלְכָּא מִידֵי. אֶלָּא, וַדַּאי זַכָּאָה הוּא בַּר נָשׁ, דְּאָזִיל בְּאוֹרְחוֹי דְּמַלְכָּא קַדִּישָׁא, וְלָא חָטֵי קַמֵּיהּ תָּא חֲזֵי, כֵּיוָן דְּעָאל לֵילְיָא, אִילָנָא דְּמוֹתָא שַׁלִּיט בְּעָלְמָא, וְאִילָנָא דְּחַיֵּי אִסְתַּלָּק לְעֵילָּא לְעֵילָּא. וְכֵיוָן דְּאִילָנָא דְּמוֹתָא שַׁלִּיט בְּעָלְמָא בִּלְחוֹדוֹי, כָּל בְּנֵי עָלְמָא טַעֲמִין טַעֲמָא דְּמוֹתָא. מ"ט. בְּגִין דְּהַהוּא אִילָנָא גָּרִים.

מב. וּבַר נָשׁ בָּעֵי לְאַקְדְּמָא וּלְמִפְקַד בִּידֵיהּ נַפְשֵׁיהּ בְּפִקְדוֹנָא. כְּפִקְדוֹנָא דְּבַר נָשׁ, דְּיָהִיב פִּקְדוֹנָא לְאַחֲרָא, דְּאַף ע"ג דְּאִיהוּ אִתְחַיָּיב לְגַבֵּיהּ יַתִּיר מֵהַהוּא פִּקְדוֹנָא, לָאו כְּדַאי לְאִתְאַחֲדָא בֵּיהּ, הוֹאִיל וּפִקְדוֹנָא אִתְמְסַר לְגַבֵּיהּ, וְאִי יְסָרֵב בֵּיהּ, וַדַּאי נִבְדּוֹק אֲבַתְרֵיהּ, דְּלָאו מִזַּרְעָא קַדִּישָׁא הוּא, וְלָאו מִבְּנֵי מְהֵימְנוּתָא.

מג. כָּךְ הַהוּא אִילָנָא, בְּנֵי נָשָׁא אַקְדִּימוּ וְיָהֲבִין לֵיהּ פִּקְדוֹנָא דְּנַפְשַׁיְיהוּ, וְכָל נִשְׁמָתִין דִּבְנֵי עָלְמָא נָטִיל. וְכֻלְּהוּ טַעֲמִין טַעֲמָא דְּמוֹתָא, בְּגִין דְּהַאי אִילָנָא דְּמוֹתָא הוּא. וּבְגִין דְּכָל אִינּוּן נַפְשָׁתָא, אע"ג דְּכֻלְּהוּ אִתְחַיָּיבוּ לְגַבֵּיהּ, וְלָאו כְּדַאי הוּא לְאָתָבָא פִּקְדוֹנָא לְגַבֵּיהּ דְּבַר נָשׁ, אֶלָּא כֵּיוָן דְּכֻלְּהוּ אִתְמְסָרֵי לֵיהּ בְּפִקְדוֹנָא, אָתִיב כָּל פִּקְדוֹנִין לְמָארֵיהוֹן.

מד. ת"ח, לָאו כְּדַאי הוּא הַאי אִילָנָא דְּמוֹתָא לְאָתָבָא פִּקְדוֹנָא לְגַבֵּיהּ דְּבַר נָשׁ. אֶלָּא בְּשַׁעֲתָא דְּאִילָנָא דְּחַיֵּי אִתְעַר בְּעָלְמָא. וְאֵימָתַי אִתְעַר הַהוּא אִילָנָא דְּחַיֵּי.

בשעתא דסליק צפרא. וכדין, כיון דהאי אתער בעלמא, כל בני עלמא וזיין, ושביק ואהדר ההוא אילנא דמותא כל פקדונין דאתפקדו לגביה, ואזיל ליה. מ"ט וזיין. בגין דההוא אילנא דוזיי גרים.

מה. ואי תימא, הא בני נשא סגיאין אינון דמתערין בליליא, בעוד דאילנא דמותא שליט. אלא, ודאי ההוא אילנא דוזיי קא עביד. מ"ט. בגין דכתיב לראות היש משכיל דורש את אלהים. ולא יהא ליה פתחון פה לבר נש, דיימא, אלמלי שליטנא בנפשאי בליליא אשתדלנא באורייתא. א"ר יהודה, האי בישראל ודאי והכי הוא. אבל באו"ה דוזמינא כהאי גוונא, מ"ט. א"ל ודאי שפיר הוא דקא אמרת.

מו. פתח ואמר, מה אקוב לא קבה אל ומה אזעום לא זעם יי'. ת"ח, כגוונא דאית לעילא, אית לתתא. לעילא אית ימינא ואית שמאלא. לתתא ישראל ועמין. ישראל אתאחדן לימינא, בקדושא דמלכא קדישא. עמין עכו"ם לשמאלא, לסטרא דרוח מסאבא. וכלהו לתתא מכלהו דרגין דשמאלא. וכלהו דרגין אחידן דא בדא, עד דתליין מן רישא. וכגוונא דרישא נטיל, בההוא גוונא נטיל זנבא, דאיהי תתאה. מ"ט. בגין דאחיד ביה. ובגין כך, עמין עכו"ם, בההוא סטר מסאבא דלהון, הכי אתדברו.

מז. בלעם הוא אשתמש בכלהו דרגין תתאין. והוא הוה חמי בהאי תתאה דאיהו זנבא, דלא יכיל לאתדברא אלא ברישא. בגין כך אמר, מה אקוב לא קבה אל, דההוא רישא עלאה, לא אשתכח בדינא באינון יומין.

מח. ואע"ג דהאי אל אוקימנא, האי מלכותא קדישא נטיל שמא כגוונא דעילא, והאי טב וחסד דהאי עלמא ובגין כך אקרי אל, אלא דאיהו זועם בכל יום, דאשתכח ביה דינא.

מט. ות"ח, אל שדי הא אוקימנא דביה ספוקא דעלמא ואיהו אמר לעולם די, דהא האי אל הוא דאזדווג בהדיה, ובגין כך אקרי אל שדי, אל דשדי. ועל דא מה אקוב לא קבה אל. בגין כך, כגוונא דאתער רישא, ה"נ אתער תתאה.

נ. בכה רבי אלעזר, פתח ואמר קולה כנחש ילך וגו'. השתא דישראל בגלותא, איהי ודאי אזלא כנחש. חויא כד איהו כפיף רישא לעפרא, סליק זנבא, שליט ומחי לכל אינון דאשתכחו קמיה. אוף הכי השתא בגלותא, כהאי גוונא, רישא כפיף לעפרא, וזנבא שליט. מאן עביד לזנבא דיסתליק לעילא ושליט ומחי, רישא דאתכפיא לתתא. ועם כל דא, מאן מדבר ליה לזנבא, ומאן נטיל ליה למטלנוי. האי רישא. אע"ג דאיהו כפיף לעפרא, הוא מדבר למטלנוי, בגין דא קולה כנחש ילך.

נא. והשתא שאר עמין דאינון אחידן בזנבא, סלקין לעילא, ושלטין ומחיין, ורישא כפיף לעפרא, כד"א נפלה לא תוסיף קום וגו'. ועם כל דא, האי רישא מדבר לזנבא ונטיר ליה, כד"א שמוני נוטרה את הכרמים, אלין עמין עכו"ם, דאינון זנבא. אתא רבי יהודה ונשיק ידוי, אמר אלמלי לא שאילנא מלה בעלמא, אלא דשאילנא דא ורווחנא ליה, די לי. דהשתא ידענא עמין עכו"ם, ושולטנותא דלהון היך מתדבר. זכאה חולקהון דישראל, דעלייהו כתיב, כי יעקב בחר לו יה וגו'.

נב. א"ל רבי אלעזר, מהו לסגולתו. א"ל, תלת אבהן אלין אקרון סגולה, בין לעילא בין לתתא, כגוונא דא כהנים לויים וישראלים, וכלא חד. ואלין סגולתו של קודשא בריך הוא לעילא, וסגולתו לתתא, ודא הוא דכתיב והייתם לי סגולה מכל העמים.

נג. ונסע אהל מועד מחנה הלוים וגו'. לבתר מה כתיב, ונסע דגל מחנה אפרים

לְצִבְאוֹתָם יָמָּה. הַיְינוּ שְׁכִינָה שַׁרְיָיה בְּמַעֲרָב, וְאוֹקְמוּהָ. כְּתִיב וַיְבָרְכֵם בַּיּוֹם הַהוּא לֵאמוֹר בְּךָ יְבָרֵךְ יִשְׂרָאֵל לֵאמוֹר וְגוֹ'. וַיָּשֶׂם אֶת אֶפְרַיִם וְגוֹ'. בְּךָ יְבָרֵךְ יִשְׂרָאֵל, יִשְׂרָאֵל סָבָא. מַאי קָמַ"ל.

נד. אֶלָּא בְּךָ יִתְבָּרֵךְ יִשְׂרָאֵל לָא כְּתִיב, אוֹ בְּךָ יְבוֹרַךְ יִשְׂרָאֵל, מַהוּ יְבָרֵךְ יִשְׂרָאֵל. אֶלָּא, יִשְׂרָאֵל קַדִּישָׁא לָא יְבָרֵךְ לְעָלְמָא, אֶלָּא בְּךָ, דְּאַנְתְּ בְּמַעֲרָב. וּכְתִיב אֲנִי אֵל שַׁדַּי פְּרֵה וּרְבֵה. אוֹלִיפְנָא דְּחָמָא עִמֵּיהּ שְׁכִינְתָּא, וּכְדֵין אָמַר בְּךָ יְבָרֵךְ יִשְׂרָאֵל לֵאמוֹר. בְּךָ יְבָרֵךְ לְעָלְמָא.

נה. וְהֵאַךְ חָמָא, וְהָכְתִיב וְעֵינֵי יִשְׂרָאֵל כָּבְדוּ מִזּוֹקֶן וְגוֹ'. אֶלָּא שִׂכֵּל אֶת יָדָיו כְּתִיב. מַאי שִׂכֵּל. אֶלָּא יְמִינָא הֲוָה זָקִיף, וְסָטֵי לֵיהּ שְׁכִינְתָּא כְּלַפֵּי אֶפְרַיִם, וְאָרַח רֵיחָא דִּשְׁכִינְתָּא עַל רֵישֵׁיהּ, כְּדֵין אָמַר בְּךָ יְבָרֵךְ יִשְׂרָאֵל. וְחָמָא דְּאִיהוּ לְמַעֲרָב.

נו. וַדַּאי שְׁכִינְתָּא בְּמַעֲרָב, וְהָא אוֹקִימְנָא בְּגִין דְּלֶהֱוֵי בֵּין צָפוֹן לְדָרוֹם, וּלְאִתְחַבְּרָא בְּגוּפָא, וּלְמֶהֱוֵי בְּזִוּוּגָא חַד. וְצָפוֹן מְקַבְּלָא לָהּ תְּחוֹת רֵישָׁא, וְדָרוֹם מְחַבְּקָא לָהּ, הה"ד שְׂמֹאלוֹ תַּחַת לְרֹאשִׁי וִימִינוֹ תְּחַבְּקֵנִי. וְהָא אוֹקִימְנָא וַדַּאי, מִטָּתוֹ שֶׁלִּשְׁלֹמֹה בֵּין צָפוֹן לְדָרוֹם, וּלְאִתְחַבְּרָא בְּגוּפָא, וּכְדֵין כְּלָלָא חַד לְאִתְבָּרְכָא עָלְמָא. תְּנָן, כָּל הָאוֹמֵר תְּהִלָּה לְדָוִד ג"פ בְּכָל יוֹמָא, מוּבְטָח לוֹ שֶׁהוּא בֶּן הָעוֹה"ב, וְהָא אוֹקִימְנָא בְּגִין לְזַוְּוגָא לָהּ לְהַאי תְּהִלָּה, וּלְאִשְׁתַּכְּחָא בְּכָל יוֹמָא בֵּין צָפוֹן לְדָרוֹם.

נז. אָתֵי בַּר נָשׁ בְּצַפְרָא, מְקַבֵּל עָלֵיהּ עוֹל מַלְכוּת שָׁמַיִם בְּאִינּוּן תּוּשְׁבְּחָן דְּקָאָמַר תְּהִלָּה לְדָוִד, וְכֻלְּהוּ הַלְלוּיָהּ דְּאִינּוּן סִדּוּרָא דַּעֲשָׂרָה תּוּשְׁבְּחָן, דַּעֲשָׂרָה כִּתְרִין קַדִּישִׁין דִּשְׁמָא קַדִּישָׁא. וּבְגִין כָּךְ עֲשָׂרָה אִינּוּן הַלְלוּיָהּ. לְבָתַר סַיֵּים בַּעֲשָׂרָה תּוּשְׁבְּחָן, דְּאִינּוּן הַלְלוּיָהּ הַלְלוּ אֵל בְּקָדְשׁוֹ וְגוֹ'. הַלְלוּהוּ וְגוֹ'. מַאן אִינּוּן עֲשָׂרָה הַלְלוּיָהּ, וְהָא חֲמִשָּׁה אִינּוּן. אֶלָּא שָׁרֵי שְׁבָחָא בְּהַלְלוּיָהּ, וְסַיֵּים בְּהַלְלוּיָהּ.

נח. לְבָתַר עִלּוּיָא דְּסִדּוּר שְׁבָחָא, בְּאָז יָשִׁיר מֹשֶׁה, דְּאִית בֵּיהּ כֹּלָּא. וּבְדָא מְקַבֵּל עָלֵיהּ עוֹל מַלְכוּתָא קַדִּישָׁא. לְבָתַר אַשְׁרֵי לֵיהּ בְּחֶסֶד, בְּסִיּוּמָא דִּצְלוֹתָא, לְאִתְקַדְּשָׁא בֵּיהּ. לְבָתַר בִּצְלוֹתָא דְּמִנְחָה דִּגְבוּרָה תַּלְיָיא, וְדִינָא שָׁארֵי. אִשְׁתְּכַח בְּכָל יוֹמָא דָּא מִטָּה דְּאִתְיְהִיבַת בֵּין צָפוֹן לְדָרוֹם. לְאִתְחַבְּרָא בְּזִוּוּגָא דָּא בְּגוּפָא כַּדְקָא יָאוּת. וּמַאן דִּמְסַדֵּר וּמְחַבֵּר לָהּ בְּכָל יוֹמָא כְּהַאי גַּוְונָא, וַדַּאי הוּא בֶּן הָעוֹה"ב.

נט. בְּגִין כָּךְ הַאי דֶּגֶל מַחֲנֵה אֶפְרַיִם יָמָּה, וְאִיהוּ בֵּין צָפוֹן לְדָרוֹם. דָּרוֹם רְאוּבֵן מִן סִטְרָא חַד, דִּכְתִּיב דֶּגֶל מַחֲנֵה רְאוּבֵן תֵּימָנָה. צָפוֹן דָּן מִסִּטְרָא אַחֲרָא, דִּכְתִּיב דֶּגֶל מַחֲנֵה דָן צָפוֹנָה. אֶפְרַיִם, בֵּין דָּא לְדָא. אִשְׁתְּכַח מַעֲרָב דְּאִיהוּ אֶפְרַיִם, בֵּין צָפוֹן לְדָרוֹם, כֹּלָּא כְּגַוְונָא דִּלְעֵילָּא.

ס. רָזָא לְיַתְבֵי דָּרוֹמָא אַחֲוָונָא. וְהָכִי שַׁדַּר לוֹן אַחֲוָונָא, מְסַדְּרֵי בּוּצִינִין בְּרָזִין קְטִירִין, דִּבְעִיתוּ לְיַחֲדָא יִחוּדָא בְּטוּפְסְרָא דְּקִטְרָא עִלָּאָה, קַבִּילוּ עֲלַיְיכוּ עוֹל מַלְכוּתָא קַדִּישָׁא בְּכָל יוֹמָא בְּקַדְמֵיתָא, וּבְדָא תַּעֲלוּן בְּקִשּׁוּרָא קַדִּישָׁא דְּדָרוֹם, וְאַסְחֲרוּ סִטְרֵי עָלְמָא, עַד דְּמִתְקַשְּׁרָן בְּקִטּוּרָא חֲדָא, וּבְדָרוֹם תִּקְיְעוּ דּוּכְתָּא, וְתַמָּן תִּשְׁרוּן.

סא. ר' אֶלְעָזָר שָׁאִיל לְרַ"שׁ אֲבוֹי, א"ל, סִימָנָא לְזִוּוּגָא דְּיִחוּדָא מְנַּיִן. א"ל בְּרִי, אע"ג דְּאוֹקִימְנָא מִלִּין לְכָל סְטַר וּסְטַר, וְאִתְבַּדְּרוּ הָכָא מִלָּה וְהָכָא מִלָּה סִימָנָא דָּא נְקוֹט בִּידָךְ, וְהָכִי הוּא, כְּעֵין סְחֲרָא דְּמַדְבְּחָא, דִּתְנָן, וּבָא לוֹ לְקֶרֶן דְּרוֹמִית מִזְרָחִית, מִזְרָחִית צְפוֹנִית, צְפוֹנִית מַעֲרָבִית, מַעֲרָבִית דְּרוֹמִי. א"ל וְהָא לָא יָכִיל עַד דִּמְקַבֵּל עָלֵיהּ ב"נ עוֹל מַלְכוּתָא קַדִּישָׁא בְּקַדְמֵיתָא, וְיָהִיב עָלֵיהּ עוֹל דָּא, וְאַתְּ אַמְרַת דְּיֵיתֵי לְדָרוֹם

בְּקַדְמֵיתָא.

סב. א"ל, כֹּלָּא הָא אֲמֵינָא לָךְ, דְּהָא וּבָא לוֹ לְקֶרֶן, אֲמֵינָא בְּקַדְמֵיתָא, וְהָא יְדַעְתָּא רָזָא דְּקֶרֶן, וְדָא הוּא עוֹל מַלְכוּתָא קַדִּישָׁא. לְבָתַר דְּרוֹמִית מִזְרָחִית, דְּתַמָּן הוּא אִילָנָא דְּחֵיֵי. וְדָא לְאִזְדַּוְּוגָא לֵיהּ בְּמִזְרָח דְּאִיהוּ אַבָּא עִלָּאָה. דְּהָא בֵּן מִסִּטְרָא דְּאַבָּא קָא אָתֵי. וּבְגִין כָּךְ, מִדָּרוֹם לְמִזְרָח, דְּתוּקְפָּא דְּדָרוֹם בְּמִזְרָח הוּא, וּבָעֵי לְאִתְקַשְּׁרָא כַּחֲדָא, דָּרוֹם בְּמִזְרָח.

סג. וּמִזְרָח דְּאִתְקַשַּׁר בְּצָפוֹן, בְּגִין דְּהַאי אַשְׁלִים וּמַלֵּי נַחֲלִין וּמַבּוּעִין, וע"ד מִזְרָחִית צְפוֹנִית, אִלֵּין אַבָּא וְאִמָּא דְּלָא מִתְפָּרְשָׁן לְעָלְמִין, וְהָא אוֹקִימְנָא. וּמַה דְּאִתְּמַר צְפוֹנִית, דְּאִיהוּ טְמִירָא עִלָּאָה, וּמִסִּטַר דִּילָהּ נָפִיק צָפוֹן, וְדִינִין מִסִּטְרָא דִּילָהּ מִתְעָרִין, אַע"ג דְּהִיא רַחֲמֵי וְחֵידוּ. וְהָא אוֹקִימְנָא. וְכַד אִיהִי נָפְקַת, צָפוֹן נָפְקַת בֵּיהּ, דְּאִיהוּ אִתְכְּלִיל וְאִתְקַשַּׁר בְּדָרוֹם.

סד. לְבָתַר צְפוֹנִית מַעֲרָבִית, דְּהָא מִסִּטְרָא דְּאַבָּא נָפִיק בֵּן, וּמִסִּטְרָא דְּאִמָּא נָפִיקַת בַּת. וּבְגִין כָּךְ צְפוֹנִית מַעֲרָבִית, וְדָא הוּא קֶרֶן דְּקַדְמֵיתָא, דְּהַשְׁתָּא אִתְקַשַּׁר בְּצָפוֹן סְתָם. לְבָתַר בָּעֵי לְקַשְּׁרָא לָהּ בַּדָּרוֹם, דְּתַמָּן הוּא קְשׁוּרָא דְּכֹלָּא, וְגוּפָא בֵּיהּ אִשְׁתְּכַח, וע"ד מַעֲרָבִית דְּרוֹמִית.

סה. אִשְׁתְּכַח הַאי קֶרֶן ג' זִמְנִין, חַד לְקַבְּלָא לֵיהּ בַּר נָשׁ בְּקַדְמֵיתָא, וּלְבָתַר הָכִי לְקַשְּׁרָא לָהּ בִּתְרֵי דְּרוֹעֵי, לְאִתְחַבְּרָא בְּגוּפָא, וּלְמֶהֱוֵי כֹּלָּא חַד. וְדָא הוּא סִדּוּרָא דְּיִחוּדָא שְׁלִים. וְכָל סְטַר וּסְטַר בְּהַהוּא קְשׁוּרָא דְּאִתְחֲזֵי לֵיהּ, וְלָא יַחְלִיף סִטְרָא בְּסִטְרָא אַחֲרָא דְּלָא אִתְחֲזֵי לֵיהּ, בְּגִין דְּלָא יִתְעֲנַשׁ. מַאן דְּעָבֵיד יִחוּדָא דָּא כַּדְקָא חָזֵי כְּמָה דַּאֲמֵינָא, זַכָּאָה חוּלָקֵיהּ בְּהַאי עָלְמָא וּבְעָלְמָא דְּאָתֵי, דְּהָא יָדַע לְסַדְּרָא שְׁבָחָא דְּמָארֵיהּ, וְיִחוּדָא דְּמָארֵיהּ, וְלָא עוֹד אֶלָּא דְּקוּדְשָׁא בְּרִיךְ הוּא מִשְׁתַּבַּח בֵּיהּ. עָלֵיהּ כְּתִיב וַיֹּאמֶר לִי עַבְדִּי אָתָּה יִשְׂרָאֵל אֲשֶׁר בְּךָ אֶתְפָּאָר.

סו. ר' שִׁמְעוֹן פָּתַח לְדָוִד אֵלֶיךָ יְיָ' נַפְשִׁי אֶשָּׂא אֱלֹהַי בְּךָ בָטַחְתִּי וְגוֹ', מַאי קָא חָמָא דָּוִד לְסַדְּרָא הַאי שְׁבָחָא הָכִי. וְכֻלְּהוּ שְׁבָחֵי דְּאִינוּן בְּאַלְפָּא בֵּיתָא כֻּלְּהוּ שְׁלֵמִין, וְהַאי חַסְרָא דְּלָא אִית בֵּיהּ ו'. וְאַמַּאי סִדּוּרָא דָּא לְמִנְפַּל עַל אַנְפִּין.

סז. אֶלָּא רָזָא עִלָּאָה הוּא, גָּנִיז בֵּין חַבְרַיָּיא. בְּשַׁעֲתָא דְּלֵילְיָא עָאל, אִילָנָא תַּתָּאָה דְּתַלְיָיא בֵּיהּ מוֹתָא פָּרִישׂ עַנְפּוֹי וּמְכַסְיָא לְכֹלָּא. וע"ד אִתְחֲשַׁךְ. וְכָל בְּנֵי עָלְמָא טַעֲמִין טַעֲמָא דְּמוֹתָא, וְאַקְדִּים בַּר נָשׁ וְיָהִיב לֵיהּ פִּקְדוֹנָא דְּנַפְשֵׁיהּ, וְאַפְקְדֵיהּ בִּידֵיהּ בְּפִקְדוֹנָא. וּבְגִין דְּנָטִיל לוֹן בְּפִקְדוֹנָא, תָּב פִּקְדוֹנָא לְמָארֵיהּ בְּשַׁעֲתָא דְּאָתֵי צַפְרָא. כַּד אָתֵי צַפְרָא וְתָב לְגַבֵּיהּ פִּקְדוֹנֵיהּ, בָּעֵי לְבָרְכָא לֵיהּ לְקוּדְשָׁא בְּרִיךְ הוּא, דְּאִיהוּ מְהֵימָנָא עִלָּאָה.

סח. לְבָתַר דְּקָם, עָאל לְבֵי כְּנִישְׁתָּא, מִעֲטַר בְּטוֹטְפֵי. אִתְכְּסֵי בְּכִיסוּי דְּצִיצִית. עָאל וּמַדְכֵּי גַּרְמֵיהּ בְּקוּרְבְּנִין בְּקַדְמֵיתָא. לְבָתַר קַבִּיל עָלֵיהּ עוֹל מַלְכוּתָא בְּסִדּוּרָא דִּשְׁבָחֵי דְּדָוִד, דְּאִינוּן סִדּוּרָא דְּעוֹל מַלְכוּתָא. וּבְסִדּוּרָא דִּשְׁבָחָא דָּא, אַשְׁרָא עָלֵיהּ הַהוּא עוֹל. לְבָתַר סִדּוּרָא דִּצְלוֹתָא דִּמְיוּשָׁב, וּצְלוֹתָא דִּמְעוּמָד, לְקַשְּׁרָא לוֹן כַּחֲדָא.

סט. ת"ח רָזָא דְּמִלָּה אע"ג דִּצְלוֹתָא תַּלְיָיא בְּמִלּוּלָא וְדִבּוּרָא דְּפוּמָא, כֹּלָּא תַּלְיָיא בְּעִקָּרָא דְּעוּבָדָא בְּקַדְמֵיתָא, וּלְבָתַר בְּדִבּוּרָא וּבְמִלּוּלָא דְּפוּמָא. מַאן עוּבָדָא, אֶלָּא הַהוּא עוּבָדָא דְּעָבֵיד בַּר נָשׁ בְּקַדְמֵיתָא, כְּגַוְונָא דִּצְלוֹתָא הוּא, וְלָא יְצַלֵּי בַּר נָשׁ צְלוֹתָא, עַד דְּיִתְחֲזֵי עוּבָדָא בְּקַדְמֵיתָא כְּגַוְונָא דִּצְלוֹתָא.

ע. עוּבָדָא דְּקַדְמֵיתָא בְּשַׁעֲתָא דְּבַר נָשׁ קָאִים, בָּעֵי לְדַכָּאָה גַּרְמֵיהּ בְּקַדְמֵיתָא.

וּלְבָתַר יְקַבֵּל עָלֵיהּ הַאי עוֹל, לְפָרְשָׂא עַל רֵישֵׁיהּ פְּרִישׂוּ דְּמִצְוָה. לְבָתַר יִתְקְשַׁר קְשׁוּרָא דְּיִחוּדָא דְּאִינּוּן תְּפִלִּין, תְּפִלָּה שֶׁל רֹאשׁ, וְשֶׁל יָד. וּלְאַתְקְנָא לוֹן בְּקִשּׁוּרָא וַחֲדָא בִּשְׂמָאלָא, וְעַל לִבָּא, כְּמָה דְּאוֹקִימְנָא שְׂמֹאלוֹ תַּחַת לְרֹאשִׁי וְגוֹ'. וּכְתִיב שִׂימֵנִי כַחוֹתָם עַל לִבֶּךָ כַּחוֹתָם עַל זְרוֹעֶךָ. וְהָא אוֹקִימְנָא. וְדָא הוּא עוֹבָדָא בְּקַדְמֵיתָא.

עא. לְבָתַר בְּשַׁעֲתָא דְּבַ"נ עָאל לְבֵי כְּנִישְׁתָּא, יִדְכֵּי גַּרְמֵיהּ בְּקַדְמֵיתָא, בְּקָרְבְּנִין, בְּמִלּוּלָא דְּפוּמָא. לְבָתַר יְקַבֵּל עָלֵיהּ הַאי עוֹל מַלְכוּת, לְפָרְשָׂא עַל רֵישֵׁיהּ בְּשִׁבְחֵי דָּוִד מַלְכָּא. כְּגַוְונָא דְּעוֹבָדָא דְּפָרִישׂ עַל רֵישֵׁיהּ פְּרִישׂוּ דְּמִצְוָה. וּלְבָתַר צְלוֹתָא דִּמְיוּשָּׁב, לָקֳבֵל תְּפִלָּה שֶׁל יָד. לְבָתַר צְלוֹתָא דִּמְעוּמָד, דְּהִיא לָקֳבֵל תְּפִלָּה דְּרֵישָׁא. וְדָא כְּגַוְונָא דְּדָא. עוֹבָדָא כְּגַוְונָא דְּדִבּוּרָא. וַדַּאי בְּעוֹבָדָא וּמִלּוּלָא תַּלְיָא צְלוֹתָא.

עב. וְאִי פָּגִים עוֹבָדָא, מִלּוּלָא לָא אַשְׁכַּח אֲתַר דְּשַׁרְיָא בֵּיהּ, וְלָאו אִיהוּ צְלוֹתָא, וְאִתְפְּגִים הַהוּא בַּר נָשׁ לְעֵילָּא וְתַתָּא. דְּבָעֵינָן לְאַחֲזָאָה עוֹבָדָא, וּלְמַלְּלָא מִלּוּלָא עָלֵיהּ, וְדָא הוּא צְלוֹתָא שְׁלִים. וַוי לֵיהּ לְבַר נָשׁ דְּפָגִים צְלוֹתֵיהּ, פּוּלְחָנָא דְּמָארֵיהּ. עָלֵיהּ כְּתִיב, כִּי תָבוֹאוּ לֵרָאוֹת פָּנָי וְגוֹ'. גַּם כִּי תַרְבּוּ תְפִלָּה אֵינֶנִּי שׁוֹמֵעַ, דְּהָא בְּעוֹבָדָא וּבְמִלּוּלָא תַּלְיָא מִלְּתָא.

עג. ת"ח, כֵּיוָן דְּבַר נָשׁ עָבֵיד צְלוֹתָא כְּגַוְונָא דָּא, בְּעוֹבָדָא וּבְמִלּוּלָא, וְקָשִׁיר קְשׁוּרָא דְּיִחוּדָא, אִשְׁתַּכַּח דְּעַל יְדֵיהּ מִתְבָּרְכָן עִלָּאִין וְתַתָּאִין. כְּדֵין בָּעֵי לֵיהּ לְבַר נָשׁ לְאַחֲזָאָה גַּרְמֵיהּ, בָּתַר דְּסַיֵּים צְלוֹתָא דַּעֲמִידָה, כְּאִלּוּ אִתְפְּטַר מִן עָלְמָא, דְּהָא אִתְפְּרַשׁ מִן אִילָנָא דְּחַיֵּי, וְכָנִישׁ רַגְלוֹי לְגַבֵּי הַהוּא אִילָנָא דְּמוֹתָא, דְּאַהֲדָר לֵיהּ פִּקְדוֹנֵיהּ. כד"א וַיֶּאֱסֹף רַגְלָיו אֶל הַמִּטָּה. דְּהָא אוֹדֵי וְחָטָאוֹי, וְצַלֵּי עָלַיְיהוּ. הַשְׁתָּא בָּעֵי לְאִתְכַּנְּשָׁא לְגַבֵּי הַהוּא אִילָנָא דְּמוֹתָא, וּלְמִנְפַּל, וְלֵימָא לְגַבֵּיהּ אֵלֶיךָ יְיָ' נַפְשִׁי אֶשָּׂא. בְּקַדְמֵיתָא, יָהִיבְנָא לָךְ בְּפִקְדוֹנָא, הַשְׁתָּא דְּקָשִׁירְנָא יִחוּדָא, וַעֲבֵידְנָא עוֹבָדָא וּמִלּוּלָא כַּדְקָא יָאוֹת, וְאוֹדֵינָא עַל חֲטָאַי, הָא נַפְשִׁי מְסִירְנָא לָךְ וַדַּאי.

עד. וְיֶחֱזֵי בַּר נָשׁ גַּרְמֵיהּ כְּאִילּוּ פָּטִיר מִן עָלְמָא, דְּנַפְשֵׁיהּ מָסִיר לְהַאי אֲתַר דְּמוֹתָא, בְּגִין כָּךְ לָא אִית בֵּיהּ וא"ו, דְּוא"ו אִילָנָא דְּחַיֵּי הוּא, וְהַאי אִילָנָא דְּמוֹתָא הוּא. וְהָא קמ"ל, דְּרָזָא דְּמִלָּה, דְּאִית חוֹבִין דְּלָא מִתְכַּפְּרָן, עַד דְּאִתְפְּטַר בַּר נָשׁ מֵעָלְמָא, הה"ד אִם יְכֻפַּר הֶעָוֹן הַזֶּה לָכֶם עַד תְּמוּתוּן, וְהַאי יָהִיב גַּרְמֵיהּ וַדַּאי לְמוֹתָא, וּמָסִיר נַפְשֵׁיהּ לְהַאי אֲתָר. לָאו בְּפִקְדוֹנָא כְּמָה בְּלֵילְיָא, אֶלָּא כְּמַאן דְּאִתְפְּטַר מִן עָלְמָא וַדַּאי.

עה. וְתִקּוּנָא דָּא בָּעֵי בְּכַוָּונָא דְּלִבָּא וּכְדֵין קוּדְשָׁא בְּרִיךְ הוּא מְרַחֵם עֲלוֹי, וּמְכַפֵּר לֵיהּ לְחוֹבֵיהּ. זַכָּאָה הוּא בַּר נָשׁ דְּיָדַע לְמִפְתֵּי לֵיהּ, וּלְמִפְלַח לְמָארֵיהּ, בִּרְעוּתָא וּבְכַוָּונָא דְּלִבָּא. וַוי לֵיהּ לְמַאן דְּאָתֵי לְמִפְתֵּי לְמָארֵיהּ, בְּלִבָּא רְחִיקָא, וְלָא בִּרְעוּתָא. כד"א וַיְפַתּוּהוּ בְּפִיהֶם וּבִלְשׁוֹנָם יְכַזְּבוּ לוֹ וְלִבָּם לֹא נָכוֹן עִמּוֹ. הוּא אוֹמֵר אֵלֶיךָ יְיָ' נַפְשִׁי אֶשָּׂא, וְלָאו כֹּל מִלּוֹי אֶלָּא בְּלִבָּא רְחִיקָא, הָא גָּרִם עָלֵיהּ לְאִסְתַּלְּקָא מֵעָלְמָא, עַד לָא מָטוֹן יוֹמוֹי, בְּזִמְנָא דְּהָא אִילָנָא אִתְּעַר בְּעָלְמָא לְמֶעְבַּד דִּינָא.

עו. וְעַל דָּא בָּעֵי בַּר נָשׁ לְאַדְבְּקָא נַפְשֵׁיהּ וּרְעוּתֵיהּ בְּמָארֵיהּ, וְלָא יֵיתֵי לְגַבֵּיהּ בִּרְעוּתָא כְּדִיבָא, בְּגִין דִּכְתִיב דּוֹבֵר שְׁקָרִים לֹא יִכּוֹן לְנֶגֶד עֵינָי. מַאי לֹא יִכּוֹן. אֶלָּא בְּשַׁעֲתָא דְּהוּא אַתְקִין גַּרְמֵיהּ לְהַאי, וְלִבֵּיהּ רְחִיקָא מִקּוּדְשָׁא בְּרִיךְ הוּא, קָלָא נָפִיק וְאָמַר, לֹא יִכּוֹן לְנֶגֶד עֵינָי. הַאי בָּעֵי לְאַתְקְנָא גַּרְמֵיהּ, לֹא יִכּוֹן, לָא בָּעֵינָא דְּיִתְתַּקַּן. כ"ש אִי אָתֵי לְיַחֲדָא שְׁמָא קַדִּישָׁא, וְלָא מְיַיחֵד לֵיהּ כַּדְקָא יָאוֹת.

עז. זַכָּאָה חוּלָקֵהוֹן דְּצַדִּיקַיָּא בְּעָלְמָא דֵּין וּבְעָלְמָא דְּאָתֵי, עֲלַיְיהוּ כְּתִיב וּבָאוּ וְרָאוּ

אֶת כְּבוֹדִי וְגוֹ'. וּכְתִיב, אַךְ צַדִּיקִים יוֹדוּ לִשְׁמֶךָ וְגוֹ'. אָתָא ר' אֶלְעָזָר וְנָשִׁיק יְדוֹי. אָמַר, אִלְמָלֵא לָא אֲתֵינָא לְעָלְמָא אֶלָּא לְמִשְׁמַע מִלִּין אִלֵּין דַּיָּי. אָמַר ר' יְהוּדָה, זַכָּאָה חוּלָקָנָא, וְזַכָּאָה חוּלָקֵהוֹן דְּיִשְׂרָאֵל, דְּאִינּוּן מִתְדַּבְּקִין בְּקוּדְשָׁא בְּרִיךְ הוּא, דִּכְתִּיב וְאַתֶּם הַדְּבֵקִים וְגוֹ'. וְעַמֵּךְ כֻּלָּם צַדִּיקִים וְגוֹ'. בִּילא"ו יילא"ו.

Naso

נָשֹׂא

א. וַיְדַבֵּר יְיָ' אֶל מֹשֶׁה לֵּאמֹר, נָשֹׂא אֶת רֹאשׁ בְּנֵי גֵּרְשׁוֹן וְגוֹ'. ר' אַבָּא פָּתַח, אַשְׁרֵי אָדָם לֹא יַחְשֹׁב יְיָ' לוֹ עָוֹן וְאֵין בְּרוּחוֹ רְמִיָּה. הַאי קְרָא, לָאו רֵישֵׁיהּ סֵיפֵיהּ, וְלָאו סֵיפֵיהּ רֵישֵׁיהּ. וְאִית לְאִסְתַּכְּלָא בֵּיהּ, וְהָא אוּקְמוּהָ.

ב. ת"ח, בְּשַׁעֲתָא דִּצְלוֹתָא דְּמִנְחָה דִּינָא שַׁרְיָא בְּעָלְמָא, וְיִצְחָק תִּקֵּן צְלוֹתָא דְּמִנְחָה, וּגְבוּרָה עִלָּאָה שַׁלְטָא בְּעָלְמָא, עַד דְּאָתֵי וְעָאל לֵילְיָא, בְּגִין לְקַבְּלָא לֵיהּ לְלֵילְיָא, וּמִזְּמְנָא דְּשָׁארֵי צְלוֹתָא דְּמִנְחָה, אִתְפְּרַשׁ שְׂמָאלָא לְקַבְּלָא וְאִתְעַר לֵילְיָא.

ג. בָּתַר דְּאִתְּעַר כָּל אִינּוּן נְטוּרֵי פִּתְחִין דִּלְבַר, כֻּלְּהוּ מִתְעָרִין בְּעָלְמָא וְאִתְפָּשְׁטוּ. וְכָל בְּנֵי עָלְמָא טָעֲמִין טַעֲמָא דְּמוֹתָא.

ד. וְהָא אִתְּמַר. בְּפַלְגוּת לֵילְיָא מַמָּשׁ, אִתְעַר שְׂמָאלָא כְּמִלְּקַדְּמִין, וַוְרְדָא קַדִּישָׁא סַלְּקָא רֵיחִין, וְהִיא מְשַׁבַּחַת וַאֲרִימַת קָלָא, וּכְדֵין סַלְּקָא וְשַׁרְיָא רֵישָׁא לְעֵילָּא בִּשְׂמָאלָא, וּשְׂמָאלָא מְקַבֵּל לָהּ.

ה. כְּדֵין כָּרוֹזָא קָארֵי בְּעָלְמָא, דְּהָא עִידָן הוּא לְאִתְעָרָא לְשַׁבְּחָא לֵיהּ לְמַלְכָּא. וּכְדֵין תּוּשְׁבְּחָן מִתְעָרִין, וְאִתְבַּסְּמוּתָא דְּכֹלָּא אִשְׁתְּכַח. זַכָּאָה חוּלָקֵיהּ מַאן דְּאִתְעַר לְזִוּוּגָא זִוּוּגָא דָּא. כַּד אָתֵי צַפְרָא, וִימִינָא אִתְעַר וּמְחַבְּקָא לָהּ, כְּדֵין זִוּוּגָא דְּכֹלָּא אִשְׁתְּכַח כַּחֲדָא.

ו. ת"ח, בְּשַׁעֲתָא דִּבְנֵי נָשָׁא דְּמִיכִין, וְטָעֲמִין טַעֲמָא דְּמוֹתָא, וְנִשְׁמְתָא סַלְּקָא לְעֵילָּא, קַיְּימָא בַּאֲתַר דְּקַיְּימָא, וְאִתְבְּחִינַת עַל עוֹבָדָהָא דַּעֲבְדַת כָּל יוֹמָא, וְכַתְבִין לְהוּ עַל פִּתְקָא. מ"ט. בְּגִין דְּנִשְׁמְתָא סַלְּקָא לְעֵילָּא, וְאַסְהִידַת עַל עוֹבָדוֹי דְּב"נ, וְעַל כָּל מִלָּה וּמִלָּה דְּנָפִיק מִפּוּמֵיהּ.

ז. וְכַד הַהִיא מִלָּה דְּאַפִּיק ב"נ מִפּוּמֵיהּ אִיהִי כַּדְקָא יָאוּת, מִלָּה קַדִּישָׁא דְּאוֹרַיְיתָא וּצְלוֹתָא. הַהִיא מִלָּה סַלְּקָא, וּבָקַע רְקִיעִין, וְקַיְּימָא בַּאֲתַר דְּקַיְּימָא, עַד דְּעָאל לֵילְיָא, וְנִשְׁמְתָא סַלְּקָא וְאָחִיד לְהַהִיא מִלָּה, וְעָאִיל לָהּ קַמֵּי מַלְכָּא.

ח. וְכַד הַהִיא מִלָּה לָאו אִיהִי כַּדְקָא יָאוּת, וְאִיהִי מִלָּה מִמִּילִין בִּישִׁין, מִלִּישָׁנָא בִּישָׁא, הַהִיא מִלָּה סַלְּקָא לַאֲתַר דְּסַלְּקָא, וּכְדֵין אִתְרְשִׁים הַהִיא מִלָּה, וְהַהוּא חוֹבָה עָלֵיהּ דְּב"נ, הה"ד מִשֹּׁכֶבֶת חֵיקֶךָ שְׁמֹר פִּתְחֵי פִיךָ. וּבג"כ אַשְׁרֵי אָדָם לֹא יַחְשֹׁב יְיָ' לוֹ עָוֹן. אֵימָתַי. כְּשֶׁאֵין בְּרוּחוֹ רְמִיָּה.

רַעְיָא מְהֵימְנָא

ט. מִבֶּן שְׁלֹשִׁים שָׁנָה וָמַעְלָה וְעַד בֶּן חֲמִשִּׁים שָׁנָה כָּל הַבָּא לַעֲבֹד עֲבֹדַת עֲבֹדָה וַעֲבֹדַת מַשָּׂא בְּאֹהֶל מוֹעֵד. פִּקּוּדָא דָּא לִהְיוֹת הַלְוִיִּם מְשׁוֹרְרִים בַּמִּקְדָּשׁ. ואע"ג דְּאוּקִימְנָא לְעֵילָּא, הָכָא צָרִיךְ לְחַדֵּשׁ מִלִּין, דְּהָא כֹּהֵן אִיהוּ מַקְרִיב קָרְבְּנָא, וְאִיהוּ מִיכָאֵל. לֵוִי אִיהוּ גַּבְרִיאֵל. אִיהוּ צָרִיךְ לְנַגְּנָא.

י. וְרָזָא דְּמִלָּה, יוֹמָם יְצַוֶּה יְיָ' חַסְדּוֹ, דָּא חֶסֶד כַּהֲנָא רַבָּא דְּמִיכָאֵל אִיהוּ כֹּהֵן הֶדְיוֹט

לְגַבֵּי מָארֵיהּ, וְעִם כָּל דָּא דְּהֶדְיוֹט אִיהוּ אֵצֶל מָארֵיהּ. מֶלֶךְ דְּחַיּוֹת הַקֹּדֶשׁ אִיהוּ. וּבִרְכַּת הֶדְיוֹט אַל תְּהִי קַלָּה בְּעֵינֶיךָ, וְהַאי אִיהוּ יוֹמָם יְצַוֶּה יְיָ' חַסְדּוֹ.

יא. וּבַלַּיְלָה שִׁירֹה עִמִּי, דָּא גְּבוּרָה. שִׁירָה: בְּכוֹר שׁוֹרוֹ הָדָר לוֹ. וּפְנֵי שׁוֹר מֵהַשְּׂמֹאל, וְגַבְרִיאֵל שְׁלוּחֵיהּ, וְצָרִיךְ לְשׁוֹרֵר וּלְנַגֵּן בְּחֶדְוָה בְּחַמְרָא דְּאוֹרַיְיתָא, לְאִתְעַסְקָא בְּאוֹרַיְיתָא, יְקַיֵּים קוּמִי רֹנִּי בַלַּיְלָה לְרֹאשׁ אַשְׁמוּרוֹת.

יב. וְיֵימָא בְּאַשְׁמוּרוֹת, כַּמָּה סְלִיחוֹת וְתַחֲנוּנִים וּבַקָּשׁוֹת, בְּכָל מִינֵי רִנָּה בִּגְרוֹנֵיהּ, דְּאִיהוּ כִּנּוֹר לְאַפָּקָא בֵּיהּ קָלָא, בְּשִׁית כַּנְפֵי רֵיאָה עִם וַרְדָּא. בְּשִׁית עִזְקָאן דְּקָנֶה. וְדָא ו'. וְיִפּוּק לֵיהּ מִלִּבָּא, דְּתַמָּן בִּינָה. כְּמָה דְּאוֹקְמוּהָ מָארֵי מַתְנִיתִין, הַלֵּב מֵבִין. יִפּוּק בֵּן מִבִּינָה, מִבֵּן יָהּ, דְּאִיהוּ ו', דְּאִיהוּ אֶפְרוֹחַ בְּשִׁית גַּדְפִּין. וְיִסַּלֵּק לֵיהּ בְּשִׁית עִזְקָאן דְּקָנֶה, דְּאִינּוּן שֵׁשׁ מַעֲלוֹת לַכִּסֵּא.

יג. וּב' כָּרְסְיָין אִינּוּן כִּסֵּא כָבוֹד מָרוֹם מֵרִאשׁוֹן, וְאִינּוּן לִבָּא וּפוּמָא. לֵ"ב, וַיֹּאמֶר כִּי יָד עַל כֵּס יָהּ מִלְחָמָה לַיְיָ' בַּעֲמָלֵק, כָּבֵד, סָמָאֵ"ל, פּוּמָא דְּכִסֵּ"ה, כֵּ"ס ה', הה"ד תִּקְעוּ בַחֹדֶשׁ שׁוֹפָר וְגוֹ'.

יד. מַאי שׁוֹפָר. קָנֶה, ו', קוֹל דְּסָלִיק מִן הַקָּנֶה, לְגַבֵּי פּוּמָא, דְּתַמָּן ה'. בָּהּ' מִינֵי תִּקּוּנִין דְּדִבּוּרָא, דְּאִינּוּן שְׂפָוָון וְשִׁינַּיִם וְחֵיךְ. שְׂפָוָון תְּרֵין. שִׁינַּיִם וְטוֹחֲנוֹת תְּרֵין מִינִין. וְחֵיךְ, הָא חָמֵשׁ. דְּטָחֲנִין כְּנָהָר דְּאִיהוּ קוֹל, כְּגַוְונָא דְּטָחֲנִין רֵיחַיָּיא. לְאַפָּקָא קוֹל וְדִבּוּר, דְּנָפִיק מִבִּינָה דְּלִבָּא. בְּמַחֲשָׁבָה.

טו. דְּאִיהוּ שְׁמָא מְפָרַשׁ בְּעֶשֶׂר מִינֵי תִּלִּים. וּבְשׁוֹפָר, אֵין פּוֹחֲתִין מֵעֲשָׂרָה שׁוֹפָרוֹת. וְאוֹרַיְיתָא, קָלָא דִּילָהּ, דִּבּוּר דִּילָהּ, בִּינָה דִּילָהּ, דְּאוֹקְמוּהָ אֵיזֶהוּ חָכָם הַמֵּבִין דָּבָר מִתּוֹךְ דָּבָר. מַחֲשָׁבָה דִּילֵיהּ. חָשִׁיב קָמֵי קוּדְשָׁא בְּרִיךְ הוּא, מִכָּל קָרְבְּנִין וְעִלָּוָון, הה"ד זֹאת הַתּוֹרָה לָעוֹלָה וְלַמִּנְחָה.

ע"כ רעיא מהימנא

טז. אִישׁ אוֹ אִשָּׁה כִּי יַעֲשׂוּ מִכָּל חַטֹּאת הָאָדָם וְגוֹ'. ת"ח, כְּתִיב וְחֶבֶר הַקֵּינִי נִפְרָד מִקַּיִן מִבְּנֵי חוֹבָב חוֹתֵן מֹשֶׁה וְגוֹ', וְחֶבֶר הַקֵּינִי מִבְּנֵי בְּנוֹי דְּיִתְרוֹ הֲוָה, כד"א וַיֹּאמֶר שָׁאוּל אֶל הַקֵּינִי וְגוֹ'. אֲמַאי אִקְרֵי קֵינִי. וְהָא אוֹקְמוּהָ. וּכְתִיב אֶת הַקֵּינִי וְאֶת הַקְּנִזִּי. וְאִתְּמַר דְּעָבַד קִנָּא בְּמַדְבְּרָא, כְּעוֹפָא דָּא, בְּגִין לְמִלְעֵי בְּאוֹרַיְיתָא, וְאִתְפְּרַשׁ מִן מָתָא, נִפְרָד מִקַּיִן, אִתְפְּרַשׁ מֵהַהוּא עַמָּא דַּהֲוָה בְּקַדְמֵיתָא, וְאִתְדַּבַּק בֵּיהּ בְּקוּדְשָׁא בְּרִיךְ הוּא, נִפְרַד מִקַּיִן.

יז. זַכָּאָה ב"נ דְּזָכֵי בְּאוֹרַיְיתָא, לְמֵיזַל לְאִתְדַּבְּקָא בְּאוֹרְחוֹי. דְּכַד בַּר נָשׁ אָזִיל בְּאוֹרְחוֹי דְּאוֹרַיְיתָא, מָשִׁיךְ עָלֵיהּ רוּחָא קַדִּישָׁא עִלָּאָה. כד"א, עַד יֵעָרֶה עָלֵינוּ רוּחַ מִמָּרוֹם. וְכַד בַּר נָשׁ סָטֵי אוֹרְחוֹי, מָשִׁיךְ עָלֵיהּ רוּחָא אַחֲרָא מִסִּטְרָא אַחֲרָא, דְּהוּא סִטְרָא דְּמִסְאֲבָא וְסִטְרָא דְּמִסְאֲבָא אִתְעַר מִסִּטְרָא דְּנוּקְבָּא דִּתְהוֹמָא רַבָּא, דְּתַמָּן מָדוֹרִין דְּרוּחִין בִּישִׁין, דְּנַזְקֵי לִבְנֵי נָשָׁא, דְּאִקְרוּן נִזְקֵי עָלְמָא. דְּהָא מִסִּטְרָא דְּקַיִן קַדְמָאָה אִשְׁתְּכָחוּ.

יח. וְיִתְרוֹ בְּקַדְמֵיתָא כּוּמְרָא לע"ז הֲוָה, וּלְהַהוּא סִטְר הֲוָה פָּלַח, וּמָשִׁיךְ עָלֵיהּ רוּחָא מֵהַהוּא אֲתַר. וְע"ד אִקְרֵי קֵינִי לְבָתַר נִפְרָד מִקַּיִן, וְאִתְדַּבַּק בֵּיהּ בְּקוּדְשָׁא בְּרִיךְ הוּא, דְּכָל מַאן דְּאִתְדַּבַּק בֵּיהּ בְּקוּדְשָׁא בְּרִיךְ הוּא, וְעָבֵיד פִּקּוּדֵי אוֹרַיְיתָא, כִּבְיָכוֹל, הוּא קַיֵּים עָלְמִין, עָלְמָא דִּלְעֵילָּא וְעָלְמָא דִּלְתַתָּא. וְהָא אוֹקְמוּהָ, וַעֲשִׂיתֶם אוֹתָם כְּתִיב.

יט. וְכָל מַאן דְּעָבַר עַל פִּקּוּדֵי אוֹרַיְיתָא, כִּבְיָכוֹל פָּגִים לְעֵילָּא, פָּגִים לְתַתָּא, פָּגִים לְגַרְמֵיהּ, פָּגִים לְכָל עָלְמִין. מְתַל לְאִינּוּן מַפְרִישֵׁי יַמִּין דְּשָׁאטֵי בְּאַרְבָּא, קָם חַד שַׁטְיָיא בֵּינַיְיהוּ, בָּעָא לְנַקְבָא וְכוּ'.

כ. וְע"ד אִישׁ אוֹ אִשָּׁה כִּי יַעֲשׂוּ וְגוֹ', הָאָדָם וְגוֹ'. וְהֵמָּה כְּאָדָם עָבְרוּ בְרִית. אָדָם עָבַר עַל פִּקּוּדָא חַד דְּאוֹרַיְיתָא, גָּרִים לֵיהּ לְגַרְמֵיהּ מִיתָה, וְגָרַם לְכָל עָלְמָא, פָּגִים לְעֵילָּא, פָּגִים לְתַתָּא, וְהַהוּא חוֹבָא תַּלְיָיא, עַד דְּיִתְקַיֵּים קוּדְשָׁא בְּרִיךְ הוּא עָלְמָא כְּמִלְּקַדְמִין, וְיִתְעֲבַר הַהוּא פְּגִימוּ מֵעָלְמָא, הה"ד בִּלַּע הַמָּוֶת לָנֶצַח וּמָחָה יְיָ' אֱלֹהִים דִּמְעָה מֵעַל כָּל פָּנִים וְגוֹ'. וּבג"כ כִּי יַעֲשׂוּ מִכָּל חַטֹּאת הָאָדָם. הָאָדָם אָדָם קַדְמָאָה.

כא. לִמְעוֹל מַעַל בַּיְיָ', דְּמַאן דְּיִפּוּק מֵרַחֲמֵי, וְיִנְקָא מִן דִּינָא, הוּא גָּרִים פְּגִימוּ וְכוּ', וע"ד, רַחֲמָנָא לִישֵׁזְבָן מֵחַיָּיבֵי דְּהַאי עָלְמָא, וּמִן פְּגִימוּ דִּלְהוֹן, כַּמָּה זַכָּאִין מִסְתַּלְּקֵי בְּגִינַּיְיהוּ, בַּר כָּל מַה דְּגַרְמֵי לְעֵילָּא וְתַתָּא.

כב. רִבִּי יִצְחָק וְר' יְהוּדָה הֲווֹ אָזְלֵי מֵאוּשָׁא לְלוֹד, אָמַר רִבִּי יְהוּדָה נֵימָא מִילִּין דְּאוֹרַיְיתָא וְנֵיזִיל. פָּתַח רִבִּי יְהוּדָה וְאָמַר, כִּי יִפְתַּח אִישׁ בּוֹר אוֹ כִּי יִכְרֶה אִישׁ בּוֹר וְגוֹ'. מַה כְּתִיב בַּתְרֵיהּ, בַּעַל הַבּוֹר יְשַׁלֵּם וְגוֹ'. וּמַה עַל דָּא כַּךְ, מַאן דְּגָרִים לְאַבְאָשָׁא עָלְמָא בְּחוֹבוֹי עאכ"ו. אֶלָּא תַּוְוהָנָא דאע"ג דְּאַבְאִישׁ עָלְמָא, אֲמַאי אִית לֵיהּ תְּשׁוּבָה, כְּמָה דִּכְתִּיב אִישׁ אוֹ אִשָּׁה כִּי יַעֲשׂוּ וְגוֹ' וְהִתְוַדּוּ אֶת חַטָּאתָם וְהֵשִׁיב.

כג. אֶלָּא וַדַּאי דָּא מְהַנְּיָא לְהוּ, בְּגִין דְּעָבֵיד תְּשׁוּבָה, כִּבְיָכוֹל הוּא עָבֵיד לֵיהּ מַמָּשׁ. דְּהָא מַה דְּפָגִים לְעֵילָּא, אַתְקִין לֵיהּ, וּבְמָה בִּתְשׁוּבָה. דִּכְתִּיב אִישׁ אוֹ אִשָּׁה כִּי יַעֲשׂוּ וְגוֹ', וְהִתְוַדּוּ אֶת חַטָּאתָם וְהֵשִׁיב, וּתְשׁוּבָה אַתְקִין כֹּלָּא, אַתְקִין לְעֵילָּא, אַתְקִין לְתַתָּא, אַתְקִין לְגַרְמֵיהּ, אַתְקִין לְכָל עָלְמָא.

כד. פָּתַח ר' יִצְחָק אֲבַתְרֵיהּ וְאָמַר, בַּצַּר לְךָ וּמְצָאוּךָ כָּל הַדְּבָרִים הָאֵלֶּה וְגוֹ'. בַּצַּר לְךָ, מִכָּאן דִּתְשׁוּבָה מְעַלְּיָא מִכֹּלָּא, עַד לָא יִשְׁרֵי דִּינָא בְּעָלְמָא. דְּבָתַר דְּשָׁרֵי דִּינָא תַּקִּיף וְחֵילֵיהּ מַאן יַעְבַּר לֵיהּ מֵעָלְמָא וִיסַלֵּק לֵיהּ. דְּהָא כֵּיוָן דְּשָׁארֵי דִּינָא, לָא אִסְתַּלִּיק עַד דְּיִשְׁתְּלִים. בָּתַר דְּאִשְׁתְּלִים, וְעָבַד תְּשׁוּבָה, אַתְקִין עָלְמִין כֻּלְּהוּ. מַשְׁמַע, דִּכְתִּיב וּמְצָאוּךָ כָּל הַדְּבָרִים הָאֵלֶּה בְּאַחֲרִית הַיָּמִים, וּכְתִיב וְשַׁבְתָּ עַד יְיָ' אֱלֹהֶיךָ וְגוֹ'. כִּי אֵל רַחוּם יְיָ' אֱלֹהֶיךָ וְגוֹ'.

כה. בְּאַחֲרִית הַיָּמִים, מַאי אִיכָּא הָכָא. אֶלָּא לְאַכְלְלָא כְּנֶסֶת יִשְׂרָאֵל, דְּאִיהִי בְּגָלוּתָא, וְאִשְׁתְּכָחַת בְּעָאקוּ דִּלְהוֹן, וְלָא שַׁבְקַת לוֹן לְעָלְמִין. וּבְגִין כַּךְ קוּדְשָׁא בְּרִיךְ הוּא אע"ג דְּאַשְׁרֵי דִּינָא בְּעָלְמָא, בָּעֵי דְּיִהַדְרוּן יִשְׂרָאֵל בִּתְשׁוּבָה, לְאוֹטָבָא לְהוּ בְּהַאי עָלְמָא, וּבְעָלְמָא דְּאָתֵי, וְלֵית לָךְ מַאן דְּקָאִים קַמֵּי תְּשׁוּבָה.

כו. ת"ח, אֲפִילּוּ כְּנֶסֶת יִשְׂרָאֵל, תְּשׁוּבָה אִקְרֵי. וְאִי תֵּימָא תְּשׁוּבָה עִלָּאָה מִכָּל אֲתַר לָא שְׁכִיחַ, אֶלָּא דָּא אִקְרֵי תְּשׁוּבָה, כַּד אַהְדָּר רַחֲמֵי לְקַבְּלָהָא, וְהִיא תָּבַת עַל כָּל אִינּוּן אוּכְלוֹסִין וְיַנְקָא לוֹן. וּתְשׁוּבָה מְעַלְּיָא, כַּד אִתְמְסַר נַפְשָׁא לְגַבָּהּ, וְנָטִיל לָהּ בְּזִמְנָא דְּאִיהִי בִּתְשׁוּבָה, כְּדֵין כֹּלָּא אִתְתַּקַּן לְעֵילָּא וְתַתָּא, וְאִתְתַּקַּן הוּא, וְכָל עָלְמָא.

כז. חַיָּיבָא חַד בְּעָלְמָא, קַלְקוּלָא דְּכַמָּה אַחֲרָנִין בְּגִינֵיהּ. וַוי לְחַיָּיבָא, וַוי לִשְׁבִיבֵיהּ. ת"ח, יוֹנָה, בְּגִין דְּלָא בָּעָא לְמֵהַךְ בִּשְׁלִיחוּתָא דְּמָארֵיהּ, כַּמָּה בְּנֵי נָשָׁא הֲווֹ אִתְאֲבִידוּ בְּגִינֵיהּ בְּיַמָּא, עַד דְּכֻלְּהוּ אַהַדְרוּ עֲלוֹי, וְדָאִינוּ לֵיהּ בְּדִינָא בְּיַמָּא, וּכְדֵין אִשְׁתְּזִיבוּ כֻּלְּהוּ, וְקוּדְשָׁא בְּרִיךְ הוּא חָס עָלֵיהּ לְבָתַר, וְשֵׁיזִיב כַּמָּה אוּכְלוֹסִין בְּעָלְמָא. אֵימָתַי. כַּד

אַהֲדָר לְמָארֵיהּ מִגּוֹ עַקְתֵיהּ. הֲדָא הוּא דִכְתִיב, קָרָאתִי מִצָּרָה לִי אֶל יְיָ' וַיַּעֲנֵנִי. וּכְתִיב, מִן הַמֵּצַר קָרָאתִי יָהּ עָנָנִי בַמֶּרְחָב יָהּ וְגוֹ'.

רעיא מהימנא

כח. פִּקּוּדָא דָא, הִיא מִצְוַת תְּשׁוּבָה. וְדָא אִיהִי בִּינָה. וּבַעֲוֹנוֹתֵינוּ מִדְּחָרַב בֵּי מַקְדְּשָׁא, לָא אִשְׁתְּאַר לָנוּ אֶלָּא וִדּוּי דְּבָרִים לְבַד, וְדָא מַלְכוּת. וּמַאי בִּינָה. בֵּן יָ"הּ. וְהַאי בֵּן, ו' אִיהוּ וַדַּאי. וְכָל מַאן דְּחָזַר בְּתְיוּבְתָּא, כְּאִלּוּ חָזַר אֶת ה' לְאָת ו', דְּאִיהוּ בֵּן יָ"הּ, וְאִשְׁתְּלִים בֵּיהּ יְדֹוָ"ד. וְדָא אִיהוּ תְּשׁוּבָה, תָּשׁוּב ה' וַדַּאי לְגַבֵּי ו'.

כט. דְּאָת ה' וַדַּאי אִיהוּ וִדּוּי דְּבָרִים, וְרָזָא דְמִלָּה, קְחוּ עִמָּכֶם דְּבָרִים וְשׁוּבוּ אֶל יְיָ' אִמְרוּ אֵלָיו וְגוֹ' וּנְשַׁלְּמָה פָרִים שְׂפָתֵינוּ. דְּוַדַּאי כַּד ב"נ אִיהוּ חוֹטֵא, גָּרִים לְאִתְרַחֲקָא ה' מֵאָת ו'. דְּאִסְתַּלַּק בֵּן יָ"הּ, דָא יה"ו, מֵאָת ה'. וּבְגִ"ד אִתְחָרַב בֵּי מַקְדְּשָׁא, וְאִתְרַחֲקוּ יִשְׂרָאֵל מִתַּמָּן, וְאִתְגְּלוּ בֵּינֵי עֲמְמַיָּא. וּבְגִ"ד, כָּל מַאן דַּעֲבִיד תְּשׁוּבָה, גָּרִים לְאַחֲזָרָא ה' לְאָת ו', וּפוּרְקָנָא בְּדָא תַּלְיָא. וּבְגִ"ד הַכֹּל תָּלוּי בִּתְשׁוּבָה. דְּהָכִי אָמְרוּ קַדְמָאֵי, כָּלוּ הַקִּצִּים כֻּלּוֹ, וְאֵין הַדָּבָר תָּלוּי אֶלָּא בִּתְשׁוּבָה, דְּאִיהוּ שְׁלִימוּ דִשְׁמֵיהּ.

ל. וְעַ"ד וְאֶעֱשֶׂה לְמַעַן שְׁמִי. וְעוֹד לְמַעֲנִי לְמַעֲנִי אֶעֱשֶׂה. וְאִם לָאו חָזְרִין, אֲנָא אַעֲמִיד לוֹן מַלְכָּא, שֶׁקָּשִׁין גְּזֵרוֹתָיו מִשֶּׁל פַּרְעֹה, וְיַחְזְרוּן עַל כָּרְחַיְיהוּ. הה"ד וְשַׁבְתָּ עַד יְיָ' אֱלֹהֶיךָ, עַד יְדֹוָ"ד וַדַּאי.

לא. וּתְשׁוּבָה דָא אִתְקְרִיאַת חַיִּים, כִּי מִמֶּנּוּ תּוֹצְאוֹת חַיִּים, דְּאִינּוּן נִשְׁמָתִין דְּיִשְׂרָאֵל. וְאִיהוּ הֶבֶל דְּנָפֵק וְעָאל בְּפוּמָא דב"נ, בְּלָא עָמָל וּבְלָא יְגִיעָה. ה' דְּבְהִבָּרְאָם. וְעָלָהּ אִתְּמַר, כִּי עַל כָּל מוֹצָא פִי יְיָ' יִחְיֶה הָאָדָם. וְהִיא עַל רֵישֵׁיהּ דב"נ. עָלָהּ אִתְּמַר, וּתְמוּנַת יְיָ' יַבִּיט. אַךְ בְּצֶלֶם יִתְהַלֶּךְ אִישׁ.

לב. וּבְגִין דְּאִיהִי עַל רֵישֵׁיהּ דב"נ, אָסִיר לֵיהּ לב"נ לְמֵיזַל ד' אַמּוֹת בְּגִלּוּי דְּרֵישָׁא, דְּאִם הִיא אִסְתַּלְּקַת מֵעַל רֵישֵׁיהּ דב"נ, מִיַּד אִסְתַּלְּקוּ חַיִּים מִנֵּיהּ.

לג. וְאִי תֵּימָא דְּהָכִי שַׁרְיָא עַל אוּמִין דְּעָלְמָא, אע"ג דְּלָא אִתְבְּרֵי בְּהוֹן שְׁמַיָּא וְאַרְעָא וְכָל תּוֹלְדִין דִּבְהוֹן. לָא שַׁרְיָא וַדַּאי, דְּמֹשֶׁה בָּעָא מִקּוּדְשָׁא בְּרִיךְ הוּא, דְּלָא תִשְׁרֵי שְׁכִינָה עַל אוּמִין דְּעָלְמָא, וְיָהִיב לֵיהּ. הַבְלָא דְקַיְימָא עַל אוּמִין דְּעָלְמָא מֵאָן נַפְקָא. אוֹ עַל חַיָּיבַיָּא דְּאִינּוּן עֵרֶב רַב מְעוּרְבִין עִם יִשְׂרָאֵל. אֶלָּא וַדַּאי לֵית כָּל אַפַּיָּא שָׁוִין, אֲפִילוּ יִשְׂרָאֵל לָאו אִינּוּן שָׁוִין, כָּל שֶׁכֵּן אַחֲרָנִין.

לד. אֶלָּא וַדַּאי עַל הַאי דְּיוּקְנָא דְּאָת ה' אוּקְמוּהָ, מַתָּנָה טוֹבָה יֵשׁ לִי בְּבֵית גְּנָזַי וְשַׁבָּת שְׁמָהּ. וְכַד הַאי שַׁרְיָא עַל יִשְׂרָאֵל, לֵית לוֹן יְגִיעָה וְלָא שִׁעְבּוּד. וּבָהּ נֶפֶשׁ עֲמֵלָה וִיגִיעָה שָׁבַת וַיִּנָּפַשׁ.

לה. דְּנֶפֶשׁ אַחֲרָא אִית עַל רֵישֵׁיהּ דב"נ, דְּאִתְקְרִיאַת עֶבֶד. וְאִיהוּ דְּיוּקְנָא עַל ב"נ. וְאִיהִי עֶבֶד דְּמַלְכָּא, דִּמְנַעְנְעָא כָּל אֵבָרִין דב"נ, לְמֵיזַל בְּאָרְחִין טָבִין, וּלְקַיְימָא בְּהוֹן רמ"ח פִּקּוּדִין, לְשַׁרְיָא עֲלַיְיהוּ ה' דִּבְהִבָּרְאָם, דְּהָכִי סָלִיק הִבָּרְאָם לרמ"ח.

לו. וּדְיוּקְנָא אַחֲרָא עַל רֵישֵׁיהּ, דְּאִתְקְרִיאַת יִרְאָה, וְדָא י'. וְעָלַיְיהוּ אִתְּמַר, וַיִּבְרָא אֱלֹהִים אֶת הָאָדָם בְּצַלְמוֹ בְּצֶלֶם אֱלֹהִים. תְּרֵין דְּיוּקְנִין טָבִין, דְּאִינּוּן דְּכַר וְנוּקְבָא. דְּכַר מִסִּטְרָא דְּאָת י'. נוּקְבָא מִסִּטְרָא דְּאָת ה'.

לז. וּתְרֵין אַתְוָון אִתְעָרִין לֵיהּ לב"נ לַתּוֹרָה וּלְמִצְוָה. י' יִרְאָה, וְדָא אִיהִי עַל רֵישֵׁיהּ דב"נ, וּמִנָּהּ יֵיעוּל דְּחִילוּ לְלִבָּא דב"נ, לְמִדְחַל מִקּוּדְשָׁא בְּרִיךְ הוּא, וּלְנַטְרָא גַּרְמֵיהּ

דְּלָא יֶעְבַּר עַל פִּקּוּדִין דְּלָא תַעֲשֶׂה. ה' אַהֲבָה עַל רֵישֵׁיהּ דב"נ, וּמִנֵּיהּ עָאל רְחִימוּ דְּקוּדְשָׁא בְּרִיךְ הוּא, עַל רמ"ח אֵבָרִין דִּילֵיהּ, לְקַיְּימָא בְּהוֹן פִּקּוּדִין דַּעֲשֵׂה. ו' אִיהִי עַל רֵישֵׁיהּ דב"נ, וּמִנֵּיהּ יֵיעוּל עַל פּוּמָא דב"נ מִלּוּלִין לְאוּלְפָא בְּאוֹרַיְיתָא.

לז. וּבְהַאי קְוּוֹ עִמָּכֶם דְּבָרִים וְשׁוּבוּ אֶל יְיָ'. וּבְהַאי דְּיֶהֱא בְּכַוָּון הַיִּרְאָה וְהָאַהֲבָה וְהַתּוֹרָה יִתְהַדַּר יְדֹוָ"ד בִּינָה דְּאִיהוּ תְּשׁוּבָה, ו' תָּשׁוּב לְגַבֵּי ה', דְּאִיהוּ עוֹבָדָא דִּבְרֵאשִׁית. וְאִיהִי ל"ב אֱלֹהִים. וְיִשְׁתְּלִים יְדֹוָד וּבָהּ יְהֵא לְכוֹן נַיְיחָא מִכֹּלָּא, וּבָהּ שָׁבַת וַיִּנָּפַשׁ.

לט. וּבָהּ יִתְכְּלִיל יד"ו, וּבג"ד וַיְכֻלּוּ: שְׁלִימוּ דְּכֹלָּא. בָּהּ, אִתְבְּרֵי כָּל עָלְמָא, וְעָלָהּ קַיְּימִין שְׁמַיָּא וְאַרְעָא וְיַמָּא וְכָל בִּרְיָין דְּאִתְבְּרוּן, דִּכְתִּיב אֵלֶּה תוֹלְדוֹת הַשָּׁמַיִם וְהָאָרֶץ בְּהִבָּרְאָם, בְּה' בְּרָאָם. וְאִם הִיא אִתְרַחֲקַת מֵעָלְמָא אֲפִילוּ רִגְעָא, כֹּלָּא אִתְחֲרֵב וְאִתְבָּטֵל, וְלָא הֲוֵי קִיּוּמָא בְּעָלְמָא.

מ. הַאי ה' לָא תֵּיזִיל מִגּוּפָא, וּבָהּ קַיְּימָא וְכַד הִיא תֵּיזִיל מִינֵּיהּ, הוּא סַם הַמָּוֶת תֵּיתֵי וְתִשְׁרֵי עָלֵיהּ, דְּתִתְקְרֵי טוּמְאָה, נְבֵלָה, פְּסוּלָה, מַלְאַךְ הַמָּוֶת, חֹשֶׁךְ, אֲפֵלָה, וְשַׁרְיָא עַל גּוּפָא דב"נ. וּבְהַהוּא זִמְנָא אִתְקְרֵי ב"נ מֵת. וְרָזָא דְּמִלָּה, כִּי לֹא אֶחְפֹּץ בְּמוֹת הַמֵּת נְאֻם יְיָ' אֱלֹהִים וְהָשִׁיבוּ וִחְיוּ.

מא. כָּל פִּקּוּדִין דַּעֲשֵׂה, דַּהֲווּ עֲתִידִין לְשַׁרְיָא בְּרַמַ"ח אֵבָרִין דִּילֵיהּ, כֻּלְּהוּ מִתְאַבְּלִין עָלֵיהּ. וְרָזָא דְּמִלָּה, דְּרָכָיו רָאִיתִי וְאֶרְפָּאֵהוּ וְגו'. וְלַאֲבֵלָיו. מַאי וְלַאֲבֵלָיו. אִלֵּין רמ"ח אֵבָרִין, דְּקָא מִתְאַבְּלִין עָלֵיהּ, דְּאִינּוּן דְּיוֹקְנָא עִלָּאָה דְּשַׁרְיָא עַל רֵישֵׁיהּ, דְּבָהּ שַׁרְיָא הֲוָיָ"ה. דִּכְמָה דְּאִית דְּיוֹקְנָא טָבָא עַל צַדִּיק, וּמַנְהִיג לֵיהּ לְכָל עוֹבָדִין טָבִין, לְזַכָּאָה לֵיהּ לְעָלְמָא דְּאָתֵי. כַּךְ אִית דְּיוֹקְנָא בִּישָׁא, עַל רֵישָׁא דְּחַיָּיבַיָּא, לְאַנְהָגָא לוֹן בְּעוֹבָדִין בִּישִׁין, דְּיַרְתוּן גֵּיהִנֹּם. וּבג"ד אִית הֲבָל וְאִית הֲבָל, אִית הֲבָל טָב, דְּאִתְּמַר בֵּיהּ, כִּי עַל כָּל מוֹצָא פִּי יְיָ' יִחְיֶה הָאָדָם. וְאִית הֲבָל בִּישׁ, דְּאִתְּמַר בֵּיהּ גַּם זֶה הֶבֶל וּרְעוּת רוּחַ.

מב. ות"ח בְּעוֹבָדִין דב"נ אִשְׁתְּמוֹדַע פַּרְצוּפָא, דְּאִיהִי עָלֵיהּ, וּפַרְצוּפָא דְּאַנְפּוֹי. הה"ד, הַכָּרַת פְּנֵיהֶם עָנְתָה בָּם. בְּדִיוֹקְנָא, אִשְׁתְּמוֹדַע פַּרְצוּפָא דְּחַיָּה דְּשַׁרְיָא עָלֵיהּ, אִם הוּא אַרְיֵה, אוֹ שׁוֹר אוֹ נֶשֶׁר, אוֹ אָדָם. מֵהַמֶּרְכָּבָה דְּקוּדְשָׁא בְּרִיךְ הוּא וּשְׁכִינְתֵּיהּ. אוֹ מֵהַמֶּרְכָּבָה דְּמַלְאָךְ שַׂר הַפָּנִים. אוֹ מֵהַמֶּרְכָּבָה בִּישָׁא דְּסָמָאֵל. אוֹ מֵהַמֶּרְכָּבָה דְּאַרְבַּע יְסוֹדִין דְּעָלְמָא. וְלֵית בְּהוֹן לָא הַיֵּצֶר טוֹב, וְלָא הַיֵּצֶר הָרָע, אֶלָּא כִּבְעִירִין דְּעָלְמָא. וּבג"ד כַּמָּה הֲבָלִים אִית בִּבְנֵי נָשָׁא, כָּל חַד לְמִינֵיהּ. וְרָזָא דְּמִלָּה, תּוֹצֵא הָאָרֶץ נֶפֶשׁ חַיָּה לְמִינָהּ. וּבג"ד, בַּמִּדָּה שֶׁאָדָם מוֹדֵד בָּהּ מוֹדְדִין לוֹ. וּבְכָל פַּרְצוּפָא אִית מְמָנָא עָלֵיהּ.

מג. ת"ח, לְשִׁית יוֹמֵי בְּרֵאשִׁית, לְכָל חַד אִית לֵיהּ פַּרְצוּפֵיהּ, דְּהַהוּא דַּרְגָּא דְּאַנְהִיג לֵיהּ, וְלָא תִשְׁכַּח יוֹם דְּלֵית בֵּיהּ טוֹב. ואע"ג דְּבְיוֹמָא תִּנְיָינָא לָא אִית בֵּיהּ טוֹב, בְּיוֹמָא תְּלִיתָאָה תִּשְׁכַּח לֵיהּ. וּבג"ד אִתְּמַר בֵּיהּ תְּרֵי זִמְנֵי טוֹב.

מד. וְכָל יוֹמָא אִית לֵיהּ גָּדֵר מִלְּבַר, דְּלָא יֵיעוּל כָּל ב"נ לְהַהוּא טוֹב. כְּגוֹן חֹשֶׁךְ דְּכַסֵּי לִנְהוֹרָא. דְּתִשְׁכַּח בְּיוֹמָא קַדְמָאָה אוֹר, וְתִשְׁכַּח בֵּיהּ חוֹשֶׁךְ. בְּכָל יוֹמָא תִּשְׁכַּח נְטִירָא. וְאִינּוּן נְטִירִין אִינּוּן, כְּגוֹן קוֹצִים לַכֶּרֶם. וְאִית נְטִירִין אַחֲרָנִין, כְּגוֹן נְחָשִׁים וְעַקְרַבִּים וּשְׂרָפִים, וְנַטְרִין הַהוּא טוֹב, דְּלָא יֵיעוּל תַּמָּן דְּלָאו אִיהוּ רָאוּי לְמֵיעַל. וְאִי לָאו, כָּל חַיָּיבַיָּא הֲווּ עָאלִין בְּרָזִין דְּאוֹרַיְיתָא.

מה. וּבג"ד מַאן דְּאִיהוּ חַיָּיבָא, וְיֵיעוּל לְמִנְדַּע רָזִין דְּאוֹרַיְיתָא, כַּמָּה מַלְאֲכֵי חַבָּלָה דְּאִתְקְרִיאוּ חֹשֶׁךְ וַאֲפֵלָה, נְחָשִׁים וְעַקְרַבִּים וְחֵיוַת בָּרָא אִתְקְרִיאוּ, וּמְבַלְבְּלִין מַחֲשַׁבְתֵּיהּ, דְּלָא יֵיעוּל לַאֲתַר דְּלָאו דִּילֵיהּ.

מו. אֲבָל מַאן דְּאִיהוּ טוֹב, כָּל אִלֵּין נְטִירִין אִינּוּן לְמָרֵיהּ, וְקַטֵּיגוֹר נַעֲשָׂה סַנֵּיגוֹר, וְיֵיעֲלוּן לֵיהּ לְטוֹב הַגָּנוּז, וְיֵימְרוּן לֵיהּ מָרָנָא, הָא בַּר נָשׁ טוֹב וְצַדִּיק יְרֵא שָׁמַיִם, בָּעֵי לְאַעֲלָא קֳדָמָךְ, אָמַר לָנוּ, פִּתְחוּ לִי שַׁעֲרֵי צֶדֶק אָבֹא בָם אוֹדֶה יָהּ. הַהוּא טוֹב הַגָּנוּז יֵימָא לוֹן, פִּתְחוּ לֵיהּ בְּהַאי תַּרְעָא דְּאִתְקְרֵי אַהֲבָה, אוֹ בְּהַאי תַּרְעָא דְּאִיהִי תְּשׁוּבָה. כָּל צַדִּיק יֵיעוֹל כְּפוּם דַּרְגָּא דִּילֵיהּ, וְרָזָא דְּמִלָּה פִּתְחוּ שְׁעָרִים וְיָבֹא גּוֹי צַדִּיק וְגוֹ׳.

מז. כְּעַן צָרִיךְ לְאַהֲדְרָא עַל פֶּתַח הַתְּשׁוּבָה. וְכִי מִכַּמָּה מִינִין אִיהוּ תְּשׁוּבָה דְּעַבְדִין בְּנֵי נָשָׁא, כֻּלְּהוּ טָבִין, אֲבָל לָאו כָּל אַפַּיָּא שָׁוִין. אִית ב״נ דְּאִיהוּ רָשָׁע גָּמוּר כָּל יָמָיו, וְאִיהוּ עוֹבֵר עַל כַּמָּה פִּקּוּדִין דְּלָא תַעֲשֶׂה, וּמִתְחָרֵט וּמוֹדֶה עֲלַיְיהוּ, וּלְבָתַר כֵּן לָא עָבֵד לָא טַב וְלָא בִּישׁ. לְדָא וַדַּאי יִמְחוֹל לֵיהּ קוּדְשָׁא בְּרִיךְ הוּא, אֲבָל לָא דְּיִזְכֶּה לִתְשׁוּבָה עִלָּאָה. אִית ב״נ לְבָתַר דְּיֵיתוּב מֵחַטָּאָיו, וּמִתְכַּפֵּר לֵיהּ, אִיהוּ אָזִיל בְּדֶרֶךְ מִצְוָה, וּמִתְעַסֵּק בְּכָל כֹּחוֹ בִּדְחִילוּ וּרְחִימוּ דְּקוּדְשָׁא בְּרִיךְ הוּא. דָּא זָכֵי לִתְשׁוּבָה תַּתָּאָה, דְּאִתְקְרֵי ה׳. וְדָא אִיהוּ תְּשׁוּבָה תַּתָּאָה.

מח. וְאִית ב״נ לְבָתַר דְּמִתְחָרֵט מֵחוֹבוֹי, וְיַעֲבִיד תְּשׁוּבָה, וְיִתְעַסֵּק בְּאוֹרַיְיתָא בִּדְחִילוּ וּרְחִימוּ דְּקוּדְשָׁא בְּרִיךְ הוּא, וְלָא ע״מ לְקַבֵּל פְּרָס. דָּא זָכֵי לְאָת ו׳, וְאִיהוּ בֵּן יָ״ה, וְעַל שְׁמֵיהּ אִתְקְרֵי בִּינָה, וְדָא גָּרִים דְּתָשׁוּב ו׳ לְגַבֵּי ה׳. וּמִלַּת תְּשׁוּבָה כַּךְ הִיא, תָּשׁוּב ו׳ לְה׳.

מט. וּלְעוֹלָם לָא שַׁרְיָא ה׳ בְּבַר נָשׁ, וְלָא ו׳, בְּלָא דְּחִילוּ וּבְלָא רְחִימוּ, דְּאִינּוּן יָ״ה, יִרְאָה וְאַהֲבָה קָרֵינָן לֵיהּ וַדַּאי. וּמִתַּמָּן אִתְיְיהִיבוּ הַתּוֹרָה וְהַמִּצְוָה דְּאִינּוּן בֵּן וּבַת. וּבְגִין דְּיִשְׂרָאֵל מְקַיְּימִין הַתּוֹרָה וְהַמִּצְוָה, אִתְקְרִיאוּ בָּנִים לְקוּדְשָׁא בְּרִיךְ הוּא, הה״ד בָּנִים אַתֶּם לַיְיָ׳ אֱלֹהֵיכֶם.

נ. הַנִּסְתָּרוֹת: יִרְאָה וְאַהֲבָה, דְּאִינּוּן בְּמוֹחָא וְלִבָּא. בְּחַלְלָא דְּגוּפָא. וּבְרֵישָׁא. וְהַנִּגְלוֹת: הַתּוֹרָה וְהַמִּצְוָה, דְּאִינּוּן בְּגוּפָא וּבְרֵישָׁא לְבַר. וְרָזָא דְּמִלָּה הָכִי הוּא וַדַּאי, דְּאִי ב״נ דָּחִיל לְקוּדְשָׁא בְּרִיךְ הוּא, אוֹ רָחִים לֵיהּ, דָּא לָא יָדַע ב״נ אַחֲרָא, בְּגִין דְּאִיהוּ מִלָּה דְּלָא אִתְגַּלְיָא אֶלָּא בֵּינוֹ לְבֵין קוֹנוֹ.

נא. אֲבָל ב״נ דְּמִתְעַסֵּק בְּאוֹרַיְיתָא, וְאָזִיל בְּפִקּוּדִין דַּעֲשֵׂה, דָּא אִתְגַּלְיָא לְכָל ב״נ, בְּגִין דְּקוּדְשָׁא בְּרִיךְ הוּא עָבֵד לֵיהּ פּוּמָא בְּאִתְגַּלְיָא, לְאִתְעַסְקָא בְּאוֹרַיְיתָא, וְעַיְינִין לְאִסְתַּכְּלָא בָּהּ, וְאוּדְנִין לְמִשְׁמַע בָּהּ. וְעָבֵד קוּדְשָׁא בְּרִיךְ הוּא בְּב״נ, יְדִין וְרַגְלִין וְגוּפָא, לְמֶעְבַּד בְּהוֹן פִּקּוּדִין דַּעֲשֵׂה.

נב. א״כ וְחוֹטָמָא לְמַאי נָפְקָא מִנֵּיהּ. וַיִּפַּח בְּאַפָּיו נִשְׁמַת חַיִּים, דָּא אִיהִי דְּיוּקְנָא דְּעַל ב״נ, דְּאִתְּמַר בֵּיהּ וַיַּחֲלוֹם וְהִנֵּה סֻלָּם. סֻלָּם וַדַּאי אִיהִי נִשְׁמַת חַיִּים, כָּרְסְיָיא לְשֵׁם יְדֹוָ״ד דְּאִיהוּ הַיִּרְאָה וְהָאַהֲבָה הַתּוֹרָה וְהַמִּצְוָה וּבָהּ שַׁרְיָא, וְהַאי כָּרְסְיָיא, מִנָּהּ גְּזוּרוֹת כָּל נִשְׁמָתִין דְּיִשְׂרָאֵל, וְאִיהִי דְּיוּקְנָא עַל רֵישָׁא דְּב״נ.

נג. וְהִנֵּה מַלְאֲכֵי אֱלֹהִים עוֹלִים וְיוֹרְדִים בּוֹ. אִלֵּין הֲבָלִים דְּסַלְקִין וְנָפְקִין בְּגוּפָא, בְּהַאי סֻלָּם. אִיהוּ חַד, שְׁבִיעָאָה דְּכֹלָּא. וְאִיהוּ מֻצָּב אַרְצָה, תְּרֵין. וְרֹאשׁוֹ מַגִּיעַ הַשָּׁמַיְמָה, תְּלַת. וְהִנֵּה מַלְאֲכֵי אֱלֹהִים עוֹלִים, תְּרֵי. וְיוֹרְדִים תְּרֵי. אִינּוּן לְקָבֵל ד׳ רוּחוֹת וְהַשָּׁמַיִם וְהָאָרֶץ. וְרָזָא, דְּמִלָּה הֲבֵל הֲבָלִים אָמַר קֹהֶלֶת הֲבֵל הֲבָלִים הַכֹּל הָבֶל. אִינּוּן שִׁבְעָה, לָקֳבֵל כּוּרְסְיָיא, דְּאִיהוּ הַסֻּלָּם, וְהַשָּׁמַיִם וְהָאָרֶץ, וְד׳ יְסוֹדִין דְּעָלְמָא, וְאִינּוּן שִׁבְעָה. לָקֳבֵל שִׁבְעָה יוֹמֵי בְּרֵאשִׁית. אִית כָּל בִּרְיָין דִּשְׁמַיָּא, וְיַמָּא, וְאַרְעָא. כְּגוֹן חַיּוֹת עוֹפוֹת בְּהֵמוֹת דָּגִים, וְכַמָּה תּוֹלְדִין דְּתַלְיָין מִינַּיְיהוּ.

נד. וּבְגִין דְּכֹלָּא אִתְבְּרֵי בְּהַאי צוּלְמָא, דְּעַל כָּל יִשְׂרָאֵל דְּאִיהוּ צַדִּיק, אִתְּמַר בְּהוֹן וּמוֹרַאֲכֶם וְחִתְּכֶם יִהְיֶה עַל כָּל חַיַּת הָאָרֶץ וְעַל כָּל עוֹף הַשָּׁמַיִם וְגוֹ'. וְדָא מְמַלֵּל עַל בְּנֵי נָשָׁא, דְּאִינּוּן מְתִילִין לְחֵיוָן בָּרָא, וּלְבְעִירָן, וּלְעוֹפִין, וּלְנוּנֵי יַמָּא. דְּאִית בַּר נָשׁ דְּמַזָּלֵיהּ שׁוֹר, וּמַזָּלֵיהּ אַרְיֵה, וּמַזָּלֵיהּ נֶשֶׁר, וּמַזָּלֵיהּ אָדָם.

נה. וְכָל אִלֵּין, לָמָּה מִתְפַּחֲדִין מֵהַאי דְּיוֹקְנָא דְּאִינּוּן מִתַּמָּן אִתְבְּרִיאוּ. אֶלָּא מִשּׁוּם דְּשֵׁם יְדֹוָ"ד שַׁרְיָא עָלֵיהּ. רָזָא דְּמִלָּה, וְרָאוּ כָּל עַמֵּי הָאָרֶץ וְגוֹ'. וְכָל מַאן דְּפָגִים עוֹבָדוֹי, אִתְפְּגִים דְּיוֹקְנֵיהּ. וְשֵׁם יְיָ' לָא שַׁרְיָא בַּאֲתַר פָּגִים, וּבְהַהוּא פְּגִימוּ שַׁרְיָא חֹשֶׁךְ, בְּגִין פְּגִימוּ דְּסִיהֲרָא דְּשַׁרְיָא בֵּיהּ חֲשׁוֹכָא. וְהַאי ב"נ כְּמָה דְּאִיהוּ פָּגִים דְּיוֹקְנֵיהּ, כַּךְ אִתְפְּגִים אִיהוּ לְתַתָּא, אוֹ אִתְעָבֵיד אִלֵּם, אוֹ חֵרֵשׁ, אוֹ סוּמָא, אוֹ חִגֵּר. בְּגִין דְּיֶהֱא רָשִׁים לְעֵילָּא וְתַתָּא.

נו. וְהַהוּא חֹשֶׁךְ שַׁרְיָא בִּפְגִימוּ דִּילֵיהּ, וּמִיַּד אִשְׁתְּמוֹדְעָאן בֵּיהּ דַּרְגִּין קַדִּישִׁין, דְּאִינּוּן חֵילוֹי דְּקוּדְשָׁא בְּרִיךְ הוּא, וּמִתְרַחֲקִין מִנֵּיהּ, דְּכֹבַר יַדְעִין דִּבְהַהוּא פְּגִימוּ לָא שַׁרְיָא מַלְכָּא. וּבְגִ"ד חֵילוֹי דְּמַלְכָּא מִתְרַחֲקִין מִנֵּיהּ, דְּחַיָּילִין דְּמַלְכָּא לָא שַׁרְיָין, וְלָא מִתְקָרְבָן, אֶלָּא בַּאֲתַר דְּמַלְכָּא שַׁרְיָא, דְּהָכִי אִינּוּן מִתְנַהֲגִין אֲבַתְרֵיהּ, כְּאֵבָרִין בָּתַר גּוּפָא.

נז. וּבְהַהוּא אֲתַר דְּשָׁרֵי הַהוּא חֹשֶׁךְ, כַּמָּה מַלְאֲכֵי חַבָּלָה, דְּאִתְקְרִיאוּ נְחָשִׁים וְעַקְרַבִּים, מִתְקָרְבִין לֵיהּ, וְיַהֲבִין לֵיהּ כַּמָּה נְשִׁיכִין, וְאִלֵּין אִינּוּן יִסּוּרִין. וְאִי אִית לֵיהּ מָמוֹנָא דְּעוֹבָדִין טָבִין דְּעָבֵיד, אִתְמַעֲטוּן מִנֵּיהּ. וְאֵיךְ אִתְמַעֲטוּן מִנֵּיהּ, אֶלָּא כָּל זְכוּת דְּנָחִית לֵיהּ מִלְּעֵילָּא, יָהִיב לֵיהּ לְאִלֵּין מַלְאֲכֵי חַבָּלָה, וּבַטְלִין מִנֵּיהּ יִסּוּרִין. וְאִי לֵיהּ לֵיהּ זְכוּ, וְלָא חוֹבָא לְעֵילָּא, אֶלָּא כֹּלָּא לְתַתָּא, בְּכָל זְכוּ דְּעָבֵיד נָחִית לֵיהּ מָמוֹנִין, וְאוּמִין דְּעָלְמָא מִתְקָרְבִין לֵיהּ, לְקַבֵּל מַלְאֲכֵי חַבָּלָה, וְיָהִיב לוֹן מָמוֹנָא, וְאִשְׁתְּזִיב מִנַּיְיהוּ.

נח. וּבְגִ"ד הֲווּ יִשְׂרָאֵל מְקָרְבִין לַעֲזָאזֵל, לְגַבֵּי הַהוּא חֹשֶׁךְ. וְשִׁבְעִים פָּרִים, לָקֳבֵל שִׁבְעִים אוּמִין, לְקַיְּימָא קְרָא, אִם רָעֵב שׂוֹנַאֲךָ הַאֲכִילֵהוּ לָחֶם וְאִם צָמֵא הַשְׁקֵהוּ מָיִם. וּמִיַּד דְּהַדְרִין בְּתִיּוּבְתָּא, אִתְעֲבַר הַהוּא חֹשֶׁךְ מֵהַהוּא פְּגִימוּ, וְיִשְׁתְּלִים. וְרָזָא דְּמִלָּה, גַּם יְיָ' הֶעֱבִיר חַטָּאתְךָ לֹא תָמוּת. וּמִיַּד אִתְהַדַּר בֵּיהּ שְׁמָא דַּיְיָ', וְיִתְרְפֵי בֵּיהּ, מֵאִנּוּן נְשִׁיכִין דְּיִסּוּרִין, הֲדָא הוּא דִּכְתִיב וְשָׁב וְרָפָא לוֹ. וּמְנָּין דְּאִתְהַדַּר קוּדְשָׁא בְּרִיךְ הוּא מִיַּד דְּהָדַר בְּתִיּוּבְתָּא וְאִשְׁתְּלִים הַהוּא פְּגִימוּ. הֲדָא הוּא דִּכְתִיב שׁוּבוּ אֵלַי וְאָשׁוּבָה אֲלֵיכֶם.

נט. וְדָא אִיהוּ בִּתְשׁוּבָה גְּמוּרָה, דְּגָרִים לְאַהֲדְרָא בִּינָה דְּאִיהוּ יד"ו, לְגַבֵּי ה' דְּאִיהִי מַלְכוּת. דְּאָזְלָא מִנַּדְּדָא מִן קִנָּהָא, דְּאִיהִי הַהִיא דְּיוֹקְנָא, דְּמִתְקַטְּרִין בָּהּ כָּל פִּקּוּדִין. וּבָהּ מִתְקַטְּרִין עֶשֶׂר סְפִירָן. כַּד ב"נ עָבֵד פִּקּוּדָא חֲדָא וְלָא יַתִּיר, וְעָבֵיד לָהּ בִּדְחִילוּ וּרְחִימוּ דְּקוּדְשָׁא בְּרִיךְ הוּא. בְּגִינָהּ שַׁרְיָין עָלֵיהּ י' סְפִירָן. וְכָל מַאן דְּקַיֵּים פִּקּוּדָא חַד כַּדְקָא יָאוּת, כְּאִלּוּ מְקַיֵּים רמ"ח פִּקּוּדִין דַּעֲשֵׂה, דְּלֵית פִּקּוּדָא לָאו אִיהוּ כְּלִילָא מִכֻּלְּהוּ רמ"ח.

ע"כ רעיא מהימנא

ס. אִישׁ אִישׁ כִּי תִשְׂטֶה אִשְׁתּוֹ וְגוֹ'. מַאי הַאי לְגַבֵּי הַאי. אֶלָּא כְּמָה דִּכְתִיב לִמְעוֹל מַעַל בַּיְיָ'. ר' אֶלְעָזָר אָמַר, אִישׁ אִישׁ, מַאי אִישׁ אִישׁ, דְּהָא בְּחַד סַגֵּי, אֶלָּא הָא אוֹקְמוּהָ, אֲבָל אִישׁ אִישׁ, מַשְׁמַע אִישׁ דְּאִיהוּ אִישׁ, וְקַיֵּים קְרָא דִּכְתִיב, שֹׁתֶה מַיִם מִבּוֹרְךָ וְגוֹ'. כְּדֵין הוּא אִישׁ בְּעָלְמָא, אִישׁ לְגַבֵּי אִתְּתֵיהּ. וּמָעֲלָה בוֹ מָעַל, הָא בְּחַד סַגֵּי, אֲמַאי תְּרֵי. אֶלָּא חַד לְעֵילָּא וְחַד לְתַתָּא. חַד לִכְנֶסֶת יִשְׂרָאֵל, וְחַד לְבַעְלָהּ. בְּגִין כַּךְ וְהֵבִיא הָאִישׁ אֶת אִשְׁתּוֹ.

סא. אֲמַאי אֶל הַכֹּהֵן. רָזָא דְּמִלָּה, בְּגִין דְּכַהֲנָא שׁוּשְׁבִינָא אִיהוּ דְּמַטְרוֹנִיתָא. הָכָא

אִית לְאִסְתַּכְּלָא, הָא כְּתִיב וְשָׁחַט אֶת בֶּן הַבָּקָר, וְשָׁחַט אַחֲרָא, וְלָאו כַּהֲנָא, דְּכַהֲנָא אָסִיר לֵיהּ בְּדִינָא, בְּגִין דְּלָא יִפְגִּים הַהוּא אֲתַר דְּאָחִיד בֵּיהּ, וְאַתְּ אַמְרַתְּ, וְהֵבִיא הָאִישׁ אֶת אִשְׁתּוֹ אֶל הַכֹּהֵן, לְמֵידָן דִּינָהָא. אֶלָּא וַדַּאי כַּהֲנָא לְדָא חָזֵי, בְּגִין דְּאִיהוּ שׁוֹשְׁבִינָא לְמַטְרוֹנִיתָא, וְכָל נְשֵׁי עָלְמָא מִתְבָּרְכָן בכ"י, וע"ד אִתְּתָא דִּלְהָתָא מִתְבָּרְכָא בְּשֶׁבַע בְּרָכוֹת, דְּאָחִידַת בָּהּ בִּכְנֶסֶת יִשְׂרָאֵל, וְכַהֲנָא קָאִים לְאַתְקְנָא מִלֵּי דְּמַטְרוֹנִיתָא, וּלְעַיְּינָא בְּכָל מַה דְּאִצְטְרִיךְ, בְּגִין כָּךְ כַּהֲנָא לְדָא, וְלָא אַחֲרָא.

סב. וְאִי תֵּימָא דְּאִיהוּ עָבֵיד דִּינָא, לָאו הָכִי, אֶלָּא לְאַסְגָּאָה שְׁלָמָא בְּעָלְמָא קָא אִשְׁתַּדַּל בְּהַאי, וּלְאַסְגָּאָה חֶסֶד. דְּאִי הַהִיא אִתְּתָא אִשְׁתְּכָחַת זַכָּאָה, כַּהֲנָא אַסְגֵּי שְׁלָמָא בְּהוּ, וְלָא עוֹד אֶלָּא דְּמִתְעַבְּרָא בְּבְרָא דְּכַר, וְאִתְעָבֵיד שְׁלָמָא עַל יְדֵיהּ. וְאִי לָא אִשְׁתְּכָחַת זַכָּאָה, אִיהוּ לָא עָבֵיד דִּינָא, אֶלָּא הַהוּא שְׁמָא קַדִּישָׁא דְּאִיהִי קָא מְשַׁקְּרַת בֵּיהּ, הוּא עָבֵיד דִּינָא, וְהוּא בָּדִיק לָהּ.

סג. תָּא חֲזֵי, כַּהֲנָא לָא עָיֵיל גַּרְמֵיהּ לְהַאי, אֶלָּא כַּד הִיא יָהֲבַת גַּרְמָהּ קַמֵּיהּ, לְזַכָּאָה זִמְנָא, וּתְרֵין שָׁאִיל לָהּ, כֵּיוָן דְּאִיהִי בָּעְיָא לְאִשְׁתַּכְּחָא זַכָּאָה, כְּדֵין כַּהֲנָא עָבֵיד עוֹבָדָא, בְּגִין לְאַסְגָּאָה שְׁלָמָא.

סד. כַּהֲנָא כְּתִיב שְׁמָא קַדִּישָׁא חַד זִמְנָא בְּאֹרַח מֵישָׁר, לְבָתַר כָּתַב לֵיהּ לְמַפְרֵעַ אַתְוָון סְרִיטִין בְּטָהִירִין, דִּינָא בְּדִינָא, רַחֲמֵי בְּרַחֲמֵי, רַחֲמֵי בְּדִינָא, וְדִינָא בְּרַחֲמֵי. אִשְׁתְּכָחַת זַכָּאָה, אַתְוָון רַחֲמֵי אִשְׁתַּכְחוּ, וְדִינִין סַלְקִין. לָא אִשְׁתְּכָחַת כְּדְקָא יָאוּת, רַחֲמֵי סַלְקִין, וְדִינִין אִשְׁתָּאֲרוּ, וּכְדֵין דִּינָא אִתְעָבֵיד.

סה. ר' אֶלְעָזָר פָּתַח וְאָמַר, וַיָּבֹאוּ מָרָתָה וְלֹא יָכְלוּ לִשְׁתֹּת מַיִם מִמָּרָה כִּי מָרִים הֵם, הָא אוֹקְמוּהָ. אָמַר, תַּוְוהָנָא אֵיךְ בְּנֵי עָלְמָא לָא מִסְתַּכְּלִין וְלָא מִשְׁתַּדְּלִין בְּמִלִּין דְּאוֹרַיְיתָא, הָכָא אִית לְאִסְתַּכְּלָא, אַמַּאי כְּתִיב הָכָא שָׁם שָׂם לוֹ חֹק וּמִשְׁפָּט וְשָׁם נִסָּהוּ.

סו. אֲבָל וַדַּאי רָזָא דְּמִלָּה, הָהִכָא עַל מַיָּא הֲוָה, בְּגִין דְּמִצְרָאֵי הֲווֹ אָמְרֵי, דִּבְנַיְיהוּ דְּיִשְׂרָאֵל הֲווֹ מִנַּיְיהוּ, וַהֲווֹ כַּמָּה בְּיִשְׂרָאֵל דַּחֲשָׁדִין לְאִנְתְּתַיְיהוּ בְּדָא. עַד דְּקוּדְשָׁא בְּרִיךְ הוּא מָטָא לוֹן לְהַאי אֲתַר, וּבָעֵי לְמִבְדַּק לוֹן, מַה כְּתִיב וַיָּבֹאוּ מָרָתָה וְגוֹ'. וַיִּצְעַק אֶל יְיָ' וְגוֹ'.

סז. אָמַר קוּדְשָׁא בְּרִיךְ הוּא לְמֹשֶׁה, מֹשֶׁה מַה אַתְּ בָּעֵי, הָא כַּמָּה חֲבִילִין קַיְימִין גַּבַּיְיכוּ הָכָא, וַאֲנָא בָּעֵינָא לְמִבְדַּק הָכָא נְשַׁיְיהוֹן דְּיִשְׂרָאֵל, כְּתוֹב שְׁמָא קַדִּישָׁא, וּרְמֵי לְמַיָּא, וְיִתְבָּדְקוּן כֻּלְּהוֹן, נָשֵׁי וְגוּבְרִין, וְלָא יִשְׁתָּאַר לַעַז עַל בָּנַי. וְעַד דְּיִתְבָּדְקוּן כֻּלְּהוּ הָכָא, לָא אַשְׁרֵי שְׁמִי עֲלַיְיהוּ, מִיָּד וַיּוֹרֵהוּ יְיָ' עֵץ וַיַּשְׁלֵךְ אֶל הַמַּיִם, דָּא שְׁמָא קַדִּישָׁא, הַהוּא דַּהֲוָה כּוֹתֵב כַּהֲנָא לְמִבְדַּק נְשַׁיְיהוֹן דְּיִשְׂרָאֵל, כְּדֵין, שָׁם שָׂם לוֹ חֹק וּמִשְׁפָּט וְשָׁם נִסָּהוּ.

סח. וְאִי תֵּימָא נְשַׁיְיהוֹן דְּיִשְׂרָאֵל יָאוּת, אִינּוּן אַמַּאי. אֶלָּא אוּף אִינּוּן בָּעְיָין, דְּלָא אִסְתָּאֲבוּ בִּנְשַׁיְיהוֹן דְּמִצְרָאֵי. וּנְשַׁיְיהוֹן דְּיִשְׂרָאֵל לָא אִסְתָּאֲבוּ בְּמִצְרָאֵי, כָּל אִינּוּן שְׁנִין דַּהֲווֹ בֵּינַיְיהוּ, וְכֻלְּהוּ נָפְקוּ גּוּבְרִין וְנוּקְבִין זַכָּאִין, וְאִשְׁתַּכְּחוּ זַרְעָא דְּיִשְׂרָאֵל קַדִּישִׁין, זַכָּאִין, כְּדֵין קוּדְשָׁא בְּרִיךְ הוּא אַשְׁרֵי שְׁמֵיהּ בֵּינַיְיהוּ, וְעַל דָּא עַל מַיָּא וַדַּאי, שָׁם שָׂם לוֹ חֹק וּמִשְׁפָּט וְשָׁם נִסָּהוּ אוּף הָכָא, בְּמַיָּא בָּדִיק כַּהֲנָא לְאִתְּתָא, וּבִשְׁמָא קַדִּישָׁא.

סט. וּמִן הֶעָפָר אֲשֶׁר יִהְיֶה בְּקַרְקַע הַמִּשְׁכָּן. מַאן הֶעָפָר. הָא תָּנֵינָן, כְּתִיב הַכֹּל הָיָה מִן הֶעָפָר וְהַכֹּל שָׁב אֶל הֶעָפָר הַכֹּל הָיָה מִן הֶעָפָר, אֲפִילּוּ גַּלְגַּל חַמָּה, כ"ש ב"נ דְּאִשְׁתַּכְּחוּ מִנֵּיהּ.

ע. א"ר יוֹסֵי, אִלּוּ כְּתִיב וּמִן הֶעָפָר וְלָא יַתִּיר, הֲוֵינָא אָמַר הָכִי. אֲבָל כֵּיוָן דִּכְתִיב

וּמִן הֶעָפָר אֲשֶׁר יִהְיֶה בְּקַרְקַע הַמִּשְׁכָּן, מַשְׁמַע דְּאַחֲרָא הוּא. אֶלָּא כְּתִיב יִתֵּן כֶּעָפָר וְחַרְבּוֹ, אִלֵּין מָארֵיהוֹן דִּקְיסְטִין וּבַלִּיסְטְרָאִין, מָארֵי דְּדִינָא קַשְׁיָא. מַשְׁמַע דִּכְתִּיב בְּקַרְקַע הַמִּשְׁכָּן, דְּאַחֲזִידָן לְתַתָּא. וְעַל דָּא יִקַּח הַכֹּהֵן וְנָתַן אֶל הַמָּיִם.

סא. מֵי הַמָּרִים הַמְאָרְרִים, אִלֵּין מֵי יַמָּא, דְּאִינּוּן מְרִירִין. מַאי הוּא. דָּא שְׁמָא קַדִּישָׁא, בְּשַׁעֲתָא דְּאִשְׁתְּכַח בְּדִינָא, כְּדֵין אִקְרוּן מֵי הַמָּרִים הַמְאָרְרִים. וּבְג״כ מַיָּא דְּיַמָּא דִּלְתַתָּא כֻּלְּהוֹן מְרִירִין.

סב. ת״ח, הַאי יַמָּא קַדִּישָׁא כַּמָּה נַהֲרִין מְתִיקִין עָאלִין בְּגַוֵּיהּ, וּבְגִין דְּאִיהִי דִּינָא דְּעָלְמָא, מֵימוֹי מְרִירָן, בְּגִין דְּאָחִיד בָּהּ מוֹתָא לְכָל בְּנֵי עָלְמָא. ואע״ג דְּאִינּוּן מְרִירָן, כַּד מִתְפַּשְׁטִין מְתִיקִין אִינּוּן. לִזְמְנִין מַיִין דְּיַמָּא מְרִירָן. לִזְמְנִין יַמָּא דְּבָלַע לְכָל שְׁאַר מַיִּין, וְאִקְרֵי יַמָּא דִּקְפָא, וּבָלַע כָּל אִינּוּן אַחֲרָנִין, וְשָׁאִיב לוֹן בְּגַוֵּיהּ, וְלָא נִיגְרִין לְבַר. לִזְמְנִין שָׁארָן מַיָּיא, וְנַגְּדִין מֵהַהוּא יַמָּא, כָּל מַה דְּנָגִיד לְתַתָּאֵי. וּבְכַמָּה גַּוְונִין קַיְּימָא הַאי יַמָּא. הַמַּיִם הַמְאָרְרִים, בְּשַׁעֲתָא דְּאָתֵי חִיוְיָא וְאָטִיל זוּהֲמָא, כְּדֵין הַמַּיִם הַמְאָרְרִים וְעַל דָּא כַּהֲנָא עָבִיד עוֹבָדָא לְתַתָּא, וְאוֹמֵי אוֹמָאָה, וְאִתְעֲבִיד דִּינָא.

סג. ת״ח, אִי אִתְּתָא אִשְׁתְּכָחַת זַכְּיָתָא, אִלֵּין מַיִין עָאלִין בְּגַוָּהּ, וְאִתְהַפְּכָן מְתִיקָן, וְנָקָאן גַּרְמָהּ, וְקַיְּימִין בְּגַוָּהּ, עַד דְּמִתְעַבְּרָא. כֵּיוָן דְּמִתְעַבְּרָא, הֲווֹ מְשַׁפְּרֵי בְּשַׁפִּירֵי לְעוּבָּרָא דִּמְעָהָא, וְנָפִיק בְּרָא שַׁפִּירָא, נָקֵי בְּלָא מוּמָא דְּעָלְמָא. וְאִי לָאו, אִינּוּן מַיִין עַיְילִין בְּגַוָּהּ, וְאָרְחָא רֵיחָא דְּזוּהֲמָא, וְאִינּוּן מַיִין מִתְהַפְּכִין לְחִוְיָא בִּמְעָהָא, בְּמָה דְּקִלְקְלָה אִתְפְּסַת, וְאִתְחֲזֵי קְלָנָא לְכֹלָּא, וְהָא אוֹקְמוּהָ חַבְרַיָּיא.

סד. ת״ח, כָּל אִינּוּן נְשֵׁי עָלְמָא, בְּאַתְרַיְיהוּ קַיְּימֵי וְאִתְדָּנוּ, וע״ד הַהוּא אֲתָר מַמָּשׁ דְּאִינְהוּ קַיְּימֵי, בֵּיהּ אִתְדָּנוּ. זַכָּאָה חוּלָקְהוֹן דְּיִשְׂרָאֵל, דְּקוּדְשָׁא בְּרִיךְ הוּא אִתְרְעֵי בְּהוּ, וּבָעֵי לְדַכְּאָה לְהוּ.

סה. ר׳ חִזְקִיָּה פָּתַח, אֶשְׁתְּךָ כְּגֶפֶן פּוֹרִיָּה וְגוֹ׳, מַה גֶּפֶן לָא מְקַבֵּל עָלֵיהּ אֶלָּא מִדִּידֵיהּ, כָּךְ אִתְּתָא דְּיִשְׂרָאֵל, קַיְּימָא בְּהַאי גַּוְונָא, דְּלָא מְקַבְּלָא עָלָהּ אֶלָּא הַהוּא בַּר זוּגָהּ. כְּשַׁפִּינָא דָּא, דְּלָא מְקַבְּלָא אֶלָּא הַהוּא בַּר זוּגָהּ. וע״ד כְּגֶפֶן פּוֹרִיָּה בְּיַרְכְּתֵי בֵּיתֶךָ. מַהוּ פּוֹרִיָּה. כד״א פּוֹרֶה רֹאשׁ. פּוֹרִיָּה: פּוֹרַחַת, דְּאַפִּיקַת עֲנָפִים לְכָל סִטְרָא. וְאָן. בְּיַרְכְּתֵי בֵּיתֶךָ, וְלָאו לְבַר בְּשׁוּקָא, בְּגִין דְּלָא תֵיתֵי לְשַׁקְרָא בִּבְרִית עִלָּאָה.

סו. וּשְׁלֹמֹה אָמַר, הָעוֹזֶבֶת אַלּוּף נְעוּרֶיהָ וְאֶת בְּרִית אֱלֹהֶיהָ שָׁכֵחָה. מַאן בְּרִית אֱלֹהֶיהָ. הַהוּא אֲתָר דְּאִקְרֵי בְּרִית. וְהִיא אִתְקַשְּׁרָא בֵּיהּ, בְּגִין כַּךְ בְּיַרְכְּתֵי בֵּיתֶךָ.

סז. א״ר חִזְקִיָּה, תּוּנְבָּא לֵיתֵי עַל הַהוּא בַּר נָשׁ, דְּשָׁבַק לְאִנְתְּתֵיהּ דְּתִתְחֲזֵי מִשַּׂעֲרָא דְּרֵישָׁהּ לְבַר. וְדָא הוּא חַד מֵאִינּוּן צְנִיעוּתָא דְּבֵיתָא. וְאִתְּתָא דְּאַפִּיקַת מִשַּׂעֲרָא דְּרֵישָׁהּ לְבַר, לְאִתְתַּקְּנָא בֵּיהּ, גָּרִים מִסְכְּנוּתָא לְבֵיתָא. וְגָרִים לִבְנָהָא דְּלָא יִתְחַשְּׁבוּן בְּדָרָא. וְגָרִים מִלָּה אַחֲרָא דְּשַׁרְיָא בְּבֵיתָא. מַאן גָּרִים דָּא. הַהוּא שַׂעֲרָא דְּאִתְחֲזֵי מֵרֵישָׁהּ לְבַר. וּמַה בְּבֵיתָא הַאי, כ״ש בְּשׁוּקָא, וכ״ש חֲצִיפוּתָא אַחֲרָא. וּבְג״כ אֶשְׁתְּךָ כְּגֶפֶן פּוֹרִיָּה בְּיַרְכְּתֵי בֵּיתֶךָ.

סח. אָמַר ר׳ יְהוּדָה, שַׂעֲרָא דְּרֵישָׁא דְּאִתְּתָא דְּאִתְגַּלְיָיא, גָּרִים שַׂעֲרָא אַחֲרָא לְאִתְגַּלְיָיא, וּלְאַפְגְּמָא לָהּ. בְּגִין כַּךְ, בַּעְיָא אִתְּתָא דַּאֲפִילּוּ טְסִירֵי דְּבֵיתָא, לָא יֶחֱמוּן שַׂעֲרָא חַד מֵרֵישָׁא, כ״ש לְבַר.

סט. ת״ח, כְּמָה בִּדְכוּרָא שַׂעֲרָא הוּא חוּמְרָא דְּכֹלָּא, הָכִי נָמֵי לְנוּקְבָא. פּוּק חֲמֵי,

כַּמָּה פְּגִימוּ גָּרִים הַהוּא שַׁעֲרָא דְּאִתְּתָא. גָּרִים לְעֵילָּא, גָּרִים לְתַתָּא, גָּרִים לְבַעְלָהּ דְּאִתְלַטְיָיא, גָּרִים מִסְכְּנוּתָא, גָּרִים מִלָּה אַחֲרָא בְּבֵיתָא, גָּרִים דְּיִסְתַּלַּק וַחֲשִׁיבוּתָא מִבְּנָהָא. רַחֲמָנָא לִישֵׁזְבִינָן, מֵחֻצִּיפוּ דִּלְהוֹן.

פ. וְעַ״ד, בָּעֲיָא אִתְּתָא לְאִתְכַּסְיָיא, בְּזָוִיּוֹתֵי דְּבֵיתָא. וְאִי עָבְדַת כֵּן מַה כְּתִיב, בָּנֶיךָ כִּשְׁתִילֵי זֵיתִים. מַהוּ כִּשְׁתִילֵי זֵיתִים. מַה זַּיִת דָּא, בֵּין בְּסִתְוָוא, בֵּין בְּקַיְיטָא, לָא אִתְאֲבִידוּ טַרְפּוֹי, וְתָדִיר אִשְׁתְּכַח בֵּיהּ חֲשִׁיבוּת יַתִּיר עַל שְׁאַר אִילָנִין. כַּךְ בְּנָהָא יִסְתַּלְּקוּן בַּחֲשִׁיבוּ עַל שְׁאַר בְּנֵי עָלְמָא. וְלֹא עוֹד אֶלָּא דְּבַעְלָהּ מִתְבָּרֵךְ בְּכֹלָּא, בְּבִרְכָאן דִּלְעֵילָּא, בְּבִרְכָאן דִּלְתַתָּא, בְּעוּתְרָא, בִּבְנִין, בִּבְנֵי בְּנִין. הה״ד הִנֵּה כִּי כֵן יְבוֹרַךְ גָּבֶר יְרֵא יְיָ׳. וּכְתִיב יְבָרֶכְךָ ה׳ מִצִּיּוֹן וּרְאֵה בְּטוּב יְרוּשָׁלָ͏ִם כֹּל יְמֵי חַיֶּיךָ וּרְאֵה בָנִים לְבָנֶיךָ שָׁלוֹם עַל יִשְׂרָאֵל.

רעיא מהימנא

פא. אֵלִיָּהוּ, קוּם אַפְתַּח עִמִּי בְּפִקּוּדִין, דְּאַנְתְּ הוּא עוֹזֵר לִי, בְּכָל סִטְרָא. דְּהָא עָלָךְ אִתְּמַר בְּקַדְמֵיתָא, פִּנְחָס בֶּן אֶלְעָזָר בֶּן אַהֲרֹן הַכֹּהֵן. וּבֵן אַהֲרֹן וַדַּאי אִיהוּ אָח דִּילִי, אָח לְצָרָה יִוָּלֵד.

פב. פָּתַח וְאָמַר, פִּקּוּדָא לָדוּן בְּדִינֵי סוֹטָה, הה״ד וְעָבַר עָלָיו רוּחַ קִנְאָה וְקִנֵּא וְגוֹ׳. וַדַּאי רוּחַ טוּמְאָה מִתְּרֵין סִטְרִין אִשְׁתְּכַח, חַד בְּשִׁקְרָא, וְחַד בְּקְשׁוֹט. בְּגִין דָּא, בְּרוּחַ שִׁקְרָא וְקִנֵּא אֶת אִשְׁתּוֹ, וְהִיא לֹא נִטְמָאָה. וְתַנְיָינָא, וְעָבַר עָלָיו וְגוֹ׳, וְקִנֵּא אֶת אִשְׁתּוֹ וְהִיא נִטְמָאָה.

פג. וְכִי אִית קוּשְׁטָא בְּרוּחַ מִסְאֲבָא. אֶלָּא בְּבַר נָשׁ מִסִּטְרָא דְּאִילָנָא דְּטוֹב וָרָע, תַּמָּן יֵצֶר הָרָע, נָחָשׁ. בְּזִמְנָא דְּאִית לב״נ אִתְּתָא שַׁפִּירָא, בְּכָל עוֹבָדִין טָבִין, דְּאִתְּמַר בָּהּ אֵשֶׁת חַיִל עֲטֶרֶת בַּעְלָהּ. יֵצֶר הָרָע אִית לֵיהּ קִנְאָה, כְּגַוְונָא דְּאִשְׁכַּחְנָא דְּקַנֵּי אָדָם עַל אִנְתְּתֵיהּ, עַד דְּדָפֵי לָהּ, וְגָרֵם לָהּ מִיתָה. וּלְזִמְנִין שַׁלִּיט עָלָהּ בְּחוֹבִין, וּמְסָאֵב לָהּ, וְהָא אִתְעֲבִידַת נְבֵלָה.

פד. וְיֵצֶר הָרָע, מִסִּטְרָא דִּימִינָא, דִּילֵיהּ, דַּרְגָּא דְּיִשְׁמָעֵאל, אִתְקְרֵי נָחָשׁ. וּמִסִּטְרָא דִּשְׂמָאלָא, דַּרְגֵּיהּ דְּעֵשָׂו סמא״ל, אִתְקְרֵי כֶּלֶב, מִמְּנָא דְּגֵיהִנָּם דְּצָוַוח הַב הַב, הֲדָא הוּא דִּכְתִיב לַעֲלוּקָה שְׁתֵּי בָנוֹת הַב הַב, וּבִרְעוּתָא דִּילֵיהּ לְמֵיכַל נִשְׁמְתָא מִסְאֲבָא, בְּנוּרָא דִּילֵיהּ, גֵּיהִנָּם. וְעָבַר עָלָיו רוּחַ קִנְאָה וְקִנֵּא אֶת אִשְׁתּוֹ בִּקְשׁוֹט, וְהִיא נִטְמָאָה.

פה. וּבְגִינָהּ אִתְּמַר, וּבַת אִישׁ כֹּהֵן, דָּא מִיכָאֵל, כִּי תֵחֵל לִזְנוֹת אֶת אָבִיהָ הִיא מְחַלֶּלֶת בָּאֵשׁ תִּשָּׂרֵף. וְתַמָּן אִתּוֹקְדַת הַהִיא זוּהֲמָא, וְאִתְלַבְּנַת אִיהִי מִנֵּיהּ, כְּכֶסֶף דְּאִתְלַבַּן בְּנוּרָא, וְהַהִיא עוֹפֶרֶת דְּזוּהֲמָא אִתּוֹקַד, וְאִתְעֲבִיד עָפָר, וְאִתְאֲבִיד.

פו. כְּגַוְונָא דָּא בְּיִשְׂרָאֵל, כַּד אִינּוּן מְחַלְּלִין אוֹרַיְיתָא, קוּדְשָׁא בְּרִיךְ הוּא יֵיעוֹל לוֹן בְּגָלוּתָא דִּבְנֵי עֵשָׂו וּבְנֵי יִשְׁמָעֵאל, תְּחוֹת שִׁעְבּוּדָא דִּלְהוֹן, דְּדַרְגַּיְיהוּ כֶּלֶ״ב וְנָחָ״שׁ, וְאִתְדָּנוּ תַּמָּן, וּבְהוֹן יִתְבָּרְרוּ וְיִתְלַבְּנוּ וְיִצְּרְפוּ כִּצְרוֹף הַכֶּסֶף וּכְבָחוֹן הַזָּהָב, הה״ד וּצְרַפְתִּים כִּצְרֹף אֶת הַכֶּסֶף וּבְחַנְתִּים כִּבְחֹן אֶת הַזָּהָב, עַד דְּיִתְקַיֵּים בְּהוּ, אִם יִהְיוּ חֲטָאֵיכֶם כַּשָּׁנִים כַּשֶּׁלֶג יַלְבִּינוּ.

פז. וְאִילָנָא דְּטוֹב וָרָע, בְּגִינֵיהּ אִתְּמַר, וַיּוֹרֵהוּ יְיָ׳ עֵץ וַיַּשְׁלֵךְ אֶל הַמַּיִם וַיִּמְתְּקוּ הַמַּיִם וְגוֹ׳. בְּגִין דַּהֲווּ יִשְׂרָאֵל עִם עֵרֶב רַב, כֻּלְּהוּ הֲווּ אִילָנָא דְּטוֹב וָרָע, וְעַל דָּא, חֲצָיו מָתוֹק מִסִּטְרָא דִּימִינָא. וַחֲצָיו מַר, מִסִּטְרָא דִּשְׂמָאלָא. וּבְזִמְנָא דְּעֵרֶב רַב הֲווּ מְחַטִּיאִין לוֹן לְיִשְׂרָאֵל, הֲוֵי כְּאִילוּ הֲווּ כֻּלְּהוּ מִסִּטְרָא דְּרָע. וּמַיָּא אִתְהַדְרָא כֻּלְּהוּ מְרִירִין, כְּהַהוּא עֵץ

מַר בְּמַיָּא, הה"ד וַיָּבֹאוּ מָרָתָה וְלֹא יָכְלוּ לִשְׁתּוֹת מַיִם מִמָּרָה כִּי מָרִים הֵם.

פח. וְהַאי עֵץ מַר, אִיהוּ כְּגַוְונָא דְּנִסְיוֹנָא דְּסוֹטָה, אִי סָטַת תְּחוֹת בַּעְלָהּ, אִינּוּן מַיִין דְּאַשְׁקְיָין לָהּ אִתְהֲדָרוּ מְרִירִין, וּבְהוֹן וְצָבְתָה בִטְנָהּ וְנָפְלָה יְרֵיכָהּ, וְאִי לָא סָטַת מַה כְּתִיב, וְנִקְּתָה וְנִזְרְעָה זָרַע, וְאוֹלִידַת בַּר. אוּף הָכָא וַיִּמְתְּקוּ הַמָּיִם.

פט. כְּגַוְונָא דָא, יִתְעֲבִיד לְנִסָּאָה לוֹן לְיִשְׂרָאֵל בְּפוּרְקָנָא בַּתְרַיְיתָא, הה"ד יִתְבָּרְרוּ וְיִתְלַבְּנוּ וְיִצָּרְפוּ רַבִּים, דְּאִינּוּן מִסִּטְרָא דְּטוֹב, וְקַיְימִין בְּנִסְיוֹנָא. וְהִרְשִׁיעוּ רְשָׁעִים אִינּוּן מִסִּטְרָא דְּרַע, וְיִתְקַיֵּים בְּהוֹן וְאֶל אַדְמַת יִשְׂרָאֵל לֹא יָבֹאוּ וְקָטִיל לוֹן.

צ. וְהַמַּשְׂכִּילִים יָבִינוּ, מִסִּטְרָא דְּבִינָה, דְּאִיהוּ אִילָנָא דְּחַיֵּי, בְּגִינַיְיהוּ אִתְּמַר, וְהַמַּשְׂכִּילִים יַזְהִירוּ כְּזוֹהַר הָרָקִיעַ בְּהַאי חִבּוּרָא דִּילָךְ דְּאִיהוּ סֵפֶר הַזֹּהַר, מִן זוֹהֲרָא דְּאִימָא עִלָּאָה תְּשׁוּבָה. בְּאִלֵּין לָא צָרִיךְ נִסָּיוֹן, וּבְגִין דַּעֲתִידִין יִשְׂרָאֵל לְמִטְעַם מֵאִילָנָא דְּחַיֵּי, דְּאִיהוּ הַאי סֵפֶר הַזֹּהַר, יִפְקוּן בֵּיהּ מִן גָּלוּתָא בְּרַחֲמֵי. וְיִתְקַיֵּים בְּהוֹן, יְיָ׳ בָּדָד יַנְחֶנּוּ וְאֵין עִמּוֹ אֵל נֵכָר.

צא. וְאִילָנָא דְּטוֹב וָרָע, דְּאִיהוּ אִיסּוּר וְהֶיתֵּר טוּמְאָה וְטָהֳרָה, לָא שַׁלְטָא עַל יִשְׂרָאֵל יַתִּיר, דְּהָא פַּרְנָסָה דִּילָן לָא לֶיהֱוֵי, אֶלָּא מִסִּטְרָא דְּאִילָנָא דְּחַיֵּי, דְּלֵית תַּמָּן לָא קַשְׁיָא מִסִּטְרָא דְּרַע, וְלָא מַחֲלוֹקֶת מֵרוּחַ הַטּוּמְאָה, דִּכְתִּיב וְאֶת רוּחַ הַטּוּמְאָה אַעֲבִיר מִן הָאָרֶץ.

צב. דְּלָא יִתְפַּרְנְסוּן ת"ח מֵעַמֵּי הָאָרֶץ, אֶלָּא מִסִּטְרָא דְּטוֹב, דְּאָכְלִין טָהֳרָה כָּשֵׁר הֵיתֵּר, וְלָא מֵעֵרֶב רַב, דְּאָכְלִין טוּמְאָה פָּסוּל אִיסּוּר, דְּאִינּוּן מְסָאֲבִין, דִּמְסָאֲבִין גַּרְמַיְיהוּ בְּנשג"ז. בְּגִין דְּאִינּוּן בְּנוֹי דְּלִילִית, דְּאִיהִי, נשג"ז חַזְרִין לְשָׁרְשַׁיְיהוּ. וְעָלַיְיהוּ אִתְּמַר, כִּי מִשֹּׁרֶשׁ נָחָשׁ יֵצֵא צֶפַע.

צג. וּבְזִמְנָא דְּאִילָנָא דְּטוֹב וָרָע שַׁלְטָא, דְּאִיהוּ חוּלִין דְּטַהֲרָה, וְחוּלִין דְּטוּמְאָה. אִינּוּן חֲכָמִים דְּדַמְיָין לְשַׁבָּתוֹת וי"ט, לֵית לוֹן אֶלָּא מַה דְּיָהֲבִין לוֹן אִינּוּן חוּלִין. כְּגַוְונָא דְּיוֹם הַשַּׁבָּת, דְּלֵית לֵיהּ, אֶלָּא מַה דִּמְתַקְּנִין לֵיהּ בְּיוֹמֵי דְּחוֹל.

צד. וּבְזִמְנָא דְּשַׁלְטָא אִילָנָא דְּחַיֵּי, אִתְכַּפְיָיא אִילָנָא דְּטוֹב וָרָע, וְלָא יְהֵא לע"ה, אֶלָּא מַה דְּיָהֲבִין לוֹן תַּלְמִידֵי חֲכָמִים, וְאִתְכַּפְיָין תְּחוֹתַיְיהוּ, וּכְאִלּוּ לָא הֲווּ בְּעָלְמָא.

צה. וְהָכִי אִיסּוּר וְהֶיתֵּר, טוּמְאָה וְטַהֲרָה, לָא אִתְעֲבָר מע"ה. דְּמִסִּטְרַיְיהוּ לֵית בֵּין גָּלוּתָא לִימוֹת הַמָּשִׁיחַ אֶלָּא שִׁעְבּוּד מַלְכִיּוֹת בִּלְבַד דְּאִינּוּן לָא טַעֲמִין מֵאִילָנָא דְּחַיֵּי, וְצָרִיךְ לוֹן מַתְנִיתִין בְּאִיסּוּר וְהֶיתֵּר טוּמְאָה וְטָהֳרָה. אֶלָּא יֵהוֹן מְבוּזִין קֳדָם ת"ח, כְּגַוְונָא דַּחֲשׁוֹכָא קַמֵּי נְהוֹרָא, דְּעֵרֶב רַב אִינּוּן ע"ה אִינּוּן חֲשׁוֹכִין. וְלָא אִתְקְרִיאוּ יִשְׂרָאֵל, אֶלָּא עַבְדִּין זְבִינִין לְיִשְׂרָאֵל, בְּגִין דְּאִינּוּן כִּבְעִירִין. וְהָא אוּקְמוּהָ.

צו. וְיִשְׂרָאֵל אִתְקְרִיאוּ אָדָם, וּמְנַיִן דְּאִית בְּהוֹן בְּעִירָא וְאָדָם. הה"ד וְאַתֵּן צֹאנִי צֹאן מַרְעִיתִי אָדָם אַתֶּם. וְאַתֵּן צֹאנִי צֹאן מַרְעִיתִי, אִינּוּן ע"ה, טָבִין, מִסִּטְרָא דְּטוֹב. אָדָם אַתֶּם, ת"ח.

צז. וּבִקְרָא דָא נָמֵי רָמִיז לֵיהּ, לוּ עַמִּי שׁוֹמֵעַ לִי יִשְׂרָאֵל וְגוֹ׳. בָּתַר דְּאָמַר עַמִּי, אַמַּאי קָאָמַר יִשְׂרָאֵל. אֶלָּא עַמִּי: ע"ה. יִשְׂרָאֵל: ת"ח. וּבְגִינַיְיהוּ אִתְּמַר וּבְנֵי יִשְׂרָאֵל יוֹצְאִים בְּיָד רָמָה.

צח. כְּגַוְונָא דְּפָלִיג לוֹן קוּדְשָׁא בְּרִיךְ הוּא בְּטוּרָא דְּסִינַי, הָכִי פָּלִיג לוֹן בְּפוּרְקָנָא בַּתְרַיְיתָא, דְּיִשְׂרָאֵל דְּאִתְּמַר בְּהוֹן, וַחֲמוּשִׁים עָלוּ בְנֵי יִשְׂרָאֵל מֵאֶרֶץ מִצְרָיִם. מִסִּטְרָא דְּאִילָנָא דְּחַיֵּי, דְּאִינּוּן נ׳ שְׁנִין דְּיוֹבְלָא. אִתְּמַר בְּהוֹן, הֵמָּה יַעֲלוּ בָהָר. וּבְהוֹן וַיִּסַּע מַלְאַךְ

הָאֱלֹהִים הַהוֹלֵךְ לִפְנֵי מַחֲנֵה יִשְׂרָאֵל. וְלוֹן אִתְּמַר וָאֶשָּׂא אֶתְכֶם עַל כַּנְפֵי נְשָׁרִים, דְּאִינּוּן עֲנָנֵי כָּבוֹד. וָאָבִיא אֶתְכֶם אֵלָי. וּבְנֵי יִשְׂרָאֵל יוֹצְאִים בְּיָד רָמָה, הָכִי יָפִיק לת"וּז, בְּכָל הַאי יְקָר.

צט. וּכְגַוְונָא דְּאִתְּמַר בְּעֵ"ה מִסִּטְרָא דְּטוֹב, וַיִּתְיַצְּבוּ בְּתַחְתִּית הָהָר. הָכִי יְהוֹן בְּמַפְּקָנָא בַּתְרַיְיתָא, תְּחוֹת ת"וּז, כְּעַבְדָּא דְּאָזִיל לְרַגְלָיא דְּסוּסְיָא דְּמָארֵיהּ. וּכְגַוְונָא דְּאָמַר לוֹן בְּתַחְתִּית הָהָר, אִם תְּקַבְּלוּ תּוֹרָתִי מוּטָב, וְאִם לָאו שָׁם תְּהֵא קְבוּרַתְכֶם. הָכִי יֵימָא בְּמַפְּקָנוּ פּוּרְקָנָא בַּתְרַיְיתָא, אִם תְּקַבְּלוּן עֲלֵיכוֹן ת"וּז בְּמַפְּקָנוּ דְּגָלוּתָא, כְּאָדָם דְּרָכִיב עַל סוּסְיָא, וְעַבְדָּא דִּמְשַׁמֵּשׁ לֵיהּ מוּטָב. וְאִם לָאו תַּמָּן תְּהֵא קְבוּרַתְכֶם, בְּגָלוּתָא.

ק. וְעֵרֶב רַב כְּגַוְונָא דְּאִתְּמַר בְּהוֹן, וַיַּרְא הָעָם וַיָּנֻעוּ וַיַּעַמְדוּ מֵרָחוֹק. הָכִי יְהוֹן רְחִיקִין מִן פּוּרְקָנָא, וְיִחְזְמוּן לת"וּז, וּלְעַמָּא קַדִּישָׁא בְּכָל הַאי יְקָר, וְאִינּוּן רְחִיקִין מִינַּיְיהוּ. וְאִי בָּעוּ לְאִתְחַבְּרָא בַּהֲדַיְיהוּ מַה כְּתִיב בְּהוּ, לֹא תִגַּע בּוֹ יָד כִּי סָקוֹל יִסָּקֵל אוֹ יָרֹה יִיָּרֶה. בְּהַהוּא זִמְנָא יִתְקַיֵּים בְּהוּ בְּיִשְׂרָאֵל, יְיָ' בָּדָד יַנְחֶנּוּ וְאֵין עִמּוֹ אֵל נֵכָר, וְהָא אוֹקְמוּהָ אֵין מְקַבְּלִין גֵּרִים לִימוֹת הַמָּשִׁיחַ. וּרְשָׁעִים בַּחֹשֶׁךְ יִדָּמּוּ, אִינּוּן עֵרֶב רַב. וּבְגִ"ד אָמַר נְבִיאָה עֲלַיְיהוּ, וְאֶל אַדְמַת יִשְׂרָאֵל לֹא יָבֹאוּ.

קא. אָמַר אֵלִיָּהוּ, רַעְיָא מְהֵימְנָא, הָא שַׁעְתָּא אִיהִי לְסַלְּקָא לְעֵילָּא, בְּאוֹמָאָה אוֹמָא אַנְתְּ, דְּהָא בְּגִינָךְ אֲנָא בָּעֵי לְסַלְּקָא. דְּיָהִיב לִי קוּדְשָׁא בְּרִיךְ הוּא רְשׁוּ, לְאִתְגַּלְיָיא לָךְ בְּבֵית אֲסוּרִים דִּילָךְ, בִּקְבוּרָה דִּילָךְ, וּלְמֶעְבַּד עִמָּךְ טִיבוּ, דְּאַנְתְּ מְחוֹלָל בְּחוֹבִין דְּעַמָּא. הה"ד וְהוּא מְחוֹלָל מִפְּשָׁעֵינוּ.

קב. א"ל רַעְיָא מְהֵימְנָא, בְּאוֹמָאָה עֲלָךְ בִּשְׁמָא דִּידֹוָ"ד, לָא תְּאַחֵר בְּכָל יְכוֹלְתָּךְ, דְּהָא אֲנָא בְּצַעֲרָא סַגֵּי. וַיִּפֶן כֹּה וָכֹה וַיַּרְא כִּי אֵין אִישׁ, עוֹזֵר לִי, לְאַפָּקָא לִי מֵהַאי צַעֲרָא, בְּהַאי קְבוּרָה דְּאִתְּמַר עָלַי, וַיִּתֵּן אֶת הָרְשָׁעִים קִבְרוֹ, וְלָא אִשְׁתְּמוֹדְעָן בִּי, וַאֲנִי חָשִׁיב בְּעֵינַיְיהוּ בֵּין עֵרֶב רַב רַשִׁיעַיָּיא, כְּכֶלֶב מֵת דְּסָרִיחַ בֵּינַיְיהוּ, דְּחָכְמַת סוֹפְרִים תִּסְרַח בֵּינַיְיהוּ, בְּכָל קַרְתָּא וְקַרְתָּא, וּבְכָל אֲתָר דְּיִשְׂרָאֵל מְפוּזָּרִין בֵּינַיְיהוּ בֵּין מַלְכְּוָון. וְאִתְהַדְּרוּ אִינּוּן עֵרֶב רַב רַעְיָין עַל יִשְׂרָאֵל, עָאנָא דְּקוּדְשָׁא בְּרִיךְ הוּא, דְּאִתְּמַר בְּהוּ וְאַתֵּן צֹאנִי צֹאן מַרְעִיתִי אָדָם אַתֶּם, וְלֵית לוֹן יְכוֹלֶת לְמֶעְבַּד טִיבוּ עִם ת"וּז.

קג. וְאַנְשֵׁי חַיִל וְיִרְאֵי חֵטְא מְסוֹבְבִים מֵעִיר לְעִיר וְלָא יְחוֹנְּנוּ, וּמַחֲרִימִין עֵרֶב רַב בֵּינַיְיהוּ. וְלָא יַהֲבִין לוֹן בְּאַתְרִין סַגִּיאִין אֶלָּא דָּבָר קָצוּב, דְּלָא יְהֵא תְּקוּמָה לִנְפִילוּ דִּלְהוֹן, וַאֲפִילוּ חַיֵּי שָׁעָה. וְכָל חֲכָמִים וְאַנְשֵׁי חַיִל וְיִרְאֵי חֵטְא בְּצַעֲרָא בְּדוֹחֲקָא בְּיָגוֹנָא, חֲשִׁיבִין כִּכְלָבִים. בָּנִים הַמְסוּלָּאִים בַּפָּז אֵיכָה נֶחְשְׁבוּ לְנִבְלֵי חֶרֶשׂ בְּרֹאשׁ כָּל חוּצוֹת. דְּלָא אַשְׁכְּחוּ אַכְסַנְיָא בֵּינַיְיהוּ.

קד. וְאִינּוּן עֵרֶב רַב, אִינּוּן עֲתִירִין, בְּשַׁלְוָה, בְּחֶדְוָוא, בְּלָא צַעֲרָא, בְּלָא יָגוֹנָא כְּלַל, גַּזְלָנִין מָארֵי שׁוֹחַד, דְּאִינּוּן דַּיָּינִין רֵישֵׁי עַמָּא. כִּי מָלְאָה הָאָרֶץ חָמָס מִפְּנֵיהֶם, עֲלַיְיהוּ אִתְּמַר הָיוּ צָרֶיהָ לְרֹאשׁ. בְּאוֹמָאָה עֲלָךְ זִמְנָא תִּנְיָינָא, בְּחַיֵּי יְיָ' צְבָאוֹת אֱלֹהֵי יִשְׂרָאֵל יוֹשֵׁב הַכְּרוּבִים, דְּכָל אִלֵּין מִלִּין לָא יִפְּלוּן מִפּוּמָךְ, בְּכָל יְכָלְתָּךְ לְמַלְּלָא בְּהוֹן קַמֵּי קוּדְשָׁא בְּרִיךְ הוּא, וּלְאַחֲזָאָה דּוֹחֲקָא דִּלְהוֹן.

ע"כ רעיא מהימנא

קה. אִישׁ כִּי יַפְלִא לִנְדּוֹר וְגוֹ'. רִבִּי אֶלְעָזָר פָּתַח, מַדּוּעַ בָּאתִי וְאֵין אִישׁ וְגוֹ'. מַדּוּעַ בָּאתִי. כַּמָּה חֲבִיבִין אִינּוּן יִשְׂרָאֵל קַמֵּי קוּדְשָׁא בְּרִיךְ הוּא, דִּבְכָל אֲתָר דְּאִינּוּן שָׁרְיָין,

קוּדְשָׁא בְּרִיךְ הוּא אִשְׁתְּכַח בֵּינַיְיהוּ, בְּגִין דְּלָא אַעְדֵּי רְחִימוּתָא דִּילֵיהּ מִנְּהוֹן, מַה כְּתִיב, וְעָשׂוּ לִי מִקְדָּשׁ וְשָׁכַנְתִּי בְּתוֹכָם. וְעָשׂוּ לִי מִקְדָּשׁ סְתָם, דְּכָל בֵּי כְּנִישְׁתָּא דְּעָלְמָא מִקְדָּשׁ אִקְרֵי. וְהָא אוּקְמוּהָ. וּשְׁכִינְתָּא אַקְדִּימַת לְבֵי כְּנִישְׁתָּא.

קו. זַכָּאָה הַהוּא ב"נ דְּאִשְׁתְּכַח מֵאִינּוּן עֲשָׂרָה קַדְמָאָה בְּבֵי כְּנִישְׁתָּא, בְּגִין דִּבְהוֹ אִשְׁתְּלִים מַה דְּאִשְׁתְּלִים, וְאִינּוּן מִתְקַדְּשֵׁי בְּקַדְמֵיתָא בִּשְׁכִינְתָּא. וְהָא אִתְּמַר. וְהָא בָּעְיָא דְּיִשְׁתַּכְחוּן עֲשָׂרָה בְּזִמְנָא חֲדָא בְּבֵי כְּנִישְׁתָּא. וְלָא יֵיתוּ פִּסְקֵי פִּסְקֵי, דְּלָא יִתְעַכַּב שְׁלִימוּ דְּשַׁיְיפִין, דְּהָא בַּר נָשׁ בְּזִמְנָא חַד עָבֵד לֵיהּ קוּדְשָׁא בְּרִיךְ הוּא, וְאַתְקִין לֵיהּ כַּחֲדָא כָּל שַׁיְיפֵי, הה"ד הוּא עָשְׂךָ וַיְכוֹנְנֶךָ.

קז. ת"ח, כֵּיוָן דְּב"נ אִשְׁתְּלִימוּ שַׁיְיפוֹי, בְּהַהוּא זִמְנָא אִתְתְּקַן לְכָל שַׁיְיפָא וְשַׁיְיפָא כַּדְקָא יָאוּת. כְּגַוְונָא דָּא, כֵּיוָן דִּשְׁכִינְתָּא אַקְדִּימַת לְבֵי כְּנִישְׁתָּא, בָּעְיָין עֲשָׂרָה דְּיִשְׁתַּכְחוּן תַּמָּן כַּחֲדָא, וְיִשְׁתְּלִים מַה דְּיִשְׁתְּלִים. וּלְבָתַר דְּאִתְתְּקַן כֹּלָּא. וּבְמָה הִיא תִּיקוּנָא דְּכֹלָּא. כד"א בְּרָב עָם הַדְרַת מֶלֶךְ, וע"ד עַמָּא דְּאַתְיָיאן לְבָתַר כֵּן, כֻּלְּהוּ תִּיקוּנָא דְּגוּפָא.

קח. וְכַד אַתַת אַקְדִּימַת שְׁכִינְתָּא, וּבְנֵי נָשָׁא לָא אַתְיָיאן כַּחֲדָא כַּדְקָא יָאוּת. קוּדְשָׁא בְּרִיךְ הוּא קָארֵי מַדּוּעַ בָּאתִי וְאֵין אִישׁ. מַאי וְאֵין אִישׁ. דְּלָא מִתְתַּקְּנֵי שַׁיְיפֵי, וְלָא אִשְׁתְּלִים גּוּפָא. דְּכַד גּוּפָא לָא אִשְׁתְּלִים, אֵין אִישׁ. וּבְג"כ, וְאֵין אִישׁ דַּיְיקָא. ות"ח, בְּשַׁעֲתָא דְּגוּפָא אִשְׁתְּלִים לְתַתָּא, קְדוּשָּׁה עִלָּאָה אַתְיָא וְעָאל בְּהַאי גּוּפָא, וְאִתְעָבֵיד תַּתָּאָה, כְּגַוְונָא דִּלְעֵילָּא מַמָּשׁ. וּכְדֵין, כֹּלָּא בָּעְיָין דְּלָא יִפְתְּחוּן פּוּמָא בְּמִילֵּי דְּעָלְמָא. בְּגִין דְּהָא קַיְימֵי יִשְׂרָאֵל בִּשְׁלִימוּ עִלָּאָה, וּמִתְקַדְּשֵׁי בִּקְדוּשָּׁה עִלָּאָה, זַכָּאָה חוּלָקְהוֹן.

קט. אִישׁ כִּי יַפְלִיא וְגוֹ'. מַאי כִּי יַפְלִיא. דְּאִתְפְּרַשׁ מִשְּׁאָר בְּנֵי עָלְמָא, לְאִתְקַדְּשָׁא כְּגַוְונָא דִּלְעֵילָּא, וּלְאִשְׁתַּכְּחָא שְׁלִים. בְּשַׁעֲתָא דְּבַר נָשׁ אָתֵי לְאִתְדַּכָּאָה, מְדַכִּין לֵיהּ. בַּר נָשׁ דְּבָעֵי לְאִתְקַדְּשָׁא, מְקַדְּשִׁין לֵיהּ. וּפָרְסֵי עָלֵיהּ קְדוּשָּׁה דִּלְעֵילָּא, קְדוּשָּׁה דְּאִתְקַדַּשׁ בָּהּ קוּדְשָׁא בְּרִיךְ הוּא.

קי. ר' אַבָּא פָּתַח, לְדָוִד בָּרְכִי נַפְשִׁי אֶת יְיָ' וְכָל קְרָבַי אֶת שֵׁם קָדְשׁוֹ. כַּמָּה אִית לֵיהּ לְבַר נָשׁ לְאִסְתַּכְּלָא וּלְמִנְדַּע בְּפוּלְחָנָא דְּמָארֵיהּ, דְּהָא בְּכָל יוֹמָא וְיוֹמָא כָּרוֹזָא קָארֵי וְאָמַר, עַד מָתַי פְּתָאִים תְּאֵהֲבוּ פֶתִי וְגוֹ'. שׁוּבוּ בָּנִים שׁוֹבָבִים אֶרְפָּא מְשׁוּבוֹתֵיכֶם. וְלֵית מַאן דְּיַרְכִּין אוּדְנֵיהּ, אוֹרַיְיתָא קָא מַכְרְזָא קַמַּיְיהוּ, וְלֵית מַאן דְּיַשְׁגַּח.

קיא. תָּא חֲזֵי, בַּר נָשׁ אָזִיל בְּהַאי עָלְמָא, וְהוּא חָשִׁיב דְּדִילֵיהּ הוּא תָּדִיר וְיִשְׁתְּאַר בְּגַוֵּיהּ לְדָרֵי דָּרִין, עַד דְּאִיהוּ אָזִיל בְּעָלְמָא, יָהֲבִין לֵיהּ בְּקוֹלְרָא, עַד דְּאִיהוּ יָתִיב דַּיְינִין לֵיהּ בְּקִינְפּוֹן עִם שְׁאַר בְּנֵי דִּינָא. אִי אִשְׁתְּכַח לֵיהּ סַנֵּיגוֹרָא, הָא אִשְׁתְּזִיב מִן דִּינָא. הה"ד אִם יֵשׁ עָלָיו מַלְאָךְ מֵלִיץ אֶחָד מִנִּי אָלֶף לְהַגִּיד לְאָדָם יָשְׁרוֹ וַיְחֻנֶּנּוּ וַיֹּאמֶר וְגוֹ'. מַאן הוּא סַנֵּיגוֹרָא. אִלֵּין עוֹבָדִין דְּכַשְׁרָן, דְּקַיְימֵי עָלֵיהּ דְּב"נ בְּשַׁעֲתָא דְּאִצְטְרִיךְ לֵיהּ.

קיב. וְאִי לָא יִשְׁתְּכַח עָלֵיהּ סַנֵּיגוֹרָא, הָא אִתְחַיַּיב מִן דִּינָא לְאִסְתַּלְּקָא מִן עָלְמָא. בְּהַהִיא שַׁעֲתָא כַּד אִיהוּ שָׁכִיב בְּקוֹלְרָא דְּמַלְכָּא, עַד דְּזָקִיף עֵינוֹי, חָמָא דְּאַתְיָין לְגַבֵּיהּ תְּרֵין, דְּכַתְבִין קַמֵּיהּ כָּל מַה דְּעָבֵיד בְּהַאי עָלְמָא. וְכָל מַה דְּאַפִּיק מִן פּוּמָא, וְיָהִיב דִּינָא עַל כֹּלָּא וְכַתְבִין קַמֵּיהּ. הה"ד כִּי הִנֵּה יוֹצֵר הָרִים וּבוֹרֵא רוּחַ וּמַגִּיד לְאָדָם מַה שֵּׂיחוֹ וְגוֹ'. וְהוּא אוֹדֵי עָלַיְיהוּ.

קיג. מַאי טַעֲמָא, בְּגִין דְּהַהוּא עוֹבָדָא דְּאִיהוּ עָבִיד, סַלְקָא וְקַיְימָא עָלֵיהּ לְאַסְהָדָא

ביה, וקיימין לאסהדא עליה, וכלהו נחתין ואתרשימו קמיה, וקיימי קמיה, ולא מתעברן מניה, עד שעתא דאתדן בהו בההוא עלמא. ת"ח, כל אינון מלין דעביד ב"נ בהאי עלמא, כלהו זמינין וקיימי לאסהדא ביה, ולא אתאבידו מיניה. ובשעתא דמפקי ליה לקברא, כלהו מתעתדן ואזלי קמיה. ותלת כרוזי מכרזי. חד קמיה, וחד מימיניה, וחד משמאליה. ואמרי דא פלניא דמריד במאריה. מריד לעילא, מריד לתתא, מריד באורייתא, מריד בפיקודוי. וחמו עובדוי, וחמו מלוי, טב ליה דלא אברי.

קיד. עד דמטי לגבי קברא, כלהו מתין אתרגזון מדוכתייהו עליה, ואמרי ווי ווי דדא אתקבר בגוון. עובדוי ומלוי אקדמן ועאלין לקברא, וקיימי עליה דההוא גופא, ורוחיה אזלא ושאט, ומתאבלא על גופא. כיון דב"נ אתטמר בבי קברי, דומ"ה קדים ונפיק תוות ידיה, תלתא בי דינא, די ממנן על דינא דקברא, ותלת שרביטי דאשא בידייהו, ודיינין רוחא וגופא כחדא. ווי על ההוא דינא, ווי על עובדוי.

קטו. בשעתא דאיהו תפיס בקולרא דמלכא, ואתדן דיניה, ואשתלים, דלא אשתכח עליה סניגוריא. וסנטירא דמלכא נחית, וקאים קמיה, לרגלוי, וחד סייפא שננא בידיה.

קטז. זקיף ב"נ עינוי, וחמי כתלי ביתא דמתלהטן באשא מניה אדהכי וחמי ליה קמיה כוליה מלי עיינין, לבושיה אשא דלהיט קמיה דבר נש. הכי הוא ודאי, דהא כמה בני נשא וחמו מלאכא בשוקא, וקיימי קמיה, ושאר בני נשא לא חמאן ליה.

קיז. ואי תימא, הא כתיב עושה מלאכיו רוחות וגו'. היך יכיל לאתחזאה בארעא. אלא מלה דא, הא אוקמוה, דכיון דנחית מלאכא לארעא, אתלבש בגופא, ואתחזי למאן דאתחזי, בההוא לבושא דאתלבש ביה. ואי לאו, לא יכיל למסבל ליה עלמא ולאתחזאה. כ"ש וכל שכן האי דכל בני עלמא צריכין ליה.

קיח. תלת טפין בחרביה וכו', והא אוקמוה חבריא. כיון דחמי ליה, אזדעזע כל גופיה ורוחיה, ולביה לא שכיך, בגין דאיהו מלכא דכל גופא. ורוחא דיליה אזלא בכל שייפי גופא, ואשתאיל מנייהו, כבר נש דאשתאיל מחבריה, למהך לאתר אחרא. כדין הוא אומר ווי על מה דעבד, ולא מהנייא ליה, אלא אי אקדים אסוותא דתשובה, עד לא מטא ההיא שעתא.

קיט. דחיל ההוא ב"נ, ובעי לאתטמרא ולא יכיל. כיון דחמי דלא יכיל, הוא פתח עינוי, ואית ליה לאסתכלא ביה, ואסתכל ביה בעיינין פקיחין. וכדין הוא מסיר גרמיה ונפשיה. וההוא שעתא, הוא עידן דדינא רבא, דב"נ אתדן ביה בהאי עלמא. וכדין רוחא אזלא בכל שייפי גופא, ואשתאיל מינייהו, ושאט בכל שייפין, ואזדעזעא לכל סטרין וכל שייפי גופא כלהו מזדעזען.

קכ. כד מטא רוחא לכל שייפא ושייפא, ואשתאיל מניה. נפל זיעא על ההוא שייפא, ורוחא אסתליק מניה. ומיד מית ההוא שייפא. וכן בכלהו.

קכא. כיון דמטי רוחא למיפק, דהא אשתאיל מכל גופא, כדין שכינתא קיימא עליה. ומיד פרחא מן גופא. זכאה חולקיה דמאן דאתדבק בה, ווי לאינון חייביא דרחיקין מנה, ולא מתדבקין בה.

קכב. וכמה בי דינא אעבר בר נש כד נפק מהאי עלמא. חד ההוא דינא עלאה דקאמרן, כד נפיק רוחא מן גופא. וחד דינא, כד עובדוי ומלוי אזלין קמיה, וכרוזי

מַכְרְזֵי עָלוֹי. וְחַד דִּינָא, כַּד עָיֵיל לְקִבְרָא וְחַד דִּינָא דְּקִבְרָא. וְחַד דִּינָא דְּתוֹלַעְתָּא. וְחַד דִּינָא דְּגֵיהִנֹּם. וְחַד דִּינָא דְּרוּחָא דְּאָזְלָא וְשָׁאט בְּעָלְמָא, וְלָא אַשְׁכַּח אֲתַר, עַד דְּיִשְׁתַּלִּימוּ עוֹבָדוֹי. וַדַּאי שִׁבְעָה עִדָּנִין יַחְלְפוּן עָלוֹי. בְּגִין כָּךְ בָּעֵי בַּר נָשׁ, כַּד אִיהוּ אִשְׁתְּכַח בְּהַאי עָלְמָא, לְדַחֲלָא מִן מָארֵיהּ, וּלְאִסְתַּכְּלָא בְּכָל יוֹמָא וְיוֹמָא בְּעוֹבָדוֹי, וְיֵיתוּב מִנַּיְיהוּ קָמֵי מָרֵיהּ.

קכג. כַּד אִסְתַּכַּל דָּוִד מַלְכָּא בְּאִינּוּן דִּינִין דְּבַר נָשׁ, כַּד אִסְתַּלַּק מֵהַאי עָלְמָא, אַקְדִּים וְאָמַר, בָּרְכִי נַפְשִׁי אֶת יְיָ', עַד דְּלָא תִּפּוּק מֵעָלְמָא, הַשְׁתָּא דְּאַנְתְּ אִשְׁתַּכְּחַת עִם גּוּפָא. וְכָל קְרָבַי אֶת שֵׁם קָדְשׁוֹ, אַתּוּן שַׁיְיפֵי דְּמִשְׁתַּתְּפֵי בְּרוּחָא, הַשְׁתָּא דְּאִשְׁתַּכְּחַת עִמְּכוֹן, אַקְדִּימוּ לְבָרְכָא שְׁמָא קַדִּישָׁא, עַד לָא יִמְטֵי זִמְנָא, דְּלָא תֵּיכְלוּן לְבָרְכָא לֵיהּ, וּלְאוֹדָאָה עֲלַיְיכוּ.

קכד. ת"ח אִישׁ כִּי יַפְלִיא לִנְדּוֹר נֶדֶר, נָזִיר דְּאַקְדִּים בְּהַאי עָלְמָא, לְאִתְקַדְּשָׁא בְּקְדוּשָׁה דְּמָארֵיהּ מִיַּיִן וְשֵׁכָר יַזִּיר וְחוֹמֶץ יַיִן וְגוֹ'. הָכָא אִית לְאִסְתַּכְּלָא, כֵּיוָן דְּאָסִיר לֵיהּ חַמְרָא, עֲנָבִים לָמָּה. דְּהָא בְּכַהֲנֵי כְּתִיב יַיִן וְשֵׁכָר אַל תֵּשְׁתְּ וְגוֹ', יָכוֹל עֲנָבִים נָמֵי. לָא. בַּעֲנָבִים שָׁרֵי. הָכָא לְנָזִיר, מ"ט אָסַר לֵיהּ עֲנָבִים.

קכה. אֶלָּא, עוֹבָדָא דָּא, וּמִלָּה דָּא, רָזָא עִלָּאָה הוּא, לְאִתְפָּרְשָׁא מִן דִּינָא בְּכֹלָּא. וְהָא יְדִיעָא הַהוּא אִילָנָא דְּחָב בֵּיהּ אָדָם קַדְמָאָה, עֲנָבִים הֲווּ. וְדָא הוּא רָזָא דְּמִלָּה, דְּהָא יַיִן וְשֵׁכָר וַעֲנָבִים, בְּסִטְרָא וְחַד אִתְאַחֲדוּ. יַיִן לְעֵילָּא וְאוֹקְמוּהָ. שֵׁכָר לִשְׂמָאלָא, דְּהָא שֵׁכָר מִיַּיִן נָפְקָא. עֲנָבִים דְּכָנִישׁ כֻּלְּהוּ לְגַבַּיְיהוּ, וְדָא הוּא אִילָנָא דְּחָב בֵּיהּ אָדָם קַדְמָאָה. בְּגִ"כ כֹּלָּא בְּחַד סִטְרָא אִתְאַחֲד. וְאִי תֵּימָא דְּהַאי נָזִיר שָׁבִיק מְהֵימְנוּתָא עִלָּאָה. לָאו הָכִי, אֶלָּא לָא אִתְחֲזֵי בֵּיהּ עוֹבָדָא מִסִּטְרָא שְׂמָאלָא כְּלוּם.

קכו. ת"ח, דְּהָכִי אוֹלִיפְנָא מִסִּפְרָא דְּרַב הַמְנוּנָא סָבָא, וְהָכִי הוּא. כְּתִיב גַּדֵּל פֶּרַע שְׂעַר רֹאשׁוֹ, בָּעֵי דְּיִתְרַבֵּי שְׂעַר רֵישֵׁיהּ וְדִיקְנֵיהּ, וְיִתְפְּרַשׁ מִיַּיִן וְשֵׁכָר וַעֲנָבִים, בְּגִין דְּכֻלְּהוּ סְטַר שְׂמָאלָא, וְלָא תַּלְיָין שַׂעֲרָא. יַיִן אִימָא עִלָּאָה. שֵׁכָר סִטְרָא דַּאֲחִידוּ בֵּיהּ לֵיוָאֵי וְנָפְקֵי מִיַּיִן עִלָּאָה וְלָא תָּלֵי שַׂעֲרָא. וּבְגִ"כ כַּד סַלְּקוּ לֵיוָאֵי לְהַהוּא אֲתַר, בָּעְיָין לְאַעְבְּרָא כָּל שַׂעֲרָא דִּלְהוֹן, כד"א וְהֶעֱבִירוּ תַעַר עַל כָּל בְּשָׂרָם.

קכז. עֲנָבִים אִימָא תַּתָּאָה, דְּכָנִישׁ יַיִן וְשֵׁכָר לְגַוָּוהּ, וְעַל דָּא אִתְפְּרַשׁ מִכָּל סְטַר שְׂמָאלָא, דְּלָא לְאַחֲזָאָה עוֹבָדָא דִּילְהוֹן לְגַבֵּיהּ. עֲנָבִים דָּא לָא תָּלֵי שַׂעֲרָא וְדִיקְנָא. דְּהָא נוּקְבָא בָּעְיָא לְסַפְּרָא שַׂעֲרָא, כַּד אַתְיָא לְאִזְדַּוְּוגָא בִּדְכוּרָא, וְהָא דִּיקְנָא לָא אִשְׁתְּכַח בָּהּ. בְּגִ"כ הוּא תָּלֵי שַׂעֲרָא דְּרֵישָׁא וְדִיקְנָא, וְרָזָא דְּמִלָּה נְזִיר אֱלֹהִים אִקְרֵי, וְלָא נְזִיר יְיָ', פָּרִישׁ מִדִּינָא כֹּלָּא.

קכח. ת"ח, עַל דָּא כְּתִיב, וְכִפֶּר עָלָיו מֵאֲשֶׁר חָטָא עַל הַנָּפֶשׁ וְגוֹ'. עַל נַפְשׁוֹ לָא כְּתִיב, אֶלָּא עַל הַנֶּפֶשׁ סְתָם. וּמַאי אִיהוּ. דָּא עֲנָבִים, דְּאִקְרֵי נֶפֶשׁ. וְעַ"ד כְּתִיב וְחָטָא, בְּגִין דִּסְטַר דִּילֵיהּ יַיִן וְשֵׁכָר הוּא, וְגָרַע מִנֵּיהּ אֲתַר דִּינָא. וְחָטָא, מַאי וְחָטָא. אֶלָּא גָּרַע דִּינָא שֶׁל הַנֶּפֶשׁ.

קכט. אִי הָכִי, אַמַּאי וְכִפֶּר עָלָיו. בְּגִין דְּהַשְׁתָּא קָא אַתְיָא לְאִתְחַבְּרָא בַּהֲדַיְיהוּ, וְלָא מְקַבְּלָן לֵיהּ הָנֵי אַתְרֵי, עַד דְּיִמְלַךְ בְּכַהֲנָא, וִיכַפֵּר עָלֵיהּ, בְּגִין דְּאִיהוּ שָׁדֵי לוֹן לְבַר בְּקַדְמֵיתָא, כֵּיוָן דְּהַשְׁתָּא אָתֵי לְגַבַּיְיהוּ, בָּעֵי לְאִתְחַבְּרָא תִּקּוּנָא דְּכַפָּרָה, וִיקַבְּלוּן לֵיהּ, וְדָא הוּא רָזָא דְּמִלָּה.

קל. וְאִי תֵּימָא, שִׁמְשׁוֹן נְזִיר אֱלֹהִים הֲוָה, אַמַּאי אִתְעֲנַשׁ. אֶלָּא שַׁפִּיר הוּא מִלָּה, דְּבָעַל בַּת אֵל נֵכָר. וַהֲוָה לֵיהּ לְאִתְחַבְּרָא בְּדִידֵיהּ, בְּמָה דְּאִתְחֲזֵי לֵיהּ. וְהוּא דַּהֲוָה

קַדִּישׁ, אַעְרַב הַהִיא קְדוּשָׁה בְּבַת אֵל נֵכָר, וְשָׁבִיק אַתְרֵיהּ, דְּאִתְחֲזֵי לְהַהִיא קְדוּשָׁה, ובג"כ אִתְעֲנָשׁ.

קלא. וְאִית מַאן דְּאָמַר, דְּלֵית לֵיהּ חוּלָקָא בְּהַהוּא עָלְמָא. מ"ט בְּגִין דְּאָמַר תָּמוֹת נַפְשִׁי עִם פְּלִשְׁתִּים, וּמָסַר חוּלָקֵיהּ בְּחוּלָקָא דִּפְלִשְׁתָּאֵי, דִּימוּת נַפְשֵׁיהּ עִמְּהוֹן בְּהַהוּא עָלְמָא. כַּךְ הֲווּ מַכְרְזֵי עַל נְזִירָא, לֵךְ לֵךְ אַמְרִין נְזִירָא, סְחוֹר סְחוֹר, לְכַרְמָא לָא תִּקְרַב. וְהָא אוּקְמוּהָ חַבְרַיָּיא.

קלב. לֵיוָאֵי מַה כְּתִיב בְּהוּ, וְכֹה תַעֲשֶׂה לָהֶם לְטַהֲרָם הַזֵּה עֲלֵיהֶם מֵי חַטָּאת וְהֶעֱבִירוּ תַעַר עַל כָּל בְּשָׂרָם. כֵּיוָן דְּעַבְרֵי שַׂעֲרָא, וְעַבְדֵי כּוּלֵי הַאי, כְּדֵין אִקְרֵי לֵיוָאֵי טָהוֹר, וְלָא קָדוֹשׁ. אֲבָל הַאי נָזִיר בְּגִין דְּאִתְפְּרַשׁ מֵהַאי סִטְרָא, אִקְרֵי קָדוֹשׁ וְלָא טָהוֹר. בְּגִין כַּךְ כְּתִיב, כָּל יְמֵי נֶדֶר נִזְרוֹ וְגוֹ' אֲשֶׁר יַזִּיר לַיְיָ' קָדוֹשׁ יִהְיֶה וְגוֹ'.

קלג. גַּדֵּל פֶּרַע שְׂעַר רֹאשׁוֹ, מִשּׁוּם הָא דִּכְתִיב, וּשְׂעַר רֵאשֵׁהּ כַּעֲמַר נְקֵא, דִּבְהַאי דָּמֵי לְגַוְונָא דִּלְעֵילָּא. אָמַר ר' יְהוּדָה בַּר רַב, בְּשַׂעֲרֵי מַמָּשׁ אִשְׁתְּמוֹדַע דְּאִיהוּ קַדִּישָׁא, דִּכְתִיב קְוֻצּוֹתָיו תַּלְתַּלִּים.

קלד. תָּאנֵי ר' שִׁמְעוֹן, אִלְמָלֵי יָדְעֵי בְּנֵי נָשָׁא, מַאי קָאַמְרֵי בְּהַאי שַׂעֲרָא, וּבְרָזָא דִּילֵיהּ, כַּמָּה דְּאִיהוּ בְּרָזָא דְּרָזִין, אִשְׁתְּמוֹדְעָן לְמָארֵיהוֹן, בְּחָכְמְתָא עִלָּאָה. עַד כָּאן רָזֵי דְּאוֹרַיְיתָא, מִכָּאן וּלְהָלְאָה סִתְרֵי תוֹרָה, סְחֹרָה וְאֶתְנַנָּהּ קֹדֶשׁ לַיְיָ'.

האדרא רבא קדישא

א. תַּנְיָא, אָמַר ר״ש לְחַבְרַיָּיא, עַד אֵימַת נֵיתִיב בְּקַיְּימָא דְּחַד סַמְכָא. כְּתִיב עֵת לַעֲשׂוֹת לַיְיָ׳ הֵפֵרוּ תּוֹרָתֶךָ. יוֹמִין זְעִירִין, וּמָארֵי דְּחוֹבָא דָּחִיק. כָּרוֹזָא קָארֵי כָּל יוֹמָא, וּמְחַצְּדֵי חַקְלָא זְעִירִין אִינּוּן. וְאִינְהוּ בְּשׁוּלֵי כַּרְמָא. לָא אַשְׁגְּחָן, וְלָא יַדְעִין, לְאָן אֲתַר אָזְלִין כְּמָה דְּיָאוֹת.

ב. אִתְכְּנָשׁוּ חַבְרַיָּיא לְבֵי אִדְּרָא, מְלוּבָּשִׁין שִׁרְיָין סַיְיפֵי וְרוֹמְחֵי בִּידֵיכוֹן, אִזְדָּרְזוּ בְּתִקּוּנֵיכוֹן. בְּעֵיטָא, בְּחָכְמְתָא. בְּסוּכְלְתָנוּ. בְּדַעְתָּא. בְּחֵיזוּ. בִּידִין. בְּרַגְלִין. אַמְלִכוּ עֲלֵיכוֹן לְמַאן דִּבְרְשׁוּתֵיהּ חַיֵּי וּמוֹתָא. לְמִגְזַר מִלִּין דִּקְשׁוֹט. מִלִּין דְּקַדִּישֵׁי עֶלְיוֹנִין צַיְיתֵי לְהוּ, וְחַדָּאן לְמִשְׁמַע לְהוּ, וּלְמִנְדַּע לְהוּ.

ג. יָתִיב ר״ש וּבָכָה, וְאָמַר וַוי אִי גָּלֵינָא, וַוי אִי לָא גָּלֵינָא. חַבְרַיָּיא דַּהֲוָה תַּמָּן אִשְׁתִּיקוּ. קָם ר׳ אַבָּא וא״ל, אִי נִיחָא קַמֵּיהּ דְּמָר לְגַלָּאָה, הָא כְּתִיב סוֹד יְיָ׳ לִירֵאָיו, וְהָא חַבְרַיָּיא אִלֵּין דַּחֲלִין דְּקוּדְשָׁא בְּרִיךְ הוּא אִינּוּן, וּכְבַר עָאלוּ בְּאִדְּרָא דְּבֵי מַשְׁכְּנָא, מִנְּהוֹן עָאלוּ, מִנְּהוֹן נַפְקוּ.

ד. תָּאנָא, אִתְמְנוּ חַבְרַיָּיא קַמֵּיהּ דר״ש, וְאִשְׁתְּכָחוּ, רִבִּי אֶלְעָזָר בְּרֵיהּ. ור׳ אַבָּא. ור׳ יְהוּדָה. וְרִבִּי יוֹסֵי בַּר יַעֲקֹב. ור׳ יִצְחָק. ור׳ חִזְקִיָּה בַּר רַב. ור׳ חִיָּיא. ור׳ יוֹסֵי. ור׳ יֵיסָא. יְדִין יָהֲבוּ לְר״ש, וְאֶצְבְּעָן זַקְפוּ לְעֵילָּא. וְעָאלוּ בְּחַקְלָא בֵּינֵי אִילָנֵי וְיָתְבוּ. קָם ר״ש וְצַלֵּי צְלוֹתֵיהּ, יָתִיב בְּגַוַּויְיהוּ וְאָמַר, כָּל חַד יְשַׁוֵּי יְדוֹי בְּתוּקְפֵּיהּ. שַׁווּ יְדַיְיהוּ, וְנָסִיב לוֹן . פָּתַח וְאָמַר אָרוּר הָאִישׁ אֲשֶׁר יַעֲשֶׂה פֶסֶל וּמַסֵּכָה מַעֲשֵׂה יְדֵי חָרָשׁ וְשָׂם בַּסָּתֶר וְעָנוּ כָל הָעָם וְאָמְרוּ אָמֵן.

ה. פָּתַח ר״ש וְאָמַר, עֵת לַעֲשׂוֹת לַיְיָ׳, אַמַּאי עֵת לַעֲשׂוֹת לַיְיָ׳. מִשּׁוּם דְּהֵפֵרוּ תּוֹרָתֶךָ. מַאי הֵפֵרוּ תּוֹרָתֶךָ, תּוֹרָה דִּלְעֵילָּא. דְּאִיהִי מִתְבַּטְּלָא אִי לָא יִתְעֲבִיד בְּתִקּוּנֵי דָּא. וּלְעַתִּיק יוֹמִין אִתְּמַר. כְּתִיב אַשְׁרֶיךָ יִשְׂרָאֵל מִי כָמוֹךָ. וּכְתִיב, מִי כָמוֹךָ בָּאֵלִים יְיָ׳.

ו. קָרָא לְרִבִּי אֶלְעָזָר בְּרֵיהּ, אוֹתְבֵיהּ קַמֵּיהּ, וּלְרִבִּי אַבָּא מִסִּטְרָא אַחֲרָא, וְאָמַר אֲנָן כְּלָלָא דְּכוֹלָּא. עַד הַשְׁתָּא אִתְתְּקָנוּ קַיְּימִין. אִשְׁתִּיקוּ, שַׁמְעֵי קָלָא, וְאַרְכּוּבָתָן דָּא לְדָא נַקְשָׁן. מַאי קָלָא. קָלָא דִּכְנוּפְיָיא עִלָּאָה דְּמִתְכַּנְּפֵי.

ז. חַדֵּי ר״ש וְאָמַר, יְיָ׳ שָׁמַעְתִּי שִׁמְעֲךָ יָרֵאתִי הָתָם יָאוֹת הֲוָה לְמֶהֱוֵי דָּחִיל. אֲנָן בַּחֲבִיבוּתָא תַּלְיָיא מִלְּתָא, דִּכְתִיב וְאָהַבְתָּ אֵת יְיָ׳ אֱלֹהֶיךָ, וּכְתִיב מֵאַהֲבַת יְיָ׳ אֶתְכֶם, וּכְתִיב אָהַבְתִּי אֶתְכֶם וְגוֹ׳.

ח. ר״ש פָּתַח וְאָמַר, הוֹלֵךְ רָכִיל מְגַלֶּה סוֹד וְנֶאֱמַן רוּחַ מְכַסֶּה דָבָר. הוֹלֵךְ רָכִיל, הַאי קְרָא קַשְׁיָא, אִישׁ רָכִיל מִבָּעֵי לֵיהּ לְמֵימַר, מַאן הוֹלֵךְ. אֶלָּא מַאן דְּלָא אִתְיַישַּׁב בְּרוּחֵיהּ, וְלָא הֲוֵי מְהֵימָנָא, הַהוּא מִלָּה דְּשָׁמַע, אָזִיל בְּגַוֵּיהּ כְּחֵיזְרָא בְּמַיָּא, עַד דְּרָמֵי לֵיהּ לְבַר. מ״ט. מִשּׁוּם דְּלֵית רוּחֵיהּ רוּחָא דְּקִיּוּמָא. אֲבָל מַאן דְּרוּחֵיהּ רוּחָא דְּקִיּוּמָא, בֵּיהּ כְּתִיב, וְנֶאֱמַן רוּחַ מְכַסֶּה דָבָר. וְנֶאֱמַן רוּחַ, קִיּוּמָא דְּרוּחָא. בְּרוּחָא תַּלְיָיא מִלְּתָא. וּכְתִיב, אַל תִּתֵּן אֶת פִּיךָ לַחֲטִיא אֶת בְּשָׂרֶךָ.

ט. וְלֵית עָלְמָא מִתְקַיְּימָא אֶלָּא בְּרָזָא. וְכִי אִי בְּמִלֵּי עָלְמָא אִצְטְרִיךְ רָזָא. בְּמִלִּין רָזִין דְּרָזַיָּיא דְּעַתִּיק יוֹמִין, דְּלָא אִתְמַסְרָאן אֲפִילּוּ לְמַלְאָכִין עִלָּאִין עאכ״ו. אר״ש, לִשְׁמַיָּא לָא אֵימָא דְּיֵצִיתוּן, לְאַרְעָא לָא אֵימָא דְּתִשְׁמַע, דְּהָא אֲנָן קִיּוּמֵי עָלְמִין. תָּנָא רָזִין דְּרָזִין, כַּד פָּתַח ר״ש בְּרָזֵי דְּרָזִין, אִזְדַּעְזָע אַתְרָא, וְחַבְרִין אִתְחַלְחָלוּ.

י. גַּלֵּי בְּרָזָא וּפָתַח וְאָמַר, כְּתִיב וְאֵלֶּה הַמְּלָכִים אֲשֶׁר מָלְכוּ בְּאֶרֶץ אֱדוֹם לִפְנֵי מְלָךְ מֶלֶךְ וְגוֹ'. זַכָּאִין אַתּוּן צַדִּיקַיָּיא, דְּאִתְגַּלֵּי לְכוֹן רָזֵי דְּרָזִין דְּאוֹרַיְיתָא, דְּלָא אִתְגַּלְיָין לְקַדִּישֵׁי עֶלְיוֹנִין, מַאן יַשְׁגַּח בְּהַאי, וּמַאן יִזְכֶּה בְּהַאי, דְּהוּא סַהֲדוּתָא עַל מְהֵימְנוּתָא דְּכֹלָּא. צְלוֹתָא בִּרְעֲוָא יְהֵא, דְּלָא יִתְחֲשַׁב לְחוֹבָא לְגַלָּאָה דָּא. וּמַה יֵּימְרוּן חַבְרַיָּיא, דְּהַאי קְרָא קַשְׁיָא הוּא, דְּהָא לָא הֲוָה לֵיהּ לְמִכְתַּב הָכִי, דְּהָא חָזֵינָן כַּמָּה מְלָכִים הֲווֹ, עַד דְּלָא יֵיתוּן בְּנֵי יִשְׂרָאֵל, וְעַד לָא יְהֵי מַלְכָּא לִבְנֵי יִשְׂרָאֵל וּמַה אִתְחֲזֵי הָכָא, וּבְדָא אִתְעָרוּ חַבְרַיָּיא. אֶלָּא רָזָא דְּרָזִין הוּא, דְּלָא יַכְלִין בְּנֵי נָשָׁא לְמִנְדַּע וּלְאִשְׁתְּמוֹדַע וּלְמִרְחַשׁ בְּדַעְתַּיְיהוּ בְּהַאי.

יא. תָּאנָא, עַתִּיקָא דְּעַתִּיקִין, טְמִירָא דִּטְמִירִין, עַד לָא זַמִּין תִּקּוּנוֹי, וְעִטּוּרֵי עִטּוּרִין, שֵׁירוּתָא וְסִיּוּמָא לָא הֲוָה. וַהֲוָה מְגַלִּיף וּמְשַׁעֵר בֵּיהּ. וּפָרִיס קַמֵּיהּ חַד פַּרְסָא, וּבָהּ גְּלִיף וְשִׁיעֵר מַלְכִין.

יב. וְתִקּוּנוֹי לָא אִתְקַיָּימוּ, הה"ד וְאֵלֶּה הַמְּלָכִים אֲשֶׁר מָלְכוּ בְּאֶרֶץ אֱדוֹם לִפְנֵי מְלָךְ מֶלֶךְ לִבְנֵי יִשְׂרָאֵל. מַלְכָּא קַדְמָאָה, לִבְנֵי יִשְׂרָאֵל קַדְמָאָה. וְכֻלְּהוּ דְּגָלִיפוּ בִּשְׁמָהָן אִתְקְרוּן. וְלָא אִתְקַיָּימוּ, עַד דְּאַנַּח לְהוּ, וְאַצְנַע לְהוּ, וּלְבָתַר זִמְנָא הוּא אִסְתַּלַּק בְּהַהוּא פַּרְסָא, וְאִתְתְּקַן בְּתִקּוּנוֹי.

יג. וְתָאנָא, כַּד סָלִיק בִּרְעוּתָא, לְמִבְרֵי אוֹרַיְיתָא טְמִירָא תְּרֵי אַלְפֵי שְׁנִין, וְאַפְּקָהּ, מִיַּד אֲמָרָה קַמֵּיהּ, מַאן דְּבָעֵי לְאַתְקָנָא וּלְמֶעְבַּד, יִתְקַן בְּקַדְמֵיתָא תִּקּוּנוֹי.

יד. תָּאנָא בִּצְנִיעוּתָא דְּסִפְרָא, עַתִּיקָא דְּעַתִּיקִין, סִתְרָא דְּסִתְרִין טָמִיר דִּטְמִירִין, אִתְתְּקַן וְאִזְדַּמַּן, כְּגוֹן סָבָא דְּסָבִין, עַתִּיק מֵעַתִּיקִין, טָמִיר מִטְּמִירִין, וּבְתִיקּוּנוֹי יְדִיעַ וְלָא יְדִיעַ. מָארֵי דְּחִוָּור כְּסוּ, וְחֵיזוּ בּוּסִיטָא דְּאַנְפּוֹי, יָתִיב עַל כּוּרְסְיָיא דִּשְׁבִיבִין, לְאַכְפְּיָיא לוֹן.

טו. אַרְבַּע מְאָה אַלְפֵי עָלְמִין, אִתְפַּשַּׁט חִוָּורָא דְּגוּלְגַּלְתָּא דְּרֵישׁוֹי. וּמִנְּהִירוּ דְּהַאי חִוָּורָא, יָרְתֵי צַדִּיקַיָּיא לְעָלְמָא דְּאָתֵי, ד' מְאָה עָלְמִין, הה"ד אַרְבַּע מֵאוֹת שֶׁקֶל כֶּסֶף עוֹבֵר לַסּוֹחֵר.

טז. בְּגוּלְגַּלְתָּא, יָתְבִין תְּלֵיסַר אַלְפֵי רִבּוֹא עָלְמִין, דְּנַטְלִין עֲלוֹי רַגְלִין, וְסָמְכִין עֲלוֹי. וּמֵהַאי גוּלְגַּלְתָּא נָטִיף טַלָּא, לְהַהוּא דִּלְבַר, וּמַלְיָיא לְרֵישֵׁיהּ בְּכָל יוֹמָא, דִּכְתִיב שֶׁרֹּאשִׁי נִמְלָא טָל.

יז. וּמֵהַהוּא טַלָּא דְּאַנְעַר מֵרֵישֵׁיהּ, הַהוּא דְּאִיהוּ לְבַר, יִתְעֲרוּן מֵתַיָּיא לְעָלְמָא דְּאָתֵי. דִּכְתִיב כִּי טַל אוֹרוֹת טַלֶּךָ, אוֹרוֹת נְהוֹרָא דְּחִוּוֹרְתָּא דְּעַתִּיקָא. וּמֵהַהוּא טַלָּא, מִתְקַיְּימִין קַדִּישֵׁי עֶלְיוֹנִין. וְהוּא מַנָּא דְּטַחֲנֵי לְצַדִּיקַיָּיא לְעָלְמָא דְּאָתֵי. וְנָטִיף הַהוּא טַלָּא לַחֲקַלָּא דְּתַפּוּחִין קַדִּישִׁין. הה"ד, וַתַּעַל שִׁכְבַת הַטָּל וְהִנֵּה עַל פְּנֵי הַמִּדְבָּר דַּק מְחֻסְפָּס. וְחֵיזוּ הַהוּא טַלָּא חִוָּור. כְּהַאי גַּוְונָא דְּאַבְנִין דְּבְדוֹלְחָא, דְּאִתְחֲזְיָיא כָּל גַּוְונִין בְּגַוֵּיהּ. הה"ד וְעֵינוֹ כְּעֵין הַבְּדוֹלַח.

יח. הַאי גוּלְגַּלְתָּא. חִוָּורָא דִּילֵיהּ, אַנְהִיר לִתְלֵיסַר עִיבָר גְּלִיפִין בְּסַחֲרָנוֹי. לְאַרְבַּע עִיבָר בְּסִטְרָא חַד, וּלְאַרְבַּע עִיבָר בְּסִטְרָא דָּא, בְּסִטְרָא דְּאַנְפּוֹי. וּלְאַרְבַּע עִיבָר בְּסִטְרָא דָּא, לְסִטְרָא דַּאֲחוֹרָא. וְחַד לְעֵילָּא דְּגוּלְגַּלְתָּא.

יט. וּמֵהַאי אִתְפַּשַּׁט אוֹרְכָּא דְּאַנְפּוֹי, לִתְלַת מְאָה וְשַׁבְעִין רִבּוֹא עָלְמִין. וְהַהוּא אִתְקְרֵי אֶרֶךְ אַפַּיִם. וְהַאי עַתִּיקָא דְּעַתִּיקִין אִתְקְרֵי אֲרִיכָא דְּאַנְפִּין. וְהַהוּא דִּלְבַר

אִתְקְרֵי זְעֵיר אַנְפִּין. לָקֳבְלֵיהּ דְּעַתִּיקָא סָבָא, קֹדֶשׁ קֳדָשִׁים דְּקֻדְשַׁיָּא. וּזְעֵיר אַנְפִּין כַּד אִסְתְּכַל לְהַאי, כֹּלָּא דִּלְתַתָּא אִתְתַּקַּן, וְאַנְפּוֹי מִתְפַּשְּׁטִין וַאֲרִיכִין בְּהַהוּא זִמְנָא, אֲבָל לָא כָּל שַׁעֲתָא כְּמָה דְּעַתִּיקָא.

כ. וּמֵהַאי גּוּלְגַּלְתָּא, נָפִיק חַד עִיבָר חִיוָּר לְגוּלְגַּלְתָּא דִּזְעֵיר אַנְפִּין, לְתַקְּנָא רֵישֵׁיהּ. וּמֵהַאי לִשְׁאַר גּוּלְגַּלְתִּין דִּלְתַתָּא, דְּלֵית לוֹן חוּשְׁבְּנָא. וְכָל גּוּלְגַּלְתָּא יַהֲבִין אַגַּר חִיוַרְתָּא לְעַתִּיק יוֹמִין. כַּד עָאלִין בְּחוּשְׁבְּנָא תְּחוֹת שַׁרְבִיטָא. וּלָקֳבֵיל דָּא, בֶּקַע לַגֻּלְגֹּלֶת לְתַתָּא, כַּד עָאלִין בְּחוּשְׁבְּנָא.

כא. בְּחַלָּלָא דְּגוּלְגַּלְתָּא, קְרוּמָא דַּאֲוִירָא דְּחָכְמְתָא עִלָּאָה סְתִימָה דְּלָא פָּסִק. וְהַאי לָא שְׁכִיחַ, וְלָא אִתְפְּתַח. וְהַאי קְרוּמָא אִתְחַפְיָא עַל מוֹחָא דְּאִיהוּ חָכְמְתָא סְתִימָאָה. וּבְגִינֵי כַּךְ אִתְכַּסְיָא הַאי חָכְמְתָא בְּהַהוּא קְרוּמָא, דְּלָא אִתְפַּתְּחָא.

כב. וְהַאי מוֹחָא, דְּאִיהוּ הַאי חָכְמְתָא סְתִימָאָה. שָׁקִיט וְאִשְׁתְּכִיךְ בְּאַתְרֵיהּ, כַּחֲמַר טָב עַל דּוּרְדְּיֵיהּ, וְהַיְינוּ דְּאָמְרֵי סָבָא דְּעַתּוֹי סָתִים, וּמוֹחֵיהּ סָתִים וְשָׁכִיךְ.

כג. וְהַאי קְרוּמָא אִתְפְּסַק מִזְּעֵיר אַפִּין, וּבְגִינֵי כַּךְ מוֹחֵיהּ אִתְפְּשַׁט וְנָפִיק לִתְלָתִין וּתְרֵין שְׁבִילִין, הה״ד וְנָהָר יוֹצֵא מֵעֵדֶן. מ״ט. מִשּׁוּם דִּקְרוּמָא אִתְפְּסַק, דְּלָא מְחַפְיָא עַל מוֹחָא. וְהַיְינוּ דְּתָנֵינָן בְּרִישׁוּמֵי אַתְוָון, תָּי״ו רְשִׁים רִישׁוּמָא לְעַתִּיק יוֹמִין דְּלֵית דִּכְוָותֵיהּ.

כד. תָּאנָא, בְּגוּלְגַּלְתָּא דְּרֵישָׁא, תַּלְיָין אֶלֶף אַלְפִין רִבּוֹא, וְשִׁבְעַת אַלְפִין, וַחֲמֵשׁ מְאָה קוֹצֵי דְּשַׂעֲרֵי, חִוָּור וְנָקִי, כְּהַאי עַמְרָא כַּד אִיהוּ נָקִי, דְּלָא אִסְתְּבַךְ דָּא בְּדָא. דְּלָא לְאַחֲזָאָה עִרְבּוּבְיָא בְּתִקּוּנוֹי. אֶלָּא כֹּלָּא עַל בּוּרְיֵיהּ, דְּלָא נָפִיק נִימָא מִנִּימָא, וְשַׂעֲרָא מִשַּׂעֲרָא.

כה. וְכָל קוֹצָא וְקוֹצָא, אִית בֵּיהּ אַרְבַּע מְאָה וְעֶשֶׂר נִימֵי דְּשַׂעֲרֵי, כְּחוּשְׁבַּן קָדו״שׁ. וְכָל נִימָא וְנִימָא לָהִיט בְּאַרְבַּע מְאָה וְעֶשֶׂר עָלְמִין. וְכָל עָלְמָא וְעָלְמָא סָתִים וְגָנִיז, וְלֵית דְּיָדַע לוֹן, בַּר אִיהוּ. וְלָהִיט לְאַרְבַּע מְאָה וְעֶשֶׂר עִיבָר.

כו. וּבְכָל נִימָא וְנִימָא, אִית מַבּוּעַ דְּנָפַק מִמּוֹחָא סְתִימָאָה, וְנָהִיר וְנָגִיד בְּהַהוּא נִימָא, לְנִימִין דִּזְעֵיר אַנְפִּין. וּמֵהַאי מִתְתַּקַּן מוֹחֵיהּ. וּכְדֵין, נָגִיד הַהוּא מוֹחָא, לִתְלָתִין וּתְרֵין שְׁבִילִין.

כז. וְכָל קוֹצָא וְקוֹצָא מִתְלַהֲטָן, וְתַלְיָין. מִתְתַּקְּנָן בְּתִקּוּנָא יָאֶה, בְּתִקּוּנָא שַׁפִּירָא. מְחַפְיָין עַל גּוּלְגַּלְתָּא. מִתְתַּקְנֵי קוֹצֵי דְּנִימִין, מֵהַאי סִטְרָא, וּמֵהַאי סִטְרָא, עַל גּוּלְגַּלְתָּא. וְתָאנָא, כָּל נִימָא וְנִימָא, אִיהִי מְשִׁיכָא מִמַּבּוּעִין סְתִימִין, דְּנָפְקִין מִמּוֹחָא סְתִימָאָה.

כח. וְתָאנָא, מִשַּׂעֲרוֹי דְּב״נ, אִשְׁתְּמוֹדַע מַאי הוּא, אִי דִּינָא אִי רַחֲמֵי. מִכַּד עַבְרִין עֲלוֹי אַרְבְּעִין שְׁנִין. וַאֲפִילּוּ כַּד אִיהוּ עוֹלָם, בְּשַׂעֲרֵיהּ בְּדִיוּקְנֵיהּ וּבְגַבִּינֵי עֵינוֹי.

כט. קוֹצִין דְּשַׂעֲרֵי, תַּלְיָין בְּתִקּוּנֵי נַקְיֵי כַּעֲמַר נְקָא עַד כַּתְפּוֹי. עַד כַּתְפּוֹי ס״ד. אֶלָּא עַד רֵישֵׁי דְּכַתְפּוֹי, דְּלָא אִתְחֲזֵי קוֹדְלָא. מִשּׁוּם דִּכְתִיב כִּי פָנוּ אֵלַי עוֹרֶף וְלֹא פָנִים. וְשַׂעֲרָא סָלִיק אֲבַתְרוֹי דְּאוּדְנִין, דְּלָא לְחַפְיָא עֲלוֹי, דִּכְתִיב לִהְיוֹת אָזְנֶיךָ פְּקוּחוֹת.

ל. שַׂעֲרָא דְּנָפִיק מִבָּתַר אוּדְנוֹי, כּוּלֵּיהּ בְּשִׁקּוּלָא. לָא נָפִיק דָּא מִן דָּא, תִּקּוּנָא שְׁלִים. תִּקּוּנָא יָאֶה. תִּקּוּנָא שַׁפִּירָא. תָּאִיב לְמֶחֱמֵי. תִּיאוּבְתָּא וְחֶדְוָותָא דְּצַדִּיקַיָּיא, דְּאִינּוּן בִּזְעֵיר אַפִּין, לְמֶחֱמֵי וּלְאִתְדַּבְּקָא בְּתִקּוּנוֹי. דְּעַתִּיקָא סְתִימָאָה דְּכֹלָּא.

לא. י״ג נִימִין דְּשַׂעֲרִין, קַיְימֵי מֵהַאי סִטְרָא, וּמֵהַאי סִטְרָא דְּגוּלְגַּלְתָּא, לָקֳבֵיל אַנְפּוֹי. וּבְאִינּוּן שָׁרְיָין שַׂעֲרֵי לְאִתְפַּלְּגָא. לֵית שְׂמָאלָא בְּהַאי עַתִּיקָא סְתִימָאָה, כֹּלָּא יְמִינָא. אִתְחֲזֵי וְלָא אִתְחֲזֵי. סָתִים וְלָא סָתִים. וְהַאי בְּתִקּוּנֵיהּ, כ״שׁ בֵּיהּ.

לב. וְעַל הַאי, תָּאִיבוּ בְּנֵי יִשְׂרָאֵל לְצָרְפָא בְּלִבְּהוֹן, דִּכְתִּיב הֲיֵשׁ יְיָ' בְּקִרְבֵּנוּ אִם אָיִן. בֵּין זְעֵיר אַנְפִּין דְּאִקְרֵי יְיָ', וּבֵין אֲרִיךְ אַנְפִּין דְּאִקְרֵי אַי"ן. אַמַּאי אִתְעֲנָשׁוּ. מִשּׁוּם דְּלָא עַבְדוּ בַּחֲבִיבוּתָא, אֶלָּא בְּנִסְיוֹנָא. דִּכְתִּיב וְעַל נַסּוֹתָם אֶת יְיָ' לֵאמֹר הֲיֵשׁ יְיָ' בְּקִרְבֵּנוּ אִם אָיִן.

לג. בְּפַלְגּוּתָא דְּשַׂעֲרֵי, אָזִיל חַד אָרְחָא דְּנָהִיר לְמָאתָן וְשַׁבְעִין עָלְמִין. וּמִנֵּיהּ נָהִיר אָרְחָא דז"א, דְּנַהֲרִין בֵּיהּ צַדִּיקַיָּיא לְעָלְמָא דְּאָתֵי. הה"ד וְאוֹרַח צַדִּיקִים כְּאוֹר נוֹגַהּ הוֹלֵךְ וָאוֹר עַד נְכוֹן הַיּוֹם. וּמִן הַהוּא אָרְחָא אִתְפָּרְשָׁא לְשִׁית מֵאָה וּתְלֵיסַר אוֹרְחִין דְּאוֹרַיְיתָא, דְּפָלִיג בִּזְעֵיר אַפִּין. דִּכְתִּיב בֵּיהּ כָּל אָרְחוֹת יְיָ' חֶסֶד וֶאֱמֶת וְגוֹ'.

לד. מִצְחָא דְּגוּלְגַּלְתָּא, רָצוֹן אִקְרֵי. דְּהָא רַעֲוָא דְּרַעֲוִין אִתְגְּלֵי בְּהַהוּא מִצְחָא לְקַבֵּל דָּא לְתַתָּא. כְּתִיב וְהָיָה עַל מִצְחוֹ תָּמִיד לְרָצוֹן וְגוֹ' וְהַהוּא מִצְחָא דְּאִקְרֵי רָצוֹן, הוּא גְּלוּיָא דְּכָל רֵישָׁא וְגוּלְגַּלְתָּא, דְּמִתְכַּסְיָא בְּאַרְבַּע מְאָה וְעֶשֶׂר עָלְמִין.

לה. וְכַד אִתְגַּלְיָא, אִתְקַבְּלָא צְלוֹתְהוֹן דְּיִשְׂרָאֵל. אֵימָתַי אִתְגַּלְיָא. שָׁתִיק ר"ש. שָׁאַל תִּנְיָינוּת אֵימָתַי. אר"ש לר' אֶלְעָזָר בְּרֵיהּ, אֵימָתַי אִתְגַּלְיָא. א"ל בְּשַׁעֲתָא דִּצְלוֹתָא דְּמִנְחָה דְּשַׁבְּתָא. א"ל מ"ט. א"ל, מִשּׁוּם דְּהַהִיא שַׁעֲתָא בְּיוֹמֵי דְּחוֹל, תַּלְיָא דִּינָא לְתַתָּא בִּזְעֵיר אַפִּין. וּבְשַׁבְּתָא אִתְגַּלְיָא מִצְחָא דְּאִתְקְרֵי רָצוֹן. בְּהַהִיא שַׁעֲתָא אִשְׁתְּכִיךְ רוּגְזָא. וְאִשְׁתְּכַח רַעֲוָא, וּמִתְקַבְּלָא צְלוֹתָא. הה"ד, וַאֲנִי תְפִלָּתִי לְךָ יְיָ' עֵת רָצוֹן. וְעֵת רָצוֹן מֵעַתִּיק יוֹמִין, לְגַלָּאָה מִצְחָא. וּבְגִ"כ אִתְתָּקַן הַאי קְרָא, לְמֵימְרֵיהּ בִּצְלוֹתָא דְּמִנְחָה בְּשַׁבְּתָא. אר"ש לר' אֶלְעָזָר בְּרֵיהּ, בְּרִיךְ בְּרִי לְעַתִּיק יוֹמִין, רַעֲוָא דְּמִצְחָא תִּשְׁכַּח בְּשַׁעֲתָא דְּתִצְטְרִיךְ לֵיהּ.

לו. ת"ח, בִּשְׁאָר דִּלְתַתָּא, כַּד אִתְגְּלֵי מִצְחָא אִשְׁתְּכַח חוּצְפָּא, הה"ד וּמֵצַח אִשָּׁה זוֹנָה הָיָה לָךְ מֵאַנְתְּ הִכָּלֵם. וְהָכָא כַּד אִתְגְּלֵי מִצְחָא, חֲבִיבוּתָא וְרַעֲוָא שְׁלִים אִשְׁתְּכַח, וְכָל רוּגְזִין אִשְׁתְּכָכוּ וּמִתְכַּפְיָין קַמֵּיהּ.

לז. מֵהַאי מִצְחָא דִּלְתַתָּא, נָהֲרִין אַרְבַּע מְאָה בָּתֵּי דִּינִין. כַּד אִתְגַּלְיָיא הַאי עֵת רָצוֹן, כֻּלְּהוּ מִשְׁתַּכְּכִין קַמֵּיהּ, הֲדָא הוּא דִּכְתִּיב דִּינָא יְתִיב. וְתָאנָא, שַׂעֲרָא לָא קָאִים בְּהַאי אֲתָר, מִשּׁוּם דְּמִתְגַּלְיָיא, וְלָא אִתְכַּסְיָיא. אִתְגַּלְיָא, דְּיִסְתַּכְּלוּן מָארֵי דְּדִינָא, וְיִשְׁתַּכְּכוּן. וְלָא אִתְעֲבִידוּ.

לח. תָּאנָא, הַאי מִצְחָא אִתְפְּשַׁט בְּמָאתָן וְשַׁבְעִין אַלְפִין נְהִירִין בּוּצִינִין דְּנַהֲרִין מֵעֵדֶן עִלָּאָה. דְּתַנְיָא, אִית עֵדֶן דְּנָהִיר לְעֵדֶן. עֵדֶן עִלָּאָה לָא אִתְגַּלְיָיא, וְהוּא סָתִים בִּסְתִימָא וְלָא מִתְפָּרְשָׁא לְאָרְחִין כִּדְקָאַמְרָן. וְהַאי עֵדֶן דִּלְתַתָּא, מִתְפָּרַשׁ בִּשְׁבִילוֹי, לִתְלָתִין וּתְרֵין שְׁבִילִין.

לט. ואע"ג דְּמִתְפָּרַשׁ הַאי עֵדֶן בִּשְׁבִילוֹי, לֵית דְּיָדַע לֵיהּ, בַּר הַאי זְעֵיר אַפִּין. וְעֵדֶן דִּלְעֵילָּא, לֵית דְּיָדַע לֵיהּ, וְלָא שְׁבִילוֹי, בַּר הַהוּא אֲרִיךְ אַנְפִּין. הה"ד אֱלֹהִים הֵבִין דַּרְכָּהּ וְהוּא יָדַע אֶת מְקוֹמָהּ. אֱלֹהִים הֵבִין דַּרְכָּהּ, דָּא עֵדֶן דִּלְתַתָּא, דְּיָדַע זְעֵיר אַפִּין. וְהוּא יָדַע אֶת מְקוֹמָהּ, דָּא עֵדֶן דִּלְעֵילָּא, דְּיָדַע עַתִּיק יוֹמִין, סְתִימָאָה דְּכֹלָּא.

מ. עֵינוֹי דְּרֵישָׁא חִוָּורָא, מִשְׁתַּנְיָין מִשְּׁאַר עַיְינִין, לֵית כְּסוּתָא עַל עֵינָא. וְלֵית גְּבִינִין עַל עֵינָא. מ"ט. דִּכְתִּיב הִנֵּה לֹא יָנוּם וְלֹא יִישָׁן שׁוֹמֵר יִשְׂרָאֵל. יִשְׂרָאֵל דִּלְעֵילָּא. וּכְתִיב אֲשֶׁר עֵינֶיךָ פְּקוּחוֹת. וְתָאנָא, כָּל מַה דְּאָתֵי בְּרַחֲמֵי, לֵית כְּסוּתָא עַל עֵינָא, וְלֵית גְּבִינִין עַל עֵינָא. כ"ש רֵישָׁא חִוָּורָא, דְּלָא בָּעָא מִידִי.

מא. אָמַר ר' שִׁמְעוֹן לר' אַבָּא לְמָאי הִיא רְמִיזָא. א"ל לְנוּנֵי יַמָּא, דְּלֵית כְּסוּתָא עַל

עֵינָא, וְלֵית גְּבִינִין עַל עֵינָא, וְלָא נַיְימִין, וְלָא בַּעְיָין נְטוּרָא עַל עֵינָא. כ"ש עַתִּיקָא דְּעַתִּיקָא, דְּלָא בָּעֵי נְטוּרָא. וכ"ש דְּאִיהוּ מַשְׁגַּח לְכֹלָּא, וְכֹלָּא מִתְּזָן בֵּיהּ וְלָא נָאִים. הה"ד, הִנֵּה לֹא יָנוּם וְלֹא יִישָׁן שׁוֹמֵר יִשְׂרָאֵל, יִשְׂרָאֵל דִּלְעֵילָא.

מב. כְּתִיב הִנֵּה עֵין יְיָ' אֶל יְרֵאָיו. וּכְתִיב עֵינֵי יְיָ' הֵמָּה מְשׁוֹטְטִים בְּכָל הָאָרֶץ. לָא קַשְׁיָא, הָא בִּזְעֵיר אַפִּין. הָא בְּאֲרִיךְ אַנְפִּין. ועכ"ד תְּרֵי עַיְינִין אִינּוּן וְאִתְהַדְּרוּ לְחָד, עֵינָא דְּאִיהִי חִוָּור בְּגוֹ חִוָּור וְחִוָּור דְּכָלִיל כָּל חִוָּור.

מג. חִוָּורָא קַדְמָאָה, נָהִיר וְסָלִיק, וְנָחִית לְאִסְתַּכְּלָא, דְּצָרִיר בִּצְרוֹרָא. תָּאנָא, בָּטַשׁ הַאי חִיוָּרָא, וְאַדְלִיק ג' בּוֹצִינֵי, דְּאִקְרוּן: הוֹד. וְהָדָר. וְחֶדְוָה. וְלַהֲטִין בְּחֶדְוָותָא בִּשְׁלֵימוּתָא.

מד. חִוָּורָא תִּנְיָינָא, נָהִיר, וְסָלִיק וְנָחִית, וּבָטַשׁ וְאַפִּיק ג' בּוֹצִינִין אַחֲרָנִין, דְּאִקְרוּן נֶצַח וְחֶסֶד וְתִפְאֶרֶת, וְלַהֲטִין בִּשְׁלֵימוּתָא בְּחֶדְוָותָא.

מה. חִוָּורָא תְּלִיתָאָה, לָהִיט וְנָהִיר, וְנָחִית וְסָלִיק, וְנָפִיק מִסְּתִימוּתָא דְּמוֹחָא, וּבָטַשׁ בְּבוֹצִינָא אֶמְצָעִיתָא, שְׁבִיעָאָה. וְאַפִּיק אָרְחָא לְמוֹחָא תַּתָּאָה, וּמִתְלַהֲטָן כֻּלְּהוּ בּוֹצִינִין דִּלְתַתָּא. אָמַר ר"ש יָאוּת הוּא, וְעַתִּיק יוֹמִין יִפְקַח עֵינָא דָּא עֲלָךְ, בְּשַׁעֲתָא דְּתִצְטְרִיךְ לֵיהּ.

מו. תָּאנָא חִוָּור בְּגוֹ חִוָּור. וְחִוָּור דְּכָלִיל כָּל חִוָּור. חִוָּורָא קַדְמָאָה, נָהִיר, וְסָלִיק. וְנָחִית לְתַתָּא לִתְלַת בּוֹצִינֵי דִּלְסְטַר שְׂמָאלָא, וְלַהֲטִין וְאַסְחָן בְּהַאי חִוָּורָא, כְּמַאן דְּאַסְחֵי גּוּפֵיהּ בְּבוּסְמִין טָבִין, וּבְרֵיחִין, עַל מַה דַּהֲווּ עָלוֵי בְּקַדְמֵיתָא.

מז. חִוָּורָא תִּנְיָינָא, נָחִית, וְסָלִיק, וְנָהִיר לִתְלַת בּוֹצִינֵי, דִּלְסְטַר יְמִינָא. וְלַהֲטִין וְאַסְחִין בְּהַאי חִוָּורָא, כְּמַאן דְּאַסְחֵי בְּבוּסְמִין טָבִין וּבְרֵיחִין, עַל מַה דַּהֲווּ עָלוֵי בְּקַדְמֵיתָא.

מח. חִוָּורָא תְּלִיתָאָה, נָהִיר וְסָלִיק וְנָחִית, וְנָפִיק נְהִירוּ דְּחִוָּורָא, דִּלְגוֹ לְגוֹ מִן מוֹחָא, וּבָטַשׁ בְּשַׂעְרָא אוּכָמָא, כַּד אִצְטְרִיךְ. וּבְרֵישָׁא. וּבְמוֹחָא דְּרֵישָׁא. וְנָהִיר לִתְלַת כִּתְרִין דְּאִשְׁתָּאֲרוּ, כְּמָה דְּאִצְטְרִיךְ לְגַלָּאָה. אִי נִיחָא קַמֵּי עַתִּיק סְתִימָא דְּכֹלָּא.

מט. וְתָאנָא לָא סָתִים הַאי עֵינָא. וְאִינּוּן תְּרֵין וְאִתְהַדְּרוּ לְחַד. כֹּלָּא הוּא יְמִינָא. לֵית בֵּיהּ שְׂמָאלָא. לָא נָאִים וְלָא אַדְמִיךְ, וְלָא בָּעֵי נְטִירוּתָא. לֵית מַאן דְּאַגִּין עֲלֵיהּ. הוּא אַגִּין עַל כֹּלָּא, וְהוּא אַשְׁגַּח עַל כֹּלָּא. וּמֵאַשְׁגָּחוּתָא דְּהַאי עֵינָא מִתְּזָנָן כֻּלְּהוּ.

נ. תָּאנָא, אִי עֵינָא דָּא אַסְתִּים רִגְעָא חֲדָא, לָא יַכְלִין לְקַיְימָא כֻּלְּהוּ, בְּגִ"כ אִקְרֵי עֵינָא פְּקִיחָא. עֵינָא עִלָּאָה. עֵינָא קַדִּישָׁא. עֵינָא דְּאַשְׁגָּחוּתָא. עֵינָא דְּלָא אַדְמִיךְ וְלָא נָאִים. עֵינָא דְּהוּא נְטוּרָא דְּכֹלָּא. עֵינָא דְּהוּא קִיּוּמָא דְּכֹלָּא. וְעַל הַאי כְּתִיב טוֹב עַיִן הוּא יְבוֹרָךְ, אַל תִּקְרֵי יְבוֹרָךְ אֶלָּא יְבָרֵךְ. דְּהַאי אִתְקְרֵי טוֹב עַיִן, וּמִנֵּיהּ מְבָרֵךְ לְכֹלָּא.

נא. וְתָאנָא, לֵית נְהִירוּ לְעֵינָא תַּתָּאָה, לְאִסְתַּחֲאָה מֵאַדְמִימוּתָא מֵאוּכָמוּתָא בַּר כַּד חָזֵי מֵהַאי נְהוֹרָא חִוָּורָא דְּעֵינָא עִלָּאָה דְּאִקְרֵי טוֹב עַיִן. וְלֵית דְּיָדַע כַּד נָהִיר עֵינָא עִלָּאָה דָּא קַדִּישָׁא וְאַסְחֵי לְעֵינָא תַּתָּאָה דָּא. בַּר אִיהוּ.

נב. וּזְמִינִין צַדִּיקַיָּיא, זַכָּאֵי עֶלְיוֹנִין, לְמֶחֱמֵי דָּא בְּרוּחָא דְּחָכְמְתָא, הה"ד כִּי עַיִן בְּעַיִן יִרְאוּ. אֵימָתַי. בְּשׁוּב יְיָ' צִיּוֹן. וּכְתִיב אֲשֶׁר עַיִן בְּעַיִן נִרְאָה אַתָּה יְיָ'. וְאִלְמָלֵא עֵינָא טָבָא עִלָּאָה, דְּאַשְׁגַּח וְאַסְחֵי לְעֵינָא תַּתָּאָה, לָא יָכִיל עָלְמָא לְמֵיקַם רִגְעָא חֲדָא.

נג. תָּאנָא בִּצְנִיעוּתָא דְּסִפְרָא, אַשְׁגָּחוּתָא דְּעֵינָא תַּתָּאָה, כַּד אַשְׁגַּח נְהִירוּ עִלָּאָה בֵּיהּ, וְעָיֵיל הַהוּא נְהִירוּ דְּעִלָּאָה בְּתַתָּאָה. דְּמִנֵּיהּ נָהִיר כֹּלָּא הה"ד אֲשֶׁר עַיִן בְּעַיִן נִרְאָה אַתָּה יְיָ'.

נד. כְּתִיב הִנֵּה עֵין יְיָ' אֶל יְרֵאָיו. וּכְתִיב עֵינֵי ה' הֵמָּה מְשׁוֹטְטִים בְּכָל הָאָרֶץ. זָכוּ, עֵינֵי יְיָ' אֶל יְרֵאָיו, עֵינָא דִּלְעֵילָּא. לָא זָכוּ, עֵינֵי יְיָ' הֵמָּה מְשׁוֹטְטוֹת, עֵינָא דִּלְתַתָּא.

נה. דְּתַנְיָא, מִפְּנֵי מַה זָכָה יוֹסֵף דְּלָא שַׁלְטָא בֵּיהּ עֵינָא בִּישָׁא, מִפְּנֵי שֶׁזָּכָה לְאִשְׁתַּגְּחָא בְּעֵינָא טָבָא עִילָּאָה, הה"ד בֵּן פּוֹרָת יוֹסֵף בֵּן פּוֹרָת עֲלֵי עָיִן. אֲמַאי הוּא בֵּן פּוֹרָת. עֲלֵי עָיִן. כְּלוֹמַר עַל סִבַּת עַיִן דְּאִשְׁתְּגַח בֵּיהּ.

נו. וּכְתִיב טוֹב עַיִן הוּא יְבוֹרָךְ, מ"ט. כִּי נָתַן מִלַּחְמוֹ לַדָּל. מ"ט אִקְרֵי וַחַד. ת"ח, בְּעֵינֵיהּ דְּתַתָּאָה אִית עֵינָא יְמִינָא, וְאִית עֵינָא דִּשְׂמָאלָא. וְאִינּוּן תְּרֵי, בִּתְרֵי גַּוְונֵי. אֲבָל הָכָא, לֵית עֵינָא שְׂמָאלָא. וְתַרְוַויְיהוּ בְּדַרְגָּא וַחַד סַלְקֵי, וְכֹלָּא יְמִינָא. וּבְגִינֵי כַּךְ, עֵינָא וַחַד, וְלָא תְּרֵין.

נז. וְתָאנָא, עֵינָא דָּא, דְּהוּא עֵינָא דְּאַשְׁגָּחוּתָא. פְּקִיחָא תָּדִיר. חַיְיכָאן תָּדִיר. וְחַדָּאן תָּדִיר, דְּלָא הֲוֵי הָכִי לְתַתָּאָה, דִּכְלִילָן בְּסוּמְקָא וּבְאוּכְמָא וּבְחִוּוָרָא, בְּג' גַּוְונֵי, וְלָא הֲוָה תָּדִיר פְּקִיחָא דְּלֵית עֵינֵיהּ בְּגַבִּינֵי דִּמְכַסְּאָן עַל עֵינָא. וְעַ"ד כְּתִיב, עוּרָה לָמָּה תִישַׁן יְיָ'. פְּקַח יְיָ' עֵינֶיךָ.

נח. כַּד אִתְפְּקַח, אִית לְמַאן דְּאִתְפְּקַח לְטָב. וּלְמַאן דְּלָא אִתְפְּקַח לְטָב. וַוי לְמַאן דְּאִתְפְּקַח וְעֵינָא אִתְעָרַב בְּסוּמְקָא, וְסוּמְקָא אִתְחֲזֵי לְקָבְלֵיהּ, וּמְכַסְיָא עֵינָא. מַאן יִשְׁתְּזִיב מִנֵּיהּ. אֲבָל עַתִּיק יוֹמִין, טָבָא דְּעֵינָא. חִוָּור בְּגוֹ חִוָּור. וְחִוָּור דְּכָלִיל כָּל חִוָּורֵי. זַכָּאָה חוּלָקֵיהּ, לְמַאן דְּיַשְׁגַּח עָלֵיהּ, חַד חִוָּור מִנַּיְיהוּ. וְעַ"ד וַדַּאי כְּתִיב טוֹב עַיִן הוּא יְבוֹרָךְ. וּכְתִיב בֵּית יַעֲקֹב לְכוּ וְנֵלְכָה בְּאוֹר יְיָ'.

נט. תָּאנָא, שְׁמֵיהּ דְּעַתִּיקָא סָתִים מִכֹּלָּא, וְלָא מִתְפָּרַשׁ בְּאוֹרַיְיתָא, בַּר מִן אֲתַר וַחַד, דְּאוֹמֵי זְעֵיר אַפִּין לְאַבְרָהָם, דִּכְתִיב בִּי נִשְׁבַּעְתִּי נְאֻם יְיָ'. נְאֻם דִּזְעֵיר אַפִּין. וּכְתִיב, בְּךָ יְבָרֵךְ יִשְׂרָאֵל, יִשְׂרָאֵל דִּלְעֵילָּא. וּכְתִיב יִשְׂרָאֵל אֲשֶׁר בְּךָ אֶתְפָּאָר, לְיִשְׂרָאֵל קָאָמַר דָּא. וְתָנֵינָן עַתִּיק יוֹמִין אֲמָרוֹ וְהַאי שַׁפִּיר.

ס. תַּנְיָא, כְּתִיב חָזֵה הֲוֵית עַד דִּי כָּרְסָוָון רְמִיו וְעַתִּיק יוֹמִין יְתִיב. כָּרְסָוָון רְמִיו, מַאן הוּא. אָמַר לְרַבִּי יְהוּדָה, קוּם בְּקִיּוּמָךְ וְאַתְקִין כָּרְסְיָיא דָּא.

סא. א"ר יְהוּדָה, כְּתִיב כָּרְסְיֵהּ שְׁבִיבִין דִּינוּר. וְעַתִּיק יוֹמִין יְתִיב עַל הַאי כָּרְסְיָיא. מ"ט. דְּתַנְיָא אִי עַתִּיק יוֹמִין לָא יָתִיב עַל הַאי כָּרְסְיָיא, לָא יָכִיל לְאִתְקַיְּימָא עָלְמָא, מִקַּמֵּי הַהוּא כָּרְסְיָיא. כַּד יָתִיב עַתִּיק יוֹמִין עָלֵיהּ אִתְכַּפְיָיא לְהַהוּא כָּרְסְיָיא, וּמַאן דְּרָכִיב שַׁלִּיט. בְּעִידָּנָא דְּנָטִיל מֵהַאי כָּרְסְיָיא, וְיָתִיב עַל כָּרְסְיָיא אַחֲרָא, כָּרְסְיָיא קַדְמָאָה רְמִיו, דְּלָא שַׁלְטָא אֶלָּא אִיהוּ דְּרָכִיב בֵּיהּ עַתִּיק יוֹמִין. א"ר שִׁמְעוֹן לר' יְהוּדָה, יִתְתַּקַּן אָרְחָךְ, וְיֵיתֵי בָּךְ מֵעַתִּיק יוֹמִין.

סב. ות"ח כְּתִיב אֲנִי יְיָ' רִאשׁוֹן וְאֶת אַחֲרוֹנִים אֲנִי הוּא. כֹּלָּא הוּא, וְהוּא סָתִים מִכָּל סִטְרוֹי. חוֹטָמָא. תָּאנָא, בְּחוֹטָמָא אִשְׁתְּמוֹדַע פַּרְצוּפָא.

סג. וְתָא חֲזֵי מַה בֵּין עַתִּיקָא, לִזְעֵיר אַנְפִּין. דָּא מָארֵיהּ דְּחוֹטָמָא מֵחַד נוּקְבָא חַיִּין, וּמֵחַד נוּקְבָא חַיִּין דְּחַיִּין. הַאי חוֹטָמָא. הוּא פַּרְדַּשְׁקָא, דְּבֵיהּ נָשִׁיב רוּחָא דְּחַיֵּי, לִזְעֵיר אַפִּין. וְקָרֵינָן לֵיהּ סְלִיחָה. וְהוּא נַחַת רוּחַ, אִתְבַּסְּמוּתָא דְּרוּחָא.

סד. דְּרוּחָא דְּנָפִיק מֵאִינּוּן נוּקְבֵי, חַד רוּחָא נָפִיק לִזְעֵיר אַפִּין. לְאַתְעָרָא לֵיהּ בְּגִנְתָּא דְּעֵדֶן. וְחַד רוּחָא דְּחַיֵּי, דְּבֵיהּ זַמִּין לִזְמְנָא לְבְרֵיהּ דְּדָוִד, לְמִנְדַּע חָכְמְתָא. וּמֵהַהוּא נוּקְבָא, אִתְּעַר וְנָפִיק רוּחָא מִמּוֹחָא סְתִימָאָה, וְזַמִּין לְאַשְׁרָאָה עַל מַלְכָּא מְשִׁיחָא, דִּכְתִיב וְנָחָה עָלָיו רוּחַ יְיָ' רוּחַ חָכְמָה וּבִינָה רוּחַ עֵצָה וּגְבוּרָה רוּחַ דַּעַת וְיִרְאַת יְיָ'. הָא

הָכָא ד׳ רוּחִין, וְהָא רוּחָא וְחָדָא אַמְרֵינָן. אֲמַאי תְּלַת. קוּם רִבִּי יוֹסֵי בְּקִיּוּמָךְ.

סה. קָם ר׳ יוֹסֵי וְאָמַר. בְּיוֹמוֹי דְּמַלְכָּא מְשִׁיחָא, לָא יֵימְרוּן חַד לְחַד, אַלִּיף לִי חָכְמְתָא, דִּכְתִּיב וְלֹא יְלַמְּדוּ עוֹד אִישׁ אֶת רֵעֵהוּ וְגוֹ׳, כִּי כֻלָּם יֵדְעוּ אוֹתִי לְמִקְּטַנָּם וְעַד גְּדוֹלָם. וּבְהַהוּא זִמְנָא, יִתְּעַר עַתִּיק יוֹמִין, רוּחָא דְּנָפִיק מִמּוֹחָא סְתִימָאָה דְּכֹלָּא, וְכַד יִשְׁלוֹף דָּא, כָּל רוּחִין דִּלְתַתָּא יִתְעָרוּן עִמֵּיהּ. וּמַאן אִינּוּן. אִינּוּן כִּתְרִין קַדִּישִׁין דִּזְעֵיר אַפִּין. וְאִינּוּן שִׁיתָא רוּחִין אָחֳרָנִין, דְּהָכִי אִינּוּן דִּכְתִּיב רוּחַ חָכְמָה וּבִינָה רוּחַ עֵצָה וּגְבוּרָה רוּחַ דַּעַת וְיִרְאַת יְיָ׳.

סו. דְּתָנֵינָן, כְּתִיב וַיֵּשֶׁב שְׁלֹמֹה עַל כִּסֵּא יְיָ׳. וּכְתִיב שֵׁשׁ מַעֲלוֹת לַכִּסֵּא. וּמַלְכָּא מְשִׁיחָא זַמִּין לְמֵיתַב בְּשִׁבְעָה. שִׁיתָא אִינּוּן וְרוּחָא דְּעַתִּיק יוֹמִין דְּעָלַיְיהוּ, הָא שִׁבְעָה. כְּמָה דְּאִתְּמַר. א״ל ר״ש, רוּחָךְ יָנוּחַ לְעָלְמָא דְּאָתֵי.

סז. ת״ח, כְּתִיב כֹּה אָמַר יְיָ׳ מֵאַרְבַּע רוּחוֹת בֹּאִי הָרוּחַ וְגוֹ׳. וְכִי אַרְבַּע רוּחֵי עָלְמָא, מַאי עָבְדֵי הָכָא. אֶלָּא אַרְבַּע רוּחֵי יִתְעָרוּן. ג׳ אִינּוּן. וְרוּחָא דְּעַתִּיקָא סְתִימָא אַרְבַּע, וְהָכִי הֲווֹ. דְּכַד יִפּוֹק דָּא, נָפְקִין עִמֵּיהּ תְּלָתָא, דִּכְלִילָן בְּגוֹ תְּלָתָא אָחֳרָנִין.

סח. וְזַמִּין קוּדְשָׁא בְּרִיךְ הוּא לְאַפָּקָא חַד רוּחָא דִּכְלִיל מִכֻּלְּהוּ. דִּכְתִּיב מֵאַרְבַּע רוּחוֹת בֹּאִי הָרוּחַ. אַרְבַּע רוּחוֹת בֹּאִי לָא כְּתִיב כָּאן, אֶלָּא מֵאַרְבַּע רוּחוֹת בֹּאִי. וּבְיוֹמֵי דְּמַלְכָּא מְשִׁיחָא, לָא יִצְטָרְכוּן לְמֵילַף חַד לְחַד, דְּהָא רוּחָא דִּלְהוֹן דִּכְלִיל מִכָּל רוּחִין. יָדִיעַ כֹּלָּא. חָכְמָה וּבִינָה עֵצָה וּגְבוּרָה דַּעַת וְיִרְאַת יְיָ׳. מִשּׁוּם רוּחָא דִּכְלִילָא מִכָּל רוּחֵי. בְּגִ״כ כְּתִיב, מֵאַרְבַּע רוּחוֹת, דְּאִינּוּן אַרְבַּע דִּכְלִילָן בְּשִׁבְעָה דַּרְגִּין עִלָּאִין דְּאַמָרָן. וְתָאנָא, דְּכֻלְּהוּ כְּלִילָן בְּהַאי רוּחָא דְּעַתִּיקָא דְּעַתִּיקִין, דְּנָפִיק מִמּוֹחָא סְתִימָאָה לְנוּקְבָא דְּחוֹטָמָא.

סט. ות״ח, מַה בֵּין חוֹטָמָא לְחוֹטָמָא. חוֹטָמָא דְּעַתִּיק יוֹמִין חַיִּין מִכָּל סִטְרוֹי. חוֹטָמָא דִּזְעֵיר אַפִּין, כְּתִיב, עָלָה עָשָׁן בְּאַפּוֹ וְאֵשׁ מִפִּיו תֹּאכֵל וְגוֹ׳. עָלָה עָשָׁן בְּאַפּוֹ, וּמֵהַהוּא עָשָׁן דָּלִיק נוּר, כַּד סָלִיק תְּנָנָא לְבָתַר. גֶּחָלִים בָּעֲרוּ מִמֶּנּוּ. מַהוּ מִמֶּנּוּ. מֵאוֹתוֹ עָשָׁן.

ע. תָּאנָא, כַּד הֲוָה רַב הַמְנוּנָא סָבָא בָּעֵי לְצַלָּאָה צְלוֹתֵיהּ, אָמַר לְבַעַל הַחוֹטֶם אֲנִי מִתְפַּלֵּל, לְבַעַל הַחוֹטֶם אֲנִי מִתְחַנֵּן. וְהַיְינוּ דִּכְתִּיב וּתְהִלָּתִי אֶחֱטָם לָךְ, הַאי קְרָא לְעַתִּיק יוֹמִין אֲמָרוֹ.

עא. תָּנָא, אוֹרְכָא דְּחוֹטָמָא, תְּלַת מְאָה וְע״ה עָלְמִין, אִתְמַלְיָין מִן הַהוּא חוֹטָמָא. וְכֻלְּהוּ מִתְדַּבְּקָן בִּזְעֵיר אַפִּין. הַאי תּוּשְׁבַּחְתָּא דְּתִקּוּנָא דְּחוֹטָמָא הוּא. וְכָל תִּקּוּנֵי דְּעַתִּיק יוֹמִין, אִתְחָזוּן וְלָא אִתְחָזוּן, אִתְחָזוּן לְמָארֵי מִדִּין, וְלָא אִתְחָזוּן לְכֹלָּא.

עב. פָּתַח ר״ש וְאָמַר, וַוי מַאן דְּאוֹשִׁיט יְדוֹי בְּדִיקְנָא יַקִּירָא עִלָּאָה, דְּסָבָא קַדִּישָׁא, טָמִיר וְסָתִים מִכֹּלָּא דִּיקְנָא דְּהַהִיא תּוּשְׁבַּחְתָּא. דִּיקְנָא דְּסָתִים וְיַקִּיר מִכָּל תִּקּוּנוֹי. דִּיקְנָא דְּלָא יַדְעִין עִלָּאִין וְתַתָּאִין. דִּיקְנָא דְּהִיא תּוּשְׁבַּחְתָּא דְּכָל תּוּשְׁבָּחִין. דִּיקְנָא דְּלָא הֲוֵי בַּר נָשׁ נְבִיאָה וְקַדִּישָׁא דִּיקְרַב לְמֶחֱמֵי לֵיהּ. דִּיקְנָא דְּהִיא תַּלְיָיא בְּשַׂעֲרוֹי עַד טַבּוּרָא דְּלִבָּא. חִוָּורָא כְּתַלְגָּא יַקִּירָא דְּיַקִּירִין. טְמִירָא דִּטְמִירִין. מְהֵימְנוּתָא דִּמְהֵימְנוּתָא דְּכֹלָּא.

עג. תָּאנָא, בִּצְנִיעוּתָא דְּסִפְרָא, דְּהַאי דִּיקְנָא מְהֵימְנוּתָא דְּכֹלָּא, נָפִיק מֵאוּדְנוֹי, וְנָחִית סוֹחֲרָנֵיהּ דְּפוּמָא קַדִּישָׁא, וְנָחִית וְסָלִיק וְחָפֵי, בְּתַקְרוּבְתָּא דְּבוּסְמָא טָבָא, חִוָּורָא דְּיַקִּירָא. וְנָחִית בְּשִׁקּוּלָא, וְחָפֵי עַד טַבּוּרָא. הוּא דִּיקְנָא יַקִּירָא, מְהֵימְנָא שְׁלֵימָא, דְּנַגְדִּין בֵּיהּ י״ג

נְבִיעִין, מַבּוּעִין דִּמְשַׁח רְבוּת טָבָא, בִּתְלַת עֲשַׂר תִּקּוּנִין מִתְתַּקְּנָא.

עד. תִּקּוּנָא קַדְמָאָה. מִתְתַּקַּן שַׂעֲרָא מִלְּעֵילָּא, וְשָׁארֵי מֵהַהוּא תִּקּוּנָא דִּשְׂעַר רֵישֵׁיהּ, דְּסָלִיק בְּתִקּוּנוֹי לְעֵילָּא מֵאוּדְנוֹי, וְנָחִית מִקַּמֵּי פִּתְחָא דְּאוּדְנִין, בְּחַד חוּטָא בְּשִׁקּוּלָא טָבָא, עַד רֵישָׁא דְּפוּמָא.

עה. תִּקּוּנָא תִּנְיָינָא. מִתְתַּקַּן שַׂעֲרָא מֵרֵישָׁא דְּפוּמָא, עַד רֵישָׁא אַחֲרָא דְּפוּמָא, בְּתִקּוּנָא שָׁקִיל.

עו. תִּקּוּנָא תְּלִיתָאָה. מֵאֶמְצָעִיתָא דִּתְחוֹת חוֹטָמָא, מִתְּחוֹת תְּרֵין נוּקְבִין, נָפִיק חַד אוֹרְחָא, וְשַׂעֲרָא אִתְפְּסַק בְּהַהוּא אָרְחָא, וּמַלְיָא מֵהַאי גִּיסָא, וּמֵהַאי גִּיסָא שַׂעֲרָא, בְּתִקּוּנָה שְׁלִים סוּחֲרָנֵיהּ דְּהַהוּא אוֹרְחָא.

עז. תִּקּוּנָא רְבִיעָאָה. מִתְתַּקַּן שַׂעֲרָא תְּחוֹת פּוּמָא, מֵרֵישָׁא וְהָדָא לְרֵישָׁא וְהָדָא, בְּתִקּוּנָא שְׁלִים.

עח. תִּקּוּנָא חֲמִישָׁאָה. תְּחוֹת פּוּמָא נָפִיק אָרְחָא אַחֲרָא, בְּשִׁקּוּלָא דְּאָרְחָא דִּלְעֵילָּא, וְאִלֵּין תְּרֵין אָרְחִין רְשִׁימִין עַל פּוּמָא, מִכָּאן מִכָּאן.

עט. תִּקּוּנָא שְׁתִיתָאָה. מִתְתַּקַּן שַׂעֲרָא, וְסָלִיק וְנָפִיק מִלְּרַע לְעֵיל לְרֵישָׁא דְּפוּמָא. וְחָפֵי תַּקְרוּבְתָּא דְּבוּסְמָא טָבָא, עַד רֵישָׁא דְּפוּמָא דִּלְעֵילָּא. וְנָחִית שַׂעֲרָא לְרֵישָׁא דְּפִתְחָא דְּאוֹרְחָא תַּתָּאָה דְּפוּמָא.

פ. תִּקּוּנָא שְׁבִיעָאָה. פָּסִיק שַׂעֲרָא, וְאִתְחֲזוּן תְּרֵין תַּפּוּחִין, בְּתַקְרוּבְתָּא דְּבוּסְמָא טָבָא, שַׁפִּירָן וְיָאָן לְמֶחֱזֵי. בְּגִינֵיהוֹן אִתְקַיַּים עָלְמָא, הה״ד בְּאוֹר פְּנֵי מֶלֶךְ חַיִּים.

פא. תִּקּוּנָא תְּמִינָאָה. נָפִיק חַד חוּטָא דִּשְׂעָרֵי סוּחֲרָנֵי דְּדִיקְנָא, וְתַלְיָין בְּשִׁקּוּלָא עַד טַבּוּרָא.

פב. תִּקּוּנָא תְּשִׁיעָאָה. מִתְעָרֵי וּמִתְעָרְבִין שַׂעֲרֵי דִּיקְנָא, עִם אִינּוּן שַׂעֲרֵי דְּתַלְיָין בְּשִׁקּוּלָא, וְלָא נָפְקֵי דָּא מִן דָּא.

פג. תִּקּוּנָא עֲשִׂירָאָה. נַחְתִּין שַׂעֲרֵי תְּחוֹת דִּיקְנָא. וְחַפְיָין בִּגְרוֹנָא תְּחוֹת דִּיקְנָא.

פד. תִּקּוּנָא חַד סַר. דְּלָא נָפְקִין נִימָא מִן נִימָא, וּמִתְשַׁעְרָן בְּשִׁיעוּרָא שְׁלִים.

פה. תִּקּוּנָא תְּרֵיסַר. דְּלָא תַּלְיָין שַׂעֲרֵי עַל פּוּמָא, וּפוּמָא אִתְפְּנֵי מִכָּל סִטְרוֹי. וְיָאָן שַׂעֲרֵי סְחוֹר סְחוֹר לֵיהּ.

פו. תִּקּוּנָא תְּלֵיסַר. דְּתַלְיָין שַׂעֲרָן בִּתְחוֹת דִּיקְנָא, מִכָּאן וּמִכָּאן, בִּיקָרָא יָאָה, בִּיקָרָא שַׁפִּירָא. מְחַפְיָין עַד טַבּוּרָא. לָא אִתְחֲזֵי מִכָּל אַנְפֵּי תַּקְרוּבָא דְּבוּסְמָא, בַּר אִינּוּן תַּפּוּחִין שַׁפִּירִין וְחִוָּרִין, דְּמַפְּקִין חַיִּין לְעָלְמָא, וּמְחַזְיָין חֶדְוּ לִזְעֵיר אַפִּין.

פז. בִּתְלֵיסָר תִּקּוּנִין אִלֵּין, נַגְדִין וְנָפְקִין תְּלֵיסַר מַבּוּעִין דִּמְשַׁח רְבוּת, וְנַגְדִין לְכָל אִינּוּן דִּלְתַתָּא. וְנָהֲרִין בְּהַהוּא מִשְׁחָא. וּמְשִׁיחִין מֵהַהוּא מִשְׁחָא, דִּבִתְלֵיסָר תִּקּוּנִין אִלֵּין. בִּתְלֵיסָר תִּקּוּנִין אִלֵּין אִתְרְשִׁים דִּיקְנָא יַקִּירָא, סְתִימָאָה דְּכֹלָּא, דְּעַתִּיק דְּעַתִּיקִין. מִתְּרֵי תַּפּוּחִין שַׁפִּירָן דְּאַנְפּוֹי, נְהִירִין אַנְפּוֹי דִּזְעֵיר אַנְפִּין, וְכָל חֵיוָור וְשׁוֹשָׁן דְּאִשְׁתְּכַח לְתַתָּא, נְהִירִין וּמִתְלַהֲטִין מֵהַהוּא נְהוֹרָא דִּלְעֵילָּא. תִּקּוּנִין תְּלֵיסַר אִלֵּין, אִשְׁתְּכָחוּ בְּדִיקְנָא, וּבִשְׁלִימוּת דִּיקְנָא בְּתִקּוּנוֹי, אִתְקְרֵי בַּר נָשׁ נֶאֱמָן. דְּכָל דְּחָמֵי דִּיקְנֵיהּ, תָּלֵי בֵּיהּ מְהֵימְנוּתָא.

פח. תָּאנָא בִּצְנִיעוּתָא דְּסִפְרָא, תְּלֵיסַר תִּקּוּנִין אִלֵּין דְּתַלְיָין בְּדִיקְנָא יַקִּירָא, בְּשְׁבִיעָאָה מִשְׁתַּכְּחֵי בְּעָלְמָא, וּמִתְפַּתְּחֵי בִּתְלֵיסָר תַּרְעֵי דְּרַחֲמֵי. וּמַאן דְּאוֹשִׁיט יְדֵיהּ

לְאוּמָאָה, כְּמַאן דְּאוֹמֵי בִּתְלֵיסַר תִּקּוּנֵי דִּיקְנָא. הַאי בַּאֲרִיךְ אַפִּין. בִּזְעֵיר אַפִּין בְּכַמָּה. אֲמַר לְרִבִּי יִצְחָק, קוּם בְּקִיּוּמָךְ, וְסַלְסֵל בְּסַלְסְלָא דְּתִקּוּנָא דְּמַלְכָּא קַדִּישָׁא הֵיאַךְ יִתְתַּקְּנוּן.

פט. קָם רִבִּי יִצְחָק, פָּתַח וְאָמַר, מִי אֵל כָּמוֹךָ נוֹשֵׂא עָוֹן וְגוֹ', יָשׁוּב יְרַחֲמֵנוּ וְגוֹ', תִּתֵּן אֱמֶת לְיַעֲקֹב וְגוֹ'. תָּאנָא, תְּלֵיסַר מְכִילָן אִתְחֲזוּן הָכָא, וְכֻלְּהוּ נָפְקִין מִתְּלֵיסַר מַבּוּעִין דְּמִשְׁחָא רְבוּת דְּתִיקּוּנֵי דִּיקְנָא קַדִּישָׁא, עַתִּיקָא דְּעַתִּיקִין. טְמִירָא דִּטְמִירִין. תָּנָא, תִּקּוּנָא דְּדִיקְנָא טָמִיר וְסָתִים, טָמִיר וְלָא טָמִיר. סָתִים וְלָא סָתִים. בְּתִקּוּנוֹי יְדִיעַ וְלָא יְדִיעַ.

צ. תִּקּוּנָא קַדְמָאָה. הָא תָּנֵינָן, דְּכָל שַׂעֲרָא וְשַׂעֲרָא וְכָל נִימָא וְנִימָא לָא מִתְדַּבְּקָא לְחַבֶרְתָּהּ. וְשָׁארוּ נִימִין דְּדִיקְנָא לְאַתְקְנָא, מִתִּקּוּנָא דְּשַׂעַר רֵישָׁא.

צא. הָכָא אִית לְאִסְתַּכְּלָא, אִי כָּל נִימִין דְּשַׂעַר רֵישָׁא, וְנִימִין דְּדִיקְנָא יַקִּירָא עִלָּאָה, בְּחַד נִימָא אִתְכְּלָלוּ, אֲמַאי אִלֵּין אֲרִיכִין, וְאִלֵּין לָא אֲרִיכִין. אֲמַאי נִימִין דְּדִיקְנָא לָא אֲרִיכִין כּוּלֵי הַאי, וְקַשְׁיָין. וְאִלֵּין דְּרֵישָׁא לָא קַשְׁיָין, אֶלָּא שְׁעִיעָן.

צב. אֶלָּא, כָּל נִימִין שְׁקִילִין דְּרֵישָׁא וְדִיקְנָא. דְּרֵישָׁא אֲרִיכִין עַל כַּתְפִּין, לְמֵיגַד לְרֵישָׁא דִּזְעֵיר אַפִּין, מֵהַהוּא מְשִׁיכָא דְּמוֹחָא, לְמוֹחָא דִּילֵיהּ. וּבְגִינֵי כַּךְ לָא הֲווֹ קַשְׁיָין. וע"ד אִתְחֲזָן לְמֶהֱוֵי רְכִיכֵי.

צג. תָּאנָא, מַאי דִּכְתִּיב, חָכְמוֹת בַּחוּץ תָּרֹנָּה. וּלְבַסּוֹף כְּתִיב, בָּרְחוֹבוֹת תִּתֵּן קוֹלָהּ. הַאי קְרָא לָאו רֵישֵׁיהּ סֵיפֵיהּ, וְלָאו סֵיפֵיהּ רֵישֵׁיהּ. אֶלָּא חָכְמוֹת בַּחוּץ תָּרֹנָּה, כַּד נָגִיד מִמּוֹחָא סְתִימָאָה דַּאֲרִיךְ אַפִּין, לְמוֹחָא דִּזְעֵיר אַפִּין, בְּאִינּוּן נִימִין. כְּאִלּוּ מִתְחַבְּרָאן לְבַר, תְּרֵין מוֹחִין, וְאִתְעֲבִיד חַד מוֹחָא, בְּגִין דְּלֵית קִיּוּמָא לְמוֹחָא תַּתָּאָה, אֶלָּא בְּקִיּוּמָא דְּמוֹחָא עִלָּאָה. וְכַד נָגִיד מֵהַאי לְהַאי, כְּתִיב תִּתֵּן קוֹלָהּ חַד.

צד. וּבְגִין דְּנָגִיד מִמּוֹחָא לְמוֹחָא בְּאִינּוּן נִימִין אִינּוּן לָא אִשְׁתְּכָחוּ קְשִׁישִׁין. מ"ט. מִשּׁוּם דְּאִי אִשְׁתַּכְּחוּ קְשִׁישִׁין, לָא נָגִיד חָכְמְתָא לְמוֹחָא בְּהוֹן. בְּגִינֵי כַּךְ, לֵית חָכְמְתָא נָפְקָא מִבַּר נָשׁ דְּאִיהוּ קַשְׁיָא וּמָארֵי דְּרוּגְזָא. דִּכְתִּיב דִּבְרֵי חֲכָמִים בְּנַחַת נִשְׁמָעִים. וּמֵהָכָא אוֹלִיפְנָא, מַאן דְּשַׂעְרוֹי דְּרֵישֵׁיהּ קְשִׁישָׁן, לָאו חָכְמְתָא מִתְיַשְּׁבָא עִמֵּיהּ.

צה. וע"ד אִינּוּן אֲרִיכֵי, לְמֵיתֵי תּוֹעַלְתָּא לְכֹלָּא. מַאי לְכֹלָּא. לְמֵיעַל עַל חוּטְא דְּשִׁדְרָה, דְּמִתְשַׁקְיָין מִן מוֹחָא. וּבג"ד לָא תָּלֵי שַׂעֲרָא דְּרֵישָׁא עַל שַׂעֲרָא דְּדִיקְנָא. דְּשַׂעֲרָא דְּרֵישָׁא תָּלֵי וְסָלִיק עַל אוּדְנִין לַאֲחוֹרוֹי, וְלָא תָּלֵי עַל דִּיקְנָא, מִשּׁוּם דְּלָא אִצְטְרִיךְ לְאִתְעָרְבָא אִלֵּין בְּאִלֵּין. דְּכֻלְּהוּ מִתְפָּרְשָׁן בְּאָרְחַיְיהוּ.

צו. תָּאנָא, כֻּלְּהוּ שַׂעֲרֵי בֵּין דְּרֵישָׁא, בֵּין דְּדִיקְנָא, כֻּלְּהוּ חִוָּורֵי כְּתַלְגָּא. וְתָאנָא, אִינְהוּ דְּדִיקְנָא קְשִׁישָׁאֵי כֻּלְּהוּ. מ"ט. מִשּׁוּם דְּאִינּוּן תַּקִּיפָא דְּתַקִּיפִין, לְאַחֲזָאָה אִינּוּן י"ג מְכִילָן, מֵעַתִּיק דְּעַתִּיקִין. וְהָנֵי מְכִילָן מְקַמֵּי אוּדְנוֹי שָׁרְיָין, וְהָנֵי מְכִילָן סְתִימָן אִינּוּן. דְּלָא יִתְעָרְבוּן בְּאַחֲרָנִין.

צז. וְאִי תֵּימָא דְּלֵית אַחֲרָנִין כְּוָותַיְיהוּ. לָא. דְּתַנְיָא תְּלֵיסַר מְכִילָן דְּרַחֲמֵי מֵעַתִּיקָא קַדִּישָׁא: מִי אֵל כָּמוֹךָ, חַד. נוֹשֵׂא עָוֹן, תְּרֵי. וְעוֹבֵר עַל פֶּשַׁע, תְּלַת. לִשְׁאֵרִית נַחֲלָתוֹ, אַרְבַּע. לֹא הֶחֱזִיק לָעַד אַפּוֹ, חָמֵשׁ. כִּי חָפֵץ חֶסֶד הוּא, שִׁית. יָשׁוּב יְרַחֲמֵנוּ, שִׁבְעָה. יִכְבּוֹשׁ עֲוֹנוֹתֵינוּ, תְּמַנְיָא. וְתַשְׁלִיךְ בִּמְצוּלוֹת יָם כָּל חַטֹּאתָם, תִּשְׁעָה. תִּתֵּן אֱמֶת לְיַעֲקֹב, עַשְׂרָה. חֶסֶד לְאַבְרָהָם, חַד סַר. אֲשֶׁר נִשְׁבַּעְתָּ לַאֲבוֹתֵינוּ, תְּרֵיסַר. מִימֵי קֶדֶם, תְּלֵיסַר. לָקֳבֵיל דָּא, אֵל רַחוּם וְחַנּוּן וְגוֹ', אִינּוּן לְתַתָּא.

צח. וְאִי תֵּימָא, מֹשֶׁה אֵיךְ לָא אָמַר אִלֵּין עִלָּאִין. אֶלָּא, מֹשֶׁה לָא אִצְטְרִיךְ, אֶלָּא

לַאֲתַר דְּדִינָא אִשְׁתְּכַח, וּבַאֲתַר דְּדִינָא אִשְׁתְּכַח, לָא בָּעֵי הָכִי לְמֵימַר. וּמשֶׁה לָא אָמַר, אֶלָּא בְּעִידָנָא דְּיִשְׂרָאֵל חָאבוּ, וְדִינָא הֲוָה תַּלְיָיא, וּבְגִינֵי כַּךְ לָא אָמַר מֹשֶׁה, אֶלָּא בַּאֲתַר דְּדִינָא אִשְׁתְּכַח. אֲבָל בְּהַאי אֲתָר, סִדּוּרָא דִּשְׁבָחָא דְּעַתִּיק יוֹמִין מְסַדֵּר נְבִיאָה.

צט. וְאִינּוּן תְּלֵיסַר תִּקּוּנִין דְּדִיקְנָא עִלָּאָה קַדִּישָׁא, טְמִירָא דִּטְמִירִין, תַּקִּיפִין, לְתַבְרָא וּלְאַכְפְּיָיא כָּל גְּזֵרֵי דִּינִין. מַאן חָמֵי דִּיקְנָא עִלָּאָה קַדִּישָׁא, טְמִירָא דִּטְמִירִין דְּלָא אַכְסִיף מִנֵּיהּ. וּבְג״כ, כָּל שַׂעֲרוֹי קְשִׁישִׁין, וְתַקִּיפִין בְּתִקּוּנוֹי.

ק/א. וְאִי תֵּימָא, אִי הָכִי הָא שַׂעְרֵי דִּלְתַתָּא, אִינּוּן אוּכָמֵי, אֲמַאי לָא הֲווּ דָּא כְּדָא. דְּתַנְיָא כְּתִיב, קְוֻצּוֹתָיו תַּלְתַּלִּים שְׁחוֹרוֹת כָּעוֹרֵב. וּכְתִיב, וּשְׂעַר רֵישֵׁיהּ כַּעֲמַר נְקֵא. לָא קַשְׁיָא, הָא בְּדִיקְנָא עִלָּאָה, הָא בְּדִיקְנָא תַּתָּאָה. וע״ד, כַּד אִתְיְיהִיבַת אוֹרַיְיתָא לְיִשְׂרָאֵל, אִתְיְיהִיבַת בְּאֵשׁ שְׁחוֹרָה עַל גַּבֵּי אֵשׁ לְבָנָה.

ק/ב. וְעִקָּרָא דְּמִלָּה מִשּׁוּם דְּהָנֵי שַׂעְרֵי בְּגִין דְּמִמּוֹחָא אִשְׁתְּכָחוּ לְאִתְמַשְּׁכָא לְמוֹחָא דִּלְתַתָּא וְאִינּוּן לְעֵילָּא מִן דִּיקְנָא דִּיקְנָא בִּלְחוֹדוֹי הוּא. וְכָל תִּקּוּנוֹי בִּלְחוֹדַיְיהוּ אִשְׁתְּכָחוּ. דִּיקְנָא בִּלְחוֹדוֹי. וְשַׂעְרֵי בִּלְחוֹדַיְיהוּ.

קא. תִּקּוּנָא קַדְמָאָה תִּקּוּנָא דִּשְׂעָרִי מֵרֵישָׁא דִּשְׂעָרֵי דְּרֵישָׁא. וְתָאנָא, כָּל תִּקּוּנֵי דִּיקְנָא לָא אִשְׁתְּכַח אֶלָּא מִמּוֹחָא דְּרֵישָׁא, וְהָכָא לָא פָּרִישׁ הָכִי, דְּהָא לָא הֲוֵי. אֶלָּא תִּקּוּנָא דָּא, דְּנָוִית מִן רֵישָׁא דִּשְׂעָרֵי דְּרֵישָׁא, הָכִי אִשְׁתְּכַח.

קב. וּמֵהַאי דִּיקְנָא אִשְׁתְּמוֹדַע, כָּל מַה דַּהֲוֵי בְּרֵישָׁא, דַּאֲלַף עָלְמִין דְּחַתִּימִין בְּעִזְקָא דְּדַכְיָא. עִזְקָא, דְּכָלִיל כָּל עִזְקִין.

קג. אוּרְכָא דְּכָל שַׂעֲרָא, דְּנָוִית מִקַּמֵּי אוּדְנוֹי, לָא הֲוֵי אֲרִיכָא. וְלָא אִתְדְּבַק דָּא בְּדָא, וְלָא נַחְתִּין. אִלֵּין שַׂעֲרִין. מִכַּד נַגְדִּין אִתְמַשְׁכָן וְתַלְיָין.

קד. וְשֵׁירוּתָא דְּתִקּוּנָא קַדְמָאָה, תְּלָתִין וְחַד קוּצֵי, שְׁקִילָן, אִתְמַשְׁכָן עַד רֵישָׁא דְּפוּמָא. וּתְלַת מְאָה וְתִשְׁעִין נִימִין אִשְׁתַּכְּחָן בְּכָל קוּצָא וְקוּצָא.

קה. תְּלָתִין וְחַד קוּצֵי שְׁקִילִין, דַּהֲווּ בְּתִקּוּנָא קַדְמָאָה תַּקִּיפִין, לְאַכְפְּיָיא לְתַתָּא, כְּחוּשְׁבַּן אֵ״ל. מַהוּ אֵ״ל. תַּקִּיף יָכוֹל. וּבְכָל קוּצָא וְקוּצָא, מִתְפָּרְשִׁין תְּלָתִין וְחַד עָלְמִין, תַּקִּיפִין שַׁלְטִין, לְאַכְפְּיָא, וְאִתְפָּשְׁטוּ ל״א בְּהַאי סְטָר, וְל״א בְּהַאי סְטָר. וְכָל עָלְמָא וְעָלְמָא מִנֵּיהּ, מִתְפָּרַשׁ לְאֶלֶף עָלְמִין דִּכְסִיפִין לְעִדּוּנָא רַבָּא. וְכֹלָּא סָתִים בְּרֵישָׁא דְּדִיקְנָא, דְּכָלִיל תַּקִּיפָא, וּכְלִילָן בְּהַאי אֵ״ל. וְעִם כָּל דָּא, הַאי אֵ״ל אִתְכַּפְיָיא לְרַחֲמֵי, דְּרַחֲמֵי דְּעַתִּיק יוֹמִין, וְאִתְכְּלִל וְאִתְפָּשַׁט בֵּיהּ.

קו. אֲמַאי עַד פּוּמָא. מִשּׁוּם דִּכְתִיב דִּינָא יְתִיב וְסִפְרִין וְגוֹ׳. מַאי דִּינָא יְתִיב. יְתִיב לְאַתְרֵיהּ דְּלָא שַׁלְטָא. הה״ד פֶּלֶא יוֹעֵץ אֵל גִּבּוֹר. אֵל דְּהוּא גִּבּוֹר, וְאִתְבְּסַם בְּדִיקְנָא קַדִּישָׁא דְּעַתִּיק יוֹמִין. וְרָזָא דִּכְתִיב, מִי אֵל כָּמוֹךָ בְּעַתִּיק יוֹמִין אִתְּמַר, בְּתִקּוּנָא קַדְמָאָה דְּדִיקְנָא קַדִּישָׁא עִלָּאָה.

קז. עָלְמָא קַדְמָאָה, דְּנָפִיק מִתִּקּוּנָא קַדְמָאָה, שַׁלִּיט וְנָוִית. וְסָלִיק לַאֲלַף אַלְפִין וְרִבּוֹא רִבְבָן מָארֵי תְּרִיסִין. וּמִנֵּיהּ מִתְאַחֲדִין, בְּקִסְטָא בְּעִזְקָא רַבָּא.

קח. עָלְמָא תִּנְיָינָא. דְּנָפִיק מֵהַאי תִּקּוּנָא. שַׁלִּיט וְנָפִיק, וְנָוִית וְסָלִיק, לְשִׁבְעָה וְחַמְשִׁין אֲלַף דַּרְגִּין, מָארֵי דִּיבָבָא. וּמִתְאַחֲדָן מִנֵּיהּ, לְאַכְפְּיָיא בְּקוּדְלָא בְּחִוְורָא.

קט. עָלְמָא תְּלִיתָאָה. דְּנָפִיק מֵהַאי תִּקּוּנָא שַׁלִּיט וְנָוִית, וְסָלִיק לְצ״ו אַלְפִין מָארֵי דִּילָלָה, וּמִתְאַחֲדָן מִנֵּיהּ בְּבוּצִינָא קַמּוּרָא, וּמֵהַאי תִּקּוּנָא, מִתְכַּפְיָין כֻּלְּהוּ, וּמִתְבַּסְמָן בְּמְרִירָא דְּדִמְעִין, דְּמִתְבַּסְמִין בְּיַמָּא רַבָּא.

קִי. מַאן וְחָמֵי תִּקּוּנָא דָא, דְּדִיקְנָא קַדִּישָׁא, עִלָּאָה, יַקִּירָא, דְּלָא אַכְסִיף מִנֵּיהּ. מַאן וְחָמֵי יַקִּירוּתָא דְּקוּצִין דְּשַׂעֲרֵי דְּתַלְיָין מֵהַאי סָבָא. יָתִיב בְּעִיטְרָא דְּעִטְרִין, עִטְרִין דְּכָל עִטְרִין. עִטְרִין דְּלָא אִתְכְּלָלוּ בְּעִטְרִין. עִטְרִין דְּלָא כִּשְׁאַר עִטְרִין. עִטְרִין, דְּעִטְרִין דִּלְתַתָּא מִתְאַחֲדָן מִנְּהוֹן. וּבְגִ"כ, הָנֵי תִּקּוּנִין, אִינּוּן תִּקּוּנִין דִּלְתַתָּא מִנְּהוֹן מִתְאַחֲדִין.

קִיא. תִּקּוּנֵי דְּאִתְתַּקַּן, דְּאִצְטְרִיךְ לְאִתְבָּרְכָא, מַאן דְּבָעֵי בְּרָכָה. דְּכָל תִּקּוּנִין דְּאִתְתַּקַּן בְּקָבְלֵיהוֹן, בִּרְכָאן מִשְׁתַּכְּחִין לָקֳבְלֵיהוֹן וְאִתְעֲבֵיד מַה דְּאִתְעֲבֵיד. כֹּלָא כָּלִיל בְּהָנֵי תִּקּוּנִין. כֹּלָא זַקְפָן לָקֳבְלֵיהּ תִּקּוּנִין דְּמַלְכָּא תַּקִּיפָא, עַתִּיקָא, סְתִימָא דְּכֹלָּא. וְכֻלְּהוּ אִתְבַּסְמָן מִתִּקּוּנִין אִלֵּין.

קִיב. תָּאנָא. אִי עַתִּיק דְּעַתִּיקִין, קַדִּישָׁא דְּקַדִּישִׁין, לָא אִתְתַּקַּן בְּאִלֵּין תִּקּוּנִין, לָא אִשְׁתְּכָחוּ עִלָּאִין וְתַתָּאִין. וְכֹלָּא הֲוֵי כְּלָא הֲוֵי. וְתַנְיָא, עַד כַּמָּה זְהִירִין אִלֵּין תִּקּוּנֵי דְּדִיקְנָא. עַד תְּלֵיסַר, וְכָל זִמְנָא דִּתְלֵיסַר אִלֵּין מִשְׁתַּכְּחִין, זְהִירִין אִלֵּין דִּלְתַתָּא. וְכֹלָּא. בְּחוּשְׁבָּנָא דְּאִלֵּין תְּלֵיסַר, אִשְׁתַּכַּח דִּיקְנָא דְּמַלְכָּא עַתִּיקָא יַקִּירָא מִכֹּלָּא. כֹּלָּא בְּחַד אִיהוּ טְמִירָא וְיַקִּירָא.

קִיג. וּבְגִין דְּאִיהוּ יַקִּירָא וּטְמִירָא מִכֹּלָּא, לָא אַדְכַּר בְּאוֹרַיְיתָא, וְלָא אִתְגַּלְיָיא. וּמַה דִּיקְנָא אִתְגַּלְיָיא. דִּיקְנָא דְּכַהֲנָא רַבָּא עִלָּאָה. וּמֵהַאי דִּיקְנָא, נָחִית לְדִיקְנָא דְּכַהֲנָא רַבָּא דִּלְתַתָּא. דִּיקְנָא דְּכַהֲנָא רַבָּא בִּתְמַנְיָא תִּקּוּנִין אִתְתַּקַּן. וּבְגִין כַּךְ, תְּמַנְיָא תִּקּוּנִין לְכַהֲנָא רַבָּא, כַּד מִשְׁחָא נָחִית עַל דִּקְנֵיהּ, הה"ד כַּשֶּׁמֶן הַטּוֹב עַל הָרֹאשׁ יוֹרֵד עַל הַזָּקָן וְגוֹ'.

קִיד. וּמנ"ל. דִּכְתִיב שֶׁבֶת אַחִים גַּם יָחַד. גַּם לְרַבּוֹת כֹּהֵן גָּדוֹל דִּלְתַתָּא. דְּכָל זִמְנָא דְּכַהֲנָא רַבָּא דִּלְתַתָּא, מְשַׁמֵּשׁ בִּכְהוּנָּא רַבָּא, כִּבְיָכוֹל כֹּהֵן גָּדוֹל דִּלְעֵילָּא, מְשַׁמֵּשׁ בִּכְהוּנָּא רַבָּא.

קטו. דָא תִּקּוּנָא חַד, דְּדִיקְנָא דְּעַתִּיקָא סְתִימָא דְּכֹלָּא. א"ל רַבִּי שִׁמְעוֹן, יָאוּת אַנְתְּ ר' יִצְחָק, לְמֶחֱמֵי בִּיקִירָא דְּתִקּוּנֵי דְּדִיקְנָא, וּסְבַר אַפֵּי דְּעַתִּיק יוֹמִין, עַתִּיקָא דְּעַתִּיקִין. זַכָּאָה חוּלָקָךְ, וְזַכָּאָה חוּלָקִי עִמְּכוֹן בְּעָלְמָא דְּאָתֵי.

קטז. תִּקּוּנָא תִּנְיָינָא. מִתְתַּקַּן שַׂעֲרָא, מֵרֵישָׁא דְּפוּמָא, עַד רֵישָׁא אַחֲרָא דְּפוּמָא, בְּתִקּוּנָא שָׁקִיל.

קיז. קוּם ר' חִזְקִיָּה, וְקָאִים בְּקִיּוּמָךְ, וְאוֹקִיר יְקָרָא דְּתִקּוּנָא דָא דְּדִיקְנָא קַדִּישָׁא. קָם ר' חִזְקִיָּה, שָׁארִי וְאָמַר, אֲנִי לְדוֹדִי וְעָלַי תְּשׁוּקָתוֹ מִי גָּרַם שֶׁאֲנִי לְדוֹדִי. מִשּׁוּם דְּעָלַי תְּשׁוּקָתוֹ.

קיח. מִסְתַּכֵּל הֲוֵינָא, וַאֲרוּ חָמֵית, נְהוֹרָא יַקִּירָא דְּבוֹצִינָא עִלָּאָה, נָהִיר וְסָלִיק לִתְלַת מְאָה וַחֲמִשָּׁה וְעֶשְׂרִין עִיבָר. וְחַד חָשׁוֹךְ הֲוָה אִתְסְחֵי בְּהַהוּא נְהוֹרָא, כְּמַאן דְּאִתְסְחֵי בְּהַהוּא נַהֲרָא עֲמִיקָא, דְּמֵימוֹי מִתְפַּלְגִּין, וְנַהֲרִין, וְנַגְדִּין לְכָל עִיבָר, מִמַּה דְּעָלוֹי. וְסָלִיק הַהוּא נְהוֹרָא, בְּשִׂפְתָּא דְּיַמָּא עִלָּאָה עֲמִיקָא, דְּכָל פִּתְחִין טָבִין וְיַקִּירִין, בְּהַהוּא פִּתְחָא אִתְפַּתְּחָן.

קיט. אֲנָא שָׁאִיל מֵהֶם, פִּשְׁרָא דְּחָמֵית. פָּתְחוּ וְאָמְרוּ, נוֹשֵׂא עָוֹן חֲמֵיתָא. אָמַר, דָּא הוּא תִּקּוּנָא תִּנְיָינָא. יָתִיב. א"ר שִׁמְעוֹן, הָאִידָּנָא אִתְבְּסַם עָלְמָא. בְּרִיךְ אַנְתְּ ר' חִזְקִיָּה, לְעַתִּיקָא דְּעַתִּיקִין.

קכ. אָמַר ר"ש, כֻּלְּהוּ בּוּצִינִין חַבְרִין, דְּאַתְיָין בְּהַאי עִזְקָא קַדִּישָׁא. אַסְהַדְנָא עָלַי שְׁמַיָּיא עִלָּאִין דְּעִלָּאִין, וְאַרְעָא קַדִּישָׁא עִלָּאָה דְּעִלָּאָה. דַּאֲנָא חָמֵי הַשְׁתָּא, מַה דְּלָא

וְזִמְנָא בַּר נָשׁ, מִיּוֹמָא דְּסָלִיק מֹשֶׁה זִמְנָא תִּנְיָינָא לְטוּרָא דְּסִינַי. דְּאַנְפּוֹי נְהִירִין, כִּנְהוֹרָא דְּשִׁמְשָׁא תַּקִּיפָא, דְּזַמִּין לְמֵיפַּק בְּאַסְוָותָא לְעָלְמָא. דִּכְתִיב, וְזָרְחָה לָכֶם יִרְאֵי שְׁמִי שֶׁמֶשׁ צְדָקָה וּמַרְפֵּא בִּכְנָפֶיהָ. וְעוֹד דַּאֲנָא יְדַעְנָא דְּאַנְפּוֹי נְהִירִין, וּמֹשֶׁה לָא יָדַע וְלָא אִסְתָּכַּל. הה״ד וּמֹשֶׁה לֹא יָדַע כִּי קָרַן עוֹר פָּנָיו.

קכא. וְעוֹד, דַּאֲנָא חָמֵי בְּעֵינַי, תְּלֵיסַר מְכִילָן גְּלִיפִין קַמָּאי, וּנְהִירִין כְּבוּצִינִין. וְכַד אִתְפָּרִישׁ כָּל חַד מִנַּיְיהוּ מִפּוּמַיְיכוּ, אִסְתָּלִיק וְאִתְתַּקַּן, וְאִתְעַטַּר וְאִתְטָמַּר בִּטְמִירוּתָא דְּתִקּוּנֵי דְּדִיקְנָא, וְכָל אַחֲרָנִין אִשְׁתָּאֲרָן. וּבְעוֹד דְּכָל חַד מִתְפָּרַשׁ בְּפוּמַיְיכוּ, נָהִיר וְאִתְעַטַּר וְיָתִיב כְּמַלְכָּא בְּגוֹ חֵילֵיהּ. וְכַד אִסְתַּיַּים לְאִתְפָּרְשָׁא, סָלִיק וְאִתְעַטַּר בְּעִטְרָא קַדִּישָׁא, וְאִתְתַּקַּן וְאִתְטָמַּר, וְיָתִיב בְּתִקּוּנוֹי דְּדִיקְנָא קַדִּישָׁא, וְכֵן לְכָל חַד וְחָד. אִזְדָּרְזוּ חַבְרִין קַדִּישִׁין, דְּהָא בְּקִיּוּמָא דָּא, לָא יְהֵא עַד דְּיֵיתֵי מַלְכָּא מְשִׁיחָא.

קכב. קוּם ר׳ חִזְקִיָּה תִּנְיָינוּת. וְאוֹקִיר תִּיקּוּנָא תְּלִיתָאָה, דְּדִיקְנָא קַדִּישָׁא. תָּנָא, עַד לָא קָם ר׳ חִזְקִיָּה, קָלָא נָפַק וְאָמַר, אֵין מַלְאָךְ אֶחָד עוֹשֶׂה שְׁתֵּי שְׁלִיחוּת. אִתְרְגִישׁ ר״ש וְאָמַר, וַדַּאי כָּל חַד וְחַד בְּאַתְרֵיהּ. וַאֲנָא, וְר׳ אֶלְעָזָר בְּרִי, וְר׳ אַבָּא, אַשְׁתְּלִים שְׁלֵימוּתָא עִלָּאָה.

קכג. קוּם ר׳ חִיָּיא. קָם ר׳ חִיָּיא, פָּתַח וְאָמַר, וָאוֹמַר אֲהָהּ יְיָ׳ אֱלֹהִים הִנֵּה לֹא יָדַעְתִּי דַּבֵּר כִּי נַעַר אָנֹכִי. וְכִי יִרְמְיָה לָא הֲוָה יָדַע לְמַלְּלָא, וְהָא כַּמָּה מִלּוּלִין נַפְקֵי מִפּוּמוֹי, עַד לָא אָמַר דָּא. וְהוּא אָמַר מִלָּה כְּדִיבָא, דִּכְתִיב הִנֵּה לֹא יָדַעְתִּי דַּבֵּר. אֶלָּא ח״ו דְּאִיהוּ אָמַר עַל דָּא. אֶלָּא הָכִי תָּאנָא, מַה בֵּין דִּבּוּר לַאֲמִירָה. אֲמִירָה הוּא דְּלָא בָּעֵי לַאֲרָמָא קָלָא, דִּבּוּר, בָּעֵי לַאֲרָמָא קָלָא, וּלְאַכְרָזָא מִלִּין.

קכד. דִּכְתִיב וַיְדַבֵּר אֱלֹהִים אֵת כָּל הַדְּבָרִים הָאֵלֶּה לֵאמֹר. וְתָאנָא, כָּל עָלְמָא שָׁמְעוּ הַהוּא דִּבּוּר, וְכָל עָלְמָא אִזְדַּעְזָעוּ. וּבְגִין כַּךְ כְּתִיב וַיְדַבֵּר, וְלָא כְּתִיב וַיֹּאמֶר. אוּף הָכָא כְּתִיב הִנֵּה לֹא יָדַעְתִּי דַּבֵּר, לְאַכְרָזָא מִלָּה וּלְאוֹכָחָא בְּרוּחַ קֻדְשָׁא לְעָלְמָא.

קכה. אִי הָכִי, הָא כְּתִיב וַיְדַבֵּר יְיָ׳ אֶל מֹשֶׁה לֵאמֹר. אֶלָּא, מַאן הוּא נְבִיאָה עִלָּאָה כְּמֹשֶׁה, דְּלָא זָכָה בַּ״נ כְּוָותֵיהּ. דְּהוּא שָׁמַע דִּבּוּר בְּהַכְרָזָה, וְלָא דָּחִיל, וְלָא אִזְדַּעְזַע. וּשְׁאַר נְבִיאִים אִזְדַּעְזָעוּ, אֲפִילוּ בַּאֲמִירָה, וְדַחֲלִין בִּדְחִילוּ.

קכו/א. וְתָאנָא, תִּקּוּנָא קַדְמָאָה דְּדִיקְנָא, וְתִנְיָינָא לְאַיְיתָאָה לִתְלִיתָאָה. דִּכְתִיב, הֶן כָּל אֵלֶּה יִפְעַל אֵל פַּעֲמַיִם שָׁלֹשׁ עִם גָּבֶר.

קכו/ב. תִּקּוּנָא תְּלִיתָאָה. מֵאֶמְצָעִיתָא דִּתְחוֹת חוּטְמָא, מִתְּחוֹת תְּרֵין נוּקְבִין. נָפִיק חַד אָרְחָא, וְשַׂעֲרָא אִתְפְּסַק בְּהַהוּא אָרְחָא. אֲמַאי אִתְפְּסַק. מִשּׁוּם דְּהַאי אוֹרְחָא אִתְתַּקַּן לְאַעְבְּרָא בֵּיהּ. וּבְגִין כַּךְ, יָתִיב תְּחוֹת נוּקְבֵי חוּטְמָא הַאי אוֹרְחָא. וְשַׂעֲרָא לָא אִתְרַבֵּי בְּהַאי אוֹרְחָא, מִשּׁוּם דִּכְתִיב וְעוֹבֵר עַל פֶּשַׁע, לְמֵיהַב אַעְבְּרָא עַד פּוּמָא קַדִּישָׁא, דְּיֵימָא סָלַחְתִּי. תָּאנָא, כַּמָּה עַרְקִיסָאוֹת מְחַכָּאן לְהַהוּא פּוּמָא, וְלָא אִתְגְּלֵי לְחַד מִנַּיְיהוּ, דְּהָא אִסְתַּלַּק וְאִתְעַטַּר, יְדִיעַ וְלָא יְדִיעַ.

קכו/ג. תָּאנָא, בִּצְנִיעוּתָא דְּסִפְרָא, מַהוּ דִּכְתִיב פֶּשַׁע. זָכוּ עוֹבֵר, לָא זָכוּ פֶּשַׁע. הַאי בִּזְעֵיר אַפִּין.

קכז. מַאי בֵּין הַאי לְהַאי. בִּזְעֵיר אַפִּין, כַּד נָחִית הַהוּא אוֹרְחָא מִתְּחוֹת נוּקְבֵי חוּטְמוֹי, כְּתִיב, וַיִּחַר אַף יְיָ׳ בָּם וַיֵּלַךְ. מַאי וַיֵּלַךְ. דְּנָפִיק רוּחָא דְּרוּגְזָא מֵאִינּוּן נוּקְבֵי, וּמַאן דְּאַשְׁכַּח קַמֵּיהּ, אָזִיל וְלָא אִשְׁתְּכַח. הה״ד, כִּי רוּחַ יְיָ׳ נָשְׁבָה בּוֹ וְאֵינֶנּוּ. בְּאָרִיךְ אַפִּין כְּתִיב, וְעוֹבֵר עַל פֶּשַׁע. וּכְתִיב, וְרוּחַ עָבְרָה וַתְּטַהֲרֵם. וְתָאנָא, הָכָא כְּתִיב, עוֹבֵר עַל

פֶּשַׁע בְּהַהוּא אָרְחָא. הָתָם, וְעָבַר יְיָ' לִנְגּוֹף אֶת מִצְרַיִם.

קכח. זַכָּאָה חוּלָקֵיהּ דְּמַאן דְּזָכֵי לְהַאי. וְדָא הוּא תִּקּוּנָא תְּלִיתָאָה, דְּדִיקְנָא יַקִּירָא קַדִּישָׁא עִלָּאָה עַתִּיקָא דְעַתִּיקֵי. אָמַר ר"ש, וַדַּאי קוּדְשָׁא בְּרִיךְ הוּא יַסְגֵּי לְאוֹטָבָא לָךְ, וְיֶחֱדֵי לְאַגָּנָא עֲלָךְ.

קכט. וְתָאנָא, מַאי דִּכְתִּיב שׂוֹשׂ אָשִׂישׂ בַּיְיָ', בְּעַתִּיק יוֹמִין אִתְּמַר. דְּהָא הוּא חֶדְוָותָא דְּכֹלָּא. תָּאנָא, בְּשַׁעֲתָא דְּאִתְגַּלֵּי הַאי אוֹרְחָא דְּדִיקְנָא דְּעַתִּיק יוֹמִין. כֻּלְּהוּ מָארֵי דְּיַבָּבָא וִילָלָה, וּמָארֵיהוֹן דְּדִינָא סְתִימִין וְשָׁתִיקִין, וְלֵית דְּיִפְתַּח פִּטְרָא לְאַבְאָשָׁא. מִשּׁוּם דְּהַאי אוֹרְחָא אִתְגַּלְיָיא לְתַקְּנָא. וּמֵהַאי, מַאן דְּאָחִיד וְאַזְהַר לְשַׁתְקָאָה, לְהַאי אוֹרְחָא רְשִׁים, דְּהוּא סִימָנָא דְּעַתִּיקָא קַדִּישָׁא.

קל. תִּקּוּנָא רְבִיעָאָה, מִתְתַּקַּן שַׂעֲרָא תְּחוֹת פּוּמָא, מֵרֵישָׁא וְחַד לְרֵישָׁא וְחַדָא. הה"ד, לִשְׁאֵרִית נַחֲלָתוֹ. כד"א וְנָשָׂאתָ תְפִלָּה בְּעַד הַשְּׁאֵרִית הַנִּמְצָאָה. הַנִּמְצָאָה מַמָּשׁ. שְׁאֵרִית דִּכְתִּיב, שְׁאֵרִית יִשְׂרָאֵל לֹא יַעֲשׂוּ עַוְלָה.

קלא. תִּקּוּנָא חֲמִישָׁאָה. נָפִיק אוֹרְחָא אַחֲרָא מִתְּחוֹת פּוּמָא, הה"ד לֹא הֶחֱזִיק לָעַד אַפּוֹ. קוּם ר' יוֹסֵי. קָם ר' יוֹסֵי, פָּתַח וְאָמַר, אַשְׁרֵי הָעָם שֶׁכָּכָה לוֹ אַשְׁרֵי הָעָם שֶׁיְיָ' אֱלֹהָיו. אַשְׁרֵי הָעָם שֶׁכָּכָה לוֹ. מַהוּ שֶׁכָּכָה לוֹ. כד"א וַחֲמַת הַמֶּלֶךְ שָׁכָכָה, שָׁכִיךְ מֵרוּגְזֵיהּ.

קלב. ד"א. שָׁכִיךְ בְּרוּגְזֵיהּ, הה"ד וְאִם כָּכָה אַתְּ עוֹשֶׂה לִּי הָרְגֵנִי נָא הָרוֹג. דָּא הוּא דִּינָא דְּדִינָא. אַשְׁרֵי הָעָם שֶׁיְיָ' אֱלֹהָיו, רַחֲמֵי דְּרַחֲמֵי.

קלג. ד"א, שֶׁכָּכָה, שְׁמָא דְּכָלִיל כָּל שְׁמָהָן, וְקוּדְשָׁא בְּרִיךְ הוּא מַעֲבַר רוּגְזֵיהּ, וְאַנַּח בֵּיהּ לִזְעֵיר אַנְפִּין, וּמַעֲבִיר עַל כָּל אִינּוּן דִּלְבַר.

קלד. דְּתַנְיָא, אָרְחָא, עִלָּאָה דְּדִיקְנָא קַדִּישָׁא, דְּאִיהוּ נָחִית תְּחוֹת נוּקְבֵי דְּחוֹטָמָא דְּעַתִּיקֵי. וְהַאי אָרְחָא דִּלְתַתָּא. שְׁקִילָן אִינּוּן בְּכֹלָּא. דָּא לְעֵילָּא, וְדָא לְתַתָּא. לְעֵילָּא, עוֹבֵר עַל פֶּשַׁע. לְתַתָּא, לֹא הֶחֱזִיק לָעַד אַפּוֹ. וְתָנֵינָן, לֹא הֶחֱזִיק: דְּלָא אִית אֲתָר לְמֵיתַב. כְּמָה דִּלְעֵילָּא יָהִיב אַתְרָא לְאַעְבְּרָא. כָּךְ לְתַתָּא, יָהִיב אֲתָר לְאַעְבְּרָא.

קלה. תָּנָא, בְּכָל אֲתָר דִּבְהַאי עַתִּיקָא טְמִירָא דְּכֹלָּא אָרְחָא אִתְגַּלְיָיא, טַב לְכֻלְּהוּ דִּלְתַתָּא, דְּהָא אִתְחֲזֵי עֵיטָא לְמֶעְבַּד טַב לְכֹלָּא. מַאן דִּסְתִים וְלָא אִתְגַּלְיָיא, לֵית עֵיטָא, וְלֵית מַאן דְּיָדַע לֵיהּ, אֶלָּא הוּא בִּלְחוֹדוֹי. כְּמָה דְּעֵדֶן עִלָּאָה, לֵית דְּיָדַע לֵיהּ אֶלָּא הוּא עַתִּיקָא דְּעַתִּיקֵי. וְעַל הַאי כְּתִיב, מַה גָּדְלוּ מַעֲשֶׂיךָ יְיָ' מְאֹד עָמְקוּ מַחְשְׁבוֹתֶיךָ. אר"ש יִתְתַּקְּנוּן עוֹבָדָךְ לְעָלְמָא דְּאָתֵי. מֵעִם עַתִּיקָא דְּעַתִּיקִין.

קלו. תִּקּוּנָא שְׁתִיתָאָה. מִתְתַּקַּן שַׂעֲרָא וְסָלִיק מִלְּרַע לְעֵילָּא, וְחָפֵי תַּקְרוּבְתָּא דְּבוּסְמָא טָבָא עַד רֵישָׁא דְּפוּמָא דִּלְעֵילָּא. וְנָחִית שַׂעֲרָא לְרֵישָׁא דְּפִתְחָא דְּאָרְחָא תַּתָּאָה דְּפוּמָא.

קלז. קוּם ר' יֵיסָא וְאַתְקִין תִּקּוּנָא דָּא. קָם ר' יֵיסָא, פָּתַח וְאָמַר, וְחַסְדִּי מֵאִתֵּךְ לֹא יָמוּשׁ, וּכְתִיב וּבְחֶסֶד עוֹלָם רִחַמְתִּיךְ, הָנֵי קְרָאֵי קַשְׁיָין אַהֲדָדֵי.

קלח. וְלָא אַקְשׁוּ, דְּתָנֵינָן, אִית חֶסֶד וְאִית חֶסֶד. אִית חֶסֶד דִּלְגוֹ, וְאִית חֶסֶד דִּלְבַר. חֶסֶד דִּלְגוֹ, הָא דְּאַמָרָן דְּעַתִּיקָא דְּעַתִּיקִין, וְהוּא סָתִים בְּסִטְרָא דָּא דְּדִיקְנָא, דְּאִקְרֵי פְּאַת הַזָּקָן. וְלָא בָּעֵי ב"נ לְחַבְּלָא הַאי סִטְרָא, מִשּׁוּם הַאי חֶסֶד דִּלְגוֹ דְּעַתִּיק יוֹמִין. וּבְג"כ, בְּכֹהֵן דִּלְתַתָּא כְּתִיב בֵּיהּ, לֹא יִקְרְחָה קָרְחָה בְּרֹאשָׁם וּפְאַת זְקָנָם לֹא יְגַלֵּחוּ. מ"ט. בְּגִין דְּלָא לְחַבְּלָא אוֹרְחוֹי דְּחֶסֶד דְּעַתִּיקָא, דְּכַהֵן מִסִּטְרָא דָּא קָא אָתֵי.

קלט. וְתָאנָא בִּצְנִיעוּתָא דְסִפְרָא, בְּכֹלָּא אִצְטְרִיךְ חֶסֶד לְאִתְרַבָּאָה וּלְמִבְנֵי, וְלָא לְקַטְעָא לֵיהּ, וְלָא אִשְׁתְּצֵי מֵעָלְמָא. וְהַאי דִּכְתִּיב וַחֲסָדַי מֵאִתֵּךְ לֹא יָמוּשׁ, חֶסֶד דְּעַתִּיק יוֹמִין. וּבְחֶסֶד עוֹלָם, חֶסֶד דְּאִקְרֵי חֶסֶד עוֹלָם, וְהַאי הוּא אוּחֲרָא דז"א, דִּכְתִּיב אָמַרְתִּי עוֹלָם חֶסֶד יִבָּנֶה.

קמ. וְהַאי חֶסֶד דְּעַתִּיק דְּעַתִּיקִין, הוּא חֶסֶד דִּקְשׁוֹט. וְחֶסֶד דִּקְשׁוֹט לָאו בְּחַיֵּי גּוּפָא אִתְמַר, אֶלָּא בְּחַיֵּי דְנִשְׁמָתָא. וּבְגִ"כ כְּתִיב, כִּי חָפֵץ חֶסֶד הוּא. דָא הוּא תִּקּוּנָא שְׁתִיתָאָה דְדִיקְנָא יַקִּירָא, דְּעַתִּיק דְּעַתִּיקֵי.

קמא. תִּקּוּנָא שְׁבִיעָאָה. פָּסִיק שַׂעֲרָא, וְאִתְחֲזָן ב' תַּפּוּחִין בְּתִקְרוּבְתָּא דְבוּסְמָא, שַׁפִּירָן וְיָאָן לְמֶחֱזֵי.

קמב. פָּתַח ר"ש וְאָמַר, כְּתַפּוּחַ בַּעֲצֵי הַיַּעַר וְגוֹ'. מַה תַּפּוּחַ זֶה כָּלִיל בִּתְלַת גְּוָונֵי, כַּךְ קוּדְשָׁא בְּרִיךְ הוּא, תְּרֵין תַּפּוּחִין כָּלִיל שִׁיתָא גְּוָונֵי, וּתְרֵין תַּפּוּחִין אִלֵּין, דְאִינּוּן תִּקּוּנָא שְׁבִיעָאָה, אִינּוּן כְּלָלָא דְכָל שִׁיתָא תִּקּוּנִין דַאֲמֵינָא. וּבְגִינַיְיהוּ אִתְקַיַּים בְּאוֹר פְּנֵי מֶלֶךְ חַיִּים.

קמג. וְתָאנָא, מֵהָנֵי תַּפּוּחִין נָפְקִין חַיִּין לְעָלְמָא, וּמֶחֱזָיָין חֵידוּ לִזְעֵיר אַפִּין. כְּתִיב יָאֵר יְיָ' פָּנָיו אֵלֶיךָ. וּכְתִיב בְּאוֹר פְּנֵי מֶלֶךְ חַיִּים. בְּאוֹר פְּנֵי מֶלֶךְ אִלֵּין אִינּוּן תְּרֵין תַּפּוּחִין דְּתִקְרוּבְתָּא דְבוּסְמָא דַאֲמֵינָא. יָאֵר יְיָ' פָּנָיו אֵלֶיךָ, פָּנִים דִּלְבַר, דְּכַד נְהִירִין מִתְבָּרֵךְ עָלְמָא.

קמד. וְתָאנָא, כָּל זְמַן דְּהָנֵי בּוֹצִינֵי דִלְבַר נְהִירִין, כָּל עָלְמָא מִתְבָּרֵךְ, וְלָא אִשְׁתְּכַח רוּגְזָא בְּעָלְמָא. וּמַה אִי הָנֵי דִלְבַר כַּךְ. תְּרֵין תַּפּוּחִין דִּנְהִירִין תְּדִירָא, דְּחָדָאן תְּדִירָא עאכ"ו.

קמה. תַּנְיָא, כַּד אִתְגַּלְיָין תְּרֵין תַּפּוּחִין אִלֵּין, אִתְחֲזֵי זְעֵיר אַפִּין בְּחֶדְוָותָא. וְכָל אִינּוּן בּוֹצִינִין דִּלְתַתָּא, בְּחֶדְוָותָא. וְכָל אִינּוּן דִּלְתַתָּא, נְהִירִין, וְכָל עָלְמִין חַדָאן, וּשְׁלֵימִין מִכָּל שְׁלִימוּתָא. וְכֹלָּא חַדָאן וּנְהִירִין. וְכָל טִיבוּ לָא פָּסִיק. כֻּלְּהוּ אִתְמַלְיָין בְּשַׁעֲתָא חֲדָא, כֻּלְּהוּ חַדָאן בְּשַׁעֲתָא חֲדָא.

קמו. ת"ח, פָּנִים דִּלְבַר, אִית זְמַן דִּנְהִירִין, וְאִית זְמַן דְּלָא נְהִירִין. וּבְגִ"כ כְּתִיב, יָאֵר יְיָ' פָּנָיו אֵלֶיךָ. יָאֵר פָּנָיו אִתָּנוּ סֶלָה. מִכְּלָל דְּלָא הֲוֵי תְּדִירָא. אֶלָּא כַּד אִתְגַּלְיָין תַּפּוּחִין דִּלְעֵילָּא.

קמז. תָּאנָא, אִלֵּין תַּפּוּחִין דְּסַתִּימִין, נְהִירִין וְחִוָּורִין תְּדִירָא. וּמִנְּהוֹן נְהִירִין לִתְלַת מְאָה וְשַׁבְעִין עִיבָר. וְכָל שִׁיתָא תִּקּוּנִין קַדְמָאִין דִּבְדִיקְנָא בֵּיהּ כְּלִילָן. הֲדָא הוּא דִּכְתִּיב, יָשׁוּב יְרַחֲמֵנוּ. יָשׁוּב, מִכְּלָל דִּזְמְנִין טְמִירִין, וּזְמְנִין אִתְגַּלְיָין. הָכָא, הוּא יָשׁוּב יְרַחֲמֵנוּ. וּבְהַאי דִּלְתַתָּא, הוּא וֶאֱמֶת. דָא הוּא תִּקּוּנָא שְׁבִיעָאָה, דְּכָלִיל שִׁיתָא, בִּתְרֵין תַּפּוּחִין דִּבְעַתִּיקָא דְעַתִּיקִין.

קמח. תִּקּוּנָא תְּמִינָאָה. נָפִיק חַד חוּטָא דְשַׂעֲרֵי סְוְחֲרָנֵיהּ דְּדִיקְנָא, וְתַלְיָין בְּשִׁקּוּלָא עַד טַבּוּרָא. קוּם אֶלְעָזָר בְּרִי, אַתְקִין תִּקּוּנָא דָא.

קמט. קָם רִבִּי אֶלְעָזָר, פָּתַח וְאָמַר, הַכֹּל תָּלוּי בְּמַזָּל, וַאֲפִילּוּ ס"ת בַּהֵיכָל. מִלָּה דָא אוֹקִימְנָא בְּסִפְרָא דִצְנִיעוּתָא, וְהָכָא אִית לְאִסְתַּכְּלָא, וְכִי הַכֹּל תָּלוּי בְּמַזָּל, וְתָנִינָן, ס"ת קֹדֶשׁ, וְנַרְתֵּקוֹ קֹדֶשׁ, וְהַהֵיכָל קֹדֶשׁ. וּכְתִיב וְקָרָא זֶה אֶל זֶה וְאָמַר קק"ק, הָא תְּלַת אִינּוּן. וס"ת. לָקֳבְלַיְיהוּ, נַרְתֵּקוֹ קֹדֶשׁ, וְהַהֵיכָל קֹדֶשׁ, וְהוּא קֹדֶשׁ. וְהַתּוֹרָה נִתְּנָה בְּג' קְדוּשׁוֹת. בְּשָׁלֹשׁ מַעֲלוֹת, בְּיָמִים שְׁלֹשָׁה, שְׁכִינָה בְּשָׁלֹשׁ, לוּחוֹת וַאֲרוֹן וְהֵיכַל בס"ת

תַּלְיָא, וְאִיהוּ תַּלְיָא בְּמַזָּל, וּכְתִיב וּמֵאוֹתוֹת הַשָּׁמַיִם אַל תֵּחָתּוּ. מַאן דְּאִיהוּ בִּקְדוּשׁוֹת הַלָּלוּ לֶהֱוֵי תַּלְיָא בְּמַזָּלָא.

קנ. אֶלָּא הָכִי אוֹקִימְנָא בְּסִפְרָא דִּצְנִיעוּתָא, הַאי חוּטָא יַקִּירָא קַדִּישָׁא, דְּכָל שַׂעֲרֵי דְּדִיקְנָא תַּלְיָין בֵּיהּ, אִתְקְרֵי מַזָּל. מ"ט. מִשּׁוּם דְּכָל קָדְשֵׁי קוּדְשִׁין דְּקוּדְשַׁיָּא, בְּהַאי מַזָּלָא תַּלְיָין. וס"ת, אע"ג דְּאִיהוּ קָדוֹשׁ לָא חָל עָלֵיהּ עֶשֶׂר קְדוּשִׁין עַד דְּעָיֵיל לַהֵיכָל. כֵּיוָן דְּעָיֵיל לַהֵיכָל, אִתְקְרֵי קָדוֹשׁ בְּעֶשֶׂר קְדוּשׁוֹת. כְּגַוְונָא דָּא דְּלָא אִתְקְרֵי הֵיכָל, אֶלָּא כַּד אִתְחַבְּרָן עֶשֶׂר קְדוּשׁוֹת. וְתָאנָא, הַכֹּל תָּלוּי בְּמַזָּל, דְּאִיהוּ הַאי חוּטָא יַקִּירָא קַדִּישָׁא, דְּכָל שַׂעֲרִין תַּלְיָין בֵּיהּ.

קנא. אֲמַאי אִקְרֵי מַזָּל. מִשּׁוּם דְּמִנֵּיהּ תַּלְיָין מַזָּלֵי, וּמַזָּלֵי מִנֵּיהּ עִלָּאִין וְתַתָּאִין. וּבג"כ אִיהִי תַּלְיָיא. וּבֵיהּ תַּלְיָין כָּל מִלֵּי דְּעָלְמָא עִלָּאִין וְתַתָּאִין. וַאֲפִילּוּ ס"ת שֶׁבַּהֵיכָל, דְּמִתְעַטֵּר בְּעֶשֶׂר קְדוּשׁוֹת, לָא נָפִיק מִכְּלָלֵיהּ עִם שְׁאָר קְדוּשִׁין וְכֻלְּהוּ תַּלְיָין בְּהַאי. וּמַאן דְּחָזֵי לְהַאי תִּקּוּנָא, אִתְכַּבְּשָׁן חוֹבֵיהוֹן מִקַּמֵּיהּ וּמִתְכַּפְיָין, הה"ד יִכְבּוֹשׁ עֲוֹנוֹתֵינוּ. א"ל ר"ש, בְּרִיךְ בְּרִי לְקוּדְשָׁא דְּקַדִּישִׁין, עַתִּיק מִכֹּלָּא.

קנב. תִּקּוּנָא תְּשִׁיעָאָה. מִתְעָרְבִין שַׂעֲרֵי עִם אִינּוּן שַׂעֲרֵי דְּתַלְיָין, וְלָא נָפְקִין דָּא מִן דָּא. קוּם ר' אַבָּא, קָם ר' אַבָּא וְאָמַר, אִלֵּין שַׂעֲרֵי דְּמִתְעָרְבִין עִם אִינּוּן דְּתַלְיָין, אִקְרוּן מְצוּלוֹת יָם. מִשּׁוּם דְּנָפְקֵי מִמּוֹתְרֵי מוֹחָא, וּמֵהַאי אַתְרָא רְמִיזוּ, כָּל מָארֵי דְּתַבְעִין חוֹבֵי דִּבְנֵי נָשָׁא וּמִתְכַּפְיָין. אר"ש, בְּרִיךְ תְּהֵא לְעַתִּיק יוֹמִין.

קנג. תִּקּוּנָא עֲשִׂירָאָה. נַחְתִּין שַׂעֲרֵי תְּחוֹת דִּיקְנָא, וְחַפְיָין בִּגְרוֹנָא תְּחוֹת דִּיקְנָא. קוּם ר' יְהוּדָה. קָם ר' יְהוּדָה פָּתַח וְאָמַר, וּבָאוּ בִּמְעָרוֹת צוּרִים וּבִמְחִלּוֹת עָפָר מִפְּנֵי פַּחַד יְיָ' וְגוֹ'. מִפְּנֵי פַּחַד יְיָ', הָא אִתְיְדַע דְּמַאן דְּאִיהוּ לְבַר, פַּחַד יְיָ' אִתְקְרֵי. וּמֵהֲדַר גְּאוֹנוֹ, אִינּוּן שַׂעֲרֵי דִּתְחוֹת דִּיקְנָא, וְאִתְקְרוּן הֲדַר גְּאוֹנוֹ, תְּרֵי. תִּקּוּנָא עֲשִׂירָאָה, תִּתֵּן אֱמֶת לְיַעֲקֹב. וְחַד סָר, דְּלָא נַפְקֵי נִימָא מִן נִימָא, וְחֶסֶד לְאַבְרָהָם.

קנד. תִּקּוּנָא דְּתְרֵיסַר. דְּלָא תַּלְיָין שַׂעֲרֵי עַל פּוּמָא, וּפוּמָא אִתְפְּנֵי מִכָּל סִטְרִין, וְיָאִין שַׂעֲרֵי סְחוֹר סְחוֹר לֵיהּ, בְּגִין דְּלָא אִשְׁתְּכַח טַרְחוּתָא, כְּמָה דְּאִצְטְרִיךְ.

קנה. טַרְחוּתָא בְּמַאי קָא מַיְירֵי. דִּינָא. בַּאֲתַר דִּינָא טַרְחוּתָא אִשְׁתְּכַח. וְכִי שַׂעֲרֵי דְּדִיקְנָא טִרְחָא אִינּוּן, אוֹ דִּינָא אִינּוּן, וְהָא כֹּלָּא רַחֲמֵי אִתְחָזוּן. אֶלָּא דְּלָא אֶתְטְרַח בִּנְשׁוּבָא דְּרוּחָא דִּזְעֵיר אַפִּין.

קנו. דְּתָאנָא מֵהַאי פּוּמָא קַדִּישָׁא עִלָּאָה, קֹדֶשׁ קֳדָשִׁים, נָשְׁבָא רוּחָא. מַאי רוּחָא. רוּחָא דְּאִיתְרַק בֵּיהּ, דְּמִתְלַבַּשׁ בֵּיהּ זְעֵיר אַפִּין. וּמֵהַאי רוּחָא מִתְלַבְּשִׁין כָּל אִינּוּן דִּלְתַתָּא. וְכַד הַהוּא רוּחָא נָפִיק, אִתְפָּרַשׁ לִתְלָתִין וְשִׁבְעָה אֲלַף עִיבַר. וְאִתְפָּשַׁט כָּל חַד בִּלְחוֹדוֹי לְאַתְרֵיהּ, וְכָל מַאן דְּאִתְחֲזֵי לְאִתְלַבְּשָׁא מִנֵּיהּ אִתְלַבַּשׁ. וְעַל דָּא שַׂעֲרִין לָא אִשְׁתְּכָחוּ עַל פּוּמָא קַדִּישָׁא, מִשּׁוּם דְּרוּחֵיהּ נָפִיק, וְלָא בָּעֵי מִלָּה אַחֲרָא לְאִתְעָרְבָא בֵּיהּ, וּלְקָרְבָא בַּהֲדֵיהּ.

קנז. וְדָא הוּא טְמִירוּתָא דְּכֹלָּא, דְּלָא אִתְדְּבַק לָא לְעֵילָּא וְלָא לְתַתָּא. וְהוּא סָתִים בִּסְתִימָא דִּסְתִימִין דְּלָא אִתְיְדַע. דָּא הוּא דְּלָא אִתְתְּקַן, וְלָא הֲוָה בֵּיהּ תִּקּוּנָא. וּבְגִין כַּךְ, רוּחַ דְּנָפִיק מֵהַהוּא דִּלְבַר, וּמִתְלַבְּשִׁין בֵּיהּ נְבִיאֵי מְהֵימְנֵי, אִתְקְרֵי פֶּה יְיָ'. אֲבָל בְּהַאי עַתִּיקָא דְּעַתִּיקִין לָא אִתְפְּרַשׁ. וְלֵית מַאן דְּיָדַע רוּחֵיהּ בַּר אִיהוּ. וּבְגִין כַּךְ שַׂעֲרוֹי שְׁקִילִין סוּחֲרָנָא דְּפוּמָא, וּפוּמָא אִתְפְּנֵי מִכָּל סִטְרוֹי.

קְנֹ״ח. וּבְהַאי אִתְרְוְחוּ אַבְהָתָנָא, לְאִתְלַבְּשָׁא בְּהַאי רַוְוחָא, דְּמִתְפַּשֵּׁט לְכַמָּה עִבְרִין, בְּאֲתַר דְּכָל שַׂעֲרֵי שְׁקִילִין בְּסוּוְזָרָנוּ. דִּכְתִיב אֲשֶׁר נִשְׁבַּעְתָּ לַאֲבוֹתֵינוּ. וְדָא הוּא תִּקּוּנָא קַדִּישָׁא עִלָּאָה דְּתַרְיֵיסַר. דְּמִכָּאן אִשְׁתַּכְלָלוּ י״ב תְּחוּמִין לְעֵילָּא. י״ב תְּחוּמִין לִי״ב שִׁבְטֵי אַבְהָתָא. הַהִ״ד אֲשֶׁר נִשְׁבַּעְתָּ לַאֲבוֹתֵינוּ.

קְנֹ״ט. תִּקּוּנָא דִּתְלֵיסַר. תַּלְיָין שַׂעֲרֵי דְּתִוָות דִּיקְנָא מִכָּאן וּמִכָּאן, בִּיקָרָא יָאֶה, וּבִיקָרָא שַׁפִּירָא, וְוַזְפְיָין עַד טַבּוּרָא וְלָא אִתְחֲזוּן מֵאַנְפֵּי תַּקְרוּבָא דְּבוּסְמָא, בַּר אִינּוּן תַּפּוּחִין שַׁפִּירָן וְזַוְורִין.

קֹ״ס. אָ״ר שִׁמְעוֹן, זַכָּאָה חוּלָקֵיהּ דְּמַאן דְּאִשְׁתְּכַח בְּהַאי אִדְרָא קַדִּישָׁא עִלָּאָה דְּאֲנַן בֵּיהּ. זַכָּאָה חוּלָקֵיהּ בְּעָלְמָא דֵין, וּבְעָלְמָא דְּאָתֵי. דְּאֲנַן יַתְבִין בְּקַדִּישָׁא עִלָּאָה, אֵשָׁא עִלָּאָה אַסְחוֹר כָּן. וְהָא כָּל תִּקּוּנִין עִלָּאִין דְּדִיקְנָא קַדִּישָׁא אִתְתְּקָנוּ, וְאִתְעַטָּרוּ וְאִסְתַּוְורוּ לְדוּכְתַּיְיהוּ.

קְסֹ״א. וְהַאי תִּקּוּנָא דִּתְלֵיסַר, הוּא תִּקּוּנָא יָאֶה, דְּבֵיהּ אֲחִידָן כֹּלָּא. כֻּלְּהוּ מִתְכַּסְּפָן לְמִזְקַף רֵישָׁא לְקָבְלֵיהּ. מִנֵּיהּ תַּלְיָין כָּל אִינּוּן דְּבוֹעֵיר אַפִּין אֲחִידָן. מִנֵּיהּ תַּלְיָין עִלָּאִין וְתַתָּאִין, וְכָל גְּנִיזִין עִלָּאִין וְתַתָּאִין גְּנִיזִין בֵּיהּ, וּבֵיהּ כְּלִילָן. וְאִיהוּ מַזָּלָא דְּמִתְגַּלְּיָא מִנֵּיהּ כֹּלָּא, דָּא הוּא תִּקּוּנָא שְׁלֵימָתָא, דְּאַשְׁלִים לְכָל תִּקּוּנִין, דָּא אַשְׁלִים לְכֹלָּא.

קְסֹ״ב. תָּאנָא. אִלֵּין תִּקּוּנִין אַקְרוּן יְמֵי קֶדֶם, יוֹמִין קַדְמָאִין דְּקַדְמָאֵי. וְאִינּוּן דְּאִשְׁתַּכָחוּ בִּזְעֵיר אַפִּין, אַקְרוּן יְמֵי עוֹלָם. וְתָאנָא, אִלֵּין יְמֵי קֶדֶם, כֻּלְּהוּ מִתְתַּקְּנָן בְּתִקּוּנָא דְּדִיקְנָא דְּעַתִּיקָא דְּעַתִּיקִין, טְמִירָא דִּטְמִירִין. וְהַאי דִּתְלֵיסַר כָּלִיל לְהוֹן, כְּמָה דְּאִתְמַר. וְדָא יוֹמָא לָא אִתְכְּלִיל בַּהֲדַיְיהוּ, אֶלָּא הוּא כָּלִיל כֹּלָּא.

קְסֹ״ג. וּבְהַהוּא זִמְנָא דְּאִתְעַר עַתִּיק יוֹמִין בְּתִקּוּנִין דִּלְעֵילָּא, הַהוּא אִתְקְרֵי יוֹם אֶחָד, דְּבֵיהּ זַמִּין לְאוֹקִיר דִּיקְנֵיהּ, הֲדָא הוּא דִּכְתִיב יוֹם אֶחָד הוּא יִוָּדַע לַיְיָ. הוּא בִּלְחוֹדוֹי יַתִּיר מִכֹּלָּא. הוּא דְּכָלִיל כֹּלָּא, הוּא דְּאִתְקְרֵי בִּשְׁמָא יְדִיעָא.

קְסֹ״ד. דִּתְאנָן. דְּבַאֲתַר דְּאִית יוֹם אִית לַיְלָה דְּלֵית יוֹם בְּלָא לַיְלָה. וּמִשּׁוּם דְּהַהוּא זִמְנָא זַמַּן יְהֵא יְקָרָא דְּדִיקְנָא. וְהוּא בִּלְחוֹדוֹי יִשְׁתְּכַח, לָא אִתְקְרֵי לָא יוֹם וְלָא לַיְלָה. דְּלֵית יוֹם אִקְרֵי, אֶלָּא מִסִּטְרָא דִּילָן. וְלֵית לַיְלָה אִקְרֵי, אֶלָּא מִסִּטְרָא דִּילָן. וּמִשּׁוּם דְּהַאי תִּקּוּנָא כָּלִיל כֹּלָּא, לָא אִתְיְדַע וְלָא אִתְחֲזֵי מִנֵּיהּ, וּמִנֵּיהּ נָגִיד מְשַׁח דִּרְבוּתָא לִתְלֵיסַר עִבַר מַבּוּעִין.. לְכָל אִינּוּן דִּלְתַתָּא, דְּנַהֲרִין בְּהַהוּא מְשָׁחָא.

קְסֹ״ה. בִּתְלֵיסַר תִּקּוּנִין אִלֵּין אִתְתַּקְּנָא דִּיקְנָא קַדִּישָׁא עִלָּאָה, וְאִלֵּין תִּקּוּנִין דִּדְהַאי דִּיקְנָא, מִתְתַּקְּנָן וְנָוְוזָתָן לְכַמָּה עִבַר. וְלָא אִתְחֲזוּן הַיךְ מִתְפַּשְּׁטִין וְהַיךְ נָפְקִין, מִכֹּלָּא אַסְתִּימוּ, וּמִכֹּלָּא אִתְטַמָּרוּ. לֵית דְּיָדַע אֲתַר לְהַאי עַתִּיקָא, בְּפַשְׁיטוּתָא דִּלְהוֹן כֻּלְּהוֹן כְּלִילָן, כְּמָה דְּאִתְמַר, אִתְיְדַע וְלָא אִתְיְדַע. טָמִיר וְלָא טָמִיר. עֲלֵיהּ אִתְקְרֵי, אֲנִי יְיָ הוּא שְׁמִי וּכְבוֹדִי לְאַחֵר לֹא אֶתֵּן. וּכְתִיב הוּא עָשָׂנוּ וְלֹא אֲנַחְנוּ. וּכְתִיב וְעַתִּיק יוֹמִין יְתִיב. בְּאַתְרֵיהּ יָתִיב וְלֵית דְּיָדַע לֵיהּ. יָתִיב וְלָא שְׁכִיחַ, וּכְתִיב אוֹדְךָ עַל כִּי נוֹרָאוֹת נִפְלֵיתִי וְגוֹ'.

קְסֹ״ו. אָמַר רַ״ע לְחַבְרַיָּיא, כַּד אִתְפָּרִיס פְּרִיסָא דָּא, דְּאָתַוּן וְזַמַּן עָלְמָא, אֲנָא וֶחֱמֵינָא דְּנָחֲתוּ כָּל תִּקּוּנִין וְנֵוְוזָתָן בְּגַוֵּויהּ, וְנַהֲרוּ בְּאֲתַר דָּא. וְוַזֹד פְּרִיכְתָּא בּוּצִינָא דְּקֻדְשָׁא בְּרִיךְ הוּא, פְּרִיסָא בְּאַרְבַּע סַמְכִין, לְאַרְבַּע עִבַר.

קְסֹ״ז. סַמְכָא וַזֹד הוּא יָתִיב מִתַּתָּא מֵעֵילָּא, וְוַזֹד מַגְרוֹפְיָא בִּידֵיהּ. וּבְמַגְרוֹפְיָא אַרְבַּע מַפְתְּחֵי עֲנָיֵין מִכָּל סִטְרוֹי. וּמִתְאַוְוזֲדָן פְּרִיסָא, וְנָוְוזְתִין לָהּ מֵעֵילָּא לְתַתָּא. וְכֵן לְסַמְכָא תִּנְיָינָא, וּתְלִיתָאָה וּרְבִיעָאָה. וּבֵין סַמְכָא לְסַמְכָא, אֲחִידָן תְּמַנְיְסַר רַגְלֵי דְּסַמְכֵי

וּמִתְנַהֲרִין בְּבוּצִינָא דִּגְלִיפָא בְּהַהוּא פְּרִיסָא. וְכֵן לְד' עִיבָר.

קסז. וַחֲמֵינָא אִלֵּין תִּקּוּנִין דִּנְהִירִין עָלָה, וַהֲווּ מִזְּכָאן מִלֵּי דְּפוּמָנָא, לְאִתְעַטְּרָא וּלְאִסְתַּלְּקָא כָּל חַד וְחַד בְּאַתְרֵיהּ. וְכַד הֲווּ מִתְתַּקְּנָן מִפּוּמָנָא, כָּל חַד וְחַד סָלִיק וְאִתְעַטָּר וְאִתְתָּקַּן בְּהַהוּא תִּקּוּנָא דְּאִתְתַּקַּן הָכָא, מִכָּל פּוּמָא דְּחַד מִינָּן. וּבְשַׁעֲתָא דְּחַד מִינָן פָּתַח פּוּמָא, לְתַקְּנָא בְּהַהוּא תִּקּוּנָא, הַהוּא תִּקּוּנָא הֲוָה יָתִיב וּמְחַכֶּה לְמִלָּה דְּנָפִיק מִפּוּמֵיכוֹן, וְכַדֵין סַלְקָא בְּדוּכְתֵּיהּ וְאִתְעַטָּר.

קסט. וְכָל סַמְכִין מִכָּאן וּמִכָּאן, וַדָּאן עַל דְּשַׁמְעִין מַה דְּלָא יָדְעוּ, וְצַיְיתִין לְקָלֵיכוֹן. כַּמָּה רְתִיכִין קַיְימִין הָכָא בְּגִינֵיכוֹן. זַכָּאִין אַתּוּן לְעָלְמָא דְּאָתֵי, דְּכֻלְּהוּ מִלֵּי דְּנָפְקֵי מִפּוּמֵיכוֹן, כֻּלְּהוּ מִלִּין קַדִּישִׁין. מִלִּין כַּשְׁרָן דְּלָא אַסְטָאן לִימִינָא וְלִשְׂמָאלָא.

קע. קוּדְשָׁא בְּרִיךְ הוּא חָדֵי לְמִשְׁמַע, וְצַיִּית לְהָנֵי מִלֵּי, עַד דְּהוּא אַגְמַר דִּינָא, דִּי לְעָלְמָא דְּאָתֵי תֵּימְרוּן זִמְנָא אַחֲרָא כָּל הָנֵי מִלֵּי קַדִּישִׁין. עֲלַיְיכוּ כְּתִיב, וְחִכֵּךְ כְּיֵין הַטּוֹב וְגוֹ', דּוֹבֵב שִׂפְתֵי יְשֵׁנִים. מַאי דּוֹבֵב שִׂפְתֵי יְשֵׁנִים. דַּאֲפִילּוּ לְעָלְמָא דְּאָתֵי מְרַחֲשָׁן שִׂפְוָותֵיכוּ אוֹרַיְיתָא קַמֵּיהּ.

קעא. הַשְׁתָּא אִתְתָּקְּנוּ וְאִתְכַּוְּונוּ דַּעְתָּא, לְמִתְקַן תִּקּוּנֵי דִּזְעֵיר אַפִּין, הֵיךְ יִתְתַּקַּן, וְהֵיךְ יִתְלַבַּשׁ בְּתִקּוּנֵי מִתִּקּוּנֵי עַתִּיק יוֹמִין, קַדִּישָׁא דְּקַדִּישִׁין, טְמִירָא דִּטְמִירִין, טְמִירָא מִכֹּלָּא. דְּהַשְׁתָּא חוֹבְתָא עֲלַיְיכוּ, לְמִגְזַר דִּינָא קוּשְׁטָאָה יָאֶה וְשַׁפִּירָא וּלְאַתְקְנָא כָּל תִּקּוּנִין עַל בּוּרְיֵיהּ.

קעב. תִּקּוּנֵי דִּזְעֵיר אַפִּין, מִתִּקּוּנֵי דַּאֲרִיךְ אַפִּין אִתְתָּקְּנוּ. וְאִתְפָּשָׁטוּ תִּקּוּנוֹי מִכָּאן וּמִכָּאן, כְּחֵיזוּ ב"נ, לְמִשְׁלְטָא בֵּיהּ רוּחָא דִּטְמִירָא דְּכָל טְמִירִין. בְּגִין לְמֵיתַב עַל כּוּרְסְיָּיא, דִּכְתִּיב וְעַל דְּמוּת הַכִּסֵּא דְּמוּת כְּמַרְאֵה אָדָם עָלָיו מִלְמָעְלָה. כְּמַרְאֵה אָדָם: דִּכְלִיל כָּל דְּיוּקְנִין. כְּמַרְאֵה אָדָם: דִּכְלִיל כָּל שְׁמָהָן. כְּמַרְאֵה אָדָם: דְּבֵיהּ סְתִימִין כָּל עָלְמִין עִלָּאִין וְתַתָּאִין. כְּמַרְאֵה אָדָם: דִּכְלִיל כָּל רָזִין דְּאִתְאַמְרוּ וְאִתְתָּקְּנוּ עַד דְּלָא אִבְרֵי עָלְמָא, ואע"ג דְּלָא אִתְקַיָּימוּ.

קעג. תָּאנָא בִּצְנִיעוּתָא דְּסִפְרָא, עַתִּיקָא דְּעַתִּיקִין עַד לָא זַמִּין תִּקּוּנוֹי, בָּאנֵי מַלְכִין, גָּלִיף מַלְכִין וּמְשַׁעֵר מַלְכִין, וְלָא הֲווּ מִתְקַיְּימֵי, עַד דְּדָחֵי לוֹן, וְאַצְנַע לוֹן לְבָתַר זִמְנָא, הה"ד וְאֵלֶּה הַמְּלָכִים אֲשֶׁר מָלְכוּ בְּאֶרֶץ אֱדוֹם. בְּאֶרֶץ אֱדוֹם, בְּאֲתַר דְּכָל דִּינִין מִתְקַיְּימִין תַּמָּן, וְכֻלְּהוּ לָא אִתְקַיָּימוּ.

קעד. עַד דְּרֵישָׁא חִוָּורָא עַתִּיקָא דְּעַתִּיקִין אִתְתַּקַּן. כַּד אִתְתַּקַּן, תַּקִּין כָּל תִּקּוּנִין דִּלְתַתָּא, תַּקִּין כָּל תִּקּוּנִין דְּעִלָּאִין וְתַתָּאִין. מִכָּאן אוֹלִיפְנָא, כָּל רֵישָׁא דְּעַמָּא, דְּלָא אִתְתַּקַּן הוּא בְּקַדְמֵיתָא, לֵית עַמָּא מִתְתַּקְּנָא. וְאִי אִיהוּ מִתְתַּקַּן, כֻּלְּהוּ מִתְתַּקְּנָן. וְאִי אִיהוּ לָא מִתְתַּקַּן בְּקַדְמֵיתָא, לָא יַכְלִין עַמָּא לְאִתְתַּקְּנָא.

קעה. מְנָלָן. מֵעַתִּיק יוֹמִין. דְּעַד לָא אִתְתַּקַּן הוּא בְּתִקּוּנוֹי, לָא אִתְתָּקְּנוּ כָּל אִינּוּן דְּבָעוּ לְאִתְתַּקְּנָא, וְכֻלְּהוּ עָלְמִין אִתְחֲרָבוּ. הה"ד, וַיִּמְלוֹךְ בֶּאֱדוֹם בֶּלַע בֶּן בְּעוֹר. וַיִּמְלוֹךְ בֶּאֱדוֹם, רָזָא יַקִּירָא הוּא. אֲתַר דְּכָל דִּינִין מִתְקַטְּרִין תַּמָּן, וְתַלְיָין, מִתַּמָּן.

קעו. בֶּלַע בֶּן בְּעוֹר, תָּאנָא הוּא גְּזֵרַת דִּינָא, תַּקִּיפָא דְּתַקִּיפִין, דִּבְגִינֵיהּ מִתְקַטְּרָן אֲלַף אַלְפִין מָארֵי דִּיבָבָא וְיִלָלָה. וְשֵׁם עִירוֹ דִּנְהָבָה. מַאי דִּנְהָבָה. כְּלוֹמַר דִּין הָבָה. כד"א, לַעֲלוּקָה שְׁתֵּי בָנוֹת הַב הַב.

קעז. כֵּיוָן דְּסָלִיק לְאִתְיַשְּׁבָא, בֵּיהּ לָא קָאִים, וְלָא הֲוָה יָכִיל לְמֵיקַם, וְכֻלְּהוּ עָלְמִין אִתְחֲרָבוּ. מַאי טַעֲמָא. מִשּׁוּם דְּאָדָם לָא אִתְתַּקַּן. דְּתִקּוּנָא דְּאָדָם בִּדְיוּקְנֵיהּ, כָּלִיל

כֹּלָּא, וְיָכִיל כֹּלָּא לְאִתְיַשְּׁבָא בֵּיהּ.

קעח. וּבְגִין דְּתִקּוּנָא דָּא דְּאָדָם, לָא אִשְׁתְּכַח. לָא יָכִילוּ לְמֵיקַם וּלְאִתְיַשְּׁבָא, וְאִתְבַּטְּלוּ. וְאִתְבַּטְּלוּ ס"ד וְהָא כֻּלְּהוּ בְּאָדָם אִתְכְּלִילָן. אֶלָּא אִתְבַּטְּלוּ וְאִסְתַּלָּקוּ מֵהַהוּא תִּקּוּנָא, עַד דְּיֵיתֵי תִּקּוּנָא דְּאָדָם. וְכַד אָתָא הַאי דְּיוֹקְנָא, אִתְגַּלְּפוּ כֻּלְּהוּ, וְאִתְהַדָּרוּ לְקִיּוּמָא אַחֲרָא. מִנְּהוֹן אִתְבַּסָּמוּ, וּמִנְּהוֹן לָא אִתְבַּסָּמוּ כְּלָל.

קעט. וְאִי תֵּימָא וְהָא כְּתִיב וַיָּמָת, וַיָּמָת. דְּאִתְבַּטְּלוּ לְגַמְרֵי. לָאו הָכִי, אֶלָּא כָּל מַאן דְּנָחִית מִדַּרְגָּא קַדְמָאָה דַּהֲוָה בֵּיהּ, קָארֵי בֵּיהּ מִיתָה. כד"א, וַיָּמָת מֶלֶךְ מִצְרַיִם, דְּנָחַת מִדַּרְגָּא קַדְמָאָה דַּהֲוָה קָם בֵּיהּ. וְכֵיוָן דְּאִתְתַּקַּן אָדָם, אִתְקְרוֹן בִּשְׁמָהָן אַחֲרָנִין, וְאִתְבַּסָּמוּ בְּקִיּוּמָא בֵּיהּ, וְקַיְימִין בְּדוּכְתַּיְיהוּ.

קפ. וְכֻלְּהוּ אִתְקְרוּן בִּשְׁמָהָן אַחֲרָנִין מִן קַדְמָאִין, בַּר הַהוּא דִּכְתִּיב בֵּיהּ, וְשֵׁם אִשְׁתּוֹ מְהֵיטַבְאֵל בַּת מַטְרֵד בַּת מֵי זָהָב. מ"ט. מִשּׁוּם דְּהָנֵי לָא אִתְבַּטְּלוּ כִּשְׁאָר אַחֲרָנִין. מִשּׁוּם דַּהֲוָה דְּכַר וְנוּקְבָא. כְּהַאי תָּמָרָא, דְּלָא סַלְקָא אֶלָּא דְּכַר וְנוּקְבָא. וּבְגִ"כ הַשְׁתָּא דְּאִשְׁתְּכָחוּ דְּכַר וְנוּקְבָא, לָא כְּתִיב בְּהוּ מִיתָה כְּאַחֲרָנִין, וְאִתְקַיְּימוּ. אֲבָל לָא אִתְיַשְּׁבוּ, עַד דְּאִתְתַּקַּן דְּיוֹקְנָא דְּאָדָם, וְכֵיוָן דְּאִתְתַּקַּן דְּיוֹקְנָא דְּאָדָם, אִתְהַדָּרוּ וְאִתְקַיָּימוּ בְּקִיּוּמָא אַחֲרָא, וְאִתְיַישְּׁבוּ.

קפא. תָּאנָא, כַּד סָלִיק בִּרְעוּתָא דְּרֵישָׁא חִוָּורָא, לְמֶעְבַּד יְקָרָא לִיקָרֵיהּ, תַּקִּין וְזַמִּין וְאַפִּיק מִבּוּצִינָא דְּקַרְדִּינוּתָא, חַד נִיצוֹצָא, וְסָלִיק וְאִתְפָּשַׁט לִתְלַת מְאָה וְשַׁבְעִין עִיבָר. וְנִיצוֹצָא קָאֵים, וְשָׁארֵי נָפִיק אֲוִירָא דַּכְיָא וּמִתְגַּלְגְּלָא, נָשַׁב בֵּיהּ אִתְתַּקַּן. וְנָפִיק חַד גּוּלְגַּלְתָּא תַּקִּיפָא, וְאִתְפָּשַׁט לְאַרְבַּע סִטְרִין.

קפב. וּבְהַאי אֲוִירָא דַּכְיָא, אִשְׁתְּאִיב נִיצוֹצָא וְאִתְאֲחַד, וְאִתְכְּלִיל בֵּיהּ. בֵּיהּ ס"ד. אֶלָּא אִתְטָמַר בֵּיהּ. וּבְגִין כָּךְ, הַאי גּוּלְגַּלְתָּא אִתְפָּשַׁט בְּסִטְרוֹי, וְהַאי אֲוִירָא הוּא טָמִיר דִּטְמִירִין דְּעַתִּיק יוֹמִין, בְּרוּחָא דְּגָנִיז.

קפג. בְּהַאי גּוּלְגַּלְתָּא אִתְפָּשְׁטוּ אֶשָּׁא מִסְּטַר חַד, וַאֲוִירָא מִסְּטַר חַד. וַאֲוִירָא דַּכְיָא קָאֵים עֲלֵיהּ מֵהַאי סְטַר. וְאֶשָּׁא דַּכְיָא קָאֵים מֵהַאי סְטַר. מַאי אֶשָּׁא הָכָא. אֶלָּא לָאו הוּא אֶשָּׁא, אֲבָל דָּא נִיצוֹצָא דְּאִתְכְּלִיל בַּאֲוִירָא דַּכְיָא, נָהִיר לְמָאתָן וְשַׁבְעִין עָלְמִין, וְדִינָא מִסִּטְרוֹי אִשְׁתְּכַח, וּבְגִ"ד, הַאי גּוּלְגַּלְתָּא, אִתְקְרֵי גּוּלְגַּלְתָּא תַּקִּיפָא.

קפד. בְּגוּלְגַּלְתָּא דָּא, יַתְבִין תִּשְׁעָה אַלְפֵי רִבּוֹא עָלְמִין, דְּנָטְלִין עֲלוֹי וְסָמְכִין עֲלוֹי. בְּהַאי גּוּלְגַּלְתָּא, נָטִיף טַלָּא מֵרֵישָׁא חִוָּורָא, דְּאִתְמְלֵי מִנֵּיהּ תָּדִיר. וּמֵהַאי טַלָּא דְּאַנְעַר מֵרֵישֵׁיהּ זְמִינִין מֵיתַיָּיא לְאַחֲיָאָה.

קפה. וְהוּא טַלָּא דְּאִתְכְּלִיל בִּתְרֵי גַּוְונֵי, מִסִּטְרָא דְּרֵישָׁא חִוָּורָא, חִוָּור בְּגַוֵּיהּ. דְּכָלִיל כֻּלְּהוּ חִוָּורֵי אֲבָל כַּד אִתְיַישְּׁבָן בְּהַאי רֵישָׁא דִּזְעֵיר אַפִּין, אִתְחֲזֵי בֵּיהּ סוּמְקָא. כְּהַאי בְּדוֹלְחָא דְּאִיהוּ חִוָּור, וְאִתְחֲזְיָיא גַּוְונָא סוּמְקָא בְּגַוְונָא חִוָּורָא.

קפו. וּבְגִין כָּךְ כְּתִיב, וְרַבִּים מִיְּשֵׁנֵי אַדְמַת עָפָר יָקִיצוּ אֵלֶּה לְחַיֵּי עוֹלָם וְאֵלֶּה לַחֲרָפוֹת לְדִרְאוֹן עוֹלָם. לְחַיֵּי עוֹלָם, בְּגִין דְּאִתְחֲזְיָאוּ לְהַהוּא חִוָּורָא, דְּאָתֵי מִסְּטַר דְּעַתִּיק יוֹמִין, אֲרִיכָא דְּאַנְפִּין. לַחֲרָפוֹת לְדִרְאוֹן עוֹלָם, בְּגִין דְּאִתְחֲזְיָאוּ לְהַהוּא סוּמְקָא דִּזְעֵיר אַפִּין. וְכֹלָּא כָּלִיל בְּהַהוּא טַלָּא, הה"ד כִּי טַל אוֹרוֹת טַלֶּךָ. אוֹרוֹת: תְּרֵין. וְהַהוּא טַלָּא דְּנָטִיף, נָטִיף כָּל יוֹמָא לַחֲקַלָּא דְּתַפּוּחִים. כִּגְוָונֵי חִוָּורָא וְסוּמְקָא.

קפז. הַאי גּוּלְגַּלְתָּא אַנְהִיר בִּתְרֵי גַּוְונֵי, לְהַאי סְטַר וּלְהַאי סְטַר. וּמֵהַאי אֲוִירָא דַּכְיָא,

אִתְפָּשַׁט מִגּוּלְגַּלְתָּא לְאַנְפּוֹי ק״נ רִבּוֹא עָלְמִין. וּבְגִין כָּךְ אִתְקְרֵי זְעֵיר אַפִּין. וּבְשַׁעֲתָא דְּאִצְטְרִיךְ, אִתְפְּשָׁטוּ אַנְפּוֹי וַאֲרִיכִין בְּהַהוּא זִמְנָא, בְּגִין דְּאַשְׁגַּח בְּאַנְפּוֹי דְּעַתִּיקֵי דְּעַתִּיקִין, וְחָיֵיס לְעָלְמָא.

קפח. וּמֵהַאי גּוּלְגַּלְתָּא, נָפִיק חַד עִיבָר, לְכָל אִינּוּן דִּלְתַתָּא. וְיָהֲבֵי אֲגַר אוֹרָאוּתָא לְעַתִּיק יוֹמִין. כַּד עָאלִין בְּחוּשְׁבָּנָא, תְּחוֹת שַׁרְבִיטָא. וְלָקֳבֵיל דָּא. בֶּקַע לַגּוּלְגֹּלֶת לְתַתָּא, כַּד עָאלִין בְּחוּשְׁבָּנָא. וְהַאי בֶּקַע אֲגַר אוֹרָאוּתָא, אִשְׁתְּכַח מִנֵּיהּ לְעַתִּיק יוֹמִין.

קפט. בַּחֲלָלֵיהּ דְּגוּלְגַּלְתָּא, ג׳ חַלָּלִין אִשְׁתְּכָחוּ, דְּשַׁרְיָיא מוֹחָא בְּהוּ, וּקְרוּמָא דַּקִּיק חַפְיָיא עֲלַיְיהוּ. אֲבָל לָא קְרוּמָא קְשִׁישָׁא סְתִימָא כְּעַתִּיק יוֹמִין. וּבְגִין דָּא, הַאי מוֹחָא אִתְפְּשַׁט וְנָהִיר לִתְלָתִין וּתְרֵין שְׁבִילִין. הה״ד וְנָהָר יוֹצֵא מֵעֵדֶן.

קצ. וְתָאנָא, בִּתְלַת חַלָּלִין דְּגוּלְגַּלְתָּא מוֹחָא שַׁרְיָיא. מֵחֲלָלָא חַד מִתְבְּקַע וּמִתְפַּשֵּׁט חַד מַבּוּעָא לְד׳ סְטְרִין, וְנָפִיק מֵהַהוּא מוֹחָא דְּשַׁרְיָיא בְּהַאי חַלָּלָא, תְּלָתִין וּתְרֵין שְׁבִילִין רוּחִין דְּחָכְמְתָא.

קצא. מֵחֲלָלָא תִּנְיָינָא, מִתְבְּקַע וּמִתְפָּשַׁט חַד מַבּוּעָא אָחֳרָא. וּמִתְפַּתְּחִין ן׳ תַּרְעִין. מֵאִלֵּין ן׳ תַּרְעִין, אִתְאַחֲדָן ן׳ יוֹמִין דְּאוֹרַיְיתָא. ן׳ שְׁנִין דְּיוֹבְלָא. ן׳ אֲלַף דָּרִין, דְּזַמִּין קוּדְשָׁא בְּרִיךְ הוּא לְאַתְבָא רוּחֵיהּ לֵיהּ, וּלְשַׁרְיָיא בֵּיהּ.

קצב. מֵחֲלָלָא תְּלִיתָאָה, נָפְקִין אֲלַף אַלְפִין אִדְּרִין וְאַכְסַדְרָאִין, דְּדַעְתָּא שַׁרְיָיא עֲלַיְיהוּ, וְדָרֵי בְּהוּ. וְהַאי חַלָּלָא שָׁרֵי מָדוֹרֵיהּ בֵּין הַאי חַלָּלָא וּבֵין הַאי חַלָּלָא, וְאִתְמַלְיָין מִתְּרֵין סִטְרִין. כָּל אִינּוּן אִדָּרִין. הה״ד וּבְדַעַת חֲדָרִים יִמָּלְאוּ. וְאִלֵּין ג׳ מִתְפַּשְּׁטִין בְּכָל גּוּפָא, לְהַאי סִטְרָא וּלְהַאי סִטְרָא. וּבְאִינּוּן אָחִיד כָּל גּוּפָא וְאָחִיד בְּהוּ גּוּפָא מִכָּל סִטְרוֹי. וּבְכָל גּוּפָא אִתְפַּשְׁטָן וְאִשְׁתַּכְחָן.

קצג. תָּאנָא, בְּגוּלְגַּלְתָּא דְּרֵישָׁא, תַּלְיָין אֲלַף אַלְפֵי רִבּוֹא וְרִבּוֹא רִבְבָן קוֹצֵי דְּשַׂעֲרֵי אוּכָמָן, וּמִסְתַּבְּכִין דָּא בְּדָא, וּמִתְעָרְבִין דָּא בְּדָא. וְלֵית חוּשְׁבָּנָא לְנִימִין דְּכָל קוֹצָא וְקוֹצָא, דְּאֲחִידָן בֵּיהּ דַּכְיָין וּמְסָאֲבָן. וּמִכָּאן אִתְאַחֲדָן טַעֲמֵי אוֹרַיְיתָא, בְּדַכְיָא בְּמִסְאֲבָא. בְּכָל אִינּוּן סִטְרִין דְּאִינּוּן דַּכְיָין, בְּכָל אִינּוּן סִטְרִין דְּאִינּוּן מִסְאֲבָן.

קצד. יַתְבִין קוֹצֵי מִסְתַּבְּכִין וְתַקִּיפִין. מִנְּהוֹן שְׁעִיעִין, וּמִנְּהוֹן תַּקִּיפִין. וּבְכָל קוֹצָא וְקוֹצָא, יַתְבִין נִימִין תַּלְיָין עַל תַּלְיָין. מִתְלַהֲטָן וְתַלְיָין כְּגִיבָּר תַּקִּיף, מָארֵי נַצַּח קְרָבִין. בְּתִקּוּנָא יָאֶה בְּתִקּוּנָא שַׁפִּירָא תַּקִּיפָא. רַבְרְבִין וְתַקִּיפִין. הה״ד בָּחוּר כָּאֲרָזִים.

קצה. מִתְתַּקְּנִין קוֹצִין דְּשַׂעֲרֵי, וְתַלְיָין תַּלְיָין עַל תַּלְיָין, מֵהַאי סִטְרָא לְהַאי סִטְרָא, עַל גּוּלְגַּלְתָּא. הה״ד, קְוֻצּוֹתָיו תַּלְתַּלִּים. וְתָאנָא יַתְבִין תְּלֵי תַּלִּין, מִשּׁוּם דְּמְשִׁיכִין מִמַּבּוּעִין סַגִּיאִין, דִּתְלַת רַהֲטֵי מוֹחָא. מִמַּבּוּעָא חַלָּלָא חַד דְּגוּלְגַּלְתָּא, אִתְמְשְׁכָן שַׂעֲרֵי בִּמְשִׁיכוּתָא, וּמִתְעָבְדִין תַּלִּין, דְּתַלְיָין מִכַּמָּה מַבּוּעִין, דְּאִתְמַשְׁכָן מֵהַאי חַלָּלָא. מֵחֲלָלָא תִּנְיָינָא, נַפְקֵי חַמְשִׁין מַבּוּעִין, וְאִתְמַשְׁכָן שַׂעֲרֵי מֵאִינּוּן מַבּוּעִין בִּמְשִׁיכוּתָא, וְאִתְעָבְדִין תַּלִּין, דְּתַלְיָין וּמִתְעָרְבִין בְּקוֹצִין אָחֳרָנִין. מֵחֲלָלָא תְּלִיתָאָה, נָפְקֵי אֲלַף אַלְפִין אִדְּרִין וְאַכְסַדְרָאִין, וְאִתְמַשְׁכָן שַׂעֲרֵי בִּמְשִׁיכוּתָא מִכֻּלְּהוּ. וּבְג״כ אִינּוּן קוֹצִין, תַּלִּין עַל תַּלִּין.

קצו. וְכֻלְּהוּ מְשִׁיכָן דְּאִתְמַשְׁכָן מִג׳ חַלָּלִין דְּמוֹחָא דְּגוּלְגַּלְתָּא. וְכָל אִינּוּן נִימִין וְכָל אִינּוּן קוֹצֵי תַּלְיָין וְחַפְיָין לְסִטְרָא דְּאוּדְנִין. וּבְג״כ כְּתִיב, הַטֵּה אֱלֹהַי אָזְנְךָ וּשְׁמָע. וּבְהַאי תַּלִּין, תַּלְיָין יְמִינָא וּשְׂמָאלָא, נְהוֹרָא וַחֲשׁוֹכָא, רַחֲמֵי וְדִינָא. וְכָל יְמִינָא וּשְׂמָאלָא תָּלֵי בְּהַאי, וְלָא בְּעַתִּיקָא.

קצז. בְּפַלְגּוּתָא דְּשַׂעֲרֵי, אִתְחֲזֵי חַד אוֹרְחָא דַּקִּיק, דְּמִתְאַחֲדָא מֵהַהוּא אָרְחָא דְּעַתִּיק

יוֹמִין. וּמֵהַהוּא אָרְוָא, אִתְפָּרְשָׁן שִׁית מְאָה וּתְלֵיסַר אָרְוִין, דְּאִתְפַּלְגוּן בְּאָרְוִין דְּפִקּוּדֵי דְּאוֹרַיְיתָא. דִּכְתִּיב, כָּל אָרְחוֹת יְיָ' חֶסֶד וֶאֱמֶת לְנוֹצְרֵי בְרִיתוֹ וְעֵדוֹתָיו.

קצח. תָּנָא, בְּכָל קוֹצָא וְקוֹצָא, מִתְאַחֲדָן אֶלֶף אַלְפִין מָארֵי דְּיַבָּבָא וִילָלָה, דְּתַלְיָין בְּכָל קוֹצָא וְקוֹצָא מֵאִינּוּן תַּקִּיפִין. וּמֵאִינּוּן שַׁעְיָין מָארֵיהוֹן דְּמַתְקְלָא, בְּגִ"כ אִית יְמִינָא וְאִית שְׂמָאלָא.

קצט. מִצְחָא דְּגוּלְגַּלְתָּא. אַשְׁגָּחוּתָא דְּאַשְׁגָּחוּתָא. וְלָא מִתְגַּלְיָיא, בַּר הַהוּא זִמְנָא, דִּצְרִיכִין חַיָּיבַיָא לְאִתְפַּקְדָא, וּלְעַיְינָא בְּעוֹבָדֵיהוֹן. וְתָאנָא, כַּד אִתְגַּלְיָא הַאי מִצְחָא, אִתְעָרוּ כָּל מָארֵיהוֹן דְּדִינָא, וְכָל עָלְמָא בְּדִינָא אִתְמְסַר. בַּר הַהִיא שַׁעֲתָא, כַּד סָלִיקוּ צְלוֹתְהוֹן דְּיִשְׂרָאֵל לְקַמֵּי עַתִּיק יוֹמִין, וּבָעֵי לְרַחֲמָא עַל בְּנוֹי, גַּלֵּי מִצְחָא דְּרַעֲוָא דְּרַעֲוִין, וְנָהִיר בְּהַאי דִּזְעֵיר אַפִּין, וְאִשְׁתְּכִיךְ דִּינָא.

ר. בְּהַאי מִצְחָא, נָפִיק חַד שַׂעֲרָא, דְּמִתְפַּשַּׁט בֵּיהּ מִמּוֹחָא דְּאַפִּיק חַמְשִׁין תַּרְעִין. וְכַד אִתְפַּשַּׁט, אִתְעֲבִיד מִצְחָא דְּאַשְׁגָּחוּתָא, לְחַיָּיבֵי עָלְמָא, לְאִינּוּן דְּלָא מִתְכַּסְפֵי בְּעוֹבָדֵיהוֹן. הה"ד, וּמֵצַח אִשָּׁה זוֹנָה הָיָה לָךְ מֵאַנְתְּ הִכָּלֵם.

רא. וְתַנְיָא, שַׂעֲרָא לָא קָאִים בְּהַאי אֲתַר דְּמִצְחָא, בְּגִין דְּאִתְגַּלְיָא לְאִינּוּן דְּחֲצִיפִין בְּחוֹבַיְיהוּ. וְשַׁעֲתָא דְּמִתְעַר קוּדְשָׁא בְּרִיךְ הוּא לְאִשְׁתַּעְשְׁעָא עִם צַדִּיקַיָּא, נְהִירִין אַנְפּוֹהִי דְּעַתִּיק יוֹמִין, בְּאַנְפּוֹי דִּזְעֵיר אַפִּין, וּמִתְגַּלְיָא מִצְחֵיהּ, וְנָהִיר לְהַאי מִצְחָא, וּכְדֵין אִתְקְרֵי עֵת רָצוֹן. וְכָל שַׁעֲתָא וְשַׁעֲתָא דְּדִינָא תָּלֵי, וְהַאי מִצְחָא דִּזְעֵיר אַפִּין אִתְגַּלְיָיא, אִתְגַּלְיָיא מִצְחָא דְּעַתִּיקָא דְּעַתִּיקִין, וְאִשְׁתְּכִיךְ דִּינָא, וְלָא אִתְעֲבִיד.

רב. תָּאנָא, הַאי מִצְחָא, אִתְפַּשַּׁט בְּמָאתָן אֶלֶף סוּמָקֵי דְּסוּמָקֵי, דְּאִתְאַחֲדָן בֵּיהּ, וּכְלִילָן בֵּיהּ. וְכַד אִתְגַּלְיָיא מִצְחָא דִּזְעֵיר אַפִּין, אִית רְשׁוּתָא לְכֻלְּהוּ לְחַרְבָא. וְכַד אִתְגַּלְיָיא מִצְחָא דְּרַעֲוָא דְּרַעֲוִין, דְּנָהִיר לְהַאי מִצְחָא, כְּדֵין כֻּלְּהוּ מִשְׁתַּכְּכִין.

רג. וְתַנְיָא, עֶשְׂרִין וְאַרְבַּע בָּתֵּי דִּינִין מִשְׁתַּכְּחִין בְּהַאי מִצְחָא, וְכֻלְּהוּ אִקְרוּן נֶצַח. וּבְאַתְוָון רְצוּפִין, הוּא מֶצַח. וְאִית נֶצַח דְּאִינּוּן נְצָחִים. וְהַיְינוּ דְּתְנָן נֶצַח נְצָחִים. וְאִינּוּן בְּמִצְחָא, וּמִתְפַּשְּׁטָן מִנַּהוֹן בְּגוּפָא, בְּאַתְרִין יְדִיעָן.

רד. תַּנְיָא, מַאי דִּכְתִּיב וְגַם נֵצַח יִשְׂרָאֵל לֹא יְשַׁקֵּר וְלֹא יִנָּחֵם כִּי לֹא אָדָם הוּא לְהִנָּחֵם. הַאי רָזָא אוֹקִימְנָא, כָּל הַהוּא נֶצַח דְּאִתְפַּשַּׁט בְּגוּפָא, זִמְנִין דְּתָלֵי עַל עָלְמָא לְמֵידָן, וְתָב וּמִתְחָרֵט וְלָא עָבֵיד דִּינָא, אִי תַּיְיבִין. מ"ט. מִשּׁוּם דְּקָאֵי בְּדוּכְתָּא דְּאִקְרֵי אָדָם, וְיָכִיל לְאִתְחָרְטָא. אֲבָל אִי בְּאֲתַר דְּאִתְקְרֵי רֹאשׁ, אִתְחֲזֵי וְאִתְגַּלְיָיא הַאי נֶצַח, לָאו הוּא עִידָן וַאֲתַר לְאִתְחָרְטָא. מ"ט. מִשּׁוּם דְּלָא הֲוֵה מֵאֲתַר דְּאִקְרֵי אָדָם, דְּהָא לָא אִתְגַּלֵּי פַּרְצוּפָא וְחוֹטָמָא, אֶלָּא מִצְחָא בִּלְחוֹדוֹי. וּבְאֲתַר דְּלָא אִשְׁתְּכַח פַּרְצוּפָא, לָא אִקְרֵי אָדָם. וּבְגִ"כ לֹא אָדָם הוּא לְהִנָּחֵם כְּנֶצַח דִּבְשְׁאָר תִּקּוּנֵי גּוּפָא.

רה. עַיְינוֹי דְּרֵישָׁא, מִשְׁתַּנְיָין מִשְּׁאָר עַיְינִין, שַׁרְקוּתָא דִּבְגַבְתָּא, דְּעַל רֵיסֵי עַיְינִין, מְכַחֲלָן בְּאוּכְמְתָא, תַּלְיָין תִּלִּין עַל תִּלִּין דְּשַׂעֲרֵי, וְאִינּוּן תִּקּוּנָא דְּעַל עַיְינִין, בְּרֵישָׁא דְּמִצְחָא, וּמִתְאַחֲדָן מִתַּרְוַויְיהוּ שְׁבַע מְאָה אַלְפֵי מָארֵי דְּאַשְׁגָּחוּתָא.

רו. בְּכְסוּתָא דְּעַיְינִין, לַהֲטִין אֶלֶף וְאַרְבַּע מְאָה רִבּוֹא, דְּמִתְאַחֲדָן בְּגַבִּינִין דְּאִינְהוּ כְּסוּתָא. וְאַשְׁגָּחוּתָא דְּעֵינָא דְּעַתִּיק יוֹמִין עֲלַיְיהוּ. וּבְשַׁעֲתָא דְּסַלְּקִין אִינּוּן כְּסוּתָא, אִתְחֲזֵי כְּמַאן דְּאִתְּעַר מִשִּׁנְתֵּיהּ, וְאִתְפַּקְחָן עַיְינוֹי, וְחָמָאן לְעֵינָא פְּקִיחָא, וְאִתְסַחָן בְּחַד חִוָּורָא דְּעֵינָא טָבָא, הה"ד, רוֹחֲצוֹת בֶּחָלָב. מַאי בֶּחָלָב. בְּחִוָּורָא דִּלְעֵילָּא קַדְמָאָה. וּבְהַהִיא

שַׁעֲתָא אִשְׁתְּכַחוּ אַשְׁגָּחוּתָא דְּרַחֲמֵי.

רז. וְעַ"ד צַלֵּי דָּוִד, עוּרָה לָמָּה תִישַׁן יְיָ' הָקִיצָה. דְּיִפָּקְחוּ עַיְינוֹי, וְיִתְסְחוּן בְּהַהוּא חִוָּורָא. וְכָל זִמְנָא דְּעַיְינוֹי לָאו מִתְפַּקְחָן, כָּל מָארֵיהוֹן דְּדִינִין, כַּפְיָין לְהוּ לְיִשְׂרָאֵל, וּשְׁאַר עַמִּין שַׁלְטִין עֲלַיְיהוּ. וּבְזִמְנָא דְּיִפָּקְחוּ עַיְינוֹי, יִתְסְחוּן בְּעֵינָא טָבָא, וְרַחֲמֵי עַל יִשְׂרָאֵל. וְאִסְתְּחַר עֵינָא, וְעָבֵיד נוּקְמִין בִּשְׁאַר עַמִּין. הה"ד, הָעִירָה וְהָקִיצָה. הָעִירָה: לְאִתְסְחָאָה בְּהַהִיא חִוָּורָא. הָקִיצָה: לְמֶעְבַּד נוּקְמִין לְאִינּוּן דְּכַפְיָין לוֹן.

רח. עַיְינוֹי כַּד אִתְפַּקְחָן, אִתְחֲזוּן שַׁפִּירִין כְּהָנֵי יוֹנִים, בְּסוּמָק וְאוּכָם וְיָרוֹק, וְחִוָּור לָא אִתְגַּלֵּי, אֶלָּא בְּזִמְנָא דְּאִסְתָּכַּל בְּעֵינָא טָבָא, וּמִסְתַּחֲאָן כָּל אִינּוּן גַּוְונִין, בְּהַהוּא חִוָּור.

רט. מֵאִינּוּן גַּוְונִין דְּמִתְגַּלְיָין, נָפְקִין שִׁבְעָה עַיְינִין דְּאַשְׁגָּחוּתָא. דְּנָפְקֵי מֵאוּכָמָא דְּעֵינָא. הה"ד, עַל אֶבֶן אַחַת שִׁבְעָה עֵינָיִם. מַאן אֶבֶן אַחַת. אוּכָמְתָא דְּעֵינָא.

רי. מִסּוּמָקָא, נָפְקִין שִׁבְעָה רְהִיטִין, דְּסַמְכִין לְסִטַר שְׂמָאלָא, וּמִתְלַהֲטִין בְּאֶשָּׁא דִּלְסִטַר צָפוֹן, וּמִתְאַחֲדָן לְאִתְפַּשְּׁטָא בְּעָלְמָא, לְגַלָּאָה אָרְחִין דְּחַיָּיבַיָּא הה"ד שִׁבְעָה אֵלֶּה עֵינֵי יְיָ' הֵמָּה מְשׁוֹטְטִים בְּכָל הָאָרֶץ.

ריא. מִירוֹקָא, נָפְקִין שִׁבְעָה טְהִירִין דְּסַחֲרָאן לְסִטַר דָּרוֹמָא, וּמִתְאַחֲדָן לְאִתְפַּשְּׁטָא בְּעָלְמָא, לְגַלָּאָה אָרְחִין וְעוֹבָדִין דִּבְנֵי נָשָׁא, בֵּין טַב בֵּין בִּישׁ, דִּכְתִיב כִּי עֵינָיו עַל דַּרְכֵי אִישׁ וְגוֹ'.

ריב. וְכַד אִסְתַּחֲאָן בְּחִוָּורָא, מִשְׁתַּכְּחִין כֻּלְּהוּ לְאַשְׁגָּחָא לְכָל מָארֵי קְשׁוֹט, לְאוֹטָבָא עָלְמָא בְּגִינֵיהוֹן. וְכָל אַשְׁגָּחוּתָא דְּהַהוּא חִוָּורָא, הֲוֵי לְטַב עַל יִשְׂרָאֵל. וְאַשְׁגַּח בְּסוּמָקָא לְמַאן דְּעָאקִין לְהוּ. הה"ד רָאֹה רָאִיתִי. רָאֹה: לְאוֹטָבָא לוֹן. רָאִיתִי: לְנַקְמָא לוֹן, מִדְּעָקִין לוֹן, וּבְגִין כַּךְ כְּתִיב, עוּרָה לָמָּה תִישַׁן יְיָ' הָקִיצָה אַל תִּזְנַח לָנֶצַח. עוּרָה, וְהָקִיצָה, תְּרֵי אַשְׁגָּחוּתָא. תְּרֵי פְּקִיחִין. תְּרֵי טָבָן. רַחֲמֵי וְנוּקְמִין.

ריג. גַּוְונָא קַדְמָאָה, סוּמָקָא בְּגוֹ סוּמָקָא כָּלִיל וְסָתִים כָּל סוּמָקִין, מִקַּמֵּיהּ לָא אִתְחֲזָן. סוּחֲרָנֵיהּ דְּהַהוּא סוּמָקָא, אַסְחַר חַד חוּטָא אוּכָמָא, וְאַקִּיף לֵיהּ.

ריד. גַּוְונָא תִּנְיָינָא, אוּכָמָא. כְּאַבְנָא חַד דְּנָפִיק מִתְּהוֹמָא, חַד זִמְנָא לְאֶלֶף שְׁנִים, בְּיַמָּא רַבָּא. וְכַד נָפִיק הַאי אַבְנָא, אָתֵי רִגְשָׁא וְתֻקְפָּא עַל יַמָּא. וְקָלֵיהּ דְּיַמָּא, וְגַלְגַּלוֹהִי אַזְלִין, וְאִשְׁתְּמָעוּ לְנוּנָא רַבָּא, דְּאִקְרֵי לִוְיָתָן. וְנָפִיק מִתְּהוֹמָא. וְהַאי אַבְנָא מִתְגַּלְגְּלָא בְּתוּקְפָּא דְּיַמָּא, וְנָפִיק לְבַר. וְהִיא אוּכָמָא, דְּכָל אוּכָמִין סְתִימִין קַמָּהּ. וְכַךְ הִיא אוּכָמוּתָא דְּעֵינָא, אוּכָמָא, דְּכָלִיל וְסָתִים כָּל שְׁאַר אוּכָמִין. וְסוּחֲרָנֵיהּ דְּהַהוּא אוּכָמָא, אַסְחַר חַד חוּטָא סוּמָקָא, וְאַקִּיף לְהַהוּא אוּכָמָא.

רטו. גַּוְונָא תְּלִיתָאָה. יְרוֹקָא דִּירוֹקֵי, דְּכָלִיל וְסָתִים כָּל יְרוֹקִין. וּבְסוּחֲרָנֵיהּ דְּהַהוּא יְרוֹקָא, אַסְחָרוּ תְּרֵין חוּטִין. חוּטָא סוּמָקָא לְסִטַר חַד. וְחַד חוּטָא אוּכָמָא לְסִטַר חַד. וְאַקִּיפִין לְהַהוּא יְרוֹקָא.

רטז. וְכַד אִתְגַּלֵּי חִוָּורָא, וְאִסְתְּחָרֵי עֵינָא, כָּל אִינּוּן גַּוְונִין לָא מִשְׁתַּכְּחִין, וּמִשְׁתַּקְעִין לְתַתָּא. לָא אִתְחֲזֵי בַּר הַהוּא חִוָּורָא, דְּנָהִיר מֵעַתִּיק יוֹמִין. וְנַהֲרִין מִנֵּיהּ כָּל אִינּוּן דִּלְתַתָּא.

ריז. וְלֵית גַּוְונָא אִתְחֲזְיָיא, בַּר הַהוּא חִוָּורָא בִּלְחוֹדוֹי. וּבְגִין כַּךְ אִסְתַּלְּקוּ כָּל מָארֵיהוֹן דְּסוּמָקָא וְאוּכָמָא, דְּאִינּוּן תְּאוֹמִין כַּחֲדָא. הה"ד שִׁנַּיִךְ כְּעֵדֶר הַקְּצוּבוֹת שֶׁעָלוּ מִן הָרַחְצָה שֶׁכֻּלָּם מַתְאִימוֹת. מַאי מִן הָרַחְצָה. מֵהַהוּא אַסְחוּתָא דְּעֵינָא קַדִּישָׁא עִלָּאָה.

שֶׁכֻּלָּם מַתְאִימוֹת. מִתְעָרְבָן דָּא בְּדָא, וְאִתְדַּבְקָן דָּא בְּדָא. וּמַה דְּאָמַר שִׁנַּיִךְ כְּעֵדֶר הַקְּצוּבוֹת, וְאַתְּ אֲמַרְתְּ שֶׁכֻּלָּם מַתְאִימוֹת. כְּלוֹמַר, חִוָּורָא דִּלְהוֹן, כְּהַהוּא חִוָּורָא דְּעַיְינִין, כַּד אַסְחָן בְּחִוָּורְתָּא דְּעֵינָא עִלָּאָה.

ריח. וְדָא זְמִינִין לְמִנְדַּע צַדִּיקַיָּיא, לְמֶחֱזֵי בִּרְוָוחָא דְּחָכְמְתָא, כד"א כִּי עַיִן בְּעַיִן יִרְאוּ. אֵימָתַי בְּשׁוּב יְיָ' צִיּוֹן. וּכְתִיב אֲשֶׁר עַיִן בְּעַיִן נִרְאָה אַתָּה יְיָ', וּכְדֵין פְּקִיחוּתָא דְּעַיְינִין לְטַב.

ריט. וְאִית פְּקִיחוּתָא דְּעַיְינִין לְטַב. וְאִית פְּקִיחוּתָא דְּעַיְינִין לְבִישׁ. כְּמָה דִּכְתִּיב פְּקַח עֵינֶיךָ וּרְאֵה שׁוֹמְמוֹתֵינוּ וְגוֹ'. וְדָא הָכָא לְטַב, וּלְבִישׁ. וּכְתִיב עֵינֶיךָ תִרְאֶינָה יְרוּשָׁלַם נָוֶה שַׁאֲנָן אֹהֶל בַּל יִצְעָן בַּל יִסַּע יְתֵדֹתָיו לָנֶצַח הָא הָכָא לְטַב וּלְבִישׁ. דְּלָא אִתְעֲבִיד דָּא בְּלָא דָּא.

רכ. תָּנָא בִּצְנִיעוּתָא דְּסִפְרָא, מַהוּ עֵינֶיךָ תִרְאֶינָה יְרוּשָׁלַם נָוֶה שַׁאֲנָן. וְכִי יְרוּשָׁלַם נָוֶה שַׁאֲנָן הוּא, וְהָא כְּתִיב צֶדֶק יָלִין בָּהּ. וּבְאֲתַר דְּאִשְׁתְּכַח צֶדֶק, לָאו שְׁקִיט, וְלָאו שַׁאֲנָן הוּא. אֶלָּא עֵינֶיךָ תִרְאֶינָה יְרוּשָׁלַם נָוֶה שַׁאֲנָן, נָוֶה שַׁאֲנָן, לְעַתִּיק יוֹמִין אִתְּמַר, דְּהַהוּא עֵינָא שְׁקִיט וְשַׁאֲנָן. עֵינָא דְּרַחֲמֵי, עֵינָא דְּלָא נָטִיל מֵאַשְׁגָּחוּתָא דָּא, לְאַשְׁגָּחוּתָא אָחֳרָא. וּבְגִין כַּךְ כְּתִיב, עֵינֶךָ תִרְאֶינָה חָסֵר יו"ד, וְלָא עֵינֶיךָ. וּמַה דְּאָמַר יְרוּשָׁלַם וְלָא צִיּוֹן, הָכִי אִצְטְרִיךְ, לְאַכְפְּיָיא לְדִינָא, דְּאִשְׁתְּכַח בָּהּ וּלְרַחֲמָא עָלָהּ.

רכא. וְתָאנָא, כְּתִיב עֵינֵי ה' אֱלֹהֶיךָ בָּהּ מֵרֵשִׁית הַשָּׁנָה וְעַד אַחֲרִית שָׁנָה, וּלְזִמְנָא דְּאָתֵי, יִשְׁתְּכַח בָּהּ עֵינָא חַד דְּרַחֲמֵי. עֵינָא דְּעַתִּיקָא דְּעַתִּיקִין הה"ד וּבְרַחֲמִים גְּדוֹלִים אֲקַבְּצֵךְ. כֵּיוָן דְּאָמַר רַחֲמִים, מַהוּ גְּדוֹלִים. אֶלָּא אִית רַחֲמֵי, וְאִית רַחֲמֵי. רַחֲמֵי דְּעַתִּיק דְּעַתִּיקִין, אִינּוּן אִקְרוּן רַחֲמִים גְּדוֹלִים. רַחֲמֵי דִּזְעֵיר אַנְפִּין, אִקְרוּן רַחֲמִים סְתָם. וּבג"כ וּבְרַחֲמִים גְּדוֹלִים אֲקַבְּצֵךְ, דְּעַתִּיק יוֹמִין.

רכב. תָּאנָא בְּהָנֵי עַיְינִין, בִּתְרֵין גַּוְונִין מִנַּיְיהוּ, בְּסוּמְקָא וְאוּכְמָא, שָׁרָאן תְּרֵין דִּמְעִין. וְכַד בָּעֵי קוּדְשָׁא דְּקוּדְשִׁין לְרַחֲמָא עַל יִשְׂרָאֵל, אָחִית תְּרֵין דִּמְעִין, לְאִתְבַּסְּמָא בְּיַמָּא רַבָּא. מַאן יַמָּא רַבָּא. יַמָּא דְּחָכְמְתָא עִלָּאָה. כְּלוֹמַר דְּיִתְסְחוּן בְּחִוָּורָא בְּמַבּוּעָא דְּנָפִיק מֵחָכְמְתָא רַבָּא, וּמְרַחֵם לְהוּ לְיִשְׂרָאֵל.

רכג. חוֹטָמָא. תָּאנָא בִּצְנִיעוּתָא דְּסִפְרָא, חוֹטָמָא דִּזְעֵיר אַנְפִּין. בְּחוֹטָמָא אִשְׁתְּמוֹדַע פַּרְצוּפָא. בְּהַאי חוֹטָמָא אִתְפָּרְשָׁא מִלָּה דִּכְתִיב, עָלָה עָשָׁן בְּאַפּוֹ וְגוֹ'. עָלָה עָשָׁן בְּאַפּוֹ, בְּהַאי תְּנָנָא, אִתְכְּלִילוּ אֶשָּׁא, וְגַחֲלֵי דְּנוּרָא. דְּלֵית תְּנָנָא בְּלָא אֶשָּׁא, וְלָא אֶשָּׁא בְּלָא תְּנָנָא. וְכֻלְּהוּ אִסְתַּלִּיקוּ וְנָפְקֵי מֵחוֹטָמוֹי.

רכד. וְתָאנָא, כַּד אִתְחַבָּרוּ תְּלַת אִלֵּין, דִּכְלִילָן בְּהַאי תְּנָנָא, דְּנָפִיק מֵחוֹטָמָא. אִתְקַמַּט חוֹטָמָא, וְנָשִׁיב וְנָפִיק תְּנָנָא אוּכְמָא וְסוּמְקָא. וּבֵין תְּרֵי גַּוְונֵי. וְקָרֵינָן לֵיהּ, אַף וְחֵימָה וּמַשְׁחִית. וְאִי תֵּימָא אַף וְחֵימָה כְּתִיב, כִּי יָגֹרְתִּי מִפְּנֵי הָאַף וְהַחֵימָה, דְּאִינּוּן תְּנָנָא אוּכְמָא וְסוּמְקָא, מַשְׁחִית מנ"ל. דִּכְתִיב, לִפְנֵי שַׁחֵת יְיָ' אֶת סְדֹם וְאֶת עֲמֹרָה. שַׁחֵת הַמַּשְׁחִית, בְּנוּרָא דָּלִיק מוֹקְדָא.

רכה. וְתָאנָא, חָמֵשׁ גְּבוּרָאן אִינּוּן, בְּהַאי זְעֵיר אַנְפִּין. וְאִסְתַּלְּקוּ לְאֶלֶף וְאַרְבַּע מְאָה גְּבוּרָאן. וּמִתְפַּשְּׁטָאן בְּחוֹטָמוֹי. בְּפוּמָא. בִּדְרוֹעוֹי. בִּידִין. בְּאֶצְבְּעִין. וּבג"כ כְּתִיב, מִי יְמַלֵּל גְּבוּרוֹת יְיָ'. גְּבוּרֹת כְּתִיב, כְּתִיב הָכָא גְּבוּרוֹת, וּכְתִיב הָתָם, לְךָ יְיָ' הַגְּדֻלָּה וְהַגְּבוּרָה. אֶלָּא הָכִי תָּאנָא, כַּד אִתְחַבְּרָאן כֻּלְּהוּ גְּבוּרָאן כַּחֲדָא, אִתְקְרֵי גְּבוּרָה חֲדָא.

רכו. וכלהו גבוראן, שריאן לנחתא מחוטמוי. ומהאי תליין, אלף וארבע מאה רבוא, לכל חד מנייהו. ובהאי תננא דאפיק מחוטמוי, תליין אלף וארבע מאה דסטר גבורה דא. וכלהו גבוראן תליין מהאי חוטמא, דכתיב דור לדור ישבח מעשיך וגו'. וכד שארי גבורה דא, כלהו גבוראן מתלהטן ושטאן, עד דנחתן ללהט החרב המתהפכת.

רכז. כתיב, כי משחיתים אנחנו את המקום הזה. וכתיב לפני שחת יי' את סדום את עמורה. וכתיב, ויי' המטיר על סדום ועל עמורה. אלא הכי תאנא, לא דיין לרשעים וכו', אלא דמהפכי מ"ר למ"ה.

רכח. והאיך מהפכי, והא כתיב אני יי' לא שניתי. אלא בכל זמנא דעתיק דעתיקי, רישא חוורא, רעוא דרעוין, אתגליין, רחמין רברבין אשתכחו בכלא. ובשעתא דלא אתגלייא, כל דינין דזעיר אפין זמינין, וכביכול רחמי, עביד דינא, ההוא עתיקא דכלא.

רכט. דתניא, כד אתגלייא עתיקא דעתיקין, רעוא דרעוין, כלהו בוציני דאתקרון בשמא דא, נהירין. ורחמי אשתכחו בכלא. ובשעתא דלא אתגלי טמירא דטמירין, ולא אתנהרן אלין בוציני. מתערין דינין, ואתעביד דינא. מאן גרים להאי דינא. רעוא דרעוין דלא אתגלי, ובג"כ מהפכין וחייביא רחמי לדינא. ומה דאמר הכא, מאת יי' מן השמים. בזעיר אפין אתמר. ומשמע דכתיב מן השמים, אש ומים. רחמי ודינא. לאפקא מאן דלית ביה דינא כלל.

רל. תאנא, האי חוטמא זעיר. וכד שארי תננא לאפקא, נפיק בבהילו, ואתעבד דינא. ומאן מעכב להאי חוטמא דלא יפיק תננא, חוטמא דעתיקא קדישא, דהוא אקרי ארך אפים מכלא.

רלא. והיינו רזא דתנינן, יי' יי' פסיק טעמא בגווייהו. בכלהו אתר דשמא אדכר תרי זמני, פסיק טעמא בגווייהו, כגון אברהם אברהם. יעקב יעקב. שמואל שמואל. כלהו פסיק טעמא בגווייהו. חוץ ממשה משה, דלא פסיק טעמא בגווייהו. מ"ט. אברהם אברהם, בתראה שלים, קדמאה לא שלים, דהשתא שלים בעשר נסיוני, ובגין כך פסיק טעמא בגווייהו, דהשתא לא הוה איהו כדקדמיתא.

רלב. יעקב יעקב, בתראה שלים, קדמאה לא שלים, דהשתא אתבשר ביוסף, ושראת עליה שכינתא. ועוד, דהשתא אשתלים בארעא, אילנא קדישא כגוונא דלעילא, בתריסר תחומין, בשבעין ענפין, מה דלא הוה בקדמיתא. ובגיני כך, בתראה שלים, קדמאה לא שלים, ופסיק טעמא בגווייהו. שמואל שמואל, טעמא פסיק בגויה. מ"ט. בתראה שלים, קדמאה לא שלים, דהשתא הוא נביאה, וקודם לכן לא הוה נביאה. אבל משה משה, לא אפסיק טעמא בגווייהו, דמיומא דאתיליד, שלים הוה. דכתיב ותרא אותו כי טוב הוא.

רלג. אוף הכא יי' יי', פסיק טעמא בגווייהו, קדמאה שלים, בתראה שלים בכלהו. ומשה, באתר דינא אמר, לנחתא לון מעתיקא קדישא, רחמין לזעיר אנפין. דהכי תנינן, כמה חילא דמשה, דאחית מכילן דרחמי לתתא. וכד אתגלי עתיקא בזעיר אפין, כלא ברחמי אתחזון. וחוטמא אשתכיך, ואשא ותננא לא נפיק, כד"א ותהלתי אחטם לך.

רלד. ותאנא, בתרין נוקבין דחוטמא, בחד נוקבא נפיק תננא, להיט, ומשתקעא בנוקבא דתהומא רבא. ומחד נוקבא, נפיק אשא דאוקיד בשלהובוי, ומתלהטא באלף וארבע מאה עלמין דבסטר שמאלא. ומאן דגרים לקרבא בהאי, אקרי אש יי'. אשא דאכלא ואוקיד כל שאר אשין. והאי אשא לא אתבסם, אלא באשא דמדבחא. והאי תננא דנפיק מנוקבא אחרא, לא אתבסם אלא בתננא דקרבנא.

רלה/א. וכלא תליא בחוטמא, בגין כך כתיב, וירח יי' את ריח הניחח. דכלא בחוטמא תליין, לארחא האי חוטמא, בתננא, ואשא סומקא. ובגין כך אתקבל ברעוא. והאי דכתיב, ויחר אף יי'. וחרה אף יי'. וחרה אפי. פן יחרה אף יי'. כלא בזעיר אפין אתמר, ולא בעתיקא.

רלה/ב. תאנא, כתיב הטה אלהי אזנך ושמע האי איהו אודנא דאתעביד תחות שערי. ושערי תליין עליה. ואודנא אתעביד ברשומי רשימין לגאו. כמה דעביד דרגא בעקימא, מ"ט בעקימא. בגין למשמע טב וביש ותאנא, מהאי עקימא דבגו אודנין, תליין כל אינון מארי דגדפין, דכתיב בהו, כי עוף השמים יוליך את הקול ובעל כנפים יגיד דבר.

רלו. בגו אודנא, נטיף מג' חללי דמוחא, להאי נוקבא דאודנין. ומההוא נטיפא, עייל קלא בההוא עקימא, ואתצריף בההוא נטיפא, בין טב ובין ביש. טב, דכתיב כי שומע אל אביונים יי'. ביש, דכתיב וישמע יי' ויחר אפו ותבער בם אש יי'.

רלז. והאי אודנא סתים לבר. ועקימא עייל לגו, לההוא נוקבא דנטיפא מן מוחא, בגין למכנש קלא לגאו, דלא יפוק לבר, ויהא נטיר וסתים מכל סטרוי. בג"כ הוא רזא. ווי לההוא דמגלי רזין, דמאן דמגלי רזין כאילו אכחיש תקונא דלעילא. דאתתקן למכנש רזין, ולא יפקון לבר.

רלח. תניא, בשעתא דצווחין ישראל בעאקא, ושערי מתגליין מעל אודנין, כדין עייל קלא באודנין, בההוא נוקבא דנטיף ממוחא, וכנש במוחא. ונפיק בנוקבי דחוטמא. ואתחער חוטמא, ואתחמם, ונפיק אשא ותננא מאינון נוקבין, ומתערין כל גבוראן, ועביד נוקמין.

רלט. ועד לא נפקין מאינון נוקבין אשא ותננא,, סליק ההוא קלא לעילא, ובטש בריחא דמוחא, ונגדין תרין דמעין מעיינין, ונפק מנחירוי תננא ואשא, בההוא קלא דנגיד לון לבר.

רמ. בההוא קלא דעייל באודנין, אתמשכאן ומתערן כולי האי, בגין כך כתיב, וישמע יי' ויחר אפו ותבער בם אש יי'. בההיא שמיעה דההוא קלא, אתער מוחא. תנא, כתיב הטה אלהי אזנך, כלומר ארכין. שית מאה אלף רבוא אינון מאריהון דגדפין, דתליין באלין אודנין. וכלא אתקרון אזני יי'. ומה דאתמר הטה יי' אזנך, אזנך בזעיר אפין אתמר.

רמא. מסטרא דחד חללא דמוחא תליין אודנין. ומחמשין תרעין דנפקין מההוא חללא, דא הוא תרעא חד, דנגיד ונפיק ואתפתח בההוא נוקבא דאודנא, דכתיב כי אזן מלין תבחן. וכתיב ובוחן לבות וכליות. ומסטרא דאתפשטותא דההוא חללא, דחמשין תרעין דאתפשטותא בגופא, באתר דלבא שארי, מתפשט ההוא חללא דחמשין תרעין, ואודנא קרי ביה בוחנה, ובלבא קרי ביה בוחנה, משום דמאתר חד מתפשטין.

רמב. תָּאנָא בִּצְנִיעוּתָא דְּסִפְרָא, כְּמָה דְּאוּדְנָא דָּא אַבְחִין בֵּין טַב וּבֵין בִּישׁ, כָּךְ כֹּלָּא. דִּבְזְעֵיר אַפִּין אִית סִטְרָא דְּטָב וּבִישׁ. יְמִינָא וּשְׂמָאלָא. רַחֲמֵי וְדִינָא. וְהַאי אוּדְנָא כְּלִיל בְּמוֹחָא וּמִשּׁוּם דְּאִתְכְּלִל בְּמוֹחָא וּבַחֲלָלָא חַד. אִתְכְּלִיל בְּקָלָא דְּעָיֵיל בֵּיהּ. וּבְאוּדְנָא קָרֵי בֵּיהּ שְׁמִיעָה. וּבִשְׁמִיעָה אִתְכְּלִיל בִּינָה. שְׁמַע: כְּלוֹמַר הָבֵן, אִשְׁתְּכַח דְּכֹלָּא בְּחַד מִתְקְלָא אִתְקַל. וּמִלִּין אִלֵּין לְמָארֵיהוֹן דְּמָארִין אִתְיְהָבָן, לְמִשְׁמַע וּלְאִסְתַּכְּלָא וּלְמִנְדַּע.

רמג. ת"ח, כְּתִיב, יְיָ' שָׁמַעְתִּי שִׁמְעֲךָ יָרֵאתִי וְגוֹ', הַאי קְרָא אִשְׁתְּמוֹדַע, דְּכַד נְבִיאָה קַדִּישָׁא, שָׁמַע, וְאִסְתָּכַּל, וְיָדַע, וְקָאִים עַל תִּקּוּנִין אִלֵּין, כְּתִיב יָרֵאתִי, תַּמָּן יָאוּת הוּא לְדַחֲלָא וּלְאִתְבַּר קַמֵּיהּ, הַאי בִּזְעֵיר אַפִּין אִתְּמַר.

רמד. כַּד אִסְתָּכַּל וְיָדַע מַה כְּתִיב. יְיָ' פָּעָלְךָ בְּקֶרֶב שָׁנִים חַיֵּיהוּ. הַאי לְעַתִּיק יוֹמִין אִתְּמַר. וּבְכָל אֲתַר דְּיִשְׁתְּכַח, יְיָ' יְיָ', בְּיוּ"ד הֵ"א תְּרֵי זִמְנֵי, אוֹ בְּאָלֶף דָּלֶ"ת, וְיוּ"ד הֵ"א, חַד לִזְעֵיר אַפִּין, וְחַד לְעַתִּיקָא דְּעַתִּיקִין. וְאַף עַל גַּב דְּכֻלְּהוּ חַד, וְחַד שְׁמָא אִקְרוּ.

רמה. וְתָנֵינָן אֵימָתַי אִקְרֵי שֵׁם מָלֵא. בְּזִמְנָא דִּכְתִיב יְיָ' אֱלֹהִים. דְּהַאי הוּא שֵׁם מָלֵא דְּעַתִּיק דְּכֹלָּא, וְדִזְעֵיר אַנְפִּין. וְכֹלָּא הוּא שֵׁם מָלֵא אִקְרֵי. וּשְׁאַר לָא אִקְרֵי שֵׁם מָלֵא, כְּמָה דְּאוֹקִימְנָא, וַיִּטַּע יְיָ' אֱלֹהִים, שֵׁם מָלֵא בִּנְטִיעוּת גִּנְתָא. וּבְכָל אֲתַר, יְיָ' אֱלֹהִים, אִתְקְרֵיא שֵׁם מָלֵא. יְיָ' יְיָ', כֹּלָּא הוּא בִּכְלָלָא. וְהַהוּא זִמְנָא אִתְעָרוּן רַחֲמִין בְּכֹלָּא.

רמו. יְיָ' פָּעָלְךָ בְּקֶרֶב שָׁנִים חַיֵּיהוּ, לְעַתִּיק יוֹמִין אִתְּמַר. מַאן פָּעָלְךָ. זְעֵיר אַפִּין. בְּקֶרֶב שָׁנִים, אִינּוּן שָׁנִים קַדְמוֹנִיּוֹת, דְּאִקְרוּן יְמֵי קֶדֶם, וְלָא אִקְרוּן שְׁנוֹת עוֹלָם. שָׁנִים קַדְמוֹנִיּוֹת אִינּוּן יְמֵי קֶדֶם. שְׁנוֹת עוֹלָם אִלֵּין יְמֵי עוֹלָם. וְהָכָא בְּקֶרֶב שָׁנִים, מַאן שָׁנִים. שָׁנִים קַדְמוֹנִיּוֹת. חַיֵּיהוּ לְמַאן. חַיֵּיהוּ לִזְעֵיר אַפִּין. דְּכָל נְהִירוּ דִּילֵיהּ מֵאִינּוּן שָׁנִים קַדְמוֹנִיּוֹת אִתְקַיְּימוּ, וּבְגִ"כ אָמַר חַיֵּיהוּ. בְּרוֹגֶז רַחֵם תִּזְכּוֹר, לְהַהוּא חֶסֶד עִלָּאָה דְּעַתִּיקָא דְּעַתִּיקִין, דְּבֵיהּ אִתְעַר רַחֲמִין לְכֹלָּא, לְמַאן דְּבָעֵי לְרַחֲמָא, וּלְמַאן דְּיָאוּת לְרַחֲמָא.

רמז. תָּאנָא, אר"ש, אַסְהַדְנָא עָלַי שְׁמַיָּא, וּלְכָל אִלֵּין דְּעָלְנָא קַיְימִין. דְּחַדָּאן מִלִּין אִלֵּין, בְּכֻלְּהוּ עָלְמִין. וְחַדָּאן בְּלִבָּאי מִלַּי, וּבְגוֹ פָּרוֹכְתָּא עִלָּאָה דִּפְרִיסָא עֵלָּנָא, מִתְטַמְּרִין, וְסַלְּקִין, וְגָנִיז לְהוּ עַתִּיקָא דְּכֹלָּא, גָּנִיז וְסָתִים מִכֹּלָּא. וְכַד שָׁרֵינָא לְמַלְּלָא, לָא הֲווּ יָדְעִין חַבְרַיָּא, דְּכָל הָנֵי מִלִּין קַדִּישִׁין מִתְעָרִין הָכָא. זַכָּאָה חוּלָקֵיכוֹן חַבְרַיָּיא דְּהָכָא. וְזַכָּאָה חוּלָקִי עִמְּכוֹן, בְּעָלְמָא דֵּין וּבְעָלְמָא דְּאָתֵי.

רמח. פָּתַח ר"ש וְאָמַר, וְאַתֶּם הַדְּבֵקִים בַּיְיָ' אֱלֹהֵיכֶם וְגוֹ'. מַאן עַמָּא קַדִּישָׁא כְּיִשְׂרָאֵל, דִּכְתִיב בְּהוּ אַשְׁרֶיךָ יִשְׂרָאֵל מִי כָּמוֹךָ, דִּכְתִיב מִי כָמֹכָה בָּאֵלִם יְיָ' מִשּׁוּם דְּאִתְדַּבְּקוּתָא דִּלְהוֹן הוּא בִּשְׁמָא קַדִּישָׁא בְּעָלְמָא דֵּין. וּבְעָלְמָא דְּאָתֵי יַתִּיר מֵהָכָא. דְּהָתָם לָא מִתְפָּרְשָׁן מִנֵּיהּ, מֵהַהוּא צְרוֹרָא דִּצְרִירִין בֵּיהּ צַדִּיקַיָּא, הה"ד וְאַתֶּם הַדְּבֵקִים בַּיְיָ', וְלָא כְּתִיב הַדְּבֵקִים לַיְיָ', אֶלָּא בַּיְיָ' מַמָּשׁ.

רמט. תָּאנָא, כַּד נָחִית מִן דִּיקְנָא יַקִּירָא עִלָּאָה, דְּעַתִּיקָא קַדִּישָׁא, סָתִים וְטָמִיר מִכֹּלָּא, מִשְׁחָא דִּרְבוּת קַדִּישָׁא, לְדִיקְנָא דִּזְעֵיר אַפִּין. אִתְתַּקַּן דִּיקְנָא דִּילֵיהּ, בְּתִשְׁעָה תִּקּוּנִין. וּבְשַׁעֲתָא דְּנָהִיר דִּיקְנָא יַקִּירָא דְּעַתִּיקָא דְּעַתִּיקִין, בְּהַאי דִּיקְנָא דִּזְעֵיר אַפִּין, נַגְדִין תְּלֵיסַר מַבּוּעִין דְּמִשְׁחָא עִלָּאָה, בְּהַאי דִּיקְנָא. וּמִשְׁתַּכְחִין בֵּיהּ, עֶשְׂרִין וּתְרֵין תִּקּוּנִין. וּמִנֵּיהּ נַגְדִין, עֶשְׂרִין וּתְרֵין אַתְוָון דְּאוֹרַיְיתָא קַדִּישָׁא.

רנ. וְאֵ"ת דִּיקְנָא לָא אִשְׁתְּכַח, וְלָא אָמַר שְׁלֹמֹה אֶלָּא לְוָיָיו. אֶלָּא הָכִי תָּאנָא בִּצְנִיעוּתָא דְּסִפְרָא, כָּל מַה דְּאִטְמַר וְגָנִיז, וְלָא אִדְכַּר וְלָא אִתְגַּלְיָיא. הַהוּא מִלָּה הֲוֵי עִלָּאָה וְיַקִּירָא מִכֹּלָּא, וּבְגִ"ד הוּא סָתִים וְגָנִיז. וְדִיקְנָא מִשּׁוּם דְּהוּא שְׁבָחָא וּשְׁלֵימוּתָא, וְיַקִּירוּתָא מִכָּל פַּרְצוּפָא, גְּנִיזֶה קְרָא, וְלָא אִתְגַּלְיָיא. וְתָאנָא, הַאי דִּיקְנָא דְּאִיהוּ שְׁלֵימוּתָא דְּפַרְצוּפָא וְשַׁפִּירוּתָא דִּזְעֵיר אַפִּין, נָפִיק מֵאוּדְנוֹי, וְנָחִית וְסָלִיק וְחָפֵי, בְּתַקְרוּבָא דְּבוּסְמָא. מַאי תַּקְרוּבָא דְּבוּסְמָא. כד"א לְוָיָיו כַּעֲרוּגַת הַבּוֹשֶׂם. בְּתִשְׁעָה תִּקּוּנִין, אִתְתַּקַּן הַאי דִּיקְנָא דִּזְעֵיר אַנְפִּין. בְּשַׂעֲרֵי אוּכָמֵי, מִתַּתְקְנָא בְּתִקּוּנָא שַׁפִּיר. כְּגִבָּר תַּקִּיף שַׁפִּיר לְמֶחֱזֵי. דִּכְתִיב בָּחוּר כָּאֲרָזִים.

רנא. תִּקּוּנָא קַדְמָאָה. מִתַּתְקַן שַׂעֲרָא מִלְּעֵילָּא, וְנָפִיק הַהוּא נִיצוֹצָא בּוּצִינָא דְּקַרְדִּינוּתָא, וְנָפִיק מִכְּלָלָא דַּאֲוִירָא דַּכְיָא, וּבָטַשׁ בִּתְחוֹת שַׂעֲרָא דְּרֵישָׁא, מִתְּחוֹת קוּצִין דְּעַל אוּדְנִין. וְנָחִית מִקַּמֵּי פִּתְחָא דְּאוּדְנִין נִימֵי עַל נִימֵי, עַד רֵישָׁא דְּפוּמָא.

רנב. תִּקּוּנָא תִּנְיָינָא. נָפִיק שַׂעֲרָא, וְסָלִיק מֵרֵישָׁא דְּפוּמָא, עַד רֵישָׁא אָחֳרָא דְּפִתְחָא דְּפוּמָא. וְנָחִית מִתְּחוֹת פּוּמָא, עַד רֵישָׁא אָחֳרָא, נִימִין עַל נִימִין, בְּתִקּוּנָא שַׁפִּירָא.

רנג. תִּקּוּנָא תְּלִיתָאָה. מֵאֶמְצָעִיתָא דִּתְחוֹת חוֹטְמָא, מִתְּחוֹת תְּרֵין נוּקְבִין, נָפִיק חַד אָרְחָא, וְשַׂעֲרִין זְעִירִין תַּקִּיפִין, מַלְיָין לְהַהוּא אָרְחָא, וּשְׁאַר שַׂעֲרִין מַלְיָין מֵהַאי גִּיסָא, וּמֵהַאי גִּיסָא, סוֹחֲרָנֵיהּ דְּהַהוּא אָרְחָא. וְאָרְחָא לָא אִתְחֲזֵי לְתַתָּא כְּלַל, אֶלָּא הַהוּא אָרְחָא דִּלְעֵילָּא, דְּנָחִית עַד רֵישָׁא דְּשִׂפְוָותָן, וְתַמָּן שְׁקִיעָא הַהוּא אָרְחָא.

רנד. תִּקּוּנָא רְבִיעָאָה. נָפִיק שַׂעֲרָא, וְאִתְתַּקַּן, וְסָלִיק וְחָפֵי בְּעִלְעוֹי דְּתַקְרוּבָא דְּבוּסְמָא. תִּקּוּנָא חֲמִשָׁאָה. פָּסִיק שַׂעֲרָא, וְאִתְחַזְיָין תְּרֵין תַּפּוּחִין, מִכָּאן וּמִכָּאן, סוּמָקָן כְּהַאי וַרְדָּא סוּמָקָא. וּמִתְלַהֲטָן בְּמָאתָן וְשַׁבְעִין עָלְמִין, דְּמִתְלַהֲטִין מִתַּמָּן. תִּקּוּנָא שְׁתִיתָאָה. נָפַק שַׂעֲרָא כְּחַד חוּטָא בְּסוֹחֲרָנֵיהּ דְּדִיקְנָא, וְתַלְיָין עַד רֵישָׁא דִּמְעוֹי, וְלָא נָחִית עַד טַבּוּרָא. תִּקּוּנָא שְׁבִיעָאָה. דְּלָא תַלְיָין שַׂעֲרֵי עַל פּוּמָא, וּפוּמָא אִתְפְּנֵי מִכָּל סִטְרוֹי. וְיָתְבִין שַׂעֲרֵי בְּתִקּוּנָא סְחוֹר סְחוֹר לֵיהּ.

רנה. תִּקּוּנָא תְּמִינָאָה. דְּנָחְתִּין שַׂעֲרֵי בִּתְחוֹת דִּיקְנָא, דִּמְחַפְיָין קְדָלָא, דְּלָא אִתְחֲזְיָיא. כֻּלְּהוּ שַׂעֲרֵי דַּקִּיקִין, נִימִין עַל נִימִין. מַלְיָין מִכָּל סִטְרוֹי. תִּקּוּנָא תְּשִׁיעָאָה. דְּמִתְחַבְּרָן שַׂעֲרֵי כֻּלְּהוּ בְּשִׁקּוּלָא מְעַלְּיָיא, עִם אִינוּן שַׂעֲרֵי דְּתַלְיָין. כֻּלְּהוּ בְּשִׁקּוּלָא שַׁפִּיר, כְּחַד גִּיבָּר תַּקִּיף, מָארֵי נָצַח קְרָבִין.

רנו. בְּתִשְׁעָה תִּקּוּנִין אִלֵּין, נַגְדִּין וְנָפְקִין ט' מַבּוּעִין דְּמִשַּׁח רְבוּת דִּלְעֵילָּא. וּמֵהַהוּא מִשַּׁח רְבוּת, נַגְדִּין לְכָל אִינוּן דִּלְתַתָּא. ט' תִּקּוּנִין אִלֵּין אִשְׁתְּכָחוּ בְּדִיקְנָא דָּא. וּבִשְׁלֵימוּת תִּקּוּנָא דְּדִיקְנָא דָּא, אִתְקְרֵי גִּיבָּר תַּקִּיף. דְּכָל מַאן דְּחָזֵי דִּיקְנָא קַיְּימָא בְּקִיּוּמֵיהּ, תַּלְיָיא בֵּיהּ גְּבוּרָה תַּקִּיפָא. עַד כָּאן תִּקּוּנָא דְּדִיקְנָא עִלָּאָה דִּזְעֵיר אַפִּין.

רנז. אָמַר רִבִּי שִׁמְעוֹן לְרִבִּי אֶלְעָזָר בְּרֵיהּ, קוּם בְּרִי, סַלְסֵל תִּקּוּנָא דְּדִיקְנָא קַדִּישָׁא, בְּתִקּוּנוֹי אִלֵּין. קָם ר' אֶלְעָזָר, פָּתַח וְאָמַר, מִן הַמֵּצַר קָרָאתִי יָּהּ עָנָנִי בַּמֶּרְחָב יָהּ וְגוֹ'. עַד מִבְּטוֹחַ בִּנְדִיבִים. תָּנָא, הָכָא ט' תִּקּוּנִין דְּבִדִיקְנָא דָּא. לְהָנֵי תִּקּוּנִין אִצְטְרִיךְ דָּוִד מַלְכָּא, בְּגִין לְנַצְּחָא לִשְׁאַר מַלְכִין, וְלִשְׁאַר עַמִּין.

רנח. ת"ח, כֵּיוָן דְּאָמַר הָנֵי ט' תִּקּוּנִין, לְבָתַר אָמַר כָּל גּוֹיִם סְבָבוּנִי בְּשֵׁם יְיָ' כִּי אֲמִילַם. אָמַר, הָנֵי תִּקּוּנִין דַּאֲמֵינָא, לְמַאי אִצְטְרִיכְנָא. מִשּׁוּם דְּכָל גּוֹיִם סְבָבוּנִי. וּבְתִקּוּנָא דְּדִיקְנָא דָּא, ט' תִּקּוּנִין, דְּאִינוּן שֵׁם יְיָ', אַשֵׁיצִינוּן מִן עָלְמָא, הה"ד בְּשֵׁם יְיָ' כִּי

אֲמִילָם.

רנט. וְתָנָא בִּצְנִיעוּתָא דְסִפְרָא, תִּשְׁעָה תִּקוּנִין אָמַר דָּוִד, הָכָא, שִׁיתָא אִינּוּן בִּשְׁמָא קַדִּישָׁא. דְשִׁית שְׁמָהָן הֲווֹ, וּתְלַת אָדָם. וְאִי תֵּימָא תְּרֵין אִינּוּן. תְּלָתָא הֲווֹ, דְּהָא נְדִיבִים בִּכְלַל אָדָם הֲווֹ.

רס. תָּנָא שִׁיתָא שְׁמָהָן, דִּכְתִיב: מִן הַמֵּצַר קָרָאתִי יָהּ, וַחַד. עָנָנִי בַמֶּרְחָב יָהּ, תְּרֵין. יְיָ' לִי לֹא אִירָא, תְּלַת. יְיָ' לִי בְּעוֹזְרָי, אַרְבַּע. טוֹב לַחֲסוֹת בַּיְיָ', וַחֲמִשָּׁה. טוֹב לַחֲסוֹת בַּיְיָ', שִׁיתָא. אָדָם תְּלַת, דִּכְתִיב: יְיָ' לִי לֹא אִירָא מַה יַּעֲשֶׂה לִי אָדָם, וַחַד. טוֹב לַחֲסוֹת בַּיְיָ' מִבְּטוֹחַ בָּאָדָם, תְּרֵי. טוֹב לַחֲסוֹת בַּיְיָ' מִבְּטוֹחַ בִּנְדִיבִים, תְּלַת.

רסא. ות"ח רָזָא דְמִלָּה, דִּבְכָל אֲתַר דְּאִדְכַּר אָדָם הָכָא, לָא אִדְכַּר אֶלָּא בִּשְׁמָא קַדִּישָׁא. דְּהָכִי אִתְחָזֵי. מִשּׁוּם דְּלָא אִקְרֵי אָדָם, אֶלָּא בְּמָה דְּאִתְחָזֵי לֵיהּ. וּמַאי אִתְחָזֵי לֵיהּ. שְׁמָא קַדִּישָׁא. דִּכְתִיב וַיִּיצֶר יְיָ' אֱלֹהִים אֶת הָאָדָם, בְּשֵׁם מָלֵא, דְּהוּא יְיָ' אֱלֹהִים. כְּמָה דְּאִתְחָזֵי לֵיהּ ובג"כ הָכָא לָא אִדְכַּר אָדָם אֶלָּא בִּשְׁמָא קַדִּישָׁא.

רסב. וְתָנָא, כְּתִיב מִן הַמֵּצַר קָרָאתִי יָהּ עָנָנִי בַמֶּרְחָב יָהּ, תְּרֵי זִמְנֵי י"ה י"ה, לָקֳבֵיל תְּרֵי עִלְעוֹי, דְּשַׂעֲרֵי אִתְאַחֲדָן בְּהוּ. וּמִדְּחָמָא דְּשַׂעֲרֵי אִתְמַשְׁכָאן וְתַלְיָין, שָׁארֵי וְאָמַר יְיָ' לִי לֹא אִירָא. יְיָ' לִי בְּעוֹזְרָי. בִּשְׁמָא דְּלָא חָסֵר. בִּשְׁמָא דְּהוּא קַדִּישָׁא. וּבִשְׁמָא דָא, אַדְכַּר אָדָם.

רסג. וּמַה דְּאָמַר מַה יַּעֲשֶׂה לִי אָדָם, הָכִי הוּא. דְּתָנָא כָּל אִינּוּן כִּתְרִין קַדִּישִׁין דְּמַלְכָּא, כַּד אִתְתַּקְנָן בְּתִקּוּנוֹי. אִתְקְרוּן אָדָם. דְּיוּקְנָא דְּכָלִיל כֹּלָּא. וּמַה דְּמִשְׁתַּלְפָא בְּהוּ, אִתְקְרֵי שְׁמָא קַדִּישָׁא. וְתַעְרָא וּמַה דְּבֵיהּ, אִתְקְרֵי ידו"ד, וְאִתְקְרֵי אָדָם בִּכְלָלָא דְּתַעְרָא, וּמַה דְּבֵיהּ.

רסד. וְאִלֵּין תִּשְׁעָה תִּקוּנִין דְּאָמַר דָּוִד הָכָא, לְאַכְנְעָא שַׂנְאוֹי בְּגִין דְּמַאן דְּאָחִיד דִּיקְנָא דְּמַלְכָּא, וְאוֹקִיר לֵיהּ בִּיקָרָא עִלָּאָה, כָּל מַה דְּבָעֵי מִן מַלְכָּא. מַלְכָּא עָבֵיד בְּגִינֵיהּ. מ"ט דִּיקְנָא, וְלָא גּוּפָא. אֶלָּא גּוּפָא אָזִיל בָּתַר דִּיקְנָא, וְדִיקְנָא לָא אָזִיל בָּתַר גּוּפָא.

רסה. וּבִתְרֵי גַּוְונֵי אָתֵי הַאי חוּשְׁבְּנָא, וַחַד כִּדְקָאַמְרָן. תְּרֵין: מִן הַמֵּצַר קָרָאתִי יָהּ, וַחַד. עָנָנִי בַמֶּרְחָב יָהּ, תְּרֵי. ה' לִי לֹא אִירָא, תְּלַת. מַה יַּעֲשֶׂה לִי אָדָם, אַרְבַּע. ה' לִי בְּעוֹזְרָי, וְחָמֵשׁ. וַאֲנִי אֶרְאֶה בְשׂוֹנְאָי, שִׁיתָא טוֹב לַחֲסוֹת בַּה', שִׁבְעָה. מִבְּטוֹחַ בָּאָדָם, תְּמַנְיָא. טוֹב לַחֲסוֹת בַּיְיָ' מִבְּטוֹחַ בִּנְדִיבִים, תִּשְׁעָה.

רסו. מִן הַמֵּצַר קָרָאתִי יָ"הּ, מַאי קָא מַיְירֵי אֶלָּא דָּוִד, כָּל מָה דְּאָמַר הָכָא, עַל תִּקּוּנָא דְּדִיקְנָא דָא קָאָמַר. מִן הַמֵּצַר קָרָאתִי יָהּ, מֵאֲתַר דְּשָׁארֵי דִּיקְנָא לְאִתְפַּשְׁטָא, דְּהוּא אֲתָר דָּחִיק, מִקַּמֵּי פִּתְחָא דְּאוּדְנִין מֵעֵילָּא, תְּחוֹת שַׂעֲרֵי דְּרֵישָׁא. וּבג"כ אָמַר יָ"הּ יָ"הּ תְּרֵי זִמְנֵי. וּבַאֲתָר דְּאִתְפַּשַּׁט דִּיקְנָא, וְנָחִית מֵאוּדְנוֹי, וְשָׁארֵי לְאִתְפַּשְׁטָא, אָמַר יְיָ' לִי לֹא אִירָא, דְּהוּא אֲתָר דְּלָא דָּחִיק וְכָל הַאי אִצְטְרִיךְ וְכוּ', דָּוִד לְאַכְנְעָא תְּחוֹתֵיהּ מַלְכִין וְעַמִּין, בְּגִין יְקָרָא דְּדִיקְנָא דָא.

רסז. וְתָאנָא בִּצְנִיעוּתָא דְסִפְרָא, כָּל מַאן דְּחָמֵי בְּחֶלְמֵיהּ דְּדִיקְנָא דְּבַר נָשׁ עִלָּאָה אָחִיד בִּידֵיהּ, אוֹ דְּאוֹשִׁיט יְדֵיהּ לֵיהּ. יִנְדַּע דִּשְׁלִים הוּא עִם עִלָּאֵי, וְאַרְמֵיהּ תְּחוֹתֵיהּ אִינּוּן דִּמְצַעֲרִין לֵיהּ. תָּנָא, מִתְתַּקַּן דִּיקְנָא עִלָּאָה בְּתִשְׁעָה תִּקּוּנִין, וְהוּא דִּיקְנָא דִּזְעֵיר אַפִּין, בְּט' תִּקּוּנִין מִתְתַּקַּן.

רסה. תִּקּוּנָא קַדְמָאָה. מִתַּתְקַן שַׂעֲרָא מֵעֵילָּא, וְנָפִיק מִקַּמֵּי פִּתְחָא דְאוּדְנִין, מִתְּחוֹת קוֹצֵי דְּתַלְיָין עַל אוּדְנִין, וְנַחְתִּין שַׂעֲרֵי, נִימִין עַל נִימִין, עַד רֵישָׁא דְפוּמָא. תָּאנָא, כָּל אִלֵּין נִימִין דְּבִדִיקְנָא, תַּקִּיפִין יַתִּיר מִכָּל נִימִין דְּקוֹצִין דְּשַׂעֲרֵי דְרֵישָׁא, וְשַׂעֲרֵי דְרֵישָׁא אֲרִיכִין, וְהָנֵי לָאו אֲרִיכִין, וְשַׂעֲרֵי דְרֵישָׁא, מִנְּהוֹן שְׁעִיעֵי, וּמִנְּהוֹן קְשִׁישִׁין.

רסו. וּבְשַׁעֲתָא דְּאִתְמַשְׁכָן שַׂעֲרֵי וְחִוָּורֵי דְעַתִּיק יוֹמִין, לְשַׂעֲרֵי דִזְעֵיר אַפִּין, כְּתִיב, וְחָכְמוֹת בַּחוּץ תָּרֹנָּה. מַאי בַּחוּץ. בְּהַאי זְעֵיר אַפִּין. דְּמִתְחַבְּרָן תְּרֵי מוֹחֵי.

ער. תְּרֵי מוֹחֵי ס״ד. אֶלָּא אֵימָא אַרְבַּע מוֹחֵי. תְּלַת מוֹחֵי דְּהָווּ בִּזְעֵיר אַפִּין, וְאִשְׁתַּכְּחוּ בִּתְלַת חַלְלֵי דְּגוּלְגַּלְתָּא דְרֵישָׁא. וְחַד מוֹחָא שָׁקִיט עַל בּוּרְיֵיהּ, דְּכָלִיל כָּל תְּלַת מוֹחֵי. דְּאִתְמְשַׁךְ מִנֵּיהּ מְשִׁיכָן כֻּלְּהוּ שְׁקִילָן, בְּשַׂעֲרֵי חִוָּורֵי. לְהַאי זְעֵיר אַפִּין לִתְלַת מוֹחֵי דְּבֵיהּ.

רעא. וּמִשְׁתַּכְּחָן אַרְבַּע מוֹחֵי בְּהַאי זְעֵיר אַפִּין. בְּגִין כָּךְ אִשְׁתְּלִימוּ אַרְבַּע פָּרָשִׁיּוֹת דִּכְתִיבִין בִּתְפִילִּין, דְּאִתְכְּלִיל בְּהוּ שְׁמָא קַדִּישָׁא דְעַתִּיק יוֹמִין, עַתִּיקָא דְעַתִּיקִין, וּזְעֵיר אַפִּין. דְּהַאי הוּא שְׁלִימוּתָא דִשְׁמָא קַדִּישָׁא. דִּכְתִיב, וְרָאוּ כָּל עַמֵּי הָאָרֶץ כִּי שֵׁם יְיָ׳ נִקְרָא עָלֶיךָ וְיָרְאוּ מִמֶּךָּ. שֵׁם יְיָ׳ מַמָּשׁ, דְּאִינּוּן אַרְבַּע רְהִיטֵי בָּתֵּי דִתְפִילִּין.

רעב. וּבג״כ, וְחָכְמוֹת בַּחוּץ תָּרֹנָּה. דְּהָכָא מִשְׁתַּכְּחָן. דְּהָא עַתִּיקָא דְעַתִּיקִין, סְתִימָא דִסְתִימִין, לָא אִשְׁתְּכַח, וְלָא זְמִין חָכְמְתָא דִילֵיהּ, מִשּׁוּם דְּאִית חָכְמְתָא סְתִימָא דְּכֹלָּא וְלָא אִתְפְּרַשׁ. וּבְגִין דְּאִתְחַבְּרוּ אַרְבָּעָה מוֹחִין בְּהַאי זְעֵיר אַפִּין. אִתְמַשְׁכָן אַרְבַּע מַבּוּעִין מִנֵּיהּ לְאַרְבַּע עִיבָר, וּמִתְפָּרְשָׁן מֵחַד מַבּוּעָא, דְּנָפִיק מִכֻּלְּהוּ. וּבג״כ אִינּוּן אַרְבַּע.

רעג. וְתָאנָא, הַאי חָכְמְתָא דְּאִתְכְּלִילָא בְּאַרְבַּע, אִתְמַשְׁכָא בְּהָנֵי שַׂעֲרֵי, דְּאִינּוּן תַּלְיָין תִּלִּין עַל תִּלִּין. וְכֻלְּהוּ קַשְׁיָין וְתַקִּיפִין, וְאִתְמַשְׁכוּ וּנְגִידוּ כָּל חַד לִסְטְרוֹי. וְאַלְפִין אַלְפִין וְרִבּוֹא רִבְבָן תַּלְיָין, מִנַּיְיהוּ דְּלֵיתְהוֹן בְּחוּשְׁבְּנָא. הה״ד, קְוֻצּוֹתָיו תַּלְתַּלִּים. תִּלֵּי תִּלִּים. וְכֻלְּהוּ קַשְׁיָין וְתַקִּיפִין לְאִתְּבְּרָא, כְּהַאי חַלָּמִישׁ תַּקִּיף. וּכְהַאי טִנָּרָא דְּאִיהִי תַּקִּיפָא. עַד דְּעַבְדִּין נוּקְבִין וּמַבּוּעִין מִתְּחוֹת שַׂעֲרָא, וְנַגְדִין מַבּוּעִין תַּקִּיפִין לְכָל עִיבָר וְעִיבָר לְכָל סְטָר וּסְטָר. וּבְגִין דְּהָנֵי שַׂעֲרֵי אוּכָמֵי וַחֲשׁוּכָן, כְּתִיב מְגַלֶּה עֲמֻקּוֹת מִנִּי חֹשֶׁךְ וַיֹּצֵא לָאוֹר צַלְמָוֶת.

רעד. וְתָנָא, הָנֵי שַׂעֲרֵי דְדִיקְנָא תַּקִּיפִין מִשְּׁאָר שַׂעֲרֵי דְרֵישָׁא, מִשּׁוּם דְּהָנֵי בִּלְחוֹדַיְיהוּ מִתְפָּרְשָׁן וּמִשְׁתַּכְּחָן, וְאִינּוּן תַּקִּיפִין בְּאוֹרְחַיְיהוּ.

רעה. אֲמַאי תַּקִּיפִין. אִי תֵּימָא, מִשּׁוּם דְּכֻלְּהוּ דִּינָא, לָאו הָכִי, דְּהָא בְּתִקּוּנִין אִלֵּין אִשְׁתַּכְּחוּ רַחֲמֵי. וּבְשַׁעֲתָא דְּנַחְתִּין תְּלֵיסַר מַבּוּעֵי נַהֲרֵי דְמִשְׁחָא, אִלֵּין כֻּלְּהוּ רַחֲמֵי.

רעו. אֶלָּא תָּאנָא, כָּל הָנֵי שַׂעֲרֵי דְדִיקְנָא, כֻּלְּהוּ תַּקִּיפִין. מ״ט. כָּל אִינּוּן דְּרַחֲמֵי, בָּעְיָין לְמֶהֱוֵי תַּקִּיפִין. לְאַכְפְּיָא לְדִינָא. וְכָל אִינּוּן דְּאִינְהוּ דִּינָא, הָא תַּקִּיפִין אִינּוּן. וּבֵין כָּךְ וּבֵין כָּךְ בָּעְיָין לְמֶהֱוֵי תַּקִּיפִין, מִתְּרֵין סִטְרִין. כַּד בָּעֵי עָלְמָא רַחֲמִין, רַחֲמֵי תַּקִּיפִין וְנַצְחִין עַל דִּינָא. וְכַד בָּעֵי דִּינָא, דִּינָא תַּקִּיף, וְנָצַח עַל רַחֲמֵי. וּבג״כ בָּעְיָין לְמֶהֱוֵי תַּקִּיפִין מִתְּרֵין סִטְרִין, דְּכַד בָּעוּ רַחֲמֵי, שַׂעֲרֵי דְּאִינּוּן בְּרַחֲמֵי, קַיְימִין וּמִתְחַזְיָא דִיקְנָא בְּאִינּוּן שַׂעֲרֵי, וְכֹלָּא הֲוֵי רַחֲמֵי. וְכַד בַּעְיָא דִּינָא, אִתְחַזְיָא דִיקְנָא בְּאִינּוּן שַׂעֲרֵי. וְכֹלָּא אִתְקַיַּים בְּדִיקְנָא.

רעז. וְכַד אִתְגַּלְיָא דִיקְנָא קַדִּישָׁא חִוָּורָא, כָּל הָנֵי וְכָל הָנֵי מִתְנַהֲרִין וּמִסְתַּחְיִין,

כְּמַאן דְּאִסְתְּוַוי בְּנַהֲרָא עֲמִיקָא מִמַּה דַּהֲוָה בֵּיהּ. וְאִתְקַיְּימוּ כֻּלְּהוּ בְּרַחֲמֵי, וְלֵית דִּינָא אִשְׁתְּכַח, וְכָל הָנֵי תִּשְׁעָה כַּד נַהֲרִין כַּחֲדָא, כֻּלְּהוּ אִסְתַּחֲיָין בְּרַחֲמֵי.

רעז. וּבְגִ"כ אָמַר מֹשֶׁה זִמְנָא אַחֲרָא, יְיָ' אֶרֶךְ אַפַּיִם וְרַב חֶסֶד. וְאִלּוּ אֱמֶת לָא קָאָמַר. מִשּׁוּם דְּרָזָא דְּמִלָּה, אִינּוּן תִּשְׁעָה מְכִילָן דְּנַהֲרִין מֵעַתִּיק יוֹמִין לִזְעֵיר אַפִּין. וְכַד אָמַר מֹשֶׁה תִּנְיָינָא, תִּשְׁעָה תִּקּוּנִין אָמַר. וְאִינְהוּ תִּקּוּנֵי דִּיקְנָא דְּמִשְׁתַּכְּחֵי בִּזְעֵיר אַפִּין, וְנַחְתִּין מֵעַתִּיק יוֹמִין וְנַהֲרִין בֵּיהּ. וּבְגִ"כ אֱמֶת תַּלְיָיא בְּעַתִּיקָא, וְהַשְׁתָּא לָא אָמַר מֹשֶׁה וֶאֱמֶת.

רעט. תָּנָא, שַׂעֲרֵי דְּרֵישָׁא דִּזְעֵיר אַפִּין, כֻּלְּהוּ קְשִׁישֵׁי, תַּלִּין עַל תַּלִּין. וְלָא שְׁעִיעִין. דְּהָא חֲמֵינָא דִּתְלַת מוֹחֵי בִּתְלַת חֲלָלֵי מִשְׁתַּכְּחִין בֵּיהּ, וְנַהֲרִין מִמּוֹחָא סְתִימָאָה. וּמִשּׁוּם דְּמוֹחָא דְּעַתִּיק יוֹמִין, שָׁקִיט וְשָׁכִיךְ כַּחֲמַר טָב עַל דּוּרְדְּיֵיהּ, שַׂעֲרוֹי כֻּלְּהוּ שְׁעִיעִין, וּמְשִׁיחִין בִּמְשִׁחָא טָב. וּבְגִ"כ כְּתִיב, רֵאשֵׁהּ כַּעֲמַר נְקֵא.

רפ. וְהַאי דִּזְעֵיר אַפִּין, קְשִׁישִׁין וְלָא קְשִׁישִׁין. דְּהָא כֻּלְּהוּ תַּלְיָין וְלָא מִתְקַמְּטֵי, וּבְגִ"כ חָכְמְתָא נָגִיד וְנָפִיק. אֲבָל לָא חָכְמְתָא דְּחָכְמְתָא, דְּאִיהִי שְׁכִיכָא וּשְׁקִיטָא. דְּהָא תָּנֵינָא דְּלֵית דְּיָדַע מוֹחֵיהּ דְּעַתִּיק יוֹמִין, בַּר אִיהוּ. וְהַאי דִּכְתִיב אֱלֹהִים הֵבִין דַּרְכָּהּ וְהוּא יָדַע אֶת מְקוֹמָהּ, בִּזְעֵיר אַפִּין אִתְּמַר. אָמַר רִבִּי שִׁמְעוֹן, בְּרִיךְ בְּרִי לְקוּדְשָׁא בְּרִיךְ הוּא, בְּעָלְמָא דֵּין וּבְעָלְמָא דְּאָתֵי.

רפא. תִּקּוּנָא תִּנְיָינָא. נָפִיק שַׂעֲרָא, וְסָלִיק מֵרֵישָׁא דְּפוּמָא, עַד רֵישָׁא אַחֲרָא דְּפִתְחָא דְּפוּמָא, וְנָחִית מִתְּחוֹת פּוּמָא, עַד רֵישָׁא אַחֲרָא, נִימִין עַל נִימִין, בְּתִקּוּנָא שַׁפִּיר.

רפב. קוּם רִבִּי אַבָּא. קָם ר' אַבָּא, פָּתַח וְאָמַר, כַּד תִּקּוּנָא דְּדִיקְנָא דָּא מִתְתַּקַּן בְּתִקּוּנָא דְּמַלְכָּא, כְּגִבָּר תַּקִּיף שַׁפִּיר לְמֶחֱזֵי, רַב וְשַׁלִּיט, הה"ד גָּדוֹל אֲדוֹנֵינוּ וְרַב כֹּחַ. וְכַד אִתְבְּסַם בְּתִקּוּנָא דִּיקְנָא יַקִּירָא קַדִּישָׁא, וְיִשְׁגַּח בֵּיהּ, אִקְרֵי בִּנְהִירוּ דִּילֵיהּ, אֵל רַחוּם וְגוֹ'. וְהַאי תִּקּוּנָא תִּנְיָינָא אִתְתַּקַּן, כַּד נָהִיר בִּנְהִירוּ דְּעַתִּיק יוֹמִין, אִקְרֵי רַב חֶסֶד. וְכַד מִסְתַּכְּלֵי דָּא בְּדָא, אִתְקְרֵי בְּתִקּוּנָא אַחֲרָא וֶאֱמֶת. דְּהָא נְהִירוּ אַנְפֵּיהּ.

רפג. וְתָאנָא, נוֹשֵׂא עָוֹן אִתְקְרֵי דָּא תִּקּוּנָא תִּנְיָינָא, כְּגַוְונָא דְּעַתִּיקָא קַדִּישָׁא. אֲבָל מִשּׁוּם הַהוּא אוֹרְחָא דְּנָפִיק, בְּתִקּוּנָא תְּלִיתָאָה תְּחוֹת תְּרֵין נוּקְבִין דְּחוֹטָמָא, וְשַׂעֲרִין תַּקִּיפִין זְעִירִין מַלְיָין לְהַהוּא אוֹרְחָא. לָא אִתְקְרוּן הָכָא נוֹשֵׂא עָוֹן וְעוֹבֵר עַל פֶּשַׁע, וְאִתְקַיְּימוּ בְּאֲתַר אַחֲרָא.

רפד. וְתַנְיָא, תְּלַת מְאָה וְשַׁבְעִין וְחָמֵשׁ חֲסָדִים, כְּלִילָן בְּחֶסֶד דְּעַתִּיק יוֹמִין, וְכֻלְּהוּ אִקְרוּן חַסְדֵּי קַדְמָאֵי. דִּכְתִיב, אַיֵּה חֲסָדֶיךָ הָרִאשׁוֹנִים. וְכֻלְּהוּ כְּלִילָן בְּחֶסֶד דְּעַתִּיקָא קַדִּישָׁא, סְתִימָא דְּכֹלָּא. וְחֶסֶד דִּזְעֵיר אַפִּין אִקְרֵי חֶסֶד עוֹלָם.

רפה. וּבְסִפְרָא דִּצְנִיעוּתָא, קְרֵי בֵּיהּ לְחֶסֶד קַדְמָאָה דְּעַתִּיק יוֹמִין רַב חֶסֶד. וּבִזְעֵיר אַפִּין, חֶסֶד סְתָם. וּבְגִ"כ כְּתִיב הָכָא, וְרַב חֶסֶד. וּכְתִיב, נוֹצֵר חֶסֶד לָאֲלָפִים סְתָם. וְאוֹקִימְנָא, הַאי רַב חֶסֶד, מַטֵּה כְּלַפֵּי חֶסֶד, לְנַהֲרָא לֵיהּ, וּלְאַדְלָקָא בּוֹצִינֵי.

רפו. דְּתָנָא הַאי אוֹרְחָא דְּנָחִית תְּחוֹת תְּרֵין נוּקְבִין דְּחוֹטָמָא, וְשַׂעֲרִין זְעִירִין מַלְיָין לְהַהוּא אָרְחָא, לָא אִקְרֵי הַהוּא אָרְחָא עוֹבֵר עַל פֶּשַׁע, דְּלֵית אֲתָר לְאַעְבְּרָא לֵיהּ בִּתְרֵי גַּוְונֵי. חַד מִשּׁוּם שַׂעֲרֵי דְּאִשְׁתְּכַח בְּהַהוּא אָרְחָא, הוּא אֲתָר קַשְׁיָא לְאַעְבְּרָא. וְחַד, מִשּׁוּם דְּנָחִית אַעְבְּרָא דְּהַהוּא אוֹרְחָא עַד רֵישָׁא דְּפוּמָא, וְלָא יַתִּיר.

רפז. וְעַ"ד כְּתִיב, שִׂפְתוֹתָיו שׁוֹשַׁנִּים, סוּמָקִין כְּוַרְדָּא, נוֹטְפוֹת מוֹר עוֹבֵר, סוּמָקָא

תַּקִּיף, וְהַאי אוּרְוָא דְהָכָא, בִּתְרֵי גַּוְונֵי וְלָא אִתְבְּסָם. מִכָּאן מַאן דְּבָעֵי לְאַגְזָמָא, תְּרֵי זִמְנֵי בָּטֵשׁ בִּידֵיהּ בְּהַאי אוּרְוָא.

רפח. תִּקּוּנָא רְבִיעָאָה נָפִיק שַׂעֲרָא, וְאִתְתַּקַּן, וְסָלִיק וְחָפֵי בְּעִלְעוֹי, בְּתִקְרוּבְתָּא דְבוּסְמָא. הַאי תִּקּוּנָא יָאֶה וְשַׁפִּירָא, לְאִתְחֲזְיָא הוֹד וְהָדָר הוּא. וְתַנְיָא, הוֹד עִלָּאָה, נָפִיק וְאִתְעֲטָר וְנָגִיד לְאִתְאַחֲדָא בְּעִלְעוֹי, וְאִתְקְרֵי הוֹד זָקָן. וּמֵהַאי הוֹד וְהָדָר, תַּלְיָין אִלֵּין לְבוּשֵׁי, דְּאִתְלְבַשׁ בְּהוּ, וְאִינּוּן פּוּרְפִּירָא יַקִּירָא דְמַלְכָּא. דִּכְתִיב הוֹד וְהָדָר לָבָשְׁתָּ, תִּקּוּנִין דְּאִתְלְבַשׁ בְּהוּ, וְאִתְתַּקַּן בְּהַאי דְּיוֹקְנָא דְאָדָם, יַתִּיר מִכָּל דְּיוֹקְנִין.

רפט. וְתָאנָא הַאי הוֹד, כַּד אִתְנְהַר בִּנְהִירוּ דְּדִיקְנָא עִלָּאָה, וְאִתְפָּשַׁט בִּשְׁאַר תִּקּוּנִין נְהִירִין. הַאי הוּא נוֹשֵׂא עָוֹן מֵהַאי גִּיסָא, וְעוֹבֵר עַל פֶּשַׁע מֵהַאי גִּיסָא. וּבג"כ, לְחַיָּיו כְּתִיב. וּבִצְנִיעוּתָא דְּסִפְרָא אִקְרֵי, הוּא וְהָדָר וְתִפְאֶרֶת. דְּהָא תִּפְאֶרֶת הוּא עוֹבֵר עַל פֶּשַׁע, שֶׁנֶּאֱמַר וְתִפְאַרְתּוֹ עֲבוֹר עַל פָּשַׁע. אֲבָל הַאי תִּפְאֶרֶת לָא אוּקִימְנָא, אֶלָּא בְּתִקּוּנָא תְּשִׁיעָאָה, כד"א וְתִפְאֶרֶת בַּחוּרִים כֹּחָם. וְתַמָּן אִקְרֵי תִּפְאֶרֶת. וְכַד אִתְתַּקַּל, בְּמַתְקְלָא חַד סַלְקִין. אָמַר ר"ש, יָאוֹת אַנְתְּ רִבִּי אַבָּא, לְאִתְבָּרְכָא מֵעַתִּיקָא קַדִּישָׁא, דְּכָל בִּרְכָאן נָפְקִין מִנֵּיהּ.

רצ. תִּקּוּנָא חֲמִישָׁאָה. פָּסִיק שַׂעֲרָא, וְאִתְחֲזוּן תְּרֵין תַּפּוּחִין מִכָּאן וּמִכָּאן, סוּמָקָן כְּהַאי וַרְדָּא סוּמָקָא. וּמִתְלַהֲטָן בְּמָאתָן וְשַׁבְעִין עָלְמִין, הָנֵי תְּרֵי תַּפּוּחִין, כַּד נַהֲרִין מִנְּהִירוּ דִּתְרֵין תַּפּוּחִין קַדִּישִׁין עִלָּאִין דְּעַתִּיקָא, אִתְמְשַׁךְ סוּמָקָא, וְאָתֵי חִוָּורָא. בְּהַאי כְּתִיב, יָאֵר יְיָ' פָּנָיו אֵלֶיךָ וִיחֻנֶּךָּ. דְּכַד נַהֲרִין מִתְבָּרֵךְ עָלְמָא. וּבְשַׁעְתָּא דְּאִתְעֲבִידוּ סוּמָקָא, כְּתִיב יִשָּׂא יְיָ' פָּנָיו אֵלֶיךָ, כְּלוֹמַר יִסְתַּלֵּק. וְלָא יִשְׁתְּכַח רוּגְזָא בְּעָלְמָא. תָּאנָא, כֻּלְהוֹן נְהוֹרִין דְּאִתְנַהֲרָן מֵעַתִּיקָא קַדִּישָׁא, אִתְקְרוּן חַסְדֵי קַדְמָאֵי. וּבְגִין אִינּוּן, נַהֲרִין כָּל אִינּוּן חַסְדֵי עוֹלָם.

רצא. תִּקּוּנָא שְׁתִיתָאָה. נָפִיק שַׂעֲרָא, כְּחַד חוּטָא דְּשַׂעֲרֵי בִּסְחֲרָנֵיהּ דְּדִיקְנָא. פְּאַת הַזָּקָן וְאִיהוּ חַד מֵחָמֵשׁ פֵּאִין, דְּתַלְיָין בְּחֶסֶד, וְלָא אִבְעֵי לְחַבְּלָא הַאי חֶסֶד, כְּמָה דְּאִתְּמַר. וּבְגִין כַּךְ, לֹא תַשְׁחִית אֵת פְּאַת זְקָנֶךָ כְּתִיב.

רצב. תִּקּוּנָא שְׁבִיעָאָה. דְּלָא תַּלְיָין שַׂעֲרָא עַל פּוּמָא, וּפוּמָא אִתְפְּנֵי מִכָּל סִטְרוֹי, וְיָתְבִין שַׂעֲרִין בְּתִקּוּנָא סְחוֹר סְחוֹר לֵיהּ. קוּם רִבִּי יְהוּדָה. קָם רִבִּי יְהוּדָה, פָּתַח וְאָמַר, בִּגְזֵירַת עִירִין פִּתְגָּמָא. כַּמָּה אֲלַף רִבְבָן מִתְיַשְּׁבָן וּמִתְקַיְּימָן בְּהַאי פּוּמָא, וְתַלְיָין מִנֵּיהּ, וְכֻלְּהוֹן אִקְרוּן פֶּה. הה"ד וּבְרוּחַ פִּיו כָּל צְבָאָם. וּמֵהַהוּא רוּחָא דְּנָפִיק מִפּוּמָא, מִתְלַבְּשָׁן.

רצג. כָּל אִינּוּן דִּלְבַר, תַּלְיָין מֵהַאי פּוּמָא. וּמֵהַאי פּוּמָא כַּד אִתְפָּשַׁט הַאי רוּחָא, מִתְלַבְּשָׁן בֵּיהּ כַּמָּה נְבִיאֵי מְהֵימְנָא, וְכֻלְּהוּ פֶּה יְיָ' אִתְקְרוּן. וּבַאֲתַר דְּרוּחָא נָפִיק, לָא אִתְעֲרָבָא מִלָּה אָחֳרָא וְכֻלְּהוּ מְחַכָּאן לְאִתְלַבְּשָׁא בְּהַהוּא רוּחָא דְּנָפִיק. וְהַאי תִּקּוּנָא שַׁלִּיטָא עַל כֻּלְּהוּ שִׁיתָא. מִשּׁוּם דְּהָכָא מִתְקַיְּימָן כֻּלְּהוּ וּמִתְאַחֲדָן. וּבְגִינֵי כַּךְ שַׂעֲרוֹהִי שְׁקִילִין סְחֲרָנֵיהּ דְּפוּמָא. וְאִתְפְּנֵי מִכָּל סִטְרוֹי, וְהַאי תִּקּוּנָא שַׁלִּיטָא עַל כֻּלְּהוּ מִשּׁוּם דְּהָכָא מִתְקַיְּימָן כֻּלְּהוּ וּמִתְאַחֲדָן. אָמַר ר"ש, בְּרִיךְ אַנְתְּ לְעַתִּיקָא קַדִּישָׁא.

רצד. תִּקּוּנָא תְּמִינָאָה דְּנַחְתִּין שַׂעֲרֵי בְּתַחוֹת דִּיקְנָא, מְחַפְיָין קְדָלָא דְּלָא אִתְחֲזֵי. דְּתַנְיָא, אֵין לְמַעְלָה לֹא עֹרֶף וְלֹא עִפּוּי, וּבְזִמְנָא דְּאַגָּח קְרָבֵי אִתְחֲזֵי. מִשּׁוּם לְאַחֲזָאָה גְּבוּרְתָּא. דְּהָא תָּנִינָן, אֲלַף עָלְמִין אִתְאַחֲדִין מִנֵּיהּ, הה"ד, אֶלֶף הַמָּגֵן תָּלוּי עָלָיו כֹּל

שִׁלְטֵי הַגִּבּוֹרִים. וְאֶלֶף הַמָּגֵן רָזָא הוּא. בִּצְנִיעוּתָא דְּסִפְרָא, כֹּל שִׁלְטֵי הַגִּבּוֹרִים דְּאָתוּ מִסְּטַר גְּבוּרָה וַחַד, מֵאִינּוּן גְּבוּרָאן.

רצה. תִּקּוּנָא תְּשִׁיעָאָה. דְּמִתְחַבְּרָן שַׂעֲרֵי בְּשִׁקּוּלָא מַלְיָא, עִם אִינּוּן שַׂעֲרֵי דְּתַלְיָין, כֻּלְּהוּ בְּשִׁקּוּלָא שַׁפִּיר, כְּחַד גִּיבָּר תַּקִּיף, מָארֵי נִצְחָן קְרָבַיָּיא. מִשּׁוּם דְּכֻלְּהוּ שַׂעֲרֵי אִתְמַשְּׁכָן בָּתַר אִינּוּן דְּתַלְיָין. וּכְלָלָא דְּכֻלְּהוּ בְּאִינּוּן דְּתַלְיָין. וְכֹלָּא אִתְמְשַׁךְ, וְעַל דָּא כְּתִיב, תִּפְאֶרֶת בַּחוּרִים כֹּחָם. כְּתִיב בָּחוּר כָּאֲרָזִים, כְּגִיבָּר עָבִיד גְּבוּרָאן, וְדָא הוּא תִּפְאֶרֶת, חֵילָא וּגְבוּרְתָּא וְרַחֲמֵי.

רצו. תָּנָא, אר"ש כָּל הָנֵי תִּקּוּנִין, וְכָל הָנֵי מִלִּין, בָּעֵינָא לְגַלָּאָה לְמָארֵיהוֹן דְּאִתְקָלוּ בְּמַתְקְלָא, וְלָא לְאִינּוּן דְּעָאלוּ, וְלָא נַפְקוּ אֶלָּא לְאִלֵּין דְּעָאלוּ וְנַפְקוּ, דְּכָל מָאן דְּעָיֵיל וְלָא נָפִיק, טַב לֵיהּ דְּלָא אִבְרֵי.

רצז. כְּלָלָא דְּכָל מִלִּין, עַתִּיקָא דְּעַתִּיקִין, וּזְעֵיר אַפִּין, כֹּלָּא חַד. כֹּלָּא הֲוָה. כֹּלָּא הֲוֵי. כֹּלָּא יְהֵא. לָא יִשְׁתַּנֵּי. וְלָא מִשְׁתַּנֵּי. וְלָא שְׁנָא. אִתְתָּקַן בְּתִקּוּנִין אִלֵּין. אִשְׁתְּלִים דְּיוּקְנָא דְּכָלִיל כָּל דְּיוּקְנִין. דְּיוּקְנָא דְּכָלִיל כָּל שְׁמָהָן. דְּיוּקְנָא דְּאִתְחֲזֵי בְּגַוֵּויהּ כָּל דְּיוּקְנִין לָאו הַאי דְּיוּקְנָא הֲוֵי, אֶלָּא כְּעֵין הַאי דְּיוּקְנָא.

רחצ. כַּד אִתְחַבְּרָן עִטְרִין וְכִתְרִין, כְּדֵין הוּא אַשְׁלְמוּתָא דְּכֹלָּא. בְּגִין, דְּדִיוּקְנָא דְּאָדָם, הֲוֵי דְּיוּקְנָא דְּעִלָּאִין וְתַתָּאִין דְּאִתְכְּלָלוּ בֵּיהּ. וּבְגִין דְּהַאי דְּיוּקְנָא כָּלִיל עִלָּאִין וְתַתָּאִין, אַתְקִין עַתִּיקָא קַדִּישָׁא תִּקּוּנוֹי, וְתִקּוּנָא דִּזְעֵיר אַפִּין, בְּהַאי דְּיוּקְנָא וְתִקּוּנָא.

רצט. וְאִי תֵּימָא מַה בֵּין הַאי לְהַאי. כֹּלָּא הוּא בְּמַתְקְלָא חֲדָא, אֲבָל מִכָּאן אִתְפָּרְשָׁן אָרְחוֹי. וּמִכָּאן אִשְׁתְּכַח דִּינָא. וּמִסִּטְרָא דִּילָן הֲווּ שַׁנְיָין דָּא מִן דָּא. וְרָזִין אִלֵּין לָא אִתְמְסָרוּ, בַּר לְמֶחֱצְדֵי חַקְלָא קַדִּישָׁא. וּכְתִיב סוֹד יְיָ' לִירֵאָיו.

ש. כְּתִיב וַיִּיצֶר יְיָ' אֱלֹהִים אֶת הָאָדָם, בִּתְרֵי יוּדִי"ן. אַשְׁלִים תִּקּוּנָא גּוֹ תִּקּוּנָא, טַבַּרְקָא דְּגוּשְׁפַּנְקָא. וְדָא הוּא וַיִּיצֶר. תְּרֵין יוּדִין לָמָּה. רָזָא דְּעַתִּיקָא קַדִּישָׁא, וְרָזָא דִּזְעֵיר אַפִּין. וַיִּיצֶר, מַאי צָר. צָר צוּרָה בְּגוֹ צוּרָה. וּמַהוּ צוּרָה בְּגוֹ צוּרָה. תְּרֵין שְׁמָהָן, דְּאִתְקְרֵי שֵׁם מָלֵא, יְיָ' אֱלֹהִים. וְדָא הוּא רָזָא דִּתְרֵין יוּדִי"ן דְּוַיִּיצֶר, דְּצָר צוּרָה גּוֹ צוּרָה. תִּקּוּנָא דִּשְׁמָא שְׁלִים, יְיָ' אֱלֹהִים.

שא. וּבְמָה אִתְכְּלִילוּ. בְּדִיוּקְנָא עִלָּאָה דָּא, דְּאִקְרֵי אָדָם. דְּכָלִיל דְּכַר וְנוּקְבָא. וְעַל דָּא כְּתִיב אֶת הָאָדָם דְּכָלִיל דְּכַר וְנוּקְבָא. אֶת: לְאַפָּקָא וּלְמִסְגֵּי זִינָא דְּנָפִיק מִנֵּיהּ.

שב. עָפָר מִן הָאֲדָמָה: דְּיוּקְנָא בְּגוֹ דְּיוּקְנָא. וַיִּפַּח בְּאַפָּיו נִשְׁמַת חַיִּים: טַבַּרְקָא דְּגוּשְׁפַּנְקָא גּוֹ בְּגוֹ. וְכָל דָּא לָמָּה. בְּגִין לְאִשְׁתַּלְפָא וּלְעַיְּילָא בֵּיהּ סָתִים דִּסְתִימָא עִלָּאָה, עַד סוֹפָא דְּכָל סְתִימִין. נִשְׁמְתָא, דְּכָל חַיֵּי דְּעֵילָא וְתַתָּא תַּלְיָין מֵהַהִיא נִשְׁמְתָא, וּמִתְקַיְּימֵי בָּהּ.

שג. וַיְהִי הָאָדָם לְנֶפֶשׁ חַיָּה, לְאַתְרָקָא, וּלְעַיְּילָא בְּתִקּוּנִין כְּגַוְונָא דָּא, וּלְאַשְׁלְפָא לְהַהִיא נִשְׁמְתָא. מִדַּרְגָּא לְדַרְגָּא עַד סוֹפָא דְּכָל דַּרְגִּין. בְּגִין דִּיהֱוֵי הַהִיא נִשְׁמְתָא מִשְׁתַּכְחָא בְּכֹלָּא, וּמִתְפַּשְּׁטָא בְּכֹלָּא. וּלְמֶהֱוֵי כֹּלָּא בְּיִחוּדָא חַד. וּמַאן דְּפָסִיק הַאי יִחוּדָא מִן עָלְמָא, כְּמַאן דְּפָסִיק נִשְׁמְתָא דָּא, וּמְחֱזֵי דְּאִית נִשְׁמְתָא אַחֲרָא, בַּר מֵהַאי. וּבְגִין כָּךְ, יִשְׁתְּצֵי הוּא וְדוּכְרָנֵיהּ מִן עָלְמָא לְדָרֵי דָּרִין.

דש. בְּהַאי דְּיוּקְנָא דְּאָדָם, שָׁארִי וְתָקִין כְּלָלָא דְּכַר וְנוּקְבָא. כַּד אִתְתָּקַן הַאי דְּיוּקְנָא בְּתִקּוּנוֹי, שָׁארִי מֵחַדְוֵוי, מִבֵּין תְּרֵין דְּרוֹעִין. בְּאֲתַר דְּתַלְיָין שַׂעֲרֵי דְּדִיקְנָא,

דאתקרי תפארת. ואתפשט האי תפארת, ותקין תרין וזדין, ואשתליף לאחורוי, ועבד גולגלתא דנוקבא. כלא סתימא מכל סטרוי. בשערא בפרצופא דרישא. ובכללא וחדא אתעבידו בהאי תפארת, ואקרי אדם דכר ונוקבא. הה״ד כתפארת אדם לשבת בית.

שה. כד אתברי פרצופא דרישא דנוקבא, תליא חד קוצא דשערי מאחורוי דזעיר אפין, ותלי עד רישא דנוקבא. ואתערו שערי ברישהא, כלהו סומקי דכללן בגו גווני, הה״ד, ודלת ראשך כארגמן. מהו ארגמן. גווני דכלילן בגו גווני.

שו. תאנא, אתפשט האי תפארת מטבורא דלבא, ונקיב ואתעבר בגיסא אחרא, ותקין פרצופא דנוקבא עד טבורא. ומטבורא שארי, ובטבורא שלים.

שז. תו אתפשט האי תפארת, ואתקן מעוי דדכורא, ועייל בהאי אתר כל רחמין, וכל סטרא דרחמי. ותאנא, בהני מייעין אתאחדן, שית מאה אלף רבוא מארי דרחמי. ואתקרון בעלי מייעין. דכתיב, על כן המו מעי לו רחם ארחמנו נאם יי׳.

שח. תאנא, האי תפארת, כליל ברחמי, וכליל בדינא, ואתפשט רחמי בדכורא, ואתעבר ונהיר לסטר אחרא, ותקין מייעוי דנוקבא, ואתתקנו מעהא בסטרא דדינא.

שט. תאנא, אתתקן דכורא בסטריה, במאתן ותמניא וארבעין תקונין דכלילן ביה, ומנהון לגו, ומנהון לבר. מנהון רחמי. ומנהון דינא. כלהו דדינא, אתאחדו בדינא דאחורוי, דנוקבא אתפשטת תמן. ואתאחדו ואתפשטו בסטרהא.

שי. ותאנא, וחמשה עריתא אתגליין בה, בסטרא דדינין חמשה. ודינין ה׳ אתפשטן, במאתן וארבעין ותמניא ארחין. והכי תאנא, קול באשה ערוה. שער באשה ערוה. שוק באשה ערוה. יד באשה ערוה. רגל באשה ערוה. דאע״ג דתרין אלין לא שניוה וחברנא, ותרין אלין יתיר מערוה אינון.

שיא. ותאנא בצניעותא דספרא, אתפשט דכורא ואתתקן בתקונוי. אתתקן תקונא דכסותא דכיא. והאי הויא אמה דכיא. ארכיה דההוא אמה, מאתן וארבעין ותמניה עלמין. וכלהו תליין בפומא דאמה, דאתקרי יו״ד. וכיון דאתגלייא יו״ד פומיה דאמה, אתגלי חסד עלאה. והאי אמה חסד הוא דאתקרי, ותלי בהאי פום אמה. ולא אקרי חסד, עד דאתגלייא יו״ד דפום אמה.

שיב. ות״ח, דלא אתקרי אברהם שלים בהאי חסד, עד דאתגלייא יו״ד דאמה. וכיון דאתגלי אקרי שלים, הה״ד התהלך לפני והיה תמים, תמים ממש. וכתיב ואהיה תמים לו ואשתמרה מעוני. מאי קא מיירי, רישא וסיפא. אלא כל דגלי האי יו״ד, ואסתמר דלא עייליה ליו״ד ברשותא אחרא. ליהוי שלים לעלמא דאתי, ולהוי צריר בצרורא דחיי. מאי ברשותא אחרא. דכתיב ובעל בת אל נכר. ובגין כך כתיב, ואהיה תמים לו, דכיון דהוא תמים בגלוייא דיו״ד, ואשתמרה מעוני.

שיג. וכיון דאתפשט אמה דא, אתפשט סטר גבורה מאינון גבוראן בשמאלא דנוקבא, ואשתקע בנוקבא באתר חד, וארשם בעריתא, כסותה דכל גופא דנוקבא. ובההוא אתר אקרי ערוה דכלא. אתר לאצנעא לההוא אמה, דאקרי חסד. בגין לאתבסמא גבורה דא דכליל וחמש גבוראן, בהאי חסד דכליל בחמש חסדין. וחסד ימינא, גבורא שמאלא. אתבסם דא בדא, ואקרי אדם, כליל מתרין סטרין. ובגין כך, בכלהו כתרין אית ימינא ושמאלא, דינא ורחמי.

שיד. תָּאנָא, עַד לָא זַמִּין תִּקּוּנוֹי דְּמַלְכָּא, עַתִּיקָא דְּעַתִּיקִין, בָּנָה עָלְמִין, וְאַתְקִין תִּקּוּנִין לְאִתְקַיְּימָא. הַהוּא נוּקְבָא לָא אִתְבַּסְּמָא, וְלָא אִתְקָיְימוּ, עַד דְּנָזִית וֶחֶסֶד עִלָּאָה וְאִתְקָיְימוּ, וְאִתְבַּסָּמוּ תִּקּוּנֵי נוּקְבָא, בְּהַאי אַמָּה דְּאִקְרֵי וָחֶסֶד. הה"ד וְאֵלֶּה הַמְּלָכִים אֲשֶׁר מָלְכוּ בְּאֶרֶץ אֱדוֹם, אֲתַר דְּכָל דִּינִין מִשְׁתַּכְּחִין תַּמָּן וְלָא אִתְבַּסָּמוּ, עַד דְּאַתְקָן כֹּלָּא, וְנָפִיק הַאי וָחֶסֶד, וְאִתְיַשַּׁב בְּפוּמָא דְּאַמָּה. הה"ד, וַיָּמָת וַיָּמָת, דְּלָא אִתְקָיְימוּ, וְלָא אִתְבְּסָמוּ, דִּינָא בְּדִינָא.

שטו. וְאִי תֵּימָא אִי הָכִי דְּדִינָא כֻּלְּהוּ, וְהָא כְּתִיב וַיִּמְלוֹךְ תַּחְתָּיו שָׁאוּל מֵרְחוֹבוֹת הַנָּהָר, וְהָא לָא אִתְחֲזֵי דִּינָא. דְּתָנִינָן, רְחוֹבוֹת הַנָּהָר אִיהוּ בִּינָה, דְּמִינָהּ מִתְפַּתְּחִין חַמְשִׁין תַּרְעִין דִּנְהוֹרִין וּבוּצִינִין, לְשִׁית סִטְרֵי עָלְמָא. תָּאנָא, כֻּלְּהוּ דִּינָא, בַּר מֵחַד דְּאִתְקַיַּים בַּתְרָאָה, וְהַאי שָׁאוּל מֵרְחוֹבוֹת הַנָּהָר, דָּא הוּא חַד סִטְרָא, דְּאִתְפָּשַׁט וְנָפִיק מֵרְחוֹבוֹת הַנָּהָר.

שטז. וְכֻלְּהוּ לָא אִתְקָיְימוּ, לָא תֵּימָא דְּאִתְבְּטָלוּ, אֶלָּא דְּלָא אִתְקָיְימוּ בְּהַהוּא מַלְכוּ, עַד דְּאִתְּעַר וְאִתְפָּשַׁט הַאי בַּתְרָאָה מִכֻּלְּהוּ, דִּכְתִּיב וַיִּמְלוֹךְ תַּחְתָּיו הֲדַר. מַאי הֲדַר. וָחֶסֶד עִלָּאָה. וְשֵׁם עִירוֹ פָּעוּ, מַאי פָּעוּ. בְּהַאי פָּעֵי בַּר נָשׁ דְּזָכֵי לְרוּחָא דְּקוּדְשָׁא וְשֵׁם אִשְׁתּוֹ מְהֵיטַבְאֵל, בְּכָאן אִתְבַּסָּמוּ דָּא בְּדָא, וְאִתְקְרֵי אִשְׁתּוֹ, מַה דְּלָא כְּתִיב בְּכֻלְּהוּ.

שיז. מְהֵיטַבְאֵל, אִתְבַּסְּמוּתָא דְּדָא בְּדָא. בַּת מַטְרֵד, תִּקּוּנִין דְּמִסְּטַר גְּבוּרָה. בַּת מֵי זָהָב, אִתְבַּסָּמוּ וְאִתְכְּלִילוּ דָּא בְּדָא, מֵי זָהָב: רַחֲמֵי וְדִינָא. כָּאן אִתְדַּבְּקוּ אִתְּתָא בִּדְכוּרָא.

שיח. בְּסִטְרוֹי, אִתְפָּרְשָׁן בִּדְרוֹעִין, בְּשׁוֹקִין. דְּרוֹעִין דִּדְכוּרָא, חַד יְמִינָא, וְחַד שְׂמָאלָא דְּרוֹעָא קַדְמָאָה תְּלַת קִשְׁרִין אִתְקְשָׁרוּ בֵּיהּ, וְאִתְכְּלִילוּ ב' דְּרוֹעִין. וְאִתְכְּלִילוּ ס"ד. אֶלָּא ג' קִשְׁרִין בִּימִינָא, וְג' קִשְׁרִין בִּשְׂמָאלָא. ג' קִשְׁרִין דִּימִינָא, אִתְכְּלִילָן בְּג' קִשְׁרִין דִּשְׂמָאלָא. וּבְג"כ, דְּרוֹעָא לָא כְּתִיב אֶלָּא חַד. אֲבָל יְמִינָא, לָא כְּתִיב בֵּיהּ זְרוֹעַ, אֶלָּא יְמִינְךָ יְיָ'. יְמִין יְיָ' אִתְקְרֵי, בְּג' קִשְׁרִין דַּאֲבָהָתָא דְּאַחְסִינוּ לְחוּלָקֵיהוֹן.

שיט. וְאִי תֵּימָא הָא בִּתְלַת חַלָּלִין מוֹחָא דְּגוּלְגַּלְתָּא מִשְׁתַּכְּחִין. תָּאנָא, כֻּלְּהוּ ג' מִתְפַּשְּׁטִין, וּמִתְקַשְּׁרָן בְּכָל גּוּפָא, וְכָל גּוּפָא אִתְקְשַׁר בְּהָנֵי תְּלַת, וּמִתְקַשְּׁרָן בִּדְרוֹעָא יְמִינָא. וּבְגִין כָּךְ תָּאִיב דָּוִד וְאָמַר, שֵׁב לִימִינִי. מִשּׁוּם דְּהוּא אִתְחַבַּר עִמְּהוֹן דַּאֲבָהָתָא, וְיָתִיב תַּמָּן לְכוּרְסְיָא שְׁלֵימָתָא. וּבְגִין כָּךְ כְּתִיב אֶבֶן מָאֲסוּ הַבּוֹנִים וְגוֹ', מִשּׁוּם דְּיָתִיב לִימִינָא. הַיְינוּ דִּכְתִּיב, וְתָנוּחַ וְתַעֲמוֹד לְגוֹרָלְךָ לְקֵץ הַיָּמִין, כְּלוֹמַר, כְּמַאן דְּזָכֵי לַחֲבִיבוּתָא דְּמַלְכָּא. זַכָּאָה חוּלָקֵיהּ, דְּמַאן דְּפָרִישׁ מַלְכָּא יְמִינֵיהּ. וְקָבִיל לֵיהּ תְּחוֹת יְמִינֵיהּ. וְהַאי יְמִינָא כַּד יָתִיב, קִשְׁרִין אִתְפַּשְּׁטָא.

שכ. וּדְרוֹעָא לָא אוֹשִׁיט יְדֵיהּ בִּתְלַת קִשִׁירִין דְּאַמָּרָן. וְכַד מִתְעָרִין חַיָּיבַיָּא, וּמִתְפַּשְּׁטָן בְּעָלְמָא, מִתְעָרִין תְּלַת אַחֲרָנִין, דְּאִינּוּן דִּינָא קַשְׁיָא, וְאוֹשִׁיט דְּרוֹעָא וְכַד אוֹשִׁיט דְּרוֹעָא, יַד יְמִינָא הוּא, אֲבָל אִתְקְרֵי זְרוֹעַ יְיָ', זְרוֹעֲךָ הַנְּטוּיָה בִּזְמְנָא דְּג' אִלֵּין אִתְכְּלִילָן בְּג' אַחֲרָנִין, אִקְרֵי כֹּלָּא יְמִינָא, וְעָבֵיד דִּינָא בְּרַחֲמֵי, הֲדָא הוּא דִּכְתִּיב, יְמִינְךָ יְיָ' נֶאְדָּרִי בַּכֹּחַ יְמִינְךָ יְיָ' תִּרְעַץ אוֹיֵב, בְּגִין דְּמִתְעָרָן רַחֲמֵי בְּהוּ.

שכא. וְתָאנָא, בְּהַאי יְמִינָא מִתְאַחֲדָן תְּלַת מְאָה וְשַׁבְעִין אֲלַף רִבּוֹא, דְּאִקְרוּן יְמִינָא. וּמְאָה וּתְמָנִין וַחֲמִשָּׁה אֲלַף רִבּוֹא, מִזְּרוֹעַ דְּאִקְרֵי זְרוֹעַ יְיָ'. מֵהַאי וּמֵהַאי תַּלְיָיא זְרוֹעָא, וְהַאי וְהַאי אִקְרֵי תִּפְאֶרֶת, דִּכְתִּיב מוֹלִיךְ לִימִין מֹשֶׁה, הָא יְמִינָא. זְרוֹעַ, הָא שְׂמָאלָא. דִּכְתִּיב, זְרוֹעַ תִּפְאַרְתּוֹ, דָּא בְּדָא.

שכב. וְתָאנָא, בִּידָא שְׂמָאלָא, מִתְאַחֲדָן אַרְבַּע מְאָה וַחֲמִשִּׁין רִבּוֹא מָארֵי תְּרִיסִין, מִתְאַחֲדָן בְּכָל אֶצְבְּעָא וְאֶצְבְּעָא. וּבְכָל אֶצְבְּעָא וְאֶצְבְּעָא עֶשֶׂר אַלְפִין מָארֵי תְּרִיסִין

משתכחין. פוק וחשוב, כמה אינון דבידא. וההוא ימינא אקרי סיועא קדישא, דאתי מדרועא דימינא, מתלת קשרין. דכתיב והנה ידי עמך. ומתאחדן מהאי, אלף וארבע רבוא, ותמניא, וחמש מאה אלפין מאריהון דסיועין בכל עלמא. ואקרון יד יי' עלאה. יד יי' תתאה. ואע"ג דבכל אתר יד יי' שמאלא. זכו ימין יי', אתכלל ידא בדרועא, והוי סיועא, ואקרי ימין. ואי לאו, יד יי' תתאה. תאנא, כד מתערין דינין קשיין לאוחתא בעלמא, הכא כתיב, סוד יי' ליראיו.

שכג. ותאנא בצניעותא דספרא, דכל דינין דמשתכחין מדכורא, תקיפין ברישא, ונייחין בסופא. וכל דינין דמשתכחין מנוקבא, נייחין ברישא, ותקיפין בסופא. ואלמלא דאתעבידו כחדא, לא יכלין עלמא למסבל. עד דעתיק דעתיקי סתימא דכלא, פריש דא מן דא, וחבר לון לאתבסמא כחדא.

שכד. וכד פריש לון, אפיל דורמיטא לזעיר אפין, ופריש לנוקבא מאחורוי דסטרוי, ואתקין לה כל תקונהא, ואצנעא ליומא דיליה, למיתהא לדכורא. הה"ד ויפל יי' אלהים תרדמה על האדם ויישן. מהו ויישן. האי הוא דכתיב, עורה למה תישן יי'. ויקח אחת מצלעותיו, מאי אחת. דא היא נוקבא. כד"א, אחת היא יונתי תמתי, וסלקא, ואתתקנא. ובאתרהא שקיע רחמי וחסד, הה"ד ויסגור בשר תחתנה. וכתיב והסירותי את לב האבן מבשרכם ונתתי לכם לב בשר.

שכה. ובשעתא דבעא למיעל שבתא הוה ברי רוחין ושדין ועלעולין, ועד לא סיים לון, אתת מטרוניתא בתקונהא, ויתיבת קמיה. בשעתא דיתיבת קמיה, אנח לון לאינון בריאן, ולא אשתלימו. כיון דמטרוניתא יתבת עם מלכא, ואתחברו אפין באפין, מאן ייעול בינייהו, מאן הוא דיקרב בהדייהו. וכד אתחברו, אתבסמו דא בדא. יומא דכלא אתבסם ביה. ובג"כ, אתבסמו דינין דא בדא, ואתתקנו עלאין ותתאין.

שכו. ותאנא בצניעותא דספרא, בעא עתיקא קדישא למחזי, אי אתבסמו דינין, ואתדבקו תרין אלין דא בדא, ונפק מסטרא דנוקבא דינא תקיפא, דכתיב, והאדם ידע את חוה אשתו ותהר ותלד את קין ותאמר קניתי וגו'. ולא הוה יכיל עלמא למסבל, משום דלא אתבסמת, וחויא תקיפא אטיל בה זוהמא דדינא קשיא, ובג"כ לא הוה יכיל לאתבסמא. וכד נפיק דא קין מסטר דנוקבא, נפק תקיף קשיא, תקיף בדינוי, קשיא בדינוי. כיון דנפק אתחלשת ואתבסמת. בתר דא, אפיקת אחרא בסימא יתיר, וסליק קדמאה דהוה תקיפא קשיא, וכל דינין אתערבו עמיה.

שכז. ת"ח, מה כתיב, ויהי בהיותם בשדה. בשדה: דאשתמודע לעילא. בשדה דאקרי שדה דתפוחים. ונצח האי דינא לאחוה, משום דהוה קשיא מניה, ואכפייה ואטמריה תחותיה. עד דאתער בהאי קודשא בריך הוא, ואעבריה מקמיה. ושקעיה בנוקבא דתהומא רבא. וכליל לאחוי בשקועא דימא רבא, דמבסם דמעין עלאין. ומנהון נחתין נשמתין לעלמא, איניש לפום אורחוי.

שכח. ואע"ג דטמירין אינון. מתפשטין דא בדא, ואתעבידו גופא חד ומהאי גופא, נחתין נשמתהון דרשיעייא וחייביא, תקיפי רוחא. מתרוייהון כחדא ס"ד. אלא דא לסטרוי, ודא לסטרוי. זכאין אינון צדיקייא, דמשלפי נשמתהון מהאי גופא קדישא דאקרי אדם, דכליל כלא, אתר דעטרין וכתרין קדישין מתחברן תמן, בצרורא דאתכלא.

שכט. זכאין אינון צדיקייא, דכל הני מלין קדישין, דאתמרו ברוח קדישא עלאה,

רוּחֲ, דְּכָל קַדִּישִׁין עִלָּאִין אִתְכְּלָלָן בֵּיהּ, אִתְגַּלְיָין לְכוּ. מִלִּין דְּעִלָּאִין וְתַתָּאִין צַיְיתִין לְהוּ, זַכָּאִין אַתּוּן מָארֵיהוֹן דְּמָארִין, מִוַּצְדֵי וַחֲקְלָא, דְּמִלִּין אִלֵּין תִּנְדְּעוּן וְתִסְתַּכְּלוּן בְּהוּ, וְתִנְדְּעוּן לְמָארֵיכוֹן אַפִּין בְּאַפִּין, עֵינָא בְּעֵינָא. וּבְהָנֵי מִלִּין תִּזְכּוּן לְעָלְמָא דְּאָתֵי, הה״ד וְיָדַעְתָּ הַיּוֹם וַהֲשֵׁבֹתָ אֶל לְבָבֶךָ וְגוֹ׳. יְיָ: עַתִּיק יוֹמִין הוּא הָאֱלֹהִים. וְכֹלָּא הוּא וַחַד, בְּרִיךְ שְׁמֵיהּ לְעָלַם וּלְעָלְמֵי עָלְמַיָּא.

שׁל. אָמַר ר״שׁ, וַחֲמֵינָא עִלָּאִין לְתַתָּא, וְתַתָּאִין לְעֵילָּא. עִלָּאִין לְתַתָּא, דְּיוֹקְנָא דְּאָדָם, דְּהוּא תִּקּוּנֵי עִלָּאָה, כְּלָלָא דְּכֻלְּהוּ.

שׁלא. תָּאנָא, כְּתִיב וְצַדִּיק יְסוֹד עוֹלָם, דְּכָלִיל שִׁית בְּקַרְטוּפָא כַּחֲדָא. וְהַאי הוּא דִּכְתִּיב שׁוֹקָיו עַמּוּדֵי שֵׁשׁ.

שׁלב. וְתָאנָא בִּצְנִיעוּתָא דְּסִפְרָא, בְּאָדָם אִתְכְּלִילוּ כִּתְרִין עִלָּאִין, בִּכְלַל וּבִפְרַט. וּבְאָדָם אִתְכְּלִילוּ כִּתְרִין תַּתָּאִין, בִּפְרַט וּכְלָל. כִּתְרִין עִלָּאִין בִּכְלַל, כְּמָה דְּאִתְּמַר בְּדִיוֹקְנָא דְּכָל הָנֵי דִּיוֹקְנִין. בִּפְרָט: בְּאֶצְבְּעָן דִּידָן, וְחָמֵשׁ כְּנֶגֶד וְחָמֵשׁ. כִּתְרִין תַּתָּאִין, בְּאֶצְבְּעִין דְּרַגְלִין דְּאִינּוּן פְּרָט וּכְלָל. דְּהָא גּוּפָא לָא אִתְחֲזֵי בַּהֲדַיְיהוּ. דְּאִינּוּן לְבַר מִגּוּפָא. וּבג״כ לָא הֲווּ בְּגוּפָא. דְּגוּפָא אַעֲדִיו מִנַּיְיהוּ.

שׁלג. אִי הָכִי, מַאי וְעָמְדוּ רַגְלָיו בַּיּוֹם הַהוּא. אֶלָּא רַגְלָיו דְּגוּפָא, מָארֵיהוֹן דְּדִינִין לְמֶעְבַּד נוּקְמִין וְאִקְרוּן בַּעֲלֵי רַגְלַיִם. וּמִנְּהוֹן תַּקִּיפִין. וּמִתְאַחֲדָן מָארֵיהוֹן דְּדִינִין דִּי לְתַתָּא, בְּכִתְרִין תַּתָּאִין.

שׁלד. תָּאנָא, כָּל אִינּוּן תִּקּוּנֵי דִּלְעֵילָּא, דִּבְגוּפָא קַדִּישָׁא, כְּלָלָא דְּאָדָם, אִתְמְשִׁיךְ דָּא מִן דָּא, וּמִתְאַחֲדָן דָּא בְּדָא, וְאַשְׁקוּן דָּא לְדָא. כְּמָה דְּאִתְמְשַׁךְ דָּמָא בְּקִטְפִּין דְּוְרִידִין לְדָא וּלְדָא, לְהָכָא וּלְהָכָא, מֵאֲתָר דָּא לַאֲתָר אָחֳרָא, וְאִינּוּן מַשְׁקִין דְּגוּפָא. אַשְׁקְיָין דָּא לְדָא, מְנַהֲרִין דָּא לְדָא. עַד דְּאַנְהִירוּ כֻּלְּהוּ עָלְמִין, וּמִתְבָּרְכָאן בְּגִינַיְיהוּ.

שׁלה. תָּאנָא, כָּל אִינּוּן כִּתְרִין דְּלָא אִתְכְּלְלוּ בְּגוּפָא, כֻּלְּהוּ רְחִיקִין וּמְסָאֲבִין, וּמְסַאֲבָן כָּל מַאן דְּיִקְרַב לְגַבַּיְיהוּ, לְמִנְדַּע מִנְּהוֹן מִלִּין.

שׁלו. תָּאנָא, מַאי תִּיאוּבְתָּא דִּלְהוֹן לְגַבֵּי תַּלְמִידֵי חֲכָמִים. אֶלָּא מִשּׁוּם דְּחָמָן בְּהוּ גּוּפָא קַדִּישָׁא, וּלְאִתְכַּלְלָא בְּהוּ בְּהַהוּא גּוּפָא. וְכִי תֵּימָא, אִי הָכִי, הָא מַלְאָכִין קַדִּישִׁין וְלֵיתְהוֹן בִּכְלָלָא דְּגוּפָא. לָא. דוז״ו אִי לֶיהֱווֹן לְבַר מִכְּלָלָא דְּגוּפָא קַדִּישָׁא, לָא הֲווֹ קַדִּישִׁין וְלָא מִתְקַיְּימֵי. וּכְתִיב וּגְוִיָּתוֹ כְתַרְשִׁישׁ. וּכְתִיב וְגַבֹּתָם מְלֵאוֹת עֵינַיִם. וְהָאִישׁ גַּבְרִיאֵל. כֻּלְּהוּ בִּכְלָלָא דְּאָדָם. בַּר מֵהָנֵי דְּלֵיתְהוֹן בִּכְלָלָא דְּגוּפָא, דְּאִינּוּן מְסָאֲבִין, וּמְסָאֲבָן כָּל מַאן דְּיִקְרַב בַּהֲדַיְיהוּ.

שׁלז. וְתָאנָא, כֻּלְּהוּ מֵרוּחָא דִּשְׂמָאלָא, דְּלָא אִתְבְּסָם בְּאָדָם מִשְׁתַּכְּחִין, וְנַפְקוּ מִכְּלָלָא דְּגוּפָא קַדִּישָׁא, וְלָא אִתְדְּבָקוּ בֵּיהּ. וּבג״כ כֻּלְּהוּ מְסָאֲבִין וְאַזְלִין וְטָאסִין עָלְמָא, וְעַיְילִין בְּנוּקְבָא דִּתְהוֹמָא רַבָּא, לְאִתְדַּבְּקָא בְּהַהוּא דִּינָא קַדְמָאָה דְּאִקְרֵי קַיִן, דְּנָפִיק בִּכְלַל דְּגוּפָא דִּלְתַתָּא. וְשָׁאטִין וְטָאסִין כָּל עָלְמָא, וּפַרְחָן וְלָא מִתְדַּבְּקָאן בִּכְלָלָא דְּגוּפָא, וּבְגִינֵי כַּךְ אִינּוּן לְבַר, מִכָּל מַשִּׁרְיָין דִּלְעֵילָּא וְתַתָּא. מְסָאֲבִין אִינּוּן. בְּהוּ כְּתִיב מִחוּץ לַמַּחֲנֶה מוֹשָׁבוֹ.

שׁלח. וּבְרוּחָא דְּאִקְרֵי הֶבֶל, דְּאִתְבְּסָם יַתִּיר בִּכְלָלָא דְּגוּפָא קַדִּישָׁא. נָפְקִין אָחֳרָנִין דְּמִבַּסְּמָן יַתִּיר, וּמִתְדַּבְּקָן בְּגוּפָא, וְלָא מִתְדַּבְּקָן. כֻּלְּהוּ תַּלְיָין בַּאֲוִירָא וְנָפְקִין מֵהַאי כְּלָלָא דְּאִלֵּין מְסָאֲבִין. וְשַׁמְעִין מַה דְּשַׁמְעִין מֵעֵילָּא, וּמִנַּיְיהוּ יָדְעֵי לְתַתָּא דְּקָאַמְרֵי לְהוּ.

שׁלט. וְתָאנָא בִּצְנִיעוּתָא דְּסִפְרָא, כֵּיוָן דְּאִתְבְּסָמוּ לְעֵילָּא כְּלָלָא דְּאָדָם, גּוּפָא

קַדִּישָׁא, דְּכַר וְנוּקְבָא. אִתְחַבָּרוּ זִמְנָא תְּלִיתָאָה, וְנָפַק וְאִתְבַּסְּמוּתָא דְּכֹלָּא. וְאִתְבְּסָמוּ עָלְמִין עִלָּאִין וְתַתָּאִין. וּמִכָּאן אִשְׁתְּכְלַל עָלְמָא דִּלְעֵילָּא וְתַתָּא, מִסִּטְרָא דְּגוּפָא קַדִּישָׁא. וּמִתְחַבְּרָן עָלְמִין, וּמִתְאַחֲדָן דָּא בְּדָא, וְאִתְעֲבִידוּ חַד גּוּפָא. וּמִשַּׁלְּפָא רוּחָא, וְעַיְילָא בְּחַד גּוּפָא. וּבְכֻלְּהוּ לָא אִתְחֲזֵי אֶלָּא חַד. קק״ק יְיָ׳ צְבָאוֹת מְלֹא כָל הָאָרֶץ כְּבוֹדוֹ. דְּכֹלָּא הוּא חַד גּוּפָא.

שמ. תָּאנָא, כֵּיוָן דְּאִתְבְּסָמוּ דָּא בְּדָא, אִתְקַשָּׁרוּ דִּינָא וְרַחֲמֵי. וְאִתְבַּסְּמַת נוּקְבָא בִּדְכוּרָא. וּבְגִינֵי כָּךְ לָא סַלְקָא דָּא בְּלָא דָּא, כְּהַאי תָּמָר, דְּלָא סַלְקָא דָּא בְּלָא דָּא. וְעַל הַאי תָּנֵינָן, מַאן דְּאַפִּיק גַּרְמֵיהּ בְּהַאי עָלְמָא מִכְּלָלָא דְּאָדָם, לְבָתַר כַּד נָפִיק מֵהַאי עָלְמָא, לָא עָיֵיל בִּכְלָלָא דְּאָדָם, דְּאִקְרֵי גּוּפָא קַדִּישָׁא. אֶלָּא בְּאִינּוּן דְּלָא אִקְרוּן אָדָם, וְנָפִיק מִכְּלָלָא דְּגוּפָא.

שמא. תַּנְיָא, תּוֹרֵי זָהָב נַעֲשֶׂה לָּךְ עִם נְקֻדּוֹת הַכָּסֶף, דְּאִתְבְּסָמוּ דִּינָא בְּרַחֲמֵי. וְלֵית דִּינָא, דְּלָא הֲוֵי בֵּיהּ רַחֲמֵי. וְעַל הַאי כְּתִיב, נָאווּ לְחָיַיִךְ בַּתֹּרִים צַוָּארֵךְ בַּחֲרוּזִים. בַּתֹּרִים: כְּמוֹ דִּכְתִּיב, תּוֹרֵי זָהָב נַעֲשֶׂה לָּךְ וְגוֹ׳. בַּחֲרוּזִים: כְּמָה דִּכְתִּיב, עִם נְקֻדּוֹת הַכָּסֶף. צַוָּארֵךְ, בִּכְלָלָא דְּנוּקְבָא, דָּא מַטְרוֹנִיתָא אִשְׁתְּכַח בֵּי מַקְדְּשָׁא דִּלְעֵילָּא, וִירוּשָׁלַיִם דִּלְתַתָּא וּמַקְדְּשָׁא. וְכָל דָּא מִדְּאִתְבַּסְּמַת בִּדְכוּרָא, וְאִתְעֲבִיד כְּלָלָא דְּאָדָם, וְדָא הוּא כְּלָלָא דִּמְהֵימְנוּתָא. מַאי מְהֵימְנוּתָא. דִּבְגַוֵּיהּ אִשְׁתְּכַח כָּל מְהֵימְנוּתָא.

שמב. וְתָאנָא, מַאן דְּאִקְרֵי אָדָם, וְנִשְׁמָתָא נָפְקַת מִנֵּיהּ, וּמִית. אָסִיר לְמֵיבַת לֵיהּ בְּבֵיתָא, לְמֶעְבַּד לֵיהּ לִינָה עַל אַרְעָא, מִשּׁוּם יְקָרָא דְּהַאי גּוּפָא, דְּלָא יִתְחֲזֵי בֵּיהּ קְלָנָא, דִּכְתִּיב, אָדָם בִּיקָר בַּל יָלִין, אָדָם דְּהוּא יָקָר מִכָּל יְקָרָא, בַּל יָלִין. מ״ט. מִשּׁוּם דְּאִי יַעַבְדוּן הָכִי, נִמְשַׁל כַּבְּהֵמוֹת נִדְמוּ. מַה בְּעִירֵי לָא הֲווֹ בִּכְלָלָא דְּאָדָם, וְלָא אִתְחֲזֵי בְּהוּ רוּחָא קַדִּישָׁא, אוּף הָכָא כִּבְעִירֵי, גּוּפָא בְּלָא רוּחָא, וְהַאי גּוּפָא, דְּהוּא יְקָרָא דְּכֹלָּא, לָא יִתְחֲזֵי בֵּיהּ קְלָנָא.

שמג. וְתָאנָא בִּצְנִיעוּתָא דְּסִפְרָא, כָּל מַאן דְּעָבֵיד לִינָה לְהַאי גּוּפָא קַדִּישָׁא, בְּלָא רוּחָא, עָבֵיד פְּגִימוּתָא בְּגוּפָא דְּעָלְמִין. דְּהָא בְּגִין דָּא, לָא עָבֵיד לִינָה בְּאַתְרָא קַדִּישָׁא, בְּאַרְעָא דְּצֶדֶק יָלִין בָּהּ, מִשּׁוּם דְּהַאי גּוּפָא יְקָרָא, אִתְקְרֵי דְּיוּקְנָא דְּמַלְכָּא. וְאִי עָבֵיד בֵּיהּ לִינָה, הֲוֵי כְּחַד מִן בְּעִירָא.

שמד. תָּאנָא, וַיִּרְאוּ בְּנֵי הָאֱלֹהִים אֶת בְּנוֹת הָאָדָם. אִינּוּן דְּאִטְמָרוּ, וְנָפְלוּ בְּנוּקְבָא דִּתְהוֹמָא רַבָּא. אֶת בְּנוֹת הָאָדָם, הָאָדָם הַיָּדוּעַ. וּכְתִיב וְיָלְדוּ לָהֶם הֵמָּה הַגִּבּוֹרִים אֲשֶׁר מֵעוֹלָם וְגוֹ׳. מֵהַהוּא דְּאִקְרֵי עוֹלָם. כְּדִתְנֵינָן יְמֵי עוֹלָם. אַנְשֵׁי הַשֵּׁם, מִנְּהוֹן נָפְקוּ רוּחִין וְשֵׁדִין לְעָלְמָא, לְאִתְדַּבְּקָא בְּרַשִׁיעַיָּיא.

שמה. הַנְּפִלִים הָיוּ בָאָרֶץ, לְאַפָּקָא אִלֵּין אַחֲרָנִין. דְּלָא הֲווֹ בָּאָרֶץ. הַנְּפִלִים: עַזָּ״א וַעֲזָאֵ״ל הֲווֹ בָּאָרֶץ. בְּנֵי הָאֱלֹהִים לָא הֲווֹ בָּאָרֶץ. וְרָזָא הוּא וְכֹלָּא אִתְּמַר.

שמו. כְּתִיב וַיִּנָּחֶם יְיָ׳ כִּי עָשָׂה אֶת הָאָדָם בָּאָרֶץ, לְאַפָּקָא אָדָם דִּלְעֵילָּא, דְּלָא הֲוֵי בָּאָרֶץ. וַיִּנָּחֶם יְיָ׳ הַאי בִּזְעֵיר אַפִּין אִתְּמַר. וַיִּתְעַצֵּב אֶל לִבּוֹ, וַיֵּעָצֵב לָא נֶאֱמַר. אֶלָּא וַיִּתְעַצֵּב, אִיהוּ אִתְעֲצַּב, דְּבֵיהּ תַּלְיָיא מִלְּתָא. לְאַפּוּקֵי מִמַּאן דְּלָא אִתְעֲצַּב. אֶל לִבּוֹ, בְּלִבּוֹ לָא כְּתִיב, אֶלָּא אֶל לִבּוֹ. כְּמַאן דְּאִתְעֲצַּב לְמָארֵיהּ, דְּאַחֲזֵי הַאי לְלִבָּא דְּכָל לִבִּין.

שמז. וַיֹּאמֶר יְיָ׳ אֶמְחֶה אֶת הָאָדָם אֲשֶׁר בָּרָאתִי מֵעַל פְּנֵי הָאֲדָמָה וְגוֹ׳. לְאַפָּקָא אָדָם דִּלְעֵילָּא. וְאִי תֵּימָא אָדָם דִּלְתַתָּא בִּלְחוֹדוֹי. לָאו לְאַפָּקָא כְּלָל. מִשּׁוּם דְּלָא קָאֵים דָּא

בְּלָא דָּא.

שמז. וְאִלְמָלֵא וְחָכְמָה סְתִימָא דְּכֹלָּא, כֹּלָּא אִתְתַּקַּן כְּמֵרֵישָׁא. הה״ד אֲנִי חָכְמָה שָׁכַנְתִּי עָרְמָה. אַל תִּקְרֵי שָׁכַנְתִּי, אֶלָּא שִׁיכַּנְתִּי.

שמט. וְאִלְמָלֵא הַאי תִּקּוּנָא דְּאָדָם, לָא קָאֵים עָלְמָא. הֲדָא הוּא דִּכְתִּיב, יְיָ׳ בְּחָכְמָה יָסַד אָרֶץ. וּכְתִיב וְנֹחַ מָצָא חֵן בְּעֵינֵי יְיָ׳.

שנ. וְתָאנָא, כֻּלְּהוּ מוֹחִין תַּלְיָין בְּהַאי מוֹחָא. וְהַחָכְמָה הוּא כְּלָלָא דְּכֹלָּא הוּא. וְדָא חָכְמָה סְתִימָא, דְּבָהּ אִתְתַּקִּיף וְאִתְתַּקַּן תִּקּוּנָא דְּאָדָם, לְאִתְיַישְּׁבָא כֹּלָּא עַל תִּקּוּנֵיהּ, כָּל חַד בְּאַתְרֵיהּ. הה״ד, הַחָכְמָה תָּעֹז לֶחָכָם מֵעֲשָׂרָה שַׁלִּיטִים, דְּאִינּוּן תִּקּוּנָא שְׁלֵימָא דְּאָדָם. וְאָדָם הוּא תִּקּוּנָא דִּלְגוֹ, מִנֵּיהּ קָאֵים רוּחָא.

שנא. וּבְהַאי תִּקּוּנָא דְּאָדָם, אִתְחֲזֵי שְׁלֵימוּתָא מְהֵימְנוּתָא דְּכֹלָּא, דְּקָאֵים עַל כּוּרְסְיָּיא. דִּכְתִּיב, וּדְמוּת כְּמַרְאֵה אָדָם עָלָיו מִלְמָעְלָה. וּכְתִיב וַאֲרוּ עִם עֲנָנֵי שְׁמַיָּא כְּבַר אֱנָשׁ אָתֵה הֲוָא וְעַד עַתִּיק יוֹמַיָּא מְטָה וּקְדָמוֹהִי הַקְרְבוּהִי. עַד כָּאן סְתִימָאן מִלִּין. וּבְרִירָן טַעֲמִין. זַכָּאָה חוּלָקֵיהּ דְּמַאן דְּיָדַע וְיַשְׂגַּח בְּהוֹן. וְלָא יִטְעֵי בְּהוֹן. דְּמִלִּין אִלֵּין לָא אִתְיְהִיבוּ, אֶלָּא לְמָארֵי מָארִין וּמְחַצְּדֵי חַקְלָא, דְּעָאלוּ וְנַפְקוּ. דִּכְתִּיב כִּי יְשָׁרִים דַּרְכֵי יְיָ׳ וְצַדִּיקִים יֵלְכוּ בָם וּפוֹשְׁעִים יִכָּשְׁלוּ בָם.

שנב. תָּאנָא, בָּכָה ר״ש, וְאָרִים קָלֵיהּ וְאָמַר, אִי בְּמִלִּין דִּילָן, דְּאִתְגַּלְיָין הָכָא, אִתְגְּנִיזוּ חַבְרַיָּיא בְּאִדְּרָא דְּעָלְמָא דְּאָתֵי, וְאִסְתַּלָּקוּ מֵהַאי עָלְמָא, יָאוּת וְשַׁפִּיר הֲוָה, בְּגִין דְּלָא אִתְגַּלְיָין לְחַד מִבְּנֵי עָלְמָא. הֲדַר וְאָמַר, הֲדָרִי בִּי, דְּהָא גַּלֵּי קָמֵיהּ דְּעַתִּיקָא דְּעַתִּיקִין, סְתִימָא דְּכָל סְתִימִין, דְּהָא לָא לִיקָרָא דִּילִי עֲבִידְנָא, וְלָא לִיקָרָא דְּבֵית אַבָּא, וְלָא לִיקָרָא דְּחַבְרַיָּיא אִלֵּין, אֶלָּא בְּגִין דְּלָא יִטְעוּן בְּאוֹרְחוֹי, וְלָא יֵעֲלוּן בְּכִסּוּפָא לְתַרְעֵי פַּלְטְרוֹי, וְלָא יִמְחוּן בִּידֵיהוֹן. זַכָּאָה חוּלָקִי עִמְּהוֹן, לְעָלְמָא דְּאָתֵי.

שנג. תָּנָא, עַד לָא נַפְקוּ חַבְרַיָּיא מֵהַהוּא אִדְּרָא, מִיתוּ ר׳ יוֹסֵי בַּר׳ יַעֲקֹב, וְר׳ חִזְקִיָּה, וְר׳ יֵיסָא. וְחָמוּ חַבְרַיָּיא, דַּהֲווּ נַטְלִין לוֹן מַלְאֲכִין קַדִּישִׁין בְּהַהוּא פַּרְסָא. וְאָר״שׁ מִלָּה, וְאִשְׁתְּכָכוּ. צָוַוח וְאָמַר, שֶׁמָּא ח״ו גְּזֵרָה אִתְגְּזַר עֲלָנָא לְאִתְעַנְשָׁא, דְּאִתְגְּלֵי עַל יְדָנָא, מַה דְּלָא אִתְגְּלֵי מִיּוֹמָא דְּקָאֵים מֹשֶׁה עַל טוּרָא דְּסִינַי, דִּכְתִּיב וַיְהִי שָׁם עִם יְיָ׳ אַרְבָּעִים יוֹם וְאַרְבָּעִים לַיְלָה וְגוֹ׳. מַה אֲנָא הָכָא. אִי בְּגִין דָּא אִתְעֲנָשׁוּ.

שנד. שָׁמַע קָלָא, זַכָּאָה אַנְתְּ ר״ש, זַכָּאָה חוּלָקָךְ וְחַבְרַיָּיא, אִלֵּין דְּקַיְּימִין בַּהֲדָךְ, דְּהָא אִתְגְּלֵי לְכוֹן מַה דְּלָא אִתְגְּלֵי לְכָל חֵילָא דִּלְעֵילָּא, אֲבָל ת״ח, דְּהָא כְּתִיב, בִּבְכוֹרוֹ יְיַסְּדֶנָּה וּבִצְעִירוֹ יַצִּיב דְּלָתֶיהָ. וְכ״ש דִּבְרְעוּ סַגֵּי וְתַקִּיף, אִתְדָּבָקוּ נַפְשָׁתְהוֹן בְּשַׁעֲתָא דָּא דְּאִתְנְסִיבוּ. זַכָּאָה חוּלָקְהוֹן, דְּהָא בִּשְׁלֵימוּתָא אִסְתָּלָקוּ.

שנה. תָּאנָא, בְּעוֹד דְּאִתְגַּלְיָין מִלִּין, אִתְרְגִישׁוּ עִלָּאִין וְתַתָּאִין, וְקָלָא אִתְּעַר בְּמָאתָן וְחַמְשִׁין עָלְמִין דְּהָא מִלִּין עַתִּיקִין לְתַתָּא אִתְגַּלְיָין, וְעַד דְּאִלֵּין מִתְבַּסְּמָן נִשְׁמָתַיְיהוּ בְּאִינּוּן מִלִּין, נַפְקָא נִשְׁמָתַיְיהוּ בִּנְשִׁיקָה, וְאִתְקַשַּׁר בְּהַהוּא פַּרְסָא, וְנַטְלִין לְהוּ מַלְאֲכֵי עִלָּאֵי, וְסַלְּקִין לוֹן לְעֵילָּא. וַאֲמַאי אִלֵּין. מִשּׁוּם דְּעָאלָן וְלָא נַפְקוּ זִמְנָא אָחֳרָא מִן קַדְמַת דְּנָא, וְכֻלְּהוּ אַחֲרִינֵי עָאלוּ וְנַפְקוּ.

שנו. אר״ש, כַּמָּה זַכָּאָה חוּלָקְהוֹן דְּהָנֵי תְּלָתָא, וְזַכָּאָה חוּלָקָנָא לְעָלְמָא דְּאָתֵי, בְּגִין דָּא. נְפַק קָלָא תִּנְיָינוּת וְאָמַר, וְאַתֶּם הַדְּבֵקִים בַּיְיָ׳ אֱלֹהֵיכֶם חַיִּים כֻּלְּכֶם הַיּוֹם. קָמוּ וַאֲזַלוּ. בְּכָל אֲתַר דַּהֲווּ מִסְתַּכְּלֵי סָלִיק רֵיחִין. אר״ש שְׁמַע מִינָּהּ, דְּעָלְמָא מִתְבָּרֵךְ בְּגִינָן.

והוו נהרין אנפוי דכלהו, ולא הוו יכלין בני עלמא לאסתכלא בהו.

שנז. תאנא, עשרה עאלו, ושבע נפקו, והוה חדי ר"ש. ורבי אבא עציב. יומא חד הוה יתיב ר"ש ורבי אבא עמיה, אר"ש מלה, וחמו לאלין תלתא דהוו מייתין להון מלאכין עלאין, ומחזיין להו גניזין ואדרין דלעילא, בגין יקרא דלהון. והוו עיילי לון בטורי דאפרסמונא דכיא. נח דעתיה דרבי אבא.

שנח. תאנא, מההוא יומא לא אעדו חבריא מבי ר"ש. וכד הוה ר"ש מגלה רזין, לא משתכחין תמן אלא אינון. והוה קארי להו רבי שמעון, שבעה אנן עיני יי'. דכתיב, שבעה אלה עיני יי' ועלן אתמר. א"ר אבא, אנן שיתא בוצינין, דנהרין משביעאה. אנת הוא שביעאה דכלא. דהא לית קיומא לשיתא, בר משביעאה. דכלא תלי בשביעאה. רבי יהודה קארי ליה שבת, דכלהו שיתא מניה מתברכין, דכתיב שבת ליי', קדש ליי', מה שבת ליי' קדש, אוף ר"ש שבת ליי' קדש.

שנט. אר"ש, תווהנא על ההוא חגיר וזריז, מאריה דשערי, אמאי לא אשתכח בבי אדרא דילן, בזמנא דאתגליין מלין אלין קדישין. אדהכי, אתא אליהו, ותלת קטפורי נהירין באנפוי. א"ל ר"ש, מ"ט לא שכיח מר בקרדוטא גליפא דמאריה, ביומא דהלולא.

שס. א"ל, חייך רבי שבע יומין אתבריר קמיה קודשא בריך הוא, כל אינון דייתון וישתכחון עמיה, על לא עיילתון בבי אדרא דלכון ואנא הוה זמין תמן, ובעינא קמיה לאשתכחא, וכדין קטיר בכתפוי ולא יכילנא, דההוא יומא שדרני קודשא בריך הוא, למעבד נסין לרב המנונא סבא וחבריו, דאתמסרו בארמונא דמלכא, וארחישנא להו בנסא, דרמינא להו כותלא דהיכלא דמלכא, ואתקטרו בקטרוי, דמיתו ארבעים וחמשה פרדשכי. ואפיקנא לרב המנונא וחבריו ורמינא לון לבקעת אונו, ואשתזיבו. וזמינא קמייהו נהמא ומייא, דלא אכלו תלתא יומין. וכל ההוא יומא לא בדילנא מנייהו.

שסא. וכד תבנא, אשכחנא פרסא דנטלו כל אינון סמכין, ותלת מן חבריא עלה, ושאילנא לון. ואמרו חולקא דקודשא בריך הוא, מהלולא דר"ש וחבריו. זכאה אנת ר"ש, וזכאה חולקך, וחולקא דאינון חבריא דיתבין קמך. כמה דרגין אתתקנו לכון לעלמא דאתי. כמה בוצינין דנהורין זמינין לנהרא לכו.

שסב. ות"ח, יומא דין בגינך אתעטרו חמשין כתרין לרבי פנחס בן יאיר חמוך. ואנא אזילנא עמיה בכל אינון נהרי דטורי דאפרסמונא דכיא, והוא בריר דוכתיה, ואתתקן. א"ל, קטורין צדיקייא בקרטופא דעטרין, בריש ירחי ובזמני ושבתי, יתיר מכל שאר יומין.

שסג. א"ל, ואף כל אינון דלבר, דכתיב והיה מדי חדש בחדשו ומדי שבת בשבתו וגו'. אי אלין אתיין, כ"ש צדיקייא. מדי חדש בחדשו, למה. משום דמתעטרי אבהתא רתיכא קדישא. ומדי שבת בשבתו, דמתעטר שביעאה דכל אינון שיתא יומין, דכתיב ויברך אלהים את יום השביעי וגו'.

שסד. ואנת הוא ר"ש, שביעאה דשיתא, תהא מתעטר ומתקדש יתיר מכלא. ותלת עדונין דמשתכחין בשביעאה, זמינין חבריא אלין צדיקייא לאתעדנא בגינך לעלמא דאתי. וכתיב וקראת לשבת ענג לקדוש יי' מכובד. מאן הוא קדוש יי'. דא ר' שמעון בן יוחאי, דאקרי מכובד בעלמא דין, ובעלמא דאתי.

עַד כָּאן הָאִדְרָא קַדִּישָׁא רַבָּא

קלה. דַּבֵּר אֶל אַהֲרֹן וְאֶל בָּנָיו לֵאמֹר כֹּה תְבָרְכוּ וְגוֹ'. רַבִּי יִצְחָק פָּתַח וְאָמַר, וְחֶסֶד יְיָ' מֵעוֹלָם וְעַד עוֹלָם עַל יְרֵאָיו וְצִדְקָתוֹ לִבְנֵי בָנִים. כַּמָּה גְּדוֹלָה הַיִּרְאָה לִפְנֵי הַקּוּדְשָׁא בְּרִיךְ הוּא, שֶׁבִּכְלַל הַיִּרְאָה עֲנָוָה, וּבִכְלַל הָעֲנָוָה חֲסִידוּת. נִמְצָא שֶׁכָּל מִי שֶׁיֵּשׁ בּוֹ יִרְאַת חֵטְא, יֶשְׁנוֹ בְּכֻלָּן וּמִי שֶׁאֵינוֹ יְרֵא שָׁמַיִם, אֵין בּוֹ לֹא עֲנָוָה וְלֹא חֲסִידוּת.

קלו. תָּאנָא, מִי שֶׁיָּצָא מִן הַיִּרְאָה, וְנִתְלַבֵּשׁ בָּעֲנָוָה, עֲנָוָה עָדִיף, וְנִכְלַל בְּכֻלְּהוּ. הה"ד, עֵקֶב עֲנָוָה יִרְאַת יְיָ'. כָּל מִי שֶׁיֵּשׁ בּוֹ יִרְאַת שָׁמַיִם, זוֹכֶה לָעֲנָוָה. כָּל מִי שֶׁיֵּשׁ בּוֹ עֲנָוָה, זוֹכֶה לַחֲסִידוּת. וְכָל מִי שֶׁיֵּשׁ בּוֹ יִרְאַת שָׁמַיִם, זוֹכֶה לְכֻלָּם. לָעֲנָוָה, דִּכְתִיב עֵקֶב עֲנָוָה יִרְאַת יְיָ'. לַחֲסִידוּת, דִּכְתִיב וְחֶסֶד יְיָ' מֵעוֹלָם וְעַד עוֹלָם עַל יְרֵאָיו.

קלז. תָּאנָא, כָּל אָדָם שֶׁיֵּשׁ בּוֹ חֲסִידוּת, נִקְרָא מַלְאַךְ יְיָ' צְבָאוֹת. הה"ד, כִּי שִׂפְתֵי כֹהֵן יִשְׁמְרוּ דַעַת וְתוֹרָה יְבַקְשׁוּ מִפִּיהוּ כִּי מַלְאַךְ יְיָ' צְבָאוֹת הוּא. מִפְּנֵי מָה זָכָה כֹּהֵן לְהִקָּרֵא מַלְאַךְ יְיָ' צְבָאוֹת. אָמַר ר' יְהוּדָה, מַה מַּלְאַךְ יְיָ' צְבָאוֹת, כֹּהֵן לְמַעְלָה, אַף כֹּהֵן מַלְאַךְ יְיָ' צְבָאוֹת לְמַטָּה.

קלח. וּמַאן הוּא מַלְאַךְ יְיָ' צְבָאוֹת לְמַעְלָה. זֶה מִיכָאֵ"ל הַשַּׂר הַגָּדוֹל, דְּאָתֵי מֵחֶסֶד שֶׁל מַעְלָה, וְהוּא כֹּהֵן גָּדוֹל שֶׁל מַעְלָה, כִּבְיָכוֹל, כֹּהֵן גָּדוֹל דִּלְתַתָּא, אִקְרֵי מַלְאַךְ יְיָ' צְבָאוֹת, מִשּׁוּם דְּאָתֵי מִסִּטְרָא דְּחֶסֶד. מַהוּ חֶסֶד. רַחֲמֵי גּוֹ רַחֲמֵי. וּבְגִין כָּךְ, כֹּהֵן לָא אִשְׁתְּכַח מִסִּטְרָא דְּדִינָא. מ"ט זָכָה כֹּהֵן לְחֶסֶד, בְּגִין הַיִּרְאָה. הה"ד וְחֶסֶד יְיָ' מֵעוֹלָם וְעַד עוֹלָם עַל יְרֵאָיו.

קלט. עוֹלָם וְעוֹלָם מַהוּ. אָמַר רַבִּי יִצְחָק כְּמָה דְּאִתְתְּקַן בְּאִדְּרָא קַדִּישָׁא, עוֹלָם חַד, וְעוֹלָם תְּרֵי. א"ר חִיָּיא אִי הָכִי מִן הָעוֹלָם וְעַד הָעוֹלָם מִבְּעֵי לֵיהּ. א"ל, תְּרֵי עָלְמֵי נִינְהוּ. וְאִתְהַדְּרוּ לְחַד. א"ר אֶלְעָזָר לר' יִצְחָק עַד מָתַי תִּסְתּוֹם דְּבָרִיךְ. מִן הָעוֹלָם וְעַד הָעוֹלָם, כְּלָלָא דְּרָזָא עִלָּאָה, אָדָם דִּלְעֵילָּא, וְאָדָם דִּלְתַתָּא, וְהַיְינוּ עוֹלָם וְעוֹלָם. וּכְתִיב יְמֵי עוֹלָם, וּכְתִיב שְׁנוֹת עוֹלָם, וְהָא אוּקְמוּהָ בְּאִדְּרָא קַדִּישָׁא עִלָּאָה.

קמ. עַל יְרֵאָיו, דְּכָל מַאן דְּאִיהוּ דָּחִיל חַטָּאָה, אִקְרֵי אָדָם. אֵימָתַי. א"ר אֶלְעָזָר, דְּאִית בֵּיהּ יִרְאָה עֲנָוָה חֲסִידוּת, כְּלָלָא דְּכֹלָּא.

קמא. אָמַר רַבִּי יְהוּדָה, וְהָא תָּנֵינָן אָדָם כְּלָלָא דִּדְכַר וְנוּקְבָא. א"ל וַדַּאי הָכָא הוּא, בִּכְלָלָא דְּאָדָם, דְּמַאן דְּאִתְחַבַּר דְּכַר וְנוּקְבָא, אִקְרֵי אָדָם, וּכְדֵין דָּחִיל חַטָּאן. וְלָא עוֹד אֶלָּא שַׁרְיָא בֵּיהּ עֲנָוָה. וְלָא עוֹד אֶלָּא דְּשַׁרְיָא בֵּיהּ חֶסֶד. וּמַאן דְּלָא אִשְׁתְּכַח דְּכַר וְנוּקְבָא, לָא הֲוֵי בֵּיהּ לָא יִרְאָה וְלָא עֲנָוָה וְלָא חֲסִידוּת. וּבְגִין כָּךְ אִקְרֵי אָדָם כְּלָלָא דְּכֹלָּא, וְכֵיוָן דְּאִקְרֵי אָדָם, שַׁרְיָיא בֵּיהּ חֶסֶד, דִּכְתִיב אָמַרְתִּי עוֹלָם חֶסֶד יִבָּנֶה וְגוֹ'. וְלָא יָכִיל לְאִתְבְּנָאָה, אִי לָא אִשְׁתְּכַח דְּכַר וְנוּקְבָא.

קמב. וּכְתִיב וְחֶסֶד יְיָ' מֵעוֹלָם וְעַד עוֹלָם עַל יְרֵאָיו. יְרֵאָיו כְּלָלָא דְּאָדָם. ד"א וְחֶסֶד יְיָ' מֵעוֹלָם וְעַד עוֹלָם, אִלֵּין אִינּוּן כַּהֲנֵי דְּאָתוּ מִסִּטְרָא דְּחֶסֶד, וְאַחֲסִינוּ אַחְסַנְתָּא דָּא דְּנָחִית מֵעוֹלָם דִּלְעֵילָּא לְעוֹלָם דִּלְתַתָּא. עַל יְרֵאָיו, כַּהֲנֵי דִּלְתַתָּא, דִּכְתִיב וְכִפֶּר בַּעֲדוֹ וּבְעַד בֵּיתוֹ לְאִתְכַּלְלָא בִּכְלָלָא דְּאָדָם. וְצִדְקָתוֹ לִבְנֵי בָנִים, מִשּׁוּם דְּזוֹכֶה לִבְנֵי בָּנִים. אָמַר רַבִּי יְהוּדָה, אִי הָכִי, מַהוּ וְצִדְקָתוֹ, וְחַסְדּוֹ מִבְּעֵי לֵיהּ.

קמג. אָמַר רַבִּי אֶלְעָזָר, הַיְינוּ רָזָא דְּתָנֵינָן בְּזֹאת, כִּי מֵאִישׁ לֻקֳחָה זֹּאת. וּכְתִיב לְזֹאת יִקָּרֵא אִשָּׁה, וְזֹאת אִתְכְּלִילַת בְּאִישׁ, דְּהַיְינוּ חֶסֶד, וְזֹאת נוּקְבָא. וְחֶסֶד דְּכַר. וּבְגִין כָּךְ דְּכַר דְּאָתֵי מִסִּטְרָא דְּחִוָּורָא דָּא, אִקְרֵי חֶסֶד. וְזֹאת אִתְקְרֵי צֶדֶק, דְּאַתְיָא מִסְּטַר

סוּמָקָא. וּבְגִּין כַּךְ אִקְרֵי אִשָּׁה. וְהַיְינוּ דִּכְתִּיב וְצִדְקָתוֹ, מַאי וְצִדְקָתוֹ. צִדְקָתוֹ דְּחֶסֶד, בַּת זוּגוֹ, דְּאִתְבַּסְּמָא דָּא בְּדָא. וּבְגִּין כַּךְ תָּנֵינָן, כָּל כֹּהֵן שֶׁאֵין לוֹ בַּת זוּג, אָסוּר בַּעֲבוֹדָה, דִּכְתִּיב וְכִפֶּר בַּעֲדוֹ וּבְעַד בֵּיתוֹ.

קמד. אָמַר ר' יִצְחָק, מִשּׁוּם דְּלֵית שְׁכִינְתָּא שַׁרְיָא, בְּמַאן דְּלָא אַנְסִיב, וְכַהֲנֵי בַּעְיָין יַתִּיר מִכָּל שְׁאַר עַמָּא, לְאַשְׁרְיָיא בְּהוּ שְׁכִינְתָּא. וְכֵיוָן דְּשָׁרַת בְּהוּ שְׁכִינְתָּא, שַׁרְיָא בְּהוּ חֶסֶד, וְאִקְרוּן חֲסִידִים. וּבַעְיָין לְבָרְכָא עַמָּא, הה"ד וַחֲסִידֶיךָ יְבָרְכוּכָה. וּכְתִיב, תֻּמֶּיךָ וְאוּרֶיךָ לְאִישׁ חֲסִידֶךָ. וּמִשּׁוּם דְּכַהֲנָא אִקְרֵי חָסִיד, בָּעֵי לְבָרְכָא. וּבְגִּין כַּךְ כְּתִיב, דַּבֵּר אֶל אַהֲרֹן וְאֶל בָּנָיו לֵאמֹר כֹּה תְבָרְכוּ. מַאי טַעֲמָא. מִשּׁוּם דְּאִקְרוּן חֲסִידִים, וּכְתִיב וַחֲסִידֶיךָ יְבָרְכוּכָה.

קמה. כֹּה תְבָרְכוּ אֶת בְּנֵי יִשְׂרָאֵל אָמוֹר לָהֶם, כֹּה תְבָרְכוּ, בִּלְשׁוֹן הַקֹּדֶשׁ. כֹּה תְבָרְכוּ, בְּיִרְאָה. כֹּה תְבָרְכוּ, בַּעֲנָוָה. אָמַר ר' אַבָּא, כֹּה תְבָרְכוּ, תָּאנָא, הַאי צֶדֶ"ק אִתְקְרֵי כֹּ"ה, דְּכָל דִּינִין מִתְעָרִין מִכֹּ"ה, וְהַיְינוּ דְּאָמַר ר' אֶלְעָזָר, מַהוּ מַכָּה רַבָּה. כְּלוֹמַר, מַכָּה מִן כֹּה. וּכְתִיב וְהִנֵּה לֹא שָׁמַעְתָּ עַד כֹּ"ה, כְּמָה דְּאַגְזִים מֹשֶׁה. וּכְתִיב בְּזֹאת תֵּדַע כִּי אֲנִי יְיָ, וְכֹלָּא חַד, וּכְתִיב וְלֹא שָׁת לִבּוֹ גַּם לָזֹאת, דִּזְמִינָא לְחַרְבָּא אַרְעֵיהּ.

קמו. וּמֵהַאי כֹּ"ה מִתְעָרִין דִּינִין. וּמִדְּאִתְחַבַּר עִמָּהּ חֶסֶד, אִתְבַּסְּמַת. וּבְגִּין כַּךְ, אִתְמְסַר דָּא לְכֹהֵן, דְּאָתֵי מֵחֶסֶד, בְּגִּין דְּתִתְבָּרֵךְ וְתִתְבְּסַם כֹּ"ה, הה"ד כֹּה תְבָרְכוּ, כְּלוֹמַר, אַע"ג דְּהַאי כֹּה אִשְׁתְּכָחַת בְּדִינִין, תְּבַסְּמוּן לָהּ, וּתְבָרְכוּן לָהּ, דִּכְתִיב כֹּה תְבָרְכוּ אֶת בְּנֵי יִשְׂרָאֵל, תְּבָרְכוּ בְּהַאי חֶסֶד לְכֹ"ה, וּתְבַסְּמוּן לָהּ לְקַבְלַיְיהוּ דְּיִשְׂרָאֵל, בְּגִּין דְּלָא יִשְׁתַּכְּחוּן בָּהּ דִּינִין.

קמז. הה"ד כֹּה תְבָרְכוּ אֶת בְּנֵי יִשְׂרָאֵל אָמוֹר לָהֶם. אִמְרוּ לֹא כְּתִיב, אֶלָּא אָמוֹר, לְאַפָּקָא מִשֶּׁרְבּוּ הַפְּרִיצִים, דְּלָא מְפַרְסְמִין מִלָּה, דְּהָא לָא אִתְפַּקְדוּ לְפַרְסְמָא שְׁמָא, מַשְׁמַע דִּכְתִיב אָמוֹר לָהֶם. אָמוֹר סְתָם. ד"א אָמוֹר כֵּיוָן דִּכְתִיב כֹּה תְבָרְכוּ, אֲמַאי לָא כְּתִיב תֹּאמְרוּ. אֶלָּא תָּנֵי ר' יְהוּדָה, אָמוֹר לָהֶם. זָכוּ לָהֶם, לֹא זָכוּ אָמוֹר סְתָם.

קמח. ר' יִצְחָק פָּתַח, וְרָאִיתִי אֲנִי דָנִיֵּאל לְבַדִּי אֶת הַמַּרְאָה וְהָאֲנָשִׁים אֲשֶׁר הָיוּ עִמִּי לֹא רָאוּ אֶת הַמַּרְאָה וְגוֹ'. וְרָאִיתִי אֲנִי דָנִיֵּאל לְבַדִּי. וְהָא תָּנֵינָן, אִינְהוּ נְבִיאֵי, וְאִיהוּ לָאו נָבִיא, וּמַאן נִינְהוּ. חַגַּי זְכַרְיָה וּמַלְאָכִי. אִי הָכִי, אִתְעֲבִיד קֹדֶשׁ חוֹל, וְהָא כְּתִיב לֹא רָאוּ, אֲמַאי דְּחִילוּ. וּבְדָנִיֵּאל כְּתִיב וְרָאִיתִי אֲנִי, וְלָא דָּחִיל. וְאִיהוּ לָאו נָבִיא, הָא חוֹל קֹדֶשׁ.

קמט. אֶלָּא הָכִי תָּאנָא, כְּתִיב אִם תַּחֲנֶה עָלַי מַחֲנֶה לֹא יִירָא לִבִּי אִם תָּקוּם עָלַי מִלְחָמָה בְּזֹאת אֲנִי בוֹטֵחַ. בְּזֹאת הָא דְּאַמָרָן זֹאת עַדְבָא וְחוּלָקֵיהּ, לְאַחֲסָנָא, וּלְמֶעְבַּד לֵיהּ נוּקְמִין. וְתָנָא, עָבִיד קוּדְשָׁא בְּרִיךְ הוּא לְדָוִד, רְתִיכָא קַדִּישָׁא עִם אֲבָהָתָא, כִּתְרִין עִלָּאִין קַדִּישִׁין דְּכֹלָּא, דְּאַחֲסִינוּ אֲבָהָתָא. וְתָאנָא, מַלְכוּ יָרִית דָּוִד לִבְנוֹי בַּתְרוֹי. וּבַאֲתַר מַלְכוּ דִּלְעֵילָּא, אִתָּקַף, וְאַחֲסִין הוּא וּבְנוֹי מַלְכוּ דָּא, דְּלָא אַעְדֵּי מִשּׁוּלְטָנֵהוֹן לְדָרֵי דָּרִין.

קנ. וְתָאנָא, בְּשַׁעְתָּא דְּהַאי כִּתְרָא דְּמַלְכוּתָא אִתְעַר לִבְנוֹי דְּדָוִד, לֵית מַאן דְּקָאִים קַמֵּיהּ. וְרָאִיתִי אֲנִי דָנִיֵּאל לְבַדִּי אֶת הַמַּרְאָה, מִשּׁוּם דְּמִבְּנוֹי דְּדָוִד הֲוָה, דִּכְתִיב וַיְהִי בָהֶם מִבְּנֵי יְהוּדָה דָּנִיֵּאל חֲנַנְיָה וְגוֹ'. וְהוּא חָמָא וְחַדֵּי בְּהַאי דְּהוּא מִסְּטַר אַחֲסָנַת חוּלָקָא עַדְבָא דַּאֲבוֹי, וּמִשּׁוּם דַּהֲוָה דִּילֵיהּ הוּא סָבִיל, וְאַחֲרִינֵי לָא סַבְלֵי. דְּאָמַר רַבִּי שִׁמְעוֹן, בְּשַׁעְתָּא

דְהַאי כ"ה אִתְעַר בְּדִינוֹי, לָא יַכְלִין בְּנֵי עָלְמָא לְמֵיקַם קָמֵיהּ.

קנא. וּבְשַׁעֲתָא דְפָרְסִין כַּהֲנֵי יְדַיְיהוּ, דְאַתְיָין מֵחֶסֶד, אִתְעַר וָחֶסֶד דִלְעֵילָא, וְאִתְחַבַּר בְּהַאי כֹּה, וּמִתְבַּסְמָא וּמִתְבָּרְכָא בְּאַנְפִּין נְהִירִין לִבְנֵי יִשְׂרָאֵל, וְאִתְעֲדֵי מִנְּהוֹן דִינִין, הה"ד כֹּה תְבָרֲכוּ אֶת בְּנֵי יִשְׂרָאֵל, וְלָא לִשְׁאָר עַמִּין.

קנב. בְּגִין כָּךְ כֹּהֵן, וְלָא אַחֲרָא. כֹּהֵן בְּגִין דְיִתְעַר הַאי כִּתְרָא דִילֵיהּ חֶסֶ"ד, עַל יְדוֹי, דְאִקְרֵי חָסִיד, דִכְתִּיב לְאִישׁ חֲסִידֶךָ. וְהוּא אָתֵי מִסִּטְרָא דְחֶסֶד. וּכְתִיב וַחֲסִידֶיךָ יְבָרְכוּכָה, אַל תִּקְרֵי יְבָרְכוּכָה, אֶלָּא יְבָרְכוּ כ"ה. כֹּה תְבָרֲכוּ, בְּשֵׁם הַמְּפוֹרָשׁ. כֹּה תְבָרְכוּ, בִּלְשׁוֹן הַקֹּדֶשׁ.

קנג. תָּאנָא, אָמַר ר' יְהוּדָה, בְּשַׁעֲתָא דְכַהֲנָא דִלְתַתָּא קָם וּפָרִיס יְדוֹי, כָּל כִּתְרִין קַדִּישִׁין דִלְעֵילָא מִתְעָרִין, וּמִתְתַּקְנִין לְאִתְבָּרְכָא, וְנַהֲרִין מֵעוֹמְקָא דְבֵירָא, דְאִתְמְשָׁךְ לְהוּ מֵהַהוּא עוֹמְקָא דְנָפַק תָּדִיר, וְלָא פָּסִיק בִּרְכָאן דְנָבְעָן, מַבּוּעִין לְכֻלְּהוּ עָלְמִין וּמִתְבָּרְכָן וּמִתְשַׁקְיָין מִכֻּלְּהוּ.

קנד. וְתָאנָא, בְּהַהוּא זִמְנָא, לְחֵישׁוּתָא וּשְׁתִיקוּתָא הֲוֵי בְּכָל עָלְמִין. לְמֶלֶךְ דְבָעֵי לְאִזְדַּוְּוגָא בְּמַטְרוֹנִיתָא, וּבָעֵי לְמֵיעַאל לָהּ בִּלְחִישׁוּ, וְכָל שַׁמָּשִׁין מִתְעָרִין בְּהַהוּא זִמְנָא וּמִתְלַחֲשִׁין, הָא מַלְכָּא אָתֵי לְאִזְדַּוְּוגָא בְּמַטְרוֹנִיתָא. מַאן מַטְרוֹנִיתָא. דָּא כְּנֶסֶת יִשְׂרָאֵל. מַאן כ"י. כְּנֶסֶת יִשְׂרָאֵל סְתָם.

קנה. תָּאנָא אָמַר ר' יִצְחָק, כֹּהֵן בָּעֵי לְזַקְפָא יְמִינָא עַל שְׂמָאלָא, דִכְתִּיב וַיִּשָּׂא אַהֲרֹן אֶת יָדָו אֶל הָעָם וַיְבָרְכֵם. יָדוֹ כְּתִיב, וְלָא יָדָיו. מִשּׁוּם דְשִׁבְחָא דִימִינָא עַל שְׂמָאלָא. אָמַר רִבִּי אֶלְעָזָר, רָזָא הוּא, מִשּׁוּם דִכְתִּיב וְהוּא יִמְשׁוֹל בָּךְ.

קנו. תָּאנָא, כֹּהֵן דְבָעֵי לְפָרְסָא יְדוֹי, בָּעֵי דְיִתּוֹסַף קְדוּשָּׁה עַל קְדוּשָּׁה דִילֵיהּ, דְבָעֵי לְקַדְּשָׁא יְדוֹי, עַל יְדָא דְקַדִּישָׁא. מַאן יְדָא דְקַדִּישָׁא. דָּא לֵיוָאָה. דְבָעֵי כַּהֲנָא לִיטּוֹל קְדוּשָּׁה דְמַיָּא מִידוֹי, דִכְתִּיב וְקִדַּשְׁתָּ אֶת הַלְוִיִּם, הָא אִינּוּן קַדִּישִׁין. וּכְתִיב בְּהוּ בַּלְוִיִּם, וְגַם אֶת אַחֶיךָ מַטֵּה לֵוִי וְגוֹ'. שֵׁבֶט אָבִיךָ כְּלָל. מִכָּאן, דְכָל כֹּהֵן דְפָרִיס יְדוֹי, בָּעֵי לְאִתְקַדְּשָׁא ע"י דְקַדִּישָׁא, לְיִתּוֹסַף קְדוּשָּׁה עַל קְדוּשָּׁתֵיהּ. וְעַל דָּא, לָא יִטּוֹל קְדוּשָּׁה דְמַיָּא, מִבַּר נָשׁ אַחֲרָא, דְלָא הֲוֵי קַדִּישָׁא.

קנז. וּבִצְנִיעוּתָא דְסִפְרָא תָּאנָא, לֵוִי דְאִתְקַדַּשׁ כַּהֲנָא עַל יְדוֹי, בָּעֵי הוּא לְאִתְקַדְּשָׁא בְּקַדְמֵיתָא. וְאַמַּאי לֵוִי, וְיִתְקַדַּשׁ עַל יְדָא דְכַהֲנָא אַחֲרָא. תָּאנָא, כַּהֲנָא אַחֲרָא לָא בָּעֵי, דְהָא כֹּהֵן דְלָא שְׁלִים, לָא בָּעֵי הַאי כַּהֲנָא שְׁלִים, לְאִתְפְּגַם עַל יְדָא דִפְגִימָא דְלָא שְׁלִים. אֲבָל לֵוִי דְאִיהוּ שְׁלִים, וְאִתְחֲזֵי לְסַלְּקָא בְּדוּכְנָא, וּלְמִפְלַח בְּמַשְׁכַּן זִמְנָא, הָא שְׁלִים הוּא, וְהָא אִקְרֵי קָדוֹשׁ, דִכְתִּיב וְקִדַּשְׁתָּ אֶת הַלְוִיִּם. א"ר תַּנְחוּם, אַף אִקְרֵי טָהוֹר, דִכְתִּיב וְטִהַרְתָּ אוֹתָם. וּבְגִין כָּךְ בָּעֵי לְאוֹסְפָא כַּהֲנָא קְדוּשָּׁה עַל קְדוּשָּׁתֵיהּ.

קנח. תָּאנָא, כַּהֲנָא דְפָרִיס יְדוֹי, בָּעֵי דְלָא יִתְחַבְּרוּן אֶצְבְּעָן דָּא בְּדָא, בְּגִין דְיִתְבָּרְכוּן כִּתְרִין קַדִּישִׁין, כָּל חַד וְחַד בִּלְחוֹדוֹי, כְּמָה דְאִתְחֲזֵי לֵיהּ. בְּגִין דִשְׁמָא קַדִּישָׁא בָּעֵי לְאִתְפָּרְשָׁא בְּאַתְוָון רְשִׁימִין דְלָא לְאַעְרְבָא דָּא בְּדָא. וּלְאִתְכַּוְּונָא בְּאִינּוּן מִלִּין.

קנט. א"ר יִצְחָק, בָּעֵי קוּדְשָׁא בְּרִיךְ הוּא דְיִתְבָּרְכוּן עִלָּאֵי, בְּגִין דְיִתְבָּרְכוּן תַּתָּאֵי, וְיִתְבָּרְכוּן עִלָּאֵי דְאִינּוּן קַדִּישִׁין בִּקְדוּשָּׁה עִלָּאָה, עַל יְדָא דְתַתָּאֵי, דְאִינּוּן קַדִּישִׁין בִּקְדוּשָּׁה עִלָּאָה, דְאִינּוּן קַדִּישִׁין מִכָּל קַדִּישִׁין דִלְתַתָּא, דִכְתִּיב וַחֲסִידֶיךָ יְבָרְכוּכָה.

קס. א"ר יְהוּדָה, כָּל כֹּהֵן דְלָא יָדַע רָזָא דָּא, וּלְמַאן מְבָרֵךְ, וּמַאן הִיא בִּרְכָתָא

דִּמְבָרֵךְ, לָאו בִּרְכָתָא דִּילֵיהּ בִּרְכָתָא, וְהַיְינוּ דִּכְתִּיב, כִּי שִׂפְתֵי כֹהֵן יִשְׁמְרוּ דַעַת וְתוֹרָה יְבַקְשׁוּ מִפִּיהוּ. מַאי דַעַת. דַּעַת סְתָם. וְתוֹרָה יְבַקְשׁוּ מִפִּיהוּ, עִלָּאִין, יְבַקְשׁוּ מִפִּיהוּ. וּמַאי יְבַקְשׁוּ מִפִּיהוּ. תּוֹרָה. תּוֹרָה סְתָם, הֵיךְ אֲוִידָא תּוֹרָה דִּלְעֵילָּא דְּאִקְרֵי תּוֹרָה סְתָם. דְּתַנְיָא, תּוֹרָה שֶׁבִּכְתָב וְתוֹרָה שֶׁבְּע״פ בְּאִינּוּן כִּתְרִין עִלָּאִין דְּאִתְקְרוּן הָכִי. מ״ט. כִּי מַלְאַךְ יְיָ׳ צְבָאוֹת הוּא. וְתָנֵינָא, דְּבָעֵי כַּהֲנָא לְכַוְּונָא בְּאִינּוּן מִלִּין דִּלְעֵילָּא, לְיַיחֲדָא שְׁמָא קַדִּישָׁא כְּמָה דְּאִצְטְרִיךְ.

קסא. אָמַר ר״ש, תָּאנָא בִּצְנִיעוּתָא דְּסִפְרָא, שְׁמָא קַדִּישָׁא אִתְגַּלְיָיא וְאִתְכַּסְיָיא. דְּאִתְגַּלְיָיא, כְּתִיב בְּיו״ד הֵ״א וָא״ו הֵ״א. דְּאִתְכַּסְיָיא כְּתִיב בְּאַתְוָון אַחֲרָנִין, וְהַהוּא דְּאִתְכַּסְיָיא הוּא טְמִירוּ דְּכֹלָּא. א״ר יְהוּדָה, וַאֲפִילּוּ הַהוּא דְּאִתְגַּלְיָיא, אִתְכַּסְיָא בְּאַתְוָון אַחֲרָן, בְּגִין הַהוּא טְמִירָא דִּטְמִירִין בְּגוֹ.

קסב. דְּהָא הָכָא בָּעֵי כַּהֲנָא לְצָרְפָא שְׁמָא קַדִּישָׁא, וּלְמֵיוַזת רַחֲמֵי, דִּכֻלְּהוּ כְּלִילָן בְּדִיבּוּר דְּכ״ב אַתְוָון כִּתְרֵי דְּרַחֲמֵי. וּבְהָנֵי אַתְוָון דְּהַאי שְׁמָא, סְתִימָאן כ״ב מְכִילָן דְּרַחֲמֵי, וי״ג דְּעַתִּיקָא סָתִים וְגָנִיז מִכֹּלָּא, וט׳ דְּאִתְגַּלְיָין מִזְּעֵיר אַנְפִּין וּמִתְחַבְּרָן כֻּלְּהוּ בְּצֵירוּפָא דִּשְׁמָא חַד, דַּהֲוָה מְכַוֵּון כַּהֲנָא כַּד פְּרִיס יְדוֹי בְּכ״ב אַתְוָון גְּלִיפָן.

קסג. וְתָאנָא, כַּד הֲוָה צְנִיעוּתָא בְּעָלְמָא, הֲוָה מִתְגַּלְיָיא שְׁמָא דָא לְכֹלָּא. מִדְּאַסְגֵּי חֲצִיפוּתָא בְּעָלְמָא, סָתִים בְּאַתְווֹי. דְּכַד הֲוָה מִתְגַּלְיָיא. כַּהֲנָא מְכַוֵּין, וּשְׁמָא מִתְפָּרַשׁ. בְּמַאי מְכַוֵּין. מְכַוֵּין בִּסְתִימָא דִּטְמִיר וְגָנִיז, וּמִתְגַּלְיָיא וּמִתְפָּרַשׁ. מִדְּאַסְגֵּי חֲצִיפוּתָא בְּעָלְמָא, סָתִים כֹּלָּא בְּאַתְוָון רְשִׁימִין.

קסד. ות״ח, דְּכָל הָנֵי כ״ב מְכִילָן דְּרַחֲמֵי, מֹשֶׁה אֲמָרָן בִּתְרֵי זִמְנֵי. זִמְנָא קַדְמָאָה אָמַר, י״ג מְכִילָן דְּעַתִּיקָא דְּעַתִּיקִין סְתִימָא דְּכֹלָּא, לְנַחְתָא אִלֵּין לַאֲתַר דְּדִינָא אִשְׁתְּכַח, לְאַכְפְּיָא לְהוּ. זִמְנָא תִּנְיָינָא, אָמַר ט׳ מְכִילָן דְּרַחֲמֵי, דִּכְלִילָן בִּזְעֵיר אַנְפִּין, וּנְהִירִין מֵעַתִּיקָא סְתִימָאָה דְּכֹלָּא. וְכֻלְּהוּ כָּלִיל כַּהֲנָא כַּד פָּרֵיס יְדוֹי לְבָרְכָא עַמָּא, וּמִשְׁתַּכְחָן דְּמִתְבָּרְכָן כֻּלְּהוּ עָלְמִין בְּסִטְרָא דְּרַחֲמֵי, דְּאִתְמַשְׁכָן מֵעַתִּיקָא טְמִירָא סְתִימָאָה דְּכֹלָּא. וְכָל הָנֵי כ״ב אַתְוָון, מְכִילָן סְתִימָאן.

קסה. יְבָרֶכְךָ יְיָ׳ וְיִשְׁמְרֶךָ, אִלֵּין תְּלַת קְרָאֵי, וְג׳ שְׁמָהָן דִּתְרֵיסַר אַתְוָון כְּלִילָן לָקֳבְלֵיהוֹן, וּבְכֹלָּא אִתְכַּוָּון כַּהֲנָא. וְכָל עִלָּאֵי וְתַתָּאֵי מִתְבַּסְּמָן בְּכ״ב אַתְוָון, דִּסְתִימִין בְּהָנֵי ג׳ קְרָאֵי, לָקֳבֵיל כ״ב מְכִילָן דְּרַחֲמֵי דִּכְלִיל כֹּלָּא. וּבג״כ כְּתִיב אָמוֹר, וְלָא אִמְרוּ, כְּמָה דְּאוֹקִימְנָא. אָמוֹר. דְּבָעֵי לְכַוְּונָא בְּכָל הָנֵי סְתִימִין, בְּכָל הָנֵי דַּרְגִּין. אָמוֹר: בְּמִלִּין סְתִימִין דִּלְעֵילָּא. אָמוֹר: חוּשְׁבַּן רמ״ח אֵבָרִין דְּבְאָדָם חָסֵר חַד. מ״ט. דִּבְחַד תַּלְיָין כֻּלְּהוּ. וְכֻלְּהוּ מִתְבָּרְכָאן בְּהַאי בִּרְכָתָא, בְּהָנֵי תְּלַת קְרָאֵי, כִּדְאַמָרָן. לָהֶם: לְאִתְכַּלְּלָא בְּהַאי בִּרְכָתָא עִלָּאִין וְתַתָּאִין.

קסו. תָּאנָא, א״ר יוֹסֵי, יוֹמָא חַד יָתִיבְנָא קַמֵּיהּ דר״א ב״ר שִׁמְעוֹן, שָׁאִילְנָא לֵיהּ, אֲמֵינָא, רִבִּי מַאי קָא חָמָא דָּוִד דְּקָאָמַר אָדָם וּבְהֵמָה תוֹשִׁיעַ יְיָ׳, אָדָם תִּינַח, בְּהֵמָה לָמָּה. א״ל יָאוּת שָׁאַלְתָּ, כֹּלָּא בְּמִנְיָינָא הוּא, זָכוּ אָדָם, לָא זָכוּ בְּהֵמָה.

קסז. אֲמֵינָא, רִבִּי, רָזָא דְּמִלָּה קָא בָּעֵינָא. א״ל כֹּלָּא אִתְּמַר, ות״ח, קָרָא קוּדְשָׁא בְּרִיךְ הוּא לְיִשְׂרָאֵל אָדָם, כְּגַוְונָא דִּלְעֵילָּא. וְקָרָא לְהוּ בְּהֵמָה, וְכֹלָּא בְּחַד קְרָא, דִּכְתִּיב וְאַתֵּן צֹאנִי צֹאן מַרְעִיתִי וְגוֹ׳. וְאַתֵּן צֹאנִי צֹאן מַרְעִיתִי, הָא בְּהֵמָה. אָדָם אַתֶּם, הָא אָדָם. וְיִשְׂרָאֵל אִקְרוּ אָדָם וּבְהֵמָה, ובג״כ אָדָם וּבְהֵמָה תוֹשִׁיעַ יְיָ׳. וְעוֹד רָזָא

דְּמַלְכָּה, זָכוּ אָדָם כְּגַוְונָא דִּלְעֵילָּא. לָא זָכוּ, בְּהֵמָה אִקְרוּן. וְכֻלְּהוּ מִתְבָּרְכָאן בְּשַׁעֲתָא חֲדָא. אָדָם דִּלְעֵילָּא. וּבְהֵמָה דִּלְתַתָּא. וכ"ש דְּכֹלָּא אִית בְּהוּ בְּיִשְׂרָאֵל, הה"ד אָדָם וּבְהֵמָה תּוֹשִׁיעַ יְיָ'.

קסח. ות"ח, לֵית בִּרְכָתָא לְתַתָּא אִשְׁתַּכַּח, עַד דְּיִשְׁתְּכַח לְעֵילָּא. וּמִדְּאִשְׁתְּכַח לְעֵילָּא אוּף לְתַתָּא אִשְׁתַּכַּח, וְכֹלָּא הָכִי תַּלְיָא לְטָב וּלְבִישׁ. לְטָב, דִּכְתִּיב אֶעֱנֶה אֶת הַשָּׁמַיִם וְהֵם יַעֲנוּ אֶת הָאָרֶץ. לְבִישׁ, דִּכְתִּיב יִפְקוֹד יְיָ' עַל צְבָא הַמָּרוֹם בַּמָּרוֹם וְעַל מַלְכֵי הָאֲדָמָה עַל הָאֲדָמָה.

קסט. א"ר יְהוּדָה, בְּגִ"כ כְּתִיב אָמוֹר לָהֶם סְתָם, לְאִתְבָּרְכָא עִלָּאִין וְתַתָּאִין, כֻּלְּהוּ כַּחֲדָא. דִּכְתִּיב כֹּה תְבָרֲכוּ בְּתוֹסֶפְתָּא, וְאוֹזֵר כַּךְ אֶת בְּנֵי יִשְׂרָאֵל אָמוֹר לָהֶם סְתָם, לְאִתְבָּרְכָא כֻּלְּהוּ כַּחֲדָא, יְבָרֶכְךָ יְיָ', לְעֵילָּא. וְיִשְׁמְרֶךָ, לְתַתָּא. יָאֵר יְיָ' פָּנָיו, לְעֵילָּא. וִיחֻנֶּךָּ, לְתַתָּא. יִשָּׂא יְיָ' פָּנָיו, לְעֵילָּא. וְיָשֵׂם לְךָ שָׁלוֹם לְתַתָּא.

קע. ר' אַבָּא אָמַר, כֻּלְּהוּ כַּחֲדָא מִתְבָּרְכָאן, בְּכ"ב אַתְוָון גְּלִיפָן דִּשְׁמָא קַדִּישָׁא דְּאִתְכְּלִיל וְסָתִים הָכָא, בְּכ"ב אַתְוָון מִתְבָּרְכָאן כֻּלְּהוּ. וְאִינּוּן רַחֲמֵי גּוֹ רַחֲמֵי, דְּלָא אִשְׁתַּכַּח בְּהוּ דִּינָא. וְלָא, וְהָכְתִיב יִשָּׂא יְיָ' פָּנָיו אֵלֶיךָ. אָמַר רַבִּי אַבָּא, יִשָּׂא: יְסַלֵּק וְיַעֲבַר בְּגִין דְּלָא יִשְׁתַּכַּח דִּינָא כְּלָל.

קעא. תָּאנָא, אָמַר רַבִּי יוֹסֵי, בְּשַׁעֲתָא דְּכַהֲנָא פָּרִיס יְדוֹי, אָסִיר לֵיהּ לְעַמָּא לְאִסְתַּכְּלָא בֵּיהּ, מִשּׁוּם דִּשְׁכִינְתָּא שַׁרְיָא בִּידוֹי. א"ר יִצְחָק, אִי הָכִי, כֵּיוָן דְּלָא חָמָאן מַה אִכְפַּת לְהוּ, דְּהָא כְּתִיב כִּי לֹא יִרְאַנִי הָאָדָם וָחָי, בְּחַיֵּיהוֹן לָא חָמָאן, אֲבָל בְּמִיתַתְהוֹן חָמָאן. א"ל, מִשּׁוּם דִּשְׁמָא קַדִּישָׁא רְמִיזָא בְּאֶצְבְּעָן דִּידוֹי, וּבָעֵי ב"נ לְדַחֲלָא, אע"ג דְּלָא חָמָאן שְׁכִינְתָּא, לָא בָּעָאן לְאִסְתַּכְּלָא בִּידַיְיהוּ דְּכַהֲנֵי, בְּגִין דְּלָא יִשְׁתַּכְּחוּן עַמָּא חֲצִיפָאן לְגַבֵּי שְׁכִינְתָּא.

קעב. תָּאנָא, בְּהַהִיא שַׁעֲתָא דְּכַהֲנָא פָּרִיס יְדוֹי, צְרִיכִין עַמָּא לְמֵיתַב בִּדְחִילוּ, בְּאֵימְתָא, וְלִינְדַּע דְּהַהִיא שַׁעֲתָא, עִידָּן רְעוּתָא אִשְׁתַּכַּח בְּכֻלְּהוּ עָלְמִין, וּמִתְבָּרְכָן עִלָּאִין וְתַתָּאִין, וְלֵית דִּינָא בְּכֻלְּהוּ. וְהוּא שַׁעֲתָא, דְּאִתְגַּלֵּי סְתִימָא עַתִּיקָא דְּעַתִּיקִין בִּזְעֵיר אַנְפִּין וְאִשְׁתַּכַּח שְׁלָמָא בְּכֹלָּא.

קעג/א. אָמַר רַבִּי שִׁמְעוֹן, בְּהָנֵי תְּלַת קְרָאֵי רֵישַׁיְיהוֹן יו"ד יו"ד יו"ד, יְ"בָרֶכְךָ יָ"אֵר יִ"שָּׂא. כֻּלְּהוּ לְאַחֲזָאָה מְהֵימְנוּתָא שְׁלֵימָא. וּלְאִתְבָּרְכָא מֵעַתִּיקָא מַאן דְּאִצְטְרִיךְ. יו"ד יו"ד יו"ד, לְאִתְבָּרְכָא זְעֵיר אַנְפִּין מֵעַתִּיקָא דְּכֹלָּא. וּבְגִ"כ יְבָרֶכְךָ יְיָ' לְעֵילָּא, וְיִשְׁמְרֶךָ הוּא לְתַתָּא, וְכֵן כֻּלְּהוּ.

קעג/ב. וְתָאנֵי תָּנָא קָמֵיהּ דר"ש, הַאי מַאן דְּמִצְטַעֵר בְּחֶלְמֵיהּ, לֵיתֵי בְּשַׁעֲתָא דְּכַהֲנֵי פָּרְסֵי יְדַיְיהוּ, וְלֵימָא רבש"ע אֲנִי שֶׁלָּךְ וַחֲלוֹמוֹתַי שֶׁלָּךְ וְכוּ'. אַמַּאי. מִשּׁוּם דְּהַהִיא שַׁעֲתָא אִשְׁתַּכְּחוּ רַחֲמֵי בְּעָלְמִין כֻּלְּהוּ, וּמַאן דְּיִבְעֵי צְלוֹתֵיהּ בְּצַעֲרֵיהּ, אִתְהַפַּךְ לֵיהּ דִּינָא לְרַחֲמֵי.

קעד. פִּקּוּדָא דָּא לְבָרְכָא כַּהֲנָא יַת עַמָּא בְּכָל יוֹמָא, בִּזְקִיפוּ דְּאֶצְבְּעָן. וּלְבָרְכָא בִּרְכָתָא בְּכָל יוֹמָא, לְאִשְׁתַּכְּחָא בִּרְכָאן עֵילָּא וְתַתָּא. דְּהָא אֶצְבְּעָאן קַיְּימִן בְּרָזָא עִלָּאָה, חָמֵשׁ גּוֹ חָמֵשׁ. חָמֵשׁ דִּימִינָא, וְחָמֵשׁ דִּשְׂמָאלָא. חָמֵשׁ דִּימִינָא, אִינּוּן שְׁבָחָא יְתֵירָא עַל אִינּוּן דִּשְׂמָאלָא, בְּגִין, דְּהָא יְמִינָא אִית לֵיהּ שְׁבָחָא יְתֵירָא עַל שְׂמָאלָא. וְעַ"ד בְּבִרְכָתָא דְּקָא בָּרִיךְ כַּהֲנָא יַת עַמָּא, אִצְטְרִיךְ לְזַקְפָא יְמִינָא עַל שְׂמָאלָא.

וּלְעַיְינָא בְּעֵינָא טָבָא.

קעה. וְכַד פָּרִישׂ יְדוֹי כַּהֲנָא, שְׁכִינְתָּא שַׁרְיָא עַל אִינּוּן אֶצְבְּעָן, דְּהָא קוּדְשָׁא בְּרִיךְ הוּא אִסְתְּכַם עִמֵּיהּ דְּכַהֲנָא בְּאִינּוּן בִּרְכָאן. וְיִשְׂרָאֵל מִתְבָּרְכִין מִתְּרֵין סִטְרִין מֵעֵילָּא וְתַתָּא. מֵעֵילָּא, שְׁכִינְתָּא דְּשַׁרְיָא עַל אִינּוּן אֶצְבְּעָן. וְכַהֲנָא דְּקָא מְבָרֵךְ.

קעו. ת"ח, מִלִּין דְּקָא עַבְדֵי, מִתְעָרִין מִלִּין לְעֵילָּא. כְּגַוְונָא דָּא בִּפְרִישׂוּ דְּאֶצְבְּעָן דְּכַהֲנָא לְתַתָּא, אִתְעָרַת שְׁכִינְתָּא לְמֵיתֵי וּלְשַׁרְיָא עֲלָן. וְכֵן כַּמָּה מִלִּין אִינּוּן בְּעָלְמָא, דְּמִתְעָרִין מִלִּין לְעֵילָּא. דְּהָא בְּאִתְעָרוּתָא דִּלְתַתָּא, אִתְּעַר וְזִילָא אַחֲרָא לְעֵילָּא. וְהָא אוּקִימְנָא בְּכַמָּה דּוּכְתֵּי. וְהַיְינוּ טַעֲמָא דְּלוּלָב, וְהַיְינוּ טַעֲמָא דְּשׁוֹפָר. וּכְמָה אִינּוּן בְּהַאי גַּוְונָא עֶשֶׂר אֶצְבָּעָן, מִתְעָרֵי שְׁכִינְתָּא לְשַׁרְיָיא עֲלַיְיהוּ. מִתְעָרֵי עֶשֶׂר דַּרְגִּין אַחֲרָנִין לְעֵילָּא לְאַנְהָרָא, וְכֹלָּא בְּשַׁעֲתָא חֲדָא.

קעז. וְע"ד, אָסִיר לֵיהּ לְבַר נָשׁ לְזַקְפָא אֶצְבְּעָן בְּזִקִיפוּ לְמַגָּנָא, אֶלָּא בִּצְלוֹתָא, וּבְבִרְכָאן, וּבִשְׁמָא דְּקוּדְשָׁא בְּרִיךְ הוּא. וְהָא אוּקִימְנָא, דְּאִינּוּן אַתְעֲרוּ דִּשְׁמָא קַדִּישָׁא, וְרָזָא דִּמְהֵימְנוּתָא. זְקִיפוּ דְּאֶצְבְּעָאן, מְמָנָן בְּהַהוּא זְקִיפוּ דִּלְהוֹן, עֲשָׂרָה שַׁלִּיטִין, כְּמָה דְּאוּקְמוּהָ. וְכַהֲנָא בָּעֵי לְבָרְכָא בְּעֵינָא טָבָא, בְּאִסְתַּכְּמוּתָא דִּשְׁכִינְתָּא, כְּמָה דְּאִתְּמַר.

קעח. בְּהַהִיא שַׁעֲתָא דְּבִרְכְתָא דָּא נָפְקָא מִפּוּמֵיהּ דְּכַהֲנָא, אִינּוּן שִׁתִּין אַתְוָון, נָפְקִין וְטָסִין בִּרְקִיעָא, וּמְמָנָן שִׁתִּין רַבְרְבִין, עַל כָּל אָת וְאָת. וְכֻלְּהוּ אוֹדָן עַל כָּל אִלֵּין בִּרְכָאן. מַאי טַעֲמָא שִׁתִּין אַתְוָון בְּבִרְכָן אִלֵּין. בְּגִין דְּיִשְׂרָאֵל שִׁתִּין רִבּוֹא אִינּוּן, וְרָזָא דְּשִׁתִּין רִבּוֹא קַיְימִין בְּעָלְמָא, וְכָל חַד וְחַד אִיהוּ חַד רִבּוֹא.

קעט. שְׁמָא קַדִּישָׁא דְּנָפְקָא מֵהַאי, סַלְקָא לְעֵילָּא, עַד הַהוּא כֻּרְסְיָּיא דִּלְעֵילָּא. וְכֹלָּא שְׁכִינְתָּא עִלָּאָה, וּשְׁכִינְתָּא דִּלְתַתָּא, אוֹדָן בְּכַהֲנָא בְּאִינּוּן בִּרְכָאן, וְכָל אִינּוּן שִׁתִּין מְמָנָן. וְע"ד כְּתִיב, וְשָׂמוּ אֶת שְׁמִי עַל בְּנֵי יִשְׂרָאֵל וַאֲנִי אֲבָרְכֵם. וּכְדֵין קוּדְשָׁא בְּרִיךְ הוּא מְבָרֵךְ לוֹן לְיִשְׂרָאֵל.

קפ. פִּקּוּדָא בָּתַר דָּא, בִּרְכַּת כֹּהֲנִים יְבָרֶכְךָ יְיָ'. יָאֵר יְיָ'. יִשָּׂא יְיָ'. מְקוֹרָא מִתְּלַת שְׁמָהָן אִלֵּין, יו"ד ה"י וא"ו ה"י. קְדוּשָּׁה, אֶהְיֶ"ה אֶהְיֶ"ה אֶהְיֶ"ה, דִּמְקוֹרָא דִּילֵיהּ, יו"ד ה"א וא"ו ה"א. קְשׁוּרָא דִּתְרַוַיְיהוּ, יְווּד דִּתְרַוַויְיהוּ, אֲדֹנָ"י, דְּבֵיהּ א', דִּרְמִיזִין אִיהדונה"י וּרְמִיזִין א' רְבִיעָאָה, מִתְּרֵי שְׁמָהָן מְפָרְשָׁן, דִּרְשִׁימִין בְּהוֹן (ע"כ רַעְיָא מְהֵימְנָא).

קפא. וְשָׂמוּ אֶת שְׁמִי. מַהוּ וְשָׂמוּ אֶת שְׁמִי. א"ר יְהוּדָה, יְתַקְּנוּ. כְּמָה דִּכְתִּיב וְשָׂמוּ אוֹתָם אִישׁ אִישׁ עַל עֲבוֹדָתוֹ וְאֶל מַשָּׂאוֹ. לְאַתְקְנָא בְּבִרְכָתְהוֹן כִּתְרִין דִּימִינָא לִימִינָא, וְכִתְרִין דִּשְׂמָאלָא לִשְׂמָאלָא, כַּדְקָא חֲזֵי. דְּבָעְיָא דְּלָא יִטְעוּן בְּהוֹן, לְאַתְקְנָא כֹּלָּא, בְּגִין דְּיִתְבָּרְכוּן עִלָּאִין וְתַתָּאִין.

קפב. וְאִי יַעַבְדוּן הָכִי, מַה כְּתִיב. וַאֲנִי אֲבָרְכֵם. לְמַאן. לְאִינּוּן כַּהֲנֵי, דִּכְתִּיב וּמְבָרְכֶיךָ בָּרוּךְ. וּכְתִיב וַאֲבָרְכָה מְבָרְכֶיךָ. אִינּוּן מְבָרְכִין לְעַמָּא, וַאֲנָא אֲבָרֵךְ לְהוּ. וּלְפִיכָךְ כְּתִיב וְשָׂמוּ, וְלָא כְּתִיב יֹאמְרוּ, אוֹ יַזְכִּירוּ.

קפג. תָּאנָא, כָּל כֹּהֵן דְּלָא רַחֲמִין לֵיהּ עַמָּא, לָא יִפְרוֹס יְדוֹי. וְעוֹבָדָא הֲוָה בְּחַד כֹּהֵן דְּקָם וּפָרִיס יְדוֹי, וְעַד דְּלָא אַשְׁלִים, אִתְעֲבֵיד תִּלָּא דְּגַרְמֵי. מ"ט. מִשּׁוּם דְּלָא בְּרִיךְ בַּחֲבִיבוּתָא. וְקָם אַחֵר וּפָרִיס יְדוֹי וּבָרִיךְ, וְאִתְתַּקַּן הַהוּא יוֹמָא. כָּל כֹּהֵן דְּהוּא לָא רָחִים לְעַמָּא, אוֹ עַמָּא לָא רַחֲמִין לֵיהּ, לָא יִפְרוֹס יְדוֹי לְבָרְכָא לְעַמָּא, דִּכְתִּיב טוֹב עַיִן הוּא יְבוֹרָךְ אַל תִּקְרֵי יְבוֹרָךְ, אֶלָּא יְבָרֵךְ.

קפד. תָּאנָא, א״ר יִצְחָק, בֹּא וּרְאֵה מַה כְּתִיב בְּהַהוּא רָשָׁע דְּבִלְעָם, בְּשַׁעֲתָא דְּאִתְמְסַר לֵיהּ לְבָרְכָא לְיִשְׂרָאֵל, הֲוָה מִשְׁגַּח בְּעֵינָא בִּישָׁא, בְּגִין דְּלָא יִתְקַיַּים בִּרְכָתָא, וַהֲוָה תָּלֵי מִלּוֹי בְּהַהוּא עֵינָא בִּישָׁא, דִּכְתִיב נְאֻם בִּלְעָם בְּנוֹ בְעוֹר. מַאי בְּנוֹ בְעוֹר. מֵהַהוּא דַּהֲוָה סָאנֵי לְהוּ יַתִּיר מִכָּל בְּנֵי עָלְמָא. וּנְאֻם הַגֶּבֶר שְׁתֻם הָעָיִן, דְּסָתִים עֵינָא טָבָא מִנַּיְיהוּ, בְּגִין דְּלָא יִתְבָּרְכוּן, וְלָא יִתְקַיֵּים בִּרְכָתָא.

קפה. א״ר יְהוּדָה, הָכִי הוּא וַדַּאי, דְּאִשְׁתְּכַח פְּקִיחָא דְּעֵינָא לְבָרְכָא, דִּכְתִיב פְּקַח עֵינֶיךָ, בְּגִין לְבָרְכָא. וּבִרְכָתָא דְּרַב הַמְנוּנָא סָבָא, הָכִי אָמַר, קוּדְשָׁא בְּרִיךְ הוּא יִפְקַח עֵינוֹי עֲלָךְ. וּבְהַהוּא רָשָׁע כְּתִיב, שְׁתֻם הָעָיִן. בְּגִין דְּלָא יִתְבָּרְכוּן עַל יְדוֹי. וא״ר יִצְחָק, בְּג״כ כַּהֲנָא דִּבְרִיךְ בְּעֵינָא טָבָא, בִּרְכָתֵיהּ אִתְקַיָּים. וּדְלָא מְבָרֵךְ בְּעֵינָא טָבָא, כְּתִיב, אַל תִּלְחַם אֶת לֶחֶם רַע עָיִן וְאַל תִּתְאָו לְמַטְעַמּוֹתָיו, כְּלוֹמַר אַל תִּבְעוּ מִנֵּיהּ בִּרְכָתָא כְּלָל.

קפו. אָמַר ר׳ יוֹסֵי, ת״ח, כְּתִיב וְלֹא אָבָה יְיָ׳ אֱלֹהֶיךָ לִשְׁמוֹעַ אֶל בִּלְעָם וְגו׳. לִשְׁמוֹעַ אֶל בִּלְעָם, אֶל בָּלָק מִבָּעֵי לֵיהּ, דְּהָא עָבִיד בָּלָק כֹּלָּא, מַהוּ אֶל בִּלְעָם. אֶלָּא מִשּׁוּם דַּהֲוָה סָתִים עֵינוֹי, בְּגִין דְּלָא יִתְבָּרְכוּן יִשְׂרָאֵל. תָּאנָא, א״ר יוֹסֵי, א״ל קוּדְשָׁא בְּרִיךְ הוּא לְבִלְעָם, רָשָׁע, אַתְּ סָתִים עֵינָךְ בְּגִין דְּלָא יִתְבָּרְכוּן בָּנַי. אֲנָא אַפְקַח עֵינַי, וְכָל מִלִּין דְּתֵימָא, אֶהֱפַךְ לְהוּ לְבִרְכָאן. הה״ד, וַיַּהֲפֹךְ ה׳ אֱלֹהֶיךָ לְךָ אֶת הַקְּלָלָה לִבְרָכָה כִּי אֲהֵבְךָ וְגו׳.

קפז. וע״ד כְּתִיב, טוֹב עַיִן הוּא יְבוֹרָךְ כִּי נָתַן מִלַּחְמוֹ לַדָּל. מַהוּ מִלַּחְמוֹ. כְּמָה דְּאוֹקִימְנָא, דִּכְתִיב לֶחֶם אֱלֹהָיו מִקָּדְשֵׁי הַקֳּדָשִׁים וְגו׳. מַשְׁמַע דְּקָדְשֵׁי הַקֳּדָשִׁים לֶחֶם אֱלֹהָיו נָפַק מִנֵּיהּ. וּבְג״כ כִּי נָתַן מִלַּחְמוֹ לַדָּל. תַּנְיָא, כַּמָּה חֲבִיבִין יִשְׂרָאֵל קַמֵּי קוּדְשָׁא בְּרִיךְ הוּא, דְּעִלָּאֵי לָא מִתְבָּרְכֵי אֶלָּא בְּגִינֵיהוֹן דְּיִשְׂרָאֵל.

קפח. דְּתָנֵינָן, אָמַר רַבִּי יְהוּדָה, אָמַר רַבִּי חִיָּיא, אָמַר רַבִּי יוֹסֵי, נִשְׁבַּע הַקָּדוֹשׁ בָּרוּךְ הוּא, שֶׁלֹּא יִכָּנֵס בִּירוּשָׁלַיִם שֶׁל מַעְלָה, עַד שֶׁיִּכָּנְסוּ יִשְׂרָאֵל בִּירוּשָׁלַיִם שֶׁל מַטָּה, שֶׁנֶּאֱמַר בְּקִרְבְּךָ קָדוֹשׁ וְלֹא אָבוֹא בְּעִיר. כְּלוֹמַר, כָּל זִמְנָא דִּשְׁכִינְתָּא הָכָא בְּגָלוּתָא, שְׁמָא דִּלְעֵילָּא לָא אִשְׁתְּלִים. וְכָל תִּקּוּנִין לָא אִתְקְנוּ, כִּבְיָכוֹל אִשְׁתְּאַר שְׁמָא קַדִּישָׁא חָסְרָא.

קפט. רַבִּי אַבָּא הֲוָה אָזִיל לְלוּד, פָּגַע בֵּיהּ ר׳ זֵירָא בַּר רַב, א״ל הָא חֲמֵינָא אַפֵּי שְׁכִינְתָּא, וּמַאן דְּחָמֵי אַפֵּי שְׁכִינְתָּא, בָּעֵי לְמֵיזַל וּלְרַהֲטָא בַּתְרָאָה. הה״ד, וְנֵדְעָה נִרְדְּפָה לָדַעַת אֶת ה׳. וּכְתִיב וְהָלְכוּ עַמִּים רַבִּים וְאָמְרוּ לְכוּ וְנַעֲלֶה אֶל הַר יְיָ׳ וְגו׳. כִּי מִצִּיּוֹן תֵּצֵא תוֹרָה וְגו׳. וַאֲנָא בְּעֵינָא לְמֵיהַךְ בַּתְרָךְ, וּלְמֵילַף מֵאִינוּן מִלֵּי מְעַלְיָיתָא, דְּאַתּוּן טָעֲמִין כָּל יוֹמָא, מֵאִדְּרָא קַדִּישָׁא.

קצ. מַאי דִּכְתִיב, וְהֶאֱמִין בַּיְיָ׳ וַיַּחְשְׁבֶהָ לוֹ צְדָקָה, אִי קוּדְשָׁא בְּרִיךְ הוּא חֲשָׁבָהּ לְאַבְרָהָם, אוֹ אַבְרָהָם לְקוּדְשָׁא בְּרִיךְ הוּא. וַאֲנָא שְׁמַעְנָא, דְּקוּדְשָׁא בְּרִיךְ הוּא חֲשָׁבָהּ לְאַבְרָהָם, וְלָא אִתְיַישְׁבָא בְּלִבָּאי. א״ל הָכִי אוּקִימְנָא, וְלָאו הָכִי הֲוֵי. ת״ח, וַיַּחְשְׁבֶהָ, וַיַּחְשׁוֹב לוֹ לָא כְּתִיב, אֶלָּא וַיַּחְשְׁבֶהָ, אַבְרָהָם וַדַּאי חֲשָׁבָהּ לְקוּדְשָׁא בְּרִיךְ הוּא. דְּתַנְיָא, כְּתִיב וַיּוֹצֵא אוֹתוֹ הַחוּצָה, א״ל קוּדְשָׁא בְּרִיךְ הוּא, צֵא מֵאִצְטַגְנִינוּת שֶׁלְּךָ, לָאו הַהוּא אוֹרְחָא לְמִנְדַּע שְׁמִי, אַתְּ חָמֵי, וַאֲנָא חֲמֵינָא, אַבְרָם אֵינוֹ מוֹלִיד, אַבְרָהָם מוֹלִיד. מִכָּאן וּלְהָלְאָה, אִשְׁתַּדְּלוּ בְּאָרְחָא אָחֳרָא, כֹּ״ה יִהְיֶה זַרְעֶךָ. מַאי כֹּ״ה. הִיא כִּתְרָא עֲשִׂירָאָה

קַדִּישָׁא דְּמַלְכָּא, לְמִנְדַּע שְׁמֵיהּ, וְהִיא כִּתְרָא דְּדִינִין מִתְעָרִין מִנָּהּ.

קצא. וְתָאנָא, כֹּה יִהְיֶה זַרְעֶךָ מַמָּשׁ. בְּהַהִיא שַׁעֲתָא חָדֵי אַבְרָהָם, לְאִסְתַּכְּלָא וּלְמִנְדַּע שְׁמֵיהּ, וּלְאִתְדַּבְּקָא בֵּיהּ, מִשּׁוּם דְּאִתְבַּשַּׂר בְּכ"ה, וְאַע"ג דְּדִינִין מִתְעָרִין מִנָּהּ, וַחֲשָׁבָהּ אַבְרָהָם לְהַהוּא כִּתְרָא, אַע"ג דְּהִיא דִּינָא, כְּאִלּוּ הִיא רַחֲמֵי. הה"ד, וַיַּחְשְׁבֶהָ. מַאי וַיַּחְשְׁבֶהָ. לְהַהוּא כִּתְרָא. צְדָקָה רַחֲמֵי. אָמַר רִבִּי יִצְחָק, כ"ה כִּתְרָא עֲשִׂירָאָה הִיא, וְאִתְקְרֵי צֶדֶ"ק, וְדִינִין מִתְעָרִין מִנָּהּ, וְאַבְרָהָם אַע"ג דְּיָדַע דְּדִינִין מִתְעָרִין מִנָּהּ מֵהַאי צֶדֶק. הוּא חֲשָׁבָהּ צְדָקָה, דְּדִינִין לָא מִתְעָרִין מִנָּהּ, בְּגִין דְּהוּא רַחֲמֵי.

קצב. תּוּ אָמַר ר' אַבָּא, מַאי דִּכְתִּיב וַיְיָ' בֵּרַךְ אֶת אַבְרָהָם בַּכֹּל, כד"א כִּי כֹל בַּשָּׁמַיִם וּבָאָרֶץ. וּכְתִיב כֹּה תְּבָרֲכוּ, דִּבְגִינַיְיהוּ דְּיִשְׂרָאֵל מִתְבָּרֵךְ הַאי כ"ה עַל יְדָא דְּכַהֲנָא, בְּגִין דְּיִתְבָּרְכוּן יִשְׂרָאֵל לְתַתָּא, וְיִשְׁתַּכַּח בִּרְכָתָא בְּכֹלָּא וּלְזִמְנָא דְּאָתֵי כְּתִיב יְבָרֶכְךָ יְיָ' מִצִּיּוֹן וְגוֹ'. בָּרוּךְ יְיָ' מִצִּיּוֹן שׁוֹכֵן יְרוּשָׁלָ͏ִם.

קצג. וַיְהִי בְּיוֹם כַּלּוֹת מֹשֶׁה וְגוֹ'. תָּנָא רִבִּי יוֹסֵי, בְּיוֹם שֶׁנִּכְנְסָה כַּלָּה לַחוּפָּה. בְּמַאי אוּקִימְנָא בְּיוֹם כַּלַּת מֹשֶׁה. אֶלָּא מְלַמֵּד, דְּעַל יְדוֹי דְּמֹשֶׁה נִכְנְסָה. אָמַר רִבִּי יְהוּדָה, וְכִי עַד הַשְׁתָּא אִתְעַכְּבַת דְּלָא עַיְילַת לְדוּכְתָּהּ, וְהָכְתִיב וְלֹא יָכוֹל מֹשֶׁה לָבֹא אֶל אֹהֶל מוֹעֵד וְגוֹ'. א"ר יִצְחָק אֵין מוּקְדָּם וּמְאוּחָר בַּתּוֹרָה.

קצד. וַיְהִי בְּיוֹם כַּלּוֹת מֹשֶׁה, כַּלַּת שֶׁל מֹשֶׁה וַדַּאי. דְּתָנִינָן אָמַר ר"ש, מַאי דִּכְתִּיב עָלִיתָ לַמָּרוֹם שָׁבִיתָ שֶּׁבִי וְגוֹ'. אֶלָּא בְּשָׁעָה שֶׁאָמַר לוֹ קוּדְשָׁא בְּרִיךְ הוּא, שַׁל נְעָלֶיךָ מֵעַל רַגְלֶיךָ, אִזְדַּעְזַע הָהָר, אָמַר מִיכָאֵל קַמֵּי קוּדְשָׁא בְּרִיךְ הוּא, רבש"ע תִּבְעֵי לִסְתּוֹר אָדָם. וְהָא כְּתִיב זָכָר וּנְקֵבָה בְּרָאָם וַיְבָרֶךְ אוֹתָם, וְלֵית בִּרְכָתָא אִשְׁתַּכַּח, אֶלָּא בְּמַאן דְּאִיהוּ דְּכַר וְנוּקְבָא, וְאַתְּ אַמְרַת לְאִתְפָּרְשָׁא מֵאִתְּתֵיהּ.

קצה. א"ל הָא קִיֵּים מֹשֶׁה פְּרִיָּה וּרְבִיָּה, הַשְׁתָּא אֲנָא בָּעֵינָא דְּיִתְנְסֵב בִּשְׁכִינְתָּא, וּבְגִינֵיהּ יֵיחוֹת שְׁכִינְתָּא לְדַיְירָא עִמֵּיהּ, הה"ד עָלִיתָ לַמָּרוֹם שָׁבִיתָ שֶּׁבִי. וּמַאי שֶּׁבִי. שְׁכִינְתָּא דְּאִתְנְסִיבַת עִמָּךְ. לָקַחְתָּ מַתָּנוֹת בָּאָדָם. בְּאָדָם לָא כְּתִיב אֶלָּא בָּאָדָם הַיָּדוּעַ לְמַעְלָה. וּבְיוֹמָא דְּנַחְתַּת שְׁכִינְתָּא, הַהוּא יוֹמָא דְּאִתְנַסְבָא בְּמֹשֶׁה נַחְתָּא, הה"ד כַּלַּת מֹשֶׁה, כַּלַּת מֹשֶׁה מַמָּשׁ.

קצו. וּבִיהוֹשֻׁעַ דְּאַנְפּוֹי כְּאַנְפֵּי סִיהֲרָא כְּתִיב, שַׁל נַעַלְךָ, דְּלָא אִתְפְּרַשׁ אֶלָּא בִּזְמַנִּין יְדִיעָן, דְּהָא לָא אִתְנְסִיבַת עִמֵּיהּ שְׁכִינְתָּא כָּל כָּךְ, וְלָא אִתְחֲזֵי לֵיהּ, דִּכְתִּיב וַיִּפֹּל יְהוֹשֻׁעַ עַל פָּנָיו אַרְצָה. אֲבָל הָכָא כַּלַּת מֹשֶׁה וַדַּאי. מַתָּנוֹת בָּאָדָם, מַתָּנַת כְּתִיב, זַכָּאָה חוּלָקֵיהּ דְּמֹשֶׁה, דְּמָארֵיהּ בָּעֵי בִּיקָרֵיהּ, עַל כָּל שְׁאָר בְּנֵי עָלְמָא.

קצז. וַיֹּאמֶר יְיָ' אֶל מֹשֶׁה נָשִׂיא אֶחָד לַיּוֹם. מַהוּ לַיּוֹם. א"ר יְהוּדָה, יוֹמִין דִּלְעֵילָּא, דְּאִתְחֲזִיאוּ לְאִתְבָּרְכָא, בְּאִינּוּן תְּרֵיסַר תְּחוּמִין, דְּמִתְפָּרְשָׁא, וְכָל חַד אִתְתַּקַּן וְאִתְחֲנַךְ בְּבִרְכָתָא עַל יְדוֹי דְּאִלֵּין דִּלְתַתָּא. תָּאנָא, כֻּלְּהוּ מִתְבָּרְכָן בְּגִין מַדְבְּחָא דִּלְעֵילָּא, וַאֲפִילּוּ תַּתָּאֵה וַאֲפִילּוּ עכו"ם מִתְבָּרְכָן.

קצח. דְּתַנְיָא, אָמַר ר' שִׁמְעוֹן, אִלְמָלֵא לָא אַקְרִיבוּ אִלֵּין תְּרֵיסַר נְשִׂיאִין, לָא יָכִיל עָלְמָא לְמֵיקָם קַמֵּי תְּרֵיסַר נְשִׂיאֵי יִשְׁמָעֵאל, דִּכְתִּיב שְׁנֵים עָשָׂר נְשִׂיאִם לְאֻמֹּתָם. מִדְּאַקְרִיבוּ אִלֵּין דְּיִשְׂרָאֵל, נְסִיבוּ שׁוּלְטָנוּתָא דְּכֻלְּהוּ, בְּגִ"כ נָשִׂיא אֶחָד לַיּוֹם.

קצט. וְכָל מַה דְּאַקְרִיבוּ, כְּגַוְונָא דִּלְעֵילָּא אַקְרִיבוּ, בְּגִין דְּיִתְבָּרְכוּן כֻּלְּהוֹן. אֵילִם שִׁשִּׁים, עַתּוּדִים שִׁשִּׁים, כְּמָה דִּכְתִּיב שִׁשִּׁים גִּבּוֹרִים סָבִיב לָהּ, דְּבִסְטַר גְּבוּרָה. כַּף אַחַת עֲשָׂרָה זָהָב וְגוֹ', וְהָא אִתְמַר, זַכָּאָה חוּלָקֵהוֹן דְּצַדִּיקַיָּיא, דְּקוּדְשָׁא בְּרִיךְ הוּא

מֵרִיק עָלַיְיהוּ בִּרְכָאן, וְצַיְית צְלוֹתְהוֹן, וְעָלַיְיהוּ כְּתִיב, פָּנָה אֶל תְּפִלַּת הָעַרְעָר וְלֹא בָזָה אֶת תְּפִלָּתָם וְגוֹ'. בָּרוּךְ יְיָ' לְעוֹלָם אָמֵן וְאָמֵן. יִמְלֹךְ יְיָ' לְעוֹלָם אָמֵן וְאָמֵן.

Beha'alotcha

בְּהַעֲלֹתְךָ

א. וַיְדַבֵּר יְיָ' אֶל מֹשֶׁה לֵּאמֹר. דַּבֵּר אֶל אַהֲרֹן וְאָמַרְתָּ אֵלָיו בְּהַעֲלֹתְךָ אֶת הַנֵּרוֹת וְגוֹ', רִבִּי יְהוּדָה פָּתַח, וְהוּא כְּחָתָן יוֹצֵא מֵחֻפָּתוֹ וְגוֹ'. זַכָּאָה חוּלָקֵיהוֹן דְּיִשְׂרָאֵל, דְּקוּדְשָׁא בְּרִיךְ הוּא אִתְרְעֵי בְּהוֹן, וְיָהַב לְהוֹן אוֹרַיְיתָא דִּקְשׁוֹט, אִילָנָא דְּחַיֵּי, דְּבֵיהּ בַּר נָשׁ יָרִית חַיִּין לְהַאי עָלְמָא, וְחַיִּין לְעָלְמָא דְּאָתֵי. דְּכָל מַאן דְּאִשְׁתַּדַּל בְּאוֹרַיְיתָא וְאָחִיד בָּהּ, אִית לֵיהּ חַיִּין. וְכָל מַאן דְּשָׁבִיק מִלֵּי דְּאוֹרַיְיתָא, וְאִתְפְּרַשׁ מֵאוֹרַיְיתָא, כְּאִלּוּ מִתְפְּרַשׁ מֵחַיִּין, בְּגִין דְּהִיא חַיִּין, וְכָל מִלּוֹי חַיִּין, הה"ד כִּי חַיִּים הֵם וְגוֹ'. וּכְתִיב רִפְאוּת תְּהִי לְשָׁרֶךָ וְגוֹ'.

ב. ת"ח, אִילָנָא דְּחַיֵּי, אָחִיד מֵעֵילָּא לְתַתָּא. וְהַאי שִׁמְשָׁא דְּנָהִיר לְכֹלָּא, נְהוֹרָא דִּילֵיהּ שָׁארִי מֵרֵישָׁא, וְאִתְפָּשַׁט בְּגוּפָא דְּאִילָנָא בְּאֹרַח מֵישָׁר, ב' סִטְרִין אֲחִידָן בֵּיהּ, חַד לַצָּפוֹן, וְחַד לַדָּרוֹם. חַד יְמִינָא, וְחַד שְׂמָאלָא. בְּשַׁעֲתָא דְּשִׁמְשָׁא נָהִיר כְּמָה דְּאִתְּמַר, מֵהַהוּא גּוּפָא דְּאִילָנָא, אַתְקִיף לִדְרוֹעָא דִּימִינָא, וְאַנְהִיר בְּתוּקְפֵיהּ. וּמִתּוּקְפֵּיהּ נָהִיר שְׂמָאלָא, וְאִתְכְּלִיל בִּנְהוֹרֵיהּ.

ג. וְהוּא כְּחָתָן יוֹצֵא מֵחֻפָּתוֹ, מַאן אִיהוּ חֻפָּתוֹ. דָּא אִיהוּ עֲטָרָה שֶׁעִטְּרָה לּוֹ אִמּוֹ בְּיוֹם חֲתֻנָּתוֹ. יוֹצֵא מֵחֻפָּתוֹ, דָּא אִיהוּ רֵישָׁא דְּכָל נְהוֹרָא כד"א בַּקְּרָא דַּאֲבַתְרֵיהּ, מִקְצֵה הַשָּׁמַיִם מוֹצָאוֹ, דָּא שֵׁירוּתָא דְּכֹלָּא, דְּאִקְרֵי מִקְצֵה הַשָּׁמַיִם. וּכְדֵין, נָפִיק כְּחָתָן מַמָּשׁ, כַּד נָפִיק לְאַרְעָא לְכַלָּתֵיהּ, רְחִימָתָא דְּנַפְשׁוֹי, וּפְרִישׁ דְּרוֹעוֹי, וּמְקַבֵּל לָהּ.

ד. כְּהַאי גַּוְונָא וְהוּא כְּחָתָן יוֹצֵא מֵחֻפָּתוֹ, אָזְלָא שִׁמְשָׁא וְאִתְפָּשַׁט לְגַבֵּי מַעֲרָב, כֵּיוָן דְּמַעֲרָב אִתְקְרִיב, סְטָר צָפוֹן אִתְּעַר לְקַבְּלֵיהּ בְּקַדְמֵיתָא, וְקָרִיב לְמַעֲרָב, וְזָוִיג לֵיהּ בְּאַתְרֵיהּ, כְּמָה דְּאִתְּמַר דִּכְתִיב, שְׂמֹאלוֹ תַּחַת לְרֹאשִׁי. וּלְבָתַר סְטַר דָּרוֹם דְּאִיהוּ יְמִינָא, דִּכְתִיב וִימִינוֹ תְּחַבְּקֵנִי. כְּדֵין יָשִׂישׂ כְּגִבּוֹר לָרוּץ אֹרַח, לְאַנְהָרָא סִיהֲרָא וְאוּקְמוּהָ. ת"ח, בְּהַעֲלֹתְךָ אֶת הַנֵּרוֹת, אִלֵּין בּוֹצִינִין עִלָּאִין, דְּכֻלְּהוּ נְהִירִין כַּחֲדָא מִן שִׁמְשָׁא.

ה. ר' אַבָּא פָּתַח, אַשְׁרֵי הָעָם יוֹדְעֵי תְרוּעָה יְיָ' בְּאוֹר פָּנֶיךָ יְהַלֵּכוּן. הַאי קְרָא אוּקְמוּהָ, אֲבָל ת"ח, זַכָּאִין אִינּוּן יִשְׂרָאֵל, דְּקוּדְשָׁא בְּרִיךְ הוּא יָהַב לוֹן אוֹרַיְיתָא קַדִּישָׁא, וְאוֹלִיף לוֹן אָרְחוֹי, לְאִתְדַּבְּקָא בֵּיהּ, וּלְמֵיטַר פִּקּוּדֵי דְּאוֹרַיְיתָא, לְמִזְכֵּי בְּהוּ לְעָלְמָא דְּאָתֵי. וְקָרִיב לְהוּ בְּשַׁעֲתָא דְּנָפְקוּ מִמִּצְרַיִם, דְּהָא כְּדֵין אַפִּיק לוֹן מֵרְשׁוּתָא אַחֲרָא, וְסָלִיק לוֹן לְאִתְאַחֲדָא בִּשְׁמֵיהּ, וּכְדֵין אִקְרוּן בְּנֵי יִשְׂרָאֵל, בְּנֵי חוֹרִין מִכֹּלָּא. דְּלָא יָתְבוּ תְּחוֹת רְשׁוּתָא אַחֲרָא, וְסָלִיק לוֹן לְאַחֲדָא בִּשְׁמֵיהּ, דְּסָלִיק עַל כֹּלָּא, דְּשַׁלִּיט עַל עִלָּאִין וְתַתָּאִין.

ו. וּמִגּוֹ רְחִימוּתָא דִּלְהוֹן, קָרָא לוֹן בְּנֵי בְּכוֹרֵי יִשְׂרָאֵל, כְּגַוְונָא עִלָּאָה. וְקָטַל כָּל בְּכוֹר דִּלְעֵילָּא וְתַתָּא, וְשָׁרָא קְטִירִין וְאַסִּירִין דְּעִלָּאִין וְתַתָּאִין, בְּגִין לְאַפָּקָא לוֹן, וְעָבֵד לוֹן בְּנֵי חוֹרִין מִכֹּלָּא. וע"ד לָא בָּעָא קוּדְשָׁא בְּרִיךְ הוּא, לָא מַלְאָךְ, וְלָא שָׂרָף, אֶלָּא אִיהוּ. וְעוֹד, דְּהָא אִיהוּ יָדַע לְאַבְחֲנָא וּלְמִנְדַּע כֹּלָּא, וּלְמִשְׁרֵי אֲסִירִין, וְלָאו אִינּוּן בִּרְשׁוּתָא דְּשַׁלִּיטָא אַחֲרָא אֶלָּא בִּידֵיהּ.

ז. תָּא חֲזֵי, בְּהַהוּא לֵילְיָא דְּבָעָא קוּדְשָׁא בְּרִיךְ הוּא לְקַטְלָא כָּל אִינּוּן בְּכוֹרֵי כְּמָה דְּאִתְּמַר, בְּשַׁעֲתָא דְּרָמַשׁ לֵילְיָא, אָתוּ מְזַמְּרִין לְזַמְּרָא קַמֵּיהּ, אָמַר לוֹן, לָאו עִידָּן הוּא דְּהָא שִׁירָתָא אַחֲרָא, מְזַמְּרִין בְּנַי בְּאַרְעָא. בְּשַׁעֲתָא דְּאִתְפְּלַג לֵילְיָא, אִתְּעַר רוּחַ צָפוֹן, וְקוּדְשָׁא בְּרִיךְ הוּא כְּדֵין עָבַד נוּקְמִין, וְיִשְׂרָאֵל עָבְדִין שִׁירָתָא בְּקוֹל רָם, וּכְדֵין עָבַד לוֹן בְּנֵי חוֹרִין מִכֹּלָּא, וּמַלְאָכִין עִלָּאֵי, וְכָל מַשִׁרְיָין כֻּלְּהוּ, הֲווּ צַיְיתִין לְהוֹן לְקָלֵיהוֹן דְּיִשְׂרָאֵל. בָּתַר דְּאִתְגְּזָרוּ, רְשִׁימוּ לְבָתֵּיהוֹן, מֵהַהוּא דָּמָא, וּמִדָּמָא דְּפִסְחָא, בִּתְלַת רְשִׁימִין. עַל הַמַּשְׁקוֹף וְעַל שְׁתֵּי הַמְּזוּזוֹת.

ח. מ"ט. הָא אוּקְמוּהָ בְּגִין דְּאִיהוּ רְשִׁימָא קַדִּישָׁא, וּמְחַבְּלָא כַּד אִיהוּ נָפִיק, וְחָמֵי הַהוּא דָּמָא דַּהֲוָה רָשִׁים עַל הַהוּא פִּתְחָא, חָיֵיס עָלַיְיהוּ דְּיִשְׂרָאֵל, הה"ד וּפָסַח יְיָ' עַל הַפֶּתַח וְגוֹ'. הָכָא אִית לְאִסְתַּכְּלָא, אִי קוּדְשָׁא בְּרִיךְ הוּא אָתֵי וְקָטִיל בְּאַרְעָא דְּמִצְרַיִם, וְלָא שְׁלִיחַ אַחֲרָא, רְשִׁימָא דָּא דְּעַל פִּתְחָא לָמָּה, וְהָא כֹּלָּא גַּלֵּי קַמֵּיהּ. וְתוּ, מַהוּ וְלֹא יִתֵּן הַמַּשְׁחִית, וְלָא יְשֵׁזִיבַת מִבָּעֵי לֵיהּ.

ט. אֶלָּא וַדַּאי הָכִי הוּא, דִּכְתִיב וַיְיָ' הִכָּה כָל בְּכוֹר. וַיְיָ': הוּא וּבֵית דִּינוֹ. וְהַהוּא בֵּי דִּינָא הָכָא אִשְׁתְּכַח. וּבְכֹלָּא בָּעֵי לְאַחֲזָאָה עוֹבָדָא, בְּגִין לְאִשְׁתְּזָבָא. דְּהָא כְּגַוְונָא דָּא עַל גַּבֵּי מַדְבְּחָא, בְּגִין דְּלָא אִשְׁתְּכַח מְחַבְּלָא.

י. הַאי בְּעוֹבָדָא, וּבְזִמְנָא דְּלָא אִצְטְרִיךְ הַאי, כְּגוֹן רֹאשׁ הַשָּׁנָה, דְּאִיהוּ יוֹמָא דְּדִינָא, וּמָארֵיהוֹן דְּלִישָׁנָא בִּישָׁא קַיְימִין עָלַיְיהוּ דְּיִשְׂרָאֵל, בָּעְיָין מִלִּין, צְלוֹתִין וּבָעוּתִין, וּבָעְיָין לְאַחֲזָאָה עוֹבָדָא כְּמָה דְּאוּקִימְנָא. וְהָא אִתְּמַר, וּבְמָה. בְּשׁוֹפָר. לְאִתְעָרָא שׁוֹפְרָא אַחֲרָא. וַאֲנָן מַפִּיקִין בְּהַהוּא קָלָא, רַחֲמֵי וְדִינָא כַּחֲדָא, כֹּלָּא כַּדְקָא יָאוּת. כְּמָה דְּהַהוּא שׁוֹפָר עִלָּאָה, אַפִּיק קָלָא דְּאִיהוּ כְּלָלָא כַּחֲדָא. וּלְאִתְעָרָא רַחֲמֵי קָאַזְלִינָן, וּלְתַבְרָא מָארֵיהוֹן דְּדִינָא, דְּלָא יִשְׁלְטוּן בְּהַאי יוֹמָא. וְכַד רַחֲמֵי מִתְעָרִין, כֻּלְּהוּ בּוֹצִינִין עִלָּאִין נְהִירִין מֵהַאי גִּיסָא וּמֵהַאי גִּיסָא. כְּדֵין בְּאוֹר פְּנֵי מֶלֶךְ חַיִּים.

יא. ת"ח, בְּשַׁעֲתָא דְּכַהֲנָא אִתְכַּוֵּון לְאַדְלְקָא בּוֹצִינִין לְתַתָּא, וַהֲוָה קָרִיב קְטֹרֶת בּוּסְמִין, בְּהַהוּא שַׁעֲתָא כְּדֵין בּוֹצִינִין עִלָּאִין נָהֲרִין, וְאִתְקְטַר כֹּלָּא כַּחֲדָא, וְחֶדְוָה וְחֶדְוָותָא אִשְׁתְּכַח בְּכֻלְּהוּ עָלְמִין, הה"ד שֶׁמֶן וּקְטֹרֶת יְשַׂמַּח לֵב, וע"ד בְּהַעֲלֹתְךָ אֶת הַנֵּרוֹת.

יב. רַבִּי אֶלְעָזָר וְר' יוֹסֵי וְר' יִצְחָק, הֲווּ אָזְלֵי בְּאוֹרְחָא, פָּגְעוּ בְּאִינּוּן טוּרֵי קַרְדוּ, עַד דַּהֲווּ אָזְלֵי, זָקַף עֵינוֹי ר' אֶלְעָזָר, וְחָמֵי אִינּוּן טוּרֵי רָמָאֵי, וַהֲווּ חֲשׁוֹכָן, וּדְחִילָן בִּדְחִילוּ. א"ר אֶלְעָזָר לְאִינּוּן חַבְרַיָּיא, אִלּוּ אַבָּא הָכָא, לָא הֲוָה דְּחִילְנָא, אֲבָל כֵּיוָן דַּאֲנָן תְּלָתָא, וּמִלֵּי דְּאוֹרַיְיתָא בֵּינָנָא, דִּינָא הָכָא לָא אִשְׁתְּכַח.

יג. פָּתַח ר' אֶלְעָזָר וְאָמַר, כְּתִיב וַתָּנַח הַתֵּבָה בַּחֹדֶשׁ הַשְּׁבִיעִי וְגוֹ', עַל הָרֵי אֲרָרָט וְגוֹ', כַּמָּה חֲבִיבִין מִלֵּי דְּאוֹרַיְיתָא, דִּבְכָל מִלָּה וּמִלָּה, אִית רָזִין עִלָּאִין, וְאוֹרַיְיתָא כֹּלָּא, עִלָּאָה אִקְרֵי. וְתָנֵינָן בִּתְלֵיסַר מְכִילָן דְּאוֹרַיְיתָא, כָּל דָּבָר שֶׁהָיָה בִּכְלָל, וְיָצָא מִן הַכְּלָל, לְלַמֵּד, לֹא לְלַמֵּד עַל עַצְמוֹ יָצָא, אֶלָּא לְלַמֵּד עַל הַכְּלָל כֻּלּוֹ יָצָא. דְּהָא אוֹרַיְיתָא דְּאִיהִי כְּלָלָא עִלָּאָה, אע"ג דְּנָפַק מִנָּהּ, חַד סִפּוּר בְּעָלְמָא. וַדַּאי לָא אָתֵי לְאַחֲזָאָה עַל הַהוּא סִפּוּר, אֶלָּא לְאַחֲזָאָה מִלִּין עִלָּאִין, וְרָזִין עִלָּאִין. וְלֹא לְלַמֵּד עַל עַצְמוֹ יָצָא, אֶלָּא לְלַמֵּד עַל הַכְּלָל כֻּלּוֹ יָצָא. בְּגִין דְּהַהוּא סִפּוּר דְּאוֹרַיְיתָא, אוֹ הַהוּא עוֹבָדָא, אע"ג דְּהוּא נָפְקָא מִכְּלָלָא דְּאוֹרַיְיתָא, לָאו לְאַחֲזָאָה עַל גַּרְמֵיהּ נָפַק בִּלְבַד, אֶלָּא לְאַחֲזָאָה עַל הַהוּא

כְּלָלָא עִלָּאָה דְּאוֹרַיְיתָא כְּלָא נָפַק.

יד. כְּגוֹן הַאי דִּכְתִּיב, וַתָּנַח הַתֵּיבָה בַּחֹדֶשׁ הַשְּׁבִיעִי בְּשִׁבְעָה עָשָׂר יוֹם לַחֹדֶשׁ עַל הָרֵי אֲרָרָט. וַדַּאי הַאי קְרָא מִכְּלָלָא דְּאוֹרַיְיתָא נָפַק, וְאָתֵי בְּסִפּוּר דְּעָלְמָא. מַאי אִכְפַּת לָן, אִי שָׁרֵי בְּהַאי, אוֹ בְּהַאי, דְּהָא בַּאֲתַר חַד לִישְׁרֵי. אֶלָּא לְלַמֵּד עַל הַכְּלָל כֻּלּוֹ יָצָא. וְזַכָּאִין אִינּוּן יִשְׂרָאֵל, דְּאִתְיְהִיב לְהוּ אוֹרַיְיתָא עִלָּאָה אוֹרַיְיתָא דִּקְשׁוֹט. וּמַאן דְּאָמַר, דְּהַהוּא סִפּוּרָא דְּאוֹרַיְיתָא, לְאַחֲזָאָה עַל הַהוּא סִפּוּר בִּלְבַד קָאָתֵי, תִּיפַּח רוּחֵיהּ. דְּאִי הָכִי, לָאו אִיהִי אוֹרַיְיתָא עִלָּאָה, אוֹרַיְיתָא דִּקְשׁוֹט, אֶלָּא וַדַּאי אוֹרַיְיתָא קַדִּישָׁא עִלָּאָה, אִיהִי אוֹרַיְיתָא דִּקְשׁוֹט.

טו. תָּא חֲזֵי, מֶלֶךְ בָּ"וְ, לָאו יְקָרָא דִּילֵיהּ הוּא, לְאִשְׁתָּעֵי מִלָּה דְּהֶדְיוֹטָא, כָּל שֶׁכֵּן לְמִכְתַּב לֵיהּ, וְאִי סָלִיק בְּדַעְתָּךְ, דְּמַלְכָּא עִלָּאָה קוּדְשָׁא בְּרִיךְ הוּא, לָא הֲווּ לֵיהּ מִלִּין קַדִּישִׁין, לְמִכְתַּב וּלְמֶעְבַּד מִנַּיְיהוּ אוֹרַיְיתָא, אֶלָּא דְּאִיהוּ כָּנִישׁ כָּל מִלִּין דְּהֶדְיוֹטִין, כְּגוֹן מִלִּין דְּעֵשָׂו. מִלִּין דְּהָגָר. מִלִּין דְּלָבָן בְּיַעֲקֹב. מִלִּין דְּאָתוֹן. מִלִּין דְּבִלְעָם. מִלִּין דְּבָלָק. מִלִּין דְּזִמְרִי. וְכָנִישׁ לְהוּ, וְכָל שְׁאָר סִפּוּרִין דִּכְתִיבִין, וְעָבֵיד מִנַּיְיהוּ אוֹרַיְיתָא.

טז. אִי הָכִי, אֲמַאי אִקְרֵי תּוֹרַת אֱמֶת, תּוֹרַת יְיָ' תְּמִימָה, עֵדוּת יְיָ' נֶאֱמָנָה, פִּקּוּדֵי יְיָ' יְשָׁרִים, מִצְוַת יְיָ' בָּרָה, יִרְאַת יְיָ' טְהוֹרָה, מִשְׁפְּטֵי יְיָ' אֱמֶת, וּכְתִיב הַנֶּחֱמָדִים מִזָּהָב וּמִפָּז רָב. אִלֵּין אִינּוּן מִלֵּי דְּאוֹרַיְיתָא. אֶלָּא וַדַּאי אוֹרַיְיתָא קַדִּישָׁא עִלָּאָה, אִיהִי אוֹרַיְיתָא דִּקְשׁוֹט, תּוֹרַת יְיָ' תְּמִימָה. וְכָל מִלָּה וּמִלָּה, אַתְיָא לְאַחֲזָאָה מִלִּין עִלָּאִין, דְּהַהוּא מִלָּה דְּהַהוּא סִפּוּר, לָאו לְאַחֲזָאָה עַל גַּרְמֵיהּ בִּלְבַד קָא אַתְיָא, אֶלָּא לְאַחֲזָאָה עַל הַהוּא כְּלָלָא קָאָתֵי, כְּמָה דְּאוֹקִימְנָא.

יז. תָּא חֲזֵי וַתָּנַח הַתֵּיבָה וְגו'. הַאי קְרָא כַּךְ, כָּל שֶׁכֵּן אַחֲרָנִין, בְּשַׁעֲתָא דְּדִינָא תָּלֵי עַל עָלְמָא, וְדִינִין שַׁרְיָין, וְקוּדְשָׁא בְּרִיךְ הוּא יָתִיב עַל כּוּרְסְיָיא דְּדִינָא לְמֵידָן עָלְמָא בְּהַהוּא כּוּרְסְיָיא, כַּמָּה רְשִׁימִין אִתְרְשִׁימוּ בֵּיהּ, כַּמָּה פִּיתְקִין גְּנִיזִין בְּגַוֵּיהּ, בְּגוֹ אוּזְמִתָא דְּמַלְכָּא, כֻּלְּהוּ סְפָרִים דְּפִתְיוֹחוֹ תַּמָּן אִתְגְּנִיזוּ, וּבְגִין כָּךְ לָא אִתְנְשֵׁי מִלָּה מִן מַלְכָּא, וְהַאי כּוּרְסְיָיא לָא אַתְקָן, וְלָא שַׁרְיָא. אֶלָּא בַּחֹדֶשׁ הַשְּׁבִיעִי, דְּאִיהוּ יוֹמָא דְּדִינָא, יוֹמָא דְּכָל בְּנֵי עָלְמָא אִתְפַּקְדוּן בֵּיהּ, כֻּלְּהוּ עַבְרִין קַמֵּי הַהוּא כָּרְסְיָיא. וְעַ"ד, וַתָּנַח הַתֵּבָה בַּחֹדֶשׁ הַשְּׁבִיעִי, בַּחֹדֶשׁ הַשְּׁבִיעִי וַדַּאי, דְּאִיהוּ דִּינָא דְּעָלְמָא.

יח. עַל הָרֵי אֲרָרָט, אִלֵּין מָארֵיהוֹן דְּדִינִין, מָארֵיהוֹן דְּיַבָּבָא וִילָלָא, וְכֻלְּהוּ שְׁלִיחָן בְּהַהוּא יוֹמָא קַמֵּי קוּדְשָׁא בְּרִיךְ הוּא וְכַמָּה מָארֵי תְּרִיסִין אִתְעֲרוּ בְּהַאי יוֹמָא, וְכֻלְּהוּ קַיְימֵי תְּחוֹת הַהוּא כָּרְסְיָיא, בְּדִינָא דְּעָלְמָא.

יט. וְיִשְׂרָאֵל מְצַלָּאן צְלוֹתָא בְּהַהוּא יוֹמָא, וּבָעָאן וּמִתְחַנְּנָן קַמֵּיהּ, וְתַקְעִין בְּשׁוֹפָר, וְקוּדְשָׁא בְּרִיךְ הוּא חָיֵיס עֲלַיְיהוּ, וּמְהַפֵּךְ דִּינָא לְרַחֲמֵי. וְכָל עִלָּאֵי וְתַתָּאֵי, פָּתְחֵי וְאָמְרֵי, אַשְׁרֵי הָעָם יוֹדְעֵי תְרוּעָה וְעַ"ד בָּעֵינָא בְּהַהוּא יוֹמָא, דְּהַהוּא דְּתָקַע, דְּיָדַע עִקָּרָא דְּמִלָּה, וִיכַוֵּין בֵּיהּ בִּתְרוּעָה, וְיַעֲבֵיד מִלָּה בְּחָכְמְתָא, וְעַ"ד כְּתִיב, אַשְׁרֵי הָעָם יוֹדְעֵי תְרוּעָה, וְלָא כְּתִיב תּוֹקְעֵי תְּרוּעָה, וְהָא אִתְּמַר.

כ. אָזְלוּ כָּל הַהוּא יוֹמָא, כַּד רָמַשׁ לֵילְיָא, סְלִיקוּ לְחַד אֲתַר, וְאַשְׁכָּחוּ חַד מְעַרְתָּא. א"ר אֶלְעָזָר, לֵיעוּל חַד גּוֹ מְעַרְתָּא, אִי אִשְׁתְּכַח אֲתַר דְּאִיהוּ יַתִּיר מִתַּתְקָן. עָאל ר' יוֹסֵי, וְחָמָא מְעַרְתָּא אַחֲרָא בְּגַוָּהּ, נְהוֹרָא דִּשְׁרָגָא בֵּיהּ, שָׁמַע חַד קָלָא דַּהֲוָה אָמַר, בְּהַעֲלֹתְךָ אֶת הַנֵּרוֹת אֶל מוּל פְּנֵי הַמְּנוֹרָה יָאִירוּ שִׁבְעַת הַנֵּרוֹת. הָכָא נָטְלָא כְּנֶסֶת יִשְׂרָאֵל נְהוֹרָא, וְאִמָּא עִלָּאָה מִתְעַטְּרָא, וְכֻלְּהוּ בּוּצִינִין מִינָּהּ נַהֲרִין. בָּהּ תְּרֵין טוֹפְסִירִין

דְּקִיקִין פַּרְוָזִין, שׁוֹשְׁבִינִין כֻּלְּהוּ קָטְרִין לְגַבֵּי עֵלָּאָה, וּמִתַּמָּן לְתַתָּא.

כא. שָׁמַע ר׳ יוֹסֵי וְחָדֵי, אָתָא לְגַבֵּי ר׳ אֶלְעָזָר, אָ״ל ר׳ אֶלְעָזָר, נִיעוּל דְּקוּדְשָׁא בְּרִיךְ הוּא אַקְדִּים לָךְ הַאי יוֹמָא, לְאִתְרַחֲשָׁא לָךְ בִּנְסִין. עָאלוּ, כֵּיוָן דְּעָאלוּ, חָמוּ תְּרֵין בְּנֵי נָשָׁא, דַּהֲווּ לָעָאן בְּאוֹרַיְיתָא. א״ר אֶלְעָזָר, מַה יָּקָר חַסְדְּךָ אֱלֹהִים וּבְנֵי אָדָם בְּצֵל כְּנָפֶיךָ יֶחֱסָיוּן. קָמוּ אִלֵּין, וִיתָבֵי כֻּלְּהוּ, וְחָדוּ כֻּלְּהוּ, אָמַר רִבִּי אֶלְעָזָר, מַה יָּקָר חַסְדְּךָ אֱלֹהִים, דְּאַשְׁכַּחְנָא לְכוּ. וְחֶסֶד עָבַד לָן קוּדְשָׁא בְּרִיךְ הוּא בְּאֲתַר דָּא, הַשְׁתָּא אַדְלִיקוּ בּוֹצִינִין.

כב. פָּתַח רִבִּי יוֹסֵי וְאָמַר. בְּהַעֲלוֹתְךָ אֶת הַנֵּרוֹת, בְּהַעֲלוֹתְךָ מַמָּשׁ, בְּאַדְלָקוּתָךְ. דְּהָא כַּהֲנָא אִתְעָבֵיד עַל יְדָא דְּכַהֲנָא תְּרֵין פּוּלְחָנִין. דְּאִינּוּן קְשׁוּרָא חֲדָא. וּמַאן אִינּוּן. שֶׁמֶן וּקְטֹרֶת. כְּדִכְתִּיב, שֶׁמֶן וּקְטֹרֶת יְשַׂמַּח לֵב. דִּכְתִּיב וְהִקְטִיר עָלָיו אַהֲרֹן וְגוֹ׳. וּכְתִיב וּבְהַעֲלוֹת אַהֲרֹן אֶת הַנֵּרוֹת בֵּין הָעַרְבַּיִם יַקְטִירֶנָּה. מַאי שְׁנָא הָכָא בְּהֵטִיבוֹ, וּמַאי שְׁנָא הָתָם וּבְהַעֲלוֹת. אָמַר ר׳ יְהוּדָה, כֹּלָּא חַד מִלָּה.

כג. רִבִּי יוֹסֵי אָמַר, בְּהֵטִיבוֹ: כד״א כִּי טוֹבִים דּוֹדֶיךָ מִיָּיִן. טוֹבִים: רְוֵוי וְחַמְרָא. כד״א, וַנִּשְׂבַּע לֶחֶם וַנִּהְיֶה טוֹבִים. ר׳ יְהוּדָה אָמַר, הֲטָבָה מַמָּשׁ. כד״א וְטוֹב לֵב מִשְׁתֶּה תָמִיד. וּבְהַעֲלוֹת, דְּהָא בְּזִמְנָא דְּאִתְשַׁקְיָין וְאִתְרַוְויָין מִשַּׁקְיוּ דְּנַחֲלָא, כְּדֵין עָלְאִין עִלּוּיָא, וּבִרְכָן אִשְׁתַּכְּחוּ בְּכֻלְּהוּ, וְחָדוּ בְּכֹלָּא. וע״ד וּבְהַעֲלוֹת.

כד. רִבִּי אַחָא אָמַר, בְּשַׁעֲתָא דְּעֲמִיקָא דְּכֹלָּא נָהִיר, נָהִיר בְּנַחֲלָא. וְנַחֲלָא, נָגִיד בְּאָרַח מֵישַׁר לְאַשְׁקָאָה כֹּלָּא. כְּדֵין כְּתִיב, בְּהַעֲלוֹת בְּגִין דְּהָא מֵעוּמְקָא דְּכֹלָּא נָפְקֵי, בְּהַעֲלוֹת דְּאָתֵי מִסִּטְרָא עִלָּאָה, דְּעֲמִיקָא דְּכֹלָּא, דְּאִקְרֵי מַחֲשָׁבָה. וְכֹלָּא חַד מִלָּה, וּכְדֵין כנ״י אִתְבָּרְכָא, וּבִרְכָאן אִשְׁתַּכְּחֵי בְּכֻלְּהוּ עָלְמִין.

כה. רִבִּי יִצְחָק פָּתַח, כְּתִיב בָּנֹה בָנִיתִי בֵּית זְבוּל לָךְ מָכוֹן לְשִׁבְתְּךָ עוֹלָמִים. בֵּית זְבוּל, בַּיִת זְבוּל וַדַּאי, כַּד אִתְפַּקְדוּ בִּידָהָא, כָּל גִּנְזֵי מַלְכָּא, וְשַׁלְטָא בְּהוּ. כְּדֵין אִקְרֵי בֵּית זְבוּל. וְרָקִיעַ חַד אִית דְּאִקְרֵי זְבוּל, דְּהָא דָּא אִשְׁכַּח לְקַבְּלָא בִּרְכָאן, וּלְסַדְּרָא כֹּלָּא, וְהַאי אִקְרֵי בֵּית זְבוּל.

כו. ת״ח, כְּתִיב וְלִזְבוּלֻן אָמַר שְׂמַח זְבוּלֻן בְּצֵאתֶךָ וְיִשָּׂשכָר בְּאֹהָלֶיךָ, מְלַמֵּד דְּאִשְׁתַּתְּפוּ כַּחֲדָא. דָּא נָפִיק וְאַגַּח קְרָבָא, וְדָא יָתִיב וְלָעֵי בְּאוֹרַיְיתָא. וְדָא יָהִיב חוּלָקָא לְדָא, וְדָא יָהִיב חוּלָקָא לְדָא. בְּחוּלָקֵיהּ דִּזְבוּלוּן יַמָּא, וכ״י אִקְרֵי יָם כִּנֶּרֶת. וְהָכִי אִתְחֲזֵי, בְּגִין דְּהָא תְּכֵלֶת נָפִיק מִתַּמָּן, וְאוּקְמוּהָ, דְּהָא לְתַתָּא כְּגַוְונָא דִּלְעֵילָּא, יָם כִּנֶּרֶת לְעֵילָּא, יָם כִּנֶּרֶת לְתַתָּא. תְּכֵלֶת לְעֵילָּא, תְּכֵלֶת לְתַתָּא, וְכֹלָּא בְּאֲתַר חַד.

כז. וע״ד יָרִית זְבוּלוּן, לְמֵיפַּק לְאַגָּחָא קְרָבָא, וּמִנַּלָן דְּהָכִי הוּא. דִּכְתִּיב עַמִּים הַר יִקְרָאוּ שָׁם יִזְבְּחוּ זִבְחֵי צֶדֶק. זִבְחֵי צֶדֶק וַדַּאי. מ״ט. כִּי שֶׁפַע יַמִּים יִינָקוּ. וְיִשָּׂשכָר חוּלָקֵיהּ בְּאוֹרַיְיתָא, וְיָהִיב לִזְבוּלוּן חוּלָקָא דְּאוֹרַיְיתָא וַדַּאי, וע״ד אִשְׁתַּתְּפוּ כַּחֲדָא, לְאִתְבָּרְכָא זְבוּלוּן מִיִּשָּׂשכָר, דְּבִרְכְתָא דְּאוֹרַיְיתָא, הִיא בִּרְכְתָא דְּכֹלָּא.

כח. ר׳ אַבָּא אָמַר, אַחְסַנְתָּא דְּאוֹרַיְיתָא וַדַּאי הָכִי הוּא, וְדַרְגָּא דָּא שְׁתִיתָאָה יָהִיב אַגַּר אוֹרַיְיתָא, וְאַחְסִין לָהּ לכ״י, אַחְסִין חִוְּורָא לִתְכֶלְתָּא. וע״ד תָּנֵינָן, מִשֶּׁיַּכִּיר בֵּין תְּכֵלֶת לְלָבָן, דְּיִשְׁתְּמוֹדְעָן גַּוְונֵי, דְּהָא כְּדֵין אִקְרֵי בק״ר, וְחִוְּורָא אָתֵי לְעָלְמָא, וּתְכֶלְתָּא אִתְעֲבַר. וע״ד כָּל קָרְבִּין דְּמַלְכָּא, וְכָל זַיְינֵי מַלְכָּא בִּידָהָא אִתְמְנָן, וְהָא אוּקִימְנָא.

כט. בְּאֵר חֲפָרוּהָ שָׂרִים כָּרוּהָ נְדִיבֵי הָעָם, בְּאֵר, דָּא כְּנֶסֶת יִשְׂרָאֵל. חֲפָרוּהָ שָׂרִים, דָּא אַבָּא וְאִמָּא, דְּאוֹלִידוּ לָהּ. כָּרוּהָ נְדִיבֵי הָעָם, אִלֵּין אֲבָהָן. דִּכְתִּיב נְדִיבֵי עַמִּים

נֶאֱסָפוּ עַם אֱלֹהֵי אַבְרָהָם וְגוֹ'. בְּגִין לְאִתְבָּרְכָא מִנַּיְהוּ, ע"י דַּרְגָּא חַד, וּמַנּוּ. צַדִּיק דְּקָאִים עָלָהּ. ועַ"ד אַמְרִינָן, כַּד הַאי בְּאֵר נַטְלָא, בְּסִיּוּעָא דַּאֲבָהָן נַטְלָא.

ל. וְאִקְרֵי בְּאֵר, וְאִקְרֵי יָם. אִקְרֵי בְּאֵר, בְּשַׁעֲתָא דְּיִצְחָק נָפֵק מְזַיְּינָא מִסִּטְרָא דְּאִימָא, וְאָתֵי לְאַמְשָׁכָא אֲבַתְרָא דְּדָא, וּמַלֵּי לָהּ, כְּדֵין אִקְרֵי בְּאֵר דְּיִצְחָק. בְּאֵר דְּמִרְיָם. וְהָא אוּקְמוּהָ. יָם כַּד אִתְנַהֲרָא מִנַּהֲרָא עִלָּאָה דְּאַבָּא, כְּדֵין אִקְרֵי יָם, דְּנַחֲלִין אַזְלִין לְגַוָּהּ, כד"א כָּל הַנְּחָלִים הוֹלְכִים אֶל הַיָּם וְהַיָּם אֵינֶנּוּ מָלֵא.

לא. וּמִיּוֹמָא דְּגָלָתָה כְּנֶסֶת יִשְׂרָאֵל בְּגָלוּתָא, כְּתִיב אָזְלוּ מַיִם מִנִּי יָם, דָּא כנ"י. וְנָהָר יֶחֱרַב וְיָבֵשׁ, דָּא צַדִּיק. ועַ"ד כְּתִיב, הַצַּדִּיק אָבַד וְגוֹ'. דְּהוּא הֲוָה נָהָר עִלָּאָה וְיַקִּירָא, דְּעָיֵיל בְּגַוָּהּ, וְהוּא כָּנִישׁ כָּל אִינּוּן נַהֲרִין וְנַחֲלִין, דְּנַגְדִּין מִנְּגִידוּ דְּהַהוּא נָהָר קַדִּישָׁא, דְּלָא פַּסְקִין מֵימוֹי לְעָלְמִין, דְּנָגִיד וְנָפִיק מֵעֵדֶן עִלָּאָה, וְהוּא עָיֵיל בְּגַוָּהּ וּמַלֵּי אַגְמָהָא, וּמִתַּמָּן יָרְתִין עָלְמִין כֻּלְּהוּ בִּרְכָן בְּכֹלָּא.

לב. ת"ח, בְּשַׁעֲתָא דְּאִתְבָּרְכָא כְּנֶסֶת יִשְׂרָאֵל, עָלְמִין כֻּלְּהוּ אִתְבָּרְכָן, וְיִשְׂרָאֵל לְתַתָּא, יַנְקִין וּמִתְבָּרְכָן בְּגִינָהּ. וְהָא אוּקִימְנָא דְּהִיא אַגָּנָא עֲלַיְיהוּ, דְּיִשְׂרָאֵל, כְּמָה דְּאִתְּמַר.

לג. כְּתִיב וַיִּסַּע מַלְאַךְ הָאֱלֹהִים הַהוֹלֵךְ וְגוֹ'. מַלְאַךְ הָאֱלֹהִים דָּא כְּנֶסֶת יִשְׂרָאֵל. וְהָא אוּקִימְנָא, דְּהַהִיא שַׁעֲתָא, בְּסִיּוּעַ דַּאֲבָהָן נַטְלָא. וְכַד אִינּוּן מִשְׁתַּכְּחִין לְגַבָּהּ, כֹּלָּא מִשְׁתַּכְּחֵי. וּבְגִ"כ אִתְמְסַר בְּאִלֵּין קְרָאֵי שְׁמָא קַדִּישָׁא, דְּכָלִיל בְּהוֹן אֲבָהָתָא, כְּמָה דְּאוּקִימְנָא. חַד קְרָא כְּסִדְרָא, וְחַד לְמַפְרֵעַ, וְחַד כְּסִדְרָא.

לד. וַיִּסַּע מַלְאַךְ הָאֱלֹהִים הַהוֹלֵךְ וְגוֹ', דָּא כְּסִדְרָא בְּגִין דְּאַבְרָהָם אִשְׁתַּכַּח הָכָא, וְכָל אִינּוּן דְּאָתוּ מִסִּטְרֵיהּ, וְעַל דָּא אִיהוּ כְּסִדְרָא כְּגַוְונָא דָּא.

לה. הָכָא אִתְעֲטָּר אַבְרָהָם בְּעִטְרוֹי, וְאַעְטַּר לָהּ לִכְנֶסֶת יִשְׂרָאֵל, וְאִלֵּין אַתְוָון כֻּלְּהוּ בְּאֹרַח מֵישָׁר, לְמֵיהַךְ בִּימָמָא. דִּכְתִּיב יוֹמָם יְצַוֶּה יְיָ' חַסְדּוֹ וּבַלַּיְלָה שִׁירֹה עִמִּי. ועַ"ד כְּתִיב וַיִּסַּע, אֵימָתַי נַטְלִין בְּמַטְלָנַיְיהוּ, הֲוֵי אֵימָא בִּימָמָא, כַּד נָהִיר שִׁמְשָׁא. וְדָא חַד קְרָא דְּאִיהוּ בְּשַׁבְעִין וּתְרֵין אַתְוָון.

לו. תִּנְיָינָא דְּיִצְחָק, הָכִי נָמֵי דְּאִשְׁתַּכַּח בְּע"ב אַתְוָון, לְאִשְׁתַּכְּחָא בְּדִינָא לְגַבֵּי מִצְרָאֵי וּלְגַבֵּי יִשְׂרָאֵל בְּרַחֲמֵי. ועַ"ד כְּתִיב, וַיָּבֹא בֵּין מַחֲנֵה מִצְרַיִם וּבֵין מַחֲנֵה יִשְׂרָאֵל, לְקָבֵיל אִלֵּין וְלָקֳבֵיל אִלֵּין. וַיְהִי הֶעָנָן וְהַחֹשֶׁךְ, דְּהָכִי הוּא יוֹמָא דְּיִצְחָק, דְּעִיבָא הֲוֵי, עֲנָנָא וַחֲשׁוֹכָא מִנֵּיהּ הוּא. וּבְגִין כָּךְ סִדּוּרָא דְּאַתְוָון לְמַפְרֵעַ, וְלָא בְּאֹרַח מֵישָׁר, כְּגַוְונָא דָּא.

לז. וְעַל דָּא אַתְוָון כֻּלְּהוּ לְמַפְרֵעַ, דִּכְתִּיב וַיְהִי הֶעָנָן וְהַחֹשֶׁךְ, דְּכֵיוָן דְּעָאל יִצְחָק בְּדִינוֹי, לֹא קָרַב זֶה אֶל זֶה. כְּתִיב זֶה אֶל זֶה, אִינּוּן דְּאָתוּ מִסִּטְרָא דְּאַבְרָהָם, לָא קְרִיבוּ דָּא בְּדָא. דְּהָא לָא יַכְלִין, בְּגִין דְּהַאי בְּאֵר אִתְדַּבְקָא בְּיִצְחָק. כד"א, וַיָּאֶר אֶת הַלָּיְלָה. דְּכַד אִתְמַלְיָיא לְאִתְחַבְּרָא בְּיִצְחָק, לֹא קָרַב זֶה אֶל זֶה, וְלָא יָכִיל לְקָרְבָא. עַד דְּאָתָא יַעֲקֹב, וְאִתְחַבַּר בְּאַבְרָהָם, וְנָטַל לְיִצְחָק, וְשַׁוְּיֵיהּ לֵיהּ בְּאֶמְצָעִיתָא, כְּדֵין אִתְקְשַׁר מְהֵימְנוּתָא דָּא בְּדָא וְדָא בְּדָא, וְאִשְׁתְּזִיבוּ יִשְׂרָאֵל.

לח. וְתָנֵינָן, בַּאֲתַר דַּאֲבָהָתָא אִשְׁתַּכְּחֵי, שְׁאָר צַדִּיקַיָּיא מִשְׁתַּכְּחֵי גַּבַּיְיהוּ, ועַ"ד שְׁמָא דָּא, סָלִיק לְסִטְרִין אַחֲרָנִין מִתְפָּרְשָׁן, אע"ג דְּכֻלְּהוּ נָפְקִין לְאָרְחָא חַד.

לט. כַּד נַהֲרָא הַאי בְּאֵ"ר מִסִּטְרָא דְּיִצְחָק, וְאִתְקְשַׁר בֵּיהּ, אִתְעָבֵיד יַמָּא רַבָּא תַּקִּיפָא, וְגַלְגַּלִּין תַּקִּיפִין, סַלְּקִין וְנַחְתִּין בְּזַעַף וְרוּגְזָא בְּתַקִּיפוּ, נָטִיל לְעֵילָא, סָלִיק, וְנָחִית לְתַתָּא, אַבְרָהָם אָתֵי לְקַבְלֵיהּ, וּמִגּוֹ רוּגְזָא וְזַעְפָּא וְזִימְתָא וְתַקִּיפוּ, זֶה אֶל זֶה לָא הֲוֵי

מִתְקָרְבִין, עַד דְּאָתָא יַעֲקֹב, וְשָׁכִיךְ רוּגְזָא, וּמָאִיךְ וְתָבַר גַּלְגַּלֵּי יַמָּא, הה"ד וַיֵּט מֹשֶׁה אֶת יָדוֹ עַל הַיָּם וַיּוֹלֶךְ יְיָ' אֶת הַיָּם בְּרוּחַ קָדִים עַזָּה וְגוֹ'. מַאי בְּרוּחַ קָדִים עַזָּה. דָּא רוּחַ יַעֲקֹב, עַזָּה תַּקִּיף לְקַבְלֵיהּ, לְתַבְרָא רוּגְזָא דְּהַאי יַמָּא. וַיָּשֶׂם אֶת הַיָּם לֶחָרָבָה וַיִּבָּקְעוּ הַמָּיִם אָרִיךְ יַמָּא מֵימֵי רוּגְזִין, וְאִתְפְּלִיגוּ מַיָּא לְסִטְרָא דְּאַבְרָהָם וּלְסִטְרָא דְּיַעֲקֹב, הה"ד וַיִּבָּקְעוּ הַמָּיִם לְסִטְרָא דָּא וּלְסִטְרָא דָּא. וְעַל דָּא אַתְוָון כֻּלְּהוּ בְּאֹרַח מֵישָׁר כַּדְקָא יָאוּת.

מ. אִלֵּין אַתְוָון בְּאֹרַח מֵישָׁר, בְּסִטְרָא דְּיַעֲקֹב, וְכָל אִינּוּן דְּאָתוּ מִסִּטְרֵיהּ, וְכַד אָתָא יַעֲקֹב, אִתְחַבַּר בְּאַבְרָהָם, וְנָטַל לְיִצְחָק, וְשָׁארֵי לֵיהּ בְּאֶמְצָעִיתָא. כְּדֵין אִתְקַשַּׁר מְהֵימְנוּתָא דָּא בְּדָא וְדָא בְּדָא. וְעַל דָּא, עוֹבָדָא בְּתִקּוּנָא בִּשְׁמָא קַדִּישָׁא בְּזִוּוּגָא דַּאֲבָהָן אִשְׁתְּמוֹדַע, דְּאִיהוּ קִשּׁוּרָא וַחַד, קִשּׁוּרָא מְהֵימְנָא, לְמֶהֱוֵי רְתִיכָא שְׁלֵימָתָא. וּבְזִוּוּגָא דַּאֲבָהָן כַּחֲדָא, אִתְעָבֵיד כֹּלָּא.

מא. וַדָּאי וַחֲבֵרַיָּיא לְמֵיהַךְ בְּאֹרַח מֵישָׁר, לְאַתְקְנָא עוֹבָדִין כַּדְקָא יָאוּת, וּבִשְׁמָא דָּא קִשּׁוּרָא דַּאֲבָהָן, אִשְׁתְּכָחוּ אוֹרְחִין לְדִינָא, וּלְרַחֲמֵי, לְסִיּוּעַ, לְחֶסֶד, לִדְחִילוּ, לְאוֹרַיְיתָא, לְחַיֵּי, לְמוֹתָא, לְטָב, לְבִישׁ. זַכָּאִין אִינּוּן צַדִּיקַיָּיא, דְּיַדְעִין אוֹרְחוֹי דְּאוֹרַיְיתָא, וְיַדְעִין לְמֵיהַךְ בְּאוֹרְחוֹי דְּמַלְכָּא קַדִּישָׁא, זַכָּאִין אִינּוּן בְּעָלְמָא דֵּין וּבְעָלְמָא דְּאָתֵי.

מב. הָא אֲבָהָן בְּמַטְלָנִין, בְּעוֹבָדִין, בְּקִשּׁוּרִין דְּמִתְקַשְּׁרֵי דָּא בְּדָא. וְכַד מִתְחַבְּרָן כַּחֲדָא, לֵית מַאן דְּיָקוּם קַמַּיְיהוּ. וְתָנֵינָן, בַּאֲתַר דַּאֲבָהָתָא אִשְׁתְּכָחוּ, שְׁאַר צַדִּיקַיָּיא מִשְׁתַּכְּחֵי גַּבַּיְיהוּ. וְעַל דָּא שְׁמָא דָּא סָלִיק לְסִטְרִין אַחֲרָנִין מִתְפָּרְשָׁן, אע"ג דְּכֻלְּהוּ נָפְקִין לְאָרְחָא וַחַד.

מג. שִׁבְעָה קִשּׁוּרִין אִינּוּן, דְּמִתְקַשְּׁרֵי בְּהוּ ג' אֲבָהָן, וְד' אַחֲרָנִין. רֵישָׁא וְאֶמְצָעִיתָא בְּקִשּׁוּרָא חֲדָא. וְאִלֵּין אִינּוּן דְּחַפְרוּ בֵּירָא דְּמַיָּא. תָּנְיָינָא זֶה אֶל זֶה, וְאִינּוּן קִשּׁוּרָא חֲדָא, בִּתְלַת יוֹדִין.

מד. תְּלִיתָאָה, שְׁלִימוּ דְּכָל מְהֵימְנוּתָא. רְבִיעָאָה, תְּרֵין קַיָּימִין, דְּגוּפָא קַיְּימָא עֲלַיְיהוּ. חֲמִישָׁאָה, טַב וּבִישׁ, נַהֲרָא דְּנָפִיק אִילָנָא דְּחַיֵּי וּמוֹתָא, עֲמִיקְתָא דְּכֹלָּא. שְׁתִיתָאָה, דִּינָא בְּרַחֲמֵי. שְׁבִיעָאָה, בְּקַדְמֵיתָא אִתְּמַר, בְּהַהוּא רֵישָׁא דְּאַמְרָן, בְּגִין דְּאִיהוּ אֶמְצָעִיתָא דְּכֹלָּא. וּבְגִין דְּאִיהוּ אֶמְצָעִיתָא דְּכֹלָּא, אִקְרֵי אֲנִי קִיּוּמָא דְּכָל עַנְפִּין דְּמִתְאַחֲדָן מִסְּחֲרָנֵיהּ.

מה. שִׁבְעָה דַּרְגִּין אִלֵּין, מִדַּרְגָּא חֲדָא לְדַרְגָּא חֲדָא, אִשְׁתְּמוֹדְעָא רְתִיכָא חֲדָא, בְּכָל אִינּוּן דְּמִתְאַחֲדָאן בֵּיהּ. וְכֵן מִדַּרְגָּא לְדַרְגָּא, וְכֻלְּהוּ אִתְנְהָגָן אֲבַתְרֵיהּ דְּהַהוּא דַּרְגָּא דְּאִתְפַּקְדָא עֲלַיְיהוּ, וְהָא אוֹקִימְנָא מִלֵּי.

מו. ת"ח, בְּשַׁעְתָא דְּאִלֵּין דַּרְגִּין מִשְׁתַּכְּחֵי, כָּל מְהֵימְנוּתָא אִשְׁתְּכַח, וְאִלֵּין שִׁבְעָה עֲנָנִין דְּאַסְחֲרוּ לְהוּ לְיִשְׂרָאֵל. בג"כ כַּד נָטְלָא שְׁכִינְתָא, בַּאֲבָהָתָא נָטְלָא. וְכַד אִלֵּין נָטְלִין, כֻּלְּהוּ דַּרְגִּין אַחֲרָנִין נַטְלִין בְּהוּ, וּכְדֵין אִתְעַטְּרַת כ"י כַּדְקָא יָאוּת.

מז. ת"ח, זְבוּלֻן דְּקָאַמְרָן יָרִית יָם כִּנֶּרֶת. יָם כִּנֶּרֶת סְתָם, וְהָכִי אִתְחֲזֵי. אִי הָכִי יְהוּדָה מַה חוּלָקָא אִית בֵּיהּ, אֶלָּא יְהוּדָה נָטַל מַלְכוּתָא כֹּלָּא, וְאִתְאֲחִיד בֵּיהּ בְּכָל סִטְרִין.

מח. רִבִּי אֶלְעָזָר אָמַר, הַאי פָּרְשְׁתָא, הָא אִתְּמַר עוֹבָדָא, דִּמְנַרְתָּא וְתִקּוּנָהָא, וְכָל מַה דְּבָהּ, אֲמַאי הָכִי זִמְנָא אַחֲרָא. אֶלָּא כֵּיוָן דִּנְשִׂיאִים קָרִיבוּ קוּרְבְּנָא דְּמַדְבְּחָא, וְכָל תִּקּוּנָא דְּאִתְחֲזֵי לֵיהּ, אָתָא קְרָא וְאִשְׁתָּעֵי עוֹבָדָא דִּמְנַרְתָּא, דְּהִיא תִּקּוּנָא עַל יְדָא

דְּאַהֲרֹן, דְּהָא לְעֵילָּא מְנַרְתָּא, וְכָל בּוּצִינִין דִּילָהּ, עַל יְדָא דְּאַהֲרֹן נַהֲרִין כֹּלָּא.

מט. ת"ח, מַדְבְּחָא תְּרֵיסַר נְשִׂיאִין הֲווֹ, לְחַנְכָא לֵיהּ, וּלְאַתְקְנָא לֵיהּ, וְהָא אוּקְמוּהָ תְּרֵיסַר אִינּוּן שִׁבְטִין, לְד' סִטְרִין, ד' דְּגָלִים, וְכֻלְּהוּ תְּרֵיסַר. וְכֹלָּא כְּגַוְונָא דִּלְעֵילָּא. מְנַרְתָּא אִתְמְנֵי בְּשִׁבְעָה בּוּצִינִין, לְאַדְלְקָא עַל יְדָא דְּכַהֲנָא, וְכֹלָּא כְּגַוְונָא דִּלְעֵילָּא. וּמְנַרְתָּא, עַל אֶת קַיְּימָא, וּבְנִיסָא אִתְעֲבִידַת, וְהָא אוּקְמוּהָ בְּעוֹבָדָא דִּמְנַרְתָּא.

נ. וּמַדְבְּחָ פְּנִימָאָה, וּמְנַרְתָּא, קַיְּימֵי כַּחֲדָא, לְחֶדְוָותָא דְּכֹלָּא. דִּכְתִּיב שֶׁמֶן וּקְטֹרֶת יְשַׂמַּח לֵב. וְאוֹקִימְנָא דִּתְרֵי מַדְבְּחָן הֲווֹ, וְחַד פְּנִימָאָה דְּכֹלָּא, וְהַאי קַיְּימָא לְחֶדְוָותָא. וְחַד לְבַר, לְקָרְבָא קָרְבְּנִין. וּמֵהַאי פְּנִימָאָה נָפִיק לְהַאי דִּלְבַר, וּמַאן דְּחָמֵי וְיִסְתַּכַּל, יִנְדַּע וְחָכְמְתָא עִלָּאָה, רָזָא דְּמִלָּה אֲדֹנָי יְדוָד. וְעַל דָּא לָא אִתְקְרַב קְטֹרְתָּא, אֶלָּא בְּשַׁעֲתָא דְּשֶׁמֶן אִשְׁתְּכַח.

נא. אַשְׁכַּחְנָא בְּסִפְרָא דִּשְׁלֹמֹה מַלְכָּא, קְטֹרֶת הוּא לְחֶדְוָה, וּלְסַלְּקָא מוֹתָנָא. מַאי טַעֲמָא. בְּגִין דְּדִינָא מֵהַאי דִּלְבַר אִשְׁתְּכַח, וְחֶדְוָותָא וְחַדוּ וְקִשּׁוּרָא דִּנְהִירוּ, מֵהַהוּא פְּנִימָאָה, דְּכָל וִידוּ בֵּיהּ קַיְּימָא. וְכַד הַאי אַתְעַר, כָּל דִּינָא אִסְתַּלַּק מֵהַאי, וְלָא יָכִיל לְמֶעְבַּד דִּינָא. וּבְג"כ קְטֹרֶת קַיְּימָא לְבַטְּלָא מוֹתָנָא, וְעַל דָּא, קְטֹרֶת קְשִׁירוּ הוּא דְּכֹלָּא, וְדָא אִתְקְרִיב בְּהַהוּא פְּנִימָאָה. זַכָּאִין אִינּוּן יִשְׂרָאֵל בְּעָלְמָא דֵּין וּבְעָלְמָא דְּאָתֵי, עֲלַיְיהוּ כְּתִיב וַיֹּאמֶר לִי עַבְדִּי אָתָּה יִשְׂרָאֵל וְגוֹ'.

נב. קַח אֶת הַלְוִיִּם וְגוֹ', הָא אוּקְמוּהָ דְּבָעֵי לְדַכְאָה לוֹן, וּלְאַמְשָׁכָא לוֹן, לְאִתְקַשְּׁרָא בְּאַתְרַיְיהוּ, בְּגִין דְּאִינּוּן דְּרוֹעָא שְׂמָאלָא, וְסִטְרָא דְּדִינָא, וְכָל מַאן דְּאָתֵי מִסִּטְרָא דְּדִינָא, בָּעֵי דְּלָא יַרְבֵּי שַׂעֲרָא, בְּגִין דְּאַסְגֵּי דִּינָא בְּעָלְמָא. וְעַל דָּא אִתְחֲזֵי כְּהַאי גַּוְונָא, דְּלָא יִתְחֲזֵי שַׂעֲרָא לְבַר, וּבְעְיָיא לְאִתְגַּלְּחָא רֵישֵׁהּ, וּלְכַסֵּי שַׂעֲרָהָא, וְאוֹקִימְנָא, וְהָא אִתְּמַר. וּכְדֵין אִתְבָּרְכָן כָּל אִינּוּן דְּאַתְיָין מִסִּטְרָא דְּדִינָא. וְעַל דָּא בְּלֵיוָאֵי כְּתִיב, וְכֹה תַעֲשֶׂה לָהֶם לְטַהֲרָם וְגוֹ', וְהֶעֱבִירוּ תַעַר וְגוֹ'. וְאִתְּמַר לֵיוָאֵי לָא סַלְּקִין לְאַתְרַיְיהוּ, עַד דְּיָרִים לוֹן כַּהֲנָא, בְּגִין דִּימִינָא מְדַבַּר תָּדִיר לִשְׂמָאלָא.

נג. ר"ש אָמַר, בְּיוֹמָא דְּסַלְּקִין לֵיוָאֵי בִּדְוּכְתַיְיהוּ, בִּתְרֵין פָּרִים. מ"ט פָּרִים. אֶלָּא אִינְהוּ כְּפָרִים, לְקַבְּלָא בִּשְׂמָאלָא לְהַאי פָּרָה דְּאִקְרֵי פָּרָה אֲדוּמָה. כַּהֲנָא כָּל חֵילָא וְכָל תִּקּוּנָא בֵּיהּ תַּלְיָיא, בְּגִין דְּכָל חֵילָא דְּגוּפָא בִּדְרוֹעָא יְמִינָא קַיְּימָא. וְעַל דָּא כַּהֲנָא דְּרוֹעָא דְּיִשְׂרָאֵל כֻּלְּהוּ הֲוֵי. וּבֵיהּ קַיְּימָא לְאַתְקְנָא כֹּלָּא וּלְאַתְקְנָא עָלְמָא וְעִם כָּל דָּא, לָא אִשְׁתְּכַח בִּלְחוּדוֹי, אֶלָּא בְּגוּפָא וּשְׂמָאלָא, וְגוּפָא עִקָּרָא הוּא דְּכֹלָּא.

נד. זֹאת אֲשֶׁר לַלְוִיִּם וְגוֹ'. ת"ח, לֵיוָאָה בַּר חָמֵשׁ וְעֶשְׂרִין שְׁנִין סָלִיק לִדְוּכְתֵיהּ וְאִתְעַטָּר. וְחָמֵשׁ וְעֶשְׂרִין יִפְלַח עַד דְּסָלִיק לְדַרְגָּא דְּחַמְשִׁין. כַּד סָלִיק לְהַאי דַּרְגָּא דְּחַמְשִׁין שְׁנִין וּלְהָלְאָה, נָחִית מִן תּוּקְפָּא דְּאֶשָּׁא דְּבֵיהּ, וְכֵיוָן דְּאֶשָּׁא וְחַמִּימוּתָא אִתְקָרַר, הָא פָּגִים לְהַהוּא אֲתַר דְּאִתְקַשַּׁר בֵּיהּ.

נה. וְעוֹד, דְּקָלָא דְּזִמְרָא לָא אִתְקַשַּׁר בְּהַדֵיהּ כָּל כָּךְ. וְקָלָא בָּעֵי דְּלָא יִתְפְּגַם, אֶלָּא בָּעֵי לְאִתְתַּקְפָא, דְּהָא בַּאֲתַר דְּדִינָא תַּקִּיף קַיְּימָא, וְלָא בְּחַלְשָׁא. וּבְג"כ בָּעֵי דְּלָא יַפְגִּים הַהוּא אֲתַר דְּאִתְקַשַּׁר בֵּיהּ, דְּאִיהוּ דִּינָא תַּקִּיפָא, וְלָא חַלְשָׁא, וְעַל דָּא לָא בָּעֵי לְאַחֲזָאָה חוּלְשָׁתָא כְּלָל בְּכָל סִטְרִין. זַכָּאָה הוּא ב"נ דְּאִשְׁתַּדַּל בְּאוֹרַיְיתָא, וְיִנְדַּע אוֹרְחוֹי דְּקוּדְשָׁא בְּרִיךְ הוּא, וְלָא סָטֵי לִימִינָא וְלִשְׂמָאלָא, דִּכְתִּיב כִּי יְשָׁרִים דַּרְכֵי יְיָ'.

נו. וַיְדַבֵּר יְיָ' אֶל מֹשֶׁה בְּמִדְבַּר סִינַי וְגוֹ'. א"ר אַבָּא, מ"ט אַזְהַר לְהוֹן הָכָא עַל

פִּסְחָא, וְהָא אִתְּמַר לְהוּ בְּמִצְרַיִם. אֶלָּא בְּעָנָה הַשֵּׁנִית הֲוָה, דְּיִשְׂרָאֵל וְחָשִׁיבוּ דְּהָא פֶּסַח
לָא אִיהוּ אֶלָּא בְּמִצְרַיִם, וְכֵיוָן דְּעָבְדוּ לֵיהּ זִמְנָא וְזַדָּא בְּמִצְרַיִם, וְחָשִׁיבוּ דְּלָא אִצְטְרִיךְ
יַתִּיר. אָתָא קוּדְשָׁא בְּרִיךְ הוּא וְאַזְהַר לוֹן עֲלֵיהּ, דְּלָא יַחְשְׁבוּן דְּהָא קָא עָבַר זִמְנֵיהּ
בְּמִצְרַיִם, וְאַל יִצְטְרִיךְ. בְּגִין כָּךְ בְּמִדְבַּר סִינַי בְּעָנָה הַשֵּׁנִית, לְאַתְקְנָא לְהוּ לְדָרֵי דָּרִין.

נו. וְאע"ג דְּהָא אַזְהַר לְהוּ בְּמִצְרַיִם, הַשְׁתָּא פָּקִיד לוֹן זִמְנָא אַחֲרָא, בְּהַהוּא אֲתַר
דְּכָל פִּקּוּדִין דְּאוֹרַיְיתָא בֵּיהּ אִתְיְהִיבוּ. וע"ד בְּעָנָה הַשֵּׁנִית. מַאי בְּעָנָה הַשֵּׁנִית בּוֹדֶשׁ
הָרִאשׁוֹן. אֶלָּא רָזָא עִלָּאָה הִיא, וַחֹד שָׁנָה, וַחֹד וֹדֶשׁ. וְוַחֹד וֹדֶשׁ. מַה בֵּין הַאי לְהַאי. וְוֹדֶשׁ: דָּא
סִיהֲרָא. שָׁנָה: דָּא שִׁמְשָׁא, דְּנָהִיר לְסִיהֲרָא. וּכְדֵין הֲוָה בְּזִמְנָא דְּכָל פִּקּוּדִין דְּאוֹרַיְיתָא
אִתְמַסְרוּ בֵּיהּ.

נח. ר"ש אָמַר, וַוי לְהַהוּא ב"נ דְּאָמַר, דְּהָא אוֹרַיְיתָא אָתָא לְאַחֲזָאָה סִפּוּרִין
בְּעָלְמָא, וּמִלִּין דְּהֶדְיוֹטֵי. דְּאִי הָכִי, אֲפִילּוּ בְּזִמְנָא דָּא, אֲנָן יָכְלִין לְמֶעְבַּד אוֹרַיְיתָא,
בְּמִלִּין דְּהֶדְיוֹטֵי, וּבְשִׁבְחָא יַתִּיר מִכֻּלְּהוּ. אִי לְאַחֲזָאָה מִלָּה דְּעָלְמָא, אֲפִילּוּ אִינּוּן קַפְּסִירֵי
דְּעָלְמָא, אִית בֵּינַיְיהוּ מִלִּין עִלָּאִין יַתִּיר. אִי הָכִי נֵזִיל אֲבַתְרַיְיהוּ, וְנַעֲבִיד מִנַּיְיהוּ
אוֹרַיְיתָא, כְּהַאי גַּוְונָא. אֶלָּא כָּל מִלִּין דְּאוֹרַיְיתָא, מִלִּין עִלָּאִין אִינּוּן, וְרָזִין עִלָּאִין.

נט. ת"ח, עָלְמָא עִלָּאָה וְעָלְמָא תַּתָּאָה בְּחַד מַתְקְלָא אִתְקְלוּ. יִשְׂרָאֵל לְתַתָּא, מַלְאֲכֵי
עִלָּאֵי לְעֵילָּא. מַלְאֲכֵי עִלָּאֵי כְּתִיב בְּהוּ, עוֹשֶׂה מַלְאָכָיו רוּחוֹת. בְּשַׁעֲתָא דְּנַחְתִין לְתַתָּא,
מִתְלַבְּשֵׁי בִּלְבוּשָׁא דְּהַאי עָלְמָא. וְאִי לָאו מִתְלַבְּשֵׁי בִּלְבוּשָׁא כְּגַוְונָא דְּהַאי עָלְמָא, לָא
יָכְלִין לְמֵיקָם בְּהַאי עָלְמָא, וְלָא סָבִיל לוֹן עָלְמָא. וְאִי בְּמַלְאֲכֵי כָּךְ, אוֹרַיְיתָא דְּבָרָא
לְהוּ, וּבָרָא עָלְמִין כֻּלְּהוּ, וְקַיְימִין בְּגִינָהּ, עאכ"ו כֵּיוָן דְּנַחְתַת לְהַאי עָלְמָא, אִי לָאו
דְּמִתְלַבְּשָׁא בְּהָנֵי לְבוּשִׁין דְּהַאי עָלְמָא, לָא יָכִיל עָלְמָא לְמִסְבַּל.

ס. וע"ד הַאי סִפּוּר דְּאוֹרַיְיתָא, לְבוּשָׁא דְּאוֹרַיְיתָא אִיהוּ. מַאן דְּחָשִׁיב דְּהַהוּא
לְבוּשָׁא אִיהוּ אוֹרַיְיתָא מַמָּשׁ, וְלָא מִלָּה אַחֲרָא, תִּיפַּח רוּחֵיהּ, וְלָא יְהֵא לֵיהּ וְחוּלָקָא
בְּעָלְמָא דְּאָתֵי. בְּגִין כָּךְ אָמַר דָּוִד, גַּל עֵינַי וְאַבִּיטָה נִפְלָאוֹת מִתּוֹרָתֶךָ. מַה דִּתְחוֹת
לְבוּשָׁא דְּאוֹרַיְיתָא.

סא. ת"ח, אִית לְבוּשָׁא דְּאִתְחֲזֵי לְכֹלָּא, וְאִינּוּן טִפְּשִׁין כַּד וְזַמָּאן לְבַר נָעַ בְּלִבוּשָׁא
דְּאִתְחֲזֵי לוֹן עֲפִירָא, לָא מִסְתַּכְּלִין יַתִּיר. וְחָשִׁיבוּ דְּהַהוּא לְבוּשָׁא, גּוּפָא, וַחֲשִׁיבוּ דְּגוּפָא,
נִשְׁמָתָא.

סב. כְּהַאי גַּוְונָא אוֹרַיְיתָא, אִית לָהּ גּוּפָא, וְאִינּוּן פִּקּוּדֵי אוֹרַיְיתָא, דְּאִקְרוּן גּוּפֵי
תוֹרָה. הַאי גּוּפָא מִתְלַבְּשָׁא בִּלְבוּשִׁין, דְּאִינּוּן סִפּוּרִין דְּהַאי עָלְמָא. טִפְּשִׁין דְּעָלְמָא, לָא
מִסְתַּכְּלֵי אֶלָּא בְּהַהוּא לְבוּשָׁא, דְּאִיהוּ סִפּוּר דְּאוֹרַיְיתָא, וְלָא יָדְעֵי יַתִּיר, וְלָא מִסְתַּכְּלֵי
בַּמֶּה דְּאִיהוּ תְּחוֹת לְבוּשָׁא. אִינּוּן דְּיָדְעִין יַתִּיר, לָא מִסְתַּכְּלָן בִּלְבוּשָׁא, אֶלָּא
בְּגוּפָא, דְּאִיהוּ תְּחוֹת הַהוּא לְבוּשָׁא. חַכִּימִין עַבְדֵי דְּמַלְכָּא עִלָּאָה, אִינּוּן דְּקַיְימוּ בְּטוּרָא
דְּסִינַי, לָא מִסְתַּכְּלֵי אֶלָּא בְּנִשְׁמְתָא, דְּאִיהִי עִקְּרָא דְּכֹלָּא אוֹרַיְיתָא מַמָּשׁ. וּלְזִמְנָא
דְּאָתֵי, וְזַמִּינִין לְאִסְתַּכְּלָא בְּנִשְׁמְתָא דְּנִשְׁמְתָא דְּאוֹרַיְיתָא.

סג. ת"ח, הָכִי נָמֵי לְעֵילָּא, אִית לְבוּשָׁא, וְגוּפָא, וְנִשְׁמְתָא, וְנִשְׁמְתָא לְנִשְׁמְתָא. שְׁמַיָּא
וְחֵילֵיהוֹן אִלֵּין אִינּוּן לְבוּשָׁא. וּכְנֶסֶת יִשְׂרָאֵל, דָּא גּוּפָא, דִּמְקַבְּלָא לְנִשְׁמְתָא, דְּאִיהִי
תִּפְאֶרֶת יִשְׂרָאֵל. וע"ד אִיהוּ גּוּפָא לְנִשְׁמְתָא. נִשְׁמְתָא דְּאָמְרָן דָּא תִּפְאֶרֶת יִשְׂרָאֵל,
דְּאִיהִי אוֹרַיְיתָא מַמָּשׁ. וְנִשְׁמְתָא לְנִשְׁמְתָא, דָּא אִיהוּ עַתִּיקָא קַדִּישָׁא. וְכֹלָּא אָחִיד דָּא

בְּדָא.

סד. וַוי לְאִינּוּן וַזַּיְיבַיָּא, דְּאָמְרֵי דְּאוֹרַיְיתָא לָאו אִיהִי אֶלָּא סִפּוּרָא בְּעָלְמָא, וְאִינּוּן מִסְתַּכְּלֵי בִּלְבוּשָׁא דָּא וְלָא יַתִּיר. זַכָּאִין אִינּוּן צַדִּיקַיָּיא, דְּמִסְתַּכְּלֵי בְּאוֹרַיְיתָא כַּדְקָא יָאוֹת. וַחֲמָרָא לָא יָתִיב אֶלָּא בְּקַנְקָן. כַּךְ אוֹרַיְיתָא לָא יָתִיב אֶלָּא בִּלְבוּשָׁא דָּא. וְע״ד לָא בָּעֵי לְאִסְתַּכְּלָא, אֶלָּא בְּמָה דְּאִית תְּחוֹת לְבוּשָׁא. וְע״ד כָּל אִינּוּן מִלִּין, וְכָל אִינּוּן סִפּוּרִין, לְבוּשִׁין אִינּוּן.

סה. וְיַעֲשׂוּ בְנֵי יִשְׂרָאֵל אֶת הַפָּסַח בְּמוֹעֲדוֹ מַאי וְיַעֲשׂוּ. אָמַר רַבִּי יוֹסֵי, הָא אִתְּמַר, כָּל מַאן דְּאַחֲזֵי עוֹבָדָא לְתַתָּא כַּדְקָא יָאוֹת, כְּאִילּוּ עָבֵיד לֵיהּ לְעֵילָּא. דְּהָא בְּגִינֵיהּ אִתְעַר הַהוּא מִלָּה, כִּבְיָכוֹל, כְּאִילּוּ הוּא עָבֵיד לֵיהּ, וְהָא אִתְּמַר.

סו. אִישׁ אִישׁ כִּי יִהְיֶה טָמֵא וְגוֹ'. אִישׁ אִישׁ תְּרֵי זִמְנֵי, אֲמַאי, אֶלָּא אִישׁ דְּהוּא אִישׁ, וְיִתְחֲזֵי לְקַבְּלָא נִשְׁמְתָא עִלָּאָה, וְהוּא פָּגִים גַּרְמֵיהּ. דְּלָא שַׁרְיָיא עָלוֹי שְׁכִינְתָּא עִלָּאָה. מ״ט. בְּגִין דְּאִיהוּ גָּרִים, וְהוּא מְסָאֵב לֵיהּ לְגַרְמֵיהּ. וְע״ד אִישׁ אִישׁ. אִישׁ דְּיִתְחֲזֵי לְמֶהֱוֵי אִישׁ, וְהוּא מְסָאֵב גַּרְמֵיהּ, דְּלָא יִשְׁרֵי עֲלוֹי קְדוּשָּׁה דִּלְעֵילָּא.

סז. אוֹ בְדֶרֶךְ רְחוֹקָה, דָּא אִיהוּ וַחַד מֵעַשְׂרָה דְּאִינּוּן נְקוּדִים בְּאוֹרַיְיתָא, וְכֻלְּהוּ אַתְיָין לְאַחֲזָאָה מִלָּה. מַאי בְּדֶרֶךְ רְחוֹקָה. בְּגִין דְּבַ״נ דְּאִיהוּ מְסָאִיב גַּרְמֵיהּ, מְסָאֲבִין לֵיהּ לְעֵילָּא. כֵּיוָן דִּמְסָאֲבִין לֵיהּ לְעֵילָּא, הָא אִיהוּ בְּדֶרֶךְ רְחוֹקָה. מֵהַהוּא אֲתַר וְאָרְחָא דְּזַרְעָא דְּיִשְׂרָאֵל אֲחִידָן בֵּיהּ, הָא בְּדֶרֶךְ רְחוֹקָה אָחִיד, דְּאִתְרַחַק לְמִקְרַב לְכוֹן, וּלְאִתְקַשְּׁרָא בְּכוֹן, כְּמָה דְּאַתּוּן מִתְקַשְּׁרִין.

סח. א״ר יִצְחָק, וְהָא כְּתִיב כִּי יִהְיֶה טָמֵא לָנֶפֶשׁ אוֹ בְדֶרֶךְ רְחוֹקָה, דְּאִתְחֲזֵי תְּרֵין מִלִּין. מַשְׁמַע דִּכְתִיב אוֹ. אָמַר ר' יוֹסֵי, כָּאן, עַד לָא מְסָאֲבִין לֵיהּ. כָּאן, בָּתַר דִּמְסָאֲבִין לֵיהּ. וּמַשְׁמַע אֲפִילּוּ הַאי, אוֹ הַאי, לָא יִשְׁרֵי עֲלוֹי קְדוּשָּׁה דִּלְעֵילָּא, וְלָא יַעַבְדוּן פִּסְחָא בִּזְמְנָא דְּיִשְׂרָאֵל עָבְדִין לֵיהּ.

סט. וְאִי תֵּימָא, הָא בְּיַרְחָא תִּנְיָינָא עָבֵיד אִי לָא מְתַקֵּן גַּרְמֵיהּ. לָא, אֶלָּא כֵּיוָן דְּמִתַּדְּכֵי וּמְתַקֵּן גַּרְמֵיהּ, הָא יַרְחָא תִּנְיָינָא לְמֶעְבַּד פִּסְחָא. מִכָּאן, כָּל בַּ״נ דִּמְדַכֵּי גַּרְמֵיהּ, מְדַכָּאן לֵיהּ.

ע. דְּאִי תֵּימָא דְּבְדַרְגָּא עִלָּאָה יַתִּיר קָאֵים בְּיַרְחָא תִּנְיָינָא. לָאו הָכִי, דְּהָא יִשְׂרָאֵל זַרְעָא קַדִּישָׁא דְּעָבְדוּ פִּסְחָא בִּזְמְנֵיהּ, נַטְלוּ לֵיהּ לְסִיהֲרָא וּלְשִׁמְשָׁא כַּחֲדָא. וּמַאן דְּנָטִיל יְסוֹדָא בְּקַדְמֵיתָא, נָטִיל בִּנְיָינָא. מַאי יְסוֹדָא. לָא תֵּימָא יְסוֹדָא עִלָּאָה דְּצַדִּיקָא דְּעָלְמָא, אֶלָּא יְסוֹדָא דְּאֶבֶן טָבָא, כד״א אֶבֶן מָאֲסוּ הַבּוֹנִים הָיְתָה לְרֹאשׁ פִּנָּה. וְהַאי הוּא אֶבֶן דְּשַׁארֵי עָלָהּ מַאן דְּשָׁארֵי.

עא. אָמַר רַבִּי יְהוּדָה, וַדַּאי כֹּלָּא נָטִיל אֲפִילּוּ בְּיַרְחָא תִּנְיָינָא. אֲבָל לָאו אִיהוּ כְּמַאן דְּנָטִיל לֵיהּ בִּזְמְנֵיהּ. מַאי טַעֲמָא. דָּא דְּנָטִיל פִּסְחָא בִּזְמְנֵיהּ, נָטִיל מִתַּתָּא לְעֵילָּא, וְלָא נָחִית. בְּגִין דְּמַעֲלִין בַּקֹּדֶשׁ, וְלָא מוֹרִידִין. וְדָא דְּנָטִיל בָּתַר זִמְנֵיהּ, נָחִית מֵעֵילָּא לְתַתָּא. בג״כ שַׁוְיָין בְּכֹלָּא, וְלָא שַׁוְיָין. דְּדָא סָלִיק וְלָא נָחִית, וְדָא נָחִית וְלָא סָלִיק. בְּגִין כַּךְ מַאן דְּמְקָרֵב פִּסְחָא בִּזְמְנֵיהּ, שְׁבָחָא יַתִּיר אִית לֵיהּ. זַכָּאִין אִינּוּן יִשְׂרָאֵל, דְּזַכָּאן בְּכֹלָּא, דְּזַכָּאן בְּאוֹרַיְיתָא, וְכָל מַאן דְּזָכֵי בְּאוֹרַיְיתָא, זָכֵי לֵיהּ בִּשְׁמָא קַדִּישָׁא. זַכָּאִין אִינּוּן יִשְׂרָאֵל, בְּעָלְמָא דֵּין וּבְעָלְמָא דְּאָתֵי.

רעיא מהימנא

עב. פִּקּוּדָא לְמֶעְבַּד פֶּסַח שֵׁנִי, עַל אִינּוּן דְּלָא יָכִילוּ, אוֹ דְּאִסְתָּאֲבוּ בְּמִסְאֲבוּ אַחֲרָא.

אִי רָזָא דְּפֶסַח, רָזָא דִּמְהֵימְנוּתָא דְּיִשְׂרָאֵל עָאלִין בָּהּ, שַׁלְטָא בְּנִיסָן, וּכְדֵין אִיהוּ זִמְנָא לְזִוְּוגָהּ, אֵיךְ יַכְלִין אִלֵּין דְּלָא יָכִילוּ, אוֹ דְּאִסְתְּאָבוּ, לְמֶעְבַּד בִּירְחָא תִּנְיָינָא, דְּהָא אַעְבַּר זִמְנָא.

עג. אֶלָּא כֵּיוָן דְּכ"י מִתְעַטְּרָא בְּעִטְרָהָא בְּנִיסָן, לָא אִתְעֲדִיאַת כִּתְרָהָא וְעִטְרָהָא מִנָּהּ תְּלָתִין יוֹמִין. וְכָל אִינּוּן ל' יוֹמִין מִן יוֹמָא דְּנַפְקוּ יִשְׂרָאֵל מִפֶּסַח יָתְבָא מַטְרוֹנִיתָא בְּעִטְרָהָא, וְכָל חֵילָאָהּ בְּזִוְּוגָהּ. מַאן דְּבָעֵי לְמֶחֱמֵי לְמַטְרוֹנִיתָא, יָכִיל לְמֶחֱמֵי. כָּרוֹזָא כָּרִיז, כָּל מַאן דְּלָא יָכִיל לְמֶחֱמֵי מַטְרוֹנִיתָא, יֵיתֵי וְיֶחֱמֵי עַד לָא יִנְעֲלוּן תַּרְעַיָּא. אֵימָתַי כָּרוֹזָא כָּרִיז. בְּאַרְבָּעָה עָשָׂר לְיַרְחָא תִּנְיָינָא, דְּהָא מִתַּמָּן עַד שִׁבְעָה יוֹמִין, תַּרְעִין פְּתִיחָן. מִכָּאן וּלְהָלְאָה יִנְעֲלוּן תַּרְעֵי. וְעַל דָּא פֶּסַח שֵׁנִי

עד. פִּקּוּדָא דָּא, שְׁחִיטַת הַפֶּסַח בִּזְמַנּוֹ. וַאֲבַתְרֵיהּ פֶּסַח רִאשׁוֹן וּפֶסַח שֵׁנִי לֶאֱכוֹל אוֹתָן כְּמִשְׁפָּטָן. וּטְמֵאִים לִהְיוֹת נִדְחִים לְפֶסַח שֵׁנִי, דְּאִיהוּ פִּקּוּדָא תְּלִיתָאָה. תַּנָּאִין וַאֲמוֹרָאִין, אִית בְּנֵי נָשָׁא כְּחוּלִין דְּטָהֳרָה, מִסִּטְרָא דְּמִיכָאֵל. וּכְחוּלִין דְּהֶקְדֵּשׁ, כְּגוֹן בְּשַׂר קֹדֶשׁ, וְאִינּוּן מִסִּטְרָא דְּגַבְרִיאֵל. כֹּהֵן וְלֵוִי. וְאִית בְּנֵי נָשָׁא דְּאִינּוּן כְּיוֹמִין טָבִין, וְאִינּוּן קֹדֶשׁ קָדָשִׁים.

עה. שְׁכִינְתָּא אִיהִי פֶּסַח רִאשׁוֹן, מִימִינָא. וּפֶסַח שֵׁנִי, מִשְּׂמָאלָא. פֶּסַח רִאשׁוֹן מִימִינָא, דְּתַמָּן חָכְמָ"ה. פֶּסַח שֵׁנִי מִשְּׂמָאלָא, דְּתַמָּן בִּינָה. וּבְגִין דִּבְגְבוּרָה מִתְעַבְּרִין כָּל אֶשִּׁין נוּכְרָאִין, דְּאִינּוּן כְּקַשׁ וְתֶבֶן לְגַבֵּי אֵשׁ דִּגְבוּרָה, טְמֵאִים נִדְחִים לְפֶסַח שֵׁנִי.

עו. וְכָל טוּמְאָה נִדָּה, וּמְצוֹרָע, וְזָב וְזָבָה וְיוֹלֶדֶת, בְּאֶשָּׁא דִּגְבוּרָה אִיהוּ שׂוֹרֵף. דְּנִשְׁמְתָא אִיהוּ מָאנָא דְּקוּדְשָׁא בְּרִיךְ הוּא, וְאִיהוּ לָא שָׁרֵי בָּהּ, עַד דְּאִתְלַבְּנַת בְּאֶשָּׁא דִּגְבוּרָה, דִּכְתִיב הֲלֹא כֹה דְבָרִי כָּאֵשׁ נְאֻם יְיָ'. וּבְהַאי אֶשָּׁא, אִם בַּרְזֶל הוּא מִתְפּוֹצֵץ, וְאִם אֶבֶן הוּא נִמּוֹחַ.

עז. וּבִימִינָא דְּתַמָּן תּוֹרָה שֶׁבִּכְתָב, דְּאִיהִי מַיִם, וְטָהֳרָה מִמְּקוֹר דָּמֶיהָ, וְאִתְדְּכֵי בָּהּ מְצוֹרָע, וְטָמֵא מֵת, וְזָב וְטָמֵא בְּכָל מִינֵי שֶׁרֶץ. הה"ד וְזָרַקְתִּי עֲלֵיכֶם מַיִם טְהוֹרִים וּטְהַרְתֶּם וְגוֹ'.

עח. בְּעַמּוּדָא דְּאֶמְצָעִיתָא מָאנָא אִתְיַיחֲדַת בְּבַעְלָהּ, דְּאִיהִי אִתְּתָא, בָּתַר דְּאִתְקַדְּשַׁת בִּשְׂמָאלָא, וְאִתְדַּכְּאַת בְּמֵי מִקְוֶה בִּימִינָא, וְאוֹמְרִים עַל מָאנֵי דְּפִסְחָא, כֵּלִים שֶׁנִּשְׁתַּמְּשׁוּ בָּהֶן בְּצוֹנֵן, מַטְבִּילָן בְּצוֹנֵן, וְהֵן טְהוֹרִים. אִינּוּן נִשְׁמָתִין דְּאִינּוּן מִסִּטְרָא דְּרַחֲמֵי, וְאִינּוּן רַחֲמָנִים, מָארֵי חִנָּא וְחִסְדָּא, לָא צְרִיכִין לְאַדְכָּאָה בְּמַיִם פּוֹשְׁרִים כְּבֵינוֹנִיִּים. כ"ש בְּחַמֵּי חַמִּין, דִּבְהוֹן מִתְדַּכִּין רְשָׁעִים גְּמוּרִים, דִּמְזַמְּנִין גַּרְמַיְיהוּ בְּאֶשָּׁא דְּיֵצֶ"הָ"ר. וַעֲלַיְיהוּ אִתְּמַר, כָּל דָּבָר אֲשֶׁר יָבֹא בָּאֵשׁ. בְּגִין דְּזוּהֲמָא דִּלְהוֹן נְפִישָׁא. אֲבָל צַדִּיקִים גְּמוּרִים בְּצוֹנֵן. דַּעֲלַיְיהוּ אִתְּמַר, כָּל הַמֵּשִׂים רֶיוַח בֵּין הַדְּבֵקִים, מְצַנְּנִים לֵיהּ גֵּיהִנָּם.

עט. וְאִי נִשְׁמָתִין חֲמוּרִיִּים, דְּאִינּוּן כְּמָאנֵי חֶרֶס, שְׁבִירָתָן זוֹ הִיא טָהֳרָתָן. כד"א נִשְׁבְּרוּ, נִטְהָרוּ. וְרָזָא דְּמִלָּה, זִבְחֵי אֱלֹהִים רוּחַ נִשְׁבָּרָה וְגוֹ'. אֲבָל אִינּוּן דְּמִשְׁתַּדְּלִין בְּאוֹרַיְיתָא דְּבִכְתָב וּבְאוֹרַיְיתָא דְּבע"פ, דְּאִינּוּן אֵשׁ וּמַיִם, וְאִינּוּן דְּמִשְׁתַּדְּלִין בְּרָזֵי דְּאוֹרַיְיתָא, דְּאִיהוּ אוֹר, דִּכְתִיב בָּהּ, וְתוֹרָה אוֹר, בְּאוֹרַיְיתָא אִינּוּן מִתְדַּכִּין בָּהּ.

פ. וְעוֹד בְּפֶרֶק הָרוֹאֶה, הָרוֹאֶה תְּמָרִים בַּחֲלוֹם, תַּמּוּ עֲוֹנוֹתָיו. הה"ד, תַּם עֲוֹנֵךְ בַּת צִיּוֹן. בְּגִין דִּתְמָרִים, בֵּיהּ תָּם, דַּרְגָּא דְּיַעֲקֹב, דְּאִתְּמַר בֵּיהּ, וְיַעֲקֹב אִישׁ תָּם. וְחוּבִין מָרִים, וע"ד תְּמָרִים: תַּמָּן תָּ"ם, וְתַמָּן מָ"ר.

פא. הָכָא רָמִיז, וַיִּמְתְּקוּ הַמָּיִם. הה"ד, וַיּוֹרֵהוּ יְיָ' עֵץ וַיִּמְתְּקוּ הַמָּיִם. מֵהָכָא, מַאן דְּאִשְׁתְּדַל בְּאוֹרַיְיתָא, דְּאִיהוּ עֵץ. חוֹבִין דִּילֵיהּ, דְּאִתְּמַר בְּהוֹן וַיְמָרְרוּ אֶת חַיֵּיהֶם בַּעֲבוֹדָה קָשָׁה, קוּדְשָׁא בְּרִיךְ הוּא מָחִיל לֵיהּ, וְיִתְהַדְּרוּן מְתִיקִין.

פב. דְּיוֹמִין יֵיתוּן, דְּיִתְקַיְּימוּ בְּהוּ כְּמִסְפְּקָנוּ דְּמִצְרַיִם, דְּאִתְּמַר בֵּיהּ וַיָּמָת יוֹסֵף וְכָל אֶחָיו וְכֹל הַדּוֹר הַהוּא. וּבְגָלוּתָא בַּתְרָאָה, לֵית מִיתָה אֶלָּא עוֹנִי דְּעָנִי וְחָשׁוּב כַּמֵּת. לְקַיֵּים בְּהוֹן וְהִשְׁאַרְתִּי בְךָ עַם עָנִי וָדָל וְחָסוּ בְּשֵׁם יְיָ'. לְאִתְקַיְּימָא בְּהוֹן וְאֶת עַם עָנִי תּוֹשִׁיעַ. וְאִלֵּין עֲתִירִים דְּיִשְׁתַּאֲרוּן בְּהוֹן יִתְקַיֵּים בְּהוֹן, נִרְפִּים אַתֶּם נִרְפִּים. נִרְפִּים הֵם בְּאוֹרַיְיתָא. נִרְפִּים הֵם, לְמֶעְבַּד טִיבוּ עִם מָארֵי תּוֹרָה. וְאַנְשֵׁי חַיִל הַמְּסוֹבְבִים מֵעִיר לָעִיר וְלָא יְחוֹנָּנוּ.

פג. וְנִרְפִּים הֵם בְּכוֹבֶד הַמַּס, דְּאִי תֵּימָא כְּבֵדִין אִינּוּן בְּכוֹבֶד הַמַּס, וְלָא עַבְדִין טִיבוּ, בְּגִין דָּא תִּכְבַּד הָעֲבוֹדָה עַל הָאֲנָשִׁים וְיַעֲשׂוּ בָהּ, דְּכוֹבֶד הַמַּס עֲלַיְיהוּ, וְאַל יִשְׁעוּ בְּדִבְרֵי שָׁקֶר, דְּאִינּוּן מְשַׁקְּרִין וְאַמְרִין דְּכוֹבֶד הַמַּס עֲלַיְיהוּ, וּבְגִין דָּא לָא יַעַבְדוּן טִיבוּ. אִינּוּן מְשַׁקְּרָן בְּמִלּוֹלַיְיהוּ, וְאַמְרִין דְּמֵהַכּוֹבֶד דְּתִכְבַּד עֲלַיְיהוּ, תֶּבֶן אֵין נִתָּן, מָמוֹנָא דְּשִׁקְרָא, דְּבֵיהּ טוֹעִין לְקוּדְשָׁא בְּרִיךְ הוּא וּבְגִין דְּלָא יִשְׁעוּן בֵּיהּ, וְלָא חָסוּ בְּשֵׁם יְיָ', אֵין נִתָּן לַעֲבָדֶיךָ.

פד. וְאִלֵּין דְּאִית לוֹן, טָמִיר וְגָנִיז מָמוֹנָא מִלְּגוֹ, דְּאִיהוּ תוֹכֶן, כְּגוֹן תּוֹךְ הָאוֹצָר וְתֵיבָה, אִתְקַיָּים בְּהוּ וְתוֹכֶן לְבֵנִים תִּתֵּנוּ. וְדָא כְּסָפִים לְבָנִים, דִּיהוֹן בְּהַהוּא דָּרָא.

פה. בְּהַהוּא זִמְנָא שָׂם שָׂם לוֹ חוֹק וּמִשְׁפָּט, וְאִינּוּן מָארֵי מִשְׁנָה. אוֹף הָכָא וַיָּבֹאוּ מָרָתָה, אִתְהַדָּר לוֹן אוֹרַיְיתָא דְּבְעַל פֶּה, מָרָה בְּדַחֲקִין סַגִּיאִין, בַּעֲנִיּוּתָא, דְּיִתְקַיָּים בְּהוּ, וַיְמָרְרוּ אֶת חַיֵּיהֶם בַּעֲבוֹדָה קָשָׁה: זוֹ קוּשְׁיָא. בְּחוֹמֶר: דָּא ק"ו. וּבִלְבֵנִים: דָּא לִבּוּן הֲלָכָה. וּבְכָל עֲבוֹדָה בַּשָּׂדֶה: דָּא בָּרַיְיתָא. אֵת כָּל עֲבוֹדָתָם אֲשֶׁר עָבְדוּ בָהֶם בְּפָרֶךְ: דָּא תֵּיקוּ.

פו. וְרַעְיָא מְהֵימְנָא, תַּמָּן אִתְקַיָּים בָּךְ, שָׂם שָׂם לוֹ חוֹק וּמִשְׁפָּט וְשָׁם נִסָּהוּ. וּבְהַאי עֵץ הַדַּעַת טוֹב וָרָע, דְּאִיהוּ אִיסּוּר וְהֶיתֵּר. וּבְאִינּוּן רָזִין דְּאִתְגַּלְיָין עַל יָדָךְ, וַיִּמְתְּקוּ הַמָּיִם. כְּמֶלַח דִּמְמַתְּקַת בִּשְׂרָא, הָכִי יִתְמַתְּקוּן בְּרָזַיָּיא דְּאִתְגַּלְיָין עַל יָדָךְ, כָּל אִינּוּן קוּשְׁיָין וּמַחְלוֹקוֹת, דְּמַיִין מְרִירָן דְּאוֹרַיְיתָא דִּבְעַל פֶּה, אִתְהַדָּרוּ מְתִיקָן מֵי אוֹרַיְיתָא, וְיִסּוּרִין דִּילָךְ, בְּרָזִין אִלֵּין דְּאִתְגַּלְיָין עַל יָדָךְ, יֶהוֹן לָךְ מְתִיקָן, וִיהַדְּרוּן לָךְ כָּל דַּחֲקִין דִּילָךְ, כְּחֶלְמִין דְּעַבְרִין. וְחַלְ"ם, בְּהִיפּוּךְ אַתְוָון מֶלַ"ח. דִּמְמַתְּקַת יַת בִּשְׂרָא. אוֹף יִסּוּרִין מְמַתְּקִים. כְּמָה דְּאוּקְמוּהָ.

פז. וְלָרְשָׁעִים מִתְהַדְּרָן יִסּוּרִין מֶלַח סְדוֹמִית, דְּאִיהִי מְסַמֵּא אֶת הָעֵינַיִם, לְקַיְּימָא בְּהוּ וְעֵינֵי רְשָׁעִים תִּכְלֶינָה. וְאִינּוּן עֵרֶב רַב רַשִׁיעַיָּיא, דְּיִתְקַיָּים בְּהוּ בְּהַהוּא זִמְנָא, יִתְבָּרְרוּ וְיִתְלַבְּנוּ וְיִצָּרְפוּ רַבִּים וְהִרְשִׁיעוּ רְשָׁעִים. יִתְלַבְּנוּ: אִינּוּן מָארֵי מִשְׁנָה. וְיִצָּרְפוּ: אִינּוּן זַרְעָא קַדִּישָׁא דִּשְׁאַר עַמָּא. הה"ד וּצְרַפְתִּים כִּצְרוֹף אֶת הַכֶּסֶף. וְהִרְשִׁיעוּ רְשָׁעִים, אִינּוּן עֵרֶב רַב.

פח. וְהַמַּשְׂכִּילִים יָבִינוּ, אִינּוּן מָארֵי קַבָּלָה, דְּאִתְּמַר בְּהוֹן וְהַמַּשְׂכִּילִים יַזְהִירוּ כְּזוֹהַר הָרָקִיעַ. אִלֵּין אִינּוּן דְּקָא מִשְׁתַּדְּלִין בְּזֹהַר דָּא, דְּאִקְרֵי סֵפֶר הַזֹּהַר, דְּאִיהוּ כְּתֵיבַת נֹחַ, דְּמִתְכַּנְשִׁין בָּהּ שְׁנַיִם מֵעִיר, וְשֶׁבַע מִמַּלְכוּתָא. וּלְזִמְנִין אֶחָד מֵעִיר, וּשְׁנַיִם מִמִּשְׁפָּחָה. דִּבְהוֹן יִתְקַיֵּים כָּל הַבֵּן הַיִּלּוֹד הַיְאוֹרָה תַּשְׁלִיכוּהוּ. וְדָא אוֹרָה דְּסִפְרָא דָא, וְכֹלָּא עַל

סִיבָּה דִּילָךְ.

פט. וּמַאן גָּרִים דָּא. עוֹרֵב דְּאַנְתְּ תְּהֵא בְּהַהוּא זִמְנָא, כְּיוֹנָה. דְּשָׁלִיחַ אַוְורָא דְּאַקְרֵי בִּשְׁמָךְ, כְּעוֹרֵב דְּאִשְׁתַּלַּח בְּקַדְמֵיתָא, וְלָא אִתְהֲדַר בִּשְׁלִיחוּתָא, דְּאִשְׁתְּדַל בַּשְּׁקָצִים, דְּאִתְּמַר בְּהוֹן, עַמֵּי הָאָרֶץ שֶׁקֶץ. בְּגִין מָמוֹנָא דִּלְהוֹן, וְלָא אִשְׁתְּדַל בִּשְׁלִיחוּתֵיהּ לְאַהְדְּרָא לְצַדִּיקַיָּיא בְּתְיוּבְתָּא. כְּאִילּוּ לָא עָבֵיד שְׁלִיחוּתָא דְּמָארֵיהּ.

צ. וּבָךְ יִתְקַיֵּים רָזָא דְּיוֹנָה, דְּעָאל בְּעִמְקִין דִּתְהוֹמֵי יַמָּא, הָכִי תֵּיעוּל אַנְתְּ בַּעֲמִיקוּ דִּתְהוֹמֵי אוֹרַיְיתָא, הה"ד וַתַּשְׁלִיכֵנִי מְצוּלָה בִּלְבַב יַמִּים. וְיֵהוֹן וְחָכְמָה וְחֶסֶד נֶצַח לִימִין. דִּבְגִינַיְיהוּ אָמַר דָּוִד, יְמִין יְיָ' עוֹשָׂה חָיִל יְמִין יְיָ' רוֹמֵמָה יְמִין יְיָ' עוֹשָׂה חָיִל. וּתְלַת מִשְּׂמָאלָא יִתְקַשְּׁרוּן כַּחֲדָא, דְּאִינּוּן בִּינָה גְּבוּרָה הוֹד. וְג' דַּרְגִּין דְּאֶמְצָעִיתָא, כֶּתֶר תִּפְאֶרֶת יְסוֹד, דַּאֲחִידָן בִּימִינָא וּשְׂמָאלָא.

צא. וּבְגִין דְּחָזָא לָךְ נָבִיא מִתְקַשַּׁר בִּתְלַת דַּרְגִּין דְּאֶמְצָעִיתָא, פָּתַח עֲלָךְ הַאי קְרָא, הִנֵּה יַשְׂכִּיל עַבְדִּי יָרוּם וְנִשָּׂא וְגָבַהּ מְאֹד. וּבְגִין דְּאַנְתְּ תְּהֵא אָחִיד בִּתְרֵין מְשִׁיחִין, אָמַר דָּוִד עַל ג' יְמִינִין דִּמְשִׁיחַ בֶּן דָּוִד, יְמִין יְיָ' תְּלַת זִמְנִין. לָקֳבֵיל ג' שְׂמָאלִין, דְּאָחִיד בְּהֹן מָשִׁיחַ בֶּן אֶפְרַיִם, אָמַר מִסִּטְרָא דְּחַד שְׂמָאלָא, גְּבוּרָה, לֹא אָמוּת. כִּי אֶחְיֶה, מִסִּטְרָא דִּשְׂמָאלָא דהו"ד דִּילָךְ, דְּאִתְּמַר בֵּיהּ וְנָתַתָּה מֵהוֹדְךָ עָלָיו לְמֹשֶׁה. אִתְיְיהִיב בָּךְ, מִסִּטְרָא דְּבִינָה.

צב. בְּגִין דְּבֵיהּ הֲוֵית אַנְתְּ וְחָרֵב וְיָבֵשׁ בְּכֹלָּא, בְּגִין מָשִׁיחַ בֶּן אֶפְרַיִם, בְּאוֹרַיְיתָךְ, בִּנְבִיאוּתָךְ עָלֵיהּ, בְּגוּפָךְ דְּסָבִילַת כַּמָּה מִינֵי יִסּוּרִין, בְּגִין דְּלָא יָמוּת הוּא. וּבָעִית רַחֲמֵי עָלֵיהּ. אִתְּמַר בֵּיהּ כִּי אֶחְיֶה, מִסִּטְרָא דְּבִינָה. וּבְגִין דָּא לֹא אָמוּת, מִסִּטְרָא דִּגְבוּרָה. כִּי אֶחְיֶה מִסִּטְרָא דְּבִינָה, אִילָנָא דְּחַיֵּי, דְּאִתְגַּבַּר עָלֵיהּ ק"ש שֶׁל שַׁחֲרִית, וְקָשִׁיר לֵיהּ בְּקִשּׁוּרָא דִּתְפִילִּין, בִּימִינָא דְּאַבְרָהָם, דְּאִיהוּ שַׁחֲרִית.

צג. וַאֲסַפֵּר מַעֲשֵׂי יָהּ, מִסִּטְרָא דְּהוֹד. יַסֹּר יִסְּרַנִּי יָּהּ, וְחָכְמָה וּבִינָה, מִימִינָא וּמִשְּׂמָאלָא, בִּתְלַת יְמִינִין, וּתְלַת שְׂמָאלִין. וְלַמָּוֶת לֹא נְתָנָנִי, עַמּוּדָא דְּאֶמְצָעִיתָא, בְּג' דְּכָלִיל כֶּתֶר, וְצַדִּיק, וְאִיהוּ בֶּן יָ"הּ. וּמִיַּד יָקוּם ו' לְהֹ' בְּיָ"הּ, בִּימִינָא וּשְׂמָאלָא, בְּרַחֲמֵי וְתַחֲנוּנֵי, בְּכַמָּה פִּיּוּסִים לָהּ וְלִבְנָהָא, הה"ד בַּיּוֹם הַהוּא אָקִים אֶת סוּכַּת דָּוִד הַנֹּפֶלֶת. וּבְגִין דָּא אָמַר נָבִיא, בִּבְכִי יָבֹאוּ וּבְתַחֲנוּנִים אוֹבִילֵם.

צד. קָם רַעְיָא מְהֵימְנָא, וְנָשִׁיק לֵיהּ, וּבָרִיךְ לֵיהּ, וְאָמַר וַדַּאי שְׁלִיחָא דְּמָארָךְ אַנְתְּ לְגַבָּן. פָּתְחוּ תַּנָּאִין וַאֲמוֹרָאִין וְאָמְרוּ, רַעְיָא מְהֵימְנָא, אַנְתְּ הֲוֵית יָדַע כֹּל דָּא, וְעַל יְדָךְ הֲוָה אִתְגַּלְיָיא, אֲבָל בַּעֲנָוָה דִּילָךְ, דְּאִתְּמַר בָּךְ וְהָאִישׁ מֹשֶׁה עָנָו מְאֹד, בְּאִלֵּין אַתְרִין דְּאַנְתְּ מִתְבַּיֵּישׁ לְאַחֲזָקָא טִיבוּ לְגַבָּךְ, מַנֵּי קוּדְשָׁא בְּרִיךְ הוּא לָן, וּלְבוּצִינָא קַדִּישָׁא, לְמֶהֱוֵי בִּידָךְ וּבְפוּמָךְ בְּאִלֵּין אַתְרִין. (ע"כ רעיא מהימנא)

צה. וּבְיוֹם הָקִים אֶת הַמִּשְׁכָּן. ר' חִיָּיא פָּתַח, פִּזַּר נָתַן לָאֶבְיוֹנִים צִדְקָתוֹ עוֹמֶדֶת לָעַד קַרְנוֹ תָּרוּם בְּכָבוֹד. פִּזַּר לָאֶבְיוֹנִים, מַאי פִּזַּר. כד"א יֵשׁ מְפַזֵּר וְנוֹסָף עוֹד. יָכוֹל פִּזּוּר בְּעָלְמָא, קמ"ל פִּזַּר נָתַן לָאֶבְיוֹנִים, כֵּיוָן דְּיָהִיב לְמִסְכְּנֵי, הַאי פִּזּוּרָא יָאוּת. מַאי וְנוֹסָף עוֹד. בְּכֹלָּא. וְנוֹסָף עוֹד בְּעוּתְרָא. וְנוֹסָף עוֹד בְּחַיֵּי.

צו. הַאי קְרָא הָכִי מִבָּעֵי לֵיהּ, יֵשׁ מְפַזֵּר וְיוֹסֵף עוֹד, מַאי וְנוֹסָף. אֶלָּא הַהוּא אֲתַר דְּשָׁרֵי בֵּיהּ מִיתָה, הוּא גָּרִים לֵיהּ דְּיִתּוֹסַף מֵחַיִּים דִּלְעֵילָּא לְאוֹסָפָא לֵיהּ. אָמַר רַבִּי יְהוּדָה אָמַר רַבִּי חִיָּיא, קְרָא אַסְהִיד, דְּכָל מַאן דְּיָהִיב לְמִסְכְּנֵי, אִתְעַר אִילָנָא דְּחַיֵּי,

לְאוֹסְפָא לְהַהִיא אִילָנָא דְּמוֹתָא, וּכְדֵין אִשְׁתְּכַח חַיִּים וְחֶדְוָה לְעֵילָּא. וּבַר נָשׁ דְּגָרִים דָּא, בְּשַׁעֲתָא דְּאִצְטְרִיךְ לֵיהּ, הַהוּא אִילָנָא דְּחַיֵּי קָאִים עָלֵיהּ, וְהַהוּא אִילָנָא דְּמוֹתָא אַגִּין עֲלוֹי. וּבְגִין כָּךְ וְנוֹסַף עוֹד.

צז. צִדְקָתוֹ עוֹמֶדֶת לָעַד. מַאי עוֹמֶדֶת לָעַד. עוֹמֶדֶת עָלֵיהּ דְּבַר נָשׁ, לְזִמְנָא לֵיהּ קִיּוּמָא וְחַיִּים, כְּמָה דְּאִיהוּ יָהִיב לֵיהּ חַיִּים, וְאִתְעַר לְגַבֵּי חַיִּין, הָ״נ יַהֲבִין לֵיהּ. וְאִינּוּן תְּרֵי אִילָנִין קַיְימִין עָלֵיהּ לְשֵׁיזָבָא לֵיהּ, וּלְאוֹסְפָא לֵיהּ חַיִּין.

צח. קַרְנוֹ תָּרוּם בְּכָבוֹד, ת״ח עָלְמָא דְּאַמָרָן, הַהוּא קֶרֶן תָּרוּם. וּבְמָה. בְּכָבוֹד דִּלְעֵילָּא, דְּהַאי ב״נ גָּרִים לְחַבְּרָא לוֹן כַּחֲדָא, וּלְאַרְקָא בִּרְכָאן לְעֵילָּא וְתַתָּא.

צט. רִבִּי אַבָּא אָמַר, בְּכָל זִמְנָא דְּמַשְׁכְּנָא אִתְקָם בְּעוֹבָדֵיהוֹן דִּבְנֵי נָשָׁא, כְּדֵין הַהוּא יוֹמָא, יוֹמָא דְּחֶדְוָה דְּכֹלָּא, וּמָשַׁח רְבוּת קַדִּישָׁא אִתְרַק בְּהַנְהוּ בּוֹצִינִין, וְנַהֲרִין כֻּלְּהוּ. מַאן דְּגָרִים דָּא, גָּרִים לֵיהּ דְּיִשְׁתְּזִיב בְּהַאי עָלְמָא, וְיָהֵא לֵיהּ חַיִּים בְּעָלְמָא דְּאָתֵי, הֲה״ד וּצְדָקָה תַּצִּיל מִמָּוֶת, וּכְתִיב וְאֹרַח צַדִּיקִים כְּאוֹר נֹגַהּ הוֹלֵךְ וָאוֹר עַד נְכוֹן הַיּוֹם.

ק. עֲשֵׂה לְךָ שְׁתֵּי חֲצוֹצְרוֹת כֶּסֶף וְגוֹ׳. רִבִּי שִׁמְעוֹן פָּתַח, וּבְלֶכֶת הַחַיּוֹת יֵלְכוּ הָאוֹפַנִּים אֶצְלָם וּבְהִנָּשֵׂא הַחַיּוֹת מֵעַל הָאָרֶץ יִנָּשְׂאוּ הָאוֹפַנִּים. וּבְלֶכֶת הַחַיּוֹת, בְּקוּזְפִּירָא דִּלְעֵילָּא הֲווֹ אָזְלֵי. דְּאִי תֵּימָא דְּהַאי לְעֵילָּא לְעֵילָּא. לָאו, לְתַתָּא. אֶלָּא כְּגַוְונָא הַאי מִקַּמֵּי אַנְפִּין, וְהַאי לְבָתַר אַנְפִּין.

קא. זִיקָא מֵאַרְבַּע זִיקִין, בְּד׳ מָדוֹרִין, וּבְד׳ סִטְרִין, בְּזִיוָון דְּאִתְבְּרוּן בְּקוֹלְמִיטִין דְּאַנְפִּין נְהִירִין. בְּגִין כָּךְ כְּמַרְאֵה הַחַיּוֹת, דְּאִינּוּן אַרְבַּע זִינִין, דְּגַלִּין פְּרִישָׁן, אַרְיֵ״ה. נֶשֶׁ״ר. שׁוֹ״ר. אָדָ״ם. דְּכָלִיל כֻּלְּהוּ ד׳ מַלְאֲכִין דְּשַׁלְטִין וּכְלִילָן כֹּלָּא.

קב. דִּגְלָא קַדְמָאָה, מַשִּׁרְיָא מְזַיְּינָא, אַרְיֵ״ה. מִיכָאֵ״ל, רָשִׁים בִּפְרִישׁוּ דִּגְלָא פְּרִישָׁא לִימִינָא. מִזְרָח שֵׁירוּתָא דְּשִׁמְשָׁא, אָזִיל בְּמַטְלָנוֹי, בִּנְהִירוּ. תְּרֵין מְמָנָן תְּחוֹת יְדֵיהּ, יוֹפִי״אֵל, צַדְקִי״אֵל. חַד לְאוֹרַיְיתָא. וְחַד, לְמֵיהַךְ בְּשׁוּקָא.

קג. כַּד אִלֵּין נַטְלִין, נַטְלִין כַּמָּה מַשִּׁרְיָין מְזַיְּינִין, מִסִּטְרָא דִּימִינָא, וְכֹלָּא חַד. לְסִטְרָא שְׂמָאלָא, שִׁמְשָׁא אָזִיל וְנָהִיר, וּמִתְעַטֵּר לְהוּ. אֶלֶף וְרִבְּוָון מְמָנָן תְּחוֹתוֹי. וְכֻלְּהוּ בִּדְחִילוּ בְּאֵימָתָא בְּזִיעַ בְּרֵתֵת.

קד. אַרְיֵה אוֹשִׁיט יְדֵיהּ יְמִינָא, כָּנִישׁ לְכָל חֵילוֹי לְגַבֵּיהּ, תְּלַת מְאָה וְשַׁבְעִין אֲלַף אַרְיָוָותָא, סוֹחֲרָנֵיהּ דְּהַהוּא אַרְיֵ״ה, וְאִיהוּ בֵּינַיְיהוּ בְּאֶמְצָעִיתָא.

קה. כַּד גָּעֵי הַאי אַרְיֵה, מִזְדַּעְזְעָן רְקִיעִין, וְכָל חַיָּלִין וּמַשִּׁרְיָין מִזְדַּעְזְעִין, מִדְּחִילוּ דִּילֵיהּ. מֵהַהוּא קָלָא, נְהַר דִּי נוּר מִתְלַהֲטָא, וְנָחִית בְּאֶלֶף וַחֲמֵשׁ מְאָה דַּרְגִּין דְּגֵיהִנָּם לְתַתָּא, כְּדֵין כֻּלְּהוּ חַיָּיבִין דְּגֵיהִנָּם מִזְדַּעְזְעָן, וּמִלַּהֲטָן אֶשָּׁא, וע״ד כְּתִיב, אַרְיֵה שָׁאָג מִי לֹא יִירָא.

קו. גָּעֵי תִּנְיָינוּת, תְּלַת מְאָה וְשַׁבְעִין אֲלַף אַרְיָוָותָא, כֻּלְּהוּ גָּעָאן. אוֹשִׁיט יְדֵיהּ שְׂמָאלָא, כָּל מָארֵיהוֹן דְּדִינָא לְתַתָּא דַּחֲלִין, וְאִתְכַּפְיָין תְּחוֹת הַהוּא יְדָא. וְהַהוּא יְדָא פָּשִׁיט עֲלַיְיהוּ, וְכֻלְּהוּ תְּחוֹתֵיהּ. כד״א, יָדְךָ בְּעֹרֶף אוֹיְבֶיךָ.

קז. אַרְבַּע גַּדְפִּין לְכָל חַד וְחַד, מֵאֶשָּׁא חִוָּורָא. כֻּלְּהוּ מְלַהֲטִין. כָּל אַפִּין דְּחִוּוּר וְשׁוּשָׁן בְּחִוָּורְתָא דְּהַהוּא אֶשָּׁא שַׁקִיעָן.

קח. אַרְבַּע אַנְפִּין לְכָל חַד וְחַד לְאַרְבַּע סִטְרִין, כֻּלְּהוּ נְהִירִין בְּחִוָּורָא דְּשִׁמְשָׁא. חַד לְסִטַר מִזְרָח, נָהִיר בְּחֶדְוָה. וְחַד לְסִטַר מַעֲרָב, דָּא כָּנִישׁ נְהוֹרֵיהּ. וְחַד לְסִטַר צָפוֹן, וְחָשׁוּךְ

בְּלָא נְהִירוּ, כְּצִלָּא דְּשִׁמְשָׁא לְגַבֵּי שִׁמְשָׁא. צִלָּא וְחָשׁוּךְ, שִׁמְשָׁא נָהִיר. בְּגִין דְּשִׁמְשָׁא וְצִלָּא, יְמִינָא וּשְׂמָאלָא, וְאָזְלָא כַּחֲדָא. וְחָשׁוּכָן דְּאָזְלִין עִמֵּיהּ, כָּל אִינּוּן דְּנַטְלִין זַיְינָא.

קטו. וְכֻלְּהוּ מִימִינָא וּמִשְּׂמָאלָא בִּתְלַת רֵישִׁין. רֵישָׁא חֲדָא דִּילֵיהּ, שַׁבְעִין וְאַרְבַּע אֲלַף, וְשִׁית מְאָה. אִלֵּין אִינּוּן רֵישָׁא וְחַד. נָפְקֵי חֵילָא בִּימִינָא, דְּאִיהוּ אָרִים עֲלַיְיהוּ. בַּר כָּל אִינּוּן מִמְּנָן דִּלְתַתָּא, תְּחוֹת אִלֵּין. שַׁלְטוֹנִין אִלֵּין עַל אִלֵּין, דַּרְגִּין תַּתָּאִין עִם עִלָּאִין, דְּלֵית לוֹן חוּשְׁבְּנָא.

קי. רֵישָׁא תִּנְיָינָא, דְּאָזִיל בְּרֵישָׁא קַדְמָאָה, חוּשְׁבַּן דִּילֵיהּ חַמְשִׁין וְאַרְבַּע אֲלַף, וְאַרְבַּע מְאָה. בַּר כָּל אִלֵּין מְמָנָן דִּתְחוֹת לְד' סִטְרִין, דְּלֵית לוֹן חוּשְׁבְּנָא. רֵישָׁא תְּלִיתָאָה, דְּאָזִיל בַּתְרַיְיהוּ, חַמְשִׁין וְשִׁבְעָה אֲלַף, וְאַרְבַּע מְאָה. כְּגַוְונָא דְּנָטִיל יְמִינָא, הָכִי נָמֵי נָטִיל שְׂמָאלָא, הָכִי נָמֵי מִקַּמַּיְיהוּ, הָכִי נָמֵי מִבַּתְרַיְיהוּ.

קיא. כֵּיוָן דְּנָטִיל הַאי קַדְמָאָה, וְהוּרַד הַמִּשְׁכָּן. וְכֻלְּהוּ לֵיוָאֵי אַמְרֵי שִׁירָתָא, מָארֵי דְּתוּשְׁבְּחָן כֻּלְּהוּ מִסִּטְרֵיהּ. כְּדֵין כִּי רוּחַ הַחַיָּה בָּאוֹפַנִּים כְּתִיב.

קיב. דִּגְלָא תִּנְיָינָא. מַשִּׁרְיָיא מְזַיְּינָא, נֶשֶׁ"ר, אוּרִיאֵ"ל, דָּרוֹ"ם. תְּרֵי מְמָנָן עִמֵּיהּ, שַׁמְשִׁיאֵ"ל וְחַסְדִּיאֵ"ל. הַאי נֶשֶׁר סָלִיק, וְכָל מָארֵיהוֹן דְּגַדְפִּין מִקַּמֵּיהּ. כַּמָּה מַשִּׁרְיָין סַלְּקִין בְּכָל סִטְרִין. כָּל חַד וְחַד בְּתוּקְפָא דְּשִׁמְשָׁא.

קיג. רוּחָא דְּרוּחָא פְּנִימָאָה נָפִיק, וְהַהוּא רוּחָא מָטֵי לְהַאי נֶשֶׁר, וְסָלִיק אֶבְרוֹי וּמְכַסְּיָא לְגוּפָא. כְּד"א, הֲמִבִּינָתְךָ יַאֲבֶר נֵץ יִפְרוֹשׂ כְּנָפָיו לְתֵימָן. כְּגַוְונָא כְּדוּגְמָא כְּעַיִן כְּנֶשֶׁר יָעִיר קִנּוֹ הַאי נֶשֶׁר נֵץ בְּהַהִיא יוֹנָה, בְּהַהִיא נֵץ, וְכָל מָארֵי דְּגַדְפִּין כֻּלְּהוּ מְצַפְצְפָן וְחַדָאן. חַד מִסִּטְרָא קַמֵּיהּ, סָלִיק מִתַּתָּא לְעֵילָּא. כַּמָּה צִיפֳּרִין נַחְתִּין וְעָאלִין, מְצַפְצְפָן וְחַדָאן, אָזְלִין וְשָׁאטִין.

קיד. כַּד נָטִיל, אוֹשִׁיט גַּדְפָא יְמִינָא, כָּנִישׁ לְכָל חֵילוֹי, תְּלַת מְאָה וַחֲמִשִּׁין אֲלַף מָארֵי דְּגַדְפִּין, בִּתְרֵי גּוּפֵי, נֶשֶׁ"ר וְאַרְיֵ"ה כַּחֲדָא. אָרִים קָלָא, כֻּלְּהוּ אַזְדָּרְזִין סַלְּקִין וְנַחְתִּין, מְצַפְצְפָן מִסִּטְרַיְיהוּ, מִכַּמָּה דַּרְגִּין.

קטו. ג' רֵישִׁין אִינּוּן כַּחֲדָא, בְּמַשִּׁרְיָין אִלֵּין. וְכֻלְּהוּ בְּחַד חוּשְׁבָּן. וְחוּשְׁבַּן דְּאִלֵּין רֵישִׁין, רֵישָׁא חֲדָא, אַרְבְּעִין וְשִׁית אֲלַף וַחֲמֵשׁ מְאָה. רֵישָׁא תִּנְיָינָא חַמְשִׁין וְתֵשַׁע אֲלַף וּתְלַת מְאָה. רֵישָׁא תְּלִיתָאָה, אַרְבְּעִין וַחֲמֵשׁ אַלְפִין, וְשִׁית מְאָה וַחֲמִשִּׁין.

קטז. מֵאִלֵּין תְּרֵי סִטְרִין, נָפִיק תְּרֵין כָּרוֹזֵי, דְּאָזְלֵי מִקַּמֵּי כֻּלְּהוּ מַשִּׁרְיָין. כַּד אִלֵּין תְּרֵי מַכְרִיזֵי, כָּל חֵילִין, וְכָל מַשִּׁרְיָין, חֵיוָן זְעִירִין עִם רַבְרְבָן, כֻּלְּהוּ מִתְכַּנְּשֵׁי. מַאן חָמֵי נְטִילָא דְּכֻלְּהוּ רְקִיעִין, כּוּלְּהוּ נָטְלִין בְּמַטּוּלָא בְּמַשִּׁרְיָין, לְקַמֵּיהּ דְּהַהוּא מַשְׁכְּנָא.

קיז. בְּשַׁעֲתָא דְּחַד מִנַּיְיהוּ, הַהוּא דְּאָתֵי מִסִּטְרָא דְּאַרְיֵה, פָּשִׁיט קָלָא, בְּגִין דְּלָא יִזְדַּעְזְעוּן כָּל אִינּוּן קָלִין. כְּדֵין מִתְכַּנְּשִׁין כָּל אִינּוּן מַשִּׁרְיָין. בְּשַׁעֲתָא דְּאָחֳרָא קָרֵי, מִתְבַּר קָלָא וְלָא פָּשִׁיט, כָּל אִינּוּן מַשִּׁרְיָין דְּהַאי נֶשֶׁר, כֻּלְּהוּ מִתְכַּנְּשׁוּ לְנַטְלָא בְּמַטְלָנַיְיהוּ. לְקָבֵיל אִינּוּן, שְׁתֵּי חֲצוֹצְרוֹת כֶּסֶף, כְּגַוְונָא דָּא כְּלָא לְתַתָּא. ת"ח, כַּד אִלֵּין נָטְלִין מַה כְּתִיב, וּבְלֶכֶת הַחַיּוֹת יֵלְכוּ הָאוֹפַנִּים אֶצְלָם, אִינּוּן דְּמִתְכַּנְּשׁוּ לְגַבַּיְיהוּ, כְּגַוְונָא דְּרֵישָׁא אִסְתַּכַּל, הָכִי נָמֵי כֻּלְּהוּ.

קיח. דִּגְלָא תְּלִיתָאָה. שׁוֹר. גַּבְרִיאֵל. צָפוֹן. תְּרֵין מְמָנָן עִמֵּיהּ, קַפְצִיאֵ"ל וְחַזְקִיאֵ"ל. הַאי שׁוֹר מִסִּטְרָא דִּשְׂמָאלָא. קַרְנוֹי סַלְּקִין בֵּין תְּרֵין עַיְינוֹי. רָגִיז בְּאִסְתַּכְּלוּתָא, עַיְינִין מְלַהֲטָן כְּאֶשָּׁא דְּנוּר דָּלִיק. נָגַח וְרָפְסָא בְּרַגְלוֹי וְלָא חַיִּיס.

קיט. כַּד גָּעֵי הַאי שׁוֹר, נָפְקִין מִנּוּקְבָא דִּתְהוֹמָא רַבָּא, כַּמָּה חֲבִילֵי שְׁרִיקִין, כֻּלְּהוּ

גָּעָאן וְשָׁטָאן קָמֵיהּ, וְחֵיזְמָתָא, וְאוּזְמַתָא דְּכָל חוֹבִין תַּלְיָיא קָמֵיהּ, דְּהָא כָּל חוֹבֵי עָלְמָא, כֻּלְּהוּ בְּסִפְרָא סְלִיקִין וּכְתִיבִין.

קכ. שִׁבְעָה נַהֲרֵי דְּאֶשָּׁא נַגְדִּין קָמֵיהּ, כַּד צָוַוח אָזִיל לְגַבֵּי הַהוּא נְהַר דִּינוּר, וְשָׁאִיב לֵיהּ בְּגַמִּיעָא חֲדָא. וְהַהוּא נְהַר אִתְמְלֵי כִּדְבְקַדְמֵיתָא, וְלָא כָּדִיב. כָּל אִינּוּן חַיָּילִין, שָׁאֲבִין אֶשָּׁא אַכְלָא אֶשָּׁא. וְאִלְמָלֵא דְּמִסְטְרָא דְּאַרְיֵה, נָפִיק חַד נַהֲרָא דְּמַיָּיא, דִּמְכַבִּין גַּחַלְתַּיְיהוּ, לָא יָכִיל עָלְמָא לְמִסְבַּל.

קכא. חֲשׁוֹכָא דְּשִׁמְשָׁא תַּמָּן אִשְׁתְּכַח, לָא אִשְׁתְּכַח נְהִירוּ. כַּמָּה גַּרְדִּינֵי נִמּוּסִין אָזְלִין וְשָׁטָאן בְּחָשׁוֹכָא וְהַהוּא נְהַר דְּדָלִיק בְּסִטְרָא דָּא, נוּרָא אוּכָמָא וַחֲשׁוֹךְ. וְאִי תֵּימָא, דְּלָא אִית אֶשָּׁא חִוָּורָא, אֶשָּׁא אוּכָמָא, אֶשָּׁא סוּמָקָא, אֶשָּׁא דִּתְרֵי גַּוְונֵי. לָא תֵּימָא, דְּהָא וַדַּאי הָכִי הוּא, ועכ"ד לְעֵילָּא לְעֵילָּא הָכִי אִשְׁתְּכַח, וּמִתַּמָּן נָגִיד לְאִלֵּין תַּתָּאֵי.

קכב. תָּנֵינָן אוֹרַיְיתָא בְּמָה אִשְׁתְּכָחַת. אֶשָּׁא חִוָּורָא, וְאֶשָּׁא אוּכָמָא עַל גַּבֵּי אֶשָּׁא חִוָּורָא. בִּתְרֵי אִשֵּׁי אִשְׁתְּכָחַת אוֹרַיְיתָא. ת"ח, אֶשָּׁא חֲדָא הוּא, וְהַאי אִתְפְּלַג לְאַרְבָּעָה. מַיָּא חֲדָא אִיהוּ, וְהַאי אִתְפְּלִיג לְאַרְבַּע. רוּחָא חֲדָא אִיהוּ, וְהַאי אִתְפְּלִיג לְאַרְבַּע.

קכג. תְּלַת רֵישִׁין אִשְׁתְּכָחוּ בְּמַשִּׁרְיָין אִלֵּין. חוּשְׁבָּן דִּלְהוֹן, רֵישָׁא חֲדָא שִׁתִּין וּתְרֵי אֲלַף וּשְׁבַע מְאָה. רֵישָׁא ב', אַרְבְּעִין וְחַד אֲלַף וַחֲמֵשׁ מְאָה. רֵישָׁא תְּלִיתָאָה, תְּלַת וְחַמְשִׁין אֲלַף וְאַרְבַּע מְאָה. בַּר כָּל אִינּוּן דַּרְגִּין אָחֳרָנִין דְּאִתְפָּרְשָׁן בְּסִטְרַיְיהוּ, וְלֵית לוֹן חוּשְׁבָּנָא. כֻּלְּהוּ דַּרְגִּין עַל דַּרְגִּין. בַּר כַּמָּה גַּרְדִּינֵי נִמּוּסִין דְּאִינּוּן לְתַתָּא, וַחֲצִיפִין כְּכַלְבָּא, נַשְׁכִין כְּחַמְּרָא, וַוי מַאן דְּאִשְׁתְּכַח גַּבַּיְיהוּ, וְדִינָא דִּלְהוֹן בְּסִטְרָא רְבִיעָאָה.

קכד. דִּגְלָא רְבִיעָאָה, אָדָ"ם רְפָאֵ"ל. מַעֲרָב. בַּהֲדֵיהּ אַסְוָותָא. בְּסִטְרָא דְּאָדָם אִתְכְּלִיל דִּינָא עִלָּאָה עָלֵיהּ אַתְּסֵי. הַאי אָחִיד בְּקַרְנוֹי דְּשׁוֹר, כַּד מִבָּעֵי לְאַעֲלָא לוֹן לִתְהוֹמָא רַבָּא. וְכָפִית לוֹן, דְּלָא יוֹקִיד עָלְמָא. בָּתַר דָּא שַׁרְיָא קוֹל דְּמָמָה דַקָּה. הָכָא מִלָּה בְּחַשַּׁאי, לָא מִשְׁתְּמַע מִלָּה דְּהַבָּרָה כְּלָל.

קכה. בְּסִטְרָא דָּא, שַׁרְיָא מַאן דְּשַׁרְיָא, סָלִיק מַאן דְּסָלִיק, שִׁמְשָׁא אִתְכְּנִישׁ לְאַנְהָרָא לְהַאי אֲתָר. בְּגִין כָּךְ וּתְקַעְתֶּם תְּרוּעָה, בְּסִטַר דָּרוֹם. אֲבָל הָכָא, לָאו הַאי וְלָאו הַאי. אֲמַאי תְּרוּעָה. לְאַכְפַּיָּיא סְטַר צָפוֹן, וּבג"כ סְטַר צָפוֹן לַאֲחוֹרָא.

קכו. ת"ח, שְׁתֵּי חֲצוֹצְרוֹת, בְּגִין דְּאִינּוּן מִסִּטְרֵי תְּרֵי דְּקָאֲמָרֵי, מִמִּזְרָח וּמִדָּרוֹם. אִינְהוּ זְמִינִין לְתַבְרָא דִּינִין, וּלְאַכְפַּיָּיא לוֹן. וע"ד אִינּוּן מִכֶּסֶף. ובג"כ וּבְיוֹם שִׂמְחַתְכֶם וּבְמוֹעֲדֵיכֶם וְגוֹ', וּתְקַעְתֶּם בַּחֲצוֹצְרוֹת, סְתָם, בֵּין לְעֵילָּא בֵּין לְתַתָּא. זַכָּאִין אִינּוּן יִשְׂרָאֵל, דְּקוּדְשָׁא בְּרִיךְ הוּא בָּעֵי בִּיקָרֵיהוֹן, וְיָהִיב לוֹן חוּלָקָא עִלָּאָה עַל כָּל שְׁאַר עַמִּין. וְקוּדְשָׁא בְּרִיךְ הוּא אִשְׁתַּבַּח בְּהוּ בְּתוּשְׁבְּחָתַיְיהוּ, הה"ד וַיֹּאמֶר לִי עַבְדִּי אָתָּה יִשְׂרָאֵל וְגוֹ'.

קכז. וַיְהִי בִּנְסוֹעַ הָאָרוֹן וַיֹּאמֶר מֹשֶׁה וְגוֹ'. רִבִּי אֶלְעָזָר אָמַר, הָכָא אִית לְאִסְתַּכְּלָא, נ' דְּאִיהִי מְהַדְּרָא לַאֲחוֹרָא הָכָא בִּתְרֵי דוּכְתֵּי, אֲמַאי. וְאִי תֵּימָא נ' כְּפוּפָה, הָא יְדִיעָה נ' כְּפוּפָה נוּקְבָא. נ' פְּשׁוּטָה, כְּלָלָא דִּדְכַר וְנוּקְבָא. וְהָא אוֹקִימְנָא בַּאֲתַר דָּא, וַיְהִי בִּנְסוֹעַ הָאָרוֹן. אֲמַאי אִתְהַדַּר לְבָתַר כְּגַוְונָא דָּא.

קכח. ת"ח, נ' בְּאַשְׁרֵי יוֹשְׁבֵי בֵיתֶךָ לָא אִתְמַר, בְּגִין דְּהִיא בְּגָלוּתָא. וְהָא אוֹקְמוּהָ חַבְרַיָּיא דִּכְתִיב נָפְלָה לֹא תוֹסִיף קוּם בְּתוּלַת יִשְׂרָאֵל וְגוֹ'. אֶלָּא מַה כְּתִיב לְעֵילָּא, וַאֲרוֹן בְּרִית יְיָ' נוֹסֵעַ לִפְנֵיהֶם דֶּרֶךְ שְׁלֹשֶׁת יָמִים לָתוּר לָהֶם מְנוּחָה כֵּיוָן דַּהֲוָה נָטִיל אֲרוֹנָא, נו"ן נָטִיל עָלֵיהּ, וְהָא שְׁכִינְתָּא עַל גַּבֵּי אֲרוֹנָא יָתִיב. ת"ח, חֲבִיבוּתָא דְקוּדְשָׁא בְּרִיךְ הוּא

לְגַבַּיְיהוּ דְּיִשְׂרָאֵל, דְּהָא אע״ג דְּאִינּוּן סְטָאן מֵאֹרַח מֵישָׁר, קוּדְשָׁא בְּרִיךְ הוּא לָא בָּעֵי לְשַׁבְקָא לוֹן, וּבְכָל זִמְנָא אַהֲדַר אַנְפּוֹי לְקַבְלַיְיהוּ, דְּאִי לָאו הָכִי לָא יְקוּמוּן בְּעָלְמָא.

קכט. ת״ח, אֲרוֹנָא הֲוָה נָטִיל קָמַיְיהוּ אֹרַח תְּלָתָא יוֹמִין, לָא הֲוָה מִתְפָּרַשׁ מִנֵּיהּ, וְנָטִיל עִמֵּיהּ. וּמִגּוֹ רְחִימוּ דִּלְהוֹן דְּיִשְׂרָאֵל, אַהֲדַר אַנְפּוֹי וְאִסְתּוֹחַר מִלְּגַבֵּי אֲרוֹנָא, כְּהַאי אַיָּילָא דְּעָזְלְתָא, כַּד אִיהוּ אָזִיל, אַהֲדַר אַפּוֹי לַאֲתַר דְּנָפִיק. וע״ד בִּנְסוֹעַ הָאָרוֹן, נו״ן אַסְחַר אַנְפִּין לְקַבְלַיְיהוּ דְּיִשְׂרָאֵל, וְכַתְפֵי גּוּפָא לְגַבֵּי אֲרוֹנָא.

קל. וע״ד כַּד אֲרוֹנָא הֲוָה נָטִיל, מֹשֶׁה אָמַר קוּמָה יְיָ׳, לָא תִשְׁבּוֹק לוֹן, אַהֲדַר אַנְפָּךְ לְגַבָּן, כְּדֵין נו״ן אִתְהֲדַר לְגַבַּיְיהוּ כְּגַוְונָא דָּא כְּמַאן דִּמְהַדַּר אַנְפֵּיהּ לְמַאן דְּרָחִים, וְכַד הֲוָה שָׁארֵי אֲרוֹנָא לְמִשְׁרֵי, כְּדֵין אַהֲדַר נוּן אַנְפּוֹי מִיִּשְׂרָאֵל, וְאִתְהֲדַר לְגַבֵּי אֲרוֹנָא, וּבְכֹלָּא אִתְהַדַּר.

קלא. אָמַר ר׳ שִׁמְעוֹן, אֶלְעָזָר, בְּוַדַּאי הָכִי הוּא, אֲבָל הָכָא לָא אַהֲדַר אַנְפּוֹי מִיִּשְׂרָאֵל, דְּאִי הָכִי בָּעֵי נוּן לְאִתְהַפְּכָא מִגַּוְונָא דְּאַחֲרָא עִלָּאָה, הַאי מְנוּזָּר לַאֲחוֹרָא, וְהַאי בְּאֹרַח מֵישָׁר לְגַבֵּי אֲרוֹנָא.

קלב. אֶלָּא וַדַּאי לָא אַהֲדַר אַנְפּוֹי מִנַּיְיהוּ, וּמַה עָבִיד בְּשַׁעֲתָא דְּשָׁארֵי אֲרוֹנָא לְמִשְׁרֵי. אָמַר מֹשֶׁה שׁוּבָה יְיָ׳, כְּדֵין שָׁארֵי אֲרוֹנָא, וּשְׁכִינְתָּא קָאִים בְּסִטְרָא אָחֳרָא, וְאַנְפִּין לְקַבְלַיְיהוּ דְּיִשְׂרָאֵל, וּלְקַבְלֵיהּ דַּאֲרוֹנָא. וּכְדֵין כֹּלָּא כָּלִיל לְגַוֵּיהּ, לַאֲרוֹנָא, וּלְיִשְׂרָאֵל. אֶלָּא דְּיִשְׂרָאֵל גָּרְמוּ לְבָתַר, דִּכְתִּיב וַיְהִי הָעָם כְּמִתְאוֹנְנִים.

קלג. אָמַר רַבִּי אֶלְעָזָר, אֲנָא דְּאָמְרָן מִסִּפְרָא דְּרַב יֵיבָא סָבָא, דְּאָמַר דְּבֵין בְּהַאי גִּיסָא, וּבֵין בְּהַאי גִּיסָא, אִתְהַדָּר. א״ל, שַׁפִּיר קָאָמַר, אֲבָל דָּא דַּאֲמֵינָא, הָכִי תִּשְׁכַּח בְּסִפְרָא דְּרַב הַמְנוּנָא סָבָא, וְהָכִי הוּא וַדַּאי.

קלד. וְהַמָּן כִּזְרַע גַּד הוּא. אָמַר רַבִּי יוֹסֵי, לְקַיְּימָא זַרְעָא וְזָיְילִין בְּאַרְעָא, כד״א גָּד גְּדוּד יְגוּדֶנּוּ. מַה זַרְעָא דְּגַד נָטְלֵי וְזוֹלְקֵיהוֹן בְּאַרְעָא אָחֳרָא, כַּךְ מָן שַׁרְיָא עֲלַיְיהוּ דְּיִשְׂרָאֵל, לְבַר מֵאַרְעָא קַדִּישָׁא.

קלה. ד״א כִּזְרַע גַּד הוּא. כְּזַרְעָא דְּגַד חִוָּורָא, וְאַקְפֵּי כַּד נָחִית לַאֲוִירָא, וְאִתְבְּלַע בְּגוּפָא, וְהָא אוֹקְמוּהָ חַבְרַיָּיא. וְעֵינוֹ כְּעֵין הַבְּדוֹלַח, כְּהַהוּא בְּדוֹלְחָא דְּאִיהוּ חִוָּור, כְּגַוְונָא דִּימִינָא דִּלְעֵילָּא.

קלו. אָמַר רַבִּי יִצְחָק, מַאי שְׁנָא דְּאָמַר מֹשֶׁה בְּמִלָּה דָּא לְעֵילָּא כְּנוּקְבָא, דִּכְתִּיב אִם כָּכָה אַתְּ עוֹשֶׂה לִּי, אַתְּ, אַתָּה מִבָּעֵי לֵיהּ. אֶלָּא לַאֲתַר דְּמוֹתָא שָׁארֵי בֵּיהּ קָאָמַר, וְהַהוּא אֲתַר דְּנוּקְבָא אִיהוּ. בְּגִין כַּךְ אָמַר הָרְגֵנִי נָא הָרוֹג, וְדָא אִילָנָא דְּמוֹתָא. וְהָא אוֹקִימְנָא דִּבְאִילָנָא דְּחַיֵּי לָא שַׁרְיָיא בֵּיהּ מוֹתָא. וע״ד אִתְהַדַּר לְגַבֵּי אִילָנָא דְּמוֹתָא וְאָמַר אַתְּ, וְלָא אָמַר אַתָּה, וְהָכִי מִבָּעֵי לֵיהּ.

קלז. מִיַּד וַיֹּאמֶר יְיָ׳ אֶל מֹשֶׁה אֶסְפָה לִּי שִׁבְעִים אִישׁ וְגו׳. א״ל קוּדְשָׁא בְּרִיךְ הוּא, אַתְּ בָּעֵי מוֹתָא בְּכָל זִמְנָא, הֲרֵי לָךְ, וְאָצַלְתִּי מִן הָרוּחַ וְגו׳. ת״ח, דְּהָכָא יָדַע מֹשֶׁה דְּאִיהוּ יָמוּת, וְלָא יֵיעוּל לְאַרְעָא, דְּהָא אֶלְדָּד וּמֵידָד מִלָּה דָּא הֲווֹ אַמְרֵי.

קלח. עַל דָּא, לָא לִבְעֵי לֵיהּ לְאֱינָשׁ, בְּשַׁעֲתָא דְּרוּגְזָא שָׁארֵי בֵּיהּ, לְלַטְיָיא גַּרְמֵיהּ. דְּהָא כַּמָּה קַיְימֵי עָלֵיהּ דִּמְקַבְּלֵי הַהִיא מִלָּה. בְּזִמְנָא אוּחֲרָנָא דְּבָעָא מִיתָה, לָא קַבִּילוּ מִנֵּיהּ. בְּגִין דְּכֹלָּא לְתוֹעַלְתָּא דְּיִשְׂרָאֵל הֲוָה. הַשְׁתָּא לָאו אִיהוּ, אֶלָּא מִגּוֹ רוּגְזָא וְדוּחְקָא, וּבְגִ״כ קַבִּילוּ מִנֵּיהּ. וע״ד אִשְׁתָּאֲרוּ לְבָתַר אֶלְדָּד וּמֵידָד, וְאַמְרוּ דָּא, דְּמֹשֶׁה יִתְכְּנִישׁ,

וִיהוֹשֻׁעַ יֵיעוּל לוֹן לְיִשְׂרָאֵל לְאַרְעָא.

קלט. ובג"כ אָתָא יְהוֹשֻׁעַ לְגַבֵּי מֹשֶׁה, וְקַנֵּי עָלֵיהּ דְּמֹשֶׁה. וּמֹשֶׁה לָא אַשְׁגַּח בִּיקָרָא דִּילֵיהּ. וע"ד אָמַר, אֲדֹנִי מֹשֶׁה כְּלָאֵם. מַאי כְּלָאֵם. מְנַע מִנַּהוֹן אִינּוּן מִלִּין, כד"א וַיִּכָּלֵא הָעָם מֵהָבִיא. וַיִּכָּלֵא הַגֶּשֶׁם מִן הַשָּׁמַיִם. מְנִיעוּתָא מַמָּשׁ. וּמֹשֶׁה לָא בָּעָא. פּוּק וְחָמֵי עַנְוְותָנוּתֵיהּ דְּמֹשֶׁה, מַה כְּתִיב הַמְקַנֵּא אַתָּה לִי וְגו'. זַכָּאָה חוּלָקֵיהּ דְּמֹשֶׁה, דְּאִיהוּ סָלִיק עַל כֻּלְּהוּ נְבִיאֵי עִלָּאֵי. אָמַר רִבִּי יְהוּדָה, כָּל שְׁאַר נְבִיאִין לְגַבֵּי מֹשֶׁה, כְּסִיהֲרָא לְגַבֵּי שִׁמְשָׁא.

קמ. רִבִּי אַבָּא הֲוָה יָתִיב לֵילְיָא חַד, וְלָעֵי בְּאוֹרַיְיתָא. וַהֲווּ עִמֵּיהּ ר' יוֹסֵי וְר' חִזְקִיָּה. א"ר יוֹסֵי, כַּמָּה אִינּוּן בְּנֵי נָשָׁא תַּקִּיפוּ לִבָּא, דְּלָא מַשְׁגִּיחֵי בְּמִלֵּי דְּהַהוּא עָלְמָא כְּלוּם. א"ר אַבָּא, בִּשְׂרָא דְּלִבָּא, דַּאֲחִידָא בְּכָל שַׁיְיפֵי גּוּפָא, קָא עָבֵיד לוֹן. פָּתַח וְאָמַר, יֵשׁ רָעָה אֲשֶׁר רָאִיתִי תַּחַת הַשָּׁמֶשׁ וְרַבָּה הִיא עַל הָאָדָם. יֵשׁ רָעָה: דָּא אִיהִי תּוּקְפָּא בִּישָׁא דְּלִבָּא, דְּבָעֵי לְשַׁלְטָאָה בְּמִלֵּי דְּהַאי עָלְמָא, וְלָא אַשְׁגַּח בְּמִלֵּי דְּהַהוּא עָלְמָא מִדִּי.

קמא. אֲמַאי אִיהִי רָעָה. קְרָא דְּבַתְרֵיהּ אוֹכַח, דִּכְתִיב אִישׁ אֲשֶׁר יִתֶּן לוֹ הָאֱלֹהִים עוֹשֶׁר וּנְכָסִים וְגו'. הַאי קְרָא קַשְׁיָא, כֵּיוָן דִּכְתִיב וְאֵינֶנּוּ חָסֵר לְנַפְשׁוֹ מִכֹּל אֲשֶׁר יִתְאַוֶּה, אֲמַאי וְלֹא יַשְׁלִיטֶנּוּ הָאֱלֹהִים לֶאֱכוֹל מִמֶּנּוּ, דְּהָא אֵינוֹ חָסֵר לְנַפְשׁוֹ כְּלוּם אֶלָּא. רָזָא אִיהוּ, וְכָל מִלּוֹי דִּשְׁלֹמֹה מַלְכָּא, מִתְלַבְּשָׁן אִינּוּן בְּמִלִּין אַחֲרָנִין, כְּמִלֵּי דְּאוֹרַיְיתָא, דְּאִינּוּן מִתְלַבְּשָׁן בְּסִפּוּרֵי עָלְמָא.

קמב. ת"ח, אע"ג דְּבָעֵינָן לְאִסְתַּכְּלָא בִּלְבוּשָׁא, הַשְׁתָּא הַאי קְרָא הָכִי קָאָמַר, דב"נ אָזִיל בְּהַאי עָלְמָא, וְיָהִיב לֵיהּ קוּדְשָׁא בְּרִיךְ הוּא עוּתְרָא, בְּגִין דְּיִזְכֵּי בֵּיהּ לְעָלְמָא דְּאָתֵי, וְיִשְׁתְּאַר לְגַבֵּיהּ קֶרֶן. מַאי קֶרֶן. הַהוּא דְּאִיהוּ קַיָּים, דְּאִיהוּ אֲתַר לְאִתְצָרְרָא בֵּיהּ נִשְׁמָתָא. בג"כ בָּעֵי לְאַשְׁאָרָא אֲבַתְרֵיהּ לְהַאי קֶרֶן, וְהַאי קֶרֶן יְקַבֵּל לֵיהּ, בָּתַר דְּיִפּוּק מֵהַאי עָלְמָא.

קמג. בְּגִין דְּהַאי קֶרֶן, הוּא אִילָנָא דְּחַיֵּי דְּהַהוּא עָלְמָא, וְלָא קַיְּימָא בְּהַאי עָלְמָא, אֶלָּא הַהוּא אִיבָּא דְּנָפִיק מִנֵּיהּ, וע"ד אִיבָּא דִּילֵיהּ אָכִיל ב"נ, דְּזָכֵי בְּהַאי עָלְמָא, וְהַקֶּרֶן קַיְּימָא לֵיהּ לְהַהוּא עָלְמָא, לְמִזְכֵּי בֵּיהּ בְּחַיִּין עִלָּאִין דִּלְעֵילָּא.

קמד. וּמַאן דְּסָאִיב גַּרְמֵיהּ, וְאִתְמְשַׁךְ בָּתַר גַּרְמֵיהּ, וְלֵיתֵיהּ חָסֵר לְנַפְשֵׁיהּ וּלְגַרְמֵיהּ כְּלוּם. וְהַהוּא אִילָנָא אִשְׁתְּאַר, וְלָא שַׁוְיָיהּ לְקַבְּלֵיהּ בִּדְחִילוּ, וּלְקַבְּלָא לֵיהּ לְעֵילָּא. כְּדֵין וְלֹא יַשְׁלִיטֶנּוּ הָאֱלֹהִים לֶאֱכֹל מִמֶּנּוּ, וּלְמִזְכֵּי בְּהַהוּא עוּתְרָא, וַדַּאי אִישׁ אַחֵר יֹאכְלֶנּוּ, כד"א יָכִין וְצַדִּיק יִלְבָּשׁ. בג"כ, בָּעֵי בַּר נָשׁ לְמִזְכֵּי, בְּמָה דְּיָהִיב לֵיהּ קוּדְשָׁא בְּרִיךְ הוּא לְהַהוּא עָלְמָא, וּכְדֵין אָכִיל מִינֵּיהּ בְּהַאי עָלְמָא, וְיִשְׁתְּאַר לְגַבֵּיהּ הַהוּא קֶרֶן לְעָלְמָא אַחֲרָא, לְמֶהֱוֵי צְרוּרָא בִּצְרוּרָא דְּחַיֵּי. אָמַר רִבִּי יוֹסֵי וַדַּאי.

קמה. תּוּ אָמַר רִבִּי יוֹסֵי, כְּתִיב אִם כָּכָה אַתְּ עוֹשֶׂה לִּי הָרְגֵנִי נָא וְגו' וְכִי מֹשֶׁה דְּאִיהוּ עָנָו מִכָּל בְּנֵי עָלְמָא, בְּגִין דְּשָׁאִילוּ מִנֵּיהּ יִשְׂרָאֵל לְמֵיכַל, מָסַר גַּרְמֵיהּ לְמִיתָה, אֲמַאי. א"ר אַבָּא, הַאי מִלָּה אוֹלִיפְנָא, וְרָזָא עִלָּאָה אִיהוּ, מֹשֶׁה לָא אַבְאִישׁ קַמֵּיהּ, וְלָא שָׁאַל לְמִיתָה עַל דְּשָׁאִילוּ יִשְׂרָאֵל.

קמו. ת"ח, מֹשֶׁה אִתְאֲחִיד, וַהֲוָה סָלִיק בְּמַה דְּלָא אִתְאֲחִיד נְבִיאָה אַחֲרָא. וּבְשַׁעֲתָא דְּאָ"ל קוּדְשָׁא בְּרִיךְ הוּא לְמֹשֶׁה, הִנְנִי מַמְטִיר לָכֶם לֶחֶם מִן הַשָּׁמַיִם. חָדֵי מֹשֶׁה וְאָמַר, וַדַּאי הַשְׁתָּא הַהוּא שְׁלִימוּ בִּי אִשְׁתְּכַח. דְּהָא בְּגִינִי אִשְׁתְּכַח מָן לְיִשְׂרָאֵל. כֵּיוָן דְּחָמָא

מֹשֶׁה דְּאָהַדְרוּ לְנַחְתָּא לְדַרְגָּא אַחֲרָא, וְשָׁאִילוּ בָּשָׂר, וְאָמְרֵי וְנַפְשֵׁנוּ קָצָה בַּלֶּחֶם הַקְּלוֹקֵל. אָמַר אִי הָכִי הוּא, הָא דַּרְגָּא דִּילִי פָּגִים. דְּהָא בְּגִינֵי יֵיכְלוּן יִשְׂרָאֵל מָן בְּמַדְבְּרָא, הָא אֲנָא פְּגִימָא, וְאַהֲרֹן פָּגִים, וְנַחְשׁוֹן בֶּן עֲמִינָדָב פָּגִים.

קמז. אָמַר וְאִם כָּכָה אַתְּ עוֹשֶׂה לִּי הָרְגֵנִי נָא הָרוֹג, דְּחֲשִׁיבְנָא נוּקְבָא בְּמֵיכְלָא דִּילָהּ, וַאֲנָא נָחִית מִן שְׁמַיָּא דְּאִיהוּ דַּרְגָּא עִלָּאָה, לְנַחְתָּא לְדַרְגָּא דְּנוּקְבָא, וַאֲנָא עָדִיף מִן שְׁאַר נְבִיאֵי עָלְמָא, וע"ד אָמַר וְאַל אֶרְאֶה בְּרָעָתִי כְּמֵת וַדַּאי לְנַחְתָּא לְדַרְגָּא תַּתָּאָה.

קמח. כְּדֵין וַיֹּאמֶר ה' אֶל מֹשֶׁה אֶסְפָה לִּי שִׁבְעִים אִישׁ מִזִּקְנֵי יִשְׂרָאֵל. הָא אִינוּן לְמֵיתַן לְהוּ מֵיכְלָא אַחֲרָא, וְלָא תְהֵא פָּגִים בְּדַרְגָּא דִּילָךְ. וע"ד וְאָצַלְתִּי מִן הָרוּחַ אֲשֶׁר עָלֶיךָ וְשַׂמְתִּי עֲלֵיהֶם. מ"ט. בְּגִין דְּאִינוּן אִתְאַחֲדוּ בְּסִיהֲרָא וּבָעֵי שִׁמְשָׁא לְאַנְהָרָא לָהּ. וע"ד וְשַׂמְתִּי עֲלֵיהֶם, בְּגִין לְאַנְהָרָא מִן שִׁמְשָׁא, כִּנְהוֹרָא דְּסִיהֲרָא. וּבְגִינֵי הַאי מֵיכְלָא דָּא, לָא אַתְיָיא עַל יְדָא דְּמֹשֶׁה, בְּגִין דְּלָא יִתְפְּגִים.

קמט. זַכָּאָה חוּלְקָא דְּמֹשֶׁה, דְּקוּדְשָׁא בְּרִיךְ הוּא בָּעֵי בִּיקָרֵיהּ, עָלֵיהּ כְּתִיב יִשְׂמַח אָבִיךָ וְאִמֶּךָ וְגוֹ'. יִשְׂמַח אָבִיךָ: דָּא קוּדְשָׁא בְּרִיךְ הוּא. וְאִמֶּךָ: דָּא כְּנֶסֶת יִשְׂרָאֵל. וְתָגֵל יוֹלַדְתֶּךָ: דָּא אִימָּא דְּמֹשֶׁה דִּלְתַתָּא. קוּדְשָׁא בְּרִיךְ הוּא רָחִים לֵיהּ יַתִּיר מִכָּל נְבִיאֵי עָלְמָא, בְּלָא, אֶמְצָעִי כְּלָל. דִּכְתִיב פֶּה אֶל פֶּה אֲדַבֶּר בּוֹ, וְהָא אוֹקִימְנָא בְּכַמָּה אֲתַר.

קנ. וַיִּצְעַק מֹשֶׁה אֶל יי' לֵאמֹר אֵל נָא רְפָא נָא לָהּ. הָא אוֹקְמוּהָ, וְהוּא רָזָא דִּשְׁמָא קַדִּישָׁא, מִחַד סְרֵי אַתְוָון, וְלָא בָּעָא מֹשֶׁה לְצַלָּאָה יַתִּיר, בְּגִין דְּעַל דִּידֵיהּ לְמַלְכָּא לָא בָּעֵי לְאַטְרְחָא יַתִּיר. בג"כ קוּדְשָׁא בְּרִיךְ הוּא בָּעָא עַל יְקָרָא דְּמֹשֶׁה. וּבְכָל אֲתַר קוּדְשָׁא בְּרִיךְ הוּא בָּעָא עַל יְקָרֵיהוֹן דְּצַדִּיקַיָּיא, יַתִּיר עַל דִּילֵיהּ. וּלְזִמְנָא דְּאָתֵי, עָתִיד קוּדְשָׁא בְּרִיךְ הוּא לְמִתְבַּע עֶלְבּוֹנָא דְּיִשְׂרָאֵל מֵעַמִּין עכו"ם, וּלְמֶחֱדֵי לוֹן בְּחֶדְוָותָא דְּצִיּוֹן. דִּכְתִיב וּבָאוּ וְרִנְּנוּ בִמְרוֹם צִיּוֹן וְגוֹ'. וּכְדֵין וּבָא לְצִיּוֹן גּוֹאֵל וְגוֹ'. בָּרוּךְ יי' לְעוֹלָם אָמֵן וְאָמֵן. יִמְלֹךְ יי' לְעוֹלָם אָמֵן וְאָמֵן.

Shlach Lecha

שְׁלַח לְךָ

א. וַיְדַבֵּר יְיָ' אֶל מֹשֶׁה לֵּאמֹר, שְׁלַח לְךָ אֲנָשִׁים וְיָתֻרוּ אֶת אֶרֶץ כְּנַעַן וְגוֹ'. רִבִּי חִיָּיא פָּתַח, הֲמִיָּמֶיךָ צִוִּיתָ בֹּקֶר יִדַּעְתָּה הַשַּׁחַר מְקוֹמוֹ. שַׁחַר כְּתִיב, הֵ"א אִתְרַחֲקָא מִשַּׁחַר. מ"ט. אֶלָּא א"ר חִיָּיא, בְּשַׁעֲתָא דְּנָטֵי עֶרֶב, וְשִׁמְשָׁא נָטֵי לְמֵיעַל, כְּדֵין אִתְחֲלָשׁ תּוּקְפֵּיהּ, כְּדֵין שַׁלְטָא שְׂמָאלָא, וּמִשְׁתְּכַח דִּינָא בְּעָלְמָא, וְאִתְפָּשַׁט. וּכְדֵין בָּעֵי ב"נ לְצַלָּאָה, וּלְכַוְּונָא רְעוּתָא קַמֵּי מָארֵיהּ.

ב. דְּאָמַר רִבִּי יֵיסָא, כַּד נָטֵי שִׁמְשָׁא, וְאִתְחַלָּשׁ, כְּדֵין אִתְפְּתַח חַד פְּתִיחוּ בְּשִׁמְשָׁא, וְאִתְכְּנִישׁ חֵילֵיהּ, וּשְׂמָאלָא שַׁלִּיט. וְיִצְחָק כָּרֵי בֵּירָא תְּחוֹתֵיהּ.

ג. כֵּיוָן דְּעָאל לֵילְיָא, פַּתְקָא דְּקוּטְפָּא בְּאַחֲמָתֵיהּ שְׁכִיחַ. וְכַמָּה חֲבִילִין טְרִיקָן אִתְפָּשְׁטוּ בְּעָלְמָא, וְכֻלְּהוּ שָׁטָאן בְּעִרְבּוּבְיָא, וְאָזְלֵי וְחַיְיכָאן בְּנַפְשָׁן דְּרַשִּׁיעַיָּיא, וּמוֹדְעִין לוֹן מִלִּין, מִנְּהוֹן כְּדִיבָן, וּמִנְּהוֹן קְשׁוֹט, וּמַאן דְּאִשְׁתְּכַח בֵּינַיְיהוּ, אִתְיְיהִיב לוֹן רְשׁוּ לְחַבְּלָא, וְכֻלְּהוּ בְּנֵי עָלְמָא נַיְימִין, וְטַעֲמִין טַעֲמָא דְּמוֹתָא, וְהָא אוֹקִימְנָא.

ד. ת"ח, כַּד אִתְּעַר רוּחַ צָפוֹן, כְּדֵין אִתְקַבְּלָא כְּנֶסֶת יִשְׂרָאֵל בִּשְׂמָאלָא, וְאִתְחַבָּרוּ כַּחֲדָא וְשַׁרְיָא בְּדְרוֹעָא בְּאַתְרָהָא. וְקוּדְשָׁא בְּרִיךְ הוּא אָתֵי לְאִשְׁתַּעְשְׁעָא עִם צַדִּיקַיָּיא דִּבְגִנְּתָא דְּעֵדֶן, וּכְדֵין כָּל מַאן דְּיִתְעַר לְמִלְעֵי בְּאוֹרַיְיתָא בְּהַהוּא שַׁעֲתָא. הָא אִשְׁתְּתַּף בַּהֲדָהּ, בְּגִין דְּהִיא וְכָל אֻכְלוּסִין דִּילָהּ, מְשַׁבְּחָן לְמַלְכָּא עִלָּאָה, וְכָל אִינּוּן דְּאִשְׁתְּכָחוּ בְּתוּשְׁבַּחְתָּא דְּאוֹרַיְיתָא, כֻּלְּהוּ כְּתִיבִין בִּבְנֵי הֵיכָלָא, וְאִקְרוּן בִּשְׁמֵהוֹן, וְאִלֵּין רְשִׁימִין בְּיְמָמָא.

ה. ת"ח שְׁמָא חֲדָא קַדִּישָׁא אִית בִּגְלוּפֵי אַתְוָון, דְּהוּא שַׁלְטָא מִפַּלְגּוּ לֵילְיָא וְאֵילָךְ, וְאִינּוּן אַתְוָון ככ"ך סעפ"ה יאעוצ"ה ם"ן דְּמַנְצְפַךְ כָּלִיל לוֹן, ם אוֹקְמוּהָ, לְםַרְבֵּה הַמִּשְׂרָה. נ' הֲוָה אַסְתִּים לְהַאי וּלְהַאי, כְּדֵין כִּתְרִין כְּלִילָן הוּא ו' דִּשְׁמָא קַדִּישָׁא אַתְקִין לֵיהּ. וְסָתִים מַבּוּעָהָא. בָּתַר דְּאוֹלִידַת, פְּתִיחָא הֲוַת בְּחַד רֵישָׁא דִּפְתָחָא.

ו. כַּד אִתְחֲרִיב בֵּי מַקְדְּשָׁא, אַסְתִּימוּ מַבּוּעִין מִכָּל סִטְרִין. וְאַכְלִיל אַתְוָון אַחֲרָן, וְאִינּוּן שִׁבְעָה. תְּלַת מֵהַאי סִטְרָא, וְאַרְבַּע מֵהַאי סִטְרָא. ככ"ך. יָפָה וְסִימָן כֻּלָּךְ יָפָה רַעְיָתִי וּמוּם אֵין בָּךְ, ז' דְּכַר וְנוּקְבָא כָּלִיל כַּחֲדָא, דָּא כָּלִיל תְּלַת מִכָּאן וּתְלַת מִכָּאן וְאִינּוּן שִׁית. וְאוֹקִימְנָא בְּאִלֵּין תְּרֵין אַתְוָון ם' ז' אִתְכְּלָלוּ תְּלֵיסַר אַתְוָון סָלִיק מִנַּיְיהוּ תְּרֵי. חַד לְאָת חַד, וְחַד לְאָת חַד.

ז. ככ"ך סעפ"ה יאע"וצא, הָכִי אִתְגְּלִיפוּ אַתְוָון, וְרָזָא דָּא בְּכִי תֵצֵא לַמִּלְחָמָה, קְרָא דִּכְתִיב, כִּי יִהְיֶה נַעֲרָה בְתוּלָה. נַעַר כְּתִיב, בָּתַר דְּאִסְתַּלַּק לֵילְיָא, וְצַפְרָא נָהִיר, כְּדֵין ה' סַלְּקָא וְאִתְכְּלִילַת בִּנְהוֹרָא עִלָּאָה. וּכְדֵין יִדַּעְתָּ הַשַּׁחַר מְקוֹמוֹ, דְּיָדַע שַׁחַר מְקוֹמוֹ דְּהֵ"א, וְאִתְכְּלִילַת בְּגַוֵּיהּ.

ח. ת"ח, מֹשֶׁה הֲוָה שִׁמְשָׁא, וּבָעָא לְאַעֲלָאָה לְאַרְעָא. א"ל קוּדְשָׁא בְּרִיךְ הוּא, מֹשֶׁה, כַּד אָתֵי נְהוֹרָא דְּשִׁמְשָׁא, אִתְכְּלִיל סִיהֲרָא בְּגַוֵּיהּ, הַשְׁתָּא דְּאַנְתְּ שִׁמְשָׁא, הֵיךְ יְקוּמוּן כַּחֲדָא שִׁמְשָׁא וְסִיהֲרָא, לָא נָהִיר סִיהֲרָא אֶלָּא בְּשַׁעֲתָא דְּאִתְכְּנִישׁ שִׁמְשָׁא, אֲבָל

הַשְׁתָּא לֵית אַנְתְּ יָכִיל. אִי תִּבְעֵי לְמִנְדַּע מִנָּהּ שְׁלַח לְךָ אֲנָשִׁים, לְגַרְמָךְ, בְּגִין לְמִנְדַּע.

ט. ת"ח, מֹשֶׁה, אִי תֵּימָא דְּהוּא לָא יָדַע דְּלָא יֵיעוּל לְאַרְעָא בְּזִמְנָא דָּא. לָאו הָכִי, אֶלָּא יָדַע, וַהֲוָה בָּעֵי לְמִנְדַּע מִנָּהּ, עַד לָא יִסְתַּלַּק, וְשַׁלַּח לְאִלֵּין מֵאַלְלֵי, כֵּיוָן דְּלָא אָתִיבוּ מִלָּה כַּדְקָא יָאוּת, לָא שָׁלַח זִמְנָא אָחֳרָא, עַד דְּקוּדְשָׁא בְּרִיךְ הוּא אַחְזֵי לֵיהּ, דִּכְתִּיב עֲלֵה אֶל הַר הָעֲבָרִים הַזֶּה וּרְאֵה אֶת הָאָרֶץ. וּכְתִיב וַיַּרְאֵהוּ יְיָ' אֶת כָּל הָאָרֶץ. וְלָא דָּא בִּלְחוֹדוֹי, אֶלָּא כָּל אִינּוּן דִּזְמִינִין לְמֵיקַם בְּכָל דָּרָא וְדָרָא, כֻּלְּהוּ אַחְזֵי לֵיהּ לְמֹשֶׁה. וְאִתְּמַר, וְאוּקְמוּהָ חַבְרַיָּיא.

י. כֵּיוָן דְּשַׁארֵי מֹשֶׁה לְמִשְׁלַח, מַה אֲמַר לוֹן. הֲיֵשׁ בָּהּ עֵץ. וְכִי מַה הוּא דְּקָאָמַר, וְאִי תֵּימָא דְּלָא יָדַע. אֶלָּא הָכִי אֲמַר מֹשֶׁה, אִם יֵשׁ בָּהּ עֵץ, הָא יָדַעְנָא דַּאֲנָא אֵיעוּל לְתַמָּן. מַאי עֵץ. דָּא אִילָנָא דְּחַיֵּי. וְתַמָּן לָא הֲוָה אֶלָּא בְּגַ"ע דְּאַרְעָא. אֲמַר אִם יֵשׁ בָּהּ עֵץ דָּא, אֲנָא אֵיעוּל לְתַמָּן. וְאִי לָא, לָאו אֲנָא יָכִיל לְמֵיעַל.

יא. אָמַר רִבִּי חִיָּיא, כְּתִיב וַיִּמְצְאוּ אִישׁ מְקוֹשֵׁשׁ עֵצִים בְּיוֹם הַשַּׁבָּת. מַאן עֵצִים הָכָא. וּמַאן הוּא דָּא. אֶלָּא דָּא צְלָפְחָד, וַהֲוָה דָּיֵיק עַל אִלֵּין אִילָנִין, הֵי מִנַּיְיהוּ רַב עַל אָחֳרָא, וְלָא חָשַׁשׁ לִיקָרָא דְּמָארֵיהּ, וְאַחְלַף שַׁבָּת לְשַׁבָּת. הה"ד, כִּי בְחֶטְאוֹ מֵת, בְּחֵטְא ו' מֵת. בְּגִין כָּךְ, הֲוָה דִּינֵיהּ סָתִים, וְלָא אִתְפְּרַשׁ דִּינֵיהּ. כְּדִינִין אָחֳרָנִין. בְּגִין דְּמִלָּה דָּא בָּעֵי בַּחֲשַׁאי וְסָתִים וְלָא גַּלְיָיא. וְעַ"ד לָא אִתְּמַר בְּאִתְגַּלְיָיא, וְקוּדְשָׁא בְּרִיךְ הוּא עֲבַד יְקָר לִיקָרֵיהּ.

יב. רִבִּי יוֹסֵי אָמַר, שְׁאַר עֵצִים בַּהֲדֵי שַׁבָּת הֲוָה מְקוֹשֵׁשׁ, וְקַבִּיל עוֹנְשָׁא לְפוּם שַׁעֲתָא, וְאִתְכַּפַּר חוֹבֵיהּ. וְעַ"ד אִתְקְשֵׁי מֹשֶׁה בְּדִינָא דִּבְנָתָא, דְּלָא יָדַע אִי אִתְכַּפַּר לְמֶהֱוֵי לִבְנָתֵיהּ חוּלָק וְאַחְסָנָא אִי לָאו. כֵּיוָן דְּדָכַר שְׁמֵיהּ קוּדְשָׁא בְּרִיךְ הוּא, דִּכְתִּיב כֵּן בְּנוֹת צְלָפְחָד דּוֹבְרוֹת, אִתְיְדַע דְּהָא אִתְכַּפָּר חוֹבֵיהּ.

יג. ת"ח, ב' אִילָנִין אִינּוּן, חַד לְעֵילָּא, וְחַד לְתַתָּא, בְּדָא חַיִּין, וּבְדָא מוֹתָא. מַאן דְּאַחְלַף לוֹן, גָּרִים לֵיהּ מוֹתָא בְּהַאי עָלְמָא, וְלֵית לֵיהּ חוּלָקָא בְּהַהוּא עָלְמָא. וְעַ"ד אָמַר שְׁלֹמֹה, דְּבַשׁ מָצָאתָ אֱכוֹל דַּיֶּיךָ וְגוֹ'.

יד. אָרוֹן וְתוֹרָה בְּחַד קַיְּימֵי. תּוֹרָה עִקָּרָא, אָרוֹן בֵּיתָא. וְעַ"ד, אָרֹן חָסֵר בְּלָא וָא"ו בְּכָל אֲתָר, אֲרֹן הַבְּרִית, אֲרֹן הָעֵדוּת. בְּכָל אֲתָר אַהֲרֹן דְּרוֹעָא יְמִינָא, בַּר בְּחַד, דִּכְתִּיב כָּל פְּקוּדֵי הַלְוִיִּם אֲשֶׁר פָּקַד מֹשֶׁה וְאַהֲרֹן, נָקוּד לְעֵילָּא.

טו. א"ר יִצְחָק, מֹשֶׁה אִילָנָא דְּחַיֵּי נָקַט, וְעַ"ד בָּעָא לְמִנְדַּע, אִי הֲוָה שְׁכִיחַ בְּאַרְעָא, אִי לָאו, וּבְגִ"כ אָמַר, הֲיֵשׁ בָּהּ עֵץ אִם אַיִן וְהִתְחַזַּקְתֶּם וּלְקַחְתֶּם מִפְּרִי הָאָרֶץ. דְּהָא אִילָנָא דְּחַיֵּי אִתְחֲזֵי לְכֹלָּא. וְאִינּוּן לָא אַיְיתִיאוּ אֶלָּא עֲנָבִים וְרִמּוֹנִים וּתְאֵנִים, בְּאִילָנָא אָחֳרָא תַּלְיָין וַאֲחִידָן.

טז. ת"ח, שְׁלַח לְךָ אֲנָשִׁים: בְּגִינָךְ. רִבִּי יְהוּדָה פָּתַח, כְּצִנַּת שֶׁלֶג בְּיוֹם קָצִיר צִיר נֶאֱמָן לְשׁוֹלְחָיו וְנֶפֶשׁ אֲדוֹנָיו יָשִׁיב. כְּצִנַּת שֶׁלֶג בְּיוֹם קָצִיר, דְּאַהֲנֵי לְגוּפָא וּלְנַפְשָׁא. צִיר נֶאֱמָן לְשׁוֹלְחָיו, אִלּוּ כָּלֵב וּפִנְחָס דַּהֲווּ שְׁלִיחֵי מְהֵימְנֵי לְגַבֵּי יְהוֹשֻׁעַ. וְנֶפֶשׁ אֲדוֹנָיו יָשִׁיב, דְּאַהַדְרוּ שְׁכִינְתָּא לְדַיְירָא בְּהוּ בְּיִשְׂרָאֵל, וְלָא אִסְתַּלְּקָא מִנַּיְיהוּ.

יז. וְאִלֵּין דְּשַׁדַּר מֹשֶׁה, גְּרִימוּ בְּכִיָּה לְדָרִין בַּתְרָאִין, וְגָרִימוּ לְאִסְתַּלְּקָא מִיִּשְׂרָאֵל כַּמָּה אֲלַף וְרִבְבָן. וְגָרִימוּ לְסַלְּקָא שְׁכִינְתָּא מֵאַרְעָא מִבֵּינַיְיהוּ דְּיִשְׂרָאֵל. אִינּוּן דְּשַׁדַּר יְהוֹשֻׁעַ, וְנֶפֶשׁ אֲדוֹנָיו יָשִׁיב.

יח. רַבִּי חִזְקִיָּה וְר' יֵיסָא הֲווּ אָזְלֵי בְּאָרְחָא, אָמַר רַבִּי יֵיסָא לר' חִזְקִיָּה. חֲמֵינָא בְּאַפָּךְ דְּהִרְהוּרָא אִית בְּגַוָּוךְ. אָמַר לֵיהּ, הָא וַדַּאי הַאי קְרָא אִסְתַּכַּלְנָא בֵּיהּ, כֵּיוָן דְּאָמַר שְׁלֹמֹה, כִּי מִקְרֶה בְּנֵי הָאָדָם וּמִקְרֶה הַבְּהֵמָה וּמִקְרֶה אֶחָד לָהֶם וְגוֹ'. וְתָנֵינָן, דְּכָל מִלּוֹי דִּשְׁלֹמֹה מַלְכָּא, כֻּלְּהוּ סְתִימִין מִדַּרְגִּין דְּחָכְמְתָא. אִי הָכִי, הַאי קְרָא אִית בֵּיהּ לְאִסְתַּכְּלָא, דְּהָא פִּתְחָא לְאִינּוּן דְּלָאו בְּנֵי מְהֵימְנוּתָא אִשְׁתְּכַח בֵּיהּ.

יט. אָ"ל וַדַּאי הָכִי הוּא, וְאִית בֵּיהּ לְמִנְדַּע וּלְאִסְתַּכְּלָא. אַדְּהָכִי חָמוּ חַד ב"נ דַּהֲוָה אָתֵי, שָׁאַל לוֹן מַיָּא, דַּהֲוָה צָחֵי, וַהֲוָה לָאֵי בְּתוּקְפָּא דְּשִׁמְשָׁא. אָמְרוּ לֵיהּ, מַאן אַתְּ. אָמַר לוֹן יוּדָאי אֲנָא, וַאֲנָא לָאֵי וְצָחֵינָא. אָמְרוּ לָעֵית בְּאוֹרַיְיתָא, אָמַר לוֹן, עַד דַּאֲנָא עִמְּכוֹן בְּמִלִּין, אֶסְלַק לְהַאי טוּרָא, וְתַמָּן אֶסַב מַיָּא וְאִשְׁתֵּי.

כ. אַפִּיק רַבִּי יֵיסָא חַד זְפִירָא מָלֵי מַיִין, וִיהַב לֵיהּ. בָּתַר דְּשָׁתָה, אָמַר נִסַּלֵּק עִמָּךְ לְמַיָּא. סָלִיקָא לְטוּרָא, וְאִשְׁתְּכָחוּ חַד חוּטָא דְּמַיָּא דָּקִיק, וּמָלֵי קַטְפוּרָא חַד. יָתְבוּ. אָמַר לוֹן הַהוּא ב"נ, הַשְׁתָּא שָׁאִילוּ, דְּהָא אֲנָא אִשְׁתַּדַּלְנָא בְּאוֹרַיְיתָא, עַל יְדוֹי דְּחַד בְּרִי, דַּאֲנָא עַיְילִית לֵיהּ לְבֵי רַב, וּבְגִינֵיהּ רְוַוחְנָא בְּאוֹרַיְיתָא. אָמַר רַבִּי חִזְקִיָּה אִי עַל יְדָא דִּבְרָךְ, טַב הוּא. אֲבָל מִלָּה דַּאֲנָן בֵּיהּ, אֲנָא חָמֵינָא דִּלְאֲתַר אָחֳרָא בָּעֵי לְאִסְתַּלְּקָא. אָמַר הַהוּא ב"נ, אֵימָא מִלָּךְ, דִּזְמְנִין בְּאַפַּרְקָסָתָא דְּעַנְיָיא תִּשְׁכַּח מַרְגָּנִיתָא.

כא. אָ"ל הַאי קְרָא דְּאָמַר שְׁלֹמֹה, סַח לֵיהּ. אָמַר לֵיהּ, וְכִי בְּמָה אַתּוּן פְּרִישָׁן מִשְּׁאַר בְּנֵי נָשָׁא דְּלָא יַדְעֵי. אָמְרוּ לֵיהּ וּבְמָה. אָמַר לוֹן, עַל דָּא אָמַר שְׁלֹמֹה הַאי קְרָא, וְלָא אָמַר הַאי מִגַּרְמֵיהּ, כִּשְׁאַר אִינּוּן מִלִּין. אֶלָּא אַהֲדַר אִינּוּן מִלִּין דְּטִפְּשָׁאֵי עָלְמָא דְּאַמְרֵי כַּךְ, וּמַאי אַמְרֵי. כִּי מִקְרֶה הָאָדָם וּמִקְרֶה הַבְּהֵמָה וְגוֹ', טִפְּשָׁאֵי דְּלָא יַדְעֵי וְלָא מִסְתַּכְּלָן בְּחָכְמְתָא אַמְרֵי דְּהַאי עָלְמָא אָזִיל בְּמִקְרֶה, וְקוּדְשָׁא בְּרִיךְ הוּא לָא אַשְׁגַּח עָלַיְיהוּ, אֶלָּא מִקְרֶה הָאָדָם וּמִקְרֶה הַבְּהֵמָה מִקְרֶה אֶחָד וְגוֹ'.

כב. וְכַד שְׁלֹמֹה אִסְתַּכַּל בְּאִלֵּין טִפְּשָׁאִין דְּקָאַמְרֵי דָּא קָרָא לוֹן בְּהֵמָה, דְּאִינּוּן עַבְדִּין גַּרְמַיְיהוּ בְּהֵמָה מַמָּשׁ, בְּגִין דְּאַמְרֵי מִלִּין אִלֵּין. וּמְנָלָן. קְרָא דְּעָלֵיהּ אוֹכַח, דִּכְתִיב אָמַרְתִּי אֲנִי בְּלִבִּי עַל דִּבְרַת בְּנֵי הָאָדָם לְבָרָם הָאֱלֹהִים וְלִרְאוֹת שְׁהֶם בְּהֵמָה הֵמָּה לָהֶם. אָמַרְתִּי אֲנִי בְּלִבִּי וַחֲשִׁיבְנָא בְּהַאי לְאִסְתַּכְּלָא עַל מָה, עַל דִּבְרַת בְּנֵי הָאָדָם. עַל הַהוּא מִלָּה דְּטִפְּשׁוּתָא, דְּאִינּוּן אַמְרֵי לְבָרָם הָאֱלֹהִים בִּלְחוֹדַיְיהוּ, וְלָא יִתְחַבְּרוּן בַּהֲדֵי בְּנֵי נָשָׁא אָחֳרָנִין דְּאִית לוֹן מְהֵימְנוּתָא, וְלִרְאוֹת שְׁהֶם בְּהֵמָה הֵמָּה לָהֶם. וְלִרְאוֹת בְּהוּ אִינּוּן בְּנֵי מְהֵימְנוּתָא, שֶׁהֵם בְּהֵמָה מַמָּשׁ, וְדַעְתַּיְיהוּ כִּבְעִירָא. הֵמָּה לָהֶם בִּלְחוֹדַיְיהוּ, וְלָא לְאַעֲלָאָה לִבְנֵי מְהֵימְנוּתָא בְּדַעְתָּא דְּטִפְּשׁוּתָא דָּא, וע"ד הֵמָּה לָהֶם, וְלָא לְאָחֳרָנִין. וּמַה דַּעְתָּא דִּלְהוֹן. כִּי מִקְרֶה בְּנֵי הָאָדָם וּמִקְרֶה הַבְּהֵמָה וּמִקְרֶה אֶחָד לְכֻלָּם וְגוֹ'. תִּיפַּח רוּחֵיהוֹן דְּאִינּוּן בְּעִירֵי. אִינּוּן טִפְּשָׁאֵי. אִינּוּן מְחוּסְרֵי מְהֵימְנוּתָא. וַוי לוֹן וַוי לְנַפְשַׁיְיהוּ. טַב לְהוּ דְּלָא יֵיתוּן לְעָלְמָא.

כג. וּמַה אָתִיב לוֹן שְׁלֹמֹה עַל דָּא. קְרָא אֲבַתְרֵיהּ, וְאָמַר, וּמִי יוֹדֵעַ רוּחַ בְּנֵי הָאָדָם הָעוֹלָה הִיא לְמַעְלָה וְרוּחַ הַבְּהֵמָה הַיּוֹרֶדֶת הִיא לְמַטָּה לָאָרֶץ. מִי יוֹדֵעַ בְּאִינּוּן טִפְּשָׁאֵי, דְּלָא יַדְעֵי בִּיקָרָא דְּמַלְכָּא עִלָּאָה, וְלָא מִסְתַּכְּלֵי בְּאוֹרַיְיתָא, רוּחַ בְּנֵי הָאָדָם הָעוֹלָה, הִיא לְמַעְלָה, לַאֲתַר עִלָּאָה, לַאֲתַר יְקָר, לַאֲתַר קַדִּישָׁא, וּלְאִתְּזְנָא מִנְּהִירוּ עִלָּאָה, מִנְּהִירוּ דְּמַלְכָּא קַדִּישָׁא, לְמֶהֱוֵי צְרוּרָא בִּצְרוֹרָא דְּחַיֵּי, וְאִשְׁתְּכָחַת קַמֵּי מַלְכָּא קַדִּישָׁא עוֹלָה תְּמִימָה וְדָא הוּא הָעוֹלָה הִיא לְמַעְלָה.

כד. ורוח הבהמה הירדת היא למטה לארץ, ולאו לההוא אתר דהוה כל ב"נ, דכתיב ביה בצלם אלהים עשה את האדם, וכתיב נר יי' נשמת אדם. היך אמרי אינון טפשאי דלאו מבני מהימנותא, ורוח אחד לכל, תיפח רוחיהון, עלייהו כתיב, יהיו כמוץ לפני רוח ומלאך יי' דוחה. אלין ישתארון בגיהנם, לאינון דרגין תתאין, ולא יסתלקון לדרי דרין. עלייהו כתיב יתמו חטאים מן הארץ ורשעים עוד אינם ברכי נפשי' את יי' הללויה. אתו רבי חזקיה ורבי ייסא, ונשקו רישיה, אמרו ומה כל כך הוה עמך ולא ידענא, זכאה האי שעתא דאערענא בך.

כה. תו אמר, וכי על דא בלחודוי תוה שלמה, והא באתר אחרא אמר כגוונא דא, פתח ואמר, זה רע בכל אשר נעשה תחת השמש. זה רע ודאי. מאי זה רע. דא הוא מאן דאושיד זרעא בריקניא, וחביל אורחוי, בגין דהאי לאו מדוריה בקודשא בריך הוא, ולא יהא ליה חולקא בעלמא דאתי. הה"ד כי לא אל חפץ רשע אתה לא יגורך רע. על דא אמר, זה רע, דלא יהא ליה מדורא לעילא. כי מקרא אחד לכל וגם לב בני האדם מלא רע והוללות בלבבם. בחייהם שטותא תקיע בלבייהו, ואינון מחוסרי מהימנותא, ולית לון חולקא בקודשא בריך הוא, ובאינון בני מהימנותא, לאו בעלמא דין, ולא בעלמא דאתי, הה"ד ואחריו אל המתים.

כו. ת"ח, קודשא בריך הוא אזהר לבני עלמא ואמר, ובחרת בחיים למען תחיה, וחיין דההוא עלמא נינהו. אינון חייבין מחוסרי מהימנותא מאי קא אמרי. כי מי אשר יבחר וגו'. אע"ג דיבחר בר נש בההוא עלמא כמה דאמר, לאו הוא כלום, דהא מסירא דא בידנא, אל כל החיים יש בטחון, ומסירא דא בידייהו, כי לכלב חי הוא טוב מן האריה המת. היך יהא לן חיין בההוא עלמא. וע"ד זה רע ודאי, דלא ידורון במלכא עלאה, ולא יהא לון חולקא ביה. ואע"ג דכל הני קראי תשכח סמיכין וחבריא במלין אחרנין, אבל ודאי שלמה קא אתא לגלאה על אינון חייבין מחוסרי מהימנותא, דלית לון חולקא בקודשא בריך הוא בעלמא דין ובעלמא דאתי.

כז. א"ל, תבעי' דנתחבר בהדך ותזיל בהדן. אמר להו, אי עבידנא הכי, אורייתא יקרי' עלי כסיל, ולא עוד אלא דאתחייבנא בנפשאי. אמרו ליה למה. אמר לון דהא שליחא אנא, ושדרו לי בשליחותא, ושלמה מלכא אמר, מקצה רגלים חמס שותה שולח דברים ביד כסיל. ת"ח, מרגלים על דלא אשתכחו בני מהימנותא ושלוחי מהימנותא, אתחייבו בנפשייהו בעלמא דין ובעלמא דאתי. נשק לון, ואזל ליה.

כח. אזלו רבי חזקיה ור' ייסא, עד דהוו אזלו פגעו באינון בני נשא. שאילו ר' חזקיה ורבי ייסא עליה, אמרו מה שמיה דההוא ב"נ. אמרו, ר' חגי הוא, וחברא דבין חברייא הוא, ושדרו ליה חברייא דבבל, למנדע מלין מר' שמעון בן יוחאי ושאר חברייא. א"ר ייסא, ודאי דא הוא ר' חגי, דכל יומוי לא בעא לאחזאה גרמיה במה דידע, ועל דא אמר לן דהא בריה זכה ליה באורייתא, בגין דאמר קרא, ראית איש חכם בעיניו תקוה לכסיל ממנו. ודאי שליחא מהימנא איהו, וזכאה איהו מאן דשדר מלוי בידא דשליחא מהימנא.

כט. ת"ח, אליעזר עבד אברהם מבני כנען הוה, כד"א, כנען בידו מאזני מרמה. וכנען כתיב עליה, ארור כנען עבד עבדים יהיה לאחיו. ובגין דהוה שליחא מהימנא, מה כתיב ביה. בא ברוך יי'. ברוך יי' ממש. ועל דא אכתיב הכי באורייתא, בגין דנפק מההיא קללה, ואתברך. ולא די ליה דנפיק מנה, אלא דאתברך בשמיה

דְּקוּדְשָׁא בְּרִיךְ הוּא. וְאוֹלִיפְנָא דְּאָתָא מַלְאָךְ, וְאָעִיל מִלָּה דָּא בְּפוּמֵיהּ דְּכָלֵב.

ל. וַיִּשְׁלַח אוֹתָם מֹשֶׁה וְגוֹ', כֻּלָּם אֲנָשִׁים. כֻּלְּהוּ זַכָּאִין הֲווּ, וְרֵישֵׁי דְּיִשְׂרָאֵל הֲווּ. אֲבָל אִינּוּן דָּבְרוּ לְגַרְמַיְיהוּ עֵיטָא בִּישָׁא. אֲמַאי נָטְלֵי עֵיטָא דָּא. אֶלָּא אָמְרוּ, אִי יֵיעֲלוּן יִשְׂרָאֵל לְאַרְעָא, נִתְעֲבַר אֲנָן מִלְּמֶהֱוֵי רֵישִׁין, וִימַנֵּי מֹשֶׁה רֵישִׁין אֲחֳרָנִין, דְּהָא אֲנָן זָכֵינָן בְּמַדְבְּרָא לְמֶהֱוֵי רֵישִׁין, אֲבָל בְּאַרְעָא לָא נִזְכֵּי. וְעַל דְּנָטְלֵי עֵיטָא בִּישָׁא לְגַרְמַיְיהוּ, מִיתוּ אִינּוּן, וְכָל אִינּוּן דְּנַטְלָן מִלַּיְיהוּ.

לא. אֵלֶּה שְׁמוֹת הָאֲנָשִׁים אֲשֶׁר שָׁלַח מֹשֶׁה וְגוֹ', אָמַר רִבִּי יִצְחָק, מֹשֶׁה אִסְתָּכַּל וְיָדַע דְּלָא יִצְלְחוּן בְּאָרְחַיְיהוּ, כְּדֵין צַלֵּי עָלֵיהּ דִּיהוֹשֻׁעַ. כְּדֵין כָּלֵב הֲוָה בְּדוּחֲקָא, אָמַר, מָה אַעְבִּיד, הָא יְהוֹשֻׁעַ אָזִיל בְּסַיְּיעְתָּא עִלָּאָה דְּמֹשֶׁה, דְּשָׁדַר בֵּיהּ נְהִירוּ דְּסִיהֲרָא, וְהוּא אַנְהִיר עָלֵיהּ בִּצְלוֹתֵיהּ, בְּגִין דְּאִיהוּ שִׁמְשָׁא. מָה עֲבַד כָּלֵב. אִשְׁתְּמִיט מִנַּיְיהוּ, וְאָתֵי לְגַבֵּי קִבְרַיָּיא דַּאֲבָהָן, וְצַלֵּי תַּמָּן צְלוֹתֵיהּ.

לב. א"ר יְהוּדָה, אַרַח אוֹרְחָא נָטִיל, וְעָקִים שְׁבִילִין, וּמָטָא עַל קִבְרֵי דַּאֲבָהָן, וְאִסְתָּכַּן בְּגַרְמֵיהּ, דְּהָא כְּתִיב וְשָׁם אֲחִימָן שֵׁשַׁי וְתַלְמַי יְלִידֵי הָעֲנָק. אֲבָל מַאן דְּאִיהוּ בְּדוּחֲקָא, לָא אִסְתָּכַּל מִדֵּי. כַּךְ כָּלֵב, בְּגִין דַּהֲוָה בְּדוּחֲקָא, לָא אִסְתָּכַּל מִדֵּי, וְאָתָא לְצַלָּאָה עַל קִבְרֵי אֲבָהָן, לְאִשְׁתְּזָבָא מֵעֵיטָא דָּא.

לג. וַיִּקְרָא מֹשֶׁה לְהוֹשֵׁעַ בִּן נוּן יְהוֹשֻׁעַ. רִבִּי יִצְחָק אָמַר, וְכִי הוֹשֵׁעַ קְרָאֵיהּ קָרָא, וְהָא כְּתִיב וַיֹּאמֶר מֹשֶׁה אֶל יְהוֹשֻׁעַ. וִיהוֹשֻׁעַ בִּן נוּן נַעַר. וַיַּחֲלוֹשׁ יְהוֹשֻׁעַ. אֶלָּא אָ"ל מֹשֶׁה, יָהּ יוֹשִׁיעֲךָ מִנַּיְיהוּ.

לד. רִבִּי אַבָּא אָמַר, כֵּיוָן דְּשַׁדְרֵיהּ לְמֵיעַל לְתַמָּן, אִצְטְרִיךְ לְמֶהֱוֵי שְׁלִים. וּבְמָּה. בִּשְׁכִינְתָּא. דְּעַד הַהִיא שַׁעְתָּא נַעַר אִקְרֵי, כְּמָה דְּאוֹקִימְנָא. וּבְהַהִיא שַׁעְתָּא קָשִׁיר לֵיהּ מֹשֶׁה בַּהֲדָהּ, ואע"ג דְּאִשְׁכְּחָן יְהוֹשֻׁעַ בְּקַדְמֵיתָא, קָרָא קַרְיֵיהּ הָכִי עַל הַהוּא דְּזַמִּין לְמִקְרְיֵיהּ. אָמַר מֹשֶׁה, וַדַּאי לָא אִצְטְרִיךְ דָּא לְמֵיעַל תַּמָּן, אֶלָּא בִּשְׁכִינְתָּא, וְהָכִי אִתְחֲזֵי.

לה. הֲיֵשׁ בָּהּ עֵץ אִם אַיִן וְגוֹ', רִבִּי חִיָּיא אָמַר, וְכִי לָא הֲוָה יָדַע מֹשֶׁה דְּאִית בָּהּ כַּמָּה אִילָנִין מְשַׁנְּיָין דָּא מִן דָּא, וְהָא הוּא שַׁבַּח לָהּ לְיִשְׂרָאֵל בְּכַמָּה זִמְנִין, וְהוּא אִסְתָּפַּק בְּדָא. וְהָא קוּדְשָׁא בְּרִיךְ הוּא קָאָמַר לֵיהּ לְמֹשֶׁה בְּקַדְמֵיתָא, דְּהִיא אֶרֶץ זָבַת חָלָב וּדְבַשׁ. אָמַר רִבִּי יוֹסֵי, הָא אִתְּעֲרוּ חַבְרַיָּיא, דִּכְתִּיב אִישׁ הָיָה בְאֶרֶץ עוּץ אִיּוֹב שְׁמוֹ.

לו. אָמַר רִבִּי שִׁמְעוֹן, רָמַז לְהֶם רְמִיזָא דְּחָכְמְתָא, עַל מַה דְּשָׁאִילוּ בְּקַדְמֵיתָא. דִּכְתִּיב הֲיֵשׁ יְיָ' בְּקִרְבֵּנוּ אִם אָיִן. אָמַר, תַּמָּן, תֶּחֱמוּן, אִי הִיא אִתְחֲזְיָא לְהַאי, אוֹ לְהַאי. אָמַר לוֹן, אִי תֶּחֱמוּן דְּאִיבָּא דְּאַרְעָא כִּשְׁאָר אַרְעֵי דְּעָלְמָא, יֵשׁ בָּהּ עֵץ אִילָנָא דְּחַיֵּי, וְלָא מֵאֲתַר עִלָּאָה יַתִּיר. וְאִי תֶּחֱמוּן דְּאִיבָּא דְּאַרְעָא יַתִּיר וּמְשַׁנְּיָיא מִכָּל אֲתַר דְּעָלְמָא, תִּנְדְּעוּן, דְּהָא מֵעַתִּיקָא קַדִּישָׁא קָא נָגִיד וְאִתְמְשַׁךְ הַהוּא שִׁנּוּיָיא עִלָּאָה, מִכָּל אַתְרֵי דְּעָלְמָא. וּבְדָא תִּנְדְּעוּן, הֲיֵשׁ בָּהּ עֵ"ץ, אִם אַיִ"ן, וְדָא בָּעִיתוּן בְּקַדְמֵיתָא לְמִנְדַּע דָּא, דִּכְתִּיב הֲיֵשׁ יְיָ' בְּקִרְבֵּנוּ. בְּקִרְבֵּנוּ דַּיְיקָא, אוֹ אִם אָיִן. וע"ד וְהִתְחַזַּקְתֶּם וּלְקַחְתֶּם מִפְּרִי הָאָרֶץ, לְמִנְדַּע שִׁנּוּיָיא דִּילֵיהּ.

לז. וְהַיָּמִים יְמֵי בִּכּוּרֵי עֲנָבִים. וְהַיָּמִים, מַאי קָא מַיְירֵי, דְּהָא וְאָז בִּכּוּרֵי עֲנָבִים סַגֵּי לֵיהּ. אֶלָּא וְהַיָּמִים, אִינּוּן דְּאִשְׁתְּמוֹדְעָן, כֻּלְּהוּ הֲווּ מִתְחַבְּרָן בְּהַהוּא זִמְנָא בְּהַהוּא אִילָנָא דְּחָטָא בֵּיהּ אָדָם הָרִאשׁוֹן. כְּמָה דְּתָנֵינָן עֲנָבִים הָיוּ וְעַל דָּא, וְהַיָּמִים: אִינּוּן דְּאִשְׁתְּמוֹדְעָן, יְמֵי בִּכּוּרֵי עֲנָבִים דַּיְיקָא.

לח. וַיַּעֲלוּ בַנֶּגֶב וַיָּבֹא עַד חֶבְרוֹן. וַיָּבֹאוּ מִבָּעֵי לֵיהּ. אֶלָּא אָמַר רַבִּי יוֹסֵי, כָּלֵב הוּא דְּאָתָא לְצַלָּאָה עַל קִבְרֵי אֲבָהָתָא. אָמַר כָּלֵב, יְהוֹשֻׁעַ הָא בִּרְכֵיהּ מֹשֶׁה בְּסִיּוּעָא עִלָּאָה קַדִּישָׁא, וְיָכִיל לְאִשְׁתֵּזָבָא מִנַּיְהוּ, וַאֲנָא מַה אֶעֱבִיד. אִימְלָךְ, לְמִבָּעֵי בְּעוּתָא עַל קִבְרֵי אֲבָהָתָא, בְּגִין דְּיִשְׁתֵּזִיב מֵעֵיטָא בִישָׁא דְּעָאַר מְאַלְלִין.

לט. רַבִּי יִצְחָק אָמַר, מַאן דְּהֲוָה רְשִׁים מִכֻּלְּהוּ דָּא עָאל בְּגַוַּויֵהּ דְּבֵיהּ תַּלְיָא כֹּלָּא. וְת"ח, מַאן הוּא מִשְּׁאָר אָחֳרָי דְּיֵיכוּל לְאַעֲלָא תַּמָּן, דְּהָא כְּתִיב וְשָׁם אֲחִימָן שֵׁשַׁי וְתַלְמַי, וּמִדְּחֵילוּ דִּלְהוֹן מַאן יָכִיל לְאַעֲלָא בִּמְעַרְתָּא. אֶלָּא שְׁכִינְתָּא עָאלַת תַּמָּן בְּכָלֵב, לְבַשְּׂרָא לַאֲבָהָן, דְּהָא מָטָא זִמְנָא לְאַעֲלָא בְּנַיְהוּ לְאַרְעָא, דְּאוֹמֵי לוֹן קוּדְשָׁא בְּרִיךְ הוּא, וְדָא הוּא וַיָּבֹא עַד חֶבְרוֹן.

מ. תָּאנָא, אֲחִימָן שֵׁשַׁי וְתַלְמַי, מִמַּאן נַפְקוּ. זַרְעָא הֲווֹ מֵאִינּוּן נְפִילוּ, דְּאַפִּיל לוֹן קוּדְשָׁא בְּרִיךְ הוּא בְּאַרְעָא, וְאוֹלִידוּ מִבְּנַת אַרְעָא, וּמִנַּיְהוּ נַפְקוּ גִּבָּרֵי עָלְמָא, כְּמָה דִּכְתִיב, הֵמָּה הַגִּבֹּרִים אֲשֶׁר מֵעוֹלָם אַנְשֵׁי הַשֵּׁם. אֲשֶׁר מֵעוֹלָם, מִדְּאִתְבְּרֵי עָלְמָא מִשְׁתַּכְּחֵי. אַנְשֵׁי הַשֵּׁם אֲחִימָן שֵׁשַׁי וְתַלְמַי.

מא. וַיָּבֹאוּ עַד נַחַל אֶשְׁכּוֹל וְגוֹ', רַבִּי יְהוּדָה פָּתַח, כֹּה אָמַר הָאֵל יְיָ' בּוֹרֵא הַשָּׁמַיִם וְנוֹטֵיהֶם וְגוֹ'. כַּמָּה אִית לְהוֹ לִבְנֵי נָשָׁא לְאִסְתַּכְּלָא בְּפוּלְחָנָא דְּקוּדְשָׁא בְּרִיךְ הוּא, כְּמָה אִית לְהוֹ לְאִסְתַּכְּלָא בְּמִלֵּי דְּאוֹרַיְיתָא, דְּכָל מַאן דְּאִשְׁתַּדַּל בְּאוֹרַיְיתָא, כְּאִלּוּ מְקָרֵב כָּל קוּרְבָּנִין דְּעָלְמָא לְקַמֵּי קוּדְשָׁא בְּרִיךְ הוּא. וְלָא עוֹד אֶלָּא דְּקוּדְשָׁא בְּרִיךְ הוּא מְכַפֵּר לֵיהּ עַל כָּל חוֹבוֹי, וּמַתְקָנִין לֵיהּ כַּמָּה כֻּרְסְיָין לְעָלְמָא דְּאָתֵי, .

מב. ר' יְהוּדָה הֲוָה אָזִיל בְּאָרְחָא בַּהֲדֵי ר' אַבָּא, אָמַר לֵיהּ, שְׁאַל לָךְ מִלָּה חַד בְּעֵינָא לְשַׁאֲלָא, כֵּיוָן דְּיָדַע קוּדְשָׁא בְּרִיךְ הוּא דְּזַמִּין ב"נ לְמֵיחֲטֵי קַמֵּיהּ, וּלְמִגְזַר עֲלֵיהּ מִיתָה, אֲמַאי בָּרָא לֵיהּ. דְּהָא אוֹרַיְיתָא הֲוָה תְּרֵי אַלְפִין שְׁנִין עַד לָא אִיבְּרֵי עָלְמָא. וּכְתִיב בָּהּ בְּאוֹרַיְיתָא, אָדָם כִּי יָמוּת בְּאֹהֶל. אִישׁ כִּי יָמוּת. וַיָּמָת. וַיְחִי פְּלוֹנִי וַיָּמָת. מַאי קָבָּעֵי קוּדְשָׁא בְּרִיךְ הוּא לב"נ בְּהַאי עָלְמָא, דְּאֲפִילּוּ אִי אִשְׁתַּדַּל בְּאוֹרַיְיתָא יְמָמָא וְלֵילְיָא יְמוּת, וְאִי לָא אִשְׁתַּדַּל בְּאוֹרַיְיתָא יְמוּת, כֹּלָּא בְּחַד אָרְחָא, בַּר פְּרִישׁוּתָא דְּהַהוּא עָלְמָא, כד"א כְּטוֹב כַּחוֹטֵא.

מג. א"ל, אוֹרִיזוֹי דְּמָארָךְ, וְגִזְרֵי דְּמָארָךְ, מַה לָךְ לְמִטְרַח בְּהוֹ. מַה דְּאִית לָךְ רְשׁוּ לְמִנְדַּע וּלְאִסְתַּכְּלָא שָׁאִיל, וּדְלֵית לָךְ רְשׁוּ לְמִנְדַּע, כְּתִיב אַל תִּתֵּן אֶת פִּיךָ לַחֲטִיא אֶת בְּשָׂרֶךָ, דְּאוֹרִיזוֹי דְּקוּדְשָׁא בְּרִיךְ הוּא וְסִתְרִין, גְּנִיזִין עִלָּאִין, דְּהוּא סָתִים וְגָנִיז לֵית כָּן לְשַׁאֲלָא. א"ל, אִי הָכִי, הָא אוֹרַיְיתָא כֻּלָּא סָתִים וְגָנִיז, דְּהָא הִיא שְׁמָא קַדִּישָׁא עִלָּאָה הֲוֵי, וּמַאן דְּמִתְעַסַּק בְּאוֹרַיְיתָא כְּאִלּוּ אִתְעַסַּק בִּשְׁמֵיהּ קַדִּישָׁא, וְאִי הָכִי, לֵית כָּן לְשַׁאֲלָא וּלְאִסְתַּכְּלָא.

מד. א"ל אוֹרַיְיתָא כֹּלָּא סָתִים וְגַלְיָא, וּשְׁמֵיהּ קַדִּישָׁא סָתִים וְגַלְיָא, וּכְתִיב הַנִּסְתָּרוֹת לַה' אֱלֹהֵינוּ וְהַנִּגְלוֹת לָנוּ וּלְבָנֵינוּ, הַנִּגְלוֹת דְּאִית רְשׁוּ לְשַׁאֲלָא, וּלְעַיְינָא וּלְאִסְתַּכְּלָא בְּהוֹ וּלְמִנְדַּע בְּהוֹ. אֲבָל הַנִּסְתָּרוֹת לַיְיָ' אֱלֹהֵינוּ, דִּילֵיהּ אִינּוּן, וְלֵיהּ אִתְחַזְיָין, דְּמַאן יָכִיל לְמִנְדַּע וּלְאִתְדַּבְּקָא דַּעְתּוֹי סְתִימָא, וכ"ש לְמִשְׁאַל.

מה. ת"ח, לֵית רְשׁוּ לִבְנֵי עָלְמָא לְמֵימַר מִלִּין סְתִימִין וּלְפָרְשָׁא לוֹן, בַּר בּוּצִינָא קַדִּישָׁא, ר"ע דְּהָא קוּדְשָׁא בְּרִיךְ הוּא אַסְכַּם עַל יְדוֹי. וּבְגִין דְּדָרָא דִּילֵיהּ רְשִׁימָא הוּא לְעֵילָא וְתַתָּא, וְע"ד מִלִּין אִתְאֲמָרוּ בְּאִתְגַּלְיָא עַל יְדוֹי, וְלָא יְהֵא דָּרָא כְּדָרָא דָּא

דְּאִיהוּ שָׁארֵי בְּגַוֵּיהּ, עַד דְּיֵיתֵי מַלְכָּא מְשִׁיחָא.

מו. אֲבָל ת"ח, כְּתִיב וַיִּבְרָא אֱלֹהִים אֶת הָאָדָם בְּצַלְמוֹ בְּצֶלֶם אֱלֹהִים בָּרָא אוֹתוֹ רָזָא דְּמִלָּה, תְּלַת עָלְמִין אִית לֵיהּ לְקוּדְשָׁא בְּרִיךְ הוּא, דְּאִיהוּ גָּנִיז בְּגַוַויְיהוּ. עָלְמָא קַדְמָאָה, הַהוּא עִלָּאָה טְמִירָא דְּכֹלָּא, דְּלָא אִסְתַּכַּל בֵּיהּ, וְלָא אִתְיְדַע בֵּיהּ, בַּר אִיהוּ, דְּאִיהוּ גָּנִיז בְּגַוֵּויהּ.

מז. עָלְמָא תִּנְיָינָא, דְּאִיהוּ קָשִׁיר בְּהַהוּא דִּלְעֵילָּא, וְדָא הוּא דְּקוּדְשָׁא בְּרִיךְ הוּא אִשְׁתְּמוֹדַע מִנֵּיהּ, כְּמָה דִּכְתִיב פִּתְחוּ לִי שַׁעֲרֵי צֶדֶק, זֶה הַשַּׁעַר לַיְיָ. וְדָא הוּא עָלְמָא תִּנְיָינָא.

מח. עָלְמָא תְּלִיתָאָה, הַהוּא עָלְמָא תַּתָּאָה מִנַּיְיהוּ, דְּאִשְׁתְּכַחוּ בֵּיהּ פֵּרוּדָא, וְדָא הוּא עָלְמָא, דְּמַלְאֲכֵי עִלָּאֵי שַׁרְיָין בְּגַוֵּויהּ, וְקוּדְשָׁא בְּרִיךְ הוּא אִשְׁתְּכַח בֵּיהּ, וְלָא אִשְׁתְּכַח. אִשְׁתְּכַח בֵּיהּ הַשְׁתָּא, כַּד בָּעָאן לְאִסְתַּכְּלָא וּלְמִנְדַּע לֵיהּ, אִסְתַּלַּק מִנַּיְיהוּ, וְלָא אִתְחֲזֵי, עַד דְּכֻלְּהוּ שָׁאֲלֵי אַיֵּה מְקוֹם כְּבוֹדוֹ. בָּרוּךְ כְּבוֹד יְיָ מִמְּקוֹמוֹ. וְהַאי הוּא עָלְמָא דְּלָא אִשְׁתְּכַח בֵּיהּ תְּדִירָא.

מט. כְּגַוְונָא דָא, בְּצֶלֶם אֱלֹהִים עָשָׂה אֶת הָאָדָם. כְּדֵין אִית לֵיהּ תְּלַת עָלְמִין. עָלְמָא קַדְמָאָה: הַאי עָלְמָא דְּאִקְרֵי עָלְמָא דְּפִירוּדָא, וּבַ"נ אִשְׁתְּכַח בֵּיהּ וְלָא אִשְׁתְּכַח. כַּד בָּעָאן לְאִסְתַּכְּלָא בֵּיהּ, אִסְתַּלַּק מִנַּיְיהוּ וְלָא אִתְחֲזֵי.

נ. עָלְמָא תִּנְיָינָא, עָלְמָא דְּאִיהוּ קָשִׁיר בְּהַהוּא עָלְמָא עִלָּאָה, וְדָא הוּא ג"ע דִּי בְּאַרְעָא, דְּדָא הוּא קָשִׁיר בְּעָלְמָא אַחֲרָא עִלָּאָה, וּמֵהַאי אִתְיְדַע וְאִשְׁתְּמוֹדַע עָלְמָא אַחֲרָא.

נא. עָלְמָא תְּלִיתָאָה, עָלְמָא עִלָּאָה טְמִירָא, גָּנִיז וְסָתִים, דְּלֵית מַאן דְּיָדַע לֵיהּ, כְּמָה דִּכְתִיב עַיִן לֹא רָאָתָה אֱלֹהִים זוּלָתְךָ יַעֲשֶׂה לִמְחַכֵּה לוֹ. וְכֹלָּא כְּגַוְונָא עִלָּאָה, דִּכְתִיב בְּצֶלֶם אֱלֹהִים עָשָׂה אֶת הָאָדָם.

נב. עַל דָּא כְּתִיב, בָּנִים אַתֶּם לַיְיָ אֱלֹהֵיכֶם וְגו', כְּמָה דְּאוּקְמוּהָ. וְאִלֵּין אִינּוּן בְּצֶלֶם אֱלֹהִים, וְאִלֵּין יָרְתִין יְרוּתָא עִלָּאָה כְּגַוְונָא דִּילֵיהּ. וְע"ד אַזְהַר בְּאוֹרַיְיתָא, לָא תִתְגּוֹדְדוּ וְלָא תְשִׂימוּ קָרְחָה. דְּהָא לָא אִתְאֲבִיד, וְהָא שְׁכִיחַ בְּעָלְמִין טָבִין עִלָּאִין וְיַקִּירִין, לְהֱווֹן חַדָּן כַּד אִסְתַּלַּק צַדִּיקָא מֵהַאי עָלְמָא.

נג. ות"ח, אִלְמָלֵי לָא חָב אָדָם, לָא יִטְעַם טַעֲמָא דְּמוֹתָא בְּהַאי עָלְמָא, בִּזְמְנָא דְּעָיֵיל לְעָלְמִין אַחֲרָנִין. אֲבָל בְּגִין דְּחָב, טָעַם טַעֲמָא דְּמוֹתָא, עַד לָא יֵיעוֹל לְאִינּוּן עָלְמִין, וְאִתְפַּשַּׁט רוּחָא מֵהַאי גּוּפָא, וְאִשְׁאַר לֵיהּ בְּהַאי עָלְמָא, וְרוּחָא אִסְתַּחְיָא בְּנְהַר דִּינוּר לְקַבְּלָא עוֹנְשָׁא. וּלְבָתַר עַיְילָא לְג"ע דְּבְאַרְעָא, וְאִזְדַּמְּנָא לֵיהּ מָאנָא אַחֲרָא דִּנְהוֹרָא, כְּהַאי פַּרְצוּפָא דְּגוּפָא דְּהַאי עָלְמָא מַמָּשׁ. וְאִתְלַבַּשׁ וְאִתְתַּקַּן בֵּיהּ. וְתַמָּן הוּא מְדוֹרָא דִּילֵיהּ תָּדִיר. וְאִתְקְשַׁר בְּרֵישׁ יַרְחֵי וְשַׁבַּתֵּי בְּנִשְׁמְתָא. וְסָלִיק וְאִתְעֲטַר לְעֵילָּא לְעֵילָּא, הה"ד וְהָיָה מִדֵּי חֹדֶשׁ בְּחָדְשׁוֹ וְגו'.

נד. מִדֵּי חֹדֶשׁ בְּחָדְשׁוֹ אַמַּאי. אֶלָּא רָזָא דְּמִלָּה, בְּגִין חַדְתּוּתֵי דְּסִיהֲרָא, דְּאִתְעַטְּרָא לְאַנְהָרָא מִן שִׁמְשָׁא בְּהַהוּא זִמְנָא. וְכֵן מִדֵּי שַׁבָּת בְּשַׁבַּתּוֹ, מִדֵּי שַׁבָּת דָּא סִיהֲרָא. בְּשַׁבַּתּוֹ דָּא שִׁמְשָׁא. דִּנְהוֹרָא אַתְיָא לָהּ מִן תַּמָּן. וְעַל דָּא כֹּלָּא חַד מִלָּה. וְדָא הוּא בְּרִירָא דְּמִלָּה, בַּר לְחַיָּיבַיָּא דִּכְתִיב בְּהוּ מִיתָה לְכֻלְּהוּ עָלְמִין, כָּרֵת מִכֻּלְּהוּ עָלְמִין. וְאִשְׁתְּצִיָּין מִכֹּלָּא, כַּד לָא עַיְילֵי בִּתְשׁוּבָה. אָמַר רִבִּי יְהוּדָה, בְּרִיךְ רַחֲמָנָא, דְּשָׁאִילְנָא וְרַוְוחְנָא מִלִּין אִלֵּין, וְקָאִימְנָא עֲלַיְיהוּ.

נה. אָמַר ר' שִׁמְעוֹן, מִפָּרָשְׁתָא דָּא אוֹלִיפְנָא רָזָא דְּחָכְמְתָא, וְאִשְׁתְּמוֹדְעוּ מִנָּהּ רָזִין עִלָּאִין וְיַקִּירִין. ת"ח, קוּדְשָׁא בְּרִיךְ הוּא מְשַׁבַּח בְּאוֹרַיְיתָא, וְאָמַר אִלֵּין בְּאוֹרְחַי, אִשְׁתַּדְּלוּ בְּפוּלְחָנִי, וְהָא אֲנָא מְעַיֵּיל לְכוֹן לְעָלְמִין טָבִין, לְעָלְמִין עִלָּאִין. בְּנֵי נָשָׁא דְּלָא יַדְעֵי, לָא מְהֵימְנֵי, וְלָא מִסְתַּכְּלֵי, קוּדְשָׁא בְּרִיךְ הוּא אָמַר, אִילֵין אֲלִילוּ הַהוּא עָלְמָא טָבָא, הַהוּא עָלְמָא עִלָּאָה דִּכְסוּפָא. אִינּוּן אַמְרֵי, אֵיךְ נֵיכוֹל לְאַלְלָא לֵיהּ, וּלְמִנְדַּע כָּל הַאי.

נו. מַה כְּתִיב. עֲלוּ זֶה בַּנֶּגֶב, אִשְׁתַּדְּלוּ בְּאוֹרַיְיתָא, וְתֶחֱמוּן דְּהָא הִיא קַיְּימָא קַמַּיְיכוּ, וּמִנָּהּ תִּנְדְּעוּן לֵיהּ. וּרְאִיתֶם אֶת הָאָרֶץ מַה הִיא וְגוֹ'. תֶּחֱמוּן מִנָּהּ הַהוּא עָלְמָא, דְּהָא יְרוּתָא דְּאַחְסָנָא, דַּאֲנָא עָיֵיל לְכוּ בָּהּ. וְאֶת הָעָם הַיּוֹשֵׁב עָלֶיהָ, אִינּוּן צַדִּיקַיָּיא דִּבְגִנְּתָא דְּעֵדֶן, דְּקַיְימָן שׁוּרִין שׁוּרִין בִּיקָרָא עִלָּאָה, בְּדַרְגִּין עִלָּאִין.

נז. הֶחָזָק הוּא הֲרָפֶה, בָּהּ תֶּחֱמוּ אִי זָכוּ לְכָל הַאי כַּד אַתְקָפוּ עַל יִצְרֵיהוֹן, וְתַבְרוּ לֵיהּ, אִי לָא. אוֹ כַּד אַתְקָפוּ בְּאוֹרַיְיתָא, לְמִלְעֵי בָּהּ יְמָמָא וְלֵילְיָא. אוֹ אִי אַרְפּוּ יְדַיְיהוּ מִנָּהּ. וְזָכוּ לְכָל הַאי. הַמְעַט הוּא אִם רַב, אִי סַגִּיאִין אִינּוּן דְּאִשְׁתַּדְּלוּ בְּפוּלְחָנִי, וְאַתְקִיפוּ בְּאוֹרַיְיתָא, בְּגִין דְּזָכוּ לְכָל הַאי אִי לָא.

נח. וּמָה הָאָרֶץ הַשְּׁמֵנָה הוּא אִם רָזָא. מִדְּאוֹרַיְיתָא תִּנְדְּעוּן מַה הָאָרֶץ. מַה הַהוּא עָלְמָא אִי אַסְגֵּי טִיבוּ עִלָּאָה לְיָתְבָהָא, אוֹ אִי אַזְעִיר מִנֵּהּ כְּלוּם. הֲיֵשׁ בָּהּ עֵץ אִם אַיִן, הַאִית בָּהּ אִילָנָא דְּחַיֵּי, לְעָלַם וּלְעָלְמֵי עָלְמִין, אוֹ אִי צְרוֹרָא דְּחַיֵּי אִשְׁתְּכַח בְּגַוָּהּ, אִם לָא.

נט. וַיַּעֲלוּ בַנֶּגֶב וַיָּבֹא עַד חֶבְרוֹן. וַיַּעֲלוּ בַּנֶּגֶב, בְּנֵי נָשָׁא סַלְקִין בְּגַוָּהּ בַּנֶּגֶב, בְּלִבָּא עַצְלָא, כְּמַאן דְּאִשְׁתַּדַּל בְּמַגָּנָא, בְּנְגִיבוּ, דְּחָשִׁיב דְּלֵית בָּהּ אֲגַר, וְחָמֵי דְּהָא עוּתְרָא דְּהַאי עָלְמָא אָבִיד בְּגִינָהּ, וְחָשִׁיב דִּכְלָא הוּא. בַּנֶּגֶב: כד"א וְחָרְבוּ הַמַּיִם, וּמְתַרְגְּמִינָן נְגִיבוּ.

ס. לְבָתַר וַיָּבֹא עַד חֶבְרוֹן, עַד דְּאָתֵי לְאִתְחַבְּרָא בָּהּ, קָארֵי וְשָׁאנֵי בָּהּ. וְשָׁם אֲחִימָן שֵׁשַׁי וְתַלְמַי, תַּמָּן חָמֵי פְּלִיגָן סַגִּיאִין, טָמֵא וְטָהוֹר, אָסוּר וּמוּתָּר, עוֹנְשִׁין וְאַגְרִין. אִלֵּין אִינּוּן אָרְחֵי דְּאוֹרַיְיתָא, דִּקְדוּקֵי אוֹרַיְיתָא. יְלִידֵי הָעֲנָק, דְּאִתְיְלִידוּ מִסִּטְרָא דִּגְבוּרָה.

סא. וְחֶבְרוֹן שֶׁבַע שָׁנִים נִבְנְתָה, אִלֵּין אִינּוּן שִׁבְעִין אַנְפִּין, דְּאוֹרַיְיתָא, שִׁבְעִין פָּנִים אִית לָהּ, לְכָל סִטְרָא עֲשָׂרָה. וְחֶבְרוֹן, דָּא אוֹרַיְיתָא, מַאן דְּאִשְׁתַּדַּל בָּהּ אִקְרֵי חָבֵר. לִפְנֵי צוֹעַן מִצְרַיִם, תַּנְיָין אוֹרַיְיתָא אִית לְקַבֵּל אוֹרַיְיתָא. וְהַיְינוּ תּוֹרָה שֶׁבִּכְתָב, וְתוֹרָה שֶׁבְּעַ"פ. וְהַאי חֶבְרוֹן. מִתּוֹרָה שֶׁבִּכְתָב נָפְקַת. כד"א אֱמוֹר לַחָכְמָה אֲחוֹתִי אָתְּ. וְהַאי נִבְנְתָה שֶׁבַע שְׁנִין, דְּבג"כ אִקְרֵי בַּת שֶׁבַע. לִפְנֵי צֹעַן מִצְרָיִם, כד"א וַתֵּרֶב חָכְמַת שְׁלֹמֹה מֵחָכְמַת כָּל בְּנֵי קֶדֶם וּמִכֹּל חָכְמַת מִצְרָיִם.

סב. וַיָּבֹאוּ עַד נַחַל אֶשְׁכּוֹל, אִלֵּין אִינּוּן מִלֵּי אַגָּדָה, דְּרָשָׁה, דְּתַלְיָין מִסִּטְרָא דִּמְהֵימְנוּתָא. וַיִּכְרְתוּ מִשָּׁם זְמוֹרָה וְגוֹ', אוֹלְפִין מִתַּמָּן רָאשֵׁי פִּרְקִין. רָאשֵׁי מִלִּין, אִינּוּן דִּבְנֵי מְהֵימְנוּתָא, וְחָדָאן בְּמִלִּין, וּמִתְבָּרְכָן מִלִּין בְּגַוַויְיהוּ, וּמִסְתַּכְּלָן שָׁרְשָׁא חַד וְעִקָּרָא חַד, וְלָא אִשְׁתְּכַח בְּהוּ פֵּרוּדָא. אִינּוּן דְּלָא מִשְׁתַּכְחֵי בְּנֵי מְהֵימְנוּתָא, וְלָא אוֹלְפֵי אוֹרַיְיתָא לִשְׁמָהּ, שַׁוְיָין לֵיהּ לִמְהֵימְנוּתָא בְּפֵרוּדָא, הה"ד וַיִּשָּׂאוּהוּ בַמּוֹט בִּשְׁנָיִם, בְּפֵרוּדָא. מַהוּ בַּמּוֹט. כד"א אַל יִתֵּן לַמּוֹט רַגְלֶךָ. וּמִן הָרִמֹּנִים וּמִן הַתְּאֵנִים, כֹּלָּא שַׁוְיָין לְהָנֵי מִילֵי לְסִטְרָא אַחֲרָא, לְסִטְרָא דִּמְיָנָאֵי, לְסִטְרָא דְּפֵרוּדָא.

סג. הה"ד וַיָּשֻׁבוּ מִתּוּר הָאָרֶץ. וַיָּשׁוּבוּ, תַּיְיבִין לְסִטְרָא בִּישָׁא, וְתַיְיבִין מֵאָרְחָא דִּקְשׁוֹט. אַמְרֵי, מַאי אַכְפַּת לָן. עַד יוֹמָא לָא חֲמֵינָא טַב לְעָלְמָא, אַעֲמַלְנָא בָּהּ, בֵּיתָא רֵיקָם. יָתִיבְנָא בְּקַלָּנָא דְּעַמָּא, וּלְהַהוּא עָלְמָא מַאן יִזְכֵּי וּמַאן יֵיעוֹל לְגַוֵּיהּ, טַב לָן דְּלָא

אַטְרַוְנָא כּוּלֵּי הַאי. וַיְסַפְּרוּ לוֹ וַיֹּאמְרוּ וְגוֹ', הָא אַעֲמַלְנָא וְלָאֵינָא, בְּגִין לְמִנְדַּע וְחוּלָקָא דְּהַהוּא עָלְמָא. וְגַם זָבַת חָלָב וּדְבַשׁ הִיא, טַב הוּא הַהוּא עָלְמָא עִלָּאָה, כְּמָה דְּיָדַעְנָא בְּאוֹרַיְיתָא, אֲבָל מַאן יָכִיל לְמִזְכֵּי בֵּיהּ.

סד. אֶפֶס כִּי עַז הָעָם, תַּקִּיף הוּא, דְּלָא יַחֲשִׁיב כָּל עָלְמָא כְּלָל, בְּגִין דְּיְהֵא לֵיהּ עוּתְרָא סַגִּיא לְאִשְׁתַּדְּלָא בֵּיהּ, מַאן הוּא דְּיִזְכֵּי בָּהּ. וַדַּאי אֶפֶס כִּי עַז הָעָם הַיּוֹשֵׁב בָּאָרֶץ, מַאן דְּבָעֵי לְמִזְכֵּי בָּהּ, בָּעֵי לְמֶהֱוֵי תַּקִּיף בְּעוּתְרָא, כד"א וְעָשִׁיר יַעֲנֶה עַזּוֹת. וְהֶעָרִים גְּדוֹלוֹת בְּצוּרוֹת. בָּתִּין מַלְיָין כָּל טוּבָא, דְּלָא יַחְסְרוּן מִכֹּלָּא. וְעִם כָּל דָּא וְגַם יְלִידֵי הָעֲנָק רָאִינוּ שָׁם, בָּעֵי גּוּפָא תַּקִּיף, גִּיבָּר כַּאֲרִי. בְּגִין דְּהִיא מַתְּשַׁת חֵילֵיהּ דב"נ לְאִשְׁתַּדְּלָא בְּהַהוּא אִיסּוּר וְהֶתֵּר, טָמֵא וְטָהוֹר, כָּשֵׁר וּפָסוּל. מַאן יֵיכוֹל לְזַכָּאָה בָּהּ.

סה. וְעוֹד, עֲמָלֵק יוֹשֵׁב בְּאֶרֶץ הַנֶּגֶב. אִי יֵימָא בַּר נָשׁ, דַּאֲפִילּוּ בְּכָל דָּא יִזְכֵּי. עֲמָלֵק יוֹשֵׁב בְּאֶרֶץ הַנֶּגֶב, הָא יִצְרָא בִּישָׁא, קַטֵּיגוֹרָא, מְקַטְרְגָא דְּבַר נָשׁ, דְּיִשְׁתְּכַח תָּדִיר בְּגוּפָא. וְהַחִתִּי וְהָאֱמוֹרִי וְגוֹ', כַּמָּה מְקַטְרְגֵי מִשְׁתַּכְּחֵי תַּמָּן. דְּלָא יָכִיל בַּר נָשׁ לְמֵיעַל בְּהַהוּא עָלְמָא כְּלָל, מַאן יִזְכֵּי לֵיהּ, וּמַאן יֵיעוֹל בְּגַוֵּיהּ, בְּמִלִּין אִלֵּין, וַיָּנִיאוּ אֶת לֵב בְּנֵי יִשְׂרָאֵל. בְּגִין דְּאַפִּיקוּ שׁוּם בִּישׁ עָלָהּ, כד"א וַיּוֹצִיאוּ אֶת דִּבַּת הָאָרֶץ.

סו. אִינּוּן בְּנֵי מְהֵימְנוּתָא מַאי קָא אָמְרֵי, אִם חָפֵץ בָּנוּ יְיָ' וּנְתָנָהּ לָנוּ. כֵּיוָן דְּיִשְׁתַּדַּל בַּר נָשׁ בִּרְעוּתָא דְּלִבָּא לְגַבֵּי קוּדְשָׁא בְּרִיךְ הוּא, לָא בָּעֵי מִנֵּיהּ אֶלָּא לִבָּא, וְיִסְתַּמְּרוּן הַהוּא רְשִׁימָא קַדִּישָׁא, דִּכְתִּיב וְעַמֵּךְ כֻּלָּם צַדִּיקִים לְעוֹלָם יִירְשׁוּ אָרֶץ.

סז. אֲבָל, אַךְ בַּיְיָ' אַל תִּמְרוֹדוּ, בָּעֵי דְּלָא יִמְרְדוּן בְּאוֹרַיְיתָא, דְּאוֹרַיְיתָא לָא בָּעֵי עוּתְרָא, וְלָא מָאנֵי דְּכַסְפָּא וְדַהֲבָא. וְאַתֶּם אַל תִּירְאוּ אֶת עַם הָאָרֶץ, דְּהָא גּוּפָא תְּבִירָא, אִי יִשְׁתַּדַּל בְּאוֹרַיְיתָא, יִשְׁכַּח אַסְוָותָא בְּכֹלָּא. הה"ד, רִפְאוּת תְּהִי לְשָׁרֶּךָ וְשִׁקּוּי לְעַצְמוֹתֶיךָ. וּכְתִיב וּלְכָל בְּשָׂרוֹ מַרְפֵּא. וְכָל אִינּוּן מְקַטְרְגֵי, אִינּוּן מַכְרְזָאן וְאָמְרֵי, פַּנּוּ אֲתָר לִפְלַנְיָיא עַבְדָּא דְּמַלְכָּא.

סח. בְּגִין כַּךְ אַל תִּירָאוּ, כִּי לַחְמֵנוּ הֵם, אִינּוּן בְּגַרְמַיְיהוּ מְזַמְּנָן מְזוֹנֵי בְּכָל יוֹמָא לְאִינּוּן דְּמִשְׁתַּדְּלֵי בְּאוֹרַיְיתָא. כד"א וְאֶת הָעוֹרְבִים צִוִּיתִי לְכַלְכֶּלְךָ. וּכְתִיב וְהָעוֹרְבִים מְבִיאִים לוֹ לֶחֶם וּבָשָׂר. סָר צִלָּם מֵעֲלֵיהֶם. מַאן צִלָּם. דָּא תּוּקְפָּא דְּדִינָא קַשְׁיָא. מַאי טַעֲמָא אַעְדֵי. מִשּׁוּם דַּיְיָ' אִתָּנוּ אַל תִּירָאוּם. כֹּלָּא אַעְדִיאוּ בְּגִין אוֹרַיְיתָא. זַכָּאָה חוּלָקֵהוֹן דְּאִינּוּן דְּמִשְׁתַּדְּלֵי בְּאוֹרַיְיתָא לִשְׁמָהּ, דְּהָא מִתְקַשְׁרֵי בְּקוּדְשָׁא בְּרִיךְ הוּא מַמָּשׁ. וְאִקְרוּן אַחִים וְרֵעִים. הה"ד לְמַעַן אַחַי וְרֵעָי אֲדַבְּרָה נָּא שָׁלוֹם בָּךְ.

סט. וַיָּבֹאוּ עַד נַחַל אֶשְׁכּוֹל וְגוֹ'. רִבִּי אַבָּא אָמַר, כָּרְתוּ הַהוּא אֶשְׁכּוֹל, אָתוּ לְסַלְקָא לֵיהּ לָא יָכִילוּ. אָתוּ לְנַטְלָא לֵיהּ, לָא יָכִילוּ. אָתוּ כָּלֵב וִיהוֹשֻׁעַ, נַטְלוּ לֵיהּ, וְסַלִּיקוּ לֵיהּ, וְאִזְדְּקַף עַל יְדַיְיהוּ. הה"ד וַיִּשָּׂאֻהוּ בַמּוֹט בִּשְׁנָיִם. בִּשְׁנַיִם בְּאִינּוּן שְׁנַיִם יְחִידָן. וּזְמוֹרָה מַאי קָא בָּעָאן. אֶלָּא אֶשְׁכּוֹל הֲוָה תַּלְיָיא בֵּיהּ, וּבְעוֹד דַּהֲוָה מִתְחַבַּר בְּאַתְרֵיהּ, אִקְרֵי זְמוֹרָה. לְבָתַר קַרְיֵיהּ מוֹט, דִּכְתִּיב וַיִּשָּׂאֻהוּ בַמּוֹט. הַהוּא דְּאִשְׁתְּמוֹדַע. הַהוּא דְּכָרְתוּ.

ע. מִכָּאן יָדְעוּ יְהוֹשֻׁעַ וְכָלֵב, דְּאִינּוּן אִתְחֲזְיָין לְמֵיעַל לְאַרְעָא, וּלְמֶהֱוֵי לוֹן בָּהּ חוּלָק וְאַחְסָנָא. עַד דַּהֲווּ אַתְיָין אַמְלְכוּ עֲלַיְיהוּ כֻּלְּהוּ, קָאִים כָּלֵב בְּאִיבָּא, אָמַר אִיבָּא אִיבָּא, אִי בְּגִינָךְ אֲנָן מִתְקַטְלִין, מַה אֲנָן בְּחוּלָקָךְ. מִיַּד קָלִיל גַּרְמֵיהּ. וְיָהֲבוּ לוֹן.

עא. ר' אֶלְעָזָר אָמַר, לָא יָהֲבוּ לְאָחֳרֵי, דְּהָא כְּתִיב וַיִּשָּׂאֻהוּ בַמּוֹט, וּכְתִיב בִּשְׁנָיִם, וּבְכֻלְּהוּ לָא הֲווּ שְׁנַיִם כְּוָותַיְיהוּ. וּמִכָּאן אוֹלִיף יְהוֹשֻׁעַ לְבָתַר, דִּכְתִּיב וַיִּשְׁלַח יְהוֹשֻׁעַ בִּן נוּן מִן הַשִּׁטִּים שְׁנַיִם אֲנָשִׁים מְרַגְּלִים. וְהָנֵי שְׁנַיִם הָא אוֹקְמוּהָ קַדְמָאֵי. וְכַד מָטוּ לְגַבַּיְיהוּ

דְּיִשְׂרָאֵל, יָהֲבוּ לוֹן, וְאִינּוּן אִשְׁתָּאֲרוּ, וַעֲבָדוּ גַּרְמַיְיהוּ שִׁירַיִים.

עב. ר׳ יִצְחָק אָמַר, כַּד הֲווּ מָטָאן לְגַבַּיְיהוּ דְּאִינּוּן עֲנָקִים, הֲווּ שַׁוְיָין הַהוּא חוּטְרָא דְּמֹשֶׁה קַמַּיְיהוּ, וְאִשְׁתְּזִיבוּ. וּמְנָלָן דְּהַהוּא חוּטְרָא יָהִיב לוֹן. הה״ד, וַיֹּאמֶר אֲלֵיהֶם עֲלוּ זֶה בַּנֶּגֶב. כְּתִיב הָכָא עֲלוּ זֶה, וּכְתִיב הָתָם וְאֶת הַמַּטֶּה הַזֶּה וְגו׳, וּבְגִינֵיהּ אִשְׁתְּזִיבוּ. דְּאִי תֵּימָא הָנֵי עֲנָקַיָּיא שַׁבְקֵי לוֹן. אֶלָּא אָתוּ לְנַסְבָא לוֹן, וַהֲווּ שַׁוְיָין לְקַמַּיְיהוּ הַהוּא חוּטְרָא, וּמִשְׁתְּזְבֵי מִקַּמַּיְיהוּ. רִבִּי יְהוּדָה אָמַר, מְסוֹרֶת שְׁמָא קַדִּישָׁא מָסַר לוֹן מֹשֶׁה, וּבְגִינֵיהּ אִשְׁתְּזִיבוּ מִנַּיְיהוּ.

עג. רִבִּי חִיָּיא אָמַר, תְּלַת שְׁמָהָן אִקְרוּן, נְפִילִים. עֲנָקִים. רְפָאִים. וְכֻלְּהוּ אוּרְכֵי יוֹמֵי. נְפִילִין אִקְרוּן בְּקַדְמֵיתָא, לְבָתַר כַּד אִתְחַבָּרוּן בִּבְנַת בְּנֵי נָשָׁא, וְאוֹלִידוּ מִנַּיְיהוּ, אִקְרוּן עֲנָקִים. לְבָתַר דַּהֲווּ אָזְלֵי וְשָׁטָאן בְּהַאי עָלְמָא, וּמִתְרַפְּיָין מֵהַהוּא דִּלְעֵילָּא, אִקְרוּן רְפָאִים.

עד. אָמַר ר׳ יְהוּדָה, וְהָא כְּתִיב הָרְפָאִים יֵחָשְׁבוּ אַף הֵם כָּעֲנָקִים. א״ל, הָכִי הוּא, בְּגִין דַּעֲנָקִים אָתוּ מֵהַאי סִטְרָא וּמֵהַאי סִטְרָא, וְאִתְיָיאֲשׁוּ יַתִּיר בְּאַרְעָא. כְּגַוְונָא דָּא רְפָאִים, וּמִנַּיְיהוּ נָפְקֵי, וַהֲווּ אוּרְכֵי יוֹמֵי. וְכַד מִתְחַלְּשֵׁי אִתְחַלַּשׁ פַּלְגוּת גּוּפָא, וּפַלְגוּת קָאִים. כֵּיוָן דְּפַלְגוּת גּוּפָא הֲוָה מִית, הֲווּ נַסְבֵי עִשְׂבָּא מֵעִשְׂבֵּי בָּרָא וְשַׁדְיָין לְפוּמַיְיהוּ, וּמֵתוּ. וּבְגִין דְּאִינּוּן בָּעָאן לְקַטְלָא גַּרְמַיְיהוּ, אִקְרוּן רְפָאִים. אָמַר ר׳ יִצְחָק, שַׁדְיָין גַּרְמַיְיהוּ בְּיַמָּא רַבָּא, וְטָבְעָן וּמֵתִין. הה״ד הָרְפָאִים יְחוֹלָלוּ מִתַּחַת מַיִם וְשׁוֹכְנֵיהֶם.

עה. ר׳ שִׁמְעוֹן אָמַר, אִלְמָלֵא הֲווּ עָיְילִין יִשְׂרָאֵל לְאַרְעָא, בְּסִימָנָא דְּלִישָׁנָא בִּישָׁא, לָא הֲוָה קָאִים עָלְמָא רִגְעָא חָדָא. מַאן אוּמָנָא דְּלִישָׁנָא בִּישָׁא, נָחָשׁ. וְרָזָא דְּמִלָּה, מִדְּאַתָּא נָחָשׁ עַל חַוָּה אַטִּיל בָּהּ זוּהֲמָא. אָמַר ר׳ שִׁמְעוֹן, וְעַל כֹּלָּא מָחֵיל קוּדְשָׁא בְּרִיךְ הוּא, בַּר מִן לִישָׁנָא בִּישָׁא. בְּגִין דִּכְתִיב, אֲשֶׁר אָמְרוּ לִלְשׁוֹנֵנוּ נַגְבִּיר שְׂפָתֵינוּ אִתָּנוּ מִי אָדוֹן לָנוּ.

עו. ת״ח, כַּמָּה עָבֵד הַהוּא לִישָׁנָא בִּישָׁא, גָּזַר עַל אֲבָהָתָנָא דְּלָא יֵיעוּל לְאַרְעָא וּמִיתוּ אִינּוּן דְּאָמְרוּ. וְאִתְגְּזַר בְּכִיָּה לְדָרֵי דָּרִין. כִּבְיָכוֹל כֵּיוָן דְּאַפִּיקוּ עַל אַרְעָא קַדִּישָׁא, כְּאִילּוּ אַפִּיקוּ עָלֵיהּ. בְּגִין כַּךְ קַנֵּי קוּדְשָׁא בְּרִיךְ הוּא עַל דָּא, וְקָאִימוּ יִשְׂרָאֵל כֻּלְּהוּ לְאִשְׁתֵּצָאָה מֵעָלְמָא, אִלְמָלֵא בָּעוּתֵיהּ דְּמֹשֶׁה.

עז. וַיְסַפְּרוּ לוֹ וַיֹּאמְרוּ וְגו׳. אָמַר רִבִּי חִיָּיא, מ״ש הָכָא וַיְסַפְּרוּ, וְלָא כְּתִיב וַיַּגִּידוּ, אוֹ וַיֹּאמְרוּ. אֶלָּא כָּל חַד אוֹלִיף מִלָּה בִּלְחוֹדוֹי. וַיַּגִּידוּ, בְּכָל אֲתַר רֶמֶז קָא רָמִיז בְּחָכְמְתָא, וְהָא אִתְּמַר. וַיֹּאמֶר, אֲמִירָה בְּעָלְמָא. וַיֹּאמְרוּ, הִרְהוּרָא דְּלִבָּא. וַיֹּאמְרוּ, תַּפְקִידְתָּא. וְהָא אוֹקִימְנָא בְּכַמָּה אֲתַר. וַיְסַפְּרוּ, פְּרִישׁוּתָא דְּמִלָּה בְּכָל אֲתַר.

עח. בָּאנוּ אֶל הָאָרֶץ, הָלַכְנוּ מִבָּעֵי לֵיהּ. אֶלָּא בָּאנוּ, עָאלְנָא לְתַמָּן לְהַהִיא אַרְעָא דַּהֲוֵית מְשַׁבַּח בְּכָל יוֹמָא, וַהֲוֵית אַמְרַת דְּלֵית דִּכְוָותָהּ. וְגַם זָבַת חָלָב וּדְבַשׁ הִיא. רִבִּי יִצְחָק אָמַר, מַאן דְּבָעֵי לְמֵימַר כְּדִיבָא, אָמַר מִלָּה דִּקְשׁוֹט בְּקַדְמֵיתָא, בְּגִין דְּיִהֵמְנוּ לֵיהּ כְּדִבּוּי.

עט. רִבִּי חִיָּיא אָמַר, הָכִי אָמְרוּ, עָאלְנָא לְהַהִיא אַרְעָא דַּהֲוֵית מְשַׁבַּח לָהּ כָּל יוֹמָא וְאַמְרַת דְּלֵית דִּכְוָותָהּ, גַּם זָבַת חָלָב וּדְבַשׁ הִיא, וַאֲרִימַת שְׁבָחָא עַל כֹּלָּא. וְלָאו הָכִי, דְּהָא זֶה פִּרְיָהּ, אִתְכְּלָא חַד מֵאִינּוּן זְעִירִין קַטְפוּ. אָמְרוּ, אִי לְדָא אַחְסִין קוּדְשָׁא בְּרִיךְ הוּא לְיִשְׂרָאֵל, וְסַבְלוּ כָּל אִינּוּן עַקְתִּין וְלֵיאוּתִין, הָא בְּאַרְעָא דְּמִצְרַיִם אִית אִתְכְּלִין וְאִיבִּין דְּאַרְעָא יַתִּיר, עַל חַד תְּרֵין.

פ. אֶפֶס כִּי עַז הָעָם, אוֹרְחֵיהּ דְּעָלְמָא דְּאִינּוּן גַּבְרִין מַגִּיחֵי קְרָבָא יָתְבִין לְבַר, לְאִסְתַּמְּרָא אָרְחִין. וְהָכָא אֲפִילּוּ אִינּוּן בְּנֵי מָתָא, תַּקִּיפִין גִּבּוֹרִין. וְהֶעָרִים בְּצוּרוֹת, דַּאֲפִילּוּ כָּל מַלְכִין דְּעָלְמָא יִתְכַּנְּשׁוּ עֲלַיְיהוּ. לָא יַעַבְדוּן בְּהוּ פְּגִימוּתָא. א"ר יוֹסֵי, כָּל מַה דְּאַמְרֵי, בְּלִישָׁנָא בִּישָׁא אָמְרוּ, וְקַשְׁיָא מִכֻּלְּהוּ, דִּכְתִיב עֲמָלֵק יוֹשֵׁב בְּאֶרֶץ הַנֶּגֶב. לְבַר נָשׁ דְּנָשְׁכֵיהּ חִוְיָא, כַּד בָּעָאן לְאַגְזָמָא לֵיהּ, אַמְרֵי הָא חִוְיָא הָכָא.

פא. ר' אַבָּא אָמַר, וַדַּאי דָּא קַשְׁיָא מִכָּל מַה דְּאַמְרֵי, כְּלוֹמַר, הַהוּא דְּאַגַּח קְרָבָא בְּכֹלָּא, הָא הָכָא זַמִּין. וּבְאָן אֲתַר. בְּאֶרֶץ הַנֶּגֶב, דְּהָא הוּא אֲתַר לְאַעֲלָאָה בֵּיהּ. מִיַּד וַתִּשָּׂא כָּל הָעֵדָה וַיִּתְּנוּ אֶת קוֹלָם. קְבִיעוּ בְּכִיָּה לְדוֹרוֹת, לְעָלְמִין, בְּהַהוּא לֵילְיָא.

פב. א"ר יוֹסֵי, עֵיטָא נְסִיבוּ עַל כֹּלָּא, לְאַפָּקָא שׁוּם בִּישׁ. מַאי עַל כֹּלָּא. עַל אַרְעָא, וְעַל קוּדְשָׁא בְּרִיךְ הוּא. א"ר יִצְחָק, עַל אַרְעָא תִּינַח. עַל קוּדְשָׁא בְּרִיךְ הוּא מְנָין. אָ"ל מַשְׁמַע דִּכְתִיב, אֶפֶס כִּי עַז הָעָם. מַאן יָכִיל בְּהוּ. כִּי עַז הָעָם דַּיְיקָא. וּכְתִיב עֲמָלֵק יוֹשֵׁב בְּאֶרֶץ הַנֶּגֶב, כְּדֵין גָּרְמוּ כָּל הַאי, כְּמָה דְּאִתְּמַר. וּבָעָא קוּדְשָׁא בְּרִיךְ הוּא לְשֵׁיצָאָה לוֹן מִן עָלְמָא, הה"ד וַיֹּאמֶר לְהַשְׁמִידָם לוּלֵי מֹשֶׁה בְחִירוֹ עָמַד בַּפֶּרֶץ לְפָנָיו וְגוֹ'.

פג. וְעַתָּה יִגְדַּל נָא כֹּחַ יְיָ'. ר' אַחָא וְר' יוֹסֵי אַמְרֵי, זַכָּאֵי אִינּוּן יִשְׂרָאֵל מֵעַמִּין עכו"ם דְּעָלְמָא. דְּקוּדְשָׁא בְּרִיךְ הוּא אִתְרְעֵי בְּהוּ, וְאִתְכְּנֵי בְּהוּ, וְאִתְפָּאַר בְּהוּ, דְּהָא עָלְמָא לָא אִבְרֵי אֶלָּא בְּגִינַיְיהוּ דְּיִשְׂרָאֵל, דְּיִשְׁתַּדְּלוּן בְּאוֹרַיְיתָא, בְּגִין דְּחַד בְּחַד אִתְקַשְּׁרָן. וְיִשְׂרָאֵל לְתַתָּא בְּהַאי עָלְמָא, אִינּוּן קִיּוּמָא דִּילֵיהּ, וְקִיּוּמָא דְּכָל שְׁאָר עַמִּין, אֵימָתַי בִּזְמַן דְּעַבְדֵי רְעוּתָא דְּמָארֵיהוֹן.

פד. ת"ח, כַּד בָּרָא קוּדְשָׁא בְּרִיךְ הוּא בַּר נָשׁ בְּעָלְמָא, אַתְקִין לֵיהּ כְּגַוְונָא עִלָּאָה, וְיָהַב לֵיהּ חֵילֵיהּ וְתוּקְפֵּיהּ בְּאֶמְצָעִיתָא דְּגוּפָא, דְּתַמָּן שַׁרְיָא לִבָּא. דְּהוּא תּוּקְפָּא דְּכָל גּוּפָא, וּמִתַּמָּן אִתְּזָן כָּל גּוּפָא. וְהָא לִבָּא אָחִיד וְאִתְתָּקַף בְּאֲתַר עִלָּאָה דִּלְעֵילָּא. דְּאִיהוּ מוֹחָא דְּרֵישָׁא, דְּשָׁארֵי לְעֵילָּא, וְדָא אִתְקְשַׁר בְּדָא.

פה. וּבְגַוְונָא דְּדָא, אַתְקִין קוּדְשָׁא בְּרִיךְ הוּא עָלְמָא. וַעֲבַד לֵיהּ חַד גּוּפָא, וְאַתְקִין שַׁיְיפֵי דְּגוּפָא סַחֲרָנֵיהּ דְּלִבָּא, וְלִבָּא שָׁארֵי בְּאֶמְצָעִיתָא דְּכָל גּוּפָא. וְכָל אִינּוּן שַׁיְיפִין אִתְּזָנוּ מֵהַהוּא לִבָּא, דְּהוּא תּוּקְפָּא דְּכֹלָּא, וְכֹלָּא בֵּיהּ תַּלְיָין. וְהַהוּא לִבָּא, אִתְקְשַׁר וְאִתְאֲחָד בְּמוֹחָא עִלָּאָה דְּשַׁרְיָא לְעֵילָּא.

פו. ת"ח, כַּד בָּרָא קוּדְשָׁא בְּרִיךְ הוּא עָלְמָא, אַשְׁרָא לְיַמָּא דְּאוֹקְיָנוֹס דְּאַסְחַר כָּל יִשׁוּבָא דְּעָלְמָא. וְיִשׁוּבָא דְּכָל שִׁבְעִין אוּמִין כֹּלָּא אַסְחַר לִירוּשְׁלֵם. וִירוּשְׁלֵם בְּאֶמְצָעִיתָא דְּכָל יִשׁוּבָא שַׁרְיָא. וְהִיא אַסְחָרָא לְהַר הַבַּיִת. וְהַר הַבַּיִת אַסְחַר לַעֲזָרוֹת דְּיִשְׂרָאֵל. וְאִינּוּן עֲזָרוֹת סַחֲרָן לְלִשְׁכַּת הַגָּזִית, דְּתַמָּן סַנְהֶדְרֵי גְּדוֹלָה יָתְבִין. וְתָנֵינָן, לֵית יְשִׁיבָה בָּעֲזָרָה, אֶלָּא לְמַלְכֵי בֵּית דָּוִד בִּלְחוֹדַיְיהוּ.

פז. וְלִשְׁכַּת הַגָּזִית אַסְחַר לַמִּזְבֵּחַ. וְהַמִּזְבֵּחַ אַסְחַר לְבֵית הָאוּלָם. וְהָאוּלָם לְהֵיכָל. וְהֵיכָל לְבֵית קֹדֶשׁ הַקֳּדָשִׁים, דְּתַמָּן שְׁכִינָה שַׁרְיָא, וְכַפֹּרֶת וּכְרוּבִים וַאֲרוֹן. וְהָכָא הוּא לִבָּא, דְּכָל אַרְעָא וְעָלְמָא. וּמֵהָכָא אִתְּזָנוּ כָּל אִינּוּן אַתְרֵי דְּיִשׁוּבָא, דְּאִינּוּן שַׁיְיפֵי דְּגוּפָא. וְלִבָּא דָּא אִתְּזָן מִמּוֹחָא דְּרֵישָׁא, וְאִתְאֲחִיד דָּא בְּדָא, הה"ד מָכוֹן לְשִׁבְתְּךָ פָּעַלְתָּ יְיָ'. כְּגַוְונָא דָּא לְעֵילָּא לְעֵילָּא, וְאִיהוּ בְּרָזָא דְּמַלְכָּא עִלָּאָה, בְּרָזָא יַקִּירָא סְתִימָאָה.

פח. יַמָּא עִלָּאָה לְקָבֵיל דָּא. דְּאִית יַמָּא לְעֵילָּא מִן יַמָּא, וְיַמָּא מִן יַמָּא. תָּא חֲזֵי, נְהַר דִּינוּר אַסְחַר לְכַמָּה מַשִּׁרְיָין. מְקַבְּלֵיהּ שַׁבְעִין סִטְרִין, גְּלִיפִין מִשִּׁבְעָה דְּלִיקִין, וְאִינּוּן סַחֲרָן, לְאִינּוּן שַׁמָּשֵׁי דִּלְגוֹ מִנַּיְיהוּ. וְאִינּוּן סַחֲרִין לְאַרְבַּע רְתִיכִין. וְאִינּוּן סַחֲרָן לְהַהִיא

קָרְתָא דְקַדִּישָׁא דִּרְבִיעָא עֲלַיְיהוּ.

פט. וְתָאנָא, תַּמָּן עֲזָרוֹת לְגוֹ מֵעֲזָרוֹת. וְלֵית יְשִׁיבָה בַּעֲזָרָה דְּתַמָּן, אֶלָּא לְמַלְכֵיהוֹן דְּבֵית דָּוִד בִּלְחוֹדַיְיהוּ, וְתַמָּן מִשְׁתַּכְחֵי וְיַתְבֵי. וְסַנְהֶדְרֵי גְּדוֹלָה, מִשְׁתַּכְחֵי תַּמָּן בְּלִשְׁכַּת הַגָּזִית. וְהַהוּא בֵּי דִּינָא עֲלַיְיהוּ, דִּמְשַׁמֵּשׁ לַאֲתַר דִּמְשַׁמֵּשׁ. וְדִינָא אִתְיְהִיב מִתַּמָּן, לְקַדִּישִׁין עֶלְיוֹנִין, עַד דְּמָטָא לַאֲתַר דְּאִקְרֵי קֹדֶשׁ הַקֳּדָשִׁים, דְּבֵיהּ כֹּלָּא, וְתַמָּן הוּא לִבָּא שַׁרְיָיא, וְדָא אִתְזָן מִן מוֹחָא דִּלְעֵילָּא, וְאִתְאֲחִיד דָּא בְּדָא.

צ. כְּגַוְונָא דָּא לְעֵילָּא לְעֵילָּא, וְאִיהוּ בְּרָזָא דְּמַלְכָּא עִלָּאָה, בְּרָזָא יַקִּירָא סְתִימָאָה. עַד דְּאִשְׁתְּכַח, דְּכֹלָּא אִתְזָן מִמּוֹחָא עִלָּאָה, סְתִימָאָה דְּכֹלָּא. וְכַד יִסְתַּכְּלוּן מִלֵּי, כֹּלָּא אִתְקְשַׁר דָּא בְּדָא וְדָא בְּדָא.

צא. ת"ח, כַּד אַנְהִיר עַתִּיקָא סְתִימָא בְּמוֹחָא, וּמוֹחָא אַנְהִיר לְלִבָּא, בְּדֶרֶךְ נֹעַם יְיָ'. וְהָא אוֹקִימְנָא, וְדָא הוּא כֹּחַ יְיָ'. הַהוּא חֵילָא דְּאָתֵי מֵעַתִּיקָא קַדִּישָׁא. סְתִימָא דְּכָל סְתִימִין. יִגְדַּל נָא, דְּיִתְרַבֵּי וְיִסְגֵּי לְעֵילָּא לְעֵילָּא. וְיִתְנְגִיד וְיִתְמְשַׁךְ לְתַתָּא. כַּאֲשֶׁר דִּבַּרְתָּ, כְּמָה דְּאוֹקִמוּהָ. לֵאמֹר, לְמֵילַף מֵהָכָא כָּל דָּרִין בַּתְרָאִין, לְעָלַם וּלְעָלְמֵי עָלְמִין. לֵאמֹר, לְמֵימַר לְדָא בְּשַׁעֲתָא דְּעָקְתָא. לְמֵימַר דָּא, בְּשַׁעֲתָא דִּרְוָוחָא. וּמַאי הוּא. יְיָ' אֶרֶךְ אַפַּיִם וְגוֹ', וְהָא אוֹקִימְנָא מִלֵּי.

צב. אָמַר ר' יִצְחָק, אֲמַאי סָלִיק מִכָּאן. אָמַר רִבִּי חִיָּיא, אִינּוּן גָּרְמוּ לֵיהּ דְּאִסְתַּלִּיק מִכָּאן, דְּהָא בְּשִׁקְרוּ דִּבְרוּ גָּרְמַיְיהוּ בְּהַהוּא מִדָּה דִּבְ"נ מוֹדֵד בָּהּ, מוֹדְדִין לֵיהּ. וְכֵן שְׁאַר אָחֳרֵי אִסְתַּלְּקוּ, דְּלָא יָכִיל מֹשֶׁה לְמֵימְרִינְהוּ, בְּגִין דְּאִינּוּן גָּרְמוּ. סָלַחְתִּי כִּדְבָרֶךָ, כִּדְבָרֶיךָ מַמָּשׁ, וְהָא אִתְּעֲרוּ חַבְרַיָּיא, וְהָא אִתְמַר.

צג. דָּא עִם דָּא, מַה דְּלָא הֲווּ יַכְלִין לְמַלְּלָא מִקַּדְמַת דְּנָא. נַפְקוּ מֵהַהִיא פִּתְחָא, וְיָתְבוּ בְּגִנְתָּא תְּחוֹת אִילָנִין. אָמְרוּ דָּא לְדָא, כֵּיוָן דַּאֲנָן הָכָא, וְזַמִּינָן כָּל דָּא, אִי נְמוּת הָכָא, וַדַּאי נֵיעוּל לְעָלְמָא דְּאָתֵי. יָתְבוּ. שֵׁינְתָא נָפְלַת עֲלַיְיהוּ. וְדַמְכוּ. אַדְהָכִי, הָא הַהוּא מְמַנָּא אָתָא, וְאִתְעַר לוֹן, אָמַר לוֹן, קוּמוּ פּוּקוּ לְגוֹ פַּרְדֵּס דְּאַבְרָא. נַפְקוּ, וְחָמוּ לְאִלֵּין מָארֵי מִקְרָא, דַּהֲווּ אָמְרֵי בְּהַהוּא קְרָא, בַּמִּדְבָּר הַזֶּה יִתַּמּוּ, הָא בַּאֲתַר אָחֳרָא לָא. וְשָׁם יָמוּתוּ, הָא בַּאֲתַר אָחֳרָא לָא, וְדָא בְּגוּפִין, אֲבָל בְּנִשְׁמָתִין לָא, כְּגַוְונָא דִּבְנֵי גִּנְתָּא.

צד. אָמַר לוֹן הַהוּא מְמַנָּא, פּוּקוּ. נַפְקוּ בַּהֲדֵיהּ, אָמַר לוֹן, שְׁמַעְתּוּן מִדִּי לְגוֹ הַהוּא דַּרְגָּא. אָמְרוּ, שְׁמַעְנָא דְּהָא חַד קָלָא הֲוָה אָמַר, מַאן דְּפָסַק, יִתְפְּסַק. מַאן דְּקָצַר, יִתְקַצַּר. מַאן דְּקָצַר, יִתְאֲרַךְ. אָמַר לוֹן, יְדַעְתּוּן מַאי הַאי. אָמְרוּ לָא. אָמַר לוֹן, וַחֲמֵיתוּן הַהוּא נִשְׁרָא רַבְרְבָא, וְהַהוּא יְנוּקָא דְּקָא מְלַקֵּט עֲשָׂבִין, ר' אִילָאִי דִּנְצִיבִין הֲוָה. הוּא וּבְרֵיהּ, וּמָטָא הָכָא, וְחָמָא הוּא וִינוּקָא בְּרֵיהּ מְעַרְתָּא דָּא, כֵּיוָן דְּעָאלוּ לְגוֹ חָשׁוֹךְ, לָא יָכִילוּ לְמִסְבַּל, וּמִיתוּ.

צה. וְהַהוּא יְנוּקָא בְּרֵיהּ, קַיְּימָא בְּכָל יוֹמָא קָמֵיהּ דִּבְצַלְאֵל, בְּשַׁעֲתָא דְּנָוֵית מִמְּתִיבְתָּא עִלָּאָה, וְאָמַר קָמֵיהּ תְּלַת מִלִּין, עַד לָא יִפְתַּח בְּצַלְאֵל בְּרָזִין סְתִימִין דְּחָכְמְתָא, דְּכָל מִלּוֹי רָזִין סְתִימִין אִינּוּן, דְּעַיִן לֹא רָאֲתָה אֱלֹהִים זוּלָתְךָ. הַאי דְּאָמַר, מַאן דְּפָסַק יִתְפְּסַק. מַאן דְּפָסַק מִלִּין דְּאוֹרַיְיתָא, עַל מִלִּין בְּטֵלִין, יִתְפַּסְקוּן חַיּוֹהִי מֵהַאי עָלְמָא, וְדִינֵיהּ קַיְּימָא בְּהַהוּא עָלְמָא. מַאן דְּקָצַר יִתְקַצַּר, מַאן דְּקָצַר אָמֵן, וְלָא מַאֲרִיךְ בֵּיהּ גּוֹ נַיְיחָא, יִתְקַצַּר מֵחַיִּין דְּהַאי עָלְמָא. מַאן דְּקָצַר יִתְאֲרַךְ, מַאן דְּאָמַר אֶחָד, אִצְטְרִיךְ לְחַטְּפָא אָלֶף, וּלְקַצְּרָא קְרִיאָה דִּילֵיהּ, וְלָא יְעַכֵּב בְּהַאי אֶת כְּלָל. וּמַאן דְּעָבֵיד

דָּא, יִתְאַרְכוּן חַיָּיו.

צו. אָמְרוּ לֵיהּ, תּוּ אֵמָא, תְּרֵין אִינּוּן, וְחַד דְּאִשְׁתְּתַף בְּהוּ, וְאִינּוּן תְּלָתָא. וְכַד הֲווֹ תְּלָתָא, אִינּוּן חַד. אָמַר לוֹן, אִלֵּין תְּרֵין שְׁמָהָן דִּשְׁמַע יִשְׂרָאֵל, דְּאִינּוּן יְיָ' יְיָ'. אֱלֹהֵינוּ אִשְׁתְּתַף בְּהוּ, וְאִיהוּ חוֹתָמָא דְּגוּשְׁפַּנְקָא, אֱמֶת. וְכַד מִתְחַבְּרָן כַּחֲדָא אִינּוּן חַד בְּיִחוּדָא חֲדָא.

צז. תּוּ אֵמָא, תְּרֵין אִינּוּן וְחַד אִתְהַדָּר. כַּד שַׁלִּיט. טָאס עַל גַּדְפֵּי רוּחָא, וְשָׁאט בְּמָאתָן אֲלַף, וְאִתְטָמַר. אָמַר לוֹן, אִלֵּין תְּרֵין כְּרוּבִים, דַּהֲוָה רָכִיב בְּהוּ קוּדְשָׁא בְּרִיךְ הוּא. וּמִן יוֹמָא דְּאַגְנִיז יוֹסֵף מֵאֲחוֹי, אַגְנִיז חַד, וְאִשְׁתְּאַר חַד לְגַבֵּי בִּנְיָמִין, הה"ד וַיִּרְכַּב עַל כְּרוּב וַיָּעֹף וַיֵּדֶא עַל כַּנְפֵי רוּחַ. וְאַגְנִיז בְּמָאתָן אֲלַף עָלְמִין וְאִתְטָמַר, הַהוּא דְּרָכִיב עָלֵיהּ, דְּאִינּוּן מָאתָן אֲלַף גִּנְזִין, אִינּוּן דִּילֵיהּ, בְּרִיךְ הוּא.

צח. פּוּקוּ מֵהָכָא, זַכָּאִין אַתּוּן, נָפְקוּ, יָהַב לוֹן הַהוּא מְמַנָּא וַרְדָּא חֲדָא וְנָפְקוּ. כַּד נָפְקוּ אַסְתִּים פּוּם מְעַרְתָּא, וְלָא אִתְחֲזֵי כְּלָל. חָמוּ הַהוּא נִשְׁרָא, דַּהֲוָה נָוִית מֵהַהוּא אִילָנָא, וְעָאל גּוֹ מְעַרְתָּא אָחֳרָא. אַרְחוּ אִינּוּן בְּהַהוּא וַרְדָּא, וְעָאלוּ תַּמָּן, אַשְׁכְּחוּ הַהוּא נִשְׁרָא אַפּוּם מְעַרְתָּא, אָמַר לוֹן עוּלוּ זַכָּאֵי קְשׁוֹט וְחַבְרִין, דְּהָא לָא חֲמֵינָא חֶדְוָה דְּחַבְרוּתָא, מִן יוֹמָא דַּאֲנָא הָכָא, אֶלָּא בְּכוּ.

צט. עָאלוּ מָאטוּ לְפַרְדֵּס אָחֳרָא, וְהַהוּא נִשְׁרָא בַּהֲדַיְיהוּ, כַּד מָטוּ לְגַבֵּי אִינּוּן מָארֵיהוֹן דְּמִשְׁנָה, אִתְהַדַּר הַהוּא נִשְׁרָא בְּדִיוּקְנָא דְּאָדָם, בִּלְבוּשׁ יְקָר, מְנַהֲרָא כְּוָותַיְיהוּ, וְיָתִיב עִמְּהוֹן כַּחֲדָא, אָמַר לְאִינּוּן דְּיַתְבֵי, הָבוּ יְקָר לְמָארֵי מַתְנִיתָא דְּאָתוּ הָכָא, דְּהָא מָארֵיהוֹן אַחְזֵי לוֹן פְּלִיאָן רַבְרְבָן הָכָא. אָמַר חַד מִנַּיְיהוּ, אִית בְּכוּ סִימָנָא. אָמְרוּ הִין. אַפִּיקוּ תְּרֵין וַרְדִּין, וְאַרְחוּ בְּהוּ. אָמְרוּ, תִּיבוּ מָארֵי מְתִיבְתָּא, תִּיבוּ זַכָּאֵי קְשׁוֹט, אַחִידוּ בְּהוּ, וְיָתְבוּ. בְּהַהִיא שַׁעֲתָא, אוֹלְפוּ תַּמָּן תְּלָתִין הֲלָכוֹת, דְּלָא הֲווֹ יַדְעֵי מִקַּדְמַת דְּנָא, וְרָזִין אַחֲרָנִין דְּאוֹרַיְיתָא.

ק. אַהַדְרוּ לְגַבֵּי אִינּוּן מָארֵי מִקְרָא, אַשְׁכְּחוּ דַּהֲווֹ אָמְרֵי, אֲנִי אָמַרְתִּי אֱלֹהִים אַתֶּם וּבְנֵי עֶלְיוֹן כֻּלְּכֶם. אֲנִי אָמַרְתִּי, בְּשַׁעֲתָא דְּאַקְדִּימְתּוּן עֲשִׂיָּה לִשְׁמִיעָה. דְּהָא אֱלֹהִים אַתֶּם וְגוֹ'. כֵּיוָן דְּאַמְשַׁכְתּוּן בָּתַר יֵצֶר הָרַע, אָכֵן כְּאָדָם תְּמוּתוּן וְגוֹ'. מַה מִּיתָתוֹ שֶׁל אָדָם אָחִית לֵיהּ לְעַפְרָא, בְּגִין דְּיִתְמְחֵי הַהוּא יֵצֶר הָרַע דִּי בְּגַוֵּיהּ, וְהַהוּא יֵצֶר הָרַע אִיהוּ דְּמִית, וְאִתְעֲכַל בְּגַוֵּיהּ.

קא. אָמַר הַהוּא סָבָא דַּעֲלַיְיהוּ, אוּף הָכָא כְּתִיב, וּפִגְרֵיכֶם אַתֶּם יִפְּלוּ בַּמִּדְבָּר הַזֶּה. מַאי פִּגְרֵיכֶם. דָּא יֵצֶר הָרַע, כְּלִיל דְּכַר וְנוּקְבָא. וְחֶסְרוֹנִין דְּאִית בְּכוּ, דְּיֵצֶר הָרַע נָוִית תָּדִיר לְחֶסְרוֹנָא, וְלָא סָלִיק. בַּקֹּדֶשׁ מַעֲלִין וְלָא מוֹרִידִין, בְּמִסְאֲבוּ מוֹרִידִין תָּדִיר, וְלָא מַעֲלִין. וְעַ"ד אִקְרוּן פִּגְרֵיכֶם, וְחֶסְרוֹנִין דִּלְכוֹן. כד"א אֲשֶׁר פִּגְּרוּ מֵעֲבוֹר אֶת הַנַּחַל וְגוֹ', סוֹפָא דִּקְרָא אוֹכַח, דִּכְתִּיב יִפְּלוּ, וְלָא תִּפְּלוּ. וְעַ"ד, בַּמִּדְבָּר הַזֶּה יִתַּמּוּ אִינּוּן פְּגָרִים וְשָׁם יָמוּתוּ, בְּגִין דִּרְעוּתָא דְּקוּדְשָׁא בְּרִיךְ הוּא לְשֵׁיצָאָה לְהָנֵי פְּגָרִים מֵעָלְמָא, לְעָלַם.

קב. אָמַר לְהוּ רַבִּי אִילָאִי, זַכָּאֵי קְשׁוֹט, עוּלוּ וְתֶחֱמוּ, דְּהָא רְשׁוּ אִתְמְסַר לְכוּ, לְמֵיעָל עַד הַהוּא אֲתַר דְּפָרוֹכְתָּא פְּרִיסָא. זַכָּאָה חוּלָקְכוֹן. קָמוּ וְעָאלוּ גּוֹ דּוּכְתָּא חֲדָא, וַהֲווֹ תַּמָּן מָארֵיהוֹן דְּאַגָּדָה, וְאַנְפֵּיהוֹן מְנַהֲרָן כְּנְהִירוּ דְּשִׁמְשָׁא. אָמְרוּ מַאן אִלֵּין. אָמַר לְהוֹן, אִלֵּין מָארֵיהוֹן דְּאַגָּדָה. וְחָמָאן בְּכָל יוֹמָא נְהִירוּ דְּאוֹרַיְיתָא כַּדְקָא יָאוּת. קַיְימוּ, וְשָׁמְעוּ כַּמָּה מִלִּין חַדְתִּין בְּאוֹרַיְיתָא, וְלָא אִתְיְהִיב לוֹן רְשׁוּ לְמֵיעַל לְגַוַּיְיהוּ.

קג. אָ"ל ר' אִילָאִי, עוּלוּ לְדוּכְתָּא אָחֳרָא וְתֶחֱמוּ. עָאלוּ לְגוֹ גִּנְתָּא אָחֳרָא, וְחָמוּ אוּף

הכי כראן קברין, ומיד מתין. ומתהדרין וחיין בגופין מנהרן קדישין. אמרי ליה, מאי האי. א"ל, דא עבדי בכל יומא, ומיד דשכבי מתעכלא ההוא זוהמא בישא דקבילו בקדמיתא, וקיימין מיד בגופין חדתין מנהרין, באינון גופין קדישין דקיימי על טורא דסיני, כגוונא דאתון חמאן, קיימו כלהו על טורא דסיני, בגופין בלא לכלוכא כלל, כיון דאמשיכו עלייהו יצה"ר, אתהדרו בגופין אחרנין, דגופין קדמאין, גופין נוכראין, הה"ד ויתנצלו בני ישראל את עדים מהר חורב.

קד. קלא אתער, זילו אתכנשו, הא אהליאב קאים על קיומיה, וכל אינון קתדראין קמיה. לשעתא פרחו כלהו, ולא חמו מדי, אשתארו בלחודייהו תחות אילנין דגנתא. חמו פתחא אחרא, עאלו תמן, חמו היכלא חדא, עאלו ויתיבו תמן. תרין עולימין הוו תמן. זקפו עיינין, וחמו חד משכנא מרקמא בכל זיני ציורין וגוונין דעלמא, ועליה פריס פריסא דנהורא מנצצא, דלא יכלין עיינין לאסתכלא, מתמן ולהלאה לא חמו כלום.

קה. ארכינו אודנין, ושמעו חד קלא דהוה אמר, בצלאל רביעאה איהו לנהורין עלאין. יוסף רביעאה איהו גו נהורין דאדם קדמאה. סליקו דלעילא, חביבא דכלא. עליה כתיב, ונסכו רביעית ההין בקדש וגו'. מאן דיסתכל וחמי, יסמון עיניה. מאן דלא יסתכל, חמי ואתפתח. אילנא דתמני סרי, כד כפיף, יזקוף ויתקיים. אי לא כפיף, חויא בישא אכיל ליה. מאן דעאל תרין כרובין לגו, רעותיה אתעביד. מאן דמעיין, רחיק מרעותיה. קרבנא דרביא, שלים לאתקבלא. פסק ההוא קלא.

קו. אמרו אינון תרין עולימין, סימנא אית בגוייכו. אמרו הין. אפיקו אינון תרין ורדין, ארחו בהו, אמרו תיבו, עד דתשמעון תרין מלין, ברזין עתיקין, מגו מארי מתיבתא, ויהון תדיר ברזא בגוייכו. אמרו הין.

קז. אמר רבי שמעון, כל הני מלין, וכל מה דחמו, כתבו. וכד מטו הכא, הוה כתיב אשמרה דרכי מחטוא בלשוני. ואנא שאילנא לאבי אבא, כמה הוו אינון תרין מלין, ואמר לי חייך ברי, אינון תרין מלין, באנו עלמין, וחריבו עלמין, מאן דאשתמש בהו.

קח. כיון דשמעו אלין תרין מילין, אמרו אינון ינוקי, פוקו פוקו, לית לכו רשותא יתיר למשמע. אפיק חד מנייהו, תפוח אחד, ויהב לון. ואמר, ארחו בדא, ארחו ביה, ונפקו, ומכל דחמו לא אנשו כלום. נפקו.

קט. הא ממנא אחרא, אתא אמר לון, חבריא, ר' אילאי שדרני לכו, תוריכו ליה הכא אפום מערתא, והוא ייתי ויודע לכו מלין עלאין דלא ידעתון. דאיהו תבע מגו מתיבתא, דיהא ליה רשו לגלאה לכו מלין. נפקו בהדיה ואוריכו אפום מערתא, והוו מהדרין מלי דא לדא, מכל מה דחמו ואולפו תמן.

קי. אדהכי, הא ר' אילאי אתא, נהיר כשמשא. א"ל אורייתא חדתא שמעתא. אמר לון ודאי, ורשו יהבו לי למימר לכו מלי. אתחברא כחדא אפום מערתא, ויתבו. אמר לון זכאין אתון, דאוזמי לכון מאריכון כגוונא דעלמא דאתי, והא לית לכו דחילו ואמתנו, אמרו ודאי הא אתנשי מנן ארחא דבני נשא, ותווהא איהו על כל מה דחמינן בהאי טורא.

קיא. אמר לון, חמיתון אלין טוריא, כלהו ראשי מתיבתי לעמא דא דבמדברא. חזו השתא, מה דלא זכו כד הוו בחיין. ואלין רישי מתיבתי, כלהו בריש ירחי ושבתי ומועדייא, מתכנשי לגבי טורא דאהרן כהנא, ומתערי לגביה, ועאלין גו מתיבתא

דִּילֵיהּ, וּמִתְחַדְּשָׁן תַּמָּן, בְּרַכְיוּ דְּטַלָּא קַדִּישָׁא דְּנָחִית עַל רֵישֵׁיהּ, וּמִשְׁחָה רְבוּ דְּנָגִיד עֲלֵיהּ, וְעִמֵּיהּ מִתְחַדְּשָׁן כֻּלְּהוּ בְּחִדּוּשִׁין דְּרִוְוחִין דְּמַלְכָּא קַדִּישָׁא, עַד דְּאִקְרֵי הָכָא מְתִיבְתָּא דִּרְוִוחוּתָא.

קי״ב. וְאִיהוּ נָטִיל בְּכָל מְתִיבְתָּא, בְּטִמִּירוּ דְּקִיק מִתְעַפְּפָן כְּנִשְׁרִין גּוֹ מְתִיבְתָּא דִּנְהוֹרָא, וְאִיהִי מְתִיבְתָּא דְּמֹשֶׁה, וְכֻלְּהוּ קַיְּימֵי לְבַר, וְלָא עָאלִין לְגוֹ, בַּר אַהֲרֹן בִּלְחוֹדוֹי וּכְפוּם שַׁעֲתָא אִקְרוּן בִּשְׁמָא.

קי״ג. וְלֵית מַאן דְּחָמֵי לֵיהּ לְמֹשֶׁה, דְּהָא הַהוּא מַסְוֶה דְּאַנְפּוֹי, פְּרִיס קַמֵּיהּ. וְשִׁבְעָ עֲנָנֵי יְקָר סְחֲרָנֵיהּ. אַהֲרֹן קָאִים גּוֹ פַּרְגּוֹדָא דִּלְתַתָּא מִן מֹשֶׁה. וּפַרְגּוֹדָא פָּסִיק, וְלָא פָּסִיק בְּגַוַּייהוּ. וְכָל רֵישֵׁי מְתִיבְתֵּי, לְבַר מִפָּרוֹכְתָּא דְּפַרְגּוֹדָא דָּא. וְכָל שְׁאָר, לְבַר מֵאִינּוּן עֲנָנִין. וּכְפוּם חִדּוּשֵׁי דִּנְהִירוּ דְּאוֹרַיְיתָא דְּאִתְנְהֲרָא, הָכִי מְנַהֲרָן אִינּוּן עֲנָנִין.

קי״ד. וְאִתְקְלִישׁוּ בְּדַקִּיקוּ דִּנְהוֹרָא, עַד דְּאִתְחֲזֵי הַהוּא מַסְוֶה, וּמִגּוֹ הַהוּא מַסְוֶה, זִמְנָא נְהוֹרָא דְּנָהִיר יַתִּיר מִכָּל נְהִירִין דְּעָלְמָא. וְאִינּוּן אַנְפֵּי מֹשֶׁה. אַנְפּוֹי לָא אִתְחֲזוּן כְּלָל, וְלֵית מַאן דְּחָמֵי לוֹן, בַּר הַהוּא נְהִירוּ דְּנָפִיק מִגּוֹ הַהוּא מַסְוֶה, בָּתַר כָּל אִינּוּן עֲנָנִין.

קט״ו. מֹשֶׁה אָמַר מִלָּה סָתִים לְאַהֲרֹן, וְאַהֲרֹן פָּרִישׁ לְרַבְרְבֵי מְתִיבְתֵּי. בְּמָה פָּרִישׁ. בְּכָל אִינּוּן מַבּוּעִין דְּאִסְתִּימוּ מִנֵּיהּ, כַּד מָטָא זִמְנֵיהּ דִּיהוֹשֻׁעַ. וְהַשְׁתָּא אִיהוּ מְהַדָּר לוֹן. בְּכַמָּה פְּלִיאָן, וּמְקוֹרִין וּמַבּוּעִין וְנַחֲלִין דְּנָבְעִין מִכָּל מִלָּה וּמִלָּה.

קט״ז. כָּל נָשִׁין זַכְיָין דְּהַאי דָּרָא, אָתָאן לְמִרְיָם אוּף הָכָא בְּהָנֵי זִמְנִין. וּכְדֵין סַלְקִין כֻּלְּהוּ, כְּתִמְרוֹת עָשָׁן גּוֹ מַדְבְּרָא דָּא. וְהַהוּא יוֹמָא, אִקְרֵי יוֹמָא דְּהִלּוּלָא. נָשִׁין בְּלֵילֵי שַׁבָּתוֹת וּבְלֵילֵי יוֹמִין טָבִין, כֻּלְּהוּ אָתָאן לְגַבֵּי מִרְיָם, וְיָדְעִין אִשְׁתַּדְּלוּתָא בִּידִיעָה דְּמָארֵי עָלְמָא. זַכָּאָה דָּרָא דָּא, מִכָּל דָּרִין דְּעָלְמָא. נָפְקֵי מִמְּתִיבְתָּא דְּמֹשֶׁה, וּפָרְחֵי לְגַבֵּי מְתִיבְתָּא דִּרְקִיעָא, וְאִינּוּן דְּאִתְחֲזוּן פָּרְחֵי לְגַבֵּי מְתִיבְתָּא עִלָּאָה. עַל הַהוּא דָּרָא כְּתִיב, אַשְׁרֵי הָעָם שֶׁכָּכָה לּוֹ אַשְׁרֵי הָעָם שֶׁיְיָ׳ אֱלֹהָיו.

קי״ז. פָּתַח ר׳ אִילָאִי וְאָמַר, תָּמִים תִּהְיֶה עִם יְיָ׳ אֱלֹהֶיךָ. מַה בֵּין תָּם לְתָמִים. בְּאַבְרָהָם כְּתִיב, הִתְהַלֵּךְ לְפָנַי וֶהְיֵה תָמִים. יַעֲקֹב דְּאִשְׁתְּלִים יַתִּיר, כְּתִיב בֵּיהּ, וְיַעֲקֹב אִישׁ תָּם. אַמַּאי אִקְרֵי אִישׁ תָּם. בְּגִין דְּלָא אִשְׁתְּאַר בֵּיהּ פְּסוֹלֶת כְּלַל, דְּהָא פְּרִיעָה הֲוָה בֵּיהּ.

קי״ח. בְּמָה אִתְפְּרַע, וְאִתְדְּכֵי מֵהַהוּא פְּסוֹלֶת בְּגִין דְּהַהוּא אֲתַר דְּאִתְקִיף לִפְסוֹלֶת, דִּלְגוֹ אֲתַר דִּפְרִיעָה שַׁארִי, אִיהוּ שׁוֹר, דְּיוֹקְנָא דִּשְׂמָאלָא דְּכֻרְסְיָא דִּילֵיהּ. וְהַהוּא שׁוֹר, אִקְרֵי שׁוֹר תָּם. דְּהָא רְתִיכָא דְּכֻרְסְיָא, רְשִׁימָא דִּבְרִית אִית בֵּיהּ. וע״ד, הַאי שׁוֹר אִקְרֵי תָּם. וְיַעֲקֹב אָחִיד בֵּיהּ בְּגַוֵּיהּ, וּבְהַאי שׁוֹר עָבִיד פְּרִיעָה, וְאַעְבַּר זוּהֲמָא דִּפְסוֹלֶת כְּלָא.

קי״ט. בְּמַתְנִיתָא דִּבְצַלְאֵל כְּתִיב, וַיִּזְכֹּר אֱלֹהִים אֶת רָחֵל. בְּשָׂרָה כְּתִיב פְּקִידָה, וּבְרָחֵל כְּתִיב זְכִירָה, אַמַּאי. בְּגִין דְּזָכוֹר אִתְרְשִׁים בְּיַעֲקֹב, דְּאִיהוּ בְּרִית שְׁלִים, כַּד אִתְיְלִיד יוֹסֵף. וּבְמָה. כַּד נָטַל שׁוֹר בַּהֲדֵיהּ, דְּלָא יִתְקִיף לְסִטְרָא אָחֳרָא. וּבג״כ, אִתְקְרֵי יוֹסֵף בְּכוֹר שׁוֹר, בְּכוֹר דְּהַהוּא שׁוֹר דְּנָטַל יַעֲקֹב בְּכוֹר שׁוֹרוֹ, וְדָוֵי לְהַהוּא שׁוֹר.

קכ. שׁוֹר תָּם, וְיַעֲקֹב אִישׁ תָּם. רִבּוֹן וְשַׁלִּיט, מָארֵיהּ דְּבֵיתָא, דְּהַהוּא שׁוֹר תָּם שַׁארֵי בְּגַוֵּיהּ. בְּגִין דְּאִית שׁוֹר מוּעָד בְּסִטְר עָרְלָה פְּרִיעָה. וְכַמָּה גַּרְדִּינֵי נִימוּסִין נַפְקִין מִנֵּיהּ, עַד דַּרְגָּא בַּתְרַיְיתָא דְּאִקְרֵי שְׁאָ״ה. הַהוּא דְּאַפִּיל בֵּיתִין דְּעָלְמָא, דְּלָא דַּיְירִין

בְּהוּ בְּנֵי נָשָׁא. וְכֻלְּהוּ נָפְקָא מֵהַהוּא שׁוֹר מוּעָד. וְדָא בְּחִבּוּרָא דַּחֲמוֹר בִּישָׁא. וּבג"כ לֹא תַחֲרוֹשׁ בְּשׁוֹר וּבַחֲמוֹר יַחְדָּיו. בְּגִין דְּלָא לְאִתְעָרָא לְהוּ.

קכא. וּבְהַהוּא מְתִיבְתָּא דִּבְצַלְאֵל, וְכֵן בִּתְרֵין מְתִיבְתָּא, וְיַעֲקֹב אִישׁ תָּם. בַּעֲלָהּ דְּהַהוּא תָּם. וּמַאן אִיהוּ א' רָזָא דְּיו"ד. וְכַד הֲוֵי כְּלַל דְּכַר וְנוּקְבָא כַּחֲדָא, כְּדֵין נָטִיל כָּל אַתְוָון אִלֵּין את"ם, וְאִיהוּ אֱמֶ"ת. תִּתֵּן אֱמֶת לְיַעֲקֹב, כְּלַל דְּכַר וְנוּקְבָא כַּחֲדָא, שְׁלִימוּ דְּכֹלָּא.

קכב. אַבְרָהָם לָא אִתְפְּקַד עַל פְּרִיעָה, וְכַד עָאל, עָאל לְהַאי תָּם, וּלְגוֹ דַּרְגִּין דִּילֵיהּ, דְּאִקְרוּן כַּחֲדָא יָם. וְהַיְינוּ תָּמִים. לְבָתַר אִסְתַּלַּק אַבְרָהָם, וְעָאל לְגוֹ, וְאִתְקְשַׁר עִם יְמִינָא עִלָּאָה.

קכג. תָּמִים תִּהְיֶה עִם יְיָ' אֱלֹהֶיךָ וַדַּאי, כְּמָה דְּאִיהוּ תָּמִים כְּלָלָא וַחֲדָא, אוּף אַנְתְּ תְּהֵא עִמֵּיהּ תָּמִים, עִמֵּיהּ וַדַּאי. בְּמָה אִתְעֲבִיד בַּר נָשׁ תָּמִים, דִּיהֵא ת"ם יָם. תָּם כְּמָה דְּאִתְּמַר. י"ם כָּל אִינּוּן דַּרְגִּין קַדִּישִׁין דִּילֵיהּ אִקְרוּן י"ם, וְלָא אִתְפָּרְשָׁן מִנֵּיהּ לְעָלְמִין. אוּף אַנְתְּ כְּגַוְונָא דָּא, לְאַעְדָּאָה מִנָּךְ דַּרְגִּין נוּכְרָאִין, וּלְאִתְקַשְּׁרָא בִּתְמִים, לְמֶהֱוֵי בָּךְ דַּרְגִּין קַדִּישִׁין, רָזָא דְּיָם, וְדַרְגָּא קַדִּישָׁא, תָּ"ם. לְקַבְּלָא א' רָזָא דְּיַעֲקֹב. ב"נ אִצְטְרִיךְ לְמֶהֱוֵי בְּכָל יוֹמָא, תָּ"ם יָ"ם. כְּגַוְונָא דָּא מַמָּשׁ.

קכד/א. הַשְׁתָּא פָּרִישׁ מַאן דְּפָרִישׁ, בִּמְתִיבְתָּא, דְּסִיהֲרָא קַדִּישָׁא שַׁפִּירָא, אִיהוּ בְּחִוָּורוּ, וְכָל גַּוְונִין מִנְּצְצָן בָּהּ וּמִרְקְמָן, וְאִיהוּ כְּהַהוּא שַׁפִּירוּ וְחִוָּורוּ דְּשִׁמְשָׁא מַמָּשׁ. וּבְהַהוּא יַמָּא דִּילֵיהּ, גּוֹ שַׁבְעִין שְׁנִין, נָפְקָא נוּנָא וַחֲדָא, וְאַפִּיק מִנֵּיהּ גַּוָּון תְּכֵלֶת, וְאִיהִי נַטְלָא גַּוָּון דָּא, וְתַקִּינַת לֵיהּ, וְאִתְחֲזְיָיא לְבַר בְּהַאי גַּוָּון.

קכד/ב. לָאו דְּהַאי גַּוָּון לְבוּשָׁא דִּילֵיהּ, דְּהָא שֵׁשׁ וְאַרְגָּמָן לְבוּשָׁהּ. אֲבָל חוּפְאָה דִּלְבַר הַאי גַּוָּון הוּא. כְּגַוְונָא דָּא הֲוָה מַשְׁכְּנָא, דְּכוֹלֵיהּ בְּשַׁפִּירוּ מִרְקְמָא לְגוֹ, וּלְבָתַר וּפַרְשׂוּ בֶּגֶד כְּלִיל תְּכֵלֶת. מ"ט. בְּגִין דְּתַחֲזוֹת יָם דָּא, אִית מְצוּלוֹת י"ם, כְּלַל דְּכַר וְנוּקְבָא, וְאִית לוֹן עֵינָא בִּישָׁא לְאִסְתַּכְּלָא, וְכַד מִסְתַּכְּלִין, זְמִין לְעַיְינֵיהוּ גַּוָּון תְּכֵלָא, וְלָא יָכְלָא עַיְינֵיהוּ לְשַׁלְטָאָה, וְאִיהִי אִתְתַּקְּנַת לְגוֹ, בְּכָל גַּוְונִין מִרְקְמָן כַּדְקָא יָאוּת, מִתְתַּחֲזְמָן לְד' סִטְרִין דְּעָלְמָא.

קכה. כְּגַוְונָא דָּא ב"נ דִּלְבִישׁ צִיצִית, אִתְעֲבִיד בְּכָל יוֹמָא תָּמִים. תָּ"ם, בְּד' כְּנָפַיִם מִתְתַּקְּנָן כַּדְקָא יָאוּת. י"ם, בְּהַהוּא תְּכֵלֶת דְּנוּנָא, דְּשַׁבְעִין דַּרְגִּין דְּיַמָּא, סִטְרָא בִּישָׁא כַּד אִסְתַּכַּל בְּהַאי בַּר נָשׁ לָא יָכִיל לְאַבְאָשָׁא לֵיהּ בְּעֵינָא בִּישָׁא. וּכְדֵין אִיהוּ תָּם י"ם, עִם יְיָ' אֱלֹהָיו מַמָּשׁ, בְּתִקּוּנָא וַחֲדָא, אִיהִי לְעֵילָּא, וְאִיהוּ לְתַתָּא.

קכו. לְבָתַר אִסְתַּלְּקַת אִיהִי גּוֹ דַּרְגִּין עִלָּאִין. אוּף הָכִי בַּר נָשׁ, אִסְתַּלַּק אִיהוּ לְבָתַר בִּתְפִלִּין, גּוֹ דַּרְגִּין עִלָּאִין. וע"ד תָּמִים תִּהְיֶה עִם יְיָ' אֱלֹהֶיךָ, עִמֵּיהּ וַדַּאי. וַדַּאי בְּשַׁעְתָּא וַחֲדָא, בְּרִגְעָא וַחֲדָא, אִיהִי אִתְתַּקְּנַת לְעֵילָּא, וּב"נ אִתְקַן לְתַתָּא.

קכז. א"ר אִילָאִי, כָּל אִלֵּין דְּהָכָא, כְּגַוְונָא דָּא מִתְקְנָן, לְמֶהֱוֵי כָּל וְחַד תָּמִים עִם יְיָ'. וְעַל רָזָא דָּא, בַּמִּדְבָּר הַזֶּה יִתַּמּוּ. אִי תֵּימְרוּן דְּכַד אִתְּמַר לְבִישׁ אִתְּמַר, הָכִי הוּא וַדַּאי, דְּהָוָה לוֹן לְמֶהֱוֵי כָּל וְחַד תָּמִים עִם יְיָ' בְּאַרְעָא קַדִּישָׁא, אֲתַר דִּיְיָ' שָׁארֵי תַּמָּן, לְמֶהֱוֵי אַפִּין בְּאַפִּין כַּחֲדָא עִמֵּיהּ, וְהַשְׁתָּא כָּל וְחַד הֲוֵי תָּמִים בְּמַדְבְּרָא דָּא לְבַר, אֲתַר רְחִיק מִתַּמָּן, דְּלָא יִסְתַּכַּל אַנְפִּין בְּאַנְפִּין בַּהֲדֵיהּ לְמֶהֱוֵי עִם יְיָ' כַּדְקָא יָאוּת. וְשָׁם יָמוּתוּ, כְּמָה דַּחֲמֵיתוּן דְּעָבְדִין בְּכָל יוֹמָא.

קכח. זַכָּאָה חוּלָקְכוֹן חַבְרַיָּיא קַדִּישִׁין, דְּזָכִיתוּן לְכָל הַאי. הָנֵי תְּרֵי מְעָרְתֵּי אַחֲרָנִין

דִּילְכוֹ, דְּלָא תִּשְׁכְּחוּ כָּל דָּא תַּמָּן, דְּאִינּוּן גּוֹ מְתִיבְתָּא דְּמֹשֶׁה, יָתְבֵי מֵרָחִיק. וְע״ד כְּתִיב בְּמֹשֶׁה, עָנָו מְאֹד מִכֹּל הָאָדָם. וּנְבִיאָה עִלָּאָה, קַבִּיל לוֹן לִמְתִיבְתָּא דִּילֵיהּ, מִיּוֹמָא דְּשָׁארֵי לְמֶחֱמֵי כָּל דָּא, עַד הַהִיא שַׁעֲתָא שִׁבְעָה יוֹמִין. וְהָא לָא הֲווּ מִסְתַּכְּלִין בְּהַאי עָלְמָא כְּלוּם.

קכט. אָמַר לוֹן רִבִּי אִילָאִי, זַכָּאִין קַדִּישִׁין, אֵימָא לְכוּ מִלִּין דִּשְׁמַעְתּוּן. וּמִלָּה קַדְמָאָה כַּד תִּנְדְּעוּן מִדִּידוֹ דְּמִשְׁחָתָא, בִּשְׁמָא גְּלִיפָא מְפָרַשׁ, תִּנְדְּעוּן דִּבְצַלְאֵל רְבִיעָאָה אִיהוּ, דִּנְהוֹרִין עִלָּאִין. דִּכְתִּיב, וָאֲמַלֵּא אוֹתוֹ רוּחַ אֱלֹהִים בְּחָכְמָה וּבִתְבוּנָה וּבְדַעַת. מַאן דְּלָא אִסְתָּכַּל וְחָמֵי וְאִתְפְּתַח.

קל. מַאן דְּלָא אִסְתָּכַּל, בְּאִינּוּן תְּלַת מִלִּין טְמִירִין, מַה לְעֵילָּא, מַה לְתַתָּא וְכוּ׳. זַמִּין אִיהוּ לְאִתְפַּתְּחָא בְּאוֹרַיְיתָא, וּלְפַקְּחָא עַיְינִין בָּהּ. אִילָנָא דְּתַמְנֵי סְרֵי, שִׁדְרָתוֹ דב״נ, כַּד כָּפִיף קַמֵּי מָארֵיהּ, יִזְקוֹף וְיִתְקַיָּים לִתְחִיַּית מֵתַיָּיא. אִי לָא כָּפִיף בְּמוֹדִים, אִתְעָבֵיד חִוְיָא, וְלֵית לֵיהּ תְּקוּמָה לְהַהוּא זִמְנָא.

קלא. מַאן דְּעָאל בֵּין תְּרֵין כְּרוּבִים לְגוֹ. מַאן דְּעָאל שִׁיעוּר תְּרֵין פִּתְחִין, לְגוֹ בֵּי כְּנִשְׁתָּא, אִתְדַּבַּק בְּמָארֵיהּ, וּרְעוּתֵיהּ אִתְעָבֵיד. מַאן דְּמְעַיֵּין בִּצְלוֹתֵיהּ, וְאִסְתָּכַּל בָּהּ, רָחִיק מֵרְעוּתֵיהּ דְּשָׁאִיל. קָרְבְּנָא דְּרַבְיָא, כַּד קָרֵב ב״נ בְּרֵיהּ לְבֵי סִפְרָא, אוֹ לְמִילָה, דָּא קָרְבְּנָא שְׁלִים לְאִתְקַבְּלָא. מִכָּאן וּלְהָלְאָה רְחִימִין, זִילוּ.

קלב. אֶלְעָזָר בְּרִי, שַׁפִּיר קָאֲמַרְתְּ, כְּפוּם מַה דְּאוֹלִיפַת. אֲבָל וַדַּאי, דְּאע״ג דְּרָחֵל הֲוַת עֲקָרָא בְּהַהוּא זִמְנָא, יַעֲקֹב חַכִּים הֲוָה. וְאִלְמָלֵא לָא יָדַע יַעֲקֹב, דְּלֵאָה אִנְתְּתֵיהּ, לָא קָבִּיר לָהּ בִּמְעַרְתָּא, לְאִתְחַבְּרָא בַּהֲדֵיהּ, בְּחִבּוּרָא חֲדָא, וְיָהָא קָבִיר לָהּ לְבַר מֵאַרְעָא. אֲבָל לְלֵאָה אָעִיל לָהּ גּוֹ אַרְעָא, וּלְרָחֵל שַׁוֵּי לְבַר. מִית יַעֲקֹב, אִתְקַבַּר בְּגַוָּוהּ, בְּחִבּוּרָא חֲדָא.

קלג. כְּמָה דְּעָבְדוּ כָּל שְׁאָר אֲבָהָן, אוּף הָכֵי אָדָם. מֵתָה חַוָּה בְּקַדְמֵיתָא, אִתְקַבְּרַת תַּמָּן. וְתַמָּן יָדַע אָדָם, דְּהַאי דּוּכְתָּא אִתְחֲזֵי לֵיהּ. מִית אָדָם, אִתְקַבַּר בְּגַוָּוהּ בְּחִבּוּרָא חֲדָא. מֵתָה שָׂרָה אִתְקַבְּרַת תַּמָּן, וְחַוָּה חָמָאת, וְנַפְקַת לְקַבְּלָהּ, וְקָמַת וְקַבְּלָה לָהּ. שִׁיעוּרָא דְּחַוָּה לְגַבֵּי שָׂרָה, שִׁיעוּרָא דִּתְרֵין אַמִּין, וְלָא יַתִּיר. מֵת אַבְרָהָם, אִתְקַבַּר לְגַבֵּי שָׂרָה, בְּחִבּוּרָא חֲדָא. מֵתָה רִבְקָה, אִתְקַבְּרַת תַּמָּן, וְשָׂרָה חָמָאת, וְקָמַת וְקַבְּלַת לָהּ. מֵת יִצְחָק, אִתְקַבַּר בַּהֲדָהּ בְּחִבּוּרָא חֲדָא. מֵתָה לֵאָה, אִתְקַבְּרַת תַּמָּן, וְרִבְקָה חָמָאת, וְקָמַת, וְקַבְּלָה לָהּ. מֵת יַעֲקֹב, אִתְחַבַּר בַּהֲדָהּ בְּחִבּוּרָא חֲדָא. וְכֻלְּהוּ דְּכַר וְנוּקְבָא כַּחֲדָא, בְּחִבּוּרָא חֲדָא.

קלד. סִדּוּרָא דִּלְהוֹן הֵיךְ שָׁכְנֵי. נָשִׁין לְגַבֵּי נָשִׁין, וּדְכוּרִין לְגַבֵּי דְּכוּרִין. אָדָם בְּרֵישָׁא, וְחַוָּה סָמִיךְ לֵיהּ. שָׂרָה לְגַבֵּי חַוָּה. אַבְרָהָם סָמִיךְ לְשָׂרָה. יִצְחָק סָמִיךְ לְאַבְרָהָם. רִבְקָה סָמִיךְ לְיִצְחָק. לֵאָה סָמִיךְ לְרִבְקָה. יַעֲקֹב סָמִיךְ לְלֵאָה. אִשְׁתְּכַח אָדָם בְּסִטְרָא דָּא, יַעֲקֹב בְּסִטְרָא דָּא, דָּא רֵישָׁא, וְדָא סֵיפָא.

קלה. בְּסִפְרָא דִּשְׁלֹמֹה מַלְכָּא אִיהוּ כַּדְקָא יָאוּת וְהָכֵי הוּא, אָדָם וְחַוָּה בְּקַדְמֵיתָא. וְשָׂרָה וְאַבְרָהָם סָמִיךְ לוֹן. יִצְחָק וְרִבְקָה לְזָוְויָא אַחֲרָא, בְּאֹרַח מֵישַׁר בְּשׁוּרָה חֲדָא. יַעֲקֹב וְלֵאָה בְּאֶמְצָעִיתָא. וְאִינּוּן נָשִׁין לְגַבֵּי נָשִׁין. וּדְכוּרִין לְגַבֵּי דְּכוּרִין. וְאָדָם וְחַוָּה, שָׂרָה וְאַבְרָהָם, יַעֲקֹב וְלֵאָה, רִבְקָה וְיִצְחָק. אָדָם בְּסִטְרָא דָּא, וְיִצְחָק בְּסִטְרָא דָּא, וְיַעֲקֹב בְּאֶמְצָעִיתָא. יִצְחָק לְגַבֵּי אֲבוּהָ לָאו אֹרַח עָלְמָא. וְעכ״ד יַעֲקֹב אִצְטְרִיךְ בְּאֶמְצָעִיתָא.

קלו. וּבְכָל אִינוּן זוּגִין, כְּמָה דְאִתְתְקָברוּ, הָכִי יְקוּמוּן, וְהָכִי יִשְׁתַּכְּחוּן. לְאָה תְּחֲדֵי בַּהֲדֵי מְשִׁיחָ, דְּנָפִיק מִנָּה לְגוֹ. רָחֵל תְּחֲדֵי בַּהֲדֵי מְשִׁיחָ, בְּרֵיהּ דְּיוֹסֵף, דְּנָפִיק מִנָּה לְבַר מִירוּשְׁלֵם. וְכֹלָא לְדוּכְתַּיְיהוּ.

קלז. אִלֵּין הָכָא וְאִלֵּין הָכָא. דְּאִינוּן מִגְדָּלִין דְּאֶבֶן טָבָא כֻּלְּהוּ. בֵּין כֻּלְּהוּ מִגְדָּלִין אִית וַד מִגְדָּל דְּאֶבֶן טָבָא בְּאֶמְצָעִיתָא. וְדָא סָלִיק לְרוּם רְקִיעָא, וְלָא אִתְחֲזֵי הַשְׁתָּא, עַד הַהוּא זִמְנָא דְּיִתְגְּלֵי. רַב מְתִיבְתָּא וְחָמָא לֵיהּ, וַהֲוָה רְשִׁים בֵּיהּ לְעֵילָא הַאי קְרָא, מִגְדָּל עֹז שֵׁם יְיָ בּוֹ יָרוּץ צַדִּיק וְנִשְׂגָּב. וּפְרִישׁ רַב מְתִיבְתָּא קְרָא דָא, מִגְדַּל עֹז: דָּא כְּנֶסֶת יִשְׂרָאֵל. בּוֹ יָרוּץ צַדִּיק: בֵּיהּ רְעוּתֵיהּ דְּצַדִּיק תָּדִיר. וע"ה, וְנִשְׂגָּב הַהוּא מִגְדָּל, דְּלָא יִפּוֹל לְעָלְמִין, כְּמָה דַּהֲוָה.

קלח. וְרִבִּי כְרוּסְפְּדָאי וְחָמִיד לִבָּא, פָּרִישׁ הַאי קְרָא עַד לָא אִסְתַּלָּק, וּפָרִישׁ שַׁפִּיר. מִגְדַּל עֹז: דָּא תֵּיבָה, וס"ת דְּאִיהוּ עֹז, לְשַׁוָּאָה בֵּיהּ, וּלְאַפָּקָא לֵיהּ מִגּוֹ הֵיכָל, דְּאִיהוּ הֵיכָל פְּנִימָאָה, דְּמִנֵּיהּ נָפְקָא תוֹרָה, וְהַהוּא מִגְדָּל שֵׁם יְיָ אִיהוּ, וּדְיוּקְנָא דִּילֵיהּ וְאִצְטְרִיךְ בְּשִׁית דַּרְגִּין.

קלט. בּוֹ יָרוּץ צַדִּיק, בְּמִגְדָּל, אוֹ בס"ת. בְּמִגְדָּל, בְּמַאן. אֶלָּא קְרָא דָּרִישׁ בְּהַאי וּבְהַאי. כַּד דָּרֵישׁ בְּמִגְדָּל, אִצְטְרִיךְ צַדִּיק דָּא דְּלִיהֱוֵי וְזַן דְּלִיהֱוֵי הַכְּנֶסֶת, וּדְיוּקְנָא דְּקָשׁוֹט, זַכָּאָה דְּקָשׁוֹט, וּדְיוּקְנָא דְּצַדִּיק עִלָּאָה. כַּד דָּרִישׁ לס"ת, מַאן דְּסָלִיק לס"ת לְמִקְרֵי אוֹרַיְיתָא, אִצְטְרִיךְ צַדִּיק. וְצַדִּיק אִקְרֵי. מַאן אִקְרֵי צַדִּיק מִכֻּלְּהוּ. שְׁתִיתָאָה. א"ר שִׁמְעוֹן, וַדַּאי, דְּאִיהוּ לָא סָלִיק כָּל יוֹמוֹי, אֶלָּא שְׁתִיתָאָה לְאִינוּן דְּסַלְּקִין. בּוֹ יָרוּץ צַדִּיק, בס"ת דְּבָרֵי צַדִּיק דָּא. וְנִשְׂגָּב מִמַּאן. מִדְּוִזִילוּ דְּמַלְאָךְ הַמָּוֶת, דְּהָא אוֹרִיךְ יוֹמִין. וְנִשְׂגָּב דְּלָא יִתְנְזַק לְעָלְמִין.

קמ. בְּהַהוּא מִגְדָּל דְּסַלְּקָא בֵּין אִינוּן מִגְדָּלִין, קַיְימָא נְהִירוּ וַד, בְּדִיוּקְנָא דס"ת, כַּד אָתֵי הַהוּא צִיפְּרָא, נָטְלָא הַהוּא מִגְדָּל מֵאַתְרֵיהּ, וְקָאִים גּוֹ אֶמְצָעִיתָא דַּעֲזָרָא, גּוֹ גַּדְפֵי דִכְרוּבִים. וּמָה דַּהֲוָה. רוּמֵיהּ לְרוּם שְׁמַיָּא מָאִיךְ וְעָאל תְּוֹוֹת אִינוּן כְּרוּבִים, וְשִׁעוּרוֹי בֵּין רֵישֵׁי כְרוּבִים.

קמא. תְּלַת מֵאָה פִּתְחִין תַּמָּן, בְּפִתְחָזָא דְּאֶמְצָעִיתָא, קַיְימָא נְהִירָא דָא, דְּיוּקְנָא דס"ת, בֵּיהּ זַמִּין מֶלֶךְ יִשְׂרָאֵל לְמִקְרֵי בְּפָרָשַׁת הַקָּהֵל. וְדָא לִיהֱוֵי מַלְכָּא מְשִׁיחָא, וְלָא אָחֳרָא.

קמב. וּבְהַהוּא ס"ת דְּהַהוּא נְהִירוּ, אִי וְחֲסִידָא קַדִּישָׁא, זַכָּאָה אִיהוּ דִּמְפוּמֵיהּ יִשְׁמְעוּ, כָּל נְעִימוּ דְּמִלּוּי מֵאִינוּן מִלִּין סְתִימִין דְּפָרִישׁ בְּאוֹרַיְיתָא. בְּכָל רֵיעַ יָרוֹוֹי, וְעַבְדֵּי וּמוֹעֲדַיָּיא וְזִמְנַיָּא, כַּד בָּעָאן כָּל בְּנֵי מְתִיבָתֵי לְסַלְּקָא לְעֵילָא לְגוֹ מְתִיבְתָּא דִּרְקִיעָא, כֻּלְּהוּ מִתְכַּנְּפֵי לְגַבֵּי מַלְכָּא מְשִׁיחָא, וְאִיהוּ פָּרִישׁ מִלִּין, וּמִגּוֹ מְתִיקוּ דְּמִלּוּי בְּתִיאוּבְתָּא, סַלְּקִין. כֻּלְּהוּ עֲשַׂר מִלִּין, גְּנִיזִין לָךְ מֵאִינוּן מִלִּין דְּאִיהוּ פָּרִישׁ, לְזִמְנָא דִּשְׁאֶלְתָּן דִּילָךְ.

קמג. כַּד קַיְימָא הַהוּא מִגְדָּל בְּאֶמְצָעוּ דַּעֲזָרָה, וּפִתְחָזָא דָּא פָּתַח, פִּתְחִין אִינוּן כְּרוּבִין פּוּמַיְיהוּ, וּפָרְשֵׂי גַּדְפַּיְיהוּ, וְנָהִיר נְהִירוּ עִלָּאָה עַל הַהוּא פִּתְחָזָא. וְהַהוּא ס"ת פָּתוּחַ, וְאִינוּן כְּרוּבִים פְּתִיחַן וְאָמְרֵי מַה רַב טוּבְךָ אֲשֶׁר צָפַנְתָּ לִּירֵאֶיךָ וְגוֹ'. סָגִירוּ פִּתְחִין, וס"ת אִתְגְּלִיל.

קמד. מַאן וְחָמָא נְהִירוּ דְּהַהוּא ס"ת, דְּהַהוּא נְהִירָא דְּנָהִיר מִנֵּיהּ, כּוּלֵּיהּ אַתְוָון דְּנָהִיר דִּילֵיהּ, עִלָּהוֹבֵי דְּאֶשָּׁא מַד' גּוּונֵי, דְּאִינוּן דְּעָלְמָא עִלָּאָה. כֻּלְּהוּ בְּלַטֵי וּמְנַצְצֵי, לֵית מַאן דְּיָכִיל לְמֵיקָם בְּהוּ, בַּר מְשִׁיחָ.

קמה. סָגִיר פִּתְחָזָא דָּא, כְּרוּבִים מִשְׁתַּכְּחֵי. וְהַהוּא מִגְדָּל פָּרוֹוֹ, וְקַיְימָא בְּאַתְרֵיהּ בֵּין

שְׁאַר מִגְדָּלִין.

קמו. בְּהַהוּא פִּתְוָוא דְּאֶמְצָעִיתָא, אִית עֲטָרָה דְּפָז עִלָּאָה וְיַקִּירָא גְּנִיזָא, דְּלָא אִתְחֲזֵי הַשְׁתָּא, גְּלִיפָא וּמְחַקְּקָא בְּכָל זִינֵי אַבְנֵי יְקָר, וּזְמִינָא לְמֶהֱוֵי עַל רֵישָׁא דְּמַלְכָּא מְשִׁיחָא, כַּד סָלִיק בְּהַהוּא מִגְדָּל, וּתְרֵין נִשְׁרִין, דָּא מִסִּטְרָא דָּא, וְדָא מִסִּטְרָא דָּא, נַטְלֵי לֵיהּ בִּידַיְיהוּ.

קמז. כַּד סָלִיק מַלְכָּא מְשִׁיחָא, מִתְתַּקְּנִין נִשְׁרִין, וְנַטְלֵי עֲטָרָא דָּא, בְּשַׁעֲתָא דְּיִשְׁרֵי לְמִקְרֵי, יִתְפַּתַּח פִּתְוָוא אַחֲרָא, וּמִתַּמָּן תִּפּוֹק הַהִיא יוֹנָה, דְּשַׁדַּר נֹחַ בְּיוֹמֵי טוֹפָנָא, דִּכְתִּיב וַיְשַׁלַּח אֶת הַיּוֹנָה, הַיּוֹנָה: הַהִיא דְּאִשְׁתְּמוֹדְעָא, וְלָא מַלִּילוּ בָּהּ קַדְמָאֵי, וְלָא יָדְעוּ מַה הִיא, אֶלָּא מֵהָכָא נָפְקַת, וְעַבְדַת שְׁלִיחוּתָא.

קמח. וּבְשַׁעֲתָא דִּכְתִּיב וְלֹא יָסְפָה שׁוּב אֵלָיו, עוֹד לָא יָדַע בַּר נָשׁ לְאָן אָזְלַת, וְהִיא תָּבַת לְאַתְרָהּ, וְאִתְגְּנִיזַת בְּפִתְוָוא דָּא וְאִיהִי תִּטּוֹל עֲטָרָה בְּפוּמָהָא, וּתְשַׁוֵּי עַל רֵישֵׁיהּ דְּמַלְכָּא מְשִׁיחָא, מָטֵי וְלָא מָטֵי, וּכְדֵין כְּתִיב, תָּשִׁית לְרֹאשׁוֹ עֲטֶרֶת פָּז.

קמט. וְכֵיוָן דְּיִקְרֵי מַלְכָּא מְשִׁיחָא בס"ת. יְקוּמוּן תְּרֵין נִשְׁרִין, דָּא מִכָּאן וְדָא מִכָּאן, וְיוֹנָה מָאִיךְ, וּמַלְכָּא מְשִׁיחָא נָחִית, וְעִטְרָה עַל רֵישֵׁיהּ, עַד דַּרְגָּא בַּתְרָאָה. וּתְרֵין נִשְׁרִין פַּרְחִין לְעֵילָּא עַל רֵישֵׁיהּ, וְיוֹנָה תָּבָאת וַעֲטָרָה בְּפוּמָהּ, וִיקַבְּלוּן לָהּ אִלֵּין תְּרֵין נִשְׁרִין.

קנ. דָּוִד מַלְכָּא, זַיִת רַעֲנָן אִקְרֵי קַמֵּיהּ קוּדְשָׁא בְּרִיךְ הוּא, דִּכְתִּיב וַאֲנִי כְּזַיִת רַעֲנָן בְּבֵית וְגוֹ'. עֲלֵה זַיִת, דָּא מַלְכָּא מְשִׁיחָא בְּרֵיהּ דְּדָוִד. וְדָא אִיהוּ דְּרָמִיז יוֹנָה דָּא בְּיוֹמוֹי דְּנֹחַ, דִּכְתִּיב וְהִנֵּה עֲלֵה זַיִת טָרָף בְּפִיהָ. הַהוּא עֲלֵה זַיִת, טָרַף וְחָטַף לִיקָרָא דִּילֵיהּ. בְּמָה. בְּפִיהָ. דְּקַיְּימָא עַל רֵישֵׁיהּ, וּמְקַבְּלָא יְקָר מֵהַאי יוֹנָה וְהַאי דִּכְתִּיב טָרָף, וְלָא טְרָפָה, כִּדְכוּרָא דָּא, דְּעָבֵיד חֵילָא וְנִצּוּחַ. בְּמְתִיבְתָּא דִּרְקִיעַ, יוֹנָה דְּכַר הוּא, מִגּוֹ דְּאִקְרֵי יוֹנָה, כְּתִיב כְּנוּקְבָא, וּכְתִיב כִּדְכוּרָא, בִּזְמְנָא דִּמְקַבְּלָא יְקָר דָּא.

קנא. מִגְדָּל דָּא כַּד תָּב לְאַתְרֵיהּ, נָהִיר כְּנְהִירוּ דְּעֵינָא דְּשִׁמְשָׁא, דִּכְתִּיב, כִּסְאוֹ כַּשֶּׁמֶשׁ נֶגְדִּי. וְאַף דְּכָרְסְיָיא אַחֲרָא לֶיהֱוֵי לֵיהּ בְּנִסִּין וְאָתִין רַבְרְבִין. בְּרֵישׁ מִגְדָּל דָּא, אִית עוֹפִין דְּנוּר דְּקָא מְצַפְצְפָאן, כַּד סָלִיק צַפְרָא, צִפְצוּפָא דִּנְעִימוּ, דְּלֵית נְעִימוּ וְנִגּוּנָא כְּהַהוּא נְעִימוּ.

קנב. לְעֵילָּא מִכֻּלְּהוּ, זִינִין אַחֲרָנִין, וְשַׁפִּינִין אַחֲרָנִין, דְּקָא פַּרְחִין בַּאֲוִירָא, סַלְקֵי וְנַחְתֵּי, נַחְתֵּי וְסַלְקֵי, לָא מִשְׁתַּכְּכִין לְעָלְמִין. אַתְוָון רַבְרְבָן, וְאַתְוָון זְעִירָן, פַּרְחִין בֵּינַיְיהוּ.

קנג. אִי חֲסִידָא קַדִּישָׁא, בְּשַׁעֲתָא דְּאַתְוָון פַּרְחִין, וְחָמֵי ב"נ בְּאַתְוָון רַבְרְבָן. כְּתִיב בַּאֲוִירָא לְפוּם שַׁעֲתָא, בְּרֵאשִׁית בָּרָא אֱלֹהִים אֵת הַשָּׁמַיִם וְאֵת הָאָרֶץ בְּטָשֵׁי אַתְוָון זְעִירָן בְּהוּ, וּפַרְחִין, וְאִתְחֲזֵי מִנַּיְיהוּ כְּתִיב, וַיֹּאמֶר אֱלֹהִים יְהִי אוֹר וְגוֹ', וַיַּרְא אֱלֹהִים אֶת הָאוֹר וְגוֹ'. לְבָתַר מְהַדְרֵי אַתְוָון זְעִירָן, וּבַטְשֵׁי בְּאַתְוָון רַבְרְבָן, וּמִתְחֲזֵי מִנַּיְיהוּ דִּכְתִּיב, וַיֹּאמֶר אֱלֹהִים יְהִי רָקִיעַ וְגוֹ'. וְכֵן כָּל עוֹבָדָא דִּבְרֵאשִׁית, פָּלִיאָן רַבְרְבָן, וְחָדוּ לְעַיְינִין עוֹבָדָאן דְּאַתְוָון אִלֵּין, זַכָּאָה עַמָּא דְּכָל דָּא מְחַזְּכָאן.

קנד. אִי חֲסִידָא קַדִּישָׁא, מַאן דְּנָטִיר בְּרִית, שַׁוֵּי לֵיהּ אֲבַתְרוֹי, וְאִיהִי לְקָמָא. וְאִי תֵּימָא, מַאן נָטִיר לַאֲחוֹרָא. הָא נְטִירוּ רַב וְעִלָּאָה מִכֹּלָּא, דְּנָטִיר לֵיהּ. וּמַאן אִיהוּ. צַדִּיק עִלָּאָה בִּרְחִימוּ סַגֵּי. עָאל בֵּין צַדִּיק וְצֶדֶק. וְאִשְׁתְּכַח נָטִיר מִכָּל סִטְרִין. זַכָּאָה מַאן דְּנָטִיר בְּרִית דָּא. וע"ד יִשְׂרָאֵל, אִתְחֲזוּן כָּל דְּכוּרִין, דְּנַטְרִין אֶת קַיְּימָא דָּא, קַמֵּי מַלְכָּא קַדִּישָׁא. מַאן אִיהוּ דְּיָכִיל לְנַזְקָא לִבְרָא, דְּאִיהוּ בְּאֶמְצָעוּ אֲבוּהָ מִכָּאן, וְאִמֵּיהּ מִכָּאן, וְאִיהוּ בֵּינַיְיהוּ. וְדָא כַּד אִיהוּ אַחֲרֵי יְיָ'.

קנה. ת"ח הַהוּא רָקִיעַ כַּד סָחֲרָא בְּגַלְגּוֹלָא מְנַגְּנָא בְּנִגּוּנָא, וּמִקָּל נְהִימוּ דְּמַיִין דְּנַבְעִין, לָא יְדִיעַ הַהוּא נִגּוּנָא. כָּל אִינּוּן אַגָּנִין דִּי בְּאַרְבַּע סִטְרִין, מַלְיָין מִנְּבִיעוּ דְּמַיִין

דְּנַבְעִין. מַאן דְּאִיהוּ לְגוֹ, בִּתְרֵין סִטְרִין קַיְּימָא תַּמָּן. וַחֲד בְּחֶדְוָה, דְּלֵית חֶדְוָה כְּהַהִיא חֶדְוָה בְּעָלְמָא, לְקַיְּימָא עִבְדוּ אֶת יְיָ' בְּשִׂמְחָה. וַחֲד בְּיִרְאָה, דְּלֵית דְּחִילוּ כְּהַהוּא דְּחִילוּ בְּעָלְמָא, לְקַיְּימָא עִבְדוּ אֶת יְיָ' בְּיִרְאָה.

קנו. וַחֲד מַעְיָינָא דְּמַיָּא, דְּנָבִיעַ מִסְּטַר מִזְרָח, דָּא הוּא דְּאָמַר יְחֶזְקֵאל נְבִיאָה. מֵהַאי מַעְיָינָא, לָא יַכְלִין לְסַיְּימָא שְׁבָחָא כָּל בְּנֵי עָלְמָא. בַּאֲתַר דְּאִתְיְילִיד תַּמָּן לִסְטַר מִזְרָח, לֵית עוּמְקָא וְרוּמָא דִּילֵיהּ, אֶלָּא זַרְתָּא וְלָא יַתִּיר.

קנז. כַּד נַבְעִין מַיָּא וְסַלְקִין, סַלְקִין כָּל זִינֵי מַרְגְּלָאן דְּעָלְמָא, וְלָא נַפְלִין לְבַר, הַשְׁתָּא אִתְחָזוּן בְּגַוְון חַד, לְפוּם שַׁעֲתָא נַפְלִין אִלֵּין, וְהָא סַלְקִין, אַחֲרָנִין, כְּגַוְון אֲחֲרָא, בְּכָל זִינֵי גַּוְונִין דְּעָלְמָא. נַפְלֵי אִינּוּן מַרְגְּלָאן, וְלָא נַפְלֵי לְבַר.

קנח. סוּחֲרָנִין דְּהַהוּא נְבִיעוּ, חִיזוּר וְשׁוֹשָׁן סַחֲרִין. וְלָא יַכְלִין כָּל בְּנֵי עָלְמָא לְמֵיקָם עַל אִינּוּן גַּוְונִין, כֻּלְּהוּ שַׁלְהוֹבִין מְלַהֲטָאן, וְלָא יַכְלִין לְאִסְתַּכְּלָא בְּהוּ. לָא יְדִיעַ חֲשִׁיבוּ דְּעוֹבָדָא. טַרְפִּין דִּלְהוֹן מְנַצְּצָן בְּכַמָּה גַּוְונִין.

קנט. עוֹבֵד צִיּוּר, אוּמָנוּ דְּמָארֵי עָלְמָא, חַפְיָין עַל תְּלַת מְאָה וְשַׁבְעִין וַחֲמִשָּׁה כְּרוּבִין דִּתְחוֹתַיְיהוּ, בָּתַר שְׂבָכִין אַחֲרָנִין לְגוֹ. וְאִינּוּן שְׂבָכִין סְחוֹר דַּעֲזָרָה לְגוֹ.

קס. וּלְעֵילָּא מִנְּהוֹן, אִינּוּן גּוּפִין פְּרִישָׁאן, תְּחוֹת גּוּפָנִין אִינּוּן כְּרוּבִין, כֻּלְּהוּ גַּדְפִּין פְּרִישָׁן, מְשַׁלְּבָן אִלֵּין בְּאִלֵּין. הָכָא אָמַר רַב מְתִיבְתָּא, דְּכָל מַאן דְּאִסְתַּכַּל בְּאִינּוּן גּוּפְנִין, מְנַהֲרִין אַנְפּוֹי כְּנְהִירוּ דְּשִׁמְשָׁא.

קסא. אִינּוּן שְׂבָכִין דְּאִתְזְמַן סְחוֹר סְחוֹר דַּעֲזָרָה, כֻּלְּהוּ מְרַקְמָן, בְּחוּטִין דְּנַהֲרִין בְּגַוְונִין סַגִּיאִין, מְלַהֲטָן בְּד' מִינֵי זְהוֹרִין דְּאֶשָּׁא. שַׁלְהוֹבִין סַלְקִין, וְגַוְונִין מְנַצְּצָן, וּלְזִמְנִין שַׁלְהוֹבִין מִשְׁתַּכְּכֵי, וּנְהוֹרִין וְגַוְונִין סַלְקִין, וּבַטְשֵׁי אִלֵּין בְּאִלֵּין.

קסב. שִׁית אֶלֶף אַגָּנִין, לְגַבֵּי אִינּוּן שְׂבָכִין, ד' גַּוְונִין, לְד' סִטְרִין דַּעֲזָרָה, אִלֵּין אִינּוּן רַבְרְבִין, וּנְבִיעוּ דְּמַיִין חַיִּין בְּכָל סִטְרֵי. וְאִינּוּן נַפְלֵי בְּאִינּוּן אַגָּנִין, וּבַלְעֵי בְּאַתְרַיְיהוּ וְאִלֵּין מַיִין לָא יַדְעֵי לְאָן אַזְלִין.

קסג. בְּאֶמְצָעוּ דַּעֲזָרָה, יְקוּמוּן כֻּלְּהוּ יִשְׂרָאֵל, וְיִתְחֲזוּן קַמֵּי מַלְכָּא קַדִּישָׁא. בִּסְטַר דָּרוֹם בַּעֲזָרָה דָּא, אִתְיְילִיד חַד מַעְיָינָא דְּמַיָּא, וְאִתְדַּמֵּי דְּקָא יִשְׁטְפוּן מַיָּא כָּל עָלְמָא. מַאן דְּיֵיעוּל בְּהוּ, יְהוֹן עַד בִּרְכַּיִם, יֵיעוּל בְּהוּ גִּיבָּר רַב יֵיעוּל בְּהוּ עַד בִּרְכַּיִם, אִי תִּינוֹק בַּר יוֹמָא עַד בִּרְכַּיִם. מַאן דְּשָׁתֵי מִנַּיְיהוּ יִתְחַכַּם, וְיִתְפְּקַח בְּחָכְמְתָא.

קסד. מַעְיָינָא דָּא נָפִיק מִגּוֹ מַרְגְּלָא חֲדָא זְעֵירָא, בְּכוֹתָלָא דְּדָרוֹם. אִינּוּן מַיִין בַּלְעֵי גּוֹ אַתְרָא, וּמִתַּמָּן יִפְקוּן לְבַר מִמַּקְדְּשָׁא, עַד דְּיַעֲלוּ לְנַחַל שִׁטִּים, יִשְׁטְפוּן הַהוּא זִמְנָא, דְּאוֹלְדִין מַיָּא דְּשִׁטִּים. וְעַ"ד מַיִין אִלֵּין בַּעֲזָרָה, בְּגִין אִינּוּן דְּאִתְחָזוּן תַּמָּן דְּכוּרִין. הֲווּ שָׁתָאן מִן מַיָּא, לָא חַיְישֵׁי בְּנוּקְבֵי, בְּמֵיתֵיהוֹן לְאִתְחֲזָאָה קַמֵּי מַלְכָּא קַדִּישָׁא. תּוּ, דְּהָא יִתְפַּקְחוּן לְמִנְדַּע מִלִּין סְתִימִין דְּמַלְכָּא עִלָּאָה, גּוֹ מַקְדְּשָׁא דָּא כָּל הִרְהוּרִין יִשְׁתַּכְּחוּן, בַּר הִרְהוּרָא דְּחֶדְוָה דְּמַלְכָּא קַדִּישָׁא.

קסה. עַנְפָּא חַד נָפִיק, גּוֹ אֶמְצָעוּ דְּהַהוּא מַעְיָינָא. אָמַר רַב מְתִיבְתָּא, כַּד קָרִיבְנָא לְהַהוּא עַנְפָּא גּוֹ מַעְיָינָא, אִסְתַּלַּק עַנְפָּא לְעֵילָּא לְעֵילָּא, כָּל מַה דְּקָרִיבְנָא, הָכִי אִסְתַּלַּק, יְסוֹדָא וְשָׁרְשָׁא דְּהַהוּא עַנְפָּא לָאו אִיהוּ אֶלָּא בְּמַיָּא. הַהוּא עַנְפָּא חָפֵי עָלְמִין. כָּל גַּוְונִין דְּעָלְמָא בְּאִינּוּן טַרְפִּין דִּילֵיהּ. אִיבָּא דִּילֵיהּ, לָא יְדִיעַ מַהוּ. וְלָא יַכְלִין לְמִנְדַּע. וְאָמַר, דְּקָא שָׁאִיל לִמְשִׁיחַ עַל הַהוּא אִיבָּא, וְאָמַר, אִיבָּא דָּא גָּנִיז, לְאִישׁ מִשְׁעַנְתּוֹ בְּיָדוֹ מֵרוֹב

יָמִים. מַאן דְּזָכֵי לְמִנְדַּע דָּא, לִינְדַּע.

קסו. רָקִיעַ חַד אִית עַל הַהוּא עַנְפָּא, פָּרִישׂ לְעֵילָּא. מֵהַהוּא רָקִיעַ, אָזִיל טַלָּא ע״ג מַעְיָינָא דָּא, וְלָא יַתִּיר. כַּד אִסְתַּכַּל ב״נ לְהַהוּא רָקִיעַ מֵרָחִיק, דָּמֵי תִּכְלָא קָרִיב יַתִּיר, דָּמֵי סוּמָקָא. קָרִיב יַתִּיר, דָּמֵי יָרוֹק, קָרוֹב יַתִּיר, דָּמֵי חִוָּור, דְּלֵית חִוָּור בְּעָלְמָא כְּגַוְונֵיהּ. טַלָּא דְּקָא אָזִיל מִנֵּיהּ, אִשְׁתְּאִיב בְּהַהוּא עַנְפָּא, וְעָבֵיד אִיבָּא דָּא, וְאִתְרַבֵּי. הַהוּא רְקִיעָא, אִיהוּ אָזִיל בְּגַלְגּוּלָא יַתִּיר, מִמַּה דְּעַיְינִין יַכְלִין לְאִסְתַּכְּלָא.

קסז. כָּל אִינּוּן נְטוּרֵי קַיָּימָא קַדִּישָׁא, בָּעוּ לְאִתְחֲזָאָה קַמֵּי מַלְכָּא, דְּהָא לָא אִתְחָזוּן, אֶלָּא בְּגִין לְאַחֲזָאָה דְּאִינּוּן בְּנֵי גְּזִירוּ קַדִּישָׁא. וְעַ״ד יֵרָאֶה כָּל זְכוּרְךָ, אִינּוּן בְּנֵי קַיָּימָא קַדִּישָׁא. דַּיְּיק רַב מְתִיבְתָּא, זְכוּרְךָ, וְלָא זְכָרְךָ. דְּהָא זָכָר כְּתִיב, וְלָא זָכוּר, מַאי זְכוּרְךָ אֶלָּא כָּל אִינּוּן דְּנַטְרִין קַיָּימָא קַדִּישָׁא, וְלָא חָבְאן בֵּיהּ, אִינּוּן הֲווּ בְּנֵי מַלְכָּא, דִּבְכָל יוֹמָא מִשְׁתַּבַּח בְּהוּ וְדָכִיר לוֹן תָּדִיר. וְעַ״ד זְכוּרְךָ, הַהוּא דְּאִית בֵּיהּ קַיָּימָא קַדִּישָׁא, דְּדָכִיר לוֹן מַלְכָּא בְּכָל יוֹמָא, דְּלֵית שְׁבָחָא קַמֵּי מַלְכָּא עִלָּאָה, אֶלָּא כְּמַאן דְּנָטִיר קַיָּימָא דָּא.

קסח. וְעַ״ד בָּעֵי דְּיִתְחֲזוּן תְּלַת זִמְנִין בְּשַׁתָּא קַמֵּיהּ. תְּלַת זִמְנִין אֲמַאי. אֶלָּא בְּגִין אֲבָהָן קַדְמָאֵי, דְּקַבִּילוּ לְהַאי בְּרִית, קַדְמָאָה לְכָל פִּקּוּדִין דְּאוֹרַיְיתָא, וּבְגִ״כ תְּלַת זִמְנִין אִינּוּן בְּשַׁתָּא. אַבְרָהָם קַבִּיל בְּרִית. יִצְחָק קַבִּיל בְּרִית. יַעֲקֹב הֲוָה שְׁלִים מִכֻּלְּהוּ, וְעַ״ד כְּתִיב בֵּיהּ, וְיַעֲקֹב אִישׁ תָּם, שְׁלִים מִכֹּלָּא.

קסט. אַבְרָהָם תָּמִים אִקְרֵי, וְלָא הֲוָה כ״כ שְׁלִים, אֲבָל תָּם: שְׁלִים מִכֹּלָּא. מַה כְּתִיב בְּנֹחַ, אִישׁ צַדִּיק תָּמִים הָיָה בְּדוֹרוֹתָיו. הֲוָה רְשִׁים בִּרְשִׁימוּ קַדִּישָׁא בֵּינַיְיהוּ. וְאָמַר רַב מְתִיבְתָּא, בְּכָל אֲתַר דִּכְתִיב תָּמִים, דְּרָשִׁים בִּרְשִׁימוּ קַדִּישָׁא, בְּאָת קַיָּימָא דִּבְרִית, וּבְגִין דְּנָטַר בְּרִית, אִקְרֵי תָּמִים בְּדוֹרוֹתָיו. מַה דְּלָא הֲווּ כֻּלְּהוּ הָכִי, דְּאִינּוּן מְחַבְּלָן אָרְחַיְיהוּ.

קע. וְעַ״ד כְּתִיב, אֶת הָאֱלֹהִים הִתְהַלֶּךְ נֹחַ. וְכִי מַאן יָכִיל לְמֵיהַךְ עִמֵּיהּ. אֶלָּא כָּל מַאן דְּנָטִיר בְּרִית קַדִּישָׁא, אִזְדַּוְּוגַת בֵּיהּ שְׁכִינְתָּא, וְשָׁרְיָא עָלֵיהּ. וּבְגִ״כ, תָּמִים תִּהְיֶה עִם יְיָ׳ אֱלֹהֶיךָ. תָּמִים תִּהְיֶה, וּלְבָתַר עִם יְיָ׳ אֱלֹהֶיךָ. בְּזִוּוּגָא חֲדָא. דְּכֵיוָן דְּנָטִיר בְּרִית דָּא, עִם יְיָ׳ לֶהֱוֵי, וְלָא אִתְפְּרַשׁ מִנֵּיהּ.

קעא. בְּאַבְרָהָם כְּתִיב, הִתְהַלֵּךְ לְפָנַי וֶהְיֵה תָמִים, גְּזִירוּ דְּאָת קַיָּימָא. הִתְהַלֵּךְ לְפָנַי, מֵהָכָא, דְּלָא יְהָךְ גָּבֶר בָּתַר אִתְּתָא, אֶלָּא קַמָּהָא, אֹרַח כָּשֵׁר אִיהוּ וְהָא כְּתִיב, הִנֵּה אָנֹכִי שׁוֹלֵחַ מַלְאָךְ לְפָנֶיךָ. וְשָׁלַחְתִּי לְפָנֶיךָ מַלְאָךְ. לְאַבְרָהָם דְּלָא הֲוָה גָּזִיר, דְּחָזָה לֵיהּ לְקַמֵּהּ. וְעַ״ד לָא כְּתִיב הֱיֵה תָמִים, וְהִתְהַלֵּךְ לְפָנַי. אֶלָּא הִתְהַלֵּךְ לְפָנַי, דְּלָא יֵאוֹת אַנְתְּ, עַד שֶׁתְּהֵא תָמִים. וְכֵן בְּכֻלְּהוּ, כֵּיוָן דְּב״נ תָּמִים, וְנָטִיר לֵיהּ, מִיַּד הִיא לְקַמֵּיהּ, וְאִיהוּ אֲבַתְרָהּ, כָּשֵׁר אִיהוּ לְדָא. לְגָרְעוּנָא מַה כְּתִיב, כִּי שָׁב מֵאַחֲרַי.

קעב. נֹחַ גָּזִיר הֲוָה, וְתָמִים, פְּרִיעָה לָא הֲוָה בֵּיהּ, וּבְגִין דְּלָא הֲוָה בֵּיהּ פְּרִיעָה מַה כְּתִיב, אֶת הָאֱלֹהִים, וְלָא אַחַר הָאֱלֹהִים, לְקַמָּא לָא הֲוָה, בְּגִין דַּהֲוָה גְּזִיר, לַאֲחוֹרָא לָא הֲוָה, בְּגִין דְּלָא אִתְפְּרַע. אֵיךְ הֲוָה. אֶת הָאֱלֹהִים, סָמִיךְ לֵיהּ, וְלָא יָכִיל לְאִסְתַּכְּלָא בֵּיהּ, דְּלָאו כָּשֵׁר כ״כ.

קעג. בְּיִשְׂרָאֵל כְּתִיב, וַיְיָ׳ הוֹלֵךְ לִפְנֵיהֶם יוֹמָם בְּעַמּוּד עָנָן וְלַיְלָה בְּעַמּוּד אֵשׁ וְגוֹ׳. כֵּיוָן דְּאָמְרוּ יִשְׂרָאֵל, הֲמִבְּלִי אֵין קְבָרִים בְּמִצְרַיִם וְגוֹ׳. כִּי טוֹב לָנוּ עֲבוֹד אֶת מִצְרַיִם. כִּבְיָכוֹל, אִתְחֲלַשׁ דַּעְתָּא. כְּתִיב וַיִּסַּע מַלְאַךְ הָאֱלֹהִים הַהוֹלֵךְ לִפְנֵי מַחֲנֵה יִשְׂרָאֵל וַיֵּלֶךְ

מאחוריהם, ויסע למעבד בהו נוקמין.

קעד. וע״ד וודאי משיח, וחדי רב מתיבתא, דקא אתבשר בדא. ואמר רב מתיבתא, דהא דייק למשיח ואמר, מנא הוה לדניאל דקאמר, פריס פריסת מלכותך ויהיבת למדי ופרס. מאינון אתוון דופרסין אשתמע ליה. והכא מאי הוא. א״ל, הכי הוא ודאי, פריס פריסת מלכותך וחייבא, ע״י דמשיח אחרא, ולבתר ישלוט מלך פרס, ויטול מלכוון סגיאין, והוא ישלט על ארעא קדישא תריסר ירחי, והוא ישלוט ויקטול סגיאין, וההוא משיחא, ולבתר יפול, ויקבלון מלכותא קדישי עליונין. וע״ד, ופרסין, מלכא דפרס, אשתמע הכא.

קעה. אי חסידא קדישא, כמה חדוה על חדוה, בההוא מעיינא. בההוא מעיינא, מגדלא כל זיני אילנין, דנציב קודשא בריך הוא בג״ע, וכלהו קיימי לאסוותא, טרפין ואיבין וענפין, ולחדו לבא תדיר. ולית ביניהו כפנא, ודאגה, ואנחה, לעלמין. זכאה עמא דכל דא מזומן, וכל דא גניז לון.

קעו. אר״ש, בקרקע דהאי מקדשא, אית מאלין פליאן, א״ל, אי רבי, אי ר׳, זכאה וחולקך דכל האי. בההוא. ע״ג ההוא מעיינא רקיעא, אבל לית מאן דיכיל לאסתכלא ביה, לזמנין נהירו דיליה נהורא. לזמנין חשוכא, לזמנין גוון ארגוונא. מנצצן דלא יכלין עיינין לאסתכלא לעילא. ההיא דשאלת חסידא קדישא, מההוא קרקע דמקדשא, רב מתיבתא לא פריש מניה, דהא גניז איהו גו ירדנא, והא אמינא לך מה דאמינא, אבל נשאל מלה דא, ותנדע מה דתנדע.

קעז. ירדן דא, עאל ואתמשך זמנא חדא בשתא, גו ההוא נהר דנפיק מעדן, לאו מאינון ארבע נהרין דאתמשכן מניה, אלא ביה ממש. כיון דמטי לגביה, איהו אתמשך ואתפשט ועאל גו ירדנא. וכיון דמטי גו קרקע דמקדשא, אשתכח תמן תלת יומין, ולא אתפשט ולא אתמשך לאתר אחרא. ואמר רב מתיבתא, דכד אהדר ההוא נהר לאתריה, שביק תמן, כל זיני ציורין, דקא עביד קודשא בריך הוא בג״ע, דאינון ציורין גניזין, דתחות דוכתייהו.

קעח. אלין הכא ואלין הכא, וסלקי ונחתי כדקדמיתא. בההוא סטר דרום, אית תלת מאה וחמשין עמודין, מכל זיני מרגלאן. ואלין אינון דנהרין תדיר, ונטפין בוסמין טמירין, דלא אתגלו לעלמין. ארבע אגנין בכל עמודא ועמודא נציצין. וכד אינון בוסמין נטפין, מאינון עמודין, נפלי בהו, ואתמליין כלהו אגנות, ולא נפקין בוסמין לבר.

קעט. מאינון בוסמין, זמינין לזמנא דאתי, לאקטרא בכל יומא קטורתא, קמי מלכא קדישא. דלא יהוו מכתישו דבני נשא. אינון בוסמין לא ידיע עקרא דלהון, ומה הוו, אלא מאינון עמודין נפלין תמן.

קפ. תרין נשרין בכל עמודא ועמודא, מתנצצן ומתלהטין בכל גוונין. שבע מאה נשרין. אינון, פרוחין, אלין הכא ואלין הכא, בגלגולא דעמודין. כד אסתחרן, לא יכלין עיינין לאסתכלא, דוכתא דבהו.

קפא. תלת אתוון בלטין ופרוחין, מפומא דא לפומא דא. בגלגולא דעמודין ונשרין. כל אינון אתוון מרקמן באשא חוורא, ודהבא ירוקא. תרין אלפין ומאה מנרתין, תליין בין אינון עמודין. ותרין אלפין ומאה שרגין, בכל מנרתא ומנרתא. דלקין ביממא, ובליליא מתדעכי, על צערא דישראל. כד אתי צפרא, דלקין כלהו מגרמייהו.

קְפב. אַדְהָווּ יַתְבֵי, אַמְרֵי הָא רָמַשׁ לֵילְיָא. א"ל לְר"ש, אִי חֲסִידָא קַדִּישָׁא, נְהִירוּ דְּעָלְמָא, טוֹל פִּנְקְסָא דְּאוּמְתָא דָּא, וְטוֹל שְׁרָגָא, וּכְתוּב מִלִּין אִלֵּין, דְּהָא מָטָא זִמְנָא דִּילָן, לְפַקְדָא כָּל חַד וְחַד לְגוֹ קִבְרֵיהּ, עַד פַּלְגּוּ לֵילְיָא, דְּקוּדְשָׁא בְּרִיךְ הוּא עָאל גּוֹ גִּנְתָּא לְאִשְׁתַּעְשְׁעָא בַּהֲדֵי צַדִּיקַיָּא וּכְדֵין כָּל חַד וְחַד פָּרַח לְתַמָּן. וּלְמָחָר נֶהֱוֵי גַּבָּךְ, הוֹאִיל וִיהָבוּ לָן רְשׁוּ, לְאַשְׁלְמָא דּוֹרוֹנָא דְּקָא מְשַׁדְּרֵי לָךְ. פָּרְחוּ, בָּכָה ר"ש וְנָעָא.

קְפג. פָּתַח וְאָמַר, אַיֶּלֶת אֲהָבִים וְיַעֲלַת חֵן דַּדֶּיהָ יְרַוֻּךָ בְכָל עֵת בְּאַהֲבָתָהּ תִּשְׁגֶּה תָמִיד. אוֹרַיְיתָא אוֹרַיְיתָא, נְהִירוּ דְּכָל עָלְמִין, כַּמָּה יַמִּין, וְנַחֲלִין, וּמְקוֹרִין, וּמַבּוּעִין, מִתְפַּשְׁטֵי מִנָּךְ לְכָל סִטְרִין. מִנָּךְ כֹּלָּא, עֲלָךְ קַיְימֵי עִלָּאִין וְתַתָּאִין, נְהִירוּ עִלָּאָה מִנָּךְ נָפְקָא. אוֹרַיְיתָא אוֹרַיְיתָא, מָה אֵימָא לְגַבָּךְ, אַיֶּלֶת אֲהָבִים אַנְתְּ, וְיַעֲלַת חֵן עֵילָּא וְתַתָּא רְחִימִין דִּילָךְ. מַאן יִזְכֵּי לְיַנְקָא מִנָּךְ כִּדְקָא יָאוּת. אוֹרַיְיתָא אוֹרַיְיתָא שַׁעֲשׁוּעִים דְּמָארָךְ, מַאן יָכִיל לְגַלָּאָה, וּלְמֵימַר סִתְרִין וּגְנִיזִין דִּילָךְ. בָּכָה, וְאָעִיל רֵישֵׁיהּ בֵּין בִּרְכוֹי, וְנָשַׁק לְעַפְרָא.

קְפד. אַדְהָכִי חָמָא כַּמָּה דְּיוֹקְנִין דְּחַבְרַיָּיא סַחֲרָנֵיהּ. א"ל, לָא תִּדְחַל בְּרֵיהּ דְּיוֹחָאי, לָא תִּדְחַל בּוֹצִינָא קַדִּישָׁא, כְּתוֹב וְחַדֵּי גּוֹ חֶדְוָה דְּמָארָךְ. כָּתַב כָּל אִינּוּן מִלִּין דְּשָׁמַע בְּהַהוּא לֵילְיָא, וְלָעָא לוֹן, וְלָהַג לוֹן, וְלָא אַנְשֵׁי מִלָּה. וְהַהוּא שְׁרָגָא נָהִיר קַמֵּיהּ כָּל הַהוּא לֵילְיָא, עַד דְּאָתָא צַפְרָא. כַּד אָתָא צַפְרָא, זָקַף עֵינוֹי, וְחָמָא חַד נְהִירוּ דַּהֲוָה נָהִיר בִּרְקִיעָא, מָאִיךְ עֵינוֹי לְתַתָּא. אַהְדַּר כְּמִלְּקַדְמִין, וְחָמָא נְהִירוּ בְּכָל רְקִיעַ, דְּנָהִיר וְסָלִיק בְּהַהוּא נְהִירוּ דְּיוֹקְנָא דְּבֵיתָא, בְּכַמָּה צִיּוּרִין. חַדָּא ר"ש, וּלְפוּם רִגְעָא, אִגְנִיז הַהוּא נְהוֹרָא.

קְפה. אַדְהָכִי, הָא אִינּוּן תְּרֵין שְׁלִיחָן אַתְיָין. אַשְׁכְּחוּהוּ רֵישֵׁיהּ בֵּין בִּרְכוֹי. אָמְרוּ לֵיהּ שְׁלָמָא עָלֵיהּ דְּמָר, שְׁלָמָא לְמַאן דְּעִלָּאִין וְתַתָּאִין בָּעָאן לְאַקְדָּמָא לֵיהּ שְׁלָם. קוּם. קָם ר"ש וַחֲדָא בְּהוּ. אָמְרוּ לֵיהּ, וְלָא חָמֵית נַיְיחָא דְּרוּחָא דְּעָבֵד לָךְ מָארָךְ, וְחָמֵית נְהִירוּ דְּבֵיתָא בִּרְקִיעָא. אָמַר לוֹן חֲמֵינָא, אָמְרוּ לֵיהּ בֵּיהּ שַׁעֲתָא, אַפִּיק תְּהוֹמָא בֵּי מַקְדְּשָׁא, וְאַעְבְּרֵיהּ קוּדְשָׁא בְּרִיךְ הוּא בְּיַמָּא רַבָּא, וּמִנְּהִירוּ דִּילֵיהּ, הֲוָה נָהִיר בִּרְקִיעָא.

קְפו. אָמְרוּ לֵיהּ, רַב מְתִיבְתָּא בָּעָא בִּשְׁלָמָךְ, וְהָא יָדַע דַּאֲנָן שְׁלִיחָן לְגַבָּךְ. וְכַמָּה מִלִּין חַדְתִּין עַתִּיקִין, אִתְחַדַּשׁ בְּאוֹרַיְיתָא בְּהַאי לֵילְיָא. אָמַר לוֹן, בְּמָטוּ מִנַּיְיכוּ, אִמְרוּ חַד מִלָּה מִנַּיְיהוּ. אָמְרוּ, לָא אִתְיְהִיב לָן רְשׁוּ לְמַאי דְּאָתֵינָן לְגַבָּךְ, אֲבָל מִלָּה חַדְתָּא הֲוָה לְגַבָּךְ הַשְׁתָּא.

קְפז. פָּתַח רַב מְתִיבְתָּא וְאָמַר וַיֹּאמֶר יְיָ' אֶל אַבְרָם לֶךְ לְךָ מֵאַרְצְךָ וְגוֹ', דָּא בְּגִין דְּאִתְנְהָרָא בֵּיהּ נְהִירוּ כְּגַוְונָא דָּא. מַאן דְּלָא זָכֵי בְּאַתַר דָּא, יְהָךְ וְיִנְטַל גַּרְמֵיהּ לַאֲתַר אָחֳרָא, וְיִזְכֶּה בֵּיהּ. אָעָא דְּדָלִיק, וּנְהוֹרָא לָא סָלִיק וְנָהִיר בֵּיהּ, יְנַעְנְעוּן לֵיהּ, וְיִסְלַק בֵּיהּ נְהוֹרָא, וְאַנְהִיר. וַהֲוֵינָן זְמִינִין לְמִשְׁמַע, אֲבָל בְּגִין לְמֵיתֵי גַּבָּךְ, לָא בָּעֵינָן לְאִתְעַכְּבָא, וְחַדֵּי ר' שִׁמְעוֹן.

קְפח. אָמְרוּ לֵיהּ, אִי חֲסִידָא קַדִּישָׁא, כָּל מִלִּין דִּי בְּגַוָּון בְּאוֹרַיְיתָא, מִלִּין זְעִירִין אִינּוּן, בְּכָל מִלָּה וּמִלָּה. וְאִינּוּן מִלִּין זְעִירִין, כַּמָּה אִינּוּן מִלִּין רַבְרְבִין וְעִלָּאִין, עַד דְּלֵית לוֹן שִׁיעוּרָא. דְּהָא לֵית בְּגַוָּון סְפֵקָא, אֶלָּא בְּרִירוּ דְּאוֹרַיְיתָא עַל בּוּרְיֵיהּ. וְהַשְׁתָּא רַב מְתִיבְתָּא פָּרִישׁ מִלִּין סְתִימִין עַל דָּא, בְּגִין דְּעִקָּרָא דְּנִשְׁמְתָא, אַמַּאי לָא נָהִיר בְּאַתַר דָּא, וְזָכֵי לְאִתְנְהָרָא בַּאֲתַר אָחֳרָא. וְעַד כְּעַן לָא זָכֵינָן בְּהוּ, בְּגִין לְמֵיתֵי גַּבָּךְ.

קְפט. וּמִלָּה אָחֳרָא זָכֵינָן לְמִשְׁמַע מִנֵּיהּ, רוּחָא דְּאָזְלָא בְּעַרְטוּרָא בְּהַהוּא עָלְמָא

בְּלָא בִּנְיָן, אִנְתְּתֵיהּ יִתְעֲבִיד לֵיהּ מָאנָא לְאִתְבְּנָאָה אִיהוּ. מַאי טַעֲמָא. אִנְתְּתֵיהּ אִיהִי שְׁרָגָא, דְּאִתְדְּלִיקַת מִנֵּיהּ, וְתַרְוַויְיהוּ שְׁרָגָא וְחָדָא הֲווּ, נְהוֹרָא דָּא נָפַק מִנְּהוֹרָא דָּא, אִתְדָּעַךְ דָּא, אִתְדְּלִיק מִגּוֹ נְהוֹרֵיהּ מַמָּשׁ, בְּגִין דְּחָדָא נְהוֹרָא הֲווּ.

קצ. הַשְׁתָּא רַבִּי, נֶהְדַּר לְמִלִּין קַדְמָאִין, וְכַד נֶהְדַּר לְאַתְרִין, נִטּוֹל רְשׁוּ מֵרַב מְתִיבְתָּא, בְּאִינּוּן מִלִּין דְּנִקְבֵּל מִנֵּיהּ, וְנֵימָא קַמָּךְ. זַכָּאָה ווּלָקָךְ, דְּאַתְּ זָכֵי לִנְהוֹרִין סְתִימִין, מִכָּל סִטְרִין, מֵעֵילָּא וּמִתַּתָּא, מֵהַאי עָלְמָא, וּמֵעָלְמָא אוּחֲרָא. אָמַר ר׳ שִׁמְעוֹן, מִלָּה וְחָדָא בְּעֵינָא לְמִנְדַּע, אִי תֵּיכוּל לְאוֹדָעָא לִי. נָשִׁין בְּהַהוּא עָלְמָא, אִי זַכָּאִין לְסַלְּקָא לְעֵילָּא, אוֹ הֵיךְ אִינּוּן תַּמָּן. אָמַר לֵיהּ, אִי רַבִּי אִי רַבִּי, בְּדָא אִית לָן רָזָא יַקִּירָא. בְּגִין דְּלָא לְגַלָּאָה סִתְרִין דְּתַמָּן, אֲבָל דָּא יְהַךְ וְיִטּוֹל רְשׁוּ, וְנֵימָא לָךְ. אַדְּהָכִי פָּרַח וְזַד, וְאִתְכַּסֵּי מִנַּיְיהוּ, וְאָזַל לֵיהּ.

קצא. וּלְפוּם שַׁעֲתָא תָּב לְגַבַּיְיהוּ, אֲמַר לוֹן, זְמִינָא הֲוֵינָא לְמֵיעָאל, וַהֲווּ כֻּלְּהוּ בְּעִטּוּרָא וְחָדָא, דְּהַיְּינֵי דִּינָא דְּחַד בַּר נָשׁ, דְּקָאֵים עַל פִּתְחָא דְּגַן עֵדֶן, וְאִינּוּן כְּרוּבִין אֲחִידוּ בֵּיהּ, וְלָא שַׁבְקוּ לֵיהּ לְמֵיעָאל תַּמָּן, וַהֲוָה בְּצַעֲרָא בֵּינַיְיהוּ, וְצָוַוח צְווּחִין עַל גַּבֵּי פִּתְחָא, וְשָׁמְעוּ כּוּלְּהוּ צַדִּיקַיָּא דְּתַמָּן, וְהַשְׁתָּא הֲווּ מִתְכַּנְּפֵי כָּל בְּנֵי מְתִיבְתֵּי, לְמֵיעָאל לְגַבֵּי מַלְכָּא מְשִׁיחָא, לְעַיְּינָא בְּדִינֵיהּ. וַאֲתֵינָא לְאוֹדָעָא לְכוּ, וְדָא וַחֲבָרַאי אִצְטְרִיךְ לְמֵהַךְ תַּמָּן, דְּכָרוּזָא הֲוָה אַעְבָּר בְּכָל אִינּוּן בְּנֵי מְתִיבְתֵּי. דְּלֶיהֱווֹן כְּנִישִׁין הַשְׁתָּא קַמֵּי מָשִׁיחַ. נָטַל פִּתְקָא וְחָדָא, וְיָהַב לְר׳ שִׁמְעוֹן. אֲמַר, טוֹל דָּא, וְעַיֵּין בְּמָה דְּתַמָּן, עַד דְּנֵיתֵי גַּבָּךְ, פָּרְחוּ תַּרְוַויְיהוּ.

קצב. וְר׳ שִׁמְעוֹן נָטַל פִּתְקָא, וְחָמָא מַה דְּחָמָא, בְּרָזִין דְּתַמָּן, כָּל הַהוּא יוֹמָא. בְּלֵילְיָא וְחָמָא שְׁרָגָא, וְנָפִיל בֵּיהּ שֵׁינְתָא, וְדָמַךְ עַד צַפְרָא. כַּד נָהַר יְמָמָא, קָם וּפָרַח הַהוּא פִּתְקָא מִנֵּיהּ, וְהָא אִינּוּן תַּרְוַויְיהוּ אַתְיָין, אָמַר לֵיהּ, קוּם רַבִּי, זַכָּאָה ווּלָקָךְ, קוּם. בְּגִינָךְ וְזַמִּינָן וְזָכֵינָן לְכַמָּה סִתְרִין עִלָּאִין, כַּמָּה וְחֶדְוָה אַחְזִיו לָן, כַּד יְהָבוּ רְשׁוּ לְגַלָּאָה לָךְ, כָּל מַה דְּאַתְּ בָּעֵי. רֵישׁ מְתִיבְתָּא עִלָּאָה נָפַק לְגַבָּן, וְאָמַר, שְׁאִילוּ בִּשְׁלָמֵיהּ דְּבַר יוֹחָאי, אַתְרֵיהּ דְּבַר יוֹחָאי, הָא פָּנוּ לֵיהּ מִכַּמָּה יוֹמִין. לֵית מַאן דְּיִקְרַב לְגַבֵּיהּ, זַכָּאָה אִיהוּ.

קצג. רַבִּי רַבִּי, כַּד פָּרַחְנָא מִגַּבָּךְ, עָאלְנָא וְזַמִּינָא כָּל בְּנֵי מְתִיבְתֵּי, דְּהָא מִתְכַּנְּפֵי לְגוֹ הֵיכָלָא וְחָדָא, דְּמָשִׁיחַ תַּמָּן, וְדַיְּינוּ דִּינָא דְּהַהוּא בַּר נָשׁ, דְּקָאֵים עַל פִּתְחָא, שְׁמֵיהּ לֵית לָן רְשׁוּ לְגַלָּאָה. אִצְטַעַר ר׳ שִׁמְעוֹן עַל דָּא, אָמַר לֵיהּ, לָא תִּצְטַעַר רַבִּי עַל דָּא, אַנְתְּ תֵּדַע בְּדָא לֵילְיָא בְּחֶלְמָךְ. אֲבָל דִּינָא דַּיְינוּ עָלֵיהּ, דְּגָזַר מָשִׁיחַ, דְּלֶהֱוֵי הַהוּא בַּר נָשׁ לְבַר בְּהַהוּא צַעֲרָא אַרְבְּעִין יוֹמִין. לְסוֹף אַרְבְּעִין יוֹמִין, יַצַעֲרוּן לֵיהּ בְּדִינָא, בְּצַעֲרָא דְּגֵיהִנָּם, שַׁעֲתָא וּפַלְגָּא.

קצד. וְכָל דָּא, בְּגִין דְּיוֹמָא וְחָדָא, וְחַד מִן וַחֲבְרַיָּיא הֲוָה פָּרִישׁ מִלִּין דְּאוֹרַיְיתָא, כַּד מָטָא לְחַד מִלָּה, יָדַע הַאי ב"נ דְּיִתְכַּשַּׁל בֵּיהּ, וְאָמַר לְחַבְרַיָּיא שְׁתוּקוּ, לָא תֵּימְרוּן מִדֵּי. וּבְגִין דְּשַׁתִּיקוּ וַחֲבְרַיָּיא אִתְכְּשַׁל בְּהַהוּא מִלָּה, וְאִכְסִיף. וְהַהוּא כְּסוּפָא. דְּגָרִים הַאי בַּר נָשׁ, דַּיְינִין לֵיהּ בְּהַאי דִּינָא קַשְׁיָא, בְּגִין דְּלָא בָּעֵי קוּדְשָׁא בְּרִיךְ הוּא לְשַׁבְקָא ווּבָא דְּאוֹרַיְיתָא, אֲפִילּוּ כְּמִלֹּא נִימָא.

קצה. דַּיְינוּ דִּינֵיהּ, וְנָפְקוּ כָּל בְּנֵי מְתִיבְתָּא. וַאֲנָא שָׁאִילְנָא רְשׁוּ, דְּהָא בְּרֵיהּ דְּיוֹחָאי, שָׁאִיל שְׁאֶלְתָּא דָּא. וְעַל דָּא אַחְזִיו לִי, מַה דְּלָא יְדַעְנָא מִקַּדְמַת דְּנָא. אִי רַבִּי, שִׁית הֵיכָלִין אַחְזִיו לִי, בְּכַמָּה עִנּוּגִין וְעִדּוּנִין, בְּאֲתַר דְּפָרוֹכְתָּא פְּרִישָׂא בְּגִנְּתָא. דְּהָא מֵהַהוּא

פָּרוֹכְתָּא וּלְהָלְאָה, לָא עָאלִין דְּכוּרִין כְּלַל.

קצו. בְּהֵיכְלָא חֲדָא, אִית בַּתְיָה בַּת פַּרְעֹה, וְכַמָּה רִבּוֹא וְאַלְפֵי נָשִׁין, זַכְיָין בַּהֲדָהּ, וְכָל חֲדָא וַחֲדָא מִנַּיְיהוּ, דּוּכְתִּין דִּנְהוֹרִין וְעִדּוּנִין, בְּלָא דּוֹחֲקָא כְּלַל אִית לָהּ. תְּלַת זִמְנִין בְּכָל יוֹמָא, כָּרוֹזֵי אַכְרִיזוּ, הָא דְּיוֹקְנָא דְּמֹשֶׁה נְבִיאָה מְהֵימְנָא אָתֵי, וּבַתְיָה נַפְקַת, לַאֲתַר דְּפַרְגּוֹדָא חֲדָא דְּאִית לָהּ, וַחֲמַאת דְּיוֹקְנָא דְּמֹשֶׁה, וְסַגִּידַת לְגַבֵּיהּ, וְאַמְרָה, זַכָּאָה חוּלָקֵי דְּרַבִּיתִי נְהִירוּ דָּא. וְדָא אִיהוּ עִנּוּגִין דִּילָהּ, יַתִּיר מִכֻּלְּהוּ.

קצז. אַהֲדָרַת לְגַבֵּי נָשִׁין, וְאִשְׁתַּדְּלָן בְּפִקּוּדֵי אוֹרַיְיתָא. כֻּלְּהוּ בְּאִינּוּן דְּיוֹקְנִין דַּהֲווּ בְּהַאי עָלְמָא, בִּלְבוּשָׁא דִּנְהוֹרָא, כִּלְבוּשָׁא דִּדְכוּרִין, בַּר דְּלָא נַהֲרֵי הָכִי, פִּקּוּדִין דְּאוֹרַיְיתָא דְּלָא זָכוּ לְקַיְּימָא לוֹן בְּהַאי עָלְמָא, מִשְׁתַּדְּלֵי בְּהוּ, וּבְטַעֲמַיְיהוּ, בְּהַהוּא עָלְמָא. וְכָל הָנֵי נָשִׁין, דְּיָתְבִין בַּהֲדֵי בַּתְיָה בַּת פַּרְעֹה, אִקְרוּן נָשִׁים שַׁאֲנַנּוֹת, דְּלָא אִצְטָעֲרוּ בְּצַעֲרָא דְּגֵיהִנָּם כְּלַל.

קצח. בְּהֵיכְלָא אַחֲרָא, אִית סֶרַח בַּת אָשֵׁר, וְכַמָּה נָשִׁין רִבּוֹא וְאַלְפִין בַּהֲדָהּ. תְּלַת זִמְנִין בְּיוֹמָא מַכְרִיזִין קַמֵּהּ, הָא דְּיוֹקְנָא דְּיוֹסֵף צַדִּיקָא אָתָא, וְאִיהִי חַדָּאת, וְנַפְקַת לְגַבֵּי פַּרְגּוֹדָא חֲדָא דְּאִית לָהּ, וַחֲמַאת נְהִירוּ דִּדְיוֹקְנָא דְּיוֹסֵף, וְחַדָּאת, וְסַגִּידַת לְגַבֵּיהּ, וְאַמְרַת, זַכָּאָה הַאי יוֹמָא, דְּאִתְעָרִית בְּשׂוֹרָה דִּילָךְ לְגַבֵּי סָבַאי. לְבָתַר אַהֲדָרַת לְגַבֵּי שְׁאָר נָשִׁין, וּמִשְׁתַּדְּלִין בְּתוּשְׁבְּחָן דְּמָארֵי עָלְמָא, וּלְאוֹדָאָה שְׁמֵיהּ. וְכַמָּה דּוּכְתִּין וְחֵידוּ, אִית לְכָל חֲדָא וַחֲדָא. וּלְבָתַר אַהֲדְרָן לְאִשְׁתַּדְּלָא בְּפִקּוּדֵי אוֹרַיְיתָא, וּבְטַעֲמַיְיהוּ.

קצט. בְּהֵיכְלָא אַחֲרָא, אִית יוֹכֶבֶד, אִמֵּיהּ דְּמֹשֶׁה נְבִיאָה מְהֵימְנָא, וְכַמָּה אַלְפִין וְרִבְבָן בַּהֲדָהּ. בְּהֵיכְלָא דָּא, לָא מַכְרִיזֵי כְּלַל, אֶלָּא ג' זִמְנִין בְּכָל יוֹמָא וְיוֹמָא, אוֹדַת וּמְשַׁבַּחַת לְמָארֵי עָלְמָא, אִיהִי וְכָל אִינּוּן נָשִׁין דִּי בַּהֲדָהּ. וְשִׁירָתָא דְּיַמָּא מְזַמְּרִין בְּכָל יוֹמָא, וְאִיהִי בִּלְחוֹדָהָא אַמְרַת מֵהָכָא, וַתִּקַּח מִרְיָם הַנְּבִיאָה וְגו', אֶת הַתֹּף בְּיָדָהּ וְגו'. וְכָל אִינּוּן צַדִּיקַיָּיא דִּי בְּגַן עֵדֶן, צַיְיתִין לְקָל נְעִימוּ דִּילָהּ. וְכַמָּה מַלְאָכִין קַדִּישִׁין אוֹדָאן וּמְשַׁבְּחָן עִמָּהּ לִשְׁמָא קַדִּישָׁא.

ר. בְּהֵיכְלָא אַחֲרָא, אִית דְּבוֹרָה, אוּף הָכִי וְכָל שְׁאָר נָשִׁין בַּהֲדָהּ, אוֹדָן וּמְזַמְּרָן בְּהַהִיא שִׁירָתָא דְּאִיהִי אַמְרַת בְּהַאי עָלְמָא. אִי רַבִּי, אִי רַבִּי, מַאן חָמֵי חֶדְוָה דְּצַדִּיקַיָּיא, וּדְנָשִׁין זַכְיָין דְּעָבְדִין לְגַבֵּי קוּדְשָׁא בְּרִיךְ הוּא. לְגוֹ לְגוֹ דְּאִינּוּן הֵיכָלִין, אִית אַרְבַּע הֵיכָלִין טְמִירִין, דְּאִמָּהָן קַדִּישִׁין דְּלָא אִתְמְסָרָן לְאִתְגַּלָּאָה, וְלֵית מַאן דְּחָמֵי לוֹן. בְּכוּלֵיהּ יוֹמָא אִינּוּן בִּלְחוֹדַיְיהוּ, כְּמָה דְּאָמֵינָא לָךְ, וְגוּבְרִין אוּף הָכִי.

רא. וּבְכָל לֵילְיָא אִתְכְּלִילָן כֻּלְּהוּ כַּחֲדָא, בְּגִין דְּשַׁעֲתָא דְּזִוּוּגָא אִיהוּ בְּפַלְגוּת לֵילְיָא, בֵּין בְּהַאי עָלְמָא, בֵּין בְּהַהוּא עָלְמָא. זִוּוּגָא דְּהַהוּא עָלְמָא, אִתְדַּבְּקוּתָא דְּנִשְׁמָתָא בְּנִשְׁמָתָא נְהוֹרָא בִּנְהוֹרָא. זִוּוּגָא דְּהַאי עָלְמָא, גּוּפָא בְּגוּפָא. וְכֹלָּא כְּמָה דְּאִתְחֲזֵי, זִינָא בָּתַר זִינֵיהּ, זִוּוּגָא בָּתַר זִוּוּגָא, גּוּפָא, בָּתַר גּוּפָא זִוּוּגָא דְּהַהוּא עָלְמָא, נְהוֹרָא בָּתַר נְהוֹרָא. הֵיכָלִין דְּאַרְבַּע אִמָּהָן, אִקְרוּן הֵיכָלִין דִּבְנוֹת בּוּטְווֹת. וְלָא זָכֵינָא בְּהוּ לְמֵחֱמֵי. זַכָּאָה חוּלָקֵיהוֹן דְּצַדִּיקַיָּיא, גּוּבְרִין וְנוּקְבֵי דְּאַזְלֵי בְּאֹרַח מֵישָׁר בְּהַאי עָלְמָא, וְזַכְאִין לְכֻלְּהוּ עִנּוּגִין דְּהַהוּא עָלְמָא.

רב. אִי רַבִּי, אִי רַבִּי, אִלְמָלֵא בַּר יוֹחָאי אַנְתְּ, לָא אִתְמְסַר לְגַלָּאָה. זִוּוּגָא דְּהַהוּא עָלְמָא, אִתְעֲבֵיד אִיבָּא יַתִּיר, מֵאִיבָּא דְּאִתְעֲבֵיד בְּהַאי עָלְמָא. בְּזִוּוּגָא דִּלְהוֹן, בְּזִוּוּגָא דְּהַהוּא עָלְמָא, בְּתִיאוּבְתָּא דִּלְהוֹן כַּחֲדָא, כַּד מִתְדַּבְּקָן נִשְׁמָתִין דָּא עִם דָּא, עָבְדֵי אִיבִּין, וְנַפְקֵי נְהוֹרִין מִנַּיְיהוּ, וְאִתְעֲבִידוּ שְׁרָגִין. וְאִינּוּן נִשְׁמָתִין, לְגִיּוֹרִין דְּמִתְגַּיְירִין, וְכָל הָנֵי עָיְילִין לְהֵיכָלָא חֲדָא.

רג. וכד מתגיירא גיורא וחדא, פרחא מההוא היכלא נשמתא, ועאלת תחות גדפהא דשכינתא, ונשקת לה, בגין דאיהו איבא דצדיקייא, ומשדרת לה לגו ההוא גיורא, ושראת ביה. ומההוא זמנא, אקרי גר צדק. והיינו רזא דכתיב, פרי צדיק עץ חיים. מה אילנא דחיי אפיק נשמתין, אוף הכי צדיק, איבא דיליה עביד נשמתין.

רד. רב מתיבתא אמר, כתיב ותהי שרי עקרה אין לה ולד. ממאי דאמר ותהי שרי עקרה, לית אנא יודע דלית לה ולד, מאי אין לה ולד. אלא הכי אמר רב מתיבתא, ולד לא הות מולדא, אבל נשמתין הות מולדא כאתדבקותא דתיאובתא דאינון תרין זכאין, הוו מולידי נשמתין לגיורי כל ההוא זמנא דהוו בחרן. כמה דעבדין צדיקייא בגן עדן. כמה דכתיב, ואת הנפש אשר עשו בחרן, נפש עשו ודאי.

רה. חדי ר"ש, א"ל ההוא גברא, אי רבי, מה אימא לך, בכל ריש ירחי ושבתי ומועדייא וזמניא, אינון דכורין סלקין לאתחזאה קמי מלכא קדישא, דכורין ולא נוקבין, כד"א יראה כל זכורך. וכד אהדרן מהדרן בכמה מלי חדתין, ואהדרן מלין קמי רב מתיבתא.

רו. יומא דא אהדרן מלין חדתין קמי רב מתיבתא, על רזין עתיקין, צדיק וטוב לו, צדיק ורע לו. דכלהו סלקין גו מתקלא דאילנא, עד לא ייתון לעלמא, וכפום טקלא דמתקלא, הכי אית לון בהאי עלמא. רב מתיבתא, נחית וגלי ממה דשמע לעילא, מלה חדא גלי ולא יתיר. אעא דלא סליק נהוריה, יבטשון ביה ואנהיר. גופא דלא סלקא ביה נהורא דנשמתא, יבטשון ביה, ויסלק נהירו דנשמתא, ויתאחדון דא בדא לאנהרא.

רז. בגין דאית גופא דנהירו דנשמתא לא נהיר ביה, עד דיבטשון ביה, כדין נהיר נהירו דנשמתא, ואתאחדת בגופא, וגופא אתאחד בה. גופא כדין סליק נהירו מגו נשמתא, מהדר מרומם ומשבח, מצלי צלותיה ובעותיה, מברך למאריה, הא כדין כלא נהיר. בגין דאית גופא, דלא יכילת נשמתא לאנהרא ביה, עד דיבטשון ביה, כדין נהיר ואתאחד דא בדא. אית אעא דלא אתאחד בנהורא, ולא סליק נהורא ביה, עד דיבטשון ביה, וכדין נהיר.

רח. סטרא אחרא, בעי למעבד הכי, ובטש בחוביא, וכל מה דבטש, כדין ונר רשעים ידעך. מוזרף ומגדף לכל סטרין, ולא יכיל לאנהרא כלל, וכדין כתיב כי מה האדם שיבא אחרי המלך. ובעי לאתדמי ליה, ולא יכיל. ועל דא יי' צדיק יבחן, ובטש ביה, וכדין נהיר ואתקף בנהירו. יבחן, כד"א אבן בחן. גחין ר' שמעון, ונשיק לעפרא. אמר, מלה מלה אבתרך רדיפנא, מיומא דהוינא, והשתא אשתמודעא לי מלה, מגו שרשא ועקרא דכלא.

רט. א"ל, אי רבי, אי רבי, כד סלקין לעילא, כל אינון רוחין דכורין ונוקבין, בההוא זמנא, שמעין מלין חדתין ועתיקין, נחתין ועאלין לגו מתיבתא, ואהדרן מלי קמי רב מתיבתא, ואיהו אוליף לון מלה על קיומיה. כד סלקין מתפשטין מלבושיהון וסלקין. כד נחתי, מתלבשין בלבושיהון דההוא גופא.

רי. אי רבי, אי רבי, כמה חדתין מלין מגו רב מתיבתא. זכאה איהו מאן דאזער גרמיה בהאי עלמא, כמה איהו רב ועלאה בההוא עלמא. והכי פתח רב מתיבתא, מאן דאיהו זעיר, איהו רב. ומאן דאיהו רב, איהו זעיר. דכתיב, ויהיו חיי שרה מאה

שָׁנָה וְעֶשְׂרִים שָׁנָה וְשֶׁבַע שָׁנִים. מֵאָה דְּאִיהוּ חֻשְׁבּוֹן רַב, כְּתִיב בֵּיהּ שָׁנָה, וְעֶשְׂרוּ דְּשָׁנִין, וְחַד אַזְעִיר לֵיהּ. שֶׁבַע, דְּאִיהוּ חֻשְׁבּוֹן זְעֵיר, אַסְגֵּי לֵיהּ, וְרַבֵּי לֵיהּ דִּכְתִּיב שֶׁבַע שָׁנִים. ת"ח, דְּלָא רַבֵּי קוּדְשָׁא בְּרִיךְ הוּא, אֶלָּא לְדַאַזְעִיר. לָא אַזְעִיר אֶלָּא לְדְרַבֵּי. זַכָּאָה אִיהוּ מַאן דְּאַזְעִיר גַּרְמֵיהּ בְּהַאי עָלְמָא, כַּמָּה אִיהוּ רַב בְּעִלּוּיָא בְּהַהוּא עָלְמָא.

רי"א. אַדְּהָכִי שַׁמְעוּ שִׁירָתָא דְּיַמָּא, בְּקָל נְעִימוּ דְּלָא שָׁמְעוּ מִיּוֹמָא דְּאִתְבְּרִיאוּ, קָל נְעִימוּ דְּשִׁירָתָא, כְּהַהוּא נְעִימוּ דַּהֲווֹ אַמְרֵי. וְכַד סַיִּימוּ יְיָ' יִמְלוֹךְ לְעוֹלָם וָעֶד. חָמוּ ד' דְּיוֹקְנִין בִּרְקִיעַ. וְחַד מִנַּיְיהוּ רַב וְעִלָּאָה מִכֻּלְּהוּ. וְהַהוּא רַב וְעִלָּאָה מִנַּיְיהוּ, אִתְּעַר קָלָא וְאָמַר, כֹּה אָמַר יְיָ' זָכַרְתִּי לָךְ חֶסֶד נְעוּרַיִךְ אַהֲבַת כְּלוּלוֹתָיִךְ וְגוֹ'. שָׁאט בִּרְקִיעָא וְאַגְנִיז, קָם אַחֲרָא אֲבַתְרֵיהּ וְאָמַר, וְהוֹלַכְתִּי עִוְרִים בְּדֶרֶךְ לֹא יָדָעוּ וְגוֹ'. סַיִּים וְשָׁאט בִּרְקִיעָא וְאַגְנִיז.

רי"ב. פָּתַח אִידָךְ וְאָמַר, יְשׂוּשׂוּם מִדְבָּר וְצִיָּה וְתָגֵל עֲרָבָה וְתִפְרַח כַּחֲבַצָּלֶת. וְשָׁאט בִּרְקִיעָא, וְאַגְנִיז. פָּתַח אִידָךְ וְאָמַר, כֹּה אָמַר יְיָ' בּוֹרַאֲךָ יַעֲקֹב וְגוֹ', כֹּה אָמַר יְיָ' הַנּוֹתֵן בַּיָּם דָּרֶךְ וּבְמַיִם עַזִּים נְתִיבָה וְגוֹ'. תְּכַבְּדֵנִי חַיַּת הַשָּׂדֶה תַּנִּים וּבְנוֹת יַעֲנָה וְגוֹ'. סַיִּים וְשָׁאט בִּרְקִיעָא, וְאַגְנִיז. כְּדֵין דְּחִילוּ סַגִּיא וְאֵימְתָנִי נָפַל עֲלַיְיהוּ.

רי"ג. כַּד הֲוָה נָהִיר יְמָמָא, קָלָא אִתְּעַר כְּמִלְקַדְּמִין, וְאָמַר, עַמָּא תַּקִּיפָא כְּאַרְיֵה, גִּבָּרִין כְּנִמְרִין, הָבוּ יְקָר לְמָארֵיכוֹן. דִּכְתִּיב עַל כֵּן יְכַבְּדוּךָ עַם עָז וְגוֹ'. שָׁמְעוּ קָל. חֵילִין וּמַשִׁרְיָין דַּהֲווֹ אַמְרֵי, לְךָ יְיָ' הַגְּדוּלָּה וְהַגְּבוּרָה וְהַתִּפְאֶרֶת וְהַנֵּצַח וְהַהוֹד וְגוֹ', עַד וּמְרוֹמַם עַל כָּל בְּרָכָה וּתְהִלָּה. תַּוְוהוּ וְאַזְלוּ. אַדְּהָכִי נָהַר יְמָמָא, אַהַדְרוּ רֵישָׁא, וְחָמוּ כָּל מַדְבְּרָא חָפֵי בַּעֲנָנֵי יְקָר, מְנַהֲרָן, מְנַצְּצָן, בְּגַוְונִין סַגִּיאִין.

רי"ד. אָמְרוּ דָּא לְדָא, וַדַּאי קוּדְשָׁא בְּרִיךְ הוּא בָּעֵי לְאִשְׁתַּבְּחָא בְּתוּשְׁבַּחְתָּא דְּדָרָא דְּמַדְבְּרָא, דְּלָא הֲוָה בְּעָלְמָא, דָּרָא עִלָּאָה, כְּדָרָא דָּא. וְלָא יְהֵא עַד דְּיֵיתֵי מַלְכָּא מְשִׁיחָא. וַדַּאי כָּל מַה דְּאַחְזֵי לָן קוּדְשָׁא בְּרִיךְ הוּא, לָא הֲוָה, אֶלָּא בְּגִין לְאוֹדָעָא לָן חֲבִיבוּ דְּמָארֵיהוֹן עֲלַיְיהוּ. לְאוֹדָעָא דְּאִית לוֹן חוּלָקָא טָבָא, וְאִינּוּן בָּעֵי עָלְמָא דְּאָתֵי. וּלְזִמְנָא דְּאָתֵי כַּד יוֹקִים קוּדְשָׁא בְּרִיךְ הוּא מֵתַיָּיא, זְמִינִין אִלֵּין לְאַחֲיָיא בְּקַדְמֵיתָא. כד"א יִחְיוּ מֵתֶיךָ, וְאִלֵּין אִינּוּן דָּרָא דְּמַדְבְּרָא.

רט"ו. אָ"ל, אִי מִלָּה חַדְתָּא יָדַעַת, דַּאֲנָא עַטִּירָא בָּהּ. אָ"ל אֵימָא. אָמַר קָלָא דְּהַדְרָא בָּעֵינָא לְמִנְדַּע. ב"נ יָהִיב קָלָא בְּחַקְלָא, אוֹ בַּאֲתַר אַחֲרָא, וְהַדְרָא קָלָא אַחֲרָא, וְלָא יְדִיעַ. אָ"ל, אִי חֲסִידָא קַדִּישָׁא, עַל מִלָּה דָּא, כַּמָּה קָלִין אִתְּעָרוּ, וְכַמָּה דִּקְדּוּקִין הֲווֹ קָמֵי רַב מְתִיבְתָּא, וְכַד נָחַת רַב מְתִיבְתָּא, אָמַר, הָכִי אוּקְמוּהָ מִלָּה בִּמְתִיבְתָּא דִּרְקִיעָא, וְרָזָא יַקִּירָא אִיהִי.

רט"ז. תָּא חֲזֵי, תְּלַת קָלִין אִינּוּן, דְּלָא אִתְאֲבִידוּ לְעָלְמִין, בַּר קָלִין דְּאוֹרַיְיתָא וּצְלוֹתָא, דְּאִלֵּין סַלְּקִין לְעֵילָּא, וּבָקְעִין רְקִיעִין. אֲבָל קָלִין אַחֲרָנִין אִינּוּן דְּלָא סַלְּקִין, וְלָא אִתְאֲבִידוּ.

רי"ז. וְאִינּוּן תְּלַת: קוֹל חַיָּה בְּשַׁעֲתָא דְּאִיהִי עַל קַלְבִּיטָא, הַהוּא קָלָא מְשַׁטְּטָא וְאָזְלָא בַּאֲוִירָא, מְסַיְּיפֵי עָלְמָא עַד סַיְּיפֵי עָלְמָא. קוֹל דְּבַר נָשׁ, בְּשַׁעֲתָא, דְּנָפִיק נִשְׁמָתֵיהּ מִגּוּפֵיהּ, הַהוּא קָלָא מְשַׁטְּטָא וְאָזְלָא בַּאֲוִירָא, מְסַיְּיפֵי עָלְמָא עַד סַיְּיפֵי עָלְמָא. קוֹל נָחָשׁ, בְּשַׁעֲתָא דְּפָשִׁיט מַשְׁכֵיהּ, הַהוּא קָלָא מְשַׁטְּטָא בַּאֲוִירָא, וְאָזְלָא מְסַיְּיפֵי עָלְמָא עַד סַיְּיפֵי עָלְמָא.

רי"ח. אִי חֲסִידָא קַדִּישָׁא, כַּמָּה מִלָּה דָּא רַבָּא וְיַקִּירָא. אִלֵּין קָלִין, מַה אִתְעָבֵיד מִינַּיְיהוּ, וּלְאָן אֲתַר עָאלִין וְשָׁרָאן. אִלֵּין קָלִין דְּצַעֲרָא אִינּוּן, וְאָזְלִין וּמְשַׁטְּטֵי בַּאֲוִירָא, וְאָזְלֵי

מְסַיְּיפֵי עָלְמָא, עַד סַיְּיפֵי דְעָלְמָא, וְעָאלִין גּוֹ נוּקְבִּין וּמְזִילִין דְּעַפְרָא, וְאִתְטַמְּרָן תַּמָּן. וְכַד יָהִיב ב"נ קָלָא, אִינּוּן מִתְעָרִין לְגַבֵּי הַהוּא קָלָא. קָלָא דְּנָחָשׁ, לָא אִתְּעַר לְגַבֵּי קָלָא דב"נ. הֵיאַךְ יִתְּעַר. בְּמוֹזָאָה. כַּד מָחֵי ב"נ מְזָאָה אִתְּעַר קָלָא דְּנָחָשׁ, דְּאִתְטַמַּר לְגַבֵּיהּ הַהוּא קָלָא, וְלָאו קָלָא אַחֲרָא. קָלָא אִתְּעַר בָּתַר קָלָא, זִינָא בָּתַר זִינֵיהּ.

רִיט. וְעַל דָּא בְּיוֹמָא דר"ה, קוֹל שׁוֹפָר, אִתְּעַר קוֹל שׁוֹפָר אַחֲרָא, זִינָא בָּתַר זִינֵיהּ אָזְלָא. אָרְחֵיהּ דְּנָחָשׁ לְבִישׁ אִיהוּ, לְקָטְלָא וּלְמוֹזָאָה, בְּהַהוּא קָלָא מַמָּשׁ, לָא אִתְּעַר קָלָא דְּהַאי נָחָשׁ, אֶלָּא בָּתַר זִינֵיהּ. וְדָא אִיהוּ, כַּד ב"נ מָחֵי בְּחוּטְרָא בְּאַרְעָא, וְקָרֵי לֵיהּ לְזִינֵיהּ, כְּדֵין אִתְּעַר הַהוּא קָלָא דְּנָחָשׁ, לְאַתְבָא לְזִינֵיהּ. וְרָזָא דָא אִיהוּ טְמִירוּ.

רכ. אר"ש, וַדַּאי מִלָּה דָּא מִלָּה סְתִימָא הִיא. וְתַוְהְנָא אֵיךְ שְׁלֹמֹה מַלְכָּא לָא יָדַע מִלָּה דָּא. אָ"ל, שְׁלֹמֹה מַלְכָּא מִנְּדַע יָדַע, וְלָא כ"כ. אֲבָל מַה דְּלָא יָדַע, הַהוּא קָלָא מַה תּוֹעַלְתָּא אִית בָּהּ, וְהֵיךְ יָתְבָא.

רכא. וְרַב מְתִיבְתָּא הָכִי אָמַר, דְּקְדוּקָא דָּא לָא יָדַע שְׁלֹמֹה מַלְכָּא, דְּהָא הַהוּא קָלָא, אִיהִי כְּלִילָא רוּחָא וְנַפְשָׁא, וְהַבַל גַּרְמֵי מֵעַצְבוּנָא דְּבִשְׂרָא, וּמְשַׁטְּטָא בַּאֲוִירָא, וְכָל חַד מִתְפָּרַשׁ דָּא מִן דָּא. וְכַד מָטָא לְהַהוּא אֲתַר דְּעָאל בֵּיהּ, יָתְבָא כְּמֵיתָא. וְכָל אִינּוּן חָרְשִׁין וְקוֹסְמִין יַדְעִין אַתְרִין אִלֵּין בְּחַרְשַׁיְיהוּ, וְגַחֲנִין לְאַרְעָא, וְשַׁמְעִין קָלָא דָּא, דְּמִתְחַבְּרוּן אִינּוּן רוּחָא וְנַפְשָׁא, וְהַבַל דְּגַרְמֵי, וְאוֹדְעִין מִלָּה וְדָא אִיהוּ אוֹב מֵאֶרֶץ. וְעַל דָּא רָדִיף שְׁלֹמֹה, לְמִנְדַּע מַה דְּאִתְעֲבֵיד מֵהַהוּא קָלָא, וְלָא יָדַע. זַכָּאָה חוּלָקָךְ רַבִּי, דְּאִתְבְּרִיר לָךְ מִלָּה דְּקְשׁוֹט.

רכב. כַּד ב"נ אִתְּעַר קָלָא, מִיַּד אִתְּעַר הַהוּא קָלָא, וְלֵית לֵיהּ רְשׁוּ לְאַרְכָּא יַתִּיר. אֶלָּא כְּעֵין הַהוּא קָלָא, דְּאִתְּעַר ב"נ, וְלָא יַתִּיר. וְאִי אָרִיךְ ב"נ קָלֵיהּ, אִיהוּ לָא אָרִיךְ כָּל כָּךְ בַּהֲדֵיהּ, אֶלָּא לְסוֹפָא דְּקָלָא, בְּגִין דְּלָא יָכִיל לְאַרְכָּא מַאי טַעְמָא. בְּגִין דְּכַד נָפְקָא בְּקַדְמֵיתָא, אִתְאֲרִיךְ מְסַיְּיפֵי עָלְמָא עַד סַיְּיפֵי עָלְמָא, וְהַשְׁתָּא דְּעָאל תַּמָּן, לָא יָכִיל לְאַרְכָּא קָלָא, דְּהָא לֵית לֵיהּ אֲתַר לְאִתְפַּשְּׁטָא תַּמָּן כִּדְבְקַדְמֵיתָא.

רכג. חָדֵי ר"ש וְאָמַר, אִלְמָלֵי לָא זָכֵינָא לְמִשְׁמַע, אֶלָּא מִלָּה דָּא, דַּי לִי, לְמֶהֱוֵי חָדֵי, דְּזָכֵינָא לְמִשְׁמַע מִלִּין דְּקְשׁוֹט, דְּהַהוּא עָלְמָא. אָ"ל, אִי חֲסִידָא קַדִּישָׁא. אִלְמָלֵי יָדַעַת חֶדְוָה דְּמִלִּין בְּהַהוּא עָלְמָא קַמֵּי רַב מְתִיבְתָּא, תְּהֵא חָדֵי יַתִּיר.

רכד. אָ"ל, מַאי חִדּוּשָׁא הֲוָה הַשְׁתָּא, כַּד אָתֵית לְגַבָּךְ. אָמַר, רַב מְתִיבְתָּא פָּתַח וְאָמַר, וְיוֹסֵף יָשִׁית יָדוֹ עַל עֵינֶיךָ. חֶדְוָה הוּא. אֲמַאי סְתִימוּ דְּעַיְינִין לְמִיתָא. בְּגִין דְּעַיְינִין, גַּוְונִין דְּהַאי עָלְמָא אִינּוּן, וְזִיווּ וְדִיוּקְנָא דְּהַאי עָלְמָא בְּהוּ, אִיהוּ אַסְתִּים מִנֵּיהּ הַאי עָלְמָא, וְזִיווּ דְּהַאי עָלְמָא. אַסְתִּימוּ עֵינוֹי, כָּל זִיווּ דְּהַאי עָלְמָא, הָא אִתְחֲשַׁךְ מִנֵּיהּ. וְחָשְׁכִין מִנֵּיהּ זִיווּ דְּעֵינוֹי, לֵית לֵיהּ זִיווּ בְּהַאי עָלְמָא, מִתַּמָּן וּלְהָלְאָה. אר"ש, יָאוּת תִּקּוּנָא דְּקַדְמָאֵי, וְחָכְמְתָא דִּלְהוֹן יַתִּיר מִמַּלְאָכִין קַדִּישִׁין.

רכה. אָ"ל, יוֹסֵף אֲמַאי יָשִׁית יָדוֹ מִכָּל בְּנוֹי. וְאִי תֵּימָא עַל בְּשׂוֹרָה דִּילֵיהּ, מִבָּעֵי לֵיהּ וְיוֹסֵף חַי תִּרְאֶה. אָ"ל יָשִׁית יָדוֹ בְּגִין דִּרְחִימוּ דִּילֵיהּ הֲוָה, וּבג"כ דָּא אַסְתִּים מִינֵּיהּ נְהִירוּ דְּהַאי עָלְמָא, וְדָא נָטִיל לֵיהּ. מַאן דְּאַסְתִּים עֵינוֹי, רְחִימָא דִּילֵיהּ אַחְזֵי הָכִי: זִיווּ דִּילָךְ דְּהַאי עָלְמָא אִתְאֲבִיד, הָא אֲנָא זִיווּ דִּילָךְ בְּאַתְרָךְ. מִכָּאן וּלְהָלְאָה יִתְתַּקְנוּן לָךְ זִיווּ אַחֲרָא, דְּהַהוּא עָלְמָא.

רכו. אר"ש, מַה אִתְהֲנֵי הַאי לְמֵיתָא, וּמַה תּוֹעַלְתָּא אִית לֵיהּ בְּהַאי. מַאן דְּיִבְעֵי

לְמִשְׁאַל יוֹמָא מַה דְּאִצְטְרִיךְ לְאַפְקְוָא עֵינוֹי, בְּגִין לְאַחֲזָאָה דְּעֲדַיִין אִזְדְּמַן אִיהוּ, לְאַתְבָּא לְזִיווּ דְּהַאי עָלְמָא כִּדְבְקַדְמִין.

רכז. אָ"ל אִי חֲסִידָא קַדִּישָׁא, וַדַּאי אִי לָא אַסְתִּים מִנֵּיהּ כָּל זִיווּ דְּהַאי עָלְמָא, וְלָא אִתְאֲבִיד כֹּלָּא מִנֵּיהּ, לָא לֶהֱוֵי לֵיהּ זִיווּ וְחוּלָקָא דְּהַהוּא עָלְמָא. עָלְמָא דָּא, בְּהִפּוּכָא אִיהוּ מֵהַהוּא עָלְמָא דַּאֲנָן בֵּיהּ, דִּבְזִמְנָא דְּתִזְוִיִּית מִתַּיָּיא, אֲפִילוּ כְּחוּטָא דְּשַׂעֲרָא לָא הֲוֵה מֵעוֹבָדָא דְּהַאי עָלְמָא, דְּכֹלָּא אִתְאֲבִיד בְּקַדְמֵיתָא, בְּהַהוּא טַלָּא וְיִתְעֲבַר מִנֵּיהּ כָּל זוּהֲמָא, וּלְבָתַר יִתְעֲבִיד כְּחֲמִירָא דָּא, וּמִנֵּיהּ יִתְעֲבִיד גּוּפָא בְּרִיָּה וַחֲדְתָּא, כַּךְ הָכָא.

רכח. אָ"ל רִבִּי שִׁמְעוֹן, וַדַּאי יַדְעְנָא דְּאַתּוּן מְלוּבָּשִׁין תַּמָּן, בִּלְבוּשׁ יְקָר, דְּגוּפָא דַּכְיָא קַדִּישָׁא. אִי הֲוֵה בְּגַוְונָא דָּא בְּהַאי עָלְמָא, ב"נ דְּאִתְחֲזֵי בְּהַהוּא גּוּפָא, כְּגַוְונָא דְּאַתּוּן קַיְּימִין בְּהַהוּא עָלְמָא.

רכט. אָ"ל, מִלָּה דָּא שָׁאִילוּ קַמֵּי רַב מְתִיבְתָּא, תְּרֵין עוּלֵימִין דְּאִתְלַבְּשׁוּ בֵּינָנָא, בָּתַר דְּסַבְלוּ צַעֲרָא עַל חוֹבָא, דְּלָא אִתְחֲזֵי לְגַלָּאָה, וְשָׁאִילוּ דָּא קַמֵּי רַב מְתִיבְתָּא. וְאִיהוּ אָמַר, דְּהָא הֲוָה בְּהַאי עָלְמָא הָכִי. מְנָלָן. דִּכְתִיב וַיְהִי בַּיּוֹם הַשְּׁלִישִׁי וַתִּלְבַּשׁ אֶסְתֵּר מַלְכוּת, אִתְלַבְּשַׁת בְּהַהוּא דְּיוּקְנָא דְּהַהוּא עָלְמָא. מַלְכוּת: דָּא רוּחָא דְּקוּדְשָׁא, דְּהָא מַלְכוּת שְׁמַיָּא, נָשִׁיב רוּחָא, מֵהַהוּא רוּחָא דַּאֲוִירָא דְּהַהוּא עָלְמָא, וְאִתְלַבְּשָׁא בֵּיהּ אֶסְתֵּר.

רל. וְכַד עָאלַת קַמֵּי מַלְכָּא אֲחַשְׁוֵרוֹשׁ, וְחָמָא הַהוּא לְבוּשָׁא דִּנְהוֹרָא, דְּיוּקְנָאָה אִדְמֵי לְמַלְאַךְ אֱלֹהִים. פַּרְוָוה מִנֵּיהּ נִשְׁמְתָא לְפוּם שַׁעֲתָא. מָרְדְּכַי אוּף הָכִי, דִּכְתִיב וּמָרְדְּכַי יָצָא מִלִּפְנֵי הַמֶּלֶךְ בִּלְבוּשׁ מַלְכוּת. לְבוּשׁ מַלְכוּת, וַדַּאי, דְּיוּקְנָא דְּהַהוּא עָלְמָא. וְע"ד כְּתִיב, כִּי נָפַל פַּחַד מָרְדְּכַי עֲלֵיהֶם. פַּחַד מָרְדְּכַי, וְלָא פַּחַד אֲחַשְׁוֵרוֹשׁ. אָמַר רִבִּי שִׁמְעוֹן, כַּמָּה מְתִיקִין אִינּוּן מִלִּין, זַכָּאָה חוּלָקִי, וְהָא יַדְעְנָא דְּצַדִּיקַיָּיא בְּהַאי עָלְמָא, מִתְלַבְּשָׁן בִּלְבוּשָׁא דְּאִקְרֵי לְבוּשׁ מַלְכוּת, וְהָכִי הוּא וַדַּאי.

רלא. אָ"ל, אֲוִירָא דְּגַ"עַ, נָשִׁיבוּ דְּרוּחַ קוּדְשָׁא אִינּוּן, וּמִתְלַבְּשָׁן בֵּיהּ צַדִּיקַיָּיא, כְּגַוְונָא דַּהֲווּ בְּהַאי עָלְמָא. וּלְבָתַר, רוּחַ קוּדְשָׁא שָׁרְאַת, עַל רֵישָׁא דְּכָל חַד וְחַד. וְאִתְעַטַּר וְאִתְעֲבֵידָא לֵיהּ עֲטָרָא. וְכַךְ הֲוָה לְמָרְדְּכַי, דִּכְתִיב בִּלְבוּשׁ מַלְכוּת, דְּיוּקְנָא דְּהַהוּא עָלְמָא. וּלְבָתַר וַעֲטֶרֶת זָהָב גְּדוֹלָה, דָּא עֲטֶרֶת, דְּשָׁרִיאַת עַל רֵישַׁיְיהוּ דְּצַדִּיקַיָּיא בְּהַהוּא עָלְמָא. כַּד קַבִּילוּ יִשְׂרָאֵל אוֹרַיְיתָא, כְּגַוְונָא דָּא הֲוָה לְהוֹן. עַד דְּחָבוּ, דִּכְתִיב בְּהוּ, וַיִּתְנַצְּלוּ בְנֵי יִשְׂרָאֵל אֶת עֶדְיָם מֵהַר חוֹרֵב. אִתְפַּשְּׁטוּ מֵהַהוּא לְבוּשָׁא.

רלב. וְכֵן כְּתִיב בִּיהוֹשֻׁעַ כַּהֲנָא רַבָּא, הָסִירוּ הַבְּגָדִים הַצּוֹאִים מֵעָלָיו. וּכְתִיב וַיַּלְבִּישׁוּהוּ בְּגָדִים, אִלֵּין לְבוּשִׁין דְּהַהוּא עָלְמָא. מֵהָכָא מִלִּין קַדְמָאִין. וּמֵהָכָא, דְּכָל זִמְנָא דְּגוּפָא דְּהַאי עָלְמָא קַיְּימָא בְּקִבְרָא בְּקִיּוּמָא, לָא אִתְלְבַּשׁ רוּחָא בִּלְבוּשָׁא דְּהַהוּא עָלְמָא. דִּכְתִיב וַיָּסִירוּ הַבְּגָדִים הַצּוֹאִים מֵעָלָיו בְּקַדְמֵיתָא. וּלְבָתַר וַיַּלְבִּישׁוּהוּ בְּגָדִים. וּמַלְאַךְ יְיָ' עוֹמֵד, מַהוּ עוֹמֵד. אֶלָּא דָּא הוּא עֲטָרָא, דְּאִקְרֵי מַלְאַךְ יְיָ', דְּקַיְּימָא עַל רֵישַׁיְיהוּ דְּצַדִּיקַיָּיא וְדָא אִיהוּ עוֹמֵד. עוֹמֵד עַל רֵישָׁא לְעֵילָּא. לְבָתַר דְּאִתְלַבְּשָׁן בְּהַאי לְבוּשָׁא דִּיקָר.

רלג. תְּרֵין גּוּפִין כַּחֲדָא, לָא יַכְלִין לְמֵיקָם, כָּל זִמְנָא דְּהַאי קַיָּים, רוּחָא לָא מְקַבְּלָא אַחֲרָא. אִתְעֲבַר דָּא, הָא אַחֲרָא זְמִינָא מִיַּד, וַדַּאי, דָּא נָפִיק, וְדָא עָאל. כְּגַוְונָא דְּיֵצֶר טוֹב וְיֵצֶר רָע. בְּהַאי עָלְמָא. לָא בָּעֵי קוּדְשָׁא בְּרִיךְ הוּא דְּתַרְוַויְיהוּ יְקוּמוּן כַּחֲדָא.

רלד. אָמַר לֵיהּ, תַּוְוהָנָא עַל מַה דִּכְתִיב וְהַשָּׂטָן עוֹמֵד עַל יְמִינוֹ לְשִׂטְנוֹ. וְכִי יְהוֹשֻׁעַ בֶּן יְהוֹצָדָק כָּךְ, שְׁאַר בְּנֵי עָלְמָא עַל אַחַת כַּמָּה וְכַמָּה. א"ל, וַחֲסִידָא קַדִּישָׁא, כַּמָּה טְמִירִין סְתִימִין מֵאִלֵּין אִלֵּין, אע"ג דְּחַבְרַיָּיא יַדְעִין בְּמִלִּין דְּהַהוּא עָלְמָא, לָא יַכְלִין לְמִנְדַּע בְּרָזִין אִלֵּין.

רלה. א"ל, כֵּיוָן דְּבַר נָשׁ בְּהַהוּא עָלְמָא, מַה תּוֹעַלְתָּא אִית לְהַהוּא שָׂטָן לְאַסְטָאָה לֵיהּ, וְלָא דַּי לֵיהּ דְּאַפִּיק נִשְׁמָתֵיהּ מִנֵּיהּ, וְקָטִיל לֵיהּ. אָמַר לֵיהּ אִי וַחֲסִידָא קַדִּישָׁא, זַכָּאָה חוּלָקָךְ, ת"ח תֵּיאוּבְתָּא דְּשָׂטָן לָא הֲוָה, אֶלָּא בְּגִין דְּלָא יִתְלַבַּשׁ הַהוּא זַכָּאָה בִּלְבוּשָׁא דַּכְיָא קַדִּישָׁא, דְּכֵיוָן דְּחָזֵי הַהוּא שָׂטָן, דִּלְבוּשָׁא דִּילֵיהּ אִתְדַּוְיָא, וְלָא אִתְחֲזֵיב, עַל דָּא אַסְטֵי לֵיהּ. מַאי טַעֲמָא. בְּגִין דְּאִי אִתְלַבַּשׁ בְּהַהוּא לְבוּשׁ יְקָר, מִיָּד לְבוּשָׁא דְּזוּהֲמָא, וַעֲבִידְתָּא דְּהַהוּא שָׂטָן, יִתְבַּטֵּל וְיִתְעֲבַר מֵעָלְמָא, וְלָא נַיְיחָא לֵיהּ לְשָׂטָן.

רלו. וְתוּ, דִּבְכָל זִמְנָא דְּלָא אִתְלַבַּשׁ, פַּקְדָּא רוּחָא לְהַהוּא גּוּפָא דְּזוּהֲמָא דִּילֵיהּ, וְנַיְיחָא לֵיהּ לְשָׂטָן. וְכֵיוָן דְּאִתְלַבַּשׁ בְּהַהוּא לְבוּשׁ יְקָר, הָא אִתְבְּטַל גַּוְונֵי דְּיִצְרָא בִּישָׁא, וְגוּפָא דִּילֵיהּ, וְלֵית לֵיהּ דּוּכְרָנָא בְּהַדֵּיהּ לְעָלְמִין.

רלז. וְאִי תֵּימָא, דְּאִנּוּן פָּקְדִין לְבֵי קִבְרֵי בְּרֵישׁ כָּל לֵילְיָא, לָאו עַל גּוּפָא אֶלָּא עַל נַפְשָׁא. דְּהָא כָּל זִמְנָא דְּבִשְׂרָא קַיְּימָא, רוּחָא פָּקְדָא עָלָהּ דְּנַפְשָׁא, וְנַפְשָׁא פָּקְדָא לְגוּפָא. אֲבָל הַשְׁתָּא, פִּקְדוֹנָא דִּילָן אִיהוּ לְנַפְשָׁא, דְּאִיהִי מִשְׁתַּכְּכָא. וְאִשְׁתְּאָרַת בְּשִׁכּוּכֵי גּוֹ גַּרְמֵי. וּבְגִ"כ, בְּרֵישׁ כָּל לֵילְיָא, פִּקְדוֹנָא דְּרוּחָא לְנַפְשָׁא, וְלָא עַל בִּשְׂרָא.

רלח. אִי וַחֲסִידָא קַדִּישָׁא, תָּא וְאַגְלֵי לָךְ מִלָּה סְתִימָא. בִּנְיָינָא דְּגוּפָא דְּבַר נָשׁ הָכִי הוּא, רוּחָא מֵעִם רוּחָא דְּקוּדְשָׁא. נִשְׁמְתָא מִגּוֹ אִילָנָא דְּחַיֵּי. כֵּיוָן דְּרוּחָא קַדִּישָׁא, יָהַב חֵילָא, מִיַּד רְתִיכִין דִּילֵיהּ. יַהֲבִין חֵילַיְיהוּ. חֵילָא דִּלְהוֹן, גַּרְמֵי וְשַׁיְיפִין. כֻּלְּהוּ מִסִּטְרָא דִּלְהוֹן, וְתִקּוּנַיְיהוּ דָּא עַל דָּא. סט"א יָהֲבַת בִּשְׂרָא, וּמִסִּטְרָא דִּילָהּ, אַתְיָא בִּשְׂרָא, וְלָא מִלָּה אָחֳרָא. רְתִיכִין דִּילָהּ, יַהֲבִין כָּל אִינּוּן גִּידִין וְעַרְקִין, לְאַמְשָׁכָא דָּמָא לְבִשְׂרָא. בָּתַר דְּאִלֵּין יַהֲבֵי חֵילַיְיהוּ, שְׁמַיָּא יַהֲבֵי חֵילַיְיהוּ, וּמַאן אִינּוּן. עוֹר דְּאִתְמְשַׁךְ עַל כֹּלָּא. כְּגַוְונָא דִּלְהוֹן.

רלט. לְבָתַר מִתְחַבְּרָן שְׁמַיָּא וְאַרְעָא כַּחֲדָא, וְיַהֲבֵי ד' יְסוֹדֵי אִלֵּין: אֶשָּׁא, וּמַיָּא וַאֲוִירָא, וְעַפְרָא. לְאַגָּנָא עַל אִלֵּין, וּלְחַפְיָא עַל כֹּלָּא. לְבָתַר, כָּל חַד נָטִיל חוּלָקֵיהּ דְּיָהַב, וְאִתְבְּטַל. רוּחָא דְּקוּדְשָׁא, וּרְתִיכִין דִּילֵיהּ, חוּלָקַיְיהוּ קַיְּימָא. רוּחָא דְּקוּדְשָׁא, רוּחָא דִּילֵיהּ קַיְּימָא וְנִשְׁמְתָא סַלְקָא. רְתִיכִין דְּרוּחָא דְּקוּדְשָׁא, גַּרְמִין דִּלְהוֹן קַיְּימִין. וע"ד חֲשִׁיבוּ דְּגוּפָא, גַּרְמִין הֲווֹ. וּבְגִ"כ כְּתִיב, וְעַצְמוֹתֶיךָ יַחֲלִיץ. וּבִשְׂרָא לָא כְּתִיב בֵּיהּ הָכִי.

רמ. וְכָל זִמְנָא דְּבִשְׂרָא דְּסִטְרָא אָחֳרָא קַיְּימָא בְּקִיּוּמָא, הַהוּא שָׂטָן קַיְּימָא לְאַסְטָנָא. אִתְאֲבִיד בִּשְׂרָא, לֵית לֵיהּ רְשׁוּ לְאַסְטָנָא, דְּהָא לֵית לֵיהּ עַל מַה דְּיִסְתְּמִיךְ. וע"ד כְּתִיב, יִכֶל בְּשָׂרוֹ מֵרֹאִי וְשֻׁפּוּ עַצְמוֹתָיו לֹא רֻאּוּ. מֵהַהוּא חֵיזוּ דְּשָׂטָן דְּקַיְּימָא לְאַסְטָנָא, דְּלָא יָכִיל, כֵּיוָן דְּיִכֶל בְּשָׂרוֹ. וְשֻׁפּוּ עַצְמוֹתָיו לֹא רֻאּוּ, לָא אִתְחֲזוּן לְקָרְבָא לְגַבֵּיהּ, דְּלֵית לֵיהּ בְּהוֹן חוּלָקָא, כֵּיוָן דְּשָׁף כָּל חַד וְחַד מִדּוּכְתֵּיהּ, לָא תָּבַע עָלַיְיהוּ, וְלָא קָאִים לְאַסְטָנָא בְּגִינַיְיהוּ. לְבָתַר דְּבִשְׂרָא מִתְעַכְּלָא, הָא לָא יִתְבַּע דִּינָא, וְלָא קָאִים לְאַסְטָנָא, דְּהָא לֵית לֵיהּ עַל מַה דְּיִסְתְּמִיךְ, וְלָא אַדְכַּר לְבַ"נ בְּשׁוּם מִלָּה דְּעָלְמָא. א"ר שִׁמְעוֹן, הַשְׁתָּא יְדַעְנָא מִלִּין עַל תִּקּוּנַיְיהוּ, וַדַּאי יָאוֹת הוּא לֵיהּ לְאַסְטָנָא.

רמא. א"ל ר', וְהָגוּר זֵינָךְ, וְתַקִּין גַּרְמָךְ, אִי תִּבְעֵי לְמִנְדַּע מִלִּין דִּשְׁאֵרִית. אוֹ אִי

תִּשְׁאַל בְּהָנֵי מִלִּין, אֵימָא לִי. א״ל וַדַּאי, הָא יָדַעְנָא דְּבֵיתָאֵי שְׁכִיבַת, דְּלָא יָדַעְנָא מִנָּהּ כְּלוּם. וְחַבְרַיָּיא יָדְעִין. נָשִׁין מ״ט דַּעְתַּיְיהוּ קַלָּה.

רמב. א״ל דַּעְתָּא אַתְיָא בְּשִׁית דַּרְגִּין, וְכָל חַד נָטִיל חוּלָקֵיהּ, מַה דְּאִשְׁתְּאַר, קַל אִיהוּ. אֲבָל יַקִּירָא דָּא, אִי לָאו דְּאֵשֶׁת כְּסִילוּת אִשְׁתַּתַּף בָּהּ. בְּמִלָּה דָּא לָא תִּשְׁאַל, דְּהָא יָדַעְנָא דְּלָאו עַל דְּבֵיתָךְ שָׁאַלְתָּ, אֶלָּא עַל מַה דִּכְתִּיב, הִנֵּה יְיָ׳ רוֹכֵב עַל עָב קַל. וְהַהוּא עָב קַל אִקְרֵי דַּעַת, מֵהַהִיא כַּלָּה יִרְאַת יְיָ׳, וְאִיהִי קַיְּימָא בְּאֶמְצָעִיתָא כְּגַוְונָא דְּדַעַת עִלָּאָה, אֲבָל אִקְרֵי קַל. וְהָא יָדַעְנָא שְׁאֶלְתָּא דִּילָךְ מַאי הִיא.

רמג. אֲבָל שָׁארֵי וַחֲגוֹר זַיְינָךְ, וְקָטִיר קִטְרָךְ, דְּהָא עִידָּנָא הוּא לְגַלָּאָה, כְּמָה דְּשָׁארִית עוֹבָדָא. דְּעַל אַנְפֵּי רוֹחַב בֵּיתָא, אוּלָם דַּעֲזָרָה לְגוֹ. בְּהַאי עֲזָרָה, אִית תְּרֵיסַר פִּתְחִין, לְפוּם חוּשְׁבַּן שִׁבְטַיָּא דְּיִשְׂרָאֵל. בְּפִתְחָא חֲדָא, כְּתִיב רְאוּבֵן. וּבְפִתְחָא אַחֲרָא, כְּתִיב שִׁמְעוֹן. וְכֵן כָּל שִׁבְטַיָּא דְּיִשְׂרָאֵל, רְשִׁימִין עַל אִינּוּן פִּתְחִין. בְּזִמְנָא דְּיִסַּלְּקוּן לְאִתְחֲזָאָה קַמֵּי מָארֵיהּ דְּעָלְמָא. מַאן דְּעָיֵיל בְּפִתְחָא דְּרָשִׁים בֵּיהּ רְאוּבֵן, אִי מִשִּׁבְטָא דִּרְאוּבֵן אִיהוּ, מְקַבְּלִין לֵיהּ פִּתְחִין, וְאִי לָא פַּלְטִין לֵיהּ לְבַר. וְכֵן בְּכֻלְּהוּ, דְּלָא יְקַבְּלוּן פִּתְחִין, אֶלָּא לְמַאן דְּאִיהוּ מֵהַהוּא שִׁבְטָא דִּרְשִׁים בְּהוֹן. וּבְדָא יִתְחַקְּקוּן וְיִשְׁתְּמוֹדְעָן כָּל חַד וְחַד.

רמד/א. תְּלַת מְאָה וְשִׁתִּין וְחָמֵשׁ עַמּוּדִין דִּנְהוֹרָא מִלַּהֲטָא, אִית בְּכָל סִטְרָא, מֵאִינּוּן אַרְבַּע סִטְרִין. כָּל אִלֵּין עַמּוּדִין, אִקְרוּן עַמּוּדִים חַיִּים. בְּגִין דְּלָא קַיְּימָא נְהוֹרָא דִּלְהוֹן שָׁכִיךְ בְּאֲתַר חַד. וְכֻלְּהוּ, אִלֵּין סַלְּקִין, וְאִלֵּין נַחְתִּין. יַהֲבֵי דּוּכְתָּא דָּא לְדָא. אִלֵּין דְּסַלְּקִין בַּטְשִׁין דָּא בְּדָא, וּמְנַגְּנֵי נִגּוּנָא. וְאִלֵּין דְּנַחְתֵּי אוּף הָכִי.

רמד/ב. אִלֵּין דְּסַלְּקֵי דִּנְגְּנֵי, נִגּוּנָא, מַאי נִגּוּנָא מְנַגְּנֵי. שִׁיר יַתְמָא. מִזְמוֹר שִׁירוּ לַיְיָ׳ שִׁיר חָדָשׁ כִּי נִפְלָאוֹת עָשָׂה וְגוֹ׳. שִׁיר חָדָשׁ, וְכִי אִית שִׁיר עַתִּיק. אֶלָּא שִׁיר, דְּעַד כְּעַן מַלְאֲכִין קַדִּישִׁין לָא שַׁבְּחוּ לֵיהּ, בְּגִין דְּאִיהוּ חָדָשׁ. מַאי טַעֲמָא אִיהוּ חָדָשׁ. בְּגִין דְּהַהוּא דִּמְחַדֵּשׁ עוֹלֵימוּ, מְשַׁבְּחוּ לֵיהּ, וְאָמַר לֵיהּ. וְהָכִי אָמַר רַב מְתִיבְתָּא, דָּא אִקְרֵי חָדָשׁ וְאִיהוּ חָדָשׁ. בְּגִין דְּדָבִיק בְּשִׁמְשָׁא, וְלָא אִתְפְּרַשׁ מִנֵּיהּ. לְאַפָּקָא סִטְרָא אַחֲרָא, דְּלֵית בֵּיהּ חִדּוּשָׁא, דִּכְתִּיב בֵּיהּ וְאֵין כָּל חָדָשׁ. זָקֵן הוּא וְאִתְבְּלֵי, וְלָא אִתְחַדָּשׁ.

רמה. תּוּ פָּתַח רַב מְתִיבְתָּא. שָׂרָה אִתְחַדְּשַׁת בְּעִדּוּנָא, דַּרְגָּא דִּילָהּ גָּרִים, דִּכְתִּיב אַחֲרֵי בְלוֹתִי הָיְתָה לִּי עֶדְנָה. מַאי עֶדְנָה, מְשִׁיכוּ דְּעֵדֶן עִלָּאָה. וּבְגִין דְּאִתְמְשַׁךְ עָלָהּ מִסִּטְרָא דְּנוּקְבָא, כְּתִיב עֶדְנָה בְּהֵ״א וּבְג״כ כְּתִיב הָיְתָה, וְלָא הָיָה.

רמו. וַאדֹנִי זָקֵן. וְכִי אע״ג דְּאִיהוּ זָקֵן, לָא אִתְחֲזֵי לְאוֹלָדָא. אֶלָּא לָאו מִלְּתָא זְעֵירְתָא אֲמָרָה לְגַבֵּיהּ, דִּבְגִין הַהוּא זָקֵן, לָא אִתְחַדָּשׁ וְלָא עָבֵיד תּוֹלְדִין, דְּאִלְמָלֵא הֲוָה עָבֵיד תּוֹלְדִין הֲוָה מְטַשְׁטְשָׁא עָלְמָא. וְעַל דָּא אַהְדַּר מִלִּין קוּדְשָׁא בְּרִיךְ הוּא, לָמָּה זֶה צָחֲקָה שָׂרָה וְגוֹ׳. וְאִי תֵּימָא וְהָא כְּתִיב וְאַבְרָהָם זָקֵן בָּא בַּיָּמִים. אֶלָּא בָּא בַּיָּמִים, בְּאִינּוּן יוֹמִין עִלָּאִין, דִּמְחַדְּשֵׁי עוֹלְמִין כְּנִשְׁרָא. וְעַ״ד נִגּוּנָא דָּא נִגּוּנָא דְּהַהוּא חָדָשׁ אִיהוּ. הוֹשִׁיעָה לּוֹ, לְמַאן. לְהַהוּא חָדָשׁ, הוֹשִׁיעָה יְמִינָא דְּמַלְכָּא עִלָּאָה, וּדְרוֹעָא דִּילֵיהּ.

רמז. אִינּוּן דְּנַחְתֵּי, אוּף הָכִי מְנַגְּנֵי, וְאָמְרֵי שִׁירָה אַחֲרָא יַתְמָא. וּמַאן אִיהוּ. מִזְמוֹר לְתוֹדָה, דְּאִיהוּ יַתְמָא, אוּף הָכִי.

רמח. נְהוֹרָא דִּלְהוֹן חַד אִתְחֲזֵי. וְכַד מִתְגַּלְגְּלֵי, אִתְחֲזָן חָמֵשׁ גַּוְונִין דִּנְהוֹרִין. בְּכָל עַמּוּדָא וְעַמּוּדָא. עַמּוּדִין אִלֵּין כֻּלְּהוּ חַלָּלִין מִלְּגָאו. וְכַד סַלְּקֵי וְנַחְתֵּי, נָפְקֵי מִנַּיְיהוּ

שַׁלְהוֹבִין דְּנוּרָא, כְּגַוְונֵי וְזִיווּר וְשׁוּשָׁן. לְעֵילָּא מִכָּל עַמּוּדָא וְעַמּוּדָא, אִית תְּלַת תַּפּוּחִין, דְּבַטְשֵׁי בְּהוּ תְּלַת גַּוְונִין, סוּמָק יָרוֹק וְחִוָּור. בְּכָל גַּוְון וְגַוְון מִלַּהֲטָן אַתְוָון בַּלְטֵי, מִשַּׁלְהוֹבָא יְרוֹקָא דְּאֶשָּׁא, וְלָא מִשְׁתַּכְּכֵי לְעָלְמִין. וְלֵית מַאן דְּיָקוּם עֲלַיְיהוּ.

רמט. אַרְבַּע גַּלְגַּלִּין מִתְחַזְּמָן עוֹבָד צִיּוּר, בְּכָל עַמּוּדָא וְעַמּוּדָא. בְּאִינּוּן גַּלְגַּלִּין, אִית פְּלִיאָן רַבְרְבָן. כַּד מִסְתַּחֲרָן מַפְּקִין מִנַּיְיהוּ זַגִּין דְּדַהֲבָא וְאַבְנֵי יְקָר. וּמִיַּד מִתְכַּנְּשֵׁי בְּגַוַויְיהוּ, וְלָא נַפְלֵי לְאַרְעָא. כַּד נָפְקִין אִינּוּן זַגִּין דְּדַהֲבָא, וְאִינּוּן אַבְנֵי יְקָר גּוֹ אִסְתַּחֲרוּתָא דְּגַלְגַּלִּין, אִשְׁתְּמַע קָלָא דְּאָמְרֵי, זֹאת נַחֲלַת עַבְדֵי יְיָ' וְצִדְקָתָם מֵאִתִּי נְאֻם יְיָ'.

רנ. תְּרֵין אַרְיָין בְּכָל גַּלְגַּלָּא וְגַלְגַּלָּא, אַרְיָא חֲדָא מִסִּטְרָא חֲדָא, וְאַרְיָא חֲדָא מִסִּטְרָא חֲדָא, וְכֻלְּהוּ מֵאֶשָּׁא יְרוֹקָא, וּבְגַלְגּוּלָא דְּקָא מִסְתַּחֲרָן גַּלְגַּלִּין, מִתְחַבְּקָן אִלֵּין בְּאִלֵּין. וְאָזְלֵי כֻּלְּהוּ, בְּגַלְגּוּלָא מִתְדַּבְּקָן דָּא בְּדָא. כַּד סַלְּקִין עַמּוּדִין, מִנְּהוֹן אַרְיָין אִלֵּין בְּאִלֵּין, וְתַפּוּחִין פָּרְחִין בַּאֲוִירָא, וְסַלְּקִין לְעֵילָּא, וּבַטְשֵׁי אִלֵּין בְּאִלֵּין בַּאֲוִירָא. וְתָבוּ לְאַתְרַיְיהוּ, וּמִתַּמָּן נַפְלֵי. וְאַרְיָין פַּשְׁטֵי יְדַיְיהוּ לְנַטְלָא לוֹן, וְסַלְּקִין אִלֵּין מִגַּרְמַיְיהוּ. אִי חֲסִידָא קַדִּישָׁא, מַאן חָמָא וְחָכְמְתָא דְּאוּמָנוּ, דְּצַיַּיר קוּדְשָׁא בְּרִיךְ הוּא בְּעַמּוּדִין אִלֵּין.

רנא. בְּפַלְגּוּ יוֹמָא נָפְקֵי תְּרֵין נִשְׁרִין בְּכָל גַּלְגַּלָּא וְגַלְגַּלָּא, וְלָא יְדִיעַ אֲתָר דְּנָפְקֵי מִתַּמָּן, וְשַׁרְיָין עַל רֵישַׁיְיהוֹן דְּאִלֵּין אַרְיָין. וּכְדֵין מִשְׁתַּכְּכֵי עַמּוּדִין וְגַלְגַּלִּין, וְקַיְימֵי בְּקִיּוּמַיְיהוּ. וְתַפּוּחִין נָפְלֵי עַל פּוּמַיְיהוּ דְּנִשְׁרֵי, וּמְקַבְּלֵי לוֹן. וּמִיַּד פָּרְחִין מִפּוּמָא לְפוּמָא, וְאָזְלִין וּמְשַׁטְטֵי בֵּינַיְיהוּ, וְתָבוּ לְאַתְרַיְיהוּ, וְלָא יְדִיעַ מַאן הִיא. לְבָתַר שַׁעֲתָא וּפַלְגָּא, נִשְׁרִין אֲרִימִין קָלָא, וּמְנַגְּנִין נִגּוּנָא תְּאִיבָא, וְאִתְטַמְּרָן, וְלָא יְדִיעַ בְּהֵי אֲתָר.

רנב. סַחֲרָנַיְיהוּ דְּאִינּוּן עַמּוּדִין, אִית שְׂבָכִין עוֹבָד צִיּוּר. אֶשָּׁא סוּמָקָא, וּנְהוֹרָא חִוָּורָא, וְחוּטִין דְּדַהֲבָא, סְחוֹר סְחוֹר, סָחֲרִין לְכָל סְטָר. וּמַעְיָינָא דְּמַיָּא כד"א וְהָיָה בַּיּוֹם הַהוּא יֵצְאוּ מַיִם חַיִּים מִירוּשָׁלַםִ חֶצְיָם אֶל הַיָּם הַקַּדְמוֹנִי וְחֶצְיָם אֶל הַיָּם הָאַחֲרוֹן.

רנג. הָכָא פָּרִישׂ רַב מְתִיבְתָּא קְרָא דָּא לְגוֹ, וְקַלֵיהּ אִשְׁתְּמַע לְבַר. מִדַּהֲוָה פָּרִישׂ קְרָא דָּא. קָל יְנוּקָא אִתְּעַר מִלְּבַר, הַהוּא יְנוּקָא דַּהֲוָה פָּרִישׂ תַּלְמוּדֵיהּ, וְגָמִיר קַמֵּי חַד עַמּוּדָא דְּעָלְמָא, בְּרֵיהּ דְּרַבִּי יְהוּדָה, דְּרַבִּית אַנְתְּ. וַהֲווֹ אוֹחֲדֵי בֵּיהּ לְדִינָא, וְקַלֵיהּ אִתְּעַר מִלְּבַר, בְּהַאי קְרָא, וְאָמַר, מַיָּא דְּאִינּוּן מִלְּרַע הֵיךְ סַלְּקִין לְעֵילָּא מִנֵּיהּ, לַאֲתָר עִלָּאָה יַתִּיר מִנֵּיהּ, בְּכַמָּה דַּרְגִּין, וּמַה אִצְטְרִיךְ לוֹן לְאִינּוּן מַיִין לְעֵילָּא. וּמַה אֲתָר דְּכָל מַבּוּעִין וּנְחָלִין נָפְקִין מִנֵּיהּ, וְלֵית פְּסִיקוּ לְמַבּוּעֵי וְנַחֲלֵי, אִתְשַׁקְיָא מֵאֲתָר נָגִיב, מַאן חָמָא חֲפִירָא דְּבֵירָא, יָהִיב מַיִין לְמַבּוּעָא דְּנָבִיעַ. וְכִי יְרוּשָׁלַםִ, יָהִיב מַיִין אֶל הַיָּם הַקַּדְמוֹנִי, אֲתָר דְּכָל מֵימִין דְּעָלְמָא נָפְקֵי מִתַּמָּן, וְנָבְעִין מִנֵּיהּ. אִי חֲסִידָא קַדִּישָׁא, לְקָלָא דָּא אִשְׁתַּכְּכוּ, וְצַיְיתוּ כָּל קָלִין דִּבְנֵי מְתִיבְתֵּי דְּתַמָּן, וּבְגִ"כ לָא יָכִילוּ מָארֵי דְּדִינָא לְמִקְרַב גַּבֵּיהּ.

רנד. בָּכָה ר' שִׁמְעוֹן, א"ל לָא תִּבְכֵּי בּוּצִינָא קַדִּישָׁא, זַכָּאָה חוּלָקָךְ, דַּאֲפִילּוּ יְנוּקֵי, מִנָּךְ אַמְרֵי רָזִין סְתִימִין דְּאוֹרַיְיתָא. תָּא, וְאֵימָא לָךְ, מַה דַּעֲבָדוּ בְּנֵי מְתִיבְתֵּי עַל קַלֵיהּ דְּהַהוּא יְנוּקָא, כַּד עָאל קַלֵיהּ דְּהַהוּא יְנוּקָא, כְּגִירָא לְגוֹ, וְכֻלְּהוּ צַיְיתֵי לֵיהּ. בְּהַהִיא שַׁעֲתָא אוֹדְעָא רַב מְתִיבְתָּא, וְכָל אִינּוּן דַּהֲווֹ קַמֵּיהּ, וְאָמַר, מַאן אִינּוּן דְּלָא שַׁבְקִין לְהַהוּא בְּרָא דֶּאֱלָהָא חַיָּיא, לְמֵיעַל. קָמוּ וְאוֹחִידוּ בֵּיהּ תְּלַת עַמּוּדִין דְּקַיְימֵי קַמֵּי רַב מְתִיבְתָּא, וְעָאל. וְכָל בְּנֵי מְתִיבְתֵּי אִתְכְּנָשׁוּ לְגַבֵּיהּ, אָמַר רַב מְתִיבְתָּא, אֵימָא קְרָאֵיךְ בְּרָא קַדִּישָׁא.

רנה. אָמַר, עַד כְּעַן דְּחִילְנָא, דְּהָא אֲנָא מִמְּתִיבְתָּא אַחֲרִינָא הֲוֵינָא, וְהָכִי אָמְרוּ לִי כַּד מָארֵי דְּדִינָא הֲווֹ אֲחָדִין בֵּיהּ, א"ל, לָא תִּדְחַל בְּרָא קַדִּישָׁא, הָכָא תְּהֵא בֵּינָנָא

שִׁבְעָה יוֹמִין, וְתִתְּסְּחֵי בְּכָל יוֹמָא מִטַּלָּא קַדִּישָׁא. וּלְבָתַר יְסַלְּקוּן לָךְ. לְגוֹ הַהוּא מְתִיבְתָּא בִּשְׁאַר יַנּוּקָא דְּהָכָא.

רנו. פָּתַח הַהוּא יַנּוּקָא וְאָמַר, וְהָיָה בַּיּוֹם הַהוּא. הַהוּא, לָא יְדִיעַ מַאן הוּא. אֶלָּא בְּכָל אֲתַר בַּיּוֹם הַהוּא, יוֹמָא בַּתְרָאָה הוּא, אֲמַאי אִקְרֵי יוֹם הַהוּא. אֶלָּא דָּא הוּא יוֹמָא דְּאָחִיד סוֹפָא בְּשֵׁירוּתָא. שֵׁירוּתָא אִקְרֵי הוּא, כד"א וְעָבַד הַלֵּוִי הוּא פּוּלְחָנָא דְּלֵוִי, לְדַרְגָּא דְּאִקְרֵי הוּא, טָמִיר וְגָנִיז. וְאִקְרֵי הַהוּא, לְאַחֲזָאָה סוֹפָא דְּכָל דַּרְגִּין, דְּאִיהוּ שֵׁירוּתָא, וְכֹלָּא חַד. וּבְגִין דְּאִיהוּ סוֹפָא, אִתּוֹסַף בֵּיהּ ה'.

רנז. זְמִינָא יְרוּשָׁלַם לְאַפָּקָא מַיִין, וּלְנַבְעָא נְבִיעוּ, הָכָא אִית לוֹמַר, סוֹפָא דְּכָל דַּרְגִּין, לָאו אִיהוּ יְרוּשָׁלַם, אֶלָּא וַדַּאי יְרוּשָׁלַם וְיוֹמָא הַהוּא כֹּלָּא חַד. מַה בֵּין הַאי לְהַאי. אֶלָּא יְרוּשָׁלַם, כָּל דַּרְגִּין קַדִּישִׁין דִּילָהּ, כַּד אִסְתַּחֲרָן, אִקְרוּן יְרוּשָׁלַם. וְהָכֵי אִתְחֲזָמָאן. וְאִית דַּרְגִּין דְּסַחֲרָן, וְאִקְרוּן עֲזָרוֹת, אִלֵּין פְּנִימָאִין, וְאִלֵּין לְבַר. וְאִית דַּרְגִּין דְּאִקְרוּן כַּד אִסְתַּחֲרָן, לְשָׁכוֹת. וְאִית דַּרְגִּין דְּאִקְרוּן כַּד אִסְתַּחֲרָן. הֵיכָל וּדְבִיר. לְגוֹ מִכָּל אִינּוּן דַּרְגִּין, אִית חַד נְקוּדָה, כְּבוּדָּה בַּת מֶלֶךְ פְּנִימָה. נְקוּדָה דָּא, אִקְרֵי יוֹם הַהוּא, וְסִימָנִיךְ הַהוּא יִקָּרֵא אֶרֶץ.

רנח. וְכַד יְקוּם יוֹמָא דָּא, מִגּוֹ שְׁבָכִין דַּעֲזָרָה יְקוּם נְבִיעוּ דְּמַיָּא, וְהַהוּא נְבִיעוּ מִן הַיָּם הַקַּדְמוֹנִי לֶהֱוֵי. כְּגַוְונָא דְּאִמָּא, דִּבְרָה בֵּין דְּרוֹעָהָא, וּמִסְגִּיאוּ חֲלָבָא דְּיָנִיק, אִתְמְלֵי פּוּמֵיהּ, וְאִתְרַבֵּי בֵּיהּ, אָרִיק חֲלָבָא לְפוּמָא דְּאִמֵּיהּ. כָּךְ חֲצָיִם אֶל הַיָּם הַקַּדְמוֹנִי.

רנט. נַטְלֵיהּ רַב מְתִיבְתָּא, וּנְשָׁקֵיהּ. אָמַר חַיֶּיךָ, הָכֵי אוֹקְמוּהָ בִּמְתִיבְתָּא דִּרְקִיעָא, וְהָכֵי הוּא וַדַּאי. יָם הָאַחֲרוֹן: דַּרְגִּין בַּתְרָאִין דִּילָהּ. אִי חֲסִידָא קַדִּישָׁא, כַּמָּה חֶדְוָה עַל חֶדְוָה, אִתּוֹסַף בְּהַהוּא יַנּוּקָא, גּוֹ בְּנֵי מְתִיבְתֵּי. כ"ז טַעֲמֵי דְּאוֹרַיְיתָא, אָמַר הַהוּא יַנּוּקָא. וְשַׁבְעִין כִּתְרִין אַעְטְרוּהָ לַאֲבוּהָ בְּהַהוּא יוֹמָא. זַכָּאָה חוּלָקֵיהּ, מַאן דְּזָכֵי לְמֵילַף לִבְרֵיהּ. אָמַר רִבִּי שִׁמְעוֹן, לָא זָכָה אֲבוּהָ לְמֵילַף לֵיהּ. אָמַר, אֲבוּהָ שָׁבַק.

רס. וְרָזָא סְתִימָא הֲוָה בְּהַאי יַנּוּקָא, עַל מַה דְּאִסְתַּלַּק מֵעָלְמָא, וְעַל דְּבָעוּ לְמֵידָן דִּינֵיהּ, וְאִשְׁתְּזִיב מִנֵּיהּ, דָּא הֲוָה בְּאִתְגַּלְיָיא, דַּהֲוָה מַכְסִיף לְרַבֵּיהּ קַמֵּי כֹּלָּא, בִּשְׁאֶלְתִּין וְקוּשְׁיָין דִּילֵיהּ, וְלָא חָיֵישׁ לְמֵהַךְ לַאֲחוֹרָא, לְאַתְקָנָא תַּלְמוּדוֹי, וְחָלִישׁ דַּעְתָּא דְּרַבֵּיהּ. וע"ד בָּעוּ לְמֵידָן לֵיהּ בְּדִינָא תַּקִּיפָא. ובג"כ, אַף עַל גַּב דְּאִשְׁתְּזִיב מִמָּארֵיהוֹן דְּדִינָא, לָא אִשְׁתְּזִיב הָכָא. שִׁבְעָה יוֹמִין הֲוֵי דְּלָא אִשְׁתְּלִים דְּיוּקְנֵיהּ. וְכַד הֲוָה אֶסְתַּוֵּי, בִּכְאֵבָא יַתִּירָא קָמֵי כֹּלָּא כָּל אִינּוּן שִׁבְעָה יוֹמִין עַד דְּאִשְׁתְּלִים דְּיוּקְנֵיהּ. וְעַל דְּאִסְתַּלַּק מֵעָלְמָא לָא תִּבְעֵי לְמִנְדַּע. אִי רִבִּי, אִי רִבִּי, זַכָּאָה חוּלָקָךְ.

רסא. ת"ח, תְּחוֹת עִגּוּלָא דְּאִינּוּן שְׁבָכִין, דְּתַמָּן בְּאִינּוּן מַיִין דְּהַהוּא נְבִיעוּ דְּמַעְיְינָא, אִתְרְשִׁים נְבִיעוּ חַד, וְאִתְפָּשַׁט וְנָפִיק לְבַר, וְעָאל גּוֹ יַמָּא רַבָּא. וְרָשִׁים בֵּיהּ אַרְוָזָא בְּלִבָּא דְּיַמָּא, וּמִינֵּיהּ שָׁתֵי לִוְיָתָן, וְרָוֵי, וְחָדֵי, וְאִתְרַבֵּי בִּרְבוּיָיא. וְכַד נָפִיק נְבִיעוּ אַחֲרָא, הַהוּא נְבִיעוּ אִתְפָּשַׁט וְאָזִיל בִּטְמִירוּ, תְּחוֹת תְּהוֹמָא, לְגוֹ יַמָּא בַּתְרָאָה. וְכָל אִינּוּן מַיִם זֵדוֹנִים, וּמַיִין תַּקִּיפִין, מָאִיךְ לוֹן, וְכָפִיף לוֹן, דְּלָא יִפְקוּן לְחַבְּלָא בְּנֵי עָלְמָא. וְסִימָן הַנּוֹתֵן בַּיָּם דָּרֶךְ וּבְמַיִם עַזִּים נְתִיבָה.

רסב. וּבְאֶמְצָעִיתָא דְּהַהִיא עֲזָרָה, אִית תְּרֵין כְּרוּבִים, עוֹבָדָא דְּאוּמָנָא דְּמַלְכָּא קַדִּישָׁא. וְלָא יַכְלִין לְקַיְּימָא בְּהוּ, עָלָאִין וְתַתָּאִין. וּתְחוֹתַיְיהוּ זְמִינִין כָּל יִשְׂרָאֵל לְקַיְּימָא, דְּלָא יִפְקוּן מִתְּחוֹת גַּדְפַּיְיהוּ לְבַר, זַכָּאִין לֶיהֱווֹן, כָּל דְּעָאלִין תְּחוֹת גַּדְפַּיְיהוּ. תְּלֵיסַר אַלְפֵּי מִגְדָּלִין דְּשִׁמְשָׁא, דְּנָהִיר בְּצִעְצוּעָא, כַּדְקָא יָאוּת. רַב מְתִיבְתָּא בג"כ זָכָה לְהַהוּא

יְקָר.

רסג. מַאן יָכִיל לְמֵימַר, מֵאִינּוּן מִלִּין דְּקָא מִתְחַדְּשָׁן בְּכָל יוֹמָא, מִקַּמֵּי רַב מְתִיבְתָּא, אִי רַבִּי, בְּכָל זִמְנָא דְּרוּחִין דְּכוּרִין סַלְּקִין לְעֵילָּא. נָשִׁין בְּהַהוּא זִמְנָא נָפְקֵי כֻּלְּהוּ, וּמִתְכַּנְּשֵׁי לְגוֹ הֵיכָלָא דְּבַתְיָה תַּמָּן, וַחֲדָאִין תַּמָּן, בְּכַמָּה מִלִּין עַתִּיקִין. וּמִתַּמָּן נָפְקִין, וְעָאלִין כֻּלְּהוּ. וְהִיא עִמְּהוֹן, לְגוֹ הֵיכָלָא דְּסֶרַח. וְחַדָּאן בְּכַמָּה מִלִּין חַדְתִּין וְעַתִּיקִין, וּמִתַּמָּן נָפְקִין וְהִיא עִמְּהוֹן, וְעָאלִין לְגוֹ הֵיכָלָא דְּיוֹכֶבֶד. וְכֵן בְּכָל אִינּוּן הֵיכָלִין.

רסד. הַשְׁתָּא ר' אֵימָא לָךְ רָזָא וַחֲדָא. ת"ח, בְּכָל שְׁמִטָּה וּשְׁמִטָּה, כָּרוֹזָא נָפִיק, אִתְכַּנִּישׁוּ גּוּבְרִין וְנָשִׁין, וְכָל אִינּוּן בְּנֵי מְהֵימְנוּתָא, וּסְלִיקוּ. כְּדֵין כֻּלְּהוּ מִתְפַּשְּׁטִין דְּכוּרִין וְנָשִׁין, וְסַלְּקִין. וְכָל אִינּוּן יַנּוּקֵי מֵחָלָב, עָאלִין לְגוֹ מְתִיבְתָּא דִּרְקִיעָא, וְחַדָּאן חֶדְוָה, וְעִלּוּיָא דִּלְהוֹן, וְתַמָּן חֲדוּ עַל חֲדוּ. וְהַהוּא נַעַר דְּמַפְתְּחָן דְּמָארֵיהּ בִּידֵיהּ, קָם, וְאָמַר לוֹן כַּמָּה מִלִּין חַדְתִּין וְעַתִּיקִין, וְכֻלְּהוּ חַדָּאן חֶדְוָה, דְּלֵית חֶדְוָה כְּהַהִיא חֶדְוָה.

רסה. לְבָתַר עָאלִין כֻּלְּהוּ לְגוֹ כַּמָּה פְּרוֹכְתִּין, וְכַמָּה הֵיכָלִין גְּנִיזִין תַּמָּן. דְּאִינּוּן נַהֲרִין בְּנֹעַם יְיָ, בְּגוֹ הֵיכָלָא דְּאַהֲבָה דְּקוּדְשָׁא בְּרִיךְ הוּא. וְדָא הוּא דִּכְתִּיב, לַחֲזוֹת בְּנוֹעַם ה' וּלְבַקֵּר בְּהֵיכָלוֹ. לְבָתַר פַּרְחִין יַנּוּקִין לְעֵילָּא וְאִינּוּן פַּרְחִין לְתַתָּא, וּמְהַדְּרִין לְדוּכְתַּיְיהוּ וּמִתְלַבְּשָׁן כִּדְבְקַדְמֵיתָא. זַכָּאָה עַמָּא דְּכָל טוּבָא דְּהַהוּא עָלְמָא מְזַכָּאן.

רסו. אר"ש, כַּמָּה מְתִיקִין מִלִּין דְּשָׁמַעְנָא. זַכָּאָה חוּלָקָא דִּידִי, דְּזָכֵינָא לְכָל הַאי לְמִשְׁמַע, זַכָּאָה יוֹמָא דְּנָפִיקְנָא הָכָא. אַמְרֵי לֵיהּ רַבִּי, תְּלַת יוֹמִין אִית לָן רְשׁוּ לְמֵיתֵי גַּבָּךְ, וּלְבָתַר חַד יוֹמָא חֶדְוָה דִּילָךְ.

רסז. אִיהוּ מָשִׁיךְ מְשִׁיכוּ מִסִּטְרָא דִּילֵיהּ, וְאִתְטָמַר וְאִתְחֲזָפָא תְּחוֹת אֲתַר דְּאִקְרֵי תָּא הָרָצִים, עַד פַּלְגוּ לֵילְיָא. מִבָּתַר פַּלְגוּ לֵילְיָא, שַׁלְהוֹבָא דְּעַמּוּדָא דְּיִצְחָק נָפִיק, וּבָטַשׁ בְּהַאי תַּרְנְגוֹלָא דְּאִקְרֵי גֶּבֶר, כְּגַוְונָא דְּגֶבֶר אַחֲרָא עִלָּאָה עָלֵיהּ. כֵּיוָן דְּבָטַשׁ בֵּיהּ הַאי גֶּבֶר, קָרֵי וְיָהִיב שִׁית קָלִין, וְכֻלְּהוּ בְּסָכְלְתָנוּ.

רסח. בְּשַׁעֲתָא דְּאִיהוּ קָרֵי, כָּל תַּרְנְגוֹלִין דְּהַאי עָלְמָא קָרָאן, וְנָפִיק מִנֵּיהּ שַׁלְהוֹבָא אוּחֲרָא, וּמָטֵי לוֹן תְּחוֹת גַּדְפַּיְיהוּ, וְקָרָאן. אִיהוּ מַה קָרֵי. בְּשַׁעֲתָא קַדְמָאָה קָרֵי וְאָמַר, קוֹל יְיָ בַּכֹּחַ קוֹל יְיָ בֶּהָדָר. וּבְשַׁעֲתָא תִּנְיָינָא קָרֵי וְאָמַר, קוֹל יְיָ שׁוֹבֵר אֲרָזִים. בְּשַׁעֲתָא תְּלִיתָאָה קָרֵי וְאָמַר, קוֹל יְיָ חוֹצֵב לַהֲבוֹת אֵשׁ. בְּשַׁעֲתָא רְבִיעָאָה קָרֵי וְאָמַר, קוֹל יְיָ יָחִיל מִדְבָּר וְגוֹ'. בְּשַׁעֲתָא חֲמִישָׁאָה קָרֵי וְאָמַר, קוֹל יְיָ עַל הַמָּיִם וְגוֹ'. בְּשַׁעֲתָא שְׁתִיתָאָה קָרֵי וְאָמַר, קוֹל יְיָ יְחוֹלֵל אַיָּלוֹת וְגוֹ'. לְבָתַר קָרֵי וְאָמַר, קוֹל אוֹמֵר קְרָא וְאָמַר מָה אֶקְרָא וגו'. וְדָא אִיהוּ תַּרְנְגוֹלָא דְּקָרֵי, וְלָא שָׁכִיךְ וּלְבָתַר קָרֵי כְּמִלְּקַדְמִין.

רסט. וּמַאי קָרֵי. כָּל עוֹבָדִין דִּבְנֵי עָלְמָא, בְּגִין דְּאִיהוּ מָארֵיהּ דְּאוּכְמָתָא וְקֶסֶת הַסּוֹפֵר בְּחַרְצוֹי. וְכָל עוֹבָדִין דִּבְנֵי עָלְמָא כְּתִיב בְּכָל יוֹמָא. וּבְלֵילְיָא, בָּתַר דְּקָרֵי כָּל קָרִיאָן אִלֵּין, קָרֵי כָּל מַה דִּכְתַב בְּיוֹמָא.

ער/א. וְאַלְמָלֵא רַגְלוֹי אֶצְבְּעָאן דִּילֵיהּ, דְּאִינּוּן תְּרֵין דַּרְגִּין, וְחַד הַהוּא דְּקַיְּימָא בְּאֶמְצָעִיתָא. דְּאִיהוּ רַב. וְהַהוּא דְּקַיְּימָא מֵאֲחוֹרָא, דְּאִיהוּ זְעִיר, דְּקָא מְעַכְּבִין לֵיהּ, יְהֵא מוֹקִיד עָלְמָא בְּשַׁלְהוֹבוֹי. וּמַה עַבְדֵי. כֵּיוָן דְּסָלִיק צַפְרָא, וְחוּטָא דִּנְהִירוּ נָפִיק מִסְּטַר דָּרוֹם, כְּדֵין מִתְחַבְּרִין כֻּלְּהוּ, וְאִתְעָבִידוּ תְּרֵין רַגְלִין טַלְפִין כְּעֶגְלָא, לְקַיְּימָא דִּכְתִיב וְכַף רַגְלֵיהֶם כְּכַף רֶגֶל עֵגֶל, וְהָא יָדַעַת רָזָא דָּא. שְׁאֵלַת עַנְפָּא דְּגוֹרֶן.

ער/ב. לְגוֹ בַּעֲזָרָה דָּא, אִית תְּלַת מְאָה וְשִׁתִּין וַחֲמִשָּׁה הֵיכָלִין, כְּחוּשְׁבַּן יוֹמֵי שַׁתָּא.

וּבְכָל פִּתְחָא וּפִתְחָא כְּתִיב, יְהִי שָׁלוֹם בְּחֵילֵךְ שַׁלְוָה בְּאַרְמְנוֹתָיִךְ. לָא יְדִיעַ מַאי הוּא בְּהָנֵי הֵיכָלִין, אֶלָּא כֻּלְּהוּ, אִתְחֲמָן עוֹבָד צִיּוּר. שֶׁבַע סִדְרִין דְּמַרְגְּלָאן אִתְחֲמָן אִלֵּין בְּאִלֵּין, בְּכָל חַד וְחַד.

רעא. אִי חֲסִידָא קַדִּישָׁא, כַּמָּה מְשַׁבְּחָן רַב מְתִיבְתָּא הֵיכָלָא חֲדָא, דְּאִיהוּ בְּרֵישׁ סְטָר מִזְרָח דַּעֲזָרָה דָּא, בְּגִין דְּאַרְבַּע אִינּוּן בְּד' סִטְרִין דְּעָלְמָא, אֲבָל הֵיכָלָא דִּסְטָר מִזְרָח, אַסְגֵּי נְהוֹרִין דִּילֵיהּ יַתִּיר מִכֻּלְּהוּ.

רבע. יוֹמָא חַד, בְּיַמָּא רַבָּא, לִוְיָתָן נָפִיק, וְכָל יַמָּא אִזְדַּעְזָע, וְכָל נוּנֵי אָזְלִין לְכָאן וּלְכָאן, כַּד מָטֵי לִוְיָתָן בְּפִתְחָא דְּפִתְחָא דִּתְהוֹמָא, שָׁארֵי לְמֶחֱדֵי, וְאִשְׁתְּכַךְ תַּמָּן תְּהוֹמֵי, אֶלָּא הַהוּא כְּוִיזוּ דְּמַעְיָין, וְאִתְחַפְיָין נְהוֹרִין, וְלָא אִתְחָזוּן כָּל אִינּוּן נְהוֹרִין, בַּר נְהוֹרָא דְּהֵיכָלָא דִּבְסִטַר מִזְרָח דָּא.

רעג. הַהוּא מַרְגְּלָא דְּקָא אַפִּיק לִוְיָתָן, מִגּוֹ הַהוּא תְּהוֹמָא דְּאִקְרֵי סַגְדוֹ"ן, מִמָּה אִתְעֲבֵיד. אֶלָּא יוֹמָא דָּא דְּקָא אַפִּיק לִוְיָתָן, דְּאִזְדַּעְזָע יַמָּא, יוֹמָא דְּאִתְחֲרַב בֵּי מַקְדְּשָׁא, ט' בְּאָב אִיהוּ. וְהַהוּא מַרְגְּלָא, דְּכַד דָּכִיר קוּדְשָׁא בְּרִיךְ הוּא לִבְנוֹי, וְאוֹשִׁיד תְּרֵין דִּמְעִין לְגוֹ יַמָּא רַבָּא, חַד נָפִיל לְגוֹ תְּהוֹמָא דָּא דְּאִקְרֵי סַגְדוֹ"ן, וְחַד נָפִיל לְגוֹ תְּהוֹמָא אַחֲרָא דְּאִקְרֵי גִּילְבָ"א.

רעד. בְּגִין דְּחָמֵשׁ תְּהוֹמֵי אַחֲרָנִין אִינּוּן בְּיַמָּא רַבָּא. אֲבָל לָא חֲשִׁיבִין כְּהָנֵי אַחֲרָנִין, וְכֵיוָן דְּנַפְלֵי אִינּוּן דִּמְעִין, קָפְאָן גּוֹ תְּהוֹמֵי חַד. וְחַד אִטְבַּע גּוֹ תְּהוֹמָא, דְּאִקְרֵי גִּילְבָ"א.

רהע. דְּתַתָּא גּוֹ שְׁמָרִים דְּחַמְרָא, דּוּרְדְּיָין בִּישִׁין, נָפִיק חַד עַרְעוּרָא מְקַטְרְגָא, מַזִּיקָא קַדְמָאָה, וְאִיהוּ בְּרוּחָא דְּיוּקְנָא דְּאָדָם, כַּד קָרִיב לְגוֹ קוּדְשָׁא. כֵּיוָן דְּמִתְעֲבֵר מִתַּמָּן, וּבָעֵי לְנַחְתָּא לְתַתָּא, לְאִתְלַבְּשָׁא בִּלְבוּשָׁא לְנַזָּקָא עָלְמָא, נָחִית הוּא וּרְתִיכוֹי. וּלְבוּשָׁא קַדְמָאָה דְּקָא נָקִיט תַּבְנִית שׁוֹר, דְּיוּקְנָא דְּשׁוֹר. וְקַדְמָאָה לַנְּזִיקִין מֵאִינּוּן אַרְבַּע, שׁוֹר אִיהוּ. וְאִינּוּן אַרְבַּע אָבוֹת לְנַזָּקָא עָלְמָא. וְכֻלְּהוּ תְּלָתָא אָבוֹת נְזִיקִין, בַּר שׁוֹר, כֻּלְּהוּ דִּילֵיהּ.

רעו. וע"ד כְּתִיב, וַיָּמִירוּ אֶת כְּבוֹדָם בְּתַבְנִית שׁוֹר אוֹכֵל עֵשֶׂב. מַהוּ אוֹכֵל עֵשֶׂב. הָא דַּרְשִׁינָן בֵּיהּ אֲבָל עִקָּרָא דְּמִלָּה, מִתַּמְצִית הַלֶּחֶם, וְלָא שִׁבְעַת זִינֵי דָּגָן, לֵית לֵיהּ בְּהוּ חוּלָקָא, וְלָא יָאוּת לֵיהּ לְמֶהֱוֵי תַּמָּן.

רעז. מִדּוּכְתַּיְיהוּ, וְאִלֵּין יַתְבִין בְּדוּכְתַּיְיהוּ, עַד לָא נָפְקֵי אִלֵּין, זְמִינִין אִלֵּין, נְהִירוּ וּנְצִיצוּ דִּלְהוֹן, לָא יַכְלִין עַיְינִין לְמִסְבַּל. אָזְלִין בְּסַחֲרָנִין, לֵית לְהוֹן שְׁכִיכוּ לְעָלְמִין.

רעח. כַּד אֶסְתַּכַּל ב"נ בְּהַאי הֵיכָלָא, מִיַּד בְּאִסְתַּכְּלוּתָא קַדְמָאָה, אִתְחֲזֵי זְעֵיר וְלָא זְעֵיר, אֶסְתַּכַּל יַתִּיר, אִתְחֲזֵי רַב. תּוּ אֶסְתַּכַּל, אִתְחֲזֵי יַתִּיר רַב, כָּל מַה דְּאִסְתָּכַּל, הָכִי אִתְחֲזֵי בְּאִתְפַּשְּׁטוּתָא רַב וְעִלָּאָה, עַד דְּדָמֵי בְּאִסְתַּכְּלוּתָא כִּמְלֹא נִימָא, דְּלֵית לֵיהּ שִׁיעוּרָא.

רעט. עוֹבָדִין סַגִּיאִין לְגוֹ, דְּלָא יְדִיעַ אוּמָנוּ דִּלְהוֹן, מִנֵּיהּ נַהֲרָא עֲזָרָה, וְכָל מַה דְּאִית בָּהּ, בַּר כְּרוּבִים דִּנְהוֹרָא דִּלְהוֹן סַלְקָא עַד רוּם רְקִיעָא, בְּגַוְונִין סַגִּיאִין, וּנְהוֹרִין מְנַצְּצָן. אֲלַף וַחֲמֵשׁ מְאָה וַחֲמִשָּׁה וְשַׁבְעִין גּוּפְנִין, עַבְדִין אִיבִּין בַּעֲזָרָה דָּא.

רפ. יַתִּיר חוֹבֵק אֶת יָדָיו, בְּמִרִירוּ וַאֲנִינוּ דִּילֵיהּ, וּלְבָתַר אוֹכֵל אֶת בְּשָׂרוֹ בְּעַל כָּרְחֵיהּ, דְּלֵית לֵיהּ רְשׁוּ לְשַׁלְטָאָה עַל מִלָּה אַחֲרָא. מָה אִתְהֲנֵי לֵיהּ בְּכָל מַה דְּאַסְטֵי וְעָבֵיד וְעָמֵל, דִּלְבָתַר לֵית לֵיהּ רְשׁוּ, אֶלָּא עַל דִּילֵיהּ לְבָתַר מַרְקִיד וְחַדֵּי, כַּכְּסִיל בְּלָא דַּעְתָּא כְּלַל, וְאָזִיל בְּלָא תּוֹעַלְתָּא, וְאָכִיל לִבְשָׂרָא. וּבַשְׂאָר לֵית לֵיהּ רְשׁוּ. מְרִירוּ

דְּעֵילָּא וְתַתָּא, כַּד יִשְׂרָאֵל בְּעָאקוּ, וְאָכְלֵי לוֹן שַׂנְאֵיהוֹן וְלָא יַהֲבֵי חֵילָא בְּעוֹבָדִין טָבִין דִּלְהוֹן, לְאַפָּקָא מִנֵּיהּ.

רפא. וַאֲפִילּוּ מִבִּשְׂרֵיהּ דְּאִיהוּ מֵהַאי סְטָר, אַבְאִישׁ קָמֵי מַלְכָּא קַדִּישָׁא, דְּאִיהוּ רַחוּם וְחַנּוּן. אֲבָל עַל דִּילֵיהּ, רוּחָא קַדִּישָׁא וְנִשְׁמְתָא קַדִּישָׁא, לֵית עִלָּאִין וְתַתָּאִין יַכְלִין לְשַׁלְטָא עֲלוֹי כְּלָל. וע"ד כָּל תַּסְקוּפִין, וְכָל מַה דְּאַסְטֵי הַהוּא רָע, דְּחָשִׁיב לְמִשְׁלַט עַל רוּחָא קַדִּישָׁא, וּלְבָתַר לָא יָכִיל, וְיָשׁוּב וְאוֹכֵל אֶת בְּשָׂרוֹ. מַה תּוֹעַלְתָּא הֲוָה לֵיהּ. וְעוֹד דְּאִינּוּן חָפָּאן כֻּלְּהוּ כְּעַרְטִירָאָה תַּקִּיף, וְלֵית שְׁכִיכוּ לְעִלָּאִין וְתַתָּאִין.

רפב. תָּא וְאֵימָא לָךְ מִלָּה. אִי תֵּימָא, דְּחֶדְוּ הוּא לְמַלְאַךְ הַמָּוֶת, כַּד קָטִיל בְּנֵי נָשָׁא. לָאו. אֶלָּא בְּגִין דְּחָמֵי דִּרְעוּתָא דְּמָארֵיהּ בְּכָךְ, אַחְזֵי גַּרְמֵיהּ בְּחֶדְוּ, לְמֶעְבַּד רְעוּתֵיהּ דְּקוּדְשָׁא בְּרִיךְ הוּא, דִּכְתִּיב רוּחַ סְעָרָה עוֹשָׂה דְבָרוֹ. אָ"ל ר"ש, וְהָא אִיהוּ אָזִיל וּמְרַקֵּד בְּחֶדְוָה קַמֵּי נָשִׁין. אָ"ל אִי חֲסִידָא קַדִּישָׁא, וַדַּאי הָכִי הוּא, לְאַחֲזָאָה קַמֵּי מַלְכָּא דְּנַיְיחָא לֵיהּ בִּרְעוּתֵיהּ דְּמַלְכָּא. אֲבָל נַיְיחָא דִּילֵיהּ בְּהֶסְפֵּדָא דְּנָשִׁין, אִיהוּ רָקִיד וְאוֹדְנֵיהּ לְהֶסְפֵּדָא.

רפג. אָ"ל אִי הָכִי, אַמַּאי אָזִיל וְאַסְטֵי עַל ב"נ לְעֵילָּא, וְאַדְכַּר לְחוֹבוֹי. אָ"ל, בְּגִין דְּאִיהוּ זָקֵן וּכְסִיל, וְחָשִׁיב לְמִשְׁלַט עַל רוּחָא, וְכָל תְּאוּבְתֵיהּ בְּגִינֵי כָּךְ אִיהוּ, לְסוֹף לָא שַׁלִּיט אֶלָּא עַל דִּילֵיהּ. בִּשְׂרָא דִּילֵיהּ. וע"ד כְּתִיב, יָשׁוּב עֲמָלוֹ בְרֹאשׁוֹ.

רפד. אָזִיל וּבָעֵי לְאַרְגָּשָׁא עָלְמָא, וּמַיָּא סַלִּיקִין מִגּוֹ שְׁאַר תְּהוֹמִין, וּבָעָאן לְחַפְיָא עָלְמָא, אִינּוּן דְּמָעִין רְתִיחִין יַתִּיר מִכָּל אֶשָּׁא דְעָלְמָא. וּמִגּוֹ תּוֹקֶף דִּרְתִיחוּ דִּלְהוֹן, אַקְפּוּ מַיָּא, גּוֹ יַמָּא דְּנִקְפָּא. וְאִלְמָלֵא דְּרָמַז קוּדְשָׁא בְּרִיךְ הוּא וְחַד נְשִׁיבוּ מִסִּטְרָא דְּאַבְרָהָם, מֵעַמּוּדָא דִּילֵיהּ, וְאַחְזֵי עַל עָלְמָא, לָא יָכִיל לְמֵיקַם אֲפִילּוּ רִגְעָא חֲדָא.

רפה. אִינּוּן דִּמְעִין כַּד נַפְלִין גּוֹ יַמָּא, אִשְׁתְּמַע קָלָא בֵּין יַמָּא, עַד מְעַרְתָּא דְּכַפֶּלְתָּא. מִקָּל נְהִימוּ דִּלְהוֹן דְּקָא אִשְׁתְּמַע תַּמָּן, כַּד עָאלִין גּוֹ יַמָּא, מִתְעָרָן אֲבָהָן קַדְמָאֵי, וְקָמוּ, וְחָשְׁבוּ דְּקוּדְשָׁא בְּרִיךְ הוּא בָּעֵי לְאַהֲפָכָא עָלְמָא, עַד דְּקָלָא נָפִיק וְאָמַר לוֹן, לָא תִּדְחֲלוּ רְחִימִין קַדִּישִׁין, בְּגִינְכוֹן דָּכִיר קוּדְשָׁא בְּרִיךְ הוּא לִבְנֵיכוֹן, וְאִיהוּ בָּעֵי דְּמִפְרַק לוֹן, וְאַתְיָין תְּחוֹמִין.

רפו. אַלְפָּא בֵּיתִין כֻּלְּהוּ, מִשְׁלָבָן וּמִתְצָרְפָאן אִלֵּין בְּאִלֵּין, וְאִתְחַבְּרָן בְּצֵרוּפָא דִשְׁמָא קַדִּישָׁא. כֵּיוָן דְּאִתְחָזוּן אַתְוָן בְּצֵרוּפָא דָא, אִלֵּין גְּנִיזִין, וְנָפְקִין אַחֲרָנִין, וְכֵן כֻּלְּהוּ. אִלֵּין גְּנִיזִין, וְאִלֵּין נָפְקִין, כֻּלְּהוּ לְגוֹ בְּחֻלְּקָלָא דְּאִינּוּן כַּפְתּוֹרִים.

רפז. תּוּ פְּרוּזֵי תְּלַת זִמְנִין בְּיוֹמָא בַּאֲוִירָא וְנָפְקָא לְבַר, וְקַיְּימָא שְׁמָא בְּאַרְבַּע אַתְוָון, תַּלְיָין בַּאֲוִירָא שַׁעְתָּא וּפַלְגָּא, לְבָתַר גָּנִיז דָּא, מִיַּד נָפִיק מִגּוֹ אֲוִירָא מֵחֻלְקוּלָא דִּילֵיהּ, שְׁמָא דִּתְרֵיסַר אַתְוָון, פָּרוּחַ וְתַלְיָא בַּאֲוִירָא, שַׁעְתָּא חֲדָא, וְלָא יַתִּיר. לְבָתַר גָּנִיז דָּא, וְנָפְקָא מִיַּד צֵרוּפָא דְּאַתְוָון אַחֲרָנִין, שְׁמָא דְּכ"ב אַתְוָון, וְתַלְיָין בַּאֲוִירָא שַׁעְתָּא אַחֲרָא, וְאִגְנִיז. וּמִיַּד נָפְקֵי אַתְוָון מֵחֻלְקוּלָא אַחֲרָא, שְׁמָא דִּתְמַנְיָא וְעֶשְׂרִין אַתְוָון, מִתְעַטְּרִין כֻּלְּהוּ בְּכִתְרַיְיהוּ, וְקַיְּימֵי שַׁעְתָּא וּפַלְגָּא, וְאִגְנִיז דָּא. וּמִיַּד נָפְקֵי תַּלְיָא בַּאֲוִירָא, שְׁמָא דְּעֶשְׂרִין וַחֲמֵשׁ אַתְוָון בְּצֵרוּפַיְיהוּ, וְקַיְּימָא שַׁעְתָּא וּתְלַת רִגְעֵי, נָפְקֵי אַתְוָון דְּאַרְבְּעִין וּתְרֵין אַתְוָון. לְעָלְמָא קַיְּימָא.

רפח. שְׁמָהָן. אֶלָּא אַתְוָון כּוּלְּהוּ, לָא מִשְׁתַּכְּחֵי לְעָלְמִין, בַּלְטֵי וּמְנַצְּצֵי לְבַר, וְסַלְּקֵי וְנָחְתֵי, לֵית מַאן דְּיָכִיל לְקַיְּימָא בְּהוּ, בַּר מָשִׁיחַ בְּטוּרוּי סַגֵּי. דָּא גָּנִיז, לְבָתַר דְּקַיְּימָא

תְּרֵין שַׁעְתִּין וְעֶשְׂרִין וּתְרֵין רַגְעִין, וְהַאי שְׁמָא גְּלִיפָא דְּע"ב אַתְוָון קָא נָפִיק. וְקַיְּימָא וְתַלְיָא בַּאֲוִירָא, שַׁעֲתָא וּפַלְגָּא. כָּל הָנֵי שְׁמָהָן לָא נָפְקֵי, וְלָא אִתְחֲזוּן, אֶלָּא זִמְנָא וְחָדָא בְּיוֹמָא, אֲבָל אִינּוּן אַלְפָא בֵּיתִין, אִתְחֲזוּן פָּרְחִין בַּאֲוִירָא, וּמִצְטָרְפִין אִלֵּין בְּאִלֵּין, תְּלַת זִמְנִין בְּיוֹמָא.

רפט. כַּד פָּרְחָן אַתְוָון דְּאַלְפָא בֵּיתִין, אִלֵּין פָּרְחִין מִכָּאן, וְאִלֵּין מִכָּאן, וּמִתְצָרְפָן כֻּלְּהוּ. כַּד נָחִית תַּמָּן רַב מְתִיבְתָּא, שָׁארֵי, מְשִׁיחַ וְחָמָא בְּצֵרוּפָא דְּאַלְפָא בֵּיתָא, אַתְוָון כְּמָה דְּחָמָא דָּנִיאֵל, דְּאִינּוּן מִמּוֹתוּס נַנְקְפֵי אַאֲלֵרָן.

רצ. כָּל מַעֲלֵי שַׁבְּתָא, כַּד מְקַדְּשִׁין יִשְׂרָאֵל יוֹמָא לְתַתָּא, כָּרוֹזָא כָּרִיז לְאַרְבַּע סִטְרֵי עָלְמָא, אִתְכְּנָשׁוּ מַשִּׁרְיָין קַדִּישִׁין, אַתְקָנוּ כֻּרְסְיָין. מַאן חָמֵי חֶדְוָה, בִּתְלַת מְאָה וְתִשְׁעִין רְקִיעִין, כַּמָּה מְמָנָן, כַּמָּה שׁוּלְטָנִין, מִתְכַּנְּשִׁין לְאַתְרַיְיהוּ. כֵּיוָן דְּיִשְׂרָאֵל לְתַתָּא מְקַדְּשִׁין, כְּדֵין אִתְעַר אִילָנָא דְּחַיֵּי, וְאַקִּישׁ בְּאִינּוּן טַרְפִּין דִּילֵיהּ, רוּחַ נָשִׁיבוּ חַד מִגּוֹ עָלְמָא דְּאָתֵי, וְאִינּוּן עַנְפִּין דְּאִילָנָא מִתְנַעְנְעָן, וְסָלְקִין רֵיחִין דְּעָלְמָא דְּאָתֵי.

רצא. הַהוּא אִילָנָא דְּחַיֵּי אִתְעַר, וְאַפִּיק נִשְׁמָתִין קַדִּישִׁין, וּפָרִישׁ עַל עָלְמָא. וְעִם כָּל דָּא, נִשְׁמָתִין נָפְקִין, וְנִשְׁמָתִין עָאלִין, אִלֵּין מִתְעָרֵי אִלֵּין, אִלֵּין נָפְקִין וְאִלֵּין עָאלִין, וְאִילָנָא דְּחַיֵּי בְּחֶדְוָה.

רצב. וּכְדֵין, יִשְׂרָאֵל כֻּלְּהוּ מִתְעַטְּרִין בְּעִטְרִין דְּאִינּוּן נִשְׁמָתִין קַדִּישִׁין, כֻּלְּהוּ בְּחֶדְוָה בְּנַיְיחָא. וְכָל הַשַּׁבָּת, אִית לוֹן הַהוּא חֶדְוָה, וְהַהוּא נַיְיחָא, וְכָל צַדִּיקַיָּיא דִּי בְּגִנְּתָא, כֻּלְּהוּ סָלְקִין וּמִתְעַנְּגִין בְּעִנּוּגָא עִלָּאָה, דְּעָלְמָא דְּאָתֵי. כֵּיוָן דְּנָפִיק שַׁבְּתָא, כֻּלְּהוּ נִשְׁמָתִין פָּרְחִין וְסָלְקִין.

רצג. ת"ח, כַּד עָיֵיל שַׁבְּתָא נִשְׁמָתִין נַחְתִּין לְשַׁרְיָיא עַל עַמָּא קַדִּישָׁא. וְנִשְׁמָתִין דְּצַדִּיקַיָּיא סָלְקִין לְעֵילָּא. כַּד נָפִיק שַׁבְּתָא, נִשְׁמָתִין סָלְקִין, אִינּוּן דְּשָׁארוּ עֲלַיְיהוּ דְּיִשְׂרָאֵל. וְנִשְׁמָתִין נַחְתִּין, אִינּוּן נִשְׁמָתִין דְּצַדִּיקַיָּיא.

רצד. כֵּיוָן דְּסָלְקִין כֻּלְּהוּ נִשְׁמָתִין דְּשָׁארוּ עֲלַיְיהוּ דְּיִשְׂרָאֵל. סָלְקֵי וְקַיְּימִין בְּדִיוּקְנָא קַמֵּי מַלְכָּא קַדִּישָׁא, וְקוּדְשָׁא בְּרִיךְ הוּא שָׁאִיל לְכֻלְּהוּ, מַאי חִדּוּשָׁא הֲוָה לְכוּ בְּהַהוּא עָלְמָא בְּאוֹרַיְיתָא. זַכָּאָה אִיהוּ מַאן דְּחִדּוּשָׁא דְּאוֹרַיְיתָא אַמְרַת קַמֵּיהּ. כַּמָּה חֶדְוָה עָבֵיד קוּדְשָׁא בְּרִיךְ הוּא, כָּנִישׁ לְפַמַּלְיָא דִּילֵיהּ, וְאָמַר, שִׁמְעוּ חִדּוּשָׁא דְּאוֹרַיְיתָא, דְּאַמְרַת נִשְׁמְתָא דָּא דִּפְלוֹנִי, וְכֻלְּהוּ מוֹקְמֵי הַהִיא מִלָּה בִּתְרֵי מְתִיבְתֵּי. אִינּוּן לְתַתָּא, וְקוּדְשָׁא בְּרִיךְ הוּא לְעֵילָּא, וְחָתִים לְהַהִיא מִלָּה.

רצה. ת"ח, כַּד מִלָּה אִתְחַדַּשׁ בְּאוֹרַיְיתָא, וְנִשְׁמְתָא דְּנַחְתָּא בְּשַׁבְּתָא אִתְעַסְּקַת בְּאִינּוּן מִלִּין וְחַדְתִּין, וְסָלְקֵי לְעֵילָּא. כָּל פַּמַּלְיָא דִּלְעֵילָּא, צַיְיתִין לְהַהוּא מִלָּה, וְחַיּוֹת הַקֹּדֶשׁ מִתְרַבִּין בְּגַדְפִּין, וּמִתְלַבְּשָׁן בְּגַדְפִּין. וְכַד שָׁאִיל לוֹן קוּדְשָׁא בְּרִיךְ הוּא, וְלָא תָּבִין וְשַׁתְקִין, כְּדֵין וְחַיּוֹת הַקֹּדֶשׁ מַה כְּתִיב, בְּעָמְדָם תְּרַפֶּינָה כַנְפֵיהֶם, כְּמָה דְּאַתְּ אָמֵר כִּי עָמְדוּ לֹא עָנוּ עוֹד. וּכְפַתְחוּ עָמְדוּ כָּל הָעָם.

רצו. וְאִי תֵּימָא, שְׁתִיקָה אֲמַאי קָרוּ לֵיהּ עֲמִידָה. אֶלָּא, בְּדִבּוּרָא אִית ז' שַׁיְיפִין דְּמִתְנַעְנְעָן בַּהֲדֵיהּ, לִבָּא. רֵיאָה. קָנֶה. לָשׁוֹן. שִׁנַּיִם. שְׂפָוָון. בָּשָׂר. וּבִשְׁתִיקָה קַיְימוּ בְּקִיוּמַיְיהוּ, בְּלָא נִעְנוּעָא. וְע"ד קָרֵי לִשְׁתִיקָה עֲמִידָה.

רצז. דְּהָא רַב הַמְנוּנָא סָבָא אָמַר, יִשְׁלַח עֶזְרְךָ מִקֹּדֶשׁ וְגוֹ'. מִקֹּדֶשׁ, דָּא קִדּוּשׁ יָדַיִם. וּמִצִּיּוֹן יִסְעָדֶךָּ, דָּא הַמּוֹצִיא, דְּאִיהוּ סָעִיד לִבָּא דְּבַר נָשׁ. יִזְכּוֹר כָּל מִנְחוֹתֶיךָ, כָּל לְאַסְגָּאָה מִלָּה אַחֲרָא, דָּא נְטִילַת יָדַיִם בַּתְרַיְיתָא. וְעוֹלָתְךָ יְדַשְּׁנֶה סֶלָה, דָּא בִּרְכַּת הַמָּזוֹן בְּזִמּוּן. וְאִי

אַתְּ עָבֵיד כֵּן, יִתֶּן לְךָ כִלְבָבֶךָ וְכָל עֲצָתְךָ יְמַלֵּא. וּבְשַׁבָּת מְקַדֵּשׁ, דָּא קְדוּשָּׁא רַבָּא. וְעַל מִלָּה דָּא, אִתְעַטְּרוּ צַדִּיקַיָּיא בְּגַן עֵדֶן, מוֹשָׁבָת לְשַׁבָּת אַחֲרָא.

רוזצ. תּוּ פָּתַח וְאָמַר, עַל הַר גָּבוֹהַּ עֲלִי לָךְ מְבַשֶּׂרֶת צִיּוֹן וְגוֹ'. עַל הַר גָּבוֹהַּ, הַאי וַדַּאי הַר הָעֲבָרִים, אֲתַר דְּמֹשֶׁה אִתְקְבַר. וְהָא אוּקְמוּהָ, דִּשְׁכִינְתָּא תִּסְּלַּק לְתַמָּן, וְתַבַשֵּׂר עָלְמָא. אֲבָל כַּלָּא אִיהוּ, מְבַשֶּׂרֶת צִיּוֹן, דָּא אִיהִי וְחֶפְצִי בָהּ, אִתְּתָא דְּנָתָן בַּר דָּוִד. אִימָא אִיהִי דִּמְשִׁיחָא, מְנַחֵם בַּ"ר עַמִּיאֵ"ל, וְאִיהִי תֵּיפּוּק וְתִבַשֵּׂר, וְאִיהִי בִּכְלָלָא דִּמְבַשֶּׂרֶת צִיּוֹן.

רצט. קָלָא יִשְׁתְּמַע בְּעָלְמָא, וּתְרֵין מַלְכִין יִתְעָרוּן בְּעָלְמָא, לַאֲגָחָא קְרָבָא, וְיִפּוּק שְׁמָא קַדִּישָׁא עַל עָלְמָא. מַה תְּבַשֵּׂר וְתֵימָא. הִנֵּה יְיָ' אֱלֹהִים בְּחָזָק יָבֹא וּזְרוֹעוֹ מוֹשְׁלָה לוֹ. הִנֵּה שְׂכָרוֹ אִתּוֹ וּפְעוּלָּתוֹ לְפָנָיו. הִנֵּה שְׂכָרוֹ אִתּוֹ, דְּקוּדְשָׁא בְּרִיךְ הוּא כָּרִיז בְּכָל פַּמַלְיָא דִּלְעֵילָּא, וְיֵימָא לוֹן, אִתְכַּנְּשׁוּ וְדָאִינוּ דִּינָא. מַאן דְּמָסַר נִשְׁמָתֵיהּ עַל קְדוּשַּׁת שְׁמִי, אַגְרֵיהּ מַאי הוּא. וְאִינּוּן יֵימְרוּן כַּךְ וְכַךְ. מַאן דְּסָבִיל כַּמָּה חֵרוּפִין וְגִדּוּפִין בְּכָל יוֹמָא עָלַי, מַהוּ אַגְרֵיהּ. אִינּוּן אַמְרֵי כַּךְ. מַאן דְּאִתְעֲנַּשׁ בְּכָל יוֹמָא עָלַי, מַהוּ אַגְרֵיהּ. אִינּוּן אַמְרֵי כַּךְ. הה"ד, הִנֵּה שְׂכָרוֹ אִתּוֹ וּפְעוּלָּתוֹ לְפָנָיו.

ש. מַהוּ וּפְעוּלָּתוֹ. אֶלָּא כְּמָה דִּכְתִיב, מָה רַב טוּבְךָ וְגוֹ'. פָּעַלְתָּ לַחוֹסִים בָּךְ. דָּא הוּא פְּעוּלָּתוֹ. נֶגֶד בְּנֵי אָדָם מַהוּ. אֶלָּא נֶגֶד עכו"ם. אֲשֶׁר צָפַנְתָּ לִּירֵאֶיךָ, מַהוּ אֲשֶׁר צָפַנְתָּ. וְכִי מַאן יִגְזוֹל וְיִטּוֹל מִן יְדוֹי, מַה דְּהוּא בָּעֵי לְמֵיהַב, דִּכְתִיב צָפַנְתָּ.

שא. אֶלָּא פּוּק וְחָמֵי עוֹבָדִין דְּרַחֲמָנוּ דְּעָבֵד קוּדְשָׁא בְּרִיךְ הוּא, בְּמָה דְּאִיהוּ מָחֵי, בֵּיהּ יָהִיב אַסְוָתָא. בְּמָה מָחֵי בִּשְׂמָאלָא, בִּימִינָא קָרִיב, וּבִשְׂמָאלָא מָחֵי. בְּמָה דְּמָחֵי, בֵּיהּ יָהִיב אַסְוָותָא לְעוֹלָם, כְּתִיב מִצָּפוֹן תִּפָּתַח הָרָעָה, וּבְצָפוֹן מָחֵי. דְּמִתַּמָּן נָפְקֵי כָּל דִּינִין וְכָל גְּזֵירֵי קַשְׁיָין. וּבֵיהּ שָׁרֵי כָּל אֲגַר טַב, וְכָל טִיבוּ, דְּזַמִּין קוּדְשָׁא בְּרִיךְ הוּא לְמֵיהַב לְיִשְׂרָאֵל. לִזְמְנָא דְּאָתֵי, קָרֵי קוּדְשָׁא בְּרִיךְ הוּא לַצָּפוֹן, וְיֵימָא לֵיהּ, בָּךְ יָהֲבִית כָּל טִיבוּ, וְכָל אֲגַר טוֹב לִבְנַי, דְּסַבְלוּ כַּמָּה בִּישִׁין בְּהַאי עָלְמָא, עַל קְדוּשַּׁת שְׁמִי. הַב אַגְרִין טָבִין דְּיָהֲבִית בָּךְ.

שב. הה"ד אוֹמַר לַצָּפוֹן תֵּנִי וּלְתֵימָן אַל תִּכְלָאִי וְגוֹ'. וְכִי אָרְחָא הָכִי הוּא דְּדָרוֹם, לְמִמְנַע בִּרְכָאן, וְהָא כָּל בִּרְכָאן מִסִּטְרָא דְּדָרוֹם, וְכָל טָבִין דְּעָלְמָא מִדָּרוֹם נָפְקֵי, וְאִיהוּ אָמַר לְתֵימָן אַל תִּכְלָאִי.

שג. אֶלָּא בְּהַהִיא שַׁעֲתָא, יִתְעַר קוּדְשָׁא בְּרִיךְ הוּא לְאַבְרָהָם, וְיֵימָא לֵיהּ קוּם, דְּהָא מָטָא זִמְנָא דַּאֲנָא פָּרִיק לִבְנָךְ, לְמֵיהַב לוֹן אֲגַר טַב, עַל כָּל מַה דְּסַבְלוּ בְּגָלוּתָא. וּמִגּוֹ דְּאַבְרָהָם הֲוָה בּוֹבִינוּ דִּלְהוֹן, דִּכְתִיב אִם לֹא כִּי צוּרָם מְכָרָם, דָּא אַבְרָהָם. הֲוָה לֵיהּ כְּמַאן דְּלָא טַב בְּעֵינוֹי, וְאַחְזֵי גַּרְמֵיהּ, כְּמַאן דְּבָעֵי דְּיִלְקוּן עַל חוֹבֵיהוֹן יַתִּיר, וְיֵימָא גַּבּוּ מֵחוֹבֵיהוֹן, גַּבּוּ מֵחַטָּאֵיהוֹן. א"ל קוּדְשָׁא בְּרִיךְ הוּא לְאַבְרָהָם, יָדַעְנָא כֹּלָּא אִיהוּ מַה דַּאֲמִירַת לְאַנְפִּין. אֲנָא אוּף הָכִי לְאַנְפִּין. אַל תִּכְלָאִי, אֲנָא בָּעֵי לְפַיְּיסָא לָךְ עַל בְּנָךְ. לָא תִמְנַע טִיבוּ מִנְּהוֹן, לָא תִמְנַע אֲגַר טַב מִנְּהוֹן, כַּמָּה וְכַמָּה סַבְלוּ עַל חוֹבֵיהוֹן, וּבְגִינֵי כַּךְ אוֹמַר לַצָּפוֹן תֵּנִי. וְהַיְינוּ אֲשֶׁר צָפַנְתָּ, וְדָא הוּא מִלָּה דְּהַהִיא מְבַשֶּׂרֶת.

דש. וְתוּ תְּבַשֵּׂר זִמְנָא תִּנְיָינָא, בְּשַׁעֲתָא דִּשְׁכִינְתָּא תִּסְּלַק עַל הַהוּא טוּרָא עִלָּאָה, וְתֵהַךְ וּתְבַשֵּׂר לַאֲבָהָן, מִיַּד תֵּהַךְ לִירוּשְׁלֵם, וְתֶחֱמֵי לָהּ בְּחָרְבָּנָא. תֵּיעוּל לְצִיּוֹן, וְתַמָּן תְּקַרְקֵר קִירָא כְּמִלְּקַדְּמִין, עַל אֲתַר בֵּי מוֹתְבָהּ, וְעַל יְקָרָא דִּילָהּ בְּהַהוּא אֲתַר. וְתַמָּן

אוּמִיאַת, דְּלָא תֵּיטוֹל מִתַּמָּן, וְלָא תִּפּוּק, עַד דְּקוּדְשָׁא בְּרִיךְ הוּא יִפְרוֹק לִבְנָהָא, וְדָא וַחְפְּצִי בָּהּ תִּתְבַּשֵּׂר כְּמִלְּקַדְמִין וְאַמְרַת, צַהֲלִי וָרֹנִּי יוֹשֶׁבֶת צִיּוֹן כִּי גָדוֹל בְּקִרְבֵּךְ וְגוֹ'. מַאי גָּדוֹל בְּקִרְבֵּךְ. דָּא קוּדְשָׁא בְּרִיךְ הוּא דְּאִיהוּ אָתֵי לְגַבָּהּ, לְאַקָּמָא לָהּ מֵעַפְרָא, וְיֵימָא לָהּ הִתְנַעֲרִי מֵעָפָר קוּמִי שְׁבִי יְרוּשָׁלָםִ. יְרוּשָׁלַםִ אִיהִי, וִירוּשָׁלַם שְׁמָהּ וַדַּאי.

שה. וּבְדָא אוּף הָכִי, כַּמָּה חֶדְוּוּ עַל חֶדְוּוּ הֲוֵי לְצַדִּיקַיָּיא בְּגַן עֵדֶן. וּבְגַ"כ זַכָּאָה אִיהוּ, מַאן דְּנִשְׁמָתֵיהּ בְּשַׁבָּת אַסְהִידַת קָמֵי מַלְכָּא, עַל חִדּוּשָׁא דְּאוֹרַיְיתָא, דְּקוּדְשָׁא בְּרִיךְ הוּא, וְכָל פָּמַלְיָא דִּילֵיהּ, וְכָל אִינּוּן נִשְׁמָתִין דְּצַדִּיקַיָּיא דַּהֲווּ בְּגַן עֵדֶן, כֻּלְּהוּ מִתְעַטְּרִין בְּהַהוּא מִלָּה.

שו. תּוּ שְׁמַעְנָא בּוּצִינָא קַדִּישָׁא, דִּכְמָה יְקָר עַל יְקָר, וַעֲטָרָה עַל עֲטָרָה, מְעַטְּרָן לַאֲבוּהָ דְּהַהוּא בַּ"נ תַּמָּן, בְּשַׁעֲתָא דְּאָמַר קוּדְשָׁא בְּרִיךְ הוּא, אִתְכְּנָשׁוּ לְמִשְׁמַע חִדּוּשָׁא וּמִלִּין חַדְתִּין דְּאוֹרַיְיתָא, מִשְּׁמֵיהּ דִּפְלוֹנִי בַּר פְּלוֹנִי, כַּמָּה אִינּוּן דְּנַשְׁקִין עַל רֵישֵׁיהּ. כַּמָּה צַדִּיקַיָּיא מְעַטְּרִין לֵיהּ, כַּד נַחְתִּין. זַכָּאָה חוּלָקֵיהוֹן דְּכָל אִינּוּן דְּמִשְׁתַּדְּלִין בְּאוֹרַיְיתָא, יוֹמָא דְּשַׁבַּתָּא מִשְּׁאַר יוֹמִין. (עַד כָּאן)

רַעְיָא מְהֵימְנָא

שז. רֵאשִׁית עֲרִיסוֹתֵיכֶם חַלָּה תָּרִימוּ וְגוֹ', פִּקּוּדָא דָּא לְהַפְרִישׁ חַלָּה לַכֹּהֵן. חַלָּ"ה הָכִי חוּשְׁבְּנֵיהּ, מ"ג בֵּיצִים, וְחוֹמֶשׁ בֵּיצָה, חַד מֵחֲמֵשׁ. וְאִית חוֹמֶשׁ חַד מִן חַמְשִׁין, דְּאִיהוּ ן'. וְדָא סִימַן מָגֵ"ן, דְּאִיהוּ מִיכָאֵ"ל גַּבְרִיאֵ"ל נוּרִיאֵ"ל. חַלָּה, שְׁכִינְתָּא. דְּבַאֲתַר דְּאִלֵּין מַלְאֲכִין תַּמָּן, אֲבָהָן תַּמָּן. וּבְאַתְרָא דַּאֲבָהָן תַּמָּן, שְׁכִינְתָּא תַּמָּן. וּבָהּ וַיְחַל, בָּהּ צַלֵּינָא, הה"ד וַיְחַל מֹשֶׁה אֶת פְּנֵי יְיָ' אֱלֹהָיו. אֲדֹנָי יֱדֹוִד אַתָּה הַחִלּוֹתָ לְהַרְאוֹת אֶת עַבְדְּךָ. וּבָהּ חָלָה זְכוּת אָבוֹת. וּבָהּ תַּמָּה זְכוּת אָבוֹת לָרְשָׁעִים. דַּהֲווּ מְקַבְּלִים אַגְרַיְיהוּ בְּהַאי עָלְמָא.

שח. דְּמִסִּטְרָא דִּימִינָא, דְּתַמָּן י' דְּאִיהוּ חָכְמָה, שֵׁירוּתָא דִּשְׁמָא דַּיְדֹוָ"ד, דְּאִיהוּ אַחֲזֵי זְכוּתָא עַל בְּנָהָא מִימִינָא, דְּתַמָּן רמ"ח פִּקּוּדִין דַּעֲשֵׂה. מִסִּטְרָא דְּאָת ה' בַּתְרָאָה, דְּאִיהִי לִשְׂמָאלָא דִּגְבוּרָה, דְּתַמָּן לֹא תַעֲשֶׂה, דְּאִינּוּן ש"ה, דְּתַמָּן נִדּוֹנִין רְשָׁעִים גְּמוּרִים, תָּמָה לוֹן זְכוּת אָבוֹת, וְאִתְהַפַּךְ לוֹן שֵׁם יְהֹוָ"ה, הוה"י. וְאוּלִיפְנָא מֵהָמָן הָרָשָׁע, וְכָל זֶה אֵינֶנּוּ שֹׁוֶה לִי. (ע"כ רַעְיָא מְהֵימְנָא).

שט. וַיֹּאמֶר יְיָ' אֶל מֹשֶׁה לֵּאמֹר דַּבֵּר אֶל בְּנֵי יִשְׂרָאֵל וְגוֹ' וְעָשׂוּ לָהֶם צִיצִת עַל כַּנְפֵי בִגְדֵיהֶם לְדוֹרוֹתָם וְגוֹ'. ר' חִזְקִיָּה פָּתַח, וַיַּרְאֵנִי אֶת יְהוֹשֻׁעַ הַכֹּהֵן הַגָּדוֹל וְגוֹ'. כַּמָּה זַכָּאִין אִינּוּן יִשְׂרָאֵל, דְּקוּדְשָׁא בְּרִיךְ הוּא בָּעֵי בִּיקָרְהוֹן עַל כָּל בְּנֵי עָלְמָא, וְיָהַב לוֹן אוֹרַיְיתָא קַדִּישָׁא, וְיָהַב לוֹן נְבִיאֵי מְהֵימְנֵי, דִּמְדַבְּרֵי לְהוּ בְּאוֹרַיְיתָא, בְּאֹרַח קְשׁוֹט.

שי. תָּא חֲזֵי, כָּל נְבִיאֵי וּנְבִיאֵי דְּאוֹקִים קוּדְשָׁא בְּרִיךְ הוּא לְיִשְׂרָאֵל, כֻּלְּהוּ אִתְגְּלֵי קוּדְשָׁא בְּרִיךְ הוּא עֲלַיְיהוּ, בְּדַרְגִּין עִלָּאִין קַדִּישִׁין, וְחָמוּ זִיו יְקָרָא קַדִּישָׁא דְּמַלְכָּא מֵאֲתַר עִלָּאָה, אֲבָל לָא קָרִיב כְּמֹשֶׁה, דַּהֲוָה קָרִיב לְמַלְכָּא יַתִּיר מִכֹּלָּא, דְּהָא זַכָּאָה חוּלָקֵיהּ יַתִּיר מִכָּל בְּנֵי עָלְמָא, דַּעֲלֵיהּ כְּתִיב, פֶּה אֶל פֶּה אֲדַבֶּר בּוֹ וּמַרְאֶה וְלֹא בְחִידוֹת. וּשְׁאַר נְבִיאֵי, הֲווּ חָמָאן מֵאֲתַר רְחִיקָא, כְּמָה דְּאַתְּ אָמֵר מֵרָחוֹק יְיָ' נִרְאָה לִי.

שיא. א"ר חִזְקִיָּה, הָכִי אוּלִיפְנָא, כְּתִיב וַיֵּלֶךְ אִישׁ מִבֵּית לֵוִי וַיִּקַּח אֶת בַּת לֵוִי. וַיֵּלֶךְ אִישׁ: דָּא קוּדְשָׁא בְּרִיךְ הוּא כד"א יְיָ' אִישׁ מִלְחָמָה. מִבֵּית לֵוִי: דָּא קוּדְשָׁא בְּרִיךְ הוּא, אֲתַר דְּחָכְמָה עִלָּאָה, וְהַהוּא זוֹהַר מִתְחַבְּרָן כַּחֲדָא, דְּלָא מִתְפָּרְשָׁן לְעָלְמִין. מִבֵּית לֵוִי:

דאשרי לויתן כל ויזדו בעלמא, הה"ד לויתן זה יצרת לשחק בו. ויקח את בת לוי, דא קודשא בריך הוא, אתר דנהירו דסיהרא נהיר.

שיב. ותהר האשה ותלד בן. האשה ודאי, כד"א לזאת יקרא אשה. בקדמיתא בת לוי, הכי הוא ודאי. וכי בת לוי בקדמיתא, והשתא אשה. אלא הכי אוליפנא, אתתא עד לא אזדווגת, אתקריאת בת פלוני, בתר דאזדווגת. אתקרי אשה, והכא, בת ואשה, כלא בחד דרגא היא.

שיג. ותצפנהו ג' ירחים, אלין תלת ירחין דדינא קשיא שריא בעלמא. ומאי נינהו. תמו"ז וא"ב וטב"ת. מאי קא משמע לן. דעד דלא נחת משה לעלמא, שכיוה הוה הוא לעילא, ועל דא אזדווגת ביה שכינתא מן יומא דאתיליד. מכאן אמר רבי שמעון, רוחיהון דצדיקייא שכיחין אינון לעילא, עד לא ייחתון לעלמא.

שיד. ולא יכלה עוד הצפינו ותקח לו וגו' מאי ותקח לו תיבת גמא. דחפת ליה בסימנהא, למהוי נטיר מאינון נוני ימא, דשאטין בימא רבא, כמה דכתיב שם רמש ואין מספר. והיא חפת ליה למהוי נטיר מנייהו בחפו דסטרא דיובלא יקירא בתרי גוונין, בחיוור ואוכם, ואנח ליה למשה למישט בינייהו, לאשתמודע בינייהון, בגין דזמין הוא לסלקא בינייהו, זמנא אחרא, לקבלא אורייתא.

שטו. ותרד בת פרעה. דא היא, דאתיא מסטרא שמאלא דדינא קשיא, כמה דאתמר לרחוץ על היאור. על היאור דייקא, ולא על הים. ואי תימא, הא כתיב ומטך אשר הכית בו את היאור. ומשה לא הכה אלא בים, וקרייה קרא יאור. אלא יאור הוה דמחא אהרן על ידא דמשה, ושווייה קרא דאיהו עבד.

שטז. כהאי גוונא וימלא שבעת ימים אחרי הכות יי' את היאור, ואהרן הכה, אלא על דא דאתא מסטרא דקודשא בריך הוא, קרייה קרא הכות יי', לבתר קרייה בשמא דמשה. ונערותיה הולכות, אינון שאר משריין דאתיין מסטרא דא.

שיז. ותפתח ותראהו את הילד. ותראהו, ותרא מבעי ליה, מאי ותראהו. והא אמר רבי שמעון לית לך מלה באורייתא, או את חד באורייתא, דלא אית ביה רזין יקירין ועלאין. אלא הכי אוליפנא, רשימא דמלכא ומטרוניתא אשתכחת ביה, ואינון רשימא דוא"ו ה"א, מיד ותחמול עליו וגו'. עד כאן לעילא. מכאן ולהלאה לתתא, בר האי קרא, דכתיב ותתצב אחותו מרחוק. אחותו דמאן. אחותו דהאי איהו, דקרא לכנסת ישראל אחותי, כד"א פתחי לי אחותי. מרחוק: כד"א, מרחוק יי' נראה לי.

שיח. מאי משמע. משמע דאינון זכאין, עד דלא נחתו לעלמא, אשתמודען אינון לעילא לגבי כלא, וכ"ש משה. ומשמע דנשמתהון דצדיקייא, אתמשך מאתר עלאה, כמה דאוקימנא. ורזא דמלה אוליפנא, דמשמע דאב ואם אית לנשמתא, כמה דאית אב ואם לגופא, בארעא.

שיט. ומשמע דבכל סטרין, בין לעילא, בין לתתא, מדכר ונוקבא כלא אתיא ואשתכח. והא אוקמוה רזא דכתיב, תוציא הארץ נפש חיה. הארץ, דא כנסת ישראל. נפש חיה, נפשא דאדם קדמאה עלאה, כמה דאתמר. אתא רבי אבא ונשקיה, אמר ודאי שפיר קא אמרת, והכא הוא כלא.

שכ. זכאה חולקיה דמשה נביאה מהימנא, על כל שאר נביאי עלמא. בגין כך, לא אשתדל ביה כד אסתלק מעלמא, בר קודשא בריך הוא, דאעליה לפרגודיה.

וְעַל דָּא סָלִיק מֹשֶׁה בִּנְבוּאָה עִלָּאָה, וּבְדַרְגִּין יַקִּירִין, מִכָּל נְבִיאֵי עָלְמָא, וּשְׁאַר נְבִיאֵי וְזִמְנָא בָּתַר כּוּתָלִין סַגִּיאִין.

שכא. וַיַּרְאֵנִי אֶת יְהוֹשֻׁעַ הַכֹּהֵן הַגָּדוֹל, מַאי קָא רָמָא, דַּהֲוָה קָאִים קָמֵי מַלְאֲכָא, וּמִתְלַבַּשׁ בִּלְבוּשִׁין מְלוּכְלָכִין, עַד דְּכָרוֹזָא נָפִיק, וְאָמַר הָסִירוּ הַבְּגָדִים הַצֹּאִים מֵעָלָיו. אָמַר רַבִּי יִצְחָק, כְּתִיב הָכָא וְעוֹמֵד לִפְנֵי הַמַּלְאָךְ, מַאי לִפְנֵי הַמַּלְאָךְ. דַּהֲוָה דָּאִין דִּינוֹי, הַהוּא דִּכְתִיב בֵּיהּ, וְאַל תֹּאמַר לִפְנֵי הַמַּלְאָךְ כִּי שְׁגָגָה הִיא. מַאי קָא מַשְׁמַע לָן. דְּכָל בַּר נָשׁ דְּלָא זָכֵי בְּהַאי עָלְמָא, לְאִתְעַטְּפָא בְּעִטּוּפָא דְּמִצְוָה, וּלְאִתְלַבְּשָׁא בִּלְבוּשָׁא דְּמִצְוָה. כַּד עָיֵיל בְּהַהוּא עָלְמָא, קָאִים בִּלְבוּשָׁא טִנּוּפָא, דְּלָא אִצְטְרִיךְ, וְקָאִים בְּדִינָא עָלֵיהּ.

שכב. ת"ח, כַּמָּה לְבוּשִׁין מִזְדַּמְּנִין בְּהַהוּא עָלְמָא, וְהַהוּא בַּר נָשׁ דְּלָא זָכֵי בְּהַאי עָלְמָא בִּלְבוּשִׁין דְּמִצְוָה, כַּד עָיֵיל לְהַהוּא עָלְמָא, מְלַבְּשִׁין לֵיהּ בְּחַד לְבוּשָׁא דְּאִשְׁתְּמוֹדַע לְגַבֵּי מָארֵיהוֹן דְּגֵיהִנָּם, וְהַהוּא לְבוּשָׁא, וַוי לְמַאן דְּאִתְלַבַּשׁ בֵּיהּ. דְּהָא כַּמָּה גַּרְדִּינֵי נִמּוּסִין, זְמִינִין לְאַחֲדָא בֵּיהּ, וְעַיְילֵי לֵיהּ לַגֵּיהִנָּם. וּשְׁלֹמֹה מַלְכָּא צָוַוח וְאָמַר בְּכָל עֵת יִהְיוּ בְגָדֶיךָ לְבָנִים.

שכג. תָּאנָא בְּרָזָא דְּסִפְרָא דִּצְנִיעוּתָא, אַרְבַּע מַלְכִין נָפְקִין לְקַדְמַת אַרְבַּע. בְּהוּ תַּלְיָין כַּעֲנָבִים בְּאִתְכְּלָא, צְרִירָן בְּהוּ ז' רְהִיטִין, סָהֲדִין סַהֲדוּתָא. וְלָא קַיְימִין בְּדוּכְתַּיְיהוּ.

רעיא מהימנא

שכד. צִיצִית, פִּקּוּדָא דָּא אִיהוּ, לְאַדְכְּרָא כָּל פִּקּוּדֵי אוֹרַיְיתָא בְּגִינָהּ. כד"א וּרְאִיתֶם אוֹתוֹ וּזְכַרְתֶּם אֶת כָּל מִצְוֹת יְיָ' וַעֲשִׂיתֶם אוֹתָם. דָּא אִיהוּ סִימָנָא דְּמַלְכָּא, לְאַדְכְּרָא וּלְמֶעְבַּד.

שכה. כְּתִיב וְעָשִׂיתָ צִּיץ זָהָב, וְהָא אוֹקִימְנָא רָזָא דְּצִיץ לְאִתְעַטְּרָא בֵּיהּ כַּהֲנָא רַבָּא. וְדָא אִיהוּ צִיץ, לְאִסְתַּכְּלָא בֵּיהּ עַיְינִין, דְּאִיהוּ סִימָן דְּעָלְמָא עִלָּאָה, דְּאִתְעַטָּר בֵּיהּ כַּהֲנָא רַבָּא.

שכו. וּבְגִין כַּךְ אִסְתַּכְּלוּתָא דִּילֵיהּ מְכַפְּרָא עַל עַזּוּת פָּנִים, דְּלָא קַיְימָא לְקַמֵּיהּ, אֶלָּא פָּנִים דְּקְשׁוֹט, רָזָא דְּכָל אִינּוּן פָּנִים עִלָּאִין, דְּאִינּוּן פָּנִים דִּקְשׁוֹט, פָּנִים דֶּאֱמֶת. דִּכְלִילָן בֶּאֱמֶת דְּיַעֲקֹב.

שכז. צִיצִית אִיהוּ נוּקְבָא, רָזָא בְּעָלְמָא תַּתָּאָה. אִסְתַּכְּלוּתָא לְאַדְכְּרָא. צִיץ דְּכַר, צִיצִית נוּקְבָא, וְדָא לְכָל בַּר נַשׁ. צִיץ לְכַהֲנָא.

שכח. וְתָנֵינָן, אָסוּר לְאִסְתַּכְּלָא בִּשְׁכִינְתָּא, בג"כ אִית תְּכֵלָא, בְּגִין דִּתְכֵלֶת, אִיהוּ כֻּרְסְיָּיא לְבֵית דָּוִד, וְתִקּוּנָא דִּילֵיהּ. וְדָא אִיהוּ דַּחֲלָא מִן קֳדָם יְיָ' לְדַחֲלָא מֵהַהוּא אֲתַר. וְעַל דָּא וּרְאִיתֶם אוֹתוֹ וּזְכַרְתֶּם אֶת כָּל מִצְוֹת יְיָ', וְדָא כֻּרְסְיָּיא דְּדַיְינִין בָּהּ דִּינֵי נְפָשׁוֹת, כְּמָה דְּאוּקְמוּהָ, דְּכָל גַּוְונִין טָבִין לְחֶלְמָא, בַּר תְּכֵלָא, דְּאִיהוּ כֻּרְסְיָּיא דְּסָלִיק בְּדִינָא דִּנְפָשׁוֹת.

שכט. כְּתִיב וְנָתְנוּ עַל צִיצִית הַכָּנָף פְּתִיל תְּכֵלֶת. וְנָתְנוּ עַל הַכָּנָף לָא כְּתִיב, אֶלָּא וְנָתְנוּ עַל צִיצִית. דְּדָא אִיהוּ דְּחָפֵי עַל שְׁאַר חוּטִין.

של. וּרְאִיתֶם אוֹתוֹ וּזְכַרְתֶּם, וּכְתִיב, זָכוֹר אֵת אֲשֶׁר עָשָׂה לְךָ עֲמָלֵק. מ"ט דָּא. אֶלָּא לִבְרָא דְּפָרִיץ גַּדְרָא, וּנְשָׁכֵיהּ כַּלְבָּא. כָּל זִמְנָא דַּאֲבוֹי בָּעֵי לְאוֹכָחָא לִבְרֵיהּ, הֲוָה אָמַר הֱוֵי דְּכִיר כַּד נָשִׁיךְ לָךְ כַּלְבָּא. אוּף הָכָא וּרְאִיתֶם אוֹתוֹ וּזְכַרְתֶּם, דְּדָא אִיהוּ אֲתַר דְּסַלְקִין נִשְׁמָתִין לְמֵידָן.

שלא. כְּגַוְונָא דָא, וְהָיָה כָּל הַנָּשׁוּךְ וְרָאָה אוֹתוֹ וָחָי, אַמַּאי. אֶלָּא כַּד סָלִיק לְעֵינוֹי, וְחָמֵי דְּיוֹקְנָא דְּהַהוּא דְּנָשִׁיךְ לֵיהּ, הֲוָה דָּחִיל, וְצַלֵּי קֳדָם יְיָ, וַהֲוָה יָדַע דְּאִיהוּ עוֹנְשָׁא דְּחַיָּיבַיָּא. כָּל זִמְנָא דְּבְרָא חָמֵי רְצוּעָה דַּאֲבוֹי, דָּחִיל מֵאֲבוֹי. אִשְׁתְּזִיב מֵרְצוּעָה, אִשְׁתְּזִיב מִכֹּלָּא. מַאן גָּרִים לֵיהּ לְאִשְׁתְּזָבָא. הַהוּא דְּחָמֵי בְּעֵינוֹי הַהוּא רְצוּעָה, הַהוּא רְצוּעָה גָּרִים לֵיהּ לְאִשְׁתַּזָּבָא. וְעַ"ד וְרָאָה אוֹתוֹ וָחָי, וְחָמֵי רְצוּעָה דְּאַלְקֵי לֵיהּ, וְאִיהוּ עָבֵיד לֵיהּ לְאִשְׁתְּזָבָא. אוּף הָכָא וּרְאִיתֶם אוֹתוֹ וּזְכַרְתֶּם, וַעֲשִׂיתֶם וַדַּאי. וְאִי לָאו, הָא רְצוּעָה, דְּהַאי יִגְרוֹם לְכוֹן, לְמֶהֱוֵי תָּבִין לְפוּלְחָנָא דִּילֵיהּ תָּדִיר, וּכְדֵין וַעֲשִׂיתֶם.

שלב. וְלֹא תָתוּרוּ אַחֲרֵי לְבַבְכֶם, יִמְנַע מִנְּכוֹן בִּישִׁין אָרְחִין אָחֳרָנִין, וַדַּאי, לֹא תָתוּרוּ, וְלָא תַּעַבְדוּ בִּישִׁין. וְעַל דָּא סַלְקָא גְּוָון תְּכֵלָא. דָּא תְּכֵלֶת, דַּמְיָא לְכִסֵּא הַכָּבוֹד, מַה כִּסֵּא הַכָּבוֹד, עָבֵיד לְבַר נָשׁ לְמֵהַךְ לְאָרְחָא דְּמֵישַׁר, לְדַכְאָה לֵיהּ. אוּף הַאי תְּכֵלֶת, עָבֵיד לְבַ"נ לְמֵהַךְ בְּאַרַח מֵישָׁר, וַדַּאי דְּכֹלָּא אִית לְדַחֲלָא מֵהַאי אֲתַר, לְמֵיהַךְ בְּמֵישָׁר.

שלג. כְּתִיב מִכְּנַף הָאָרֶץ זְמִירוֹת שָׁמַעְנוּ צְבִי לַצַּדִּיק וָאוֹמַר רָזִי לִי וְגוֹ'. מִכְּנַף הָאָרֶץ, דָּא כָּנָף דְּצִיצִית, דְּאִיהוּ כְּנַף הָאָרֶץ. זְמִירוֹת שָׁמַעְנוּ, אִלֵּין שְׁאַר חוּטִין, דְּנָפְקִין וְתַלְיָין מֵאֲתַר עִלָּאָה, גּוֹ אִינּוּן שְׁבִילִין עִלָּאִין, דְּנָפְקִין מֵחָכְמָה עִלָּאָה. צְבִי לַצַּדִּיק, דָּא צַדִּיק חַי הָעוֹלָמִים, דְּאִינּוּן חוּטִין אִינּוּן שְׁפִּירוּ דִּילֵיהּ, דְּהָא מִנֵּיהּ נָפְקִין, וְכָל חוּטָא כְּלִילָא בִּתְרֵין סִטְרִין. וְכַד אִסְתַּכַּלְנָא, אֲמֵינָא רָזִי לִי רָזִי לִי, דְּהָא מִגּוֹ רָזָא עִלָּאָה דְּכֹל מְהֵימְנוּתָא נָפְקִין. וְכַד אִסְתַּכַּלְנָא בִּתְכֵלֶת, וַחֲמֵינָא רְצוּעָה לְאַלְקָאָה, אֲתַר דְּחִילוּ לְמִדְחַל, אֲמֵינָא אוֹי לִי, דִּבְנֵי נָשָׁא לָא יַדְעֵי לְאַשְׁגָּחָא וּלְאִסְתַּכְּלָא עַל מַה מִתְעַנְשִׁין לְשַׁקְרָא, בְּהַאי בּוֹגְדִים בָּגָדוּ, דְּהָא קוֹרִין ק"ש בְּלָא צִיצִית, וְסָהֲדִין סַהֲדוּתָא דְּשִׁקְרָא, וְאִלֵּין אִינּוּן בּוֹגְדִים דְּבָגְדוּ, מְשַׁקְּרֵי דְּגַרְמַיְיהוּ.

שלד. וּבֶגֶד בּוֹגְדִים בָּגָדוּ, לְבוּשָׁא דִּלְהוֹן בְּלָא צִיצִית, אִקְרֵי בֶּגֶד בּוֹגְדִים. לְבוּשָׁא דְּאִינּוּן בּוֹגְדִים דְּבָגְדוּ, דִּמְשַׁקְּרֵי וְסָהֲדִין סַהֲדוּתָא דְּשִׁקְרָא בְּכָל יוֹמָא. וַוי לוֹן, וַוי לְנַפְשַׁיְיהוּ, דְּסַלְקֵי בְּהַהוּא כָּרְסַיָּיא דִּתְכֵלָא לְמֵידָן. וַעֲלַיְיהוּ כְּתִיב, דּוֹבֵר שְׁקָרִים לֹא יִכּוֹן לְנֶגֶד עֵינָי, הַהוּא בֶּגֶד דִּלְהוֹן אִשְׁתְּמוֹדַע לְגַבֵּי כָּל מָארֵיהוֹן דְּדִינִין. וַוי לוֹן, דְּלֵית לוֹן חוּלָקָא בְּעָלְמָא דְּאָתֵי. זַכָּאִין אִינּוּן צַדִּיקַיָּיא, דְּמַלְבּוּשַׁיְיהוּ וְתִקּוּנַיְיהוּ אִשְׁתְּמוֹדְעָן לְעֵילָּא, לְאוֹטָבָא לוֹן בְּהַאי עָלְמָא וּבְעָלְמָא דְּאָתֵי.

שלה. פִּקּוּדָא דָּא מִצְוַת צִיצִית, כְּלִיל תְּכֵלֶת וְלָבָן, דִּינָא וְרַחֲמֵי בְּנוּרָא. אֶשָּׁא חִוְּורָא לָא אָכִיל, תְּכֵלָא אָכִיל וְשָׁצֵי. וַתֹּאכַל הָעוֹלָה, חִוְּור מִימִינָא, תְּכֵלֶת מִשְּׂמָאלָא. עַמּוּדָא דְּאֶמְצָעִיתָא יִחוּד בֵּין תַּרְוַויְיהוּ, יָרוֹק. וּבְגִ"ד אוֹקְמוּהָ מָארֵי מַתְנִיתִין, מֵאֵימָתַי קוֹרִין אֶת שְׁמַע בְּשַׁחֲרִית, מִשֶּׁיַּכִּיר בֵּין תְּכֵלֶת לְלָבָן. וּבְגִ"ד תַּקִּינוּ פָּרָשַׁת צִיצִית לְמִקְרֵי לָהּ בְּיִחוּדָא. (ע"כ רעיא מהימנא)

שלו. אָמַר רִבִּי יְהוּדָה, כַּמָּה סָהֲדֵי עָבֵיד קוּדְשָׁא בְּרִיךְ הוּא לְאַסְהֲדָא בְּהוּ בִּבְנֵי נָשָׁא, וְכֻלְּהוּ בְּעֵיטָא וּבְסַהֲדוּתָא קַיְימִין לְקַבְלֵיהּ. קָם בְּצַפְרָא אוֹשִׁיט רַגְלוֹי לְמֵהַךְ, סָהֲדַיָּיא קַיְימִין לְקַבְלֵיהּ, מַכְרִיזִין וְאַמְרִין, רַגְלֵי חֲסִידָיו יִשְׁמוֹר וְגוֹ'. שְׁמוֹר רַגְלְךָ כַּאֲשֶׁר תֵּלֵךְ. פַּלֵּס מַעְגַּל רַגְלֶךָ. אַפְתַּח עֵינוֹי לְאִסְתַּכְּלָא בְּעָלְמָא, סָהֲדַיָּיא אָמְרֵי, עֵינֶיךָ לְנֹכַח יַבִּיטוּ. קָם לְמַלְּלָא, סָהֲדַיָּיא אָמְרֵי נְצוֹר לְשׁוֹנְךָ מֵרָע וְגוֹ'. אוֹשִׁיט יְדוֹי בְּמִלֵּי עָלְמָא, סָהֲדַיָּיא אָמְרֵי סוּר מֵרָע וַעֲשֵׂה טוֹב.

שלז. אִי צַיִּית לְהוּ, יָאוּת. וְאִי לָא, כְּתִיב וְהַשָּׂטָן עוֹמֵד עַל יְמִינוֹ לְשִׂטְנוֹ. כֻּלְּהוּ סָהֲדִין עָלֵיהּ בְּחוֹבוֹי לְעֵילָּא. אִי בָּעֵי בַּ"נ לְאִשְׁתַּדְּלָא בְּפוּלְחָנָא דְּקוּדְשָׁא בְּרִיךְ הוּא, כֻּלְּהוּ

סָהֲדִין סַנֵּיגוֹרִין קַמֵּיהּ, וְקַיְּימִין לְאַסְהֲדָא עָלֵיהּ טָבָאן, בְּשַׁעֲתָא דְּאִצְטְרִיךְ לֵיהּ.

שלז. קָם בְּצַפְרָא, מְבָרֵךְ כַּמָּה בִּרְכָאן. אָנַח תְּפִילִּין בְּרֵישֵׁיהּ בֵּין עֵינוֹי. בָּעֵי לְזַקְפָא רֵישֵׁיהּ, וְחָמֵי שְׁמָא קַדִּישָׁא עִלָּאָה, אָחִיד וְרָשִׁים עַל רֵישֵׁיהּ. וּרְצוּעִין תַּלְיָין מֵהַאי גִּיסָא וּמֵהַאי גִּיסָא עַל לִבֵּיהּ. הָא אִסְתָּכַּל בִּיקָרָא דְּמָארֵיהּ. אוֹשִׁיט יְדוֹי, וְחָמֵי יְדָא אַחֲרָא, מִתְקַשְּׁרָא בְּקִשּׁוּרָא דִּשְׁמָא קַדִּישָׁא. אַהֲדַר יְדֵיהּ וְאִסְתַּכַּל בִּיקָרֵיהּ דְּמָארֵיהּ. אִתְעֲטָף בְּעִטּוּפָא דְּמִצְוָה, בְּאַרְבַּע זָוְיָין דִּכְסוּתֵיהּ, אַרְבַּע מַלְכִין נָפְקִין לְקַדְמוּת אַרְבַּע. אַרְבַּע סָהֲדֵי קְשׁוֹט דְּמַלְכָּא, תַּלְיָיא מֵאַרְבַּע זָוְיָין, וְתַלְיָין בְּהוּ כַּעֲנָבִים בְּאִתְכְּלָא.

שלט. מָה אִתְכְּלָא, דְּאִיהוּ חַד, וְתַלְיָין בֵּיהּ כַּמָּה עֲנָבִים, מֵהַאי סְטָר וּמֵהַאי סְטָר. כָּךְ הַאי, מִצְוָה חֲדָא, וְתַלְיָין בֵּיהּ כַּמָּה עֲנָבִים, וְחָגִין וְזִמּוּרִין צְרִירִין בְּהוּ, שִׁבְעָה רְהִיטִין אִלֵּין אִינּוּן שִׁבְעָה צְרִירִין דִּתְכֶלְתָּא, דְּבָעֵי לְכָרְכָא בֵּיהּ בְּכָל חַד וְחַד, אוֹ לְאַסְגָּאָה עַד תְּלֵיסַר, מַאן דְּיוֹסִיף, לָא יוֹסִיף עֲלַיְיהוּ עַל תְּלֵיסַר. מַאן דְּיִמְעַט, לָא יִמְעַט מִשִּׁבְעָה.

שמ. וְתָאנָא, הַאי תְּכֵלֶת, הוּא רָזָא דְּדָוִד מַלְכָּא. וְדָא חוּטָא דְּאַבְרָהָם, דְּזָכָה בֵּיהּ לִבְנוֹי בַּתְרוֹי. מַאי תְּכֵלֶת. תַּכְלִית דְּכֹלָּא. רִבִּי יְהוּדָה אוֹמֵר, כִּסֵּא הַכָּבוֹד אִקְרֵי.

שמא. רִבִּי יִצְחָק אָמַר, שִׁבְעָה כְּרִיכָן דְּאִיהִי שְׁכִינְתָּא שְׁבִיעָתָא דְּכֹלָּא וַדַּאי. דְּהָא הִיא מִתְבָּרְכָא מִשִּׁיתָא אַחֲרָנִין, עַל יְדָא דְּצַדִּיק. וְאִי תְּלַת עֲשַׂר, תְּלַת עֲשַׂר אִינּוּן, כְּמָה דְּאוּקְמוּהָ בִּתְלַת עֲשַׂר מְכִילָן. וְהַאי הִיא פִּתְחָא דְּכֻלְּהוּ.

שמב. וְהִיא חוּטָא חַד, וּרְשִׁימָא בְּגַוְונָהָא, וְגַוְונָא דִּילָהּ נָפִיק, מֵחַד נוּנָא דְּאָזִיל בְּיַם כִּנֶּרֶת. וְכִנֶּרֶת עַל שְׁמָהּ אִתְקְרֵי. וְעַל דָּא, כִּנּוֹר הֲוָה תָּלוּי לְעֵילָּא מֵעַרְסָא דְּדָוִד, דְּהָא וַדַּאי אִיהוּ כִּנּוֹר דְּדָוִד, מְנַגֵּן מֵאֵלָיו לְמַלְכָּא קַדִּישָׁא עִלָּאָה. וּבג"כ, גַּוְונוֹי עָיֵיל עַד רְקִיעָא, וּמֵרְקִיעָא עַד כּוּרְסְיָּיא.

שמג. וְהָכָא כְּתִיב מִצְוָה, כד"א מִצְוַת הַמֶּלֶךְ הִיא. מַדּוּעַ אַתָּה עוֹבֵר אֵת מִצְוַת הַמֶּלֶךְ. כִּי מִצְוַת הַמֶּלֶךְ. וְתָאנָא, יְסוֹדָא וְשָׁרְשָׁא בְּמַלְכָּא מִתְעַטְּרִין כַּחֲדָא. וְהַאי הוּא דּוּכְרָנָא וּפִתְחָא לְכָל שְׁאַר כִּתְרִין. דִּכְתִּיב, פִּתְחוּ לִי שַׁעֲרֵי צֶדֶק. וּכְתִיב, זֶה הַשַּׁעַר לַיְיָ'. וְע"ד כְּתִיב, וּרְאִיתֶם אוֹתוֹ וּזְכַרְתֶּם אֶת כָּל מִצְוֹת יְיָ', לְאַכְלְלָא בְּהַאי כָּל שְׁאַר כִּתְרִין. וְע"ד אִינּוּן סָהֲדֵי סַהֲדוּתָא, וְלָא קַיְּימֵי בְּדוּכְתַּיְיהוּ בְּגִין דְּאִיהִי מִצְוַת.

שדמ. וְתָנֵינָן, תַּשְׁמִישֵׁי מִצְוָה, נִזְרָקִין. וְאִי תֵּימָא, הָא לוּלָב וַעֲרָבָה וְכוּ', תַּשְׁמִישֵׁי קְדוּשָּׁה אִינּוּן, אֲמַאי נִזְרָקִין. אֶלָּא תַּשְׁמִישֵׁי קְדוּשָּׁה, בְּגִין דִּרְשִׁימִין בִּכְתִיבָה דִּשְׁמָא קַדִּישָׁא.

שמה. א"ר יִצְחָק, אִינּוּן חוּטִין, לְאַחֲזָאָה הֵיךְ תַּלְיָין מִכָּאן וּמִכָּאן, לְד' סִטְרֵי עָלְמָא, מֵהַאי אֲתָר. וְאִיהִי שַׁלְטָא עַל כֹּלָּא. בְּרָזָא דְּלֵב, דְּאִיהִי לִבָּא דְּכָל הַאי עָלְמָא, וְלִבָּא דְּעִלָּאֵי, וְתַלְיָא בְּלֵב עִלָּאָה. וְכֹלָּא הוּא בְּלֵב, דְּנָפַק מֵחָכְמָה עִלָּאָה. א"ר יִצְחָק, שִׁעוּרָא דְּהַאי, וְאוֹרְכָא דְּהַאי, אִתְּמַר בְּאַתְוָון גְּלִיפָן דְּר' אֶלְעָזָר.

שמו. א"ר יְהוּדָה, אָמַר קוּדְשָׁא בְּרִיךְ הוּא, מַאן דְּבָעֵי לְמֵהַךְ בָּתַר דִּילִי, יְהַךְ בָּתַר לִבָּא דָּא, וּבָתַר עַיְינִין דְּקַיְּימִין עֲלָהּ. מַאן אִינּוּן עַיְינִין. כד"א, עֵינֵי יְיָ' אֶל צַדִּיקִים אֲבָל אַתֶּם לֹא תָתוּרוּ אַחֲרֵי לְבַבְכֶם וְאַחֲרֵי עֵינֵיכֶם. מ"ט בְּגִין דְּאַתֶּם זוֹנִים אַחֲרֵיהֶם.

שמז. אָמַר ר' חִיָּיא, מַאי טַעֲמָא הָכָא יְצִיאַת מִצְרַיִם, דִּכְתִיב אֲשֶׁר הוֹצֵאתִי אֶתְכֶם מֵאֶרֶץ מִצְרַיִם. אֶלָּא, בְּגִין דְּכַד נַפְקוּ מִמִּצְרַיִם, בְּהַאי חוּלָקָא עָאל. וּבְהַאי, קָטִיל קוּדְשָׁא בְּרִיךְ הוּא קְטוֹלָא דְּמִצְרַיִם. וְע"ד בְּאַתְרֵיהּ אִתְדְּכַר, וּבְאַתְרֵיהּ אִזְדְּהַר לְהוּ בְּדָא. מַאי בְּאַתְרֵיהּ. בְּגִין דְּהַאי מִצְוָה, הִיא אֲתָר דִּילָהּ.

שמח. תָּאנֵי ר' יֵיסָא, כְּתִיב כִּימֵי צֵאתְךָ מֵאֶרֶץ מִצְרַיִם אַרְאֶנּוּ נִפְלָאוֹת. כִּימֵי, כַּיּוֹם

מִבָּעֵי לֵיהּ, דְּהָא בְּחַד זִמְנָא נָפְקוּ וְלָא אִתְעַכְּבוּ. אֶלָּא כְּאִינּוּן יוֹמִין עִלָּאִין, דְּאִתְבָּרְכָא בְּהוּ כְּנֶסֶת יִשְׂרָאֵל. כָּךְ זַמִּין קוּדְשָׁא בְּרִיךְ הוּא לְאַפָּקָא לְהוּ לְיִשְׂרָאֵל מִן גָּלוּתָא, וּכְדֵין כְּתִיב וַאֲמַרְתֶּם בַּיּוֹם הַהוּא הוֹדוּ לַיְיָ׳ קִרְאוּ וְגוֹ׳, זַמְּרוּ יְיָ׳ כִּי גֵאוּת עָשָׂה מוּדַעַת זֹאת בְּכָל הָאָרֶץ. מַאי מוּדַעַת זֹאת. בְּגִין דְּהַשְׁתָּא אִשְׁתְּמוֹדְעָא זֹאת בְּעִטּוּפָא דְּמִצְוָה. בְּהַהוּא זִמְנָא אִשְׁתְּמוֹדְעָא זֹאת, בְּכַמָּה נִמּוּסִין דִּילָהּ, דְּיַעֲבֵיד קוּדְשָׁא בְּרִיךְ הוּא אָתִין וְנִסִּין בְּעָלְמָא, כְּדֵין כְּתִיב בַּיּוֹם הַהוּא יִהְיֶה יְיָ׳ אֶחָד וּשְׁמוֹ אֶחָד. בָּרוּךְ יְיָ׳ לְעוֹלָם אָמֵן וְאָמֵן. יִמְלוֹךְ יְיָ׳ לְעוֹלָם אָמֵן וְאָמֵן.

KORACH

קֹרַח

א. וַיִּקַּח קֹרַח בֶּן יִצְהָר בֶּן קְהָת בֶּן לֵוִי וְגוֹ'. רִבִּי אַבָּא פָּתַח הַנֶּחֱמָדִים מִזָּהָב וּמִפַּז רָב וּמְתוּקִים מִדְּבַשׁ וְנֹפֶת צוּפִים. כַּמָּה עִלָּאִין פִּתְגָּמֵי אוֹרַיְיתָא, כַּמָּה יַקִּירִין אִינּוּן, תְּאִיבִין אִינּוּן לְעֵילָּא, תְּאִיבִין אִינּוּן לְכֹלָּא. בְּגִין דְּאִינּוּן שְׁמָא קַדִּישָׁא. וְכָל מַאן דְּאִשְׁתַּדַּל בְּאוֹרַיְיתָא, אִשְׁתַּדַּל בִּשְׁמָא קַדִּישָׁא, וְאִשְׁתְּזִיב מִכֹּלָּא, אִשְׁתְּזִיב בְּעָלְמָא דֵּין, וְאִשְׁתְּזִיב בְּעָלְמָא דְּאָתֵי. ת"ח, כָּל מַאן דְּאִשְׁתַּדַּל בְּאוֹרַיְיתָא, אָחִיד בְּאִילָנָא דְּחַיֵּי. כֵּיוָן דְּאָחִיד בֵּיהּ, בְּכֹלָּא אָחִיד, דִּכְתִּיב עֵץ חַיִּים הִיא לַמַּחֲזִיקִים בָּהּ וְגוֹ'.

ב. רִבִּי יִצְחָק אָמַר, כָּל מַאן דְּיִשְׁתַּדַּל בְּאוֹרַיְיתָא, חֵירוּ אִית לֵיהּ מִכֹּלָּא, חֵירוּ מִמִּיתָה, כְּמָה דְּאַמָרָן. בְּגִין דְּחֵירוּ עָלֵיהּ שַׁרְיָא, וְאָחִיד בֵּיהּ. אִילוּ יִשְׂרָאֵל מִתְעַטְּרִין בְּאוֹרַיְיתָא, יִשְׁתְּזִבוּ מִכֹּלָּא, וְלָא יִשְׁתַּכְּחוּ בְּגָלוּתָא, וְדָא הוּא דִּכְתִּיב חָרוּת עַל הַלֻּחֹת, אַל תִּקְרֵי חָרוּת אֶלָּא חֵירוּת. וְחֵירוּת דָּא בְּאוֹרַיְיתָא אִשְׁתְּכַח, אוֹרַיְיתָא אִיהִי חֵילָא דִּימִינָא, כד"א מִימִינוֹ אֵשׁ דָּת לָמוֹ, וּשְׂמָאלָא אִתְכְּלִיל בִּימִינָא, מַאן דְּעָבִיד יְמִינָא שְׂמָאלָא, וּשְׂמָאלָא יְמִינָא, הָא אִיהוּ כְּאִילוּ חָרִיב עָלְמָא.

ג. ת"ח, אַהֲרֹן יְמִינָא. לֵיוָאֵי שְׂמָאלָא, קֹרַח בָּעֵי לְמֶעְבַּד חִלּוּפָא דִּימִינָא לִשְׂמָאלָא, בְּגִּ"כ אִתְעֲנַשׁ. וְלָא עוֹד אֶלָּא דְּאִשְׁתְּכַח בֵּיהּ לִישָׁנָא בִּישָׁא, וְאִתְעֲנַשׁ בְּכֹלָּא. רִבִּי יְהוּדָה אָמַר, שְׂמָאלָא אִתְכְּלִיל תָּדִיר בִּימִינָא, קֹרַח בָּעָא לְאַחְלְפָא תִּקּוּנָא דִּלְעֵילָּא וְתַתָּא, בְּגִּ"כ אִתְאֲבִיד מֵעֵילָּא וְתַתָּא.

ד. וַיִּקַּח קֹרַח, מַאי וַיִּקַּח. נָסִיב עֵיטָא בִּישָׁא לְגַרְמֵיהּ, כָּל דְּרָדַף בָּתַר דְּלָאו דִּילֵיהּ, אִיהוּ עָרִיק מִקַּמֵּיהּ. וְלָא עוֹד, אֶלָּא מַה דְּאִית בֵּיהּ אִתְאֲבִיד מִנֵּיהּ. קֹרַח רָדִיף בָּתַר דְּלָאו דִּילֵיהּ, דִּילֵיהּ אָבִיד, וְאַחֲרָא לָא רָוַוח.

ה. קֹרַח אָזִיל בְּמַחְלוֹקֶת. מַאי מַחֲלוֹקֶת. פְּלוּגְתָּא. פְּלוּגְתָּא דִּלְעֵילָּא וְתַתָּא. וּמַאן דְּבָעֵי לְאַפְלְגָא תִּקּוּנָא דְּעָלְמָא, יִתְאֲבִיד מִכֻּלְּהוּ עָלְמִין. מַחֲלוֹקֶת, פְּלוּגְתָּא דְּשָׁלוֹם. וּמַאן דְּפָלִיג עַל שָׁלוֹם, פָּלִיג עַל שְׁמָא קַדִּישָׁא, בְּגִין דִּשְׁמָא קַדִּישָׁא, שָׁלוֹם אִקְרֵי.

ו. ת"ח, לֵית עָלְמָא קָאֵים אֶלָּא עַל שָׁלוֹם, כַּד בָּרָא קוּדְשָׁא בְּרִיךְ הוּא עָלְמָא, לָא יָכִיל לְאִתְקַיְּימָא, עַד דְּאָתָא וְשָׁרָא עָלַיְיהוּ שָׁלוֹם. וּמַאי הוּא. שַׁבָּת, דְּאִיהוּ שְׁלָמָא דְּעִלָּאֵי וְתַתָּאֵי, וּכְדֵין אִתְקַיַּים עָלְמָא. וּמַאן דְּפָלִיג עָלֵיהּ, יִתְאֲבִיד מֵעָלְמָא.

ז. צְלָפְחָד פָּלִיג עַל שַׁבָּת, דַּהֲוָה מְקוֹשֵׁשׁ עֵצִים. וּמַאן אִינּוּן עֵצִים. אִינּוּן אִילָנִין אַחֲרָנִין כְּדְאַמָרָן. וְאִינּוּן מִלִּין דְּחוֹל, וְחוֹל בְּקֹדֶשׁ לָא שַׁרְיָיא, דְּפָלִיג עַל שְׁלָמָא דְּעָלְמָא.

ח. רִבִּי יוֹסֵי אָמַר, כְּתִיב שָׁלוֹם רָב לְאוֹהֲבֵי תוֹרָתֶךָ וְגוֹ'. אוֹרַיְיתָא הוּא שָׁלוֹם, דִּכְתִּיב וְכָל נְתִיבוֹתֶיהָ שָׁלוֹם. וְקֹרַח אָתָא לְאַפְגָּמָא שָׁלוֹם דִּלְעֵילָּא וְתַתָּא, בְּגִּ"כ אִתְעֲנִישׁ הוּא מֵעֵילָּא וְתַתָּאָה.

ט. וַיָּקֻמוּ לִפְנֵי מֹשֶׁה וְגוֹ'. הַאי קְרָא אוּקְמוּהָ חַבְרַיָּיא. ר' שִׁמְעוֹן אָמַר, קְרִיאֵי מוֹעֵד קְרִאֵי כְּתִיב, חָסֵר יו"ד, אֲמַאי קְרִאֵי. אֶלָּא הָכִי הוּא, מַלְכוּתָא דְּאַרְעָא כְּעֵין מַלְכוּתָא דִּרְקִיעָא. וְרָזָא דָּא, כָּל אִינּוּן כִּתְרִין עִלָּאִין, דִּשְׁמָא קַדִּישָׁא אִתְאֲחִיד בְּהוּ, כֻּלְּהוּ זְמִינִין

מֵאֲתַר דְּאִקְרֵי קֹדֶשׁ, הה"ד מִקְרָאֵי קֹדֶשׁ. וְאֵימָתַי בְּשַׁעֲתָא דְּמוֹעֵד זַמִּין בְּעָלְמָא, כְּגַוְונָא דְּאִינּוּן כִּתְרִין עִלָּאִין, דִּזְמִינִין מִקֹּדֶשׁ עִלָּאָה, ה"נ קֹדֶשׁ תַּתָּא זַמִּין לְוֵיכְלוֵי, לְאִתְעַטְּרָא וּלְאַעְלָאָה לְהוּ.

י'. קֹדֶשׁ עִלָּאָה יְדִיעָא, קֹדֶשׁ תַּתָּאָה וְחָכְמַת שְׁלֹמֹה, ה"נ אִיהִי זְמִינַת לְכָל וֵיכְלָהָא. וְאִינּוּן וַיְּכְלִין כּוּלְּהוּ, זְמִינִין לְאִתְעַטְּרָא בְּהַאי קֹדֶשׁ תַּתָּאָה, בִּזְמְנָא דְּמוֹעֵד שַׁרְיָא בְּעָלְמָא. וּכְגַוְונָא דְּוֵיכְלָהָא קַיְימִין לְעֵילָּא, ה"נ קַיְימֵי מִמְּנָן דְּעַמָּא, כְּדוּגְמָא דִּילָהּ לְתַתָּא, וע"ד אִקְרוּן קְרָאֵי מוֹעֵד. וּבְגִין דְּאִנּוּן לְתַתָּא, קְרָאֵי מוֹעֵד וְחָסֵר, אֲבָל בִּשְׁלִימוּ יַתִּיר אִינּוּן.

י"א. אַנְשֵׁי שֵׁם וַדַּאי, וְלָא אַנְשֵׁי יְיָ'. וְדָא הוּא רָזָא, בְּנָקְבוֹ שֵׁם יוּמָת, וְאוֹקִימְנָא. וְעַל דָּא אִקְרֵי הָכָא, אַנְשֵׁי שֵׁם וַדַּאי, כֵּיוָן דְּמִסִּטְרָא דִּגְבוּרָה קָא אַתְיָין, אַנְשֵׁי שֵׁם אִינּוּן, הָא שְׁבָחָא דִּלְהוֹן יַתִּיר, אֲבָל אִינּוּן נַטְלוּ לְגַרְמַיְיהוּ. וְאִתְאַחֲדוּ בְּמַחְלוֹקֶת.

י"ב. בֹּקֶר וְיוֹדַע יְיָ' אֶת אֲשֶׁר לוֹ. אֲמַאי בֹּקֶר, וַאֲמַאי קָדוֹשׁ וְלָא טָהוֹר. אֶלָּא אִינּוּן מִסִּטְרָא דְּטָהוֹר קָא אַתְיָין, וְקָדוֹשׁ כַּהֲנָא. אָמַר מֹשֶׁה, בֹּקֶר, דִּכְדֵין כִּתְרָא דְּכַהֲנָא אִתְעַר בְּעָלְמָא, אִי אַתּוּן כַּהֲנֵי, הָא בֹּקֶר, פַּלְחוּ עֲבוֹדָה דְּבֹקֶר, וּכְדֵין וְיוֹדַע יְיָ' אֶת אֲשֶׁר לוֹ וְאֶת הַקָּדוֹשׁ. אֶת אֲשֶׁר לוֹ סְתָם, דָּא לֵיוָאֵי. וְאֶת הַקָּדוֹשׁ, דָּא כַּהֲנָא, כְּדֵין וְהִקְרִיב אֵלָיו. וְלֵית מַאן דְּאַבְחִין מִלָּה, אֶלָּא בֹּקֶר, אִי תִּתְחֲזוּן לְאִשְׁתַּאֲרָא בְּסִטְר דִּינָא, בֹּקֶר לָא סָבִיל לְכוּ, דְּהָא לָאו זְמִנֵּיהּ הוּא. וְאִי תִּתְחֲזוּן לְאִשְׁתַּאֲרָא בְּחֶסֶד, הָא זְמְנֵיהּ הוּא, וְתִשְׁתַּאֲרוּן גַּבֵּיהּ, וִיקַבֵּל לְכוּ.

י"ג. בְּמָה. בִּקְטֹרֶת. דְּהָא קְטֹרֶת בָּעֵי לְשׁוּשְׁבִינָא, לְאִתְקַטְּרָא עַל יְדֵיהּ בְּכֹלָּא, וּלְאִתְקַשְּׁרָא. מַאן שׁוּשְׁבִינָא. דָּא כַּהֲנָא. וּבג"כ, וְהָיָה הָאִישׁ אֲשֶׁר יִבְחַר יְיָ' הוּא הַקָּדוֹשׁ, וְלָא הַטָּהוֹר. תְּרֵין דַּרְגִּין אִינּוּן: קָדוֹשׁ. וְטָהוֹר. כֹּהֵן, קָדוֹשׁ. לֵוִי, טָהוֹר. וע"ד הַקָּדוֹשׁ כְּתִיב.

י"ד. וַיִּפְּלוּ עַל פְּנֵיהֶם וַיֹּאמְרוּ אֵל אֱלֹהֵי הָרוּחוֹת לְכָל בָּשָׂר. ת"ח, מֹשֶׁה וְאַהֲרֹן מָסְרוּ גַּרְמַיְיהוּ לְמִיתָה. בְּמָה, בְּגִין דִּכְתִיב וַיִּפְּלוּ עַל פְּנֵיהֶם וַיֹּאמְרוּ אֵל אֱלֹהֵי הָרוּחוֹת, רוּחַת כְּתִיב, וְחָסֵר וָא"ו. וּבג"כ אִילָנָא דְּמוֹתָא הוּא, וּבְכָל אֲתַר נְפִילַת אַנְפִּין לְהַהוּא אֲתָר הֲוֵי. וע"ד אֵל אֱלֹהֵי, אֵל: הה"ד וְאֵל זוֹעֵם בְּכָל יוֹם. אֱלֹהֵי הָרוּחוֹת, דְּאִיהוּ אֲתַר צְרוֹרָא דְּנִשְׁמָתִין דְּעָלְמָא, וְכָל נִשְׁמָתִין תַּמָּן סַלְקִין, וּמִתַּמָּן אַתְיָין.

ט"ו. רִבִּי יְהוּדָה פָּתַח, שִׁמְעוּ חֲכָמִים מִלָּי וְיוֹדְעִים הַאֲזִינוּ לִי. הַאי קְרָא אֱלִיהוּא אֲמָרוֹ. ת"ח, מַה כְּתִיב וּבִשְׁלֹשֶׁת רֵעָיו חָרָה אַפּוֹ עַל אֲשֶׁר לֹא מָצְאוּ מַעֲנֶה וְגוֹ'. דְּהָא אִינּוּן הֲווּ אַמְרִין מִלִּין, וְאִיּוֹב לָא הֲוָה אִתְנְחִים עֲלַיְיהוּ. מֵהָכָא אוֹלִיפְנָא, מַאן דְּעָאל לְנַחֲמָא לְאָבֵל, בָּעֵי לְסַדְּרָא מִלִּין בְּקַדְמֵיתָא, דְּהָא חַבְרַיָּיא דְּאִיּוֹב הֲווּ אַמְרֵי מִלֵּי קְשׁוֹט, אֲבָל לְנַחֲמָא לֵיהּ לָאו, בְּגִין דְּבָעֵי מִלִּין דְּאִיהוּ יוֹדֵי עֲלַיְיהוּ, וּכְדֵין יְקַבֵּל עָלֵיהּ דִּינָא, וְיוֹדֵי לְמַלְכָּא קַדִּישָׁא עָלֵיהּ. מַה כְּתִיב, וֶאֱלִיהוּ חִכָּה אֶת אִיּוֹב בִּדְבָרִים וְגוֹ'. דְּאוֹדֵי לְבָתַר לְקוּדְשָׁא בְּרִיךְ הוּא, וְקַבִּיל עָלֵיהּ דִּינָא דִּשְׁמַיָּא.

ט"ז. ת"ח, כְּתִיב לָכֵן אַנְשֵׁי לֵבָב שִׁמְעוּ לִי חָלִילָה לָאֵל מֵרֶשַׁע וְשַׁדַּי מֵעָוֶל. לָכֵן אַנְשֵׁי לֵבָב שִׁמְעוּ לִי, שְׁלֵימִין בְּכֹלָּא, לְאַבְחֲנָא מִלִּין. חָלִילָה לָאֵל מֵרֶשַׁע, הה"ד וְאֵל זוֹעֵם בְּכָל יוֹם. וְשַׁדַּי מֵעָוֶל, דָּא סָמִיךְ לְקַבְּלָא דָּא, וְהָא אוּקְמוּהָ אֵל שַׁדַּי. כִּי פוֹעַל אָדָם יְשַׁלֶּם לוֹ, הָא ב"נ אָזִיל בְּהַאי עָלְמָא, וְעָבֵיד עֲבִידְתּוֹי וְחָטֵי קָמֵי מָארֵיהּ, הַהוּא עוֹבָדָא תַּלְיָא עָלֵיהּ, לְשַׁלְמָא לֵיהּ דִּינָא, הה"ד כִּי פוֹעַל אָדָם יְשַׁלֶּם לוֹ, הַהוּא עוֹבָדָא יְשַׁלֶּם לוֹ.

י"ז. וְעִם כָּל דָּא, אִם יָשִׂים אֵלָיו לִבּוֹ, כֵּיוָן דְּבַר נָשׁ שַׁוֵּי לִבֵּיהּ וּרְעוּתֵיהּ לְאַתָבָא קָמֵי

מָארֵיהּ, כְּדֵין אֵל אֱלֹהֵי הָרוּחוֹת רוּחוֹ וְנִשְׁמָתוֹ אֵלָיו יֶאֱסוֹף לְאִתְצָרְרָא בִּצְרוֹרָא דְּחַיֵּי, וְלָא שָׁבִיק לְנַפְשֵׁיהּ לְבַר, לְאִתְדְּנָא בְּדִינָא אַחֲרָא.

יח. רִבִּי יוֹסֵי אָמַר, הַאי מִלָּה רָזָא הוּא, בְּדִינִין טְמִירִין דְּקוּדְשָׁא בְּרִיךְ הוּא. כִּי פּוֹעַל אָדָם יְשַׁלֶּם לוֹ, לְאִתְדְּנָא בְּדִינֵיהּ, וּבְאִינּוּן עוֹבְדִין דְּבַר נַשׁ עָבִיד בְּהַאי עָלְמָא, וְסַלִּיק לֵיהּ לְאִתְדַּנָּא כְּעוֹבָדוֹי, וְיִתְאֲבִיד מֵעָלְמָא, מַה כְּתִיב בַּתְרֵיהּ, מִי פָקַד עָלָיו אַרְצָה וּמִי שָׂם תֵּבֵל כֻּלָּהּ. מִי פָקַד עָלָיו אָרְצָה, דָּא הוּא אָחוּוָהּ דְּפָרִיק לֵיהּ. וּמִי שָׂם תֵּבֵל כֻּלָּהּ, דְּבָאנֵי בֵּיתָא, וּבָנֵי בִּנְיָין עָלְמָא, וְתִקּוּנָא וְיִשּׁוּבָא. מַה כְּתִיב בַּתְרֵיהּ, אִם יָשִׂים אֵלָיו לִבּוֹ. הַאי בַּר נָשׁ, דְּפָקִיד עָלֵיהּ לְמִבְנֵי בִּנְיָינָא, בָּעֵי לְכַוְּונָא לִבָּא וּרְעוּתָא לְגַבֵּיהּ דְּהַהוּא מִיתָא. מִכָּאן, בַּר נָשׁ דְּאָתֵי עַל הַהִיא אִתְּתָא, בְּגִין שַׁפִּירוּ וְתִיאוּבְתָּא דִּילָהּ, הָא בִּנְיָין עָלְמָא לָא אִתְבְּנֵי, דְּהָא רְעוּתָא וְלִבָּא לָא אִתְכַּוָּון לְגַבֵּי מִיתָא.

יט. וּבְגִין כַּךְ כְּתִיב, אִם יָשִׂים אֵלָיו לִבּוֹ, בִּרְעוּתָא דְּלִבָּא דִּיכַוֵּין לְגַבֵּיהּ, כְּדֵין רוּחוֹ וְנִשְׁמָתוֹ אֵלָיו יֶאֱסוֹף, וְאִתְמְשַׁךְ גַּבֵּיהּ, לְאִתְבְּנָאָה בְּהַאי עָלְמָא, מַה כְּתִיב בַּתְרֵיהּ, יִגְוַע כָּל בָּשָׂר יָחַד וְאָדָם עַל עָפָר יָשׁוּב, יִגְוַע כָּל בָּשָׂר יַחַד, הַהוּא גּוּפָא יִתְבְּלֵי בְּעַפְרָא, וְכָל הַהוּא בִּשְׂרָא. וְהַשְׁתָּא, אָדָם עַל עָפָר יָשׁוּב, הָא חַדְתּוּתִין דְּבִנְיָנָא כְּמִלְקַדְמִין, וְיָתוּב עַל עַפְרָא דְּבִנְיָינָא דְּגוּפָא אַחֲרָא, כְּמָה דַּהֲוָה בְּקַדְמֵיתָא. וְעַל דָּא, רוּחָא וְנִשְׁמְתָא בִּידוֹי דְּקוּדְשָׁא בְּרִיךְ הוּא, וְחָיֵיס עָלַיְיהוּ דִּבְנֵי נָשָׁא, דְּלָא יִתְאֲבִידוּ מֵהַאי עָלְמָא, וּמֵעָלְמָא אַחֲרָא, בְּגִין כַּךְ אֵל אֱלֹהֵי הָרוּחוֹת לְכָל בָּשָׂר.

כ. וַיֹּאמֶר מֹשֶׁה אֶל אַהֲרֹן קַח אֶת הַמַּחְתָּה וְגוֹ'. רִבִּי חִיָּיא פָּתַח וַחֲמַת מֶלֶךְ מַלְאֲכֵי מָוֶת וְאִישׁ חָכָם יְכַפְּרֶנָּה. כַּמָּה אִית לְהוּ לִבְנֵי נָשָׁא. לְאִסְתַּמְּרָא מֵחוֹבַיְיהוּ, וּלְנַטְּרָא עוֹבָדַיְיהוּ, דְּהָא בְּכַמָּה זִמְנִין עָלְמָא אִתְדָּן, וּבְכָל יוֹמָא וְיוֹמָא עוֹבָדִין בְּמַתְקְלָא סַלְּקִין, וּמַשְׁגִּיחִין עָלַיְיהוּ לְעֵילָּא, וְאַכְתִּיבוּ קַמֵּיהּ. וְכַד עוֹבָדַיְיהוּ דִּבְנֵי נָשָׁא, לָא מִתְכַּשְּׁרָן קַמֵּי מַלְכָּא, סָלִיק רוּגְזָא, וְדִינָא אִתְּעַר, הה"ד וַחֲמַת מֶלֶךְ מַלְאֲכֵי מָוֶת, וְע"ד בְּכָל יוֹמָא וְיוֹמָא בָּעֵי ב"נ לְאִזְדַּהֲרָא מֵחוֹבוֹי.

כא. וְאִישׁ חָכָם יְכַפְּרֶנָּה, בְּשַׁעֲתָא דְּמָארֵיהוֹן דְּדִינִין קַיְימִין עַל עָלְמָא, וְרוּגְזָא תָּלֵי, אִי אִשְׁתְּכַח בְּדָרָא זַכָּאָה דִּרְשִׁים לְעֵילָּא, קוּדְשָׁא בְּרִיךְ הוּא אַשְׁגַּח בֵּיהּ, וְאִשְׁתְּכַךְ רוּגְזָא. לְמַלְכָּא דְּאִתְרְגַּז עַל עַבְדוֹי, וַהֲוָה תָּבַע עַל סַנְטִירָא לְמֶעְבַּד דִּינָא, אַדְּהָכִי עָאל רְחִימָא דְּמַלְכָּא, וְקָם קַמֵּיהּ, כֵּיוָן דְּחָמָא לֵיהּ מַלְכָּא, אִתְנְהִירוּ אַנְפּוֹי. שָׁארִי הַהוּא רְחִימָא דְּמַלְכָּא לְאִשְׁתָּעֵי בַּהֲדֵיהּ, וּמַלְכָּא חַדֵּי. לְבָתַר כַּד אָתָא סַנְטִירָא, חָזָא אַנְפּוֹי דְּמַלְכָּא חַדָּאן, אִסְתַּלַּק וְאָזִיל לֵיהּ, וְלָא עָבֵיד דִּינָא. וּכְדֵין, הַהוּא רְחִימָא בָּעֵי לְמַלְכָּא עַל עֲבָדוֹי, וּמְכַפֵּר לְהוּ. וּבְגִ"כ, וְאִישׁ חָכָם יְכַפְּרֶנָּה.

כב. אוּף הָכָא, כַּד חָמָא מֹשֶׁה דְּרוּגְזָא הֲוָה תָּלֵי, מִיַּד וַיֹּאמֶר מֹשֶׁה אֶל אַהֲרֹן, בְּגִין דְּאִיהוּ שׁוֹשְׁבִינָא דְּמַטְרוֹנִיתָא, וּקְטֹרֶת לָא סַלְקָא אֶלָּא בִּידוֹי, דְּאִיהוּ אַסְגֵּי שְׁלָמָא בְּעָלְמָא, וְקָשִׁיר קִשְׁרָא דִּמְהֵימְנוּתָא. קְטֹרֶת, הָא אוּקְמוּהָ, וְחֶדְוְותָא דְּעֵילָּא וְתַתָּא, קְשׁוּרָא דִּמְהֵימְנוּתָא, סַלִּיקוּ דְּרוּגְזָא, הה"ד שֶׁמֶן וּקְטֹרֶת יְשַׂמַּח לֵב, וּכְדֵין וְאִישׁ חָכָם יְכַפְּרֶנָּה, יְנַקֵּי וְיִדְכֵּי לְהַהוּא רוּגְזָא, וְרַחֲמִין מִתְעָרִין.

כג. רִבִּי אֶלְעָזָר אָמַר, אַל תַּכְרִיתוּ אֶת שֵׁבֶט מִשְׁפְּחוֹת הַקְּהָתִי מִתּוֹךְ הַלְוִיִּם, בְּגִין דְּאִינּוּן גִּזְעָא וְשָׁרְשָׁא דְּלֵיוָאֵי. וְזֹאת עֲשׂוּ לָהֶם וִחְיוּ וְלֹא יָמוּתוּ, דְּבָעֵי כַּהֲנָא לְאַתְקְנָא לְהוּ, דְּאע"ג דְּקָרִיבִין אִינּוּן לְקוּדְשָׁא, לָא יֵיעֲלוּן אֶלָּא בְּתִקּוּנָא דְּכַהֲנָא, דְּהוּא יָדַע סִימָנָא דִּימְטוֹן לְגַבֵּיהּ, וְלָא יַתִּיר. וְכַד מְכַסְיָא לְמָאנֵי קוּדְשָׁא, כְּדֵין כִּסּוּיָא אַחֲרָא שָׁרֵי,

וְאָסִיר לוֹן לְקָרְבָא לְמֶחֱמֵי, דְּהָא מִלָּה בַּחֲשַׁאי לָא אִית לְגַבַּיְיהוּ, אֶלָּא לְכַהֲנָא, דְּמִלָּה דִּלְהוֹן וְעוֹבָדָא דִּלְהוֹן בְּרָזָא וּבַחֲשַׁאי וְלֵיוַאי לְאַרְמָא קָלָא.

כד. בְּגִ״כ כַּהֲנֵי בַּחֲשַׁאי וּבְרָזָא, דְּחוּמְרָא לְאַרְמָא קָלָא, וְגַלְגָּלָאָה רָזִין אִיהוּ. בְּגִ״כ לֵיוַאי אִתְמְסָרוּ לְאַרְמָא קָלָא, דְּהָא בְּדִינָא אִתְאֲחַד, דִּינָא בְּאִתְגַּלְיָא אִיהוּ, וּלְפַרְסְמָא מִלָּה קַמֵּי כֹּלָּא. אֲבָל כַּהֲנָא, כֹּל מִלּוֹי בְּרָזָא וּבַחֲשַׁאי, וְלָאו בְּאִתְגַּלְיָא. בְּגִין דְּאִיהוּ יְמִינָא, כַּד דִּינִין עָרְיָין בְּעָלְמָא מִסִּטְרָא דִּשְׂמָאלָא, יְמִינָא יְהֵא מְקַרְבָא, וּבָמָה. בִּקְטֹרֶת, דְּאִיהוּ בַּחֲשַׁאי, בְּרָזָא דָּקִיק, וּפְנִימָאָה מִכֹּלָּא.

כה. ת״ח. כַּד הַאי מַדְבְּחָא אוֹדְבָּא, שָׁארֵי לְאִתְעָרָא אִתְעָרוּתָא, כַּד לָא יִשְׁתַּכְחוּ זַכָּאִין, מַדְבְּחָא פְּנִימָאָה אִתְעַר לְגַבֵּיהּ, וְקָאִים לְקַבָּלָהּ, וְדִינִין מִשְׁתַּכְּחֵי. וְע״ד קַיְּימָא לְקַבֵּל דָּא, וּכְדֵין דִּינָא אִסְתַּלָּק.

כו. ר׳ אֶלְעָזָר אָמַר, זֹאת עֲבֹדַת בְּנֵי קְהָת בְּאֹהֶל מוֹעֵד קֹדֶשׁ הַקֳּדָשִׁים, בְּשַׁעֲתָא דִּבְנֵי קְהָת נַטְלִין קֹדֶשׁ הַקֳּדָשִׁים, כְּדֵין אָתֵי כַּהֲנָא, וְחָפֵי כֹּלָּא, עַד לָא יִקְרְבוּן לְנַטְלָא לֵיהּ, וְלָא הֲווֹ חַמָּאן לְעָלְמִין מַה דְּאִינּוּן נַטְלִין, אֶלָּא כֹּלָּא בְּכִסּוּיָיא מִנַּיְיהוּ. כְּמָה דִּכְתִיב וּבָא אַהֲרֹן וּבָנָיו בִּנְסֹעַ הַמַּחֲנֶה וְהוֹרִדוּ אֶת פָּרֹכֶת הַמָּסָךְ. וְרוּב כִּסּוּיָיא דִּמְאנֵי מַקְדְּשָׁא, תְּכֵלֶת אִיהוּ, בְּגִין דִּתְכֵלֶת הָא אוּקְמוּהָ וְאִתְּמַר. בָּתַר דְּאִתְכַּסְיָא כֹּלָּא, מְקָרְבִין בְּנֵי קְהָת דְּנַטְלִין, וְלָא מְקָרְבִין אֶלָּא בְּאִינּוּן בַּדִּים דְּנַפְקִין לְבַר. הֲה״ד, וְכִלָּה אַהֲרֹן וּבָנָיו לְכַסֹּת אֶת הַקֹּדֶשׁ וְגוֹ׳, בִּנְסֹעַ הַמַּחֲנֶה וְגוֹ׳ וְאַחֲרֵי כֵן יָבֹאוּ בְנֵי קְהָת לָשֵׂאת וְגוֹ׳.

כז. בְּגִ״כ קְטֹרֶת דְּאִיהִי פְּנִימָאָה, וְכָל מַה דִּי בְּרָזָא, לְכַהֲנָא אִתְמְסַר. וְע״ד וַיִּקַּח אַהֲרֹן כַּאֲשֶׁר דִּבֶּר מֹשֶׁה וַיָּרָץ אֶל תּוֹךְ הַקָּהָל וַיִּתֵּן אֶת הַקְּטֹרֶת, דְּאִיהִי פְּנִימָאָה, רָזָא דְּכַהֲנָא, כְּדֵין וַיְכַפֵּר עַל הָעָם וַיַּעֲמֹד בֵּין הַמֵּתִים וּבֵין הַחַיִּים, בֵּין אִילָנָא דְּחַיֵּי, וּבֵין אִילָנָא דְּמוֹתָא, כְּדֵין יְמִינָא קָרִיב דָּא בְּדָא, וַתֵּעָצַר הַמַּגֵּפָה, זַכָּאָה חוּלָקָא דְּכַהֲנָא, דְּכַהֲנָא אִית לֵיהּ וַזֵלָא לְעֵילָּא וְאִית לֵיהּ וַזֵלָא לְתַתָּא, וְהוּא גָּרִים שְׁלָמָא לְעֵילָּא וְתַתָּא, וּבְכָל זִמְנָא, שְׂמָאלָא פָּלַח לִימִינָא, הֲה״ד וְיִלָּווּ עָלֶיךָ וִישָׁרְתוּךָ, וִימִינָא בִּשְׂמָאלָא מִשְׁתַּכְחֵי בְּמַקְדְּשֵׁי.

כח. רַבִּי אֶלְעָזָר הֲוָה קָאִים קָמֵּיהּ דְּרַבִּי שִׁמְעוֹן אֲבוֹהִ, א״ל, כְּתִיב רְאֵה וָחַיִּים עִם אֶשֶׁת אֲשֶׁר אָהַבְתָּ כָּל יְמֵי חַיֵּי הֶבְלֶךָ. א״ל, ת״ח, רְאֵה וָחַיִּים עִם אִשָּׁה אֲשֶׁר אָהַבְתָּ דָּא הוּא רָזָא, דְּבָעֵי בַּר נָשׁ לְאַכְלְלָא וָחַיִּים בַּאֲתָר דָּא, דָּא בְּלָא דָּא לָא אָזְלָא. וּבָעֵי ב״נ לְאַכְלְלָא מְדַת יוֹם בַּלַּיְלָה, וּמְדַת לַיְלָה בַּיּוֹם. וְדָא הוּא רְאֵה וָחַיִּים עִם אִשָּׁה אֲשֶׁר אָהַבְתָּ מַאי טַעֲמָא כִּי הִיא חֶלְקְךָ בַּחַיִּים, דְּוַחַיִּים לָא שַׁרְיָין אֶלָּא עַל דָּא. וּבַעֲמָלְךָ אֲשֶׁר אַתָּה עָמֵל תַּחַת הַשָּׁמֶשׁ, כְּמָה דְּאַמַר בְּכָל דְּרָכֶיךָ דָעֵהוּ וְהוּא יְיַשֵּׁר אֹרְחוֹתֶיךָ.

כט. וְת״ח כָּל מִלּוֹי דִּשְׁלֹמֹה מַלְכָּא, כֻּלְּהוּ סְתִימִין לְגוֹ בְּחָכְמְתָא, וְהֲנֵי קְרָאֵי אִתְּחֲזוֹן דְּהוּתְהָרָה רְצוּעָה, כְּמָה דִּכְתִיב בַּתְרֵיהּ, כֹּל אֲשֶׁר תִּמְצָא יָדְךָ לַעֲשׂוֹת בְּכֹחֲךָ עֲשֵׂה כִּי אֵין מַעֲשֶׂה וְחֶשְׁבּוֹן וְגוֹ׳. הַאי קְרָא אִית לְאִסְתַּכְּלָא בֵּיהּ, כֹּל אֲשֶׁר תִּמְצָא יָדְךָ לַעֲשׂוֹת בְּכֹחֲךָ עֲשֵׂה, וְכִי שְׁלֹמֹה דְּוְחָכְמְתָא עִלָּאָה בֵּיהּ, יַתִּיר עַל כָּל בְּנֵי עָלְמָא, אָמַר הָכִי.

ל. אֶלָּא כָּל מִלּוֹי דִּשְׁלֹמֹה מַלְכָּא עַל רָזָא דְּוְחָכְמְתָא אִתְּמָרוּ. ת״ח, כֹּל אֲשֶׁר תִּמְצָא יָדְךָ לַעֲשׂוֹת בְּכֹחֲךָ עֲשֵׂה, דָּא הוּא דְּבָעֵי בַּר נָשׁ לְאַכְלְלָא שְׂמָאלָא בִּימִינָא, וְכָל מַה דְּהוּא עָבִיד, מִבָּעֵי לֵיהּ דְּלָא יְהוֹן אֶלָּא כְּלִילָן בִּימִינָא. כֹּל אֲשֶׁר תִּמְצָא יָדְךָ, דָּא שְׂמָאלָא. לַעֲשׂוֹת בְּכֹחֲךָ: דָּא הוּא יְמִינָא, כְּד״א יְמִינְךָ יְיָ נֶאְדָּרִי בַּכֹּחַ. וְכֵיוָן דִּבַר נָשׁ

יְזְדַּהַר דְּכָל עוֹבָדוֹי יֶהֱוֹן לְסִטְרָא דִּימִינָא, וְיַכְלִיל שְׂמָאלָא בִּימִינָא, כְּדֵין קוּדְשָׁא בְּרִיךְ הוּא שָׁארֵי בְּגַוֵּויהּ בְּהַאי עָלְמָא, וְיַכְנִישׁ לֵיהּ לְגַבֵּיהּ לְהַהוּא עָלְמָא דְּאָתֵי.

לא. וְלָא יֵימָא בַּר נָשׁ בְּשַׁעֲתָא דְּאַתְיָא לְהַהוּא עָלְמָא, כְּדֵין אֶתְבַּע מִן מַלְכָּא רַחֲמֵי, וְאֵיתוּב קַמֵּיהּ, אֶלָּא כִּי אֵין מַעֲשֶׂה וְחֶשְׁבּוֹן וְדַעַת וְחָכְמָה, בָּתַר דְּיִסְתַּלַּק בַּר נָשׁ מֵהַאי עָלְמָא, אֶלָּא אִי בָּעֵי בַּר נָשׁ, דְּמַלְכָּא קַדִּישָׁא יַנְהִיר לֵיהּ לְהַהוּא עָלְמָא, וְיִתֵּן לֵיהּ חוּלָקָא לְעָלְמָא דְּאָתֵי, יִשְׁתַּדַּל בְּהַאי עָלְמָא, לְאַכְלְלָא עוֹבָדוֹי בִּימִינָא, וְכָל עוֹבָדוֹי יֶהֱוֹן לִשְׁמָא דְקוּדְשָׁא בְּרִיךְ הוּא, דְּהָא לְבָתַר כַּד יִתְכְּנִישׁ מֵהַאי עָלְמָא, לְאִתְדָּנָא בְּדִינָא תַּקִּיפָא, בְּדִינָא דְּגֵיהִנָּם, לֵית תַּמָּן עֵיטָא וְחָכְמָה וְסָכְלְתָנוּ לְאִשְׁתְּזָבָא מִן דִּינָא.

לב. ד״א כִּי אֵין מַעֲשֶׂה וְחֶשְׁבּוֹן וְדַעַת וְחָכְמָה בִּשְׁאוֹל. בְּגֵיהִנָּם, אִית בֵּיהּ מָדוֹרִין עַל מָדוֹרִין. מָדוֹרָא תַּתָּאָה שְׁאוֹל. מָדוֹרָא תַּתָּאָה מִנֵּיהּ, אֲבַדּוֹן. וְדָא סָמִיךְ לְדָא. מַאן דְּנָחִית לִשְׁאוֹל, יְדוּנוּן לֵיהּ וּמִתַּמָּן יְצַפְצֵף וְעוֹלֶה. הה״ד מוֹרִיד שְׁאוֹל וַיָּעַל. וּמַאן דְּנָחִית לַאֲבַדּוֹן, תּוּ לָא סָלִיק לְעָלְמִין.

לג. מַאן דְּאִית בֵּיהּ עוֹבָדָא טָבָא, אוֹ דְּאִיהוּ מָארֵי דְּחוּשְׁבְּנָא, הָא אוּקְמוּהָ דִּבְכָל לֵילְיָא וְלֵילְיָא עַד לָא יִשְׁכַּב, וְעַד לָא נָאִים, בָּעֵי בַּר נָשׁ לְמֶעְבַּד חוּשְׁבְּנָא מֵעוֹבָדוֹי דְּעָבַד כָּל הַהוּא יוֹמָא, וְיָתוּב מִנַּיְיהוּ, וְיִבְעֵי עָלַיְיהוּ רַחֲמֵי. מ״ט בְּהַהִיא שַׁעֲתָא. בְּגִין דְּהַהִיא שַׁעֲתָא אִילָנָא דְּמוֹתָא שָׁארֵי בְּעָלְמָא, וְכָל בְּנֵי עָלְמָא טַעֲמִין טַעֲמָא דְּמוֹתָא, וּבָעֵי בְּהַהִיא שַׁעֲתָא לְמֶעְבַּד חוּשְׁבְּנָא מֵעוֹבָדוֹי, וְיוֹדֵי עָלַיְיהוּ, בְּגִין דְּאִיהִי שַׁעֲתָא דְּמוֹתָא, וְאִלֵּין אִקְרוּן מָארֵי דְּחוּשְׁבְּנָא.

לד. וְכֵן מַאן דְּאִשְׁתַּדַּל בְּדַעַת וּבְחָכְמָה לְמִנְדַּע לְמָארֵיהּ, כַּד יַעַבְרוּן לֵיהּ לְאִסְתַּכָּאָה וּלְאִסְתַּכְּלָא בְּאִינוּן חַיָּיבִין דְּאִתְטְרִידוּ בְּגֵיהִנָּם, וּבְדַרְגָּא דִּשְׁאוֹל, וְכֻלְּהוּ צַוְוחִין מֵאִינּוּן דַּרְגִּין, הוּא לָא יִשְׁתְּאַר תַּמָּן, וְלָא יִשְׁתְּכַח בֵּינַיְיהוּ, וְעַל דָּא אֵין מַעֲשֶׂה וְחֶשְׁבּוֹן וְדַעַת וְחָכְמָה בִּשְׁאוֹל, וְלָא יִשְׁתְּכַח אֶלָּא לְעֵילָּא לְעֵילָּא, בַּאֲתַר דְּכַמָּה נְהוֹרִין וּבוּצִינִין, וְכַמָּה כִּסּוּפִין שָׁארָן בֵּיהּ, וְקוּדְשָׁא בְּרִיךְ הוּא אָתֵי לְאִשְׁתַּעְשְׁעָא עִם שְׁאַר צַדִּיקַיָּיא דִּי בְּגַן עֵדֶן. זַכָּאָה חוּלָקֵהוֹן דְּצַדִּיקַיָּיא בְּהַאי עָלְמָא, וּבְעָלְמָא דְּאָתֵי, עָלַיְיהוּ כְּתִיב אַךְ צַדִּיקִים יוֹדוּ לִשְׁמֶךָ יֵשְׁבוּ יְשָׁרִים אֶת פָּנֶיךָ.

לה. וְעָבַד הַלֵּוִי הוּא אֶת עֲבוֹדַת אֹהֶל מוֹעֵד וְגוֹ׳. רִבִּי אַבָּא פָּתַח, הַיּוֹשֵׁב עַל חוּג הָאָרֶץ וְגוֹ׳. ת״ח, כַּד בָּעָא קוּדְשָׁא בְּרִיךְ הוּא לְמִבְרֵי עָלְמָא, סָלִיק בִּרְעוּתָא קַמֵּיהּ, וּבָרָא לֵיהּ בְּאוֹרַיְיתָא. וּבָהּ אִשְׁתַּכְלַל. הה״ד בַּהֲכִינוֹ שָׁמַיִם שָׁם אָנִי. וּכְתִיב וָאֶהְיֶה אֶצְלוֹ אָמוֹן. וְהָא אוּקְמוּהָ, אַל תִּקְרֵי אָמוֹן, אֶלָּא אוּמָן.

לו. כַּד אָתֵי לְמִבְרֵי אָדָם, וְהָא אִתְּמַר, אָמְרָה תּוֹרָה וְכִי לְמַגָּנָא אִתְקְרִיאַת אֶרֶךְ אַפַּיִם וְרַב חֶסֶד. בְּהַהִיא שַׁעֲתָא דִּנְפִיק אָדָם לְעָלְמָא, הֲוָה זִיו פַּרְצוּפָא דִּילֵיהּ מֵעֵילָּא וּמִתַּתָּא, וַהֲווּ דַּחֲלִין מִנֵּיהּ כָּל בִּרְיָין, וְאוּקְמוּהָ. ת״ח, לָא אִתְקַיַּים עָלְמָא, וְלָא אִשְׁתְּלִים, עַד הַהִיא שַׁעֲתָא דִּנְפַק אָדָם בִּשְׁלִימוּ דְּכֹלָּא, וְאִתְקַדַּשׁ יוֹמָא, וְאִתְתְּקַן כֻּרְסַיָּיא קַדִּישָׁא לְמַלְכָּא, כְּדֵין אִשְׁתְּלִימוּ עִלָּאֵי וְתַתָּאֵי, וְאִשְׁתַּכְּחוּ חֶדְוָון בְּכֻלְּהוּ עָלְמִין.

לז. בְּהַהִיא שַׁעֲתָא דְּבָעָא יוֹמָא לְאִתְקַדְּשָׁא, הֲווּ נָפְקֵי רוּחֵיהוֹן דְּשֵׁדִין לְאִתְבְּרֵי גּוּפָא דִּלְהוֹן, וְאִתְקַדַּשׁ יוֹמָא, וְלָא אִתְבְּרִיאוּ, וְאִשְׁתְּאַר עָלְמָא כְּמָה דְּאִתְפְּגִים מֵעֲבִידְתָּא וְאִתְחֲסַר, כֵּיוָן דְּאִתְקַדְּשׁוּ יִשְׂרָאֵל, וְאִשְׁתְּלִימוּ בְּדַרְגַּיְיהוּ, וְאִשְׁתַּכְּחוּ לֵיוָאֵי בְּסִטְרָא שְׂמָאלָא, כְּדֵין אִשְׁתְּלִים הַהוּא פְּגִימָא דְּעָלְמָא, דְּמִסְּטַר שְׂמָאלָא.

לז. וע"ד בעאן לאתדכאה ליואי, וכדין כלא אתכליל בימינא, ועלמא לא אתפגים, ובג"כ כתיב, ועבד הלוי הוא. הוא אשלים לסטר שמאלא. הוא אשלים לפגימו דעלמא. ואפילו ההוא סטרא דצפון, דאשתאר וחסר בעלמא, כד ברא קודשא בריך הוא עלמא. ליואה בארונא אשלים לכלא. מאי בארונא. בההוא מטולא דהוו נטלי במשכנא, אשתלים כל ההוא פגימו על ידיה.

לט. הוא: לעילא לשמאלא. הוא: אתכליל בימינא, תו הוא: דא עתיקא. אלמלי דינא לא אשתכוז בעלמא, לא הוו ידעי בני נשא מהימנותא עלאה, ולא ישתדלון בני נשא באורייתא, ולא יתקיימו פקודי אורייתא, פולחנא שלימותא דישתכוז בעלמא לגבי מלכא קדישא, מאן עביד ליה. הוי אומר דא ליואה.

מ. ותו ועבד הלוי הוא, כד"א כי יי' הוא האלהים. הוא אשלים שלימותא, למיהוי כלא חד. הוא: פשיטא לקבלא לכנסת ישראל, כד"א, שמאלו תחת לראשי, בגין לחברא זווגא כחדא. מאן אתער רחימותא. הוי אומר הוא. תו הוא כד"א הוא עשנו ולא אנחנו עמו. בג"כ הוא: לתתא. הוא: לעילא. הוא: אתגלייא. הוא סתים. הוא אלהים.

מא. ר' יצחק אמר, זמין קודשא בריך הוא לאנהרא לסיהרא, כנהורא דשמשא. ונהורא דשמשא יהא על חד שבע זמנין. הה"ד והיה אור הלבנה כאור החמה וגו'. וכתיב לא יבא עוד שמשך וירחך לא יאסף. וכתיב לא יהיה לך עוד השמש וגו'.

רעיא מהימנא

מב. כל פטר רחם לכל בשר וגו', ואת בכור הבהמה הטמאה תפדה. פקודא דא לפדות פטר חמור, לפדות לעלמא דאתי. ואי קודם דאזיל לההוא עלמא, לא יפדה נפשיה ורוחיה ונשמתיה באורייתא, עתיד לאחזרא להאי עלמא כדבקדמיתא. ישוב לימי עלומיו, ולקבל נפשא ורוחא ונשמתא.

מג. כתיב הן כל אלה יפעל אל פעמים שלש עם גבר, וישראל. בגין דפדיון דלהון הוה בלא תורה, דאיהו כסף כסופא דעלמא דאתי, אהדרו תלת זמנין אחרנין בגלותא, ובפורקנא בתרייתא דפורקנא דלהון יהא באורייתא, לא יהדרון לעלם בגלותא. אתו רבנן ובריכו ליה, ואמרו רעיא מהימנא, קודשא בריך הוא יפדה לך, וכל ישראל יפדון על ידך, ותתחדש עמהון, ואינון עמך.

מד. פקודא בתר דא, לדון בערכי בית. וברזא דחכמתא, בית דב"נ, דא אתתא. אי איהי אתתא דטוב ורע, ובעי להמיר רעה בטובה, יפדה לה מההוא רע, ויהיב ליה ערך דילה. אבל אתתא דאילנא דחייא, אתמר בה לא יערכנה זהב וזכוכית ותמורתה כלי פז, ואין לה ערך. כמה דאתמר, אשת חיל עטרת בעלה. ואתמר אשת חיל מי ימצא וגו'. ודא שכינתא. מאן דגמיל חסד עמה, לית ערך לאגרא דיליה. ומאן דחאב לגבה, לית ערך לענשא דיליה.

מה. כמה שפחות אית לה דמשמשין לה, וכל חדא וחדא מנייהו, אית לה ערך. וכל חד וחד צריך פדיון. אבל מאן דירית נשמתא, או רוחא, או נפשא משכינתא, לא צריך פדיון, דשכינתא עלה אתמר אני יי' הוא שמי וכבודי לאחר לא אתן. דפדיון דילה בקודשא בריך הוא תליא. דאמשכן לה ישראל, בקשורא דתפילין, באות דשבת, באות דיומין טבין, באות דברית, ותורה, בכמה פקודין. דפדיון דילה תליא בקודשא בריך הוא, הה"ד ואעש למען שמי, ובגינה ואף גם זאת. הכי כמה פקודין

אִינּוּן דְּעַבְדִין בְּנֵי נָשָׁא עַל מְנָת לְקַבֵּל פְּרָס. וְכַמָּה חוֹבִין. וּלְכָל פִּקּוּדָא אִית לֵיהּ עֵרֶךְ בְּהַהוּא עָלְמָא. אֲבָל עוֹנְשָׁא לְמַאן דְּאַעְבָר עָלַיְיהוּ, אֵין לֵיהּ עֵרֶךְ וְשִׁיעוּר.

מו. פִּקּוּדָא בָּתַר דָּא, לָדוּן בְּמַחֲרִים נְכָסָיו לַכֹּהֵן, הה"ד כָּל חֵרֶם בְּיִשְׂרָאֵל לְךָ יִהְיֶה. וְרָזָא דָּא כָּל פֶּטֶר רֶחֶם לְכָל בָּשָׂר אֲשֶׁר יַקְרִיבוּ לַיְיָ' בָּאָדָם וּבַבְּהֵמָה. רֶחֶם: בְּהִיפּוּךְ אַתְוָון כְּחוּשְׁבַּן רמ"ח אֵבָרִים דְּב"נ, עָלַיְיהוּ אִתְּמַר בְּרֹגֶז רַחֵם תִּזְכּוֹר. בָּתַר דְּכָעִיס ב"נ, וּמַחֲרִים הַהוּא בְּעִירָא לְגַבֵּיהּ, הָא שַׁרְיָא אֵל אַחֵר נָחָשׁ, דְּאִתְּמַר בֵּיהּ, אָרוּר אַתָּה מִכָּל הַבְּהֵמָה, וְאִיהוּ לִשְׂמָאלָא דְּב"נ. בְּגִין דָּא מָנֵי קוּדְשָׁא בְּרִיךְ הוּא, לְמֵיהַב לְכַהֲנָא, דְּאִיהוּ רַחֲמֵי בְּרָכָה, לְאִתְכַּפְיָיא רֹגֶז, דְּאִתְּעַר בְּהַהוּא ב"נ מָרָה, וְחַרְבָּא דְּמַלְאַךְ הַמָּוֶת, וְאִתְּעַר יְמִינָא לְגַבֵּיהּ בְּרַחֲמֵי, וְאִתְכַּפְיָיא רוּגְזָא דִּשְׂמָאלָא, וְהַאי אִיהוּ בְּרֹגֶז רַחֵם תִּזְכּוֹר.

מז. מַאן דְּכָעִיס, דְּאִית לֵיהּ בְּכַעַס סַם הַמָּוֶת, דְּעָלֵיהּ אוּקְמוּהָ מָארֵי מַתְנִיתִין, כָּל הַכּוֹעֵס כְּאִילּוּ עוֹבֵד עֲ"ז. בְּגִין דְּסִטְרָא אַחֲרָא אִתּוֹקְדַת בְּב"נ. וּבְהַהִיא בְּעִירָא דְּיָהִיב לְכַהֲנָא אִתְפְּרַשׁ חֵרֶם מִנֵּיהּ, וְסָמָאֵל אֵל אַחֵר חֵרֶם, וְנוּקְבָא דִּילֵיהּ קְלָלָה, כְּלוּלָה מִכָּל קְלָלוֹת שֶׁבְּמִשְׁנֶה תּוֹרָה. וְקוּדְשָׁא בְּרִיךְ הוּא בְּכָל אוֹרַיְיתָא כֹּלָּא, וְכָל בִּרְכָאן מִימִינָא, דְּאָחִיד בָּהּ כֹּהֵן. וּבְגִין דָּא כָּל חֵרֶם צָרִיךְ לְמֵיהַב לֵיהּ לְכַהֲנָא, דְּאִיהוּ אָכִיל לֵיהּ בְּנוּרָא, וְשֵׁיצֵי לֵיהּ מֵעָלְמָא, וְשָׁכִיךְ אֶשָּׁא מִשְּׂמָאלָא בִּימִינָא, דְּאִיהוּ מַיָּא, וּבֵיהּ וַחֲמַת הַמֶּלֶךְ שָׁכָכָה.

מח. פִּקּוּדָא בָּתַר דָּא לְהַפְרִישׁ תְּרוּמָה גְּדוֹלָה, וְאוּקְמוּהָ תְּרֵי מִמְּאָה, מַאי תְּרוּמָה. רַבָּנָן דְּמַתִּיבְתָּא, הַאי תְּרוּמָה דִּצְרִיכִין לְאַפְרְשָׁא תְּרֵי מִמְּאָה, בְּסִתְרֵי תוֹרָה מַאי נִיהוּ. מַאן דְּבָעֵי לְמִטְעַם, אִי הוּא זָר יוּמַת וְהַיְינוּ אֵל זָר סָמָא"ל. דְּקוּדְשָׁא בְּרִיךְ הוּא אָמַר וְיִקְחוּ לִי תְּרוּמָה, תְּרֵי מִמְּאָה, לְיַחֲדָא לֵיהּ תְּרֵין זִמְנִין בְּיוֹמָא, דְּהַיְינוּ תְּרֵי מִמְּאָה, בְּמ"ט אַתְוָון דִּשְׁמַע וּבָרוּךְ שֵׁם כְּבוֹד מַלְכוּתוֹ לְעוֹלָם וָעֶד דְּעַרְבִית, וּבְמ"ט אַתְוָון דְּשַׁחֲרִית, וַחֲסֵרִין תְּרֵין מִמְּאָה, אִינּוּן שְׁכִינְתָּא עִלָּאָה, וְתַתָּאָה, בִּתְרַוַויְיהוּ צָרִיךְ לְיַחֲדָא לְקוּדְשָׁא בְּרִיךְ הוּא, אַמָּה דִּתְרַוַויְיהוּ. מִדָּה דִּתְרַוַויְיהוּ. מֵאָה בָּאַמָּה. אַמָּ"ה בְּאַתְווֹי מֵאָ"ה אִיהוּ וְאִיהוּ בְּהִפּוּךְ אַתְוָון, הַאֵ"ם.

מט. וְעוֹד וְהָיָה בַּאֲכָלְכֶם מִלֶּחֶם הָאָרֶץ תָּרִימוּ תְרוּמָה לַיְיָ', תָּרִימוּ, כְּגוֹן רוּם יְדַיְיהוּ נָשָׁא וְאִינּוּן עֶשֶׂר אֶצְבְּעָן, דִּסְלִיקוּ דִּלְהוֹן לַעֲשַׂר סְפִירָן, דְּאִינּוּן יו"ד הֵ"א וָא"ו הֵ"א, דִּסְלִיקוּ מ"ה. וּבְאַתְוָון דְּאַלְפָּא בֵּיתָא, מָה סָלִיק מֵאָ"ה, י"ם ה"צ. וְהַאי אִיהוּ דְּאוּקְמוּהָ רַבָּנָן מָארֵי מַתְנִיתִין, וְעַתָּה יִשְׂרָאֵל מָ"ה יְיָ' אֱלֹהֶיךָ שׁוֹאֵל מֵעִמָּךְ, וְאָמְרוּ, אַל תִּקְרֵי מָה אֶלָּא מֵאָה, לְקַבֵּל מֵאָה בִּרְכָאן דִּמְחַיֵּיב ב"נ לְבָרְכָא לְמָארֵיהּ בְּכָל יוֹמָא, וְהַאי אִיהוּ דְּצָרִיךְ ב"נ לְמִטְעַם בְּכָל יוֹמָא לְמָארֵיהּ, וּבְגַ"ד וְיִקְחוּ לִי תְּרוּמָה.

נ. וְכַמָּה תְּרוּמוֹת אִינּוּן, אִית תְּרוּמָה מִדְּאוֹרַיְיתָא, תּוֹרָה מ'. וְהַאי אִיהוּ תְּרוּמָה, תּוֹרָה דְּאִתְיְיהִיבַת בְּאַרְבָּעִים יוֹם. וְאִי תֵּימְרוּן דַּאֲכִילְנָא מִנָּהּ, הָא כְּתִיב וַיְהִי מֹשֶׁה בָּהָר אַרְבָּעִים יוֹם וְאַרְבָּעִים לַיְלָה לֶחֶם לֹא אָכַל וּמַיִם לֹא שָׁתָה. נְטִירַת הֲוָה עַד הַשְׁתָּא הַאי תְּרוּמָה לְקוּדְשָׁא בְּרִיךְ הוּא. וְכֵיוָן דְּמַלְכָּא לָא אָכַל, אֵיךְ אַכְלִין עַבְדֵי, דְּהָא לְבָתַר דְּאָמַר אָרִיתִי מוֹרִי עִם בְּשָׂמִי, לְבָתַר אִכְלוּ רֵעִים, יֵיכְלוּן עַבְדוֹי.

נא. פִּקּוּדָא בָּתַר דָּא לְהַפְרִישׁ מַעֲשֵׂר לְלֵוִי, וְאִיהִי שְׁכִינְתָּא מִסְּטַר דִּימִינָא דְּאִיהוּ חֶסֶד, תְּרוּמָה גְּדוֹלָה לַכֹּהֵן. מִסִּטְרָא דִּשְׂמָאלָא, דְּאִיהוּ גְּבוּרָה, תְּרוּמַת מַעֲשֵׂר לְלֵוִי, דְּאִיהִי שְׁכִינְתָּא.

נב. יו"ד הֵ"י וָא"ו הֵ"י, שְׁלֹשֶׁת עֶשְׂרֹנִים לַפָּר, מִסִּטְרָא דְּהַהוּא דְּאִתְּמַר בֵּיהּ, וּפְנֵי שׁוֹר מֵהַשְּׂמֹאל, וְדָא גְּבוּרָה. וְעִשָּׂרוֹן לַכֶּבֶשׂ, וְדָא יו"ד הֵ"א וָא"ו הֵ"א, דְּסָלִיק לְעֶשֶׂר אַתְוָון, הַאי עִשָּׂרוֹן. וְעֶשֶׂר לְמ"ה וּמ"ה לְמֵאָה.

נג. אֲבָל שְׁלֹשָׁה עֶשְׂרוֹנִים י' י' י', וְסַלְּקִין לל', וְי' סְפִירָן בְּהוֹן, סַלְּקִין מ"ג בֵּיצִים וְכֻלָּא יו"ד, וְחוֹמֶשׁ בֵּיצָה, תּוֹסֶפֶת מִצַּד ה', וְהָכִי מַעֲשֵׂר, דְּאִיהוּ פִּקּוּדָא לְהַפְרִישׁ יִשְׂרָאֵל מַעֲשֵׂר, מִסִּטְרָא דְּאָת י', מַעֲשֵׂר מִן הַמַּעֲשֵׂר, וְחַד מְחֻמֵּשׁ מִסִּטְרָא דְּאָת ה'. כָּל עִשּׂוּרִין דְּאָת י', וְאִיהִי שְׁכִינְתָּא וְחַד מֵעֶשֶׂר סְפִירָן. א' מְחֻמֵּשׁ, אִיהוּ מִסִּטְרָא דְּתִפְאֶרֶת, דְּאִיהוּ וַחֲמִשָּׁה מִכֶּתֶר. וְכַד תַּחְשׁוֹב מִמַּלְכוּת עַד תִּפְאֶרֶת, תִּשְׁכַּח תִּפְאֶרֶת וְחָמֵשׁ מִתַּתָּא לְעֵילָּא. וּשְׁכִינְתָּא וַחֲמִשָּׁאָה לְגַבֵּיהּ.

נד. וּמִסִּטְרָא אַחֲרָא אִיהִי שְׁנֵי עֶשְׂרוֹנִים לָאַיִל, וּכְלִילַת י' י' הַכַּף בְּשֶׁקֶל הַקֹּדֶשׁ, עֲשָׂרָה עֲשָׂרָה י' ה"ה, לָאַיִל דָּא ו', דְּאִיהוּ שֶׁקֶל הַקֹּדֶשׁ, וְהַאי אִיהוּ עֲשָׂרָה עֲשָׂרָה הַכַּף בְּשֶׁקֶל הַקֹּדֶשׁ. וְעוֹד, שְׁנֵי עֶשְׂרוֹנִים, י' י' מִן וַיִּיצֶר. לָאַיִל ו' מִן וַיִּיצֶר. וְכֻלָּא א', י' לְעֵילָּא, י' לְתַתָּא, ו' בְּאֶמְצָעִיתָא.

נה. וְעוֹד שְׁלֹשָׁה עֶשְׂרוֹנִים אִינּוּן י' י' י'. פִּקּוּדָא בָּתַר דָּא, לְהַפְרִישׁ תּוֹדָה. וְרַבָּנָן מָארֵי מַתְנִיתִין אוֹקְמוּהָ, דְּתוֹדָה עֶשְׂרִים עֶשְׂרוֹנִים, וּמִתְפַּלְּגִין י' עֶשְׂרוֹנִין לְחָמֵץ, וְי' לְמַצָּה. וּמִי' שֶׁל מַצָּה, עוֹשִׂים ל' מַצּוֹת. וּמֵעֲשָׂרָה שֶׁל חָמֵץ, עוֹשִׂים י' חַלּוֹת. וְדָא אִיהוּ סֹלֶת חַלּוֹת מַצּוֹת בְּלוּלוֹת בַּשֶּׁמֶן. מִי' עֶשְׂרוֹנִים, דְּאִינּוּן יו"ד הֵ"י וָא"ו הֵ"י, הֲווּ עַבְדִין ל' מַצּוֹת, דְּאִינּוּן י' י' י'. הַאי שְׁמָא, זִמְנִין אִיהוּ לִימִינָא, וְזִמְנִין אִיהוּ לִשְׂמָאלָא, וְזִמְנִין בְּאֶמְצָעִיתָא. רַחֲמֵי מִכָּל סִטְרָא, לִימִינֵיהּ וְלִשְׂמָאלֵיהּ.

נו. וְזִמְנִין י' לִימִינָא, וְאֵין פּוֹחֲתִין בֵּיהּ מֵעֲשָׂרָה מַלְכֻיּוֹת. וּלְזִמְנִין יו"ד לִשְׂמָאלָא, וְאֵין פּוֹחֲתִין בֵּיהּ מֵעֲשָׂרָה שׁוֹפָרוֹת. וּלְזִמְנִין יו"ד בְּאֶמְצָעִיתָא, וְאֵין פּוֹחֲתִין בֵּיהּ מִי' זִכְרוֹנוֹת.

נז. עַל פִּי יְיָ' יַחֲנוּ וְעַל פִּי יְיָ' יִסָּעוּ אֶת מִשְׁמֶרֶת יְיָ' שָׁמָרוּ. דְּכָל י' אִית לָהּ ד' אַנְפִּין, ג' וְחִיוָון אִינּוּן, לְקַבֵּל תְּלַת יוּדִין, וְד' אַנְפִּין לְכָל חַיָּה, לְקָבֵל ד' אַנְפִּין דִּיהֹוָ"ה, עַל פִּי יְיָ' יַחֲנוּ וְיִסָּעוּ.

נח. שָׁמָרוּ, דָּא שְׁכִינְתָּא, דְּנַטְרָא לְאִינּוּן דְּשָׁמְרֵי שַׁבָּתוֹת וְיָמִים טוֹבִים, דְּבַגּ"כ לָא זָזָה שְׁכִינָה מִיִּשְׂרָאֵל בְּכָל שַׁבָּתוֹת וְיו"ט, וַאֲפִילּוּ בְּשַׁבָּתוֹת דְּחוּל, אֶלָּא דְּאִיהוּ סוֹגֶרֶת וּמְסוֹגֶּרֶת בְּהוֹן.

נט. וּבְכָל צְלוֹתָא, אִיהוּ עוֹלָה לַיְדֹוָ"ד, עַד דְּמָטָאת לְמֶרְכַּבְתָּא דַּאֲבָהָן עִלָּאִין, דְּאִינּוּן: גְּדוּלָ"ה, גְּבוּרָ"ה, תִּפְאֶרֶ"ת, דְּאִית לְהוֹן תְּרֵיסַר אַנְפִּין, לְקָבֵל תְּרֵיסַר שִׁבְטִין. וּכְפוּם דְּאִיהִי אוֹלִיפַת זְכוּת, עַל אִלֵּין מָארֵי צְלוֹתִין, וּמָארֵי זַכְוָון, בְּכָל פִּקּוּדָא וּפִקּוּדָא דְּאוֹרַיְיתָא, הָכִי יַחֲנוּ עַל זַכְוָון דִּלְהוֹן וְכֵן יִסָּעוּ לְגַבַּיְיהוּ. וְהָכִי נַחְתָּא שְׁמִירָה לְגַבַּיְיהוּ.

ס. אִינּוּן דְּעַבְדִין זַכְוָון עַל מְנָת לְקַבֵּל פְּרָס, נָחִית קוּדְשָׁא בְּרִיךְ הוּא בְּמֶרְכַּבְתֵּיהּ דְּעֶבֶד, וּבְד' שׁוֹמְרִין דִּילֵיהּ, וּמַאן דְּעָבִיד זַכְוָון שֶׁלֹּא עַל מְנָת לְקַבֵּל פְּרָס, נָחִית עָלַיְיהוּ בְּמֶרְכַּבְתָּא דִּילֵיהּ. וּלְרַשִּׁיעַיָּא נָחִית עָלַיְיהוּ בְּעוֹבָדַיְיהוּ, בְּאִינּוּן שֵׁדִין וּמַזִּיקִין וּמַלְאֲכֵי חַבָּלָה בְּמֶרְכַּבְתָּא דִּלְהוֹן, לְאִתְפָּרְעָא מִנַּיְהוּ. פָּתְחוּ מָארֵי מַתְנִיתִין וְאָמְרוּ. וַדַּאי הָכִי הוּא, זַכָּאָה חוּלָקָךְ רַעְיָא מְהֵימְנָא. (ע"כ רעיא מהימנא.

בָּרוּךְ יְיָ' לְעוֹלָם אָמֵן וְאָמֵן יִמְלוֹךְ יְיָ' לְעוֹלָם אָמֵן וְאָמֵן

Chukat

וחֻקַּת

א. וַיְדַבֵּר יְיָ' אֶל מֹשֶׁה וְאֶל אַהֲרֹן לֵאמֹר זֹאת חֻקַּת הַתּוֹרָה אֲשֶׁר צִוָּה יְיָ' לֵאמֹר וְגוֹ'. ר' יוֹסֵי פָּתַח, וְזֹאת הַתּוֹרָה אֲשֶׁר שָׂם מֹשֶׁה לִפְנֵי בְּנֵי יִשְׂרָאֵל. ת"ח, מִלִּין דְּאוֹרַיְיתָא קַדִּישִׁין אִינּוּן, עִלָּאִין אִינּוּן, מְתִיקִין אִינּוּן. כְּמָה דִּכְתִּיב, הַנֶּחֱמָדִים מִזָּהָב וּמִפָּז רָב וּמְתוּקִים מִדְּבַשׁ וְגוֹ'. מַאן דְּאִשְׁתַּדַּל בְּאוֹרַיְיתָא, כְּאִלּוּ קָאִים כָּל יוֹמָא עַל טוּרָא דְּסִינַי וְקַבִּיל אוֹרַיְיתָא. הה"ד, הַיּוֹם הַזֶּה נִהְיֵיתָ לְעָם. וְהָא אוּקְמוּהָ חַבְרַיָּיא.

ב. כְּתִיב הָכָא זֹאת חֻקַּת הַתּוֹרָה, וּכְתִיב וְזֹאת הַתּוֹרָה, מַה בֵּין הַאי לְהַאי. אֶלָּא רָזָא עִלָּאָה הוּא, וְהָכִי אוּלִיפְנָא, וְזֹאת הַתּוֹרָה: לְאַחֲזָאָה כֹּלָּא בְּיִחוּדָא חַד, וּלְאַכְלְלָא כנ"י בְּקוּדְשָׁא בְּרִיךְ הוּא, לְאִשְׁתַּכְּחָא כֹּלָּא חַד. בְּגִינֵי כַּךְ וְזֹאת הַתּוֹרָה. אַמַּאי תּוֹסֶפֶת וָא"ו. אֶלָּא הָא אִתְּמַר, לְאַחֲזָאָה דְּכֹלָּא חַד, בְּלָא פֵּרוּדָא. וְזֹאת: כְּלַל וּפְרָט כַּחֲדָא, דְּכַר וְנוּקְבָא. וּבְגִ"כ וְזֹאת הַתּוֹרָה וַדַּאי. אֲבָל זֹאת בְּלָא תּוֹסֶפֶת וָא"ו, חֻקַּת הַתּוֹרָה וַדַּאי, וְלָא הַתּוֹרָה, דִּינָא דְּאוֹרַיְיתָא, גְּזֵרָה דְּאוֹרַיְיתָא.

ג. ת"ח, זֹאת אֲשֶׁר לַלְוִיִּם, וְלָא וְזֹאת. דְּהָא מִסִּטְרָא דְּדִינָא קָא אַתְיָין, וְלָא מִסִּטְרָא דְּרַחֲמֵי. א"ר יְהוּדָה, וְהָא כְּתִיב וְזֹאת עֲשׂוּ לָהֶם וְחָיוּ. וְדָא בְּלֵוָאֵי אִתְּמַר, וְאַתְּ אַמְרַת זֹאת וְלָא וְזֹאת. א"ל, וַדַּאי הָכִי הוּא, וּקְרָא מוֹכַח, מַאן דְּאָחִיד סַמָּא דְּמוֹתָא, אִי לָא יְעָרֵב בֵּיהּ סַמָּא דְּחַיֵּי, הָא וַדַּאי יְמוּת. וע"ד, וְזֹאת עֲשׂוּ לָהֶם וְחָיוּ, וְלָא יָמוּתוּ, בְּגִין דְּסַמָּא דְּחַיֵּי מְעָרַב בַּהֲדֵיהּ, וְזֹאת עֲשׂוּ וְחָיוּ וְלָא יָמוּתוּ, וַדַּאי וְזֹאת אִצְטְרִיךְ לְהוּ, וְלָא זֹאת. בְּגִינֵי כַּךְ וְזֹאת הַתּוֹרָה מַמָּשׁ, בְּיִחוּדָא חַד, בְּיִחוּדָא שְׁלִים, כְּלָלָא דִּדְכַר וְנוּקְבָא. ו"ה. זֹאת: ה' בִּלְחוֹדוֹי, וע"ד זֹאת חוּקַּת הַתּוֹרָה.

ד. רִבִּי שִׁמְעוֹן וְר' אַבָּא וְר' אֶלְעָזָר וְר' יִצְחָק, הֲווֹ שְׁכִיחֵי בְּבֵי ר' פִּנְחָס בֶּן יָאִיר, אָמַר ר' פִּנְחָס לְר' שִׁמְעוֹן, בְּמָטוּתָא מִנָּךְ אַנְתְּ דְּאוּקְמֵי עָלָךְ לְעֵילָּא, וּמִילָּךְ בְּאִתְגַּלְיָיא, מַה דְּלָא אִתְיְהִיב רְשׁוּתָא לְב"נ אַחֲרָא. בְּפַרְשָׁתָא דָּא אֵימָא מִלָּה חַדְתָּא, א"ל וּמַאי הִיא. א"ל זֹאת חֻקַּת הַתּוֹרָה. א"ל הָא שְׁאַר חַבְרַיָּיא יֵאמְרוּ. אָמַר לְר' אֶלְעָזָר בְּרֵיהּ, אֶלְעָזָר קוּם בְּקִיּוּמָךְ, וְאֵימָא מִלָּה חַד בְּפַרְשָׁתָא דָּא, וְחַבְרַיָּיא יֵימְרוּן אֲבַתְרָךְ.

ה. קָם ר' אֶלְעָזָר וְאָמַר, וְזֹאת לְפָנִים בְּיִשְׂרָאֵל עַל הַגְּאוּלָה וְעַל הַתְּמוּרָה לְקַיֵּים וְגוֹ'. הַאי קְרָא אִית לְאִסְתַּכְּלָא בֵּיהּ, וְאִי אִינּוּן קַדְמָאֵי עֲבַדֵי הַסְכָּמָה דָּא בְּדִינָא דְּאוֹרַיְיתָא, וְאָתוּ בַּתְרָאֵי וּבַטְלוּהָ, אַמַּאי בַּטְלוּהָ. וְהָא מַאן דְּבָטִיל מִלָּה דְּאוֹרַיְיתָא. כְּאִילּוּ חָרִיב עָלְמָא שְׁלִים. וְאִי לָאו אִיהוּ בְּדִינָא דְּאוֹרַיְיתָא, אֶלָּא הַסְכָּמָה בְּעָלְמָא, אַמַּאי נָעַל הָכָא.

ו. אֶלָּא וַדַּאי בְּדִינָא דְּאוֹרַיְיתָא הֲוָה, וּבְרָזָא עִלָּאָה אִתְעֲבֵידַת מִלָּה, וּבְגִין דַּהֲווֹ קַדְמָאֵי חֲסִידֵי זַכָּאֵי, מִלָּה דָּא אִתְגַּלְיָיא בֵּינַיְיהוּ, וּמִדְּאַסְגִּיאוּ חַיָּיבֵי בְּעָלְמָא, אִתְעֲבֵידַת הַאי מִלָּה בְּגַוְונָא אַחֲרָא, בְּגִין לְאִתְכַּסָּאָה מִלִּין דְּאִינּוּן בְּרָזָא עִלָּאָה.

ז. ת"ח, וַיֹּאמֶר אַל תִּקְרַב הֲלוֹם שַׁל נְעָלֶיךָ מֵעַל רַגְלֶיךָ וְגוֹ'. וְכִי אַמַּאי נָעַל הָכָא.

אלא אתמר, דפקיד ליה על אתתא, לאתפרשא מנה, ולאזדווגא באתתא אחרא, דנהירו קדישא עלאה, ואיהי שכינתא.

ח. וההוא נעל אוקים ליה באתר אחרא, אעבר ליה מהאי עלמא, ואוקים ליה בעלמא אחרא. וע״ד, כל מה דיהיב מיתא לבר נש בחלמא, טב. נטיל מאניה מן ביתא, ביש, כגון סנדליה. מ״ט. בגין דאעבר רגליה, דאינון קיומא דבר נש, מהאי עלמא, וכניש לון לעלמא אחרא, אתר דמותא שארי ביה, דכתיב מה יפו פעמיך בנעלים בת נדיב. ורזא דמלה בין חבריא איהו.

ט. ודא כד מיתא נטיל לון, אבל בזמנא דחייא שליף מסאניה, ויהיב לבר נש אחרא, בגין לקיימא קיים, קא עביד בגזרה דלעילא. נעל דחליצה, כגוונא דלעילא נעל אחרא, וכלא רזא חדא.

י. ת״ח, ההוא מיתא דאסתלק מעלמא בלא בנין, האי בת נדיב לא כנישת ליה לההוא בר נש לגבה, ואזיל לאתטרדא בעלמא, דלא אשכח אתר, וקודשא בריך הוא חייס עליה ופקיד לאחוהי למפרק ליה, לאתבא ולאתתקנא בעפרא אחרא. כמה דכתיב, ואדם על עפר ישוב ואוקמוה.

יא. ואי ההוא פרוקא לא בעי לקיימא לאחוהי בהאי עלמא, בעי למקטר חד נעל ברגליה, וההוא אתתא דתשרי ליה ומקבלא לההוא נעל לגבה. אמאי נעל. אלא בגין דההוא נעל בגין מיתא הוא, ואתיהיב ברגליה דחייא אחוהי, ואתתא מקבלה לההוא נעל לגבה, לאחזאה דהא ההוא מיתא בין חייא אהדר בעובדא דא.

יב. והוא בהפוכא מההוא נעל דנטיל מיתא מחייא, והשתא האי נעל נטיל חייא ממיתא, ובההוא נעל ההוא מיתא אזיל בין חייא, ואתתא נטלא ליה לגבה, לאחזאה דההיא אתתא עטרת בעלה, נטלא ליה ומקבלא ליה לגבה.

יג. ובעי לבטשא ליה לההוא נעל בארעא, לאחזאה דשכיך גופיה דההוא מיתא. וקודשא בריך הוא לזמנא דא, או לבתר זמנא, חייס עליה, ויקבל ליה לעלמא אחרא. תו בטשותא דההוא נעל מידא דאתתא לארעא לאחזאה, דהא יתבני ההוא מיתא בעפרא אחרא דהאי עלמא, והשתא יתוב לעפריה דהוה מתמן בקדמיתא, וכדין ההיא אתתא תשתרי למעבד זרעא אחרא, ואוקמוה.

יד. ת״ח, ע״ד מאן דבעי לקיימא קיים, נטיל נעליה, ויהב לחבריה, לקיימא עליה קיימא. הה״ד, וזאת לפנים בישראל על הגאולה. מאי וזאת. קיימא שלים בכלא. לפנים בישראל, כד הוו צנועין קדישין. לקיים כל דבר, כל דבר ממש, דהא דא הוא קיומא. וכדין וזאת התעודה בישראל, ודאי. דלא תימא דהסכמה בעלמא היא, ומדעתייהו עבדי לה, אלא קיומא עלאה הוה, למהוי עובדיהון ברזא דלעילא.

טו. כיון דאסגיאו חייבין בעלמא, כסיאו מלה בגוונא אחרא, בכנפא דמלבושא, והאי מלבושא היא תקונא עלאה, ורזא דמלה, ולא יגלה כנף אביו כתיב.

טז. זאת חקת התורה. זאת: דא את קיימא, דלא אתפרש דא מן דא דאקרי זה. ומנוקבא עייל לדכר. וע״ד, שמו״ר וזכו״ר כחדא מתחברן. וחקת התורה, חק התורה מבעי ליה, מאי וחקת.

יז. אלא וחקת ודאי, ואוקימנא, ה׳ ד׳ הות והא אתמר. אבל ת׳, הוא ד׳ ונ׳ מחבר כחדא. ונו״ן הא אתמר, נו״ן אמאי אקרי הכי בנו״ן. אלא, כד״א ולא תונו איש את

עֲמִיתוֹ. דְּהַשְׁתָּא הִיא בְּאַנְפָּהָא אוֹנָאָה לִבְנֵי נָשָׁא, לְבָתַר מֶחֱזְיָא כְּחִוְיָא, וְשָׁצֵי וְקָטִיל וְאָמְרָה לֹא פָּעַלְתִּי אָוֶן. וְעַל דָּא הָכִי אִקְרֵי בְּנוּ״ן, דְּאִתְּמַר עָלֵיהּ. ת׳ כַּלָּא כַּחֲדָא דָּלֶ״ת נוּ״ן. ד׳ נוּ״ן נוּ״ן רֵי״שׁ, רֵי״שׁ וְדָלֶ״ת וַחַד מִלָּה הוּא. וּבְאַתְוָו״ן גְּלִיפִין אִינּוּן וז״ק ות׳ וְכַלָּא וַחַד מִלָּה.

יח. דַּבֵּר אֶל בְּנֵי יִשְׂרָאֵל וְיִקְחוּ אֵלֶיךָ פָּרָה, הַאי פָּרָה לְדַכְיוּתָא קָא אַתְיָיא. לְדַכְּאָה לִמְסָאֲבֵי. פָּרָה דְּקַבִּילַת מִן שְׂמָאלָא. וּמַאן הוּא לִשְׂמָאלָא. שׁוֹר. כד״א, וּפְנֵי שׁוֹר מֵהַשְּׂמֹאל. אֲדוּמָה, סוּמָקָא כְּוַורְדָּא. דִּכְתִּיב, כְּשׁוֹשַׁנָּה בֵּין הַחוֹחִים. אֲדוּמָה: גְּזֵרַת דִּינָא.

יט. תְּמִימָה, מַאי תְּמִימָה. כְּמָה דִּתְנִינָן, שׁוֹר תָּם וְשׁוֹר מוּעָד. שׁוֹר תָּם דִּינָא רַפְיָיא. שׁוֹר מוּעָד דִּינָא קַשְׁיָא. אוּף הָכָא תְּמִימָה דִּינָא רַפְיָיא, גְּבוּרָה תַּתָּאָה, דָּא הִיא תְּמִימָה. גְּבוּרָה עִלָּאָה, דָּא הִיא דִּינָא קַשְׁיָא, וְהִיא יַד הַחֲזָקָה תַּקִּיפָא.

כ. אֲשֶׁר אֵין בָּהּ מוּם, כד״א כֻּלָּךְ יָפָה רַעְיָתִי וּמוּם אֵין בָּךְ. אֲשֶׁר לֹא עָלָה עָלֶיהָ עוֹל. עַל כְּתִיב, כד״א וּנְאֻם הַגֶּבֶר הוּקַם עָל. מ״ט. בְּגִין דְּהִיא שְׁלוּמֵי אֱמוּנֵי יִשְׂרָאֵל, וְעָלֶיהָ לָאו הִיא אֶלָּא עִמָּהּ. אֲשֶׁר לֹא עָלָה עָלֶיהָ עֹל, הַיְינוּ דִּכְתִּיב בְּתוּלַת יִשְׂרָאֵל, בְּתוּלָה וְאִישׁ לֹא יְדָעָהּ.

כא. וּנְתַתֶּם אוֹתָהּ אֶל אֶלְעָזָר, מִצְוָותָהּ בַּסְּגַן, וְאוּקְמוּהָ. מ״ט לֵיהּ וְלָא לְאַהֲרֹן. אֶלָּא אַהֲרֹן שׁוֹשְׁבִינָא דְּמַטְרוֹנִיתָא. וְעוֹד דְּאַהֲרֹן לָא אָתֵי מִסִּטְרָא דְּטָהוֹר, אֶלָּא מִסִּטְרָא דְּקָדוֹשׁ, וּבְגִין דְּדָא אַתְיָיא לְטַהֲרָה, לָא אִתְיְיהִיב לֵיהּ.

כב. כָּל מִלָּה דְּהַאי פָּרָה, הִיא בְּשֶׁבַע, ז׳ כְּבוּסִים וְכוּ׳, וְהָא אִתְּמַר, מ״ט. בְּגִין דְּהִיא שֶׁבַע שְׁנֵי שְׁמִטָּה, וּבַת שֶׁבַע אִתְקְרֵי, וְע״ד כָּל עוֹבָדוֹי בְּשֶׁבַע. ת״ח, כָּל מַאי דְּאִתְעֲבֵיד מֵהַאי פָּרָה, בְּגִין לְדַכְּאָה, וְלָא לְקַדְּשָׁא, וְאע״ג דְּאִתְיְיהִיב לַסְּגַן, הוּא לָא שָׁחִיט וְלָא שָׂרִיף, בְּגִין דְּלָא יִשְׁתַּכַּח דִּינָא בְּסִטְרוֹי, וכ״ש אַהֲרֹן דְּאִיהוּ בְּדַרְגָּא שְׁלִים יַתִּיר, דְּלָא בָּעֵי לְאִשְׁתַּכְּחָא תַּמָּן, וּלְאִזְדַּמְּנָא תַּמָּן.

כג. הַאי פָּרָה, כֵּיוָן דְּאִתְעֲבֵיד אֵפֶר, בָּעֵי לְמִשְׁדֵי בֵּיהּ עֵץ אֶרֶז, וְאֵזוֹב, וּשְׁנִי תוֹלַעַת, וְהָא אִלֵּין אִתְּמָרוּ. וְאָסַף אִישׁ טָהוֹר, וְלָא קָדוֹשׁ. וְהִנִּיחַ מִחוּץ לַמַּחֲנֶה בְּמָקוֹם טָהוֹר, דְּהָא טָהוֹר לָא אִקְרֵי, אֶלָּא מִן סִטְרָא דִּמְסָאֵב בְּקַדְמֵיתָא.

כד. רָזָא דְּכֹלָּא, הַאי דִּכְתִּיב לְמֵי נִדָּה חַטָּאת הִיא, בְּגִין דְּכָל דִּינִין תַּתָּאִין, וְכָל אִינּוּן דְּאָתוּ מִסִּטְרָא דִּמְסָאֲבָא, כַּד אִיהוּ יַנְקָא מִסִּטְרָא אָחֳרָא, וְיָתִיבַת בְּדִינָא, כד״א מְלֵאָה דָם הוּדְשְׁנָה מֵחֵלֶב. כְּדֵין כֻּלְּהוּ מִתְעָרֵי וּמִסְתַּלְּקֵי וְשָׁרָאן בְּעָלְמָא. כֵּיוָן דְּעָבְדֵי הַאי עוֹבָדָא דִּלְתַתָּא, וְכָל הַאי דִּינָא בְּאֲתַר דָּא דְּהַאי פָּרָה, וְרָמָאן עָלָהּ עֵץ אֶרֶז וְגוֹ׳. כְּדֵין אִתְחֲלַשׁ חֵילָא דִּלְהוֹן, וּבְכָל אֲתַר דְּשָׁרָאן אִתְבָּרוּ וְאִתְחֲלָשׁוּ וְעַרְקִין מִנֵּיהּ, דְּהַאי חֵילָא דִּלְהוֹן אִתְחֲזֵי כְּגַוְונָא דָּא לְגַבַּיְיהוּ, כְּדֵין לָא שָׁרָאן בְּבַר נָשׁ, וְאִתְדַּכֵּי.

כה. וְע״ד אִתְקְרֵי מֵי נִדָּה, מַיָּא לְדַכְּאָה. כַּד עָלְמָא שָׁארֵי בְּדִינָא, וְסִטְרָא מְסָאֲבָא אִתְפַּשַּׁט בְּעָלְמָא, הָכָא אִתְכְּלִילָן כָּל זִינִין מְסָאֲבָא, וְכָל זִינֵי דַּכְיוּ, וּבְגִין כָּךְ טוּמְאָה וְטַהֲרָה, כְּלָלָא עִלָּאָה דְּאוֹרַיְיתָא, וְאוּקְמוּהָ חַבְרַיָּיא. אר״ש, אֶלְעָזָר, עֲבֵדַת דְּלָא יֵימְרוּן חַבְרַיָּיא מִלָּה אֲבַתְרָךְ.

רַעְיָא מְהֵימְנָא

כו. פָּרָה אֲדוּמָה תְּמִימָה אֲשֶׁר אֵין בָּהּ מוּם וְגוֹ׳, אָסוּר לַחֲרוֹשׁ בְּשַׁבָּת וַחֲרִישָׁה

דְּשׁוֹר, דְּאִתְּמַר עַל גַּבִּי חָרְשׁוּ חוֹרְשִׁים. וּשְׁכִינְתָּא תַּתָּאָה, אִיהִי פָּרָה אֲדוּמָּה, מִסִּטְרָא דִּגְבוּרָה. תְּמִימָה מִסִּטְרָא דְּחֶסֶד, דְּאִיהוּ דַּרְגָּא דְּאַבְרָהָם, דְּאִתְּמַר בֵּיהּ הִתְהַלֵּךְ לְפָנַי וֶהְיֵה תָמִים. אֲשֶׁר אֵין בָּהּ מוּם, מִסִּטְרָא דְּעַמּוּדָא דְּאֶמְצָעִיתָא. אֲשֶׁר לֹא עָלָה עָלֶיהָ עוֹל, מִסִּטְרָא דִּשְׁכִינְתָּא עִלָּאָה, דְּאִיהִי חֵירוּ. בַּאֲתַר דְּאִיהִי שַׁלְטָא, וְהַזָּר הַקָּרֵב לֵית רְשׁוּ לְסִטְרָא אַחֲרָא לְשַׁלְטָאָה. לָא שָׂטָן, וְלָא מַשְׁחִית, וְלָא מַלְאַךְ הַמָּוֶת, דְּאִינּוּן מִסִּטְרָא דְּגֵיהִנָּם. (ע"כ רעיא מהימנא).

כז. פָּתַח ר"ש וְאָמַר, הַמְשַׁלֵּחַ מַעְיָנִים בַּנְּחָלִים וְגוֹ'. יַשְׁקוּ כָּל חַיְתוֹ שָׂדָי וְגוֹ'. הָנֵי קְרָאֵי דָּוִד מַלְכָּא בְּרוּחָא קַדִּישָׁא אֲמָרָן, וְאִית לְאִסְתַּכְּלָא בְּהוּ. ת"ח, בְּשַׁעֲתָא דְּחָכְמְתָא עִלָּאָה בָּטַשׁ בִּגְלִיפוֹי, אע"ג דְּהִיא טְמִירָא בְּכָל סִטְרִין, פָּתַח וְאִתְנְגִיד מִנֵּיהּ חַד נַהֲרָא, מְלֵיָא בִּתְרֵין עִלָּאִין.

כח. כְּמַבּוּעָא וּמְקוֹרָא דְּמַיָא דְּמַלְיֵי קוּסְפָּא רַבָּא מִנֵּיהּ, וּמִתַּמָּן אִתְמַשְׁכָן מַבּוּעִין דִּנְחָלִין וְנַהֲרִין בְּכָל סְטַר, כַּךְ הַאי, בְּחַד שְׁבִיל דַּקִּיק דְּלָא אִתְיְידַע, מָשִׁיךְ וְנָגִיד הַהוּא נָהָר דְּנָגִיד וְנָפִיק, וּמַמְלֵי לְהַהוּא נַחֲלָא עֲמִיקָא, וּמִתַּמָּן אִתְמַשְׁכָאן מַבּוּעִין וּנְחָלִין, וְאִתְמַלְיָין מִנֵּיהּ. הה"ד, הַמְשַׁלֵּחַ מַעְיָנִים בַּנְּחָלִים וְגוֹ'. אִלֵּין נַהֲרֵי עִלָּאֵי קַדִּישָׁא דְּאִפַּרְסְמוּנָא דַּכְיָא, וְכֻלְּהוּ אִתְשַׁקְיָין כַּחֲדָא מֵהַהוּא נְבִיעָא דְּנַחֲלָא עִלָּאָה קַדִּישָׁא דְּנָפִיק וְנָגִיד.

כט. לְבָתַר, יַשְׁקוּ כָּל חַיְתוֹ שָׂדָי, הַיְינוּ דִּכְתִיב וּמִשָּׁם יִפָּרֵד וְהָיָה לְאַרְבָּעָה רָאשִׁים. הָנֵי ד' רֵאשִׁין, אִלֵּין אִינּוּן חַיְתוֹ שָׂדָי, כְּלָלָא דְּכָל אִינּוּן מַשִּׁרְיָין, וְכָל אִינּוּן חַיָּילִין, דְּאֲחִידָן בְּהוּ שָׂדָי, אַל תִּקְרֵי שָׂדָי, אֶלָּא שַׁדַּי. דְּהוּא נָטִיל, וְאַשְׁלִים שְׁמָא בִּיסוֹדָא דְּעָלְמָא.

ל. יִשְׁבְּרוּ פְּרָאִים צְמָאָם, אִלֵּין אִינּוּן דִּכְתִיב בְּהוּ, וְהָאוֹפַנִּים יִנָּשְׂאוּ לְעֻמָּתָם כִּי רוּחַ הַחַיָּה בָּאוֹפַנִּים, מַאן חַיָּה. אֶלָּא אִלֵּין חַיְתוֹ שָׂדָי, אַרְבַּע אִינּוּן, וְכָל חַד וְחַד לְחַד סִטְרָא דְּעָלְמָא. וְהַהוּא אִקְרֵי חַיָּה, וְאוֹפַנִּים לָקֳבֵיל כָּל חַד וְחַד. וְלָא אָזְלִין אֶלָּא מֵרוּחַ דְּהַהִיא חַיָּה דְּאָזִיל עָלַיְיהוּ וְכַד אִלֵּין מִתְשַׁקְיָין מֵהַהוּא שַׁקְיוּ עִלָּאָה, כָּל שְׁאָר חַיָּילִין אַחֲרָנִין אִתְשַׁקְיָין, וְאִתְרְוָון, וּמִשְׁתָּרְשָׁן בְּשָׁרְשַׁיְיהוּ, וְאִתְאֲחִידָן אִלֵּין בְּאִלֵּין, בְּדַרְגִּין יְדִיעָן. הה"ד, עֲלֵיהֶם עוֹף הַשָּׁמַיִם יִשְׁכּוֹן וְגוֹ'. מַשְׁקֶה הָרִים מֵעֲלִיּוֹתָיו וְגוֹ'. אִלֵּין שְׁאָר דַּרְגִּין עִלָּאִין.

לא. לְבָתַר כָּל דָּא, מִפְּרִי מַעֲשֶׂיךָ תִּשְׂבַּע הָאָרֶץ, אַרְעָא עִלָּאָה קַדִּישָׁא. וְכַד אִיהִי מִתְבָּרְכָא, כָּל עָלְמִין כֻּלְּהוּ חַדָאן, וּמִתְבָּרְכָאן. דָּא בְּשַׁעֲתָא דְּבִרְכָאן מִשְׁתַּכְּחֵי, מִשַּׁקְיוּ דְּנַחֲלָא עֲמִיקָא דְּכֹלָּא.

לב. וּבְשַׁעֲתָא דְּבִרְכָאן לָא מִשְׁתַּכְּחֵי לְנַיְיחָא בְּעָלְמָא, כְּדֵין עָלְמָא יָתִיב בְּדִינָא, וּמִסִּטְרָא דִּשְׂמָאלָא רוּחָא אִתְּעַר וְאִתְפָּשַּׁט בְּעָלְמָא וְכַמָּה חַבִּילֵי טְרִיקִין מִשְׁתַּכְּחֵי בְּעָלְמָא, וְשָׁרָאן עַל בְּנֵי נָשָׁא, וּמִסָּאַב הַהוּא רוּחָא לְהוּ, כְּבַר נָשׁ דְּנָגַע וְרוּחַ מְסָאֲבָא שַׁרְיָא עָלֵיהּ. הָכִי נַמִּי שַׁרְיָא, לְמֶעֱן דְּיִקְרַב בַּהֲדֵיהּ.

לג. הה"ד, תַּסְתִּיר פָּנֶיךָ יִבָּהֵלוּן וְגוֹ'. הַאי קְרָא מַאי קָא מַיְירֵי. אֶלָּא תַּסְתִּיר פָּנֶיךָ יִבָּהֵלוּן, דְּהָא לָא אִתְשַׁקְיָין לְאִשְׁתַּכְּחָא בִּרְכָאן לְעָלְמִין. תּוֹסֵף רוּחָם יִגְוָעוּן, וְאִתְּעַר רוּחָא אַחֲרָא מִסִּטְרָא שְׂמָאלָא, וְרוּחַ מְסָאֲבָא שַׁרְיָא עַל בְּנֵי נָשָׁא, עַל אִינּוּן דְּמֵיתִין, וּמַאן דְּקָאִים בַּהֲדַיְיהוּ, וְעַל שְׁאָר בְּנֵי נָשָׁא, מַאי אַסְוָותָא דִּלְהוֹן. הָא דִּכְתִיב וְאֶל עֲפָרָם יְשׁוּבוּן. דָּא עֲפַר שְׂרֵיפַת הַחַטָּאת, בְּגִין לְאִתְדַּכְאָה בֵּיהּ. וְהַיְינוּ רָזָא הַכֹּל הָיָה מִן

הֶעָפָר, וַאֲפִילּוּ גַּלְגַּל וְחַמָּה.

לד. לְבָתַר דִּמְהַדְּרִן לְהַאי עָפָר, בְּגִין לְאִתְדַּכְּאָה בֵּיהּ, מִתְעַבָר רוּחָא מִסְּאֲבָא, וְאִתְּעַר רוּחָא אַחֲרָא קַדִּישָׁא, וְשָׁארֵי בְּעָלְמָא. הה״ד, תְּשַׁלַּח רוּחֲךָ יִבָּרֵאוּן, יִבָּרֵאוּן, וְיִתְסוּן בְּאַסְוָותָא עִלָּאָה, דְּרוּחָא אַחֲרָא. וּתְחַדֵּשׁ פְּנֵי אֲדָמָה, דְּהָא אִתְדַּכִּיאַת, וְחַדְּתוּתֵי דְּסִיהֲרָא אִשְׁתְּכַח, וְעָלְמִין כֻּלְּהוּ מִתְבָּרְכָאן. זַכָּאָה חוּלָקֵהוֹן דְּיִשְׂרָאֵל, דְּקוּדְשָׁא בְּרִיךְ הוּא יָהִיב לוֹן עֵיטָא, דְּכֹלָּא אַסְוָותָא, בְּגִין דְּיִזְכּוּן לְחַיֵּי עָלְמָא דְּאָתֵי, וְיִשְׁתַּכְּחוּ דַּכְיָין בְּהַאי עָלְמָא, קַדִּישִׁין לְעָלְמָא דְּאָתֵי, עֲלַיְיהוּ כְּתִיב וְזָרַקְתִּי עֲלֵיכֶם מַיִם טְהוֹרִים וּטְהַרְתֶּם.

לה. וַיָּבֹאוּ בְנֵי יִשְׂרָאֵל כָּל הָעֵדָה מִדְבַּר צִן וְגוֹ׳. ר׳ יְהוּדָה אָמַר, אֲמַאי פַּרְשְׁתָא דְּפָרָה, סְמִיכָה לְמִיתַת מִרְיָם. הָא אוֹקְמוּהָ. אֶלָּא כֵּיוָן דְּאִתְעֲבֵיד דִּינָא בְּהַאי פָּרָה, לְדַכָּאָה לִמְסָאֲבֵי, אִתְעֲבֵיד דִּינָא בְּמִרְיָם, לְדַכָּאָה עָלְמָא, וְאִסְתַּלְּקַת מִן עָלְמָא. כֵּיוָן דְּאִסְתַּלְּקַת מִרְיָם, אִסְתַּלַּק הַהוּא בְּאֵר, דַּהֲוָה אָזִיל עִמְּהוֹן דְּיִשְׂרָאֵל בְּמַדְבְּרָא וְאִסְתַּלַּק בֵּירָא בְּכֹלָּא.

לו. א״ר אַבָּא, כְּתִיב וְאַתָּה בֶן אָדָם שָׂא קִינָה עַל בְּתוּלַת יִשְׂרָאֵל, וְכִי עָלָה בִּלְחוֹדָהָא. לָא. אֶלָּא בְּגִין דְּכֹלָּא אִתְּבַר בְּגִינָהּ. בְּגִינָהּ אִתְּבַר יְמִינָא אֲבַתְרָהּ, דַּהֲוָה מְקָרֵב לָהּ גַּבֵּי גּוּפָא. וְגוּפָא דְּאִיהוּ שִׁמְשָׁא, אִתְחֲשַׁךְ בְּגִינָהּ. וְדָא הוּא רָזָא דִּכְתִּיב הוֹשִׁיעָה יְמִינְךָ וַעֲנֵנִי. גּוּפָא דִּכְתִּיב אַלְבִּישׁ שָׁמַיִם קַדְרוּת, דְּהָא שִׁמְשָׁא אִתְחֲשַׁךְ בְּגִינָהּ. כְּגַוְונָא דָּא וַתָּמָת שָׁם מִרְיָם וְגוֹ׳.

לז. וְלֹא הָיָה מַיִם לָעֵדָה, דְּהָא אִסְתַּלַּק בֵּירָא דְּעֵילָּא וְתַתָּא לְבָתַר אִתְּבַר יְמִינָא, דִּכְתִּיב יֵאָסֵף אַהֲרֹן אֶל עַמָּיו. וּלְבָתַר אִתְחֲשַׁךְ שִׁמְשָׁא, דִּכְתִּיב וּמוּת בָּהָר וְגוֹ׳. וְהֵאָסֵף אֶל עַמֶּךָ וְגוֹ׳. הָא דְּרוֹעָא יְמִינָא אִתְּבַר, וְגוּפָא דְּאִיהוּ שִׁמְשָׁא אִתְחֲשַׁךְ.

לח. ות״ח, לָא אִשְׁתְּכַח דָּרָא בְּעָלְמָא, כְּדָרָא דְּמֹשֶׁה קַיְּימָא בְּעָלְמָא, וְאַהֲרֹן וּמִרְיָם. וְאִי תֵּימָא בְּיוֹמוֹי דִּשְׁלֹמֹה הָכִי נַמֵּי. לָאו. דְּהָא בְּיוֹמוֹי דִּשְׁלֹמֹה שַׁלִּיט סִיהֲרָא, וְשִׁמְשָׁא אִתְכְּנִישׁ. וּבְיוֹמוֹי דְּמֹשֶׁה, אִתְכְּנִישׁ סִיהֲרָא, וְשִׁמְשָׁא שַׁלְטָא.

לט. תְּלַת אַחִין הֲווּ: מֹשֶׁה, אַהֲרֹן, וּמִרְיָם. כד״א וָאֶשְׁלַח לְפָנֶיךָ אֶת מֹשֶׁה אַהֲרֹן וּמִרְיָם. מִרְיָם, סִיהֲרָא. מֹשֶׁה, שִׁמְשָׁא. אַהֲרֹן, דְּרוֹעָא יְמִינָא. חוּר, דְּרוֹעָא שְׂמָאלָא. וְאַמְרֵי לָהּ, נַחְשׁוֹן בֶּן עַמִּינָדָב. בְּקַדְמֵיתָא מִיתַת מִרְיָם, אִסְתַּלְּקַת סִיהֲרָא, אִסְתַּלַּק בְּאֵר. לְבָתַר אִתְּבַר דְּרוֹעָא יְמִינָא, דִּמְקָרֵב תָּדִיר סִיהֲרָא, בְּאָחְוָה, בְּחִידוּ. וְעַ״ד כְּתִיב, וַתִּקַּח מִרְיָם הַנְּבִיאָה אֲחוֹת אַהֲרֹן. אֲחוֹת אַהֲרֹן וַדַּאי, דְּאִיהוּ דְּרוֹעָא, דִּמְקָרֵב לָהּ בְּאַחֲדוּתָא, בְּאַחֲוָה עִם גּוּפָא.

מ. לְבָתַר אִתְכְּנִישׁ שִׁמְשָׁא וְאִתְחֲשַׁךְ, כְּמָה דְּאוֹקִימְנָא דִּכְתִּיב וְהֵאָסֵף אֶל עַמֶּךָ גַּם אַתָּה וְגוֹ׳. זַכָּאָה חוּלָקֵהוֹן דְּמֹשֶׁה אַהֲרֹן וּמִרְיָם, דְּאִשְׁתְּכָחוּ בְּעָלְמָא. בְּיוֹמוֹי דִּשְׁלֹמֹה, שַׁלְטָא סִיהֲרָא, בְּתִקּוּנָהָא, וְאִתְחֲזֵי בְּעָלְמָא. וְאִתְקַיַּים שְׁלֹמֹה בְּחָכְמְתָא דִּנְהִירוּ דִּילָהּ, וְשַׁלִּיט בְּעָלְמָא. כֵּיוָן דְּסִיהֲרָא נַחְתָא בְּחוֹבוֹי, אִתְפְּגִים יוֹמָא בָּתַר יוֹמָא, עַד דְּאִשְׁתְּכַח בְּקֶרֶן מַעֲרָבִית, וְלָא יַתִּיר, וְאִתְיְהִיב שִׁבְטָא חַד לִבְרֵיהּ. זַכָּאָה חוּלָקָא דְּמֹשֶׁה נְבִיאָה מְהֵימְנָא.

מא. כְּתִיב וְזָרַח הַשֶּׁמֶשׁ וּבָא הַשָּׁמֶשׁ וְגוֹ׳. הַאי קְרָא אוֹקִימְנָא. אֲבָל וְזָרַח הַשֶּׁמֶשׁ, כַּד נַפְקוּ יִשְׂרָאֵל מִמִּצְרַיִם, דְּנָהִיר שִׁמְשָׁא וְלָא סִיהֲרָא. וְאֶל מְקוֹמוֹ שׁוֹאֵף וְגוֹ׳, הָא כְּתִיב וּבָא הַשֶּׁמֶשׁ, בְּמַדְבְּרָא, עִם שְׁאָר מֵתֵי מַדְבְּרָא. כֵּיוָן דְּעָאל שִׁמְשָׁא, לְאָן אֲתָר

אִתְכְּנִישׁ. אֶל מְקוֹמוֹ, בְּגִין לְאַנְהָרָא לְסִיהֲרָא. הה"ד שׁוֹאֵף זוֹרֵחַ הוּא שָׁם. דְּאַע"ג דְּאִתְכְּנִישׁ, זוֹרֵחַ הוּא שָׁם וַדַּאי. דְּהָא לָא אַנְהִיר סִיהֲרָא, אֶלָּא מִנְּהוֹרָא דְּשִׁמְשָׁא. וְדָא הוּא רָזָא דִּכְתִיב, הִנְּךָ שׁוֹכֵב עִם אֲבוֹתֶיךָ וְקָם. אע"ג דְּאִתְכְּנַשׁ, הִנָּךְ קַיָּים לְאַנְהָרָא לְסִיהֲרָא. דָּא הוּא יְהוֹשֻׁעַ.

מב. וְעָלֵיהּ כְּתִיב הַאי קְרָא, מַה יִּתְרוֹן לָאָדָם בְּכָל עֲמָלוֹ וְגוֹ'. מַה יִתְרוֹן לָאָדָם בְּכָל עֲמָלוֹ, דָּא יְהוֹשֻׁעַ, דְּאִשְׁתָּדַּל לְאַחְסָנָא אַרְעָא דְּיִשְׂרָאֵל, וְלָא זָכָה לְאַשְׁלְמָא לְסִיהֲרָא כַּדְקָא יָאוֹת, דְּהָא אִיהוּ אַעֲמִיל בְּהוּ בְּיִשְׂרָאֵל, תַּחַת הַשָּׁמֶשׁ תְּחוֹתֵיהּ דְּמֹשֶׁה. ת"ח, וַוי לְהַהוּא כִּסּוּפָא, וַוי לְהַהוּא כְּלִימָה, בְּגִין דְּפָלַח, וְלָא נָטַל אַתְרֵיהּ מַמָּשׁ, אֶלָּא תְּחוֹת שִׁמְשָׁא, וְלָא הֲוָה לֵיהּ נְהִירוּ מִדִּילֵיהּ, אֶלָּא נְהִירוּ דְּנָהִיר לֵיהּ. וְאִי הָכִי, מַאי תּוּשְׁבַּחְתָּא הֲוָה לֵיהּ, הוֹאִיל וְלָא אַשְׁלִים לְהָכָא וּלְהָכָא.

מג. וּבְכָל אֲתַר דְּאָמַר שְׁלֹמֹה תַּחַת הַשֶּׁמֶשׁ, עַל דַּרְגָּא דִּילֵיהּ קָאָמַר. רָאִיתִי תַּחַת הַשֶּׁמֶשׁ. וְעוֹד רָאִיתִי תַּחַת הַשָּׁמֶשׁ. שַׁבְתִּי וְרָאֹה תַּחַת הַשָּׁמֶשׁ. וְכֵן כֻּלְּהוּ. וּבְגִין דַּרְגָּא דִּילֵיהּ קָאָמַר. וְדָא הוּא רָזָא דְּמִלָּה וַדַּאי.

מד. רש"א, וַדַּאי מַאן דְּנָטִיל סַמָּא דְּמוֹתָא בִּלְחוֹדוֹי, עָלֵיהּ כְּתִיב בְּכָל עֲמָלוֹ שֶׁיַּעֲמוֹל תַּחַת הַשֶּׁמֶשׁ וַדַּאי. וּמַאן הוּא תַּחַת הַשֶּׁמֶשׁ. הֱוֵי אֵימָא דָּא סִיהֲרָא. וּמַאן דְּאָחִיד סִיהֲרָא בְּלָא שִׁמְשָׁא, עֲמָלוֹ תַּחַת הַשֶּׁמֶשׁ וַדַּאי. וְדָא הוּא חוֹבָא קַדְמָאָה דְּעָלְמָא. וְעַל דָּא מַה יִתְרוֹן לָאָדָם בְּכָל עֲמָלוֹ, לְאָדָם קַדְמָאָה. וְכֵן לְכֻלְּהוּ דְּאַתְיָין בַּתְרֵיהּ, דְּחָבוּ בַּאֲתַר דָּא.

מה. הוֹלֵךְ אֶל דָּרוֹם וְסוֹבֵב אֶל צָפוֹן, הַיְינוּ דִּכְתִיב, מִימִינוֹ אֵשׁ דָּת לָמוֹ. יְמִינוֹ, זֶה דָּרוֹם. אֵשׁ דָּת, דָּא צָפוֹן. וְדָא כָּלִיל בְּדָא.

מו. סוֹבֵב סוֹבֵב הוֹלֵךְ הָרוּחַ, הַאי קְרָא קַשְׁיָא, סוֹבֵב סוֹבֵב הוֹלֵךְ הַשֶּׁמֶשׁ מִבָּעֵי לֵיהּ, מַאי הוֹלֵךְ הָרוּחַ. מַאן רוּחָא דָּא, דָּא הוּא תַּחַת הַשֶּׁמֶשׁ, דְּאִקְרֵי רוּחַ הַקֹּדֶשׁ. וְדָא רוּחַ הוֹלֵךְ וְסוֹבֵב לְאִלֵּין תְּרֵין סִטְרִין לְאִתְחַבְּרָא בְּגוּפָא. וְע"ד כְּתִיב הָרוּחַ, הַהוּא דְּאִשְׁתְּמוֹדַע. חוּלָקָא דְּיִשְׂרָאֵל.

מז. וְעַל סְבִיבוֹתָיו שָׁב הָרוּחַ, מַאן סְבִיבוֹתָיו. אִלֵּין אֲבָהָן, דְּאִינּוּן רְתִיכָא קַדִּישָׁא, וְאִינּוּן תְּלַת, וְדָוִד דָּא הוּא רוּחָא רְבִיעָאָה, דְּאִתְחַבַּר בְּהוּ הָא אִינּוּן רְתִיכָא קַדִּישָׁא שְׁלֵימָתָא, וְעַל דָּא כְּתִיב, אֶבֶן מָאֲסוּ הַבּוֹנִים הָיְתָה לְרֹאשׁ פִּנָּה.

מח. בְּגִין דְּכָל מִלּוֹי דִּשְׁלֹמֹה מַלְכָּא סְתִימִין כֻּלְּהוּ בְּחָכְמְתָא, וְכֻלְּהוּ לְגוֹ בְּגוֹ דְּהֵיכְלָא קַדִּישָׁא, וּבְנֵי נָשָׁא לָא מִסְתַּכְּלֵי בְּהוּ, וְזִמְנִין מִלּוֹי כְּמִלִּין דְּב"נ אַחֲרָא. אִי הָכִי, מַה שְּׁבָחָא הוּא לִשְׁלֹמֹה מַלְכָּא בְּחָכְמְתֵיהּ, מִשְּׁאַר בְּנֵי נָשָׁא. אֶלָּא וַדַּאי כָּל מִלָּה וּמִלָּה דִּשְׁלֹמֹה מַלְכָּא סָתִים בְּחָכְמְתָא.

מט. פָּתַח וְאָמַר, טוֹבָה חָכְמָה עִם נַחֲלָה וְיוֹתֵר לְרוֹאֵי הַשָּׁמֶשׁ, אִי לָאו דְּהָא אִתְגַּלְיָיא מִלָּה דָּא, לָא יָדַעְנָא מַאי קָאָמַר. טוֹבָה חָכְמָה, דָּא הִיא חָכְמָה, דְּהִיא תְּחוֹת הַשֶּׁמֶשׁ, כּוּרְסְיָיא מִתְתַּקְנָא לֵיהּ. טוֹבָה חָכְמָה עִם נַחֲלָה, יָאָה וְשַׁפִּירָא כַּד אִיהִי שַׁרְיָיא עִמְּהוֹן דְּיִשְׂרָאֵל, דְּאִינּוּן נַחֲלָה וְעַדְבָא דִּילָהּ, לְאִתְקַשְּׁרָא בָּהּ.

נ. אֲבָל תּוּשְׁבַּחְתָּא יַתִּיר לְרוֹאֵי הַשָּׁמֶשׁ, לְאִינּוּן דְּזָכוּ לְאִתְחַבְּרָא בְּשִׁמְשָׁא, וּלְאִתְקַשְּׁרָא בֵּיהּ, דְּהָא אָחִיד בְּאִילָנָא דְּחַיֵּי, וּמַאן דְּאָחִיד בֵּיהּ, בְּכֹלָּא אָחִיד, בְּחַיִּין דְּהַאי עָלְמָא, וּבְחַיֵּי דְּעָלְמָא דְּאָתֵי, וְדָא הוּא דִּכְתִיב, וְיִתְרוֹן דַּעַת הַחָכְמָה תְּחַיֶּה

בְּעָלֶיהָ. מַאי וְיִתְרוֹן דַּעַת. דָּא אִילָנָא דְּחַיֵּי. יִתְרוֹן דִּילֵיהּ מַהוּ, הַחָכְמָה וַדַּאי, דְּהָא תּוֹרָה, מֵחָכְמָה עִלָּאָה נָפְקָא.

נא. תּוּ טוֹבָה חָכְמָה עִם נַחֲלָה, טוֹבָה וְחָכְמָה, וַדַּאי עִם נַחֲלָה, דָּא צַדִּיקָא דְּעָלְמָא, דְּאִיהוּ נְהוֹרָא דְּשִׁמְשָׁא, דְּהָא תְּרֵין דַּרְגִּין אִלֵּין כַּחֲדָא יַתְבֵי, וְדָא הוּא שְׁפִּירוּ דִּלְהוֹן, אֲבָל וְיוֹתֵר לְרוֹאֵי הַשָּׁמֶשׁ, לְאִינּוּן דְּמִתְאַחֲדִין בְּשִׁמְשָׁא, תּוּקְפָּא דְּכֹלָּא, שְׁבָחָא דְּכֹלָּא.

נב. וְדָא הוּא דַּעַת, אִילָנָא דְּחַיֵּיא, וְהָא אוּקְמוּהָ גַּם בְּלֹא דַעַת נֶפֶשׁ לֹא טוֹב. מַאן נֶפֶשׁ. דָּא נֶפֶשׁ טוֹב דְּדָוִד מַלְכָּא. וְדָא וְחָכְמָה דְּקָאַמְרָן. וּבְגִינֵי כַּךְ יִתְרוֹן דַּעַת הַחָכְמָה, דְּמִתַּמָּן אִשְׁתְּרָשָׁא אִילָנָא וְאִתְנְטַע לְכָל סִטְרִין, וְכֵן לְכָל אִינּוּן דַּאֲחִידָן בֵּיהּ בְּהַאי אִילָנָא, וְעַל דָּא שְׁלֹמֹה מַלְכָּא לָא אִשְׁתְּכַח אֶלָּא בְּהַהוּא דַּרְגָּא דִּילֵיהּ, וּמִתַּמָּן יָדַע כֹּלָּא, וַהֲוָה אָמַר עוֹד רָאִיתִי תַּחַת הַשָּׁמֶשׁ, וְשַׁבְתִּי וְרָאִיתִי וְגו'. וְכֵן כֻּלְּהוּ. זַכָּאִין אִינּוּן צַדִּיקַיָּיא, דְּמִשְׁתַּדְּלֵי בְּאוֹרַיְיתָא, וְיַדְעִין אוֹרְחוֹי דְּמַלְכָּא קַדִּישָׁא, וְסְתִימִין עִלָּאִין דִּגְנִיזִין בְּאוֹרַיְיתָא, דִּכְתִיב כִּי יְשָׁרִים דַּרְכֵי יְיָ' וְגו'.

נג. יֵאָסֵף אַהֲרֹן אֶל עַמָּיו וְגו'. רִבִּי חִיָּיא פָּתַח, וְשַׁבֵּחַ אֲנִי אֶת הַמֵּתִים שֶׁכְּבָר מֵתוּ וְגו'. הַאי קְרָא אִתְּמַר וְאוּקְמוּהָ. ת"ח, כָּל עוֹבָדוֹי דְּקוּדְשָׁא בְּרִיךְ הוּא, בְּדִינָא וּקְשׁוֹט, וְלֵית מַאן דְּאַקְשֵׁי לְקָבְלֵיהּ, וְיִמְחֵי בִּידֵיהּ, וְיֵימַר לֵיהּ מַה עֲבַדְתְּ, וְכִרְעוּתֵיהּ עָבֵד בְּכֹלָּא.

נד. וְשַׁבֵּחַ אֲנִי אֶת הַמֵּתִים. וְכִי שְׁלֹמֹה מַלְכָּא מְשַׁבַּח לְמֵתַיָּיא יַתִּיר מִן חַיָּיא, וְהָא לָא אִקְרֵי חַי אֶלָּא מַאן דְּאִיהוּ בְּאֹרַח קְשׁוֹט בְּהַאי עָלְמָא, כְּמָה דְּאַתְּ אָמֵר וּבְנָיָהוּ בֶּן יְהוֹיָדָע בֶּן אִישׁ חַי, וְהָא אוּקְמוּהָ חַבְרַיָּיא, וְרָשָׁע דְּלָא אָזִיל בְּאֹרַח קְשׁוֹט אִקְרֵי מֵת, וְאִיהוּ מְשַׁבֵּחַ לְמֵתִים מִן הַחַיִּים.

נה. אֶלָּא, וַדַּאי כָּל מִלּוֹי דִּשְׁלֹמֹה מַלְכָּא, בְּחָכְמְתָא אִתְּמָרוּ, וְהָא אִתְּמַר, וְשַׁבֵּחַ אֲנִי אֶת הַמֵּתִים, אִילוּ לָא כְּתִיב יַתִּיר, הֲוָה אֲמֵינָא הָכִי, אֲבָל כֵּיוָן דִּכְתִיב שֶׁכְּבָר מֵתוּ, אִשְׁתְּכַח מִלָּה אַחֲרָא בְּחָכְמְתָא. שֶׁכְּבָר מֵתוּ: זִמְנָא אַחֲרָא אִסְתַּלָּקוּ מִן עָלְמָא, וְאִתְתַּקַּן בְּעַפְרָא, כ"ש דְּהָא קַבִּיל עוֹנְשָׁא זִמְנָא וּתְרֵין, וְדָא וַדַּאי, אַתְרֵיהּ אִתְתָּקַן בִּשְׁבָחָא יַתִּיר מֵאִינּוּן חַיֵּי, דְּעַד לָא קַבִּילוּ עוֹנְשָׁא.

נו. וְעַ"ד כְּתִיב וְשַׁבֵּחַ אֲנִי אֶת הַמֵּתִים שֶׁכְּבָר מֵתוּ, דַּיְיקָא, אִלֵּין אִינּוּן חַיִּין, וְאִקְרוּן מֵתִים. מ"ט אִקְרוּן מֵתִים, בְּגִין דְּהָא טָעֲמוּ טַעֲמָא דְּמוֹתָא, וְאע"ג דְּקַיְימֵי בְּהַאי עָלְמָא, מֵתִים אִינּוּן, וּמִבֵּין מֵתַיָּיא אַהַדְרוּ. וְעוֹד עַל עוֹבָדִין קַדְמָאִין קַיְימִין לְאִתְקְנָא, וְאִקְרוּן מֵתִים. מִן הַחַיִּים אֲשֶׁר הֵמָּה חַיִּים, דְּעַד לָא טָעֲמוּ טַעֲמָא דְּמוֹתָא, וְלָא קַבִּילוּ עוֹנְשַׁיְיהוּ, וְלָא יַדְעֵי אִי זַכָּאן בְּהַהוּא עָלְמָא וְאִי לָאו.

נז. ת"ח, זַכָּאִין דְּזַכָּאן לְאִתְקַשְּׁרָא בִּצְרוֹרָא דְּחַיֵּי, אִינּוּן זַכָּאִין לְמֶחֱמֵי בִּיקָרָא דְּמַלְכָּא עִלָּאָה קַדִּישָׁא, כְּמָה דְּאַתְּ אָמֵר, לַחֲזוֹת בְּנֹעַם יְיָ' וּלְבַקֵּר בְּהֵיכָלוֹ. וְאִינּוּן מְדוֹרֵיהוֹן, יַתִּיר וְעִלָּאָה מִכָּל אִינּוּן מַלְאָכִין קַדִּישִׁין, וְכָל דַּרְגִּין דִּלְהוֹן. דְּהָא הַהוּא אַתְרָא עִלָּאָה, לָא זַכָּאִין עִלָּאִין וְתַתָּאִין לְמֶחֱמֵי לֵיהּ, הה"ד עַיִן לֹא רָאָתָה אֱלֹהִים זוּלָתְךָ וְגו'.

נח. וְאִינּוּן דְּלָא זַכָּאן לְסַלְּקָא כ"כ כְּאִינּוּן, דּוּכְתָּא, אִית לוֹן לְתַתָּא כְּפוּם אוֹרְחַיְיהוּ, וְאִלֵּין לָא זַכָּאן לְהַהוּא אֲתָר, וּלְמֶחֱמֵי כְּמָה דְּחָמָאן אִינּוּן דִּלְעֵילָּא, וְאִלֵּין קַיְימֵי בְּקִיּוּמָא דְּעֵדֶן תַּתָּאָה וְלָא יַתִּיר. וְאִי תֵּימָא מַאן עֵדֶן תַּתָּאָה. אֶלָּא דָּא עֵדֶן דְּאִקְרֵי חָכְמָה תַּתָּאָה, וְדָא קַיְימָא עַל גַּן דִּבְאַרְעָא, וְאַשְׁגָּחוּתָא דְּהַאי עֵדֶן עָלֵיהּ, וְאִלֵּין קַיְימֵי בְּהַאי גַּן, וְאִתְהֲנוּן מֵעֵדֶן דָּא.

נט. מַאי בֵּין עֵדֶן תַּתָּאָה לְעִלָּאָה. כִּיתְרוֹן הָאוֹר מִן הַחֹשֶׁךְ, עֵדֶן תַּתָּאָה, אִקְרֵי עֶדְנָא נוּקְבָא. עֵדֶן עִלָּאָה, אִקְרֵי עֵדֶן דְּכַר, עָלֵיהּ כְּתִיב עַיִן לֹא רָאֲתָה אֱלֹהִים זוּלָתְךָ. הַאי עֵדֶן תַּתָּאָה, אִקְרֵי גַּן לְעֵדֶן דִּלְעֵילָא, וְהַאי גַּן אִקְרֵי עֵדֶן, לְגַן דִּלְתַתָּא. וְאִלֵּין דְּמִשְׁתַּכְּחֵי בְּגַן תַּתָּאָה, אִתְהֲנוּן מֵהַאי עֵדֶן דְּעָלַיְיהוּ, בְּכָל שַׁבָּת וְשַׁבָּת, וּבְכָל יַרְחָא וְיַרְחָא, הה"ד וְהָיָה מִדֵּי חֹדֶשׁ בְּחָדְשׁוֹ וּמִדֵּי שַׁבָּת בְּשַׁבַּתּוֹ.

ס. וְעַל אִלֵּין אָמַר שְׁלֹמֹה, מִן הַחַיִּים אֲשֶׁר הֵמָּה חַיִּים עֲדֶנָּה, דְּהָא אִלֵּין בְּדַרְגָּא עִלָּאָה יַתִּיר מִנַּיְיהוּ. מַאן אִינּוּן. אִינּוּן שֶׁכְּבָר מֵתוּ, וְקַבִּילוּ עוֹנְשָׁא תְּרֵי זִמְנֵי, וְאִלֵּין אִקְרוּן כֶּסֶף מְזוּקָק, דְּעָאל לְנוּרָא זִמְנִין וּתְרֵין, וְנָפִיק מִנֵּיהּ זוּהֲמָא, וְאִתְבָּרַר וְאִתְנַקֵּי. וְטוֹב מִשְּׁנֵיהֶם אֵת אֲשֶׁר עֲדֶן לֹא הָיָה. הַהוּא רוּחָא דְּקָאִים לְעֵילָּא, וְאִתְעַכַּב לְנַחְתָּא לְתַתָּא, דְּהַאי קָאִים בְּקִיּוּמֵיהּ, וְלֵית לֵיהּ לְקַבְּלָא עוֹנְשָׁא, וְאִית לֵיהּ מְזוֹנָא מֵהַהוּא מְזוֹנָא עִלָּאָה דִּלְעֵילָּא לְעֵילָּא.

סא. טַב מִכֻּלְּהוּ, מַאן דְּלָא אִתְפְּרַשׁ, וְלָא אִתְגַּלְיָיא, וְכָל מִלּוֹי בִּסְתִימָא אִינּוּן. דָּא הוּא זַכָּאָה וַחֲסִידָא, דְּנָטַר פִּקּוּדֵי אוֹרַיְיתָא, וְקַיֵּים לוֹן, וְאִשְׁתַּדַּל בְּאוֹרַיְיתָא יְמָמָא וְלֵילֵי. דָּא אִתְאֲחִיד וְאִתְהֲנֵי בְּדַרְגָּא עִלָּאָה עַל כָּל שְׁאַר בְּנֵי נָשָׁא, וְכֻלְּהוּ אִתּוֹקְדָן מֵחוּפָּה דְּהַאי.

סב. ת"ח, בְּשַׁעֲתָא דְּאָמַר קוּדְשָׁא בְּרִיךְ הוּא לְמֹשֶׁה יֵאָסֵף אַהֲרֹן אֶל עַמָּיו, אִתְחֲלַשׁ חֵילָא דִּילֵיהּ, וְיָדַע דְּהָא אִתְּבַר דְּרוֹעָא יְמִינָא דִּילֵיהּ, וְאִזְדַּעְזָעָא כָּל גּוּפֵיהּ, כֵּיוָן דְּאָמַר קַח אֶת אַהֲרֹן וְאֶת אֶלְעָזָר בְּנוֹ, אָ"ל קוּדְשָׁא בְּרִיךְ הוּא, מֹשֶׁה, הָא דְּרוֹעָא אַחֲרָא אוֹזִיפְנָא לָךְ, וְהַפְשֵׁט אֶת אַהֲרֹן וְגוֹ', וְאַהֲרֹן יֵאָסֵף, הָא אֶלְעָזָר יְהֵא לְגַבָּךְ, יְמִינָא דָּא תְּחוֹת אֲבוֹי. וְעִם כָּל דָּא לָא אַשְׁלִים אֲתַר בְּהַהוּא זִמְנָא כַּאֲבוֹי, דְּהָא עֲנָנֵי יְקָר אִסְתַּלָּקוּ, וְלָא אַהַדְרוּ אֶלָּא בִּזְכוּתָא דְּמֹשֶׁה, וְלָא בִּזְכוּתָא דְּאֶלְעָזָר.

סג. וַיַּעַשׂ מֹשֶׁה כַּאֲשֶׁר צִוָּה וְגוֹ'. אֲמַאי לְעֵינֵי כָּל הָעֵדָה. אֶלָּא, בְּגִין דְּאַהֲרֹן הֲוָה רְחִימָא דְּעַמָּא, יַתִּיר מִכֹּלָּא, וְלָא יֵימְרוּן דְּהָא אִתְנְגִיד עַל יְדָא דְּמֹשֶׁה. וּמֹשֶׁה מָשִׁיךְ לְאַהֲרֹן בְּמִלִּין, עַד דְּסָלִיקוּ לְטוּרָא, וְכָל יִשְׂרָאֵל הֲווּ חָמָאן, בְּשַׁעֲתָא דְּאַפְשִׁיט מֹשֶׁה לְבוּשֵׁי דְּאַהֲרֹן, וְאַלְבִּישׁ לוֹן לְאֶלְעָזָר.

סד. מַאי טַעֲמָא מֹשֶׁה. אֶלָּא מֹשֶׁה אַלְבְּשִׁינוּן לְאַהֲרֹן כַּד סָלִיק לְכַהֲנָא, הה"ד וַיַּלְבֵּשׁ מֹשֶׁה אֶת אַהֲרֹן אֶת בְּגָדָיו, וּכְתִיב וַיַּלְבֵּשׁ אוֹתוֹ אֶת הַמְּעִיל. הַשְׁתָּא. מֹשֶׁה אַעֲדֵי מִנֵּיהּ, מַה דְּיָהַב לֵיהּ. וְקוּדְשָׁא בְּרִיךְ הוּא אַעֲדֵי מִנֵּיהּ, מַה דְּיָהַב לֵיהּ. וְתַרְוַויְיהוּ אַפְשִׁיטוּ לֵיהּ לְאַהֲרֹן מִכֹּלָּא, וּמֹשֶׁה אַעֲדֵי לְבַר, וְקוּדְשָׁא בְּרִיךְ הוּא לְגוֹ. וְעַד דְּאַעֲדֵי מֹשֶׁה, קוּדְשָׁא בְּרִיךְ הוּא לָא אַעֲדֵי, זַכָּאָה חוּלָקָא דְּמֹשֶׁה.

סה. זַכָּאָה חוּלָקֵהוֹן דְּצַדִּיקַיָּיא, דְּקוּדְשָׁא בְּרִיךְ הוּא בָּעֵי בִּיקָרֵיהוֹן. אַתְקִין קוּדְשָׁא בְּרִיךְ הוּא לְאַהֲרֹן, עַרְסָא וּמְנַרְתָּא דְּדַהֲבָא דִּנְהָרָא. וּמִדִּידֵיהּ נָטִיל, מֵהַהוּא מְנַרְתָּא דַּהֲוָה דָּלִיק בְּכָל יוֹמָא תְּרֵי זִמְנֵי וְאַסְתִּים פּוּם מְעַרְתָּא וְנַחְתּוּ.

סו. רִבִּי יְהוּדָה אָמַר, פּוּם מְעַרְתָּא הֲוָה פְּתִיחָא, דְּכָל יִשְׂרָאֵל הֲווּ חָמָאן לְאַהֲרֹן שָׁכִיב, וּבוּצִינָא דִּמְנַרְתָּא דָּלִיק קַמֵּיהּ, וְעַרְסֵיהּ נָפִיק וְעָיֵיל, וַעֲנָנָא חַד קָאִים עָלֵיהּ. וּכְדֵין יָדְעוּ יִשְׂרָאֵל דְּהָא אַהֲרֹן מִית. וְחָמוּ דְּהָא אִסְתַּלָּקוּ עֲנָנֵי כָּבוֹד, הה"ד וַיִּרְאוּ כָּל הָעֵדָה כִּי גָוַע אַהֲרֹן וְגוֹ', וְהָא אוּקְמוּהָ. וע"ד בָּכוּ לְאַהֲרֹן כָּל בֵּית יִשְׂרָאֵל, גּוּבְרִין וְנָשִׁין וְטַף, דְּהָא רְחִימָא מִכֻּלְּהוּ הֲוָה.

סז. רִבִּי שִׁמְעוֹן אָמַר, הָנֵי תְּלָתָא אַחִין עִלָּאִין קַדִּישִׁין, אֲמַאי לָא אִתְקְבָרוּ בַּאֲתַר

וַחד, וְשַׁיְיפִין אִתְבַּדְּרוּ, וַחד הָכָא, וְוַחד הָכָא, וְוַחד בְּאָתָר אַחֲרָא. אֶלָּא אִית דְּאַמְרֵי, בַּאֲתָר דְּבָעָאן יִשְׂרָאֵל לְאִסְתַּכְּנָא בֵּיהּ, מִית כָּל וַחד וְוַחד, בְּגִין לְאַגָּנָא עֲלַיְיהוּ, וְאִשְׁתֵּזְבוּן, אֲבָל כָּל וַחד וְוַחד מִית כַּדְקָא וְחֲזֵי עֲלַיְיהוּ. מִרְיָם בְּקָדֵשׁ, בֵּין צָפוֹן לְדָרוֹם. אַהֲרֹן לִסְטַר יְמִינָא. מֹשֶׁה כַּדְקָא וְחֲזֵי לֵיהּ. אָחִיד הַהוּא טוּרָא לְטוּרָא דְּאַהֲרֹן, וְכָנִישׁ לִקְבוּרָתָא דְּמִרְיָם לְגַבֵּי הַהוּא טוּרָא, אָחִיד לִתְרֵי סִטְרֵי. וְעַל דָּא אִתְקְרֵי הַר הָעֲבָרִים, דִּתְרֵי סִטְרֵי טוּרָא דְּמֵעִבְרֵי, וְאָחִיד לִסְטְרָא דָּא וּלְסִטְרָא דָּא.

סו. זַכָּאָה חוּלָקֵהוֹן דְּצַדִּיקַיָּיא בְּעָלְמָא דֵּין וּבְעָלְמָא דְּאָתֵי. וְאַע״ג דְּאִינּוּן בַּאֲתָר אַחֲרָא, בְּעָלְמָא אַחֲרָא עִלָּאָה, זְכוּתְהוֹן קַיְּימָא בְּעָלְמָא דָּא, לְדָרֵי דָּרִין. וּבְשַׁעֲתָא דְּיִשְׂרָאֵל תַּיְיבִין בִּתְיוּבְתָּא קַמֵּי קוּדְשָׁא בְּרִיךְ הוּא, וּגְזֵירָה אִתְגְּזַר עֲלַיְיהוּ, כְּדֵין קָארֵי קוּדְשָׁא בְּרִיךְ הוּא לְצַדִּיקַיָּיא דְּקַיְּימֵי קַמֵּיהּ לְעֵילָּא, וְאוֹדַע לוֹן, וְאִינּוּן מְבַטְּלֵי הַהִיא גְּזֵרָה, וְחָיֵיס קוּדְשָׁא בְּרִיךְ הוּא עֲלַיְיהוּ דְּיִשְׂרָאֵל. זַכָּאִין אִינּוּן צַדִּיקַיָּיא, דַּעֲלַיְיהוּ כְּתִיב וְנָחֲךָ יְיָ׳ תָּמִיד וְגוֹ׳.

סט. וַיְדַבֵּר הָעָם בֵּאלֹהִים וּבְמֹשֶׁה וְגוֹ׳. פַּרְשְׁתָא דָּא, בַּאֲתָר אַחֲרָא אִסְתַּלִּיק, עִם אִינּוּן מֵי מְרִיבָה דְּמֹשֶׁה וְאַהֲרֹן.

ע/א. רַבִּי יִצְחָק פָּתַח, וַיְהִי בַּיּוֹם הַשְּׁלִישִׁי וַתִּלְבַּשׁ אֶסְתֵּר מַלְכוּת וְגוֹ׳. מְגִלַּת אֶסְתֵּר בְּרוּה״ק נֶאֶמְרָה, וּבְגִין כַּךְ כְּתוּבָה בֵּין הַכְּתוּבִים. וַיְהִי בַּיּוֹם הַשְּׁלִישִׁי, דְּאִתְחַלַּשׁ חֵילָא דְּגוּפָא, וְהָא קַיְּימָא בְּרוּחָא בְּלָא גּוּפָא, כְּדֵין וַתִּלְבַּשׁ אֶסְתֵּר מַלְכוּת. מַאי מַלְכוּת. אִי תֵּימָא בִּלְבוּשֵׁי יְקָר וְאַרְגְּוָונָא, הָא לָאו הָכִי אִקְרֵי. אֶלָּא וַתִּלְבַּשׁ אֶסְתֵּר מַלְכוּת, דְּאִתְלַבְּשַׁת בְּמַלְכוּת עִלָּאָה קַדִּישָׁא, וַדַּאי לָבְשָׁה רוּחַ הַקֹּדֶשׁ.

ע/ב. מַאי טַעֲמָא זָכְתָה לְהַאי אֲתָר. בְּגִין דְּנַטְרָא פּוּמָהּ דְּלָא לְחַוָּואָה מִדִּי. הה״ד אֵין אֶסְתֵּר מַגֶּדֶת מוֹלַדְתָּהּ. וְאוֹלִיפְנָא כָּל מַאן דְּנָטִיר פּוּמֵיהּ וְלִישָׁנֵיהּ, זָכֵי לְאִתְלַבְּשָׁא בְּרוּחָא דְּקוּדְשָׁא. וְכָל מַאן דְּסָטֵי פּוּמֵיהּ לְמִלָּה בִּישָׁא, הָא וַדַּאי הַהוּא מִלָּה בִּישָׁא עָלֵיהּ. וְאִי לָאו, הָא נְגָעִים, אוֹ צָרַעַת, דְּמוֹקְדָן כְּחִוְיָא עָלֵיהּ, וְהָא אוּקְמוּהָ.

עא. וַיְדַבֵּר הָעָם בֵּאלֹהִים וּבְמֹשֶׁה. דְּאָמְרוּ מִלָּה בִּישָׁא בְּקוּדְשָׁא בְּרִיךְ הוּא, וּכְתַרְגּוּמוֹ. וְעִם מֹשֶׁה נָצוּ. לָמָּה הֶעֱלִיתוּנוּ, שַׁוּוּ כָּל אַפַּיָּיא שַׁוְיָין בג״כ אִזְדְּמַן לְגַבַּיְיהוּ חִוְיָין, דְּמוֹקְדָן לוֹן כְּאֶשָּׁא, וְעָיֵיל אֶשָּׁא לִמְעַיְיהוּ וְנַפְלִין מֵתִין, כד״א וַיְשַׁלַּח יְיָ׳ בָּעָם אֶת הַנְּחָשִׁים הַשְּׂרָפִים.

עב. ר׳ חִיָּיא אָמַר, חִוְיָין הֲווּ אַתְיָין, מְלַחֲשָׁן בְּפוּמַיְיהוּ, וְנַשְׁכִין וּמֵתִין. מַאי מְלַחֲשָׁן. כד״א אִם יִשּׁוֹךְ הַנָּחָשׁ בְּלֹא לָחַשׁ. אֶשָּׁא הֲווּ מְלַהֲטָן בְּפוּמַיְיהוּ, וְנַשְׁכָן, וְשַׁדְיָין אֶשָּׁא בְּהוּ, וְאִתּוֹקְדָאן מֵעַיְיהוּ וּמֵתִין וְהָא מִלִּין אִלֵּין אִסְתַּלְּקוּ לַאֲתָר אַחֲרָא.

עג. וּמִשָּׁם בְּאֵרָה הוּא הַבְּאֵר. מ״ש דְּהָכָא בְּאֵרָה, וּלְבָתַר בְּאֵר. אֶלָּא בְּאֵרָה, לְבָתַר דְּמִתְכַּנְשֵׁי מַיָּיא לְגוֹ יַמָּא, וְנַחְתֵּי לְתַתָּא. בְּאֵר, בְּשַׁעֲתָא דְּיִצְחָק מַלְיָיא לֵיהּ. הִיא הַבְּאֵר, הוּא כְּתִיב וְרָזָא דָּא, כְּמָה דִּכְתִיב וְעָבַד הַלֵּוִי הוּא.

עד. ר׳ אַבָּא אָמַר, בְּכָל אֲתַר הוּא, וְקָרֵינָן הִיא, דְּכַר וְנוּקְבָּא כַּחֲדָא. וּכְלָלָא עִלָּאָה, ה׳ נוּקְבָּא, ו׳ דְּכַר, א׳ כְּלָלָא דְּכֹלָּא. דְּהָא א׳ בִּשְׁלִימוּ שַׁרְיָא. זַכָּאִין אִינּוּן יִשְׂרָאֵל, אַע״ג דְּאִינּוּן לְתַתָּא, אִינּוּן אֲחִידָן בִּכְלָלָא עִלָּאָה דְּכֹלָּא, וּבג״כ כְּתִיב הוּא עָשָׂנוּ וְלֹא אֲנַחְנוּ, בְּאָלֶף כְּתִיב. כְּלָלָא דו״ה וְא׳ דְּכָלִיל כֹּלָּא.

עה. ר״ש אָמַר, רוּחַ דְּמַיָּא, דָּא הוּא רוּחַ הַקֹּדֶשׁ, דְּנָשַׁב בְּקַדְמֵיתָא. כד״א הַפִּיחִי

גני, לבתר נזלין מייא למליא לה, הה"ד ישב רוחו יזלו מים. ישב רוחו בקדמיתא, ולבתר יזלו מים. ועד לא נשיב האי רוחא, לא נזלין מייא. מאי קא משמע לן, משמע דבעי בכלא לאתערא מלה, בעובדא או במלה, או לאתחזאה כחיזו דעובדא. והכא, עד דרוחא לא נשיב, לא נזלין מייא לגביה דההוא רוח.

עו. הוא הבאר, היא הבאר קרינן, מ"ש בקדמיתא בארה, והשתא באר, אלא בקדמיתא נוקבא בלחודהא, והשתא דקאמר הוא, כללא דדכר ונוקבא, אקרי באר. ובאתר דאשתכח דכר, אפילו מאה נוקבא, דכר קרינן לכלא.

עז. אשר אמר יי' למשה אסוף את העם, בגין דהאי באר לא אעדי מנייהו. ואי תימא, היך יכלין לשאבא מניה כלא, אלא איהו נפיק לתליסר נחלין, ונביע אתמלי ונפיק לכל סטרין, וכדין הוו ישראל בשעתא דשארן ובעיין מייא, קיימין עליה, ואמרי שירתא. ומה אמרי, עלי באר. סלקי מימיך, לאנפקא מיין לכלא, ולאתשקאה מנך. וכן אמרי תושבחתא דהאי באר, באר חפרוה שרים וגו'. מלה קשוט הוו אמרי, וכך הוא.

עח. מהכא אוליפנא, כל מאן דבעי לאתערא מלין דלעילא, בין בעובדא בין במלה. אי ההוא עובדא, או ההוא מלה, לא אתעביד כדקא יאות, לא אתער מדי. כל בני עלמא אזלין לבי כנישתא לאתערא מלה דלעילא, אבל זעירין אינון דידעין לאתערא, וקודשא בריך הוא קריב לכלא דידעי למקרי ליה ולאתערא מלה כדקא יאות, אבל אי לא ידעי למקרי ליה, לאו איהו קריב, דכתיב קרוב יי' לכל קוראיו וגו'. מאי באמת. דידעי לאתערא מלה דקשוט כדקא יאות, וכן בכלא.

עט. אוף הכא, הוו אמרי ישראל הני מלין, מלין דקשוט, בגין לאתערא להאי בירא, ולאשקאה לון לישראל, ועד דאמרי הני מלי לא אתער. וכן אפילו באינון חרשי עלמא, דמשתמשי בזינין בישין, עד דעבדי עובדוי דקשוט לגבייהו, אי לא אמרו מלי דקשוט, בגין לאמשכא לון בהני גוונא דבעיין, לא מתערין לגבייהו, ואפילו דצווחי כל יומא במלין אחרנין, או בעובדא אחרא, לא משכין לון לגבייהו לעלמין, ולא מתערין לקבלייהו.

פ. ת"ח, כתיב, ויקראו בשם הבעל וגו'. מאי טעמא. חד דלאו רשו בההוא בעל בהאי. ועוד דמלין לא מתכשרן בינייהו, ואנשי לון קודשא בריך הוא מנהון. הה"ד ואתה הסבות את לבם אחורנית. זכאין אינון צדיקייא, דידעי למקרי למאריהון כדקא יאות.

פא. אמר רבי שמעון, הכא בעינא לגלאה מלה. ת"ח, כל מאן דידע לסדרא עובדא כדקא יאות, ולסדרא מלין כדקא יאות, הא ודאי מתערי לקודשא בריך הוא, לאמשכא מלין עלאין דמתכשרן. ואי לא, לא אתכשר לגבייהו. אי הכי כל עלמא ידעי לסדרא עובדא, ולסדרא מלין, מאי חשיבו דלהון דצדיקייא, דידעי עקרא דמלה ועובדא, וידעי לכוונא לבא ורעותא, יתיר מאלין אחרנין, דלא ידעי כל כך.

פב. אלא אלין דלא ידעי עקרא דעובדא כולי האי, אלא סדורא בעלמא ולא יתיר, משכין עלייהו משיכו דבתר כתפוי דקודשא בריך הוא, דלא טס באוירא דשגיוחו אקרי.

פג. וְאִלֵּין דְּיַדְעֵי וּמְכַוְּונֵי לִבָּא וּרְעוּתָא, מַפְּקֵי בִּרְכָאן מֵאֲתַר דְּמַחֲשָׁבָה, וְנָפְקֵי בְּכָל גִּזְעִין וְשָׁרָשִׁין בְּאֹרַח מֵישָׁר כַּדְקָא יָאוּת, עַד דְּמִתְבָּרְכָן עִלָּאִין וְתַתָּאִין, וּשְׁמָא קַדִּישָׁא עִלָּאָה מִתְבָּרֵךְ עַל יְדֵיהוֹן. זַכָּאָה חוּלָקֵהוֹן. דְּהָא קוּדְשָׁא בְּרִיךְ הוּא קָרִיב לְגַבַּיְיהוּ, וְזַמִּין לְקַבְּלַיְיהוּ, בְּשַׁעֲתָא דְּקָארוּן לֵיהּ, הוּא זַמִּין לוֹן. בְּשַׁעֲתָא דְּאִינּוּן בְּעָאקוּ, הוּא לְגַבַּיְיהוּ, הוּא אוֹקִיר לוֹן בְּעָלְמָא דֵּין וּבְעָלְמָא דְּאָתֵי, הה"ד כִּי בִי חָשַׁק וַאֲפַלְּטֵהוּ אֲשַׂגְּבֵהוּ כִּי יָדַע שְׁמִי.

פד. וַיֹּאמֶר יְיָ' אֶל מֹשֶׁה אַל תִּירָא אוֹתוֹ וְגוֹ'. רִבִּי יְהוּדָה פָּתַח, לֹא תִירָא לְבֵיתָהּ מִשָּׁלֶג כִּי כָל בֵּיתָהּ לָבוּשׁ שָׁנִים. ת"ח, כְּנֶסֶת יִשְׂרָאֵל יָנְקָא מִתְּרֵי סִטְרֵי, הַשְׁתָּא בְּרַחֲמֵי, הַשְׁתָּא בְּדִינָא. כַּד בַּעְיָא לְיַנְקָא בְּרַחֲמֵי, אִשְׁתְּכַח אֲתַר לְאִתְיַשְּׁבָא בֵּיהּ. כַּד בָּעֵי לְיַנְקָא בְּדִינָא, אֲתַר אִשְׁתְּכַח לְאִתְיַשְּׁבָא בֵּיהּ, וּלְמִשְׁרֵי עֲלוֹהִי, דְּהָכִי הוּא בְּכָל אֲתַר, לָא שָׁארֵי מִלָּה דִּלְעֵילָּא, עַד דְּאִשְׁתְּכַח אֲתַר לְמִשְׁרֵי עֲלוֹי. וע"ד, כְּנֶסֶת יִשְׂרָאֵל לֹא תִירָא לְבֵיתָהּ מִשָּׁלֶג, מ"ט, בְּגִין דְּכָל בֵּיתָא לָבוּשׁ שָׁנִים. לָא שַׁרְיָא הַאי, אֶלָּא בְּהַאי חִוָּור בְּסוּמָק, וְסוּמָק בְּחִוָּור. וְהָא אוֹקְמוּהָ.

פה. וַיֹּאמֶר יְיָ' אֶל מֹשֶׁה אַל תִּירָא אוֹתוֹ, תְּרֵין אוֹתוֹ אִינּוּן שְׁלֵימִין בְּאוֹרַיְיתָא בִּתְרֵין וָוי"ן, חַד דָּא, וְחַד, עַד דְּרוֹשׁ אָחִיךְ אוֹתוֹ. מ"ט. בְּגִין דְּאִינּוּן אוֹת מַמָּשׁ. עַד דְּרוֹשׁ אָחִיךְ אוֹתוֹ, דְּבָעֵי לְפָרְשָׁא הַהוּא אוֹת, דְּהַהוּא אֲבֵידָה.

פו. אוּף הָכָא דֵּין אוֹתוֹ, דָּא עוֹג, דְּאִתְדַּבַּק בְּאַבְרָהָם, וּמֵאַנְשֵׁי בֵּיתֵיהּ הֲוָה, וְכַד אִתְגְּזַר אַבְרָהָם מַה כְּתִיב, וְכָל אַנְשֵׁי בֵיתוֹ וְגוֹ'. דָּא עוֹג דְּאִתְגְּזַר עִמֵּיהּ, וְקַבִּיל הַאי אָת קַדִּישָׁא, כֵּיוָן דְּחָמָא עוֹג דְּיִשְׂרָאֵל מִקָּרְבִין גַּבֵּיהּ, אָמַר הָא וַדַּאי אֲנָא אַקְדִּימְנָא זְכוּתָא דְּקָאֵים לוֹן, וְדָא שַׁוֵּי לְקַבְלֵיהּ.

פז. בֵּיהּ שַׁעֲתָא דָּחִיל מֹשֶׁה, הֵיךְ יָכִיל לְאַעְקְרָא רְשִׁימָא דְּרָשִׁים אַבְרָהָם. אָמַר, וַדַּאי הָא יְמִינָא דִּילִי מִית, דְּהָא יְמִינָא בַּעְיָא לְהַאי. אִי נֵימָא הָא אֶלְעָזָר, יְמִינָא דְּסִיהֲרָא הוּא, וְלָא דִּילִי. וְהַאי אָת לִימִינָא הוּא, דְּאַבְרָהָם לִימִינָא הוּא.

פח. מִיָּד אָמַר קוּדְשָׁא בְּרִיךְ הוּא, אַל תִּירָא אוֹתוֹ, לָא תִּדְחַל לְהַהוּא אָת דִּילֵיהּ, וַאֲפִילוּ לִימִינָא לָא אִצְטְרִיךְ. כִּי בְיָדְךָ נָתַתִּי. שְׂמָאלָא דִּילָךְ יַעֲקַר לֵיהּ מֵעָלְמָא, דְּהָא הוּא פָּגִים רְשִׁימָא דִּילֵיהּ, וּמַאן דְּפָגִים לְהַאי אָת, אִתְחֲזֵי לְאִתְעַקְּרָא מֵעָלְמָא, כ"ש שְׂמָאלָא דִּילָךְ, דְּאִיהוּ יָדְךָ, יֶעֱקַר לֵיהּ מֵעָלְמָא, בְּגִין כָּךְ אִתְעֲקַר מֵעָלְמָא, וַאֲפִילוּ דְּאִיהוּ תַּקִּיפָא מִבְּנֵי גִּבָּרַיָּיא, וּבָעָא לְשֵׁיצָאָה לְהוּ לְיִשְׂרָאֵל, נָפַל בִּידֵיהּ דְּמֹשֶׁה וְאִשְׁתֵּיצֵי.

פט. בְּגִין כָּךְ כְּלָא שֵׁיצִיאוּ יִשְׂרָאֵל בְּנוֹי וְכָל עַמֵּיהּ, וְכָל דִּילֵיהּ. כְּמָה דִּכְתִּיב, וַיַּכּוּ אוֹתוֹ וְאֶת בָּנָיו וְאֶת כָּל עַמּוֹ וּכְתִיב, וַנַּךְ אוֹתוֹ וְאֶת בָּנָו. בְּנוֹ כְּתִיב חָסֵר יו"ד, וְקָרֵינָן בָּנָיו, וְהָא אוֹקְמוּהָ חַבְרַיָּיא.

צ. זַכָּאִין אִינּוּן יִשְׂרָאֵל, דְּמֹשֶׁה נְבִיאָה הֲוָה בֵּינַיְיהוּ, דִּבְגִינֵיהּ עָבֵיד לוֹן קוּדְשָׁא בְּרִיךְ הוּא כָּל הָנֵי אַתְוָון, וְאוֹקְמוּהָ. וְקוּדְשָׁא בְּרִיךְ הוּא לָא גָּזַר קַיָּימֵיהּ עִם שְׁאַר עַמִּין לְאִתְקַשְּׁרָא בֵּיהּ, אֶלָּא עִם יִשְׂרָאֵל, דְּאִינּוּן בְּנוֹי דְּאַבְרָהָם, דִּכְתִּיב בּוֹ וּבֵין זַרְעֲךָ אַחֲרֶיךָ לְדֹרֹתָם בְּרִית עוֹלָם. וּכְתִיב וַאֲנִי זֹאת בְּרִיתִי אוֹתָם אָמַר יְיָ' רוּחִי אֲשֶׁר עָלֶיךָ וְגוֹ'. לֹא יָמוּשׁוּ מִפִּיךָ וְגוֹ'.

בָּרוּךְ יְיָ' לְעוֹלָם אָמֵן וְאָמֵן

BALAK
בָּלָק

א. וַיַּרְא בָּלָק בֶּן צִפּוֹר וְגוֹ'. ר' שִׁמְעוֹן אָמַר, וַיַּרְא, מַאי רְאִיָּה וַחֲמָא. רְאִיָּה וַדַּאי מַמָּשׁ וַחֲמָא בְּמִשְׁקוֹפָא דְחָכְמְתָא, וַחֲמָא בְּעֵינוֹי. וַחֲמָא בְּמַשְׁקוֹפָא דְחָכְמְתָא, כְּמָה דִכְתִיב וַיַּשְׁקֵף אֲבִימֶלֶךְ מֶלֶךְ פְּלִשְׁתִּים בְּעַד הַחַלּוֹן. מַאי בְּעַד הַחַלּוֹן. כד"א בְּעַד הַחַלּוֹן נִשְׁקְפָה וַתְּיַבֵּב אֵם סִיסְרָא אֶלָּא וַדַּאי חַלּוֹן דְחָכְמְתָא דְזַנְבֵי שׁוּלֵיהוֹן דְכֹכְבַיָּא, וְאִינּוּן חַלּוֹנֵי דְחָכְמְתָא. וְחַד חַלּוֹן אִית דְכָל חָכְמְתָא בֵּיהּ שַׁרְיָא, וּבֵהּ חָמֵי מַאן דְחָמֵי בְּעִקָּרָא דְחָכְמְתָא. אוּף הָכָא וַיַּרְא בָּלָק, בְּחָכְמְתָא דִילֵיהּ.

ב. בֶּן צִפּוֹר, כְּמָה דְאָמְרוּ. אֲבָל בֶּן צִפּוֹר מַמָּשׁ, דְהָא חַרְשׁוֹי הֲווּ בְּכַמָּה זִינִין דְהַהוּא צִפּוֹר, נָטִיל צִפּוֹר, מְכַשְׁכֵּשׁ בְּעִשְׂבָּא, מִפְרַח בַּאֲוִירָא. עָבֵיד עוֹבָדִין וְלָחִישׁ לְחִישֵׁי, וְהַהוּא צִפּוֹר הֲוָה אָתֵי, וְהַהוּא עִשְׂבָּא בְּפוּמֵיהּ, מְצַפְצְפָא קַמֵּיהּ. וְאָעִיל לֵיהּ בִּכְלוּב חַד. מְקַטֵּר קְטַרְתִּין קַמֵּיהּ, וְאִיהוּ אוֹדַע לֵיהּ כַּמָּה מִלִּין. עָבֵיד חַרְשׁוֹי, וּמְצַפְצְפָא עוֹפָא, וּפָרַח וְטָס לְגַבֵּי גִּלּוּי עֵינַיִם, וְאוֹדַע לֵיהּ. וְאִיהוּ אָתֵי. וְכָל מִלּוֹי בְּהַהוּא צִפּוֹר הֲווּ.

ג. יוֹמָא חַד עָבַד עוֹבָדוֹי, וְנָטִיל הַהוּא צִפּוֹר, וּפָרַח וְאָזִיל וְאִתְעַכָּב, וְלָא אָתָא. הֲוָה מִצְטַעַר בְּנַפְשֵׁיהּ. עַד דְאָתָא, וַחֲמָא חַד שַׁלְהוֹבָא דְאֶשָּׁא דְטָס אֲבַתְרֵיהּ, וְאוֹקִיד גַּדְפוֹי. כְּדֵין חָמָא מַה דְחָמָא, וּדְחִיל מִקַּמַּיְיהוּ דְיִשְׂרָאֵל. מַה שְׁמֵיהּ דְהַהוּא צִפּוֹר. יַדוּ"עַ. וְכָל אִינּוּן דִמְשַׁמְּשֵׁי וְיָדְעֵי לְשַׁמְּשָׁא בְּהַהוּא צִפּוֹר, לָא יָדְעִין חַרְשׁוֹי, כְּמָה דַהֲוָה יָדַע בָּלָק.

ד. וְכָל חָכְמְתָא דַהֲוָה יָדַע, בְּהַהוּא צִפּוֹר הֲוָה יָדַע. וְהָכִי הֲוָה עָבֵיד. גָּחִין קַמֵּיהּ, וְקָטִיר קְטַרְתָּא וְחָפֵי רֵישֵׁיהּ, וְגָחִין וְאָמַר. אִיהוּ אָמַר הָעָם, וְצִפְּרָא אָתִיב יִשְׂרָאֵל, אִיהוּ אָמַר מְאֹד, וְצִפְּרָא אָתִיב רַב. עַל שׁוּם רַב עָלְאָה דְאָזִיל בְּהוּ. שַׁבְעִין זִמְנִין צַפְצְפוּ דָא וְדָא. אִיהוּ אָמַר דַל, וְצִפְּרָא אָמַר רַב. כְּדֵין דָּחִיל, דִכְתִיב וַיָּגָר מוֹאָב מִפְּנֵי הָעָם מְאֹד כִּי רַב הוּא, רַב הוּא וַדַּאי.

ה. וּבְזִינֵי חַרְשִׁין דְקַסְדִּיאֵ"ל קַדְמָאָה, אַשְׁכַּחָן, דְצִפְּרָא דָא הֲווּ עָבְדִין לֵיהּ בְּזִמְנִין יְדִיעָן, מִכֶּסֶף מְעֹרָב בְּדַהֲבָא, רֵישָׁא דְדַהֲבָא. פּוּמָא דְכֶסֶף. גַּדְפוֹי מִנְּחֹשֶׁת קָלָל מְעֹרָב בְּכַסְפָּא. גּוּפָא דְדַהֲבָא, נְקוּדִין דְנוֹצֵי בְּכֶסֶף. רַגְלִין דְדַהֲבָא. וְשַׁוְיִין בְּפוּמָא לִישָׁן דְהַהוּא צִפּוֹר יָדוּ"עַ.

ו. וְשַׁוְיָן לְהַהוּא צִפְּרָא בְּחַלּוֹן חַד. וּפַתְחִין כַּוִּין לְקַבֵּל שִׁמְשָׁא. וּבְלֵילְיָא פַּתְחִין כַּוִּין לְסִיהֲרָא. מְקַטְּרִין קְטַרְתִּין, וְעַבְדִין חַרְשִׁין, וְאוּמָאן לְשִׁמְשָׁא. וּבְלֵילְיָא אוּמָאן לְסִיהֲרָא, וְדָא עַבְדִין שִׁבְעָה יוֹמִין. מִכָּאן וּלְהָלְאָה, הַהוּא לִישָׁנָא מְכַשְׁכְּשָׁא בְּפוּמָא דְהַהוּא צִפְּרָא, נַקְדִין לְהַהוּא לִישָׁנָא בְּמַחֲטָא דְדַהֲבָא, וְהִיא מְמַלְּלָא רַבְרְבָן מִגַּרְמָהּ, וְכֹלָּא הֲוָה יָדַע בָּלָק בְּצִפּוֹר דָא. עַ"ד בֶּן צִפּוֹר, וּבְגִין כָּךְ חָמָא, מַה דְבַ"נ אַחֲרָא לָא יָכִיל לְמִנְדַע, וְלָא יָכִיל לְמֶחֱמֵי.

ז. כְּתִיב אָמַר יְיָ' מִבָּשָׁן אָשִׁיב אָשִׁיב מִמְּצוּלוֹת יָם. אִית לָן לְשַׁוָּאָה לִבָּא לִמְהֵימְנוּתָא דְקוּדְשָׁא בְּרִיךְ הוּא, דְכָל מִלּוֹי מִלֵּי קְשׁוֹט, וּמְהֵימְנוּתָא סַגְיָא. דְכֵיוָן דְמִלָּה

אֲמַר, כֹּלָּא אִתְעֲבֵיד, וְדָא בַּר נָשׁ דָּוִזיק לִבָּא, וְאָמַר לְכַמָּה שְׁנִין, וּלְכַמָּה זִמְנִין יִשְׁתְּלִם דָּא, דְּאִיהוּ כַּךְ. כְּפוּם רַבְרְבָנוּ דִּילֵיהּ, דְּכָל עָלְמִין מַלְיָא יְקָרֵיהּ, הָכִי הוּא. מִכּוֹי בַּר נָשׁ זְעֵיר, וְכָל מִכּוֹי אִינּוּן לְפוּם שַׁעֲתָא, הָכִי הוּא לְפוּם שַׁעֲתָא. אֲבָל בְּתִיּוּבְתָּא, וּבָעוּתָא, וּבְעוֹבָדִין טָבִין, וּבְדִמְעִין סַגִּיאִין, אִיהוּ קַדִּישָׁא רַב וְעִלָּאָה עַל כָּל עָלְמָא, אַזְהִיר נְהוֹרֵיהּ, וְקָמִיט קְדוּשָּׁתֵיהּ, לְגַבֵּיהּ דְּב"נ, לְמֶעְבַּד רְעוּתֵיהּ.

ח. אֲמַר יְיָ', לִזְמְנָא דְּאָתֵי, זַמִּין קוּדְשָׁא בְּרִיךְ הוּא לְאַתְעָרָא וּלְאַתְבָא מִבָּשָׁן, כָּל אִינּוּן דְּקַטְלוּ לוֹן חֵיוַת בָּרָא וְאַכְלוּ לוֹן. בְּגִין דְּאִית בְּעָלְמָא אֲתַר מוֹתְבָא, דְּכָל חֵיוָן רַבְרְבָן, וְטוּרִין רָמָאִין וְסַגִּיאִין, וּטְמִירִין אִלֵּין בְּאִלֵּין. וְעָרוֹד מַדְבְּרָא תַּקִּיפָא תַּמָּן, אִיהוּ עוֹג בֵּין עֲרוֹדֵי דְּמַדְבְּרָא הֲוָה, וּשְׁכִיחַ תַּמָּן תּוּקְפָּא דִּילֵיהּ, בְּגִין דַּהֲוָה מֶלֶךְ הַבָּשָׁן, דְּכָל מַלְכֵי עָלְמָא, לָא יַכְלִין לְאַגָּחָא קְרָבָא בֵּיהּ, בְּגִין תּוּקְפָּא דְּבָשָׁן. וְאָתָא מֹשֶׁה, וְאַגַּח בֵּיהּ קְרָבָא.

ט. סִיחוֹן: סַיְיחָא דְּמַדְבְּרָא הֲוָה סִיחוֹן. וְרוֹזְנוּ דְּמוֹאָב עָלֵיהּ הֲוָה. כִּי אַרְנוֹן גְּבוּל מוֹאָב בֵּין מוֹאָב וּבֵין הָאֱמוֹרִי. ת"ח, בְּשַׁעֲתָא דְּחָרִיבוּ יִשְׂרָאֵל קַרְתָּא דְּסִיחוֹן, כָּרוֹזָא אִתְעֲבַר בְּמַלְכוּ דִּשְׁמַיָּא, אִתְכְּנָשׁוּ גֻּבְרִין שַׁלְטָנִין עַל שְׁאָר עַמִּין, וְתָוְהוּ מַלְכוּ דְּאֱמוֹרָאָה הֵיךְ אִתְחֲרַב בְּמַלְכוּ.

י. בְּהַהִיא שַׁעֲתָא, כָּל אִינּוּן שַׁלְטָנִין דַּהֲווּ מְמָנִין עַל שֶׁבַע עֲמָמִין אִתְכְּנָשׁוּ, וּבָעוּ לְאַהֲדְרָא מַלְכוּ לְיוֹשְׁנָהּ. כֵּיוָן דְּחָמוּ תְּקִפָּא דְּמֹשֶׁה, אַהַדְרוּ לַאֲחוֹרָא. הה"ד, עַל כֵּן יֹאמְרוּ הַמּוֹשְׁלִים בֹּאוּ חֶשְׁבּוֹן, אִינּוּן שַׁלְטוֹנִין מְמָנָן עֲלַיְיהוּ דְּאִתְכְּנָשׁוּ, וַהֲווּ אַמְרֵי בֹּאוּ חֶשְׁבּוֹן, מַאן הוּא דֵּין דְּחָרִיב לָהּ. תִּבָּנֶה וְתִכּוֹנֵן כִּדְבְּקַדְמֵיתָא, וְתֶהְדַּר מַלְכוּ לְיוֹשְׁנָהּ.

יא. כַּד חָמוּ גְּבוּרְתָּא דְּמֹשֶׁה, וְשַׁלְהוֹבָא דְּמַלְכוּ, אָמְרוּ כִּי אֵשׁ יָצְאָה מֵחֶשְׁבּוֹן לֶהָבָה מִקִּרְיַת סִיחוֹן. כֵּיוָן דִּכְתִיב מֵחֶשְׁבּוֹן, אַמַּאי מִקִּרְיַת סִיחוֹן. דְּהָא קִרְיַת סִיחוֹן חֶשְׁבּוֹן הֲוָה, דִּכְתִיב כִּי חֶשְׁבּוֹן עִיר סִיחוֹן מֶלֶךְ הָאֱמוֹרִי.

יב. אֶלָּא, שַׁלְהוֹבָא דְּמַלְכָא שְׁמַיָּא נָפַק, וְחָרִיב כֹּלָּא. בְּשַׁעֲתָא דְּאִינּוּן אַמְרִין תִּבָּנֶה וְתִכּוֹנֵן עִיר סִיחוֹן סְתָם, וְלָא אָמְרוּ חֶשְׁבּוֹן, דְּחָשִׁיבוּ דִּבְגִין כַּךְ יִתְבְּנֵי לְמוֹתְבָא דֶּאֱמוֹרָאָה, כְּדֵין אָתִיבוּ וְאָמְרוּ, לָא יָכִילְנָא. מ"ט. בְּגִין דְּכָל אָרְחִין וּשְׁבִילִין אִסְתַּתָּמוּ בְּתֻקְפָּא דְּרַב עִלָּאָה דִּלְהוֹן. אִי נֶהְדַּר וְנֵימָא וְנִדְכַּר חֶשְׁבּוֹן דְּתִבָּנֶה, הָא אֵשׁ יָצְאָה מֵחֶשְׁבּוֹן. אִי נֶהְדַּר וְנֵימָא קִרְיַת סִיחוֹן, הָא לֶהָבָה יָצְאָה מִקִּרְיַת סִיחוֹן וַדַּאי. כֵּיוָן דְּהַהִיא שַׁלְהוֹבָא דְּאֶשָּׁא שַׁרְיָא תַּמָּן עָלָהּ, לֵית מַאן דְּיָכִיל לָהּ לְאַהֲדְרָא לָהּ לְיוֹשְׁנָהּ, דְּהָא מִכָּל סִטְרִין לֵית לָן רְשׁוּ.

יג. מִכָּאן וּלְהָלְאָה אוֹי לְךָ מוֹאָב, דְּהָא הַהוּא דַּהֲוָה מָגֵן עֲלָךְ, אִתְבַּר. וּבג"כ מוֹאָב כֵּיוָן דְּחָמוּ דְּמָגֵן דִּלְהוֹן אִתְבַּר, כְּדֵין וַיָּגָר מוֹאָב מִפְּנֵי הָעָם מְאֹד. מַאי מְאֹד, יַתִּיר מִמּוֹתָא.

יד. כִּי רַב הוּא. דְּהָא כְּדֵין אִיהוּ הֲוָה רַב, וְרַב הֲוָה זְעִיר, דִּכְתִיב הִנֵּה קָטֹן נְתַתִּיךָ בַּגּוֹיִם. וְיִשְׂרָאֵל הֲוָה רַב בַּאֲתַר עֵשָׂו, דִּכְתִיב בֵּיהּ וְרַב. מ"ט. בְּגִין דְּחָמוּ דְּשַׁלְטוּ יִשְׂרָאֵל, עֵילָּא וְתַתָּא. דִּכְתִיב אֵת כָּל אֲשֶׁר עָשָׂה יִשְׂרָאֵל לָאֱמוֹרִי. אֲשֶׁר עָשָׂה יִשְׂרָאֵל מִבָּעֵי לֵיהּ, מַאי אֵת כָּל. לְאַסְגָּאָה עֵילָּא וְתַתָּא, עֵילָּא, דַּאֲפִילּוּ מִשָּׁלְטָנֵיהוֹן רַבְרְבָנִין וְשָׁלְטָנִין דִּלְעֵילָּא. וַאֲפִילּוּ מִשָּׁלְטָנֵיהוֹן רַבְרְבָנִין וְשָׁלְטָנִין דִּלְתַתָּא. וע"ד אֵת כָּל אֲשֶׁר עָשָׂה. וע"ד כִּי רַב הוּא, בַּאֲתַר דְּרַב בּוּכְרָא קַדִּישָׁא, דִּכְתִיב בְּנִי בְכוֹרִי יִשְׂרָאֵל.

טו. וְאִי תֵּימָא דְּקוּדְשָׁא בְּרִיךְ הוּא בָּעָא הָכִי, וְלָאו מִן דִּינָא. ת"ח, עֵשָׂו קְלִיפָּה הֲוָה,

וְסִטְרָא אַחֲרָא הֲוָה. כֵּיוָן דְּנָפַק קְלִיפָּה וְאִתְעֲבַר, הָא מוֹחָא שְׁכִיחָא, עָרְלָה קַדְמָאָה קָאֵי לְבַר. בְּרִית אִיהוּ יַקִּירָא מִכֹּלָּא, וְאִיהוּ אִתְגַּלְיָא לְבָתַר.

טז. וַיֹּאמֶר מוֹאָב אֶל זִקְנֵי מִדְיָן עַתָּה יְלַחֲכוּ וְגוֹ'. ר' חִיָּיא פָּתַח, וַיַּרְאֵנִי אֶת יְהוֹשֻׁעַ הַכֹּהֵן הַגָּדוֹל עוֹמֵד לִפְנֵי מַלְאַךְ יְיָ' וְגוֹ'. כַּמָּה אִית לֵיהּ לְבַ"נ, לְאִסְתַּמְּרָא אוֹרְחוֹי בְּהַאי עָלְמָא, וּלְמֵהַךְ בְּאֹרַח קְשׁוֹט. בְּגִין דְּכָל עוֹבָדוֹי דְּבַ"נ כְּתִיבִין קָמֵי מַלְכָּא, וּרְשִׁימִין קַמֵּיהּ, וְכֻלְּהוּ בְּמִנְיָינָא. נְטוּרֵי תַּרְעֵי קַיְימִין וְסַהֲדִין, קַיְימֵי וְתָבְעֵי דִּינָא תְּרֵיצִין. וְדַיָּינָא קַיְימָא לְקַבְּלָא סַהֲדוּתָא, וְאִינּוּן דְּטָעֲנֵי טַעֲנְתָּא מֵרֵישָׁא, וְלָא יְדִיעַ אִי יֶהֱכוּן מִימִינָא, וְאִם יִשְׂמְאָלוּן מִשְּׂמָאלָא.

יז. דְּהָא כַּד רוּחֵי בְּנֵי נָשָׁא נָפְקֵי מֵהַאי עָלְמָא, כַּמָּה אִינּוּן מְקַטְרְגִין דְּקַיְימִין קַמַּיְיהוּ, וְכָרוֹזִין נָפְקִין הֵן לְטָב הֵן לְבִישׁ, כְּפוּם מַה דְּנָפִיק מִן דִּינָא. דְּתַנְיָא, בְּכַמָּה דִּינִין אִתְדָּן בַּ"נ בְּהַאי עָלְמָא, בֵּין בְּחַיּוֹי, בֵּין לְבָתַר. דְּהָא כָּל מִלּוֹי בְּדִינָא אִינּוּן. וְקוּדְשָׁא בְּרִיךְ הוּא תָּדִיר בְּרַחֲמָנוּ, וְרַחֲמוֹי עַל כֹּלָּא, וְלָא בָּעֵי לְדַיְינָא בְּנֵי נָשָׁא כְּפוּם עוֹבָדֵיהוֹן, דְּהָכִי אָמַר דָּוִד, אִם עֲוֹנוֹת תִּשְׁמָר יָהּ יְיָ' מִי יַעֲמוֹד. הָכָא אִית לְאִסְתַּכְּלָא, כֵּיוָן דְּאָמַר אִם עֲוֹנוֹת תִּשְׁמָר יָ"הּ, אֲמַאי אֲדֹנָי.

יח. אֶלָּא, תְּלַת דַּרְגִּין דְּרַחֲמֵי אַדְכַּר דָּוִד הָכָא. אִם עֲוֹנוֹת תִּשְׁמָר יָהּ, אִם חוֹבִין סַגִּיאוּ, עַד דְּסַלְּקִין לְעֵילָּא לְגַבֵּי אַבָּא וְאִמָּא, הָא אֲדֹנָי דְּאִיהוּ רַחֲמֵי. וְאִי שְׁמָא דָּא, אע"ג דְּאִיהוּ רַחֲמֵי, יִתְעַר בְּדִינָא וְכָל דַּרְגִּין אִסְתִּימוּ בְּדִינָא, דַּרְגָּא חֲדָא אִית דְּנָהֲדַר לְגַבֵּיהּ, דְּכָל אַסְוָותִין מִינֵּהּ נָפְקִין, אִיהוּ יָחוּס עֲלָן, וּמַאן אִיהוּ, מִי. מִ"י יַעֲמוֹד וַדַּאי. מִ"י יִרְפָּא לָךְ. וְעַ"ד יָהּ אֲדֹנָי אִי אִלֵּין שְׁמָהָן יִסְתְּמוּן מִנָּן, מִ"י יַעֲמוֹד, דְּכָל אַרְחִין דִּתְיוּבְתָּא פְּתִיחָן מִנֵּיהּ.

יט. ת"ח, יְהוֹשֻׁעַ בֶּן יְהוֹצָדָק צַדִּיק גָּמוּר הֲוָה, גַּבְרָא דְּהֲוָה עָאל לִפְנַי לִפְנִים, דְּעָיְילוּהוּ לִמְתִיבְתָּא דִּרְקִיעָא. אִתְכְּנָשׁוּ כָּל בְּנֵי מְתִיבְתָּא תַּמָּן, לְעַיְּינָא בְּדִינֵיהּ. וְכַךְ אָרְחוֹי דְּהַהוּא מְתִיבְתָּא דִּרְקִיעָא, כַּד עָיְילֵי לֵיהּ לְדִינָא, כָּרוֹזָא נָפִיק וְאַכְרִיז, כָּל בְּנֵי מְתִיבְתָּא עוּלוּ. לְאִדְּרָא טְמִירָא. וּבֵי דִּינָא מִתְכַּנְּשֵׁי.

כ. וְהַהוּא רוּחָא דְּבַר נָשׁ סַלְקָא ע"י דְּתְרֵי מִמְּנָן, כֵּיוָן דְּעָאל, קָרִיב לְגַבֵּי חַד עַמּוּדָא דִּשְׁלְהוֹבָא מִלַּהֲטָא דְּקַיְימָא תַּמָּן, וְאִגְּלִים בְּרוּחָא דַּאֲוִירָא דְּנָשִׁיב בְּהַהוּא עַמּוּדָא, וְכַמָּה אִינּוּן דְּסַלְּקִין לוֹן תַּמָּן. בְּגִין דְּכָל אִינּוּן דְּמִשְׁתַּדְּלֵי בְּאוֹרַיְיתָא, וּמְחַדְּשֵׁי בָּהּ חִדּוּשִׁין, מִיַּד אַכְתּוּב לְגַבֵּי בְּנֵי מְתִיבְתָּא אִינּוּן מִלִּין, כְּדֵין כָּל אִינּוּן בְּנֵי מְתִיבְתָּא אָתָאן לְמֵחֱמֵי לֵיהּ. אִינּוּן תְּרֵין מְמַנָּן נָפְקִין, וְסַלְּקִין לֵיהּ לְהַהוּא מְתִיבְתָּא דִּרְקִיעָא, מִיַּד קָרִיב לְגַבֵּי הַהוּא עַמּוּדָא, דְּאִגְּלִים תַּמָּן.

כא. עָאל לִמְתִיבְתָּא, וְזַמְנִין לֵיהּ, אִי מִלָּה כַּדְקָא יָאוֹת זַכָּאָה אִיהוּ, כַּמָּה עִטְּרִין מִנְּצְצָן, מְעַטְּרִין לֵיהּ כָּל בְּנֵי מְתִיבְתָּא. וְאִי מִלָּה אַחֲרָא הֲוָה, וַוי לֵיהּ לְהַהוּא כִּסּוּפָא, דְּחָזָיִן לֵיהּ לְבַר, וְקָאִים גּוֹ עַמּוּדָא, עַד דְּעָיְילֵי לֵיהּ לְדִינָא, רַחֲמָנָא לִשֵׁיזְבָן.

כב. וְאִית אַחֲרָנִין דְּסַלְּקִין לוֹן תַּמָּן, כַּד קוּדְשָׁא בְּרִיךְ הוּא בִּפְלוּגְתָּא בִּבְנֵי מְתִיבְתָּא, וְאָמְרֵי מַאן מוֹכַח, הָא פְּלוֹנִי דְּאוֹכַח מִלָּה. כְּדֵין סַלְּקִין לֵיהּ תַּמָּן, וְאוֹכַח הַהוּא מִלָּה בֵּין קוּדְשָׁא בְּרִיךְ הוּא וּבֵין בְּנֵי מְתִיבְתָּא. וְאִית אַחֲרָנִין דְּסַלְּקִין לוֹן תַּמָּן לְדִינָא, וְדַיְינִין לֵיהּ תַּמָּן, לְבָרְרָא לוֹן, וּלְלַבְּנָא לוֹן.

כג. אָ"ל ר' יוֹסֵי, אִ"ה בְּלָא דִּינָא אִתְפְּטַר בַּר נָשׁ וְאִסְתַּלַּק מֵהַאי עָלְמָא. וְאִי בְּדִינָא

אִסְתַּלַּק, אֲמַאי אִתְדָּן זִמְנָא אֲחֲרִינָא. א״ל, הָכִי אוֹלִיפְנָא, וְהָכִי שְׁמַעְנָא, דְּהָא וַדַּאי בְּדִינָא אִסְתַּלַּק ב״נ מֵהַאי עָלְמָא, אֲבָל עַד לָא יֵיעוּל לְמוֹזִיצָתְהוֹן דְּצַדִּיקַיָּא, סַלְקֵי לֵיהּ לְדִינָא, וְתַמָּן אִתְדָּן בְּהַהוּא מְתִיבְתָּא דִּרְקִיעָא.

כד. וְתַמָּן קַיְּימָא הַהוּא מְמָנָא דְּגֵיהִנָּם לְאַסְטָאָה. זַכָּאָה אִיהוּ מַאן דְּזָכֵי מִן דִּינָא, וְאִי לָאו הַהוּא מְמָנָא דְּגֵיהִנָּם נָטִיל לֵיהּ, בְּשַׁעֲתָא דְּמַסְרִין לֵיהּ בִּידוֹי, וּמְקַלַּע לֵיהּ מִתַּמָּן לְתַתָּא, כְּמַאן דִּמְקַלַּע אַבְנָא בְּקוּסְפִּתָא דִּכְתִיב וְאֵת נֶפֶשׁ אוֹיְבֶיךָ יְקַלְּעֶנָּה בְּתוֹךְ כַּף הַקָּלַע וְגו׳. וְשַׁדֵּי לֵיהּ לְגֵיהִנָּם, וְקַבִּיל עוֹנְשֵׁיהּ כְּפוּם מַה דְּאִתְדָּן.

כה. ת״ח, וַיַּרְאֵנִי אֶת יְהוֹשֻׁעַ הַכֹּהֵן הַגָּדוֹל עוֹמֵד לִפְנֵי מַלְאַךְ וְגו׳, דְּסַלִּיקוּ לֵיהּ לְדִינָא, גּוֹ הַהוּא מְתִיבְתָּא דִּרְקִיעָא, בְּשַׁעֲתָא דְּאִתְפְּטַר מֵהַאי עָלְמָא. עוֹמֵד לִפְנֵי מַלְאַךְ יְיָ׳, דָּא הוּא הַהוּא נַעַר, רֵישׁ מְתִיבְתָּא, דְּאִיהוּ וְחָתִיךְ דִּינָא עַל כֹּלָּא.

כו. וְהַשָּׂטָן, מַאן וְהַשָּׂטָן. הַהוּא דִּמְמָנָא, עַל נַפְשָׁתָא בְּגֵיהִנָּם, דְּתִיאוּבְתֵּיהּ לְמֵיסַב לֵיהּ, וְתָדִיר קַיְּימָא וְאָמַר הַב הַב, הָבוּ וְזַיְּיבִין לְגֵיהִנָּם. לְשִׂטְנוֹ, לְאַדְכְּרָא חוֹבוֹי. כְּדֵין וַיֹּאמֶר יְיָ׳ אֶל הַשָּׂטָן יִגְעַר בְּךָ הַשָּׂטָן וְיִגְעַר ה׳ בְּךָ, תְּרֵין גְּעָרוֹת אֲמַאי. אֶלָּא וְחַד לְדוּמָה. וְחַד, לְהַהוּא דְּנָפְקָא מִגֵּיהִנָּם, דְּקַיְּימָא תָּדִיר לְאַסְטָאָה.

כז. ת״ח, הַהוּא שָׂטָן עִלָּאָה נָוִית כְּמָה דְּאוּקְמוּהָ, דְּאַגְלִים בִּדְיוּקְנָא דְּשׁוֹר, וְכָל אִינּוּן רוּחִין בִּישִׁין, דְּאִתְדָּנוּ לְאַעֲלָא בְּגֵיהִנָּם, לָחִיךְ לוֹן בְּרִגְעָא חֲדָא, וְחָטַף לוֹן, וְנָוִית וְיָהַב לוֹן לְדוּמָה, לְבָתַר דְּבָלַע לוֹן. וְדָא הוּא דִּכְתִיב, וַיֹּאמֶר מוֹאָב אֶל זִקְנֵי מִדְיָן עַתָּה יְלַחֲכוּ הַקָּהָל אֶת כָּל סְבִיבוֹתֵינוּ כִּלְחוֹךְ הַשּׁוֹר, דְּאִשְׁתְּמוֹדַע, הַשּׁוֹר דְּקַיְּימָא לְבִישׁ עַל כָּל בְּנֵי עָלְמָא. אֵת יֶרֶק הַשָּׂדֶה, אִינּוּן רוּחִין דִּבְנֵי נָשָׁא, דְּאִינּוּן יֶרֶק הַשָּׂדֶה. הַשָּׂדֶה, הַהוּא שָׂדֶה דְּאִשְׁתְּמוֹדַע.

כח. א״ר יוֹסֵי, א״ה, וְחַכִּים הֲוָה בָּלָק. א״ל וַדַּאי, וְהָכִי אִצְטְרִיךְ לֵיהּ לְמִנְדַּע כָּל אָרְחוֹי דְּהַהוּא שׁוֹר, וְאִי לָא יָדַע לְהוּ, לָא יָכִיל לְמֶעְבַּד חֲרָשׁוֹי וְקִסְמוֹי. א״ר יוֹסֵי וַדַּאי הָכִי הוּא, וְיָאוּת אֲמָרַת. וְתוּקְפֵּיהּ דְּהַהוּא שׁוֹר, מִכִּי מַכְרִיזוּ עַל הַתְּבוּאָה. כָּל אִינּוּן יוֹמִין דְּמַכְרִיזִין וְכָל יוֹמִין דְּמַכְרִיזֵי עַל רוּחֵיהוֹן דִּבְנֵי נָשָׁא. וְאִינּוּן יוֹמֵי נִיסָן, וְיוֹמֵי תִּשְׁרֵי, וְהָא אִתְּמַר.

כט. רִבִּי יִצְחָק וְרִבִּי יְהוּדָה הֲווּ אָזְלֵי בְּאוֹרְחָא, מָטוּ לְהַהוּא אֲתַר דִּכְפַר סִכְנִין, דַּהֲוָה תַּמָּן רַב הַמְנוּנָא סָבָא, אִתְאֲרָחוּ בְּאִתְּתָא דִּילֵיהּ, דַּהֲוָה לָהּ בְּרָא חֲדָא זְעֵירָא, וְכָל יוֹמָא הֲוָה בְּבֵי סִפְרָא, הַהוּא יוֹמָא סָלִיק מִבֵּי סִפְרָא, וְאָתָא לְבֵיתָא, וְחָמָא לוֹן לְאִלֵּין וְחַכִּימִין. א״ל אִמֵּיהּ, קְרִיב לְגַבֵּי אִלֵּין גּוּבְרִין עִלָּאִין וְתִרְוַוח מִנַּיְיהוּ בִּרְכָאן. קָרִיב לְגַבַּיְיהוּ, עַד לָא קָרִיב, אַהֲדָר לַאֲחוֹרָא. א״ל לְאִמֵּיהּ, לָא בָּעֵינָא לְקָרְבָא לְגַבַּיְיהוּ. דְּהָא יוֹמָא דָּא לָא קָרוּ ק״ש, וְהָכִי אוֹלְפֵי לִי, כָּל מַאן דְּלָא קָרֵי ק״ש בְּעוֹנָתֵיהּ, בְּנִדּוּי הוּא כָּל הַהוּא יוֹמָא.

ל. שָׁמְעוּ אִינּוּן, וְתַוְּהוּ, אֲרִימוּ יְדַיְיהוּ וּבָרִיכוּ לֵיהּ. אָמְרוּ וַדַּאי הָכִי הוּא. וְיוֹמָא דָּא אִשְׁתַּדַּלְנָא בַּהֲדֵי חָתָן וְכַלָּה, דְּלָא הֲוָה לוֹן צָרְכַיְיהוּ, וַהֲווּ מִתְאַחֲרָן לְאִזְדַּוְּוגָא, וְלָא הֲוָה ב״נ לְאִשְׁתַּדְּלָא עָלַיְיהוּ, וַאֲנָן אִשְׁתַּדַּלְנָא בְּהוּ, וְלָא קָרֵינָן ק״ש בְּעוֹנָתֵיהּ, וּמַאן דְּאִתְעַסָּק בְּמִצְוָה, פָּטוּר מִן הַמִּצְוָה. אָמְרוּ לֵיהּ, בְּרִי, בְּמָּה יָדַעְתְּ. א״ל, בְּרֵיחָא דִּלְבוּשַׁיְיכוּ יְדַעְנָא, כַּד קָרִיבְנָא לְגַבַּיְיכוּ. תַּוְּהוּ. יָתְבוּ, נַטְלוּ יְדַיְיהוּ וְכָרִיכוּ רִפְתָּא.

לא. ר׳ יְהוּדָה הֲווּ יְדוֹי מְלוּכְלְכָן, וְנָטִיל יְדוֹי, וּבָרִיךְ עַד לָא נָטִיל. א״ל, אִי תַּלְמִידֵי דְּרַב שְׁמַעְיָה חֲסִידָא אַתּוּן, לָא הֲוָה לְכוּ לְבָרְכָא בְּיָדַיִם מְזוֹהָמוֹת, וּמַאן דִּמְבָרֵךְ בְּיָדַיִם מְזוֹהָמוֹת, חַיָּיב מִיתָה.

לב. פָּתַח הַהוּא יַנּוּקָא וְאָמַר, בְּבֹאָם אֶל אֹהֶל מוֹעֵד יִרְחֲצוּ מַיִם וְלֹא יָמוּתוּ וְגוֹ'. יַלְפִינָן מֵהַאי קְרָא, דְּמַאן דְּלָא חָיִישׁ לְהַאי, וְיִתְחֲזֵי קַמֵּי מַלְכָּא בְּדִינִין מְזוֹהֲמָן, חַיָּיב מִיתָה. מ"ט. בְּגִין דִּידוֹי דְּב"נ יַתְבִין בְּרוּמוֹ שֶׁל עוֹלָם. אֶצְבְּעָא חֲדָא אִית בְּיָדָא דְּב"נ, וְאִיהוּ אֶצְבְּעָא דְּאַרְמָא מֹשֶׁה.

לג. כְּתִיב וְעָשִׂיתָ בְרִיחִים עֲצֵי שִׁטִּים חֲמִשָּׁה לְקַרְשֵׁי צֶלַע הַמִּשְׁכָּן הָאֶחָד וַחֲמִשָּׁה בְרִיחִים לְקַרְשֵׁי צֶלַע הַמִּשְׁכָּן הַשֵּׁנִית. וּכְתִיב וְהַבְּרִיחַ הַתִּיכוֹן בְּתוֹךְ הַקְּרָשִׁים מַבְרִיחַ מִן הַקָּצֶה אֶל הַקָּצֶה. וְאִי תֵּימָא, דְּהַהוּא בְּרִיחַ הַתִּיכוֹן אָחֳרָא הוּא, דְּלָא הֲוָה בִּכְלָלָא דְּאִינּוּן חֲמִשָּׁה. לָאו הָכִי. אֶלָּא הַהוּא בְּרִיחַ הַתִּיכוֹן, מֵאִינּוּן חֲמִשָּׁה הֲוָה. תְּרֵין מִכָּאן, וּתְרֵין מִכָּאן, וְחַד בְּאֶמְצָעִיתָא. הָא הֲוָה בְּרִיחַ הַתִּיכוֹן, עַמּוּדָא דְּיַעֲקֹב, רָזָא דְּמֹשֶׁה, לָקֳבֵל דָּא, חָמֵשׁ אֶצְבְּעָאן בְּיָדָא דְּבַר נָשׁ. וְהַבְּרִיחַ הַתִּיכוֹן בְּאֶמְצָעִיתָא, רַב וְעִלָּאָה מִכֻּלָּא, בֵּיהּ קַיְּימִין שְׁאַר אָחֳרָנִין.

לד. וְאִינּוּן חָמֵשׁ בְּרִיחִין, דְּאִקְרוּן חָמֵשׁ מֵאָה שְׁנִין, דְּאִילָנָא דְּחַיֵּי אָזִיל בְּהוּ. וּבְרִית קַדִּישָׁא אִתְּעַר, בְּחוֹמֵשׁ אֶצְבְּעָן דְּיָדָא. וּמִלָּה סְתִימָא הוּא עַל מַה דְּאַמְרַת. וְע"ד כָּל בִּרְכָאן דְּכַהֲנָא, בְּאֶצְבְּעָן תַּלְיָין. פְּרִישׂוּ דְּיָדָא דְּמֹשֶׁה עַ"ד הֲוָה.

לה. אִי כָּל דָּא אִית בְּהוּ, לֵית דִּינָא לְמֶהֱוֵי בִּנְקִיּוּ, כַּד מְבָרְכִין בְּהוּ לְקוּדְשָׁא בְּרִיךְ הוּא. בְּגִין דִּבְהוּ, וּבְדוּגְמָא דִּלְהוֹן, מִתְבָּרַךְ שְׁמָא קַדִּישָׁא. וְע"ד אַתּוּן דְּזַכְמִיתוּ טוּבָא, הֵיךְ לָא אַשְׁגַּחְתּוּן לְהַאי. וְלָא שִׁמַּשְׁתּוּן לר' שְׁמַעְיָה חֲסִידָא, וְאִיהוּ אָמַר, כָּל טִנּוּפָא, וְכָל לִכְלוּכָא, סַלִּיקוּ לֵיהּ לְסִטְרָא אָחֳרָא, דְּהָא סִטְרָא אָחֳרָא מֵהַאי טִנּוּפָא וְלִכְלוּכָא אִתְּזָן. וְעַל דָּא מַיִם אַחֲרוֹנִים חוֹבָה, וְחוֹבָה אִינּוּן.

לו. תַּוְוהוּ וְלָא יָכִילוּ לְמַלָּלָא. א"ר יְהוּדָה, בְּרִי, שְׁמָא דְּאָבוּךְ מַאן הוּא. שָׁתִיק יַנּוּקָא רִגְעָא חֲדָא, קָם לְגַבֵּיהּ אִמֵּיהּ וְנָשַׁק לָהּ, אָ"ל אִמִּי, עַל אַבָּא שָׁאִילוּ לִי אִלֵּין חַכִּימִין, אֵימָא לוֹן. אָ"ל אִימֵּיהּ, בְּרִי, בַּדְקַת לְהוּ. אָמַר הָא בָּדַקִית, וְלָא אַשְׁכַּחִית כַּדְקָא יָאוּת. לְחִישָׁא לֵיהּ אִמֵּיהּ, וְאַהְדָּר לְגַבַּיְיהוּ, אָ"ל אַתּוּן שְׁאֶלְתּוּן עַל אַבָּא, וְהָא אִסְתַּלַּק מֵעָלְמָא, וּבְכָל יוֹמָא דַּחֲסִידֵי קַדִּישִׁין אָזְלִין בְּאָרְחָא, אִיהוּ טַיְּיעָא אֲבַתְרַיְיהוּ. וְאִי אַתּוּן קַדִּישֵׁי עֶלְיוֹנִין, הֵיךְ לָא אַשְׁכַּחְתּוּן לֵיהּ, אָזִיל טַיְּיעָא אֲבַתְרַיְיכוּ.

לז. אֲבָל בְּקַדְמֵיתָא חֲמֵינָא בְּכוּ, וְהַשְׁתָּא חֲמֵינָא בְּכוּ, דְּאַבָּא לָא חָמָא חֲמָרָא דְּלָא טָעִין אֲבַתְרֵיהּ חֲמָרָא, לְמִסְבַּל עוֹלָא דְּאוֹרַיְיתָא. כֵּיוָן דְּלָא זְכִיתוּן דְּאַבָּא יִטְעוּן אֲבַתְרַיְיכוּ, לָא אֵימָא מַאן הוּא אַבָּא. אָמַר רַבִּי יְהוּדָה לר' יִצְחָק, כִּדְדָמֵי לָן, הַאי יַנּוּקָא לָאו בַּר נָשׁ הוּא. אַכְלוּ. וְהַהוּא יַנּוּקָא הֲוָה אָמַר מִלֵּי דְּאוֹרַיְיתָא, וְחִדּוּשֵׁי אוֹרַיְיתָא. אָמְרוּ, הַב וּנְבָרִיךְ. אָמַר לְהוּ, יָאוּת אֲמַרְתּוּן. בְּגִין דִּשְׁמָא קַדִּישָׁא לָא מִתְבָּרַךְ בִּבְרָכָה דָּא, אֶלָּא בְּהַזְמָנָה.

לח. פָּתַח וְאָמַר, אֲבָרְכָה אֶת יְיָ' בְּכָל עֵת וְגוֹ'. וְכִי מַה חָמָא דָּוִד לוֹמַר אֲבָרְכָה אֶת יְיָ'. אֶלָּא, חָמָא דָּוִד דִּבְעֵי הַזְמָנָה, וְאָמַר אֲבָרְכָה. בְּגִין דִּבְשַׁעְתָּא דְּבַר נָשׁ יָתִיב עַל פָּתוֹרָא, שְׁכִינְתָּא קַיְּימָא תַּמָּן, וְסִטְרָא אָחֳרָא קַיְּימָא תַּמָּן. כַּד אַזְמִין בַּר נָשׁ לְבִרְכָא לְקוּדְשָׁא בְּרִיךְ הוּא, שְׁכִינְתָּא אִתְתַּקְנַת לְגַבֵּי עֵילָּא, לְקַבְּלָא בִּרְכָאן, וְסִטְרָא אָחֳרָא אִתְכַּפְיָיא. וְאִי לָא אַזְמִין ב"נ לְבִרְכָא לְקוּדְשָׁא בְּרִיךְ הוּא, סִטְרָא אָחֳרָא שָׁמַע וּמְכַשְׁכְּשָׁא לְמֶהֱוֵי לֵיהּ חוּלָקָא בְּהַהִיא בְּרָכָה.

לט. וְאִי תֵּימָא, בִּשְׁאַר בִּרְכָאן אַמַּאי לָא אִית הַזְמָנָה. אֶלָּא הַהוּא מִלָּה דִּבְרָכָה, דְּקָא מְבָרְכִין עָלָהּ, אִיהוּ הַזְמָנָה. ת"ח דְּהָכִי הוּא, דְּהַאי דִּמְבָרֵךְ עַל פְּרִי, הַהוּא פְּרִי

אִיהוּ הַזְמָנָה, וּמְבָרְכִין עֲלֵיהּ. וְלֵית לֵיהּ וְחוּלָקָא לְסִטְרָא אָחֳרָא. וְקוֹדֶם דָּא, דַּהֲוָה הַהוּא
פְּרִי בִּרְשׁוּת דְּסִטְרָא אָחֳרָא, לָא מְבָרְכִין עֲלֵיהּ. וּכְתִיב לֹא יֵאָכֵל, בְּגִין דְּלָא יְבָרְכוּן עַל
הַהוּא פְּרִי, וְלָא יִתְבְּרַךְ סִטְרָא אָחֳרָא. כֵּיוָן דְּנָפַק מֵרְשׁוּתֵיהּ, יֵאָכֵל, וּמְבָרְכִין עֲלֵיהּ.
וְאִיהוּ הַזְמָנָא לְבִרְכָתָא. וְכֵן כָּל מִלִּין דְּעָלְמָא דְּקָא מְבָרְכִין עֲלַיְיהוּ. כֻּלְּהוּ הַזְמָנָה
לְבִרְכָתָא. וְלֵית בְּהוּ וְחוּלָקָא לְסִטְרָא אָחֳרָא.

מ. וְאִי תֵּימָא, אוֹף הָכִי לְבִרְכַת זִמּוּן כַּסָּא דְּבִרְכָתָא הֲוָה הַזְמָנָה, אֲמַאי הַב וְנִבְרִיךְ.
אֶלָּא, הוֹאִיל וּבְקַדְמֵיתָא כַּד הֲוָה שָׁתֵי, אָמַר בּוֹרֵא פְּרִי הַגָּפֶן. הָא הַזְמָנָה הֲוֵי. וְהַשְׁתָּא
לְבִרְכַּת מְזוֹנָא, בָּעֵינָן שִׁנּוּי, לְהַזְמָנָה אָחֳרָא, דְּהָא כַּסָּא דָּא לְקוּדְשָׁא בְּרִיךְ הוּא הֲוֵי,
וְלָאו לִמְזוֹנָא, וּבְג״כ בָּעֵי הַזְמָנָה דִּפוּמָא.

מא. וְאִי תֵּימָא, נְבָרֵךְ שֶׁאָכַלְנוּ מִשֶּׁלּוֹ, דָּא הוּא הַזְמָנָה, בָּרוּךְ שֶׁאָכַלְנוּ דָּא הוּא
בְּרָכָה. הָכִי הוּא וַדַּאי. אֲבָל נְבָרֵךְ, הַזְמָנָה אָחֳרָא אִיהוּ, הַזְמָנָה דְּבוֹרֵא פְּרִי הַגָּפֶן.
דְּקַדְמֵיתָא אִיהִי הַזְמָנָה לְכוֹס דְּבִרְכָה סְתָם. וְהִיא כּוֹס, כֵּיוָן דְּאַנְטִיל אִיהוּ הַזְמָנָה
אָחֳרָא בְּמִלָּה דִּנְבָרֵךְ לְגַבֵּי עָלְמָא עִלָּאָה דְּכָל מְזוֹנִין וּבִרְכָאן מִתַּמָּן נָפְקִין, וּבְג״כ אִיהוּ
בְּאֲרוּ סָתִים, דְּעָלְמָא עִלָּאָה סָתִים אִיהוּ, וְלֵית לְגַבֵּיהּ הַזְמָנָה. אֶלָּא בְּדַרְגָּא דָּא כּוֹס
דְּבִרְכָה. א״ר יְהוּדָה, זַכָּאָה וְחוּלָקָנָא, דְּמִן יוֹמָא דְּעָלְמָא עַד הַשְׁתָּא, לָא שְׁמַעְנָא מִלִּין
אִלֵּין, וַדַּאי הָא אֲמֵינָא דְּדָא לָאו ב״נ אִיהוּ.

מב. א״ל, בָּרָא, מַלְאָכָא דַּיְיָ, רוֹזְמָא דִּילֵיהּ, הַאי דְּאָמְרַת וְעָשִׂיתָ בְרִיחִים עֲצֵי שִׁטִּים
וְצִפִּיתָ אוֹתָם, וַחֲמֵשָׁה קְרָשֵׁי צֶלַע הַמִּשְׁכָּן וְגוֹ', וַחֲמִשָּׁה בְרִיחִים וְגוֹ', וַחֲמִשָּׁה בְרִיחִים לְיַרְכְּתַיִם יָמָּה. הָא
בְּרִיחִים טוֹבָא אִיכָּא הָכָא, וְיָדֵים אִינוּן תְּרֵין. אָמַר לֵיהּ, דָּא הוּא דְּאָמְרִין, מִפּוּמֵיהּ דְּבַר
נָשׁ אֶשְׁתְּמַע מַאן אִיהוּ. אֲבָל הוֹאִיל וְלָא אַשְׁגַּחְתּוּן אֲנָא אֵימָא.

מג. פָּתַח וְאָמַר, הַנּוֹתֵן עֵינָיו בְּרֹאשׁוֹ וְגוֹ'. וְכִי בְּאָן אֲתַר עֵינוֹי דְּב״נ, אֶלָּא בְּרֹאשׁוֹ,
דִּילְמָא בְּגוּפוֹ אוֹ בִּדְרוֹעֵיהּ, דְּאַפִּיק לֵיהּ בְּכָל בְּנֵי עָלְמָא. אֶלָּא קְרָא הָכִי הוּא
וַדַּאי, דִּתְנָן, לָא יְהַךְ בַּר נָשׁ בְּגִלּוּי דְּרֵישָׁא ד' אַמּוֹת. מ״ט. דִּשְׁכִינְתָּא שַׁרְיָא עַל רֵישֵׁיהּ,
וְכָל חַכִּים, עֵינוֹי וּמִלּוֹי בְּרֹאשׁוֹ אִינוּן, בְּהַהוּא דְּשַׁרְיָא וְקַיְימָא עַל רֵישֵׁיהּ.

מד. וְכַד עֵינוֹי תַּמָּן, לִינְדַּע דְּהַהוּא נְהוֹרָא דְּאַדְלִיק עַל רֵישֵׁיהּ, אִצְטָרִיךְ לְמִשְׁחָא,
בְּגִין דְּגוּפָא דְּב״נ אִיהוּ פְּתִילָה, וּנְהוֹרָא אַדְלִיק לְעֵילָּא, וּשְׁלֹמֹה מַלְכָּא צָוַוח וְאָמַר, וְשֶׁמֶן
עַל רֹאשְׁךָ אַל יֶחְסָר, דְּהָא נְהוֹרָא דְּבְרֹאשׁוֹ, אִצְטָרִיךְ לְמִשְׁחָא וְאִינוּן עוֹבָדִין טָבָאן.
וע״ד הַנּוֹתֵן עֵינָיו בְּרֹאשׁוֹ, וְלָא בְּאֲתַר אָחֳרָא.

מה. אַתּוּן וְחַכִּימִין, וַדַּאי שְׁכִינְתָּא שַׁרְיָא עַל רֵישַׁיְיכוּ, הֵיךְ לָא אַשְׁגַּחְתּוּן לְהַאי,
דִּכְתִיב וְעָשִׂיתָ בְרִיחִים וְגוֹ', לְקַרְשֵׁי צֶלַע הַמִּשְׁכָּן הָאֶחָד. וַחֲמִשָּׁה בְרִיחִים לְקַרְשֵׁי צֶלַע
הַמִּשְׁכָּן הַשֵּׁנִית. הָאֶחָד וְהַשֵּׁנִית אָמַר קְרָא, שְׁלִישִׁית וּרְבִיעִית לָא אָמַר קְרָא. דְּהָא
אֶחָד וְשֵׁנִית, דָּא וְזִוּוּגוֹ דִּתְרֵין סִטְרִין, וּבְג״כ עָבֵיד וְחוּשְׁבְּנָא בְּתְרֵין אִלֵּין.

מו. אָתוּ אִינוּן וּנְשָׁקוּהוּ, בָּכָה רַבִּי יְהוּדָה, וְאָמַר, ר' שִׁמְעוֹן זַכָּאָה וְחוּלָקָךְ, זַכָּאָה
דָּרָא, דְּהָא בְּזָכוּתָךְ אֲפִילוּ יַנּוּקֵי דְּבֵי רַב, אִינוּן טְנָרִין רָמָאִין תַּקִּיפִין. אָתַאת אִמֵּיהּ,
אָמְרָה לוֹן רַבּוֹתַי, בְּמָטוּ מִנַּיְיכוּ, לָא תִּשְׁגְּחוּן עַל בְּרִי, אֶלָּא בְּעֵינָא טָבָא. אָמְרוּ לָהּ,
זַכָּאָה וְחוּלָקָךְ אִתְּתָא בְּשִׁירָתָא, אַתְּתָא בְּרִירָא מִכָּל שְׁאַר נָשִׁין, דְּהָא קוּדְשָׁא בְּרִיךְ הוּא
בָּרִיר וְחוּלָקָךְ, וְאָרִים דִּגְלָךְ עַל כָּל שְׁאָר נָשִׁין דְּעָלְמָא.

מז. אָמַר יַנּוּקָא, אֲנָא לָא מִסְתָּפֵינָא מֵעֵינָא בִּישָׁא, דְּבַר גּוּפָא רַבָּא וִיקִירָא אֲנָא,
וְנוּנָא לָא דָּוִיל מֵעֵינָא בִּישָׁא, דִּכְתִיב וְיִדְגּוּ לָרוֹב בְּקֶרֶב הָאָרֶץ, מַאי לָרוֹב, לְאַסְגָּאָה
עַל עֵינָא. וְתִנֵּינָן, מַה דָּגִים דְּיַמָּא מַיָא חָפֵי עֲלֵיהוֹן, וְלֵית עֵינָא בִּישָׁא שָׁלְטָא. לָרוֹב וַדַּאי,

בְּקֶרֶב הָאָרֶץ, בְּגוֹ בְּנֵי אֱנָשָׁא עַל אַרְעָא. אָמְרוּ, בְּרָא, מַלְאֲכָא דַּיְיָ, לֵית בְּנָא עֵינָא בִּישָׁא, וְלָא מִסִּטְרָא דְעֵינָא בִּישָׁא אֲתֵינָן. וְקוּדְשָׁא בְּרִיךְ הוּא חָפֵי עֲלָךְ בְּגַדְפוֹי.

מוח. פָּתַח וְאָמַר הַמַּלְאָךְ הַגּוֹאֵל אוֹתִי מִכָּל רָע יְבָרֵךְ וְגוֹ'. הַאי קְרָא אֲמַר יַעֲקֹב בְּרוּחַ קוּדְשָׁא, אִי בְּרוּחַ קוּדְשָׁא אָ"ל, רָזָא דְחָכְמְתָא אִית בֵּיהּ. הַמַּלְאָךְ, קָרֵי לֵיהּ מַלְאָךְ. וְקָרֵי לֵיהּ שְׁמָהָן אַחֲרָנִין. הָכָא, אֲמַאי אִקְרֵי מַלְאָךְ. אֶלָּא כַּד אִיהוּ שְׁלִיחָא מִלְּעֵילָּא, וְקַבִּילַת זְהָרָא מִגּוֹ אַסְפַּקְלַרְיָא דִלְעֵילָּא, דִּכְדֵין מְבָרְכִין אַבָּא וְאִמָּא לְהַאי, אַמְרֵי לָהּ בְּרַתִי, זִילִי נְטוּרֵי בֵּיתָךְ, פְּקִידֵי לְבֵיתָךְ. הָכִי עֲבִידֵי לְבֵיתָךְ. זִילִי וְזוּנֵי לוֹן. זִילִי, דְּהַהוּא עָלְמָא דִלְתַתָּא מְחַכָּא לָךְ, בְּנֵי בֵּיתָךְ מְחַכָּאן מְזוֹנָא מִנָּךְ, הָא לָךְ כָּל מַה דְּאִתְצְטָרְכֵי לְמֵיהַב לוֹן, כְּדֵין אִיהִי מַלְאָךְ.

מט. וְאִי תֵּימָא, וְהָא בְּכַמָּה דוּכְתֵּי אִקְרֵי מַלְאָךְ, וְלָא אָתֵי לְמֵיזַן עָלְמִין. וְעוֹד, דִּבְשְׁמָא דָא לָא זָן עָלְמִין, אֶלָּא בִּשְׁמָא דַּיְיָ. הָכִי הוּא וַדַּאי, כַּד שָׁלִיחַ מִגּוֹ אַבָּא וְאִמָּא, אִקְרֵי מַלְאָךְ, וְכֵיוָן דְּשַׁארֵי עַל דּוּכְתִּין, עַל תְּרֵין כְּרוּבִין אֲדֹנָ"י שְׁמֵיהּ.

נ. לְמֹשֶׁה כַּד אִתְחֲזֵי לֵיהּ בְּקַדְמֵיתָא, אִקְרֵי מַלְאָךְ לְיַעֲקֹב לָא אִתְחֲזֵי הָכִי, אֶלָּא בְּדוּגְמָא, דִּכְתִּיב וְרָחֵל בָּאָה, דָא דְיוֹקְנָא דְרָחֵל אַחֲרָא, דִּכְתִּיב כֹּה אָמַר יְיָ קוֹל בְּרָמָה נִשְׁמָע וְגוֹ'. רָחֵל מְבַכָּה עַל בָּנֶיהָ. וְרָחֵל בָּאָה סְתָם, עִם הַצֹּאן דַּרְגִּין דִּילָהּ. אֲשֶׁר לְאָבִיהָ וַדַּאי. וְכֻלְּהוּ אִתְמְנוּן וְאִתְפַּקְדוּן בִּידָהָא. כִּי רוֹעָה הִיא, אִיהִי מְנַהֲגָא לוֹן, וְאִתְפַּקְדָא עֲלַיְיהוּ.

נא. וְהָכִי בְּמֹשֶׁה כְּתִיב, וַיֵּרָא מַלְאַךְ יְיָ אֵלָיו בְּלַבַּת אֵשׁ. וְאִי תֵּימָא יַתִּיר הוּא שִׁבְחָא דְאַבְרָהָם, דְּלָא כְּתִיב בֵּיהּ מַלְאָךְ, אֶלָּא וַיֵּרָא אֵלָיו יְיָ בְּאֵלוֹנֵי מַמְרֵא וְגוֹ'. הָתָם בְּאַבְרָהָם, אִתְחֲזֵי לֵיהּ אֲדֹנָ"י, בְּאָלֶף דָּלֶת, בְּגִין דִּבְהַהוּא זִמְנָא קַבִּיל בְּרִית, וּמַה דַּהֲוָה אִתְכַּסֵּי עַד כְּעָן מִנֵּיהּ, אִתְחֲזֵי לֵיהּ רִבּוֹן וְשַׁלִּיט, וְהָכִי אִתְחֲזֵי, דְּהָא כְּדֵין בְּהַהוּא דַּרְגָּא אִתְקַשַּׁר, וְלָא יַתִּיר. וּבְגִ"כ, בִּשְׁמָא דְאָדוֹן רִבּוֹן עֲלֵיהּ.

נב. אֲבָל מֹשֶׁה דְּלָא הֲוָה בֵּיהּ פְּרוּדָא, דִּכְתִּיב מֹשֶׁה מֹשֶׁה דְּלָא פָּסְקָא טַעֲמָא. כְּמָה דִכְתִּיב אַבְרָהָם אַבְרָהָם, דְּפָסְקָא טַעֲמָא. בְּגִין דְּהַשְׁתָּא שְׁלִים, מַה דְּלָא הֲוָה מִקַּדְמַת דְּנָא. פְּרִישׁוּ אִית בֵּין אַבְרָהָם דְּהַשְׁתָּא, לְאַבְרָהָם דְּקַדְמֵיתָא. אֲבָל מֹשֶׁה, מִיַּד דְּאִתְיְילִיד, אַסְפַּקְלַרְיָאה דִּנְהֲרָא הֲוָת עִמֵּיהּ, דִּכְתִּיב וַתֵּרֶא אוֹתוֹ כִּי טוֹב הוּא. וּכְתִיב וַיַּרְא אֱלֹהִים אֶת הָאוֹר כִּי טוֹב. מֹשֶׁה מִיַּד אִתְקַשַּׁר בְּדַרְגָּא דִּילֵיהּ וּבְגִ"כ מֹשֶׁה מֹשֶׁה, וְלָא אַפְסִיק טַעֲמָא.

נג. וְעַ"ד לְגַבֵּי דְמֹשֶׁה, אַזְעִיר גַּרְמֵיהּ, דִּכְתִּיב מַלְאַךְ יְיָ. יַעֲקֹב קָרָא לֵיהּ, בְּשַׁעֲתָא דַּהֲוָה סָלִיק מֵעָלְמָא, מַלְאָךְ. מ"ט. בְּגִין דִּבְהַהִיא שַׁעְתָּא הֲוָה יָרִית לָהּ, לְשַׁלְטָאָה. מֹשֶׁה בְּחַיָּיו. יַעֲקֹב, לְבָתַר דְּסָלִיק מֵעָלְמָא. מֹשֶׁה בְּגוּפָא. יַעֲקֹב בְּרוּחָא. זַכָּאָה חוּלָקָא דְמֹשֶׁה.

נד. הַגּוֹאֵל אוֹתִי מִכָּל רָע, דְּלָא אִתְקְרִיב לְעָלְמִין לְגַבֵּי סִטְרָא דְּרַע, וְלָא יָכִיל רַע לְשַׁלְטָאָה בֵּיהּ. יְבָרֵךְ אֶת הַנְּעָרִים, כְּדֵין יַעֲקֹב הֲוָה מְתַקֵּן לְבֵיתֵיהּ, כְּבַ"נ דְּאָזִיל לְבֵיתָא חַדְתָּא, וּמְתַקֵּן לָהּ בְּתִקוּנוֹי, וּמְקַשֵּׁט לָהּ בְּקִשּׁוּטוֹי. יְבָרֵךְ אֶת הַנְּעָרִים, אִינּוּן דְּאִשְׁתְּמוֹדְעָן, אִינּוּן דְּאִתְפַּקְדָן עַל עָלְמָא, לְאִתְמַשְׁכָא מִנַּיְיהוּ בִּרְכָאן, תְּרֵין כְּרוּבִין אִינּוּן. וְיִקָּרֵא בָהֶם שְׁמִי, הַשְׁתָּא אַתְקִין בֵּיתֵיהּ, וְאִיהוּ אִסְתַּלַּק בְּדַרְגֵּיהּ, בְּגִין דְּחִבּוּרָא בְּיַעֲקֹב הֲוֵי. גּוּפָא, אִתְדַּבַּק בַּאֲתַר דְּאִצְטְרִיךְ, וּתְרֵין דְּרוֹעִין בַּהֲדֵיהּ.

נה. לְבָתַר דְּאִינּוּן נְעָרִים מִתְבָּרְכָן כַּדְקָא יָאוּת, כְּדֵין וְיִדְגּוּ לָרוֹב בְּקֶרֶב הָאָרֶץ.

אַרְוָזא דְּנוּנִין לְאַסְגָּאָה גּוֹ מַיִין, וְאִי נַפְקָן מִגּוֹ מַיָּא לְיַבֶּשְׁתָּא, מִיָּד מֵתִין. אִלֵּין לָאו הָכִי, אֶלָּא אִינּוּן מִן יַמָּא רַבָּא, וּסְגִיאוּ דִּלְהוֹן לְאַפָּשָׁא וּלְאַסְגֵּי בְּקֶרֶב הָאָרֶץ אִיהוּ. מַה דְּלֵית הָכִי לְכָל נוּנִין דְּעָלְמָא.

נו. מַה כְּתִיב לְעֵילָּא, וַיְבָרֶךְ אֶת יוֹסֵף וַיֹּאמַר, וְלָא אַשְׁכְּחָן לֵיהּ הָכָא בִּרְכָאן, דְּהָא לְבָתַר בָּרִיךְ לֵיהּ, דִּכְתִּיב בֵּן פּוֹרָת יוֹסֵף. אֶלָּא, כֵּיוָן דְּבָרִיךְ לְאִלֵּין נְעָרִים, לְיוֹסֵף בָּרִיךְ. דְּהָא לָא יַכְלֵי לְאִתְבָּרְכָא, אֶלָּא מִגּוֹ יוֹסֵף, וּמִגּוֹ דְּאִיהוּ בִּטְמִירוּ, וְלָא אִתְחֲזֵי לְאִתְגַּלָּאָה, כְּתִיב בִּטְמִירוּ, וְיִקָּרֵא בָהֶם שְׁמִי וְשֵׁם אֲבוֹתַי, מִן הָאָבוֹת מִתְבָּרְכָן, וְלָא מֵאֲתַר אַחֲרָא. בְּקֶרֶב הָאָרֶץ, דָּא הוּא כְּסוּיָא לְחַפָּאָה מַה דְּאִצְטְרִיךְ.

נז. אָתוּ וְנַשְׁקוּהָ כְּמִלְּקַדְמִין, אָמְרוּ, הָבוּ וּנְבָרִיךְ. אָמַר אִיהוּ, אֲנִי אֲבָרֵךְ, דְּכָל מַה דִּשְׁמַעְתּוּן עַד הָכָא מִנַּאי הֲוָה, וַאֲקַיֵּים בִּי טוֹב עַיִן הוּא יְבוֹרָךְ, קְרֵי בֵּיהּ יְבָרֵךְ. מ"ט. בְּגִין דְּנָתַן מִלַּחְמוֹ לַדָּל. מִלַּחְמָא וּמֵיכְלָא דְּאוֹרַיְיתָא דִּילִי אֲכַלְתּוּן. א"ר יְהוּדָה. בְּרָא רְחִימָא דְּקוּדְשָׁא בְּרִיךְ הוּא, הָא תָּנֵינָן בַּעַל הַבַּיִת בּוֹצֵעַ וְאוֹרֵחַ מְבָרֵךְ. א"ל, לָאו אֲנָא בַּעַל הַבַּיִת, וְלָאו אַתּוּן אוֹרְחִין. אֲבָל קְרָא אַשְׁכַּחְנָא, וַאֲקַיֵּים לֵיהּ. דְּהָא אֲנָא טוֹב עַיִן וַדַּאי, בְּלָא שְׁאִילוּ דִּלְכוֹן אֲמֵינָא עַד הַשְׁתָּא, וְלַחְמָא וּמֵיכְלָא דִּילִי אֲכַלְתּוּן.

נח. נָטַל כַּסָּא דְּבִרְכָתָא וּבָרִיךְ, וִידוֹי לָא יַכְלֵי לְמִסְבַּל כַּסָּא, וַהֲווֹ מִרְתְּתֵי. כַּד מָטָא לְעַל הָאָרֶץ וְעַל הַמָּזוֹן, אָמַר, כּוֹס יְשׁוּעוֹת אֶשָּׂא וּבְשֵׁם יְיָ' אֶקְרָא. קַיְּימָא כַּסָּא עַל תִּקּוּנֵיהּ, וְאִתְיַשַּׁב בִּימִינֵיהּ, וּבָרִיךְ. לְסוֹף אָמַר, יְהֵא רַעֲוָא דְּלִוַּוּד מֵאִלֵּין, יִתְמַשְׁכוּן לֵיהּ חַיִּין, מִגּוֹ אִילָנָא דְּחַיֵּי, דְּכָל חַיִּין בֵּיהּ תַּלְיָין. וְקוּדְשָׁא בְּרִיךְ הוּא יֶעֱרַב לֵיהּ, וְיִשְׁכַּח עָרֵב לְתַתָּא, דְּיִסְתַּכַּם בְּעַרְבוּתֵיהּ, בַּהֲדֵי מַלְכָּא קַדִּישָׁא.

נט. כֵּיוָן דְּבָרִיךְ, אַסְתִּים עֵינוֹי רִגְעָא חֲדָא, לְבָתַר פָּתַח לוֹן, אָמַר חַבְרַיָּיא, שְׁלוֹם לְכוֹן מֵרִבּוֹן טַב, דְּכָל עָלְמָא דִּילֵיהּ הוּא. תַּוְוהוּ, וּבָכוּ, וּבָרִיכוּ לֵיהּ. בָּתוּ הַהוּא לֵילְיָא. בְּצַפְרָא אַקְדִּימוּ וְאַזְלוּ. כַּד מָטוּ לְגַבֵּי ר"ש, סָחוּ לֵיהּ עוֹבָדָא. תָּוָה ר' שִׁמְעוֹן, אָמַר בַּר טַנְרָא תַּקִּיפָא אִיהוּ, וְיָאוּת הוּא לְכָךְ, וְיַתִּיר מִמַּה דְּלָא חָשִׁיב ב"נ, בְּרֵיהּ דְּרַב הַמְנוּנָא סָבָא הוּא, אִזְדַּעְזַע ר' אֶלְעָזָר, אָמַר, עָלֵי לְמֵיהַךְ לְמֶחֱזֵי לְהַהוּא בּוֹצִינָא דְּדָלִיק. אָמַר ר' שִׁמְעוֹן, דָּא לָא סָלִיק בִּשְׁמָא בְּעָלְמָא, דְּהָא מִלָּה עִלָּאָה אִית בֵּיהּ. וְרָזָא אִיהוּ, דְּהָא נְהִירוּ מִשְּׁיוּזוּ דַּאֲבוֹי מְנַהֲרָא עָלֵיהּ, וְרָזָא דָּא לָא מִתְפַּשְּׁטָא בֵּין חַבְרַיָּיא.

ס. יוֹמָא חֲדָא, הֲווֹ חַבְרַיָּיא יַתְבִין וּמִתְנַגְּחִין אִלֵּין בְּאִלֵּין, וַהֲווֹ תַּמָּן ר' אֶלְעָזָר, וְר' אַבָּא, וְר' חִיָּיא, וְר' יוֹסֵי, וּשְׁאָר חַבְרַיָּיא. אָמְרוּ הָא כְּתִיב אַל תָּצַר אֶת מוֹאָב וְאַל תִּתְגָּר בָּם מִלְחָמָה וְגוֹ'. בְּגִין רוּת וְנַעֲמָה, דַּהֲווֹ זְמִינִין לְנַפְקָא מִנַּיְיהוּ. צִפּוֹרָה אֵשֶׁת מֹשֶׁה דַּהֲוַת מִמִּדְיָן, וְיִתְרוֹ וּבְנוֹי דְּנַפְקוּ מִמִּדְיָן, דַּהֲווֹ כֻּלְּהוּ זַכָּאֵי קְשׁוֹט עאכ"ו. וְתוּ מֹשֶׁה דְּרַבִּיאוּ לֵיהּ בְּמִדְיָן, וְאָמַר לֵיהּ קוּדְשָׁא בְּרִיךְ הוּא, נְקוֹם נִקְמַת בְּנֵי יִשְׂרָאֵל מֵאֵת הַמִּדְיָנִים אִי הָכִי מַשּׂוֹא פָּנִים אִית בְּמִלָּה, דְּיַתִּיר אִתְחָזוּ בְּנֵי מִדְיָן לְשֵׁיזָבָא מִן מוֹאָב.

סא. אָמַר ר' שִׁמְעוֹן, לָא דָמֵי מַאן דְּזַמִּין לְמִלְקַט תְּאֵנֵי, לְמַאן דִּכְבַר לָקִיט לוֹן. א"ל רִבִּי אֶלְעָזָר, אע"ג דִּכְבַר לָקִיט לוֹן, שְׁבָחָא אִיהוּ. א"ל, מַאן דְּלָא לָקֵט תְּאֵנֵי, נָטִיר תְּאֵנָה תָּדִיר, דְּלָא יְהֵא בָּהּ פְּגָם, בְּגִין תְּאֵנֵי דִּזְמִינַת לְאַיְיתָאָה. כֵּיוָן דְּלָקִיט תְּאֵנֵי, שָׁבִיק לָהּ לִתְאֵנָה, וְתוּ לָא נָטִיר לָהּ.

סב. כָּךְ מוֹאָב, דִּזְמִינָא לְאַיְיתָאָה אִינּוּן תְּאֵנֵי, נָטַר לֵיהּ קוּדְשָׁא בְּרִיךְ הוּא, דִּכְתִּיב אַל תָּצַר אֶת מוֹאָב. מִדְיָן דְּקָא יְהִיבַת תְּאֵנֵי, וְאַלְקִיטוּ לוֹן, כְּתִיב צָרוֹר אֶת הַמִּדְיָנִים. דְּהָא מִכָּאן וּלְהָלְאָה, תְּאֵנָה דָּא לָא זְמִינַת לְאַיְיתָאָה פֵּירִין, וּבג"כ אִתְחַזְיָית לִיקִידַת

אִשָּׁא. פָּתַח וְאָמַר, וַיֹּאמֶר מוֹאָב אֶל זִקְנֵי מִדְיָן וְגוֹ׳, מוֹאָב אִינּוּן שְׁאָרֵי, וּבְגִין אִינּוּן תְּאֵנֵי, דְּזַמִּין מוֹאָב לְאַפָּקָא לְעָלְמָא, אִשְׁתְּזִיבוּ מֵעוֹנְשָׁא.

סג. רִבִּי אֶלְעָזָר בָּעָא לְמֵיזַל לְמֶיחֱמֵי לר׳ יוֹסֵי בַּר׳ שִׁמְעוֹן בֶּן לָקוּנְיָא חָמוּי. וַהֲווּ אָזְלֵי ר׳ אַבָּא ור׳ יוֹסֵי בַּהֲדֵיהּ, אָזְלוּ בְּאָרְחָא, וַהֲווּ אַמְרֵי מִלֵּי דְּאוֹרַיְיתָא כָּל הַהוּא אָרְחָא.

סד. א״ר אַבָּא, מַאי דִּכְתִיב, וַיֹּאמֶר יְיָ׳ אֵלַי אַל תָּצַר אֶת מוֹאָב וְאַל תִּתְגָּר בָּם מִלְחָמָה וְגוֹ׳, וּכְתִיב וְקָרַבְתָּ מוּל בְּנֵי עַמּוֹן וְגוֹ׳, מִלָּה דָּא כְּמִלָּה דָּא, מַה הֶפְרֵשׁ בֵּין דָּא לְדָא, אֶלָּא אִתְחֲזֵי דִּשְׁקוּלֵי הֲווֹ. וְתָנֵינָן, כַּד הֲווֹ מִקָּרְבֵי לְגַבֵּי בְּנֵי מוֹאָב, הֲווֹ יִשְׂרָאֵל אִתְחֲזְיָין לְגַבַּיְיהוּ בְּכָל מָאנֵי קְרָבָא, כִּדְבָעוּ אִתְגָּרְיָין בְּהוּ. וּלְגַבֵּי בְּנֵי עַמּוֹן, הֲווֹ יִשְׂרָאֵל מִתְעַטְּפֵי בְּעִטּוּפַיְיהוּ, וְלָא אִתְחֲזֵי מָאנֵי קְרָבָא כְּלָל. וּקְרָאָן מוּכָחָן בִּשְׁקוּלָא דָּא כְּדָא.

סה. אָמַר ר׳ אֶלְעָזָר, וַדַּאי הָכִי הוּא. וְתָנֵינָן, דְּדָא דַּהֲוַת חֲצִיפָא, וְאָמְרַת מוֹאָב, דִּכְתִיב וַתִּקְרָא אֶת שְׁמוֹ מוֹאָב. אִתְחֲזוּן יִשְׂרָאֵל חֲצִיפוּ לְגַבַּיְיהוּ, כְּמָה דְּאִיהִי הֲוַת חֲצִיפָא, דְּאָמְרַת מוֹאָב, מֵאָב הֲוָה בְּרָא דָּא. אֲבָל זְעֵירְתָא, דְּאָמְרַת בֶּן עַמִּי, וְכַסִּיאַת אָרְחָהָא, יִשְׂרָאֵל הֲווֹ מְכַסְיָין אָרְחַיְיהוּ לְגַבַּיְיהוּ, מִעַטְּפֵי עִטּוּפָא בְּטַלִּית, וְאִתְחֲזוּן קַמַּיְיהוּ כְּאַחִין מַמָּשׁ. וְהָא אוּקְמוּהָ.

סו. עַד דַּהֲווּ אָזְלֵי, אִדְּכַר ר׳ אֶלְעָזָר מֵהַאי יְנוּקָא, סָטוּ מֵאָרְחָא ג׳ פַּרְסֵי, וּמָטוּ לְהָתָם. אִתְאֲרָחוּ בְּהַהוּא בֵּיתָא, עָאלוּ וְאַשְׁכְּחוּ לְהַהוּא יְנוּקָא, דַּהֲוָה יָתִיב, וּמִתְקְנִין פָּתוֹרָא קַמֵּיהּ. כֵּיוָן דְּחָמָא לוֹן, קָרִיב גַּבַּיְיהוּ, אָ״ל, עוּלוּ חֲסִידֵי קַדִּישִׁין, עוּלוּ שְׁתִילִין דְּעָלְמָא, אִינּוּן דְּעֵילָּא וְתַתָּא מִשְׁבְּחִין לוֹן. אִינּוּן דַּאֲפִילוּ נוּנֵי יַמָּא רַבָּא, נָפְקִין בְּיַבֶּשְׁתָּא לְגַבַּיְיהוּ. אָתָא ר׳ אֶלְעָזָר וּנְשָׁקֵיהּ בְּרֵישֵׁיהּ. הָדַר כְּמִלְּקַדְמִין, וּנְשָׁקֵיהּ בְּפוּמֵיהּ. א״ר אֶלְעָזָר נְשִׁיקָה קַדְמָאָה עַל נוּנִין דְּשַׁבְקִין מַיָּא, וְאָזְלִין בְּיַבֶּשְׁתָּא. וּנְשִׁיקָה תִּנְיָינָא עַל בֵּיעִין דְּנוּנָא, דְּעָבְדוּ אִיבָּא טָבָא בְּעָלְמָא.

סז. אָמַר הַהוּא יְנוּקָא, בְּרֵיחָא דִּלְבוּשַׁיְיכוּ חֲמֵינָא, דְּעַמּוֹן וּמוֹאָב מִתְגָּרָן בְּכוּ, הֵיךְ אִשְׁתְּזֵבְתּוּן מִנַּיְיהוּ. מָאנֵי קְרָבָא לָא הֲווֹ בִּידַיְיכוּ. וְאִי לָאו, לִרְחֲצָנוּ תְּהָכוּן, בְּלָא דְּחִילוּ. תַּוְוהוּ ר׳ אֶלְעָזָר ור׳ אַבָּא וְחַבְרַיָּיא. אָמַר רִבִּי אַבָּא, זַכָּאָה אָרְחָא דָּא, וְזַכָּאָה חוּלָקָנָא דְּזָכֵינָא לְמֶיחֱמֵי דָּא, אַתְקִינוּ פָּתוֹרָא כְּמִלְּקַדְמִין.

סח. אָמַר, חַכִּימִין קַדִּישִׁין. תִּבְעוּ נַהֲמָא דְּתַפְנוּקֵי בְּלָא קְרָבָא, וּפָתוֹרָא דְּמָאנֵי קְרָבָא. אוֹ נַהֲמָא דִּקְרָבָא. אוֹ תִּבְעוּן לְבָרְכָא לְמַלְכָּא בְּכָל מָאנֵי קְרָבָא דְּהָא פָּתוֹרָא לָא אִסְתְּלִיק בְּלָא קְרָבָא. אָמַר ר׳ אֶלְעָזָר, בְּרָא רְחִימָא חֲבִיבָא קַדִּישָׁא, הָכִי בָּעֵינָן, בְּכָל הָנֵי זֵינֵי קְרָבָא אִשְׁתָּדַלְנָא בְּהוּ, וְיָדְעֵינָן לְאַגָּחָא בְּחַרְבָּא, וּבְקַשְׁתָּא, וּבְרוּמְחָא, וּבְאַבְנִין דְּקִירְטָא. וְאַנְתְּ רַבְיָא, עַד לָא חָמֵית, הֵיךְ מַגִּיחִין קְרָבָא, גּוּבְרִין תַּקִּיפִין דְּעָלְמָא.

סט. חַדֵּי הַהוּא יְנוּקָא, אָמַר וַדַּאי לָא חֲמֵינָא, אֲבָל כְּתִיב אַל יִתְהַלֵּל חוֹגֵר כִּמְפַתֵּחַ. אַתְקִינוּ פָּתוֹרָא בְּנַהֲמָא, וּבְכָל מַה דְּאִצְטְרִיךְ. א״ר אֶלְעָזָר, כַּמָּה חֶדְוָה אִית בְּלִבָּאי בְּרַבְיָא דָּא, וְכַמָּה חִדּוּשִׁין יִתְחַדְּשׁוּן עַל פָּתוֹרָא דָּא, וְעַ״ד אֲמָרִית, דְּיָדַעְנָא דְּזוֹגֵי פַּעֲמוֹנֵי רוּחָא קַדִּישָׁא, הֲווֹ אָזְלִין בֵּיהּ.

ע. אָמַר הַהוּא יְנוּקָא, מַאן דְּבָעֵי לְנַהֲמָא, עַל פּוּם חַרְבָּא יֵיכוּל. חַדֵּי ר׳ אֶלְעָזָר, אַהְדַר וְקָרִיב יְנוּקָא לְגַבֵּיהּ, אָ״ל, בְּגִין דִּשְׁבַחַת גַּרְמָךְ, אִית לָךְ לְמֵיגַּח קְרָבָא בְּקַדְמֵיתָא, וַאֲנָא אֲמָרִית בְּקַדְמֵיתָא, דִּקְרָבָא לֶיהֱוֵי בָּתַר אֲכִילָה. אֲבָל הַשְׁתָּא, מַאן דְּבָעֵי סוּלְתָא, יֵיתֵי מָאנֵי קְרָבָא בִּידוֹי. אָמַר ר׳ אֶלְעָזָר, לָךְ יָאוּת לְאַחֲזָאָה מֵאִינּוּן מָאנֵי

קָרְבָא דִּילָךְ.

עא. פָּתַח הַהוּא יַנּוּקָא וְאָמַר, וְהָיָה בַּאֲכָלְכֶם מִלֶּחֶם הָאָרֶץ תָּרִימוּ תְרוּמָה לַיְיָ'. קְרָא דָא עַל עוֹמֶר הַתְּנוּפָה אִתְּמַר, מַאי תְּנוּפָה, אִי בְּגִין דְּאָנִיף לֵיהּ כַּהֲנָא לְעֵילָּא אִיהִי תְּנוּפָה. מַאי אִכְפַּת לָן, אִי אָנִיף אִי מָאִיךְ.

עב. אֶלָּא וַדַּאי אִצְטְרִיךְ לְאַרְמָא לָהּ לְעֵילָּא, וְהַיְינוּ תְּרוּמָה. וְאע"ג דְּדַרְשִׁינָן תְּרֵי מִמֵּאָה, וְהָכִי הוּא, אֲבָל תְּנוּפָה מַאי דָּא הוּא אֲרָמוּתָא. וְרָזָא דְּחָכְמְתָא הָכָא. אִי חֲסִידֵי קַדִּישִׁין, מָארֵי דְּרוֹמְחִין, לָא שְׁמַשְׁתּוּן לר' שִׁמְעֹיָה חֲסִידָא, דְּאִי לָאו תִּנְדְּעוּן תְּנוּפָה מַאי הִיא. וְחִטָּה מַאי הִיא. שְׂעוֹרָה מַאי הִיא.

עג. תְּנוּפָה דְּקָאַמְרִינָן, הַיְינוּ תְּנ"ו פ"ה. וְרָזָא דִּילֵיהּ תְּנוּ כָבוֹד לַיְיָ' אֱלֹהֵיכֶם. דְּהָא פֶּה הַיְינוּ כָּבוֹד, דְּבָעֵינָן לְמֵיהַב לֵיהּ לְקוּדְשָׁא בְּרִיךְ הוּא. וְעַ"ד אִבְעֵי לָן לְאַרְמָא לְעֵילָּא, לְאַחֲזָאָה דִּילֵיהּ אֲנָן יָהֲבִין לְהַאי פֶּה. דְּלֵית שְׁבָחָא לְמַלְכָּא עִלָּאָה, אֶלָּא כַּד יִשְׂרָאֵל מְתַקְּנֵי לֵיהּ לְהַאי כָּבוֹד, וְיָהֲבֵי לֵיהּ לְמַלְכָּא כָּבוֹד. וְדָא הוּא תְּנוּ פֶּה, תְּנוּ כָּבוֹד, וְאַרְמָא אִיהוּ וַדַּאי.

עד. קְרָא דְּשָׁרֵינָן בֵּיהּ, וְהָיָה בַּאֲכָלְכֶם מִלֶּחֶם הָאָרֶץ. וְכִי לָכֶם הָאָרֶץ שְׂעוֹרָה אִיהוּ, לָאו הָכִי. וַאֲנָן שְׂעוֹרָה מְקָרְבִינָן, בְּגִין דִּשְׂעוֹרָה קַדְמָאָה לִשְׁאָר נַהֲמָא דְּעָלְמָא. שְׂעוֹרָה אִיהוּ שִׁיעוּר הֵ"א, דְּהָא אֲתָר יְדִיעַ הוּא, בְּשִׁיעוּרָא דְּהֵ"א. וְחִטָּה נְקוּדָה בְּאֶמְצָעִיתָא, דְּלֵית חוּלָקָא לְסִטְרָא אַחֲרָא דְּחוֹבָא תַּמָּן. וְחִטָּה בְּרַתָּא דְּמִתְחַטְּאָה לְקַמֵּי אֲבוּהָ, וְעָבֵד לָהּ רְעוּתָא, וּמַה חִטָּה. כְּלָלָא דְּכ"ב אַתְוָון.

עה. א"ר אֶלְעָזָר, אע"ג דְּהָוָה לָן לְמִשְׁמַע. הָכָא אִית לָן לְמֵימַר, וּלְדַרְכָּא קַשְׁתָּא. אָמַר הַהוּא יַנּוּקָא, הָא מָגִנָּא לְקַבֵּל גִּירָא. אָמַר רַבִּי אֶלְעָזָר, וַדַּאי חִטָּה הָכִי קָרֵינָן לָהּ. אֲבָל חָמֵינָן בַּשְּׁבָטִים כֻּלְּהוּ דְּלֵית בְּהוּ חֵ"ט, וּבָהּ אִית חֵ"ט, וְקָרֵינָן חִטָּה. אָמַר הַהוּא יַנּוּקָא, וַדַּאי הָכִי הוּא, דְּהָא חֵ"ט שַׁרְיָא סָמִיךְ לָהּ. בְּהוּ בִּשְׁבָטִין, לָא הֲווּ אַתְוָון אִלֵּין, דְּקָא אַתּוּ מִסִּטְרָא דִּקְדוּשָׁה דִּלְעֵילָּא, אֲבָל לְגַבָּהּ שַׁרְיָא.

עו. וְאִי בָּעִית לְאַפָּקָא וַחֲרָבָא, וְתֵימָא אֲמַאי נַקְטַת אַתְוָון אִלֵּין הַהִיא בְּרַתָּא, אֶלָּא אִי תִּנְדַּע חוֹבָא דְּאָדָם הָרִאשׁוֹן, דְּאָמְרוּ חִטָּ"ה הֲוָה, תִּנְדַּע הָא. וְאִילָנָא דָא כַּד נָצַח, כֹּלָּא סִטְרָא דְּטוֹב, נָקִיט לְכָל סִטְרָא אַחֲרָא, וְכַפְיָיא לֵיהּ.

עז. חַבְרַיָּיא קַדְמָאֵי פְּרִישׁוּ מִלָּה דָא, וְשָׁרוּ לָהּ מֵרָחִיק, וְחִטָּה סְתָם. אַתּוּ בַּתְרָאֵי וְאָמְרוּ, וְחִטָּה מַמָּשׁ. אָתָא יְשַׁעְיָה וּפָרִישׁ לָהּ, דִּכְתִּיב וּמִמְּחִתָּה כִּי לֹא תִקְרַב אֵלָיִךְ, וְעַ"כ נְקוּדָה בְּאֶמְצָעִיתָא, דְּלָא יְהֵא חַטָּאָה, דְּאִלּוּ נְקוּדָה לָא הֲוֵי, חַטָּאָה לֶהֱוֵי. וְחִלּוּפָא בֵּין ט' לת', תְּבִירוּ לְסִטְרָא אַחֲרָא, בְּרִירוּ דִּילָהּ.

עח. אַתּוּן חַבְרַיָּיא, דְּלָא שְׁמַשְׁתּוּן לר' שִׁמְעֹיָה חֲסִידָא, אַמְרִין דְּבַחֲמֵשֶׁת זִינֵי דָּגָן, לָא אִית חוּלָקָא לְסִטַר אַחֲרָא. וְלָאו הָכִי, דְּהָא כָּל מַה דְּאִתְּבְּלֵי בְּאַרְעָא, לְסִטַר אַחֲרָא אִית בֵּיהּ חוּלָקָא. וּמַאן חוּלָקָא אִית לֵיהּ. מוֹץ דְּתִדְּפֶנּוּ רוּחַ, דִּכְתִּיב לֹא כֵן הָרְשָׁעִים כִּי אִם כַּמּוֹץ אֲשֶׁר תִּדְּפֶנּוּ רוּחַ. וְדָא הוּא רוּחָא דִּקְדוּשָׁא, וּכְתִיב כִּי רוּחַ עָבְרָה בּוֹ וְאֵינֶנּוּ וְגוֹ'. בְּגִין דְּרוּחַ קֻדְשָׁא מְפַזֵּר לֵיהּ בְּכָל סִטְרִין דְּעָלְמָא, דְּלָא יִשְׁתְּכַח. דָּא בְּנוּקְבָא. דְּכוּרָא מַאי הוּא. תֶּבֶן.

עט. וּמוֹץ וְתֶבֶן כַּחֲדָא אָזְלִין, וְעַל דָּא פָּטוּר מִמַּעֲשֵׂר. דְּלֵית בְּהוּ חוּלָקָא בִּקְדוּשָׁה. ה', דָּגָן בְּנִקְיוֹ בְּלָא תֶּבֶן וּמוֹץ. חֵ"ט דְּכַר וְנוּקְבָא, מוֹץ וְתֶבֶן, ה: בְּנִקְיוֹ דְּדָגָן. וְעַ"ד שְׁלִימוּ דְּאִילָנָא חִטָּה אִיהוּ וְאִילָנָא דְּחָטָא בֵּיהּ אָדָם הָרִאשׁוֹן חִטָּה הֲוָה. דְּכֹלָּא אִיהוּ בְּרָזָא,

וּבְמִלָּה דְּזוֹטָה. תָּוַוה ר"א, וְתַוְוהוּ וַחֲבְרַיָּיא, א"ר אֶלְעָזָר, וַדַּאי הָכִי הוּא.

פ. אָמַר הַהוּא יַנּוּקָא, הָכִי הוּא וַדַּאי, קְרָא דְּשָׁרֵינָן בֵּיהּ, דְּהָא שְׂעוֹרָה אַקְדִּים לְמֵיתֵי לְעָלְמָא. וְאִיהוּ מִתְתַּקַּן לְמֵיכְלָא דִּבְעִירָא סְתָם, אִיהוּ רָזָא דְּאָלֶף הָרִים, דִּמְגַדְּלִין בְּכָל יוֹמָא, וְהִיא אָכְלָה לוֹן. וְאִקְרֵי לֶחֶם תְּרוּמָה, מֵיכְלָא דְּהַהוּא תְּרוּמָה, וְאִתְקְרִיב בְּלֵילְיָא, דְּהָא כְּתִיב וּבָא הַשֶּׁמֶשׁ וְטָהֵר וְאַחַר יֹאכַל מִן הַקֳּדָשִׁים כִּי לַחְמוֹ הוּא. מִן הַקֳּדָשִׁים דָּא תְּרוּמָה. מִן הַקֳּדָשִׁים, וְלָא קֳדָשִׁים, דְּהָא קֹדֶשׁ סְתָם לָא אִקְרֵי תְּרוּמָה, דְּחוֹמֶר בַּקֹּדֶשׁ מִבַּתְּרוּמָה תְּנָן.

פא. אַרְעָא קַדִּישָׁא בִּרְשׁוּ דְּקוּדְשָׁא בְּרִיךְ הוּא הֲוַת, וּרְשׁוּ אַחֲרָא לָא עָאל תַּמָּן. הֵיךְ אִבְדִּיקַת אַרְעָא, אִי קַיְּימַת בִּמְהֵימְנוּתָא, וְלָא אִתְחַבְּרַת בִּרְשׁוּ אַחֲרָא, בְּקָרִיבוּ דִּתְרוּמָה דָּא דִּשְׂעוֹרִים, כְּגַוְונָא דְּרָזָא דְּסוֹטָה. א"ר אַבָּא, וַדַּאי שַׁנָּנָא דְּחַרְבָּא לְגַבָּךְ, אָמַר הַהוּא יַנּוּקָא, וַדַּאי אִתְקַפְנָא בְּמָגֵן וְצִינָּא לְאַגָּנָא מִנֵּיהּ. א"ר אַבָּא, אַרְעָא קַדִּישָׁא לֵית בָּהּ רְשׁוּ אַחֲרָא, וְלָא עָאל תַּמָּן. מוֹץ וְתֶבֶן מִמַּאן הֲווּ.

פב. פָּתַח הַהוּא יַנּוּקָא וְאָמַר, וַיִּבְרָא אֱלֹהִים אֶת הָאָדָם בְּצַלְמוֹ וְגוֹ'. וּכְתִיב וַיֹּאמֶר לָהֶם אֱלֹהִים פְּרוּ וּרְבוּ. וְכִי אִי לָאו דְּאָתָא נָחָשׁ עַל חַוָּה לָא יַעֲבִיד תּוֹלְדִין לְעָלְמָא, אוֹ אִי לָא חָאבוּ יִשְׂרָאֵל בְּעוֹבָדָא דְּעֶגְלָא, לָא יַעַבְדוּן תּוֹלְדִין. אֶלָּא וַדַּאי, אִי לָא יֵיתֵי נָחָשׁ עַל חַוָּה, תּוֹלְדִין יַעֲבִיד אָדָם מִיַּד וַדַּאי, דְּהָא גְּזֵרָה אִתְגְּזַר מִיַּד דְּאִתְבְּרֵי, דִּכְתִיב פְּרוּ וּרְבוּ וּמִלְאוּ אֶת הָאָרֶץ. וְאִינּוּן תּוֹלְדִין יְהוֹן כֻּלְּהוֹן בִּנְקִיוּ בְּלָא זוּהֲמָא כְּלָל. אוּף הָכִי אַרְעָא קַדִּישָׁא, דְּהָא לָא עָאל בָּהּ רְשׁוּ אַחֲרָא, אִית בָּהּ מוֹץ וְתֶבֶן, דְּלָאו מֵהַהוּא סְטָר. וּלְבַר מֵאַרְעָא, הַהוּא מוֹץ וְתֶבֶן דִּסְטָר אַחֲרָא הֲוֵי, דְּאָזְלָא בָּתַר קְדוּשָׁה, כְּקוֹף בָּתַר בְּנֵי נָשָׁא.

פג. אָתוּ ר"א וַחֲבְרַיָּיא וְנַשְּׁקוּהוּ, אָ"ל, דְּאָמֵי לִי, דִּרְוָוחְנָא בְּמָאנֵי קְרָבָא, נְהָמָא דְּפָתוֹרָא. א"ר אֶלְעָזָר וַדַּאי הָכִי הוּא, דְּהָא כָּל זַיְינֵי קְרָבָא בִּידָךְ אִינּוּן, וּמַצְלְחָן בִּידָךְ, אָתוּ וְנַשְּׁקוּהוּ כְּמִלְקַדְּמִין.

פד. פָּתַח אִיהוּ וְאָמַר, וּבַגֶּפֶן שְׁלֹשָׁה שָׂרִיגִם וְגוֹ'. עַד הָכָא חֶזְוָונָא דְּמִלָּה, דְּהָא מִכָּאן וּלְהָלְאָה חֶזְוָונָא דִּילֵיהּ הֲוָה, דִּכְתִיב וְכוֹס פַּרְעֹה בְּיָדִי. אֲבָל חֶזְוָונָא דְּמִלָּה, בְּגִינֵיהּ דְּיוֹסֵף הֲוָה וּלְבַשְּׂרָא לֵיהּ, דְּיִשְׁמַע יוֹסֵף וְיִנְדַּע.

פה. תָּנֵינָן, שִׁבְעָה רְקִיעִין אִינּוּן, וְאִינּוּן שִׁבְעָה הֵיכָלִין. וְשִׁית אִינּוּן, וְחָמֵשׁ אִינּוּן, וְכֻלְּהוּ נַפְקֵי מִגּוֹ עַתִּיקָא עִלָּאָה. הַהוּא יַיִן מָשִׁיךְ לֵיהּ יַעֲקֹב מֵרָוִיחַ, וְסָחִיט לֵיהּ מֵעֲנָבִים דְּהַהוּא גֶּפֶן. כְּדֵין, יַעֲקֹב אַמְשִׁיךְ לֵיהּ הַהוּא יַיִן דְּקָא אִתְחֲזֵי לֵיהּ, וְחַדֵּי וְשָׁתֵה. הה"ד, וַיָּבֵא לוֹ יַיִן וַיֵּשְׁתְּ. הָכָא אִתְכְּלִיל עֵילָא וְתַתָּא. וְע"ד אַרְוִיחַ מִלָּה, וּמָשִׁיךְ לָהּ בִּמְשִׁיכוּ דִּתְרֵי תְּנוּעֵי, וְהַיְינוּ לוֹ. לֵיהּ לְתַתָּא, לֵיהּ לְעֵילָא.

פו. חֲנוֹךְ מְטַטְרוֹן אָמַר, וַיָּבֵא לוֹ יַיִן, דְּאַרְמֵי מַיָּא בְּהַהוּא יַיִן, וְאִי לָאו דְּאַרְמֵי בֵּיהּ מַיִם, לָא יָכִיל לְמִסְבַּל, וְשַׁפִּיר אָמַר חֲנוֹךְ מְטַטְרוֹן. וּבְג"כ אַמְשִׁיךְ לוֹ בִּתְרֵי טַעֲמֵי, דְּהָא בִּתְרֵין סִטְרִין אָחִיד, וְהַהוּא יַיִן אָזִיל מִדַּרְגָּא לְדַרְגָּא, וְכֻלְּהוּ טַעֲמִין בֵּיהּ, עַד דְּיוֹסֵף צַדִּיקָא טָעִים לֵיהּ, דְּאִיהוּ דָּוִד נֶאֱמָן, הה"ד כְּיֵין הַטּוֹב הוֹלֵךְ לְדוֹדִי לְמֵישָׁרִים. מַהוּ כְּיֵין הַטּוֹב. דְּאָתָא יַעֲקֹב וְאַרְמֵי בֵּיהּ מַיָּא, דָּא הוּא יַיִן הַטּוֹב וְהָכִי הוּא, כְּמָה דְּאָמַר חֲנוֹךְ מְטַטְרוֹן. תָּוַוה ר' אֶלְעָזָר, וְתַוְוה ר' אַבָּא, אָמְרוּ הָא חַמְרָא דִּילָךְ, הוּא נַצְּוַחַת מַלְאָכָא קַדִּישָׁא, אַפּוּמָא דְּרוּחַ קוּדְשָׁא.

פז. אָ"ל, עַד כְּעַן הַהוּא גֶּפֶן מְחַכָּא לְמֶעְבַּד פֵּירִין. וּבַגֶּפֶן: דָּא אִיהוּ גֶּפֶן

דְּאִשְׁתְּמוֹדְעָא בְּקוּדְשָׁא. בְּגִין דְּאִית גֶּפֶן אַחֲרָא, דְּאִיהוּ אִקְרֵי גֶּפֶן נָכְרִיָּה. וַעֲנָבִים דִּילָהּ לָא אִינּוּן עֲנָבִים, אֶלָּא קַשְׁיָין, אֲחִידִין לִבָּא, נַשְׁכִין כְּכַלְבָּא. אִינּוּן עֲנָבִים אַקְרוֹן, סוּרֵי הַגֶּפֶן נָכְרִיָּה. אֲבָל גֶּפֶן דָּא, עָלָה כְּתִיב וּבַגֶּפֶן, הַהִיא דְּאִשְׁתְּמוֹדְעָא. הַהִיא דְּכָל קַדִּישִׁין טָעֲמוּ וְחַמְרָא עַתִּיקָא, וַחֲמְרָא טָבָא, וַחֲמְרָא דְּיַעֲקֹב יָהִיב בֵּיהּ מַיָּא, עַד דְּכָל אִינּוּן דְּיָדְעִין לְטַעֲמָא וְחַמְרָא, טָעֲמוּ לֵיהּ, וַהֲוָה טַב לְחִכָּא.

פז. וְהַהִיא גֶּפֶן, כַּד מָטָא לְגַבָּהּ, אוֹשִׁיטַת תְּלָתָא שָׂרִיגִין, וְאִינּוּן תְּלַת דְּיוֹקְנָא דַּאֲבָהָן, דְּאִתְקַדְּשַׁת בְּהוּ. וְלֵית קְדוּשָׁה אֶלָּא בְּיַיִן, וְלֵית בִּרְכָתָא אֶלָּא בְּיַיִן. בַּאֲתַר דְּחֶדְוָה שָׁארֵי. וְהִיא כְּפוֹרַחַת, כְּכַלָּה דְּאִתְקַשְּׁטַת וְעָאלַת בִּרְחִימוּ, בְּחֶדְוָה דְּהַהוּא יַיִן דְּאִתְעָרַב בְּמַיָּא. כְּדֵין עָלְתָה נִצָּהּ, סְלִיקַת רְחִימוּ דִּילָהּ לְגַבֵּי דּוֹדָהּ, וְשָׁרִיאַת לְנַגְּנָא וּלְאַעֲלָא בִּרְחִימוּ. וּכְדֵין, אִתְמַלְּיָין וְאִתְבַּשְּׁלָן אִינּוּן עֲנָבִין, רְכִיכָן, וּמַלְיָין מֵהַהוּא חַמְרָא טָבָא עַתִּיקָא וְחַמְרָא דְּיַעֲקֹב אַרְמֵי בֵּיהּ מַיָּא.

פט. וְעַל דָּא מַאן דִּמְבָרֵךְ עַל הַיַּיִן, וּמָטֵי עַל הָאָרֶץ, אִצְטְרִיךְ לְמִרְמֵי בֵּיהּ מַיָּא, בְּגִין דְּלֵית לֵיהּ לְבָרְכָא רַחֵם ה' עַל יִשְׂרָאֵל עַמֶּךָ, בַּר בְּמַיָּא גּוֹ חַמְרָא. וְאִי לָאו, מַאן יָכִיל לְמִסְבַּל. דָּא הֲוָה לְבַשְּׂרָא לְיוֹסֵף, בְּגִין דְּבֵיהּ הֲוָה תַּלְיָא מִלְּתָא.

צ. וַחֲנוֹ"ךְ מְטַטְרוֹ"ן אָמַר, שְׁלֹשָׁה שָׂרִיגִים וַדַּאי. לָקֳבֵל תְּלַת אֲבָהָן, וְהָא אַרְבַּע אִינּוּן דִּילָהּ. אֶלָּא דָּא הוּא דִּכְתִיב, וְהִיא כְפוֹרַחַת. בְּזִמְנָא דְּאִיהִי סְלִיקַת וּפָרְחַת בְּכַנְפָּהָא לְסַלְּקָא, כְּדֵין עָלְתָה נִצָּהּ, דָּא הוּא הַהוּא רְבִיעָאָה דְּאִשְׁתְּאַר, דְּסָלִיק בַּהֲדָהּ, וְלָא אִתְפְּרַשׁ מִנָּהּ. הה"ד, וַיִּרְכַּב עַל כְּרוּב וַיָּעֹף. כַּד יָעוּף. כְּפוֹרַחַת, בְּזִמְנָא דְּפוֹרַחַת. וְשַׁפִּיר אָמַר וַחֲנוֹךְ מְטַטְרוֹן, וְהָכָא הוּא.

צא. תָּוָה רִבִּי אֶלְעָזָר, וְתָוָה רִבִּי אַבָּא, אָמְרוּ, מַלְאָכָא קַדִּישָׁא, שְׁלִיחָא מִלְּעֵילָּא, הָא וַדַּאי דִּילָךְ, הוּא, נָצַחַת בִּרְזָא דְּרוּחַ קֻדְשָׁא. אָתוּ כֻּלְּהוּ וַחֲבְרַיָּא וּנְשָׁקוּהוּ. א"ר אֶלְעָזָר, בְּרִיךְ רַחֲמָנָא דְּשַׁדְּרַנִי הָכָא.

צב. אָמַר הַהוּא יַנּוּקָא, וַחֲבְרַיָּא. נַהֲמָא וְחַמְרָא עִיקָרָא דְּפָתוֹרָא אִינּוּן, כָּל שְׁאַר מֵיכְלָא אֲבַתְרַיְיהוּ אִתְמְשַׁךְ. וְהָא אוֹרַיְיתָא רַוְוחַת לוֹן, וְדִילָהּ אִינּוּן. אוֹרַיְיתָא בָּעָאת מִנַּיְיכוּ, בְּבָעוּ, בִּרְחִימוּ, וְאָמְרָה לְכוּ לְחֲמוּ בְּלַחְמִי וּשְׁתוּ בְּיַיִן מָסַכְתִּי. וְהוֹאִיל וְאוֹרַיְיתָא זַמִּינַת לְכוּ, וְהִיא בָּעָאת מִנַּיְיכוּ מִלָּה דָּא, אִית לְכוּ לְמֶעְבַּד רְעוּתָא דִּילָהּ. בְּמָטוּ מִנַּיְיכוּ, הוֹאִיל וְאִיהִי זְמִינָא לְכוּ, דְּתַעַבְדוּן רְעוּתָהּ. אָמְרוּ הָכִי הוּא וַדַּאי. יָתְבוּ וְאָכְלוּ וְחָדוּ בַּהֲדֵיהּ. כֵּיוָן דְּאָכְלוּ אִתְעַכְּבוּ עַל פָּתוֹרָא.

צג. פָּתַח אִיהוּ וְאָמַר. וַיֹּאמֶר מוֹאָב אֶל זִקְנֵי מִדְיָן וְגו'. וַיֹּאמְרוּ זִקְנֵי מוֹאָב וְאֶל זִקְנֵי מִדְיָן לָא כְּתִיב, אֶלָּא וַיֹּאמֶר מוֹאָב. עוֹלֵמִין נַטְלוּ עֵיטָא מִסַּבְיָא, וְסַבְיָא אִתְמְשָׁכוּ אֲבַתְרַיְיהוּ, וְאִינּוּן יַהֲבוּ לוֹן עֵיטָא. מַאי עֵיטָא יָהֲבוּ לוֹן. עֵיטָא בִּישָׁא נַטְלוּ לְגַרְמַיְיהוּ. אָמְרוּ לוֹן לְמוֹאָב, גְּדוֹלָה בִּישָׁא גַּדְלְנָא בֵּינָנָא. וּמַנּוּ. מֹשֶׁה רַבֵּיהוֹן. עַל וַחַד כּוּמְרָא דַּהֲוָה בֵּינָנָא, דְּרַבֵּי לֵיהּ וְגַדִּיל לֵיהּ בְּבֵיתֵיהּ, וְיָהַב לֵיהּ בְּרַתֵּיהּ לְאִנְתּוּ. וְלָא עוֹד, אֶלָּא יְהַב לֵיהּ 111מָמוֹנָא, וְשַׁדַּר לֵיהּ לְמִצְרַיִם, לְשֵׁיצָאָה כָּל אַרְעָא. וְאִיהוּ, וְכָל בֵּיתֵיהּ, אִתְמְשָׁכוּ אֲבַתְרֵיהּ. אִי לְהַהוּא רַבֵּיהוֹן, נֵיכוּל לְאַעְקְרָא מִן עָלְמָא, כָּל עַמָּא דִּילֵיהּ יִתְעַקְּרוּן מִיַּד מֵעָלְמָא. וְכָל עֵיטָא בִּישָׁא מֵהַהוּא מִלָּה דִּפְעוֹר, מִמִּדְיָן הֲוָה.

צד. ות"ח, דְּכֹלָּא הֲוָה מִמִּדְיָן. וְכָל עֵיטָא דִּלְהוֹן עַל מֹשֶׁה הֲוָה. וּבְעֵיטָא דִּלְהוֹן, שָׂכְרוּ לְבִלְעָם. כֵּיוָן דְּחָמוּ דְּבִלְעָם לָא יָכִיל, נַטְלוּ עֵיטָא אַחֲרָא בִּישָׁא לְגַרְמַיְיהוּ, וְאַפְקִירוּ נָשַׁיְיהוּ וּבְנָתַיְיהוּ יַתִּיר מִמּוֹאָב, דְּהָא עַל נְשֵׁי מִדְיָן כְּתִיב, הֵן הֵנָּה הָיוּ לִבְנֵי

יִשְׂרָאֵל וְגוֹ'. וְכֹלָּא מִמִּדְיָן הֲוָה. נָטְלוּ עֵיטָא בַּהֲדֵי נְשִׂיאָה דִּלְהוֹן, דְּיַפְקִיר בְּרַתֵּיהּ. דְּחֲשִׁיבוּ לְנַטְלָא לְמֹשֶׁה בְּרִשְׁתֵּיהוֹן, בְּכַמָּה זִינֵי וְחַרְשִׁין אַעֲטְרוּ לָהּ, דְּיִתָּפֵּס רֵישָׁא דִּלְהוֹן. וְקוּדְשָׁא בְּרִיךְ הוּא מֵשִׁיב חֲכָמִים אָחוֹר.

צה. אִינּוּן חָמָן דְּרֵישָׁא יִתָּפֵּס בְּרִשְׁתָּא דִּלְהוֹן, וְלָא יָדְעוּ, חָמוּ וְלָא חָמוּ. חָמוּ רֵישָׁא דְּעַמָּא דְּנָפִיל בַּהֲדָהּ, וְכַמָּה אַלְפִין אוּחֲרָנִין, וַחֲשִׁיבוּ דְּמֹשֶׁה הֲוָה, אַפְקִירוּ לָהּ, וּפָקִידוּ לָהּ עַל מֹשֶׁה, דְּלָא תִּזְדַּוְּוגֵי לְאַחֲרָא, אֶלָּא בֵּיהּ. אָמְרָה לוֹן, בְּמָה אֶנְדַּע. אָמְרוּ הַהוּא דְּתֶחֱמֵי דְּכֹלָּא קָיְימֵי קַמֵּיהּ, בֵּיהּ תִּזְדַּוְּוגֵי, וְלָא בְּאַחֲרָא. כֵּיוָן דְּאָתָא זִמְרִי בֶּן סָלוּא, קָמוּ קַמֵּיהּ אַרְבָּעָה וְעֶשְׂרִים אֶלֶף, מִשִּׁבְטָא דְּשִׁמְעוֹן, בְּגִין דְּהֲוָה נְשִׂיאָה דִּלְהוֹן, וְהִיא חֲשִׁיבַת דְּהוּא מֹשֶׁה, וְאִזְדַּוְּוגַת בֵּיהּ. כֵּיוָן דְּחָמוּ כָּל אִינּוּן שְׁאָר לְדָא, עָבְדוּ מַה דְּעָבְדוּ, וַהֲוָה מַה דַּהֲוָה.

צו. וְכֹלָּא הֲוָה מִמִּדְיָן, בְּכַמָּה זִינִין, וּבְגִ"כ אִתְעֲנָשׁוּ מִדְיָן. וְקוּדְשָׁא בְּרִיךְ הוּא אָמַר לְמֹשֶׁה, נְקוֹם נִקְמַת בְּנֵי יִשְׂרָאֵל מֵאֵת הַמִּדְיָנִים. לָךְ אִתְחֲזֵי, וְלָךְ יָאוּת. לְמוֹאָב אֲנָא שְׁבִיק לוֹן לְבָתַר דְּיִפְקוּן תְּרֵין מַרְגְּלָאן מִנַּיְיהוּ, הָא דָּוִד בְּרֵיהּ דְּיִשַׁי, דְּאִיהוּ יִנְקוֹם נוּקְמִין דְּמוֹאָב, וִיסוּזֵי קְדֵירָה דְּמַלְיָא טִנּוּפָא דִּפְעוֹר, הה"ד מוֹאָב סִיר רַחְצִי וַדַּאי, וְעַד דְּאִינּוּן תְּרֵין מַרְגְּלָאן לָא נַפְקוּ, לָא אִתְעֲנָשׁוּ, כֵּיוָן דְּנַפְקוּ, אָתָא דָּוִד וְאַסְחֵי קְדֵירָה מִטִּנּוּפָא דִּלְהוֹן. וְכֻלְּהוּ אִתְעֲנָשׁוּ. מִדְיָן בְּיוֹמֵי מֹשֶׁה. מוֹאָב בְּיוֹמֵי דָּוִד.

צז. ת"ח, חַיָּיבַיָּא דְּמִדְיָן, עַכ"ד לָא שְׁכִיכוּ מִכָּל בִּישִׁין דִּלְהוֹן. לְבָתַר דְּדַיְינִין דְּחָמוּ דְּמִית יְהוֹשֻׁעַ, וְכָל אִינּוּן זְקֵנִים דְּאִתְחֲזוּ לְמֶעְבַּד נֵס עַל יְדַיְיהוּ, אָמְרוּ, הַשְׁתָּא שַׁעֲתָא קַיְימָא לָן. מָה עַבְדוּ אָתוּ לְגַבֵּי עֲמָלֵק, אָמְרוּ אִית לְכוֹן לְאַדְכְּרָא, מָה עַבְדוּ לְכוֹן בְּנֵי יִשְׂרָאֵל, וּמֹשֶׁה רַבֵּיהוֹן, וִיהוֹשֻׁעַ תַּלְמִידָא דִּילֵיהּ, דְּשֵׁיצֵי לְכוֹן מֵעָלְמָא, הַשְׁתָּא הוּא עִדָּנָא דְּלֵית בְּהוּ מַאן דְּאַגִּין עֲלַיְיהוּ, וַאֲנָן בַּהֲדַיְיכוּ, דִּכְתִּיב מִדְיָן וַעֲמָלֵק וּבְנֵי קֶדֶם וְגוֹ', מִפְּנֵי מִדְיָן עָשׂוּ לָהֶם בְּנֵי יִשְׂרָאֵל אֶת הַמִּנְהָרוֹת וְגוֹ'. לָא הֲוָה בְּעָלְמָא, מַאן דְּיַעֲבִיד בִּישָׁא בְּכֹלָּא, כְּמִדְיָן. וְאִי תֵּימָא עֲמָלֵק. בְּגִין קִנְאַת בְּרִית דְּקָרִיבוּ לְגַבֵּי בְּרִית. וְעַ"ד קַנֵּי קוּדְשָׁא בְּרִיךְ הוּא קִנְאָה עָלְמִין, דְּלָא יִתְנְשֵׁי. אָמְרוּ וַדַּאי הָכִי הוּא, וְלֵית הָכָא סְפֵקָא בְּעָלְמָא.

צח. פָּתַח וְאָמַר, וַיֹּאמֶר יְיָ' אֵלַי אַל תָּצַר אֶת מוֹאָב וְגוֹ'. וַיֹּאמֶר יְיָ' אֵלַי, וְכִי עַד הַשְׁתָּא לָא יַדְעָנָא דְּעִם מֹשֶׁה הֲוָה מְמַלֵּל קוּדְשָׁא בְּרִיךְ הוּא, וְלָא עִם אַחֲרָא, דִּכְתִּיב וַיֹּאמֶר יְיָ' אֵלַי. אֵלַי לָמָּה. אֶלָּא לְמֹשֶׁה פָּקִיד קוּדְשָׁא בְּרִיךְ הוּא, דְּלָא לְאַבְאָשָׁא לְמוֹאָב. אֲבָל לְאַחֲרָא לָא, לְדָוִד לָא פָּקִיד דָּא, וּבְגִ"כ אֵלַי אַל תָּצַר אֶת מוֹאָב, אֲפִילוּ לְתְחוּם זְעִירָא דִּלְהוֹן. דְּהָא מִנַּיְיכוּ יִפּוֹק מַאן דְּיִתֵּן נוּקְמִין לְיִשְׂרָאֵל, וְיִנְקוֹם נוּקְמַיְיהוּ, וְאִיהוּ דָּוִד דְּאָתָא מֵרוּת הַמּוֹאֲבִיָּה.

צט. וְאַל תִּתְגָּר בָּם מִלְחָמָה, כָּל דָּא אִתְפְּקַד לְמֹשֶׁה, הָא לְאַחֲרָא שָׁרֵי. וְאִי תֵּימָא, לִיהוֹשֻׁעַ וּלְאִינּוּן זְקֵנִים דַּהֲווּ דְּאָרִיכוּ יוֹמִין בַּתְרֵיהּ שָׁרֵי. לָאו הָכִי. בְּגִין דְּכֻלְּהוּ מִבֵּי דִּינָא דְּמֹשֶׁה הֲווּ, וּמַה דְּאִתְסַר לְמֹשֶׁה, אִתְסַר לְהוּ וְעוֹד דְּלָא נַפְקוּ עֲדַיִין אִינּוּן מַרְגְּלָאן טָבָאן, דְּהָא בְּיוֹמֵיהוֹן דְּשׁוֹפְטִים נַפְקָא רוּת. וּבְרַתֵּיהּ דְּעֶגְלוֹן מַלְכָּא דְּמוֹאָב הֲוַת. מִית עֶגְלוֹן, דְּקָטִיל לֵיהּ אֵהוּד. וּמָנוּ מֶלֶךְ אַחֲרָא, וְדָא בְּרַתֵּיהּ אִשְׁתָּאֲרַת, וַהֲוַת בְּבֵי אוּמְנָא, וּבִשְׂדֵי מוֹאָב. כֵּיוָן דְּאָתָא תַּמָּן אֱלִימֶלֶךְ, נַסְבָהּ לִבְרֵיהּ.

ק. וְאִי תֵּימָא דְּגַיְּירָהּ אֱלִימֶלֶךְ תַּמָּן. לָא. אֶלָּא כָּל אוֹרְחֵי בֵּיתָא, וּמֵיכְלָא וּמִשְׁתְּיָא

אוֹלִיפַת. אֵימָתַי אִתְגַּיְּירַת. לְבָתַר כַּד אַזְלַת בְּנָעֳמִי, כְּדֵין אַמְרַת, עַמֵּךְ עַמִּי וֵאלֹהַיִךְ אֱלֹהָי. נַעֲמָה בִּבְנֵי עַמּוֹן בְּיוֹמֵי דְּדָוִד נָפְקָא.

קא. כְּדֵין שָׁרָאת רוּחַ קוּדְשָׁא עַל דָּוִד. א"ל, דָּוִד, כַּד כָּל עָלְמָא מְדִידְנָא, וְאַפִּילְנָא עַדְבִּין, יִשְׂרָאֵל וְחֶבֶל נַחֲלָתוֹ הֲווֹ, דְּכִירְנָא מַה דְּעָבְדוּ מוֹאָב בְּחֶבֶל נַחֲלָתוֹ. מַה כְּתִיב, וַיְמַדְּדֵם בַּחֶבֶל. בְּהַהוּא וְחֶבֶל נַחֲלַת יְיָ'. כָּל אִינּוּן דַּהֲווֹ מֵהַהוּא זַרְעָא, הַהוּא וְחֶבֶל אָחִיד בְּהוּ.

קב. כְּתִיב מְלֹא הַחֶבֶל. מַהוּ מְלֹא הַחֶבֶל. אֶלָּא הַהוּא דִּכְתִּיב, מְלֹא כָל הָאָרֶץ כְּבוֹדוֹ. וַהֲוָה אָמַר, דָּא הוּא לְאַחֲיָיא, וְדָא הוּא לְקַטְלָא. וְהַהוּא וְחֶבֶל אָחִיד בְּאִינּוּן דְּאִתְחָזוּן לְקַטְלָא. בג"כ אָחִיד בְּחֶבֶל, וּפָשִׁיט וְחֶבֶל, עַל מַה דְּעָבְדוּ בְּהַהוּא וְחֶבֶל נַחֲלַת יְיָ'.

קג. וּמִדְיָן, גִּדְעוֹן שֵׁצֵי כָּל הַהוּא זַרְעָא, דְּלָא אַשְׁאִיר מִנַּיְיהוּ, מִכָּל אִינּוּן דְּאַבְאִישׁוּ לְיִשְׂרָאֵל בְּעֵיטָא, אוֹ בְּמִלָּה אַחֲרָא. וּלְכֻלְּהוּ דְּאַבְאִישׁוּ לְיִשְׂרָאֵל, קוּדְשָׁא בְּרִיךְ הוּא נָטִיר לוֹן דְּבָבוּ, וְנָטִל מִנַּיְיהוּ נוּקְמִין. אֲבָל אִי זְמִינִין לְמֵיתֵי מִנַּיְיהוּ טַב לְעָלְמָא, אָרִיךְ רוּגְזֵיהּ וְאַפֵּיהּ עִמְּהוֹן, עַד דְּיִפִּיק הַהוּא טַב לְעָלְמָא, וּבָתַר כֵּן נָטִיל נוּקְמָא וְדִינָא מִנַּיְיהוּ. א"ר אֶלְעָזָר, הָכִי הוּא וַדַּאי, וְדָא הוּא בְּרִירוּ דְּמִלָּה. אָמַר הַהוּא יַנּוּקָא, מִכָּאן וּלְהָלְאָה, וְחַבְרַיָּיא, אַתְקִינוּ מָאנֵי קְרָבָא בִּידַיְיכוּ, וְאַגִּיחוּ קְרָבָא.

קד. פָּתַח ר' אֶלְעָזָר וְאָמַר, בָּרְכוּ יְיָ' מַלְאָכָיו גִּבּוֹרֵי כֹחַ וְגוֹ'. דָּוִד מַלְכָּא זַמִּין לְבִרְכָא לְקוּדְשָׁא בְּרִיךְ הוּא, זַמִּין לְחֵילֵי שְׁמַיָּא, דְּאִינּוּן כֹּכְבַיָּא וּמַזָּלֵי, וּשְׁאַר חַיָּילִין, וְשָׁתַּף לְנִשְׁמָתָא דִּילֵיהּ בַּהֲדַיְיהוּ, לְבָרְכָא לְקוּדְשָׁא בְּרִיךְ הוּא. הה"ד, בָּרְכוּ יְיָ' כָּל מַעֲשָׂיו בְּכָל מְקוֹמוֹת מֶמְשַׁלְתּוֹ בָּרְכִי נַפְשִׁי אֶת יְיָ' וְחָתִים בְּנַפְשֵׁיהּ כֹּל בִּרְכָאן.

קה. זַמִּין לְמַלְאֲכֵי מְרוֹמָא לְבָרְכָא לֵיהּ, דִּכְתִּיב בָּרְכוּ יְיָ' מַלְאָכָיו וְגוֹ', וְעַד לָא אָתוּ יִשְׂרָאֵל, מַלְאֲכֵי מְרוֹמָא הֲווֹ עַבְדֵי וְשַׁלְמֵי עֲשִׂיָּה. כֵּיוָן דְּאָתוּ יִשְׂרָאֵל, וְקַיְּימוּ עַל טוּרָא דְּסִינַי, וְאָמְרוּ נַעֲשֶׂה וְנִשְׁמָע, נַטְלֵי עֲשִׂיָּיה מִמַּלְאֲכֵי הַשָּׁרֵת, אִתְכְּלִילוּ בִּדְבָרוֹ. וּמִכְּדֵין, עֲשִׂיָּה הֲוַת בְּאַרְעָא דְּיִשְׂרָאֵל בִּלְחוֹדַיְיהוּ, וּמַלְאָכִין קַדִּישִׁין בִּלְחוֹדַיְיהוּ. יִשְׂרָאֵל גָּמְרִין וְשַׁלְמִין עֲשִׂיָּיה. וע"ד גִּבּוֹרֵי כֹחַ עוֹשֵׂי דְבָרוֹ בְּקַדְמֵיתָא, וּלְבָתַר לִשְׁמוֹעַ. זַכָּאִין אִינּוּן יִשְׂרָאֵל, דְּנָטְלוּ עֲשִׂיָּיה מִנַּיְיהוּ, וְאִתְקַיַּים בְּהוּ.

קו. אָמַר הַהוּא יַנּוּקָא, נְטַר גַּרְמָךְ וְאַצְלַח בְּמָאנָךְ. וְכִי שְׁבָחָא דָא בִּלְחוֹדוֹי נָטְלוּ יִשְׂרָאֵל, וְלָא אַחֲרָא. אָמַר שְׁבָחָא דָא אֶשְׁכַּחְנָא, וְלָא אַחֲרָא. אָמַר הַהוּא יַנּוּקָא, כֵּיוָן דְּחַרְבָּא דִּילָךְ לָא אַצְלַח. אוֹ אַנְתְּ לָא מְנַעְנְעָא לֵיהּ כִּדְקָא יֵאוֹת, שְׁבַק חַרְבָּא לְמַאן דְּאַגַּח קְרָבָא.

קז. שְׁבָחָא עִלָּאָה דְּלָא אִתְמְסַר לְמַלְאֲכֵי עִלָּאֵי בִּלְחוֹדַיְיהוּ, אֶלָּא בַּהֲדֵי יִשְׂרָאֵל, מַאן אִיהוּ. קָדוֹשׁ. בְּרָכָה אִתְמְסַר לוֹן בִּלְחוֹדַיְיהוּ, כְּמָה דְּאִתְמְסַר לְיִשְׂרָאֵל. אֲבָל קָדוֹשׁ, לָא אִתְמְסַר לוֹן בִּלְחוֹדַיְיהוּ, אֶלָּא בַּהֲדֵי יִשְׂרָאֵל. דְּלָא מְקַדְּשֵׁי קְדוּשָׁה, אֶלָּא בַּהֲדֵי יִשְׂרָאֵל. וְאִי תֵּימָא, וְהָא כְּתִיב וְקָרָא זֶה אֶל זֶה וְאָמַר, אֵימָתַי בְּזִמְנָא דְּיִשְׂרָאֵל מְקַדְּשֵׁי לְתַתָּא. וְעַד דְּיִשְׂרָאֵל לָא מְקַדְּשֵׁי לְתַתָּא, אִינּוּן לָא אַמְרֵי קְדוּשָּׁה.

קח. בְּגִין דִּקְדוּשָּׁה מִתְּלַת עָלְמִין סַלְקָא, וְלָא מִתְּרֵין, וְהַיְינוּ, וְקָרָא זֶה, הָא וַחַד. אֶל זֶה, הָא תְּרֵין. וְאָמַר, הָא תְּלָתָא. תְּלַת עָלְמִין, אִינּוּן לְקַבְלַיְיהוּ תְּלַת קְדוּשּׁוֹת. ובג"כ שְׁבָחָא דְּיִשְׂרָאֵל דְּנַטְלִין קְדוּשָׁא לְתַתָּא בִּלְחוֹדַיְיהוּ.

קט. א"ר אֶלְעָזָר, הָכִי הוּא וַדַּאי, וּמִלִּין אִלֵּין אוֹקִימְנָא לוֹן. וְתוּ אוֹקִימְנָא, דְּהָא תְּלַת קְדוּשּׁוֹת אִתְמְסָרוּ לְיִשְׂרָאֵל לְתַתָּא. מִן הַאי קְרָא, וְהִתְקַדִּשְׁתֶּם וִהְיִיתֶם קְדוֹשִׁים, כִּי

קָדוֹשׁ אֲנִי יְיָ. וְהִתְקַדִּשְׁתֶּם חַד. וִהְיִיתֶם קְדוֹשִׁים תְּרֵין. כִּי קָדוֹשׁ אֲנִי יְיָ, הָא תְּלָתָא. הָכָא אִתְמְסַר לוֹן קְדוּשָּׁה. אָ"ל יָאוֹת. וְהָא לָא אַדְכְּרַת מֵרוֹמְחָא, עַד דְּנַטְלַת לֵיהּ אֲנָא מִבָּתַר כַּתְפָּךְ, וְשַׁוֵּי לָךְ בִּידָךְ. מִכָּאן וּלְהָלְאָה תִּדְכַּר לְרוּמְחָא, דְּאִיהוּ בִּידָךְ. תּוּב לְאַתְרָ דְּשַׁבְקַת.

קִ'. א"ר אֶלְעָזָר, מִלִּין דְּאִנּוּן בְּהוּ, בִּבְרָכָה אִינּוּן. בָּרְכוּ, מַאי בָּרְכוּ. מְשִׁיכוּ בִּרְכָאן, מֵאֲתַר דְּכֹל בִּרְכָאן נָפְקִין, עַד דְּיִתְעַבְדוּן בְּרֵכָה. בְּסַגִּיאוּ מְשִׁיכוּ דְּאִתְמְשִׁיךְ, וּמִגּוֹ סַגִּיאוּ דְּמַיִין בְּהַהִיא בְּרֵכָה, מִיַּד יִפְשׁוּן מַיִין נוּנֵי סַגִּיאִין, לְכַמָּה זִינִין. וְהַהוּא מְשִׁיכוּ מַאי הוּא. ה' מְשִׁיכוּ דִּנְהוֹרָא דְּנָהִיר, מִגּוֹ הַהוּא אַסְפַּקְלַרְיָאה דְּנַהֲרָא, דְּאִתְמְשַׁךְ מֵעֵילָּא לְתַתָּא.

קִיא. הַאי לְמַלְאֲכֵי עִלָּאֵי, דְּאִינּוּן בְּבֵי מְרוֹמָא דְּאִדְרָא עִלָּאָה, אִתְמַר בָּרְכוּ יְיָ. אֲנָן דְּיָתְבֵי לְתַתָּא, אֲמַאי בָּרְכוּ אֶת יְיָ. בְּגִין דַּאֲנָן צְרִיכִין לְאַמְשָׁכָא עֲלָן, לְהַאי אֶת, וּבָהּ נֵיעוּל לְגַבֵּי מַלְכָּא, לְאַחֲזָאָה אַנְפּוֹי. וְע"ד אָמַר דָּוִד, אֲנִי בְּצֶדֶק אֶחֱזֶה פָנֶיךָ, אֲנִי בְּצֶדֶק וַדַּאי. וּבְגִ"כ, שֵׁירוּתָא דִּצְלוֹתָא, בָּרְכוּ אֶת יְיָ, לְאַמְשָׁכָא עַל רֵישָׁן הַאי אֶת. וְכֵיוָן דַּאֲנָן מַשְׁכָן לְהַאי אֶת עֲלָנָא, אִית לָן לְמֵימַר צְלוֹתָא, וּלְשַׁבְחָא.

קִיב. וּבְגִ"כ אָסוּר לְבָרְכָא לְב"נ, עַד לָא יְצַלֵּי ב"נ צְלוֹתֵיהּ, וְיַמְשִׁיךְ עַל רֵישֵׁיהּ לְהַאי אֶת. וְאִי יַקְדִּים וִיבָרֵךְ לְב"נ בְּקַדְמֵיתָא, הָא אַמְשִׁיךְ לְהַהוּא ב"נ בָּמָה עַל רֵישֵׁיהּ, בַּאֲתַר דְּהַאי אֶת.

קִיג. וּבְגִין כַּךְ, לְמַלְאֲכֵי עִלָּאֵי כְּתִיב בָּרְכוּ יְיָ. וַאֲנָן אֶת יְיָ לְתוֹסֶפֶת. אָמַר הַהוּא יַנּוּקָא, וַדַּאי הָא יַדְעֲנָא דְּמָאנֵי קְרָבָא דִּילָךְ טָבִין אִינּוּן, אִתְדְּכַר מִנְּהוֹן וְלָא תִּנְשֵׁי לוֹן, וַדַּאי גְּבוּרָה דְּבַר נָשׁ דְּאַגָּח קְרָבָא בְּרוֹמְחָא וְחַרְבָּא אִיהוּ. אֲבָל מַהוּ גִּבּוֹרֵי כֹחַ עוֹשֵׂי דְבָרוֹ לִשְׁמוֹעַ בְּקוֹל דְּבָרוֹ. א"ר אֶלְעָזָר הָא אֲמָרִית. אָמַר הַהוּא יַנּוּקָא, הָא יַדְעֲנָא דְּחֵילָא דִּדְרוֹעָא דִּילָךְ אִתְחַלַּשׁ. הַשְׁתָּא אִיהוּ עִדָּנָא, דְּלָא לְאַמְתְּנָא, אֶלָּא לְאַלְקָאָה בְּקִירְטָא, אַבְנָא בָּתַר אַבְנָא. כד"א בַּקֶּלַע וּבָאֶבֶן. בִּבְהִילוּ דָּא בָּתַר דָּא. חַדֵּי ר"א. וְחַדוּ ר' אַבָּא וְחַבְרַיָּא.

קִיד. פָּתַח הַהוּא יַנּוּקָא וְאָמַר, שְׁחוֹרָה אֲנִי וְנָאוָה בְּנוֹת יְרוּשָׁלַם וְגוֹ'. אַל תִּרְאוּנִי שֶׁאֲנִי שְׁחַרְחֹרֶת וְגוֹ'. מִלִּין אִלֵּין הָא אוּקְמוּהָ. אֲבָל בְּשַׁעְתָּא דְּאִיהִי גּוֹ רְחִימוּ סַגֵּי לְגַבֵּי רְחִימָהָא, מִגּוֹ דְּחִיקוּ רְחִימוּ, דְּלָא יָכְלָה לְמִסְבַּל, אַזְעִירַת גַּרְמָהּ בִּזְעֵירוּ סַגֵּי, עַד דְּלָא אִתְחֲזִיאַת מִנָּהּ, אֶלָּא זְעֵירוּ דִּנְקוּדָה וַדָּא, וּמַאי אִיהִי י'. כְּדֵין אִתְכַּסְּיָא מִכָּל חֵילִין וּמַשִׁרְיָין דִּילָהּ. וְאִיהִי אַמְרַת שְׁחוֹרָה אֲנִי, דְּלֵית בְּאָת דָּא חִוָּרָא בְּגַוֵּיהּ, כִּשְׁאַר אַתְוָון. וְדָא שְׁחוֹרָה אֲנִי, וְלֵית לִי אֲתַר לְאַעֲלָא לְכוֹן תְּחוֹת גַּדְפָּאי. כְּאָהֳלֵי קֵדָר, תָּנֵינָן, דָּא י', דְּלֵית בָּהּ חִוָּורוּ לְגוֹ. כִּירִיעוֹת שְׁלֹמֹה, דָּא ו'.

קטו. וּבְגִ"כ אַל תִּרְאוּנִי. לָא תֶּחֱמוּן בִּי כְּלָל, דַּאֲנָא נְקוּדָה זְעִירָא. מָה עָבְדִין גַּבְרִין תַּקִּיפִין, וְחֵילִין דִּילָהּ. שָׁאֲגִין כְּאַרְיָין תַּקִּיפִין, כד"א, הַכְּפִירִים שׁוֹאֲגִים לַטָּרֶף. וּמִגּוֹ קָלִין וְשָׁאֲגִין תַּקִּיפִין, דְּקָא מְשַׁאֲגִין כְּאַרְיָין גּוּבְרִין תַּקִּיפִין דְּחֵילָא, שָׁמַע רְחִימָא לְעֵילָּא, וְיָדַע דִּרְחִימְתֵיהּ הִיא בִּרְחִימוּ כְּוָותֵיהּ, מִגּוֹ רְחִימוּ עַד דְּלָא אִתְחֲזִיאַת מִדְּיוּקְנָא וְשַׁפִּירוּ דִּילָהּ כְּלָל.

קטז. וּכְדֵין, מִגּוֹ קָלִין וְשַׁאֲגִין דְּאִינּוּן גִּבָּרֵי חֵילָא דִּילָהּ, נָפִיק דּוֹדָהּ רְחִימָאָה מִגּוֹ הֵיכָלֵיהּ, בְּכַמָּה מַתְּנָן, בְּכַמָּה נִבְזְבָּזָן, בְּרֵיחִין וּבוּסְמִין וְאָתֵי לְגַבָּהּ, וְאַשְׁכַּח לָהּ שְׁחוֹרָה

זְעֵירָא, בְּלָא דִּיוֹקְנָא וּשְׁפִירוּ כְּלָל, קָרִיב לְגַבָּהּ, מְחַבֵּק לָהּ, וּמְנַשִּׁיק לָהּ, עַד דְּאִתְעָרַת זְעֵיר זְעֵיר מִגּוֹ רֵיחִין וּבוּסְמִין. וּבְחֶדְוָה דִּרְחִימְהָא דְּעִמָּהּ, וְאִתְבְּנִיאַת, וְאִתְעֲבֵידַת בְּתִקּוּנָהָא, בְּדִיוֹקְנָהָא, בִּשְׁפִירוּ דִּילָהּ, הַ' כְּמִלְּקַדְמִין.

קיז. וְדָא גִּבּוֹרֵי כֹּחַ, עָשׂוּ לָהּ, וְאַהַדְרוּ לָהּ לְדִיוֹקְנָהָא וּשְׁפִירוּ דִּילָהּ, דְּתוּקְפָּא וּגְבוּרְתָא דִּלְהוֹן גָּרִימוּ דָּא. וְעַ"ד כְּתִיב, גִּבּוֹרֵי כֹחַ עוֹשֵׂי דְבָרוֹ. עוֹשֵׂי דְּבָרוֹ וַדַּאי, דְּמְתַקְּנִין לֵיהּ לְהַאי דָּבָר, וּמְהַדְרִין לֵיהּ לְדִיוֹקְנָא קַדְמָאָה. כֵּיוָן דְּאִתְתַּקְּנַת וְאִתְעֲבֵידַת בְּדִיוֹקְנָהָא שַׁפִּירָא כְּמִלְּקַדְמִין, כְּדֵין אִינּוּן, וְכָל שְׁאָר וְזִילִין, קַיְּימִין לִשְׁמוֹעַ, מַה דְּאִיהִי אֲמִרַת, וְאִיהִי קַיְּימָא כְּמַלְכָּא גּוֹ חֵילֵיהּ, וְדָא הוּא עוֹשֵׂי דְבָרוֹ וַדַּאי.

קיח. כְּגַוְונָא דָּא לְתַתָּא, בְּזִמְנָא דְּחַיָּיבִין בְּדָרָא, אִיהִי אִתְכַּסְּיָא וְאַזְעִירַת גַּרְמָהּ, עַד דְּלָא אִתְחֲזִיאַת מִכָּל דִּיוֹקְנָהָא, בַּר נְקוּדָה וְדָא. וְכַד אַתְיָאן גִּבּוֹרֵי כֹּחַ, וְזַכָּאֵי קְשׁוֹט, כִּבְיָכוֹל, עוֹשִׂים לְהַאי דָּבָר. וְאַנְהִירַת זְעֵיר זְעֵיר, וְאִתְעֲבֵידַת בְּדִיוֹקְנָהָא בִּשְׁפִירוּ דִּילָהּ הַ' כְּמִלְּקַדְמִין.

קיט. אָתוּ וְחַבְרַיָּיא וּנְשָׁקוּהָ, א"ר אֶלְעָזָר, אִלְמָלֵא יְחֶזְקֵאל נְבִיאָה אָמַר דָּא, תַּוְוהָא הֲוֵי בְּעָלְמָא, נַטְלֵיהּ ר"א, וּנְשָׁקֵיהּ כְּמִלְּקַדְמִין, אָמַר הַהוּא יַנּוּקָא אֲנָא אֲבָרֵךְ. אָמְרוּ, אַתְּ בְּרִיךְ, וְלָךְ יָאוּת לְבָרְכָא. אָמַר כַּמָּה אַתּוּן קַדִּישִׁין, כַּמָּה בְּרָכוֹת זְמִינִין לְכוּ, מֵאִימָא קַדִּישָׁא, בְּגִין דְּלָא מְנַעְתּוּן לִי לְבָרְכָא.

קכ. פָּתַח וְאָמַר, מוֹנֵעַ בָּר יִקְּבוּהוּ לְאֹם וּבְרָכָה לְרֹאשׁ מַשְׁבִּיר. הַאי קְרָא כְּמַשְׁמָעוֹ. אֲבָל תָּנֵינָן, כָּל בַּר נָשׁ חַיָּיב בְּבִרְכַּת הַמָּזוֹן. וְאִי לָא יָדַע, אִתְּתֵיהּ, אוֹ בְּנוֹי, מְבָרְכִין לֵיהּ וְתָבֹא מְאֵרָה לְהַהוּא גַּבְרָא, דְּלָא יָדַע לְבָרְכָא, עַד דְּיִצְטְרִיךְ לְאִתְּתֵיהּ וְלִבְנוֹי דִּיבָרְכוּן לֵיהּ.

קכא. וְאִי הוּא יָדַע, אִצְטְרִיךְ לְחַנְּכָא לִבְרֵיהּ, וּלְמֵיהַב לֵיהּ כַּסָּא לְבָרְכָא. וּמַאן דְּמָנַע לֵיהּ, דְּלָא יִתְחַנַּךְ, יִקְּבוּהוּ לְאוֹם. מוֹנֵעַ בָּר דְּלָא לְבָרְכָא לְקוּדְשָׁא בְּרִיךְ הוּא, וְלָא יִתְחַנַּךְ בְּמִצְוֹת. יִקְּבוּהוּ לְאֹם, יִקְּבֵהוּ מִבָּעֵי לֵיהּ, אוֹ יִקְּבוּהוּ לְאוּמִּים, דְּהָא לְאֹם חַד הוּא, כד"א וּלְאֹם מִלְאֹם יֶאֱמָץ, מַאי יִקְּבוּהוּ לְאֹם. אֶלָּא לְאֵם כְּתִיב, לְאִימָא קַדִּישָׁא. יִקְּבוּהוּ לְהַאי בַּר נָשׁ, דְּמָנַע לְהַהוּא בָּר מִלְּבָרְכָא לְקוּדְשָׁא בְּרִיךְ הוּא.

קכב. אֲנָא בְּרָא יְחִידָא הֲוֵינָא לְאִמִּי, הָבוּ לִי כַּסָּא וַאֲבָרֵךְ לְמַלְכָּא קַדִּישָׁא, דְּיָהַב בְּבֵיתָא דְּאִמִּי, גּוּבְרִין דְּחֵילָא, דְּמַלִּילְנָא קַמַּיְיהוּ מִלִּין תַּקִּיפִין, וְזָכֵינָא לוֹן. וּבְגִ"כ אֲנָא אֲבָרֵךְ. וְקוֹדֶם דָּא אִתְיַשֵּׁב קְרָא עַל תִּקּוּנֵיהּ, הָא דְּשָׁרֵינָן בֵּיהּ.

קכג. מוֹנֵעַ בָּר יִקְּבוּהוּ לְאֹם, מַאן דְּאַמְנַע בָּר כְּמָה דְּאִתְּמַר, יִקְּבוּהוּ לְאֹם. כד"א, וַיִּקּוֹב בֶּן הָאִשָּׁה הַיִּשְׂרְאֵלִית אֶת הַשֵּׁם. אוּף הָכָא יִקְּבוּהוּ, וְיַפְרְשׁוּן לֵיהּ לְאֵם, יְפָרְשׁוּ חֶטְאוֹי לְאִמָּא קַדִּישָׁא. וּבְרָכָה לְרֹאשׁ מַשְׁבִּיר, לְהַהוּא ב"נ דִּיחַנֵּךְ בְּרֵיהּ לְבָרְכָא לְקוּדְשָׁא בְּרִיךְ הוּא, וּלְחַנְּכָא לֵיהּ בְּפִקּוּדֵי אוֹרַיְיתָא.

קכד. וְרָזָא דְּמִלָּה, כְּתִיב בְּרָזָא דִּלְעֵילָּא, מַה שְּׁמוֹ וּמַה שֶּׁם בְּנוֹ כִּי תֵדָע. הַהוּא שֵׁם יְדִיעָא, יְיָ' צְבָאוֹת שְׁמוֹ. שֵׁם בְּנוֹ. יִשְׂרָאֵל שְׁמוֹ. דִּכְתִיב בְּנִי בְכֹרִי יִשְׂרָאֵל. וְהָא יִשְׂרָאֵל, כָּל מַפְתְּחָן דִּמְהֵימְנוּתָא בֵּיהּ תַּלְיָין. וְאִיהוּ מִשְׁתַּבַּח וְאָמַר, יְיָ' אָמַר אֵלַי בְּנִי אַתָּה. וְהָכִי הוּא וַדַּאי, דְּהָא אַבָּא וְאִמָּא עַטְּרוּ לֵיהּ, וּבָרִיכוּ לֵיהּ בְּכַמָּה בִּרְכָאן, וְאָמְרוּ וּפַקִּידוּ לְכֹלָּא, נַשְּׁקוּ בַר, נַשְּׁקוּ יְדָא לְהַאי בַּר. כִּבְיָכוֹל, שָׁלְטָנוּ יָהַב לֵיהּ עַל כֹּלָּא, דְּכֹלָּא יִפְלְחוּן לֵיהּ. פֶּן יֶאֱנַף, בְּגִין דְּאַעְטְרוּ לֵיהּ בְּדִינָא וְרַחֲמֵי. מַאן דְּזָכֵי לְדִינָא לְדִינָא, מַאן דְּזָכֵי לְרַחֲמֵי לְרַחֲמֵי.

קכה. כָּל בִּרְכָאן דִּלְעֵילָּא וְתַתָּא, לְהַאי בַּר סַלְקִין וּמִתְעַטְּרָן. וּמַאן דְּמָנַע בִּרְכָאן מֵהַאי בַּר, יְפָרְשׁוּן וְחָטָאוֹי קָמֵי מַלְכָּא קַדִּישָׁא, לְאֵם מַמָּשׁ. וּבְרָכָה לְרֹאשׁ מַשְׁבִּיר, מַאן דִּמְבָרֵךְ וְאַזְמִין בְּכָסָא דִּבְרָכָה לְמַאן דְּאִצְטְרִיךְ לֵיהּ, בְּהַאי אִתְּבַר סִטְרָא אַחֲרָא וְאִתְכַּפְיָא בְּתְבִירוּ. וְאִסְתַּלַּק סְטָר קְדוּשָׁה. וְדָא הוּא דִּכְתִיב, וּבְרָכָה לְרֹאשׁ מַשְׁבִּיר. כַּמָּה דְּאִיהוּ מְסַלֵּק וּמְבָרֵךְ לְקוּדְשָׁא בְּרִיךְ הוּא, וְעָבֵיד לְסִטְר אַחֲרָא דְּיִתְבַּר, הָכִי קוּדְשָׁא בְּרִיךְ הוּא מָשִׁיךְ עָלֵיהּ בִּרְכָאן מִלְעֵילָּא, וְהַהוּא דְּאִקְרֵי בְּרָכָה, שַׁרְיָא עַל רֵישֵׁיהּ.

קכו. מִכָּאן וּלְהָלְאָה וַחֲבֵרַיָּיא, הָבוּ וְנִבְרִיךְ. יָהֲבוּ לֵיהּ כָּסָא דִּבְרָכָה, וּבָרִיךְ. וַחֲבֵרַיָּיא כֻּלְּהוּ הֲוֵי בְּחֶדְוָה, דְּהָא מִיּוֹמָא דְּהִלּוּלָא דְּר׳ אֶלְעָזָר, לָא חָדוּ וַחֲבֵרַיָּיא, כְּהַהוּא יוֹמָא דְּיָתְבוּ תַּמָּן. אַקְדִּימוּ וּבָרִיכוּ לֵיהּ בְּחֶדְוָה בִּרְעוּ דְּלִבָּא. אָמַר הַהוּא יַנּוּקָא, לֵית לְכוּ לְאִתְפָּרְשָׁא, אֶלָּא מִגּוֹ מִלֵּי אוֹרַיְיתָא, וְהָכִי תָּנֵינָן.

קכז. פָּתַח וְאָמַר וַיְיָ׳ הוֹלֵךְ לִפְנֵיהֶם יוֹמָם בְּעַמּוּד עָנָן וְגוֹ׳. וַיְיָ׳, זָקִיף טַעֲמָא לְעֵילָּא, אַמַּאי. אֶלָּא, בְּהַהוּא שַׁעֲתָא כַּמָּה יָאוּת וְשַׁפִּירוּ הֲוַת לְהַאי כַּלָּה, דְּאִתְכַּפְיָאת עַד הַשְׁתָּא בְּגָלוּתָא, וְהַשְׁתָּא אַזְלַת בִּזְקִיפוּ דְּרֵישָׁא בְּאֶכְלוּסָהָא בְּחֶדְוָה.

קכח. בַּוַיְיָ׳ זָקִיף טַעֲמָא לְעֵילָּא, הוֹלֵךְ לִפְנֵיהֶם יוֹמָם. עַד הָכָא לָא יָדַע, אִי הַאי כַּלָּה אַזְלַה לְקַמַּיְיהוּ, אִי לָא, דְּהָא טַעֲמָא אַפְסִיק בַּוַיהֹוָ״ה, אֶלָּא אִיהִי הֲוַת תַּמָּן, אֲבָל מַאן דְּאָזִיל קַמַּיְיהוּ, סָבָא עִלָּאָה, מָארֵיהּ דְּבֵיתָא, הַהוּא דְּאוֹמֵי לֵיהּ קוּדְשָׁא בְּרִיךְ הוּא. וּמַנּוּ. אַבְרָהָם. דִּכְתִיב, יוֹמָם יְצַוֶּה יְיָ׳ חַסְדּוֹ. וּכְתִיב אִם לֹא בְרִיתִי יוֹמָם וָלָיְלָה. יוֹמָא דְּכָל יוֹמִין כְּלִילָן בֵּיהּ. יוֹמָא דְּשָׁאַר יוֹמִין, אִיהוּ שָׁאַר כָּל יוֹמִין וַדַּאי. וְעַל דָּא אִקְרֵי יוֹמָם, וְלָא יוֹם. וּבְגִ״כ הוֹלֵךְ לִפְנֵיהֶם יוֹמָם, הוּא אָזִיל בִּימָמָא, וְכַלָּה אַזְלַת בְּלֵילְיָא, דִּכְתִיב וְלַיְלָה בְּעַמּוּד אֵשׁ לְהָאִיר לָהֶם, דָּא כַּלָּה, כָּל חַד כִּדְקָחֲזֵי לֵיהּ. וְאַתּוּן וַחֲבֵרַיָּיא, יוֹמָם וָלַיְלָה יְהֵא קַמַּיְיכוּ, בְּכָל שַׁעֲתָא. נַשְׁקוּהוּ, וּבָרְכוּהוּ כְּמִלְּקַדְּמִין, וְאָזְלוּ.

קכט. אָתוּ לְגַבֵּי רַבִּי שִׁמְעוֹן, וְסָחוּ לֵיהּ עוֹבָדָא. תָּוָה, אָמַר כַּמָּה יָאוּת הוּא. אֲבָל לָא סָלִיק בִּשְׁמָא. אָעָא דְּקִיק, כַּד סָלִיק נְהוֹרֵיהּ, סָלִיק לְפוּם שַׁעֲתָא, וּמִיַּד כָּבָה וְאִשְׁתְּקַע. וְתוּ הָא אֲמֵינָא נְהוֹרָא דָּא מִמָּה הֲוֵי.

קל. פָּתַח וְאָמַר, גִּבּוֹר בָּאָרֶץ יִהְיֶה זַרְעוֹ דּוֹר יְשָׁרִים יְבוֹרָךְ. כַּד בַּר נָשׁ אִיהוּ גִּבּוֹר בָּאָרֶץ, גִּבּוֹר בְּאוֹרַיְיתָא, גִּבּוֹר בְּיִצְרֵיהּ, גִּבּוֹר בָּאָרֶץ וַדַּאי. סָלִיק נְהוֹרֵיהּ, וְאִתְמְשַׁךְ בֵּיהּ מְשִׁיכוּ סַגִּי, כְּדֵין דּוֹר יְשָׁרִים יְבֹרָךְ, יְבָרֵךְ כְּתִיב.

קלא. אָמַר רַבִּי אַבָּא, וְהָא וְזִמְנִין יַנּוּקֵי דְּאַמְרִין מִלִּין עִלָּאִין, וְקַיְימִין לְבָתַר רֵישִׁין דְּעָלְמָא. אָ״ל, יַנּוּקָא דְּאָמַר מִלָּה וְחָדָא, אוֹ תְּרֵין, לְפוּם שַׁעֲתָא, בְּלָא כַּוָּונָה דִּלְהוֹן, מוֹבְטַח בַּר נָשׁ בְּדָא, דְּיִזְכֵּי לְמֵילַף אוֹרַיְיתָא בְּיִשְׂרָאֵל. אֲבָל דָּא, דִּנְהוֹרָא דִּילֵיהּ קַיְּימָא עַל קִיּוּמֵיהּ בְּדַעְתָּא שְׁלִים, לָאו הָכִי. וְתוּ, דְּהָא קוּדְשָׁא בְּרִיךְ הוּא וְתִיאוּבְתֵּיהּ דִּילֵיהּ, לְאַרְוָזָא בְּתַפּוּוָזָא דָּא, זַכָּאָה וְזוּלָקֵיהּ.

קלב. זַכָּאִין אַתּוּן צַדִּיקַיָּיא, דִּכְתִיב בְּכוּ, וְיָסְפָה פְּלֵיטַת בֵּית יְהוּדָה הַנִּשְׁאָרָה שֹׁרֶשׁ לְמַטָּה וְעָשָׂה פְרִי לְמָעְלָה. שֹׁרֶשׁ לְמַטָּה, כְּגוֹן אֲבוֹי, דְּאִסְתַּלַּק מֵעָלְמָא, וְאִיהוּ שֹׁרֶשׁ לְמַטָּה, בִּמְתִיבְתָּא דִּרְקִיעָא. וְעָשָׂה פְרִי לְמָעְלָה, בִּמְתִיבְתָּא עִלָּאָה. כַּמָּה טָבָא שָׁרְשָׁא וְאִיבָּא. וְאִי לָאו דְּלָא אֶהֱא מְקַטְרְגָא לְקוּדְשָׁא בְּרִיךְ הוּא, הוֹאִיל וְתִיאוּבְתֵּיהּ לְאַרְוָזָא בֵּיהּ, לָא הֲוָה מַאן דְּיָיכוֹל לְשַׁלְּטָאָה בֵּיהּ. אֲבָל יְהֵא רַעֲוָא, דְּאִמֵּיהּ לָא תֶּחֱמֵי צַעֲרָא

עָלֵיהּ, וְכֵן הֲוָה.

קלג. וַיִּשְׁלַח מַלְאָכִים אֶל בִּלְעָם בֶּן בְּעוֹר וְגוֹ'. הָכָא אִית עֲשָׂרִין וְתַמְנְיָא תֵּיבִין, לָקֳבֵל כ"ח דַּרְגִּין דְּחַרְשֵׁי קוּסְמִין דְּצִפּוֹר. וְאִית לְאִסְתַּכְּלָא, מַאן דְּבָעָא לְמַלְּלָא בֵּיהּ בְּבִלְעָם, וּלְאִתְחַבְּרָא בַּהֲדֵיהּ, אֲמַאי שָׁדַר לֵיהּ מִיַּד, עַד לָא יֵיתֵי לְגַבֵּיהּ, מִלִּין בְּפֵירוּשָׁא, דְּקָאָמַר הִנֵּה עַם יָצָא מִמִּצְרַיִם וְעַתָּה לְכָה אָרָה לִּי, הֲוָה לֵיהּ לְאִתְחַבְּרָא בַּהֲדֵיהּ בְּקַדְמִיתָא, וּלְפַיְּיסָא וּלְשַׁוּוֹדָא לֵיהּ, וּלְבָתַר לְאוֹדְעָא לֵיהּ מִלּוֹי.

קלד. אֶלָּא אָמַר רַבִּי יוֹסֵי, מֵהָכָא אִשְׁתְּמוֹדַע דְּהָא יָדַע בָּלָק רְעוּתֵיהּ דְּהַהוּא רָשָׁע, דְּבָעָא לְאִתְיַקְּרָא תָּדִיר בְּמִלִּין רַבְרְבִין, וְלֵית לֵיהּ תֵּיאוּבְתָּא, אֶלָּא כַּד עָבֵיד בִּישִׁין.

קלה. בָּלָק קָסַם קִסְמִין וְעָבֵיד חַרְשִׁין וְאַתְקִין צִפָּרָא. וְיָדַע דְּדַרְגִּין דְּמֹשֶׁה עִלָּאִין וְיַקִּירִין, וְחָרַשׁ בְּחַרְשׁוֹי וְקָסַם בְּקִסְמוֹי, וְיָדַע דְּדַרְגִּין דְּבִלְעָם הֲווֹ לָקֳבְלַיְיהוּ, מִיַּד וַיִּשְׁלַח מַלְאָכִים אֶל בִּלְעָם בֶּן בְּעוֹר.

קלו. פְּתוֹרָה: שְׁמָא דְּאַתְרָא הֲוָה. כד"א, מִפְּתוֹר אֲרַם נַהֲרַיִם לְקַלְלֶךָּ. אֲמַאי אִקְרֵי הָכִי. בְּגִין דִּכְתִּיב, הָעוֹרְכִים לַגַּד שֻׁלְחָן. וּפְתוֹרָא הֲוָה מְסַדֵּר תַּמָּן כָּל יוֹמָא. דְּהָכִי הוּא תִּקּוּנָא דְּסִטְרִין בִּישִׁין, מְסַדְּרִין קַמַּיְיהוּ פְּתוֹרָא בְּמֵיכְלָא וּבְמִשְׁתְּיָיא, וְעַבְדִין חַרְשִׁין, וּמְקַטְּרִין לְקַמֵּי פְּתוֹרָא, וּמִתְכַּנְּשִׁין תַּמָּן כָּל רוּחִין מְסָאֲבִין, וְאוֹדְעִין לוֹן מַה דְּאִינּוּן בָּעָאן. וְכָל חַרְשִׁין וְקוּסְמִין דְּעָלְמָא עַל הַהוּא פְּתוֹרָא הֲווֹ, וּבְגִ"כ אִקְרֵי שְׁמָא דְּאַתְרָא הַהוּא פְּתוֹרָא. דְּהָכִי קוֹרִין בַּאֲרַם נַהֲרַיִם לְשֻׁלְחָן פְּתוֹרָא.

קלז. פְּתַח וְאָמַר וְעָשִׂיתָ שֻׁלְחָן עֲצֵי שִׁטִּים וְגוֹ'. וּכְתִיב וְנָתַתָּ עַל הַשֻּׁלְחָן לֶחֶם פָּנִים וְגוֹ'. כָּל אִינּוּן מָאנֵי קוּדְשָׁא, בָּעָא קוּדְשָׁא בְּרִיךְ הוּא לְמֶעְבַּד קַמֵּיהּ, לְאַמְשָׁכָא רוּחָא קַדִּישָׁא מֵעֵילָּא לְתַתָּא. הַהוּא רָשָׁע דְּבִלְעָם, הֲוָה מְסַדֵּר הָכִי לְסִטְרָא אַחֲרָא. וַהֲוָה מְסַדֵּר שֻׁלְחָן, וְנַהֲמָא דְּאִקְרֵי לֶחֶם מְגוֹאָל, כְּמָה דְּאִתְּמַר. דְּהָכִי אָזִיל סְטַר אַחֲרָא בָּתַר קְדוּשָּׁה, כְּקוֹף בָּתַר בְּנֵי נָשָׁא. וּשְׁלֹמֹה מַלְכָּא צָוַוח וְאָמַר, כִּי מֶה הָאָדָם שֶׁיָּבֹא אַחֲרֵי הַמֶּלֶךְ אֵת אֲשֶׁר כְּבָר עָשׂוּהוּ. וְהָא אִתְּמַר קְרָא דָּא.

קלח. ת"ח, כְּתִיב יְיָ' בְּצֵאתְךָ מִשֵּׂעִיר בְּצַעְדְּךָ מִשְּׂדֵה אֱדוֹם אֶרֶץ רָעָשָׁה וְגוֹ'. בְּשַׁעֲתָא דְּבָעָא קוּדְשָׁא בְּרִיךְ הוּא לְמֵיהַב אוֹרַיְיתָא לְיִשְׂרָאֵל, אָזַל וְזַמִּין לְהוּ לִבְנֵי עֵשָׂו, וְלָא קַבִּילוּהָ. כד"א יְיָ' מִסִּינַי בָּא וְזָרַח מִשֵּׂעִיר לָמוֹ, וְלָא בָּעוּ לְקַבְּלָהּ. אָזַל לִבְנֵי יִשְׁמָעֵאל, וְלָא בָּעוּ לְקַבְּלָהּ, דִּכְתִּיב הוֹפִיעַ מֵהַר פָּארָן. כֵּיוָן דְּלָא בָּעוּ, אַהֲדַר לוֹן לְיִשְׂרָאֵל, הָכִי תָּנֵינָן.

קלט. הַשְׁתָּא אִית לְשָׁאֲלָא, וְהָא תָּנֵינָן דְּלֵית חַטָּאָה כַּד בַּר נָשׁ מְדַקְדֵּק דְּיוּקִין דְּאוֹרַיְיתָא, וְיִשְׁאַל שְׁאֶלְתּוֹי לְאַנְהָרָא מִלּוֹי. הַאי קְרָא לָא אִתְיַישְּׁבָא, וְאִית לְשָׁאֲלָא. קוּדְשָׁא בְּרִיךְ הוּא כַּד אָזַל לְשֵׂעִיר, לְמַאן נְבִיאָה דִּלְהוֹן אִתְגְּלֵי. וְכַד אָזַל לְפָארָן, לְמַאן נְבִיאָה דִּלְהוֹן אִתְגְּלֵי. אִי תֵּימָא דְּאִתְגְּלֵי לְכֻלְּהוּ, לָא אַשְׁכְּחָן דָּא לְעָלְמִין. בַּר לְיִשְׂרָאֵל בִּלְחוֹדַיְיהוּ, וְע"י דְּמֹשֶׁה. וְהָא אִתְּמַר דְּהָכִי מִבָּעֵי קְרָא לְמֵימַר, יְיָ' לְסִינַי בָּא, וְזָרַח לְשֵׂעִיר לָמוֹ, הוֹפִיעַ לְהַר פָּארָן, מַהוּ מִשֵּׂעִיר לָמוֹ, וּמַהוּ מֵהַר פָּארָן. כֹּלָּא אִית לְמִנְדַּע וּלְאִסְתַּכְּלָא, וְהָא שָׁאִילְנָא, וְלָא שְׁמַעְנָא, וְלָא יָדַעְנָא.

קמ. כַּד אָתָא רַבִּי שִׁמְעוֹן, אָתָא וְשָׁאִיל מִלָּה כְּמִלְּקַדְּמִין, א"ל הָא שְׁאֶלְתָּא דָּא אִתְאַמְרַת. יְיָ' מִסִּינַי בָּא: כד"א הִנֵּה אָנֹכִי בָּא אֵלֶיךָ בְּעַב הֶעָנָן, וּמִסִּינַי בָּא וְאִתְגְּלֵי עֲלַיְיהוּ. וְזָרַח מִשֵּׂעִיר לָמוֹ, מִמָּה דְּאָמְרוּ בְּנֵי שֵׂעִיר, דְּלָא בָּעָאן לְקַבְּלָא, מֵהַאי, אַנְהַר לוֹן לְיִשְׂרָאֵל, וְאוֹסִיף עֲלַיְיהוּ נְהוֹרָא וַחֲבִיבוּ סַגְּיָא. אוּף הָכִי, הוֹפִיעַ וְאַנְהַר לְיִשְׂרָאֵל

מֵהַר פָּארָן, מִמָּה דְּאָמְרוּ בְּנֵי פָּארָן, דְּלָא בָּעוּ לְקַבְּלָא, מַהַאי. אוֹסִיפוּ יִשְׂרָאֵל וַחֲבִיבוּ וּנְהִירוּ יַתִּיר כִּדְקָא יָאוּת.

קמא. וּמַה דִּשְׁאֵלַת עַל יְדָא דְּמַאן אִתְגְּלֵי עֲלַיְיהוּ. רָזָא עִלָּאָה אִיהוּ, וְאִתְגְּלֵי מִלָּה עַל יְדָךְ. אוֹרַיְיתָא נָפְקַת מֵרָזָא עִלָּאָה, דְּרֵישָׁא דְּמַלְכָּא סְתִימָא, כַּד מָטָא לְגַבֵּי דְּרוֹעָא שְׂמָאלָא, חָמָא קוּדְשָׁא בְּרִיךְ הוּא בְּהַהוּא דְּרוֹעָא, דָּמָא בִּישָׁא דַּהֲוָה מִתְרַבֵּי מִתַּמָּן. אָמַר, אִצְטְרִיךְ לִי לְבָרְרָא וּלְלַבְּנָא דְּרוֹעָא דָּא. וְאִי לָא יִמָּאִיךְ הַהוּא דָּמָא בִּישָׁא, יִפְגֵּים כֹּלָּא. אֲבָל אִצְטְרִיךְ לְבָרְרָא מֵהָכָא כָּל פְּגִימוּ.

קמב. מָה עָבַד. קָרָא לְסָמָאֵל, וְאָתָא קַמֵּיהּ, וְאָמַר לֵיהּ תִּבְעֵי אוֹרַיְיתָא דִּילִי. אָמַר, מַה כְּתִיב בָּהּ. אָמַר לֵיהּ, לֹא תִּרְצָח. דָּלִיג קוּדְשָׁא בְּרִיךְ הוּא לַאֲתַר דְּאִצְטְרִיךְ. אָמַר וַוי, אוֹרַיְיתָא דָּא דִּילָךְ הִיא, וְדִילָךְ יְהֵא, לָא בָּעֵינָא אוֹרַיְיתָא דָּא. אָתִיב וְאִתְחַנַּן קַמֵּיהּ, אָמַר מָארֵיהּ דְּעָלְמָא, אִי אַתְּ יָהֲבַת לִי, כָּל שׁוּלְטָנוּ דִּילִי אִתְעֲבַר, דְּהָא שׁוּלְטָנוּ דִּילִי עַל קְטוֹלָא אִיהוּ, וּקְרָבִין לָא יְהוֹן וְשׁוּלְטָנוּ דִּילִי עַל כֹּכְבָא דְּמַאְדִּים, א״ה כֹּלָּא אִתְבַּטַּל מֵעָלְמָא.

קמג. מָארֵיהּ דְּעָלְמָא, טוֹל אוֹרַיְיתָךְ, וְלָא יְהֵא וְוּלְקָא וְאַחֲסָנָא לִי בָּהּ. אֲבָל אִי נִיחָא קַמָּךְ, הָא עַמָּא בְּנוֹי דְּיַעֲקֹב, לוֹן אִתְחֲזֵי. וְאִיהוּ וְשִׁיב דְּהָא דִּלְטוּרָא אָמַר עֲלַיְיהוּ. וְדָא הוּא וְזָרַח מִשֵּׂעִיר לָמוֹ, מִשֵּׂעִיר מַמָּשׁ נָפַק נְהוֹרָא לוֹן לְיִשְׂרָאֵל. אָמַר סמא״ל וַדַּאי, אִי בְּנוֹי דְּיַעֲקֹב יְקַבְּלוּן דָּא, יִתְעַבְּרוּן מֵעָלְמָא, וְלָא יִשְׁלְטוּן לְעָלְמִין. אָתִיב לֵיהּ כַּמָּה זִמְנִין, וְאָמַר דָּא, וְאָמַר לֵיהּ אַנְתְּ בּוּכְרָא, וְלָךְ אִתְחֲזֵי. אָמַר לֵיהּ, הָא לֵיהּ בְּכֵירוּתָא דִּילִי, וְהָא אֲזָבִין לֵיהּ, וַאֲנָא אוֹדֵיתִי. אָמַר לֵיהּ הוֹאִיל וְלָא בָּעֵית לְמֶהֱוֵי לָךְ בָּהּ וְוּלְקָא, אִתְעֲבַר מִנָּהּ בְּכֹלָּא. אָמַר יָאוּת.

קמד. אָמַר לֵיהּ, הוֹאִיל וְכָךְ, הַב לִי עֵיטָא, אֵיךְ אַעֲבִיד דִּיקַבְּלוּן לָהּ בְּנוֹי דְּיַעֲקֹב דָּאת אָמַר. אָמַר לֵיהּ מָארֵיהּ דְּעָלְמָא, אִצְטְרִיךְ לְשַׁוְּדָא לוֹן, טוֹל נְהוֹרָא מִנְּהִירוּ דְּחֵילֵי שְׁמַיָּא, וְהַב עֲלַיְיהוּ, וּבְדָא יְקַבְּלוּן לָהּ, וְהָא דִּילִי יְהֵא בְּקַדְמֵיתָא. אַפְשִׁיט מִנֵּיהּ נְהִירוּ דְּחַפְיָא עֲלֵיהּ, וְיָהַב לֵיהּ, לְמֵיהַב לוֹן לְיִשְׂרָאֵל, הה״ד וְזָרַח מִשֵּׂעִיר לָמוֹ. מִשֵּׂעִיר מַמָּשׁ דָּא סמא״ל. דִּכְתִיב וְנָשָׂא הַשָּׂעִיר עָלָיו. לָמוֹ לְיִשְׂרָאֵל.

קמה. כֵּיוָן דְּבִיעֵר דָּא, וְאַעֲבַר דָּמָא בִּישָׁא מִדְּרוֹעָא שְׂמָאלָא, אַהֲדַר לִדְרוֹעָא יְמִינָא וְחָמָא בֵּיהּ אוֹף הָכִי, אָמַר הָכִי נָמֵי אִצְטְרִיךְ לְנַקְּיָא, מִדָּמָא בִּישָׁא, דְּרוֹעָא דָּא. קָרָא לְרַהַ״ב אָמַר לֵיהּ, תִּבְעֵי אַתְּ אוֹרַיְיתָא דִּילִי. אָמַר לֵיהּ, מַה כְּתִיב בָּהּ. דָּלִיג לֵיהּ, וְאָמַר לֹא תִּנְאָף. אָמַר וַוי אִי יְרוּתָא דָּא יַחֲסִין לִי קוּדְשָׁא בְּרִיךְ הוּא, יְרוּתָא בִּישָׁא, דְּיִתְעֲבַר בָּהּ כָּל שׁוּלְטָנֵי, דְּהָא בִּרְכְתָא דְּמַיָּא נָטִילְנָא, בִּרְכְתָא דְּנוּנֵי יַמָּא, דִּכְתִיב פְּרוּ וּרְבוּ וְגוֹ׳. וּכְתִיב וְהִפְרֵיתִי אוֹתוֹ וְהִרְבֵּיתִי אוֹתוֹ וְגוֹ׳ וּכְתִיב וְהוּא יִהְיֶה פֶּרֶא אָדָם.

קמו. שָׁארֵי לְאִתְחַנְּנָא קַמֵּי מָארֵיהּ, אָמַר לֵיהּ, מָארֵי דְּעָלְמָא, תְּרֵין בְּנִין נָפְקָנָא מֵאַבְרָהָם, הָא בְּנוֹי דְּיִצְחָק, הַב לוֹן, וְלוֹן אִתְחֲזֵי. אָמַר לֵיהּ, לָא יָכִילְנָא, דְּאַנְתְּ בּוּכְרָא, וְלָךְ אִתְחֲזֵי, שָׁארֵי לְאִתְחַנְּנָא קַמֵּיהּ, וְאָמַר מָארֵיהּ דְּעָלְמָא, בְּכֵירוּתָא דִּילִי יְהֵא דִּילֵיהּ, וְהַאי נְהוֹרָא דַּאֲנָא יָרִיתְנָא עַל דָּא, טוֹל וְהַב לוֹן, וְכָךְ עָבַד, הֲדָא הוּא דִכְתִיב, הוֹפִיעַ מֵהַר פָּארָן.

קמז. מַאי שְׁנָא בְּסמא״ל כְּתִיב וְזָרַח, וּבְרַהַ״ב כְּתִיב הוֹפִיעַ. אֶלָּא נָטַל בְּהַהוּא נְהִירוּ דְּאַפְשִׁיט מִנֵּיהּ סמא״ל, חֶרֶב וְקָטוֹלָא, לְקַטְּלָא בְּדִינָא, וּלְקַטְּלָא כִּדְקָא יָאוּת. הֲדָא הוּא

דכתיב, ואשר וחרב גאותך. אע"ג דלא הוה דילך. ונטל בההוא ברכתא דאפשיט מניה רה"ב, זעיר, כמאן דהופיע זעיר מברכתא דלהון, למעבד פריה ורביה. בגין כך הופיע מהר פארן, ולא כתיב וזרח.

קמח. כיון דנטל מתנן אלין לישראל, מאינון רברבנין שלטנין, אתא וקרא להו לכל רבבות קדש, דממנן על שאר עמין, ואתיבו ליה אוף הכי. ומכלהו קביל ונטיל מתנן, למיהב לון לישראל. לאסיא, דהוה ליה חד מאנא מליא מסמא דחיי, ונטיר ליה לבריה. בעא למיהב ליה לבריה, ההוא פלייטון דסמא דחיי. אסיא הוה חכים, אמר עבדין בישין אית בביתי, אי ינדעון דאנא יהיב לברי נבזבזא דא, יבאיש בעינייהו, ויבעון לקטלא ליה.

קמט. מה עבד. נטל זעיר מסמא דמותא, ושוי אפתחא דמאנא, קרא לעבדוי, אמר לון, אתון מהימנן קדמי, תבעון לההוא סמא. אמרו נחמי מאי הוא. נטלו למטעם, עד לא ארחו, בעו למימת, אמרו בלבייהו, אי האי סמא יהיב לבריה, ודאי ימות ואנן נירת לרבוננא. אמרו קמיה, מרנא, סמא דא לא אתחזי אלא לברך, והא אגרא דפולחננא שבקנא גבך, זיל והב ליה לשוחדא, דיקבל סמא דא.

קנ. כך קודשא בריך הוא, הוא אסיא וחכים, ידע דאי יהיב אורייתא לישראל, עד לא אודע לון, בכל יומא הוו רדפין לון לישראל עלה, וקטלין לון. אבל עבד דא, ואינון יהבו ליה מתנן ונבזבזן, בגין דיקבלון לה. וכלהו קביל לון משה, למיהב להו לישראל, הה"ד עלית למרום שבית שבי וגו'. ובגין כך ירתו ישראל אורייתא, בלא ערעורא, ובלא קטרוגא כלל. בריך הוא, בריך שמיה, לעלם ולעלמי עלמיא.

קנא. ת"ח, עדים דבני ישראל, אלין מתנן ונבזבזן דקבילו. ובג"כ, לא הוה שליט עלייהו מותא, ולא סטרא אחרא, ולא די לון די נטלו אורייתא בלא ערעורא כלל, אלא דקבילו נבזבזן ומתנן מכלהו. כיון דחטו מה כתיב, ויתנצלו בני ישראל את עדים. אינון מתנות באדם. מה אשתאר מנהון. ההוא שבי, דכתיב עלית למרום שבית שבי וגו'.

קנב. אוספו וחטו, מה כתיב וישמע הכנעני מלך ערד. וכתיב, וילחם בישראל וישב ממנו שבי וכל זמנא דישראל תבין לאבוהון דבשמיא, אינון נבזבזן יתהדר לגבייהו, ואתחזיין ביה. ולזמנא דאתי, כלא יתהדר דכתיב ושב ה' אלהיך את שבותך וגו'. מכאן ולהלאה אימא מילך.

קנג. א"ר יוסי, יי' בצאתך משעיר בצעדך משדה אדום ארץ רעשה. בשעתא דקודשא בריך הוא תב משעיר, דלא קבילו אורייתא, ארץ רעשה וגו'. מ"ט רעשה. בגין דבעאת לאהדרא לתוהו ובוהו, דהכי אתני קודשא בריך הוא בעלמא, אי יקבלון בני ישראל אורייתא, מוטב. ואם לאו, אהדר עלמא לתוהו ובוהו. כיון דחמאת ארעא, דהא אזמין קודשא בריך הוא לכל עממיא דיקבלו אורייתא, ולא קבילו. ומכל עממיא לא אשתארו אלא ישראל בלחודייהו, וחשיבת ארעא, דישראל לא יקבלו כוותייהו, ובג"כ ארץ רעשה. כיון דאמרו נעשה ונשמע, מיד שקטה, הה"ד ארץ יראה ושקטה. יראה בקדמיתא, ולבסוף ושקטה.

קנד. ות"ח, בגין דישראל אמרו נעשה, לא דחלין מן כל עשייה, דיכלון כל חרשי דעלמא למעבד, ולא מכל קסמין וחרשין דעלמא. מ"ט. חד, בג"ד. וחד, בגין דכד אפיק לון קודשא בריך הוא ממצרים, תבר קמייהו כל זיני חרשי וקסמין, דלא יכלין

לְשַׁלְטָאָה עָלַייהוּ, וְהַהִיא שַׁעְתָּא דְּאָתָא בָּלָק, הֲוָה יָדַע דָּא. מִיָּד וַיִּשְׁלַח מַלְאָכִים אֶל בִּלְעָם בֶּן בְּעוֹר פְּתוֹרָה אֲשֶׁר עַל הַנָּהָר וְגוֹ'. מַאי פְּתוֹרָה. אֶלָּא דְּיַתְקִין פְּתוֹרָא, וְיִבְעֵי מִתַּמָּן עֵיטָא, מַה יַעֲבִיד. אֲשֶׁר עַל הַנָּהָר, עַל הַנְּהָרִים מִבָּעֵי לֵיהּ, מַאי עַל הַנָּהָר. וַדַּאי הָכִי הוּא, דְּעַל חַד נַהֲרָא קַיְּימָא תָּדִיר.

קנה. רִבִּי אֶלְעָזָר וְרִבִּי אַבָּא, הֲווּ אָזְלֵי לְמֶיחֱמֵי לְרִבִּי יוֹסִי בַּר' שִׁמְעוֹן בֶּן לָקוּנְיָא, חָמוּי דְּרִבִּי אֶלְעָזָר, קָמוּ בְּפַלְגוּת לֵילְיָא לְמִלְעֵי בְּאוֹרַיְיתָא, יָתְבוּ. א"ר אֶלְעָזָר, הַשְׁתָּא הוּא עִדָּנָא, דְּקוּדְשָׁא בְּרִיךְ הוּא עָאל בְּגִנְתָּא דְּעֵדֶן, לְאִשְׁתַּעְשְׁעָא בְּצַדִּיקַיָּיא דְּתַמָּן. א"ר אַבָּא, שַׁעֲשׁוּעָא דָּא מַאי הוּא, וְהֵיךְ יִשְׁתַּעְשַׁע בְּהוּ. א"ר אֶלְעָזָר, מִלָּה דָּא רָזָא סְתִימָא אִיהוּ, טְמִירָא לְגַבֵּי, דְּלָא יְדִיעַ. א"ל, וְכִי בְּרֵיקָנַיָּא הֲווּ סַמְכִין רַבְרְבִין דְּמִקַּדְמַת דְּנָא בְּהַאי עָלְמָא, דְּלָא יָדְעוּ, וְלָא רָדְפוּ אֲבַתְרָהּ לְמִנְדַּע עַל מַה קַיְּימִין בְּהַאי עָלְמָא, וּמַה הֲווּ מִזְדַּכָּאן בְּהַהוּא עָלְמָא.

קנו. פָּתַח רִבִּי אֶלְעָזָר וְאָמַר, יְיָ' אֱלֹהַי אַתָּה אֲרוֹמִמְךָ אוֹדֶה שִׁמְךָ כִּי עָשִׂיתָ וְגוֹ'. הַאי קְרָא רָזָא דִּמְהֵימְנוּתָא אִיהוּ. יְיָ', רָזָא עִלָּאָה, שֵׁירוּתָא דִּנְקוּדָה עִלָּאָה סְתִימָא דְּלָא יְדִיעַ. אֱלֹהַי, רָזָא קוֹל דְּמָמָה דַּקָּה, וְאִיהוּ שֵׁירוּתָא דְּקַיְּימָא לִשְׂמָאלָא, וְאַסְתִּים וְלָא יְדִיעַ, וְלֵית מַאן דְּאָתִיב עָלֵיהּ, בְּגִין דְּאִיהוּ סָתִים וְטָמִיר וְגָנִיז.

קנז. אַתָּה, דָּא יְמִינָא, שֵׁירוּתָא דְּקַיְּימָא לִשְׂמָאלָא, וּלְאִתָּבָא בֵּיהּ, וְהוּא כֹּהֵן עִלָּאָה. כד"א אַתָּה כֹהֵן לְעוֹלָם עַל דִּבְרָתִי מַלְכִּי צֶדֶק. מַאן עַל דִּבְרָתִי מַלְכִּי צֶדֶק. אֶלָּא כֹּהֵן עִלָּאָה דָּא, אִיהוּ דְּקַיְּימָא עַל דָּבָר, בְּגִין דְּהַהוּא דָּבָר לָא קַיְּימָא, אֶלָּא בִּימִינָא. וְהַהוּא דָּבָר מַאן אִיהוּ. מַלְכִּי צֶדֶק, כַּךְ שְׁמֵיהּ. וּמַאי דְּאָמַר דִּבְרָתִי, בְּגִין דְּאִתְקַשַּׁר בֵּיהּ בְּדָוִד. וְכָל מִלֵּי שְׁבָחָא דִּילֵיהּ, בְּהַהוּא דָּבָר אַתְיָין. וְעַל דָּא דִּבְרָתִי. ובג"כ, אַתָּה דָּא כֹּהֵן. וְהָא אוֹקִימְנָא, דִּתְלַת דּוּכְתֵּי אִינּוּן, דְּאִקְרֵי כָּל חַד אַתָּה.

קנח. אֲרוֹמִמְךָ כְּלָּא כַּחֲדָא. אוֹדֶה שִׁמְךָ כַּדְקָא יָאוּת, וְהַאי שֵׁם יְדִיעַ. כִּי עָשִׂיתָ פֶּלֶא, כִּסּוּיָא וּלְבוּשָׁא, לְאִתְלַבְּשָׁא נְהוֹרָא סְתִימָא עַתִּיקָא, רֵאשִׁיתָא דַּרְגָּא עִלָּאָה, אָדָם קַדְמָאָה, טְמִירָא בְּכִסּוּיָא דִּנְהוֹרָא חִוָּורָא.

קנט. ד"א כִּי עָשִׂיתָ פֶּלֶא, כִּי עָשִׂיתָ אלֶ"ף. וּמַהוּ אָלֶף. הָא תָּנִינָן, אלֶ"ף בֵּי"ת, אָלֶף בִּינָה. אֲבָל דְּיוֹקְנָא דְּא', אִיהוּ תְּלַת סִטְרִין. רֵאשִׁית דְּרָזָא עִלָּאָה דְּאָדָם קַדְמָאָה. בְּגִין, דִּבְדִיוֹקְנָא דְּא', אִית תְּרֵין דְּרוֹעִין, חַד מִכָּאן, וְחַד מִכָּאן, וְגוּפָא בְּאֶמְצָעִיתָא, וְכֹלָּא רָזָא חֲדָא. וְאִיהוּ רָזָא דְּיִחוּדָא, א'. ובג"כ אָלֶף לְחוּשְׁבְּנָא אֶחָד, וְהַיְינוּ כִּי עָשִׂיתָ פֶּלֶא. וְרַב הַמְנוּנָא סָבָא אָמַר הָכִי, כִּי עָשִׂיתָ פֶּלֶא, פֶּלֶא דָּא הוּא חַד דַּרְגָּא מֵאִינּוּן פְּלָאוֹת חָכְמָה. וּמַאן אִיהוּ. דָּא נָתִיב לֹא יְדָעוֹ עַיִט. וְאִיהוּ פֶּלֶא.

קס. עֵצוֹת מֵרָחוֹק קָרָא לְהַאי בְּקַדְמֵיתָא פֶּלֶא, וְהָכָא אָמַר פֶּלֶא עֵצוֹת מֵרָחוֹק. אֶלָּא הָתָם אִצְטְרִיךְ לְמִמְנֵי שִׁית סִטְרִין לְדַרְגִּין עִלָּאִין, פֶּלֶא יוֹעֵץ אֵל גִּבּוֹר אֲבִי עַד שַׂר שָׁלוֹם. וְהָכָא, לָא אָתָא לְמִמְנֵי חוּשְׁבְּנָא. אֲבָל עֵצוֹת מֵרָחוֹק מַאי נִינְהוּ. תְּרֵי בַּדֵּי עֲרָבוֹת. דְּכָל עֵיטָא דִּנְבִיאֵי מִתַּמָּן אַתְיָא. אִינּוּן אִקְרוּן עֵצוֹת מֵרָחוֹק. אֱמוּנָה אוֹמֶן, תְּרֵין דְּאִינּוּן חַד, נָהָר וְגַן. דָּא נָפִיק מֵעֵדֶן, וְדָא אִשְׁתְּקֵי מִינֵּיהּ. הָא הָכָא, כָּל רָזָא סְתִימָא דִּמְהֵימְנוּתָא.

קסא. א"ר אֶלְעָזָר, בִּלְעָם חַיָּיבָא מַאן קָטִיל לֵיהּ, וְהֵיךְ אִתְקְטִיל. א"ר יִצְחָק, פִּנְחָס וְסִיעָתֵיהּ קַטְלוּהוּ. דִּכְתִּיב הָרְגוּ עַל חַלְלֵיהֶם. וְתָנִינָן, בְּקִרְתָּא דְּמִדְיָן הֲוָה עָבִיד בְּחָכְמְתָא דְּחַרְשׁוּי, דְּטָאסִין בַּאֲוִירָא הוּא וּמַלְכֵי מִדְיָן. וְאִלְמָלֵא צִי"ץ דְּקוּדְשָׁא, וּצְלוֹתָא

דְּפִינְוָס, דַּאֲפִילּוּ לְהוֹן עַל קְטִילַיָּיא, הה"ד עַל חַלְלֵיהֶם. וּכְתִיב וְאֶת בִּלְעָם בֶּן בְּעוֹר הַקּוֹסֵם הָרְגוּ בֶחָרֶב. אָ"ל ר' אֶלְעָזָר, כָּל דָּא יְדַעְנָא.

קסב. אר"ש, אֶלְעָזָר, כָּל מִלּוֹי דְּבִלְעָם חַיָּיבָא, תַּקִּיפִין אִינּוּן, וְהָא אוֹקְמוּהָ חַבְרַיָּיא, דִּכְתִּיב וְלֹא קָם נָבִיא עוֹד בְּיִשְׂרָאֵל כְּמֹשֶׁה, וְאָמְרוּ, בְּיִשְׂרָאֵל לֹא קָם אֲבָל בְּאוּ"ה קָם, וּמַנּוּ. בִּלְעָם, וְהָא אוֹקִימְנָא מִלָּה, מֹשֶׁה לֵית דִּכְוָותֵיהּ, בְּכִתְרִין עִלָּאִין. בִּלְעָם לֵית דִּכְוָותֵיהּ, בְּכִתְרִין תַּתָּאִין. דָּא בְּסִטְרָא דִּקְדוּשָּׁה, וְדָא בְּסִטְרָא דִּשְׂמָאלָא. וְאִי כָּל דָּא הֲוָה בִּידֵיהּ, וכ"כ תַּקִּיף בְּחָכְמְתָא, גְּבַר דְּיִשַּׁבַּח גַּרְמֵיהּ בְּחֵילָא תַּקִּיף, דִּכְתִּיב וְאָנֹכִי אִקָּרֶה כֹּה, אַעֲקַר לְכֹה מֵהַאי. הֵיאַךְ יָכִילוּ לְקַטְלָא לֵיהּ.

קסג. אֶלָּא בְּסִפְרָא דְּחָכְמְתָא דִּשְׁלֹמֹה מַלְכָּא הָכִי אָמַר, תְּלַת סִימָנִין אִינּוּן. סִימַן לַעֲבֵרָה, יְרָקוֹן. סִימַן לַשְּׁטוּת, מִלִּין. סִימַן דְּלָא יָדַע כְּלוּם, שַׁבּוּחֵי. וְדָא אַכְרַע לִשְׁאַר, שׁוֹטֶה בְּכָל עֲבֵירוֹת, כֹּלָּא אִית בֵּיהּ.

קסד. וְהָא כְּתִיב יְהַלֶּלְךָ זָר וְלֹא פִיךָ, וְאִם לָא זָר. פִּיךָ. לָאו הָכִי. אֶלָּא אִי לָא הֲוֵי מַאן דְּאִשְׁתְּמוֹדַע לָךְ, אַפְתַּח פּוּמָךְ לְמַלָּלָא בְּאוֹרַיְיתָא, וּלְאוֹדָעָא מִלֵּי קְשׁוֹט בְּאוֹרַיְיתָא. וּכְדֵין פִּתְיוּחָ דְּפוּמָךְ בְּאוֹרַיְיתָא, יְשַׁבְּחוּן מִילָּךְ, וְיִנְדְּעוּן מַאן אַנְתְּ, דְּלֵית מִלָּה בְּעָלְמָא דְּיִשְׁתְּמוֹדְעוּן לֵיהּ לְב"נ, אֶלָּא בְּזִמְנָא דְּאַפְתַּח פּוּמֵיהּ. פּוּמֵיהּ הוֹדַע לִבְנֵי נָשָׁא מַאן הוּא.

קסה. הַהוּא רָשָׁע דְּבִלְעָם, שַׁבּוּחֵי מְשַׁבַּח גַּרְמֵיהּ בְּכֹלָּא. ועכ"ד, גְּנִיבוּ דְּדַעְתָּא קָא גָּנִיב, וְאִסְתַּלַּק בְּמִלּוֹי. בְּמִלִּין זְעִירִין, הֲוָה עָבֵיד רַבְרְבִין. מַה דְּאָמַר עַל אִינּוּן דַּרְגִּין מִלִּין מְסָאֲבִין הֲוָה אָמַר, וּקְשׁוֹט אָמַר. אֲבָל הַהוּא רָשָׁע הֲוָה אָמַר וּמְשַׁבַּח גַּרְמֵיהּ בְּאֹרַח סָתִים, וְאִסְתַּלַּק בְּמִלּוֹי, דְּכָל מַאן דַּהֲוָה שָׁמַע, חָשִׁיב דְּאִסְתַּלַּק עַל כָּל נְבִיאֵי עָלְמָא, דִּכְתִּיב שׁוֹמֵעַ אִמְרֵי אֵל וְיוֹדֵעַ דַּעַת עֶלְיוֹן. מַאן גֶּבֶר בְּעָלְמָא, דַּהֲוָה שָׁמַע מִפּוּמֵיהּ מִלִּין אִלֵּין, דְּלָא חָשִׁיב דְּלֵית בְּעָלְמָא נְבִיאָה מְהֵימְנָא כְּגַוְונֵיהּ.

קסו. וּקְשׁוֹט הֲוָה, וְהָכִי הֲוָה. נְאֻם שׁוֹמֵעַ אִמְרֵי אֵל, הָכִי הֲוָה. וְיוֹדֵעַ דַּעַת עֶלְיוֹן הָכִי הֲוָה. וְהַהוּא רָשָׁע הֲוָה אָמַר עַל דַּרְגִּין דְּאִתְדַּבַּק בְּהוּ, שׁוֹמֵעַ אִמְרֵי אֵל, מִלָּה דְּאִיהוּ בִּסְלִיקוּ עִלָּאָה.

קסז. וְהָכִי אָמַר, שׁוֹמֵעַ אִמְרֵי אֵל, הָאֵל לָא כְּתִיב, דְּהָא הָאֵל תָּמִים דַּרְכּוֹ. אֲבָל סְתָם אֵל, אֵל אַחֵר אִיהוּ. כִּי לֹא תִשְׁתַּחֲוֶה לְאֵל אַחֵר שׁוֹמֵעַ אִמְרֵי אֵל, מִלָּה זְעֵירָא אִיהִי. וְדָמֵי לְמַאן דְּלָא יָדַע, דְּאִיהוּ רַב וְעִלָּאָה. שׁוֹמֵעַ אִמְרֵי אֵל, הַהוּא דְּאִקְרֵי אֵל אַחֵר, דִּכְתִּיב כִּי לֹא תִשְׁתַּחֲוֶה לְאֵל אַחֵר.

קסח. וְיוֹדֵעַ דַּעַת עֶלְיוֹן, עַל כָּל דַּרְגִּין דִּמְסָאֲבוּ, אִינּוּן דִּמְנַהֲגֵי אַרְבָּא דְּיַמָּא וּסְעָרָא. אַרְבְּעִין וַחֲסֵר חַד אִינּוּן. וְהַהוּא רַב הַחוֹבֵל, דְּכֻלְּהוּ מִתְנַהֲגֵי עַל יְדוֹי, אִיהוּ עֶלְיוֹן עַל כֻּלְּהוּ. בְּדָא הֲוָה מִתְדַּבַּק הַהוּא רָשָׁע, וְאָמַר דַּהֲוָה יָדַע דַּעַת עֶלְיוֹן, דַּרְגָּא דְּאִיהוּ עֶלְיוֹן עַל כֻּלְּהוּ מְנַהֲגֵי אַרְבָּא. מַאן שָׁמַע הָכִי דְּלָא אִתְבְּהִיל בְּדַעְתֵּיהּ, וְיֵימָא דְּלָא הֲוָה כְּגַוְונֵיהּ בְּעָלְמָא. אֶלָּא הַהוּא רָשָׁע מְשַׁבַּח גַּרְמֵיהּ בְּאֹרַח סָתִים וְאָמַר מִלֵּי קְשׁוֹט, וְגָנִיב דַּעְתָּא דִּבְנֵי עָלְמָא.

קסט. אֲשֶׁר מַחֲזֵה שַׁדַּי יֶחֱזֶה, מַאן דְּשָׁמַע דָּא, חָשִׁיב דַּהֲוָה חָמֵי מַה דְּלָא חָמֵי אַחֲרָא בְּעָלְמָא. מַחֲזֵה שַׁדַּי, דָּא עַנְפָּא חֲדָא, מֵאִינּוּן עַנְפִּין דַּהֲווּ נָפְקִין מִשַּׁדַּי. וְלָמָּה. דְּבְחָכְמְתָא דָּא, אַחֲזֵי תְּלַת, לְקַבֵּל ש' דְּשַׁדַּי, לְקָבֵל תְּלַת עַנְפִּין דְּבֵיהּ, וְאַחֲזֵי תְּרֵין נְבִיאִין, בַּדֵּי עֲרָבוֹת, דְּתַמְכִין בֵּיהּ. לְקָבֵל ע' תְּרֵין עַנְפִּין דְּעֵינָא בִּישָׁא, לְסַתְמָא לוֹן. כַּד אָתָא בָּלָק, אָמַר אֲנָא אֵיכוֹל לוֹן. עֲמָלֵק בַּהֲדֵי חָכְמְתָא דָּא אָתָא לְגַבַּיְיהוּ, וְיָכִיל לוֹן.

קְעָ. וְשָׁדַר לְבִלְעָם, וְאָ"ל, אֲנָא תְּרֵי אַתְוָון דַּעֲמָלֵק אִית בִּי, דְּאִינּוּן ל"ק, דְּאִינּוּן סִיּוּמָא דַּעֲמָלֵק. אֲנָא לִי ל"ק, וַעֲמָלֵק ל"ק, לִי סִיּוּמָא, וּבָךְ שֵׁירוּתָא ב"ל. א"ל ר"ש, הָכִי אֵימָא שֵׁירוּתָא דְּבָלָק ב"ל, וְשֵׁירוּתָא דְּבִלְעָם ב"ל, שֵׁירוּתָא דְּבָלָק הֲוָה בֵּיהּ בְּבִלְעָם. וְסִיּוּמָא דַּעֲמָלֵק, הֲוָה בֵּיהּ בְּבָלָק, וְסִיּוּמָא דְּבִלְעָם, הֲוָה שֵׁירוּתָא דַּעֲמָלֵק.

קְעָא. וְאִי תֵּימָא דְּלָא נֵיכוּל לְהוֹן, בְּגִין דְּחַרְשַׁיָּא דְּרַבֵּיהוֹן מֹשֶׁה, דַּהֲוָה פָּשִׁיט יְדֵיהּ, הַאי יְדָא אִית בְּאִלֵּין רַבְרְבִין, דְּיַכְלֵי בְּחַרְשִׁין לְאִתְתַּקְּפָא יַתִּיר. וְהַיְינוּ דִּכְתִיב וּקְסָמִים בְּיָדָם, בִּידֵיהֶם לָא כְּתִיב, אֶלָּא בְּיָדָם, יְדָא לְקַבֵּל יְדָא, הָכִי שָׁדַר לֵיהּ בָּלָק לְבִלְעָם.

קְעָב. וּלְהָכִי מַחֲזֵה שַׁדַּי כִּדְאֲמָרָן, וּלְהָכִי אִתְעֲנָשׁוּ, וְאִתְעֲנָשׁוּ לְעֵילָּא, וְאִקְרוּן מַחֲזֶה, כד"א וּמוּל מֶחֱזָה אֶל מֶחֱזָה. עַנְפָּא דְּנָפַק מִתַּמָּן. וּמַאן הַהוּא מַחֲזֶה עֲזָא וַעֲזָאֵל, דְּאִינּוּן נוֹפֵל וּגְלוּי עֵינַיִם, וְאִיהוּ מַחֲזֵה שַׁדַּי, דַּהֲוָה וַדַּאי נוֹפֵל וּגְלוּי עֵינַיִם.

קְעָג. אָן הֲוָה בִּלְעָם בְּהַהִיא שַׁעֲתָא. אִי תֵּימָא בְּמִדְיָן, הָא כְּתִיב וְעַתָּה הִנְנִי הוֹלֵךְ לְעַמִּי. אִי אָזַל לֵיהּ, מַאן יָהֲבֵיהּ בְּמִדְיָן. אֶלָּא הַהוּא רָשָׁע, כֵּיוָן דְּחָמָא דְּנָפְלוּ מִיִּשְׂרָאֵל כ"ד אֶלֶף עַל עֵיטוֹי, אִתְעַכַּב תַּמָּן וַהֲוָה בָּעֵי מִנַּיְיהוּ אַגְרוֹי. וּבְעוֹד דְּאִתְעַכַּב תַּמָּן, אָתָא פִּנְחָס וְרַבְרְבָנֵי חֵילָא לְתַמָּן.

קְעָד. כֵּיוָן דְּחָמָא לְפִנְחָס, פָּרַח בַּאֲוִירָא, וּתְרֵין בְּנוֹהִי עִמֵּיהּ, יוֹנוּס וְיוֹמְבְּרוֹס. וְאִי תֵּימָא, הָא מִיתוּ בְּעוֹבָדָא דְּעֵגֶל, דְּהָא אִינּוּן עַבְדוּ. אֶלָּא הָכִי הֲוָה וַדַּאי, וְדָא הוּא דִּכְתִיב, וַיִּפּוֹל מִן הָעָם בַּיּוֹם הַהוּא כִּשְׁלֹשֶׁת אַלְפֵי אִישׁ. וְכִי לָא הֲווּ יַדְעֵי חוּשְׁבָּנָא זְעֵירָא דָּא, וְהָרֵי כַּמָּה חוּשְׁבָּנִין אַחֲרָנִין, רְמָאִין עִלָּאִין וְרַבְרְבָנִין, יָדַע קְרָא לְמִמְנֵי, וְהָכָא כִּשְׁלֹשֶׁת אַלְפֵי אִישׁ. אֶלָּא אִינּוּן בְּנוֹי דְּבִלְעָם, יוֹנו"ס וְיוֹמְבְּרו"ס, דַּהֲווּ שַׁקְלֵי כִּשְׁלֹשֶׁת אַלְפֵי אִישׁ.

קְעָה. אֶלָּא הַהוּא רָשָׁע, כָּל חַרְשִׁין דְּעָלְמָא הֲוָה יָדַע, וְנָטַל אוּף הָכִי חַרְשִׁין דִּבְנוֹי, דַּהֲווּ רְגִילִין בְּהוּ, וּבְהוּ טָאס וְאִסְתַּלַּק. פִּנְחָס חָמָא לֵיהּ, דַּהֲוָה ב"נ חַד טָס בַּאֲוִירָא, וַהֲוָה מִסְתַּלַּק בַּאֲוִירָא מֵעֵינָא, רָמָא קָלָא לִבְנֵי חֵילָא, אָמַר אִית מַאן דְּיָדַע לְמִפְרַח אֲבַתְרֵיהּ דְּהַהוּא רָשָׁע, דְּהָא בִּלְעָם אִיהוּ, וְחָמוּ לֵיהּ דַּהֲוָה טָאס.

קְעו. צַלְיָה בְּרֵיהּ דְּשִׁבְטָא דְּדָן, קָם וְנָטַל שָׁלְטָנוּ דְּשַׁלִּיט עַל חַרְשִׁין, וּפָרַח בַּתְרֵיהּ. כֵּיוָן דְּחָמָא לֵיהּ הַהוּא רָשָׁע, עָבַד אָרְחָא אוּחֲרָא בַּאֲוִירָא, וּבָקַע חָמֵשׁ אֲוִירִין בְּהַהוּא אָרַח, וְאִסְתַּלַּק וְאִתְכַּסֵּי מֵעֵינָא, כְּדֵין אִסְתַּכֵּן צַלְיָה בְּהַהִיא שַׁעֲתָא, וַהֲוָה בְּצַעֲרָא דְּלָא הֲוָה יָדַע מַה יַּעֲבִיד.

קְעז. רָמָא לֵיהּ קָלָא פִּנְחָס וְאָמַר, טוּלָא דְּתַנִּינַיָּא דְּרַבְעִין עַל כָּל זַוְיָין, הֲפוֹךְ בְּמִזַּיִיךְ. מִיַּד יָדַע וְגַלֵּי הַהוּא אוּחֲרָא, וְעָאל לְגַבֵּיהּ. מִיַּד אִתְגַּלֵּי, וְנַחְתּוּ תַּרְוַיְיהוּ קַמֵּיהּ דְּפִנְחָס.

קְעח. תָּא חֲזֵי, הַהוּא רָשָׁע כְּתִיב בֵּיהּ וַיֵּלֶךְ שֶׁפִי, דָּא הוּא עֶלְיוֹן דְּדַרְגִּין דִּילֵיהּ, חִוְיָא דְּכוּרָא. צַלְיָה נָטַל תְּרֵין, דְּכַר וְנוּקְבָא. וּבְהַהוּא שַׁלִּיט עָלֵיהּ, בְּגִין דְּשָׁלְטָנוּ דְּשַׁלִּיט עָלַיְיהוּ נָטַל, וְאִתְכַּפְיָין קַמֵּיהּ. וְדָא הֲוָה שְׁפִיפוֹן עֲלֵי אֹרַח. עַל הַהוּא אֹרַח, דְּעָבַד הַהוּא רָשָׁע, דִּכְתִיב יְהִי דָן נָחָשׁ עֲלֵי דֶרֶךְ, דָּא שִׁמְשׁוֹן. שְׁפִיפוֹן עֲלֵי אֹרַח, דָּא צַלְיָה.

קְעט. הַנּוֹשֵׁךְ עִקְּבֵי סוּס, דָּא עִירָה, דַּהֲוָה בַּהֲדֵיהּ דְּדָוִד, דַּהֲוָה אָתֵי מִדָּן, וּבְגִינֵיהּ, תַּלְיָא גְּבוּרְתֵּיהּ בְּדָוִד, דִּכְתִיב וַיְעַקֵּר דָּוִד אֶת כָּל הָרֶכֶב. וַיִּפּוֹל רוֹכְבוֹ אָחוֹר, דָּא שָׂרְיָה, דְּזַמִּין לְמֵיתֵי בַּהֲדֵי מְשִׁיחָא דְּאֶפְרַיִם, וְאִיהוּ הֲוֵי מִשִּׁבְטָא דְּדָן, וְזַמִּין אִיהוּ

לְמֶעְבַּד נוּקְמִין וּקְרָבִין בִּשְׁאַר עַמִּין. וְכַד דָּא יְקוּם, כְּדֵין מוֹחֲכָא לְפוּרְקָנָא דְּיִשְׂרָאֵל, דִּכְתִּיב לִישׁוּעָתְךָ קִוִּיתִי יְיָ'. ואע"ג דְּאוֹקְמוּהָ לְהַאי קְרָא, אֲבָל בְּרִירוּ דְּמִלָּה כְּמָה דְּאִתְּמַר, וּכְמָה דְּאוֹקְמוּהָ. וְעַל דָּא אָתָא קְרָא וְאוֹכַח.

קפ. כֵּיוָן דְּנָחַת הַהוּא רָשָׁע לְקַמֵּי פִּנְחָס, אָמַר לֵיהּ, רָשָׁע, כַּמָּה גִּלְגּוּלִין בִּישִׁין עֲבַדְתְּ, עַל עַמָּא קַדִּישָׁא. אָמַר לֵיהּ לְצַלְיָיה, תָּא וְקַטְלֵיהּ, וְלָא בִּשְׁמָא, דְּלָא אִתְחֲזֵי הַאי, לְאַדְכְּרָא עָלֵיהּ קְדוּשָׁה עִלָּאָה, בְּגִין דְּלָא תֵּיפּוּק נִשְׁמָתֵיהּ, וְתִתְכְּלִיל בְּמִלִּין דְּדַרְגִּין קַדִּישִׁין, וְיִתְקַיֵּים בֵּיהּ מַה דְּאָמַר תָּמוֹת נַפְשִׁי מוֹת יְשָׁרִים.

קפא. בְּהַהוּא שַׁעְתָּא עָבֵד בֵּיהּ כַּמָּה זִינֵי מוֹתָא, וְלָא מִית, עַד דְּנָטַל חַרְבָּא דַּהֲוָה חָקִיק עֲלוֹי חִוְיָא מֵהַאי סִטְרָא, וְחִוְיָא מֵהַאי סִטְרָא. א"ל פִּנְחָס, בְּדִילֵיהּ קְטוֹל לֵיהּ, וּבְדִילֵיהּ יְמוּת. כְּדֵין קָטַל לֵיהּ, וְיָכִיל לֵיהּ. דְּהָכֵי אָרְחוֹי דְּהַהוּא סִטְרָא, מַאן דְּאָזַל אֲבַתְרָאָה, בָּהּ יְמוּת, וּבָהּ תִּפּוּק נִשְׁמָתֵיהּ, וּבָהּ תִּתְכְּלִיל. וְהָכִי מִית בִּלְעָם, וְדַיְינֵי לֵיהּ בְּדִינִין בְּהַהוּא עָלְמָא, וְלָא אִתְקְבִּיר לְעָלְמִין. וְגַרְמוֹי כֻּלְּהוּ אִתְרְקָבוּ, וְאִתְעֲבִידוּ כַּמָּה חִוְיָין מְזוּהֲמִין, מְנַזְּקֵי שְׁאַר בִּרְיָין, וַאֲפִילּוּ תוֹלַעְתִּין דַּהֲווֹ אַכְלֵי בִּשְׂרֵיהּ, אִתְהֲדָרוּ חִוְיָין.

קפב. אַשְׁכַּחְנָא בְּסִפְרָא דְּאַשְׁמוֹדָאי, דְּיָהַב לֵיהּ לִשְׁלֹמֹה מַלְכָּא, דְּכָל מַאן דַּהֲוָה בָּעֵי לְמֶעְבַּד חַרְשִׁין תַּקִּיפִין סְתִימִין דְּעֵינָא. אִי יָדַע טִנָּרָא דְּנָפַל תַּמָּן בִּלְעָם, יִשְׁכַּח מֵאִינּוּן חִוְיָין דַּהֲווֹ מִגַּרְמוֹי דְּהַהוּא רָשָׁע, אִי יִקְטִיל חַד מִנַּיְיהוּ, רֵישָׁא דִּילֵיהּ בֵּיהּ יַעֲבִיד חַרְשִׁין עִלָּאִין, בְּגוּפָא דִּילֵיהּ חַרְשִׁין אוּחֲרָנִין, בְּזַנְבָא דִּילֵיהּ חַרְשִׁין אַחֲרָנִין. תְּלַת זִינֵי חַרְשִׁין, אִית בְּכָל חַד וְחָד.

קפג. מַלְכַּת שְׁבָא כַּד אָתַת לְגַבֵּי שְׁלֹמֹה, מֵאִינּוּן מִלִּין דְּשָׁאִילַת לִשְׁלֹמֹה, אַמְרַת, גַּרְמָא דְּחִוְיָא דִּתְלַת חַרְשִׁין בְּמַה נִתְפַּס. מִיָּד לֹא הָיָה דָּבָר נֶעְלָם מִן הַמֶּלֶךְ אֲשֶׁר לֹא הִגִּיד לָהּ, אִיהִי שְׁאִילַת עַל דָּא, וַהֲוַת אִצְטְרִיכַת לְאִינּוּן חִוְיָין. וְלָא יָכִילַת לְנַטְלָא חַד מִנַּיְיהוּ. מָה אָתִיב לָהּ מִלִּין דַּהֲווֹ בְּלִבָּהּ. כָּךְ אוֹדַע לָהּ, דִּכְתִּיב וַיַּגֶּד לָהּ שְׁלֹמֹה אֶת כָּל דְּבָרֶיהָ. אִינּוּן חִוְיָין, לָא יַכְלִין לוֹן כָּל בְּנֵי עָלְמָא, בַּר מִמִּלָּה דְּרָזָא חֲדָא, וּמַאי אִיהוּ. שִׁכְבַת זֶרַע רוֹתַחַת.

קפד. וְאִי תֵּימָא מַאן יָכִיל. אֶלָּא, בְּשַׁעֲתָא דְּהַהוּא שִׁכְבַת זֶרַע אַפִּיק ב"נ, כַּד אִיהוּ בְּתֵיאוּבְתָּא, אַפִּיק לָהּ לִשְׁמָא דְּהַהוּא חִוְיָא, בִּרְעוּתָא דְּתֵיאוּבְתָּא. כַּד נָפִיק בִּרְתִיחוּ, נַטְלֵי לֵיהּ מִיָּד בִּלְבוּשָׁא חֲדָא, וְהַהוּא לְבוּשָׁא זַרְקִין לְגַבֵּי חִוְיָא, מִיָּד כָּפִיף רֵישֵׁיהּ, וְתַפְסָן לֵיהּ, כְּמָה דְּתָפִיס תַּרְנְגוֹלָא דְּבֵיתָא. וְאִי בְּכָל מָאנֵי קְרָבִין דְּעָלְמָא, יְגִיחוּן בְּחַד מִנַּיְיהוּ, לָא יַכְלִין לֵיהּ. וּבְהַאי, לָא אִצְטְרִיךְ ב"נ בְּעָלְמָא מָאנֵי קְרָבָא, וְלָא מִלָּה אוּחֲרָא וְלָא אִצְטְרִיךְ לְאִסְתַּמְּרָא מִנַּיְיהוּ דְּהָא כֻּלְּהוּ אִתְכַּפְיָין לְגַבֵּיהּ. כְּדֵין אִתְדַּבְקוּ אִינּוּן מִלִּין בְּלִבָּהּ, וְתָאִיבַת לְהַאי.

קפה. מִכָּאן וּלְהַלְאָה אֶלְעָזָר בְּרִי, קוּדְשָׁא בְּרִיךְ הוּא עָבֵד מַה דְּעָבֵד בְּהַהוּא חַיָּיבָא, וְרָזִין סְתִימִין אִלֵּין, לָא אִצְטְרִיכוּ לְגַלָּאָה, אֲבָל בְּגִין דְּחַבְרַיָּיא דְּהָכָא יִנְדְּעוּן אָרְחִין סְתִימִין דְּעָלְמָא, גַּלִּינָא לְכוּ. דְּהָא כַּמָּה נִמּוּסִין סְתִימִין אִינּוּן בְּעָלְמָא, וּבְנֵי נָשָׁא לָא יַדְעִין, וְאִינּוּן פְּלִיאָן סְתִימִין, רַבְרְבָן וְעִלָּאִין. עָלֵיהּ, וְעַל דְּדָמֵי לֵיהּ, קָרָאן וְשֵׁם רְשָׁעִים יִרְקָב. זַכָּאִין אִינּוּן זַכָּאֵי קְשׁוֹט, עָלַיְיהוּ כְּתִיב, אַךְ צַדִּיקִים יוֹדוּ לִשְׁמֶךָ וְגוֹ'.

קפו. וְעַתָּה לְכָה נָא אָרָה לִי אֶת הָעָם הַזֶּה וְגוֹ'. ר' אַבָּא פָּתַח, תְּפִלָּה לְעָנִי כִי יַעֲטוֹף וְגוֹ', תְּלַת אִינּוּן דִּכְתִּיב בְּהוּ תְּפִלָּה. וְאוֹקְמוּהָ מִלָּה דָּא, חַד הֲוָה מֹשֶׁה, וְחַד הֲוָה דָּוִד, וְחַד עָנִי, דְּאִתְכְּלִיל בְּהוּ, וְאִתְחַבַּר בְּהוּ. וְאִי תֵּימָא, הָא כְּתִיב תְּפִלָּה לַחֲבַקּוּק הַנָּבִיא

הָא אַרְבַּע אִינּוּן. אֶלָּא וַחֲבֵקוּק לָאו בְּגִין תְּפִלָּה הֲוָה, וְאַע"ג דִּכְתִיב בֵּיהּ תְּפִלָּה, תּוּשְׁבְּחָתָא וְהוֹדָאָה אִיהוּ לְקוּדְשָׁא בְּרִיךְ הוּא, עַל דְּאַוְזִיא לֵיהּ, וַעֲבַד עִמֵּיהּ נִסִּין וּגְבוּרָן, דְּהָא בְּרִיהּ דִּשְׁוּנַמִּית הֲוָה.

קפ״ו. אֲבָל ג׳ אִינּוּן דְּאִקְרוּן תְּפִלָּה. תְּפִלָּה לְמֹשֶׁה אִישׁ הָאֱלֹהִים, תְּפִלָּה דָּא דְּלֵית כְּגַוְונֵיהּ בִּבְנֵי נָשׁ אָחֳרָא. תְּפִלָּה לְדָוִד, תְּפִלָּה דָּא אִיהִי תְּפִלָּה, דְּלֵית כְּגַוְונֵיהּ בְּמַלְכָּא אָחֳרָא. תְּפִלָּה לְעָנִי, תְּפִלָּה אִיהִי מֵאִינּוּן ג׳. מַאן וְשֵׁיבָא מִכֻּלְּהוּ. הֲוֵי אֵימָא תְּפִלָּה דְּעָנִי. תְּפִלָּה דָּא, קָדִים לַתְּפִלָּה דְּמֹשֶׁה. וְקָדִים לַתְּפִלָּה דִּדְוִד, וְקָדִים לְכָל שְׁאָר צְלוֹתִין דְּעָלְמָא.

קפ"ז. מ"ט. בְּגִין דְּעָנִי אִיהוּ תְּבִיר לִבָּא. וּכְתִיב, קָרוֹב יְיָ לְנִשְׁבְּרֵי לֵב וְגוֹ'. וּמִסְכְּנָא עָבֵיד תָּדִיר קְטָטָה בְּקוּדְשָׁא בְּרִיךְ הוּא. וְקוּדְשָׁא בְּרִיךְ הוּא אָצִית וְשָׁמַע מִלּוֹי. כֵּיוָן דְּצַלֵּי צְלוֹתֵיהּ, פָּתַח כָּל כַּוֵּי רְקִיעִין, וְכָל שְׁאָר צְלוֹתִין דְּקָא סַלְקִין לְעֵילָּא, דָּחֵי לוֹן הַהוּא מִסְכְּנָא תְּבִיר לִבָּא, דִּכְתִיב תְּפִלָּה לְעָנִי כִי יַעֲטֹף. מַאי כִי יַעֲטֹף, אֶלָּא אִיהוּ עָבֵיד עִטּוּפָא לְכָל צְלוֹתִין דְּעָלְמָא, וְלָא עָאלִין עַד דִּצְלוֹתָא דִּילֵיהּ עָאלַת.

קפ"ט. וְקוּדְשָׁא בְּרִיךְ הוּא אָמַר, יִתְעַטְּפוּן כָּל צְלוֹתִין, וּצְלוֹתָא דָּא תֵּיעוֹל לְגַבָּאי. לָא בָּעֵינָא הָכָא בֵּי דִּינָא דִּידַיְינוּן בֵּינָנָא, קַמָּאי לִיהֱווּ תַּרְעוּמִין דִּילֵיהּ, וַאֲנָא וְהוּא בִּלְחוֹדוֹדָנָא. וְקוּדְשָׁא בְּרִיךְ הוּא אִתְיְיחַד בִּלְחוֹדוֹי, בְּאִינּוּן תּוּרְעָמִין, בְּהַהוּא צְלוֹתָא, דִּכְתִיב לִפְנֵי יְיָ יִשְׁפֹּךְ שִׂיחוֹ. לִפְנֵי יְיָ וַדַּאי.

קצ"א. כָּל וַוֵילֵי שְׁמַיָּא שַׁאֲלִין אִלֵּין לְאִלֵּין, קוּדְשָׁא בְּרִיךְ הוּא בְּמַאי אִתְעַסַּק, בְּמַאי אִשְׁתָּדַּל. אַמְרִין, אִתְיְיחַד בְּתִיאוּבְתָּא בְּמָאנִין דִּילֵיהּ, כֻּלְּהוּ לָא יָדְעוּ מַה אִתְעֲבֵיד מֵהַהוּא צְלוֹתָא דְּמִסְכְּנָא, וּמִכָּל אִינּוּן תּוּרְעָמִין דִּילֵיהּ. דְּלֵית תִּיאוּבְתָּא לְמִסְכְּנָא, אֶלָּא כַּד עָיֵיל דִּמְעוֹי בְּתוּרְעָמוֹ, קַמֵּי מַלְכָּא קַדִּישָׁא. וְלֵית תִּיאוּבְתָּא לְקוּדְשָׁא בְּרִיךְ הוּא, אֶלָּא כַּד מְקַבֵּל לוֹן, וְאוֹשִׁידוּ קַמֵּיהּ וְדָא אִיהִי צְלוֹתָא, דְּעָבֵיד עִטּוּפָא לְכָל צְלוֹתִין דְּעָלְמָא.

קצ"א. מֹשֶׁה צַלֵּי צְלוֹתֵיהּ, וְאִתְעַכַּב כַּמָּה יוֹמִין בְּהַאי תְּפִלָּה. דָּוִד וַזֵּימָא, דְּכָל כַּוִּין, וְכָל תַּרְעֵי שְׁמַיָּא, כֻּלְּהוּ זְמִינִין לְאַפְתָּחָא לְמִסְכְּנָא, וְלֵית בְּכָל צְלוֹתִין דְּעָלְמָא, דְּקוּדְשָׁא בְּרִיךְ הוּא אָצִית לֵיהּ מִיָּד, כִּצְלוֹתָא דְּמִסְכְּנָא, כֵּיוָן דְּוַזֵּימֵי הַאי עָבַד גַּרְמֵיהּ עַנְיָא וּמִסְכְּנָא פָּשַׁט לְבוּשָׁא דְּמַלְכוּתָא, וְיָתֵיב בְּאַרְעָא כְּמִסְכְּנָא. אָמַר תְּפִלָּה. דִּכְתִיב, תְּפִלָּה לְדָוִד הַטֵּה יְיָ אָזְנְךָ עֲנֵנִי. וְאִי תֵּימָא אֲמַאי. בְּגִין כִּי עָנִי וְאֶבְיוֹן אָנִי. א"ל קוּדְשָׁא בְּרִיךְ הוּא, דָּוִד, וְלָאו מַלְכָּא אַנְתְּ, וְשַׁלִּיטָא עַל מַלְכִין תַּקִּיפִין, וְאַנְתְּ עָבֵיד גַּרְמָךְ עָנִי וְאֶבְיוֹן. מִיָּד אַהֲדַר צְלוֹתֵיהּ בְּגַוְונָא אָחֳרָא, וְשַׁבַּק מִלָּה דְּאֶבְיוֹן וְעָנִי, וְאָמַר עֲזָרָתָה נַּפְשִׁי כִי חָסִיד אָנִי. וְעַכ"ד כֹּלָּא הֲוָה בֵּיהּ בְּדָוִד.

קצ"ב. אָמַר לֵיהּ רַבִּי אֶלְעָזָר, שַׁפִּיר קָאֲמַרְתְּ. וְעַ"ד אִצְטְרִיךְ לֵיהּ לְבַר נָשׁ לְצַלֵּי צְלוֹתֵיהּ, לְמֶעְבַּד גַּרְמֵיהּ עָנִי, בְּגִין דְּתֵיעוֹל צְלוֹתֵיהּ בִּכְלָלָא דְּכָל עֲנִיִּים. דְּהָא כָּל נְטוּרֵי תַרְעִין, לָא שַׁבְקִין הָכִי לְמֵיעָאל, כְּמָה דְּשַׁבְקִין לְמִסְכְּנִין, דְּהָא בְּלָא רְשׁוּתָא עָאלִין. וְאִי עָבֵיד בַּר נָשׁ גַּרְמֵיהּ, וְשַׁוֵּי רְעוּתֵיהּ תָּדִיר כְּמִסְכְּנָא, צְלוֹתֵיהּ סַלְקָא, וְאַעְרָעַת בְּאִינּוּן צְלוֹתִין דְּמִסְכְּנִין, וְאִתְחַבְּרַת בְּהוּ, וְסַלְקַת בַּהֲדַיְיהוּ, וּבִכְלָלָא דִּלְהוֹן עָאלַת, וְאִתְקַבְּלַת בִּרְעוּתָא קַמֵּי מַלְכָּא קַדִּישָׁא.

קצ"ג. דָּוִד מַלְכָּא, שַׁוֵּי גַרְמֵיהּ בְּאַרְבְּעָה אָרְחִין, שַׁוֵּי גַרְמֵיהּ בַּהֲדֵי מִסְכְּנָא. שַׁוֵּי גַרְמֵיהּ

בהדי וחסידים. שוי גרמיה בהדי עבדים. שוי גרמיה בהדי אינון דמסרי גרמייהו ונפשייהו על קדושת שמיה. שוי גרמיה בהדי מסכנא. דכתיב כי עני ואביון אני. שוי גרמיה בהדי חסידים, דכתיב שמרה נפשי כי חסיד אני. בגין דאצטריך ליה לבר נש, דלא לשואה גרמיה רשע. ואי תימא אי הכי לא יפרט חטאוי לעלמין. לאו הכי. אלא כד יפרט חטאוי, כדין איהו חסיד, דאתי לקבלא תשובה, אפיק גרמיה מסטרא בישא, דהוה בטנופא דילה עד השתא, והשתא אתדבק בימינא עלאה, דאיהי פשוטה לקבלא ליה.

קצד. ולא תימא, דלא מקבל ליה קודשא בריך הוא, עד דיפרט חטאוי מיומא דהוה בעלמא. או אינון דאתכסון מניה, דלא יכיל לאדבקא. אלא לא אצטריך לפרשא, בר אינון דידכר מנייהו. ואי שוי רעותיה בהו, כל אחרנין אתמשכן אבתרייהו. דהא תנינן, אין בודקין חורי ביתא עלאין לעילא, ולא אינון תתאין לתתא בביעור חמץ. אלא כיון דבדיק כפום חיזו דעינוי מה דיכיל לאדבקא, כלא אתמשך בתר דא, ואתבטיל בהדיה.

קצה. והכי גרסינן בנגעים, כ"ד ראשי אברים אינון דלא מטמאין משום מחיה. וכהנא לא הוה אטרח אבתרייהו, והיינו דכתיב, לכל מראה עיני הכהן אתר דיכיל כהנא למחזי מכתשא באסתכלותא חדא, ולא אצטריך למאכא גרמיה, ולארמא עינוי הכא והכא. אוף הכי. לא אצטריך לפרטא חטאוי מן יומא דהוה, דאינון חורי ביתא תתאין, ולא אינון דאתכסו, דלא יכיל לאדבקא, דאינון חורי ביתא עלאין לעילא. אלא לכל מראה עיני הכהן, וכלהו אתמשכן אבתרייהו. וע"ד שוי דוד גרמיה גו חסידים.

קצו. שוי גרמיה בהדי עבדים, דכתיב הנה כעיני עבדים אל יד אדוניהם. וכתיב, הושע עבדך אתה אלהי. שוי גרמיה בהדי אינון דמסרי נפשייהו על קדושת שמיה. דכתיב, שמח נפש עבדך כי אליך יי' נפשי אשא. בכל הני ארבע, עבד גרמיה דוד מלכא קמי מאריה.

קצז. אמר רבי אלעזר, ארימית ידי בצלו לקמי מלכא קדישא. דהא תנינן, אסור ליה לבר נש לארמא ידוי לעילא, בר בצלו, ובברכאן ותחנונים למריה. דכתיב, הרימותי ידי אל יי' אל עליון, ומתרגמינן, ארימית ידי בצלו, דהא אצבען דידין מלין עלאין אית בהו. והשתא אנא הכי עבידנא. ואמינא דכל מאן דאלין ארבע יסדר קמי מאריה, ועביד גרמיה ברעותא, בתקונא דא כדקא יאות, בתקונא דא לא תהדר צלותיה בריקניא.

קצח. בקדמיתא עבד, לסדרא שבחא קמי מאריה, ולזמרא קמיה. ודא בתושבחן דקמי צלותא. ולבתר עבד, לבתר דצלי צלותא דעמידה, איהו עבדא דסדר צלותא דמאריה. ולבתר עבד, לבתר דצלי כל צלותיה, ואזיל ליה, וע"ד דוד תלת זמנין עבד גרמיה בצלותא דא עבד. דכתיב הושע עבדך אתה אלהי. שמח נפש עבדך. וכתיב תנה עזך לעבדך. הא תלת זמנין, אצטריך לשואה גרמיה עבד.

קצט. לבתר לשואה גרמיה גו אינון דמסרי נפשייהו על קדושת שמיה, והיינו ביחודא דשמע ישראל, דכל מאן דשוי הכי רעותיה בהאי קרא, אתחשיב ליה כאלו מסר נפשיה על קדושת שמיה.

ר. לבתר לשואה גרמיה עני, בזמנא דעאל ודפיק דשין דרומי מרומים, כד אמר אמת ויציב, וסמיך גאולה לתפלה. למהוי בצלותא דעמידה, תביר לבא, עניא

וּמִסְכְּנָא. וּלְשַׁוָּאָה רְעוּתֵיהּ, לְאִתְכַּלְּלָא גּוֹ מִסְכְּנֵי, בִּתְבִירוּ דְּלִבָּא, בְּמָאִיכוּ דְּנַפְשָׁא.

רא. לְבָתַר לְשַׁוָּאָה גַּרְמֵיהּ גּוֹ וַחֲסִידִים, בְּשׁוֹמֵעַ תְּפִלָּה, לְפָרְשָׂא וְחַטְאוֹי. דְּהָכִי אִצְטְרִיךְ יָחִיד בְּשׁוֹמֵעַ תְּפִלָּה, בְּגִין לְאִתְדַּבְּקָא בִּימִינָא, דִּפְשׁוּטָה לְקַבְּלָא לְאִינוּן דְּתָבִין, וּכְדֵין אִקְרֵי וְחָסִיד, הָא אַרְבַּע אִלֵּין כַּדְקָא יָאוּת.

רב. מַאן כָּלִיל לְכָל הָנֵי, הַהוּא דְּקָא אִצְטְרִיךְ לְכַלְּלָא לוֹן, וְהַאי אִיהוּ עֶבֶד, דְּאַכְלִיל לְכָל שְׁאָר. תְּלַת עַבְדִּין אִינּוּן בִּתְלַת דּוּכְתִּין, וְכֻלְּהוּ וַחַד. וְעַלַיְיהוּ כְּתִיב, הִנֵּה כְעֵינֵי עֲבָדִים אֶל יַד אֲדוֹנֵיהֶם וְגוֹ'. בֵּין עֶבֶד לְעֶבֶד אִינּוּן אַחֲרָנִין. בֵּין עֶבֶד קַדְמָאָה, לְעֶבֶד תִּנְיָינָא, אִית לֵיהּ לְמִמְסַר נַפְשֵׁיהּ עַל יְחוּדָא דִּקְדוּשַּׁת שְׁמֵיהּ, וּלְשַׁוָּאָה גַּרְמֵיהּ עָנִי וּמִסְכְּנָא בִּצְלוֹתָא דַּעֲמִידָה, וּלְשַׁוָּאָה גַּרְמֵיהּ גּוֹ וַחֲסִידִים בְּשׁוֹמֵעַ תְּפִלָּה. עֶבֶד תְּלִיתָאָה בָּתַר דְּסַיֵּים וְסִדֵּר כֹּלָּא.

רג. תְּנָן, בְּהַהִיא שַׁעֲתָא דְּסִדֵּר בַּר נָשׁ כָּל הָנֵי סִדּוּרִין אַרְבַּע, בִּרְעוּ דְּלִבָּא, קוּדְשָׁא בְּרִיךְ הוּא נִיְחָא קַמֵּיהּ, וּפָרִישׂ יְמִינֵיהּ עָלֵיהּ, בְּהַהוּא עֶבֶד תְּלִיתָאָה, וְקָרָא עָלֵיהּ וְא"ל, עַבְדִּי אַתָּה, דִּכְתִיב וַיֹּאמֶר לִי עַבְדִּי אַתָּה יִשְׂרָאֵל אֲשֶׁר בְּךָ אֶתְפָּאָר. וַדַּאי צְלוֹתָא דְּהַאי בַּר נָשׁ, לָא תֶּהְדַּר בְּרֵיקָנְיָא לְעָלְמִין. אָתָא ר' אַבָּא וּנְשָׁקֵיהּ.

רד. אָמַר ר' אֶלְעָזָר, ת"ח, תְּרֵי עֶבֶד מֵאִינּוּן תְּלָתָא, אִינּוּן דִּכְלִילֵי כָּל הָנֵי, דְּהָא תְּלִיתָאָה קַיְּימָא לְחַתְמָא בֵּיהּ וְחוֹתָמָא לְעֵילָּא, לְשַׁוָּאָה בֵּיהּ יְדָא מִימִינָא דְּמַלְכָּא, וּלְאִשְׁתַּבְּחָא בֵּיהּ. אֲבָל הָנֵי תְּרֵין, קַדְמָאָה וְתִנְיָינָא, אִינּוּן כְּלָלָא דְּכֹלָּא. וְדָוִד שַׁבַּח גַּרְמֵיהּ בְּהוּ, דִּכְתִיב אָנָּא יְיָ' כִּי אֲנִי עַבְדֶּךָ וְגוֹ', דְּאִלֵּין כְּלָלֵי דְּכָל שְׁאָר. תְּלִיתָאָה כָּךְ קַיְּימָא לְמִפְרַק לִי, דִּכְתִיב הוֹשַׁע עַבְדְּךָ אַתָּה אֱלֹהַי. מַאן דִּמְסַדֵּר דָּא, יָדִיעַ לֶיהֱוֵי לֵיהּ דְּקוּדְשָׁא בְּרִיךְ הוּא מִשְׁתַּבַּח בֵּיהּ, וְקָרָא עָלֵיהּ עַבְדִּי אַתָּה יִשְׂרָאֵל אֲשֶׁר בְּךָ אֶתְפָּאָר. אָתָא ר' אַבָּא וּנְשָׁקֵיהּ.

רה. א"ר אַבָּא, עַ"ד קָרֵינָן, הַנֶּחֱמָדִים מִזָּהָב וּמִפַּז רָב וְגוֹ', כַּמָּה מְתִיקִין מִלִּין עַתִּיקִין דְּסִדְּרוּ קַדְמָאֵי, וַאֲנָן כַּד טַעֲמִין לוֹן, לָא יַכְלִין לְמֵיכַל. וַדַּאי הָכִי הוּא, וְהָא קְרָא אוֹכַח עַל תְּלָתָא עַבְדִּין, וְאִינּוּן וַחַד, וּבַאֲתַר וַחַד. וּתְרֵין כִּדְקָאָמְרַת, וַחַד דְּאִיהוּ לְאִתְעַטְּרָא בֵּיהּ קוּדְשָׁא בְּרִיךְ הוּא, דִּכְתִיב כִּי לִי בְנֵי יִשְׂרָאֵל עֲבָדִים עֲבָדַי הֵם וְגוֹ'. לֹא יִמָּכְרוּ מִמְכֶּרֶת עָבֶד. בְּגִין דְּקוּדְשָׁא בְּרִיךְ הוּא אִצְטְרִיךְ לְאִתְעַטְּרָא בְּהַאי תְּלִיתָאָה. וְעַל דָּא לֹא יִמָּכְרוּ לִשְׁמָא דְּעֶבֶד, דְּהָא דְּקוּדְשָׁא בְּרִיךְ הוּא הֲוֵי.

רו. פָּתַח ר' אֶלְעָזָר וְאָמַר, מִי בָכֶם יְרֵא יְיָ' וְגוֹ'. מַאי שׁוֹמֵעַ בְּקוֹל עַבְדּוֹ. הַאי קְרָא אוֹקְמוּהָ וַחַבְרַיָּיא בִּצְלוֹתָא, וְהָכִי הוּא. מַאן דְּרָגִיל לְמֵיתֵי לְבֵי כְּנִשְׁתָּא לְצַלָּאָה, וְיוֹמָא וַחֲדָא לָא אָתֵי, קוּדְשָׁא בְּרִיךְ הוּא שָׁאִיל עָלֵיהּ וְאָמַר, מִי בָכֶם יְרֵא יְיָ' שׁוֹמֵעַ בְּקוֹל עַבְדּוֹ אֲשֶׁר הָלַךְ וַחֲשֵׁכִים וְאֵין נֹגַהּ לוֹ. מַאי שׁוֹמֵעַ בְּקוֹל עַבְדּוֹ. בְּמַאן. אִי תֵּימָא בִּנְבִיאָה, אוֹ גְּבַר אַחֲרָא, מַאן יָהַב נְבִיאָה, אוֹ גְּבַר אַחֲרָא לִצְלוֹתָא. דִּבְגִין דְּצַלֵּי צְלוֹתֵיהּ שׁוֹמֵעַ בְּקוֹל נְבִיאָה, אוֹ דִּגְבַר בְּעָלְמָא.

רז. אֶלָּא הַהוּא דְּצַלֵּי צְלוֹתִין בְּכָל יוֹמָא, אִיהוּ שׁוֹמֵעַ בְּהַהוּא קוֹל, דְּקָרֵי לֵיהּ קוּדְשָׁא בְּרִיךְ הוּא, וּמִשְׁתַּבַּח בֵּיהּ, וְאָמַר דְּאִיהוּ עַבְדּוֹ וַדַּאי. שׁוֹמֵעַ בְּקוֹל, בְּמַאי קוֹל. בְּהַהוּא דְּאִקְרֵי עַבְדּוֹ. שְׁבָחָא עִלָּאָה אִיהוּ דְּנָפִיק עָלֵיהּ קוֹל דְּאִיהוּ עַבְדּוֹ. וְתוּ, דְּקָלָא אִשְׁתְּמַע בְּכָל אִינּוּן רְקִיעִין, דְּאִיהוּ עַבְדָּא דְּמַלְכָּא קַדִּישָׁא, וְדָא הוּא שׁוֹמֵעַ בְּקוֹל עַבְדּוֹ.

רח. אֲשֶׁר הָלַךְ וַחֲשֵׁכִים וְאֵין נֹגַהּ לוֹ, וְכִי בְּגִין דְּלָא אָתָא לְצַלּוֹיֵי הָלַךְ וַחֲשֵׁכִים. אֶלָּא

אוֹקְמוּהָ. אֲבָל עַד לָא יִתְכַּנְּשׁוּן יִשְׂרָאֵל לְבָתֵּי כְּנֵסִיּוֹת לְצַלָּאָה, סִטְרָא אַחֲרָא קַיְּימָא וְסָגִּיר כָּל נְהוֹרִין עִלָּאִין, דְּלָא יִתְפַּשְּׁטוּן וְיִפְקוּן עַל עָלְמִין. וּתְלַת זִמְנִין בְּיוֹמָא אָזְלֵי סְטַר אַחֲרָא, דְּכַר וְנוּקְבָא, וּמְשַׁטְּטִין בְּעָלְמָא, וְהַהוּא עִידָּן אַתְקַן לִצְלוֹתָא, בְּגִין דְּלָא הֲוֵי תַּמָּן קִטְרוּגָא כְּלָל.

רט. וּכְדֵין אִיהוּ עִידָּן לִצְלוֹתָא, בְּגִין דְּאִינּוּן אָזְלֵי לְמִשְׁטְטָא, בְּטוּרֵי חֲשׁוֹךְ, וְהַר נְשִׁפָּה, כְּדֵין פְּתִיחָן כַּוֵּי נְהוֹרִין עִלָּאִין, וְנַפְקֵי וְשַׁרְיָאן עַל בָּתֵּי כְּנֵסִיּוֹת, בְּרֵישַׁיְיהוּ דְּאִינּוּן דְּצַלָּאן צְלוֹתִין, וּמִתְפַּלְּגָן נְהוֹרִין עַל רֵישַׁיְיהוּ. וְקוּדְשָׁא בְּרִיךְ הוּא שָׁאִיל, עַל הַהוּא דְּלָא אִשְׁתְּכַח תַּמָּן, וְאָמַר וַחֲבַל עַל פְּלַנְיָא, דַּהֲוָה רָגִיל הָכָא, וְהַשְׁתָּא דְּהָלַךְ וַחֲשֵׁכִים וְאִתְעֲבַר מִקַּמֵּי נְהוֹרִין, וְהָלַךְ לְשַׁטְּטָא בְּטוּרַיָּא בְּעָלְמָא, וְנָפַק מֵהַהוּא נֹגַהּ נְהוֹרָא דְּנָהִיר, וְלֵית לֵיהּ בֵּיהּ חוּלָקָא, אֵין נֹגַהּ לוֹ, כְּמָה דְּאִתְפְּלִיג וְשַׁרְיָא עַל אַחֲרָנִין דְּתַמָּן, כַּמָּה טָבִין אִתְאֲבִידוּ מִנֵּיהּ. וְאִלּוּ הֲוָה תַּמָּן, יִבְטַח בְּשֵׁם יְיָ, בִּכְלָלָא דְּעֶבֶד קַדְמָאָה. וְיִשָּׁעֵן בֵּאלֹהָיו בְּרָזָא דְּעֶבֶד תִּנְיָינָא.

רי. אר"ש, אֶלְעָזָר בְּרִי, וַדַּאי רוּחַ נְבוּאָה שַׁרְיָא עֲלָךְ. א"ר אַבָּא, אַרְיָא בַּר אַרְיָא, מַאן יָקוּם קַמַּיְיהוּ, כַּד שָׁאֲגֵי לְמִטְרַף טַרְפָּא. כָּל אַרְיָין דְּעָלְמָא תַּקִּיפִין, וְאִלֵּין יַתִּיר מִכֻּלְּהוּ. כָּל אַרְיָין דְּעָלְמָא, קַשְׁיָין לְאַפָּקָא טַרְפָּא מִפּוּמַיְיהוּ, וְאִלֵּין נָוְוחִין לְאַפָּקָא מִפּוּמַיְיהוּ טַרְפָּא. אִינּוּן טַרְפֵי טַרְפָּא, וְיָהֲבֵי לְכֹלָּא.

ריא. אֲשֶׁר הָלַךְ חֲשֵׁכִים, אֲשֶׁר הָלְכוּ מִבָּעֵי לֵיהּ. אָמַר רִבִּי אֶלְעָזָר, בְּגִין דְּאִינּוּן שָׁרְיָין בְּחִבּוּרָא, וּמִיָּד מִתְפָּרְשָׁן. הָלַךְ חִבּוּרָא, וַחֲשֵׁכִים אִתְפָּרְשָׁן. שָׁרָאן בְּחִבּוּרָא, וְאִתְפָּרְשָׁן מִיָּד. כְּגַוְונָא דָּא, רוּחַ סְעָרָה בָּאָה, כְּלַל דְּכַר וְנוּקְבָא. בָּאָה וְהִיא שַׁבְקַת לֵיהּ, מִיָּד מִתְפָּרְשָׁן.

ריב. וַיַּרְא בָּלָק וְגו'. רִבִּי אֶלְעָזָר אָמַר, וַדַּאי מַה דְּאָמַר רִבִּי חִיָּיא, מִלָּה סְתִימָא הֲוָה. אֲבָל כְּתִיב, גַּם צִפּוֹר מָצְאָה בַיִת וּדְרוֹר קֵן לָהּ וְגו'. וְכִי דָּוִד מַלְכָּא, עַל צִפְּרָא בְּעָלְמָא, הֲוָה אָמַר מִלָּה דָּא.

ריג. אֶלָּא, כְּמָה דְּתָנֵינָן, כַּמָּה חֲבִיבִין נִשְׁמָתִין קַמֵּי קוּדְשָׁא בְּרִיךְ הוּא. אִי תֵּימָא כָּל נִשְׁמָתִין דְּעָלְמָא. לָאו הָכִי. אֶלָּא אִינּוּן נִשְׁמָתְהוֹן דְּצַדִּיקַיָּיא, דְּתַמָּן מְדוֹרֵיהוֹן בַּהֲדֵיהּ, מְדוֹרֵיהוֹן לְעֵילָּא, וּמְדוֹרֵיהוֹן לְתַתָּא. וְהָכִי אִתְּמַר. גַּם צִפּוֹר מָצְאָה בַיִת, אִלֵּין רוּחַיְיהוֹן דְּצַדִּיקַיָּיא.

ריד. תָּנֵינָן, תְּלַת שׁוּרִין אִינּוּן לג"ע, וּבֵין כָּל חַד וְחַד, כַּמָּה רוּחִין וְנִשְׁמָתִין מְטַיְּילִין תַּמָּן, וְאִתְהֲנָן מֵרֵיחָא דְּעִנּוּגִין דְּצַדִּיקַיָּיא דִּלְגוֹ, אע"ג דְּלָא זָכוּ לְמֵיעָאל. אֲבָל עִנּוּגָא דְּרוּחֵיהוֹן דְּצַדִּיקַיָּיא דִּלְגוֹ, עַיִן לֹא רָאֲתָה אֱלֹהִים וְגו'.

רטו. וְיוֹמִין רְשִׁימִין אִית בְּשַׁתָּא, וְאִינּוּן יוֹמֵי נִיסָן, לְיוֹמֵי תִשְׁרֵי, דְּאִינּוּן רוּחִין מְשַׁטְּטָן וּפַקְדָן לַאֲתַר דְּאִצְטְרִיךְ. וְאע"ג דִּזְמְנִין סַגִּיאִין מְשַׁטְּטָן, אֲבָל יוֹמִין אִלֵּין רְשִׁימִין אִינּוּן, וְאִתְחָזוּן עַל גַּבֵּי שׁוּרִין דְּגִנְתָּא, כָּל חַד וְחַד כְּחֶיזוּ דְּצִפֳּרִין מְצַפְצְפָן, בְּכָל צַפְרָא וְצַפְרָא.

רטז. וְהַהוּא צִפְצוּפָא שְׁבָחָא דְּקוּדְשָׁא בְּרִיךְ הוּא, וּצְלוֹתָא עַל חַיֵּי בְּנֵי נָשָׁא דְּהַאי עָלְמָא. בְּגִין דְּאִלֵּין יוֹמִין, יִשְׂרָאֵל כֻּלְּהוּ מִתְעַסְּקִין בְּמִצְוֹת, וּבְפִקּוּדִין דְּמָארֵי עָלְמָא. וּכְדֵין בְּחֶדְוָה אִתְחֲזָן צִפֳּרִין מְצַפְצְפָן, וע"ג שׁוּרִין דְּע"ג מְצַפְצְפָן מְשַׁבְּחָן וְאוֹדָן וּמְצַלְּאָן עַל חַיֵּי דְּהַאי עָלְמָא.

ריז. אר"ש, אֶלְעָזָר וַדַּאי שַׁפִּיר קָאֲמַרְתְּ, דְּוַדַּאי אִינּוּן רוּחִין תַּמָּן. אֲבָל מַה תֵּימָא וּדְרוֹר קֵן לָהּ. אָמַר, הָכִי אוֹלִיפְנָא, דָּא הִיא נִשְׁמְתָא קַדִּישָׁא, דְּסַלְּקָא לְעֵילָּא, וְסַלְּקָא

לַאֲתַר טָמִיר וְגָנִיז, דְּעַיִן לֹא רָאֲתָה אֱלֹהִים זוּלָתְךָ וְגוֹ'.

ריח. א"ר שִׁמְעוֹן, אֶלְעָזָר וַדַּאי שַׁפִּיר קָאֲמַרְתְּ, וְשַׁפִּיר אִיהוּ. אֲבָל כָּל דָּא בְּג"ע דִּלְתַתָּא הִיא, וּכְמָה דְּאָמַרְתְּ הוּא, וְהָכִי הוּא וַדַּאי, גַּם צִפּוֹר מָצְאָה בַיִת, אִלֵּין רוּחִין קַדִּישִׁין, דְּזָכוּ לְמֵיעָאל וּלְמֵיפַּק לְבָתַר, בְּגִין דְּמִשְׁטְטָן וְאִתְחֲזוֹן כְּחֵיזוּ דְּצִפּוֹרִין, וְאִלֵּין רוּחִין מָצְאָה בַיִת. וַדַּאי כָּל חַד וְחַד אִית לוֹן מָדוֹרִין יְדִיעָאן לְגוֹ.

ריט. ועכ"ד, כֻּלְּהוּ נִכְוִין מֵחוּפָּה דְּחַבְרַיְיהוּ. אִינּוּן דְּאִית לוֹן דְּרוֹר, וְזִירוּ מִכֻּלָּא. וְקוּדְשָׁא בְּרִיךְ הוּא אַחְזֵי לוֹן הֵיכָלָא טְמִירוּ וְחַד גָּנִיז, דְּעַיִן לֹא רָאֲתָה אֱלֹהִים זוּלָתְךָ, וְהַהוּא הֵיכָלָא אִקְרֵי קֵן צִפּוֹר. וּמִתַּמָּן מִתְעַטְּרִין עִטְרִין לְמָשִׁיחַ בְּזִמְנָא דְּאָתֵי, וּבְיוֹמִין רְשִׁימִין, תְּלַת זִמְנִין בְּשַׁתָּא, קוּדְשָׁא בְּרִיךְ הוּא בָּעֵי לְאִשְׁתַּעְשְׁעָא בְּאִינּוּן צַדִּיקַיָּיא, וְאַחְזֵי לוֹן הַהוּא הֵיכָלָא טְמִירָא גָּנִיז, דְּלָא יַדְעִין וְלָא אִשְׁתְּמוֹדְעָן בֵּיהּ, כָּל צַדִּיקַיָּיא דְּתַמָּן.

רכ. אֲשֶׁר שָׁתָה אֶפְרוֹחֶיהָ אֶת מִזְבְּחוֹתֶיךָ, אִלֵּין אִינּוּן צַדִּיקַיָּיא, דְּאִשְׁתַּכְלָלוּ בִּבְנִין קַדִּישִׁין, דְּזָכוּ לְתוֹרָה שֶׁבִּכְתָב, וְלַתּוֹרָה שֶׁבְּעַל פֶּה בְּהַאי עָלְמָא. וְאִלֵּין אִקְרוּן תְּרֵין מַדְבְּחָן. מִתְעַטְּרָן לְקַמֵּי מַלְכָּא קַדִּישָׁא, דְּהָא זְכוּתָא דִבְנַיְיהוּ בְּהַאי עָלְמָא, אַגִּין עֲלַיְיהוּ, וּמְעַטְּרִין לְהוּ תַּמָּן. מַאן רְוָוחָא זַכָּאָה לְכָל הַאי. הַאי דְּשָׁתָה אֶפְרוֹחֶיהָ, לְאוּלְפָא לְמִזְבְּחוֹתֶיךָ וְגוֹ'. מִכָּאן וּלְהָלְאָה אִימָא מִילָּךְ, דְּהָא בְּלָא כִּסּוּפָא אִתְחֲזֵינָא תַּמָּן.

רכא. פָּתַח כְּמִלְּקַדְּמִין, רִבִּי אֶלְעָזָר וְאָמַר, גַּם צִפּוֹר מָצְאָה בַיִת, דָּא יִתְרוֹ. וּדְרוֹר קֵן לָהּ, דָּא בְּנוֹי, דַּהֲווֹ בְּלִשְׁכַּת הַגָּזִית, אוּלְפֵי אוֹרַיְיתָא, וַחֲתִכִין מִלִּין דְּאוֹרַיְיתָא בְּפוּמַיְיהוּ. מָצְאָה בַיִת מַהוּ. אֶלָּא בְּקַדְמֵיתָא נָטְלוּ וְשָׁארוּ בְּמַדְבְּרָא, נָטְלוּ מֵעַנְוְוּתָנָא דְּמִדְיָן, וּמִמְּתִיקוּ דְּתַמָּן, וְשָׁרוּ בְּמַדְבְּרָא. כֵּיוָן דְּחָמָא קוּדְשָׁא בְּרִיךְ הוּא, דְּעַל אוֹרַיְיתָא הֲוָה כִּסּוּפָא דִּלְהוֹן, מָשִׁיךְ לוֹן מִתַּמָּן, וְאָעִיל לוֹן לְלִשְׁכַּת הַגָּזִית. וּדְרוֹר קֵן לָהּ, כֹּלָּא וָחַד. צִפּוֹר דְּרוֹר כֹּלָּא אִיהוּ וָחַד. וְחֶבֶר הַקֵּינִי. וַיֹּאמֶר שָׁאוּל אֶל הַקֵּינִי וְגוֹ'.

רכב. ת"ח, מַה כְּתִיב, וַיַּרְא בָּלָק בֶּן צִפּוֹר. וְכִי מַאי שְׁנָא דְּאַדְכִּיר שְׁמָא דַּאֲבוֹי מִשְּׁאָר מַלְכִין. אֶלָּא יִתְרוֹ אִתְמְשַׁךְ וְאִתְעֲבַר מע"ז, וְאָתָא לְאִתְדַּבְּקָא בְּיִשְׂרָאֵל, הוּא וּבְנוֹי, וְכָל עָלְמָא נָדוּהוּ וְרָדְפוּ אֲבַתְרֵיהּ.

רכג. בָּלָק מִבְּנֵי בְּנוֹי הֲוָה, וְאִתְעֲבַר מֵאָרְחָא דַּאֲבוֹי, כֵּיוָן דְּחָמוּ סָבֵי מוֹאָב וְסָבֵי מִדְיָן, דַּהֲווֹ בַּהֲדֵי הֲדָדֵי בְּאַחֲוָה דִּלְהוֹן בע"ז, בְּחוּלָקָא דִּלְהוֹן, דְּיִתְרוֹ וּבְנוֹי אִתְדַּבְּקוּ בִּשְׁכִינְתָּא, וְדָא אִתְמְשַׁךְ מִנַּהוֹן. אָתוּ וְאַמְלְכוּהוּ עֲלַיְיהוּ בְּהַאי שַׁעְתָּא, דִּכְתִיב וּבָלָק בֶּן צִפּוֹר מֶלֶךְ לְמוֹאָב בָּעֵת הַהִיא. בָּעֵת הַהִיא הֲוָה מֶלֶךְ, מַה דְּלָא הֲוָה מִקַּדְמַת דְּנָא. וְעַל דָּא כְּתִיב בֶּן צִפּוֹר, מַה דְּלָא אִתְחֲזֵי לְמֶעְבַּד הָכִי. וַיַּרְא בָּלָק, וַיִּשְׁמַע מִבָּעֵי לֵיהּ, מַהוּ וַיַּרְא. רְאִיָּה חָמָא, וְיָדַע דְּזַמִּין הוּא לְמִנְפַּל בִּידָא דְּיִשְׂרָאֵל, וְיִשְׂרָאֵל לְמִנְפַּל בִּידוֹי בְּקַדְמֵיתָא, וּלְבָתַר אִיהוּ בִּידָא דְּיִשְׂרָאֵל, וַיַּרְא בָּלָק בֶּן צִפּוֹר.

רכד. רִבִּי אַבָּא פָּתַח, אִם לֹא תֵדְעִי לָךְ הַיָּפָה בַּנָּשִׁים צְאִי לָךְ בְּעִקְבֵי הַצֹּאן. כְּנִישְׁתָּא דְּיִשְׂרָאֵל אָמְרַת לְגַבֵּי מַלְכָּא עִלָּאָה. כְּנִישְׁתָּא דְּיִשְׂרָאֵל, מַהוּ כְּנִישְׁתָּא. דָּא אִיהוּ עֲצֶרֶת, כְּנִישׁוּ. כד"א, מְאַסֵּף לְכָל הַמַּחֲנוֹת. מַאן דְּכָנִישׁ לְכָל מַשִּׁרְיָין עִלָּאִין לְגַבֵּיהּ.

רכה. וּמִגּוֹ דִּלְזִמְנִין נוּקְבָא אִקְרֵי כְּנִישְׁתָּא, וְאִתְּמַר עֲצֶרֶת, כד"א כִּי עָצוֹר עֲצָר יְיָ, דְּנָקִיט וְלָא יָהִיב. הָכִי הוּא וַדַּאי, דְּהָא מִגּוֹ מְהֵימְנוּ סַגְיָא דִּילָהּ, דְּלָא אִשְׁכְּחוּן בָּהּ מוּמָא, יָהֲבוּ לָהּ בְּלָא עִכּוּבָא כְּלָל. וְאִיהִי כַּד מָטָא לְגַבָּהּ, כָּל מַאן דִּכְנִישַׁת, עָצַר

וּמְעָצֵר וּמְעַכֶּבֶת, דְּלָא נָזִית וְנָהִיר, אֶלָּא כְּפוּם טַלָּא, טַפִּין טַפִּין, זְעֵיר זְעֵיר. מ"ט. בְּגִין דְּלָא אִשְׁתְּכַח לְתַתָּא מְהֵימְנוּתָא, אֶלָּא כד"א, זְעֵיר שָׁם זְעֵיר שָׁם, זְעֵיר זְכוּתָא, וּזְעֵיר אַנְהֲרוּתָא דְּטַלָּא, מִדָּה לְקֳבֵל מִדָּה.

רכו. דְּאִלְמָלֵא תִּשְׁכַּח מְהֵימְנוּתָא, כְּמָה דְּאִשְׁתְּכָחוּ בָּהּ, אֲרִיקַת בְּכָל סִטְרָא וְסִטְרָא, בְּלָא עִכּוּבָא כְּלַל, וְאִיהִי וַדָּאת. וּכְדֵין יָהֲבִין לָהּ מַתָּנָן וּנְבִזְבְּזָן סַגִּיאִין דָּא עַל דָּא, וְלָא יֵהוֹן מְעַכְּבִין לָהּ כְּלַל. אֲבָל תַּתָּאִין אִינּוּן מְעַכְּבִין לוֹן, וּמְעַכְּבִין לָהּ, וּכְדֵין אִיהִי עֲצֶרֶת. עָצוּר עָצַר יְיָ' וַדַּאי, כִּבְיָכוֹל, יָהִיב תַּמְצִית, וְלָא יַתִּיר.

רכז. וְעכ"ד כְּאִימָּא יָהֲבַת לִבְנִין בִּטְמִירוּ, דְּלָא יַדְעִין בָּהּ, הָכִי עֲבִידַת לוֹן לִבְנָהָא יִשְׂרָאֵל. וְאוּלִיפְנָא מִגּוֹ בּוֹצִינָא קַדִּישָׁא, דִּבְשַׁעֲתָא דְּאִיהִי סְלִיקַת לְמִנְקַט עִנּוּגִין וְכִסּוּפִין, וּמוּמָא אִשְׁתְּכַח בְּהוּ בְּיִשְׂרָאֵל לְתַתָּא, כְּדֵין מָטֵי לְגַבָּהּ טִפָּה דְּחַרְדָּל וּמִיָּד אַעְדִּיאַת, וְיָתִיבַת עָלָהּ יוֹמִין בְּמִנְיָן. וּכְדֵין יַדְעִין לְעֵילָּא, דְּמוּמָא בְּהוּ בְּיִשְׂרָאֵל.

רכח. וְאִתְּעַר שְׂמָאלָא מִיָּד, וּמָשִׁיךְ חוּטָא לְתַתָּא. וַתִּכְהֶיןָ עֵינָיו מֵרְאוֹת, מַה דַּהֲוָה מִסְתַּכַּל בְּעֵין שַׁפִּירוּ, בִּכְלָלָא דְּאַבְרָהָם, בְּלָא דִּינָא כְּלַל, כְּדֵין וַתִּכְהֶיןָ עֵינָיו מֵרְאוֹת, מֵרְאוֹת וַדַּאי, מִלְּאִסְתַּכְּלָא בִּכְלָלָא דְּרַחֲמָנוּ. כְּדֵין אַתְּעֲרוּ דְּסָמָאֵ"ל בְּקָל תַּקִּיף, לְאַתְּעָרָא עַל עָלְמָא. כד"א וַיִּקְרָא אֶת עֵשָׂו בְּנוֹ הַגָּדוֹל וְגוֹ'. גָּדוֹל אִיהוּ לְגַבֵּי מַשִּׁרְיָין דְּסִטְרָא אַחֲרָא, אִיהוּ גָּדוֹל, וְנָהִיג לְכָל אַרְבִּין דְּיַמָּא, דְּעַרְעִירָן בְּרוּחָא בִּישָׁא, לְאַטְבְּעָא לוֹן בְּעוּמְקָא דְּיַמָּא, בְּאִינּוּן מְצוּלוֹת יָם דִּילֵיהּ.

רכט. וְכַד קוּדְשָׁא בְּרִיךְ הוּא בְּרַחֲמָנוּ, כְּדֵין כָּל חַטָּאִין וְכָל חוֹבִין דְּיִשְׂרָאֵל, יָהִיב לֵיהּ, וְאִיהוּ אַטִּיל לוֹן לִמְצוּלוֹת יָם. כָּל מַשִּׁרְיָין דִּילֵיהּ מְצוּלוֹת יָם אִקְרוּן, וְאִינּוּן נַטְלֵי לוֹן, וּמְשַׁטְטֵי בְּהוֹן לְכָל שְׁאַר עַמִּין. וְכִי חַטָּאִין דְּיִשְׂרָאֵל, וְחוֹבִין דִּלְהוֹן, זַרְקִין וּמִתְפַּלְּגִין לְעַמָּא דִּלְהוֹן. אֶלָּא, אִינּוּן מְחַכָּאן וּמְצַפָּאן לְמַתָּנָן דִּלְעֵילָּא, כְּכַלְבֵּי לְקַמֵּי פָּתוֹרָא. וְכַד קוּדְשָׁא בְּרִיךְ הוּא נָטִיל כָּל חוֹבַיְיהוּ דְּיִשְׂרָאֵל, וְזָרִיק עֲלַיְיהוּ, כֻּלְּהוּ חַשְׁבֵי דְּמַתָּנָן וּנְבִזְבְּזָן דְּאִיהוּ בָּעָא לְמֵיהַב לְיִשְׂרָאֵל, דְּאַעְבָּר מִנַּיְיהוּ, וְיָהַב לוֹן. וּמִיַּד כֻּלְּהוּ כַּחֲדָא זַרְקִין לוֹן עַל שְׁאַר עַמִּין.

רל. ת"ח, כְּנֵישְׁתָּא דְּיִשְׂרָאֵל, אִיהִי אַמְרַת בְּקַדְמֵיתָא, שְׁחוֹרָה אֲנִי וְנָאוָה, אַזְעִירַת גַּרְמָהּ לְקַמֵּי מַלְכָּא עִלָּאָה. וּכְדֵין שְׁאִילַת מִנֵּיהּ וְאַמְרַת, הַגִּידָה לִּי שֶׁאָהֲבָה נַפְשִׁי אֵיכָה תִרְעֶה אֵיכָה תַּרְבִּ"יץ בַּצָּהֳרָיִם. תְּרֵין זִמְנִין אֵיכָה אֵיכָה אַמַּאי. אֶלָּא אִיהִי רְמִיזָא עַל תְּרֵין חֻרְבָּנִין, דִּתְרֵין מַקְדְּשִׁין. דְּקָרָאן כֻּלָּא אֵיכָה אֵיכָה. אֵיכָה תִרְעֶה, בְּחֻרְבַּן בַּיִת רִאשׁוֹן. אֵיכָה תַּרְבִּ"יץ, בְּחֻרְבַּן בַּיִת שֵׁנִי. וְעַ"ד תְּרֵין זִמְנִין אֵיכָה אֵיכָה.

רלא. תִרְעֶה תַּרְבִּ"יץ, לָאו דָּא כְּדָא. גָּלוּתָא דְּבָבֶל, דְּאִיהִי זְמַן זְעֵיר, קָארֵי בֵּיהּ תִרְעֶה. וְעַל גָּלוּתָא דֶּאֱדוֹם, דְּאִיהוּ זְמַן סַגִּי, קָארֵי בֵּיהּ תַּרְבִּ"יץ. וְעַ"ד תְּרֵין זִמְנִין אֵיכָה אֵיכָה. וְתוּ תִרְעֶה תַּרְבִּ"יץ, יִרְעֶה מִבָּעֵי לֵיהּ, יַרְבִּ"יץ מִבָּעֵי לֵיהּ אוּף הָכִי, דְּהָא עַל יִשְׂרָאֵל אַמְרַת. אֶלָּא אִיהִי אַמְרַת עַל נַפְשָׁהּ אֵיכָה תִרְעֶה כַּלָּתָךְ לִבְנָהָא בְּגָלוּתָא, דִּיהוֹן בֵּין שְׁאַר עַמִּין. אֵיכָה תַּרְבִּ"יץ בַּצָּהֳרָיִם, הֵיךְ תַּטִּיף אִיהִי עֲלַיְיהוּ טַלִּין וּמַיִין, גּוֹ חֲמִימוּ דְּצָהֳרַיִם.

רלב. שַׁלָּמָה אֶהְיֶה כְּעוֹטְיָה, בְּשַׁעֲתָא דְּיִשְׂרָאֵל קָרָאן מִגּוֹ עָאקוּ, דְּחֲזִיקוּ דִּלְהוֹן, וּשְׁאַר עַמִּין מְחָרְפִין וּמְגַדְּפִין לוֹן, אֵימָתַי תִּפְקוּן מִן גָּלוּתָא. אֱלָהֲכוֹן הֵיךְ לָא עָבֵיד לְכוֹן נִסִּין. וַאֲנָא יָתִיב כְּעוֹטְיָה, וְלָא יָכִילַת לְמֶעְבַּד לוֹן נִסִּין, וּלְמֵיהַב לוֹן נוּקְמִין. אִיהוּ אָתִיב לְגַבָּהּ, אִם לֹא תֵדְעִי לָךְ הַיָּפָה בַּנָּשִׁים. הַאי קְרָא הָכִי מִבָּעֵי לֵיהּ, אִם לֹא תֵדְעִי הַיָּפָה בַּנָּשִׁים. לָךְ אַמַּאי. אֶלָּא אִם לֹא תֵדְעִי לָךְ: לְאִתְתַּקְפָא גַּרְמָךְ בְּגָלוּתָא, וּלְאִתְתַּקְפָא חֵילָא,

לְאַגָּנָא עַל בְּנָךְ. צְאִי לָךְ, צְאִי לָךְ לְאִתְקְפָּא בְּעִקְבֵי הַצֹּאן. אִינּוּן תִּינוֹקוֹת דְּבֵי רַבָּן, דְּאוֹלְפֵי תּוֹרָה.

רלג. וּרְעִי אֶת גְּדִיּוֹתַיִךְ, אִלֵּין עַתִּיקֵי מִשְׁדָּיִם, דְּקָא מִסְתַּלְּקֵי מֵעָלְמָא וְאִתְמַשְׁכָן לְבֵי מְתִיבְתָּא עִלָּאָה, דְּאִיהִי עַל מִשְׁכְּנוֹת הָרוֹעִים, עַל דַּיְיקָא, בְּמִשְׁכְּנוֹת הָרוֹעִים לָא כְּתִיב, אֶלָּא עַל מִשְׁכְּנוֹת הָרוֹעִים, דָּא מְתִיבְתָּא דְּמְטַטְרוֹ"ן, דְּתַמָּן כָּל תַּקִּיפִין וִינוּקִין דְּעָלְמָא, וּמַנְהִיגֵי אוֹרַיְיתָא בְּהַאי עָלְמָא בְּאִיסוּר וְהֶיתֵּר, בְּכָל מַה דְּאִצְטְרִיכוּ בְּנֵי עָלְמָא, דְּהָא עִקְבֵי הַצֹּאן אִינּוּן תִּינוֹקוֹת כְּדַאֲמָרָן.

רלד. אָמַר ר' אֶלְעָזָר, עִקְבֵי הַצֹּאן, אִינּוּן תַּלְמִידֵי דְּבֵי רַב, דְּקָא אַתְיָין לְבָתַר בְּעָלְמָא, וְאַשְׁכְּחָן אוֹרַיְיתָא בְּאֹרַח מֵישָׁר, וְאוֹרְחָא פְּתִיחָא, וְעַל דָּא אִינּוּן מְחַדְּשָׁן מִלִּין עַתִּיקִין בְּכָל יוֹמָא, וּשְׁכִינְתָּא שַׁרְיָיא עֲלַיְיהוּ, וְצַיְיתָא לְמִלַּיְיהוּ, כד"א וַיַּקְשֵׁב יְיָ' וַיִּשְׁמָע. אָמַר ר' אַבָּא, הָכִי הוּא וַדַּאי, וְכֹלָּא וְחַד מִלָּה.

רלה. ד"א אִם לֹא תֵדְעִי לָךְ. לָךְ לָמָּה. אֶלָּא בְּכָל אֲתַר דְּיִשְׂרָאֵל בְּגָלוּתָא, אִיהִי עִמְּהוֹן בְּגָלוּתָא. וְעַ"ד כְּתִיב לָךְ, וּכְתִיב בְּכָל צָרָתָם לוֹ צָר. וְדָא הוּא לָךְ. הַיָּפָה בַּנָּשִׁים, הַיָּפָה, אִיהִי אַמִירַת דְּאִיהִי אוּכַמְתָּא, כד"א שְׁחוֹרָה אֲנִי. וְאִיהוּ אָמַר לְגַבָּהּ, יָפָה אַתְּ, שַׁפִּירְתָּא, הַיָּפָה בַּנָּשִׁים, שַׁפִּירְתָּא אִיהִי עַל כָּל דַּרְגִּין, וּכְתִיב יָפָה אַתְּ רַעְיָתִי.

רלו. ד"א הַיָּפָה בַּנָּשִׁים, טַבְתָּא בְּטִיבוּ. דַּעֲבִידַת טִיבוּ לִבְנָהָא, בְּטְמִירוּ בִּגְנִיזוּ. וְקוּדְשָׁא בְּרִיךְ הוּא סַגֵּי טָב עָלֵיהּ, כָּל מַה דַּעֲבִידַת לִבְנָהָא בִּטְמִירוּ בִּגְנִיזוּ, אע"ג דְּלָא מַכְשְׁרָן עוֹבָדִין. מִכָּאן דְּאִתְחֲזֵי לְאַבָּא כַּד אִמָּא רָחֲמָא עַל בְּנִין וְתָאִיב עָלֵיהּ כָּל מַה דַּעֲבִידַת לִבְנָהָא רָחֲמִין בִּטְמִירוּ אע"ג דְּלָא מַכְשְׁרָן עוֹבָדוֹי.

רלז. אָמַר ר' אַבָּא, תַּוְוהְנָא עַל הַהוּא דִּכְתִיב כִּי יִהְיֶה לְאִישׁ בֵּן סוֹרֵר וּמוֹרֶה וְגוֹ', וְתָפְשׂוּ בוֹ אָבִיו וְאִמּוֹ וְגוֹ', וְתָנֵינָן, דִּבְהַהִיא שַׁעֲתָא אָמַר קוּדְשָׁא בְּרִיךְ הוּא לְמֹשֶׁה כְּתוֹב. אָמַר לֵיהּ מֹשֶׁה, מָארֵיהּ דְּעָלְמָא, שְׁבִיק דָּא, אִית אַבָּא דַּעֲבִיד כְּדֵין לִבְרֵיהּ. וּמֹשֶׁה מְרַחִיק הֲוָה וְחָמֵי בְּחָכְמְתָא, כָּל מַה דְּזַמִּין קוּדְשָׁא בְּרִיךְ הוּא לִבְנֵי יִשְׂרָאֵל. אָמַר, מָארֵיהּ דְּעָלְמָא, שְׁבוֹק מִלָּה דָּא. א"ל קוּדְשָׁא בְּרִיךְ הוּא לְמֹשֶׁה, וַחֲמֵינָא מַה דְּאַתְּ אָמַר, כְּתוֹב וְקַבֵּל אַגְרָא. אַתְּ יָדַעַת וַאֲנָא יָדַע יַתִּיר. מַה דְּאַתְּ חָמֵי, עֲלֵי הַהוּא עוֹבָדָא. דְּרוֹשׁ קְרָא וְתִשְׁכַּח.

רלח. בְּהַהוּא שַׁעֲתָא רָמַז לֵיהּ לְיוֹפִיאֵ"ל, רַבָּנָא דְּאוֹרַיְיתָא, אָמַר לְמֹשֶׁה, אֲנָא דְּרִישְׁנָא לְהַאי קְרָא כְּתִיב כִּי יִהְיֶה לְאִישׁ, דָּא קוּדְשָׁא בְּרִיךְ הוּא, דִּכְתִיב יְיָ' אִישׁ מִלְחָמָה. בֵּן, דָּא יִשְׂרָאֵל. סוֹרֵר וּמוֹרֶה, דִּכְתִיב כִּי כְּפָרָה סוֹרֵרָה סָרַר יִשְׂרָאֵל. אֵינֶנּוּ שׁוֹמֵעַ בְּקוֹל אָבִיו וּבְקוֹל אִמּוֹ, דָּא קוּדְשָׁא בְּרִיךְ הוּא וּכְנֶסֶת יִשְׂרָאֵל. וְיִסְּרוּ אוֹתוֹ, דִּכְתִיב, וַיָּעַד יְיָ' בְּיִשְׂרָאֵל וּבִיהוּדָה בְּיַד כָּל נְבִיאֵי כָּל חוֹזֶה וְגוֹ'. וְלֹא שָׁמַע אֲלֵיהֶם, דִּכְתִיב וְלֹא יִשְׁמְעוּ אֶל יְיָ' וְגוֹ'. וְתָפְשׂוּ בוֹ אָבִיו וְאִמּוֹ, בְּדַעְתָּא וְחָדָא. בְּהַסְכָּמָה וְחָדָא.

רלט. וְהוֹצִיאוּ אוֹתוֹ אֶל זִקְנֵי עִירוֹ וְאֶל שַׁעַר מְקוֹמוֹ. אֶל זִקְנֵי עִירוֹ, אֶל זִקְנֵי עִירָם, וְאֶל שַׁעַר מְקוֹמָם, מִבָּעֵי לֵיהּ, מַאי אֶל זִקְנֵי עִירוֹ, וְאֶל שַׁעַר מְקוֹמוֹ. אֶלָּא, אֶל זִקְנֵי עִירוֹ, דָּא קוּדְשָׁא בְּרִיךְ הוּא, וְאֶל שַׁעַר מְקוֹמוֹ, דָּא כְּנֶסֶת יִשְׂרָאֵל. זִקְנֵי עִירוֹ, אִלֵּין יוֹמִין קַדְמָאִין, יוֹמִין עַתִּיקִין דְּכֹלָּא. שַׁעַר מְקוֹמוֹ, דָּא מוּסַף שַׁבָּת.

רמ. וְעַכ"ד, אע"ג דְּכֹלָּא יָדְעִין, דִּינָא לְעֵילָּא אִיהוּ, בְּגִין דְּבֵי דִּינָא דְּאִמָּא קְרִיבִין אִינּוּן לְיִשְׂרָאֵל, וְאוֹרְיָין בְּהוּ, וְכָל קָרִיב לָא דְּאִין דִּינָא לִקְרוֹבִים, וּפָסוּל אִיהוּ לְדִינָא.

בְּקַדְמֵיתָא מַה כְּתִיב, אֶל זִקְנֵי עִירוֹ וְאֶל שַׁעַר מְקוֹמוֹ, כֵּיוָן דְּחָמָא קוּדְשָׁא בְּרִיךְ הוּא דְּאִינּוּן קְרִיבִין, מִיַּד סָלִיק דִּינָא מִשַּׁעַר מְקוֹמוֹ, מַה כְּתִיב בַּתְרֵיהּ, וְאָמְרוּ אֶל זִקְנֵי עִירוֹ לְחוּד. וְאֶל שַׁעַר מְקוֹמוֹ לָא כְּתִיב, אֶלָּא אֶל זִקְנֵי עִירוֹ.

רמא. בְּנֵנוּ זֶה וַדַּאי, וְלָאו דִּשְׁאַר עַמִּין. סוֹרֵר וּמוֹרֶה אֵינֶנּוּ שׁוֹמֵעַ בְּקוֹלֵנוּ. מַאי שְׁנָא, דְּהָא בְּקַדְמֵיתָא לָא כְּתִיב זוֹלֵל וְסוֹבֵא, וּלְבָתַר כְּתִיב זוֹלֵל וְסוֹבֵא. אֶלָּא מַאן גָּרִים לְהוּ לְיִשְׂרָאֵל, לְמֶהֱוֵי סוֹרֵר וּמוֹרֶה לְגַבֵּי אֲבוּהוֹן דְּבִשְׁמַיָּא, בְּגִין דְּאִיהוּ זוֹלֵל וְסוֹבֵא, בִּשְׁאַר עַמִּין דִּכְתִּיב וַיִּתְעָרְבוּ בַגּוֹיִם וַיִּלְמְדוּ מַעֲשֵׂיהֶם וּכְתִיב וַיֹּאכַל הָעָם וַיִּשְׁתַּחֲווּ, דְּעִקָּרָא וִיסוֹדָא אֲכִילָה וּשְׁתִיָּה, כַּד עַבְדִּין בִּשְׁאַר עַמִּין. דָּא גָּרִים לוֹן, לְמֶהֱוֵי בֵּן סוֹרֵר וּמוֹרֶה, לְגַבֵּי אֲבוּהוֹן דְּבִשְׁמַיָּא.

רמב. וְעַ״ד וּרְגָמֻהוּ כָּל אַנְשֵׁי עִירוֹ בָאֲבָנִים. אִלֵּין כָּל שְׁאָר עַמִּין, דַּהֲווּ מְקַלְעִין לְהוּ בְּאַבְנִים, וְסַתְרִין שׁוּרִין, וּמְנַתְּצִין מִגְדְּלִין, וְלָא מְהַנֵּי לוֹן כְּלוּם. כֵּיוָן דְּשָׁמַע מֹשֶׁה כְּדֵין, כָּתַב פַּרְשְׁתָּא דָּא.

רמג. וְעִם כָּל דָּא הַיָּפָה בַּנָּשִׁים, טָבָא וְיַקִּירָא בַּנָּשִׁים דְּעָלְמָא. צְאִי לָךְ בְּעִקְבֵי הַצֹּאן, הָא אוֹקִימְנָא, אִלֵּין בָּתֵּי כְּנֵסִיּוֹת וּבָתֵּי מִדְרָשׁוֹת. וּרְעִי אֶת גְּדִיּוֹתַיִךְ, אִלֵּין יַנּוּקֵי דְּבֵי רַב, דְּלָא טָעֲמוּ טַעַם חוֹבָא בְּעָלְמָא. עַל מִשְׁכְּנוֹת הָרוֹעִים, אִלֵּין מְלַמְּדֵי תִּינוֹקוֹת וְרֵישֵׁי יְשִׁיבוֹת.

רמד. ד״א עַל מִשְׁכְּנוֹת הָרוֹעִים, חָסֵר ו׳. אִינּוּן בִּישִׁין, אִלֵּין מַלְכֵי הָאֱמוֹרִי, דְּנָטְלוּ יִשְׂרָאֵל אַרְעָא דִּלְהוֹן, לְרַעְיָא מִקְנֵיהוֹן, וּלְבֵי מַרְעֶה יָהַב יִשְׂרָאֵל אַרְעָא דָּא. כְּדֵין שָׁמַע בָּלָק, דְּאַרְעָא דַּהֲוַת חֲשִׁיבָא כ״כ, עָבְדוּ יִשְׂרָאֵל קָרְבָא דָּא, וְסַתְרוּ לָהּ, עַד דְּשָׁווּ לָהּ בֵּי מַרְעֶה. כְּדֵין אִשְׁתַּדַּל בְּכָל מַה דְּאִשְׁתַּדַּל, וְשָׁתַּף בַּהֲדֵיהּ לְבִלְעָם.

רמה. וַיַּרְא בָּלָק, רִבִּי חִזְקִיָּה פָּתַח, כֹּה אָמַר יְיָ׳ שִׁמְרוּ מִשְׁפָּט וַעֲשׂוּ צְדָקָה כִּי קְרוֹבָה יְשׁוּעָתִי וְגוֹ׳. כַּמָּה חֲבִיבִין יִשְׂרָאֵל קַמֵּי קוּדְשָׁא בְּרִיךְ הוּא, דְּאַע״ג דְּאִינּוּן חָאבוּ קַמֵּיהּ, וְחָבִין קַמֵּיהּ בְּכָל זִמְנָא וְזִמְנָא, אִיהוּ עָבֵיד לוֹן לְיִשְׂרָאֵל, זְדוֹנוֹת כִּשְׁגָגוֹת.

רמו. וְהָכִי אָמַר רַב הַמְנוּנָא סָבָא, תְּלַת בָּבֵי דִּינָא, תַּקִּינוּ בְּסִדְרֵי מַתְנִיתָא, וְחַד דָּא, קַדְמֵיתָא, בְּאַרְבַּע אָבוֹת נְזִיקִין הַשּׁוֹר וְכוּ׳. תִּנְיָינָא, טַלִּית דְּאִשְׁתְּכַח. תְּלִיתָאָה, שׁוּתָפִין וְרָזָא דַּאֲבֵידָה. מ״ט. אֶלָּא, קוּדְשָׁא בְּרִיךְ הוּא בְּכָל זִמְנָא, עָבֵיד לוֹן לְיִשְׂרָאֵל זְדוֹנוֹת כִּשְׁגָגוֹת. וְאִינּוּן דְּסַדְּרוּ מַתְנִיתִין דִּתְלָתָא בָּבֵי, הָכִי סַדְּרוּ, אֹרַח דִּקְרָא נַקְטוּ, דִּכְתִּיב עַל כָּל דְּבַר פֶּשַׁע, וְהַאי פֶּשַׁע אִיהוּ דְּלָאו בְּזָדוֹן, וּמַאן אִיהוּ. עַל שׁוֹר, עַל חֲמוֹר, עַל שֶׂה, דָּא בָּבָא קַמָּא, דְּהָכָא הוּא בְּאִינּוּן מִלִּין. עַל שַׂלְמָה, דָּא בָּבָא מְצִיעָא, עַל כָּל אֲבֵדָה, דָּא בָּבָא תְּלִיתָאָה.

רמז. דְּאֹרַח קְרָא נַקְטוּ. דְּכַד מָטָא לְבָבָא מְצִיעָא, הֲוָה אָמַר, שֵׁירוּתָא דְּקָא נַקְטוּ בְּטַלִּית דָּא, אַמַּאי. כֵּיוָן דְּאִשְׁתְּכַח קְרָא, אָמַר, וַדַּאי דָּא הֲלָכָה לְמֹשֶׁה מִסִּינַי, וּבֵיאֲרוּ כָּל מִלֵּי דְּרַבָּנָן.

רמח. כֹּה אָמַר יְיָ׳, מ״ש בְּכָל דּוּכְתָּא דִּנְבִיאֵי, דִּכְתִּיב כֹּה אָמַר יְיָ׳, וּבְמֹשֶׁה לָא כְּתִיב הָכִי. אֶלָּא, מֹשֶׁה דַּהֲוַת נְבִיאוּתֵיהּ מִגּוֹ אַסְפַּקְלַרְיָאה דְּנַהֲרָא דִּלְעֵילָא, לָא כְּתִיב בֵּיהּ כֹּה. אֲבָל שְׁאַר נְבִיאִים, דַּהֲווּ מִתְנַבְּאִין מִגּוֹ אַסְפַּקְלַרְיָאה דְּלָא נַהֲרָא, נְבִיאוּ מִגּוֹ כֹּה.

רמט. וְעַתָּה לְכָה נָּא אָרָה לִּי אֶת הָעָם הַזֶּה וְגוֹ׳. וְעַתָּה, רִבִּי אֶלְעָזָר אָמַר, אָמַר הַהוּא רָשָׁע, וַדַּאי שַׁעֲתָא קַיְּימָא לִי לְמֶעְבַּד מַה דַּאֲנָא בָּעֵי. חָמָא, וְלָא חָמָא יָאוֹת.

וְזִמְנָא כַּמָּה אַלְפִּין נַפְלִין מִיִּשְׂרָאֵל עַל יְדוֹי לִזְמַן זְעֵיר, אָמַר וַדַּאי הַשְׁתָּא שַׁעֲתָא קַיְימֵי לִי. ובג"כ וְעַתָּה, וְלָא בְּזִמְנָא אָחֳרָא.

רנ. לְכָה, לָךְ מִבָּעֵי לֵיהּ, מַאי לְכָה. אָמַר, נִזְדָּרֵז גַּרְמָן לְהַהוּא דְּרוֹזִיף בְּגִדְפוֹי עֲלַיְיהוּ, לְהַהוּא דִּשְׁמֵיהּ כ"ה. וְעַתָּה לְכָה, נַגִּיחַ קְרָבָא בְּהַהוּא כ"ה.

רנא. אָמַר, עַד הַשְׁתָּא לָא הֲוָה בְּעָלְמָא מַאן דְּיִיכוֹל לְהוּ, בְּגִין הַהוּא פַּטְרוֹנָא דְּקַיְימָא עֲלַיְיהוּ, הַשְׁתָּא דְּשַׁעֲתָא קַיְימָא לָן, לְכָה נַעֲבִיד קְרָבָא. וְכָל עֵיטָא דְּהַהוּא רָשָׁע לְכ"ה הֲוָה, דִּכְתִיב וְאָנֹכִי אִקָּרֶה כֹּה מֵאֵתְרֵיהּ. וְתַרְוַויְיהוּ בְּעֵיטָא בִּישָׁא לְהַאי כֹּה הֲווֹ, כד"א עַל יְיָ' וְעַל מְשִׁיחוֹ, לָא יָדְעוּ דְּהָא לְבָתַר, הַאי כ"ה אַעֲקַר לוֹן מֵעָלְמָא.

רנב. כִּי עָצוּם הוּא מִמֶּנִּי. וְכִי עַד הַהוּא שַׁעֲתָא אָן אַגִּיחוּ בֵּיהּ קְרָבָא וְנָצְחוּ לֵיהּ. בְּאָן אֲתַר אִירְעוּ בְּחַרְבָּא דִּלְהוֹן, וַהֲווֹ גִּבָּרִין כְּגַבְרִין לְאַחֲזָאָה גְּבוּרְתָא דִּלְהוֹן. מַאי כִּי עָצוּם הוּא מִמֶּנִּי. אֶלָּא הַהוּא רָשָׁע וְחַכִּים הֲוָה, וְחָמֵי לְמֵרָחִיק, וְחָמָא לְדָוִד מַלְכָּא, דְּאָתֵי מֵרוּת הַמּוֹאֲבִיָּה, גִּיבַּר תַּקִּיף כְּאַרְיֵה, וְעָבִיד קְרָבִין תַּקִּיפִין, וְנָצַח לְמוֹאָב, וְשַׁוֵּי לוֹן תְּחוֹת רַגְלוֹי. אָמַר עָצוּם הוּא. הַהוּא דְּיָרְתָא הַהוּא גְּבוּרְתָא, וְחַד מַלְכָּא דִּלְהוֹן, מִינָן יִפּוּק לְשֵׁיצָאָה לְמוֹאָב.

רנג. אוּלַי אוּכַל נַכֶּה בּוֹ. הַאי קְרָא הָכִי הֲוָה לֵיהּ לְמֵימַר, אוּלַי אוּכַל אַכֶּה בּוֹ. אוֹ אוּלַי נוּכַל נַכֶּה בּוֹ. אֶלָּא הַהוּא רָשָׁע הֲוָה וְחַכִּים, אָמַר, זִמְנִין יָדָא וְחָדָא, דְּחַד אַרְיָא תַּקִּיפָא, פָּרִישׁ יְדָא, אִי אִיכוֹל עִמָּךְ, דְּנִתְחַבַּר תַּרְוָונָא וְנִגְרַע מֵהַהוּא אַרְיֵה יְדָא דָּא, עַד לָא יֵיתֵי הַהוּא מַלְכָּא לְעָלְמָא, וְלָא יִתְרַךְ יַת מוֹאָב מֵאַתְרֵיהּ.

רנד. אָרָה לִי, מַאי אָרָה לִי. א"ר אַבָּא, הַהוּא רָשָׁע בִּתְרֵי לִישָׁנֵי קָאָמַר לְבִלְעָם. חַד אָמַר אָרָה לִי, וְחַד אָמַר קָבָה לִי. מַה בֵּין הַאי לְהַאי. אֶלָּא א"ל, אָרָה לִי עִשְׂבִּין וְחַרְשִׁין דְּרֵישֵׁי דְּחִוְיָין, וְשַׁוֵּי לוֹן בְּקִדְרָה דְּחַרְשַׁיָּא, כֵּיוָן דְּחָמָא דְּחֵילֵיהּ יַתִּיר בְּפוּמָא, תָּב וְאָמַר, וּלְכָה נָּא קָבָה לִי.

רנה. וַאֲפִילּוּ הָכִי, הַהוּא רָשָׁע דְּבָלָק, לָא שָׁבַק חַרְשׁוֹי, אֶלָּא לָקִיט כָּל זִינֵי עִשְׂבִּין, וְחַרְשֵׁי דְּרֵישֵׁי דְּחִוְיָין, וְנָטִיל קִדְרָה דְּחַרְשִׁין, וְנָעִיץ לָהּ תְּחוֹת אַרְעָא אֶלֶף וַחֲמֵשׁ מְאָה אַמִּין, וְגָנִיז לָהּ לְסוֹף יוֹמִין. כֵּיוָן דְּאָתָא דָּוִד, כָּרָא בִּתְהוֹמָא, אֶלֶף וַחֲמֵשׁ מְאָה אַמִּין, וְאַפִּיק מַיָּא מִן תְּהוֹמָא, וְנָסִיךְ עַל מַדְבְּחָא. בְּהַהוּא שַׁעֲתָא, אָמַר, אֲנָא אַסְחֵי הַהִיא קִדְרָה, מוֹאָב סִיר רַחְצִי. סִיר רַחְצִי וַדַּאי.

רנו. עַל אֱדוֹם אַשְׁלִיךְ נַעֲלִי, מַאי אַשְׁלִיךְ נַעֲלִי. אֶלָּא דָּא אוּף הָכִי לְמֵרָחִיק הֲוָה, דִּכְתִיב וַיֹּאמֶר עֵשָׂו אֶל יַעֲקֹב הַלְעִיטֵנִי נָא מִן הָאָדוֹם הָאָדוֹם הַזֶּה כִּי עָיֵף אָנֹכִי. הַלְעִיטֵנִי: הַלְעָטָה מַמָּשׁ, פְּתִיחוּ דְּפוּמָא וּגְרוֹנָא לְמִבְלַע. אָמַר דָּוִד לְהַהוּא בַּלְעָן, מַלְעִט הַלְעָטִין, אֲנָא אַרְמֵי עָלֵיהּ נַעֲלִי, לְמִסְתַּם גְּרוֹנֵיהּ.

רנז. עָלַי פְּלֶשֶׁת אֶתְרוֹעָע, אוּף הָכִי דָּא לְמֵרָחִיק אִסְתַּכֵּי דָּוִד, אָמַר, כְּנַעַן סִטְרָא בִּישָׁא דְּסִטְרָא אָחֳרָא אִיהוּ, וּפְלִשְׁתִּים מִתַּמָּן אִינּוּן, לְסִטְרָא אָחֳרָא מַה אִצְטְרִיךְ. תְּרוּעָה. דִּכְתִיב, וְכִי תָבֹאוּ מִלְחָמָה בְּאַרְצְכֶם וַהֲרֵעוֹתֶם וְגוֹ', לְתַבְרָא חֵילֵיהּ וְתוּקְפֵּיהּ, ובג"כ עָלַי פְּלֶשֶׁת אֶתְרוֹעָע, וְהָכִי אִתְחֲזֵי לוֹן.

רנח. וְעַתָּה לְכָה נָא אָרָה לִי אֶת הָעָם הַזֶּה כִּי עָצוּם הוּא מִמֶּנִּי. ר' חִזְקִיָּה פָּתַח, וְהָיָה צֶדֶק אֵזוֹר מָתְנָיו וְהָאֱמוּנָה אֵזוֹר חֲלָצָיו. הַאי קְרָא כֹּלָּא אִיהוּ חַד. מַאי חִדּוּשָׁא אָתָא לְאַשְׁמוּעִינָן, דְּהָא צֶדֶק הַיְינוּ אֱמוּנָה, וֶאֱמוּנָה הַיְינוּ צֶדֶק. אֵזוֹר מָתְנָיו, הַיְינוּ אֵזוֹר חֲלָצָיו, לָא אַשְׁכְּחָן קְרָא כְּהַאי גַּוְונָא.

רנט. אֶלָּא לָאו צֶדֶק כְּאֵמוּנָה, וְאַע"ג דְּכֹלָּא חַד, וְוַד דַּרְגָּא אִיהוּ. אֲבָל בְּזִמְנָא דְּקָיְימָא בְּדִינָא קַשְׁיָא, וּמְקַבְּלָא מִסִּטְרָא שְׂמָאלָא, כְּדֵין אִקְרֵי צֶדֶק, דִּינָא מַמָּשׁ. וְהַיְינוּ כִּי כַּאֲשֶׁר מִשְׁפָּטֶיךָ לָאָרֶץ צֶדֶק לָמְדוּ יוֹשְׁבֵי תֵבֵל, רַחֲמֵי אִיהוּ. וְכַד אִתְקְרִיב מִשְׁפָּט בְּצֶדֶק, כְּדֵין אִתְבַּסַּם, וְיָכְלִין בְּנֵי עָלְמָא, לְמִסְבַּל דִּינָא דְּצֶדֶק.

רס. אֱמוּנָה, בְּשַׁעֲתָא דְּאִתְחוֹבַר בָּהּ אֱמֶת, לְוָדֵוָה. וְכָל אַנְפִּין נְהִירִין, כְּדֵין אִקְרֵי אֱמוּנָה. וְאִית וַוּתְּרָנוּתָא לְכֹלָּא, וְכָל נִשְׁמָתִין סַלְּקִין, מִתְחַזְיֵיבֵי בְּכַמָּה וְחַיָּיבִין דְּוַיָּיבִין בִּישִׁין, וְכֵיוָן דְּבִפְקַדוֹן סַלְּקִין, אַהֲדַר לוֹן בְּרַחֲמֵי, וְחָס עֲלַיְיהוּ. וּכְדֵין אִקְרֵי אֱמוּנָה, וְלֵית אֱמוּנָה בְּלָא אֱמֶת.

רסא. הַשְׁתָּא אֱזוֹר מָתְנָיו, וַאֲזוֹר וַחֲלָצָיו. מַהוּ תְּרֵין אֱזוֹרִין הָכָא. וּמִתְנַיִם וְחֲלָצָיִם אַע"ג דְּחַד אִינּוּן, תְּרֵין דַּרְגִּין אִינּוּן, חַד לְעֵילָּא, וְחַד לְתַתָּא. לְעֵילָּא בִּשְׁאִירוּתָא, אִקְרֵי מִתְנַיִם. לְתַתָּא בְּסוֹפָא, אִקְרֵי וְחֲלָצָיִן, כְּד"א וַחֲגוֹרָה עַל חֲלָצָיִם, בְּסוֹפָא, עַל רֵישׁ יְרָכַיִם. כַּד אִתְּתַּן בְּצַעֲרָא, מְנַתְּקָן אִינּוּן וְחֲלָצָיִם, מְרֵישׁ יְרָכִין, וְשַׁוְּיָאת יְדָהָא בְּכָאֵבָא עֲלַיְיהוּ.

רסב. וּבַג"כ לִגְבוּרָה וּלְקָרְבָא, צֶדֶק אֲזוֹר מָתְנָיו. וְהָכִי אִצְטְרִיךְ, לְרַחֲמָנוּ וּלְטַב, אֱמוּנָה וַחֲלָצָיו, בְּחַד דַּרְגָּא יְדִין עָלְמָא, וְשַׁלְטָא לִתְרֵין סִטְרִין, חַד רַחֲמֵי לְיִשְׂרָאֵל. וְוַד דִּינָא לִשְׁאַר עַמִּין.

רסג. וְאִי תֵּימָא, צֶדֶק דִּינָא תַּקִּיף אִיהוּ, וְהָא כְּתִיב בְּצֶדֶק תִּשְׁפּוֹט עֲמִיתֶךָ. צֶדֶק צֶדֶק תִּרְדוֹף. וְכַמָּה אִינּוּן. וַדַּאי הָכִי הוּא. דְּהָא צֶדֶק לֵית בֵּיהּ וַוּתְּרָנוּתָא כְּלָל. אוּף הָכִי מַאן דְּדָאִין לְחַבְרֵיהּ, לָא אִצְטְרִיךְ לְמֶעְבַּד לֵיהּ וַוּתְּרָנוּתָא מִן דִּינָא כְּלָל, אֶלָּא בְּצֶדֶק, דְּלָא יַשְׁגַּח לִרְחִימוּ. מֹאזְנֵי צֶדֶק, בְּלָא וַוּתְּרָנוּ לְהַאי סִטְרָא וּלְהַאי סִטְרָא, לְמַאן דְּיָהִיב וּלְמַאן דִּמְקַבֵּל. וּבַג"כ חַד דַּרְגָּא אִיהוּ, וְאִתְפַּלַּג לִתְרֵין סִטְרִין. וְהָנֵי תְּרֵין סִטְרִין, ב' אֱזוֹרִין, קַיְימָן, חַד לִשְׁאַר עַמִּין, וְחַד לְיִשְׂרָאֵל. וּבְשַׁעֲתָא דְּנָפְקוּ יִשְׂרָאֵל מִמִּצְרַיִם, אִתְאֲחָרוּ בְּאֱזוֹרִין אִלֵּין, חַד דִּקְרָבָא, וְחַד הֲוָה דִּשְׁלָמָא.

רסד. כַּד אִתְיְעַט בָּלָק, אֲמַר וַאֲגָרְשֶׁנּוּ מִן הָאָרֶץ. אֲמַר הַהוּא דַּרְגָּא דְּקָא אִתְאַחְדָן בֵּיהּ, מִן הָאָרֶץ וַדַּאי. וְדָא הוּא כִּי עָצוּם הוּא מִמֶּנִּי וַדַּאי, מַאן יֵיכוּל לְאַגָּחָא וּלְקָיְימָא בֵּהוּ בְּיִשְׂרָאֵל דַּרְגָּא דִּלְהוֹן תַּקִּיף הוּא מִדִּילִי. וּבַג"כ, וַאֲגָרְשֶׁנּוּ מִן הָאָרֶץ. וְאִי מֵהַאי אֲגָרְשֶׁנּוּ, וְאִתְרַךְ יָתֵיהּ מִינֵּיהּ, אִיכוּל לְמֶעְבַּד כָּל רְעוּתִי, וְחֵילָא דִּלְהוֹן בְּמַאי אִיהוּ. בְּפוּמָא, וּבְעוֹבָדָא. הָא פּוּמָא דִּילָךְ, וְעוֹבָדָא דִּילִי.

רסה. כִּי יָדַעְתִּי אֵת אֲשֶׁר תְּבָרֵךְ מְבוֹרָךְ וְגוֹ'. וְכִי מַאן הֲוָה יָדַע. הָא אוּקְמוּהָ, דְּהָא בְּקַדְמֵיתָא כְּתִיב, וְהוּא נִלְחַם בְּמֶלֶךְ מוֹאָב הָרִאשׁוֹן וַיִּקַּח אֶת כָּל אַרְצוֹ מִיָּדוֹ, דְּאֲגַר לֵיהּ לְבִלְעָם וְכוּ'. אֲבָל כִּי יָדַעְתִּי, יְדִיעָה וַדַּאי יָדַע, בְּחָכְמְתָא דִּילֵיהּ. אֵת אֲשֶׁר תְּבָרֵךְ מְבוֹרָךְ, מַאי אִצְטְרִיךְ בִּרְכָתָא הָכָא בִּרְכָה, דְּהָא בְּגִין קְלָלָה הֲוָה אָזִיל, וְאִי הַהוּא מִלָּה דַּהֲוָה יָדַע מִן בִּלְעָם בְּקַדְמֵיתָא, קְלָלָה הֲוָה, מַאי אֵת אֲשֶׁר תְּבָרֵךְ מְבוֹרָךְ.

רסו. אֶלָּא מִלָּה הָכָא, וְלָא יָדְעֵנָא בָּהּ, וְלָא זָכֵינָא בָּהּ, עַד דְּאָתָא רִבִּי אֶלְעָזָר וְדָרֵשׁ, אֲבָרְכָה אֶת יְיָ בְּכָל עֵת תָּמִיד תְּהִלָּתוֹ בְּפִי. וּכְתִיב אֲבָרֵךְ אֶת יְיָ אֲשֶׁר יְעָצָנִי. מַאן דְּאִצְטְרִיךְ בִּרְכָתָא מִן תַּתָּאי. אֵת, דְּהָא אִתְאֲחָד בְּהוּ כְּשַׁלְהוֹבָא בַּפְּתִילָה. וְדָוִד דַּהֲוָה יָדַע דָּא, אֲמַר אֲבָרְכָה אֵת. אֲמַר הַהוּא רָשָׁע, הַהוּא דַּרְגָּא דִּלְהוֹן, אֱזוֹר אִיהוּ, בְּגִין בִּרְכָאן דִּלְהוֹן, דְּקָא מְבָרְכִין לֵיהּ בְּכָל יוֹמָא. וְחֵילָא אִית לָךְ לְבָרְכָא לְהַהוּא דַּרְגָּא, וּתְעַקַּר לָהּ מִינֵּיהּ וְדָא הוּא כִּי יָדַעְתִּי אֵת אֲשֶׁר תְּבָרֵךְ מְבוֹרָךְ וְגוֹ'. וּבְדָא נֵיכוּל בְּהוּ. תְּבָרֵךְ לְהַהוּא דַּרְגָּא וְתִילוֹט לִפְתִילָהּ. וְעַל דָּא אָמַר, וְאָנֹכִי אִקְּרֵהּ כֹּה, אֲעַקֵּר לָהּ

מִנַּיְיהוּ, דְּלָא יִתְאַחֲדוּ בְּהוּ.

רסז. וְתוּ אֲקָרֵה כֹּה, אַגְּזֵיר וַאֲבַמְשֵׁיךְ לְהַהוּא דַּרְגָּא, בְּחוֹבִין וּמְסָאֲבֵי וּבִקְרֵי וּבְטוֹמְאָה דְּעָבְדוּ בְּנַיי, וְהִיא תַּעֲבֵיד עִמְּהוֹן גְּמֵירָא. מִיַּד וַיֵּלְכוּ זָקְנֵי מוֹאָב וְזִקְנֵי מִדְיָן וּקְסָמִים בְּיָדָם, דְּלָא יֵימָא הַהוּא רָשָׁע דְּלָא עִמֵּיהּ אִינּוּן זִינִין וְזַרְעִין דְּאִצְטְרִיךְ וְיִתְעַכַּב עֲלַיְיהוּ.

רסח. פָּתַח וְאָמַר, וְאַתָּה אַל תִּירָא עַבְדִּי יַעֲקֹב וְאַל תֵּחַת יִשְׂרָאֵל כִּי אִתְּךָ אֲנִי וְגוֹ'. הַאי קְרָא אִתְּמַר וְאִתְּעָרוּ בֵּיהּ, אֲבָל עַד כְּעַן אִית לְאִתְעֲרָא יַתִּיר. אַתָּה, מַאי אִיהוּ. רָזָא אֲרוֹן הַבְּרִית. דְּדָא אִיהוּ דַּרְגָּא דְּאָזְלָא בְּגָלוּתָא בַּהֲדֵי בְּנָהָא עַמָּא קַדִּישָׁא. מֹשֶׁה בְּשַׁעֲתָא דְּבָעָא רַחֲמִין עֲלַיְיהוּ דְּיִשְׂרָאֵל, מַה כְּתִיב וְאִם כָּכָה אַתְּ עוֹשֶׂה לִי הָרְגֵנִי נָא הָרוֹג, וְאוֹקְמוּהָ.

רסט. אֲבָל הָכִי אָמַר מֹשֶׁה, דַּרְגָּא וָד דְּיָהֲבִית לִי אָקְרֵי אַתָּה, בְּגִין דְּלֵית לֵיהּ פְּרִישׁוּ מִמָּךְ. ה' דִּילָךְ אִתְאַחֲדוּ בְּהוּ בְּיִשְׂרָאֵל. אִי אַתְּ תְּשֵׁיצֵי לוֹן מֵעָלְמָא, הָא ה' דִּשְׁמָא דָּא דְּאִתְאַחֲדוּ בְּהוּ אִתְעֲבָר מִנֵּיהּ, אִי הָכִי אַתְּ עוֹשֶׂה לִי, דְּה' עִקָּרָא דָּא דִּשְׁמָא דָּא אִתְעֲקָר.

ער. וְעַ"ד אָמַר יְהוֹשֻׁעַ לְבָתַר, וּמַה תַּעֲשֶׂה לְשִׁמְךָ הַגָּדוֹל, דְּהָא וַדַּאי שְׁמָא דָּא עִקָּרָא וִיסוֹדָא דְּכֹלָּא, אַתָּה הוּא יְיָ'. וּמֹשֶׁה אע"ג דְּקֻדְשָׁא בְּרִיךְ הוּא לָא אָ"ל, הָכִי יָדַע, דְּהָא בְּהָא תַּלְיָא, וְחוֹבָה גְּרִים. וְאַתָּה אַל תִּירָא עַבְדִּי יַעֲקֹב וְגוֹ', כִּי אִתְּךָ אֲנִי, הָא אוֹקִימְנָא כִּי אִתִּי אַתָּה לָא כְּתִיב, אֶלָּא כִּי אִתְּךָ אֲנִי. כִּי אֶעֱשֶׂה כָלָה בְּכָל הַגּוֹיִם וְגוֹ', בְּכָל הַגּוֹיִם אֶעֱשֶׂה כָלָה.

רעא. רַב הַמְנוּנָא קַדְמָאָה אָמַר, דְּוִחִיקוּ וְעָאקוּ דְּיִשְׂרָאֵל, כַּמָּה טָב וְכַמָּה תּוֹעַלְתָּא גְּרִים לוֹן. רַפְיוֹן דִּשְׁאָר עַמִּין, כַּמָּה בִּישִׁין גְּרִים לוֹן. דְּוִחִיקוּ וְעָאקוּ דְּיִשְׂרָאֵל, גְּרִים לוֹן דְּטָב לֶיהֱוֵי וְתוֹעַלְתָּא. וּמַאי נִיהוּ. כָּלָּה. כֹּלָּא דָּוִחִיק. רַפְיוֹן דִּשְׁאָר עַמִּין, גְּרִים לוֹן רַפְיוֹן וּבִישׁ, וְהַאי אִיהוּ כָלָה. וְהָכִי אִתְחֲזֵי לוֹן, דְּהָא כָּל רַפְיוֹן בְּלָא דָּוִחִיקוּ דַּהֲוָה לוֹן בְּהַאי עָלְמָא, גְּרִים לוֹן רַפְיוֹן לְבָתַר בְּלָא כָלָה וְנוֹרְצָה שְׁמַעְתִּי. כִּי כָלָה. כִּי אֶעֱשֶׂה כָלָה בְּרַפְיוֹן. לְיִשְׂרָאֵל דַּהֲוָה לוֹן דָּוִחִיקוּ וְעָאקוּ, כָּלָה, וְכִכְלָּה תַּעֲדֶה כֵלֶּיהָ.

רעב. מַאן כֵלֶּיהָ. אֵלֶּין יִשְׂרָאֵל, דְּאִינּוּן כֵלִּים דְּהַאי כָּלָה, יִשְׂרָאֵל דַּהֲוָה דָּוִחִיקוּ וְעָאקוּ, אָקִים אֶת סֻכַּת דָּוִד הַנּוֹפֶלֶת, סֻכַּת שָׁלוֹם. לִשְׁאָר עַמִּין דַּהֲוָה לוֹן רַפְיוֹן צָרָה וְצוּקָה, כָּלָה בְּרַפְיוֹן, כַּמָּה דַּהֲוָה לוֹן בְּקַדְמֵיתָא. וְעַ"ד כִּי אֶעֱשֶׂה כָלָה בְּכָל הַגּוֹיִם וְגוֹ', וְאוֹתְךָ לֹא אֶעֱשֶׂה כָלָה, דְּהָא לָא אִתְחֲזֵי לָךְ. דְּהָא דָּוִחִיק הֲוֵית בְּקַדְמֵיתָא זִמְנִין סַגִּיאִין, בְּדָוִחִיקוּ, דְּגָלוּתָא תָּדִיר, וְדָוִחִיק תִּהְיֶה כָלָה.

רעג. וְיִסַּרְתִּיךָ לַמִּשְׁפָּט, הַאי קְרָא הָכִי מִבָּעֵי לֵיהּ וְיִסַּרְתִּיךָ בַּמִּשְׁפָּט, דְּהָא אֵימָתַי יִסּוּרֵי בְּשַׁעֲתָא דְּדִינָא. מַאי וְיִסַּרְתִּיךָ לַמִּשְׁפָּט. אֶלָּא כְּתִיב יְיָ' בַּמִּשְׁפָּט יָבֹא עִם זִקְנֵי עַמּוֹ. וְהַהוּא יוֹמָא, אַקְדִּים קֻדְשָׁא בְּרִיךְ הוּא אַסְוָותָא לְיִשְׂרָאֵל, עַד דְּלָא יֵיעֲלוּן לְדִינָא, בְּגִין דְּיֵיכְלוּן לְקַיְּימָא בֵּיהּ. וּמַאי אַסְוָותָא, הִיא דְּבְכָל שַׁעֲתָא וְשַׁעֲתָא קֻדְשָׁא בְּרִיךְ הוּא יָהֵיב יִסּוּרִין לְיִשְׂרָאֵל זְעֵיר, זְעֵיר בְּכָל זִמְנָא וְזִמְנָא, וּבְכָל דָּרָא וְדָרָא בְּגִין דְּכַד יֵיעֲלוּן לְיוֹמָא דְּדִינָא רַבָּא, דְּיֵיחֲזוּן מֵתְיָיא, לָא יִשְׁלוֹט עֲלַיְיהוּ דִּינָא.

רעד. וְנַקֵּה לֹא אֲנַקֶּךָ, מַהוּ. אֶלָּא, כַּד יִשְׂרָאֵל בִּלְחוֹדַיְיהוּ, וְלָא עָאלִין בְּדִינָא עִם שְׁאָר עַמִּין, קֻדְשָׁא בְּרִיךְ הוּא עָבֵיד לוֹן לְגוֹ מִשּׁוּרַת הַדִּין, וְהוּא מְכַפֵּר עֲלַיְיהוּ. וּבְזִמְנָא דְּעָאלִין בְּדִינָא בִּשְׁאָר עַמִּין, מַה עָבֵיד. יָדַע קֻדְשָׁא בְּרִיךְ הוּא דְּהָא סמא"ל

אַפִּטְרוֹפְּסָא דְּעֵשָׂו, יֵיתֵי לְאַדְכְּרָא חוֹבֵיהוֹן דְּיִשְׂרָאֵל, וְכָנִישׁ כֻּלְּהוּ לְגַבֵּיהּ לְיוֹמָא דְּדִינָא, וְהָא קוּדְשָׁא בְּרִיךְ הוּא אַקְדִּים לְהוּ אַסְוָותָא, וְעַל כָּל חוֹבָא וְחוֹבָא לָקֵי וְנַקֵּה לְהוּ בְּיִסוּרִין זְעֵיר זְעֵיר. וְדָא הוּא וְנַקֵּה, בְּיִסוּרִין. וּבְגִין כָּךְ בְּדִינָא דִּקְשׁוֹט, לָא אֲנַקֶּךָּ מֵעָלְמָא בְּדִינָא בָּתַר דְּסַבָּלַת יִסוּרִין זְעֵיר זְעֵיר.

רהע. וְתוּ לָא אֲנַקֶּךָּ, אע״ג דְּאַתּוּן בָּנַי, לָא אֶשְׁבּוֹק חוֹבֵיכוֹן, אֶלָּא אִתְפְּרַע מִנְּכוֹן זְעֵיר זְעֵיר, בְּגִין דְּתֶהֱווֹן זַכָּאִין לְיוֹמָא דְּדִינָא רַבָּא. כַּךְ אָתָאן לְדִינָא, אָתָא סָמָאֵ״ל, בְּכַמָּה פִּתְקִין עֲלַיְיהוּ. וְקוּדְשָׁא בְּרִיךְ הוּא אַפִּיק פִּתְקִין דְּיִסוּרִין, דְּסַבְלוּ יִשְׂרָאֵל עַל כָּל חוֹבָא וְחוֹבָא, וְנִמְווֹחוּ כָּל חוֹבִין, וְלָא עָבִיד לוֹן וַותְרָנוּתָא כְּלָל. כְּדֵין תָּשַׁשׁ כּוֹחֵיהּ וְחֵילֵיהּ דְּסָמָאֵל, וְלָא יָכִיל לוֹן. וְיִתְעֲבַר מֵעָלְמָא, הוּא, וְכָל סִטְרוֹי, וְכָל עַמִּין. הה״ד, וְאַתָּה אַל תִּירָא עַבְדִּי יַעֲקֹב וְגוֹ׳, בְּגִ״כ וְיִסַּרְתִּיךָ לַמִּשְׁפָּט וְנַקֵּה לֹא אֲנַקֶּךָּ.

רעו. וְדָוִד מַלְכָּא אָמַר, כִּי הִנֵּה הָרְשָׁעִים יִדְרְכוּן קֶשֶׁת כּוֹנְנוּ וְגוֹ׳. וְאַף עַל גַּב דְּהַאי קְרָא הָא אוֹקְמוּהָ, עַל שֶׁבְנָא וְיוֹאָח מִמְּנָן דְּחִזְקִיָּה אִתְּמַר, אֲבָל הַאי קְרָא עַל סָמָאֵ״ל וְסִיַּעְתֵּיהּ אוּף הָכִי אִתְּמַר, דְּכָל עוֹבָדוֹי וְעֵיטוֹי עַל יִשְׂרָאֵל נִּינְהוּ. בָּלָק וּבִלְעָם הַהוּא אַרַח מַמָּשׁ נָקְטוּ, וְהָא אִתְּמַר דַּחֲבוּרָא בִּישָׁא עַבְדוּ. אַמְרוּ, עֲמָלֵ״ק: עָ״ם לָ״ק, עַמָּא דְּלַקָּא לוֹן, כְּחִוְיָא דְּמָחֵי בְּזַנְבָא דִּילֵיהּ, הָא אֲנַן יַתִּיר. בָּלָ״ק: בָּ״א לָ״ק. אָתָא מַאן דְּלָקֵי לוֹן כִּרְעוּתֵיהּ. בִּלְעָ״ם: בַּ״ל עָ״ם, לֵית עַמָּא, וְלֵית רַעְיָא. שְׁמָא דִּילָן גָּרִים לְשֵׁיצָאָה לוֹן וּלְאַעְקְרָא לְהוּ מֵעָלְמָא.

רעז. וְקוּדְשָׁא בְּרִיךְ הוּא וְהָשִׁיב בְּגַוְונָא אַחֲרָא שְׁמֵיהוֹן, בְּבָלָק בַּ״ל, בְּבִלְעָם בַּ״ל, הָא בִּלְבֵּ״ל. מַה אַתְוָון אִשְׁתָּאֲרוּ עֶמָ״ק, בִּלְבֵּל עִמְקָא דְּמַחֲשָׁבָה דִּלְהוֹן, דְּלָא יִשְׁלְטוּן בְּעָלְמָא, וְלָא יִשְׁתַּאֲרוּן בְּעָלְמָא.

רעח. אר״ש, אֶלְעָזָר, יָאוּת אַמְרַת, אֲבָל בָּלָק, תִּפּוּח רוּחֵיהּ בְּגֵיהִנָּם. וּבִלְעָם יִשְׁתַּחֲקוּן תַּמָּן גַּרְמוֹי וְרוּחֵיהּ. וְהָכִי הוּא עֵיטָא בִּישָׁא נָטְלוּ עַל פַּטְרוֹנָא. עַל הַאי כֹּה, דְּחָשִׁיבוּ לְאַעְקְרָא לְהַאי כֹּה, וְחָשִׁיבוּ לְסִטְרָא בִּישָׁא לְסַלְקָא לֵיהּ בְּפוּמָא וּבְעוֹבָדָא.

רעט. אָמַר הַהוּא רָשָׁע, קַדְמָאֵי אִשְׁתַּדָּלוּ וְלָא יָכִילוּ. דּוֹר הַפְּלָגָה אִשְׁתַּדָּלוּ, וְלָא יָכִילוּ. עָבְדוּ עוֹבָדָא, וּפוּמָא חָסֵר מִנַּיְיהוּ, דִּלִישָּׁנֵהוֹן אִתְבַּלְבַּל, וְלָא יָכִיל. אֲבָל אַנְתְּ, הָא פּוּמָךְ שַׁנָּן, וְלִישָּׁנָךְ מִתְתַּקַּן בִּתְרֵין סִטְרִין אִלֵּין, אֵת אֲשֶׁר תְּבָרֵךְ מְבוֹרָךְ, וַאֲשֶׁר תָּאוֹר יוּאָר, הַהוּא סִטְרָא דְּאַתְּ בָּעֵי לְסַלְקָא לְעֵילָא בְּפוּמָךְ וְלִישָּׁנָךְ, אִסְתַּלִּיק. וְהַהוּא סִטְרָא דְּאַתְּ בָּעֵי לְמֵילַט, בְּחֵילָא דְּפוּמָךְ תֵּילוּט וְכֹלָּא בָּךְ תַּלְיָיא דְּהָא עוֹבָדָא אִתְתַּקַּן. אֲבָל בְּמִלָּה תַּלְיָיא כֹּלָּא, וְעַ״ד בְּעוֹבָדָא דְּנָחָשׁ אֲנָא אַתְקִין. וְאַנְתְּ תַּשְׁלִים כֹּלָּא בְּפוּמָךְ, הַהוּא סִטְרָא דִּתְבָרֵךְ מְבוֹרָךְ, וְהַהוּא סִטְרָא דְּתָאוֹר יוּאָר.

רפ. וְהוּא לָא יָדַע דְּקוּדְשָׁא בְּרִיךְ הוּא מֵסִיר שָׂפָה לְנֶאֱמָנִים וְטַעַם זְקֵנִים יִקַּח, וְכֹלָּא בִּרְשׁוּתֵיהּ קַיְּימָא. מֵסִיר שָׂפָה לְנֶאֱמָנִים, אִלּוּ דּוֹר הַפְּלָגָה, דְּבִלְבֵּל לִישָּׁנֵהוֹן, דְּלָא יִשְׁלְטוּן בְּמִלָּה כְּלַל. דִּכְתִּיב, אֲשֶׁר לֹא יִשְׁמְעוּ אִישׁ שְׂפַת רֵעֵהוּ. וְטַעַם זְקֵנִים יִקָּח, אִלּוּ בִּלְעָם וּבָלָק דְּתַרְוַויְיהוּ הֲווּ בְּעֵיטָא חֲדָא, דִּכְתִּיב וַיַּעַל בָּלָק וּבִלְעָם פַּר וָאַיִל בַּמִּזְבֵּחַ.

רפא. ת״ח, הַהוּא רָשָׁע דְּבִלְעָם, כָּל עוֹבָדוֹי לְבִישׁ, בְּרוּם לִבָּא. תַּרְוַויְיהוּ הֲווּ סַלְקִין קָרְבְּנָא, דִּכְתִּיב וַיַּעַל בָּלָק וּבִלְעָם. וְכָל מַדְבְּחִין בָּלָק הֲוָה מְסַדֵּר, וְאִיהוּ רָשָׁע, הֲוָה מְשַׁבַּח גַּרְמֵיהּ וְאָמַר, אֶת שִׁבְעַת הַמִּזְבְּחוֹת עָרַכְתִּי וָאַעַל פָּר וָאַיִל בַּמִּזְבֵּחַ. וְאִלּוּ לְבָלָק לָא שִׁתֵּף בַּהֲדֵיהּ. אָמַר קוּדְשָׁא בְּרִיךְ הוּא, רָשָׁע, כֹּלָּא יָדַעְנָא, אֶלָּא שׁוּב אֶל בָּלָק, וְאַתְּ לָא צָרִיךְ לְמַלְּלָא אֶלָּא וְכֹה תְדַבֵּר. הה״ד, וְטַעַם זְקֵנִים יִקָּח.

רפב. ד״א וְטַעַם זְקֵנִים יִקָּח, דִּכְתִּיב וַיֵּלְכוּ זִקְנֵי מוֹאָב וְזִקְנֵי מִדְיָן וּקְסָמִים בְּיָדָם.

טַעֲמָא דְּאִינּוּן זְקֵנִים נָטַל מִנַּיְיהוּ, וְלָא יָכִילוּ לְמִשְׁלַט בְּחַרְשַׁיְיהוּ כְּלַל. וַיְדַבְּרוּ אֵלָיו דִּבְרֵי בָלָק. מִלִּין בְּאִתְגַּלְיָא, וְלָא בִּלְחִישׁוּ. פָּגִים אוּדְנָא הֲוָה, וּפָגִים עֵינָא, וּפָגִים רַגְלָא. מִתְּלַת דּוּכְתִּין הֲוָה פָּגִים. מְתוּקָּן הֲוָה לְסִטְרָא אַחֲרָא, וְהָכִי אִצְטְרִיךְ לְהַהוּא סִטְרָא אַחֲרָא, אֲתָר דְּשַׁרְיָא פָּגִים, זִינָא לְזִינֵיהּ.

רפג. וַיֹּאמֶר אֲלֵיהֶם לִינוּ פֹּה הַלַּיְלָה וַהֲשִׁיבוֹתִי, אִינּוּן כְּתִיב, וַיְדַבְּרוּ אֵלָיו. וְאִיהוּ כְּתִיב, וַיֹּאמֶר אֲלֵיהֶם. לִינוּ פֹּה הַלַּיְלָה, בְּגִין דְּלֵילְיָא אִיהוּ שַׁעֲתָא דְּסִטְרָא אַחֲרָא הֲוֵי, לְחַרְשַׁיָּא, בְּשַׁעֲתָא דְּמִשְׁתַּכְּחֵי וְשַׁלְטֵי סִטְרֵי בִּישִׁין וּמִתְפַּשְּׁטָן בְּעָלְמָא. כַּאֲשֶׁר יְדַבֵּר יְיָ' אֵלָי. שַׁבּוּחֵי קָא מְשַׁבַּח גַּרְמֵיהּ בִּשְׁמָא דַּיְיָ'.

רפד. וַיֵּשְׁבוּ שָׂרֵי מוֹאָב, וְשָׂרֵי מִדְיָן אִתְפְּרָשׁוּ מִנַּיְיהוּ, וְלָא בָּעוּ לְמֵיתַב תַּמָּן. וְסָבֵי מוֹאָב אִשְׁתָּאֲרוּ, דִּכְתִּיב וַיֵּשְׁבוּ שָׂרֵי מוֹאָב, בִּלְחוֹדַיְיהוּ. יָאוֹת עָבְדֵי מִדְיָן, דְּאִתְפְּרָשׁוּ מִכֹּל וְכָל מִנַּיְיהוּ. וְאַלְמָלֵא לָא הֲווֹ מְזָּאן בְּסוֹפָא דַּהֲוֵי בְּעֵיטָא דְּבִלְעָם, לְשַׁלְּחָא נְשַׁיְיהוֹן לְיִשְׂרָאֵל בַּשִּׁטִּים לְמִטְעֵי לוֹן. וְקָרָא אוֹכַח חוֹבָא דִּלְהוֹן, דִּכְתִּיב כִּי צוֹרְרִים הֵם לָכֶם בְּנִכְלֵיהֶם אֲשֶׁר נִכְּלוּ לָכֶם עַל דְּבַר פְּעוֹר וְעַל דְּבַר כָּזְבִּי בַּת נְשִׂיא מִדְיָן אֲחוֹתָם וְגוֹ'. בִּתְרֵין אִלֵּין חָאבוּ. וַהֲוָה חוֹבָא דִּלְהוֹן סַגֵּי. מְחוּ בִּזְנָבָא לְבָתַר. וּבְגִ"כ אִלֵּין אִשְׁתָּאֲרוּ בַּהֲדֵיהּ, וְאִלֵּין אֲזָלוּ בִּלְחוֹדַיְיהוּ.

רפה. ד"א וַיֵּשְׁבוּ שָׂרֵי מוֹאָב עִם בִּלְעָם, כַּמָּה יָאוֹת הֲוָה לוֹן לִבְנֵי מִדְיָן דְּאָזְלֵי, אִי רְעוּתָא דִּלְהוֹן הָכֵי. אֲבָל יְשִׁיבָה דְּיָתִיבוּ אִינּוּן דְּמוֹאָב, גַּרְמָא לוֹן טַב, בְּגִין דְּאִשְׁתָּאֲרוּ תַּמָּן. וּמַאן דְּאָזְלוּ אִינּוּן דְּמִדְיָן, גַּרְמֵי לוֹן בִּישׁ. מ"ט. אִלֵּין חַשְׁשׁוּ לִיקָרָא דְּמַלְכָּא קוּדְשָׁא בְּרִיךְ הוּא, וְיָתִיבוּ. וְאִלֵּין לָא חַשְׁשׁוּ לֵיהּ כְּלוּם. וְאָזְלוּ לְאָרְחַיְיהוּ.

רפו. בְּשַׁעֲתָא דְּאָמַר הַהוּא רָשָׁע, וַהֲשִׁיבוֹתִי אֶתְכֶם דָּבָר כַּאֲשֶׁר יְדַבֵּר יְיָ'. מִיַּד אִזְדַּעְזָעוּ אִינּוּן דְּמוֹאָב לְמִלָּה דָּא, וְיָתִיבוּ תַּמָּן. וְאִינּוּן דְּמִדְיָן לָא חַשְׁשׁוּ לְדָא כְּלוּם, וְאָזְלוּ לוֹן, וְאִתְעֲנָשׁוּ לְבָתַר. וְעַל דָּא וַיֵּשְׁבוּ שָׂרֵי מוֹאָב עִם בִּלְעָם. בְּהַהוּא לֵילְיָא, הַהוּא רָשָׁע לָחִישׁ לְחִישִׁין, וְעָבִיד בְּלָטִין, וְאַמְשִׁיךְ עָלֵיהּ רוּחָא מִלְּעֵילָא, מִיַּד וַיָּבֹא אֱלֹהִים אֶל בִּלְעָם, אֱלֹהִים סְתָם, דַּרְגָּא דִּילֵיהּ מִסִּטְרָא אַחֲרָא דִּשְׂמָאלָא.

רפז. וַיֹּאמֶר מִי הָאֲנָשִׁים הָאֵלֶּה עִמָּךְ. דַּרְגָּא דִּילֵיהּ, מִסִּטְרָא אַחֲרָא דִּשְׂמָאלָא הֲוָה, דְּקָא אִצְטְרִיךְ לְמִשְׁאַל. וְאַע"ג דְּחַבְרַיָּיא אִתְּעֲרוּ בְּדָא, בְּגַוְונָא אַחֲרָא, וְאִינּוּן אַמְרֵי דְּקוּדְשָׁא בְּרִיךְ הוּא נִסְיוֹנָא עָבַד לֵיהּ בְּמִלּוֹי. תְּלָתָא הֲווֹ, חַד חִזְקִיָּה. וְחַד יְחֶזְקֵאל. וְחַד בִּלְעָם. תְּרֵין לָא קַיְּימוּ כַּדְקָא יָאוֹת, וְחַד קָאִים. וּמַנּוּ. יְחֶזְקֵאל. דִּכְתִּיב, הֲתִחְיֶינָה הָעֲצָמוֹת הָאֵלֶּה, וְאִיהוּ תָּב וְאָמַר, וַיֹּאמֶר יְיָ' אֱלֹהִים אַתָּה יָדָעְתָּ. וְחִזְקִיָּהוּ אָמַר, מֵאֶרֶץ רְחוֹקָה בָּאוּ אֵלַי מִבָּבֶל. בִּלְעָם אָמַר בָּלָק בֶּן צִפּוֹר מֶלֶךְ מוֹאָב שָׁלַח אֵלַי, וְחָשִׁיב אֲנָא בְּעֵינֵי מַלְכִין וְשַׁלִּיטִין. וְקוּדְשָׁא בְּרִיךְ הוּא שָׁאִיל לֵיהּ לְמִטְעֵי לֵיהּ, דִּכְתִּיב מַשְׂגִּיא לַגּוֹיִם וַיְאַבְּדֵם וְאוּקְמוּהָ.

רפח. חַד כּוּתִי שָׁאִיל לְר' אֶלְעָזָר, א"ל, חֵילָא תַּקִּיפָא וְזַמִּינָא בֵּיהּ בְּבִלְעָם, יַתִּיר מִמֹּשֶׁה. דְּאִילוּ בְּמֹשֶׁה כְּתִיב וַיִּקְרָא אֶל מֹשֶׁה. וּבְבִלְעָם כְּתִיב, וַיִּקָּר אֱלֹהִים אֶל בִּלְעָם, וּכְתִיב וַיָּבֹא אֱלֹהִים אֶל בִּלְעָם.

רפט. אָמַר לֵיהּ, לְמַלְכָּא דְּיָתִיב בְּהֵיכָלֵיהּ עַל כָּרְסְיָיא, וְחַד סְגִּיר קָרָא לְתַרְעָא. אָמַר, מַאן הוּא דְּבָטַשׁ לְתַרְעָא. אָמְרוּ, סְגִּיר פְּלָן. אָמַר לָא יֵיעוּל הָכָא, וְלָא יִטַּנֵּף הֵיכָלָא, יַדְעְנָא דְּאִי בִּשְׁלִיחָא אֵימָא לֵיהּ, לָא חָיֵישׁ. וְיֵיזִיל בְּרִי וְיִסְתָּאַב וְיִקְרַב בַּהֲדֵיהּ. אֲבָל אֲנָא אֵיזִיל, וְאַגְזִים בֵּיהּ, דְּיִרְחַק אָרְחֵיהּ מִמּוֹתָבָא דִּבְרִי, וְלָא יְסָאֵב לֵיהּ. אַקְדִּים

מַלְכָּא, וְאָתָא לְגַבֵּיהּ, וְאַגְזִים. וְאָמַר לֵיהּ, סְגִיר סְגִיר, מְנַע רַגְלָךְ מֵאָרְחָא דְּבִרִי שָׂאַרי תַּמָּן, וְאִי לָאו, אוֹמֵינָא, דְּוַחְתִּיכִין יַעַבְדוּן גּוּפָךְ בְּנֵי שִׁפְּוָותַי.

רצ. רְוִיזְמָא דְּמַלְכָּא קָרֵי לְדָשָׁא. אָמַר מַלְכָּא, מַאן הוּא. אָמְרוּ, רְוִיזְמָךְ פְּלַנְיָא. אָמַר, רְוִיזְמָא וַחֲבִיבָא דְּנַפְשָׁאי, לָא יִקְרֵי לֵיהּ קָלָא אַחֲרָא, אֶלָּא אֲנָא. צָוַוח מַלְכָּא וְאָמַר, פְּלַנְיָא פְּלַנְיָא עוּל, וַחֲבִיבָא דְּנַפְשָׁאי, רְוִיזְמָא דִּילִי, אַתְקִינוּ הֵיכָלִין לְמַלְּלָא עִמֵּיהּ.

רצא. כַּךְ בִּלְעָם אִיהוּ סְגִיר, רְוִיקָא מִבְּנֵי נָשָׁא, קָרָא לְתַרְעָא דְּמַלְכָּא, שָׁמַע מַלְכָּא, אָמַר סְגִיר מְסָאֲבָא לָא יֵיעוּל, וְלָא יְטַנֵּף הֵיכָלָא דִּילִי. אֲנָא אִצְטְרִיךְ לְמֵיזַל לְאַגְזְמָא לֵיהּ, דְּלָא יִקְרַב לְגַבֵּי תַּרְעָא דְּבִרִי, וְלָא יְסָאֵב לֵיהּ, וְעַ"ד וַיָּבֹא אֱלֹהִים אֶל בִּלְעָם וְגוֹ'. אָמַר לֵיהּ, סְגִיר סְגִיר לֹא תֵלֵךְ עִמָּהֶם, לֹא תָאוֹר אֶת הָעָם כִּי בָרוּךְ הוּא. לָא תִקְרַב לְגַבֵּי דְּבִרִי, הֵן לְטָב הֵן לְבִישׁ, מְסָאַב אַנְתְּ בְּכֹלָּא. אֲבָל בְּמֹשֶׁה כְּתִיב, וַיִּקְרָא אֶל מֹשֶׁה, קָלָא דְּמַלְכָּא, וְלָא ע"י שְׁלִיחָא אַחֲרָא. מֵאֹהֶל מוֹעֵד מֵהֵיכָלָא קַדִּישָׁא, מֵהֵיכָלָא מְתַקְנָא, מֵהֵיכָלָא יַקִּירָא דְּעִלָּאִין וְתַתָּאִין תָּאִיבִין לְגַבֵּיהּ, וְלָא יַכְלִין לְמִקְרַב לְגַבֵּיהּ.

רצב. וַיֹּאמֶר בִּלְעָם אֶל הָאֱלֹהִים בָּלָק בֶּן צִפּוֹר. וְהוּא אָמַר מֶלֶךְ מוֹאָב, מַלְכָּא וַחֲשִׁיבָא שָׁלַח אֵלַי. מֶלֶךְ מוֹאָב. וְחָמוּ גָּאוּתָא דְּהַהוּא רָשָׁע, דִּכְתִיב מֶלֶךְ מוֹאָב, וְלָא אָמַר לְמוֹאָב, מִכְּלַל גַּבְרָא דְּלָא אִתְחֲזֵי לְמַלְכָּא, וְהָא אִתְעֲבִיד מַלְכָּא לְמוֹאָב. קַדְמָאָה מַה כְּתִיב בֵּיהּ. וְהוּא נִלְחַם בְּמֶלֶךְ מוֹאָב הָרִאשׁוֹן, מַלְכָּא בַּר מַלְכָּא. וַחֲשִׁיבָא בַּר וַחֲשִׁיבָא. אֲבָל דָּא מֶלֶךְ לְמוֹאָב כְּתִיב. קְרָא אַסְהִיד מֶלֶךְ לְמוֹאָב. וְהָא אִתְּעַרְנָא, דְּאִתְכַּוַּון הוּא לְגָאוּתָא לִבָּא רַב. כָּל מַלְכִין דְּעָלְמָא, שַׁלְחִין לְגַבָּאי שְׁלוּחַיְיהוּ.

רצג. רַבִּי פִּנְחָס הֲוָה אָזִיל לְמֶחֱמֵי בְּרַתֵּיהּ, אִנְתּוּ דְּר' שִׁמְעוֹן, דַּהֲוַת בְּמַרְעָא. וַהֲווֹ אָזְלֵי עִמֵּיהּ וְחַבְרַיָּיא, וְהוּא הֲוָה רָכִיב בְּחַמְרֵיהּ. עַד דַּהֲוָה אָזִיל בְּאָרְחָא, פָּגַע בִּתְרֵין עַרְבָאֵי, אָמַר לוֹן, בְּחַקְלָא דָּא אִתְעַר קָלָא מִיּוֹמִין דְּעָלְמָא. אָמְרוּ לֵיהּ, מִיּוֹמִין דְּעָלְמָא לֵית אֲנָן יַדְעִין. מִיּוֹמִין דִּילָן, אֲנָן יַדְעִין. דְּהָא יוֹמָא חַד, הֲווֹ אִינּוּן לִסְטִין מְקַפְּחֵי אָרְחִין דְּגוּבְרִין בְּהַהוּא חַקְלָא, וּפַגְעוּ בְּאִינּוּן יוּדָאֵי, וְאָתוּ לְקַפְּחָא לוֹן. וְאִשְׁתְּמַע מֵרָחִיק בְּהַאי חַקְלָא, קַל דְּחַמְרָא דָּא, דְּנָהֵק תְּרֵי זִמְנֵי, וְאָתָא שַׁלְהוֹבָא דְּאֶשָּׁא בְּהַהוּא קָלָא וְאוֹקִיד לוֹן. וְאִשְׁתְּזִיבוּ אִינּוּן יוּדָאֵי. א"ל. עַרְבָאֵי, בְּמִלָּה דָּא דְּקָא אֲמַרְתּוּן לִי, תִּשְׁתֵּזְבוּן יוֹמָא דָּא מִלִּסְטִין אַחֲרָנִין, דְּקָא מְחַכָּן לְכוּ בְּאָרְחָא.

רצד. בָּכָה ר' פִּנְחָס, אָמַר, מָארֵיהּ דְּעָלְמָא רַחֲשָׁא דְּנִיסָא דָּא עֲבַדְתְּ בְּגִינִי, וְאִשְׁתְּזָבוּן אִינּוּן יוּדָאֵי, וְלָא יַדְעְנָא. פָּתַח וְאָמַר, לְעוֹשֵׂה נִפְלָאוֹת גְּדוֹלוֹת לְבַדּוֹ כִּי לְעוֹלָם חַסְדּוֹ. כַּמָּה טִיבוּ עָבֵיד קוּדְשָׁא בְּרִיךְ הוּא עִם בְּנֵי נָשָׁא, וְכַמָּה נִסִּין אַרְחִישׁ לוֹן בְּכָל יוֹמָא, וְלָא יָדַע אֶלָּא אִיהוּ בִּלְחוֹדוֹי. ב"נ קָם בְּצַפְרָא, וְחִוְיָא אָתֵי לְקַטְלָא לֵיהּ, וּב"נ שָׁוֵי רַגְלֵיהּ עַל רֵישֵׁיהּ, וְקָטִיל לֵיהּ, וְלָא יָדַע בֵּיהּ בַּר קוּדְשָׁא בְּרִיךְ הוּא בִּלְחוֹדוֹי, הֲוֵי, לְעוֹשֵׂה נִפְלָאוֹת גְּדוֹלוֹת לְבַדּוֹ. ב"נ אָזִיל בְּאָרְחָא, וְלִסְטִין מְחַכָּאן לְמִקְטְלֵיהּ, אָתָא אַחֲרָא וְאִתְיְהִב כּוֹפְרָא תְּחוֹתֵיהּ, וְהוּא אִשְׁתְּזִיב. לָא יָדַע טִיבוּ דְּעָבַד לֵיהּ קוּדְשָׁא בְּרִיךְ הוּא, וְנִסָּא דְּאַרְחִישׁ לֵיהּ, בַּר אִיהוּ בִּלְחוֹדוֹי, הֲוֵי, לְעוֹשֵׂה נִפְלָאוֹת גְּדוֹלוֹת לְבַדּוֹ. לְבַדּוֹ עָבֵיד וְיָדַע. וְאַחֲרָא לָא יָדַע.

רצה. אָמַר לְחַבְרַיָּיא, וְחַבְרַיָּיא מַה דְּשָׁאִילְנָא לְהָנֵי עַרְבָאֵי, דְּמִשְׁתַּכְּחֵי תָּדִיר בְּחַקְלֵי, אִי קָלָא דְּחַבְרַיָּיא, דְּאִינּוּן מִשְׁתַּדְּלֵי בְּאוֹרַיְיתָא שָׁמְעוּ. דְּהָא ר' שִׁמְעוֹן וְר' אֶלְעָזָר בְּרֵיהּ, וּשְׁאַר וְחַבְרַיָּיא, אָזְלִין לְקַמָּן, וְלָא יַדְעִין מִנָּן, וְשָׁאִילְנָא לְהָנֵי עַרְבָאֵי עֲלַיְיהוּ. דְּיַדַעְנָא דְּקָלֵיהּ דְּר"ש יַרְגִּיז חַקְלִין וְטוּרִין, וְאִינּוּן גָּלוּ לִי מַה דְּלָא יַדְעְנָא.

רצו. עַד דַּהֲווֹ אָזְלִין, אִינּוּן עַרְבָאֵי אַהַדְרוּ לְגַבֵּיהּ. אָמְרוּ לֵיהּ, סָבָא סָבָא אַנְתְּ שָׁאִילְתָּא לָן מִן יוֹמִין דְּעָלְמָא, וְלָא שָׁאִילְתָּא עַל יוֹמָא דָּא, דַּזְמִינָא תַּוְוהָא עַל תַּוְוהָא, וְזַמִינָא וַחֲמִשָּׁא בְּנֵי נָשָׁא יַתְבִין, וְחַד סָבָא בַּהֲדַיְיהוּ, וְזַמִינָא עוֹפֵי מִתְכַּנְּפֵי וְקָא פַּרְשִׂין גַּדְפִּין עַל רֵישַׁיְיהוּ, אַלִּין אָזְלִין, וְאַלִּין תָּבִין, וְטוּלָא לָא אִתְעֲבַר מֵעַל רֵישַׁיְיהוּ. וְהַהוּא סָבָא אָרִים קָלֵיהּ עֲלַיְיהוּ, וְאִינּוּן שָׁמְעִין.

רצז. אָמַר עַל דָּא שָׁאִילְנָא. עַרְבָאֵי תֶּהֱכוּן, וְאָרְחָא דָּא תֶּהֱא מִתְקְנָא קַמַּיְיכוּ, בְּכָל מַה דְּתִבְעוּן. תְּרֵין מִלִּין אֲמַרְתּוּן לִי, דְּחַדֵּינָא בְּהוּ. אָזְלוּ. אָמְרוּ לוֹ חַבְרַיָּיא, הַהוּא אֲתָר דְּר"ש שָׁארֵי בֵּיהּ, הֵיךְ אֲנָן יַדְעִין. אָמַר לוֹן שְׁבוֹקוּ לְמָארֵי פְּסִיעָן דְּבְעִירֵי, דְּהוּא יַדְרִיךְ פְּסִיעוֹי לְתַמָּן. לָא הֲוֵי טָעִין וְחַמָּרֵיהּ, וְחַמָּרֵיהּ סָאטֵי מֵאָרְחָא תְּרֵין מִלִּין, וְאָזַל לְתַמָּן.

רצח. שָׁארֵי נָהִיק תְּלַת זִמְנִין, נָחַת ר' פִּנְחָס, אָמַר לְחַבְרַיָּיא, נִתְתָּקַן לְקַבְּלָא סְבַר אַפֵּי יוֹמִין, דְּהַשְׁתָּא יִפְקוּן לְגַבָּן אַנְפֵּי רַבְרְבֵי וְאַנְפֵּי זוּטְרֵי. שָׁמַע ר"ש נָהִיקוּ דְּחַמְרָא, אָמַר לְחַבְרַיָּיא, נֵיקוּם דְּהָא קָלָא דְּחַמְרָא דְּסָבָא חֲסִידָא אִתְעַר לְגַבָּן. קָם ר' שִׁמְעוֹן וְקָמוּ חַבְרַיָּיא.

רצט. פָּתַח ר' שִׁמְעוֹן וְאָמַר, מִזְמוֹר שִׁירוּ לַיְיָ' שִׁיר חָדָשׁ כִּי נִפְלָאוֹת עָשָׂה וְגוֹ'. מִזְמוֹר זָקִיף טַעֲמָא לְעֵילָּא. אֲמַאי. אֶלָּא רָשִׁים טַעֲמָא רַבָּא, דְּהָא אָתֵי הַהוּא מִזְמוֹר, מִתְעַטְּרָא בְּעִטְרָא עִלָּאָה לְעֵילָּא עַל רֵישֵׁיהּ וְאָתֵי זָקִיף. מַאן הֲוָה אָמַר שִׁירָה דָּא. אִינּוּן פָּרוֹת, בְּאִינּוּן גּוֹעִין דַּהֲווֹ גָּעָאן. שִׁירוּ לַיְיָ' שִׁיר חָדָשׁ. לְמַאן הֲווֹ אַמְרִין שִׁירוּ. לְכַמָּה רְתִיכִין, לְכַמָּה מְמַנָּן, לְכַמָּה דַּרְגִּין, דַּהֲווֹ אַתְאָן תַּמָּן וְנַפְקוּ לְקַבְּלָא לֵיהּ לַאֲרוֹנָא, וּלְהוֹן הֲווֹ אַמְרֵי.

ש. שִׁירוּ לַיְיָ' שִׁיר חָדָשׁ, דְּכַר. מ"ט הָכָא שִׁיר, וּמֹשֶׁה אָמַר שִׁירָה, נוּקְבָא אֶלָּא הָתָם בְּמֹשֶׁה אֲרוֹנָא לְחוּדָא, זֹאת, נַפְקַת מִן גָּלוּתָא, הִיא וְאוּכְלוּסָהָא, וְלָא יַתִּיר. וּבְג"כ אֶת הַשִּׁירָה הַזֹּאת, נוּקְבָא. אֲבָל הָכָא אֲרוֹנָא, וּמַה דַּהֲוָה גָּנִיז בְּגַוֵּיהּ נָפִיק. וּבְגִין הַהוּא דַּהֲוָה גָּנִיז בְּגַוֵּיהּ, אִתְּמַר שִׁיר חָדָשׁ, דְּכַר.

שא. כִּי נִפְלָאוֹת עָשָׂה, מַה דַּעֲבַד בִּפְלִשְׁתִּים, וּמַה דַּעֲבַד בְּטַעֲוָותְהוֹן. הוֹשִׁיעָה לּוֹ יְמִינוֹ, לְמַאן. לְעַצְמוֹ. מַאן עַצְמוֹ. הַהוּא מִזְמוֹר עַצְמוֹ, וְרוּחָא עִלָּאָה קַדִּישָׁא גָּנִיז בֵּיהּ. יְמִינוֹ, הַהוּא דִּירִית סָבָא. וַדַּאי יְמִינוֹ, אַתְקִיף בְּהַהוּא מִזְמוֹר, וְלָא שָׁבִיק לֵיהּ בִּידָא דְּאָחֳרָא.

שב. הָכָא אִית לְגַלָּאָה מִלָּה חֲדָא, כָּל זִמְנָא דְּהַהוּא יְמִינָא, הֲוָה לְאַרְחָשָׁא נִיסָא, הֲוָה אַתְקִיף בְּהַאי מִזְמוֹר, וְשַׁוֵּי לֵיהּ לְקַמֵּיהּ, לְאַתְקְפָא בֵּיהּ, כְּאַבָּא דְּאַתְקִיף יְמִינֵיהּ בְּחַדוֹי דִּבְרֵיהּ לְקַמֵּיהּ, וְאָמַר מַאן הוּא דְּיִקְרַב לְגַבֵּי בְּרִי. כֵּיוָן דְּסָרַח לְגַבֵּי אֲבוֹי, שַׁוֵּי אֲבוֹי יְדוֹי עַל כַּתְפּוֹי לַאֲחוֹרָא, וְשַׁדְיֵיהּ בִּידָא דְּשַׂנְאוֹי.

שג. כִּבְיָכוֹל, בְּקַדְמֵיתָא כְּתִיב, יְמִינְךָ יְיָ' נֶאְדָּרִי בַּכֹּחַ. בַּכֹּחַ מַאן. הַהוּא דְּאִשְׁתְּמוֹדְעָא. בְּעַרְבַיָּא קוֹרִין לְחַדוֹי דְּבַר נָשׁ כֹּחַ. הַהוּא יְמִינָא נֶאְדָּרִי וְאַתְקִיף בְּכֹחַ. מַאן הוּא דְּיִקְרַב לְגַבֵּי בְּרִי. לְבָתַר מַה כְּתִיב, הֵשִׁיב אָחוֹר יְמִינוֹ מִפְּנֵי אוֹיֵב, שַׁוֵּי יְמִינֵיהּ עַל כַּתְפֵּיהּ, וְדָחֵי לֵיהּ בִּידָא דְּשַׂנְאוֹי. בְּקַדְמֵיתָא יְמִינֵיהּ לְקַמֵּיהּ בְּחַדוֹי, לְאַתְקְפָא בֵּיהּ. וּלְבָתַר לַאֲחוֹרָא עַל כַּתְפּוֹי, לְדַחְיָיא לֵיהּ. וְהָכָא הוֹשִׁיעָה לּוֹ יְמִינוֹ וּזְרוֹעַ קָדְשׁוֹ, תְּרֵין דְּרוֹעִין לְאַתְקְפָא בֵּיהּ.

דש. דְּאִי אִינּוּן פָּרוֹת דְּלָא אִתְרְגִילוּ בְּנִסִּין, אֶלָּא הַהִיא שַׁעֲתָא בְּגוֹעָא דִּלְהוֹן אָמְרוּ

שִׁירָתָא. דָּא נְהִיקוּ דְּהַהוּא זַמָּרָא דְּסָבָא וַחֲסִידָא דְּרָגִיל בְּנִסִּין, עאכ״ו דְּאָמַר שִׁירָה. וְחַבְרַיָּיא, אִי תֵּימְרוּן דְּהַזַּמָּרָא לָא הֲוָה אָרְוָוחֵיהּ בְּכָךְ מִיּוֹמָא דְּאִבְרֵי עָלְמָא, פּוּקוּ וְחָמוּ אָתוֹן דְּבִלְעָם וַחֲזָיבָא, דְּנַצְּחַת לְרִבּוֹנָהּ בְּכֹלָּא. וַחֲמָרֵיהּ דְּרִבִּי פִּנְחָס בֶּן יָאִיר עאכ״ו. וְתוּ אָתוֹן דְּבִלְעָם כַּד מְלִילַת, מַלְאָכָא עִלָּאָה הֲוָה עָלָהּ מִלְּעֵילָּא.

שה. הַשְׁתָּא אִית לְגַלָּאָה, וְחַבְרַיָּיא שִׁמְעוּ. פִּי הָאָתוֹן דְּאִבְרֵי ע״ש בֵּין הַשְּׁמָשׁוֹת, סַלְקָא בְּדַעְתַּיְיכוּ דְּפוּמָא הֲוָה פְּתִיחָא מֵהַהוּא זִמְנָא. אוֹ תְּנָאי דְּאַתְנֵי קוּדְשָׁא בְּרִיךְ הוּא מֵהַהוּא זִמְנָא. לָאו הָכִי. וְרָזָא הָכָא דְּאִתְמְסַר לְחַכִּימֵי, דְּלָא מַשְׁגְּחָן לְטִפְּשׁוּ דְּלִבָּא. פִּי הָאָתוֹן, דַּרְגָּא דְּאַתְנֵי, הַהוּא עִלָּאָה דִּסְטַר נוּקְבֵי. הַהוּא הֲוָה דְּשַׁרְיָא עַל הַהוּא אָתוֹן, וּמַלִּיל עָלָהּ. וְכַד בָּרָא קוּדְשָׁא בְּרִיךְ הוּא לְהַאי דַּרְגָּא, דְּאִקְרֵי פִּי הָאָתוֹן, סָתַם לֵיהּ בְּגוֹ נוּקְבָא דִּתְהוֹמָא רַבָּא, וְאַסְתִּים עָלֵיהּ עַד הַהוּא זִמְנָא. כַּד מָטָא הַהוּא זִמְנָא, פָּתַח הַהוּא נוּקְבָא, וְנָפַק וְשָׁרָא עָלָהּ, וּמַלִּילַת.

שו. כְּגַוְונָא דָּא, וַתִּפְתַּח הָאָרֶץ אֶת פִּיהָ. אֶת, לְאַסְגָּאָה דוּמ״ה דְּאִיהוּ פִּי הָאָרֶץ. אֶת פִּי הָאָתוֹן, לְאַסְגָּאָה קַמְרִיאֵ״ל, דְּאִקְרֵי פִּי הָאָתוֹן. פִּי הַבְּאֵר כְּגַוְונָא דָּא. מַאן פִּי הַבְּאֵר. הַהוּא דַּרְגָּא דַּהֲוָה מְמַנָּא עָלֵיהּ לְתַתָּא, וְאִיהוּ תְּחוֹת פִּי יְיָ׳, וּמַאן אִיהוּ. יָהַדְרִיאֵ״ל שְׁמֵיהּ. תְּלַת פּוּמִין אִלֵּין, אִתְבְּרִיאוּ ע״ש בֵּין הַשְּׁמָשׁוֹת. בְּשַׁעֲתָא דְּקָדֵשׁ יוֹמָא סַלְקָא פֶּה דִּמְמַנָּא עַל כָּל שְׁאַר פּוּמִין, וּמַאן אִיהוּ. הַהוּא יוֹמָא דְּאִסְתַּלָּק וְאִתְקַדַּשׁ בְּכֹלָּא, הַהוּא דְּאִקְרֵי פִּי יְיָ׳. ע״ש בֵּין הַשְּׁמָשׁוֹת, אִבְרוּן שְׁאַר פּוּמִין. אִתְקַדֵּשׁ יוֹמָא סָלִיק פּוּמָא דְּשַׁלִּיט עַל כֹּלָּא פִּי יְיָ׳.

שז. אַדְּהָכִי, חָמוּ לְר׳ פִּנְחָס דַּהֲוָה אָתֵי, מָטוּ לְגַבֵּיהּ, אָתָא ר׳ פִּנְחָס וּנְשָׁקֵיהּ לְר״שׁ. אָמַר, נְשַׁקְנָא פִּי יְיָ׳, אִתְבְּסַם בְּבוּסְמִין דְּגִנְתָּא דִּילֵיהּ. חֲדוּ כַּחֲדָא, וְיָתְבוּ. כֵּיוָן דְּיָתְבוּ פָּרְחוּ כָּל אִינּוּן עוֹפִין דַּהֲווּ עַבְדֵּי טוּלָא, וְאִתְבַּדְּרוּ. אַהְדָּר רֵישֵׁיהּ ר״שׁ, וְרָמָא לוֹן קָלִין וְאָמַר, עוֹפֵי שְׁמַיָּא לֵית אַתּוּן מַשְׁגִּיחִין בִּיקָרָא דְּמָרֵיכוֹן דְּקָאִים הָכָא. קַיְימוּ, וְלָא נַטְלוּ מִדּוּכְתַּיְיהוּ, וְלָא קָרִיבוּ לְגַבַּיְיהוּ. א״ר פִּנְחָס אֵימָא לוֹן דְּיֵהֲכוּן לְאָרְחַיְיהוּ, דְּהָא לָא יָהֲבִין לוֹן רְשׁוּ לְאַהְדְּרָא.

שח. אר״שׁ, יָדַעְנָא דְּקוּדְשָׁא בְּרִיךְ הוּא בָּעֵי לְמֶרְחַשׁ לָן נִיסָּא. עוֹפִין עוֹפִין זִילוּ לְאָרְחַיְיכוּ, וְאִמְרוּ לְהַהוּא דִּמְמַנָּא עֲלַיְיכוּ, דְּהָא בְּקַדְמֵיתָא הֲוָה בִּרְשׁוּתֵיהּ, וְהַשְׁתָּא לָאו בִּרְשׁוּתֵיהּ קַיְימָא. אֲבָל סְלִיקְנָא לֵיהּ לְיוֹמָא דְּטִנָּרָא, כַּד סָלִיק עִיבָא בֵּין שִׁינֵּי תַּקִּיפִין, וְלָא מִתְחַבְּרָאן. אִתְבַּדָּרוּ אִינּוּן עוֹפֵי וְאָזְלוּ.

שט. אַדְּהָכִי, הָא תְּלַת אִילָנִין, מִתְפַּשְּׁטָן בְּעַנְפִּין לִתְלַת סִטְרִין עֲלַיְיהוּ, וּמַעְיָינָא דְּמַיָּא נַבְעִין קַמַּיְיהוּ. חֲדוּ כֻּלְּהוּ חַבְרַיָּיא, וַחֲדוּ ר׳ פִּנְחָס וְר״שׁ. אָמַר ר׳ פִּנְחָס טוֹרַח סַגֵּי הֲוָה לְאִינּוּן עוֹפֵי בְּקַדְמֵיתָא, וְטוֹרַח בַּעֲלֵי חַיִּים לָא בָּעֵינָן. דְּהָא וְרַחֲמָיו עַל כָּל מַעֲשָׂיו כְּתִיב. אָמַר ר״שׁ, אֲנָא לָא אַטְרַחְנָא לוֹן. אֲבָל אִי קוּדְשָׁא בְּרִיךְ הוּא חָס עֲלָן לֵית אֲנָן יַכְלִין לְדַחְיָיא מַתְּנָן דִּילֵיהּ. יָתְבוּ תְּחוֹת הַהוּא אִילָנָא, וְשָׁתוּ מִן מַיָּא, וְאִתְהֲנוּ תַּמָּן.

שי. פָּתַח ר׳ פִּנְחָס וְאָמַר, מַעְיַן גַּנִּים בְּאֵר מַיִם חַיִּים וְנוֹזְלִים מִן לְבָנוֹן. מַעְיַן גַּנִּים, וְכִי לֵית מַעְיָין אֶלָּא הַהוּא מִן גַּנִּים, וְהָא כַּמָּה מַעְיָינִין טָבִין וְיַקִּירִין אִית בְּעָלְמָא. אֶלָּא לֵית כָּל הֲנָאוֹת שָׁוִין. אִית מַעְיָין דְּנָפִיק בְּמַדְבְּרָא, בַּאֲתַר יְבִישָׁא, הֲנָאָה אִית לְמַאן דְּיָתִיב וְשָׁתֵי. אֲבָל מַעְיָין גַּנִּים, כַּמָּה אִיהוּ טַב וְיַקִּירָא, הַהוּא מַעְיָין עָבֵיד טִיבוּ לַעֲשָׂבִין וְאִיבִין, מַאן דְּקָרִיב עָלֵיהּ אִתְהֲנֵי בְּכֹלָּא. אִתְהֲנֵי בְּמַיָּא, אִתְהֲנֵי בַּעֲשָׂבִין, אִתְהֲנֵי בְּאִיבִין. הַהוּא מַעְיָין מִתְעַטְּרָא בְּכֹלָּא. כַּמָּה וְוַרְדִּין, כַּמָּה עֲשָׂבִין דְּרֵיחָא סְחֲרָנֵיהּ, כַּמָּה יָאוּת הַהוּא

מעיין, משאר מעיינין, באר מים חיים.

שי"א. והכי אוקימנא ככלא בכנסת ישראל קאמר, איהי מעיין גנים. מאן גנים. חמש גנים אית ליה לקודשא בריך הוא, דקא משתעשע בהו. ומעיינא חדא עלוייהו, דקא אשקי לון, ורוי לון, טמיר וגניז, וכלהו עבדין פירין ואיבין. גנתא חדא אית לתתא מנייהו, וההוא גנתא נטיר סוחרא מכל סטרין דעלמא. תחות האי גנתא, אית גנים אחרנין, עבדין איבין לזנייהו.

שי"ב. והאי גנתא, אתהפך והוי מעיין דאשקי לון, באר מים חיים, כד אצטריך הוי מעיין, וכד אצטריך הוי באר, מה בין האי להאי. לא דאמי, כד אתמשכון מיא מאליהו, לכד שאבין מיא לאשקאה. ונוזלים מן לבנון, מאי נוזלים. אלין נוזלים אהדרו למעיין, כד נבעין מיין ונוזלים טפין מלעילא אלין בתר אלין, מיין מתיקן, דנפשא אזלא אבתרייהו. כך אינון חמש מקורין, דנפקו מן לבנון, אתעבידו נוזלים בהאי מעיין. כך קודשא בריך הוא רחיש לן ניסא באתר דא, קרינא על מעיינא דא קרא דא.

שי"ג. תו פתח ואמר, כי תצור אל עיר ימים רבים להלחם עליה לתפשה וגו', כמה טבין אינון ארחין ושבילין דאורייתא, דהא בכל מלה ומלה, אית כמה עיטין, כמה טבין לבני נשא, כמה מרגלאן דקא מנהרן לכל סטר, ולית לך מלה באורייתא, דלית בה כמה בוצינין מנהרן לכל סטר. האי קרא איהו כפום פשטיה. ואית ביה כפום מדרשיה. ואית ביה חכמתא עלאה, לאזדהרא למאן דאצטריך. זכאה חולקיה מאן דאשתדל באורייתא תדיר.

שי"ד. מאן דאשתדל בה, מה כתיב ביה, כי אם בתורת יי' חפצו ובתורתו יהגה יומם ולילה, והיה כעץ. אמאי דא סמיך לדא. אלא מאן דאשתדל באורייתא יומם ולילה, לא ליהוי כאעא יבישא, אלא כעץ שתול על פלגי מים. מה אילן אית ביה שרשין, ואית ביה קליפין, ואית ביה מוחא, ואית ביה ענפין, ואית ביה טרפין, ואית ביה פרחין, ואית ביה איבא. שבעת זינין אלין, סלקין לשבעה עשר, לשבעין. אוף מלין דאורייתא אית בהו פשטא דקרא. דרשא. רמז, דקא רמיז חכמתא. גימטרייאות. רזין טמירין. רזין סתימין אלין על אלין. פסול וכשר. טמא וטהור. איסור והיתר. מכאן ולהלאה, מתפשטאן ענפין לכל סטר. והיה כעץ ודאי, ואי לאו, לאו איהו חכם בחכמתא.

שט"ו. ת"ח, כמה חביבין אינון דמשתדלי באורייתא קמי קודשא בריך הוא, דאפילו בזמנא דדינא תליא בעלמא, ואתייהיב רשו למחבלא לחבלא, קודשא בריך הוא פקיד ליה עלוייהו, על אינון דקא משתדלי באורייתא. והכי א"ל קודשא בריך הוא, כי תצור אל עיר, בגין חוביהון סגיאין דחטאן לקמאי, ואתחייבו בדינא. ימים רבים, מאי רבים. תלתא יומין, דא בתר דא, דאשתמודעא דבר במתא. מנלן דימים רבים תלתא יומין אינון, דכתיב ואשה כי יזוב זוב דמה ימים רבים. וכי ימים רבים אינון. אלא תלתא יומין דא בתר דא, אקרי ימים רבים. אוף הכי כי תצור אל עיר ימים רבים, תלתא יומין דא בתר דא, דאשתמודעא דבר במתא. תא ואפקיד לך על בני ביתי. לא תשחית את עצה, דא ת"ח דאיהו במתא, דאיהו אילנא דחיי, אילנא דיהיב איבין.

שט"ז. ד"א את עצה, ההוא דיהיב עיטא למתא, לאשתזבא מן דינא, ואוליף לון

אֲרוֹזָא דְּיִהֲכוּן בָּהּ, וְעַל דָּא לֹא תַשְׁחִית אֶת עֵצָהּ לִנְדּוֹחַ עָלָיו גַּרְזֶן, לְנַדְּוָוא עָלֵיהּ דִּינָא, וְלָא לְאוֹשְׁטָא עָלֵיהּ וַחַרְבָּא מִלַּהֲטָא, וְחַרְבָּא מְשַׁנְּנָא, הַהִיא דְּקַטְלָא לִשְׁאָר אִינְשֵׁי דְּעָלְמָא. כִּי מִמֶּנּוּ תֹאכֵל. וְכִי הַהוּא מְחַבְּלָא אָכִיל מִנֵּיהּ. לָא. אֶלָּא כִּי מִמֶּנּוּ תֹאכֵל, הַהִיא טִנָּרָא תַּקִּיפָא, הַהִיא דְּכָל רוּחִין תַּקִּיפִין וְקַדִּישִׁין נָפְקִין מִנָּהּ, דְּלֵית הֲנָאָה וְתִיאוּבְתָּא לְרוּחַ קוּדְשָׁא בְּהַאי עָלְמָא, אֶלָּא אוֹרַיְיתָא דְּהַהוּא זַכָּאָה, כִּבְיָכוֹל אִיהוּ מְפַרְנֵס לָהּ, וְיָהֵיב לָהּ מְזוֹנָא בְּהַאי עָלְמָא, יַתִּיר מִכָּל קָרְבְּנִין דְּעָלְמָא.

שי״ז. בְּקָרְבָּן מַה כְּתִיב. אָכַלְתִּי יַעְרִי עִם דִּבְשִׁי אִכְלוּ רֵעִים. וּמִיּוֹמָא דְּאִתְחָרַב בֵּי מַקְדְּשָׁא, וּבָטְלוּ קָרְבְּנִין, לֵית לֵיהּ לְקוּדְשָׁא בְּרִיךְ הוּא, אֶלָּא אִינּוּן מִלִּין דְּאוֹרַיְיתָא, וְאוֹרַיְיתָא דְּאִתְחַדְּשָׁא בְּפוּמֵיהּ, בְּגִ״כ כִּי מִמֶּנּוּ תֹאכֵל, וְלֵית לָהּ מְזוֹנָא בְּהַאי עָלְמָא, אֶלָּא מִמֶּנּוּ, וּמֵאִינּוּן דִּכְוָותֵיהּ. וְכֵיוָן דְּמִמֶּנּוּ תֹאכֵל, וְאִיהוּ זָן לָהּ, אוֹתוֹ לֹא תִכְרוֹת, הֲוֵי זָהִיר בֵּיהּ, דְּלָא תִקְרַב בֵּיהּ.

שי״ח. כִּי הָאָדָם עֵץ הַשָּׂדֶה, דָּא אִקְרֵי אָדָם דְּאִשְׁתְּמוֹדַע עֵילָּא וְתַתָּא. עֵץ הַשָּׂדֶה, אִילָנָא רַבְרְבָא וְתַקִּיף דְּהַהוּא שָׂדֶה אֲשֶׁר בֵּרְכוֹ יְיָ׳. דָּא סָמִךְ עָלֵיהּ, אִילָן דְּאִשְׁתְּמוֹדַע לְהַהוּא שָׂדֶה תָּדִיר. לָבֹא מִפָּנֶיךָ בַּמָּצוֹר, מִלָּה דָּא אַהְדַּר לְרֵישָׁא דִּקְרָא, דִּכְתִּיב לֹא תַשְׁחִית אֶת עֵצָהּ, הַהוּא דְּיָהֵיב לוֹן עֵיטָא, וְאַתְקִין לְמָתָא, לָבֹא מִפָּנֶיךָ בַּמָּצוֹר, אִיהוּ יָהֵיב לוֹן עֵיטָא, לְאַתְקָנָא וּלְאַהְדְּרָא בִּתְיוּבְתָּא, וְאַתְקִין לֵיהּ מָאנֵי זַיְינִין, בּוּקִינָס וְשׁוֹפָרִין. לָבֹא מִפָּנֶיךָ, מַאי לָבֹא מִפָּנֶיךָ. לָבֹא לְקַמָּאי, וּלְאַעֲלָא מִפָּנֶיךָ. מִקַּמֵּי דְּחִילוּ דִּילָךְ. בַּמָּצוֹר, בַּאֲתַר דְּעָלְאִין וְתַתָּאִין לָא יַכְלִין לְאַעֲלָא תַּמָּן. וּמַאן אִיהוּ. דַּרְגָּא דְּבַעֲלֵי תְשׁוּבָה עָאלִין תַּמָּן, וּמַאן אִיהוּ. תְּשׁוּבָה. דָּא אִיהוּ מָצוֹר, אֲתַר תַּקִּיף, וְטִנָּרָא תַּקִּיפָא.

שי״ט. וְכֵיוָן דְּעֵיטָא דָּא נַטְלִין, אֲנָא מְכַפֵּר לְחוֹבַיְיהוּ וְאִתְקַבְּלָן בִּרְעֲוָא לְקַמָּאי. וְכָל דָּא פָּקִיד קוּדְשָׁא בְּרִיךְ הוּא, עַל אִינּוּן דְּמִשְׁתַּדְּלֵי בְּאוֹרַיְיתָא. בְּגִ״כ זַכָּאִין אִינּוּן דְּקָא מִשְׁתַּדְּלֵי בְּאוֹרַיְיתָא, אִינּוּן דְּמִשְׁתַּדְּלֵי בְּאוֹרַיְיתָא אִינּוּן אִילָנִין רַבְרְבִין בְּהַאי עָלְמָא.

ש״כ. וְחָמוּ, מַה עֲבַד קוּדְשָׁא בְּרִיךְ הוּא דְּנָטַע אִילֵין אִילָנִין, זַכָּאָה אֲרוֹזָא דָּא, וְלָא דַּי אִילָנָא וְחָדָא, אֶלָּא תְּלָתָא אִילָנִין רַבְרְבִין, פְּרִיסָן עַנְפִּין לְכָל סְטָר, עֲבַד לָן קוּדְשָׁא בְּרִיךְ הוּא. יְהֵא רַעֲוָא קַמֵּי שְׁמַיָּא, דְּלָא יִתְעֲדוּן לְעָלְמָא אִילָנִין אִלֵּין, וְדָא מַעְיָינָא, מֵאֲתַר דָּא וְעַד יוֹמָא קַיְּימִין תַּמָּן, וְהַהוּא מַעְיָינָא דְּמַיָּא. וְקָרָאן לוֹן בְּנֵי נָשָׁא, נְצִיבוּ דְּר׳ פִּנְחָס בֶּן יָאִיר.

שכ״א. פָּתַח ר״ש וְאָמַר, וַיִּשָּׂא אֶת עֵינָיו וַיַּרְא אֶת הַנָּשִׁים וְאֶת הַיְלָדִים וַיֹּאמֶר מִי אֵלֶּה לָּךְ וַיֹּאמַר הַיְלָדִים אֲשֶׁר חָנַן אֱלֹהִים אֶת עַבְדֶּךָ. ת״ח, הַהוּא רָשָׁע דְּעֵשָׂו, יָהֵיב עֵינוֹי לְעַיְינָא עַל נָשִׁין, וּבְגִינֵיהּ אַתְקִין תִּיקוּנוֹי. יַעֲקֹב, שַׁוֵּי שְׁפָחוֹת בְּקַדְמֵיתָא, וּבְנַיְיהוּן לְבָתַר, דְּחָשִׁיבוּ יַתִּיר. לֵאָה אֲבַתְרַיְיהוּ, וּבְנָהָא לְבָתַר. לְבָתַר יוֹסֵף, וּבַתְרָהּ רָחֵל, וְהוּא עָבַר לִפְנֵיהֶם.

שכ״ב. כַּד סָגִידוּ כֻּלְּהוֹן, מַה כְּתִיב. וַתִּגַּשְׁןָ הַשְּׁפָחוֹת הֵנָּה וְיַלְדֵיהֶן וַתִּשְׁתַּחֲוֶיןָ. וּלְבָתַר כְּתִיב, וַתִּגַּשׁ גַּם לֵאָה וִילָדֶיהָ וַיִּשְׁתַּחֲווּ וְאַחַר נִגַּשׁ יוֹסֵף וְרָחֵל וְגוֹ׳. וְהָא יוֹסֵף לְבַתְרַיְיתָא הֲוָה, וְרָחֵל לְקַמֵּיהּ. אֶלָּא בְּרָא טָבָא, בְּרָא רְחִימָא, צַדִּיקָא דְּעָלְמָא, יוֹסֵף, כֵּיוָן דְּחָמָא עֵינֵיהּ דְּהַהוּא רָשָׁע מִסְתַּכַּל בְּנָשִׁין, דָּחִיל עַל אִמֵּיהּ, נָפִיק מֵאֲבַתְרָהּ, וּפָרִישׁ דְּרוֹעוֹי וְגוּפֵיהּ, וְכַסֵּי עֲלָהּ, בְּגִין דְּלָא יִתֵּן הַהוּא רָשָׁע עֵינוֹי בְּאִמֵּיהּ. כַּמָּה אִתְסְגֵי, שִׁית אַמִּין לְכָל סְטָר, וְחָפָא עֲלָהּ, וְלָא יָכִיל עֵינֵיהּ דְּהַהוּא רָשָׁע לְשַׁלְטָאָה עֲלָהּ.

שכג. כְּגַוְונָא דָא, וַיִּשָּׂא בִלְעָם אֶת עֵינָיו, עֵינוֹ כְּתִיב, הַהוּא עֵינָא בִּישָׁא דְּבָעָא לְאִסְתַּכְּלָא עָלַיְיהוּ. וַיַּרְא אֶת יִשְׂרָאֵל שׁוֹכֵן לִשְׁבָטָיו. מַהוּ שׁוֹכֵן לִשְׁבָטָיו. אֶלָּא שִׁבְטָא דְּיוֹסֵף הֲוָה תַּמָּן, וְשִׁבְטָא דְּבִנְיָמִין. שִׁבְטָא דְּיוֹסֵף, דְּלָא שַׁלְטָא בֵּהוּ עֵינָא בִּישָׁא, דִּכְתִּיב בֵּן פּוֹרָת יוֹסֵף. מַאן בֵּן פּוֹרָת. דְּאִתְסְגֵּי לְכַסָּאָה עַל אִמֵּיהּ. בֵּן פּוֹרָת עֲלֵי עָיִן, דְּלָא שַׁלְטָא בֵּיהּ עֵינָא בִּישָׁא. שִׁבְטָא דְּבִנְיָמִין, דִּכְתִּיב בֵּיהּ וּבֵין כְּתֵפָיו שָׁכֵן. וּכְתִיב יִשְׁכּוֹן לָבֶטַח. מַאי לָבֶטַח. דְּלָא דָּחִיל מֵעֵינָא בִּישָׁא, וְלָא דָּחִיל מִפְּגָעִין בִּישִׁין.

שכד. אָמַר הַהוּא רָשָׁע, אֲנָא אַעֲבַר שׁוּרָה דָא, דְּלָא אִתְקַיַּים, וַאֲנָא אִסְתַּכַּל כַּדְקָא יָאוּת. רָחֵל הֲוַת תַּמָּן, וַחֲמַאת דְּעֵינָא דְּהַהוּא רָשָׁע מְשַׁנְּנָא לְאַבְאָשָׁא, מַה עָבְדַת. נָפְקַת וּפְרִישַׂת גַּדְפָּהָא עָלַיְיהוּ, וְחָפָאת עַל בְּרָהָא. הה"ד וַיִּשָּׂא בִלְעָם אֶת עֵינָיו וַיַּרְא אֶת יִשְׂרָאֵל. כֵּיוָן דְּחָמָא רוּחַ דְּקוּדְשָׁא, עֵינָא מְשַׁנְּנָא, מִיַּד וַתְּהִי עָלָיו רוּחַ אֱלֹהִים. עַל מַאן. עַל יִשְׂרָאֵל. דְּפָרִישׂ גַּדְפּוֹי, וְחָפָא עֲלֵיהוֹן. וּמִיַּד תָּב הַהוּא רָשָׁע לַאֲחוֹרָא.

שכה. בְּקַדְמֵיתָא בְּרָא חָפָא עַל אִמֵּיהּ. וְהַשְׁתָּא אִימָּא חָפָאת עַל בְּרָא. אָמַר קוּדְשָׁא בְּרִיךְ הוּא, בְּהַהִיא שַׁעֲתָא דְּחָפָא אִיהוּ עַל רָחֵל אִמֵּיהּ, דְּלָא יִשְׁלוֹט עֵינָא דְּהַהוּא רָשָׁע עָלָהּ, חַיֶּיךָ, בְּשַׁעֲתָא דְּיֵיתֵי עֵינָא בִּישָׁא אָחֳרָא לְאִסְתַּכְּלָא עַל בָּנָךְ וְעַל בְּנֵי, אִמָּךְ תֵּיחוֹפֵי עָלַיְיהוּ. אַתְּ חָפִית עַל אִמָּךְ, אִמָּךְ תֵּיחוֹפֵי עָלַיְיהוּ. אַתְּ חָפִית עַל אִמָּךְ, אִמָּךְ תֵּיחוֹפֵי עָלָךְ.

שכו. וַיִּשָּׂא אֶת עֵינָיו וַיַּרְא אֶת הַנָּשִׁים. הַאי קְרָא, בְּרָזָא דְּחָכְמְתָא אִתְּמַר, בְּיוֹמָא דְּכִפּוּרֵי, דִּבְנֵי עָלְמָא קַיְימֵי בְּדִינָא, וְיִשְׂרָאֵל תַּיְיבִין בִּתְיוּבְתָּא קַמֵּי קוּדְשָׁא בְּרִיךְ הוּא, לְכַפָּרָא עַל חוֹבַיְיהוּ. וְהַהוּא מְקַטְרְגָא קַיְּימָא עָלַיְיהוּ, דְּחָשִׁיב לְאוֹבָדָא לוֹן עַל חוֹבַיְיהוּ, שָׁלְחֵי לֵיהּ הַהוּא דוֹרוֹנָא, וְכַדֵּין כְּתִיב, כִּי אָמַר אֲכַפְּרָה פָנָיו בַּמִּנְחָה הַהוֹלֶכֶת לְפָנָי. לְבָתַר דִּמְקַבֵּל הַהוּא מְקַטְרְגָא לְהַהוּא דוֹרוֹנָא, אִתְהַפָּךְ לְהוּ סַנֵּיגוֹרָא.

שכז. זָקִיף וְחָמֵי לוֹן לְיִשְׂרָאֵל, כֻּלְּהוּ מִתְעַנָּן בְּתַעֲנִיתָא, יְחֵפֵי רַגְלִין. חָמֵי נָשִׁין, חָמֵי יַנּוּקִין, כֻּלְּהוּ בְּתַעֲנִיתָא, כֻּלְּהוּ נְקִיִּים בִּנְקָיוֹ. וַיֹּאמֶר מִי אֵלֶּה לָּךְ. שְׁמָא קַדִּישָׁא לָךְ. מִי אֵלֶּה לָּךְ. שָׁאִיל עַל יַנּוּקֵי, וְאָמַר הַיְלָדִים אֲשֶׁר חָנַן אֱלֹהִים אֶת עַבְדֶּךָ. וְכִי אֲמַאי אִצְטְרִיךְ לְאָתָבָא לֵיהּ כְּלוּם. אֶלָּא כֵּיוָן דִּמְקַבֵּל הַהוּא שׁוֹחַד, אִתְהַפָּךְ לְהוּ סַנֵּיגוֹר. זָקִיף עֵינוֹי, וְחָמֵי לוֹן לְיִשְׂרָאֵל כְּגַוְונָא דָא, וְחָשִׁיב דִּבְגִין דְּחִילוּ דִּילֵיהּ אִינּוּן קַיְימִין כָּךְ.

שכח. שָׁאִיל עַל יַנּוּקֵי, וְאָמַר מִי אֵלֶּה לָּךְ. מַהוּ מִי אֵלֶּה לָּךְ. אֶלָּא אָמַר, תִּינַח אַתּוּן דְּחַבְתּוּן קַמֵּי מַלְכָּא. אֲבָל אִלֵּין יַנּוּקֵי, אֲמַאי קַיְימִין הָכִי, מִי אֵלֶּה לָּךְ. וַיֹּאמַר הַיְלָדִים, רוּחַ קֻדְשָׁא אָמַר, וְעַ"ד זָקִיף טַעֲמָא. וַיֹּאמַר הַיְלָדִים. בְּאַרַח סָתִים אֲשֶׁר חָנַן אֱלֹהִים אֶת עַבְדֶּךָ, וְכִי רוּחַ הַקֹּדֶשׁ אָמַר אֶת עַבְדֶּךָ. אֶלָּא רוּחַ קֻדְשָׁא אָמַר, אִלֵּין אִינּוּן יַנּוּקֵי דְּלָא חָאבוּ, וְלָא טָעִימוּ טַעֲמָא דְּחֶטְאָה, וּמָסַר לוֹן קוּדְשָׁא בְּרִיךְ הוּא, בִּידָא דְּהַהוּא מְמַנָּא דִּילָךְ, וְקָטִיל לוֹן בְּלָא חוֹבָא, כד"א וּמִיַּד עוֹשְׁקֵיהֶם כֹּחַ. וְדָא הוּא אֶת עַבְדֶּךָ.

שכט. כֵּיוָן דְּשָׁמַע מֵאִינּוּן יַנּוּקֵי, מִיַּד סָלִיק לְגַבֵּי קוּדְשָׁא בְּרִיךְ הוּא, וְאָמַר, מָארֵיהּ דְּעָלְמָא, כָּל אָרְחָךְ בְּדִינָא דִּקְשׁוֹט, וְאִי דִּינָא שַׁרְיָא עַל יִשְׂרָאֵל בְּגִין חוֹבֵיהוֹן אִיהוּ, יַנּוּקִין דִּלְהוֹן דְּלָא חָאבוּ לְקַמָּךְ, אֲמַאי מַסְרַת לוֹן לְקַטְלָא בְּלָא חוֹבָא. וְקוּדְשָׁא בְּרִיךְ הוּא נָטִיל מִלּוֹי בְּכַךְ, וְחָס עָלַיְיהוּ. וְהַהִיא שַׁעֲתָא, לָא הֲוֵי אַסְכָּרָא בְּתִינוֹקוֹת.

של. וְהַהוּא מְקַטְרְגָא נָטִיל קְנָאָה מֵהַהוּא מְמַנָּא דִּתְחוֹת יְדֵיהּ. אָמַר, וְכִי לִי יָהִיב קוּדְשָׁא בְּרִיךְ הוּא אִינּוּן דְּמִתְלַבְּשָׁן בְּחַטָּאִין וְחוֹבִין, וּלְהַהוּא מְמַנָּא דִּילִי מָסַר יַנּוּקִין

בְּלָא חוֹבָא, דְּלָא טָעֲמוּן טַעֲמָא דְּחוֹבָה. מִיַּד אָזַל לְאַפָּקָא לוֹן מִתְּחוֹת יְדֵיהּ, וְלָא יִשְׁלוֹט בְּהוּ. וְעַ״ד אַקְדִּים לֵיהּ וְאָ״ל, הַיְלָדִים אֲשֶׁר חָנַן אֱלֹהִים אֶת עַבְדֶּךָ. לְהַהוּא עַבְדָּךְ, בְּלָא חוֹבָא וּבְלָא חַטָּאָה. וּבְגִין דְּלָא יְהֵא שׁוּלְטָנָא לִמְמַנָּא דִּילֵיהּ יַתִּיר מִנֵּיהּ, בָּעָא לְאַפָּקָא לוֹן מִן יְדוֹי.

שלא. כַּד סַלְּקִין צְלוֹתִין דְּיִשְׂרָאֵל בְּיוֹמָא דָּא קַמֵּי קוּדְשָׁא בְּרִיךְ הוּא, מַה כְּתִיב וְהוּא עָבַר לִפְנֵיהֶם. הָא רוּחַ קוּדְשָׁא אַעְבַּר לְקַמַּיְיהוּ, כד״א וַיַּעֲבוֹר מַלְכָּם לִפְנֵיהֶם וְהוּא וַדַּאי עָבַר לִפְנֵיהֶם. וַיִּשְׁתַּחוּ אַרְצָה שֶׁבַע פְּעָמִים, רוּחַ קוּדְשָׁא, אַזְעַר גַּרְמֵיהּ לְגַבֵּי עֵילָא ז׳ זִמְנִין, לְגַבֵּי ז׳ דַּרְגִּין עִלָּאִין דְּעָלֵיהּ, וְאַקְטִין גַּרְמֵיהּ, לְאַכְלְלָא לוֹן עִמֵּיהּ כָּל חַד וְחַד. עַד גִּשְׁתּוֹ עַד אָחִיו, לְהַהוּא דַּרְגָּא דְּרַחֲמֵי, דְּהָא בֵּן וּבַת אִינּוּן. בֵּן, בְּנִי בְכוֹרִי יִשְׂרָאֵל. בַּת, כ״י. רוּחַ קוּדְשָׁא עָבֵיד אַזְעִירוּ דְּגַרְמֵיהּ, עַד גִּשְׁתּוֹ.

שלב. כֵּיוָן דְּמָטָא לְגַבֵּיהּ, תָּבַע מִינֵּיהּ, וְאוֹדַע לֵיהּ צַעֲרָא דִּבְנוֹי לְתַתָּא. וְתַרְוַויְיהוּ עָאלִין לְהֵיכָלָא טְמִירָא גְּנִיזָא דְּיוֹם הַכִּפּוּרִים, אִימָּא דִּלְהוֹן, וְתָבְעִין עַל יִשְׂרָאֵל לְכַפְּרָא לוֹן, כְּדֵין כְּתִיב כִּי בַיּוֹם הַזֶּה יְכַפֵּר עֲלֵיכֶם לְטַהֵר אֶתְכֶם וְגוֹ׳. אֲכַפֵּר עֲלֵיכֶם לָא כְּתִיב, אֶלָּא יְכַפֵּר עֲלֵיכֶם.

שלג. וְהַשְׁתָּא הַיְלָדִים, אִלֵּין וְחַכִּימִין דְּהָכָא, קוּדְשָׁא בְּרִיךְ הוּא יָהַב לוֹן רָזִין דְּאוֹרַיְיתָא, לְאִתְעַטְּרָא בְּהוּ, וּלְאִשְׁתַּדְּלָא בְּהוּ. עֵינָא בִּישָׁא לָא שַׁלְטָא עָלַיְיהוּ, בְּגִין עֵינָא טָבָא, רוּחַ קוּדְשָׁא דְּר׳ פִּנְחָס, דְּשַׁרְיָא עָלַיְיהוּ. אָתָא ר׳ פִּנְחָס וּנְשָׁקֵיהּ. אָמַר, אִלְמָלֵא לָא אֲתֵינָא אָרְחָא דָּא, אֶלָּא לְמִשְׁמַע מִלִּין אִלֵּין, דַּי לִי. זַכָּאָה אָרְחָא דָּא דַּאֲתֵינָא לְגַבָּךְ.

שלד. וְקוּדְשָׁא בְּרִיךְ הוּא הָכָא, דְּאִסְתַּכַּם עִמָּנָא. וְלָא דַּי אִילָנָא חַד, אֶלָּא תְּלַת. אֲבָל מַעְיָינָא דָּא, דְּיוּקְנָא עִלָּאָה הוּא, לְגַבֵּי הַהוּא מַעְיָינָא דְּטָמִיר וְגָנִיז. תְּלַת אִילָנִין אִלֵּין, תְּלַת אַרְזִין אִינּוּן, דְּאִקְרוּן אַרְזֵי לְבָנוֹן. וְאִינּוּן דְּיוּקְנָא דִּתְלַת אִילָנִין רַבְרְבִין, רָזָא דַּאֲבָהָן. זַכָּאָה חוּלָקָנָא בְּהַהִיא שַׁעֲתָא.

שלה. אַרְכִּינוּ אִילָנִין, חַד עַל רֵישֵׁיהּ דְּר׳ שִׁמְעוֹן, וְחַד עַל רֵישֵׁיהּ דְּרַבִּי פִּנְחָס, וְחַד עַל רֵישֵׁיהּ דְּר׳ אֶלְעָזָר. אִתְפְּשָׁטוּ עַנְפִּין, לְכָל סְטַר, עַל רֵישַׁיְיהוּ דְּחַבְרַיָּיא, בָּכָה רִבִּי פִּנְחָס וְאָמַר, זַכָּאָה חוּלָקִי וְזַכָּאִין עֵינַי דְּחָמָאן כָּךְ. וְלָא עַל דִּידָךְ וְעַל דִּידִי חֲדֵינָא בִּלְחוֹדַיְיהוּ, אֶלָּא עַל רִבִּי אֶלְעָזָר בְּרָנָא קָא חֲדֵינָא, דְּחָשִׁיב אִיהוּ קַמֵּי מַלְכָּא קַדִּישָׁא כְּחַד מִינָּן. קָם וּנְשָׁקֵיהּ. אָמַר רִבִּי שִׁמְעוֹן, אֶלְעָזָר קוּם בְּקִיּוּמָךְ, וְאֵימָא לְקַמֵּי מָארָךְ מִלִּין דִּילֵיהּ. קָם רִבִּי אֶלְעָזָר.

שלו. פָּתַח וְאָמַר עַמִּי זְכָר נָא מַה יָּעַץ בָּלָק מֶלֶךְ מוֹאָב וְגוֹ׳. עַמִּי, כַּמָּה קוּדְשָׁא בְּרִיךְ הוּא אַבָּא רַחֲמָן עַל בְּנוֹי, אע״ג דְּחָאבוּ גַּבֵּיהּ, כָּל מִלּוֹי בִּרְחִימוּ לְגַבַּיְיהוּ, כְּאַבָּא לְגַבֵּי בְּרֵיהּ. חָטֵי בְּרֵיהּ לְגַבֵּי אֲבוֹי, אַלְקֵי לֵיהּ, כ״כ דְּאַלְקֵי לֵיהּ לָא תָּב מֵאָרְחֵיהּ, נָזִיף בֵּיהּ בְּמִלִּין וְלָא קַבִּיל. אָמַר אֲבוֹי, לָא בָּעֵינָא לְמֶעְבַּד לִבְרִי כַּמָּה דַּעֲבַדְנָא עַד יוֹמָא. אִלּוּ אַלְקְיֵיהּ יְהֵא חָשִׁישׁ בְּרֵישֵׁיהּ, הָא כְּאִיבָא דִּילֵיהּ גַּבָּאי, אֶהָא נָזִיף בֵּיהּ, הָא דְּיוּקְנֵיהּ מִשְׁתַּנְיָא, מַה אַעְבִּיד, אֶלָּא אֵיזִיל וְאִתְחַנַּן לְגַבֵּיהּ, וְאֵימָא לֵיהּ מִלִּין רְכִיכִין, בְּגִין דְּלָא יִתְעַצֵּב.

שלז. כֵּן בְּכָל זִינִין, אָזִיל קוּדְשָׁא בְּרִיךְ הוּא בְּיִשְׂרָאֵל. שָׁארֵי עִמְּהוֹן אַלְקָאָה וְלָא קַבִּילוּ. נָזִיף בְּהוּ, וְלָא קַבִּילוּ. אָמַר קוּדְשָׁא בְּרִיךְ הוּא, וְחָמֵינָא בִּבְרִי, דִּבְגִין מַלְקְיוּתָא דְּלָקֵינָא לוֹן, אִינּוּן חַשְׁשׁוּ בְּרֵישַׁיְיהוּ. וַוי, דְּהָא מִגּוֹ כְּאִיבָא דִּלְהוֹן, חֲשִׁישְׁנָא אֲנָא. דִּכְתִיב,

בְּכָל צָרָתָם לוֹ צָר. נְזִיפָא בְּהוּ, אֶשְׁתַּנָּא דְּיוּקְנָא דִּלְהוֹן, דִּכְתִיב, חָשַׁךְ מִשְּׁחוֹר תָּאֳרָם לֹא נִכְּרוּ בַּחוּצוֹת. וַוי כַּד אִסְתַּכָּלִית בְּהוּ, וְלָא אִשְׁתְּמוֹדְעוּ. הַשְׁתָּא, אֲהָא מִתְחַנְּנָא לְגַבַּיְיהוּ גּוֹ תַּחֲנוּנִים. עַמִּי מֶה עָשִׂיתִי לְךָ וּמָה הֶלְאֵיתִיךָ. בְּרִי יְחִידָאָה דִּילִי, חֲבִיבָא דְּנַפְשָׁאִי, חֲזֵי מַה עֲבָדִית לָךְ, שַׁלִּיטִית לָךְ עַל כָּל בְּנֵי הֵיכָלִי, שַׁלִּיטִית לָךְ עַל כָּל מַלְכִּין דְּעָלְמָא, וְאִי עֲבָדִית לָךְ עוֹבָדִין אָחֳרָנִין, עֲנֵה בִּי, אַנְתְּ הֱוֵי סָהִיד בִּי.

שלו. עַמִּי זְכָר נָא מַה יָּעַץ בָּלָק מֶלֶךְ מוֹאָב וּמֶה עָנָה אוֹתוֹ בִּלְעָם בֶּן בְּעוֹר. זְכָר נָא, הֱוֵי דְּכִיר בְּמָטוּ מִינָךְ. מַה יָּעַץ הַשְׁתָּא אִית לְאִסְתַּכְּלָא, מַה הֲוָה עֵיטָא דְּבָלָק עַל עַמָּא קַדִּישָׁא וְאוֹרַיְיתָא לָא וְהַשִּׁיבַת לֵיהּ לְבָלָק כְּלוּם, כְּמָה דַּהֲוָה לְלָבָן, דִּכְתִיב אֲרַמִּי אוֹבֵד אָבִי.

שלט. אֲשׁוּרֶנּוּ וְגוֹ', צִיּוּרָא וְדִיּוּקְנָא דַּאֲבוֹי, אִתְרְשִׁים בֵּיהּ מַמָּשׁ. וּמֵהַהוּא זִמְנָא דַּהֲוָה בִּמְעָהָא דְּאִמֵּיהּ, מִסִּטְרָא דִּילָהּ, אִתְמְתַּח וְאוֹשִׁיט פְּסִיעָה לְבַר יַתִּיר. כִּי מֵרֹאשׁ צֻרִים אֶרְאֶנּוּ, דָּא דִּיּוּקְנָא וְצִיּוּרָא דַּאֲבוֹי מַמָּשׁ. כֵּיוָן דַּהֲוָה בִּמְעָהָא דְּאִמֵּיהּ, אֲשׁוּרֶנּוּ, אוֹשִׁיט פְּסִיעָה לְבַר, ו' כְּגַוְונָא דָּא.

שמ. וְדָא הוּא וּמִגְּבָעוֹת אֲשׁוּרֶנּוּ, בְּמְתִיבְתָּא עִלָּאָה, גִּבְעַת וָחֵסֵר ו'. בְּמְתִיבְתָּא דִּרְקִיעָא, וּמִגְּבָעוֹת בְּאָת ו'. וְאַשְׁלִים לִתְרֵין סִטְרִין. וְחַד, דְּהָא הַאי גִּבְעַת לָא אִתְפָּרְשָׁא מִן בְּרָהּ לְעָלְמִין, וְלָא שַׁבְקַת לֵיהּ. וְעַ"ד אִתְכְּלִיל ו' בַּהֲדָהּ לְעָלַם. וְחַד, דְּהָא גִּבְעָה דִּלְתַתָּא בְּרָהּ דְּאִתְכְּלִיל בָּהּ, אִצְטְרִיךְ לְזִמְנָא דְּאָתֵי כַּד יֵיתֵי מַלְכָּא מְשִׁיחָא, לְנַטְלָא לֵיהּ גִּבְעַת עִלָּאָה, וּלְאַעֲלָא לֵיהּ גּוֹ גַּדְפָהָא, בְּגִין לְאַתְקְפָא לֵיהּ, וּלְאוֹקְמָא לֵיהּ בְּזַיְינִין עִלָּאִין, וּמִנָּהּ יִפּוֹק בְּהַהוּא יוֹמָא מְשִׁיחָא דְּדָוִד.

שמא. וְרָזָא דָּא, אֲסַפְּרָה אֶל חֹק יְיָ' אָמַר אֵלַי בְּנִי אַתָּה אֲנִי הַיּוֹם יְלִדְתִּיךָ. זַמִּין אֲנָא לוֹמַר לְהַהוּא אֲתָר דְּאִקְרֵי חֹק, וּלְבַשְּׂרָא לֵיהּ ה' אָמַר אֵלַי בְּנִי אַתָּה אֲנִי הַיּוֹם יְלִדְתִּיךָ. בְּהַהוּא יוֹמָא מַמָּשׁ, יָפִיק לֵיהּ הַהוּא חֹק מִתְּחוֹת גַּדְפָהָא, בְּכַמָּה זַיְינִין, בְּכַמָּה עִטְרִין, בְּכַמָּה בִּרְכָאן, כְּדְקָא יָאוּת.

שמב. וְהַהוּא חֹק לָא יִשְׁתְּאַר בִּלְחוֹדוֹי, יִתְכְּלִיל בֵּיהּ מְשִׁיחָא אָחֳרָא בְּרֵיהּ דְּיוֹסֵף, וְתַמָּן יִתְתַּקַּף, וְלָא בַּאֲתַר אָחֳרָא. וּבְגִין דְּאִיהוּ גִּבְעָה תַּתָּאָה, דְּלֵית בָּהּ זַיְינִין, יָמוּת מְשִׁיחַ דָּא, וְיִתְקְטִל, וִיהֵא מֵית עַד דְּתִלְקוּט זַיְינִין גִּבְעָה דָּא, מֵהַהִיא גִּבְעָה עִלָּאָה, וְיָקוּם.

שמג. וּבְגִ"כ, בְּמְתִיבְתָּא דִּרְקִיעָא וּמִגְּבָעוֹת שְׁלֵים בְּאוֹת ו', עַל תְּרֵין סִטְרִין אִלֵּין. אֲבָל בְּמְתִיבְתָּא עִלָּאָה, וְחָסֵר, בְּלָא ו', לְאַחֲזָאָה מִלָּה דְּלֵית בָּהּ קוּשְׁיָא וְסָפֵק. הֶן עָם לְבָדָד יִשְׁכּוֹן, בְּיִחוּדָא, בְּלָא עִרְבּוּבְיָא אָחֳרָא.

שדמ. כָּל יִחוּדָא שְׁלִים, הָכָא אִיהוּ. יְיָ' אֱלֹהֵינוּ יְיָ'. דְּהָא רָזָא דִּילֵיהּ, מֵרֹאשׁ צֻרִים אִיהוּ, וְאִתְיַיחֵד בְּרֵישָׁא, בְּגִזְעָא וּשְׁבִילָא. יְיָ': דָּא רֵישָׁא עִלָּאָה, אֲוִירָא דְּסַלְקָא. אֱלֹהֵינוּ: דָּא גִּזְעָא, דְּאִתְּמַר גֶּזַע יִשַׁי. יְיָ': דָּא שְׁבִילָא דִּלְתַתָּא. וְעַל רָזָא דָּא אִתְיַיחַד בֵּיהּ כַּדְקָא יָאוּת. וּבְגִין דְּאִתְמְתַח בֵּיהּ שְׁבִילָא אִצְטְרִיךְ. רָזָא דְּאִתְגְּזַר בִּתְרֵי מְתִיבָתֵי.

שמה. זַכָּאָה חוּלָקָךְ רַבִּי שִׁמְעוֹן, דְּזָכִית לְמִלִּין עִלָּאִין דְּמָארָךְ, וּמָארָךְ אִתְרְעֵי בָּךְ, כַּמָּה שִׁיעוּרָא דְּמִתְיָזְן דִּשְׁבִילָא דָּא בְּשִׁיעוּרָא עִלָּאָה, דְּרֵישָׁא וְגִזְעָא וּשְׁבִילָא, וְאִתְלַבְשָׁן בְּמִתְיוּזוּ דָּא. וְעַ"ד מִתְיוּזוּ דָּא', שִׁיעוּרָא דְּשִׁית סִטְרִין. וְכֹלָּא אִתְיְיחַד בְּהַאי אָת, וּבְגִ"כ, לְבָדָד יִשְׁכּוֹן כַּדְקָא יָאוּת.

שמו. וּבַגּוֹיִם לֹא יִתְחַשָּׁב, יִשְׂרָאֵל אִית לוֹן כְּתָב וְלָשׁוֹן. וּבְכָל אָת, יַכְלִין לְאִסְתַּכְּלָא בְּדִיּוּקְנָא וְצִיּוּרָא כַּדְקָא יָאוּת. אֲבָל בַּגּוֹיִם עכו"ם, לֹא יִתְחַשָּׁב. רָזָא דְּנָא, בְּגִין דְּלֵית לוֹן

כְּתָב וְלָשׁוֹן, וְלֵית לוֹן לְאִסְתַּכְּלָא וּלְמִנְדַע כְּלוּם, דְּהָא הֶבֶל הֵמָּה מַעֲשֵׂה תַּעְתּוּעִים. וְלָא יִתְיְישָׁב רָזָא דְּנָא בְּמַחֲשָׁבָה וּבְאִסְתַּכְּלוּתָא דִּלְהוֹן, הוֹאִיל וְלֵית לוֹן כְּתָב. זַכָּאִין אִינּוּן יִשְׂרָאֵל.

שמז. מִי מָנָה עֲפַר יַעֲקֹב וּמִסְפָּר אֶת רוֹבַע יִשְׂרָאֵל. הַהוּא נְקוּדָה עִלָּאָה, רֵישָׁא וְגַוְונָא וּשְׁבִילָא, בִּטְמִירוּ אִיהוּ, וְלָא קַיְּימָא לְשָׁאֲלָא לְבַר. אֲבָל מִשַּׁעֲתָא דְּשָׁארֵי לְאִתְבְּנָאָה, וּלְמֶעְבַּד הֵיכְלָא בִּרְעוּתֵיהּ, וְאִקְרֵי מִ״י, שָׁארֵי לְאִתְבְּנָאָה, דְּיוּקְנָא, דִּילֵיהּ מַמָּשׁ. אַפִּיק נוּקְבָּא דִּילֵיהּ, בְּדִיוּקְנָא דְּאִמֵּיהּ.

שמח. מַאי מִי. דָּא רֵישָׁא וְגַוְונָא וּשְׁבִילָא. וְאִתְפָּשַׁט לְאִתְבְּנָאָה בִּפְשִׁיטוּ דְּחַד הֵיכְלָא, לִתְרֵין סִטְרִין בָּאֳנִי. וְאע״ג דְּאַפִּיק לְיִשְׂרָאֵל. דְּאִיהוּ ו׳, אוּף הָכִי אַפִּיק לְנוּקְבָא דִּילֵיהּ כַּחֲדָא, וְאַזְמִינָהּ לְגַבֵּיהּ. מָנָה, כְּד״א וַיְמַן לָהֶם הַמֶּלֶךְ וּמִשְׁלוֹחַ מָנוֹת. יָהַב לֵיהּ נְבִזְבְּזָא רַב וְיַקִּירָא, וְאַפִּיק לָהּ כַּחֲדָא מִנֵּיהּ. בְּהַהוּא פְּשִׁיטוּ דְּאִתְפָּשַׁט אַפִּיק תַּרְוַויְיהוּ כַּחֲדָא, בְּשַׁעֲתָא וַחֲדָא.

שמט. וּמִסְפָּר אֶת רוֹבַע יִשְׂרָאֵל, רוֹבַע יִשְׂרָאֵל רָזָא דָּא בְּגִינָךְ ר׳ אִתְמְסַר, זַכָּאָה חוּלָקָךְ. רוֹבַע יִשְׂרָאֵל, רְבִיעִית, מִן מְדִידוּ דְּיִשְׂרָאֵל, אִיהוּ בְּרִית. אֲמַאי אִקְרֵי רוֹבַע. אֶלָּא שִׁיעוּרָא דְּגוּפָא אַרְבַּע בְּרִיתוֹת הֲוֵי בְּשִׁיעוּרָא דִּילֵיהּ. וּבְרִית רוֹבַע אִיהוּ בְּשִׁיעוּרָא דִּמְדִידוּ דְּגוּפָא. כֹּלָּא אַפִּיק מִי.

שנ. ר״א הֲוָה אָזִיל לְמֶחֱמֵי לְר׳ יוֹסֵי חָמוּי, ר׳ אַבָּא וְחַבְרוֹי אָזְלוּ עִמֵּיהּ. פָּתַח ר׳ אֶלְעָזָר וְאָמַר, יְיָ׳ בֹּקֶר תִּשְׁמַע קוֹלִי וְגוֹ׳. יְיָ׳ בֹּקֶר מַאי בֹּקֶר. אֶלָּא דָּא בֹּקֶר דְּאַבְרָהָם, דְּאִתְעַר בְּעָלְמָא. דִּכְתִיב, וַיַּשְׁכֵּם אַבְרָהָם בַּבֹּקֶר. דְּהָא כַּד אָתֵי צַפְרָא, הַהוּא בֹּקֶר אִתְעַר בְּעָלְמָא, וְהוּא עִידָּן רַעֲוָא לְכֹלָּא, וּלְמֶעְבַּד טִיבוּ לְכָל עָלְמָא, לְזַכָּאִין וּלְחַיָּיבִין. וּכְדֵין עִידָּן צְלוֹתָא הוּא, לְמִצְלֵי קַמֵּי מַלְכָּא קַדִּישָׁא.

שנא. וְעַ״ד, בְּשַׁעֲתָא דְּאָתֵי צַפְרָא, כָּל אִינּוּן אֲסִירֵי מַלְכָּא, אַשְׁכְּחוּ נַיְיחָא, עִידָּן צְלוֹתָא אִיהוּ עֲלַייהוּ. וְכ״ש אִינּוּן דְּתַיְיבִין בִּתְיוּבְתָּא, וּבָעָאן בָּעוּתְהוֹן לְקַמֵּי מַלְכָּא קַדִּישָׁא. בְּגִין, דְּהַאי שַׁעֲתָא, חַד מְמַנָּא נָפִיק לְסִטַר דָּרוֹם, וּרְפָאֵל שְׁמֵיהּ, וְכָל זִינֵי אַסְוָותָא בִּידוֹי. וּמִסְטַר דָּרוֹם, נָפַק חַד רוּחָא, וּמָטֵי לְגַבֵּי הַהוּא מְמַנָּא, דִּמְמַנָּא עַל אַסְוָותָא. וְכַד מָטֵי צְלוֹתָא לְקַמֵּי קוּדְשָׁא בְּרִיךְ הוּא, פָּקִיד לְבֵי דִּינָא דִּילֵיהּ, דְּלָא יִפְתְּחוּן בְּדִינָא, בְּגִין דְּחַיִּים בִּידָא דְּקוּדְשָׁא בְּרִיךְ הוּא, וְלָא בִּידַיְיהוּ.

שנב. וּמִגּוֹ דְּאִיהוּ עִידָּן רַעֲוָא, בָּעָא קוּדְשָׁא בְּרִיךְ הוּא זְכוּתָא דְּהַהוּא ב״נ, אִי יִשְׁתְּכַח בִּצְלוֹתָא, אוֹ דְּאִיהוּ מָארֵיהּ דִּתְיוּבְתָּא, וְחָס עֲלֵיהּ. בְּהַהִיא שַׁעֲתָא קָל צִפֳּרִין דִּמְקַנְנָן אִשְׁתְּמָעוּ, דִּכְתִיב אֲשֶׁר שָׁם צִפֳּרִים יְקַנֵּנוּ. וְאִינּוּן צִפֳּרִין אוֹדָאן וּמְשַׁבְּחָן לְקוּדְשָׁא בְּרִיךְ הוּא. וְהַהוּא אַיֶּלֶת הַשַּׁחַר אִתְעַר בְּעָלְמָא וְאָמַר, מָה רַב טוּבְךָ אֲשֶׁר צָפַנְתָּ לִּירֵאֶיךָ וְגוֹ׳. כְּדֵין הַהוּא מְמַנָּא נָפִיק, וְעָבֵיד כָּל מַה דְּאִתְפְּקַד.

שנג. וְאִי תֵּימָא דְּזִינֵי אַסְוָותָא בִּידוֹי כְּמָה דְּאַמָרָן. לָאו הָכִי. דְּהָא אַסְוָותָא לָא הֲוֵי, אֶלָּא בִּידוֹי דְּמַלְכָּא קַדִּישָׁא. אֲבָל בְּשַׁעֲתָא דְּפָקִיד קוּדְשָׁא בְּרִיךְ הוּא אַסְוָותָא לְהַהוּא בַּר נָשׁ, אִיהוּ נָפִיק, וְכָל אִינּוּן מְקַטְרְגִין דִּמְמַנָּן עַל מַרְעִין בִּישִׁין, דַּחֲלִין מִנֵּיהּ. כְּדֵין הַהוּא רוּחָא דְּקָא נָסַע מִסִּטְרָא דְּדָרוֹם, אוֹשִׁיט לֵיהּ לְהַהוּא ב״נ, וְהָא אַסְוָותָא אִשְׁתְּכַח, וְכֹלָּא בִּידוֹי דְּקוּדְשָׁא בְּרִיךְ הוּא.

שנד. וְעַ״ד כְּתִיב, יְיָ׳ בֹּקֶר תִּשְׁמַע קוֹלִי. וְלָא כְּתִיב יְיָ׳ תִּשְׁמַע קוֹלִי. אֶלָּא לְגַבֵּי בֹּקֶר דְּאַבְרָהָם קָאָמַר. בֹּקֶר אֶעֱרָךְ לְךָ וַאֲצַפֶּה. תְּרֵי בֹּקֶר אֲמַאי. אֶלָּא חַד בֹּקֶר דְּאַבְרָהָם. וְחַד בֹּקֶר דְּיוֹסֵף. דִּכְתִיב הַבֹּקֶר אוֹר, וּמְתַרְגְּמִינָן צַפְרָא נָהִיר, נָהִיר וַדַּאי. אֶעֱרָךְ לְךָ

וַאֲצַפֶּה, אֶעֱרָךְ לָךְ מַהוּ. אֶלָּא אֲסַדֵּר לָךְ בּוּצִינָא דִּילָךְ לְאַדְלָקָא. כד"א עָרַכְתִּי נֵר לִמְשִׁיחִי. וּלְגַבֵּי בֹּקֶר דְּיוֹסֵף קָאָמַר, דְּהַהוּא סִדּוּרָא דְּבוּצִינָא דִּילֵיהּ הוּא.

שנה. וַאֲצַפֶּה, מַהוּ וַאֲצַפֶּה. הָא כָּל בְּנֵי עָלְמָא מְצַפָּאן וּמְחַכָּאן לְטִיבוּ דְּקוּדְשָׁא בְּרִיךְ הוּא, וַאֲפִילוּ בְּעִירֵי דְּחַקְלָא, וּמָה שְׁבַחָא דְּדָוִד יַתִּיר מִכָּל בְּנֵי עָלְמָא, אֶלָּא, מִלָּה דָּא שָׁאִילְנָא, וְהָכִי אָמְרוּ לִי, וְאִיהִי מִלָּה קְשׁוֹט דְּאָתֵי מֵרָחִיק. נְהוֹרָא קַדְמָאָה דְּבָרָא קוּדְשָׁא בְּרִיךְ הוּא, הֲוָה נָהִיר עַד דְּלָא הֲווּ יַכְלִין עָלְמִין לְמִסְבְּלֵיהּ. מָה עֲבַד קוּדְשָׁא בְּרִיךְ הוּא, עָבֵד נְהוֹרָא לִנְהוֹרֵיהּ, לְאִתְלַבְּשָׁא דָּא בְּדָא. וְכֵן כָּל שְׁאַר נְהוֹרִין, עַד דְּעָלְמִין כֻּלְּהוּ אִתְקַיָּימוּ בְּקִיּוּמַיְיהוּ, וְיַכְלִין לְמִסְבַּל.

שנו. וּבג"כ אִתְפַּשְּׁטוּ דַּרְגִּין, וְאִתְלַבָּשׁוּ נְהוֹרִין, וְאִינּוּן אִקְרוּן כְּנָפַיִם עִלָּאִין, עַד דְּמָטוּ לְהַאי בֹּקֶר דְּיוֹסֵף, וְאִיהוּ נָטִיל כָּל נְהוֹרִין עִלָּאִין, וּמִגּוֹ דְּכָל נְהוֹרִין עִלָּאִין בֵּיהּ תַּלְיָין, זִיוֵיהּ סָלִיק מִסַּיְיפֵי עָלְמָא עַד סַיְיפֵי עָלְמָא דִּלְעֵילָּא, עַד דְּעָלְמִין דִּלְתַתָּא לָא יַכְלִין לְמִסְבַּל. אָתָא דָּוִד וְאַתְקִין הַאי בּוּצִינָא, וְחוֹפָאָה לְהַאי בֹּקֶר דְּיוֹסֵף, לְאִתְחַפָּאָה בֵּיהּ, וּלְקַיְּימָא עָלְמִין דִּלְתַתָּא, בְּסִדּוּרָא דְּבוּצִינָא דָּא וְעַל דָּא כְּתִיב, בֹּקֶר אֶעֱרָךְ לְךָ וַאֲצַפֶּה. כד"א, וַיְצַפֵּהוּ זָהָב טָהוֹר. וּבְגִין דְּהַהוּא בּוּצִינָא דְּדָוִד אִיהִי, וּבָהּ תַּלְיָיא, אָמַר דְּאִיהוּ לֶיהֱוֵי חוֹפָאָה לְהַאי בֹּקֶר. אָתָא רִבִּי אַבָּא וּנְשָׁקֵיהּ, אָמַר אִלְמָלֵא לָא נָפַקְנָא בְּאָרְחָא, אֶלָּא לְמִשְׁמַע מִלָּה דָּא דַּיִי.

שנז. עַד דַּהֲווּ אָזְלֵי, הָא יוֹנָה חַד מָטָא לְגַבֵּי רִבִּי אֶלְעָזָר. שָׁרִיאַת, וְקָא מְצַפְצְפָא קַמֵּיהּ. אָמַר רִבִּי אֶלְעָזָר, יוֹנָה כְּשֵׁרָה מְהֵימְנַת הֲוֵית תָּדִיר בִּשְׁלִיחוּתֵיךְ, זִילִי וְאֵימָא לֵיהּ, הָא חַבְרַיָּיא אָתָאן לְגַבָּךְ, וַאֲנָא עִמְּהוֹן. וְנִסָּא יִתְרְחִישׁ לֵיהּ לִתְלָתָא יוֹמִין, וְלָא יִנְפּוֹל עָלֵיהּ דְּחִילוּ, דְּהָא בְּחֶדְוָה אֲנָן אָזְלִין לְגַבֵּיהּ. אָתִיב זִמְנָא אָחֳרָא וְאָמַר, לָא חֲדֵינָא סַגְיָא, וּבְאִישׁ בְּעֵינַי סַגֵּי, עַל חַד רִמּוֹנָא מַלְיָא דְּאִתְיְהִיב תְּחוֹתֵיהּ, וְיוֹסֵי שְׁמֵיהּ. אָזְלַת הַהִיא יוֹנָא מִקַּמֵּיהּ, וְאִינּוּן וְחַבְרַיָּיא אָזְלוּ.

שנח. אָמַר רִבִּי אַבָּא לר' אֶלְעָזָר, מַאי הַאי, תְּוַוהְנָא סַגֵּי, מִמָּה דַּחֲמֵינָא. א"ל, יוֹנָה דָּא אָתָאת לְגַבָּאי בִּשְׁלִיחוּתֵיהּ דְּרִבִּי יוֹסֵי חָמִי, דְּאִיהוּ בְּבֵי מַרְעֵיהּ, וְיָדַעְנָא מֵהַאי יוֹנָה דְּאִשְׁתְּזִיב, וְחִלּוּפָא אִתְיְיהִיב עָלֵיהּ וְאִתְּסֵי.

שנט. עַד דַּהֲווּ אָזְלוּ, הָא עוּרְבָא חַד קָאִים לְקַמַּיְיהוּ, קָרָא בְּחֵילָא, וּמְצַפְצְפָא צִפְצוּפָא סַגֵּי. אָמַר רִבִּי אֶלְעָזָר, לְהָכִי אַתְּ קַיְּימָא, וּלְהָכִי אַנְתְּ מְתַקַּן, זִיל לְאָרְחָךְ, דְּהָא יְדַעְנָא. אָמַר ר' אֶלְעָזָר, חַבְרַיָּיא נֵיזִיל וְנִגְמוֹל חֶסֶד לְרִמּוֹנָא, דַּהֲוָה מַלְיָא מִכֹּלָּא, וְרִבִּי יוֹסֵי דְּפְקִיעִין שְׁמֵיהּ אִיהוּ, דְּהָא אִסְתַּלַּק מֵעָלְמָא דֵּין, וְלֵית מַאן דְּחָזֵי לְאִשְׁתַּדְּלָא בֵּיהּ, וְאִיהוּ קָרִיב לְגַבָּן.

שס. סָטוּ מֵאָרְחָא, וְאָזְלוּ לְתַמָּן. כֵּיוָן דְּחָמוּ לוֹן כָּל בְּנֵי מָתָא, נָפְקוּ לְגַבַּיְיהוּ. וְעָאלוּ תַּמָּן בְּבֵי רִבִּי יוֹסֵי דִּפְקִיעִין, אִינּוּן וְחַבְרַיָּיא אִלֵּין. בְּרָא זְעִירָא הֲוָה לֵיהּ לְרִבִּי יוֹסֵי, וְלָא שָׁבִיק לְבַר נָשׁ דְּיִמְטֵי לְעַרְסָא דַּאֲבוּי, בָּתַר דְּמִית. אֶלָּא הֲוָא בִּלְחוֹדוֹי הֲוָה סָמִיךְ לֵיהּ, וּבָכֵי עָלֵיהּ, פּוּמֵיהּ בְּפוּמֵיהּ מִתְדַּבְּקָא.

שסא. פָּתַח הַהוּא יַנּוּקָא וְאָמַר, מָארֵיהּ דְּעָלְמָא, כְּתִיב בְּאוֹרַיְיתָא, כִּי יִקָּרֵא קַן צִפּוֹר לְפָנֶיךָ וְגוֹ', שַׁלֵּחַ תְּשַׁלַּח אֶת הָאֵם וְגוֹ'. הֲוָה גָּעֵי הַהוּא יַנּוּקָא וּבָכֵי, אָמַר, מָארֵיהּ דְּעָלְמָא, קַיֵּים מִלָּה דָּא דְּאוֹרַיְיתָא, תְּרֵין בְּנִין הֲוֵינָא מֵאַבָּא וְאִמִּי, אֲנָא וַאֲחוֹתִי זְעֵירְתָא מִנָּאי. הֲוָה לָךְ לְמֵיסַב לָן, וּלְקַיְּימָא מִלָּה דְּאוֹרַיְיתָא. וְאִי תֵּימָא מָארֵיהּ דְּעָלְמָא, אֵם כְּתִיב, וְלָא אָב, הָא הָכָא כּוּלָּא הוּא, אַבָּא וְאִמָּא. אִימָא מִיתַת, וּנְסִיבַת לָהּ מֵעַל בְּנִין.

הַשְׁתָּא אַבָּא דַּהֲוֵי וְחָפֵי עֲלָן, אִנְסִיב מֵעַל בְּנִין, אָן דִּינָא דְּאוֹרַיְיתָא. בָּכוּ ר' אֶלְעָזָר וְחַבְרַיָּיא, לְקַבֵּל בְּכִיָּה וְגָעוּ דְּהַהוּא יַנּוּקָא.

שסב. פָּתַח ר' אֶלְעָזָר וְאָמַר, שָׁמַיִם לָרוּם וָאָרֶץ לָעוֹמֶק וְגו'. עַד דַּהֲוָה אָמַר ר' אֶלְעָזָר קְרָא דָּא, הֲוָה עַמּוּדָא דְּאֶשָּׁא פָּסִיק בֵּינַיְיהוּ, וְהַהוּא יַנּוּקָא הֲוָה דָּבִיק בְּפוּמֵיהּ דַּאֲבוּי, וְלָא הֲווּ מִתְפָּרְשָׁאן. א"ר אֶלְעָזָר, אוֹ בָּעֵי קוּדְשָׁא בְּרִיךְ הוּא לְמִרְחַשׁ נִיסָא, אוֹ בָּעֵי דְּלָא יִשְׁתְּדַל בַּר נָשׁ אַחֲרָא עָלֵיהּ, אֲבָל עַל מִלִּין דְּהַהוּא יַנּוּקָא וְדִמְעוֹי, לָא יָכִילְנָא לְמִסְבַּל.

שסג. עַד דַּהֲווּ יַתְבִין, שָׁמְעוּ חַד קָלָא, דַּהֲוָה אָמַר, זַכָּאָה אַנְתְּ רַבִּי יוֹסֵי, דְּמִלִּין דְּהַאי גַּדְיָא זְעֵירָא, וְדִמְעוֹי, סְלִיקוּ לְגַבֵּי כֻּרְסְיָיא דְּמַלְכָּא קַדִּישָׁא, וְדָנוּ דִּינָא, וּתְלֵיסַר בְּנֵי נָשָׁא אַזְמִין קוּדְשָׁא בְּרִיךְ הוּא לְמַלְאַךְ הַמָּוֶת בְּגִינָךְ, וְהָא עֶשְׂרִין וּתְרֵין שְׁנִין אוֹסִיפוּ לָךְ, עַד דְּתוֹלִיף אוֹרַיְיתָא, לְהַאי גַּדְיָא שְׁלִימָא, וַחֲבִיבָא קַמֵּי קוּדְשָׁא בְּרִיךְ הוּא.

שסד. קָמוּ ר' אֶלְעָזָר וְחַבְרַיָּיא, וְלָא שָׁבְקוּ לְבַר נָשׁ לְמֵיקַם בְּבֵיתָא, מִיַּד חָמוּ הַהוּא עַמּוּדָא דְּאֶשָּׁא דְּסָלִיק, וְר' יוֹסֵי פָּתַח עֵינוֹי. וְהַהוּא יַנּוּקָא דָּבִיק פּוּמֵיהּ בְּפוּמֵיהּ. א"ר אֶלְעָזָר, זַכָּאָה חוּלָקָנָא דַּחֲזֵינָא תְּחִיַּית הַמֵּתִים, עֵינָא בְּעֵינָא. קְרִיבוּ לְגַבֵּיהּ, וַהֲוָה הַהוּא יַנּוּקָא נָאִים, כְּמָה דְּנָגִיעַ מֵהַאי עָלְמָא, אָמְרוּ זַכָּאָה חוּלָקָךְ רִבִּי יוֹסֵי, וּבְרִיךְ רַחֲמָנָא דְּאַרְחִישׁ לָךְ נִיסָא, עַל גְּעָיָא וּבִכְיָיא דִּבְרָךְ, וּבְמִלּוֹי, דְּהָכֵי דָּחִיק בְּמִלִּין שַׁפִּירִין לִתְרַע שְׁמַיָּא, בְּמִלּוֹי וּבְדִמְעוֹי אוֹסִיפוּ לָךְ חַיִּין.

שסה. נָטְלוּהוּ לְהַהוּא יַנּוּקָא, וּנְשָׁקוּהוּ וּבָכוּ עִמֵּיהּ מֵחֶדְוָה סַגִּיא. וְאַפְּקוּהוּ לְבֵיתָא אַחֲרָא, וְאִתְעָרוּ עָלֵיהּ, וְלָא אוֹדְעוּ לֵיהּ מִיַּד, אֶלָּא לְבָתַר הָכִי. חֲדוּ תַּמָּן תְּלָתָא יוֹמִין, וְחַדִּישׁוּ בַּהֲדֵי הַהוּא רִבִּי יוֹסֵי, כַּמָּה חִדּוּשִׁין בְּאוֹרַיְיתָא.

שסו. אָמַר לוֹן ר' יוֹסֵי, חַבְרַיָּיא, לָא אִתְיְהִיבַת לִי רְשׁוּ לְגַלָּאָה מֵהַהוּא דַּחֲמֵינָא בְּהַהוּא עָלְמָא, אֶלָּא לְבָתַר תְּרֵיסַר שְׁנִין. אֲבָל תְּלַת מְאָה וְשִׁתִּין וַחֲמֵשׁ דִּמְעִין, דְּאוֹשִׁיד בְּרִי, עָאלוּ בְּחוּשְׁבָּנָא קַמֵּי מַלְכָּא קַדִּישָׁא, וְאוֹמֵינָא לְכוּ חַבְרַיָּיא, דִּבְשַׁעְתָּא דְּפָתַח בְּהַהוּא פְּסוּקָא, וְגָעָא בְּאִינּוּן מִלִּין, אִזְדַּעְזָעוּ תְּלַת מְאָה אַלְפֵי סַפְסְלֵי דַּהֲווּ בִּמְתִיבְתָּא דִּרְקִיעָא, וְכֻלְּהוּ קָיְימֵי קַמֵּיהּ דְּמַלְכָּא קַדִּישָׁא, וּבָעוּ רַחֲמֵי עָלַי, וְעָרְבוּ לִי. וְקוּדְשָׁא בְּרִיךְ הוּא אִתְמְלֵי רַחֲמִין עָלַי.

שסז. וְשַׁפִּיר קַמֵּיהּ, אִינּוּן מִלִּין, וְהֵיךְ מָסַר נַפְשֵׁיהּ עָלַי. וְחַד אַפִּטְרוֹפְּסָא הֲוָה קַמֵּיהּ, וְקָאָמַר, מָארֵי דְּעָלְמָא, הָא כְּתִיב מִפִּי עוֹלְלִים וְיוֹנְקִים יִסַּדְתָּ עֹז לְמַעַן צוֹרְרֶיךָ לְהַשְׁבִּית אוֹיֵב וּמִתְנַקֵּם. יְהֵא רַעֲוָא קַמָּךְ, זְכוּ דְּאוֹרַיְיתָא, וּזְכוּ דְּהַהוּא רַבְיָא, דְּקָא מָסַר נַפְשֵׁיהּ עַל אֲבוֹהִי דְּתָחוּס עָלֵיהּ, וְיִשְׁתְּזִיב.

שסח. וּתְלֵיסַר בְּנֵי נָשָׁא אַזְמִין לֵיהּ תְּחוֹתַי, וְעַרְבוֹנָא יָהַב לֵיהּ, מִדִּינָא תַּקִּיפָא דָּא. כְּדֵין קָרָא קוּדְשָׁא בְּרִיךְ הוּא לְמַלְאַךְ הַמָּוֶת, וּפָקִיד לֵיהּ עָלַי, דְּלֵיתַב לְבָתַר עֶשְׂרִין וּתְרֵין שְׁנִין, דְּהָא לָאו עַרְבוֹנָא קַמֵּיהּ, אֶלָּא לֵיתוּב לִידוֹי, מַשְׁכּוֹנִין דַּהֲווּ בִּידוֹי, הַשְׁתָּא חַבְרַיָּיא, בְּגִין דְּחָמָא קוּדְשָׁא בְּרִיךְ הוּא דְּאַתּוּן זַכָּאֵי קְשׁוֹט, אִתְרְחִישׁ נִיסָא לְעֵינַיְיכוּ.

שסט. פָּתַח ר' יוֹסֵי וְאָמַר, יְיָ' מֵמִית וּמְחַיֶּה מוֹרִיד שְׁאוֹל וַיָּעַל. הַאי קְרָא אִית לְאִסְתַּכְּלָא בֵּיהּ, וְכִי יְיָ' מֵמִית, וְהָא שְׁמָא דָּא סַמָּא דְּחַיִּין אִיהוּ לְכֹלָּא. וּמִלָּה דָּא דְּמוֹתָא, לָא שַׁרְיָא בֵּיהּ, וּבְכָל אֲתַר שְׁמָא דָּא יָהִיב חַיִּין לְכָל עָלְמָא, מַהוּ יְיָ' מֵמִית, וַחֲשִׁבִין בְּנֵי נָשָׁא דְּאִיהוּ קָטִיל לְכָל בְּנֵי נָשָׁא. אֶלָּא יְיָ' מֵמִית וַדַּאי דְּאִיהוּ עָלֵיהּ, לָא

יַכְלִין כָּל מְקַטְרְגִין דְעָלְמָא לְנַזְקָא לֵיהּ, בְּשַׁעֲתָא דְאִסְתָּלִיק מִנֵּיהּ, מִיָּד כָּל מְקַטְרְגִין יַכְלִין לֵיהּ, וּמִית בַּר נָשׁ. לָאו הָכִי.

שׁע. אֶלָּא יְיָ' מֵמִית, לְמַאן מֵמִית. לְהַהוּא מְשִׁיכוּ דְסִטְרָא אַחֲרָא בִּישָׁא. כֵּיוָן דִמְשִׁיכוּ דְסִטְרָא בִּישָׁא, וְזָמֵי לֵיהּ לְזִיו יְקָרֵיהּ דְקוּדְשָׁא בְּרִיךְ הוּא, מִיָּד מִית. וְלֵית לֵיהּ קִיּוּמָא אֲפִילוּ רִגְעָא וַחֲדָא. כֵּיוָן דְהַהוּא מְשִׁיכוּ דְסִטְר אַחֲרָא מִית וְאִתְעֲבַר מִן עָלְמָא, מִיַּד מְחַיֶּה. לְמַאן מְחַיֶּה. לְהַהוּא מְשִׁיכוּ דְרוּחַ קַדְשָׁא, דְאָתֵי מִסִּטְרָא דִקְדוּשָׁה, מְחַיֶּה לֵיהּ, וְאוֹקִים לֵיהּ בְּקִיּוּמָא שְׁלִים. כֹּלָּא עָבֵיד קוּדְשָׁא בְּרִיךְ הוּא בִּזְמְנָא חֲדָא. וּמַה דְאָמַר מוֹרִיד שְׁאוֹל וַיָּעַל. מוֹרִיד לְהַהוּא רוּחַ קַדִּישָׁא לִשְׁאוֹל, וְעָבֵיד לֵיהּ תַּמָּן טְבִילָה, לְאִתְדַּכָּאָה, וּמִיַּד סָלִיק לֵיהּ, וְעָאל לַאֲתַר דְאִצְטְרִיךְ בְּגַן עֵדֶן.

שעא. וַאֲנָא, וַחֲבַרַיָּא, בְּהַהוּא שַׁעֲתָא דְאִסְתַּלְקְנָא מֵעָלְמָא, רוּחָא דִילִי אִסְתַּלַּק וְדָמַךְ מִיַּד, עַד שַׁעֲתָא וְעִידָּנָא דְאוֹזְיָיא לִי קוּדְשָׁא בְּרִיךְ הוּא, וְגוּפָא הֲוָה מִית. בְּשַׁעֲתָא דְפָתַח בְּרִי בְּאִינּוּן מִלִּין, כְּדֵין פָּרְוָה נִשְׁמָתֵיהּ, וְאִעֲרַעַת בְּנִשְׁמָתָא דִילִי, דַהֲוָה סַלְקָא מִגּוֹ דַּכְיוּ וּמִגּוֹ טְבִילָה, וְעָאלַת בַּאֲתַר דְעָאלַת, וְתַמָּן אִתְדָּן דִינָהָא, וְאִתְיְיהִיבוּ לִי עֶשְׂרִין וּתְרֵין שְׁנִין דְחַיִּין, בְּגִין דְמַעְיָן וּמִלִּין דִבְרִי, מִכָּאן וּלְהָלְאָה, אִית לִי לְאִשְׁתַּדְּלָא בְּמַה דַחֲזֵמִינָא, דְהָא לֵית לִי לְאִשְׁתַּדְּלָא בְּמִלִּין דְהַאי עָלְמָא. כֵּיוָן דַחֲזֵמִינָא מַה דַחֲזֵמִינָא, וּבָעֵי קוּדְשָׁא בְּרִיךְ הוּא דְלָא יִתְאַבִּיד וְיִתְנְשֵׁי מִנַּאי כְּלוּם.

שעב. פָּתַח וְאָמַר, יַסֹּר יִסְּרַנִּי יָהּ וְגוֹ', דָוִד מַלְכָּא אָמַר דָא, עַל כָּל מַה דַעֲבַד בְּהַאי עָלְמָא, וְאָמַר עַל אַבְטָחוּתָא דַהֲוָה לֵיהּ בְּהַהוּא עָלְמָא. עַל כָּל מַה דְאַעְבַר בְּהַאי עָלְמָא, דְרַדִּיפוּ לֵיהּ, וַהֲוָה עָרִיק בְּאַרְעָא נוּכְרָאָה, בְּאַרְעָא דְמוֹאָב, וּבְאַרְעָא דִפְלִשְׁתָּאֵי, וּמִכֻּלְּהוּ שֵׁזִיב לֵיהּ קוּדְשָׁא בְּרִיךְ הוּא, וְלָא שָׁבִיק לֵיהּ לְמוֹתָא, וְאָמַר עַל אַבְטָחוּתָא דְהַהוּא עָלְמָא.

שעג. אָמַר דָוִד, אִי הָכָא וַחֲבְנָא לְגַבֵּי קוּדְשָׁא בְּרִיךְ הוּא, הָכָא אַלְקֵינָא, וְקַבִּילְנָא עוֹנְשָׁא דִילִי, וְאַדְכֵּי לִי מִכָּל מַה דְחַבְנָא, וְלָא שָׁבִיק עוֹנְשָׁא דִילִי לְהַהוּא עָלְמָא, בָּתַר מִיתָה. וַדַּאי יַסֹּר יִסְּרַנִּי יָהּ, בְּהַאי עָלְמָא, בְּגִין לְנַקָּאָה לִי. וְלַמָּוֶת לֹא נְתָנָנִי, בְּהַהוּא עָלְמָא, לְנַטְלָא נוּקְמְתָא מִנַּאי, וַאֲנָא, הָא קוּדְשָׁא בְּרִיךְ הוּא, אַנְקֵי לִי זִמְנָא וַחֲדָא בְּהַאי עָלְמָא, מִכָּאן וְהָלְאָה אִצְטְרִיכְנָא דְלָא אֵהֵא בְּכִסּוּפָא בְּעָלְמָא דְאָתֵי.

שעד. פָּתַח הַהוּא יַנּוּקָא בְּרֵיהּ וְאָמַר, אָבִינוּ מֵת בַּמִּדְבָּר וְהוּא לֹא הָיָה בְּתוֹךְ הָעֵדָה וְגוֹ'. אָבִינוּ, הָא טַעֲמָא לְעֵילָּא, אָרִיךְ מִלָּה וּמָשִׁיךְ לָהּ, אִי חֲסִידִין קַדִּישִׁין, כַּמָּה מְשִׁיכוּ דְצַעֲרָא בְּמִקְרֵי אָבִינוּ. לֵית צַעֲרָא, וְלֵית כְּאֵבָא דְרוּחָא וְנַפְשָׁא, אֶלָּא כַּד קָרָאן הָכִי, אָבִינוּ, בִּכְאֵבָא מִלִּבָּא. מֵת בַּמִּדְבָּר, וְכִי אַחֲרָנִין לָא מִיתוּ בְּמַדְבְּרָא, דְהָכָא רָשִׁים לֵיהּ, וְאָמַר דְאִיהוּ מֵת בַּמִּדְבָּר, וְהָא אֲלַף וְרִבְבָן מִיתוּ בְּמַדְבְּרָא.

שעה. אֶלָּא כַּמָּה בְנֵי נָשָׁא עַרְטִילָאִין עַל דָא, מִנְּהוֹן אַמְרֵי דְהוּא מְקוֹשֵׁשׁ עֵצִים הֲוָה, דִכְתִיב כִּי בְחֶטְאוֹ מֵת. וּמִנְּהוֹן אַמְרֵי הָכִי, וַאֲנָא הָכִי אוֹלִיפְנָא, יוֹמָא דְאַבָּא נָפַל בְּבֵי מַרְעֵיהּ, אוֹלְפֵי לִי דָא. וַאֲנָא חֲזֵמִינָא מַה דַחֲזֵמִינָא, דְפָקִיד לִי אַבָּא דְלָא לְגַלָּאָה. אֶלָּא כַּמָּה וְכַמָּה הֲווּ דְמִיתוּ בְּמַדְבְּרָא, וְלָא עַל חוֹבָא דְקֹרַח, וְלָא עַל חוֹבָא דִמְרַגְּלִים, כַּד אִתְגְּזַר גְּזֵרָה, אֶלָּא קוֹדֶם מַתַּן תּוֹרָה, וּבָתַר עֶגְלָא דְעָבְדוּ, אִינּוּן מַטְעֵי עָלְמָא, וְאִינּוּן דְאִתְמְשָׁכוּ אֲבַתְרַיְיהוּ.

שעו. אֲבָל טַעֲנָה דְטָעִינוּ אִינּוּן בְּנָתִין, דְמִית בַּמִּדְבָּר, אִיהוּ, וַהֲוָה צְלָפְחָד רַב לְבֵי

יוֹסֵף, וּמִגּוֹ דְּלָא יָדַע אָרְחוֹי דְּאוֹרַיְיתָא כַּדְקָא יָאוּת, לָא הֲוָה נָשִׂיא. וְהוּא הֲוָה דְּלָא נָטַר פּוּמֵיהּ וּמִלּוֹי לְקַבְלֵיהּ דְּמֹשֶׁה, וְעָלֵיהּ כְּתִיב, וַיָּמָת עַם רָב מִיִּשְׂרָאֵל. גְּבַר דְּלָא יָדַע אוֹרַיְיתָא, וְאִיהוּ רַב מִשְׁפָּחָה. רַב דְּזַרְעָא דְּיוֹסֵף, מִבְּנוֹי דִּמְנַשֶּׁה. וּבְגִין דְּחָב בַּמִּדְבָּר בְּמִלּוּלָא לְגַבֵּי מֹשֶׁה, וְחָשִׁיבוּ דְּמֹשֶׁה אַנְטִיר דְּבָבוּ. וּבְגִ"כ קָרִיבוּ לְקַמֵּיהּ דְּמֹשֶׁה, וְאֶלְעָזָר, וְכָל הַנְּשִׂיאִין, וְכָל רֵישֵׁי אֲבָהָן, וְלָא מַלִּילוּ עִם מֹשֶׁה אֶלָּא לְקַמַּיְיהוּ, בְּגִין דְּקַנִּיאוּ קִנְאָה מִנֵּיהּ.

שעז. מִכָּאן, מַאן דְּחָיֵישׁ מִן דִּינָא, יִקְרַב אַחֲרָנִין, וְיִסְגֵּי בְּגוּבְרִין בַּהֲדֵי הַהוּא דַּיָּינָא, בְּגִין דְּיִשְׁמְעוּן דִּינָא מִנֵּיהּ, וְיִדְחַל מִנַּיְיהוּ, וְלָא יְהֵא בֶּן אֶלָּא כַּדְקָא יָאוּת, וְאִי לָא, יִדְחוֹי לֵיהּ מִן דִּינָא. וְאִינּוּן לָא יָדְעוּ דְּהָא מֹשֶׁה עָנָו מְאֹד מִכֹּל הָאָדָם אֲשֶׁר עַל פְּנֵי הָאֲדָמָה. וְלָא יָדְעוּ דְּמֹשֶׁה לָאו הָכִי.

שעח. כֵּיוָן דְּחָמָא מֹשֶׁה כַּךְ, אָמַר וַחֲמֵינָא דְּכָל כְּנוּפְיָא דְּגוּבְרִין רַבְרְבִין מִיִּשְׂרָאֵל, וְכָל רֵישֵׁי אֲבָהָן וְכָל נְשִׂיאֵי כְּנִשְׁתָּא, עָלַי קָרִיבוּ. מִיָּד אִתְפְּרַשׁ מֹשֶׁה מִן דִּינָא, הה"ד וַיַּקְרֵב מֹשֶׁה אֶת מִשְׁפָּטָן לִפְנֵי יְיָ'. עִנְוְתָנוּתָא דְּמֹשֶׁה, אַקְרִיב אֶת מִשְׁפָּטָן לִפְנֵי יְיָ'. דַּיָּינִין אַחֲרָנִין, אָרְחָא דָּא לָא נַטְלֵי, דְּאַע"ג דִּכְנוּפְיָא סַגֵּי עֲלֵיהוֹן. אִינּוּן דַּיָּינֵי אִקְרוּן עַזֵּי פָּנִים, לֵית בְּהוּ מֵעִנְוְתָנוּתָא דְּמֹשֶׁה כְּלָל. זַכָּאָה חוּלָקֵיהּ דְּמֹשֶׁה. חָדוּ ר"א וְחַבְרַיָּיא.

שעט. אָמַר הַהוּא יַנּוּקָא, אַהַדְרְנָא לְמִלִּין קַדְמָאִין. אָבִינוּ מֵת בַּמִּדְבָּר אָבִינוּ הַאי טַעֲמָא דְּאָמֵי, לְנָחָשׁ תַּלְיָיא עַל קְדָלֵיהּ, וּמָשִׁיךְ זַנְבֵיהּ בְּפוּמֵיהּ, בְּטַעְמָא, דְּהַהוּא דְּאִתְמְשַׁךְ עָלֵיהּ לְעֵילָא. מֵת בַּמִּדְבָּר, בְּמִלּוּלָא דְּפוּמֵיהּ. אִתְבְּהִיל הַהוּא יַנּוּקָא בִּבְהִילוּ, וְאַתְקִיף בְּקוֹדְלָא דַּאֲבוֹי, וּבָכָה וְאָמַר, צְלָפְחָד דָּא בְּמִלּוּלָא מִית, וְאַנְתְּ אַבָּא בְּמִלּוּלָא אַהַדְרַת לְעָלְמָא דָּא. אַהְדַר אֲבוֹי וְנָשִׁיק לֵיהּ, וְגָפִיף לֵיהּ. בָּכוּ ר' אֶלְעָזָר, וְחַבְרַיָּיא כֻּלְּהוּ, וַאֲבוֹי בָּכָה בַּהֲדַיְיהוּ, נַטְלוּהוּ כֻּלְּהוּ וְנַשְׁקוּהוּ בְּפוּמוֹי, עַל רֵישֵׁיהּ, וְעַל עֵינוֹי, וַאֲבוּהָ הֲוָה בָּכֵי בַּהֲדֵיהּ.

שפ. אָ"ל רַבִּי אֶלְעָזָר, בְּרִי, הוֹאִיל וְאַמְרַת מִלָּה דָּא, מַהוּ כִּי בְחֶטְאוֹ מֵת. אָמַר הַהוּא יַנּוּקָא, אַבָּא, אַבָּא, בְּחַד מִלָּה סַגֵּי לוֹן, כֵּיוָן דְּהַהוּא נָחָשׁ דְּכָרִיךְ בְּזַנְבֵיהּ לְעֵילָא, מָשִׁיךְ טַעְמָא בְּחֶטְאוֹ, מַאי בְּחֶטְאוֹ. בְּחֶטְאוֹ דְּהַהוּא נָחָשׁ. וּמַאי אִיהוּ. מִלּוּלָא דְּפוּמֵיהּ, כִּי בְחֶטְאוֹ מֵת, טַעֲמָא דְּהַהוּא מְשִׁיכוּ דְּהַהוּא נָחָשׁ דְּכָרוּךְ בְּזַנְבֵיהּ, בְּחֶטְאוֹ וַדַּאי.

שפא. נַטְלֵיהּ ר' אֶלְעָזָר בְּתוּקְפֵּיהּ, בֵּין דְּרוֹעוֹי, וּבָכוּ כֻּלְּהוּ וְחַבְרַיָּיא. אָמַר לוֹן, רַבָּנָן, שְׁבוּקוּ לִי בַּהֲדֵי אַבָּא, דְּעַד כְּעַן לָא אִתְיַישְׁבָא רוּחִי. א"ר אֶלְעָזָר לְר' יוֹסֵי, אֵימָא כַּמָּה יוֹמִין וּשְׁנִין לְהַאי יַנּוּקָא. אָמַר לוֹן, וְחַבְרַיָּיא, בְּמָטוּ מִנַּיְיכוּ לָא תִּבְעוּן דָּא, דְּהָא עַד לָא מָטוּ עֲלוֹי חָמֵשׁ שְׁנִין.

שפב. אָ"ל ר' אֶלְעָזָר, ח"ו, דְּהָא בְּעֵינָא טָבָא אַשְׁגַּחְנָא בֵּיהּ. וּמַה דְּאַמְרַת חָמֵשׁ שְׁנִין, אִינּוּן חָמֵשׁ שְׁנִין אֲשֶׁר אֵין חָרִישׁ וְקָצִיר. דְּלָא תִּקְצוֹר לֵיהּ לְעָלְמִין. א"ר אֶלְעָזָר לְר' אַבָּא, נֵיתִיב הָכָא עַד ז' יוֹמִין, בְּגִין דְּאִתְיַישְּׁבָא בֵּיתָא. דְּהָא כָּל שִׁבְעָה יוֹמִין דְּנִשְׁמְתָא נַפְקַת מִן גּוּפָא, אַזְלַת עַרְטִילָאָה. וְהַשְׁתָּא דְּאַהַדְרַת, עַד כְּעַן לָא אִתְיַישְּׁבַת בְּדוּכְתָּהָא, עַד שִׁבְעָה יוֹמִין.

שפג. אָמַר ר' אַבָּא, כְּתִיב פָּתוֹחַ תִּפְתַּח אֶת יָדְךָ לְאָחִיךָ לַעֲנִיֶּךָ וּלְאֶבְיוֹנְךָ, קְרָא דָּא, הָא תָּנֵינָן לֵיהּ, דְּלָא יִשְׁבּוֹק ב"נ עַנְיָא דִּילֵיהּ, וְיָהֵב לְאָחֳרָא. הָא ר' יוֹסֵי חָמוּךְ בְּבֵי מַרְעֵיהּ, נֵיזִיל וְנִגְמוֹל חֶסֶד עִמֵּיהּ. וּבָתַר דְּנֶהְדַּר, נֵיעוּל בְּהַאי. וְהָא כָּל זִמְנָא דְּנֵהַךְ

וְנֶהְדַּר בְּאָרְוָזא דָא, נֶוֱמֵי תְּוַיִּית הַמֵּתִים. א״ר אֶלְעָזָר וַדַּאי הָכִי הוּא, נָשְׁקוּהוּ לְהַהוּא יַנּוּקָא, בָּרְכוּהוּ וְאָזְלוּ.

שפד. אָמַר ר׳ אַבָּא, תַּוְהְנָא עַל דַּרְדְּקֵי דְּדָרָא דָא, כַּמָּה תַּקִּיפָא וְחֵילַיְיהוּ, וְאִינּוּן טַנָּרִין רַבְרְבִין רָאמִין. אָמַר ר׳ אֶלְעָזָר, זַכָּאָה וְחוּלָקֵיהּ דְּאַבָּא, מָארֵיהּ דְּדָרָא דָא. דְּהָא בְּיוֹמוֹי, בָּעֵי קוּדְשָׁא בְּרִיךְ הוּא לְאַתְקְנָא, תְּרֵין מְתִיבְתִּין דִּילֵיהּ, וּלְמֶעְבַּד לוֹן יְשׁוּבָא רַבְרְבָא וְעִלָּאָה כַּדְקָא יָאוּת. דְּהָא לָא יְהֵא כְּדָרָא דָא, עַד דְּיֵיתֵי מַלְכָּא מְשִׁיחָא. אָזְלוּ.

שפה. עַד דַּהֲווּ אָזְלֵי, אָמַר רַבִּי אַבָּא, הָא תָּנֵינָן, עַל חַד סְרֵי מִלִּין נִגְעִין אַתְיָין עַל בְּנֵי נָשָׁא. וְאִלֵּין אִינּוּן: עַל ע״ז. וְעַל קִלְלַת הַשֵּׁם. וְעַל גִּלּוּי עֲרָיוֹת. וְעַל גְּנֵיבָה. וְעַל לָשׁוֹן הָרַע. וְעַל עֵדוּת שֶׁקֶר. וְעַל דַּיָּינָא דִּמְקַלְקֵל יַת דִּינָא. וְעַל שְׁבוּעַת שָׁוְא. וְעַל דְּעָאל בִּתְחוּמָא דְּחַבְרֵיהּ. וְעַל דִּמְחַשֵּׁב מַחֲשָׁבִין בִּישִׁין. וְעַל דִּמְשַׁלֵּחַ מְדָנִים בֵּין אַחִים. וְאִית דְּאַמְרֵי, אַף עַל עֵינָא בִּישָׁא. וְכֻלְּהוּ תָּנֵינָן בְּמַתְנִיתָא.

שפו. ע״ז מְנָּן. דִּכְתִּיב וַיַּרְא מֹשֶׁה אֶת הָעָם כִּי פָרוּעַ הוּא כִּי פְרָעֹה אַהֲרֹן. מַאי כִּי פָרוּעַ הוּא. דְּאִלְקוּ בְּצָרַעַת. כְּתִיב הָכִי כִּי פָרוּעַ הוּא, וּכְתִיב הָתָם, וְהַצָּרוּעַ אֲשֶׁר בּוֹ הַנֶּגַע בְּגָדָיו יִהְיוּ פְרוּמִים וְרֹאשׁוֹ יִהְיֶה פָרוּעַ. וְעַל קִלְלַת הַשֵּׁם, דִּכְתִּיב הַיּוֹם הַזֶּה יְסַגֶּרְךָ יְיָ׳ בְּיָדִי, וּכְתִיב, וְהִסְגִּירוּ הַכֹּהֵן.

שפז. אָמַר ר׳ אַבָּא, מִלָּה דָא לָא אִתְיַישְּׁבָא, וְאִצְטְרִיךְ לְעַיְּינָא בֵּיהּ. א״ר אֶלְעָזָר, הָכִי הוּא וַדַּאי, פְּלִשְׁתִּי דָא קָרִיב לְיִיחוּסָא דְּדָוִד הֲוָה, וּבְרָהּ דְּעָרְפָּה הֲוָה, וְהַיְינוּ דִּכְתִּיב, מִמַּעַרְכוֹת פְּלִשְׁתִּים, אַל תִּקְרֵי מִמַּעַרְכוֹת, אֶלָּא מִמַּעֲרוֹת פְּלִשְׁתִּים, דְּשַׁוְיוּהָ לְאִמֵּיהּ כִּמְעַרְתָּא דָא. וְכֵיוָן דִּכְתִּיב וַיְקַלֵּל הַפְּלִשְׁתִּי אֶת דָּוִד בֵּאלֹהָיו, אִסְתַּכַּל בֵּיהּ דָּוִד בְּעֵינָא בִּישָׁא. וּבְכָל אֲתַר דַּהֲוָה מִסְתַּכֵּל בְּעֵינָא בִּישָׁא, כָּל זִינֵי צָרַעַת אִתְמְשְׁכָן מֵעֵינֵיהּ דְּדָוִד. וְהָכִי הֲוָה בְּיוֹאָב, כֵּיוָן דְּאִסְתַּכַּל בֵּיהּ דָּוִד בְּעֵינָא בִּישָׁא, מַה כְּתִיב, וְלֹא יִכָּרֵת מִבֵּית יוֹאָב זָב וּמְצוֹרָע וְגוֹ׳.

שפח. וְהָכָא בִּפְלִשְׁתִּי דָא, כֵּיוָן שֶׁקִּלֵּל אֶת הַשֵּׁם, אִסְתַּכַּל בֵּיהּ בְּעֵינָא בִּישָׁא, וְחָמָא בְּמִצְחֵיהּ דְּאִצְטָרַע. מִיַּד וַתִּטְבַּע הָאֶבֶן בְּמִצְחוֹ, וְאִתְדַּבְּקַת הַצָּרַעַת בְּמִצְחוֹ. וְכֹלָּא הֲוָה אִשְׁתַּקְעַת עֵינָא בִּישָׁא דְּצָרַעַת בְּמִצְחוֹ, וְאִשְׁתַּקְעַת אַבְנָא מַמָּשׁ בְּמִצְחוֹ, וַדַּאי מְצוֹרָע הֲוָה.

שפט. רָשָׁע וְחַיָּיבָא דְּבִלְעָם, עֵינָא דִּילֵיהּ, הֲוָה בְּהִפּוּכָא מֵעֵינָא דְּדָוִד עֵינָא דְּדָוִד הֲוָה מְרַקְמָא מִכָּל זִינֵי גַּוְונִין, לָא הֲוָה עֵינָא בְּעָלְמָא שַׁפִּירָא לְמֶחֱזֵי, כְּעֵינָא דְּדָוִד. כָּל גַּוְונִין דְּעָלְמָא מִנַּצְצָן בֵּיהּ, וְכֹלָּא בִּרְחִימוּ לְמַאן דְּדָחִיל חַטָּאָה, דִּכְתִּיב יְרֵאֶיךָ יִרְאוּנִי וְיִשְׂמָחוּ. וְחַדָּאן כַּד חָמָאן לִי. וְכָל אִינּוּן חַיָּיבִין דַּחֲלִין מִקַּמֵּיהּ.

שצ. אֲבָל עֵינוֹי דְּבִלְעָם חַיָּיבָא, עֵינָא בִּישָׁא בְּכֹלָּא, בְּכָל אֲתַר דַּהֲוָה מִסְתַּכַּל, כִּשַׁלְהוֹבָא שָׁצֵי לֵיהּ. דְּהָא לֵית עֵינָא בִּישָׁא בְּעָלְמָא, כְּעֵינָא דְּהַהוּא רָשָׁע, דְּאִיהוּ בְּהִפּוּכָא מֵעֵינוֹי דְּדָוִד.

שצא. עַל גִּלּוּי עֲרָיוֹת, דִּכְתִּיב וְשִׂפַּח יְיָ׳ קָדְקֹד בְּנוֹת צִיּוֹן. וּכְתִיב וְלַשְׂאֵת וְלַסַּפַּחַת. עַל הַגְּנֵבָה, דִּכְתִּיב הוֹצֵאתִיהָ נְאֻם יְיָ׳ צְבָאוֹת וּבָאָה אֶל בֵּית הַגַּנָּב וְגוֹ׳ וְכִלַּתּוּ וְאֶת עֵצָיו וְאֶת אֲבָנָיו. מַאן הוּא מִלָּה דִּמְכַלָּה עֵצִים וַאֲבָנִים. דָּא צָרַעַת. דִּכְתִּיב, וְנָתַץ אֶת הַבַּיִת אֶת אֲבָנָיו וְאֶת עֵצָיו.

שצב. עַל לָשׁוֹן הָרַע, דִּכְתִּיב וַתְּדַבֵּר מִרְיָם וְאַהֲרֹן בְּמֹשֶׁה וְגוֹ׳, וּכְתִיב וַיִּפֶן אַהֲרֹן אֶל מִרְיָם

וְהִנֵּה מְצוֹרַעַת. עַל עֵדוּת שֶׁקֶר, בְּגִין דְּסָהִידוּ יִשְׂרָאֵל שֶׁקֶר, וְאָמְרוּ אֵלֶּה אֱלֹהֶיךָ יִשְׂרָאֵל, בְּקַל תַּקִּיף, דִּכְתִּיב קוֹל מִלְחָמָה בַּמַּחֲנֶה. בְּג״ד, וִישַׁלְּחוּ מִן הַמַּחֲנֶה כָּל צָרוּעַ וְכָל זָב וְגוֹ׳.

שצג. עַל דַּיָּין דִּמְקַלְקֵל דִּינָא, דִּכְתִּיב כֶּאֱכוֹל קַשׁ לְשׁוֹן אֵשׁ וַחֲשַׁשׁ וְגוֹ׳ וּפִרְחָם כָּאָבָק יַעֲלֶה וְגוֹ׳, מַאי טַעֲמָא. כִּי מָאֲסוּ אֵת תּוֹרַת יְיָ׳ צְבָאוֹת. וְאֵין פִּרְחָם, אֶלָּא צָרַעַת. דִּכְתִּיב, וְאִם פָּרוֹחַ תִּפְרַח הַצָּרַעַת. עַל דְּעָאל בִּתְחוּמָא דְּחַבְרֵיהּ מְנָּלַן. מֵעוּזִיָּהוּ. דְּעָאל בִּתְחוּמָא דִּכְהוּנָּה. דִּכְתִּיב, וְהַצָּרַעַת זָרְחָה בְמִצְחוֹ. וְעַל דִּמְשַׁלֵּחַ מְדָנִים בֵּין אַחִים. דִּכְתִּיב וַיְנַגַּע יְיָ׳ אֶת פַּרְעֹה, דְּאִיהוּ שָׁלַח מְדָנִים בֵּין אַבְרָהָם וְשָׂרָה. וְעַל עֵינָא בִּישָׁא, כְּמָה דְּאִתְּמַר. וְכֻלְּהוּ הֲווּ בֵּיהּ בְּהַהוּא רָשָׁע דְּבִלְעָם.

שצד. ת״ח, מַה כְּתִיב, פְּתוֹרָה אֲשֶׁר עַל הַנָּהָר. מַאי עַל הַנָּהָר. דְּיָהַב עֵינָא בִּישָׁא, עַל הַהוּא נָהָר, דְּקַיְּימָא בְּהוּ בְּיִשְׂרָאֵל. דִּכְתִּיב הִנְנִי נוֹטֶה אֵלֶיהָ כְּנָהָר שָׁלוֹם. וְהוּא אָתָא בְּהַהוּא פְּתוֹרָא, וְאִגְּרֵי בְּהוּ.

שצה. א״ר אַבָּא, כָּל הָנֵי מִלִּין הֲווּ וַדַּאי בְּבִלְעָם. אֲבָל גִּלּוּי עֲרָיוֹת מְנָּלַן, דִּכְתִּיב, הֵן הֵנָּה הָיוּ לִבְנֵי יִשְׂרָאֵל בִּדְבַר בִּלְעָם לִמְסָר מַעַל בַּיְיָ׳ וְגוֹ׳. הָא הָכָא ע״ז וְגִלּוּי עֲרָיוֹת. סַהֲדוּתָא דִּשְׁקְרָא, דִּכְתִּיב וְיוֹדֵעַ דַּעַת עֶלְיוֹן, וְדַעַת בְּהֶמְתּוֹ לָא הֲוָה יָדַע. קַלְקֵל יַת דִּינָא, דִּכְתִּיב לְךָ אִיעָצְךָ. דְּהָא בְּדִינָא קַיְּימָא, וְיָהַב עֵיטָא בִּישָׁא לְאַבְאָשָׁא, וְסָטֵי מִן דִּינָא, וְאַמְלִיךְ בִּישִׁין עֲלַיְיהוּ.

שצו. עָאל בִּתְחוּמָא דְּלָאו דִּילֵיהּ, דִּכְתִּיב וָאַעַל פָּר וָאַיִל בַּמִּזְבֵּחַ, וּכְתִיב אֶת שִׁבְעַת הַמִּזְבְּחוֹת עָרַכְתִּי. מְשַׁלֵּחַ מְדָנִים בֵּין אַחִים, בֵּין יִשְׂרָאֵל לַאֲבִיהֶם שֶׁבַּשָּׁמַיִם. לָשׁוֹן הָרָע, לָא הֲוָה בְּעָלְמָא כְּגִינֵיהּ. קִלְלַת הַשֵּׁם, דִּכְתִּיב וְאָנֹכִי אִקָּרֶה כֹּה. וְכֻלְּהוּ הֲווּ בֵּיהּ. עֵינָא בִּישָׁא כְּמָה דְּאִתְּמַר. וְכֹלָּא עַל הַהוּא נָהָר דְּיִשְׂרָאֵל, יָהַב עֵינוֹי לְאִתְגָּרָא בֵּיהּ. אֶרֶץ בְּנֵי עַמּוֹ, וְכִי לָא יָדְעָנָא דְּאֶרֶץ בְּנֵי עַמּוֹ הִיא. אֶלָּא רָזָא דָּא, דְּכָל בְּנֵי עַמּוֹ מִתְדַּבְּקָן בֵּיהּ וְהָא אִתְּמַר.

שצז. וַיַּרְא בָּלָק בֶּן צִפּוֹר וְגוֹ׳. רִבִּי יוֹסֵי פָּתַח, אַל תִּלְחַם אֶת לֶחֶם רַע עָיִן וְגוֹ׳. דָּא בִּלְעָם, דְּבָרִיךְ לְהוּ לְיִשְׂרָאֵל. וְאַל תִּתְאָו לְמַטְעַמּוֹתָיו, דָּא בָּלָק, דְּקוּדְשָׁא בְּרִיךְ הוּא לָא אִתְרְעֵי לְאִינּוּן עֲלָוָון דְּאַתְקִין קַמֵּיהּ.

שצח. ת״ח, בְּשַׁעֲתָא דְּחָמָא בָּלָק דְּהָא סִיחוֹן וְעוֹג אִתְקְטָלוּ, וְאִתְנְסִיבַת אַרְעֲהוֹן, חָמָא מַה חָמָא, דְּאִיהוּ אָמַר וַיַּרְא. אֶלָּא חָמָא בְּחָכְמְתָא דִּילֵיהּ, דְּאִיהוּ, וַחֲמִשָּׁה עִלָּאֵי דְּמִדְיָן, וְעִמֵּיהּ, נַפְלִין בִּידָא דְּיִשְׂרָאֵל. חָמָא, וְלָא יָדַע, וְעַל דָּא אַקְדִּים לְבִלְעָם, דְּחֵילֵיהּ בְּפוּמֵיהּ, כְּגַוְונָא דְּיִשְׂרָאֵל דְּחֵילֵיהוֹן בְּפוּמֵיהוֹן.

שצט. וַאֲפִילּוּ בִּלְעָם תָּאִיב הֲוָה יַתִּיר מִבָּלָק. וְהַהִיא יְדִיעָא דְּאִיהוּ הֲוָה יָדַע, בְּלֵילְיָא הֲוָה יָדַע, בְּגִין דְּאִינּוּן כִּתְרִין תַּתָּאִין וַחֲמָרֵי, לָא שְׁכִיחוּ אֶלָּא בְּמִשְׁמָרָה רִאשׁוֹנָה דְּלֵילְיָא, וְעַ״ד הֲוָה לֵיהּ אֲתָנָא, דְּהַאי גִּיסָא, לְאִתְחַבְּרָא וַחֲמָרֵי בַּהֲדָהּ בְּרֵישָׁא דְּלֵילְיָא.

ת. וְאִי תֵּימָא, הָא כְּתִיב וַיָּבֹא אֱלֹהִים אֶל בִּלְעָם לַיְלָה. הָכִי הוּא וַדַּאי, וְאוֹקִימְנָא הַהוּא מְמַנָּא דִּמְמַנָּא עֲלַיְיהוּ, וְהוּא הֲוָה אָתֵי לְקַבְלֵיהּ. כְּגַוְונָא דָּא וַיָּבֹא אֱלֹהִים אֶל לָבָן הָאֲרַמִּי וְגוֹ׳. וְכֹלָּא חַד מִלָּה. בְּגִין דָּא אִיהוּ אָמַר לְרַבְרְבֵי בָּלָק לִינוּ פֹה הַלַּיְלָה.

תא. כֵּיוָן דַּהֲוָה אָתֵי הַהוּא מְמַנָּא, בִּלְעָם הֲוָה אָתֵי לְגַבֵּי אֲתָנֵיהּ, וַעֲבַד עוֹבָדֵיהּ, וְאָמַר מִלֵּי, וּכְדֵין אֲתָנָא אוֹדְעָא לֵיהּ. וְאִיהוּ אַחֲזֵי עוֹבָדָא לְמִשְׁרֵי עֲלוֹי הַהוּא רוּחָא. וּמַאי אַחֲזֵי. הוּא הֲוָה יָדַע דַּחֲמָרֵי שָׁטָאן וְשָׁרָאן בְּקַדְמֵיתָא דְּלֵילְיָא, כְּדֵין אַחֲזֵי עוֹבָדָא, וְקָאִים לַאֲתָנֵיהּ בְּאֲתַר מִתְתַּקַּן, וַעֲבַד עוֹבָדוֹי וְסָדַר מִלּוֹי. וּכְדֵין הֲוָה אָתֵי מַאן דְּאָתֵי,

וְאוֹדַע לֵיהּ עַל יְדָא דְּהַהִיא אָתוֹן.

תב. כֵּיוָן דְּלֵילְיָא חֲזָא אָ"ל לֹא תֵלֵךְ עִמָּהֶם, מ"ט תָּב תִּנְיָינוּת לְהַאי. אֶלָּא אִינּוּן בִּרְשׁוּתָא דִּלְעֵילָּא קַיְימֵי, וְהָא תָּנֵינָן, בַּדֶּרֶךְ שֶׁאָדָם רוֹצֶה לָלֶכֶת בָּהּ מוֹלִיכִין וְכוּ'. בְּקַדְמֵיתָא כְּתִיב, לֹא תֵלֵךְ עִמָּהֶם. כֵּיוָן דְּחָמָא קוּדְשָׁא בְּרִיךְ הוּא, דִּרְעוּתָא הוּא לְמֵיהַךְ. אָ"ל קוּם לֵךְ אִתָּם וְאַךְ אֶת הַדָּבָר וְגוֹ'. מָה עֲבַד בִּלְעָם כָּל הַהוּא לֵילְיָא הֲוָה מְהַרְהֵר וְאָמַר וּמָה אָן הוּא יְקָרָא דִּילִי, אִי בְּקִטּוּרָא אַחֲרָא אִתְקַטַּרְנָא. אַשְׁגַּח כָּל הַהוּא לֵילְיָא בְּחַרְשׁוֹי, וְלָא אַשְׁכַּח סִטְרָא, דִּיהֵא הוּא בִּרְשׁוּתֵיהּ, אֶלָּא מִסִּטְרָא דַּאֲתָנֵיהּ.

תג. וְהַיְינוּ דְּאָ"ר יִצְחָק אָמַר ר' יְהוּדָה, בְּאִלֵּין כִּתְרִין תַּתָּאִין אִית יְמִינָא וְאִית שְׂמָאלָא. מִסִּטְרָא דִּימִינָא חֲמָרֵי, כְּמָה דְּאוֹקִימְנָא. וּמִסִּטְרָא דִּשְׂמָאלֵי אֲתָנֵי וְתָאנָא, עַשְׂרָה אִינּוּן לִימִינָא, וַעֲשָׂרָה לִשְׂמָאלָא. וְדָא הוּא דְּאָ"ר יוֹסֵי, יוֹסֵף כַּד אִתְפְּרַשׁ מֵאֲבוֹי, יָדַע בְּחָכְמְתָא דִּלְעֵילָּא, בְּרָזָא דְּכִתְרִין קַדִּישִׁין עִלָּאִין. כֵּיוָן דַּהֲוָה בְּמִצְרַיִם, אוֹלִיף בְּהַהִיא חָכְמְתָא דִּלְהוֹן, בְּאִינּוּן כִּתְרִין תַּתָּאִין, הֵיךְ אֲחִידָן אִינּוּן דִּימִינָא, וְאִינּוּן דִּשְׂמָאלָא. עֲשָׂרָה דִּימִינָא וַעֲשָׂרָה דִּשְׂמָאלָא חֲמָרֵי וַאֲתָנֵי. וּבְגִין כָּךְ רָמַז לַאֲבוֹי מִמָּה דְּאוֹלִיף תַּמָּן, דִּכְתִיב וּלְאָבִיו שָׁלַח כְּזֹאת עֲשָׂרָה חֲמוֹרִים וְגוֹ'.

תד. א"ר יוֹסֵי, אִינּוּן דִּימִינָא כְּלִילָן כֻּלְּהוּ בְּחַד, דְּאִקְרֵי חֲמוֹ"ר. וְהַאי הוּא הַהוּא חֲמוֹר, דִּכְתִיב לֹא תַחֲרוֹשׁ בְּשׁוֹר וּבַחֲמוֹ"ר יַחְדָּיו. וְהַאי הוּא חֲמוֹר, דְּזַמִּין מַלְכָּא מְשִׁיחָא לְמִשְׁלַט עָלֵיהּ, כְּמָה דְּאוֹקִימְנָא. וְאִינּוּן דִּשְׂמָאלָא, כְּלִילָן כֻּלְּהוּ בְּחַד דְּאִקְרֵי אָתוֹן, דְּהָא מִסִּטְרָהָא נָפִיק עִירָה, קַטְרוּגָא דְּדַרְדְּקֵי, כְּמָה דְּאוֹקִימְנָא. וְהַיְינוּ דִּכְתִיב, עָנִי וְרוֹכֵב עַל חֲמוֹר וְעַל עַיִר בֶּן אֲתוֹנוֹת, אֲתָנַת חֲסֵר, עֲשָׂרָה דִּכְלִילָן כְּחַד.

תה. וְדָא הוּא דְּאַר"שׁ, מַאי דִּכְתִיב אוֹסְרִי לַגֶּפֶן עִירֹה. זַמִּין קוּדְשָׁא בְּרִיךְ הוּא לְקַשְׁרָא בְּגִינֵיהוֹן דְּיִשְׂרָאֵל דְּאִקְרוּן גֶּפֶן. עִירֹה. דְּאִיהוּ קַטֵּיגוֹרָא דִּילְהוֹן, וּבְגִין דְּאִקְרוּן שׂוֹרֵק, דִּכְתִיב וְאָנֹכִי נְטַעְתִּיךְ שׂוֹרֵק. בְּנִי אֲתֹנוֹ, הַהוּא דְּנָפִיק מִסִּטְרָא דְּהַאי אָתוֹן.

תו. וְהָנֵי י' מִימִינָא, וְי' מִשְּׂמָאלָא, וְאִתְכְּלִילָן בְּהָנֵי תְּרֵי, כֻּלָּא אִינּוּן מִשְׁתַּכְּחֵי בְּקֶסֶ"ם. וְאִית עֲשָׂרָה אַחֲרָנִין דִּימִינָא וַעֲשָׂרָה דִּשְׂמָאלָא, דְּמִשְׁתַּכְּחֵי בְּנַחַ"שׁ. וְעַ"ד כְּתִיב, כִּי לֹא נַחַשׁ בְּיַעֲקֹב וְלֹא קֶסֶם בְּיִשְׂרָאֵל. מ"ט, בְּגִין כִּי יְיָ' אֱלֹהָיו עִמּוֹ. מִסִּטְרָא דְּנָחָ"שׁ, נָפַק שׁוֹ"ר, מִסִּטְרָא דְּקֶסֶ"ם, נָפַק חֲמוֹ"ר. וְדָא הוּא שׁוֹר וַחֲמוֹר, וְעַ"ד בִּלְעָם, כֵּיוָן דְּיָדַע דְּאִתְקַשַּׁר בִּרְשׁוּתָא אַחֲרָא, וְאָ"ל אַךְ אֶת הַדָּבָר וְגוֹ', אַבְאִישׁ לֵיהּ, וְאָמַר, וּמָה אָן הִיא יְקָרָא דִּילִי. מִיָּד אִסְתַּכַּל בְּחַרְשׁוֹי, וְלָא אַשְׁכַּח דִּיהֵא בִּרְשׁוּתֵיהּ, אֶלָּא הַאי אָתוֹן.

תז. מִיָּד וַיָּקָם בִּלְעָם בַּבֹּקֶר וַיַּחֲבוֹשׁ אֶת אֲתוֹנוֹ לְמֶעְבַּד רְעוּתֵיהּ בָּהּ, וּרְעוּתָא דְּבָלָק. וְעַל דָּא וַיִּחַר אַף אֱלֹהִים כִּי הוֹלֵךְ הוּא. הוּא דַּיְיקָא, דְּאַפִּיק גַּרְמֵיהּ מֵרְשׁוּתֵיהּ, מִמָּה דְּאָמַר לֵיהּ וְאַךְ אֶת הַדָּבָר וְגוֹ'. ת"ח דְּהָכִי הוּא, דְּהָא בְּקַדְמֵיתָא יָהַב לֵיהּ רְשׁוּתָא, וְאָמַר קוּם לֵךְ אִתָּם, הַשְׁתָּא דַּהֲוָה אָזִיל, אַמַּאי וַיִּחַר אַף אֱלֹהִים. אֶלָּא בְּגִין דְּהוֹלֵךְ הוּא, הוּא בִּרְשׁוּתֵיהּ דִּילֵיהּ, לְנָפְקָא מֵהַהוּא דְּאָמַר לֵיהּ וְאַךְ אֶת הַדָּבָר.

תח. אָמַר לֵיהּ קוּדְשָׁא בְּרִיךְ הוּא, רָשָׁע, אַתְּ מְתַקֵּן וּמְזָרֵז זַיְינָךְ לְנָפְקָא מִן רְשׁוּתִי, חַיֶּיךָ אַנְתְּ וַאֲתָנָךְ בִּרְשׁוּתִי תֶּהֱווֹן. מִיָּד וַיִּתְיַצֵּב מַלְאַךְ יְיָ'. מַאי וַיִּתְיַצֵּב. א"ר אַבָּא, נָפַק וְקָאִים בְּאוּמָנוּתָא אַחֲרָא, מֵאוּמָנוּתָא דִּילֵיהּ, דְּהַאי מַלְאָכָא דְּרַחֲמֵי הֲוָה. וְהַיְינוּ דְּאָמַר ר' שִׁמְעוֹן, חַיָּיבַיָּא מְהַפְּכֵי רַחֲמֵי לְדִינָא. לְשָׂטָן לוֹ, דְּהָא לָאו אוּמָנוּתָא דִּילֵיהּ הֲוָה.

תט. אָמַר רִבִּי אֶלְעָזָר, לָא שַׁנֵּי מַלְאָכָא, וְלָא נָפַק מֵאוּמָנוּתָא דִּילֵיהּ, אֶלָּא בְּגִין דַּהֲוָה הַאי מַלְאָכָא מִסִּטְרָא דְּרַחֲמֵי, וְקָאִים לְקַבְלֵיהּ, סָתִיר וְחָכְמְתָא דִּילֵיהּ, וְקַלְקֵל רְעוּתֵיהּ. הה״ד לְשָׂטָן לוֹ. לוֹ הֲוָה שָׂטָן, וְאִשְׁתְּכַח שָׂטָן, אֲבָל לְאַחֲרָא לָא הֲוָה שָׂטָן.

תי. תָּאנָא, אר״ש, כַּמָּה חַכִּים הֲוָה בִּלְעָם בְּחַרְשׁוֹי, עַל כָּל בְּנֵי עָלְמָא, דְּהָא בְּשַׁעֲתָא דְּאַשְׁגַּח, לְאַשְׁכְּחָא עֵיטָא לְנָפְקָא מֵרְשׁוּתֵיהּ דְּקוּדְשָׁא בְּרִיךְ הוּא, מֵהַהִיא מִלָּה דִּכְתִיב, וְאַךְ אֶת הַדָּבָר וְגוֹ׳. אִסְתַּכַּל בְּחַרְשׁוֹי, וְלָא אַשְׁכַּח בַּר הַהִיא אָתוֹן, מַה כְּתִיב, וַיַּחֲבוֹשׁ אֶת אֲתוֹנוֹ, אַטְעִין לָהּ בְּכָל חַרְשִׁין, וּבְכָל קִסְמִין דַּהֲוָה יָדַע, וְאָעִיל בָּהּ, וְאַכְלִיל לָהּ מִכֻּלְּהוּ, בְּגִין לְמֵילַט לְהוּ לְיִשְׂרָאֵל. מִיָּד וַיִּחַר אַף אֱלֹהִים כִּי הוֹלֵךְ הוּא. הוּא דַּיְיקָא כְּמָה דְּאִתְּמַר. מָה עֲבַד קוּדְשָׁא בְּרִיךְ הוּא, אַקְדִּים לְמַלְאָכָא דְּרַחֲמֵי. לְקַיְּימָא לְקַבְלֵיהּ, וְיַסְתִּיר חַרְשׁוֹי וְקִסְמוֹי.

תיא. ות״ח, דְּעַד הַשְׁתָּא לָא כְּתִיב יְיָ׳ וְלָא אִתְחֲזֵי בְּקִסְמוֹי וְחַרְשׁוֹי. וְהָא אוּקְמוּהָ. וְהַשְׁתָּא כֵּיוָן דְּאַתְקִין אֲתָנֵיהּ, וְזֵרְזָהּ בְּתִקּוּנֵי חַרְשׁוֹי, בְּסִטְרָא דְּדִינָא לְמֵילַט לְיִשְׂרָאֵל, אַקְדִּים קוּדְשָׁא בְּרִיךְ הוּא לְמַלְאָכָא דְּרַחֲמֵי לְקַבְלֵיהּ, וּבִשְׁמָא דְּרַחֲמֵי, בְּגִין לְסָתוֹר וְחָכְמְתָא דִּילֵיהּ, וּלְאַסְטָאָה לַאֲתָנֵיהּ מֵהַהוּא אָרְחָא, כְּמָה דִּכְתִיב, וַתֵּט הָאָתוֹן מִן הַדֶּרֶךְ. מִן הַדֶּרֶךְ דַּיְיקָא. וְעַל דָּא לָא כְּתִיב וַיִּתְיַצֵּב מַלְאַךְ הָאֱלֹהִים, וַיַּעֲמוֹד מַלְאַךְ הָאֱלֹהִים, אֶלָּא מַלְאַךְ יְיָ׳ דְּרַחֲמֵי.

תיב. אָמַר קוּדְשָׁא בְּרִיךְ הוּא, רָשָׁע, אַתְּ אַטְעָנַת לַאֲתָנָךְ בְּחַרְשָׁךְ, בְּכַמָּה סִטְרֵי דְּדִינֵי לְקָבֵל בָּנַי. אֲנָא אַעֲבַר טְעוּנָךְ, וְיֵהָפֵךְ מֵאָרְחָא דָּא, מִיָּד אַקְדִּים מַלְאָכָא דְּרַחֲמֵי לְשָׂטָן לוֹ. לוֹ דַּיְיקָא. כְּמָה דְּאִתְּמַר.

תיג. וַתֵּרֶא הָאָתוֹן אֶת מַלְאַךְ יְיָ׳ וְגוֹ׳. אָמַר רִבִּי יִצְחָק, וְכִי אַמַּאי חָמֵאת הִיא, וּבִלְעָם דַּהֲוָה חַכִּים כָּל כַּךְ לָא חָמָא. אָמַר רִבִּי יוֹסֵי, ח״ו דְּהַהוּא רָשָׁע יִסְתַּכַּל בְּחֵיזוּ קַדִּישָׁא. אָמַר לֵיהּ, אִי הָכִי, הָא כְּתִיב נוֹפֵל וּגְלוּי עֵינָיִם. אָמַר לֵיהּ לָא שְׁמַעְנָא בְּהָא מִידֵי וְלָא אִימָא. א״ל אֲנָא שְׁמַעְנָא, דְּכַד הֲוָה אִצְטְרִיךְ לְאִסְתַּכְּלָא, הֲוָה נָפִיל וְחָמֵי. וְהַשְׁתָּא לָא אִצְטְרִיךְ לְאִסְתַּכְּלָא.

תיד. אָמַר לֵיהּ, אִי הָכִי, בְּדַרְגָּא עִלָּאָה יַתִּיר הֲוָה עַל כָּל נְבִיאֵי מְהֵימְנוּתָא, דְּאִיהוּ גְּלוּי עֵינַיִם, וְחָמֵי וְאִסְתַּכַּל בִּיקָרָא דְּקוּדְשָׁא בְּרִיךְ הוּא. וְהָא ר׳ שִׁמְעוֹן אָמַר, בִּלְעָם בְּחַרְשׁוֹי, הֲוָה יָדַע בְּאִינּוּן כִּתְרִין תַּתָּאִין דִּלְתַתָּא, כְּמָה דִּכְתִיב וְאֶת בִּלְעָם בֶּן בְּעוֹר הַקּוֹסֵם, קוֹסֵם קַרְיֵיהּ קְרָא, דְּטִנּוּפָא דְּטִנּוּפֵי, הֵיךְ יִסְתַּכַּל בִּיקָרָא דְּמָארֵיהּ. וְעוֹד, הָא אָמַר רִבִּי שִׁמְעוֹן, בְּחֵיזוּ חַד דְּחָזָא לְפוּם שַׁעֲתָא, דִּכְתִיב וַיְגַל יְיָ׳ אֶת עֵינֵי בִלְעָם, אִתְעֲקִימוּ עֵינוֹי, וְאַתְּ אַמְרַתְּ דַּהֲוָה חָמֵי בִּגְלוּי דְּעַיְינִין, וְאִסְתַּכַּל בִּיקָרָא דְּקוּדְשָׁא בְּרִיךְ הוּא.

תטו. א״ל, אֲנָא אַהֲדַרְנָא לְקַבְלָךְ. דִּידִי וְדִידָךְ בָּעֵי צָווּתָא. וַדַּאי רָזֵי אוֹרַיְיתָא עִלָּאִין, וְלָא יַכְלִין בְּנֵי עָלְמָא לְמֵיקַם עֲלַיְיהוּ. בְּגִין כַּךְ אָסִיר לְאַקְדְּמָא בְּמִלָּה דְּאוֹרַיְיתָא, עַד דְּיִשְׁמַע מִלָּה וְיֵדַע לָהּ עַל בּוּרְיֵיהּ. אָתוּ לְקַמֵּיהּ דר״ש אָמְרוּ מִלָּה קַמֵּיהּ.

תטז. פָּתַח וְאָמַר, מָה אֱנוֹשׁ כִּי תִזְכְּרֶנּוּ וְגוֹ׳, הַאי קְרָא אוּקְמוּהָ, דִּמְמַנָּן דְּעָלְמָא אֲמָרוּהָ, בְּשַׁעֲתָא דְּסָלִיק בִּרְעוּתֵיהּ דְּקוּדְשָׁא בְּרִיךְ הוּא לְמִבְרֵי אֱנָשָׁא. קָרָא לְכִתּוֹת כִּתּוֹת דְּמַלְאֲכֵי עִלָּאָה, וְאוֹתִיב לוֹן קַמֵּיהּ. אָמַר לוֹן, בָּעֵינָא לְמִבְרֵי אָדָם. אָמְרוּ קַמֵּיהּ, וְאָדָם בִּיקָר בַּל יָלִין וְגוֹ׳. אוֹשִׁיט קוּדְשָׁא בְּרִיךְ הוּא אֶצְבְּעָא דִּילֵיהּ, וְאוֹקִיד לוֹן. אוֹתִיב כִּתּוֹת אַחֲרָנִין קַמֵּיהּ, אָמַר לוֹן בָּעֵינָא לְמִבְרֵי אָדָם. אָמְרוּ קַמֵּיהּ, מָה אֱנוֹשׁ כִּי תִזְכְּרֶנּוּ.

מה טיבו דב"נ דא. אמר לון, ב"נ דיהא בצלמא דידן, דיהא וחכמתא דיליה, עלאה מחכמתכון.

תיז. כיון דברא אדם, וחטא, ונפק בדימוס קמיה, אתו עז"א ועז"אל, אמרו קמיה, פתחון פה אית לן גבך, הא ב"נ דעבדת וחטי קמך. אמר להו, אלמלי תהוון שכיחי גבייהו וכו'. מה עבד קודשא בריך הוא. אפיל לון מדרגא קדישא דלהון מן שמיא.

תיח. אמר ר"ש, השתא אהדרנא לתיובתייכו. דבלעם אמר נופל וגלוי עינים, אי נימא דלא הוה הכי, ושבוחי קא משבח גרמיה, היך יכתוב קודשא בריך הוא מלה כדיבא באורייתא. ואי מלה דקשוט היא, היך ישתבח ההוא רשע בדרגא עלאה על כל נביאי מהימנותא. ועוד, דהא לא שריא קדושה דלעילא, אלא באתריה דאתחזי ליה.

תיט. השתא אהדרנא למלה קדמאה. בתר דאפיל לון קודשא בריך הוא, מאתר קדישא דלהון. טעו בתר נשי עלמא, ואטעו עלמא. הכא אית לאסתכלא, והא כתיב עושה מלאכיו רוחות וגו'. והא אלין מלאכין הוו, איך יכילו לאתקיימא בארעא. אלא ת"ח, כל אינון דלעילא, לא קיימין, ולא יכלין למיקם, בר בנהורא עלאה דנהיר לון, וקיים לון. ואי פסיק מנייהו ההוא נהורא דלעילא, לא יכלין למיקם. כל שכן אלין דאפיל לון קודשא בריך הוא. ופסק מנייהו ההוא נהורא דלעילא, דאשתני זיווייהו. וכך נחתו ושליט בהו אוירא דעלמא, אשתנו בדרגא אחרא.

תכ. ת"ח, מנא דהוה נחית להו לישראל במדברא, ההוא מנא הוה, מטלא דלעילא, דהוה נחית מעתיקא סתימא דכל סתימין. וכד הוה נחית, הוה נהוריה נהיר בכלהו עלמין, ומניה אתזן חקל דתפוחין, ומלאכי עלאי. וכד הוה נחית לתתא, ושליט ביה אוירא דעלמא, אגליד, ואשתני זיויה, ולא הוה זיויה אלא כמה דכתיב והמן כזרע גד הוא וגו', ולא יתיר. וכל שכן מלאכין, כיון דנחתו ושליט בהו אוירא, אשתנו מההוא דרגא קדמאה דהוו.

תכא. מה עבד קודשא בריך הוא. וחמא דאטעיין עלמא, קשר לון בשלשלאי דפרזלא בטורא דחשוכא, באן אתר יתבי. בעמיקא דטורי. אותיב ליה לעז"א, ורמי חשוכא דאנפין. בגין דההיא שעתא דקשר לון קודשא בריך הוא, אתתקף וארגיז כלפי מעלה, וקודשא בריך הוא אפיל ליה בעומקא עד קדליה, וזריק חשוכא באנפוי. עזא"ל דלא אתתקף, אותביה גביה, ונהיר ליה חשוכא.

תכב. ובני עלמא דידעין אתרייהו, אתיין לגבייהו, ואולפין לון לבני נשא חרשין ונחשין וקסמין. ואינון טורי חשוכא, אקרון הררי קדם. מ"ט. בגין דחשוכא אקדים לנהורא. ובג"כ, טורי חשוכא, הררי קדם אקרון. לבן ובלעם מנייהו אולפי חרשין. והיינו דאמר בלעם, מן ארם ינחני בלק מלך מואב מהררי קדם וגו'.

תכג. ת"ח, בלעם הוה קא משבח גרמיה מהאי אתר, ואמר נאם שומע אמרי אל וגו'. בגין דעז"א ועזא"ל, אמרי לאינון בני עלמא, מאילין מלין עלאין, דהוו ידעי בקדמיתא לעילא. ומשתעי מעלמא קדישא דהוו ביה, הה"ד שומע אמרי אל. שומע קול אל, לא כתיב, אלא אמרי אל, אינון אמירן דאמרי מניה. מאן דאתי מפרקא, ושאלין ליה מאן את אתי. אמר, מלמשמע מלין דמלכא קדישא. כך נאם שמע אמרי אל. ויודע דעת עליון, דהוה ידע שעתא דתליא דינא בעלמא, ומכוין שעתא בחרשוי.

תכד. אֲשֶׁר מַחֲזֵה שַׁדַּי יֶחֱזֶה, מַאן מַחֲזֵה שַׁדַּי. אִלֵּין אִינּוּן נֹפֵל וּגְלוּי עֵינָיִם. וְאִלֵּין אִינּוּן עֲזָ"א וְעַזָאֵ"ל. נֹפֵל: דָּא עֲזָ"א, דְּאַעֲמִיק לֵיהּ קוּדְשָׁא בְּרִיךְ הוּא בְּעוּמְקָא וַחֲשׁוֹכָא, וְיָתִיב בְּעוּמְקָא עַד קְדָלֵיהּ כִּדְקָאֲמָרָן, וַחֲשׁוֹכָא אִזְדְּרַק בְּאַנְפּוֹי. וְעַל דָּא אִקְרֵי נוֹפֵל. נָפַל זִמְנָא חֲדָא מִן שְׁמַיָּא, וְנָפַל זִמְנָא אָחֳרָא, לְבָתַר, בְּעוּמְקָא דַּחֲשׁוֹכָא. עֲזָאֵ"ל: הוּא גְּלוּי עֵינַיִם, דְּהָא לָא אִזְדְּרַק חֲשׁוֹכָא עָלֵיהּ, דְּלָא אִתְתַּקַּף, וְלָא אַרְגִּיז כְּהַהוּא דִּלְעֵילָא. וּבִלְעָם קָרֵי לוֹן מַחֲזֵה שַׁדַּי, דְּאִינּוּן נֹפֵל וּגְלוּי עֵינָיִם.

תכה. וּבְהַהוּא זִמְנָא, לָא אִשְׁתְּאַר בְּעָלְמָא, דְּיִשְׁתַּכַּח גַּבַּיְיהוּ, בַּר אִיהוּ. וּבְכָל יוֹמָא, הֲוָה אַסְתִּים בְּאִינּוּן טוּרֵי עַמְהוֹן. הה"ד, יַנְחֵנִי בָלָק מֶלֶךְ מוֹאָב מֵהַרְרֵי קֶדֶם. מֵהַרְרֵי קֶדֶם וַדַּאי, וְלָא מֵאֶרֶץ בְּנֵי קֶדֶם.

תכו. אר"ש, כַּמָּה זִמְנִין אֲמֵינָא מִלָּה דָּא, וְלָא מִסְתַּכְּלֵי חַבְרַיָּיא, דְּהָא קוּדְשָׁא בְּרִיךְ הוּא לָא שַׁרְיָא שְׁכִינְתָּא, אֶלָּא בַּאֲתַר קַדִּישָׁא, בַּאֲתַר דְּאִתְחֲזֵי לְשַׁרְיָא עֲלוֹי. וְכֵן קוּדְשָׁא בְּרִיךְ הוּא מַכְרִיז וְאָמַר, לֹא יִמָּצֵא בְךָ מַעֲבִיר בְּנוֹ וְגוֹ'. וְהוּא אָתֵי לְאִתְעָרְבָא בַּהֲדַיְיהוּ. אֶלָּא זַכָּאָה חוּלָקֵיהוֹן דְּיִשְׂרָאֵל, דְּקוּדְשָׁא בְּרִיךְ הוּא קַדִּישׁ לוֹן לְשַׁרְיָא בֵּינַיְיהוּ. וְהַיְינוּ דִּכְתִּיב, כִּי יְיָ' אֱלֹהֶיךָ מִתְהַלֵּךְ בְּקֶרֶב מַחֲנֶיךָ וְגוֹ'. וּבְגִין דְּהוּא מִתְהַלֵּךְ בְּקֶרֶב מַחֲנֶיךָ, כְּתִיב וְהָיָה מַחֲנֶיךָ קָדוֹשׁ וְגוֹ'. וּכְתִיב וִהְיִיתֶם קְדוֹשִׁים וְגוֹ'. וּכְתִיב אַל תִּטַּמְּאוּ בְּכָל אֵלֶּה וְגוֹ'. וּכְתִיב וְאָקֻץ בָּם וְגוֹ'. דְּלָא יָכִילְנָא לְקָרְבָא גַּבַּיְיהוּ, וְשָׁרוּ לִי לְבַר. זַכָּאָה חוּלָקֵהוֹן דְּיִשְׂרָאֵל, וְזַכָּאָה חוּלָקֵהוֹן דִּנְבִיאֵי מְהֵימְנֵי קַדִּישֵׁי, דְּאִינּוּן קַדִּישִׁין, וְאִית לוֹן חוּלָקָא לְאִשְׁתַּמְּשָׁא בִּקְדוּשָּׁה עִלָּאָה.

תכז. וַתֵּרֶא הָאָתוֹן אֶת מַלְאַךְ יְיָ' נִצָּב בַּדֶּרֶךְ וְחַרְבּוֹ שְׁלוּפָה בְּיָדוֹ, בַּדֶּרֶךְ, בְּהַהוּא אָרְחָא דַּהֲוָה אִשְׁתְּקַע בְּגַוֵּיהּ. וְחַרְבּוֹ שְׁלוּפָה בְּיָדוֹ, וְכִי אִי אִיהוּ נָפִיק לָקֳבֵיל הַאי אָתוֹן, מַאי בָּעֵי חַרְבָּא. וְאִי אִיהוּ נָפִיק לָקֳבְלֵיהּ דְּבִלְעָם, אַמַּאי חָמַאת אַתָּנֵיהּ, וְאִיהוּ לָא חָמָא. אֶלָּא כֹּלָּא אִזְדְּמַן. הַהוּא מַלְאָכָא מִזְדַּמַּן לָקֳבְלֵיהּ דְּאָתוֹן, לְאַפָּקָא לָהּ מִן הַהוּא אָרְחָא דְּאִתְטְעַן בָּהּ. וּבְמָה. בִּרְוַחְמֵי. וְאִזְדְּמַן לָקֳבְלֵיהּ דְּבִלְעָם, לְאַעַנְשָׁא לֵיהּ, עַל דְּאִיהוּ הֲוָה בָּעֵי לְמֵיהַךְ בִּרְשׁוּתֵיהּ, וְלָא בִּרְשׁוּתָא דִּלְעֵילָּא.

תכח. א"ר יוֹסֵי, הַשְׁתָּא אִית לְשָׁאֲלָא, אִי מִלּוֹי הֲווּ אַתְיָין מִסִּטְרָא דְּכִתְרִין תַּתָּאִין, וְלָא מֵאֲתַר אָחֳרָא, אַמַּאי כְּתִיב וַיָּבֹא אֱלֹהִים אֶל בִּלְעָם וְגוֹ', וְאַךְ אֶת הַדָּבָר וְגוֹ'. א"ר יִצְחָק הָכִי אוֹלִיפְנָא. דְּהַאי אֱלֹהִים דְּהָכָא כֻּלְּהוּ מַלְאָכָא הֲוָה. וְהַהוּא אִיהוּ אֲתָר דְּאָתֵי מִסִּטְרָא דְּדִינָא קַשְׁיָא, דְּבֵיהּ אֲחִידָן חֵילָא וְתוּקְפָּא דְּאִינּוּן כִּתְרִין תַּתָּאִין, דַּהֲוָה מִשְׁתַּמֵּשׁ בְּהוּ בִּלְעָם. וּבְגִ"כ, וַיָּבֹא אֱלֹהִים אֶל בִּלְעָם. וַיֹּאמֶר אֱלֹהִים אֶל בִּלְעָם. דִּלְזִמְנִין אִתְקְרֵי מַלְאָכָא בִּשְׁמָא עִלָּאָה.

תכט. וַתֵּט הָאָתוֹן מִן הַדֶּרֶךְ, סָטְאַת מִן הַהוּא אָרְחָא, דַּהֲוַת טָעֲיָנָא מִסִּטְרָא דְּדִינָא קַשְׁיָא, לָקֳבְלֵיהוֹן דְּיִשְׂרָאֵל. וּבְמָה חָמָא בִּלְעָם, דְּהִיא סָטְאַת מֵהַהוּא אָרְחָא. אֶלָּא הָכִי אר"ש, דַּאֲפִילוּ בְּאָרְחָא, בָּעָא לְאַבְאָשָׁא לְהוּ לְיִשְׂרָאֵל, בְּחֵילָא דַּאֲתָנֵיהּ. וְכֵיוָן דְּלָא סָלִיק בִּידוֹי, מַה כְּתִיב, וַיַּךְ אֶת הָאָתוֹן בַּמַּקֵּל. אַטְעַן לָהּ, וְאַלְבַּשׁ לָהּ, בְּזִרוּזֵי דְּדִינָא קַשְׁיָא תַּקִּיפָא. הה"ד בַּמַּקֵּל. בַּמַּקֵּל דַּיְיקָא. דְּאִיהוּ דִּינָא קַשְׁיָא תַּקִּיפָא. בְּמַקְלוֹ לָא כְּתִיב, אֶלָּא בַּמַּקֵּל.

תל. פּוּק וַחֲמֵי, כַּמָּה תַּקִּיפָא וְחָכְמְתָא דְּהַהוּא רָשָׁע, וְתִיאוּבְתָא דִּילֵיהּ לְאַבְאָשָׁא לְהוֹן לְיִשְׂרָאֵל, דְּאִיהוּ אַשְׁגַּח לְנָפְקָא מֵרְשׁוּתָא דִּלְעֵילָא, בְּגִין דְּתִיאוּבְתֵּיהּ לְאִתְיַיקְּרָא, וּלְאַבְאָשָׁא לְהוּ לְיִשְׂרָאֵל.

תלא. וַיַּעֲמוֹד מַלְאַךְ יְיָ׳ בְּמִשְׁעוֹל הַכְּרָמִים וְגוֹ׳. מַה כְּתִיב לְעֵילָּא, בְּקַדְמֵיתָא כְּתִיב, וַתֵּט הָאָתוֹן מִן הַדֶּרֶךְ וַתֵּלֶךְ בַּשָּׂדֶה, וַתֵּלֶךְ בְּאָרְחָ מֵישַׁר, מִסִּטְרָא דְּשָׂדֶה, וְאַרְכִּינַת מִמַּה דַּהֲוָה בָּהּ. וַיַּךְ בִּלְעָם אֶת הָאָתוֹן לְהַטּוֹתָהּ הַדָּרֶךְ לְאַסְטָאָה לָהּ מֵהַהוּא אָרְחָא דְּשָׂדֶה. אָמַר רִבִּי יוֹסֵי, בֵּין מַלְאָכָא וּבֵין בִּלְעָם הֲוַת אֲתָנָא בְּעָאקוּ. לְבָתַר כַּד זִמְנָא בִּלְעָם, דְּלָא הֲוָה יָכִיל, כְּדֵין וַיַּךְ אֶת הָאָתוֹן בַּמַּקֵּל. כְּמָה דְּאִתְּמַר.

תלב. וַיַּעֲמוֹד מַלְאַךְ יְיָ׳ וְגוֹ׳. א״ר אַבָּא, כַּמָּה אִית לָן לְאִסְתַּכְּלָא בְּמִלֵּי דְּאוֹרַיְיתָא, הָנֵי קְרָאֵי רְמִיזֵי בְּחָכְמְתָא עִלָּאָה. וְכִי לְמַגָּנָא נָפַק הַאי מַלְאָכָא, לְאִתְחֲזָאָה לְחַד אֲתָנָא. אוֹ לְמֵיקַם בֵּין כַּרְמַיָּיא לְקַבְלָהּ, זִמְנָא הָכָא וְזִמְנָא הָכָא. אֶלָּא כֹּלָּא רָזָא עִלָּאָה הוּא, וְכֹלָּא בָּעֵי קוּדְשָׁא בְּרִיךְ הוּא בְּגִין לְאַגָּנָא עֲלַיְיהוּ דְּיִשְׂרָאֵל, וְלָא יִשְׁלְטוּ בְּהוּ זִינִין בִּישִׁין, בְּגִין דְּאִינּוּן חוּלָקֵיהּ דְּקוּדְשָׁא בְּרִיךְ הוּא.

תלג. וַיַּעֲמוֹד מַלְאַךְ יְיָ׳ וְגוֹ׳. תָּאנָא, מִסִּטְרָא דְּאִמָּא, כַּד אִיהִי מִתְעַטְּרָא, נָפְקִין בְּעִטְרָהָא אֶלֶף וַחֲמֵשׁ מְאָה סִטְרֵי גְּלִיפִין בְּתַכְשִׁיטָהָא. וְכַד בָּעָאת לְאִזְדַּוְּוגָא בְּמַלְכָּא, מִתְעַטְּרָא בְּחַד עַטְרָא דְּאַרְבַּע גַּוְונִין. אִינּוּן גַּוְונִין מִתְלַהֲטָן בְּאַרְבַּע סִטְרֵי עָלְמָא, כָּל גַּוְונָא וְגַוְונָא מִתְלַהֲטָא תְּלַת זִמְנִין בְּהַהוּא סִטְרָא. דְּאִינּוּן תְּרֵיסַר תְּחוּמֵי גְּלִיפִין. וְעָאלִין וְאִתְכְּלִילוּ בִּתְרֵיסַר אַחֲרָנִין.

תלד. בְּרֵישָׁא דְּעַטְרָא, אִית ד׳ שׁוּרִין לְד׳ סִטְרִין, וְאִינּוּן מִגְדָּלוֹת, כד״א מִגְדָּלוֹת מֶרְקָחִים. מַהוּ מֶרְקָחִים. כְּמָה דְּאַתְּ אָמֵר, מִכֹּל אַבְקַת רוֹכֵל. וְעַל כָּל מִגְדְּלָא וּמִגְדְּלָא ג׳ פִּתְחִין, קְבִיעָן בְּאַבְנִין טָבָן, מִכָּל סִטְרָא וְסִטְרָא. הַאי עַטְרָא, נְהִירָא בְּדַלּוּגִין דְּאוֹפִיר, בְּגִין יְקָרָא דְּמַלְכָּא, כְּמָה דִּכְתִּיב אוֹקִיר אֱנוֹשׁ מִפָּז וְגוֹ׳.

תלה. תְּחוֹת עַטְרָא, תַּלְיָין זַגֵּי דְּדַהֲבָא בְּסוֹחֲרָנָהָא, זַגָּא דְּדַהֲבָא מִסִּטְרָא דָּא, וְזַגָּא דְּדַהֲבָא מִסִּטְרָא דָּא, וְחַד רִמּוֹנָא. בְּגוֹ הַהוּא רִמּוֹנָא, אִית בָּהּ אֶלֶף זַגִּין, וְכָל זַגָּא מִנַּיְיהוּ, מִתְלַהֲטָא בְּסוּמְקָא בְּחִוְּורָא. הַהוּא רִמּוֹנָא אִתְפְּלַג בְּפַלְגִּין אַרְבַּע, וְקַיְּימָא פְּתִיחָא, לְאִתְחֲזָאָה זַגָּהָא. תְּלַת מְאָה וְעֶשְׂרִין וַחֲמֵשׁ זַגִּין לְסִטְרָא דָּא, וְכֵן לְכָל סִטְרָא וְסִטְרָא, עַד דְּמִתְלַהֲטָן אַרְבַּע סִטְרֵי עָלְמָא, מֵחֵיזוּ דְּכָל פַּלְכָּא וּפַלְכָּא, וְאִינּוּן אִקְרוּן פֶּלַח הָרִמּוֹן. כְּמָה דִּכְתִּיב, כְּפֶלַח הָרִמּוֹן רַקָּתֵךְ מִבַּעַד לְצַמָּתֵךְ.

תלו. אַרְבַּע גַּלְגַּלִּין בְּפַלְכֵי אַרְבַּע, נַטְלִין בְּגַלְגּוּלָא לְהַהוּא עַטְרָא, וְכַד נַטְלֵי לָהּ, אִזְדַּקְפָן לְעֵילָּא. עַד דְּמָטוּ לְגַלְגּוּלָא דְּפַלְכָּא עִלָּאָה, דְּנָהִים יְמָמָא וְלֵילְיָא, מִתְחַבְּרָן כָּל אִינּוּן פַּלְכִין, וְנַטְלִין לְעַטְרָא, וְזַקְפָן לָהּ. וְקָלָא דְּאִינּוּן גַּלְגַּלִּין, אִשְׁתְּמַע בְּכֻלְּהוּ רְקִיעִין. לְקָל נְעִימוּתָא מִתְרַעֲשִׁין כָּל חֵילֵי שְׁמַיָּא, וְכֻלְּהוּ שָׁאֲלִין דָּא לְדָא, עַד דְּכֻלְּהוּ אָמְרֵי בָּרוּךְ כְּבוֹד יְיָ׳ מִמְּקוֹמוֹ.

תלז. כַּד מִזְדַּוְּוג מַלְכָּא בְּמַטְרוֹנִיתָא, סַלְקָא עַטְרָא דָא, וְאִתְיַשְּׁבַת בְּרֵישָׁא דְּמַטְרוֹנִיתָא. כְּדֵין נַחְתָּא חַד עַטְרָא עִלָּאָה, קְבִיעָא דְּכָל אֶבֶן טָבָא, וְחִיוָּור וְשׁוֹשָׁן, בְּסוֹחֲרָנָהָא. בְּשִׁית גַּלְגַּלִּין אַתְיָא, לְשִׁית סִטְרִין דְּעָלְמָא, שִׁית גַּדְפִּין דְּנֶשֶׁר נַטְלִין לָהּ. וְחַמְשִׁין עַנְבִין סוֹחֲרָנָהָא, דְּגָלִיף בָּהּ אִימָּא עִלָּאָה. קְבִיעָאן בְּאֶבֶן טָבָא, חִוָּור וְסוּמָק יָרוֹק וְאוּכָם תִּכְלָא וְאַרְגְּוָונָא. שִׁית מְאָה וּתְלַת עֲשַׂר זִוְויָן, לְכָל סִטְרָא וְסִטְרָא.

תלח. אֶלֶף וְשִׁית מְאָה מִגְדָּלִין, לְכָל סִטְרָא וְסִטְרָא. וְכָל מִגְדְּלָא וּמִגְדְּלָא, טוּרִין קְבִיעָן. פַּרְוִין לְעֵילָּא, אִשְׁתָּאֲבָן בְּפִתּוּרָא דְּאִימָּא עִלָּאָה, בְּמִשְׁחָ רְבוּת דִּילָהּ. כְּדֵין אִימָּא, בִּלְחִישׁוּ, נָגִיד מִתְּנָן עָלְאִין, וְשַׁדַּר וְקָבַע לוֹן בְּהַהוּא עַטְרָא. לְבָתַר אַנְגִּיד נַחְלֵי

דִּמְשַׁח רְבוּת קַדִּישָׁא, עַל רֵישָׁא דְּמַלְכָּא. וּמֵרֵישֵׁיהּ, נָזִית הַהוּא מִשְׁחָא טָבָא עִלָּאָה, עַל דִּיקְנֵיהּ יַקִּירָא. וּמִתַּמָּן נָגִיד עַל אִינּוּן לְבוּשֵׁי מַלְכָּא. הה״ד, כַּשֶּׁמֶן הַטּוֹב עַל הָרֹאשׁ יוֹרֵד עַל הַזָּקָן וְגוֹ׳.

תלט. לְבָתַר אִתְהַדַּר עֲטָרָא, וּמְעַטְּרָא לֵיהּ אִימָּא עִלָּאָה בְּהַהוּא עֲטָרָא, וּפְרִישָׁא עָלֵיהּ, וְעַל מַטְרוֹנִיתָא, לְבוּשֵׁי יְקָר בְּהַהוּא עֲטָרָא. כְּדֵין קָלָא אִשְׁתְּמַע בְּכֻלְּהוּ עָלְמִין, צְאֶינָה וּרְאֶינָה וְגוֹ׳. כְּדֵין חֶדְוְותָא הוּא בְּכָל אִינּוּן בְּנֵי מַלְכָּא. וּמַאן אִינּוּן. כָּל אִינּוּן דְּאָתוּ מִסִּטְרַיְיהוּ דְּיִשְׂרָאֵל. דְּהָא לָא מִזְדַּוְּוגֵי בְּהוּ, וְלָא קַיְימִין עִמְּהוֹן, בַּר אִינּוּן יִשְׂרָאֵל, דְּאִינּוּן בְּנֵי בֵּיתָא, וּמְשַׁמְשֵׁי לְהוּ. כְּדֵין בִּרְכָאן דְּנָפְקֵי מִנַּיְיהוּ, דְּיִשְׂרָאֵל הוּא.

תמ. וְיִשְׂרָאֵל נָטְלִין כֹּלָּא, וּמְשַׁדְּרֵי חוּלָקָא מִנֵּיהּ לִשְׁאָר עַמִּין, וּמֵהַהוּא חוּלָקָא אִתְּזָנוּ כָּל אִינּוּן שְׁאָר עַמִּין. וְתָאנָא, מִבֵּין סִטְרֵי חוּלָקֵהוֹן דְּמִמַּנָּן עַל שְׁאָר עַמִּין, נָפִיק חַד שְׁבִיל דָּקִיק, דְּמִתַּמָּן, אִתְנְגִיד חוּלָקָא לְאִינּוּן תַּתָּאֵי, וּמִתַּמָּן מִתְפָּרַשׁ לְכַמָּה סִטְרִין. וְדָא קָרֵינָן לֵיהּ תַּמְצִית, דְּנָפִיק מִסִּטְרָא דְּאַרְעָא קַדִּישָׁא.

תמא. וְעַל דָּא עָלְמָא כּוּלֵיהּ מִתַּמְצִית דְּאֶרֶץ יִשְׂרָאֵל קָא שָׁתֵי. מַאן א״י. הָא אוֹקִימְנָא. וּבֵין לְעֵילָּא, וּבֵין לְתַתָּא, כָּל אִינּוּן שְׁאָר עַמִּין עכו״ם, לָא אִתְּזָנוּ אֶלָּא מֵהַהוּא תַּמְצִית. וְלָא תֵּימָא דְּאִינּוּן בִּלְחוֹדַיְיהוּ, אֶלָּא אֲפִילּוּ אִינּוּן כִּתְרִין תַּתָּאִין, מֵהַהוּא תַּמְצִית שָׁתְיָין. וְדָא הוּא בְּמִשְׁעוֹל הַכְּרָמִים, שְׁבִיל מְרַבְרְבֵי שְׁאָר עַמִּין דְּמִתְבָּרְכָן מִנֵּיהּ.

תמב. כַּד חָמָא הַהוּא מַלְאָכָא, דְּהָא בִּלְעָם אַסְטֵי לְאָתוֹן לְהַהוּא שְׁבִילָא, דִּכְתִּיב לְהַטּוֹתָהּ הַדָּרֶךְ, מִיַּד וַיַּעֲמוֹד מַלְאַךְ יְיָ׳ בְּמִשְׁעוֹל הַכְּרָמִים, לְאַסְתְּמָא שְׁבִילָא, דְּלָא יִסְתַּיְּיעוּן בֵּיהּ אִינּוּן שְׁאָר עַמִּין עכו״ם, וְאִינּוּן כִּתְרִין תַּתָּאִין. וְאָזְלָא הָא, כְּהָא דְּאָמַר רַבִּי יִצְחָק, כְּתִיב שָׂמוּנִי נוֹטֵרָה וְגוֹ׳, לְנַטְרָא וּלְבָרְכָא לִשְׁאָר עַמִּין בְּגָלוּתָא. וְיִשְׂרָאֵל דְּאִינּוּן כַּרְמִי שֶׁלִּי, לֹא נָטַרְתִּי, בְּגִין דְּאִינּוּן בְּגָלוּתָא, וְלָא מִתְבָּרְכִין כִּדְקָא חָזֵי.

תמג. גָּדֵר מִזֶּה וְגָדֵר מִזֶּה. אָמַר ר׳ אַבָּא, הֵיךְ יָכִיל הַהוּא מַלְאָכָא לְאַסְתְּמָא הַהוּא שְׁבִילָא. אֶלָּא בְּגִין דְּסִיּוּעָא אַחֲרָא הֲוָה לֵיהּ, קוּדְשָׁא בְּרִיךְ הוּא וּכְנֶסֶת יִשְׂרָאֵל. ר׳ יְהוּדָה אָמַר, אוֹרַיְיתָא מְסַיְּיעָא לֵיהּ, דִּכְתִּיב מִזֶּה וּמִזֶּה הֵם כְּתוּבִים.

תמד. בְּהַהִיא שַׁעֲתָא מַה כְּתִיב. וַתֵּרֶא הָאָתוֹן וְגוֹ׳, וַתִּלָּחֵץ אֶל הַקִּיר, מַאי וַתִּלָּחֵץ אֶל הַקִּיר. כד״א מְקַרְקַר קִיר וְגוֹ׳. קִיר: פַּטְרוֹנָא, הַהוּא דְּשַׁלְטָא עֲלַיְיהוּ. וַתִּלְחַץ אֶת רֶגֶל בִּלְעָם אֶל הַקִּיר, הִיא לָא יָהֲבָא לֵיהּ סִיּוּעָא כְּלַל. וּבַעֲקִיוּתָא, אַשְׁדְּרַת לֵיהּ לְהַהוּא קִיר. וְרַמְזָא לֵיהּ הַאי, כְּדֵין וַיּוֹסֶף לְהַכּוֹתָהּ בְּהַאי סִטְרָא.

תמה. וַיּוֹסֶף מַלְאַךְ יְיָ׳ עֲבוֹר וַיַּעֲמוֹד בְּמָקוֹם צָר וְגוֹ׳. בְּהַהִיא שַׁעֲתָא, אַסְתִּים לָהּ כָּל אָרְחִין, וְכָל סִיּוּעִין, דְּלָא אִשְׁתְּכַח בָּהּ מִכָּל סִטְרָא דְּעָלְמָא סִיּוּעָא. כְּדֵין וַתִּרְבַּץ תַּחַת בִּלְעָם. כַּד חָמָא בִּלְעָם דְּלָא הֲוָה יָכִיל, מַה כְּתִיב. וַיִּחַר אַף בִּלְעָם וַיַּךְ אֶת הָאָתוֹן בַּמַּקֵּל, כְּמָה דְּאִתְּמַר, דְּאַטְעַן לָהּ, וְאַלְבִּישׁ לָהּ, בְּזִירוּזֵי דִּינָא קַשְׁיָא תַּקִּיפָא.

תמו. וַיִּפְתַּח יְיָ׳ אֶת פִּי הָאָתוֹן וְגוֹ׳. הַיְינוּ חַד מֵאִינּוּן מִלִּין, דְּאִתְבְּרִיאוּ עֶרֶב שַׁבָּת בֵּין הַשְּׁמָשׁוֹת. א״ר יִצְחָק, מַאי סַגֵּי הַאי לְבִלְעָם, אוֹ לְאָתוֹן, אוֹ לְיִשְׂרָאֵל. בְּהָנֵי מִלִּין. א״ר יוֹסֵי, דְּחַיְּיכִין בֵּיהּ אִינּוּן רַבְרְבִין דַּהֲווּ עִמֵּיהּ, וְכַד מָטוּ לְבָלָק, אָמְרוּ לֵיהּ, וְכִי לְהַאי שַׁטְיָא שַׁדַּרְתְּ לִיקָרָא, לָא תִּשְׁכַּח בֵּיהּ מַמָּשׁוּת, וְלָא בְּמִלּוֹי. וּבְאִינּוּן מִלָּה דְּאַתָּנָא, אִתְבְּזָא מִן יְקָרֵיהּ. ר׳ חִיָּיא אָמַר אִלְמָלֵי לָא אַמְרַת אֲתָנָא הַאי, לָא שָׁבִיק בִּלְעָם הַהוּא דִּילֵיהּ, וּבְמִלֵּי דַּאֲתָנָא יָדַע דְּאִתְבַּר חֵילֵיהּ.

תמז. ר' אַבָּא רָמֵי, כְּתִיב וַתִּפְתַּח הָאָרֶץ וְגוֹ'. וּכְתִיב וַיִּפְתַּח יְיָ' אֶת פִּי וְגוֹ'. מַאי שְׁנָא אֶרֶץ מֵאָתוֹן, דְּלָא כְּתִיב בָּהּ וַיִּפְתַּח יְיָ' אֶת פִּי הָאָרֶץ. אֶלָּא, הָתָם מֹשֶׁה גָּזַר עַל פּוּמָא, וּפְתָחַת, וְעָבְדַת אַרְעָא פִּקּוּדָא דְּמֹשֶׁה, וְלָא יָאוּת דְּקוּדְשָׁא בְּרִיךְ הוּא יַעֲבַר פִּקּוּדֵיהּ, דְּהָא מֹשֶׁה גָּזַר וּפָקִיד, וּפָצְתָה הָאֲדָמָה אֶת פִּיהָ. וְעַ"ד הִיא עָבְדַת פִּקּוּדוֹי. דִּכְתִּיב וַתִּפְתַּח הָאָרֶץ אֶת פִּיהָ. אֲבָל הָכָא, לָא אִשְׁתְּכַח מַאן דְּגָזַר, אֶלָּא רְעוּתָא דְקוּדְשָׁא בְּרִיךְ הוּא הֲוָה, וְהוֹאִיל וּרְעוּתֵיהּ הֲוָה בְּכַךְ, כְּתִיב וַיִּפְתַּח יְיָ' אֶת פִּי הָאָתוֹן. מִנֵּיהּ אָתָא מִלָּה, וּמִנֵּיהּ אִשְׁתְּכַח.

תמח. ר' יְהוּדָה אָמַר, אִסְתַּכַּלְנָא בְּפָרְשְׁתָא דָא, וּבְאִלֵּין מִלִּין, וְאִתְחֲזִיִין דְּלָאו מִלִּין דִּצְרִיכִין אִינּוּן. וְכִי מֵאַחַר דִּכְתִיב וַיִּפְתַּח יְיָ' אֶת פִּי הָאָתוֹן, בָּעְיָין לְמֶהֱוֵי אִינּוּן מִלִּין מִלֵּי מְעַלְּיָיתָא, מִלֵּי דְּחָכְמְתָא, וְאִי כְּמָה דְּאִתְּעָרוּ חַבְרָנָא, דְּאִיהוּ מִשְׁבַּח דְּסוּסְיָא דִּילֵיהּ רָעֵי בְּרְטִיבָא, וְהִיא תָּבַת וְאָמְרַת, הֲלֹא אָנֹכִי אֲתֹנְךָ. מֵהָכָא הֲוָה לָהּ לְמִפְתַּח, וְהִיא לָא פָּתְחָה אֶלָּא מֶה עָשִׂיתִי לְךָ. וְאִי הָכִי, אַמַּאי קָא טָרַח קוּדְשָׁא בְּרִיךְ הוּא, לְמִפְתַּח פּוּמָהּ לְהָנֵי מִלִּין.

תמט. אָמַר רִבִּי אַבָּא, וַדַּאי בְּאִלֵּין מִלִּין אוֹלִיפְנָא דַּעְתָּא דְּבִלְעָם, דְּלָאו כְּדַאי הוּא לְמִשְׁרֵי עָלֵיהּ רוּחַ קוּדְשָׁא, וְאוֹלִיפְנָא, דְּהָא לֵית יָכִילוּ בְּאַתְנֵיהּ, לְאַבְאָשָׁא אוֹ לְאוֹטָבָא. וְאוֹלִיפְנָא מֵהַאי אָתוֹן, דְּהָא לֵית חֵילָא בִּבְעִירֵי לְאַשְׁרָאָה עָלַיְיהוּ דַּעְתָּא שְׁלִים. ת"ח, בִּלְעָם, בְּהַהִיא מִלָּה דְּאַתְנֵיהּ, וּבְהַהוּא דַּעְתָּא טִפְּשָׁא לָא יָכִיל לְמֵיקָם. בְּדַעְתָּא עִלָּאָה עַל אַחַת כַּמָּה וְכַמָּה.

תנ. וַתֹּאמֶר לְבִלְעָם מֶה עָשִׂיתִי לְךָ. וְכִי בִּרְשׁוּתִי הֲוָה לְמֶעְבַּד טַב וּבִישׁ. לָאו. דְּהָא בְּעִירֵי לָא מִתְנַהֲגָן, אֶלָּא בְּמָה דְּנַהֲגוּ לוֹן. וְאע"ג דְּהַהִיא אַתְנָא בְּעָקְתָא יַתִּיר, לָאו בִּרְשׁוּתָהּ הִיא, דְּהָא הוּא אַטְעִין לָהּ בְּחַרְשׁוֹי, וּבִרְשׁוּתֵיהּ קַיְימָא.

תנא. וַיֹּאמֶר בִּלְעָם לָאָתוֹן כִּי הִתְעַלַּלְתְּ בִּי. הֲוָה לֵיהּ לְחַיְּיכָא מִנָּהּ, וְהוּא אָתִיב לְקַבְלָא טִפְּשׁוּתָא דְּמִלְּהָא, כְּדֵין חַיִּיכוּ מִנֵּיהּ, וְאִתְקְלִיל בְּעֵינַיְיהוּ, וְיָדְעוּ דְּאִיהוּ שַׁטְיָא. וּמַה אָמַר. כִּי הִתְעַלַּלְתְּ בִּי לוּ יֶשׁ חֶרֶב בְּיָדִי. אָמְרוּ, שַׁטְיָא דָא אִיהוּ יָכִיל לְשֵׁיצָאָה עַמִּין בְּפוּמֵיהּ, הֵיךְ לָא יָכִיל לְשֵׁיצָאָה לְאַתְנֵיהּ, וְהוּא בָּעֵי חַרְבָּא. וְאוֹלִיפְנָא, דְּלֵית חֵילָא בִּבְעִירֵי לְאַשְׁרָאָה עָלַיְיהוּ רוּחָא אוּחֲרָא, דְּאִי יֵימְרוּן בְּנֵי נָשָׁא, אִי יְמַלְּלוּן בְּעִירֵי, כַּמָּה דַּעְתָּא שְׁלִים יִפְּקוּן לְעָלְמָא, פּוּק וְאוֹלִיף מֵהַאי אַתְנָא, דְּהָא קוּדְשָׁא בְּרִיךְ הוּא אַפְתַּח פּוּמָהּ, וְחָמֵי מִלּוֹי.

תנב. וַיְהִי בַבֹּקֶר וַיִּקַּח בָּלָק אֶת בִּלְעָם וְגוֹ'. ר' יִצְחָק אָמַר, בָּלָק חַכִּים הֲוָה בְּחַרְשִׁין, יַתִּיר מִבִּלְעָם, בַּר דְּלָא הֲוָה מְכַוֵּון שַׁעֲתָא לְלַטְיָיא. מָשָׁל וְכוּ'. בג"כ וַיִּקַּח בָּלָק אֶת בִּלְעָם וְגוֹ'. הוּא הֲוָה אַתְקִין לֵיהּ וְאַחְזִיד לֵיהּ לְכֹלָּא.

תנג. וַיַּעֲלֵהוּ בָּמוֹת בָּעַל. מַאי וַיַּעֲלֵהוּ בָּמוֹת בָּעַל. אֶלָּא אַשְׁגַּח בְּחַרְשׁוֹי, בְּמַאי סִטְרָא יִתְאַחִיד בְּהוּ, וְאַשְׁכַּח דְּזַמִּינִין יִשְׂרָאֵל לְמֶעְבַּד בָּמוֹת, וּלְמִפְלַח לְבַעַל. כְּמָה דִּכְתִיב, וַיֵּלְכוּ אַחֲרֵי הַבָּעַל. וַיַּרְא מִשָּׁם קְצֵה הָעָם, וְחָמָא רַבְרְבֵי דְעַמָּא, וּמַלְכָּא דִּלְהוֹן, דְּפָלְחִין לֵיהּ, כְּמָה דִּכְתִיב וַיִּקְרָאוּ בְּשֵׁם הַבָּעַל, וּכְתִיב אִם יְיָ' הָאֱלֹהִים וְגוֹ'. כֵּיוָן דְּחָמָא בִּלְעָם, דְּזַמִּינִין יִשְׂרָאֵל לְהַאי, מִיַּד וַיֹּאמֶר בִּלְעָם אֶל בָּלָק בְּנֵה לִי בָזֶה שִׁבְעָה מִזְבְּחוֹת.

תנד. ר' יוֹסִי וְר' יְהוּדָה, חַד אָמַר לָקֳבֵל מַדְבְּחָן דְּקַדְמָאֵי, אַקְרִיב אִינּוּן שִׁבְעָה מַדְבְּחָן. וְחַד אָמַר, בְּחָכְמְתָא עָבַד כֹּלָּא, וְאַשְׁכַּח דְּחוּלָקְהוֹן דְּיִשְׂרָאֵל בְּשִׁבְעָה דַּרְגִּין

אִתְקְשָׁרוּ. בְּגִין כָּךְ אַסְדַּר שִׁבְעָה מַדְבְּחָן.

תנה. לְבַ"נ דַּהֲוָה לֵיהּ רְחִימָא חַד, דְּשָׁבַק לֵיהּ אֲבוּי. וּבְנֵי נָשָׁא מִסְתַּפּוּ לְקַטְטָה בַּהֲדֵיהּ, בְּגִין הַהוּא רְחִימָא. לְיוֹמִין, אָתָא בַּ"נ חַד, וּבָעָא לְאִתְעָרָא קְטָטוּ בַּהֲדֵיהּ. אָמַר, מַה אַעֲבִיד, אִי אִתְעַר בֵּיהּ קְטָטָא, הָא הַהוּא רְחִימָא דְּאִתְקְשַׁר בַּהֲדֵיהּ, וְלָא יָכִילְנָא, אָמַר מַה עָבַד, שַׁדַּר לֵיהּ דּוֹרוֹן לְהַהוּא רְחִימָא. אָמַר הַהוּא רְחִימָא, וְכִי מַה אִית לֵיהּ לְהַאי בַּ"נ גַּבָּאי, יְדַעְנָא דִּבְגִין הַהוּא בַּר רְחִימָאי הוּא. אָמַר, הַאי דּוֹרוֹן לָא יֵיעוּל קַמָּאי, זְמִינוּ לֵיהּ לְכַלְבֵּי וְיֵיכְלוּנֵיהּ.

תנו. כָּךְ בִּלְעָם, אָתָא לְאִתְעָרָא קְטָטוּ בְּהוּ בְּיִשְׂרָאֵל, וְחָמָא דְּלָא יָכִיל בְּגִין הַהוּא רְחִימָא עִלָּאָה דִּלְהוֹן, שָׁארֵי לְתַקְּנָא קַמֵּיהּ דּוֹרוֹן. אָמַר קוּדְשָׁא בְּרִיךְ הוּא, רָשָׁע וּמַה אִית לָךְ גַּבָּאי, אַתְּ בָּעֵי לְאִזְדַּוְּוגָא בִּבְנַי, הֲרֵי דּוֹרוֹנָךְ זָמִין לְכַלְבֵּי. ת"ח, מַה כְּתִיב, וַיִּקָּר אֱלֹהִים אֶל בִּלְעָם. וְאר"ש, לְשׁוֹן קֶרִי וְטוּמְאָה. דּוֹרוֹנָךְ לְאִלֵּין אִתְמְסַר וְלָא יֵיעוֹל קַמָּאי.

תנז. ר' אַבָּא אָמַר, וַיִּקָּר: כד"א, לִפְנֵי קָרָתוֹ מִי יַעֲמוֹד. הוּא הֲוָה זַמִּין, דִּבְהַהוּא דּוֹרוֹן, יָכִיל בְּהוּ בְּיִשְׂרָאֵל. מַה כְּתִיב. וַיִּקָּר אֱלֹהִים. קָרִיר גַּרְמֵיהּ מִן דָּא דַּהֲוָה חָשִׁיב. וַיִּקָּר אֱלֹהִים, כְּמָה דְּאִתְּמַר, דְּאִתְעַר עָלֵיהּ מִסִּטְרָא דִּמְסָאֲבוּתָא.

תנח. רִבִּי אֶלְעָזָר אָמַר, וַיִּקָּר, בִּלְעָם חָשִׁיב דִּבְהַהוּא דּוֹרוֹן יֵיעוּל לְאַבְאָשָׁא לְהוּ לְיִשְׂרָאֵל, וְקוּדְשָׁא בְּרִיךְ הוּא אַעְקַר לֵיהּ מִקַּמֵּיהּ לְהַהוּא דּוֹרוֹן. וְאַעְקַר לֵיהּ לְבִלְעָם, מִמַּה דַּהֲוָה חָשִׁיב. וְאַעְקַר לֵיהּ מֵהַהוּא דַּרְגָּא, הה"ד וַיִּקָּר. כד"א יִקְּרוּהָ עוֹרְבֵי נַחַל. אָמַר לֵיהּ, רָשָׁע, לֵית אַנְתְּ כְּדַאי לְאִתְקַשְּׁרָא בַּהֲדָאי וּלְמֵיעַל קַמָּאי. דּוֹרוֹנָךְ לְכַלְבֵּי אִתְמְסַר.

תנט. אָמַר ר' שִׁמְעוֹן, ת"ח, הַאי רָשָׁע, גַּעֲלָא דְּכֹלָּא הֲוָה. דְּלָא תִּשְׁכַּח בְּכָל פָּרְשְׁתָא דָּא, וַיֹּאמֶר יְיָ' אֶל בִּלְעָם, אוֹ וַיְדַבֵּר יְיָ', ו"ו. מַה כְּתִיב. וַיָּשֶׂם יְיָ' דָּבָר בְּפִי בִּלְעָם וְגו', כְּמַאן דְּשַׁוֵּי וְחִסְמָא בְּפוּם חֲמָרָא, דְּלָא יִסְטֵי הָכָא אוֹ הָכָא, כָּךְ וַיָּשֶׂם יְיָ' דָּבָר בְּפִי וְגו'.

תס. א"ל קוּדְשָׁא בְּרִיךְ הוּא, רָשָׁע, אַתְּ חָשִׁיב דְּעַל יְדָךְ יְהֵא וְיִתְקַיֵּים בִּרְכָה בִּבְנַי, אוֹ אִפְכָא. לָא צְרִיכִין אִינּוּן לָךְ, כְּמָה דְּאַמְרִין לַצִּרְעָה וְכוּ'. אֶלָּא אַתְּ שׁוּב אֶל בָּלָק, וְכַד תִּפְתַּח פּוּמָךְ, לָא יְהֵא בִּרְשׁוּתָךְ. וְלָא בְּפוּמָךְ תַּלְיָא מִלּוֹלָא, אֶלָּא וְכֹה תְדַבֵּר. הֲרֵי כ"ה, דִּזְמִינָא לְבָרְכָא לוֹן. כֹּה, תְּמַלֵּל בִּרְכָה דִּבְנַי, דְּכַד תִּפְתַּח פּוּמָךְ, הִיא תְמַלֵּל מִלִּין, לְאִתְקַיְּימָא עַל בְּנַי, דְּלָא אֶשְׁבּוֹק מִלִּין לָךְ.

תסא. ת"ח, דְּכָךְ הוּא, כֵּיוָן דְּאָתָא לְבָלָק, וּבָלָק שָׁמַע כָּל אִינּוּן מִלִּין, הֲוָה חָשִׁיב דְּהָא מִפּוּמֵיהּ דְּבִלְעָם נָפְקִין, אָמַר, לָקוֹב אוֹיְבַי לְקַחְתִּיךָ. אָמַר בִּלְעָם. סַב אִלֵּין חַרְשִׁין בִּידָךְ, בְּגִין לְאַעְכְּבָא הָכָא לְהַאי כֹּה, וְאִי אַתְּ תֵּיכוֹל לְאַעְכְּבָא לָהּ בְּהַאי חַרְשִׁין, אֲנָא אַעְקַר לָהּ מֵאִינּוּן מִלִּין דְּהִיא אֲמָרָה.

תסב. מַה כְּתִיב, הִתְיַצֵּב כֹּה עַל עוֹלָתֶךָ, בְּהַאי, וּבְאִלֵּין חַרְשִׁין, תְּעַכֵּב לָהּ, וְאָנֹכִי אִקָּרֶה כֹּ"ה, כְּלוֹמַר, אַעְקַר לָהּ מֵאִלֵּין מִלִּין. א"ל קוּדְשָׁא בְּרִיךְ הוּא, רָשָׁע, אֲנָא אַעְקַר לָךְ. מַה כְּתִיב בַּתְרֵיהּ. וַיִּקָּר אֱלֹהִים אֶל בִּלְעָם. וְהַהוּא דָּבָר אָרִים קָלָא, בְּמִלּוֹלֵי דְּכֹ"ה. וַיֹּאמֶר שׁוּב אֶל בָּלָק וְכֹה תְדַבֵּר, כֹּ"ה תְּדַבֵּר וַדַּאי.

תסג. ת"ח, בְּקַדְמֵיתָא לָא כְּתִיב הִתְיַצֵּב כֹּה עַל עוֹלָתֶךָ, אֶלָּא הִתְיַצֵּב עַל עוֹלָתֶךָ וְאֵלְכָה אוּלַי יִקָּרֵה יְיָ' לִקְרָאתִי. כֵּיוָן דְּחָמָא דְּכֹ"ה אָמַר אִינּוּן בִּרְכָאן, כְּדֵין אָמַר הִתְיַצֵּב כֹּ"ה עַל עוֹלָתֶךָ, וְאָנֹכִי אִקָּרֶה כֹּ"ה.

תסד. לְכָה אָרָה לִּי יַעֲקֹב, כְּלוֹמַר, לְקוֹט. רִבִּי יוֹסֵי אָמַר, אַשְׁדֵי לוֹן מֵהַהוּא דַּרְגָּא דְּאִינּוּן קַיְימֵי, כד״א צִדָּה אוֹרֵה. אָמַר, אִי תֵּיכוֹל לְמִשְׁדֵּי לוֹן מֵהַהוּא דַּרְגָּא דִּלְהוֹן, הָא כֻּלְּהוּ אִתְעַקְּרוּ מֵעָלְמָא. וּלְכָה זוֹעֲמָה יִשְׂרָאֵל, יִשְׂרָאֵל דִּלְעֵילָּא, דְּיִשְׁתְּכַח רוּגְזָא קַמֵּיהּ, כד״א וְאֵל זוֹעֵם בְּכָל יוֹם.

תסה. כִּי מֵרֹאשׁ צֻרִים וגו'. א״ר יִצְחָק, מֵרֹאשׁ צוּרִים, אִלֵּין אִינּוּן אֲבָהָתָא. דִּכְתִיב הַבִּיטוּ אֶל צוּר חוּצַּבְתֶּם. וּמִגְּבָעוֹת אֲשׁוּרֶנּוּ, אִלֵּין אִמָּהָן, בֵּין מֵהַאי סִטְרָא וּבֵין מֵהַאי סִטְרָא, לָא יָכְלִין לְאִתְלַטְיָיא.

תסו. ר' אַבָּא אָמַר, כִּי מֵרֹאשׁ צֻרִים, מַאן יָכִיל לְהוּ לְיִשְׂרָאֵל, דְּהָא הוּא אָחִיד מֵרֵישָׁא דְּכָל צוּרִים נָפְקִין, וּמַאן אִינּוּן צוּרִים. גְּבוּרָן. דְּהָא כָּל דִּינִין דְּעָלְמָא מֵאִינּוּן גְּבוּרָן נָפְקֵי, וְאִינּוּן אִתְאֲחָדָן בְּהוּ. וּמִגְּבָעוֹת אֲשׁוּרֶנּוּ, אִלֵּין שְׁאָר מַשִּׁרְיָין דְּאִתְאֲחָדָן בְּהוּ. הֶן עָם לְבָדָד וגו'. כד״א ה' בָּדָד יַנְחֶנּוּ.

תסז. מִי מָנָה עֲפַר יַעֲקֹב וגו', הָא אוּקְמוּהָ. אֶלָּא א״ר יוֹסֵי, תְּרֵין דַּרְגִּין אִינּוּן, יַעֲקֹב וְיִשְׂרָאֵל. בְּקַדְמֵיתָא יַעֲקֹב, וּלְבָתַר יִשְׂרָאֵל. ואע״ג דְּכֹלָּא חַד, תְּרֵין דַּרְגִּין אִינּוּן, דְּהָא דַּרְגָּא עִלָּאָה יִשְׂרָאֵל הוּא.

תסח. מִי מָנָה עֲפַר יַעֲקֹב וגו'. לְתַתָּא, מַאן הוּא עָפָר. ר' שִׁמְעוֹן אָמַר, הַאי דִּכְתִיב בֵּיהּ יִתֵּן כֶּעָפָר חַרְבּוֹ וגו'. מַאן חַרְבּוֹ. הָא יְדִיעָא, דִּכְתִיב חֶרֶב לַיְיָ מָלְאָה דָם. עָפָר, הַהוּא אֲתַר דְּאִתְבְּרֵי מִנֵּיהּ אָדָם הָרִאשׁוֹן, דִּכְתִיב וַיִּיצֶר יְיָ' אֱלֹהִים אֶת הָאָדָם עָפָר וגו'. וּמֵהַהוּא עָפָר, כַּמָּה חַיָּילִין, וְכַמָּה מַשִּׁרְיָין נָפְקוּ, כַּמָּה טַפְסִין, כַּמָּה גַּרְדִּינֵי נִמּוּסִין, כַּמָּה גִּירִין, כַּמָּה בַּלִיסְטְרָאוֹת, כַּמָּה רוֹמְחִין, וְסַיְיפִין, וְזַיְינִין, אִשְׁתְּכָחוּ מֵהַהוּא עָפָר. מִי מָנָה כד״א, הֲיֵשׁ מִסְפָּר לִגְדוּדָיו.

תסט. וּמִסְפָּר אֶת רוֹבַע יִשְׂרָאֵל. רֹבַע יִשְׂרָאֵל הִיא הֵ״א, וְחַד מִלָּה הִיא. רוֹבַע יִשְׂרָאֵל, כד״א רוֹבֵץ תַּחַת מַשָּׂאוֹ, רְבִיעָ הָדָא הוּא דִּכְתִיב, מִטָּתוֹ שֶׁלִּשְׁלֹמֹה. ד״א רֹבַע, כְּמוֹ רְבִיעִית מִיִשְׂרָאֵל לְתַתָּא, רֹבַע אִתְקְרֵי לְפוּם כִּתְרִין מִשְּׁמַע דָּוִד, דְּאִיהוּ רַגְלָא רְבִיעָאָה דְּכוּרְסְיָיא.

תע. ד״א מִי מָנָה עֲפַר יַעֲקֹב וגו', כָּל אִינּוּן דְּחָשִׁיבִין עַפְרָא, כְּמָה דְּאוּקִימְנָא. וּמִסְפָּר אֶת רֹבַע יִשְׂרָאֵל, דִּכְתִיב הֲיֵשׁ מִסְפָּר לִגְדוּדָיו. רֹבַע יִשְׂרָאֵל כְּמָה דְּאוּקִימְנָא. ד״א מִי מָנָה עָפָר, אִינּוּן פִּקּוּדִין דְּאִינּוּן בְּעַפְרָא, בִּזְרִיעָה, בִּנְטִיעָה, בְּחֲצָדָא, וְהָא אוּקְמוּהָ חַבְרַיָּיא. וּמִסְפָּר אֶת רֹבַע, כד״א בְּהֶמְתְּךָ לֹא תַרְבִּיעַ.

תעא. וַיִּשָּׂא מְשָׁלוֹ וַיֹּאמַר. וַיְדַבֵּר לָא כְּתִיב, מַאי וַיִּשָּׂא מְשָׁלוֹ. רִבִּי חִיָּיא אָמַר, הוּא הֲוָה זָקִיף קָלָא לְגַבֵּי הַהוּא מִמַּלֵּל, וַיִּשָּׂא מְשָׁלוֹ בִּלְעָם. וַיֹּאמֶר הַאי כֹּה כְּמָה דִּכְתִיב וְכֹה תְדַבֵּר, וַאֲמִירָה מִנָּהּ הֲוָה.

תעב. ת״ח, כֵּיוָן דְּחָמָא בִּלְעָם דְּבְכָל חַרְשׁוֹי וּבְכָל הַהוּא דּוֹרוֹן, לָא יָכִיל לְאַעֲקְרָא הַהוּא כֹּה, כד״א וְאָנֹכִי אִקָּרֶה כֹּה, אֶעֱקַר לְהַאי כֹּה. א״ל קוּדְשָׁא בְּרִיךְ הוּא, רָשָׁע, אַנְתְּ סְבוּר לְאַעֲקְרָא לָהּ, אֲנָא אֶעֱקַר לָךְ מִשַּׁלְשׁוֹלָךְ, מַה כְּתִיב. וַיִּקָּר אֱלֹהִים אֶל בִּלְעָם, כְּמָה דְּאִתְמַר. לְבָתַר, כֵּיוָן דְּחָמָא דְּלָא יָכִיל, הָדַר וְאָמַר, וּבֵרֵךְ וְלֹא אֲשִׁיבֶנָּה, וְלָא אֲשִׁיבֶנּוּ מִבָּעֵי לֵיהּ. אֶלָּא וְלֹא אֲשִׁיבֶנָּה וַדַּאי, לְהַהִיא דִּכְתִיב כֹּה, וְכֹה תְדַבֵּר. לֵית אֲנָא יָכִיל לְאַהַדְרָא לָהּ.

תעג. אָמַר בִּלְעָם, בִּתְרֵין דַּרְגִּין בָּעֵינָא לְאַעֲלָא בְּהוּ. בָּעֵינָא לְאַעֲלָא בְּהוּ מִדַּרְגָּא

דְּיַעֲקֹב, וְלָא יָכִילְנָא. בָּעֵינָא לְאַעֲלָא בְּהוּ מִסִּטְרָא אַחֲרָא דְּיִשְׂרָאֵל, וְלָא יָכִילְנָא. מַאי טַעֲמָא. בְּגִין דִּשְׁמָא דָּא אוֹ דָּא, לָא אִתְקְשַׁר בְּזִינִין בִּישִׁין, הה״ד לֹא הִבִּיט אָוֶן בְּיַעֲקֹב וְגוֹ׳.

תעד. תָּאנָא, תְּרֵין דַּרְגִּין אִינּוּן: נַחַשׁ, וְקֶסֶם. לָקֳבְלֵיהוֹן: עָמָל, וְאָוֶן. אָמַר בִּלְעָם, הָא וַדַּאי אַשְׁכַּחְנָא לָקֳבְלֵי דְּהָנֵי יַעֲקֹב וְיִשְׂרָאֵל. אָוֶן, לָקֳבְלֵיהּ דְּיַעֲקֹב, דְּאִיהוּ קָטִיר בְּנַחַשׁ. עָמָל, לָקֳבְלֵיהּ דְּיִשְׂרָאֵל, דְּאִיהוּ קָטִיר בְּקֶסֶם. כֵּיוָן דְּחָמָא דְּלָא יָכִיל, אָמַר, וַדַּאי לֹא הִבִּיט אָוֶן בְּיַעֲקֹב וְגוֹ׳. מ״ט. בְּגִין דַּיְיָ׳ אֱלֹהָיו עִמּוֹ וְגוֹ׳.

תעה. וְאִי תֵּימָא, בְּהָנֵי לָא יָכִילְנָא. בְּקֶסֶם וְנַחַשׁ יָכִילְנָא. כְּתִיב כִּי לֹא נַחַשׁ בְּיַעֲקֹב וְגוֹ׳. וְלֹא עוֹד, אֶלָּא דְּכָל חֵילִין דִּלְעֵילָּא, וְכָל מַשִּׁרְיָין כֻּלְּהוּ, לָא יַדְעֵי וְלָא מִסְתַּכְּלֵי בִּנְמוּסָא דְּמַלְכָּא עִלָּאָה, עַד דְּשָׁאֲלֵי לְהָנֵי תְּרֵי יַעֲקֹב וְיִשְׂרָאֵל. וּמַאי אַמְרֵי. מַה פָּעַל אֵל. אָמַר רִבִּי אֶלְעָזָר, כָּל הָנֵי מִלִּין, כֹּה אָמַר, וְהוּא אָרִים קָלָא לָקֳבְלָהּ, וְלָא יָדַע מַאי הוּא, וְלָא אִשְׁתְּמַע בַּר קָלֵיהּ.

תעו. הֶן עָם כְּלָבִיא יָקוּם וְגוֹ׳, מַאן עַמָּא תַּקִּיפָא כְּיִשְׂרָאֵל. בְּשַׁעֲתָא דְּאִתְנְהִיר צַפְרָא, קָם וּמִתְגַּבַּר כְּאַרְיָא, לְפוּלְחָנָא דְּמָארֵיהוֹן, בְּכַמָּה שִׁירִין, בְּכַמָּה תּוּשְׁבְּחָן. מִשְׁתַּדְּלֵי בְּאוֹרַיְיתָא כָּל יוֹמָא, וּבַלַּיְלָה לֹא יִשְׁכַּב וְגוֹ׳. כַּד בָּעֵי ב״נ לְמִשְׁכַּב עַל עַרְסֵיהּ, מְקַדֵּשׁ שְׁמָא עִלָּאָה, אַמְלִיךְ לֵיהּ לְעֵילָּא וְתַתָּא. כַּמָּה גַּרְדִּינֵי נִמוּסִין מִתְקַשְּׁרָן קַמַּיְיהוּ, בְּשַׁעֲתָא דְּפַתְחִין פּוּמְהוֹן עַל עַרְסַיְיהוּ, בִּשְׁמַע יִשְׂרָאֵל. וּבָעָאן רַחֲמֵי קַמֵּי מַלְכָּא קַדִּישָׁא, בְּכַמָּה קְרָאֵי דְּרַחֲמֵי.

תעז. ר׳ אַבָּא אָמַר, הֶן עָם כְּלָבִיא יָקוּם. זְמִינִין הַאי עַמָּא, לְמֵיקָם עַל כָּל עַמִּין עכו״ם, כְּאַרְיֵה גִּיבָּר וְתַקִּיף, וְיִתְרְמֵי עֲלַיְיהוּ. אַרְוַיְיהוּ דְּכָל אַרְיָיוָתָא לְמִשְׁכַּב עַל טַרְפַּיְיהוּ, אֲבָל עַמָּא דָּא לָא יִשְׁכַּב, עַד יֹאכַל טֶרֶף.

תעח. ד״א הֶן עָם כְּלָבִיא יָקוּם, לְקָרְבָא קָרְבְּנִין וְעָלָוָון קַמֵּי מַלְכְּהוֹן, עַל גַּבֵּי מַדְבְּחָא. וְתָאנָא, בְּשַׁעֲתָא דְּקוּרְבְּנָא אִתּוֹקַד עַל גַּבֵּי מַדְבְּחָא, הֲווּ חָמָן דְּיוּקְנָא דְּחַד אַרְיֵה רָבִיעַ עַל הַהוּא קָרְבְּנָא, וְאָכִיל לֵיהּ.

תעט. וְאָמַר רִבִּי אַבָּא, אוּרִיאֵ״ל מַלְאֲכָא עִלָּאָה הֲוָה, וְחָמָאן לֵיהּ בִּדְיוּקְנָא דְּאַרְיָא תַּקִּיפָא, רָבִיעַ עַל מַדְבְּחָא, וְאָכִיל לוֹן לְקָרְבְּנִין. וְכַד יִשְׂרָאֵל לָא הֲווּ זַכָּאִין כָּל כָּךְ, הֲווּ חָמָאן דְּיוּקְנָא דְּחַד כַּלְבָּא חֲצִיפָא רָבִיעַ עָלֵיהּ, כְּדֵין הֲווּ יַדְעֵי יִשְׂרָאֵל דְּבַעְיָין תְּשׁוּבָה, וּכְדֵין תַּיְיבִן. לֹא יִשְׁכַּב וְגוֹ׳, אִלֵּין קָרְבְּנִין דְּלֵילְיָא כְּגוֹן עָלָוָון. וְדַם חֲלָלִים יִשְׁתֶּה, דְּקוּדְשָׁא בְּרִיךְ הוּא אָגַח קְרָבָא דִּלְהוֹן עַל שַׂנְאֵיהוֹן.

תפ. רִבִּי אֶלְעָזָר אָמַר, לֹא יִשְׁכַּב, מַהוּ לֹא יִשְׁכַּב. אֶלָּא בְּכָל לֵילְיָא וְלֵילְיָא, כַּד בַּר נָשׁ אִיהוּ אָזִיל בְּפִקּוּדֵי דְּמָארֵיהּ, לָא שָׁכִיב עַל עַרְסֵיהּ, עַד דְּקָטִיל אֶלֶף וּמֵאָה וְעֶשְׂרִים וַחֲמֵשׁ, מֵאִינּוּן זַיְינִין בִּישִׁין, דְּשַׁרְיָין עִמֵּיהּ. רִבִּי אַבָּא אָמַר, אֶלֶף אִינּוּן דִּסְטַר שְׂמָאלָא, דִּכְתִיב יִפֹּל מִצִּדְּךָ אֶלֶף. כְּמָה דִּכְתִיב, יַעְלְזוּ חֲסִידִים בְּכָבוֹד וְגוֹ׳, רוֹמְמוֹת אֵל בִּגְרוֹנָם וְגוֹ׳, לַעֲשׂוֹת נְקָמָה וְגוֹ׳, הה״ד לֹא יִשְׁכַּב וְגוֹ׳ וְדָא הוּא לַעֲשׂוֹת בָּהֶם מִשְׁפָּט וְגוֹ׳.

תפא. אמר רִבִּי חִזְקִיָּה, לָקֳבְלֵי תְּלַת זִמְנִין דַּהֲוָה מָחָא לְאַתָּנֵיהּ, וְאַטְעִין לָהּ בְּחַרְשׁוֹי, אִתְבָּרְכוּן יִשְׂרָאֵל תְּלַת זִמְנִין. רִבִּי חִיָּיא אָמַר, לָקֳבְלֵיהּ אִתְבָּרְכוּן יִשְׂרָאֵל תְּלַת זִמְנִין, דְּסַלְּקִין יִשְׂרָאֵל לְאִתְחֲזָאָה קַמֵּי מַלְכָּא קַדִּישָׁא.

תפב. וַיַּרְא בִּלְעָם כִּי טוֹב בְּעֵינֵי יְיָ׳ וְגוֹ׳, וְלֹא הָלַךְ כְּפַעַם בְּפַעַם לִקְרַאת נְחָשִׁים וְגוֹ׳. מַאי לִקְרַאת נְחָשִׁים. א״ר יוֹסֵי, דְּהָנֵי תְּרֵין זִמְנִין קַדְמָאֵי, הֲוָה אָזִיל בְּכָל חַרְשׁוֹי, וּבָעָא

לְמֵילַט לְיִשְׂרָאֵל. כֵּיוָן דְּחָמָא רְעוּתֵיהּ דְּקוּדְשָׁא בְּרִיךְ הוּא, דְּאָמַר שׁוּב אֶל בָּלָק, דְּהָא מִלּוּלָךְ לָא בָּעֵינָן בָּנֵי. מִכּוּלָא אוּחֳרָא זִמְנִין מֵהַאי כֹּה, כְּמָה דִּכְתִיב וְכֹה תְדַבֵּר. כֹּה תְדַבֵּר, וְלָא אַנְתְּ. כֹּה תְדַבֵּר, דְּשַׁלְטָא עַל כָּל שַׁלִּיטִין וַחֲרָשִׁין וְקִסְמִין וְזִינִין בִּישִׁין, דְּלָא יָכְלִין לְאַבְאָשָׁא לִבְנֵי. כְּדֵין בָּעָא לְאִסְתַּכְּלָא בְּהוּ, בְּעֵינָא בִּישָׁא.

תפג. ת"ח, הַאי רָשָׁע כַּד אִסְתַּכַּל בְּהוּ בְּיִשְׂרָאֵל, הֲוָה מִסְתַּכַּל בְּאִלֵּין תְּרֵין דַּרְגִּין יַעֲקֹב וְיִשְׂרָאֵל, לְאַבְאָשָׁא לוֹן, אוֹ בְּהַאי אוֹ בְּהַאי בְּחַרְשׁוֹי, בְּגִין כַּךְ כָּל בִּרְכָן וּבִרְכָן יַעֲקֹב וְיִשְׂרָאֵל אִתְבְּרִיכוּ. וַיַּרְא בִּלְעָם כִּי טוֹב וְגוֹ'. בַּמֶּה חָמָא וְחָמָא דִּי בְּשַׁעֲתָא דְּאַנְפֵּי מַלְכָּא נְהִירִין, זִינִין בִּישִׁין לָא קַיְימֵי בְּקִיּוּמַיְיהוּ, וְכָל חַרְשִׁין וְכָל קִסְמִין לָא סַלְקָאן בְּחַרְשַׁיְיהוּ.

תפד. ת"ח, בְּהָנֵי תְּרֵי זִמְנֵי כְּתִיב וַיִּקָּר. וַיִּקָּר אֱלֹהִים. וַיִּקָּר יְיָ' אֶל בִּלְעָם וְגוֹ'. וּכְתִיב וְכֹה תְדַבֵּר. וְהַשְׁתָּא כֵּיוָן דְּחָמָא דְּהָא לָא אִשְׁתְּכַח רוּגְזָא, וְחַרְשׁוֹי לָא סַלְקִין, כְּדֵין וְלֹא הָלַךְ כְּפַעַם בְּפַעַם וְגוֹ'. כֵּיוָן דְּאַפְרִישׁ וְאִסְתַּלַּק גַּרְמֵיהּ מֵחַרְשׁוֹי, שָׁארֵי בְּאִתְעָרוּתָא אוּחֲרָא לְשַׁבְחָא לְיִשְׂרָאֵל. א"ר יְהוּדָה, מַאי אִתְעָרוּתָא הָכָא. א"ל, אִתְעָרוּתָא דְּרוּחָא וְחָדָא מִסִּטְרָא דִּשְׂמָאלָא, הַהוּא דְּאִתְקְשָׁרוּ תְּחוֹתוֹי אִינּוּן זִינִין וְחָרָשִׁין דִּילֵיהּ.

תפה. א"ר אֶלְעָזָר, הָכִי אוֹלִיפְנָא, דַּאֲפִילּוּ הַאי זִמְנָא לָא שַׁרְיָא בֵּיהּ רוּחָא דְּקוּדְשָׁא. א"ל ר' יוֹסֵי, אִי הָכִי, הָא כְּתִיב וַתְּהִי עָלָיו רוּחַ אֱלֹהִים, וּבְכָל אִינּוּן זִמְנִין אָחֳרָנִין לָא כְּתִיב בְּהוּ הָכִי. א"ל הָכִי הוּא. ת"ח, כְּתִיב טוֹב עַיִן הוּא יְבוֹרָךְ, וְהָא אוּקְמוּהָ אַל תִּקְרֵי יְבוֹרָךְ. אֶלָּא יְבָרֵךְ. וּבִלְעָם הֲוָה רַע עַיִן, דְּלָא אִשְׁתְּכַח רַע עַיִן בְּעָלְמָא כְּוָותֵיהּ, דִּבְכָל אֲתַר דַּהֲוָה מִסְתַּכַּל בְּעֵינוֹי, הֲוָה מִתְלַטְיָיא.

תפו. וְעַ"ד אָמְרוּ, הַאי מַאן דְּאַעְבַּר בְּרֵיהּ בְּשׁוּקָא, וּמִסְתַּפֵּי מֵעֵינָא בִּישָׁא, יְחַפֵּי סוּדָרָא עַל רֵישֵׁיהּ, בְּגִין דְּלָא יָכִיל עֵינָא בִּישָׁא לְשַׁלְטָאָה עָלֵיהּ. אוּף הָכָא, כֵּיוָן דְּחָמָא בִּלְעָם, דְּלָא יָכִיל בְּחַרְשׁוֹי וְקִסְמוֹי לְאַבְאָשָׁא לְיִשְׂרָאֵל, בָּעָא לְאִסְתַּכַּל בְּהוּ בְּעֵינָא בִּישָׁא, בְּגִין דִּבְכָל אֲתַר דַּהֲוָה מִסְתַּכַּל בְּעֵינוֹי בִּישִׁין, הֲוָה מִתְלַטְיָיא. ת"ח מַה רְעוּתֵיהּ דִּילֵיהּ לְקַבְלֵיהוֹן דְּיִשְׂרָאֵל, כְּתִיב וַיָּשֶׁת אֶל הַמִּדְבָּר פָּנָיו, כְּתַרְגּוּמוֹ, וְשַׁוֵּי לְעֶגְלָא דִּי עֲבָדוּ יִשְׂרָאֵל בְּמַדְבְּרָא אַפּוֹהִי, בְּגִין דִּיהֵא לֵיהּ סְטַר סִיּוּעָא, לְאַבְאָשָׁא לְהוּ.

תפז. הַשְׁתָּא חָמֵי מַה כְּתִיב, וַיִּשָּׂא בִלְעָם אֶת עֵינָיו וַיַּרְא אֶת יִשְׂרָאֵל. בָּעָא לְאִסְתַּכְּלָא בְּהוּ בְּעֵינָא בִּישָׁא. בֵּיהּ שַׁעֲתָא, אִלְמָלֵא דְּאַקְדִּים לוֹן קוּדְשָׁא בְּרִיךְ הוּא אַסְוָותָא, הֲוָה מְאַבֵּד לוֹן בְּאִסְתַּכְּלוּתָא דְּעֵינוֹי. וּמַאי אַסְוָותָא יָהַב קוּדְשָׁא בְּרִיךְ הוּא לְיִשְׂרָאֵל בְּהַהִיא שַׁעֲתָא. דָּא הוּא דִּכְתִיב וַתְּהִי עָלָיו רוּחַ אֱלֹהִים. וַתְּהִי עָלָיו, עַל יִשְׂרָאֵל קָאָמַר. כְּמַאן דְּפָרִישׂ סוּדָרָא עַל רֵישֵׁיהּ דִּינוּקָא, בְּגִין דְּלָא יִשְׁלוֹט בְּהוּ עֵינוֹי.

תפח. כְּדֵין שָׁארֵי וְאָמַר, מַה טֹּבוּ אֹהָלֶיךָ יַעֲקֹב. ת"ח, כָּל מַאן דְּבָעֵי לְאִסְתַּכְּלָא בְּעֵינָא בִּישָׁא, לָא יָכִיל, אֶלָּא כַּד מְשַׁבַּח וְאוֹקִיר לְהַהוּא מִלָּה, דְּבָעֵי לְאַלְטְיָיא בְּעֵינָא בִּישָׁא. וּמַה אָרְחֵיהּ. אָמַר, חָמוּ כַּמָּה טָבָא דָּא. כַּמָּה יָאֶה דָּא. בְּגִין דְּיִשְׁלוֹט בֵּיהּ עֵינָא בִּישָׁא. אוּף הָכָא אָמַר, מַה טֹּבוּ אֹהָלֶיךָ יַעֲקֹב, כַּמָּה אִינּוּן יָאָן, כַּמָּה אִינּוּן שַׁפִּירָן, כַּמָּה נְטִיעָן שַׁפִּירָן דְּאִתְנְטָעָן מִנַּיְיהוּ, דַּמְיָין לְאִינּוּן נְטִיעִין דְּנָטַע קוּדְשָׁא בְּרִיךְ הוּא בְּגִנְתָּא דְּעֵדֶן יָאָיָין. מַאן יִתֵּן, וְאִלֵּין נְטִיעָן אִשְׁתְּכָחוּ מֵאִינּוּן מִשְׁכְּנֵי, דִּבְהוּ.

תפט. יִזַּל מַיִם מִדָּלְיָו וְגוֹ'. לְב"נ דַּהֲווֹ לֵיהּ יְדָן שַׁפִּירָן, יָאָן לְמֶחֱזֵי. אַעְבַּר וְחָד ב"נ דְּעֵינָא בִּישָׁא, אִסְתַּכַּל בְּאִינּוּן יְדִין, נָקִיט בְּהוּ, שָׁארֵי לְשַׁבְחָא, אָמַר, כַּמָּה אִינּוּן שַׁפִּירָן,

כמה אינון יאן, וזמו אצבען מגזרה דשפירו עלאה. לבתר אמר, מאן יתן ידין אלין דשריין בין אבנין יקירין, ובלבושי יקר דארגוונא בביתיה לאשתמשא בהו, ויהון גניזין בתיבותא דיליה.

תצ. כך בלעם, שרי לשבחא, מה טובו אהליך, וזמו כמה שפירן, כמה יאן וכו', לבתר אמר יזל מים מדליו, לא ישתכח נטיעא שפירא דא, נטיעא דאורייתא, לבר מאינון משכנין, וזרעו במים רבים, דלא יסגי ולא ירבי רווחא דקודשא.

תצא. א"ל קודשא בריך הוא, רשע, לא יכלין עייניך לאבאשא, הא פריסו דקודשא עלייהו, כדין אמר, אל מוציאו ממצרים וגו', הא לא יכלין כל בני עלמא לאבאשא לון, דהא חילא תקיפא עלאה אוזיד בהו, ומאי איהו. אל מוציאו ממצרים. ולא עוד, אלא כתועפות ראם לו, דלא יכיל ב"נ לאושיט ידיה עליה, מגו רומיה. ומדאשתכח בזקיפו עלאה הכי, יאכל גוים צריו וגו'. ולית מאן דיכיל לאבאשא לון.

תצב. ואפילו בזמנא דלא זקיף, לא יכלין, הה"ד כרע שכב. לא דחיל, בגין דאשתכח גיבר כארי וכלביא, אפילו כד אינון ביני עממיא, וכרע ושכב בינייהו, כארי הוא ישתכח בנמוסי אורייתא, באורחי אורייתא. שולטנותא אית להו במאריהון, דאפילו כל מלכיא דעלמא, לא יעקרון להו. כאריא דא כד שכיב על טרפיה, לא יכלין לאקמא ליה מניה, הה"ד כרע שכב כארי וגו'.

תצג. א"ר אלעזר, לא אשתכח בעלמא חכים לאבאשא, כבלעם רשיעא, דהא בקדמיתא הוה אשתכח במצרים, ועל ידוי, קשירו מצראי עלייהו דישראל קשורא, דלא יפקון מעבדותהון לעלמין. ודא הוא דאמר, מה איכול לאבאשא להו, דהא אנא עבידנא דלא יפקון מעבידתא דמצראי לעלמין, אבל אל מוציאו ממצרים ולקבליה לא יכלין וחכמין וחרשין דעלמא.

תצד. ועתה הנני הולך לעמי וגו' ר' יהודה פתח, לא תסגיר עבד אל אדוניו וגו' עמך ישב בקרבך. כמה חביבין מלי דאורייתא. כמה חביבה אורייתא קמי קודשא בריך הוא. כמה חביבה אורייתא, דאורית לה קודשא בריך הוא לכ"י. ת"ח, בשעתא די נפקו ממצרים. שמע בלעם דהא חרשוי וקסמוי, וכל אינון קשרין, לא סליקו בהו בישראל, שארי לגרדא גרמיה, ולמירט רישיה. אזל לאינון טורי חשוכא, ומטא לגבי אינון שלשלאי דפרזלא.

תצה. וכך הוא ארחא דמאן דמטי גבייהו, כיון דעאל ב"נ ברישי טוריא, וחמי ליה עזא"ל, ההוא דאקרי גלוי עינים. מיד אמר לעז"א, כדין יהבין קלא, ומתכנשין גבייהו חויין רברבי דמתוקדן, וסחרין לון. משדרי אונימתא זעירתא לקבליה דב"נ, ותנא, כמין שונרא, היא, ורישה כרישא דחוויא, ותרין זנבין בה, וידהא ורגלהא זעירין. ב"נ דחמי לה, וחפי אנפוי, והוא מייתי חד קטורתא, מאוקידו דתרנגולא חוורא, שדי באנפהא והיא אתית עמיה.

תצו. עד דמטי לגבי רישא דשלשלאי, וההיא רישא דשלשלאי, נעיץ בארעא, ומטי עד תהומא. ותמן בתהומא. חד סמיך, והוא נעיץ בתהומא תתאה, ובההוא סמיך אתקשר רישא דשלשלאי. כד מטי ב"נ לרישא דשלשלאה, בטש בה ג' זמנין, ואינון קראן ליה, כדין כרע וסגיד על ברכוי, ואזיל ואטים עינוי, עד דמטי גבייהו. כדין יתיב קמייהו, וכל אינון חויין סחרין ליה מהאי סטרא ומהאי סטרא. פתח עינוי, וחמי

לון, אזדעזע, ונפל על אנפוי, וסגיד לקבלייהו.

תצז. לבתר אולפין ליה חרשין וקסמין, ויתיב גבייהו נ' יומין. כד מטא זמנא למיהך לארעיה, ההיא אוניתא, וכל אינון חזיין, אזלין קמיה, עד דנפיק מן טוריא, בין ההוא חשוכא תקיפא.

תצח. ובלעם כד מטא גבייהו, אודע לון מלה, ואסגר גרמיה בטורייא עמהון. ובעא לקטרגא לון, לאתבא לון למצרים. וקודשא בריך הוא בלבל וקלקל כל חכמתא דעלמא, וכל חרשין דעלמא, דלא יכילו לקרבא בהדייהו.

תצט. ת"ח, השתא כיון דחמא בלעם דלא יכיל לאבאשא לישראל, אהדר גרמיה, ואמליך ליה לבלק, מה דלא בעא מניה, בגין לאבאשא לון. ועיטא דיליה הוה באינון נוקבי דמדין דאינון שפירן, ואלמלא דא"ל משה, לא הוינא ידע, דכתיב הן הנה היו לבני ישראל בדבר בלעם.

תק. כיון דחמא קודשא בריך הוא עיטא דיליה, אמר, הא ודאי גרמך בעיטך יפול. מה עבד, ההוא חילא דשלט על כל חרשין, אחמי ליה סופא דכלא. וכי אית להו רשותא לזמן רחיק. א"ר יצחק, עינא חמא, ומלין אתמרו מההוא דקאים עליה, והא אוקמוה. וישא משלו ויאמר. מאן דאית ליה למימר. מ"ט. בגין דלא יתקיימון מלין דגעלא, ברעותא עלאה, בדעתא עלאה באורייתא.

תקא. אראנו ולא עתה, דהא מלין אלין מנייהו אתקיימו בההוא זמנא, ומנייהו לבתר, ומנייהו בזמנא דמלכא משיחא. תנן, זמין קודשא בריך הוא למבני ירושלם, ולאחזאה חד ככבא קביעא, מנצצא בע' רהטין, ובע' זיקין נהרין מניה באמצעות רקיע, וישתאבון ביה ע' ככבין אחרנין, ויהא נהיר ולהיט ע' יומין.

תקב. וביומא שתיתאה, יתחזי בכ"ה יומין לירחא שתיתאה, ויתכניש ביומא שביעאה, לסוף ע' יומין, יומא קדמאה יתחזי בקרתא דרומא. וההוא יומא יפלון ג' שורין עלאין מההיא קרתא דרומי, והיכלא רברבא יפול, ושליטא דההיא קרתא ימות. כדין יתפשט ההוא ככבא לאתחזאה בעלמא. ובההוא זמנא יתערון קרבין תקיפין בעלמא, לכל ד' סטרין, ומהימנותא לא ישתכח בינייהו.

תקג. ובאמצעות עלמא, כד יתנהיר ההוא ככבא, באמצעות רקיעא. יקום מלכא חד רב ושליט בעלמא, ויתגאה רוחיה על כל מלכין, ויתער קרבין בתרין סטרין, ויתגבר עלייהו.

תקד. וביומא דיתכסי ככבא, יזדעזע ארעא קדישא מ"ה מילין, סחרניה אתר דהוה בי מקדשא. ומערתא חדא מן תחות ארעא יתגלי. ומההיא מערתא יפוק אשא תקיפא לאוקדא עלמא. ומההיא מערתא יסגי חד ענפא, רברבא עלאה, דישלוט בכל עלמא, וליה אתיהב מלכותא. וקדישי עליונין יתכנשון גביה. וכדין יתגלי מלכא משיחא בכל עלמא, וליה אתיהיב מלכותא.

תקה. ובני עלמא בשעתא דיתגלי, יהון משתכחין בעקתא בתר עקתא. ושנאיהון דישראל יתגברון, כדין יתער רוחא דמשיחא עלייהו, וישיצי לאדום חייבא, וכל ארעא דשעיר יוקיד בנורא. כדין כתיב, וישראל עושה חיל. הה"ד, והיה אדום ירשה והיה ירשה שעיר אויביו. אויביו דישראל. וכדין וישראל עושה חיל. ובההוא זמנא, יקים

קוּדְשָׁא בְּרִיךְ הוּא לְמֵיתַיָּיא דְּעַמֵּיהּ, וְיִתְנַשֵּׁי מִנַּהוֹן מִיתָה, הה"ד יְמִין יְיָ' עֹשָׂה חָיִל. לֹא אָמוּת כִּי אֶחְיֶה. וּכְתִיב וְעָלוּ מוֹשִׁיעִים וְגוֹ'. וּכְדֵין וְהָיָה יְיָ' לְמֶלֶךְ.

תקו. א"ר אַבָּא, מַאי דִּכְתִיב כִּי בְשִׂמְחָה תֵצֵאוּ וְגוֹ'. אֶלָּא כַּד יִפְקוּן יִשְׂרָאֵל מִן גָּלוּתָא, שְׁכִינְתָּא נָפְקָא עִמְּהוֹן, וְעִמָּהּ יִפְקוּן. הֲדָא הוּא דִּכְתִיב, כִּי בְשִׂמְחָה תֵצֵאוּ. שָׂשׂוֹן דָּא קוּדְשָׁא בְּרִיךְ הוּא. ר' יִצְחָק אָמַר דָּא צַדִּיק. הֲדָא הוּא דִּכְתִיב שָׂשׂוֹן וְשִׂמְחָה יִמָּצֵא בָהּ.

תקז. אר"ש, צַדִּיק שָׂשׂוֹן אִקְרֵי. וּמִן יוֹמָא דְּכ"י נַפְלַת בְּגָלוּתָא. אִתְמְנָעוּ בִּרְכָּן מִלְּנַוְותָא לְעָלְמָא מֵהַאי צַדִּיק. בְּהַהוּא זִמְנָא מַה כְּתִיב, וּשְׁאַבְתֶּם מַיִם בְּשָׂשׂוֹן, דָּא צַדִּיק. מִמַּעַיְינֵי הַיְשׁוּעָה, אִלֵּין אַבָּא וְאִמָּא. ד"א, אִלֵּין נֶצַ"ח וְהוֹ"ד. וְכֹלָּא מִמַּבּוּעֵי נְבִיעִין עֲמִיקִן. כְּדֵין וְאֲמַרְתָּ בַּיּוֹם הַהוּא אוֹדְךָ יְיָ' וְגוֹ', צַהֲלִי וָרֹנִּי יוֹשֶׁבֶת צִיּוֹן וְגוֹ'.

בָּרוּךְ יְיָ' לְעוֹלָם אָמֵן וְאָמֵן. יִמְלוֹךְ יְיָ' לְעוֹלָם אָמֵן וְאָמֵן.

PINCHAS

פִּנְחָס

א. וַיְדַבֵּר יְיָ׳ אֶל מֹשֶׁה לֵּאמֹר, פִּנְחָס בֶּן אֶלְעָזָר וְגוֹ׳, רִבִּי אֶלְעָזָר פָּתַח וְאָמַר, שְׁמַע בְּנִי מוּסַר אָבִיךָ וְאַל תִּטּוֹשׁ תּוֹרַת אִמֶּךָ. שְׁמַע בְּנִי מוּסַר אָבִיךָ, דָּא קוּדְשָׁא בְּרִיךְ הוּא. וְאַל תִּטּוֹשׁ תּוֹרַת אִמֶּךָ, דָּא כְּנֶסֶת יִשְׂרָאֵל. מַאי מוּסַר אָבִיךָ, מוּסָר, דָּא אוֹרַיְיתָא, דְּאִית בָּהּ כַּמָּה תּוֹכָחִין, כַּמָּה עוֹנָשִׁין. כד״א, מוּסַר יְיָ׳ בְּנִי אַל תִּמְאָס וְאַל תָּקוֹץ בְּתוֹכַחְתּוֹ.

ב. וּבְגִין דְּכָל מַאן דְּאִשְׁתַּדַּל בְּאוֹרַיְיתָא בְּהַאי עָלְמָא, זָכֵי דְּיִפְתְּחוּן לֵיהּ כַּמָּה תַּרְעִין לְהַהוּא עָלְמָא, כַּמָּה נְהוֹרִין. בְּשַׁעֲתָא דְּיִנְפּוֹק מֵהַאי עָלְמָא, הִיא אַקְדִּימַת קַמֵּיהּ, וְאַזְלָא לְכָל נְטוּרֵי תַּרְעִין, מַכְרֶזֶת וְאוֹמֶרֶת, פִּתְחוּ שְׁעָרִים וְיָבֹא גּוֹי צַדִּיק. אַתְקִינוּ כֻּרְסְיָין לִפְלַנְיָא עַבְדָּא דְּמַלְכָּא. דְּלֵית חֶדְוָו לְקוּדְשָׁא בְּרִיךְ הוּא אֶלָּא מַאן דְּאִשְׁתַּדַּל בְּאוֹרַיְיתָא, כ״ש ב״נ דְּמִתְעַר בְּלֵילְיָא לְאִשְׁתַּדְּלָא בְּאוֹרַיְיתָא, דְּהָא כָּל צַדִּיקַיָּיא דְּבְגִנְּתָא דְּעֵדֶן, צַיְיתִין לְקָלֵיהּ, וְקוּדְשָׁא בְּרִיךְ הוּא מִשְׁתַּכַּח בֵּינַיְיהוּ, כְּמָה דְּאוּקְמוּהָ הַיּוֹשֶׁבֶת בַּגַּנִּים חֲבֵרִים מַקְשִׁיבִים לְקוֹלֵךְ הַשְׁמִיעִינִי.

ג. ר״ש אָמַר הַאי קְרָא רָזָא דְּחָכְמְתָא אִית בֵּיהּ. הַיּוֹשֶׁבֶת בַּגַּנִּים, דָּא כְּנֶסֶת יִשְׂרָאֵל, דְּאִיהִי בְּגָלוּתָא עִם יִשְׂרָאֵל, וְאַזְלָא עִמְּהוֹן בְּעַקְתַיְיהוּ. חֲבֵרִים מַקְשִׁיבִים לְקוֹלֵךְ, מַשִׁרְיָין עִלָּאִין. כֻּלְּהוּ צַיְיתִין לְקוֹלֵךְ, לְקוֹל תּוּשְׁבְּחָתֵךְ בְּגָלוּתָא. הַשְׁמִיעִינִי, כד״א הַרְאִינִי אֶת מַרְאַיִךְ הַשְׁמִיעִינִי אֶת קוֹלֵךְ. הַשְׁמִיעִינִי, קָלָא דְּאִינּוּן חַבְרַיָּיא דְּמִשְׁתַּדְּלֵי בְּאוֹרַיְיתָא דְּהָא לֵית תּוּשְׁבַּחְתָּא קַמָּאי, כְּאִינּוּן דְּמִשְׁתַּדְּלֵי בְּאוֹרַיְיתָא.

ד. אָמַר ר״ש, כִּבְיָכוֹל, כָּל אִינּוּן דְּזַכָּאן לְאִשְׁתַּדְּלָא בְּאוֹרַיְיתָא, וּמִכַּד פָּלִיג לֵילְיָא, וְאַתְיָין בְּמַטְרוֹנִיתָא כַּד נָהִיר יְמָמָא, לְקַבְּלָא אַנְפֵּי מַלְכָּא, אַתְקִיף וְאַחֲסִין בִּשְׁכִינְתָּא. וְלֹא עוֹד, אֶלָּא דְּשַׁרְיָא בֵּיהּ חוּט שֶׁל חֶסֶד, כְּמָה דְּאוּקִימְנָא.

ה. ת״ח, כָּל מַאן דְּזָכֵי לְאִתְתַּקְּפָא בִּשְׁכִינְתָּא, יִסְתְּמַר גַּרְמוֹהִי מֵאִנּוּן מִלִּין דְּאַחִידָן לְקָבְלָהּ. כְּגוֹן מַאן. אִינּוּן דְּלָא מְשַׁקְּרֵי בְּאָת קַדִּישָׁא, כְּגוֹן בַּת אֵל נֵכָר. וְכָל מַאן דְּנָטִיר גַּרְמֵיהּ, כִּבְיָכוֹל כְּנֶסֶת יִשְׂרָאֵל אֲחִידָא בֵּיהּ, וְנַטְרָא לֵיהּ, וְהִיא אַקְדִּימַת לֵיהּ שְׁלָם. וכ״ש אִי זָכֵי וְקָנֵי לְהַאי.

ו. וְאָמַר ר״ש, אִתְחֲזִיָּין יִשְׂרָאֵל לְאִשְׁתֵּיצָאָה בְּהַהוּא שַׁעֲתָא, בַּר דְּאַקְדִּים פִּנְחָס לְהַאי עוֹבָדָא, וְשָׁכִיךְ רוּגְזָא. הה״ד, פִּנְחָס בֶּן אֶלְעָזָר בֶּן אַהֲרֹן הַכֹּהֵן הֵשִׁיב וְגוֹ׳. ד״א, פִּנְחָס בֶּן אֶלְעָזָר וְגוֹ׳. אר״ש, בֵּן בֶּן תְּרֵי זִמְנֵי, לְאַשְׁלְמָא עוֹבָדָא קָא אָתֵי.

ז. אָמַר רִבִּי שִׁמְעוֹן, הַאי ב״נ דְּנָטִיל גִּלְגּוּלָא דְּנִשְׁמְתָא, וְלָא זָכֵי דְּיִתְתָּקַן בֵּיהּ, כְּאִילּוּ מְשַׁקֵּר בְּקוּשְׁטָא דְּמַלְכָּא. וַאֲנָא קָרֵינָא עָלֵיהּ הַאי קְרָא אוֹ מָצָא אֲבֵידָה וְכִחֶשׁ בָּהּ וְנִשְׁבַּע עַל שָׁקֶר. וְכִחֶשׁ בָּהּ, טַב לֵיהּ דְּלָא אִבְרֵי.

ח. תָּנֵינָן צַדִּיק גָּמוּר, אֵינוֹ נִדְחֶה. וְצַדִּיק שֶׁאֵינוֹ גָּמוּר, נִדְחֶה. מַאן הוּא צַדִּיק גָּמוּר, וּמַאן הוּא צַדִּיק שֶׁאֵינוֹ גָּמוּר, וְכִי מַאן דְּלָא שְׁלִים בְּמִלּוֹי, צַדִּיק אִקְרֵי. אֶלָּא, צַדִּיק גָּמוּר, יְדִיעַ, דְּהָא לָא נָטִיל גִּלְגּוּלִין עֲקִימִין, וּבְאַחֲסַנְתֵּיהּ בָּנֵי בִּנְיָין, וְאַתְקִין שׁוּרִין, וְחָצַב

בֵּירִין, וְנָטַע אִילָנִין.

ט. צַדִּיק שֶׁאֵינוֹ גָּמוּר, דְּבָנֵי בִּנְיָין בְּאַחֲסַנְתָּא אָחֳרָא, וְחָפַר בָּהּ בֵּירִין, וְאַעְדַּר, הָא אַתְקִין אַבְנֵי יְסוֹדָא כְּמִלְּקַדְמִין, וְאַעְמַל בָּהּ, וְלָא יָדַע אִי אִשְׁתְּאַר דִּילֵיהּ. מִסִּטְרָא דִּילֵיהּ, טַב וְצַדִּיק אִקְרֵי. וּמִסִּטְרָא דְּהַהוּא אַחֲסַנְתָּא, לָאו הָכִי.

י. לְב"נ דְּבָנֵי בִּנְיָין שַׁפִּירָן, יָאָן לְמֶחֱזֵי, אִסְתַּכַּל בִּיסוֹדָא, וְחָמֵי לֵיהּ שְׁקִיעַ עֲקִימָא מִכָּל סִטְרִין. הָא בִּנְיָינָא לָא שְׁלִים, עַד דְּסָתַר לֵיהּ, וְאַתְקִין לֵיהּ כְּמִלְּקַדְמִין. מִסִּטְרָא דְּהַהוּא בִּנְיָינָא דִּילֵיהּ, אִשְׁתְּכַח טַב וְשַׁפִּיר. מִסִּטְרָא דִּיסוֹדָא, בִּישׁ וְעָקִים. וּבְגִין כָּךְ, לָא אִקְרֵי עוֹבָדָא שְׁלִים, לָא אִקְרֵי בִּנְיָינָא שְׁלִים. בְּגַ"כ צַדִּיק שֶׁאֵינוֹ גָּמוּר אִקְרֵי, וְנִדְוֶה. וְעַ"ד כְּבַלַּע רָשָׁע צַדִּיק מִמֶּנּוּ.

יא. ת"ח, מַאן דְּמְקַנֵּא לִשְׁמָא קַדִּישָׁא דְקוּדְשָׁא בְּרִיךְ הוּא, דַּאֲפִילּוּ לָא יִזְכֵּי לִגְדוּלָּה, וְלָא אִתְחֲזֵי לָהּ, רָוַוח לָהּ וְנָטִיל לָהּ. פִּנְחָס לָא אִתְחֲזֵי לֵיהּ בְּהַהוּא זִמְנָא, וּבְגִין דְּקַנֵּא לִשְׁמָא דְּמָארֵיהּ, רָוַוח לְכֹלָּא, וְסָלִיק לְכֹלָּא, וְאִתְתַּקַּן בֵּיהּ כֹּלָּא וְזָכָה לְאִשְׁתַּמְּשָׁא בִּכְהוּנָּה עִלָּאָה. מֵהַהִיא שַׁעֲתָא, פִּנְחָס בֶּן אֶלְעָזָר בֶּן אַהֲרֹן הַכֹּהֵן, דְּאַשְׁלִים לִתְרֵין דַּרְגִּין, בְּגִין דְּקַנֵּא לִשְׁמָא דְּמָארֵיהּ, דְּאִתְתַּקַּן מַה דְּאִתְעַקָּם.

יב. רִבִּי יְהוּדָה פָּתַח וְאָמַר, שָׁמְרָה נַפְשִׁי כִּי חָסִיד אָנִי הוֹשַׁע עַבְדְּךָ וְגוֹ'. סוֹפֵיהּ דִּקְרָא אִית לְאִסְתַּכְּלָא, וּלְבָתַר קְרָא כֹּלָּא, סוֹפֵיהּ דִּקְרָא כְּתִיב, הַבּוֹטֵחַ אֵלֶיךָ, הַבּוֹטֵחַ בָּךְ מִבָּעֵי לֵיהּ, מַאי הַבּוֹטֵחַ אֵלֶיךָ. אֶלָּא כִּבְיָכוֹל דָּוִד מִבְטַח לֵיהּ, דְּלָא יַעֲבַר לֵיהּ פַּלְגּוּת לֵילְיָא בְּשִׁנְתָּא, כְּמָה דִּכְתִּיב חֲצוֹת לַיְלָה אָקוּם לְהוֹדוֹת לָךְ. קַמְתִּי מִבָּעֵי לֵיהּ. אֶלָּא, אָקוּם, וְאִתְקַשַּׁר בָּךְ לְעָלְמִין.

יג. שָׁמְרָה נַפְשִׁי, שְׁמוֹר מִבָּעֵי לֵיהּ. וְהָא תָּנֵינָן דְּלֵית אָת בְּאוֹרַיְיתָא דְּלָא אִית בָּהּ רָזִין עִלָּאִין וְיַקִּירִין. שָׁמְרָה. לְקוּדְשָׁא בְּרִיךְ הוּא קָאָמַר, שָׁמְרָה לְהַהוּא חוּלָקָא, דְּאִתְאֲחִיד בֵּיהּ נֶפֶשׁ. דְּכַד נַפְשָׁא נָפְקַאת מֵהַאי עָלְמָא, אַתְיָא לְמֵירַת עָלְמָא דְּאָתֵי. אִי זָכֵי, כַּמָּה חֵילִין עִלָּאִין נָפְקִין לְקַבְּלָא, וּלְנַטְרָא לָהּ, וּלְאַעֲלָא לָהּ בְּמָדוֹרָא דְּדוּכְתָּהָא, וְהַאי ה' נָטִיל לָהּ, לְאִתְאַחֲדָא עִמָּהּ בְּרֵישׁ יַרְחֵי וְשַׁבָּתֵי.

יד. וְאִי לָא זָכֵי, כַּמָּה גַּרְדִּינֵי טְהִירִין אִזְדַּמְּנָן לְקַבְּלָהּ, וְדַחֲוּ לָהּ לְבַר. וַוי לְהַהִיא נַפְשָׁא, דְּמִתְגַּלְגְּלָא בְּרֵיקַנְיָא, כְּאַבְנָא בְּקוּסְפִּיתָא. הה"ד, וְאֵת נֶפֶשׁ אוֹיְבֶיךָ יְקַלְּעֶנָּה בְּתוֹךְ כַּף הַקָּלַע. וְדָוִד בָּעֵי בָּעוּתֵיהּ קַמֵּי קוּדְשָׁא בְּרִיךְ הוּא וְאָמַר, שָׁמְרָה נַפְשִׁי, דְּלָא יִדְחוּן לָהּ לְבַר. וְכַד מָטֵי לְקַבְּלָהּ, יִפְתְּחוּן לָהּ פִּתְחִין, וְתִתְקַבֵּל לָהּ קַמָּךְ. כִּי חָסִיד אָנִי, וְכִי חָסִיד אִקְרֵי. א"ר יְהוּדָה, אִין. דִּכְתִּיב, חַסְדֵי דָּוִד הַנֶּאֱמָנִים. בְּגִין כָּךְ שָׁמְרָה נַפְשִׁי, דְּלָא תִּשְׁבּוֹק לָהּ לְמֵהַךְ לְבַר.

טו. ר' יִצְחָק אָמַר, כָּל ב"נ דְּאִית לֵיהּ חוּלָקָא בְּצַדִּיק, יָרִית לְהַאי אֶרֶץ, כְּמָה דִּכְתִּיב, וְעַמֵּךְ כֻּלָּם צַדִּיקִים וְגוֹ'. וְהַאי צַדִּיק וְחָסִיד אִקְרֵי. אָמַר דָּוִד בָּתַר דְּבְהַאי אֲתַר אֲחִידְנָא, וְחָסִיד אָנִי, וּבְגַ"כ שָׁמְרָה נַפְשִׁי, לְאִתְקַשְּׁרָא בָּךְ.

טז. רִבִּי חִיָּיא פָּתַח, עֵדוּת בִּיהוֹסֵף שָׂמוֹ וְגוֹ'. הָא אוֹקְמוּהָ, דְּאוֹלִיף שַׁבְעִין פִּתְקִין, וְלָשׁוֹן הַקֹּדֶשׁ יַתִּיר. הה"ד, שְׂפַת לֹא יָדַעְתִּי אֶשְׁמָע. אֲבָל מַאי עֵדוּת. ת"ח, בְּשַׁעֲתָא דְּאִתְּתֵיהּ דְּפוֹטִיפַר הֲוַת אֲחִידָא בֵּיהּ לְהַהִיא מִלָּה, הֲוָה יוֹסֵף עָבֵיד גַּרְמֵיהּ כְּמַאן דְּלָא יָדַע לִישָּׁנָא דִּילָהּ, וְכֵן בְּכָל יוֹמָא עַד הַהִיא שַׁעֲתָא בַּתְרַיְיתָא, דִּכְתִּיב וַתִּתְפְּשֵׂהוּ בְּבִגְדוֹ. מַאי וַתִּתְפְּשֵׂהוּ. אֶלָּא בְּגִין דְּעָבֵיד גַּרְמֵיהּ כְּמַאן דְּלָא יָדַע לִישָּׁנָא. וְרוּחַ הַקֹּדֶשׁ צַוַּוח לְקַבְלֵיהּ, לִשְׁמָרְךָ מֵאִשָּׁה זָרָה מִנָּכְרִיָּה אֲמָרֶיהָ הֶחֱלִיקָה. מַאי קמ"ל. אֶלָּא כָּל

מַאן דְּנָטִיר גַּרְמֵיהּ מֵהַאי, אִתְקַשַּׁר בָּהּ בִּשְׁכִינְתָּא, וְאָחִיד בְּהַהוּא עֵדוּת. וּמַאי הוּא. ה' דְּאִתּוֹסַף בֵּיהּ. דִּכְתִיב, עֵדוּת בִּיהוֹסֵף שָׂמוֹ. אוּף הָכָא י' אִתּוֹסַף בְּפִנְחָס, עַל דְּקַנֵּי בְּהַאי.

יז. רִבִּי יֵיסָא פָּתַח, עַל נַהֲרוֹת בָּבֶל שָׁם יָשַׁבְנוּ גַּם בָּכִינוּ בְּזָכְרֵנוּ אֶת צִיּוֹן. אֶת יְרוּשָׁלַ͏ִם מִבָּעֵי לֵיהּ, כְּמָה דִּכְתִיב אִם אֶשְׁכָּחֵךְ יְרוּשָׁלָ͏ִם תִּשְׁכַּח יְמִינִי, מַאי בְּזָכְרֵנוּ אֶת צִיּוֹן. לְבַ"נ דְּהוּ"ל הֵיכְלָא יַקִּירָא, יָאָה וְשַׁפִּירָא, אָתוּ לִסְטִין וְאוֹקִידוּ לֵיהּ. צַעֲרָא דְּמַאן הוּא, לָאו דְּמָארֵיהּ דְּהֵיכְלָא. אוּף הָכָא שְׁכִינְתָּא בְּגָלוּתָא שַׁרְיָא, צַעֲרָא דְּמַאן הוּא, לָאו דְּצַדִּיק. וְאוֹלָא הָא כְּמָה דְּאוֹקְמוּהָ, דִּכְתִיב הַצַּדִּיק אָבָד, אָבַד מַמָּשׁ. אוּף הָכָא בְּזָכְרֵנוּ אֶת צִיּוֹן, בְּזָכְרֵנוּ הַהוּא צַעֲרָא דִּילֵיהּ עַל זִוּוּגָהָא, צַעֲרָא דִּילֵיהּ הוּא.

יח. אָמַר רִבִּי יֵיסָא, מַאן דְּאוֹקִיר שְׁמָא דְּמָארֵיהּ בְּהַאי, וְנָטִיר הַאי, זָכָה דְּיוֹקִיר לֵיהּ מָארֵיהּ עַל כֹּלָּא. מְנָלָן. מִיּוֹסֵף. דִּכְתִיב וַיַּרְכֵּב אוֹתוֹ בְּמִרְכֶּבֶת הַמִּשְׁנֶה אֲשֶׁר לוֹ, וּכְתִיב וְנָתוֹן אוֹתוֹ עַל כָּל אֶרֶץ מִצְרָיִם וְלֹא עוֹד, אֶלָּא כַּד עָבְרוּ יִשְׂרָאֵל יַת יַמָּא, אֲרוֹנָא דְּיוֹסֵף עָאל בְּגוֹ בְּקַדְמֵיתָא, וְלָא הֲווֹ מַיָּא קַיְּימִין עַל קִיוּמַיְיהוּ קַמֵּיהּ, הֲדָא הוּא דִּכְתִיב, הַיָּם רָאָה וַיָּנוֹס. מַאי וַיָּנוֹס. אֶלָּא רָאָה הַהוּא דִּכְתִיב בֵּיהּ וַיָּנָס וַיֵּצֵא הַחוּצָה.

יט. ת"ח, זָכֵי לִיקָרָא בְּחַיּוֹי וְזָכֵי לִיקָרָא בְּמִיתָתֵיהּ. בְּחַיּוֹי אַמַּאי. בְּגִין הַהוּא זִמְנָא דְּלָא בָּעָא לְאִתְדַּבְּקָא בָּהּ, דִּכְתִיב וַיְמָאֵן וַיֹּאמֶר אֶל אֵשֶׁת אֲדֹנָיו. וּכְתִיב וְלֹא שָׁמַע אֵלֶיהָ לִשְׁכַּב אֶצְלָהּ לִהְיוֹת עִמָּהּ. בְּגִין כַּךְ זָכָה בְּהַאי עָלְמָא. כֵּיוָן דִּכְתִיב וַתִּתְפְּשֵׂהוּ בְּבִגְדוֹ, וּכְתִיב וַיָּנָס וַיֵּצֵא הַחוּצָה, זָכֵי לְבָתַר דְּעָאל לְגוֹ פָּרוֹכְתָּא עִלָּאָה, וְהָכֵי אִתְחֲזֵי לֵיהּ, דִּידֵיהּ נָטַל בְּהַאי עָלְמָא, וְדִידֵיהּ נָטַל בְּעָלְמָא אַחֲרָא.

כ. פִּנְחָס זָכֵי בְּהַאי עָלְמָא, וְזָכָה בְּעָלְמָא דְּאָתֵי, וְזָכָה לְקַיְּימָא יַתִּיר מִכָּל אִינּוּן דִּנְפָקוּ מִמִּצְרַיִם, וְזָכָה לִכְהֻנָּא עִלָּאָה, הוּא וְכָל בְּנוֹי אֲבַתְרֵיהּ. וְאִי תֵּימָא דְּלָא זָכָה לִכְהֻנָּא עַד לָא עָבֵד עוֹבָדָא דָּא. לָא. דְּהָא אִינּוּן דְּאַמְרֵי דְּזָכָה קוֹדֶם. לָאו הָכֵי אֶלָּא בְּמַאי אוֹקִימְנָא תַּחַת אֲשֶׁר קִנֵּא לֵאלֹהָיו, דְּמַשְׁמַע דִּבְגִין עוֹבָדָא דָּא רָוַוח כְּהוּנָּתָא, מַה דְּלָא הֲוָה קוֹדֶם.

כא. ת"ח, כָּל כֹּהֵן דְּקָטִיל נֶפֶשׁ, פָּסִיל לֵיהּ כְּהוּנָּתֵיהּ לְעָלְמִין. דְּהָא וַדַּאי פָּסִיל הַהוּא דַּרְגָּא דִּילֵיהּ לְגַבֵּיהּ. וּפִנְחָס מִן דִּינָא פָּסִיל לִכְהֻנָּא הֲוָה, וּבְגִין דְּקַנֵּא לֵיהּ לְקוּדְשָׁא בְּרִיךְ הוּא, אִצְטְרִיךְ לְיַחֲסָא לֵיהּ כְּהוּנַּת עָלְמִין, לֵיהּ, וְלִבְנוֹי אֲבַתְרֵיהּ, לְדָרֵי דָּרִין. א"ר יִצְחָק, ת"ח, רָשִׁים הוּא פִּנְחָס לְעֵילָּא, וְרָשִׁים הוּא לְתַתָּא, עַד לָא יִפּוֹק לְעָלְמָא דְּהָא עִם אִינּוּן דִּנְפָקוּ מִמִּצְרַיִם אִתְמְנֵי.

כב. רִבִּי אֶלְעָזָר וְר' יוֹסֵי וְר' חִיָּיא, הֲווֹ אָזְלֵי בְּמַדְבְּרָא, א"ר יוֹסֵי, הָא דִּכְתִיב בְּפִנְחָס הִנְנִי נוֹתֵן לוֹ אֶת בְּרִיתִי שָׁלוֹם. שָׁלוֹם מִמַּלְאַךְ הַמָּוֶת, דְּלָא שַׁלִּיט בֵּיהּ לְעָלְמִין, וְלָא אִתְדָּן בְּדִינוֹי. וְאִי תֵּימָא דְּלָא מִית. וַדַּאי לָא מִית כִּשְׁאַר בְּנֵי עָלְמָא, וְאוֹרִיךְ יוֹמִין עַל כָּל בְּנֵי דָּרָא, בְּגִין דִּבְהַאי בְּרִית עִלָּאָה אָחִיד, וְכַד אִסְתַּלַּק מֵעָלְמָא, בְּתִיאוּבְתָּא עִלָּאָה וּבִדְבִיקוּתֵיהּ שַׁפִּירָא אִסְתַּלַּק מִשְּׁאַר בְּנֵי עָלְמָא.

כג. רִבִּי אֶלְעָזָר פָּתַח וְאָמַר, וַיַּרְאֵנִי אֶת יְהוֹשֻׁעַ הַכֹּהֵן הַגָּדוֹל עוֹמֵד לִפְנֵי מַלְאַךְ יְיָ' וְגוֹ'. ת"ח, וַוי לְאִינּוּן בְּנֵי נָשָׁא, דְּלָא מִסְתַּכְּלָאן בִּיקָרָא דְּמָארֵיהוֹן, וְכָל יוֹמָא וְיוֹמָא כָּרוֹזָא קָארֵי עָלַיְיהוּ, וְלָא מַשְׁגִּיחִין. אָתָא ב"נ לְאִסְתַּכְּלָא בְּפִקּוּדֵי אוֹרַיְיתָא, כַּמָּה סַנֵּיגוֹרִין קַיְּימִין לְאַדְכְּרָא עָלֵיהּ לְטָב. אָתָא ב"נ וְאַעֲבַר עַל פִּקּוּדֵי אוֹרַיְיתָא, אִינּוּן עוֹבְדִין קַטֵּיגוֹרִין עָלֵיהּ לְבִישׁ, קַמֵּי קוּדְשָׁא בְּרִיךְ הוּא. יְהוֹשֻׁעַ כֹּהֵן גָּדוֹל הֲוָה, וְאוֹקְמוּהָ,

מַה כְּתִיב בֵּיהּ. וְהַשָּׂטָן עוֹמֵד עַל יְמִינוֹ לְשִׂטְנוֹ. וּמַה בְּהַאי כַּךְ, בִּשְׁאָר בְּנֵי עָלְמָא דְּלָא מִסְתַּכְּלֵי בִּיקָרָא דְּמָארֵיהוֹן, עַל אַחַת כַּמָּה וְכַמָּה.

כד. וְחָמֵי מַה כְּתִיב, וִיהוֹשֻׁעַ הָיָה לָבוּשׁ בְּגָדִים צוֹאִים, וְאוּקְמוּהָ. אֲבָל בְּגָדִים צוֹאִים, וַדַּאי אִינּוּן לְבוּשִׁין דְּאִתְלַבְּשָׁא בֵּיהּ רוּחָא בְּהַהוּא עָלְמָא. זַכָּאָה חוּלָקֵיהּ דְּמַאן דִּלְבוּשׁוֹי מִתְתַּקְּנִין וּשְׁלֵמִין בְּהַהוּא עָלְמָא. וְהָא אִתְּמַר, כָּל מַאן דְּבָעְיָין לְאַעֲלָא לַגֵּיהִנָּם, אִינּוּן לְבוּשִׁין דְּמַלְבִּשִׁין לֵיהּ, הֵיךְ אִינּוּן. מַה כְּתִיב הָכָא, וִיהוֹשֻׁעַ הָיָה לָבוּשׁ בְּגָדִים צוֹאִים וְעוֹמֵד לִפְנֵי הַמַּלְאָךְ. מַאן מַלְאָךְ. דָּא מַלְאָךְ דִּמְמָנָא עַל גֵּיהִנָּם, וּמְמָנָא עַל מַאן דְּחָמֵי בְּאִינּוּן לְבוּשִׁין. עַד דְּאָתִיב קָלָא וְאָמַר, הָסִירוּ הַבְּגָדִים הַצּוֹאִים מֵעָלָיו.

כה. מֵהָכָא אִית לְאִסְתַּכְּלָא, דְּעוֹבָדִין בִּישִׁין דְּב"נ, עַבְדִּין לֵיהּ אִינּוּן לְבוּשִׁים צוֹאִים. וַיֹּאמֶר אֵלָיו רְאֵה הֶעֱבַרְתִּי מֵעָלֶיךָ עֲוֹנֶךָ וְהַלְבֵּשׁ אוֹתְךָ מַחֲלָצוֹת. אַלְבִּישׁוּנֵיהּ לְבוּשִׁין אַחֲרָנִין מִתְתַּקְּנָן, דִּבְהוּ אִסְתַּכַּל ב"נ בְּזִיו יְקָרָא דְּמָארֵיהּ.

כו. ת"ח, כְּגַוְונָא דָּא פִּנְחָס, דְּלָא אִסְתַּלַּק מֵעָלְמָא, עַד דְּאִתְתַּקָּנוּ קַמֵּיהּ לְבוּשִׁין אַחֲרָנִין, דְּרוּחָא אִתְהֲנֵי בְּהוּ, לְעָלְמָא דְּאָתֵי. בְּשַׁעֲתָא וַחֲדָא אִתְפְּשַׁט מֵאִלֵּין. וְאִתְלַבַּשׁ בְּאִלֵּין, לְקַיְּימָא דִּכְתִיב הִנְנִי נוֹתֵן לוֹ אֶת בְּרִיתִי שָׁלוֹם. עַד דַּהֲווּ אָזְלֵי, שִׁמְשָׁא הֲוָה תַּקִּיפָא, וְיָתְבוּ תְּחוֹת צִלָּא דְּחַד טִנָּרָא דְּמַדְבְּרָא. אָמַר ר' אֶלְעָזָר, וַדַּאי צִלָּא וְחֶדְוָותָא דְּנַפְשָׁא הוּא.

כז. אָמַר רִבִּי חִיָּיא לְרִבִּי אֶלְעָזָר, אִלֵּין יוֹמִין, מֵרֹאשׁ הַשָּׁנָה עַד יוֹמָא בַּתְרָאָה דְּחַג, בָּעֵינָא לְמֵיקַם עֲלַיְיהוּ. א"ר אֶלְעָזָר, הָא אִתְּמַר וְחַבְרַיָּיא אִתְעָרוּ בְּהוּ. א"ר חִיָּיא, וַדַּאי הָכִי הוּא, אֲבָל אֲנָא שְׁמַעְנָא לְבוּצִינָא קַדִּישָׁא עִלָּאָה מִלָּה בְּהוּ. אָמַר לֵיהּ, אֵימָא הַהוּא מִלָּה. א"ל עַד לָא קָאִימְנָא בֵּיהּ. א"ר אֶלְעָזָר, אַף עַל גַּב דְּחַבְרַיָּיא אוֹקְמוּ מִלָּה, וְשַׁפִּיר הוּא, אֲבָל סִדּוּרָא דְּהָנֵי יוֹמֵי, רָזָא דְּחָכְמְתָא הוּא, בֵּין מוֹעֲדֵי וְחַקְלָא.

כח. ת"ח, הָא אִתְּמַר סִדּוּרָא דְּיִחוּדָא כֹּלָּא בְּחַד הֵיךְ הֲוֵי. וְהָא אִתְּמַר. פָּתַח וְאָמַר, חָשַׂף יְיָ' אֶת זְרוֹעַ קָדְשׁוֹ, דָּא דְּרוֹעָא חֲדָא, דְּבֵיהּ תַּלְיָא יְשׁוּעָה, דְּבֵיהּ תַּלְיָא נוּקְמָא, דְּבֵיהּ תַּלְיָא פּוּרְקָנָא. וְלָמָּה, לְמֵיקַם לָהּ לכנ"י מֵעַפְרָא, וּלְקַבְּלָא לָהּ לְגַבֵּיהּ, לְאִזְדַּוְּוגָא כַּחֲדָא. וְכַד הַאי אִתְעַר לְקַבְּלָהּ, כַּמָּה דְּחִילוּ שַׁרְיָא בְּעָלְמָא, עַד דְּיָנוּחַ הַהוּא דְּרוֹעָא תְּחוֹת רֵישָׁהָא לְאִתְחַבְּרָא. כְּמָה דְּאַתְּ אָמַר, שְׂמֹאלוֹ תַּחַת לְרֹאשִׁי וְגוֹ', וּכְדֵין נַיְיחָא דִּינָא, וּמְכַפֵּר חוֹבִין.

כט. לְבָתַר אָתֵי יְמִינָא לְחַבְּקָא, כְּדֵין חֶדְוָותָא שַׁרְיָא בְּעָלְמָא, וְכָל אַנְפִּין נְהִירִין. לְבָתַר אִזְדַּוְּוגַת בְּגוּפָא, וּכְדֵין כֹּלָּא אִקְרֵי אֶחָד, בְּלָא פֵּרוּדָא, כְּדֵין הוּא שְׁלִימוּ דְּכֹלָּא, וְחֶדְוָותָא דְּכֹלָּא, וְאַחִידוּ וַדַּאי, מַה דְּלָא אִשְׁתְּכַח הָכִי בִּשְׁאָר זִמְנֵי.

ל. כְּגַוְונָא דְּהַאי, סִדּוּרָא דְּהָנֵי יוֹמִין, מֵרֹאשׁ הַשָּׁנָה עַד יוֹמָא בַּתְרָאָה דְּחַג. בְּרֹאשׁ הַשָּׁנָה, אִתְעַר דְּרוֹעָא דִּשְׂמָאלָא, לְקַבְּלָא לָהּ לְמַטְרוֹנִיתָא, וּכְדֵין כָּל עָלְמָא בִּדְחִילוּ בְּדִינָא, וּבָעֵי הַהוּא זִמְנָא בִּתְיוּבְתָּא שְׁלִים, לְאִשְׁתַּכְּחָא עָלְמָא קַמֵּי קוּדְשָׁא בְּרִיךְ הוּא. לְבָתַר אַתְיָאת מַטְרוֹנִיתָא, וּבַעְיָין בְּנֵי הֵיכָלָא בְּתִשְׁעָה לְיַרְחָא, לְמֶעְבַּד חֶדְוָותָא, וּלְמִטְבַּל בְּנַהֲרָא, לְדַכָּאָה גַּרְמַיְיהוּ בְּזִוּוגָא דְּמַטְרוֹנִיתָא, בְּיוֹמָא אַחֲרָא, הוּא זִוּוגָא דִּילָהּ לְשַׁוָּואָה שְׂמָאלָא תְּחוֹת רֵישָׁהָא, כְּמָה דְּאַתְּ אָמַר שְׂמֹאלוֹ תַּחַת לְרֹאשִׁי.

לא. וּכְדֵין יִשְׂרָאֵל בְּתַעֲנִיתָא עַל חוֹבַיְיהוּ, וּמְכַפְּרָא לְהוּ. דְּהָא אִימָּא עִלָּאָה אַנְהִירַת אַנְפָּהָא לְמַטְרוֹנִיתָא בְּזִוּוגָהָא, וּמִתְכַּפְּרִין כָּל בְּנֵי הֵיכָלָא. כֵּיוָן דִּשְׂמָאלָא מְקַבְּלָה לָהּ בְּהַאי יוֹמָא, דְּרֵישָׁא דְּמַטְרוֹנִיתָא שַׁרְיָיא עַל שְׂמָאלָא.

לב. בְּיוֹמָא קַדְמָאָה דְּחַג, יִתְעַר יְמִינָא לְקַבְּלָהּ, בְּגִין לְחַבְּקָהּ וּכְדֵין כָּל חֶדְוָוא וְכָל

אַנְפִּין נְהִירִין, וְחֶדְוְותָא דְּמַיִם צְלִילָן, לְנַסְכָא עַל מַדְבְּחָא. וּבְעִנְיַן בְּנֵי נָשָׁא לְמֶחֱדֵי בְּכָל זִינִין דְּחֶדְוָה, דְּהָא יְמִינָא גָּרִים. בְּכָל אֲתַר דְּשַׁאֲרֵי יְמִינָא, חֶדְוְותָא אִצְטְרִיךְ בְּכֹלָּא, כְּדֵין חֶדְוְותָא הִיא לְאִשְׁתַּעְשְׁעָא.

לג. לְבָתַר בְּיוֹמָא תְּמִינָאָה, חֶדְוְותָא דְּאוֹרַיְיתָא הוּא, דְּהָא כְּדֵין זִוּוּגָא דְּגוּפָא, הוּא זִוּוּגָא דְּכֹלָּא, לְמֶהֱוֵי כֹּלָּא חַד, וְדָא הוּא שְׁלִימוּ דְּכֹלָּא, וְדָא יוֹמָא דְּיִשְׂרָאֵל אִיהוּ וַדַּאי, וְעַדְבָא דִּידְהוּ בִּלְחוֹדַיְיהוּ, דְּלֵית בֵּיהּ חוּלָקָא לְאָחֳרָא. זַכָּאִין אִינּוּן יִשְׂרָאֵל בְּעָלְמָא דֵּין, וּבְעָלְמָא דְּאָתֵי, עֲלַיְיהוּ כְּתִיב כִּי עַם קָדוֹשׁ אַתָּה לַיְיָ אֱלֹהֶיךָ וְגוֹ'.

לד. פִּנְחָס בֶּן אֶלְעָזָר בֶּן אַהֲרֹן הַכֹּהֵן הֵשִׁיב אֶת חֲמָתִי מֵעַל בְּנֵי יִשְׂרָאֵל וְגוֹ'. ר' יְהוּדָה פָּתַח, זְכָר נָא מִי הוּא נָקִי אָבָד וְאֵיפֹה יְשָׁרִים נִכְחָדוּ, תָּמָן תָּנֵינָן, מַאן דְּחָמֵי קֶשֶׁת בְּגַוְונוֹי, אִצְטְרִיךְ לְבָרְכָא בָּרוּךְ זוֹכֵר הַבְּרִית. בְּגִין דְּדָא אִיהוּ בְּרִית קַיְימָא קַדִּישָׁא, דְּשַׁוֵּי קוּדְשָׁא בְּרִיךְ הוּא בְּאַרְעָא דְּלָא יֵיתֵי עָלָהּ מֵי טוֹפָנָא. בְּגִין דְּכַד סַגִּיאוּ חַיָּיבִין בְּעָלְמָא, בָּעֵי קוּדְשָׁא בְּרִיךְ הוּא לְאוֹבָדָא לוֹן, וּכְדֵין דָּכִיר לוֹן הַאי אוֹמָאָה דְּאוֹמֵי לְאַרְעָא, דִּכְתִּיב תְּרֵי זִמְנֵי לֹא לֹא. לֹא אוֹסִיף לְקַלֵּל, וְלֹא אוֹסִיף עוֹד לְהַכּוֹת, דָּא אִיהוּ אוֹמָאָה. כְּמָה דִּכְתִּיב אֲשֶׁר נִשְׁבַּעְתִּי מֵעֲבוֹר מֵי נֹחַ.

לה/א. רַבִּי יוֹסֵי אָמַר, קֶשֶׁת אָתָא לְאַגָּנָא עַל עָלְמָא. לְמַלְכָּא, דְּכָל זִמְנִין דִּבְרֵיהּ חָב לְקָבְלֵיהּ, אָתָא מַלְכָּא לְאַלְקָאָה לֵיהּ, אִתְגַּלְיָא עָלֵיהּ מַטְרוֹנִיתָא בִּלְבוּשֵׁי יְקָר דְּמַלְכוּ, מַלְכָּא חָמֵי לָהּ סָלִיק רוּגְזָא דִּבְרֵיהּ, וְחָדֵי בָּהּ, דִּכְתִּיב וּרְאִיתִיהָ לִזְכּוֹר בְּרִית עוֹלָם. וְע"ד, לָא אִתְחֲזֵי קֶשֶׁת בְּעָלְמָא, אֶלָּא בִּלְבוּשֵׁי יְקָר דְּמַלְכוּ. וּבְשַׁעֲתָא דְּאִית צַדִּיק בְּעָלְמָא, אִיהוּ בְּרִית, לְמֵיקַם בְּרִית, וְאַגִּין עַל עָלְמָא. לָא הֲוֵי צַדִּיק, הָא קֶשֶׁת, לְאִתְחֲזָאָה דְּהָא עָלְמָא אִיהוּ קַיְימָא לְאוֹבָדָא, אֶלָּא בְּגִין קֶשֶׁת דָּא.

לה/ב. ר' אֶלְעָזָר אָמַר, לְעוֹלָם לָא אִתְלְבַּשׁ קֶשֶׁת דָּא, אֶלָּא בִּלְבוּשָׁא דַּאֲבָהָן קַדְמָאֵי. יָרוֹק וְסוּמָק וְחִוְּור. יְרוֹקָא, דָּא לְבוּשָׁא דְּאַבְרָהָם, אִצְטְבַע לְבוּשָׁא דָּא, כַּד נָפַק מִנֵּיהּ יִשְׁמָעֵאל. סוּמָקָא, דָּא גָּוֶון יִצְחָק. דְּאַתְיָא סוּמָקָא וְאִצְטְבַע, כַּד נָפִיק מִנֵּיהּ עֵשָׂו. וְאִתְמְשַׁךְ הַהוּא סוּמָקָא לְתַתָּא, עַד כֹּכְבָא דְּמַאְדִּים, דְּאִתְאֲחִיד בֵּיהּ עֵשָׂו. חִוְּורָא, דָּא אִיהוּ לְבוּשָׁא טָבָא דְּיַעֲקֹב, דְּהָא לָא אִשְׁתַּנּוּ אַנְפּוֹהִי לְעָלְמִין.

לה/ג. ר' אַבָּא אָמַר יָאוּת הוּא, אֲבָל הָכִי אָמַר בּוּצִינָא קַדִּישָׁא, חִוְּור, דָּא אַבְרָהָם. דְּאִתְלַבַּן בְּחִוְּורָא דְּנוּרָא. סוּמָקָא, דָּא יִצְחָק וַדַּאי. יָרוֹק, דָּא הוּא יַעֲקֹב, דְּקַיְימָא בֵּין תְּרֵין גַּוְונִין, וּכְתִיב בֵּיהּ בְּיַעֲקֹב, לֹא עַתָּה יֵבוֹשׁ יַעֲקֹב וְלֹא עַתָּה פָּנָיו יֶחֱוָרוּ דְּהָא כָּל עַרְסֵיהּ שְׁלִים הֲוָה. וְהָכִי הוּא לֹא עַתָּה יֵבוֹשׁ יַעֲקֹב, לְאִתְחֲזָאָה בְּגָוֶון סוּמָק, כְּיִצְחָק דְּנָפַק מִנֵּיהּ עֵשָׂו. וְלֹא עַתָּה פָּנָיו יֶחֱוָרוּ, כְּאַבְרָהָם לְאִתְחֲזָאָה בְּגָוֶון חִוְּור, דְּנָפַק מִנֵּיהּ יִשְׁמָעֵאל. אֶלָּא נָטַל גַּוְונִין, לְאִתְעַטְּרָא בְּהוּ, עַל אֲבָהָן דִּילֵיהּ, וּבְאִלֵּין לְבוּשִׁין מִתְלַבְּשַׁת קֶשֶׁת, בְּשַׁעֲתָא דְּאִתְחֲזֵי קַמֵּי מַלְכָּא.

לה/ד. תָּא חֲזֵי, רָזָא דִּבְרִית קַדִּישָׁא, הִיא אָת יו"ד, דְּמִתְעַטְּרָא בִּרְשִׁימוּ עִלָּאָה, וְדָא אִיהוּ דְּאִתְרְשִׁים בִּבְרִית תָּדִיר לְעָלְמִין, וּבְגִין דְּקַנֵּי פִּנְחָס עַל בְּרִית, אִתְרְשִׁים בִּשְׁמֵיהּ הָכָא אָת דָּא, פִּנְחָס יו"ד זְעֵירָא, אִיהוּ יו"ד דְּאִיהוּ בְּרִית וַדַּאי, דְּנָפִיק מִגּוֹ יו"ד עִלָּאָה קַדִּישָׁא. וְע"ד, אִיהוּ קָאִים בְּקִיּוּמָא שְׁלִים קַמֵּי מַלְכָּא קַדִּישָׁא, דְּלָא אִתְאֲבִיד מִגּוֹ עָלְמָא. וְהָכִי הוּא נָקִי מֵהַהוּא חוֹבָא דִּפְעוֹר, וְלָא אִתְאֲבִיד תָּדִיר מִגּוֹ קַדִּישָׁא דְּעָלְמָא. וְאֵיפֹה יְשָׁרִים נִכְחָדוּ, אִלֵּין נָדָב וַאֲבִיהוּא, דְּלָא אִשְׁתְּצִיאוּ מִן הַהוּא עָלְמָא בְּגִינֵיהּ.

רַעְיָא מְהֵימְנָא

לו. אָמַר לֵיהּ רַעְיָא מְהֵימְנָא, שַׁפִּיר קָאֲמַרְתְּ, אֲבָל בְּגִין דְּאֵלִיָּהוּ דְּאִיהוּ פִּנְחָס, קַנֵּי עַל בְּרִית, צָרִיךְ לְחַדְּתָא מִלִּין סַגִּיאִין בֵּיהּ, דְּהַאי פַּרְשְׁתָּא כְּתִיבָא בְּאוֹרַיְיתָא עַל שְׁמֵיהּ, דְּעָלֵיהּ אִתְּמַר קַנֹּא קִנֵּאתִי, תְּרֵי קִנְאוֹת, וְחַד בְּשַׁדַּ"י דִּלְעֵילָּא, וְתִנְיָינָא בְּשַׁדַּ"י דִּלְתַתָּא, וּבְגִין דָּא עָבֵיד תְּרֵין שְׁבוּעוֹת בְּתַרְוַויְיהוּ, וּתְרֵין זִמְנִין לֹא לֹא.

לז. אֲבָל רַבִּי יְהוּדָה אָמַר, מַאן דְּחָזֵי קֶשֶׁת בִּגְוָונוֹי נְהִירִין, צָרִיךְ לְבָרְכָא בָּרוּךְ זוֹכֵר הַבְּרִית. וּבְגָלוּתָא דְּלָאו אִיהוּ נָהִיר בִּגְוָונוֹי כַּדְקָא יָאוֹת, וְלֹא עוֹד אֶלָּא דִּלְזִמְנִין נָהִיר זְעֵיר, וְזִמְנִין לָא נָהִיר כְּלַל, זִמְנִין אִתְחֲזֵי בִּשְׁלִימוּ, וְזִמְנִין לָאו. דְּקֶשֶׁת קָא רָמִיז גְּוָונוֹי, לְזַכְוָון דְּכֹהֲנִים לְוִיִּם וְיִשְׂרְאֵלִים, כַּד אִינּוּן שַׁפִּירִין, דְּנָהִיר קֶשֶׁת בִּגְוָונוֹי דְּאִינּוּן תְּלַת.

לח. קוּם אַנְתְּ רַבִּי יוֹסֵי הַגְּלִילִי, וְאֵימָא, דְּהָא מִלִּין שַׁפִּירִין קָאֲמַרְתְּ בְּחִבּוּרָה קַדְמָאָה, דְּקֶשֶׁת לָא אַתְיָא אֶלָּא לְאַגָּנָא עַל עָלְמָא. לְמַלְכָּא, דִּבְכָל זִמְנָא דִּבְרֵיהּ חָב, וּמַלְכָּא חָזֵי לְמַטְרוֹנִיתָא, סָלִיק רוּגְזָא דִּבְרֵיהּ, דִּכְתִיב וּרְאִיתִיהָ לִזְכֹּר בְּרִית עוֹלָם. וְעַ"ד לָא אִתְחֲזֵי קֶשֶׁת, אֶלָּא לְאַגָּנָא עַל עָלְמָא. וְלָא אִתְגַּלְיָא, אֶלָּא בִּלְבוּשׁ יְקָר דְּמַלְכוּ, וּבְשַׁעֲתָא דְּאִית צַדִּיק בְּאַרְעָא, אִיהוּ בְּרִית. לְמֵיקַם בְּרִית.

לט. וְכִי בְּגָלוּתָא, קוּדְשָׁא בְּרִיךְ הוּא אִתְרַחַק מִמַּטְרוֹנִיתָא, וְאֵיךְ מַטְרוֹנִיתָא אִתְלַבְּשַׁת לְבוּשֵׁי מַלְכוּתָא בְּגָלוּתָא לֹא. אֲבָל בְּגָלוּתָא, לְבוּשָׁהּ דְּקַדְרוּת, וְאִיהוּ אַמְרַת אַל תִּרְאוּנִי שֶׁאֲנִי שְׁחַרְחֹרֶת. אֶלָּא וַדַּאי הַהוּא קֶשֶׁת דְּאִתְגַּלְיָיא בְּגָלוּתָא, לָאו אִיהוּ אֶלָּא מְטַטְרוֹ"ן, דְּאִתְקְרֵי שַׁדַּ"י וְאִיהוּ עַבְדוֹ זְקַן בֵּיתוֹ, דְּשַׁלִּיט בְּכָל דִּילֵיהּ, וּבְנוֹי, אִתְקְרִיאוּ עֲבָדִים דְּקוּדְשָׁא בְּרִיךְ הוּא. וּבְנֵי מַטְרוֹנִיתָא בָּנִים, וּבְגִין דָּא, אִם כְּבָנִים אִם כַּעֲבָדִים.

מ. וּבְזִמְנָא דְּאִתְחָרַב בֵּי מַקְדְּשָׁא, אוּקְמוּהָ דַּעֲבָדִים חָפוּ רֹאשָׁם, וְנִתְדַּלְדְּלוּ אַנְשֵׁי מַעֲשֶׂה. וַדַּאי אַנְשֵׁי מַעֲשֶׂה אִתְקְרִיאוּ, עַל שֵׁם מַטְרוֹנִיתָא, דְּאִתְּמַר עָלָהּ רַבּוֹת בָּנוֹת עָשׂוּ חָיִל וְאַתְּ עָלִית עַל כֻּלָּנָה. אֲבָל אִי אִית לֵיהּ צַדִּיק, דְּזַכְוֵוי וְעוֹבָדוֹי לְאַנְהֲרָא, בְּהוֹן מַטְרוֹנִיתָא, וּלְמִפְשַׁט מִנָּהּ לְבוּשֵׁי קַדְרוּתָא דְּפַשְׁטִין וּלְקַשְׁטָא לָהּ בִּלְבוּשִׁין דִּגְוָונִין נְהִירִין דְּרָזִין דְּאוֹרַיְיתָא, מַה כְּתִיב בֵּיהּ, וּרְאִיתִיהָ לִזְכֹּר בְּרִית עוֹלָם. וּרְאִיתִיהָ, בְּרָזִין נְהִירִין דְּאוֹרַיְיתָא, דְּאוֹר רָ"ז אִתְקְרֵי, הה"ד, כִּי נֵר מִצְוָה תּוֹרָה אוֹר. וּבְאִלֵּין רָזִין אִתְּמַר וּרְאִיתִיהָ.

מא. וּבְהַהוּא זִמְנָא סָלִיק מִנֵּיהּ רוּגְזָא דִּבְרֵיהּ, וַחֲמַת הַמֶּלֶךְ שָׁכָכָה, וְיֵימָא לָהּ מַלְכָּא בִּצְלוֹתָא דַּעֲמִידָה קַמֵּיהּ, מַה שְּׁאֵלָתֵךְ וְיִנָּתֵן לָךְ וּמַה בַּקָּשָׁתֵךְ. בְּהַהוּא זִמְנָא, שְׁאֵלְתָא עַל פּוּרְקָנָא דִּילָהּ, וּבְנָהָא עִמֵּיהּ, הה"ד תִּנָּתֶן לִי נַפְשִׁי בִּשְׁאֵלָתִי וְעַמִּי בְּבַקָּשָׁתִי. אֲבָל קֶשֶׁת דְּאִתְחֲזְיָא בְּעָלְמָא בְּגָלוּתָא, דְּעַבְדָּא אִיהוּ, זִמְנִין דְּנָפִיק בִּשְׁלִימוּ, כַּד בְּנוֹי מַכְשִׁירִין עוֹבָדוֹי, וְלִזְמְנִין לָא אִשְׁתְּכַח בִּשְׁלִימוּ, כַּד בְּנוֹי לָא מַכְשְׁרִין עוֹבָדוֹי.

מב. אִלֵּין דְּמַכְשְׁרִין עוֹבָדֵיהוֹן קַמֵּי מַלְכָּא, וּמְקַנְּין עַל שְׁמֵיהּ, וּמַקְדִּישִׁין לֵיהּ בָּרַבִּים. הָכִי מְקַדְּשִׁין לֵיהּ לְעֵילָּא, בֵּין מִמְּנָן דִּשְׁאַר עַמִּין, וְאִשְׁתְּמוֹדְעִין לֵיהּ כָּל מְמַנָּא בְּכִנּוּיֵיהּ. אֲבָל יִשְׂרָאֵל אִשְׁתְּמוֹדְעִין לְעֵילָּא כֹּלָּא בְּשֵׁם יְדֹוָ"ד, דְּאִיהוּ חַיֵּי כָּל כִּנּוּיִין.

מג. וְכָל שֵׁם וְכִנּוּי סָהִיד עָלֵיהּ, אֵ"ל סָהִיד עָלֵיהּ, דְּאִית לֵיהּ יְכוֹלֶת עַל כָּל אֵל, הה"ד אֲנִי אֶדְרוֹשׁ אֶל אֵל. אֵל, מָארֵי דְּאֵל. אֱלֹהִים סָהִיד עָלֵיהּ, דְּאִיהוּ אֱלֹהֵי הָאֱלֹהִים. אֲדֹנָ"י סָהִיד עָלֵיהּ, דְּאִיהוּ אֲדוֹנֵי הָאֲדוֹנִים. אוּף הָכִי כָּל שֵׁם. דְּכָל מַלְאָךְ אִית לְכָל חַד שֵׁם יְדִיעַ, לְאִשְׁתְּמוֹדְעָא לְכָל כַּת בְּהַהוּא שֵׁם דְּמַלְכָּא דִּילֵיהּ. אֲבָל יִשְׂרָאֵל,

אִשְׁתְּמוֹדְעָן לֵיהּ בִּיהו"ה.

מד. וְרָזָא דְּמִלָּה, ב"נ וַחַד יָכִיל לְמֶהֱוֵי לֵיהּ כַּמָּה סוּסְוָון, אוּף הָכִי כָּל יִשְׂרָאֵל אִינּוּן בְּנוֹי דְּאָדָם, וְכָל בְּרָא צָרִיךְ לְמֶהֱוֵי לֵיהּ לַאֲבוּי כְּסוּס וְכַחֲמוֹר לְמִשְׁוֵי, וּלְמֶהֱוֵי כָּפִיף תְּחוֹתוֹי, וְהַאי אִיהוּ רָזָא אָדָם וּבְהֵמָה תוֹשִׁיעַ יְיָ'. דְּאִיהוּ בְּרָא דְּאָדָם, וְעָבֵיד גַּרְמֵיהּ כִּבְהֵמָה תְּחוֹתוֹי.

מה. וּבְגִין דָּא אִיהוּ פִּקּוּדָא דְּקוּדְשָׁא בְּרִיךְ הוּא בְּאוֹרַיְיתָא, לְמֶהֱוֵי אָח מְיַבֵּם לְאִתְּתֵיהּ דְּאָחוּ, לְמֶעְבַּד בְּרָא לַאֲחוּוֹי, בְּגִין דְּלָא יִתְאֲבִיד מֵהַהוּא עָלְמָא. וְהַאי אִיהוּ כְּגוֹן רָזָא דְּכִלְאַיִם בְּצִיצִית. דְּאָמְרוּ, מַה שֶׁאָסַרְתִּי לְךָ כָּאן, הִתַּרְתִּי לְךָ כָּאן. אָסַרְתִּי לְךָ כִּלְאַיִם דְּעָלְמָא, הִתַּרְתִּי לְךָ כִּלְאַיִם דְּצִיצִית. אָסַרְתִּי לְךָ אֵשֶׁת אָח, הִתַּרְתִּי לְךָ יְבָמָה. כְּגוֹן מַרְכִּיבִים תַּפּוּחִים אוֹ דְּקָלִים מִן בְּמִינוֹ. וְאָסוּר לְאַרְכָּבָא מִין בְּשֶׁאֵינוֹ מִינוֹ. וְאִתְּמַר בֵּיהּ כִּי הָאָדָם עֵץ הַשָּׂדֶה. וּבְיִבָּמָה מַרְכִּיבִין מִין בְּשֶׁאֵינוֹ מִינוֹ, בְּגִין דְּלָא לְתַאֲבִיד נֶפֶשׁ הַמֵּת. וְלֹא יִמָּחֶה שְׁמוֹ מִיִּשְׂרָאֵל.

מו. וְהַאי אִיהוּ רָזָא דְּגִלְגּוּל. גַּלְגַּל לֵית לֵיהּ תְּנוּעָה בְּלָא אַמַּת הַמַּיִם, אוּף הָכִי, אַמַּת הַמַּיִם רָזָא דְּאָת ו', בֵּיהּ אִתְעָבֵיד גַּלְגַּל גִּלְגּוּל. וְרָזָא דְּמִלָּה, מַה גַּלְגַּל אֵין לוֹ תְּנוּעָה בְּלָא אַמַּת הַמַּיִם, אוּף הָכִי, גַּלְגַּל אִיהוּ י', וְלֵית לֵיהּ תְּנוּעָה בְּלָא אַמַּת הַמַּיִם דְּאִיהוּ ו'. יְבָמָה ה'. לְהַאי אִיהוּ בִּינָ"ה בֵּ"ן יָ"ה. בְּאוֹת י' בָּרָא עָלְמָא דְּאָתֵי, עוֹלָם אָרוּךְ, דְּאִיהוּ ו'.

מז. בְּגִין דָּא, מַאן דְּלֵית לֵיהּ בֵּן, לָאו אִיהוּ מִבְּנֵי עָלְמָא דְּאָתֵי, דְּיַמָּא לְקַבְּלֵיהּ, וּמִנֵּיהּ נָפִיק, מִבֵּינַיְיהוּ ו', וּמִנֵּיהּ מִתְפַּלְּגִין כַּמָּה נַחֲלֵי, דְּאִינּוּן מְסַבְּבִין עָלְמָא, עַד דְּהַדְּרוּ לְיַמָּא דְּנַפְקוּ מִתַּמָּן, וּבְגִין דָּא אָמַר קְרָא, כָּל הַנְּחָלִים הוֹלְכִים אֶל הַיָּם וְהַיָּם אֵינֶנּוּ מָלֵא אֶל מְקוֹם שֶׁהַנְּחָלִים וְגוֹ'. עַד דְּאָהַדְרוּ כְּגַוְונָא דְּנַפְקוּ.

מח. אוּף הָכִי, וְהָרוּחַ תָּשׁוּב אֶל הָאֱלֹהִים אֲשֶׁר נְתָנָהּ. כְּגַוְונָא דְּיָהִיב לָהּ שְׁלֵימָתָא. אִם תָּשׁוּב בִּתְיוּבְתָּא, דְּאִיהוּ בִּינָ"ה בֵּ"ן יָ"ה, עִלָּאָה. אֶת ה' סְלִיקַת בְּאָת י' לְחַמְשִׁין, עֶשֶׂר זִמְנִין וְחָמֵשׁ. הָא אִיהוּ יָ"ם, יָ"ה. בֵּ"ן, נַחַל דְּנָפַק מִן יַמָּא, וְאִתְפְּלִיג לְכַמָּה נַחֲלִין, כְּגַוְונָא דְּאִילָנָא דְּאִתְפָּשַׁט לְכַמָּה עַנְפִּין.

מט. וְאִי לָא חָזַר נִשְׁמָתָא שְׁלֵימָתָא, כְּגַוְונָא דְּאִשְׁתְּלָמַת. אִתְּמַר בָּהּ, שָׁם הֵם שָׁבִים לָלֶכֶת, אִיהִי וְכָל נִשְׁמָתִין אַחֲרָנִין. אוּף הָכִי לָאו אִיהוּ שְׁלִים בְּבֵן, אִי לֵית לֵיהּ בַּת, דְּאִיהוּ עָלְמָא דִּין, לְמֶהֱוֵי שְׁלִים בְּהַאי עָלְמָא דְּאִתְבְּרֵי בְּה', הה"ד אֵלֶּה תוֹלְדוֹת הַשָּׁמַיִם וְהָאָרֶץ בְּהִבָּרְאָם.

נ. יה"ו, הֵן כָּל אֵלֶּה יִפְעַל אֵל פַּעֲמַיִם שָׁלֹשׁ עִם גָּבֶר. וְרַשִׁיעַיָּיא דְּאִתְּמַר בְּהוֹן, וּבְכֵן רָאִיתִי רְשָׁעִים קְבוּרִים וָבָאוּ, גַּרְמוּ אֵלֶּה אֱלֹהֶיךָ יִשְׂרָאֵל, דְּאִתְּמַר עֲלַיְיהוּ, עַל שְׁלֹשָׁה פִּשְׁעֵי יִשְׂרָאֵל. בָּתַר דְּקַלְקְלוּ גַּרְמַיְיהוּ תְּלַת זִמְנִין, וְלָא זָכֵי בִּיה"ו, דְּאִתְּמַר בֵּיהּ מְקוֹם שֶׁיִּפּוֹל הָעֵץ שָׁם יְהוּ. עַל אַרְבָּעָה לֹא אֲשִׁיבֶנּוּ, דְּהַיְינוּ ה'. וְאִתְדָּנוּ בְּגֵיהִנָּם, בְּמַשְׁוִוית אַף וְחֵימָה.

נא. וּלְבוּשִׁין דִּתְלַת אַתְוָון אִלֵּין, אִשְׁתְּמוֹדְעִין בַּקֶּשֶׁת, דְּאִינּוּן חִיוָּור סוּמָק וְיָרוֹק. מַאן דְּיֵיתֵי בְּזִמְנָא חֲדָא, אִיהוּ חִיוָּור. בְּתִנְיָינָא, סוּמָק. בִּתְלִיתָאָה, יָרוֹק. וּבְגִין דְּבְיַעֲקֹב אִתְכְּלִילוּ אַתְוָון, וְאִשְׁתָּרַשׁ אִילָנָא וְאִתְנְטַע וְאִתְרַבָּא, וְאִתְעָבֵיד אִיבָּא טָבָא, לֹא עַתָּה יֵבוֹשׁ יַעֲקֹב וְלֹא עַתָּה פָּנָיו יֶחֱוָרוּ, לְמֶהֱוֵי מֶרְכַּבְתֵּיהּ בְּיֵצֶר הָרָע, דְּאִיהוּ נָחָשׁ, וְכָל מִינֵי חַיָּה בִּישָׁא. וּבְגַ"ד, וַיָּשַׂר אֶל מַלְאָךְ וַיּוּכָל. וּבְגִין דְּאִתְקְרֵי אָדָם אִילָנָא, אִיהוּ רָזָא דָּא, לְאִילָנָא דְּאִתְנְטַע בַּאֲתַר דְּלָא עָבֵיד אִיבָּא. מַה עָבֵד. עָקַר לֵיהּ וּנְטָעֵיהּ בַּאֲתַר אַחֲרָא.

וּבְגִּין דָּא אוּקְמוּהָ מ״מ דְּלָא הֲוֵי מוּוּזָק לְמֶהֱוֵי עָקָר, עַד דְּאָזִיל לְאֶרֶץ יִשְׂרָאֵל, וְאִתְנְטַע תַּמָּן בְּאִתְּתָא.

נב. אוּף הָכִי צַדִּיק, דְּאִיהוּ מִטַּלְטֵל מֵאֲתַר לַאֲתַר, מִבַּיִת לְבַיִת, כְּאִילּוּ יֵיתֵי בְּגִלְגּוּלָא זִמְנִין סַגִּיאִין. וְהַיְינוּ וְעוֹשֶׂה חֶסֶד לַאֲלָפִים לְאוֹהֲבָיו, עַד דְּיִזְכֶּה לְעָלְמָא. דְּאָתֵי שְׁלִים. אֲבָל לְחַיָּיבַיָּא, לָא אַיְיתֵי לֵיהּ יַתִּיר מִתְּלַת זִמְנִין. וְאִי חָזַר בְּתְיוּבְתָּא, אִתְּמַר בֵּיהּ גָּלוּת מְכַפֶּרֶת עָוֹן. וּבְגִּין דָּא אוּקְמוּהָ מ״מ, צַדִּיקִים שׁוּב אֵינָן חוֹזְרִים לַעֲפָרָם.

נג. אֶלָּא קָא רָמִיז, וְעָפָר אַחֵר יִקַּח וְטָח אֶת הַבָּיִת. וְאָדָם עַל עָפָר יָשׁוּב. וְיָשֹׁב הֶעָפָר עַל הָאָרֶץ כְּשֶׁהָיָה. בְּגִין דְּהוּא מְנוּגָּע, וְלֵית בֵּיהּ אֶלָּא אִשָּׁה רָעָה, יֵצֶר הָרָע, דְּאִתְּמַר בָּהּ אִשָּׁה רָעָה צָרַעַת לְבַעְלָהּ. מַאי תַּקַּנְתֵּיהּ. יְגָרְשֶׁנָּה וְיִתְרַפֵּא. דְּאִיהִי גָּרְמַת וַיְגָרֶשׁ אֶת הָאָדָם הָאָדָם, דָּא נִשְׁמְתָא. א״ת, בַּת זוּגוֹ דְּאָדָם. כְּצִפּוֹר נוֹדֶדֶת מִן קִנָּהּ כֵּן אִישׁ נוֹדֵד מִמְּקוֹמוֹ.

נד. וּבְגִין דָּא, גַּם צִפּוֹר מָצְאָה בַיִת, הַיְינוּ יְבָמָה. וּדְרוֹר קֵן לָהּ, הַיְינוּ גּוֹאֵל, אֲשֶׁר שָׁתָה אֶפְרוֹחֶיהָ, בֵּן וּבַת. זַכָּאָה אִיהוּ מַאן דְּעָבֵד קִינָא, וְגָאַל אֵת מִמְכַּר אָחִיו. דְּאִיהוּ מָכוּר בַּעֲבוּר דְּלָאו דִּילֵיהּ.

נה. וּבְגִין דָּא אָמַר מֹשֶׁה, וַיִּתְעַבֵּר יְיָ׳ בִּי לְמַעַנְכֶם. הָכָא הוּא סוֹד הָעִבּוּר. רַעְיָא מְהֵימְנָא, שָׁקִיל שִׁתִּין רִבּוֹא, כַּמָּה זִמְנִין דְּאָתֵי בְּגִלְגּוּלָא, וּבְגִין דָּא זְכוּת כֻּלְּהוּ תַּלְיָיא קוּדְשָׁא בְּרִיךְ הוּא בֵּיהּ. וּבְגִין דָּא אוּקְמוּהָ רַבָּנָן, אִשָּׁה אַחַת יָלְדָה בְּמִצְרַיִם שִׁשִּׁים רִבּוֹא בְּכֶרֶס אֶחָד. וְאע״ג דְּאוּקְמוּהָ רַבָּנָן בְּמִלִּין אַחֲרָנִין, שִׁבְעִים פָּנִים לַתּוֹרָה.

נו. דְּהָכִי אוֹרַח דְּמָארֵי רָזִין, אַמְרִין מַרְגָּלִית לְתַלְמִידֵיהוֹן, וְלָא אִשְׁתְּמוֹדְעוּן בֵּיהּ בְּרָמִיזָא, אַהֲדַר לוֹן הַהוּא מִלָּה בְּמִלֵּי שׁוּק, כְּגַוְונָא דְּהַהוּא דְּאָמַר, דְּבֵיצָה אַחַת, אֲפִילַּת שִׁתִּין כְּרַכִּין. וְאָתָא בֵּיצָה וְנָפְלַת מִן עוֹפָא דַּהֲוָה פָּרַח בַּאֲוִירָא, וּמָחָאת אִלֵּין שִׁתִּין כְּרַכִּין, וּמָארֵי דְּלֵיצָנוּתָא אָמְרוּ, דְּלָא אָמַר הוּא אֶלָּא דְּב״נ כָּתַב שִׁשִּׁים כְּרַכִּין, וְאָתָא בֵּיצָה דְּנַפְקַת מִן עוֹפָא וּמְחָקַת שִׁתִּין כְּרַכִּין דִּכְתִיבָה. וְחַס וְשָׁלוֹם דְּמָארֵי אוֹרַיְיתָא אַמְרִין מִלִּין דְּשׁוּק, וּדְבָרִים בְּטֵלִים בְּאוֹרַיְיתָא.

נז. אֶלָּא הָא אוּקְמוּהָ, אֶפְרוֹחִים, אִלֵּין מָארֵי מִשְׁנָה. אוֹ בֵּיצִים, אִלֵּין מָארֵי מִקְרָא. וּכְגַוְונָא דְּנָפַל מֵהַהוּא נִפּוּל, דְּאִיהוּ בַּר נַפְלֵי, נְפִילַת בֵּיצָה דְּאִיהוּ אֶתְרוֹג שִׁיעוּרָא כְּכַבֵּיצָה. וּבְגִינָהּ אִתְּמַר בַּיּוֹם הַהוּא אָקִים אֶת סֻכַּת דָּוִד הַנּוֹפֶלֶת. וְנָפְלוּ עִמָּהּ שִׁשִּׁים הֵמָּה מְלָכוֹת, דְּאִינּוּן כְּרִיכִין בָּהּ, כְּגוֹן כֵּיצַד כּוֹרְכִין אֶת שְׁמַע. וְאִינּוּן לָקֳבֵל שִׁשִּׁים מַסֶּכְתּוֹת. וַעֲלָמוֹת אֵין מִסְפָּר, אִלֵּין בְּתוּלוֹת אַחֲרֶיהָ רֵעוֹתֶיהָ, דְּאִינּוּן הֲלָכוֹת, דְּלֵית לוֹן חוּשְׁבָּן.

נח. וְהַהוּא נִיפּוּל אִיהוּ בֶּן י״ה אִיהוּ בְּתוֹךְ נ׳ תַּרְעִין דְּבִינָ״ה, דְּהַיְינוּ י״ה וְחָמֵשׁ זִמְנִין עֶשֶׂר ו׳ אִיהוּ נִיפּוּל, דְּנָפַל בָּתַר הַהִיא דְּאִתְּמַר, אֵיךְ נָפַלְתָּ מִשָּׁמַיִם הֵילֵל בֶּן שָׁחַר וְאִקְרֵי נִיפּוּל, וְלָא נָפַל, וְלָא נוֹפֵל. בְּגִין דְּבֵיהּ נִיפּוּל י״ו וְנָחִית בְּהוֹן לְגַבֵּי ה׳ ה׳, דְּאִתְּמַר בְּהוֹן וַתֵּלַכְנָה שְׁתֵּיהֶן. הה״ד שַׁלֵּחַ תְּשַׁלַּח חַד מִבַּיִת רִאשׁוֹן וְתִנְיָינָא מִבַּיִת שֵׁנִי, לְאַקָמָא לוֹן. הה״ד, יִ״שְׂמְחוּ הַ״שָּׁמַיִם וְ״תָגֵל הָ״אָרֶץ.

נט. ת״ח, הַאי שִׁמְשָׁא אִתְגַּלְיָא בִּימָמָא, וְאִתְכַּסְיָא בְּלֵילְיָא. וְנָהִיר בְּשִׁתִּין רִבּוֹא כֹּכְבַיָּא. אוּף הָכִי רַעְיָא מְהֵימְנָא, בָּתַר דְּאִתְכְּנִישׁ מֵעָלְמָא, נָהִיר בְּשִׁתִּין רִבּוֹא נִשְׁמָתִין דְּיִשְׂרָאֵל, אִי דָּרָא כַּדְקָא יָאוּת. וְהַאי אִיהוּ רָזָא דְּגִלְגּוּלָא, דְּאָמַר עָלֵיהּ קֹהֶלֶת, דּוֹר הוֹלֵךְ וְדוֹר בָּא. וְאוּקְמוּהָ דְּלֵית דּוֹר פָּחוֹת מִשִּׁשִּׁים רִבּוֹא. וְהָאָרֶץ לְעוֹלָם עוֹמֶדֶת, דָּא

כ"י. הָהִיא דְּאִתְּמַר בָּהּ, וְהָאָרֶץ הֲדוֹם רַגְלָי, וְהָיָה זַרְעֲךָ כַּעֲפַר הָאָרֶץ.

ס. וְעוֹד רָזָא אַחֲרָא אוֹקְמוּהָ רַבָּנָן, הַדּוֹר שֶׁהוֹלֵךְ הוּא הַדּוֹר שֶׁבָּא, הָלַךְ וְזָגֵר בָּא וְזָגֵר, הָלַךְ סוּמָא בָּא סוּמָא. וְעוֹד אוֹקְמוּהָ רַבָּנָן, דְּעָתִיד הֲוָה מֹשֶׁה לְקַבְּלָא אוֹרַיְיתָא בְּדָרָא דְּטוֹפָנָא, אֶלָּא בְּגִין דַּהֲווּ רַשִׁיעַיָּיא, הה"ד בְּשַׁגַּ"ם הוּא בָשָׂר. בְּשַׁגַּ"ם זֶה מֹשֶׁ"ה. וַאֲמַאי קָרֵי לֵיהּ בְּשַׁגַּם. אֶלָּא קֹהֶלֶת וְחָסֵר ב' מִן בְּשַׁגַּ"ם לְכַסָּאָה מִלָּה. אָמַר אֲמַרְתִּי שֶׁגַּם זֶה הֶבֶל.

סא. וְאוֹקְמוּהָ עַל יִתְרוֹ, לָמָּה נִקְרָא שְׁמוֹ קֵינִי, שֶׁנִּפְרַד מִקַּיִן. קָם בּוּצִינָא קַדִּישָׁא וְאָמַר, עַל דָּא כְתִיב, קָנִיתִי אִישׁ אֶת יְדֹוָ"ד. דְּחָזָאת לֵיהּ בְּרוּחַ הַקֹּדֶשׁ, דַּעֲתִידִין בְּנוֹי לְמֵיתַב בְּלִשְׁכַּת הַגָּזִית.

סב. וְאוּף הָכִי ר' פְּדָת, דַּהֲוָה דְּחִיקָא לֵיהּ שַׁעְתָּא, דְּלָא הֲוָה לֵיהּ אֶלָּא קַב חֲרוּבִין מֵעֶ"שׁ לְעֶ"שׁ, כְּמוֹ לר' חֲנִינָא. אֲמַאי הַאי, בָּתַר דַּהֲוַת בַּת קוֹל נָפְקַת וְאוֹמֶרֶת, כָּל הָעוֹלָם כֻּלּוֹ אֵינוֹ נִזּוֹן אֶלָּא בִּשְׁבִיל חֲנִינָא בְּנִי.

סג. אֶלָּא אִיהוּ גָּרִים קוֹדֶם, דְּחָרַב קַ"ב מִן י', דְּאִיהוּ יַבֹּ"ק. אוּף הָכִי לָא הו"ל אֶלָּא קַב וַחֲרוּבִין. דְּאָת י' אִיהוּ יִחוּד, וּמִנֵּיהּ אַתְיָא נְבִיעוּ לְאָת ב', דְּאִיהִי בְּרָכָה, וְאִיהִי קֹדֶשׁ, וּמִנֵּיהּ אִתְקַדַּשׁ ק', דְּאִיהִי קְדוּשָׁה. ור' פְּדָת גָּרִים לְמֶהֱוֵי חֲרוּבִין דִּילֵיהּ קַ"ב, דְּאִינּוּן קְ"דוּשָׁה בְּ"רָכָה, אוּף הָכִי לָא הו"ל אֶלָּא קַב וַחֲרוּבִין, אוּף הָכִי אִיּוֹב בֶּן יְבָמָה הֲוָה, וּבְגִין דָּא אִתְעֲנַשׁ, עַל מַה דְּאִירַע לוֹ כְּבָר.

סד. וְאִינּוּן דְּלָא יָדְעֵי רָזָא דָּא, אַמְרֵי בְּנֵי חַיֵּי וּמְזוֹנֵי לָאו בִּזְכוּתָא תַּלְיָא מִלְּתָא, אֶלָּא בְּמַזָּלָא תַּלְיָא מִלְּתָא. וְהָא חֲזֵינָא לְאַבְרָהָם דְּחָזָא בְּמַזָּלֵיהּ, דְּלָא הֲוָה עָתִיד לְמֶהֱוֵי לֵיהּ בְּרָא, וְקוּדְשָׁא בְּרִיךְ הוּא אַפִּיק לֵיהּ לְבָרָא, כִּדְכְתִיב וַיּוֹצֵא אוֹתוֹ הַחוּצָה וַיֹּאמֶר הַבֶּט וְגוֹ'. וְאוֹקְמוּהָ, דא"ל צֵא מֵאִצְטַגְנִינוּת שֶׁלְּךָ, וְהֶעֱלָהוּ לְמַעְלָה מֵהַכּוֹכָבִים, וְאָמַר לוֹ הַבֶּט נָא הַשָּׁמַיְמָה וּסְפוֹר הַכּוֹכָבִים. עַד הָכָא מִלִּין דְּרַבָּנָן, וְצָרִיךְ לְפָרְשָׁא לוֹן בְּדֶרֶךְ נִסְתָּר.

סה. ת"ח, כָּל בִּרְיָין דְּעָלְמָא, קוֹדֶם דְּאִתְיְיהִיבַת אוֹרַיְיתָא לְיִשְׂרָאֵל, הֲווּ תַּלְיָין בְּמַזָּלָא, וַאֲפִילּוּ בְּנֵי חַיֵּי וּמְזוֹנֵי. אֲבָל בָּתַר דְּאִתְיְיהִיבַת אוֹרַיְיתָא לְיִשְׂרָאֵל, אַפִּיק לוֹן מִחִיּוּבָא דְּכֹכְבַיָּא וּמַזָּלֵי. וְדָא אוֹלִיפְנָא מֵאַבְרָהָם. בְּגִין דַּהֲווּ עֲתִידִין בְּנוֹי לְקַבְּלָא ה' מֵאַבְרָהָם, דְּאִיהִי חֲמִשָּׁה חוּמְשֵׁי תּוֹרָה. דְּאִתְּמַר בָּהּ אֵלֶּה תוֹלְדוֹת הַשָּׁמַיִם וְהָאָרֶץ בְּהִבָּרְאָם, בְּה' בְּרָאָם. אָמַר לְאַבְרָהָם, בְּגִין הַאי ה' דְּאִתּוֹסַף בִּשְׁמָךְ, הַשָּׁמַיִם תַּחְתָּךְ, וְכָל כֹּכְבַיָּא וּמַזָּלֵי דְּנַהֲרִין בְּהוֹן. וְלָא עוֹד, אֶלָּא דְּאִתְּמַר בָּהּ הֵ"א לָכֶם זֶרַע, וּזְרַעְתֶּם בְּהֵ"א. כִּי בְיִצְחָק יִקָּרֵא לְךָ זָרַע.

סו. וּבְגִ"ד, כָּל הַמִּשְׁתַּדֵּל בְּאוֹרַיְיתָא, בָּטִיל מִנֵּיהּ חִיּוּבָא דְּכֹכְבַיָּא וּמַזָּלֵי. אִי אוֹלִיף לָהּ כְּדֵי לְקַיְּימָא פִּקּוּדָהָא. וְאִם לָאו, כְּאִלּוּ לָא אִשְׁתְּדַל בָּהּ, וְלָא בָּטִיל מִנֵּיהּ חִיּוּבָא דְּכֹכְבַיָּא וּמַזָּלֵי. כָּל שֶׁכֵּן עַמֵּי הָאָרֶץ דְּאִינּוּן אִתְמַתְלָן לִבְעִירָן. דְּאוֹקְמוּהָ עֲלַיְיהוּ אָרוּר שׁוֹכֵב עִם כָּל בְּהֵמָה, דְּלָא אִתְבַּטְּלוּן מִנַּיְיהוּ חִיּוּבָא דְּכֹכְבַיָּא וּמַזָּלֵי.

סז. אֱנוֹשׁ כֶּחָצִיר יָמָיו כְּצִיץ הַשָּׂדֶה כֵּן יָצִיץ, וְאִתְּמַר בֵּיהּ, נַעַר הָיִיתִי גַּם זָקַנְתִּי. לְבָתַר יָשׁוּב לִימֵי עֲלוּמָיו. דְּאִילָנָא דְּאִתְקַצִּיצוּ עַנְפִּין עַתִּיקִין דִּילֵיהּ, וְצִמְחוּ כְּמִלְּקַדְמִין בְּשָׁרְשׁוֹי, אַהַדְרוּ בְּעָלְמָא כְּמִלְּקַדְמִין. מִיתוּ סָבִין, וְאִתְהַדְּרוּ לְהַאי עָלְמָא עוּלֵימִין. וְהַיְינוּ רָזָא דִּמְחַדֵּשׁ קוּדְשָׁא בְּרִיךְ הוּא בְּכָל יוֹם תָּמִיד מַעֲשֵׂה בְרֵאשִׁית. דְּמֵתִין אֲלַף בְּכָל יוֹמָא וּמִתְחַדְּשִׁין אֲלַף בְּכָל יוֹמָא.

סח. וְיַיִן יְשַׂמַּח לְבַב אֱנוֹשׁ, דָּא יֵינָא דְּאוֹרַיְיתָא. דְּהָכִי סָלִיק יַיִן, כְּחוּשְׁבַּן סוֹ"ד. וּמַה

יַ״ן צָרִיךְ לְמֶהֱוֵי סָתִים וַחֲתִים, דְּלָא יִתְנְסַךְ לע״ז. אוּף הָכִי צָרִיךְ לְמֶהֱוֵי סָתִים וַחֲתִים סוֹד דְּאוֹרַיְיתָא, וְכָל רָזִין דִּילָהּ, וְלָא אִשְׁתַּקְיָין אֶלָּא לִירֵאָיו. וְלָאו לְמַגָּנָא עָבְדִין כַּמָּה פִּקּוּדִין בְּיַיִן, וּמְבָרְכִין בֵּיהּ לְקוּדְשָׁא בְּרִיךְ הוּא, וְיַיִן אִית לֵיהּ תְּרֵי גַּוְונִין, חִוָּור וְסוּמָק, דִּינָא וְרַחֲמֵי, וְהַיְינוּ ב׳ תּוֹסֶפֶת בְּיַיִן. כְּגַוְונָא דְּשׁוֹשַׁנָּה חִוָּורָא וְסוּמָקָא. חִוָּור מִסִּטְרָא דִּימִינָא, סוּמָק מִסִּטְרָא דִּשְׂמָאלָא.

סט. וּמַאי לְבַב אֱנוֹשׁ, לֵב הו״ל לְמֵימַר. אֶלָּא אִית לֵב מָסוּר לַלֵּב. וְאִינּוּן ל״ב אֱלֹהִים דְּעוֹבָדָא דִּבְרֵאשִׁית, ב׳ מִן בְּרֵאשִׁית, ל׳ מִן לְעֵינֵי כָּל יִשְׂרָאֵל, אִיהוּ ל״ב תִּנְיָינָא. דָּא לֵ״ב לֵ״ב שְׁנַיִם ס״ד, וְחָסֵר תְּמַנְיָא לְע״ב, דְּאִיהוּ וַיְכֻלּוּ. אִינּוּן שִׁבְעָה יְמֵי בְּרֵאשִׁית. תְּמִינָאָה מַאי הִיא. ז׳ יְמֵי בְּרֵאשִׁית, עִם זֶה סֵפֶר תּוֹלְדוֹת אָדָם. זֶ״ה ע״ב, בְּחוּשְׁבַּן בַּיַיִן.

ע. מַאי לְהַצְהִיל פָּנִים מִשָּׁמֶן. אִינּוּן י״ב פָּנִים, ד׳ דְּאַרְיֵה, ד׳ דְּשׁוֹר, ד׳ דְּנֶשֶׁר, דְּאִינּוּן מִיכָאֵל אַרְיֵה, אַרְבַּע אַנְפִּין דִּילֵיהּ יְהֹוָ״ה. אַרְבַּע אַנְפִּין דְּשׁוֹר, וְאִיהוּ גַּבְרִיאֵל, וְאִינּוּן יְהֹוָ״ה. ד׳ אַנְפִּין דְּנֶשֶׁר, וְאִיהוּ נוּרִיאֵל, וְאִינּוּן יְהֹוָ״ה. וְאִינּוּן מְמַנָּן, תְּחוֹת חֶסֶ״ד פַּחַ״ד אֱמֶ״ת, דַּרְגִּין דִּתְלַת אֲבָהָן. וְאוֹקְמוּהָ רַבָּנָן, הָאָבוֹת הֵן הֵן הַמֶּרְכָּבָה. וְסַלְּקִין נְהוֹרִין לְחוּשְׁבַּן יַבֹּ״ק. וְאִינּוּן מֶלֶךְ מָלַךְ יִמְלוֹךְ, יְהֹוָ״ה אֶהְיֶ״ה אֲדֹנָ״י. סַךְ הַכֹּל יַבֹּ״ק.

עא. רַבִּי שִׁמְעוֹן הֲוָה יָתִיב וְלָעֵי בְּפָרְשָׁתָא דָּא, אָתָא לְקַמֵּיהּ ר׳ אֶלְעָזָר בְּרֵיהּ, א״ל, נָדָב וַאֲבִיהוּא מַאי עֲבִידְתַּיְיהוּ בְּפִנְחָס. אִי לָא הֲוָה פִּנְחָס בְּעָלְמָא כַּד מִיתוּ, וּבָתַר אָתָא לְעָלְמָא וְאַשְׁלִים דּוּכְתַּיְיהוּ שַׁפִּיר. אֲבָל פִּנְחָס בְּעָלְמָא הֲוָה, וְנִשְׁמָתֵיהּ בֵּיהּ בְּקִיּוּמָא קָאֵי.

עב. א״ל בְּרִי, רָזָא עִלָּאָה הָכָא, וְהָכִי הוּא. דִּבְשַׁעֲתָא דְּאִסְתַּלָּקוּ מִן עָלְמָא, לָא הֲווֹ מִתְטַמְּרָן תְּחוֹת גַּדְפֵּי טַנָּרָא קַדִּישָׁא. מ״ט. בְּגִין דִּכְתִיב וּבָנִים לֹא הָיוּ לָהֶם, דְּאַזְעִירוּ דְּיוֹקְנָא דְּמַלְכָּא, דְּהָא אִינּוּן לָא אִתְחֲזוּן לְשַׁמְּשָׁא בִּכְהוּנָּה רַבָּה.

עג. בְּשַׁעֲתָא דְּקַנֵּי פִּנְחָס עַל בְּרִית קַדִּישָׁא, וְעָאל בְּגוֹ כַּמָּה אוּכְלוּסִין, וְסָלִיק לוֹן, לְגַיְיפִין עַל רוּמְחָא, לְעֵינֵיהוֹן דְּכָל יִשְׂרָאֵל. כַּד חָמָא שִׁבְטָא דְּשִׁמְעוֹן בְּכַמָּה אֻכְלוּסִין דְּאָתוּ לְגַבֵּיהּ, פָּרְחָא נִשְׁמָתֵיהּ מִנֵּיהּ, וּתְרֵין נִשְׁמָתִין דַּהֲווֹ עַרְטִירָאִין בְּלָא דּוּכְתָּא, אִתְקְרִיבוּ בָּהּ, וְאִתְכְּלִילוּ כַּחֲדָא, וְאִתְהַדְּרַת נִשְׁמָתֵיהּ, כְּלִילָא רוּחָא, דְּאִתְכְּלִיל בִּתְרֵין רוּחִין, וְאִתְתַּקְפוּ בֵּיהּ, כְּדֵין רָוַוח דּוּכְתַּיְיהוּ, לְמֶיהֱוֵי כַּהֲנָא מַה דְּלָא אִתְחֲזֵי מִן קַדְמַת דְּנָא.

עד. וְעַ״ד כְּתִיב, זְכָר נָא מִי הוּא נָקִי אָבָד, דְּלָא אִתְאֲבִיד בְּהַהִיא שַׁעֲתָא, וְלָא אֲבִיד רוּחֵיהּ כַּד פָּרְחָה מִנֵּיהּ. וְאֵיפֹה יְשָׁרִים נִכְחָדוּ. אִלֵּין בְּנֵי אַהֲרֹן, דְּאִתְהַדְּרוּ לְעָלְמָא, מַה דְּאָבַד בְּחַיֵּיהוֹן. וְעַ״ד כְּתִיב בֵּיהּ בְּפִנְחָס בֶּן בֶּן, תְּרֵי זִמְנֵי. פִּנְחָס בֶּן אֶלְעָזָר בֶּן.

עה. מַה כְּתִיב לְעֵילָּא מִפָּרְשָׁתָא דָּא. וַיֹּאמֶר יְיָ׳ אֶל מֹשֶׁה קַח אֶת כָּל רָאשֵׁי הָעָם וְהוֹקַע אוֹתָם לַיְיָ׳ נֶגֶד הַשָּׁמֶשׁ. וְכִי עַל דְּקַטְלִין בְּלֵילְיָא, אוֹ עַל דְּקַטְלִין בִּימָמָא בְּיוֹמָא דְּעֵיבָא, כְּתִיב נֶגֶד הַשָּׁמֶשׁ. אָמַר ר׳ יְהוּדָה, דִּתְהֵא מִיתָתְהוֹן בְּאִתְגַּלְיָיא, כְּמָה דְּחָבוּ בְּאִתְגַּלְיָיא.

עו. א״ר שִׁמְעוֹן, לָאו בְּגִין כָּךְ אִתְּמַר. אֶלָּא מֵהָכָא אוֹלִיפְנָא, בְּדַרְגָּא דְּחָב ב״נ לְקוּדְשָׁא בְּרִיךְ הוּא, לְהַהוּא אֲתָר אִצְטְרִיךְ לְמֶעְבַּד תִּקְנְתָא לְנַפְשֵׁיהּ. אִינּוּן חָבוּ בִּבְרִית קַדִּישָׁא דְּאִקְרֵי שֶׁמֶשׁ. בְּגִין כָּךְ דִּינָא וְתִקּוּנָא דִּילְהוֹן אִיהוּ כְּנֶגֶד הַשֶּׁמֶשׁ, וְלָאו בַּאֲתָר אַחֲרָא. מִכָּאן דְּלָא אִצְטְרִיךְ ב״נ לְתַקְּנָא נַפְשֵׁיהּ, אֶלָּא בְּהַהוּא אֲתָר דְּחָב לְגַבֵּיהּ וּמַאן דְּלָא יַעְבִּיד הָכִי, לֵית לֵיהּ תִּקּוּנָא לְעָלְמִין כַּדְּקָא יָאוּת.

עז. רַבִּי חִיָּיא פָּתַח, יִשְׂבְּעוּ עֲצֵי יְיָ׳ אַרְזֵי לְבָנוֹן אֲשֶׁר נָטָע, מַה כְּתִיב לְעֵילָּא, וְיַיִן

יְשַׂמַּח לְבַב אֱנוֹשׁ וְגוֹ'. וְכִי מַאי הַאי לְהַאי. אֶלָּא הָכִי אוֹלִיפְנָא, דִּכְתִיב מַצְמִיחַ חָצִיר לַבְּהֵמָה וְגוֹ'. וְכִי שִׁבְחָא דִּבְהֵמָה דְּאִית לָהּ חָצִיר אָתָא דָּוִד לְמֵימַר בְּרוּחַ קוּדְשָׁא. אֶלָּא מַצְמִיחַ חָצִיר, אִלֵּין אִינּוּן שִׁתִּין אֶלֶף רִבּוֹא דְּמַלְאָכִין, שְׁלִיחָן, דְּאִתְבְּרִיאוּ בְּיוֹמָא תִּנְיָינָא דִּבְרֵאשִׁית, וְכֻלְּהוּ אֶשָּׁא מְלַהֲטָא. אַלֵּין אִינּוּן חָצִיר. אַמַּאי חָצִיר. בְּגִין דְּצָמְחִין כְּחָצִיר דָּא בְּעָלְמָא, דְּכָל יוֹמָא וְיוֹמָא אִתְקְצִירוּ הַשְׁתָּא, וּלְבָתַר צָמְחִין וּמִהַדְרִין כְּמִלְקַדְמִין.

עח. וְע"ד כְּתִיב מַצְמִיחַ חָצִיר לַבְּהֵמָה, הה"ד יוֹדֵעַ צַדִּיק נֶפֶשׁ בְּהֶמְתּוֹ, וְתָנֵינָן, אֶלֶף טוּרִין סַלְּקִין לָהּ בְּכָל יוֹמָא וְיוֹמָא. וְכָל טוּרָא וְטוּרָא שִׁתִּין רִבּוֹא הֲוֵי, וְהִיא אָכְלָה.

עט. וְעֵשֶׂב לַעֲבוֹדַת הָאָדָם, אִלֵּין אִינּוּן נִשְׁמָתְהוֹן דְּצַדִּיקַיָּיא, דְּהַהוּא אָדָם דְּרָכִיב וְשַׁלִּיט עַל בְּהֵמָה דָּא אָכִיל, וְאָעִיל לוֹן בְּגַוָּוהּ, וּבִזְכוּתְהוֹן אִתְּזַן כָּל עָלְמָא מֵהַהוּא אָדָם, דִּכְתִיב בֵּיהּ, וְעַל דְּמוּת הַכִּסֵּא דְּמוּת כְּמַרְאֵה אָדָם וְגוֹ'. וְע"ד כְּתִיב הָאָדָם, הַהוּא דְּאִשְׁתְּמוֹדַע, בְּגִין לְהוֹצִיא לֶחֶם מִן הָאָרֶץ, לְאַפָּקָא מְזוֹנָא לְעָלְמָא מִן הָאָרֶץ קַדִּישָׁא.

פ. וְיַיִן, דָּא חַמְרָא עַתִּיקָא דְּנָגִיד מִלְּעֵילָא. יְשַׂמַּח לְבַב אֱנוֹשׁ, אֱנוֹשׁ: דָּא רָזָא דְּהַהוּא נַעַר, דְּסָלִיק לְסִיבוּ, וְאִתְהַדַּר כְּמִלְקַדְמִין. וְע"ד כְּתִיב, אֱנוֹשׁ כֶּחָצִיר יָמָיו.

פא. לְהַצְהִיל פָּנִים, אִלֵּין אִינּוּן פָּנִים: דְּאִקְרוּן אַנְפֵּי רַבְרְבֵי, וְאַנְפֵּי זוּטְרֵי. מִשָּׁמֶן: מְנַגִּידוּ דְּעָלְמָא דְּאָתֵי, מִשְׁחָה וּרְבוּ קַדִּישָׁא עִלָּאָה. וְלֶחֶם לְבַב אֱנוֹשׁ יִסְעָד, הַהוּא לֶחֶם דְּאָזִילוּ שְׁחָקִים, וְטָחֲנָן מַנָּא לְמֵיכְלָא דְּצַדִּיקַיָּיא סְתָמָא, וּמִתַּמָּן אִתְנְגִיד לְכַמָּה חַיָּילִין, דְּאִקְרוּן לְבַב אֱנוֹשׁ. וְכֹלָּא אָתָא מִנַּגִּידוּ עִלָּאָה.

פב. יִשְׂבְּעוּ עֲצֵי יְיָ, אִלֵּין אִינּוּן אִילָנִין עִלָּאִין פְּנִימָאִין. אַרְזֵי לְבָנוֹן אֲשֶׁר נָטָע, דְּהָא אִתְעֲקָרוּ וְנָטַע לוֹן קוּדְשָׁא בְּרִיךְ הוּא. מַאי בֵּין עֲצֵי יְיָ, לְאַרְזֵי לְבָנוֹן. עֲצֵי יְיָ, אִלֵּין עֵץ הַחַיִּים, וְעֵץ הַדַּעַת טוֹב וָרָע. אַרְזֵי לְבָנוֹן, אִלֵּין חַמְשִׁין תַּרְעִין, דְּאִקְרוּן חָמֵשׁ מֵאוֹת שָׁנָה.

פג. אֲשֶׁר נָטָע. אֲשֶׁר שָׁם צִפֳּרִים יְקַנֵּנוּ, בְּטוּלֵיהוֹן, מְקַנְּנָן נִשְׁמָתְהוֹן דְּצַדִּיקַיָּיא, וְכָל חַיָּילִין קַדִּישִׁין אִתְּזָנוּ מִתַּמָּן. חֲסִידָה, בְּרַתֵּיהּ דְּאַבְרָהָם אָבִינוּ, דְּאִקְרֵי חָסִיד, וְעָבֵד חֶסֶד עִם כָּל בְּנֵי עָלְמָא, בג"כ אִקְרֵי חֲסִידָה. בְּרוֹשִׁים בֵּיתָהּ. בֵּין דְּרוֹעֵי עָלְמָא יָתְבָא (ע"כ רעיא מהימנא).

פד. רִבִּי אַבָּא וְר' יוֹסֵי, קָמוּ לְמִלְעֵי בְּאוֹרַיְיתָא בְּפַלְגּוּת לֵילְיָא, עַד דַּהֲווּ יַתְבֵי וְלָעָאן בְּאוֹרַיְיתָא. א"ר יוֹסֵי, הָא דא"ר חִיָּיא אֱנוֹשׁ כֶּחָצִיר יָמָיו שַׁפִּיר קָאָמַר. אֲבָל בְּמַאי אוֹקִימְנָא סוֹפֵיהּ דִּקְרָא, כִּי רוּחַ עָבְרָה בּוֹ וְאֵינֶנּוּ וְלֹא יַכִּירֶנּוּ עוֹד מְקוֹמוֹ. א"ל הָכִי הוּא וַדַּאי, אֱנוֹשׁ כֶּחָצִיר יָמָיו כְּמָה דְּאָמַר, כְּצִיץ הַשָּׂדֶה הַהוּא שָׂדֶה דְּאִשְׁתְּמוֹדַע. כֵּן יָצִיץ דְּאִתְחַדַּשׁ וְאִתְהַדַּר כְּמִלְקַדְמִין.

פה. כִּי רוּחַ עָבְרָה בּוֹ וְאֵינֶנּוּ, דָּא הוּא רוּחָא עִלָּאָה טְמִירָא קַדִּישָׁא גְּנִיזָא מִכֹּלָּא, דְּכָלִיל לֵיהּ בְּגַוֵּיהּ. וּכְדֵין וְאֵינֶנּוּ. וְדָא הוּא רָזָא דַּחֲנוֹךְ, דִּכְתִיב בֵּיהּ וְאֵינֶנּוּ כִּי לָקַח אוֹתוֹ אֱלֹהִים, דָּא אֱלֹהִים עִלָּאָה. רוּחַ עִלָּאָה, רוּחַ גְּנִיזָא טְמִירָא. וְלֹא יַכִּירֶנּוּ עוֹד מְקוֹמוֹ. דְּהָא אִתְכְּלִיל רוּחָא זְעֵירָא, בְּרוּחָא עִלָּאָה. מַה כְּתִיב בַּתְרֵיהּ, וְחֶסֶד יְיָ מֵעוֹלָם וְעַד עוֹלָם וְעָאל לֵיהּ כַּהֲנָא רַבָּא לְגוֹ קֹדֶשׁ קֳדָשִׁים. וְנָטִיל לֵיהּ, וְאוֹלִיד לֵיהּ כְּמִלְקַדְמִין, וְאִתְחַדַּשׁ כְּנֶשֶׁר עוּלֵמִין. וְאִתְהַדַּר אִיהוּ נַעַר.

רעיא מהימנא

פו. וּבְחִבּוּרָא קַדְמָאָה אָמַר רַעְיָא מְהֵימְנָא בּוֹצִינָא קַדִּישָׁא, שַׁפִּיר אָמְרוּ ר' אַבָּא וְר' חִיָּיא וְר' יוֹסֵי, אֲבָל כִּי רוּחַ עָבְרָה בּוֹ וְאֵינֶנּוּ, הָכָא צָרִיךְ לְמִפְתַּח מִלִּין, מַאי עָבְרָה

בּוֹ. דָּא עֶבְרָה וָזַעַם וְצָרָה. וַחֲד מֵאִינּוּן מַלְאֲכִין רָעִים.

פז. דִּבְגִין דְּלָא יִשְׁתְּמוֹדְעוּ בֵּיהּ אִינּוּן מָארֵי חוֹבִין, צָרִיךְ לְמֶעְבַּד לֵיהּ שִׁנּוּי מָקוֹם, וְשִׁנּוּי הַשֵּׁם, וְשִׁנּוּי מַעֲשֶׂה. כְּגַוְונָא דְּאַבְרָהָם, דְּאִתְּמַר בֵּיהּ לֶךְ לְךָ מֵאַרְצְךָ וּמִמּוֹלַדְתְּךָ, הֲרֵי שִׁנּוּי מָקוֹם. וְלֹא יִקָּרֵא עוֹד שִׁמְךָ אַבְרָם, וְהָיָה שִׁמְךָ אַבְרָהָם, הֲרֵי שִׁנּוּי הַשֵּׁם. שִׁנּוּי מַעֲשֶׂה דְּאִשְׁתְּנֵי מֵעוֹבָדִין בִּישִׁין דַּעֲבַד בְּקַדְמֵיתָא, לְעוֹבָדִין טָבִין. אִיהוּ מַתְלָא. לְרוּחַ דְּהַהוּא דְּמִית בְּלָא בְּנִין. כְּגַוְונָא דָּא עָבֵד קוּדְשָׁא בְּרִיךְ הוּא לְאָדָם, כַּךְ תָּרִיךְ לֵיהּ מֵהַהוּא עָלְמָא, וְאַיְיתֵי לֵיהּ לְהַאי עָלְמָא. וְהָא אִתְּמַר לְעֵיל.

פח. מְשַׁנֶּה פָּנָיו וַתְּשַׁלְּחֵהוּ, וּבְגִ"ד כִּי רוּחַ עָבְרָה בּוֹ, וַחֲד מֵאִינּוּן מַלְאֲכִין רָעִים, כַּד חָזֵי לֵיהּ מְשׁוּנֶּה, בְּזִמְנָא דְּאִעְרַע עִמֵּיהּ, שָׁאֲלִין לֵיהּ שְׁאָר מַשְׁחִיתִין עָלֵיהּ, דָּא הוּא מָארֵי חוֹבָךְ. אִיהוּ עָנֵי לוֹן וְאָמַר, וְאֵינֶנּוּ.

פט. כַּד אִתְתָּרַךְ מֵאַתְרֵיהּ, וְאִתְנְטַע בְּאֲתַר אָחֳרָא, אִתְּמַר בֵּיהּ וְלֹא יַכִּירֶנּוּ עוֹד מְקוֹמוֹ. בְּגִין דְּעָפָר אַחֵר יִקַּח וְטָח אֶת הַבַּיִת. וְדָא אִיהוּ רָזָא, וְנָתַץ אֶת הַבַּיִת אֶת אֲבָנָיו וְאֶת עֵצָיו, אִינּוּן גַּרְמִין וְגִידִין וּבִשְׂרָא דַּהֲוָה חָזַר עַפְרָא. מַה כְּתִיב בֵּיהּ וְנָחָשׁ עָפָר לַחְמוֹ. בְּגִין דַּהֲוָה מְנוּגָּע. וּלְבָתַר וְעָפָר אַחֵר יִקַּח וְטָח אֶת הַבַּיִת, וּבָנֵי לֵיהּ גַּרְמִין וְגִידִין. וְאִתְחַדַּשׁ, כְּבַיִת יְשָׁנָה דְּעַבְדִין לֵיהּ חֲדָשָׁה. וַדַּאי אִיהוּ דְּאִתְחַדֵּשׁ.

צ. וּמַאי דְּאָמַר וְלֹא יַכִּירֶנּוּ עוֹד מְקוֹמוֹ. עַל רוּחַ, דְּאִתְכְּלִיל רוּחָא זְעֵירָא, בְּרוּחָא עִלָּאָה. הַאי אִיהוּ מַתְלָא, לְאִילָן דְּלָא עָבֵיד אִיבִּין, נַטְלִין עַנְפִּין דִּילֵיהּ, וּמַרְכִּיבִין לֵיהּ בְּעַנְפָּא דְּאִילָנָא אָחֳרָא עִלָּאָה, דְּעָבֵיד פֵּירִין, וְאִתְכְּלִיל דָּא בְּדָא, וְעָבֵיד פֵּירִין. בְּהַהוּא זִמְנָא אִתְּמַר בֵּיהּ, וְלֹא יַכִּירֶנּוּ עוֹד מְקוֹמוֹ.

צא. אוּף הָכִי בַּר נָשׁ דְּיָתִיב בְּקַרְתָּא דְּיַתְבִין בָּהּ אֲנָשִׁין בִּישִׁין, וְלָא יָכִיל לְקַיְּימָא פִּקּוּדִין דְּאוֹרַיְיתָא, וְלָא אַצְלַח בְּאוֹרַיְיתָא, עָבֵיד שִׁנּוּי מָקוֹם, וְאִתְעַקַּר מִתַּמָּן, וְאִשְׁתְּרַשׁ בַּאֲתַר דְּדַיְירִין בֵּיהּ גּוּבְרִין טָבִין, מָארֵי תּוֹרָה, מָארֵי פִּקּוּדִין, דְּאוֹרַיְיתָא אִקְרֵי עֵץ. הה"ד, עֵץ חַיִּים הִיא לַמַּחֲזִיקִים בָּהּ. וּבַר נָשׁ הוּא עֵץ, דִּכְתִּיב כִּי הָאָדָם עֵץ הַשָּׂדֶה. וּפִקּוּדִין דְּבָהּ, דַּמְיָין לְאִיבָּא, וּמַה כְּתִיב בֵּיהּ, רַק עֵץ אֲשֶׁר תֵּדַע כִּי לֹא עֵץ מַאֲכָל הוּא אוֹתוֹ תַּשְׁחִית וְכָרָתָּ. אוֹתוֹ תַּשְׁחִית מֵעָלְמָא דֵּין, וְכָרַתָּ מֵעָלְמָא דְּאָתֵי. וּבְגִין דָּא צָרִיךְ לְאַעְקְרָא מֵהַהוּא אֲתַר, וְיִתְנְטַע בַּאֲתַר אָחֳרָא בֵּין צַדִּיקַיָּיא.

צב. מַה בַּר נָשׁ בְּלָא בְּנִין, אִתְקְרֵי עָקָר, וְאִתְּתֵיהּ עֲקָרָה. אוּף הָכִי אוֹרַיְיתָא בְּלָא פִּקּוּדִין, אִתְקְרִיאַת עֲקָרָה, וּבְגִין דָּא אוֹקְמוּהָ, לֹא הַמִּדְרָשׁ הוּא הָעִיקָּר אֶלָּא הַמַּעֲשֶׂה. אָתוּ חַבְרַיָּיא וְאִשְׁתְּטָחוּ קַמֵּיהּ, וְאָמְרוּ וַדַּאי כְּעַן אוֹלִיפְנָא חִדּוּשָׁא, אֵיךְ אִתְכְּלִיל רוּחַ בְּרוּחַ, כְּמַאן דְּחָזֵי מִלָּה בְּעֵינָא וְאִתְבְּרִיר לֵיהּ. בְּקַדְמֵיתָא הֲוָה לָן קַבָּלָה, וּכְעַן בְּרִירוּ דְּמִלָּה.

צג. וְתוּ אִתְּמַר בְּחִבּוּרָא קַדְמָאָה, דְּהָא נְיָיחָא לֵיהּ לְסִטְרָא אָחֳרָא לְשַׁלְטָאָה עַל זַכָּאָה, יַתִּיר מִכֹּלָּא, וְלָא חָיֵישׁ כְּדֵין לְכָל עָלְמָא. אַדְּהָכִי, הָא טוּלָא אִזְדַּמַּן לְגַבַּיְיהוּ, וא"ל מִנָּלָן. מֵאִיּוֹב. דְּחָזָא קוּדְשָׁא בְּרִיךְ הוּא דְּדָרָא הֲווּ מְחוּיָּבִין כְּלָיָיה, וְאָתָא שָׂטָן לְקַטְרְגָא, אָמַר לֵיהּ קוּדְשָׁא בְּרִיךְ הוּא, הֲשַׂמְתָּ לִבְּךָ אֶל עַבְדִּי אִיּוֹב כִּי אֵין כָּמוֹהוּ בְּכָל הָאָרֶץ, לְאִשְׁתֵּזָבָא בֵּיהּ דָּרָא. וְאִיהוּ מַתְלָא לְרַעְיָא דְּאָתָא זְאֵב לְמִטְרַף עָאנֵיהּ, וּלְמֵיבַד לֵיהּ. מַה עָבֵד הַהוּא רַעְיָא דַּהֲוָה חַכִּימָא, יָהִיב לֵיהּ אִמְּרָא תַּקִּיפָא וּשְׁמֵנָה וְרַבְרְבָא מִכֻּלְּהוּ, הַהוּא דַּהֲווּ מִתְנַהֲגִין אֲבַתְרֵיהּ כֻּלְּהוּ. וּבְרְעוּ לְשַׁלְטָאָה עַל הַהוּא

אִמְרָא טָבָא, שָׁבַק לְכֻלְּהוּ. מַה עָבַד הַהוּא רַעְיָא, בְּשַׁעְתָּא דַהֲוָה זְאֵב אִשְׁתַּדַּל בְּהַהוּא אִמְרָא, בָּרַח רַעְיָא עִם עָאנָא וְשַׁוֵּי לוֹן בְּאַתְרֵיהוֹן. וּלְבָתַר תָּב לְאִמְרָא, וְשֵׁיזִיב לֵיהּ מִזְּאֵב.

צד. הָכִי עָבֵיד קוּדְשָׁא בְּרִיךְ הוּא עִם דָּרָא, יָהִיב קוּדְשָׁא בְּרִיךְ הוּא לְצַדִּיק, בִּרְשׁוּ מְקַטְרְגָא, לְשֵׁיזָבָא לְדָרָא בְּגִינֵיהּ. וְאִם הוּא תַּקִּיף כְּיַעֲקֹב, אִתְּמַר בֵּיהּ וַיֵּאָבֵק אִישׁ עִמּוֹ, כ"ש וכ"ש דְּנָצַח לֵיהּ, עַד דְּאָמַר שַׁלְּחֵנִי. אָמַר טוֹלָא טוֹלָא, הָכִי הוּא, זַכָּאָה חוּלָקֵיהּ דְּהַהוּא צַדִּיק, דְּאִיהוּ תַּקִּיף לְמִסְבַּל יִסּוּרִין, כ"ש מַאן דְּנָצַח בְּהוֹן לִמְקַטְרְגָא דִּילֵיהּ. דְּאִיהוּ שׁוּלְטָנוּתֵיהּ עַל כָּל דָּרָא, וְאִתְחֲשִׁיב לֵיהּ כְּאִלּוּ הוּא שֵׁיזִיב לוֹן, וְקוּדְשָׁא בְּרִיךְ הוּא עָבֵיד לֵיהּ רַעְיָא עֲלַיְיהוּ בְּאַתְרֵיהּ, וּבְגִין דָּא זָכָה רַעְיָא מְהֵימָנָא. לְמֶהֱוֵי רוֹעֶה עַל יִשְׂרָאֵל, וְלֹא עוֹד אֶלָּא דְּהָכִי אַשְׁלִיט לֵיהּ עֲלַיְיהוּ בְּעָלְמָא דְּאָתֵי. בְּגִין דְּשֵׁיזִיב לוֹן דְּלָא אִתְאֲבִידוּ מִתַּמָּן, דְּאַנְהִיג לוֹן בְּאוֹרַיְיתָא וּבְעוֹבָדִין טָבִין.

צה. אַדְּהָכִי הָא רַעְיָא מְהֵימָנָא, אָמַר לוֹן, וְאַמַּאי לָקֵי דְּרוֹעָא יְמִינָא. דְּאוֹרַח כָּל מָארֵי אַסְוָתָא דַּאֲקִיזִין בְּקַדְמֵיתָא דְּרוֹעָא יְמִינָא, וְהָא דְּרוֹעָא שְׂמָאלָא אִיהוּ קָרִיב לְלִבָּא, אַמַּאי לָא אַקִּיזִין לֵיהּ. אָמַר לֵיהּ בְּגִין דְּקוּדְשָׁא בְּרִיךְ הוּא לָא בָּעֵי לְאַלְקָאָה יַתִּיר, דְּהָא בְּהַאי סַגִּי, וְאִי אִתְיְקַר מַרְעָא עַל שַׁיְיפִין דְּגוּפָא, אַקִּיז דְּרוֹעָא שְׂמָאלָא.

צו. א"ל, אִי לָא הֲווּ תַּרְוַויְיהוּ בְּחַד זִמְנָא, יָאוּת אֲבָל אִית צַדִּיק הָכָא, וְאִית צַדִּיק הָכָא, לְדָא אִית מַרְעִין וּמַכְתְּשִׁין, וּלְדָא אִית טִיבוּ. אַמַּאי. אִי אִתְיְיקַר בֵּיהּ מַרְעָא יַקִּיז לְתַרְוַויְיהוּ, דְּאִינּוּן תְּרֵין דְּרוֹעִין, לְמֵיהַב אַסְוָתָא לְכָל שַׁיְיפִין, וְאִי לָא אִתְיְיקַר בֵּיהּ מַרְעָא עַל כָּל שַׁיְיפִין, אַמַּאי אַקִּיז לִדְרוֹעָא יְמִינָא, יַתִּיר מִשְּׂמָאלָא. אֶלָּא א"ל אֵימָא אַנְתְּ.

צז. אָמַר לֵיהּ, וַדַּאי גּוּפָא וּתְרֵין דְּרוֹעִין, אִינּוּן לָקֳבֵל אֲבָהָן. רֵישָׁא, לָקֳבֵל אָדָם קַדְמָאָה. דְּרוֹעָא יְמִינָא, לָקֳבֵל אַבְרָהָם. דְּרוֹעָא שְׂמָאלָא, לָקֳבֵל יִצְחָק. גּוּפָא, לָקֳבֵל יַעֲקֹב. וּמְלִגּוֹ לְגוּפָא, כָּבֵד לִימִינָא. טְחוֹל לִשְׂמָאלָא. עֵשָׂו וְיִשְׁמָעֵאל. לִבָּא יַעֲקֹב, בְּאֶמְצָעִיתָא. כַּנְפֵי רֵיאָה וְכוּלְיָין, לָקֳבֵל אַבְרָהָם וְיִצְחָק. רֵיאָה מַיִם. דְּאִינּוּן שׁוֹאֲבִין כָּל מִינֵי מַשְׁקִין. כּוּלְיָין אֶשָּׁא, דְּבַשִּׁיל זֶרַע דְּנָחִית מִמּוֹחָא.

צח. וּבְגִין דְּאַבְרָהָם אִיהוּ מַיִם, שַׁוֵּי זַרְעֵיהּ בְּגָלוּתָא דֶּאֱדוֹם וּבְגִין דָּא כָּבֵד לִימִינָא דְּאַבְרָהָם, וּמָרָה, דְּכָבֵד חֶרֶב דִּילֵיהּ, אִיהִי מָרָה, אִתְּמַר בָּהּ וְאַחֲרִיתָהּ מָרָה כַלַּעֲנָה. וְאִי חוֹבִין מִתְרַבִּין בִּבְנוֹי דְּאַבְרָהָם דְּאִינּוּן בְּגָלוּתָא דֶּאֱדוֹם, אִתְיְקַר בֵּיהּ מְרַע עֲלַיְיהוּ מִסִּטְרָא דְּכָבֵד, דְּרוֹעָא יְמִינָא צָרִיךְ לְאַלְקָאָה לְאַקָּזָא דָּמֵיהּ מִנֵּיהּ, דְּמַאן דְּנַטְלִין מִנֵּיהּ מָמוֹנֵיהּ, כְּאִלּוּ שָׁפִיכוּ דָּמֵיהּ, וְאִשְׁתְּאַר עָנִי, דְּעָנִי חָשׁוּב כַּמֵּת.

צט. וְאִי חוֹבִין מִתְרַבִּין מִסִּטְרָא דִּבְנֵי יִצְחָק, דְּאִינּוּן בְּגָלוּתָא בֵּין יִשְׁמָעֵאל, בֵּי מַרְעֵיהּ יִתְיְקַר מִסִּטְרָא דִּטְחוֹל לִשְׂמָאלָא, וְצָרִיךְ לְאַקָּזָא דְּרוֹעָא שְׂמָאלָא, וְלָא יַתִּיר.

ק. וְאִי חוֹבִין מִתְרַבִּין בִּבְנֵי יַעֲקֹב, דְּאִינּוּן אֲחִידָן לִתְרֵין סִטְרִין, דְּאִינּוּן מְפוּזָּרִים בִּבְנֵי עֵשָׂו וְיִשְׁמָעֵאל, הָא מַרְעָא אִתְיְקַר עַל גּוּפָא, וּבָעֵי לְאַקָּזָא ב' דְּרוֹעִין. וְאִי כֻּלְּהוּ תְּלַת בְּמַרְעִין כַּחֲדָא. הָא מַרְעָא סָלִיק לְרֵישָׁא, וּבָעֵי לְאַקָּזָא וְרִידִין דְּרֵישָׁא, וְאִלֵּין תְּלַת אִתְעֲבִידוּ מֶרְכָּבָה לְאָדָם קַדְמָאָה וְלַאֲבָהָן, וּבְהוֹן אִתְתַּקְפוּ לְמִסְבַּל יִסּוּרִין, לְאַגָּנָא עַל דָּרָא לְאַרְבַּע סִטְרֵי דְּעָלְמָא.

קא. וַוי לֵיהּ לְדָרָא, דְּגַרְמִין דִּילְקוּן אֲבָהָן וְאָדָם קַדְמָאָה, וְאִלֵּין צַדִּיקַיָּיא דְּבֵינַיְיהוּ, דְּלֵית אַפְרְשׁוּתָא בֵּין אִלֵּין צַדִּיקַיָּיא, לַאֲבָהָן וְאָדָם, דְּאִינּוּן נִשְׁמָתִין דִּלְהוֹן, וּדְוּחֲקָא

וְצַעֲרָא וִיגוֹנָא דִּלְהוֹן, מָטֵי לְאֲבָהָן וְאָדָם. כְּגַוְונָא דְּיַמָּא, אִלֵּין נַחֲלִין דְּנָפְקִין מִתַּמָּן, אִי חֲזָרִין עֲכוּרִין וּמְלוּכְלָכִין לְיַמָּא, הָא יַמָּא נָטִיל מִן עֲכִירוּ וְלִכְלוּכָא דִּלְהוֹן. וּבְחֵילָא דְּיַמָּא דְּאִיהִי תַּקִּיפָא, לָא סְבִילַת לִכְלוּכָא דִּלְהוֹן, וְזָרִיקַת לֵיהּ לְבַר, וְאִשְׁתְּאָרוּ נַחֲלִין צְלִילִין וְדַכְיָין מֵהַהוּא לִכְלוּךְ.

קב. כְּגַוְונָא דְּאִימָּא, דְּדָכִיאַת לִכְלוּכִין דִּבְנָהָא זְעִירִין, הָכִי אֲבָהָן מְדַכְּאִין חוֹבִין וְלִכְלוּכִין דִּבְנַיְיהוּ דְּיִשְׂרָאֵל, כַּד אִשְׁתְּכָחוּ בְּהוֹן צַדִּיקַיָּיא בְּעוֹבָדֵיהוֹן, תַּקִּיפִין לְמִסְבַּל יִיסוּרִין עַל דָּרֵיהוֹן. בְּהַהוּא זִמְנָא לֵית אַפְרַשְׁא בְּהוֹן. אָתוּ כֻּלְּהוּ וּבָרִיכוּ לֵיהּ, וְאָמְרוּ לֵיהּ סִינַ"י סִינַ"י, דְּקוּדְשָׁא בְּרִיךְ הוּא וּשְׁכִינְתֵּיהּ מַלִּיל בְּפוּמוֹי, מַאן יָכִיל לְקַיְּימָא קַמֵּיהּ בְּכֹלָּא. זַכָּאָה חוּלָקָנָא, דְּזָכֵינָא לְחַדְּשָׁא חִבּוּרָא קַדְמָאָה דָּא בָּךְ, לְאַנְהָרָא שְׁכִינְתָּא בְּגָלוּתָא.

קג. אָמַר לוֹן, רַבָּנָן דְּכָל דָּרָא הֲוִיתוּ בִּזְמַנֵּיהוֹן, כ"ש בּוּצִינָא קַדִּישָׁא, דְּנָהִיר וְחָכְמָתֵיהּ בְּכָל דָּרִין דַּהֲווֹ אֲבַתְרֵיהּ, אַל תִּתְּנוּ דֳּמִי לְקוּדְשָׁא בְּרִיךְ הוּא בְּאוֹרַיְיתָא, עַד יֵעָרֶה עָלֵינוּ רוּחַ קֻדְשָׁא דְּהָא לָא אִית רְשׁוּ לְאִשְׁתַּמְּשָׁא בְּמְטַטְרוֹ"ן שַׂר הַפָּנִים אֶלָּא לָךְ, דְּאַתְוָון דִּילֵיהּ רְמִיזִין בִּשְׁמָךְ.

קד. וּכְעַן צָרִיךְ אַסְיָא, לְמִנְדַּע בְּכַמָּה דַּרְגִּין אִסְתַּלַּק דָּפִיקוּ דְּהַהוּא חוֹלֶה בְּגָלוּתָא דֶּאֱדוֹם, דְּאִתְּמַר עָלֵיהּ שֶׁחוֹלַת אַהֲבָה אָנִי. דְּהָא כַּמָּה אַסְיָין אִתְכְּנָשׁוּ עָלֵיהּ, לְמִנְדַּע קֵץ דְּמַרְעָא דִּילֵיהּ, בְּאִלֵּין דְּפִיקִין, וְלָא הֲוָה חַד מִנַּיְיהוּ דְּאִשְׁתְּמוֹדַע בְּהוֹן, דְּדְפִיקוּ דְּהַהוּא חוֹלֶה, לָאו כָּל אַסְיָא בָּקִי לְאִשְׁתְּמוֹדַע בֵּיהּ, דְּאִית דְּפִיקִין דְּקשר"ק קש"ק קר"ק, דְּאָמַר נְבִיא עֲלַיְיהוּ כְּמוֹ הָרָה תַּקְרִיב לָלֶדֶת תָּחִיל תִּזְעַק בַּחֲבָלֶיהָ.

קה. וְכֻלְּהוּ עֶשֶׂר שׁוֹפָרוֹת, כְּלִילָן בִּתְלַת, דְּאִינּוּן סִימַן קש"ר, דְּאִיהוּ תְּקִיעָה שְׁבָרִים תְּרוּעָה. וּתְקִיעָה אַחֲזֵי אֲרִיכוּ דְּגָלוּתָא, שְׁבָרִים קְרִיבוּ דְּגָלוּתָא. תְּרוּעָה בֵּיהּ יֵיתֵי פּוּרְקָנָא, דְּאַחֲזֵי דּוּחֲקָא בָּתַר דּוּחֲקָא, וְלֵית רְוָוחָא בֵּין דָּא לְדָא, דְּוַדַּאי כֵּיוָן דְּשְׁאַר עַמִּין מְעַכְּבִין לוֹן לְיִשְׂרָאֵל בְּגָלוּתָא, דּוּחֲקָא דִּלְהוֹן מְקָרֵב לוֹן פּוּרְקָנָא. אוּף הָכִי מְהִירוּ דְּדְפִיקוּ דָּא בָּתַר דָּא, בֵּיהּ נָפִיק נַפְשָׁא דְּב"נ, בָּתַר דְּלֵית רֶיוַח בֵּין דָּא לְדָא.

קו. קשר"ק קש"ק קר"ק, אִיהוּ דְּשָׁוֵי קש"ר, תְּקִיעָה שְׁבָרִים תְּרוּעָה. דְּאִתְעֲבַר בֵּיהּ שֶׁקֶר מִן עָלְמָא, דְּבֵיהּ אוּמָאָה, מִלְחָמָה לַיְיָ בַּעֲמָלֵק. יִתְעַר בְּעָלְמָא. שִׁיר פָּשׁוּט, וְכָפוּל, וּמְשׁוּלָּשׁ, וּמְרוּבָּע. דְּאִיהוּ סָלִיק אַתְוָון דִּילֵיהּ, י', י"ה, יה"ו, יהו"ה, ע"ב. בְּהַהוּא זִמְנָא, וּבְכֵן צַדִּיקִים יִרְאוּ וְיִשְׂמָחוּ וִישָׁרִים יַעֲלוֹזוּ וַחֲסִידִים בְּרִנָּה יָגִילוּ. ו' תּוֹסֶפֶת, אֶלֶף שְׁתִיתָאָה. קוֹדֶם דִּילֵיהּ עָקָ"ב, וְחָרַב בֵּי מַקְדְּשָׁא, וּלְבָתַר דִּילֵיהּ, עַד תַּשְׁלוּם רָעָב, יְהֵא עֶרֶב. הה"ד עֶרֶב וִידַעְתֶּם כִּי יְיָ' הוֹצִיא אֶתְכֶם וְגוֹ'. כִּי עַבְדְּךָ עָרַב אֶת הַנַּעַר וְגוֹ'. (ע"כ רעיא מהימנא).

קז. עַד דַּהֲווֹ יַתְבֵי, חָמוּ חַד טוּלָא דְּקַיְּימָא עֲלַיְיהוּ, אַזְלָא וְאַתְיָא, אַזְלָא וְאַתְיָא, בְּגוֹ בֵּיתָא. תַּוְוהוּ. א"ר אַבָּא, יוֹסֵי בְּנִי, אֵימָא לָךְ מַה דַּהֲוָה לִי עִם בּוּצִינָא קַדִּישָׁא. יוֹמָא חַד הֲוֵינָן אַזְלִינָן בְּבִקְעָתָא דְּאוֹנוֹ, וַהֲוֵינָן לָעָאן בְּאוֹרַיְיתָא, כָּל הַהוּא יוֹמָא, וּמִגּוֹ תּוּקְפָּא דְּשִׁמְשָׁא אוֹתְבִינָן גַּבֵּי חַד טִינָרָא, בְּגוֹ נוּקְבָא חֲדָא.

קח. אֲמֵינָא לֵיהּ, מַאי הַאי, דִּבְכָל שַׁעְתָּא דְּחַיָּיבִין אַסְגִּיאוּ בְּעָלְמָא, וְדִינָא שַׁרְיָיא בְּעָלְמָא, זַכָּאִין דִּבְהוֹן לָקָאן עֲלַיְיהוּ. דְּהָכִי תָּנֵינָן, בְּחוֹבָא דְּדָרָא, קַדִּישַׁיָּיא וְצַדִּיקַיָּיא יִתָּפְסוּן. אֲמַאי, אִי בְּגִין דְּאִינּוּן דְּלָא מוֹכִיחִין לְעָלְמָא עַל עוֹבָדַיְיהוּ, כַּמָּה אִינּוּן דְּמוֹכִיחִין, וְלָא מְקַבְּלֵי מִנַּיְיהוּ, וְצַדִּיקַיָּיא אִתְכַּפְיָין קַמַּיְיהוּ. וְאִי בְּגִין דְּלָא הֲוֵי מַאן דְּיָגִין

על עלמא, לא יהון מתין, ולא יתפסון בחוביהו, דהא חדוה איהו לצדיקייא באבודא דלהון.

קט. א"ל, בחובה דדרא ודאי מתפסין צדיקייא, והא אוקימנא הני מילי. אבל בשעתא דיתפסון צדיקייא במרעין, או במכתשין, בגין לכפרא על עלמא הוי, כדין יתכפרון כל חובי דרא, מנלן. מכל שייפי גופא, בשעתא דכל שייפין בעאקו, ומרע סגי שריא עלייהו, שייפא חדא אצטריך לאלקאה, בגין דיתסון כלהו, ומנו. דרועא. דרועא אלקי ואפיקו מיניה דמא, כדין הא אסוותא לכל שייפי גופא.

קי. אוף הכי בני עלמא אינון שייפין דא עם דא. בשעתא דבעי קודשא בריך הוא למיהב אסוותא לעלמא, אלקי לחד צדיקא ביניהו, במרעין ובמכתשין, ובגיניה יהיב אסוותא לכלא. מנלן. דכתיב והוא מחולל מפשעינו מדוכא מעונותינו וגו'. ובחבורתו נרפא לנו. ובחבורתו, אקזותא דדמא, כמאן דאקיז דרועא, ובההוא חבורא נרפא לנו, אסוותא הוא לנא לכל שייפין דגופא.

קיא. ולעולם לא אלקי צדיקא, אלא למיהב אסוותא לדרא, ולכפרא עלייהו. דהא ניחא לסטרא אחרא דדינא שלטא על זכאה יתיר מכלא, דלא חייש כדין לכל עלמא, ולא אשגח בהו, מחדוה דשליט עליה. וההוא זכאה זכי לשולטנא עלאה, בהאי עלמא, ובעלמא דאתי. צדיק וטוב לו, דלא חייש קודשא בריך הוא לכפרא על עלמא.

קיב. אמינא ליה, אלו לא הוו בחד זמנא, יאות. אבל אית צדיק הכא, ואית צדיק הכא, לדא אית מרעין ומכתשין, ולדא אית כל טיבו דעלמא. אמר לי, בחד מנייהו או תרין סגי, דלא בעא קודשא בריך הוא לאלקאה כלא, כמה דלא אצטריך אלא דרועא חדא, לאלקאה ולאקזאה למיהב אסוותא לכל שייפין. אוף הכא, בחד צדיקא סגי.

קיג. ואי אתקף ביה מרע, על כל שייפין, כדין אצטריך תרין דרועין לאקזאה. אוף הכי, אי אסגיאו חובין יקירין על עלמא, כדין כל זכאין אלקון, למיהב אסוותא על כל דרא. אבל בזמן דלא אסגיאו כל כך, כדין חד זכאה אלקי, ושאר צדיקיא בשלם, דהא לא אצטריך עלמא דילקון כלהו. אתסיאו עמא. אתסיאו צדיקייא. ולזמנין דכל יומיהון קיימין במרעין, לאגנא על דרא. מיתו, הא אתסי כלא, ואתכפר. לזמנין דחובין אינון יקירין יתיר.

קיד. קמנא ואזלנא. ותוקפא דשמשא הוה יתיר, ודחיק לן בארחא. וחמינן אילנין במדברא, ומיין תחותייהו. יתיבנא תחות חד טולא דאילנא דמדברא. שאילנא ליה, מאי האי דכל עמין דעלמא לא עבדין נענועא, אלא ישראל בלחודייהו, דכד לעאן באורייתא, מתנענען הכא והכא, בלא למודא דבר נש בעלמא, ולא יכלין למיקם בקיומייהו.

קטו. אמר לי, אדכרתן מלתא עלאה, ובני עלמא לא ידעין, ולא משגיחין. יתיב שעתא ובכה, אמר, ווי לבני נשא דאזלין כבעירי חקלא, בלא סוכלתנו. במלה דא בלחודוי אשתמודען נשמתהון קדישין דישראל, בין נשמתהון דעמין עעכו"ם. נשמתהון דישראל אתגזרו, מגו בוצינא קדישא דדליק, דכתיב נר יי' נשמת אדם. והאי נר בשעתא דאתדליק מגו אורייתא דלעילא, לא שכיך נהורא עליה אפילו רגעא. ורזא דא, אלהים אל דמי לך. כגוונא דא כתיב, המזכירים את יי' אל דמי לכם, לא שכיכו לכון. נהורא דשרגא כיון דאתאחדא גו פתילה, ההוא נהורא לא

שָׁכִיךְ לְעָלְמִין, אֶלָּא מִתְנַעְנְעָא נְהוֹרָא לְכָאן וּלְכָאן, וְלָא מִשְׁתַּכִּיךְ לְעָלְמִין.

קטז. כְּגַוְונָא דָּא, יִשְׂרָאֵל, דְּנִשְׁמָתַיְיהוּ מִגּוֹ הַהוּא נְהוֹרָא דְּשַׁרְגָּא, כֵּיוָן דְּאָמַר מִלָּה חֲדָא דְּאוֹרַיְיתָא, הָא נְהוֹרָא דָּלִיק, וְלָא יַכְלוּן אִינּוּן לְאִשְׁתַּכְּכָא, וּמִתְנַעְנְעָן לְכָאן וּלְכָאן, וּלְכָל סִטְרִין. כִּנְהוֹרָא דְּשַׁרְגָּא, דְּהָא נֵר יְיָ' נִשְׁמַת אָדָם כְּתִיב.

קיז. וּכְתִיב, אָדָם אַתֶּם, אַתֶּם קְרוּיִין אָדָם, וְלָא אוּמִין עכו"ם. נִשְׁמָתִין דְּעַמִּין עכו"ם, מִדְּעִיכוּ דְּקַשׁ, בְּלָא נְהוֹרָא דְּשָׁרֵי עָלַיְיהוּ. וע"ד מִשְׁתַּכְּכִין, וְלָא מִתְנַעְנְעָן, דְּהָא לֵית לוֹן אוֹרַיְיתָא, וְלָא דַּלְקִין בָּהּ, וְלָאו נְהוֹרָא שַׁרְיָיא בְּהוֹן, אִינּוּן קַיְימִין כְּעֵצִים בְּגוֹ נוּרָא דְּדָלִיק, בְּלָא נְהוֹרָא דְּשַׁרְיָא עָלַיְיהוּ, וע"ד מִשְׁתַּכְּכִין בְּלָא נְהוֹרָא כְּלָל. א"ר יוֹסֵי, דָּא אִיהוּ בְּרִירוּ דְּמִלָּה, זַכָּאָה חוּלָקִי דְּזָכֵינָא לְהַאי, לְמִשְׁמַע דָּא.

קיח. קוּם ר' אַבָּא, לְחַדְּשָׁא מִלִּין דְּאוֹרַיְיתָא, דְּאַמְרַת בְּחִבּוּרָא קַדְמָאָה. פָּתַח ר' אַבָּא וְאָמַר, שִׁירוּ לַיְיָ' שִׁיר חָדָשׁ תְּהִלָּתוֹ מִקְצֵה הָאָרֶץ וְגו'. כַּמָּה חֲבִיבִין יִשְׂרָאֵל קַמֵּי קוּדְשָׁא בְּרִיךְ הוּא, דְּחֶדְוָה דִּלְהוֹן וְתוּשְׁבַּחְתָּא דִּלְהוֹן לָאו אִיהוּ, אֶלָּא בֵּיהּ דְּהָכָא תָּנֵינָן, כָּל חֶדְוָה דְּיִשְׂרָאֵל דְּלָא מִשְׁתַּתְּפֵי בָּהּ לְקוּדְשָׁא בְּרִיךְ הוּא, לָאו אִיהוּ חֶדְוָה. וְזַמִּין אִיהוּ סָמָאֵל וְכָל סִיַּיעְתָּא דִּילֵיהּ לְקַטְרְגָא לְהַהוּא חֶדְוָה, וְאִשְׁתְּאַר בְּצַעֲרָא וּבְכִיָּה, וְקוּדְשָׁא בְּרִיךְ הוּא לָא אִשְׁתַּתַּף בְּהַהוּא צַעֲרָא.

קיט. אֲבָל מַאן דְּשַׁתִּיף קוּדְשָׁא בְּרִיךְ הוּא וּשְׁכִינְתֵּיהּ בְּחֶדְוָה דִּילֵיהּ, אִם יֵיתֵי מְקַטְרְגָא לְקַטְרְגָא בְּהַהִיא חֶדְוָה. קוּדְשָׁא בְּרִיךְ הוּא וּשְׁכִינְתֵּיהּ מִשְׁתַּתֵּף בְּהַהוּא צַעֲרָא. מַה כְּתִיב בֵּיהּ בְּכָל צָרָתָם לֹא צָר. וּבְמָאי. בְּגִין דְּעִמּוֹ אָנֹכִי בְצָרָה.

קכ. וּמְנָלָן, דְּאִית לוֹן לְיִשְׂרָאֵל לְשַׁתְּפָא לְקוּדְשָׁא בְּרִיךְ הוּא וּשְׁכִינְתֵּיהּ בְּחֶדְוָה דִּלְהוֹן. דִּכְתִיב יִשְׂמַח יִשְׂרָאֵל בְּעוֹשָׂיו. הַהִיא חֶדְוָה דְּיִשְׂרָאֵל לָאו אִיהוּ, אֶלָּא בְּעוֹשָׂיו. בְּעוֹשָׂיו, בְּעוֹשׂוֹ מִבָּעֵי לֵיהּ. אֶלָּא אִלֵּין קוּדְשָׁא בְּרִיךְ הוּא וּשְׁכִינְתֵּיהּ, וְאָבִיו וְאִמּוֹ, דְּאַף עַל גַּב דְּמִיתוּ, קוּדְשָׁא בְּרִיךְ הוּא אַעְקַר לוֹן מג"ע, וְאַיְיתֵי לוֹן עִמֵּיהּ לְהַהוּא חֶדְוָה, לְנַטְלָא חוּלָקָא דְּחֶדְוָה עִם קוּדְשָׁא בְּרִיךְ הוּא וּשְׁכִינְתֵּיהּ. כד"א הָעוֹשׂוֹ יַגֵּשׁ חַרְבּוֹ.

קכא. ד"א בְּעוֹשָׂיו, בְּגִין דְּב"נ אִתְעֲבֵיד בְּשׁוּתָּפוּת, גַּבְרָא וְאִתְּתָא, וְקוּדְשָׁא בְּרִיךְ הוּא. וְעַל רָזָא דָּא כְּתִיב, נַעֲשֶׂה אָדָם, בְּשׁוּתָּפוּ. דְּתָנֵינָן, תְּלַת אוּמָּנִין עָבֵד קוּדְשָׁא בְּרִיךְ הוּא, לְאַפָּקָא מִנְּהוֹן עָלְמָא, וְאִלֵּין אִינּוּן: שְׁמַיָּא, וְאַרְעָא, וּמַיָּא. וְכָל חַד שַׁמֵּשׁ חַד יוֹמָא, וְאָהַדְרוּ כְּמִלְּקַדְמִין.

קכב. יוֹמָא קַדְמָאָה, אַפִּיק שְׁמַיָּא אוּמָנוּתָא דִּילֵיהּ, דִּכְתִיב וַיֹּאמֶר אֱלֹהִים יְהִי אוֹר וַיְהִי אוֹר. יוֹמָא תִּנְיָינָא, אַפִּיקוּ מַיָּא אוּמָנוּתָא לַעֲבִידְתָּא, דִּכְתִיב וַיֹּאמֶר אֱלֹהִים יְהִי רָקִיעַ בְּתוֹךְ הַמָּיִם וְגו'. אִסְתַּלָּקוּ פַּלְגָא מַיָּיא לְעֵילָא, וּפַלְגָא מַיָּיא לְתַתָּא אִשְׁתְּאָרוּ. וְאִלְמָלֵא כַּךְ דְּמַיָּא אִתְפָּרְשׁוּ, עָלְמָא לָא הֲוָה קָאִים. יוֹמָא תְּלִיתָאָה, עֲבִידַת אַרְעָא וְאַפִּיקַת כְּמָה דְּאִתְפַּקְּדַת, דִּכְתִיב וַיֹּאמֶר אֱלֹהִים תַּדְשֵׁא הָאָרֶץ דֶּשֶׁא עֵשֶׂב, וּכְתִיב וַתּוֹצֵא הָאָרֶץ דֶּשֶׁא וְגו'.

קכג. עַד הָכָא כָּל אוּמָנָא מֵאִלֵּין תְּלָתָא, אַפִּיק אוּמָנוּתָא דִּילֵיהּ, וַעֲבְדוּ מַה דְּאִתְפַּקְּדוּ. אִשְׁתְּאָרוּ תְּלַת יוֹמִין אַחֲרָנִין. יוֹמָא ד', אִתְפַּקַּד אוּמָנָא קַדְמָאָה לְמֶעְבַּד אוּמָנָא דִּילֵיהּ, דִּכְתִיב וַיֹּאמֶר אֱלֹהִים יְהִי מְאֹרֹת וְגו', וְהַיְינוּ שָׁמַיִם. בְּיוֹמָא חֲמִישָׁאָה, אַפִּיקוּ מַיָּיא דְּאִיהוּ אוּמָנָא אָחֳרָא, דִּכְתִיב וַיֹּאמֶר אֱלֹהִים יִשְׁרְצוּ הַמַּיִם וְגו'. בְּיוֹמָא שְׁתִיתָאָה, עַבְדַת אַרְעָא אוּמָנוּתָא דִּילָהּ, דִּכְתִיב וַיֹּאמֶר אֱלֹהִים תּוֹצֵא הָאָרֶץ נֶפֶשׁ חַיָּה וְגו'.

קכד. כֵּיוָן דִּתְלַת אוּמָנִין אִלֵּין אַשְׁלִימוּ עוֹבָדַיְיהוּ. אָמַר לוֹן קוּדְשָׁא בְּרִיךְ הוּא,

אוּמָנוּתָא וַחֲדָא אִית לִי לְמֶעְבַּד, וְאִיהוּ אָדָם. אִתְחַבָּרוּ כַּחֲדָא, וַאֲנָא עִמְּכוֹן, נַעֲשֶׂה אָדָם, גּוּפָא דִּלְכוֹן, וַאֲנָא אֱהֵא שׁוּתָּפוּ עִמְּכוֹן, וְנַעֲשֶׂה אָדָם. כְּמָה דִּבְקַדְמֵיתָא הֲוָה בְּשׁוּתָּפוּ, הָכִי נָמֵי לְבָתַר. אַבָּא, דְּבֵיהּ עָבֵיד עֲבִידְתָּא דִּשְׁמַיָּא, וַעֲבִידְתָּא דְּמַיָּא. וְאִתְּתָא, דְּאִיהִי אוּמָנָא תְּלִיתָאָה, כְּגַוְונָא דְּאַרְעָא. וְקוּדְשָׁא בְּרִיךְ הוּא דְּאִשְׁתְּתַּף בַּהֲדַיְיהוּ. וְעַל רָזָא דָּא כְּתִיב בְּעוֹשָׂיו.

קכה. וְאַף עַל גַּב דְּאַבָּא וְאִמָּא אִתְפָּרְשׁוּ מֵהַאי עָלְמָא, חֶדְוָה בְּכָל שׁוּתָּפוּתָא הֲוֵי. דְּתָנֵינָן, בְּשַׁעֲתָא דְּבַר נָשׁ שָׁתִיף לְקוּדְשָׁא בְּרִיךְ הוּא לְחֶדְוָוה דִּילֵיהּ, קוּדְשָׁא בְּרִיךְ הוּא אָתֵי לְגִנְּתָא דְעֵדֶן, וְאַעְקַר מִתַּמָּן לַאֲבוּהִי וְאִמֵּיהּ, דְּאִינּוּן שׁוּתָּפִין בַּהֲדֵיהּ, וְאַיְיתֵי לוֹן עִמֵּיהּ לְהַהוּא חֶדְוָה, וְכֻלְּהוּ זְמִינִין תַּמָּן, וּבְנֵי נָשָׁא לָא יַדְעִין. אֲבָל בְּעָקוּ דְּב"נ, קוּדְשָׁא בְּרִיךְ הוּא זַמִּין לְגַבֵּיהּ בִּלְחוֹדוֹי, וְלָא אוֹדַע לַאֲבוּהִי וּלְאִמֵּיהּ, הה"ד בַּצַּר לִי אֶקְרָא יְיָ' וְאֶל אֱלֹהַי אֲשַׁוֵּעַ וְגוֹ'.

רַעְיָא מְהֵימְנָא

קכו. אָמַר קוּדְשָׁא בְּרִיךְ הוּא, אֲנָא וּשְׁכִינְתִּי שׁוּתָּפוּתָא דְּנִשְׁמְתָא, וַאֲבוֹי וְאִמֵּיהּ שׁוּתָּפוּתָא דְּגוּפָא, דַּאֲבוֹי מַזְרִיעַ לוֹבֶן, דְּעַיְינִין, וְדַּגַּרְמִין, וְגִידִין, וּמוֹחָא. וְאִתְּתָא שְׁחוֹר דְּעַיְינִין, וְשַׂעֲרָא, וּבִשְׂרָא, וּמַשְׁכָא. וְאוּף הָכִי שְׁמַיָּא וְאַרְעָא. וְכָל חַיָּילִין דִּלְהוֹן, אִשְׁתַּתָּפוּ בִּיצִירָתֵיהּ. מַלְאָכִין, מִנְּהוֹן יֵצֶר הַטּוֹב וְיֵצֶר הָרָע לְמֶהֱוֵי מְצַוֵּיר מִתַּרְוַויְיהוּ. שִׁמְשָׁא וְסִיהֲרָא, לְאַנְהָרָא לֵיהּ בִּימָמָא וְלֵילְיָא. חֵיוָן וּבְעִירָן וְעוֹפִין וְנוּנִין, לְאִתְפַּרְנְסָא מִנְּהוֹן. כָּל אִילָנִין וְזַרְעִין דְּאַרְעָא, לְאִתְפַּרְנְסָא מִנְּהוֹן.

קכז. מַה עָבֵד קוּדְשָׁא בְּרִיךְ הוּא, אַעְקַר לַאֲבוֹי וּלְאִמֵּיהּ מִגִּנְּתָא דְעֵדֶן, וְאַיְיתֵי לְהוּ עִמֵּיהּ, לְמֶהֱוֵי עִמֵּיהּ בְּחֶדְוָה דִּבְנוֹי, וְלֵית חֶדְוָה כְּחֶדְוָה דְּפוּרְקָנָא, דִּכְתִּיב בָּהּ, יִשְׂמְחוּ הַשָּׁמַיִם וְתָגֵל הָאָרֶץ וַיֹּאמְרוּ בַגּוֹיִם יְיָ' מָלָךְ. אָז יְרַנְּנוּ עֲצֵי הַיָּעַר מִלִּפְנֵי יְיָ' כִּי בָא לִשְׁפּוֹט אֶת הָאָרֶץ. (ע"כ רַעְיָא מְהֵימְנָא).

קכח. אַהֲדָר הַהוּא טוּלָא דְּמִלְּקַדְמִין, וְאַזְלָא גּוֹ בֵּיתָא, כְּמוֹ דְּיוֹקְנָא דְּב"נ. נָפַל עַל אַנְפּוֹי ר' אַבָּא. אָמַר רִבִּי יוֹסֵי, אַדְכַּרְנָא דִּבְהַאי אַתְרָא וְזִמְנָא לֵיהּ לר' פִּנְחָס בֶּן יָאִיר, יוֹמָא חַד הֲוָה קָאִים בְּהַאי דּוּכְתָּא, וַהֲוָה אָמַר הָכִי, פִּינְחָס בֶּן אֶלְעָזָר בֶּן אַהֲרֹן הַכֹּהֵן, בְּאָת י' זְעִירָא.

קכט. בְּגִין דִּתְרֵין אַלְפִין בֵּיתִין רְשִׁימִין, אַלְפָא בֵּיתָא דְּאַתְוָון רַבְרְבָן, וְאַלְפָא בֵּיתָא דְּאַתְוָון זְעִירָן. אַתְוָון רַבְרְבָן, אִינּוּן בְּעָלְמָא דְּאָתֵי. וְאַתְוָון זְעִירָן, אִינּוּן בְּעָלְמָא תַּתָּאָה. י' זְעִירָא, בְּרִית קַיְּימָא קַדִּישָׁא. כֵּיוָן דְּקַנֵּי פִּנְחָס עַל בְּרִית דָּא, אִתּוֹסַף בֵּיהּ י' זְעִירָא, רָזָא דִּבְרִית דָּא.

קל. בְּהַהוּא שַׁעֲתָא, אָמַר קוּדְשָׁא בְּרִיךְ הוּא, מָה אַעְבִּיד עִם מֹשֶׁה, בְּרִית דָּא מִמֹּשֶׁה הֲוֵי, וְכַלָּה דִּילֵיהּ הֲוֵי. גְּנַאי הוּא לְמֵיהַב לֵיהּ לְאָחֳרָא, בְּלָא דַּעְתָּא וּרְעוּתָא דְּמֹשֶׁה, לָאו יָאוּת הוּא. שָׁארֵי קוּדְשָׁא בְּרִיךְ הוּא וְאָמַר לְמֹשֶׁה, מֹשֶׁה, פִּנְחָס בֶּן אֶלְעָזָר בֶּן אַהֲרֹן הַכֹּהֵן. א"ל מֹשֶׁה, רבש"ע מַהוּ. א"ל, אַנְתְּ הוּא דְּמַסְרַת נַפְשָׁךְ עַל יִשְׂרָאֵל דְּלָא יִשְׁתֵּצוּן מִן עָלְמָא בְּכַמָּה זִמְנִין, וְאִיהוּ הֵשִׁיב אֶת חֲמָתִי מֵעַל בְּנֵי יִשְׂרָאֵל וְגוֹ'. אָמַר מֹשֶׁה מַה אַתְּ בָּעֵי מִנִּי, הָא כַּלָּא דִּידָךְ.

קלא. א"ל, הָא כַּלָּא דִּידָךְ הִיא, אֵימָא לֵיהּ דְּתִשְׁרֵי בְּגַוֵּיהּ. אָמַר מֹשֶׁה, הָא בְּלִבָּא שְׁלִים תְּהֵא לְגַבֵּיהּ. א"ל אֵימָא אַנְתְּ בְּפוּמָךְ, וְאָרִים קָלָךְ, דְּאַנְתְּ מָסַר לֵיהּ בִּרְעוּתָא, בְּלִבָּא שְׁלִים. הה"ד, לָכֵן אֱמוֹר, אַתְּ אֵימָא בִּרְעוּתָא, הִנְנִי נוֹתֵן לוֹ אֶת בְּרִיתִי שָׁלוֹם.

משה הוה אמר הנני נותן לו וגו', דאילו קודשא בריך הוא, ה"ל למימר לכן אמור לו הנני נותן לו את בריתי שלום, אבל לא כתיב אלא לכן אמור. ואי תימא, דאתעברת מן משה. לא. אלא כבוצינא דא דאדליקו מינה, דא יהיב ואהני, ודא לא אתגרע מנה.

קלב. אתא ההוא טולא, ויתיב, ונשיק ליה. שמעו חד קלא דהוה אמר, פנון אתר, פנון אתר לר' פנחס בן יאיר, דאיהו גבייכו. דתנינן, דכל אתר דצדיקא אתחדש ביה מלי דאורייתא, כד איהו בההוא עלמא, פקיד לההוא אתר, ואתי ליה לגביה. וכ"ש כד שראן בגויה צדיקייא אחרנין. לחדתא בההוא אתר, דאמרין מלי דאורייתא. כגוונא דא דהוה אתי ר' פנחס בן יאיר למפקד לאתריה, ואשכח אלין צדיקייא מחדתין מלין דאורייתא, ואתחדש כמלקדמין, ההוא מלה דר' פנחס בן יאיר קמיה.

קלג. א"ר אבא, יאות מלה דרבי פנחס בן יאיר, דהא לא כתיב לכן הנני נותן, אלא לכן אמור הנני נותן לו. וכי מלה דא הוה גניזא מחסידא דא תחות ידך, ולא הוית אמר. זכאה חולקנא, דזכינא למהוי בסיעתא דטולא קדישא הכא.

קלד. אוף הוא פתח ואמר, משמיה דר' פנחס כל אשר תמצא ידך לעשות בכחך עשה וגו', כמה יאות ליה לב"נ בעוד דבוצינא דליק ושריא על רישיה, לאשתדלא ולמעבד רעותא דמאריה. בגין דההוא נהורא דבוצינא, איהי כ"ח דשריא עליה. וע"ד כתיב, יגדל נא כח יי'. כח יי', דא הוא כח, דשריא על רישיהון דצדיקייא, וכל אינון דמשתדלין ברעותא דמאריהון. ועל דא תנינן, כל העונה אמן יהא שמיה רבא מברך בכל כחו.

קלה. ודאי אצטריך לאתערא כל שייפוי בחילא תקיף בגין דבאתערותא תקיף דאתתקף, אתער ההוא כח קדישא עלאה, ואסתלק גו קודשא ואתבר חילא ותוקפא דסטרא אחרא. וע"ד בכחך, אצטריך למעבד רעותא דמארך.

קלו. כי אין מעשה וחשבון וגו', בגין דבההוא כח אית מעשה, אשתדלותא לאשתדלא בהאי עלמא דאקרי מעשה, עלמא דעובדא, למשלם סופא דמחשבה. וחשבון, דא הוא עלמא, דתליא בדבורא, דהא חשבון בדבורא תלייא. וע"ד, כל גימטריאות, ותקופין, ועבורין דעלמא, בסיהרא הוו. ודעת, דא איהו רזא דשית סטרין, דתליין במחשבה, ואקרון עלמא דההוא מחשבה. וחכמה, דכלא תלייא מניה.

קלז. וכל אלין כלילן בההוא כח, מה דלאו הכי בסטרא דשאול, דרגא דגיהנם. דהא כל ב"נ דלא אשתדל בהאי כ"ח, בהאי עלמא, לאעלאה ביה, במעשה וחשבון ודעת וחכמה, סופיה לאעלאה בשאול, דלית ביה מעשה וחשבון ודעת וחכמה. דהא סטרא אחרא, ארח שאול איהי, דכתיב, דרכי שאול ביתה. מאן דאתרפי מהאי כ"ח קדישא, אתקף ביה סטרא אחרא, דשאול ביתה.

קלח. אשר אתה הולך שמה, וכי כל בני עלמא אזלי לשאול. אין. אבל סלקין מיד, דכתיב, מוריד שאול ויעל. בר אינון חייבין, דלא הרהרו תשובה לעלמין, דנחתין ולא סלקין. ואפילו צדיקים גמורים נחתין תמן. אמאי נחתין. בגין דנטלין כמה חייבין מתמן, וסלקין לון לעילא. ומאן אינון. אינון דהרהרו בתשובה בהאי עלמא, ולא יכילו, ואסתלקו מן עלמא. וצדיקייא נחתין בגיניהון דחייבין גו שאול, ונטלין לון, וסלקין לון מן תמן.

קלט. אמר ר' יוסי, כתיב אחת לאחת למצא חשבון. וחשבון דגימטרייאות דקיימן בסיהרא, באן דרגא דילה אינון. לא אתיב ליה. אמר, שמענא, ולא אדכרנא מלה.

קם ההוא טולא, ובטש בעינוי דר' אבא, נפל על אנפוי מגו דחילו. עד דהוה נפל על אנפוי, נפל קרא בפומיה, דכתיב, עיניך ברכות בחשבון על שער בת רבים. ואלין עיינין דילה, פרפראות לגו וחכמה עלאה, דאתמשכא מלעילא, ומגו חשבון ותקופין ועבורין אתמליין, ואתעבידו בריכות, דנפקו מימין, לכל סטרין, עד דאתפקדן לכל חושבן ועבורין דסיהרא דלבר, וככבין ומזלי למעבד חשבון, ודא איהו על שער בת רבים, דא איהי סיהרא דלבר.

קמ. א"ר אבא לר' יוסי, ההוא מרגלא קדישא דהוה תחות ידך, מגו סיעתא דחסידא קדישא דאיהו גבן, כמה שפיר איהו, ואהדרנא ביה. דהא ודאי לא אצטריך לאפקא אתתא, למשרי באתר אחרא, עד דבעלה יפקד לה ויהיב לה רשו למהך. ואודעין לבעלה בקדמיתא, ומפייסין ליה, דהוא יפקד לה, ויהיב לה רשו למיהך לההוא אתר. כך קודשא בריך הוא פייס למשה, ועד דיהב ליה רשו, וא"ל אימא אנת, הנני נותן לו את בריתי שלום, למשרי בגויה. ועד דיהב לה רשו למהך תמן, לא אזלת.

קמא. מנלן. מצדיקו של עולם, דיהיב לה רשו, למשרי גו צדיקי בהאי עלמא. ויתבא עמהון, ככלה גו קשוטהא. וצדיקא דעלמא חמי, וחדי בהאי. אבל בין דרועי דבעלה שכיבת, ואתהדרת למהוי בהדייהו, ותבת לבעלה. כד"א, בערב היא באה ובבקר היא שבה. בערב היא באה, לגבי בעלה. ובבקר היא שבה, לגבי צדיקייא דעלמא. וכלא ברשותא דבעלה.

קמב. ומשה כך אמר, הנני נותן לו את בריתי, כמה דצדיק דלעילא נותן, אוף אנא הנני נותן, מתנה למהדר מתנה איהי. ובגין ברית דא, רווח כהונה עלאה. ואי לא תהא בהדיה, לא אתקשר פנחס בדרגא דכהונה עלאה, דהא ברית דבקא איהו תדיר בימינא עלאה. וימינא עלאה דא, זמין למבני בי מקדשא, דאיהו ברית.

קמג. אמר רבי אבא, אדכרנא מלה חדא, דשמענא מבוצינא קדישא, דשמע משמיה דרבי אליעזר. יומא חד, אתא לקמיה חד חכים גוי, א"ל סבא סבא, תלת בעיין בעינא למתבע מנך. חד, דאתון אמרין דיתבני לכו בי מקדשא אחרא, והא לא הוו למבני אלא תרי זמנין, בית ראשון ובית שני, בית שלישי לא תשכחו באורייתא, והא מה דהוה ליה למבני, כבר אתבנון, ולעולם לית ביה יתיר, דהא תרי בתי ישראל קרא לון קרא. וכתיב, גדול יהיה כבוד הבית הזה האחרון מן הראשון.

קמד. ותו, דאתון אמרין, דאתון קריבין למלכא עלאה, יתיר מכל שאר עמין, מאן דמתקריב למלכא, איהו חדי תדיר, בלא צערא, בלא דחילו, ובלא דחיקו. והא אתון בצערא ובדחקא וביגונא תדיר, יתיר מכל בני עלמא. ואנן לא אתקריב לן צערא ודוחקא ויגונא כלל. אנן קריבין למלכא עלאה, ואתון רחיקין מניה, וע"ד אית לכו צערא ודוחקא אבלא ויגונא, מה דלא אית לן.

קמה. ותו, דאתון לא אכלי נבלה וטרפה, בגין דתהוון בריאין, וגופא דלכון להוי בבריאותא. אנן אכלינן כל מה דבעינן, ואנן תקיפין בחילא בבריאותא, וכל שייפין דילן בקיומייהו. ואתון דלא אכלין, חלשין כלכו במרעין בישין, ובתבירו יתיר מכל שאר עמין. עמא דסני לכון אלהכון בכלא. סבא סבא, לא תימא לי מדי, דלא אשמעינך, ולא אקבל מנך. זקיף עינוי ר' אליעזר, ואשגח ביה, ואתעביד תלא דגרמי.

קמו. כיון דנח רוגזיה, אהדר רישיה ובכה, ואמר, יי' אדונינו מה אדיר שמך בכל

הָאָרֶץ. כַּמָּה תַּקִּיף חֵילָא דִּשְׁמָא קַדִּישָׁא, תַּקִּיפָא בְּכָל אַרְעָא, וְכַמָּה חֲבִיבִין מִלֵּי דְּאוֹרַיְיתָא, דְּלֵית לָךְ מִלָּה זְעֵירָא דְּלָא תִּשְׁכַּח לָהּ בְּאוֹרַיְיתָא, וְלֵית מִלָּה זְעֵירָא דְּאַתְיָא בְּאוֹרַיְיתָא, דְּלָא נַפְקַת מִפּוּמֵיהּ דְּקוּדְשָׁא בְּרִיךְ הוּא. מִלִּין אִלֵּין דְּשָׁאַל הַהוּא רָשָׁע, אֲנָא שְׁאַלְנָא יוֹמָא חַד לְאֵלִיָּהוּ, וְאָמַר דְּהָא בְּמְתִיבְתָּא דִּרְקִיעָא, אִתְסְדָּרוּ קַמֵּיהּ דְּקוּדְשָׁא בְּרִיךְ הוּא, וְהָכִי הוּא.

קמז. דְּכַד נָפְקוּ יִשְׂרָאֵל מִמִּצְרַיִם, בָּעָא קוּדְשָׁא בְּרִיךְ הוּא לְמֶעְבַּד לוֹן בְּאַרְעָא, כְּמַלְאָכִין קַדִּישִׁין לְעֵילָא, וּבָעָא לְמִבְנֵי לוֹן בֵּיתָא קַדִּישָׁא, וּלְנַחֲתָא לֵיהּ מִגּוֹ שְׁמֵי רְקִיעִין, וּלְנַטְעָא לוֹן לְיִשְׂרָאֵל, נְצִיבָא קַדִּישָׁא, כְּגַוְונָא דְּדִיוּקְנָא דִּלְעֵילָא. הה"ד תְּבִיאֵמוֹ וְתִטָּעֵמוֹ בְּהַר נַחֲלָתְךָ. בְּאָן אֲתַר בְּמָכוֹן לְשִׁבְתְּךָ פָּעַלְתָּ יְיָ'. בְּהַהוּא דְּפָעַלְתָּ אַנְתְּ יְיָ', וְלָא אַחֲרָא. מָכוֹן לְשִׁבְתְּךָ פָּעַלְתָּ יְיָ', דָּא בַּיִת רִאשׁוֹן. מִקְּדָשׁ יְיָ' כּוֹנְנוּ יָדֶיךָ, דָּא בַּיִת שֵׁנִי. וְתַרְוַויְיהוּ, אוּמָנוּתָא דְּקוּדְשָׁא בְּרִיךְ הוּא אִינּוּן.

קמח. וּמִדְּאַרְגִּיזוּ קַמֵּיהּ בְּמַדְבְּרָא, מִיתוּ, וְאַכְנָס לוֹן קוּדְשָׁא בְּרִיךְ הוּא לִבְנַיְיהוּ בְּאַרְעָא. וּבֵיתָא אִתְבְּנֵי עַל יְדָא דְּבַר נָשׁ, וּבְגִין כָּךְ לָא אִתְקַיָּים. וּשְׁלֹמֹה הֲוָה יָדַע, דִּבְגִין דְּהַאי עוֹבָדָא דְּבַר נָשׁ לָא יִתְקַיָּים, וְעַל דָּא אָמַר, אִם יְיָ' לֹא יִבְנֶה בַיִת שָׁוְא עָמְלוּ בוֹנָיו בּוֹ, דְּהָא לֵית לֵיהּ בֵּיהּ קִיּוּמָא. בְּיוֹמוֹי דְּעֶזְרָא, גָּרַם חֲטָאָה, וְאִצְטְרִכוּן אִינּוּן לְמִבְנֵי, וְלָא הֲוָה בֵּיהּ קִיּוּמָא. וְעַד כְּעַן, בִּנְיָינָא קַדְמָאָה דְּקוּדְשָׁא בְּרִיךְ הוּא, לָא הֲוָה בְּעָלְמָא, וּלְזִמְנָא דְּאָתֵי כְּתִיב, בּוֹנֵה יְרוּשָׁלַםִ יְיָ', אִיהוּ וְלָא אַחֲרָא. וּבִנְיָינָא דָּא אֲנָן מְחַכָּאן, וְלָא בִּנְיָינָא דְּבַר נָשׁ, דְּלֵית בֵּיהּ קִיּוּמָא כְּלַל.

קמט. בַּיִת רִאשׁוֹן, וּבַיִת שֵׁנִי, יָהִית לוֹן קוּדְשָׁא בְּרִיךְ הוּא כַּחֲדָא מִלְּעֵילָא. בַּיִת רִאשׁוֹן בְּאִתְכַּסְיָא, וּבַיִת שֵׁנִי בְּאִתְגַּלְיָא. הַהוּא בַּיִת לֶהֱוֵי בְּאִתְגַּלְיָא, דְּאִתְקְרֵי בַּיִת שֵׁנִי, דְּיִתְחֲזֵי לְכָל עָלְמָא אוּמָנוּתָא דְּקוּדְשָׁא בְּרִיךְ הוּא. וְחֶדְוָה שְׁלִים, וּרְעוּתָא דְּלִבָּא בְּכָל קִיּוּמָא.

קנ. הַהוּא בַּיִת רִאשׁוֹן בְּאִתְכַּסְיָא, אִסְתַּלַּק לְעֵילָא, עַל גַּבּוֹי דְּהַהוּא דְּאִתְגַּלְיָא. וְכָל עָלְמָא יֶחֱמוּן, עֲנָנֵי יְקָר דְּסַחֲרָן עַל גַּבֵּי דְּהַהוּא דְּאִתְגַּלְיָיא, וּבְגוֹ דְּאִינּוּן עֲנָנִין, הֲוֵי בַּיִת רִאשׁוֹן, בְּעוֹבָדָא טְמִירָא, דְּסָלִיק עַד רוּם יְקָר שְׁמַיָּא, וּבִנְיָינָא דָּא אֲנָן מְחַכָּאן.

קנא. וְעַד כְּעַן, לָא הֲוָה בְּעָלְמָא, דַּאֲפִילּוּ קַרְתָּא דִּירוּשְׁלֵם לָא לֶיהֱוֵי אוּמָנוּתָא דב"נ, דְּהָא כְּתִיב, וַאֲנִי אֶהְיֶה לָּהּ נְאֻם יְיָ' חוֹמַת אֵשׁ סָבִיב וְגוֹ'. אִי לְקַרְתָּא כְּתִיב הָכִי, כָּל שֶׁכֵּן בֵּיתָא, דְּאִיהוּ דִּיוּרָא דִּילֵיהּ. וְעוֹבָדָא דָּא, הֲוֵי אִתְחֲזֵי לְמֶהֱוֵי בְּרֵישָׁא, כַּד נָפְקוּ יִשְׂרָאֵל מִמִּצְרַיִם, וְאִסְתַּלַּק עַד לְסוֹף יוֹמִין, בְּפוּרְקָנָא בַּתְרָאָה.

קנב. שְׁאֶלְתָּא אַחֲרָא, דְּוַדַּאי אֲנָן קְרֵבִין לְמַלְכָּא עִלָּאָה, יַתִּיר מִכָּל שְׁאַר עַמִּין. וַדַּאי הָכִי הוּא, דְּיִשְׂרָאֵל עָבַד לוֹן קוּדְשָׁא בְּרִיךְ הוּא לִבָּא דְּכָל עָלְמָא. וְהָכִי אִינּוּן יִשְׂרָאֵל בֵּין שְׁאַר עַמִּין, כְּלִבָּא בֵּין שַׁיְיפִין, כְּמָה דְּשַׁיְיפִין לָא יַכְלֵי לְמֵיקָם בְּעָלְמָא אֲפִילּוּ רִגְעָא וְחָדָא בְּלָא לִבָּא, הָכִי עַמִּין כֻּלְּהוּ, לָא יַכְלִין לְמֵיקָם בְּעָלְמָא, בְּלָא יִשְׂרָאֵל. וְאוּף הָכִי יְרוּשְׁלֵם בְּגוֹ שְׁאַר אַרְעָאן, כְּלִבָּא בְּגוֹ שַׁיְיפִין. וְעַל דָּא אִיהִי בְּאֶמְצָעִיתָא דְּכוּלֵי עָלְמָא. כְּלִבָּא גּוֹ שַׁיְיפִין.

קנג. וְיִשְׂרָאֵל מִתְנַהֲגָן גּוֹ שְׁאַר עַמִּין, כְּגַוְונָא דְּלִבָּא גּוֹ שַׁיְיפִין. לִבָּא אִיהִי רָכִיךְ וַחֲלָשׁ, וְאִיהוּ קִיּוּמָא דְּכָל שַׁיְיפִין, לָא יָדַע מִצַּעֲרָא וְעָקָא וִיגוֹנָא כְּלָל אֶלָּא לִבָּא, דְּבֵיהּ קִיּוּמָא, דְּבֵיהּ סוּכְלְתָנוּ, שְׁאַר שַׁיְיפִין לָא אִתְקְרִיב בְּהוּ כְּלָל, דְּהָא לֵית בְּהוּ קִיּוּמָא, וְלָא יַדְעִין מִדִּי. כָּל שְׁאַר שַׁיְיפִין לָא קְרִיבִין לְמַלְכָּא, דְּאִיהוּ וְחָכְמְתָא וְסוּכְלְתָנוּ,

דְּשַׁרְיָא בְּמוֹחָא, אֶלָּא לִבָּא. וּשְׁאַר שַׁיְיפִין, רְחִיקִין מִנֵּיהּ, וְלָא יַדְעִין מִנֵּיהּ כְּלָל. כַּךְ יִשְׂרָאֵל, לְמַלְכָּא קַדִּישָׁא קְרִיבִין, וּשְׁאַר עַמִּין רְחִיקִין מִנֵּיהּ.

קנד. שְׁאֶלְתָּא אַחֲרָא, דְּיִשְׂרָאֵל לָא אָכְלֵי נְבֵלוֹת וּטְרֵפוֹת, וְטִנּוּפָא וְלִכְלוּכָא דִּשְׁקָצִים וּרְמָשִׂים כִּשְׁאַר עַמִּין, הָכִי הוּא, דְּהָא לִבָּא דְּאִיהוּ רָכִיךְ וְחָלַשׁ, וּמַלְכָּא וְקִיּוּמָא דְּכָל שְׁאַר שַׁיְיפִין, לָא נָטִיל לִמְזוֹנֵיהּ, אֶלָּא בְּרִירוּ וְצָחוּתָא דְּכָל דָּמָא, וּמְזוֹנֵיהּ נְקִי וּבְרִירָא, וְאִיהוּ רָכִיךְ וְחָלַשׁ מִכֹּלָּא, וּשְׁאַר פְּסוֹלֶת אַנַּח לְכָל שַׁיְיפִין, וְכָל שְׁאַר שַׁיְיפִין לָא מַשְׁגִּיחִין בְּהַאי, אֶלָּא כָּל פְּסוֹלֶת וּבִישׁ דְּכֹלָּא נַטְלִין, וְאִינּוּן בְּתְקִיפוּ כְּמָה דְּאִתְחֲזֵי לוֹן.

קנה. וְעַל דָּא בְּכָל שְׁאַר שַׁיְיפִין אִית אֲבַעְבּוּעִין, שְׂאֵת אוֹ סַפַּחַת, סְגִירוּ דְּצָרַעַת. לְלִבָּא, לָאו מִכָּל הָנֵי כְּלוּם, אֶלָּא אִיהוּ נְקִי בְּרִירָא מִכֹּלָּא, לֵית בֵּיהּ מוּמָא כְּלָל. כַּךְ קוּדְשָׁא בְּרִיךְ הוּא נָטִיל לֵיהּ לְיִשְׂרָאֵל דְּאִיהוּ נְקִי וּבְרִירוּ דְּלֵית בֵּיהּ מוּמָא עַל דָּא כְּתִיב, כֻּלָּךְ יָפָה רַעְיָתִי וּמוּם אֵין בָּךְ. אָתָא רַבִּי יוֹסֵי, נָשִׁיק יְדוֹי, אָמַר, אִילוּ לָא אֲתֵינָא לְעָלְמָא, אֶלָּא לְמִשְׁמַע דָּא, דַּיִי.

קנו. וְשֵׁם אִישׁ יִשְׂרָאֵל הַמֻּכֶּה וְגוֹ'. אָמַר ר' יִצְחָק, הַאי קְרָא הָכִי הֲוָה לֵיהּ לְמִכְתַּב, וְשֵׁם אִישׁ יִשְׂרָאֵל אֲשֶׁר הִכָּה פִּנְחָס, וְלֹא הַמֻּכֶּה אֲשֶׁר הֻכָּה, לָא נֶאֱמַר אֶלָּא בְּאֹרַח סָתִים.

קנז. אֶלָּא הָכִי אָמַר ר' אֶלְעָזָר, כֵּיוָן דְּסַלְקֵיהּ קוּדְשָׁא בְּרִיךְ הוּא לְפִנְחָס לְכַהֲנָא רַבָּא, לָא בָּעָא לְאַדְכְּרָא לֵיהּ לְפִנְחָס בְּקַטְלָנוּתָא דְּבַר נָשׁ. דְּהָא לָא אִתְחֲזֵי לְכַהֲנָא רַבָּא. עַד לָא סַלְקֵיהּ לְכַהֲנָא רַבָּא, אַדְכַּר לֵיהּ, וְאָמַר וַיַּרְא פִּנְחָס וַיִּקַּח רֹמַח וְגוֹ', וַיִּדְקֹר אֶת שְׁנֵיהֶם וְגוֹ'. כֵּיוָן דְּסַלְקֵיהּ לְכַהֲנָא רַבָּא לָא אַדְכַּר שְׁמֵיהּ בְּקַטְלָנוּתָא, דְּלָא אִתְחֲזֵי לֵיהּ, וְחָס עָלֵיהּ יְקָרָא דְּקוּדְשָׁא בְּרִיךְ הוּא, דְּכַהֲנָא רַבָּא לָא אִתְחֲזֵי לְאַדְכְּרָא בְּקַטְלָנוּתָא. וְשֵׁם הָאִשָּׁה הַמֻּכָּה, אוּף הָכִי.

קנח. רַבִּי שִׁמְעוֹן הֲוָה אָזִיל מִקַּפּוֹטְקִיָא לְלוֹד, וְר' יְהוּדָה אָזִיל עִמֵּיהּ, עַד דַּהֲווּ אָזְלֵי פָּגַע בְּהוּ ר' פִּנְחָס בֶּן יָאִיר, וּתְרֵין גּוּבְרִין טוֹעֲנִין אֲבַתְרֵיהּ. שָׁכִיךְ חֲמָרֵיהּ דְּר' פִּנְחָס. טָעִינוּ לֵיהּ, וְלָא אָזִיל. אָמַר ר' פִּנְחָס, שְׁבִיקוּ לֵיהּ, דְּהָא רֵיחָא דְּאַנְפִּין חַדְתִּין קָא אָרַח, אוֹ נִסָּא אִתְעֲבֵיד לָן הַשְׁתָּא. עַד דְּאִינּוּן תַּמָּן, נָפַק ר' שִׁמְעוֹן מִבָּתַר חַד טִנָּרָא. נָטַל חֲמָרָא וְאָזִיל, אָמַר ר' פִּנְחָס, וְלָא אֲמָרִית לְכוּ, דְּהָא רֵיחָא דְּאַנְפִּין חַדְתִּין קָא אָרַח.

קנט. נָחַת וְגָפִיף לֵיהּ ר' פִּנְחָס, וּבָכָה, אָמַר לֵיהּ, חֲמֵינָא בְּחֶלְמִי, דְּאַתְיָא שְׁכִינְתָּא לְגַבִּי, וְיָהֲבַת לִי נְבִזְבְּזָן רַבְרְבָן, וְחַדֵּינָא בָּהּ. הַשְׁתָּא כְּמָה דַּחֲמֵינָא. אָמַר ר' שִׁמְעוֹן, מִקָּל פַּרְסֵי דַּחֲמָרָךְ, יְדַעְנָא דְּאַנְתְּ הוּא. הַשְׁתָּא חֶדְוָה שְׁלִים. אָמַר ר' פִּנְחָס, נֵתִיב בְּדוּךְ חַד, דְּמִלֵּי דְּאוֹרַיְיתָא אִצְטְרִיךְ צָחוּתָא. אַשְׁכָּחוּ עֵינָא דְּמַיָּא, וְאִילָנָא, יָתְבוּ.

קס. אָמַר ר' פִּנְחָס, מִסְתַּכַּל הֲוֵינָא דְּהָא לִתְחִיַּית הַמֵּתִים, בְּאָרְחָא אָחֳרָא יַעְבִיד לוֹן קוּדְשָׁא בְּרִיךְ הוּא, וּמַה דַּהֲוָה הַשְׁתָּא קַדְמָאָה, לֶיהֱוֵי כְּדֵין בַּתְרָאָה. מְנָלָן. מֵאִינּוּן עֲצָמוֹת, הַנְהוּ גַּרְמִין דְּאַחֲיָא לוֹן קוּדְשָׁא בְּרִיךְ הוּא עַל יְדֵי יְחֶזְקֵאל, דִּכְתִּיב וַתִּקְרְבוּ עֲצָמוֹת עֶצֶם אֶל עַצְמוֹ בְּקַדְמֵיתָא, וּלְבָתַר כְּתִיב וְרָאִיתִי וְהִנֵּה עֲלֵיהֶם גִּידִים וּבָשָׂר עָלָה וְגוֹ'. וַיִּקְרַם עֲלֵיהֶם עוֹר מִלְמַעְלָה וְרוּחַ אֵין בָּהֶם. דְּהָא מַה דְּאַפְשִׁיט בְּקַדְמֵיתָא, לֶיהֱוֵי בַּתְרָאָה. בְּקַדְמֵיתָא אַפְשִׁיט מֵרוּחָא, וּלְבָתַר עוֹר, וּלְבָתַר בָּשָׂר, וּלְבָתַר עֲצָמוֹת.

קסא. אר"ש, בְּדָא אַקְשָׁן קַדְמָאֵי, אֲבָל גַּרְמִין אִלֵּין דְּאַחֲיָא קוּדְשָׁא בְּרִיךְ הוּא, נִסִּין

וְאַתְיָין מִשַּׁנְיָין, עָבֵד בְּהוּ קוּדְשָׁא בְּרִיךְ הוּא. ת"ח מַה כְּתִיב, זְכָר נָא כִּי כַחוֹמֶר עֲשִׂיתָנִי וְאֶל עָפָר תְּשִׁיבֵנִי. מַה כְּתִיב בַּתְרֵיהּ, הֲלֹא כֶחָלָב תַּתִּיכֵנִי וְכַגְּבִינָה תַּקְפִּיאֵנִי, עוֹר וּבָשָׂר תַּלְבִּישֵׁנִי וּבַעֲצָמוֹת וְגִידִים תְּסוֹכְכֵנִי. זַמִּין קוּדְשָׁא בְּרִיךְ הוּא, לְבָתַר דְּיִתְבְּלֵי ב"נ בְּעַפְרָא, וּמָטֵי זִמְנָא דִּתְחִיַּית הַמֵּתִים, דְּהַהוּא גַּרְמָא דְּיִשְׁתְּאַר. לְמֶעְבַּד לֵיהּ כְּעִסָּה דָּא, וְכַגְּבִינָה דְּחָלָב, וּנְבִיעַ דְּחָלָב, דְּהוּא נְבִיעוּ נָקִי מִצּוּחְצָחוּ בְּצַחוּתָא. יִתְעָרַב הַהוּא גַּרְמָא וְיִתְמְזֵי כְּחָלָבָא, וּלְבָתַר יַקְפִּיא לֵיהּ, וְיִתְצַיֵּיר בְּצִיּוּרָא כַּגְּבִינָה בְּקַפִּיאוּתָא, וּלְבָתַר יִתְמְשַׁךְ עָלֵיהּ עוֹר וּבָשָׂר וַעֲצָמוֹת וְגִידִים.

קסב. הה"ד הֲלֹא כֶחָלָב תַּתִּיכֵנִי וְכַגְּבִינָה תַּקְפִּיאֵנִי. הִתַּכְתָּנִי לָא כְּתִיב, אֶלָּא תַּתִּיכֵנִי. הִקְפֵּיתָנִי לָא כְּתִיב, אֶלָּא תַּקְפִּיאֵנִי. הִלְבַּשְׁתָּנִי לָא כְּתִיב, אֶלָּא תַּלְבִּישֵׁנִי. סוֹכַכְתָּנִי לָא כְּתִיב, אֶלָּא תְּסוֹכְכֵנִי. כֻּלְּהוּ לְבָתַר זִמְנָא מַשְׁמַע.

קסג. וּלְבָתַר מַה כְּתִיב, חַיִּים וָחֶסֶד עָשִׂיתָ עִמָּדִי, דָּא רְוָוחָא דְּחַיֵּי. וְאִי תֵּימָא עָשִׂיתָ עִמָּדִי כְּתִיב, וְלָא כְּתִיב תַּעֲשֶׂה. אֶלָּא הָכִי אָמַר, חַיִּים וָחֶסֶד עָשִׂיתָ עִמָּדִי. בְּהַהוּא עָלְמָא שָׁדִית בִּי רְוָוחָא דְּחַיִּים, אֲבָל וּפְקוּדָתְךָ, דְּמַטְרוֹנִיתָא דְּמַלְכָּא, שָׁמְרָה רוּחִי, אִיהִי נַטְרַת לְרוּחִי, בְּהַהוּא עָלְמָא. מַאי וּפְקוּדָתְךָ, דְּאַתְּ זַמִּין לְפַקְדָא לָהּ בְּקַדְמֵיתָא.

קסד. וְרָזָא דְּמִלָּה דָּא, כָּל נַפְשִׁין דְּצַדִּיקַיָּיא, גְּנִיזִין וּטְמִירִין תְּחוֹת כֻּרְסְיָיא דְּמַלְכָּא, וְאִיהִי נַטְרָא לוֹן, לְאַתְבָא לוֹן לְדוּכְתַּיְיהוּ, הה"ד וּפְקוּדָתְךָ שָׁמְרָה רוּחִי. מַאי וּפְקוּדָתְךָ. כד"א, פְּקוּדָתוֹ יִקַּח אַחֵר. פְּקוּדָתְךָ, דָּא מַטְרוֹנִיתָא דְּמַלְכָּא, דְּכָל רוּחִין אִינּוּן פִּקְדוֹנִין בִּידָהָא, הה"ד בְּיָדְךָ אַפְקִיד רוּחִי וְגוֹ', וְאִיהִי נַטְרָא לוֹן, בְּגִין דָּא שָׁמְרָה רוּחִי, וְאִיהִי נַטְרַת לָהּ.

קסה. כְּגַוְונָא דָּא אָמַר דָּוִד, שָׁמְרָה נַפְשִׁי כִּי חָסִיד אָנִי. שָׁמְרָה: דָּא מַטְרוֹנִיתָא דְּמַלְכָּא. דְּאִיהִי נַטְרָא נַפְשִׁי, בְּגִין כִּי חָסִיד אָנִי. וּבְכָל אֲתַר דִּכְתִיב סְתָם, דָּא מַטְרוֹנִיתָא. כד"א, וַיִּקְרָא אֶל מֹשֶׁה. וַיֹּאמֶר אִם שָׁמוֹעַ תִּשְׁמַע בְּקוֹל יְיָ' אֱלֹהֶיךָ.

קסו. בָּכָה ר' פִּנְחָס, וְאָמַר, וְלָאו אֲמָרִית לָךְ דִּשְׁכִינְתָּא יָהֲבַת לִי נְבִזְבְּזָן וּמַתְּנָן, זַכָּאָה חוּלָקֵי דְּזָכֵינָא לְמֶחֱמֵי לָךְ, וְשָׁמַעְנָא דָּא. א"ל, בְּהַהוּא זִמְנָא, תֵּינַח הַהוּא גַּרְמָא, שְׁאַר גַּרְמִין דְּיִשְׁתַּכְחוּן מַה יִתְעֲבִיד מִנַּהוֹן. א"ל, כֻּלְּהוּ יִתְכַּלִּילוּ בְּהַהוּא נְבִיעוּ דְּהַאי גַּרְמָא, וְיִתְכַּלִּילוּ בַּהֲדֵיהּ, וְיִתְעֲבִיד כֹּלָּא עִסָּה חֲדָא, וְתַמָּן יִתְצַיֵּיר צִיּוּרָא, כְּמָה דְּאִתְּמַר. הה"ד, וְעַצְמוֹתֶיךָ יַחֲלִיץ. מַאי יַחֲלִיץ. כד"א וְחָלַץ מֵהֶם. כֻּלְּהוּ יִתְעַבְּרוּן מִקִּיוּמַיְיהוּ, וְיִתְכַּלִּילוּ בְּהַאי גַּרְמָא, לְמֶהֱוֵי עִסָּה חֲדָא. וּכְדֵין וְהָיִיתָ כְּגַן רָוֶה וּכְמוֹצָא מַיִם וְגוֹ'.

רַעְיָא מְהֵימְנָא

קסז. אָמַר רַעְיָא מְהֵימְנָא, וַוי לוֹן לִבְנֵי נָשָׁא, דְּאִינּוּן אֲטִימִין לִבָּא, סְתִימִין עַיְינִין, דְּלָא יָדְעִין דְּכַד אָתֵי לֵילְיָא, תַּרְעִין דְּגֵיהִנָּם אִתְפַּתְּחוּ, דְּאִיהִי מָרָה. וַעֲשָׁנִין דִּילָהּ, דְּמִתְפַּשְּׁטִין סַלְּקִין עַד מוֹחָא. וְכַמָּה חַיָּילִין דְּיֵצֶר הָרָע, מִתְפַּשְּׁטִין בְּכָל אֵבָרִין דְּגוּפָא. וְתַרְעִין דג"ע, דְּאִיהוּ עַיְינִין דְּלִבָּא, מִסְתַּתְּמִין וְלָא מִתְפַּתְּחִין. דְּכָל נְהוֹרִין דְּעַיְינִין, מִלִּבָּא נָפְקִין.

קסח. וְתַרְעִין דְּלִבָּא, אִינּוּן עַיְינִין מִסְתַּתְּמִין, בְּגִין דְּלָא מִסְתַּכְּלִין בְּאִלֵּין מַזִּיקִין, דְּאִינּוּן לֵילִית. וְלָא שַׁלְטִין בִּנְהוֹרִין דְּלִבָּא, דְּאִינּוּן מַלְאָכִים דְּמִתְפַּשְּׁטִין בְּכָל אֵבָרִים, כְּעַנְפִין דְּאִילָנָא לְכָל סִטְרָא. בְּהַהוּא זִמְנָא אִינּוּן כֻּלְּהוּ נְהוֹרִין סְתִימִין בְּלִבָּא, וּמִתְכַּנְּשִׁין לְגַבֵּיהּ, כְּיוֹנִים אֶל אֲרֻבּוֹתֵיהֶם. כְּנֹחַ וְאִתְּתֵיהּ, וְכָל מִין וּמִין, דְּעָאלוּ עִמֵּיהּ בַּתֵּיבָה.

קסט. וּמַזִּיקִין דְּמִתְגַּבְּרִין עַל כָּל אֵבָרִים דְּגוּפָא, כְּמֵי טוֹפָנָא דְּגָבְרוּ עָלֵיהּ ט"ו אָמַר,

בגין דחזב בי"ה, ואסתלק י"ה מן גופא, ואשתאר אלם, בלא ראיה ושמיעה ורעיוא ודבור. ורזא דמלה, נאלמתי דומיה, דומי"ה: דו"ם י"ה. כההוא זמנא, וחמש עשרה אמה, גברו מזיקין על גופא. ואינון ככסלא לעוגיא.

קע. וכגוונא דנח, שלח את היונה בשליחותיה. אוף הכי שלח נשמתא באדם. רוחיה בשליחותיה. ובגין דא צריך ב"נ לפקדא לה במטרוניתא. הה"ד בידך אפקיד רוחי. ואם היא אסירא בחובוי דגופא, בידא דחיילין דיצר הרע, מה כתיב, בידך אפקיד רוחי פדית אותי יי' אל אמת.

קעא. ועוד בזמנא דאיהי חייבת, מה כתיב ברוחיה, יד ליד לא ינקה רע. דאזיל מיד ליד, במשריין דיצר הרע, דשריין עליה בחובין דיליה, וזרקין ליה מאתר לאתר. והאי איהו דאוזיז גרמיה במדינה אחרת, או במלכו אחרא, ולזמנין באשפה, כפום חובוי. ואי איהו זכאה, כל משריין דיצר טוב כלהו, ופניהם וכנפיהם פרודות, לקבלה רוחיה, וסלקין ליה לעילא, לאתר דחיזין דכרסייא, ותמן חזי, כמה חזיונות, דמיונות, ומראות דנבואה. ובגין דא אוקמוה רבנן, דחלום אחד מששים בנבואה.

קעב. ועוד שמרה נפשי כי חסיד אני, אלא הכי אוקמוה רבנן. ולא עם הארץ חסיד. דאורייתא אתיהיבת מימינא דקודשא בריך הוא, דאיהו חסד. ובגין דא, מאן דאתעסק באורייתא, אתקרי חסיד. בגין דא, אמינא לקודשא בריך הוא, שמרה נפשי, ולא תדון לה כעובדי אלין עמי הארצות, דאתמר בהו ולא עם הארץ חסיד. ואי תימא, כמה עמי הארצות אינון דעבדו חסד. אלא הכי אוקמוה, אי זהו חסיד, זה המתחסד עם קונו. כגון דוד דהוה מחבר. ומאי הוה מחבר. אורייתא דלעילא, הוה מחבר עם קודשא בריך הוא. ובגין דא, שמרה נפשי כי חסיד אני.

קעג. וכד ב"נ מית, מה כתיב בה בהאי נפש בהתהלכך תנחה אותך בשכבך תשמור עליך, והקיצות לתחיית המתים, היא תשיחך. דא לתחיית המתים שפיר, דיוקים ליה לב"נ, אבל לאגרא לנשמתא בעלמא דאתי, מאי הוי.

קעד. אלא קודשא בריך הוא מלביש לה כקדמיתא בענני כבוד. כקדמיתא תיעול במראה, דאיהו כגוונא דגופא, כליל ברמ"ח איברים. אוף הכי תיעול במראה, כליל במאתים וארבעים ושמנה. נהירין דמתפרשן מההוא מראה. דאתמר ביה, ויאמר אם יהיה נביאכם יי' במראה אליו אתודע. ובלבושין דענני כבוד וראיתיה לזכור ברית עולם, דא אספקלריאה המאירה. בחלום אדבר בו, דא אספקלריאה דלא נהרא. כליל מש"ה נהירין, כחושבן ישנה. והיינו אני ישנה. חד בעלמא דין. וחד בעלמא דאתי. ואינון בעובדי ידוי דקודשא בריך הוא.

קעה. ורזא דלהון, זה שמי לעולם. י"ה עם שמי, שלש מאות וחמשה וששים. ו"ה עם זכרי, מאתים ושמנה וארבעים. וכרוזין נחתין וסלקין קמיה, הבו יקר לדיוקנא דמלכא.

קעו. והיינו ויברא אלהים את האדם בצלמו בצלם אלהים ברא אותו. והוא דעבד ליה בתרין דיוקנין, בתרין פנים דאתמר עלה כי לא ראיתם כל תמונה. ועל שאר דיוקנין כתיב, תמונת כל וגו'. ותמונת יי' יביט. ותרי"ג מלאכין סלקין לה לנשמתא. באלין דיוקנין, כלהו ופניהם וכנפיהם פרודות, לקיים קרא דכתיב בהון ואשא אתכם על כנפי נשרים ואביא אתכם אלי.

קעז. כגוונא דנפקו ממצרים, ואזלו בענני כבוד, ובכל ההוא יקר, כההוא גוונא תהא

מַפְקָנוּתָא דְּנִשְׁמְתָא, מִגּוּפָא דְּטִפָּה סְרוּחָה, לְמֵיזַל לִתְרֵין גַּנִּים, דְּאִתְבְּרֵי שְׁמַיָּא וְאַרְעָא דִּלְהוֹן בְּשֵׁם יְיָ. וּבְגִינֵיהּ אִתְּמַר, יִשְׁמְחוּ הַשָּׁמַיִם וְתָגֵל הָאָרֶץ. בְּהַהוּא זִמְנָא יִתְקַיֵּים בְּב"נ וְלֹא יִכָּנֵף עוֹד מוֹרֶיךָ לִגַבָּךְ, בִּשְׁתַּיִם יְכַסֶּה פָּנָיו, אֶלָּא וְהָיוּ עֵינֶיךָ רוֹאוֹת אֶת מוֹרֶיךָ. וּמִסִּטְרָא דְּאִלֵּין מַרְאוֹת, זָכָה מרע"ה, רַבָּן שֶׁל נְבִיאִים וַחֲכָמִים. אָמַר בּוּצִינָא קַדִּישָׁא, אַנְתְּ הוּא דְּזָכִית בְּחַיָּיךְ, לְמָה דְּיִזְכּוּן צַדִּיקַיָּא בָּתַר חַיֵּיהוֹן, זַכָּאָה חוּלָקָךְ.

קעח. ד"א שָׁמְרָה נַפְשִׁי כִּי חָסִיד אָנִי, אַמַּאי. כְּדֵי שֶׁאֶתְחָסֵד עִם אֲנִ"י. דְּאִתְּמַר בֵּיהּ אֲנִ"י וָהֹ"ו. וַוי לֵיהּ לְמַאן דְּאַפְרִישׁ אֲנִי מִן הוּא. דְּאִתְּמַר הוּא עָשָׂנוּ וְלֹא אֲנַחְנוּ. דְּכֹלָּא חַד בְּלָא פֵּרוּדָא. הה"ד, רְאוּ עַתָּה כִּי אֲנִי אֲנִי הוּא אֲנִי אָמִית וַאֲחַיֶּה מָחַצְתִּי וַאֲנִי אֶרְפָּא וְאֵין מִיָּדִי מַצִּיל. אֲנִי יְדֹוָ"ד, אֲנִי הוּא וְלֹא אַחֵר. וְדָא אֲנִי מִן אֲדֹנָ"י. יְדֹוָד עַמּוּדָא דְּאֶמְצָעִיתָא.

קעט. וּבְגִין דִּידֹוָ"ד אִיהוּ לִימִינָא דְּאִיהִי חֶסֶד, אָמַר, שָׁמְרָה נַפְשִׁי דְּאֶתְחַסֵּד בָּךְ עִם אֲנִי, וְאִיהוּ אֲדֹנָ"י לִגְבוּרָה. וּבְתִפְאֶרֶת, אִתְחַבְּרָן תְּרֵין שְׁמָהָן יאהדונה"י. וְרָזָא דְּמִלָּה בְּחֶסֶד וּבִגְבוּרָה, וּפְנֵיהֶם וְכַנְפֵיהֶם פְּרוּדוֹת מִלְמַעְלָה וּבְתִפְאֶרֶת, דְּאִתְקְרֵי יְדֹוָ"ד אִישׁ מִלְחָמָה, מַה כְּתִיב שְׁתַּיִם חוֹבְרוֹת אִישׁ, תַּרְתֵּין שְׁמָהָן מִתְחַבְּרָן בֵּיהּ כַּחֲדָא. וּשְׁתַּיִם מְכַסּוֹת אֶת גְּוִיּוֹתֵיהֶנָה. תִּפְאֶרֶת אִתְקְרֵי גּוּף, וּגְוִיָּתוֹ כַּתַּרְשִׁישׁ יאהדוי"ה.

קפ. הוֹשַׁע עַבְדְּךָ אַתָּה אֱלֹהַי שַׂמֵּחַ נֶפֶשׁ עַבְדֶּךָ תְּנָה עֻזְּךָ לְעַבְדֶּךָ. תְּלַת זִמְנִין אִתְעֲבֵיד דָּוִד עֶבֶד בִּתְהִלָּה דָּא, לְקָבֵל ג' זִמְנִין, דְּאוּקְמוּהָ מָארֵי מַתְנִיתִין, דְּבָעֵי ב"נ לְמֶהֱוֵי עַבְדָּא בִּצְלוֹתָא. בְּבִרְכָאן קַדְמָאִין, כְּעֶבֶד דִּמְסַדֵּר שְׁבָחוֹי קַמֵּי רַבֵּיהּ. בְּאֶמְצָעִיּוֹת, כְּעַבְדָּא דְּבָעֵי פְּרַס מֵרַבֵּיהּ. בַּאֲחֲרוֹנוֹת, כְּעֶבֶד דְּמוֹדֶה קֳדָם רַבֵּיהּ, בַּפְּרַס דְּקַבִּיל מִינֵּיהּ, וְאָזִיל לֵיהּ.

קפא. וּתְלַת זִמְנִין דְּבָעֵי לְמֶעֱבַד עֶבֶד, מִסִּטְרָא דַּעֲבוֹדָה. דְּאוּקְמוּהָ מָארֵי מַתְנִיתִין, דְּלֵית עֲבוֹדָה אֶלָּא תְּפִלָּה. וּתְלַת אֲבָהָן, אִתְקְרִיאוּ עֲבָדִים מִסִּטְרָהָא, ע"ש שְׁכִינְתָּא, דְּאִיהִי עֲבוֹדַת יְיָ. וְאוּף הָכִי מֹשֶׁה עֶבֶד יְיָ. וּבְגִ"ד, כִּי לִי בְּנֵי יִשְׂרָאֵל עֲבָדִים. אֲבָל לְגַבֵּי אַחֲרָנִין, כָּל יִשְׂרָאֵל בְּנֵי מְלָכִים הֵם, מִסִּטְרָא דְּמַלְכוּת. וְאִיהִי אַמַּאי אִתְקְרִיאַת עֲבוֹדָה. כְּאוֹרַח דְּאִתְּתָא לְמִיפְלַח לְבַעְלָהּ, וְאוֹרַח בְּנִין, לְמִפְלַח לַאֲבוּהוֹן.

קפב. וְדָוִד, אִתְעֲבֵיד עָנִי, חָסִיד, וְעֶבֶד. הה"ד, תְּפִלָּה לְדָוִד הַטֵּה אֲדֹנָי אָזְנְךָ עֲנֵנִי כִּי עָנִי וְאֶבְיוֹן אָנִי. שָׁמְרָה נַפְשִׁי כִּי חָסִיד אָנִי. הוֹשַׁע עַבְדְּךָ אַתָּה אֱלֹהַי הַבּוֹטֵחַ אֵלֶיךָ. אִתְעֲבֵיד עָנִי לְתַרְעָא דְּמַלְכָּא, דְּאִתְּמַר בָּהּ, אֲדֹנָי שְׂפָתַי תִּפְתָּח. אֲדֹנָ"י הֵיכַ"ל, אִתְעֲבֵיד עָנִי לְתַרְעָא דְּהֵיכְלָא דְּמַלְכָּא. וּמַה כְּתִיב. הַטֵּה אֲדֹנָי אָזְנְךָ עֲנֵנִי וְדָא שְׁכִינְתָּא תַּתָּאָה. דְּאִיהוּ אֹזֶן לְקַבְּלָא צְלוֹתִין וּלְמִשְׁמַע לוֹן. כְּדִכְתִיב, כִּי לֹא בָזָה וְלֹא שִׁקַּץ עֱנוּת עָנִי וְלֹא הִסְתִּיר פָּנָיו מִמֶּנּוּ וּבְשַׁוְּעוֹ אֵלָיו שָׁמֵעַ.

קפג. דְּאִיהוּ אִתְעֲבֵיד עָנִי וְדַל, מִסִּטְרָא דְּאַת ד' מִן אֶחָד, לְמִשְׁאַל מִן א"ח, דְּאִיהוּ עַמּוּדָא דְּאֶמְצָעִיתָא. לְקַיְּימָא בֵּיהּ, דַּלּוֹתִי וְלִי יְהוֹשִׁיעַ, דְּלָא יָמוּת מָשִׁיחַ בֶּן אֶפְרַיִם. וְשָׁאִיל מִנֵּיהּ בְּהַהוּא תַּרְעָא, בְּגִין יִשְׂרָאֵל הָעֲנִיִּים, לְקַיֵּים בְּהוּ וְאֶת עַם עָנִי תוֹשִׁיעַ.

קפד. וּלְבָתַר שָׁאִיל בְּגִין כַּהֲנַיָּא, דְּיַחֲזוֹר עֲבוֹדָה לִמְקוֹמָהּ, וְאִתְעֲבֵיד עֶבֶד. וּלְבָתַר דְּיָהִיב לוֹן אוֹרַיְיתָא מִסִּטְרָא דְּחֶסֶד, לְמֶעְבַּד גְּמוּל עִם דַּלֵּ"ת מִן אוֹרַיְיתָא, וּבְגִין דָּא אִתְעֲבֵיד חָסִיד. כָּךְ מָטָא לְג' סְפִירָאן עִלָּאִין, פָּתַח וְאָמַר יְיָ לֹא גָבַהּ לִבִּי וְלֹא רָמוּ עֵינַי וְלֹא הִלַּכְתִּי בִּגְדוֹלוֹת וּבְנִפְלָאוֹת מִמֶּנִּי.

קפה. שְׁלֹמֹה אָמַר, הָא בִּינָה אִיהִי דְּמֹשֶׁה, אֶשְׁאַל בְּחָכְמָה עִלָּאָה, דְּאִיהִי לְעֵיל

מדרגיה. מה כתיב, אָמַרְתִּי אֶחְכָּמָה וְהִיא רְחוֹקָה מִמֶּנִּי. וְהָא כְּתִיב וַיְיָ נָתַן חָכְמָה לִשְׁלֹמֹה. וְחָכְמָה זְעִירָא. וּבָעָא לְסַלְּקָא מִתַּתָּא לְעֵילָּא, דְּאִתְרְחִיקַת מִנֵּיהּ. בְּגִין דַּאֲפִילּוּ לְבִינָה לֵית בַּר נָשׁ בְּעָלְמָא דְּיָכִיל לְסַלְּקָא, בַּר מִמֹּשֶׁה, כ"ש לְעֵילָּא מִנֵּיהּ, דְּאִיהוּ חָכְמָה עִלָּאָה, מִסִּטְרָא דִּילֵיהּ וְחָכָם עָדִיף מִנָּבִיא. ואע"ג דְּאוֹקְמוּהָ בְּאֹרַח דְּרָשָׁא, עַל פָּרָה אֲדוּמָה. שִׁבְעִים פָּנִים לַתּוֹרָה.

קפו. ר' אֶלְעָזָר, קוּם לְחַדְּשָׁא מִלִּין קַמֵּי שְׁכִינְתָּא, דִּי תֶּהֱא עֵזֶר לְאָבִיךָ, דִּשְׁמָא גָּרִים, עֵזֶר אֵל, אֵל מִימִינָא, עֵזֶר מִשְּׂמָאלָא. הה"ד, אֶעֱשֶׂה לּוֹ עֵזֶר כְּנֶגְדּוֹ. בְּמַאי. בְּזֶרַע שַׁפִּיר, דְּאִיהוּ הֶפֶךְ עֵזֶר.

קפז. וְיֵקוּם ר' יוֹסֵי עִמָּךְ, דְּאִיהוּ כֻּרְסְיָּיא שְׁלֵימָתָא לְמָארֵיהּ, דְּהָכִי סָלִיק יוֹסֵי, לְחֻשְׁבּוֹן הַכִּסֵּ"א, אֱלֹהִים בְּחוּשְׁבָּן. וְיֵקוּם עִמֵּיהּ ר' יְהוּדָה, דְּבֵיהּ הו"ד, וּבֵיהּ יָ"הּ, וּבֵיהּ יְדֹוָד ד', ד' חֵיוָן. וּפְנֵיהֶם וְכַנְפֵיהֶם פְּרוּדוֹת, כֻּלְּהוּ, לְקַבְּלָא לֵיהּ. וּמִנֵּיהּ דָּוִד, דְּהוֹדָה לְקוּדְשָׁא בְּרִיךְ הוּא, דַּרְגָּא בְּהוֹדָאוֹת דְּאִיהוּ מִצַּד הוֹד. וְיֵקוּם עִמֵּיהּ ר' אֶלְעָאי, בְּגִי' יַבּ"ק, בָּקִי בְּהִלְכְתָא.

קפח. וְיֵקוּם עִמֵּיהּ ר' יוּדָאי, דְּחוּשְׁבָּנֵיהּ א"ל. כְּגוֹן מִיכָאֵל, מַלְאֲכִין רְשִׁימִין בְּאֵל. כְּגוֹן יֶשׁ לְאֵל יָדִי. וְרָזָא דְּאֵל, א' דְּמוּת אָדָם. ל' תְּלַת חֵיוָן, דְּאִינּוּן ד' אַנְפִּין לְכָל חַד, דִּרְמִיזִין תְּלַת יוּדִין, הָעוֹלִים ל'. וְאִינּוּן בְּרָאשֵׁי תְּלַת אַזְכָּרוֹת, דְּאִינּוּן יְיָ מֶלֶךְ, יְיָ מָלָךְ, יְיָ יִמְלוֹךְ לְעוֹלָם וָעֶד. וְיֵקוּם ר' אַבָּא עִמְּהוֹן, דְּאִיהוּ חוּשְׁבָּנֵיהּ ד', ד' חֵיוָן.

קפט. רַבִּי שִׁמְעוֹן אִיהוּ כְּאִילָנָא, ור' אֶלְעָזָר בְּרֵיהּ וְחַבְרוֹי, דְּאִינּוּן חֲמִשָּׁה דְּאַדְכַּרְנָא, כַּעֲנָפִין דְּאִילָנָא רַבְרְבִין דְּדַמְיָין לִדְרוֹעִין וְשׁוֹקִין.

קצ. קוּם ר"ש, וְיִתְחַדְּשׁוּן מִלִּין מִפּוּמָךְ, בְּהַאי קְרָא דְּמִלְּקַדְּמִין. לַמְנַצֵּחַ, תַּמָּן נֶצַח, נִגּוּן צַח. וּבֵיהּ אִתְקְרֵי יְדֹוָד מָארֵי נִצְחָן קְרָבִין, לְגַבֵּי אוּמִין עכו"ם דְּעָלְמָא, וְרַחֲמִין וְדִינָא לְיִשְׂרָאֵל. וְרָזָא דְּמִלָּה, וּבַאֲבוֹד רְשָׁעִים רִנָּה. מ"ל, שַׁבְעִין שְׁמָהָן אִית לֵיהּ, וְעִם נֶצַח וְהוֹד, ע"ב, כְּחוּשְׁבַּן חֶסֶ"ד, וְרָזָא דְּמִלָּה, נְעִימוֹת בִּימִינְךָ נֶצַח.

קצא. הוֹד, בֵּיהּ הוֹדוּ לַיְיָ. צַדִּיק, בֵּיהּ רַנְּנוּ צַדִּיקִים בַּיְדֹוָד. וּבֵיהּ רָנּוּ לְיַעֲקֹב שִׂמְחָה. תִּפְאֶרֶת, בֵּיהּ הַלְלוּ אֵל. הַלְלוּיָהּ, הַלְלוּ יָהּ. דְּתַמָּן יְדֹוָ"ד. בְּנִגּוּן וּבְזֶמֶר, חֶסֶד וּגְבוּרָה. בְּשִׁיר וּבִבְרָכָה, חָכְמָה וּבִינָה. בְּאַשְׁרֵי, כֶּתֶר. בִּתְהִלָּה, מַלְכוּת.

קצב. מִזְמוֹר, בֵּיהּ ר"ז, וּבֵיהּ מו"ם. מִסִּטְרָא דְּזֶמֶר דְּאוֹרַיְיתָא וְזֶמֶר דִּצְלוֹתָא. זֶמֶר מִסִּטְרָא אַחֲרָא, אִיהִי מו"ם זָ"ר. זִמְרָא בְּבֵיתָא, וְחָרְבָּא בְּבֵיתָא. נִדָּה שִׁפְחָה בַּת עכו"ם זוֹנָה. וְדָא אַתְוָון מִזְמוֹ"ר. נִגּוּ"ן, תַּמָּן גַּ"ן. הָכִי שַׁפִּירוּ דְּנִגּוּנָא, בֵּיהּ הַלֵּל. כְּגוֹן לֵיל שִׁמּוּרִים הוּא לַיְיָ לְהוֹצִיאָם מֵאֶרֶץ מִצְרָיִם. אַשְׁרֵי דְּבֵיהּ שָׁרֵי עָלְמָא מִשַּׁבְחִין, אַשְׁרֵי הָעָם שֶׁכָּכָה לּוֹ. בִּבְרָכָה, אֲבָרְכָה אֶת ה' בְּכָל עֵת. בִּתְהִלָּה, תָּמִיד תְּהִלָּתוֹ בְּפִי.

קצג. עַל שׁוֹשַׁן עֵדוּת, דָּא הוֹד. דְּאִיהוּ שׁוֹשָׁן, סוֹמֵךְ שַׁלִּיט עַל חִוָּור, דְּנֶצַח שַׁלִּיט אִיהוּ וְחִוָּור עַל סוֹמָק. מַאי עֵדוּת. דָּא צַדִּיק. אִיהוּ בְּרִית, דְּאִיהוּ אָחִיד לִשְׁמַיָּא וְאַרְעָא. הה"ד הַעִידוֹתִי בָכֶם הַיּוֹם אֶת הַשָּׁמַיִם וְאֶת הָאָרֶץ. מַאי מִכְתָּם. מ"ךְ תָּ"ם מָךְ, אִיהוּ צַדִּיק. תָּם, עַמּוּדָא דְּאֶמְצָעִיתָא, דַּרְגָּא דְּיַעֲקֹב. אִישׁ תָּם. גּוּף וּבְרִית חֲשִׁיבִין חַד. לְלַמֵּד, חֶסֶד וּגְבוּרָה, דְּמִתַּמָּן אוֹרַיְיתָא אִתְיְהִיבַת, לִלְמוֹד וּלְלַמֵּד.

קצד. א"ל שַׁפִּיר קָאַמְרַת, אֲבָל לַמְנַצֵּחַ עַל הַשְּׁמִינִית, דְּלָא תָּוֵוי נֶצַח מִן הוֹד, דְּאִיהִי סְפִירָה ח', אָמַר לַמְנַצֵּחַ עַל הַשְּׁמִינִית. אָמַר בּוֹצִינָא קַדִּישָׁא, אִי הָכִי, בִּינָה דַּרְגָּא דִּילָךְ, וְאַמַּאי אוֹקְמוּהָ וְנָתַן הַהוֹד לְמֹשֶׁה, שֶׁנֶּאֱמַר וְנָתַתָּה מֵהוֹדְךָ עָלָיו.

קצה. א"ל, שַׁפִּיר קָא שָׁאַלְתְּ. ה' סַלְּקָא בְּאָת י', וַחֲמֵשׁ זִמְנִין עֶשֶׂר, לְחַמְשִׁין תַּרְעִין

דְּבִינָה, וְאִתְפַּשְּׁטוּתָא דִּלְהוֹן מֵחֶסֶד עַד הוֹד, הֵן חָמֵשׁ עֲשָׂרָה בְּכָל סְפִירָה, אִינּוּן חַמְשִׁין. וּבְגִין דָּא, מִבִּינָה עַד הוֹד, כֹּלָּא אִתְפַּשְּׁטוּתָא חֲדָא. לְבָתַר אָתָא צַדִּיק, וְנָטִיל כֹּל חַמְשִׁין תַּרְעִין בִּלְחוֹדוֹי, לְמֶהֱוֵי שָׁקִיל לְכָל חָמֵשׁ, וְאִתְקְרֵי כֹּל, דְּנָטִיל כֹּל חַמְשִׁין תַּרְעִין. וְאוּף הָכִי כַּלָּה, נְטִילַת לְהוּ כֻּלְּהוּ. אָמַר, כְּעַן וַדַּאי אִתְיְישַׁב מִלָּה עַל בּוּרְיֵיהּ.

קָצו. וְעוֹד לַמְנַצֵּחַ, תַּמָּן מ"ל עִם נֶצַח. וְדָא מ"ל מִן חַשְׁמַ"ל. מִן ח"ש, הוֹד וְנֶצַח, אִינּוּן לְקָבֵיל תְּרֵין שִׂפְוָון. וּבְגֵ"ד אִתְקְרִיאוּ שִׂפְוָון, חֵיוָן אֶשָּׁא מְמַלְּלָא. וּבַחֲגִיגָה עַד הֵיכָן מַעֲשֵׂה מֶרְכָּבָה, וְאוֹקְמוּהָ מִן וָאֵרֶא עַד חַשְׁמַל. דְּמִסִּטְרָא דִּגְבוּרָה אִתְקְרִיאוּ חֵיוָן אֶשָּׁא. וְנָהָר דְּנָפִיק מִזֵּיעָן דִּלְהוֹן, יְסוֹד. כֻּלְּהוּ תְּלַת אִינּוּן מֶרְכָּבָה לְתִפְאֶרֶת, אָדָם.

קָצז. מַעֲשֵׂה מֶרְכָּבָה, דָּא מַלְכוּת. וּבִתְלַת אִלֵּין, אִיהוּ חָכְמָה וּבִינָה וָדַעַת. וּבְגֵ"ד אוֹקְמוּהָ מָארֵי מַתְנִיתִין, דְּאֵין דּוֹרְשִׁין בְּמַעֲשֵׂה מֶרְכָּבָה בְּיָחִיד, אא"כ הוּא חָכָם וּמֵבִין מִדַּעְתּוֹ.

קָצח. וְאִית מֶרְכָּבָה לְתַתָּא מִזְּעֵיר אַנְפִּין, דְּאִיהוּ מט"טְרוֹן. אָדָם הַקָּטָן. דִּבַמֶּרְכָּבָה דִּילֵיהּ דְּאִיהוּ פַּרְדֵּס, רְדִיפֵי מַיָּא דְּאוֹרַיְיתָא, דְּנָפִיק מִגּוֹ פַּרְדֵּס דִּילֵיהּ, לִתְלַת מֵאַרְבַּע, דְּאִתְּמַר עָלַיְיהוּ, אַרְבָּעָה נִכְנְסוּ לַפַּרְדֵּס. וְהָא אִתְּמַר.

קָצט. דְּאִיהוּ צִפָּרָא דְּחָזָא רַבָּה בַּר בַּר חָנָה, לְכֵיף יַמָּא דְּאוֹרַיְיתָא, דְּיַמָּא מָטֵי עַד קוּרְסוּלוֹי. וְרֵישֵׁיהּ מָטֵי עַד צֵית שְׁמַיָּא, וְלָא אַכְשִׁילוּ תְּלַת בֵּיהּ, מִשּׁוּם דְּנָפִישֵׁי מַיָּא דִּילֵיהּ, אֶלָּא מִשּׁוּם דִּרְדִיפֵי מַיָּא וְאוֹקְמוּהָ.

ר. אבג כָּלִיל לוֹן דְּסַלְּקִין לְשִׁית, לְקָבֵל אַתְוָון מְטַטְרוֹ"ן. רְבִיעָאָה ד', קוֹל דְּמָמָה דַקָּה, דְּתַמָּן אָתֵי מַלְכָּא. וְאִיהוּ אָדָם לָשֶׁבֶת עַל הַכִּסֵּא.

רא. יו"ד, מַיִם עֶלְיוֹנִים, וּמַיִם תַּחְתּוֹנִים. דְּלֵית בֵּינַיְיהוּ אֶלָּא כִּמְלֹא נִימָא, דְּאִיהוּ ו', נָטוּי בֵּינַיְיהוּ, בְּרָקִיעַ דְּאִיהוּ מַבְדִּיל בֵּין מַיִם לָמַיִם, דִּיהֵא הַבְדָּלָה בֵּין נוּקְבָא לִדְכוּרָא. בְּגֵ"ד וִיהִי מַבְדִּיל וְרָזָא דְּמִלָּה, יאהדונה"י. מַיִם עֶלְיוֹנִים זְכָרִים י' עִלָּאָה, מַיִם תַּחְתּוֹנִים נְקֵבוֹת, י' תַּתָּאָה. שִׁית אַתְוָון בֵּינַיְיהוּ, כְּחוּשְׁבַּן ו', דָּא מְטַטְרוֹן, דְּאִיהוּ בֵּין א'.

רב. וְעוֹד, יוֹד נְקוּדָה. ו' גַּלְגַּל. וְלֵית תְּנוּעָה בְּגַלְגַּל בְּשִׁית סִטְרִין כְּחוּשְׁבַּן ו', אֶלָּא בְּהַהִיא נְקוּדָה. וְהַהוּא נְקוּדָה אִיהוּ יְחוּדָא דְּכֹלָּא, וְאַסְהִידַת עַל הַהוּא יָחִיד, דְּלֵית לֵיהּ שֵׁנִי, דְּאוֹקְמוּהָ עָלֵיהּ רַבָּנָן, שֶׁצָּרִיךְ לְיַחֲדוֹ כְּדֵי שֶׁתַּמְלִיכֵהוּ עַל הַשָּׁמַיִם וְעַל הָאָרֶץ, וְעַל ד' רוּחוֹת עָלְמָא. ב', שָׁמַיִם וָאָרֶץ. ג', עַמּוּדָא סָבִיל לוֹן. ד', אַרְבַּע חֵיוָן. ה' כֻּרְסְיָיא. ו', שִׁית דַּרְגִּין לְכֻרְסְיָיא. וְעוֹד, א ב ג ד ה ו ז ח ט: אָדָם. י' יִיחוּד דִּילֵיהּ, מַלְכוּת, עֲשִׂירָאָה דְּאָדָם. תֵּשַׁע, אִיהוּ לְקָבֵל תֵּשַׁע אַתְוָון. זַכָּאִין אִינּוּן יִשְׂרָאֵל, דְּיַדְעִין רָזָא דְּמָארֵיהוֹן.

רג. ד"א, צַו אֶת בְּנֵי יִשְׂרָאֵל וְאָמַרְתָּ אֲלֵיהֶם אֶת קָרְבָּנִי לַחְמִי לְאִשַּׁי רֵיחַ נִיחוֹחִי. ר' יְהוּדָה אָמַר, בְּקָרְבְּנָא אִית עָשָׁן, וְאִית רֵיחַ, וְאִית רֵיחַ נִיחוֹחַ, עָשָׁן אִיהוּ מִסִּטְרָא דְּדִינָא, הה"ד, כִּי אָז יֶעְשַׁן אַף יְיָ'. עָלָה עָשָׁן בְּאַפּוֹ וְאֵשׁ מִפִּיו תֹּאכֵל. רֵיחַ נִיחוֹחִי, רַחֲמֵי. וְרֵיחַ אַפֵּךְ כַּתַּפּוּחִים.

רד. אָמַר רַעְיָא מְהֵימְנָא, וְהָא תַּרְוַויְיהוּ עָשָׁן וְרֵיחַ, אִינּוּן בְּאַף, וְקָרָאִין סַהֲדִין. חַד, עָלָה עָשָׁן בְּאַפּוֹ. וְתִנְיָינָא, וְרֵיחַ אַפֵּךְ כַּתַּפּוּחִים. וְאַמַּאי אִתְקְרֵי חַד עָשָׁן דִּינָא וְתִנְיָינָא רַחֲמֵי. אֶלָּא, בְּחוֹטָמָא אִית תְּרֵין חַלּוֹנִין, וְאִתְּמַר בִּשְׂמָאלָא, עָלָה עָשָׁן בְּאַפּוֹ, מַאי עָלָה. אֶלָּא מִלִּבָּא דְּאִיהוּ בִּשְׂמָאלָא, לְקָבֵל גִּבּוֹר. מִימִינָא נָחִית רוּחָא לְגַבֵּיהּ, לְקָרְרָא לֵיהּ, וּלְשַׁכְּכָא רוּגְזֵיהּ, מִסִּטְרָא דְּחֶסֶד, דְּתַמָּן מוֹחָא. וְחָכְמָה לִימִינָא, הָרוֹצֶה לְהַחְכִּים יַדְרִים. בִּינָה בְּלִבָּא, כְּלַפֵּי שְׂמָאלָא, הָרוֹצֶה לְהַעֲשִׁיר יַצְפִּין. וּבְגֵ"ד עָלָה עָשָׁן בְּאַפּוֹ, מִן בִּינָה

לְגַבֵּי וְחָכְמָה, דְּאִיהִי לִימִינָא, וּמְקַבֵּל לֵיהּ בְּחֶדְוָה, בְּגַוְונָא דְּלֵיוָאֵי.

רה. וְהַאי עָשָׁן לָא סָלִיק, אֶלָּא ע"י אֵשׁ, דְּאַדְלִיק בְּעֵצִים, דְּאִינּוּן אֵבָרִים מִלַּיְין פִּקּוּדִין, עֲצֵי עוֹלָה. מָארֵי תּוֹרָה, אוֹרַיְיתָא דְּאִיהִי אַדְלִיקַת בְּהוֹן, אֵשׁ בְּתוּקְפָּא דִּגְבוּרָה, וְעָלָה עָשָׁן בְּהוֹן. בְּבִינָה עָשָׁן הַמַּעֲרָכָה.

רו. וּמַדְסַלִּיקַת לְאַף, אִתְקְרֵי קְטֹרֶת, הה"ד, יָשִׂימוּ קְטוֹרָה בְּאַפֶּךָ. וְלֵית דְּבָטִיל מוֹתָנָא בְּעָלְמָא, כִּקְטֹרֶת, דְּאִיהוּ קְשׁוּרָא דְּדִינָא בְּרַחֲמֵי, עִם רֵיחַ נִיחוֹחַ בְּאַף. תַּרְגּוּם דְּקֶשֶׁר קְטִירוּ. א"ר יְהוּדָה, זַכָּאָה חוּלָקָנָא דְּרָווֹזָנָא מִלִּין סְתִימִין בְּאִתְגַּלְיָיא. עוֹד אָמַר בּוּצִינָא קַדִּישָׁא, דְּבָתַר דִּצְלוֹתָא אִיהִי כְּקָרְבְּנָא, מַאן דְּיֵימָא פִּטּוּם הַקְּטֹרֶת, בָּתַר תְּהִלָּה לְדָוִד, בָּטִיל מוֹתָנָא מִבֵּיתָא.

רז. אָמַר רַעְיָא מְהֵימְנָא, כְּעַן בָּעֵי לְמִנְדַּע, אֵיךְ אַתְקִינוּ צְלוֹתִין לְקָבֵל קָרְבְּנִין. אֶלָּא תְּלַת צְלוֹתִין, לְקָבֵל אֶת הַכֶּבֶשׂ הָאֶחָד תַּעֲשֶׂה בַבֹּקֶר, דָּא צְלוֹתָא דְּשַׁחֲרִית, דְּאִתְּמַר בָּהּ, וַיַּשְׁכֵּם אַבְרָהָם בַּבֹּקֶר אֶל הַמָּקוֹם אֲשֶׁר עָמַד שָׁם אֶת פְּנֵי יְיָ'. וְאוֹקְמוּהָ רַבָּנָן, דְּלֵית עֲמִידָה אֶלָּא צְלוֹתָא. וְאֵת הַכֶּבֶשׂ הַשֵּׁנִי תַּעֲשֶׂה בֵּין הָעַרְבָּיִם, לְקָבֵל צְלוֹתָא דְּמִנְחָה, דְּתַקִּין לָהּ יִצְחָק. הה"ד, וַיֵּצֵא יִצְחָק לָשׂוּחַ בַּשָּׂדֶה לִפְנוֹת עָרֶב. וְלֵית שִׂיחָה, אֶלָּא צְלוֹתָא. צְלוֹתָא דְּעַרְבִית, לְקָבֵל אֵמוּרִין וּפְדָרִין דְּמִתְאַכְּלִין כָּל הַלַּיְלָה. הה"ד, וַיִּפְגַּע בַּמָּקוֹם וַיָּלֶן שָׁם כִּי בָא הַשֶּׁמֶשׁ. וְלֵית פְּגִיעָה, אֶלָּא צְלוֹתָא.

רח. אַדְהָכִי דַּאֲנָן בְּאַתְרָ דָּא, אֲמַאי כְּתִיב וַיִּקַּח מֵאַבְנֵי הַמָּקוֹם וַיָּשֶׂם מְרַאֲשׁוֹתָיו וַיִּשְׁכַּב בַּמָּקוֹם הַהוּא, וְכִי לָא הֲוו לֵיהּ כָּרִים וּכְסָתוֹת לְמִשְׁכָּב. אֶלָּא הוֹאִיל וְאָתָא וְחָתָן לְגַבֵּי כַּלָּה, אע"ג דְּלָא הֲוָה אָרְחוֹי לְמִשְׁכַּב אֶלָּא בְּכָרִים וּכְסָתוֹת, וְאִיהִי יְהִיבַת לֵיהּ אֲבָנִים לְמִשְׁכַּב, יְקַבֵּל כֹּלָּא בִּרְעוּתָא דְּלִבָּא, וְהָא אִתְּמַר. וְאוּף הָכִי אִתְּמַר בְּחִבּוּרָא קַדְמָאָה. מ"ד וַיֹּאמֶר יַעֲקֹב כַּאֲשֶׁר רָאָם, אר"ש תִּיב. וְאֵימָא קְרָא, (ע"כ רעיא מהימנא).

רט. אָמַר רִבִּי פִּנְחָס, מִסְתַּכַּל הֲוֵינָא, שְׁמִירָה בְּלֵב אִיהוּ וַדַּאי, וע"ד שָׁמוֹר בַּלֵּב, וְלָאו בַּאֲתַר אָחֳרָא. זְכִירָה בְּזָכָר, בְּמוֹחָא, דְּרָכִיב וְשַׁלִּיט עַל הַלֵּב. וְלֵית זְכִירָה אֶלָּא בְּמוֹחָא. וע"ד זָכוֹר לְזָכָר וְשָׁמוֹר לִנְקֵבָה. מוֹחָא דְּאִיהוּ דְּכוּרָא, רָכִיב וְשַׁלִּיט עַל הַלֵּב. לֵב שַׁלִּיט וְרָכִיב עַל הַכָּבֵד. כָּבֵד סָמָאֵל וְנָחָשׁ דָּא בְּדָא, וְאִיהוּ חַד. יוֹתֶרֶת הַכָּבֵד וְכָבֵד. וע"ד בְּקוּרְבְּנָא, יוֹתֶרֶת הַכָּבֵד, דָּא נָחָשׁ. כָּבֵד מִיכְלָא דִּדְכוּרָא, רָזָא דְּסָמָאֵ"ל.

רי. אָמַר ר"ש, וַדַּאי כַּךְ הוּא, וְיָאוֹת הוּא. וּבְרִירָא דְּמִלָּה, וְרָזָא וְסִתְרִין דְּקָרְבָּן, הָכִי הוּא. כָּבֵד נָטִיל בְּקַדְמֵיתָא, הוּא וְיוֹתֶרֶת דִּילֵיהּ, סָמָאֵל וּבַת זוּגוֹ. וְכָל אִינּוּן עַרְקִין דְּכַבְדָּא. חַיָּילִין וּמַשִּׁרְיָין דִּלְהוֹן. וּנְטִילוּ דִּלְהוֹן, דְּאָכְלִין חֲלָבִין שֻׁמְנִינוּ דְּקָרְבְּנָא. הה"ד, וְאֶת הַחֵלֶב אֲשֶׁר עֲלֵיהֶם. וּכְדֵין קָרִיב כֹּלָּא לְגַבֵּי לֵב.

ריא. וְלֵב לָא נָטִיל מִכֹּלָּא. אֶלָּא וִדּוּי דְּאִתְעֲבִיד בֵּיהּ, וְסָלִיק בְּהַהוּא תְּנָנָא וּצְלוֹתָא דְּאִתְעֲבִיד עֲלֵיהּ דְּקָרְבְּנָא. לֵב קָרִיב לְגַבֵּי מוֹחָא, רְעוּתָא דִּיהוּדָא דְּכַהֲנָא בֵּיהּ, וְחֶדְוָותָא דְּלֵיוָאֵי. מוֹחָא דָּא, נְהוֹרָא דְּאָתְיָא מִמּוֹחָא עִלָּאָה. מוֹחָא קָרִיב לְגַבֵּיהּ טָמִיר מִכֹּלָּא, דְּלָא אִתְיְדַע כְּלַל. וְכֹלָּא אִתְקְשַׁר דָּא בְּדָא. וּמוֹחָא קָרִיב נַחַת רוּחַ דְּכֹלָּא.

ריב. עַרְקִין דְּכַבְדָּא, אִלֵּין אִישִׁים, וְכָל אִינּוּן וְחַיָּילֵיהוֹן. כָּבֵד, כְּמָה דְּאִתְּמַר. יוֹתֶרֶת נְקֵבָה, נוּקְבָא דִּילֵיהּ. אֲמַאי יוֹתֶרֶת. דְּלָא אִתְחַבְּרַת בִּדְכוּרָא. אֶלָּא כַּד אַשְׁאָרַת לָהּ שַׁעֲתָא, לְבָתַר דְּעָבְדַת נִאוּפָהָא, וְשַׁבְקָא לֵיהּ. תּוּ, יוֹתֶרֶת נְקֵבָה, דְּכַד בָּעְיָא

לְאִתְחַבְּרָא בְּבַ"נ, אִתְעֲבִידַת לְגַבֵּיהּ שִׁיּוּרִין, דְּלָא אִתְחַשְּׁבַת כְּלָל. לְבָתַר אִיהִי אִתְקְרִבַת זְעֵיר זְעֵיר לְגַבֵּיהּ, עַד דְּאִתְעֲבִידָא לֵיהּ חִבּוּרָא חֲדָא. וּמֵאִלֵּין עַרְקִין דְּכַבְדָא, מִתְפַּשְּׁטָן אָחֳרָן זְעִירִין, לְכַמָּה זִינִין, וְכֻלָּא נַטְלִין אֵמוּרִין וּפְדָרִין. וְכֻלְּהוּ כְּלִילָן בְּכָבֵד.

ריג. לֵב דְּאִיהוּ עִקָּרָא בִּקְדוּשָּׁה, נָטִיל וּמַקְרִיב לְמוֹחָא כְּמָה דְּאִתְּמַר. לֵב שַׁרְיָא עַל תְּרֵין כּוּלְיָין, וְאִינּוּן תְּרֵין כְּרוּבִין. יָהֲבִין עֵיטָא. וְאִינּוּן רַחִיקִין קְרִיבִין, יְמִינָא וּשְׂמָאלָא. וְכֻלְּהוּ נַטְלִין וְאַכְלִין כָּל חַד כִּדְקָא יָאוּת, עַד דְּאִתְקְשַׁר כֹּלָּא כַּחֲדָא.

ריד. זִבְחֵי אֱלֹהִים רוּחַ נִשְׁבָּרָה, דָּא מִתְקְרִיב לַלֵּב, רוּחַ נִשְׁבָּרָה, וִדּוּי וּצְלוֹתָא. דְּהָא וַדַּאי וְהָרוּחַ תָּשׁוּב אֶל הָאֱלֹהִים אֲשֶׁר נְתָנָהּ. וְכָבֵד מַקְרִיב לֵיהּ לְגַבֵּיהּ לֵב, דְּאִיהוּ סַנֵּיגוֹרָא עָלֵיהּ, וְכֹלָּא קְשׁוּרָא כַּחֲדָא בְּקוּרְבְּנָא.

רטו. מִן כָּבֵד, נָפְקִין כָּל מַרְעִין, וְכָל מַכְתְּשִׁין, לְכָל שַׁיְיפֵי גּוּפָא, וּבֵיהּ שַׁרְיָין. לֵב, אִיהוּ זָכִיךְ מִכֹּלָּא. מִנֵּיהּ נָפְקִין כָּל טַב, וְכָל בְּרִיאוּתָא דְּשַׁיְיפִין כֻּלְּהוּ, וְכָל תּוּקְפָּא, וְכָל חֶדְוָה, וְכָל שְׁלִימוּ דְּאִצְטְרִיךְ לְכָל שַׁיְיפִין.

רַעְיָא מְהֵימְנָא

רטז. אָמַר רַעְיָא מְהֵימְנָא, לֵית קָרְבְּנִין, אֶלָּא לְרַחֲקָא סִטְרִין מְסָאֲבִין, וּלְקָרְבָא דַּרְגִּין קַדִּישִׁין. וְאִתְּמַר בְּחִבּוּרָא קַדְמָאָה, דִּלְהוֹן, עַרְקִין דְּכַבְדָא, אִית מִנְּהוֹן רַבְרְבִין, אִית מִנְּהוֹן רַבְרְבִין וּזְעִירִין, וּמִתְפַּשְּׁטִין מִנְּהוֹן לְכַמָּה סִטְרִין. וְאִלֵּין נַטְלִין אֵבָרִין וְאֵמוּרִין וּפְדָרִין דְּמִתְאַכְּלִין כָּל הַלַּיְלָה, דְּהָא קָרְבָּן כֹּלָּא לַיְיָ'.

ריז. אָמַר בּוּצִינָא קַדִּישָׁא, רַעְיָא מְהֵימְנָא, וַהֲלָא אַמְרַת לְעֵיל דְּקָרְבְּנִין דְּקוּדְשָׁא בְּרִיךְ הוּא לָאו אִינּוּן אֶלָּא לְקָרְבָא י' בְּה' ו' בְּה'. אֶלָּא, אע"ג דְּכָל קָרְבְּנִין צְרִיכִין לְקָרֵב קַמֵּיהּ, אִיהוּ פָּלִיג לְכָל מַשִּׁרְיָין, מֵאַכְלִין דְּקָרְבְּנִין, לְכָל וְחַד כִּדְקָא חֲזֵי לֵיהּ, לְשִׂכְלִיִּים, מְזוֹנֵי דְּאוֹרַיְיתָא, וּמִשְׁתְּיָיא דְּיֵינָא וּמַיָּא דְּאוֹרַיְיתָא. לְטִבְעִיִּים, דְּאִינּוּן שֵׁדִים דְּאִינּוּן כִּבְנֵי אָדָם, יָהִיב לוֹן אִלֵּין מֵאַכְלִין טִבְעִיִּים, דְּנַחְתַּת אֶשָּׁא דִּלְהוֹן, לְמֵיכַל לוֹן.

ריח. כְּמָה דְּאוּקְמוּהָ רַבָּנָן, אִי זָכוּ, הֲוָה נַחְתַּת כְּמוֹ אַרְיֵה דְּאֶשָּׁא לְמֵיכַל קָרְבְּנִין. וְאִי לָא, הֲוָה נַחְתַּת תַּמָּן כְּמִין כַּלְבָּא דְּאֶשָּׁא. וְאוּף הָכִי כַּד מִית ב"נ, אִי זָכֵי, נַחְתַּת בִּדְמוּת אַרְיֵה, לְקַבְּלָא נַפְשֵׁיהּ. וְאִי לָאו בִּדְמוּת כֶּלֶב, דְּאָמַר דָּוִד עָלֵיהּ, הַצִּילָה מֵחֶרֶב נַפְשִׁי מִיַּד כֶּלֶב יְחִידָתִי.

ריט. וּבְגִין לְשֵׁיזָבָא קוּדְשָׁא בְּרִיךְ הוּא גּוּפֵיהוֹן דְּיִשְׂרָאֵל מִנְּהוֹן וְנַפְשֵׁהוֹן. מְנֵי, לְקָרֵב קָרְבְּנִין דִּבְעִירָן וְגוּפָן בְּאַתְרַיְיהוּ, לְקַיֵּים אִם רָעֵב שׂוֹנַאֲךָ הַאֲכִילֵהוּ לָחֶם וְאִם צָמֵא הַשְׁקֵהוּ מָיִם. אֲבָל קוּדְשָׁא בְּרִיךְ הוּא, לָא נָטִיל אֶלָּא רְעוּתָא דְּלִבָּא, וּתְבִירוּ דִּילֵיהּ. הה"ד, זִבְחֵי אֱלֹהִים רוּחַ נִשְׁבָּרָה לֵב נִשְׁבָּר וְנִדְכֶּה אֱלֹהִים לֹא תִבְזֶה. כְּגַוְונָא דִּכְלֵי חֶרֶס, דְּאִתְּמַר בְּהוֹן נִשְׁבְּרוּ נִטְהָרוּ.

רכ. כַּהֲנָא מוֹחָא. לֵוִי לִבָּא. גּוּפָא יִשְׂרָאֵל. וְאִתְּמַר בְּהוֹן, כֹּהֲנִים בַּעֲבוֹדָתָם, וּלְוִיִּם בְּדוּכָנָם, וְיִשְׂרָאֵל בְּמַעֲמָדָם. וְאִי כָּבֵד בָּעֵי לְקָרְבָא לְגַבֵּי דְּלִבָּא, וְחֶלְבֵּיהּ דְּאִינּוּן מְסָאֲבִין, אִיהוּ לָא נָטִיל. אֶלָּא שַׁמְנוּנוּ דְּחֵלֶב טָהוֹר. כְּגַוְונָא דְּאִית בְּגוּפָא, חֵלֶב טָהוֹר וְחֵלֶב טָמֵא, דָּם צָלִיל בְּלָא פְּסוֹלֶת, וְדָם עָכוּר בִּפְסוֹלֶת. וְעַרְקִין דְּלִבָּא, חֲיָילִין קַדִּישִׁין. וְעַרְקִין דְּכָבֵד, חֲיָילִין מְסָאֲבִין. אוּף הָכִי אִינּוּן מַשִּׁרְיָין דְּיֵצֶר הָרָע, וּמַשִּׁרְיָין דְּיֵצֶר הַטּוֹב, אִלֵּין מְמֻנָּן עַל עַרְקִין דְּלִבָּא, וְאִלֵּין מְמֻנָּן עַל עַרְקִין דְּכַבְדָא. אוּף הָכִי תְּרֵי אוּמֵי, יִשְׂרָאֵל, וְאוּמִין דְּעָלְמָא עכו"ם.

רכא. אָמַר לֵיהּ רַעְיָא מְהֵימְנָא, שַׁפִּיר קָא אַמְרַת בְּכֹלָּא, אֲבָל אֲפִילּוּ יִשְׂרָאֵל לָאו

כֻּלְּהוּ שָׁוִין, דְּאִית בְּהוֹן בְּנֵי מַלְכוּת, מִסִּטְרָא דְּמַלְכוּת קַדִּישָׁא, כְּלִילָא מֵעֶשֶׂר סְפִירָאן, וּמִכָּל הֲוָיָין וְכִנּוּיִין. וְאִית מִנְּהוֹן עַבְדִין, מִסִּטְרָא דְּעֶבֶד, דְּאִיהוּ עַבְדּוֹ זְקַן בֵּיתוֹ. וְאִית מִנְּהוֹן כִּבְעִירָן, וְאִתְּמַר בְּהוֹן, וְאַתֵּן צֹאנִי צֹאן מַרְעִיתִי אָדָם אַתֶּם. וְאִינּוּן דְּדַמְיָין לְעָנָא, קוּדְשָׁא בְּרִיךְ הוּא מָנֵי לְקָרְבָא בְּעִירָן בְּאַתְרַיְיהוּ, לְכַפָּרָא עֲלַיְיהוּ. וְאִינּוּן דְּדַמְיָין לְמַלְאָכִין, קָרְבְּנִין דִּלְהוֹן אִינּוּן עוֹבָדִין טָבִין, דִּמְמַנָּן עֲלַיְיהוּ מַלְאָכִים, דְּמַקְרִיבִין לְקוּדְשָׁא בְּרִיךְ הוּא בְּאַתְרַיְיהוּ.

רכב. וְאִינּוּן דַּהֲווּ בְּנִין לַיְדֹוָד, הה"ד בָּנִים אַתֶּם לַיְיָ' אֱלֹהֵיכֶם. בְּחוֹבִין דִּלְהוֹן מִתְפָּרְדֵי אַתְוָון, וְתִקּוּנָא דִּלְהוֹן הוּא אוֹרַיְיתָא, דְּאִיהוּ שֵׁם יְדֹוָד, לְקָרְבָא אַתְוָון, י' בְּה', ו' בְּה', בְּקָרְבְּנָא דִּלְהוֹן.

רכג. הֲרֵי בְּכָל קָרְבְּנִין, בֵּין דִּבְעִירֵי, בֵּין דְּמַלְאָכִין דִּמְמַנָּן עַל פִּקּוּדִין, בֵּין בְּמַלְכוּתָא, בֵּין בִּשְׁמֵיהּ. כֹּלָּא צָרִיךְ לְקָרְבָא לְקוּדְשָׁא בְּרִיךְ הוּא בְּאַתְוָון קַדִּישִׁין. וְאִיהוּ רָכִיב בְּאַרְבַּע חֵיוָון דְּמַלְאָכִים. וְאִיהוּ רָכִיב בְּאַרְבַּע יְסוֹדִין, דְּמִנְּהוֹן אִתְבְּרִיאוּ אַרְבַּע חֵיוָון טִבְעִיִּים. וְאִיהוּ הוּא דִּמְקָרֵב מַיָּא בְּאֶשָּׁא, וְרוּחָא בְּעַפְרָא. הה"ד, עוֹשֶׂה שָׁלוֹם בִּמְרוֹמָיו. וְאוּף הָכִי הוּא מְקָרֵב מִיכָאֵל דְּאִיהוּ מַיִם שִׂכְלִיִּים, עִם גַּבְרִיאֵל. דְּהוּא אֵשׁ שִׂכְלִי. וְאִיהוּ מְקָרֵב אוּרִיאֵל, דְּאִיהוּ אֲוִיר. דְּהַיְינוּ רוּחַ שִׂכְלִי. עִם רְפָאֵל, דְּאִיהוּ אֵפֶר, דְּהַיְינוּ עָפָר שִׂכְלִית. דְּמִיַּד דְּאִסְתַּלַּק קוּדְשָׁא בְּרִיךְ הוּא מִבֵּינַיְיהוּ, לֵית בְּהוֹן חֵילָא.

רכד. וְאִי תֵּימָא, הָא כְּתִיב בְּכָל קָרְבְּנִין לַיְדֹוָ"ד, וְאֵיךְ אֲמַרְנָא דְּאִית פְּרוּדָא בְּאַתְוָון. אֶלָּא הַאי אִתְּמַר, בְּדַרְגִּין דְּאִתְבְּרִיאוּ וְאִתְקְרִיאוּ בִּשְׁמֵיהּ. וְלָא דְּאִינּוּן אִיהוּ מַמָּשׁ. הה"ד, כֹּל הַנִּקְרָא בִשְׁמִי וְלִכְבוֹדִי בְּרָאתִיו יְצַרְתִּיו אַף עֲשִׂיתִיו. דְּאִית אַתְוָון דִּיְדֹוָ"ד בַּאֲצִילוּת, דְּלֵית בְּהוֹן פֵּרוּדָא וְהַפְסָקָה, דְּאִינּוּן כְּמַבּוּעִין לְגַבַּיְיהוּ, דְּאַשְׁקְיָין לְאִילָנִין. וּבְגִין אִלֵּין דְּאִתְבְּרִיאוּ, אַדְמְיָין י' לְרֵישָׁא, ו' לְגוּפָא, ה' ה' לְעֶשֶׂר אֶצְבְּעָן.

רכה. אֲבָל עִלַּת הָעִלּוֹת עַל כֹּלָּא, דְּאִתְקְרֵי יְדֹוָ"ד, אִתְּמַר בֵּיהּ, וְאֶל מִי תְּדַמְּיוּנִי וְאֶשְׁוֶה יֹאמַר קָדוֹשׁ. וְאֶל מִי תְּדַמְּיוּן אֵל וּמַה דְּמוּת תַּעַרְכוּ לוֹ. אֲנִי יְיָ' לֹא שָׁנִיתִי. לָא מָטֵי בֵּיהּ חוֹבִין לְאַפְרָשָׁא אַתְווֹי, י' מִה', ו' מֵה', דְּלֵית בֵּיהּ פֵּרוּדָא. וְעָלֵיהּ אִתְּמַר, לֹא יְגוּרְךָ רָע. אִיהוּ שַׁלִּיט עַל כֹּלָּא, וְלֵית מַאן דְּשַׁלִּיט בֵּיהּ. אִיהוּ תָּפִיס בְּכֹלָּא, וְלֵית מַאן דְּתָפִיס בֵּיהּ. וְאִיהוּ לָא אִתְקְרֵי יְדֹוָ"ד, וּבְכָל שְׁמָהָן, אֶלָּא בְּאִתְפַּשְּׁטוּת נְהוֹרֵיהּ עֲלַיְיהוּ. וְכַד אִסְתַּלִּיק מִנַּיְיהוּ, לֵית לֵיהּ מִגַּרְמֵיהּ שֵׁם כְּלָל מִנְּהוֹן. עָמוֹק עָמוֹק מִי יִמְצָאֶנּוּ.

רכו. לֵית נְהוֹרָא יָכִיל לְאִסְתַּכְּלָא בֵּיהּ, דְּלָא אִתְחֲשַׁךְ. אֲפִילּוּ כֶּתֶר עֶלְיוֹן, דְּאִיהוּ נְהוֹרֵיהּ תַּקִּיף עַל כָּל דַּרְגִּין, וְעַל כָּל חֵילֵי שְׁמַיָּא, עִלָּאִין וְתַתָּאִין, אִתְּמַר עָלֵיהּ, יָשֶׁת חֹשֶׁךְ סִתְרוֹ. וְעַל חָכְמָה וּבִינָה, עָנָן וַעֲרָפֶל סְבִיבָיו. כ"ש שְׁאַר סְפִירָאן. כ"ש חֵיוָון. כ"ש יְסוֹדִין, דְּאִינּוּן מֵתִים. אִיהוּ סוֹבֵב עַל כָּל עָלְמִין, וְלֵית סוֹבֵב לוֹן לְכָל סְטָרָא, עֵילָּא וְתַתָּא, וּלְאַרְבַּע סִטְרִין, בַּר מִנֵּיהּ. וְלֵית מַאן דְּנָפִיק מֵרְשׁוּתֵיהּ לְבַר. אִיהוּ מְמַלֵּא כָּל עָלְמִין. וְלֵית אוּחֲרָא מְמַלֵּא לוֹן.

רכז. אִיהוּ מְחַיֶּה לוֹן וְלֵית עָלֵיהּ אֱלָהָא אוּחֲרָא, לְמֵיהַב לֵיהּ חַיִּין. הה"ד, וְאַתָּה מְחַיֶּה אֶת כּוּלָּם. וּבְגִינֵיהּ אָמַר דָּנִיאֵל, וְכָל דָּאֲרֵי אַרְעָא כְּלָא חֲשִׁיבִין וּכְמִצְבְּיֵיהּ עָבֵיד בְּחֵיל שְׁמַיָּא. אִיהוּ מְקַשֵּׁר וּמְיַיחֵד זִינָא לְזִינֵיהּ, עֵילָּא וְתַתָּא. וְלֵית קוּרְבָא לְהוּ בְּד' יְסוֹדִין, אֶלָּא קוּדְשָׁא בְּרִיךְ הוּא כַּד אִיהוּ בֵּינַיְיהוּ.

רכח. מִיַּד דְּחָבוּ, אִלֵּין דְּאִתְקְרִיאוּ בָּנִים אַתֶּם לַיְדֹוָד אֱלֹקֵיכֶם, אִסְתַּלַּק מִן אַתְוָון,

אִשְׁתְּאָרוּ בְּפֵרוּדָא. וּמַאי תִּקּוּנֵיהּ, לְקָרְבָא אַתְוָון בְּקוּדְשָׁא בְּרִיךְ הוּא, י' בְּה', ו' בְּה'. אוּף הָכִי אִינּוּן עַבְדִּין דִּילֵיהּ, מִסִּטְרָא דְּחִיוָן. בְּחוֹבִין דִּלְהוֹן גָּרְמוּ לֵיהּ, לְאִסְתַּלְּקָא מִנַּיְהוּ. מַאי תַּקַּנְתָּא דִּלְהוֹן. לְנַחְתָּא קוּדְשָׁא בְּרִיךְ הוּא עֲלַיְיהוּ, לְקָרְבָא לוֹן. אוּף הָכִי אִינּוּן דַּהֲווֹ מֵאַרְבַּע יְסוֹדִין, דְּאִינּוּן עָאנָא דְּקוּדְשָׁא בְּרִיךְ הוּא, דְּגָרְמוּ לְסַלְּקָא קוּדְשָׁא בְּרִיךְ הוּא מִינַּיְיהוּ. מַאי תַּקַּנְתָּא. לְקָרְבָא לוֹן לְקוּדְשָׁא בְּרִיךְ הוּא.

רכט. וּבְגִין דָּא בְּכֻלְּהוּ מָנֵי, קָרְבָּן לַיְיָ, אֶת קָרְבָּנִי לַחְמִי לְאִשַּׁי. אוּף אֶת הַכֶּבֶשׂ אֶחָד תַּעֲשֶׂה בַבֹּקֶר וְאֵת הַכֶּבֶשׂ הַשֵּׁנִי תַּעֲשֶׂה בֵּין הָעַרְבָּיִם. וּכְתִיב שְׁתֵּי תוֹרִים אוֹ שְׁנֵי בְּנֵי יוֹנָה, כָּל זִינָא אָזִיל לְזִינֵיהּ. וְקוּדְשָׁא בְּרִיךְ הוּא מְקָרֵב כֹּלָּא בַּאֲתַר דָּא, אִיהוּ עִלַּת עַל כֹּלָּא, דְּלֵית אֱלָהָא בַּר מִנֵּיהּ. וְלֵית מַאן דְּיָכִיל לְקָרְבָא וְזִילִין, בַּר מִנֵּיהּ.

רל. אֲבָל וְזִילִין דְּאוּמִין עעכו"ם, אִינּוּן מִסִּטְרָא דְּפֵרוּדָא. וַוי לְמַאן דְּגָרִים בְּחוֹבוֹי, לְאַעֲלָא אַתְוָון וְחֵיוָן וִיסוֹדִין. דְּמִיַּד אִסְתַּלַּק קוּדְשָׁא בְּרִיךְ הוּא מִיִּשְׂרָאֵל. וְיֵיעֲלוּן אוּמִין עעכו"ם בֵּינַיְיהוּ. לֵית לוֹן קְרִיבוּת בְּקוּדְשָׁא בְּרִיךְ הוּא, דְּלֵית קוּרְבָּנִין בְּחוּצָה לָאָרֶץ. וּבְגִ"ד אוּקְמוּהָ רַבָּנָן, הַדָּר בְּחוּצָה לָאָרֶץ דּוֹמֶה כְּמִי שֶׁאֵין לוֹ אֱלוֹהַּ. בְּהַהוּא זִמְנָא דְּאָמַר מִלִּין אִלֵּין, נַחְתּוּ כָּל אַתְוָון קַדִּישִׁין, וְחֵיוָן קַדִּישִׁין, וְד' יְסוֹדִין, לְגַבֵּיהּ, וּבָרִיכוּ לֵיהּ וְאָמְרוּ, עַל יְדָךְ רַעְיָא מְהֵימְנָא, נָחִית עֲלָן קוּדְשָׁא בְּרִיךְ הוּא, וּמִתְקָרְבִין זִינָא לְזִינֵיהּ, בְּרִיךְ אַנְתְּ לְקוּדְשָׁא בְּרִיךְ הוּא, בְּאַרְבַּע יְסוֹדִין. כְּעַן אִתְבְּרִיר כֹּלָּא עַל בּוּרְיֵיהּ. (ע"כ רעיא מהימנא)

רלא. פָּתַח וְאָמַר, בְּטַח בַּיְיָ וַעֲשֵׂה טוֹב שְׁכָן אֶרֶץ וּרְעֵה אֱמוּנָה. בְּטַח בַּיְיָ, כַּדְקָא יָאוּת. וַעֲשֵׂה טוֹב, תִּקּוּנָא דִּבְרִית קַדִּישָׁא. דְּתֶהֱוֵא מְתַקֵּן לֵיהּ, וְנָטִיר לֵיהּ כַּדְקָא יָאוּת. וְאִי תַּעֲבִיד דָּא, אַנְתְּ תְּהֵא הָכָא בְּאַרְעָא, וְיִתְּזָן מִנָּךְ, וְיִתְפַּרְנֵס מִנָּךְ, הַהִיא אֱמוּנָה דִּלְעֵילָּא.

רלב. וְתוּ, תִּתְעַנַּג עַל יְיָ וְיִתֶּן לְךָ מִשְׁאֲלוֹת לִבֶּךָ. כָּל דָּא אִתְתַּקְּנַת בְּתִקּוּנָא דִּבְרִית. כֵּיוָן דְּאִתַּקְּנַת בְּרִית, אִתְקַן כֹּלָּא. פִּנְחָס בְּגִין דְּקַנֵּי עַל בְּרִית דָּא, זָכָה לְכֹלָּא. וְלָא עוֹד אֶלָּא דְּאַגִּין עַל כָּל יִשְׂרָאֵל, וּבֵיהּ אִתְקַיָּים וְהִתְעַנַּג עַל יְיָ. דְּהָא סָלִיק וְאִתְקְשַׁר לְעֵילָּא, בְּאוֹר קַדְמָאָה דְּבָרָא קוּדְשָׁא בְּרִיךְ הוּא, וְגָנִיז לֵיהּ. בְּהַהוּא אוֹר דְּאִתְהֲנֵי אַבְרָהָם מִנֵּיהּ, וְאַהֲרֹן כַּהֲנָא אִתְקַשַּׁר בֵּיהּ.

רלג. לְבָתַר דְּאִסְתַּלַּק לְכַהֲנָא רַבָּא, לָא אִדְכַּר לֵיהּ קַטְלָנוּתָא דִּזִמְרִי, וְלָא יָאוּת בְּגִין דְּלָא יִתְאֲחֵד כְּלָל בְּעַנְפּוֹי דְּסִטְרָא אָחֳרָא, וְלָא אִתְחֲזֵי לְאַדְכְּרָא עָלֵיהּ. דְּכָל מַאן דְּקָטִיל, עַנְפִּין דְּסִטְרָא אָחֳרָא אִית בֵּיהּ. וּפִנְחָס הָא מִתְאֲחִיד בִּימִינָא, וְלֵית לֵיהּ חוּלָק בְּסִטְרָא אָחֳרָא כְּלָל, וְעַל דָּא לָא אַדְכַּר הָכָא. מַה דְּאִתְחֲזֵי שְׁבָחָא, אִיהוּ גְּנַאי לֵיהּ, וּנְחִיתוּ מִדַּרְגָּא עִלָּאָה דְּאִתְאֲחִיד בֵּיהּ. וְעַ"ד כְּתִיב הַמּוּכֶּה אֲשֶׁר הוּכָּה סְתָם, וְשֵׁם הָאִשָּׁה הַמּוּכָּה, וְלָא אַדְכַּר עַל יְדָא דְּמַאן.

רלד. א"ר פִּנְחָס, זַכָּאָה דָּרָא דְּשַׁמְעִין מִילָּךְ בְּאוֹרַיְיתָא, וְזַכָּאָה חוּלָקִי דְּזָכֵינָא לְכָךְ. אָמַר רִבִּי שִׁמְעוֹן, זַכָּאָה דָּרָא, דְּאַנְתְּ וַחֲסִידוּתָךְ אִשְׁתְּכַח בְּגַוֵּיהּ. עַד דַּהֲווֹ יָתְבִין וּמְפַיְּיסִין דָּא לְדָא, אָתָא רִבִּי אֶלְעָזָר בְּרֵיהּ דְּר"ש, וְאַשְׁכְּחוּ לוֹן תַּמָּן. א"ר פִּנְחָס, וַדַּאי דִּכְתִּיב וַיֹּאמֶר יַעֲקֹב כַּאֲשֶׁר רָאָם מַחֲנֵה אֱלֹהִים זֶה. א"ל ר"ש, אֶלְעָזָר בְּרִי, תִּיב בְּרִי, וְאֵימָא קְרָא. יָתִיב רִבִּי אֶלְעָזָר.

רלה. פָּתַח וְאָמַר, וְיַעֲקֹב הָלַךְ לְדַרְכּוֹ וַיִּפְגְּעוּ בוֹ מַלְאֲכֵי אֱלֹהִים. מַאי וַיִּפְגְּעוּ בוֹ.

אֶלָּא אִית פְּגִיעָה לְטָב. וְאִית פְּגִיעָה לְבִישׁ. וְאִית פְּגִיעָה לִצְלוֹתָא. אֶלָּא בְּשַׁעֲתָא דַּהֲוָה אָזִיל לְחָרָן, מַה כְּתִיב. וַיִּפְגַּע בַּמָּקוֹם, צְלוֹתָא דְּעַרְבִית הֲוָה דְּצַלֵּי בְּהַהוּא מָקוֹם. כד"א, הִנֵּה מָקוֹם אִתִּי. וּצְלוֹתָא דְּעַרְבִית בְּהַהוּא אֲתַר אִתְחֲזֵי.

רלו. תּוּ וַיִּפְגַּע בַּמָּקוֹם, מִלֵּי פִּיּוּסִין אִיהוּ. דְּאָתָא שִׁמּוּשָׁא קַדִּישָׁא לְגַבֵּי סִיהֲרָא, בַּעֲלָהּ לְגַבֵּי אִתְּתָא. מִכָּאן דְּלָא יָאוּת לְבַעַל לְמֵיתֵי לְגַבֵּי אִתְּתָא, אִי לָא הֲוֵי בְּמִלֵּי פִּיּוּסִין לְפַיְּיסָא לָהּ. דִּכְתִיב וַיִּפְגַּע בַּמָּקוֹם, וּלְבָתַר וַיָּלֶן שָׁם. כַּד הֲוָה אָתֵי יַעֲקֹב מֵחָרָן, מַה כְּתִיב, וַיִּפְגְּעוּ בוֹ, שַׁדְּרַת הִיא לְפַיְּיסָא לֵיהּ, לְמֵיתֵי לְגַבָּהּ.

רלז. וַיֹּאמֶר יַעֲקֹב כַּאֲשֶׁר רָאָם. מַאי כַּאֲשֶׁר רָאָם. אִלֵּין מַלְאָכִין דְּיוֹם, וּמַלְאָכִין דְּלֵילְיָה הֲווֹ, וְאִתְכַּסִּיאוּ מִנֵּיהּ, וּלְבָתַר אִתְגַּלְיָין לֵיהּ. וע"ד כַּאֲשֶׁר רָאָם, כְּתִיב מַחֲנֵה אֱלֹהִים זֶה. מֵהָכָא דַּהֲווֹ אִלֵּין דִּימָמָא, וְאִלֵּין דְּלֵילְיָא. אִינּוּן דְּלֵילְיָא כְּתִיב בְּהוּ, מַחֲנֵה אֱלֹהִים, וְאִינּוּן דִּימָמָא, כְּתִיב בְּהוּ, זֶה. וע"ד וַיִּקְרָא שֵׁם הַמָּקוֹם הַהוּא מַחֲנָיִם. תְּרֵין מַשִּׁרְיָין. וְהַשְׁתָּא מַשִּׁרְיָין קַדִּישִׁין וְזַמִּינָא הָכָא. וְכָאָה אָרְחוֹי דְּאַתֵּינָא הָכָא.

רעיא מהימנא

רלח. אֶלָּא פְּגִיעָה אִיהִי פִּיּוּסָא, דְּכַד יֵיתֵי חָתָן לְגַבֵּי כַּלָּה, לֵית אֹרַח לְחָתָן לְיַיחֲדָא בְּכַלָּה, אֶלָּא בְּפִיּוּסָא. וּלְבָתַר יַעְבֵּד עִמָּהּ לִינָה. וְהַיְינוּ כִּי בָא הַשֶּׁמֶשׁ.

רלט. אָמַר רַעְיָא מְהֵימְנָא, אִי הָכִי מַאי נִיהוּ כִּי בָא הַשֶּׁמֶשׁ דְּהָא אֹרַח דְּרָשָׁא אוֹקְמוּהָ, לְשׁוֹן כְּבִיָּיה, וְהַיְינוּ כִּי בָא הַשֶּׁמֶשׁ. אֶלָּא מֵהָכָא אוֹלִיפְנָא, מַאן דִּמְיַיחֵד בְּאִתְּתֵיהּ, צָרִיךְ בְּלֵילְיָא לְמִכְבֵּי שְׁרָגָא, וּבִימָמָא לָאו אֹרַח דְּרַבָּנָן לְשַׁמֵּשׁ מִטָּתָן, אֶלָּא בַּלַּיְלָה, אֹרַח צְנִיעָא. וּבְגִין דָּא, מָתַי אִתְעֲבִיד לִינָה. כִּי בָא הַשֶּׁמֶשׁ, דְּאִתְפְּנֵי שִׁמּוּשָׁא מֵעָלְמָא.

רמ. וּבְגִין דָּא, אוּף הָכִי דְּצָרִיךְ לְאִתְכַּסְּיָיא מִן שִׁמְשָׁא, וְהָכִי צָרִיךְ לְאִתְכַּסְּיָיא מֵאִלֵּין מַלְאָכִין, דְּאִינּוּן מִיֵּצֶר הַטּוֹב מִימִינָא, בְּכַמָּה מַשִּׁרְיָין. וּמִיֵּצֶר הָרָע, דְּאָזִיל לִשְׂמָאלָא בְּכַמָּה מַשִּׁרְיָין. וּבְגִין דָּא, בָּתַר דְּאָתָא צַפְרָא, אָמַר כַּאֲשֶׁר רָאָם. וּמִסִּטְרָא דְּיַעֲקֹב דַּהֲוָה אִישׁ תָּם, לָא הֲוָה עִמֵּיהּ אֶלָּא חַיָּילִין דְּמַלְכָּא וּמַטְרוֹנִיתָא. וּבְגִין דָּא וַיִּקְרָא שֵׁם הַמָּקוֹם הַהוּא מַחֲנָיִם. אִינּוּן מַלְאָכִין דִּימָמָא כְּתִיב. כַּאֲשֶׁר רָאָם מַחֲנֵה אֱלֹהִים זֶה. וְכַד אָתוּ מַלְאָכִים דְּלֵילְיָא, דְּאִתְכְּנָשׁוּ בַּהֲדֵיהּ, לְנַטְרָא לֵיהּ אָמַר וַיִּקְרָא שֵׁם הַמָּקוֹם הַהוּא מַחֲנָיִם.

רמא. בְּגִין דִּצְלוֹתָא אִיהִי כַּלָּה, הה"ד אִתִּי מִלְּבָנוֹן כַּלָּה אִתִּי וְגוֹ'. אִתְקְרֵי הָכָא אִתִּי. וּבְאוֹרַיְיתָא דִּבְכְתָב אִתְּמַר עָלָהּ, הִנֵּה מָקוֹם אִתִּי. וּבְגִין דְּאִיהִי אִתְקְרִיאַת מָקוֹם בְּעָלְמָא דִּין, אִתְּמַר בָּהּ וַיִּפְגַּע בַּמָּקוֹם וַיָּלֶן שָׁם.

רמב. וּבג"ד אִיהִי אֲמָרַת, מִי יִתְּנֵנִי בַמִּדְבָּר מְלוֹן אוֹרְחִים. דַּהֲוַת רְשׁוּ בִּפְנֵי עַצְמָהּ, וְלָאו עִם אִינּוּן דְּקַבְעִין לָהּ חוֹבָה עִמְּהוֹן, בְּלָא חָתָן דִּילָהּ. וּבְכָל שַׁעֲתָא דְּב"נ מְצַלֵּי, קוּדְשָׁא בְּרִיךְ הוּא אַקְדִּים וְנָטַר לֵהּ. וְרָזָא דְּמִלָּה, וְהָאִישׁ מִשְׁתָּאֵה לָהּ. וְלֵית אִישׁ, אֶלָּא קוּדְשָׁא בְּרִיךְ הוּא. הה"ד יְיָ' אִישׁ מִלְחָמָה. וַיְהִי הוּא טֶרֶם כִּלָּה לְדַבֵּר וְהִנֵּה רִבְקָה יוֹצֵאת, כְּגוֹן וַיֵּצֵא כַּבָּרָק וְחִצּוֹ.

רמג. וְאִי תֵּימְרוּן, דְּהָא אוּקְמוּהָ רַבָּנָן, לַעֲשָׂרָה קַדְמָא שְׁכִינְתָּא וְאַתְיָא, לְאֶחָד עַד דְּיָתִיב. לַעֲשָׂרָה דְּהִיא י' קַדְמָה ה'. לְאֶחָד דְּאִיהוּ ו', עַד דְּיָתִיב, לָא אַתְיָא לְגַבֵּיהּ ה' תִּנְיָינָא. וְרָזָא דְּמִלָּה, דְּבַאֲתַר דְּלֵית תַּמָּן י"ה, לָא אַתְיָא תַּמָּן ה'. וּמַאן דְּבָעֵי לְיַיחֲדָא אַתְוָון, צָרִיךְ בִּתְבוּנָה וּבְתַחֲנוּנֵי. וּבג"ד, וָאֶתְחַנַּן אֶל יְיָ', בַּאֲדֹנָ"י לִשְׁכִינְתָּא בְּתַחֲנוּנִים. וּלְקוּדְשָׁא בְּרִיךְ הוּא בְּרַחֲמֵי, עַד הָכָא.

רמד. אֶת הַכֶּבֶשׂ הָאֶחָד תַּעֲשֶׂה בַבֹּקֶר וְאֵת הַכֶּבֶשׂ הַשֵּׁנִי תַּעֲשֶׂה בֵּין הָעַרְבָּיִם. דְּאִיהוּ רָזָא דְּכִבְשֵׁי דְּרַחֲמָנָא, דְּאוֹקְמוּהָ עֲלַיְיהוּ רַבָּנָן, גַּבֵּי כִּבְשֵׁי דְּרַחֲמָנָא לָמָּה לָךְ. אֶלָּא מִלִּין דְּיִהוֹן תְּחוֹת כַּבְשׁוֹנֵי דְּעָלְמָא, יְהוֹן מְכוּסִין תְּחוֹת לְבוּשָׁךְ. מַה לְּבוּשׁ אִיהוּ מְכַסֶּה עַל גּוּפָא, אוּף הָכִי צָרִיךְ לְכַסָּאָה רָזִין דְּאוֹרַיְיתָא. כ"ש רָזִין דְּקָרְבְּנִין, דְּאִינּוּן כְּגַוְונָא דְּקָרִיבוּ דְּאִתְּתָא לְגַבֵּי בַּעְלָהּ.

רמה. וּמַה קָּרִיבוּ דְּתַרְוַויְיהוּ צָרִיךְ בְּאִתְכַּסְיָא. אוּף הָכִי צָרִיךְ קָרְבָּן לְכַסָּאָה לוֹן, מִבְּנֵי עַרְיָין רַשִּׁיעַיָּיא וַחֲצוּפִין, דְּלֵית לוֹן בֹּשֶׁת פָּנִים וְלָא עֲנָוָה. וְכַמָּה מִינֵי מַמְזֵרִין אִינּוּן, בְּנֵי עֲרָיוֹת, בְּנֵי נִדָּה, דְּנָד ה' מִנָּהּ, וְאִשְׁתַּכַּח בְּאַתְרָהּ. שִׁפְחָה בַּת אֵל נֵכָר זוֹנָה. וְהַאי אִיהוּ רָזָא, תַּחַת שָׁלֹשׁ רָגְזָה אֶרֶץ וְגוֹ', תַּחַת עֶבֶד כִּי יִמְלוֹךְ וְנָבָל כִּי יִשְׂבַּע לָחֶם וְשִׁפְחָה כִּי תִירַשׁ גְּבִירְתָּהּ. דְּנָד ה' מֵאַתְרָאָה, דְּאִיהִי מַטְרוֹנִיתָא, יצה"ט. וְעָאלָא בְּאַתְרָהָא שִׁפְחָה יצה"ר.

רמו. וְרָזָא דְּמִלָּה, כְּנֶגַע נִרְאָה לִי בַּבָּיִת, הַיְינוּ דַּם טָמֵא דְּנִדָּה. וּמַה הָתָם וְהִסְגִּירוֹ הַכֹּהֵן שִׁבְעַת יָמִים. אוּף הָכִי שִׁבְעַת יָמִים תִּהְיֶה בְנִדָּתָהּ. זַכָּאִין אִינּוּן אֵבָרִים דְּמִתְקַדְּשֵׁי בְּשַׁעַת תַּשְׁמִישׁ, דְּאִינּוּן עֲצֵי הָעוֹלָה, דַּאֲחִידָן בְּהוֹן אֶשִּׁין קַדִּישִׁין, שֵׁם יְדֹוָד דְּאָחִיד בְּאֶשִּׁין דִּלְהוֹן. וּבְגִ"ד בָּאוּרִים כַּבְּדוּ יְיָ' ע"כ כִּבְשֵׁי דְּרַחֲמָנָא, הַיְינוּ אֶת הַכֶּבֶשׂ הָאֶחָד תַּעֲשֶׂה בַבֹּקֶר וְאֵת הַכֶּבֶשׂ הַשֵּׁנִי תַּעֲשֶׂה בֵּין הָעַרְבָּיִם.

רמז. שְׁלִימוּ דִּקְרָא, וַעֲשִׂירִית הָאֵיפָה סֹלֶת. זַכָּאָה אִיהוּ מַאן דְּאַנְגִּיד מִמּוֹחֵיהּ, טִפָּה סֹלֶת נְקִיָּה בְּלָא פְּסוֹלֶת. וְאִיהִי רְמִיזָא בְּאָת י' מִן אֲדֹנָ"י, כְּלִילָא בַּעֲשַׂר סְפִירָאן. דְּאִיהִי בְּלוּלָה בְּשֶׁמֶן כָּתִית רְבִיעִית הַהִין. וְאִיהִי בְּלוּלָה, בַּמִּקְרָא, בַּמִּשְׁנָה, בַּתַּלְמוּד, בְּקַבָּלָה.

רמח. יְחֶזְקֵאל כַּד חָמָא שְׁכִינְתָּא מִגּוֹ קְלִיפִּין, חָזָא עִמָּהּ עֲשַׂר סְפִירָאן. בְּלָא פְּרוּדָא כְּלַל. וְאִלֵּין אִינּוּן מוֹחָא, מִלְּגוֹ, כֻּלְּהוּ חָזָא לוֹן מִגּוֹ נְהַר כְּבַר דִּלְתַתָּא, אִיהִי רֶכֶב אֱלֹהִים רִבּוֹתַיִם, כָּל רִבּוֹא עֶשֶׂר אַלְפִין, רִבּוֹתַיִם כ' אֶלֶף, אַפִּיק תְּרֵי שֶׁאֵינָן, אִשְׁתָּאֲרוּ תְּמָנֵי סָר, בְּחוּשְׁבַּן ח"י עָלְמִין. דְּכָלִיל עֲשַׂר סְפִירָאן, דְּאִתְלַבַּשׁ בְּטֵ"ט מִן מְטַטְרוֹן. טֵ"ט מִן טֹטָפֹת, וְאִתְּמַר בֵּיהּ וְהָיוּ לְטֹטָפֹת בֵּין עֵינֶיךָ. מַאן עַיְינִין. אִלֵּין לְעֵילָּא, דְּאִתְּמַר בְּהוּ נִפְתְּחוּ הַשָּׁמַיִם וָאֶרְאֶה מַרְאוֹת אֱלֹהִים. מַאן מַרְאוֹת. אִלֵּין אִינּוּן עֲשָׂרָה מַרְאוֹת דִּמְטַטְרוֹן, דְּחָזָא כִּשְׁרָגָא בְּגוֹ עֲשִׁישִׁיתָא. תֵּשַׁע בְּאִתְגַּלְיָיא, וְחַד סָתִים.

רמט. מַרְאָה וַדַּאי דְּאִיהוּ חֵיזוּ קַדְמָאָה מֵאִלּוּ עֲשָׂרָה, דָּא אִיהוּ דְּאִתְּמַר בֵּיהּ, וּמִמַּעַל לָרָקִיעַ אֲשֶׁר עַל רֹאשָׁם כְּמַרְאֵה אֶבֶן סַפִּיר דְּמוּת כִּסֵּא. וְאע"ג דְּאִתְפָּרַשׁ לְעֵילָּא, צָרִיךְ לְחַדְּתָא עָלֵיהּ מִלִּין דְּחִדּוּשִׁין.

רנ. אָמַר קוּדְשָׁא בְּרִיךְ הוּא, לְמַשִּׁרְיָין דִּלְעֵילָּא, מַאן דִּמְצַלֵּי, בֵּין יְהֵא גִּבּוֹר, בֵּין יְהֵא חָכָם, בֵּין יְהֵא עָשִׁיר. בִּזְכוּוָן גִּבּוֹר. וְחָכָם בַּתּוֹרָה. וְעָשִׁיר בְּמִצְוֹת. לָא יֵיעוּל בְּהֵיכָלָא דָּא צְלוֹתֵיהּ, עַד דְּיִתְחֲזוּן בֵּיהּ סִימָנִין אִלֵּין, דְּיָהַב גַּרְמֵיהּ בֵּיהּ תִּקּוּנִין דִּילִי. וּבְגִין דָּא אוּקְמוּהָ מָארֵי מַתְנִיתִין, אִם הָרַב דּוֹמֶה לְמַלְאַךְ יְיָ' צְבָאוֹת תּוֹרָה יְבַקְשׁוּ מִפִּיהוּ. לְמַאן דִּיְהֵא רָשִׁים בְּאִלֵּין סִימָנִין בִּלְבוּשֵׁיהּ, תִּתְקַבְּלוּן צְלוֹתֵיהּ. סִימָנָא וַדַּאי דִּיְהֵא רָשִׁים בִּצְלוֹתֵיהּ, בִּתְכֵלֶת, בְּכַנְפֵי מִצְוָה צִיצִית. דְּאִיהוּ דָּמֵי לָרָקִיעַ, דְּאִיהוּ מְטַטְרוֹן. דְּיוּקְנָא דִּילֵיהּ, תְּכֵלֶת שֶׁבַּצִּיצִית.

רנא. וּבְגִין דָּא, שִׁיעוּר הַצִּיצִית אוֹקְמוּהָ רַבָּנָן, טַלִּית שֶׁהַקָּטָן מִתְכַּסֶּה בָּהּ רֹאשׁוֹ וְרוּבּוֹ. וְהַאי אִיהוּ דְּאִתְּמַר בֵּיהּ, וְנַעַר קָטֹן נוֹהֵג בָּם. וְהַאי אִיהוּ נוֹהֵג בְּד' חֵיוָן, דְּאִינּוּן ד', וְאִיהוּ כָּלִיל שֵׁשׁ מַעֲלוֹת לַכִּסֵּא, דְּאִינּוּן ו'. וּבְגִין דְּאִיהוּ כָּלִיל עֶשֶׂר, מִתְלַבְּשִׁין בֵּיהּ עֶשֶׂר

סְפִירָאן, י'. וּבֵיהּ הֲוָה אִתְחֲזֵי קוּדְשָׁא בְּרִיךְ הוּא בִּשְׁכִינְתֵּיהּ, דְּאִיהִי כְּלִילָא מֵעֶשֶׂר סְפִירָאן, לִנְבִיאֵי. וּמִסִּטְרָא דִשְׁכִינְתָּא דְאִיהִי עֲשִׂירָאָה, תְּכֵלֶת שֶׁבַּצִּיצִית, אִיהוּ תְּכֵלֶת דְּכָל גַּוְונִין.

רנב. דְּאִיהִי תַּכְלִית דְּי' סְפִירָאן. וּבֵיהּ וַתֵּכֶל כָּל עֲבוֹדַת אֹהֶל מוֹעֵד. וְאִיהִי לָשׁוֹן כַּלָּה. הה"ד, וַיְהִי בְּיוֹם כַּלּוֹת מֹשֶׁה לְהָקִים אֶת הַמִּשְׁכָּן. וְאוֹקְמוּהָ רַבָּנָן, כַּלַּת כְּתִיב, וְאִיהוּ תְּכֵלֶת דִּשְׁרָגָא, דְּאָכִיל תַּרְבִּין וַעֲלָוָון.

רנג. וְעָלֵיהּ אָמַר יְחֶזְקֵאל דְּמוּת כְּמַרְאֵה אֶבֶן סַפִּיר דְּמוּת כִּסֵּא. סְגוּלָה דְּהַאי אֶבֶן, מַאן דְּיָרִית לָהּ, לָא שַׁלְטָא נוּרָא דְּגֵיהִנָּם עָלֵיהּ. לֵית נוּרָא בְּעָלְמָא מְקַלְקֵל לָהּ, וְלָא כָּל מִינֵי מַתְּכוֹת. כָּל שֶׁכֵּן מַיָּא, דְּלָא מַזִּיקוּ לָהּ. מַאן דְּיָרִית לָהּ, אִתְקַיַּים בֵּיהּ כִּי תַעֲבוֹר בַּמַּיִם אִתְּךָ אָנִי וְגוֹ'. וְכָל עִלָּאִין וְתַתָּאִין דְּסִטְרָא אַחֲרָא דַּחֲלִין מִנֵּיהּ. תְּכֵלֶת דְּיַמָּא בְּגִינֵיהּ אִתְּמַר, כִּי תַעֲבוֹר בַּמַּיִם אִתְּךָ אָנִי. דִּבְסְגוּלָה דָא, סוּס וְרוֹכְבוֹ רָמָה בַיָּם, דָּא מְמַנָּא דְמִצְרַיִם.

רנד. מִגָּוון דָא, דַּחֲלִין עִלָּאִין וְתַתָּאִין. מַשִּׁרְיָין דְּיַמָּא דַּחֲלִין מִנֵּיהּ. וּמַשִּׁרְיָין דִּרְקִיעָא דְּאִיהוּ תְּכֵלֶת, מִנֵּיהּ דַּחֲלִין. מַשִּׁרְיָין דִּתְכֵלֶת דְּנוּרָא דְּגֵיהִנָּם דַּחֲלִין מִנֵּיהּ.

רנה. וְהַאי תְּכֵלֶת אִיהוּ דִּין. דִּינָא אֲדֹנָ"י. דִּינָא דְּמַלְכוּתָא דִּינָא וּתְרֵין גַּוְונִין רְשִׁימִין בְּטַלִּית, חַד חִוָּור, וְחַד תְּכֵלֶת. וְעַל תְּרֵין גַּוְונִין אִלֵּין אִתְּמַר, וְתַחַת רַגְלָיו כְּמַעֲשֵׂה לִבְנַת הַסַּפִּיר. לִבְנַת, לוֹבֶן דְּסַפִּיר. דְּאִיהוּ כָּלִיל בִּתְרֵין גַּוְונִין, רַחֲמֵי וְדִינָא, חִוָּור וְאוּכָם. אוּכָמוּ דִּתְכֵלֶת. וְעַל תְּרֵין גַּוְונִין, רְמִיזוּ רַבָּנָן, מֵאֵימָתַי קוֹרִין אֶת שְׁמַע בְּשַׁחֲרִית, מִשֶּׁיַּכִּיר בֵּין תְּכֵלֶת לְלָבָן. לְמֶהֱוֵי בְּרַתָּא דְּמַלְכָּא, קֹ"שׁ, יִחוּדָא דְּקוּדְשָׁא בְּרִיךְ הוּא, כָּלִיל מִתְּרֵין גַּוְונִין אִלֵּין, דְּאִינּוּן יְדֹוָ"ד אֲדֹנָ"י, רַחֲמֵי וְדִינָא. כְּגַוְונָא דְּקוּדְשָׁא בְּרִיךְ הוּא כָּלִיל ב' גַּוְונִין, יְהֹוָ"ה אֲדֹנָ"י לְמֶהֱוֵי רַחֲמֵי וְדִינָא, כִּסֵּא דִּין וְכִסֵּא רַחֲמִים.

רנו. כְּמַרְאֵה אֶבֶן סַפִּיר דְּמוּת כִּסֵּא. מַאי דְּמוּת כִּסֵּא. אֶלָּא לְקַבֵּל כָּרְסְיָּיא, דְּאִית לֵיהּ ע"ב גְּשָׁרִים. דִּיְהֵא ב"נ רָשִׁים בְּע"ב קְשָׁרִים, וְחוּלְיָין דְּצִיצִית, לְקָבֵל ע"ב גְּשָׁרִים דְּכָרְסְיָּיא. דְּאִינּוּן ח"י קְשָׁרִים, וְחוּלְיָין לְכָל סִטְרָא. דְּכָרְסְיָּיא דְּאִיהוּ ה', לְכָל סִטְרָא בְּד' חֵיוָון דְּכָרְסְיָּיא, דְּאִינּוּן ד'.

רנז. וְשִׁית דַּרְגִּין דְּכָרְסְיָּיא, דְּאִינּוּן ו', וְדָא מְטַטְרוֹן, אִיהוּ כָּלִיל ד' חֵיוָון. הה"ד וְנַעַר קָטֹן נוֹהֵג בָּם. וְאִינּוּן מִיכָאֵל גַּבְרִיאֵל נוּרִיאֵל רְפָאֵל. מְטַטְרוֹן שֵׁשׁ מַעֲלוֹת לַכִּסֵּא, דְּסַלְּקִין שִׁית מְאָה, צִיצִית בִּתְרֵין יוּדִ"ן. וְאִי חָסֵר יוֹד, הָא חִירִק בְּאַתְרֵיהּ, הָכִי סַלְקָא. בְּכָל סִטְרָא בְּד' כַּנְפֵי, צִיצִית וּתְלַת עֲשַׂר חֻלְיָין דְּצִיצִית, אִינּוּן תרי"ג.

רנח. וְעוֹד. שֵׁשׁ מַעֲלוֹת לַכִּסֵּא, בְּרָזָא דָא וָא"ו, סָלִיק לְחוּשְׁבַּן י"ג, דְּאִתְרְמִיז בִּתְלַת תֵּיבִין, וַיִּסַּע וַיָּבֹא וַיֵּט. דְּאִינּוּן וָהוּ אֲנִי וָהוּ. וְחָמֵשׁ קִשְׁרִין, ה' לְכָל סִטְרָא. א' טַלִּית חַד לְכֻלְּהוּ. וּבְאָת ה' אִשְׁתְּלִים ח"י. דְּאִינּוּן ט"ט. לְמֶהֱוֵי חַיָּה לְכָל סִטְרָא. כָּלִיל ד' חַיּוֹת. וּלְכָל חַיָּה, אַרְבַּע אַנְפִּין, וְאַרְבַּע גַּדְפִּין, אִינּוּן ל"ב אַנְפִּין וְגַדְפִּין. וְאִינּוּן תַּלְיָין מֵחַיָּה דְּאִיהוּ אָדָם.

רנט. וְאִינּוּן ל"ב, כְּחוּשְׁבַּן יו"ד ה"א ה"א. שְׁלִימוּ דִּלְהוֹן, וא"ו. תְּלֵיסַר חוּלְיָין בְּכָל ד' כַּנְפֵי, וְהַוָּא"ו מִתְיַיחֵד עִם כָּל אַרְבַּע חַיּוֹת, וְאַשְׁלִים לְעֵילָּא, אַשְׁלִים לְתַתָּא. עַמּוּדָא דְּאֶמְצָעִיתָא אִיהוּ מְטַטְרוֹן, לְאַשְׁלְמָא לְעֵילָּא, כְּגַוְונָא דְּתִפְאֶרֶת, שְׁמֵיהּ כְּשֵׁם רַבֵּיהּ. בְּצַלְמוֹ כִּדְמוּתוֹ אִתְבְּרֵי. דְּאִיהוּ כָּלִיל כָּל דַּרְגִּין, מֵעֵילָּא לְתַתָּא, וּמִתַּתָּא לְעֵילָּא. וְאִיהוּ אָחִיד בְּאֶמְצָעִיתָא. הה"ד, וְהַבְּרִיחַ הַתִּיכוֹן בְּתוֹךְ הַקְּרָשִׁים מַבְרִיחַ מִן הַקָּצֶה אֶל הַקָּצֶה.

רס. וְאִיהוּ כָּלִיל ד' אַנְפִּין, וְאַרְבַּע גַּדְפִּין דְּכָל חַיָּה וְחַיָּה דִּלְעֵילָּא, דְּאִינּוּן, יְאֲהדוֹנָהִי. אָז יָשִׁיר מֹשֶׁה. בְּכָל חַיָּה אַרְבַּע אַנְפִּין, וְאַרְבַּע גַּדְפִּין, כְּגַוְונָא דָּא. א"ז בְּאַרְיֵה. א"ז בְּשׁוֹר. א"ז בְּנֶשֶׁר. א"ז בְּאָדָם. דְּאִינּוּן ל"ב אַנְפִּין וְגַדְפִּין, בְּחוּשְׁבַּן א"ז ד' זִמְנִין.

רסא. וְאִינּוּן ד' אַנְפִּין: יְדוָ"ד. אַרְבַּע גַּדְפִּין: אֲדֹנָי. לָקֳבֵל ד' בִּגְדֵי זָהָב, וְאַרְבַּע בִּגְדֵי לָבָן, דְּלָבִישׁ כַּהֲנָא לְכַפָּרָא עַל יִשְׂרָאֵל. לָקֳבֵל, אֲדֹנָי שְׂפָתַי תִּפְתָּח. וּצְלוֹתָא. דִּתְפִלָּה יְדוָ"ד, בַּחֲתִימָה ח"י בִּרְכָאן דִּצְלוֹתָא. וְתַמְנֵי סָרֵי זִמְנִין יְדוָ"ד, אִית בְּהוֹן ע"ב אַתְוָון, בְּחוּשְׁבַּן וַיְכֻלּוּ, דִּכְלִילָן בְּצַדִּיק חַ"י עָלְמִין.

רסב. וּבְאַרְבַּע חֵיוָון, יְדוָ"ד אֲדֹנָי. תַּמְנֵי לְכָל סִטְרָא, אִינּוּן ל"ב אַתְוָון, וי"ג אַתְוָון, דְּאִשְׁתְּכָחוּ מִן וָה"ו אֲנִי וָה"ו, הָא תְּלַת עֲשַׂר, דִּכְלִילָן עֵילָּא וְתַתָּא. בְּהוֹן אִשְׁתְּלִים אָדָם, דְּאִיהוּ מ"ה, עַמּוּדָא דְּאֶמְצָעִיתָא.

רסג. לְעֵילָּא בְּאִילָנָא דְּחַיֵּי, לֵית, קְלִיפִּין. כִּי אֵין לָבֹא אֶל שַׁעַר הַמֶּלֶךְ בִּלְבוּשׁ שָׂק. לְתַתָּא אִית קְלִיפִּין בְּמַטַּטְרוֹן, דְּאִיהוּ בְּדִיוּקְנָא דְּעַמּוּדָא דְּאֶמְצָעִיתָא. דִּבְזִמְנָא דְּקוּדְשָׁא בְּרִיךְ הוּא לְבַר מִמַּלְכוּתֵיהּ, אִתְכַּסֵּי בְּגַדְפִּין וְאַנְפִּין דְּעֶבֶד דִּילֵיהּ, הה"ד וַיִּרְכַּב עַל כְּרוּב וַיָּעֹף.

רסד. וְאִינּוּן קְלִיפִּין דְּסַחֲרִין לְד' חֵיוָון דִּמְטַטְרוֹן, אִינּוּן: תֹּהוּ, וְהִנֵּה רוּחַ גְּדוֹלָה וְחָזָק מְפָרֵק הָרִים וּמְשַׁבֵּר סְלָעִים לֹא בָרוּחַ יְיָ'. בֹּה"וּ, וְאַחַר הָרוּחַ רַעַשׁ לֹא בָרַעַשׁ יְיָ', הָא תְּרֵין קְלִיפִּין, יָרוֹק וְחִוָּור, דִּקְלִיפִּין דֶּאֱגוֹזָא, חַד תֹּהוּ, קַו יָרוֹק, תִּנְיָינָא בֹּהוּ, אַבְנִין מְפוּלָּמִין, קְלִיפָּא תַּקִּיפָא, כְּאַבְנָא מְפוּלָּמָא. לָקֳבֵל תְּרֵין קְלִיפִּין אִלֵּין, מוֹץ וְתֶבֶן דְּחִטָּה.

רסה. קְלִיפָּא תְּלִיתָאָה, דְּקִיקָא. לָקֳבֵל סוּבִּין דְּחִטָּה, דְּהָכָא אִיהוּ מִתְדַּבַּק בְּחִטָּה, וְלָא יָכִיל לְאִתְפָּרְשָׁא מִתַּמָּן, עַד דְּטָחֲנִין לֵיהּ בְּרֵיחַיָּיא, דְּאִינּוּן לָקֳבֵל טוֹחֲנוֹת דְּפוּמָא דְּב"נ, דְּצָרִיךְ לְמִטְחַן בְּהוֹן מִלִּין דְּאוֹרַיְיתָא, עַד דִּיהוֹן כְּקֶמַח סֹלֶת נְקִיָּה, וּבְנָפָה דְּאִיהִי שָׂפָה, אִתְבְּרִיר פְּסוֹלֶת דְּאִיהִי סוּבִּין דְּאוֹרַיְיתָא עַד דְּיִשְׁתְּכַח הֲלָכָה סֹלֶת נְקִיָּה. בְּהַהוּא זִמְנָא, נָטִיל לָהּ לִבָּא וּמוֹחָא, וְכָל אֵבָרִין דְּגוּפָא דְּאִתְפַּשַּׁט בְּהוֹן נִשְׁמְתָא, וְאִתְפַּרְנַסַת בָּהּ נִשְׁמְתָא, כְּגַוְונָא דְּגוּפָא אִתְפַּרְנְסַת בְּמִלִּין דְּעָלְמָא, דְּזֶה לְעוּמַּת זֶה עָשָׂה אֱלֹהִים, נַהֲמָא דְּגוּפָא, וְנַהֲמָא דְּאוֹרַיְיתָא. הֲדָא הוּא דִּכְתִּיב, לְכוּ לַחֲמוּ בְּלַחְמִי.

רסו. וְהַאי קְלִיפָּא, אִיהוּ כִּקְלִיפָּא דְּמִתְדַּבְּקָא בְּמוֹחָא דֶּאֱגוֹזָא, וּבִזְמְנָא דֶּאֱגוֹזָא אִיהִי רְכִיכָא, אִתְפְּרַשׁ הַהִיא קְלִיפָּא מִמּוֹחָא דֶּאֱגוֹזָא, בְּלָא קוּשְׁיָא. וּבִזְמְנָא דֶּאֱגוֹזָא אִיהִי יְבֵשָׁה, קָשֶׁה לְב"נ לְאַעְבְּרָא לֵיהּ מִתַּמָּן, כִּי עֲדַיִין הַקּוּשְׁיָא בִּמְקוֹמָהּ עוֹמֶדֶת. וּבְגִין דָּא מָנֵי קוּדְשָׁא בְּרִיךְ הוּא לְב"נ, לְאַהְדְּרָא בִּתְיוּבְתָּא בְּבַחֲרוּתֵיהּ, קוֹדֶם דְּיַזְקִין בֵּיהּ יֵצֶר הָרָע. הה"ד, מִפְּנֵי שֵׂיבָה תָּקוּם, קוֹדֶם שֵׂיבָה דִּילָךְ. וְהַאי קְלִיפָּה אִיהִי אֵשׁ, וְאִתְּמַר בָּהּ וְאַחַר הָרַעַשׁ אֵשׁ לֹא בָאֵשׁ יְיָ'. רְבִיעָאָה, תְּהוֹם. וְחָלָל דֶּאֱגוֹזָא, בֵּיהּ קוֹל דְּמָמָה דַּקָּה, תַּמָּן קָא אָתֵי מַלְכָּא, וּמִתּוֹכָהּ כְּעֵין הַחַשְׁמַל מִתּוֹךְ הָאֵשׁ.

רסז. וְאִינּוּן קְלִיפִּין, אִינּוּן רְשִׁימִין בְּד' אֵבָרִים דְּגוּפָא. בְּרִיאָה, תַּמָּן לֵיוָזָא, דְּמִינָּהּ אִשְׁתְּכָחוּ סִרְכוֹת דְּרֵיאָה, רַגְלֶיהָ יוֹרְדוֹת מָוֶת שְׁאוֹל צְעָדֶיהָ יִתְמוֹכוּ. וְתַמָּן רוּחַ וְחָזָק מְפָרֵק, דְּדָפִיק בְּכַנְפֵי רֵיאָה דְּב"נ, וְהַאי אִיהוּ רוּחָא דְּאַסְעִיר גּוּפֵיהּ דְּב"נ, מַה דְּכָפֵף לֵיהּ אֵלִיָּהוּ תְּחוֹתוֹי, וְסָלִיק לְעֵילָּא בֵּיהּ. הה"ד, וַיַּעַל אֵלִיָּהוּ בַּסְּעָרָה הַשָּׁמָיְמָה. וְהַאי דָּפִיק עַל רֵיאָה, דְּשׁוֹתָה כָּל מַשְׁקִין. וּבְהוֹן, וְרוּחַ אֱלֹהִים מְרַחֶפֶת עַל פְּנֵי הַמָּיִם, הַאי אִיהוּ קְלִיפָּה לְרוּחָא דְּקוּדְשָׁא. לִשְׂמָאלָא, רוּחַ סְעָרָה, עֲלַיְיהוּ אִתְּמַר, לֵב חָכָם לִימִינוֹ וְלֵב כְּסִיל לִשְׂמֹאלוֹ.

רסח. דוד אעבר ליה מלבוי, וקטיל ליה. הה"ד, ולבי חלל בקרבי ובגין דא זכה, לנשבא רוח צפונית, בכנור דיליה. ואתמר ביה, כה אמר יי' מארבע רוחות באי הרוח, והוה מנגן ביה בכנור, בד' מיני נגונין, בשיר פשוט, דאיהו י'. ובשיר כפול, דאיהו י"ד. ובשיר משולש, דאיהו יד"ו. ובשיר מרובע, דאיהו ידו"ד. הא אינון עשר אתוון. דעבד דוד לקבלייהו, י' מיני תלים. וסלקין לע"ב אנפין, כחושבן י' אתוון אלין.

רסט. ומתי סליקו בע"ב מיני נגונא. כד אתעבר שולטנותא דעון משחית אף וחימה. דבהון דפיק רוח סערה. בארבע סטרין, דסלקין לי' כתרין לע"ב אומין, הה"ד, ובאבוד רשעים רנה.

ער. דמיכא"ל גבריא"ל נוריא"ל רפא"ל, שלטין על ד' יסודין טבין דב"נ, דאינון מיא ואשא ורוחא ועפרא, וכל חד אית ליה ד' אנפין. עון משחית אף וחימה, תליין על מרה לבנה, דריאה דעביד סרכא. ובמרה סומקא דכבד, דאתאדם במאדים. ובמרה ירוקא דאחידא בכבדא, דאיהו חרבא דמלאך המות, דאתמר בה ואחריתה מרה כלענה וחדה כחרב פיות. ובמרה שחורה, לילית, שבתי, שולטנותא בטחול, דאיהו עציבו, שאול תחתית, עניותא וחשוכא בכיה והספדא ורעבון.

רעא. מיד דמתעברין אלין קליפין מב"נ, שלטא עליה אילנא דחיי, בע"ב אנפין, דאינון י' י"ד יד"ו ידו"ד, דאשתכחו עשרה תליין מארבע רוחות, דאינון ידוד, דאתמר בהון, כה אמר ידוד מארבע רוחות באי הרוח, דא הוא רוח דמשיח. דאתמר ביה, ונחה עליו רוח יי', כד איהו מנשב באון ימינא דלבא, דתמן חכמה מסטרא דחסד, דביה הרוצה להחכים ידרים בחכמה. וחס"ד נשב בבינה, דבחכמה י'. בבינה ה'. בתפארת ו'. במלכות ה'. ידוד דפיק בכלהו ארבע. דסלקין לעשר. ולע"ב מחשבה דלבא.

רעב. דא יו"ד ה"א וא"ו ה"א, ימינא איהו מים. ואיהו יד הגדולה. משמאלא אש. ואיהי יד החזקה. בעמודא דאמצעיתא, י"ד רמה. דאיהי רוחא דקדשא. וכלא בן י"ד.

רעג. כי רוח החיה באופנים אל אשר יהיה שמה הרוח ללכת ילכו. ביה מתנהגים מיא ואשא. דאחיד בתרוייהו, ודפיק בערקין דמוחא, דאיהו מים. ובערקין דלבא, דאיהו אש. ורוח בכנפי ריאה.

רעד. בכל אבר ואבר דגופא, אשתכח גלגלי ימא דאורייתא, וגלגלי רקיעא, דאינון אשא. כלהו סלקין ונחתין ביה. ואיהו אתריה בין רקיעא וימא, מאנא דיליה ארעא, דאיהי שכינתא.

רעה. וכגוונא דעופין, פתיחו גדפייהו, לקבלא רוחא לפרחא ביה. הכי כל אברים דגופא, פתיחן בכמה מקורין, בכמה פרקין, בכמה ערקין, בכמה אדרין דלבא, אדרין דמוחא, לקבלא ליה. דאי לאו דנשיב בבתין דלבא, הוה נורא דלבא, אוקיד כל גופא. וכמה סולמין, ואדרין, דערקין דקנה דלבא, וקנה דריאה, כלהו מתתקנין לגביה.

רעו. כד סליק דבורא, על כנפי דריאה, אתעביד קול. בההוא זמנא כי עוף השמים יוליך את הקול. קול יי' על המים. מסטרא דמיא, דאיהו מוחא, דתמן סליק בכנפי ריאה. קול יי' חוצב להבות אש, מסטרא דלבא, כד נפיק מפומא, אתקרי דבור.

רעז. ולקבל תרין כנפי ריאה, דפתוחין גדפין לקבלא ליה, הדא הוא דכתיב, ופניהם וכנפיהם פרודות מלמעלה. הכי שפוון נטלין ליה לדיבור, ופרחין ליה לעילא.

רעז. וּכְגַוְונָא דְּאִינּוּן וַחֲמִשָּׁה כַּנְפֵי רֵיאָה, כֻּלְּהוּ פְּתִיחָן בְּלָא סִרְכָא, לְקַבְּלָא הַאי קוֹל, הָכִי נָמֵי צְרִיכִין לְמֶהֱוֵי וַחֲמִשָּׁא תִּקּוּנִין דְּפוּמָא, כֻּלְּהוּ פְּתִיחָן בְּלָא סִירְכָא, בְּחָמֵשׁ תִּקּוּנִין דְּאִינּוּן: אחהע בַּגָּרוֹן. בומף בִּשְׂפָוָון. גיכק בַּחֵיךְ. דטלנ"ת בְּלִישָּׁנָא. זסשר"ץ בַּשִּׁינַּיִם.

רעח. וְדִבּוּר דִּיְהֵא בְּהוֹן, בְּלָא סִרְכָא וְעִכּוּבָא כְּלַל. הה"ד, וַיְהִי הוּא טֶרֶם כִּלָּה לְדַבֵּר וְהִנֵּה רִבְקָה יוֹצֵאת. דָּא צְלוֹתָא, דְּאִיהוּ דִּבּוּר. וּבְגִינֵיהּ אִתְּמַר, אִם שְׁגוּרָה תְּפִלָּתִי בְּפִי יוֹדֵעַ אֲנִי שֶׁמְּקוּבָּל. וְאִי אִית סִרְכָא וְנַפְקָא בְּעִכּוּבָא, יוֹדֵעַ אֲנִי שֶׁמְּטוֹרָף. בְּגִין סִרְכָא בְּרֵיאָה דְּאִיהִי טְרֵפָה.

רפ. וְקוֹל דָּא שְׁמַע יִשְׂרָאֵל, דְּבֵיהּ וָאֶשְׁמַע אֶת קוֹל כַּנְפֵיהֶם. וְדָא יְדֹוָ"ד דְּאִיהוּ קוֹל, כַּד נָפִיק לְקַבְּלָא שְׁכִינְתָּא בִּצְלוֹתָא בַּחֲשָׁאִי, דְּאִיהוּ דִּבּוּר, דְּבֵיהּ אֲדֹנָ"י שְׂפָתַי תִּפְתָּח, כָּל אֵבָרִין פְּתִיחָן כֻּלְּהוּ גַּדְפַּיְיהוּ, בִּרְמ"ח תֵּיבִין, דְּאִינּוּן בְּד' פָּרְשִׁיָּין דק"ש, דִּבְהוֹן נָוְוית קָלָא.

רפא. וְכַד נָוְוית, כַּמָּה צִפֳּרִין מְצַפְצְפִין לְגַבֵּיהּ, בְּכַמָּה מִינֵי נִגּוּן, כֻּלְּהוּ עַל אֵבָרִין דְּגוּפָא, דְּאִינּוּן עַנְפֵי אִילָנָא. וּבְכָל גַּדְפִּין דְּכָל אֵבֶר, דְּתַמָּן דְּיוֹרָא דְּצִפּוֹרָא, דְּאִיהִי אֲדֹנָ"י, בְּכָל עַנְפָּא וְעַנְפָּא, אִשְׁתְּכַח פְּתִיחָא לְגַבֵּי דְּבַעְלָהּ. אֲדֹנָ"י שְׂפָתַי תִּפְתָּח, אִיהוּ פְּתִיחָא לְגַבֵּיהּ, בִּצְלוֹתָא דַּעֲמִידָה. לֵית אֵבֶר מרמ"ח אֵבָרִים דִּשְׁכִינְתָּא, דְּלָאו אִיהִי פְּתִיחָא לְקַבְּלָא לֵיהּ. וּבְג"ד אִתְקְרִיאַת שִׁיוַּת מַלְאֲכֵי הַשָּׁרֵת. אִיהוּ צִפְצוּף עוֹפוֹת, דְּאִינּוּן נִשְׁמָתִין דְּשַׁרְיָין בָּאֵבָרִים. אִיהִי שִׁיוַּת דְּקָלִים, דְּאִינּוּן עַנְפִין דְּאִילָנָא.

רפב. וּבְהַהוּא זִמְנָא, דְּנָוְוית יְדֹוָ"ד לְגַבֵּי אֲדֹנָ"י בְּכָל אֵבֶר, אִתְּמַר בְּהוּ, בְּעָמְדָם תְּרַפֶּינָה כַּנְפֵיהֶם. וְהַאי רָזָא דְּחַשְׁמַל. חַיּוֹת אֵשׁ, עִתִּים חָשׁוֹת, וְעִתִּים מְמַלְּלוֹת. וְאָמְרוּ מָארֵי מַתְנִיתִין, בְּמַתְנִיתָא תָּנָא, כְּשֶׁהַדִּבּוּר יוֹצֵא מִפִּי הַקּוּדְשָׁא בְּרִיךְ הוּא, חָשׁוֹת, וּכְשֶׁאֵין הַדִּבּוּר יוֹצֵא מִפִּי הַקּוּדְשָׁא בְּרִיךְ הוּא, מְמַלְּלוֹת. בְּהַהוּא זִמְנָא דְּמִתְיַיחֲדִין קוֹל וְדִבּוּר כַּחֲדָא, דְּאִינּוּן יַאֲהדוֹנָהִי, חָשׁוֹת. אֲבָל בְּזִמְנָא דִּפְנֵיהֶם וְכַנְפֵיהֶם פְּרוּדוֹת, יְדֹוָ"ד מִן אֲדֹנָ"י בְּפֵרוּדָא, אִיהוּ אִשְׁתְּכַח בְּאַרְבַּע אַנְפֵּי חֵיוָן, כֻּלְּהוּ פְּתִיחָן, לְקַבְּלֵיהּ מְמַלְּלוֹת, לְמִשְׁאַל מְזוֹנָא, בְּגִין דִּמְזוֹן לְכֹלָּא בֵּיהּ. אֲדֹנָ"י אִשְׁתְּכַח בְּכַנְפֵי הַחַיּוֹת, כֻּלְּהוּ פְּתִיחָן לְגַבֵּי חֵיוָן.

רפג. שַׁאֲגִין בְּקוֹל דְּאִיהוּ יְדֹוָ"ד, כֻּלְּהוּ בִּימִינָא. אוֹפַנִּים מְצַפְצְפָן בְּדִבּוּר, דְּאִיהוּ אֲדֹנָ"י בִּשְׂמָאלָא. בִּשְׂרָפִים מִתְחַבְּרִים קוֹל וְדִבּוּר בְּאֶמְצָעִיתָא. יַאֲהדוֹנָהִי. בְּהוֹן וְעוֹף יְעוֹפֵף. הה"ד, וַיָּעָף אֵלַי אֶחָד מִן הַשְּׂרָפִים. וְאִתְּמַר בְּהוֹן, וְעוֹף הַשָּׁמַיִם יוֹלִיךְ אֶת הַקּוֹל וּבַעַל כְּנָפַיִם יַגִּיד דָּבָר. וּשְׂרָפִים שֵׁשׁ כְּנָפַיִם לְאֶחָד. מִסִּטְרָא דְּאָת ו', דְּאִיהוּ עַמּוּדָא דְּאֶמְצָעִיתָא, כָּלִיל יְמִינָא וּשְׂמָאלָא. וְאִיהוּ כָּלִיל שִׁית תֵּיבִין, בִּשְׁתַּיִם יְכַסֶּה פָנָיו וּבִשְׁתַּיִם יְכַסֶּה רַגְלָיו וּבִשְׁתַּיִם יְעוֹפֵף סִימָן.

רפד. תִּקּוּנָא תִּנְיָינָא, וְעַל דְּמוּת הַכִּסֵּא דְּמוּת כְּמַרְאֵה אָדָם עָלָיו מִלְמָעְלָה. רְשִׁימוּ דס"ת, וְאִיהוּ כְּתִפְאֶרֶת אָדָם לָשֶׁבֶת בָּיִת.

רפה. וְאוּקְמוּהָ רַבָּנָן, כָּל הַקּוֹרֵא ק"ש עַרְבִית וְשַׁחֲרִית, כְּאִילוּ מְקַיֵּים וְהָגִיתָ בּוֹ יוֹמָם וָלַיְלָה. דְּטַלִּית לְבָנָה, אִיהוּ לִימִינָא מִסִּטְרָא דְּחֶסֶד. וְאִתְּמַר, אֵל מֶלֶךְ יוֹשֵׁב עַל כִּסֵּא רַחֲמִים וּמִתְנַהֵג בַּחֲסִידוּת. וְהוּכַן בַּחֶסֶד כִּסֵּא. וְחֶסֶד סָלִיק ע"ב חוּלְיָין וְקִשְׁרִין דְּטַלִּית.

רפו. וְאִית טַלִּית מִסִּטְרָא דְּמְטַטְרוֹ"ן, דְּאִיהוּ טֵ"ט, כָּלִיל וז"י, בֵּין קִשְׁרִין וְחוּלְיָין לְכָל

סִטְרָא. ה' קִשְׁרִין לְקָבֵל ה' חוּמְשֵׁי תּוֹרָה. וּתְלֵיסַר חוּלְיָין, לָקֳבֵל תְּלֵיסַר מְכִילָן דְּרַחֲמֵי דְּאוֹרַיְיתָא. דְּאִתְּמַר בְּהוֹן, בי"ג מִדּוֹת הַתּוֹרָה נִדְרֶשֶׁת.

רפז. וּבְגִינָהּ אִתְּמַר, כְּמַרְאֵה אָדָם עָלָיו מִלְמָעְלָה. בִּדְיוֹקְנָא דְּתִפְאֶרֶת, דְּאִיהוּ ת"ת אָדָם עָלָיו מִלְמָעְלָה. וְאִתְקְרֵי בִּשְׁמֵיהּ, יו"ד הֵ"א וָא"ו הֵ"א. כֹּל הַנִּקְרָא בִשְׁמִי וְלִכְבוֹדִי בְּרָאתִיו יְצַרְתִּיו אַף עֲשִׂיתִיו. וּלְעֵילָּא כְּמַרְאֵה אָדָם, דָּא שְׁכִינְתָּא, דְּאִיהִי כְּוָויו דְּעַמּוּדָא דְּאֶמְצָעִיתָא, בְּד' אַנְפִּין, וּבְעֶשֶׂר סְפִירָאן, דְּאִינּוּן אָדָם. וְאַרְבַּע אַנְפִּין דְּאָדָם, אַרְבַּע אַתְוָון. וְאִינּוּן י"ד אַתְוָון, וּבְהוֹן וּבְיַד הַנְּבִיאִים אֲדַמֶּה.

רפח. וְעוֹד אִתְקְרֵי ו"ו, מִסִּטְרָא דְּצַדִּיק, וּבֵיהּ קוּדְשָׁא בְּרִיךְ הוּא וּשְׁכִינְתֵּיהּ אִתְקְרֵי אָז אָדָם, דְּאִיהוּ עַמּוּדָא דְּאֶמְצָעִיתָא, טַ"ל, וּשְׁכִינְתֵּיהּ ה'. וּבָהּ אִיהוּ אָדָם. בְּגִין דְּטַ"ל הָכִי סָלִיק בְּחוּשְׁבַּן יו"ד הֵ"א וָא"ו. וְהַאי אִיהוּ מוֹרִיד הַטַּ"ל, לְגַבֵּי הֵ"א. קֶשֶׁר דְּטַלִּית, ו"ו עָלְמִין, דְּקָשִׁיר קוּדְשָׁא בְּרִיךְ הוּא וּשְׁכִינְתֵּיהּ בְּכָל סִטְרִין, בְּאַרְבַּע כַּנְפוֹת דְּטַלִּית.

רפט. תְּפִלִּין מִשְּׂמָאלָא, הה"ד, נִשְׁבַּע יְיָ' בִּימִינוֹ וּבִזְרוֹעַ עֻזּוֹ. בִּימִינוֹ, זוֹ תּוֹרָה. וּבִזְרוֹעַ עֻזּוֹ, אֵלּוּ תְּפִלִּין. יְהֹוָ"ה בְּד' פָּרְשִׁיָּין. אֲדֹנָ"י הֵיכָלָא לְד' אַתְוָון, בְּד' בָּתֵּי דִּתְפִלִּין. קֶשֶׁר שֶׁל תְּפִלִּין דְּיָד, דָּא צַדִּיק ו"ו עָלְמִין, דְּאִיהוּ קְשׁוּרָא דִּתְרַוַויְיהוּ. בִּזְרוֹעַ שְׂמָאלָא. קֶשֶׁר דְּרֵישָׁא, דָּא עַמּוּדָא דְּאֶמְצָעִיתָא, דְּאָחִיד בֵּיהּ יְדֹוָ"ד אֶהְיֶ"ה לְעֵילָּא, דְּאִינּוּן חָכְמָ"ה וּבִינָ"ה.

רצ. קְ"שׁ דְּאִיהוּ יִחוּדָא בְּאֶמְצָעִיתָא, וְאִיהוּ אָחִיד בֵּין צִיצִית וּתְפִלִּין, דִּכְלְהוּ פָּרְשִׁיָּין דְּצִיצִית וּתְפִלִּין, אִינּוּן כְּלִילָן בְּיִחוּדָא דְּקְ"שׁ. וּמִסִּטְרָא דְּעַמּוּדָא דְּאֶמְצָעִיתָא, דְּאִיהוּ טַלִּית וּתְפִלִּין, דְּאִתְּמַר בְּהוֹ, וְהָיָה לְאוֹת עַל יָדְכָה וּלְטוֹטָפוֹת בֵּין עֵינֶיךָ. וְעָשׂוּ לָהֶם צִיצִית.

רצא. ש' שֶׁל תְּפִילִין, הֲלָכָה לְמֹשֶׁה מִסִּינַי. וְרָאוּ כָּל עַמֵּי הָאָרֶץ כִּי שֵׁם יְיָ' נִקְרָא עָלֶיךָ וְיָרְאוּ מִמֶּךָּ. וְאוּקְמוּהָ מַאי שֵׁם יְדֹוָ"ד. אֵלּוּ תְּפִלִּין שֶׁבָּרֹאשׁ. ש' שֶׁל תְּפִלִּין. תְּרֵין שִׁינִין שִׁית מְאָה. ש' שִׁית דַּרְגִּין. וְשֶׁבַע עַנְפִּין דִּתְרֵין שִׁינִין, הָא תְּלַת עֲשַׂר, וְכֹלָּא תרי"ג. וְלֵית פִּקּוּדָא דְּלָאו אִיהִי שְׁקִילָא לְכָל אוֹרַיְיתָא.

רצב. כְּגַוְונָא דָּא, כָּל מִצְוָה אִיהִי יְהֹוָ"ה. יָ"ה עִם שְׁמִ"י שְׁ"ה. וָ"ה עִם זִכְרִ"י רמ"ח. וּבְגַ"ד כָּל מִצְוָה אִיהִי שְׁקִילָא לתרי"ג. וְהָא אוּקְמוּהָ, שְׁמַע יִשְׂרָאֵל כְּלִיל תרי"ג, מִסִּטְרָא דְּצִיצִית. ותרי"ג מִסִּטְרָא דִּתְפִלִּין אִיהוּ בְּכָל אֲתָר.

רצג. וְהָיוּ לְטוֹטָפוֹת, טֹטָפֹת: טַט, ו"ו עָלְמִין, צַדִּיק, לְקַבְלֵיהּ מְטַטְרוֹן. פַּת, תִּפְאֶרֶת. מְטַטְרוֹן סוּס דְּתִפְאֶרֶת, דְּבֵיהּ כָּל סְפִירָאן מִתְלַבְּשִׁין. וְהָכִי אִיהוּ כְּגוּפָא לְנִשְׁמְתָא. וְכַד קוּדְשָׁא בְּרִיךְ הוּא אִסְתַּלַּק מִנֵּיהּ, אִשְׁתְּאַר אִלֵּם, לֵית לֵיהּ קוֹל וְלָא דִּבּוּר. אִשְׁתְּכַח, דְּקוּדְשָׁא בְּרִיךְ הוּא וּשְׁכִינְתֵּיהּ אִיהוּ קוֹל וְדִבּוּר. דְּכָל מַלְאָךְ וּמַלְאָךְ. וּבְכָל קָלָא וְדִבּוּר דְּאוֹרַיְיתָא, וּבְכָל קָלָא דִּצְלוֹתָא. וּבְכָל פִּקּוּדָא וּפִקּוּדָא. בְּכָל אֲתַר שׁוּלְטָנוּתֵיהּ בְּעִלָּאִין וְתַתָּאִין, אִיהוּ חַיִּים דְּכֹלָּא, אִיהוּ סָבִיל כֹּלָּא.

רצד. וְלֵית אֲדֹנָ"י בְּלָא יְדֹוָ"ד, כְּגַוְונָא דְּלֵית דִּבּוּר בְּלָא קוֹל. וְלֵית קוֹל בְּלָא דִּבּוּר. וְהַאי אִיהוּ קְשׁוֹט, בְּעָלְמָא דַּאֲצִילוּת. אֲבָל בְּעָלְמָא דִּפְרוּדָא, אִית קוֹל בְּלָא דִּבּוּר. קֶשֶׁר שֶׁל תְּפִלִּין שַׁדַּ"י, אָחִיד בֵּיהּ עֵילָּא וְתַתָּא. וְדָא צַדִּיק חַי עָלְמִין, אָחִיד בֵּין קוֹל וְדִבּוּר.

רצה. אַדְּהָכִי, הָא רַעְיָא מְהֵימְנָא אִזְדַּמַּן לְגַבֵּי סָבָא, וְאָמַר סָבָא סָבָא, תְּפִלִּין וְצִיצִית וּפָרָשַׁת מְזוּזָה, אִינּוּן ג' פִּקּוּדִין, כְּלִילָן בְּקְ"שׁ. וְקְ"שׁ פִּקּוּדָא רְבִיעָאָה. וְצִיצִית

אַדְכַּר ג' זִמְנִין. וּבַתְּפִלִּין אַדְכַּר בְּהוּ תְּרֵין זִמְנִין אוֹת. וּבַצִּיצִית ז' שֶׁל תִּזְכְּרוּ דְּצָרִיךְ לְהַתִּיז בָּהּ. וּבִמְזוּזָה, שַׁדַּי מִלְּבַר, יְדֹוָ"ד מִלְּגוֹ.

רצו. וּפָרְשִׁיָּין סְתִימִין וּפְתִיחָן אֲמַאי. וְשִׁיעוּר אַרְכָּהּ דְּצִיצִית וְרָוְחָבָּהּ, דְּתַקִּינוּ אֹרֶךְ כָּל הַצִּיצִית תְּרֵין עֲשַׂר אֶצְבְּעָן בְּגוּדָל. מִצְוַת תְּכֵלֶת, שָׁלִישׁ גְּדִיל, וּשְׁנֵי שְׁלִישֵׁי עֲנָף. וּבֵין קֶשֶׁר לְקֶשֶׁר כִּמְלֹא גּוּדָל. וְכָל חוּלְיָא וְחוּלְיָא תִּהְיֶה מְשׁוּלֶּשֶׁת. וְהָכִי תְּפִלִּין אֲמַאי בִּמְווֹזָא. וְלְקַבֵּל לִבָּא. וְשִׁיעוּר רְצוּעָתְהוֹן אֲמַאי אִינּוּן עַד לִבָּא לִשְׂמָאלָא. וְעַד טַבּוּרָא לִימִינָא. וּרְצוּעָא דְּיַד עַד דִּיכְרוֹךְ וִישַׁלֵּשׁ תְּלַת זִמְנִין בְּאֶצְבַּע צְרָדָא.

רצז. אֶלָּא, וַדַּאי בֶּגֶד וְחָשׁוּב לָאו אִיהוּ, אֶלָּא שָׁלֹשׁ עַל שָׁלֹשׁ לְכָל סִטְרָא. אִינּוּן תְּרֵיסַר, לְקָבֵל ד' בִּגְדֵי לָבָן, וְד' בִּגְדֵי זָהָב, וְד' בִּגְדֵי דְּכֹהֵן הֶדְיוֹט. וּמִסִּטְרָא דְּבִרְכַּת כֹּהֵן הֶדְיוֹט קָא רָמִיז, אַל תְּהִי בִּרְכַּת הֶדְיוֹט קַלָּה בְּעֵינֶיךָ. שָׁלִישׁ גְּדִיל, וּשְׁנֵי שְׁלִישֵׁי עֲנָף, דְּאִיהוּ תְּכֵלֶת.

רצח. וְכָל חוּלְיָא מְשׁוּלֶּשֶׁת, כָּל מְשׁוּלָּשׁ מִסִּטְרָא דִּקְדוּשָׁה. הה"ד קְדוּשָׁה לְךָ יְשַׁלֵּשׁוּ. וְיִשְׂרָאֵל שְׁלִישִׁיָּה, בְּגִין דְּשָׁלִישִׁים עַל כֻּלּוֹ. דְּצִיצִית מִסִּטְרָא דְּעַמּוּדָא דְּאֶמְצָעִיתָא, דְּאִיהוּ תְּלִיתָאָה לַאֲבָהָן, וְכָל דָּבָר מְשׁוּלָּשׁ, וה"ו יל"י, כָּל תֵּיבָה מְשׁוּלֶּשֶׁת מִסִּטְרוֹי. וְחוּלְיָא כְּלִילָא מִתְּלַת כְּרִיכוֹת מְשֻׁלָּשִׁין, דָּא שְׁכִינְתָּא. קְדוּשָׁה לְךָ יְשַׁלֵּשׁוּ. וְאִיהִי מְשׁוּלֶּשֶׁת בְּעַמּוּדָא דְּאֶמְצָעִיתָא, כָּלִיל תְּלַת עַנְפֵּי אֲבָהָן, דְּאִינּוּן ש' מִן שַׁבָּת, שְׁכִינְתָּא בַּת יְחִידָה. וְחֻלְיָא, תְּכֵלֶת שֶׁבְּצִיצִית.

רצט. זַכָּאָה גּוּפָא, דְּהָכִי אִיהוּ רָשִׁים, בִּשְׁכִינְתָּא וְקוּדְשָׁא בְּרִיךְ הוּא, עַל כַּנְפֵי דְּמִצְוָה. רָשִׁים בִּרְצוּעָא דְּאִיהוּ תְּפִלָּה דְּיַד, בִּתְלַת כְּרִיכוֹת בְּאֶצְבַּע צְרָדָא. דְּאִיהִי כְּגַוְונָא דְּחוּלְיָא, כְּרִיכָא בִּתְלַת כְּרִיכוֹת בְּאֶצְבְּעָא. רָשִׁים בְּקֶשֶׁר דִּתְפִלִּין, כָּלִיל בִּתְרֵין קִשְׁרִין, סַלְּקִין וְחַמְשָׁה עֲשַׂר מְשׁוּלָּשִׁין, תְּרֵין בְּקִשְׁרָא חַד.

ש. שְׁלֹשָׁה עֲשַׂר חוּלְיָין, אִית בְּהוֹן תִּשְׁעָה וּשְׁלֹשִׁים כְּרִיכָן, כְּחוּשְׁבַּן ט"ל. וּשְׁלֹשָׁה עֲשַׂר חֻלְיָין, כְּחוּשְׁבַּן אֶחָד. סַלְּקִין בֵּ"ן. וְהַאי אִיהוּ בֶּן יָ"ה. עַמּוּדָא דְּאֶמְצָעִיתָא.

שא. כָּל קֶשֶׁר בְּדִיוּקְנָא דְּכַף יְמִינָא, כָּל חוּלְיָא בְּדִיוּקְנָא דְּאֶצְבַּע, דְּאִית בֵּיהּ תְּלַת פִּרְקִין, לְקָבֵל תְּלַת כְּרִיכוֹת. וְהָכִי בְּכָל אֶצְבַּע תְּלַת פִּרְקִין, לְבַר מִגּוּדָל. דְּאִיהוּ שִׁיעוּר בֵּין קֶשֶׁר לְקֶשֶׁר דְּצִיצִית, כִּמְלֹא גּוּדָל. אִיהִי מִדָּה דְּחוּטְמָא. וּמִדָּה דְּעַיִן יְמִינָא וּשְׂמָאלָא. וְאִיהוּ מִדָּה בֵּין עַיִן לְעַיִן. וּמִדָּה דְּאֹזֶן יְמִינָא וּשְׂמָאלָא. וּמִדָּה דְּכָל שָׂפָה וְשָׂפָה. וּמִדָּה דְּלִישָּׁנָא. מִדָּה אַחַת לְכָל הַיְרִיעוֹת.

שב. אַמָּה שִׁיעוּר דְּגוּפָא, לְאַרְבַּע סִטְרִין וְעֵילָּא וְתַתָּא. דְּאִינּוּן שִׁית אַמּוֹת. וּבְכָל אַמָּה וְאַמָּה שְׁלֹשָׁה פִּרְקִין, וח"י פִּרְקִין בְּשִׁית אַמִּין. וְאִינּוּן רָזָא דח"י נִעְנוּעִין דְּלוּלָב. לְשִׁית סִטְרִין. תְּלַת נִעְנוּעִין לְכָל סִטְרָא. וְעָלַיְיהוּ אִתְּמַר, זֹאת קוֹמָתֵךְ דָּמְתָה לְתָמָר. וְדָא שִׁיעוּר קוֹמָה, מִקְוֵה יִשְׂרָאֵל בִּשְׁכִינְתָּא, אִיהוּ ח"י אַרְבַּע זִמְנִין, דְּאִינּוּן אַרְבַּע סַלְּקִין שִׁבְעִים וּשְׁנַיִם.

שג. וְרָזָא דְּחֵיוָן, קוֹמָה דִּלְהוֹן וְגַבֵּיהֶם וְגוֹבַהּ לָהֶם וְיִרְאָה לָהֶם וְגַבּוֹתָם וְגוֹ', וְגַבֵּיהֶם, אַרְבַּע חֵיוָן דְּמֶרְכַּבְתָּא תַּתָּאָה. וְגוֹבַהּ לָהֶם, ד' חֵיוָן דְּמֶרְכַּבְתָּא מְצִיעָתָא. וְגַבּוֹתָם, אַרְבַּע חֵיוָן דְּמֶרְכַּבְתָּא תְּלִיתָאָה. וְכֻלְּהוּ י"ב. וְאִינּוּן מְלֵאוֹת עֵינַיִם, סָבִיב לְאַרְבַּעְתָּן, יְדֹוָד יְדֹוָד יְדֹוָד.

דש. וּמָארֵי דְּקוֹמָה רְשִׁימִין בְּהוֹן בִּצְלוֹתָא, בְּאָן אֲתָר. אֶלָּא כָּל הַכּוֹרֵעַ כּוֹרֵעַ

בְּבָרוּךְ. וְכָל הַזּוֹקֵף זוֹקֵף בַּשֵּׁם. זְקִיפוֹת אַרְבָּעָה. וּכְרִיעוֹת ד'. הָא הָכָא קָא רָמִיז בְּאִלֵּין זְקִיפוֹת וּכְרִיעוֹת, מוֹלִיךְ וּמֵבִיא לְמִי שֶׁד' רוּחוֹת הָעוֹלָם שֶׁלּוֹ, מַעֲלֶה וּמוֹרִיד לְמִי שֶׁהַשָּׁמַיִם וְהָאָרֶץ שֶׁלּוֹ. וְאִינּוּן שִׁית סִטְרִין, שָׁמַיִם וָאָרֶץ וְד' רוּחוֹת. לָקֳבֵל תְּלַת בִּרְכָאן קַדְמָאִין, וּתְלַת בַּתְרָאִין, בְּעוֹשֶׂה שָׁלוֹם בִּמְרוֹמָיו ד', כְּרִיעָה וּזְקִיפָא לִשְׂמָאלָא, וּכְרִיעָה וּזְקִיפָא לִימִינָא. וְהַאי אִיהוּ נוֹתֵן שָׁלוֹם לִשְׂמֹאלוֹ וִימִינוֹ, לִשְׂמֹאל רַבּוֹ, וְלִימִין רַבּוֹ.

שה. הָא אִינּוּן תְּרֵיסַר, בֵּין כְּרִיעוֹת וּזְקִיפוֹת. וּבְהוֹן ע"ב עַיְינִין. ו' כְּרִיעוֹת בְּהוֹן וז"י נַעְנוּעִין, ג' בְּכָל פַּעַם, רֹאשׁ וְגוּף וְזָנָב, דְּצָרִיךְ לְמִכְרַע. בוז"י וזולַיִן סַלְקִין ע"ב. בְּאִלֵּין ע"ב עַיְינִין דְּקוּדְשָׁא בְּרִיךְ הוּא, נַהֲרִין ע"ב גַּדְפִּין דִּשְׁכִינְתָּא, וְקָמַת עֲלַיְיהוּ, וְאִתְקְרִיאַת עֲמִידָה. דִּבְקַדְמֵיתָא נְפִילָה אִיהִי, וְצָרִיךְ לְאַקָמָא לָהּ בְּשֵׁם יְדֹוָד, בוז"י עָלְמִין, וּבְאַרְבַּע זְקִיפוֹת בְּשִׁית בִּרְכָאן, דְּאִיהוּ תִּפְאֶרֶת, כָּלִיל תְּלַת בִּרְכָאן קַדְמָאִין, וּתְלַת בִּרְכָאן בַּתְרָאִין.

שו. וּלְמִכְרַע בוז"י עָלְמִין, וְהַאי אִיהוּ ו"ו ו'. כָּל הַכּוֹרֵעַ כּוֹרֵעַ בְּבָרוּךְ, וְכָל הַזּוֹקֵף זוֹקֵף בְּשֵׁם יְהֹוָה. עַמּוּדָא דְּאֶמְצָעִיתָא וְצַדִּיק ו"ו ו'. וְאִינּוּן רְמִיזִין בְּוַיִּסַּע וַיָּבֹא וַיֵּט ו"ו עִלָּאָה. אוֹזִיד בִּזְקִיפָה וּכְרִיעָה, וְכֻלְּהוּ סַלְקִין וז"י בִּרְכָאן דִּצְלוֹתָא.

שז. ד' כְּרִיעוֹת בַּאֲדֹנָי, ד' זְקִיפוֹת בַּיְדֹוָד, עַמּוּדָא דְּאֶמְצָעִיתָא. וּשְׁכִינְתָּא וַוי עָלְמִין, קָשִׁיר לוֹן, וְדָא יְאֲהדוֹנָה"י, אָמֵן, בְּכָל בִּרְכְתָא מוז"י בִּרְכָאן, וז"י זִמְנִין יְדֹוָד אִינּוּן ע"ב עַיְינִין, דְּנָהֲרִין בְּע"ב גַּדְפִּין, דְּאִינּוּן וז"י זִמְנִין אֲדֹנָי.

שח. וְרָזָא דְּמִלָּה, וְגַבֵּיהֶן, וְגוֹבַהּ לָהֶם, וְגַבּוֹתָם. וְגַבֵּיהֶן: גַּדְפִּין. וְגוֹבַהּ לָהֶם: אַנְפִּין. וְגַבּוֹתָם: דְּאִינּוּן עֲלַיְיהוּ. מְלֵאוֹת עֵינַיִם סָבִיב לְאַרְבַּעְתָּן, כֻּלְּהוּ מְרוּבָּעוֹת. וְכֹלָּא קָשׁוֹט, ע' אַנְפִּין לְאוֹרַיְיתָא. גַּדְפִּין, אֲדֹנָי. אַנְפִּין, יְהֹוָה. עַיְינִין, אֶהְיֶה. וְסַלְקִין יַבֵּ"ק בְּחוּשְׁבַּן, אֲדֹנָי, בְּמַעֲשֶׂה. יְדֹוָד, בְּדִבּוּר. אֶהְיֶה, בְּמַחֲשָׁבָה.

שט. בְּכָל עַיִן וְעַיִן, שִׁיעוּר גּוּדָל. וְדָא ו' בֵּינוֹנִי. וּב' פִּרְקִין בְּגוּדָל, אִינּוּן י' י'. לָקֳבֵל חוֹטָמָא ו'. לָקֳבֵל ב' נֻקְבֵי חוֹטָמָא, י' י'. וְסַלְקִין יוד הֵא. וְדָא וַיִּיצֶר. שִׁיעוּר דְּכָל מִדָּה וּמִדָּה, יוד הֵא, בְּכָל אֲתַר שָׁלְטָנוּתֵיהּ, בְּכָל אֵבֶר וְאֵבֶר. כָּל אֵבֶר, כְּגוֹן יִפְרוֹשׂ כְּנָפָיו יִקָּחֵהוּ יִשָּׂאֵהוּ עַל אֶבְרָתוֹ.

שי. לֵית אֵבֶר בְּכָל מֶרְכַּבְתּוֹ, דְּלָאו אִיהוּ כָּל אֵבֶר בִּדְיוֹקְנֵיהּ. וּבְכָל אֲתַר אִשְׁתְּכַח, וּפְנֵיהֶם וְכַנְפֵיהֶם פְּרוּדוֹת מִלְמַעְלָה. לָקֳבֵל פָּרְשִׁיָין פְּתִיחָן דִּתְפִלִּין. לָקֳבֵל תּוֹרָה. וְכַד לְתַתָּא, אִינּוּן סְתִימִין פָּרְשִׁיָין, לָקֳבֵל יְאֲהדוֹנָהִי עֲלַיְיהוּ. בְּאַנְפּוֹי וְגַדְפּוֹי.

שיא. וְקוּדְשָׁא בְּרִיךְ הוּא רָשִׁים בְּיִשְׂרָאֵל לְקַבְּלַיְיהוּ, בִּצְלוֹתָא לְמֶהֱוֵי חֲבֵרִים בַּהֲדַיְיהוּ, לְמִכְרַע בְּכָל גּוּפַיְיהוּ, בִּתְמַנֵי סְרֵי בִּרְכָאן דִּצְלוֹתָא, לְאַמְלְכָא עֲלַיְיהוּ אָמֵן, וְאִיהוּ יְאֲהדוֹנָהִי, בְּכָל אֵבֶר וְאֵבֶר דִּלְהוֹן, וְאָמַר קוּדְשָׁא בְּרִיךְ הוּא, מַאן דְּלָא הֲוֵי רָשִׁים קָדָמַיְיכוּ, לְמֶהֱוֵי כּוֹרֵעַ בְּבָרוּךְ, וְזוֹקֵף בַּיהֹוָה, בְּקוֹמָה דְּגוּפָא, לָא יֵיעוּל צְלוֹתֵיהּ בְּהֵיכָלָא דִּילִי, דְּאִיהוּ אֲדֹנָי. לָא תְּקַבְּלוּן מִלִּין דִּילֵיהּ, עַל גַּדְפַּיְיכוּ וְאַנְפַּיְיכוּ, דְּכָל מַאן דִּמְצַלֵּי בַּאֲדֹנָי, וּמְצָרֵף לַיְדֹוָד אַנְפִּין דְּמַלְאָכִין, וּפְנֵיהֶם וְכַנְפֵיהֶם פְּרוּדוֹת לְעֵילָּא, לְנַטְלָא יְאֲהדוֹנָה"י, בְּמִלִּין דִּצְלוֹתָא דְּנָפְקִין מִפּוּמוֹי דְּבַר נָשׁ.

שיב. וְגָדוֹל הָעוֹנֶה אָמֵן יוֹתֵר מִן הַמְבָרֵךְ. דִּלְגַבֵּי אֲדֹנָי יְהֹוָה בִּצְלוֹתָא, וּפְנֵיהֶם וְכַנְפֵיהֶם פְּרוּדוֹת. לָקֳבֵל יְהֹוָה בְּאַנְפִּין, אֲדֹנָי בְּגַדְפִּין, כְּרוּב אֶחָד מִקָּצָה מִזֶּה וּכְרוּב אֶחָד מִקָּצָה מִזֶּה. אֲבָל כַּד חָזַר ש"ץ צְלוֹתָא, וְעוֹנֶה אָמֵן, אִיהוּ בַּמַּחְבֶּרֶת הַשֵּׁנִית, מִתְחַבְּרִין תְּרֵין שֶׁהֵן בַּמַּחְבֶּרֶת הַשֵּׁנִית. בְּקַדְמֵיתָא, מַקְבִּילוֹת הַלֻּלָאוֹת אִשָּׁה אֶל אֲחוֹתָהּ

בַּקְּרָשִׁים, דְּאִינּוּן קֶשֶׁר אֶצְבְּעָאן. אֲבָל בְּאָמֵן, וְהָיָה הַמִּשְׁכָּן אֶחָד, דְּבֵיהּ חוֹבְרוֹת אִשָּׁה אֶל אֲחוֹתָהּ.

שי"ג. תִּקּוּנָא תְּלִיתָאָה סֵדֶר דְּבוּרָא דִּצְלוֹתָא, דְּבֵיהּ חֵיזוּ אֶשָּׁא מְמַלְּלָן. וְהַאי הִיא וָאֵרֶא כְּעֵין חַשְׁמַל כְּמַרְאֵה אֵשׁ בֵּית לָהּ סָבִיב. הַאי אִיהוּ רָזָא דְּחַשְׁמַל. דְּאִינּוּן חֵיוָן אֶשָּׁא, עִתִּים חָשׁוֹת עִתִּים מְמַלְּלוֹת. וְאִינּוּן דְּחָשׁוֹת לס"ת, בְּזִמְנָא דְּדִבּוּר נָפִיק מִפִּי הַקּוֹרֵא, אִיהוּ חָשִׁיב לְגַבַּיְיהוּ, כְּאִלּוּ מְקַבְּלִים אוֹרַיְיתָא בְּטוּרָא דְּסִינַי. וּבְזִמְנָא דְּאָמַר אִיהוּ אָנֹכִי, לָא אִשְׁתְּמַע קָלָא, וְלָא דִּבּוּרָא אַחֲרָא דְּחֵיוָן, אֶלָּא דִּילֵיהּ.

שי"ד. כְּגַוְונָא דָּא, כַּד דִּבּוּרָא דָּא נָפִיק מִפּוּמֵיהּ דְּקוּדְשָׁא בְּרִיךְ הוּא, חַיּוֹת אֵשׁ חָשׁוֹת. וּבְזִמְנָא דִּשְׁתִיק חַיּוֹת אֵשׁ מְמַלְּלוֹת. הֲדָא הוּא דִּכְתִיב, וְכָל הָעָם רוֹאִים אֶת הַקּוֹלוֹת, קָלִין דְּחֵיוָן, דַּהֲווּ שָׁאֲגִין. וְאֶת הַלַּפִּידִים, דַּהֲווּ נָפְקִין בְּדִבּוּר דְּחֵיוָן, בְּכַמָּה מִינֵי נִגּוּן קֳדָם מַלְכָּא. וְאִלֵּין דְּאִינּוּן דְּחָשׁוֹת לס"ת, אִינּוּן בְּדִיוּקְנַיְיהוּ דְּחֵיוָן. וּמָנֵי לוֹן קוּדְשָׁא בְּרִיךְ הוּא, לְאַעֲלָא לוֹן, בְּחֶדֶר דְּמַרְאֶה אֵשׁ בֵּית לָהּ.

שט"ו. וְעוֹד אִינּוּן דְּחָשׁוֹת בִּצְלוֹתָא בחז"ו בְּרָכָאן, יֵיעֲלוּן בְּחֶדֶר דְּמַרְאָה דָּא. וְעוֹד אִינּוּן דְּחָשׁוֹת לַהֲלָכָה, דְּאִתְּמַר בָּהּ, אַגְרָא דִּשְׁמַעְתְּתָא סְבָרָא, יֵיעֲלוּן בְּחֶדֶר דְּאִיהוּ הֵיכָל דְּמַרְאָה דָּא, דְּאוֹרַיְיתָא, עָלָהּ אִתְּמַר הֲלֹא כֹה דְבָרִי כָּאֵשׁ נְאֻם יְיָ' וּכְפַטִּישׁ יְפוֹצֵץ סָלַע. וְדָא סֶלַע דְּאִתְּמַר בֵּיהּ וְדִבַּרְתֶּם אֶל הַסֶּלַע לְעֵינֵיהֶם וְנָתַן מֵימָיו. אִלֵּין דְּמִשְׁתַּדְּלִין בָּהּ לִשְׁמָהּ, נָפִיק לוֹן מַיָּא דְּאוֹרַיְיתָא מְתִיקִן, וְאִתְּמַר בְּהוֹן, וַתֵּשְׁתְּ הָעֵדָה וּבְעִירָם. וְאִלֵּין דְּלָא מִשְׁתַּדְּלִין בָּהּ לִשְׁמָהּ, נָפִיק לוֹן מַיִם מְרִירִין, דְּאִתְּמַר בְּהוֹן וַיְמָרְרוּ אֶת חַיֵּיהֶם בַּעֲבוֹדָה קָשָׁה: דָּא קוּשְׁיָא. בְּחוֹמֶר: דָּא קַל וָחוֹמֶר. וּבִלְבֵנִים: בְּלִבּוּן הֲלָכָה.

שט"ז. תִּקּוּנָא רְבִיעָאָה וַחֲמִשָׁאָה, מִמַּרְאֵה מָתְנָיו וּלְמַעְלָה וּמִמַּרְאֵה מָתְנָיו וּלְמַטָּה. דִּבְהוֹן שׁוֹקֵי הַחַיּוֹת כְּנֶגֶד כֻּלָּן, וּבִסְפִירָן נֶצַח וְהוֹד. מְטַטְרוֹן אוֹת בִּצְבָא דִּילֵיהּ, וְאִיהוּ דְּיוּקְנָא דְּצַדִּיק. דְּצַדִּיק אוֹת בִּצְבָא דִּלְעֵילָּא, וּמְטַטְרוֹן אִיהוּ אוֹת בִּצְבָא דִּלְתַתָּא. מְטַטְרוֹן שַׁדַּי בֵּיהּ, וְהַחַיּוֹת רָצוֹא וָשׁוֹב כְּמַרְאֵה הַבָּזָק.

שי"ז. וְרַגְלֵיהֶם רֶגֶל יְשָׁרָה, דְּרַגְלִין דְּמַזִּיקִין כֻּלְּהוּ עֲקָלָתוֹן. וְרַגְלֵיהֶן, וְרַגְלִין דְּחֵיוָן, קַדִּישִׁין, אִתְּמַר בְּהוֹן וְרַגְלֵיהֶם רֶגֶל יְשָׁרָה, מִצַּד חַיָּה דְּאִיהוּ יִשְׂרָאֵל, יִשְׂרָאֵל כָּלִיל תְּלַת חֵיוָן, דְּאִתְּמַר בְּהוֹן הָאָבוֹת הֵן הֵן הַמֶּרְכָּבָה.

שי"ח. וְכַף רַגְלֵיהֶם כְּכַף רֶגֶל עֵגֶל, מִסִּטְרָא דְּחַיָּה דְּאִיהוּ שׁוֹר. וְנוֹצְצִים כְּעֵין נְחֹשֶׁת קָלָל, מִסִּטְרָא דְּנָחָשׁ בָּרִיחַ דְּיַמָּא. דְּאִיהוּ סָלִיק לְגַבֵּיהּ בְּיַבֶּשְׁתָּא. רָצוֹא, מִסִּטְרָא דְּנוּרִיאֵל, דְּסָלִיק רָצוֹא. וָשׁוֹב, מִסִּטְרָא דְּשַׁדַּי. דְּהָכִי סָלִיק בְּחוּשְׁבַּן. וְאִיהוּ סָלִיק מְטַטְרוֹן.

שי"ט. וְכַד הֲווּ יִשְׂרָאֵל שַׁמְעִין קָלָא מִמִּזְרָח, הֲווּ רָצִין תַּמָּן. וּלְמַעֲרָב הָכִי, וְכֵן לַדָּרוֹם וְלַצָּפוֹן. אָמַר קוּדְשָׁא בְּרִיךְ הוּא לְמַלְאֲכֵי הַשָּׁרֵת, אִלֵּין דְּרַהֲטִין לִצְלוֹתָא דְּמִצְוָה, וְרַהֲטִין לְפִרְקָא בְּשַׁבַּתָּא, וְרַהֲטִין לְמֶעְבַּד רְעוּתָא דִּילִי, וְתַיְיבִין בִּתְיוּבְתָּא. קַבִּילוּ לוֹן בְּהֵיכָלָא דְּהַאי מַרְאָה, דִּבְאִלֵּין סִימָנִין, אִינּוּן חֲבֵרִים בַּהֲדַיְיכוּ, אִינּוּן דְּרָצִין וְשָׁבִין בְּאוֹרַיְיתָא, בְּדִבּוּרָא דַּהֲלָכָה, אִינּוּן רְשִׁימִין בַּהֲדַיְיכוּ, וְאָעִילוּ לוֹן בְּהַאי הֵיכָלָא.

ש"כ. הָכִי כַּד מְצַלִּין יִשְׂרָאֵל, מִיכָאֵ"ל טָאס עָלְמָא בְּטִיסָא חֲדָא. וְגַבְרִיאֵ"ל טָאס בִּתְרֵין טָאסִין. וְכַד נָפִיק דִּבּוּרָא מִיִּשְׂרָאֵל, בַּהֲלָכָה, בִּצְלוֹתָא, וּבְכָל פִּקּוּדָא דִּשְׁכִינְתָּא תַּמָּן. אִינּוּן רָצִין לְגַבָּהּ, וְשָׁבִין בָּהּ בִּשְׁלִיחוּת מָארֵיהוֹן. וּבְכָל אֲתַר דְּשַׁמְעִין קָלָא

דְּאוֹרַיְיתָא, דְּתַמָּן קוּדְשָׁא בְּרִיךְ הוּא, אִינּוּן רָצִין לְגַבֵּי הַהוּא קָלָא, וְתַיְּיבִין בָּהּ בִּשְׁלִיווּתָא דְּמָארֵיהוֹן. דִּבְכָל קָלָא דְּשֵׁם יְדֹוָ"ד לֵית תַּמָּן, בְּדִבּוּרָא דְּלֵית תַּמָּן אֲדֹנָ"י, לָא רָצִין וְשָׁבִין תַּמָּן. וּבְגִ"ד, וְרַגְלֵיהֶם רֶגֶל יְשָׁרָה, כִּי יְשָׁרִים דַּרְכֵי יְדֹוָ"ד, בַּאֲתַר דַּיְדֹוָ"ד תַּמָּן, אִיהוּ דֶּרֶךְ יְשָׁרָה. וְאִי לֵית תַּמָּן יְדֹוָ"ד, לָאו אִיהוּ דֶּרֶךְ יְשָׁרָה.

שכא. וְעוֹד רַגְלֵיהֶם רֶגֶל יְשָׁרָה, אָמְרוּ מָארֵי מַתְנִיתִין, דְּמַאן דִּמְצַלֵּי, בָּעֵי לְתַקְּנָא רַגְלוֹי בִּצְלוֹתֵיהּ, כְּמַלְאֲכֵי הַשָּׁרֵת. כְּכַף רֶגֶל עֵגֶל, לְמֶהֱוֵי רְשִׁים בַּהֲדַיְיהוּ. וּבְגִין דָּא, אוֹקְמוּהָ רַבָּנָן, הַמִּתְפַּלֵּל צָרִיךְ לְכַוֵּין אֶת רַגְלָיו, שֶׁנֶּאֱמַר וְכַף רַגְלֵיהֶם כְּכַף רֶגֶל עֵגֶל. וְאָמַר קוּדְשָׁא בְּרִיךְ הוּא, אִלֵּין דְּאִינּוּן רְשִׁימִין בִּצְלוֹתַיְיהוּ הָכִי, לְכַוֵּין רַגְלוֹי כְּוָותַיְיכוּ, אַפְתְּחוּ לוֹן תַּרְעֵי הֵיכְלָא, לְאַעֲלָא בְּמַרְאָה דָּא.

שכב. תִּקּוּנָא שְׁתִיתָאָה, רָאִיתִי כְּמַרְאֵה אֵשׁ, הָכָא רְאִיָּיה מַמָּשׁ. אָמַר קוּדְשָׁא בְּרִיךְ הוּא, מַאן דְּיֵיעוּל בְּחֶזְיוּ דָּא, וִיהֵא בִּצְלוֹתֵיהּ לִבֵּיהּ לְעֵילָּא, לְשֵׁם יְדֹוָ"ד, וְעַיְינוֹי לְתַתָּא בִּשְׁמָא דַּאֲדֹנָ"י, תֵּיעֲלוּן בְּהֵיכְלָא דָּא, כְּגַוְונָא דְּמַלְאָכִין, וּגְבִיהָן לְעֵילָּא, וְיִרְאָה לָהֶם לְתַתָּא, לְקַבֵּל שְׁכִינְתָּא דְּאִיהִי יִרְאַת יְדֹוָ"ד.

שכג. וּבִרְאִיָּיה וּשְׁמִיעָה וְרֵיחָא וְדִבּוּר, שַׁרְיָא יְדֹוָ"ד. בַּעֲשִׂיָּיה, בְּמִשּׁוּשׁ, שִׁמּוּשׁ, הִלּוּךְ, שַׁרְיָא אֲדֹנָ"י. וְדָא רְאִיָּה, דְּאוֹר וָנֵר, דְּאִתְּמַר בָּהּ וְתוֹרָה אוֹר. רֵיחָא דְּקָרְבְּנִין, דְּאִינּוּן צְלוֹתִין, דִּבּוּר בְּאוֹרַיְיתָא, דִּבּוּר בִּצְלוֹתָא. וַעֲשִׂיָּיה דְּמִצְוָה, וְשִׁמּוּשׁ דִּילָהּ, וּמִשּׁוּשׁ דִּילָהּ, וְהִלּוּךְ דִּילָהּ. וּרְאִיָּיה וּשְׁמִיעָה, דְּלֵית תַּמָּן אוֹרַיְיתָא וּמִצְוָה, קוּדְשָׁא בְּרִיךְ הוּא וּשְׁכִינְתֵּיהּ לָא שַׁרְיָא תַּמָּן. דְּקוּדְשָׁא בְּרִיךְ הוּא שַׁרְיָא בִּרְאִיָּיה, וְכֵן שְׁכִינְתֵּיהּ, דְּאוֹרַיְיתָא וְתוֹרָה אוֹר, שְׁכִינְתֵּיהּ רְאִיָּה דִּילֵיהּ יְדֹוָד בַּמַּרְאָה אֵלָיו אֶתְוַדָּע, שְׁכִינְתֵּיהּ.

שכד. בְּמַחֲשָׁבָה מִלְּגוֹ בִּינָה, בֵּן יָ"הּ. יִשְׂרָאֵל עָלָה בְּמַחֲשָׁבָה. הִרְהוּר וְחָכְמָה, לְחַכִּימָא בִּרְמִיזָא. וְחָכְמָה עָלָה בְּמַחֲשָׁבָה דְּאִיהוּ בִּינָה, מַחֲשָׁבָה וְהִרְהוּר כֹּלָּא חַד. וְחָכְמָה לָא אִשְׁתְּמוֹדַע אֶלָּא בְּבִינָה, וּבִינָה בַּלֵּב. וּבְגִין דָּא, מַחֲשָׁבָה בַּלֵּב, הִרְהוּר בַּלֵּב.

שכה. וְכֵן אוֹרַיְיתָא ס"ת. מִצְוָה לִשְׁמוֹעַ. וְכֵן בְּחוֹטָמָא, רֵיחַ נִיחוֹחַ לַיהֹוָ"ה. שְׁכִינְתָּא אִיהִי קָרְבָּן דִּילֵיהּ, עוֹלָה דִּילֵיהּ, וּצְלוֹתָא אִיהִי כְּקָרְבָּן, וּכְרֵיחַ נִיחוֹחַ סְלִיקַת לְגַבֵּיהּ, וְאִתְקְרִיבַת לְגַבֵּיהּ בִּצְלוֹתָא, וְהָכִי בְּדִבּוּר, הֲלֹא כֹה דְבָרִי כָּאֵשׁ נְאֻם יְדֹוָ"ד. ה' שְׁכִינְתָּא, דִּבּוּר דִּילֵיהּ.

שכו. כְּגַוְונָא דִּשְׁכִינְתָּא, אִיהִי מַרְאָה דִּילֵיהּ, שְׁמִיעָה דִּילֵיהּ, רֵיחַ נִיחוֹחַ דִּילֵיהּ, דִּבּוּר דִּילֵיהּ, בְּרֵישָׁא. הָכִי אִיהוּ בְּיָדִין, עֲשִׂיַּית מִצְוָה דִּילֵיהּ, בְּגוּפָא כְּרִיעָא דִּילֵיהּ. בִּצְלוֹתָא זְקִיפָא דִּילֵיהּ, בִּצְלוֹתָא עֲמִידָה דִּילֵיהּ, דְּאִיהוּ דְּקַיְּימָא קַמֵּיהּ בְּכָל אֲתַר, וּכְרִיעַת לְגַבֵּיהּ, וְאִתְנְפִּלַת לְרַגְלוֹי בִּנְפִילַת אַפַּיִם, לְמִשְׁאַל מִנֵּיהּ רַחֲמִים עַל בְּנָהָא, אִיהִי עֲנָוָה לְגַבֵּיהּ, וְאִית לָהּ בֹּשֶׁת פָּנִים מִינֵּיהּ.

שכז. וְלָא כְּשִׁפְחָה בִּישָׁא, לִילִית, וַחֲצוּפָה בְּלָא עֲנָוָה, לֵית לָהּ בֹּשֶׁת פָּנִים, אִימָּא דְּעֵרֶב רַב, וּבְגִין דָּא אָמַר שְׁלֹמֹה, אֵשֶׁת חַיִל עֲטֶרֶת בַּעְלָהּ וּכְרָקָב בְּעַצְמוֹתָיו מְבִישָׁה. דִּשְׁכִינְתָּא אִיהִי מַטְרוֹנִיתָא, שִׁפְחָה דִּילָהּ לִילִית, לֵית לָהּ עֲנָוָה, וְלָא בֹּשֶׁת אַנְפִּין מִקּוּדְשָׁא בְּרִיךְ הוּא. וְהָכִי בְּנָהָא עֵרֶב רַב, וְקוּדְשָׁא בְּרִיךְ הוּא עָתִיד לְאַעְבְּרָא לָהּ וְלִבְנָהָא מֵעָלְמָא, דִּמְמַזְּרִים אִינּוּן מִבְּנֵי ט' מִדּוֹת, אַסְנַּ"ת בַּמִּשְׁגַּנַּ"ת, מְמַזְּרֵי דְּרַבָּנָן.

שכח. וְכֵן שְׁכִינָה אִיהִי שִׁמּוּשׁ דְּקוּדְשָׁא בְּרִיךְ הוּא, יִחוּד דִּילֵיהּ בְּצַדִּיק חַי עָלְמִין. וְאִיהִי הֲלִיכָה דִּילֵיהּ, צֶדֶק לְפָנָיו יְהַלֵּךְ, לְמֶעְבַּד רְעוּתֵיהּ. וַיְהִי הוּא טֶרֶם כִּלָּה לְדַבֵּר

וְהִנֵּה רִבְקָה יוֹצֵאת, רְהִיטַת לְגַבֵּיהּ, לְמֶעְבַּד רְעוּתֵיהּ. בִּרְאִיָּה, בִּשְׁמִיעָה, בְּרֵיחָא, בְּדִבּוּר, בַּעֲשִׂיָּה, בְּגוּפָא, בְּשִׁמּוּשׁ, בְּהִלּוּךְ, בְּכָל אֵבֶר, אִיהִי מְזָוְּוה לְשַׁמְּשָׁא לֵיהּ, וּלְמֶעְבַּד רְעוּתֵיהּ.

שכט. וּבְנָהָא, הָכִי אִינּוּן בְּדִיוּקְנָהָא, בְּנֵי עֲנָוָה, בְּנֵי בְּשֵׁשׁ אַנְפִּין, כֻּלְּהוּ כְּמִדּוֹת דִּילָהּ. וּבְגִין דָּא מָנֵי קוּדְשָׁא בְּרִיךְ הוּא לְמֹשֶׁה, וְאַתָּה תֶחֱזֶה מִכָּל הָעָם אַנְשֵׁי חַיִל יִרְאֵי אֱלֹהִים אַנְשֵׁי אֱמֶת שׂוֹנְאֵי בָצַע. אַנְשֵׁי חַיִל, מִסִּטְרָא דִּימִינָא דְּאַבְרָהָם, דְּתַמָּן רְאִיָּיה דְּאוֹרַיְיתָא, מִימִינוֹ אֵשׁ דָּת לָמוֹ. יִרְאֵי אֱלֹהִים, מִסִּטְרָא דְּיִצְחָק, דְּתַמָּן שְׁמִיעָה, דְּאָמַר חֲבַקּוּק נְבִיאָה יְיָ' שָׁמַעְתִּי שִׁמְעֲךָ יָרֵאתִי. אַנְשֵׁי אֱמֶת, מִסִּטְרָא דְּיַעֲקֹב, דְּתַמָּן רֵיחַ נִיחוֹחַ לְדָוִד, בְּחוֹטָמָא. שׂוֹנְאֵי בָצַע, מִסִּטְרָא דְּדִבּוּר, סַמְכָא רְבִיעָאָה, דְּאָדָם הָרִאשׁוֹן, דְּאִתְחַבַּר בַּאֲבָהָן. תְּלַת חֵיוָן אִינּוּן, אַרְיֵה שׁוֹר נֶשֶׁר, בִּרְאִיָּיה שְׁמִיעָה רֵיחָא, אָדָם בְּדִבּוּר.

של. וְשַׂמְתָּ עֲלֵיהֶם שָׂרֵי אֲלָפִים, מִסִּטְרָא דְּאָת א'. וְשָׂרֵי מֵאוֹת, מִסִּטְרָא דְּאָת ד' ד' מֵאוֹת שָׁנָה דְּאִשְׁתַּעְבִּידוּ יִשְׂרָאֵל בְּמִצְרַיִם. שָׂרֵי חֲמִשִּׁים נ'. וְשָׂרֵי עֲשָׂרוֹת י'.

שלא. יִשְׂרָאֵל בְּאִינּוּן מִדּוֹת אִשְׁתְּמוֹדְעוּן, דְּאִינּוּן בְּנוֹי דְּקוּדְשָׁא בְּרִיךְ הוּא וּשְׁכִינְתֵּיהּ. לְמֶהֱוֵי בְּהוֹן אַנְשֵׁי חַיִל, כְּגוֹן אֵשֶׁת חַיִל עֲטֶרֶת בַּעְלָהּ, מָארֵי דְּחֶסֶד. יִרְאֵי אֱלֹהִים. אַנְשֵׁי אֱמֶת, וְלָא אַנְשֵׁי שֶׁקֶר, דִּבְנֵי יִשְׂרָאֵל לֹא יַעֲשׂוּ עַוְלָה וְלֹא יְדַבְּרוּ כָזָב וְלֹא יִמָּצֵא בְּפִיהֶם לְשׁוֹן תַּרְמִית. וְשׂוֹנְאֵי בָצַע, כְּבַ"נ שָׂמֵחַ בְּחֶלְקוֹ. וְלָא כְּעֵרֶב רַב בְּנוֹי דְּשִׁפְחָה בִּישָׁא, דְּאִינּוּן כְּחֵיוָא דְּכָל אַרְעָא קָדָמֵיהּ. הה"ד וְנָחָשׁ עָפָר לַחְמוֹ, וְדָחִיל לְמִשְׂבַּע מֵעַפְרָא, דְּדָחִיל דְּתֶחְסַר לֵיהּ. וְהָכִי מָארֵי בָצַע. דְּלָא שָׂבְעִין מִכָּל מָמוֹן דְּעָלְמָא.

שלב. וּבְגִּ"ד אוּקְמוּהָ מָארֵי מַתְנִיתִין, לֹא הַמִּדְרָשׁ הוּא הָעִיקָּר אֶלָּא הַמַּעֲשֶׂה. בְּגִין דְּקוּדְשָׁא בְּרִיךְ הוּא אִיהוּ סָתִים בְּסִתְרֵי הַתּוֹרָה, בְּמַאי אִשְׁתְּמוֹדַע. בְּמִצְוֹת, דְּאִיהִי שְׁכִינְתֵּיהּ, דְּאִיהִי דְּיוּקְנֵיהּ. כְּגַוְונָא דְּאִיהוּ עָנָו, שְׁכִינְתֵּיהּ עֲנָוָה. אִיהוּ חָסִיד, וְאִיהוּ חֲסִידָה. אִיהוּ גִּבּוֹר, וְאִיהִי גְּבֶרֶת עַל כָּל אוּמִין דְּעָלְמָא. אִיהוּ אֱמֶת, וְאִיהִי אֱמוּנָה. אִיהוּ נָבִיא, וְאִיהִי נְבִיאָה. אִיהוּ צַדִּיק וְאִיהִי צֶדֶקֶת. אִיהוּ מֶלֶךְ, וְאִיהִי מַלְכוּת. אִיהוּ חָכָם, וְאִיהִי חָכְמְתָא. אִיהוּ מֵבִין, וְאִיהִי תְּבוּנָה דִּילֵיהּ. אִיהוּ כֶּתֶר, וְאִיהִי עֲטָרָה דִּילֵיהּ, עֲטֶרֶת תִּפְאֶרֶת. וּבְגִּ"ד אוּקְמוּהָ רַבָּנָן, כָּל מִי שֶׁאֵין תּוֹכוֹ כְּבָרוֹ אַל יִכָּנֵס לְבֵית הַמִּדְרָשׁ. כְּדִיוּקְנָא דְּקוּדְשָׁא בְּרִיךְ הוּא, דְּאִיהוּ תּוֹכוֹ וּשְׁכִינְתָּא בָּרוֹ, אִיהוּ תּוֹכוֹ מִלְּגוֹ, וְאִיהִי בָּרוֹ מִלְּבַר. וְלָא אִשְׁתְּנִיאַת אִיהִי דִּלְבַר, מֵהַהוּא דִּלְגוֹ, לְאִשְׁתְּמוֹדְעָא דְּהִיא אֲצִילוּתֵיהּ, וְלֵית אַפְרָשׁוּתָא תַּמָּן כְּלָל, דְּמִבַּיִת וּמִחוּץ תִּצְפֶּנּוּ.

שלג. וּבְגִין דְּאִיהוּ יְדֹוָד, סָתִים מִלְּגָיו, לָא אִתְקְרֵי אֶלָּא בִּשְׁכִינְתֵּיהּ, אֲדֹנָי. וּבְגִין דָּא אָמְרוּ רַבָּנָן, לֹא כְּשֶׁאֲנִי נִכְתָּב אֲנִי נִקְרָא, בְּעוֹה"ז, נִכְתָּב אֲנִי בַּיְדֹוָ"ד, וְנִקְרָא אֲנִי בַּאֲדֹנָ"י. אֲבָל בְּעוֹה"ב, נִכְתָּב בַּיְדֹוָ"ד, וְנִקְרָא בַּיְדֹוָ"ד. לְמֶהֱוֵי רַחֲמֵי מִכָּל סִטְרָא וּבְגִין דָּא מָנֵי קוּדְשָׁא בְּרִיךְ הוּא לְמַלְאֲכֵי הַשָּׁרֵת, מַאן דְּלָא יְהֵא תּוֹכוֹ כְּבָרוֹ, בְּכָל אֵבָרִין פְּנִימָאִין וְחִיצוֹנִין, לָא יֵיעוּל בְּהֵיכָלָא דָּא. וּבְגִין דָּא אָמַר קְרָא, הַצּוּר תָּמִים פָּעֳלוֹ. תָּמִים תִּהְיֶה עִם יְיָ' אֱלֹהֶיךָ.

שלד. תִּקּוּנָא שְׁבִיעָאָה, כְּמַרְאֵה הַקֶּשֶׁת אֲשֶׁר יִהְיֶה בֶעָנָן בְּיוֹם הַגֶּשֶׁם. אָמְרוּ רַבָּנָן, מִן וָאֵרֶא עַד כְּמַרְאֵה הַקֶּשֶׁת הֵן הֵן מַעֲשֵׂה הַמֶּרְכָּבָה. וְאָמְרוּ חֲכָמִים, כְּשֶׁהָיָה ר"ע

דּוֹרֵשׁ בְּמַעֲשֵׂה מֶרְכָּבָה, יָרְדָה אֵשׁ מִן הַשָּׁמַיִם, וְסִבְּבָה הָאִילָנוֹת. וְהָווּ מִתְקַבְּצִין מַלְאֲכֵי הַשָּׁרֵת כִּבְמְזֻמְּנֵי חָתָן וְכַלָּה. בְּגִין דְּלֵית יִחוּדָא וְקִשּׁוּרָא וּמֶרְכָּבָה, לְשֵׁם יְדֹוָ"ד בַּאֲדֹנָ"י, אֶלָּא בְּצַדִּיק. דְּאִיהוּ קֶשֶׁת, דְּבֵיהּ מֶרְכַּבְתָּא שְׁלֵימְתָא דִלְעֵילָּא, יְאַהֲדֹוָנָה"י.

שלה. שְׁכִינְתָּא אִיהִי מַעֲשֵׂה בְּרֵאשִׁית, וְאוּקְמוּהָ, אֵין דּוֹרְשִׁין בְּמַעֲשֵׂה בְרֵאשִׁית בִּשְׁנַיִם. בְּגִין דְּעַנְפִּין דְּאִילָנָא, אִינּוּן פְּרוּדוֹת מִלְמַעְלָה בְּכַנְפֵי חֵיוָן, יְדֹוָ"ד לִימִינָא, אֲדֹנָ"י לִשְׂמָאלָא. וְחָתָן לִימִינָא, כַּלָּה לִשְׂמָאלָא. כַּד אַתְיָין לָהּ לַחוּפָּה, בְּכַמָּה מִינֵי נִגּוּנָא, צְרִיכִין יִשְׂרָאֵל לְאִתְעָרָא לוֹן לְתַתָּא, בְּשִׁירוֹת וְתִשְׁבָּחוֹת, בְּכָל מִינֵי נִגּוּנָא בִּצְלוֹתָא, הָא קָא אַתְיָין לַחוּפָּה.

שלו. וּצְרִיכִין יִשְׂרָאֵל לְמֵיהַב קִדּוּשִׁין לְכַלָּה. מְזַוְּתָנָא, בְּקִשּׁוּרָא דִּתְפִלָּה דְּיָד, לְמֶהֱוֵי קְשִׁירָא לֵיהּ, וּלְעַטְּרָא לוֹן בִּתְפִילִין דְּרֵישָׁא, דְּאִיהוּ פְּאֵר, הה"ד, פְּאֵרְךָ חֲבוּשׁ עָלֶיךָ. וּתְלַת כְּרִיכִין דִּרְצוּעָה, לְקַבֵּל ג' קְדוּשׁוֹת, דְּאִינּוּן קָדוֹשׁ קָדוֹשׁ קָדוֹשׁ, קְדוּשָּׁה לְךָ יְשַׁלֵּשׁוּ. וְצָרִיךְ לְבָרְכָא לוֹן בְּשֶׁבַע בִּרְכָאן, דְּאִינּוּן שֶׁבַע בִּרְכוֹת דק"ש, בַּשַּׁחַר שְׁתַּיִם לְפָנֶיהָ וְאַחַת לְאַחֲרֶיהָ. וּבָעֶרֶב שְׁתַּיִם לְפָנֶיהָ וּשְׁתַּיִם לְאַחֲרֶיהָ.

שלז. וְכַלָּה בְּחוּפָּה, דְּאִיהִי בְּדִיּוּקְנָא דְּכַנְפֵי מִצְוָה, בְּצִיצִיּוֹת מְוּזְהָבוֹת, וּתְכֵלֶת וְלָבָן, כִּסֵּא דִּין וְכִסֵּא רַחֲמִים, כְּלִיל דָּא בְּדָא. וְכַמָּה קְשָׁרִים וְחֻלְיָין, סְחֲרָנֵיהּ. בְּכַמָּה מַרְגְּלָאן וְאַבְנִין יַקִּירִין, מְלִיָין סְגוּלוֹת, סַחֲרִין לְגַבֵּיהּ, כְּדִיּוּקְנָא דְּזָגִין וְרִמּוֹנִין, דִּלְבוּשֵׁי מַלְכָּא וּמַטְרוֹנִיתָא, דְּאִינּוּן ד' בִּגְדֵי לָבָן, וְד' בִּגְדֵי זָהָב, מִסִּטְרָא דִּתְרֵין שְׁמָהָן, יְדֹוָ"ד אֲדֹנָ"י, כִּשְׁמוֹ כֵּן כִּסְאוֹ, כֵּן חוּפָּתוֹ, כֵּן לְבוּשׁוֹ. רָשִׁים שְׁמֵיהּ בְּכֹלָּא, כַּד בָּעֵי לְאַעֲלָא בְּהֵיכָלֵיהּ, לְמֶהֱוֵי תַּמָּן חָתָן בְּכַלָּתֵיהּ, בְּח"י בִּרְכָאן דִּצְלוֹתָא, דְּאִיהִי כְּמַרְאֵה הַקֶּשֶׁת.

שלח. אֵין דּוֹרְשִׁין בְּמֶרְכָּבָה בְּיָחִיד, בְּגִין דְּהַדּוֹרֵשׁ לְיָחִיד, עִמֵּיהּ הָא אִינּוּן שְׁנַיִם בִּדְרָשָׁא. וְלָא צָרִיךְ תַּמָּן לְמִשְׁמַע קָלָא בִּצְלוֹתֵיהּ. אֶלָּא רַק שְׂפָתֶיהָ נָעוֹת וְקוֹלָהּ לֹא יִשָּׁמֵעַ, וּבְהַאי רָזָא וְהַזָּר הַקָּרֵב יוּמָת. וְהָכִי בִּצְלוֹתָא כָּל חַד מְצַלֵּי בְּחֲשָׁאי, דְּלָא אִשְׁתְּמַע צְלוֹתֵיהּ לְגַבֵּי חַבְרֵיהּ. כְּגַוְונָא מַאן דְּדָרִישׁ לְחַבְרֵיהּ, וְיַשְׁתִּיק דִּבּוּר לְגַבֵּיהּ, לָא צָרִיךְ לְמֶעְבַּד אֶלָּא דִּבּוּר בַּחֲשָׁאי, דְּלָא יִשְׁמַע חַבְרֵיהּ. וּבְגִ"ד אוּקְמוּהָ רַבָּנָן, כָּל הַמַּשְׁמִיעַ קוֹלוֹ בִּתְפִלָּתוֹ, ה"ז מִקְּטַנֵּי אֲמָנָה.

שלט. וּבְגִ"כ חֵיוָון אֶשָּׁא לְעֵילָּא, מְמַלְּלָן כְּעַנְפִּין דְּאִילָנָא, דַּהֲווּ מִתְקַבְּצִין תַּמָּן, בִּמְזֻמְּנֵי חָתָן וְכַלָּה. בְּאָן אֲתַר. בק"ש, דְּתַמָּן וָאֶשְׁמַע אֶת קוֹל כַּנְפֵיהֶם. דְּאִינּוּן ס"ד לד' גַּדְפִין, ד' זִמְנִין ס"ד, סַלְּקִין רנ"ו. וְהַאי אִיהוּ, רָנּוּ לְיַעֲקֹב שִׂמְחָה. אֵימָתַי. לְבָתַר דְּנָטִיל נוּקְמָא מִשַּׂנְאוֹי, וְיוֹקִיד טַעֲוָון דִּלְהוֹן, הה"ד וּבַאֲבוֹד רְשָׁעִים רִנָּה.

שמ. וְתַלְיָין ס"ד, מִן תְּמַנְיָא א"ז. וְהָכִי ס"ד מִתְמַנְיָא א"ז לד' סִטְרִין, רנ"ו. וְכַד מָטֵי לל"ב, דְּאִינּוּן א"ז א"ז א"ז א"ז, דְּאִינּוּן ו"ז ו"ז ו"ז ו"ז, אִתְחַבַּר י' לְכָל סְטַר, לְמֶהֱוֵי ו"י יְהֹוָ"ה, בְּח"י בִּרְכָאן דִּצְלוֹתָא, דְּאִית בְּהוֹן ו"י זִמְנִין יְדֹוָ"ד, דְּסַלְּקִין ע"ב. בְּהַהוּא זִמְנָא דְּמִתְחַבְּרָא יְהֹוָ"ה בַּאֲדֹנָ"י בְּח"י עָלְמִין יְאַהֲדֹוָנָהִ"י, מִיַּד חֵיוָן דְּאֵשׁ חָשׁוֹת. מַה כְּתִיב בְּהוֹן. בְּעָמְדָם תְּרַפֶּינָה כַנְפֵיהֶם, בְּעָמְדָם יִשְׂרָאֵל בִּצְלוֹתָא, תְּרַפֶּינָה כַנְפֵיהֶם, דְּלָא יִשְׁתְּמוֹדְעוּן עַד הַהִיא שַׁעֲתָא.

שמא. וְהַאי אִיהוּ רַק שְׂפָתֶיהָ נָעוֹת. דְּאִינּוּן כַּנְפֵי הַחַיּוֹת, וְקוֹלָהּ לֹא יִשָּׁמֵעַ. מַה דַּהֲוֵי חַשְׁמַל, חֵיוָן אֶשָּׁא מְמַלְּלָן, אִינּוּן חָשׁוֹת. וּבְגִ"ד תַּקִּינוּ צְלוֹתָא בַּחֲשָׁאי, וְהָכִי מַעֲשֵׂה מֶרְכָּבָה בַּחֲשָׁאי, לְמַלָּלָא תַּמָּן בַּחֲשָׁאי, בֵּינוֹ לְבֵין עַצְמוֹ. ג' צְלוֹתִין תַּקִּינוּ, וּבְכֻלְּהוּ ו"י יְהֹוָ"ה, דְּאִינּוּן ע"ב אַתְוָון, בְּכָל צְלוֹתָא, בִּתְמַנֵּי סְרֵי בִּרְכָאן, דְּאִינּוּן רי"ו, וְכָלִילָן בְּחֶסֶד, בְּע"ב, עִם ל"ב נְתִיבוֹת, וְהַיְינוּ ר"ן וְחַסְרִין ב'. דִּכְלִילָן בְּעַמּוּדָא דְּאֶמְצָעִיתָא.

שמב. דְמִקָּרְבְּנָא אִשְׁתְּמַע צְלוֹתָא, צְלוֹתָא מִקָּרְבְּנָא. כְּגַוְונָא דְאִתְּמַר בְּהוֹן, וָאֶשְׁמַע אֶת קוֹל כַּנְפֵיהֶם. הָכִי בַּכְּרוּבִים, וַיִּשְׁמַע אֶת הַקּוֹל מִדַּבֵּר אֵלָיו. כְּגַוְונָא דְכֶבֶשׂ סַלְּקִין וְנַחְתִּין בֵּיהּ קָרְבְּנִין וְעִלָּוון. הָכִי בִּצְלוֹתָא, מַלְאֲכִין סַלְּקִין תְּרֵי וְנַחְתֵּי תְּרֵי. וּכְגַוְונָא דְסִינַי, דְבֵיהּ מֹשֶׁה וְאַהֲרֹן סַלְּקִין וְנַחְתִּין, סַלְּקִין תְּרֵין וְנַחְתִּין ב'. וּבְפִקּוּדָא דָא, אִתְרְמִיזוּ כָּל פִּקּוּדִין דְאוֹרַיְיתָא.

שמג. וְהָכִי כַּד הֲוָה פָּתַח ר"ע בְּמַעֲשֵׂה מֶרְכָּבָה, פּוּמֵיהּ הֲוָה סִינַי, וְקַלֵּיהּ הֲוָה סֻלָּם, דְבֵיהּ מַלְאֲכִין סַלְּקִין וְנַחְתִּין. בְּכָל דִּבּוּר וְדִבּוּר דִּילֵיהּ, הֲוָה רָכִיב עָלֵיהּ מַלְאָךְ מְטַטְרוֹ"ן. אִיהוּ רֶכֶב לִשְׁכִינְתָּא, דִּכְלִילָא בֵּיהּ סְפִירָן עַמּוּדָא דְאֶמְצָעִיתָא, דְּאִיהוּ יו"ד ה"א וא"ו ה"א מִלְּגוֹ. דִּשְׁכִינְתָּא כְּלִילָא מִי' סְפִירָן, דִּלְבַר. וְקוּדְשָׁא בְּרִיךְ הוּא וּשְׁכִינְתֵּיהּ, רֶכֶב וּמֶרְכָּבָה. עַמּוּדָא דְאֶמְצָעִיתָא, רֶכֶב לְעִלַּת הָעִלּוֹת. וּשְׁכִינְתֵּיהּ, רֶכֶב לְעַמּוּדָא דְאֶמְצָעִיתָא. וְעִלַּת הָעִלּוֹת אִיהוּ דִּמְיַיחֵד לְכֹלָּא, וּמְסַדֵּר לְכֹלָּא, וְנָהִיר בְּכֹלָּא. נְהוֹרֵיהּ אַעֲבַר בְּנִשְׁמְתָא וְגוּפָא וּלְבוּשָׁא. וְלֵית בֵּיהּ שִׁנּוּי וְשׁוּתָפוּ וְזוּשְׁבָן וּתְמוּנָה וְדִמְיוֹן מִכָּל מֶרְכַּבְתָּא, וּמַרְאֶה וְדִמְיוֹן דְּאִתְחַזְיָיא בְּעֵין הַשֵּׂכֶל. דַּרְגִּין עִלָּאִין וְתַתָּאִין, אִינּוּן רֶכֶב וּמֶרְכַּבְתָּא לְגַבֵּיהּ, וְעָלֵיהּ לֵית מַאן דְּרָכִיב.

שמד. קֶשֶׁת, סִימַן תְּקִיעָה שְׁבָרִים תְּרוּעָה. וְאִינּוּן סִימַן מֶרְכָּבָה דַּאֲבָהָן. תְּקִיעָה, דְּאַבְרָהָם. שְׁבָרִים, דְּיִצְחָק. תְּרוּעָה, דְּיַעֲקֹב. דְּאִתְּמַר בֵּיהּ וּתְרוּעַת מֶלֶךְ בּוֹ. וְג' גַּוְונִין אִתְחַזְיָין בֵּיהּ, חִוָּור סוּמָק וְיָרוֹק. וּמִסִּטְרָא דִּגְבוּרָה, אִתְקְרֵי קֶשֶׁת גִּבּוֹרִים חַתִּים. וּמִסִּטְרָא דִּימִינָא, כְּמַרְאֵה הַקֶּשֶׁת אֲשֶׁר יִהְיֶה בֶעָנָן בְּיוֹם הַגֶּשֶׁם. כַּד אִתְחֲזֵי בְּיוֹם הַגֶּשֶׁם, אַחֲזֵי רַחֲמֵי. וְכַד אִתְחֲזֵי בְּלָא מִטְרָא, אַחֲזֵי דִּינָא. מְעוֹרָב בֵּין מִטְרָא וְשִׁמְשָׁא, אַחֲזֵי דִּינָא וְרַחֲמֵי כָּלִיל. וְהַאי אִיהוּ ש' מִן שַׁדַּי, תְּלַת עַנְפֵי אֲבָהָן, דְּאִינּוּן יְדֹוָ"ד אֱלֹהֵי"נוּ יְדֹוָ"ד, תְּלַת שְׁמָהָן לְקַבֵּל תְּלַת עַנְפֵי אֲבָהָן. וּבְהוֹן י"ד אַתְוָון, בְּחוּשְׁבַּן ד"י מִן שַׁדַּי. וּלְבוּשׁ דְּשַׁדַּי, מְטַטְרוֹן, דְּהָכִי סָלִיק בְּחוּשְׁבַּן שַׁדַּי. (ע"כ רעיא מהימנא).

שמה. אר"ש, מַאן דְּפָתַח פִּתְחָא יֵימָא. א"ר אֶלְעָזָר, תָּנֵינָן, כָּל מַאן דְּאָמַר תְּהִלָּה לְדָוִד בְּכָל יוֹם תְּלַת זִמְנִין, אִיהוּ בַּר עָלְמָא דְאָתֵי. וְהָא אִתְּמַר טַעֲמָא. אִי בְּגִין פַּרְנָסָה וּמְזוֹנָא דְּכָל עָלְמִין, תְּרֵין זִמְנִין אִינּוּן בְּכָל יוֹמָא בְּצַפְרָא וּבְפַנְיָיא, דִּכְתִיב בְּתֵת יְיָ' לָכֶם בָּעֶרֶב בָּשָׂר וְגוֹ', אַמַּאי תְּלַת זִמְנִין בְּכָל יוֹמָא. אֶלָּא תְּרֵין לִמְזוֹנָא דִּבְנֵי אִינָשֵׁי וּדְכָל עָלְמָא. וְחַד לְמֵיהַב תּוּקְפָּא לְהַהוּא אֲתָר דִּפְתִיחוּ יְדוֹי.

שמו. וּתְרֵין מְזוֹנִין אִלֵּין מְשַׁנְיָין דָּא מִן דָּא, וְכֻלְּהוּ תְּלַת מְזוֹנֵי כְּתִיבֵי הָכָא, וְאַתָּה נוֹתֵן לָהֶם אֶת אָכְלָם בְּעִתּוֹ, דָּא מְזוֹנָא דַּעֲתִירֵי, דְּיָהִיב מֵיכְלָא סַגֵּי בְּעִתּוֹ, הָא חַד. תְּרֵין, דִּכְתִיב וּמַשְׂבִּיעַ לְכָל חַי רָצוֹן, דָּא מְזוֹנָא דְּמִסְכְּנֵי, דְּאִינּוּן שְׂבֵעִין מֵרָצוֹן, וְלָא מִגּוֹ מֵיכְלָא סַגֵּי. תְּלַת דִּכְתִיב פּוֹתֵחַ אֶת יָדֶךָ, דָּא תּוּקְפָּא לְהַהוּא אֲתָר, וּבִפְתִיחוּ דִּידוֹי, נַפְקָא רָצוֹן וְשַׂבְעָא לְכֹלָּא.

שמז. תּוּ הָכִי אוּלִיפְנָא, דְּלָא אִיהוּ אֶלָּא תְּרֵי זִמְנֵי, בְּגִין מְזוֹנָא וּפַרְנָסָה בְּכָל יוֹמָא. דְּאִלֵּין חִיּוּבָא עַל ב"נ. וְאִי אָמַר יַתִּיר, לָאו בְּגִין חוֹבָה אִיהוּ, אֶלָּא בְּגִין שְׁבָחָא גּוֹ תּוּשְׁבְּחָן דִּזְמִירוֹת דְּדָוִד מַלְכָּא. מ"ט. בְּגִין דְּפַרְנָסָה לָא וְחֲזֵי לְמִשְׁאַל אֶלָּא בָּתַר צְלוֹתָא וּפַרְנָסָה דְּמָארֵיהּ. מַלְכָּא יֵיכוּל בְּקַדְמֵיתָא וּלְבָתַר יֵיכְלוּן עַבְדוֹי.

שמח. הה"ד, בָּאתִי לְגַנִּי אֲחוֹתִי כַלָּה אָכַלְתִּי יַעְרִי עִם דִּבְשִׁי שָׁתִיתִי יֵינִי עִם חֲלָבִי, לְבָתַר אִכְלוּ רֵעִים. אָכַלְתִּי יַעְרִי, דָּא צְלוֹתָא דִּמְיוּשָׁב. עִם דִּבְשִׁי דָּא ק"ש. אָכַלְתִּי

יערי דא צלותא דמיושב, ההוא יער לבנון, יוצר אור והאופנים וחיות הקדש, כל הני אקרון יער אילנין ונציבין דביה. עם דבשי דא ק"ש, דאיהו מתיקו דכלא, בכמה צופין ומתיקין.

שמט. שתיתי ייני, דא צלותא, דמעומד, משיכו דיינא עלאה דאתנטר. ודא בשלש ברכות ראשונות. עם חלבי, אלין אינון שלש ברכות אחרונות, ואתכלילן אלין באלין. עד כען מיכלא דמלכא. לבתר דאכל מלכא, אכלו רעים לעילא, שתו ושכרו דודים לתתא.

שנ. ועו"ד לית זיווגא דמזונא אלא לבתר צלותא. בצלותא דמנחה קודם צלותא מ"ט. בגין דעד לא אשתכחו דינא קשיא, בעוד דאנפין דמלכא נהירין, יימא תהלה לדוד, בהאי סדורא דמזונא. דלבתר דדינא שריא ותלי על עלמא, לאו שעתא איהו. אתא ר' פנחס ונשקיה.

שנא. אמר רבי יהודה, לימא לן מר, מלין מעליתא דראש השנה. פתח רבי שמעון ואמר ויהי היום. בכל אתר דכתיב ויהי, איהו צער, ויהי בימי צער. ודאי, ויהי היום, יומא דאית ביה צער, ודא הוא ראש השנה, יומא דאית ביה דינא קשיא על עלמא. ויהי היום ויעבר אלישע אל שונם, יומא דראש השנה הוה. ובכל אתר ויהי היום, דא ראש השנה. ויהי היום ויבאו בני האלהים, יום ראש השנה הוה.

שנב. בכל זמנא תרין יומין אינון, מאי טעמא. בגין, דלהוי יצחק כליל דינא ורחמי, תרין יומין ולא חד. דאלמלא ישתכחו יחידאי, יחריב עלמא. ועל דא כתיב תרין זמנין, ויהי היום ויהי היום.

שנג. ויבאו בני האלהים, אלין ב"ד רברבא. בני האלהים ודאי, בנוי דמלכא קריבין לגביה. ואינון שבעין ממנן, דסחרין תדירא למלכא. ואינון חתכין דינא על עלמא. להתיצב על יי', וכי על יי' קיימי. אלא, בשעתא דאלין קיימי על דינא, דינא קדמאה דכלא ביה, מאן הוא. דלא יוקיר לשמא דקודשא בריך הוא, ודלא יוקיר לאורייתא ולעבדוי. אוף הכי, מאן הוא דלא חייש על יקרא דשמא קדישא, דלא יתחלל בארעא. מאן הוא דלא חייש ליקריה דקודשא בריך הוא, מאן הוא דלא שוי יקר לשמא דא. ויבא גם השטן בתוכם, גם, לרבות ההיא נוקבא דיליה. אוף הכי להתיצב על יי', דאיהו חייש נמי ליקרא דשמא דא.

שנד. הכא אפליגו עמודין קדמאין דעלמא. חד אמר, איוב מחסידי אומות העולם הוה. וחד אמר, מחסידי ישראל הוה. ואלקי, לכפרא על עלמא. דהא יומא חד אשכחיה רב המנונא לאליהו. א"ל, ודאי תנינן דאית צדיק ורע לו, רשע וטוב לו. אמר, צדיק, כל שממועטין לו חובותיו נותנין לו בעולם הזה חובו, ועל כן צדיק ורע לו. וכל שמרובין עוונותיו, וממועטין זכיותיו, נותנין לו שכרו בעולם הזה, רשע וטוב לו. א"ל, דינוי דמארי עלמא, עמיקין אבל בשעתא דבעי קודשא בריך הוא לכפרא חובין דעלמא, אלקי בדרועא דלהון, ואסי לכולהו מתל לאסייא, דאלקי לדרועא, לשיזבא לכל שייפין. כמה דכתיב, והוא מחולל מפשעינו וגו'.

שנה. כמה דאתמר, בההוא יומא של ראש השנה, דקיימין שבעין קתדראין למידן דינא לעלמא, כמה אינון מארי תריסין, קטיגורין, דקיימי לעילא. אלין מיימינין לזכו ואלין משמאלין לחובא, לאדכרא זכוון וחובין דעלמא, וחובין דכל חד וחד. ועל דא אצטריך לב"נ, לפרשא חובוי, כל חד וחד כמה דאיהו בגין דמאן דמפרש חטאוי, לא אתמסר דיניה,

אֶלָּא בִּידָא דְּמַלְכָּא קוּדְשָׁא בְּרִיךְ הוּא בִּלְחוֹדוֹי. וּמַאן דְּדָאִין לֵיהּ קוּדְשָׁא בְּרִיךְ הוּא, אִיהוּ לְטָב. וְעַ״ד בָּעָא דָּוִד מַלְכָּא, שָׁפְטֵנִי אֱלֹקִים, אַנְתְּ, וְלָא אַחֲרָא. וְכֵן שְׁלֹמֹה אָמַר, לַעֲשׂוֹת מִשְׁפַּט עַבְדּוֹ, הוּא, וְלָא אַחֲרָא, וְכָל ב״ד בְּדִילֵיהּ מִמֶּנּוּ.

שנו. וְעַ״ד אִצְטְרִיךְ לוֹן לְפָרְשָׁא חוֹבִין דְּכָל שַׁיְיפָא וְשַׁיְיפָא, וְכָל מַה דְּעָבֵיד בִּפְרָט. הה״ד, וְחַטָּאתִי אוֹדִיעֲךָ וְגוֹ׳. לְבָתַר וְאַתָּה נָשָׂאתָ עֲוֹן חַטָּאתִי סֶלָה. מְנָלָן. מִמֹּשֶׁה, דִּכְתִּיב אָנָּא חָטָא הָעָם הַזֶּה וְגוֹ׳. בְּיִשְׂרָאֵל כְּתִיב, וְחָטָאנוּ כִּי עָזַבְנוּ אֶת יְיָ׳, דְּאִי תֵּימָא הַאי בְּיָחִיד, אֲבָל בְּצִבּוּר לָא. הָא כְּתִיב קְרָא דָּא. וְאִי תֵּימָא הָא בְּצִבּוּר, אֲבָל שְׁלִיחָא דִּלְהוֹן לָא, הָא כְּתִיב וַיָּשָׁב מֹשֶׁה אֶל יְיָ׳ וְגוֹ׳. וּכְתִיב וַיַּעֲשׂוּ לָהֶם וְגוֹ׳. מ״ט. מַאן דִּמְפָרֵשׁ חוֹבֵיהּ, בֵּי דִּינָא בְּדִילִין מִינֵּיהּ, בְּגִין דְּב״נ קָרִיב לְגַרְמֵיהּ, וְלָא אִתְדָּן עַל פּוּמֵיהּ.

שנז. וְתוּ, לָא שָׁבִיק לִמְקַטְרְגָא לְאוֹלְפָא עָלֵיהּ חוֹבָא מוּמָא. דְּבַר נָשׁ יַקְדִּים וְיֵימָא, וְלָא יָהִיב דּוּכְתָּא לְאַחֲרָא לְמֵימַר. כְּדֵין קוּדְשָׁא בְּרִיךְ הוּא מָחִיל לֵיהּ, הה״ד, וּמוֹדֶה וְעוֹזֵב יְרוּחָם.

שנח. בְּיוֹמֵי דר״ה, מְתַקְּנִין בֵּי דִּינָא כּוּרְסַיָּיא לְמַלְכָּא, לְמֵידָן כָּל עָלְמָא. וְיִשְׂרָאֵל עָאלִין בְּקַדְמֵיתָא בְּדִינָא קַמֵּיהּ, דְּלִיפּוּשׁ רַחֲמֵי. תְּנָן וּמִשְׁפַּט עַמּוֹ יִשְׂרָאֵל דְּבַר יוֹם בְּיוֹמוֹ, יוֹם בְּיוֹמוֹ מַאי הוּא. אֶלָּא הָנֵי תְּרֵי יוֹמִין דר״ה. אַמַּאי תְּרֵי יוֹמִין. בְּגִין דְּאִינּוּן תְּרֵי בֵּי דִּינָא, דְּמִתְחַבְּרָן כַּחֲדָא. דִּינָא עִלָּאָה, דְּאִיהוּ קַשְׁיָא, בְּדִינָא תַּתָּאָה, דְּאִיהוּ רַפְיָא, וְתַרְוַויְיהוּ מִשְׁתַּכְחֵי.

שנט. וְעַל דָּא לָא יַדְעֵי הָנֵי בַּבְלָאֵי, רָזָא דְּיַבָּבָא וִילָלוּתָא, וְלָא יַדְעֵי דְּתַרְוַויְיהוּ אִצְטְרִיכוּ, יְלָלוּתָא דְּאִיהוּ דִּינָא תַּקִּיפָא. תְּלַת תְּבִירִין דְּאִיהוּ דִּינָא רַפְיָא, גְּנוּחֵי גָּנַח רַפְיָא. אִינּוּן לָא יַדְעֵי, וְעַבְדִּין תַּרְוַויְיהוּ. וַאֲנַן יַדְעִינָן, וְעַבְדִּינָן תַּרְוַויְיהוּ. וְכֹלָּא נָפְקִין לְאֹרַח קְשׁוֹט.

שס. פָּתַח וְאָמַר, תִּקְעוּ בַחֹדֶשׁ שׁוֹפָר בַּכֶּסֶה לְיוֹם חַגֵּנוּ. תִּקְעוּ בַחֹדֶשׁ שׁוֹפָר, מַאי בַּחֹדֶשׁ. דָּא בֵּי דִּינָא רַפְיָא, דְּאִקְרֵי חֹדֶשׁ. בַּכֶּסֶה: דָּא דִּינָא קַשְׁיָא, פַּחַד יִצְחָק. דִּינָא דְּאִתְכַּסְיָא תָּדִיר, דְּלָאו אִיהוּ דִּינָא בְּאִתְגַּלְיָיא. כִּי חֹק, דָּא דִּינָא רַפְיָא. וּמִשְׁפָּט, דָּא דִּינָא בְּרַחֲמֵי. וְתַרְוַויְיהוּ אִינּוּן כַּחֲדָא. בְּגִ״כ תְּרֵין יוֹמִין, וְתַרְוַויְיהוּ בְּרָזָא חֲדָא.

שסא. אַשְׁרֵי הָעָם יוֹדְעֵי תְרוּעָה וְגוֹ׳, לָא כְּתִיב שׁוֹמְעֵי, אוֹ תּוֹקְעֵי תְּרוּעָה, אֶלָּא יוֹדְעֵי תְרוּעָה. בְּגִין וְחַכִּימִין דְּדַיְירִין בַּאֲוִירָא דְּאַרְעָא קַדִּישָׁא, אִינּוּן יָדְעֵי תְּרוּעָה. רָזָא דִּתְרוּעָה, כְּמָה דִּכְתִיב תְּרוֹעֵם בְּשֵׁבֶט בַּרְזֶל. מַאן עַמָּא כְּיִשְׂרָאֵל, דְּיַדְעִין רָזִין עִלָּאִין דְּמָארֵיהוֹן, לְמֵיעַל קַמֵּיהּ, וּלְאִתְקַשְּׁרָא בֵּיהּ. וְכָל אִינּוּן דְּיַדְעֵי רָזָא דִּתְרוּעָה, יִתְקָרְבוּן לְמֵיהַךְ בְּאוֹר פָּנָיו דְּקוּדְשָׁא בְּרִיךְ הוּא. וְדָא אוֹר קַדְמָאָה דְּגָנִיז קוּדְשָׁא בְּרִיךְ הוּא לְצַדִּיקַיָּיא. וְעַ״ד אִצְטְרִיךְ לְמִנְדַּע לָהּ.

שסב. כְּתִיב הַיּוֹתֶרֶת מִן הַכָּבֵד. וּכְתִיב וְאֶת הַיּוֹתֶרֶת עַל הַכָּבֵד. יוֹתֶרֶת מִן הַכָּבֵד, דָּא אֵשֶׁת זְנוּנִים, דְּאָזְלָא וְנָפְקָא מִן הַכָּבֵד, לְאַסְטָאָה בְּנֵי עָלְמָא, וּלְאַסְטְנָא עֲלַיְיהוּ. וְשַׁבְקַת לִדְכוּרָא, לְמֶעְבַּד זְנוּנִים. וּבְגִ״ד הַיּוֹתֶרֶת מִן הַכָּבֵד, יוֹתֶרֶת עַל הַכָּבֵד. בָּתַר דְּעַבְדַת נִיאוּפָא, אִסְתָּלְקַת עָלֵיהּ. מֵצַח אִשָּׁה זוֹנָה. אִתְגַּבְּרַת עַל בַּעְלָהּ דְּאִיהוּ כָּבֵד, בְּכַעַס דְּמָרָה, אֵשֶׁת מְדָנִים, וָכַעַס, דְּשַׁלְטָא אִיהִי עַל דְּכוּרָא דִּילָהּ. מֵצַח אִשָּׁה זוֹנָה שַׁלְטָא עַל הַכָּבֵד, אֵשֶׁת מְדָנִים וָכַעַס.

שסג. יוֹתֶרֶת מִן הַכָּבֵד, מִן הַכָּבֵד נָפְקָא לְאַבְאָשָׁא לְכָל עָלְמָא, וּלְמֶעְבַּד נִיאוּפִין עִם כֹּלָּא. לְבָתַר אִיהִי סַלְקָא לְגַבֵּי דְּכוּרָא, מֵצַח אִשָּׁה זוֹנָה, בְּעַזּוּתָא דְּאַנְפִּין, וּכְדֵין

אִיהִי עַל הַכָּבֵד. וְעוֹד, יוֹתֶרֶת מִן הַכָּבֵד אִתְקְרִיאַת מִסִּטְרָא אַחֲרָא, בָּתַר דְּנַפְקַת לְנָאֳפָא עִם כַּלָּא, יְהִיבַת שִׁיּוּרִין לְבַעְלָהּ, וְהַאי אִיהִי יוֹתֶרֶת מִן הַכָּבֵד.

שסד. מִגּוֹ כָּבֵד, וְיוֹתֶרֶת דִּילֵיהּ, נַפְקַת מָרָה, וְאִיהִי חַרְבָּא דְּמַלְאַךְ הַמָּוֶת, דְּנַפְקוּ מִנָּהּ טִפִּין מְרִירָן לְקַטְלָא בְּנֵי נָשָׁא. הה"ד, וְאַחֲרִיתָהּ מָרָה כַלַּעֲנָה. וְאִיהִי תַּלְיָא בְּכָבֵד, כָּל מַרְעִין וּמוֹתָא בֵּיהּ תַּלְיָין. וְהַהוּא יוֹמָא דר"ה מְשַׁטְּטָא בְּעָלְמָא, לְמִכְנַשׁ כָּל חוֹבֵי עָלְמָא וּכְדֵין כָּל אֵבָרִין דְּאִינּוּן יִשְׂרָאֵל, אִינּוּן בְּעָאקוּ, דְּאִינּוּן אֵבָרֵי דְּמַטְרוֹנִיתָא, נֵר יְיָ' נִשְׁמַת אָדָם, שְׁכִינְתָּא קַדִּישָׁא. וּכְדֵין כָּל יִשְׂרָאֵל בְּעָאקוּ, וְנַטְלֵי שׁוֹפָר לְאִתְעָרָא בֵּיהּ הַהוּא תְּקִיעָה וּשְׁבָרִים וּתְרוּעָה.

רַעְיָא מְהֵימְנָא

שסה. אָמַר רַעְיָא מְהֵימְנָא, וַדַּאי בָּתַר דְּאֵבָרִים וְעַרְקִין דְּלִבָּא, דְּדַמְיָין לְיִשְׂרָאֵל, אִינּוּן בְּעָאקוּ. צְרִיכִין לְאִתְעָרָא בְּקָנֶה, דְּאִיהוּ שׁוֹפָר. וְדָא קָנֶה דְּרֵיאָה. בָּתַר דְּכַנְפֵי רֵיאָה לָא יַכְלִין לְשַׁכְּכָא רוּגְזָא דְּמָרָה דְּאִתְגַּבְּרַת עַל עַרְקִין דְּלִבָּא, וְעַל כָּל עַרְקִין דְּאֵבָרִים דְּגוּפָא. הַהוּא רוּחָא דְּנָשִׁיב בְּהוֹן, סָלִיק בְּקָנֶה, דְּאִיהוּ שׁוֹפָר, עָלְמָא דְּאָתֵי. דְּהָכִי אוֹקְמוּהָ, וֶשֶׁט, דּוֹמֶה לְעָלְמָא דֵּין, דְּבֵיהּ אֲכִילָה וּשְׁתִיָּה. קָנֶה, דּוֹמֶה לְעָלְמָא דְּאָתֵי, דְּלֵית בֵּיהּ אֲכִילָה וּשְׁתִיָּה.

שסו. וּלְבָתַר דְּשַׁט ו' מִן וֶשֶׁט, בְּרִבּוּי אֲכִילָה דְּגֶזֶל אִתְאֲרַךְ וְאִתְעֲבִיד שָׂטָן. וּמַאן גָּרִים דָּא. שָׁטוּ הָעָם וְלָקְטוּ שְׁטוּתָא דִּלְהוֹן, דְּאִתְעָרְבוּ בְּעֵרֶב רַב שְׁטַיָּין, דְּתַאֲוָה דִּלְהוֹן אֲכִילָה וּשְׁתִיָּה דְּגֶזֶל וְחָמָס, דְּשׁוֹד עֲנִיִּים וְאֶנְקַת אֶבְיוֹנִים. כְּגוֹן כְּפוּפָה שְׁטַיָּין, דְּאָכְלִין בְּלָא טְחִינָה. מַה כְּתִיב בְּהוּ, הַבָּשָׂר עוֹדֶנּוּ בֵּין שִׁנֵּיהֶם טֶרֶם יִכָּרֵת וְאַף יְיָ' חָרָה בָעָם. אִתְפְּשַׁט ו' דְּשָׁטוּ, אִיהוּ דְּרוּוְחֵיהּ כָּפוּף, וְאִיהוּ נ'. וְדָא גָּרַם דְּאִתְפְּשַׁט שָׂטָן בַּאֲכִילָה וּשְׁתִיָּה, וְאִתְגַּבַּר עַל כָּל אֵבָרִין וְעַרְקִין בְּשַׁ"ה לֹא תַעֲשֶׂה. כְּחוּשְׁבַּן הַשָּׂטָ"ן חָסֵר וְחַד, דָּא יוֹם הַכִּפּוּרִים, דְּלֵית בֵּיהּ אֲכִילָה וּשְׁתִיָּה.

שסז. וְאִיהוּ כְּגַוְונָא דְּקָנֶה, וְאִיהוּ ו' בֶּן יָ"הּ, מִן בִּינָה. וּבְגִינֵיהּ אוֹקְמוּהָ מָארֵי מַתְנִיתִין, הָרוֹאֶה קָנֶה בַּחֲלוֹם, זוֹכֶה לְחָכְמָה. הה"ד, קְנֵה חָכְמָה קְנֵה בִינָה. דְּלֵית קָנֶה דְּאִיהוּ פָּנוּיָה מִתַּרְוַויְיהוּ, דְּאִינּוּן י' חָכְמָה, ה' בִּינָה. וּבְגִ"ד, צָרִיךְ לְאִתְעָרָא בְּשׁוֹפָר, דְּאִיהוּ קָנֶה, עָלְמָא דְּאָתֵי, עוֹלָם אָרוֹךְ, אֶרֶךְ אַפַּיִם, דְּמִשְׁתַּכְּחֵי מִינֵּיהּ י"ג מְכִילִין דְּרַחֲמֵי, כְּחוּשְׁבַּן וא"ו, א' אֶרֶךְ, ו' ו' אַפַּיִם.

שסח. וְאִימָּא עִלָּאָה אִיהִי תְּקִיעָה, מִסִּטְרָא דְּאַבְרָהָם. שְׁבָרִים, מִסִּטְרָא דְּיִצְחָק. תְּרוּעָה, מִסִּטְרָא דְּיַעֲקֹב. שְׁכִינְתָּא תַּתָּאָה, קֶשֶׁר דְּכֻלְּהוּ. דְּהַיְינוּ: ק' תְּקִיעָה. ש' שְׁבָרִים. ר' תְּרוּעָה. וְכֻלְּהוּ מְשַׁלְּשִׁין לְגַבֵּי שְׁכִינְתָּא, הה"ד, קְדוּשָּׁה לְךָ יְשַׁלֵּשׁוּ. דְּלֵית קָלָא יָכִיל לְנָפְקָא לְבַר, אֶלָּא מִן הַפֶּה. אוֹף הָכִי, לֵית לְאַפְרְשָׁא שְׁכִינְתָּא מִן קוּדְשָׁא בְּרִיךְ הוּא. דְּקוּדְשָׁא בְּרִיךְ הוּא אִתְּמַר בֵּיהּ, קוֹל יְיָ' חוֹצֵב לַהֲבוֹת אֵשׁ. וּשְׁכִינְתָּא תְּפִלַּת כָּל פֶּה. וְאִינּוּן סִימָנִין, קשר"ק קש"ק קר"ק. (עַד כָּאן).

שסט. נַטְלִין שׁוֹפָר, לְאִתְעָרָא בֵּיהּ, תְּרוּעָה וּתְקִיעָה, דִּינָא קַשְׁיָא בְּרַחֲמֵי, וּשְׁבָרִים דִּינָא רַפְיָא בְּרַחֲמֵי וּכְדֵין הָכִי יִתְעָרוּ לְעֵילָּא לְאִתְעָרְבָא דָּא בְּדָא.

שע. וּבְחִבּוּרָא קַדְמָאָה, אָמַר רַעְיָא מְהֵימְנָא, בְּהַאי אִתְבַּסַּם שָׂטָן, וְקָמִיט נוּ"ן מִן וֶשֶׁט, מַה דַּהֲוָה שָׂטָן לְפָנִים, תָּב לַאֲחוֹרָא, וְאִתְהַדַּר וֶשֶׁט, כִּדְבְקַדְמֵיתָא. בְּגִין דְּהַקּוֹל קוֹל יַעֲקֹב. יִשְׂרָאֵל לֵית חֵילֵיהוֹן בַּאֲכִילָה וּשְׁתִיָּה, כִּשְׁאָר עַמִּין, דְּיָרְתִין עָלְמָא דֵּין,

דְּחֵילֵיהוֹן בַּאֲכִילָה וּשְׁתִיָּה. אֶלָּא חֵילֵיהוֹן בְּקוֹל דָּא, דְּאִיהוּ עָלְמָא דְּאָתֵי, עוֹלָם אָרוֹךְ, דְּאִתְקְרֵי בְּאָת יו״ד, וּבְגִין דְּקוֹל שׁוֹפָר מִנֵּיהּ נָפִיק, אָמְרוּ רַבָּנָן אֵין פּוֹחֲתִין מֵעֲשָׂרָה שׁוֹפָרוֹת. וּבְאוֹת י׳ וַדַּאי, אִתְעֲבִיד עוֹלָם אָרוֹךְ, דְּאִיהוּ ו׳ עָלְמָא דְּאָתֵי וּבְאָת ה׳, בָּרָא עָלְמָא דֵּין, דְּאִיהִי ה׳ זְעֵירָא, דְּבָהּ אֲכִילָה וּשְׁתִיָּה דְּאוֹרַיְיתָא.

שעא. וְעוֹד רָזָא אַחֲרָא, בָּתַר דְּאִתְגְּזַר גְּזֵרָה בִּתְרֵין אַתְוָון, דְּאִינּוּן ה׳ ה׳, תְּרֵין בָּתֵּי דִּינִין, מַאן יָכִיל לְבַטְּלָא גְּזֵרָה דִּתְרַוַויְיהוּ. י״ו. דְּאָת הֵ״א אִימָּא עִלָּאָה. י׳ אַבָּא. וּמַה כְּתִיב, כָּל נֵדֶר וְכָל שְׁבוּעַת אִסָּר לְעַנֹּת נָפֶשׁ, דְּאִיהִי ה׳, אִישָׁהּ יְקִימֶנּוּ וְאִישָׁהּ יְפֵרֶנּוּ. וּבְגִ״ד, צָרִיךְ לְאִתְעָרָא קָלָא דְּאִיהוּ ו׳, בַּעֲשָׂרָה שׁוֹפָרוֹת, דְּאִינּוּן י׳. וְעִקָּרָא דִּלְהוֹן בִּנְשִׁימָה אַחַת, כָּל סִימָן וְסִימָן, בַּפֶּה, דְּאִיהִי י׳ מֵעֲשָׂרָה.

שעב. מִיַּד דְּשָׁמְעוּ מִלִּין ר״ש וְכָל חַבְרַיָּיא, אָמְרוּ, בְּרִיךְ אֱלָהָא דְּזָכֵינָא לְמִשְׁמַע מִלִּין, מֵהַהוּא דְּאִתְקְרֵי רַבָּן שֶׁל נְבִיאִים, רַבָּן דַּחֲכָמִים, רַבָּן דְּמַלְאֲכֵי הַשָּׁרֵת, דְּקוּדְשָׁא בְּרִיךְ הוּא וּשְׁכִינְתֵּיהּ מְדַבֵּר עַל פּוּמוֹי, וְכָתַב עַל יְדוֹי רָזִין אִלֵּין, דְּלָא אִשְׁתְּמָעוּ כְּוָותַיְיהוּ מִמַּתַּן תּוֹרָה, וְעַד כְּעַן.

שעג. א״ל, בּוֹצִינָא קַדִּישָׁא, אַשְׁלִים מִלּוֹלֵי דְּרָזִין דְּחִבּוּרָא קַדְמָאָה, לְפָרְשָׁא לוֹן, דְּהָא כָּל מָארֵי מְתִיבְתָּאן דִּלְעֵילָּא, וּמָארֵי מְתִיבְתָּאן דִּלְתַתָּא, כֻּלְּהוּ מְזוּמָּנִין לְמִשְׁמַע מִלִּין אִלֵּין מִפּוּמָךְ, וּפֵירוּשִׁין דִּילָךְ. דְּהָא חֶדְוָה וּפוּרְקָנָא, יִתְעַר בְּהוֹן לְעֵילָּא וְתַתָּא. אַל תִּתְּנוּ דֳּמִי, לָא אַנְתְּ, וְכָל סִיַּעְתָּא דִּילָךְ. (ע״כ)

שעד. בִּתְרוּעָה וּתְקִיעָה וּשְׁבָרִים, אִתְבְּסַם כֹּלָּא דָּא בְּדָא. וְכָל מַה דְּהַהוּא כָּבֵד נָקִיט, אַקְרִיב לְגַבֵּי לֵב, דְּאִיהוּ מַלְכָּא, לְזַיְינָא. וְהַהוּא לֵב, לָאו אוֹרְזִיהּ, וְלָאו תִּיאוּבְתֵּיהּ, בַּעֲכִירוּ דְּעוֹבְדִין דְּעַמֵּיהּ. אֶלָּא נָקִיט כָּל בְּרִירוּ, וְכָל צַחוּתָא, וְכָל זַכְיָין, וְכָל עוֹבָדִין טָבִין. וְכָל הַהוּא עֲכִירוּ וְטִנּוּפִין וְלִכְלוּכָא דְּאִינּוּן עוֹבָדִין בִּישִׁין, אַנַּח לְכָבֵד. דְּאִתְּמַר בֵּיהּ, עֵשָׂו אִישׁ שָׂעִיר. וְכָל עַרְקִין דִּילֵיהּ, דְּאִינּוּן שְׁאָר עַמִּין עכו״ם. הה״ד, וְנָשָׂא הַשָּׂעִיר עָלָיו אֶת כָּל עֲוֹנֹתָם. מַאי עֲוֹנוֹתָם. עֲוֹנוֹת תָּם. דְּאִתְּמַר בֵּיהּ, וְיַעֲקֹב אִישׁ תָּם. וְחוֹבִין דְּעַמֵּיהּ דְּאִינּוּן עַרְקִין וְדַפְקִין דְּלִבָּא.

שעה. וּבְגִ״ד, שְׁחִין וְצָרַעַת וְסַפַּחַת, לְכָל אִינּוּן אֵבָרִין, מִכָּבֵד אִשְׁתְּכָחוּ, מֵאִילֵין לִכְלוּכִין דְּאִשְׁתָּאֲרוּ בֵּיהּ. מִלִּבָּא אָתֵי כָּל בְּרִיאוּתָא, לְכָל אֵבָרִין. דְּהָכִי הוּא, כֵּיוָן דְּלִבָּא נָטִיל כָּל זְכִיכוּ וּבְרִירָא וְצַחוּתָא. כָּבֵד נָטִיל כָּל מַה דְּאִשְׁתְּכַח וְאִשְׁתְּאַר מִן לִכְלוּכָא וְטִנּוּפָא. וְזָרִיק לְכָל שְׁאַר עַיְיפִין, דְּאִינּוּן שְׁאָר עַמִּין עכו״ם אַחֲרָנִין, בַּעַל כָּרְחַיְיהוּ. וּמִפְּסוֹלוֹת דִּפְסוֹלוֹת דְּכָבֵד, נָטַל טְחוֹל, דְּאִתְּמַר בֵּיהּ יְהִי מְאֵרֹת. מְאֵרַת יְיָ׳ בְּבֵית רָשָׁע.

רַעְיָא מְהֵימְנָא

שעו. עוֹד אָמַר בְּחִבּוּרָא קַדְמָאָה, אָמַר רַעְיָא מְהֵימְנָא, וְהָא אוֹקְמוּהָ רַבָּנָן עָלֵיהּ, טְחוֹל שׂוֹחֵק. וְאִיהוּ שְׂחוֹק הַכְּסִיל. וּבְגִ״ד, אוֹקְמוּהָ רַבָּנָן דְּמַתְנִיתִין, אוֹי לוֹ לְמִי שֶׁהַשָּׁעָה מְשַׂחֶקֶת לוֹ. וְקֹהֶלֶת אָמַר טוֹב כַּעַס מִשְּׂחוֹק. טוֹב כַּעַס דְּכָבֵד, דְּאִיהִי מָרָה, רְצוּעָה דְּקוּדְשָׁא בְּרִיךְ הוּא, רְצוּעָה לְאַלְקָאָה בָּהּ צַדִּיקַיָּיא בְּעָלְמָא דֵּין בְּמַרְעִין בִּישִׁין, בְּמַכְתָּשִׁין, מִשְּׂחוֹק דְּשָׂחִיק לוֹן בִּטְחוֹל, בְּלִכְלוּכָא דְּהַאי עָלְמָא, דְּשׂוֹחֵק לוֹן שַׁעְתָּא בַּעֲתִירָא. וְעוֹד, אֶרֶס דִּטְחוֹל אִיהוּ זָחִיל עָפָר, וְאִיהוּ תַּקִּיף יַתִּיר מֵאֶרֶס דְּמָרָה.

שעז. וּבְגִין דְּעֵרֶב רַב אִינּוּן שְׂאוֹר שֶׁבָּעִיסָה, וְאִינּוּן אוּמִין דְּעָלְמָא דַּמְיָין לְמוֹץ, יַתִּיר מְעַכְּבִין בְּגָלוּתָא עֵרֶב רַב לְיִשְׂרָאֵל, מֵאוּמִין עכו״ם. כְּמָה דְּאוֹקְמוּהָ רַבָּנָן, מִי מְעַכֵּב.

שְׁאוֹר שֶׁבְּעִיסָה מְעַכֵּב. דְּאִינּוּן דְּבֵקִין בְּיִשְׂרָאֵל, כִּשְׁאוֹר בְּעִיסָה. אֲבָל אוֹמִין עכו״ם, לָאו אִינּוּן אֶלָּא כְּמוֹץ אֲשֶׁר תִּדְּפֶנּוּ רוּחַ.

שִׁעוּז. וְעוֹד וְנָשָׂא הַשָּׂעִיר עָלָיו, כַּד רְעוּתֵיהּ לְמֶעְבַּד קוּרְצָא לְקוּדְשָׁא בְּרִיךְ הוּא עִם יִשְׂרָאֵל, דְּאִיהוּ נָשָׂא כָּל חוֹבִין דְּיָכִיל לְמִסְבַּל לוֹן, עַד דְּאִתְעֲבֵיד כָּבֵד, כְּמַשָּׁא כָּבֵד יִכְבְּדוּ מִמֶּנּוּ, וְחוֹבִין עַל גַּדְפוֹי. מָה עָבֵיד, סָלִיק לְטוּרָא עִלָּאָה, כַּחֲמָרָא, כַּד אִיהוּ בָּעֵי לְסַלְּקָא לְטוּר גָּבוֹהַּ, כְּמַשָּׁא כָּבֵד יִכְבַּד עֲלֵיהּ. כַּד אִיהוּ לְעֵילָּא, וּבָעֵי לְסַלְּקָא לְפִי מְעוּט דְּאִשְׁתְּאַר לֵיהּ, אִתְיַקָּר עֲלֵיהּ מַטוּלָא, וְנָפִיל, וְאַפִּיל גַּרְמֵיהּ לְתַתָּא, וּבְכָבֵד מַשָּׁא דְּאִתְתַּקָּף עֲלֵיהּ, אִתְעֲבִידוּ כָּל אֵבָרִין דִּילֵיהּ פְּסִיקוּת, דְּלָא אִשְׁתְּאַר אֵבָר שְׁלִים. אוּף הָכָא אִירַע לִסְמָאל וְנָזוֹעַ, כָּבֵד וְיוֹתֶרֶת הַכָּבֵד, יֵצֶר הָרַע וּבַת זוּגֵיהּ זוֹנָה. מִתַּמָּן כָּל בַּת אֵל נֵכָר זוֹנָה. (ע״כ רַעְיָא מְהֵימְנָא).

שִׁעֵט. אָמַר רַבִּי פִּנְחָס, אוֹרְחָא דָּא הֲוָה מִתְקְנָא לִי, לְמִשְׁמַע מִכְּלֵין מִלִּין מֵעַתִּיק יוֹמִין, זַכָּאָה עָלְמָא דְּאֲנַת שָׁארֵי בְּגַוֵּיהּ. וַוי לְעָלְמָא, דְּיִשְׁתְּאֲרוּן יַתְמִין, וְלָא יַדְעִין מִלֵּי דְּאוֹרַיְיתָא כְּדְקָא יְאוּת. וַדַּאי הָכִי הוּא, דְּכָבֵד נָטִיל כֹּלָּא טַב וּבִישׁ. וְאע״ג דִּמְשַׁטְּטָא וְלָקִיט כָּל חוֹבֵיהוֹן דְּיִשְׂרָאֵל, ה״נ זַכְוָין דִּלְהוֹן לָקִיט, בְּגִין לְקַיְּימָא קוּרְצֵיהּ. וְכֹלָּא הַאי וְהַאי מַקְרִיב לְגַבֵּי לֵב. וְאוֹרְחוֹי דְּלֵב, לָא נָטִיל אֶלָּא זְכִיכוּ וּבְרִירוּ וְצַחוּתָא דְּכֹלָּא, כְּמָה דְּאֲמָרַת. וּשְׁאַר טִנּוּפָא וְלִכְלוּכָא, אַהֲדַר לְכָבֵד, וְנָטִיל כֹּלָּא בְּעַל כָּרְחֵיהּ, דִּכְתִּיב וְנָשָׂא הַשָּׂעִיר עָלָיו וְגו׳. מִלָּה דָּא אַהֲדַרְנָא, בְּגִין דְּיִתְבְּסַם לְפוּמֵי כִּמְתְקָא דְּדוּבְשָׁא, זַכָּאָה חוּלָקִי דְּזָכֵינָא לְהַאי, לְמֶחֱמֵי דָּא בְּעֵינָי.

שֻׁף. אוּף הוּא פָּתַח וְאָמַר, יְיָ' לֹא גָבַהּ לִבִּי וְלֹא רָמוּ עֵינַי וְגו', הַאי קְרָא אָמַר דָּוִד, בְּשַׁעְתָּא דְּהֲוָה אָזִיל עַל כֵּיף נַהֲרָא, אָמַר רִבש״ע, כְּלוּם הֲוָה ב״נ בְּעָלְמָא, דְּאוֹדִי וּמְשַׁבַּח לְמָארֵיהּ כְּוָותִי. אִזְדַּמְּנַת לֵיהּ צְפַרְדְּעָא, א״ל, דָּוִד, לָא תִתְגָּאֶה, דְּאֲנָא עֲבֵידַת יַתִּיר מִנָּךְ, דִּמְסָרֵית גּוּפָאי עַל מֵימְרָא דְּמָארִי, דִּכְתִּיב וְשָׁרַץ הַיְאוֹר צְפַרְדְּעִים, וְהָא אוּקְמוּהָ. וְתוּ דְּאֲנָא מְשַׁבַּח וּמְזַמֵּר לֵילְיָא וְיוֹמָא, בְּלָא שִׁכּוּךְ. בְּהַהִיא שַׁעְתָּא אָמַר דָּוִד, יְיָ' לֹא גָבַהּ לִבִּי וְלֹא רָמוּ עֵינָי. יְיָ' לֹא גָבַהּ לִבִּי.

שֻׁפָּא. דָּא הוּא קָרְבְּנָא, דְּבְכָל יוֹמָא, וּבְכָל זְמַן וּזְמַן, לְגַבֵּי קוּדְשָׁא בְּרִיךְ הוּא. דְּאִתְכְּלִילַת כנ״י בֵּיהּ, בֵּין כָּל שְׁאַר אֻכְלוּסִין, וְכָל אִילֵּין פּוּלְחָנִין, אַפִּיקוּ לָהּ מִבֵּין גּוּבִין, וּמִבֵּין שְׁאַר עַמִּין. כָּךְ יִשְׂרָאֵל, כָּל זְמַן דְּאִינּוּן אָטִימֵי לִבָּא, וְלָא פַּתְחִין בִּתְיוּבְתָּא, לָא סַלְּקִין רֵיחָא, וְלָא אַפִּיק לוֹן מִגּוֹ גּוּבִין. אֲבָל כַּד פַּתְחִין בִּתְיוּבְתָּא, מִיַּד סַלְּקִין רֵיחָא, וְאַפִּיק לוֹן מִבֵּין גּוּבִין, וְיִתְהֲנֵי בְּהוּ כְּנֶסֶת יִשְׂרָאֵל. דִּכְתִּיב, פַּתְחִי לִי אֲחוֹתִי רַעְיָתִי. דְּכָל זְמַן דִּשְׁוַעֲנָא אָטִימָא, לֵית לָהּ רֵיחָא, וְלָא סַלְּקָא מִבֵּין גּוּבִין, וְדִיּוּרְהָא בֵּינַיְיהוּ, כְּמָה דְּאִתְּמַר. וְקוּדְשָׁא בְּרִיךְ הוּא לָא בָּעֵי לְמֵהַךְ כָּן, אֶלָּא לְאוֹלִיף מִלִּין אִלֵּין.

שֻׁפָּב. עַד דְּהֲווֹ יַתְבֵי, אָתָא נִשְׁרָא, וּמָאִיךְ, וְנָטִיל וַד שְׁוַעֲנָא מִבֵּינַיְיהוּ, וְאָזַלַת. אֲמָרוּג, מִכָּאן וּלְהָלְאָה, נֵהַךְ לְאוֹרְחָא. קָמוּ וְאָזְלוּ. עַד הָכָא אוֹרְחָא דְּר' פִּנְחָס, ור״ע אָזַל לֵיהּ, אִיהוּ וְר' אֶלְעָזָר, וּשְׁאַר חַבְרַיָּיא, וְר' פִּנְחָס וּשְׁאַר חַבְרַיָּיא.

שֻׁפַּג. פָּתַח וְאָמַר ר' פִּנְחָס עַל זֶה, לַמְנַצֵּחַ עַל שׁוּשַׁן עֵדוּת מִכְתָּם לְדָוִד לְלַמֵּד, מַאי לְלַמֵּד. לְאוֹלְפָא לִבְנֵי עָלְמָא וְחָכְמְתָא. וְהָא אוּקְמוּהָ, אִלֵּין סַנְהֶדְרֵי גְּדוֹלָה דִּכְתִּיב בָּהּ, סוּגָה בַּשּׁוֹשַׁנִּים. מִכְתָּם לְדָוִד סִימָנָא דְּאֲחְזִיאוּ לֵיהּ לְדָוִד, כַּד שָׁדַר לְיוֹאָב לַאֲרַם נַהֲרַיִם וּלַאֲרַם צוֹבָה, לְאַגָּנָא בְּהוּ. א״ר פִּנְחָס, דָּא אִיהוּ שׁוּשַׁן עֵדוּת דְּקַיְּימָא

הָכָא, הָא כֹּכָבַיָּא בִּשְׁמַיָּא, שְׁכִינְתָּא עֲלָן, וְדַרְגִּין עִלָּאִין בַּהֲדָהּ, וְסִיַּיעְתָּא קַדִּישָׁא לְתוּשְׁבַּחְתָּא, דָּא אִיהוּ שׁוֹשָׁן בִּשְׁלִימוּ כַּדְקָא יָאוֹת. קָמוּ וְאָזְלוּ. אִלֵּין הָכָא וְאִלֵּין הָכָא. אָזַל לֵיהּ ר׳ פִּנְחָס, וּבַת בִּכְפַר עֲקִימִין, ור׳ יִצְחָק ור׳ חִיָּיא בַּהֲדֵיהּ.

שפד. עַד דְּאַקְדִּימוּ לְמֵיזַל, יָתְבוּ וּמְחַכּוּ לִנְהוֹרָא דְּצַפְרָא, זָקִיף עֵינוֹי ר׳ חִיָּיא, וְחָמָא אִלֵּין כּוֹכָבַיָּא דְּשַׁרְבִיטָא, דְּקָא מְרַהֲטָן וְאָזְלָן. אָמַר, וַדַּאי בְּכַמָּה זִמְנִין שָׁאַלְנָא עַל אִלֵּין כּוֹכָבַיָּא.

שפה. א״ר פִּנְחָס, אִלֵּין כּוֹכָבַיָּא דְּשַׁרְבִיטָא יְדִיעָן בְּסוּכַלְתָנוּ דְּחַבְרַיָּא, דְּהָא קוּדְשָׁא בְּרִיךְ הוּא בָּרָא כָּל אִינּוּן כּוֹכְבֵי רְקִיעָא, רַבְרְבִין וּזְעִירִין. וְכֻלְּהוּ אוֹדָן וּמְשַׁבְּחָן לְקוּדְשָׁא בְּרִיךְ הוּא. וְכַד מָטָא זִמְנַיְיהוּ לְשַׁבְּחָא, קָרָא לוֹן קוּדְשָׁא בְּרִיךְ הוּא בִּשְׁמָא, דִּכְתִּיב לְכוּלָּם בְּשֵׁם יִקְרָא. וּכְדֵין רַהֲטֵי, וְאוֹשִׁיטוּ שַׁרְבִיטָא דִּנְהוֹרָא, לְמֵהַךְ לְשַׁבְּחָא לְמָארֵיהוֹן, בְּהַהוּא אֲתַר דְּאִתְפְּקָדָן. הֲדָא הוּא דִּכְתִּיב, שְׂאוּ מָרוֹם עֵינֵיכֶם וּרְאוּ מִי בָרָא אֵלֶּה. וְגוֹ׳. אַדְּהָכִי אָתָא נְהוֹרָא, קָמוּ וְאַזְלוּ.

שפו. עַד דַּהֲווּ אָזְלֵי, אָתָא נִשְׁרָא רַבְרְבָא, אַסְחַר עַל רֵישַׁיְיהוּ, וְקַיְּימָא עֲלַיְיהוּ. א״ר פִּנְחָס, וַדַּאי עִידָן רְעוּתָא הוּא הַשְׁתָּא, בָּהּ שַׁעֲתָא, אִתְפְּתָחוּ תַּרְעֵי דְּרַחֲמֵי, לְכָל אִינּוּן בֵּי מַרְעֵי, וְהוּא זִמְנָא לְאַסְוָותָא לוֹן. ואע״ג דְּאִינּוּן אֲסִירִין דְּמַלְכָּא. דְּהָא נִשְׁרָא דָּא סִימָנָא דְּרַחֲמֵי אִיהוּ.

שפז. פָּתַח וְאָמַר, כְּנֶשֶׁר יָעִיר קִנּוֹ עַל גּוֹזָלָיו יְרַחֵף וְגוֹ׳. לֵיכָּא בְּעָלְמָא מַאן דְּאִיהוּ בְּרַחֲמֵי עַל בְּנוֹי כְּנִשְׁרָא, וְהָא אוּקְמוּהָ דִּכְתִּיב, וְיֹאכְלוּהָ בְנֵי נֶשֶׁר, דְּאִיהוּ רַחֲמָנָא עַל בְּנוֹי. וּמִגּוֹ דְּהַשְׁתָּא עִידָן דְּרַחֲמֵי, אָתָא נִשְׁרָא דָּא וְאַסְחַר עֲלָנָא. בְּשַׁעֲתָא דָּא אִיהוּ רַחֲמֵי, לְכָל אִינּוּן בֵּי מַרְעֵי. וְדָא אִיהוּ דִּכְתִּיב, יְיָ׳ בֹּקֶר תִּשְׁמַע קוֹלִי. וְדָא בֹּקֶר דְּאַבְרָהָם, וְאִתְעֲרוּתָא דִּילֵיהּ.

שפח. אַדְּהָכִי, אַסְחַר נִשְׁרָא וְאַעְבַּר לְקָמַיְיהוּ. א״ר פִּנְחָס, נִשְׁרָא נִשְׁרָא, מָה אַנְתְּ לְגַבָּן, אִי בִּשְׁלִיחוּתָא דְּמָרָךְ אָתֵית, הָא אֲנָן הָכָא. אִי בְּגִין מִלָּה אַחֲרָא אָתֵיתָא, הָא אֲנָן הָכָא זְמִינִין. אִתְרַם נִשְׁרָא לְעֵילָא, וְאִתְכַּסֵּי מִנַּיְיהוּ, וְאִינּוּן יָתְבוּ.

שפט. א״ר חִיָּיא, הָא דִּשְׁלֹמֹה מַלְכָּא תְּוֵוהָא הוּא, דְּתָנֵינָן, נִשְׁרָא רַבְרְבָא הֲוָה אָתֵי לְגַבֵּיהּ שְׁלֹמֹה מַלְכָּא בְּכָל יוֹמָא וְיוֹמָא, וַהֲוָה שְׁלֹמֹה מַלְכָּא רָכִיב עַל גַּדְפָּהָא, וְאוֹבִיל לֵיהּ ד׳ מְאָה פַּרְסֵי בְּשַׁעֲתָא חֲדָא. לְאָן אוֹבִיל לֵיהּ לְתַדְמוֹ״ר בַּמִּדְבָּר בֶּהָרִים. אֲתַר כַּד אִיהוּ, לְגַבֵּי טוּרֵי דַּחֲשׁוֹכָא, דְּאִקְרֵי תַּדְמוֹר בַּמִּדְבָּר וְלָאו אִיהוּ אֲתַר דְּתַדְמוֹדָאֵי, אֶלָּא תַּדְמוֹר דְּאִיהוּ בַּמִּדְבָּר בֶּהָרִים, וְתַמָּן מִתְכַּנְּשֵׁי כָּל רוּחִין וְסִטְרִין אַחֲרָנִין. וְהַהוּא נִשְׁרָא הֲוָה טָאס לְתַמָּן, בְּשַׁעֲתָא חֲדָא.

שצ. כֵּיוָן דְּקָאֵים עַל הַהוּא דּוּכְתָּא, אַגְבַּהּ נִשְׁרָא, וּשְׁלֹמֹה כָּתַב פִּתְקָא, וְאַרְמֵי תַּמָּן, וְאִשְׁתְּזִיב מֵאִינּוּן רוּחִין. וְנִשְׁרָא הֲוָה מִסְתַּכַּל גּוֹ חֲשׁוֹכָא דְּטוּרִין, לַאֲתַר דְּתַמָּן עֲזָּא וַעֲזָאֵל, דְּאִינּוּן תַּמָּן אֲסִירִין בְּשַׁלְשְׁלָאֵי דְּפַרְזְלָא, נְעִיצָן גּוֹ תְּהוֹמֵי. וְלֵית יָכִילוּ לְב״נ בְּעָלְמָא לְמֵיעַל תַּמָּן, וַאֲפִילוּ עוֹפֵי שְׁמַיָּא, בַּר בִּלְעָם.

שצא. וְכֵיוָן דְּנִשְׁרָא מִסְתַּכַּל גּוֹ חֲשׁוֹכָא רַבְרְבָא, מָאִיךְ לְתַתָּא, וְנָטִיל לֵיהּ לִשְׁלֹמֹה מַלְכָּא תְּחוֹת גַּדְפָּהָא שְׂמָאלָא, וּמְכַסְיָא לֵיהּ. וְקַיְּימָא עַל אִלֵּין שַׁלְשְׁלָאֵי, וְאַזְלָא וּמְקָרְבָא לְגַבַּיְיהוּ, וּשְׁלֹמֹה כְּדֵין אַפִּיק עִזְקָא, דַּחֲקִיק עָלֵיהּ שְׁמָא קַדִּישָׁא, וְשַׁוֵּי בְּפוּמָא דְּנִשְׁרָא. וּמִיַּד, אִינּוּן הֲווּ אַמְרֵי, כָּל מַה דְּבָעֵי שְׁלֹמֹה מַלְכָּא, וּמִתַּמָּן הֲוָה יָדַע שְׁלֹמֹה חָכְמְתָא. הה״ד, וַיִּבֶן וְגוֹ׳ אֶת תַּדְמוֹר בַּמִּדְבָּר בָּאָרֶץ. וְכִי בִּנְיָינָא הֲוָה עָבֵיד בָּאָרֶץ. אֶלָּא מַהוּ וַיִּבֶן. אִסְתַּכַּל בְּסֻכְלְתָנוּ, וְיָדַע לְהַהוּא דּוּכְתָּא, לְמִנְדַּע בֵּיהּ חָכְמְתָא.

שצב. עד דהוו יתבי, הא נשרא אתיא לגבייהו, ושושנה חדא בפומה, ושדי קמייהו, ואזלת לה, חמו וחדו. א"ר פנחס, ולאו אמינא לכו, דנשרא דא בשליחותא דמארה, אזלא ואתיא. שושנה דא, איהי שושן עדות דקאמינא, וקודשא בריך הוא שדר ליה לגבן.

שצג. פתח כמלקדמין ואמר, למנצח על שושן עדות מכתם לדוד ללמד. וכי שושן עדות מאי סהדותא סהיד. אלא שושן דא איהי סהדותא למעשה בראשית, ואיהי סהדותא לכנ"י. ואיהי סהדותא ליחודא עלאה, ודא איהו. בגין דשושנה דא אית בה תליסר עלין, וכלהו קיימין בעקרא חדא, ואית בה חמש עלין לבר תקיפין, דחפיין לדא שושנה ואגינו עלה.

שצד. וכלא ברזא דחכמתא הוא, תליסר עלין, אלין תליסר מכילן דרחמי, דירתא כנסת ישראל מלעילא, וכלהו אחידן בעקרא חדא, ואיהו ברית חדא ודוגמא דברית יסודא דכלא. חמש תקיפין דסחרן עליה, אלין חמשין תרעין, חמש מאה שנין דאילנא דחיי, אזלא בהו.

שצה. סהדותא לעובדא דבראשית. כל עובדא דבראשית, כלהו תיבין ידיען בסוכלתנו, וקיימא בחושבנא אלהים דמעשה בראשית. אחזי לעילא, ואחזי לתתא. אחזי לעילא, ברזא דעלמא דאתי. ואחזי לתתא, ברזא דכנסת ישראל.

שצו. שושנה סהדותא לעובדא דבראשית, דקיימא בכל הני סימנין, דכתיב בראשית ברא אלהים, דא שושנה. תליסר עלין, אינון תליסר תיבין עד אלהים תניינא. ואינון: את, השמים, ואת, הארץ, והארץ, היתה, תהו, ובהו, וחשך, על, פני, תהום, ורוח. הא תליסר עלין דשושנה. חמש תקיפין דסחרן לאלין, אינון: מרחפת, על, פני, המים, ויאמר. הא חמש אחרנין. לבתר יהי אור, הא עיקרא ושרשא דשושנה דכלא ואחידן בה.

שצז. סהדותא ליחודא. חמש עלין תקיפין, שרשין ויחודא, דאחידן ביה תליסר עלין אלין. שמע ישראל יי' אלהינו יי', הא חמש עלין דשושנה. אחד, דא היא עיקרא ושרשא דכלהו אחידן ביה. רזא דתליסר בחושבנא, גושפנקא דמלכא.

שצח. ת"ח, כגוונא דשושנה בין החוחים, הכי אינון ישראל בין עמין עכו"ם. והכי כנסת ישראל, בין שאר אכלוסין רברבן ממנן. כל זמן דשושנה קיימא אטימא, דלא פתיחא, לית בה ריחא, ולא סלקין לה, ולא מפקין לה מגו גובין, בשעתא דשושנה פתיחא, סלקא ריחא, כדין אפיקו לה מגו גובין. ויתהני בהו כ"י, שנאמר פתחי לי אחותי רעיתי, וקודשא בריך הוא לא שדרה לן אלא למיהך לאורחן.

שצט. אמר ר' אלעזר לאבוהי, הא שמענא אלין שייפין אטימין, ברזא דקרבנין. שייפין אחרנין, רזא דלהון מאי. א"ל רבי שמעון לר"א, אלעזר ברי, כל שאר שייפין דלגו, רזא עלאה איהו.

ת. ת"ח, לבא הא אתמר, אבל לב דא איהו נורא דדליק, ואלמלא דזמין לגביה מלכא עלאה כנפי ריאה, דאתיין לקמיה רוחא, מרווחא דנשיב מגו בוסמין עלאין, הוה אוקיד לעלמא ברגעא חדא.

תא. פתח ואמר, ויי' המטיר על סדום ועל עמורה גפרית ואש, אמאי אוקיד לון. בגין דכנפי ריאה לא נשיבו בההיא שעתא. וסתרא דכנפי ריאה, דא כנפי יונה נחפה

בַּכֶּסֶף וְאִינּוּן רְפָאֵל, וְצַדְקִיאֵל. וְעָלַיְיהוּ אִתְּמַר, עוֹשֶׂה מַלְאָכָיו רוּחוֹת, לְנַשְּׁבָא תָּדִיר קָמֵי לִבָּא.

רעיא מהימנא

תב. וּבְחִבּוּרָא קַדְמָאָה, אָמַר רַעְיָא מְהֵימְנָא, בּוֹצִינָא קַדִּישָׁא, כֹּל מַה דְּאַמְרַת שַׁפִּיר, אֲבָל מוֹחָא אִיהוּ מַיִם, לֵב אִיהוּ אֵשׁ, וְתַרְוַויְיהוּ אִיהוּ רַחֲמֵי וְדִינָא, דָּא כִּסֵּא רַחֲמֵי, וְדָא כִּסֵּא דִּינָא. וְקוּדְשָׁא בְּרִיךְ הוּא מֶלֶךְ, עוֹמֵד מִכִּסֵּא דִּין, דְּאִיהוּ לֵב. וְיוֹשֵׁב עַל כִּסֵּא רַחֲמִים, דְּאִיהוּ מוֹחָא.

תג. וְכַד חוֹבִין מִתְרַבִּין עַל אֵבָרִים, וְעַל עַרְקִין דְּלִבָּא, דְּאִיהוּ כָּרְסְיָיא דְּדִינָא. אִתְּמַר בְּלִבָּא, וְהַמֶּלֶךְ קָם בַּחֲמָתוֹ מִמִּשְׁתֵּה הַיַּיִן, דְּאִיהוּ יֵינָא דְּאוֹרַיְיתָא. וּבְזִמְנָא דְּכַנְפֵי רֵיאָה נָשְׁבִין עַל לִבָּא, וַחֲמַת הַמֶּלֶךְ שָׁכָכָה. דִּתְרֵין כַּנְפֵי רֵיאָה, וְהָיוּ הַכְּרוּבִים פּוֹרְשֵׂי כְנָפַיִם לְמַעְלָה סוֹכְכִים בְּכַנְפֵיהֶם עַל הַכַּפֹּרֶת, דָּא כַּפּוֹרְתָּא דְּלִבָּא.

תד. וּבְמַאי וַחֲמַת הַמֶּלֶךְ שָׁכָכָה. בְּגִין וַיִּשְׁמַע אֶת הַקּוֹל, דָּא קוֹל תּוֹרָה, קוֹל דַּקָּ"שׁ. וַיְדַבֵּר אֵלָיו, בִּצְלוֹתָא דְּפוּמָא, דְּאִיהוּ אֲדֹנָי שְׂפָתַי תִּפְתָּח וּפִי יַגִּיד תְּהִלָּתֶךָ.

תה. וְהַהוּא רוּחָא דְּנָשִׁיב בְּכַנְפֵי רֵיאָה, אִיהוּ אַפִּיק קָלָא בְּקָנֶה, דְּאִיהוּ קְנֵה חָכְמָה קְנֵה בִינָה. וְאִתְּמַר בָּהּ, כֹּה אָמַר יְיָ' מֵאַרְבַּע רוּחוֹת בֹּאִי הָרוּחַ. דְּאִינּוּן אַרְבַּע אַתְוָון יְדֹוָ"ד, וְהַאי אִיהוּ רוּחַ דְּדָפִיק בְּכָל עַרְקִין דְּלִבָּא, דְּאִתְּמַר בְּהוֹן, אֶל אֲשֶׁר יִהְיֶה שָׁמָּה הָרוּחַ לָלֶכֶת יֵלֵכוּ.

תו. אָמַר בּוֹצִינָא קַדִּישָׁא, וַדַּאי רַעְיָא מְהֵימְנָא, דַּרְגָּא דִּילָךְ אִיהִי, דְּבֵיהּ וַחֲמַת הַמֶּלֶךְ שָׁכָכָה. אַשְׁרֵי הָעָם שֶׁכָּכָ"ה, בְּגִימַטְרִיָּא מֹשֶׁה. אָמַר לֵיהּ, בְּרִיךְ אַנְתְּ בּוֹצִינָא קַדִּישָׁא, בּוֹצִינָא דְּדָלִיק קָמֵי מַלְכָּא וּמַטְרוֹנִיתָא. נֵר יְיָ', אִיהִי נִשְׁמָה דִּילָךְ.

תז. א"כ, הָא אַמְרַת מוֹחָא וְלִבָּא וְכַנְפֵי רֵיאָה, תְּרֵי כּוּלְיָין מַאי נִינְהוּ. אָמַר רַעְיָא מְהֵימְנָא, הָא אוֹקִימְנָא בְּכַנְפֵי רֵיאָה, עוֹשֶׂה מַלְאָכָיו רוּחוֹת, כּוּלְיָין מְשָׁרְתָיו אֵשׁ לוֹהֵט. וְאִינּוּן תְּרֵין כַּנְפֵי רֵיאָה, וּתְרֵין כּוּלְיָין, לָקֳבֵל ד' חֵיוָן דִּכְרְסְיָיא. כָּרְסְיָיא, אִיהוּ לִבָּא בְּאֶמְצָעִיתָא.

תח. וְכֵן מוֹחָא, אִית לֵיהּ אַרְבַּע חֵיוָן, דְּאִיהוּ כָּרְסְיָיא דְּרַחֲמֵי. וּמַאי נִינְהוּ. רְאִיָּיה שְׁמִיעָה רֵיחָא דִּבּוּר. רְאִיָּיה: אַרְיֵה. שְׁמִיעָה: שׁוֹר. רֵיחָא: נִשְׁרָא. וְד' אַנְפִּין וְד' כַּנְפִין לְכָל חַד. דִּבּוּר: אָדָם אִיהוּ. אֲחִיד עֵילָּא וְתַתָּא, דְּרוֹעִין דִּבְהוֹן וִידֵיהוּ פְּרוּשׂוֹת כְּנִשְׁרֵי שָׁמַיִם. גּוּף אַרְיֵה, וְשׁוֹקַיִם, וְכַף רַגְלֵיהֶם כְּכַף רֶגֶל עֵגֶל. וְעַל גּוּפָא אִתְּמַר, מִרְכֶּבֶת הַמִּשְׁנֶה. מִשְׁנָה כְּתִיב, לִישָּׁנָא דְּמַתְנִיתִין. (ע"כ רעיא מהימנא).

תט. טְחוֹל, פָּתַח בּוֹצִינָא קַדִּישָׁא וְאָמַר, וָאֶרְאֶה אֶת כָּל הָעֲשׁוּקִים אֲשֶׁר נַעֲשׂוּ תַּחַת הַשָּׁמֶשׁ וְהִנֵּה דִּמְעַת הָעֲשׁוּקִים. מַאן אִינּוּן עֲשׁוּקִים. אִלֵּין יְנוּקִין דְּאִינּוּן בְּתוּקְפָּא דְּאִמְּהוֹן. דְּסַלְּקִין מֵעָלְמָא, ע"י מַלְאַךְ הַמָּוֶת. וְכִי מַלְאַךְ הַמָּוֶת קָטִיל לוֹן, דְּאִיהוּ עוֹשֵׁק. אֶלָּא הָדַר וְאָמַר, וּמִיַּד עוֹשְׁקֵיהֶם כֹּחַ וְאֵין לָהֶם מְנַחֵם. מַאן הַהוּא כֹּחַ. דָּא הוּא דִּכְתִּיב, יְהִי מְאֹרֹת בִּרְקִיעַ הַשָּׁמַיִם. וְדָא הוּא מְאֹרֹת חָסֵר וָא"ו, וְדָא לִילִית, דְּאִיהִי מִמְּנָא דְּהַהוּא עוֹשֶׁק.

תי. וְאִיהִי אִקְרֵי טְחוֹל, וְאִיהִי אַזְלַת וְחַיְיכָא בִּינוֹקֵי, וּבָתַר עָבְדַת בְּהוּ רוּגְזָא וּדְמָעָה, לְמִבְכֵּי עָלַיְיהוּ. טְחוֹל לְזִינָא דְּכָבֵד אַזְלָא. דָּא אַבְרֵי בַּשְׁנֵי, וְדָא בְּרַבִיעֵי בְּעוֹבָדָא דִּבְרֵאשִׁית. וּבְגִ"ד, לֵית סִימָנָא טָבָא בַּשְׁנֵי וּבִרְבִיעָאֵי. כָּבֵד מוֹתָא דְּרַבְרְבֵי, טְחוֹל מוֹתָא דִּזְוּטְרֵי.

רעיא מהימנא

תיא. וּבְחִבּוּרָא קַדְמָאָה, אָמַר רַעְיָא מְהֵימְנָא, וַדַּאי הָכִי הוּא, דְּכָבֵד אִיהוּ דַּרְגָּא דְּעֵשָׂו. עֵשָׂו הוּא אֱדוֹם. הוּא כָּנִישׁ כָּל דָּמִין, בֵּין צְלוּלִין, בֵּין עֲכוּרִין. וְלָא אַבְחִין בֵּין טַב לְבִישׁ. לָא עָבֵיד אַפְרָשׁוּתָא בֵּינַיְיהוּ. לִבָּא אִיהוּ יִשְׂרָאֵל, דְּאַבְחִין בֵּין טַב לְבִישׁ, בֵּין דָּם טָמֵא לְדָם טָהוֹר, וְלָא נָטִיל אֶלָּא בְּרִירוּ וְנַקְיוּ דְּהַהוּא דָּמָא, כְּבוֹרֵר אוֹכֶל מִגּוֹ פְּסוֹלֶת.

תיב. וּלְבָתַר דְּנָטִיל לִבָּא, דְּאִיהוּ יַעֲקֹב, בְּרִירוּתָא דְּדָמִים, דְּאִיהוּ לְעֵילָּא. וְאִשְׁתְּאַר כָּבֵד דְּאִיהוּ עֵשָׂו בִּפְסוֹלֶת. אִיהוּ כָּעִיס עָלֵיהּ בְּמָרָה, דְּאִיהִי גֵּיהִנָּם, דְּאִתְבְּרִיאַת בְּיוֹמָא תִּנְיָינָא, מוֹתָא דְּרַבְרְבֵי, וְאִיהִי נוּקְבָא בִּישָׁא, אֵשׁ זָרָה, עֲבוֹדָה קָשָׁה, ע"ז קָרֵינָן לָהּ.

תיג. וּבְגִין דְּמִינָהּ אִתְעַר כַּעַס לְכָבֵד, אוּקְמוּהָ רַבָּנָן בְּמַתְנִיתִין, כָּל הַכּוֹעֵס כְּאִילּוּ עוֹבֵד ע"ז. וְלֹא עוֹד, אֶלָּא דְּלֵית שְׂרֵיפָה וַחֲמִימוּת בְּכָל מַרְעִין דְּאֵבָרִין דְּגוּפָא, אֶלָּא מִמָּרָה. דְּאִיהִי אַדְלִיקַת בְּשַׁלְהוֹבִין עַל עַרְקִין דְּכָבֵד, וּבָעֵי לְאוֹקְדָא כָּל גּוּפָא. וְאִיהוּ כְּגַוְונָא דְּיַמָּא, כַּד אִיהוּ כָּעִיס, דְּגַלֵּי יַמָּא סַלְקִין עַד רְקִיעָא, וּבָעוּ לְנָפְקָא מִגְּבוּלַיְיהוּ, לְחָרְבָא עָלְמָא. אִי לָאו שְׁכִינְתָּא, דְּאִיהִי לְחוֹלָה כְּחוֹל דְּאַסְחַר לְיַמָּא, דְּלָא נַפְקַת מִפּוּמְהָא, אוּף הָכִי שְׁכִינְתָּא אַסְחֲרַת לְגוּפָא, וְסָמִיךְ לֵיהּ, כד"א, יְיָ' יִסְעָדֶנּוּ עַל עֶרֶשׂ דְּוָי.

תיד. וּבְגִ"ד אוּקְמוּהָ מָארֵי מַתְנִיתִין, הַמְבַקֵּר אֶת הַחוֹלֶה, לָא לֵיתִיב לִמְרַאֲשׁוֹתָיו, מִשּׁוּם דִּשְׁכִינְתָּא עַל רֵישֵׁיהּ. וְלָא לְרַגְלוֹי דְּמַלְאַךְ הַמָּוֶת לְרַגְלוֹי. הַאי לָאו לְכָל ב"נ, אֶלָּא לְבֵינוֹנִי. אֲבָל לְצַדִּיק גָּמוּר, יְיָ' יִסְעָדֶנּוּ עַל עֶרֶשׂ דְּוָי, עַל רֵישֵׁיהּ. וּשְׁכִינְתָּא אַסְחַר גּוּפֵיהּ, עַד רַגְלוֹי. וּבְגִ"ד אִתְּמַר בְּיַעֲקֹב, וַיֶּאֱסֹף רַגְלָיו אֶל הַמִּטָּה, וְדָא שְׁכִינְתָּא דְּאִתְּמַר בָּהּ, וְהָאָרֶץ הֲדוֹם רַגְלָי. לְרָשָׁע גָּמוּר, מַלְאַךְ הַמָּוֶת אַסְחַר לֵיהּ בְּכָל סִטְרָא. וְדָא יצה"ר, דמ"ה אַסְחַר לֵיהּ בְּכָל סִטְרָא, וְחַרְבָּא דִּילֵיהּ, דְּפָנָיו מוֹרִיקוֹת, בְּטִפָּה וְחָדָא מֵאִינּוּן ג' טִפּוֹת, דְּזָרִיק בֵּיהּ. הה"ד וְאַחֲרִיתָהּ מָרָה כַלַּעֲנָה. כָּבֵד דָּא דְּכוּרָא. יוֹתֶרֶת הַכָּבֵד נוּקְבָא. (עד כאן).

תטו. קֵיבָה, אִיהוּ דַּרְגָּא חַד מִשִּׁתִּין דְּמוֹתָא. וְדָא אִתְקְרֵי תַּרְדֵּמָה. עֲסִירְתָּא, דַּרְגָּא שְׁתִיתָאָה דְּמַלְאַךְ הַמָּוֶת. וּמִגּוֹ דְּאָתֵי מְרָוִיק, אִיהוּ מִסִּטְרָא דְּמוֹתָא. וְלָאו מוֹתָא. רַמְזָא, חַד מִשִּׁתִּין דְּמוֹתָא.

תטז. אָמַר רַעְיָא מְהֵימְנָא, בָּתַר דְּגוּפָא אִיהוּ מֵאִילָנָא דְּטוֹב וָרָע, לֵית אֵבֶר בְּגוּפָא, דְּלָא אִית בֵּיהּ יֵצֶר הָרָע וְיֵצֶר טוֹב, לְבֵינוֹנִיִּים. וְלַצַּדִּיקִים גְּמוּרִים, תְּרֵין יְצִירוֹת, דְּכַר וְנוּקְבָא, תַּרְוַויְיהוּ טוֹבִים. כְּגַוְונָא דְּחָתָן וְכַלָּה. לִרְשָׁעִים גְּמוּרִים, תְּרֵין יְצִירוֹת בִּישִׁין, דְּכַר וְנוּקְבָא, בְּכָל אֵבֶר וְאֵבֶר, מִסִּטְרָא דְּסָמָאֵל וְנָחָשׁ.

תיז. וּבְגִ"ד מִסִּטְרָא דְּאִילָנָא דְּטוֹב וָרָע, קֵיבָה אִית בָּהּ תְּרֵין דַּרְגִּין. דְּהָכִי אוּקְמוּהָ רַבָּנָן, קֵיבָה יָשֵׁן. וְאִית שֵׁינָה, אַחַת מִשִּׁתִּין בְּמוֹתָא. וְשֵׁינָה, אַחַת מִשִּׁתִּין בִּנְבוּאָה. וּבְגִ"ד אוּקְמוּהָ רַבָּנָן מָארֵי מַתִיבְתָּא, הַחֲלוֹמוֹת שָׁוְא יְדַבֵּרוּ, וְהָכְתִיב בַּחֲלוֹם אֲדַבֶּר בּוֹ. לָא קַשְׁיָא, כָּאן עַל יְדֵי שֵׁד. כָּאן עַל יְדֵי מַלְאָךְ. וַחֲלוֹם ע"י מַלְאָךְ, חַד מִשִּׁתִּין בִּנְבוּאָה. וַחֲלוֹם עַל יְדֵי שֵׁד, אִיהוּ שָׁוְא, מִסִּטְרָא דְּמוֹתָא. וְאִיהוּ תֶּבֶן, דְּהָכִי אוּקְמוּהָ, כְּשֵׁם שֶׁאִי אֶפְשָׁר לְבַר בְּלֹא תֶּבֶן, כַּךְ אִי אֶפְשָׁר לַחֲלוֹם בְּלֹא דְּבָרִים בְּטֵלִים.

תיח. אִצְטוּמְכָא דָּא קָרְקְבָן נִקְלָף. וְאוּקְמוּהָ רַבָּנָן, קוּרְקְבָן טוֹחֵן, דְּאִיהוּ נָטִיל כֹּלָּא, וְשׁוֹחֵק, וּמְשַׁדֵּר לְכָל אֵבָרִין. אִי אֵבָרִין בְּלָא חוֹבִין, כְּגַוְונָא דְּאוּקְמוּהָ רַבָּנָן, דְּאִית מִלִּין דִּמְעַכְּבִין יַת קָרְבְּנָא, דְּלָא חָזִית לְקַבְּלָא לֵיהּ, הַהוּא דְּשַׁדַּר קוּדְשָׁא בְּרִיךְ הוּא לְקַבְּלָא דּוֹרוֹנָא דִּילֵיהּ. דְּאִית דִּמְקַבֵּל לֵיהּ קוּדְשָׁא בְּרִיךְ הוּא עַל יְדֵי אַרְיֵה, דְּאִתְּמַר בֵּיהּ וּפְנֵי

אַרְיֵה אֶל הַיָּמִין לְאַרְבַּעְתָּן. וְקוּדְשָׁא בְּרִיךְ הוּא רָכִיב עָלֵיהּ, וְנָוְזִית בֵּיהּ, לְקַבְּלָא הַהוּא דּוֹרוֹנָא. וְאִית דּוֹרוֹנָא דִּמְקַבֵּל לֵיהּ עַל יְדֵי שׁוֹר, דְּאִתְּמַר בֵּיהּ וּפְנֵי שׁוֹר מֵהַשְּׂמֹאל לְאַרְבַּעְתָּן.

תיט. וְאִית דּוֹרוֹנָא, דִּמְקַבֵּל עַל יְדֵי דְּנֶשֶׁר, דְּאִתְּמַר בֵּיהּ וּפְנֵי נֶשֶׁר לְאַרְבַּעְתָּן. דְּאִינּוּן שְׁתֵּי תוֹרִים, אוֹ שְׁנֵי בְּנֵי יוֹנָה. וְאִית דּוֹרוֹנָא, דִּמְקַבֵּל לֵיהּ ע״י דְּאָדָם דִּכְתִּיב בֵּיהּ, אָדָם כִּי יַקְרִיב מִכֶּם קָרְבָּן לַיְיָ. בְּדִיוּקְנָא דְּהַהוּא דְּאִתְּמַר בֵּיהּ. וּדְמוּת פְּנֵיהֶם פְּנֵי אָדָם. יְדֹוָ״ד נָחִית עָלַיְיהוּ, לְקַבְּלָא דּוֹרוֹנָא.

תכ. וְאִית וְזִיוָן טִבְעִיּוֹת, מְמַנָּן עַל גּוּפִין, דְּאִינּוּן מֵאַרְבַּע יְסוֹדִין, וְאִינּוּן דַּכְיָין. וְלָקֳבְלַיְיהוּ אַרְבַּע וְזִיוָן דּוֹרְסִין, מְסָאֲבִין, מְמָנָן עַל ד׳ מְרִירָן, דְּאִינּוּן: מָרָה וְזִוּוֹרָא, מָרָה סוּמָקָא, מָרָה יְרוֹקָא, מָרָה אוּכָמָא.

תכא. וְאִית וְזִיוָן שִׂכְלִיּוֹת, דְּסָוְזֲרִין לְכָרְסְיָיא. וְאִית לְעֵילָּא מִנַּיְיהוּ, וּגְבוֹהִים עֲלֵיהֶם, וְאִינּוּן וְזִיוָן אֱלָהִיּוֹת, מִסִּטְרָא דִּקְדוּשָׁה. וְאִית וְזִיוָן דְּסִטְרָא אָוְזֳרָא. וְאִתְקְרִיאוּ אֱלֹהִים אֲוֵזרִים. וְאֱלָהִיּוֹת דְּקוּדְשָׁא, אֱלֹהִים וַזִּיִּים. וְאִלֵּין אֱלָהִיּוֹת דִּקְדוּשָׁה, אִתְקְרִיאוּ אֱלֹהֵי הָאֱלָהִיּוֹת, וְעִלַּת עַל כֹּלָּא, אֵל אָדוֹן עַל כָּל הַמַּעֲשִׂים. וְכָל זִינָא אָזִיל לִזְינֵיהּ. וּבְגִין דְּאִית אֱלֹהִים אֲוֵזרִים, אָמַר עֲלַיְיהוּ, זוֹבֵוַז לָאֱלֹהִים יָוֳרָם בִּלְתִּי לַיְדֹוָ״ד לְבַדּוֹ. בְּגִין דְּלָא יִתְעָרֵב אֱלֹהִים וַזִּיִּים עִם אֱלֹהִים אֲוֵזרִים. (עַד כָּאן).

תכב. אִצְטוֹמְכָא דָּא, נָטִיל וְשָׁוִזיק, וּמְשַׁדֵּר לְכָל סִטְרִין דִּלְתַתָּא, וּמִנֵּיהּ אִתְזָנוּ תַּתָּאֵי. מֵאִינּוּן שַׁתִּין שְׁמָרִים לְתַתָּא, כָּל אִינּוּן רוּוִזין וְסִטְרִין אַוְזֳרָנִין דְּאִיתְזָנוּ בְּלֵילְיָא, מֵאִינּוּן אֵבָרִים וּפְדָרִים. וּשְׁאַר נַטְלִין כָּל שַׁיְיפִין, וְנָטִיל כֹּלָּא כָּבֵד, וְקָרִיב לַלֵּב, כְּמָה דְּאִתְּמַר. וְדָא אִיהוּ דִּכְתִּיב, וּפְנֵי אַרְיֵה אֶל הַיָּמִין. וְעַל דָּא אִתְוֲזֵי עַל מַדְבְּוָזא, כְּגַוְונָא דְּאַרְיֵה אָכִיל קָרְבְּנִין. מִכָּאן וּלְהָלְאָה כָּל שְׁאַר שַׁיְיפִין, בְּרָזָא דְּגוּפָא כְּגַוְונָא דִּלְעֵילָּא.

רַעְיָא מְהֵימְנָא

תכג. אָמַר רַעְיָא מְהֵימָנָא, בּוֹצִינָא קַדִּישָׁא, וַדַּאי אִצְטוֹמְכָא בְּקַדְמֵיתָא נָטִיל כֹּלָּא, עַד שִׁית שַׁעְתִּין, וְאוֹפֶה. קָרְקְבָן, אִיהוּ אוֹפֶה. וְרֵיאָה, אִיהִי מַשְׁקֶה. לִבָּא מַלְכָּא. וְאִינּוּן תְּרֵין, אִינּוּן וַדַּאי אוֹפֶה וּמַשְׁקֶה, לְמֵיהַב לְמַלְכָּא, מִשְׁפִּירוּ דְּכָל מַאֲכָלִין וּמַשְׁקִין, רֵישָׁא דְּכֻלְּהוּ, מִבְוָזר לְכֻלְּהוּ. וְהַיְינוּ דִּכְתִּיב, אָרִיתִי מוֹרִי עִם בְּשָׂמִי אָכַלְתִּי יַעְרִי עִם דִּבְשִׁי שָׁתִיתִי יֵינִי עִם וְזֲלָבִי. לְבָתַר, אִכְלוּ רֵעִים, שְׁאַר אֵבָרִים, דְּאִינּוּן וַזִילִין וּמַשִׁרְיָין דְּמַלְכָּא, דְּפָלִיג לוֹן מְזוֹנָא, ע״י שַׂר הָאוֹפִים. שְׁתוּ וְשִׁכְרוּ דוֹדִים, ע״י שַׂר הַמַּשְׁקִים.

תכד. וְכָבֵד אִיהוּ לִימִינָא דְּבַ״נ. וּבְגַ״ד, וּפְנֵי אַרְיֵה אֶל הַיָּמִין לְאַרְבַּעְתָּן לִימִינָא דְּמַלְכָּא, דְּאִיהוּ לִבָּא. טְוזוֹל, לִשְׂמָאלָא. אִלֵּין אִינּוּן מִסִּטְרָא אַוְזֳרָא, וּפְנֵי שׁוֹר מֵהַשְּׂמֹאל. מַשְׁקֶה וַזִמְרָא מָזוּג בְּמַיָּא לְמַלְכָּא. וְאַרְיֵה אָכִיל, דָּא כָּבֵד, כָּנִישׁ מְזוֹנָא קַמֵּי מַלְכָּא, דְּאִיהוּ לִבָּא.

תכה. וְאִית לְאַקְשׁוּיֵי עַל הַאי. אִי כָּבֵד אִיהוּ עֵשָׂו, אֵיךְ הוּא מְתַקֵּן מְזוֹנָא לְלִבָּא. אֶלָּא וַדַּאי לִבָּא אִיהוּ כְּגַוְונָא דְּיִצְוָזק. כָּבֵד עֵשָׂו, דְּאִיהוּ הַצָּד צַיִד. וְיֵימָא לֵיהּ, יָקוּם אָבִי וְיֹאכַל מִצֵּיד בְּנוֹ. אִלֵּין אִינּוּן צְלוֹתִין, דְּאַזְלִין וּמִתְתַּרְכִין מֵעַנִּיִּים, וְיִצְוָזק בְּצַעֲרָא וּבִיגוֹנָא, דְּלָא יַכְלִין לְכַוְּונָא לִצְלוֹתָא. וּבְגִין דָּא לָא אָמַר וְיֹאכַל מִצֵּידִי, אֶלָּא וְיֹאכַל מִצֵּיד בְּנוֹ. בְּנִי בְּכוֹרִי יִשְׂרָאֵל. כְּגַוְונָא דָּא, לֵית לוֹן לְיִשְׂרָאֵל מְזוֹנָא בְּגָלוּתָא, אֶלָּא ע״י אוּמִין דְּעָלְמָא.

תכו. אֲבָל כַּד אִינּוּן בְּאַרְעָא דְּיִשְׂרָאֵל, מְזוֹנַיְיהוּ ע״י שְׁכִינְתָּא. וְיֵהוֹן תְּרֵין כַּנְפֵי רֵיאָה

משקין אומה, שר המשקים. ותרין כוליין האופים, דמבשלין הזרע דנחית מן מוחא, ומבשלין מיא דמקבלין מכנפי ריאה. ולבתר דייכול מלכא, דאיהו לבא, אתמר בתרין כליין דיליה, אכלו רעים. ולתרין כנפי ריאה, שתו ושכרו דודים.

תכז. דלבא איהו כסא דין, ארבע ורידין שליחן דיליה. תרין כנפי ריאה, ותרין כליין, דכנפי ריאה ופניהם וכנפיהם פרודות מלמעלה, לקבלא עלייהו מלכא, דאיהו רוח חכמה ובינה רוח עצה וגבורה רוח דעת ויראת יי'. דיתיב על כרסייא, דאיהו לבא, דכל אינון דפיקין מתנהגין אבתריה, כחיילין בתר מלכיהון.

תכח. ורוחא דנשיב מכנפי ריאה, נשיב על תרי נוקבי חוטמא. ואיהו קריר וצנינא משמאלא. וחם מימינא. ומסטרא דמוחא דאיהו כרסייא דרחמי, איהו רוח קר לימינא, דחסד. וחם משמאלא דגבורה, דתמן לבא. ומוחא מזיג ביה, באמצעיתא דתרוייהו. אוף הכי לבא מזיג, מקור וחום. ומוחא אוף הכי, דמקבלין דין מדין.

תכט. ושמרים דכלא, נטיל טחול, ומשריין דיליה, דאינון עבדים ושפחות, דאמר עלייהו שלמה, קניתי לי עבדים ושפחות. תרין כוליין אתקריאו אשים, על שם אשים דלעילא, דאתמר בהו אשי יי' ונחלתו יאכלון.

תל. ובקנה שית עזקאן, דעלייהו אתמר, הבו ליי' בני אלים. דבהון סליק קלא, דאתפליג לז' קלין דשכינתא. ושביעאה סליק לפומא, דאיהו כרסייא. ושית עזקאן דקנה, אינון כגוונא דשית דרגין דכרסייא דמלכא. וקנה איהו סלם, דביה מלאכי אלהים עולים ויורדים בו, דאינון הבלים סלקין ביה מלבא, ורוחין דאוירא נחתין ביה בלבא, לקררא חמימותא, דלא לוקיד גופא.

תלא. וכד רוחא נחית, נחית בכמה רוחין, כמלכא עם חיליה. וכנפי ריאה מקבלין לרוחא, דאיהו מלכא עלייהו, כמה דאמינא. ופניהם וכנפיהם פרודות, והיו הכרובים פורשי כנפים למעלה.

תלב. אי זכאן אברין דבר נש בפקודין דמלכא עלאה דאיהו רוח הקדש, נחית בסלם, דאיהו גרון, בכמה רוחין קדישין, דאתמר עלייהו, עושה מלאכיו רוחות וסלקין לקבל אלין הבלים דלבא, דאתמר עלייהו, משרתיו אש לוהט. ועלייהו אתמר קול ידו"ד חוצב להבות אש. בגין דלבא אדנ"י, דמניה סלקין להבות אש בפומא דאיהו ידו"ד, דנחתין עמיה כמה רוחין דקדושה, מארבע אתוון יהו"ה. דאתמר עלייהו, כה אמר ידו"ד מארבע רוחות באי הרוח.

תלג. קנ"ה, איהו קנה וחכמה קנה בינה, דאינון לימינא דחסד, ולשמאלא דגבורה. תפארת, סלם, באמצעיתא, בגופא כליל תרין דרועין, וגוף וברית, ותרין שוקין. לקבל שית עזקאן דקנה.

תלד. וכד נחית ידו"ד ללבא, לגבי אדנ"י, מתחברין דינא ברחמי בלבא. דאיהו יאהדונה"י. וכד סליק אדנ"י לפומא, דאדנ"י שפתי תפתח, לקבלא יהו"ה בפומא, לאתחברא תמן תרין שמהן בחבורא חדא, יאהדונה"י, כגוונא דמתחברן בלבא. ובגין דא אוקמוה מארי מתניתין, מי שאין תוכו כברו אל יכנס לבית המדרש, אי לית לון פומא ולבא שוין. (עד כאן).

תלה. קנה שית עזקאן בקנה, מתחברן כחדא, ואינון אקרון בני אלים, מפקי רוחא לנשבא על עלמא. ואתיין מסטרא דגבורה. וכד אינון מתחברן כחדא, אינון כגוונא דשופר. ואלין אקרו שופר, שופר של איל של יצחק. אלים בני בשן, הבו ליי'

בְּנֵי אֵלִים. אֵלִים דְּיִצְחָק, וּמַפְּקִין רוּחָא וְקָלָא. וְהַהוּא קָלָא נָפִיק, וְאִעְרַע בְּעָבֵי מִטְרָא, וְאִשְׁתְּמַע לְבִרְיָיתָא לְבַר. וְעַ"ד כְּתִיב, וְרַעַם גְּבוּרוֹתָיו מִי יִתְבּוֹנָן. דְּוַדַּאי מִסִּטְרָא דִּגְבוּרָה קָא אַתְיָין. וּבְגִין דָּא אֵל הַכָּבוֹד הִרְעִים יְיָ' עַל מַיִם רַבִּים. אֵל הַכָּבוֹד רוֹעֵם לָא כְּתִיב, אֶלָּא אֵל הַכָּבוֹד הִרְעִים, עַל יְדָא דִּבְנֵי אֵלִים. וְלֵית מַאן דְּיָדַע בְּשִׁבְחָא דְּהַאי קָלָא, הה"ד מִי יִתְבּוֹנָן.

תלו. וּבְחִבּוּרָא קַדְמָאָה, פָּתַח רַעְיָא מְהֵימְנָא וְאָמַר, וַוי לוֹן לִבְנֵי נָשָׁא, דְּאִינּוּן אֲטִימִין לִבָּא, סְתִימִין עַיְינִין, דְּלָא יַדְעִין אֵבָרִים דְּגוּפֵיהוֹן עַל מַה אִינּוּן מִתְתַּקְּנִין, דְּהָא קָנֶ"ה תְּלַת חֵילִין כְּלִילָן בֵּיהּ, חַד הֶבֶל, דְּאִיהוּ לַהַב אֵשׁ, דְּנָפִיק מִן לִבָּא וְאִתְפְּלַג לְז' הֲבָלִים, דְּאָמַר קֹהֶלֶת. תִּנְיָינָא, אֲוִיר דְּעָאל לְגַבֵּיהּ מִלְּבַר. תְּלִיתָאָה, מַיִם דְּכַנְפֵי רֵיאָה, דְּאִינּוּן דְּבוּקִים בְּקָנֶה. וּמִתְּלַת אִלֵּין אִתְעֲבִיד קוֹל, מַיִם וְרוּחַ וְאֵשׁ, וּמִתְפְּלֵג כָּל חַד לְז', וְאִינּוּן ז' לְהָבִים, ז' אֲוִירוֹת, ז' נוֹזְלִים.

תלז. וְכַד אַעְרָעוּ לְהָבִים דְּלִבָּא, בְּעָבֵי מִטְרָא, דְּאִינּוּן כַּנְפֵי רֵיאָה, אַרַח קָנֶה דְּרֵיאָה. הַאי אִיהוּ וְרַעַם גְּבוּרוֹתָיו מִי יִתְבּוֹנָן. דְּבֵיהּ לֵב מֵבִין בְּבִינָה, דְּאִיהִי בְּלִבָּא לִשְׂמָאלָא, גְּבוּרָה. וְחֶסֶד לִימִינָא, מַיִם דְּכַנְפֵי רֵיאָה. וְתַמָּן וְחָכְמָה מוֹחָא, וּמִנֵּיהּ, מַעְיַן גַּנִּים בְּאֵר מַיִם חַיִּים וְנוֹזְלִים מִן לְבָנוֹן. דְּאִיהוּ לְבוּנָא דְּמוֹחָא, נוֹזְלִים עַל קָנֶה דְּרֵיאָה. בָּתַר דְּאִסְתַּלָּקוּ עֲנָנִים דְּבִינָה לְגַבֵּי מוֹחָא.

תלח. וְרָזָא דְּמִלָּה מִי זֹאת עוֹלָה מִן הַמִּדְבָּר כְּתִימְרוֹת עָשָׁן. וְדָא עָשָׁן הַמַּעֲרָכָה, דְּסָלִיק מִן לִבָּא לְמוֹחָא. דְּכָל רוּחִין דְּעָלְמָא, לָא זָזִין לֵיהּ מֵאַתְרֵיהּ. וְחָכְמָה: כֹּחַ מ"ה. כֹּחַ: בְּלִבָּא. מָה: בְּמוֹחָא. קָנֶה: תִּפְאֶרֶת, כָּלִיל ו' סְפִירָאָן. ו' דַּרְגִּין אִינּוּן לְכֻרְסְיָיא, דְּאִיהִי אִימָּא. לְנָחֲתָא וְחָכְמָה לְגַבָּהּ, מִן מוֹחָא לְלִבָּא, דְּבָהּ לֵב מֵבִין. וּבְגִין דָּא, קָנֶה וְחָכְמָה קְנֵה בִּינָה. בֵּיהּ אַבָּא סָלִיק. בֵּיהּ אַבָּא נָחִית. וְהַאי אִיהוּ סֻלָּם דְּבֵיהּ עוֹלִים תְּרֵי, וְיוֹרְדִים תְּרֵי. (ע"כ רעיא מהימנא).

תלט. וֶשֶׁט דְּבָלַע מֵיכְלָא, וּמִתַּמָּן עָאל לְכֻלְּהוּ שַׁיְיפִין, דְּאִיהִי בְּדַרְגָּא דְּאֶשִּׁים. אֶשִּׁים אִינּוּן קָרְבִּין מִיַּד, וּבַלְעֵי וְנַטְלֵי כֹּלָּא מִגּוֹ אֶשָּׁא עִלָּאָה, דְּכָלִיל לְאִשִּׁים. וְרָזָא דָּא, אִשֵּׁי יְיָ' וְנַחֲלָתוֹ יֹאכֵלוּן. אִלֵּין אַכְלִין וּבַלְעִין, וּשְׁאָר לָא אַכְלִין הָכִי.

תמ. וְכָל בְּנֵי עָלְמָא לְבַר, לָא יַדְעִין אֵיךְ אַכְלִין, וְלָאו רָזָא דִּלְהוֹן, אֶלָּא דַּרְגִּין דִּלְגוֹ אִינּוּן יַדְעִין, וְנַטְלִין מִנַּיְיהוּ. וֶשֶׁט לֵית לֵיהּ בְּדִיקָה מִבַּחוּץ, דְּלָא יַדְעֵי, אֶלָּא מִבִּפְנִים יַדְעֵי וְנַטְלֵי עַד דְּעָאל לְבֵי טוֹחֲנָא, וְאִשְׁתְּחִיק וְאִתְבְּשַׁל. וְנָטִיל כֹּלָּא כָּבֵד כְּמָה דְּאִתְּמַר. מֵאִלֵּין אֶשִּׁים נַפְקֵי דַּרְגִּין, דְּאַקְדְּמֵי וְנַטְלֵי בְּקַדְמֵיתָא מִכָּבֵד, וּמַאן אִינּוּן. אִלֵּין הַטּוֹחֲנוֹת, אַכְלֵי קָרְבִּין וְטַחֲנֵי. וְעַ"ד מִדְּאִתְחָרַב בֵּי מַקְדְּשָׁא כְּתִיב, וּבָטְלוּ הַטּוֹחֲנוֹת כִּי מִעֵטוּ. אִלֵּין טַחֲנִין בְּקַדְמֵיתָא.

תמא. כֵּיוָן דְּאִתְטַחֲנָן, אִינּוּן דְּשַׁלְטֵי עֲלַיְיהוּ, בַּלְעֵי וְנַטְלֵי, וְאִקְרוּן וֶשֶׁ"ט. אֲמַאי. אֶלָּא וֶשֶׁט, דְּיוּקְנָא דְּוָא"ו, אִיהוּ וֶשֶׁט כָּפוּף. וּלְבָתַר, שָׁט לְמֵיכַל מִשְׁתְּיָא, וְחַמְרָא וּמַיָּא. דִּכְתִיב שָׁטוּ הָעָם וְלָקְטוּ. מֵיכְלָא לְמֵיכַל, מִשְׁתְּיָא וְחַמְרָא וּמַיָּא, נְסוּכָא דְּיַיִן, וְנִסּוּכָא דְּמַיִם.

תמב. בְּהַאי וֶשֶׁט עָאל וְאִשְׁתְּאִיב בְּרֵיאָה, אִלֵּין שְׂרָפִים, בְּשַׁלְהוֹבִיתָא דִּלְהוֹן נַטְלֵי מִשְׁתְּיָא, וְאִקְרוּן רֵיאָה, בְּחִבּוּרָא חֲדָא, וְאִשְׁתְּאִיב כֹּלָּא בְּהוֹן. וְכָל אִלֵּין, נַטְלִין כָּל חַד וְחַד, כַּדְקָא חֲזֵי לֵיהּ. וּמִדְּחָרַב בֵּי מַקְדְּשָׁא, וּבָטְלוּ הַטּוֹחֲנוֹת כִּי מִעֵטוּ כֻּלְּהוּ. דְּאַזְעִירוּ דְּיוּקְנַיְיהוּ וּמְזוֹנַיְיהוּ, וְלֵית יוֹמָא דְּלֵית בֵּיהּ מְאֵרָה, אָרִים קָלֵיהּ ר"ש וְאָמַר, וַוי יְרוּשְׁלֵם

קרתא קדישא, ווי לעמא, דכל טבאן אלין אבדין, רברבן גיברין ממנן אזעירו דיוקנייהו, על דא בכו וחבריא. אמרו, ווי רבי, כד תסתלק מן עלמא, מאן יגלה רזין סתימין עמיקין כאלין, דלא אשתמעו מן יומא דשלמה מלכא, ועד השתא. זכאה דרא דשמעין מלין אלין, וזכאה דרא דאנת בגוויה, ווי לדרא דישתארון יתמין מנך.

רעיא מהימנא

תמג. פתחו רעיא מהימנא ואמר, והא כתיב, ושפתותינו שבח כמרחבי רקיע. ושבע רקיעין אינון: וילון. רקיע. שחקים. זבול. מעון. מכון. ערבות. שחקים. דבהון ריחים דטוחנים מן לצדיקים לעתיד לבא. ואינון אקרון שחקים, ע"ש ושוחקת ממנה הדק, ואינון נצח והוד, עלייהו אתמר ושחקים יזלו צדק, דאיהי שכינתא תתאה.

תמד. וילון, דביה מכניס ערבית ומוציא שחרית. רקיע, איהו יסוד. דביה נהרין שמשא וסהרא, דאיהו עמודא דאמצעיתא ושכינתא תתאה. הה"ד, ויתן אותם אלהים ברקיע השמים להאיר על הארץ. וצדיק אות, בין נצח והוד. ועדות, בין תפארת ומלכות.

תמה. נצח והוד תרין פלגי גופא אינון, כגוונא דתרין תאומים. ובגין דא אתקריאו שחקים. תרווייהו כחדא ו"ו אינון, מן ושט, מסטרא דשמאלא. ואינון תרין טוחנות, מסטרא דימינא.

תמו. ויקח משה את עצמות יוסף עמו. עצמות צדיק יסוד עלמין, דרגא דיוסף הצדיק. ועלייהו אתמר, את קרבני לחמי לאשי. ולית לחם, אלא אורייתא, לכו לחמו בלחמי. ואינון: אשכלות דצדיק. וצדיק, עץ פרי. ובגיניה אתמר, וישאוהו במוט בשנים. ואמאי במוט. בגין דלא הוה תמן צדיק.

תמז. ובגינייהו אתמר ביה, לא יתן לעולם מוט לצדיק, דאיהו עץ, דאתמר ביה, היש בה עץ אם אין. אעקרו עץ דאיהו צדיק, אלין דאפיקו שום ביש על ארעא, וגרמו, וישאוהו במוט בשנים, ו' ו'.

תמח. עלייהו אתמר, סוחטה ענבים. צדיק יסוד, ביה סוד, דאיהו יין המשומר בענביו מששת ימי בראשית. דאינון ו' דרגין דאת ו'. ואינון שרפים, ו' ו', שש כנפים לאחד. משמאלא. ואינון אפיקו מים מימינא. וצחין בשלהוביתא דלהון מסטרא דגבורה, ושואבין מסטרא דחסד.

תמט. ועלייהו אתמר, עושה מלאכיו רוחות, מסטרא דעמודא דאמצעיתא, דנשבין על לבא, דאיהו דרגא עשיראה ברוחא דקודשא, דאיהו בינייהו. ואיהו ו', אות בצבא דיליה, כליל ו' פרקין דתרין שוקין, דכתיב בהו שוקיו עמודי שש, ודא צדיק אות ברית.

תנ. ו' עלאה, תפארת. בין שית פרקין דתרין דרועין. ובגין דא, ו' ו', גוף וברית חשבינן חד. ואינון פורשי כנפים למעלה, לקבל ו' עלאה עלייהו. ומסטריה, אתקריאו נביאי האמת. סוככים בכנפיהם על ברית, דאיהו ו' תניינא, וצדיק יסוד עולם. ובגין דא, נצח והוד, טוחנים מן לצדיקייא, דאינון מסטרא דצדיק יסוד עולם, דאיהו בינייהו. ובגין דא אתקריאו טוחנות.

תנא. ומסטרא דושט, שטו העם ולקטו, אינון לקוטות דפסקות דמתניתא. וטחנו בריחים, מהכא, מאן דאפיק מלין דאורייתא, צריך למטחן לון בשניים, ולאפקא מלין שלימין, ואינון מלין אתקריאו שלמים. ואוחרנין, דאינון שטיין, דאכלין מלין בהלעטה, ולא טוחנין לון בטוחנות דלהון ובשינהון, מה כתיב בהו, הבשר עודנו בין שניהם ואף יי' חרה בעם, דאינון, מגזעא דמאן דאמר הלעיטני נא. ונצח והוד אתקריאו כרובים.

תנב. וּתְמַנְיָא אִינּוּן: וְחָכְמָה, בִּינָה, גְּדוּלָּה, גְּבוּרָה, תִּפְאֶרֶת, מַלְכוּת, נֶצַח, הוֹד, צַדִּיק, עֲטָרָה עַל רֵישֵׁיהּ. דְּאִיהוּ לֵית לֵיהּ זוּג. וּמַאי עֲטָרָה דִּילֵיהּ. כ״ע. וּבְגִינֵיהּ אוֹקְמוּהָ מָארֵי מַתְנִיתִין, הָעוֹלָם הַבָּא אֵין בּוֹ לֹא אֲכִילָה וְלֹא שְׁתִיָּה אֶלָּא צַדִּיקִים יוֹשְׁבִים וְעַטְרוֹתֵיהֶם בְּרָאשֵׁיהֶם. וְהַיְינוּ דְּאוֹקְמוּהָ, אֲמִירָה שַׁבָּת קַמֵּי קוּדְשָׁא בְּרִיךְ הוּא, לְכֻלְּהוּ יוֹמֵי נָתַתָּ בֶּן זוּג וְלִי לֹא נָתַתָּ בֶּן זוּג. (ע״כ רעיא מהימנא).

תנג. פָּתַח ר״ש וְאָמַר, שְׁמַע יִשְׂרָאֵל יְיָ' אֱלֹהֵינוּ יְיָ' אֶחָד. ע' רַבְרְבָא, ד' אוּף הָכִי. וְסִימָנָא דָּא עֵד. הַיְינוּ דִּכְתִיב, עֵד יְיָ' בָּכֶם. אִשְׁתָּאֲרוּן אַתְוָון ש״מ, מ' פְּתוּחָה. מ״ט לָא סְתִימָא, בְּגִין דְּם' סְתִימָא, מַלְכָּא עִלָּאָה. מ' פְּתִיחָא, מַלְכָּא תַּתָּאָה. אַתְוָון אַחֲרָנִין, אִשְׁתָּאֲרוּ א״ח, כְּבוֹד אֱלֹהִים הַסְתֵּר דָּבָר כְּתִיב.

תנד. אַשְׁכַּחְנָא בְּסִפְרָא דְּרַב הַמְנוּנָא סָבָא, כָּל מַאן דִּמְיַיחֵד יִחוּדָא דָּא בְּכָל יוֹמָא, חֶדְוָה זְמִינָא לֵיהּ מִלְעֵילָּא, מֵרָזָא דְּאַתְוָון אִלֵּין, ש״מ מֵהַאי סִטְרָא. א״ח, מֵהַאי סִטְרָא. וּמְצָרֵף אַתְוָון, לְמַפְרֵעַ שָׁרֵי, וּבְמֵיישָׁר סַיֵּים. וְסִימָן אֶשְׂמַח. דִּכְתִיב אָנֹכִי אֶשְׂמַח בַּיְיָ'. מַמָּשׁ. דָּא יִחוּדָא קַדִּישָׁא. וְשַׁפִּיר אִיהוּ. וְהָכִי הוּא בְּסִפְרָא דַּחֲנוֹךְ, דְּאָמַר כִּי הַאי גַּוְונָא, דְּמַאן דִּמְיַיחֵד יִחוּדָא דָּא בְּכָל יוֹמָא, חֶדְוָה זְמִינָא לֵיהּ מִלְעֵילָּא.

תנה. תּוּ אִית בֵּיהּ ש״מ, דְּאִתְכְּלִיל מִן ע' רַבְרְבָא. אִלֵּין שַׁבְעִין שְׁמָהָן בְּרָזָא דַּאֲבָהָן קַדִּישִׁין, וְדָא הוּא שְׁמַע: שֵׁם ע'. יִשְׂרָאֵל, יְיָ', אֱלֹהֵינוּ, יְיָ', אִלֵּין אַרְבַּע בָּתֵּי דִּתְפִלִּין, דְּאָחִיד לוֹן א״ח. הַהוּא דְּאָמַר פִּתְחִי לִי אֲחוֹתִי רַעְיָתִי. ד': דָּא קֶשֶׁר שֶׁל תְּפִלִּין, דְּהִיא אֲחִידַת בְּהוּ. רָזָא לְחַכִּימִין אִתְמְסַר, דְּלָא לְגַלָּאָה. שָׁתִיק ר' שִׁמְעוֹן. בָּכָה וְחַיֵּיךְ, אָמַר, אֵימָא, דְּהָא וַדַּאי רַעֲוָא אִשְׁתְּכַח, וְלֵית כְּדָרָא דָּא עַד דְּיֵיתֵי מַלְכָּא מְשִׁיחָא, דִּיהֵא רְשׁוּ לוֹן לְגַלָּאָה.

תנו. תְּרֵין רְצוּעִין נָפְקִין, מִסִּטְרָא דָּא וּמִסִּטְרָא דָּא, רָזָא דִּתְרֵין יַרְכִין דִּלְתַתָּא דְּהַאי א״ח, דִּנְבִיאֵי קְשׁוֹט אֲחִידָן בְּהוּ. דְּהָא מִלְעֵילָּא נָפְקִין תְּרֵין רְצוּעִין, רָזָא דִּתְרֵין דְּרוֹעִין, מִימִינָא וּמִשְּׂמָאלָא, וְדָלֶ״ת אִתְאֲחִידַת בְּהוּ. לְבָתַר נַחְתָּא, וְאִתְפַּשְׁטוּ יַרְכִין לְתַתָּא. כֵּיוָן דְּהִיא אִתְאֲחִידַת לְעֵילָּא כַּדְּקָא יָאוּת, נַחְתָּא לְתַתָּא, לְאִתְאַחֲדָא בְּאַכְלוּסָהָא. וְכַד אִיהִי אִתְאַחֲדַת, אֲחִידָא בְּשׁוּפְלֵי יַרְכִין, וּרְשִׁימוּ דְּיוּד בְּרִית קַדִּישָׁא עָלָהּ מִלְעֵילָּא, כְּדֵין אִיהִי אִתְאַחֲדַת בְּיִחוּדָא חַד.

תנז. יו״ד דָּא אִיהִי רָזָא דִּבְרִית, כָּל מַאן דְּנָטַר בְּרִית דָּא, אִיהוּ אִשְׁתְּזִיב לְעֵילָּא, וְאִשְׁתְּזִיב לְתַתָּא. פִּנְחָס, בְּגִין דְּאִיהוּ קַנֵּי עַל בְּרִית דָּא, אִשְׁתְּזִיב מִן דִּינָא עִלָּאָה, וּמִן דִּינָא דִּלְתַתָּא, וּבְגִ״כ אִתְרְשִׁים יו״ד דָּא בְּגַוֵּיהּ, הה״ד, פִּינְחָס בֶּן אֶלְעָזָר בֶּן אַהֲרֹן הַכֹּהֵן וְגוֹ'.

תנח. יו״ד דָּא, אִצְטְרִיךְ דְּלָא יִתְעֲדֵי כְּלָל מִגּוֹ תְּפִלָּה דְּיַד, דְּלָא יַעְבִיד פֵּרוּדָא. וְכָל חֶדְוָה דִּילָהּ, בְּהַאי י'. אִיהוּ יו״ד דָּא בִּדְכוּרָא אִיהִי, וְלָא בְּנוּקְבָא, אִיהוּ צַדִּיק, וְאִיהִי צֶדֶק. וּבְגִין כַּךְ, אִתְקְרִיבַת בַּהֲדָהּ, וּמַאן דְּרָחִיק לֵיהּ מֵאֲתַר דָּא, רָחִיק הוּא מֵעִדּוּנָא דְּעָלְמָא דְּאָתֵי.

תנט. בִּדְכוּרָא אִיהוּ צַדִּיק, וְאִיהִי צֶדֶק בְּלָא יו״ד. אִיהוּ אִישׁ. וְאִיהִי אִשָּׁה, בְּלָא יו״ד. וּבְגִ״כ חֶדְוָה דִּילָהּ, לְאִתְקָרְבָא בָּהּ, וּלְאִתְעַדְּנָא בַּהֲדָהּ. מַאן דְּרָחִיק עִדּוּנָא דָּא, יִרְחֲקוּן לֵיהּ מֵעִדּוּנָא דִּלְעֵילָּא. וע״ד כְּתִיב, כִּי מְכַבְּדַי אֲכַבֵּד וְגוֹ'.

תס. ת״ח, פִּנְחָס קָאִים קָמֵי דִּינָא תַּקִּיפָא דְּיִצְחָק, וְסָתִים פִּרְצָה, בְּגִין כַּךְ אַשְׁלִים לְגַבֵּי פִּנְחָס רָזָא דְּיִצְחָק. קָם קַמֵּי פִּרְצָה דִּכְתִיב וַיַּעֲמֹד פִּנְחָס וַיְפַלֵּל. קָם בְּפִרְצָה קַמֵּי דִּינָא דְּיִצְחָק, בְּגִין לְאַגָּנָא עֲלַיְיהוּ דְּיִשְׂרָאֵל. וע״ד כָּלִיל דָּא בְּדָא בְּחוּשְׁבְּנָא.

תסא. וְאִי תֵּימָא, הָא חוֹשְׁבָנָא לָא תַּלְיָיא אֶלָּא בְּעַיְינִין דִּילָהּ, וְהָכָא חוֹשְׁבָנָא לְעֵילָּא בְּיִצְחָק. אֶלָּא וַדַּאי הָכִי הוּא, בְּגִין דְּיִצְחָק תַּלְיָא וְאִתְמְשַׁךְ בְּהַהוּא אֲתַר דְּאִינּוּן עַיְינִין, דְּתַמָּן דַּיְינִין דִּינִין דְּכָל עָלְמָא, דְּהָא עַיְינִין דִּילָהּ, אִינּוּן שַׁבְעִין קָתֶדְרָאִין, אֲתַר דְּדִינִין דְּעָלְמָא, וְאִקְרוּן סַנְהֶדְרִין. וע״ד כֹּלָּא חַד, בְּגִין דְּיִצְחָק וְאִינּוּן כַּחֲדָא אַזְלִין, וְכֹלָּא שַׁפִּיר.

תסב. פִּנְחָס דָּא יִצְחָק, וְקָם פִּנְחָס וְדָאִין דִּינָא, וּמִתְלַבַּשׁ בִּגְבוּרָה תַּקִּיפָא דְּאִיהוּ שְׂמָאלָא. ובג״כ זָכָה לִימִינָא. הָכָא אִתְכְּלִיל שְׂמָאלָא בִּימִינָא. הֵשִׁיב אֶת חֲמָתִי, מַאי הֵשִׁיב אֶת חֲמָתִי. אֶלָּא אִלֵּין אִינּוּן ג׳ מְמוּנִּים דְּגֵיהִנָּם: מַשְׁחִית, אַף, וְחֵימָה. בְּגִין דְּחָמָא הַהוּא חֵימָה, דַּהֲוָה פָּשִׁיט וְאִתְמְשַׁךְ מִסִּטְרָא דְּיִצְחָק, מָה עָבַד, אִתְלַבַּשׁ אִיהוּ בְּיִצְחָק, וְאָחִיד בְּהַהוּא חֵימָה, כְּמַאן דְּאָחִיד בְּחַבְרֵיהּ, וְאָתִיב לֵיהּ לַאֲחוֹרָא.

תסג. וּכְדֵין דָּן דִּינָא, וְעָבֵיד דִּינָא. דָּן דִּינָא, דְּכָל בּוֹעֵל אֲרַמִּית קַנָּאִין פּוֹגְעִין בּוֹ. וְעָבֵיד דִּינָא, דִּכְתִיב וַיִּדְקוֹר אֶת שְׁנֵיהֶם. וע״ד כְּתִיב הָכָא, הֵשִׁיב אֶת חֲמָתִי. וּכְתִיב הָתָם, הֵשִׁיב אָחוֹר יְמִינוֹ מִפְּנֵי אוֹיֵב, מַה לְהַלָּן לַאֲחוֹרָא, ה״נ לַאֲחוֹרָא. וע״ד יו״ד דְּפִינְחָס הָכָא, יו״ד דְּיִצְחָק. וְכֹלָּא הוּא מֵעַל בְּנֵי יִשְׂרָאֵל, דְּכַד חָמָא הַהוּא חֵימָה, חָמָא לֵיהּ דַּהֲוָה נָוְוית עַל רֵישַׁיְיהוּ דְּיִשְׂרָאֵל.

תסד. מַאי חָמָא. חָמָא מ׳, אָת דָּא דַּהֲוָה טָאס בִּרְקִיעָא, וְדָא הוּא סִימָנָא דְּמַלְאַךְ הַמָּוֶת, דְּבַעְיָא לְאִתְבְּנָאָה בְּאָת וא״ו וְאָת ת׳. מָה עָבַד פִּנְחָס. דַּהֲוָה מִתְלַבַּשׁ בְּיִצְחָק, כְּדֵין נָטִיל הַהוּא אָת מ׳, וְחָטַף לֵיהּ, וְחַבֵּר לֵיהּ בַּהֲדֵיהּ. כֵּיוָן דְּחָמָא מַלְאַךְ הַמָּוֶת, דְּפִנְחָס חָטַף לֵיהּ לְהַהוּא מ׳ בַּהֲדֵיהּ, מִיַּד תָּב לַאֲחוֹרָא.

תסה. מ״ט. בְּגִין דְּכַד קַנֵּי בְּלִבֵּיהּ פִּינְחָס, אִתְלַבַּשׁ בְּיִצְחָק, וְאִסְתַּלַּק לְמֶהֱוֵי בְּחוּשְׁבָנָא ר״ח, וְהָכִי סָלִיק שְׁמֵיהּ ר״ח, וְהָכִי סָלִיק יִצְחָק. כֵּיוָן דְּחָמָא לְאָת מ׳ טָאס בִּרְקִיעָא, חָטַף לֵיהּ, וְחַבֵּר לֵיהּ בַּהֲדֵיהּ וְאִתְעֲבֵיד מִיַּד רמ״ח, הה״ד וַיִּקַּח רֹמַח בְּיָדוֹ.

תסו. בְּגִין דְּאָת מ׳ הֲוָה סִימָנָא קַדְמָאָה לְאָדָם הָרִאשׁוֹן, לְמִבְנֵי מָוֶת עַל עָלְמָא, בְּגִין דְּאָת דָּא הֲוָה טָאס עַל רֵישֵׁיהּ דְּאָדָם, בְּשַׁעֲתָא דִּכְתִיב וַתִּקַּח מִפִּרְיוֹ, מ׳ פִּרְיוֹ. וַהֲוָה מְחַכָּא ו״ת, בְּזִמְנָא דִּכְתִיב, וַתֹּאכַל, וַתִּתֵּן, וַתִּפָּקַחְנָה. כְּדֵין אִתְבְּנֵי מָוֶת עַל עָלְמָא.

תסז. פִּנְחָס הֲוָה חָמֵי לֵיהּ הַשְׁתָּא הַהוּא אָת מ׳, טָאִיס עַל רֵישַׁיְיהוּ דְּיִשְׂרָאֵל. וְהַאֵיךְ חָמָא לֵיהּ. חָמָא דְּיוּקְנָא דְּמ׳ פְּתוּחָה, מַלְיָא דָּמָא. כֵּיוָן דְּחָמָא לֵיהּ, אָמַר הָא וַדַּאי סִימָנָא דְּמַלְאַךְ הַמָּוֶת, מִיַּד חָטַף לָהּ, אַדְכַּר עָלָהּ שְׁמָא מְפָרָשׁ, וְנָוְוית לְהַאי אָת לְגַבֵּיהּ. וּמַה דַּהֲוָה ר״ח, אִתְצְרִיף רמ״ח. כְּדֵין וַיִּקַּח רֹמַח בְּיָדוֹ. וע״ד כְּתִיב מֵעַל בְּנֵי יִשְׂרָאֵל בְּקַנְאוֹ אֶת קִנְאָתִי, דְּקַנֵּי לִשְׁמָא קַדִּישָׁא, דַּהֲווּ מְחַבְּרִין לֵיהּ בִּרְשׁוּ אוּחֲרָא. בְּתוֹכָם, מַאי בְּתוֹכָם. בְּגִין דַּהֲוָה אָזֵיל וְעָאל בְּגוֹ כַּמָּה אוּכְלוּסִין, כַּמָּה רַבְרְבָן, וּמָסַר גַּרְמֵיהּ לְמוֹתָא בֵּינַיְיהוּ. אֲבָל בְּתוֹכָם, בְּתוֹךְ מ׳, בְּתוֹךְ מ׳ הֲוָה הַהוּא קִנְאָה דְּקַנֵּי.

תסח. מ״ט מ׳. בְּגִין דְּאִיהִי סִימָנָא דְּמָוֶת, אִיהִי סִימָנָא דְּמ׳ מַלְקִיּוֹת. אִיהִי סִימָנָא דְּד׳ מִיתוֹת ב״ד. וּמִתַּמָּן סָלִיק וְנָחִית, נָחִית וְסָלִיק, סָלִיק לְמ׳, וְנָחִית לְד׳. נָחִית לְד׳, אִינּוּן ד׳ רוּחִין, דְּמִתְפָּרְשָׁן מִגּוֹ דְּכַר וְנוּקְבָּא מִמּוֹסָאֲבוּתָא, וּבְגִינַיְיהוּ ד׳ מִיתוֹת ב״ד. וּמִתַּמָּן סַלְקִין לְמ׳. וְהַיְינוּ מ׳ סִימָנָא וּמָאנִין דְּמַלְאַךְ הַמָּוֶת. וְדָא נָטִיל פִּנְחָס, וְקָם בְּתוֹךְ מ׳, וע״ד וְלֹא כִלִּיתִי אֶת בְּנֵי יִשְׂרָאֵל בְּקִנְאָתִי.

תסט. וְכִי הַאֵיךְ הֵשִׁיב פִּנְחָס חֲמָתֵיהּ דְּקוּדְשָׁא בְּרִיךְ הוּא, וְהָכְתִיב וַיִּהְיוּ הַמֵּתִים בַּמַּגֵּפָה וְגוֹ׳, אִי לָא מִית חַד מִנַּיְיהוּ, הֲוָה אֲמֵינָא הֵשִׁיב אֶת חֲמָתִי, אֲבָל כֵּיוָן דְּכָל הָנֵי

מִיתוּ, מ"ט הֵשִׁיב אֶת חֲמָתִי וְלֹא כִלִּיתִי אֶת בְּנֵי יִשְׂרָאֵל. אֶלָּא וַדַּאי בְּרִירָא דְּמִלָּה, וַוי לֵיהּ לְב"נ דְּפָגִים זַרְעֵיהּ, וַוי לֵיהּ לְמַאן דְּלָא נָטִיר זַרְעֵיהּ כַּדְקָא יָאוּת, וְחַס וְשָׁלוֹם דַּאֲפִילּוּ חַד מִיִּשְׂרָאֵל מִית, אֶלָּא שִׁבְטָא דְשִׁמְעוֹן, כַּד אָתֵי אִינּוּן עֵרֶב רַב, אִתְעָרְבוּ בְּנָשִׁין דְּשִׁבְטָא דְשִׁמְעוֹן, בָּתַר דְּאִתְגַּיְּירוּ, וְאוֹלִידוּ בְּנִין, מִנְּהוֹן מִיתוּ בָּעֵגֶל, וּמִנְּהוֹן מִיתוּ בְּמוֹתָנָא, וַאֲחֲרָנִין מִיתוּ הָכָא, אִינּוּן דְּאִשְׁתָּאֲרוּ. הֲדָא הוּא דִכְתִּיב, וַיִּהְיוּ הַמֵּתִים בַּמַּגֵּפָה, אֲשֶׁר מֵתוּ לָא כְתִיב, אֶלָּא הַמֵּתִים, מֵתִים דְּמֵעִיקָרָא הֲווּ.

תע. וּבְגִין דְּאִסְתַּמְרוּ יִשְׂרָאֵל, וְכָל אִינּוּן זַרְעָא קַדִּישָׁא, אִתְמְנוּן כֻּלְּהוּ, בְּגִין דְּלָא חָסֵר אֲפִילּוּ חַד מִנַּיְיהוּ. וְעַ"ד כְּתִיב, וְלֹא כִלִּיתִי אֶת בְּנֵי יִשְׂרָאֵל, מִכְּלָל דַּאֲחֲרָנִין כָּלוּ. וְכֵן הֵשִׁיב אֶת חֲמָתִי מֵעַל בְּנֵי יִשְׂרָאֵל, מֵעַל בְּנֵי יִשְׂרָאֵל הֵשִׁיב, אֲבָל מֵעַל אֲחֲרָנִין דַּהֲווּ עֵרֶב רַב, לָא הֵשִׁיב. וְעַ"ד רָשִׁים קְרָא וְאָמַר, מֵעַל בְּנֵי יִשְׂרָאֵל. וּבְגִ"ד אִתְמְנוּן בְּנֵי יִשְׂרָאֵל כְּמִלְּקַדְמִין, וְחָזֵר לוֹן קוּדְשָׁא בְּרִיךְ הוּא בַּהֲדֵיהּ. כְּגַוְונָא דָא בְּעוֹבָדָא דְעֵגֶל, דִּכְתִיב וַיִּפּוֹל מִן הָעָם וְגוֹ'. כָּל אִינּוּן מֵעֵרֶב רַב הֲווּ. וּלְאַחֲזָאָה דְּלָא הֲווּ מִבְּנֵי יִשְׂרָאֵל, מַה כְּתִיב לְבָתַר, וַיַּקְהֵל מֹשֶׁה אֶת כָּל עֲדַת בְּנֵי יִשְׂרָאֵל.

תעא. קְחוּ מֵאִתְּכֶם תְּרוּמָה. ת"ח, בְּקַדְמֵיתָא כְּתִיב, מֵאֵת כָּל אִישׁ אֲשֶׁר יִדְּבֶנּוּ לִבּוֹ. כֹּלָּא בִּכְלָל. כֵּיוָן דְּאִינּוּן עֵרֶב רַב עָבְדוּ דָא, וּמִיתוּ מִנַּיְיהוּ אִינּוּן דְּמִיתוּ, בָּעָא קוּדְשָׁא בְּרִיךְ הוּא לְאִתְפַּיְּיסָא בַּהֲדַיְיהוּ דְּיִשְׂרָאֵל, אָמַר לוֹן, אִתְחַבְּרוּ כֻּלְּכוּ לְסִטְרָא חַד, הֲדָא הוּא דִכְתִיב וַיַּקְהֵל מֹשֶׁה אֶת כָּל עֲדַת בְּנֵי יִשְׂרָאֵל בִּלְחוֹדַיְיהוּ, אָמַר לוֹן, בָּנַי, בְּכוֹן אֲנָא בָּעֵי לְמִשְׁרֵי, עִמְּכוֹן תְּהֵא דִּיוּרָא דִּילִי. וְעַ"ד, קְחוּ מֵאִתְּכֶם תְּרוּמָה, מֵאִתְּכֶם, וְלָא מֵאַחֲרָא, לָא בָּעֵינָא דִּתְהֵא שׁוּתָּפָא לַאֲחֲרָנִין בַּהֲדַי, וְלָא בַּהֲדַיְיכוּ, וּבְגִ"כ כֻּלְּהוּ אִשְׁתְּצִיאוּ. אוּף הָכָא הָא אִינּוּן מֵאִינּוּן גִּזְעָא בִּישָׁא הֲווּ, וַיִּהְיוּ הַמֵּתִים. הַמֵּתִים, וַדַּאי מֵתִים, וְלָא מִיִּשְׂרָאֵל. וּבְגִ"כ מָנָה לוֹן, דִּכְתִיב שְׂאוּ אֶת רֹאשׁ בְּנֵי יִשְׂרָאֵל, אֲרִימוּ רֵישַׁיְיהוּ.

תעב. א"ר אֶלְעָזָר, אַבָּא, כַּמָּה יָאוּת הוּא, אִי לָא אַשְׁכַּחְנָא פְּלוּגְתָּא עַל דָּא. אָמַר לֵיהּ בְּרִי אֵימָא. א"ל וְהָא כְּתִיב וַיִּצָּמֶד יִשְׂרָאֵל לְבַעַל פְּעוֹר, וְתָנֵינָן דְּאִתְחַבָּרוּ יִשְׂרָאֵל בַּהֲדֵיהּ, כִּצְמִידָא דָא דְּאִתְחַבַּר בב"נ בְּקִשּׁוּטוֹי, הָכִי אִתְחַבָּרוּ יִשְׂרָאֵל בְּבַעַל פְּעוֹר. א"ל אֶלְעָזָר, הָכִי הוּא, וַיִּצָּמֶד יִשְׂרָאֵל לְבַעַל פְּעוֹר, אֶלָּא אֲנָא לָא אֲמָרִית דְּאִתְדְּכוּ יִשְׂרָאֵל מֵהַהוּא חוֹבָה, אֶלָּא דְּאִתְדְּכוּ מִמּוֹתָא, דְּלָא שַׁרְיָא עֲלַיְיהוּ מוֹתָא.

תעג. א"ל וְהָא כְּתִיב, קַח אֶת כָּל רָאשֵׁי הָעָם וְהוֹקַע אוֹתָם. א"ל רָאשֵׁי הָעָם וַדַּאי, וְלָא רָאשֵׁי בְּנֵי יִשְׂרָאֵל. וּמִן הָעָם אִית לָן לְמֵילַף, כְּתִיב הָכָא הָעָם, וּכְתִיב הָתָם וַיַּרְא הָעָם. וַיִּקָּהֵל הָעָם. וַיִּפּוֹל מִן הָעָם. אֲבָל ת"ח, וַיִּצָּמֶד יִשְׂרָאֵל לְבַעַל פְּעוֹר, וְלָא פַּלְחוּ לֵיהּ, אֲבָל מִן סֵיפֵיהּ דִּקְרָא אוֹכַח, דִּכְתִיב וַיֹּאכַל הָעָם וַיִּשְׁתַּחֲווּ, וְלָא כְּתִיב וַיֹּאכַל וַיִּשְׁתַּחֲווּ יִשְׂרָאֵל. אֶלָּא הָעָם, כֵּיוָן דִּכְתִיב וַיִּצָּמֶד יִשְׂרָאֵל, מַאי וַיֹּאכַל הָעָם. אֶלָּא הַהוּא זַרְעָא בִּישָׁא, הֲווּ חוֹבָה דְּיִשְׂרָאֵל.

תעד. מַהוּ דִּכְתִיב וַיִּצָּמֶד יִשְׂרָאֵל לְבַעַל פְּעוֹר. ת"ח, וַיִּצָּמֶד יִשְׂרָאֵל בְּבַעַל פְּעוֹר לָא כְּתִיב, אֶלָּא לְבַעַל פְּעוֹר. קִשּׁוּטִין וְתוּקְפָּא יָהֲבוּ לְבַעַל פְּעוֹר, בְּלָא דַּעְתָּא, בְּגִין דְּפוּלְחָנָא דִּפְעוֹר הוּא, לְמִפְרַע גַּרְמֵיהּ, וּלְאַפָּקָא קַמֵּיהּ צוֹאָה רוֹתַחַת. וְהַהוּא עֲבִידְתָּא אַהֲנֵי לֵיהּ, וְאִתְתַּקַּף מִנֵּיהּ. וְיִשְׂרָאֵל כֵּיוָן דְּחָמוּ דָא, חֲשִׁיבָא דְּזִלְזוּלָא דִּילֵיהּ אִיהוּ, וְקִלְקוּלָא דִּילֵיהּ, דְּהָא בְּעַ"ז כְּתִיב, צֵא תֹּאמַר לוֹ. וְאִינּוּן בְּגִין זִלְזוּלָא דַּעֲבוֹדָה זָרָה, פַּרְעוּ גַּרְמַיְיהוּ בְּלָא יְדִיעָה, וְעַל הָנֵי כִּפֵּר פִּנְחָס, וּבִטֵּל מוֹתָנָא, דִּכְתִיב וַיְכַפֵּר עַל בְּנֵי יִשְׂרָאֵל.

תעה. אָמַר רַעְיָא מְהֵימְנָא, הֵשִׁיב אֶת חֲמָתִי, מַאי הֵשִׁיב אֶת חֲמָתִי. אֶלָּא ג' מְמוּנִים דְּגֵיהִנָּם, וַחֲד עַל ש"ד, וַחֲד עַל ג"ע, וַחֲד עַל ע"ז. וְאִינּוּן: מַשְׁחִית, אַף, וְחֵימָה. הוּא וְחֵימָה דַּהֲוָה טָאס בְּעָלְמָא. אָמַר הֵשִׁיב אֶת חֲמָתִי מֵעַל בְּנֵי יִשְׂרָאֵל, וְלָא אָמַר מֵעַל הָעָם, דְּאִינּוּן עֵרֶב רַב, דְּאִתְּמַר וַיִּפּוֹל מִן הָעָם בַּיּוֹם הַהוּא כִּשְׁלֹשֶׁת אַלְפֵי אִישׁ, דְּהָכִי אוֹקִימְנָא וְשָׁאִילוּ לְבוּצִינָא קַדִּישָׁא.

תעו. וּמַה כְּתִיב, קְחוּ מֵאִתְּכֶם תְּרוּמָה לַיְיָ', וְלָא מֵעֵרֶב רַב, דְּלָא אִתְקְרִיאוּ קְהָלָה וְחִבּוּר, עַד דְּאִתְעֲבַר מִנְּהוֹן עֵרֶב רַב, כִּבְיָכוֹל בִּזְמַנָּא דְּמִתְעָרְבִין בֵּינַיְיהוּ, כְּאִילוּ לָא הֲוֵי גּוֹי אֶחָד. וּבְגִ"ד קְחוּ מֵאִתְּכֶם תְּרוּמָה, וְלָא מִשּׁוּתָּפוּ אַחֲרָא, דְּלָא בָּעֵינָא לְשַׁתְּפָא אַחֲרָנִין בֵּינֵי וּבֵינַיְיכוּ.

תעז. וְלֹא עוֹד, אֶלָּא כַּד עֵרֶב רַב אִינּוּן מְעוֹרָבִין בְּיִשְׂרָאֵל, מַה כְּתִיב הָיוּ צָרֶיהָ לְרֹאשׁ. וְיִשְׂרָאֵל בָּתַר דְּמִתְעַבְרֵי מִנַּיְיהוּ אִלֵּין מַה כְּתִיב, שְׂאוּ אֶת רֹאשׁ כָּל עֲדַת בְּנֵי יִשְׂרָאֵל. וְלָא עוֹד, אֶלָּא דְּאָמַר קוּדְשָׁא בְּרִיךְ הוּא, אֲנָא בָּעֵי לְדַיְּירָא עִמְּכוֹן. הֲדָא הוּא דִּכְתִיב, וְעָשׂוּ לִי מִקְדָּשׁ וְשָׁכַנְתִּי בְּתוֹכָם.

תעח. וְלֹא עוֹד, אֶלָּא כַּד בְּנֵי יִשְׂרָאֵל בְּגָלוּתָא, עֲלַיְיהוּ אִתְּמַר מִי מְעַכֵּב שְׂאוֹר שֶׁבָּעִסָּה, וְהָא אוֹקְמוּהָ מָארֵי מַתְנִיתִין, בִּזְמַנָּא דְּעֵרֶב רַב אִינּוּן רָאשִׁים עַל יִשְׂרָאֵל, כִּבְיָכוֹל כְּאִילוּ עַבְרִין שׁוּלְטָנֵי דְּקוּדְשָׁא בְּרִיךְ הוּא, וְיֵיעֲלוּן בְּמִשְׁפְּטֵי כֹּכָבַיָּא וּמַזָּלֵי. וּבְגִ"ד צַוְוחִין וְאַמְרִין, יְיָ' אֱלֹהֵינוּ בְּעָלוּנוּ אֲדוֹנִים זוּלָתֶךָ.

תעט. ד"א, פִּנְחָס וְגוֹ'. קוּם בּוּצִינָא קַדִּישָׁא, וְאַפְתַּח מִלֵּי קַמֵּי שְׁכִינְתָּא. קָם בּוּצִינָא קַדִּישָׁא, וְאָמַר, בְּחִבּוּרָה קַדְמָאָה אִתְּמַר הָכִי. תָּא חֲזֵי, פִּינְחָס קָאִים קַמֵּי דִּינָא תַּקִּיפָא דְּיִצְחָק, וְקָם קָמֵי פִּרְצָה, דִּכְתִיב וַיַּעֲמוֹד פִּינְחָס וַיְפַלֵּל וַתֵּעָצַר הַמַּגֵּפָה, בְּגִין לְאַגָּנָא עֲלַיְיהוּ דְּיִשְׂרָאֵל, וּבְגִין דָּא כָּלִיל דָּא וְדָא בְּחוּשְׁבָּנָא, פִּינְחָס כְּמִנְיַן יִצְחָק, וְהָכָא צָרִיךְ לְחַדְּתָא מִלִּין.

תפ. פָּתַח וְאָמַר, אֵלִיָּהוּ רְחִימָא דְּמַלְכָּא עִלָּאָה, חָזָא מ"ם מִן מָוֶת טָאס בַּאֲוִירָא, חָטַף לָהּ, וְשַׁתַּף לָהּ עִם ר"ח, דְּאִיהוּ יִצְחָק, וְאִיהוּ בְּחוּשְׁבַּן פִּינְחָס, וְאִשְׁתְּלִים בָּהּ רמ"ח. לְבָתַר חָזָא ו' מִן מָוֶ"ת טָס בִּרְקִיעָא, וְחָטַף לֵיהּ, וְשַׁוֵּי לֵיהּ בְּרַמָ"ח, וְאִשְׁתְּלִים רוֹמַ"ח. הֲדָא הוּא דִּכְתִיב, וַיִּקַּח רוֹמַח בְּיָדוֹ.

תפא. וְאִיהוּ, בְּמָה יָכִיל לַחֲטוֹף תְּרֵין אַתְוָון אִלֵּין. בִּתְרֵין רוּחִין דְּאִשְׁתְּמָרוּ לְעֵילָּא, דְּאִשְׁתַּתָּפוּ בְּפִנְחָס. פְּנֵ"י חָ"ס. בִּתְרֵין פָּנִים אִלֵּין, חָס עַל יִשְׂרָאֵל דְּלָא אִתְאֲבִידוּ, בְּחֵילָא דִּתְרַוַויְיהוּ, וַיִּדְקוֹר אֶת שְׁנֵיהֶם, בִּתְרֵין אַתְוָון מ"ו. וְהַיְינוּ בְּקַנְאוֹ אֶת קִנְאָתִי בְּתוֹכָם.

תפב. וַאֲמַאי אִשְׁתַּתַּף בְּיִצְחָק. בְּגִין דְּיִצְחָק מָסַר גַּרְמֵיהּ לְמִיתָה. וּבְגִין דָּא אִשְׁתַּתַּף לֵיהּ לְיִצְחָק, לְמֶהֱוֵי לֵיהּ עֵזֶר. דְּמִסִּטְרָא דִּתְרֵין עֵיזְלֵי דְּאַיַּילְתָּא, אִשְׁתַּתְּפֵי בֵּיהּ אַבְרָהָם וְיַעֲקֹב, דְּאַבְרָהָם דַּרְגֵּיהּ חֶסֶד אִשְׁתַּתַּף בְּחָ"ס דְּפִנְחָ"ס. יַעֲקֹב אִיהוּ פְּנֵ"י דְּפִנְחָס בְּגִין דְּאִתְּמַר בֵּיהּ, כַּאֲשֶׁר עָבַר אֶת פְּנִיאֵל, פְּנֵ"י אֵ"ל. בְּגִין דְּכַד עָלְמָא אִיהוּ בְּדוּחְקָא, וְאִית צַדִּיק בְּעָלְמָא מְקַנֵּי עַל בְּרִית, אֲבָהָן אִשְׁתַּתָּפוּ בֵּיהּ, וּבְגִינַיְיהוּ אָמַר מֹשֶׁה בְּדוּחֲקָא דְּיִשְׂרָאֵל, זְכוֹר לְאַבְרָהָם לְיִצְחָק וּלְיִשְׂרָאֵל עֲבָדֶיךָ. וּבִתְלַת אַתְוָון יה"ו מִן אֵלִיָּהוּ, זָכָה לָהּ' מִן הַנָּבִיא, וְדָא אִיהוּ אֵלִיָּהוּ, ה' נָבִיא, וְאִשְׁתְּלִים בֵּיהּ יְדוָ"ד.

תפג. י' דְּזָכָה פִּנְחָס בֵּיהּ, בְּגִין דְּקַנֵּי עַל בְּרִית, זָכָה לִבְרִית. וּתְרֵין יוֹדִין אִינּוּן, יוּד עִלָּאָה מִן יְדוָ"ד, דְּכָרַת בָּהּ לְאַבְרָהָם, בֵּין י' אֶצְבָּעוֹת דְּיָדִין. יו"ד זְעֵירָא אִיהִי מִן אֲדֹנָ"י, דְּכָרַת בָּהּ בֵּין י' אֶצְבְּעָאן דְּרַגְלִין וְאִיהִי אָת קַדִּישָׁא, דְּמִתְעַטְּרָא בִּרְשִׁימוּ עִלָּאָה.

תפד. וְדָא אִתְרְשִׁים תָּמִיד לְעָלְמִין, אִיהִי אוֹת דְּשַׁבָּת, אוֹת דִּתְפִלִּין, אוֹת דְּיוֹמִין טָבִין, אוֹת דְּשַׁדַּי דְּרָשִׁים עַל מְזוּזוֹת בֵּיתֶךָ וּבִשְׁעָרֶיךָ. לְמֶהֱוֵי בָּהּ רְשִׁימִין יִשְׂרָאֵל בִּרְצוּעַיְיהוּ, בִּבְרִית דִּלְהוֹן, דְּאִינּוּן בְּנוֹי דְּמַטְרוֹנִיתָא, בְּנוֹי דְּהֵיכָלָא דְּמַלְכָּא קַדִּישָׁא, וּבְאוֹרַיְיתָא, אִינּוּן רְשִׁימִין בְּאָת י׳ עִלָּאָה, דְּאִינּוּן בְּנֵי מַלְכָּא עִלָּאָה, כְּמָה דְּאוֹקְמוּהָ. וְהָא אִתְמַר בָּנִים אַתֶּם לַיְיָ׳ אֱלֹהֵיכֶם.

תפה. וְאוֹת יוֹד דְּשַׁדַּי, אִיהוּ ווּלְיָא דְּשַׁלְשֶׁלֶת, עַל קוֹדְלָא דְּשֵׁד יֵצֶר הָרָע, דְּלָא לְנְזִיק לֵיהּ לְב״נ. דְּעָלֵיהּ אָמַר דָּוִד, הַצִּילָה מֵחֶרֶב נַפְשִׁי מִיַּד כֶּלֶב יְחִידָתִי. אִיהוּ נָחָשׁ, אִיהוּ כֶּלֶב, אִיהוּ אַרְיֵה. דְּעָלֵיהּ אָמַר דָּוִד, יֶאֱרוֹב בַּמִּסְתָּר כְּאַרְיֵה בְסֻכֹּה. וְהַנָּבִיא קָרָא לֵיהּ דּוֹב, הה״ד דּוֹב אוֹרֵב הוּא לִי אֲרִי בְּמִסְתָּרִים. נִמְשַׁל כַּבְּהֵמוֹת, נִמְשַׁל לְכָל חֵיוָן מְסָאֲבָן, דְּאִינּוּן דּוֹרְסִין, אִתְמְתִיל לְכָל ב״נ, כְּפוּם חוֹבוֹי, וְהָא אִתְמַר.

תפו. וְהַאי אִיהוּ כֶּלֶב וְנָחָשׁ וַחֲמוֹר נוֹעֵר, דְּמַרְכִּיבִין עָלֵיהּ נַפְשָׁא. וּמִיַּד דְּאִשְׁתְּמוֹדַע הַהוּא דְּרָכִיב עָלֵיהּ דְּאִיהוּ חַיְּיבָא, עָלֵיהּ כְּתִיב, וַיִּפּוֹל רוֹכְבוֹ אָחוֹר. וְרָזָא דְּמִלָּה, כִּי יִפּוֹל הַנּוֹפֵל מִמֶּנּוּ. וּבְגִין דָּא אָמַר אִיּוֹב, לֹא נוֹפֵל אָנֹכִי מִכֶּם. וְצַדִּיק דְּרָכִיב עָלֵיהּ, קָשִׁיר לֵיהּ בְּקִשּׁוּרוּ דִּרְצוּעִין דִּתְפִלִּין. אוֹת תְּפִלִּין דְּאִיהוּ אוֹת יוֹד. דְּשַׁדַּי, ווּלְיָא עַל קְדָלֵיהּ. ש׳ דִּתְפִלִּין, שַׁלְשֶׁלֶת עַל קְדָלֵיהּ.

תפז. וּבֵיהּ רָכִיב אֵלִיָּהוּ, וְסָלִיק לִשְׁמַיָּא. הה״ד, וַיַּעַל אֵלִיָּהוּ בַּסְּעָרָה הַשָּׁמָיִם. וּבֵיהּ וַיַּעַן יְדֹוָ״ד אֶת אִיּוֹב מִן הַסְּעָרָה. וּבְגִין דָּא, אוֹקְמוּהָ רַבָּנָן דְּמַתְנִיתָא עָלֵיהּ, אֵיזֶהוּ גִּבּוֹר הַכּוֹבֵשׁ אֶת יִצְרוֹ. וְאִית לְמַאן דְּמִתְהַדָּר לֵיהּ חֲמוֹר, דְּלָאו אִיהוּ מִצְטַעֵר רוֹכְבוֹ. וְאִלֵּין אִינּוּן דְּמִשְׁתַּדְּלִין בְּקַל וָחוֹמֶר. וּבְגִין דָּא אִתְמַר בְּאַבְרָהָם, וַיַּחֲבוֹשׁ אֶת חֲמוֹרוֹ. וּבְגִינֵיהּ אִתְמַר עַל מָשִׁיחַ, עָנִי וְרוֹכֵב עַל חֲמוֹר.

תפח. וּבְגִין דָּא י׳ מִן שַׁדַּ״י, דְּאִיהוּ ווּלְיָיא דְּשַׁלְשֶׁלֶת, מִינָּהּ מְפַחֲדִין כָּל שֵׁדִין וּמַזִּיקִין, וּמִיַּד דְּחָזְיָין לֵיהּ בִּמְזוּזוֹת דְּתַרְעִין, בָּרְחִין, דְּבָהּ אִתְמַר, לֶאְסוֹר מַלְכֵיהֶם בְּזִיקִּים וְנִכְבְּדֵיהֶם בְּכַבְלֵי בַרְזֶל. כ״ש כַּד חָזְיָין לָהּ בְּאוֹת תְּפִלִּין עַל דְּרוֹעִין, וּרְשִׁימִין בָּהּ בְּאוֹת בְּרִית בִּבְשָׂרֵיהוֹן, וְהַזָּר הַקָּרֵב יוּמָת, לֵית זָר, אֶלָּא יֵצֶר הָרָע, דְּדַמְיָא לְכָל חֵיוָן וְעוֹפִין דּוֹרְסִין.

תפט. וּבְגִין דָּא, זְכוֹר נָא מִי הוּא נָקִי אָבָד, דָּא פִּנְחָס, דְּקַנֵּי עַל בְּרִית, וְאִתְרְשִׁים בֵּיהּ, דְּאִיהוּ בְּרָא דְּמַלְכָּא וּמַטְרוֹנִיתָא. קַנֵּי בְּמַחֲשָׁבָה, וְזָכֵי לְאָת י׳ מִן יְהֹוָ״ה. וְקַנֵּי בְּעוֹבָדוֹי, וְזָכָה לְאוֹת י׳ מִן אֲדֹנָ״י. וְהַאי אִיהוּ חָכְמָה בְּרֹאשׁ. וְחָכְמָה בַּסּוֹף. וּבְגִין דְּאָדָם קַדְמָאָה הֲוָה רָשׁוּם בְּתַרְוַויְיהוּ, אוֹקְמוּהָ עָלֵיהּ רַבָּנָן, דְּאִיהוּ רִאשׁוֹן לְמַחֲשָׁבָה, אַחֲרוֹן לְמַעֲשֶׂה. אַדְהָכִי דְּאָמַר מִלִּין אִלֵּין אִתְכַּסֵּי מִנַּיְיהוּ. אָמַר ר׳ אֶלְעָזָר, זַכָּאָה חוּלָקָנָא, דְּזָכֵינָא לְמִשְׁמַע מִלִּין מִבְּנֵי עָלְמָא דְּאָתֵי.

תצ. וּבְחִבּוּרָא קַדְמָאָה. לָכֵן אֱמוֹר, בְּאוּמָאָה עֲלָךְ, אִם הוּא בִּרְעוּתָךְ, וְאִי לָאו, אִימָא. ר׳ פִּנְחָס בֶּן יָאִיר. הַהוּא טוּלָא בָּטַשׁ בְּעֵינוֹי דר׳ אַבָּא, וְכִי לָא הֲוָה יָדַע קוּדְשָׁא בְּרִיךְ הוּא, אִי הֲוָה בִּרְעוּתֵיהּ, אִם לָאו. א״ל, אִם לֵיהּ גָּלוּי, מִי גָּלוּי לְאַחֲרָנֵי, וּבְגִ״ד לָכֵן אֱמוֹר.

תצא. וְתוּ אִתְמַר בְּחִבּוּרָא קַדְמָאָה, מִכְתָּם לְדָוִד, סִימָנָא דְּאַחֲזִיאוּ לֵיהּ לְדָוִד, כַּד שָׁדַר לְיוֹאָב לַאֲרַם נַהֲרַיִם וּלְאֲרַם צוֹבָה לְאַגָּחָא בְּהוּ קְרָבָא. אָמַר רַעְיָא מְהֵימְנָא, שׁוֹשַׁן עֵדוּת: דָּא סַהֲדוּתָא דִּשְׁכִינְתָּא, דְּאִיהוּ שׁוֹשַׁן עֵדוּת. דְּאִיהִי סַהֲדוּתָא דְּקַיְּימָא

עֲלָן, וְסָהֵידַת עֲלָן קַמֵּי מַלְכָּא, וְדַרְגִּין עִלָּאִין קַדִּישִׁין בַּהֲדָהּ, וְסַיַּיעְתָּא קַדִּישָׁא לְתוּשְׁבַּחְתָּא. אָמַר ר"מ, שׁוֹשַׁן עֵדוּת דְּאִינּוּן סָהֲדִין עַל יִשְׂרָאֵל, דְּאִינּוּן אֵבָרִים, וְאִיהִי נִשְׁמְתָא עֲלַיְיהוּ. אִיהוּ סַיַּיעְתָּא דִּשְׁמַיָּא. דְּאִתְּמַר בָּהּ, וְאַתָּה תִּשְׁמַע הַשָּׁמַיִם. אִיהִי סַיַּיעְתָּא קַדִּישָׁתָא, דְּאִתְּמַר עָלָהּ תַּנְיָא דִּמְסַיַּיע לָךְ.

תצב. אֵיתָן מוֹשָׁבֶךָ וְשִׂים בַּסֶּלַע קִנֶּךָ. אית"ן: תַּנְיָ"א. תַּמָּן קִנָּא דְּנִשְׁרָא עִלָּאָה, וְאִיהִי שְׁכִינְתָּא. וְעָלָהּ אִתְּמַר, כְּנֶשֶׁר יָעִיר קִנּוֹ עַל גּוֹזָלָיו יְרַחֵף, דְּאִינּוּן שׁוֹנֵי הֲלָכוֹת וּמִשְׁנָיוֹת. וְכָל דִּבּוּר וְדִבּוּר דְּנָפִיק מִפּוּמוֹי דְּהַהוּא תַּנָּ"א, דְּאַפִּיק בֵּין לִשְׁמָא דִּידוָ"ד, בֵּין בְּאוֹרַיְיתָא, בֵּין בִּצְלוֹתָא, בֵּין בִּבְרָכָה, בֵּין בְּכָל פִּקּוּדָא וּפִקּוּדָא, מַה כְּתִיב בֵּיהּ. יִפְרוֹשׂ כְּנָפָיו, הַהוּא נִשְׁרָא דְּהוּא דִּבּוּר, דְּבֵיהּ יְהוָ"ה.

תצג. יִקָּחֵהוּ יִשָּׂאֵהוּ עַל אֶבְרָתוֹ, מַאי עַל אֶבְרָתוֹ. עַל הַהוּא אֵבֶר דב"נ, דְּבֵיהּ מִצְוָה יְדוָ"ד, אִתְקְרֵי אֵבֶר דִּשְׁכִינְתָּא. ובג"ד יִשָּׂאֵהוּ עַל אֶבְרָתוֹ. יִשָּׂאֵהוּ: כְּגוֹן יִשָּׂא יְדוָ"ד פָּנָיו אֵלֶיךָ.

תצד. וּמַאי וְשִׂים בַּסֶּלַע קִנֶּךָ. אֶלָּא אָמַר דָּוִד עָלֵיהּ, יְיָ' סַלְעִי וּמְצוּדָתִי. אוּף הָכִי תָּנָא, דְּאִיהוּ בֵּיהּ הֲלָכָה תַּקִּיפָא כְּסֶלַע, דְּלֵית פַּטִּישׁ יָכִיל לְפַצְּצָא יָתֵהּ בְּכָל קוּשְׁיָין דְּעָלְמָא. בְּהַאי אִיהוּ מְקַנְּנָא נִשְׁרָא, וְכָל תַּנָּאִים אִתְקְרִיאוּ קִנִּים דִּילָהּ. וּבְגִין דָּא, כִּי יִקָּרֵא קַן צִפּוֹר לְפָנֶיךָ, בְּאָרַח מִקְרֶה, זִמְנָא וְחָדָא כְּאוּשְׁפִּיזָא וְאַכְסְנַאי, דְּאִזְדַּמַּן לְפוּם שַׁעֲתָא בְּבֵי אוּשְׁפִּיזֵיהּ.

תצה. וְאִית דְּאִינּוּן בְּמַתְנִיתָא דִּלְהוֹן דִּירָה לִשְׁכִינְתָּא, הה"ד וְשָׁמְרוּ בְנֵי יִשְׂרָאֵל אֶת הַשַּׁבָּת וְגוֹ', לְדוֹרוֹתָם, לְדֹרֹתָם וָחֵסֵר, לָשׁוֹן דִּירָה. וְאִית מָארֵי מִשְׁנָה דְּתוֹרָתָם אוּמָנוּתָם, דְּלָא זָזַת שְׁכִינְתָּא מִנַּהוֹן כָּל יוֹמֵיהוֹן. אֲבָל אִלֵּין, כִּי יִקָּרֵא קַן צִפּוֹר לְפָנֶיךָ, בְּהוֹן שְׁכִינְתָּא בְּאָרַח מִקְרֶה, זִמְנִין שַׁרְיָיא עֲלַיְיהוּ וְאִשְׁתְּכַחַת עִמְּהוֹן, וְזִמְנִין לָא אִשְׁתְּכַחַת עִמְּהוֹן.

תצו. וְרָזָא דְּמִלָּה, זִמְנִין דְּאִשְׁתְּכַחַת עִמְּהוֹן, לֹא תִקַּח הָאֵם. וְזִמְנִין דְּלָא אִשְׁתְּכָחַת עִמְּהוֹן, שַׁלֵּחַ תְּשַׁלַּח אֶת הָאֵם. אֶפְרוֹחִים אִלֵּין מָארֵי מִשְׁנָה. אוֹ בֵּיצִים, מָארֵי מִקְרָא בְּאִלֵּין דְּלָא קַבְעִין לִמוֹדַיְיהוּ, שַׁלֵּחַ תְּשַׁלַּח אֶת הָאֵם. אֲבָל בְּאִלֵּין דְּקַבְעִין לִמוֹדַיְיהוּ, לֹא תִקַּח הָאֵם עַל הַבָּנִים. וְאִית מָארֵי הֲלָכוֹת, דְּדַמְיָין לְכֹכְבַיָּא, הה"ד וּמַצְדִּיקֵי הָרַבִּים כַּכּוֹכָבִים לְעוֹלָם וָעֶד. לָאו כַּכֹּכָבִים, דְּאִתְּמַר בְּהוֹן וְכָל צְבָאָם יִבּוֹל. אֶלָּא כְּאִינּוּן כֹּכְבַיָּא דְּעָלְמָא דְּאָתֵי, דְּאִינּוּן לְעוֹלָם וָעֶד קַיְימֵי תָּדִיר.

תצז. וַיֹּאמֶר אֱלֹהִים נַעֲשֶׂה אָדָם, בָּתַר דְּאַשְׁלִימוּ לַעֲבִידְתַּיְיהוּ כָּל אוּמָן וְאוּמָן, אָמַר לוֹן קוּדְשָׁא בְּרִיךְ הוּא, אוּמָנוּתָא וְחָדָא אִית לִי לְמֶעְבַּד, דִּיְהֵא שׁוּתָּפָא דְּכֻלְּנָא. אִתְחַבָּרוּ כֻּלְּכוּ כַּחֲדָא, לְמֶעְבַּד בֵּיהּ כָּל אֶחָד וְאֶחָד מֵחוּלָקָא דִּילֵיהּ, וַאֲנָא אֶשְׁתַּתַּף עִמְּכוֹן, לְמֵיהַב לֵיהּ מֵחוּלָקָא דִּילִי. וְהַיְינוּ נַעֲשֶׂה אָדָם בְּצַלְמֵנוּ כִּדְמוּתֵנוּ. וְאוֹקְמוּהָ רַבָּנָן, דְּלֵית אָדָם אֶלָּא יִשְׂרָאֵל, הה"ד וְאַתֵּן צֹאנִי צֹאן מַרְעִיתִי אָדָם אַתֶּם. אַתֶּם אָדָם, וְלָא עכו"ם. ובג"ד יִשְׂמַח יִשְׂרָאֵל בְּעוֹשָׂיו.

תצח. אָמַר בּוּצִינָא קַדִּישָׁא, וַדַּאי הַהוּא תָּנָא דְּאִתְטְמַר בְּסֶלַע דְּחֵיוְיָא אָמַר דָּא, דִּכְתִיב בֵּיהּ אֵיתָן מוֹשָׁבֶךָ וְשִׂים בַּסֶּלַע קִנֶּךָ. דִּתְלַת אֲבָהָן נִקְרְאוּ אֵיתָנִים, וּרְבִיעָאָה אֵיתָן מוֹשָׁבֶךָ. דְּבֵיהּ מִתְיַשְּׁבָא הֲלָכָה, דְּאִתְּמַר בָּהּ הֲלָכָה לְמֹשֶׁה מִסִּינַי. דְּאִיהוּ אִתְפַּשַּׁט עַל שִׁתִּין רִבּוֹא דְּיִשְׂרָאֵל, וְנָהִיר לוֹן בְּאוֹרַיְיתָא, כְּשִׁמְשָׁא דְּאִתְכַּסֵּי בְּלֵילְיָא,

וְנָהִיר לְכָל כֹּכְבַיָּא וּמַזָּלֵי. וְלֵית לֵילְיָא אֶלָּא גָּלוּתָא, וְאִיהִי שׁוֹמֵר מַה מִּלַּיְלָה שׁוֹמֵר מַה מִּלֵּיל. וְאִתְגַּלְיָא בִּימָמָא, דְּאִתְּמַר הַבֹּקֶר אוֹר, בֹּקֶר דְּאַבְרָהָם, דְּאִתְּמַר בֵּיהּ וּבֹקֶר וּרְאִיתֶם אֶת כְּבוֹד יְיָ׳. וְחַד יְיָ׳ שִׁכְבִי עַד הַבֹּקֶר.

תצט. אַדְּהָכִי, הָא רַעְיָא מְהֵימְנָא נָפִיק מֵהַהוּא סֶלַע, וְאָמַר, בּוּצִינָא קַדִּישָׁא, מַה מּוֹעִיל לִי לְאִתְטַמְּרָא מִקַּמָּךְ, דְּהָא לָא שְׁבַקְנָא אֲתַר דְּלָא עָאלִית לְאִתְטַמְּרָא מִנָּךְ, וְלָא אַשְׁכַּחְנָא, אִי הָכִי לֵית לִי לְאִתְכַּסְיָיא מִנָּךְ.

תק. א״ל בּוּצִינָא קַדִּישָׁא, בָּתַר דְּאָמַר נַעֲשֶׂה אָדָם בְּצַלְמֵנוּ כִּדְמוּתֵנוּ, מַאי נִיהוּ דְּאָמַר לְבָתַר וַיִּבְרָא אֱלֹהִים אֶת הָאָדָם בְּצַלְמוֹ. א״ל, מַה דְּאוֹקְמוּהָ עַל דָּא מָארֵי מַתְנִיתִין, דְּמִנְּהוֹן הֲווֹ אַמְרִין יִבְרֵא, וּמִנְּהוֹן אַמְרִין לָא יִבְרֵא, קוּדְשָׁא בְּרִיךְ הוּא בָּרָא לֵיהּ, דִּכְתִּיב וַיִּבְרָא אֱלֹהִים אֶת הָאָדָם בְּצַלְמוֹ. אָמַר לֵיהּ, אִי הָכִי אִיהוּ, לָא יָהִיב חוּלָקָא בֵּיהּ חַד מִנַּיְיהוּ, וְלָא אִתְעָבִיד בִּדְיוֹקְנָא דִּלְהוֹן, אֶלָּא בְּאִיקוּנִין דְּמַלְכָּא בְּצַלְמוֹ כִּדְמוּתוֹ, דְּאִיהוּ צֶלֶם דְּמוּת תַּבְנִיתוֹ. אָמַר הָכִי אִשְׁתְּמוֹדַע.

תקא. אָמַר וַדַּאי. אֶלָּא אֲנָא אֲמֵינָא לָךְ, דְּאִתְבְּרֵי בְּכֹלָּא, וְאַשְׁלְטֵיהּ עַל כֹּלָּא. וְאִי הֲוָה יָהִיב כָּל חַד בֵּיהּ חוּלָקֵיהּ, בְּזִמְנֵיהּ דַּהֲוָה כַּעְסֵיהּ עָלֵיהּ, כָּל חַד, הֲוָה נָטִיל חוּלָקֵיהּ מִנֵּיהּ, כִּי בַמֶּה נֶחְשָׁב הוּא.

תקב. אֶלָּא קוּדְשָׁא בְּרִיךְ הוּא בָּרָא לֵיהּ בִּדְיוֹקְנֵיהּ, דָּא מַלְכוּת קַדִּישָׁא, דְּאִיהִי תְּמוּנַת כֹּל. דְּבָהּ אִסְתַּכַּל קוּדְשָׁא בְּרִיךְ הוּא, וּבָרָא עָלְמָא, וְכָל בִּרְיָין דְּבָרָא בְּעָלְמָא, וְכָלִיל בָּהּ עִלָּאִין וְתַתָּאִין, בְּלָא פֵּרוּדָא כְּלָל, וְכָלִיל בָּהּ עֶשֶׂר סְפִירָן, וְכָל שְׁמָהָן וְכִנּוּיִין וַהֲוָיָין. וְעִלַּת עַל כֹּלָּא, דְּאִיהוּ אֲדוֹן עַל כֹּלָּא, וְלֵית אֱלָהָא בַּר מִנֵּיהּ, וְלָא יִשְׁתְּכַח בְּעִלָּאִין וְתַתָּאִין פְּחוּת מִינָהּ. בְּגִין דְּאִיהִי קֶשֶׁר דְּכֻלְּהוּ, שְׁלִימוּ דְּכֻלְּהוּ, לְקַיְּימָא בֵּיהּ וּמַלְכוּתוֹ בַּכֹּל מָשָׁלָה. וּבְגִין דְּלָא אִשְׁתְּכַח עִלַּת עַל כֹּלָּא בְּעִלָּאִין וְתַתָּאִין פָּחוּת מִנָּהּ, אֲפִילּוּ בְּחַד מִנַּיְיהוּ, אִתְקְרִיאַת אֱמוּנַת יִשְׂרָאֵל. וּמִסִּטְרָא דְּעִלַּת עַל כֹּלָּא, אִתְּמַר בָּהּ, כִּי לֹא רְאִיתֶם כָּל תְּמוּנָה, אֲבָל מִסִּטְרָא דִּשְׁאַר בִּרְיָין. אִתְּמַר בָּהּ, וּתְמוּנַת יְיָ׳ יַבִּיט.

תקג. אָתָא בּוּצִינָא קַדִּישָׁא וּשְׁאַר חַבְרַיָּיא, וְאִשְׁתַּטְּחוּ קַמֵּיהּ, וְאָמְרוּ, וַדַּאי כְּעַן לֵית מַאן דְּיָכִיל לְמִיטַל מִנֵּיהּ חוּלָקֵיהּ, דְּלָא יָהִיב בֵּיהּ חוּלָקָא חַד בְּעָלְמָא, אֶלָּא בּוֹרֵא עָלְמִין, עִלַּת עַל כֹּלָּא, וּבֵיהּ תַּלְיָא עָנְשֵׁיהּ, אוֹ אַגְרֵיהּ, וְלָא בְּמַלְאָךְ וְשָׂרָף, וְלָא בְּשׁוּם בְּרִיָּה דְּעָלְמָא. וּבְגִין דָּא אוֹקְמוּהָ רַבָּנָן דְּמַתְנִיתִין, הַמְשַׁתֵּף שֵׁם שָׁמַיִם וְדָבָר אַחֵר, נֶעֱקָר מִן הָעוֹלָם. מִיַּד דְּשָׁמַע מִלִּין אִלֵּין דְּאַר״ש בּוּצִינָא קַדִּישָׁא חַדֵּי ר״מ. וְכָל חַבְרַיָּיא בָּרִיכוּ לֵיהּ, וְאָמְרוּ, ר״מ, אִי לָא הֲוָה אָתֵי ב״נ בְּעָלְמָא אֶלָּא לְמִשְׁמַע דָּא דַּיי.

תקד. זַכָּאָה אִיהוּ, מַאן דְּאִשְׁתְּדַל בְּגָלוּתָא בַּתְרָאָה, לְמִנְדַּע לִשְׁכִינְתָּא, לְאוֹקִיר לָהּ בְּכָל פִּקּוּדִין, וּלְמִסְבַּל בְּגִינָהּ כַּמָּה דּוֹחֲקִין. כְּמָה דְּאִתְּמַר, אַגְרָא דְּכַלָּה דּוֹחֲקָא. וַיִּשְׁכַּב בַּמָּקוֹם הַהוּא, אִם יֵשׁ כ״ב אוֹתִיּוֹת דְּאוֹרַיְיתָא, אִיהִי שְׁכִיבַת עִמֵּיהּ.

תקה. מַאן יֵ״שׁ. וְחָכְמָה מֵאַיִן. דִּבְאֲתָר דִּשְׁכִינְתָּא עִלָּאָה תַּמָּן, וְחָכְמָה תַּמָּן. וּבְגִינָהּ אִתְּמַר, לְהַנְחִיל אוֹהֲבַי יֵשׁ. וְהַיְינוּ וְעֹשֶׂה חֶסֶד לַאֲלָפִים לְאוֹהֲבַי. מִסִּטְרָא דְּאַהֲבַת חֶסֶד. וְיֵשׁ דְּאִיהִי וְחָכְמָה לִימִינָא, דְּהָכִי אוּקְמוּהָ הָרוֹצֶה לְהַחְכִּים יַדְרִים. וּבְגִין דָּא, לְהַנְחִיל אוֹהֲבַי יֵשׁ.

תקו. תָּא חֲזֵי בִּרְזִין סְתִימִין, בְּמִדּוֹת דְּקוּדְשָׁא בְּרִיךְ הוּא, הַהִיא מִדָּה דְּמִשְׁתַּדְּלִין בָּהּ, וְדַכְּרִין בָּהּ, עָלָהּ אִתְּמַר, בַּמִּדָּה שֶׁאָדָם מוֹדֵד בָּהּ מוֹדְדִין לוֹ. וְשַׁבְעִין אַנְפִּין

לְאוֹרַיְיתָא, וְהַאי אִיהוּ בְּכָל הַמָּקוֹם אֲשֶׁר אַזְכִּיר אֶת שְׁמִי, תַּזְכִּיר אֶת שְׁמִי מִבָּעֵי לֵיהּ. אֶלָּא בְּהַהִיא מִדָּה דְּאַזְכִּיר אֶת שְׁמִי, בְּהַהִיא מִדָּה אָבֹא אֵלֶיךָ וּבֵרַכְתִּיךָ. (ע"כ רע"מ).

תקז. עַל פִּי הַגּוֹרָל תֵּחָלֵק נַחֲלָתוֹ בֵּין רַב לִמְעָט. ר' יְהוּדָה פָּתַח וְאָמַר, יָדַעְתִּי כִּי כָּל אֲשֶׁר יַעֲשֶׂה הָאֱלֹהִים הוּא יִהְיֶה לְעוֹלָם עָלָיו אֵין לְהוֹסִיף וּמִמֶּנּוּ אֵין לִגְרוֹעַ וְגוֹ'. שְׁלֹמֹה מַלְכָּא, דְּחָכְמְתֵיהּ יַתִּיר עַל כָּל בְּנֵי עָלְמָא, לָא יָדַעְנָא כִּי כָּל אֲשֶׁר יַעֲשֶׂה הָאֱלֹהִים הוּא יִהְיֶה לְעוֹלָם, וְאִיהוּ אָמַר יָדַעְתִּי, מַה דְּלָא יָדַע ב"נ אַחֲרָא.

תקח. אֶלָּא וַדַּאי שְׁלֹמֹה מַלְכָּא וְחָכְמְתֵיהּ סַלְקָא עַל כָּל בְּנֵי עָלְמָא, וּמַה דְּאִיהוּ יָדַע לָא יַדְעֵי כָּל שְׁאַר בְּנֵי עָלְמָא. ת"ח, שְׁאַר אוּמָנֵי דְּעָלְמָא, כַּד אִיהוּ עָבֵיד עֲבִידְתָּא, אַשְׁגַּח בֵּיהּ, וְאִסְתָּכַּל זִמְנָא וּתְרֵין זִמְנִין וְעָבֵיד לֵיהּ, וּלְבָתַר אוֹסִיף עָלֵיהּ, אוֹ גָּרַע מִנֵּיהּ. וְקוּדְשָׁא בְּרִיךְ הוּא לָאו הָכִי, אַפִּיק עֲבִידְתָּא לַאֲמִתּוֹ מִתָּהוּ, דְּלֵית בָּהּ מַמָּשׁוּת כְּלָל, וְאִיהוּ מַמָּשׁ אִתְתַּקַּן כַּדְקָא יָאוּת, וְלָא אִצְטְרִיךְ לְאוֹסָפָא וּלְאַגְרָעָא מִנֵּיהּ. בְּגִין כָּךְ כְּתִיב, וַיַּרְא אֱלֹהִים אֶת כָּל אֲשֶׁר עָשָׂה וְהִנֵּה טוֹב מְאֹד.

תקט. תּוּ כָּל אֲשֶׁר יַעֲשֶׂה הָאֱלֹהִים, לְתִקּוּנָא דְּעָלְמָא, וַדַּאי הוּא יִהְיֶה לְעוֹלָם. ר' יִצְחָק אָמַר, אִי הָכִי מַהוּ וְהָאֱלֹהִים עָשָׂה שֶׁיִּרְאוּ מִלְּפָנָיו. אֶלָּא הַאי קְרָא הָכִי אוּלִיפְנָא, וְהוּא רָזָא עִלָּאָה בֵּין חַבְרַנָא, הַאי קְרָא הָכִי מִבָּעֵי לֵיהּ, כִּי כָּל אֲשֶׁר עָשָׂה הָאֱלֹהִים הוּא יִהְיֶה לְעוֹלָם, מַהוּ כָּל אֲשֶׁר יַעֲשֶׂה, וְהָא כְּתִיב מַה שֶּׁהָיָה כְּבָר הוּא וַאֲשֶׁר לִהְיוֹת כְּבָר הָיָה, וְאַתְּ אַמְרַת כָּל אֲשֶׁר יַעֲשֶׂה.

תקי. אֶלָּא מִקְּרָא אַחֲרָא אִשְׁתְּמַע, כְּתִיב עַיִן לֹא רָאָתָה אֱלֹהִים זוּלָתְךָ יַעֲשֶׂה לִמְחַכֵּה לוֹ. יַעֲשֶׂה, עָשִׂיתָ מִבָּעֵי לֵיהּ. לִמְחַכֵּה לוֹ, לָךְ מִבָּעֵי לֵיהּ. אֶלָּא אֲתַר עִלָּאָה הוּא, דְּנָגִיד וְנָפִיק וְאַדְלִיק בּוֹצִינִין כֻּלְּהוּ לְכָל עִיבַר, וְאִקְרֵי עוֹלָם הַבָּא. וּמִנֵּיהּ נָפִיק חַד אִילָנָא, לְאַתְשְׁקָיָא וּלְאִתְתַּקְנָא. וְהַאי אִילָנָא עִלָּאָה וְיַקִּירָא הוּא עַל כָּל שְׁאַר אִילָנִין, וְהָא אוֹקְמוּהָ. וְהַהוּא עוֹלָם הַבָּא דְּנָגִיד וְנָפִיק, אַתְקִין לֵיהּ לְהַאי אִילָנָא תָּדִיר, אַשְׁקֵי לֵיהּ, וּמְתַקֵּן לֵיהּ בַּעֲבִידְתֵּיהּ, מְעַטֵּר לֵיהּ בְּעִטְרִין, לָא פָּסִיק מַבּוּעֵי מִנֵּיהּ לְעָלַם לְעָלְמֵי עָלְמִין.

תקי"א. בְּהַהוּא אִילָנָא תַּלְיָא מְהֵימְנוּתָא, בֵּיהּ שַׁרְיָא מִכָּל שְׁאַר אִילָנִין, קִיּוּמָא דְּכֹלָּא בֵּיהּ. וְעַל דָּא כְּתִיב, כָּל אֲשֶׁר יַעֲשֶׂה הָאֱלֹהִים הוּא יִהְיֶה לְעוֹלָם. וַדַּאי הוּא הָיָה הוּא הֹוֶה וְהוּא יְהֵא. עָלָיו אֵין לְהוֹסִיף, וּמִמֶּנּוּ אֵין לִגְרוֹעַ. וְעַל דָּא בְּאוֹרַיְיתָא כְּתִיב, לֹא תוֹסֵף עָלָיו וְלֹא תִגְרַע מִמֶּנּוּ. דְּאִילָנָא דָּא, דְּאוֹרַיְיתָא הוּא. וַאֲתַר דָּא אַתְקִין הָאֱלֹהִים תָּדִיר. הָאֱלֹהִים סְתָם, דָּא גְּבוּרָה מֵאֵין סוֹף וּמֵאֵין חֵקֶר. כד"א, אֵין חֵקֶר לִתְבוּנָתוֹ, הָאֱלֹהִים, וְלָא אֱלֹהִים. וע"ד עָשָׂה יַעֲשֶׂה תָּדִיר, כְּמַבּוּעַ דְּלָא פָּסְקָן מֵימוֹי לְדָרֵי דָּרִין.

תקי"ב. בְּגִין כַּךְ כְּתִיב, וְהָאֱלֹהִים עָשָׂה שֶׁיִּרְאוּ מִלְּפָנָיו. אַתְקִין לֵיהּ לְהַאי אִילָנָא, בְּתִקּוּנָא שְׁלִים, דְּאָחִיד לְכָל סְטַר עֵילָּא וְתַתָּא, בְּגִין דְּיִירְאוּ מִלְּפָנָיו. וְלָא יְחַלְּפוּן לֵיהּ בְּחִלּוּפָא אַחֲרָא לְדָרֵי דָּרִין.

תקי"ג. א"ר אַבָּא, וַדַּאי שַׁפִּיר קָא אַמְרַת, אֲבָל תּוּ אִית לְאִסְתַּכְּלָא, בְּקַדְמֵיתָא יַעֲשֶׂה, וּלְבָתַר וְהָאֱלֹהִים עָשָׂה, מַה בֵּין הַאי לְהַאי. אֶלָּא וַדַּאי יַעֲשֶׂה וְאַתְקִין לְהַאי אִילָנָא, דְּלָא פַּסְקִין מֵימוֹי לְדָרֵי דָּרִין. וּלְבָתַר עָשָׂה, מַהוּ עָשָׂה. אֶלָּא עָשָׂה הָאֱלֹהִים אִילָנָא אַחֲרָא לְתַתָּא מִנֵּיהּ. וְלָא יַעֲשֶׂה כְּהַאי. דְּהַאי אִילָנָא תַּתָּאָה, עָבֵיד לֵיהּ וְאַתְקִין לֵיהּ, בְּגִין דְּמַאן דְּיֵיעוּל לְאִילָנָא עִלָּאָה, יֵיעוּל בִּרְשׁוּ, וְיִשְׁכַּח לְאִילָנָא תַּתָּאָה, וְיִדְחוֹל לְמֵיעָאל, אֶלָּא כַּדְקָא חָזֵי.

תקיד. ת"ח, דְּהַאי, נָטִיר פִּתְוָּא הוּא. וְעַל דָּא אִקְרֵי שׁוֹמֵר יִשְׂרָאֵל וְדָא אִילָנָא תַּתָּאָה עָשָׂה, אִתְשַׁקְיָא וּמִתְזָן מֵאִילָנָא דִּלְעֵילָּא. וע"ד לָא כְּתִיב יַעֲשֶׂה, אֶלָּא עָשָׂה. מ"ט. שֶׁיִּירְאוּ מִלְּפָנָיו בְּנֵי עָלְמָא, וְלָא יִקְרְבוּן לֵיהּ, אֶלָּא אִינּוּן דְּיִתְחֲזוּן לְקָרְבָא, וְלָא אוּזְרָא, וְיִסְתַּמְרוּן בְּנֵי נָשָׁא אָרְחֵי דְּאוֹרַיְיתָא, וְלָא יִסְטוּן לִימִינָא וְלִשְׂמָאלָא.

תקטו. ת"ח, עַל הַאי אִילָנָא דְּכֹל חֵילוֹי בֵּיהּ שַׁרְיָא, אָמַר דָּוִד, אַתָּה תּוֹמִיךְ גּוֹרָלִי. מַהוּ גּוֹרָלִי. דָּא עַדְבָא דְּאָחִיד בֵּיהּ דָּוִד מַלְכָּא. וע"ד, ע"פ הַגּוֹרָל כְּתִיב. וְכֵן הוּא ע"פ יְיָ'. וַיָּמָת שָׁם ע"פ יְיָ'. הַגּוֹרָל כְּתִיב. זַכָּאָה חוּלָקֵיהוֹן דְּאִינּוּן דְּמִשְׁתַּדְּלִין בְּאוֹרַיְיתָא יְמָמָא וְלֵילֵי, וְיָדְעֵי אָרְחוֹי. וְאִינּוּן אַכְלֵי בְּכָל יוֹמָא מְזוֹנָא עִלָּאָה. כד"א, הַחָכְמָה תְּחַיֶּה בְעָלֶיהָ. דְּהָא אוֹרַיְיתָא דִּלְעֵילָּא מֵאֲתַר דָּא אִתְזָן, וְהָא אִתְּמַר עָלַיְיהוּ, הִנֵּה עֲבָדַי יֹאכֵלוּ.

תקטז. רִבִּי אַבָּא פָּתַח וְאָמַר, וַיְהִי קוֹל מֵעַל לָרָקִיעַ. דָּא קוֹל דְּאָחִיד לְהַאי רָקִיעַ, וְאִשְׁתַּתַּף בַּהֲדֵיהּ. וְדָא הוּא זֵכֶר עָשָׂה לְנִפְלְאוֹתָיו. וְהַהוּא רְקִיעָא קָאֵים עָלַיְיהוּ, עַל אִינּוּן חֵיוָון. וְדָא הוּא דְּאַבְרֵי בַּשֵּׁנִי, לְהַבְדִּיל בֵּין מַיִם לָמָיִם.

תקיז. וְהָא אוֹקְמוּהָ, דְּשִׁבְעָה רְקִיעִין לְעֵילָּא לְעֵילָּא. וַדַּאי וִילוֹן אֵינוֹ מְשַׁמֵּשׁ, דְּהָא לֵית לֵיהּ מִדִּילֵיהּ, אֶלָּא מַה דְּיָהֲבִין לֵיהּ. וּמִסְכְּנֵי בֵּיהּ אִתְאֲחָדוּ, דָּא הוּא רָזָא דִּכְתִיב, וּבְעָנְיִי הֲכִינוֹתִי לְבֵית אֱלֹהַי. וְדָא מַכְנִיס שַׁחֲרִית וּמוֹצִיא עַרְבִית. דְּהָא בְּלֵילְיָא, אַפִּיק חֵילוֹי לְכָל סִטְרִין, וְשַׁלְטָא עַל אִינּוּן חַיָּילִין וְאֻכְלוּסִין. וּבְשַׁחֲרִית כָּנִישׁ לְכֻלְּהוּ, וְאָעִיל לְנֻקְבַיְיהוּ, וְלָא שַׁלְטִין. דְּהָא בֹּקֶר כָּלִיל כֻּלְּהוּ. כד"א לְהַגִּיד בַּבֹּקֶר חַסְדֶּךָ וֶאֱמוּנָתְךָ בַּלֵּילוֹת. וְהָא אוֹקְמוּהָ.

תקיח. וְקוֹל אִית עַל הַאי רָקִיעַ, מִנֵּיהּ אִתְזָן הַאי רָקִיעַ, בְּשַׁעֲתָא דְּהַאי קוֹל אִתְּעַר, כֻּלְּהוּ אֻכְלוּסִין לָא נַטְלִין, וְלֵית בְּהוּ רְשׁוּ, אֶלָּא לְמֵיקָם בְּדוּכְתַּיְיהוּ, וְאַקְרְבֵי חֵילֵיהוֹן וּמַחֲכָאן, לְהַהוּא טִיבוּ דְּנָגִיד לְהַהוּא רָקִיעַ, וְיִתְבָּרְכָן בְּגִינֵיהּ, וע"ד אִיהוּ מֵעַל לָרָקִיעַ אֲשֶׁר עַל רֹאשָׁם.

תקיט. ת"ח וּמִמַּעַל לָרָקִיעַ אֲשֶׁר עַל רֹאשָׁם כְּמַרְאֵה אֶבֶן סַפִּיר דְּמוּת כִּסֵּא, כְּמַרְאֵה אֶבֶן סַפִּיר, דָּא אֶבֶן יִשְׂרָאֵל. וְדָא הוּא רָזָא דִּכְתִיב, וְגָלְלוּ אֶת הָאֶבֶן וְגוֹ'. וְחַד אֶבֶן נַחְתָּא מִלְּעֵילָּא, כַּד בָּעוּ יִשְׂרָאֵל לְמֵירַת אַרְעָא, וּכְתִיב בֵּיהּ גּוֹרָל. וְאִיהוּ אָמַר, דָּא לִפְלַנְיָא, וְדָא לִפְלַנְיָא. וְדָא אֶבֶן הוּא מִתְּחוֹת כָּרְסְיָיא דְּמַלְכָּא נַחְתָּא. וַדַּאי מִשָּׁם רוֹעֶה אֶבֶן יִשְׂרָאֵל כְּתִיב. וּבְגִינֵי כַּךְ ע"פ הַגּוֹרָל וַדַּאי תֵּחָלֵק נַחֲלָתוֹ.

תקכ. רִבִּי יִצְחָק וְרִבִּי יְהוּדָה הֲווֹ אָזְלֵי מֵאוּשָׁא לְלוּד, פָּגַע בְּהוּ ר' אֶלְעָזָר, רָהֲטוּ אֲבַתְרֵיהּ. אָמְרוּ, וַדַּאי נַרְהִיט אֲבַתְרֵיהּ דִּשְׁכִינְתָּא. עַד דְּמָטוּ לְגַבֵּיהּ, אָמְרוּ וַדַּאי נִשְׁתַּתֵּף בַּהֲדָךְ, וְנִשְׁמַע מִלָּה חַדְתָּא.

תקכא. פָּתַח וְאָמַר, שִׁמְעוּ אֵלַי רוֹדְפֵי צֶדֶק מְבַקְשֵׁי וְגוֹ'. שִׁמְעוּ אֵלַי רוֹדְפֵי צֶדֶק, אִינּוּן דְּאַזְלִין בָּתַר מְהֵימְנוּתָא, רוֹדְפֵי צֶדֶק, וַדַּאי אִינּוּן מְבַקְשֵׁי ה'. אִי בְּעִיתוּ לְמִנְדַּע מְהֵימְנוּתָא, וּלְאִתְאַחֲדָא לְהַאי צֶדֶק, לָא תִּסְתַּכְּלוּן בָּהּ בִּלְחוֹדָהָא כִּשְׁאַר בְּנֵי עָלְמָא, דְּגַרְמוּ מִיתָה לְגַרְמַיְיהוּ עַל דָּא. אֲבָל הַבִּיטוּ אֶל צוּר חֻצַּבְתֶּם וְאֶל מַקֶּבֶת בּוֹר נֻקַּרְתֶּם.

תקכב. צַו אֶת בְּנֵי יִשְׂרָאֵל וְאָמַרְתָּ אֲלֵיהֶם אֶת קָרְבָּנִי לַחְמִי וְגוֹ'. כְּתִיב הַחֵפֶץ לַיְיָ' בְּעוֹלוֹת וּזְבָחִים כִּשְׁמוֹעַ בְּקוֹל יְיָ' וְגוֹ'. לֵית רְעוּתָא דְּקוּדְשָׁא בְּרִיךְ הוּא, דְּיֵחוֹב בַּר נָשׁ, וְעַל חוֹבֵיהּ יַקְרִיב קָרְבָּן. אֶלָּא קָרְבָּן דְּאִיהוּ בְּלִי חוֹבָה, דָּא אִיהוּ קָרְבָּן שְׁלִים, וְאִקְרֵי שְׁלָמִים, וְקָרְבַּן תָּמִיד אוּף הָכִי, ואע"ג דִּמְכַפֵּר עַל חוֹבִין.

תקכג. רִבִּי אַבָּא פָּתַח, זִבְחֵי אֱלֹהִים רוּחַ נִשְׁבָּרָה וְגוֹ'. הַאי קְרָא אוֹקְמוּהָ, דִּרְעוּתָא

דְקוּדְשָׁא בְּרִיךְ הוּא, לָא אִתְרְעֵי בְּקָרְבָּן דְּב"נ עַל חוֹבוֹי, אֶלָּא רוּחַ נִשְׁבָּרָה. וּבְנֵי נָשָׁא לָא יָדְעֵי מַאי קָאַמְרֵי, וְהָכֵי שְׁמַעְנָא מִבּוּצִינָא קַדִּישָׁא, דְּכַד אָתֵי ב"נ לְאִסְתַּאֲבָא בְּחוֹבוֹי, אַמְשִׁיךְ עָלֵיהּ רוּחַ, מִסִּטְרָא דִּמְסָאֲבָא, וְאִתְגָּאֵי עַל ב"נ, וְשָׁלִיט עָלֵיהּ לְכָל רְעוּתָא. וְהַהוּא סִטְרָא מְסָאֲבָא, אִתְגַּבַּר בְּחֵילֵיהּ וְאִתְתָּקַף, וְשָׁלִיט עָלֵיהּ לִרְעוּתֵיהּ. אָתֵי ב"נ וְשָׁלִיט עָלֵיהּ לְאִתְדַּכְאָה, מְדַכְאִין לֵיהּ.

תקכד. בִּזְמְנָא דַּהֲוָה בֵּי מַקְדְּשָׁא קַיָּים, אַקְרִיב קָרְבְּנֵיהּ, כָּל כַּפָּרָה דִּילֵיהּ תַּלְיָיא עָלֵיהּ, עַד דְּאִתְוַדָּה, וְתָבַר לְהַהוּא רוּחַ מִגּוֹ גָּאוּתָא דִּילֵיהּ, וּמָאִיךְ לֵיהּ. וְדָא הוּא תְּבִירוּ, דְּהַהוּא דַּרְגָּא דִּמְסָאֲבָא. וְכַד אִתְבַּר הַהוּא רוּחַ מְסָאֲבָא, וְקָרִיב קָרְבְּנֵיהּ, דָּא אִיהוּ דְּאִתְקַבַּל בִּרְעָוָא כַּדְקָא יָאוּת.

תקכה. וְאִי לָא אִתְבַּר הַהוּא רוּחַ, לָאו קָרְבְּנֵיהּ כְּלוּם, וּלְכַלְבֵּי אִתְמְסַר, דְּהָא קָרְבְּנָא דָּא לָאו דְּקוּדְשָׁא בְּרִיךְ הוּא, אֶלָּא מִכַּלְבֵּי. וּבג"כ זִבְחֵי אֱלֹהִים כַּדְקָא יָאוּת, הוּא רוּחַ נִשְׁבָּרָה, דְּיִתְבַּר הַהוּא רוּחָא מְסָאֲבָא, וְלָא יִשְׁלוֹט. וְעַל דָּא מַאן דְּיִתְבַּר לֵיהּ כַּדְקָא יָאוּת, עָלֵיהּ כְּתִיב, רוּחַ הוֹלֵךְ וְלֹא יָשׁוּב. לֶיהֱוֵי הַהוּא גַּבְרָא בְּאַבְטָחוּתָא, דְּלָא יְתוּב לְגַבֵּיהּ לְעָלְמִין. הֲדָא הוּא דִּכְתִּיב, וְלֹא יָשׁוּב. לֵב נִשְׁבָּר וְנִדְכֶּה, הַהוּא גַּבְרָא דְּלָא אִתְגָּאֵי, וְלָא אִתְעֲנַג בְּעִנּוּגִין דְּעָלְמָא, אֱלֹהִים לֹא תִבְזֶה, בִּיקָרָא אִיהוּ לְגַבֵּיהּ.

תקכו. צַו אֶת בְּנֵי יִשְׂרָאֵל. מַאי צַו. דָּא ע"ז. בְּגִין דְּלָא יֵיעוּל גַּרְמֵיהּ לְאִסְתַּאֲבָא בְּרוּחַ מְסָאֲבָא, דְּאִיהוּ ע"ז מַמָּשׁ.

תקכז. ר' אֶלְעָזָר פָּתַח. בָּאתִי לְגַנִּי אֲחוֹתִי כַלָּה וְגוֹ'. הַאי קְרָא אוֹקְמוּהָ, אֲבָל אִית סְתָרִים בְּקָרְבְּנָא הָכָא, וְכֹלָּא אִתְּמַר. א"ל ר"ש, יָאוּת הוּא, דְּשָׁרִית מִלָּה, וְסָתְמַת, אֵימָא. אָמַר, בְּגִין דְּחָזֵינָא בְּסִפְרָא דַּחֲנוֹךְ מִלָּה, וְאוֹלִיפְנָא. אָמַר, אֵימָא הַהִיא מִלָּה דְּחָמֵית וְשָׁמַעַת.

תקכח. אָמַר כֹּלָּא חַד מִלָּה, קוּדְשָׁא בְּרִיךְ הוּא אָמַר דָּא, בָּאתִי לְגַנִּי, בְּגִין דְּכָל קָרְבְּנִין דְּעָלְמָא כַּד סַלְקִין, כֻּלְּהוּ עָיְילִין לְגוֹ גִּנְתָא דְעֵדֶן בְּקַדְמֵיתָא, רָזָא דכ"י. וְהֵיאַךְ בְּקַדְמֵיתָא וְשֵׁירוּתָא דְּקָרְבְּנָא, בְּשַׁעֲתָא דְּב"נ אוֹדֵי וְחָטָאוֹי עָלָהּ, וּנְכִיסוּ וּזְרִיקוּ דִּדְמֵיהּ עַל מַדְבְּחָא.

תקכט. הַשְׁתָּא אִית לְאִסְתַּכְּלָא, הֵיאַךְ אִינּוּן רוּחִין קַדִּישִׁין אִתְהֲנוּן מֵהַאי. וּמ"ט דְּקָרְבְּנָא דִּבְהֵמָה, וְהָא יַתִּיר הֲוָה סַגְיָא, לְתַבְרָא ב"נ הַהוּא רוּחָא, וּלְאַתָּבָא בִּתְיוּבְתָּא מ"ט נְכִיסוּ דִּבְהֵמָה, וּלְאוֹקְדָא לֵיהּ בְּנוּרָא דְּמַדְבְּחָא.

תקל. אֶלָּא רָזָא הוּא, בְּגִין דְּאִית בְּהֵמָה דִּרְבִיעָא עַל אֶלֶף טוּרִין, וְאֶלֶף טוּרִין אַכְלַת בְּכָל יוֹמָא, וְכֻלְּהוּ אִקְרוּן בְּהֵמוֹת בְּהַרְרֵי אָלֶף. וְעַל דָּא תָּנֵינָן, דְּאִית בְּעִירָא אָכִיל בְּעִירֵי. וּמִמָּה הֲוֵי. מֵאֶשָּׁא. וְכֻלְּהוּ לָחִיךְ לוֹן הַהִיא בְּהֵמָה בִּלְחִיכָא חֲדָא, הה"ד כִּי יְיָ' אֱלֹהֶיךָ אֵשׁ אֹכְלָה הוּא אֵל קַנָּא. וְכָל מַיָּא דְּיַרְדֵּן, דְּאִמְלָא בְּשִׁית שְׁנִין, הִיא עָבְדַת לֵיהּ גְּמִיעָה חֲדָא, הה"ד, יִבְטַח כִּי יָגִיחַ יַרְדֵּן אֶל פִּיהוּ.

תקלא. סִתְרָא דְּמִלָּה, וַחֲמִירָא דְּכָל הָנֵי, עִקָּרָא וִיסוֹדָא לְהָנֵי בְּעִירֵי דִּלְתַתָּא. בְּגִין דְּרוּחָא מִנַּיְיהוּ מִתְפַּשְּׁטָא לְתַתָּא, וְאִתְצַיַּיר הַהוּא רוּחָא לְתַתָּא בִּבְעִירֵי. וְכַד חָב ב"נ, אַיְיתֵי בְּעִירָא לְקָרְבְּנָא, וְהַהוּא רוּחָא דִּבְעִירָא דָּא, סַלְקָא וְתָב לְאַתְרֵיהּ, וּמִתְפַּשַּׁט הַהוּא רוּחָא בְּכֻלְּהוּ. וְכָל אִינּוּן דִּזִינָא דָּא, מִתְקָרְבִין וְאַתְיָין וְאִתְהֲנְיָין מֵהַהוּא חֶלְבָּא וְדָמָא, דְּהַהוּא לְבוּשָׁא דְּרוּחָא דָּא, דְּהָא מִסִּטְרָא דִּלְהוֹן הֲוָה הַהוּא רוּחָא. וְכֻלְּהוֹן

אִתְהֲנוּ וְאִתְזָנוּ, וְאִתְעַבְדוּן סַנֵּיגוֹרִין עַל הַהוּא ב"נ. וְעָאל דֶּרֶךְ וֶשֶׁט, כְּמָה דְּאִתְּמַר. וּבְגִ"כ קָרְבְּנָא מִן הַבְּהֵמָה.

תקלב. אר"ש, בְּרִיךְ בְּרִי לְקוּדְשָׁא בְּרִיךְ הוּא, עֲלָךְ אִתְּמַר יִשְׂמַח אָבִיךָ וְאִמֶּךָ וְתָגֵל יוֹלַדְתֶּךָ. יִשְׂמַח אָבִיךָ, דִּלְעֵילָּא. וְאִמֶּךָ, דָּא כְּנֶסֶת יִשְׂרָאֵל. וְתָגֵל יוֹלַדְתֶּךָ, דָּא בְּרַתֵּיהּ דר' פִּנְחָס בֶּן יָאִיר וַחֲסִידָא. אֶלְעָזָר בְּרִי אֵימָא, הָא קוּרְבְּנָא דִּבְהֵמָה, קָרְבְּנָא דְּעוֹפֵי מַאי. דִּכְתִּיב וְאִם מִן הָעוֹף עוֹלָה קָרְבָּנוֹ. א"ל, לָא חֲמֵינָא, אֲבָל אִסְתַּכַּלְנָא מֵהַאי מִלָּה דִּבְהֵמָה, מִלָּה דְּעוֹפֵי. וְלָא אֵימָא, בְּגִין דְּלָא חֲמֵינָא, וְעַד כְּעַן לָא שְׁמַעְנָא.

תקלג. א"ל אֶלְעָזָר, יָאוֹת אֲמַרְתְּ. אֲבָל רָזָא דְּקָרְבְּנִין סְתָרִין סַגִּיאִין תַּמָּן, וְלָא אִתְמְסָרוּ לְגַלָּאָה, בַּר לְזַכָּאֵי קְשׁוֹט, דְּרָזָא דְּמָארֵיהוֹן לָא אִתְכַּסֵּי מִנַּיְיהוּ. סִתְרָא דְּקָרְבְּנִין, דָּא אִיהוּ סִתְרָא, לְאִינּוּן חֵיוָן קַדִּישִׁין. ד' דְּיוֹקְנִין חֲקוּקִין בְּכַסֵּא, וְדָא אִיהוּ כּוּרְסְיָיא דְּמַלְכָּא קַדִּישָׁא. פְּנֵי שׁוֹר. פְּנֵי נֶשֶׁר. פְּנֵי אַרְיֵה. פְּנֵי אָדָם. פְּנֵי אָדָם דְּכָלִיל לְכֻלְּהוּ. וְכָל אַנְפִּין מִסְתַּכְּלִין אִלֵּין לְאִלֵּין, וְאִתְכְּלִילָן אִלֵּין בְּאִלֵּין, וּמִנַּיְיהוּ מִתְפַּשְּׁטָן לְכַמָּה סְטְרִין וְרִבְוָון, עֵילָּא וְתַתָּא, דְּלֵית לוֹן שִׁיעוּרָא וּמִנְיָינָא וְחֻשְׁבּוֹן.

תקלד. פְּנֵי שׁוֹר, אִתְפְּשַׁט לִבְעִירֵי רוּחָא מִנֵּיהּ, לְאַרְבְּעָה זַיְינִין, וְאִתְכְּלִילָן בְּחַד, וְאִלֵּין אִינּוּן: פָּרִים, וּכְבָשִׂים, וְעַתּוּדִים, וְעִזִּים. וְאִלֵּין קַיְימִין לְקָרְבְּנָא. וּבְגִין דְּמִנְּהוֹן הֲווֹ, אִינּוּן חַיָּילִין קַדִּישִׁין דְּמִתְפַּשְּׁטֵי מֵהַהוּא פְּנֵי שׁוֹר, מִתְקָרְבִין לִיסוֹדָא דִּלְהוֹן, וְאִתְהֲנוּן מֵהַהוּא יְסוֹדָא וּלְבוּשָׁא דִּלְהוֹן. וְאִי לָא דַּהֲווּ לְהוּ יְסוֹדָא דְּהַאי עָלְמָא, לָא מִתְקָרְבִין תַּמָּן.

תקלה. כְּגַוְונָא דַּהֲוֵי נַיְיחָא לִשְׁכִינְתָּא קַדִּישָׁא, מֵרוּחֵיהוֹן דְּצַדִּיקַיָּיא, וְאִתְקְרִיבַת לְקַבְּלָא רוּחָא דְּהַהוּא זַכָּאָה, וְאִתְהֲנָאת מִנֵּיהּ, בְּגִין דְּמִנָּהּ הֲוָה הַהוּא רוּחַ. כַּךְ אִלֵּין אִתְהֲנוּן מִסִּטְרָא דִּיסוֹדָא דִּלְהוֹן, וְאִתְהֲנוּן מֵהַהוּא לְבוּשָׁא דְּמִתְקָרְבֵי לֵיהּ, דְּהָא רוּחַ מַלְבּוּשָׁא דְּרוּחָא דִּלְהוֹן הֲוָה. וּבְגִ"כ אִתְהֲנוּן מִנַּיְיהוּ.

תקלו. פְּנֵי נֶשֶׁר אִתְפְּשַׁט לְעוֹפָא רוּחַ מִנֵּיהּ. וְנֶשֶׁר בִּתְרֵין סִטְרִין אִיהוּ. וְרָזָא דָּא וְעוֹף יְעוֹפֵף, תְּרֵין רוּחִין. וּבְגִין כַּךְ אִתְפְּשַׁט וְנַחְתָּא מִימִינָא וּמִשְּׂמָאלָא קָרְבְּנָא דְּעוֹפֵי.

תקלז. מִכָּל סְטָר דַּכְיָא, לָא אִתְקְרִיב אֶלָּא יוֹנָה וְתוֹרִים, דְּאִינּוּן בִּקְשׁוֹט לְזִוּוּגַיְיהוּ, מִכָּל שְׁאַר עוֹפִין. וְהֵם נִרְדָּפִין, וְלָא רוֹדְפִין. וּמְהֵימְנָא דָּא לְדָא, נוּקְבָא לְבַר זוּגוֹ. וְעַ"ד קָרְבְּנָא מִנַּיְיהוּ. וְנַחְתֵּי וּמִתְקָרְבֵי אִינּוּן רוּחִין קַדִּישִׁין, וְאִתְהֲנַיִין מִיְּסוֹדָא וְעִקָּרָא דִּלְהוֹן.

תקלח. וְאִי תֵּימָא, הֵיךְ אִתְפְּשַׁט זְעֵיר מֵהַאי יוֹנָה, אוֹ מִשַּׁפְנִינָא דָּא, לְכַמָּה סְטְרִין חַיָּילִין דְּלֵית לוֹן שִׁיעוּרָא. אוֹ מִן בְּעִירָא חֲדָא אוּף הָכִי. ת"ח. חַד שְׁרָגָא דָּקִיק דָּלִיק, אִתְמַלְיָיא מִנֵּיהּ כָּל עָלְמָא. תּוּ אָעָא דָּקִיק, אַדְלִיק לְרַבְרְבָא.

תקלט. עַד הָכָא קָרְבְּנָא מִתְּרֵין סִטְרִין דַּחֲקִיקִין בְּכַסֵּא. הַשְׁתָּא אִית לְמִשְׁאַל, ד' דְּיוֹקְנִין אִינּוּן, דַּחֲקוּקִין בְּכַסֵּא, מ"ט לֵית קָרְבְּנִין מֵאַחֲרָנִין. אֶלָּא וַדַּאי מִכֻּלְּהוּ אִית קָרְבְּנָא. אַרְיֵה חָקוּק בְּכוּרְסְיָיא, בְּשַׁעְתָּא דְּקָרְבְּנָא שְׁלִים, אַרְיֵה נָחִית וְעָאל בְּאֶשָּׁא, וְאָכִיל וְאִתְהֲנֵי מִתַּמָּן. אָדָם חָקוּק בְּכוּרְסְיָיא, אָדָם עִקָּרָא דְּכֹלָּא, וּמַקְרִיב תַּמָּן רוּחֵיהּ וְנִשְׁמָתֵיהּ, וְאָדָם עִלָּאָה אִתְהֲנֵי מֵאָדָם תַּתָּאָה, וְכָל זִינָא אִתְקְרִיב לְזִינֵיהּ, וְאִתְהֲנֵי מִנֵּיהּ מִדִּילֵיהּ מַמָּשׁ, וּמִיסוֹדָא דִּילֵיהּ.

תקמ. וְאִי תֵּימָא, הָא אַרְיֵה דְּלֵית לֵיהּ יְסוֹדָא לְתַתָּא בְּהַהוּא קָרְבְּנָא. אַרְיֵה כָּלִיל בְּכֻלְּהוּ, דְּהָא לִימִינָא הֲוֵי, וּבְגִ"כ אָכִיל בְּכֻלְּהוּ, וְכָל שְׁאַר לָא אָכְלִין מִזִּינֵיהּ, בְּגִין דִּימִינָא הוּא. הָא כָּל ד' דְּיוֹקְנִין דַּחֲקוּקִין בְּכַסֵּא, מִתְקָרְבִין לְקָרְבְּנָא, וּבְגִ"כ הֲוֵי קָרְבְּנָא שְׁלִים. וְכַד אִתְהֲנוּן מֵעִקָּרָא וִיסוֹדָא דִּלְהוֹן, כְּדֵין נָחִית רוּחַ לְאַדְלָקָא בּוּצִינִין עִלָּאִין.

תקמא. כהני וליואי וישראלי, יהבי יסודא ועקרא לאינון דרגין עלאין דלהון. וכל דרגא יהיב ליסודיה ד' דיוקנין דכורסייא בקדמיתא. כדאמרן זינא לקבל זיניה, ומתקרבי אינון בקדמיתא זינא לזיניה. פני שור כלהו פנים דמתפשטן לאינון זינין כדקאמרן, כלהו מתקרבי לעקרא ויסודא דלהון. פני נשר, כדאמרן. פני אריה, כדאמרן. פני אדם, דמקריב רוחיה ונשמתיה מתקריב לגבי אדם עלאה.

תקמב. כהנא דמיוחד שמא קדישא, מתקריב לגבי כהנא עלאה. ההוא דעאל לבית קדש הקדשים. ואתקריב דא, ואדליק בתקוניה בנהירו דאנפין, לקדמות כהנא דלתתא. ליואי די מנגני בחדוה, ההוא סטרא דלהון חדי, ואנהיר אנפין. ישראל דקריב, דקיימו על קרבנא בצלותא, דהא צלותא על כלא הוה. אתער לגבייהו ישראל סבא, סתמא קדישא, ואנהיר אנפין.

תקמג. כל זינא לזיניה, וכל מלה בתר יסודא דיליה אזלא ואתערו דרגין תתאין לדרגין עלאין, ואע"ג דכלהו מתערין, ואתערו דרגין דזקיקין בכסא, לגבי דרגין דארעא, יסודא דלהון. ואינון דרגין עלאין דמטמרן, כלהו מתערי ומתקרבי לסעודתא, ומתעדני. אבל לית רשו לחד מנייהו למיכל, לא לדרגי עלאי, ולא לדרגי תתאי, ולמתהני שום הנאה, ולא לאושיט ידא בקרבנא, עד דמלכא עלאה אכיל ואתהני, ויהיב לון רשו.

תקמד. לבתר דיהב לון רשו, כל חד וחד אתהני ואכיל. והיינו דכתיב אריתי מורי עם בשמי, אלין אינון דרגין עלאין. מורי עם בשמי, אכלי ואתהני כדקא יאות. דא דרועא ימינא, בירכא שמאלא. אכלתי יערי עם דבשי, דא יעקב ברזל, דא אכילה כדקא יאות. שתיתי ייני עם חלבי, דא דרועא שמאלא, בירכא ימינא. הא כלהו דרגין עלאין, דאתהני בהו מלכא קדישא בקדמיתא. ודא מיכלא דיליה והנאה דיליה. עד הכא מיכלא דמלכא עלאה בקדמיתא.

תקמה. מכאן ולהלאה, יהיב רשו לד' דיוקנין דזקיקין בכורסייא, ולכל אינון דמתפשטן מנייהו, לאתהני ולמיכל. הה"ד, אכלו רעים שתו ושכרו דודים. אכלו רעים, אלין אינון ארבע דיוקנין דאמרן. שתו ושכרו דודים, כל אינון דמתפשטי מנייהו, וכלהו אכלי ומתפשטי, ואתהנון כדקא יאות, ואנהירו אנפין, ועלמין כלהו בחדוה, וכל חד וחד, בין דרגין עלאין, ובין דרגין תתאין, ביסודא דלהון מתקרבין ומתהנין. דא איהו רזא וסתרא דקרבנא כדקא חזי.

תקמו. אתו ר' אלעזר ור' אבא ושאר חבריא, ואשתטחו קמיה. א"ר אבא, אלמלא לא אתמסר אורייתא בטורא דסיני, אלא דאמר קודשא בריך הוא, הא בר יוחאי אורייתא וסתרין דילי, די לעלמא. ווי כד תסתלק מן עלמא. מן ינהיר בוצינין דאורייתא, כלא יתחשך מההוא יומא. דהא עד דייתי מלכא משיחא, לא ליהוי דרא כדרא דא, דר"ש שרי בגויה.

תקמז. אמר ר"ש, על רזא דא, אסיר ליה לב"נ לטעום כלום, כד דייכול מלכא עלאה, ומה איהו. צלותא. צלותא דב"נ, כגוונא דא, בקדמיתא, מזמנין לדיוקנין דזקיקין בכורסייא, על אינון בריין, דמתפשטי רוחין דלהון, על עופי ובעירי, לקרבנא בריין דרוחא דלהון יסודא בהאי עלמא מנייהו, והיינו מה רבו מעשיך יי', דהא בריין דאתחזיין לקרבנא רוחא דילהון, מתפשט עלייהו ארבע דיוקנין, מזמנן על קרבנין

אִלֵּין. וְהַיְינוּ דְּקָאֲמָרָן, וְהָאוֹפַנִּים וְחַיּוֹת הַקֹּדֶשׁ, וְכָל אִינּוּן חַיָּילִין אַחֲרָנִין דְּקָא מִתְפַּשְּׁטֵי מִנַּיְיהוּ.

תקמח. וּלְבָתַר כַּהֲנָא רַבָּא דְּקָא מְיַיחֵד שְׁמָא קַדִּישָׁא, הַיְינוּ אַהֲבַת עוֹלָם אֲהַבְתָּנוּ וְכוּ'. יִחוּדָא דְּקָא מְיַיחֵד, הַיְינוּ שְׁמַע יִשְׂרָאֵל יְיָ' אֱלֹהֵינוּ יְיָ' אֶחָד. וּלְבָתַר לֵיוָאֵי, דְּקָא מִתְעָרֵי לְנִגּוּנָא, הַיְינוּ וְהָיָה אִם שָׁמוֹעַ וְגוֹ', הִשָּׁמְרוּ לָכֶם פֶּן יִפְתֶּה וְגוֹ'. דָּא נִגּוּנָא דְּלֵיוָאֵי, בְּגִין לְאַתְעָרָא סִטְרָא דָּא, בְּקוּרְבָּנָא דָּא. וּלְבָתַר יִשְׂרָאֵל, דָּא אֱמֶת וְיַצִּיב וְנָכוֹן, יִשְׂרָאֵל סָבָא דְּקַיְּימָא עַל קָרְבְּנָא, דְּאִיהִי י' דַּרְגִּין עִלָּאִין פְּנִימָאִין דְּכֹלָּא, קַיְּימָא עַל פָּתוֹרָא.

תקמט. אֲבָל לֵית רְשׁוּ לְחַד מִנַּיְיהוּ לְמֵיכַל, וּלְאוֹשִׁיט יְדָא לְקָרְבְּנָא, עַד דְּמַלְכָּא עִלָּאָה אָכִיל. וְהַיְינוּ ג' רִאשׁוֹנוֹת, וְג' אַחֲרוֹנוֹת. כֵּיוָן דְּאִיהוּ אָכִיל, יָהִיב רְשׁוּ לְד' דְּיוּקְנִין, וּלְכָל אִינּוּן סִטְרִין דְּמִתְפָּרְשָׁן מִנַּיְיהוּ, לְמֵיכַל.

תקנ. כְּדֵין אָדָם, דְּאִיהוּ דְּיוּקְנָא דְּכָלִיל כָּל שְׁאַר דְּיוּקְנִין, מָאִיךְ וְנָפִיל עַל אַנְפּוֹי, וּמָסִיר גַּרְמֵיהּ וְרוּחֵיהּ לְגַבֵּי אָדָם דִּלְעֵילָּא, דְּקַיְּימָא עַל אִינּוּן דְּיוּקְנִין, דְּכָלִיל כָּל דְּיוּקְנִין, לְאַתְעָרָא לֵיהּ עָלֵיהּ כִּדְקָא חָזֵי, וְהַיְינוּ אֵלֶיךָ יְיָ' נַפְשִׁי אֶשָּׂא, לְאַתְעָרָא דְּיוּקְנִין אַחֲרָנִין, וְכָל אִינּוּן דְּמִתְפַּשְּׁטֵי מִנַּיְיהוּ. וְהַיְינוּ יַבִּיעוּ. יְרַנֵּנוּ. יֹאמְרוּ. יְדַבְּרוּ. וְכֻלְּהוּ אַכְלִין וְאִתְהֲנִיין כָּל חַד וְחַד כִּדְקָא חָזֵי לֵיהּ.

תקנא. מִכָּאן וּלְהָלְאָה לֵימָא ב"נ עָאקוּ דְּלִבֵּיהּ, הה"ד יַעַנְךָ יְיָ' בְּיוֹם צָרָה. כִּעוּבַּרְתָּא דְּיָתְבָא בְּעָאקוּ, לְאִתְהַפְּכָא כֻּלְּהוֹן סַנֵּיגוֹרִין עָלֵיהּ דְּב"נ. וְעַ"ד כְּתִיב אַשְׁרֵי הָעָם שֶׁכָּכָה לּוֹ וְגוֹ'.

תקנב. ר"ש הֲוָה אָזִיל לִטְבֶרְיָא, פָּגַע בֵּיהּ אֵלִיָּהוּ, א"ל שְׁלָמָא עָלֵיהּ דְּמָר. א"ל ר"ש, בְּמַאי קָא עָסִיק קוּדְשָׁא בְּרִיךְ הוּא בִּרְקִיעָא. א"ל בְּקָרְבָּנוֹת עָסִיק, וְאָמַר מִלִּין חַדְתִּין מִשְּׁמָךְ, זַכָּאָה אַנְתְּ, וַאֲתֵינָא לְאַקְדְּמָא לָךְ שְׁלָם, וּמִלָּה חֲדָא בָּעֵינָא לְמִשְׁאַל מִנָּךְ, לְאַסְכְּמָא. בִּמְתִיבְתָּא דִּרְקִיעָא שְׁאֶלְתָּא שָׁאִילוּ, עָלְמָא דְּאָתֵי לֵית בֵּיהּ אֲכִילָה וּשְׁתִיָּה, וְהָא כְּתִיב בָּאתִי לְגַנִּי אֲחוֹתִי כַלָּה וְגוֹ', אָכַלְתִּי יַעְרִי עִם דִּבְשִׁי וְגוֹ'. מַאן דְּלֵית בֵּיהּ אֲכִילָה וּשְׁתִיָּה, אִיהוּ אָמַר אָכַלְתִּי יַעְרִי עִם דִּבְשִׁי שָׁתִיתִי יֵינִי עִם חֲלָבִי.

תקנג. אר"ש, וְקוּדְשָׁא בְּרִיךְ הוּא מַאי קָא אָתִיב לוֹן. א"ל, אֲמַר קוּדְשָׁא בְּרִיךְ הוּא, הָא בַּר יוֹחָאי יֵימָא. וַאֲתֵינָא לְמִשְׁאַל מִנָּךְ. אר"ש, כַּמָּה חֲבִיבוּ חָבִיב קוּדְשָׁא בְּרִיךְ הוּא לִכְנֶסֶת יִשְׂרָאֵל, וּמִסְגֵּיאוּ דִּרְחִימוּ דְּרָחִים לָהּ, שָׁנֵי עוֹבָדוֹי מִמַּה דְּהוּא עָבִיד. דְּאע"ג דְּלָאו אוֹרְחוֹי בְּמֵיכְלָא וּמִשְׁתְּיָיא, בְּגִין רְחִימוּתָא, אָכִיל וְשָׁתָה. הוֹאִיל וְאָתֵי לְגַבָּהּ, עָבִיד רְעוּתָהּ. כַּלָּה עַיְילַת לַחוּפָּה, וּבָעַת לְמֵיכַל, לֵית דִּין דְּיֵיכוֹל חַתָנָהּ בַּהֲדָהּ, אע"ג דְּלָאו אָרְחֵיהּ לְמֶעְבַּד הָכִי. הה"ד בָּאתִי לְגַנִּי אֲחוֹתִי כַלָּה. הוֹאִיל וַאֲתֵינָא לְגַבָּהּ, וּלְמֵיעַל בַּהֲדָהּ לַחוּפָּה, אָכַלְתִּי יַעְרִי עִם דִּבְשִׁי וְגוֹ'.

תקנד. וְיַלְפִינָן מִדָּוִד, דְּזַמִּין לְקוּדְשָׁא בְּרִיךְ הוּא, וְשָׁנֵי עוֹבָדוֹי מִמַּה דְּאָרְחוֹי דְּקוּדְשָׁא בְּרִיךְ הוּא, וְקוּדְשָׁא בְּרִיךְ הוּא קַבִּיל וְעָבִיד רְעוּתֵיהּ. זַמִּין לְמַלְכָּא וּמַטְרוֹנִיתָא בַּהֲדֵיהּ, הֲדָא הוּא דִּכְתִיב קוּמָה יְיָ' לִמְנוּחָתֶךָ אַתָּה וַאֲרוֹן עֻזֶּךָ. מַלְכָּא וּמַטְרוֹנִיתָא כַּחֲדָא, בְּגִין דְּלָא לְאַפְרְשָׁא לוֹן, שָׁנֵי מָאנִין, וְשָׁנֵי עוֹבָדִין דְּמַלְכָּא.

תקנה. הה"ד, כֹּהֲנֶיךָ יִלְבְּשׁוּ צֶדֶק וַחֲסִידֶיךָ יְרַנֵּנוּ בַּעֲבוּר דָּוִד וְגוֹ', כֹּהֲנֶיךָ יִלְבְּשׁוּ צֶדֶק, לְוִיֶּיךָ מִבָּעֵי לֵיהּ, דְּהָא צֶדֶק מִסִּטְרָא דְּלֵיוָאֵי אִיהוּ. וַחֲסִידֶיךָ יְרַנֵּנוּ, לְוִיֶּיךָ יְרַנֵּנוּ

מִבָּעֵי לֵיהּ, דְּהָא רִנָּה וְזִמְרָה בִּלְוָאֵי נִינְהוּ, וְאִיהוּ שָׂנֵי וְאָמַר, כֹּהֲנֶיךָ וַחֲסִידֶיךָ, דְּאִינּוּן מִסִּטְרָא דִּימִינָא.

תקנו. א"ל קוּדְשָׁא בְּרִיךְ הוּא, דָּוִד לָאו אוֹרַח דִּילִי הָכִי. אָמַר דָּוִד, בַּעֲבוּר דָּוִד עַבְדֶּךָ אַל תָּשֵׁב פְּנֵי מְשִׁיחֶךָ. תִּקּוּנָא דַּאֲנָא תַּקִּינַת, לָא תְּשַׁנֵּה לֵיהּ. א"ל, דָּוִד, הוֹאִיל וְזַמִּינַת לִי, אִית לִי לְמֶעְבַּד רְעוּתָךְ, וְלָאו רְעוּתִי. וְיַלְפִינָן מֵהַאי, אוֹרְחָא דְּעָלְמָא, דְּמַאן דִּמְזַמֵּן לְאוֹרְחָא, הַהוּא דְּאָתֵי לְגַבֵּיהּ, אִית לֵיהּ לְמֶעְבַּד רְעוּתֵיהּ, אע"ג דְּלָאו אוֹרְחֵיהּ בְּכָךְ.

תקנז. כָּךְ וַיִּקַּח מֵאַבְנֵי הַמָּקוֹם וְגוֹ', הוֹאִיל וְאָתָא וְחָתָן לְגַבֵּי כַּלָּה, אע"ג דְּלָאו אוֹרְחֵיהּ לְמִשְׁכַּב. אֶלָּא בְּכָרִים וּכְסָתוֹת, וְאִיהִי יָהֲבָה לֵיהּ אֲבָנִין לְמִשְׁכַּב, כֹּלָּא יְקַבֵּל בִּרְעוּתָא דְּלִבָּא. הה"ד, וַיִּשְׁכַּב בַּמָּקוֹם הַהוּא, עַל אִינּוּן אֲבָנִין, אע"ג דְּלָאו אוֹרְחֵיהּ בְּכָךְ.

תקנח. אוּף נָמֵי הָכָא, אָכַלְתִּי יַעְרִי עִם דִּבְשִׁי אע"ג דְּלָאו אָרְחוֹי בְּכָךְ, בְּגִין רְחִימוּ דְּכַלָּה. ועכ"ד בְּבֵיתָא דְּכַלָּה וְלָא בַּאֲתַר אוּחֲרָא. בְּאַתְרֵיהּ לָא אָכִיל וְלָא שָׁתֵי, בַּאֲתָר דִּילָהּ אָכִיל וְשָׁתֵי. הה"ד, בָּאתִי לְגַנִּי. מַלְאֲכִין דְּשָׁדַר קוּדְשָׁא בְּרִיךְ הוּא לְאַבְרָהָם, לָא אַכְלוּ וְלָא שָׁתוּ בְּאַתְרַיְיהוּ, בְּגִין אַבְרָהָם אַכְלוּ וְשָׁתוּ. א"ל, ר'. וַוי לָךְ, מִלָּה דָּא בָּעֵי קוּדְשָׁא בְּרִיךְ הוּא לְמֵימַר, וּבְגִין דְּלָא לְמֶחְזַק טִיבוּ לְגַרְמֵיהּ, קַמֵּי כְּנֶסֶת יִשְׂרָאֵל, סָלִיק מִלָּה לְגַרְמָךְ, זַכָּאָה אַנְתְּ בְּעָלְמָא, דְּמָארָךְ מִשְׁתַּבַּח בָּךְ לְעֵילָּא. וְעָלָךְ כְּתִיב, צַדִּיק מוֹשֵׁל יִרְאַת אֱלֹהִים.

תקנט. אֶת קָרְבָּנִי לַחְמִי לְאִשַּׁי וְגוֹ', ר' יוּדָאי אָמַר, בְּקָרְבָּנָא אִית עָשָׁן, וְאִית רֵיחַ, וְאִית נִיחוֹחַ. עָשָׁן: אִינּוּן מָארֵי דְּרוּגְזָא. דִּכְתִיב, כִּי אָז יֶעְשַׁן אַף יְיָ'. אִינּוּן אִתְהֲנוּן מֵעָשָׁן. וְעָשָׁן רוּגְזָא, בְּחוֹטָמָא אִיהוּ. רֵיחַ: אִינּוּן דְּאִקְרוּן תַּפּוּחִין. אָמַר ר' אַבָּא, כַּתַּפּוּחִים. הה"ד, וְרֵיחַ אַפֵּךְ כַּתַּפּוּחִים.

תקס. אֶת הַכֶּבֶשׂ אֶחָד תַּעֲשֶׂה בַבֹּקֶר. מַאי בַּבֹּקֶר. דָּא בֹּקֶר דְּאַבְרָהָם. דִּכְתִיב, וַיַּשְׁכֵּם אַבְרָהָם בַּבֹּקֶר. מְנָלָן דְּהַאי בֹּקֶר דְּאַבְרָהָם הוּא. א"ר אֶלְעָזָר, מֵהָכָא, הַבֹּקֶר אוֹר. בֹּקֶר אוֹר לָא כְּתִיב, אֶלָּא הַבֹּקֶר אוֹר, וְדָא אוֹר קַדְמָאָה, דְּבָרָא קוּדְשָׁא בְּרִיךְ הוּא בְּעוֹבָדָא דִּבְרֵאשִׁית, וע"ד תַּעֲשֶׂה בַבֹּקֶר, בַּבֹּקֶר דְּאִשְׁתְּמוֹדָעָא. וְלָקֳבֵל בֹּקֶר דְּאַבְרָהָם, אִתְקְרִיב קָרְבְּנָא דָּא. קָרְבַּן דְּבֵין הָעַרְבַּיִם, דָּא יִצְחָק, וְלָקֳבֵל עֶרֶב דְּיִצְחָק אִתְקְרִיב. מְנָלָן. דִּכְתִיב וַיֵּצֵא יִצְחָק לָשׂוּחַ בַּשָּׂדֶה לִפְנוֹת עָרֶב. וְעֶרֶב דְּיִצְחָק הוּא, וְהָא אוֹקִימְנָא.

רעיא מהימנא

תקסא. פִּקּוּדָא דָּא לְהַקְרִיב מִנְחָה בְּכָל יוֹם, וּלְהַקְרִיב קָרְבַּן מוּסַף שַׁבָּת. וַאֲבַתְרֵיהּ לְהַסְדִּיר לֶחֶם הַפָּנִים וּלְבוֹנָה. וְקָרְבַּן מוּסַף בְּרֹאשׁ חֹדֶשׁ. בּוּצִינָא קַדִּישָׁא, בְּכָל יוֹמָא צָרִיךְ לְשַׁדּוּרֵי דּוֹרוֹנָא לְמַלְכָּא בִּידָא דְּמַטְרוֹנִיתָא. אִי אִיהִי בִּרְשׁוּ בַּעְלָהּ, צָרִיךְ תּוֹסֶפֶת, כְּגוֹן מוּסַף בְּשַׁבָּת וּבְרֹאשׁ חֹדֶשׁ, וּמוּסַף דְּכָל יוֹמִין טָבִין.

תקסב. דְּאִיהִי רְשׁוּת הַיָּחִיד דִּילֵיהּ וְעַמּוּדָא דְּאֶמְצָעִיתָא אִיהוּ בַּעְלָהּ דְּהַאי רְשׁוּת. וְיַעֲקֹב דְּתִקֵּן צְלוֹתָא דְּעַרְבִית, אִיהוּ דַּרְגָּא דִּילֵיהּ דְּעַמּוּדָא דְּאֶמְצָעִיתָא. בְּגִין דָּא אוֹקְמוּהָ מָארֵי מַתְנִיתִין, תְּפִלַּת עַרְבִית רְשׁוּת, דְּאַף עַל גַּב דִּבְגָלוּתָא דְּדוֹמֶה לְלַיְלָה, דְּשַׁלְטִין תַּמָּן סָמָאֵל וְנָחָשׁ, וְכָל מְמַנָּן דְּאֻכְלוּסִין דִּילֵיהּ, וּשְׁכִינְתָּא נַחְתַּת בְּגָלוּתָא עִם יִשְׂרָאֵל, אִיהִי בִּרְשׁוּ דְּבַעְלָהּ אִשְׁתַּכְּחַת, הֲדָא הוּא דִכְתִיב, אֲנִי יְיָ' הוּא שְׁמִי וּכְבוֹדִי לְאַחֵר לֹא אֶתֵּן.

תקסג. וּבְגִין דָּא וַיִּפְגַּע בַּמָּקוֹם, לֵית פְּגִיעָה, אֶלָּא פִּיּוּסָא. כְּגוֹן אַל תִּפְגְּעִי בִּי. כ"י פַּיְּיסַת לֵיהּ, דְּלָא יָזוּז מִינָּהּ, דְּקוּדְשָׁא בְּרִיךְ הוּא אִיהוּ מְקוֹמוֹ שֶׁל עוֹלָם. מַאי עוֹלָם. דָּא שְׁכִינְתָּא. תַּרְגּוּם עוֹלָם, עָלְמָא, לִישָּׁנָא דְּעוּלֵימָא, כד"א הָעַלְמָה. וּמַה כְּתִיב בֵּיהּ, וַיָּלֶן שָׁם, אִתְפַּיֵּיס עִמָּהּ, לְמֵיבַת תַּמָּן בְּגָלוּתָא עִם שְׁכִינְתָּא. וְאִי תֵּימָא דְּיַעֲקֹב פָּיֵּיס לָהּ, שַׁפִּיר. וּבְגִין דְּאִיהִי בְּכָל לֵילְיָא, דְּאִיהוּ גָּלוּתָא, בִּרְשׁוּ בַּעְלָהּ, אוּקְמוּהָ תְּפִלַּת עַרְבִית רְשׁוּת. וּפֵירוּשָׁא אַחֲרִינָא, אִיהוּ תֶּבֶן לְמֵיכַל לִבְעִירָן וְחוּמְרִיִּים בְּקָ"ו. נַחְתּוּ מָארֵי מַתְנִיתִין, וְאִשְׁתְּטָחוּ קַמֵּיהּ, וְחַדֵּי בְּהַאי מִלָּה, וְקַשְׁרוּ לָהּ בְּכַמָּה קִשְׁרִין דְּרָזִין סְתִימִין. וְאַעְטְרוּ לָהּ, וּסְלִיקוּ לָהּ לְגַבֵּי חַבְרַיָּיא דְּאִשְׁתָּאֲרוּ תַּמָּן.

תקסד. אָמַר רַעְיָא מְהֵימְנָא, בּוּצִינָא קַדִּישָׁא, בְּגִין דָּא בִּשְׁאָר צְלוֹתִין אִיהוּ חוֹבָה, דִּשְׁטַר חוֹב עֲלַיְיהוּ, לְסַמְכָא לָהּ בְּצַדִּיק חַי עָלְמִין, דְּבֵיהּ כָּל הַסּוֹמֵךְ גְּאוּלָּה לַתְּפִלָּה, אֵינוֹ נִזּוֹק בְּכָל אוֹתוֹ יוֹם. וּבְמַאי סְמִיכַת עַל יְסוֹד. בִּדְרוֹעָא יְמִינָא. הה"ד, חַי יְיָ שִׁכְבִי עַד הַבֹּקֶר.

תקסה. כַּד מָטֵי זְמַן צְלוֹתָא דְּמִנְחָה, בָּעֶרֶב הִיא בָאָה. הה"ד, וַתָּבֹא אֵלָיו הַיּוֹנָה לְעֵת עֶרֶב. בְּגִין דְּמִנְחָה שְׁלוּחָה הִיא לַאֲדוֹנִי, בְּגָלוּתָא דְּעֵשָׂו, וְהִנֵּה גַּם הוּא אַחֲרֵינוּ. וְעוֹד לַאֲדוֹנִי, דָּא אִיהוּ אֲדוֹן כָּל הָאָרֶץ, וְדָא צַדִּיק, מִתַּמָּן יוֹסֵף הַצַּדִּיק, בְּכוֹר שׁוֹרוֹ הָדָר לוֹ. דְּעָתִיד לְנָפְקָא מִנֵּיהּ מָשִׁיחַ בֶּן אֶפְרַיִם. וּבְגִינֵיהּ אִתְּמַר וְהִנֵּה קָמָה אֲלֻמָּתִי וְגַם נִצָּבָה וְהִנֵּה תְסֻבֶּינָה אֲלֻמּוֹתֵיכֶם וַתִּשְׁתַּחֲוֶינָה לַאֲלֻמָּתִי. וּבְצַדִּיק, כָּל הַכּוֹרֵעַ כּוֹרֵעַ בְּבָרוּךְ.

תקסו. אָמַר בּוּצִינָא קַדִּישָׁא, רַעְיָא מְהֵימְנָא, בָּךְ אִתְּמַר וַיִּקַּח מֹשֶׁה אֶת עַצְמוֹת יוֹסֵף. בְּגִין דְּגוּף וּבְרִית חַשְׁבִינָן חַד. וּבְגִ"ד עֲלָךְ אִתְּמַר, וְהִנֵּה קָמָה אֲלֻמָּתִי וְגַם נִצָּבָה. דְּכַךְ תְּפִלָּה מֵעוֹמֵד. וְכֵן כָּל הַזּוֹקֵף זוֹקֵף בַּשֵּׁם. וּבְצַדִּיק, כָּל הַכּוֹרֵעַ כּוֹרֵעַ בְּבָרוּךְ, וְהַיְינוּ וַתִּשְׁתַּחֲוֶינָה לַאֲלֻמָּתִי. דְּאַנְתְּ אָחִיד בִּימִינָא וּבִשְׂמָאלָא, בְּגוּף וּבְרִית. וּלְבָתַר תִּסְתַּלַּק עֲלַיְיהוּ לְבִינָה, לְמִפְתַּח בָּהּ חַמְשִׁין תַּרְעִין דְּחֵירוּ לְיִשְׂרָאֵל. לְקַיְּימָא, כִּימֵי צֵאתְךָ מֵאֶרֶץ מִצְרַיִם אַרְאֶנּוּ נִפְלָאוֹת, וּבְגִ"ד צְלוֹתָא דְּשַׁחֲרִית חוֹבָה, דְּעַרְבִית רְשׁוּת.

תקסז. בְּעַרְבִית אִיהוּ הַשְׁכִּיבֵנוּ, דִּשְׁכִיבַת בֵּין דְּרוֹעֵי מַלְכָּא בְּגָלוּתָא. כַּד יֵיתֵי צַפְרָא, פֶּסַח אָחִיד בֵּיהּ בִּימִינָא. אֲבָל בִּדְרוֹעָא שְׂמָאלָא דְּיִצְחָק, תִּשְׁרֵי. וַיְהִי הוּא טֶרֶם כִּלָּה לְדַבֵּר וְהִנֵּה רִבְקָה יוֹצֵאת, מִן גָּלוּתָא. וּבְגִין דְּלָא נַפְקֵי מִסִּטְרָא דְּדִינָא, יַעֲקֹב שִׂכֵּל אֶת יָדָיו, וְשַׁוֵּי שׁוֹר בִּימִינָא, אַרְיֵה בִּשְׂמָאלָא. וּבְגִ"ד נְאֻם יְיָ לַאדֹנִי שֵׁב לִימִינִי, דָּא צַדִּיק, לְקַבְּלֵיהּ מָשִׁיחַ בֶּן יוֹסֵף, וְאָמַר לֵיהּ שֵׁב לִימִינִי, דְּרוֹעָא דְּאַבְרָהָם, בְּגָלוּתָא דְּיִשְׁמָעֵאל, עַד אָשִׁית אוֹיְבֶיךָ הֲדוֹם לְרַגְלֶיךָ.

תקסח. בְּהַהוּא זִמְנָא, יִתְעַר רוּחַ יְתֵירָה תּוֹסֶפֶת עַל יִשְׂרָאֵל, הה"ד אֶשְׁפּוֹךְ אֶת רוּחִי עַל כָּל בָּשָׂר, וִיהֵא נַיְיחָא לְיִשְׂרָאֵל מֵאוּמִין דְּעָלְמָא, וְנוֹחַ מֵאוֹיְבֵיהֶם. כְּגַוְונָא דְּשַׁבָּת, דְּאִתּוֹסַף בְּב"נ נֶפֶשׁ יְתֵירָה בְּשַׁבָּת, וְאִית לוֹן בָּהּ נַיְיחָא, אִי בְּנֶפֶשׁ יְתֵירָה אִית לוֹן נַיְיחָא, דְּאִיהִי נוּקְבָא, כָּל שֶׁכֵּן בְּרוּחָא דְּאִיהוּ דְּכוּרָא.

תקסט. וְתַנָּאִים וַאֲמוֹרָאִים, נֶפֶשׁ יְתֵירָה בְּשַׁבָּת לְכָל יִשְׂרָאֵל כַּחֲדָא, חַד אִיהִי. אֲבָל לְכָל ב"נ, אִיהוּ כְּפוּם עוֹבָדוֹי. וְאַלִּיפְנָא מִקָ"ו דִּתְיוּבְתָּא, דְּכָל יִשְׂרָאֵל כַּחֲדָא, בְּכָל זִמְנָא דְּחָזְרִין כֻּלְּהוּ, מִתְקַבְּלֵי. הה"ד, כַּיְיָ אֱלֹהֵינוּ בְּכָל קָרְאֵנוּ אֵלָיו, דְּשֵׁם יְיָ מוּכְתָּר עֲלַיְיהוּ בְּכִתְרֵיהּ, דְּאִיהוּ כֶּתֶר עֶלְיוֹן. וְהַאי אִיהוּ נְשָׁמָה יְתֵירָה דְּכָל יִשְׂרָאֵל, בְּשַׁבָּת וְיוֹמִין טָבִין.

ובג"ד תקינו בכל יומין, למחתם בשם ידו"ד, דאיהו חותם דכל ברכאן דצלותין, ולא אמרין מוסף בלא כתר. ובשבת, תקינו למימר במוסף, כתר יתנו לך יי' אלהינו.

תקע. אבל לכל חד מישראל, הכי חזית ליה נפש יתירה, כפום דרגא דיליה. אי הוא חסיד, יהבין ליה נפש יתירה ממדת חסד, כפום דרגא דיליה. אי איהו גבור, ירא חטא, יהבין ליה נפש יתירה, ממדת גבורה. ואי איהו איש תם, יהבין ליה נפש יתירה, ממדת אמת. ונפש יתירה דא מלכות, דאיהי כלילא מעשר ספיראן, וכפום מדה דב"נ. אם נשיא ישראל, או חכם, או מבין בחכמה, או בתורה, דאתמר ביה, להבין משל ומליצה. או בנביאים, או בכתובים. הכי יהבין ליה נפש יתירה, דאתקריאת כתר מלכות.

תקעא. ואי חכם, כמה דאוקימנא המחכים לכל אדם, דאתמר כלם בחכמה עשית, יהבין ליה נפש יתירה מתמן. ואם הוא מבין דבר מתוך דבר באורייתא, יהבין ליה נפש יתירה מבינה. ואם הוא חכם בנביאים ובכתובים, יהבין ליה נפש יתירה מנצח והוד. ואי איהו צדיק גמור דנטר אות ברית, אות שבת, אות יומין טבין, אות תפילין, יהבין ליה נפש יתירה מצדיק, ובכל אתר, נפש יתירה ממלכות.

תקעב. ואי איהו ב"נ מכל מדות אלין, יהבין ליה כתר בשם ידו"ד, כידו"ד אלהינו בכל קראנו אליו. אין קדוש כידו"ד. מעלמא דדכורא, דאיהו תפארת, מלך מוכתר בכתר עלאה, דבה ימלוך בשכינתיה, דאיהי נפש יתירה. וכתר נשמה יתירה, יהו"ה, רוח, דאתמר אשפוך את רוחי על כל בשר, ואיהו כליל י' ספיראן מעילא לתתא, כגוונא דא: י' חכמה. ה' בינה. ו' כליל שית ספיראן, מחסד עד יסוד. ה' מלכות. כ' מן כידו"ד אלהינו, כתר על רישיה. והאי איהו נשמה דאתוספא ביום שבת.

תקעג. ובגין דעלת העלות, מופלא ומכוסה בהאי כתר, ואתפשט בשם יהו"ה בשבתות וימים טובים, לית שולטנותא לסמאל ולנחש ולכל ממנן דיליה, ולית ליה שלטנותא לגיהנם, נוקבא בישא דסמאל, ולא למשריין דיליה, כלהו מתטמרין מן קדם משרייתא דמלכא, כגוונא דיתטמרון אומין עכו"ם דעלמא, כד יתגלי משיחא, הה"ד ובאו במערות צורים ובנקיקי הסלעים.

תקעד. קמו תנאין ואמוראין, ואמרו, רעיא מהימנא, אנת הוא שקיל לכל ישראל, ממולא מכל מדות טבין, ודאי בך שרייא, ההוא דאתמר ביה, אין קדוש כידו"ד אלהינו. אנת כתר על כל חד וחד מישראל, כי אין בלתך ב"נ, דיהא כתר עלך, לא נשיא, ולא חכם, ולא מבין, ולא חסיד, ולא גבור, ולא תם, ולא נביא, ולא צדיק, ולא מלך. אנת הוא בדיוקנא דקודשא בריך הוא, ברא בדיוקנא דאבוהי, כגוונא דישראל, דאתמר בהון, בנים אתם ליי' אלהיכם. אשלים פקודין דמארך, דלית פקודין מאלין דילך, דלא יתעטר ביה קודשא בריך הוא ושכינתיה עילא ותתא, בכתר עלאה, בכל מדה ומדה.

תקעה. פתחו ואמר, תנאין ואמוראין, דכד הוה קרי לכלהו, לר"ש בכלל עמהון בכל זמנא, אמר לון, אנא משבחנא לכו, כפום נדיבות דלכון, דאתון בני נדיבים אברהם יצחק ויעקב. לית מאן דיכיל לשבחא לכון, אלא מרי עלמא, דאפילו אורייתא כלה עד אין סוף, בכו היא תליא. כגוונא דאתמר באורייתא, ארוכה מארץ מדה ורחבה מני ים, הכי שבח דילכו. אבל יתקיים בכו, מה דאתקיים בי, דחדינא ביקרא דאהרן אחי, כמה דאוקמוה, הלב ששמח בגדולת אחיו, ילבש אורים ותומים.

תקעו. וְתַנָּאִין וַאֲמוֹרָאִין, כָּל מוּסָפִין דְּשַׁבָּתוֹת וְיָמִים טוֹבִים, כָּל מוּסָף דְּאַמְרֵינָן בֵּיהּ כֶּתֶר, מֵהָכָא אִשְׁתְּמוֹדְעִין. וְכָל צְלוֹתִין דְּיִשְׂרָאֵל, רֵיחָא דִּלְהוֹן, כְּרֵיחָא דְּמֹר וּלְבוֹנָה וְכָל אַבְקַת רוֹכֵל, בִּשְׁאַר יוֹמִין. אֲבָל בְּשַׁבָּתוֹת וְיָמִים טוֹבִים, חָשִׁיב עָלֵיהּ מִכָּל מִינֵי בְּשָׂמִים.

תקעז. בְּגִין דְּבְיוֹמִין טָבִין, סַלְקִין מִכָּל אַבְקַת רוֹכֵל, דְּאִתְּמַר בֵּיהּ, וַיֵּאָבֵק אִישׁ עִמּוֹ. דִּצְלוֹתָא דְּאִיהִי פְּגִימָה, אִתְאֲבַק עִמָּהּ סָמָאֵל, לְאַגְּזָא עִמֵּהּ בְּהַהוּא פְּגִימוּ דַּעֲבֵירָה, בְּהַהוּא אֲבָק דְּדָא, וְדָא סָלִיק עַד שְׁמַיָּא.

תקעח. אֲבָק דְּיַעֲקֹב, לְאוֹלְפָא זְכוּתָא עַל צְלוֹתָא, בְּכַמָּה מַשִּׁרְיָין דִּזְכָוָון דְּאִינּוּן חֲיָילִין וּמַשִּׁרְיָין, דְּמִתְכַּנְּשִׁין עִמֵּיהּ, לְאוֹלְפָא זְכוּ עָלָהּ. וְאָבָק דְּדַרְגָּא דְּסָמָאֵל, סָלִיק בְּכַמָּה מַשִּׁרְיָין דְּחוֹבִין, לְאוֹלְפָא חוֹבִין עָלָהּ, וְדָא צְלוֹתָא דְּעַרְבִית, דְּאִקְרֵי סֻלָּם דְּיַעֲקֹב, דְּבָהּ וְהִנֵּה מַלְאֲכֵי אֱלֹהִים עוֹלִים וְיוֹרְדִים בּוֹ. אִלֵּין דְּסַלְקִין חוֹבִין, וְנַחְתֵּי זַכְוָון תְּחוֹתַיְיהוּ, וְאִלֵּין סַלְקִין זַכְוָון, וְנַחְתִּין חוֹבִין תְּחוֹתַיְיהוּ. וּמַשְׁפִּילִין לוֹן בְּכַמָּה קְרָבִין.

תקעט. דְּאִינּוּן מָארֵי תְּרִיסִין, בְּמִלְחַמְתָּהּ שֶׁל תּוֹרָה, עַד דְּיִשְׁתְּמַע קְרָבָא לְטוּרִין רַבְרְבִין, דְּאִינּוּן אַבְרָהָם יִצְחָק וְיַעֲקֹב, הה"ד, שִׁמְעוּ הָרִים אֶת רִיב יְיָ'. רִיב דִּצְלוֹתָא. רִיב דְּאוֹרַיְיתָא. וְהַאי קְרָבָא דִּצְלוֹתָא דְּעַרְבִית, עַד עֲלוֹת הַשָּׁחַר. דְּרַבָּן גַּמְלִיאֵל אוֹקְמָהּ, עַד עֲלוֹת הַשַּׁחַר. דִּתְפִלַּת עַרְבִית זְמַנָּהּ כָּל הַלַּיְלָה, אֶלָּא דַּחֲכָמִים עָבְדוּ גָּדֵר עַד חֲצוֹת.

תקפ. וּבְג"ד וַיֵּאָבֵק אִישׁ עִמּוֹ עַד עֲלוֹת הַשָּׁחַר, מַאן שַׁחַר. צְלוֹתָא דְּעַרְבִית. דְּשִׁיעוּרָהּ עַד בֹּקֶר דְּאַבְרָהָם, דְּאִיהִי אַרְבַּע שָׁעוֹת וַיַּשְׁכֵּם אַבְרָהָם בַּבֹּקֶר. בְּרֵישׁ שַׁעֲתָא קַדְמָאָה, בְּסוֹף הַשַּׁחַר, דְּאִיהוּ נֶצַח יַעֲקֹב, דְּתַמָּן לַמְנַצֵּחַ עַל אַיֶּלֶת הַשַּׁחַר, לְנַטְלָא נוּקְמָא מִסָּמָאֵל, דְּנָגַע בְּיָרֵךְ שְׂמָאלָא דְּיַעֲקֹב, דְּאִיהוּ הוֹד, דְּבֵיהּ אִתְּמַר נְתָנַנִי שׁוֹמֵמָה כָּל הַיּוֹם דָּוָה, הוֹד, מִסִּטְרָא דְּהוֹד, אֶלֶף וַחֲמִשָּׁאָה, אִשְׁתָּאֲרַת בֵּי מַקְדְּשָׁא חֲרֵבָה וִיבֵשָׁה.

תקפא. אָמַר ר"ש, דָּא הוֹד דִּילָךְ רַעְיָא מְהֵימָנָא, דְּבֵיהּ אַנְתְּ חָרֵב, מִנְּבוּאָה דִּילָךְ מִשְּׂמָאלָא, וּבְגִין דְּאַנְתְּ מוֹלִיךְ לִימִין מֹשֶׁה דְּאִיהוּ נֶצַח, רֵישָׁא דְּשַׁחֲרִין, אַיֶּלֶת אֲהָבִים, פָּתַח דָּוִד לַמְנַצֵּחַ עַל אַיֶּלֶת הַשַּׁחַר, דְּבֵיהּ יֵיתֵי מָארֵי נִצְחָן קְרָבַיָּיא. וּבְגִין דְּנֶצַח וְהוֹד תְּרֵין שַׁחֲרִין, אוֹקְמוּהָ בְּמַתְנִיתִין מֵאֵימָתַי קוֹרִין אֶת שְׁמַע בְּשַׁחֲרִין, וְלָא אָמַר בַּשַּׁחַר. אֶלָּא בְּשַׁחֲרִין תְּרֵין.

תקפב. וּתְרֵין מְשִׁיחִין יִתְעֲרוּן לְגַבַּיְיהוּ, מָשִׁיחַ בֶּן דָּוִד, לְקַבֵּל נֶצַח, וְאִתְקְשַׁר בַּבֹּקֶר דְּאַבְרָהָם, הֲדָא הוּא דִּכְתִּיב, נְעִימוֹת בִּימִינְךָ נֶצַח. הוֹד בִּגְבוּרָה, דְּבֵיהּ מָשִׁיחַ בֶּן אֶפְרַיִם אָחִיד. אַנְתְּ בְּאֶמְצָעִיתָא, דְּדַרְגָּא דִּילָךְ תִּפְאֶרֶת, דְּאִתְקְשַׁר בָּךְ עַמּוּדָא דְּאֶמְצָעִיתָא. וִיסוֹד חַי עָלְמִין בְּדַרְגָּא דִּילָךְ. וְחָכְמָה בַּיָּמִין, הָרוֹצֶה לְהַחְכִּים יַדְרִים. וּבִינָה לִשְׂמָאלָא, הָרוֹצֶה לְהַעֲשִׁיר יַצְפִּין.

תקפג. אִיהִי הַקֶּשֶׁת גַּבָּךְ, וְהַאי אִיהוּ לְבוּשָׁא דִּשְׁכִינְתָּא. לְבוּשָׁא דְּצַדִּיק, דְּאִתְקְרֵי בְּרִית הַקֶּשֶׁת. וְאִיהוּ אוֹת שַׁבָּת, וְאוֹת י"ט, וְאוֹת תְּפִלִּין, וְאוֹת בְּרִית מִילָה. וְאָמַר קוּדְשָׁא בְּרִיךְ הוּא, מַאן דְּלָאו אִיהוּ רָשִׁים בְּהַאי אוֹת, לָא יֵיעוֹל בְּמַרְאָה דָּא, בְּחֶזֶר דָּא. וְהַאי אִיהוּ מַטֵּה, דְּעַמּוּדָא דְּאֶמְצָעִיתָא מַטֵּה בֵּיהּ כְּלַפֵּי חֶסֶד לְצַדִּיקִים גְּמוּרִים, לְמֵיהַב לוֹן זַכְוָון, בח"י בִּרְכָאן דִּצְלוֹתָא. וּמַטֵּה כְּלַפֵּי חוֹבָה לְרַשִׁיעַיָּיא, לְמֵידָן לוֹן בִּגְבוּרָה לְדִינָא, כְּפוּם עוֹבָדֵיהוֹן. וּבְעַמּוּדָא דְּאֶמְצָעִיתָא מַאֲרִיךְ עַל בֵּינוֹנִים. וְהַאי אִיהוּ ש'.

תקפד. תְּלַת גַּוְונִין דְּקֶשֶׁת, אוֹת בְּרִית הַקֶּשֶׁת, בַּת יְחִידָה, שַׁבָּת מַלְכְּתָא. וְאִית לָהּ שִׁית דַּרְגִּין, תְּחוֹת שׁוּלְטָנוּתָא, דְּאִינּוּן שֵׁשֶׁת יְמֵי הַמַּעֲשֶׂה, דִּכְלִילָן בְּמְטַטְרוֹן. דְּעֲלַיְיהוּ אִתְּמַר, שֵׁשֶׁת יָמִים תַּעֲשֶׂה מַעֲשֶׂיךָ. אֲבָל בַּת יְחִידָה, שַׁבָּת לַיְדֹוָד, הָעוֹשֶׂה בָהּ מְלָאכָה יוּמָת.

תקפה. יְדֹוָד אִתְקְרֵי בְּאוֹת ה'. וּמִסִּטְרָא דָא, יד"ו לִימִינָא. דְּאִיהוּ ה' שְׁלִימוּ דִּילֵיהּ. וְהָכֵי לְכָל סִטְרָא בְּשִׁית סִטְרִין, ידו, דוי, ויד, יוד, דיו, ודי. אִינּוּן וז"י אַתְוָון, דִּכְלִילָן בְּצַדִּיק חַי עָלְמִין. וְאִיהִי רְבִיעִית הַהִין בְּכָל סִטְרָא.

תקפו. וְאִיהִי הֵ"א, מִסִּטְרָא דִּשְׁמָא מְפָרַשׁ, יו"ד הֵ"א וָא"ו. יו"ד בְּחֶסֶד, הֵ"א בִּגְבוּרָה, וָא"ו בְּתִפְאֶרֶת. כַּד שַׁלְטָא הַאי ט"ל, אָסְרוּ וַחֲכָמִים אַרְבָּעִים מְלָאכוֹת וְחָסֵר אַחַת. וְאִתְקְרִיאוּ אָבוֹת מְלָאכוֹת, ע"ש דְּאִינּוּן לְקָבֵל אֲבָהָן, דְּשַׁלִּיט עֲלַיְיהוּ ט"ל, דְּאִיהוּ אַרְבָּעִים וְחָסֵר אַחַת.

תקפז. וּבְאִלֵּין אַרְבָּעִים מְלָאכוֹת וְחָסֵר חַד, לָקָה עֲשָׂרָה מַלְקִיּוֹת לָאָדָם. וַעֲשָׂרָה לְחַוָּה. וַעֲשָׂרָה לְנָחָשׁ. וְתִשְׁעָה לְאַרְעָא. וּבְגִין דְּט"ל שַׁלְטָא, בְּשַׁבָּת, דְּאִיהוּ ה' אֵין לוֹקִין בְּשַׁבָּת. וְהַאי ט"ל לָאו אִיהוּ כט"ל דְּחוֹל, מִסִּטְרָא דְּעֶבֶד מְטַטְרוֹן. וְאַרְבָּעִים מְלָאכוֹת וְחָסֵר אַחַת, הֵם הַזּוֹרֵעַ וְהַחוֹרֵשׁ וְכוּ'.

תקפח. סָבָא סָבָא, שְׁכִינְתָּא אִתְקְרֵי אֶרֶ"ץ דְּקוּדְשָׁא בְּרִיךְ הוּא. הה"ד וְהָאָרֶץ הֲדוֹם רַגְלָי. מִסִּטְרָא דְּחֶסֶד אִתְקְרִיאַת מַיִם. וּמִסִּטְרָא דִּגְבוּרָה אִתְקְרִיאַת אֵשׁ. וּמִסִּטְרָא דְּעַמּוּדָא דְּאֶמְצָעִיתָא אֲוִיר. וְאִיהִי אֶרֶץ, קַרְקַע לְכֻלְּהוּ.

תקפט. וּבְגִין דְּנִשְׁמְתָא יְתֵירָה אִתְפַּשְׁטָא בִּשְׁכִינְתָּא, דְּאִיהִי שַׁבָּת מַלְכְּתָא, דְּאִתְּמַר בָּהּ וּמַלְכוּתוֹ בַּכֹּל מָשָׁלָה, מִשּׁוּם אִיהִי מַלְכוּת, דְּשָׁלְטָנוּתָהָא עַל אַרְעָא, וְעַל אִילָנִין וְזַרְעִין. וּבְגִין דְּאִילָנָא דְּחַיֵּי, דְּהִיא נִשְׁמְתָא יְתֵירָה דִּבְשַׁבָּת, בָּהּ תּוֹלְדִין דִּילָהּ, אִית נַיְיחָא לְאַרְעָא, דְּאִיהִי שְׁכִינְתָּא.

תקצ. וּבְגִין דִּשְׁכִינְתָּא עִלָּאָה אִתְפַּשְׁטַת בְּאַרְעָא, דְּאִתְּמַר בָּהּ פָּרָה אֲדוּמָּה תְּמִימָה אֲשֶׁר אֵין בָּהּ מוּם אֲשֶׁר לֹא עָלָה עָלֶיהָ עוֹל, אָסוּר לַחֲרוֹשׁ בְּשַׁבָּת וַחֲרִישָׁה בַּשּׁוֹר. דְּאִתְּמַר עַל גַּבִּי חָרְשׁוּ חוֹרְשִׁים. וּשְׁכִינְתָּא תַּתָּאָה אִיהִי פָּרָה אֲדוּמָּה מִסִּטְרָא דִּגְבוּרָה. תְּמִימָה, מִסִּטְרָא דְּחֶסֶד, דְּאִיהוּ דַּרְגָּא דְּאַבְרָהָם, דְּאִתְּמַר בֵּיהּ הִתְהַלֵּךְ לְפָנַי וֶהְיֵה תָמִים. אֲשֶׁר אֵין בָּהּ מוּם, מִסִּטְרָא דְּעַמּוּדָא דְּאֶמְצָעִיתָא. אֲשֶׁר לֹא עָלָה עָלֶיהָ עוֹל, מִסִּטְרָא דִּשְׁכִינְתָּא עִלָּאָה דְּאִיהִי חֵירוּ, בַּאֲתַר דְּאִיהִי שַׁלְטָא וְהַזָּר הַקָּרֵב יוּמָת, לֵית רְשׁוּ לְסִטְרָא אַחֲרָא לְשַׁלְטָאָה, לֹא שָׂטָן, וְלֹא מַשְׁחִית, וְלֹא מַלְאַךְ הַמָּוֶת, דְּאִינּוּן מִסִּטְרָא דְּגֵיהִנָּם.

תקצא. וּבְגִין דָּא, בְּיוֹמִין דְּחוֹל, אַמְרִין יִשְׂרָאֵל, וְהוּא רַחוּם יְכַפֵּר עָוֹן וְלֹא יַשְׁחִית וְהִרְבָּה לְהָשִׁיב אַפּוֹ וְגוֹ'. בְּגִין דִּבְיוֹמִין דְּחוֹל, שְׁכִינְתָּא תַּתָּאָה אִתְלַבְּשַׁת בְּאִלֵּין קְלִיפִּין דְּמִיתָה דְּדִינָא. וּבְשַׁבָּת אִתְפַּשְׁטַת מִנַּיְיהוּ, בְּגִין דְּאִילָנָא דְּחַיֵּי דְּאִיהוּ בֶּן י"ה, יד"ו, אִתְחַבָּר בְּהֵ"א. בְּהַהוּא זִמְנָא נַיְיחָא אִשְׁתְּכַחַת לְהֵ"א, וְכָל מַה דְּאִיהוּ תְּחוֹתָהּ, וְלָא צָרִיךְ לְמֵימַר בֵּיהּ וְהוּא רַחוּם. וּמַאן אִינּוּן תְּחוֹתָהּ. יִשְׂרָאֵל. וְכָל אֲתַר דְּיִשְׂרָאֵל מִשְׁתַּכְּחִין, נְטִירוּ אִשְׁתְּכַח וְנַיְיחָא.

תקצב. ובג"ד, אָסוּר לְמֶחֱרַשׁ בְּאַרְעָא, וּלְמֶעְבַּד בָּהּ גּוּמוֹת, דַּהֲוֵי כְּאִילּוּ עָבֵיד פְּגִימוּ בְּאַרְעָא קַדִּישָׁא, דְּאִיהִי שְׁכִינְתָּא. וְאָסוּר לְאִשְׁתַּמְּשָׁא בְּכֵלִים דְּאַרְעָא בְּשַׁבָּת. וַאֲפִילּוּ

לְטַלְטֵל אֶבֶן. וְלָא כְּלֵי בְּעָלְמָא. דִּיהֱוֵי נַיְיחָא לוֹן בִּזְכוּ דִּשְׁכִינְתָּא דְּאִתְקְרִיאַת אַבְנָא, דִּכְתִּיב בָּהּ וְהָאֶבֶן הַזֹּאת אֲשֶׁר שַׂמְתִּי מַצֵּבָה, בִּצְלוֹתָא. עַמּוּדָה אִיהִי לְיִשְׂרָאֵל, דִּבְגִינָהּ אִית לוֹן קִיּוּמָא בְּעָלְמָא. וְעָלֵיהּ אִתְּמַר, מִשָּׁם רוֹעֶה אֶבֶן יִשְׂרָאֵל. עַל אֶבֶן אַחַת שִׁבְעָה עֵינָיִם, אֶבֶן מָאֲסוּ הַבּוֹנִים.

תקצג. וּבְגִ"ד וְשָׁמְרוּ בְנֵי יִשְׂרָאֵל אֶת הַשַּׁבָּת לַעֲשׂוֹת אֶת הַשַּׁבָּת לְדֹרֹתָם בְּרִית עוֹלָם. צָרִיךְ לְנַטְרָא לָהּ בְּדִירָתָם, דְּלָא יַפְקוּן מרה"י לרה"ר. וְהַאי אִיהוּ דְּאוֹקְמוּהָ מָארֵי מַתְנִיתִין, יְצִיאוֹת הַשַּׁבָּת שְׁתַּיִם שֶׁהֵן אַרְבַּע, הוֹצָאָה מֵרְשׁוּת לִרְשׁוּת, וְהַכְנָסָה נָמֵי יְצִיאָה קָרֵי לָהּ. וְאִינּוּן סָמָאֵל וְנָחָשׁ, צְרִיכִין יִשְׂרָאֵל לְנַטְרָא לוֹן, דְּלָא יֵיעֲלוּן לְדִירָה דִּשְׁכִינְתָּא, דְּאִיהִי רְשׁוּת הַיָּחִיד. מַאן רְשׁוּת הָרַבִּים. וְחָלָלָה שִׁפְחָה זוֹנָה נִדָּה גּוֹיָה, רְשׁוּת דְּסָמָאֵל וְנָחָשׁ, וְשִׁבְעִין מְמַנָּן דְּעַמִּין. (ע"כ רעיא מהימנא)

תקצד. פָּתַח וְאָמַר, בָּאתִי לְגַנִּי וְכוּ', וּבְחִבּוּרָא קַדְמָאָה, אָרִיתִי מוֹרִי עִם בְּשָׂמִי, דְּרוֹעָא יְמִינָא בְּיַרְכָא שְׂמָאלָא. אָכַלְתִּי יַעְרִי עִם דִּבְשִׁי, יַעֲקֹב בְּרָזֶל. שָׁתִיתִי יֵינִי עִם חֲלָבִי, דְּרוֹעָא שְׂמָאלָא בְּיַרְכָא יְמִינָא. דְּרוֹעָא יְמִינָא בְּיַרְכָא שְׂמָאלָא, אִינּוּן חֶסֶד עִם הוֹד. יַעֲקֹב בְּרָזֶל, עַמּוּדָא דְּאֶמְצָעִיתָא בְּמַלְכוּת. דְּרוֹעָא שְׂמָאלָא בְּיַרְכָא יְמִינָא גְּבוּרָה בְּנֶצַח.

תקצה. וְאַמַּאי שַׁנֵּי מִדּוֹת דִּילֵיהּ הָכִי. אֶלָּא רָזָא דְּנִימָא הָכָא, דָּוִד אָמַר הָכָא, כֹּהֲנֶיךָ יִלְבְּשׁוּ צֶדֶק וַחֲסִידֶיךָ יְרַנֵּנוּ. וְאִתְּמַר הָתָם, וּלְוָיֵיךְ מִבָּעֵי לֵיהּ לְמֵימַר. אָמַר קוּדְשָׁא בְּרִיךְ הוּא לָאו אָרְחוֹ לְשַׁנּוֹת מִדּוֹתַי, אֶלָּא בָּתַר דְּזַמֵּינַת לִי, אִית לִי לְמֶעְבַּד רְעוּתָךְ. וּמֵהָכָא אוֹלִיפְנָא, דְּבַעַל הַבַּיִת דִּמְזַמִּין אֲפִילּוּ לְמַלְכָּא, אִית לֵיהּ לְמֶעְבַּד רְעוּתֵיהּ. וּבְגִ"ד אוֹקְמוּהָ, כָּל מַה שֶּׁאוֹמֵר לְךָ בַּעַל הַבַּיִת עֲשֵׂה חוּץ מִצֵּא. וְעִם כָּל דָּא דְּרָזָא דָּא שַׁפִּיר אִיהוּ, הָא כְּתִיב אֲנִי יְיָ' לֹא שָׁנִיתִי, וּבְכָל קָרְבְּנִין לָא כְּתִיב בְּהוֹן אֶלָּא לַיְדֹוָ"ד, אֵיךְ יָכִיל לְמֶהֱוֵי דְּיִשַּׁנֵּי דַּרְגִּין דִּשְׁמֵיהּ בְּקָרְבְּנָא.

תקצו. אֶלָּא, אָרִיתִי מוֹרִי: יוֹצֵר אוֹר. עִם בְּשָׂמִי: אַהֲבַת עוֹלָם. אָכַלְתִּי יַעְרִי: שְׁמַע יִשְׂרָאֵל. עִם דִּבְשִׁי: בָּרוּךְ שֵׁם כְּבוֹד מַלְכוּתוֹ לְעוֹלָם וָעֶד. שָׁתִיתִי יֵינִי: וְהָיָה אִם שָׁמוֹעַ, עַד וַיֹּאמֶר. עִם חֲלָבִי: מִן וַיֹּאמֶר, עַד אֱמֶת. אִכְלוּ רֵעִים: ג' רִאשׁוֹנוֹת, וְג' אַחֲרוֹנוֹת. שְׁתוּ וְשִׁכְרוּ דּוֹדִים: שְׁאַר בִּרְכָאן דִּצְלוֹתָא.

תקצז. וּבְחִבּוּרָא קַדְמָאָה, סִתְרָא דְּקָרְבְּנָא, פָּרִים וּכְבָשִׂים וְעַתּוּדִים וְעִזִּים, אִינּוּן, ד' פְּנֵי שׁוֹר. פְּנֵי נֶשֶׁר וְגוֹ', שְׁתֵּי תוֹרִים אוֹ שְׁנֵי בְּנֵי יוֹנָה, וְצָרִיךְ לְפָרְשָׁא. אַרְיֵה נָחִית לְגַבֵּי שׁוֹר, דְּאִיהוּ שְׂמָאלָא, לְאִתְקַשְּׁרָא חֶסֶד בִּגְבוּרָה. אָדָם נָחִית לְגַבֵּי נֶשֶׁר. דַּרְגָּא דְּיַעֲקֹב. וּבְגִ"ד אוֹקְמוּהָ מָארֵי מַתְנִיתִין, שׁוּפְרֵיהּ דְּיַעֲקֹב שׁוּפְרֵיהּ דְּאָדָם קַדְמָאָה הֲוָה. וּמַאן גָּרִים לְאִסְתַּלְּקָא לְאִתְקְרֵי יִשְׂרָאֵל, דִּכְתִּיב לֹא יַעֲקֹב יֵאָמֵר עוֹד שִׁמְךָ כִּי אִם יִשְׂרָאֵל יִהְיֶה שְׁמֶךָ, דִּיהֱוֵי יִשְׂרָאֵל עִקָּר לְאַפְרְשָׁא בֵּינַיְיהוּ. (ע"כ רעיא מהימנא).

תקצח. וַעֲשִׂירִית הָאֵיפָה, אַמַּאי. אֶלָּא עֲשִׂירִית הָאֵיפָה, לְקַבֵּל כ"י. דְּאִיהִי עֲשִׂירָאָה דְּדַרְגִּין, וְאִצְטְרִיכָא לְאִתְיְיהֲבָא בֵּין תְּרֵין דְּרוֹעִין, וְאִיהִי סֹלֶת נַהֲמָא, וְאִיהִי נַהֲמָא. וּבְגִין דְּאִיהִי נַהֲמָא, לָא אִתְפַּקַּד עַל נַהֲמָא דְּחַמְשַׁת מִינִין, דְּאִיהִי חִטָּה, וּשְׂעוֹרָה, וְשִׁיפוֹן וְכוּ', מִמְּנָא דְּעָלְמָא. וְלָא שַׁוֵּי מְמַנָּא עָלַיְיהוּ, אֶלָּא קוּדְשָׁא בְּרִיךְ הוּא בִּלְחוֹדוֹי.

תקצט. וּבְגִ"ד, מַאן דִּמְזַלְזֵל בְּנַהֲמָא, וְזָרִיק לֵיהּ בְּאַרְעָא, עֲנִיּוּתָא רָדִיף אֲבַתְרֵיהּ. וְחַד מְמַנָּא אִתְפַּקַּד עַל דָּא, וְאִיהוּ רָדִיף אֲבַתְרֵיהּ, לְמֵיהַב לֵיהּ עֲנִיּוּתָא, וְלָא יִפּוּק מִן

עָלְמָא, עַד דְּיִצְטְרִיךְ לְבִרְיָין. וְעָלֵיהּ כְּתִיב, נוֹדֵד הוּא לַלֶּחֶם אַיֵּה. נוֹדֵד הוּא, וַיֵּהָךְ מְטַלְטֵל, וְגָלֵי מֵאֲתַר לַאֲתַר, לַלֶּחֶם אַיֵּה הוּא. וְלֵית מַאן דְּיִשְׁגַּח עָלֵיהּ, הה"ד אַיֵּה. מַאן דִּירַחֵם עָלֵיהּ, בְּגִין דְּלָא יִשְׁכַּח.

תר. וּבְחִבּוּרָא קַדְמָאָה אָמַר רַעְיָא מְהֵימְנָא, מַאן דִּמְזַלְזֵל בְּפֵרוּרִין דְּנַהֲמָא. וְזָרִיק לוֹן בַּאֲתַר דְּלָא אִצְטְרִיךְ. הַאי כָּל שֶׁכֵּן מַאן דִּמְזַלְזֵל בְּפֵירוּרִין דְּמוֹחָא, דְּאִינּוּן טִפִּין דְּזֶרַע, דְּזָרִיק לוֹן בְּאַרְעָא, דְּאִתְּמַר בְּהוֹן כִּי הִשְׁחִית כָּל בָּשָׂר אֶת דַּרְכּוֹ עַל הָאָרֶץ. אוֹ דְּזָרִיק לוֹן בְּנִדָּה, אוֹ בְּבַת אֵל נֵכָר, אוֹ בְּשִׁפְחָה אוֹ בְּזוֹנָה. וְכ"ש וְכ"ש מַאן דִּמְזַלְזֵל בְּפֵירוּרִין דְּנַהֲמָא דְּאוֹרַיְיתָא, דְּאִינּוּן קוֹצֵי אַתְוָון, וְתָגֵי אַתְוָון, דְּאִתְּמַר עָלַיְיהוּ כָּל הַמִּשְׁתַּמֵּשׁ בְּתָגָא חָלַף.

תרא. כ"ש מַאן דִּמְסַר רָזִין דְּאוֹרַיְיתָא, וְסִתְרֵי קַבָּלָה, וְסִתְרֵי מַעֲשֵׂה בְּרֵאשִׁית, אוֹ סִתְרֵי אַתְוָון דִּשְׁמָא מְפָרַשׁ, לַאֲנָשִׁים דְּלָאו אִינּוּן הֲגוּנִים, דְּשָׁלִיט עָלַיְיהוּ יֵצֶר הָרַע, אִשָּׁה זוֹנָה, דְּאִתְּמַר עָלָהּ, כִּי בְעַד אִשָּׁה זוֹנָה עַד כִּכַּר לָחֶם. וְלֵית לֶחֶם אֶלָּא כ"ב אַתְוָון דְּאוֹרַיְיתָא. וְלֵית כִּכָּר, אֶלָּא אֲפִילוּ הֲלָכָה אַחַת.

תרב. וּבְחִבּוּרָא קַדְמָאָה, לָא גַּלֵּי רָזָא בְּאִלֵּין פֵּרוּרִין, אֶלָּא בְּאֹרַח פְּשָׁט, וְלָא יָהִיב בְּהוֹן שִׁיעוּרָא. אֲבָל אוֹקְמוּהָ מָארֵי מַתְנִיתִין, דְּשִׁיעוּרָא דְּפֵירוּרִין כְּזַיִת לְפָחוֹת, כָּל שֶׁכֵּן אִי אִינּוּן כְּבֵיצָה. דְּמָארֵי מַתְנִיתִין דִּקְדְּקוּ עָלַיְיהוּ, עַד כְּזַיִת עַד כְּבֵיצָה לְבָרְכָא עָלַיְיהוּ.

תרג. וְאֹרַח רָזָא, א"ח הוּא ט' פֵּרוּרִין, שָׁלֹשׁ לְכָל סְטַר, תְּלַת מִן ד', תְּרֵין עָשָׂר. רְבִיעִית אִיהוּ שְׁלִימוּ, לְאַשְׁלְמָא בֵּיהּ עָשָׂר. וּלְאַשְׁלְמָא ד', דְּאִינּוּן יְדֹוָד. מַאי עָשָׂר. אִינּוּן: יו"ד ה"א וא"ו ה"א. קוֹצָא דְּאָת ד' מִן אֶחָד, שִׁיעוּרָא כְּזַיִת. י' מִן יְדֹוָד, שִׁיעוּרָא דִּילֵיהּ כְּבֵיצָה.

תרד. אִיהִי ד', שְׁלִימוּ דְּמֶרְכַּבְתָּא דְּאָדָם, וּשְׁלִימוּ דְּאַרְבַּע אַנְפִּין דְּאָדָם. וּבג"ד, יִשָּׂא יְדֹוָד פָּנָיו אֵלֶיךָ. וְאוֹקְמוּהָ מָארֵי מַתְנִיתִין, וְהַכְתִיב אֲשֶׁר לֹא יִשָּׂא פָנִים. אֶלָּא אָמַר הַקּוּדְשָׁא בְּרִיךְ הוּא, וְלָא אָמַרְתִּי לָהֶם וְאָכַלְתָּ וְשָׂבָעְתָּ, וְהֵם דִּקְדְּקוּ עֲלֵיהֶם, עַד כְּזַיִת אוֹ עַד כְּבֵיצָה, וְאֵיךְ לֹא אֶשָּׂא לָהֶם פָּנִים. וְרַבָּנָן דְּמַתְנִיתִין וַאֲמוֹרָאִין, כָּל תַּלְמוּדָא דִּלְהוֹן, עַל רָזִין דְּאוֹרַיְיתָא סִדְּרוּ לֵיהּ.

תרה. קָם רַעְיָא מְהֵימְנָא, וְסָלִיק יְדוֹי קָמֵי קוּדְשָׁא בְּרִיךְ הוּא וּשְׁכִינְתֵּיהּ, וְאָמַר הָכִי, קוּדְשָׁא בְּרִיךְ הוּא יְהֵא רַעֲוָא דִּילָךְ, לְמֵיהַב לוֹן מְזוֹנָא שְׁלֵימָתָא, לְתַקְּנָא לְגַבָּךְ, וּלְגַבֵּי מַטְרוֹנִיתָא עִלָּאָה עָלְמָא דְּאָתֵי, דְּאִתְּמַר עָלָהּ, כִּי לַיְיָ' הַמְּלוּכָה וּמוֹשֵׁל בַּגּוֹיִם. וּלְגַבֵּי מַטְרוֹנִיתָא תִּנְיָינָא, דְּאִתְּמַר בָּהּ זִמְנָא תִּנְיָינָא, וְהָיְתָה לַיְיָ' הַמְּלוּכָה. לְתַקְּנָא פָּתוֹרָא שְׁלֵימָתָא, מִכָּל עִדּוּנִין, וּמִכָּל מַאֲכָלִין.

תרו. וַאֲנָא מְזַמֵּן עִמָּךְ, לְכָל מָארֵי מַתְנִיתִין, וּלְמָארֵי מִקְרָא, וּלְמָארֵי תַּלְמוּד, וְכ"ש לְמָארֵי סִתְרֵי תּוֹרָה דִּילָךְ, כַּלָּה דִּילָךְ, מַטְרוֹנִיתָא קַדִּישָׁא דִּילָךְ, עִלָּאָה וְתַתָּאָה, וְכֹלָּא בִּרְשׁוּת דְּעִלַּת כָּל עִלָּאִין, אֲדוֹן כָּל הָאֲדוֹנִים, מֶלֶךְ עַל כָּל הַמְּלָכִים דְּעֵילָא וְתַתָּא, דְּאִיהוּ יְחִיד בְּלָא תִּנְיָינָא, וְלֵית אָת וּנְקוּדָה דְּמִשְׁתַּתֵּף בַּהֲדֵיהּ, וְלָא שִׁנּוּי גַּוְונִין דְּאִינְשָׁא. דְּאִיהוּ מָארֵי כָּל מַפְתְּחָאן, דְּרָזִין דַּהֲוָיוֹת, וּשְׁמָהָן וְכִנּוּיִין, וְכָל רָזִין גְּנִיזִין דְּחָכְמְתָא, דְּתִפְתַּח לוֹן כֻּלְּהוּ לִיקָרָא דִּילָךְ, עִלַּת עַל כָּל עִלּוֹת. אֲנָא מִתְחַנֵּן קֳדָמָךְ, דְּתִפְתַּח לוֹן לִיקָרָא דִּילָךְ, דִּיקָרָא דִּילָךְ אִיהוּ מֵאֲבִי וְאִמֵּי דִּשְׁמַיָּא, וְאָב דְּכָל יִשְׂרָאֵל, וְאֵם דִּלְהוֹן, דְּאִתְּמַר בָּהּ וְאַל תִּטּוֹשׁ תּוֹרַת אִמֶּךָ, וְעִמָּךְ לֵית שׁוּתָּפוּ דְּאֵם בְּעָלְמָא.

תרז. קָם זִמְנָא תִּנְיָינָא, וְאָמַר מָארֵי מַתְנִיתִין, נִשְׁמָתִין וְרוּחִין וְנַפְשִׁין דִּלְכוֹן, אִתְּעָרוּ

כְּעַן כּוּלְהוּ, וְאַעְבָּרוּ שֵׁינָתָא מִנְּכוֹן, דְּאִיהִי וַדַּאי מִשְׁנָה, אֹרַח פְּשָׁט דְּהַאי עָלְמָא. דַּאֲנָא לָא אַתְעַרְנָא בָּכוּ, אֶלָּא בְּרָזִין עִלָּאִין דְּעָלְמָא דְּאָתֵי, דְּאַתּוּן בְּהוֹן הִנֵּה לֹא יָנוּם וְלֹא יִישָׁן.

תרו. פָּתַח וְאָמַר, הָא אוּקְמוּהָ מָארֵי מַתְנִיתִין, בעה"ב בּוֹצֵעַ וְאֹרֵחַ מְבָרֵךְ. וְעוֹד אוּקְמוּהָ, צָרִיךְ לְדַקְדֵּק בְּהֵ' מִן הַמּוֹצִיא. וּתְרֵין הָהֵין אִינּוּן, לְקַבֵּל שְׁתֵּי הַלֶּחֶם. שְׁתֵּי כִּכָּרוֹת דְּשַׁבָּת. י', אִיהִי כַּבֵּיצָה לְכָל חַד וְחַד. וּמַאן אִיהוּ בעה"ב דְּבוֹצֵעַ. דָּא ו'.

תרט. אַדְּהָכִי, הָא סָבָא דְּסָבִין קָא נָחִית לְגַבֵּיהּ, וְאָמַר, רַעְיָא מְהֵימְנָא חֲזוֹר בָּךְ. דְּהָא לֶחֶם אִיהוּ ו', שְׁתֵּי כִּכָּרוֹת דִּילֵיהּ, כְּמָה דְּאַמְרַת אִינּוּן ה' ה'. וַדַּאי ו' אִיהוּ לְקַבֵּל יַעֲקֹב. ה' ה' לְקַבֵּל לֵאָה וְרָחֵל. י', כַּבֵּיצָה לְכָל חַד.

תרי. א"ל, סָבָא סָבָא, וְהָא בְּכַמָּה אַתְרִין אוּקְמוּהָ, דְּיַעֲקֹב אִיהוּ בַּעַל הַבַּיִת, וְיוֹסֵף אוֹרֵחַ, דְּדַרְגֵּיהּ יְסוֹד וַזַּי עָלְמִין, כָּלִיל ח"י בִּרְכָאן דִּצְלוֹתָא, וּבְגִין דָּא אוּקְמוּהָ עָלֵיהּ, בְּרָכוֹת לְרֹאשׁ צַדִּיק. א"ל הָכִי הוּא, וְכֹלָּא קְשׁוֹט. כָּל רָזָא בְּאַתְרֵיהּ, מַה דַּאֲנָא אֲמָרִית, וּמַה דְּאַתְּ אַמְרַת. אֲבָל הַהוּא דְּפָלִיג נַהֲמָא מַאן הוּא.

תריא. א"ל, סָבָא אַנְתְּ בְּדִיוּקְנֵיהּ, וְדָא יו"ד ה"א וא"ו ה"א, וְדָא אָדָם דְּמֶרְכַּבְתָּא עִלָּאָה, דְּאַנְפִּין דִּילֵיהּ יְהוָה. וּבְגִין דָּא, ו' לֶחֶם, דְּאִינּוּן ה' ה'. וְשִׁיעוּרָא דְּאוּקְמוּהָ כַּזַּיִת וְכַבֵּיצָה, הָא אִתְּמַר כַּזַּיִת בְּאָן שְׁמָא מִשַּׁעֲרִין, דְּהָא אוּקְמוּהָ רַבָּנָן דְּאֵין עוֹשִׂין מִצְוֹת חֲבִילוֹת, אוּף הָכִי, לָא יַהֲבִינָן תְּרֵין שִׁיעוּרִין בְּאָת י', לְמֶהֱוֵי כַּזַּיִת וְכַבֵּיצָה. אֶלָּא תְּרֵי אַלְפָא בֵּיתוֹת אִינּוּן, אִית י' עִלָּאָה, וְאִית י' זְעֵירָא, י' מִן יְדֹוָד, עִלָּאָה. י' מִן אֲדֹנָי, זְעֵירָא. וְאִלֵּין תְּרֵין, חַד בְּכַזַּיִת, וְחַד בְּכַבֵּיצָה, בְּרָזָא דָּא יְאֲהדֹוָנָהי. אָתָא סָבָא וְנָשִׁיק לֵיהּ.

תריב. אַדְּהָכִי קָם בּוֹצִינָא קַדִּישָׁא, פָּתַח וְאָמַר, וַדַּאי כְּעַן מִתְחַבְּרִין מַה שְּׁמוֹ וּמַה שֶּׁם בְּנוֹ, חֲדוּ וְחַבְרַיָּיא וְאָמְרוּ, זַכָּאָה הוּא מַאן דְּזָכֵי לְמֵיכַל מֵהַאי נַהֲמָא, דְּאִתְּמַר בֵּיהּ לְכוּ לַחֲמוּ בְּלַחֲמִי. וְזַכָּאָה נַפְשָׁא, דְּאִתְּמַר בָּהּ מִלֶּחֶם אָבִיהָ תֹּאכֵל. וְכָל זָר לֹא יֹאכַל בּוֹ. דְּקוּדְשָׁא בְּרִיךְ הוּא בֵּיהּ אִתְּמַר, הֲלֹא אָב אֶחָד לְכֻלָּנוּ. וְנַפְשָׁא דְּאִתְעַסְקַת בְּאוֹרַיְיתָא, מִלֶּחֶם אָבִיהָ תֹּאכֵל.

תריג. וּמַאן גָּרִים לָהּ דְּאַכְלַת מִלֶּחֶם אָבִיהָ. בְּגִין דְּתָבַת בְּתִיּוּבְתָּא וְאִתְאַחֲדַת כִּנְעוּרֶיהָ. הה"ד, וְשָׁבָה אֶל בֵּית אָבִיהָ כִּנְעוּרֶיהָ, כְּגוֹן וְיָשׁוּב לִימֵי עֲלוּמָיו. כְּגַוְונָא דְּאִילָנָא דְּקָצִיצוּ לֵיהּ, וְאִתְחַדַּשׁ בְּשָׁרְשׁוֹי. וְהַאי אִיהוּ רָזָא, דְּמַאן דְּמִית בְּלָא זֶרַע.

תריד. וְעוֹד אִית רָזָא אַחֲרָא, דִּלְבָתַר יֵיתֵי בְּגִלְגּוּלָא, וְיִתְחַדֵּשׁ כְּמִלְּקַדְמִין. וְהַיְינוּ אַלְמָנָה וּגְרוּשָׁה, דְּאִתְתָּרְכַת מִגִּנְתָּא דְּעֵדֶן, וּבְגִין דָּא אִתְקְרִיאַת גְּרוּשָׁה, כְּגוֹן וַיְגָרֶשׁ אֶת הָאָדָם. וּמַאן גָּרִים לָהּ. בְּגִין דְּזֶרַע אֵין לָהּ, דְּמִית בְּלָא בְּנִין. וְשָׁבָה אֶל בֵּית אָבִיהָ כִּנְעוּרֶיהָ, דְּתָבַת בְּהַאי עָלְמָא בְּהַהוּא נַעַר בֶּן יָבָם, וְהַיְינוּ וְשָׁבָה אֶל בֵּית אָבִיהָ כִּנְעוּרֶיהָ. וּלְבָתַר דְּזָכַת לְזֶרַע מִלֶּחֶם אָבִיהָ תֹּאכֵל. וְכָל זָר לֹא יֹאכַל בּוֹ וְגוֹ'. לֹא תִהְיֶה אֵשֶׁת הַמֵּת הַחוּצָה, לְאִישׁ זָר.

תרטו. אָמַר ר"מ, הִלֵּל וְשַׁמַּאי, דְּאַתּוּן, חַד מִסִּטְרָא דְּרַחֲמֵי, וְחַד מִסִּטְרָא דְּדִינָא, דְּאִינּוּן חֶסֶד וּגְבוּרָה, דַּרְגִּין דְּאַבְרָהָם וְיִצְחָק. וְאַתּוּן מִגִּזְעַיְיהוּ, אִתְכְּנָשׁוּ הָכָא, אַתּוּן וְתַמְנִין תַּלְמִידִים דַּהֲווֹ לֵיהּ לְהִלֵּל. וְאוּף הָכִי תַּלְמִידֵי בֵּית שַׁמַּאי, לִסְעוּדָתָא דְּמַלְכָּא.

תרטז. הָא אוּקְמוּהָ, אַתּוּן וְחַבְרַיָּיא דְּעִמְּכוֹן, מָארֵי דְּהוֹרָאוֹת, דְּאוּקַמְתּוּן, אֵין הַבּוֹצֵעַ רַשַּׁאי לְמֵיכַל, עַד שֶׁיִּעֲנוּ אָמֵן מָארֵי סְעוּדָתָא, וְלֵית מָארֵי סְעוּדָתָא רַשָּׁאִין

לְמֵיכַל, עַד שֶׁיֹּאכַל הַבּוֹצֵעַ. וַדַּאי כַּד בָּצַע בַּעַל הַבַּיִת, וּבָצַע לְאִינּוּן מָארֵי סְעוּדָתָא, לָאו לְכֻלְּהוּ מִשִּׁעוּר שִׁעוּרָא וַחֲדָא, דְּלָאו אוֹרַח אִלֵּין בּוֹצְעִין, לִבְצוֹעַ בְּשָׁוֶה, דִּלְזִמְנִין יָהִיב לְדָא כַּבֵּיצָה, וּלְדָא כַּזַּיִת. וְכַד עוֹנִין אָמֵן עַל הַאי בְּצִיעָא, קֹדֶם דְּיֵיכוּל בַּעַל הַבַּיִת, מִתְחַבְּרִין תְּרֵין שִׁיעוּרִין כַּחֲדָא, בְּכַזַּיִת וְכַבֵּיצָה, יְאֲהדֹוָנָהִי, אָמֵן, דָּא לָאו אִיהוּ עַל הָאֲכִילָה, אֶלָּא עַל הַבְּצִיעָה, לְבָתַר דְּאִינּוּן שִׁיעוּרִין מִצְטָרְפִין בְּאָמֵן, יֵיכוּל בַּעַל הַבַּיִת. וְהַיְינוּ אָרִיתִי מוֹרִי עִם בְּשָׂמִי אָכַלְתִּי יַעְרִי עִם דִּבְשִׁי, וּלְבָתַר אִכְלוּ רֵעִים שְׁתוּ וְשִׁכְרוּ דּוֹדִים. אִכְלוּ רֵעִים, מָארֵי סְעוּדָתָא. דְּיְהוֹן בְּנִין בְּדִיוּקְנָא דַּאֲבוּהוֹן.

תריז. הָא הָכָא לֶחֶם בִּשְׁתֵּי כִּכָּרוֹת, וְשִׁיעוּרוֹ כַּזַּיִת וְכַבֵּיצָה. מַאי נִיהוּ לֶחֶם הַפָּנִים דְּפָתוֹרָא דְּמַלְכָּא. אֶלָּא הָא אוּקְמוּהָ, דְּאִית לֵיהּ תְּרֵיסָר אַנְפִּין. וּמַאי נִיהוּ. אֶלָּא אִינּוּן ד' אַנְפֵּי אַרְיֵה. ד' אַנְפֵּי שׁוֹר. ד' אַנְפֵּי נֶשֶׁר. וְאִינּוּן יְבָרֶכְךָ יְדֹוָד. יָאֵר יְדֹוָד. יִשָּׂא יְדֹוָד.

תריח. וּמִנָּלָן דְּלֶחֶם הַפָּנִים אִיהוּ מִפָּתוֹרָא דְּמַלְכָּא. דִּכְתִיב, וַיְדַבֵּר אֵלַי זֶה הַשֻּׁלְחָן אֲשֶׁר לִפְנֵי יְדֹוָד. ז"ה: י"ב אַנְפִּין. וְאוּף הָכִי, מַאן דְּאִית לֵיהּ, בָּעֵי לְתַקְּנָא וּלְסַדְּרָא עַל פָּתוֹרֵיהּ, אַרְבַּע כִּכָּרוֹת בְּכָל סְעוּדָתָא דְּשַׁבָּת, לִתְלַת סְעוּדָתֵי תְּרֵיסָר אַנְפִּין.

תריט. וְאִי תֵּימָא לָאו אִינּוּן אֶלָּא שִׁית מִדְּאוֹרַיְיתָא, מִשּׁוּם לֶחֶם מִשְׁנֶה. אֶלָּא לָא נֵיכוּל לְמִדְכַּר ו', בְּלָא חַבְרֵיהּ, ו' ו', שִׁית מִלְּעֵילָא לְתַתָּא, וְשִׁית מִלְּתַתָּא לְעֵילָא. לְקָבֵל שִׁית דַּרְגִּין דְּכֻרְסְיָיא עִלָּאָה. וְשִׁית דַּרְגִּין דְּכֻרְסְיָיא תַּתָּאָה. שִׁית בְּאִתְכַּסְיָיא. וְשִׁית בְּאִתְגַּלְיָיא. הַנִּסְתָּרוֹת לַידֹוָ"ד אֱלֹהֵינוּ וְהַנִּגְלוֹת לָנוּ וּלְבָנֵינוּ עַד עוֹלָם.

תרכ. וְלַחְמֵי תּוֹדָה אִינּוּן מ' חַלּוֹת, י' רְקִיקִין. י' רְבוּכִין. י' שֶׁל חָמֵץ. י' שֶׁל מַצָּה. הָא אִינּוּן מ'. לָקֳבֵל י' מִן יְדֹוָ"ד. ד' אַנְפֵּי אָדָם. י' מִן יְדֹוָ"ד, ד' אַנְפֵּי אַרְיֵה. י' מִן יְדֹוָ"ד, ד' אַנְפֵּי שׁוֹר. י' מִן יְדֹוָ"ד, ד' אַנְפֵּי נֶשֶׁר. הַאי אִיהוּ תִּקּוּנָא קַדְמָאָה דְּפָתוֹרָא דְּמַלְכָּא, דְּאִינּוּן י' דְּבָרִים דְּצָרִיךְ בַּר נָשׁ לְאַנְהָגָא בְּפָתוֹרָא דְּשַׁבָּת.

תרכא. וְחַד, לְתַקְּנָא פָּתוֹרָא כְּמַאן דְּאָכִיל קַמֵּי מַלְכָּא. הה"ד זֶה הַשֻּׁלְחָן אֲשֶׁר לִפְנֵי יְדֹוָ"ד. תְּנִיָינָא, נְטִילַת יָדַיִם, עַד שִׁעוּרָא דְּגָזְרוּ רַבָּנָן, דְּאִינּוּן חָמֵשׁ קִשְׁרִין, דְּבְהוֹן יַ"ד פִּרְקִין. וְאוּף הָכִי יַ"ד פִּרְקִין אִינּוּן, דְּיַד שְׂמָאלָא. וְאִינּוּן כ"חַ פִּרְקִין. לְקָבְלַיְיהוּ כֹּ"חַ יְדֹוָ"ד, דְּאִינּוּן כ"חַ אַתְוָון דִּקְרָא קַדְמָאָה דְּעוּבָדָא דִּבְרֵאשִׁית. דְּאִתְּמַר בְּהוֹן, וְעַתָּה יִגְדַּל נָא כֹּחַ יְדֹוָד.

תרכב. וְעֶשֶׂר אֶצְבְּעָן, רְמִיזֵי לְעֶשֶׂר אֲמִירָן דְּעוּבָדָא דִּבְרֵאשִׁית. וּבְגִין דָּא אוּקְמוּהָ מָארֵי מַתְנִיתִין, מַאן דִּמְזַלְזֵל בִּנְטִילַת יָדַיִם, נֶעֱקָר מִן הָעוֹלָם. אֲמַאי. בְּגִין דְּאִית בְּהוֹן רָזָא דְּעֶשֶׂר אֲמִירָן, וְכ"חַ אַתְוָון, דִּבְהוֹן אִתְבְּרֵי עָלְמָא.

תרכג. תְּלִיתָאָה, כּוֹס דִּבְרָכָה, דְּתַקִּינוּ בֵּיהּ עֲשָׂרָה דְּבָרִים. הֲדָחָה. שְׁטִיפָה. עִטּוּר. עִטּוּף. חַי. מָלֵא. מְקַבְּלוֹ בִּשְׁתֵּי יָדָיו. וְנוֹתְנוֹ בַּיָּמִין. וְנוֹתֵן עֵינָיו בּוֹ. וּמַגְבִּיהוֹ מִן הַקַּרְקַע טֶפַח. וּמְשַׁגְּרוֹ בְּמַתָּנָה לְאַנְשֵׁי בֵיתוֹ.

תרכד. וְאוֹרַח רָזָא, כּוֹס מָלֵא בִּרְכַּת יְיָ. כּוֹס בְּגִי' אֱלֹהִי"ם. וּמִתַּמָּן נִשְׁמְתָא, דְּאִיהִי עַל שְׁמֵיהּ כּוֹס. הה"ד כּוֹס יְשׁוּעוֹת אֶשָּׂא. מַאן יְשׁוּעוֹת. ה' אֶצְבְּעָן. דְּאִינּוּן לָקֳבֵל ה' סְפִירָן דְּכוֹס. דְּאִיהוּ אֱלֹהִים חַיִּים בִּינָה מִתְפַּשְּׁטָא בְּהוֹן, לְחַמְשִׁין תַּרְעִין. ה' זִמְנִין עֶשֶׂר. בְּאָת י', דְּאִיהוּ י' דְּבָרִים דְּתַקִּינוּ רַבָּנָן בְּכוֹס, דְּאִיהוּ אֱלֹהִים חַיִּים, ה' אַתְוָון, בְּחוּשְׁבַּן ה'.

תרכה. וְאוּקְמוּהָ בְּכוֹס, שֶׁצָּרִיךְ הֲדָחָה וּשְׁטִיפָה. הֲדָחָה מִבַּחוּץ, וּשְׁטִיפָה מִבִּפְנִים. וְרָזָא דְּמִלָּה, שֶׁיְּהֵא תּוֹכוֹ כְּבָרוֹ. מַאן דְּזָכֵי לְנִשְׁמְתָא מֵהַאי כּוֹס, לְמֶהֱוֵי נִשְׁמְתָא דַּכְיָא

מִלְּגוֹ וּמִלְּבַר. וְרָזָא דְּמִלָּה, וְטִהֲרוֹ וְקִדְּשׁוֹ, טָהֳרָה מִבִּפְנִים, וּקְדוּשָּׁה מִבַּחוּץ. וּמַה כּוֹס לָאו טַהֲרָתֵיהּ וּקְדוּשָּׁתֵיהּ מִלְּגוֹ וּמִלְּבַר בְּלָא מַיָא. אוּף הָכִי נִשְׁמְתָא, לָאו טַהֲרָתָהּ וּקְדוּשָּׁתָהּ מִלְּגוֹ וּמִלְּבַר בְּלָא אוֹרַיְיתָא. וּבְגִין דָּא אָמַר רַבָּן גַּמְלִיאֵל, מִי שֶׁאֵין תּוֹכוֹ כְּבָרוֹ לֹא יִכָּנֵס לְבֵית הַמִּדְרָשׁ. בְּגִין דְּלָאו אִיהוּ מִסִּטְרָא דְּאִילָנָא דְּחַיֵּי, אֶלָּא מֵעֵץ הַדַּעַת טוֹב וָרָע.

תרכו. עִטּוּר, אוּקְמוּהָ מְעַטְּרוֹ בְּתַלְמִידִים. וְאָרַח רָזָא, ה' אִיהוּ כּוֹס, מְעַטְּרוֹ בְּתַלְמִידִים בְּאָת י', דְּאִיהוּ עֲטֶרֶת עַל ה'. עִטּוּף, צָרִיךְ לְאִתְעַטְּפָא רֵישֵׁיהּ בְּגִין דִּשְׁכִינְתָּא עַל רֵישֵׁיהּ. דְּהָכִי אוּקְמוּהָ מָארֵי מַתְנִיתִין, אָסוּר לְתַלְמִיד חָכָם לְמֵיהַךְ ד' אַמּוֹת בְּגִלּוּי הָרֹאשׁ. מִשּׁוּם מְלֹא כָל הָאָרֶץ כְּבוֹדוֹ. כָּל שֶׁכֵּן בִּבְרָכָה, וּבְאַדְכָּרַת שְׁמָא קַדִּישָׁא, לְמֶהֱוֵי בְּגִלּוּי הָרֹאשׁ.

תרכז. דְּאָת י' מִן יְדֹוָד, אִיהִי אִתְעַטַּף בְּאוֹר, וְאִתְעֲבִיד אֲוִיר. בְּגִין דְּאָת י' דְּאִיהִי וְחָכְמָה בַּאֲוִיר, וְהַיְינוּ אוֹר דְּאִתְעַטַּף בֵּיהּ כַּד בָּרָא עָלְמָא, הה"ד עוֹטֶה אוֹר כַּשַּׂלְמָה. וְהַאי אִיהוּ יְהִי אוֹר יְהִי אֲוִיר. וְאוּקְמוּהָ מָארֵי סִתְרֵי תּוֹרָה, בְּטֶרֶם נִתְהֲוָה כָּל דָּבָר, נִתְהֲווּ הַהֲוָיוֹת. וּבְגִין דָּא יְהִי אוֹר וַיְהִי אוֹר, דַּהֲוָה מִקַּדְמַת דְּנָא.

תרכח. וְחַ"י אוּקְמוּהָ, וְחַי מִן הֶחָבִית. וְאָרַח רָזָא, שְׁכִינְתָּא עִלָּאָה אִיהִי תְּמַנְיָאה דִּסְפִירָאן מִתַּתָּא לְעֵילָּא, וּבְגִין דָּא אִתְקְרִיאַת ח', וְאִתְּמַר בָּהּ בְּחָכְמָה יִבָּנֶה בָּיִת. וְהַיְינוּ וְחָבִית: ח' בַּ"ת. וּבְגִין דְּאִיהִי חַיִּים, דִּכְתִּיב עֵץ חַיִּים הִיא לַמַּחֲזִיקִים בָּהּ, יַיִן מִתַּמָּן אִיהוּ חַ"י. וְדָא אִיהוּ יֵינָא דְּאוֹרַיְיתָא. מַאן דְּאִשְׁתַּדַּל בָּהּ, אִקְרֵי חַ"י. וְעוֹד, צַדִּיק חַ"י. אִיהוּ וְחַי מִן הֶחָבִית.

תרכט. יַיִן אִית מִנֵּיהּ תְּרֵין גַּוְונִין, חִוָּור וְסוּמָק. יַיִ"ן, ע' אַנְפִּין. הָא ע"ב. וּלְקַבֵּל תְּרֵין גַּוְונִין דְּיַיִן, אִיהִי זָכוֹר וְשָׁמוֹר דְּשַׁבָּת, וְע' תֵּיבִין דְּקִדּוּשׁ וַיְכֻלּ"וּ, הָא ע"ב.

תרל. מָלֵא, הה"ד כּוֹס מָלֵא בִּרְכַּת יְיָ'. וְאוּף דְּאִיהוּ מָלֵא מִיֵּינָא דְּאוֹרַיְיתָא. בַּר נָשׁ הָכִי צָרִיךְ לְמֶהֱוֵי שָׁלִים, כְּמד"א אִישׁ תָּם: גֶּבֶר שְׁלִים. כְּמוֹ וַיָּבֹא יַעֲקֹב שָׁלֵם, הָכִי צָרִיךְ לְמֶהֱוֵי נִשְׁמְתָא שְׁלִימְתָא, וְלָא יְהֵא בָּהּ פְּגָם, דְּכָל אֲשֶׁר בּוֹ מוּם לֹא יִקְרָב. אוּף הָכִי אֵלֶּם עִם יָ"הּ, הוּא אֱלֹהִים, כְּחוּשְׁבַּן כּוֹס. אִיהוּ מָלֵא, וְהָפוּךְ אֵלֶּם וְתִמְצָא מָלֵא. אֵימָתַי. כַּד אִית תַּמָּן יָ"הּ. וְהַיְינוּ כִּי יָד עַל כֵּס יָ"הּ. אדנ"י וְחוּשְׁבָּנֵיהּ ו"ה. עַמּוּדָא דְּאֶמְצָעִיתָא מָלֵא מִן תַּרְוַויְיהוּ. וּבְגִין דָּא שַׁרְיָא עָלֵיהּ אָדָם, דְּהוּא שְׁמָא מְפָרַשׁ.

תרלא. מְקַבְּלוֹ בִּשְׁתֵּי יָדָיו, כְּגַוְונָא דְּאוֹרַיְיתָא, דַּהֲוָה בִּתְרֵין לוּחִין, ה' דִּבְרִין בְּלוּחָא וְחָדָא, לְקָבֵל ה' אֶצְבְּעָאן דְּיַד יְמִינָא. וְה' בְּלוּחָא תִּנְיָינָא, לְקָבֵל ה' אֶצְבְּעָן דְּיַד שְׂמָאלָא. וְאִתְיְיהִיבוּ בִּימִינָא דְּהַיְינוּ בְּיַד יָמִין. וּבְגִין דָּא, שְׁנֵי לוּחוֹת אֲבָנִים הוֹרִיד בְּיָדוֹ, וְלָא בְּיָדָיו. וְהַאי אִיהוּ דְּאַסְהִיד קְרָא, מִימִינוֹ אֵשׁ דָּת לָמוֹ.

תרלב. וְנוֹתֵן עֵינָיו בּוֹ, בְּגִין דְּהַאי כּוֹס, דְּאִיהוּ לְקָבֵל אַרְעָא דְּיִשְׂרָאֵל, דְּאִתְּמַר בָּהּ, תָּמִיד עֵינֵי יְיָ' אֱלֹהֶיךָ בָּהּ. וְעַיְינִין דִּלְעֵילָּא, אִינּוּן שַׁבְעִין סַנְהֶדְרִין, וּמֹשֶׁה וְאַהֲרֹן עֲלַיְיהוּ. תְּרֵין עַיְינִין עִלָּאִין. וְחַד עַיִן יָמִין, וְחַד עַיִן שְׂמָאלָא, וְאִינּוּן ע"ב, כְּמִנְיַן בַּיִ"ן. וְהַאי אִיהוּ רָזָא דְּנוֹתֵן בַּכּוֹס עֵינוֹ.

תרלג. וּמַגְבִּיהוֹ מִן הַקַּרְקַע טֶפַח, בְּגִין דְּאָת ה' אִיהִי כּוֹס, בָּעֵי לְסַלְּקָא לָהּ בְּאָת י', דְּאִיהִי טֶפַח, דְּבֵיהּ אִתְפַּתְּחוּת ה' בָּהּ' אֶצְבְּעָאן. וּמְשַׁגְּרוֹ לְאַנְשֵׁי בֵּיתוֹ בְּמַתָּנָה, בְּגִין דְּיִתְבָּרַךְ דְּבֵיתְהוּ, דְּאִיהִי נֶפֶשׁ, דְּאִתְּמַר בָּהּ נַפְשֵׁנוּ יְבֵשָׁה אֵין כֹּל, וְאִתְבָּרְכַת וְאִתְעֲבִידַת פֵּרִין, הה"ד תַּדְשֵׁא הָאָרֶץ דֶּשֶׁא.

תרלד. רְבִיעָאָה, לְמֶהֱוֵי עַל פָּתוֹרֵיהּ דִּבְרֵי תוֹרָה, דְּלָא יִתְקַיֵּים בֵּיהּ כְּגַוְונָא דְּעַמֵּי הָאָרֶץ, דְּאִתְּמַר עֲלַיְיהוּ כִּי כָּל שֻׁלְחָנוֹת מָלְאוּ קִיא צוֹאָה. אֲבָל בְּסִתְרֵי תּוֹרָה אוֹקְמוּהָ, הָרוֹצֶה לְהַעֲשִׁיר יַצְפִּין, יִתֵּן שֻׁלְחָן לַצָּפוֹן, הֲרֵי שֻׁלְחָן לִשְׂמָאלָא, דְּאִיהוּ דִּין, בָּעֵי לְקַשְּׁרָא בֵּיהּ יְמִינָא, דְּאִיהוּ אוֹרַיְיתָא, דְּאִתְיְהִיבַת מִימִינָא, דְּאִיהוּ רַחֲמֵי, יָמִין ה'.

תרלה. וַחֲמִישָׁאָה, אוֹקְמוּהָ מָארֵי מַתְנִיתִין, דְּצָרִיךְ לְהַאֲרִיךְ עַל פָּתוֹרֵיהּ, בְּגִין עֲנִיִּים. וְרָזָא דְּמִלָּה, בְּגִין דִּצְדָקָה יַאֲרִיךְ יוֹמוֹי, דְּלָא יִתְקַצְּרוּן. כְּגַוְונָא דְּאוֹרַיְיתָא אִיהוּ אֲרִיכוּת יוֹמִין, בִּתְרֵין עָלְמִין, בְּעָלְמָא דֵּין וּבְעָלְמָא דְּאָתֵי לְנִשְׁמְתָא. אוּף הָכִי צְדָקָה, אִיהִי אֲרִיכוּת יוֹמִין לְגוּפָא, בִּתְרֵין עָלְמִין, הה"ד כִּי הוּא חַיֶּיךָ וְאוֹרֶךְ יָמֶיךָ. כִּי הוּא חַיֶּיךָ בָּעוֹלָם הַזֶּה וְאוֹרֶךְ יָמֶיךָ בָּעוֹלָם הַבָּא. דְּעָלְמָא דְּאָתֵי לְגוּפָא לִתְחִיַּית הַמֵּתִים, דִּלְבָתַר דְּיֵיקוּם לָא יָמוּת. וּכְגַוְונָא דְּעָלְמָא דְּאָתֵי יְהֵא קַיָּים, הָכִי עָלְמָא דֵּין יְהֵא קַיָּים.

תרלו. שְׁתִיתָאָה, שֶׁלֹּא יְהֵא גַּרְגְּרָן וּבַלְעָן עַל פָּתוֹרֵיהּ דְּמַלְכָּא, כְּגַוְונָא דְּעֵשָׂו דְּאָמַר הַלְעִיטֵנִי, אֹרַח הַלְעָטָה, אֶלָּא בְּאֹרַח טוֹחִינָה. אוּף הָכִי, מַאן דְּאַפִּיק מִלִּין דִּצְלוֹתִין אוֹ דְּאוֹרַיְיתָא מִפּוּמוֹי, בָּעֵי לְאַפָּקָא לוֹן בְּהַטְחָנָה שְׁלֵמִים, וְלָא בְּהַלְעָטָה וַחֲסֵרִים. וְלֹא עוֹד, אֶלָּא בְּגִין סַכָּנָה דִּשְׁמָא יַקְדִּים קָנֶה לְוֶשֶׁט.

תרלז. שְׁבִיעָאָה, מַיִם אַחֲרוֹנִים. וְאוֹקְמוּהָ, מַיִם רִאשׁוֹנִים מִצְוָה. וְאַחֲרוֹנִים חוֹבָה. וְאֶמְצָעִיִּים רְשׁוּת. מַיִם רִאשׁוֹנִים צָרִיךְ לְסַלְּקָא אֶצְבְּעָן, בְּגִין דְּלָא יַהַדְרוּן מַשְׁקִין וִיטַמְּאוּ אֶת הַיָּדַיִם. וְאִית מֵרַבָּנָן דְּאַמְרֵי, דְּאַחֲרוֹנִים מִשּׁוּם מֶלַח סְדוֹמִית, שֶׁלֹּא תְּסַמֵּא אֶת הָעֵינַיִם. וְאִי הָכִי אַפְּקִין לוֹן מֵחוֹבָה. וְסַתְרֵי מִילִין, אִלֵּין דְּאָמְרוּ עֲלַיְיהוּ חוֹבָה, וְלָאו אֹרַח אַרְעָא לְסַתְרָא גְּאוֹנִים מִלִּין, אֶלָּא דְּאִתְקְרֵי עֲלַיְיהוּ, עַל פִּי הַתּוֹרָה אֲשֶׁר יוֹרוּךָ.

תרלח. וְלֹא עוֹד, אֶלָּא דְּאָמְרוּ עֲלַיְיהוּ ג' קְדוּשׁוֹת, הֲדָא הוּא דִּכְתִיב, וְהִתְקַדִּשְׁתֶּם וִהְיִיתֶם קְדוֹשִׁים. וְהִתְקַדִּשְׁתֶּם אֵלּוּ מַיִם רִאשׁוֹנִים. וִהְיִיתֶם קְדוֹשִׁים אֵלּוּ מַיִם אַחֲרוֹנִים. כִּי קָדוֹשׁ, זֶה שֶׁמֶן עָרֵב. אֲנִי יְיָ, זוֹ בְּרָכָה. וְאֶמְצָעִיִּים, בֵּין גְּבִינָה לְבָשָׂר. וּבְגַ"ד, וְהִתְקַדִּשְׁתֶּם וִהְיִיתֶם קְדוֹשִׁים כִּי קָדוֹשׁ אֲנִי יְיָ. זַכָּאִין עַמָּא, דְּמָארֵיהוֹן יְשַׁוֵּי לוֹן לְגַבֵּיהּ.

תרלט. אוּף הָכִי וְהִתְקַדִּשְׁתֶּם, בִּשְׁעַת תַּשְׁמִישׁ. מַיִם רִאשׁוֹנִים דְּזָרַע בַּר נָשׁ, מִצְוָה. אַחֲרוֹנִים דְּנוּקְבָא, חוֹבָא. וְאֶמְצָעִיִּים קָא רָמִיז, וְכַגְּבִינָה תַּקְפִּיאֵנִי. הֲדָא הוּא דִּכְתִיב, הֲלֹא כֶחָלָב תַּתִּיכֵנִי וְכַגְּבִינָה תַּקְפִּיאֵנִי. וְהַאי אִיהוּ דְּקָא רָמִיז, בֵּין גְּבִינָה לְבָשָׂר, דְּאִתְּמַר בֵּיהּ עוֹר וּבָשָׂר תַּלְבִּישֵׁנִי.

תרמ. תְּמִינָאָה, לִשְׁלֹשָׁה צָרִיךְ כּוֹס. אֲמַאי. בִּינָה אִיהִי תְּלִיתָאָה מֵעֶשֶׂר סְפִירָאן, מֵעֵילָּא לְתַתָּא. וּבְגִין דָּא פָּחוּת מִשְּׁלֹשָׁה לָא צָרִיךְ כּוֹס. לִשְׁלֹשָׁה צָרִיךְ כּוֹס, קָא רָמִיז קְדוּשָׁה לְךָ יְשַׁלֵּשׁוּ. וְלֹא עוֹד, אֶלָּא דְּאוֹרַיְיתָא לָא נַחְתָּא פָּחוּת מִג', כֹּהֲנִים, לְוִיִּם, יִשְׂרְאֵלִים. תּוֹרָה, נְבִיאִים, וּכְתוּבִים. בְּיַרְחָא תְּלִיתָאָה, בְּיוֹם תְּלִיתָאָה. וְדָא בִּינָה, יְדֹ"וָ. וּבְגִינָהּ אִתְּמַר, שָׁלֹשׁ מִשְׁמָרוֹת הָוֵי הַלַּיְלָה. מַלְכוּת ה' רְבִיעִית, עָלָהּ אִתְּמַר אַרְבָּעָה מִשְׁמָרוֹת הָוֵי הַלַּיְלָה. וְשׁ' דִּתְלַת עַנְפִּין לְקַבֵּל תְּלַת מִשְׁמָרוֹת. וְשׁ' דְּאַרְבַּע עַנְפִּין, לְקַבֵּל אַרְבָּעָה מִשְׁמָרוֹת.

תרמא. תְּשִׁיעָאָה, כּוֹס שֶׁל בְּרָכָה, רְבִיעִית לוֹג, וְשִׁיעוּרָא דִּילֵיהּ, לְקַבֵּל ה', רְבִיעָאָה דְּשֵׁם יְדֹוָ"ד. עֲשִׂירָאָה, בַּעֲשָׂרָה אוֹמֵר נְבָרֵךְ לֵאלֹהֵינוּ. וּשְׁכִינְתָּא תַּתָּאָה, אִיהִי רְבִיעִית, וַעֲשִׂירִית. רְבִיעִית לְשֵׁם יְדֹוָד. עֲשִׂירִית לְעֶשֶׂר סְפִירָן. דְּאִינּוּן יו"ד ה"א וא"ו ה"א. וְכַמָּה צָרִיךְ ב"נ לְנַטְרָא גַּרְמֵיהּ, דְּלָא לִזְרוֹק מִלִּין אִלֵּין בַּאֲתַר דְּלָא אִצְטְרִיךְ. כְּמוֹ מַאן דְּזָרִיק

נְהָמָא. כ״ש מַאן דְּזָרִיק נַהֲמָא דְּאוֹרַיְיתָא, לְבַר מִפָּתוֹרֵיהּ, דְּאִיהִי שְׁכִינְתָּא. דְּאִתְּמַר בָּהּ, זֶה הַשֻּׁלְחָן אֲשֶׁר לִפְנֵי יְיָ׳. (ע״כ רעיא מהימנא).

תרמב. וּבְחִבּוּרָא קַדְמָאָה, תְּלַת אִינּוּן דְּגַרְמִין בִּישׁ לְגַרְמַיְיהוּ. תְּרֵין בְּהַאי עָלְמָא, וְחַד בְּעָלְמָא אַחֲרָא, וְאִלֵּין אִינּוּן: מַאן דְּלָיֵיט גַּרְמֵיהּ, דְּתָנֵינָן חַד מְמָנָא אִתְפְּקַד קַמֵּיהּ דב״נ, וּבְשַׁעֲתָא דְּלָיֵיט גַּרְמֵיהּ הַהוּא ב״נ, הַאי מְמָנָא, וְשַׁבְעִין אַחֲרָנִין דִּמְמָנָן תְּחוֹתֵיהּ, נַטְלִין הַהִיא מִלָּה, וְאַמְרֵי אָמֵן, וְסַלְקֵי לָהּ לְעֵילָּא, וְדַיְינִין לָהּ, וְאִיהוּ רָדִיף אֲבַתְרֵיהּ, עַד דְּעָבֵיד לֵיהּ, וְאַשְׁלִים לֵיהּ הַהוּא מִלָּה.

תרמג. מַאן לָךְ רַב מִמֹּשֶׁה, דְּאָמַר וְאִם אַיִן מְחֵנִי נָא מִסִּפְרְךָ אֲשֶׁר כָּתָבְתָּ, וְאָמַר לְצוֹרֶךְ, ואע״ג דְּקוּדְשָׁא בְּרִיךְ הוּא עָבֵיד רְעוּתֵיהּ, עִם כָּל דָּא לָא אִשְׁתְּזִיב מֵעוֹנְשָׁא, וְהָא אִתְּמַר דְּלָא אִדְכַּר בְּפָרָשַׁת וְאַתָּה תְּצַוֶּה, וְאִתְמְחֵי מִתַּמָּן. וְהָא אוֹקְמוּהָ. מַאן לָן רַב מִדָּוִד מַלְכָּא, דְּאָמַר אָמַרְתִּי אֶשְׁמְרָה דְּרָכַי מֵחֲטוֹא בִלְשׁוֹנִי אֶשְׁמְרָה לְפִי מַחְסוֹם בְּעוֹד רָשָׁע לְנֶגְדִּי, מַאי בְּעוֹד רָשָׁע לְנֶגְדִּי. הַהוּא מְמָנָא דְּאִתְפְּקַד עַל דָּא, וְנָטִיל הַהִיא מִלָּה לְאַבְאָשָׁא לֵיהּ לב״נ.

תרמד. וְחַד מַאן דְּזָרִיק נַהֲמָא, אוֹ פֵּירוּרִין דְּנַהֲמָא בְּאַרְעָא, וְקָא עָבֵיד בֵּיהּ זִלְזוּלָא, כְּמָה דְּאִתְּמַר. הָנֵי תְּרֵי בְּהַאי עָלְמָא. וְחַד בְּהַהוּא עָלְמָא, מַאן דְּאוֹקִיד שְׁרָגָא בְּמוֹצָאֵי שַׁבָּת, עַד לָא מָטוּ יִשְׂרָאֵל לְקְדוּשָּׁא דְּסִדְרָא, בְּגִין דְּקָא מְחַלֵּל שַׁבְּתָא, וְגָרִים לְנוּרָא דְּגֵיהִנָּם לְאִתּוֹקְדָא, עַד לָא מָטָא זִמְנֵיהּ.

תרמה. וְחַד דּוּכְתָּא אִית בְּגֵיהִנָּם, לְאִינּוּן דְּקָא מְחַלְּלֵי שַׁבְּתָא. כֵּיוָן דְּאִיהוּ אוֹקִיד שְׁרָגָא עַד לָא מָטָא זִמְנֵיהּ, חַד מְמָנָא אִית בְּגֵיהִנָּם בְּמ״שׁ, וְאוֹקִיד בְּקַדְמֵיתָא לְהַהוּא דּוּכְתָּא, וְאָמַר הַאי דּוּכְתָּא דִּפְלַנְיָא. וְכָל חַיָּיבִין דְּגֵיהִנָּם, מְסַיְּיעֵי לְאוֹקְדָא הַהוּא דּוּכְתָּא. הַהוּא מְמָנָא קָארֵי וְאָמַר, הִנֵּה יְיָ׳ מְטַלְטֶלְךָ טַלְטֵלָה גָּבֶר וְעוֹטְךָ עָטֹה. חַיָּיבִין דְּגֵיהִנָּם אַמְרֵי, כַּדּוּר אֶל אֶרֶץ רַחֲבַת יָדַיִם שָׁמָּה תָמוּת וְגוֹ׳. בְּגִין דְּאִיהוּ גָּרִים לוֹן לְאִתּוֹקְדָא, עַד לָא מָטָא זִמְנַיְיהוּ. הָא לָן תְּלָתָא, דְּגַרְמֵי בִּישׁ לְגַרְמַיְיהוּ, כְּמָה דְּאִתְּמַר.

תרמו. ד״א וַיַּחֲלֹם וְהִנֵּה סֻלָּם, רַעְיָא מְהֵימְנָא, מַה ל׳ אִסְתַּלָּק עַל כָּל אַתְוָון, הָכִי אַתְּ עָתִיד לְאִסְתַּלְקָא עַל כָּל בִּרְיָין. בְּגִין דְּאִסְתַּלַּק לִשְׁמָא דְּיוֹ״ד הֵ״י וָא״ו הֵ״י. דְּבֵיהּ יי״י, דְּחוּשְׁבָּנֵיהּ ל׳. דִּבְקַדְמֵיתָא הֲוֵית בְּשֵׁם יוֹ״ד הֵ״א וָא״ו הֵ״א, דְּאִיהוּ יאאא, בי״ג מְכִילָן דְּרַחֲמֵי, דְּאִינּוּן אֶחָד. כְּעַן תִּסְתַּלַּק בְּאֵל, דְּאִיהוּ יא״י. דִּתְרֵין שְׁמָהָן סַהֲדִין, הֲלֹא אֵל אֶחָד בְּרָאָנוּ. הה״ד, הֲלֹא אָב אֶחָד לְכֻלָּנוּ הֲלֹא אֵל אֶחָד בְּרָאָנוּ.

תרמז. וּבג׳ יוֹדִין אִלֵּין, יִתְקַיֵּים בָּךְ, יָרוּם וְנִשָּׂא וְגָבַהּ מְאֹד, בְּמַ״ה. דְּהָכִי סָלִיק מא״ד, לְחוּשְׁבַּן אָדָ״ם. וּבְהִפּוּךְ אַתְוָון, מְאֹד הוּא אָדָם. יָרוּם: בְּאַרְבַּע אַנְפִּין דְּאַרְיֵה, דְּאִינּוּן יְבָרֶכְךָ יְדֹוָ״ד. וְנִשָּׂא: בְּאַרְבַּע אַנְפִּין דְּשׁוֹר, דְּאִינּוּן יִשָּׂא יְדֹוָ״ד בִּשְׂמָאלָא. וְגָבַהּ מְאֹד: יָאֵר יְדֹוָ״ד, בְּאֶמְצָעִיתָא. וְדָא יוֹד הֵי וָאו הֵי, יִשָּׂא יְדֹוָ״ד פָּנָיו אֵלֶיךָ וְיָשֵׂם לְךָ שָׁלוֹם. רְבִיעָאָה יְדֹוָ״ד, וְשָׂמוּ אֶת שְׁמִי עַל בְּנֵי יִשְׂרָאֵל וַאֲנִי אֲבָרְכֵם.

תרמח. מִסִּטְרָא דִּימִינָא, אִתְקְרִיאַת אֶבֶן. וְכַמָּה אַבְנִין מְפוּלָמִין יַקִּירִין אִשְׁתְּכָחוּ מִנָּהּ, דְּמִנַּיְיהוּ מַיָּא דְּאוֹרַיְיתָא נָפְקִין. וּבְגִינַיְיהוּ אִתְּמַר, אָמַר ר׳ עֲקִיבָא לְתַלְמִידָיו כְּשֶׁתַּגִּיעוּ לְאַבְנֵי שַׁיִשׁ טָהוֹר אַל תֹּאמְרוּ מַיִם מַיִם שֶׁמָּא תִּסְתַּכְּנוּ בְּנַפְשְׁכֶם. לָא תֵּימְרוּן דְּאִינּוּן מַיִם, מַיִם מַמָּשׁ. מִשּׁוּם דּוֹבֵר שְׁקָרִים לֹא יִכּוֹן לְנֶגֶד עֵינָי. דְּאִלֵּין מַיִם, דָּא אוֹרַיְיתָא, דְּאִתְּמַר בָּהּ וְתוֹרָה אוֹר. וּבְגִין דְּהַאי נְהוֹרָא נָבִיעַ בְּמַבּוּעָא דְּמַיָּא, אֲשֶׁר לֹא יְכַזְּבוּ מֵימָיו, אִתְקְרֵי מַיִם.

תרמט. וּמִסִּטְרָא דִּשְׂמָאלָא, הַאי אֶבֶן דְּאִיהִי י', אִתְקְרֵי גּוֹזֶלֶת. וּמִתַּמָּן עֶשֶׂר סְפִירָן כְּשַׁלְהֶבֶת קְשׁוּרָה בְּגַחֶלֶת. וְאִית לָהּ ד' גַּוְונִין, וַעֲשָׂרָה אִינּוּן, יוד הא ואו הא. יְדֹוָ"ד. וְאִיהִי יַד הַגְּדוֹלָה בִּימִינָא, יַד הַחֲזָקָה בִּשְׂמָאלָא, עַמּוּדָא דְּאֶמְצָעִיתָא, מִתַּמָּן אִיהִי יַד רָמָה, כְּלִיל מִמ"ב גַּוְונִין.

תרנ. וּבְגִין דְּאִיהִי מִסִּטְרָא דִּימִינָא אֶבֶן, וּמִסִּטְרָא דִּשְׂמָאלָא גּוֹזֶלֶת, בָּהּ נָטִיל קוּדְשָׁא בְּרִיךְ הוּא נוּקְמָא, מִיִּשְׁמָעֵאל וֶאֱדוֹם, דְּאִינּוּן אִשִּׁין נוּכְרָאִין, וּמַיִם הַזֵּידוֹנִים. וּמְמַנָּן דִּלְהוֹן סָמָאֵל וְנָחָשׁ. סָמָאֵל אֶשָּׁא דְּגֵיהִנָּם, מְמוּנֶּה עַל אוּמָּה דְּעֵשָׂו. נָחָשׁ מְמוּנֶּה עַל אוּמָּה, דְּיִשְׁמָעֵאל וְאִיהוּ רַהַב דִּמְמַנָּא עַל מַיָּא.

תרנא. בִּימִינָא דְּאַבְרָהָם, דְּדַרְגֵּיהּ חֶסֶד, נָטִיל נוּקְמָא מִיִּשְׁמָעֵאל, וּמְמַנָּא דִּילֵיהּ. וּבִשְׂמָאלָא דְּיִצְחָק, דְּדַרְגֵּיהּ פַּחַד, נָטִיל נוּקְמָא מֵעֵשָׂו, וּמְמַנָּא דִּילֵיהּ. בִּתְרֵין מְשִׁיחִין, דְּאִינּוּן חַד מִימִינָא, מָשִׁיחַ בֶּן דָּוִד. וְחַד מִשְּׂמָאלָא, מָשִׁיחַ בֶּן יוֹסֵף. וּבְדַרְגָּא דְּיַעֲקֹב, דְּאִיהִי לָקֳבְלֵיהּ, בְּרָזָא דְּשִׂכֵּל אֶת יָדָיו. אַרְיֵה לִשְׂמָאלָא. שׁוֹר לִימִינָא, דְּיִשְׁמָעֵאל. בְּגִין דִּיהוּדָה גָּלָה בְּעֵשָׂו, אִשְׁתַּכַּח יְמִינָא דִּקְדוּשָּׁה, עִם שְׂמָאלָא דְּעֵשָׂו. וּשְׂמָאלָא דִּקְדוּשָּׁה עִם יְמִינָא מִסְאֲבָא דְּיִשְׁמָעֵאל, עַד כִּי יָבֹא שִׁילֹה, רַעְיָא מְהֵימְנָא, בְּדַרְגֵּיהּ תִּפְאֶרֶת יִשְׂרָאֵל, נָטִיל נוּקְמָא מֵעֵרֶב רַב.

תרנב. בִּתְלַת דַּרְגִּין אִלֵּין, יִפְקוֹד כֹּהֲנִים לְוִיִּם וְיִשְׂרְאֵלִים, מִן גָּלוּתָא. וּבְהוֹן נָטִיל נוּקְמָא, מֵעֵשָׂו וְיִשְׁמָעֵאל וְעֵרֶב רַב. כְּגַוְונָא דְּעֵרֶב רַב מְעוֹרְבִין בְּעֵשָׂו וְיִשְׁמָעֵאל, הָכִי יַעֲקֹב מְעוֹרָב בְּאַבְרָהָם וְיִצְחָק, עֵרוּב דִּתְרַוַויְיהוּ. וְהָכִי מִתְעָרֵב שִׁילֹה, עִם מָשִׁיחַ בֶּן דָּוִד וּמָשִׁיחַ בֶּן יוֹסֵף, וִיהֵא שַׁלְשֶׁלֶת דִּתְרַוַויְיהוּ, כְּהַהוּא זִמְנָא דְּחָזָא בִּלְעָם בִּנְבוּאָה דִּילֵיהּ, דְּהָכִי מִתְקַשְּׁרֵי תְּרֵין מְשִׁיחִין בְּרַעְיָא מְהֵימְנָא, בִּתְלַת אֲבָהָן, בְּגָלוּתָא בַּתְרָאָה.

תרנג. פָּתַח וְאָמַר, לֹא הִבִּיט אָוֶן בְּיַעֲקֹב וְלֹא רָאָה עָמָל בְּיִשְׂרָאֵל יְיָ' אֱלֹהָיו עִמּוֹ וּתְרוּעַת מֶלֶךְ בּוֹ. וְכֹלָּא לְקַיְּימָא קְרָא, וּבְרַחֲמִים גְּדוֹלִים אֲקַבְּצֵךְ. בְּהַהוּא זִמְנָא מִתְבָּרִין קְלִיפּוֹת, דַּהֲווֹ מְסַחֲרִין לִשְׁכִינְתָּא. מִיַּד אִתְגַּלְיָיא אַבְנָא חֲדָא מִתְּלַת אַבְנִין, דְּאִינּוּן סְגוּלָתָא. דְּעָלַיְיהוּ אִתְּמַר, וַיְהִי בִּשְׁלֹשִׁים שָׁנָה, וְאִינּוּן יי"י בָּרְבִיעִי, אַבְנָא רְבִיעָאָה. בַּחֲמִשָּׁה לַחֹדֶשׁ, אַבְנָא חֲמִשָׁאָה. לָקֳבְלַיְיהוּ, וַיִּקַּח דָּוִד חֲמִשָּׁה חַלּוּקֵי אֲבָנִים מִן הַנַּחַל. וְאִינּוּן לָקֳבְלַיְיהוּ וַחֲמֵשׁ תֵּיבִין, דְּאִינּוּן שְׁמַע יִשְׂרָאֵל יְדֹוָ"ד אֱלֹהֵינוּ יְדֹוָ"ד.

תרנד. וַאֲנִי בְּתוֹךְ הַגּוֹלָה, דָּא שְׁכִינְתָּא, בָּהּ קוּדְשָׁא בְּרִיךְ הוּא אָחִיד. ו' בְּתוֹסֶפֶת וַאֲנִי, הוּא נָהָר, צַדִּיק חַי עָלְמִין. וְנָהָר יוֹצֵא מֵעֵדֶן לְהַשְׁקוֹת אֶת הַגָּן, מַאי עֵדֶן. דָּא בִּינָה, נָהָר דְּנָפִיק מִנָּהּ, דָּא ו', בֶּן יָ"הּ, דַּרְגָּא דְּרַעְיָא מְהֵימְנָא, ור"מ, נָפִיק מֵאִימָּא עִלָּאָה, וְאִתְפָּשַׁט בְּשִׁית סְפִירָן עַד צַדִּיק, וּמִנֵּיהּ אַשְׁקֵי לְגִנְתָּא, דְּאִיהִי שְׁכִינְתָּא.

תרנה. מַאי כְּבָ"ר. כ', כֶּתֶר. ב', בִּינָה. ר', רֵאשִׁית חָכְמָה. כֶּתֶר בִּימִינָא, וְחָכְמָה בִּשְׂמָאלָא, בִּינָה בְּאֶמְצָעִיתָא. רֶכֶב לְעֵילָּא לְעִלַּת הָעִלּוֹת. י' סְפִירָאן כֻּלְּהוּ, אִתְכְּלִילוּ בְּנָהָר, דְּאִיהוּ אִתְפָּשַׁט עַד צַדִּיק, דְּאִיהוּ כֹּל, כְּלִיל כֹּלָּא. וּבְגִינֵיהּ אוֹקְמוּהָ, אִילָנָא רַבָּא וְתַקִּיף, וּמְזוֹן לְכֹלָּא בֵּיהּ. מִנֵּיהּ תַּלְיָא כֹּלָּא. כַּד חָמָא שְׁכִינְתָּא מִגּוֹ קְלִיפִּין, חָזָא עִמָּהּ עֶשֶׂר סְפִירָן. (ע"כ רעיא מהימנא).

תרנו. סֹלֶת לְמִנְחָה, לְאַעְלָאָה לְהַאי סֹלֶת, קַמֵּי מַלְכָּא עִלָּאָה לְמִנְחָה. בֵּין תְּרֵין דְּרוֹעִין.

רעיא מהימנא

תרנז. וּבְחִבּוּרָא קַדְמָאָה, אָמַר רַעְיָא מְהֵימְנָא, מֵהַאי אִשְׁתְּמוֹדַע, הָנֵי מִילִין סְתִימִין אִינּוּן, וְצָרִיךְ לְמִפְתַּח לוֹן קַמֵּי חַבְרַיָּיא, אַבְרָהָם יִצְחָק דְּתַקִּינוּ שַׁחֲרִית וּמִנְחָה, אִתְּמַר עֲלַיְיהוּ, אַף יָדִי יָסְדָה אֶרֶץ, דָּא יִצְחָק. וִימִינִי טִפְּחָה שָׁמַיִם, דָּא אַבְרָהָם. דְּדַרְגִּין דִּלְהוֹן חֶסֶד וָפַחַד. דְּאִתְּמַר עֲלַיְיהוּ נִשְׁבַּע יְיָ' בִּימִינוֹ, וּבִזְרוֹעַ עֻזּוֹ, אִינּוּן תְּרֵין דְּרוֹעִין דְּמַלְכָּא, דְּאִיהוּ יְדֹוָ"ד, עַמּוּדָא דְּאֶמְצָעִיתָא. סֹלֶת דִּילֵיהּ, דָּא שְׁכִינְתָּא תַּתָּאָה, נְהוֹרָא דִּילֵיהּ, סֹלֶת נְקִיָּיה מִסִּטְרוֹי בְּלָא פְּגִימוּ דַּחֲשׁוֹכָא, וּבְלָא תַּעֲרוֹבֶת חֲשׁוֹכָא כְּלָל. דְּהָכִי אִינּוּן חֲשׁוֹכִין עִם נְהוֹרִין, כְּבַר קֶדֶם מוֹץ וָתֶבֶן.

תרנח. וּבְחוֹבֵיהוֹן דְּיִשְׂרָאֵל, מִתְעָרְבִין חֲשׁוֹכִין בִּנְהוֹרִין, וּכְגַוְונָא דְּדָשׁ ב"נ תְּבוּאָה, וּלְבָתַר אִיהוּ בּוֹרֵר לָהּ, כְּבוֹרֵר אוֹכֶל מִתּוֹךְ פְּסוֹלֶת. כָּךְ יִשְׂרָאֵל, צָרִיךְ לְמֶעְבַּד בְּרוּחַיְיהוּ, כַּד אִתְעָרַב בְּהוֹן חֲשׁוֹכִין. וְרָזָא דְּמִלָּה, זִבְחֵי אֱלֹהִים רוּחַ נִשְׁבָּרָה וְגוֹ'. דִּבְהָכִי אִתְּבַר חֲשׁוֹכָא, דְּאִיהוּ יֵצֶר הָרָע, דִּמְכַסֵּי עַל רוּחָא, כְּמוֹץ דִּמְכַסֶּה עַל חִטָּה. אוֹ כְּעָנָן, דִּמְכַסֶּה עַל שִׁמְשָׁא, וְלָא מָנַח לֵיהּ לְאַנְהָרָא.

תרנט. וּבְזִמְנִין דְּחֹשֶׁךְ, דְּאִיהוּ יצה"ר, מְכַסֶּה עַל יֵצֶר הַטּוֹב, דְּאִיהוּ אוֹר. אִיהוּ כְּמַאן דְּתָפִיס בְּבֵית הָאֲסוּרִין דיצה"ר. וְאוּף הָכִי, כַּד יֵצֶר הַטּוֹב אִיהוּ תָּפִיס בִּרְשׁוּ דיצה"ר, הָכִי אִינּוּן תְּפִיסִין חַיָּילִין דְּיֵצֶר הַטּוֹב, בִּרְשׁוּ דְּחַיָּילִין דְּיֵצֶר הָרָע. וּבְזִמְנָא דְּיִתְּבַר ב"נ רוּחֵיהּ, בְּכָל אֵבָרִין דִּילֵיהּ, קֶדֶם יְדֹוָ"ד, מַה כְּתִיב. לֵאמֹר לַאֲסוּרִים צֵאוּ וְלַאֲשֶׁר בַּחֹשֶׁךְ הִגָּלוּ.

תרס. אֲבָל שְׁכִינְתָּא אִיהִי סֹלֶת נְקִיָּיה, דְּלֵית חֲשׁוֹכָא וְקַבְּלָא יָכִיל לְאִתְעָרְבָא בָּהּ. אִיהִי כַּגֶּפֶן, דְּלָא מְקַבְּלָא הַרְכָּבָה מִמִּין אָחֳרָא, דְּלָאו אִיהִי מִינָהּ. וְהַאי סֹלֶת בֵּין דְּרוֹעֵי מַלְכָּא אִיהִי יָתְבָא, בְּלוּלָה בְּשֶׁמֶן כָּתִית. (ע"כ רעיא מהימנא).

תרסא. בְּלוּלָה בְּשֶׁמֶן כָּתִית, בְּשֶׁמֶן, בְּהַהוּא שֶׁמֶן דְּנָגִיד וְנָפִיק מִלְּעֵילָּא. אר"ש, יָאוּת אֲמַרְת. אֲבָל מַאי כָּתִית. אֶלָּא רָזָא עִלָּאָה אִיהוּ. דְּכֵיוָן דְּאִיהוּ שֶׁמֶן, מַאי כָּתִית. אֶלָּא רֶמֶז הוּא דְּקָא רָמִיז לְשִׁמְשָׁא בְּנוּקְבָא, לְאַנְגְּדָא לְגַבָּהּ שֶׁמֶן כָּתִית כַּדְקָא יָאוּת לָהּ, לָא הֲוֵי אֶלָּא כָּתִית לְאַפָּקָא מִזֵּיתִים, דְּאִינּוּן שַׁיְיפִין דְּגוּפָא, וּלְאַמְשָׁכָא הַהוּא נְגִידוּ מִלְּעֵילָּא, בְּכָל שַׁיְיפָא וְשַׁיְיפָא.

תרסב. וְצַדִּיק אִיהוּ דְּכָתִישׁ כְּתִישִׁין, וְאַפִּיק מִכָּל אִינּוּן שַׁיְיפִין עִלָּאִין, דְּאִינּוּן זֵיתִין קַדִּישִׁין, מְשַׁח רְבוּ בְּתִיאוּבְתָּא שְׁלִים, לְגַבֵּי נוּקְבֵיהּ. וְאִי לָא כָּתִישׁ, לָא יִפּוּק הַהוּא מִשְׁחָא, אֶלָּא בְּלָא תִּיאוּבְתָּא דְּשַׁיְיפִין, וְהַהוּא נְגִידוּ, לָא אִתְהֲנֵי מִנֵּיהּ נוּקְבָא, וְלָא הֲוֵי כַּדְקָא יָאוּת, עַד דִּתְהֵא בְּלוּלָה מִנֵּיהּ מִכָּל שַׁיְיפִין. וע"ד בְּלוּלָה בְּשֶׁמֶן כָּתִית, לְאִתְהֲנָאָה וּלְאִתְּזָנָא מִנֵּיהּ.

רעיא מהימנא

תרסג. אָמַר רַעְיָא מְהֵימְנָא, בּוּצִינָא קַדִּישָׁא, כַּמָּה מְתִיקִין מִילָּךְ, וַדַּאי אִתְּמַר הָכָא, בְּלוּלָה בְּשֶׁמֶן כָּתִית. וְאִתְּמַר הָתָם, בְּאוֹרַיְיתָא דבע"פ, בְּלוּלָה בַּמִּקְרָא, בַּמִּשְׁנָה, בַּתַּלְמוּד. וְעוֹד אִית רָזָא תִּנְיָינָא, בְּלוּלָה בְּשֶׁמֶן כָּתִית. וַדַּאי לָאו אוֹרַיְיתָא אִיהִי בְּלוּלָה. אֶלָּא לְמַאן דְּסָבִיל כַּמָּה מַכְתְּשִׁין בְּגִינָהּ. כְּמָה דְּאוֹקְמוּהָ מָארֵי מַתְנִיתִין, דְּלֵית אוֹרַיְיתָא מִתְקַיֶּימֶת, אֶלָּא בְּמִי שֶׁמֵּמִית גַּרְמֵיהּ עָלָהּ. וְעוֹד אָמְרוּ, בִּזְמַן שֶׁאַתָּה מְכַתֵּת רַגְלֶיךָ מִמְּדִינָה לִמְדִינָה, תִּזְכֶּה לִרְאוֹת פְּנֵי שְׁכִינָה.

תרסד. וְעוֹד בְּלוּלָה בְּשֶׁמֶן כָּתִית, דָּא הוּא דִּמְקַיֵּים פַּת בַּמֶּלַח תֹּאכַל, וּמַיִם בַּמְּשׂוּרָה תִּשְׁתֶּה. וְעוֹד בְּלוּלָה בְּשֶׁמֶן כָּתִית, הה"ד, וְהוּא מְחוֹלָל מִפְּשָׁעֵינוּ מְדוּכָּא

מֵעֲוֹנוֹתֵינוּ. וְעוֹד בְּלוּלָה בְּשֶׁמֶן כָּתִית, דָּא צַדִּיק חַי עָלְמִין, דְּנָגִיד טִפִּין קַדִּישִׁין, דְּאִינּוּן פִּירוּרִין כַּזֵּיתִים, מִמּוֹחָא עִלָּאָה, דְּאִינּוּן חַד עִשָּׂרוֹן לְקַבֵּל י'. וּשְׁנֵי עֶשְׂרוֹנִים, י' י'. וּשְׁלֹשָׁה עֶשְׂרוֹנִים לַפָּר, י' י' י'. וְאִינּוּן עִשָּׂרוֹן לַכֶּבֶשׂ, וּב' עֶשְׂרוֹנִים לָאַיִל, וּשְׁלֹשָׁה עֶשְׂרוֹנִים לַפָּר.

תרסה. וְרָזָא דְּמִלָּה אָמְרוּ בְּתַעֲנִיּוֹת, אֵין טִפָּה יוֹרֶדֶת מִלְמַעְלָה, שֶׁאֵין עוֹלִין כְּנֶגְדָּהּ טְפַיִים. וְאִינּוּן בְּרָזָא דָּא ג' וּרְמִיזוּ דִּלְהוֹן לְקַבֵּל תְּלַת מוֹחִין. חַד מוֹחַ הַזִּכָּרוֹן. תִּנְיָינָא מוֹחַ הַמַּחֲשָׁבָה. תְּלִיתָאָה מוֹחַ הַדִּמְיוֹן. הַדִּמְיוֹן וְהַזִּכָּרוֹן סַלְקִין מִן לִבָּא, הַמַּחֲשָׁבוֹת נַחְתָּא עֲלַיְיהוּ לְלִבָּא, וּמְקַבְּלִין לָהּ עֲלַיְיהוּ, כְּמַלְכָּא. בְּגִין דְּהַאי אָדָם דְּאִיהוּ מַחֲשָׁבָה, דְּרָכִיב וְשָׁלִיט עַל חֵיוָא תְּלִיתָאָה, וְנָחִית עָלָהּ לְגַבֵּי תְּרֵין חֵיוָן, וּפַתְחִין גַּדְפַּיְיהוּ לְקַבְּלָא לָהּ, כְּגוֹן חוֹלָם עַל צֵרֵי, אִתְעֲבֵיד סְגוֹלְתָא. וְדָא כֶּתֶר עֶלְיוֹן עַל חָכְמָה וּבִינָה.

תרסו. עִשָּׂרוֹן וּשְׁנֵי עֶשְׂרוֹנִים, רְמִיזִין לִתְלַת חֵיוָן דְּמֶרְכַּבְתָּא עִלָּאָה. דְּאִינּוּן: גְּדוּלָה, גְּבוּרָה, תִּפְאֶרֶת. שְׁלֹשָׁה עֶשְׂרוֹנִין, רְמִיזִין: לְנֶצַח, הוֹד, יְסוֹד. מֶרְכֶּבֶת הַמִּשְׁנֶה. רְבִיעִית הַהִין: דָּא מַלְכוּת קַדִּישָׁא, ה' רְבִיעָאָה מִן שֵׁם יְדֹוָ"ד. דְּאִיהוּ אַרְבַּע אַנְפֵּי אָדָם. (ע"כ רעיא מהימנא).

תרסז. רְבִיעִית הַהִין, רַגְלָא רְבִיעָאָה לְכָרְסְיָיא עִלָּאָה, וְאִיהוּ עוֹלָה תָּמִיד לְגַבֵּיהּ בְּכָל יוֹמָא וְיוֹמָא, עַד מַחֲשַׁבְתָּא עִלָּאָה, דְּלֵית לָהּ סוֹף. וּבְג"ד, עוֹלָה קָא אַתְיָא עַל הִרְהוּר הַלֵּב.

רעיא מהימנא

תרסח. וּבְחִבּוּרָא קַדְמָאָה אָמַר, רַעְיָא מְהֵימְנָא, הַהִיא תָּגָא דְּזַרְקָא, אִיהִי יוֹד, רְבִיעִית. אוֹף הָכִי בַּחֲיָה דִּשְׁמָהּ אָדָם, דְּאַרְבַּע אַנְפִּין דִּילֵיהּ דְּאִינּוּן יְדֹוָ"ד, מַקַּף שׁוֹפָר הוֹלֵךְ סְגוֹלְתָּא. תְּלַת חֵיוָן, דְּאִינּוּן תְּרֵיסָר שְׁבָטִין. (ע"כ רעיא מהימנא).

תרסט. וּבְחִבּוּרָא קַדְמָאָה, עוֹלַת תָּמִיד, אִיהִי רֶגֶל רְבִיעָאָה לְכָרְסְיָיא עִלָּאָה, דָּא עוֹלָה תָּמִיד בְּכָל יוֹם, מֵאִינּוּן יוֹמִין שִׁית דִּבְרֵאשִׁית. בְּשַׁבָּת עַל חַד תְּרֵין, בְּגִין דְּיִתּוֹסַף בָּהּ נְהִירוּ וּשְׁלֵימוּ כַּדְקָא יָאוּת, וְהָא אִתְּמַר.

תער. אָמַר רַעְיָא מְהֵימְנָא, מַלְכּוּ. בְּשִׁית סְפִירָן אִיהִי עוֹלָה תָּמִיד לְגַבֵּי ו', דְּאָחִיד בְּהוֹן. בֵּן יָ"הּ, גָּנִיז בְּבִינָה. וּבְאָן סְפִירָה מֵאִינּוּן שִׁית סְלִיקַת לְגַבֵּיהּ. בְּיוֹמָא תְּלִיתָאָה, דְּאִקְרֵי תִּפְאֶרֶת. דְּבְיוֹם הַשַּׁבָּת אִתּוֹסַף עִמֵּיהּ נֶפֶשׁ יְתֵירָה, דְּאִיהִי בִּינָה. ה' עִלָּאָה. י' אוֹת בְּשַׁבָּת, חָכְמָה עִלָּאָה. מֶלֶךְ מְעוּטָּר בְּכֶתֶר, וּבְג"ד, בִּתְפִלַּת מוּסָף כֶּתֶר יִתְּנוּ לָךְ.

תרעא. וּבְרָאשֵׁי חָדְשֵׁיכֶם, וְכִי כַּמָּה רֵישִׁין אִית לָהּ לְסִיהֲרָא. אֶלָּא אִינּוּן תְּרֵין נְקוּדִין , כְּגַוְונָא דָּא נְקוּדָה תַּתָּאָה סִיהֲרָא, תְּרֵין רֵישִׁין דִּילָהּ, תְּרֵין נְקוּדִין דְּאִינּוּן עָלָהּ, סֶגּוֹל. בְּקַדְמֵיתָא הֲוָה כֶּתֶר עֲלֵי תְּרֵי מַלְכִין כְּגַוְונָא דָּא, וַהֲוַת סְגוֹלְתָא. וּלְבָתַר דְּאַמְרַת אִי אֶפְשָׁר לִשְׁנֵי מְלָכִים לְהִשְׁתַּמֵּשׁ בְּכֶתֶר אֶחָד, א"ל הַקּוּדְשָׁא בְּרִיךְ הוּא, לְכִי וּמַעֲטִי אֶת עַצְמֵךְ. וְנָחִיתַת לְרַגְלוֹי דִּתְרֵין מְלָכִים, כְּגַוְונָא דָּא וְהַיְינוּ סֶגּוֹל, מַה דַּהֲוַת סְגוֹלְתָא, אִתְהַדְּרַת סֶגּוֹל.

תרעב. וְרָזָא דְּמִלָּה, לְקַבֵּל תְּרֵין נְקוּדִין, דְּאִינּוּן תְּרֵין מְלָכִים, קָא רָמִיז פָּרִים בְּנֵי בָקָר שְׁנַיִם, וּלְקַבֵּל נְקוּדָה עֲטָרָה עַל רֵישַׁיְיהוּ, אָמַר, וְאַיִל אֶחָד, כְּמוֹ כֶּתֶר אֶחָד. בָּתַר דְּאַמְרַת אִי אֶפְשָׁר לִשְׁנֵי מְלָכִים שֶׁיִּשְׁתַּמְּשׁוּ בְּכֶתֶר אֶחָד, אַזְעִירַת גַּרְמָהּ אוֹף הָכִי, וּשְׂעִיר עִזִּים אֶחָד לְחַטָּאת. אַיִל דְּיִצְחָק, אִתְהַדַּר שָׂעִיר. אִתְהַפַּךְ מֵרַחֲמֵי לְדִינָא, וְאִתְזְעִיר.

תרעג. וּבְגִין דָּא שְׂעִיר עִזִּים אֶחָד לְחַטָּאת, וְלָא אָמַר לְעוֹלָה, לְמֶהֱוֵי כֶּתֶר. וּמִנָּלָן

דְּאִית יְרִידָה בַּחַטָּאת, שֶׁנֶּאֱמַר וַיֵּרֶד מֵעֲשׂוֹת הַחַטָּאת. וַאֲמַאי שִׁתֵּף עוֹלָה עִם חַטָּאת בִּירִידָה. אֶלָּא לְאוּלְפָא, דְּעוֹלָה הֲוַת בְּקַדְמֵיתָא מִדַּת הָרַחֲמִים, וּלְבָתַר אִתְהַפְּכַת לְדִינָא בִּירִידָה, וְאִתְקְרִיאַת חַטָּאת, וְכֹלָּא חַד.

תרעד. וּבְגִין דָּא, הֲבִיאוּ עָלַי כַּפָּרָה, עָלַי הֲוַת סִיהֲרָא כֶּתֶר וַדַּאי, כְּגַוְונָא דָּא וּלְבָתַר אִתְמְעִיטַת, וְנַחְתַּת לְרַגְלִין דִּילֵיהּ, כְּגַוְונָא דָּא וּבְזִמְנָא דָּא הֲבִיאוּ עָלַי כַּפָּרָה, אִיתְמַר בָּהּ, הִיא הָעוֹלָה, סְלִיקַת מֵרַגְלוֹי. דְּאִתְמַר בָּהּ, וְהָאָרֶץ הֲדוֹם רַגְלָי. לְמֵימַר בָּהּ, הַשָּׁמַיִם כִּסְאִי. וְהַאי אִיהוּ רָזָא, צַדִּיק מוֹשֵׁל יִרְאַת אֱלֹהִים. דְּמְהַפֵּךְ דִּינָא לְרַחֲמֵי. וְרָזָא דְּמִלָּה, אֶבֶן מָאֲסוּ הַבּוֹנִים הָיְתָה לְרֹאשׁ פִּנָּה. כְּגַוְונָא דָּא, דוד"י. יְדֹוָד.

תערה. וְעוֹד, כֶּבֶשׂ א' וּשְׁנֵי כְּבָשִׂים בְּנֵי שָׁנָה תְּמִימִים, לְקַבֵּל תְּלַת סְפִירָן. שִׁבְעָה כְּבָשִׂים בְּנֵי שָׁנָה, לְקָבֵל שֶׁבַע סְפִירָן. שִׁבְעָה כְּבָשִׂים, אִינּוּן ז' יוֹמִין דְּסִיהֲרָא. בְּנֵי שָׁנָה, בְּנוֹי דְּסִיהֲרָא, דְּאִקְרֵי שָׁנָה. דְּאִיהִי וַחֲדָא מֵאִינּוּן שָׁנִים קַדְמוֹנִיּוֹת. (ע"כ רעיא מהימנא).

תרעו. וּבְרָאשֵׁי חָדְשֵׁיכֶם וְגוֹ'. וְכִי כַּמָּה רָאשִׁין אִינּוּן לְסִיהֲרָא. וְהָא לֵית רֵישָׁא לְסִיהֲרָא, אֶלָּא שִׁמְשָׁא, דְּאִיהוּ רֵישָׁא לְגַבָּהּ. אֶלָּא רָאשֵׁי תְּרֵין בְּכָל יַרְחָא וְיַרְחָא. וְאִינּוּן יַעֲקֹב וְיוֹסֵף, דְּמִתְחַדְּתֵי עַל סִיהֲרָא. וע"ד בָּעוּ לְחַדְּתָא לָהּ.

תרעז. פָּרִים בְּנֵי בָקָר שְׁנַיִם, אִלֵּין אִינּוּן דְּאָמְרָה סִיהֲרָא, דְּהֵיךְ יִשְׁתַּמְּשׁוּן בָּהּ כַּחֲדָא, וְאַזְעִירַת גַּרְמָהּ תְּחוֹתַיְיהוּ. וְאַיִל אֶחָד, דָּא אַיִל דְּיִצְחָק. וְכִי אַבְרָהָם לְאָן אָזִיל. אֶלָּא בְּגִין דְּאִתְעַר תַּמָּן עֵשָׂו, אִתְכְּנִישׁ אַבְרָהָם, דְּלָא יֶחֱמֵי לֵיהּ, וּמַאן אִיהוּ שָׂעִיר דר"ח. יִצְחָק, אִשְׁתְּכַח תַּמָּן, דִּרְחִימוּ דִּילֵיהּ לְגַבֵּיהּ, כַּחֲמְרָא עַל דּוּרְדְּיֵיהּ. יַעֲקֹב אִשְׁתְּכַח תַּמָּן, לְתַבְרָא אַנְפּוֹי. יוֹסֵף דְּאִיהוּ שׁוֹר דִּילֵיהּ, לְגַבֵּי רָחֵל.

רעיא מהימנא

תרעח. אָמַר ר"מ, וַדַּאי בְּנֵי שָׁנָה אִתְקְרִיאוּ עַל שֵׁם חַמָּה, אִימָא קַדִּישָׁא, דְּאִתְמַר בָּהּ פְּנֵי מֹשֶׁה כִּפְנֵי חַמָּה. שָׁנָה אִית בָּהּ שס"ה יוֹמִין, כְּחוּשְׁבַּן שס"ה לֹא תַעֲשֶׂה. וְאִיהוּ ע"ד לִשְׂמָאלָא. אִימָא עִלָּאָה, סִיהֲרָא בִּימִינָא. אֲסוּרָה בְּרַתָּא לְאַבָּא דְּאִיהוּ לִימִינָא חֶסֶד. וְאִיהִי כְּלִילָא מִרמ"ח פִּקּוּדִין. אִשְׁתְּכַח ו' עִם אִימָא לִשְׂמָאלָא. בְּרַתָּא עִם אַבָּא לִימִינָא דְּחֶסֶד. וְרָזָא דְּמִלָּה, בְּחָכְמָה יָסַד אֶרֶץ. וְחָכְמָה אַבָּא. אֶרֶץ בְּרַתָּא. כּוֹנֵן שָׁמַיִם דְּאִיהוּ בְּרָא, עִם אִימָא דְּאִיהוּ תְּבוּנָה, וְהַאי אִיהוּ ידד"ו, הֲוָיוֹת בְּאֶמְצַע.

תרעט. וְעוֹד וּשְׂעִיר עִזִּים אֶחָד, תְּרֵין שְׂעִירִין אִינּוּן, דְּאִתְמַר עָלַיְיהוּ וְלָקַח אֶת שְׁנֵי הַשְּׂעִירִים וְגוֹ' גּוֹרָל אֶחָד לַיְיָ' וְגוֹרָל אֶחָד לַעֲזָאזֵל. שָׂעִיר לַיְיָ', בְּגִין מִיעוּט סִיהֲרָא, וְאִיהוּ שָׂעִיר אֶחָד לַידֹוָ"ד לְחַטָּאת. אֶחָד: מִסִּטְרָא דְּיִחוּדָא. אֲבָל שָׂעִיר דַּעֲזָאזֵל, לָא כְּתִיב בֵּיהּ אֶחָד, לָא קָרְבָּן, וְלָא אִשֶּׁה, וְלָא עוֹלָה. אֶלָּא וְשִׁלַּח בְּיַד אִישׁ עִתִּי הַמִּדְבָּרָה. וְשִׁלּוּחַ, כְּדְאָמַר יַעֲקֹב מִנְחָה הִיא שְׁלוּחָה לַאדֹנִי לְעֵשָׂו. אוּף הָכִי שׁוֹחַד, לְתַבְרָא רוּגְזָא דְּסָמָאֵ"ל, דְּלָא יִתְקְרִיב לְמַקְדְּשָׁא לְקַטְרְגָא.

תרפ. לְכַלְבָּא דְּאִיהוּ רָעֵב, וּמַאן דְּבָעֵי דְּלָא נָשִׁיךְ לֵיהּ, יָהִיב לֵיהּ בִּשְׂרָא לְמֵיכַל, אוֹ נַהֲמָא, וְיַשְׁקֵי לֵיהּ מַיָּא. וְרָזָא דְּמִלָּה, אִם רָעֵב שׂוֹנַאֲךָ הַאֲכִילֵהוּ לֶחֶם וְגוֹ'. וּבְדָא יִתְהַדַּר רְחִימוּ דב"נ, דְּלָא דַּי דְּלָא נָשִׁיךְ לֵיהּ בְּכַמָּה יִסּוּרִין, אֶלָּא אִתְהַדַּר לְמֶהֱוֵי לֵיהּ סַנֵּיגוֹרָא, וְאִתְהַדַּר רְחִימוֹי.

תרפא. וַאֲמַאי הֲווּ שַׁלְחִין לֵיהּ בְּיַד אִישׁ עִתִּי, פְּגִים. בְּגִין דְּסִטְרִין אַחֲרָנִין כֻּלְּהוּ מָארֵי מוּמִין, וְאִתְקְרִיאוּ שְׂעִירִים, דִּכְתִיב וּשְׂעִירִים יְרַקְּדוּ שָׁם. וְאִתְמַר בְּהוֹן, וְלֹא

יִזְבְּחוּ עוֹד אֶת זִבְחֵיהֶם לַשְּׂעִירִים. דַּעֲלַיְיהוּ אִתְּמַר, יִזְבְּחוּ לַשֵּׁדִים לֹא אֱלוֹהַּ. וּבְשָׂעִיר דָּא, אִתְפְּרַשׁ מִכֹּלָּא, וְנוֹשֵׂא כָּל חוֹבִין דְּיִשְׂרָאֵל עָלֵיהּ, כד״א, וְנָשָׂא הַשָּׂעִיר עָלָיו אֶת כָּל עֲוֹנֹתָם. וְעוֹד, בָּתַר דְּנָטִיל אִיהוּ וְנָשָׂא. קוּדְשָׁא בְּרִיךְ הוּא נוֹשֵׂא עָוֹן. מַאי בֵּין נוֹשֵׂא לְנָשָׂא. נָשָׂא: מְטוּלָא. נוֹשֵׂא: סְלִיקוּ דְּמָטוּלָא. (ע״כ רע״מ).

תרפב. וּשְׁלֹשָׁה עֶשְׂרוֹנִים, תְּלַת דַּרְגִּין קַדְמָאִין דִּילָהּ, דְּכָל חַד וְחַד עֶשֶׂר, כְּגַוְונָא דִּלְעֵילָּא עֶשְׂרוֹנִים, חַד מֵעֲשָׂרָה. וּשְׂעִיר חַטָּאת אֶחָד, אֲמַאי אִקְרֵי חַטָּאת. בְּגִין דְּאִיהוּ חַטָּאת, וּמִסִּטְרָא דְּחַטָּאת הוּא. א״ר אֶלְעָזָר, וְהָא כְּתִיב לַיְיָ. אֶלָּא לַיְיָ אִתְקְרִיב וַדַּאי, דִּכְתִּיב לְכַפֵּר. לְתַבְרָא אַנְפִּין, וְכֹלָּא יִתְקְרִיב לְמַקְדְּשָׁא, אֶלָּא יְהַבֵי חוּלָקָא וְחַדָּא לְסָמָאֵל, וְאָכִיל לֵיהּ, וְלָא אָחִיד בִּשְׁאַר קָרְבְּנִין. וְדָא אִיהוּ לְחוּדֵיהּ, דְּלָא אִשְׁתַּתַּף אוּחֲרָא עִמֵּיהּ לְמֵיכַל בֵּיהּ.

תרפג. אִיהוּ אִתְהֲנֵי בְּגוֹ סְעוּדָתָא דְּמַלְכָּא בְּחוּלָקָא דָּא, וְעַל דָּא וַדַּאי, וְאִתְפְּרַשׁ מִיִּשְׂרָאֵל, וְלָא מְקַטְרְגָא עֲלַיְיהוּ. וְאִי לָאו דַּהֲוָה מִיעוּטָא דְּסִיהֲרָא, לָא הֲווּ יְהֲבֵי לֵיהּ בִּסְעוּדָתָא דְּמַלְכָּא כְּלוּם. וְכִי בְּמִיעוּטָא דְּסִיהֲרָא מַאי קָא עָבִיד. אֶלָּא בְּגִין דְּקָרִיב וְיָנִיק, וְנָטִיל חֵילָא לְעַמֵּיהּ, מִגּוֹ סְטַר שְׂמָאלָא דְּסִיהֲרָא, וְאִתְתַּקַּף בֵּיהּ. וּבְשָׂעִיר דָּא אִתְפְּרַשׁ מִכֹּלָּא, וְאִתְהֲנֵי בְּהַאי. וּבְגִין דְּקוּדְשָׁא בְּרִיךְ הוּא אַזְעִיר לָהּ לְסִיהֲרָא, מְקָרְבִין לֵיהּ לְהַאי שָׂעִיר, בְּגִין דְּיִתְפְּרַשׁ מִנָּהּ, וְלָא יִתְקְרִיב לְמַקְדְּשָׁא. וְעַ״ד תָּנֵינָן, הָבִיאוּ עָלַי כַּפָּרָה. עָלַי: בְּגִינִי, דְּאַזְעִירַת לָהּ, בְּגִין סִבַּת דִּילִי אַתּוּן צְרִיכִין דָּא.

תרפד. וּבְרָאשֵׁי חָדְשֵׁיכֶם, אִינּוּן יַעֲקֹב וְיוֹסֵף. אֵלֶּה תּוֹלְדוֹת יַעֲקֹב יוֹסֵף, דִּמְחַדְּתֵי עַל סִיהֲרָא. אַשְׁכַּחְנָא בְּסִפְרָא דַּחֲנוֹךְ דְּאָמַר, כְּמָה דְּבְרֹאשׁ חֹדֶשׁ, דְּאִתְדַּכְיָאת סִיהֲרָא לְאִתְקָרְבָא בְּבַעְלָהּ, אִצְטְרִיךְ לְמֵיהַב לְסִטְרָא אוּחֲרָא חוּלָקָא וְחַדָּא, בְּהַהוּא זִינָא דִּילָהּ. אוּף ה״נ אִצְטְרִיכַת לְאִתְּתָא, בְּשַׁעֲתָא דְּאִתְדַּכְיָאת לְאִתְקָרְבָא בְּבַעְלָהּ, לְמֵיהַב חוּלָקָא וְחַדָּא לס״א, בְּהַהוּא זִינָא דִּילֵיהּ.

תרפה. וּמַאן אִיהוּ. הַהוּא חוּלָקָא טוּפְרָהָא בְּטִנּוּפָא דִּלְהוֹן. וּזְעֵיר מֵרֵישׁ דְּשַׂעֲרָא, בְּגִין דְּבָעֵי לְאַסְרְקָא רֵישָׁא, וּלְאַכְרְכָא לוֹן דָּא בְּדָא, וְלָא יֵזִיל אֲבַתְרָהּ הַהוּא סִטְרָא בִּישָׁא, לְאַבְאָשָׁא לָהּ, וְאִתְפְּרַשׁ מִנָּהּ בְּכָל סִטְרִין. וּמַה תַּעֲבִיד, מֵהַהוּא שַׂעֲרָא וְטוּפְרִין. לְבָתַר דְּתַכְרִיךְ לוֹן כַּחֲדָא, אִצְטְרִיךְ לְאַנְחָא לוֹן בַּאֲתַר דְּלָא עָבְרִין תַּמָּן בְּנֵי נָשָׁא, אוֹ בְּגוֹ חוֹרִין תַּתָּאִין דַּחֲצֵרָא, וְתַגְנִיז לוֹן תַּמָּן.

תרפו. וְעוֹד וּבְרָאשֵׁי חָדְשֵׁיכֶם אָמְרוּ רַבָּנָן דְּמַתְנִיתִין, דְּכַד הֲווּ מְקַדְּשִׁין יַרְחִין עַל פִּי בֵּית דִּין, הֲווּ מַשִּׂיאִין מַשּׂוּאוֹת בְּרָאשֵׁי הֶהָרִים, וַהֲווּ אַמְרִין כָּזֶה רְאֵה וְקַדֵּשׁ. לִזְמְנִין סִהֲרָא הֲוַת כְּגַוְונָא דָּא ∪. הֲוָה מִסְתַּכְּלָא לְעֵילָּא בְּקַרְנָהָא. וְלִזְמְנָא מִסְתַּכְּלָא לְתַתָּא כְּגַוְונָא דָּא ∩. לִזְמְנִין מִסְתַּכְּלָא בְּמִזְרָח, כְּגַוְונָא דָּא C. לִזְמְנִין לְמַעֲרָב, כְּגַוְונָא דָּא C. לִזְמְנִין לַדָּרוֹם. וְלִזְמְנִין לַצָּפוֹן. וְהַאי אִיהוּ אִסְתַּכְּלוּתָא דִּילָהּ לְשִׁית סִטְרִין, דְּכָלִיל לוֹן תִּפְאֶרֶת, דְּאִיהוּ ו׳. גְּדוּלָּה, גְּבוּרָה, תִּפְאֶרֶת, נֶצַח, וְהוֹד, יְסוֹד.

תרפז. נְקוּדָא דְּנָגִיד עָלֵיהּ מִלְּגוֹ, הִיא חָכְמָה. וְהַהִיא חוּט דְּאַסְחַר עָלָהּ, אִיהוּ כֶּתֶר. וְהַהִיא נְקוּדָא אִיהוּ לִזְמְנִין עֲטָרָה, וְלִזְמְנִין כִּסֵּא, לְמֵיתַב עָלֵיהּ, לִזְמְנִין שַׂרְפְּרַף לַהֲדוֹם רַגְלָיו.

תרפח. וַאֲמַאי אִתְקְרִיאַת לְבָנָה. עַל שֵׁם לִבּוּן הַהֲלָכָה, דְּאִיהִי מִלְּגוֹ, כָּל כְּבוּדָּה בַּת מֶלֶךְ פְּנִימָה. וּבְאֶשָּׁא דְּבִינָה דְּנָחִית עָלָהּ אִיהִי מִתְלַבְּנַת. וְרָזָא דְּמִלָּה, אִם יִהְיוּ חֲטָאֵיכֶם כַּשָּׁנִים כַּשֶּׁלֶג יַלְבִּינוּ. וּמַאי דַּהֲוַת אֲדֹנָי דִּינָא, סוּמָקָא בִּגְבוּרָה, דְּתַמָּן בִּינָה. אִתְלַבְּנַת מִסִּטְרָא דְּחֶסֶד, דְּתַמָּן חָכְמָה, וְאִתְהַדְּרַת יְדֹוָד.

תרפט. וּמַה גָּרִים לְאִתְהַפְּכָא מִדִּינָא לְרַחֲמֵי צַדִּיקִים גְּמוּרִים דְּסִיהֲרָא מִסִּטְרָא דְּעֵץ הַדַּעַת טוֹב וָרָע, אִיהִי קְלִיפָּא דִּילֵיהּ חֲשׁוֹכָא, אִם בַּהֶרֶת שְׁחוֹרָה, הִיא יֵצֶר הָרָע, שִׁפְחָה. וּשְׁפָלָה אֵינֶנָּה וְהִיא כֵּהָה, וְלֵית לָהּ מִדִּילָהּ, אֶלָּא הַהוּא חוּט דְּנָהִיר בָּהּ, דְּאִיהוּ לְוָה לָהּ בְּלֵילְיָא, דְּאִיהִי גָּלוּתָא. וְאִתְעֲבַר מִנָּהּ בִּימָמָא, דְּאִיהוּ עָלְמָא דְּאָתֵי, דְּבֵיהּ וְזָרְחָה לָכֶם יִרְאֵי שְׁמִי שֶׁמֶשׁ צְדָקָה וּמַרְפֵּא בִּכְנָפֶיהָ.

תרצ. אֲבָל סִיהֲרָא דְּעֵץ הַחַיִּים, הַהִיא נְקוּדָה דִּלְגוֹ מִנָּהּ, אִיהִי כְּמַבּוּעָא דְּלֵית לֵיהּ פְּסָק, דִּכְתִיב בָּהּ, וּכְמוֹצָא מַיִם אֲשֶׁר לֹא יְכַזְּבוּ מֵימָיו. וְאִתְקְרִיאַת אַיֶּלֶת אֲהָבִים מִסִּטְרָא דְּחֶסֶד, דְּהַיְינוּ אַהֲבַת עוֹלָם אֲהַבְתִּיךְ עַל כֵּן מְשַׁכְתִּיךְ חָסֶד. וּתְרֵין קַרְנַיִן אִית לָהּ מִן נְהוֹרָא, כְּגַוְונָא דָא, לִזְמְנִין הָאַחַת גְּבוֹהָ מִן הַשֵּׁנִית, כְּגַוְונָא דָא, לִזְמְנִין קְרָנַיִם אִינּוּן שָׁוִין. (ע"כ רעיא מהימנא).

תרצא. וּבַחֹדֶשׁ הָרִאשׁוֹן וְגוֹ'. רִבִּי אַבָּא פָּתַח, כְּאַיָּל תַּעֲרוֹג עַל אֲפִיקֵי מָיִם כֵּן נַפְשִׁי תַעֲרוֹג אֵלֶיךָ אֱלֹהִים. הַאי קְרָא אוֹקְמוּהָ, וְאע"ג דְּאִית דְּכַר וְנוּקְבָא, כּוּלָּא חַד. הַאי אַיָּל, אִיהוּ אִקְרֵי דְּכַר. וְאִיהוּ אִקְרֵי נוּקְבָא. הה"ד כְּאַיָּל תַּעֲרוֹג וְלָא כְּתִיב יַעֲרוֹג. וְכֹלָּא חַד.

תרצב. אַיֶּלֶת הַשַּׁחַר מַאי אַיֶּלֶת הַשַּׁחַר. אֶלָּא דָא אִיהִי חַיָּה חֲדָא רַחֲמָנִית, דְּלֵית בְּכָל חֵיוָן דְּעָלְמָא רַחֲמָנִית כְּוָותָהּ. בְּגִין דִּבְשַׁעֲתָא דְּדְחִיקַת לָהּ שַׁעֲתָא, וְאִצְטְרִיכַת לִמְזוֹנָא לָהּ וּלְכָל חֵיוָן. אִיהִי אָזְלַת לְמֵרְחִיק לְאֹרַח רְחִיקָא. וְאַתְיָאת וְאוֹבִילַת מְזוֹנָא. וְלָא בָּעָאת לְמֵיכַל, עַד דְּתֵיתֵי וְתִתְהַדַּר לְאַתְרָהָא. אֲמַאי. בְּגִין דְּיִתְכַּנְּשׁוּן לְגַבָּהּ שְׁאַר חֵיוָן, וְתִפְלוֹג לוֹן מֵהַהוּא מְזוֹנָא. וְכַד אָתַת, מִתְכַּנְּשִׁין לְגַבָּהּ כָּל שְׁאַר חֵיוָן, וְהִיא קַיְּימָא בְּאֶמְצָעִיתָא, וּפַלְגַת לְכָל חַד וְחַד. וְסִימָן, וַתָּקָם בְּעוֹד לַיְלָה וַתִּתֵּן טֶרֶף לְבֵיתָהּ וְגוֹ'. וּמִמַּה דְּפַלִּיגַת לוֹן, אִיהִי שַׂבְעָה, כְּאִלּוּ אָכְלָה יַתִּיר מִכֹּלָּא.

תרצג. וְכַד יֵיתֵי צַפְרָא דְּאִקְרֵי שַׁחַר. יֵיתֵי לָהּ חֲבָלִים דְּגָלוּתָא. וּבְגִין דָּא, אִתְקְרִיאַת אַיֶּלֶת הַשַּׁחַר. עַל שֵׁם קַדְרוּתָא דְּצַפְרָא. דַּחֲבָלִים לָהּ כְּיוֹלֵדָה. הה"ד, כְּמוֹ הָרָה תַּקְרִיב לָלֶדֶת תָּחִיל תִּזְעַק בַּחֲבָלֶיהָ וְגוֹ'.

תרצד. אֵימָתַי פַּלְגַת לְהוֹן. כַּד צַפְרָא בָּעֵי לְמֵיתֵי. בְּעוֹד דְּאִיהִי לֵילְיָא, וְקַדְרוּתָא סְלִיקַת לְאַנְהָרָא. כד"א, וַתָּקָם בְּעוֹד לַיְלָה וַתִּתֵּן טֶרֶף לְבֵיתָהּ וְגוֹ'. כֵּיוָן דְּאַנְהִיר צַפְרָא, כֻּלְּהוּ שַׂבְעִין בִּמְזוֹנָא דִּילָהּ.

תרצה. כְּדֵין, קָלָא חֲדָא אִתְעַר בְּאֶמְצָעִיתָא דִּרְקִיעַ, קָארֵי בְּחַיִל וְאָמַר, קְרִיבִין עוּלוּ לְדוּכְתַּיְיכוּ. רְחִיקִין. פּוּקוּ. כָּל חַד וְחַד לִיכְנֹשׁ לְאַתְרֵיהּ דְּאִתְחֲזֵי לֵיהּ. כֵּיוָן דְּאַנְהִיר שִׁמְשָׁא, כָּל חַד וְחַד אִתְכְּנִישׁ לְאַתְרֵיהּ. הה"ד תִּזְרַח הַשֶּׁמֶשׁ יֵאָסֵפוּן וְגוֹ'. וְאִיהִי אָזְלַת בִּימָמָא, וְאִתְגַּלְיָא בְּלֵילְיָא. וּפַלְגָא בְּצַפְרָא. וּבְגִ"כ אִקְרֵי, אַיֶּלֶת הַשַּׁחַר.

תרצו. לְבָתַר אִתְתְּקַפַּת כְּגִיבָּר וְאָזְלַת, וְאִקְרֵי אַיָּל. לְאָן אֲתַר אָזְלַת. אָזְלַת שִׁתִּין פַּרְסֵי מֵהַהוּא אֲתַר דְּנָפְקָא, וְעָאלַת לְגוֹ טוּרָא דַּחֲשׁוֹכָא. אָזְלַת בְּגוֹ הַהוּא טוּרָא דַּחֲשׁוֹכָא, אָרַח לְרַגְלָהּ חִוְיָא חֲדָא עֲקִימָא, וְאָזִיל לְרַגְלָהּ. וְאִיהִי סַלְּקָא מִתַּמָּן, לְגַבֵּי טוּרָא דִּנְהוֹרָא. כֵּיוָן דְּמָטַת תַּמָּן, זַמִּין לָהּ קוּדְשָׁא בְּרִיךְ הוּא חִוְיָא אָחֳרָא, וְנָפִיק וּמִקְטְרְגָא דָא בְּדָא, וְאִיהִי אִשְׁתְּזִיבַת. וּמִתַּמָּן נַטְלַת מְזוֹנָא, וְתָבַת לְאַתְרָהּ, בְּפַלְגוּת לֵילְיָא. וּמִפַּלְגוּ לֵילְיָא, שָׁרְיָא לְפַלְגָא, עַד דִּסְלִיקַת קַדְרוּתָא דְּצַפְרָא. כֵּיוָן דְּאַנְהִיר יְמָמָא, אָזְלַת, וְלָא אִתְחֲזִיאַת, כְּמָה דְּאִתְּמַר.

תרצז. וּבְשַׁעֲתָא דְּעָלְמָא אִצְטְרִיךְ לְמִטְרָא, מִתְכַּנְּשִׁין לְגַבָּהּ כָּל שְׁאַר חֵיוָן, וְהִיא

סליקת לריש טורא רמאה, ואתעטפת רישהא בין ברכהא, וגעת גועה בתר גועה, וקודשא בריך הוא שמע קלה, ואתמלי רחמין, וחס על עלמא. והיא נחתת מריש טורא, ורהטת, וטמירת גרמהא. וכל שאר חיותא אבתרהא רהטין, ולא משכחין לה. הה"ד, כאיל תערוג על אפיקי מים. מאי על אפיקי מים. על אפיקי מים מההוא דאתיבשו, ועלמא צווי על מייא, כדין תערוג.

תרוצ. בשעתא דאתעברת, אסתימת, כיון דמטא זמנא למילד, געאת ורמאת קלין, קלא בתר קלא, עד שבעין קלין, כחושבן תיבין דיענך יי' ביום צרה, דאיהי שירתא דעוברתא דא. וקודשא בריך הוא שמע לה, וזמין לגבה. כדין אפיק חד חויא רברבא, מגו טורי חשוך ואתי בין טורין, פומיה מלחכא בעפרא, מטי עד האי איל, ואתי ונשיך לה בההוא אתר, תרי זמני.

תרצט. זמנא קדמאה נפיק דמא, ואיהי לחיך. זמנא תניינא, נפיק מייא ושתו כל אינון בעירן די בטורייא, ואתפתחת ואולידת. וסימנך ויך את הסלע במטהו פעמים. וכתיב ותשת העדה ובעירם.

תש. בההוא זמנא דקודשא בריך הוא חס עלה על עובדא דנחש דא. מה כתיב, קול יי' יחולל אילות ויחשוף יערות וגו', קול יי' יחולל אילות, אינון חבלין וצירין, לאתערא אינון שבעין קלין. מיד ויחשוף יערות, לאתערא ההוא נחש, ולאתגלייא ההיא חיה ביניהו למיהך. ובהיכלו, מאי ובהיכלו. בהיכלו דקודשא בריך הוא, כל אינון אכלוסין, פתחין ואמרין כבוד. מאי כבוד. ברוך כבוד יי' ממקומו.

רעיא מהימנא

תשא. ואי תימא דלע' תחיל ולב' שנין אולידת, בתר אלף ומאתן, כחושבן רע"ב. הא כתיב בטרם תחיל ילדה. ורזא דמלה, והיה טרם יקראו ואני אענה עוד וגו'. ומאי בטרם. אלא קדם דישתלימו, שבעין ותרין שנין, בתר אלף ומאתן, אינון חבלים דיולדה, יתגליין ב' משיחין בעלמא. ובההוא זמנא ובהיכלו כלו אומר כבוד, והא אוקמוה כבוד חכמים ינחלו.

תשב. בההיא שעתא, אלין מארי תורה יהון נכבדים. אלין דסבילו כמה חבלים וצירין כיולדה, והוו מבוזין בין עמי הארץ, יהון נכבדים. ומיד יי' למבול ישב, לרשיעיא. אין מבול, אלא דינין דמבול. כגוונא דנפתחו מעיינות תהום וארובות השמים נפתחו ביומי טופנא, אוף הכא יתערון דינין לגבייהו עילא ותתא, עד דכלית סוף ותכלית, וכל בזיין וקלנא, דעבדו אומין עכו"ם דעלמא, לשם יהוה ולעמיה, וכמה חרופין דסבילו ישראל מנייהו על שם יי', מכלהו נטיל נוקמא קודשא בריך הוא, ועל דא אתקרי, נוקם יי' ונוטר ובעל חמה לגבייהו.

תשג. ובחודש הראשון, מאן ראשון. דא ניסן. תמן אולידת ההיא חיה, לקיים מה דאוקמוה מארי מתניתין, בניסן נגאלו ובניסן עתידין להגאל. ובי"ד דיליה, ויאמר כי יד על כס יה, תמן אומי לאעברא מעלמא זרעא דעשו עמלקיים, בההוא זמנא משכו וקחו לכם צאן למשפחותיכם ושחטו הפסח. משכו: משך ידו את לוצצים.

תשד. בההוא זמנא, כה אמר יי' לרועים הפושעים בי. ואומר, ואל אדמת ישראל לא יבאו. ואלין אינון רועים דענא, פרנסי דרא. ובג"ד אתמר עלייהו, הנה אנכי מפתיה והולכתיה המדברה. ונשפטתי אתכם וגו', כאשר נשפטתי את אבותיכם דקטיל לון במכת חשך. (ע"כ רעיא מהימנא).

תשה. וּבַחֹדֶשׁ הָרִאשׁוֹן, מַאן חֹדֶשׁ הָרִאשׁוֹן. דָּא אִיהוּ חֹדֶשׁ, דְּהַאי חַיָּה אִתְגַּלְיָיא בֵּיהּ וְאִתְתַּקְּפַת בֵּיהּ, וְנָפְקָא לְעָלְמָא בְּאַרְבָּעָה עָשָׂר יוֹם. בְּאַרְבָּעָה עָשָׂר, אִלֵּין שְׁאַר חֵיוָותָא, דְּאִינּוּן י' י' לְכָל סְטָר, בְּד' סִטְרִין דְּעָלְמָא. וּבְסִפְרֵי קַדְמָאֵי, אִיהוּ י', וְחַד לְכָל סְטָר לְאַרְבַּע סִטְרִין, וְאִינּוּן אַרְבַּע עָשָׂר. כֵּיוָן דְּאִינּוּן אַרְבַּע, מִתְחַבְּרָאן וּמִתְתַּקְּנָן עִם אִינּוּן עֲשַׂר דְּבִסְטְרָא דִּימִינָא, כְּדֵין י"ד, בְּחֶדְוָה לְאִתְתַּקְּנָא חַיָּה דָּא בְּתִקּוּנָהָא.

תשו. ר' אֶלְעָזָר אָמַר, וַדַּאי הָכִי הוּא. ות"ח, כְּתִיב מִשְׁכוּ וּקְחוּ לָכֶם צֹאן וְגו', מִשְׁכוּ, מַאי מִשְׁכוּ. כְּמַאן דְּמָשִׁיךְ מֵאֲתַר אַחֲרָא, לַאֲתַר דָּא. מִשְׁכוּ יוֹמִין עִלָּאִין לְגַבֵּי יוֹמִין תַּתָּאִין. יוֹמִין עִלָּאִין אִינּוּן ש"ו, כְּחוּשְׁבַּן מִשְׁכוּ. יוֹמִין תַּתָּאִין, זִמְנִין דְּאִינּוּן שנ"ה, וּבִזְמְנָא, דְּאִתְנַהֲרָא סִיהֲרָא בְּאַשְׁלְמוּתָא, סַלְּקוּ לְמֶהֱוֵי אִינּוּן יוֹמִין ש"ה, כְּחוּשְׁבַּן מִשְׁכוּ חָסֵר חַד.

תשז. מִשְׁכוּ יוֹמִין עִלָּאִין לְגַבֵּי יוֹמִין תַּתָּאִין, לְמֶהֱוֵי כֻּלְּהוּ כַּחֲדָא בְּחִבּוּרָא חֲדָא. וּמַאן מָשִׁיךְ לוֹן. אִינּוּן עֲשַׂר דְּלִסְטַר יְמִינָא, דִּכְתִּיב בֶּעָשׂוֹר. בֶּעָשׂוֹר, בַּעֲשָׂרָה מִבָּעֵי לֵיהּ, מַאי בֶּעָשׂוֹר. אֶלָּא ט' אִינּוּן לְכָל סְטָר, וּנְקוּדָה חֲדָא דְּאַזְלָא בְּאֶמְצָעִיתָא. כְּגַוְונָא דָּא, וְהַהִיא נְקוּדָה, אַשְׁלִימַת לְעֶשֶׂר. וע"ד בֶּעָשׂוֹר, כְּמָה דְּאִתְּמַר זָכוֹר וְשָׁמוֹר. לְשִׁמּוּשָׁא בַּעֲשָׂרָה, אִינּוּן יוֹמִין תֵּשַׁע, בְּהַהוּא נְקוּדָה. לַחֹדֶשׁ הַזֶּה, יוֹמִין דְּלִסְטַר יְמִינָא, בְּגִין לְאִתְחַבְּרָא זֹאת בְּזֶה, לְמֶהֱוֵי כֹּלָּא חַד.

תשח. וּבִזְמְנָא דְּאִינּוּן ד' אִתְקְשָׁרוּ לְד' סִטְרִין בַּהֲדַיְיהוּ. כְּדֵין אוֹלִידַת הַהוּא חַיָּה וְחִוְיָא אָזִיל לֵיהּ וּבְהַהוּא זִמְנָא מְקַדְּשִׁין לְעֵילָּא לְהַאי חַיָּה וְקָרָאן לָהּ כָּבוֹד. וּכְדֵין אִתְקַדַּשׁ מוֹעֲדָא. מַה דְּלָא הֲוָה עַד הַשְׁתָּא, וּכְעַן קָרָאן לָהּ כָּבוֹד, הֲדָא הוּא דִּכְתִּיב וּבְהֵיכָלוֹ כֻּלּוֹ אוֹמֵר כָּבוֹד.

רעיא מהימנא

תשט. אָמַר רַעְיָא מְהֵימְנָא, מִלִּין אִלֵּין סְתִימִין, וְצָרִיךְ לְמִפְתַּח לוֹן לְגַבֵּי חַבְרַיָּיא, דְּמַאן דְּסָתִים לוֹן גְּנִיזִין דְּאוֹרַיְיתָא, אִיהוּ מְצַעֵר לוֹן. דִּלְרַשִׁיעַיָּיא נְהוֹרִין דְּרָזִין, אִתְחֲזָרָן לוֹן חֲשׁוֹכִין. וְאִיהוּ מָתְלָא לְמָמוֹנָא דְּאִיהוּ גָּנִיז, מַאן דְּחָפַר לֵיהּ, עַד דְּגַלֵּי לֵיהּ, וְלָאו אִיהוּ דִּילֵיהּ, אִתְהַדָּר בְּסוּכְלְתָנוּתֵיהּ בַּחֲשׁוֹכָא וְקַבְלָא. וּלְמַאן דְּאִיהוּ דִּילֵיהּ, נָהִיר לֵיהּ. וּבְגִּ"ד, אִית לְב"נ לְגַלָּאָה רָזִין סְתִימִין דְּבְאוֹרַיְיתָא.

תשי. בֶּעָשׂוֹר: ט' אִינּוּן לְכָל סְטָר, לְקַבֵּל ט' יַרְחִין דְּיוֹלֵדָה, כְּחוּשְׁבַּן א"ח. מַאן יוֹלֶדֶת. ד' מִן אֶחָד. א"ח, אִיהוּ ט', לְד' סִטְרִין דְּאָת ד', וְאִינּוּן אַרְבָּעִים. א"ח זָכוֹר, ד' שָׁמוֹר. הָא אַרְבְּעִין וּתְרֵין.

תשיא. אִשְׁתְּאַר כָּבוֹד, דְּאִתְּמַר בֵּיהּ בשכמל"ו. וְאִיהוּ כָּבוֹד ל"ב, ד' זִמְנִין לְכָל סְטָר דְּאָת ד', הֲרֵי ס"ד לְד' סִטְרִין, רנ"ו. וְאוֹקְמוּהָ, כָּבוֹד לְעֵילָּא, ל"ב לְתַתָּא. וּבְגִּ"ד מְיַיחֲדִין בְּכָל יוֹמָא תְּרֵין זִמְנִין, דְּאַמְרָן בְּהוּ תְּרֵין זִמְנִין כָּבוֹד, דְּאִיהוּ ס"ד. וּתְרֵין זִמְנִין ד' ד' מִן אֶחָ"ד, הֲרֵי ע"ב. הֲרֵי ד' דְּאֶחָ"ד, שְׁלִימוּ דְּמ"ב שְׁמָהָן. וּשְׁלִימוּ דְּע"ב שְׁמָהָן. וּבְגִּ"ד אַמְרִין בְּמִזְמוֹר לְדָוִד מִי זֶה מֶלֶךְ הַכָּבוֹד יְיָ' עִזּוּז וְגִבּוֹר. וּבִזְמְנָא תִּנְיָינָא מִי הוּא זֶה מֶלֶךְ הַכָּבוֹד. (ע"כ רעיא מהימנא).

תשיב. מַאן הֵיכָלוֹ. דָּא הֵיכָל עִלָּאָה פְּנִימָאָה, דְּתַמָּן מִתְקַדְּשָׁא כֹּלָּא. תַּמָּן מְקַדְּשִׁין לְמַאן דְּחָזֵי לְאִתְקַדְּשָׁא. הֵיךְ מְקַדְּשִׁין לֵיהּ בְּהַהוּא הֵיכָלָא. בְּקַדְמֵיתָא אִתְפַּתְּחוּ תַּרְעִין, וְחַד מַפְתְּחָא סְתִימָא, אַתְקִין וּפָתַח תַּרְעָא חַד, לִסְטַר דָּרוֹם, כְּדֵין עָאל כַּהֲנָא רַבָּא בְּהַהוּא פִּתְחָא, וְאִזְדָּרַז בְּהֵימְנוּי, וְתִקּוּנוֹי. וְאִתְעַטַּר בְּעִטְרָא דִּקְדוּשָּׁה וּלְבִישׁ חוּשְׁנָא

וְאֵפוֹדָא, וּמְעִילָא דְשַׁבְעִין זַגִּין וְרִמּוֹנִין, דְּאִינּוּן פַּעֲמוֹן זָהָב וְרִמּוֹן. וְצִי"ץ נִזְרָא דְקוּדְשָׁא עַל מִצְחֵיהּ, דְּאִתְקְרֵי צִי"ץ נֵזֶר הַקֹּדֶשׁ, וְאִתְקַשַּׁט בְּד' בִּגְדֵי זָהָב, וּבְד' בִּגְדֵי לָבָן. וְעַל הַהוּא צִי"ץ מ"ב אַתְוָון מְלַהֲטָן בֵּיהּ, וּמְנַצְּצָן עָלֵיהּ, וְנָהִיר כָּל הַהוּא הֵיכָלָא בִּנְהוֹרִין עִלָּאִין.

תשי"ג. אִסְתְּחַר הַהוּא מַפְתְּחָא, וּפָתַח סִטְרָא אַחֲרָא דִּבְסְטַר צָפוֹן, כְּדֵין עָאל לֵוִי, מַעֲשְׂרָא דְיַעֲקֹב, דְּאַפְרִישׁ לְקוּדְשָׁא בְּרִיךְ הוּא. וְכִנּוֹר דְּעָשֶׂר נִימִין עִמֵּיהּ, וְאִתְעַטָּר בְּעִטְרוֹי, וּכְדֵין אִסְתְּחָר מַפְתְּחָא, וּפָתַח בְּהַהוּא הֵיכָלָא חַד תַּרְעָא, הַהוּא תַּרְעָא דְקַיְּימָא בְּאֶמְצָעִיתָא, עַמּוּדָא דִלְסְטַר מִזְרָח עָאל וְאִתְעַטָּר בְּשַׁבְעִין עִטְרִין, וְאִתְעַטָּר בְּאַרְבַּע אַתְוָון, דְּאִינּוּן תְּרֵיסַר. וְאִתְעַטָּר בִּגְלוּפִין דְּמָאתָן וְע' אֲלַף עָלְמִין, וְאִתְעַטָּר בְּעִטְרִין דְּסַיְּיפֵי עָלְמָא עַד סַיְּיפֵי עָלְמָא, בְּכַמָּה לְבוּשֵׁי יְקָר, בְּכַמָּה עִטְרִין קַדִּישִׁין.

תשי"ד. אִסְתְּחַר הַהוּא מַפְתְּחָא, וּפָתַח לֵיהּ כָּל תַּרְעִין גְּנִיזִין, וְכָל תַּרְעִין דְּקַדִּישִׁין טְמִירִין, וְאִתְקַדַּשׁ בְּהוּ, וְקַיְּימָא תַּמָּן כְּמַלְכָּא. מִתְבָּרֵךְ בְּכַמָּה בִּרְכָאן, מִתְעַטַּר בְּכַמָּה עִטְרִין. כְּדֵין נַפְקֵי כֻּלְּהוּ בְּחִבּוּרָא חֲדָא, מִתְעַטְּרָן בְּעִטְרַיְיהוּ כַּדְקָא יָאוּת. כֵּיוָן דְּנַפְקֵי אִתְּעַר לֵיהּ בְּקִשּׁוּטוֹי.

תשט"ו. וְהַאי חַיָּה אִתְּעָרָא, וְאַזְעִירַת גַּרְמָהּ, מִגּוֹ רְחִימוּ דְּשִׁירָתָא, הֵיךְ אַזְעָרַת גַּרְמָהּ מִגּוֹ רְחִימוּ דְּשִׁירָתָא, אַזְעָרַת גַּרְמָהּ זְעֵיר זְעֵיר, עַד דְּאִתְעֲבִידַת נְקוּדָה חֲדָא. כֵּיוָן דְּאִיהִי אַזְעִירַת גַּרְמָהּ, כְּדֵין כְּתִיב, וַיֵּלֶךְ אִישׁ מִבֵּית לֵוִי וַיִּקַּח אֶת בַּת לֵוִי. בַּת לֵוִי וַדַּאי, מִסִּטְרָא דִשְׂמָאלָא. הֵיאַךְ אָחִיד לָהּ. אוֹשִׁיט שְׂמָאלָא תְּחוֹת רֵישָׁהּ מִגּוֹ חֲבִיבוּ.

תשט"ז. וְאִי תֵּימָא, כֵּיוָן דְּאִיהִי נְקוּדָה חֲדָא, אֵיךְ יָכִיל לְאַחֲדָא בִּנְקוּדָה זְעֵירָא. אֶלָּא לְגַבֵּי עֵילָּא, כָּל מַה דְּהוּא מִלָּה זְעֵירָא, דָּא תּוּשְׁבַּחְתָּא, וְדָא עִלּוּיָא וְרַב בְּרַבּוּ עִלָּאָה. מִיַּד כַּהֲנָא רַבָּא אִתְּעַר לָהּ, וְאָחִיד לָהּ, וְחָבִיק לָהּ, דְּאִלּוּ הֲוַת רַבְרְבָא, לָא יַכְלִין לְאַחֲדָא כְּלַל. אֲבָל כֵּיוָן דְּאַזְעִירַת גַּרְמָהּ, וְאִיהִי נְקוּדָה חֲדָא, כְּדֵין אַחֲדִין בָּהּ, וְסַלְּקִין לָהּ לְעֵילָּא, כֵּיוָן דְּסַלְּקִין לָהּ, וְיָתְבָא בֵּין תְּרֵין סִטְרִין אִלֵּין, כְּדֵין הַהוּא עַמּוּדָא דְקַיְּימָא בְּאֶמְצָעִיתָא, אִתְחַבַּר בַּהֲדָהּ בַּחֲבִיבוּ דִּנְשִׁיקִין, בִּרְחִימוּ דְחִבּוּרָא חֲדָא. כְּדֵין וַיִּשַּׁק יַעֲקֹב לְרָחֵל, בִּרְחִימוּ דִּנְשִׁיקִין מִתְדַּבְּקָן דָּא בְּדָא, בְּלָא פֵּרוּדָא, עַד דְּנַקְטָא נַפְשָׁא דְּעִנּוּגִין כַּדְקָא יָאוּת.

תשי"ז. בְּשַׁעֲתָא דְּנַקְטָא נַפְשָׁא דְּעִנּוּגִין כַּדְקָא יָאוּת, וּבָעְיָא לְפָקְדָא לְחֵילָהָא, מִתְכַּנְּשִׁין כֻּלְּהוּ, וְקַרְיָין לָהּ מִגּוֹ הֵיכָלָא קַדִּישָׁא, כָּבוֹד כָּבוֹד. בְּהֵיכָלָא קַדִּישָׁא אַבָּא וְאִמָּא, פַּתְחֵי וְאַמְרֵי מְקוּדָּשׁ מְקוּדָּשׁ. כְּדֵין יַרְחָא אִתְקַדָּשׁ כַּדְקָא יָאוּת. וּכְדֵין כְּתִיב, וּבַחֹדֶשׁ הָרִאשׁוֹן, רִאשׁוֹן וַדַּאי, וְע"ד מָשְׁכוּ וְגוֹ'. וְע"ד בֶּעָשׂוֹר לַחֹדֶשׁ הַזֶּה, דְּאִתְחַבָּר סִיהֲרָא בְּשִׁמְשָׁא, וּמַה דַּהֲוַת נְקוּדָה חֲדָא, כַּד נַחְתָּא אִתְפַּשַּׁט זְעֵיר זְעֵיר, וְאִתְמַלְּיָיא, וְאִתְעֲבִידַת ה', מַלְיָיא מִכָּל סִטְרִין, מִתְקַדְּשָׁא כַּדְקָא יָאוּת.

רעיא מהימנא

תשי"ח. אִסְתְּחַר הַהוּא הֵיכָלָא, וּפָתַח תַּרְעָא אַחֲרָא דִּסְטַר דָּרוֹם בְּשַׁבְעִין וּתְרֵין עִטְרִין. לְבָתַר אַפְתַּח תַּרְעָא תְּלִיתָאָה, לִסְטַר מִזְרָח, בְּחַמְשִׁין נְהוֹרִין, דְּחַמְשִׁין תַּרְעִין דְּבִינָה. לְבָתַר אַפְתַּח תַּרְעָא אַחֲרָא דִּלְסְטַר מַעֲרָב, בְּע"ב עִטְרִין, וְכֻלְּהוּ רמ"ח בְּחוּשְׁבַּן תֵּיבִין דְּפָרְשִׁיָּין דק"ש. וּמַה דִּבְקַדְמֵיתָא הַהִיא חַיָּה הֲוַת זְעֵירָא, בְּהַהוּא זִמְנָא אִתְרַבִּיאַת, הֲדָא הוּא דִכְתִיב, מְלֹא כָל הָאָרֶץ כְּבוֹדוֹ, דְּאִיהוּ כָּבוֹד עִלָּאָה וְתַתָּאָה.

תשי"ט. כַּד מָטֵי לְחַ"י עָלְמִין, דְּבֵיהּ ח"י בִּרְכָאן דִּצְלוֹתָא, וּפָתַח בֵּיהּ אֲדֹנָי שְׂפָתַי

תִּפְתָּח וּפִי יַגִּיד תְּהִלָּתֶךָ. כְּדֵין עַמּוּדָא דְּאֶמְצָעִיתָא, אִתְחַבַּר בַּהֲדָהּ בְּחֲבִיבוּ דִּנְשִׁיקִין דְּשִׂפְוָון, וְאִינּוּן נֶצַח וְהוֹד, דְּלָשׁוֹן אִיהוּ צַדִּיק בֵּינַיְיהוּ. לָשׁוֹן לְמוֹדִים בְּהַהוּא זִמְנָא, וַיִּשַּׁק יַעֲקֹב לְרָחֵל, כְּדֵין קָרָאן לְהַהִיא חַיָּה, כָּבוֹד כְּבוֹד. אַבָּא וְאִימָּא, מְקוֹדָשׁ מְקוֹדָשׁ. כְּדֵין יַרְחָא אִתְקַדְּשָׁא כַּדְקָא יָאוּת, כְּדֵין וּבַחֹדֶשׁ הָרִאשׁוֹן רִאשׁוֹן וַדַּאי.

תשכ. וּכְדֵין מִשְׁכוּ. וְעַ״ד בֶּעָשׂוֹר לַחֹדֶשׁ הַזֶּה, דְּאִתְחַבַּר סִיהֲרָא קַדִּישָׁא בְּשִׁמְשָׁא. דְּאִתְּמַר בֵּיהּ, כִּי שֶׁמֶשׁ וּמָגֵן יְיָ׳ אֱלֹהִים. וּמַה דַּהֲוַת נְקוּדָה זְעִירָא, אִתְמַלְּאַת בְּסִיהֲרָא, וּכְדֵין אִיהִי הַחֹדֶשׁ מָלֵא. וְסִיהֲרָא אִתְמַלְיָיא מְלֹא כָל הָאָרֶץ כְּבוֹדוֹ. בְּקַדְמֵיתָא חָסֵר, וּכְעַן בִּשְׁלִימוּ. (ע״כ רעיא מהימנא).

תשכא. ר׳ חִיָּיא פָּתַח, בְּאַרְבָּעָה עָשָׂר יוֹם לַחֹדֶשׁ פֶּסַח וְגו׳. אִימְרָא דְּאִיהוּ פִּסְחָא אַמַּאי. אֶלָּא דַּחֲלָא דְּמִצְרָאֵי, וֶאֱלָהָא דִּלְהוֹן, הֲוָה אִמְרָא. בְּגִין דְּמִצְרָאֵי פַּלְחִין לְמַזָּל טָלֶה, וּבְגִ״כ פַּלְחִין לְאִימְרָא. ת״ח, כְּתִיב הֵן נִזְבַּח אֶת תּוֹעֲבַת מִצְרַיִם. מַאי תּוֹעֲבַת מִצְרַיִם. וְכִי עַל דְּשַׂנְאִין לֵיהּ, כְּתִיב תּוֹעֲבַת מִצְרַיִם. אֶלָּא דַּחֲלָא דְּמִצְרָאֵי, וֶאֱלָהָא דִּילְהוֹן, אִקְרֵי תּוֹעֲבַת מִצְרַיִם. כְּמָה דִּכְתִיב, כְּתוֹעֲבֹת הַגּוֹיִם, דַּחֲלָא דִּשְׁאַר עַמִּין.

תשכב. ת״ח חָכְמְתָא דְּיוֹסֵף, דִּכְתִיב וּמִקְצֵה אֶחָיו לָקַח חֲמִשָּׁה אֲנָשִׁים, וְאוֹלִיף לוֹן לְמֵימַר, אַנְשֵׁי מִקְנֶה הָיוּ עֲבָדֶיךָ. וְכִי מַלְכָּא דַּהֲוָה שַׁלִּיט עַל כָּל אַרְעָא, וְאַבָּא לְמַלְכָּא, עָבִיד כְּדָא, וְעָבֵיד לַאֲחוֹי וְיִשַׂנְאוּן לְהוֹן, וְלָא יַחְשְׁבוּן לְהוֹן. אֶלָּא וַדַּאי תּוֹעֲבַת מִצְרַיִם, דַּחֲלָא וֶאֱלָהָא דִּילְהוֹן אִקְרֵי הָכִי, וְעַ״ד כְּתִיב, הֵן נִזְבַּח אֶת תּוֹעֲבַת מִצְרַיִם.

תשכג. אָמַר יוֹסֵף, כָּל מֵיטַב מִצְרַיִם הִיא אֶרֶץ רַעְמְסֵס, וְהַהִיא אַרְעָא אַפְרִישׁוּ לְדַחֲלָא דִּלְהוֹן, לְרַעְיָא וּלְמֵיהַךְ בְּכָל עִנּוּגִין דְּעָלְמָא. וְכָל מִצְרָאֵי חָשִׁיבוּ לְאִינּוּן דְּרָעָאן לְדַחֲלֵיהוֹן, כְּדַחֲלֵיהוֹן. אַעֲבִיד לַאֲחַי דְּיַרְתּוּן הַהִיא אַרְעָא, וְיִסְגְּדוּן לוֹן מִצְרָאֵי, וְיַחְשְׁבוּן לוֹן כַּדְקָא יָאוּת. וְהַיְינוּ דִּכְתִיב כִּי תוֹעֲבַת מִצְרַיִם כָּל רוֹעֵה צֹאן, מְחַשְּׁבִין לוֹן כְּדַחֲלֵיהוֹן.

תשכד. א״ר יוֹסֵי, וְהָא תָּנֵינָן כַּמָּה דְּאִתְפָּרַע קוּדְשָׁא בְּרִיךְ הוּא מֵאִינּוּן דְּפַלְחֵי לע״ז, הָכִי אִתְפְּרַע מע״ז מַמָּשׁ, וְכִי יוֹסֵף עָבֵיד לַאֲחוֹי ע״ז. א״ל, לָא עָבֵיד יוֹסֵף לַאֲחוֹי ע״ז, אֶלָּא עָבֵיד לוֹן לְשַׁלְטָאָה עַל ע״ז דִּילְהוֹן, וּלְאַכְפְּיָא ע״ז דִּילְהוֹן תְּחוֹת יְדַיְיהוּ, וּלְרַדָּאָה לוֹן בְּמַקֵּל. אָמַר יוֹסֵף, אִי יִשְׁלְטוּן אַחַי עַל ע״ז דִּילְהוֹן, כ״ש דְּיִשְׁלְטוּן עַל גַּרְמַיְיהוּ, וּבְגִ״כ אוֹתִיב לוֹן בְּמֵיטַב אַרְעָא, וְאַשְׁלִיט לוֹן עַל כָּל אַרְעָא.

תשכה. וְעַ״ד אִמְרָא דְּאִיהוּ פֶּסַח אַמַּאי. אֶלָּא דַּחֲלָא דְּמִצְרָאֵי, וֶאֱלָהָא דִּילְהוֹן הֲוָה אִימְרָא. אָמַר קוּדְשָׁא בְּרִיךְ הוּא, מִבֶּעָשׂוֹר לַחֹדֶשׁ סִיבוּ דַּחֲלָא דִּילְהוֹן דְּמִצְרָאֵי, וְתִפְשׂוּ לֵיהּ, וִיהֵא אָסוּר וְתָפִישׂ בִּתְפִישָׂה דִּילְכוֹן, יוֹמָא חַד וּתְרֵין וְג׳, וּבְיוֹמָא ד׳, אַפִּיקוּ לֵיהּ לְדִינָא, וְאִתְכְּנָשׁוּ עָלֵיהּ.

תשכו. וּבְשַׁעֲתָא דְּמִצְרָאֵי הֲווּ שַׁמְעִין קָל דַּחֲלָא דִּילְהוֹן, דְּתָפִישׂ בִּתְפִישָׂה דְּיִשְׂרָאֵל, וְלָא יַכְלִין לְשֵׁיזָבָא לֵיהּ, הֲווּ בָּכָאן, וַהֲוָה קַשְׁיָא עָלַיְיהוּ, כְּאִילּוּ גַּרְמַיְיהוּ אִתְעֲקִידוּ לְקַטְלָא. אָמַר קוּדְשָׁא בְּרִיךְ הוּא, יְהֵא תָּפִישׂ בִּרְשׁוּתַיְיכוּ, יוֹמָא בָּתַר יוֹמָא, אַרְבָּעָה יוֹמִין, בְּגִין דְּיֶחֱמוּן יָתֵיהּ תָּפִישׂ, וּבְיוֹמָא ד׳ אַפִּיקוּ לֵיהּ לְקַטְלָא, וְיֶחֱמוּן לֵיהּ מִצְרָאֵי הֵיךְ אַתּוּן עַבְדִּין בֵּיהּ דִּינָא, וְדָא קַשְׁיָא לְהוּ מִן כָּל מַכְתְּשֵׁי דְּעָבֵד לוֹן קוּדְשָׁא בְּרִיךְ הוּא, אִינּוּן דִּינִין דְּיַעַבְדוּן בְּדַחֲלֵיהוֹן.

תשכז. לְבָתַר דַּיְינִין לֵיהּ בְּנוּרָא, דִּכְתִיב פְּסִילֵי אֱלֹהֵיהֶם תִּשְׂרְפוּן בָּאֵשׁ. אָמַר

קוּדְשָׁא בְּרִיךְ הוּא, אַל תֹּאכְלוּ מִמֶּנּוּ נָא. דְּלָא יֵימְרוּן בְּרְעוּתָא וּבְתֵיאוּבְתָּא דְּדָהֲלָנָא, אַכְלִין לֵיהּ הָכִי. אֶלָּא אַתְקִינוּ לֵיהּ צְלִי, וְלָא מְבוּשָּׁל, דְּאִלּוּ מְבוּשָּׁל יְהֵא טָמִיר, וְלָא יִזְדַּמּוּן לֵיהּ, אֶלָּא תִּקּוּנָא דִּילֵיהּ דְּיִזְדַּמְּנוּן לֵיהּ הָכִי מוֹקְדָא בְּנוּרָא, בְּגִין דְּרֵיחֵיהּ נוֹדֵף.

תשכח. וְתוּ רֵישֵׁיהּ עָלֵיהּ כָּפוּף עַל קַרְסוּלוֹי, דְּלָא יֵימְרוּן דְּחַיָּה, אוֹ מִלָּה אַחֲרָא הוּא, אֶלָּא דְּיִשְׁתְּמוֹדְעוּן לֵיהּ, דְּאִיהוּ דַּחֲלָא דִּלְהוֹן. וְתוּ, דְּלָא יֵיכְלוּן לֵיהּ. בְּתֵיאוּבְתָּא, אֶלָּא עַל שַׂבְעָא, אֹרַח קְלָנָא וּבִזָּיוֹן. וְתוּ, עֶצֶם לֹא תִשְׁבְּרוּ בוֹ, אֶלָּא דְּיִזְדַּמְּנוּן גַּרְמוֹי רְמָאן בְּשׁוּקָא, וְלָא יֵיכְלוּן לְשֵׁיזָבָא לֵיהּ. וְעַ"ד כְּתִיב, וּבֵאלֹהֵיהֶם עָשָׂה ה' שְׁפָטִים. דִּינִין סַגִּיאִין. תּוּ וּמַקֶּלְכֶם בְּיֶדְכֶם, וְלָא חַרְבָּא וְרוֹמְחָא וּשְׁאַר מָאנֵי קְרָבָא.

תשכט. אָמַר ר' יְהוּדָה, הָא אוֹקְמוּהָ, דְּמִצְרָאֵי פָּלְחֵי לְמַזָּל טָלֶה, וּבְגִ"כ פָּלְחִין לְאִימְרָא. א"ר יוֹסֵי, אִי הָכִי, טָלֶה יִפְלְחוּן, וְלָא אִימְרָא. א"ל, כֹּלָּא פָּלְחִין, אֶלָּא מַזָּל טָלֶה נָחִית וְסָלִיק בְּטָלֶה וְאִימְרָא, וּבְגִ"כ פָּלְחִין לְכֹלָּא. א"ל הָכִי שְׁמַעְנָא, דְּכָל בְּעִירָא רַבָּא דַּחֲלָא דִּלְהוֹן הֲוָה, וְעַ"ד קָטִיל קוּדְשָׁא בְּרִיךְ הוּא כָּל בְּכוֹר בְּהֵמָה. וְהָא אִתְּמַר דְּאִלֵּין אִינּוּן דַּרְגִּין דִּלְעֵילָּא, דְּאִקְרוּן הָכִי.

תשל. א"ר אֶלְעָזָר, כְּתִיב כָּל מַחְמֶצֶת לֹא תֹאכֵלוּ, וּכְתִיב לֹא יֵאָכֵל חָמֵץ. אֶלָּא דָּא דְּכַר, וְדָא נוּקְבָא. אר"ש, אֶלְעָזָר בְּרִי, בְּדָא כְּתִיב לֹא תֹאכֵלוּ, וּבְדָא כְּתִיב לֹא יֵאָכֵל, אַמַּאי לָא כְּתִיב לֹא תֹאכְלוּ. אֶלָּא, נוּקְבָא דְּאִיהִי אִסְטִיאַת אָרְחָהָא, בְּאַזְהָרָה וַדַּאי, דְּכַר דְּאִיהוּ אָחִיד בְּחוּטָא דְּדָכְיוּ יַתִּיר, בְּבַקָּשָׁה. וְעַל דָּא כְּתִיב, לֹא יֵאָכֵל, לֹא תֹאכְלוּ.

תשלא. א"ל אַבָּא, וְהָא כְּתִיב לֹא תֹאכַל עָלָיו חָמֵץ. א"ל, אַסְגֵּי תָּבִין יַתִּירִין לִיקָרָא לְקָרְבְּנָא. אֲבָל בְּקַדְמֵיתָא בְּבַקָּשָׁה לֹא יֵאָכֵל. אֲבָל לְבָתַר בְּאַזְהָרָה, לֹא תֹאכְלוּ, דְּהוּא קַשְׁיָא מִתַּרְוַויְיהוּ. מַחְמֶצֶת מ"ט. בְּגִין דְּרֵיחָא דְּמוֹתָא אִית תַּמָּן. חָמֵץ, דְּכַר. מַחְמֶצֶת, נוּקְבָא. רַגְלֶיהָ יוֹרְדוֹת מָוֶת, בְּרֵישָׁא וְסֵיפָא דְּתֵיבָה, תִּשְׁכַּח לָהּ. וּבְגִין דָּא מַאן דְּאָכִיל חָמֵץ בְּפֶסַח, אִיהוּ אַקְדִּימַת לֵיהּ מוֹתָא, וְלֵינְדַע דְּמִית הוּא בְּעָלְמָא דֵּין, וּבְעָלְמָא דְּאָתֵי, כְּתִיב וְנִכְרְתָה הַנֶּפֶשׁ הַהִיא.

תשלב. מַצָּה אַמַּאי אִתְקְרִיאַת מַצָּה. אֶלָּא הָכִי תָּנִינָן, שַׁדַּי: בְּגִין דְּאָמַר לְעוֹלָמוֹ דַּי, דְּיֹאמַר לְצָרוֹתֵינוּ דַּי. אוּף הָכִי מַצָּה, בְּגִין דְּקָא מְשַׁדֵּד דִּמְבָרְחַת לְכָל סִטְרִין בִּישִׁין, וְעָבִיד קְטָטָה בְּהוּ, כְּגַוְונָא דְּשַׁדַּי דִּמְזוּזָה, דִּמְבָרִיחַ לְשֵׁדִים וּמַזִּיקִים דְּתַרְעָא, אוּף הָכִי אִיהִי מְבָרַחַת לוֹן מִכָּל מַשְׁכְּנֵי קְדוּשָּׁה, וְעָבִיד מְרִיבָה וּקְטָטָה בְּהוּ. כד"א, מַסָּה וּמְרִיבָה. ע"ד כְּתִיב מַצָּה. וְהָא מַסָּה בְּסָמֶךְ אִיהוּ. אֶלָּא תַּרְגּוּמוֹ דְּמַסָּה, אִיהוּ מַצּוּתָא.

רַעְיָא מְהֵימְנָא

תשלג. אָמַר רַעְיָא מְהֵימְנָא, כְּגוֹן לִישָׁנָא דְּאִיהוּ מַקֵּל לְכָל אַנְשֵׁי בֵּיתֵיהּ, וְאִיהוּ לִישָׁנָא דְּאָת ו', וְאִיהוּ מַטֵּה דְּבֵיהּ עֶשֶׂר אוֹתִיּוֹת, וּבֵיהּ מָחָא קוּדְשָׁא בְּרִיךְ הוּא עַל יְדוֹי י' מָחָאן. וּבְגִין דְּכָל מָחָאן הֲווֹ מִסִּטְרָא דְּה' ה', ר' עֲקִיבָא אוֹמֵר, מִנַּיִן שֶׁכָּל מַכָּה וּמַכָּה שֶׁהֵבִיא הַקָּדוֹשׁ בָּרוּךְ הוּא עַל הַמִּצְרִים בְּמִצְרַיִם הָיְתָה שֶׁל חָמֵשׁ מַכּוֹת וְכוּ', אֱמוֹר מֵעַתָּה וְכוּ'. וְאָת ה' סַלְקָא בְּאָת י' לְחַמְשִׁין מָחָאן, חָמֵשׁ זִמְנִין חַמְשִׁין, אִינּוּן ר"ן. וּבְגִ"ד, וְעַל הַיָּם לָקוּ ר"ן מַכּוֹת.

תשלד. אָמַר יוֹסֵף, כָּל מֵיטַב אֶרֶץ מִצְרַיִם רַעְמְסֵס הִיא, וְהַהִיא אַרְעָא אַפְרִישׁוּ לְדַחֲלָן דִּלְהוֹן, לְרַעְיָא וּלְמֵיהַךְ בְּכָל עִנּוּגִין דְּעָלְמָא. וְכָל מִצְרָאֵי חָשִׁיבוּן לְאִינּוּן דַּרְגִּין

לְדַחֲלֵיהוֹן, כִּדְחַלֵיהוֹן. וְדָא שָׁאִיל יוֹסֵף מִפַּרְעֹה, לְשַׁלְטָאָה אֲחוֵי עַל דַּחֲלָן דְּמִצְרָאֵי, דְּאִתְכַּפְיָין תְּחוֹת יְדֵיהּ, כַּעֲבָדִים בָּתַר מַלְכֵיהוֹן, לְמֶהֱוֵי כֻּלְּהוּ מִתְכַּפְיָין תְּחוֹת שֵׁם יְיָ' מִסִּטְרֵיהוֹן, וְלָא שַׁלִּיט בְּעָלְמָא אֶלָּא שֵׁם יְדֹוָד. וְאִתְכַּפְיָין כָּל מְמַנָּן תְּחוֹת יְדֵיהּ.

תשלה. וּלְאַחֲזָאָה לוֹן, דְּאִיהוּ עָתִיד לְאִתְפָּרְעָא מִנַּהוֹן, הה"ד, וּבְכָל אֱלֹהֵי מִצְרַיִם אֶעֱשֶׂה שְׁפָטִים אֲנִי יְדֹוָד. כַּד מַטְעַיִין לִבְרְיָין וְעַבְדִין גַּרְמַיְיהוּ אֱלוֹהוּת. וּבְגִין דְּטָלֶה מְמָנָא דִּילֵיהּ, אִיהוּ רַב עַל כָּל מְמַנָּן דֶּאֱלֹהִים אֲחֵרִים, מָנֵי קוּדְשָׁא בְּרִיךְ הוּא לְיִשְׂרָאֵל, וְיִקְחוּ לָהֶם אִישׁ שֶׂה לְבֵית אָבוֹת שֶׂה לַבָּיִת, וְאַשְׁלִיט לוֹן עָלֵיהּ, וְתַפְשֵׂי לֵיהּ תָּפִישׂ בְּתְפִישָׂה דִּלְהוֹן יוֹמָא וּתְרֵין וּתְלַת. וּלְבָתַר דָּא אַפִּיקוּ לֵיהּ לְדִינָא לְעֵינֵי כָּל מִצְרָאֵי, לְאַחֲזָאָה דֶּאֱלָהָא דִּלְהוֹן בִּרְשׁוּ דְּיִשְׂרָאֵל לְמֶעְבַּד בֵּיהּ דִּינָא.

תשלו. בְּגִ"ד, אַל תֹּאכְלוּ מִמֶּנּוּ נָא וּבָשֵׁל מְבוּשָּׁל בַּמָּיִם כִּי אִם צְלִי אֵשׁ רֹאשׁוֹ עַל כְּרָעָיו וְעַל קִרְבּוֹ, לְמֶהֱוֵי דָּן בְּאֵשׁ צָלִי, וּמָנֵי לְזַרְקָא לְגַרְמֵיהּ דִּילֵיהּ בְּשׁוּקָא בְּבִזּוּי. וּבְגִ"ד, וְעֶצֶם לֹא תִשְׁבְּרוּ בוֹ. וּמָנֵי לְיוֹמָא ד', בָּתַר דַּהֲוָה תָּפִישׂ ג' יוֹמִין קָשׁוּר, לְמֶעְבַּד בֵּיהּ דִּינָא. וְדָא קַשְׁיָא לוֹן מִכָּל מַכְתְּשִׁין דְּמָחָא לוֹן קוּדְשָׁא בְּרִיךְ הוּא, עַל יְדָא דְּרַעְיָא מְהֵימָנָא. וְלֹא עוֹד, אֶלָּא דְּמָנֵי דְּלָא לְמֵיכַל לֵיהּ בְּתִיאוּבְתָא. וּמִיַּד דְּחָמָאן גַּרְמוֹי בְּשׁוּקָא, וְלָא יַכְלִין לְשֵׁזָבָא לֵיהּ, דָּא קַשְׁיָא לוֹן מִכֹּלָּא. וְלֹא עוֹד, אֶלָּא דְּאִתְּמַר בְּהוּ, וּמַקֶּלְכֶם בְּיֶדְכֶם, לְאִתְכַּפְיָיא כָּל דַּחֲלָן דְּמִצְרָאֵי, תְּחוֹת יְדַיְיהוּ. וּבְגִין דְּאִינְהוּ בְּכוֹרוֹת מְמַנָּן, כְּתִיב וַיְיָ' הִכָּה כָל בְּכוֹר.

תשלז. בָּתַר כָּל דָּא כְּתִיב, לֹא יֵאָכֵל חָמֵץ שִׁבְעַת יָמִים תֹּאכַל עָלָיו מַצּוֹת לֶחֶם עֹנִי. וּכְתִיב כָּל מַחְמֶצֶת לֹא תֹאכֵלוּ. אָמְרוּ רַעְיָא מְהֵימָנָא, אֲמַאי מָנֵי דְּלָא לְמֵיכַל חָמֵץ שִׁבְעַת יוֹמִין, וּלְמֵיכַל בְּהוֹן מַצָּה. וַאֲמַאי לֹא יֵאָכֵל, וַאֲמַאי לֹא תֹאכֵלוּ. אֶלָּא ז' כֹּכְבֵי לֶכֶת וְאִינּוּן: שצ"ם חנכ"ל. וְאִינּוּן מִסִּטְרָא דְּטוֹב וָרָע, נְהוֹרָא דִּלְגוֹ מַצָּה. קְלִיפָּה דִּלְבַר חָמֵץ. וְאִינּוּן חָמֵץ דְּכַר מַחְמֶצֶת נוּקְבָא.

תשלח. מַצָּה דִּלְגוֹ שְׁמוּרָה. וְאִינּוּן, שֶׁבַע הַנְּעָרוֹת הָרְאוּיוֹת לָתֶת לָהּ מִבֵּית הַמֶּלֶךְ. וְאִתְּמַר עָלַיְיהוּ, וּשְׁמַרְתֶּם אֶת הַמַּצּוֹת. מַצָּה אִיהִי שְׁמוּרָה לְבַעְלָהּ, דְּאִיהוּ ו'. וּבֵיהּ אִתְעָבֵיד מִצְוָה.

תשלט. וּמַאן דְּנָטִיר לָהּ לְגַבֵּי יָהּ, דִּגְנִיזִין בְּמ"ץ מִן מַצָּה, וְאִינּוּן. י"ם ה"ץ. וּמָנֵי קוּדְשָׁא בְּרִיךְ הוּא לְבָרֵךְ לָהּ שֶׁבַע בְּרָכוֹת לֵיל פֶּסַח, דְּאִינּוּן שֶׁבַע הַנְּעָרוֹת דִּילָהּ, שצ"ם חנכ"ל. וּמָנֵי לְאַעְבְּרָא מִנַּהוֹן חָמֵץ וּמַחְמֶצֶת, דְּאִינּוּן עֲנָנִים וַחֲשׁוֹכִין דִּמְכַסְּיָין עַל נְהוֹרִין, דְּשִׁבְעָה כֹּכְבֵי לֶכֶת, דְּאִתְּמַר בְּהוֹן וַתָּבֹאנָה אֶל קִרְבֶּנָה וְלֹא נוֹדַע כִּי בָאוּ אֶל קִרְבֶּנָה וּמַרְאֵיהֶן רַע, וְחֹשֶׁךְ כַּאֲשֶׁר בַּתְּחִלָּה. דְּכָל כַּךְ חֲשׁוֹכָא דַּעֲנָנִין דִּלְהוֹן, דְּלָא יַכְלִין נְהוֹרִין לְאַנְהָרָא לְהוֹן, וּבְגִין דָּא וְלֹא נוֹדַע כִּי בָאוּ אֶל קִרְבֶּנָה. (ע"כ רעיא מהימנא).

תשמ. רִבִּי שִׁמְעוֹן פָּתַח וְאָמַר, גְּעַר חַיַּת קָנֶה עֲדַת אַבִּירִים בְּעֶגְלֵי עַמִּים. גְּעַר חַיַּת, דָּא חַיָּה דְּאִתְאֲחַד בָּהּ עֵשָׂו. קָנֶה: תָּנֵינָן, דְּבְיוֹמָא דְּנָסַב שְׁלֹמֹה מַלְכָּא בַּת פַּרְעֹה, בָּא גַּבְרִיאֵל, נָעַץ קָנֶה בְּיַמָּא רַבָּא, וְעָלֵיהּ אִתְבְּנֵי קַרְתָּא דְּרוֹמִי. מַאי קָנֶה. דָּא דְּכוּרָא דְּהַאי חַיָּה בִּישָׁא, דְּאִית לֵיהּ סִטְרָא זְעֵירָא בְּאַחֲדוּתָא דִּקְדוּשָׁה. וְדָא אִיהוּ קָנֶה, דְּנָעִיץ בְּיַמָּא רַבָּא. וּבְגִ"כ אִיהִי שַׁלְטָא עַל עָלְמָא, וְעַל שׁוּלְטָנוּ דָּא כְּתִיב, קָנֶה וָסוּף קָמֵלוּ. קָנֶה, שׁוּלְטָנוּתָא וְרֹאשׁ לְכָל מַלְכְוָון. תּוּ קָנֶה, דִּזְמִין קוּדְשָׁא בְּרִיךְ הוּא לְתַבְרָא לֵיהּ כְּקָנֶה דָּא.

תשמא. ת"ח, בְּמִצְרַיִם אִיהִי שַׁלְטָא, וּמִנָּהּ נַפְקוּ כַּמָּה שָׁלְטָנִין לְזִנַּיְיהוּ, וְכֹלָּא בְּרָזָא

דְּחָמֵץ, כֵּיוָן דְּתָבַר לָהּ קוּדְשָׁא בְּרִיךְ הוּא, אַפִּיק חָמֵץ וְאָעִיל מַצָּה. בְּמָה. בְּחוּטָא זְעֵירָא מִכֹּלָּא, תָּבַר ו' חָמֵץ, וְאִתְעֲבֵיד מַצָּה. אִינּוּן אַתְוָון. אֶלָּא דְּתָבַר ו' דְּהַאי חַיָּה, דְּאִקְרֵי חָמֵץ. וע"ד אִקְרֵי חַיַּת קָנֶה, דְּחֲזֵי לְאִתְבְּרָא כְּקָנֶה דָא. בְּמָה אִתְּבַר. בְּחוּטָא זְעֵירָא כְּנִימָא, תָּבַר ו' וְאִתְעֲבָר מֵאִיתָנָהּ, וַהֲוָה מַצָּה. וע"ד כְּתִיב, גְּעַר חַיַּת קָנֶה, גָּעַר בָּהּ קוּדְשָׁא בְּרִיךְ הוּא, וְאִתְּבַר ו' חָמֵץ, וְאִתְעֲבֵיד ה'.

תשמב. וְזַמִּין קוּדְשָׁא בְּרִיךְ הוּא. לְתַבְרָא לֵיהּ לְהַהוּא קָנֶה, כְּגַוְונָא דָא, יִתְבַּר רַגְלֵיהּ דְּק' מִקָּנֶה, וְיִשְׁתְּאַר הִנֵּה. הִנֵּה יְיָ' אֱלֹהִים בְּחָזָק יָבֹא וּזְרוֹעוֹ מוֹשְׁלָה לוֹ הִנֵּה שְׂכָרוֹ אִתּוֹ וּפְעֻלָּתוֹ לְפָנָיו. מַאי וּפְעוּלָּתוֹ. דָּא פֹּעַל דְּהַהִיא ק' דְּיִתְבַּר לָהּ, וְאִיהִי פְּעוּלָּה לְפָנָיו, אִיהוּ יַעֲבַר רַגְלֵיהּ, וִיהֵא הִנֵּה רִאשׁוֹן לְצִיּוֹן הִנֵּה הִנָּם וְגו'.

רַעְיָא מְהֵימְנָא

תשמג. רִבִּי שִׁמְעוֹן פָּתַח וְאָמַר, גְּעַר חַיַּת קָנֶה עֲדַת אַבִּירִים בְּעֶגְלֵי עַמִּים. גְּעַר חַיַּת קָנֶה, דָּא קָנֶה דְּאִתְאֲחַד בֵּיהּ עֵשָׂו, דְּאִיהִי קַרְתָּא דְּרוֹמִי רַבְּתָא, דְּנָעַץ גַּבְרִיאֵל קָנֶה בְּיַמָּא רַבָּא, וּבָנוּ עָלֵיהּ כְּרַךְ גָּדוֹל דְּרוֹמִי. קָנֶה דְּחָמֵץ. וְכַד יֵיתֵי פּוּרְקָנָא לְיִשְׂרָאֵל, יִתְבַּר לֵיהּ. הה"ד גְּעַר חַיַּת קָנֶה עֲדַת. וּמִתְעֲבַר מִיַּד חָמֵץ מֵעָלְמָא. מִחֻמֶּצֶת דִּילֵיהּ רוֹמִי. וְיִתְגַּלְיָא מַצָּה בְּעָלְמָא, דְּאִיהִי בֵּי מַקְדְּשָׁא דְּבַיִת רִאשׁוֹן וּבַיִת שֵׁנִי.

תשדמ. אָמַר ר"מ, דְּאִינּוּן לְקַבֵּל בַּת עַיִן יָמִין, וּבַת עַיִן שְׂמֹאל. וְאִינּוּן לְקַבֵּל רוֹמִי רַבְּתִי, רוֹמִי זְעֵירָא. לְקַבֵּל תְּרֵין עַנְנִין, דִּמְכַסְּיָין עַל בַּת עֵינָא יְמִינָא וּשְׂמָאלָא. וְאִינּוּן לְקַבֵּל שְׂאוֹר וְחָמֵץ. וְעַד דְּאִלֵּין יִתְבַּעֲרוּן מֵעָלְמָא בַּל יֵרָאֶה וּבַל יִמָּצֵא חַד מִנַּיְיהוּ, בַּיִת רִאשׁוֹן וְשֵׁנִי לָא יִתְגַּלְיָין בְּעָלְמָא.

תשמה. וְאַסְוָותָא דַּעֲנָנָא עֵינָא, דְּאַחֲשִׁיךְ לְבַת עֵינָא יָמִין וּשְׂמֹאל, מַה יְהֵא אַסְוָותָא דִּלְהוֹן. מָרָה דְּעֶגְלָא. וְהַיְינוּ שָׁם יִרְעֶה עֵגֶל וְשָׁם יִרְבָּץ. שָׁם יִרְעֶה עֵגֶל, דָּא מָשִׁיחַ בֶּן יוֹסֵף, דְּאִתְּמַר בֵּיהּ בְּכוֹר שׁוֹרוֹ הָדָר לוֹ. וְשָׁם יִרְבָּץ, דָּא מָשִׁיחַ בֶּן דָּוִד. חַד אַעֲבַר רוֹמִי רַבְּתִי. וְחַד אַעֲבַר רוֹמִי זְעֵירְתָא. דְּמִיכָאֵל וְגַבְרִיאֵ"ל לְקַבְלַיְיהוּ אִינּוּן.

תשמו. וּבְגִין דָּא ו', דְּאִיהוּ חוּטָא זְעִירָא, תָּבַר לָהּ, וְיֵיעוֹל ה' בְּאַתְרָהָא. דִּבְקַדְמֵיתָא קָנֶה וָסוּף קָמֵלוּ. קָנֶה שַׁלְטָנוּתָא דְּרוֹמִי, וָסוּף לְכָל מַלְכִין, דַּעֲתִיד קוּדְשָׁא בְּרִיךְ הוּא לְתַבְרָא לֵיהּ. גְּעַר חַיַּת קָנֶה, גְּעַר חַיָּה בִּישָׁא, ו' מִן חָמֵץ, וְאִתְּבַר רַגְלֵיהּ מִן מְחֻמֶּצֶת, דְּאִתְּמַר בָּהּ רַגְלֶיהָ יוֹרְדוֹת מָוֶת. וְעוֹד גְּעַר חַיַּת קָנֶה, יִתְבַּר רֶגֶל קוֹף מִן קָנֶה, וְיִשְׁתְּאַר הִנֵּה. מִיַּד הִנֵּה יְיָ' אֱלֹהִים בְּחָזָק יָבֹא, רִאשׁוֹן לְצִיּוֹן הִנֵּה הִנָּם וְלִירוּשָׁלַ‍ִם מְבַשֵּׂר אֶתֵּן. הִנֵּה: ס' בָּתַר אֶלֶף וּמָאתָן.

תשמז. וְאָמַר בּוּצִינָא קַדִּישָׁא, כָּל הַנֶּפֶשׁ לְבֵית יַעֲקֹב שִׁשִּׁים וָשֵׁשׁ. שִׁשִּׁים, לְאִתְעָרוּתָא דְּמָשִׁיחַ רִאשׁוֹן. וָשֵׁשׁ, לְאִתְעָרוּתָא דְּמָשִׁיחַ שֵׁנִי. אִשְׁתָּאֲרוּ ו' שָׁנִים לְעָ"ב, לְקַיְּימָא בְּהוּ, שֵׁשׁ שָׁנִים תִּזְרַע שָׂדֶךָ וְשֵׁשׁ שָׁנִים תִּזְמוֹר כַּרְמֶךָ וְאָסַפְתָּ אֶת תְּבוּאָתָהּ, דְּאִתְּמַר קֹדֶשׁ יִשְׂרָאֵל לַיְיָ' רֵאשִׁית תְּבוּאָתֹה.

תשמח. אִם כֵּן, מַה כְּתִיב לְעֵיל רָנּוּ לְיַעֲקֹב שִׂמְחָה. אֶלָּא אַרְבַּע גְּאוּלוֹת עֲתִידִין לְמֶהֱוֵי, לָקֳבֵל אַרְבַּע כּוֹסוֹת דְּפֶסַח. בְּגִין דְּיִשְׂרָאֵל מְפוּזָרִין בְּאַרְבַּע פִּנּוֹת עָלְמָא, וְאִינּוּן דִּיהוֹן רְחוֹקִין מֵאוּמִין, אַקְדִּימוּ לְרָנּוּ. וְתִנְיָינִין, לְשִׁתִּין. וּתְלִיתָאִין, לְשִׁתִּין וְשִׁית. וּרְבִיעָאִין לְעָ"ב.

תשמט. וּפוּרְקָנִין אִלֵּין, יְהוֹן בְּאַרְבַּע חֵיוָן, בְּשֵׁם יְדֹוָד דְּרָכִיב עָלַיְיהוּ. הה"ד כִּי

תִּרְכַּב עַל סוּסֶךָ מַרְכְּבוֹתֶיךָ יְשׁוּעָה. דִּלְקֳבְלַיְיהוּ, יִתְעַר לְתַתָּא אַרְבַּע דְּגָלִין, וּתְרֵיסַר שִׁבְטִין. בְּרָזָא דַּיְדֹוָד מֶלֶךְ, יְדֹוָד מָלָךְ, יְדֹוָד יִמְלוֹךְ לְעוֹלָם וָעֶד. תְּרֵיסַר אַתְוָון אִינּוּן, לָקֳבֵל תְּרֵיסָר שִׁבְטִין, וְי״ב אַנְפִּין דִּתְלַת אֲבָהָן, דְּאִתְּמַר עָלַיְיהוּ הָאָבוֹת הֵן הֵן הַמֶּרְכָּבָה. וְאִינּוּן עֲשַׂר שִׁבְטִין, אֲלַף שְׁנִין. תְּרֵין שִׁבְטִין, מָאתָן שְׁנִין. וּמִי״ב אַתְוָון, תַּלְיָין ע״ב שְׁמָהָן, דְּאִינּוּן ע״ב שְׁנִין, בָּתַר אֲלַף וּמָאתָן.

תשנ. וְאִינּוּן כ״ד, לְכָל וַיָּה מִתְּלַת וַיָּין. כ״ד רָזָא דִּילֵיהּ, וְקָרָא זֶה אֶל זֶה וְאָמַר. וְאִינּוּן תְּלַת כִּתּוֹת, מִן כ״ד צוּרוֹת. כַּת אַחַת אוֹמֶרֶת קָדוֹשׁ, וְכַת תִּנְיָינָא אוֹמֶרֶת קָדוֹשׁ, וְכַת תְּלִיתָאָה אוֹמֶרֶת קָדוֹשׁ. מִיַּד אִתְעַר שְׂמָאלָא בְּמ״ב אַתְוָון, דְּעָבֵיד דִּינָא בַּעֲמָלֵק.

תשנא. כִּי יִקָּרֵא קַן צִפּוֹר לְפָנֶיךָ בַּדֶּרֶךְ מָארֵי מִקְרָא. בְּכָל עֵץ, מָארֵי מִשְׁנָה. דְּאִינּוּן כְּאֶפְרוֹחִים, דִּמְקַנְּנִין בְּעַנְפֵּי אִילָנָא. אִית דְּאַמְרֵי, בְּכָל עֵץ, אִלֵּין יִשְׂרָאֵל. דְּאִתְּמַר בְּהוּ, כִּי כִימֵי הָעֵץ יְמֵי עַמִּי. אוֹ עַל הָאָרֶץ, אִלֵּין מָארֵי תּוֹרָה, דְּאִתְּמַר בְּהוּ, עַל הָאָרֶץ תִּישַׁן וְחַיֵּי צַעַר תִּחְיֶה וּבַתּוֹרָה אַתָּה עָמֵל. אֶפְרוֹחִים: אִלֵּין פִּרְחֵי כְּהוּנָּה. אוֹ בֵּיצִים: אִלֵּין דְּזָן לוֹן קוּדְשָׁא בְּרִיךְ הוּא מִקַּרְנֵי רְאֵמִים וְעַד בֵּיצֵי כִנִּים. וְהָאֵם רוֹבֶצֶת עַל הָאֶפְרוֹחִים, בְּזִמְנָא דַּהֲווּ קָרְבִין קָרְבְּנִין. מַה כְּתִיב לֹא תִקַּח הָאֵם עַל הַבָּנִים.

תשנב. וְחָרַב בֵּי מַקְדְּשָׁא, וּבָטְלוּ קָרְבְּנִין, מַה כְּתִיב, שַׁלֵּחַ תְּשַׁלַּח אֶת הָאֵם. וְגָלוּ הַבָּנִים, וְהַיְינוּ וְאֶת הַבָּנִים תִּקַּח לָךְ, מִסִּטְרָא דָּא׳ דְּאָת ו׳, דְּאִיהוּ עוֹלָם אָרוֹךְ דְּאִתְּמַר בֵּיהּ לְמַעַן יִיטַב לָךְ וְהַאֲרַכְתָּ יָמִים, לְעוֹלָם שֶׁכֻּלּוֹ אָרוֹךְ.

תשנג. וּבַאֲתַר דְּקָרְבְּנִין, תַּקִּינוּ צְלוֹתִין, וּמְצַפְצְפִין בְּקָלִין דְּשִׁירִין. בְּקוֹל דְּק״ש, לְגַבֵּי עַמּוּדָא דְּאֶמְצָעִיתָא דְּאִיהוּ לְעֵילָא. דְּהָא אִימָא וּבְרַתָּא בְּגָלוּתָא, וּמִיַּד דְּנָחִית, קַשְׁרִין לָהּ בִּבְרַתָּא, דְּאִיהִי יַד כֵּהָה, לְמֶהֱוֵי קָשִׁיר ו׳ עִם ה׳, בְּשִׁית סְפִירָאן. מִיַּד מְלַחֲשִׁין לְגַבֵּי חָכְמָה, בָּרוּךְ שֵׁם כְּבוֹד מַלְכוּתוֹ לְעוֹלָם וָעֶד.

תשנד. אֶחָ״ד כָּבוֹ״ד, גֵּ׳ מ״ה מִן חָכְמָה. דְּנָחִית לֵיהּ לְגַבֵּי אִמָּא, וּמִיַּד דְּנָחִית, קַשְׁרִין לֵיהּ עִמָּא בְּקִשּׁוּרָא דִּתְפִילִּין דְּרֵישָׁא. וּבְגִ״ד בְּאַרְבַּע פָּרְשִׁיָין דִּתְפִילִּין, קַדֶּשׁ לִי, חָכְמָה. וְהָיָה כִּי יְבִיאֲךָ, בִּינָה. שְׁמַע יִשְׂרָאֵל תִּפְאֶרֶת, כָּלִיל ו׳ סְפִירָן, בְּשִׁית תֵּיבִין. וְהָיָה אִם שָׁמוֹעַ, מַלְכוּת, יַד כֵּהָה. צְלוֹתָא כֶּתֶר כ׳ עַל רֵישֵׁיהּ, אֵין קָדוֹשׁ כַּיְדֹוָד, דְּסַנְדַּלְפוֹן קוֹשֵׁר כָּל צְלוֹתִין, וְעָבֵיד לוֹן כֶּתֶר.

תשנה. בְּהַהוּא זִמְנָא צָרִיךְ לְסַדְּרָא פָּתוֹרָא לִסְעוּדָתָא דְּמַלְכָּא, וּמַשְׁכְּנָא וּמְנַרְתָּא וַאֲרוֹנָא וּמַדְבְּחָא, וְכָל מִינֵי שִׁמּוּשָׁא דְּבֵיתָא דְּמַלְכָּא. וְלָאו בָּתַר פָּתוֹרָא אַזְלִינָן דְּלָאו עוֹבָדָא דְּקוּדְשָׁא בְּרִיךְ הוּא, דְּלָא אַזְלִינָן אֶלָּא בָּתַר פָּתוֹרָא דְּאִיהוּ עוֹבָדֵי יְדוֹי דְּקוּדְשָׁא בְּרִיךְ הוּא, דְּאִיהוּ שְׁכִינְתֵּיהּ. מִשְׁכָּן דִּילֵיהּ, פָּתוֹרָא דִּילֵיהּ, מְנַרְתָּא דִּילֵיהּ, אֲרוֹנָא דִּילֵיהּ, מַדְבְּחָא דִּילֵיהּ, אִיהִי כְּלִילָא מִכָּל מָאנֵי שִׁמּוּשָׁא לְמַלְכָּא עִלָּאָה.

תשנו. אִינְהוּ אִינּוּן דִּמְתַקְּנֵי חַמְרָא וְנַהֲמָא דְּמַלְכָּא עִלָּאָה, דְּאִתְּמַר בְּהוּ אֶת קָרְבָּנִי לַחְמִי לְאִשַּׁי, דְּלֵית לְקָרְבָא לֵיהּ לְגַבֵּיהּ אֶלָּא אִלֵּין דְּאִתְקְרִיאוּ אִשֵּׁי יְיָ׳. וּבְגִ״ד אֶת קָרְבָּנִי לַחְמִי לְאִשַּׁי. דְּעָלֵיהּ אִתְּמַר, לְכוּ לַחֲמוּ בְלַחְמִי. וְאִתְקְרֵי לֶחֶם הַפָּנִים, דְּאִינּוּן י״ב אַנְפִּין, יְבָרֶכְךָ יְהֹוָה, יָאֵר יְהֹוָה, יִשָּׂא יְהֹוָה, תְּרֵיסַר אַנְפִּין דִּתְלַת וַיָּין.

תשנז. מַאי לֶחֶם דְּאִלֵּין פָּנִים. דָּא נַהֲמָא דְּאָדָם, דְּאִיהוּ יוּ״ד הֵ״א וָא״ו הֵ״א. וְאִית לֵיהּ נַהֲמָא בְּאַרְבַּע אַנְפִּין, דְּאִינּוּן אַרְבַּע אַתְוָון יְדֹוָד. הַאי נַהֲמָא דְּפָתוֹרָא דְּמַלְכָּא, אִיהוּ סֹלֶת נְקִיָּה.

תשנח. כִּבְשָׁן דִּילֵיהּ, דְּאוֹפֶה בֵּיהּ נַהֲמָא, שְׁכִינְתָּא. תַּמָּן אִתְבַּשַּׁל וְאִשְׁתְּלִים. וּבְגִ״ד,

אִין בּוֹצְעִין אֶלָּא מֵאֲתַר דְּגָמַר בִּשּׁוּלָא. כְּגַוְונָא דִּשְׁלִימוּ דְּפֵרִי, אִיהוּ גָּמַר בִּישּׁוּלוֹ. וְהַאי אִיהוּ אֲדֹנָ"י, גְּמַר וּשְׁלִימוּ דְּיִדֹוָ"ד, דְּאִיהוּ לֶחֶם הַפָּנִים. אֲדֹנָ"י, כִּבְשָׁן דִּילֵיהּ. דְּאִיהִי כְּבוּשָׁה תְּחוֹת בַּעְלָהּ. וּבְגִינָהּ אִתְּמַר, וְהַר סִינַי עָשַׁן כֻּלּוֹ מִפְּנֵי אֲשֶׁר יָרַד עָלָיו יְיָ' בָּאֵשׁ וַיַּעַל עֲשָׁנוֹ כְּעֶשֶׁן הַכִּבְשָׁן. וְלָא כְּכִבְשָׁן דְּאֵשׁ דְּהֶדְיוֹט, אֶלָּא כְּכִבְשָׁן, דְּבֵיהּ כָּבַשׁ רַחֲמָיו לְעַמֵּיהּ, כַּד מְצַלִּין וּבָעוּן בָּעוּתִין, כֵּן יִכְבְּשׁוּ רַחֲמֶיךָ אֶת כַּעַסְךָ. וּבֵיהּ כִּבְשֵׁי דְּרַחֲמָנָא לָמָּה לָךְ.

תשנט. וּבְנַהֲמָא דְּאוֹרַיְיתָא, אִית סֹלֶת דְּיָהֵב לֵיהּ מַלְכָּא, לְאִינּוּן דְּאִתְּמַר עָלַיְיהוּ, כָּל יִשְׂרָאֵל בְּנֵי מְלָכִים. מִיכְלָא דְּצַדִּיקַיָּיא. וְאִית נַהֲמָא דְּאוֹרַיְיתָא, דְּאִיהוּ פְּסוֹלֶת, לְאִינּוּן עַבְדִּין וּשְׁפָחוֹת, דְּבֵי מַלְכָּא. וּבְגִ"ד בְּמַטְרוֹנִיתָא אִתְּמַר וַתָּקָם בְּעוֹד לַיְלָה וַתִּתֵּן טֶרֶף לְבֵיתָהּ וְחֹק לְנַעֲרוֹתֶיהָ, דְּאִינּוּן מָארֵי מַתְנִיתִין. וּבְגִ"ד אִתְּמַר בְּמֵיכְלָא דְּמַלְכָּא, וַעֲשִׂירִית הָאֵיפָה סֹלֶת וַדַּאי, וְדָא יוּ"ד מִן אֲדֹנָ"י, אִיהִי עֲשִׂירִית. וְדָא סֹלֶת דְּמֵיכְלָא דְּמַלְכָּא אִשְׁתְּכָחַת.

תשס. קוּם בּוּצִינָא קַדִּישָׁא, אַנְתְּ וְרַבִּי אֶלְעָזָר בְּרָךְ, וְרַבִּי אַבָּא, וְרַבִּי יְהוּדָה, וְרַבִּי יוֹסֵי, וְרַבִּי חִיָּיא, וְרַבִּי יוּדָאי, לְתַקְּנָא דּוֹרוֹנָא לְמַלְכָּא, וּלְקַרְבָּא כָּל אֵבָרִין, דְּאִינּוּן יִשְׂרָאֵל, קָרְבְּנִין לְקוּדְשָׁא בְּרִיךְ הוּא הַהוּא דְּאִתְקְרֵי נְשָׁמָה, לְגַבֵּי אֵבָרִים שְׁכִינְתָּא קַדִּישְׁתָּא, אֵשׁ שֶׁל גָּבוֹהַּ. דְּאוֹחִיד בְּעֵצִים, דְּאִתְקְרִיאוּ עֲצֵי הָעוֹלָה, דְּאִינּוּן עֵץ הַחַיִּים וְעֵץ הַדַּעַת טוֹב וָרָע. עֲצֵי הַקֹּדֶשׁ אִתְקְרִיאוּ, אִינּוּן מָארֵי תּוֹרָה, דְּאִתְאֲחִידַת בְּהוֹן אוֹרַיְיתָא, דְּאִתְּמַר בָּהּ הֲלֹא כֹה דְבָרִי כָּאֵשׁ נְאֻם יְיָ'.

תשסא. וְאִתְּמַר בָּהּ, עוֹלָה לַיְיָ', קָרְבָּן לַיְיָ', אִשֶּׁה לַיְיָ', וְאִתְּמַר אֶת קָרְבָּנִי לַחְמִי לְאִשַּׁי. וְהָא כְּתִיב דְּלֵית לְקַרְבָא קָרְבָּן אֶלָּא לַיְיָ', מַאי נִיהוּ, אֶת קָרְבָּנִי לַחְמִי לְאִשַּׁי. אֶלָּא אַרְזָא, דְּמַאן דְּקָרִיב דּוֹרוֹנָא, לְמִקְרַב לֵיהּ לְמַלְכָּא, וּלְבָתַר אִיהוּ פָּלִיג לֵיהּ, לְמַאן דְּבָעֵי. אוּף הָכִי יִשְׂרָאֵל, מַקְרִיבִין אוֹרַיְיתָא לְקוּדְשָׁא בְּרִיךְ הוּא, דְּאִיהוּ לַחְמוֹ, וְאִיהוּ יֵינוֹ, וְאִיהוּ בָּשָׂר דִּילֵיהּ, וְאִתְּמַר בָּהּ, עֶצֶם מֵעֲצָמַי וּבָשָׂר מִבְּשָׂרִי. בְּשַׂר קֹדֶשׁ, דְּאוֹקְמוּהָ עָלָהּ מָארֵי מַתִיבְתָּאן, בְּבָשָׂר הַיּוֹרֵד מִן הַשָּׁמַיִם עָסְקִינָן.

תשסב. קוּדְשָׁא בְּרִיךְ הוּא מַאי עָבִיד מֵהַהוּא דּוֹרוֹנָא. לְמַלְכָּא דְּאָכִיל עַל פְּתוֹרָא. דְּקָרְבִין עַל פְּתוֹרֵיהּ מִכָּל מִין וָמִין, סֹלֶת, וּבֵינוֹנִי, וּפְסוֹלֶת. וְאִיהוּ פָּלִיג מִפְּתוֹרֵיהּ, לְכָל מָארֵי סְעוּדָתָא, לְכָל וְחַד כַּדְקָא יָאוּת, עַל יְדֵי מְמַנָּן דִּילֵיהּ. וּמֵהַהוּא נַהֲמָא, דְּאִיהוּ סֹלֶת, דְּמַלְכָּא אָכִיל, אִיהוּ מְנֵי לְמֵיהַב לְאִינּוּן דִּרְחִימִין גַּבֵּיהּ. הה"ד, אֶת קָרְבָּנִי לַחְמִי לְאִשַּׁי רֵיחַ נִיחֹחִי. דְּהַיְינוּ אִשֵּׁי יְיָ' וְנַחֲלָתוֹ יֹאכֵלוּן הַאי אִיהוּ מִסִּטְרָא דְּאִילָנָא דְּחַיֵּי. אֲבָל מִסִּטְרָא דְּעֵץ הַדַּעַת טוֹב וָרָע, מְנֵי לְמֵיהַב בֵּינוֹנִי, לְמַלְאָכִים. וּפְסוֹלֶת לַשֵּׁדִין וּמַזִּיקִין, דְּאִינּוּן מְשַׁמְּשִׁין לְסוּסְוָון וּלְפָרָשִׁיָּין דְּמַלְכָּא.

תשסג. וְאוּף הָכִי דְּפָרָשִׁין דְּמַלְכָּא, הֲווּ מָארֵי מִשְׁנָה, דְּאִינּוּן כְּמַלְאָכִים. מְשַׁמְּשִׁין לוֹן שֵׁדִים יְהוּדָאִי, דְּאִינּוּן רְשִׁימִין בְּאוֹת שַׁדַּי, וְאִית שֵׁדִין וּמַזִּיקִין מִסִּטְרָא דִּמְסָאֲבוּ, דְּאִתְקְרִיאוּ שֵׁדִים עכו"ם. וְזֶה לְעוּמַּת זֶה עָשָׂה הָאֱלֹהִים.

תשסד. וּבְגִין דָּא אָמְרוּ מָארֵי מַתְנִיתִין, דְּאִינּוּן ג' מִינִין מִינַּיְיהוּ, וְחַד מִין דִּלְהוֹן כְּמַלְאֲכֵי הַשָּׁרֵת. וּמִין תִּנְיָינָא, כִּבְנֵי אָדָם. וּמִין תְּלִיתָאי, כִּבְעִירָן. וְאִית בְּהוֹן חַכִּימִין בְּאוֹרַיְיתָא דְּבִכְתַב וּדְבְעַל פֶּה. אִתְקְרֵי יוֹסֵף שֵׁידָא, עַל שֵׁם דְּאוֹלִיד לֵיהּ שֵׁד. וְלָאו לְמַגָּנָא אָמְרוּ מָארֵי מַתְנִיתִין, אִם הָרַב דּוֹמֶה לְמַלְאַךְ יְיָ' צְבָאוֹת תּוֹרָה יְבַקְשׁוּ מִפִּיהוּ.

וְאַשְׁמְדָאי מַלְכָּא, הוּא וְכָל מִשְׁפַּחְתֵּיה, הָא אוֹקִימְנָא דְּאִינּוּן שֵׁדִין יְהוּדָאִין, דְּאִתְכַּפְיָין בְּאוֹרַיְיתָא, וּבִשְׁמָהָן דְּאוֹרַיְיתָא.

תשסה. וּבְנֵי אַהֲרֹן, בְּגִין דַּעֲרִיכוּ קָרְבְּנֵיהוֹן, בְּגִין דָּא אִתְעֲנָשׁוּ, דְּכֻלְּהוּ קָרְבְּנִין אע״ג דְּאִתְקְרִיבוּ לְגַבֵּי מַלְכָּא, אִיהוּ פָּלִיג לוֹן לְכָל חַד כִּדְקָא וְחֲזֵי. וְנָטַל לְחוּלָקֵיהּ מַה דְּאִתְחֲזֵי לֵיהּ. (ע״כ רעיא מהימנא).

תשסו. וּבְיוֹם הַבִּכּוּרִים בְּהַקְרִיבְכֶם מִנְחָה חֲדָשָׁה וְגוֹ׳. אָמַר רִבִּי אַבָּא, יוֹם הַבִּכּוּרִים, מַאן יוֹם. דָּא נָהָר הַיּוֹצֵא מֵעֵדֶן, דְּאִיהוּ יוֹמָא מֵאִינּוּן בְּכוּרִין עִלָּאִין. וְדָא אִיהוּ דְּאוֹרַיְיתָא תַּלְיָא בֵּיהּ, וְאִיהוּ אַפִּיק כָּל רָזִין דְּאוֹרַיְיתָא. וּבְגִין דְּאִיהוּ אִילָנָא דְּחַיֵּי, פְּרֵי אִילָנִין אִצְטְרִיכוּ לְאַיְיתָאָה.

רעיא מהימנא

תשסז. וּבְיוֹם הַבִּכּוּרִים בְּהַקְרִיבְכֶם מִנְחָה חֲדָשָׁה וְגוֹ׳. רִבִּי אַבָּא אָמַר, יוֹם הַבִּכּוּרִים אִינּוּן בִּכּוּרִים עִלָּאִין דְּאוֹרַיְיתָא. הה״ד, רֵאשִׁית בִּכּוּרֵי אַדְמָתְךָ תָּבִיא וְגוֹ׳. אָמַר ר״מ, כְּגַוְונָא דְּבִכּוּרִים לְאִמָּהוֹן, אוּף הָכִי אִתְקְרִיאוּ פֵּירוֹת בִּכּוּרִים, דְּפֵירוֹת דְּאִילָנִין, כְּבִכּוּרָה בִּתְאֵנָה, הָכִי יִשְׂרָאֵל קַדְמוֹנִים וּבִכּוּרִים לְקוּדְשָׁא בְּרִיךְ הוּא, מִכָּל אוּמִין דְּעָלְמָא, הה״ד קֹדֶשׁ יִשְׂרָאֵל לַידֹוָ״ד וְגוֹ׳. וּבְגִ״ד אִתְּמַר בְּהוֹן, תָּבִיא בֵּית יְהֹוָה אֱלֹהֶיךָ. וּבְגִין דָּא אוּמִין עכו״ם, דְּאִתְּמַר בְּהוֹן וַיֹּאכְלוּ אֶת יִשְׂרָאֵל בְּכָל פֶּה. יֶאְשָׁמוּ רָעָה תָּבֹא אֲלֵיהֶם.

תשסח. אוּף הָכִי ו׳ דְּכָלִיל שִׁית סְפִירָאָן, וְאִיהוּ בֵּן י״ד, אִתְקְרֵי בְּכ״ר. וְכָל עַנְפִין דְּנָפְקִין מִנֵּיהּ דִּבְהוֹן רָאשִׁין, אִתְקְרִיאוּ בִּכּוּרִים. ו׳ אִיהוּ נָהָר, מֵאִינּוּן בִּכּוּרִים עִלָּאִין, וְהַהוּא נָהָר נָפִיק מֵעֵדֶן. וְדָא אִיהוּ דְּאוֹרַיְיתָא תַּלְיָיא בֵּיהּ. וְכַד נָפִיק נָפְקֵי כָּל רָזִין דְּאוֹרַיְיתָא, וּבְגִין דְּאִיהוּ אִילָנָא דְּחַיֵּי אוֹרַיְיתָא, הֲדָא הוּא דִּכְתִיב, עֵץ חַיִּים הִיא לַמַּחֲזִיקִים בָּהּ. וּפִקּוּדִין דִּילָהּ דַּמְיָין לְאִיבָּא פְּרֵי דְּאִילָנִין, אִצְטְרִיכוּ לְאַיְיתָאָה.

תשסט. אָמַר רַעְיָא מְהֵימְנָא וְאִי תֵּימְרוּן אֲמַאי בִּכּוּרִים, דִּלְהוֹן אִתְקְרִיאוּ מִנְחָה חֲדָשָׁה, מִשִּׁית יַרְחִין לְשִׁית יַרְחִין. וּמִבַּר נָשׁ דְּאִתְּמַר בֵּיהּ כִּי הָאָדָם עֵץ הַשָּׂדֶה לְתִשְׁעַ יַרְחִין, אוֹ לְשִׁבְעָה. וּבְעִירָא אוּף הָכִי, שִׁבְעַת יָמִים יִהְיֶה תַּחַת אִמּוֹ וּמִיּוֹם הַשְּׁמִינִי וָהָלְאָה יֵרָצֶה לְקָרְבַּן אִשֶּׁה לַיהֹוָה, לְקָרְבָא קָרְבְּנָא קֳדָם יְיָ׳. וְעוֹד סְפִירָאן, בְּהוֹן שֵׁם יְהֹוָה, וְכָל כִּנּוּיִין דִּילֵיהּ, אֲמַאי אִתְקְרִיאוּ בְּשֵׁם חַיָּון.

תשע. אֶלָּא מִנְחָה חֲדָשָׁה בְּאֹרַח רָזָא, דָּא שְׁכִינְתָּא. מִשִּׁית יַרְחִין לְשִׁית יַרְחִין, אִינּוּן שִׁית סְפִירָאן, דְּאִתְקְרִיאוּ שָׁנִים קַדְמוֹנִיּוֹת לִבְרִיאַת עָלְמָא, דְּאִינּוּן שִׁיתָא אַלְפֵי שְׁנִין הֲוֵי עָלְמָא, מִסִּטְרָא דְּאִימָּא עִלָּאָה. וּמִסִּטְרָא דְּאִימָּא תַּתָּאָה, אִתְקְרִיאוּ יַרְחִין. וּבְגִין דְּקַדְמוּ לְעָלְמָא, וְכָל בִּרְיָין, אִתְקְרִיאוּ בִּכּוּרִים.

תשעא. וּשְׁכִינְתָּא מִנְחָה חֲדָשָׁה, מִסִּטְרָא דְּחַיָּה, דְּאִתְּמַר בָּהּ וּדְמוּת פְּנֵיהֶם פְּנֵי אָדָם. וְאִיהוּ תֵּשַׁע לְחֻשְׁבּוֹן זְעֵיר דְּחָנוֹךְ. אִיהוּ בַּר נָשׁ דְּאִתְיְילִיד לְתִשַׁע יַרְחִין דְּעוּבָּרָא, דְּאִיהִי עֲשִׂירָאָה. וּבְדָא כָּלִיל מִכֻּלְּהוּ, וְאִתְקְרֵי בֵּן בּוּכְרָא, עַל שֵׁם אוֹת בְּרִית, דְּאִיהוּ י׳, טִפָּה קַדְמָאָה דְּאִתְמְשַׁךְ מִנֵּיהּ זֶרַע יוֹרֶה כַּחֵץ. דְּאִיהוּ ו׳, וְאִיהוּ י׳, סָלִיק עַל ו׳, כְּאִיבָּא דְּסָלִיק עַל עַנְפָּא דְּאִילָנָא.

תשעב. ואע״ג דְּכַמָּה עַנְפִין אִית בְּאִילָנָא, וְכַמָּה תְּאֵנִים עֲלַיְיהוּ, אִינּוּן דְּאַקְדִּימוּ בְּקַדְמֵיתָא, אִתְקְרִיאוּ בִּכּוּרִים. אִלֵּין אִינּוּן רֵישִׁין דְּכֻלְּהוּ. כְּגַוְונָא דִּלְהוֹן אִתְּמַר שְׂאוּ שְׁעָרִים רָאשֵׁיכֶם. שְׂאוּ מָרוֹם עֵינֵיכֶם וּרְאוּ מִי בָרָא אֵלֶּה. שְׂאוּ אֶת רֹאשׁ כָּל עֲדַת בְּנֵי יִשְׂרָאֵל.

תשעג. שְׂאוּ שְׁעָרִים רָאשֵׁיכֶם. שְׁעָרִים אִלֵּין, אִינּוּן חַמְשִׁין תַּרְעִין דְּבִינָה. דְּאִיהִי מְתִיבְתָּא דִּלְעֵילָּא. וּשְׂאוּ פִּתְחֵי עוֹלָם, דִּמְתִיבְתָּא תַּתָּאָה, דְּכָל מַאן דְּאִשְׁתְּדַל בְּאוֹרַיְיתָא לְסוֹף מִתְנַשְּׂאָ. הה"ד, אִם נָבַלְתָּ בְּהִתְנַשֵּׂא. וְאוֹקְמוּהָ מָארֵי מַתְנִיתִין, כָּל הַמְנַבֵּל עַצְמוֹ עַל דִּבְרֵי תוֹרָה, לְסוֹף מִתְנַשֵּׂא, וְיָבֹא מֶלֶךְ הַכָּבוֹד, וְלֵית כָּבוֹד אֶלָּא תּוֹרָה.

תשעד. מֵהָכָא, מַאן דְּיָלִיף אוֹרַיְיתָא דְּאִתְקְרִיאַת כָּבוֹד, אִקְרֵי מֶלֶךְ. וְלָא תֵּימָא בְּהַהוּא עָלְמָא דְּאָתֵי וְלָא יַתִּיר, אֶלָּא מֶלֶךְ בִּתְרֵין עָלְמִין, בִּדְיוֹקְנָא דְּמָארֵיהּ. וּבְגִין דָּא כָּפוּל פְּסוּקָא תְּרֵין זִמְנִין, וְחַד מִי זֶה מֶלֶךְ הַכָּבוֹד. תִּנְיָינָא מִי הוּא זֶה מֶלֶךְ הַכָּבוֹד. שְׂאוּ שְׁעָרִים רָאשֵׁיכֶם, מַאי רָאשֵׁיכֶם תְּרֵין זִמְנִין. אִינּוּן חֵיוָן דְּמֶרְכַּבְתָּא עִלָּאָה, וְחֵיוָן דְּמֶרְכַּבְתָּא תַּתָּאָה. (ע"כ רעיא מהימנא).

תשעה. רִבִּי שִׁמְעוֹן פָּתַח קְרָא וְאָמַר, שְׂאוּ שְׁעָרִים רָאשֵׁיכֶם וְגוֹ'. הַאי קְרָא אוֹקְמוּהָ וְאִתְּמַר. אֲבָל שְׂאוּ שְׁעָרִים רָאשֵׁיכֶם, אִלֵּין אִינּוּן תַּרְעִין עִלָּאִין, תַּרְעִין דְּסָכְלְתָנוּ עִלָּאָה. וְאִינּוּן חַמְשִׁין תַּרְעִין. רָאשֵׁיכֶם, אִינּוּן רָאשִׁים מַאן אִינּוּן. אֶלָּא, כָּל חַד וְחַד, אִית לֵיהּ רֵישָׁא לְאִתְפַּשְׁטָא וּלְמֵיעַל דָּא בְּדָא, וּלְאַכְלְלָא דָּא בְּדָא.

תשעו. אַשְׁכַּחְנָא בְּסִפְרָא דַּחֲנוֹךְ, שְׂאוּ שְׁעָרִים, אִלֵּין אִינּוּן תַּרְעִין דִּלְתַתָּא מֵאַבְהָן, וְאִינּוּן תְּלָתָא בִּתְרָאִין. רָאשֵׁיכֶם: אִלֵּין אִינּוּן רָאשֵׁי אַלְפֵי יִשְׂרָאֵל, וְאִינּוּן אַבְהָן עִלָּאֵי, וְאִינּוּן רָאשִׁין דְּאִינּוּן תַּרְעִין. וּבְגִין אִלֵּין דְּאִינּוּן אוֹפַנִּים, דְּסָחֲרָן וְנַטְלִין לוֹן עַל כַּתְפַּיְיהוּ, אָמְרֵי שְׂאוּ שְׁעָרִים רָאשֵׁיכֶם, שְׂאוּ לְמַאן. לְרָאשֵׁיכֶם. דְּאִינּוּן רָאשִׁין עֲלַיְיכוּ, וְשָׁלְטָנִין עֲלַיְיכוּ. וְהִנָּשְׂאוּ פִּתְחֵי עוֹלָם. אִלֵּין אִמָּהָן וְאַרְבַּע אִינּוּן דִּלְתַתָּא.

תשעז. וְיָבֹא מֶלֶךְ הַכָּבוֹד, דָּא מַלְכָּא עִלָּאָה דְּכֹלָּא, דְּאִיהוּ מֶלֶךְ מֵהַהוּא כָּבוֹד, דְּנָהִיר לְסִיהֲרָא, וּמַאן אִיהוּ. יְיָ' צְבָאוֹת. וְיָבֹא, לְאָן אֲתַר. לְמֵיעַל אוֹרַיְיתָא בַּאֲרוֹנָא, בְּחִבּוּרָא חֲדָא, כַּדְקָא יָאוּת. וְכֵיוָן דְּהַאי עָאל לְאַתְרֵיהּ, כְּדֵין אוֹרַיְיתָא עָאל בַּאֲרוֹנָא. וְאִתְחַבַּר חִבּוּרָא חֲדָא, אוֹרַיְיתָא עִלָּאָה, בְּאוֹרַיְיתָא דִּבְעַל פֶּה, מִתְחַבְּרוּ לְפָרְשָׁא מִילִּין סְתִימִין.

תשעח. אֵימָתַי. בְּשָׁבוּעוֹתֵיכֶם. לְמִנְיָינָא דְּאַתּוּן מוֹנִין. דִּבְכָל שַׁעְתָּא דְּיִשְׂרָאֵל עָבְדִין וְחוּשְׁבָּנִין לְיַרְחִין וְזִמְנִין, קוּדְשָׁא בְּרִיךְ הוּא אַתְקִין תֵּיבָה גּוֹ אִינּוּן רְקִיעִין, וְאַעְבַּר כָּרוֹזָא, הָא בְּנַי לְתַתָּא, קַדְּשׁוּ יַרְחָא, קַדְּשׁוּ זִמְנָא, אִתְקַדְּשׁוּ כֻּלְּכוּ לְעֵילָּא. וְעָבֵיד לְכָל חֵילֵי דְּבִשְׁמַיָּא, דְּמִתְקַדְּשִׁין כַּחֲדָא בְּעַמָּא קַדִּישָׁא, וְכֻלְּהוּ נַטְרֵי כַּחֲדָא, נְטִירָא חֲדָא, וְעַל דָּא בְּשָׁבוּעוֹתֵיכֶם, לְמִנְיָינָא דְּאַתּוּן מוֹנִין אִינּוּן שֶׁבַע שַׁבָּתוֹת.

תשעט. וּכְדֵין מָשִׁיךְ קוּדְשָׁא בְּרִיךְ הוּא, מְשִׁיכוּ דְּשֶׁבַע דַּרְגִּין לְתַתָּא, בְּהַהוּא דַּרְגָּא דְּאִתְאֲחָד בְּהוּ, בְּאִינּוּן שֶׁבַע שַׁבָּתוֹת. וְאִי תֵּימָא, וְהָא שִׁיתָּא אִינּוּן וְלָא יַתִּיר. אֶלָּא כְּדֵין אִימָּא יָתְבָא עַל אֶפְרוֹחִין, וְאִשְׁתַּכְּחַת רְבִיעָא עֲלַיְיהוּ. וַאֲנָן מְפַרְחִין לָהּ, וְנַטְלִין אִינּוּן שִׁית בְּנִין. בְּהַאי דַּרְגָּא דִּלְתַתָּא, לְקַיְּימָא דִּכְתִיב, שַׁלֵּחַ תְּשַׁלַּח אֶת הָאֵם וְאֶת הַבָּנִים וְגוֹ'.

תשפ. רַב הַמְנוּנָא סָבָא אָמַר, בְּהַאי יוֹמָא, לָא נַטְלִין יִשְׂרָאֵל אֶלָּא חָמֵשׁ בְּנִין, וְאִינּוּן חֲמִשָּׁה חוּמְשֵׁי תוֹרָה. וְאִי תֵּימָא שִׁית אִינּוּן. אֶלָּא שֶׁבַע אִינּוּן, בְּחַד צִפַּר דְּאִשְׁתַּכְּחַת בֵּין גַּדְפָהָא דְּאִימָּא. וְיִשְׂרָאֵל, יָדְעֵי לְמֵיצַד צֵידָא טָבָא, רַבָּא וְיַקִּירָא. מָה עָבְדֵי. מַפְּקֵי מִתְּחוֹת גַּדְפָהָא דְּאִמָּהָא, הַהוּא צִפּוֹרָא, בִּלְחִישׁוּ דְּפוּמָא מְלַחֲשׁוּ לְגַבָּהּ, לְחִישׁוּ בָּתַר לְחִישׁוּ.

תשפא. וההוא צפורא דחייש לאינון לחישין, ולאינון קלין, דקא מלחשי לגבה. ואע"ג דאיהי תחות גדפי אמהא, זקיף רישא ואסתכלת לגבי ההוא לחישו דקלא, ופרחת לגבייהו, ונפקת מתחות גדפהא דאימא. כיון דישראל נטלי לה, אתקיפו בה, ולחשין לה, וקשרין לה בקשורא דלא תפרח ותזיל. מיד נטלי לה ישראל בההוא קשורא, ואיהי בעאת למפרח ולמיזל, ולא יכילת למיזל לה.

תשפב. ובעוד דהיא קשירא בידייהו, אינון מלחשי בקליהון, ואיהי מצפצפא בהדייהו, ופרחת לעילא, ונחתת. וכל אינון בנין דתחות גדפי אמהון, כיון דשמעי ההוא צפצפא דאחתהון, ולחישו דההוא קלא, מיד נפקי מתחות גדפהא דאמהון, ופרחי לגבי ההוא צפורא, וישראל נטלי לון, ואחדי בהו. ואלמלא ההוא צפורא דקא אוחדי בקדמיתא, אינון לא פרחי לגבייהו לעלמין, ולא יכלין לאחדא בהו.

תשפג. היך צדין צידה דהאי צפרא קדישא. מתקנין לקמא מיכלא יקירא בחדוה, וכל ענוגין, ועאלין לבי כנשתא ולבי מדרשא, ומצפצפן לגבה בקל לחישו כדקא יאות. ואיהי דמטמרא תחות גדפהא דאימא, זקפת רישא, וחמאת פתורין מתקנן, וצפצופין לגבה כדקא יאות. נפקת ופרחת לגבייהו כמה דאתמר, ובה אחדין כל אינון בנין.

תשפד. ומשלחין לההוא דרביעא עלייהו ואזלת. בגין דהא מן רקיעא שביעאה ולעילא, במכוסה ממך אל תדרוש. שלח ליה, דלא תיכול לאדבקה וע"ד כתיב, שלח תשלח וגו'.

תשפה. מקרא קדש, דא קריאה וצפצופא, דעבדין לההוא צפרא קדישא בקדמיתא. וכיון דאחדין בה שאר יומין, אקרון מקראי קדש. האי צפרא אקרי קדש, דכתיב, כי קדש היא לכם. ובגין דאיהי קדש, איהי קריאה לכולהו ואתיין לגבה. ובגין כך אקרון מקראי קדש.

תשפו. איהי קריאה, וישראל מצפצפן בהדה, וקראן אוף הכי. ועל דא אינון אתיין לגבייהו, ואחדי בהו. בגין כך אלה מועדי יי' מקראי קדש אשר תקראו אותם. מקראי קדש, בצפצופא דלהון, ובההוא צפרא קדישא קדש, דקרא לון.

תשפז. אמר רעיא מהימנא, מלין אלין, כמה סתימין אינון, למאן דלא ידע, וגליין למאן דידע בהו. ודאי ההוא צפורא איהו שכינתא. קן דילה, דא בי מקדשא. וישראל אינון אפרוחין, דאימא יתבא עלייהו. הה"ד, והאם רובצת על האפרוחים, ואינון מארי משנה, דפרחין בפקודין דילה. או ביצים, אינון מארי מקרא.

תשפח. ובזמנא דחבו ישראל, ואתחריב בי מקדשא, מה כתיב. שלח תשלח את האם, הה"ד, ובפשעיכם שלחה אמכם. ואינון מארי שיתא סדרי משנה כתיב בהו, ואת הבנים תקח לך. דאינון שית, מסטרא דשית בנין דתחות אימא עלאה, דאינון בשית תיבין דק"ש. או בשית סדרי משנה, אחד המרבה ואחד הממעיט ובלבד שיכוין לבו לשמים. וקשרין לון בקשרין דתפלין, על רישא ועל דרועא.

תשפט. ובמאי נטלין בנין בכמה צפצופין דקלין דק"ש. ולבתר לחשין בלחישו בצלותא דחשאי, לגבי אימא וברתא, ואינון ה' ה', ונחתין לגביה ו', בקשר דיליה דאיהו יו"ד. ושריא ה' עלאה, על ו', תפלין על רישיה. ה זעירא, נחת לגבי י', דאיהו קשר דה' עלאה, על ראש ו', ואיהו ו', קשר עמה בה' דיד כהה.

תשצ. ובג"ד, אפרוחים מסטרא דאת ו', כליל ו' סדרי משנה. או ביצים, אלין.

מָארֵי מִקְרָא, דְּאִתְּמַר עֲלַיְיהוּ, בֶּן ה' שָׁנִים לְמִקְרָא, וְדָא ה'. בְּגִין מִסִּטְרָא דְּבֶן יָ"הּ, אִלֵּין מָארֵי קַבָּלָה. עֲלַיְיהוּ אִתְּמַר לֹא תִקַּח הָאֵם עַל הַבָּנִים.

תשצא. וּמָארֵי קַבָּלָה, אִינּוּן מָארֵי תַּלְמוּד. וְאִתְּמַר עֲלַיְיהוּ, וְשִׁנַּנְתָּם. וְאוּקְמוּהָ מָארֵי מַתְנִיתִין, אַל תִּקְרֵי וְשִׁנַּנְתָּם, אֶלָּא וְשִׁלַּשְׁתָּם, דְּאִינּוּן שְׁלִישׁ בַּמִּקְרָא, שְׁלִישׁ בַּמִּשְׁנָה, שְׁלִישׁ בַּתַּלְמוּד. וְרָזָא דְּמִלָּה, כִּי יִקָּרֵא קַן צִפּוֹר לְפָנֶיךָ בַּדֶּרֶךְ, בְּמָארֵי מִקְרָא. וְעָשִׂיתָ מְנֹרַת זָהָב טָהוֹר. הָא אוּקְמוּהָ, וְעָשִׂיתָ מְנֹרַת, כְּלָל. זָהָב, פְּרָט. מִקְשָׁה, כְּלָל. וְכַמָּה מִקְרָאִין מָארֵי מַתְנִיתִין, אִינּוּן מַרְבִּין וּמְמַעֲטִין, כְּגוֹן רִיבָּה וּמִיעֵט. אוּף הָכִי, מַרְבִּין, אַל תִּקְרֵי מַה. אֶלָּא מֵאָה. אוּף הָכִי, אַל תִּקְרֵי וְשִׁנַּנְתָּם, אֶלָּא וְשִׁלַּשְׁתָּם. וְדַרְשֵׁינָן מִנֵּיהּ, שְׁלִישׁ בַּמִּקְרָא, שְׁלִישׁ בַּמִּשְׁנָה, שְׁלִישׁ בַּתַּלְמוּד. כְּדְאִיתָא בְּקִדּוּשִׁין.

תשצב. אוּף הָכִי, בְּיוֹם כַּלֹּת מֹשֶׁה, כַּלַּת דָּרְשֵׁינָן בֵּיהּ. אִי תֵּימָא דְּדָרְשֵׁינָן לוֹן מִנְּהוֹן. כֵּיצַד מֵאַלְפָּא בֵּיתָא, וְלָא מֵעַצְמָן דְּאִינּוּן לֵית לוֹן רְשׁוּ, לְאוֹסָפָא, וְלָא לְמִגְרַע אוֹת מִנֵּיהּ, אוֹ לְאַחְלְפָא אָת דָּא בְּאָת אַחֲרָא. הָא כְּתִיב כַּלּוֹת מָלֵא בְּאוֹרַיְיתָא. מַאן יָהִיב לוֹן רְשׁוּת לְמִגְרַע אוֹת מִנֵּיהּ, דְּהוּא ו', הָא לָא אִית הָכָא מִלָּה דְּאִתְחַלִּיף בְּאַלְפָא בֵּיתָא. אֶלָּא עַל אִלֵּין תֵּיבִין חֲסֵרִין, דְּאִינּוּן מְלֵאִים. וּמְלֵאִים, דְּאִינּוּן חֲסֵרִים. וְעַל כָּל פֵּירוּשִׁין דְּיַכְלִין לְמֶעְבַּד לְקַשְׁטָא כַּלָּה בְּתַכְשִׁיטִין דִּילָהּ, קוּדְשָׁא בְּרִיךְ הוּא מָנֵי לְמֶעְבַּד, כְּמָה דְּיֵימְרוּן, וּלְמֶהֱוֵי מְאַמְּנִין לוֹן, הה"ד עַל פִּי הַתּוֹרָה אֲשֶׁר יוֹרוּךָ.

תשצג. לְאוּמָן דְּחָתַךְ מָאנֵי לְבוּשִׁין דְּמַלְכוּתָא, וְעָבֵד מִנְּהוֹן חֲתִיכָן סַגִּיאִין, אִינּוּן דְּיַדְעִין אַתְרִין דְּחָסְרִין אִלֵּין חֲתִיכוֹת, אוֹ אִלֵּין דְּמִשְׁתַּאֲרִין, אִינּוּן מְתַקְּנִין אִינּוּן לְבוּשִׁין, וְשָׁוִין אִינּוּן חֲתִיכוֹת דְּאִתּוֹסְפָן, בַּאֲתַר דִּמְעוּטִין, וַחֲתִיכוֹת דְּאִינּוּן מְעַטִּין, מוֹסִיפִין עֲלַיְיהוּ, וְהַאי אִיהוּ עַל פִּי הַתּוֹרָה אֲשֶׁר יוֹרוּךָ.

תשצד. וְאִי תֵּימָא, אִי כַּךְ הוּא, מַאי אִיהוּ דִּלְזִמְנִין טָעֵי חַד מִנַּיְיהוּ, וְיֵימָא הֲדַרֵי בִּי. אֶלָּא עַד דְּיַעַבְדֵי הוֹרָאָה מֵהַהִיא מִלָּה דְּחוֹלְקִין עָלָהּ, יָכִיל הַהוּא דְּאַקְשֵׁי עָלָהּ, לְמֵימַר הֲדַרֵי בִּי. דְּלָא כָּל מְפָרְקֵי תַּכְשִׁיטִין דְּכַלָּה, יַדְעִין בַּחֲתִיכוֹת לְאָן אַזְלָן, עַד דְּיֵהָא פָּסֵק עַל בּוּרְיֵיהּ, פְּרוּקִין דְּהֲלָכוֹת עַל בּוּרְיֵיהוֹן.

תשצה. מְנוֹרָה, שֶׁבַע בּוֹצִינִין דִּילָהּ, אֶת שֶׁבַע הַנְּעָרוֹת הָרְאוּיוֹת לָתֶת לָהּ מִבֵּית הַמֶּלֶךְ. לְקַבֵּל שִׁי"ן דִּתְלַת רָאשִׁין ש. וְשִׁי"ן דְּאַרְבַּע רָאשִׁין דִּתְפִלִּין ש. וְאִינּוּן לְקַבֵּל ז' בִּרְכָאן דְּק"ש, דְּאִינּוּן בַּשַּׁחַר מְבָרֵךְ שְׁתַּיִם לְפָנֶיהָ וְאַחַת לְאַחֲרֶיהָ, וּבָעֶרֶב מְבָרֵךְ שְׁתַּיִם לְפָנֶיהָ וּשְׁתַּיִם לְאַחֲרֶיהָ. לְבָתַר, כַּהֲנָא רַבָּא בַּעֲבוֹדָה, דִּמְשַׁמֵּשׁ בְּכַנְפֵי מִצְוָה, פַּעֲמוֹנִים וְרִמּוֹנִים, אִינּוּן קְשָׁרִין וְחוּלְיָין וְצִיץ תְּפִלִּין, מִתַּמָּן וְאֵילָךְ וְעָשִׂיתָ מִזְבֵּחַ מִקְטַר קְטֹרֶת.

תשצו. פָּתַח רַעְיָא מְהֵימְנָא, וְאָמַר, כְּתִיב בְּפַרְשָׁתָא דָּא, וְהִקְרַבְתֶּם אִשֶּׁה עוֹלָה לַיְיָ'. וְאוּקְמוּהָ, דְּעוֹלָה לְאִשִּׁים. וּבְג"כ סָמַךְ עוֹלָה לְאִשֶּׁה. וְעוֹד אוּקְמוּהָ, דְּלֵית עוֹלָה אַתְיָא אֶלָּא עַל הִרְהוּר הַלֵּב.

תשצז. וַדַּאי, כָּל קָרְבְּנִין לָא אַתְיָין, אֶלָּא לְכַפָּרָא. כָּל קָרְבְּנָא וְקָרְבְּנָא, עַל כָּל אֵבָרִין דְּב"נ, כְּפוּם הַהוּא חֵטְא דְּהַהוּא אֵבֶר. עַל טִפִּין דְּמוֹחָא, עוּגוֹת מַצּוֹת כִּי לֹא חָמֵץ. אִי זָרִיק טִפִּין קַדְמָאִין, קֹדֶם דְּאִתְחַמִּיצוּ, בַּאֲתַר דְּלָאו דִּילֵיהּ. וְעַל אִלֵּין דְּאִתְחַמִּיצוּ, וְזָרִיק לוֹן בַּאֲתַר דְּלָא אִצְטְרִיךְ, צָרִיךְ לְאַיְיתָאָה עֲלַיְיהוּ לֶחֶם חָמֵץ, וְאִינּוּן לַחְמֵי תוֹדָה הָכִי הֲווּ, מִנְּהוֹן חָמֵץ, וּמִנְּהוֹן מַצָּה.

תשצח. פָּרִים מִסִּטְרָא דְּדִינָא, כְּבָשִׂים וְאֵילִים וְעַתּוּדִים וְעִזִּים. בְּגִין דְּאִינּוּן אַנְפֵּי

דְּשׁוֹר, כֻּלְּהוּ שְׁחִיטָתָן בַּצָּפוֹן, וְקִבּוּל דָּמָן בִּכְלֵי שָׁרֵת בַּצָּפוֹן. שְׁחִיטָה וְקַבָּלָה וּזְרִיקָה כֻּלָּם בַּצָּפוֹן. לְבַסְּמָא מִדַּת הַדִּין, דְּאָתֵי לְבֵית דִּין מִסִּטְרָא דִּגְבוּרָה. בֵּית דִּין הַגָּדוֹל מִסִּטְרָא דִּגְבוּרָה, דְּתַמָּן בִּינָה. בֵּית דִּין הַקָּטָן, מִסִּטְרָא דְּמַלְכוּת. וְכָל אִינּוּן שׁוֹפְכֵי דָּמִים לְמִצְוָה, אִינּוּן מִסִּטְרָא דִּגְבוּרָה.

תשצט. וּמַה דְּאוֹקְמוּהָ, עוֹלַת שַׁבַּת בְּשַׁבַּתּוֹ וְלֹא בְּשַׁבָּת אַחֶרֶת, בְּגִין דְּעָבַר יוֹמוֹ בָּטֵל קָרְבָּנוֹ. דְּקָרְבַּן דּוֹחֶה שַׁבָּת, וְאַדְלִיק אֵשׁ בְּשַׁבָּת, בְּגִין דְּאִיהוּ אֶשָּׁא קְדוֹשָׁה. דְּכָל אֵשׁ דְּקָרְבְּנִין אִיהוּ קֹדֶשׁ, וְשַׁבָּת קֹדֶשׁ, אֲחִידָן דָּא בְּדָא.

תת. אֲבָל אֵשׁ דְּחוֹל, אָסִיר לְאַחֲדָא לֵיהּ בַּקֹּדֶשׁ, וּבְגִ"ד מָנֵי לוֹן לְיִשְׂרָאֵל, לֹא תְבַעֲרוּ אֵשׁ בְּכֹל מוֹשְׁבוֹתֵיכֶם בְּיוֹם הַשַּׁבָּת. דְּהַאי אִיהוּ כִּלְאַיִם דְּטוֹב וָרָע. וּבְשַׁבָּת דְּשָׁלְטָא אִילָנָא דְּחַיֵּי, דְּלֵית בֵּיהּ תַּעֲרוֹבֶת, וְחוּלִין דְּטָהֳרָה אָסִיר לְעָרְבָא בְּאֵשׁ דִּקְדוּשָּׁה. כָּל שֶׁכֵּן חוּלִין דְּטוּמְאָה, דְּאָסִיר לְעָרְבָא לוֹן בִּקְדוּשָּׁה. אוּף הָכִי כָּל קָרְבְּנִין, אִתְקְרִיאוּ בְּשַׂר קֹדֶשׁ. וְכָל קָרְבְּנִין דְּכָל מִין, אִית בְּהוֹן חוּלִין דְּטָהֳרָה, וְאִית בְּהוֹן קֹדֶשׁ וְקֹדֶשׁ הַקֳּדָשִׁים.

תתא. וְרָזָא, דְּאִית הֶפְרֵשׁ בֵּין קֹדֶשׁ לְקֹדֶשׁ, הה"ד, וְהִבְדִּילָה הַפָּרֹכֶת לָכֶם בֵּין הַקּוֹדֶשׁ וּבֵין קֹדֶשׁ הַקֳּדָשִׁים. אוּף הָכָא אֶשּׁוֹת דְּקָרְבְּנִין, לָאו אִינּוּן שָׁוִין. דְּאֵשׁ שֶׁל גָּבוֹהַּ מְקוּדָּשׁ מֵאֵשׁ דְּקֹדֶשׁ דִּלְתַתָּא. דְּאִתְקְרֵי אֵשׁ עֲצֵי הַקֹּדֶשׁ, אוֹ אֵשׁ בְּשַׂר הַקֹּדֶשׁ. וְאֶשָּׁא דְּקוּדְשָׁא, אִית בֵּיהּ הַפְרָשָׁה לְבֵין אֵשׁ הֶדְיוֹט. אַף עַל גַּב דְּאוֹקְמוּהָ עָלֵיהּ, דְּמִצְוָה לְהָבִיא מִן הַהֶדְיוֹט, אַף עַל גַּב דְּאִית אֵשׁ דְּקוּדְשָׁא, דְּכָל חַד צָרִיךְ לְאַתְרֵיהּ.

תתב. יִשְׂרָאֵל אַמְתִּילוּ לְהַאי. דְּהָא יִשְׂרָאֵל בִּכְלָל אִתְקְרִיאוּ מְלָכִים כְּמָה דְּאוֹקְמוּהָ, כָּל יִשְׂרָאֵל בְּנֵי מְלָכִים. אֲבָל כַּד הֲווּ עָאלִין לְבֵי מַקְדְּשָׁא, כָּל חַד שַׁרְיָיא בְּאַתְרֵיהּ, כַּדְקָא יָאוּת לֵיהּ. אוּף הָכִי כָּל קָרְבְּנִין לָאו אִינּוּן שָׁוִין, דְּאַף עַל גַּב דִּבְכוּלְּהוּ כְּתִיב קָרְבַּן לַיְיָ', אִיהוּ פָּלִיג כֹּלָּא כָּל חַד וְחַד כַּדְקָא יָאוּת. וְרָזָא דָּא, אִשְׁתְּמוֹדַע בְּפָרֵי הֶחָג, דַּהֲווּ קָרִיבִין לוֹן יִשְׂרָאֵל קֳדָם יְיָ'.

תתג. אָמַר בּוּצִינָא קַדִּישָׁא, קוּם רַעְיָא מְהֵימְנָא מִשְּׁנָתָךְ, דְּאַנְתְּ וַאֲבָהָן יְשֵׁנֵי עָפָר אִתְקְרוּן, דְּעַד כְּעַן הֲוֵיתוּן מִשְׁתַּדְּלִין בְּאוֹרַיְיתָא, בְּאִינּוּן יְשֵׁנִים בַּמִּשְׁנָה, דְּאִתְּמַר בְּהוֹן עַל הָאָרֶץ תִּישַׁן. וּבְיוֹם הַבִּכּוּרִים בְּהַקְרִיבְכֶם מִנְחָה חֲדָשָׁה לַיהֹוָה. אַתּוּן אִינּוּן בִּכּוּרִים דִּשְׁכִינְתָּא, וּבְעוֹבָדִין דִּלְכוֹן, אִיהִי אִתְחַדְּשַׁת בִּצְלוֹתִין דַּאֲבָהָן בְּכָל יוֹמָא. דְּאוֹקְמוּהָ מָארֵי מַתְנִיתִין, תְּפִלּוֹת כְּנֶגֶד אָבוֹת תִּקְנוּם. וּבְקֹ"שׁ דְּאָמַר רַעְיָא מְהֵימְנָא שְׁמַע יִשְׂרָאֵל, וְאוֹקְמוּהָ כָּל הַקּוֹרֵא קֹ"שׁ בְּכָל יוֹם, כְּאִלּוּ הוּא מְקַיֵּים וְהָגִיתָ בּוֹ יוֹמָם וָלַיְלָה.

תתד. וַדַּאי בִּצְלוֹתִין דִּלְכוֹן, בִּקְרִיאַת שְׁמַע דִּלְכוֹן, שְׁכִינְתָּא אִיהִי אִתְחַדְּשַׁת קַמֵּיהּ דְּקוּדְשָׁא בְּרִיךְ הוּא. וּבְגִ"ד, וְהִקְרַבְתֶּם מִנְחָה חֲדָשָׁה לַיהֹוָה. בִּצְלוֹתִין דְּאִינּוּן בַּאֲתַר דְּקָרְבְּנִין. בְּאָן קָרְבְּנִין דִּצְלוֹתִין אִיהִי מִתְחַדֶּשֶׁת. בְּשָׁבוּעוֹתֵיכֶם. דְּהַיְינוּ שָׁבוּעוֹת, דְּבֵיהּ מַתַּן תּוֹרָה, וְאִתְקְרֵי וַחֲמִשִּׁים יוֹם לָעוֹמֶר. וּבֵיהּ שִׁבְעָה שָׁבוּעוֹת, מִסִּטְרָא דְּהַהוּא דְּאִתְּמַר בֵּיהּ, שֶׁבַע בַּיּוֹם הִלַּלְתִּיךָ, וְאִיהִי מַלְכוּת כַּלָּה. כְּלִילָא מִשֶּׁבַע סְפִירָן, כְּלִילָא בְּבִינָה, דְּאִיהִי אִתְפַּשְּׁטַת בָּהּ ה' סְפִירָאן לַחֲמִשִּׁין.

תתה. יְסוֹד כָּל, כָּלוּל מֵאִלֵּין חַמְשִׁין. כַּלָּ"ה: כָּ"ל ה'. כְּלִילָא מֵחֲמִשִּׁים, כֻּלְּהוּ נִבְלָעִים בְּגוֹ חֲמִשִּׁים, וְחָכְמָה דְּאִיהִי, י' עִלָּאָה, מוּבְלַעַת בְּגוֹ חַמְשִׁין. ה' זִמְנִין עֶשֶׂר. ה' בִּינָה. י' חָכְמָה. עֶשֶׂר זִמְנִין ה' הַיְינוּ חַמְשִׁין וּבְחוּשְׁבַּן כָּ"ל. וּבְחוּשְׁבַּן יָ"ם. וְאִיהוּ יַם הַתּוֹרָה.

מְקוֹרָא דִּילֵיהּ כֶּתֶר, דְּלֵית לֵיהּ סוֹף. שְׁאַר סְפִירָאן, אִתְקְרִיאוּ עַל שְׁמָהּ שִׁבְעַת יָמִים. וּמַלְכוּת יַם סוּף, סוֹף דְּכָל יָמִים.

תתו. וּבְגִ"ד דְּאִינּוּן וַחֲמִשִּׁין שֶׁבַע שָׁבוּעוֹת, מִנְחָתָם שְׁלֹשָׁה עֶשְׂרֹנִים, וּשְׁנֵי עֶשְׂרֹנִים. וַחֲמֵשׁ, דְּאִינּוּן וַחֲמֵשׁ וּזְמַנִין עֶשֶׂר. הה"ד, וּמִנְחָתָם סֹלֶת בְּלוּלָה בַשֶּׁמֶן שְׁלֹשָׁה עֶשְׂרֹנִים לַפָּר הָאֶחָד וּשְׁנֵי עֶשְׂרֹנִים לָאַיִל הָאֶחָד עִשָּׂרוֹן עִשָּׂרוֹן לַכֶּבֶשׂ הָאֶחָד לְשִׁבְעַת הַכְּבָשִׂים. וְשִׁבְעַת הַכְּבָשִׂים, לְקַבֵּל שֶׁבַע שַׁבָּתוֹת תְּמִימוֹת תִּהְיֶינָה. כָּל וְחַד עִם שִׁית יוֹמִין דִּילֵיהּ.

תתז. וּבֶעָשׂוֹר לַחֹדֶשׁ הַשְּׁבִיעִי, דְּאִיהוּ תִּשְׁרֵי. מִקְרָא קֹדֶשׁ יִהְיֶה לָכֶם, דָּא יוֹם הַכִּפּוּרִים. דְּאִיהוּ עֲשִׂירִי י', כְּלִיל מֵעֲשֶׂרֶת יְמֵי תְּשׁוּבָה. וְתַקִּינוּ בֵּיהּ ה' צְלוֹתִין, לְחַבְּרָא עִם ה'. מַאי מִקְרָא קֹדֶשׁ. לְאַפְרְשָׁא לֵיהּ מִשְּׁאַר יוֹמִין, דְּאִית בְּהוּ פּוּלְחָנָא דְּחוֹל. וּבְגִין דָּא, כָּל מְלֶאכֶת עֲבוֹדָה לֹא תַעֲשׂוּ.

תתח. דְּיוֹמִין דְּאִית בְּהוֹן מְלֶאכֶת חוֹל, אִינּוּן מִסִּטְרָא דְּעֵץ הַדַּעַת טוֹב וָרָע. דְּאִתְהַפַּךְ מִמַּטֶּה לְנָחָשׁ, וּמִנָּחָשׁ לְמַטֶּה. לְכָל וְחַד כְּפוּם עוֹבָדוֹי, וְדָא מְטַטְרוֹן מַטֶּה, נָחָשׁ, סָמָאֵל. אֲבָל בְּהַאי יוֹמָא דְּאִיהוּ יוֹם הַכִּפּוּרִים דְּאִתְקְרֵי קֹדֶשׁ, שַׁלְטָא אִילָנָא דְּחַיֵּי, דְּלָא אִשְׁתַּתַּף עִמֵּיהּ שָׂטָן וּפֶגַע רָע. וּמִסִּטְרֵיהּ לֹא יְגוּרְךָ רָע. וּבְגִין דָּא, בֵּיהּ נַיְיחִין עַבְדִּין בְּאִילָנָא דְּחַיֵּי, וּבֵיהּ נַפְקִין לְחֵירוּת, בֵּיהּ נַפְקֵי מִשַּׁלְשְׁלֵיהוֹן.

תתט. אִינּוּן דְּאִית עֲלַיְיהוּ גְּזַר דִּין, בְּנֶדֶר וּבִשְׁבוּעָה, וּבְגִין דָּא תַקִּינוּ לְמֵימַר בֵּיהּ, כָּל נִדְרֵי וֶאֱסָרֵי וְכוּ', כּוּלְהוֹן יְהוֹן שְׁבִיתִין וּשְׁבִיקִין לָא שְׁרִירִין וְלָא קַיָּימִין. וּבְגִין דָּא נֶדֶר בִּידֹוָ"ד, דְּאִיהוּ תִּפְאֶרֶת. וּשְׁבוּעָה בַּאֲדֹנָי, דְּאִיהוּ מַלְכוּת. דְּעַבְדוּ עַל גָּלוּתָא דִּלְהוֹן, בְּחָכְמָה וּבִינָה יְהוֹן שְׁבִיקִין וּשְׁבִיתִין לָא שְׁרִירָן וְלָא קַיָּימִין, וְנִסְלַח לְכָל עֲדַת בְּנֵי יִשְׂרָאֵל. דְּחֶסֶד אִיהוּ מַיִם. גְּבוּרָה אֵשׁ. תִּפְאֶרֶת אֲוִיר. וּבְגִין דָּא אוֹקְמוּהָ מָארֵי מַתְנִיתִין, הֶתֵּר נְדָרִים פּוֹרְחִים בָּאֲוִיר.

תתי. וּבְגִין דִּשְׁבוּעָה מִמַּלְכוּת, דְּאִיהִי לְתַתָּא מִינֵּיהּ. אוֹקְמוּהָ, נְדָרִים עַל גַּבֵּי שְׁבוּעוֹת עוֹלִים. וְעוֹד אוֹקְמוּהָ, כָּל הַנִּשְׁבָּע כְּאִילּוּ נִשְׁבַּע בַּמֶּלֶךְ עַצְמוֹ. וְכָל הַנּוֹדֵר כְּאִילּוּ נוֹדֵר בְּחַיֵּי הַמֶּלֶךְ. הַמֶּלֶךְ עַצְמוֹ, אֲדֹנָי. וְחַיֵּי הַמֶּלֶךְ, יְדֹוָ"ד. וּבְגִין דָּא כִּי יִדֹּר נֶדֶר לַידֹוָ"ד.

תתיא. וְאוּף הָכִי אִית רָזָא אָחֳרָא, וְחַיֵּי הַמֶּלֶךְ, וְחָכְמָה. הה"ד הַחָכְמָה תְּחַיֶּה בְעָלֶיהָ. כָּל הַנּוֹדֵר בַּיהֹוָה, דְּאִיהוּ תִּפְאֶרֶת. כְּאִילּוּ נוֹדֵר בְּחָכְמָה, דְּאִיהוּ יו"ד ה"א וא"ו ה"א, וְחַיֵּי הַמֶּלֶךְ. וְכָל הַנִּשְׁבָּע בַּאֲדֹנָי, כְּאִילּוּ נִשְׁבַּע בַּמֶּלֶךְ עַצְמוֹ. עַצְמוֹ דָּא אִימָּא עִלָּאָה, כְּאִילּוּ נִשְׁבַּע בָּהּ, דְּאִיהִי עֶצֶם הַשָּׁמַיִם לָטוֹהַר. מִסִּטְרָא דְּחֶסֶד, עֶצֶם מֵעֲצָמַי. וּבָשָׂר מִבְּשָׂרִי, מִסִּטְרָא דִּגְבוּרָה, דָּא מַלְכוּת. וּבְחָכְמָה דְּאִיהִי וְחַיֵּי תִּפְאֶרֶת, אִיהוּ סָלִיק לְאִתְקְרֵי אָדָם, הה"ד כְּתִפְאֶרֶת אָדָם.

תתיב. וְאִתְּמַר בְּיוֹם הַכִּפּוּרִים. וְעִנִּיתֶם אֶת נַפְשׁוֹתֵיכֶם. וּבֶעָשׂוֹר לַחֹדֶשׁ הַשְּׁבִיעִי הַזֶּה תְּעַנּוּ אֶת נַפְשׁוֹתֵיכֶם. תַּקִּינוּ בֵּיהּ ה' עִנּוּיִים, בְּגִין דְּתִתְלַבַּן ה' זְעֵירָא בְּה' עִלָּאָה, דְּאִיהוּ ה' צְלוֹתִין. לְקַיֵּים בְּיִשְׂרָאֵל, אִם יִהְיוּ חֲטָאֵיכֶם כַּשָּׁנִים כַּשֶּׁלֶג יַלְבִּינוּ. וְהַאי אִיהוּ רָזָא דִּלְשׁוֹן שֶׁל זְהוֹרִית, בְּגִין דְּכָל חוֹבִין דְּיִשְׂרָאֵל מִטּוּן לְגַבֵּי מַלְכוּת. וּתְשׁוּבָה דְּאִיהִי בִּינָה, מְלַבְּנַת לוֹן. בְּגִין דְּאִתְּמַר בָּהּ, הַשּׁוֹכֵן אִתָּם בְּתוֹךְ טוּמְאוֹתָם. וְד' בִּגְדֵי לָבָן, וְד' בִּגְדֵי זָהָב לְמַלְבּוּשׁ, יְאֳהדֹוָנָהִי.

תתיג. וְתַקִּינוּ לִתְקוֹעַ שׁוֹפָר בְּיוֹם הַכִּפּוּרִים, לְסַלְּקָא קוֹל דְּאִיהוּ ו', לְחֵירוּת. דְּאִתְּמַר בָּהּ, בְּכָל צָרָתָם לוֹ צָר, בָּא, וּבוֹ, קְרֵי וּכְתִיב. וַעֲבוֹדַת יוֹם הַכִּפּוּרִים אִיהִי בַּאֲרִיכוּת, וְאִיהִי כְּלִילָא מִתְּלַת דַּרְגִּין, בְּמַחֲשָׁבָה דִּבּוּר וּמַעֲשֶׂה.

תתיד. בַּחֲמִשָּׁה עָשָׂר יוֹם לַחֹדֶשׁ הַשְּׁבִיעִי וְגוֹ', דְּאִיהִי תִּשְׁרֵי, מִקְרָא קֹדֶשׁ יִהְיֶה לָכֶם כָּל מְלֶאכֶת עֲבוֹדָה לֹא תַעֲשׂוּ וְחַגּוֹתֶם אוֹתוֹ חַג לַיְיָ' שִׁבְעַת יָמִים וְגוֹ'. בַּחֲמִשָּׁה עָשָׂר, מִסִּטְרָא דְּיָ"הּ. וְחַגּוֹתֶם אוֹתוֹ, דָּא אוֹת ו', עַמּוּדָא דְּאֶמְצָעִיתָא. שִׁבְעַת יָמִים, מִסִּטְרָא דְּבַת שֶׁבַע, דְּאִיהִי מַלְכוּת. אֲבָהָן, וְרַעְיָא מְהֵימָנָא, וְאַהֲרֹן, דָּוִד וּשְׁלֹמֹה, הָא אִינּוּן שֶׁבַע, לְקַבֵּל שֶׁבַע סְפִירָאן. אֲנָא בָּעֵינָא לְתַקְּנָא לְכוֹן סֻכָּה, דְּאִיהִי אִימָּא עִלָּאָה, לְסַכְּכָא עֲלַיְיהוּ, כְּאִמָּא עַל בְּנִין.

תתטו. וּבְגִין ז' סְפִירָאן אָמַר קְרָא, כִּי בַסֻּכּוֹת הוֹשַׁבְתִּי אֶת בְּנֵי יִשְׂרָאֵל, בְּמַפָּקָנוּתְהוֹן מֵאַרְעָא דְּמִצְרַיִם, בְּז' עֲנָנֵי כָּבוֹד. סוּכָּה בְּאָת ו', אִיהוּ בְּרָזָא דִּתְרֵין בְּנִין, יְדֹוָד אֲדֹנָי. וְהָכִי סָלִיק סוּכָּ"ה בְּחוּשְׁבַּן יְאֲהדֹוָנָהִי. תְּרֵין כְּרוּבִים, דְּהֵם סוֹכְכִים בְּכַנְפֵיהֶם עַל הַכַּפּוֹרֶת וּפְנֵיהֶם אִישׁ אֶל אָחִיו.

תתטז. וְאִית עֲשָׂרָה טְפָחִים בַּכְּרוּבִים מִתַּתָּא לְעֵילָּא, מֵרַגְלֵיהוֹן עַד רֵישַׁיְיהוֹן, וּמֵרֵישַׁיְיהוֹן וְעַד רַגְלֵיהוֹן, וְשַׁרְיָין עַל טֶפַח דְּאִיהוּ י'. וַעֲשָׂרָה מֵעֵילָּא לְתַתָּא, וּמִתַּתָּא לְעֵילָּא, הַיְינוּ יו"ד. וּבְגִ"כ, שִׁיעוּרָא דְּסֻכָּה אָמְרוּ רַבָּנָן, לֹא פָּחוֹת מֵעֲשָׂרָה, וְלָא לְמַעְלָה מֵעֶשְׂרִים. סֻכָּה הָעֲשׂוּיָה כְּכִבְשָׁן מִסִּטְרָא דְּאִימָּא, עָלָהּ אִתְּמַר, וְהַר סִינַי עָשַׁן כֻּלּוֹ מִפְּנֵי אֲשֶׁר יָרַד עָלָיו יְיָ' בָּאֵשׁ וַיַּעַל עֲשָׁנוֹ כְּעֶשֶׁן הַכִּבְשָׁן. וְכֹלָּא חַד.

תתיז. וְסֻכָּה תִּהְיֶה לְצֵל יוֹמָם, דְּסָכַךְ בָּעֵינָן. וְסָכַךְ אִתְעֲבִיד לַצֵּל. דְּאִתְּמַר בֵּיהּ, בְּצֵל שַׁדַּי יִתְלוֹנָן. וְלָא בְּצֵל סֻכַּת הֶדְיוֹט, דְּאַגִּין עַל גּוּפָא מִשִּׁמְשָׁא. אֶלָּא צֵל לְאַגָּנָא עַל נִשְׁמָתָא. בְּצִלּוֹ חִמַּדְתִּי וְיָשַׁבְתִּי. אֲשֶׁר אָמַרְנוּ בְּצִלּוֹ נִחְיֶה בַגּוֹיִם. צֵל עִם ם', אִיהִי צֶלֶם. דְּאִתְּמַר בֵּיהּ, אַךְ בְּצֶלֶם יִתְהַלֶּךְ אִישׁ. ם' סְתוּמָה אִית לָהּ אַרְבָּעָה דְּפָנוֹת.

תתיח. וּמַה דְּאוֹקְמוּהָ שְׁתַּיִם כְּהִלְכָתָן וּשְׁלִישִׁית אֲפִילוּ טֶפַח. וּלְמ"ד שְׁלֹשָׁה כְּהִלְכָתָן וּרְבִיעִית אֲפִילוּ טֶפַח. וְאִינּוּן בְּגִין דָּא, תְּרֵין, תְּלַת, אַרְבַּע, הָא תֵּשַׁע, טֶפַח אִיהִי עֲשִׂירָאָה, לְאַשְׁלְמָא כָּל חֶסְרוֹן. וּבְגִין דָּא, שִׁיעוּר סֻכָּה לֹא פָּחוֹת מֵעֶשֶׂר, דְּאִיהִי מַלְכוּת, עֲשִׂירָאָה דְּכָל דַּרְגִּין. וְלָא לְמַעְלָה מֵעֶשְׂרִין, דְּאִיהִי כ', כֶּתֶר עֶלְיוֹן, דְּלָא שַׁלְטָא בֵּיהּ עֵינָא. כָּבוֹד עִלָּאָה, עָלֵיהּ אָמַר מֹשֶׁה, הַרְאֵנִי נָא אֶת כְּבוֹדֶךָ. וְאָתִיב לֵיהּ קוּדְשָׁא בְּרִיךְ הוּא, לֹא תוּכַל לִרְאוֹת אֶת פָּנָי. וְלֵית כָּבוֹד, בְּלָא כ'.

תתיט. וּבְגִין דָּא שִׁעֲרוּ מָארֵי מַתְנִיתִין לְקַבְלַיְיהוּ, סֻכָּה הָעֲשׂוּיָה כְּמָבוֹי, מִסִּטְרָא דְּאָת ב', כְּמִין גא"ם, מִסִּטְרָא דְּאָת ג'. כְּמִין צְרִיף, מִסִּטְרָא דְּאָת ד'. וְשֶׁבַע אַתְוָון אִינּוּן, בְּגַ"ד כפר"ת. כ', כִּבְשָׁן. ב', בּוּרְגָּנִין. וּשְׁאַר סֻכּוֹת. וְכֻלְּהוּ רְמִיזִי לְגַבֵּי מָארֵי מַתְנִיתִין. וְלֵית לְאַרְכָא בְּהוֹן.

תתכ. וְאִינּוּן לְקַבְלַיְיהוּ שִׁבְעָה כֹּכְבֵי לֶכֶת, וְאִינּוּן דְּכַר וְנוּקְבָא. וּבְגִין דָּא אִתְקְרִיאוּ ז' כְּפוּלוֹת. כְּגוֹן שִׁבְעָה שַׁרְגִּין דִּמְנַרְתָּא, דְּאִתְּמַר בָּהּ שֶׁבַע בַּיּוֹם הִלַּלְתִּיךָ. הָכִי שִׁבְעָה וְשִׁבְעָה מוּצָקוֹת. הָכִי שִׁבְעָה סְפִירָאן כְּפוּלוֹת. וְשִׁבְעָה יוֹמֵי בְּרֵאשִׁית לְתַתָּא, שִׁבְעָה לְעֵילָּא, אֵין כָּל חָדָשׁ תַּחַת הַשָּׁמֶשׁ.

תתכא. לוּלָב דָּא צַדִּיק. דְּדָמֵי לְחוּט הַשִּׁדְרָה, דְּבֵיהּ ח"י חוּלְיָין, לְקָבֵל ח"י נִעְנוּעִין דְּלוּלָב. וְאִינּוּן לְקָבֵל ח"י בִּרְכָאן דִּצְלוֹתָא. לְקָבֵל שְׁמֹנֶה עֶשַׂר אַזְכָּרוֹת, דְּהָבוּ לַיְיָ' בְּנֵי אֵלִים. לְקָבֵל שְׁמֹנֶה עֲשַׂר אַזְכָּרוֹת דק"ש. וְנִעְנוּעַ לְשִׁית סִיטְרִין, בְּחוּשְׁבַּן ו'. תְּלַת נִעְנוּעִין בְּכָל סִטְרָא, אִינּוּן ח"י.

תתכב. לוּלָב בְּיָמִין, כָּלִיל שִׁשָּׁה דְּאִינּוּן ג' הֲדַסִּין, גְּדוּלָּה גְּבוּרָה תִּפְאֶרֶת. וְדַמְיָין לִתְלַת גַּוְונֵי עֵינָא. ב' בַּדֵּי עֲרָבוֹת, נֶצַח וְהוֹד. וְדַמְיָין לִתְרֵין שִׂפְוָון. לוּלָב, יְסוֹד, דּוֹמֶה

לִשְׁדְרָה. דְּבֵיהּ קִיּוּם דְּכָל גַּרְמִין. וְעָלֵיהּ אָמַר דָּוִד, כָּל עַצְמוֹתַי תֹּאמַרְנָה יְיָ' מִי כָמוֹךָ. אֶתְרוֹג, מַלְכוּת. דּוֹמֶה לְלִבָּא. דְּבֵיהּ הַרְהוּרִין.

תתכג. וְנַעֲנוּעִין דְּהַלֵּל, אִינּוּן מִשְׁתַּתְּפִין בְּנַעֲנוּעִין דִּנְטִילַת לוּלָב, וְאִינּוּן ו"ו בְּאָנָּא. ו"ו ו"ו, בְּהוֹדוּ תְּחִלָּה וָסוֹף. ו"ו דִּנְטִילַת לוּלָב, הֲרֵי ע"ב. וּבְגִין דָּא לוּלָב בְּחוּשְׁבַּן ח"ס, וְד' מִינִין דְּלוּלָב, הָא חֶסֶד, דְּרוֹעָא יְמִינָא. וּבְגִין דָּא תַּקִּינוּ לוּלָב בַּיָּמִין, לְסִטְרָא דְּחֶסֶד. אֶתְרוֹג לְסִטְרָא דִּגְבוּרָה, לִשְׂמָאלָא לִבָּא. וּבְגִין דָּא אֶתְרוֹג הַדּוֹמֶה לַלֵּב, תַּקִּינוּ לְמֶהֱוֵי בְּיַד שְׂמֹאל. כְּמָה דְּאוֹקְמוּהָ, לוּלָב בַּיָּמִין, וְאֶתְרוֹג בִּשְׂמֹאלוֹ. אִינּוּן לְקַבֵּל זָכוֹר וְשָׁמוֹר. וּמַאן נָטִיל תַּרְוַויְיהוּ. עַמּוּדָא דְּאֶמְצָעִיתָא. לוּלָב בִּימִינֵיהּ, וְאֶתְרוֹג בִּשְׂמָאלֵיהּ.

תתכד. אָתוּ אַבְרָהָם, וְרַעְיָא מְהֵימְנָא, וְאַהֲרֹן וְדָוִד וּשְׁלֹמֹה, וּבָרִיכוּ לֵיהּ, וְאָמְרוּ לֵיהּ, אַנְתְּ בּוֹצִינָא קַדִּישָׁא, וְחַבְרַיָּיא דִּילָךְ דְּאִינּוּן שִׁית, לְקֳבֵל אִינּוּן ו'. וְאַנְתְּ בּוֹצִינָא קַדִּישָׁא נֵר מַעֲרָבִי בְּאֶמְצַע, דְּכָל שִׁית נֵרוֹת נָהֲרִין מִנָּךְ. בְּכָל וְחַד אִתְּמַר בֵּיהּ, נֵר יְיָ' נִשְׁמַת אָדָם. וְרַעְיָא מְהֵימְנָא נָהִיר בָּךְ, וְאַנְתְּ בְּחַבְרַיָּיא דִּילָךְ, וְכֻלָּא וְחַד, בְּלָא פֵּרוּדָא כְּלָל. וּמִתַּמָּן וְאֵילָךְ מִתְפַּשְּׁטִין עַנְפִּין לְכָל מָארֵי וְחָכְמְתָא, אַשְׁלִים מִלִּין דְּחִבּוּרָא קַדְמָאָה דִּילָךְ לְאַעְטְרָא לוֹן.

תתכה. פָּתַח בּוֹצִינָא קַדִּישָׁא וְאָמַר, מַיִם רַבִּים לֹא יוּכְלוּ לְכַבּוֹת אֶת הָאַהֲבָה וְגוֹ'. מַאי כּוּ'. יוֹמָא תִּנְיָינָא, וְיוֹמָא שְׁתִיתָאָה, וְיוֹמָא שְׁבִיעָאָה דְּסוּכּוֹת. דִּבְהוֹן הֲווּ מְנַסְּכִים מַיִם וְיַיִן.

תתכו. דְּשֶׁבַע יוֹמִין דְּסוּכּוֹת, בְּהוֹן הֲווּ מַקְרִיבִין יִשְׂרָאֵל שִׁבְעִים פָּרִים, לְכַפָּרָא עַל שִׁבְעִין מְמָנָן, בְּגִין דְּלָא יִשְׁתָּאַר עָלְמָא וְחָרוּב מִנַּיְיהוּ. הה"ד, וּבַחֲמִשָּׁה עָשָׂר יוֹם וְהִקְרַבְתֶּם עוֹלָה אִשֵּׁה רֵיחַ נִיחוֹחַ לַיְיָ' פָּרִים בְּנֵי בָקָר שְׁלֹשָׁה עָשָׂר תְּמִימִים. וּבַיּוֹם הַשֵּׁנִי פָּרִים י"ב. וּבַיּוֹם הַשְּׁלִישִׁי י"א. וּבַיּוֹם הָרְבִיעִי עֲשָׂרָה. וּבַיּוֹם הַחֲמִישִׁי פָּרִים תִּשְׁעָה. וּבַיּוֹם הַשִּׁשִּׁי פָּרִים שְׁמֹנָה. וּבַיּוֹם הַשְּׁבִיעִי שִׁבְעָה. וְכֻלְּהוּ שִׁבְעִין. וּבְכָל יוֹמָא הֲווּ וְחָסְרִים. אַמַּאי וְחָסְרִים.

תתכז. אֶלָּא הָכָא קָא רָמִיז, וְתָנוּחַ הַתֵּבָה בַּחֹדֶשׁ הַשְּׁבִיעִי. וּמַה הָתָם בִּימֵי טוֹפָנָא, וְהַמַּיִם הָלְכוּ הָלוֹךְ וְחָסוֹר. אוּף הָכִי בְּתִשְׁרֵי, דְּאִיהוּ יַרְחָא שְׁבִיעָאָה, דְּבֵיהּ כַּמָּה פִּקּוּדִין, רֹאשׁ הַשָּׁנָה וְיוֹם הַכִּפּוּרִים, סֻכָּה וְלוּלָב אֶתְרוֹג, מִינִין דְּלוּלָב שׁוֹפָר. שְׁכִינְתָּא עִלָּאָה שַׁרְיָא עַל יִשְׂרָאֵל, דְּאִיהִי תְּשׁוּבָה, סוּכָּה. אֶתְרוֹג, וְקוּדְשָׁא בְּרִיךְ הוּא דְּאִיהוּ לוּלָב. מִיַּד וְהַמַּיִם הָיוּ הָלוֹךְ וְחָסוֹר, מִתְמַעֲטִין חוֹבִין דְּיִשְׂרָאֵל, אוּף הָכִי מִתְמַעֲטִין מְמָנָן דְּאִינּוּן מַלְאֲכֵי חַבָּלָה, דִּמְמָנָן עֲלַיְיהוּ, דְּדַמְיָין לְמֵי טוֹפָנָא. כְּמָה דְּאוֹקְמוּהָ, עָשָׂה עֲבֵרָה אַחַת קָנָה לוֹ קַטֵּיגוֹר אֶחָד. בְּהַהוּא זִמְנָא דְּמִתְמַעֲטִין חוֹבִין, מִתְמַעֲטִין פָּרִים דִּלְהוֹן, מִתְמַעֲטִין מְמָנָן דְּע' אוּמִין, מִתְמַעֲטִין ע' אוּמִין, מִתְמַעֵט טוּבָא דִּלְהוֹן.

תתכח. תֵּיבַת נֹחַ, מַנֵּי קוּדְשָׁא בְּרִיךְ הוּא, לְאַעֲלָא עִמֵּיהּ שְׁנַיִם שְׁנַיִם שִׁבְעָה שִׁבְעָה זָכָר וּנְקֵבָה, לְקָרְבְּנָא, לְאַגָּנָא עַל נֹחַ, וְעַל כָּל אִינּוּן דְּעָאלִין עִמֵּיהּ לְתֵיבָה. אוּף הָכִי אִלֵּין דְּמִנַּטְרִין חַגִּין וּזְמַנִּין, דְּאִינּוּן יָמִים טוֹבִים, שְׁנַיִם שְׁנַיִם שִׁבְעָה שִׁבְעָה, שְׁנַיִם שְׁנַיִם תְּרֵין יוֹמִין דר"ה, וּתְרֵין יוֹמִין דִּשְׁבוּעוֹת, וּבְגִין דְּאִינּוּן תְּרֵין מִנַּיְיהוּ בִּסְפֵק, הָא אִית שְׁנֵי יְמֵי הַפּוּרִים בְּאַתְרַיְיהוּ. שִׁבְעָה שִׁבְעָה, ז' יוֹמִין דְּפֶסַח, ז' יוֹמִין דְּסוּכּוֹת. נֹחַ לְקֳבֵל יוֹם הַשַּׁבָּת, וְהַאי אִיהוּ מִכָּל הַחַי.

תתכט. סֻכָּה קָא אַגִּינַת עֲלַיְיהוּ דְּיִשְׂרָאֵל, הה"ד וְסֻכָּה תִּהְיֶה לְצֵל יוֹמָם מֵחֹרֶב. סֻכָּה קָא אַגִּינַת. מַה תֵּיבַת נֹחַ לְאַגָּנָא, אוּף הָכִי סֻכָּה לְאַגָּנָא. וְעוֹד מִכָּל הַחַי, ח"י בִּרְכָאן

דִּצְלוֹתָא, מֵאִינּוּן ט' ט', בִּרְכָתָא דְּמִינָּן בָּהּ אִשְׁתְּלִימוּ י' סְפִירָאן מֵעֵילָּא לְתַתָּא, וּמִתַּתָּא לְעֵילָּא. וְאִיהוּ לְקֳבֵל נֹחַ.

תתל. וְעוֹד מִכָּל הַוְיָ', שְׁכִינְתָּא אֲגִינַת עַל אִלֵּין דְּנַטְרִין י', אוֹת שַׁבָּת בִּתְחוּמָא דִּילֵיהּ, דְּאִיהוּ ח' אֲלָפִים, תְּרֵין אַלְפִּין לְכָל צַד. וְעוֹד, מִכָּל הַוְיָ', אִלֵּין דְּנַטְרִין י' אוֹת בְּרִית, דְּאִיהוּ בְּח' יוֹמִין, דְּאִתְּמַר עֲלַיְיהוּ, וּבַיּוֹם הַשְּׁמִינִי יִמּוֹל בְּשַׂר עָרְלָתוֹ. וְעוֹד, מִכָּל הַוְיָ', אִלֵּין דְּנַטְרִין אוֹת י', תְּפִלִּין בִּתְמַנְיָא פָּרְשִׁיָּין.

תתלא. שְׁכִינְתָּא דְּאִיהִי סוּכָּה, אֲגִינַת עֲלַיְיהוּ, וּפְרִישַׂת גַּדְפָּהָא עֲלַיְיהוּ, כְּאִמָּא עַל בְּנִין, וּבְגִין דָּא תַּקִּינוּ לְבָרְכָא, הַפּוֹרֵס סוּכַּת שָׁלוֹם עָלֵינוּ. וּבְגִין דָּא בִּירְוָזא שְׁבִיעָאָה, דְּבֵיהּ כָּל פִּקּוּדִין אִלֵּין, מַיִם רַבִּים לֹא יוּכְלוּ לְכַבּוֹת אֶת הָאַהֲבָה. עַם יִשְׂרָאֵל בַּאֲבוּהוֹן שֶׁבַּשָּׁמַיִם. וְלֵית מַיִם רַבִּים, אֶלָּא כָּל אוּמִין וּמְמָנָן דִּלְהוֹן. אִם יִתֵּן אִישׁ, דְּאִיהוּ סָמָאֵל, כָּל מַה דְּאִית לֵיהּ בְּעָלְמָא דֵּין, בְּגִין דְּיִשְׁתַּתַּף בְּאִלֵּין פִּקּוּדִין עִם יִשְׂרָאֵל, בּוֹז יָבוּזוּ לוֹ.

תתלב. וּבַיּוֹם הַשְּׁמִינִי עֲצֶרֶת פַּר אֶחָד אַיִל אֶחָד, הָא אוּקְמוּהָ מָארֵי מַתְנִיתִין, לְמַלְכָּא דְּזַמִּין אוּשְׁפִּיזִין, לְבָתַר דְּשָׁלַח לוֹן, אָמַר לְאִלֵּין בְּנֵי בֵּיתָא דִּילֵיהּ, אֲנָא וְאַתּוּן נַעֲבִיד סְעוּדָה קְטַנָּה. וּמַאי עֲצֶרֶת. כְּמד"א, זֶה יַעְצוֹר בְּעַמִּי, וְלֵית עֶצֶר אֶלָּא מַלְכוּת. מִסִּטְרָא דִּשְׁכִינְתָּא עִלָּאָה, עָבִיד סְעוּדָתָא רַבְרְבָא, וּמִסִּטְרָא דְּמַלְכוּתָא, סְעוּדָתָא זְעֵירָא. וְנוֹהֲגִין לְמֶעְבַּד יִשְׂרָאֵל עִמָּהּ חֶדְוָה, וְאִתְקְרִיאַת שִׂמְחַת תּוֹרָה. וּמְעַטְּרָן לס"ת בְּכֶתֶר דִּילֵיהּ, רֶמֶז ס"ת לְתִפְאֶרֶת, שְׁכִינְתָּא עֲטֶרֶת תִּפְאֶרֶת.

תתלג. אָמַר ר' אֶלְעָזָר, אַבָּא, אַמַּאי מִסִּטְרָא דְּאִמָּא עִלָּאָה, זַמִּין לְכָל מְמָנָן דְּכָל אוּמִין, וּמִסִּטְרָא דִּשְׁכִינְתָּא תַּתָּאָה, לָא זַמִּין אֶלָּא לְאוּמָה יְחִידָה, לְקֳבֵל פַּר יְחִידָה.

תתלד. אָמַר לֵיהּ בְּרִי, שַׁפִּיר שְׁאִילְתְּ. בְּגִין דְּמַלְכוּת אִיהִי רְמִיזָא לְבְרַתָּא, דְּאִיהִי צְנוּעָה בְּבֵית אָבִיהָ וְאִמָּהּ. וְאִיהִי אֲרוּסָה וְלָא נְשׂוּאָה. לָאו אוֹרַח אַרְעָא, לְמֵיכַל עִם אוּשְׁפִּיזִין. אֲבָל אִימָא דְּהִיא נְשׂוּאָה, אוֹרַח אַרְעָא אִיהוּ בָּתַר דִּמְזַמִּין בַּעְלָהּ אוּשְׁפִּיזֵי, לְמֵיכַל עַל פָּתוֹרָא עִם בַּעְלָהּ. וְאִי אִינּוּן אוּשְׁפִּיזִין נֻכְרָאִין, לָא אַכְלֵי עִמְּהוֹן, לָא אַבָּא, וְלָא אִמָּא, וְכָל שֶׁכֵּן בְּרַתָּא. וּבְגִין כָּךְ בִּסְעוּדָתָא דְּשַׁבְעִין מְמָנָן, לָא אִשְׁתַּתַּף לְמֵיכַל עִמְּהוֹן, וְחַד מִן מָארֵי מַלְכָּא, בְּגִין דְּאִינּוּן נוּכְרָאִין. אָמַר לֵיהּ וַדַּאי כְּעַן אִתְיַישְּׁבַת מִלָּה בְּלִבָּאִי, עַל בּוּרְיֵיהּ.

תתלה. עוֹלַת תָּמִיד, דָּא שְׁכִינְתָּא, דְּסָלִיקַת לְעֵילָּא בְּהַהוּא דַּרְגָּא, דְּאִתְּמַר בָּהּ עֶרֶב וָבוֹקֶר בְּכָל יוֹם תָּמִיד, וְאוֹמְרִים פַּעֲמַיִם שְׁמַע יִשְׂרָאֵל. וְאִיהִי סָלִיקַת בְּעַמּוּדָא דְּאֶמְצָעִיתָא, דְּאִיהוּ תָּדִיר עִמָּהּ בְּלָא פֵּרוּדָא כְּלָל.

תתלו. וּלְאָן סָלִיקַת. לַאֲתַר דְּאִתְגְּזָרַת מִתַּמָּן, דְּאִיהוּ אֵין סוֹף, וְאִיהוּ גָּבוֹהַּ מִכָּל סְפִירָאן. וּבג"ד אוּקְמוּהָ. עוֹלָה כֻּלָּהּ לַגָּבוֹהַּ סַלְקָא. וְכַד אִיהִי סָלִיקַת, אֲחִידָן בָּהּ כָּל סְפִירָן, וְאִינּוּן סַלְקִין עִמָּהּ. וּמַאי סְלִיקוּ דִּילָהּ. לְרֵיחַ נִיחוֹחַ, לְמֵיהַב רֵיחָא טָבָא קֳדָם יְיָ', וּלְבָתַר אִתְּמַר בָּהּ, וַיֵּרֶד מֵעֲשׂוֹת הַחַטָּאת וְהָעוֹלָה. נַחְתַּת מַלְיָא כַּפָּרָה מִכָּל חוֹבִין דְּיִשְׂרָאֵל.

תתלז. וְהָא סְלִיקוּ דִּילָהּ אִיהוּ, בְּעַמּוּדָא דְּאֶמְצָעִיתָא. אוּף הָכִי נְחִיתוּ דִּילָהּ אִיהוּ בֵּיהּ, וְכָל חַיָּילִין דִּילָהּ, וּבְגִין דָּא אִקְרֵי סֻלָּם, דְּבֵיהּ כָּל כִּנּוּיִין סַלְקִין וְנַחְתִּין, דְּאִינּוּן תַּלְיָין מִן יְדֹוָד. וּבג"ד, כָּל קָרְבְּנִין וְעִלָּוָון אִינּוּן לַיְדֹוָד. וְאִתְקְרִיאַת קָרְבָּן, עַל שֵׁם דְּאִתְקְרִיבוּ בָּהּ כָּל כִּנּוּיִין לַיְדֹוָד.

תתלח. וּבְגִין דָּא אִתְּמַר עָלָהּ, קָרְבָּנוֹ קַעֲרַת כֶּסֶף אַחַת. לֵית דַּרְגָּא דְּאִתְקְרִיב לְגַבֵּי

יְדֹוָד, פָּווּת מִנָּהּ. וְלֵית צְלוֹתָא וּפִקּוּדָא מִכָּל פִּקּוּדִין דְּאוֹרַיְיתָא, וְכָל קָרְבְּנִין וְעִלָּוָון, דְּאִינּוּן לְבַר מִנָּהּ. בְּכָל דַּרְגִּין דִּסְפִירָאן לָא מִתְקַבְּלָן קֳדָם יְדֹוָד, לְבַר מִנָּהּ. וּבְגִין דָּא אִתְּמַר עָלָהּ, בְּזֹאת יָבֹא אַהֲרֹן אֶל הַקֹּדֶשׁ. וּבְג"ד אָמַר נָבִיא, כִּי אִם בְּזֹאת יִתְהַלֵּל הַמִּתְהַלֵּל.

תתלט. אִיהִי שְׁלָמִים, שְׁלִימוּ דִּשְׁמָא דַּיְדֹוָד, בְּכָל דַּרְגָּא וְדַרְגָּא. אִיהִי ה'. אֲדֹנָ"י. י' דַּיְדֹוָד. אִיהִי ה' מִן אֱלֹהִים. אִיהִי ה' מִן אֶהְיֶה. י' מִן שַׁדַּי. סוֹף דְּכָל הֲוָיָה וְכִנּוּי. וּבְג"ד אִתְּמַר בָּהּ, סוֹף דָּבָר הַכֹּל נִשְׁמָע אֶת הָאֱלֹהִים יְרָא וְאֶת מִצְוֹתָיו שְׁמוֹר. אִיהִי סוֹף מֵעֶשֶׂר סְפִירָאן, יַם סוּף. שְׁלִימוּ דְּעִלָּאִין וְתַתָּאִין. אִיהוּ תַּרְעָא לְאַעֲלָא לְכָל חָכְמְתָא, לְכָל כִּנּוּי וַהֲוָיָה, וּלְאַעֲלָא בְּכָל סְפִירָה וּסְפִירָה, יְדִיעָה דְּכֹלָּא. וּפָווּת מִינָּהּ, לֵית רְשׁוּ לְשׁוּם בְּרִיָּה, לְאַשְׁגָּחָא לְשׁוּם יְדִיעָה בְּעוֹלָם. עָלָהּ אִתְּמַר, זֶה הַשַּׁעַר לַיְיָ' צַדִּיקִים יָבֹאוּ בוֹ.

תתמ. אִיהוּ שֵׁם מ"ב אַתְוָון, דִּבְהוֹן אִתְבְּרִיאוּ עִלָּאִין וְתַתָּאִין. אִיהִי אִתְקְרִיאַת עַיִן מִסִּטְרָא דִּימִינָא, הִנֵּה עֵין יְדֹוָד אֶל יְרֵאָיו. וְאִתְקְרִיאַת אֹזֶן מִסִּטְרָא דִּשְׂמָאלָא, הַטֵּה אֱלֹהַי אָזְנְךָ וּשְׁמָע. וְאִתְקְרִיאַת רֵיחַ מִסִּטְרָא דְּעַמּוּדָא דְּאֶמְצָעִיתָא. וְאִתְקְרִיאַת פֶּה, מִגַּרְמָהּ. הה"ד פֶּה אֶל פֶּה אֲדַבֶּר בּוֹ.

תתמא. אִתְקְרִיאַת פִּקּוּדָא קַדְמָאָה אָנֹכִי, מִסִּטְרָא דְּכֶתֶר, דְּאִיהוּ אַ"ִן מֵאֱלֹהֵינוּ. אָנֹכִי בֵּיהּ כ', כֶּתֶר. וּבֵיהּ אַיִן. וְכֶתֶר אִתְקְרֵי מִסִּטְרָא דְּאִימָּא עִלָּאָה. דְּאַדְכַּר לְגַבָּהּ חַמְשִׁין זִמְנִין יְצִיאַת מִצְרַיִם בְּאוֹרַיְיתָא. וְאִיהִי בַּ"ת מִן בְּרֵאשִׁית, דִּכְלִילָא עֶשֶׂר אֲמִירָן, מִסִּטְרָא דְּחָכְמָה בַּת י', בְּחָכְמָה יָסַד אָרֶץ. בְּאַבָּא יָסַד בְּרַתָּא. וְאִיהוּ נָתִיב לֹא יְדָעוֹ עַיִט, דִּכְלִיל ל"ב נְתִיבוֹת, דְּאִינּוּן ל"ב אֱלֹהִים מִסִּטְרָא דְּאִימָּא עִלָּאָה, דְּאִתְקְרֵי כָּבוֹד. וְכַד אִתְכְּלִילָן בִּבְרַתָּא, אִתְקְרֵי ל"ב. וּבְגִין דָּא כָּבוֹד לְעֵילָא, ל"ב לְתַתָּא.

תתמב. י' דִּבְּרָן אִתְיְיהִיבוּ. חָמֵשׁ בְּלוּחָא חֲדָא, וְחָמֵשׁ בְּלוּחָא תִּנְיָינָא. אִיהִי כְּלִיל לוֹן, ה' מִכֶּתֶר עַד גְּבוּרָה. וְה' מֵעַמּוּדָא דְּאֶמְצָעִיתָא, עַד בְּרַתָּא. וְאִינּוּן ה' ה'. וְכִי אִית לְמַלְּלָא בַּעֲשָׂרָה פִּיּוֹת. אֶלָּא כְּלִיל לוֹן בְּבַת יְחִידָה י' וְאִתְעֲבִידוּ כֻּלְּהוּ חֲדָא. אוּף הָכִי ו', אִתְקְרֵי קוֹל, וְלָא אִשְׁתְּמוֹדְעִין בֵּיהּ, עַד דְּאִשְׁתַּתַּף עִם דִּבּוּר. וּבְגִין דָּא, קוֹל דְּבָרִים אַתֶּם שׁוֹמְעִים.

תתמג. אִיהִי פִּקּוּדָא תִּנְיָנָא מִסִּטְרָא דִּגְבוּרָה, יִרְאָה בְּחוֹשְׁבָן. וּרְמִיזָא בְּמִלַּת בְּרֵאשִׁית, יָרֵא בֹּשֶׁת. וְאוֹקְמוּהָ, מַאן דְּלֵית לֵיהּ בֹּשֶׁת פָּנִים, וַדַּאי דְּלָא עָמְדוּ אֲבָהָתוֹי עַל טוּרָא דְּסִינַי.

תתמד. אִיהִי פִּקּוּדָא תְּלִיתָאָה, דְּאִתְקְרֵי אַהֲבַת וָחֶסֶד. הה"ד אַהֲבַת עוֹלָם אֲהַבְתִּיךְ עַל כֵּן מְשַׁכְתִּיךְ חָסֶד. אַהֲבָה כְּלִילָא מֵאֲבָהָן, דְּאִתְקְרֵי בְּהוֹן בַּכֹּל מִכֹּל כֹּל. וְרָזָא דְּמִלָּה, זָכַרְתִּי לָךְ חֶסֶד נְעוּרַיִךְ אַהֲבַת כְּלוּלוֹתָיִךְ.

תתמה. וְאִיהִי פִּקּוּדָא רְבִיעָאָה, יוזו"ד, מִסִּטְרָא דְּעַמּוּדָא דְּאֶמְצָעִיתָא, שְׁמַע יִשְׂרָאֵל. וְאִיהִי כ"ה אַתְוָון, עִמֵּיהּ בְּשִׁית תֵּיבִין, דְּאִינּוּן שְׁמַע יִשְׂרָאֵל. וּבְגִינָהּ אָמַר אַבְרָהָם נֵלְכָה עַד כ"ה וְנִשְׁתַּחֲוֶה. כ"ה תֹאמַר לְבֵית יַעֲקֹב.

תתמו. אִיהוּ א"וֹ, עַמּוּדָא דְּאֶמְצָעִיתָא, וְאִיהִי ד', שְׁלִימוּ דְּיִחוּדָא דִּילֵיהּ, לְאַשְׁלְמָא בֵּיהּ אֶחָד. א"וֹ, כְּלִיל ט' סְפִירָאן, דְּאִינּוּן א' אֵין סוֹף. וח' תְּמַנְיָא סְפִירָאן, מֵחָכְמָה עַד יְסוֹד. ד' מַלְכוּת, קוֹצָא דִּילָהּ, בָּהּ אִשְׁתְּלִימוּ לַעֲשָׂרָה, דְּאִינּוּן יו"ד הֵ"א וָא"ו הֵ"א. ד' כְּלִילָא מִד' אַתְוָון יְדֹוָד.

תתמז. פקודא וזמישאה, והגית בו יומם ולילה. איהי אורייתא דבכתב מסטרא דחסד. ואורייתא דבעל פה מסטרא דגבורה. דבהון חכמה ובינה. כמה דאוקמוה מארי מתניתין, הרוצה להחכים ידרים. להעשיר יצפין. ועמודא דאמצעיתא כליל תרוייהו, ובגין דא אתקרי שמים, כליל אש ומים, אש דגבורה, ומים דחסד.

תתמח. ובגין דא כתר, דאיהי כף, עשרה הכף בשקל הקדש. דאינון יה"ה, תלת אתוון, אתעבידו כף, על ו'. והיינו כנגד כתר תורה, ו' היינו ס"ת, כף עטרה על רישיה. וכלא ידו"ד, כ"ו בחושבן.

תתמט. פקודא שתיתאה, איהי תפלה של יד, בדרועא שמאלא. ומסטרא דגבורה ה' דיד כהה, מכתר ועד גבורה, ה' ספירן, ואינון תפילין דרישא דעמודא דאמצעיתא. ואיהי קשר תלת רצועות, דאינון נצח הוד יסוד.

תתנ. ואיהי פקודא שביעאה, מצות ציצית, כליל תכלת ולבן, דינא ורחמי. בנורא, אשא חוורא לא אכיל. תכלא, אכיל ושצי, ותאכל את העולה. וחוור מימינא, תכלת משמאלא, עמודא דאמצעיתא, יחוד בין תרווייהו, ירוק. בגין דא אוקמוה מארי מתניתין, מאימתי קורין את שמע בשחרין משיכיר בין תכלת ללבן. ובגין דא תקינו פרשת ציצית, למקרי לה ביחודא.

תתנא. ואיהי פקודא תמינאה, מזוזה. שכינתא אתקריאת מזוזה, מסטרא דעמודא דאמצעיתא, דאתוון דידו"ד. ומסטרא דצדיק, רזא דברית, אתקרי שדי. שדי וחותמא דמלכא, דאיהו ידו"ד.

תתנב. פקודא תשיעאה, שכינתא אתקריאת אות ברית, מסטרא דצדיק יסוד עולם. זאת אות הברית. ביני, עמודא דאמצעיתא, ובין בני ישראל, נצח הוד. אות, דא צדיק. היא, דא שכינתא. כי ששת ימים עשה יי' את השמים, מכתר עד עמודא דאמצעיתא. דלית שית בכל אתר, אלא מסטרא דאת ו'. ולית שביעי, אלא מסטרא דאת י', עטרה על רישיה וחכמה עלאה. אות הוא. וחכמה תתאה, אות היא.

תתנג. ותקינו למגזר לתמניא, דאינון וי', מן חכמה עד יסוד. לקבלא בהון י' זעירא, לסלקא לה עד כתר, למהוי עטרה על רישיהון. ותקינו לשוויא לערלה במנא דעפרא, לקיים ונחש עפר לחמו.

תתנד. פקודא עשיראה, ושמרו בני ישראל את השבת. שכינתא אתקריאת שבת, מסטרא דתלת דרגין עלאין דאינון ש', ג' כתרין: כתר, וחכמה, ובינה. ואיהי בת, רביעאה לון. שית יומין, מחסד עד יסוד, בהון תעשה מלאכה, בגין דבניינא מתחיל מחסד, הה"ד עולם חסד יבנה. אבל מבינה ולעילא, איהי מנוחה וענג ושביתה לכל עובדא.

תתנה. פקודא חד סר, איהי אתקריאת צלותא דשחרית מנחה ערבית, מסטרא דתלת אבהן, ואיהי תפלת כ"ל פ"ה, לית כל, אלא צדיק דכתיב כי כל בשמים ובארץ, ותרגם יונתן בן עוזיאל, דאחיד בשמייא ובארעא. פ"ה כחושבן מילה. ומה ברית ביה מתייחדין דכר ונוקבא דלתתא, אוף ביסוד, מתייחד חתן וכלה דלעילא, הוא וזי עלמין כליל וזי ברכאן, הה"ד ברכות לראש צדיק.

תתנו. ובג"ד, כל הכורע כורע בברוך וכל הזוקף זוקף בשם. דא שכינתא, בשם דידו"ד, ביה צריך לזקפא שכינתא. ההיא דאתמר בה, נפלה לא תוסיף קום בתולת ישראל, ע"י דרגא אחרא, ובג"ד ביום ההוא אקים את סכת דוד הנופלת. ההוא דאתמר ביה, ידו"ד זוקף כפופים.

תתנו. פִּקּוּדָא תְּרֵיסַר, אִיהִי אִתְקְרִיאַת חַג הַמַּצּוֹת, וְחַג הַשָּׁבוּעוֹת, וְחַג הַסֻּכּוֹת, מִסִּטְרָא דְּג' אֲבָהָן. ור"ה מִסִּטְרָא דִּילָהּ, דִּינָא דְּמַלְכוּתָא דִּינָא. וְאִית דְּיֵימָא, פֶּסַח דְּרוֹעָא יְמִינָא. שָׁבוּעוֹת, מַתַּן תּוֹרָה, דְּאִתְיְיהִיבַת בְּמַדְבְּרָא, דְּאִיהוּ מִמָּנָא עָלֵיהּ שׁוֹר, מִסִּטְרָא דִּגְבוּרָה. סֻכּוֹת וְיַעֲקֹב נָסַע סֻכֹּתָה. פִּקּוּדָא תְּלֵיסַר, קָ"ש.

תתנז. וְאִית לְמִנְדַּע, דְּאִיהוּ אִתְקְרֵי חָכָם בְּכָל מִינֵי חָכְמוֹת. וּמֵבִין, בְּכָל מִינֵי תְּבוּנוֹת. וְחָסִיד, בְּכָל מִינֵי חֲסָדִים. וְגִבּוֹר, בְּכָל מִינֵי גְּבוּרוֹת. וְיוֹעֵץ, בְּכָל מִינֵי עֵצוֹת. וְצַדִּיק, בְּכָל מִינֵי צְדָקוֹת. וָמֶלֶךְ, בְּכָל מִינֵי מַלְכוּת. עַד אֵין סוֹף. עַד אֵין חֵקֶר. וּבְכָל אִלֵּין דַּרְגִּין, בְּחַד אִקְרֵי רַחֲמָן. וּבְחַד אִקְרֵי דַּיָּין. וְהָכִי בְּכַמָּה דַּרְגִּין, עַד אֵין סוֹף. אִי הָכִי שִׁנּוּי אִית, בֵּין רַחֲמָן לְדַיָּין. אֶלָּא קוֹדֶם דְּבָרָא עָלְמָא, אִתְקְרֵי הוּא בְּכָל אִלֵּין דַּרְגִּין, עַל שֵׁם בִּרְיָין דַּהֲווֹ עֲתִידִין לְהִבָּרְאוֹת, דְּאִי לָאו בִּרְיָין דְּעָלְמָא, אַמַּאי אִתְקְרֵי רַחוּם דַּיָּין, אֶלָּא עַל שֵׁם בִּרְיָין דַּעֲתִידִין.

תתנט. וּבְגַ"ד, כָּל שְׁמָהָן, אִינּוּן כִּנּוּיִין דִּילֵיהּ. עַל שֵׁם עוֹבָדִין דִּילֵיהּ. כְּגַוְונָא דָּא, בָּרָא נִשְׁמְתָא, בִּדְיוֹקְנָא דִּילֵיהּ, דְּאִתְקְרִיאַת עַל שֵׁם פְּעוּלוֹת דִּילָהּ, בְּכָל אֵבֶר וְאֵבֶר דְּגוּפָא, דְּאִתְקְרֵי עָלְמָא זְעֵירָא. כְּגַוְונָא דְּמָארֵי עָלְמָא, אִתְנְהִיג בְּכָל בִּרְיָין. וּבְכָל דָּרָא, כְּפוּם עוֹבָדוֹי. כָּךְ נִשְׁמְתָא, כְּפוּם עוֹבָדוֹי דְּכָל אֵבֶר וְאֵבֶר. הַהוּא אֵבֶר דְּעָבֵיד בֵּיהּ פִּקּוּדָא, אִתְקְרֵי נִשְׁמְתָא, לְגַבֵּי חֶמְלָה וַחֲסִידָא חַנָּא וְרַחֲמֵי. וּבְהַהוּא אֵבֶר דְּעָבֵיד בֵּיהּ עֲבֵירָה, אִתְקְרֵי נִשְׁמְתָא לְגַבֵּי, דִּינָא וַחֲזֵימָה וָכַעַס. אֲבָל לְבַר מִן גּוּפָא, לְמַאן תְּהֵא חֶמְלָה, אוֹ אַכְזָרִיּוּת.

תתס. אוּף הָכִי מָארֵי עָלְמָא, קֹדֶם דְּבָרָא עָלְמָא, וּבָרָא בִּרְיָין דִּילֵיהּ, לְמַאן אִתְקְרֵי רַחוּם וְחַנּוּן אוֹ דַּיָּין. אֶלָּא כָּל שְׁמָהָן דִּילֵיהּ, אִינּוּן כִּנּוּיִין, וְלָא אִתְקְרֵי בְּהוֹן, אֶלָּא עַל שֵׁם בִּרְיָין דְּעָלְמָא, וּבְגַ"ד, כַּד מָארֵי דָּרָא אִינּוּן טָבִין, אִיהוּ אִתְקְרֵי לְגַבַּיְיהוּ, יְהֹוָ"ה בְּמִדַּת רַחֲמִים. וְכַד מָארֵי דָּרָא אִינּוּן חַיָּיבִין, אִתְקְרֵי אֲדֹנָ"י בְּמִדַּת הַדִּין. לְכָל דָּרָא, וּלְכָל ב"נ, כְּפוּם מִדָּה דִּילֵיהּ. אֲבָל לָאו דְּאִית לֵיהּ מִדָּה וְלָא שֵׁם יְדִיעַ.

תתסא. כְּגַוְונָא דִּסְפִירָאן, דְּכָל סְפִירָה אִית לָהּ שֵׁם יְדִיעַ, וּמִדָּה, וּגְבוּל, וּתְחוּם. וּבְאִלֵּין שְׁמָהָן מָארֵי עָלְמָא אִיהוּ אִתְפַּשַּׁט, וְאַמְלִיךְ בְּהוֹן, וְאִתְקְרֵי בְּהוֹן, וְאִתְכַּסֵּי בְּהוֹן, וְדָר בְּהוֹן, כְּנִשְׁמְתָא לְגַבֵּי אֵבָרִים דְּגוּפָא. וּמָה רִבּוֹן עָלְמִין, לֵית לֵיהּ שֵׁם יְדִיעַ וְלָא אֲתַר יְדִיעַ, אֶלָּא בְּכָל סִטְרָא שׁוּלְטָנוּתֵיהּ. אוּף הָכִי לֵית לָהּ לְנִשְׁמְתָא שֵׁם יְדִיעַ, וְלָא אֲתַר יְדִיעַ, בְּכָל גּוּפָא אֶלָּא בְּכָל סְטַר שׁוּלְטָנוּתֵיהּ, וְלֵית אֵבֶר פָּנוּי מִנָּהּ.

תתסב. וּבְגַ"ד, לֵית לְרַשְׁמָא לָהּ בְּחַד אֲתַר, דְּאִי לָאו הָא חָסֵר שׁוּלְטָנוּתָא בִּשְׁאַר אֵבָרִים. וְלָא לְאִתְקְרֵי לָהּ בִּשְׁמָא חַד, אוֹ בִּתְרֵין, אוֹ בְּג'. לְמֵימַר דְּאִיהִי חָכְמָה מְבִינָה, וְאִית לָהּ דַּעַת, וְלָא יַתִּיר. דְּאִי עָבֵיד הָכִי, הָא חָסֵר לָהּ מִשְּׁאַר דַּרְגִּין.

תתסג. כ"ש לְמָארֵי עָלְמָא, דְּלֵית לְרַשְׁמָא לֵיהּ בַּאֲתַר יְדִיעַ, אוֹ לְאִתְקְרֵי לֵיהּ בִּשְׁמָהָן, אוֹ לְשַׁנָּאָה לֵיהּ בְּהוֹן, אוֹ לְשַׁלְּשָׁא לֵיהּ כְּגוֹן דַּרְגָּא דְּמֶרְכַּבְתָּא, דְּאִתְּמַר בָּהּ קְדוּשָּׁה לְךָ יְשַׁלֵּשׁוּ, דְּכָל דַּרְגִּין דְּכָל מַרְכְּבוֹת דִּילֵיהּ, אִינּוּן מְשׁוּלָּשִׁים, כְּגוֹן הָאָבוֹת הֵן הֵן הַמֶּרְכָּבָה, דְּאִינּוּן דְּמוּת אַרְיֵה שׁוֹר נֶשֶׁר, דְּאִינּוּן מֶרְכָּבָה לְאָדָם. דְּאִתְּמַר עָלֵיהּ, וּדְמוּת פְּנֵיהֶם פְּנֵי אָדָם. וּמִסִּטְרָא דְּנוּקְבָא, אִינּוּן שַׁלְטִין עַל אָדָם, וְנוּקְבָא אִיהִי מֶרְכָּבָה לְגַבַּיְיהוּ. וּבְגַ"ד אִתְּמַר עָלָהּ, קְדוּשָּׁה לְךָ יְשַׁלֵּשׁוּ.

תתסד. וְאוּף הָכִי אַתְוָון, דְּאִינּוּן אַנְפִּין דְּחֵיוָן, מְשׁוּלָּשִׁין, כְּגַוְונָא דָּא: יד"ו. הו"י. וה"י. ה' רְבִיעָאָה, קְדוּשָּׁה לְךָ יְשַׁלֵּשׁוּ. אִיהִי שְׁלָמִים דְּכֻלְּהוּ, לְאַשְׁלְמָא בְּכֻלְּהוּ שֵׁם יְדֹוָ"ד.

אֲבָל לְמָארֵיהּ דְּכֹלָּא, לֵית לְשַׁלְשָׁא בֵּיהּ בִּשְׁמָהָן, וְלָא בְּאַתְוָון, אֶלָּא אִיהוּ אִתְקְרֵי בְּכָל שְׁמָהָן, וְלֵית לֵיהּ שֵׁם יְדִיעַ. וְכָל שֵׁם וְשֵׁם אַסְהִיד עָלֵיהּ, דְּאִיהוּ אֲדוֹן כָּל עָלְמִין. אַסְהִיד עָלֵיהּ אֲדֹנָ"י.

תתסה. דְּאִית ב"נ, דְּיָרִית ג' מֵאָה וְעֶשֶׂר עָלְמִין, הה"ד, לְהַנְחִיל אוֹהֲבַי יֵשׁ. כְּפוּם דַּרְגָּא דִּילֵיהּ, דְּאִתְקְרֵי יֵשׁ מֵאַיִן. וְדָא חָכְמָה עִלָּאָה. וְאִית ב"נ דְּלָא יָרִית אֶלָּא עָלְמָא חַד, כְּפוּם דַּרְגָּא דִּילֵיהּ, כְּמָה דְּאוֹקְמוּהָ, כָּל צַדִּיק וְצַדִּיק יֵשׁ לוֹ עוֹלָם בִּפְנֵי עַצְמוֹ. וְהָכִי יָרִית עָלְמִין כָּל ב"נ מִיִּשְׂרָאֵל, כְּפוּם דַּרְגָּא דִּילֵיהּ לְעֵילָּא. אֲבָל לְמָארֵי עָלְמָא, לֵית לְרַשְׁמָא לֵיהּ עָלְמִין בְּחוּשְׁבָּן, אֶלָּא אֲדוֹן כָּל עָלְמִין, וַאֲדֹנָ"י קָא סָהִיד עָלֵיהּ.

תתסו. אוּף הָכִי יְהֹוָ"ה, מִנֵּיהּ תַּלְיָיא כָּל הֲוַיָין, וְאִיהוּ וְכָל הֲוַיָין דִּילֵיהּ, סַהֲדִין עַל מָארֵי עָלְמָא, דְּאִיהוּ הֲוָה קֹדֶם כָּל הֲוַיָין. וְאִיהוּ בְּתוֹךְ כָּל הֲוָיָה. וְאִיהוּ לְאַחַר כָּל הֲוָיָה. וְדָא רָזָא, דְּסַהֲדִין הֲוַיָין עָלֵיהּ, הָיָה, הֹוֶה, וְיִהְיֶה.

תתסז. דִּינָא, בְּהִפּוּךְ אַתְוָון אֲדֹנָ"י. וּבְגִ"ד אָמְרוּ רז"ל, דִּינָא דְּמַלְכוּתָא דִּינָא. שֵׁם א"ל סָהִיד עַל מָארֵי דְּכֹלָּא, דְּלֵית יְכוֹלֶת לְכָל שֵׁם, וַהֲוָיָה וְדַרְגָּא. כָּל שֶׁכֵּן לִשְׁאַר בִּרְיָין, פְּחוּת מִנֵּיהּ. הֲדָא הוּא דִּכְתִיב, כֹּלָּא חֲשִׁיבִין וּכְמִצְבְּיֵהּ עָבֵיד בְּחֵיל שְׁמַיָּא וְגוֹ'. אֱלֹהִי"ם, סָעִיד עַל אֱלָהוּת דִּילֵיהּ, דְּאִיהוּ אֱלֹהִי"ם וֵאלֹהֵי הָאֱלֹהִים, וְאִיהוּ אֱלוֹהַּ עַל כֹּלָּא, וְלֵית אֱלוֹהַּ עָלֵיהּ. צְבָאוֹ"ת, סָהִיד עָלֵיהּ כִּדְכְתִיב, וּכְמִצְבְּיֵיהּ עָבֵיד בְּחֵיל שְׁמַיָּא. שַׁדַּ"י, סָהִיד עָלֵיהּ, דְּכַד אִיהוּ אָמַר לְעוֹלָם דַּי עָמַד בִּתְחוּמֵיהּ, וְלָא אִתְפַּשַּׁט יַתִּיר. וְאוּף לְמַיָּא וְרוּחָא וְאֶשָּׁא.

תתסח. וְאוּף הָכִי, כָּל הֲוָיָה, וְשֵׁם, סַהֲדִין עָלֵיהּ. דְּכַד הֲוָה אִיהוּ יְחִיד קוֹדֶם דְּבָרָא עָלְמָא, אַמַּאי הֲוָה אִיהוּ צָרִיךְ לְאִתְקְרֵי בִּשְׁמָהָן אִלֵּין, אוֹ בִּשְׁאַר כִּנּוּיִין, כְּגוֹן רַחוּם וְחַנּוּן אֶרֶךְ אַפַּיִם וְגוֹ', דַּיָּין אַמִּיץ וְחָזָק. וְסַגִּיאִין בְּכָל אִינּוּן שְׁמָהָן וְכִנּוּיִין, אִתְקְרֵי עַל שֵׁם כָּל עָלְמִין וּבִרְיָין דִּלְהוֹן, לְאַחֲזָאָה שׁוּלְטָנוּתֵיהּ עָלַיְיהוּ.

תתסט. אוּף הָכִי נִשְׁמָתָא, עַל שׁוּלְטָנוּתָא דְּכָל אֵבָרִים דְּגוּפָא, אַמְתִּיל לָהּ לְגַבֵּיהּ. לָאו דְּאִיהִי אַדְמְיָא לֵיהּ אִיהִי בְּעַצְמָהּ, דְּהוּא בָּרָא לָהּ, וְלֵית לֵיהּ אלוה עָלֵיהּ דְּבָרָא לֵיהּ. וְעוֹד, נִשְׁמְתָא אִית לָהּ כַּמָּה שִׁנּוּיִים וּמִקְרִים וְסִבּוֹת, דְּאִתְקְרִיאוּ לָהּ. מַה דְּלָאו הָכִי לְמָארֵי כֹּלָּא. וּבְגִ"ד הִיא אַדְמְיָא בְּשָׁלְטָנוּתָא דִּילָהּ עַל כָּל אֵבְרֵי גּוּפָא, אֲבָל לָא בְּמִלָּה אַחֲרָא.

תתע. וְעוֹד, שְׁמַע יִשְׂרָאֵל, שֵׁם ע' רַבָּתִי, ד' מִן אֶחָ"ד רַבָּתִי, הַיְינוּ עֵ"ד, בֵּין שֵׁ"ם מִן שְׁמַע, א"ח מִן אֶחָ"ד. עֵד יְיָ בָּכֶם. וְעַל כָּל אֶחָד וְאֶחָד דִּמְיַיחֵד אוֹתוֹ בָּעוֹלָם. וְעַל כֵּן אָמַר דָּוִד, אָנֹכִי אֶשְׂמַח בַּיְיָ, שֵׁ"ם מִן שְׁמַע, א"ח מִן אֶחָ"ד, הֲרֵי אֶשְׂמַח.

תתעא. וְעוֹד. ד' רַבָּתִי, ד' בָּתֵּי תְּפִלִּין, דְּמִנַּח לְהוֹן א"ח, וְאִתְעַטָּר בְּהוּ, וְאִינּוּן פְּאֵר עַל רֵישֵׁיהּ. וְאִינּוּן יהה"ו, י' עֲטָרָא עַל ה', דְּאִיהִי בְּרַתָּא, וְהַיְינוּ יְדֹוָ"ד בְּחָכְמָה יָסַד אָרֶץ, אַבָּא יָסַד בְּרַתָּא. ה', אִמָּא עִלָּאָה, עֲטָרָה עַל ו', דְּאִיהוּ בְּרָא, וְהַיְינוּ כּוֹנֵן שָׁמַיִם בִּתְבוּנָה. בְּאִמָּא כּוֹנֵן בְּרָא. וְהַאי אִיהוּ דְּעוֹלָם הַבָּא אֵין בּוֹ לֹא אֲכִילָה וְלֹא שְׁתִיָּה, אֶלָּא צַדִּיקִים יוֹשְׁבִים וְעַטְרוֹתֵיהֶם בְּרָאשֵׁיהֶם.

תתעב. וּבְרַתָּא אִיהִי תְּפִלָּה שֶׁל יַד, כֵּהָ"ה. י' קֶשֶׁר דִּילֵיהּ. ה' עִלָּאָה אִימָּא, תְּפִלִּין דְּרֵישָׁא עַל רֹאשׁ תִּפְאֶרֶת. תְּפִלִּין דִּילֵיהּ, כְּסֵדֶר יְדֹוָ"ד, דְּאִיהוּ קַדֶּשׁ לִי. וְהָיָה כִּי יְבִאֲךָ. שְׁמַע. וְהָיָה אִם שָׁמוֹעַ. אֲבָל בְּעָלְמָא דְּאָתֵי, הֲוָיוֹת בְּאֶמְצַע, דְּאִינּוּן ה' ה'. וּבְגִ"ד אָמַר הַנָּבִיא, בְּזֹאת יִ"תְהַלֵּל הַ"מִּתְהַלֵּל הַ"שְׂכֵּל וְ"יָדוֹעַ אוֹתִי כִּי אֲנִי יְדֹוָ"ד. וּבְגִ"ד אוֹקְמוּהָ

מָארֵי מַתְנִיתִין, דְּאִית בְּרֵישָׁא אֲתַר, לְאַנְּחָא תְּרֵי זוּגֵי דִּתְפִלֵּי. וְדָא זָכֵי לִתְרֵין פִּקּוּדִין, דְּאוּקְמוּהָ עֲלַיְיהוּ, לֹא כָּל אָדָם זוֹכֶה לִשְׁתֵּי שׁוּלְחָנוֹת.

תתעג. י' וְחָכְמָה. ה' בִּינָה. ו' עַמּוּדָא דְּאֶמְצָעִיתָא. ה' מַלְכוּת קַדִּישָׁא. רֵישָׁא דְּאִתְעַטָּר בְּאַרְבַּע אַתְוָון, דָּא כֶּתֶר רֵיהֲטָא דְּרֵישָׁא דְּאַסְחַר לוֹן, וְכַסֵּי לוֹן. אַהֲבָה וְחֶסֶד ק"ש, דִּשְׁקִילָא לְאוֹרַיְיתָא, דְּאִתְיְיהִיבַת מִימִינָא. תְּפִלִּין עֹז, מִשְּׂמָאלָא דִּגְבוּרָה. עַמּוּדָא דְּאֶמְצָעִיתָא, כְּלִיל כֹּלָּא, כַּנְפֵי דְּמִצְוָה, נֶצַח וְהוֹד, תְּכֵלֶת וְלָבָן. מְזוּזָה רָשִׁים שַׁדַּי, צַדִּיק. וּשְׁכִינְתָּא תַּרְעָא דִּמְזוּזָה, זֶה הַשַּׁעַר לַיְדֹוָ"ד.

תתעד. וְעוֹד ש' תְּלַת רְצוּעוֹת. ד' קֶשֶׁר שֶׁל תְּפִלִּין מֵאֲחוֹרוֹי. י' קֶשֶׁר דִּתְפִלִּין דְּיָד. וּבְגִין דָּא שַׁדַּ"י מִלְּבַר, יְדֹוָ"ד מִלְּגוֹ, דְּאִיהִי ד' פָּרְשִׁיָּין שׁ. דְּד' רָאשִׁין, רֶמֶז לְאַרְבַּע בָּתֵּי דִּתְפִלִּין. שַׁדַּי אוֹת דִּילֵיהּ, עוֹלֶה מְטַטְרוֹן.

תתעה. וְעוֹד. י' וְחָכְמָה קֹדֶשׁ לִי. ה' בִּינָה, וְהָיָה כִּי יְבִיאֲךָ. ו' שְׁמַע, שִׁית תֵּיבִין, רְמִיזָא לְשִׁית סְפִירָן, שִׁית עַנְפִּין דְּאִילָנָא, דְּכָלֵל לוֹן תִּפְאֶרֶת. ה' וְהָיָה אִם שָׁמוֹעַ מַלְכוּת. אִלֵּין אִינּוּן דְּרֵישָׁא, דְּאִיהוּ כֶּתֶר, כ', אֵין קָדוֹשׁ כַּיְיָ' כִּי אֵין בִּלְתֶּךָ.

תתעו. שַׁדַּי, רָמִיז רְצוּעֵי וּבָתֵּי וְקִשְׁרֵי דִּתְפִלִּין מִלְּבַר. אוּף הָכִי בִּמְזוּזָה, יְדֹוָ"ד מִלְּגוֹ, שַׁדַּ"י מִלְּבַר, שׁ דְּאַרְבַּע רָאשִׁין, עִם ד', רָמִיז לְד' בָּתֵּי, וּלְקֶשֶׁר תְּפִלִּין מֵאָחוֹר, ד' כְּפוּלָה. אוּף הָכִי ש' כְּפוּלָה, י' קֶשֶׁר דְּיָד כֵּהָה, דְּאִיהוּ בֵּיתָא וּמִישָׁאָה. ד' דְּשַׁדַּ"י, אִיהוּ מוֹחָא, דְּאוּקְמוּהָ עָלֵיהּ, בִּמְקוֹם שֶׁמּוֹחוֹ שֶׁל תִּינוֹק רוֹפֵס בּוֹ. וְדָא תִּינוֹק יוֹנֵק מִשְּׁדֵי אִמּוֹ, שַׁדַּי.

תתעז. תְּפִלִּין דְּמָארֵי עָלְמָא, כֶּתֶר. וּמַאי נִיהוּ כֶּתֶר דְּמָארֵי עָלְמָא. יְדֹוָ"ד. דְּאִיהוּ: י' וְחָכְמָה. ה' בִּינָה. ו' תִּפְאֶרֶת. כְּלִיל שִׁית סְפִירָן. ה' מַלְכוּת. וּבְגִּ"ד וּמִי כְעַמְּךָ כְּיִשְׂרָאֵל כִּי מִי גּוֹי גָּדוֹל אֲשֶׁר לוֹ אֱלֹהִים קְרוֹבִים אֵלָיו, כַּיְיָ' אֱלֹהֵינוּ בְּכָל קָרְאֵנוּ אֵלָיו. אַרְבַּע קְרָאֵי, כֻּלְּהוּ רְשִׁימִין בְּכ', רָזָא דְּאַתְ כ': י' י'. דְּאִיהִי י' י' מִן יְאֲהדוֹנָהִי, עֲשָׂרָה עֲשָׂרָה הַכַּף בְּשֶׁקֶל הַקֹּדֶשׁ, כ' מִן כֶּתֶר, כְּלִילָא מֵעֶשֶׂר סְפִירָאן, כְּלִילָן מֵעֵילָּא לְתַתָּא, וּמֵעֶשֶׂר סְפִירָאן מִתַּתָּא לְעֵילָּא.

תתעח. וְאִלֵּין אִינּוּן, וְהַמַּיִם אֲשֶׁר מֵעַל הַשָּׁמַיִם, מַיִם עֶלְיוֹנִים זְכָרִים, מַיִם תַּחְתּוֹנִים נְקֵבוֹת. וַעֲלַיְיהוּ אָמַר ר' עֲקִיבָא לְתַלְמִידָיו, כְּשֶׁתַּגִּיעוּ לְאַבְנֵי שַׁיִשׁ טָהוֹר, אַל תֹּאמְרוּ מַיִם מַיִם, שֶׁמָּא תִּסְתַּכְּנוּ בְּנַפְשְׁכֶם. דְּלָאו אִינּוּן מַיִם כְּמַשְׁמָעָן. אֶלָּא אִיהוּ אוֹר נוֹבֵעַ. וּבְגִין דָּא, אִדְמוּ לְמַיִם נוֹבְעִים. וְהַאי נְהוֹרָא לֵית לֵיהּ פְּסָק, וְלָא קִצּוּץ, וּפֵרוּד. וּבְגִין דְּאִינּוּן מִכֶּתֶר, אִתְקְרִיאָן שֶׁאֵין לָהֶם סוֹף, דְּכֶתֶר אֵין סוֹף אִתְקְרֵי. (ע"כ רעיא מהימנא).

תתעט. וְהִקְרַבְתֶּם עוֹלָה לְרֵיחַ נִיחוֹחַ לַיְיָ'. ת"ח, בְּפֶסַח כְּתִיב, וְהִקְרַבְתֶּם אִשֶּׁה עוֹלָה לַיְיָ'. וְהָכָא לָא כְּתִיב אִשֶּׁה, אֶלָּא וְהִקְרַבְתֶּם עוֹלָה. מ"ט. יוֹמָא דָּא, יוֹמָא דְּעַיְילַת כַּלָּה לְחוּפָּה אִיהוּ. וְיִשְׂרָאֵל מָנוּ יוֹמִין דְּדַכְיוּ. יוֹמִין וְשָׁבוּעִין, וְאִתְכְּלִילוּ וְעָאלוּ בְּיוֹמִין דְּדַכְיוּ. וְהִיא נַפְקַת מִכָּל סִטְרָא בִּישָׁא, וְנַטְרַת יוֹמֵי דְּכְיוּ כִּדְקָא חֲזֵי. וְרָזָא דָּא, מַלְכָּא טַעַם בְּתוּלָה טָעִים. בְּגִּ"כ לָא כְּתִיב בֵּיהּ אִשֶּׁה, דְּהָא אָחֳרָא לָא קָרִיב לְמַשְׁכְּנָא, וְהָא אִתְרַחַק מִתַּמָּן. וְעַ"ד אִשִּׁים לָאו הָכָא, וְלָאו אִצְטְרִיכוּ לְהָכָא, וְיִשְׂרָאֵל מְרַחֲקָן אִינּוּן מִן סִטְרָא בִּישָׁא. א"ר אַבָּא, עֲדַיִין צְרִיכִין אֲנָן לְפִתְחָא דָּא לְמִפְתַּח.

תתפ. אר"ש, אֲרִימִית יְדַי בִּצְלוֹ לְמַאן דְּבָרָא עָלְמָא, וְרָזָא דָּא, אַשְׁכְּחָן בְּסִפְרֵי קַדְמָאֵי, אִשִּׁים אִינּוּן בְּאֶמְצָעִיתָא, וְאַתְיָין בְּסִטְרָא דָּא וּבְסִטְרָא דָּא, אִדַּבְּקוּ בְּאִילָנָא דְּדַעַת טוֹב וָרָע, אִדַּבְּקָן בְּרָע, וְאִדַּבְּקָן בְּטוֹב. וּבְגִּ"כ, בִּשְׁאַר יוֹמִין כְּתִיב בְּהוּ אִשֶּׁה

עוֹלָה. אֲבָל בְּהָנֵי יוֹמָא, דְּאִילָנָא דְּחַיֵּי קַיְימָא, וְלָא אַחֲרָא, לֵית אֲנַן צְרִיכִין לְאִשֶּׁה, וְלָא אִצְטְרִיךְ לְמֶהֱוֵי תַּמָּן. וְיוֹמָא דָּא, יוֹמָא דְּאִילָנָא דְּחַיֵּי אִיהוּ, וְלָא דְּדַעַת טוֹב וָרָע. וּבג"ד, וְהִקְרַבְתֶּם עוֹלָה לְרֵיחַ נִיחוֹחַ לַיְיָ, וְלָא אִשֶּׁה לַיְיָ עוֹלָה. וְעוֹלָה, לָשׁוֹן עוֹלָה, כְּמָה דְּאִתְּמַר, וְהָא אִתְעֲרָנָא מִלֵּי דְּפָרִים בְּנֵי בָקָר, וְכָל הַהוּא קָרְבָּן.

תתפא. וּבַחֹדֶשׁ הַשְּׁבִיעִי, כְּמָה דְּאִתְּמַר, יוֹמָא דר"ה, דִּינָא דְּכָל עָלְמָא, דִּינָא תַּקִּיפָא, וְדִינָא רַפְיָא. וַעֲשִׂיתֶם עוֹלָה, וְהִקְרַבְתֶּם מִבָּעֵי לֵיהּ, כִּשְׁאַר כָּל יוֹמִין, מַאי וַעֲשִׂיתֶם. אֶלָּא בְּיוֹמָא דָּא, וַעֲשֵׂה לִי מַטְעַמִּים כְּתִיב. כַּמָּה מַטְעַמִּים וְתַבְשִׁילִים עָבְדוּ יִשְׂרָאֵל בְּהָנֵי יוֹמֵי, בְּעוֹד דִּמְקַטְרְגָא אָזִיל לְפַשְׁפְּשָׁא בְּחוֹבִין דְּעָלְמָא. וע"ד לָא כְּתִיב וְהִקְרַבְתֶּם, אֶלָּא וַעֲשִׂיתֶם עוֹלָה. וְלָא אִשֶּׁה עוֹלָה. וְכֵן בְּכָל שְׁאַר יוֹמִין, לָא כְּתִיב אִשֶּׁה, דְּלֵית לוֹן חוּלָקָא בְּכָל הָנֵי יוֹמֵי. כ"ש בְּהַאי יוֹמָא, דַּאֲנָן עָבְדִין מַטְעַמִּים וְתַבְשִׁילִים בְּלָא דַּעְתָּא דְּסִטְרָא אַחֲרָא, דְּהָא יִצְחָק מְשַׁדֵּר לֵיהּ לָצוּד צֵידָה דְּחוֹבִין דִּבְנֵי עָלְמָא, וּלְאַיְיתָאָה לְגַבֵּיהּ.

תתפב. וּבְעוֹד דְּאִיהוּ אָזִיל, יִשְׂרָאֵל נָטְלֵי עֵיטָא בְּרִבְקָה, וְעַבְדִין כָּל אִינּוּן פּוּלְחָנִין, כָּל אִינּוּן צְלוֹתִין, מְזַמְּנֵי שׁוֹפָר וְתַקְעִין לֵיהּ, בְּגִין לְאַתְעָרָא רַחֲמֵי. וְהָא אוֹקִימְנָא, וַיָּבֵא לוֹ יַיִן וַיֵּשְׁתְּ, דְּאָתֵי מֵרָחוֹק, מִגּוֹ אֲתַר דְּחַמְרָא עַתִּיקָא, וְשָׁתֵי. וְאַטְעִים לֵיהּ, וְחָדֵי. וְאַחַר כַּךְ מְבָרֵךְ לֵיהּ בְּכַמָּה בִּרְכָאן, וְאַעְבַּר עַל חוֹבוֹי. מַה כְּתִיב, וַיְהִי אַךְ יָצֹא יָצָא יַעֲקֹב וְעֵשָׂו אָחִיו בָּא מִצֵּידוֹ, טָעִין מִכַּמָּה טוֹעֲנֵי כְּמָה דְּאִתְּמַר, וְהָא אוֹקִימְנָא מִלָּה.

תתפג. וּבג"כ אִיהוּ יוֹמָא דִּיבָבָא, וְקָרְבְּנָא אִיהוּ עוֹלָה. אַיִל אֶחָד, כְּמָה דְּאִתְּמַר, בְּגִין אֵילוֹ דְּיִצְחָק. וּשְׂעִיר עִזִּים אֶחָד לְחַטָּאת, שׁוֹחַד לְסַמָּאֵל לְכַפָּרָה אַנְפּוֹי, בְּהַהוּא בְּכִיָּה דְּאִיהוּ בָּכֵי בְּהַאי יוֹמָא, כֵּיוָן דְּחָמֵי דְּלָא אִתְעֲבֵיד רְעוּתֵיהּ, וְהָא לְמַגָּנָא צַד צֵידָה. כְּמָה דְּאִתְּמַר. כְּגַוְונָא דָּא יוֹמָא דְּכִפּוּרֵי, וְהָא כְּתִיב בְּפ' אֱמוֹר.

תתפד. וּבַחֲמִשָּׁה עָשָׂר יוֹם וְגוֹ'. ר' אַבָּא פָּתַח, וַתָּנַח הַתֵּבָה בַּחֹדֶשׁ הַשְּׁבִיעִי וְגוֹ', ת"ח, כָּל הָנֵי יוֹמִין, אַזְלַת אִימָּא עַל בְּנַיָּיא, בְּגִין דְּלָא יִשְׁלוֹט סִטְרָא אַחֲרָא עֲלַיְיהוּ, וּבְגִין לְשֵׁזָבָא לוֹן. כֵּיוָן דְּאִשְׁתְּזִיבוּ בְּנָהָא, וְהָא יַתְבִין בַּסֻּכּוֹת, מִתְנַטְּרִין בִּנְטוּרָא. יוֹמָא קַדְמָאָה, וְיוֹמָא תִּנְיָנָא, פַּקְדַת לוֹן לְיִשְׂרָאֵל, לְמֶעְבַּד סְעוּדָתָא לְמִמְנָן דִּשְׁאַר עַמִּין, וְאִיהִי לָא שַׁרְיָא תַּמָּן. בְּיוֹמָא תְּלִיתָאָה, דְּאִיהוּ י"ז לַחֹדֶשׁ, שַׁרְיָאת לְמִשְׁרֵי עֲלַיְיהוּ. הה"ד, וַתָּנַח הַתֵּבָה בַּחֹדֶשׁ הַשְּׁבִיעִי בְּשִׁבְעָה עָשָׂר יוֹם לַחֹדֶשׁ עַל הָרֵי אֲרָרָט, טוּרִין דְּכָל לְוָוטִין וּמָרְדִין שָׁרָאן בְּגַוַּויְיהוּ.

תתפה. אָמַר רַבִּי אֶלְעָזָר, יוֹמָא קַדְמָאָה דְּחַג, לָא שַׁרְיָא עֲלַיְיהוּ, וְלָא יוֹמָא תִּנְיָינָא, אֶלָּא יוֹמָא תְּלִיתָאָה, דְּאוֹסִיף וְגָרַע שַׁרְיָא עֲלַיְיהוּ, אוֹסִיף אַתְוָון, וְגָרַע קָרְבְּנִין. דִּכְתִּיב עַשְׁתֵּי עָשָׂר וְגוֹ'. וְהָכִי אִתְחֲזֵי לְרַע עַיִן, בְּגִין דְּיוֹמָא קַדְמָאָה וְיוֹמָא תִּנְיָינָא חֶדְוָה דִּבְנָהָא, וְאִינּוּן מְפַלְּגֵי עִדָּאן לוֹן. מִיּוֹמָא תְּלִיתָאָה וּלְהָלְאָה, דְּאִיהִי שַׁרְיָא עֲלַיְיהוּ, מַה כְּתִיב. וְהַמַּיִם הָיוּ הָלוֹךְ וְחָסוֹר עַד הַחֹדֶשׁ הָעֲשִׂירִי בָּעֲשִׂירִי בְּאֶחָד לַחֹדֶשׁ נִרְאוּ רָאשֵׁי הֶהָרִים וְהַמַּיִם הָיוּ הָלוֹךְ וְחָסוֹר, אִלֵּין קָרְבְּנִין, דְּאָזְלִין וּמִתְמַעֲטִין. וּכְמָה דְּאִינּוּן מִתְמַעֲטִין, הָכִי נָמֵי אִתְמַעַט טוּבָא דִּלְהוֹן.

תתפו. אר"ש, אֶלְעָזָר, ת"ח, מִיּוֹמָא תִּנְיָינָא שָׁרִיאוּ מַיָּיא לְאִתְחֲזָאָה, כֵּיוָן דְּשָׁרִיאוּ מַיִם, מִיּוֹמָא תְּלִיתָאָה אִיהִי שָׁרַת עֲלַיְיהוּ, וְאִינּוּן מַיִם לָא הֲווּ יָדְעֵי בְּבָלָאֵי, אֲמַאי רְשִׁימִין הָכָא, דְּהָא טוּבָא דְּיִשְׂרָאֵל לָא הֲוֵי בַּאֲתַר דְּמִעוּטָא, אֶלָּא בַּאֲתַר דְּרִבּוּיָיא.

וּבְגִין דְּאִלֵּין מַיִין דִּרְשִׁימִין הָכָא אִתְמַעֲטָן, אָתֵי קְרָא לְאַשְׁמוּעִינָן דִּכְתִּיב, וְהַמַּיִם אִינּוּן דְּיָדְעָן בְּיוֹמֵי דְּחַ"ג, אִינּוּן דִּרְשִׁימִין גּוֹ קָרְבְּנִין, דְּאִינּוּן טוּרֵי לְוָוטִין, הָיוּ הָלוֹךְ וְחָסוֹר טוּבָא דִּלְהוֹן, וּנְגִידוּ דְּאִתְנְגִיד עֲלַיְיהוּ, הָיוּ הָלוֹךְ וְחָסוֹר, וּבְגִין דְּאִינּוּן מַיִם דִּלְהוֹן הוּא, לָא אִתְחַבְּרָן אִתְּוָון, דְּלָא יִתְחַבַּר טוּבָא דִּלְהוֹן, אֶלָּא זְעֵיר זְעֵיר.

תתפז. אֲבָל לְיִשְׂרָאֵל, דְּאִינּוּן מִקּוּדְשָׁא בְּרִיךְ הוּא, מַה כְּתִיב. וְדוֹרְשֵׁי יְיָ' לֹא יַחְסְרוּ כָל טוֹב. רֵישֵׁיהּ דִּקְרָא, כְּפִירִים רָשׁוּ וְרָעֵבוּ, אִלֵּין מִמְּנָן דִּשְׁאָר עַמִּין. וְדוֹרְשֵׁי יְיָ', אִלֵּין יִשְׂרָאֵל, לֹא יַחְסְרוּ כָל טוֹב, אִלֵּין אַזְלִין וְאִסְתַּלְּקוּ לְעֵילָּא לְעֵילָּא. וּבְגִ"כ, טוּבָא דִּלְהוֹן דְּאִינּוּן מַיִם, הָיוּ הָלוֹךְ וְחָסוֹר. עַד הַחֹדֶשׁ הָעֲשִׂירִי. דָּא טֵבֵת, דְּהָא כְּדֵין יְמֵי הָרָעָה הֲווֹ, וְאִתְעֲרַת הַהִיא רָעָה וְאִתְתַּקְּפַת, וְכַלָּה קַדִּישָׁא לָא אַנְהִירַת מִגּוֹ שִׁמְשָׁא, כְּדֵין נִרְאוּ רָאשֵׁי הֶהָרִים, אִלֵּין אִינּוּן הָרֵי חֲשׁוֹכָא, טוּרִין דִּלְוָוטִין אִתְחָזוּן וְאִתְתַּקְּפוּ, וְעַבְדִּין בִּישִׁין בְּעָלְמָא.

תתפח. בְּיוֹמִין אִלֵּין, אִשֶּׁה בְּהַאי עוֹלָה, דְּהָא כְּדֵין הָנֵי אִשִּׁים אָכְלֵי חוּלָקֵיהוֹן. שִׁבְעִים פָּרִים אִלֵּין, אִינּוּן לְקַבֵּל שִׁבְעִים מְמַנָּן, דְּשַׁלְטוּ עַל שַׁבְעִין עַמִּין. וְסַלְּקִין בְּיוֹמָא קַדְמָאָה, וְנַחְתֵּי בְּכָל יוֹמָא וְיוֹמָא, וְאִקְרוּן פָּרִים מְנַגְּחִין בְּיוֹמִין דִּלְהוֹן. אֵילִם, אַרְבֵּיסָר, תְּרֵין בְּכָל יוֹמָא אִינּוּן יְ"ד יְהוָ"ה. יְדָא דְּשַׁלִּיטָא עֲלַיְיהוּ תָּדִיר, בְּכָל יוֹמָא וְיוֹמָא. אַמְרִין בְּנֵי שָׁנָה, מִנְיָינָא דִּלְהוֹן חַ"ע.

תתפט. וְאִי תֵּימָא אִי הָכִי, רַע עַיִן הֲוֵינָן לְגַבַּיְיהוּ. אִין, דְּהָא כְּתִיב, כִּי גֶּחָלִים אַתָּה חוֹתֶה עַל רֹאשׁוֹ. אֲבָל אֲנָן לָא יַהֲבִינָן אֶלָּא בְּחֶדְוָותָא, דְּלֵית בְּיוֹמֵי שַׁתָּא, חֶדְוָותָא, כְּאִלֵּין יוֹמִין. וּבְגִין דַּאֲנָן יָהֲבִין בְּטוּב לִבָּא, וּבְחֶדְוָותָא דִּרְעוּתָא, אִתְהַפַּךְ עֲלַיְיהוּ גֶּחָלִים עַל רֵישַׁיְיהוּ, גּוּמְרִין מְלַהֲטָן, דְּחֶדְוָותָא דִּילָן, עַבְדֵי לוֹן בִּישׁ. יְ"ד, עְ', חַ"ע. כָּךְ סַלְּקִין בְּחוּשְׁבְּנָא דִּילְהוֹן.

תתצ. וְכָל דָּא אִיתֵּימָא מַאן יָהִיב לָן לְאַקְרְבָא עֲלַיְיהוּ, דִּלְמָא אִינּוּן לָא בָּעָאן כָּל דָּא. אֶלָּא לֵית חֶדְוָה לְכָל אִינּוּן מְמַנָּן, בְּכָל אִינּוּן תוֹרִים אֵילִים וְאִמְרִין כְּהָנֵי, בְּשַׁעֲתָא דְּיִשְׂרָאֵל יַהֲבֵי לוֹן סְעוּדָתִין אִלֵּין. וְעִם כָּל דָּא לָא מִתְקַרְבוּ כְּלָּא, אֶלָּא לְקוּדְשָׁא בְּרִיךְ הוּא בִּלְחוֹדוֹי, וְאִינּוּן מִתְקָרְבֵי תַּמָּן, וְאִיהוּ פָּלִיג לוֹן. וְעַל דָּא כְּתִיב, אִם רָעֵב שׂוֹנַאֲךָ הַאֲכִילֵהוּ לָחֶם, אִלֵּין אִינּוּן קָרְבְּנִין דְּחַ"ג. וְאִם צָמֵא הַשְׁקֵהוּ מָיִם, אִלֵּין מַיִם דִּרְשִׁימִין הָכָא בְּיוֹמֵי דְּחַ"ג. וּבְיוֹמָא תִּנְיָינָא, וּבְיוֹמָא שְׁתִיתָאָה וּשְׁבִיעָאָה, וְסִימָן בּוּ"ז יָבוּזוּ לוֹ.

תתצא. מַיִם רַבִּים לֹא יוּכְלוּ לְכַבּוֹת אֶת הָאַהֲבָה, אִלֵּין אִינּוּן מַיִם, דִּי מְנַסְּכֵי יִשְׂרָאֵל, בְּחֶדְוָה וּבִרְחִימוּ דְּקוּדְשָׁא בְּרִיךְ הוּא, דִּכְתִיב וּשְׁאַבְתֶּם מַיִם בְּשָׂשׂוֹן. וּנְהָרוֹת לֹא יִשְׁטְפוּהָ, אִלֵּין אִינּוּן נַהֲרֵי דְּאַפַּרְסְמוֹנָא דַּכְיָא, דְּכֻלְּהוּ דַּבְקֵי וּמִתְקַשְּׁרֵי בִּרְחִימוּ דָּא. אִם יִתֵּן אִישׁ אֶת כָּל הוֹן בֵּיתוֹ בְּאַהֲבָה בּוֹז יָבוּזוּ, דָּא סַמָּאֵל, בְּאַהֲבָה דְּיִשְׂרָאֵל, לְמֶהֱוֵי לֵיהּ חוּלָקָא בַּהֲדַיְיהוּ, בְּאִינּוּן מַיִם דִּרְשִׁימִין הָכָא בְּפַרְשְׁתָא, דִּכְתִיב אִם יִתֵּן אִישׁ אֶת כָּל הוֹן בֵּיתוֹ בְּאַהֲבָה בּוֹז יָבוּזוּ, סִימָנָא דְּאִינּוּן מַיִם בּוּ"ז, יָבוּזוּ לוֹ וַדַּאי, דְּהָא כֻּלְּהוּ אִתְחֲשִׁיבוּ לְגַבָּן, וְחֶרֶשׂ נִשְׁבָּר, דְּלֵית לֵיהּ תַּקָּנָה לְעָלְמִין.

תתצב. מַיִם דִּלְהוֹן אִתְפְּלִיגוּ בְּיוֹמִין בּוּ"ז, אִשְׁתָּאֲרוּ שְׁאָר יוֹמִין, דְּאִינּוּן חֲמִישִׁי רְבִיעִי שְׁלִישִׁי, וְסִימָן, חֶרֶ"ש אֶת וַחֹרְשֵׁי הָאֲדָמָה, וְלֵית לוֹן תִּקוּנָא בַּהֲדָן, וְלָא לְעָלְמִין. וְאִי תֵּימָא בּוֹז יָבוּזוּ לוֹ כְּתִיב. הָתָם כִּי לֹא בָזָה וְלֹא שִׁקַּץ עֱנוּת.

תתצג. יוֹמָא קַדְמָאָה מַאי עָבֵיד לֵיהּ. אֶלָּא לָא אִקְרֵי רִאשׁוֹן, וְלָא אִקְרֵי אֶחָד, אֶלָּא חֲמִשָּׁה עָשָׂר סְתָם, בְּלָא רְשׁוּמָא כְּלַל. אֲבָל שֵׁירוּתָא דִּרְשִׁימוּ דְּמַיִין, מִיּוֹם שֵׁנִי הֲוֵי.

וְהָכִי אִתְחֲזֵי, בְּגִין דְּלֵית טוֹב בַּשֵּׁנִי, וּבג"כ, לָא רְשִׁים רִאשׁוֹן וְלָא אֶחָד כְּלַל, וַהֲוֵי בִּסְתָם, וְשָׁרֵי רְשִׁימוּ דְּיוֹמִין, בְּיוֹם שֵׁנִי. וְאִתְפְּלָגוּ מַיִם בְּבוֹ"ז, וְאִשְׁתָּאָרוּ בְּיוֹמִין וְחֶר"ש, כְּמָה דְּאִתְּמַר, וְכֹלָּא כַּדְקָא יָאוּת.

תתצד. זַכָּאָה חוּלָקֵהוֹן דְּיִשְׂרָאֵל, דְּיַדְעֵי לְאַעֲלָאָה לְגוֹ מוֹחָא דְּאֶגוֹזָא. וּבְגִין לְמֵיעָאל לְגוֹ מוֹחָא, מִתַּבְּרִין קְלִיפִּין אִלֵּין, וְעָאלִין. מַה כְּתִיב לְבָתַר כָּל הַאי. בַּיּוֹם הַשְּׁמִינִי עֲצֶרֶת תִּהְיֶה לָכֶם. לְבָתַר דְּתַבְּרוּ כָּל הָנֵי קְלִיפִּין, וְתַבְרוּ כַּמָּה גְּזִירִין, וְכַמָּה נְחָשִׁים קַטְלוּ, וְכַמָּה עַקְרַבִּים דַּהֲווּ לוֹן בְּאִינּוּן טוּרֵי דַּחֲשׁוֹכָא, עַד דְּאַשְׁכָּחוּ אֲתָר דְּיִשׁוּבָא, וְקַרְתָּא קַדִּישָׁא, מַקְפָּא שׁוּרִין סְחוֹר סְחוֹר, כְּדֵין עָאלוּ לְגַבָּהּ, לְמֶעְבַּד נַיְיחָא תַּמָּן, וּלְמֶחֱדֵי בָּהּ. וְהָא אוֹקִימְנָא מִלָּה.

תתצה. וְדָא אִיהוּ עֲצֶרֶת, כְּנִישׁוּ. אֲתָר דְּמִתְכְּנַשׁ כֹּלָּא לְגַבָּהּ. תִּהְיֶה לָכֶם, וְלָא לְאַחֲרָא, לְמֶחֱדֵי אַתּוּן בְּמָארֵיכוֹן, וְאִיהוּ בַּהֲדַיְיכוּ. וְעַל דָּא כְּתִיב, שִׂמְחוּ בַּיְיָ וְגִילוּ צַדִּיקִים וְהַרְנִינוּ כָּל יִשְׁרֵי לֵב.

בָּרוּךְ יְיָ לְעוֹלָם אָמֵן וְאָמֵן. יִמְלוֹךְ יְיָ לְעוֹלָם אָמֵן וְאָמֵן.

Matot

מטות

א. וְכֹל הַטַּף בַּנָּשִׁים אֲשֶׁר לֹא יָדְעוּ מִשְׁכַּב זָכָר. תַּמָּן תָּנֵינָן, א״ר יְהוּדָה, אֵין הָעוֹלָם מִתְנַהֵג אֶלָּא בִּתְרֵי גַּוְונִין, דְּאָתוּ מִסִּטְרָא אִתְּתָא דְּאִשְׁתְּכָחַת וַחֲכִימַת לִבָּא. הה״ד, וְכָל אִשָּׁה חַכְמַת לֵב בְּיָדֶיהָ טָווּ וַיָּבִיאוּ מַטְוֶה אֶת הַתְּכֵלֶת וְאֶת הָאַרְגָּמָן. וּמַאי מַתְיָין. אֶת הַתְּכֵלֶת וְאֶת הָאַרְגָּמָן, גַּוְונִין דִּכְלִילָן בְּגוֹ גַּוְונֵי.

ב. הֲדָא הוּא דִכְתִיב, דָּרְשָׁה צֶמֶר וּפִשְׁתִּים וַתַּעַשׂ בְּחֵפֶץ כַּפֶּיהָ. וּכְתִיב בְּיָדֶיהָ טָווּ, מַאי טָווּ. אָמַר רַבִּי יְהוּדָה, טָווּ בְּדִינָא, טָווּ בְּרַחֲמֵי. א״ר יִצְחָק, אֲמַאי אִתְקְרֵיאַ אִשָּׁה. אָמַר לֵיהּ דִּכְלִילָא בְּדִינָא, וּכְלִילָא בְּרַחֲמֵי.

ג. ת״ח, דא״ר אֶלְעָזָר, כָּל אִתְּתָא בְּדִינָא אִתְקְרִיאַ, עַד דְּאַטְעֲמָא טַעֲמָא דְּרַחֲמֵי. דְּתַנְיָא, מִסִּטְרָא דְּב״נ, אָתֵי חִוְּורָא. וּמִסִּטְרָא דְּאִתְּתָא, אָתֵי סוּמָקָא. טַעֲמָא אִתְּתָא מֵחִוְּורָא, וְחִוְּורָא עָדִיף.

ד. ות״ח אֲמַאי אֲסִירָן נְשֵׁי שְׁאַר עַמִּין, דְּיָדְעֵי מִשְׁכְּבֵי דְּכוּרָא. מִשּׁוּם דְּתָנֵינָן, אִית יְמִינָא, וְאִית שְׂמָאלָא. יִשְׂרָאֵל, וּשְׁאַר עַמִּין. וג״ע, וְגֵיהִנָּם. עָלְמָא דָא, וְעָלְמָא דְּאָתֵי. יִשְׂרָאֵל לְקַבְּלֵי דְּרַחֲמֵי, וּשְׁאַר עַמִּין לְקָבְלֵי דְּדִינָא. וְתָנָן, אִתְּתָא דְּאַטְעֲמָא טַעֲמָא דְּרַחֲמֵי, רַחֲמֵי נַצְּחָא. אִתְּתָא דְּטַעֲמָא טַעֲמָא דְּדִינָא, דִּינָא בְּדִינָא אִתְדַּבְּקַת, וְעָלַיְיהוּ אִתְקְרֵי וְהַכְּלָבִים עַזֵּי נֶפֶשׁ לֹא יָדְעוּ שָׂבְעָה.

ה. וְעַל דָּא תָּנֵינָן, הַנִּבְעֶלֶת לְעכו״ם קְשׁוּרָה בּוֹ כַּכֶּלֶב. מַה כַּלְבָּא תַּקִּיפָא בְּרוּחֵיהּ וַחֲצִיפָא. אוּף הָכָא דִּינָא בְּדִינָא, וַחֲצִיפָא בְּכֹלָּא. הַנִּבְעֶלֶת לְיִשְׂרָאֵל, תָּנֵינָן, כְּתִיב וְאַתֶּם הַדְּבֵקִים בַּה׳ אֱלֹהֵיכֶם חַיִּים כֻּלְּכֶם הַיּוֹם. מ״ט. מִשּׁוּם דְּנִשְׁמְתָא דְּיִשְׂרָאֵל, אַתְיָיא מֵרוּחָא דֶּאֱלֹהִים חַיִּים. דִּכְתִיב כִּי רוּחַ מִלְּפָנַי יַעֲטוֹף, מַשְׁמַע דִּכְתִיב מִלְּפָנַי. וּבְגִ״כ, אִתְּתָא דְּהִיא בְּתוּלְתָּא, וְלָא אִתְדַּבְּקַת בְּדִינָא קַשְׁיָא דִּשְׁאַר עַמִּין, וְאִתְדַּבְּקַת בְּיִשְׂרָאֵל, רַחֲמֵי נַצְּחָא וְאִתְכַּשְׁרַת.

ו. ות״ח, כְּתִיב אָמַרְתִּי עוֹלָם חֶסֶד יִבָּנֶה. מַאי חֶסֶד. הוּא חַד מִכִּתְרֵי עִלָּאֵי דְּמַלְכָּא, דְּנִשְׁמְתָא דְּיִשְׂרָאֵל קָרָא לָהּ קוּדְשָׁא בְּרִיךְ הוּא חֶסֶד. עַל תְּנַאי דְּיִתְבְּנֵי, וְלָא יִשְׁתֵּיצֵי חֶסֶד מֵעָלְמָא. מַשְׁמַע דִּכְתִיב יִבָּנֶה. בְּגִ״כ תָּנֵינָן, מַאן דְּשֵׁיצֵי חֶסֶד מֵעָלְמָא, אִשְׁתֵּיצֵי הוּא לְעָלְמָא דְּאָתֵי. וְעַל דָּא כְּתִיב, לֹא תִהְיֶה אֵשֶׁת הַמֵּת הַחוּצָה, בְּגִין לְמֶעְבַּד חֶסֶד עִם מִיתָא. וְאִתְעָבֵיד בִּנְיָינָא, דִּכְתִיב עוֹלָם חֶסֶד יִבָּנֶה.

VA'ETCHANAN

וָאֶתְחַנַּן

א. וָאֶתְחַנַּן אֶל יְיָ' בָּעֵת הַהִיא לֵאמֹר. אֲדֹנָ"י יֱדֹוִ"ד אַתָּה הַחִלּוֹתָ לְהַרְאוֹת אֶת עַבְדְּךָ וְגוֹ'. ר' יוֹסֵי פָּתַח, וַיַּסֵּב חִזְקִיָּהוּ פָּנָיו אֶל הַקִּיר וַיִּתְפַּלֵּל אֶל יְיָ'. ת"ח, כַּמָּה הוּא חֵילָא תַּקִּיפָא דְּאוֹרַיְיתָא, וְכַמָּה הוּא עִלָּאָה עַל כֹּלָּא. דְּכָל מַאן דְּאִשְׁתַּדַּל בְּאוֹרַיְיתָא, לָא דָּחִיל מֵעִלָּאֵי וְתַתָּאֵי. וְלָא דָּחִיל מֵעַרְעוּרִין בִּישִׁין דְּעָלְמָא. בְּגִין דְּאִיהוּ אָחִיד בְּאִילָנָא דְּחַיֵּי, וְאָכִיל מִנֵּיהּ בְּכָל יוֹמָא.

ב. דְּהָא אוֹרַיְיתָא אוֹלִיף לֵיהּ לְבַ"נ, לְמֵיהַךְ בְּאֹרַח קְשׁוֹט. אוֹלִיף לֵיהּ עֵיטָא הֵיךְ יְתוּב קַמֵּי מָארֵיהּ. וַאֲפִילוּ יִתְגְּזַר עָלֵיהּ מוֹתָא, כֹּלָּא יִתְבַּטַּל וְיִסְתַּלַּק מִנֵּיהּ, וְלָא שַׁרְיָא עֲלוֹי. וְע"ד בָּעֵי לְאִשְׁתַּדְּלָא בְּאוֹרַיְיתָא יְמָמָא וְלֵילֵי, וְלָא יִתְעֲדֵי מִנַּהּ, הה"ד וְהָגִיתָ בּוֹ יוֹמָם וָלַיְלָה. וְאִי אַעֲדֵי מִינֵּיהּ אוֹרַיְיתָא, אוֹ אִתְפָּרַשׁ מִנַּהּ, כְּאִלּוּ אִתְפָּרַשׁ מִן חַיֵּי.

ג. ת"ח, עֵיטָא דְּבַ"נ כַּד אִיהוּ סָלִיק בְּלֵילְיָא עַל עַרְסֵיהּ, בָּעֵי לְקַבְּלָא עָלֵיהּ עוֹל מַלְכוּתָא דִּלְעֵילָּא, בְּלִבָּא שְׁלִים. וּלְאַקְדְּמֵי לְמִימְסַר גַּבֵּיהּ פִּקְדוֹנָא דְּנַפְשֵׁיהּ. וְהָא אוֹקְמוּהָ, בְּגִין דְּכָל עָלְמָא טַעֲמִין טַעֲמָא דְּמוֹתָא, דְּהָא אִילָנָא דְּמוֹתָא שַׁרְיָא בְּעָלְמָא, וְכָל רוּחֵי דִּבְנֵי נָשָׁא נָפְקִין, וְסַלְּקִין וְאִתְטַמְּרָן גַּבֵּיהּ. וּבְגִין דְּאִינּוּן בְּפִקְדוֹנָא, כֻּלְּהוּ תַּיְיבִין לְאַתְרַיְיהוּ.

ד. ת"ח, כַּד אִתְּעַר רוּחַ צָפוֹן בְּפַלְגּוּת לֵילְיָא, וְכָרוֹזָא נָפִיק. וְקוּדְשָׁא בְּרִיךְ הוּא אָתֵי לְגִנְתָּא דְּעֵדֶן לְאִשְׁתַּעְשְׁעָא בְּרוּחֵיהוֹן דְּצַדִּיקַיָּיא, כְּדֵין מִתְעָרֵי כָּל בְּנֵי מַטְרוֹנִיתָא, וְכָל בְּנֵי הֵיכָלָא, לְשַׁבְּחָא לֵיהּ לְמַלְכָּא קַדִּישָׁא. וּכְדֵין כָּל אִינּוּן פִּקְדוֹנִין דְּרוּחִין דְּאִתְמַסְרָן בִּידָהּ, כֻּלְּהוּ אָתִיב לְמָארֵיהוֹן. וְרוּבָּא דִּבְנֵי עָלְמָא מִתְעָרִין בְּהַהִיא שַׁעֲתָא, וְהָא פִּקְדוֹנֵיהּ דְּכֻלְּהוּ אָתִיב לְגַבַּיְיהוּ.

ה. אִינּוּן דִּבְנֵי הֵיכָלָא עִלָּאָה קַיְימֵי בְּקִיּוּמַיְיהוּ, מִתְעָרֵי מִשְׁתַּדְּלֵי בְּתוּשְׁבְּחָתָא דְּאוֹרַיְיתָא, וּמִשְׁתַּתְּפֵי בִּכְנֶסֶת יִשְׂרָאֵל, עַד דְּנָהִיר יְמָמָא. כַּד אָתֵי צַפְרָא, הִיא, וְכָל בְּנֵי הֵיכָלָא דְּמַלְכָּא כֻּלְּהוּ אַתְיָין לְגַבֵּי מַלְכָּא קַדִּישָׁא, וְאִינּוּן אִקְרוּן בְּנִין דְּמַלְכָּא וּמַטְרוֹנִיתָא. וְהָא אוֹקְמוּהָ.

ו. כַּד אָתֵי צַפְרָא, בָּעֵי לְנַקָּאָה גַּרְמֵיהּ בְּכֹלָּא, וּלְמֵיזַן זַיְינֵיהּ, לְאִשְׁתַּדְּלָא עִם מַלְכָּא קַדִּישָׁא, דְּהָא בְּלֵילְיָא אִשְׁתַּדַּל בְּמַטְרוֹנִיתָא. הַשְׁתָּא אַתְיָא עִם מַטְרוֹנִיתָא, לְזַוְּוגָא לָהּ עִם מַלְכָּא.

ז. אָתֵי לְבֵי כְּנִישְׁתָּא, מְדַכֵּי גַּרְמֵיהּ בְּקָרְבְּנִין, מְשַׁבַּח בְּתוּשְׁבְּחָתַיְיהוּ דְּדָוִד מַלְכָּא. אָחִיד תְּפִילִין בְּרֵישֵׁיהּ, וְצִיצִית בְּגַדְפֵּיהּ, אוֹמֵר תְּהִלָּה לְדָוִד. וְהָא אוֹקְמוּהָ, צַלֵּי צְלוֹתָא קַמֵּי מָארֵיהּ, בִּצְלוֹתָא בָּעֵי לְמֵיקָם, כְּגַוְונָא דְּמַלְאֲכֵי עִלָּאֵי, לְאִתְחַבְּרָא בַּהֲדַיְיהוּ, דְּאִינּוּן אִקְרוּן הָעוֹמְדִים, כד"א, וְנָתַתִּי לְךָ מַהְלְכִים בֵּין הָעוֹמְדִים. וּלְכַוְּונָא רְעוּתֵיהּ קַמֵּי מָארֵיהּ, וְיִתְבַּע בָּעוּתֵיהּ.

ח. ת"ח, בְּשַׁעֲתָא דְּבַ"נ קָאֵים בְּפַלְגּוּת לֵילְיָא מֵעַרְסֵיהּ, לְאִשְׁתַּדְּלָא בְּאוֹרַיְיתָא, כָּרוֹזָא קָארֵי עָלֵיהּ וְאָמַר, הִנֵּה בָּרְכוּ אֶת יְיָ' כָּל עַבְדֵי יְיָ' הָעוֹמְדִים בְּבֵית יְיָ' בַּלֵּילוֹת. הַשְׁתָּא כַּד אִיהוּ קָאֵים בִּצְלוֹתָא קַמֵּי מָארֵיהּ, הַהוּא כָּרוֹזָא קָארֵי עָלֵיהּ וְאָמַר, וְנָתַתִּי

לָךְ מַהְלְכִים בֵּין הָעוֹמְדִים הָאֵלֶּה.

ט. בָּתַר דִּמְסַיֵּים צְלוֹתָא בִּרְעוּ קַמֵּי מָארֵיהּ, הָא אוּקְמוּהָ, דְּבָעֵי לְמִימְסַר נַפְשֵׁיהּ בִּרְעוּתָא דְּלִבָּא, לְהַהוּא אֲתַר דְּאִצְטְרִיךְ. וְכַמָּה עֵיטִין אִית לֵיהּ לְבַר נָשׁ בְּכֹלָּא. וּבְשַׁעֲתָא דִּצְלוֹתָא קַיְּימָא, כָּל אִינּוּן מִלִּין דְּאַפִּיק בַּר נָשׁ מִפּוּמֵיהּ בְּהַהִיא צְלוֹתָא, כֻּלְּהוּ סַלְּקִין לְעֵילָּא, וּבָקְעִין אֲוִירִין וּרְקִיעִין, עַד דְּמָטוּ לְהַהוּא אֲתָר דְּמָטוּ וּמִתְעַטְּרוּ בְּרֵישָׁא דְּמַלְכָּא, וְעָבִיד מִנַּיְיהוּ עֲטָרָה. וְהָא אוּקְמוּהָ חַבְרַיָּיא, צְלוֹתָא דְּבָעֵי ב"נ לְקוּדְשָׁא בְּרִיךְ הוּא, לְכַוְּונָא דִּיהֵא צְלוֹתָא תַּחֲנוּנִים. מְנָלָן. מִמֹּשֶׁה, דִּכְתִיב וָאֶתְחַנַּן אֶל יְיָ'. דָּא אִיהוּ צְלוֹתָא מְעַלְּיָא.

י. ת"ח, מַאן דְּקָאִים בִּצְלוֹתָא, בָּעֵי לְכַוְּונָא רַגְלוֹי, וְאוּקְמוּהָ. וּבָעֵי לְחַפְּיָא רֵישֵׁיהּ, כְּמַאן דְּקָאִים קַמֵּי מַלְכָּא. וּבָעֵי לְמִכְסְיָיה עֵינוֹי, בְּגִין דְּלָא יִסְתָּכַּל בִּשְׁכִינְתָּא. וּבְסִפְרָא דְּרַב הַמְנוּנָא סָבָא אָמַר, מַאן דְּפָקַח עֵינוֹי בְּשַׁעֲתָא דִּצְלוֹתָא, אוֹ דְּלָא מָאִיךְ עֵינוֹי בְּאַרְעָא, אַקְדִּים עָלֵיהּ מַלְאַךְ הַמָּוֶת, וְכַד תִּיפּוּק נַפְשֵׁיהּ, לָא יִסְתָּכַּל בִּנְהִירוּ דִּשְׁכִינְתָּא, וְלָא יָמוּת בִּנְשִׁיקָה. מַאן דִּמְזַלְזֵל בִּשְׁכִינְתָּא מִתְזַלְזֵל הוּא בְּהַהוּא שַׁעֲתָא דְּאִצְטְרִיךְ בֵּיהּ, הה"ד, כִּי מְכַבְּדַי אֲכַבֵּד וּבוֹזַי יֵקָלּוּ.

יא. הַאי מַאן דְּאִסְתָּכַּל בִּשְׁכִינְתָּא, בְּשַׁעֲתָא דְּאִיהוּ מְצַלֵּי. וְהֵיךְ יָכִיל לְאִסְתַּכְּלָא בִּשְׁכִינְתָּא. אֶלָּא לְיַנְדַּע דְּוַדַּאי שְׁכִינְתָּא קַיְּימָא קַמֵּיהּ, הה"ד, וַיַּסֵּב חִזְקִיָּהוּ פָּנָיו אֶל הַקִּיר, דְּתַמָּן שָׁארֵי שְׁכִינְתָּא. בג"כ לָא בָּעְיָא לְמֶהֱוֵי חוֹצֵץ בֵּינוֹ וּבֵין הַקִּיר, וְאוּקְמוּהָ.

יב. מַאן דְּקָאִים בִּצְלוֹתָא, בָּעֵי לְסַדְּרָא שְׁבָחָא דְּמָארֵיהּ בְּקַדְמֵיתָא, וּלְבָתַר יִתְבַּע בָּעוּתֵיהּ. דְּהָא מֹשֶׁה הָכִי אָמַר בְּקַדְמֵיתָא, אַתָּה הַחִלּוֹתָ וְגוֹ'. וּלְבַסּוֹף אֶעְבְּרָה וְגוֹ'. ר' יְהוּדָה אָמַר, מַאי שְׁנָא הָכָא דִּכְתִיב אֲדֹנָ"י בְּקַדְמֵיתָא, בְּאָלֶ"ף דָּלֶ"ת נוּ"ן יוּ"ד, וּלְבַסּוֹף ידו"ד, וְקָרֵינָן אֱלֹהִ"ים. אֶלָּא סִדּוּרָא הָכִי הוּא מִתַּתָּא לְעֵילָּא, וּלְאַכְלְלָא מִדַּת יוֹם בַּלַּיְלָה, וּמִדַּת לַיְלָה בַּיּוֹם וּלְזַוְּוגָא כֹּלָּא כַּחֲדָא כַּדְּקָא יָאוּת.

יג. אַתָּה הַחִלּוֹתָ לְהַרְאוֹת אֶת עַבְדְּךָ. מַאי שֵׁירוּתָא הָכָא. אֶלָּא וַדַּאי מֹשֶׁה שֵׁירוּתָא הֲוָה בְּעָלְמָא, לְמֶהֱוֵי שְׁלִים בְּכֹלָּא. וְאִי תֵּימָא יַעֲקֹב שְׁלִים הֲוָה, וְאִילָנָא אִשְׁתְּלִים לְתַתָּא כְּגַוְונָא דִּלְעֵילָּא. הָכִי הוּא וַדַּאי, אֲבָל מַה דַּהֲוָה לְמֹשֶׁה, לָא הֲוָה לְב"נ אַחֲרָא, דְּהָא אִתְעֲטָּר בִּשְׁלִימוּ יַתִּיר, בְּכַמָּה אֲלַף וְרִבְבָן מִיִּשְׂרָאֵל, בְּאוֹרַיְיתָא, בְּמַשְׁכְּנָא, בְּכַהֲנִין, בְּלֵיוָאֵי, בִּתְרֵיסַר שִׁבְטִין, רַבְרְבִין מְמַנָּן עֲלַיְיהוּ, בְּשַׁבְעִין סַנְהֶדְרִין. הוּא אִשְׁתְּלִים בְּגוּפָא שְׁלִים. אַהֲרֹן לִימִינָא, נַחְשׁוֹן לִשְׂמָאלָא, הוּא בֵּינַיְיהוּ.

יד. בְּגִין כַּךְ אֶת גָּדְלְךָ, מִימִינָא, דָּא אַהֲרֹן. וְאֶת יָדְךָ הַחֲזָקָה, מִשְּׂמָאלָא, דָּא נַחְשׁוֹן. וְהָא אִתְּמַר. בג"כ מֹשֶׁה שֵׁירוּתָא בְּעָלְמָא הֲוָה. וְאִי תֵּימָא מַאן הֲוָה סִיּוּמָא. סִיּוּמָא מַלְכָּא מְשִׁיחָא הוּא, דְּהָא כְּדֵין יִשְׁתַּכַּח שְׁלִימוּ בְּעָלְמָא, מַה דְּלָא הֲוָה כֵּן לְדָרֵי דָּרִין. בְּהַהוּא זִמְנָא יִשְׁתַּכַּח שְׁלִימוּ לְעֵילָּא וְתַתָּא, וִיהוֹן עָלְמִין כֻּלְּהוּ בְּזִוּוּגָא חַד, כְּדֵין כְּתִיב בַּיּוֹם הַהוּא יִהְיֶה יְיָ' אֶחָד וּשְׁמוֹ אֶחָד.

טו. וַיֹּאמֶר יְיָ' אֵלַי רַב לָךְ אַל תּוֹסֶף וְגוֹ'. אָמַר ר' חִיָּיא, א"ל קוּדְשָׁא בְּרִיךְ הוּא לְמֹשֶׁה, מֹשֶׁה, רַב לָךְ דְּאִזְדַּוְּוגַת בִּשְׁכִינְתָּא, מִכָּאן וּלְהָלְאָה אַל תּוֹסֶף, רַבִּי יִצְחָק אָמַר, רַב לָךְ בִּנְהִירוּ דְּשִׁמְשָׁא דַּהֲוָה גַּבָּךְ, אַל תּוֹסֶף, דְּהָא זִמְנָא דְּסִיהֲרָא מָטָא, וְסִיהֲרָא לָא יָכִיל לְאַנְהָרָא, עַד דְּיִתְכְּנִישׁ שִׁמְשָׁא. אֲבָל וְצַו אֶת יְהוֹשֻׁעַ וְחַזְּקֵהוּ וְאַמְּצֵהוּ. אַנְתְּ דְּהוּא שִׁמְשָׁא, בָּעֵי לְאַנְהָרָא לְסִיהֲרָא, וְהָא אִתְּמַר.

טז. וְאַתֶּם הַדְּבֵקִים בַּיְיָ' אֱלֹהֵיכֶם וְגוֹ'. ר' יוֹסֵי אָמַר אַשְׁרֵי הָעָם שֶׁכָּכָה לוֹ וְגוֹ'. זַכָּאָה

עַמָּא, דְּקוּדְשָׁא בְּרִיךְ הוּא בָּחַר בְּהוּ מִכָּל עַמִּין עכו"ם, וְסָלִיק לוֹן לְעַדְבֵיהּ, וּבָרִיךְ לוֹן בְּבִרְכָתָא דִּילֵיהּ בְּבִרְכָתָא דִּשְׁמֵיהּ, הֲדָא הוּא דִכְתִּיב כִּי הֵם זֶרַע בֵּרַךְ יְיָ, בֵּרַךְ יְיָ מַמָּשׁ.

יז. תָּא חֲזֵי, כָּל שְׁאָר עַמִּין דְּעָלְמָא, יָהַב לוֹן קוּדְשָׁא בְּרִיךְ הוּא לְרַבְרְבֵי מְמַנָּן, דְּשַׁלְטִין עֲלַיְיהוּ. וְיִשְׂרָאֵל אָחִיד לוֹן קוּדְשָׁא בְּרִיךְ הוּא לְעַדְבֵיהּ, לְחוּלָקֵיהּ, לְאִתְאַחֲדָא בֵּיהּ מַמָּשׁ. וְיָהִיב לוֹן אוֹרַיְיתָא קַדִּישָׁא, בְּגִין לְאִתְאַחֲדָא בִּשְׁמֵיהּ, וְע"ד וְאַתֶּם הַדְּבֵקִים בַּיְיָ, וְלָא בִּמְמַנָּא אַחֲרָא כִּשְׁאַר עַמִּין, וְהָא אוּקְמוּהָ בְּכַמָּה אֲתַר.

יח. וַיְדַבֵּר יְיָ אֲלֵיכֶם מִתּוֹךְ הָאֵשׁ קוֹל דְּבָרִים אַתֶּם שׁוֹמְעִים וְגוֹ'. א"ר אֶלְעָזָר, הַאי קְרָא אִית לְאִסְתַּכְּלָא בֵּיהּ, קוֹל דְּבָרִים, מַאי קוֹל דְּבָרִים. אֶלָּא קוֹל דְּאִקְרֵי דִּבּוּר, דְּכָל דִּבּוּרָא בֵּיהּ תַּלְיָא. וְע"ד כְּתִיב, וַיְדַבֵּר ה' אֲלֵיכֶם, דְּהָא דִּבּוּר בַּאֲתַר דָּא תַּלְיָא, לְהַאי אִקְרֵי קוֹל דְּבָרִים.

יט. אַתֶּם שׁוֹמְעִים, דִּשְׁמִיעָה לָא תַּלְיָא אֶלָּא בְּהַאי. בְּגִין דִּשְׁמִיעָה בְּדִבּוּר תַּלְיָא. וּבְגִ"כ אַתֶּם שׁוֹמְעִים. וְהָא אוּקְמוּהָ, וְרָצַע אֲדוֹנָיו אֶת אָזְנוֹ בַּמַּרְצֵעַ, בְּגִין דְּפָגִים אַתְרָא דְּאִקְרֵי שְׁמִיעָה, וְהוּא דִּבּוּר וְהוּא שְׁמִיעָה.

כ. קוֹל דְּבָרִים אַתֶּם שׁוֹמְעִים וּתְמוּנָה אֵינְכֶם רוֹאִים. מַאי וּתְמוּנָה. כד"א וּתְמוּנַת יְיָ יַבִּיט. ד"א וּתְמוּנָה, דָּא קוֹל פְּנִימָאָה, דְּלָא הֲוָה מִתְחֲזֵי כְּלַל. זוּלָתִי קוֹל, דָּא קוֹל אַחֲרָא דְּקָאַמְרָן. וּתְמוּנָה, אֲמַאי אִקְרֵי הָכִי. בְּגִין דְּכָל תִּקּוּנָא דְּגוּפָא מִינֵּיהּ נָפְקָא.

כא. וְאִי תֵּימָא אַחֲרָא אִקְרֵי הָכִי נָמֵי. אִין. דְּהַאי אַחֲרָא תִּקּוּנָא דִּלְתַתָּא מִינֵּיהּ נָפְקָא, וּבְגִ"כ, ה' עִלָּאָה ה' תַּתָּאָה, קוֹל גָּדוֹל וְלֹא יָסָף, דְּלָא פָּסְקֵי מַבּוּעֵי לְעָלְמִין, וְכָל אִינּוּן קוֹלוֹת תַּמָּן אִשְׁתְּכָחוּ כַּד אִתְיְהִיבַת אוֹרַיְיתָא לְיִשְׂרָאֵל. וְכֹלָּא נָפְקָא מֵהַהוּא קוֹל פְּנִימָאָה דְּכֹלָּא, בְּגִין דְּבֵיהּ תַּלְיָא מִלְּתָא.

כב. הַאי דְּאִקְרֵי מִשְׁנֵה תּוֹרָה, מֹשֶׁה מִפִּי עַצְמוֹ אַמְרָן. וְהָא אוֹקִימְנָא מִלָּה. אֲמַאי הָכִי. אֶלָּא חָכְמָה עִלָּאָה, כְּלָלָא דְּאוֹרַיְיתָא אִתְקְרֵי, וּמִנָּהּ נָפְקָא כֹּלָּא, בְּהַהוּא קוֹל פְּנִימָאָה. לְבָתַר מִתְיַשְּׁבָא כֹּלָּא וְאִתְאֲחִיד, בַּאֲתַר דְּאִקְרֵי עֵץ הַחַיִּים, וּבֵיהּ תַּלְיָא כְּלַל וּפְרָט, תּוֹרָה שֶׁבִּכְתָב וְשֶׁבְּעַ"פ, וְהוּא אִקְרֵי תּוֹרָה וּמִשְׁנֵה תּוֹרָה. בְּקַדְמֵיתָא גְּבוּרָה דְּלָא פָּסַק, וְהַשְׁתָּא כֹּלָּא כַּחֲדָא. בְּגִ"כ הָכָא בְּאִלֵּין י' הַדִּבְּרוֹת, כֹּלָּא רְשִׁים בְּוא"ו, וְלֹא תִּנְאָף, וְלֹא תִּגְנוֹב, וְלֹא תַּעֲנֶה, וְלֹא תַחְמוֹד, וְלֹא תִתְאַוֶּה, וְהָא אוּקְמוּהָ.

כג. אָמַר ר' יוֹסֵי, מַאי וְלֹא תִתְאַוֶּה, כֵּיוָן דִּכְתִּיב וְלֹא תַחְמוֹד, דְּהָא בְּהַאי סַגֵּי. א"ל, זַכָּאִין אִינּוּן מָארֵי קְשׁוֹט, חֲמִידָה חַד דַּרְגָּא. תַּאֲוָה דַּרְגָּא אַחֲרָא. חֲמִידָה: דְּאִי יָכִיל, אָזִיל לְמֵיסַב דִּילֵיהּ בְּגִין הַהִיא חֲמִידָה דְּנָקַט, אָזִיל לְמֶעְבַּד עוֹבָדָא. תַּאֲוָה: לָאו הָכִי, דְּהָא אֲפִילוּ דְּלָא יִנְקוֹט אוֹרְחָא לְמֵהַךְ אֲבַתְרֵיהּ, וְהָא אוּקְמוּהָ חַבְרַיָּיא.

כד. א"ל רַבִּי יוֹסֵי, אֲמַאי לָא כְּתִיב וְלֹא תִרְצַח, כְּהָנֵי אַחֲרִינֵי. א"ל בְּגִין דְּדַרְגָּא דְּדִינָא בִּגְבוּרָה תַּלְיָא, וְלָא בַּאֲתַר דְּרַחֲמֵי, בְּגִ"כ לֹא תִרְצַח לָא כְּתִיב בֵּיהּ וָא"ו. וּבְגִין דְּבָעְיָין ה' וָוִין אִתּוֹסַף וָא"ו וְלֹא תִתְאַוֶּה, דְּהָא בְּלֹא תִרְצַח לָא בָּעֵי לְמִשְׁרֵי וָא"ו, וְאִתּוֹסַף הָכָא.

כה. שָׁמַע ר' פִּנְחָס דְּיָתִיב אֲבַתְרֵיהּ, וּנְשָׁקֵיהּ. בָּכָה וְחָיַיךְ. אָמַר גּוּר אַרְיֵה, לֵית מַאן דְּקָאֵים קַמַּיְיהוּ, מַאן יָכִיל לְקַיְּימָא קַמֵּיהּ וַאֲבוּהָ בְּעָלְמָא. זַכָּאָה חוּלָקֵיהוֹן דְּצַדִּיקַיָּיא, וְזַכָּאָה חוּלָקִי בְּהַאי עָלְמָא, וּבְעָלְמָא דְּאָתֵי, דְּזָכֵינָא לְהַאי. עַל דָּא כְּתִיב, יִרְאוּ צַדִּיקִים וְיִשְׂמָחוּ.

כו. ר' אֶלְעָזָר פָּתַח וְאָמַר, קְרַב אַתָּה וּשְׁמָע וְגוֹ'. ת"ח, בְּשַׁעֲתָא דְּאִתְיְהִיבַת

אורייתא לישראל, כלהון קולות אשתכחו. וקודשא בריך הוא יתיב על כורסייא, ודא מגו דדא אתחזי, ומכולא דדא נפיק מגו עלאה דעליה, ודא הוא רזא דכתיב, פנים בפנים דבר יי' עמכם בהר מתוך האש, דמכולא נפקא, ומכליל מגו אשא ושלהובא, דהוי ליה לבר, בדפיקו דרוחא ומיא, דיהבין חילא. דאשא ורוחא ומיא, מגו שופר, דאיהו כליל לכלהו נפיק. וישראל אתרחיקו מדחילו דא.

כז. ובג"כ, ואת תדבר אלינו, לא בעינן בתוקפא עלאה דלעילא, אלא מאתר דנוקבא ולא יתיר, ואת תדבר אלינו וגו'. אמר משה ודאי חלשתון חילא דילי, וחלשתון חילא אחרא, דאלמלא לא אתרחקו ישראל, וישמעון כל ההיא מלה כד בקדמיתא, לא הוה יכיל עלמא למהוי חריב לבתר, ואינון הוו קיימין לדרי דרין.

כח. דהא בשעתא קדמיתא מיתו. מ"ט. בגין דהכי אצטריך, דהא אילנא דמותא גרים. לבתר דהויין וקמו וקא סגו, ובעא קודשא בריך הוא לאעלא לון לאילנא דחיי, דקאים על ההוא אילנא דמותא, בגין למהוי קיימין לעלמין, אתרחק ולא בעו, כדין אתחלש חילא דמשה עלייהו, ואתחלש חילא אחרא. אמר קודשא בריך הוא, אנא בעינא לקיימא לכו באתר עלאה, ולאתדבקא בחיים, אתון בעיתון אתר דנוקבא שריא. ובג"כ, לך אמור להם וגו'. כל חד יהך לנוקביה, ויתייחד בה.

כט. ועם כל דא, כיון דישראל לא עבדו, אלא בדחילו עלאה דהוה עלייהו, לא אתמר עלייהו, אלא מי יתן והיה לבבם זה להם וגו'. מכאן אוליפנא, כל מאן דעביד מלה, ולבא ורעותיה לא שוי לסטרא בישא, אע"ג דאיהו ביש, הואיל ולא עביד ברעותא, עונשא לא שריא עליה. ולא כב"נ אחרא. וקודשא בריך הוא לא דאין ליה לביש.

ל. ואתה פה עמוד עמדי. מהכא, אתפרש מכל וכל, מאתתיה, ואתדבק ואסתלק באתר אחרא דדכורא, ולא בנוקבא. זכאה חולקא דמשה נביאה מהימנא, דזכה לדרגין עלאין, מה דלא זכה ב"נ אחרא לעלמין. על דא כתיב, טוב לפני האלהים ימלט ממנה. מאי טוב. דא משה. דכתיב כי טוב הוא. ובגין דהוה טב, סליק לדרגא אחרא עלאה. וע"ד כתיב, כי המקום אשר אתה עומד עליו אדמת קדש הוא, עומד עליו דייקא. מ"ט. בגין כי טוב הוא, וטוב הוא דכורא.

לא. ואי תימא, דהא אמר רבי יהודה, הא דוד דכתיב ביה טוב, כד"א וטוב ראי, אמאי לא הוה יתיר. א"ל וטוב ראי כתיב. טוב ראי, דא דאיהו חיזו לאסתכלא, הכי הוה דוד. טוב ראי, הוה טוב דאיהו חיזו. ובמשה כתיב טוב הוא ממש, והכא טוב ראי. ועם כל דא, בתרווייהו הוה אחיד, דהא דא בדא אחיד. ומשה לבתר דהוה טב, סליק למהוי גופא איש. איש האלהים, והאיש משה ענו מאד.

לב. אמר רבי יהודה, בכל עובדוי, בעי ב"נ לשואה לקבליה לקודשא בריך הוא, והא אוקימנא מלה. רבי יהודה לטעמיה, דא"ר יהודה, האי מאן דאזיל בארחא, יכוין לתלת מלין, ועילא מנהון צלותא, ואע"ג דצלותא יתיר עלאה מכלא, תרי וחברי או תלתא דלעאן במלי דאורייתא. דהא לא מסתפי, בגין דשכינתא אשתתפא בהדייהו.

לג. ר' אלעזר ור' חייא הוו אזלי בארחא, א"ר אלעזר כתיב, ויעש יי' אלהים לאדם ולאשתו כתנות עור. וכי עד השתא פשיטי הוו מההוא עור. אין. אלא מאני לבושי יקר הוו. א"ל ר' חייא, אי הכי לא אתחזון להו אפילו כתנות עור. וכי תימא דעד לא חאבו אלבישו להו, לא. אלא לבתר דחבו כתיב, ויעש יי' אלהים לאדם ולאשתו

כָּתְנוֹת עוֹר וַיַּלְבִּישֵׁם וְגוֹ'.

לד. א"ל, הָכִי הוּא וַדַּאי, בְּקַדְמֵיתָא הֲווּ כְּגַוְונָא דִּלְעֵילָּא, וּמִתְפַּשְּׁטָן מִן גַּוְונֵי דִּלְתַתָּא, וַהֲוָה נְהוֹרָא דִּלְעֵילָּא אַסְחַר עָלַיְיהוּ. וּלְבָתַר דְּחָבוּ, אַהֲדַר לוֹן בְּגַוְונֵי דְּהַאי עָלְמָא, וְאַעְבַּר מִנַּיְיהוּ גַּוְונֵי דִּלְעֵילָּא. מַה כְּתִיב. וַיַּעַשׂ יְיָ' אֱלֹהִים לְאָדָם וּלְאִשְׁתּוֹ כָּתְנוֹת עוֹר וַיַּלְבִּישֵׁם מִגַּוְונָא דְּהַאי עָלְמָא. כְּתִיב וְאֶת אַהֲרֹן וְאֶת בָּנָיו תַּקְרִיב וְהִלְבַּשְׁתָּם כֻּתֳּנוֹת, הָתָם כְּגַוְונָא דִּלְעֵילָּא. הָכָא כְּגַוְונָא דִּלְתַתָּא. הָתָם כָּתְנוֹת שֵׁשׁ, הָכָא כָּתְנוֹת עוֹר. וְאַע"ג דְּאִיהוּ הָכִי, שַׁפִּירָא דְּאִינּוּן לְבוּשִׁין סָלִיק עַל כֹּלָּא.

לה. וַתִּפָּקַחְנָה עֵינֵי שְׁנֵיהֶם בְּטִיפְסָא דְּהַאי עָלְמָא, מַה דְּלָא הֲוָה קוֹדֶם, דַּהֲווּ מַשְׁגִּיחִין וּפַקְחִין לְעֵילָּא. לִזְמְנָא דְּאָתֵי כְּתִיב, וְהוֹלַכְתִּי עִוְרִים בְּדֶרֶךְ לֹא יָדָעוּ וְגוֹ'. זַמִּין קוּדְשָׁא בְּרִיךְ הוּא לְאַפְקְחָא עַיְינִין דְּלָא וְחַכִּימִין, וּלְאִסְתַּכְּלָא בְּחָכְמְתָא עִלָּאָה, וּלְאִתְדַּבְּקָא בְּמַאי דְּלָא אִתְדַּבְקוּ בְּהַאי עָלְמָא, בְּגִין דְּיִנְדְּעוּן לְמָארֵיהוֹן. זַכָּאִין אִינּוּן צַדִּיקַיָּא, דְּיִזְכּוּן לְהַהִיא חָכְמְתָא, דְּלָאו חָכְמְתָא כְּהַהִיא חָכְמְתָא, וְלָאו יְדִיעָה כְּהַהִיא יְדִיעָה, וְלָאו דְּבֵקוּתָא כְּהַהִיא דְּבֵקוּתָא.

לו. עַד דַּהֲווּ אָזְלֵי, חָזוּ אִינּוּן לִסְטִים אָזְלֵי בַּתְרַיְיהוּ, לְאַקְפְּחָא לוֹן. אִסְתַּכַּל בְּהוּ ר' אֶלְעָזָר, אָתוּ תְּרֵין חֵיוָן בָּרָא וְקַטְלֵי לוֹן. אָמַר ר' אֶלְעָזָר, בְּרִיךְ רַחֲמָנָא דְּשֵׁיזְבָן, קָרָא עֲלַיְיהוּ, בְּלֶכְתְּךָ לֹא יֵצַר צַעֲדֶךָ וְאִם תָּרוּץ לֹא תִכָּשֵׁל, וּכְתִיב כִּי מַלְאָכָיו יְצַוֶּה לָּךְ וְגוֹ'. וּכְתִיב כִּי בִי חָשַׁק וַאֲפַלְּטֵהוּ.

לז. תָּאנָא בְּרָזָא עִלָּאָה בְּסִפְרָא דִּצְנִיעוּתָא, ג' חַלָּלִין דְּאַתְוָון רְשִׁימִין, אִתְגַּלְיָין בָּהּ בְּגוּלְגַּלְתָּא דִּזְעֵיר אַנְפִּין. וְתָנֵינָן, ג' מוֹחֵי אִינּוּן, דִּסְתִּימוּ בְּאִינּוּן חַלָּלִין. וּמִשֵּׁירוּתָא דְּמוֹחָא עִלָּאָה סְתִימָאָה דְּעַתִּיקָא קַדִּישָׁא דְּאִתְמְשִׁיךְ בְּהַהוּא ז"א, אִשְׁתְּכָחוּ ד' מוֹחֵי. וְאִלֵּין ד' מוֹחִין, מִשְׁתַּכְחִין וּמִתְפַּשְּׁטִין בְּכָל גּוּפָא וְאִינּוּן ד' רִיהֲטֵי, דְּאַרְבַּע בָּתֵּי דִּתְפִילִּין, דְּאָנַח קוּדְשָׁא בְּרִיךְ הוּא.

לח. וּבְגִ"כ בָּעֵי בַּר נָשׁ לְאַנָּחָא בְּכָל יוֹמָא, בְּגִין דְּאִינּוּן שְׁמָא קַדִּישָׁא עִלָּאָה בְּאַתְווֹי רְשִׁימָן, דִּכְתִיב וְרָאוּ כָּל עַמֵּי הָאָרֶץ כִּי שֵׁם יְיָ' נִקְרָא עָלֶיךָ. וּתְנָן, שֵׁם יְיָ' מַמָּשׁ, וְאִלֵּין תְּפִלִּין דְּרֵישָׁא.

לט. ר' יִצְחָק אָמַר, הֲדָא הוּא דִּכְתִיב, קַדֶּשׁ לִי כָל בְּכוֹר, דָּא הִיא כִּתְרָא דְּכָלִיל וְאַסְתִּים כָּל אִינּוּן אַחֲרָנִין. מְשִׁיכוּתָא דִּלְעֵילָּא סְתִימָא בֵּיהּ. וְדָא אִקְרֵי פֶּטֶר כָּל רֶחֶם, פְּתִיחוּתָא דְּכָל מְשִׁיכוּתָא דְּרַחֲמֵי, וּנְהִירוּ דִּלְעֵילָּא.

מ. אָמַר ר"ש, וְסָתִים בְּיו"ד דִּשְׁמָא קַדִּישָׁא. וְדָא חַד בֵּיתָא דִּתְפִלִּין, דְּהוּא קַדֶּשׁ לִי כָל בְּכוֹר סְתָם. מוֹחָא עִלָּאָה, חָכְמָה.

מא. בֵּיתָא תִּנְיָינָא, וְהָיָה כִּי יְבִיאֲךָ יְיָ'. א"ר יְהוּדָה מוֹחָא דִּתְרָעוֹי נָפְקִין לַחֲמְשִׁין תַּרְעִין. תַּרְעִין סַגִּיאִין, וְאִינּוּן לְקָבֵל זִמְנִין סַגִּיאִין דִּכְתִיב אֲשֶׁר הוֹצֵאתִיךָ מֵאֶרֶץ מִצְרַיִם. הוֹצִיאֲךָ יְיָ' מִמִּצְרַיִם. וְאִדְכַּר זִמְנִין סַגִּיאִין דּוֹכְרָנָא דְּמִצְרַיִם. וְאִינּוּן חַמְשִׁין לָקֳבֵל חַמְשִׁין.

מב. וְתָנֵינָן בְּסִפְרָא דְּרַב הַמְנוּנָא סָבָא, דְּאָמַר תַּרְעִין סַגִּיאִין דִּלְעֵילָּא וְתַתָּא, תָּבַר קוּדְשָׁא בְּרִיךְ הוּא, דַּהֲווּ סְתִימִין וּמִתְקַטְּרִין בְּשַׁלְשְׁלֵיהוֹן, בְּגִין לְאַפָּקָא לְהוּ לְיִשְׂרָאֵל. דְּהָא מֵאִלֵּין תַּרְעִין דְּהַהוּא מוֹחָא, מִתְפַּתְּחֵי וּמִשְׁתְּרוּ כָּל שְׁאָר תַּרְעִין. וְאִלְמָלֵא דְּאִתְעָרוּ וְאִתְפַּתְּחוּ אִינּוּן תַּרְעִין דְּהַאי מוֹחָא, לָא הֲווּ מִתְפַּתְּחִין אִינּוּן אַחֲרָנִין לְמֶעְבַּד דִּינָא, וּלְאַפָּקָא לוֹן לְיִשְׂרָאֵל מִן עַבְדוּתָא.

מג. וְכֹלָּא סָתִים בְּהַאי דְּאִקְרֵי אִימָּא עִלָּאָה, דְּמִנָּהּ אִתְּעַר חֵילָא לְאִימָּא תַּתָּאָה.

וּמַאי אִיהוּ. דִּכְתִּיב בָּהּ וּלְאֻמִּי אֵלַי הַאֲזִינוּ. אַל תִּקְרֵי לְאוּמִּי, אֶלָּא לְאִמִּי. דְּלָא זָז קוּדְשָׁא בְּרִיךְ הוּא מְחַבְּבָהּ לִכְנֶסֶת יִשְׂרָאֵל, עַד דִּקְרָאָהּ אִמִּי. וְהַאי נָפְקָא מֵאִימָּא עִלָּאָה, דְּהִיא בֵּיתָא תִּנְיָינָא, דְּאִקְרֵי ה' דִּשְׁמָא קַדִּישָׁא, דְּאִתְפַּתְחָא לְחַמְשִׁין תַּרְעִין. וּמֵהַאי נָפַק רוּחָא לְחַד נוּקְבָא דְּפַרְדַּשְׁקָא דְּחוֹטָמָא.

מד. וְתָנִינָן, יוֹבְלָא דְּנָפְקִין בֵּיהּ עַבְדִּין לְחֵירוּ, בְּהַאי מוֹחָא אִתְאֲחַד. וְאִינּוּן וַחֲמִשִּׁין שְׁנִין דְּיוֹבְלָא. וְאִינּוּן וַחֲמִשִּׁין יוֹמִין דְּחוּשְׁבְּנָא דְּעוֹמֶר, בֵּיהּ אִתְאֲחָדוּ. דִּבְהוּ נַיְיחִין רוּחֵי דְּעַבְדִּין, וּמַפְקֵי רוּחֵיהוֹן לְנַיְיחָא. כְּמָה דִּכְתִּיב, בְּיוֹם הָנִיחַ יְיָ' לְךָ מֵעָצְבְּךָ וּמֵרָגְזֶךָ וּמִן הָעֲבוֹדָה וְגוֹ'. וּבְגִין כַּךְ, ה' נַיְיחָא דְּרוּחָא, וּלְאַפָּקָא רוּחָא לְחֵירוּ. וְהַאי בֵּיתָא יְצִיאַת מִצְרַיִם בָּהּ תַּלְיָא, וּבָאת ה' דִּשְׁמָא קַדִּישָׁא, כְּמָה דְּאִתְּמַר. ע"כ כְּלָלָא דִּי"ה דִּשְׁמָא קַדִּישָׁא.

מה. ת"ח, מִסִּטְרָא דְּאַבָּא נָפִיק חֶסֶד. מִסִּטְרָא דְּאִמָּא נָפִיק גְּבוּרָה. וְכֹלָּא אֲחִיד קוּדְשָׁא בְּרִיךְ הוּא, וּמִתְעַטַּר בְּהוּ, אָת וא"ו.

מו. בֵּיתָא תְּלִיתָאָה שְׁמַע יִשְׂרָאֵל יִשְׂרָאֵל סָבָא. וְאָהַבְתָּ אֵת יְיָ' אֱלֹהֶיךָ. תָּאנָא ר"ש, דָּא הוּא רָזָא עִלָּאָה, דְּיִשְׂרָאֵל עִלָּאָה אִתְעַטַּר בְּסִטְרָא דְּאַבָּא. וּמַאי אִיהוּ. אַבְרָהָם. וְאִתְעֲטַר בְּסִטְרָא דְּאִימָּא. וּמַאי אִיהוּ. יִצְחָק.

מז. תָּנִינָן, וְאָהַבְתָּ מַאן דְּרָחִים לֵיהּ לְמַלְכָּא, עָבֵיד יַתִּיר טִיבוּ וָחֶסֶד עִם כֹּלָּא. וְחֶסֶד יַתִּירָא, הַהוּא דְּאִקְרֵי חֶסֶד דֶּאֱמֶת, דְּלָא בָּעֵי אַגַר עָלֵיהּ, אֶלָּא בְּגִין רְחִימוּתָא דְּמַלְכָּא, דְּרָחִים לֵיהּ יַתִּיר, וּבִרְחִימוּתָא דְּמַלְכָּא תַּלְיָא חֶסֶד. וְעַ"ד אִקְרֵי אַבְרָהָם אוֹהֲבִי. וּבְגִין דְּרָחִים לֵיהּ יַתִּיר, אַסְגֵּי חֶסֶד בְּעָלְמָא. וְעַ"ד, הָכָא וְאָהַבְתָּ. וּבִרְחִימוּתָא תַּלְיָא חֶסֶד, וְדָא הִיא בֵּיתָא תְּלִיתָאָה.

מח. בֵּיתָא רְבִיעָאָה, וְהָיָה אִם שָׁמוֹעַ. הִשָּׁמְרוּ לָכֶם. וְחָרָה אַף יְיָ'. גְּבוּרָה תַּקִּיפָא, וְדִינָא קַשְׁיָא הִיא, וְנַפְקַת מִסִּטְרָא דְּאִימָּא עִלָּאָה. וְתָנִינָן, אַעַ"ג דְּלֵית הִיא דִּינָא, מִסִּטְרָהָא נָפְקָא דִּינָא, גְּבוּרָה עִלָּאָה. וְאִי תֵּימָא, וְהָיָה אִם שָׁמוֹעַ דְּלָאו הִיא דִּינָא. לֵית כִּתְרָא מִכָּל כִּתְרֵי מַלְכָּא, דְּלָא יִתְכְּלִיל דִּינָא וְרַחֲמֵי, כ"ש גְּבוּרָה דְּאִתְכְּלִיל טַב וּבִישׁ.

מט. וְאִלֵּין אַרְבְּעָה נָטִיל לוֹן וא"ו, וְאִתְעֲטַר בְּהוּ. וְאִלֵּין אִינּוּן תְּפִילִּין דְּאָנַח קוּדְשָׁא בְּרִיךְ הוּא. תָּנִינָן, הַאי וא"ו סָלִיק וְאִתְעֲטַר בְּעִטְרוֹי, וְאָחִיד לְהַאי וּלְהַאי, וְאִתְעֲטַר בְּכֻלְּהוּ, וְעַ"ד וא"ו, אֶמְצָעִיתָא דְּכֹלָּא, דְּעֵילָּא וְתַתָּא, לְאַחֲזָאָה וְחָכְמְתָא שְׁלֵימָתָא מִכָּל סִטְרוֹי.

נ. תָּאנֵי ר' אַבָּא, כְּתִיב רַק בַּאֲבוֹתֶיךָ חָשַׁק יְיָ'. מִכָּאן אר"ש, אֲבָהָתָא אִינּוּן רְתִיכָא קַדִּישָׁא עִלָּאָה, וּכְתִיב חָשַׁק יְיָ'. ת"ח, כְּמָה דְּאִית רְתִיכָא קַדִּישָׁא לְתַתָּא, כַּךְ אִית רְתִיכָא קַדִּישָׁא לְעֵילָּא. וּמַאי נִיהוּ, הָא דַּאֲמָרָן, רְתִיכָא קַדִּישָׁא כֹּלָּא אִקְרֵי, וְכֹלָּא אִתְקְשַׁר דָּא בְּדָא, וְאִתְעֲבֵיד כֹּלָּא חַד.

נא. רַק בַּאֲבוֹתֶיךָ תְּלָתָא, וּרְתִיכָא אַרְבְּעָה, ד' מְנָלָן. דִּכְתִּיב וַיִּבְחַר בְּזַרְעָם אַחֲרֵיהֶם. מַאי מַשְׁמַע. לְאַכְלְלָא בְּהוּ דָּוִד מַלְכָּא, דְּאִיהוּ רְבִיעָאָה, לְאִתְתַּקְּנָא בִּרְתִיכָא קַדִּישָׁא. דְּתָנִינָן, אֲבָהָתָא תִּקּוּנָא וּשְׁלֵימוּתָא דְּכֹלָּא, וְגוּפָא בְּהוּ אִשְׁתַּכְלַל וְאִתְבְּנֵי, וּבְהוּ אִתְאֲחִיד. אָתָא דָּוִד מַלְכָּא, וְשַׁכְלִיל כֹּלָּא, וְאַתְקִין גּוּפָא, וְאַשְׁלְמֵיהּ בְּהוּ. וא"ר יִצְחָק, כְּמָה דְּזָכוּ אֲבָהָתָא לְאִתְעַטְּרָא בִּרְתִיכָא קַדִּישָׁא, כַּךְ זָכָה דָּוִד לְאִתְתַּקְּנָא בְּסַמְכָא רְבִיעָאָה דִּרְתִיכָא.

נב. א"ר יְהוּדָה, כְּתִיב בֵּיהּ בְּדָוִד, וְהוּא אַדְמוֹנִי עִם יְפֵה עֵינַיִם וְטוֹב רֹאִי. מַאי טַעֲמָא אַדְמוֹנִי. מִשּׁוּם דְּחוּלָקָא דְּעַדְבֵיהּ גָּרְמָא לֵיהּ. אַדְמוֹנִי דִּינָא וַדַּאי. עִם יְפֵה עֵינַיִם, דִּינָא בְּרַחֲמֵי. כְּמָה דִּכְתִּיב חַסְדֵי דָוִד הַנֶּאֱמָנִים.

נג. א"ר יִצְחָק, וַחֲסָדֵי דָּוִד, בְּאַתְרֵיהּ אוֹקִימְנָא. אֶלָּא וְהוּא אַדְמוֹנִי, כְּדַאֲמָרָן. עִם

יְפֵה עֵינַיִם, אִלֵּין אֲבָהָתָא. ת"ח, יְרוּשָׁלַיִם וְצִיּוֹן, דִּינָא וְרַחֲמֵי. ואע"פ כֵּן כְּתִיב, עִיר דָּוִד הִיא צִיּוֹן. וּכְתִיב בְּקִרְבְּךָ קָדוֹשׁ וְלֹא אָבֹא בְּעִיר, נִשְׁבַּע קוּדְשָׁא בְּרִיךְ הוּא שֶׁלֹּא יִכָּנֵס בִּירוּשָׁלַםִ שֶׁל מַעְלָה וְכוּ'. אֵימָתַי. א"ר יְהוּדָה, כַּד אִתְהַדַּר מַלְכוּ בֵּית דָּוִד לְאַתְרֵיהּ לְתַתָּא.

נד. רַבִּי יִצְחָק אָמַר, ש' דִּרְשִׁימָא בִּתְלַת קִשְׁרֵי, ש' דְּאַרְבַּע קִשְׁרִין, רְמִיזָא הִיא לִתְלָתָא, וּרְמִיזָא לְאַרְבְּעָה. תְּלַת הָא דְּאַמָרָן. אַרְבְּעָה, לְמֶהֱוֵי רְתִיכָא קַדִּישָׁא כַּחֲדָא. דְּהָא הוּא כְּלָלָא דְּתִקּוּנָא עִלָּאָה. וּמֵהָכָא, מִתְפָּרְשָׁן וְאִתְמַשְׁכָן תַּתָּאֵי בְּאָרְחַיְיהוּ, בִּרְצוֹנֵיהוֹן. דְּתַלְיָין בְּהָנֵי שַׂעֲרֵי דְּרֵישָׁא, דְּתַלְיָין בְּהוּ, וְאִתְמַשְׁכָן מִנַּיְיהוּ כָּל אִינּוּן אַחֲרָנִין, עַד דְּאִתְקַשְּׁרָן בְּאַתְרַיְיהוּ.

נה. תָּנֵינָן, ר' נָטִיל אִינּוּן עִלָּאֵי דְּאַמָרָן, וְאִלֵּין תְּפִלִּין דְּאָנַח קוּדְשָׁא בְּרִיךְ הוּא. בְּגִין כָּךְ בָּעֵי בַּר נָשׁ לְאִתְפָּאֲרָא בְּהוּ, עָלֵיהּ כְּתִיב וְרָאוּ כָּל עַמֵּי הָאָרֶץ כִּי שֵׁם יְיָ' נִקְרָא עָלֶיךָ, שֵׁם יְיָ' מַמָּשׁ. וְאִלֵּין אִינּוּן תְּפִלִּין דְּרֵישָׁא, תְּפִלִּין דִּדְרוֹעָא הִיא שְׂמָאלָא, דְּאִקְרֵי עֹז, וְיָרְתָא מֵעֹז, הה"ד וְהָיָה לְאוֹת עַל יָדְכָה בְּהֵ"א, וְהִיא הֵ"א דְּאוֹקִימְנָא. זַכָּאָה חוּלָקֵהוֹן דְּיִשְׂרָאֵל. וְע"ד, הֵ"א בַּתְרָאָה נַטְלָא תְּפִלִּין, דְּהִיא שְׂמָאלָא.

נו. לְמַאן אִינּוּן אִלֵּין אַרְבְּעָה, דְּאִינּוּן חַד גּוּפָא, וְע"ד כְּלִילָן בְּחַד, וּמַאן אִינּוּן. תִּפְאֶרֶת נֶצַח הוֹד יְסוֹד. וְהִיא הֵ"א דְּיָדְכָה, וְכֻלְּהוּ אֲחִידָא בָּהּ, בְּגִין לְאִתְבָּרְכָא מִנַּיְיהוּ, וּכְלִילָא מִכֻּלְּהוּ.

נז. א"ר חִיָּיא, אִי הָכִי הָא כְּתִיב וְרָאִיתָ אֶת אֲחוֹרָי, וְתָנֵינָן דָּא קֶשֶׁר שֶׁל תְּפִלִּין. אֲמַר לֵיהּ הָא אוֹקְמוּהָ, וְשַׁפִּיר הוּא, וְכֹלָּא בְּרִירָא דְּמִלָּה. וְע"ד מֵהַאי תַּלְיָא רְצוּעָה חַד לְתַתָּא, דְּהָא מִנָּהּ תַּלְיָין תַּתָּאֵי, וְאִתְּזָנוּ מִנָּהּ. וְע"ד אִתְקְרֵי אוֹת. כד"א זֹאת אוֹת הַבְּרִית. וּכְתִיב וְהָיָה לְאוֹת עַל יָדְכָה בְּהֵ' וְהָא אוֹקְמוּהָ.

נח. שְׁמַע יִשְׂרָאֵל. א"ר יֵיסָא, יִשְׂרָאֵל סָבָא. ר' יִצְחָק אָמַר ע' רַבְרְבָא, לְאַכְלָלָא שַׁבְעִין שְׁמָהָן, סַהֲדוּתָא דְּכֹלָּא שְׁמַע יִשְׂרָאֵל, כְּמָה דִּכְתִיב, שִׁמְעוּ שָׁמַיִם. וּכְתִיב הַאֲזִינוּ הַשָּׁמַיִם. אוּף הָכָא שְׁמַע יִשְׂרָאֵל. וְכֹלָּא חַד מִלָּה הוּא.

נט. יְדֹוָ"ד: רֵישָׁא דְּכֹלָּא, בִּנְהִירוּ דְּעַתִּיקָא קַדִּישָׁא. וְהַאי הוּא דְּאִקְרֵי אָ"ב. אֱלֹהֵינוּ: עֲמִיקְתָא דְּנַחֲלִין וּמַבּוּעִין, דְּנָפְקִין וְנַגְדִּין לְכֹלָּא. יְדֹוָ"ד: גּוּפָא דְּאִילָנָא שְׁלִימוּ דְּשָׁרָשִׁין. אֶחָד: כְּנֶסֶת יִשְׂרָאֵל. וְכֹלָּא חַד שְׁלֵימוּתָא, וְאִתְקַשַּׁר דָּא בְּדָא, וְלָא אִשְׁתְּכַח פְּרוּדָא, אֶלָּא כֹּלָּא חַד.

ס. תָּנֵי ר' יִצְחָק, רְתִיכָא קַדִּישָׁא עִלָּאָה, אַרְבַּע בָּתֵּי דִּתְפִילִּין דְּאָנַח ו'. כְּמָה דְּאִתְּמַר. רְתִיכָא קַדִּישָׁא אָחֳרָא, אַרְבַּע אַחֲרָנִין דִּכְלִילָן בְּחַד, דְּאָנַח ה' בַּתְרָאָה כְּמָה דְּאוֹקְמוּהָ.

רַעְיָא מְהֵימְנָא

סא. שְׁמַע יִשְׂרָאֵל יְיָ' אֱלֹהֵינוּ יְיָ' אֶחָד, פִּקּוּדָא דָּא, לְיַחֲדָא שְׁמֵיהּ דְּקוּדְשָׁא בְּרִיךְ הוּא בְּכָל יוֹמָא, דְּהָא כְּמָה דִּמְיַיחֲדֵי שְׁמָא דְּקוּדְשָׁא בְּרִיךְ הוּא לְתַתָּא, הָכִי אִתְיְיחָד שְׁמֵיהּ לְעֵילָּא. אִשְׁתְּכַח קוּדְשָׁא בְּרִיךְ הוּא יְחִידָאי עֵילָּא וְתַתָּא. מַאן דִּמְיַיחֵד שְׁמֵיהּ דְּקוּדְשָׁא בְּרִיךְ הוּא, יְשַׁוֵּי לִבֵּיהּ וּרְעוּתֵיהּ בְּהַהוּא יִחוּדָא דְּקָאַמָרָן, וִיחַבֵּר כָּל שַׁיְיפוֹי בְּהוּא יִחוּדָא לְמֶהֱוֵי כֻּלְּהוּ אֶחָד. כְּמָה דְּשַׁוֵּי כָּל שַׁיְיפוֹי בְּרָזָא דְּחָד, הָכִי לְעֵילָּא מְחַבֵּר כָּל שַׁיְיפִין עִלָּאִין בְּהַהוּא יִחוּדָא, לְמֶהֱוֵי כֻּלְּהוּ חַד.

סב. בְּשַׁעֲתָא דְּאָתֵי ב"נ לְיַיחֲדָא שְׁמָא דְּקוּדְשָׁא בְּרִיךְ הוּא, כָּל חֵילֵי שְׁמַיָּא כֻּלְּהוּ,

קיימין שורין שורין, בגין לאתתקנא ולאתכללא כלהו בההוא יחודא, למיקם ברזא דחד ביחודא חדא. כלהו מתתקנן בתקוניהון כדקא יאות. בהאי שעתא קיימא חד ממנא שמשא, דקיימא תחות רמ"ח עלמין, וכלהו אקרון שייפין דגופא. ודא אקרי הלנ"י, קיימא מזכה להוא יחודא, ודא איהו מלקט שושנים, כד"א וללקוט שושנים. דאינון שייפין דגופא.

סג. שייפין עלאין לקיט לון שמא עלאה, ברזא דיחודא דקא אתייחד ברזא דמ"ב שמהן. ולקיט כל אינון שושנים עלאין, ושמשא דא לקיט כל אינון תתאין, די כלהו ממנן בכללא דע"ב שמהן, ואתלקיטו כלהו בההוא יחודא, ואתעבידו כלהו גופא חדא. ברזא חדא. וההוא יחודא סלקא, וקא מייחד כלא בתרין סטרין ביחודא חדא. בההוא שעתא מתלקטין שייפין כלהו, ומתחברן בחבורא חדא, למהוי כלהו ברזא דחד, עילא ותתא, ברזא דידוד אחד ושמו אחד.

סד. וע"ד מאריכין באחד, בתרי אתוון. למלקט שושנים, לאתייחדא ברזא דאחד ביחודא שלים. כיון דאתייחדן שייפין כלהו, ברזא חדא דיחודא חדא, כדין אתקרי כלא קרבן שלים. ועל רזא דא, אעיל ליה קודשא בריך הוא בג"ע לאדם קדמאה, כמה דכתיב לעבדה ולשמרה. ותנינן, דאלין אינון קרבנין תרין, רזא דידוד אחד ושמו אחד. דאינון קרבנין כתיב, וללקוט שושנים. אלין שייפין דתרין סטרין, דאינון חד.

סה. שושנים רזא איהו. דכד מתחברן כל אינון שייפין כחדא, למהוי כלהו ביחודא חדא, רזא דקרבן, כדין מתעטר קודשא בריך הוא בעטרה ברישא דכתם פז, למהוי ביקרוי מתעטרא. ורזא דא הוי דכתיב שושנים, רזא דכל אינון שייפין דעילא ותתא. ורזא דההוא פז, עטורא דמתעטרא וסלקא מביניהו, וכלא איהו ביה.

סו. בהני שושנים אית בה שית מאה ותליסר פקודין, דאינון שייפין דתרין סטרין, רזא דידוד אחד ושמו אחד. ואית ביה סליקו דההוא פז, דקא סליק מביניהו. ובכל אתר דאינון משתכחין, ההוא סליקו עלאה אשתכח מביניהו לאסתלקא. ורזא דא תפוח בעצי היער. ושושנה בין החוחים. דא ודא אצטריך לאסתלקא כחדא ביחודא שלים. זכאה איהו מאן דקריב קרבנין אלין, ודאי לרעוא ליה בהאי עלמא ובעלמא דאתי.

סז. פקודא ליראה בארח כלל, ובארח פרט. והא יראה אוקימנא, בגין דאית עליה דב"נ לדחלא מקמי קודשא בריך הוא תדיר. כד"א, ליראה את השם הנכבד והנורא הזה את יי' אלהיך. ובגין יראה דא, יסתמר בארחוי. ויראה, אתר הוא דאקרי יראה, בגין דתמן שריא דחלא דקודשא בריך הוא, איהו יראת יי' לדחלא מניה, ודא איהו רזא דכתיב, וממקדשי תיראו בהאי יראה שריא פולסא דנורא, לאלקאה לון לחייביא, דלא נטרין פקודי אורייתא וע"ד בארח כלל, אית לדחלא.

סח. ובתר בארח פרט, כד ידע ב"נ מאן איהי יראת יי', ודא איהו דחלא דחביבותא, דאיהי עיקר ויסודא למרחם ליה לקודשא בריך הוא. האי יראה עביד לנטרא כל פקודוי דאורייתא, למהוי ב"נ עבד נאמן לגבי קודשא בריך הוא כדקא יאות.

סט. פקודא לאהבה, והא אוקימנא רחימו דקודשא בריך הוא, דבעי ב"נ לרחמא ליה רחימו סגי כאברהם, דרחים ליה לקודשא בריך הוא בכמה רחימו, ומסר גופיה

וְנַפְשֵׁיהּ לְגַבֵּיהּ. מִכָּאן אוֹלִיפְנָא, מַאן דְּרָוִוים לֵיהּ לְקוּדְשָׁא בְּרִיךְ הוּא, אִיהוּ מְקַיֵּים עֲשַׂר אֲמִירָן עִילָּא וְתַתָּא. וְע״ד כָּל אִינּוּן עֶשֶׂר נִסְיוֹנֵי דְּאִתְנַסָּא אַבְרָהָם, וְקָאִים בְּכֻלְּהוּ לְקָבֵל עֲשַׂר אֲמִירָן, כָּל נִסְיוֹנָא אֲמִירָא הִיא, וְאִתְנַסָּא בְּהַהוּא אֲמִירָא, וְקָאִים בֵּיהּ.

ע. וְע״ד אִינּוּן עֶשֶׂר נִסְיוֹנֵי, וְכֻלְּהוּ קָאִים בְּהוּ אַבְרָהָם, בְּגִין דְּאִתְקְשַׁר וְאִתְדַּבַּק בִּימִינָא דְּקוּדְשָׁא בְּרִיךְ הוּא, דְּאִיהִי אַהֲבָה רַבָּה. מ״ט אִיקְרֵי אַהֲבָה רַבָּה. בְּגִין מַאן דְּקָאִים בְּהַאי אַהֲבָה, אִתְקְשַׁר בְּעָלְמָא עִלָּאָה. אַהֲבַת עוֹלָם, דָּא רָזָא דְּעָלְמָא תַּתָּאָה, דְּאִתְקְשַׁר בֵּיהּ רְוִזִימוּ דִּילֵיהּ, וְכֹלָּא רָזָא וַחֲדָא, בְּלָא פֵּרוּדָא, וְהָא אִתְּמַר רָזָא דְּאַהֲבָה, רְוִזִימוּ דָּא סָלִיק עַל כָּל פּוּלְחָנִין דְּעָלְמָא, בְּהַאי אִתְיַיקַּר שְׁמֵיהּ דְּקוּדְשָׁא בְּרִיךְ הוּא יַתִּיר מִכֹּלָּא, וְאִתְבָּרַךְ. בָּרִיךְ הוּא לְעָלַם וּלְעָלְמֵי עָלְמִין, וְרָזָא דְּאַהֲבָה אִתְּמַר.

עא. פִּקּוּדָא לְמִקְרֵי קְרִיאַת שְׁמַע ב׳ זִמְנִין בְּכָל יוֹמָא וַחַד, לְקָבֵל דַּרְגָּא דִּימָמָא. וְחַד, לְקָבֵל דַּרְגָּא דְּלֵילְיָא. וּלְאַכְלְלָא בִּימָמָא דַּרְגָּא דְּלֵילְיָא, וּלְאַכְלְלָא בְּלֵילְיָא דַּרְגָּא דִּימָמָא, וְהָא אִתְּמַר. וְע״ד תְּרֵין זִמְנִין בְּכָל יוֹמָא, חַד בִּימָמָא וְחַד בְּלֵילְיָא.

עב. פִּקּוּדָא לְמִקְבַּע ב״נ מְזוּזָה לְתַרְעֵיהּ, לְמֶהֱוֵי כָּל ב״נ נָטִיר מֵעִם קוּדְשָׁא בְּרִיךְ הוּא, כַּד נָפִיק וְכַד עָיֵיל. וְרָזָא יְיָ׳ יִשְׁמָר צֵאתְךָ וּבֹאֶךָ מֵעַתָּה וְעַד עוֹלָם. בְּגִין דְּרָזָא דִּמְזוּזָה אִיהוּ קָאִים תָּדִיר לְפִתְחָא. וְדָא אִיהוּ פִּתְחָא דִּלְעֵילָּא, וְדָא אִיהוּ דַּרְגָּא דְּאִקְרֵי שׁוֹמֵר, לְאִשְׁתַּכְּחָא בִּנְטִירוּ.

עג. דְּב״נ לָאו אִיהוּ נָטִיר, בַּר נְטִירוּ דְּקוּדְשָׁא בְּרִיךְ הוּא, דְּאִיהוּ נָטִיר תָּדִיר, וְקָאִים לְפִתְחָא, וּב״נ לְגוֹ. וְתוּ, דְּלָא יִנְשֵׁי ב״נ דּוּכְרָנָא דְּקוּדְשָׁא בְּרִיךְ הוּא לְעָלְמִין. וְדָא אִיהוּ כְּגַוְונָא דְּצִיצִית, כד״א וּרְאִיתֶם אוֹתוֹ וּזְכַרְתֶּם אֶת וְגוֹ׳. כֵּיוָן דְּחָזֵי בַּר נָשׁ לְהַאי דּוּכְרָנָא, אַדְכַּר בְּגַרְמֵיהּ לְמֶעְבַּד פִּקּוּדָא דְּמָארֵיהּ. וְרָזָא דִּמְהֵימְנוּתָא, מְזוּזָה כְּלָלָא דְּכַר וְנוּקְבָא כַּחֲדָא.

עד. בְּסִפְרָא דִּשְׁלֹמֹה, סָמִיךְ לְפִתְחָא, לְקָבֵל תְּרֵין דַּרְגִּין, אִזְדַּמַּן חַד שֵׁידָא וְאִית לֵיהּ רְשׁוּ לְחַבְּלָא. וְאִיהוּ קָאִים לִסְטַר שְׂמָאלָא. זָקִיף ב״נ עֵינוֹי, וְחָמֵי לֵיהּ לְרָזָא דִּשְׁמָא דְּמָארֵיהּ, וְאִדְכַּר לֵיהּ, וְלָא יָכִיל לֵיהּ לְאַבְאָשָׁא. וְאִי תֵּימָא, אִי הָכִי כִּי נָפִיק ב״נ מִתַּרְעֵיהּ לְבַר, הָא הַהוּא שֵׁידָא קָאִים לִימִינֵיהּ, וּמְזוּזָה לִשְׂמָאלֵיהּ, וְהַאֵיךְ אִתְנְטִיר ב״נ, אִי אִיהוּ שָׁארֵי לִשְׂמָאלֵיהּ.

עה. אֶלָּא כָּל מַה דְּעָבֵד קוּדְשָׁא בְּרִיךְ הוּא, כָּל מִלָּה וּמִלָּה אִתְמְשַׁךְ בָּתַר זִינֵיהּ. בְּבַר נָשׁ קַיְּימִין תְּרֵין דַּרְגִּין, חַד מִימִינָא, וְחַד מִשְּׂמָאלָא. הַהוּא דִּימִינָא אִקְרֵי יצה״ט, וְהַהוּא דִּשְׂמָאלָא אִקְרֵי יֵצֶר הָרָע. כֵּיוָן דְּנָפַק בַּר נָשׁ מִתַּרְעָא דְּבֵיתֵיהּ, הַהוּא שֵׁידָא זָקִיף עֵינוֹי, וְחָמֵי לְיֵצֶר הָרָע, דְּשָׁארֵי לִשְׂמָאלָא, אִתְמְשַׁךְ לְהַהוּא סִטְרָא וְאִתְעֲדֵי מִימִינָא. וּבְהַהוּא סִטְרָא, קָאִים שְׁמָא דְּמָארֵיהּ, וְלָא יָכִיל לְקָרְבָא וּלְאַבְאָשָׁא לֵיהּ, וְנָפִיק ב״נ וְאִשְׁתְּזִיב מִנֵּיהּ. כַּד עָיֵיל, הָא שְׁמָא קַדִּישָׁא לִימִינָא קָאִים, וְלָא יָכִיל לְקַטְרְגָא בַּהֲדֵיהּ.

עו. וְע״ד אִצְטְרִיךְ ב״נ, דְּלָא יַעְבִּיד טִנּוּפָא וְלִכְלוּכָא בְּתַרְעָא דְּבֵיתֵיהּ, וְלָא יוֹשִׁיד מַיִין עֲכוּרִין. וְחַד, דְּלָא יַעְבִּיד קְלָנָא לְגַבֵּי שְׁמָא דְּמָארֵיהּ. וְחַד, דְּאִית לֵיהּ רְשׁוּ לְהַהוּא מְחַבְּלָא לְחַבְּלָא. וּבְגִ״כ יִזְדְּהַר ב״נ מֵהַאי, וְיִזְדְּהַר ב״נ דְּלָא יִמְנַע מִתַּרְעָא דְּבֵיתֵיהּ שְׁמָא דְּמָארֵיהּ.

עז. וְכַד בַּר נָשׁ אַתְקִין מְזוּזָה לְפִתְחֵיהּ, כַּד עָיֵיל הַהוּא ב״נ, הַהוּא יֵצֶר הָרָע וְהַהוּא שֵׁידָא בַּעַל כָּרְחַיְיהוּ נַטְרֵי לֵיהּ, וְאַמְרֵי זֶה הַשַּׁעַר לַיְיָ׳ צַדִּיקִים יָבֹאוּ בוֹ. וְכַד לָא קָאִים

מְזוּזָה לְפִתְחֵיהּ דְּב״נ, יֵצֶר הָרָע וְהַהוּא שֵׁידָא מִתְתַּקְּנִין כַּחֲדָא, שַׁוֵּי יְדַיְיהוּ עַל רֵישֵׁיהּ בְּזִמְנָא דְּעָיֵיל, פָּתְחֵי וְאַמְרֵי, וַוי לֵיהּ לִפְלַנְיָא, דְּהָא נָפַק מֵרְשׁוּתָא דְּמָארֵיהּ, מֵהַהוּא זִמְנָא קָאִים בְּלָא נְטִירוּ, דְּלֵית מַאן דְּנָטִיר עָלֵיהּ, רַחֲמָנָא לִישֵׁזְבָן.

עח. שְׁמַע יִשְׂרָאֵל יְיָ׳ אֱלֹהֵינוּ יְיָ׳ אֶחָד, דָּא אִיהוּ יִחוּדָא חַד. בָּרוּךְ שֵׁם כְּבוֹד מַלְכוּתוֹ לְעוֹלָם וָעֶד, הָא יִחוּדָא אַחֲרָא, לְמֶהֱוֵי שְׁמֵיהּ רָזָא חַד. וְרָזָא דָּא, יְיָ׳ הוּא הָאֱלֹהִים, דָּא כְּתִיב, כַּד אִינּוּן בְּיִחוּדָא חַד.

עט. וְאִי תֵּימָא, אִי הָכִי כְּגַוְונָא דִּכְתִּיב יְיָ׳ אֶחָד וּשְׁמוֹ אֶחָד, לָאו אִיהִי יְיָ׳ הוּא הָאֱלֹהִים, דְּאִי כְּתִיב יְיָ׳ וּשְׁמוֹ הוּא אֶחָד, הֲוֵינָא אַמְרֵי הָכִי, לָא כְּתִיב אֶלָּא יְיָ׳ אֶחָד וּשְׁמוֹ אֶחָד, וְאִצְטְרִיךְ לוֹמַר בְּגַוְונָא דָּא, יְיָ׳ הוּא הָאֱלֹהִים הוּא, וְיִתְחֲזֵי יְיָ׳ אֶחָד וּשְׁמוֹ אֶחָד.

פ. אֶלָּא כֹּלָּא חַד, דְּכַד אִתְאַחֲדָן תְּרֵין שְׁמָהָן אִלֵּין, דָּא בְּיִחוּדָא חַד, וְדָא בְּיִחוּדָא חַד, כְּדֵין תְּרֵין שְׁמָהָן אִלֵּין אִתְעֲבִידוּ חַד, וְאִתְכְּלִילָן דָּא בְּדָא, וַהֲוֵי כֹּלָּא שְׁמָא שְׁלִים בְּיִחוּדָא חֲדָא, וּכְדֵין יְיָ׳ הוּא הָאֱלֹהִים, דְּהָא כְּדֵין אִתְכְּלִיל כֹּלָּא דָּא בְּדָא לְמֶהֱוֵי חַד, וְעַד דְּאִתְיַיחֲדוּ כָּל חַד דָּא בִּלְחוֹדוֹי וְדָא בִּלְחוֹדוֹי, לָא אִתְכְּלִילוּ דָּא בְּדָא, לְמֶהֱוֵי כֹּלָּא חַד.

פא. כְּלָלָא דְּכָל אוֹרַיְיתָא, הָכִי הוּא וַדַּאי, דְּהָא אוֹרַיְיתָא אִיהִי תּוֹרָה שֶׁבִּכְתָב, וְאִיהִי תּוֹרָה שֶׁבְּעַל פֶּה. תּוֹרָה שֶׁבִּכְתָב, דָּא הוּא דִּכְתִּיב יְיָ׳. תּוֹרָה שֶׁבְּעַל פֶּה, דִּכְתִּיב הָאֱלֹהִים. וּבְגִין דְּאוֹרַיְיתָא אִיהִי רָזָא דִּשְׁמָא קַדִּישָׁא, אִקְרֵי הָכִי.

פב. תּוֹרָה שֶׁבִּכְתָב וְתוֹרָה שֶׁבְּעַל פֶּה, דָּא כְּלָל, וְדָא פְּרָט. כְּלָל אִצְטְרִיךְ לִפְרָט, וּפְרָט אִצְטְרִיךְ לִכְלָל, וְאִתְיַיחֲדוּ דָּא בְּדָא, וַהֲוֵי כֹּלָּא חַד. וְע״ד כְּלָלָא דְּאוֹרַיְיתָא, אִיהוּ כְּלָלָא דִּלְעֵילָּא וְתַתָּא, בְּגִין דִּשְׁמָא דָּא לְעֵילָּא, וּשְׁמָא דָּא לְתַתָּא. דָּא רָזָא דְּעָלְמָא עִלָּאָה. וְדָא רָזָא דְּעָלְמָא תַּתָּאָה. וְע״ד כְּתִיב אַתָּה הָרְאֵתָ לָדַעַת כִּי יְיָ׳ הוּא הָאֱלֹהִים, דָּא כְּלָלָא דְּכֹלָּא, וְכָל דָּא דְּאָמְרָן, אִצְטְרִיךְ ב״נ לְמִנְדַּע בְּהַאי עָלְמָא.

פג. וְאִי תֵּימָא, פִּקּוּדֵי אוֹרַיְיתָא אָן אִינּוּן הָכָא, בִּכְלָלָא דָּא. אֶלָּא דָּא אִיהוּ זָכוֹר. וְדָא אִיהוּ שָׁמוֹר. וְכָל פִּקּוּדֵי אוֹרַיְיתָא בְּהָנֵי כְּלִילָן, בְּרָזָא דְּזָכוֹר, וּבְרָזָא דְּשָׁמוֹר, וְכֹלָּא אִיהוּ חַד.

פד. פָּתַח ר׳ יוֹסֵי וְאָמַר, הָא דִּתְנִינָן צְלוֹתָא דְּעַרְבִית חוֹבָה אִיהוּ, וַדַּאי בְּגִין דְּקָ״שׁ דְּעַרְבִית חוֹבָה, וְקוּדְשָׁא בְּרִיךְ הוּא אִתְיַיחַד בְּלֵילְיָא, כְּמָה דְּאִתְיַיחַד בִּימָמָא. וּמִדַּת לַיְלָה אִתְכְּלִיל בִּימָמָא, וּמִדַּת יְמָמָא אִתְכְּלִיל בְּלֵילְיָא, וְאִתְעֲבִיד יִחוּדָא. וּמַאן דְּאָמַר רְשׁוּת, בְּגִין אֵימוּרִין וּפְדָרִין דְּמִתְעַכְּלֵי בְּלֵילְיָא. וְהָא אוֹקִימְנָא.

פה. דִּכְתִּיב וְאָהַבְתָּ אֵת יְיָ׳ אֱלֹהֶיךָ, הַאי קְרָא אוֹקִימְנָא, וְאוֹקְמוּהָ חַבְרַיָּיא. אֲבָל אִית לְשָׁאֲלָא, אִי בְּהַאי יִחוּדָא דִּשְׁמַע יִשְׂרָאֵל, אִתְכְּלִיל כֹּלָּא, יְמִינָא וּשְׂמָאלָא, אַמַּאי כְּתִיב לְבָתַר וְאָהַבְתָּ, וְהָיָה אִם שָׁמוֹעַ, דְּהָא בְּיִחוּדָא אִתְכְּלִילוּ. אֶלָּא הָתָם בִּכְלָל. הָכָא בִּפְרָט. וְהָכִי אִצְטְרִיךְ.

פו. וּבְרָזָא דְּיִחוּדָא דְּהָא אִתְעַרְנָא בֵּיהּ, יִחוּדָא אִיהוּ כְּגַוְונָא דִּתְפִלִּין דְּרֵישָׁא, וּתְפִלִּין דִּדְרוֹעָא, בִּתְפִלִּין דְּרֵישָׁא ד׳ פַּרְשִׁיָּין, וְהָא אִתְּמַר. וְהָכָא ג׳ שְׁמָהָן אִינּוּן. הָתָם אַרְבַּע פַּרְשִׁיָּין, וְכָל חַד וְחַד בִּלְחוֹדוֹי. וְהָכָא ג׳ שְׁמָהָן, מַה בֵּין הַאי לְהַאי.

פז. אֶלָּא אִינּוּן אַרְבַּע פַּרְשִׁיָּין הָא אִתְעָרוּ בְּהוּ, חַד נְקוּדָה קַדְמָאָה. וְחַד רָזָא

דְּעָלְמָא דְּאָתֵי. וְחַד יְמִינָא וְחַד שְׂמָאלָא. אִלֵּין רָזָא דִּתְפִילִּין דְּרֵישָׁא. וְהָכָא בְּרָזָא דָּא, יִחוּדָא דָּא תְּלַת שְׁמָהָן עִלָּאִין, אִינּוּן כְּגַוְונָא דְּאִינּוּן אַרְבַּע פָּרְשִׁיָּין. יְיָ' קַדְמָאָה, דָּא נְקוּדָה עִלָּאָה, רֵאשִׁיתָא דְּכֹלָּא. אֱלֹהֵינוּ, רָזָא דְּעָלְמָא דְּאָתֵי. יְיָ' בַּתְרָאָה, כְּלָלָא דִּימִינָא וּשְׂמָאלָא כַּחֲדָא, בִּכְלָלָא חֲדָא וְאִלֵּין אִינּוּן תְּפִלָּה דְּרֵישָׁא, וְדָא אִיהוּ יִחוּדָא קַדְמָאָה.

פח. תְּפִלִּין דִּדְרוֹעָא, כְּלָלָא דְּכָל הָנֵי כַּחֲדָא, וְדָא אִיהוּ רָזָא, בָּרוּךְ שֵׁם כְּבוֹד מַלְכוּתוֹ לְעוֹלָם וָעֶד. הָכָא כְּלָלָא דְּאִינּוּן תְּפִלִּין דְּרֵישָׁא, דְּאִתְכְּלִילוּ גּוֹ תְּפִלִּין דִּדְרוֹעָא.

פט. וְרָזָא דָּא, בָּרוּךְ: דָּא רָזָא דִּנְקוּדָה עִלָּאָה, דְּאִיהוּ בָּרוּךְ, דְּכָל בִּרְכָאן נַבְעִין מִתַּמָּן. וְאִי תֵּימָא, עָלְמָא דְּאָתֵי אִקְרֵי בָּרוּךְ. לָאו הָכִי. דְּהָא נְקוּדָה עִלָּאָה אִיהוּ דְּכַר, עָלְמָא דְּאָתֵי נוּקְבָא, אִיהוּ בָּרוּךְ, וְאִיהִי בְּרָכָה, בָּרוּךְ דְּכַר, בְּרָכָה נוּקְבָא. וְעַ"ד בָּרוּךְ אִיהוּ נְקוּדָה עִלָּאָה. שֵׁם: דָּא עָלְמָא דְּאָתֵי, דְּאִיהוּ שֵׁם גָּדוֹל. כד"א וּמַה תַּעֲשֵׂה לְשִׁמְךָ הַגָּדוֹל. כְּבוֹד: דָּא כְּבוֹד עִלָּאָה, דְּאִיהוּ יְמִינָא וּשְׂמָאלָא, וְכֻלְּהוּ כְּלִילָן בְּהַאי תְּפִלָּה שֶׁל יַד, דְּאִיהוּ מַלְכוּתוֹ. וְנָטִיל כֹּלָּא בְּגַוֵּיהּ, וּבְהַאי אִתְכְּלִילָן בְּהַאי מַלְכוּת, עָלְמִין כֻּלְּהוּ, לְמֵיזָן לוֹן, וּלְסַפְּקָא לוֹן, בְּכַמָּה דְּאִצְטְרִיכוּ.

צ. וְדָא אִיהוּ יִחוּדָא דִּתְפִלִּין דְּרֵישָׁא וּתְפִלִּין דִּדְרוֹעָא, כְּגַוְונָא דְּרָזָא דְּיִחוּדָא דִּתְפִלִּין, הָכִי הוּא יִחוּדָא דְּכֹלָּא. וְדָא אִיהוּ בְּרִירוּ דְּמִלָּה. וְהָא סַדְרָנָא יִחוּדָא דָּא קַמֵּי בּוֹצִינָא קַדִּישָׁא, וְאָמַר לִי דְּהָא בְּד' גַּוְונִין אִתְסַדַּר יִחוּדָא, וְדָא בְּרִירָא דְּכֻלְּהוּ. וְהָכִי אִיהוּ וַדַּאי, וְכֻלְּהוּ רָזָא דְּיִחוּדָא, אֲבָל סִדּוּרָא דִּתְפִלִּין, דָּא הוּא יִחוּדָא עִלָּאָה כַּדְקָא יָאוּת.

צא. וּמִגּוֹ דְּאִתְכְּלִילוּ יְמִינָא וּשְׂמָאלָא בְּרָזָא דִּשְׁמָא וְחַד בְּאָרַוז כְּלָל, אִצְטְרִיךְ לְבָתַר לְאַפָּקָא לוֹן. בְּאָרַוז פְּרָט, אֲבָל לָאו בְּאָרַוז יִחוּדָא, דְּהָא יִחוּדָא בִּקְרָאֵי קַדְמָאֵי אִיהוּ, לְמֶהֱוֵי יְיָ' אֶחָד, בִּתְפִלִּין דְּרֵישָׁא. וּשְׁמוֹ אֶחָד, בִּתְפִלִּין דִּדְרוֹעָא. וַהֲוֵי כֹּלָּא חַד. כֵּיוָן דְּיִחוּדָא אִתְסַדַּר כֹּלָּא בִּכְלָלָא, מֵרֵישָׁא דִּנְקוּדָה עִלָּאָה, אִצְטְרִיךְ לְבָתַר לְאִתְעַטְּרָא מֵרֵישָׁא דִּנְהוֹרָא קַדְמָאָה, דְּאִיהוּ רֵישָׁא דְּכֹלָּא.

צב. גְּלִיף וְאַתְקִין מֹשֶׁה, כ"ה אַתְוָון בְּרָזָא דִּפְסוּקָא דְּיִחוּדָא, דִּכְתִּיב שְׁמַע יִשְׂרָאֵל יְיָ' אֱלֹהֵינוּ יְיָ' אֶחָד. וְאִינּוּן כ"ה אַתְוָון גְּלִיפִין, מְחַקְּקִין בְּרָזָא דִּלְעֵילָא. יַעֲקֹב בָּעָא לְאַתְקְנָא לְתַתָּא, בְּרָזָא דְּיִחוּדָא, וְאַתְקִין בְּכ"ד אַתְוָון, וְאִינּוּן בשכמל"ו. וְלָא אַשְׁלִים לְכ"ה אַתְוָון, בְּגִין דְּעַד לָא אִתְתַּקַּן מַשְׁכְּנָא. כֵּיוָן דְּאִתְתַּקַּן מַשְׁכְּנָא, וְאִשְׁתְּלִים מִלָּה דַּהֲוָה נָפִיק מִנֵּיהּ, כַּד אִשְׁתְּלִים, לָא מַלִּיל אֶלָּא בְּכ"ה אַתְוָון, לְאַחֲזָאָה דְּהָא אִשְׁתְּלִים דָּא, כְּגַוְונָא דִּלְעֵילָא, דִּכְתִּיב וַיְדַבֵּר יְיָ' אֵלָיו מֵאֹהֶל מוֹעֵד לֵאמֹר, הָא כ"ה אַתְוָון.

צג. וְעַ"ד כ"ה זִינִין, לְאַשְׁלְמָא תִּקּוּנָא דְּמַקְדְּשָׁא, וְכָל הָנֵי אַתְוָון אוֹקִימְנָא בְּאִינּוּן אַתְוָון גְּלִיפִין דְּאוֹלִיפְנָא מִמַּר. וּבְגִין דְּמַשְׁכְּנָא אִשְׁתְּלִים בְּרָזִין אִלֵּין, אִקְרֵי כ"ה, בְּיִחוּדָא דְּשְׁלִימוּ דְּמַשְׁכְּנָא. וְעַ"ד וַחֲסִידֶיךָ יְבָרְכוּכָה כְּתִיב, רָזָא דִּשְׁלִימוּ דְּכָל מַשְׁכְּנָא, וְתִקּוּנָא דִּילֵיהּ.

צד. כ"ה: לְקַבֵּל כ"ב אַתְוָון, וְתוֹרָה וּנְבִיאִים וּכְתוּבִים, דְּאִינּוּן כְּלָלָא חֲדָא, רָזָא חֲדָא. בְּשַׁעֲתָא דְּיִשְׂרָאֵל קָא מְיַחֲדֵי יִחוּדָא בְּהַאי קְרָא, בְּרָזָא דְּכ"ה אַתְוָון, דְּאִינּוּן שְׁמַע יִשְׂרָאֵל יְיָ' אֱלֹהֵינוּ יְיָ' אֶחָד, וּבשכמל"ו, דְּאִינּוּן כ"ד אַתְוָון, וִיכַוֵּין כָּל חַד בְּהוּ, כֻּלְּהוּ אַתְוָון מִתְחַבְּרָן כַּחֲדָא, וְסַלְּקִין לְחֻבּוּרָא חַד, תֵּשַׁע וְאַרְבָּעִים תַּרְעִין, בְּרָזָא דְּיוֹבְלָא. וּכְדֵין אִצְטְרִיךְ לְסַלְּקָא וָעֶד, לָא יַתִּיר. וּכְדֵין אִתְפַּתְּחוּ תַּרְעִין, וְחָשִׁיב קוּדְשָׁא בְּרִיךְ הוּא לְהַהוּא ב"נ, כְּאִילּוּ קִיֵּים אוֹרַיְיתָא כֻּלָּהּ, דְּאִיהִי אַתְיָא בְּמ"ט פָּנִים בְּכֹלָּא.

צה. וְעַ"ד אִצְטְרִיךְ לְכַוְּונָא רְעוּתָא בְּכ"ה וּבְאַרְבַּע וְעֶשְׂרִין, לְסַלְּקָא לוֹן בִּרְעוּתָא דְּלִבָּא,

בתשע וארבעין תרעין דקאמרן, כיון דאתכוון בהאי, יתכוון בההוא יחודא דאמר מר, שמע ישראל וגו' ברוך שם כבוד מלכותו לעולם ועד, כללא דכל אורייתא כלא. זכאה וזולקיה מאן דיתכוון בהו, ודאי כללא איהו דכל אורייתא דעילא ותתא. ודא איהו רזא דאדם, שלימו דדכר ונוקבא, ורזא דכל מהימנותא. ע"כ.

צו. רבי אבא שלח ליה לר' שמעון ואמר ליה, האי דאוקמיה מר בתפלין דמארי עלמא, ד' פרשיין אינון קודשא דקודשין, שפיר. משכא דעל תפילין, ואינון רצועין אקרו קדושה אסמכתא מנלן. שלח ליה ויעש יי' אלהים לאדם ולאשתו וגו' דייקא, והכי אוקמיה רב המנונא סבא. ואלין אינון דרישא, ודרועא ידכה בה"א, והא אוקמוה.

צז. אר"ש, אית מאן דמתני בהאי גוונא, והיה דרועא שמאלא דקודשא בריך הוא, ואקרי גבורה אי הכי לא אשתארן ברישא אלא תלת. ואינון ארבע. אבל תרין רתיכין קדישין אינון, דא אתקשר בלבא. ודא אתקשר במוחא. ולבא ומוחא, אתקשר דא בדא. וזווגא חד להו, ושפיר קאמרו חבריא. והיה לאות על ידכה, כמה דאתמר, ולא אקרי אלא אות.

צח. אמר ר"ש, בשעתא דב"נ אקדים בפלגות ליליא, וקם ואשתדל באורייתא, עד דנהיר צפרא. בצפרא אנח תפילין ברישיה, ותפילין ברשימא קדישא בדרועיה, ואתעטף בעטופא דמצוה, ואתי לנפקא מתרעא דביתיה, אערע במזוזה, רשימא דשמא קדישא בתרעא דביתיה, ארבע מלאכין קדישין מזדווגין עמיה ונפקין עמיה מתרעא דביתיה, ואוזפי ליה לבי כנישתא, ומכרזי קמיה, הבו יקרא לדיוקנא דמלכא קדישא, הבו יקרא לבריה דמלכא, לפרצופא יקרא דמלכא, רוחא קדישא שריא עליה, אכריז ואמר ישראל אשר בך אתפאר.

צט. כדין ההוא רוחא קדישא סלקא לעילא, ואסהיד עליה קמי מלכא קדישא, כדין פקיד מלכא עלאה, למכתב קמיה כל אינון בני היכליה, כל אינון דאשתמודען קמיה, הה"ד ויכתב ספר זכרון לפניו ליראי יי' ולחושבי שמו. מאי ולחושבי שמו. כד"א וחושבי מחשבות, אינון דעבדין לשמיה, אומנותא בכלא, אומנותא דתפילין, בבתיהון ברצועיהון וכתיבתהון. אומנותא דציצית, בחוטיהון בחוטא דתכלתא. אומנותא דמזוזה. ואלין אינון חושבי שמו. וכתיב וחושבי מחשבות.

ק. ולא עוד אלא דקודשא בריך הוא משתבח ביה, ומכריז עליה בכלהו עלמין, חמו מה בריה עבדית בעולמי. ומאן דייעול קמיה לבי כנישתא, כד נפק מתרעיה, ולא תפילין ברישיה וציצית בלבושיה, ואומר אשתחוה אל היכל קדשך ביראתך. קודשא בריך הוא אמר, אן הוא מוראי, הא סהיד סהדותא דשקרא.

קא. א"ר יוסי, זכאה וזולקיה דמשה, דהכא אמר אלהינו. דא"ר שמעון, משה בדרגא עלאה יתיר אתאחד, על שאר נביאי מהימני. וא"ר שמעון, אלמלא הוו ידעי בני נשא מלין דאורייתא, לינדעון דהא לית שום מלה באורייתא, או את באורייתא, דלא אית בה רזין עלאין ויקירין.

קב. ת"ח, כתיב, משה ידבר והאלהים יעננו בקול. ותנינן, מאי בקול. בקולו של משה. ושפיר הוא, בקולו של משה דייקא, בההוא קול דאיהו אחיד ביה, על כל שאר נביאין. ובגין דאיהו אתאחיד על כלהו, בההוא קול, דרגא עלאה, הוה אמר להו לישראל, יי' אלהיך, איהו דרגא דאקרי שכינתא, דשריא בגווייהו. זכאה וזולקיה.

קג. ואר"ש, תנינן, קללות שבת"כ, משה מפי הגבורה אמרן. ושבמשנה תורה,

מֹשֶׁה מִפִּי עַצְמוֹ אֲמָרָן. מַאי מִפִּי עַצְמוֹ. וְכִי ס"ד דַּאֲפִילוּ אֶת וְזְעֵירָא בְּאוֹרַיְיתָא, מֹשֶׁה אֲמַר לֵיהּ מִגַּרְמֵיהּ.

קד. אֶלָּא שַׁפִּיר הוּא, וְהָא אִתְעַרְנָא, מֵעַצְמוֹ לָא תָּנֵינָן, אֶלָּא מִפִּי עַצְמוֹ. וּמַאי אִיהוּ. הַהוּא קוֹל דְּאִיהוּ אָחִיד בֵּיהּ. וְע"ד, הַלָּלוּ מִפִּי הַגְּבוּרָה. וְהַלָּלוּ מִפִּי עַצְמוֹ. מִפִּי הַהוּא דַּרְגָּא דְּאִתְקְשַׁר בֵּיהּ עַל שְׁאָר נְבִיאֵי מְהֵימְנֵי. וְעַל דָּא, בְּכָל אֲתָר אֱלֹהֶיךָ, וְהָכָא אֱלֹהֵינוּ.

קה. ת"ח, כַּמָּה אִית לְהוּ לִבְנֵי נָשָׁא לְאִסְתַּמְרָא אוֹרְחַיְיהוּ, בְּגִין דְּיִשְׁתַּדְּלוּן בְּפָלְחָנָא דְּמָארֵיהוֹן, וְיִזְכּוּן לְחַיֵּי עָלְמִין. תְּחוֹת כּוּרְסְיָיא דְּמַלְכָּא קַדִּישָׁא, אִית מָדוֹרִין עִלָּאִין. וּבְהַהוּא אֲתַר דְּכוּרְסְיָּיא, מְזוּזָה אִתְקְשַׁר, לְאִשְׁתֵּזָבָא מִכַּמָּה מָארֵי דִּינִין, דִּזְמִינִין לְאִתְעָרָא בְּהוּ בִּבְנֵי נָשָׁא, בְּהַהוּא עָלְמָא. כְּגַוְונָא דָּא עָבִיד קוּדְשָׁא בְּרִיךְ הוּא לְיִשְׂרָאֵל, וְיָהַב לְהוּ פִּקּוּדֵי אוֹרַיְיתָא, בְּגִין דְּיִשְׁתַּדְּלוּן בָּהּ וְיִשְׁתֵּזְבוּן בְּהַאי עָלְמָא, מִכַּמָּה מָארֵי דִּינִין, מִכַּמָּה מְקַטְרְגֵי, דְּאִזְדַּמְּנוּן בְּהוּ בִּבְנֵי נָשָׁא בְּכָל יוֹמָא.

קו. ר' חִיָּיא אֲמַר, הַאי מַאן דְּבָעֵי דְּיִסְתָּמַר אוֹרְחוֹי, לָא יֶעְבַּר עַל מַיָּיא דְּאוֹשְׁדִין קַמֵּי פִּתְחָא. בְּגִין דְּתַמָּן שָׁרֵי חַד שֵׁידָא, וְהוּא בֵּין תְּרֵין דָּשִׁין דְּפִתְחָא, וְאַנְפּוֹי לָקֳבְלֵיהּ דְּפִתְחָא, וְאִסְתַּכֵּי כָּל מַה דְּעַבְדִּין בְּבֵיתָא, וְלָא לִבְעֵי לֵיהּ לְאֱנָשׁ דְּיִשְׁדֵּי מַיָּיא בֵּין תְּרֵי תַּרְעֵי. ר' יִצְחָק אֲמַר, מַיִין צְלִילָן לֵית לָן בָּהּ. וְהוּא דְּלָא יוֹשִׁיט לוֹן אֹרַח קְלָנָא. מַאי טַעֲמָא. בְּגִין דְּאִית לֵיהּ רְשׁוּ לְנַזָּקָא. וְלָא עוֹד אֶלָּא דְּיֶהְדַּר רֵישֵׁיהּ לָקֳבְלֵי בֵּיתָא, וּבְכָל מַה דְּאִסְתַּכַּל אִתְלַטְיָיא.

קז. תְּלַת מְאָה וְשִׁתִּין וְחָמֵשׁ, כְּחוּשְׁבַּן יְמֵי שַׁתָּא, אִית לֵיהּ שַׁמָּשִׁין, דְּהוּא שַׁלִּיט עֲלַיְיהוּ, וְכֻלְּהוּ נָפְקִין עִם ב"נ, כַּד נָפַק מִתַּרְעָא דְּבֵיתֵיהּ. א"ר אֶלְעָזָר, כָּל דָּא בָּעֵי קוּדְשָׁא בְּרִיךְ הוּא לְנַטְרָא לוֹן לְיִשְׂרָאֵל, וְאַתְקִין שְׁמֵיהּ קַדִּישָׁא לְעֵילָּא, דְּאִיהוּ אוֹרַיְיתָא, וְאוֹרַיְיתָא כֻּלָּא חַד שְׁמָא קַדִּישָׁא אִיהוּ, וּמַאן דְּאִשְׁתַּדַּל בְּאוֹרַיְיתָא, אִשְׁתַּדַּל בִּשְׁמֵיהּ.

קח. ת"ח, בָּעֵי ב"נ בְּפִתְחָא דְּבֵיתָא לְרַשְׁמָא שְׁמָא קַדִּישָׁא, דְּאִיהוּ מְהֵימְנוּתָא דְּכֹלָּא. דְּהָא בְּכָל אֲתַר דִּשְׁמָא קַדִּישָׁא אִשְׁתְּכַח זִינִין בִּישִׁין לָא מִשְׁתַּכְּחֵי תַּמָּן, וְלָא יַכְלִין לְקַטְרְגָא לֵיהּ לְב"נ, כְּמָה דִּכְתִיב לֹא תְאֻנֶּה אֵלֶיךָ רָעָה וְגוֹ'.

קט. אֲתַר דְּפִתְחָא דְּבֵיתָא שַׁרְיָא כְּגַוְונָא דִּלְעֵילָּא אֲתַר דְּפִתְחָא דְּבֵיתָא עִלָּאָה שַׁרְיָא, מְזוּזָא אִקְרֵי. דְּהוּא תִּקּוּנָא דְּבֵיתָא, וּפִתְחָא דְּבֵיתָא. מֵהַהִיא מְזוּזָה עָרְקִין מָארֵי נִימוּסִין, מָארֵי דְּדִינִין קַמֵּיהּ לָא מִשְׁתַּכְּחִין. וְקָבֵל דָּא לְתַתָּא, כַּד ב"נ אַתְקִין מְזוּזָה לְפִתְחָא דְּבֵיתָא, וְהַאי שְׁמָא קַדִּישָׁא רָשִׁים בְּאַתְווֹי, הַאי ב"נ אִתְעֲטָּר בְּעִטְרוֹי דְּמָארֵיהּ, וְלָא קָרְבִין לְפִתְחָא דְּבֵיתֵיהּ זִינִין בִּישִׁין, וְלָא מִשְׁתַּכְּחֵי תַּמָּן.

קי. ר' אַבָּא הֲוָה אָתֵי מִלְּמֶחֱמֵי לְרַ"שׁ, פָּגַע בֵּיהּ ר' יִצְחָק, אֲמַר לֵיהּ מֵאָן אָתֵי, מָארֵיהּ דִּנְהוֹרָא, גְּבַר דְּאִתְדַּבַּק בְּנוּרָא דְּאַכְלָא כָּל יוֹמָא, הָא נְהוֹרָא עִמֵּיהּ שָׁרֵי. אֲמַר לֵיהּ, תָּנֵינָן דְּחִיּוּבָא עָלֵיהּ דְּב"נ, לְקַבְּלָא אַפֵּי שְׁכִינְתָּא, בְּכָל רֵישׁ יַרְחֵי וְשַׁבְּתֵי. וּמַאן אִיהוּ. רַבֵּיהּ. כ"ש בּוֹצִינָא עִלָּאָה קַדִּישָׁא, דְּכָל בְּנֵי עָלְמָא בָּעָאן לְקַבְּלָא אַנְפּוֹי. א"ר יִצְחָק, אַהֲדַרְנָא עִמָּךְ, וְאַקְבֵּל אַנְפֵּי שְׁכִינְתָּא, וְאַטְעַם מֵאִינּוּן מִלִּין עִלָּאִין, דְּאַטְעֲמַת קַמֵּיהּ.

קיא. פָּתַח ר' אַבָּא וְאָמַר, שִׁיר הַמַּעֲלוֹת אֵלֶיךָ נָשָׂאתִי אֶת עֵינַי הַיּוֹשְׁבִי בַּשָּׁמָיִם. שִׁיר דָּא לָא כְּתִיב מַאן אֲמָרוֹ. אֶלָּא בְּכָל אֲתַר דְּאִיהוּ סָתִים, רוּחַ הַקֹּדֶשׁ אֲמָרוֹ עֲלַיְיהוּ

דְּיִשְׂרָאֵל בְּגָלוּתָא. הַיּוֹשְׁבִי בַּשָּׁמַיִם, הַיּוֹשֵׁב מִבָּעֵי לֵיהּ, מַאי הַיּוֹשְׁבִי.

קיב. אֶלָּא אוֹקִימְנָא, מַאן דְּבָעֵי לְצַלָּאָה צְלוֹתֵיהּ קַמֵּי מַלְכָּא קַדִּישָׁא, בָּעֵי לְמִבְעֵי מֵעֲמִיקְתָא דְּכֹלָּא, לְאַרְקָא בִּרְכָאן לְתַתָּא, כְּמָה דִּכְתִיב שִׁיר הַמַּעֲלוֹת מִמַּעֲמַקִּים קְרָאתִיךָ יְיָ'. וְהַאי יו"ד יַתִּיר, עֲמִיקְתָא דְּכֹלָּא הִיא, וּבְהַאי בָּעֵי לְמִבְעֵי בָּעוּתֵיהּ, לְאַרְקָא בִּרְכָאן לְהַהוּא אֲתָר דְּאִקְרֵי שָׁמַיִם, לְאַתְזָנָא מִנֵּיהּ כֹּלָּא, וְע"ד הַיּוֹשְׁבִי בַּשָּׁמַיִם, בַּשָּׁמַיִם מַמָּשׁ, דְּכַד אִינּוּן בִּרְכָאן נְגִידוּ וְאִתְמְשָׁכוּ מֵהַהוּא אֲתָר עוּמְקָא דְּכֹלָּא, וְאִתְיַשְׁבָן בַּאֲתָר דְּאִקְרֵי שָׁמַיִם, כְּדֵין בִּרְכָאן מִשְׁתַּכְּחֵי בְּעִלָּאֵי וְתַתָּאֵי.

קיג. כְּעֵינֵי עֲבָדִים אֶל יַד אֲדוֹנֵיהֶם, מַאי כְּעֵינֵי עֲבָדִים. אִלֵּין אִינּוּן שְׁאָר רַבְרְבֵי עַמִּין, דְּלָא אִתְּזָנוּ אֶלָּא מִשְּׁיוּרָא נוֹפָא דְּאִילָנָא, דְּיִשְׂרָאֵל מִתְדַּבְּקֵי בֵּיהּ. וְכַד יִשְׂרָאֵל נַטְלִין בִּרְכָאן מֵהַהוּא אֲתָר, כֻּלְּהוּ מִתְבָּרְכָן מִיִּשְׂרָאֵל.

קיד. כְּעֵינֵי שִׁפְחָה אֶל יַד גְּבִירְתָּהּ, דָּא הִיא שִׁפְחָה דְּאוֹקִימְנָא, דְּקָטִיל קוּדְשָׁא בְּרִיךְ הוּא חֵילָא דִּילָהּ בְּמִצְרַיִם, דְּהָא לֵית חֵילָא דִּידָהּ, אֶלָּא כַּד אִתְנְגִיד מִתַּמְצִית דְּהַאי אֶרֶץ יִשְׂרָאֵל. וְאֶרֶץ יִשְׂרָאֵל גְּבִרְתָּהּ אִקְרֵי. וְעַל הַאי כְּתִיב, תַּחַת שָׁלֹשׁ רָגְזָה אֶרֶץ. מַאן אֶרֶץ. דָּא אֶרֶץ יִשְׂרָאֵל, כְּמָה דְּאִתְּמַר. תַּחַת עֶבֶד כִּי יִמְלוֹךְ, אִלֵּין אִינּוּן עֲבָדִים דְּקָאַמְרָן. כַּד אִתְיְהִיב שָׁלְטָנוּתָא לְחַד מִנַּיְיהוּ. וְדָא הוּא דִּכְתִיב, אֲשֶׁר הוֹצֵאתִיךָ מֵאֶרֶץ מִצְרַיִם מִבֵּית עֲבָדִים. שִׁפְחָה כִּי תִירַשׁ גְּבִירְתָּהּ דָּא הִיא שִׁפְחָה דְּקָאַמְרָן.

קטו. ת"ח, מִסִּטְרָא דְּהַאי שִׁפְחָה, נַפְקֵי כַּמָּה גַּרְדִּינֵי טְהִירִין, מְקַטְרְגִין לְקָבְלַיְיהוּ דְּיִשְׂרָאֵל, וּלְקַטְרְגָא לוֹן. וְקוּדְשָׁא בְּרִיךְ הוּא עָבִיד לְהוּ לְיִשְׂרָאֵל נְטִירוּ, כְּאַבָּא דְּבָעֵי לְנַטְרָא לִבְרֵיהּ מִן כֹּלָּא. אָמַר קוּדְשָׁא בְּרִיךְ הוּא לְיִשְׂרָאֵל, כַּמָּה מְקַטְרְגִין זְמִינִין לְקָבְלַיְיכוּ, אִשְׁתַּדָּלוּ בְּפוּלְחָנִי, וַאֲנָא אֱהֵא נָטִיר לְכוּ לְבַר. וְאַתּוּן תֶּהֱוֹן זְמִינִין בְּבָתֵּיכוֹן מִלְּגוֹ, וְנַיְימֵי בְּעַרְסֵיכוֹן, וַאֲנָא אֱהֵא נָטִיר לְכוּ לְבַר, וְסוֹחֲרָנֵי עַרְסַיְיכוּ.

קטז. ות"ח, בְּשַׁעֲתָא דְּאִינּוּן זִינִין בִּישִׁין קְרִיבִין לְפִתְחָא דְּב"נ זַקְפָן רֵישָׁא, וּמִסְתַּכְּלָן בִּשְׁמָא קַדִּישָׁא דְּאִתְחֲזֵי לְבַר, דְּאִיהוּ שַׁדַּי, דְּמִתְעַטָּר בְּעִטְרוֹי, שְׁמָא דָּא שַׁלִּיט עַל כֻּלְּהוּ, מִנֵּיהּ דַּחֲלִין וְעַרְקִין, וְלָא קָרְבִין לְפִתְחָא דְּב"נ.

קיז. א"ל רַבִּי יִצְחָק, אִי הָכִי, יִרְשׁוֹם ב"נ שְׁמָא דָּא בְּפִתְחָא דְּבֵיתָא, וְלָא יַתִּיר, אֲמַאי כָּל פַּרְשְׁתָּא. אָמַר לֵיהּ שַׁפִּיר הוּא, דְּהָא שְׁמָא דָּא לָא אִתְעֲטָר, אֶלָּא בְּאִינּוּן אַתְוָן כֻּלְּהוּ, רְשִׁימִין בִּרְשִׁימָא דְּמַלְכָּא, וְכַד אַכְתָּב כָּל פַּרְשְׁתָּא, כְּדֵין שְׁמָא דָּא מִתְעֲטָר בְּעִטְרוֹי וְנָפִיק מַלְכָּא בְּכָל חֵילוֹי, כֻּלְּהוּ רְשִׁימִין בִּרְשִׁימָא דְּמַלְכָּא, כְּדֵין דַּחֲלִין מִנֵּיהּ, וְעַרְקִין מִקַּמֵּיהּ.

קיח. ת"ח, וְהָיָה שְׁמָא קַדִּישָׁא, מִתַּתָּא לְעֵילָא. וְעַל דָּא, שַׁדַּי אִתְרְשִׁים מִלְּבַר, לְקָבְלֵי שְׁמָא דָּא. וְהָיָ"ה מִלְּגוֹ, שַׁדָּ"י מִלְּבַר. לְמֶהֱוֵי נָטִיר ב"נ מִכָּל סִטְרִין מִלְּגָאו וּמִלְּבַר. א"ר אַבָּא, כַּמָּה חַיָּילִין קַדִּישִׁין זְמִינִין בְּהַהִיא שַׁעֲתָא דְּאָנַח ב"נ מְזוּזָה לְתַרְעֵיהּ, כֻּלְּהוּ מַכְרְזֵי וְאַמְרֵי זֶה הַשַּׁעַר לַיְיָ' וְגוֹ'.

קיט. זַכָּאָה חוּלָקְהוֹן דְּיִשְׂרָאֵל, כְּדֵין אִשְׁתְּמוֹדְעָן יִשְׂרָאֵל דְּאִינּוּן בְּנֵי מַלְכָּא קַדִּישָׁא, דְּהָא כֻּלְּהוּ אִתְרְשִׁימוּ מִנֵּיהּ. אִתְרְשִׁימוּ בְּגוּפַיְיהוּ, בִּרְשִׁימָא קַדִּישָׁא. אִתְרְשִׁימוּ בִּלְבוּשַׁיְיהוּ, בְּעִטּוּפַיְיהוּ דְּמִצְוָה. אִתְרְשִׁימוּ בְּרֵישַׁיְיהוּ, בְּבָתֵּי דִּתְפִלֵּי, בִּשְׁמָא דְּמָארֵיהוֹן. אִתְרְשִׁימוּ בִּידַיְיהוּ, בִּרְצוּעֵי דִּקְדוּשָּׁא. אִתְרְשִׁימוּ בְּמְסָאנַיְיהוּ, בִּמְסָאנָא דְּמִצְוָה. אִתְרְשִׁימוּ לְבַר, בִּזְרִיעָה בַּחֲצָדָא. אִתְרְשִׁימוּ בְּבָתֵּיהוֹן, בִּמְזוּזָה דְּפִתְחָא. בְּכֹלָּא

רְשִׁימִין דְּאִינּוּן בְּנֵי מַלְכָּא עִלָּאָה, זַכָּאָה חוּלָקְהוֹן.

קכ. עַד דַּהֲווֹ אָזְלֵי, אָמַר רַבִּי אַבָּא, מַאי דִּכְתִּיב אוֹתִי עָזְבוּ מְקוֹר מַיִם חַיִּים לַחְצוֹב לָהֶם בֹּארוֹת וְגוֹ'. אוֹתִי עָזְבוּ, דָּא הוּא מַאן דִּמְשַׁקֵּר בְּאָת רְשִׁימָא קַדִּישָׁא. וּבְמָּה מְשַׁקֵּר בֵּיהּ. דְּעָיֵיל לֵיהּ בִּרְשׁוּתָא אַחֲרָא, כד"א וּבָעַל בַּת אֵל נֵכָר, דְּאִקְרֵי בּוֹרוֹת נִשְׁבָּרִים. דְּהָא עַמִּין עוֹבְדֵי עכו"ם אִקְרוּ בּוֹרוֹת נִשְׁבָּרִים.

קכא. וְדִישְׂרָאֵל, אִקְרֵי בְּאֵר מְקוֹר מַיִם חַיִּים, דָּא רְשׁוּתָא קַדִּישָׁא, מֵהֵימְנוּתָא קַדִּישָׁא. וְאִקְרֵי בְּאֵר מַבּוּעֵי דְּמַיִין צְלִילָן, נָפְקִין וְנַזְלִין מִנָּהּ, כד"א וְנוֹזְלִים מִן לְבָנוֹן. וְנוֹזְלִים מִתּוֹךְ בְּאֵרֶךָ. וּכְתִיב מַעְיַן גַּנִּים בְּאֵר מַיִם חַיִּים. סִטְרָא אַחֲרָא אִקְרֵי בּוֹרוֹת נִשְׁבָּרִים. אֲשֶׁר לֹא יָכִילוּ הַמָּיִם.

קכב. ת"ח, נַהֲרָא דְּנָגִיד וְנָפִיק, אַשְׁקֵי לְכָל גִּינְתָא, וְרַוֵּי לְכָל אֲתָר וַאֲתָר, כְּמָה דְּאוֹקִימְנָא, עַד דְּמָלֵי לְהַהוּא אֲתָר בְּגִנְתָא, דְּאִקְרֵי בְּאֵר מַיִם חַיִּים. וּמִתַּמָּן אִתְזָנוּ עִלָּאִין וְתַתָּאִין, כד"א וּמִשָּׁם יִפָּרֵד.

קכג. וְכָל אִינּוּן סִטְרִין דִּסְטַר שְׂמָאלָא, לָא מִשְׁתַּקְיָין מֵהַהוּא נְבִיעוּ דְּמַיִין נְבִיעִין, בְּגִין דְּאִינּוּן מִסִּטְרָא דִּשְׁאַר עַמִּין, וְאִקְרוּ בּוֹרוֹת נִשְׁבָּרִים. וּמַאן דִּמְשַׁקֵּר בִּרְשִׁימָא קַדִּישָׁא בְּהַהוּא סִטְרָא, אִתְדַּבַּק בְּבוֹרוֹת נִשְׁבָּרִים אֲשֶׁר לֹא יָכִילוּ הַמָּיִם, וְלָא עָיֵיל לְתַמָּן. וְהַהוּא דְּזָכֵי לְנַטְרָא לֵיהּ, זָכֵי לְאִתְשַׁקְיָיא מֵהַהוּא נְבִיעוּ דְּנַחֲלָא בְּעָלְמָא דְּאָתֵי, וְזָכֵי דְּאִתְמְלֵי הַהוּא בְּאֵר עִלָּאָה, לְנַגְדָּא בִּרְכָאן לְעֵילָּא וְתַתָּא. זַכָּאָה אִיהוּ בְּעָלְמָא דֵּין, וּבְעָלְמָא דְּאָתֵי, עַל דָּא כְּתִיב, וְהָיִיתָ כְּגַן רָוֶה וּכְמוֹצָא מַיִם אֲשֶׁר לֹא יְכַזְּבוּ מֵימָיו.

קכד. וַוי לְמַאן דִּמְשַׁקֵּר בִּרְשִׁימָא קַדִּישָׁא, דְּהָא מְשַׁקֵּר בִּשְׁמָא עִלָּאָה. וְלָא. עוֹד, אֶלָּא דְּגָרִים לְהַאי בְּאֵר דְּלָא אִתְבָּרְכָא, וְקָרֵינָן עָלֵיהּ כִּי הוֹצִיא שֵׁם רָע עַל בְּתוּלַת יִשְׂרָאֵל. בְּתוּלַת יִשְׂרָאֵל דַּיְיקָא. וְאוֹקְמֵיהּ רַבִּי שִׁמְעוֹן בְּאַתְרֵיהּ, מַאן דְּשַׁוֵּי תִּסְקוּפֵי מִלִּין עַל אִנְתְּתֵיהּ קַדְמֵיתָא, וְאַפִּיק עֲלָהּ שׁוּם בִּישׁ, כְּמָה דְּאַפִּיק לְעֵילָּא, דִּכְתִּיב כִּי הוֹצִיא שֵׁם רָע עַל בְּתוּלַת יִשְׂרָאֵל סְתָם.

קכה. וְאַזְלָא הָא, כִּי הָא דְּאָמַר רַבִּי חִיָּיא אָמַר רַבִּי יוֹסֵי, בְּתוּלָה יָרְתָא שֶׁבַע בְּרָכוֹת, דְּאִתְבָּרְכָא בְּשֶׁבַע, בְּגִין דִּבְתוּלַת יִשְׂרָאֵל יָרְתָא שֶׁבַע בִּרְכָן, וְעַל דָּא אִתְקְרֵי בַּת שֶׁבַע.

קכו. וְאִנְתְּתָא אַחֲרָא, מַאן בִּרְכָאן דִּילָהּ. בִּרְכָתָא דְּבֹעַז וְרוּת, כד"א, וַיֹּאמְרוּ כָּל הָעָם אֲשֶׁר בַּשַּׁעַר וְהַזְּקֵנִים עֵדִים יִתֵּן יְיָ' אֶת וְגוֹ', דְּוַדַּאי בְּתוּלָה בְּז' אִתְבָּרְכָא, וְלָא אִתְּתָא אַחֲרָא בְּרָזָא דָּא. כֵּיוָן דְּמָטוּ בְּחַקַל חַד, חָמוּ אִילָנִין, יָתְבוּ תְּחוֹתַיְיהוּ. אָמַר רַבִּי אַבָּא, הָא צַוְותָא דְּמִלֵּי דְּאוֹרַיְיתָא. נֵיתִיב.

קכז. פָּתַח וְאָמַר, וְהָיָה בַּיּוֹם הַהוּא יִתָּקַע בְּשׁוֹפָר גָּדוֹל וּבָאוּ הָאוֹבְדִים בְּאֶרֶץ אַשּׁוּר וְהַנִּדָּחִים בְּאֶרֶץ מִצְרָיִם וְגוֹ'. וְהָיָה בַּיּוֹם הַהוּא, מַאן בַּיּוֹם הַהוּא. אֶלָּא הַהוּא יוֹמָא דְּאִתְיְדַע לְקוּדְשָׁא בְּרִיךְ הוּא כד"א וְהָיָה יוֹם אֶחָד הוּא יִוָּדַע לַיְיָ'. תּוּ, בַּיּוֹם הַהוּא, כד"א בְּיוֹם בֹּא גוֹג עַל אַדְמַת יִשְׂרָאֵל.

קכח. יִתָּקַע בְּשׁוֹפָר גָּדוֹל. מַה לָן בֵּיהּ, אִי הוּא רַב אוֹ זְעֵיר. אֶלָּא הַהוּא שׁוֹפָר עִלָּאָה, דְּבֵיהּ נָפְקִין עַבְדִּין לְחֵירוּ תָּדִיר, וְהַאי אִיהוּ יוֹבְלָא, דְּיוֹבְלָא עִלָּאָה וְרַבְרְבָא הוּא. וְכַד הַאי אִתְּעַר, כָּל חֵירוּ דְּעָלְמִין מִתְעָרִין בֵּיהּ, וְהַהוּא אִקְרֵי שׁוֹפָר גָּדוֹל.

קכט. וּבָאוּ הָאוֹבְדִים בְּאֶרֶץ אַשּׁוּר. הָאֲבוּדִים מִבָּעֵי לֵיהּ, אוֹ הַנֶּאֱבָדִים, מַאי הָאוֹבְדִים. הָאוֹבְדִים מַמָּשׁ, בְּגִין דְּאִינּוּן בְּאַרְעָא אַחֲרָא, וּמַאן דְּשָׁארֵי בְּאַרְעָא אַחֲרָא,

יָנִיק מֵרְשׁוּתָא אַחֲרָא וּכְאִלּוּ לָא שַׁרְיָא בִּמְהֵימְנוּתָא, בג"כ אוֹבְדִים אִקְרוֹן. אוֹבְדִים אִינּוּן בְּכָל סִטְרִין, דְּכַד יִשְׂרָאֵל שַׁרְיָין בְּאַרְעָא קַדִּישָׁא, זַכָּאִין, זַכָּאִין תָּדִיר בְּכֹלָּא, זַכָּאִין לְעֵילָּא וְתַתָּא.

קל. ד"א וּבָאוּ הָאוֹבְדִים, מַאן אִינּוּן. אִלֵּין צַדִּיק וּכְנֶסֶת יִשְׂרָאֵל. דְּאִקְרוּן אוֹבְדִים. מְנָלָן. כְּנֶסֶת יִשְׂרָאֵל, דִּכְתִּיב עַל מָה אָבְדָה הָאָרֶץ, אֲבוּדָה אוֹ נֶאֱבֶדֶת לָא כְּתִיב, אֶלָּא אָבְדָה הָאָרֶץ, דָּא כְּנֶסֶת יִשְׂרָאֵל. צַדִּיק, דִּכְתִּיב הַצַּדִּיק אָבָד, אָבוּד אוֹ נֶאֱבַד לָא כְּתִיב, אֶלָּא אָבָד, וְהָא אוֹקְמוּהָ.

קלא. וְאִי תֵּימָא, וּבָאוּ, מֵאָן אֲתַר אַתְיָין אִלֵּין אוֹבְדִים. אֶלָּא, כְּנֶסֶת יִשְׂרָאֵל מִן גָּלוּתָא. צַדִּיק, כְּמָה דְּאוֹקְמוּהָ, דִּכְתִּיב בְּשׁוּב יְיָ' אֶת שִׁיבַת צִיּוֹן, בְּגִין דְּיֵיתוּב לְאַתְרֵיהּ, וְיֵיתֵי לְאִתְחַבְּרָא בִּכְנֶסֶת יִשְׂרָאֵל. וְעַל דָּא, וּבָאוּ הָאוֹבְדִים בְּאֶרֶץ אַשּׁוּר. וְהִשְׁתַּחֲווּ לַיְיָ' בְּהַר הַקֹּדֶשׁ בִּירוּשָׁלַםִ, מַאי קָא מַיְירֵי. אֶלָּא מִלָּה דָּא דְּהַנִּדָּחִים בְּאֶרֶץ מִצְרַיִם, כִּבְיָכוֹל, יִשְׂרָאֵל לָא יִפְקוּן מִן גָּלוּתָא, אֶלָּא בִּשְׁכִינְתָּא, כְּמָה דְּאוֹקְמוּהָ, וְאִינּוּן נִדָּחִים הִשְׁתַּחֲווּ לַיְיָ'.

קלב. תּוּ אָמַר רַבִּי אַבָּא, כְּתִיב, יְיָ' יִשְׁמוֹר צֵאתְךָ וּבוֹאֶךָ מֵעַתָּה וְעַד עוֹלָם. יִשְׁמָר צֵאתְךָ תִּינַח. אֶלָּא וּבוֹאֶךָ, מַאי קָא מַיְירֵי, דְּהָא מַאן דְּעָאל לְבֵיתֵיהּ לָא מִסְתַּפֵּי. אֶלָּא הַאי ב"נ דְּשַׁוֵּי רְשִׁימָא קַדִּישָׁא לְבֵיתֵיהּ, בְּמִלִּין דִּשְׁמָא עִלָּאָה, הַאי אִתְנְטִיר מִכֹּלָּא. כַּד נָפִיק הַהוּא דְּמָדוֹרֵיהּ לְתַרְעָא דְּבֵיתֵיהּ, זָקִיף וְחָמֵי רְשִׁימָא קַדִּישָׁא, וְעַיְין בְּפִתְחוֹי. כַּד נָפִיק ב"נ, הוּא אוֹזִיף לֵיהּ, וְנָטִיר לֵיהּ. כַּד עָיֵיל לְבֵיתֵיהּ, הוּא אַכְרִיז קַמֵּיהּ, אוֹדְהָרוּ בִּיקָרָא דְּדִיוּקְנָא דְּמַלְכָּא קַדִּישָׁא. וְכֹל דָּא, בְּגִין הַהוּא רְשִׁימָא דִּשְׁמָא קַדִּישָׁא, דְּאִתְרְשִׁים בְּתַרְעֵיהּ.

קלג. וְלָאו דַּי לֵיהּ לְב"נ דְּאִתְנְטַר בְּבֵיתֵיהּ, אֶלָּא קוּדְשָׁא בְּרִיךְ הוּא נָטִיר לֵיהּ כַּד עָיֵיל, וְכַד נָפִיק. דִּכְתִּיב, יְיָ' יִשְׁמָר צֵאתְךָ וּבוֹאֶךָ מֵעַתָּה וְעַד עוֹלָם. זַכָּאִין אִינּוּן יִשְׂרָאֵל בְּהַאי עָלְמָא, וּבְעָלְמָא דְּאָתֵי.

קלד. ת"ח, הַאי רוּחָא בִּישָׁא דְּשָׁארֵי בֵּין תַּרְעֵי. וַוי לֵיהּ לְב"נ, דְּלָא יָדַע לְאוֹדְהָרָא מִנֵּיהּ, וְלָא רָשִׁים לְפִתְחָא דְּבֵיתֵיהּ שְׁמָא עִלָּאָה קַדִּישָׁא, דְּיִשְׁתַּכַּח עִמֵּיהּ. דְּהָא אִית לֵיהּ תְּלַת מְאָה וְשִׁתִּין וְחָמֵשׁ שַׁמָּשִׁין בִּישִׁין מְקַטְרְגִין, כָּל חַד מְשַׁמֵּשׁ יוֹמֵיהּ, וְכֻלְּהוּ מִשְׁתַּכְּחֵי עִמֵּיהּ כָּל יוֹמֵי שַׁתָּא, וּמְקַטְרְגֵי בֵּיהּ לְעֵילָּא וְתַתָּא. וְכֻלְּהוּ מִשְׁתַּכְּחֵי בֵּיהּ בִּימָמָא וּבְלֵילְיָא. בִּימָמָא, לְקַטְרְגָא לֵיהּ. בְּלֵילְיָא, לְצַעֲרָא לֵיהּ בְּחֶלְמֵיהּ.

קלה. כַּד נָפִיק לְקַטְרְגָא לֵיהּ, כַּד עָאל, שַׁוְיָין יְדַיְיהוּ עֲלֵיהּ דִּכְתְפֵיהּ, וְאַמְרִין לֵיהּ, וַוי לֵיהּ לִפְלַנְיָא דְּנָפַק מֵרְשׁוּתָא דְּמָארֵיהּ. וַוי לֵיהּ לִפְלַנְיָא בְּהַאי עָלְמָא, וּבְעָלְמָא דְּאָתֵי. בג"כ בָּעָאן בְּנֵי מְהֵימְנוּתָא, לְמֶהֱוֵי רְשִׁימִין בְּכֹלָּא, לְמֶהֱוֵי רְשִׁימִין בִּרְשִׁימָא דְּמָארֵיהוֹן, לְאִזְדַּעְזְעָא מִנַּיְיהוּ כָּל סִטְרִין זִינִין בִּישִׁין, לְמֶהֱוֵי נְטִירִין בְּהַאי עָלְמָא, וּבְעָלְמָא דְּאָתֵי. זַכָּאִין ווּלְקֵיהוֹן דְּיִשְׂרָאֵל, עֲלַיְיהוּ כְּתִיב וְעַמֵּךְ כֻּלָּם צַדִּיקִים לְעוֹלָם יִירְשׁוּ אָרֶץ וְגוֹ'.

קלו. וְאָהַבְתָּ אֵת יְיָ' אֱלֹהֶיךָ. רַבִּי יוֹסִי פָּתַח, וְעַתָּה מַה לִּי פֹה נְאֻם יְיָ' כִּי לֻקַּח עַמִּי חִנָּם וְגוֹ'. ת"ח, רְחִימוּתָא דְּקוּדְשָׁא בְּרִיךְ הוּא בְּיִשְׂרָאֵל אע"ג דְּחוֹבַיְיהוּ גָּרְמוּ לְאִסְתַּלְּקָא מִבֵּינַיְיהוּ, וְאִתְבַּדְּרוּ בֵּינֵי עַמְמַיָּא, הוּא תָּבַע עֶלְבּוֹנָא דִּלְהוֹן. וְת"ח, בְּשַׁעְתָּא דְּיִשְׂרָאֵל שָׁרָאן בְּאַרְעֲהוֹן, קוּדְשָׁא בְּרִיךְ הוּא מִשְׁתַּעְשַׁע בְּגִנְתֵּיהּ, וְקָרִיב לְגַבַּיְיהוּ דְּיִשְׂרָאֵל, וְשָׁמַע קָלֵיהוֹן, וְאִשְׁתַּבַּח בְּהוּ.

קלז. כֵּיוָן דְּגָרְמוּ חוֹבַיְיהוּ, וְאִתְגְּלֵי יִשְׂרָאֵל מֵאַרְעָא קַדִּישָׁא, קוּדְשָׁא בְּרִיךְ הוּא לָא

עָאל בְּגִנְתֵּיהּ, וְלָא מִשְׁתַּעֲשַׁע בֵּיהּ. וְלָא עוֹד, אֶלָּא דְּאִיהוּ צָוַוח וְאָמַר, וְעַתָּה מַה לִּי פֹה נְאֻם יְיָ', וּכְתִיב הָתָם פֹּה אֵשֵׁב כִּי אִוִּיתִיהָ. כִּי לֻקַּח עַמִּי חִנָּם, כְּמָה דְּאַתְּ אָמֵר, חִנָּם נִמְכַּרְתֶּם.

קלז. וּמֵהַהוּא יוֹמָא דְּאִתְגְּלִיאוּ יִשְׂרָאֵל מֵאַרְעֲהוֹן, לָא אִשְׁתְּכַח חֶדְוְותָא קָמֵיהּ קוּדְשָׁא בְּרִיךְ הוּא. הה"ד, אַלְבִּישׁ שָׁמַיִם קַדְרוּת וְשַׂק אָשִׂים כְּסוּתָם. וְכָל דָּא, בְּגִין רְחִימוּתָא דִּלְהוֹן, דְּרָחִים לוֹן קוּדְשָׁא בְּרִיךְ הוּא, כְּמָה דְּאַתְּ אָמֵר, אָהַבְתִּי אֶתְכֶם אָמַר יְיָ'. וְעַל דָּא וְאָהַבְתָּ אֵת יְיָ' אֱלֹהֶיךָ. וְאָהַבְתָּ: דְּבָעֵי בַּר נָשׁ לְאִתְקַשְּׁרָא בֵּיהּ בִּרְחִימוּתָא עִלָּאָה, דְּכָל פּוּלְחָנָא דְּבָעֵי ב"נ לְמִפְלַח לְקוּדְשָׁא בְּרִיךְ הוּא, דְּיִפְלַח בִּרְחִימוּ. דְּלֵית לָךְ פּוּלְחָנָא, כְּמוֹ רְחִימוּתָא דְּקוּדְשָׁא בְּרִיךְ הוּא. ר' אַבָּא אָמַר, הָנֵי מִלֵּי כְּלָלָא דְּאוֹרַיְיתָא אִינּוּן, בְּגִין דַּעֲשַׂר אֲמִירָן דְּאוֹרַיְיתָא, הָכָא אִתְכְּלִילוּ, וְהָא אוּקְמוּהָ חַבְרַיָּיא.

קלט. ת"ח, לֵית לָךְ מִלָּה בַּחֲבִיבוּתָא קַמֵּי קוּדְשָׁא בְּרִיךְ הוּא, כְּמַאן דְּרָחִים לֵיהּ כַּדְקָא יָאוּת. וּמַה הוּא. כְּמָה דִּכְתִיב, בְּכָל לְבָבְךָ. בְּכָל, מַאי קָא מַיְירֵי, בִּלְבָבְךָ מִבָּעֵי לֵיהּ. בְּנַפְשְׁךָ, בִּמְאֹדֶךָ, מַהוּ בְּכָל לְבָבְךָ. אֶלָּא לְאַכְלְלָא תְּרֵין לִבִּין, חַד טַב וְחַד בִּישׁ. בְּכָל נַפְשְׁךָ: חַד טַב, וְחַד בִּישׁ. בְּכָל מְאֹדֶךָ, דָּא לָא אַתְיָא לִדְרָשָׁא. א"ר אֶלְעָזָר, וַאֲפִילּוּ הַאי לִדְרָשָׁא הוּא. מ"ט. בֵּין דְּנָפַל לֵיהּ מָמוֹנָא מִירוּתָא, אוֹ מִסִּטְרָא אָחֳרָא, אוֹ בֵּין דְּאִיהוּ רָוַוח לֵיהּ, וְעַ"ד כְּתִיב בְּכָל מְאֹדֶךָ.

קמ. א"ר אַבָּא, אַהַדְרְנָא לִקְרָא וְאָהַבְתָּ. מַאן דְּרָחִים לְקוּדְשָׁא בְּרִיךְ הוּא, אִתְעֲטַּר בְּחֶסֶד מִכָּל סִטְרִין, וְעָבֵיד חֶסֶד בְּכֹלָּא, וְלָא חָיֵיס עַל גּוּפֵיהּ וְעַל מָמוֹנֵיהּ. מְנָלָן. מֵאַבְרָהָם. כְּמָה דְּאִתְּמַר, דְּהָא לָא חָס בִּרְחִימוּתָא דְּמָארֵיהּ, עַל לִבֵּיהּ, וְעַל נַפְשֵׁיהּ, וְעַל מָמוֹנֵיהּ.

קמא. עַל לִבֵּיהּ לָא אַשְׁגַּח, עַל רְעוּתָא דִּילֵיהּ, בְּגִין רְחִימוּתָא דְּמָארֵיהּ. עַל נַפְשֵׁיהּ, דְּלָא חָס עַל בְּרֵיהּ, וְעַל אִתְּתֵיהּ, בְּגִין רְחִימוּתָא דְּמָארֵיהּ. עַל מָמוֹנֵיהּ, דַּהֲוָה קָאִים בְּפָרָשַׁת אָרְחִין, וְאַתְקִין מְזוֹנֵי לְכָל עָלְמָא. בג"כ, אִתְעֲטַּר בְּעִטְרָא דְּחֶסֶד. כְּמָה דִּכְתִיב, חֶסֶד לְאַבְרָהָם. וּמַאן דְּאִתְקַשַּׁר בִּרְחִימוּתָא דְּמָארֵיהּ, זָכֵה לְהַאי. וְלָא עוֹד, אֶלָּא דְּעָלְמִין כֻּלְּהוּ מִתְבָּרְכָן בְּגִינֵיהּ. הה"ד, וַחֲסִידֶיךָ יְבָרְכוּכָה, אַל תִּקְרֵי יְבָרְכוּכָה, אֶלָּא יְבָרְכוּ כ"ה.

קמב. יוֹמָא חַד, הֲוָה חָלַשׁ רַבִּי יוֹסֵי, עָאל לְגַבֵּיהּ, ר' אַבָּא וְר' יְהוּדָה וְר' יִצְחָק, חָמוּ לֵיהּ, דַּהֲוָה נָפִיל עַל אַנְפּוֹי, וְנָאִים. יָתְבוּ. כַּד אִתְּעַר, חָמוּ לֵיהּ לְאַנְפּוֹי דְּחַיְיכִין. א"ל ר' אַבָּא, מִלָּה חַדְתָּא חֲמֵיתָא. א"ל וַדַּאי, דְּהַשְׁתָּא סָלְקָא נַפְשִׁי, וַחֲמֵית יְקָרָא, מֵאִינּוּן דִּמְסָרוּ גַּרְמַיְיהוּ עַל קְדוּשָּׁה דְּמָארֵיהוֹן, דַּהֲווּ עָאלִין בִּתְלֵיסַר נַהֲרֵי דְּאַפַּרְסְמוֹנָא דַּכְיָא. וְקוּדְשָׁא בְּרִיךְ הוּא מִשְׁתַּעֲשַׁע בְּהוּ. וַחֲמֵינָא מַה דְּלָא יָהֲבוּ לִי רְשׁוּתָא לְמֵימַר. וְשָׁאִילְנָא לוֹן, אֲמֵינָא, הַאי יְקָרָא דְּמַאן הוּא. אָמְרוּ לִי, מֵאִינּוּן דִּרְחִימוּ לְמָארֵיהוֹן בְּהַהוּא עָלְמָא. וּבְמָה דְּחָמֵית נַפְשָׁאי וְלִבָּאי אִתְנְהִיר, וְעַל דָּא אַנְפָּאי חַיְיכִין.

קמג. א"ל ר' אַבָּא, זַכָּאָה חוּלָקָךְ, אֲבָל אוֹרַיְיתָא אַסְהִיד בְּהוּ, דִּכְתִיב עַיִן לֹא רָאָתָה אֱלֹהִים זוּלָתְךָ יַעֲשֶׂה לִמְחַכֵּה לוֹ. א"ל ר' יְהוּדָה, הָא שָׁאִילוּ חַבְרַיָּיא, דָּא דִּכְתִיב יַעֲשֶׂה, תַּעֲשֶׂה מִבָּעֵי לֵיהּ.

קמד. א"ל, הָא אִתְּמַר. אֲבָל רָזָא דְּמִלָּה, הַיְינוּ דִּכְתִיב לַחֲזוֹת בְּנֹעַם יְיָ' וּלְבַקֵּר בְּהֵיכָלוֹ. וְאוּקְמוּהָ, נֹעַם יְיָ', הַהוּא דְּאַתְיָא מֵעַתִּיקָא קַדִּישָׁא, דְּקוּדְשָׁא בְּרִיךְ הוּא

מִשְׁתַּעֲשַׁע בֵּיהּ. דְּהָא הַהוּא נֹעַם מֵעַתִּיקָא נָפְקָא. וּלְבַקֵּר בְּהֵיכָלוֹ, בְּהֵיכָלָא עִילָּאָה עַל כֹּלָּא. אוּף הָכָא עַיִן לֹא רָאָתָה אֱלֹהִים זוּלָתְךָ יַעֲשֶׂה, מַאן, הַהוּא עַתִּיקָא סְתִימָא דְּכֹלָּא, דְּהָא בֵּיהּ תַּלְיָא, א"ל וַדַּאי הָכִי הוּא. זַכָּאָה חוּלָקֵהוֹן דְּאִינּוּן, דִּרְחִימוּתָא דְּמָארֵיהוֹן מִתְדַּבְּקָן בְּהוּ, לְאִלֵּין לֵית שִׁעוּרָא לְחוּלָקֵהוֹן בְּהַהוּא עָלְמָא.

קמה. אָמַר ר' יִצְחָק, כַּמָּה מָדוֹרִין עַל מָדוֹרִין אִית לְהוּ לְצַדִּיקַיָּיא בְּהַהוּא עָלְמָא, וּמָדוֹרָא עִלָּאָה דְּכֹלָּא, אִינּוּן דִּרְחִימוּתָא דְּמָארֵיהוֹן אִתְקְשַׁר בְּהוּ, דְּהָא מָדוֹרֵיהוֹן אִתְקְשַׁר בְּהֵיכָלָא דְּסָלִיק עַל כֹּלָּא. מ"ט, בְּגִין דְּקוּדְשָׁא בְּרִיךְ הוּא בְּהַאי אִתְעֲטַר.

קמו. ת"ח, הֵיכָלָא דָּא, אַהֲבָה אִתְקְרֵי, וּבְגִין אַהֲבָה קַיְּימָא כֹּלָּא. כְּמָה דִּכְתִּיב, מַיִם רַבִּים לֹא יוּכְלוּ לְכַבּוֹת אֶת הָאַהֲבָה. וְכֹלָּא בִּרְחִימוּתָא קַיְּימָא, דְּהָא שְׁמָא קַדִּישָׁא הָכִי אִשְׁתְּכַח דְּהָא אוּקְמוּהָ, י' לָא מִתְפְּרַשׁ קוֹצָא דִּלְעֵילָּא מִן י' לְעָלְמִין. דְּהָא בִּרְחִימוּתָא שַׁרְיָא עָלֵיהּ, וְלָא מִתְפְּרַשׁ מִנֵּיהּ לְעָלְמִין. ה', הָא אוּקְמוּהָ, דְּיוּד לָא מִתְפְּרַשׁ מִנָּהּ, וְאִשְׁתְּכָחוּ כַּחֲדָא בַּחֲבִיבוּתָא, לָא אִתְפָּרְשָׁן דָּא מִן דָּא. כְּגַוְונָא דָּא ה' וְהָא אִתְּמַר, כְּמָה דִּכְתִּיב, וְנָהָר יוֹצֵא מֵעֵדֶן, יוֹצֵא תָּדִיר לְעָלְמִין, בַּחֲבִיבוּתָא אִתְדַּבְּקָן.

קמז. ו"ה כַּד אִתְדַּבְּקָן דָּא בְּדָא, אִתְדַּבְּקָן בַּחֲבִיבוּתָא כַּחֲדָא, חָתָן בְּכַלָּה, דְּאָרְחַיְיהוּ תָּדִיר בַּחֲבִיבוּתָא אִשְׁתְּכַח. י' בְּה', ה' עִם ו', ו' עִם ה'. וְדָא בְּדָא אִתְקְשַׁר בַּחֲבִיבוּתָא. וְכֹלָּא אַהֲבָה אִקְרֵי. וְע"ד מַאן דְּרָחִים לְמַלְכָּא, הָא אִתְקְשַׁר בְּהַהוּא אַהֲבָה. וּבְגִּ"כ, וְאָהַבְתָּ אֵת יְיָ' אֱלֹהֶיךָ.

קמח. וְהָיוּ הַדְּבָרִים הָאֵלֶּה וְגוֹ'. ר' יִצְחָק פָּתַח, כָּל עַצְמוֹתַי תֹּאמַרְנָה יְיָ' מִי כָמוֹךְ מַצִּיל עָנִי מֵחָזָק מִמֶּנּוּ וְעָנִי וְאֶבְיוֹן מִגּוֹזְלוֹ. הַאי קְרָא דָּוִד אֲמָרֵיהּ בְּרוּחָא דְּקוּדְשָׁא, כָּל עַצְמוֹתַי תֹּאמַרְנָה, וְכִי מַאן חָמָא, גַּרְמֵי דְּאָמְרוּ שִׁירָתָא. אֶלָּא הַאי קְרָא, בְּזִמְנָא דְּקוּדְשָׁא בְּרִיךְ הוּא זַמִּין לְאַחֲיָיא מֵתַיָּיא, וְזַמִּין קוּדְשָׁא בְּרִיךְ הוּא לְאַתְקְנָא גַּרְמֵי, וּלְקָרְבָא כָּל חַד וְחַד לְאַתְרַיְיהוּ, דִּכְתִּיב וַתִּקְרְבוּ עֲצָמוֹת עֶצֶם אֶל עַצְמוֹ. וּכְתִיב וְעַצְמוֹתֶיךָ יַחֲלִיץ. כְּדֵין זְמִינִין אִינּוּן לְמֵימַר שִׁירָתָא.

קמט. מַאי שִׁירָתָא אָמְרֵי. יְיָ' מִי כָמוֹךְ וַדַּאי שִׁירָתָא מֵעַלְּיָיא, מִמָּה דְּאָמְרוּ יִשְׂרָאֵל עַל יַמָּא, דְּהָא אִינּוּן לָא אַדְכָּרוּ שְׁמָא קַדִּישָׁא, אֶלָּא בָּתַר תְּלַת מִלִּין, דִּכְתִּיב מִי כָמוֹכָה בָּאֵלִים יְיָ'. וְהָכָא אִינּוּן מַקְדְּמֵי לִשְׁמָא קַדִּישָׁא, דִּכְתִּיב יְיָ' מִי כָמוֹךְ. מַצִּיל עָנִי מֵחָזָק מִמֶּנּוּ, דָּא יֵצֶר טוֹב, מִיֵּצֶר רָע. בְּגִין דְּיִצְה"ר תַּקִּיף הוּא כְּאַבְנָא. כְּמָה דִּכְתִּיב וַהֲסִירוֹתִי אֶת לֵב הָאֶבֶן. וְיִצ"ט הוּא בִּשְׂרָא, דִּכְתִּיב וְנָתַתִּי לָכֶם לֵב בָּשָׂר.

קנ. ת"ח, יֵצֶר הָרָע לְמָה הוּא דּוֹמֶה. בְּשַׁעֲתָא דְּאָתֵי לְאִזְדַּוְּוגָא בְּב"נ, הוּא כְּפַרְזְלָא, עַד דְּעָאלִין לֵיהּ בְּנוּרָא. בָּתַר דְּיִתְחַמָּם אִתְהַדָּר כֹּלָּא כְּנוּרָא.

קנא. רַבִּי חִיָּיא אָמַר, יֵצֶר הָרָע כַּד אָתֵי לְאִזְדַּוְּוגָא בֵּיהּ לְב"נ, דָּמֵי לְב"נ דְּקָרֵיב לְפִתְחָא, וְחָמֵי דְּלָא אִית מַאן דְּמָחֵי בִּידֵיהּ. עָאל לְבֵיתָא, וְאִתְעֲבֵיד לֵיהּ אוֹרֵחַ. וְחָמָא דְּלָא אִית מַאן דְּמָחֵי בִּידֵיהּ, וְיֵיזִיל לֵיהּ לְאָרְחֵיהּ. כֵּיוָן דְּעָיֵיל לְבֵיתָא, וְלָא אִית דְּיִמְחֵי בִּידֵיהּ, אִתְמַנָּא עָלֵיהּ וְאִתְעֲבֵיד מָארֵיהּ דְּבֵיתָא עַד דְּיִשְׁתְּכַח דְּכָל בֵּיתָא קָאִים בִּרְשׁוּתֵיהּ.

קנב. מַאן אוֹלִיפְנָא. מִפַּרְשָׁתָא דְּדָוִד אוֹלִיפְנָא. מַה כְּתִיב, וַיָּבֹא הֵלֶךְ לְאִישׁ הֶעָשִׁיר, הֵלֶךְ דְּקָרֵיב לְפִתְחָא, וְלָא בָּעֵי לְאִתְעַכְּבָא תַּמָּן, אֶלָּא לְמֵהַךְ לְאָרְחֵיהּ. כַּךְ הוּא יֵצֶר הָרָע, כְּמָה דְּמִקָּרֵב לְבֵיתָא, מִתְקָרֵב גַּבֵּי דְּב"נ, אִתְעַר עָלֵיהּ בְּחוֹבָא זְעֵיר, דָּא הוּא אוֹרֵחַ עֲרָאִי. וְחָמֵי דְּלֵית דְּמָחֵי בִּידֵיהּ, מַה כְּתִיב, לַעֲשׂוֹת לָאוֹרֵחַ הַבָּא אֵלָיו, אִתְעֲבֵיד לֵיהּ אוֹרֵחַ אַכְסְנָאי בְּבֵיתָא, אִתְעַר עָלֵיהּ בְּחוֹבוֹי יַתִּיר, יוֹמָא חַד, אוֹ תְּרֵין יוֹמִין, כְּהַאי

אורחן דשראן ליה בביתא, יומא וחדא, או ב' יומין, כיון דחמי דלית מאן דמחי בידיה, מה כתיב, ויעש לאיש הבא אליו, אתעביד מארי דביתא, כד"א האיש אדוני הארץ. איש נעמי. כך הוא יצר הרע, אתעביד לקבליה דב"נ איש, בעל הבית, הא אתקשר ב"נ בפולחניה, והוא עביד ביה רעותיה.

קנג. וע"ד בעי ב"נ לשואה מלין דאורייתא עליה תדיר, בגין דיהא ההוא יצה"ר תביר בהו, דלית ליה מקטרג ליצר הרע, בר מלי דאורייתא. וע"ד כתיב, והיו הדברים האלה וגו', על לבבך, על תרי יצריך, יצר הטוב אתעטר בהו, ויצר הרע אתכנע בהו. א"ר יהודה, יצר הטוב, מה בעי מלי דאורייתא. א"ל, יצר הטוב אתעטר בהו. ויצר הרע, כיון דחמי ב"נ לא תב, ולא בעי לאשתדלא באורייתא, כדין הוא סליק לעילא, ואוליף עליה חובה, הה"ד וכסילים מרים קלון.

קנד. כד אתא ר"ש, אמר, הא ודאי פרשתא דק"ש רמיזא ביה י' אמירן כמה דאוקמוה, והכי הוא ודאי. והיו הדברים האלה, כללא דעשר אמירן אינון. ובג"כ י' פקודין אית הכא, לקבל י' פקודין דאורייתא. ומאן אינון. ושננתם לבניך. ודברת בם. בשבתך בביתך. ובלכתך בדרך. ובשכבך. ובקומך. וקשרתם לאות על ידך. והיו לטוטפות בין עיניך. וכתבתם על מזוזות ביתך. ובשעריך. הא י', לקבל י' אמירן. וע"ד פרשיין אלין כלל רב אינון באורייתא, זכאה חולקיה, מאן דאשלים ליה בכל יומא תרי זימני, דהא אתקדש בפומיה שמא קדישא, כדקא יאות.

קנה. ר' אחא, הוה קאים עמיה דר' אלעזר, ליליא חד, בתר פלגות ליליא, והוו משתדלי באורייתא. פתח ר' אלעזר, ואמר, כי הוא חייך ואורך ימיך וגו'. ת"ח, על כל פקודין דגזר קודשא בריך הוא כד עאלו לארעא דישראל, גזרה דאורייתא הוה. מאי טעמא, בגין דשכינתא לא מתיישבא בארעא, אלא באורייתא. ולא מתיישבא לעילא, אלא באורייתא.

קנו. דהכי אמר אבא, תורה שבע"פ לא אשתמודע, אלא בגין תורה שבכתב. שכינתא לא מתיישבא לעילא אלא עם תורה דלתתא. דכל זמנא דאורייתא אשתכח עמיה, יכלא למיקם בעלמא. הה"ד, כי הוא חייך ואורך ימיך לשבת על האדמה. על האדמה סתם. ואי לאו דאפסיק מלי דאורייתא לא יכלא למיקם. דכתיב, על מה אבדה הארץ. וכתיב, ויאמר יי' על עזבם את תורתי.

קנז. עד דהוו יתבי, מאיך ר' שמעון רישיה, אמר ודאי הכי הוא ודא הוא רזא דאשכחנא בספרא דרב המנונא סבא, ואוקים קרא דא, ברזא דכנסת ישראל, דכתיב שארה כסותה ועונתה לא יגרע. ואי אתמנעו מנה, מה כתיב, ויצאה חנם אין כסף. כד"א, אי זה ספר כריתות אמכם אשר שלחתיה. וכתיב, חנם נמכרתם ולא בכסף תגאלו. ומאן דמנע אורייתא מנה, כמאן דנסב מארי דאתתא, ומנע ליה מנה, דא אשתארת כארמלתא, ולא ארמלתא. הה"ד, היתה כאלמנה, ולא אלמנה.

קנח. יתבו אתעסקו באורייתא, עד דנהיר יומא. בתר דנהיר יומא, קמו ואזלו. עד דהוו אזלו, חמו חד גבר דהוה אזיל בארחא, ורישיה עטיף, קריבו גביה, והוה רחיש בשפוותיה, ולא אתיב לון מדי. אמר רבי אלעזר, ודאי האי אמלך במאריה. יתיב רבי אלעזר ורבי אחא וצלו צלותא, וההוא גבר קאים בקיומיה באתר אחרא. בתר דסיימו צלותא, אזלו בארחא, וההוא גברא אשתמיט מנייהו. אמר רבי אלעזר, האי גברא, או טפשא הוא, או ארחוי לא מתישרן. אמר נתעסק באורייתא, דהא שעתא היא.

קנט. פָּתַח רַבִּי אֶלְעָזָר וְאָמַר, כָּבוֹד חֲכָמִים יִנְחָלוּ וּכְסִילִים מֵרִים קָלוֹן. כָּבוֹד חֲכָמִים יִנְחָלוּ, זַכָּאִין אִינּוּן דְּמִתְעַסְּקֵי בְּאוֹרַיְיתָא. עַד לָא פָּתַח מִלָּה, קָרִיב הַהוּא בַּר נָשׁ גַּבַּיְיהוּ. אָמַר ר' אֶלְעָזָר, לֵית לָן לְמִפְסַק מִלֵּי דְּאוֹרַיְיתָא, דְּכָל מַאן דְּאִשְׁתַּדַּל בְּאוֹרַיְיתָא, זָכֵי לְמֵירַת יְרוּתָא דְּאַחְסַנְתָּא דִּלְעֵילָּא, בִּיקָרָא דְּמַלְכָּא עִלָּאָה קַדִּישָׁא, וְזָכֵי לְמֵירַת יְרוּתָא דְּאַחְסַנְתָּא בְּהַאי עָלְמָא, וּמַאי אִיהוּ. הַהוּא דְּאִקְרֵי כְּבוֹד יְיָ, דְּלָא פָּסַק מִנַּיְיהוּ לְעָלְמָא. הה"ד, כָּבוֹד חֲכָמִים יִנְחָלוּ, הַהוּא דְּאִקְרֵי כְּבוֹד יְיָ.

קס. וּכְסִילִים מֵרִים קָלוֹן, מַאי הוּא. ת"ח, כַּד בַּר נָשׁ אָזִל בְּאָרַח מֵישָׁר קַמֵּי קוּדְשָׁא ב"ה, וְאִשְׁתַּדַּל בְּאוֹרַיְיתָא, הָא הַהוּא כְּבוֹד יְיָ יָרִית לְגַרְמֵיהּ, וְכַמָּה אַפּוֹטְרוֹפְּסִין סַנֵּיגוֹרִין אִשְׁתַּכְּחוּ לְעֵילָּא עָלֵיהּ דְּב"נ, וְכֻלְּהוּ אוֹלְפִין עָלֵיהּ זְכוּ, קָמֵי מַלְכָּא קַדִּישָׁא. וְאִי בַּר נָשׁ לָא אִשְׁתַּדַּל בְּאוֹרַיְיתָא, וְלָא אָזִל בְּאָרְחָא דְּמָארֵיהּ, הוּא עָבִיד קַטֵּיגוֹרָא עָלֵיהּ. וְהַהוּא קַטֵּיגוֹרָא שָׁאט בַּאֲוִירָא, וְלָא סָלִיק לְעֵילָּא, דִּלְמָא יְתוּב אָדָם מֵחוֹבוֹי. כֵּיוָן דְּחָמֵי דְּבַר נָשׁ לָא תָּב, וְלָא בָּעֵי לְאִשְׁתַּדְּלָא בְּאוֹרַיְיתָא, כְּדֵין הוּא סָלִיק לְעֵילָּא, וְאוֹלִיף עָלֵיהּ חוֹבָא. הה"ד, וּכְסִילִים מֵרִים קָלוֹן, וְסָלִיק לְעֵילָּא וְעָבֵד קַטְרוּגָא.

קסא. פָּתַח וְאָמַר, וְאִם מִשְׁפַּחַת מִצְרַיִם לֹא תַעֲלֶה וְלֹא בָאָה וְלֹא עֲלֵיהֶם תִּהְיֶה הַמַּגֵּפָה וְגוֹ'. מַאי שְׁנָא מִצְרַיִם הָכָא, מִכָּל שְׁאָר עַמִּין, דְּהָא לְכֻלְּהוּ כְּתִיב וְלֹא עֲלֵיהֶם יְהִי הַגָּשֶׁם, וְהָכָא לָא. אֶלָּא הָא אוֹקְמוּהָ חַבְרַיָּיא, דְּהָא אַרְעָא דְּמִצְרַיִם לָא אִצְטְרִיךְ לְמִטְרָא, וְעַ"ד לָאו הִיא בִּכְלָלָא דְּאִינּוּן דְּבָעָן מִטְרָא, אֲבָל אִינּוּן דִּינָא אַחֲרָא אִסְתַּלַּק עָלַיְיהוּ, וְשַׁפִּיר קָאַמְרוּ.

קסב. ת"ח, כְּתִיב כִּי הָאָרֶץ אֲשֶׁר אַתָּה בָא שָׁמָּה לְרִשְׁתָּהּ לֹא כְאֶרֶץ מִצְרַיִם הִוא אֲשֶׁר יְצָאתֶם מִשָּׁם וְגוֹ'. דְּהָא נַהֲרָא סָלִיק מִנֵּיהּ מִשְׁתַּקְיָיא אַרְעָא, אֲבָל הָכָא לִמְטַר הַשָּׁמַיִם תִּשְׁתֶּה מָּיִם, דְּהָא אַרְעָא קַדִּישָׁא מִן שְׁמַיָּא אִתְשַׁקְיָיא תָּדִיר. וְכַד יִשְׂרָאֵל הֲווּ עַסְקִין בְּאוֹרַיְיתָא, הֲוָה אִתְשַׁקְיָיא כִּדְקָא יָאוּת. וּמַאן דְּמָנַע אוֹרַיְיתָא מִנֵּהּ, כְּאִלּוּ מָנַע טָב מִן כָּל עָלְמָא. עָאלוּ לְגוֹ מְעַרְתָּא חֲדָא דַּהֲוָה בְּאָרְחָא, עָאל הַהוּא גַּבְרָא עִמְּהוֹן, יָתְבוּ.

קסג. פָּתַח הַהוּא גַּבְרָא וְאָמַר, וְדִבֶּר יְיָ אֶל מֹשֶׁה פָּנִים אֶל פָּנִים כַּאֲשֶׁר יְדַבֵּר וְגוֹ', הַאי קְרָא לָאו רֵישֵׁיהּ סֵיפֵיהּ וְלָאו סֵיפֵיהּ רֵישֵׁיהּ. וְלָא מִלָּה דָּא כְּמִלָּה דָּא, בְּקַדְמֵיתָא וְדִבֶּר ה' אֶל מֹשֶׁה פָּנִים אֶל פָּנִים שַׁפִּיר, לְבָתַר וְשָׁב אֶל הַמַּחֲנֶה, לְבָתַר וּמְשָׁרְתוֹ יְהוֹשֻׁעַ בִּן נוּן נַעַר, מַהוּ. א"ר אֶלְעָזָר וַדַּאי קוּדְשָׁא בְּרִיךְ הוּא אִתְרְעֵי בִּיקָרָא דִּילָן, דְּהַשְׁתָּא זִוּוּגָא דִּילָן בִּשְׁכִינְתָּא, וּשְׁכִינְתָּא לָא אִתְעֲדֵי מִנָּן. מַאן דְּפָתַח פִּתְחָא, לֵימָא מִלָּה.

קסד. פָּתַח וְאָמַר, וְדִבֶּר יְיָ אֶל מֹשֶׁה פָּנִים אֶל פָּנִים, בְּכַמָּה דַּרְגִּין עִלָּאִין וְיַקִּירִין, אִתְפְּרַשׁ מֹשֶׁה נְבִיאָה מְהֵימְנָא, עַל כָּל שְׁאָר נְבִיאֵי דְּעָלְמָא. דְּהָא כֻּלְּהוּ לְקִבְלֵיהּ, כְּקוֹף בִּפְנֵי בְּנֵי נָשָׁא. שְׁאָר נְבִיאֵי הֲווּ מִסְתַּכְּלֵי בְּאִסְפַּקְלַרְיָא דְּלָא נָהִיר, וְעִם כָּל דָּא לָא הֲווּ זַקְפָן אַנְפִּין לְעֵילָּא לְאִסְתַּכְּלָא, אֶלָּא כְּמָה דִּכְתִיב, וַאֲנִי הָיִיתִי נִרְדָּם עַל פָּנַי וּפָנַי אָרְצָה. וְלָא עוֹד אֶלָּא דְּמִלִּין לָא הֲווּ גַּבַּיְיהוּ בְּאִתְגַּלְיָיא.

קסה. וּמֹשֶׁה נְבִיאָה מְהֵימְנָא לָאו הָכִי, דְּהוּא הֲוָה מִסְתַּכֵּל בְּאִסְפַּקְלַרְיָא דְּנַהֲרָא, וְקָאִים בְּקִיּוּמֵיהּ. וְלָא עוֹד, אֶלָּא דַּהֲוָה זָקִיף רֵישָׁא לְאִסְתַּכְּלָא, כְּמַאן דְּאָמַר לְחַבְרֵיהּ, זְקוֹף רֵישָׁךְ, וְיִסְתַּכְּלוּן אַנְפָּךְ בְּאַנְפַּי, בְּגִין דְּתִנְדַּע מִלַּי. כָּךְ מֹשֶׁה, פָּנִים אֶל פָּנִים זָקִיף רֵישָׁא, בְּלָא דְּחִילוּ, אַנְפּוֹי זַקְפָן וּמִסְתַּכַּל בְּזִיו יְקָרָא עִלָּאָה, וְלָא אִשְׁתַּנֵּי דַּעְתּוֹי וְאַנְפּוֹי,

כִּשְׁאָר נְבִיאִין, דְּכַד הֲווּ נַבְאָן לְאִסְתַּכְּלָא, נָפְקָא מֵרְשׁוּתַיְיהוּ וּמִדַּעְתַּיְיהוּ, וְאִשְׁתַּנֵּי זִיו אַנְפַּיְיהוּ, וְלָא הֲווּ יַדְעֵי מֵהַאי עָלְמָא כְּלוּם.

קסו. וּמֹשֶׁה לָאו הָכִי, דְּמֹשֶׁה בְּהַהוּא דַּרְגָּא עִלָּאָה מַמָּשׁ הֲוָה מִסְתַּכַּל, וְלָא נָפַק מֵרְשׁוּתֵיהּ וּמִן דַּעְתֵּיהּ, דְּהָא בְּשַׁעֲתָא דַּהֲוָה מִסְתַּכַּל בְּזִיו יְקָרָא עִלָּאָה, מִיַּד וְשָׁב אֶל הַמַּחֲנֶה, לְמַלְּלָא עִמְּהוֹן בְּכָל מַה דְּאִצְטְרִיכָאן, וְדַעְתּוֹי מִתְיַשְּׁבָא בֵּיהּ כְּקַדְמֵיתָא, וְיַתִּיר. וְדָא הוּא וְשָׁב אֶל הַמַּחֲנֶה. וּמְשָׁרְתוֹ יְהוֹשֻׁעַ בִּן נוּן נַעַר, וַדַּאי דַּהֲוָה יָנִיק מִתּוֹךְ הָאֹהֶל, אוֹלִיף לְאִסְתַּכְּלָא בְּרוּחַ קוּדְשָׁא, כד"א וְהַנַּעַר שְׁמוּאֵל מְשָׁרֵת אֶת יְיָ'.

קסז. ת"ח, כָּל זִמְנָא דַּהֲוָה יְהוֹשֻׁעַ לְגַבֵּי דְּמֹשֶׁה, הֲוָה אוֹלִיף וְאָנִיק מִתּוֹךְ הָאוֹהֶל, וְלָא דָּחִיל. בָּתַר דְּאִתְפְּרַשׁ מִמֹּשֶׁה, וַהֲוָה בִּלְחוֹדוֹי, מַה כְּתִיב, וַיִּפּוֹל יְהוֹשֻׁעַ אֶל פָּנָיו אַרְצָה וַיִּשְׁתָּחוּ, דְּלָא הֲוָה יָכִיל לְאִסְתַּכָּלָא, וְהַאי מֵחַד שְׁלִיחָא, כ"ש מֵאֲתָר אָחֳרָא.

קסח. לְבַר נָשׁ, דְּאַפְקִיד מַלְכָּא גַּבֵּיהּ מָאנֵי דְּהַב וְאַבְנֵי יְקָר, כָּל זִמְנָא דְּמִשְׁתַּכַּח גַּבֵּיהּ, שַׁמָּשָׁא דְּבֵיתֵיהּ, אָחִיד בְּהוּ וְאִסְתַּכַּל בְּהוּ. כֵּיוָן דְּסָלִיק הַהוּא בַּר נָשׁ מֵעָלְמָא, לָא שָׁבִיק מַלְכָּא לְגַבֵּי שַׁמָּשָׁא כְּלוּם, וְאָחִיד פִּקְדוֹנָא דִּילֵיהּ. אָמַר הַהוּא שַׁמָּשָׁא, וַוי דְּאָבַדִית. בְּיוֹמוֹי דְּמָארִי, כָּל אִלֵּין הֲווּ בִּידִי.

קסט. כַּךְ יְהוֹשֻׁעַ, בְּיוֹמוֹי דְּמֹשֶׁה הֲוָה יָנִיק בְּכָל יוֹמָא מִתּוֹךְ הָאֹהֶל, וְלָא דָּחִיל. בָּתַר דִּשְׁכִיב, וַיִּפּוֹל יְהוֹשֻׁעַ אֶל פָּנָיו. וַאֲנָא בְּגִין דַּאֲנָא שְׁכִיחַ בְּגַוַּויְיכוּ, אֶסְתַּכַּל בְּמִלֵּי דְּאוֹרַיְיתָא, וְלָא אֱהֵא דָּחִיל. בָּתַר דְּאֶתְפְּרַשׁ מִנַּיְיכוּ, וְלָא אֵיכוּל לְאִסְתַּכְּלָא בִּלְחוֹדָאי.

קע. תּוּ פָּתַח וְאָמַר, וְשִׁנַּנְתָּם לְבָנֶיךָ וְדִבַּרְתָּ בָּם וְגוֹ'. כד"א וְחִצֶּיךָ שְׁנוּנִים. דְּבָעֵי ב"נ לְחַדְּדָא מִלֵּי דְּאוֹרַיְיתָא לִבְרֵיהּ, כְּחַרְבָּא דְּאִיהוּ שְׁנָנָא בִּתְרֵי סִטְרוֹי, בְּגִין דְּיֵיעוּל לֵיהּ חִדּוּדָא וְחֶדְוָה בְּאוֹרַיְיתָא, וְלָא יִשְׁתַּכַּח לִבֵּיהּ בְּטִפְּשׁוּתָא. וְדִבַּרְתָּ בָּם, כָּל מִלִּין דְּאוֹרַיְיתָא, כָּל חַד וְחַד אוֹרְחָא לֵיהּ בִּלְחוֹדוֹי. וְדִבַּרְתָּ בָּם, וְתִדַּבֵּר מִבָּעֵי לֵיהּ. אֶלָּא בָּעֵי ב"נ לְאַנְהָגָא גַּרְמֵיהּ בְּהוּ, וּלְאִתְנַהֲגָא גַּרְמֵיהּ, דְּלָא יִסְטֵי לִימִינָא וְלִשְׂמָאלָא.

קעא. בְּשִׁבְתְּךָ בְּבֵיתֶךָ, לְאַנְהָגָא גַּרְמֵיהּ בְּבֵיתֵיהּ בְּאֹרַח מֵישָׁר וּבְאֹרַח תִּקּוּנָא, דְּיִלְפוּן מִנֵּיהּ בְּנֵי בֵּיתֵיהּ לְאַנְהָגָא גַּרְמַיְיהוּ עִמְּהוֹן בְּנַחַת וּבְחֶדְוָה, וְלָא יָטִיל דְּחִילוּ בִּבְנֵי בֵּיתֵיהּ יַתִּיר, וְכָל עוֹבָדוֹי בְּבֵיתֵיהּ בְּאֹרַח תִּקּוּנָא. וּבְלֶכְתְּךָ בַדֶּרֶךְ, לְאַנְהָגָא בְּמִלֵּי דְּאוֹרַיְיתָא, וּלְתַקְּנָא גַּרְמֵיהּ בְּהוּ כְּמָה דְּאִצְטְרִיךְ, וּלְדַבְּרָא גַּרְמֵיהּ בְּאוֹרְחוֹי דְּאוֹרַיְיתָא. וּמַאי אִיהוּ. כְּמָה דְּיַעֲקֹב. לְדוֹרוֹן. לִקְרָבָא. לִצְלוֹתָא. וּצְלוֹתָא בָּעֵי לְצַלָּאָה לְמָארֵיהּ, וְעֵילָּא מִנַּהוֹן מִלֵּי דְּאוֹרַיְיתָא.

קעב. וּבְשָׁכְבְּךָ, לְדַבְּרָא גַּרְמֵיהּ בִּדְחִילוּ דְּמָארֵיהּ, בִּקְדוּשָּׁה, בַּעֲנָוָה דְּלָא יִשְׁתַּכַּח חָצִיף לְקַבְלֵיהּ דְּמָארֵיהּ. וּבְקוּמֶךָ, לְמֵיהַב תּוּשְׁבְּחָן לְמָארֵיהּ דְּאָתִיב נִשְׁמָתֵיהּ. דְּהָא בְּכַמָּה חִיּוּבִין אִשְׁתְּכַח קַמֵּי מָארֵיהּ, וְקוּדְשָׁא בְּרִיךְ הוּא עָבֵיד עִמֵּיהּ חֶסֶד, וְאָתִיב לָהּ לְגוּפֵיהּ. וּקְשַׁרְתָּם לְאוֹת עַל יָדְכָה. הָא אוֹקְמוּהָ, עַל יַד כֵּהָה, וְדָא הוּא שְׂמָאלָא. וּבְסִפְרָא דְּאַגַּדְתָּא אָמַר, עַל יַד כ"ה. כד"א כֹּ"ה יִהְיֶה זַרְעֶךָ.

קעג. וְחַבְרַיָּיא יַתְבֵי דָּרוֹמָא אוֹקְמוּהָ בְּרָזָא דִּלְהוֹן, אַרְבַּע בָּתֵּי דִּתְפִלִּין כְּהַאי גַּוְונָא. קַדֶּשׁ לִי כָל בְּכוֹר סְתָם, לְקַבֵּל כִּתְרָא עִלָּאָה דְּכֹלָּא. וְהָיָה כִּי יְבִיאֲךָ, לְקָבֵל חָכְמָה. שְׁמַע יִשְׂרָאֵל וְאָהַבְתָּ, לְקָבֵל בִּינָה. וְהָיָה לְקָבֵל חֶסֶד. לְבָתַר כְּלִילָן כֻּלְּהוּ בִּדְרוֹעָא שְׂמָאלָא, דְּאִקְרֵי עֹז. וּכְתִיב, וּבִזְרוֹעַ עֻזּוֹ. וְאֵין עֹז, אֶלָּא תּוֹרָה, וְאֵין עֹז, אֶלָּא תְּפִלִּין.

קעד. וּמִלִּין לָא מִתְיַשְּׁבָן לְגַבָּן. מ"ט. בְּגִין דְּכִתְרָא עִלָּאָה הוּא כָּלִיל כֹּלָּא, דְּלָאו הוּא בְּחוּשְׁבְּנָא. וְעוֹד, וְהָיָה כִּי יְבִיאֲךָ בִּיצִיאַת מִצְרַיִם תַּלְיָיא, הַהוּא אֲתָר דְּאִשְׁתְּכַח

בֵּיהּ וְזִירוּ לְעַבְדִין, וְעַל דָּא לָא מִתְתַּקְּנָן בְּאָרְחַיְיהוּ. וַאֲנָן מְזַכְּמָה שַׁרְיָין, וְהָכִי הוּא וְקוּדְשָׁא בְּרִיךְ הוּא נָטִיל לוֹן, אַרְבַּע לְעֵילָּא, אַרְבַּע לְתַתָּא, אַרְבַּע בַּאֲתַר דְּמוֹחָא. אַרְבַּע בַּאֲתַר דְּלִבָּא שַׁרְיָיא. בְּגִין דְּדָא בְּדָא אִתְקְשַׁר.

קעה. וּבָעֵי ב"נ לְאִתְעַטְּרָא בְּהוּ, בְּגִין דְּאִיהוּ שְׁמָא קַדִּישָׁא עִלָּאָה. דִּכְתִּיב, וְרָאוּ כָּל עַמֵּי הָאָרֶץ כִּי שֵׁם יְיָ' וְגוֹ'. וְכָל מַאן דְּמִתְעַטַּר בְּעִטְרָא קַדִּישָׁא עִלָּאָה דָּא, אִקְרֵי מֶלֶךְ בְּאַרְעָא. וְקוּדְשָׁא בְּרִיךְ הוּא מֶלֶךְ בִּרְקִיעַ. הה"ד מֶלֶךְ אָסוּר בָּרְהָטִים. כְּמָה דְּקוּדְשָׁא בְּרִיךְ הוּא מֶלֶךְ לְעֵילָּא, הָכִי נָמֵי הוּא מֶלֶךְ לְתַתָּא. וּכְתַבְתָּם עַל מְזוּזוֹת בֵּיתֶךָ, בְּגִין דִּיהֱוֵי בַּר נָשׁ שְׁלִים בְּכֹלָּא, וְיִשְׁתְּכַח שְׁלִים בְּפִקּוּדֵי דְּמָארֵיהּ, רָשִׁים לְעֵילָּא, רָשִׁים לְתַתָּא, זַכָּאָה חוּלָקֵהוֹן דְּיִשְׂרָאֵל.

קעו. פָּתַח ר' אֶלְעָזָר וְאָמַר, תְּרֵי קְרָאֵי אַשְׁכַּחְנָא, דְּאע"ג דְּכֹלָּא בְּחַד דַּרְגָּא תַּלְיָין, לָאו אִינּוּן מִדַּרְגָּא חַד. חַד קְרָא כְּתִיב, כֹּה אָמַר יְיָ' צְבָאוֹת. וְחַד קְרָא כְּתִיב, כֹּה אָמַר יְיָ' אֱלֹהִים. מַה בֵּין הַאי לְהַאי. אֶלָּא בִּזְמְנָא דִּכְתִיב כֹּה אָמַר יְיָ' צְבָאוֹת, כְּדֵין מִלָּה אַתְיָא בְּרַחֲמֵי. וּבִזְמְנָא דִּכְתִיב כֹּה אָמַר יְיָ' אֱלֹהִים, כְּדֵין מִלָּה אַתְיָא בְּדִינָא.

קעז. כֹּה אָמַר יְיָ' צְבָאוֹת, בְּגִין דְּהַאי כֹּה, אִתְבָּרְכָא מִצַּדִּיק וּמִנֶּצַח וְהוֹד, דְּאִקְרֵי יְיָ' צְבָאוֹת. וּכְדֵין, מִלָּה בְּאִתְבַּסְּמוּתָא אַתְיָיא, דְּהָא מֵאֲתַר דָּא קָא אַתְיָא. כֹּה אָמַר יְיָ' אֱלֹהִים, כְּדֵין הַאי כֹּה יַנְקָא מִסִּטְרָא דְּדִינָא, מֵאֲתַר דִּגְבוּרָה עִלָּאָה, וְאוֹלִיפְנָא מֵאַבָּא, דְּדִינָא הוּא בְּרַחֲמֵי, בְּגִין דִּכְתִיב יְיָ' אֱלֹהִים.

קעח. דְּהָא אֱלֹהִים גְּבוּרָה הוּא בְּכָל אֲתַר, אֲדֹנָי, גְּבוּרָה תַּתָּאָה הִיא בְּכָל אֲתַר. וְעַל דָּא אִשְׁתְּמוֹדְעָן מִלֵּי מִפּוּמָא דִּנְבִיאָה, וְהוּא הֲוָה מִתְכַּוֵּין לְמֵימַר מִלָּה מֵאַתְרֵיהּ. וּכְדֵין הֲווּ יַדְעֵי אִלֵּין בְּנֵי מְהֵימְנוּתָא, מֵאָן אֲתַר תַּלְיָיא מִלְּתָא.

קעט. פָּתַח רַבִּי אַחָא וְאָמַר אוֹרוּ מֵרוֹז אָמַר מַלְאַךְ יְיָ' וְגוֹ'. ת"ח, הַאי קְרָא רָזָא הוּא בְּרָזִין עִלָּאִין. בְּשַׁעֲתָא דְּמַלְכָּא קַדִּישָׁא מָסַר בֵּיתֵיהּ בִּידָא דְּמַטְרוֹנִיתָא כָּל זַיְינִין וְרוּמְחִין וּבַלִּיסְטְרָאוֹת דִּילֵיהּ אַפְקִיד בִּידָהָא, וְכָל אִינּוּן מַגִּיחֵי קְרָבָא דִּילֵיהּ אַפְקִיד עִמָּהּ. הה"ד, הִנֵּה מִטָּתוֹ שֶׁלִּשְׁלֹמֹה שִׁשִּׁים גִּבּוֹרִים סָבִיב לָהּ מִגִּבּוֹרֵי יִשְׂרָאֵל, וְהָא אוֹקְמוּהָ, וְכַד אֲגַח קוּדְשָׁא בְּרִיךְ הוּא קְרָבָא, בְּאִינּוּן גִּבּוֹרִין מַגִּיחֵי קְרָבָא דְּקָאָמְרָן אֲגַח, וְאִינּוּן אִקְרוּן מְלוּמְדֵי מִלְחָמָה.

קפ. כְּתִיב מִן שָׁמַיִם נִלְחָמוּ הַכּוֹכָבִים מִמְּסִלּוֹתָם נִלְחֲמוּ עִם סִיסְרָא וְגוֹ'. וְתָנֵן, בְּהַאי שַׁעֲתָא דְּאִתְנְדִיבוּ יִשְׂרָאֵל לְגַלָּאָה רְשִׁימָא קַדִּישָׁא בִּבְשָׂרֵהוֹן, כְּדֵין הַאי חֶרֶב נוֹקֶמֶת נְקַם בְּרִית, כָּנַשׁ כָּל חֵילָא דִּילֵיהּ, וְכָל זַיְינִין, וְכָל אִינּוּן מַגִּיחֵי קְרָבָא, לְאַגָּחָא קְרָבָא עִמֵּיהּ דְּסִיסְרָא. וְכוֹכְבַיָּיא הֲווּ אוֹשְׁדִין נוּרָא מִלְּעֵילָּא. וְאָמַר רַבִּי שִׁמְעוֹן, כָּל כּוֹכָב וְכוֹכָב אִית לֵיהּ שְׁמָא בִּלְחוֹדוֹי, וְכֻלְּהוּ בִּשְׁמָהָן אִקְרוּן.

קפא. אָמַר לוֹן קוּדְשָׁא בְּרִיךְ הוּא, אִתְעַתְּדוּ לְנַקְמָא נוּקְמָא דִּבְנַי. תְּרֵי נוּקְמֵי אֲנָא זַמִּין לְאִתְפָּרְעָא מִנַּיְיהוּ, חַד נוּקְמָא דְּשִׁית מְאָה רְתִיכִין דְּאוֹזִיף לֵיהּ לְרַבְרְבָא דְּמִצְרָאֵי, בְּגִין לְאַגָּחָא קְרָבָא בְּהוּ בְּיִשְׂרָאֵל, דִּכְתִיב וַיִּקַּח שֵׁשׁ מֵאוֹת רֶכֶב בָּחוּר וְכֹל רֶכֶב מִצְרָיִם. וְחַד נוּקְמָא דִּבְנַי, דְּעָאקוּ לְהוּ עַד הַשְׁתָּא. וּבְגִין כַּךְ אִתְדָּנוּ בִּתְרֵין דִּינִין, חַד בְּמַיָּיא, וְחַד בְּאֶשָּׁא. בְּמַיָּיא, דִּכְתִיב נַחַל קִישׁוֹן גְּרָפָם. בְּאֶשָּׁא, דִּכְתִיב הַכּוֹכָבִים מִמְּסִלּוֹתָם.

קפב. וּבְאִינּוּן כֹּכְבַיָּיא, אִית כֹּכְבָא חַד דְּלָא אָתָא לְהַהוּא נוּקְמָא, וְאִתְלַטְיָיא לְעָלְמִין, דְּכַד שָׁארֵי לְאַנְהָרָא, אַתְאָן שְׁאַר כֹּכְבַיָּיא וּבַלְעִין לֵיהּ, וּלְכָל סִיעֲתָא דִּילֵיהּ,

וְאִתְאֲבִידוּ כֻּלְּהוּ כַּחֲדָא. כד״א, אוֹרוּ מֵרוֹז אָמַר מַלְאַךְ יְיָ׳. וְכִי רְשׁוּת אִית לְמַלְאָכָא בְּהַאי. אֶלָּא דָּא הוּא מַלְאָךְ, דִּכְתִּיב בֵּיהּ וַיִּסַּע מַלְאַךְ הָאֱלֹהִים הַהוֹלֵךְ לִפְנֵי מַחֲנֵה יִשְׂרָאֵל. וְדָא הוּא דְּכָל קְרָבִין דִּילֵיהּ אִינּוּן.

קפג. כִּי לֹא בָאוּ לְעֶזְרַת יְיָ׳, כַּד נַפְקוּ יִשְׂרָאֵל מִמִּצְרַיִם. לְעֶזְרַת יְיָ׳ בַּגִּבּוֹרִים, בְּאִינּוּן שִׁשִּׁים גִּבּוֹרִים כַּד אִזְדַּמְּנוּ קְרָבָא עִם סִיסְרָא. וְדָא מַלְאָךְ, רָזָא דְּכָל דִּינִין וְכָל קְרָבִין דְּמַלְכָּא בִּרְשׁוּתֵיהּ. וְעַל דָּא אָמַר, מַלְאַךְ יְיָ׳. וְדָא הוּא דִּכְתִּיב, הַמַּלְאָךְ הַגּוֹאֵל אוֹתִי וְגוֹ׳, וְהָא אוֹקְמוּהָ חַבְרַיָּא. וְדָא זְמִינָא לְמֶהֱוֵי עִלָּאָה וְיַקִּירָא לְזִמְנָא דְּאָתֵי. וּבְדָא יִתְרַבֵּי שְׁמָא קַדִּישָׁא. וּבְדָא זַמִּין קוּדְשָׁא בְּרִיךְ הוּא לְאִתְפָּרְעָא מֵעַמִּין עכו״ם. וְעַל דָּא כְּתִיב, וְהִתְגַּדִּלְתִּי וְהִתְקַדִּשְׁתִּי וְגוֹ׳. אַזְלוּ, עַד דְּמָטוּ לְגַבֵּיהּ דר״ש, כֵּיוָן דְּחָמָא לוֹן, אָמַר ר״ש הָא שְׁכִינְתָּא הָכָא, וַדַּאי צְרִיכִין אֲנָן לְמֶחֱזֵק טִיבוּ לְאַנְפֵּי שְׁכִינְתָּא.

קפד. פָּתַח וְאָמַר הֵן עוֹד הַיּוֹם גָּדוֹל וְגוֹ׳. הַאי קְרָא אוֹקְמוּהָ, דְּכַד יִשְׂרָאֵל יִתְעָרוּן תְּשׁוּבָה לְקָמֵי קוּדְשָׁא בְּרִיךְ הוּא, בִּזְכוּ אוֹרַיְיתָא יְתוּבוּן לְאַרְעָא קַדִּישָׁא, וְיִתְכַּנְּשׁוּן מִן גָּלוּתָא. דְּהָא וַדַּאי יוֹמָא חַד יְהֵא גָּלוּתָא לְיִשְׂרָאֵל, וְלָא יַתִּיר. הה״ד, נְתָנַנִי שׁוֹמֵמָה כָּל הַיּוֹם דָּוָה. וְאִי לָא יְתוּבוּן, קוּדְשָׁא בְּרִיךְ הוּא אָמַר, הֵן עוֹד הַיּוֹם גָּדוֹל לֹא עֵת הֵאָסֵף הַמִּקְנֶה בְּלָא זְכוּ וּבְלָא עוֹבָדִין דְּכַשְׁרָן. אֲבָל אַסְוָתָא חַד לְכוּ, הַשְׁקוּ הַצֹּאן, אִשְׁתַּדְּלוּ בְּאוֹרַיְיתָא, דְּאִתְשַׁקְיָיו מֵימֵי אוֹרַיְיתָא, וּלְכוּ רְעוּ, לַאֲתַר דְּנַיְיחָא לַאֲתַר טָבָא וְכִסּוּפָא דְּאַחֲסַנְתֵּיכוֹן.

קפה. ד״א הֵן עוֹד הַיּוֹם גָּדוֹל, דָּא הוּא יוֹם דְּאִקְרֵי יוֹם מְהוּמָה וּמְבוּסָה וּמְבוּכָה, דִּי בְּהַהוּא יוֹם אִתְחָרִיב בֵּי מַקְדְּשָׁא, וְנָפְלוּ יִשְׂרָאֵל בְּגָלוּתָא. וּבְגִין עוֹבָדִין בִּישִׁין, הַהוּא יוֹמָא אִתְמְשַׁךְ וְאִתְרְבֵי, הה״ד הֵן עוֹד הַיּוֹם גָּדוֹל לֹא עֵת הֵאָסֵף הַמִּקְנֶה, בְּגִין דְּאִינּוּן מַשְׁכִין לֵיהּ לְהַהוּא יוֹמָא. הַשְׁקוּ הַצֹּאן, כְּמָה דְּאִתְּמַר בְּמִלֵּי דְּאוֹרַיְיתָא, דְּהָא בִּזְכוּתָא דְּאוֹרַיְיתָא יִפְקוּן יִשְׂרָאֵל מִן גָּלוּתָא.

קפו. יִשְׂרָאֵל מַאי קָא אַמְרֵי. וַיֹּאמְרוּ לֹא נוּכַל עַד אֲשֶׁר יֵאָסְפוּ כָּל הָעֲדָרִים, עַד דְּיִתְכַּנְּשׁוּ כָּל שְׁאָר יוֹמִין עִלָּאִין, וְגָלְלוּ אֶת הָאֶבֶן, וְיִגַּנְדְּרוּן לְהַהוּא דִּינָא קַשְׁיָא דְּהַהוּא יוֹמָא דְּשַׁלְטָא עַל פִּי הַבְּאֵר, וְאִשְׁתְּכַחַת הַהִיא בא״ר בְּגָלוּתָא עִמָּנָא. וְכַד אִתְגַּלְיָיא הַאי בא״ר, וְהַהוּא אֶבֶן לָא שַׁלְטָא עָלָהּ, מִיַּד וְהִשְׁקִינוּ הַצֹּאן.

קפז. וְזַמִּין קוּדְשָׁא בְּרִיךְ הוּא בְּסוֹף יוֹמַיָּא, לְאַהְדְּרָא לְיִשְׂרָאֵל לְאַרְעָא קַדִּישָׁא, וּלְאַכְנְשָׁא לוֹן מִגָּלוּתָא. וּמַאן אִינּוּן סוֹף יוֹמַיָּא הַהוּא דְּהִיא אַחֲרִית הַיָּמִים. בְּהַאי אַחֲרִית הַיָּמִים, יִשְׂרָאֵל סַבְלוּ גָּלוּתָא. הה״ד, בַּצַּר לְךָ וּמְצָאוּךָ כֹּל הַדְּבָרִים הָאֵלֶּה בְּאַחֲרִית הַיָּמִים, וּכְתִיב וְקָרָאת אֶתְכֶם הָרָעָה בְּאַחֲרִית הַיָּמִים. בְּאַחֲרִית הַיָּמִים דַּיְיקָא, וְדָא הִיא כְּנֶסֶת יִשְׂרָאֵל בְּגָלוּתָא. וְעִם אַחֲרִית הַיָּמִים דָּא, קַבִּילוּ עוֹנְשָׁא בְּגָלוּתָא. וּבְדָא יַעְבִּיד קוּדְשָׁא בְּרִיךְ הוּא נוּקְמִין לְיִשְׂרָאֵל תְּדִירָא, הה״ד אֲשֶׁר יַעֲשֶׂה הָעָם הַזֶּה לְעַמְּךָ בְּאַחֲרִית הַיָּמִים. וּבְכָל אֲתַר דָּא הִיא, וְקוּדְשָׁא בְּרִיךְ הוּא זַמִּין לְאָתָבָא לָהּ לְאַתְרָהָא, הה״ד וְהָיָה בְּאַחֲרִית הַיָּמִים נָכוֹן יִהְיֶה הַר בֵּית יְיָ׳ וְגוֹ׳ וְדָא הוּא יוֹם.

קפח. וּמִדְּשָׁארֵי צֵל לְמֶעְבַּד בְּשֵׁירוּתָא דְּיוֹמָא אַחֲרָא, כְּמָה בְּזִמְנָא דְּאִתְחֲרִיב מַקְדְּשָׁא הֲוָה, וְנָטָה צֵל לְמֵיעַל, הה״ד, אוֹי לָנוּ כִּי פָנָה הַיּוֹם כִּי יִנָּטוּ צִלְלֵי עָרֶב. יוֹם וְצֵל, הוּא סוֹף גָּלוּתָא. וְשִׁיעוּרָא דְּהַאי צֵל, שִׁית קְמָצִין וּפַלְגָּא. וּבְגוּדָל דְּמִשְׁחָא דְּבַר נָשׁ, גְּבַר בֵּין גּוּבְרִין. וְדוּכְרָנָא דְּהַאי רָזָא דְּבֵין חַבְרַיָּיא, דִּכְתִּיב כִּי תְמוֹל אֲנַחְנוּ וְלֹא נֵדָע כִּי צֵל יָמֵינוּ עֲלֵי אָרֶץ. כִּי תְמוֹל אֲנַחְנוּ בְּגָלוּתָא, וְלָא הֲוֵינָא יָדְעֵי כִּי צֵל יָמֵינוּ עֲלֵי אָרֶץ, לְאַשְׁרָאָה לוֹן קוּדְשָׁא בְּרִיךְ הוּא עֲלֵי אָרֶץ.

קפט. זַכָּאָה חוּלָקֵיהּ, מַאן דְּחָמֵי לֵיהּ, וְזַכָּאָה חוּלָקֵיהּ מַאן דְּלָא חָמֵי לֵיהּ. וַוי לְמַאן דְּיִזְדַּמַּן כַּד יִתְבַּע אַרְיָא רַבְרְבָא, לְאִתְחַבְּרָא לְנוּקְבֵיהּ. כָּל שֶׁכֵּן בְּשַׁעֲתָא דְּיִזְדַּוְּוגָן כַּחֲדָא, עַל הַהִיא שַׁעֲתָא כְּתִיב, אַרְיֵה שָׁאָג מִי לֹא יִירָא וְגוֹ'.

קצ. ת"ח, בְּקַדְמֵיתָא כְּתִיב, שָׁאֹג יִשְׁאַג עַל נָוֵהוּ. וּבְהַהוּא זִמְנָא כַּד יִפּוֹק לְקַבְּלָא לְבַת זוּגוֹ, כְּדֵין אַרְיֵה שָׁאָג מִי לֹא יִירָא יְיָ' אֱלֹהִים דִּבֶּר מִי לֹא יִנָּבֵא. בְּהַהִיא שַׁעֲתָא כְּתִיב, וְשָׁב יְיָ' אֱלֹהֶיךָ אֶת שְׁבוּתְךָ וְגוֹ', וְשָׁב מַאי הוּא. אֶלָּא קוּדְשָׁא בְּרִיךְ הוּא שָׁב כְּנֶסֶת יִשְׂרָאֵל מִגָּלוּתָא, וְשָׁב צַדִּיק לְאִזְדַּוְּוגָא בְּאַתְרֵיהּ. כְּדֵין כְּתִיב, אַךְ צַדִּיקִים יוֹדוּ לִשְׁמֶךָ יֵשְׁבוּ יְשָׁרִים אֶת פָּנֶיךָ.

קצא. מַתְנִיתִין, לְכוֹן בְּנֵי נָשָׁא, מָארֵי דְּחָכְמְתָא, מָארֵי דְּסָכְלְתָנוּ, קָלָא קָרֵי. מַאן מִנְּכוֹן דְּאִתְחַכָּם, וְיָדַע, בְּשַׁעֲתָא דְּרֵישָׁא חִוָּורָא, אַתְקִין רֵישָׁא, רְשִׁימָא מֵעֵילָּא לְתַתָּא, וּמִתַּתָּא לְעֵילָּא. אַתְקִין סְטַר צָפוֹן, בְּעִטּוּרָא דְּקוּנָארִיתָא, בֵּיהּ רָשִׁים עוּמְקָא דִּתְהוֹמָא עִלָּאָה, דְּסָלִיק וְנָחִית בְּגַוֵּיהּ. נָחִית וְחַד דַּרְגָּא טְמִירָא, בְּאֶלֶף וַחֲמֵשׁ מְאָה רְשִׁימִין, דְּאֶלֶף וַחֲמֵשׁ מְאָה עָלְמִין.

קצב. תְּחוֹתֵיהּ תַּטְלַל וְחַד חֵיוַת בָּרָא, וְקַרְנַיִן עֲשַׂר לָהּ. וְאָרוּ עַיְינִין כְּעַיְינֵי אֱנָשָׁא לְחֵיוָתָא, וּפוּם מְמַלֵּל רַבְרְבָן. כַּד סַלְקָא, אַזְלָא בִּימָמָא, טְמִירָא בְּלֵילְיָא. כַּד נַחְתָּא, טְמִירָא בִּימָמָא, וְאַזְלָא בְּלֵילְיָא. כַּד נַטְלָא, מִזְדַּעְזְעָן אַרְבַּע מַגְרוֹפֵי דְּאַחִידָן בִּידָהָא. וְנַטְלִין עִמָּהּ שִׁתִּין פּוּלְסִין דְּנוּרָא, כָּל חַד וְחַרְבָּא שְׁנָנָא עַל יְרֵיכֵיהּ.

קצג. סָלִיק בִּרְעוּתָא, לְאַפָּקָא בַּר נָשׁ שַׁלִּיטָא לְתַתָּא. אַתְקִין בְּהַאי חֵיוָתָא חַד, עַפְרָא דְּקִיקָא, כָּלִיל מִכֹּלָּא. נָשַׁב בֵּיהּ, אִתְפַּשַּׁט בְּד' סִטְרֵי עָלְמָא. וְד' פּוּלְסִין אִתְגַּלְגְּלוּ, חַד לְעֵילָּא, וְחַד לְתַתָּא, וְחַד לְצָפוֹן, וְחַד לְדָרוֹם.

קצד. אִילָנָא וְחַד רַבְרְבָא וְתַקִּיף, אִתְחַבַּר וְאִזְדַּוַּוג בָּהּ בְּחַד עַנְפָּא שַׁפִּירָא, דְּחֵזוּ וְחֶדְוָותָא דְּכֹלָּא. כד"א, יְפֵה נוֹף מְשׂוֹשׂ כָּל הָאָרֶץ. בֵּיהּ אִזְדַּוַּוג, אַפִּיקוּ וְחַד רוּחָא טְמִירָא, וּמַלְיָא לְהַהוּא גְּבִילוּ דְּעַפְרָא, וְקָאִים עַל רַגְלוֹי, וְאַמְלְכֵיהּ עַל כָּל עָלְמָא, וְשַׁלְטֵיהּ עַל כֹּלָּא. הה"ד, תַּמְשִׁילֵהוּ בְּמַעֲשֵׂי יָדֶיךָ וְגוֹ'. אִתְפְּקִיד עַל הַהוּא אִילָנָא, לָא נָטַר פְּקוּדָא, אָתִיב מַלְכָּא רוּחֵיהּ לְגַבֵּיהּ, וְהַהוּא חֵיוָתָא נַטְלָא לֵיהּ.

קצה. כְּדֵין זְמִינִין מָנָא אַחֲרָא, וְקָאִים בֵּינַיְיהוּ. בְּקוּטְרָא דִּגְלִיפִין בֵּין מַלְאָכִין קַדִּישִׁין, בְּטַפְסָא דְּעִטּוּרִין אִתְאַחֲדָן.

קצו. דָּרִין בַּתְרָאִין, תְּפִיסִין בְּחוֹבַיְיהוּ. אִשְׁתְּלִיף רוּחֵיהוֹן מֵהַהוּא מָאנָא דִּלְבוּשָׁא, לְבָתַר אַגְנִיז בְּעַפְרָא, בֵּין רִגְבֵי נַחְלָא. אִתְטְמָרוּ וְאִתְגְּנִיזוּ בְּחַד גַּרְמָא תַּקִּיף, דְּהַהוּא מָאנָא, יִתְבְּנוּן בְּקַדְמֵיתָא, וִיקוּמוּן חֵילִין תִּנְיָינוּת, בְּאַרְעָא קַדִּישָׁא מִתְעָרִין.

קצז. וְזַמִּין קוּדְשָׁא בְּרִיךְ הוּא, לְמִגְבַּל הַהוּא עַפְרָא קַדְמֵיתָא, דְּהַהוּא מָאנָא מַמָּשׁ. וּלְאַעֲלָא בֵּיהּ גְּבִילוּ דְּקִיק כְּהַאי חֲמִירָא דְּעִיסָה. וּמֵהַהוּא גְּבִילוּ דְּאִיהוּ צָחוּתָא דִּלְעֵילָּא, יִתְתַּקַּן וְיִתְיַשַּׁר מָאנָא דִּכְשָׁרָא. כְּגַוְונָא דְּאָמַר קְרָא, וּמַעְיָן מִבֵּית יְיָ' יֵצֵא וְהִשְׁקָה אֶת נַחַל הַשִּׁטִּים. בְּגִין דְּהַהוּא נַחַל אַסְגֵּי חֲבִיבוּתָא בְּעָלְמָא. וְכַד הַהוּא מַעְיָינָא קַדִּישָׁא, יִפּוֹק וְיֵיעוּל לְגַבֵּיהּ, כְּדֵין יִתְתַּקַּן וְיִתְיַשַּׁר, וְלָא יְהֵא בְּסוּרְחָנֵיהּ כְּקַדְמֵיתָא.

קצח. וְאִינּוּן דְּלָא זָכָאן, יְקוּמוּן לְאִתְדָּנָא בְּדִינָא דְּמַלְכָּא עִלָּאָה. הה"ד וְרַבִּים מִיְּשֵׁנֵי אַדְמַת עָפָר יָקִיצוּ אֵלֶּה לְחַיֵּי עוֹלָם וְאֵלֶּה לַחֲרָפוֹת וּלְדִרְאוֹן עוֹלָם. וּכְדֵין כְּתִיב, כִּי כַאֲשֶׁר הַשָּׁמַיִם הַחֲדָשִׁים וְהָאָרֶץ הַחֲדָשָׁה אֲשֶׁר אֲנִי עוֹשֶׂה עוֹמְדִים לְפָנַי נְאֻם יְיָ' כֵּן יַעֲמוֹד זַרְעֲכֶם וְשִׁמְכֶם.

בָּרוּךְ יְיָ' לְעוֹלָם אָמֵן וְאָמֵן. יִמְלוֹךְ יְיָ' לְעוֹלָם אָמֵן וְאָמֵן

EKEV

עֵקֶב

רעַיָא מְהֵימְנָא

א. וְהָיָה עֵקֶב תִּשְׁמְעוּן אֵת הַמִּשְׁפָּטִים הָאֵלֶּה וְגוֹ', וְאָכַלְתָּ וְשָׂבָעְתָּ וּבֵרַכְתָּ אֶת יְיָ' אֱלֹהֶיךָ וְגוֹ'. פִּקּוּדָא דָּא לְבָרְכָא לֵיהּ לְקוּדְשָׁא בְּרִיךְ הוּא, עַל כָּל מַה דְּאָכִיל וְשָׁתֵי, וְאִתְהֲנֵי בְּהַאי עָלְמָא. וְאִי לָא בָּרִיךְ, אִקְרֵי גַּזְלָן לְגַבֵּי קוּדְשָׁא בְּרִיךְ הוּא. דִּכְתִּיב גּוֹזֵל אָבִיו וְאִמּוֹ. וְהָא אוּקְמוּהָ חַבְרַיָּיא. בְּגִין דְּבִרְכָאן דְּבָרִיךְ ב"נ לְקוּדְשָׁא בְּרִיךְ הוּא, אָתֵי לְאַמְשָׁכָא חַיִּין מִמְּקוֹרָא דְּחַיֵּי, לִשְׁמֵיהּ דְּקוּדְשָׁא בְּרִיךְ הוּא קַדִּישָׁא, וּלְאַרְקָא עָלֵיהּ מֵהַהוּא מִשְׁחָא עִלָּאָה, וְאָתֵי לְאִתְמַשְׁכָא מִתַּמָּן לְכָל עָלְמָא.

ב. וּכְתִיב וְאָכַלְתָּ וְשָׂבָעְתָּ וּבֵרַכְתָּ אֶת יְיָ' אֱלֹהֶיךָ וְאִינּוּן בִּרְכָאן, אָרִיךְ ב"נ בְּאִינּוּן מִלִּין מֵהַהוּא מְקוֹרָא עִלָּאָה, וְאִתְבָּרְכָאן כָּל אִינּוּן דַּרְגִּין וּמְקוֹרִין, וְאִתְמַלְיָין לְאַרְקָא עַל כָּל עָלְמִין. וְאִתְבָּרְכָאן כֻּלְּהוּ כַּחֲדָא.

ג. וְעַ"ד אִצְטְרִיךְ ב"נ, לְשַׁוָּאָה רְעוּתֵיהּ בְּרָזָא דְּבִרְכָאן, בְּגִין דְּיִתְבָּרְכוּן אֲבָהָן וּבְנִין, כֹּלָּא כַּחֲדָא. וּמַאן דִּמְבָרֵךְ לְקוּדְשָׁא בְּרִיךְ הוּא, אִתְבָּרַךְ, וְנָטִיל חוּלָקֵיהּ מֵאִינּוּן בִּרְכָאן, בְּקַדְמֵיתָא דְּכָל עָלְמָא לְתַתָּא. כֵּיוָן דִּשְׁמָא דְּקוּדְשָׁא בְּרִיךְ הוּא מִתְבָּרֵךְ מִתַּמָּן, נָחִית וְשָׁרָא עַל רֵישֵׁיהּ חוּלָקָא קַדְמָאָה. וְהָא אוּקִימְנָא דִּכְתִיב, בְּכָל הַמָּקוֹם אֲשֶׁר אַזְכִּיר אֶת שְׁמִי אָבֹא אֵלֶיךָ וּבֵרַכְתִּיךָ. כֵּיוָן דְּהַהִיא בְּרָכָה אַתְיָיא וְשַׁרְיָיא עַל רֵישֵׁיהּ, מִתַּמָּן אִתְפַּשַּׁט בְּכָל עָלְמָא.

ד. בְּשַׁעֲתָא דְּאִינּוּן בִּרְכָאן נַחְתִּין, מִתְעַטְּרָן גּוֹ הֵיכָל תַּפּוּחִין קַדִּישִׁין, וּפַגְעֵי בְּהוּ כַּמָּה דַּרְגִּין דִּמְמַנָּן בְּעָלְמָא, וְנָחְתֵי בְּהוּ, וְאַמְרֵי וּמַכְרְזֵי דָּא אִיהוּ דּוֹרוֹנָא דְּשַׁדַּר פְּלוֹנִי לְקוּדְשָׁא בְּרִיךְ הוּא. מַאן אֲתַר נַחְתֵּי, לְבָתַר דְּנַחְתֵּי מֵאֲתַר רֵישָׁא וַחֲדָא דְּצַדִּיק. תַּמָּן סַלְּקִין, מִתְעָרֵי לְנַחְתָּא אַחֲרָנִין מִלְּעֵילָּא, וְאִתְמַלְיָיא מִלְּעֵילָּא וּמִתַּתָּא, הה"ד בְּרָכוֹת לְרֹאשׁ צַדִּיק. כֵּיוָן דְּהַאי דַּרְגָּא אִתְמַלְיָיא, אָרִיק לְהַאי כַּלָּה, וּמִתַּמָּן נַגְדִּין וְאִתְמַשְׁכָן לְתַתָּא.

ה. כַּד סַלְּקִין אִינּוּן בִּרְכָאן מִתַּתָּא, לֵית פִּתְחָא וּפִתְחָא לְעֵילָּא, וְלֵית מְמַנָּא לְעֵילָּא, דְּלָא פָּתַח כָּל אִינּוּן פִּתְחִין. וּמַכְרְזֵי וְאַמְרֵי בְּכָל אִינּוּן רְקִיעִין, דָּא אִיהוּ דּוֹרוֹנָא דְּמַלְכָּא דְּשַׁדַּר פְּלוֹנִי, דָּא הוּא דּוֹרוֹנָא בְּקִיּוּמָא כַּדְקָא יָאוּת. וּמַאן אִיהוּ. בְּרָכָה דְּאָתִיבוּ עָלֵיהּ אָמֵן. דְּכָל בְּרָכָה דְּאָתִיבוּ עָלֵיהּ אָמֵן, דָּא אִיהוּ בְּקִיּוּמָא כַּדְקָא יָאוּת.

ו. וְכֵיוָן דְּהַאי בִּרְכָתָא סַלְּקָא, כָּל דַּרְגִּין דִּלְעֵילָּא, כֻּלְּהוּ זְמִינִין לְגַבֵּי הַהוּא נְהוֹרָא דְּלָא נָהִיר, בְּגִין לְאַנְהָרָא לְגַבָּהּ. וְכָל שֶׁכֵּן אִי הִיא בִּרְכָתָא דְּסַגִּיאִין מְבָרְכָן לָהּ, וּמְעַטְּרִין לָהּ בְּעִטְרִין קַדִּישִׁין, בְּרָזָא דְּאָמֵן. אָמֵן הוּא רָזָא דְּקִשְׁרֵי, דְּכָל יִחוּדָא וּקְדוּשָׁה בְּרָזָא דְּמָארֵיהּ. וּמְעַטֵּר לְהַהִיא בִּרְכָתָא בְּעִטְרִין עִלָּאִין כַּדְקָא יָאוּת.

ז. וְקוּדְשָׁא בְּרִיךְ הוּא אִתְרְעֵי בְּהוּ, בְּאִינּוּן דִּמְבָרְכִין לֵיהּ, וְתִיאוּבְתֵיהּ בְּבִרְכָתָא דִּלְתַתָּא, דְּהַהִיא בִּרְכָתָא סַלְּקָא, וְאַנְהִיר בּוּצִינָא דְּלָא נָהִיר, וְאַתְקִיף לָהּ בְּתוּקְפָּא תַּקִּיפָא, לְסַלְּקָא לְעֵילָּא. וְעַל רָזָא דָּא כְּתִיב, כִּי מְכַבְּדַי אֲכַבֵּד, אִלֵּין אִינּוּן דִּמְבָרְכִין

לֵיהּ לְקוּדְשָׁא בְּרִיךְ הוּא. וּבְוַדַּאי יָקְלוּ, אִלֵּין אִינּוּן דְּלָא מְבָרְכִין לֵיהּ לְקוּדְשָׁא בְּרִיךְ הוּא, וּמַנְעִין בִּרְכָתָא מִפּוּמַיְיהוּ.

וח. רָזָא דְּרָזִין, לְאִינּוּן דְּיַדְעֵי וְחָכְמְתָא דְּמָארֵיהוֹן, לְמִנְדַע רָזָא דְּבִרְכָאן, בְּפִקּוּדֵי אוֹרַיְיתָא, וּבְכָל הַנָאִין וְכִסּוּפִין דְּהַאי עָלְמָא, לְאַרְקָא בִּרְכָאן מֵעֵילָּא לְתַתָּא.

ט. בַּר בִּרְכָאן דִּצְלוֹתָא, דְּאִינּוּן תִּקּוּנָא דְּמָארֵיהוֹן, מִתַּתָּא לְעֵילָּא וּמֵעֵילָּא לְתַתָּא. בִּרְכָאן דְּלָאו אִינּוּן בִּצְלוֹתָא, סַלְּקִין מִתַּתָּא לְעֵילָּא, עַד דְּמָטוּ גּוֹ נְהוֹרָא דְּלָא נָהִיר, וּמִתְעָרֵי בְּתוּקְפָּא, לְהַהוּא נְהוֹרָא דְּלָא נָהִיר, בְּהַהִיא בְּרָכָה, וְסַלְּקָא אִתְּעָרוּ לְעֵילָּא, עַד דְּמָטוּ לְכֻרְסַיָּיא עִלָּאָה, מְקוֹרָא דְּכָל חַיִּין. כְּדֵין נָפְקוּ מֵהַהוּא מְקוֹרָא עִלָּאָה, בִּרְכָאן אַחֲרָנִין, וְאִעֲרָעוּ אִלֵּין בְּאִלֵּין, וְנַשְׁקֵי אִלֵּין לְאִלֵּין, וְאָתָאן וְשַׁרְיָין לְרֵישׁ צַדִּיק, לְאַרְקָא לְתַתָּא. וְכַד נַחְתִּין, אִתְבָּרְכָן אֲבָהָן וּבְנִין, וְכָל שָׁרָגִין דִּלְהוֹן.

י. וְרָזָא דְּאִלֵּין בִּרְכָאן לְאִתְּעָרָא מֵעֵילָּא לְתַתָּא, בְּרָזָא דָּא, בָּרוּךְ: דָּא רָזָא דִּמְקוֹרָא עִלָּאָה מִכֹּלָּא, לְאַרְקָא וּלְאַמְשָׁכָא וּלְאַנְהָרָא כָּל בּוֹצִינִין. וְאִיהוּ בָּרוּךְ תָּדִיר, דְּלָא פַּסְקִין מֵימוֹי. וּמִתַּמָּן שֵׁירוּתָא דְּאִקְרֵי עָלְמָא דְּאָתֵי, וְאִיהוּ קְצֵה הַשָּׁמַיִם, דְּהַהִיא קָצֶה קָצֶה עִלָּאָה אִיהוּ. בְּגִין דְּאִית קָצֶה כְּגַוְונָא דָּא לְתַתָּא, וְאִיהוּ עָלְמָא תַּתָּאָה. וְאִקְרֵי אוּף הָכִי בָּרוּךְ, לְקַבְּלָא תַּתָּאֵי, לְאַרְקָא לְתַתָּא, וּלְאִתְּעָרָא מִתַּתָּא לְעֵילָּא בְּבִרְכָאן דִּצְלוֹתָא. וּבָרוּךְ דָּא אִקְרֵי הָכָא, בְּרָזָא דְּחָכְמְתָא עִלָּאָה, דְּאַמְלֵי לְהַהוּא אֲתָר, בְּחַד שְׁבִיל דַּקִּיק דְּאָעִיל בֵּיהּ.

יא. אַתָּה: לְבָתַר שָׁארֵי לְאִתְגַּלְיָיא, דְּהָא הַאי בָּרוּךְ סָתִים אִיהוּ, וּבְגִ"כ אִקְרֵי בְּאַרַח סָתִים בָּרוּךְ, מְקוֹרָא עִלָּאָה דְּלָא אִתְגַּלְיָיא. אַתָּה, שֵׁירוּתָא לְאִתְגַּלְיָיא לְבַר, וּבְגִ"כ אִקְרֵי אַתָּה. וּמַאן אִיהוּ. דָּא רָזָא דִּימִינָא, וְאִקְרֵי כֹּהֵן לְגַבֵּי הַהוּא אֲתָר. וְרָזָא דָּא אַתָּה כֹּהֵן לְעוֹלָם, מַאן כֹּהֵן לְהַהוּא עוֹלָם, אַתָּה. וְדָא אִיהוּ יְמִינָא עִלָּאָה, דְּהָא אִשְׁתַּכַּח לְאִתְגַּלְיָיא.

יב. יְהֹוָה: דָּא רָזָא דְּאֶמְצָעִיתָא. רָזָא דִּמְהֵימְנוּתָא בְּכָל סִטְרִין. אֱלֹהֵינוּ: דָּא סִטְרָא דִּשְׂמָאלָא, דְּכָלִיל בִּימִינָא, וִימִינָא בֵּיהּ, וְאִתְכְּלִילוּ דָּא בְּדָא, לְמֶהֱוֵי חַד. וְעַד הָכָא, אִתְקַשְּׁרוּ בִּרְכָאן, דְּכֵיוָן דְּאִלֵּין אִתְבָּרְכָאן, כֻּלְּהוֹן דִּלְתַתָּא אִתְבָּרְכָאן.

יג. לְבָתַר דְּאִינּוּן אִתְבָּרְכָאן, וְנַטְלֵי בִּרְכָאן לְגַרְמַיְיהוּ, אִתְהֲדָרוּ כֻּלְּהוּ כְּחַד לְהַהוּא מְקוֹרָא, דְּאִינּוּן לָא יַכְלִין לְאִתְהַדְּרָא לְגַבֵּי הַהוּא אֲתָר, עַד דְּאִתְבָּרְכָן. כֵּיוָן דְּאִתְבָּרְכָן בְּקַדְמֵיתָא, אִתְהֲדָרוּ וְעָאלִין לְגַבֵּי הַהוּא אֲתָר, לְנַטְלָא בִּרְכָאן יַתִּירִין אַחֲרָנִין, לְאַרְקָא לְתַתָּא. וְעַד דְּאִינּוּן אִתְבָּרְכָאן, לָא עָאלִין וְלָא תָּאבִין לְגַבֵּיהּ. וְרָזָא דָּא וְלֹא יֵרָאוּ פָּנַי רֵיקָם.

יד. וְכַד תָּבִין לְגַבֵּי הַהוּא אֲתָר, וְעָאלִין תַּמָּן, כְּדֵין אִקְרֵי הַהוּא אֲתָר מֶלֶךְ. וּמֶלֶךְ לָא אִתְקְרֵי, בַּר כַּד אִינּוּן מִתְקָרְבִין לְגַבֵּיהּ, וּמִתְבָּרְכָן. וּמַלְכָּא אֵימָתַי אִקְרֵי מֶלֶךְ. כַּד רַבְרְבָנוֹי אַתְיָין לְגַבֵּיהּ עֲתִירִין, מִסְתַּפְּקָן בְּכָל מַה דְּאִצְטְרִיכוּ, בְּלָא חֶסְרוֹנָא, כְּדֵין אִיהוּ מֶלֶךְ. מֶלֶךְ לְתַתָּא, כַּד אִלֵּין מְעַטְּרָן לֵיהּ בְּסִפּוּקָא, בְּעִטְרִין קַדִּישִׁין. וְהָכָא אִקְרֵי מֶלֶךְ. וּמַאן אִיהוּ. הָעוֹלָם אֲשֶׁר קִדְּשָׁנוּ וְצִוָּנוּ. וּבְגִין דְּאִיהוּ עָלְמָא דְּלָא אִתְגַּלְיָיא לְבַר, וְאִיהוּ סָתִים, קָרֵי לֵיהּ הָכִי בְּאַרַח סָתִים. וְעַל דָּא לָא אִקְרֵי, אֶלָּא בְּאַרַח סָתִים.

טו. וּלְעוֹלָם יְמִינָא אַתָּה, כְּמָה דְּאִתְּמַר. וְעַל דָּא כֹּהֵן, כָּפִיף לְגַבֵּי הַהוּא אֲתָר, בְּרֵישָׁא וּבְסוֹפָא. וְעָלְמָא תַּתָּאָה, כַּד אִתְקַשַּׁר לִימִינָא, וְאִתְדַּבַּק בֵּיהּ, קָרֵי מִתַּתָּא לְעֵילָּא בָּרוּךְ, וְלָא אִקְרֵי בָּרוּךְ, בַּר בְּרָזָא דִּמְקוֹרָא דְּאִתְדְּבַק בֵּיהּ, וְעָיֵיל בֵּיהּ, וְאַמְלֵי

לֵיהּ. אַתָּה, רָזָא דְּהַהוּא כֹּהֵן, לְאִתְדַּבְּקָא בַּהֲדֵיהּ, וְע"ד, בִּצְלוֹתָא ב"נ כּוֹרֵעַ בְּבָרוּךְ, דְּאִיהוּ עָלְמָא כָּפוּף לְגַבֵּי עֵילָּא, וְדָא אִיהוּ שִׁנּוּי בֵּין בָּרוּךְ דִּצְלוֹתָא, וּבֵין בָּרוּךְ דִּשְׁאַר בִּרְכָאן. וְכֹלָּא בְּרָזָא עִלָּאָה אִיהוּ, לְאַרְקָא בִּרְכָאן לְכָל עָלְמִין.

טז. בָּרוּךְ דִּצְלוֹתָא, ב"נ כּוֹרֵעַ בֵּיהּ בְּבִרְכוֹי, וְגָחִין רֵישָׁא בְּאַתָּה, בְּגִין דְּאַתָּה אִקְרֵי רֹאשׁ. וְע"ד כֹּהֵן נָטִיל בְּרֹאשׁ, וְאִיהוּ רֹאשׁ תָּדִיר. וּבג"כ כְּרִיעָה בְּבָרוּךְ. וְגָחִינוּ דְּרֵישָׁא בְּאַתָּה. וְכֹהֵן בְּכָל אֲתַר דְּאִקְרֵי אַתָּה, גָּחִין בִּצְלוֹתָא. מֶלֶךְ בָּתַר דְּגָחִין, תּוּ לָא זָקִיף, מ"ט. קוּדְשָׁא בְּרִיךְ הוּא אָמַר לָהּ לְסִיהֲרָא, זִילִי אַזְעִירִי גַּרְמִיךְ, וְתוּ לָא זַקְפָא. וּבג"ד, בִּרְכָתָא דְּב"נ בָּרִיךְ לְקוּדְשָׁא בְּרִיךְ הוּא, אִתְּעַר לְאַרְקָא בִּרְכָאן מִלְּעֵילָּא לְעָלְמִין כֻּלְּהוּ, כְּמָה דְּאִתְּמַר. זַכָּאִין אִינּוּן יִשְׂרָאֵל בְּעָלְמָא דֵּין, וּבְעָלְמָא דְּאָתֵי.

יז. כְּתִיב, כִּי אַתָּה אָבִינוּ כִּי אַבְרָהָם וְגוֹ'. תָּנֵינָן, לְזִמְנָא דְּאָתֵי אַמְרִין לֵיהּ לְיִצְחָק וְכוּ', בְּגִין דִּשְׂמָאלָא אִתְכְּלִיל בִּימִינָא, אֲבָל יְמִינָא מְנָלָן דְּאִקְרֵי אָב. דִּכְתִיב וַיְשִׂמֵהוּ לוֹ לְאָב וּלְכֹהֵן, וְאע"ג דִּלְעֵילָּא אִקְרֵי אָב, וַאֲפִילוּ לִנְהוֹרָא דְּלָא נָהִיר בְּשַׁעֲתָא דְּאִתְדַּבַּק בִּימִינָא אִקְרֵי אַתָּה, כד"א אַתָּה יְיָ' אָבִינוּ גּוֹאֲלֵנוּ וְגוֹ'.

יח. אַדְּהָכִי, סָבָא אִזְדַּמַּן לְגַבֵּיהּ, וְאָמַר, רַעְיָא מְהֵימְנָא, תַּקִּין פָּתוֹרָא לְמָארָךְ, לֵיהּ וּלְמַטְרוֹנִיתָא, מִכָּל מִינֵי עִדּוּנִין, לְקַיְּימָא בֵּיהּ זֶה הַשֻּׁלְחָן אֲשֶׁר לִפְנֵי יְיָ', וְהָא עַד כְּעַן כֻּלְּהוּ מִתְעַנְּגֵי מִפָּתוֹרָא דְּמַלְכָּא, הה"ד, לְכוּ לַחֲמוּ בְלַחְמִי. וְדָא נַהֲמָא דְּאוֹרַיְיתָא דְּבִכְתָב, וְיֵינָא דְּאוֹרַיְיתָא דִּבְעַל פֶּה. וְתַמָּן כַּמָּה מַטְעַמִּים מִינֵי טַעֲמֵי תוֹרָה, דִּמְתִיקִין, מִכָּל מַאֲכָלִין וְעִדּוּנִין דְּעָלְמָא, וּדְמַלְכָּא.

יט. קָם רַעְיָא מְהֵימְנָא, פָּתַח וְאָמַר, אַהֲרֹן כַּהֲנָא קוּם מִשֵּׁינָתָךְ, לְמִדְבַּח תּוֹרִין וְעָאנִין וְאִמְרִין וְעוֹפִין, וְכָל מִינִין דִּצְרִיכִין לִסְעוּדָתָא דְּמַלְכָּא. וְלֶחֶם הַפָּנִים, דְּאִינּוּן לְקָבֵל תְּרֵין לוּחֵי דְּאוֹרַיְיתָא, דְּמִזֶּה וּמִזֶּה הֵם כְּתוּבִים. זֶה: תְּרֵיסַר אַנְפִּין. דְּאִינּוּן: יְבָרֶכְךָ יְיָ', יָאֵר יְיָ', יִשָּׂא יְיָ'. זֶה תִּנְיָינָא, אֲדֹנָ"י אֲדֹנָ"י אֲדֹנָ"י. דְּאִינּוּן תְּרֵיסַר וָוִין, דְּאִתְּמַר בְּהוֹן, וּפְנֵי אַרְיֵה אֶל הַיָּמִין לְאַרְבַּעְתָּן, וּפְנֵי שׁוֹר מֵהַשְּׂמֹאל לְאַרְבַּעְתָּן, וּפְנֵי נֶשֶׁר לְאַרְבַּעְתָּן. וְאִתְּמַר עֲלַיְיהוּ, אַרְבָּעָה פָּנִים לְאֶחָת. וְהַאי אִיהוּ, וְקָרָא זֶה אֶל זֶה וְאָמַר, לָקֳבֵל עֶשְׂרִים וְאַרְבַּע סִפְרֵי תוֹרָה. וְהַאי אִיהוּ זֶה הַשֻּׁלְחָן אֲשֶׁר לִפְנֵי יְיָ'. מָאנִין דְּפָתוֹרָא דְּמַלְכָּא, אִינּוּן מָארֵי מַתְנִיתִין, מָארֵי צְלוֹתִין, דְּתַקִּינוּ לוֹן לָקֳבֵל קָרְבְּנִין.

כ. פָּתַח וְאָמַר, וְעָשִׂיתָ שֻּׁלְחָן עֲצֵי שִׁטִּים וְגוֹ'. תָּא וַחֲזֵי, מִנְהָגִין טָבִין וְשַׁפִּירָן הֲווּ נַהֲגֵי מָארֵי דִּסְעוּדָתָא דְּמַלְכָּא, לְאַחֲזָאָה דְּאִינּוּן מִבְּנֵי פָּתוֹרָה דְּמַלְכָּא. וְחַד רַבְרְבָא מִבְּנֵי סְעוּדָתָא, נָטִיל יְדוֹי בְּזִמְנָא דְּיֵיעֲלוּן לִסְעוּדָתָא לְהָסֵב, גָּדוֹל מֵסֵב בְּרֹאשׁ, תִּנְיָינָא תְּחוֹתֵיהּ, וּתְלִיתָאָה תְּחוֹת תִּנְיָינָא. וְאִלֵּין אִתְקְרִיאוּ ג' מִטּוֹת, לָקֳבֵל תְּלַת אֲבָהָן, וּלְקָבֵל כֹּהֲנִים לְוִיִּם וְיִשְׂרְאֵלִים. מִכָּאן וְאֵילָךְ, לֵית לוֹן סֵדֶר, אֶלָּא כָּל הַקּוֹדֵם זָכָה.

כא. תִּנְיָינָא, בַּעַל הַבַּיִת בּוֹצֵעַ, כְּדֵי שֶׁיִּבְצַע בְּעַיִן יָפָה. וּמַשְׁלִים בִּרְכָתָא, וּלְבָתַר בּוֹצֵעַ. וְאוֹקְמוּהָ רַבָּנָן דְּמַתְנִיתִין, דְּאֵין הַמְּסוּבִּין רַשָּׁאִין לִטְעוֹם, עַד שֶׁיִּטְעוֹם הַמְּבָרֵךְ. וְלֵית הַבּוֹצֵעַ רַשַּׁאי לִטְעוֹם, עַד שֶׁיִּכְלֶה אָמֵן מִפִּי הַמְּסוּבִּין. וְאִם רְעוּתֵיהּ לַחֲלֹק כָּבוֹד, הָרְשׁוּת בִּידֵיהּ. וְעוֹד אוֹקְמוּהָ, דְּאוֹרַח מְבָרֵךְ, בְּגִין דִּיבָרֵךְ לְבַעַל הַבַּיִת.

כב. וְאֹרַח רָזָא, בַּעַל הַבַּיִת בּוֹצֵעַ, דָּא עַמּוּדָא דְּאֶמְצָעִיתָא, דְּאִיהוּ קַו הָאֶמְצָעִי. וּבְשַׁבָּת צָרִיךְ לִבְצוֹעַ מִשְּׁנֵי כִּכָּרוֹת, דְּאִינּוּן ה' ה'. בַּעַל הַבַּיִת, דָּא ו' דְּאֶמְצָעִיתָא. וּבְגִין דְּלָא לְאִתְחֲזָאָה כְּרַעַבְתָנוּתָא, יָכִיל לְמִבְצַע בָּהּ לְכָל חַד וְחַד כַּבֵּיצָה. מַאי כַּבֵּיצָה. י' וְי'. אִינּוּן נְקוּדִין דִּשְׁמָא קַדִּישָׁא, אִתְקְרֵי פֵּרוּרֵי בְּכַזַּיִת. וְאִלֵּין לָקֳבֵל טִפִּין דְּזֶרַע, וּמַאן

דִּמְזַלְזֵל בְּהוֹן, וְזָרִיק לוֹן בַּאֲתַר דְּלָא אִצְטְרִיךְ, עֲנִיּוּתָא קָא רָדִיף אֲבַתְרֵיהּ, וְאָזִיל נָע וָנָד. הה"ד, נוֹדֵד הוּא לַלֶּחֶם אַיֵּה. וְלֵית לֶחֶם אֶלָּא תּוֹרָה, וְהוּא צָוַוח אַיֵּה מַאן דִּמְרַחֵם עָלֵיהּ וְלָא יִשְׁכְּחוּ.

כג. וּפֵרוּרִים בִּכְזַיִת, אִינּוּן בְּצַדִּיק, דְּאִיהוּ כְּתִיב כִּשְׁתִילֵי מֵאִינּוּן זֵיתִים. וְאוֹרְחָא מְבָרֵךְ, וְאֹרַח צַדִּיקִים כְּאוֹר נֹגַהּ. בְּרָכוֹת לְרֹאשׁ צַדִּיק חַי עָלְמִין, וּבְגִ"ד אוֹרֵחַ מְבָרֵךְ.

כד. אַדְּהָכִי, הָא בּוּצִינָא קַדִּישָׁא אָתָא לְגַבֵּיהּ, וְאָמַר, רַעְיָא מְהֵימְנָא, יוֹמָא חַד אֲזִילְנָא אֲנָא וְחַבְרַיָּיא, לְאַכְסַנְיָא חֲדָא, וַהֲוָה תַּמָּן יַנּוּקָא חֲדָא, קָם וְתָקִין לָן מְנַרְתָּא וּפָתוֹרָא, אִיהוּ מִגַּרְמֵיהּ, כְּאִלּוּ הֲוָה מֵעֶשְׂרִין שְׁנִין, וְלָא הֲוָה אֶלָּא מִבֶּן חָמֵשׁ שְׁנִין, וְתָקִין פָּתוֹרָא מִכָּל מִינֵי מַאֲכָל וּמִשְׁתֶּה. אָמַר, הָא אוֹקְמוּהָ רַבָּנָן דְּבַעַל הַבַּיִת בּוֹצֵעַ וְאוֹרֵחַ מְבָרֵךְ, אֲבָל צָעִיר אֲנִי לְיָמִים וְאַתֶּם יְשִׁישִׁים עַל כֵּן זָחַלְתִּי וָאִירָא מֵחַוּוֹת דֵּעִי אֶתְכֶם. עַד דְּאִטּוֹל רְשׁוּת מִכֶּם. א"ל, אֵימָא בְּרִי מִלְּאָכָא דַּיְיָ.

כה. אָמַר לָן, אַתּוּן בְּעִיתוּן לֶחֶם תַּפְנוּקֵי בְּלָא קְרָבָא, אוֹ לֶחֶם בִּקְרָבָא. דְּהָכִי אוֹקְמוּהָ רַבָּנָן דְּמַתְנִיתִין, שְׁעַת אֲכִילָה שְׁעַת מִלְחָמָה. וְאִי בְּעִיתוּ לְמֶהֱוֵי קְרָבָא עָלֵיהּ, לֵית חַד אָכִיל, אֶלָּא מַאן דְּנָצַח קְרָבָא, אִיהוּ אָכִיל וּבוֹצֵעַ לְכֻלְּהוּ. א"ל חַבְרַיָּיא, בְּרִי אַנְתְּ זְעִיר, וַעֲדַיִין לָא יָדַעַת, אֵיךְ מְגִיחֵי גַּבְרִין רַבְרְבִין, בְּחַרְבָּא, בְּנִעְנוּעַ דְּחַרְבָּא. בְּרוֹמְחָא, בְּקַשְׁתָּא, בְּגִירִין דְּקַשְׁתָּא, בְּקִירְטָא, בְּאַבְנִין דְּקִירְטָא.

כו. א"ל, אַל יִתְהַלֵּל חוֹגֵר כִּמְפַתֵּחַ. דְּהָא וַדַּאי בְּק"ש אוֹקְמוּהָ, כָּל הַקּוֹרֵא ק"ש עַל מִטָּתוֹ, כְּאִלּוּ אוֹחֵז חֶרֶב פִּיפִיּוֹת, דִּכְתִיב, רוֹמְמוֹת אֵל בִּגְרוֹנָם וְחֶרֶב פִּיפִיּוֹת בְּיָדָם. וְנִעְנוּעָא דְּחַרְבָּא, צָרִיךְ לְנַעְנְעָא לֵיהּ לְשִׁית סִטְרִין, כְּמָה דְּאוֹקְמוּהָ, כְּדֵי שֶׁתַּמְלִיכוּהוּ עַל הַשָּׁמַיִם וְעַל הָאָרֶץ, וְעַל ד' רוּחוֹת הָעוֹלָם. וְדָא ו', גּוּף הַחֶרֶב. י' רֹאשׁ הַחֶרֶב. ה"ה, תְּרֵי פִּיּוֹת. נַרְתְּקָא דְּחַרְבָּא, אֲדֹנָ"י.

כז. רוּמְחָא רמ"ח בְּק"ש, עִם שִׁית תֵּיבִין דְּיִחוּדָא, הָא רוֹמַ"ח. מָגֵ"ן עִם חַרְבָּא, מִיכָאֵל גַּבְרִיאֵל נוּרִיאֵל שַׁמְשִׁין דְּג' אֲבָהָן. קֶשֶׁת דְּזָרִיק חִצִּים, וְכָל זֶרַע דְּאֵינוֹ יוֹרֶה כַּחֵץ אֵינוֹ מוֹלִיד. קִירְטָא, דָּא ק"ש. ה' אַבְנִין דְּקִירְטָא, שְׁמַע יִשְׂרָאֵל יְיָ' אֱלֹהֵינוּ יְיָ'. לְקָבְלַיְיהוּ, וַיִּקַּח דָּוִד חֲמִשָּׁה חַלּוּקֵי אֲבָנִים מִן הַנַּחַל. וְכַד שַׁוֵּי לְהוֹן בְּקִירְטָא, דְּאִיהִי שָׂפָה, וְאִיהִי שְׁכִינְתָּא, אִתְעֲבִידוּ חַד כֻּלְּהוּ ה', וְקָטִיל לִפְלִשְׁתָּאָה.

כח. וְעַד כְּעַן זְרִיקְנָא הַאי אַבְנָא לְסַמָּאֵל, דְּאִיהוּ אֶבֶן מָצוֹר, וְהַרְסְנָא מָצוֹר דִּילֵיהּ, וְאַשְׁפַּלְנָא לֵיהּ לְתַתָּא. וּבְגִ"ד אֲמֵינָא לְכוֹן, אַל יִתְהַלֵּל חוֹגֵר כִּמְפַתֵּחַ. כְּעַן יִתְבָּרֵר לְכוֹן, דַּאֲנָא יָדַעְנָא אֵיךְ מַגִּיחִין גַּבְרִין רַבְרְבִין בְּסַיְיפִין, בְּרוּמְחָא, בְּקַשְׁתָּא, בְּקִירְטָא. תְּוַוהְנָא וְלָא יָכִילְנָא לְמַלְּלָא קַמֵּיהּ, א"ל רַבָּנָן, כְּעַן נֶחֱזֵי, מַאן יְהֵא מַרְווח נַהֲמָא, דְּאִיהוּ לֶחֶם הַמּוֹצִיא.

כט. פָּתַח וְאָמַר, וְהָיָה בַּאֲכָלְכֶם מִלֶּחֶם הָאָרֶץ תָּרִימוּ תְרוּמָה לַיְיָ'. בְּמַאי אִתְרִימַת שְׁכִינְתָּא, דְּאִיהִי ה' דְּהַמּוֹצִיא, דְּאוֹקִימוּ עָלָהּ מָארֵי מַתְנִיתִין, כָּל הַבּוֹצֵעַ, צָרִיךְ לְדַקְדֵּק בָּהּ. אֶלָּא וַדַּאי הָא אוֹקְמוּהָ רַבָּנָן דְּמַתְנִיתִין, מוֹץ וְתֶבֶן פְּטוּרִין מִן הַמַּעֲשֵׂר. וְכַד הִיא בְּמוֹץ וְתֶבֶן, אִיהִי בְּבֵית אֲסוּרִין, וְלֵית לָהּ רְשׁוּ לְאַרְמָא לְגַבֵּי מ', לְמֶעְבַּד עִמָּהּ מַ"ה. וְהַאי אִיהוּ תְּרוּמָה, תּוֹרַ"ה דְּאִיהִי ה' חוּמְשֵׁי תּוֹרָה, דְּבָהּ וַיְהִי מֹשֶׁה בָּהָר אַרְבָּעִים יוֹם וְגו'.

ל. וּבְמוֹץ וְתֶבֶן דְּחִטָּה, עָלֵיהּ אוֹקְמוּהָ רַבָּנָן, אִילָן שֶׁאָכַל אָדָם הָרִאשׁוֹן חִטָּה הָיָה. קָרִיב ח"ט, דְּאִיהוּ מוֹץ וְתֶבֶן, לְאָת ה'. וְאִסְתַּלִּיק מִנֵּיהּ י', דְּאִיהוּ עִשּׂוּר דִּילָהּ. וּבְגִ"ד כַּד

אִיהוּ בְּמוֹץ וְתֶבֶן, דְּאִינּוּן לְקָבֵל עָרְלָה וּפְרִיעָה, פָּטוּר מִן הַמַּעֲשֵׂר. וְלֵית רְשׁוּ לְאָת י׳, לְחַבְּרָא בְּאָת ה׳, דְּאִינּוּן אִישׁ וְאִשָּׁה. וּבְגִין דָּא, כָּל הַבּוֹצֵעַ צָרִיךְ לְדַקְדֵּק בָּהּ. וְצָרִיךְ לְמִבְצַע מֵאֲתַר דְּבִשּׁוּלוֹ יָפֶה, בְּגִין דְּבִשּׁוּל אִיהוּ גְּמַר פְּרִי, וְדָא ו׳.

לא. וַעֲשָׂרָה דְּבָרִים צָרִיךְ אָדָם לְמֶעְבַּד בִּסְעוּדָתָא. חַד, נְטִילַת יָדַיִם. תִּנְיָינָא לְתַקְנָא שְׁתֵּי כִּכָּרוֹת לְשַׁבָּת. תְּלִיתָאָה, לְמֵיכַל תְּלַת סְעוּדָתִין, וּלְאוֹסָפָא מֵחוֹל עַל הַקֹּדֶשׁ. רְבִיעָאָה, לְאַנְהָרָא פָּתוֹרָא בִּשְׁרָגָא, כְּמָה דְּאוּקְמוּהָ, שֻׁלְחָן בַּצָּפוֹן, וּמְנוֹרָה בַּדָּרוֹם. וְצָרִיךְ הֲסִבָּה, כְּמָה דְּאוּקְמוּהָ הֵסֵבּוּ אֶחָד מְבָרֵךְ לְכֻלָּם.

לב. וּבְשַׁבָּת, בְּכָל מִלּוֹי, צָרִיךְ לְאַתּוֹסְפָא מֵחוֹל עַל הַקֹּדֶשׁ, בֵּין בְּמַאֲכָלָיו, וּמַשְׁקָיו, בֵּין בִּלְבוּשׁוֹי, בֵּין בַּהֲסִבָּתֵיהּ, דְּצָרִיךְ לְתַקְנָא לֵיהּ מְסִבָּה שַׁפִּירָא, בְּכַמָּה כָּרִים וּכְסָתוֹת מְרֻקָּמָן, מִכָּל דְּאִית בְּבֵיתֵיהּ, כְּמַאן דְּתַקִּין חוּפָּה לְכַלָּה. דְּשַׁבְּתָא אִיהִי מַלְכְּתָא, וְאִיהִי כַּלָּה. וּבְגִין דָּא הֲווֹ נָפְקֵי מָארֵי מַתְנִיתִין ע״ש, לְאַקְדָּמוּתָא לְאָרְחָא, וַהֲווֹ אַמְרֵי בֹּאִי כַלָּה בֹּאִי כַלָּה. וּצְרִיכִין לְאַתְעָרָא שִׁירָה וְחֶדְוָה לְפָתוֹרָה לְגַבָּהּ.

לג. וְלֹא עוֹד, אֶלָּא דְּאִית רָזָא אָחֳרָא. כְּגַוְונָא דְּצָרִיךְ לְקַבְּלָא גְּבִירְתָּהּ, בְּכַמָּה נְהוֹרִין דִּשְׁרָגִין בְּשַׁבָּת, וּבְכַמָּה עִנּוּגִין, וּלְבוּשִׁין שַׁפִּירִין, וּבֵיתָא מְתֻקְּנָא, בְּכַמָּה מָאנֵי דְּתִקּוּנָא, בַּהֲסִבָּה יָפָה לְכָל חַד וְחַד. וּבְהַאי חֶדְוָה וְתִקּוּנָא, גַּרְמִין דְּאִשְׁתְּאָרַת שִׁפְחָה בִּישָׁא בַּחֲשׁוֹכָא, בְּרַעֲבוֹן, בִּבְכִיָּה, בְּהֶסְפֵּד. בִּלְבוּשִׁין אוּכָמִין כְּאַרְמַלְתָּא. דְּאִי מְלֵאָה זוֹ, חֲרֵבָה זוֹ.

לד. יֵצֶר טוֹב, מַטְרוֹנִיתָא קַדִּישָׁא. מַלְכוּת הַקֹּדֶשׁ דְּנַחְתָּא בְּשַׁבָּת. כְּלִילָא מֵעֶשֶׂר סְפִירָן. מְעֻטְּרָא בְּשֶׁבַע שְׁמָהָן, שֶׁאֵינָן נִמְחָקִין. בְּכַמָּה מַרְכְּבוֹת דְּחֵיזְוָן. וּבְכַמָּה חַיָּילִין וּמַשִּׁרְיָין. וּמַלְכָּא נָפִיק לְקַבְּלָא בְּכַמָּה מַשִּׁרְיָין. וְאִשְׁתְּאֲרַת יֵצֶר הָרָע שִׁפְחָה בִּישָׁא בַּחֲשׁוֹכָא, כְּאַרְמַלְתָּא בְּלֹא בַּעְלָהּ. בְּלָא מֶרְכָּבוֹת.

לה. וְאִלֵּין דְּאִתְּמַר עֲלַיְיהוּ, לְמִזַּבְּחִין וְלִמְקַטְּרִין לִמְלֶכֶת הַשָּׁמַיִם וְלַמַּזָּלוֹת אֲשֶׁר לֹא צִוִּיתִי, הוּא פּוּלְחָנָא דְּשִׁפְחָה בִּישָׁא, דְּשַׁלְטֵי בְּעַרְבֵי שַׁבָּתוֹת וְעַרְבֵי לֵילֵי רְבִיעִיּוֹת, מַה הֲווֹ אִלֵּין עַבְדִין. הֲווֹ נַטְלִין לְבוּשִׁין אוּכָמִין, וְחַשְׁכָאן נְהוֹרִין, וְעַבְדִין הֶסְפֵּדָא בְּלֵילֵי שַׁבָּתוֹת כְּדֵי לְאִשְׁתַּתְּפָא בַּהֲדָהּ כְּמָה דְּאִיהִי שַׁרְיָא, כִּי גַּם זֶה לְעֻמַּת זֶה עָשָׂה הָאֱלֹהִים.

לו. בָּתַר דְּחָאבוּ יִשְׂרָאֵל, וְאִתְחָרַב בֵּי מַקְדְּשָׁא, אִתְּמַר בִּשְׁכִינְתָּא אִימָּא קַדִּישָׁא, אֵיכָה יָשְׁבָה בָדָד הָעִיר רַבָּתִי עָם הָיְתָה כְּאַלְמָנָה, וּמְכַבִּין בְּלֵיל תִּשְׁעָה בְּאָב נְהוֹרִין וּשְׁרָגִין, וְעַבְדִין הֶסְפֵּד, וְיַתְבִין כַּאֲבֵלִים לְאִשְׁתַּתְּפָא בְּדוּחֲקָא דִּשְׁכִינְתָּא. בְּגִין דְּאִינּוּן גַּרְמוּ לָהּ כָּל הַהוּא תְּבִירוּ.

לז. חֲמִשָּׁאָה, כּוֹס דְּוִיכּוּחַ. שְׁתִיתָאָה, לְמֶהֱוֵי עַל פָּתוֹרָא מִלֵּי דְּאוֹרַיְיתָא. שְׁבִיעָאָה, לְאַרְכָּאָה עַל פָּתוֹרָא, בְּגִין דַּעֲנִיִּים יֵיתוּן עַל פָּתוֹרֵיהּ. תְּמִינָאָה, נְטִילַת יָדַיִם בְּמַיִם אַחֲרוֹנִים. תְּשִׁיעָאָה, בִּרְכַּת הַמָּזוֹן. עֲשִׂירָאָה, כּוֹס דִּבְרָכָה. וְצָרִיךְ לְאַחֲזָרָא עֲלַיְיהוּ, וּלְתַקְנָא לוֹן בְּרָזָא קַדִּישָׁא, דְּאִיהִי כְּלוּלָה מֵעֶשֶׂר סְפִירָאן, וְאִיהוּ פָּתוֹרָא דְּקוּדְשָׁא בְּרִיךְ הוּא, מִסִּטְרָא דִּגְבוּרָה. וּבְגִין כַּךְ אוּקְמוּהָ רַבָּנָן, שֻׁלְחָן בַּצָּפוֹן.

לח. חַד נְטִילַת יָדַיִם, דְּהָכִי אוּקְמוּהָ רַבָּנָן דְּמַתְנִיתִין, יָדַיִם מְזֹהָמוֹת פְּסוּלוֹת לִבְרָכָה, בְּגִין דְּאִינּוּן שְׁנִיּוֹת לַטּוּמְאָה, דְּאִיהוּ אַב הַטּוּמְאָה, דְּאִיהוּ רִאשׁוֹן כַּד אִינּוּן מְסֹאָבוֹת, וְכַד אִינּוּן טְהוֹרוֹת אִינּוּן שְׁנִיּוֹת לִבְרָכָה, דִּבְרָכָה לָא שַׁרְיָא אֶלָּא עַל טַהֲרָה. כַּהֲנָא דְּאִיהוּ אִישׁ טָהוֹר, אִישׁ חֶסֶד, שַׁרְיָא עֲלֵיהּ בִּרְכְתָא. הה״ד, כַּשֶּׁמֶן הַטּוֹב עַל

הָרֹאשׁ וְגוֹ'. וּבְגִין דָּא, דַּבֵּר אֶל אַהֲרֹן וְאֶל בָּנָיו לֵאמֹר כֹּה תְבָרְכוּ אֶת בְּנֵי יִשְׂרָאֵל וְגוֹ'. וְאוֹקְמוּהָ, כָּל כֹּהֵן הַמְּבָרֵךְ, מִתְבָּרֵךְ. וְשֶׁאֵינוֹ מְבָרֵךְ, אֵין מִתְבָּרֵךְ. וְאוֹקְמוּהָ מָארֵי מַתְנִיתִין, כָּל בְּרָכָה שֶׁאֵין בָּהּ אַזְכָּרָה וּמַלְכוּת לָאו שְׁמֵיהּ בְּרָכָה. מַלְכוּת אֲדֹנָי.

לט. וְעוֹד, נְטִילַת יָדַיִם צָרִיךְ לִיטּוֹל לוֹן עַד פִּרְקָא, דְּגָזְרוּ עָלֵיהּ י"ד פִּרְקִין, בְּהַהוּא שַׁעֲתָא שַׁרְיָא יַד יְיָ' עָלֵיהּ, וְאִיהִי יַד דִּבְרָכָה מִסִּטְרָא דְּחֶסֶד דְּבֵיהּ וְחָכְמָה בְּיַד יְמִינֵיהּ. וְאִיהִי יַד דִּקְדוּשָּׁה, מִסִּטְרָא דִּגְבוּרָה, וְשַׁרְיָא בְּדִינָא. וְאִיהִי יַד דִּיוּוּדָא, מִסִּטְרָא דְּת"ת, דְּשַׁרְיָא בְּי"ד פִּרְקִין דְּגוּפָא, דְּאִינּוּן שְׁנֵים עָשָׂר פִּרְקִין בִּתְרֵין דְּרוֹעִין, וּתְרֵין שׁוֹקִין. וּתְרֵין בְּגוּפָא וּבְרִית.

מ. וּתְלַת זִמְנִין י"ד, אִיהוּ מ"ב, יו"י, מִן י"ד י"ד, י"ד, רָמַז יְבָ"רֶכְךָ יָאֵ"ר יִשָּׂ"א, מִן הוי"ה הוי"ה הוי"ה. ד' ד' מִי"ד י"ד י"ד, אִינּוּן רְמִיזִין בַּאֲדֹנָ"י אֲדֹנָ"י אֲדֹנָ"י. וְאָמַר הַנָּבִיא עָלַיְיהוּ, הֵיכַל יְיָ' הֵיכַל יְיָ' הֵמָּה. וְהַאי נְטִילָא בְּיַד דְּאִתְתַּקְנַת.

מא. וְכָל סְטַר מִג' אַנְפֵּי וְזַיִין, דְּאִינּוּן יְיָ' יְיָ' יְיָ'. וּמִתְּלַת גַּדְפֵי וְזַיִן, דְּאִינּוּן ד' ד' ד', כֻּלְּהוּ צָרִיךְ לְמֶהֱוֵי מִכּוֹן אָדָם. וְאִיהוּ יו"ד ה"א וא"ו ה"א. כֹּחַ דִּילֵיהּ, יו"ד וא"ו דָּלֶ"ת, ה"א אָלֶ"ף, וא"ו אָלֶ"ף וָא"ו, ה"א אָלֶ"ף. וּמַטְרוֹנִיתָא לָא שַׁרְיָא בְּכֹחַ דִּילֵיהּ, בְּפִרְקִין דְּאֶצְבְּעָן, עַד דְּאִתְעֲבַר מִנַּיְיהוּ זוּהֲמָא, שִׁפְחָה בִּישָׁא פְּסוּלָה, אִנְתּוּ דְּפָסוּל. וּבְגִין דָּא אוֹקְמוּהָ מָארֵי מַתְנִיתִין, יָדַיִם מְזוֹהָמוֹת פְּסוּלוֹת לִבְרָכָה.

מב. וְאִינּוּן מַיִם לְדַכְאָה יַד, דְּשַׁרְיָיא תַּמָּן יַד יְיָ'. יַד יְיָ', דָּא מַיִם דְּאוֹרַיְיתָא. דְּעַמֵּי הָאָרֶץ אִינּוּן שֶׁרֶץ, מַה מוֹעִיל לוֹן טְבִילָה, וְהַשֶּׁרֶץ שִׁפְחָה בִּישָׁא בִּידַיְיהוּ, בְּגָזֵל דְּבִידַיְיהוּ. בְּגָזֵל דְּבִרְכָאן דְּגַזְלִין לְקוּדְשָׁא בְּרִיךְ הוּא, דְּלָא יָדְעֵי לְבָרְכָא, וְלָא יָדְעֵי מַאי אִיהִי בְּרָכָה, וּמַאי אִיהִי זוּהֲמָא.

מג. מִיַּד כְּשֶׁשָּׁמְעוּ מִלִּין אִלֵּין חַבְרַיָּיא וַאֲנָא עִמְּהוֹן, לָא יָכִילְנָא לְמִסְבַּל דְּיַשְׁלִים עֲשָׂרָה מִלִּין דִּבְרָכָה, וְאִשְׁתְּטַחְנָא לְגַבֵּיהּ. וּבְוַדַּאי לֵית בַּר נָשׁ דְּיֵימָא מִלִּין אִלֵּין, אֶלָּא אַנְתְּ. דְּאַנְתְּ הוּא כְּגַוְונָא דְּד' מוֹצִיצוֹת דְּג"ע. דְּב"נ עָאל בְּהוֹן בִּמְוֹצִיצַת יַנּוֹקִין, וְאִתְעָבִיד תִּינוֹק. וּבִמְוֹצִיצַת נְעָרִים, וְאִתְעָבִיד נַעַר. וּבִמְוֹצִיצַת בַּחוּרִים, וְאִתְעָבִיד בָּחוּר. וּבִמְוֹצִיצַת זְקֵנִים, וְאִתְעָבִיד זָקֵן. וּבְגִ"כ אִתְּמַר עֲלָךְ, מִמְּכוֹן שִׁבְתּוֹ הִשְׁגִּיחַ אֶל כָּל יוֹשְׁבֵי הָאָרֶץ. וְאַנְתְּ הוּא דְּאִתְּמַר עֲלָךְ, בְּשַׁגַּם הוּא בָשָׂר בְּדָרָא דְּדוֹר הַפְּלָגָה הֲוַית. וּבְכָל דָּרָא וְדָרָא בְּגִלְגּוּלָא. כְּגַלְגַּל דְּמִתְהַפֵּךְ לְכַמָּה גַּוְונִין. וְלָא נַגְלַת, אֶלָּא בְּדָרָא דְּאִתְיְיהִיב בֵּיהּ אוֹרַיְיתָא עַל יָדָךְ.

מד. מִיַּד דְּאִתְכְּנִישַׁת מֵעָלְמָא, אַנְתְּ הוּא כְּשִׁמְשָׁא דְּנָהִיר בְּכָל דָּרָא וְדָרָא, דְּכַד אִתְכְּנַשׁ שִׁמְשָׁא בְּלֵילְיָא, נָהִיר בְּסִיהֲרָא, וּבְשִׁתִּין רִבּוֹא כֹּכְבַיָּא. הָכִי אַתְּ, דְּאַנְתְּ נָהִיר בְּשִׁתִּין רִבּוֹא בְּכָל דָּרָא וְדָרָא. וְהַאי אִיהוּ דְּקָא רָמַז קֹהֶלֶת, דּוֹר הוֹלֵךְ וְדוֹר בָּא. וְאוֹקְמוּהָ רַבָּנָן, אֵין דּוֹר פָּחוֹת מִשִּׁשִּׁים רִבּוֹא. וְעוֹד אוֹקְמוּהָ, הַדּוֹר שֶׁהוֹלֵךְ הוּא שֶׁבָּא, לְקַיֵּים מַה שֶּׁהָיָה הוּא שֶׁיִּהְיֶה. מִכָּאן וְאֵילָךְ, אַשְׁלִים עֲשָׂרָה דְּבָרִים דְּפָתוֹרָא בְּאִתְגַּלְיָיא. אָמַר רַעְיָא מְהֵימְנָא, בּוֹצִינָא קַדִּישָׁא זַכָּאָה חוּלָקָךְ, דְּקוּדְשָׁא בְּרִיךְ הוּא גַּלֵּי לָךְ, מַה דְּלָא גַּלֵּי לְכָל נְבִיא וְחוֹזֶה, וְלָא לְמָאן וּלְמָאן.

מה. תַּנְיָינָא, לְמִבְצַע עַל שְׁתֵּי כִּכָּרוֹת בְּשַׁבָּת, דְּאִינּוּן רְמִיזִין בִּתְרֵי לוּחֵי אוֹרַיְיתָא, דְּאִתְיְיהִיבוּ בְּשַׁבָּת זוּגוֹת. דְּבְיוֹמָא תְּלִיתָאָה נַחְתּוּ, דְּבֵיהּ תְּרֵי זִמְנֵי טוֹב, וּבְשַׁבָּת אִתְיְיהִיבַת, תְּרֵין נוּקְבִין לִתְרֵין טָבִין. וְאע"ג דְּאוֹקְמוּהָ דְּשֵׁדִים מִמַּנָּן עַל זוּגוֹת, כַּמָּה

דְּאוֹקְמוּהָ שְׁנֵי בֵּיצִים, שְׁנֵי אֱגוֹזִים. הֲלָכָה לְמשֶׁה מִסִּינַי שְׁלוּחֵי מִצְוָה אֵינָן נִזּוֹקִין.

מו. וְאִי תֵּימָא, וְהָא תָּנֵינָן, אֵין מַתְחִילִין בַּשֵּׁנִי, וְאֵין מְסַיְּימִין בַּד', דְּהַיְינוּ בַּב' ד' עִם עֶרֶב רַב, דְּלָא הֲווּ שְׁלוּחֵי מִצְוָה, דְּלָא אִתְגַּיְירוּ לְשֵׁם שָׁמַיִם, וּלְבָתַר דְּאִתְעֲבָרוּ מֵעָלְמָא, מְנֵי קוּדְשָׁא בְּרִיךְ הוּא לְנַטְלָא שְׁנֵי לוּחוֹת אֲבָנִים כָּרִאשׁוֹנִים, וְאָמַר, וְכָתַבְתִּי עַל הַלּוּחוֹת אֶת הַדְּבָרִים אֲשֶׁר הָיוּ עַל הַלּוּחוֹת וְגוֹ'.

מז. וּתְרֵין כִּכָּרוֹת בְּשַׁבָּת, רְמִיזִין לִתְרֵין יוּדִין יְאֲהדֹוָנָהִי. דַּאֲדֹנָי אִיהִי יְרִידָה מִבַּעֲלָה בְּשִׁית יוֹמִין דְּחוֹל, וּבְשַׁבָּת נְחִית לְגַבָּהּ. וּבְגִין דָּא בְּשַׁבָּת, כָּל נִשְׁמָתִין וְרוּחִין וְנַפְשִׁין נָפְקִין וְנַחְתִּין זוּגוֹת, וְאֵין שָׂטָן וְאֵין מַזִּיק שַׁלִּיט בְּיוֹמָא דְּשַׁבְּתָא. וַאֲפִילוּ גֵּיהִנָּם לָא שַׁלִּיט, וְלָא אוֹקִיד בְּשַׁבָּת. וּבְגִין דָּא, לֹא תְבַעֲרוּ אֵשׁ בְּכֹל מוֹשְׁבֹתֵיכֶם בְּיוֹם הַשַּׁבָּת. וְדָא אֵשׁ נוּכְרָאָה, אֶלָּא אֵשׁ דְּקָרְבְּנָא, אֵשׁ דִּקְדוּשָּׁה. וְלֵית לְאַרְכָאָה בִּבְצִיעָא דִּלְהוֹן, דְּהָא אִתְּמַר לְעֵילָּא.

מח. תְּלִיתָאָה לְמֵיכַל שְׁלֹשָׁה סְעוּדָתִין בְּשַׁבָּת, כְּמָה דְּאוֹקְמוּהָ רַבָּנָן דְּמַתְנִיתִין, דְּאָמַר חַד מִינַּיְיהוּ, יְהֵא חֶלְקִי עִם גּוֹמְרֵי שָׁלֹשׁ סְעוּדוֹת בְּשַׁבָּת, דְּאִינּוּן שְׁלִימוּ דְּשֶׁבַע בִּרְכָאן דִּצְלוֹתָא, לְאַשְׁלְמָא בְּהוֹן לַעֲשַׂר. וְרָזָא דְּעֹנֶג, וְנָהָר יוֹצֵא מֵעֵדֶן לְהַשְׁקוֹת אֶת הַגָּן. וּמַאן דְּלָא מְקַיֵּים לוֹן, וְאִית לֵיהּ רְשׁוּ לְקַיְּימָן, אִתְהַפַּךְ לֵיהּ לְנֶגַע צָרַעַת. וּבְגִין דְּלָא יֵיתֵי לְהַאי, אָמַר קוּדְשָׁא בְּרִיךְ הוּא, לְווּ עָלַי וַאֲנִי פּוֹרֵעַ, אָז תִּתְעַנַּג עַל יְיָ'.

מט. רְבִיעָאָה, לְאַנְהָרָא פָּתוֹרָא בִּמְנַרְתָּא. כְּמָה דְּאוֹקְמוּהָ קַדְמָאִין, שֻׁלְחָן בַּצָּפוֹן, מְנוֹרָה בַּדָּרוֹם, דְּפָתוֹרָא דְּקוּדְשָׁא בְּרִיךְ הוּא הָכִי צְרִיכָא לְמֶהֱוֵי. וַחֲמִישָׁאָה כּוֹס דְּוַיְכֻלּוּ. כּוֹ"ס, בְּחֻשְׁבַּן אֱלֹהִים. וַיְכֻלּוּ ע"ב, דִּכְלִיל לוֹן כַּלָּה קַדִּישָׁא, דְּהַאי כּוֹס מָלֵא יֵינָא דְּאוֹרַיְיתָא, צָרִיךְ לְאַסְהֲדָא עַל עוֹבָדָא דִּבְרֵאשִׁית.

נ. שְׁתִיתָאָה, לְמֶהֱוֵי עַל פָּתוֹרָא דִּבְרֵי תוֹרָה, דְּהָכִי אוֹקְמוּהָ מָארֵי מַתְנִיתִין, ג' שֶׁאָכְלוּ עַל שֻׁלְחָן אֶחָד וְלֹא אָמְרוּ עָלָיו דִּבְרֵי תוֹרָה וְכוּ'. וְרָזָא דְּמִלָּה, בְּגִין דְּהָא אוֹקְמוּהָ שֻׁלְחָן בַּצָּפוֹן, וְאוֹרַיְיתָא אִתְיְיהִיבַת מִימִינָא. לְחַבְּרָא יְמִינָא דְּאִיהוּ רַחֲמֵי, בִּשְׂמָאלָא דְּאִיהוּ דִּינָא. דְּאוֹרַיְיתָא אִיהִי יְיָ' מִימִינָא, פָּתוֹרָא אֲדֹנָי מִשְּׂמָאלָא, וְצָרִיךְ לְחַבְּרָא לוֹן. דִּבְגִין דְּפָתוֹרָא מִשְּׂמָאלָא, אוֹקְמוּהָ רַבָּנָן דְּמַתְנִיתִין, קָשִׁין מְזוֹנוֹתָיו שֶׁל אָדָם כִּקְרִיעַת יַם סוּף. וּבְגִין כַּךְ, צָרִיךְ ת"ח לְזַמְּנָא עִמֵּיהּ, לְמַאן דְּיִשְׁתַּדֵּל בְּפִתְגָּמֵי אוֹרַיְיתָא.

נא. שְׁבִיעָאָה, לְאַרְכָאָה עַל פָּתוֹרָא, בְּגִין עֲנִיִּים. וּבְגִין דָּא, כָּל הַמַּאֲרִיךְ עַל שֻׁלְחָנוֹ מַאֲרִיכִין לוֹ יָמָיו וּשְׁנוֹתָיו. וּבג"כ וּצְדָקָה תַּצִּיל מִמָּוֶת. דְּעָנִי חָשׁוּב כַּמֵּת, וְאִיהוּ מְחַיֶּה לֵיהּ, אוּף הָכִי קוּדְשָׁא בְּרִיךְ הוּא מְחַיֶּה לֵיהּ.

נב. וְעוֹד בְּאוֹרַח רָזָא, דְּכֻלְּהוּ עֲנִיִּים מִסִּטְרָא דְּאָת ד', דְּאִתְּמַר בָּהּ דַּלּוֹתִי וְלִי יְהוֹשִׁיעַ. וְאוֹת ד' דְּאֶחָד, דְּצָרִיךְ לְאַרְכָאָה בָּהּ, הה"ד לְהַאֲרִיךְ יָמִים עַל מַמְלַכְתּוֹ, וּבג"ד, צָרִיךְ לְאַרְכָאָה עַל פָּתוֹרָא, דְּאִיהִי ד', כְּלִילָא מִד' רַגְלִין דְּפָתוֹרָא. בְּגִין יְקָרָא דְּאָת דָּלֶ"ת, צָרִיךְ לְאַרְכָאָה עַל פָּתוֹרָא, בְּגִין עֲנִיִּים.

נג. וּבְגִינֵהּ אוֹקְמוּהָ רַבָּנָן, דְּבִקֵּשׁ קוּדְשָׁא בְּרִיךְ הוּא מִדָּה יָפָה לְיִשְׂרָאֵל, וְלָא אַשְׁכַּח כְּמִדָּה דְּדַלּוּת. וְאַקְשׁוּ עָלָהּ, בְּגִין דְּאוֹקְמוּהָ קַדְמָאֵי, כְּחוּשְׁבָּן מִינֵי מִיתוֹת דְּאִינּוּן כְּחוּשְׁבַּן תּוֹצָאוֹת, וְחֶסְרוֹן כִּיס קָשֶׁה מִכּוּלָּן, וְאֵיךְ אַמְרִין אִינּוּן, דְּלָא אַשְׁכַּח לְיִשְׂרָאֵל מִדָּה יָפָה כַּעֲנִיּוּתָא.

נד. אֶלָּא, בְּגִין דְּכָל עַמָּא וְלִישָּׁנָא, וְהָיָה כִּי יִרְעַב וְהִתְקַצַּף וְקִלֵּל בְּמַלְכּוֹ וּבֵאלֹהָיו וּפָנָה לְמָעְלָה. אֲבָל יִשְׂרָאֵל, אִינּוּן קַיְּימָא דְּקוּדְשָׁא בְּרִיךְ הוּא בְּהַאי מִדָּה, וְלָא

אַכְזִישִׁין בֵּיהּ. וּבג"ד, בְּמִדָּה דָּא יִתְפַּרְקוּן. הה"ד, וְאֶת עַם עָנִי תוֹשִׁיעַ. וְעָנִי לִישָׁנָא דְּעִנּוּי, דַּאֲפִילּוּ אִית לֵיהּ לב"נ עוּתְרָא, וְאִיהוּ בְּמַרְעִין וּבְמַכְתְּשִׁין, עָנִי אִתְקְרֵי, אוֹ דְּדַחֲקִין לֵיהּ בְּגִינֵיהּ, וְצַעֲרִין לֵיהּ כָּל יוֹמָא. כָּל שֶׁכֵּן מַאן דְּאִיהוּ רָשׁ מִנֵּיהּ, וְאִיהוּ הוֹלֵךְ מֵאֲתָר לַאֲתָר.

נה. וְעוֹד אִית עָנִי, דְּאִסְתַּלַּק מִנֵּיהּ דַּעְתֵּיהּ, כְּגוֹן אִיּוֹב, דְּאִתְּמַר בֵּיהּ, אִיּוֹב לֹא בְדַעַת יְדַבֵּר. אוּף הָכִי אִיהִי ד', דְּאִיהִי שְׁכִינְתָּא, כַּד אִסְתַּלַּק מִנָּהּ א"ו דְּאִיהוּ עַמּוּדָא דְּאֶמְצָעִיתָא, דְּאִקְרֵי דַּעַת. וְהַאי לֵית לָהּ חוֹבִין בְּמִלָּה דְּיֵימָא. וְעוֹד, א"ו אִיהוּ תּוֹרָה, כְּלִיל תרי"ג פִּקּוּדִין הה"ד זֶה שְּׁמִי לְעוֹלָם וְגוֹ'. שְׁמִ"י עִם י"ה שס"ה. זִכְרִי עִם ו"ה רמ"ח. וּבְגִין דָּא אוּקְמוּהָ, אֵין עָנִי אֶלָּא מִן הַתּוֹרָה וּמִן הַמִּצְוֹת דִּשְׁאַר עָנִי לָאו אִיהוּ אֶלָּא עִנּוּי. וְאַתְּ ד' מִן אֲדֹנָ"י, אוּף הָכִי אִיהִי עָנִי בְּלָא יְהוָ"ה.

נו. תְּמִינָאָה, מַיִם אַחֲרוֹנִים דְּתַקִּינוּ לוֹן, בְּגִין מֶלַח סְדוֹמִית, הַמְסַמֵּא אֶת הָעֵינַיִם. אֲמַאי אִקְרוּן חוֹבָה. אֶלָּא בְּאֹרַח רָזָא, סַם הַמָּוֶת שַׁרְיָא, עַל יְדוֹי מְזוֹהָמִין, דְּעַבְדֵי בְּהוּ בְּרָכָה. וְעַל כּוֹס דִּמְבָרְכֵי עָלֵיהּ בְּלָא טָהֳרָה, אִקְרֵי טָמֵא. וּמַה כּוֹס דְּשׁוֹתִין בּוֹ, טָמֵא לִבְרָכָה עַד דַּהֲווֹ מְטַהֲרֵי לֵיהּ בַּהֲדָחָה מִלְּגוֹ וּמִלְּבַר. כָּל שֶׁכֵּן יְדוֹי. וּבְגִין דָּא, מַיִם אַחֲרוֹנִים חוֹבָה. וְרָזָא דְּמִלָּה, וְהִתְקַדִּשְׁתֶּם: אֵלּוּ מַיִם רִאשׁוֹנִים. וִהְיִיתֶם קְדוֹשִׁים: אֵלּוּ מַיִם אַחֲרוֹנִים. כִּי קָדוֹשׁ: זֶה שֶׁמֶן עָרֵב. לְקָבֵל, קק"ק יְיָ' צְבָאוֹת. וּבְגִין דָּא וְהִתְקַדִּשְׁתֶּם וְגוֹ', לְאִשְׁתְּמוֹדְעָא דְּאַתּוּן בְּנִין לְקוּדְשָׁא בְּרִיךְ הוּא, הה"ד בָּנִים אַתֶּם לַיְיָ' אֱלֹהֵיכֶם.

נז. תְּשִׁיעָאָה, כּוֹס דִּבְרָכָה. וְאוּקְמוּהָ מָארֵי דְּמַתְנִיתִין, עֲשָׂרָה דְּבָרִים נֶאֶמְרוּ בְּכוֹס דִּבְרָכָה וְאִלֵּין אִינּוּן. עִטּוּ"ר. עִטּוּ"ף. הֲדָחָ"ה. שְׁטִיפָ"ה. חַ"י. מָלֵ"א. וּמְקַבְּלוֹ בִּשְׁתֵּי יָדָיו. וְנוֹתְנוֹ בְּיָמִין. וּמַסְלְקוֹ מִן הַקַּרְקַע טֶפַח. וְנוֹתֵן עֵינָיו בּוֹ. וּמְשַׁגְּרוֹ בְּמַתָּנָה לְאַנְשֵׁי בֵּיתוֹ. וְעַכְשָׁיו, אֵין לָנוּ אֶלָּא אַרְבָּעָה שֶׁהֵן הֲדָחָה. וּשְׁטִיפָה. חַי. מָלֵא. וְיֵשׁ אוֹמְרִים חַי מִן הֶחָבִית, וְיֵשׁ אוֹמְרִים חַי, הַכּוֹס שָׁלֵם. שֶׁשְּׁבִירָתוֹ זוֹ הִיא מִיתָתוֹ.

נח. כּוֹס עַל דֶּרֶךְ הַחָכְמָה, הוּא אֱלֹהִים. וְהוּא מָלֵא בְּיָ"ה וְהֵם שְׁלֵמִים, כ"ס בְּלָא ו' כְּמוֹ כֵּס שֶׁהוּא פָּגוּם וְחָסֵר בְּלָא אָלֶף, כֵּן הוּא חָסֵר בְּלָא וָי"ו, וְהוּא פָּגוּם. הַכִּסֵ"א כֵּן עוֹלֶה בְּגִימַטְרִיָּא כּוֹס.

נט. כּוֹס הִיא הֵ"א, וְצָרִיךְ עֲשָׂרָה דְּבָרִים, כְּנֶגֶד י'. וְהֵם: עִטּוּ"ר בְּסוֹד הָעֲטָרָה, עֲטֶרֶת תִּפְאֶרֶת. וְזֶהוּ סוֹד עִטּוּר, שֶׁאַחַ"ל מְעַטְּרוֹ בְּתַלְמִידִים, וְהִיא עֲטֶרֶת הַבְּרִית. עִטּוּ"ף, תְּפִלָּה לְעָנִי כִּי יַעֲטוֹף. שֶׁכָּל הַבְּרָכוֹת וְהַתְּפִלּוֹת מִתְעַטְּפִים, עַד שֶׁתַּעֲלֶה תְּפִלַּת הֶעָנִי.

ס. הֲדָחָ"ה וּשְׁטִיפָ"ה, כְּמוֹ וְטִהֲרוֹ וְקִדְּשׁוֹ. הַטָּהֳרָה מִיָּמִין הַחֶסֶד. וְהַקְּדוּשָּׁה מִשְּׂמֹאל דִּגְבוּרָה. כּוֹס דִּבְרָכָה מַלְכוּת מִצַּד בִּינָה הַנִּקְרֵאת אֱלֹהִים. וְנִקְרָא עֲטָרָה מִצַּד הַכֶּתֶר. חַ"י, מִצַּד יְסוֹד, הַנִּקְרָא שָׁלוֹם, שֶׁנֶּאֱמַר וּבְרִית שְׁלוֹמִי לֹא תָמוּט אָמַר מְרַחֲמֵךְ יְיָ'. מָלֵא, מִצַּד ת"ת. מְקַבְּלוֹ בִּשְׁתֵּי יָדָיו, ה' ה'.

סא. וְנוֹתְנוֹ בְּיָמִין, כִּי ה' עֶלְיוֹנָה לְחֶסֶד, ה' שְׁנִיָּה לִגְבוּרָה. וּמַסְלְקוֹ מִן הַקַּרְקַע טֶפַח, בְּסוֹד יו"ד כִּי סִלּוּק ה' הוּא יו"ד. וְנוֹתֵן עֵינָיו בּוֹ, שֶׁהֵם בְּסוֹד יַאֲהדוֹנָהִ"י. יְיָ' מֵאִיר בְּבָבַת עַיִן. יְהוָ"ד בִּשְׁלֹשָׁה צִבְעֵי הָעַיִן. אֲדֹנָ"י מְאִירָה, בִּשְׁנֵי כְּרוּבֵי הָעַיִן, וְאִישׁוֹנֵי עַפְעַפֵּי הָעַיִן. וּמְשַׁגְּ"רוֹ בְּמַתָּנָה לְאַנְשֵׁי בֵּיתוֹ. הִיא בִּינָה, שֶׁנֶּאֱמַר בָּהּ, יִשְׂמַח מֹשֶׁה בְּמַתְּנַת חֶלְקוֹ.

סב. עֲשִׂירָאָה, בִּרְכַּת מְזוֹנָא, הָא אוּקְמוּהָ רַבָּנָן, בִּשְׁלֹשָׁה, צָרִיךְ כּוֹס. וְרָזָא דְּמִלָּה, בְּגִין דְּאִיהִי אַהֲבַת כְּלוּלוֹתַיִךְ, דְּאִינּוּן אֲבָהָן, בַּכֹּ"ל מִכֹּ"ל כֹּ"ל. וְלֵית לְאַרְכָּאָה יַתִּיר.

SHOFTIM

שׁוֹפְטִים

רַעְיָא מְהֵימְנָא

א. שׁוֹפְטִים וְשׁוֹטְרִים תִּתֶּן לְךָ בְּכָל שְׁעָרֶיךָ אֲשֶׁר יְיָ' אֱלֹהֶיךָ נוֹתֵן לְךָ וְגוֹ'. בְּפִקּוּדָא דָא, מְנֵי שׁוֹפְטִים וְשׁוֹטְרִים. וְעוֹד כִּי אֱלֹהִים שׁוֹפֵט, כִּי: מ', מִנֵּיהּ יו"ד דְּחוּשְׁבְּנֵיהּ כ', בָּתַר הָכָא, אֱלֹהִים שׁוֹפֵט, זֶה יַשְׁפִּיל ה"ה, וְזֶה יָרִים דָא וָ"ו.

ב. פִּקּוּדָא בָּתַר דָא, לָדוּן בְּסַיִיף. לָדוּן בְּחֶנֶק. לָדוּן בְּדִין סְקִילָה. לָדוּן בְּדִין שְׂרֵיפָה. לָדוּן בְּסַיִיף לְמַאן. לְסָמָאֵל. הה"ד, כִּי רִוְּתָה בַשָּׁמַיִם חַרְבִּי הִנֵּה עַל אֱדוֹם תֵּרֵד.

ג. וְחֶרֶב דְּקוּדְשָׁא בְּרִיךְ הוּא, י' רֵישָׁא דְּחַרְבָּא. ו' גּוּפָא דְּחַרְבָּא. הֵ"א הֵ"א, תְּרֵין פִּיפִיּוֹת דִּילֵיהּ. צֶדֶק צֶדֶק תִּרְדּוֹף, וְחַתְכִין תְּרֵין דִּינִין, דִּינָא מִפֵּי ב"ד דִּלְעֵילָא, וְדִינָא מִפֵּי ב"ד דִּלְתַתָּא. וּמֵהָכָא אִשְׁתְּמוֹדַע, אֵין אָדָם נוֹקֵף אֶצְבָּעוֹ מִלְּמַטָּה עַד שֶׁנּוֹתְנִין לוֹ רְשׁוּת מִלְּמַעְלָה.

ד. נַרְתִּקָא דְּחַרְבָּא אֲדֹנָ"י. תַּמָּן אִשְׁתַּכַּח דִּינָא. בְּקֻ"שׁ יֶדֹוָד. וְחַרְבָּא דְּקוּדְשָׁא בְּרִיךְ הוּא, עָלָהּ אִתְּמַר רוֹמְמוֹת אֵל בִּגְרוֹנָם וְחֶרֶב פִּיפִיּוֹת בְּיָדָם. בְּצַדִּיק חַי עָלְמִין, כָּלִיל חַ"י בִּרְכָאן, דְּבֵיהּ אֲדֹנָ"י שְׂפָתַי תִּפְתָּח, וּפִי בֵּיהּ עָאל חַרְבָּא בְּנַרְתִּיקָהּ, וַחֲמַת הַמֶּלֶךְ שָׁכָכָה, וּמִתְחַבְּרִין תְּרֵין שְׁמָהָן יְאֲהדוֹנָהִ"י.

ה. לָדוּן בְּחֶנֶק. זַרְקָא, תַּמָּן קַו, י' כְּרִיכָא בֵּיהּ, וְקַו, ו' דְּאִתְפַּשְׁטָא מִנֵּיהּ. בֵּיהּ תָּפִיס לְסָמָאֵל, וַיִּשָּׂאוּהוּ בַמּוֹט בִּשְׁנָיִם. מַאי מוֹט דְּהַהוּא רָשָׁע. אָדָם דְּאִיהוּ יו"ד הֵ"א וָא"ו הֵ"א, מַ"ה, וְד' אַתְוָון יְדֹוָ"ד, הֲרֵי תִּשְׁעָה וְאַרְבָּעִים, כְּחוּשְׁבָּן תִּשְׁעָה וְאַרְבָּעִים אַתְוָון, דְּאִינּוּן בְּשִׁית תֵּיבִין דְּיִחוּדָא עִלָּאָה, וּבְשִׁית תֵּיבִין דְּיִחוּדָא תַּתָּאָה, דְּאִינּוּן ו' ו', וְהַאי וַיִּשָּׂאוּהוּ בַמּוֹט בִּשְׁנָיִם, בְּפִרוּדָא מִנַּיְיהוּ, בְּלָא א' בְּאֶמְצַע וָ"ו, דְּלֵית יִחוּדָא לְסִטְרָא אַחֲרָא, אֶלָּא וַיִּשָּׂאוּהוּ בַמּוֹט בִּשְׁנָיִם, סָמָאֵל וּבַת זוּגֵיהּ, עוֹלָם הַנִּפְרָדִים.

ו. בְּחֶבֶל דְּיִחָנֵק בָּהּ, אִנּוּן ה"א ה"א, בְּה' אֶצְבְּעָאן דְּיַד יְמִינָא, וּבְה' דְּיַד שְׂמָאלָא. ו' חֶבֶל. י' חֲנִיקָא דִּלְהוֹן. שְׁמָא דַּיְדֹוָ"ד, מִיתָה לְסָמָאֵ"ל וְנָחָשׁ, וְחַיִּים לְיִשְׂרָאֵל. וּבְגִ"ד רְאוּ עַתָּה כִּי אֲנִ"י אֲנִי הוּא וְאֵין אֱלֹהִים עִמָּדִ"י אֲנִי אָמִית לֵאלֹהִים אֲחֵרִים בִּשְׁמִי, וּלְכָל דְּלָא הֵימְנוּ בִּי. וַאֲחַיֶּה לְאִינּוּן דְּהֵימְנִין וְנַטְרִין פִּקּוּדִין דִּילִי.

ז. לָדוּן בִּסְקִילָה לְסָמָאֵל, בְּאֶבֶן דְּאִיהִי יו"ד, זָרִיק לָהּ לְגַבֵּיהּ, בַּחֲמֵשׁ אֶצְבְּעָן דְּאִינּוּן ה', וּבַקָּנֶה דִּדְרוֹעָא דְּאִיהוּ ו', וּבַכָּתֵף דְּתַמָּן ה'. וְזָרִיק לָהּ לְגַבֵּיהּ מַחֲשָׁבָה, דְּאִיהוּ שְׁמָא מְפֹרָשׁ יו"ד הֵ"א וָא"ו הֵ"א.

ח. לָדוּן בִּשְׂרֵפָה לְסָמָאֵל. עֵצִים לְאַדְלְקָא בְּהוֹן נוּרָא. זַכָּאָה אִיהוּ גּוּפָא דְּאִיהוּ עֵץ, וְאֵבָרִים דִּילֵיהּ עֵצִים, לְאוֹקְדָא בְּהוֹן אֶשָּׁא, דְּאִיהוּ נֵר מִצְוָה, בְּכָל אֵבֶר, לְאוֹקְדָא לְסָמָאֵל, בִּשְׁכִינְתָּא עִלָּאָה, בְּעֵץ דְּאִיהוּ תִּפְאֶרֶת, וּבְכָל עֵצִים דַּאֲחִידָן בֵּיהּ, דִּבְזִמְנָא דְּאֵשׁ עַל גָּבוֹהַּ נָחִית. הֲוָה, עַל גַּבֵּי עֵצִים דְּקָרְבְּנָא, וְהַזָּר הַקָּרֵב יוּמָת, דְּאִתּוֹקַד בֵּיהּ, הה"ד וְהָאֵשׁ עַל הַמִּזְבֵּחַ תּוּקַד בּוֹ. זַכָּאָה אִיהוּ מַאן דְּאָחִיד בְּאִילָנָא דְּחַיֵּי, בְּגוּפֵיהּ,

בְּאֵבָרִים דִּילֵיהּ, נֵר כָּל עַנְפָּא וְעַנְפָּא נֵר מִצְוָה ברמ"ח פִּקּוּדִין דִּילֵיהּ.

ט. כַּד אֲחִידָן בֵּיהּ תַּרְוַיְהוּ, יִתְקַיַּים וַיַּרְא וְהִנֵּה הַסְּנֶה בּוֹעֵר בָּאֵשׁ וְהַסְּנֶה אֵינֶנּוּ אוּכָּל. וְסָמָאֵל וְנָחָשׁ וְכָל מְמַנָּן דִּילֵיהּ, דְּאִינּוּן קוֹצִין, אִתּוֹקָדוּ. וַעֲנָפִין דִּסְנֶה, וְאִיבָּא דִּילֵיהּ, וְעָלִין דִּילֵיהּ, לָא אִתּוֹקָדוּ. דָּא אַחֲזֵי לֵיהּ קוּדְשָׁא בְּרִיךְ הוּא.

י. אָמַר בּוֹצִינָא קַדִּישָׁא, וַדַּאי יִשְׂרָאֵל אִינּוּן עֵצִים יְבֵשִׁים בְּאוֹרַיְיתָא, בְּגִין דַּאֲחִידוּ בְּאֵשׁ דְּהֶדְיוֹט, לָאו אִינּוּן כְּדְקָא חֲזֵי, לְמֶעְבַּד בְּהוֹן נִיסָא, מִיַּד דְּאָנַת נְחִיתַת עֲלַיְיהוּ בְּאוֹרַיְיתָא, בְּגִינָךְ נָחַת עֲלַיְיהוּ אִילָנָא דְּחַיֵּי, וּמִצְוָה דְּאִיהוּ נֵר יְיָ' וַאֲחִידַת בְּהוֹן וְיֶהֱווֹן חַיִּין. וְאוּמִין עכו"ם דְּעָלְמָא, אִתּוֹקְדָן בְּהַהוּא נֵר, וְהַאי אִיהוּ דְּאָמַר נָבִיא, וְאַתָּה אַל תִּירָא עַבְדִּי יַעֲקֹב וְאַל תֵּחַת יִשְׂרָאֵל כִּי אִתְּךָ אֲנִי וְגוֹ'.

יא. לֹא יָקוּם עֵד אֶחָד בְּאִישׁ לְכָל עָוֹן וְגוֹ'. עַל פִּי שְׁנֵי עֵדִים אוֹ עַל פִּי שְׁלֹשָׁה עֵדִים יָקוּם דָּבָר. פִּקּוּדָא דָּא, לְהָעִיד עֵדוּת בב"ד, דְּלָא יַפְסִיד וַחֲבְרֵיהּ מָמוֹנָא בְּגִינֵיהּ, אִי אִית לֵיהּ עֵדוּת בַּהֲדֵיהּ. וְלֵית סַהֲדוּתָא פָּחוֹת מִתְּרֵין, הה"ד עַל פִּי שְׁנַיִם עֵדִים וְגוֹ' יָקוּם דָּבָר, לֹא יָקוּם עַל פִּי עֵד אֶחָד. וּבג"ד אוֹקְמוּהָ מָארֵי מַתְנִיתִין, מִי מֵעִיד עַל הָאָדָם, קִירוֹת בֵּיתוֹ. וְלֹא עוֹד אֶלָּא אַנְשֵׁי בֵּיתוֹ מְעִידִין עָלָיו. מַאי קִירוֹת בֵּיתוֹ. אִינּוּן קִירוֹת לִבּוֹ. וַיַּסֵּב חִזְקִיָּהוּ פָּנָיו אֶל הַקִּיר, וְאוֹקְמוּהָ רַבָּנָן, מְלַמֵּד שֶׁהִתְפַּלֵּל חִזְקִיָּהוּ מִקִּירוֹת לִבּוֹ.

יב. אַנְשֵׁי בֵּיתוֹ, אִינּוּן רמ"ח אֵבָרִים דִּילֵיהּ. דְּהָכִי אוֹקְמוּהָ מָארֵי מַתְנִיתִין, רָשָׁע עֲוֹנוֹתָיו חֲקוּקִים עַל עַצְמוֹתָיו. וְהָכִי צַדִּיק, זָכִיּוֹתָיו חֲקוּקִים לוֹ עַל עַצְמוֹתָיו. וּבג"כ אָמַר דָּוִד כָּל עַצְמוֹתַי תֹּאמַרְנָה. וּבְגִינָהּ אִתְּמַר, וּמִי מְעִידִין עַל הָאָדָם קוֹרוֹת בֵּיתוֹ. גַּרְמִין בְּנוּיִין עַל מוֹחָא דְּאִיהוּ מַיָּא. וַעֲלַיְיהוּ קָא רָמִיז, הַמְקָרֶה בַמַּיִם עֲלִיּוֹתָיו, הַמְקָרֶה לְשׁוֹן קוֹרוֹת.

יג. וְאַמַּאי בְּגַרְמִין יַתִּיר מִבִּשְׂרָא וְגִידִין וּמַשְׁכָא. בְּגִין דְּגַרְמִין אִינּוּן חִוָּורִין, וּכְתִיבָא אוּכָמָא, לָא אִשְׁתְּמוֹדְעָא אֶלָּא מִגּוֹ חִוָּורוּ. כְּגַוְונָא דְּאוֹרַיְיתָא, דְּאִיהִי חִוָּורוּ מִלְּגָאו, אוּכָם מִלְּבַר. אוּכָם וְחִוָּור, חֹשֶׁךְ וְאוֹר וְאִית חֹשֶׁךְ תְּכֵלֶת, וְאִתְּמַר בֵּיהּ גַּם חֹשֶׁךְ לֹא יַחְשִׁיךְ מִמֶּךָ. וּתְכֵלֶת אוּכָם, אִיהוּ נוּקְבָא לְגַבֵּי חִוָּורוּ. וְלָא עוֹד, אֶלָּא דְּגוּפָא עַל גַּרְמִין עָתִיד לְמֵיקַם. וּבג"ד זָכוּוֵי וְחוֹבוֹי חֲקוּקִין עַל גַּרְמִין דִּילֵיהּ, וְאִם יִזְכֶּה יָקוּם גּוּפָא עַל גַּרְמִין דִּילֵיהּ. וְאִי לָאו, לָא יָקוּם, וְלָא יְהֵא לֵיהּ תְּחִיַּית הַמֵּתִים.

יד. וְלָא עוֹד, אֶלָּא תְּרֵין סָהֲדִין אִינּוּן עַל ב"נ, עַיִן רוֹאָה וְאֹזֶן שׁוֹמַעַת, וּב"ד סוֹפֵר, וְדַן חוֹבוֹי. וְלָא עוֹד, אֶלָּא שִׁמְשָׁא וְסִיהֲרָא סָהֲדִין עַל ב"נ, כְּמָה דְּאוֹקְמוּהָ תִּקְעוּ בַחֹדֶשׁ שׁוֹפָר בַּכֶּסֶה לְיוֹם חַגֵּנוּ. מַאי בַּכֶּסֶה. בְּיוֹמָא דְּסִיהֲרָא מִתְכַּסְּיָא. וְאַמַּאי מִתְכַּסֵּית. בְּגִין דְּכַד מָטֵי רֹאשׁ הַשָּׁנָה, יֵיתֵי סָמָאֵל לְמִתְבַּע דִּינָא לִבְנוֹי קַמֵּי קוּדְשָׁא בְּרִיךְ הוּא, וְהוּא יֵימָא לֵיהּ דְּיֵיתֵי סָהֲדִין. וְהוּא יֵיתֵי לְשִׁמְשָׁא עִמֵּיהּ. אָזַל לְמַיְיתֵי סִיהֲרָא, וְהִיא מִתְכַּסְיָא. בָּאן אֲתַר מִתְכַּסֵּית. אֶלָּא סְלִיקַת, לְהַהוּא אֲתַר, דְּאִתְּמַר בֵּיהּ בַּמְכוּסֶּה מִמְּךָ אַל תַּחְקוֹר, לְפַיְּיסָא לֵיהּ עַל בְּנָהָא.

טו. וְהַאי הוּא דְּאָמַר קְרָא, תִּקְעוּ בַחֹדֶשׁ שׁוֹפָר בַּכֶּסֶה לְיוֹם חַגֵּנוּ. לַאֲתַר דְּבֵיהּ סְלִיקַת שְׁכִינְתָּא, דְּאִתְּמַר בֵּיהּ וּבַמְכוּסֶּה מִמְּךָ אַל תַּחְקוֹר. וְחוֹבִין בְּאִתְכַּסְיָיא, תַּמָּן צָרִיךְ לְמֵידָן בֵּינוֹ לְבֵין קוֹנוֹ. וְחוֹבִין דְּאִתְגַּלְיָיא דְּעָבֵד לוֹן, אִתְּמַר מְכַסֶּה פְּשָׁעָיו לֹא יַצְלִיחַ. דִּשְׁכִינְתָּא מִסִּטְרָא דְּכֶתֶר אִיהִי עָלְמָא דְּאִתְכַּסְיָא, וְאוֹקְמוּהָ מָארֵי מַתְנִיתִין, דְּצָרִיךְ ב"נ לְחַבְרָא לָהּ לְהַהוּא אַתְרָא, בְּהַהוּא זִמְנָא מָטֵי זִמְנָא דְּרַחֲמֵי, וְאַעֲבַר דִּינָא. וּבג"ד לְחַבְרֵיהּ אָמַר לְזַכָּאָה לֵיהּ בְּעֵדוּתֵיהּ. אֲבָל לְרָשָׁע אֵין מְזַכִּין לוֹ.

טז. וְעוֹד, קוּדְשָׁא בְּרִיךְ הוּא וּשְׁכִינְתֵּיהּ סָהֲדִין עַל ב"נ, הה"ד הַעִידוֹתִי בָכֶם הַיּוֹם אֶת הַשָּׁמַיִם וְאֶת הָאָרֶץ. אֶת הַשָּׁמַיִם, הַהוּא דְּאִתְּמַר בֵּיהּ וְאַתָּה תִּשְׁמַע הַשָּׁמַיִם. וְאֶת הָאָרֶץ, הַהוּא דְּאִתְּמַר בָּהּ וְהָאָרֶץ הֲדוֹם רַגְלָי. וְעוֹד, תְּרֵין סָהֲדִין: עַמּוּדָא דְּאֶמְצָעִיתָא, וְצַדִּיק. וְאִינּוּן ע"ד, מִן שְׁמַ"ע אֶחָד. עֵד, מִן בָּרוּךְ שֵׁם כְּבוֹד מַלְכוּתוֹ לְעוֹלָם וָעֶד.

יז. עַל פִּי שְׁנַיִם עֵדִים אוֹ שְׁלֹשָׁה עֵדִים יוּמַת הַמֵּת, דָּא סָמָאֵל, מֵת מֵעִקָּרוֹ וַיְשָׁאוּהוּ בַמּוֹט בִּשְׁנָיִם. לֹא יוּמַת עַל פִּי עֵד אֶחָד, דְּלָא יְהֵא לֵיהּ חוּלָקָא בְּאֵל אֶחָד.

יח. כִּי יָקוּם עֵד חָמָס בְּאִישׁ וְגוֹ' וְדָרְשׁוּ הַשּׁוֹפְטִים הֵיטֵב וְגוֹ', וַעֲשִׂיתֶם לוֹ כַּאֲשֶׁר זָמַם וְגוֹ'. פִּקּוּדָא דָּא לִדְרוֹשׁ וְלַחֲקוֹר הָעֵדִים בְּז' חֲקִירוֹת, קוֹדֶם דְּיָדִין לֵיהּ בְּעוֹנְשָׁא דְּמוֹתָא, בְּשֶׁבַע חֲקִירוֹת, שֶׁבַע לָקֳבֵל שִׁבְעָה אֵלֶּה עֵינֵי יְיָ' הֵמָּה מְשׁוֹטְטִים בְּכָל הָאָרֶץ. בְּהוֹן וְיִסַּרְתִּי אֶתְכֶם אַף אֲנִי שֶׁבַע.

יט. פִּקּוּדָא בָּתַר דָּא, לַעֲשׂוֹת לְעֵד זוֹמֵם כַּאֲשֶׁר זָמַם לַעֲשׂוֹת לְאָחִיו. תְּרֵין סַהֲדֵי שִׁקְרָא דְּאִינּוּן סָמָאֵל וְנָחָשׁ, אִי יֵיתוּן לְאַסְהֲדָא סַהֲדוּתָא דְּשֶׁקֶר עַל יִשְׂרָאֵל, דְּטָעוּ בֵּין ו' לְז' דְּאִינּוּן אַתְוָון זו. וְהַאי אִיהוּ עַם זוּ יָצַרְתִּי לִי תְּהִלָּתִי יְסַפֵּרוּ.

כ. וְלָא יִתְיַיחֵד ו' עִם ז', אֶלָּא בִּשְׂרֵפַת חָמֵץ, דְּבֵין ו' לְז'. וְאע"ג דְּמִדְּאוֹרַיְיתָא אִיהוּ עַד סוֹף שִׁית, גָּזְרוּ רַבָּנָן, אוֹכְלִין כָּל אַרְבַּע, וְתוֹלִין כָּל חָמֵשׁ, וְשׂוֹרְפִין בִּתְחִלַּת שֵׁשׁ. וְאוֹלְפֵי מָארֵי מַתְנִיתִין מִסַּהֲדוּתָא דְּשַׁעְתֵּי דְּחָמֵץ, לְסַהֲדוּתָא דִּבְדִיקוֹת דְּסַהֲדֵי, דְּהַהוּא דְּהָרַג אֶת הַנֶּפֶשׁ. וְכֹלָּא מְפָרַשׁ בְּמַתְנִיתִין. וִיקַיֵּים בְּהוֹן, אֲרֵי בְּפִתְגָּמָא דְּחָשִׁיבוּ מִצְרָאֵי לְמֵידָן וְכוּ'. וְהַאי אִיהוּ וַעֲשִׂיתֶם לוֹ כַּאֲשֶׁר זָמַם.

כא. פִּקּוּדָא בָּתַר דָּא, לְקַבֵּל בֵּית דִּין הַגָּדוֹל עָלַיְיהוּ, בִּינָה, מִסִּטְרָא דִּגְדוֹלָה אִקְרֵי אֱלֹהִים, בֵּית דִּין הַגָּדוֹל, רַב בְּדִינוֹי, וְרַב בְּזַכְווֹי, כְּגַוְונָא דְּאִתְּמַר שׂוֹם תָּשִׂים עָלֶיךָ מֶלֶךְ בְּפִקּוּדָא, שׂוּם לְעֵילָּא, תָּשִׂים לְתַתָּא. הָכִי לְקַבֵּל עָלֵיהּ ב"ד רַבְרְבָא, אע"ג דְּקַבִּיל עָלֵיהּ ב"ד זְעֵירָא. בֵּית דִּין זְעֵירָא, בֵּית דִּין שֶׁל שְׁלֹשָׁה, מִסִּטְרָא דִּשְׁכִינְתָּא תַּתָּאָה. ב"ד רַבְרְבָא, מֵאִלֵּין סַנְהֶדְרֵי גְּדוֹלָה.

כב. אָמַר בּוּצִינָא קַדִּישָׁא, שִׁבְעִים סַנְהֶדְרֵי גְּדוֹלָה הֲווֹ, וְאַנְתְּ רַבְרְבָא עַל כֻּלְּהוּ, וְהָיָה כָּל הַדָּבָר הַגָּדוֹל יָבִיאוּ אֵלֶיךָ וְכָל הַדָּבָר הַקָּטֹן יִשְׁפְּטוּ הֵם. אֵלּוּ. הֵם סַנְהֶדְרֵי גְּדוֹלָה, סַנְהֶדְרֵי קְטַנָּה. סַנְהֶדְרֵי גְּדוֹלָה מִסִּטְרָא דִּשְׁכִינְתָּא עִלָּאָה, סַנְהֶדְרֵי קְטַנָּה מִסִּטְרָא דִּשְׁכִינְתָּא תַּתָּאָה.

כג. מֹשֶׁה שׁוּשְׁבִינָא דְּמַלְכָּא, אַהֲרֹן שׁוּשְׁבִינָא דְּמַטְרוֹנִיתָא. וְעִמְּהוֹן שַׁבְעִין וּתְרֵין סַנְהֶדְרִין, כְּמִנְיַן חֶסֶד, וּמֵהָכָא סַנְהֶדְרֵי גְּדוֹלָה. סַנְהֶדְרֵי קְטַנָּה, מִסִּטְרָא דִּשְׂמָאלָא, אֶת הַמָּאוֹר הַקָּטֹן לְמֶמְשֶׁלֶת הַלַּיְלָה.

כד. וּבְג"ד, תִּפְאֶרֶת אֶת הַמָּאוֹר הַגָּדוֹל לְמֶמְשֶׁלֶת הַיּוֹם, דְּאִתְּמַר בֵּיהּ יוֹמָם יְצַוֶּה יְיָ' חַסְדּוֹ. אֶת הַמָּאוֹר הַקָּטֹן לְמֶמְשֶׁלֶת הַלַּיְלָה, וּבַלַּיְלָה שִׁירֹה עִמִּי. שִׁיר דִּלְוִיִּים, וְדָא יְסוֹד. בֶּן יִשַׁי חַי עַל הָאֲדָמָה. דְּתָקִין עֶשֶׂר מִינֵי תְהִלִּים, בְּשִׁירָה. וְאִיהוּ צַדִּיק לִשְׂמָאלָא, אֶת הַמָּאוֹר הַקָּטֹן, וְדָא שְׁכִינְתָּא, דְּאִתְנְטִילַת מִשְּׂמָאלָא.

Ki Tetze
כִּי תֵצֵא

רַעְיָא מְהֵימָנָא

א. וְעָנְשׁוּ אוֹתוֹ מֵאָה כֶסֶף וְגוֹ'. פִּקּוּדָא דָא, לָדוּן בְּדִין, מוֹצִיא שֵׁם רָע. הה"ד, וְעָנְשׁוּ אוֹתוֹ מֵאָה כֶסֶף וְנָתְנוּ לַאֲבִי הַנַּעֲרָה כִּי הוֹצִיא שֵׁם רָע עַל עַל בְּתוּלַת יִשְׂרָאֵל. רַבָּנָן, וְהַאי אִיהוּ בָּתַר נִשּׂוּאִין, דְּאָמַר לָא מָצָאתִי לְבִתְּךָ בְּתוּלִים, וְלָאו כָּל שֵׁם רָע עָקִיל, דְּמִרְגְּלִים דְּאַפִּיקוּ שׁוּם בִּישׁ עַל אַרְעָא, אִתְעֲנָשׁוּ בְּגִינָהּ, וּמֵיתוּ וְלָא זָכוּ לָהּ. וְאַתְּתָא קַרְקַע אִיהִי בְּאַרְעָא, כְּמָה דְּאוּקְמוּהָ, אֶסְתֵּר קַרְקַע עוֹלָם הֲוָה.

ב. וְאִי תֵּימְרוּן שׁוּם בִּישׁ עֲלָהּ, דְּאִסְתָּאֲבַת בַּאֲחַשְׁוֵרוֹשׁ, וְזָכְתָה לְאִתְלַבְּשָׁא בָּהּ רוּחָא דְּקַדְשָׁא הה"ד וַתִּלְבַּשׁ אֶסְתֵּר מַלְכוּת. הָא אָמַר קוּדְשָׁא בְּרִיךְ הוּא, אֲנִי יְיָ הוּא שְׁמִי וּכְבוֹדִי לְאַחֵר לֹא אֶתֵּן וּתְהִלָּתִי לַפְּסִילִים. וְרוּחָא דְּקַדְשָׁא שְׁכִינְתָּא הֲוָת, דְּאִיהִי שֵׁם דְּאִתְלַבְּשַׁת בְּאֶסְתֵּר.

ג. אֲבָל רַבָּנָן, וַוי לְאִינּוּן דְּאַכְלִין תֶּבֶן תֶּבֶל דְּאוֹרַיְיתָא וְלָא יָדַע בְּסִתְרֵי דְאוֹרַיְיתָא, אֶלָּא קָלִין וַוְזָמְרִין דְּאוֹרַיְיתָא, קָלִין תֶּבֶן דְּאוֹרַיְיתָא, וְאוּמְרָא דְּאוֹרַיְיתָא, וְזָטָה, וְזָט ה', אִילָנָא דְּטוֹב וְרָע.

ד. לֵית דַּרְכָּא דְּמַלְכָּא וּמַטְרוֹנִיתָא, לְמִרְכַּב עַל וַזַמְרָא, אֶלָּא עַל סוּסְווֹן. הה"ד כִּי תִרְכַּב עַל סוּסֶיךָ מַרְכְּבוֹתֶיךָ יְשׁוּעָה. דְּאֵין מְזַלְזְלִין בְּמַלְכוּתָא, לְמִרְכַּב מַטְרוֹנִיתָא עַל וַזַמְרָא. כ"ע מַלְכָּא, לֵית דֵין אֲתָר הֶדְיוֹט עֶבֶד, דְּאַרְוַוח לְמִרְכַּב עַל וַזַמְרָא. וּבְג"ד כְּתִיב בֵּיהּ בְּמַעֲוַוז, עָנִי וְרוֹכֵב עַל חֲמוֹר. עָנִי אִיהוּ תַּמָּן בְּסִימָן, עֵרוּבִין נִדָּה יְבָמוֹת, וּשְׁאָר מַתְנִיתִין בְּכְלָל. וְלָא אִתְקְרֵי תַּמָּן מֶלֶךְ, עַד דְּרָכִיב בְּסוּסְיָא דִּילֵיהּ כְּנֶסֶת יִשְׂרָאֵל.

ה. קוּדְשָׁא בְּרִיךְ הוּא כַּד אִיהוּ לְבַר מֵאַתְרֵיהּ, לָאו אִיהוּ מֶלֶךְ. וְכַד אִתְהַדָּר לְאַתְרֵיהּ, וְהָיָה יְיָ לְמֶלֶךְ. וְהָכִי יִשְׂרָאֵל, אִתְּמַר בְּהוֹן, כָּל יִשְׂרָאֵל בְּנֵי מְלָכִים. כְּגַוְונָא דְאַבָּא, אִינּוּן בְּנוֹי. לָאו אִינּוּן בְּנֵי מְלָכִים, עַד דְּיַהְדְרוּן לְאַרְעָא דְּיִשְׂרָאֵל. וְאִי תֵּימָא הַהֶדְיוֹט דָּא, אַף ע"ג דְּאִיהוּ הֶדְיוֹט לְגַבֵּי מָארֵיהּ, עֲלֵיהּ אִתְּמַר, אַל תְּהִי בִּרְכַּת הֶדְיוֹט קַלָּה בְּעֵינֶיךָ. וְהֶדְיוֹט דָא לְגַבֵּי מַלְכָּא עֶבֶד מְטַטְרוֹן. וְאָדָם קַדְמָאָה דְּלָא נָטַר יְקָר דְּיַהֲבוּ לֵיהּ, וְצִוָּהוּ לֵיהּ לְמֵיכַל עִם וַזַמְרֵיהּ, וְאָמַר אֲנִי וַוְזָמוֹרִי נֹאכַל בְּאֵבוּס אֶוָד. וִישַׂעֲכַּר בְּהַאי וַזַמְרָא, זָכָה לְאִתְקְרֵי יִשָּׂשכָר וַזַמוֹר גָּרֶם.

ו. וְרַבָּנָן מָארֵי מַתְנִיתִין, מַטְרוֹנִיתָא אִתְּמַר בָּהּ וּמַלְכוּתוֹ בַּכֹּל מָשָׁלָה, בָּתַר דְּאִתְלַבְּשָׁא בֵּיהּ אֶסְתֵּר, שְׁלִיטַת אֶסְתֵּר עַל אֲחַשְׁוֵרוֹשׁ וְאוּמָתֵיהּ. וְאִתְּמַר בְּהוֹ וְהָרוֹג בְּשׂוֹנְאֵיהֶם. וְאִי תֵּימָא דְּאִתְיְיוֹדַד עִמָּה. אַף עַל גַּב דְּהֲוֵי בְּבֵיתָא חֲדָא, וז"י. אֶלָּא, כְּגַוְונָא דְּיוֹסֵף, דְּאִתְּמַר בֵּיהּ, וַתַּחֲנוּ בְגָדוֹ אֶצְלָהּ, וְלָא לְבוּשׁוֹ, אֶלָּא בִּגְדוֹ, לִישָׁנָא דְּבוֹגְדִים בָּגָדוּ.

ז. וְהָכָא סִתְרָא רַבְרְבָא. וּבְגִין דָּא, אֶסְתֵּר: לִישָׁנָא דְּסִתְרָאָה, אַתָּה סֵתֶר לִי, שְׁכִינְתָּא אֲסִתִירַת לָהּ מֵאֲחַשְׁוֵרוֹשׁ, וְיָהִיב לֵיהּ עֵידָה בְּאַתְרָהּ, וְאִתְהַדְּרַת אִיהִי בִּדְרוֹעֵיהּ דְּמָרְדְּכַי. וּמָרְדְּכַי דַּהֲוָה יָדַע שְׁמָא מִפָּרַע, וְעַוְבְּעִין לָשׁוֹן, וְעָבֵד כָּל דָּא בְּחָכְמְתָא. וּבְגִין דָּא אוּקְמוּהָ מָארֵי מַתְנִיתִין, דְּאֲפִילוּ בְּלָא דָא, אִית לֵיהּ לְב"נ קוֹדֶם

דְּיִתְיַיחֵד עִם אִתְּתֵיהּ, לְמַלְּלָא עִמָּהּ, בְּגִין דְּשֵׁמָא שֵׁידָה אִתְחַלְּפָא בְּאִתְּתֵיהּ.

ח. וְדָא בְּאִתְּתָא מֵאִילָנָא דְּטוֹב וָרָע, אֲבָל אִם הִיא מִשְּׁכִינְתָּא, לֵית לָהּ שִׁנּוּי, הה"ד אֲנִי יְיָ' לֹא שָׁנִיתִי. אֲנִי: דָּא שְׁכִינְתָּא. וְלֵית לָהּ דְּחִילוּ מִכָּל סִטְרִין אַחֲרָנִין. הה"ד, כָּל הַגּוֹיִם כְּאַיִן נֶגְדּוֹ.

ט. וּבְאַתְרָא דִּשְׁכִינְתָּא תַּמָּן, כַּמָּה סְגוּלוֹת תַּמָּן. וּבְגִין דְּאֶסְתֵּר אִתְלַבְּשַׁת שְׁכִינְתָּא בָּהּ, וַחֲזָיָא הֲוַת לְמֶעְבַּד עִמָּהּ כַּמָּה סְגוּלוֹת. כְּגַוְונָא דְּשָׂרָה, קוּדְשָׁא בְּרִיךְ הוּא נָטִיר לָהּ, בְּגִין שְׁכִינְתָּא דַּהֲוַת עִמָּהּ, נָטִיר לָהּ מִפַּרְעֹה, וַאֲפִילּוּ לְבוּשָׁהּ וְתַכְשִׁיטֶיהָ בְּכֻלְּהוּ שַׁוֵּי קוּדְשָׁא בְּרִיךְ הוּא סְגוּלוֹת, בְּגִין שְׁכִינְתָּא. וּבְגִין דָּא, אָתָא פַּרְעֹה לְסַנְדְּלָא, מָחָא לֵיהּ עִמֵּיהּ. וְהָכִי נָמֵי בְּכָל תַּכְשִׁיטִין דִּילָהּ. בְּכָל תַּכְשִׁיט וְתַכְשִׁיט דַּהֲוָה נָגַע בֵּיהּ, מָחֵי לֵיהּ, עַד דְּאִתְפְּרַשׁ מִנָּהּ הַהוּא טָמֵא, וְאַחְזַר לָהּ לְבַעְלָהּ.

י. וְאִי בְּתַכְשִׁיטִין דִּילָהּ כַּךְ, כ"ש מַאן דְּנָגַע בְּגוּפָא. וַאֲפִילּוּ בְּאֶצְבַּע דִּילָהּ, לְסִטְרָא דְּיִחוּדָא, וְהַזָּר הַקָּרֵב יוּמָת. דְּקוּדְשָׁא בְּרִיךְ הוּא לָא יְהִיב לֵיהּ רְשׁוּ לְמִקְרַב גַּבָּהּ, הה"ד אֲנִי יְיָ' הוּא שְׁמִי וּכְבוֹדִי לְאַחֵר לֹא אֶתֵּן.

יא. וּבְגִין דָּא, לָא כָּל ש"ר שָׁקוּל. מְרַגְּלִים דְּאַפִּיקוּ שׁוּם בִּישׁ עַל אַרְעָא דְּיִשְׂרָאֵל מִיתוּ. מַאן דְּאַפִּיק שׁוּם בִּישׁ עַל שְׁכִינְתָּא, כָּל שֶׁכֵּן דְּלַקְיָין בְּנִשְׁמָתְהוֹן. דְּאִלֵּין דְּאַפִּיקוּ שׁוּם בִּישׁ עַל אַרְעָא, לָקוּ בְּגוּפַיְיהוּ, וּמִיתַת גַּרְמַיְיהוּ מִיתוּ. אֲבָל מַאן דְּאַפִּיק שׁוּם בִּישׁ עַל שְׁכִינְתָּא, נִשְׁמָתָא דִּלְהוֹן לָקְאָה. וְהַאי לְמַאן דְּיָדַע רָזָא דָּא, וְעֵינוֹי פַּתְחִין. אֲבָל מַאן דְּעֵינוֹי סְתִימִין, לֵית לֵיהּ עוֹנְשָׁא כָּל כַּךְ.

יב. וּמָה דְּרַבָּנָן דְּמַתְנִיתִין שַׁוְיָין קַמַּיְיהוּ, דְּאִתְּתָא אֲנוּסָה מוּתֶּרֶת לְבַעְלָהּ. וַדַּאי אִיסּוּר וְהֶיתֵּר דְּמַתְנִיתִין לָא מְמַלֵּל אֶלָּא בְּמִילֵּיהּ דְּב"נ, וְאִתְּתָא דְּאִיהִי מֵאִילָנָא דְּעֵץ הַדַּעַת טוֹב וָרָע. אֲבָל אִתְּתָא דְּאִיהִי מֵאִילָנָא דְּחַיֵּי, לָאו לָהּ דִּינָא כְּאִלֵּין, דְּהַהוּא דְּאִילָנָא דְּחַיֵּי, צַדִּיק וְטוֹב לוֹ. וּבְגִינֵיהּ אִתְמַר, לֹא יְאוּנֶּה לַצַּדִּיק כָּל אָוֶן, וְלָא לְבַת זוּגוֹ צַדֶּקֶת. וְאוֹלִיפְנָא מִשָּׂרָה בְּבֵיתָא דְּפַרְעֹה, דְּלָא הֲוָה לֵיהּ רְשׁוּ לְמִקְרַב בַּהֲדָהּ.

יג. וּמַאן דְּאִיהוּ צַדִּיק וְרָע לוֹ, הַאי דְּאִיהוּ מֵאִילָנָא דְּטוֹב וָרָע, דְּכֵיוָן דְּרָע עִמֵּיהּ, אֵין צַדִּיק אֲשֶׁר לֹא יֶחֱטָא בְּהַהוּא רָע, בָּתַר דְּאִיהוּ עִמֵּיהּ. רָשָׁע וְטוֹב לוֹ, דְּאִתְגַּבַּר יֵצֶר הָרָע עַל יֵצֶר טוֹב, אִתְמַר וְטוֹב לוֹ, טוֹב אִיהוּ תְּחוֹת רְשׁוּתֵיהּ, וּבְגִין דְּרָע שַׁלִּיט עַל טוֹב, רָשָׁע אִיהוּ, דְּהַהוּא דְּאִתְגַּבַּר נָטִיל שְׁמָא. רָשָׁע וְרָע לוֹ, אֵל אַחֵר סָמָאֵל, וְרָע לוֹ, סַם הַמָּוֶת דִּילֵיהּ עכו"ם, תְּמוּתַת רָשָׁע רָעָה. וּבְגִ"ד, אֲנוּסָה לָאו אִיהִי, אֶלָּא אִי אִית בָּהּ תַּעֲרוֹבֶת בְּהַהִיא נִשְׁמָתָא, דְּטוֹב וָרָע.

יד. וְאוֹרַיְיתָא דְּאִתְיְיהִיבַת, אִתְּבָּרוּ לוּחִין דִּילָהּ, דְּאִינּוּן מְשׁוּלִים לִבְתוּלִים. וְקוּדְשָׁא בְּרִיךְ הוּא הֲדַר יָהִיב לוֹן לְיִשְׂרָאֵל, לְנַטְרָא לָהּ, אוֹרַיְיתָא דְּבע"פ אִתְקְרִיאַת הֲלָכָה לְמֹשֶׁה מִסִּינַי. וְחָתָן דִּידָהּ, תָּבַר בְּתוּלִים דִּילָהּ. וּמַאן דְּאַפִּיק שׁוּם בִּישׁ עָלָהּ, דְּיֵימָא דְּהָא הַהִיא אוֹרַיְיתָא לָאו אִיהִי דָּא, דְּהָא לוּחִין דִּילָהּ אִתְּבָּרוּ. קוּדְשָׁא בְּרִיךְ הוּא יֵימָא לֵיהּ, דְּאִיהוּ אֲבִי הַנַּעֲרָה, בַּת, דְּאִיהוּ בְּתֵיבַת בְּרֵאשִׁית, אִיהִי בְּרַתָּא דְּמַלְכָּא, קוּדְשָׁא בְּרִיךְ הוּא אָמַר וּפֵרְשׂוּ הַשִּׂמְלָה, וְאִתְפַּתּוּחַת יְרִיעָה מִס"ת, וְיֶחֱזוּן דְּאִתְמַר בֵּיהּ, פְּסָל לְךָ שְׁנֵי לוּחוֹת אֲבָנִים כָּרִאשֹׁנִים וְכָתַבְתִּי עַל הַלּוּחוֹת אֶת הַדְּבָרִים אֲשֶׁר הָיוּ עַל הַלּוּחוֹת הָרִאשֹׁנִים אֲשֶׁר שִׁבַּרְתָּ.

טו. מִיַּד קָם אֵלִיָּהוּ, וְכָל מָארֵי מְתִיבְתָּא, וּבָרִיכוּ לֵיהּ, וְאָמְרוּ סִינַי סִינַי, הָכִי אִתְחֲזְיָיא לְמִשְׁמַע מִלִּין דִּילָךְ וְלִשְׁתּוֹק, אֲבָל בִּרְשׁוּתָא דְּקוּדְשָׁא בְּרִיךְ הוּא וּשְׁכִינְתֵּיהּ,

אֲנָא בָּעֵי לְמַלְּלָא מִלָּה לְגַבָּךְ, לִיקָרָא דִּילָךְ. א"ל אֵימָא.

טז. פָּתַח וְאָמַר, רַעְיָא מְהֵימְנָא, הַאי כַּלָּה דִּילָךְ, קוּדְשָׁא בְּרִיךְ הוּא יָהַב לָהּ לְאַבְרָהָם לְגַדְּלָא לָהּ לְגַבָּךְ, וּבְגִין דְּאִיהוּ נָטִיר לָהּ, אִתְקְרִיאַת בְּרַתֵּיהּ. הה"ד, בַּת הָיְתָה לוֹ לְאַבְרָהָם וּבַכֹּל שְׁמָהּ. וּבָהּ קִיֵּים כָּל אוֹרַיְיתָא כֻּלָּהּ, וַאֲפִילּוּ עֵירוּבֵי תַּבְשִׁילִין. הה"ד, וַיִּשְׁמוֹר מִשְׁמַרְתִּי וְגוֹ'. וְאִיהוּ הֲוָה לְגַבָּהּ אוֹמֵן, כְּגוֹן וַיְהִי אוֹמֵן אֶת הֲדַסָּה. וְקוּדְשָׁא בְּרִיךְ הוּא בָּרִיךְ לֵיהּ בְּגִינָהּ, הה"ד וַיְיָ' בֵּרַךְ אֶת אַבְרָהָם בַּכֹּל. וְגַדִּיל לָהּ מִכָּל מִדּוֹת טָבִין, וְגָמִיל לָהּ וְחֶסֶד, וְסַלִּיק לָהּ בִּגְדוֹלָה בְּמִדַּת וְחֶסֶד דְּאַבְרָהָם, וַהֲוָה בֵּיתֵיהּ בְּגִינָהּ פָּתוּחַ לִרְוָוחָה, לְמִגְמַל וְחֶסֶד עִם כָּל בָּאֵי עוֹלָם.

יז. וּבְגִין דְּאִיהוּ גָּמִיל וְחֶסֶד עִמָּהּ, כַּד בְּנוֹי דְּאַבְרָהָם הֲווֹ מְמוּשְׁכָּנִין בְּכַמָּה חוֹבִין בְּמִצְרַיִם, אָמַר קוּדְשָׁא בְּרִיךְ הוּא לָךְ רַעְיָא מְהֵימְנָא, זִיל וְגָמִיל טִיבוּ, לְמַאן דְּגָמִיל לֵיהּ עִמָּךְ, דְּדָא כַּלָּה דִּילָךְ, יְהִיבַת לָהּ לֵיהּ, לְגַדְּלָא לָהּ בְּמִדּוֹת טָבִין, וְאִיהוּ גַּדִּיל לָהּ בִּתְלֵיסַר מְכִילָן דְּרַחֲמֵי, דִּרְמִיזִין בִּתְלַת תֵּיבִין וָה"ו אֲנִ"י וָה"ו, דְּאִינּוּן וָא"ו. דְּכָלִיל בְּהוֹן ע"ב שְׁמָהָן, כְּמִנְיַן וְחֶסֶד. דִּבְהוֹן הֲוָה אִתְגַּבַּר אַבְרָהָם עַל ע"ב אוּמִין וּבְכַלָּה דִּילָךְ, הֲוָה לֵיהּ סְגוּלָּה בְּע"ב שְׁמָהָן, וַהֲוָה נָצַח לְכָל אוּמָּה וְלִישָׁן.

יח. וּבְגִין דָּא, מוֹלִיךְ לִימִין מֹשֶׁה זְרוֹעַ תִּפְאַרְתּוֹ. וּבוֹקֵעַ מַיִם, דְּיַמָּא קָרְעַת לֵיהּ קֳדָם בְּנוֹי, בִּתְרֵיסַר קְרָעִין, בְּחוּשְׁבַּן וָ"ו, וּבִזְכוּת א' עַבְדַת יַמָּא יַבֶּשְׁתָּא. וּבָהּ טוּבְעוּ מִצְרַיִם, דְּלָא מְהֵימְנִין בְּוָא"ו דְּאִיהוּ אֶחָד. וּלְזִמְנָא דְּאָתֵי, כִּימֵי צֵאתְךָ מֵאֶרֶץ מִצְרַיִם אַרְאֶנּוּ נִפְלָאוֹת, יִתְקַיֵּים בְּיִשְׂרָאֵל זַרְעָא דְּאַבְרָהָם. וּבָךְ יִתְקַיֵּים, מוֹלִיךְ לִימִין מֹשֶׁה זְרוֹעַ תִּפְאַרְתּוֹ וּבוֹקֵעַ מַיִם דְּאוֹרַיְיתָא קָדְמֵיהוֹן, לְמֶהֱוֵי לָךְ שֵׁם עוֹלָם. וְתַמָּן תַּרְוַיְיהוּ כַּלָּה דִּילָךְ.

יט. וּבְגִין דְּבַת דָּא, אִתְיְיהִיבַת לְיִשְׂרָאֵל, דְּאִיהִי הֲלָכָה דִּילָךְ, מִסִּטְרָא דִּשְׂמָאלָא, הֲלָכָה לְמֹשֶׁה מִסִּינַי. דְּהָא מִסִּטְרָא דִּימִינָא, ה' הֲלָכָה דִּילָךְ, מִסִּטְרָא דִּשְׁמָא דְּאַבְרָהָם. י' דְּיִצְחָק. וְכַלָּא ה"י מִן אֱלֹהִים. וְאַנְתְּ וָא"ו, מָלֵא דִּילָהּ, שְׁלֵימוּת דִּילָהּ, כּוֹס מָלֵא. בְּקַדְמֵיתָא כֵּ"ס יָ"הּ, וּלְבַסּוֹף כּוֹס מָלֵא בִּרְכַּת יְיָ'.

כ. וּבְגִין דְּאִתְיְיהִיבַת לְיִשְׂרָאֵל עַל יְדָךְ, דְּאִינּוּן מִסִּטְרָא דְּעַמּוּדָא דְּאֶמְצָעִיתָא, אִית לְגַלָּאָה אֲמַאי אִתְיְיהִיבַת לוֹן דְּהָא וַדַּאי אַבְרָהָם הָא אִתְּמַר אֲמַאי אִתְיְיהִיבַת לֵיהּ. וְאַנְתְּ גְּמִילַת וְחֶסֶד עִם בְּנוֹי, כְּגַוְונָא דְּגָמִיל הוּא עִמָּךְ. לְיִצְחָק יָהַב לֵיהּ קוּדְשָׁא בְּרִיךְ הוּא לֵיהּ וּלְזַרְעֵיהּ, לְנַטְרָא לָהּ מֵאִילָנָא דְּטוֹב וָרָע. וְעָבְדוּ לָהּ כַּמָּה גְּדָרִין, וְחָתִיכוּ לָהּ כַּמָּה לְבוּשִׁין, דְּאִינּוּן לְבוּשֵׁי דְּדַהֲבָא, בְּכַמָּה פְּסָקוֹת. וַהֲווֹ חוֹלְקִין וּמַקְשִׁין עֲלַיְיהוּ עַל אִלֵּין פְּסָקוֹת, לְתַקְּנָא לָהּ בְּכַמָּה פְּרוֹקִין, לְקַשְּׁטָא לָהּ בְּכַמָּה מִינֵי קִשּׁוּטִין, לְשַׁבָּתוֹת וְי"ט, לְמֶהֱוֵי מְקֻשְּׁטָא לְגַבָּךְ בְּזִמְנָא דְּתֵיתֵי לְגַבָּהּ בְּפוּרְקָנָא בַּתְרַיְיתָא, דְּאִתְּמַר בָּהּ מַ"ה שֶׁ"הָיָה הֻ"וא.

כא. וּבְגִין דְּאִינּוּן גָּרְמוּ לָךְ, וַעֲבִידוּ עִמָּךְ טָבִין, אַנְתְּ סְבִילַת בְּגִינַיְיהוּ כַּמָּה מַכְתָּשִׁין, בְּגִין דְּלָא יִתְקְטִיל מָשִׁיחַ בֶּן יוֹסֵף, דְּאִתְּמַר בֵּיהּ וּפְנֵי שׁוֹר מֵהַשְּׂמֹאל, מִזַּרְעָא דְּיוֹסֵף, דְּאִתְּמַר בֵּיהּ בְּכוֹר שׁוֹרוֹ הָדָר לוֹ. וּבְגִין דְּלָא יִתְחַלַּל הוּא וְזַרְעֵיהּ בֵּין עכו"ם, בְּחוֹבֵיהּ דְּיָרָבְעָם דְּעָבַד ע"ז, הֲוָה הוּא לְאִתְחַלְּלָא בְּעכו"ם הוּא וְזַרְעֵיהּ, בְּגִין דְּיָרָבְעָם בֶּן נְבָט מִזַּרְעֵיהּ אִיהוּ, בְּגִינֵיהּ אִתְּמַר בָּךְ, וְהוּא מְחוֹלָל מִפְּשָׁעֵינוּ וְגוֹ', וּבַחֲבוּרָתוֹ נִרְפָּא לָנוּ.

כב. וְיִשְׂרָאֵל בְּגִין דְּאִינּוּן כְּלִילָן יְמִינָא וּשְׂמָאלָא, תַּמָּן ה"י דִּילָךְ בִּשְׁלִימוּ הֲוָה, אִית לָךְ לְאִתְיְיחֲדָא עִמָּהּ בֵּינַיְיהוּ. וּבְגִין דְּאִתְּמַר בָּךְ, כִּי הוֹצִיא שֵׁם רָע עַל בְּתוּלַת יִשְׂרָאֵל,

אִתְּמַר בָּךְ וְלוֹ תִהְיֶה לְאִשָּׁה, לֹא יוּכַל לְשַׁלְּחָהּ כָּל יָמָיו, בְּגָלוּתָא לָא יָכִיל לְמִפְרַשׁ לֵיהּ מִנָּהּ כָּל יוֹמוֹי.

כג. וְאֵיךְ הוּא שֵׁם רָע דְּאַפִּיקַת עֲלָהּ. אֶלָּא בָּתַר דְּאִתְיְיהִיבַת אִיהִי לְיִשְׂרָאֵל, כָּל מַאן דְּאַפִּיק שׁוּם בִּישׁ עַל יִשְׂרָאֵל, כְּאִילּוּ אַפִּיק עֲלָהּ. וְשׁוּם בִּישׁ הֲוָה, דְּאַמְרַת לְקוּדְשָׁא בְּרִיךְ הוּא, לָמָה יְיָ' יֶחֱרֶה אַפְּךָ בְּעַמֶּךָ. וְקוּדְשָׁא בְּרִיךְ הוּא אָמַר, וְכִי אַנְתְּ אַפִּיק שׁוּם בִּישׁ עַל יִשְׂרָאֵל דְּעָבְדוּ יַת עֵגֶל, לֵךְ רֵד כִּי שִׁחֵת עַמְּךָ. עֵרֶב רַב וַדַּאי, דְּאַנְתְּ גַּיְירַת לוֹן עָבְדוּ יַת עֶגְלָא. וּבְגִין דָּא כִּי הוֹצִיא שֵׁם רָע עַל בְּתוּלַת יִשְׂרָאֵל וְלוֹ תִהְיֶה לְאִשָּׁה.

כד. קָם רַעְיָא מְהֵימְנָא, נָשִׁיק לֵיהּ בְּאַנְפּוֹי, וְעַל עֵינוֹי וּבָרִיךְ לֵיהּ, וְאָמַר לֵיהּ, תְּהֵא מְבֹרָךְ מִפּוּמָא דְּקוּדְשָׁא בְּרִיךְ הוּא וּשְׁכִינְתֵּיהּ, בְּכָל מִדָּה וּמִדָּה דִּילֵיהּ, וּבְעֶשֶׂר סְפִירָן דִּילֵיהּ, וּבְכָל שְׁמָהָן דִּילֵיהּ, וּבְכָל מָארֵי מְתִיבְתָּאן, וּבְכָל מַלְאָכִין. וְעָנוּ כֻּלְּהוּ וְאָמְרוּ אָמֵן. וְקוּדְשָׁא בְּרִיךְ הוּא וּשְׁכִינְתֵּיהּ הוֹדוּ בְּבִרְכָתֵיהּ. אֵלִיָּהוּ, קוּם אַפְתַּח פּוּמָךְ בְּפִקּוּדִין עִמִּי, דְּאַנְתְּ הוּא עוֹזֵר דִּילִי, מִכָּל סִטְרָא, דְּהָא עֲלָךְ אִתְּמַר בְּקַדְמֵיתָא, פִּנְחָס בֶּן אֶלְעָזָר בֶּן אַהֲרֹן הַכֹּהֵן, בֶּן אַהֲרֹן וַדַּאי, בֶּן אָח דִּילִי הוּא, וְאָח לְצָרָה יִוָּלֵד.

כה. כִּי יִמָּצֵא אִישׁ נַעֲרָה בְתוּלָה אֲשֶׁר לֹא אוֹרָשָׂה וְגוֹ'. פִּקּוּדָא דָּא, לָדוּן בִּמְפַתֶּה וַחֲמִשִּׁים כֶּסֶף. הה"ד, כִּי יִמְצָא אִישׁ נַעֲרָה בְתוּלָה אֲשֶׁר לֹא אוֹרָשָׂה. אִלֵּין יִשְׂרָאֵל, מִסִּטְרָא דִּשְׁכִינְתָּא אִתְקְרִיאוּ בַּת. וּתְפָשָׂהּ וְשָׁכַב עִמָּהּ וְנִמְצָאוּ וְנָתַן לַאֲבִי הַנַּעֲרָה וַחֲמִשִּׁים כֶּסֶף וְלוֹ תִהְיֶה לְאִשָּׁה לֹא יוּכַל לְשַׁלְּחָהּ כָּל יָמָיו. רַבָּנָן וְכָל מָארֵי מְתִיבְתָּא, אִישׁ: אִלֵּין יִשְׂרָאֵל, מִסִּטְרָא דְּקוּדְשָׁא בְּרִיךְ הוּא. וּתְפָשָׂהּ, בְּקִשּׁוּרָא דִּתְפִילִין. וּתְפָשָׂהּ, בְּכַנְפֵי מִצְוָה. אֲשֶׁר לֹא אוֹרָשָׂה, בַּת יְחִידָה, דָּא נִשְׁמָה. וְשָׁכַב עִמָּהּ, בִּצְלוֹתָא דִּשְׁכִיבָא, בְּהַשְׁכִּיבֵנוּ. וְנָתַן לַאֲבִי הַנַּעֲרָה וַחֲמִשִּׁים כֶּסֶף, כ"ה כ"ה אַתְוָון דְּיִחוּדָא.

כו. קוּם רַעְיָא מְהֵימְנָא, דְּוַדַּאי מַאן דְּאִשְׁתַּדַּל בַּהֲלָכָה שֶׁלֹּא לִשְׁמָהּ, וְרָוַוח הֲלָכָה, וַדַּאי בִּתְפִישָׂה אִיהִי לְגַבֵּיהּ. וְעִם כָּל דָּא אוּקְמוּהָ, לְעוֹלָם יַעֲסוֹק אָדָם בַּתּוֹרָה אֲפִילּוּ שֶׁלֹּא לִשְׁמָהּ, שֶׁמִּתּוֹךְ שֶׁלֹּא לִשְׁמָהּ בָּא לִשְׁמָהּ. וְהַאי הֲלָכָה מִסִּטְרָא דְּנַעַר טוֹב, דְּאִתְפְּרַשׁ מֵאִילָנָא דְּטוֹב וָרָע, דְּאִיהוּ אִיסּוּר וְהֶיתֵּר, טוּמְאָה וְטָהֳרָה, כָּשֵׁר וּפָסוּל. וְעַל שֵׁם נַעַר, אִתְקְרִיאַת אִיהִי נַעֲרָה. דַּעֲתִיד לְקַיֵּים בָּהּ, וְיִנָּעֲרוּ רְשָׁעִים מִמֶּנָּה, דְּאִינּוּן אִיסּוּר טָמֵא וּפָסוּל, סָמָאֵל וּמַשִׁרְיָיתֵיהּ.

כז. ד"א כִּי יִמְצָא אִישׁ נַעֲרָה בְתוּלָה, אִלֵּין יִשְׂרָאֵל, דִּכְתִיב כִּי נַעַר יִשְׂרָאֵל וָאוֹהֲבֵהוּ, נַעַר מִסְּטַר דְּמְטַטְרוֹ"ן. וְאֵין אִישׁ אֶלָּא קוּדְשָׁא בְּרִיךְ הוּא, שֶׁנֶּאֱמַר יְיָ' אִישׁ מִלְחָמָה. כִּי יִמְצָא אִישׁ נַעֲרָה בְתוּלָה, בְּתוּלַת יִשְׂרָאֵל, דְּאִתְּמַר בָּהּ נָפְלָה לֹא תוֹסִיף קוּם בְּתוּלַת יִשְׂרָאֵל. הִנֵּה אָנֹכִי מְפַתֶּיהָ וְהוֹלַכְתִּיהָ הַמִּדְבָּר, וּלְבָתַר אַפְתַּח לוֹן וַחֲמִשִּׁין תַּרְעִין דְּחֵירוּ, דְּאִינּוּן וַחֲמִשִּׁין תַּרְעִין דְּרַחֲמֵי, מִסִּטְרָא דְּאַבְרָהָם אֲבוּהוֹן. וְהַאי אִיהוּ וְנָתַן לַאֲבִי הַנַּעֲרָה וַחֲמִשִּׁים כֶּסֶף, וְכֶסֶף מִדַּרְגָּא דְּחֶסֶד, דַּרְגָּא דְּאַבְרָהָם.

כח. דְּבִמְפַקְּנוּ דְּמִצְרַיִם, וַחֲמִשִּׁין תַּרְעִין דְּחֵירוּ אַפְתַּח לוֹן, מִסִּטְרָא דְּדִינָא דִּשְׂמָאלָא, דְּאִיהוּ אֲדֹנָ"י, דְּתַמָּן דָּן אָנֹכִי. קֹדֶם דִּינָא דָּן אָנֹכִי, וּלְבָתַר נָפְקוּ. אֲבָל בְּפוּרְקָנָא בַּתְרַיְיתָא, וּבְרַחֲמִים גְּדוֹלִים, מִסִּטְרָא דְּאַבְרָהָם, וּגְדוּלָּה דַּרְגָּא דְּאַבְרָהָם, דְּבִינָה, תַּמָּן אִיהִי יַד הַגְּדוֹלָה, תַּמָּן אִיהִי נ' כֶּסֶף. וּלְבָתַר לֹא יוּכַל שַׁלְּחָהּ בְּגָלוּתָא כָּל יָמָיו, בְּגִין דְּלוֹ תִהְיֶה לְאִשָּׁה, כְּמָה דְּאִתְּמַר וְאֵרַשְׂתִּיךְ לִי לְעוֹלָם. וּקְרָא אַחֲרִינָא, כִּי בוֹעֲלַיִךְ עוֹשַׂיִךְ יְיָ' צְבָאוֹת שְׁמוֹ. לֹא יֵאָמֵר לָךְ עוֹד עֲזוּבָה. דְּאַע"ג דִּשְׁכִינְתָּא אִיהִי בְּגָלוּתָא, קוּדְשָׁא בְּרִיךְ

הוּא לָא זָז מִנָּהּ.

כט. פִּקּוּדָא בָּתַר דָּא, לִישָּׂא אֲנוּסָתוֹ. דְּוַדַּאי אֲנוּסָה אִית מִתְּרֵין סִטְרִין, אֲנוּסָה בִּרְוִיחוּ דִּילֵיהּ לְגַבָּהּ, וְאִיהִי לָא רְוִיחַת לֵיהּ. וְאִית אֲנוּסָה דִּרְוִיחַת אִיהִי לֵיהּ, וּדְווֹכְלַת לְאִזְדַּוְּוגָא עִמֵּיהּ בְּלָא קִדּוּשִׁין וּבְרָכָה, וְאִיהִי לָא בָּעֲאַת אִם הִיא הֶדְיוֹטָא לְגַבֵּיהּ, וְלוֹ תִהְיֶה לְאִשָּׁה.

ל. בְּסִתְרֵי תוֹרָה, אִית כָּאן לְהַמְשִׁיל מָשָׁל, נִשְׁמְתָא אִית דְּאִיהִי מַטְרוֹנִיתָא. וְנִשְׁמְתָא אִית, דְּאִיהִי אָמָה. כְּגוֹן וְכִי יִמְכּוֹר אִישׁ אֶת בִּתּוֹ לְאָמָה. וְנִשְׁמְתָא אִית, דְּאִיהִי שִׁפְחָה הֶדְיוֹטָא, דְּב"נ, אוּף הָכִי. אִית דְּאִיהוּ עֶבֶד שִׁפְחָה לְגַבֵּי נִשְׁמְתָא. וּלְזִמְנִין נִשְׁמְתָא אַזְלָא בְּרָזָא דְּגִלְגּוּלָא, הה"ד, וְלֹא מָצְאָה הַיּוֹנָה מָנוֹחַ לְכַף רַגְלָהּ, וְיֵצֶר הָרָע רָדִיף אֲבַתְרָהָא, לְאַעֲלָא בְּגוּפָא, דְּאִיהוּ שִׁפְחָה לְגַבֵּי יֵצֶר הָרָע. אִיהוּ שֵׁד יְהוּדִי. וְנִשְׁמְתָא י', אָמָה הָעִבְרִיָּה. וּבָהּ הַהוּא שֵׁד, אִתְהַדָּר שַׁדַּי, דְּנָטִיר לָהּ לְהַהִיא נִשְׁמְתָא, וְתָב בָּהּ בְּתִיוּבְתָּא, וּמְבָרֵךְ בָּהּ לְקוּדְשָׁא בְּרִיךְ הוּא בְּכָל יוֹמָא בְּבָרוּךְ. וּמְקַדֵּשׁ בָּהּ לְקוּדְשָׁא בְּרִיךְ הוּא, בְּקִק"ק. וּמְיַיחֵד עִמָּהּ לְקוּדְשָׁא בְּרִיךְ הוּא, בְּק"ש.

לא. מַה דַּהֲוָה אִיהוּ שֵׁד, אִתְהַדָּר מַלְאָךְ דִּידֵיהּ מְטַטְרוֹן, וְאִתְהַדָּר שַׁדַּי דְּהָכִי סָלִיק בְּמְטַטְרוֹן, בְּחוּשְׁבַּן שַׁדַּי. וּמִיַּד יִתְקַיֵּים בֵּיהּ, וְלוֹ תִהְיֶה לְאִשָּׁה לֹא יוּכַל לְשַׁלְּחָהּ כָּל יָמָיו. וְאִי לָא חָזַר בְּתִיוּבְתָּא, אִיהִי לְגַבֵּיהּ מִשְׁתַּעְבְּדָא בְּחוֹבִין דְּעַבְדַּת, וְיִתְקַיָּים בֵּיהּ הָאִשָּׁה וִילָדֶיהָ תִּהְיֶה לַאדוֹנֶיהָ. וְאִתְמַר בְּהַהוּא שֵׁד בַּעַל חוֹבֵיהּ, וְהוּא יֵצֵא בְּגַפּוֹ. וְהַאי שֵׁד, אִיהוּ כְּמַטֵּה דְּמֹשֶׁה, דְּאִתְהַפַּךְ מִמַּטֶּה לְנָחָשׁ, וּמִנָּחָשׁ לְמַטֶּה, הָכִי הַאי שֵׁד, אִתְהַפַּךְ מִשֵּׁד לְמַלְאָךְ, וּמִמַּלְאָךְ לְשֵׁד, כְּפוּם עוֹבָדוֹי דְּבַר נָשׁ.

לב. וְע"ש שֵׁדִים דְּאָתוּ מֵהַאי, אוּקְמוּהָ מָארֵי מַתְנִיתִין, דְּאִית מִנְּהוֹן כְּמַלְאֲכֵי הַשָּׁרֵת, וְאִינּוּן תַּלְמִידֵי וַחֲכָמִים דְּיַדְעִין מַאי דַּהֲוָה, וּמַה דְּעָתִיד לְמֶהֱוֵי. וְאִינּוּן בְּדִיּוּקְנַיְיהוּ בְּאַרְעָא, אִינּוּן מָארֵי פִּילוֹסוֹפְיָא, אִצְטַגְנִינֵי יִשְׂרָאֵל, דְּיַדְעִין מַאי דַּהֲוָה, וּמַאי דְּעָתִיד לְמֶהֱוֵי, מֵאוֹתוֹת דְּחַמָּה וְסִיהֲרָא, לְקוּתָא דִּלְהוֹן, וְכָל כֹּכָב וּמַזָּל, וּמָה אַחְזֵי בְּעָלְמָא.

לג. וְאִית מִנְּהוֹן כִּבְהֵמָה, פָּרִין וְרָבִין כִּבְהֵמָה, דְּיוּקְנָא דִּלְהוֹן לְתַתָּא אִינּוּן עַמֵּי הָאָרֶץ, וְאוּקְמוּהָ מָארֵי מַתְנִיתִין, דְּאִינּוּן שֶׁקֶץ, וּבְנוֹתֵיהוֹן שֶׁרֶץ. וְעַל בְּנוֹתֵיהֶן נֶאֱמַר, אָרוּר שׁוֹכֵב עִם כָּל בְּהֵמָה. וְאִינּוּן שׂוֹנְאִים לת"ח מָארֵי מִשְׁנָה, דְּאִינּוּן מַלְאֲכֵי הַשָּׁרֵת מַמָּשׁ. וּבְגִין דָּא אוּקְמוּהָ מָארֵי מַתְנִיתִין, עַל ב"נ אִי יְהֵא כְּמַלְאַךְ יְיָ', צְבָאוֹת תּוֹרָה יְבַקְשׁוּ מִפִּיהוּ, וְאִי לָאו לֹא יְבַקְשׁוּ תוֹרָה מִפִּיהוּ.

לד. וְאִית אַחֲרָנִין מָארֵי סִתְרֵי תוֹרָה, מָארֵי מִדּוֹת, דְּאִינּוּן יָרְתִין נִשְׁמָתִין מִסִּטְרָא דְּמַלְכוּתָא קַדִּישָׁא, דְּאִיהוּ כְּלִילָא מֵעֶשֶׂר סְפִירָן. דְּמַאן דְּיָרִית לָהּ, וְזָכֵי לָהּ, זָכֵי לְעֶשֶׂר סְפִירָן בְּלָא פֵּרוּדָא, עֶשֶׂר וְלֹא תֵשַׁע, דְּאִי הֲווּ יָרְתִין לְמַלְכוּתָא יְחִידָאָה, הֲווּ תֵּשַׁע בְּפֵרוּדָא מִנָּהּ, בְּגִין דְּלֵית תַּמָּן פֵּרוּדָא, אָמַר בַּעַל סֵפֶר יְצִירָה עֶשֶׂר וְלֹא תֵשַׁע.

לה. וְאִי תֵימָא דִּסְלִיקַת לְעֵילָא מֵעֶשֶׂר. שְׁמָא מְפָרַשׁ יו"ד ה"א וָא"ו ה"א, הָא עֶשֶׂר, יו"ד דְּמִתְיַיחֵד בָּהּ, וְלָא סָלִיק לְעֵילָא מֵעֶשֶׂר. וּבְגִין דָּא י', וְלָא י"א. אֲבָל מַאן דִּמְחַבֵּר יו"ד, דְּאִיהִי אוֹת בְּרִית, בְּשִׁפְחָה. וּמַטְרוֹנִיתָא כְּלִילָא מִי', בְּשֵׁד דע"ז סָמָא"ל אִתְדָּן בַּגֵּיהִנָּם.

לו. דְּמַאן דְּיָרִית בְּרַתָּא דְּמַלְכָּא מַלְכוּת, לָא זָכֵי לָהּ, אֶלָּא בְּרָא דְּמַלְכָּא, דְּאִתְקְרֵי בְּנֵי בְּכוֹרֵי יִשְׂרָאֵל, דְּמִסִּטְרָא דָּא אִתְקְרִיאוּ יִשְׂרָאֵל בְּנִין לְקוּדְשָׁא בְּרִיךְ הוּא, הה"ד בָּנִים אַתֶּם לַיְיָ' אֱלֹהֵיכֶם, וּמַלְכוּת דָּא דַּאֲצִילוּת.

לז. וְאִית לְקַבְּלָהּ מַלְכוּת דִּבְרִיאָה, וְאִיהִי מַלְכוּת לְמַלְאָכִים דִּבְרִיאָה. וְאִיהִי נַעֲרָה דְּמַטְרוֹנִיתָא, מְשַׁמְּשָׁא דִּילָהּ, וְאִיהִי דְּיוֹקְנָא דִּגְבִירְתָּא דִּילָהּ, כְּלוּלָה מִי׳. הַאי בְּחוֹבִין דְּיִשְׂרָאֵל, יְכִילַת לְאִתְחַלְּלָא בֵּין אוּמִין דְּעָלְמָא. אֲבָל מַלְכוּת דַּאֲצִילוּת דְּקוּדְשָׁא בְּרִיךְ הוּא, עָלָהּ אִתְּמַר אֲנִי יְיָ׳ הוּא שְׁמִי וּכְבוֹדִי לְאַחֵר לֹא אֶתֵּן וּתְהִלָּתִי לַפְּסִילִים, לָא יָהִיב לָהּ לְמַאן דִּמְחַלֵּל שַׁבָּתוֹת וְיָמִים טוֹבִים, אֶלָּא לְמַאן דְּאִיהוּ בְּרָא דְּמַלְכָּא, וְנָטִיר אוֹרַיְיתָא וּפִקּוּדִין, בִּדְחִילוּ וּרְחִימוּ דְּמָארֵיהּ, וְלָא עַל מְנָת לְקַבֵּל פְּרָס, אֶלָּא כְּבֵן דְּאִיהוּ מְחוּיָּב לְמֶעְבַּד צִוּוּיֵיהּ דַּאֲבוֹי, דְּעָלֵיהּ אִתְּמַר כַּבֵּד אֶת אָבִיךָ וְאֶת אִמֶּךָ. אֶת אָבִיךָ: דָּא קוּדְשָׁא בְּרִיךְ הוּא. וְאֶת אִמֶּךָ: דָּא שְׁכִינְתָּא. וְעִם כָּל דָּא, מַאן דִּמְחַלֵּל נַעֲרָה דְּמַלְכָּא, אִתְחֲשִׁיב לֵיהּ כְּאִלּוּ מְחַלֵּל מַטְרוֹנִיתָא דִּילֵיהּ.

לח. וְרַבָּנָן, כָּל שֵׁדִין לָאו אִינּוּן שְׁקוּלִין, וְלָא כָּל עַבְדִּין דִּשְׁכִינְתָּא, דִּכְתִיב בָּהּ, וּמַלְכוּתוֹ בַּכֹּל מָשָׁלָה. אִית לָהּ כַּמָּה נַעֲרוֹת עִבְרִיּוֹת, וּשְׁפָחוֹת עִבְרִיּוֹת. וְאִית לָהּ עֲבָדִים וּשְׁפָחוֹת נָכְרִיּוֹת, בְּגִין דְּלָא יִשְׁתַּכַּח מַלְכוּתָא אָחֳרָא בְּעָלְמָא, בְּזִמְנָא דְּאִיהִי שַׁלְטָא.

לט. וְאִלֵּין שְׁפָחוֹת נָכְרִיּוֹת, מִסִּטְרָא דְּסַם הַמָּוֶת, נוּקְבָא דְּסָמָאֵל. דְּשִׁפְחָה הֲוַת לְמַטְרוֹנִיתָא. נוּקְבָא וְסָמָאֵל אֵל אַחֵר, עֶבֶד הֲוָה לֵיהּ לְקוּדְשָׁא בְּרִיךְ הוּא, לְבָתַר דַּעֲבִידוּ גַּרְמַיְיהוּ אֱלוֹהוּת, וְקוּדְשָׁא בְּרִיךְ הוּא עָתִיד לְאַעְבָּר לוֹן מֵעָלְמָא, וּלְמִמְחֵי לוֹן.

מ. וְאִי תֵּימְרוּן, אִי בְּנֵי נָשָׁא עַבְדִּין לוֹן אֱלָהוּת, וְלָא בִּרְעוּתָא דִּלְהוֹן, אַמַּאי אִתְעֲנָשׁוּ. אֶלָּא כַּד הֲווּ דּוֹר הַמַּבּוּל וְדוֹר הַפַּלָּגָה יָדְעֵי בְּהוֹן, וַהֲווּ מְקַטְּרִין לוֹן, וְסַגְּדִין לוֹן, וּבְהַהוּא חֵילָא דַּהֲווּ מְקַטְּרִין לוֹן, וְסַגְּדִין לוֹן, הֲווּ נַחְתֵּי לְגַבַּיְיהוּ, וְעַבְדֵי רְעוּתַיְיהוּ, וּמְמַלְּלָן בְּהוֹן בְּאִינּוּן צוּלְמִין, הָא אִתְעֲבִידוּ אֱלוֹהוּת וַעֲבוֹדַת כו״ם. בְּגִין דָּא, קוּדְשָׁא בְּרִיךְ הוּא עָתִיד לְאַעְבְּרָא לוֹן, וְיִמְחֵי לוֹן מֵעָלְמָא, צוּלְמִין דִּלְהוֹן דַּהֲווּ פַּלְחִין בְּהוֹן, וְאִשְׁתָּאֲבוּ מִנַּהוֹן רוּחִין וְצוּלְמִין.

מא. וְכַד אִית בְּעָלְמָא עֵרֶב רַב, נַחְתִּין לְאִתְגַּשְּׁמָא בְּהוֹן, וְקוּדְשָׁא בְּרִיךְ הוּא יַעֲבַר לוֹן מִן עָלְמָא, הה״ד וְאֶת רוּחַ הַטּוּמְאָה אַעֲבִיר מִן הָאָרֶץ. וְאִי תֵּימְרוּן, בְּזִמְנָא דְּגָלוּתָא בַּתְרָאָה, לֵית עכו״ם, בְּגִין דְּלָא יָדְעִין בְּנֵי עָלְמָא בְּהוֹן. וְאִינּוּן דְּיָדְעִין בְּעֵרֶב רַב תַּמָּן, אִשְׁתַּכַּח לוֹן דְּמַכְעִיסִין לְקוּדְשָׁא בְּרִיךְ הוּא וּשְׁכִינְתֵּיהּ, וְיִשְׂרָאֵל בֵּינַיְיהוּ, וְעֵרֶב רַב מַצְלִיחִין בְּהוֹן, לְקַיֵּים מַאי דִּכְתִיב וּמְשַׁלֵּם לְשׂוֹנְאָיו אֶל פָּנָיו לְהַאֲבִידוֹ.

מב. קָמוּ כֻּלְּהוּ תַּנָּאִין וַאֲמוֹרָאִין וּבָרִיכוּ לְרַעְיָא מְהֵימְנָא, וְאָמְרוּ לֵיהּ סִינַי סִינַי, מַאן יָכִיל לְמַלְּלָא קֳדָמָךְ, דְּאַנְתְּ בִּדְיוֹקְנָא דְּמָארָךְ, דִּבְזִמְנָא דְּמַלֵּיל בְּטוּרָא דְּסִינַי, כָּל חֵיוָן דְּמַלְאָכִין, וְחֵיוָן דְּכֻרְסְיָיא, וְעִלָּאִין וְתַתָּאִין, שַׁתְקוּ, וְלָא אִשְׁתְּכַח דִּבּוּר אָחֳרָא אֶלָּא דִּילֵיהּ. וּבְגִין דְּאַתְּ בְּרֵיהּ בִּדְיוֹקְנָא דִּילֵיהּ, צָרִיךְ לְמִשְׁמַע כֻּלְּהוּ מָארֵי מְתִיבְתָּא מִלִּין מִפּוּמָךְ, אַל תִּתֵּן שְׁתִיקָה לְמוֹלוּלָךְ.

מג. כִּי יִקַּח אִישׁ אִשָּׁה חֲדָשָׁה לֹא יֵצֵא בַּצָּבָא וְגו׳. וְשִׂמַּח אֶת אִשְׁתּוֹ אֲשֶׁר לָקָח. פִּקּוּדָא דָּא, לְחַדָּא לְמֶחְדֵּי בְּאִתְּתֵיהּ שַׁתָּא חַד, דִּכְתִיב נָקִי יִהְיֶה לְבֵיתוֹ שָׁנָה אֶחָת. וְאִינּוּן י״ב יַרְחִין אִינּוּן מִדִּילָהּ. דְּהָא שָׁנָה אִיהִי כַּלָּה, וְלֵית כַּלָּה בַּר בי״ב יַרְחִין, דִּכְתִיב עוֹמֵד עַל שְׁנֵים עָשָׂר בָּקָר. וְהוֹאִיל וְלֵית תִּקּוּנָא דְּכַלָּה, בַּר בי״ב, אִצְטְרִיךְ לְחַדָּא לְמֶחְדֵּי לָהּ, וּלְבֵיתָהּ, לָהּ וּלְתִקּוּנָהָא, כְּגַוְונָא דִּלְעֵילָא. וְע״ד יַעֲקֹב כְּתִיב בֵּיהּ, וַיִּקַּח מֵאַבְנֵי הַמָּקוֹם. אַבְנֵי הַמָּקוֹם י״ב הֲווּ, וּמַאן דְּחַדֵּי לְכַלָּה, חַדֵּי לְעוּלֵימְתָהָא, וְעוּלֵימְתָן י״ב הֲווּ. וְכֹלָּא אִיהוּ רָזָא דְּשָׁנָה. בְּגִין כָּךְ אִצְטְרִיךְ לְחַדָּא לְמֶחְדֵּי בְּאִתְּתֵיהּ שָׁנָה אֶחָת.

מד. וְהָא אוֹקִימְנָא, דְּחֶדְוָה דָּא, לָאו דִּילֵיהּ הִיא, אֶלָּא דִּילָהּ. דִּכְתִיב וְשִׂמַּח אֶת

אִשְׁתּוֹ. וְיִשְׂמַּח אֶת אִשְׁתּוֹ לָא כְּתִיב, אֶלָּא וְשִׂמַּח, יַחֲדֵי לְכַלָּה. כְּגַוְונָא דָא, לָאו חֶדוּ לְכַלָּה, בַּר בְּגוּפָא וְתִקּוּנָהָא. וּמַאן חַדֵּי לוֹן. צַדִּיק. וְעַל דָא נָקִי יִהְיֶה לְבֵיתוֹ. נָקִי, דְּלָא יַעֲמוֹל בְּמִלֵּי דְּעָלְמָא, דִּיהֵא בֵּיהּ רַעֲוָא לְמֶחֱדֵי לָהּ. נָקִי מִכֹּלָּא. נָקִי לְמַסִּין וּלְאַרְנוֹנִין וְגוּלְגַּלְתִּין. נָקִי דְּלָא יִפּוֹק לְחֵילָא לְאַגָּחָא קְרָבָא. לְאִשְׁתַּכְּחָא חֶדְוָה עֵילָּא וְתַתָּא, וּלְאִתְעָרָא חֶדְוָה לְעֵילָּא. זַכָּאִין עַמָּא קַדִּישָׁא, דְּמָארֵיהוֹן חַדֵּי בְּהוֹן, זַכָּאִין אִינּוּן בְּהַאי עָלְמָא, וְזַכָּאִין אִינּוּן בְּעָלְמָא דְּאָתֵי.

מה. בְּיוֹמוֹ תִתֵּן שְׂכָרוֹ וְגו'. פָּתַח רַעְיָא מְהֵימְנָא וְאָמַר, פִּקּוּדָא בָּתַר דָא לָתֵת שְׂכַר שָׂכִיר בִּזְמַנּוֹ. הֲדָא הוּא דִּכְתִיב, בְּיוֹמוֹ תִתֵּן שְׂכָרוֹ וְלֹא תָבֹא עָלָיו הַשֶּׁמֶשׁ. מָארֵי מְתִיבְתָּאן עִלָּאֵי וְתַתָּאֵי, שְׁמָעוּ. מְטַטְרוֹן אִיהוּ שְׂכַר שָׂכִיר, מֵחַ"י עָלְמִין, שְׁלִיחָא דִּילֵיהּ, לְקַבְּלָא חַ"י בִּרְכָאן דִּצְלוֹתָא, בְּכָל יוֹמָא, תְּלַת זִמְנִין. וּבְגִין דָא, בְּיוֹמוֹ תִתֵּן שְׂכָרוֹ, דָא צְלוֹתָא דְּשַׁחֲרִית. וְלֹא תָבֹא עָלָיו הַשֶּׁמֶשׁ, דָא צְלוֹתָא דְּמִנְחָה, דְּאִי עָבַר יוֹמוֹ, בָּטֵל קָרְבָּנוֹ. כִּי עָנִי הוּא וַדַּאי, עָנִי הוּא בְּגָלוּתָא, לֵית לֵיהּ מְדִילֵיהּ, אֶלָּא מַאי דְּיַהֲבִין לֵיהּ בִּצְלוֹתָא, בְּגִין דָא צְלוֹתָא תְּפִלָּה דִּילֵיהּ, תְּפִלָּה לְעָנִי כִּי יַעֲטוֹף, בַּעֲטִיפַת צִיצִית, תְּפִלָּה דְּיָד אִיהִי.

מו. וְאֵלָיו הוּא נוֹשֵׂא אֶת נַפְשׁוֹ, דָא תְּפִלַּת עַרְבִית, דְּאִיהִי אֵמוּרִים וּפְדָרִים, שִׁיּוּרִין דְּקָרְבְּנִין דְּיוֹמָא. וְאִינּוּן כְּגוֹן פֶּרֶט הַכֶּרֶם, וּפְאַת שָׂדְךָ, דַּעֲלַיְיהוּ אִתְמַר, שִׁיְרֵי מִצְוָה מְעַכְּבִין אֶת הַפּוּרְעָנוּת. לֶעָנִי וְלַגֵּר תַּעֲזוֹב אוֹתָם, דְּעַמּוּדָא דְּאֶמְצָעִיתָא בַּר מֵאַתְרֵיהּ, גֵּר אִתְקְרֵי. וּבְגִין דָא, אֲנָא דְּדַרְגָּא דִּילִי עַמּוּדָא דְּאֶמְצָעִיתָא, קָרֵינָא גַּרְמָאִי גֵּר בְּגָלוּתָא קַדְמָאֵי. הה"ד, גֵּר הָיִיתִי בְּאֶרֶץ נָכְרִיָּה, דְּאִיהוּ בְּגָלוּתָא רְבִיעָא בֵּינַיְיהוּ.

מז. שָׁאִילוּ לֵיהּ מָארֵי מַתְנִיתִין, רַעְיָא מְהֵימְנָא, הָא פִּקּוּדָא דָא הֲווּ מְקַיְּימִין יִשְׂרָאֵל בְּאַרְעָא דְּיִשְׂרָאֵל. אָמַר לוֹן, בְּגִין לְאִתְעָרָא רַחֲמֵי, עַל אִלֵּין דְּמִתְרַכֵי מֵאַתְרַיְיהוּ. דְּבַר נָשׁ כַּד אִיהוּ לְבַר מֵאַתְרֵיהּ, גִּיּוֹרָא אִתְקְרֵי, כ"ש עַל נִשְׁמָתִין דְּאָזְלִין עַרְטִילָאִין מֵהַהוּא עָלְמָא, וְאַתְיָין לְעָלְמָא דֵּין. בְּגִינַיְיהוּ, הַאי אִיהוּ דְּאָמַר קְרָא, כְּצִפּוֹר נוֹדֶדֶת מִן קִנָּהּ, דָא נִשְׁמְתָא, דִּשְׁכִינְתָּא לָא זָזָה מִנָּהּ. כֵּן אִישׁ, דְּאִתְמַר בֵּיהּ יְיָ' אִישׁ מִלְחָמָה, נוֹדֵד מִמְּקוֹמוֹ, דְּאִיהוּ נָע וָנָד מֵאַתְרֵיהּ, דְּאִיהוּ עָלְמָא דְּאָתֵי, בִּינָה. וָנָד אֲבַתְרָהּ בְּעָלְמָא דֵּין, עַד דְּתַשְׁלִים יוֹמִין דְּאִתְחַיְּיבַת לְמֵיזַל לְבַר מֵאַתְרָהָא. וְאִיהוּ נָטִיר לָהּ, עַד דְּיַחֲזִיר לָהּ לְאַתְרָהָא. וְאוֹמֵי דְּלָא יַחֲזוֹר אִיהוּ לְאַתְרֵיהּ, עַד דְּיַחֲזִיר לָהּ לְאַתְרָהָא. וּמַאן דְּחָזַר בְּתִיּוּבְתָּא, כְּמַאן דְּאַחֲזַר לְקוּדְשָׁא בְּרִיךְ הוּא וּשְׁכִינְתָּא לְאַתְרָהָא. וְדָא רָזָא דְּפוּרְקָנָא, דְּאָמַר הַיּוֹם אִם בְּקוֹלוֹ תִשְׁמָעוּ.

מח. אָמְרוּ מָארֵי מַתְנִיתִין דִּמְתִיבְתָּא עִלָּאָה וְתַתָּאָה, רַעְיָא מְהֵימְנָא, אֲנָן שְׁלִיחָן דְּמָארֵי עָלְמָא לְגַבָּךְ, זַכָּאָה חוּלָקָךְ, דְּאַנְתְּ בַּעַל תְּשׁוּבָה, שָׁקוּל לְשִׁתִּין רִבְּוָון דְּיִשְׂרָאֵל, וְאַנְתְּ הַדְרַת לְקוּדְשָׁא בְּרִיךְ הוּא וּשְׁכִינְתֵּיהּ לְאַתְרֵיהּ, עֵילָּא וְתַתָּא. וּבְגִינָךְ יִתְפָּרְקוּן יִשְׂרָאֵל וְיַחְזְרוּן לְאַתְרַיְיהוּ. וְלֵית חֵילָא לְמְשִׁיחִין. לְמִפְרַק לְיִשְׂרָאֵל, בַּר מִינָּךְ. וּבְגִינָךְ אִינּוּן מִתְעַכְּבִין. אַשְׁלִים מִלִּין יַקִּירִין אִלֵּין, דַּעֲלַיְיהוּ אִתְמַר, הַנֶּחֱמָדִים מִזָּהָב וּמִפָּז רָב וּמְתוּקִים מִדְּבַשׁ וְנוֹפֶת צוּפִים.

מט. אָמַר לוֹן, מָארֵי מְתִיבְתָּאן, בְּגִין הַאי שָׂכִיר, דְּאִיהוּ עֶבֶד, דְּאָתֵי לְקַבְּלָא תְּלַת צְלוֹתִין, תַּקִּינוּ מָארֵי מַתְנִיתִין דִּלְכוֹן, לְמֶהֱוֵי בַּר נָשׁ, בִּתְלַת בִּרְכָאן קַדְמָאִין, כְּעֶבֶד דִּמְסַדֵּר שְׁבָחִין קַמֵּי מָארֵיהּ. וּבְאֶמְצָעִיּוֹת, כְּעֶבֶד דִּמְקַבֵּל פְּרָס מִמָּארֵיהּ. וּבְבַתְרָאֵי,

כְּעֶבֶד דְּנָטַל פְּרָס מִמָּארֵיהּ, וְאָזִיל לֵיהּ.

נ. וּבְגִין דָּא, עֶבֶד אַבְרָהָם, וְרִבְקָה, אִיהוּ אַמְתְּלָא לְהַאי, כַּד קוּדְשָׁא בְּרִיךְ הוּא, יְשַׁלַּח לְמִטַּטְרוֹן דְּאִיהוּ עַבְדָּא דִּילֵיהּ, בְּגִין צְלוֹתָא אִיהוּ יֵימַר לְגַבֵּיהּ, אוּלַי לֹא תֹאבֶה הָאִשָּׁה לָלֶכֶת אַחֲרַי. כְּלוֹמַר, אוּלַי צְלוֹתָא לָא בָּעֵי לְמֵיזַל אֲבַתְרָאי. אָמַר לֵיהּ קוּדְשָׁא ב"ה, וְנִקִּיתָ מִשְּׁבוּעָתִי זֹאת. דְּחָכְמָה אִיהוּ אַבָּא, דְּנָחִית בְּצַדִּיק, לְנַטְרָא שְׁכִינְתָּא בְּגָלוּתָא, וּמִתַּמָּן שָׁלַח בְּגִינָהּ.

נא. אָמַר לֵיהּ הַהוּא שְׁלִיחַ, הַב לִי סִימָנִין, לְאִשְׁתְּמוֹדְעָא בִּצְלוֹתָא, דְּתַמָּן בְּרַתָּא, אָמַר קוּדְשָׁא בְּרִיךְ הוּא, וְהָיָה הַנַּעֲרָה אֲשֶׁר אוֹמַר אֵלֶיהָ הַטִּי נָא כַדֵּךְ וְאֶשְׁתֶּה וְאָמְרָה שְׁתֵה. וְאִם לָאו, אֶלָּא דְּאַשְׁכַּח כָּל אֵבָרִין דְּגוּפָא מַלְיָין חוֹבִין, וְלָא אַשְׁכָּחַת בֵּיהּ אֵבֶר לְשַׁרְיָיא בֵּיהּ תּוֹרָה, דְּאִיהוּ בְּדִיוּקְנָא דְּעַמּוּדָא דְּאֶמְצָעִיתָא. וְלָא מִצְוָה, דְּאִיהוּ דִּיוּקְנָא דְּרִבְקָה, דַּהֲוָה שׁוֹשַׁנָּה בֵּין הַחוֹחִים, דְּאִינּוּן רְשָׁעִים גְּמוּרִים. מָנֵי לְעַבְדֵּיהּ מְטַטְרוֹן, הִשָּׁמֶר לְךָ פֶּן תָּשִׁיב אֶת בְּנִי שָׁמָּה, דְּאִיהוּ רוּחָא דְּקוּדְשָׁא, דְּהָא מִצְוָה אִיהוּ נַפְשָׁא, רוּחָא אִיהוּ תּוֹרָה.

נב. וּבְגַ"ד אוֹקְמוּהָ מָארֵי מַתְנִיתִין, לֹא הַמִּדְרָשׁ הוּא הָעִיקָּר אֶלָּא הַמַּעֲשֶׂה. וּבַאֲתָר אַחֲרָא אָמְרוּ, כָּל שֶׁיִּרְאַת חֶטְאוֹ קוֹדֶמֶת לְחָכְמָתוֹ, חָכְמָתוֹ מִתְקַיֶּימֶת וְכוּ'. יִרְאַת חֶטְאוֹ, אִימָּא עִלָּאָה, תְּשׁוּבָה. חָכְמָה, אַבָּא עִלָּאָה. כַּד אַקְדִּים ה' זְעִירָא, דְּאִיהִי מִצְוָה, שַׁרְיָא עָלֵיהּ תּוֹרָה, דְּאִיהוּ ו'. וְכַד אַקְדִּים יִרְאָה לְחָכְמָה, דְּאִיהִי ה' עִלָּאָה, שַׁרְיָיא עָלֵיהּ חָכְמָה, דְּאִיהִי י'. וְאִקְרֵי בֵּן. וּמִכָּאן, בָּנִים אַתֶּם לַיְיָ' אֱלֹהֵיכֶם.

נג. וְהַאי אִיהוּ זֶה שְּׁמִי י"ה לְעוֹלָם, וְזֶה זִכְרִי ו"ה. שְׁמִי עִם י"ה, שס"ה. זִכְרִי עִם ו"ה, רמ"ח. וְכֻלְּהוּ תרי"ג. דְּהַיְינוּ תרי"ג פִּקּוּדִין, דְּאִתְיְיהִיבוּ לִבְנִין קַדִּישִׁין, לְמֶהֱוֵי לוֹן חוּלָקָא בִּשְׁמֵיהּ, הה"ד כִּי חֵלֶק יְיָ' עַמּוֹ.

נד. וְכַד אַקְדִּים תּוֹרָה לְמִצְוָה, אוֹ חָכְמָה לְיִרְאָה. אִתְהַפַּךְ שְׁמֵיהּ עָלֵיהּ לְנוּקְבָא, מִדַּת הַדִּין, כְּגַוְונָא דָּא הוה"י. דְּאִתְהַפַּךְ לֵיהּ כֹּלָּא לְדִינָא, וְקָשִׁין מְזוֹנוֹתָיו בְּאוֹרַיְיתָא, כִּקְרִיעַת יַם סוּף. וּכְגַוְונָא דָּא פּוּרְקָנָא, אִם זָכוּ יִפְקוּן בְּרַחֲמֵי, הה"ד, בְּטֶרֶם יָבֹא חֵבֶל לָהּ וְהִמְלִיטָה זָכָר, וְיִפְקוּן בְּרַחֲמֵי. וְאִי לָאו אַקְדִּים רַחֲמֵי, וְיִפְקוּן בְּצַעֲרָא. וְשַׁפִּיר דְּאַקְדִּים צַעֲרָא וְדִינָא לְרַחֲמֵי. וּבְגַ"ד אוֹקְמוּהָ רז"ל, מָארֵי מַתְנִיתִין לְפוּם צַעֲרָא אַגְרָא.

נה. וּמִפִּקְנוּ דְּנַפְשָׁא, מִקּוֹדֶם דְּנַפְקַת אִית לָהּ צַעֲרָא, לְבָתַר דְּנַפִּיקַת בְּרַחֲמֵי. וְרָזָא דְּמִלָּה בִּבְכִי יָבֹאוּ, לְבָתַר וּבְתַחֲנוּנִים אוֹבִילֵם, וּבְגַ"ד, וְעֵת צָרָה הִיא לְיַעֲקֹב וּמִמֶּנָּה יִוָּשֵׁעַ, וְיִפְקוּן בְּרַחֲמֵי. וּכְגַוְונָא דְּשַׁלַּח קוּדְשָׁא בְּרִיךְ הוּא לְיוֹנָה, וְלָא אַשְׁכַּח אֲתָר לְשַׁרְיָא. הָכִי שָׁלַח לָךְ רַעְיָא מְהֵימְנָא בְּקַדְמֵיתָא.

נו. וּמַה כְּתִיב בְּהוֹן. וַיִּפֶן כֹּה וָכֹה וַיַּרְא כִּי אֵין אִישׁ. דְּכֻלְּהוֹן חַיָּיבִין, וְלָא אַשְׁכָּחַת בְּהוֹן אִישׁ זוֹכֶה לְאַפָּקָא מִן גָּלוּתָא. וּבְגַ"ד סָרְבַת לְמֵיזַל תַּמָּן, וְאַמְרַת, שְׁלַח נָא בְּיַד תִּשְׁלָח. וְהָא אַנְתְּ כְּגוֹן בְּהַהוּא זִמְנָא, בָּךְ יִתְקַיֵּים עִם יִשְׂרָאֵל, כִּימֵי צֵאתְךָ מֵאֶרֶץ מִצְרַיִם אַרְאֶנּוּ נִפְלָאוֹת. וּבְגָלוּתָא בַּתְרָאָה, תְּרֵין מְשִׁיחִין יִשְׁלַח עִמָּךְ, לְקָבֵל תְּרֵין גַּדְפִּין דְּיוֹנָה. דְּאַנְתְּ כְּגוּפָא בְּגָלוּתָא רְבִיעָאָה, לֵית לָךְ גַּדְפִּין. וְלָא עוֹד, אֶלָּא בְּקַדְמֵיתָא הֲוֵי יִשְׂרָאֵל כְּגוּפָא, וְאַנְתְּ וְאַהֲרֹן, כִּתְרֵין גַּדְפִּין דְּיוֹנָה, וּבְהוֹן פָּרְחוּ יִשְׂרָאֵל.

נז. לֵית פִּקּוּדָא, דְּלָא אִתְכְּלִילוּ תַּמָּן עֶשֶׂר סְפִירוֹת. בַּתֵּיבָה תַּחְתִּיִּים שְׁנַיִים וּשְׁלִישִׁים תַּעֲשֶׂיהָ. לְאַכְלְלָא בָּהּ, כֹּהֲנִים לְוִיִּם וְיִשְׂרְאֵלִים. תֵּיבָה שְׁכִינָה עִמְּהוֹן, תּוֹרַת יְיָ', אִיהִי רְבִיעִית הַהִין, ה' רְבִיעָאָה. וּמְשׁוּלֶּשֶׁת בְּיה"ו, לְאַשְׁלְמָא בֵּיהּ יְדֹו"ד. וַעֲשָׂרָה דַּרְגִּין

דְּאִתְכְּלִילוּ בֵּיהּ, דְּאִינּוּן יו"ד הֵ"א וָא"ו הֵ"א. לְאִתְקַיְּימָא בְּהוּ בְּיִשְׂרָאֵל, וְאַתֶּם הַדְּבֵקִים בַּיְיָ אֱלֹהֵיכֶם וְגוֹ', בָּנִים אַתֶּם לַיְיָ אֱלֹהֵיכֶם. הַאי שְׁמָא שָׁלְטָנוּתֵיהּ בְּצוּלְמָא דְּבַר נָשׁ, וְעַל כָּל אֵבֶר וְאֵבֶר דִּילֵיהּ.

נז. פִּקּוּדָא בָּתַר דָּא, לְדוּן בְּדִינֵי וַחֲגָבִים, דְּאִתְמַר דָּגִים וַחֲגָבִים אֵינָן טְעוּנִין שְׁחִיטָה, אֶלָּא אֲסִיפָתָם הִיא הַמַּתֶּרֶת אוֹתָם. הָכִי מָארֵי מַתְנִיתִין, אֵינָן צְרִיכִין שְׁחִיטָה, אֶלָּא דְּאִתְמַר בְּהוֹן וַיִּגְוַע וַיֵּאָסֶף עַל עַמָּיו. מַה נּוּנֵי יַמָּא, חִיּוּתָן בְּיַמָּא, אוּף תַּלְמִידֵי וַחֲכָמִים, מָארֵי מַתְנִיתִין, חִיּוּתַיְיהוּ בְּאוֹרַיְיתָא, וְאִי אִתְפָּרְשָׁן מִנָּהּ מִיָּד מֵתִים. תַּנְיָנָא דְּמַתְנִיתִין, דְּבָה אִתְרַבּוּ תַּנִּינֵי יַמָּא. וְאִי אִינּוּן דְּבִיבֶּשְׁתָּא יִפְלוּן לְמַיָּא, וְלָא יַדְעִין לְשַׁטְטָא, אִינּוּן מֵיְיתִין. אֲבָל אָדָם דְּאִינּוּן מָארֵי קַבָּלָה, אִינּוּן לְעֵילָּא מִכֻּלְּהוּ, בְּהוּ אִתְמַר וְיִרְדּוּ בִדְגַת הַיָּם וּבְעוֹף הַשָּׁמַיִם, דְּאִינּוּן מָארֵי מַתְנִיתִין, תַּנִּינַיָּא. הַתַּנִּין הַגָּדוֹל, נָחָשׁ בָּרִיחַ, לְקָבֵל וְהַבְּרִיחַ הַתִּיכוֹן בְּתוֹךְ הַקְּרָשִׁים.

נח. בְּזִמְנָא דְּתַנָּיִין מָארֵי מִשְׁנָה, אִית בְּהוֹן מַחֲלוֹקֶת, וּמַקְשִׁין דָּא לְדָא, בָּלַע לְחַבְרֵיהּ. וְהַאי אִיהוּ תַּלְמִיד זְעֵיר, שֶׁלֹּא הִגִּיעַ לְהוֹרָאָה, וּמוֹרֶה, וְחַיָּיב מִיתָה. וְאִי אִינּוּן שָׁוִין דָּא לְדָא, וְאִית בְּהוֹן מַחֲלוֹקֶת וְקוּשְׁיָא, אִתְמַר בְּהוֹן לְסוֹף, וְאֶת וָהֵב בְּסוּפָה, וְאוֹקְמוּהָ אַהֲבָה בְּסוֹפָהּ.

ס. אַדְּהָכִי, הָא נוּנָא רַבָּא אִזְדְּמַן לְגַבֵּיהּ, וְאָמַר רַעְיָא מְהֵימְנָא, אֵיתָן מוֹשָׁבֶךָ וְשִׂים בַּסֶּלַע קִנֶּךָ. תַּנְיָא דִּמְסַיֵּיעַ לָךְ. דְּהָא נוּנִין בַּסֶּלַע קִנָּא דִּלְהוֹן, אֵיתָן בְּהִפּוּכָא, תַּנְיָא. אֵיתָנִים בְּהִפּוּךְ אַתְוָון, תְּנָאִים. אִסְתְּמַר מִנַּיְיהוּ, דְּהָא אַנְתְּ כְּבַד פֶּה וּכְבַד לָשׁוֹן, וּמַאן דְּבָעֵי לְאִתְקְפָא בַּסֶּלַע דְּנוּנֵי יַמָּא, דְּמָארֵי מַתְנִיתִין, דְּאִינּוּן תְּנָאִים, בָּעֵי לְמֶהֱוֵי תַּקִּיף, לִישָּׁנָא וְחַדִּידָא וְחַרִיפָא, לְיִנְקוּב עַד דְּמָטֵי לִתְהוֹמָא רַבָּא דְּתַמָּן.

סא. כִּי עוֹד חָזוֹן לַמּוֹעֵד וְיָפֵחַ לַקֵּץ וְלֹא יְכַזֵּב, וְאוֹקְמוּהָ דְּהַאי קְרָא נוֹקֵב וְיוֹרֵד, עַד תְּהוֹמָא רַבָּא. מַאן הוּא דְּנָחִית לִתְהוֹם רַבָּא, לְאַשְׁכְּחָא זִמְנָא דָּא, אֶלָּא אַנְתְּ, דְּאִתְמַר בָּךְ צִדְקָתְךָ כְּהַרְרֵי אֵל מִשְׁפָּטֶיךָ תְּהוֹם רַבָּה. כַּמָּה מָארֵי מַתְנִיתִין, דְּבָעוּ לְנַחְתָּא לְעוּמְקָא דַּהֲלָכָה, לְאַשְׁכְּחָא תַּמָּן קֵץ דְּפֻרְקָנָא, וְנַחְתּוּ תַּמָּן, וְלָא סְלִיקוּ. וְאַע"ג דְּלִישָּׁנֵיהוֹן הֲוַת כְּפַטִּישׁ יְפוֹצֵץ סֶלַע, וַחֲלִישׁ פַּטִּישׁ דִּלְהוֹן, לְנַקְבָא בְּהַהוּא סֶלַע. וּמַאן דְּנָקִיבוּ דִּילֵיהּ בְּהַהוּא סֶלַע בְּלָא רְשׁוּ, אָתָא חִוְיָא לְנַשְׁכָא לֵיהּ. וְאִית אַחֲרָנִין דְּנָקִיבוּ לָהּ, עַד דְּמָטוּ לִתְהוֹמָא רַבָּא, וְלָא סְלִיקוּ מִתַּמָּן.

סב. וּבְזִמְנָא דְּנוּקְבָא פְּתִיחָא, כָּל מַאן דַּהֲוָה נָפִיל תַּמָּן, לָא הֲוָה סָלִיק. וּמָשִׁיחַ בֶּן דָּוִד נָפַל תַּמָּן עִם מָשִׁיחַ בֶּן יוֹסֵף. דָּוִד אִיהוּ עָנִי וְרוֹכֵב עַל חֲמוֹר. וְחַד אִיהוּ, בְּכוֹר שׁוֹרוֹ, דָּא מָשִׁיחַ בֶּן יוֹסֵף. וְהַאי אִיהוּ כִּי יִכְרֶה אִישׁ בּוֹר וְלֹא יְכַסֶּנּוּ וְנָפַל שָׁמָּה שׁוֹר אוֹ חֲמוֹר. וּבְגִּ"ד אִקְרֵי מָשִׁיחַ בַּר נַפְלֵי. וְאִיהִי נַפְלַת בַּתְרַיְיהוּ, וְאִתְמַר עָלָהּ, נָפְלָה לֹא תוֹסִיף קוּם בְּתוּלַת יִשְׂרָאֵל. וְאַנְתְּ הוּא בַּעַל הַבּוֹר יְשַׁלֵּם כֶּסֶף יָשִׁיב לִבְעָלָיו. וְהַמֵּת יִהְיֶה לוֹ, דָּא מָשִׁיחַ בֶּן יוֹסֵף, דְּעָתִיד לְאִתְקְטָלָא.

סג. נָחַת בְּגִינֵּיהּ. דְּוַדַּאי אַרְבַּע גָּלֻיּוֹת הֲווֹ, תְּלַת, לְקָבֵל תְּלַת קְלִיפִּין דֶּאֱגוֹזָא, דְּאִינּוּן תֹּהוּ, קַו יָרוֹק, קְלִיפָּה יְרוֹקָא דֶּאֱגוֹזָא. תִּנְיָינָא בֹּהוּ, אַבְנִין מְפוּלָמִין, דְּאִינּוּן סְלָעִים תַּקִּיפִין, דְּמ"מ פַּסְקוּ מִינַּיְיהוּ כַּמָּה פְּסָקוֹת, וְנָקִיט לוֹן, לְאַפָּקָא מַיָּא דְּאוֹרַיְיתָא. וּבְגִּ"ד אִתְקְרִיאוּ אֲבָנִים מְפוּלָמוֹת, דְּמִנַּיְיהוּ מַיִין נָפְקִין. קְלִיפָּה תְּלִיתָאָה, דְּקִיקָא, גָּלוּתָא תְּלִיתָאָה, דַּהֲוָה זְעֵיר, וְהַאי אִיהוּ וְחֹשֶׁךְ. גָּלוּתָא רְבִיעָאָה, תְּהוֹם רַבָּה, וְכָלַל דֶּאֱגוֹזָא. וְהַאי אִיהוּ, וְחֹשֶׁךְ עַל פְּנֵי תְהוֹם.

סד. וְאִתְקְרֵי בּוֹר, דְּנָפַל שַׁמָּה שׁוֹר, דָּא דִּכְתִיב בְּיוֹסֵף, בְּכוֹר שׁוֹרוֹ הָדָר לוֹ. דְּאִתְּמַר בֵּיהּ, וַיַּשְׁלִיכוּ אוֹתוֹ הַבּוֹרָה. נוּקְבָּא בִּישָׁא. וְהַבּוֹר רֵק, דְּכוּרָא, רֵק בְּלָא תּוֹרָה, אֲבָל נְחָשִׁים וְעַקְרַבִּים יֵשׁ בּוֹ. וְדָא גָּלוּתָא רְבִיעָאָה, דּוֹר דִּרְשָׁעִים מָלֵא נְחָשִׁים וְעַקְרַבִּים, רַמָּאִים כִּנְחָשִׁים וְעַקְרַבִּים, דְּעַקְרִין מִלֵּי דְּרַבָּנָן, וְדַיְינִין לְשַׁקְרָא, עֲלַיְיהוּ אִתְּמַר, הָיוּ צָרֶיהָ לְרֹאשׁ.

סה. וַיִּפֶן כֹּה וָכֹה וַיַּרְא כִּי אֵין אִישׁ דְּיִשְׂרָאֵל, בְּאִלֵּין רַשִׁיעַיָּא עֵרֶב רַב, וְדָא בְּסוֹף גָּלוּתָא. וּבְגִין דָּא קֵץ דְּפוּרְקָנָא נוֹקֵב עַד הַתְּהוֹם רַבָּה. וְרַעְיָא מְהֵימָנָא, תְּהוֹם הוּא הַמָּוֶת בְּהִיפּוּךְ אַתְוָון, וְלֵית מָוֶת אֶלָּא עֲנִיּוּתָא, אַנְתְּ נְחִיתַת תַּמָּן. וְהָא קָא אִתְבְּרִיר לְעֵילָּא, קַמֵּי תַּנָּאִים וַאֲמוֹרָאִים, וְכֻלְּהוּ נַחְתִּין בְּגִינָךְ בִּתְהוֹמָא לְסַיְּיעָא לָךְ.

סו. וְאַנְתְּ תַּנְיָא דִּמְסַיֵּיעַ לָךְ יַתִּיר מִכֻּלְּהוּ, בְּגִין דְּאַנְתְּ לִוְיָתָן דְּיַמָּא דְּאוֹרַיְיתָא, מָארֵיהּ דְּכָל נוּנִין לִוְיָתָן אִתְקְרֵי, עַל שֵׁם אוֹרַיְיתָא, דְּאִתְּמַר בֵּיהּ כִּי לִוְיַת חֵן הֵם לְרֹאשֶׁךָ. וּבָךְ אָדָם וּבְהֵמָה תּוֹשִׁיעַ יְיָ'. אָדָם דְּאִתְּמַר בֵּיהּ אָדָם כִּי יָמוּת בְּאֹהֶל, וְאוֹקְמוּהָ מָארֵי מַתְנִיתִין, אֵין הַתּוֹרָה מִתְקַיֶּימֶת אֶלָּא בְּמִי שֶׁמֵּמִית עַצְמוֹ עָלֶיהָ, וְלֵית מִיתָה אֶלָּא עֲנִיּוּתָא. וּבְהֵמָה, אִלֵּין עַמֵּי הָאָרֶץ, דְּאִינּוּן מִתְכַּפְיָין כְּסוּס כְּפֶרֶד תְּחוֹת מָארֵי מַתְנִיתִין.

סז. אַדְּהָכִי הָא בּוֹצִינָא קַדִּישָׁא אָתָא, פָּתַח רַעְיָא מְהֵימָנָא וְאָמַר, מָארֵי מַתְנִיתִין מַאן אִיהוּ לִוְיָתָן. אָמַר לֵיהּ בּוֹצִינָא קַדִּישָׁא, הַאי אִיהוּ דַּרְגָּא דְּעַמּוּדָא דְּאֶמְצָעִיתָא, וְצַדִּיק, דְּאִתְּמַר בֵּיהּ, גּוּף וּבְרִית חֲשִׁיבִין חַד. וְאִתְרַבֵּי בְּיַמָּא דָּא, דְּאִיהִי אִימָּא עִלָּאָה, יָם, דְּבָהּ מִיַּיחֲדִין לְקוּדְשָׁא בְּרִיךְ הוּא כ"ה כ"ה אַתְוָון, דְּאִינּוּן יָם בְּחוּשְׁבָּן, וְאִיהוּ בָּהּ. אָמַר ר"מ, וַדַּאי לִוְיָתָן דְּקָאִים עַל שְׂפַת הַיָּם, וְעָלְמָא קָאֵי עַל סְנַפִּירוֹי, דָּא צַדִּיק יְסוֹד עוֹלָם, דְּכָל עָלְמָא קָאִים עָלוֹי. אָמַר בּוֹצִינָא קַדִּישָׁא, זַכָּאָה חוּלָקָךְ ר"מ.

סח. בַּת קוֹל בְּגָלוּתָא, עַד דְּתֵיתֵי אַנְתְּ לְגַבָּהּ, דְּאַנְתְּ קוֹל דִּילָהּ, דְּכָל אִשָּׁה בַּת בַּעְלָהּ, כְּמָה דְּאַתְּ אָמֵר וַתְּהִי לוֹ לְבַת. מְאוֹרָשָׂה אִיהִי לָךְ, עֲדַיִין לָא עָאלַת עִמָּהּ לַחוּפָּה.

סט. אִתְּמַר, צָעֲקָה הַנַּעֲרָה הַמְאוֹרָשָׂה וְאֵין מוֹשִׁיעַ לָהּ. הָכִי שְׁכִינְתָּא, אִימָּא עִלָּאָה, צוֹעֶקֶת עַל בְּנָהּ, וְאֵין מוֹשִׁיעַ לָהּ, עַד דְּיֵיתֵי עַמּוּדָא דְּאֶמְצָעִיתָא בְּגִינָהּ, דְּאִיהוּ מוֹשִׁיעַ. דִּבְגִינָהּ אִתְּמַר, הִנֵּה מַלְכֵּךְ יָבֹא לָךְ צַדִּיק וְנוֹשָׁע. הוּא מוֹשִׁיעַ לְעֵילָּא, וְאַנְתְּ לְתַתָּא. וּבְגִין דְּאַנְתְּ בִּדְיוֹקְנֵיהּ, אִתְּמַר בָּךְ, וְאַתָּה פֹּה עֲמוֹד עִמָּדִי. דְּכֻלְּהוּ יִשְׂרָאֵל אַהַדְרוּ לְאָהֳלֵיהוֹן, וְאַנְתְּ לָאו, עַד פּוּרְקָנָא בַּתְרַיְיתָא. וּמַאן גָּרַם דָּא, עֵרֶב רַב. דִּבְגִינַיְיהוּ, וַיַּשְׁלֵךְ מִיָּדָו אֶת הַלּוּחוֹת. וּמֵהַהִיא שַׁעֲתָא נָפְלָה, וְלָא אִתְפָּרְקַת מֵעֵרֶב רַב, דְּאִתְּמַר בְּהוֹן וְגַם עֵרֶב רַב עָלָה אִתָּם. בְּכָל דָּא לָא אִתְפָּרְשָׁן מִיִּשְׂרָאֵל. וְשִׁפְחָה מִגְּבִרְתָּהּ, עַד פּוּרְקָנָא בַּתְרַיְיתָא.

ע. אַנְתְּ בְּרָא דְּמַלְכָּא, כְּגַוְונָא דִּילָךְ אִתְּמַר בְּעַמּוּדָא דְּאֶמְצָעִיתָא בְּכֹלָּא, וְחֶדְוָה דִּילָךְ, כְּחֶדְוָה דִּילֵיהּ יְהֵא, כַּד יֵיתֵי לְמִפְרַק לְכַלָּתֵיהּ, וְהוּא כְּחָתָן יוֹצֵא מֵחוּפָּתוֹ וְגוֹ'. דְּהָא לְבוּשִׁין דִּילָהּ בְּגָלוּתָא חֲשׁוּכִין, וּבְזִמְנָא דְּאִיהִי מִתְלַבְּשַׁת בְּהוֹן, אִיהִי אָמְרָה אַל תִּרְאוּנִי שֶׁאֲנִי שְׁחַרְחוֹרֶת. וְאִלֵּין קְלִיפִּין אִינּוּן, מַשְׁחִית אַף וְחֵמָה, נוּקְבָּא בִּישָׁא, שִׁפְחָה בִּישָׁא, שַׁבְּתַאי, וְשִׁפְחָה כִּי תִירַשׁ גְּבִירְתָּהּ, דְּאִיהִי שַׁבָּת מַלְכְּתָא. מַשְׁחִית אַף וְחֵמָה, סָחֲרִין לִתְלָתָא אֲבָהָן.

עא. וְלָא עוֹד, אֶלָּא מַה דַּהֲוַת בְּרַתָּא דְּמַלְכָּא, י' עַל הו"ה, דִּכְלִילָן בַּאֲבָהָן, ה' קַדְמָאָה בְּאַבְרָהָם. ה' תִּנְיָינָא בְּיִצְחָק. ו' בְּיַעֲקֹב. וַהֲוַת י' רֵישָׁא עֲלַיְיהוּ. אִתְּמַר, נָפְלָה עֲטֶרֶת רֹאשֵׁנוּ. וְאַמְתִּילוּ רַבָּנָן מַתְלָא, לְמַלְכָּא דַּהֲוָה לֵיהּ עֲטָרָה עַל רֵישֵׁיהּ, וְאִילָּן יָאֶה

קַדְמֵיהּ, אַתְיָא לֵיהּ שְׁמוּעָה בִּישָׁא, אַרְמֵי עֲטָרָה מֵעַל רֵישֵׁיהּ. וּמַה דַּהֲוַת י' עַל הו"ה. י' לְעֵילָּא, אִתְהַדָּר הוה"י, י' לְתַתָּא. וּבְגִין דָּא אָמַר דָּוִד, אֶבֶן מָאֲסוּ הַבּוֹנִים הָיְתָה לְרֹאשׁ פִּנָּה מֵאֵת יְיָ' הָיְתָה זֹּאת.

עב. קוּם ר"מ, טוֹל אַבְנָא דָּא בִּידָךְ, דְּאִתְּמַר בָּהּ, עַל אֶבֶן אַחַת שִׁבְעָה עֵינָיִם. לְתַבְרָא קְלִיפִּין דֶּאֱגוֹזָא, דְּהָא כַּמָּה רוֹעִים פַּרְנָסֵי דָּרָא, אִתְכְּנָשׁוּ עַל הַאי אַבְנָא, דְּאִיהִי סֶלַע דִּילָךְ, לְאַפָּקָא מַיָּא מִתַּמָּן, דְּכַלָּה דִּילָךְ מַעְיַן הַחָכְמָה. בְּהַאי סֶלַע, דְּנָבִיעָא דִּילָהּ בְּאוֹרַיְיתָא, בְּרָזִין סְתִימִין לֵית סוֹף. וְעָלָהּ אִתְּמַר, וְהַחָכְמָה מֵאַיִן תִּמָּצֵא.

עג. וְכָל תּוּקְפָּא דִּלְהוֹן לְאַעְבְּרָא קְלִיפָּה דִּלְעֵילָּא, וְכַד מָטָן לַקְּלִיפָּה תִּנְיָינָא, דְּאִיהִי תַּקִּיפָא, אִיהִי קַשְׁיָא לוֹן, וּמוֹחָאן בָּהּ כָּל יוֹמֵיהוֹן כֻּלְּהוּ, בְּלִישָׁנֵהוֹן דְּאִינּוּן תַּקִּיפִין כְּפַטִּישִׁין, וְלֵית לוֹן רְשׁוּ לְאַפָּקָא מִינָּהּ מַיָּא. אֶלָּא אִלֵּין טִפִּין דְּנָפְקִין עַל יְדָךְ, בְּזִמְנָא דְּאִתְּמַר בָּהּ, וַיַּךְ אֶת הַסֶּלַע בְּמַטֵּהוּ פַּעֲמָיִם. וּבְמוֹחָאָה תִּנְיָינָא נַפְקֵי אִלֵּין טִפִּין. וְאִלֵּין אִינּוּן רְמִיזִין דְּחָכְמָה, רְמִיזִין דְּקַבָּלָה, דְּאִינּוּן בַּהֲגִיגָה, וּשְׁאַר מַתְנִיתִין. וְהַאי אֶבֶן לֵית מַאן דְּאַפִּיק מִינָּהּ חָכְמָה, דְּאִיהִי מִלְּגָאו, דְּלֵית לָהּ סוֹף, בַּר אַנְתְּ, דְּאִתְּמַר בָּךְ הֲלָכָה לְמֹשֶׁה מִסִּינַי.

עד. פָּתַח רַעְיָא מְהֵימְנָא וְאָמַר, סָבָא סָבָא, אִית סֶלַע, וְאִית סֶלַע, אִית אֶבֶן, וְאִית אֶבֶן. אִית אֶבֶן דִּשְׁמָא דִּיהֹו"ה, עָלָהּ אִתְּמַר וְאַבְנָא דִּי מְחָת לְצַלְמָא הֲוָת לְטוּר רַב. וְאִית אֶבֶן דְּאִיהִי אֶבֶן מַשְׂכִּית, דְּלֵית תַּמָּן נְבִיעוּ דְּמַיָּא דְּחָכְמְתָא, וְלָא דִּבּוּר.

עה. אֶלָּא אֶבֶן דְּאִיהִי סֶלַע, דְּמֹשֶׁה, עָלָהּ אִתְּמַר וְדִבַּרְתֶּם אֶל הַסֶּלַע לְעֵינֵיהֶם וְנָתַן מֵימָיו. דְּאִיהִי בַּת קוֹל וְלָא תַּלְיָא בָּהּ אֶלָּא דִּבּוּר וּפִיּוּסָא. אֲבָל שִׁפְחָה, סֶלַע אַחֲרָא, דְּאִתְקְרִיאַת מִשְׁנָה. נוּקְבָא דְּעֶבֶד נַעַר. עָלָהּ אִתְּמַר, בִּדְבָרִים לֹא יִוָּסֶר עָבֶד, אֶלָּא דְּמוֹחָאן וּמִתְבָּרִין מִינָּהּ כַּמָּה פְּסָקוֹת, וְלַקְטִין לוֹן, וְאִתְקְרוּן לְקוּטוֹת. וְעַל דִּמְלַקְּטֵי לוֹן, אִתְקְרִיאוּ לְקוּטוֹת, בְּלָא נְבִיעוּ דְּחָכְמָה וְקַבָּלָה.

עו. אֲבָל סֶלַע דִּילִי, אִיהִי בְּרַתָּא דְּמַלְכָּא, בְּגִינָהּ אִתְּמַר, וְדִבַּרְתֶּם אֶל הַסֶּלַע לְעֵינֵיהֶם וְנָתַן מֵימָיו, בְּדִבּוּר וּפִיּוּס, כִּבְרַתָּא דְּמַלְכָּא. וּבְגִין דְּמָחֵינָא בָּהּ, לָקֵינָא עָלָהּ, וְאִתְגְּזַר עֲלָנָא מוֹתָא. דְּמַאן דְּמִסְרַב לְמַטְרוֹנִיתָא, חַיָּיב מִיתָה. כָּל שֶׁכֵּן מַאן דְּמָחָא לִבְרַתֵּיהּ דְּמַלְכָּא. וּבְגִין דָּא אִתְגְּזַר עָלַי, דְּלָא אֵיעוּל לְאַרְעָא דְּיִשְׂרָאֵל, וַאֲנָא קָבוּר בְּאַרְעָא נוּכְרָאָה, וְאִתְעַבְּרַת מִינַּי. וְאִתְּמַר, וַיֵּרֶד אֵלָיו בַּשֵּׁבֶט. וְהַאי שֵׁבֶט, אִיהוּ חַד מִשִּׁבְטַיָּא דִּילִי, דַּאֲנָא עָתִיד לְנַחְתָא תַּמָּן לְמֶהֱוֵי עִם יִשְׂרָאֵל בְּגָלוּתָא. וְכֹלָּא אִתְרְמִיז, וּבַאֲתַר אוּחֲרָא אוּקְמוּהָ מָארֵי מַתְנִיתִין.

עז. דְּבֵי מַקְדְּשָׁא, וּשְׁמָא דְּמָשִׁיחַ, אִתְקְרִיאוּ בְּשֵׁם יֶדוֹ"ד. וְדָא אַרְבַּע אַנְפֵּי אָדָם, וְאִינּוּן דְּשִׁבְטָא דְּלֵוִי, אִינּוּן נַפְקָן מֵחֵיוָן דְּאִינּוּן שְׁאַר שִׁבְטִין, וְעָאלוּ בְּחוּלָקָא דְּאָדָם, דְּאִינּוּן אַרְבַּע אַנְפִּין דִּילֵיהּ. וּמֹשֶׁה אִיהוּ אָדָם בְּדִיוּקְנָא דְּהַהוּא אָדָם קַדְמָאָה דִּלְעֵילָּא. מַה שְּׁמוֹ וּמַה שֶּׁם בְּנוֹ. וּבְגִין דָּא, כַּהֲנַיָּא וְלֵיוָאֵי, מְזוֹנֵיהוֹן עַל יְדָא דְּמַלְכָּא אָכִיל בְּפָתוֹרֵיהּ, וּשְׁאַר חַיָּילִין דְּמַלְכָּא, כָּל חַד יַהֲבִין לֵיהּ לְמֵיכַל בְּבֵית מוֹשָׁב דִּילֵיהּ. וְרַעְיָא מְהֵימְנָא אִיהוּ כִּבְרָא דְּמַלְכָּא, קָרִיב לְמַלְכָּא יַתִּיר מֵאִלֵּין דְּאַכְלִין לְפָתוֹרֵיהּ, דְּלֵית מַאן דְּקָרִיב לְמַלְכָּא מִכָּל בְּנֵי מַלְכוּתָא , כִּבְרֵיהּ.

עח. קָם בּוּצִינָא קַדִּישָׁא וְאָמַר, סָבָא סָבָא, בְּמִלִּין דִּילָךְ אִשְׁתְּמוֹדַע מַאן אַנְתְּ. אַנְתְּ הוּא אָדָם קַדְמָאָה. מַה שְּׁמוֹ, אִתְּמַר עָלָךְ. מַה שֶּׁם בְּנוֹ, אִתְּמַר עַל רַעְיָא מְהֵימְנָא.

וּבְגִּין דְּאִיהוּ וְחֵדֵשׁ כַּמָּה חִדּוּשִׁין בְּאוֹרַיְיתָא, וְחֶדְוָה זְמִינָא לְגַבָּךְ, דְּבֵן חָכָם יְשַׂמַּח אָב.

עט. רַעְיָא מְהֵימְנָא, בְּפַרְשְׁתָּא דָּא, הֲוָה אַדְכַּר כְּנִישׁוּ דִּילָךְ לְהַהוּא עָלְמָא, דִּכְתִּיב עֲלֵה אֶל הַר הָעֲבָרִים הַזֶּה הַר נְבוֹ וְגוֹ', וּרְאֵה אוֹתָהּ וְנֶאֱסַפְתָּ אֶל עַמֶּיךָ וְגוֹ', כַּאֲשֶׁר נֶאֱסַף אַהֲרֹן אָחִיךָ וְגוֹ'. וּבְהַאי פַּרְשְׁתָּא, אִית לָךְ לְאַהֲדְרָא לְעָלְמָא, וּלְהַחֲיוֹת, וּלְאַעֲלָא לְאַרְעָא דְּיִשְׂרָאֵל, וּלְאִתְחַבְּרָא בְּפַרְשְׁתָּא דָּא בְּכַלָּה דִּילָךְ, דִּכְתִּיב בָּהּ, הִנְנִי נוֹתֵן לוֹ אֶת בְּרִיתִי שָׁלוֹם. וּבְגִ"ד לָא אָמַר לָךְ קוּדְשָׁא בְּרִיךְ הוּא הָכָא רֵד, אֶלָּא עֲלֵה. דִּמְנֵיהּ, אַנְתְּ תְּהֵא עָאל לְאַרְעָא דְּיִשְׂרָאֵל.

פ. וּמַה דְּאָמַר בָּךְ, וְלֹא יָדַע אִישׁ אֶת קְבוּרָתוֹ עַד הַיּוֹם הַזֶּה. וַוי לְאִינּוּן אֲטִימִין לִבָּא, סְתִימִין עַיְינִין, דְּלָא יַדְעֵי קְבוּרָה דִּילָךְ, דַּהֲוֵית אַנְתְּ בָּעֵי רַחֲמֵי מִקּוּדְשָׁא בְּרִיךְ הוּא, דְּלָא יֵיעוּל לָךְ בְּהַהוּא קְבוּרָה, דְּבָהּ אַנְתְּ מִתְקְרֵי מֵת. הה"ד, מֹשֶׁה עַבְדִּי מֵת. וְאִינּוּן טִפְּשָׁאֵי אַמְרִין, וְכִי מֹשֶׁה הֲוָה מְפַחֵד מִמִּיתָה, לְנָפְקָא מֵהַאי עָלְמָא, לְעָלְמָא דְּאָתֵי, כִּשְׁאַר בְּרִיָּין. וְאִינּוּן לָא יַדְעִין דִּקְבוּרָה דִּילָךְ, וּמוֹתָא דִּילָךְ אֵיךְ הִיא.

פא. דְּהָכִי אוֹקְמוּהָ מָארֵי מַתְנִיתִין, דְּמֵתֵי חוּצָה לָאָרֶץ אֵינָם חַיִּים. לָא אַמְרֵי דְּאֵינָם עֲתִידִים לְהַחֲיוֹת, דְּאִלְמָלֵי כַּךְ הֲווּ כַּפְרִין בִּתְחִיַּית הַמֵּתִים. אֶלָּא הָכָא רָזָא רַבְרְבָא, קְבוּרָה דִּילֵיהּ בְּצוּלְמָא דְּלָאו הֲגוּנָה לֵיהּ, דְּאִיהִי אֶרֶץ צִיָּה וְעָיֵף בְּלִי מָיִם, וְלֵית מַיִם אֶלָּא תּוֹרָה, וּבָהּ לֹא תֹאַר לוֹ וְלֹא הָדָר. וּמַאן דְּחָזֵי לֵיהּ בְּהַהוּא צוּלְמָא, וְנִרְאֵהוּ וְלֹא מַרְאֶה וְנֶחְמְדֵהוּ. וּבְגִ"ד, נְבוּאַת יְשַׁעְיָה הִנֵּה יַשְׂכִּיל עַבְדִּי, קָא רָמִיז עֲלֵיהּ.

פב. וּבְגִין הַהוּא קְבוּרָה, הֲוָה בָּעֵי רַחֲמֵי דְּלָא יְמוּת תַּמָּן בְּחו"ל, לְפוּם דַּהֲוָה בְּאֶרֶץ צִיָּה רָעֵב וְעָיֵף וְצָמֵא בְּלִי מַיִם, דְּאִיהִי אוֹרַיְיתָא. וּבְגִ"ד אִתְּמַר עָלֵיהּ, עֲלֵה אֶל הַר הָעֲבָרִים הַזֶּה. מִשִּׁפְלוּתָא דִּילֵיהּ, אַחֲזֵי לֵיהּ מַעֲלָתֵיהּ, אע"ג דְּאַנְתְּ קָבוּר בְּאֲתַר דְּלָאו הָגוּן לָךְ, עָרוֹם בְּלָא לְבוּשִׁין דִּילָךְ, דְּאִינּוּן עוֹר וּבָשָׂר, נָע וָנָד מֵאֲתָר דִּילָךְ, וּמְטַלְטֵל וְגָלֵי. הָא פִּנְחָס דַּעֲבַדַּת טִיבוּ עִמֵּיהּ, דְּאִתְּמַר עָלָךְ, הִנְנִי נוֹתֵן לוֹ אֶת בְּרִיתִי שָׁלוֹם, הָא אִיהוּ יַעֲבִיד טִיבוּ עִמָּךְ, וּבֵיהּ תִּסְתַּלַּק בְּפַרְשְׁתָּא דִּילֵיהּ. דְּבָהּ כַּלָּה דִּילָךְ, תַּמָּן תִּתְיַיחֵד עִמָּהּ, כְּחָתָן עִם כַּלָּתֵיהּ.

פג. דְּהָא אַנְתְּ, אִי לָא הֲוֵית קָבוּר לְבַר מֵאַרְעָא קַדִּישָׁא, לְבַר מִכַּלָּה דִּילָךְ, לָא הֲווּ יִשְׂרָאֵל נָפְקִין מִגָּלוּתָא. וּבְגִינָךְ אִתְּמַר, וְהוּא מְחוֹלָל מִפְּשָׁעֵינוּ. אִתְעֲבֵידַת חוֹל בְּגִין חוֹבָה וָפֶשַׁע דְּיִשְׂרָאֵל בִּקְבוּרָה דִּילָךְ, דְּאִתְּמַר בָּךְ וַיִּקְבֹּר אוֹתוֹ בַגַּיְא. וּמַה כְּתִיב בִּקְבוּרָה דִּילָךְ. כָּל גֶּיא יִנָּשֵׂא, כָּל שָׁפֵל וְנָמוּךְ יִנָּשֵׂא בְּגִינָךְ, דְּאִינּוּן יִשְׂרָאֵל, דְּאִינּוּן שְׁפָלִים מִכָּל אוּמָּה וְלִישָׁן. וְכָל הַר וְגִבְעָה יִשְׁפָּלוּ, דְּאִינּוּן רַשִׁיעַיָּיא, וְגַסֵּי הָרוּחַ.

פד. וְהַאי אִיהוּ, וּבַחֲבוּרָתוֹ נִרְפָּא לָנוּ, בַּחֲבוּרָה דְּאִתְחַבַּר עִמָּנָא בְּגָלוּתָא, נִרְפָּא לָנוּ. דְּאַנְתְּ הוּא כְּשִׁמְשָׁא דְּנָהִיר, דְּאע"ג דְּאִתְכְּנַשׁ בְּלֵילְיָא, נָהִיר הוּא בְּסִיהֲרָא, וּבְכָל כֹּכְבַיָּא וּמַזָּלֵי. הָכִי אַנְתְּ נָהִיר, בְּכָל מָארֵי הֲלָכוֹת וְקַבָּלוֹת. וְלָךְ אִשְׁתַּקְיָין בְּגִנְזוֹי, כְּמַבּוּעָא דְּאַשְׁקֵי לְאִילָנִין תְּחוֹת שָׁרְשֵׁיהוֹן בְּגִנְזוֹי, עַד דְּאִתְבַּקַע מֵימוֹי בְּאִתְגַּלְיָיא. הה"ד, יָפוּצוּ מַעְיְנוֹתֶיךָ חוּצָה.

פה. דְּאַנְתְּ הוּא אוֹף הָכִי, כְּשִׁמְשָׁא דְּאָזִיל בִּימֵי הַחוֹרֶף תְּחוֹת מַבּוּעִין, וְכַד מָטֵי פּוּרְקָנָא, תְּהֵא כְּשִׁמְשָׁא דְּאָזִיל בְּקַיִץ לְעֵילָא מִמַּבּוּעִין, וְיֵהוֹן צוֹנְנִין בְּרַחֲמֵי. דְּכַד אַנְתְּ תְּחוֹתַיְיהוּ, אִינּוּן חַמִּין בְּדִינָא. אָתָא רַעְיָא מְהֵימְנָא, וּבָרִיךְ לְבוּצִינָא קַדִּישָׁא, וְאָמַר וַדַּאי אַנְתְּ הוּא דְּנָהִיר לִי, בִּזְמְנָא דְּאִתְּמַר עָלַי, כִּי בָא הַשֶּׁמֶשׁ, כָּבָה הַשֶּׁמֶשׁ, דְּאַחֲשִׁיךְ נְהוֹרֵיהּ. יְהֵא רַעֲוָא, דִּידוּ"ד יַנְהִיר שְׁמֵיהּ עָלָךְ.

פו. וְעוֹד אָמַר בּוּצִינָא קַדִּישָׁא, וַדַּאי אַנְתְּ הוּא כֹּלָּא, דְּאָמַר, אִם יִהְיֶה נְבִיאֲכֶם וְגוֹ'. ובג"ד, כַּד אִתְגַּלְיָיא אִימָּא עִלָּאָה לָךְ, אֲמַרְתְּ אָסוּרָה נָּא וְאֶרְאֶה אֶת הַמַּרְאֶה הַגָּדוֹל הַזֶּה מַדּוּעַ לֹא יִבְעַר הַסְּנֶה. בְּגִין דְּאִיהִי רַחֲמֵי, אִתְּמַר בָּהּ לֹא יִבְעַר הַסְּנֶה.

פז. וְחָמֵשׁ נְהוֹרִין אִית לָהּ, דְּאִתְקְרִיאוּ קַרְנֵי הַחַמָּה, עַד הוֹד, וּמִתַּמָּן עַד הוֹד, הֲווּ נְהִירִין בָּךְ ר"מ, וְהַאי אִיהוּ וְנָתַן הוֹד לְמֹשֶׁה, לְאִשְׁתְּמוֹדְעָא דְּכֻלְּהוּ לָךְ אִתְיְיהִיבוּ, אֲפִילּוּ עַד הוֹד. ובג"ד, פְּנֵי מֹשֶׁה כִּפְנֵי חַמָּה. וְאִלֵּין וְחָמֵשׁ, סַלְּקִין לְחַמְשִׁין תַּרְעִין דְּבִינָה.

פח. וּבְאִלֵּין וְחָמֵשׁ דְּאִתְּמַר, דְּאִינּוּן וְחָמֵשׁ אוֹר דְּיוֹמָא קַדְמָאָה, דְּאִינּוּן לְקַבֵּל וְחָמֵשׁ אֶצְבְּעָן דִּימִינָא אִתְחֲזְיָא לָךְ בַּסְּנֶה. בְּגִין דְּעָתִיד אַנְתְּ, לְאַפָּקָא זַרְעָא דְּאַבְרָהָם מִן גָּלוּתָא, דְּאִיהוּ דַּרְגָּא יְמִינָא. וּמִתַּמָּן בִּינָה אִיהוּ רַחֲמִים גְּמוּרִים, יַד הַגְּדוֹלָה. אֲבָל מִסִּטְרָא דִּגְבוּרָה, יַד הַחֲזָקָה, וְחָמֵשׁ רָקִיעַ, בְּיוֹם שֵׁנִי, לָקֳבֵל וְחָמֵשׁ אֶצְבְּעָן דִּשְׂמָאלָא. אֲבָל מִסִּטְרָא דְּדַרְגָּא דִּילָךְ, וּבְנֵי יִשְׂרָאֵל יוֹצְאִים בְּיָד רָמָה. דְּגוּף וּתְרֵין דְּרוֹעִין וּתְרֵין שׁוֹקִין, לָקֳבֵל וְחָמֵשׁ אֶצְבְּעָן, ה' ה'. ה' אֶצְבְּעָן דְּיַד יָמִין, וה' דְּיַד שְׂמָאל, וּתְרֵין דְּרוֹעִין וּתְרֵין שׁוֹקִין וְגוּף, דְּאִינּוּן וְחָמֵשׁ דְּסַלְּקִין יָ"ה. א"ל רַעְיָא מְהֵימְנָא, בְּרִיךְ אַנְתְּ לְאִמָּא עִלָּאָה. אֲבָל הַאי יָ"ה שְׁוְיָא לִי ה', בְּגִין מַטֵּה הָאֱלֹהִים, דְּאִיהוּ ו'. וְאָמַר וַדַּאי הָכִי הוּא.

פט. אָמַר לֵיהּ רַעְיָא מְהֵימְנָא, בּוּצִינָא קַדִּישָׁא, לְאִתְתַּקְּפָא מִלִּין דִּילָךְ, דְּמַרְאֶה אִיהִי לִימִינָא, וְחָשׁוּב בְּמַרְאָה דְּאִתְּמַר בֵּיהּ בַּמַּרְאָה אֵלָיו אֶתְוַדָּע, וְתִשְׁכַּח רמ"ח, דְּסַלִּיק בְּחוּשְׁבַּן אַבְרָהָם. אָמַר בּוּצִינָא קַדִּישָׁא, בְּקַדְמֵיתָא אִתְחֲזֵי לָךְ הַאי וְחֵיזוּ, דְּאִתְּמַר בֵּיהּ בַּמַּרְאָה אֵלָיו אֶתְוַדָּע. וּלְבָתַר דְּאָמַרְתְּ, אָסוּרָה נָּא וְאֶרְאֶה אֶת הַמַּרְאֶה הַגָּדוֹל הַזֶּה. דְּאַדְכִּיר בֵּיהּ ה' זִמְנִין הַסְּנֶה. כְּעַן אִתְגַּלְיָיא לָךְ וְחֵיזוּ דָּא, ברמ"ח פִּקּוּדִין אִלֵּין, דְּאִינּוּן בַּחֲמִשָּׁה חוּמְשֵׁי תּוֹרָה. קָם ר"מ, וְנָשִׁיק לֵיהּ, וּבָרִיךְ לֵיהּ.

צ. אָמַר לֵיהּ בּוּצִינָא קַדִּישָׁא, הַאי מַרְאֶה, לִזִמְנִין אִיהוּ בְּאוֹת ה' הַמַּרְאֶה הַגָּדוֹל. וְלִזִמְנִין אִיהוּ בְּאוֹת ב', בַּמַּרְאָה אֵלָיו אֶתְוַדָּע. וּלְזִמְנִין במ"ם, מִמַּרְאֵה מָתְנָיו וּלְמַטָּה. וּלְזִמְנִין בכ' כְּמַרְאֵה אָדָם עָלָיו. וּלְזִמְנִין בו', וּמַרְאֵה כְּבוֹד יְיָ'. וּלְזִמְנִין לְמַרְאָה. לָא הוּ"ל לְמֶהֱוֵי תּוֹסֶפֶת אֶת כֹּלָּל, בַּר ב' מִן בַּמַּרְאָה. אֶלָּא וַדַּאי, הַאי מַרְאָה כְּלִילָא אִיהִי מֵעֶשֶׂר סְפִירָן, וְכָל אָת אַחֲזֵי סְפִירָה דִּילָהּ, כְּגוֹן כְּמַרְאֵה בְּאָת כ', אַחֲזֵי עַל כֶּתֶר, וְהָכִי שְׁאַר אַתְוָון, כָּל וְחַד אַחֲזֵי עַל סְפִירָה דִּילָהּ. וְלָא צָרִיךְ לְאַרְכָא הָכָא, וּלְחַכִּימָא בִּרְמִיזָא.

צא. וְכַמָּה וְחֶזְיוֹנוֹת אִית לָהּ, וְדִמְיוֹנוֹת וּמַרְאוֹת אִית לָהּ, וְכֹלָּא אִשְׁתְּמוֹדַע בְּעֵין הַשֵּׂכֶל דְּלִבָּא, דְּאִתְּמַר בָּהּ הַלֵּב יוֹדֵעַ הַלֵּב מֵבִין. וּמַה דְּאָמַר, וּבְיַד הַנְּבִיאִים אֲדַמֶּה. דִּמְיוֹן לָאו אִיהוּ, אֶלָּא בְּשֵׂכֶל דְּלִבָּא, וְלָאו כְּדִמְיוֹן דְּעֵינָא. הֲדָא הוּא דִּכְתִיב, וְאֶל מִי תְּדַמְּיוּנִי וְאֶשְׁוֶה. וְאֶל מִי תְּדַמְּיוּן אֵל. וְאִית וְחֶזְיוֹנוֹת כְּגוֹן הַחוֹזִים בַּכּוֹכָבִים, אֲבָל וְחֶזְיוֹן דִּנְבוּאָה אִיהוּ כְּחֶזְיוֹן לַיְלָה.

צב. דִּמְיוֹנוֹת וְחֶזְיוֹנוֹת, כְּגוֹן הַמֵּבִין דָּבָר מִתּוֹךְ דָּבָר, וְהַמְדַמֶּה דָּבָר לְדָבָר. אֲבָל מַרְאֶה דְּאִיהִי בְּעֵין הַשֵּׂכֶל, אִיהִי כְּאוֹר דְּנָהִיר בְּבַת עֵינָא. דְּבַת עֵינָא אִיהִי אוּכָּמָא. שְׁחוֹרָה אֲנִי וְנָאוָה, אוֹר דְּנָהִיר בָּהּ הַהוּא וְחִוָּורוּ דִּלְגוֹ. וְהַאי בַּת עֵינָא, אִיהִי נֵר מִצְוָה. נְהוֹרָא דְּנָהִיר בָּהּ מִלְּגוֹ, וְתוֹרָה אוֹר.

צג. אָמַר בּוּצִינָא קַדִּישָׁא הַיְינוּ מַאי דַּאֲמֵינָא דִּכְעַן בְּאוֹרַיְיתָא אִתְגַּלְיָא לָךְ קוּדְשָׁא בְּרִיךְ הוּא וּשְׁכִינְתֵּיהּ, וְהַאי אִיהוּ יְהֹוָ"ה, בַּמַּרְאָה אֵלָיו אֶתְוַדָּע. בַּמַּרְאָה: אִימָּא עִלָּאָה. אִתְיָדַע, לָךְ בְּדַעַת. בֵּן יָ"ה. בַּחֲלוֹם אֲדַבֶּר בּוֹ, ה"א בַּתְרָאָה.

צד. וְחֶלְמָא, בִּסְתִימוּ דְעַיְינִין. וּבְגִ"ד אִתְקְרִיאַת אַסְפַּקְלַרְיָאה שְׁאֵינָהּ מְאִירָה. נְבוּאָה אִיהִי מַרְאֶה בִּפְתִיחוּ דְעַיְינִין. וּשְׁלֹשָׁה גַּוְונִין בְּעֵינָא, לְקָבֵל תְּלַת אֲבָהָן. דְּבְהוֹן נְהִירָא בַּת יְחִידָאָה, תְּרֵין כַּנְפֵי עֵינָא, נֶצַח וְהוֹד. מַרְאֶה לָא אִתְחֲזְיָא אֶלָּא בְּהוֹן, כַּד אִינּוּן פְּתוּחִין, אִיהִי מַרְאֶה בְּהָקִי"ץ. וְכַד אִינּוּן סְגִירִין, אִיהוּ מַרְאֶה בַּחֲלוֹם.

צה. א"ל רַעְיָא מְהֵימָנָא, בְּרִיךְ אַנְתְּ לְקוּדְשָׁא בְּרִיךְ הוּא, קוּם אַשְׁלִים פִּקּוּדִין, לְאַנְהֲרָא מַרְאֶה עִלָּאָה בְּהוֹן, לְקוּדְשָׁא בְּרִיךְ הוּא. אָמַר לֵיהּ בּוּצִינָא קַדִּישָׁא, י', אִיהִי בַּת עֵינָא, כִּי נֵר מִצְוָה וְתוֹרָה אוֹר ה"ו מַנְהִיר בָּהּ ה', ג' גַּוְונִין דְּעֵינָא, וּתְרֵין כַּנְפֵי עֵינָא. וְחָמֵשׁ אוֹר נְהִירִין בָּהּ מִלְּגָאו, ה' עִלָּאָה דְּאִיהִי אוֹר הַמַּרְאֶה.

צו. אַרְבָּעִים יַכֶּנּוּ לֹא יוֹסִיף וְגוֹ', פִּקּוּדָא דָא לְהַלְקוֹת לְרָשָׁע, דְּאִיהוּ סָמָאֵל, דַּעֲתִיד קוּדְשָׁא בְּרִיךְ הוּא לְמַחֲאָה לֵיהּ חַמְשִׁין מָחָאן. בְּגִין דְּעָבֵד גַּרְמֵיהּ אֱלוֹהַּ. יֵיתֵי יְחוּדָא, דְּמִיַיחֲדָן בֵּיהּ יִשְׂרָאֵל בְּכָל יוֹמָא, בְּכ"ה אַתְוָון, וְיִמְחֵי בְּהוֹן, לְמַאן דְּשַׁוֵּי גַּרְמֵיהּ אֱלוֹהַּ, וְלָאו אִיהוּ אֶלָּא עֶבֶד מְטוֹנָף. וְאִלֵּין דְּסָרְחוּ בָהּ תַּקִּין לוֹן קוּדְשָׁא בְּרִיךְ הוּא, לְמַחֲאָה בְּיו"ד הֵ"א וָא"ו, דְּאִינּוּן אַרְבָּעִים חָסֵר חַד. וּבְהַאי שְׁמָא, מָחָא קוּדְשָׁא בְּרִיךְ הוּא עֲשָׂרָה מַכְתְּשִׁין לְאָדָם. וַעֲשָׂרָה לְחַוָּה. וַעֲשָׂרָה לְנָחָשׁ. וְתִשְׁעָה לְאַרְעָא. בְּגִין דְּכֻלְּהוּ סָרְחוּ בְּאָת ה'. וּבְגִ"ד, כִּי עָשִׂיתָ זֹּאת.

צז. כִּי יֵשְׁבוּ אַחִים יַחְדָּו וּמֵת אַחַד מֵהֶם וּבֵן אֵין לוֹ וְגוֹ', יְבָמָהּ יָבֹא עָלֶיהָ וּלְקָחָהּ לוֹ לְאִשָּׁה וְיִבְּמָהּ. פִּקּוּדָא דָא, לְיַבֵּם אֵשֶׁת אָח דְּאֵשֶׁת אָח אִיהִי ד', וְעִם א"ח אִיהִי אֶחָד. וְאִם ח"ו לֵית בֵּיהּ לָאו אִיהוּ, לְמֵיתֵי אָח עַל ד', דְּאִיהִי אִתְּתֵיהּ בַּת זוּגֵיהּ דְּא"ח, עָבֵיד פְּרוּדָא, וְעָאל סָמָאֵל אֵל אַחֵר בְּאֶמְצָעִיתָא, וְאִתְּמַר בֵּיהּ, וְשִׁחֵת אַרְצָה לְבִלְתִּי וְגוֹ', דְּאִסְתַּלַּק קוֹצָא דְּאָת ד' מִן אֶחָד. וּבְגִין דָא, וְהָיָה אִם בָּא אֶל אֵשֶׁת אָחִיו וְשִׁחֵת אַרְצָה לְבִלְתִּי נְתָן זֶרַע לְאָחִיו. וְהַשְׁחָתַת זַרְעָא, מָנַע מִנֵּיהּ כַּמָּה בִּרְכָאן, וּפְרוּדָא דְיִחוּדָא. וּבְגִ"ד וַיְהִי עֵר בְּכוֹר יְהוּדָה רַע בְּעֵינֵי ה' וַיְמִיתֵהוּ ה'.

צח. וְיִחוּדָא דְאָח עִם ד' בְּצַדִּיק. וּבֹעַז בְּגִין דְּאִתְתַּקַּף עַל יִצְרֵיהּ, אִקְרֵי צַדִּיק. וְהַאי אִיהוּ בּוֹעַ"ז, ב"ו ע"ז, תַּקִּיף בְּיִצְרֵיהּ. הֵן כָּל אֵלֶּה יִפְעַל אֵל פַּעֲמַיִם שָׁלֹשׁ עִם גָּבֶר, וְדָא יה"ו דִּכְלִילָן תְּלַת אַתְוָון בְּצַדִּיק, לְיַבֵּם ה'.

צט. וּבִינָה בֶּן יָ"ה, בְּגִינָהּ אִתְּמַר, וְזֹאת לְפָנִים בְּיִשְׂרָאֵל עַל הַגְּאוּלָּה וְעַל הַתְּמוּרָה לְקַיֵּים כָּל דָּבָר. הָכָא קָא רָמִיז שִׁנּוּי הַשֵּׁם, וְדָא מְצַפְּ"ץ הָכָא, וְזֹאת לְפָנִים בְּיִשְׂרָאֵל. וְדָא שִׁנּוּי מָקוֹם, אֶהְיֶ"ה, אַיֵּה מְקוֹם כְּבוֹדוֹ לְהַעֲרִיצוֹ. יה"ו, אִיהוּ אֶהְיֶ"ה, וְדָא שִׁנּוּי מָקוֹם. שִׁנּוּי מַעֲשֶׂה, אֲדֹנָ"י, א' אֶהְיֶ"ה, י' יְדֹוָ"ד, תַּרְוַוייְהוּ מִשְׁתַּנִּים בַּאֲדֹנָ"י.

ק. וְזֹאת הַתְּעוּדָה בְּיִשְׂרָאֵל, הַתְּעוּדָה, אִימָּא עִלָּאָה, צוֹר תְּעוּדָה וַחֲתוֹם תּוֹרָה בְּלִמּוּדָי. אִיהוּ חוֹתָם דְּעָלְמָא, חוֹתָם דִּשְׁמַיָּא וְאַרְעָא. עַל הַתְּמוּרָה, שְׁכִינְתָּא תַּתָּאָה. בְּאָן אֲתָר אִתְטַמְרַת. בְּעוֹלֵימָא דִּילָהּ, מְטַטְרוֹ"ן, וְיִשְׁנֶה תַּמָּן, אִיהִי מִשְׁנָה. וְאָדָם דְּאִתְּמַר בֵּיהּ כְּתִפְאֶרֶת אָדָם לָשֶׁבֶת בָּיִת, מְשַׁנֶּה פָּנָיו וַתְּשַׁלְּחֵהוּ.

קא. וּבְגִ"ד אוֹקְמוּהָ מָארֵי מַתְנִיתִין, לֹא כְּשֶׁאֲנִי נִכְתָּב אֲנִי נִקְרָא בָּעוֹלָם הַזֶּה, נִכְתָּב יְדֹוָ"ד, וְנִקְרָא אֲדֹנָ"י. וְהָא כְתִיב אֲנִי יְיָ לֹא שָׁנִיתִי. בִּכְתִיבָה לָא אִשְׁתַּנֵּי, אֲבָל בִּקְרִיאָה אִשְׁתַּנֵּי. דִּכְתִיבָה דְּאִיהוּ אַתְרֵיהּ, לָא אִשְׁתַּנֵּי. בִּקְרִיאָה דְּאִיהִי לְבַר מֵאַתְרֵיהּ, אִשְׁתַּנֵּי. הִשָּׁמֶר מִפָּנָיו וּשְׁמַע בְּקוֹלוֹ אַל תַּמֵּר בּוֹ. בְּגִין דְּשִׁפְחָה דִּילֵיהּ אֲדֹנָ"י, שְׁמָהּ כִּשְׁם מַטְרוֹנִיתָא. וְקוּדְשָׁא בְּרִיךְ הוּא בֵּיהּ אִשְׁתַּנֵּי, בְּגִין דְּאִיהוּ נַעַר. בֵּיהּ רָזָא יָשׁוּב לִימֵי עֲלוּמָיו.

קב. אֲבָל שְׁכִינְתָּא אֵצֶל קוּדְשָׁא בְּרִיךְ הוּא לָא מִשְׁתַּנִּית, וְקוּדְשָׁא בְּרִיךְ הוּא לְגַבָּהּ לָא אִשְׁתַּנֵּי, הה"ד, אֲנִי יְיָ לֹא שָׁנִיתִי, אֲנִי: שְׁכִינְתָּא. יְיָ: עַמּוּדָא דְאֶמְצָעִיתָא. שֶׁלֶף אִישׁ

נעלו: דא סנדלפון, סנדל איהו לגבי קודשא בריך הוא, ונעל לגבי שכינתא. אבל תפארת, דכליל שית ספירן, איהו גופא לידו"ד. ומלכות, גופא לשכינתא, דאיהו אדני.

קג. ונגשה יבמתו אליו לעיני הזקנים וחלצה נעלו מעל רגלו וגו'. פקודא דא, לחלוץ. והאי איהו חליצת רוחא מההוא גופא, דבעי לאנהגא עמיה כאוז, וההוא קשירא דאווזה דעם אווזה מתיר מניה, וההוא רוחא אזיל נע ונד, עד דאשכח פרוקא. הה"ד, או דודו או בן דודו יגאלנו או משאר בשרו וגו'. ואי לא אשכח, והשיגה ידו ונגאל. כאורח דאזיל מאתר לאתר, או כעבד דאזיל בשלשלת על צואריה, עד דאשכח פדיון מאדון דיליה על חוביה. ווי למאן דלא אנוח בן למפרק יתיה.

קד. ואליהו ורבנן ומארי מתיבתאן, הכא רמיז, אין חבוש מתיר עצמו מבית האסורין. דאיהו קשור בקשורא דתפלין דיד, ואסור בתפלין דרישא, כד לית ליה בן למפרק ליה, מסטרא דבן י"ה. בההוא קשירו איהו אוז חבוש ואסור, דלית ליה רשו למפרק ית גרמיה, דאיהו ד' עצמו דאוז, עצם מעצמי קרא לה לגביה, בקרקפתא דתפלין דרישא. ובשר מבשרי קרא לה מסטרא דלבא.

קה. ולא למגנא אמר קודשא בריך הוא, כל העוסק בתורה ובגמילות חסדים ומתפלל עם הצבור, מעלה אני עליו כאלו פדאני לי ולבני מבין העכו"ם. וכמה בני נשא דקא משתדלי באורייתא, ועבדי גמילות חסדים, ומצלין, ולא אתפרק קודשא בריך הוא ושכינתיה וישראל. אלא דישתדל באורייתא, לחבר יתה בקודשא בריך הוא. וגמילות חסד, הא אוקמוה, דהא אין חסיד אלא המתחסד עם קונו, דכל פקודין דעביד, למפרק בהו שכינתיה, ובהא עביד חסד עם קודשא בריך הוא.

קו. מאן דגמיל חסד בשכינתיה, עם קודשא בריך הוא גמיל. בגין דכד חבו ישראל, וקודשא בריך הוא הוה בעי ליסרא לון, אימא הות רביעא עלייהו, עד דנפקו לתרבות רעה. קודשא בריך הוא מה עביד. תריך בני מלכא ומטרוניתא. ואיהו אומי, דלא יהדר לאתריה, עד דמטרוניתא אתהדרת לאתרהא. ומאן דהדר בתשובה, וגמיל חסד בשכינתא, ובכל אורייתא ובפקודין דילה, ולאו איהי אלא למפרק שכינתא, דא עביד חסד עם קונו, וכאילו פריק ליה ולשכינתיה ולבנוי.

קז. אמר אליהו וכל ראשי מתיבתאן, רעיא מהימנא, אנת הוא האי ב"נ, אנת הוא בר מן מלכא ומטרוניתא, דאשתדלותא דילך לגבי קודשא בריך הוא, לאו כמאן דעביד חסד עם קונו, אלא כברא דמחוייב לשווייה גרמיה ותוקפיה למפרק אבא ואימא, ומסר גרמיה למיתה עלייהו. דמאן דלאו איהו ברא דמלכא, ועבד טיבו עם מלכא ועם מטרוניתא, ודאי האי אתחשיב דעביד חסד עם קונו.

קח. קם רעיא מהימנא, ואשתטח קמי קודשא בריך הוא ובכה, ואמר כן יהא רעוא דיליה, דיחשיב לי כבר, דעובדין דילי לגבי קודשא בריך הוא ושכינתיה יהון לגביה כברא דאשתדל בהון בתר אבוי ואמיה, דרחים לון יתיר מגרמיה ונפשיה רוחיה ונשמתיה, וכל מה דהוה ליה הוה חשיב לון לאין, למעבד בהון רעותיה דאבא ואמא, ולמפרק לון בהון. ואע"ג דידענא דכלא ברשותיה, רחמנא לבא בעי. בההוא זמנא אתא קודשא בריך הוא ונשיק ליה, ואמר, רעיא מהימנא, ודאי אנת הוא ברא דילי, ודשכינתא. רבנן ומלאכין נשקו בר קמו כלהו ונשקו ליה, וקבילו ליה לרב ומלכא עלייהו.

קט. והיה בהניח יי' אלהיך וגו', תמחה את זכר עמלק וגו'. פקודא דא, להכרית זרעו של עמלק. דהא קודשא בריך הוא אומי, דלא יחזור על כרסיה, עד דיתבטל

נוּקְמָא מִנֵּיהּ. פָּתַח רַעְיָא מְהֵימְנָא וְאָמַר. וַדַּאי, בְּגִ"ד הֲווֹ אָזְלֵי בְּמַדְבְּרָא וְעַל יַמָּא, וְלָא יֵיעֲלוּן בְּאַרְעָא דְּיִשְׂרָאֵל, עַד דְּיִטּוֹל נוּקְמָא מִנֵּיהּ דַּעֲמָלֵק.

קי. עֲמָלֵק מַאן הוּא לְעֵילָּא, דְּהָא וַדַּאי דְּבִלְעָם וּבָלָק מִתַּמָּן הֲווֹ נִשְׁמָתִין דִּלְהוֹן, וּבְגִין דָּא הֲווֹ שַׂנְאִין לְיִשְׂרָאֵל יַתִּיר מִכָּל אוּמָּה וְלִישָׁן, וּבְגִ"ד עֲמָלֵק רָשִׁים בִּשְׁמֵהוֹן, ע"ם מִן בִּלְעָם, ל"ק מִן בָּלָק, וּדְכַר וְנוּקְבָא אִינּוּן עֲמָלֵקִים. וְעָלַיְיהוּ אִתְּמַר, לֹא הִבִּיט אָוֶן בְּיַעֲקֹב וְלֹא רָאָה עָמָל בְּיִשְׂרָאֵל.

קיא. כְּגַוְונָא דְּאִית בְּיִשְׂרָאֵל אַרְבַּע אַנְפִּין, יַעֲקֹב, יִשְׂרָאֵל, רָחֵל, לֵאָה. יִשְׂרָאֵל עִם לֵאָה, יַעֲקֹב עִם רָחֵל, לְקֳבֵל, וּפְנֵי נֶשֶׁר לְאַרְבַּעְתָּם. הָכִי אִית אַרְבַּע אַנְפִּין לַעֲמָלֵק, קֶסֶם, וְנַחַשׁ, עָמָל, וָאָוֶן. עָמָל רָשִׁים בַּעֲמָלֵק. וְהָמָן דַּהֲוָה מִסִּטְרָא דַּעֲמָלֵק, יָשׁוּב עֲמָלוֹ בְרֹאשׁוֹ. וְכָל אַלּוּפֵי עֵשָׂו מֵעֲמָלֵק הֲווֹ. וּלְעֵילָּא עֲמָלֵק, סָמָאֵל. עָמָל, נָחָשׁ, אָוֶן, וּמִרְמָה. דִּמְפַתֵּי לֵיהּ לְבַ"נ לְמֶחֱטֵי לְקוּדְשָׁא בְּרִיךְ הוּא. קֶסֶ"ם, ק' מִן עֲמָלֵק ס"ם מִן סָמָאֵ"ל. נַחַ"שׁ, אֵ"ל מִסָּמָאֵל.

קיב. עָלֵיהּ אִתְּמַר לְאַבְרָהָם, לֶךְ לְךָ מֵאַרְצְךָ וּמִמּוֹלַדְתְּךָ וּמִבֵּית אָבִיךָ, בֵּית מוֹלֶדֶת דִּילָךְ, מֵאִלֵּין בָּתֵּי סִיהֲרָא, אוֹ בָּתֵּי שַׁבְּתַאי, אוֹ בָּתֵּי מַאֲדִּים. דְּבָתֵּי מַאֲדִּים וּבָתֵּי שַׁבְּתַאי וּלְבָנָה, עָלַיְיהוּ אִתְּמַר, אֵין מַתְחִילִין בְּב"ד. דְּמַאֲדִּים סוּמָקוּ דְּחַמָּה, גֵּיהִנָּם, אִימָּא דְּעֵשָׂו, דְּאִתְיְילִידַת בְּיוֹמָא תִּנְיָינָא. וְסִיהֲרָא, אִיהוּ טוֹב וָרָע, טוֹב בְּמִילּוּאָהּ. וָרָע בְּחֶסְרוֹנָהּ.

קיג. וּבְגִין דְּאִיהִי כְּלִילָא מִטּוֹב וָרָע, מוֹנִין בָּהּ יִשְׂרָאֵל וּמוֹנִין בָּהּ בְּנֵי יִשְׁמָעֵאל. וְכַד לָקַת בְּמִלּוּאָהּ, סִימָנָא לָא טַב לְיִשְׂרָאֵל. וְכַד לָקַת בְּחֶסְרוֹנָהּ, סִימָן רָע לַיִשְׁמְעֵאלִים. וּבְהַאי וְאָבְדָה חָכְמַת חֲכָמָיו, וְחָכְמָה דְּיִשְׁמְעֵאלִים, וּבִינַת נְבוֹנִים תִּסְתַּתָּר, דְּאִינּוּן לָא יַדְעִין בִּבְרִיאָתָן, אֶלָּא בְּשִׁמּוּשָׁא דִּילְהוֹן, כְּפִי שִׁנּוּי עָלְמָא בַּהֲלִיכָתָן וְשִׁימּוּשָׁן. וְסִיהֲרָא אִתְבְּרִיאַת בְּיוֹמָא רְבִיעָאָה, וּבְחֶסְרוֹנָהּ דִּילָהּ עֲנִיּוּת, אִתְבְּרִיאַת לִילִית, שַׁבְּתַאי, דְּאִיהוּ רָעָב וְצִמָּאוֹן וְלָקוּתָא דִּנְהוֹרִין. עָלָהּ אִתְּמַר, יְהִי מְאֵרַת וָחֶסֶר. מְאֵרַת יְיָ' בְּבֵית רָשָׁע. וְחוֹטֵא יִלָּכֶד בָּהּ, בְּבֵית הַסֹּהַר דִּילָהּ, וְצַדִּיק יִמָּלֵט מִמֶּנָּה.

קיד. וְאִית כֹּכָבָא אַחֲרָא, נְקוּדָה זְעִירָא, נָקוּד עַל סִיהֲרָא דְּאִיהוּ מְאֹרַת, וְדָא חוֹלָם, בַּת מֶלֶךְ, שַׁבָּת מַלְכְּתָא. דְּשָׁלְטָנוּתָא דִּתְרַוַויְיהוּ בְּיוֹם שְׁבִיעִי, דְּאִתְּמַר בֵּיהּ, לְמַעַן יָנוּחַ עַבְדְּךָ וַאֲמָתֶךָ. דְּסֵדֶר בְּרִיאָתָן לָאו כְּסֵדֶר שִׁמּוּשָׁן. וּבְגִ"ד חַמָּ"ה וּמַ"אֲדִים סוּמָקֵי דְּגֵיהִנָּם, אִתְבְּרִיאוּ בְּיוֹמָא תִּנְיָינָא. לְבָנָה שַׁבְּתַאי, אִתְבְּרִיאוּ בְּיוֹמָא רְבִיעָאָה, כַּפְנָא וַחֲשׁוֹכָא. וּבְגִ"ד אֵין מַתְחִילִין בְּב"ד, בְּגִין דְּגֵיהִנָּם אִתְבְּרֵי בְּיוֹמָא תִּנְיָינָא, וְלָקוּתָא דִּנְהוֹרִין בְּיוֹמָא רְבִיעָאָה.

קטו. כֹּכָ"ב, עָלֵיהּ אִתְּמַר, דָּרַךְ כֹּכָב מִיַּעֲקֹב. דְּדַרְגֵּיהּ בְּיוֹמָא תְּלִיתָאָה. וּבֵיהּ וַיְהִי בַיּוֹם הַשְּׁלִישִׁי בִּהְיוֹת הַבֹּקֶר, דְּבֵיהּ נָחִית קוּדְשָׁא בְּרִיךְ הוּא לְמֵיהַב אוֹרַיְיתָא לְיִשְׂרָאֵל, בַּת יְחִידָה, לְמֶהֱוֵי עִמֵּיהּ שַׁבָּת מַלְכְּתָא. דְּאִיהוּ יוֹם שְׁלִישִׁי, כְּלִיל תְּלַת עַנְפֵי אֲבָהָן, ש', בַּת יְחִידָאָה, דְּשָׁלְטָנוּתָא דִּילָהּ בְּלֵיל שַׁבָּת, בֵּיהּ אִתְעֲבִידַת שַׁבָּת.

קטז. וּבְגִ"ד חוֹלְקִין מָארֵי מַתְנִיתִין עַל מַתַּן תּוֹרָה, בַּת יְחִידָה. דָּא אָמַר, בַּשְּׁלִישִׁי נִתְּנָה תּוֹרָה. וְדָא אָמַר, בַּשְּׁבִיעִי נִתְּנָה תּוֹרָה. וְאִיהִי בַּת יְחִידָה, דַּאֲחִידַת בְּעַמּוּדָא דְּאֶמְצָעִיתָא, תְּלִיתָאָה לַאֲבָהָן. וּבְצַדִּיק, שְׁבִיעִית לֵיהּ בַּת יְחִידָאָה. וְכַד אִיהִי עֲטָרָה עַל רֵישֵׁיהּ, אִתְקְרֵי בֵּיהּ שְׁבִיעִי, דְּהוּא שַׁשִּׁי הֲוָה, דְּכֹכָב דִּילֵיהּ צֶדֶק, וּבַת יְחִידָה שַׁבָּת מַלְכְּתָא אִתְקְרֵי צֶדֶק. וּבְגִין דָּא, תּוֹרָה אֲחִידָא בֵּין יוֹם ג' וָז'.

קיז. וְאִיהוּ כ"ב מִן כּוֹכָ"ב, כ"ו כִּי שֶׁמֶשׁ וּמָגֵן יְדֹוָ"ד צְבָאוֹת, שְׁכִינְתָּא מַלְכוּת הַקֹּדֶשׁ, בְּךָ יְבָרֵךְ יִשְׂרָאֵל, כ"ב אַתְוָון דְּאוֹרַיְיתָא. כּוֹכָב, כְּלִילָא מִתְּלַת דַּרְגִּין, כ',

כֶּתֶר. ב' בִּינָה. יְדֹוָ"ד כְּלִיל תַּרְוַויְיהוּ, וְחָכְמָה. וְכֹלָּא כְּלִיל כּוֹכָ"ב, דַּרְגָּא דְעַמּוּדָא דְאֶמְצָעִיתָא, וּשְׁכִינְתָּא.

קיז. אִיהִי לְבָנָה, לִבּוּן הַהֲלָכָה, רַחֲמֵי, בְּסִטְרָא דְחֶסֶד. וְאִתְקְרִיאַת חַמָּה, בָּרָה כַּחַמָּה, מִסִּטְרָא דִגְבוּרָה, פְּנֵי מֹשֶׁה כִּפְנֵי חַמָּה. סִיהֲרָא אֲפֵלָה, מִעוּט דְסִיהֲרָא, שִׁפְחָה דִילָהּ גֵיהִנָּם, וְחַמָּה בִּישָׁא. שִׁפְחָה דִילֵיהּ שַׁבְּתַאי, לְקוּתָא דִנְהוֹרִין, וְזִילוּל שַׁבָּת. שִׁפְחָה, דְאַהְדְרַת עוֹרֶף לִגְבִירְתָּהּ בְּכָל יוֹמָא וְיוֹמָא וְאִתְגַּבְּרַת עָלָהּ בְּחוֹבִין דְיִשְׂרָאֵל בְּנָהָא. הה"ד, וְשִׁפְחָה כִּי תִירַשׁ גְּבִירְתָּהּ. דְשׁוּלְטָנוּתָא דְשִׁפְחָה, לָא הֲוֵי אֶלָּא בְּיוֹמָא תִּנְיָינָא, בְּגֵיהִנָּם. וּבִרְבִיעִי, בִּלְקוּתָא דִנְהוֹרִין. וְאִתְהַדְרַת לְשַׁלְטָאָה בְּכָל יוֹמָא וְיוֹמָא.

קיט. וּבַת מֶלֶךְ, אֲסִירָא בְּסִרְכוּת, בְּבֵית הַסֹּהַר, בְּגָלוּתָא דִילָהּ. וְאִיהִי קִינָּא דְסָמָאֵל בֵּין כֹּכְבַיָּא. וְקוּדְשָׁא בְּרִיךְ הוּא אוֹמֵי, אִם תַּגְבִּיהַּ כַּנֶּשֶׁר וְאִם בֵּין כֹּכָבִים שִׂים קִנֶּךָ מִשָּׁם אוֹרִידְךָ נְאֻם יְיָ'. וּשְׁכִינְתָּא נֹגַהּ, וְנֹגַהּ לָאֵשׁ, וּמֵהָכָא קָרוּ לְבֵי כְּנִשְׁתָּא אֵשׁ נוֹגַהּ.

קכ. אֵשׁ מַאְדִּים לִישָּׁנָא דְאוֹדֶם, טוּר אוֹדֶם פִּטְדָה. נוֹגַהּ אֶשָּׁא חִוְּורָא. וְתַרְוַויְיהוּ פְּנֵי חַמָּה וּפְנֵי סִיהֲרָא, נֶצַח וְהוֹד, אִינּוּן דְנָטְלוּ חִוְּורוּ מֵחֶסֶד, וְסוּמְקוּ מִגְּבוּרָה. אַהֲרֹן וְדָוִד מִתַּמָּן הֲווֹ, חַד נָטִיל רַחֲמֵי, וְחַד נָטִיל דִּינָא, דָּוִד מִסִּטְרָא דִשְׂמָאלָא, וְהוּא אַדְמוֹנִי. אַהֲרֹן אִישׁ חֶסֶד, וְתַרְוַויְיהוּ נְבִיאֵי קְשׁוֹט מִתַּמָּן. פְּנֵי מֹשֶׁה הֲוָה נְהִירִין בִּנְבוּאָה דְבִינָה, אִיהוּ חַמָּה עִלָּאָה מִתַּמָּן נְבוּאָה דִילֵיהּ.

קכא. בְּהוֹן עֵשָׂו חַיָּיבָא עֶבֶד אֱדוֹם, וְנוּקְבָא דִילֵיהּ מַאְדִּים, אִיהִי שְׁפִיכוּת דָּמִים דְיִשְׂרָאֵל, וְגַרְמָה דְמַטְרוֹנִיתָא אִתְקַיַּים בָּהּ, נְתָנַנִי יְיָ' בִּידֵי לֹא אוּכַל קוּם, נְתָנַנִי שׁוֹמֵמָה כָּל הַיּוֹם דָּוָה. הוֹד דָּוָה אִתְהֲדַר. דְנֶצַח וְהוֹד לְקַבְּלַיְיהוּ. יָכִין וּבוֹעַז. שְׁתֵּיהֶן אֲשֶׁר הַבַּיִת נִשְׁעָן עֲלֵיהֶם. דְבֵי כְּנִשְׁתָּא אִתְקְרִיאַת עַל שְׁמַיְיהוּ אֵשׁ נוֹגַהּ כִּדְקָא אֲמִינָא.

קכב. וְשִׁפְחָה רָעָה אִיהִי קְבוּרָה, וּבָהּ אֲסִירָא לִגְבִירְתָּא. וְאִיהִי שַׁבְּתַאי, קָרָה וִיבֵשָׁה, בִּקְבוּרְתָּא דְעַפְרָא, וְאִיהִי מוֹת דַעֲנִיּוּתָא דְאוֹרַיְיתָא, וְאִיהִי קְבוּרַת עָנִי, מְכוּסֶּה בַּת בְּשֶׁבַע מִינֵי מְדוֹרוֹת, דְאִיהִי כְּלִילָא מִשֶּׁבַע כֹּכְבַיָּא, כְּמָה דְשַׁבָּת מַלְכְּתָא כְּלִילָא מִשֶּׁבַע. וְאִינּוּן שֶׁבַע כֹּכְבַיָּא מִסִּטְרָא דִגְבִירְתָּא שֶׁבַע שְׁנֵי הַשָּׂבָע, מִסִּטְרָא דְשִׁפְחָה שֶׁבַע שְׁנֵי הָרָעָב. דַעֲלַיְיהוּ אָמַר נָבִיא לֹא רָעָב לַלֶּחֶם וְלֹא צָמָא לַמַּיִם כִּי אִם לִשְׁמוֹעַ אֶת דִּבְרֵי יְיָ'.

קכג. גְּבִירְתָּהּ גַּן. שִׁפְחָה אַשְׁפָּה מְטוּנֶּפֶת, מִסִּטְרָא דְעֵרֶב רַב אַשְׁפָּה מְעוֹרֶבֶת בַּגַּן, לְגַדְּלָא זֵרְעִים, מִסִּטְרָא דְעֵץ הַדַּעַת טוֹב וָרָע. מִסִּטְרָא דְע"ז, אִתְקְרִיאַת שַׁבְּתַאי, לִילִית, אַשְׁפָּה מְטוּנֶּפֶת, בְּגִין דְצוֹאָה מְעוֹרֶבֶת מִכָּל מִינֵי טִנּוּף וְשֶׁרֶץ, דִזְרִקִין בָּהּ כְּלָבִים מֵתִים וַחֲמוֹרִים מֵתִים. בְּנֵי עֵשָׂו וְיִשְׁמָעֵאל קְבוּרִים בָּהּ. עכו"ם דְאִינּוּן כְּלָבִים מֵתִים, קְבוּרִים בָּהּ. וְאִיהִי קֶבֶר דְע"ז, דִקְבְרִין בָּהּ עֲרֵלִים, דְאִינּוּן כְּלָבִים מֵתִים, שֶׁקֶץ וְרֵיחַ רַע, מְטוּנָּף, מְסוּרָח, מִשִּׁפְחָה בִּישָׁא אִיהִי סִרְכָא, דַאֲחִידָא בְּעֵרֶב רַב, מְעוֹרָבִים בְּיִשְׂרָאֵל. וַאֲחִידַת בְּעֶצֶם וּבָשָׂר, דְאִינּוּן בְּנֵי עֵשָׂו וְיִשְׁמָעֵאל, עֶצֶם מֵת, וּבָשָׂר טָמֵא, בָּשָׂר בַּשָּׂדֶה טְרֵפָה, דְעָלָהּ אִתְמַר, לַכֶּלֶב תַּשְׁלִיכוּן אוֹתוֹ.

קכד. וּכְגַוְונָא דְאִית תְּרֵיסַר מַזָּלוֹת, מִסִּטְרָא דְטוֹב. הָכִי אִית תְּרֵיסַר מַזָּלוֹת, מִסִּטְרָא דְרָע. הָדָא הוּא דִכְתִיב, שְׁנַיִם עָשָׂר נְשִׂיאִים לְאֻמֹּתָם. דְזֶה לְעֻמַּת זֶה עָשָׂה הָאֱלֹהִים, וְרַשִׁיעַיָּיא אִינּוּן אֲבִי אֲבוֹת הַטּוּמְאָה, דְאִינּוּן טְמֵא מֵת וְשֶׁרֶץ, דְמִטַּמֵּא לְב"ז מֵאֲוִירוֹ וּמִתּוֹכוֹ וּמִגַּבּוֹ. וַאֲפִילוּ תּוֹךְ תּוֹכוֹ דִכְהֲנָא מִסְתָּאַב בְּהוֹן. וּבְגִין דָּא עַל כָּל נַפְשׁוֹת

מֵת לֹא יָבֹא. דְּרָשָׁע קָרוּי מֵת. וּבוֹצִינָא קַדִּישָׁא, לְאָבִיו וּלְאִמּוֹ לֹא יִטַּמָּא.

קכה. הָכָא אַשְׁכַּוְזְנָא אַסְוָותָא, לְגַבֵּי דְּאִתְּמַר בֵּי וַיִּתֵּן אֶת רְשָׁעִים קִבְרוֹ. בָּתַר דִּקְבוּרָה דָּא בְּגִין אַבָּא וְאִימָּא, דְּאִינּוּן בְּגָלוּתָא עִם יִשְׂרָאֵל אִתְקַיַּים בֵּי קְרָא וְלֹא יִטַּמָּא. אֵלִיָּהוּ, לָא תִתְעַכֵּב מִלְּנַוְּזתָא, דְּאע״ג דְּאַנְתְּ כַּהֲנָא, לְאָבִיו וּלְאִמּוֹ יִטַּמָּא, דְּהָא קוּדְשָׁא בְּרִיךְ הוּא וּשְׁכִינְתֵּיהּ בְּגָלוּתָא, דְּאִיהִי קְבוּרָה לוֹן, וַאֲנָא קָבוּר בֵּינַיְיהוּ. בְּאוּמָאָה עֲלָךְ, בְּשֵׁם יְיָ׳ וַחַי וְקַיָּים, לָא תִתְעַכֵּב מִלְּנַוְּזתָא. מַלְאֲכִין קַדִּישִׁין, מָארֵי דְּגַדְפִּין, בְּאוּמָאָה עֲלַיְיכוּ, טוּלוּ אוּמָאָה דָּא, וּסְלִיקוּ לָהּ עַל גַּדְפַּיְיכוּ, שְׁבוּעַת יְיָ׳ בְּחַ״י צַדִּיק וְקַיָּים עַמּוּדָא דְּאֶמְצָעִיתָא, טוּלוּ אוּמָאָה דָּא, וּסְלִיקוּ לָהּ עַל גַּדְפַּיְיכוּ. בְּמַטְרוֹנִיתָא בִּיקָרָא דִּילָהּ, לְגַבֵּי קוּדְשָׁא בְּרִיךְ הוּא.

קכו. מַלְאֲכִין עִלָּאִין, שְׁלִיחָן דְּקוּדְשָׁא בְּרִיךְ הוּא מִימִינָא. וּמַלְאֲכִין שְׁלִיחָן דִּילֵיהּ, מִשְּׂמָאלָא. וּמַלְאָכִים דְּאַבָּא וְאִמָּא. יְהוֹן סַתְרִין לָהּ עֵילָּא וְתַתָּא, וּמְכַסִּין לָהּ בְּאָת ו׳, בְּשִׁית גַּדְפִּין דִּילֵיהּ, דְּאִתְּמַר בֵּיהּ שְׂרָפִים עוֹמְדִים מִמַּעַל לוֹ שֵׁשׁ כְּנָפַיִם וְגוֹ׳ בִּשְׁתַּיִם יְכַסֶּה פָנָיו דִּשְׁבוּעָה דִּילֵיהּ, דְּאִיהִי ה׳, רְבִיעָאָה. וּבִשְׁתַּיִם יְכַסֶּה רַגְלָיו דִּילָהּ, וּבִשְׁתַּיִם מְעוֹפְפִים לָהּ.

קכז. וְאַנְתְּ אֵלִיָּהוּ, דִּסְלִיקַת לְעֵילָּא, לְעִילַּת הָעִילוֹת, וְהוּא טָעִין לָךְ מִכָּל טוּב, נַוְּזית לְגַבָּהּ, וְתֶהֱוֵי כְּרוּב תְּוְזוּתָא, לְנַוְּזתָא לָהּ מְלֵאָה כָּל טוּב. וּמַלְאֲכִין, דְּאַבָּא וְאִימָּא, דְּאִינּוּן יָ״הּ, אַסְתָּרוּ לָהּ, בְּנַוְּזיתוּ דִּילָהּ. וּמַלְאֲכִין דְּבַעְלָהּ, בְּרָא דְּאַבָּא וְאִמָּא, ו׳, כַּסִּיאוּ לָהּ, וּמְעַפְּפִין לָהּ, מִשִּׁית גַּדְפִּין אב״ג ית״ץ, וּבְל״ו דְּתַלְיָין מִנַּיְיהוּ כְּוֶזשְׁבּוֹן ל״ו. וַדַּאי אִיהוּ שְׂרָפִים עוֹמְדִים מִמַּעַל לוֹ. וּנְוְזיתַת ה׳ דִּילֵיהּ, טְמִירָא מְכוּסָּה בְּהוֹן. וּמַלְאֲכִין דְּאִינּוּן דְּצַדִּיק וַחַ״י עָלְמִין, אַסְמִיכוּ לָהּ עֲלַיְיכוּ כְּוֶזיוָן דְּסַמְכֵי לְכָרְסַיָּיא.

קכוז. דְּאע״ג דְּהֵ״א דַּאֲצִילוּת, דִּשְׁמָא דִּידֹוָ״ד, אִיהִי סְמִיכַת לְכֻלְּהוּ, לֵית לְכוֹן לְפָרְוָזא לְעֵילָּא, וּלְנַוְּזתָא לְתַתָּא, בַּר מִינָהּ. כְּאֵבָרִין דְּגוּפָא, דְּלֵית לְהוֹן תְּנוּעָה בַּר מִנִּשְׁמָתָא, דְּאֵבָרִין דְּאִית לָהּ, אִתְפַּשְּׁטוּ עֲלַיְיכוּ, לְסַמְכָא לְכוֹן בְּהוֹן. דְּהָכִי אִיהִי ה׳, כְּיַמָּא, אִי אִית לָהּ מָאנִין, מִתְמַלְיָין מִנָּהּ, וּמִתְפַּשְּׁטִין בְּהוֹן, כִּנְוָזלִים דְּמִתְפַּשְּׁטָן מִן יַמָּא עַל אַרְעָא. וְאִי לָאו, אִיהִי ה׳ בְּגַרְמָא יְוזידָאָה, בְּלָא אִתְפַּשְׁטוּתָא דְּנַוֲזלִין.

קכט. הָכִי מָאנִין דִּשְׁכִינְתָּא, אִינּוּן מַלְאֲכִין קַדִּישִׁין לְעֵילָּא, וְיִשְׂרָאֵל לְתַתָּא, אִי אִית בְּהוֹן מָארֵי מִדּוֹת, מָארֵי וֶזסֶד וַוְזסִידִים, גִּבּוֹרִים מָארֵי תּוֹרָה, נְבִיאִים וּכְתוּבִים, צַדִּיקִים, אַנְשֵׁי מַלְכוּת, דְּאִתְּמַר בְּהוּ, וַאֲשֶׁר כֹּוַז בָּהֶם לַעֲמוֹד בְּהֵיכַל הַמֶּלֶךְ, בַּעֲמִידָה דִּצְלוֹתָא, בְּהֵיכָלָא דְּמַלְכָּא אֲדֹנָ״י, מַלְכָּא דִּילָהּ יְדֹוָ״ד. וְהֵם וֲזכָמִים וּנְבוֹנִים רָאשֵׁי יִשְׂרָאֵל. וְלָא רָאשֵׁי עֵרֶב רַב, דְּאִתְּמַר בְּהוֹן, הָיוּ צָרֶיהָ לְרֹאשׁ. אִיהִי אִתְפַּשְּׁטַת עֲלַיְיהוּ בַּעֲשַׂר סְפִירָן דִּילָהּ. בְּהַהוּא זִמְנָא, נַוְּזית עִלַּת הָעִלּוֹת, בְּיוֹד הֵ״א וָא״ו הֵ״א, לְנַוְּזתָא עֲלַיְיהוּ, לְאָקָמָא שְׁכִינְתָּא עֲלַיְיהוּ.

קל. וּבִזְמְנָא דְּוַיִּפֶן כֹּה וָכֹה וַיַּרְא כִּי אֵין אִישׁ, אִיהִי אָמְרַת, שַׁלָּמָה אֶהְיֶה כְּעוֹטְיָה, מְעוּטֶּפֶת בְּגַרְמָא דְּלָא אִתְפַּשְּׁטַת עֲלַיְיהוּ, וְקוּדְשָׁא בְּרִיךְ הוּא צָוַוח עֲלָהּ וְאָמַר, אֵיכָה יָשְׁבָה בָדָד.

קלא. אַדְּהָכִי, קָם בּוֹצִינָא קַדִּישָׁא, וְאָמַר רִבּוֹן עָלְמָא, הָא הָכָא רַעְיָא מְהֵימְנָא, דְּאִתְּמַר בֵּיהּ וְהָאִישׁ מֹשֶׁה עָנָו מְאֹד, עַד כְּעַן וַיַּרְא כִּי אֵין אִישׁ. הָא הָכָא וְהָאִישׁ מֹשֶׁה, דְּשָׁקִיל לְשִׁתִּין רִבּוֹא דְּיִשְׂרָאֵל. וּבֵיהּ מִמְּכוֹן שִׁבְתּוֹ הִשְׁגִּיוַז. דְּבֵיהּ אִתְּמַר לְגַבֵּי דָּרָא דְּגָלוּתָא בַּתְרָאָה, וַיְיָ׳ הִפְגִּיעַ בּוֹ אֵת עֲוֹן כֻּלָּנוּ. וְאִיהוּ כְּלִיל בַּעֲשַׂר מִדּוֹת, דִּבְגִינַיְיהוּ אַמְרַת לָא אַשְׁוְזית בַּעֲבוּר הָעֲשָׂרָה. נַוְּזית עָלֵיהּ, לְאַשְׁגָּוָזא עַל עָלְמָא, וְקַיֵּים מִילָּךְ,

דְּאַנְתְּ קָשׁוּט, וְכָל מִילָּךְ קְשׁוֹט.

קלב. דְּאִיהוּ גָּמַל וְחֶסֶד עִם שְׁכִינְתָּא, וְקָטִיר שִׁפְחָה דִּילָהּ בִּגְבוּרָה, לְמֶהֱוֵי שִׁפְחָה אֲסִירָא תְּחוֹת גְּבִירְתָּהּ, בְּקִשּׁוּרָא דִּתְפִלִּין. וְאִשְׁתְּדַל בְּגִינָהּ, בְּתוֹרַת אֱמֶת, תּוֹרַת אֱמֶת הָיְתָה בְּפִיהוּ. וְאִשְׁתְּדַל בָּהּ, בַּנְּבִיאִים וּכְתוּבִים. בִּנְבִיאֵי, בְּכַמָּה נֶחָמוֹת. בַּכְּתוּבִים, בַּעֲשָׂרָה מִינֵי תְּהִלִּים. בְּצַדִּיק, בְּי"ח בִּרְכָאן דִּצְלוֹתָא.

קלג. וּמָארֵי מַתְנִיתִין, לָא אִשְׁתְּמוֹדְעָן לֵיהּ לְרַעְיָא מְהֵימְנָא. אֵלִיָּהוּ, בְּאוּמָאָה עֲלָךְ בִּשְׁמָא דִּיְדֹוָ"ד, וּבִשְׁמֵיהּ מְפָרַשׁ, גַּלֵּי לֵיהּ לְכָל רֵישֵׁי מָארֵי מַתְנִיתִין, דְּיִשְׁתְּמוֹדְעוּן לֵיהּ, וְלָא יִתְחַלַּל יַתִּיר, דְּאִתְּמַר בֵּיהּ, וְהוּא מְחוֹלָל מִפְּשָׁעֵינוּ, לֵית לָךְ צוֹרֶךְ לְמֵיטַל רְשׁוּ דְּהָא אֲנָא שְׁלִיחָא דְּמָארֵי עָלְמָא, וְיַדַּעְנָא דְּאִי אַנְתְּ עָבֵיד דָּא, דְּיוֹדֵי לָךְ קוּדְשָׁא בְּרִיךְ הוּא עָלֵיהּ, וְיִסְתַּלְּקוּן בְּנָךְ בְּגִינֵיהּ, עֵילָּא וְתַתָּא. וְלָא תִּתְעַכַּב לְמֶעְבַּד, לָא שָׁבוּעַ, וְלָא חֹדֶשׁ, וְלָא שָׁנָה, אֶלָּא מִיַּד.

קלד. רַעְיָא מְהֵימְנָא, מָאנֵי דְּפִסְחָא, בְּזִמְנָא דְּשָׁלִיט עָלַיְיהוּ לֵיל שִׁמּוּרִים, כֻּלְּהוּ צְרִיכִים לְמֶהֱוֵי שְׁמוּרִים, וּנְטוּרִים מֵחָמֵץ וּשְׂאוֹר בְּכָל שֶׁהוּא, וְכָל מַאֲכָלִים וּמַשְׁקִים כֻּלְּהוּ נְטוּרִין. וּמַאן דְּנָטִיר לוֹן מֵחָמֵץ וּשְׂאוֹר, גּוּפֵיהּ, אִיהוּ נָטִיר מִיצה"ר לְתַתָּא, וְנִשְׁמְתֵיהּ לְעֵילָּא. וְאִתְּמַר בֵּיהּ, לֹא יְגוּרְךָ רָע. בְּגִין דְּהָא אִתְעֲבֵיד גּוּפֵיהּ קֹדֶשׁ, וְנִשְׁמָתֵיהּ קֹדֶשׁ קָדָשִׁים. וְאִתְּמַר בְּיֵצֶר הָרָע וְכָל זָר לֹא יֹאכַל קֹדֶשׁ, וְהַזָּר הַקָּרֵב יוּמָת.

קלה. פֶּסַח, דְּרוֹעָא יְמִינָא דְּאַבְרָהָם, כֶּסֶף מְזוּקָּק, מַאן דְּעָרַב בֵּיהּ עוֹפֶרֶת, מְשַׁקֵּר לֵיהּ. הָכִי מַאן דְּעָרַב חָמֵץ אוֹ שְׂאוֹר כָּל שֶׁהוּא בְּמַצָּה, כְּאִלּוּ מְשַׁקֵּר בְּמוֹנִיטָה דְּמַלְכָּא. וְהָכִי מַאן דְּעָרַב בְּטִפָּה דִּילֵיהּ שׁוּם תַּעֲרוֹבֶת, כְּאִילּוּ מְשַׁקֵּר חוֹתָמָא דְּמַלְכָּא, דָּא בְּדָא תַּלְיָיא.

קלו. רֹאשׁ הַשָּׁנָה, דְּרוֹעָא שְׂמָאלָא דְּיִצְחָק, תַּמָּן דִּינֵי נְפָשׁוֹת, וַעֲקֵדָה דְּיִצְחָק תַּמָּן הֲוָה. דְּעָקִיד לֵיהּ אַבְרָהָם. קִשּׁוּרָא דִּתְפִלָּה דְּיַד, דּוּמְיָא דַּעֲקֵדָה דְּיִצְחָק. זַכָּאָה אִיהוּ בְּרָא דְּאִתְעֲקַד בַּאֲבוֹי, וְאִתְקַשַּׁר בֵּיהּ, לְמֶעְבַּד עוֹבָדוֹי, בְּאוֹרַיְיתָא וּבְמִצְוָה. וְזַכָּאָה עֶבֶד דְּאִתְקַשַּׁר תְּחוֹת רַבֵּיהּ, לְמֶעְבַּד רְעוּתֵיהּ, אִיהוּ בַּאֲתַר דִּבְרָא דְּמַלְכָּא.

קלז. מְטַטְרוֹ"ן, זַכָּאָה אַנְתְּ, וְזַכָּאִין בְּנָךְ, דְּאִינּוּן קְשִׁירִין וַעֲקִידִין בִּתְפִלִּין תְּחוֹת רְשׁוּתָא דְּמָארָךְ. וּבְגַ"ד, אע"ג דְּאַנְתְּ עֶבֶד לְמָארָךְ, מַלְכָּא אַנְתְּ עַל כָּל מְמַנָּן דִּשְׁאַר עַמִּין. מַלְכָּא עַל כָּל מַלְאָכִין. מַלְכָּא, דְּשֵׁדִים וְכָל מַשִּׁרְיָיתֵיהּ, דַּחֲלִין מִנָּךְ. מַאן גָּרִים דָּא, בְּגִין דְּאַנְתְּ שַׁרְפְּרָף לְמָארָךְ, וְאַנְתְּ מְשַׁמֵּשׁ לְמָארָךְ. שַׁדַּי דִּמְזוּזָה לְבַר, שׁוֹמֵר הַפֶּתַח. יְדֹוָ"ד דְּאִיהוּ מָארָךְ, מִלְּגָאו.

קלח. וְהָכִי אִיהוּ כַּד קוּדְשָׁא בְּרִיךְ הוּא נָחִית לְשַׁלְטָאָה עַל עֵץ הַדַּעַת טוֹב וָרָע, דְּאִיהוּ טוֹב מְטַטְרוֹ"ן. רָע סָמָאֵל, שֵׁד, מַלְכָּא דְּשֵׁדִים. מְטַטְרוֹן מַלְאָךְ, מַלְכָּא דְּמַלְאָכִים. אֲבָל מִסִּטְרָא דְּאִילָנָא דְּחַיֵּי, שַׁדַּי אִיהוּ יְסוֹד. וּבְגַ"ד לְמַטָּה, שְׁנַיִם, עֶבֶד וְרַבּוֹ, דְּלָאו אִינּוּן יִחוּדָא חֲדָא, וּלְמַעְלָה, אֶחָד. תִּפְאֶרֶת יְסוֹד, דְּגוּף וּבְרִית חֲשִׁיבִינָן חַד, דְּאִיהִי עַמּוּדָא דְּאֶמְצָעִיתָא וְצַדִּיק.

קלט. כְּגַוְונָא דִּתְפִלִּין דְּרֹאשׁ, דְּאִיהוּ בִּינָה עַל תִּפְאֶרֶת, מִסִּטְרָא דְּאִילָנָא דְּחַיֵּי דַּאֲצִילוּת, וּמַלְכוּת תְּפִלָּה דְּיַד. הָכִי לְתַתָּא בְּאִילָנָא דְּחַיֵּי דִּבְרִיאָה, מִסִּטְרָא דְּכֻרְסְיָיא עִלָּאָה, תְּפִלִּין דְּרֹאשׁ מְטַטְרוֹן. תְּפִלִּין דְּיַד דִּילֵיהּ, כִּסֵּא תַּחְתּוֹן. וְהַאי אִיהוּ דְּאָמַר נָבִיא עָלֵיהּ, כִּסֵּא כָבוֹד מָרוֹם מֵרִאשׁוֹן.

קמ. אֲבָל מִסִּטְרָא דְעֵץ הַדַּעַת טוֹב וָרָע, בְּקְשׁוּרָא דִתְפִלִּין, אִתְקְשַׁר יצה"ר תְּחוֹת יֵצֶר הַטּוֹב, כְּעַבְדָּא תְּחוֹת מָארֵיהּ, בְּקָלָא דְאוֹרַיְיתָא, בְּקָלָא דִצְלוֹתָא, בְּקוֹל דְשׁוֹפָר. קָלָא אִיהוּ רוֹמַ"ח לְגַבֵּיהּ. וְדָא קוֹל הַשּׁוֹפָר, קוֹל דְעַמּוּדָא דְאֶמְצָעִיתָא, דְאִיהוּ כָּלִיל אֶשָּׂא מַיָּא וְרוּחָא. דְאִינּוּן תְּלַת אֲבָהָן, דִּבְהוֹן הי"ו, ה' בְּאַבְרָהָם, י' בְּיִצְחָק, בְּכָל אֲתָר ה' דְשָׁלִיט עַל י' דִּינָא הוּא, וְהַאי אִיהוּ ה"י מִן אֱלֹהִים. וּבג"ד עָלָה אֱלֹהִים בִּתְרוּעָה. ו' מִן וֵאלֹהֵי יַעֲקֹב, וְדָא רוּחַ הַשּׁוֹפָר, שְׁכִינְתָּא מָנָא דְכָלְהוּ תְּלַת, וְאִיהוּ ה' מִן הַשּׁוֹפָר.

קמא. דְאִינּוּן י' שׁוֹפָרוֹת, דְאִינּוּן קשר"ק קש"ק קר"ק, מִתְלַבְּשִׁין בְּהוֹן הֵ"א יו"ד וָא"ו הֵ"א, דְכָל אַתְוָון אִלֵּין אִינּוּן לְסִטְרִין אַחֲרָנִין וּלְחַיָּיבַיָּא כְּשַׁלְשְׁלָאִין וְרוֹמְחִין וְסַיְיפִין. תְּרוּעָה שַׁלְשֶׁלֶת אִיהִי. וּתְרֵי תְּרוּעוֹת אִית בַּעֲשָׂרָה שׁוֹפָרוֹת. וְאִינּוּן וַחַד.

קמב. דְאִתְּמַר בָּהּ וְהָאֵם רוֹבֶצֶת עַל הָאֶפְרוֹחִים. יִשְׂרָאֵל מְצַפְצְפָן לָהּ בְּכַמָּה צִפְצוּפִין דִצְלוֹתִין, וְאִיהִי לָא בַּעְיָא לְנַחְתָּא לְגַבַּיְיהוּ. יִשְׂרָאֵל מַה עָבְדִין. נָטְלִין אִימָא דְאִיהִי שְׁכִינְתָּא בַּהֲדַיְיהוּ, וְקַשְׁרִין לָהּ בְּקְשׁוּרָא דִתְפִלִּין, כַּד מָטָאן לק"ש, קָרָאן בְּנִין דִילָהּ בְּשִׁית תֵּיבִין דְיִיחוּדָא, דְאִינּוּן שְׁמַע יִשְׂרָאֵל יְיָ' אֱלֹהֵינוּ יְיָ' אֶחָד, הָא קָא נַחְתִּין לְגַבֵּי אִמְּהוֹן, קַשְׁרִין לוֹן עִמָּהּ. וְהַאי אִיהִי אֲשֶׁר תִּקְרְאוּ אוֹתָם, דְאִיהוּ עוֹנָתָהּ, כְּמוֹ מוֹעֲדֵי.

קמג. הָכִי בְּגַוְונָא דָא מַצָּה, בָּהּ מְזַמְּנִין לְשִׁבְעָה יוֹמִין דְפֶסַח. מְזַמְּנִין לְשִׁבְעָה יוֹמִין דְסֻכּוֹת, בְּשִׁבְעָה מִינֵי, דְאִינּוּן לוּלָב, וְאֶתְרוֹג, וְג' הֲדַסִּים, וּב' בַּדֵּי עֲרָבָה. שְׁבוּעוֹת, קָרָאן לוֹן בְּאוֹרַיְיתָא. ר"ה יוֹמָא דְדִינָא, כָּל וַחַד בְּמִינֵיהּ.

קמד. כָּל מַאן דְקָרָא, כָּל דַּרְגָּא בְּמִינֵיהּ, יִתְקַיֵּים בֵּיהּ, אָז תִּקְרָא וַיְיָ' יַעֲנֶה. א"ז, ז' יוֹמִין דְסֻכּוֹת, וְחַג שְׁמִינִי עֲצֶרֶת. א"ז, מַצָּה, וְז' יוֹמִין דְפֶסַח. א"ז, סוּכָּה, וְז' מִינִין דְלוּלָב, דְאִינּוּן שָׁלֹשׁ הֲדַסִּים, וּשְׁנֵי עֲרָבוֹת, לוּלָב, וְאֶתְרוֹג, וּכְלִילָן בְּד', הָא וַחַד סָרֵי, כְּחוּשְׁבַּן ה"ו. וְצָרִיךְ לוֹמַר הַלֵּל עֲלַיְיהוּ, הַלְלוּיָהּ, לְאַשְׁלְמָא שֵׁם יְדֹוָ"ד.

קמה. וְצָרִיךְ לְסַלְּקָא לָהּ בְּמַחֲשָׁבָה, בְּאַרְבַּע מִינִין, הה"ד אָמַרְתִּי אֶעֱלֶה בְתָמָר. אֶעֱלֶ"ה סִימָן: אֶתְרוֹ"ג, עֲרָבָ"ה, לוּלָ"ב, הֲדַ"ס. וּמַחֲשָׁבָה שְׁמָא מְפָרַשׁ, אִשְׁתְּלִים בָּהּ י"ד, כְּגַוְונָא דְי"ד פִּרְקִין דְיָדָא דִימִינָא, דְבֵיהּ צָרִיךְ לְנַטְלָא לוּלָב. הֲרֵי מַתַּן תּוֹרָה, שָׁבֻעוֹת, שִׁבְעָה בְּשִׁבְעָה י"ד. בְּר"ה, י"ד בְּקוֹל הַשּׁוֹפָר, וּבְעֶשֶׂר שׁוֹפָרוֹת, כִּדְאוּקִימְנָא לְעֵילָא.

קמו. בַּפֶּסַח, אִיהִי שְׁכִינְתָּא יָ"ד הַגְּדוֹלָה, מִסִּטְרָא דְחֶסֶד. בְּרֹאשׁ הַשָּׁנָה, אִיהִי יָ"ד הַחֲזָקָה, מִסִּטְרָא דִגְבוּרָה. בְּמַתַּן תּוֹרָה, יָ"ד רָמָה, מִסִּטְרָא דְעַמּוּדָא דְאֶמְצָעִיתָא. וּתְלַת זִמְנִין י"ד, מ"ב. וּתְלַת אֲבָהָן דִתְלַיִין מִנַּיְיהוּ, סַלְקִין וְחַמְשָׁה וְאַרְבָּעִים, כְּחוּשְׁבַּן יו"ד הֵ"א וָא"ו הֵ"א.

בָּרוּךְ יְיָ' לְעוֹלָם אָמֵן וְאָמֵן יִמְלוֹךְ יְיָ' לְעוֹלָם אָמֵן וְאָמֵן.

VAYELECH
וַיֵּלֶךְ

א. וַיֵּלֶךְ מֹשֶׁה וַיְדַבֵּר אֶת הַדְּבָרִים הָאֵלֶּה אֶל כָּל יִשְׂרָאֵל. ר' חִזְקִיָּה פָּתַח, מוֹלִיךְ
לִימִין מֹשֶׁה זְרוֹעַ תִּפְאַרְתּוֹ בּוֹקֵעַ מַיִם מִפְּנֵיהֶם וְגוֹ'. זַכָּאִין אִנּוּן יִשְׂרָאֵל, דְּקוּדְשָׁא בְּרִיךְ
הוּא אִתְרָעֵי בְּהוֹ, וּבְגִין דְּאִתְרָעֵי בְּהוֹ, קָרָא לוֹן בְּגִין בּוּכְרִין קַדִּישִׁין, אוֹזִין כִּבְיָכוֹל, נָחַת
לְדַיְּירָא עִמְּהוֹן. הֲדָא הוּא דִכְתִיב, וְעָשׂוּ לִי מִקְדָּשׁ וְשָׁכַנְתִּי בְּתוֹכָם. וּבְעָא לְאַתְקָנָא לְהוֹ כְּגַוְונָא
דִּלְעֵילָא, וְשָׁארֵי עָלַיְיהוּ שִׁבְעָה עֲנָנֵי יְקָר, שְׁכִינְתֵּיהּ אַזְלָא קַמַּיְיהוּ, הֲדָא הוּא דִכְתִיב וַיְיָ' הֹלֵךְ
לִפְנֵיהֶם יוֹמָם.

ב. תְּלַת אוֹזִין קַדִּישִׁין אִלֵּין בֵּינַיְיהוּ, וּמַאן אִנּוּן. מֹשֶׁה, אַהֲרֹן, וּמִרְיָם. וּבִזְכוּתְהוֹן,
יָהַב לוֹן קוּדְשָׁא בְּרִיךְ הוּא, מַתְּנָן עִלָּאִין. כָּל יוֹמוֹי דְּאַהֲרֹן, לָא אַעֲדוּ עֲנָנֵי יְקָר
מִיִּשְׂרָאֵל. וְהָא אוּקְמוּהָ, דְּאַהֲרֹן דְּרוֹעָא יְמִינָא דְּיִשְׂרָאֵל הֲוָה. וְהַיְינוּ דִכְתִיב, וַיִּשְׁמַע
הַכְּנַעֲנִי מֶלֶךְ עֲרָד וְגוֹ', כִּי בָא יִשְׂרָאֵל דֶּרֶךְ הָאֲתָרִים וְגוֹ'. כב"נ דְּאָזִיל בְּלָא דְרוֹעָא,
וְסָמִיךְ גַּרְמֵיהּ לְכָל אֲתָר, וּכְדֵין וַיִּלָּחֶם בְּיִשְׂרָאֵל וַיִּשְׁבְּ מִמֶּנּוּ שֶׁבִי, בְּגִין דַּהֲווֹ בְּלָא
דְרוֹעָא יְמִינָא. ת"ח, אַהֲרֹן דְּרוֹעָא יְמִינָא דְּגוּפָא הֲוָה. וְעַל דָּא כְּתִיב, מוֹלִיךְ לִימִין מֹשֶׁה
זְרוֹעַ תִּפְאַרְתּוֹ. וּמַאן אִיהוּ. אַהֲרֹן.

ג. וַיֵּלֶךְ מֹשֶׁה, מַאי וַיֵּלֶךְ, לְאָן הָלַךְ. אֶלָּא וַיֵּלֶךְ, כְּגוּפָא בְּלָא דְרוֹעָא. כד"א, וַיֵּלְכוּ
בְּלָא כֹחַ לִפְנֵי רוֹדֵף. דְּהָא בֵּית אַהֲרֹן דְּרוֹעָא יְמִינָא, וּבְעָא לְאִסְתַּלְּקָא גּוּפָא.

ד. כָּל יוֹמוֹי דְּמֹשֶׁה, אַכְלוּ יִשְׂרָאֵל לֶחֶם מִן הַשָּׁמַיִם. כֵּיוָן דְּאָתָא יְהוֹשֻׁעַ, מַה כְּתִיב
וַיֹּאכְלוּ מֵעֲבוּר הָאָרֶץ מִמָּחֳרַת הַפֶּסַח. מַה בֵּין הַאי לְהַאי. אֶלָּא
דָּא מִלְּעֵילָא. וְדָא לְתַתָּא. כָּל זִמְנָא דְּמֹשֶׁה, אִשְׁתְּכָחוּ גּוּפָא דְּשִׁמְשָׁא עִלֵּיהּ, וְנָהִיר לְעָלְמָא.
כֵּיוָן דְּאִסְתַּלָּק מֹשֶׁה, אִתְכְּנַע גּוּפָא דְּשִׁמְשָׁא, וְנָפֵיק גּוּפָא דְּסִיהֲרָא.

ה. כְּתִיב אִם אֵין פָּנֶיךָ הֹלְכִים אַל תַּעֲלֵנוּ מִזֶּה וּבַמֶּה יִוָּדַע אֵפוֹא וְגוֹ', כֵּיוָן
דְּאָמַר קוּדְשָׁא בְּרִיךְ הוּא לְמֹשֶׁה הִנֵּה מַלְאָכִי יֵלֵךְ לְפָנֶיךָ, אָמַר מֹשֶׁה, וּמַה קַסְטִיפָא
דְּשִׁמְשָׁא דְּיִתְכְּנֵישׁ, וְיִדְבַּר סִיהֲרָא, גּוּפָא דְּסִיהֲרָא לָא בָּעֵינָא. אִם אֵין פָּנֶיךָ הֹלְכִים, גּוּפָא
דְּשִׁמְשָׁא בָּעֵינָא, וְלָא דְסִיהֲרָא. כְּדֵין גּוּפָא דְּשִׁמְשָׁא אִתְנְהִיר, וְאִתְעֲבֵיד מֹשֶׁה, כְּגַוְונָא
דְּגוּפָא דְּשִׁמְשָׁא קַמַּיְיהוּ דְּיִשְׂרָאֵל. כֵּיוָן דְּאִתְכְּנֵישׁ מֹשֶׁה, אִתְכְּנֵישׁ שִׁמְשָׁא, וְאִתְנְהִיר סִיהֲרָא,
וַהֲוָה יְהוֹשֻׁעַ מִשְׁתַּבְּשָׁע לִנְהוֹרָא דְּסִיהֲרָא. וַוי לְהַהוּא כְּסוּפָא.

ו. וַיֹּאמֶר אֲלֵהֶם בֶּן מֵאָה וְעֶשְׂרִים שָׁנָה וְגוֹ'. הַיְינוּ דָא"ר אֶלְעָזָר, אַרְבְּעִין שְׁנִין נָהִיר
שִׁמְשָׁא לוֹן לְיִשְׂרָאֵל, וְאִתְכְּנֵישׁ לְסוֹף אַרְבְּעִין שְׁנִין, וְנָהִיר סִיהֲרָא. אר"ע וַדַּאי הָכִי
הוּא, הַיְינוּ דִכְתִיב וְיֵשׁ נִסְפֶּה בְּלֹא מִשְׁפָּט וְהָא אִתְּמָרוּ וְחַבְרַיָּיא. וְאַנַן נוּקִים לֵיהּ לִקְרָא,
אֲבָל עַל מַה דְּאִתְּמָרוּ וְחַבְרַיָּיא כֹּלָּא הוּא אִצְטְרִיךְ לְעָלְמָא, לְתוֹעַלְתָּא דב"נ, דְּיִתְכְּנֵישׁ
עַד לָא מָטוּ יוֹמוֹי.

ז. ת"ח, וְהָא אִתְּמָר, דְּכָל רוּחִין דְּנָפְקִין מִלְּעֵילָא, דְּכַר וְנוּקְבָּא נַפְקֵי, וּמִתְפָּרְשָׁן.

וּלְזִמְנִין תִּפּוּק נִשְׁמְתָא דְּנוּקְבָּא, עַד לָא נָפְקַת דְּכַר, דְּהוּא בַּר זוּגָהּ. וְכָל זִמְנִין דִּדְכוּרָא לָא מָטָא זִמְנֵיהּ לְאִזְדַּוְּוגָא בַּהֲדֵי נוּקְבֵיהּ, וְאָתֵי אַחֲרָא וְאִתְנְסִיב בַּהֲדָהּ, כֵּיוָן דְּמָטָא זִמְנָא דְּהַאי לְאִזְדַּוְּוגָא, כַּד אִתְּעַר צֶדֶק בְּעָלְמָא, לְמִפְקַד עַל חוֹבֵי עָלְמָא, כָּנִישׁ לֵיהּ לְהַאי אַחֲרָא, דַּהֲוָה נָסִיב בַּהֲדָהּ, וְאָתֵי אַחֲרָא וְנָטִיל לָהּ. וְעַל דָּא קַשְׁיָין זִוּוּגִין קַמֵּי קוּדְשָׁא בְּרִיךְ הוּא.

ח. וְכָל דָּא בְּגִין דְּסָרְחוּ דְּכוּרָא עוֹבָדוֹי, ואע״ג דְּלָא סָרְחוּ כ״כ עוֹבָדוֹי בַּחֲטָאֵיהּ, אִתְכְּנִישׁ בְּהַהוּא זִמְנָא, עַד לָא מָטוֹן יוֹמוֹי, דְּלָא עָבִיד הָכִי בְּמִשְׁפָּט וְעָלֵיהּ כְּתִיב, וְיֵשׁ נִסְפֶּה בְּלֹא מִשְׁפָּט. וְאָעְרַע בֵּיהּ דִּינָא דְּצֶדֶק בְּחוֹבוֹי. בְּגִין דְּמָטָא זִמְנֵיהּ דְּאַחֲרָא, וְנָסִיב לָהּ, דְּהָא דִּידֵיהּ הִיא.

ט. א״ל ר״א, וַאֲמַאי, יַפְרִישׁ לוֹן קוּדְשָׁא בְּרִיךְ הוּא, וְיֵיתֵי אַחֲרָא וְיָהִיב לֵיהּ. אָמַר לֵיהּ דָּא הוּא תּוֹעַלְתָּא דְּבַר נָשׁ, וְטִיבוּ דְּעָבִיד עִמֵּיהּ, דְּלָא יֶחֱמֵי אִתְּתֵיהּ בִּידָא אַחֲרָא. ות״ח, אִי הַאי לָא כַּשְׁרָן עוֹבָדוֹי, אע״ג דְּדִילֵיהּ הִיא הַהִיא אִתְּתָא, לָא אִתְדְּחֵי הַאי אַחֲרָא מִקַּמֵּיהּ.

י. ת״ח, שָׁאוּל מַלְכָּא נָטַל מַלְכוּ. בְּגִין דְּעַד לָא מָטָא זִמְנֵיהּ דְּדָוִד לְהַאי. דְּהָא מַלְכוּ הֲוָה וַדַּאי דְּדָוִד, וְאָתָא שָׁאוּל וְנָטִיל לֵיהּ. כֵּיוָן דְּמָטָא זִמְנֵיהּ דְּדָוִד לְמֵירַת דִּילֵיהּ, כְּדֵין אִתְּעַר צֶדֶק וְכָנִישׁ לֵיהּ לְשָׁאוּל בְּחוֹבוֹי, וְאִתְדְּחֵי מִקַּמֵּי דָּוִד, וְאָתָא דָּוִד וְנָטַל דִּילֵיהּ.

יא. וַאֲמַאי לָא אַעְדֵּי קוּדְשָׁא בְּרִיךְ הוּא לְשָׁאוּל מִמַּלְכוּ, וְלָא יְמוּת. אֶלָּא טִיבוּ עָבֵד קוּדְשָׁא בְּרִיךְ הוּא עִמֵּיהּ, דְּכָנִישׁ לֵיהּ בְּמַלְכוּתָא, וְלָא יֶחֱמֵי עַבְדֵּיהּ שַׁלִּיט עָלֵיהּ, וְנָטִיל מַה דַּהֲוָה דִּילֵיהּ בְּקַדְמֵיתָא. כַּךְ הַאי. בג״כ, בָּעֵי ב״נ לְמִבְעֵי רַחֲמֵי קַמֵּי קוּדְשָׁא בְּרִיךְ הוּא, כַּד אִזְדַּוַּוג, דְּלָא יִתְדְּחֵי מִקַּמֵּי אַחֲרָא.

יב. כְּתִיב, וַיֹּאמֶר יְיָ׳ אֵלַי רַב לָךְ אַל תּוֹסֶף דַּבֵּר אֵלַי וְגוֹ׳ וְהָא אוֹקִימְנָא, אָמַר לֵיהּ קוּדְשָׁא בְּרִיךְ הוּא לְמֹשֶׁה מֹשֶׁה, תִּבְעֵי לְאַחְדְּשָׁא עָלְמָא, וְחָמֵית מִן יוֹמָךְ שִׁמְשָׁא פָּלַח לְסִיהֲרָא. וְחָמֵית מִן יוֹמָךְ דְּיִשְׁלוֹט סִיהֲרָא בְּעוֹד דְּשִׁמְשָׁא קַיְּימָא. אֶלָּא הֵן קָרְבוּ יָמֶיךָ לָמוּת קְרָא אֶת יְהוֹשֻׁעַ, יִתְכְּנִישׁ שִׁמְשָׁא, וְיִשְׁלוֹט סִיהֲרָא. וְלָא עוֹד, אֶלָּא אִי אַנְתְּ תֵּיעוּל לְאַרְעָא, יִתְכְּנִישׁ סִיהֲרָא מִקַּמָּךְ, וְלָא יִשְׁלוֹט. וַדַּאי שׁוּלְטָנוּתָא דְּסִיהֲרָא מָטָא, וְלָא תִשְׁלוֹט בְּעוֹד דְּאַנְתְּ קַיְּימָא בְּעָלְמָא.

יג. קְרָא אֶת יְהוֹשֻׁעַ וְגוֹ׳. וּמַאי קָאָמַר הִנְּךָ שׁוֹכֵב עִם אֲבוֹתֶיךָ וְקָם הָעָם הַזֶּה וְגוֹ׳. וְלָא אַשְׁכַּחְנָא, דְּפָקִיד קוּדְשָׁא בְּרִיךְ הוּא לִיהוֹשֻׁעַ, אֶלָּא לְמֹשֶׁה, דא״ל לְמֹשֶׁה כָּל הַאי, דִּכְתִיב וַעֲזָבַנִי וְהֵפֵר אֶת בְּרִיתִי, וְחָרָה אַפִּי בוֹ בַּיּוֹם הַהוּא. וְעַתָּה כִּתְבוּ לָכֶם אֶת הַשִּׁירָה הַזֹּאת וְלַמְּדָהּ אֶת בְּנֵי יִשְׂרָאֵל שִׂימָהּ בְּפִיהֶם, אִי הָכִי מַהוּ וַאֲצַוֶּנּוּ.

יד. אֶלָּא קְרָא אָמַר, הִנְּךָ שׁוֹכֵב עִם אֲבוֹתֶיךָ, אָמַר לֵיהּ קוּדְשָׁא בְּרִיךְ הוּא לְמֹשֶׁה, אע״ג דְּאַנְתְּ תִּשְׁכּוֹב עִם אֲבָהָתָךְ, הָא אַנְתְּ קַיְּימָא תָּדִיר לְאַנְהָרָא לְסִיהֲרָא. כְּמָה דְּשִׁמְשָׁא, דאע״ג דְּאִתְכְּנִישׁ, לָא אִתְכְּנִישׁ אֶלָּא לְאַנְהָרָא לְסִיהֲרָא. וּכְדֵין אַנְהִיר לְסִיהֲרָא, כַּד אִתְכְּנִישׁ. וְעַל דָּא, הִנְּךָ שׁוֹכֵב לְאַנְהָרָא, וְדָא הוּא וַאֲצַוֶּנּוּ. וּכְדֵין אִתְבַּשַּׂר יְהוֹשֻׁעַ לְאִתְנְהֲרָא, וְעַל דָּא כְּתִיב, הִנְּךָ שׁוֹכֵב עִם אֲבוֹתֶיךָ, לְאַנְהָרָא לִיהוֹשֻׁעַ, וְדָא הוּא וְצַו אֶת יְהוֹשֻׁעַ וְחַזְּקֵהוּ. וְצַו אֶת יְהוֹשֻׁעַ כֻּלְּהוּ לְאַנְהָרָא.

טו. כִּי אַתָּה תָּבֹא, וּלְבָתַר תָּבִיא מַה בֵּין הַאי לְהַאי. אֶלָּא חַד תָּבֹא, לְבַשְּׂרָא לֵיהּ דְּיֵיעוּל לְאַרְעָא, וְיִתְקַיֵּים בָּהּ. וְחַד תָּבִיא, לְבַשְּׂרָא לֵיהּ שׁוּלְטָנוּתָא עַל יִשְׂרָאֵל, וְאִתְבַּשַּׂר עַל קִיּוּמָא דְּגַרְמֵיהּ, וְאִתְבַּשַּׂר עַל שׁוּלְטָנוּ דְּיִשְׂרָאֵל.

טז. ר' שִׁמְעוֹן פָּתַח, מִכְּנַף הָאָרֶץ זְמִירוֹת שָׁמַעְנוּ צְבִי לַצַּדִּיק וְגוֹ', וַוי לוֹן לִבְנֵי נָשָׁא, לְאִינוּן דְּלָא מַשְׁגִּיחִין וְלָא מִשְׁתַּדְּלִין בִּיקָרָא דְּמָארֵיהוֹן, וְלָא מִסְתַּכְּלִין בִּקְדוּשָּׁא עִלָּאָה, לְאִתְקַדְּשָׁא בְּהַאי עָלְמָא, לְמֶהֱוֵי קַדִּישִׁין בְּעָלְמָא דְּאָתֵי. מִכְּנַף הָאָרֶץ, דָּא כְּסוּתָא עִלָּאָה קַדִּישָׁא. זְמִירוֹת שָׁמַעְנוּ, כד"א נוֹתֵן זְמִירוֹת בַּלָּיְלָה, זְמִירוֹת תּוּשְׁבְּחָן דִּכְנֶסֶת יִשְׂרָאֵל, קַמֵּי קוּדְשָׁא בְּרִיךְ הוּא בַּלַּיְלָה. בַּלַּיְלָה: בְּזִמְנָא דְּאִיהִי אִזְדַּמְּנָא וּשְׁכִיחָא לְשַׁבְּחָא לֵיהּ לְקוּדְשָׁא בְּרִיךְ הוּא וּמִשְׁתַּעֲשַׁע עִם צַדִּיקַיָּיא בְּגִנְתָּא דְּעֵדֶן.

יז. וְאֵימָתַי. מִפַּלְגּוּת לֵילְיָא וְאֵילָךְ. וּכְדֵין זְמִירוֹת שָׁמַעְנוּ, תּוּשְׁבְּחָן. וּזְמִירוֹת: כד"א לֹא תִזְמוֹר. וּכְתִיב זְמִיר עָרִיצִים יַעֲנֶה, אַעֲקָרוּתָא מֵאַתְרַיְיהוּ כָּל אִינּוּן תַּקִּיפִין, דְּהָא כַּד עָיֵיל לֵילְיָא, כַּמָּה עֲרִיצִים גַּרְדִּינֵי נִימוּסִין שְׁכִיחִין בְּעָלְמָא, אָזְלִין וְשַׁיְּיטָן בְּעָלְמָא לְקַטְרְגָא. מִפַּלְגּוּת לֵילְיָא וְאֵילָךְ, אִתְּעַר רוּחָא וַחֲדָא וְאַעֲקַר לְכֻלְּהוּ מֵאַתְרַיְיהוּ, וְאַעֲבַר לוֹן דְּלָא יִשְׁלְטוּן. זְמִירוֹת שָׁמַעְנוּ, תּוּשְׁבְּחָן דִּכְנֶסֶת יִשְׂרָאֵל בְּלֵילְיָא, וְכָל דָּא לָמָּה. צְבִי לַצַּדִּיק, לְאִזְדַּוְּוגָא בְּזִוּוּגָא וַחֲדָא דְּקוּדְשָׁא בְּרִיךְ הוּא, וּלְאִתְקַדְּשָׁא בִּקְדוּשָּׁה וַחֲדָא.

יח. וָאוֹמַר רָזִי לִי רָזִי לִי, הָא הוּא רָזָא עִלָּאָה. דָּא הוּא רוּחַ קַדִּישָׁא, אֲבָל אוֹי לִי עַל דָּרָא, וְעַל עָלְמָא, בּוֹגְדִים בָּגָדוּ, דְּכֻלְּהוּ מְשַׁקְּרָן בֵּיהּ, מְשַׁקְּרָן בְּהוּ בְּגַרְמַיְיהוּ, וְלָא דֵּי דִּמְשַׁקְּרָן בְּגַרְמַיְיהוּ, אֶלָּא אִינּוּן בְּנִין דְּאוֹלִידוּ מִתְשַׁקְּרָן בְּהַהוּא שִׁקְרָא דִּלְהוֹן, וְאִשְׁתְּכָחוּ פְּגִימִין לְעֵילָּא וְתַתָּא.

יט. כֵּיוָן דְּאִסְתַּכַּל יְשַׁעְיָהוּ בְּהַאי, כָּנִישׁ לְאִינּוּן דַּחֲלִין וַחֲטָאָה, וְאוֹלִיף לוֹן אֹרַח קַדִּישָׁא לְאִתְקַדְּשָׁא בִּקְדוּשָּׁה דְּמַלְכָּא, וּלְאִשְׁתַּכְּחָא בְּנַיְיהוּ קַדִּישִׁין. כֵּיוָן דְּאִתְקַדְּשׁוּ אִלֵּין, אִינּוּן בְּנִין דְּאוֹלִידוּ אִקְרוּן עַל שְׁמֵיהּ. הה"ד הִנֵּה אָנֹכִי וְהַיְלָדִים אֲשֶׁר נָתַן לִי יְיָ' לְאוֹתוֹת וּלְמוֹפְתִים בְּיִשְׂרָאֵל, דְּפָרִישָׁן מִשְּׁאָר עַמִּין.

כ. ד"א מִכְּנַף הָאָרֶץ זְמִירוֹת שָׁמַעְנוּ, בְּשַׁעֲתָא דְּעָאלוּ יִשְׂרָאֵל לְאַרְעָא, וַאֲרוֹן קַיְּימָא קַדִּישָׁא קַמַּיְיהוּ, שָׁמְעוּ יִשְׂרָאֵל דִּמְסִטְרָא וְחַד דְּאַרְעָא, תּוּשְׁבְּחָן וְחֶדְוָה וְקָל מְזַמְּרֵי עִלָּאֵי, דִּמְזַמְּרֵי בְּאַרְעָא, כְּדֵין צְבִי לַצַּדִּיק, תּוּשְׁבַּחְתָּא דְּמֹשֶׁה הֲוָה בְּהַהִיא שַׁעֲתָא, דִּבְכָל אֲתַר דְּאָרוֹן, הֲוָה שָׁארֵי בְּאַרְעָא, הֲווֹ שָׁמְעֵי קָלָא דְּאָמְרֵי, וְזֹאת הַתּוֹרָה אֲשֶׁר שָׂם מֹשֶׁה לִפְנֵי בְּנֵי יִשְׂרָאֵל. אֲבָל אוֹי לִי דְּבוֹגְדִים בָּגָדוּ, דִּזְמִינִין יִשְׂרָאֵל לְשַׁקְּרָא בְּקוּדְשָׁא בְּרִיךְ הוּא, וּלְאִתְעַקְּרָא מֵאַרְעָא זִמְנָא וַחֲדָא. וּבְגִין דְּאִתְאַחֲדוּ בֵּינַיְיהוּ שִׁקְרָא דִּלְהוֹן, יִתְעַקְּרוּן זִמְנָא תִּנְיָינָא, עַד דְּיִשְׁתַּלִּים חוֹבַיְיהוּ בְּאַרְעָא אָחֳרָא.

כא. לָקוֹחַ אֵת סֵפֶר הַתּוֹרָה הַזֶּה וְגוֹ'. הָא אוֹקִימְנָא מִלֵּי. אֱלֹהֵיכֶם. אֱלֹהֶיךָ. אֵל. אֱלֹהֵינוּ.

כב. דְּאָמַר ר' אַבָּא אָמַר ר' יְהוּדָה, מַאי דִּכְתִּיב כִּי הַמָּקוֹם אֲשֶׁר אַתָּה עוֹמֵד עָלָיו אַדְמַת קֹדֶשׁ הוּא. אַדְמַת קֹדֶשׁ וַדַּאי, דְּהַיְינוּ אֶרֶץ הַחַיִּים. אֲשֶׁר אַתָּה עוֹמֵד עָלָיו, עָלָיו וַדַּאי, הַיְינוּ בְּקַדְמֵיתָא, וכ"ש לְבָתַר. תָּאנָא, אָמַר ר' יוֹסֵי, כְּתִיב וְהָיָה שָׁם בְּךָ לְעֵד, לְעֵד וַדַּאי דְּיַסְהִיד סַהֲדוּתָא.

כג. תְּלָתָא אִינּוּן דְּקַיְּימוּ בְּסַהֲדוּתָא לְאַסְהֲדָא, וְאִלֵּין אִינּוּן: בְּאֵר דְּיִצְחָק, גּוֹרָל, וְאַבְנָא דְּשַׁוֵּי יְהוֹשֻׁעַ. וְדָא שִׁירָתָא, סַהֲדוּתָא יַתִּיר מִכֹּלָּא. אָמַר ר' יִצְחָק אִי הָכִי אַרְבַּע אִינּוּן. אָמַר לֵיהּ וַדַּאי, אֲבָל גּוֹרָל לָא כְּתִיב בֵּיהּ סַהֲדוּתָא.

כד. בְּאֵר דְּיִצְחָק מְנָלָן. דִּכְתִּיב בַּעֲבוּר תִּהְיֶה לִּי לְעֵדָה וְגוֹ'. גּוֹרָל, דִּכְתִּיב עַל פִּי הַגּוֹרָל תֵּחָלֵק נַחֲלָתוֹ, דַּהֲוָה אָמַר דָּא לִיהוּדָה, וְדָא לְבִנְיָמִין, וְכֵן לְכֻלְּהוּ. אַבְנָא דִּיהוֹשֻׁעַ, דִּכְתִּיב הִנֵּה הָאֶבֶן הַזֹּאת תִּהְיֶה בָּנוּ לְעֵדָה. וְהָכָא, וְהָיָה שָׁם בְּךָ לְעֵד. וּכְתִיב, וְעָנְתָה הַשִּׁירָה הַזֹּאת לְפָנָיו לְעֵד, הִיא וַדַּאי אַסְהִידַת בְּהוּ בְּיִשְׂרָאֵל.

כה. תָּאנָא, א"ר אֶלְעָזָר, מַאי דִּכְתִּיב וַיְדַבֵּר מֹשֶׁה וְגוֹ', אֶת דִּבְרֵי הַשִּׁירָה הַזֹּאת עַד תּוּמָּם. הָכָא אִית לְאִסְתַּכְּלָא, מַהוּ אֶת דִּבְרֵי, אֶת הַשִּׁירָה הַזֹּאת מִבָּעֵי לֵיהּ. וּמַהוּ עַד תּוּמָּם. אֶלָּא הָכִי תָּאנָא בְּרָזָא דְּמַתְנִיתִין, כָּל אִינּוּן מִלֵּי דְּאָמַר מֹשֶׁה, כֻּלְּהוּ מִתְגַּלְּפֵי בִּשְׁמָא דְקוּדְשָׁא בְּרִיךְ הוּא, וְכָל אִינּוּן מִלִּין הֲווּ אַתְיָין, וְסַלְּקִין וְנַחְתִּין, וּמִתְגַּלְּפִין תַּמָּן. וְכָל מִלָּה וּמִלָּה הֲוָה אַתְיָיא קַמֵּי מֹשֶׁה לְאִתְגַּלְּפָא עַל יְדוֹי וְקַיְּימָא קַמֵּיהּ. וְהַיְינוּ דִּכְתִּיב עַד תּוּמָּם.

כו. ר' אַבָּא אָמַר, אֶת דִּבְרֵי הַשִּׁירָה הַזֹּאת, שִׁירָה הַזֹּאת מִבָּעֵי לֵיהּ: מַאי קָא רְמִיזָא. אֶלָּא שִׁירָתָא דְקוּדְשָׁא בְּרִיךְ הוּא אָמַר, כד"א שִׁיר הַשִּׁירִים אֲשֶׁר לִשְׁלֹמֹה, מַלְכָּא דִשְׁלָמָא כֹּלָּא דִּילֵיהּ, וְהָא אוֹקִימְנָא מִלֵּי. מִזְמוֹר שִׁיר לְיוֹם הַשַּׁבָּת, לְיוֹם הַשַּׁבָּת מַמָּשׁ. שִׁיר דְקוּדְשָׁא בְּרִיךְ הוּא אָמַר.

כז. אֶלָּא הָכָא אִית לְאִסְתַּכְּלָא, הָתָם שִׁיר, וְהָכָא שִׁירָה. דָּא דְּכַר, וְדָא נוּקְבָא. וְהָא תָּנֵינָן, כָּל נְבִיאֵי כֻּלְּהוּ לְגַבֵּי מֹשֶׁה, כְּקוֹף בְּעֵינַיְיהוּ דִּבְנֵי נָשָׁא, וְאִינּוּן אָמְרוּ שִׁיר, וּמֹשֶׁה אָמַר שִׁירָה. מֹשֶׁה הֲוָה לֵיהּ לְמֵימַר שִׁיר, וְאִינּוּן שִׁירָה. אֶלָּא דָּא הִיא רָזָא דְּמִלָּה, מֹשֶׁה לְגַרְמֵיהּ לָא קָאָמַר דָּא, אֶלָּא לְיִשְׂרָאֵל.

כח. א"ל ר"ש, לָאו הָכִי, אֶלָּא, מֹשֶׁה וַדַּאי מֵהָכָא אִשְׁתְּמוֹדַע, דְּאִיהוּ בְּדַרְגָּא עִלָּאָה יַתִּיר מִכֹּלָּא. מֹשֶׁה סָלִיק מִתַּתָּא לְעֵילָּא, וְאִינּוּן נַחְתֵּי מֵעֵילָּא לְתַתָּא. הוּא סָלִיק מִתַּתָּא לְעֵילָּא, כְּמָה דְּתָנֵינָן מַעֲלִין בַּקֹּדֶשׁ וְאֵין מוֹרִידִין. מֹשֶׁה סָלִיק מִתַּתָּא לְעֵילָּא, דְּאָמַר שִׁירָה תּוּשְׁבַּחְתָּא דְּמַטְרוֹנִיתָא, דְּאִיהִי מְשַׁבַּחַת לְמַלְכָּא. וּמֹשֶׁה בְּמַלְכָּא אִתְאֲחָד. וְאִינּוּן נַחְתֵּי מֵעֵילָּא לְתַתָּא, דְּאָמְרוּ שִׁיר, דְּהוּא שְׁבָחָא דִּמְשַׁבְּחָא מַלְכָּא לְמַטְרוֹנִיתָא, וְאִינּוּן בְּמַטְרוֹנִיתָא אִתְאֲחָדוּ. וְעַל דָּא, בְּהַאי אִשְׁתְּמוֹדַע שְׁבָחָא דְּמֹשֶׁה, יַתִּיר מִכֻּלְּהוּ. וְהַיְינוּ דִּכְתִּיב, אָז יָשִׁיר מֹשֶׁה וּבְנֵי יִשְׂרָאֵל אֶת הַשִּׁירָה הַזֹּאת לַיְיָ', שִׁירָתָא דְּמַטְרוֹנִיתָא לְמַאן. לַיְיָ'. וּבְגִ"כ, וַיִּכְתּוֹב מֹשֶׁה אֶת דִּבְרֵי הַשִּׁירָה הַזֹּאת, וְעָנְתָה הַשִּׁירָה הַזֹּאת.

כט. וְעָנְתָה הַשִּׁירָה הַזֹּאת, וְעָנוּ הַדְּבָרִים הָאֵלֶּה מִבָּעֵי לֵיהּ. אֶלָּא רָזָא דְּמִלָּה כְּמָה דְּאוֹקִימְנָא, דִּכְתִּיב וְאֶרֶץ מִתְקוֹמָמָה לוֹ, וּמֹשֶׁה בְּכֹלָּא אִסְתַּכַּל, וְעַל דָּא אָמַר שִׁירָה, בְּגִין לְאִתְאַחֲדָא מִלִּין בַּאֲתַר דָּא, לְמֶהֱוֵי עֲלַיְיהוּ דִּינָא, דִּכְתִּיב וְעָנְתָה הַשִּׁירָה הַזֹּאת לְפָנָיו. וְלָמָּה. דִּכְתִּיב כִּי אֲנִי יָדַעְתִּי אֶת יִצְרוֹ, וּכְתִיב כִּי יָדַעְתִּי אַחֲרֵי מוֹתִי וְגוֹ'. וְכַד תַּעַבְדוּ דָּא, מִיַּד וְעָנְתָה הַשִּׁירָה הַזֹּאת לְפָנָיו לְעֵד.

ל. ת"ח, כְּתִיב יְגַלּוּ שָׁמַיִם עֲוֹנוֹ וְלָא יַתִּיר, אֲבָל וְאֶרֶץ מִתְקוֹמָמָה לוֹ. בְּהַאי, דִּינָא אִתְעֲבִיד לְמַאן דְּאִתְעֲבִיד.

לא. כְּתִיב, וַיְדַבֵּר דָּוִד לַיְיָ' אֶת דִּבְרֵי הַשִּׁירָה הַזֹּאת. הַשְׁתָּא תּוּשְׁבַּחְתָּא דְּדָוִד הוּא, בְּגִין דְּאָמַר שִׁירָה מִתַּתָּא לְעֵילָּא, וְזָכָה לְהַאי דַּרְגָּא, וְלָא אָמַר הַאי שִׁירָה, אֶלָּא בְּסוֹף יוֹמוֹי, דַּהֲוָה בִּשְׁלִימוּ יַתִּיר, מֵהַאי שִׁירָה. כְּמָה דְּתָנֵינָן, אַל תַּאֲמִין בְּעַצְמְךָ עַד יוֹם מוֹתְךָ. וְהָכָא, אֲמַאי זָכָה דָּוִד לְמֵימַר שִׁירָתָא מִתַּתָּא לְעֵילָּא, בְּסוֹף יוֹמוֹי. דַּהֲוָה בְּנַיְיחָא מִכָּל סִטְרוֹי, דִּכְתִּיב בְּיוֹם הִצִּיל יְיָ' אוֹתוֹ מִכַּף כָּל אוֹיְבָיו.

לב. אר"ש, שִׁירָתָא מְעַלְּיָא מִכֹּלָּא מַאי הִיא. כְּמָה דְּתָנֵינָן בְּרָזָא דְּמַתְנִיתִין, בְּמִלִּין וּבְעוֹבָדָא הָכִי נָמֵי מִתַּתָּא לְעֵילָּא, וּמֵעֵילָּא לְתַתָּא. וּלְבָתַר לְכַוְּונָא בְּלִבָּא, וּלְקַשְּׁרָא כֹּלָּא בְּחַד קִשְׁרָא.

לג. מְנָלָן מִמֹּשֶׁה, בְּקַדְמֵיתָא, מִתַּתָּא לְעֵילָּא, כִּי שֵׁם יְיָ' אֶקְרָא. מַאי אֶקְרָא. כְּמָה

דכתיב, ויקרא אל משה, דא שכינתא. לבתר, הבו גדל לאלהינו, דא מלכא עלאה. לבתר נזיית בדרגוי מעילא לתתא, דכתיב צדיק וישר. לבתר קשיר קשרא דמהימנותא ואמר, הוא, ודא הוא קשרא לכלא.

לד. בג"כ, בעי בר נש לסדרא שבחא דמאריה כהאי גוונא, בקדמיתא מתתא לעילא, לסלקא יקרא דמאריה, לאתר דשקיו דעמיקא דבירא נגיד ונפיק. לבתר לאמשכא מעילא לתתא, מההוא שקיו דנחלא, לכל דרגא ודרגא, עד דרגא בתראה, לאמשכא ברכאן לכלא, מלעילא לתתא. לבתר בעי לקשרא קשרא בכלא, קשרא דמהימנותא. ודא הוא ב"נ דאוקיר לשמא דמאריה, ליחדא שמא קדישא. ועל דא כתיב, כי מכבדי אכבד, כי מכבדי לעלמא דא, אכבד בעלמא דאתי.

לה. ובוזי יקלו, מאי ובוזי יקלו. דא הוא מאן דלא ידע ליחדא שמא קדישא, ולקשרא קשרא דמהימנותא, ולאמשכא ברכאן לאתר דאצטריך, ולאוקיר שמא דמאריה. וכל מאן דלא ידע לאוקיר שמא דמאריה, טב ליה דלא אברי.

לו. א"ר יהודה, ובוזי יקלו, מאן דלא ידע לאוקיר למאריה, ולא אתכוון באמן, דתנינן גדול העונה אמן יותר מן המברך. והא אוקימנא קמיה דר"ש, דאמן, משיך ברכאן ממבועא למלכא, וממלכא למטרוניתא. ובאתוון גליפין דרבי אלעזר, מאל"ף למ"ם, וממ"ם לנו"ן. כיון דמטו ברכאן לנון, מתמן נגדין ונפקין ברכאן לעלאי ותתאי, ומתפשטי בכלא. וקלא נפיק אתשקיו משקיותא דברכן, דאפיק פלניא עבדא דמלכא קדישא.

לז. וכד ישראל לתתא, משמרין לאתבא אמן, לכוונא לבייהו כמה דאצטריך, כמה פתוחין דברכאן פתיחן ליה לעילא, כמה טבאן משתכחין בכלהו עלמין, כמה חדו בכלא. מאי אגר להו לישראל דגרמין האי. אגר להו בעלמא דין, ובעלמא דאתי. בעלמא דין בשעתא דעאקין להו, ומצלן צלותא קמי מאריהון, קלא מכרזא בכלהו עלמין, פתחו שערים ויבא גוי צדיק שומר אמונים אל תקרי אמונים, אלא אמנים. פתחו שערים, כמה דישראל פתחין להו תרעין דברכאן, כך השתא פתחו שערים, ותתקבל צלותהון מאינון דעאקין להו.

לח. האי בעלמא דין, בעלמא דאתי מאי אגרייהו. דכד יפוק ב"נ מהאי עלמא, דהוה שומר לאתבא אמן. מאי שומר. כלומר, נטיר, ההיא ברכה דאמר ההוא דמברך, ומחכה ליה לאתבא אמן, כמה דאצטריך. נשמתיה סלקא ומכרזי קמיה, פתחו שערים קמיה, כמה דאיהו הוה פתח תרעין כל יומא, כד הוה שומר אמונים.

לט. א"ר יוסי א"ר יהודה, מאי אמן. א"ר אבא, הא אוקמוה כלא, אמן אקרי מבועא דההוא נחלא דנגיד, אמן אקרי, דכתיב ואהיה אצלו אמון, אל תקרי אמון, אלא אמן. קיומא דכלהו ההוא נחלא דנגיד ונפיק, אמן אקרי, דתניא מן העולם ועד העולם, עולם דלעילא, עולם דלתתא. אוף הכא אמן ואמן, אמן דלעילא, אמן דלתתא. אמן קיומא דכלהו, והא אוקימנא אמן באינון אתוון.

מ. ר"ש אמר, אלף עמיקא דבירא דכל ברכאן מתמן נבעין ונפקין, ומשתכחין. מ"ם פתוחה, נהרא דנגיד ונפיק, ואקרי מ"ם. והוא רזא דתנינן, מ"ם פתוחה, מ"ם סתומה. כמה דאוקימנא, לםרבה המשרה.

מא. נון פשוטה, כללא דתרין נונין, נון פשוטה, נון כפופה. נון פשוטה כללא דאת וא"ו, בג"כ כלא אקרי נון ואו נון. וברזא דמתניתא הכי תאנא, ו' דכר, ן' פשוטה

כְּלָלָא דִּדְכַר וְנוּקְבָּא, נוּן כְּפוּפָה, בִּכְלָלָא דִּפְשׁוּטָה הִיא. וּבְסִפְרָא דְּרַב הַמְנוּנָא סָבָא, מֵם דְּהָכָא, הִיא נוֹטָרִיקוֹן מֶלֶ"ךְ, וְהַיְינוּ אָמֵן, אָמֵ"ן נוֹטָרִיקוֹן, אֵ"ל מֶ"לֶךְ נֶ"אֱמָן. כְּלָלָא דְּכֹלָּא, וְשַׁפִּיר הוּא, וְהָא אִתְּמַר.

מב. תָּאנָא, כָּל מַאן דְּשָׁמַע בְּרָכָה מֵהַהוּא דִּמְבָרֵךְ, וְלָא אִתְכַּוָּון בְּאָמֵן, עָלֵיהּ נֶאֱמַר וּבוֹזַי יֵקָלּוּ. כד"א, לָכֶם הַכֹּהֲנִים בּוֹזֵי שְׁמִי מַאי עוֹנְשֵׁיהּ. כְּמָה דְּלָא פָּתַח בִּרְכָאן לְעֵילָּא, כַּךְ לָא פַּתְחִין לֵיהּ. וְלָא עוֹד אֶלָּא כַּד נָפִיק מֵהַאי עָלְמָא, מַכְרִיזֵי קַמֵּיהּ, וְאַמְרֵי, טְרוּקוּ גַּלֵּי קַמֵּיהּ דִּפְלַנְיָא, וְלָא לֵיעוּל, וְלָא תְקַבְּלוּן לֵיהּ, וַוי לֵיהּ וַוי לְנִשְׁמָתֵיהּ.

מג. תָּאנָא, וְחַיָּיבֵי דְּגֵיהִנָּם, כֻּלְּהוּ סַלְּקֵי בִּמְדוֹרִין יְדִיעָן, וְכַמָּה פִּתְחִין אִית לֵיהּ לַגֵּיהִנָּם, וְכֻלְּהוּ פִּתְחִין לָקֳבֵל פִּתְחִין דְּגַן עֵדֶן. וּבְשַׁעֲתָא דְּאַפְקֵי לְאִינּוּן חַיָּיבַיָּא דְּקַבִּילוּ עוֹנְשַׁיְיהוּ, אִינּוּן פַּתְחֵי פִּתְיוּחִין, וְשַׁוְיָין לוֹן לְבַר. וְכֻלְּהוּ פִּתְחִין בִּשְׁמָהָן אִקְרוּן, לָקֳבְלֵיהוֹן דְּפִתְחִין דְּגַן עֵדֶן, וְכָל פִּתְחָא וּפִתְחָא, אִקְרֵי שְׁמָא, לָקֳבְלֵי הַהוּא פִּתְחָא דְּגֵיהִנָּם, וְאִשְׁתְּמוֹדְעָן פִּתְחִין לָקֳבְלֵיהוֹן פִּתְחִין, אִינּוּן פִּתְחִין דג"ע.

מד. בַּגֵּיהִנָּם אִית מָדוֹרָא בַּתְרָאָה תַּתָּאָה דְּכֻלְּהוּ, וְהַהוּא מָדוֹרָא הֲוֵי מָדוֹרָא עַל מָדוֹרָא, וְאִקְרֵי אֶרֶץ עֵיפָתָה. מַהוּ עֵיפָתָה. כד"א רָבוּעַ יִהְיֶה כָּפוּל, וּמְתַרְגְּמִינָן מְרוּבַּע יְהֵא עִיף, אוּף הָכָא עֵיפָתָה, כְּלוֹמַר כְּפוּלָה. וְהַהוּא אִקְרֵי שְׁאוֹל תַּחְתִּית, שְׁאוֹל הוּא מָדוֹרָא חַד. תַּחְתִּית, הוּא מָדוֹרָא תַּתָּאָה. וּבְג"כ אִקְרֵי אֶרֶץ עֵיפָתָה תַּחְתִּית, וְאִקְרֵי אֲבַדּוֹן. וע"ד כְּתִיב, שְׁאוֹל וַאֲבַדּוֹן. וְכֻלְּהוּ מָדוֹרִין לָא אַכְפָּלוּ, וְכֻלְּהוּ לָא עַיְיפִין בַּר מֵהַאי.

מה. וְתָאנָא, מַאן דְּנָחִית לַאֲבַדּוֹן דְּאִקְרֵי תַּחְתִּית, לָא סָלִיק לְעָלְמִין. וְהַהוּא אִקְרֵי גֶּבֶר דְּאִשְׁתְּצֵי וְאִתְאֲבִיד מִכֻּלְּהוּ עָלְמִין. וְתָאנָא, לְהַהוּא אֲתַר נַחְתִּין לְהָנְהוּ גַּבְרֵי דִּמְבַזֵּי לְאָתָבָא אָמֵן, וְעַל אָמֵן סַגִּיאִין דְּאִתְאֲבִידוּ מִנֵּיהּ, דְּלָא חָשִׁיב לְהוּ, דַּיְינִין לֵיהּ בַּגֵּיהִנָּם, וְנַחְתִּין לֵיהּ בְּהַהוּא מָדוֹרָא תַּתָּאָה, דְּלֵית בָּהּ פִּתְחָא, וְאִתְאֲבִיד וְלָא סָלִיק מִנֵּיהּ לְעָלְמִין. וע"ד כְּתִיב, כָּלָה עָנָן וַיֵּלַךְ כֵּן יוֹרֵד שְׁאוֹל לֹא יַעֲלֶה. וְלָא, וְהָא כְּתִיב מִבֶּטֶן שְׁאוֹל שִׁוַּעְתִּי שָׁמַעְתָּ וְגוֹ'. וּכְתִיב מוֹרִיד שְׁאוֹל וַיָּעַל. אֶלָּא הָכָא שְׁאוֹל, הָתָם תַּחְתִּית. וְאוֹקִימְנָא הָא דְּאַהֲדַר בֵּיהּ, הָא דְּלָא אַהֲדַר בֵּיהּ.

מו. א"ר יוֹסֵי, מַאי דִּכְתִּיב כִּי שְׁתַּיִם רָעוֹת עָשָׂה עַמִּי אוֹתִי עָזְבוּ מְקוֹר מַיִם חַיִּים לַחְצוֹב לָהֶם בֹּארוֹת וְגוֹ'. אוֹתִי עָזְבוּ מְקוֹר מַיִם חַיִּים, דָּא הוּא דְּלָא בָּעֵי לְקַדְּשָׁא שְׁמָא דְקוּדְשָׁא בְּרִיךְ הוּא, בְּאָמֵן. מַאי עוֹנְשֵׁיהּ. כְּתִיב לַחְצוֹב לָהֶם בֹּארוֹת בֹּארוֹת נִשְׁבָּרִים, דְּנַחְתִּין לַגֵּיהִנָּם דַּרְגָּא בָּתַר דַּרְגָּא, עַד דְּנַחְתִּין לַאֲבַדּוֹן דְּאִקְרֵי תַּחְתִּית. וְאִי אִיהוּ קַדִּישׁ שְׁמָא דְקוּדְשָׁא בְּרִיךְ הוּא, לְכַוָּונָה בְּאָמֵן כַּדְקָא יָאוּת, סָלִיק דַּרְגָּא בָּתַר דַּרְגָּא, לְאִתְעַדְּנָא מֵהַהוּא עָלְמָא דְּאָתֵי, דְּנָגִיד תָּדִיר לָא פָּסִיק, הה"ד אֱמוּנִים נוֹצֵר יְיָ' וּמְשַׁלֵּם עַל יֶתֶר עוֹשֵׂה גַאֲוָה.

מז. תָּאנָא, שִׁירָה מָשִׁיךְ בִּרְכָאן מֵעֵילָּא לְתַתָּא, עַד דְּיִשְׁתַּכְּחוּן בִּרְכָאן בְּכֻלְּהוּ עָלְמִין. א"ר אֶלְעָזָר, זְמִינִין אִינּוּן יִשְׂרָאֵל לְמֵימַר שִׁירָתָא, מִתַּתָּא לְעֵילָּא, וּמֵעֵילָּא לְתַתָּא. וּלְקַשְּׁרָא קִשְׁרָא דִּמְהֵימְנוּתָא. דִּכְתִּיב, אָז יָשִׁיר יִשְׂרָאֵל אֶת הַשִּׁירָה הַזֹּאת. אָז שָׁר לֹא נֶאֱמַר, אֶלָּא אָז יָשִׁיר. וְכֵן כֻּלְּהוּ כְּהַאי גַּוְונָא. אֶת הַשִּׁירָה הַזֹּאת, מִתַּתָּא לְעֵילָּא. עֲלִי בְאֵר עֱנוּ לָהּ, עֲלִי בְּאֵר, כְּלוֹמַר סַק לְאַתְרִיךְ, לְאִתְאַחֲדָא בְּבַעְלִיךְ, דָּא הוּא מִתַּתָּא לְעֵילָּא.

מח. וּלְבָתַר מֵעֵילָּא לְתַתָּא, בְּאֵר חֲפָרוּהָ שָׂרִים, דְּאוֹלִידוּ לָהּ אַבָּא וְאִימָּא, כָּרוּהָ

נְדִיבֵי הָעָם, אִלֵּין אֲבָהָן, דְּאִקְרוּן נְדִיבֵי עַמִּים. כָּרוּהָ, אֲתַר לְאִזְדַּוְּוגָא בָּהּ מַלְכָּא, בִּבְרָכָן. וּבְמָה, הוּא זִוּוּגָא. בִּמְחוֹקֵק: דָּא יְסוֹד. בְּמִשְׁעֲנוֹתָם: דָּא נֶצַח וְהוֹד, מֵעֵילָּא לְתַתָּא. וּמִמִּדְבָּר מַתָּנָה, וּמִמַּתָּנָה נַחֲלִיאֵל, וּמִנַּחֲלִיאֵל בָּמוֹת. הָא קִשּׁוּרָא שְׁלֵימָא, קִשּׁוּרָא דִּמְהֵימְנוּתָא, קִשּׁוּרָא קַיְּימָא דְּכֹלָּא בֵּיהּ.

מט. א״ר יוֹסֵי, זְמִינִין יִשְׂרָאֵל לְמֵימַר שִׁירָתָא שְׁלֵימָתָא. שִׁירָתָא דְּכָלִיל כָּל שְׁאַר שִׁירִין. הה״ד, וַאֲמַרְתֶּם בַּיּוֹם הַהוּא הוֹדוּ לַה' קִרְאוּ בִשְׁמוֹ הוֹדִיעוּ בָעַמִּים עֲלִילוֹתָיו. בְּהַהוּא זִמְנָא כְּתִיב, וְהָיָה יְיָ' לְמֶלֶךְ עַל כָּל הָאָרֶץ בַּיּוֹם הַהוּא יִהְיֶה יְיָ' אֶחָד וּשְׁמוֹ אֶחָד. וּכְתִיב אָז יִמָּלֵא שְׂחוֹק פִּינוּ וּלְשׁוֹנֵנוּ רִנָּה, אָז יֹאמְרוּ בַגּוֹיִם הִגְדִּיל יְיָ' לַעֲשׂוֹת עִם אֵלֶּה.

בָּרוּךְ יְיָ' לְעוֹלָם אָמֵן וְאָמֵן יִמְלוֹךְ יְיָ' לְעוֹלָם אָמֵן וְאָמֵן.

HA'AZINU

הַאֲזִינוּ

א. הַאֲזִינוּ הַשָּׁמַיִם וַאֲדַבֵּרָה וְתִשְׁמַע הָאָרֶץ אִמְרֵי פִי, רִבִּי יְהוּדָה פָּתַח, פָּתַחְתִּי אֲנִי לְדוֹדִי וְדוֹדִי חָמַק עָבָר וְגוֹ', בִּקַּשְׁתִּיהוּ וְלֹא מְצָאתִיהוּ קְרָאתִיו וְלֹא עָנָנִי. מַה כְּתִיב לְעֵילָּא. אֲנִי יְשֵׁנָה וְלִבִּי עֵר וְגוֹ'. אֲנִי יְשֵׁנָה, אָמְרָה כְּנֶסֶת יִשְׂרָאֵל. אֲנִי יְשֵׁנָה, מִפִּקּוּדֵי אוֹרַיְיתָא, בִּזְמְנָא דַּאֲזִילְנָא בְּמַדְבְּרָא. וְלִבִּי עֵר, לְאַעֲלָא לְאַרְעָא, לְמֶעְבַּד לְהוּ נִימוּסִין דְּהָא כָּל פִּקּוּדֵי אוֹרַיְיתָא בְּאַרְעָא מִשְׁתַּכְּחִין. קוֹל דּוֹדִי דוֹפֵק, דָּא מֹשֶׁה. דְּאוֹכַח לְהוּ לְיִשְׂרָאֵל בְּכַמָּה וִיכּוּחִין, בְּכַמָּה קְטָטִין. דִּכְתִיב, אֵלֶּה הַדְּבָרִים וְגוֹ', מַמְרִים הֱיִיתֶם וְגוֹ'. וּבְחוֹרֵב הִקְצַפְתֶּם וְגוֹ'. הה"ד דוֹפֵק.

ב. ועכ"ד דְּמֹשֶׁה אוֹכַח לְהוּ לְיִשְׂרָאֵל, בִּרְחִימוּתָא הֲווּ כָּל מִלּוֹי, דִּכְתִיב כִּי עַם קָדוֹשׁ אַתָּה לַיְיָ' אֱלֹהֶיךָ. וּבְךָ בָּחַר יְיָ' אֱלֹהֶיךָ לִהְיוֹת לוֹ לְעָם וְגוֹ' בָּנִים אַתֶּם לַיְיָ' אֱלֹהֵיכֶם וְאַתֶּם הַדְּבֵקִים בַּיְיָ'. וְעַל דָּא וְשָׁמַעְתָּ בְּקוֹל יְיָ' אֱלֹהֶיךָ. כִּי מֵאַהֲבַת יְיָ' אֶתְכֶם. הה"ד פִּתְחִי לִי אֲחוֹתִי רַעְיָתִי.

ג. מַה כְּתִיב. קַמְתִּי אֲנִי לִפְתּוֹחַ לְדוֹדִי, אָמְרוּ יִשְׂרָאֵל בְּעוֹד דַּהֲוֵינָן זְמִינִין לְמֵיעַל לְאַרְעָא, וּלְקַבְּלָא אִינּוּן פִּקּוּדֵי אוֹרַיְיתָא, עַל יְדוֹי דְּמֹשֶׁה, מַה כְּתִיב. וְדוֹדִי חָמַק עָבָר, דִּכְתִיב, וַיָּמָת שָׁם מֹשֶׁה עֶבֶד יְיָ'. בִּקַּשְׁתִּיהוּ וְלֹא מְצָאתִיהוּ, דִּכְתִיב וְלֹא קָם נָבִיא עוֹד בְּיִשְׂרָאֵל כְּמֹשֶׁה. קְרָאתִיו וְלֹא עָנָנִי, דְּלָא הֲוָה דָּרָא כְּדָרָא דְּמֹשֶׁה, דְּקוּדְשָׁא בְּרִיךְ הוּא שָׁמַע לְקַלֵּיהוֹן, וְעָבֵד לְהוּ נִסִּין וְנִימוּסִין, כְּמָה דְּעָבֵד עַל יְדוֹי.

ד. ר' יִצְחָק אָמַר, קַמְתִּי אֲנִי לִפְתּוֹחַ לְדוֹדִי, דָּא קוּדְשָׁא בְּרִיךְ הוּא בְּיוֹמוֹי דְּמֹשֶׁה, דְּכָל יוֹמוֹי לָא בָּעָא דְּמַלְאָכָא וּשְׁלִיחָא לְדַבְּרָא עִמֵּיהּ, דִּכְתִיב אִם אֵין פָּנֶיךָ הוֹלְכִים וְגוֹ'. זַכָּאָה חוּלָקֵיהּ דְּמֹשֶׁה, דְּקוּדְשָׁא בְּרִיךְ הוּא אִסְתַּכַּם לִרְעוּתֵיהּ. וְדוֹדִי חָמַק עָבָר, בְּיוֹמוֹי דִּיהוֹשֻׁעַ, דִּכְתִיב, לֹא כִּי אֲנִי שַׂר צְבָא יְיָ'.

ה. ת"ח, מֹשֶׁה הֲוָה שָׁמַע קָלָא קַדִּישָׁא דְּמַלְכָּא עִלָּאָה, וְלָא אִזְדַּעְזָע, וכ"ש מַלְאָכָא, דְּלָא בָּעָא. בָּתַר דְּשָׁכִיב מַה כְּתִיב. וַיֹּאמֶר לֹא כִּי אֲנִי שַׂר צְבָא יְיָ'. וּכְתִיב וַיִּפּוֹל יְהוֹשֻׁעַ אֶל פָּנָיו אַרְצָה. עַתָּה בָאתִי, בְּיוֹמוֹי דְּמֹשֶׁה רַבָּךְ אֲתֵינָא, וְלָא קַבְּלָנִי. בֵּיהּ שַׁעֲתָא, יָדְעוּ יִשְׂרָאֵל שִׁבְחָא דְּמֹשֶׁה. בְּהַהוּא זִמְנָא בָּעוּ יִשְׂרָאֵל לְקוּדְשָׁא בְּרִיךְ הוּא, וְלָא אִזְדַּמַּן לְהוּ הָכִי כְּיוֹמוֹי דְּמֹשֶׁה, הה"ד בִּקַּשְׁתִּיהוּ וְלֹא מְצָאתִיהוּ וְגוֹ'.

ו. הַאֲזִינוּ הַשָּׁמַיִם וַאֲדַבֵּרָה, רִבִּי חִיָּיא אָמַר, זַכָּאָה חוּלָקֵיהּ דְּמֹשֶׁה, יַתִּיר מִכָּל נְבִיאֵי עָלְמָא. ת"ח, כְּתִיב שִׁמְעוּ שָׁמַיִם וְהַאֲזִינִי אֶרֶץ כִּי יְיָ' דִּבֵּר. שִׁמְעוּ שָׁמַיִם, יְשַׁעְיָה דַּהֲוָה יַתִּיר רְחִיקָא מִמַּלְכָּא, כְּתִיב שִׁמְעוּ שָׁמַיִם. מֹשֶׁה דַּהֲוָה יַתִּיר קָרִיב לְמַלְכָּא, כְּתִיב הַאֲזִינוּ הַשָּׁמַיִם.

ז. תָּאנָא, בְּהַהוּא זִמְנָא דְּאָמַר יְשַׁעְיָהוּ שִׁמְעוּ שָׁמַיִם וְהַאֲזִינִי אֶרֶץ. כַּמָּה גַּרְדִּינֵי טְהִירִין אִזְדַּמְּנוּ לְתַבְּרָא רֵישֵׁיהּ, נָפְקָא קָלָא וְאָמַר, מַאן הוּא דֵּין דְּבָעֵי לְאַרְעֲשָׁא עָלְמִין, עַד דְּפָתַח וְאָמַר, לָאו אֲנָא, וְלָאו דִּידִי, אֶלָּא כִּי יְיָ' דִּבֵּר, וְלָא אֲנָא. בְּמֹשֶׁה מַה

כְּתִיב. הַאֲזִינוּ הַשָּׁמַיִם וַאֲדַבֵּרָה, אֲנָא וְלָא אוֹחֲרָא. וַאֲדַבֵּרָה בְּלָא דְּחִילוּ. וְתִשְׁמַע הָאָרֶץ אִמְרֵי פִי, וְלָא מֵאוֹחֲרָא. זַכָּאָה חוּלָקֵיהּ. אָמַר אַבָּא, בְּאִתְוָון גְּלִיפָן דַּר אֶלְעָזָר, הַאֲזִינוּ הַשָּׁמַיִם וַאֲדַבֵּרָה וְתִשְׁמַע הָאָרֶץ, הָכָא אִתְרְמִיז שְׁמָא קַדִּישָׁא עִלָּאָה.

ח. ר' יוֹסֵי אָמַר, תּוּ מַה בֵּין מֹשֶׁה לִישַׁעְיָהוּ. מֹשֶׁה אָמַר הַאֲזִינוּ הַשָּׁמַיִם, שָׁמַיִם עִלָּאִין, אִינּוּן דְּאִשְׁתְּמוֹדְעָן, דְּאִקְרוּן שְׁמָא דְּקוּדְשָׁא בְּרִיךְ הוּא. וְתִשְׁמַע הָאָרֶץ, אֶרֶץ עִלָּאָה, הַהִיא דְּאִשְׁתְּמוֹדְעָא, וְאִיהִי אֶרֶץ הַחַיִּים. בִּישַׁעְיָה כְּתִיב, שִׁמְעוּ שָׁמַיִם וְלָא הַשָּׁמַיִם. הַאֲזִינִי אֶרֶץ, וְלָא הָאָרֶץ. וְאִינּוּן שָׁמַיִם וְאֶרֶץ תַּתָּאִין. וְעִם כָּל דָּא, בָּעוּ לְאַעְנְשָׁא לֵיהּ, עַד דְּאָמַר כִּי יְיָ' דִּבֵּר, וְלָא אֲנָא. וּמֹשֶׁה אָמַר כּוּלֵי הַאי, דִּכְתִיב הַאֲזִינוּ הַשָּׁמַיִם וַאֲדַבֵּרָה וְתִשְׁמַע הָאָרֶץ אִמְרֵי פִי.

ט. רַבִּי יִצְחָק פָּתַח, כְּתַפּוּחַ בַּעֲצֵי הַיַּעַר וְגוֹ'. זַכָּאָה חוּלָקֵהוֹן דְּיִשְׂרָאֵל מִכָּל עַמִּין עוֹבְדֵי כּוֹכָבִים, דְּהָא כָּל שְׁאַר עַמִּין אַתְיְהִיבוּ לְרַבְרְבָן מְמָנָן, בְּשׁוּלְטָנוּתָא עָלַיְיהוּ. וְיִשְׂרָאֵל קַדִּישִׁין, זַכָּאָה וְחוּלָקֵהוֹן בְּעָלְמָא דֵין וּבְעָלְמָא דְּאָתֵי, דְּלָא יָהַב לוֹן קוּדְשָׁא בְּרִיךְ הוּא לָא לְמַלְאָכָא, וְלָא לְשַׁלִּיטָא אוֹחֲרָא, אֶלָּא הוּא אָחִיד לוֹן לְחוּלָקֵיהּ, הֲדָא הוּא דִכְתִיב כִּי חֵלֶק יְיָ' עַמּוֹ. וּכְתִיב, כִּי יַעֲקֹב בָּחַר לוֹ יָהּ. כְּתַפּוּחַ בַּעֲצֵי הַיַּעַר, מַה תַּפּוּחַ מִתְפָּרְשָׁא בְּגַוְונוֹי, עַל כָּל שְׁאַר אִילָנֵי וְזַכָּאָה, כָּךְ קוּדְשָׁא בְּרִיךְ הוּא מִתְפָּרַשׁ וְאִתְרְשִׁים עַל כָּל חֵילִין עִלָּאִין וְתַתָּאִין, בְּג''כ יְיָ' צְבָאוֹת שְׁמוֹ, אוֹת הוּא בְּכָל חֵילָא דִּלְעֵילָּא.

י. תָּ"ח, קוּדְשָׁא בְּרִיךְ הוּא כְּתַפּוּחַ, דְּאִית בֵּיהּ תְּלַת גַּוְונִין. כ"י כְּשׁוֹשַׁנָּה מַאן שׁוֹשַׁנָּה. אָמַר אַבָּא, שׁוֹשַׁנָּה סְתָם, שׁוֹשַׁנָּה דְּאִתְכְּלִילַת בְּשִׁית טַרְפֵּי, שׁוֹשַׁנָּה דָּא גַּוְונֵיהּ חִוָּור וְסוּמָק. וְכֹלָּא הוּא תְּרֵין גַּוְונֵי, סוּמָק וְחִוָּור, הָכִי כ"י.

יא. קוּדְשָׁא בְּרִיךְ הוּא כְּתַפּוּחַ, כ"י כְּשׁוֹשַׁנָּה. דְּהָכִי אָמְרָה כ"י, תַּחַת הַתַּפּוּחַ עוֹרַרְתִּיךָ. תַּחַת הַתַּפּוּחַ בְּאָן אֲתָר הִיא. אֶלָּא אִלֵּין אֲבָהָן דְּאַבְמְרָן. ר' יוֹסֵי אָמַר, דָּא יוֹבְלָא. ר' אַבָּא אָמַר, כֹּלָּא שַׁפִּיר, אֶלָּא אִלֵּין אֲבָהָן דְּקָאָמְרָן, אִלֵּין אִינּוּן ג' גַּוְונֵי, דְּמִתְחַבְּרָן כְּתַפּוּחַ.

יב. ר' יִצְחָק אָמַר, בְּאָן אֲתָר אִתְכְּלִילַת כ"י בְּשׁוֹשַׁנָּה. בְּאִינּוּן נְעִיצִין דִּרְחִימוּתָא, דְּאִתְדַּבְּקַת בְּמַלְכָּא עִלָּאָה דָּא, כַּד מִתְחַבְּרָן כַּחֲדָא, אִקְרוּן שׁוֹשַׁנִּים, נָטְלָה תְּרֵי שׁוֹשַׁנִּים, כד''א שִׂפְתוֹתָיו שׁוֹשַׁנִּים. וּבְג''כ אָמְרָה כ"י, יִשָּׁקֵנִי מִנְּשִׁיקוֹת פִּיהוּ. בְּגִין דְּאִתְכְּלִילַת בְּשׁוֹשַׁנִּים, בִּתְרֵי שִׂפְוָון דִּילֵיהּ.

יג. ר' יְהוּדָה אָמַר, קוּדְשָׁא בְּרִיךְ הוּא שָׁמַיִם הוּא אִקְרֵי. וּבְגִין דְּאִקְרֵי שָׁמַיִם, כָּל אִינּוּן רְקִיעִין דְּאִתְכְּלִילָן בִּשְׁמָא דָּא, כַּד מִתְחַבְּרָן כַּחֲדָא, אִקְרוּן שָׁמַיִם, וְאִקְרוּ שְׁמָא דְקוּדְשָׁא בְּרִיךְ הוּא. מַאן אִינּוּן רְקִיעִין. שִׁבְעָה אִינּוּן. כְּמָה דִּתְנֵינָן, וִילוֹן, רְקִיעַ, שְׁחָקִים, זְבוּל, מָעוֹן, מָכוֹן, עֲרָבוֹת. וּבְאַגַּדְתָּא דְּבֵי רַב הַמְנוּנָא סָבָא, הָכִי תָּנֵינָן. ר' יִצְחָק אָמַר, הָנֵי בְּרַיְיתֵי דְּבֵי רַב הַמְנוּנָא סָבָא הָכִי, וְסַגִּיאִין אִינּוּן בְּכָל הָנֵי גַּוְונֵי.

יד. כְּמָה דִּתְנֵינָן, אר"ע, תָּנֵינָן בְּאִינּוּן בְּרַיְיתֵי, דִּלְגַבֵּי הָנֵי שִׁבְעִין כְּתָרִין דְּמַלְכָּא. לָקֳבְלֵיהוֹן שַׁוְיָין ז' רְקִיעִין, וּ"ו כֹּכָבַיָּא דְּרַהֲטִין וְאָזְלִין, וְקָרֵי לוֹן שְׁמָהָן בִּשְׁמַהֲן. וְאע"ג דְּשַׁוְויָין כֻּלְּהוּ כָּסֵּי דִּרְקִיעִין, דְּשַׁבְעָה דִּרְקִיעִין, דְּשַׁבְעָה כֹּכָבַיָּא, שַׁבְתַּאי, צֶדֶק, מַאֲדִים, וַחֲמָה, נוֹגַהּ, כּוֹכָב, לְבָנָה. וְשַׁוְויָין אִלֵּין לָקֳבֵיל אִלֵּין, בְּכָסוּיָא דִּמִּלִּין. לְגַבֵּי אִינּוּן דִּכְתִיב, יַעַמְדוּ נָא וְיוֹשִׁיעוּךָ הוֹבְרֵי שָׁמַיִם הַחוֹזִים בַּכּוֹכָבִים. כֻּלְּהוּ מִלִּין מִתְכַּסְּיָין, וְאע"ג דְּלָאו אוֹרְזֵי דְּאוֹרַיְיתָא. וַאֲנָן בָּתַר אוֹרְזִין דְּאוֹרַיְיתָא קָא אָזְלִינָן, כְּמָה דִּכְתִיב וַיִּקְרָא לָהֶן שֵׁמוֹת כַּשֵׁמוֹת אֲשֶׁר קָרָא לָהֶן אָבִיו, כְּמָה דְּמַלִּיל קוּדְשָׁא בְּרִיךְ הוּא, אָזְלִינָן, וּבַהֲדֵיהּ אָזְלִינָן, כְּמָה דִּכְתִיב וְהָלַכְתָּ בִּדְרָכָיו.

טו. אָמַר רַבִּי יוֹסֵי, פְּשִׁיטִין מִלִּין אִלֵּין לְגַבֵּי חַבְרַיָּא, וְאִשְׁתְּמוֹדְעָן מִלֵּי בְּהוּ, וְאע"ג

דְּאִתְכַּסְיָין. א״ל וְהָכִי תְּנָן, כְּמָה דא״ר יְהוּדָה א״ר חִיָּיא לְקַמָּן. וְהָכִי אוּלִיפְנָא מֵאִינּוּן בָּרַיְיתֵי, דְּתָנָא בְּיוֹמוֹי דִּשְׁלֹמֹה מַלְכָּא, קַיְּימָא סִיהֲרָא בְּאַשְׁלְמוּתָא, וּבְאַתְרִין סַגִּיאִין אִשְׁתְּמוֹדְעָן מִלֵּי דְּאִינּוּן בָּרַיְיתֵי.

טז. אר״ש, אֲרִימִית יְדַי בִּצְלוֹ לְקַדִּישָׁא עִלָּאָה, דְּמִלִּין אִלֵּין אִתְגַּלִּיאוּ עַל יְדִי, בְּהַהוּא עָלְמָא, כְּמָה דְּאִתְכַּסִּיאוּ בְּלִבָּאִי. וְלֵית אֲנָן בְּאִינּוּן אֲרוּזִין דְּאִינּוּן בָּרַיְיתֵי, אוֹרְזֵי דְּאוֹרַיְיתָא נַקְטִינָן.

יז. תָּאנָא א״ר יְהוּדָה, מַאן לָךְ רַב בְּחָכְמְתָא כְּדָוִד מַלְכָּא, וּשְׁלֹמֹה מַלְכָּא בְּרֵיהּ, בְּהַאי כִּתְרָא דְּאִשְׁתְּמוֹדַע בְּבָרַיְיתֵי אִלֵּין. וְסִיהֲרָא קָרְיֵיהּ דָּוִד מַלְכָּא צֶדֶק, דְּהָא דִּילֵיהּ הוּא, דִּכְתִּיב פִּתְחוּ לִי שַׁעֲרֵי צֶדֶק אָבֹא בָם אוֹדֶה יָהּ. שְׁלֹמֹה מַלְכָּא הָכִי נָמֵי, וְאִיהוּ אִתְקְרֵי צֶדֶק, וְשִׁמְשָׁא דְּאִתְקְרֵי בְּבָרַיְיתֵי בְּרִית, אִיהוּ אִקְרֵי מִשְׁפָּט. וְאִינּוּן כָּרְסֵי יְקָרָא דְּמַלְכָּא, דִּכְתִּיב צֶדֶק וּמִשְׁפָּט מְכוֹן כִּסְאֶךָ. צַדִּיק וְצֶדֶק הָכִי נָמֵי בְּחַד דַּרְגָּא הֲווֹ. תָּאנָא, ז׳ כִּתְרִין אוֹקְמוּהָ, תִּשְׁעָה אִקְרוּן. וַאֲפִילוּ בְּאִינּוּן בָּרַיְיתֵי, שִׁבְעָה רְקִיעִין אִינּוּן תִּשְׁעָה הֲווֹ.

יח. אר״ש, עַד אֵימָתַי יִקְרוּן חַבְרַיָּיא בְּהָנֵי מִלִּין. הָא אֲנָן בָּתַר קוּדְשָׁא בְּרִיךְ הוּא אַזְלִינָן, וַאֲנָן יַדְעֵי מִלִּין, וְהָא אִתְגְּלֵי עַל יְדָן מִלָּה דָּא, מַה דְּלָא אִתְגְּלֵי לְקַדְמָאֵי. מִכָּאן וּלְהָלְאָה, כָּל אִינּוּן מִלִּין, וְכָל אִינּוּן בָּרַיְיתֵי, סַלִּיקוּ לְהוּ לְאִינּוּן דְּלָא עָאלוּ וְנָפְקוּ, וּבְנֵיהוֹן אַתְיָין לְשָׁאֲלָא. וְכַד יִשְׁאֲלוּן, יֵימְרוּן חַבְרַיָּיא, וַוי לְדָרָא דר״ש בֶּן יוֹחָאי אִסְתְּלִיק מִנֵּיהּ. אֲבָל ת״ח מִכָּאן וּלְהָלְאָה, לָא יְהֵא דָּרָא כְּדָרָא דָּא, וְלָא אוֹרַיְיתָא אִתְגְּלֵי עַל חַבְרַיָּיא.

יט. ת״ח, דָּרָא בַּתְרָאָה דְּנָפְקוּ מִמִּצְרַיִם, יָדְעוּ כֹּלָּא, דְּהָא מֹשֶׁה גַּלֵּי לוֹן כָּל אִינּוּן מ׳ שְׁנִין דַּהֲווֹ בְּמַדְבְּרָא, כְּמָה דַּאֲמֵינָא. תָּאנָא א״ר יִצְחָק, וְאַף מֹשֶׁה לָא גַּלֵּי דָּא, אֶלָּא בְּהַהוּא יוֹמָא דַּהֲוָה סָלִיק מִן עָלְמָא, דִּכְתִּיב בֶּן מֵאָה וְעֶשְׂרִים שָׁנָה אָנֹכִי הַיּוֹם, בְּהַהוּא יוֹמָא מַמָּשׁ, ועכ״ד לָא אָמַר, עַד דְּיָהֲבוּ לֵיהּ רְשׁוּתָא. דִּכְתִּיב, וְעַתָּה כִּתְבוּ לָכֶם אֶת הַשִּׁירָה הַזֹּאת. וְכַד גַּלֵּי, לָא אָמַר הַאֲזִינוּ יִשְׂרָאֵל, אֶלָּא הַאֲזִינוּ הַשָּׁמַיִם.

כ. א״ר יוֹסֵי, כְּתִיב אֶת הַשִּׁירָה, וְכִי שִׁירָה אִקְרֵי. א״ר יִצְחָק שִׁירָה וַדַּאי, מַה שִּׁירָה אִתְמַשְׁכָא בְּרוּחַ הַקֹּדֶשׁ מֵעֵילָּא לְתַתָּא, אוּף הָכִי מִלִּין אִלֵּין אִתְמַשְׁכָן בְּרוּחַ הַקֹּדֶשׁ מֵעֵילָּא לְתַתָּא, וּבְגִ״כ אָמַר מֹשֶׁה שִׁירָה.

כא. ת״ח, כּוּלֵּי הַאי אָמַר מֹשֶׁה, וְקָרָא לְעִלָּאִין, עַד לָא יֵימָא מִלָּה, דִּכְתִּיב הַאֲזִינוּ הַשָּׁמַיִם. יַעֲרוֹף כַּמָּטָר וְגוֹ׳. וְכָל כָּךְ לָמָּה. מִשּׁוּם כִּי שֵׁם יְיָ׳ אֶקְרָא. עַד דְּיֵימָא מִלָּה, אַרְעִישׁ כֻּלְּהוּ עָלְמִין.

כב. תָּאנָא בְּהַהִיא שַׁעֲתָא דְּאָמַר מֹשֶׁה הַאֲזִינוּ הַשָּׁמַיִם וַאֲדַבֵּרָה, אִתְרְגִּישׁוּ עָלְמִין. נָפַק קָלָא וְאָמַר, מֹשֶׁה מֹשֶׁה, אַמַּאי אַתְּ מַרְעִישׁ עָלְמָא כֹּלָּא. אַתְּ בְּרֵיהּ דְּבַר נָשׁ, וּבְגִינָךְ אִתְרְגִּישׁ עָלְמָא. פָּתַח וְאָמַר כִּי שֵׁם יְיָ׳ אֶקְרָא. בְּהַהִיא שַׁעֲתָא אִשְׁתְּתָקוּ, וַאֲצִיתוּ מִלּוֹי.

כג. תאנא בההוא יומא דר"ש בעא לאסתלקא מן עלמא, והוה מסדר מלוי, אתכנשו חבריא לבי ר"ש, והוו קמיה ר' אלעזר בריה, ור' אבא, ושאר חבריא, והוה מליא ביתא. זקיף עינוי ר"ש, וחמא דאתמלי ביתא. בכה ר"ש ואמר, בזמנא אחרא כד הוינא בבי מרעי, הוה רבי פנחס בן יאיר קמאי, ועד דברירנא דוכתאי אוריכו לי עד השתא. וכד תבנא, אסחר אשא מקמאי, ומעלמין לא אתפסק, ולא הוה עאל בר נש, אלא ברשותא. והשתא חמינא דאתפסק, והא אתמלי ביתא.

כד. עד דהוו יתבי, פתח עינוי ר"ש, וחמא מה דחמא, ואסחר אשא בביתא, נפקו כולהו, ואשתארו רבי אלעזר בריה, ורבי אבא. ושאר חבריא יתבו אבראי. אר"ש לרבי אלעזר בריה, פוק חזי, אי הכא רבי יצחק, דאנא מערבנא ליה, אימא ליה דיסדר מלוי, ויתיב לגבאי, זכאה חולקיה.

כה. קם ר"ש, ויתיב, וחייך, וחדי. אמר, אן אינון חבריא. קם רבי אלעזר, ואעיל לון. יתבו קמיה. זקיף ידוי ר"ש, ומצלי צלותא, והוי חדי, ואמר, אינון חבריא דאשתכחו בבי אדרא, יזדמנון הכא. נפקו כלהו, ואשתארו רבי אלעזר בריה, ורבי אבא, ורבי יהודה, ורבי יוסי, ורבי חייא. אדהכי, עאל רבי יצחק, א"ל ר"ש, כמה יאות חולקך, כמה חידו בעי לאתוספא לך בהאי יומא, יתיב רבי אבא בתר כתפוי, ורבי אלעזר קמיה.

כו. אר"ש, הא השתא שעתא דרעותא הוא, ואנא בעינא למיעל בלא כסופא לעלמא דאתי. והא מלין קדישין דלא גליאן עד השתא, בעינא לגלאה קמי שכינתא, דלא יימרון דהא בגריעותא אסתלקנא מעלמא. ועד כען טמירין הוו בלבאי, למיעל בהו לעלמא דאתי.

כז. וכך אסדרנא לכו, רבי אבא יכתוב, ורבי אלעזר ברי ילעי, ושאר חבריא ירחשון בלבייהו. קם רבי אבא מבתר כתפוי. ויתיב רבי אלעזר בריה קמיה, א"ל קום ברי, דהא אחרא יתיב בההוא אתר, קם רבי אלעזר.

כח. אתעטף ר"ש, ויתיב. פתח ואמר, לא המתים יהללו יה ולא כל יורדי דומה. לא המתים יהללו יה, הכי הוא ודאי, אינון דאקרון מתים, דהא קודשא בריך הוא חי אקרי, והוא שארי בין אינון דאקרון חיים, ולא עם אינון דאקרון מתים. וסופיה דקרא כתיב, ולא כל יורדי דומה, וכל אינון דנחתין לדומה, בגיהנם ישתארון. שאני אינון דאקרון חיים, דהא קודשא בריך הוא בעי ביקריהון.

כט. אר"ש, כמה שניא שעתא דא מאדרא. דבאדרא אזדמן קודשא בריך הוא ורתיכוי. והשתא, הא קודשא בריך הוא הכא, ואתי עם אינון צדיקייא דבגנתא דעדן, מה דלא אערעו באדרא. וקודשא בריך הוא בעי ביקריהון דצדיקייא יתיר מיקרא דיליה, כמה דכתיב בירבעם, דהוה מקטר ומפלח לע"ז, וקודשא בריך הוא אוריך ליה. וכיון דאושיט ידיה לקבלי לעדו נביאה, אתייבש ידיה, דכתיב ותיבש ידו וגו'. ועל דפלח לע"ז לא כתיב, אלא על דאושיט ידיה לעדו נביאה. והשתא קודשא בריך הוא בעי ביקרא דילן, וכלהו אתאן עמיה.

ל. אמר, הא רב המנונא סבא הכא, וסחרניה ע' צדיקי גליפן בעיטרין, מנהרין כל חד וחד מזיהרא דזיוא דעתיקא קדישא, סתימא דכל סתימין. והוא אתי למשמע בחדוותא, אלין מלין דאנא אימא. עד דהוה יתיב, אמר, הא רבי פנחס בן יאיר הכא, אתקינו דוכתיה, אזדעזעו חבריא דהוו תמן, וקמו ויתבו בשיפולי ביתא. ורבי אלעזר

וְרִבִּי אַבָּא, אִשְׁתָּאֲרוּ קַמֵּיהּ דר"ש. אר"ש, בְּאִדְרָא אִשְׁתֵּכַחְנָא דְּכֹל חַבְרַיָּיא הֲווּ אַמְרֵי, וַאֲנָא עִמְּהוֹן. הַשְׁתָּא אֵימָא אֲנָא בִּלְחוֹדָאי, וְכֻלְּהוּ צַיְיתִין לְמִלּוּלִי עִלָּאִין וְתַתָּאִין. זַכָּאָה חוּלָקִי יוֹמָא דֵּין.

לא. פָּתַח ר"ש וְאָמַר, אֲנִי לְדוֹדִי וְעָלַי תְּשׁוּקָתוֹ. כָּל יוֹמִין דְּאִתְקְטַרְנָא בְּהַאי עָלְמָא, בְּחַד קְטִירָא אִתְקְטַרְנָא בֵּיהּ בְּקוּדְשָׁא בְּרִיךְ הוּא, ובג"כ הַשְׁתָּא וְעָלַי תְּשׁוּקָתוֹ. דְּהוּא וְכָל סִיעָתָא קַדִּישָׁא דִּילֵיהּ, אָתוּ לְמִשְׁמַע בְּחֶדְוָה, מִלִּין סְתִימִין, וּשְׁבָחָא דְּעַתִּיקָא קַדִּישָׁא, סְתִימָא דְּכָל סְתִימִין, פָּרִישׁ וְאִתְפְּרַשׁ מִכֹּלָּא, וְלָא פָּרִישׁ, דְּהָא כֹּלָּא בֵּיהּ מִתְדְּבַק, וְהוּא מִתְדְּבַק בְּכֹלָּא הוּא כֹּלָּא.

לב. עַתִּיקָא דְּכָל עַתִּיקִין, סְתִימָא דְּכָל סְתִימִין, אִתְתְּקַן וְלָא אִתְתְּקַן. אִתְתְּקַן, בְּגִין לְקַיְּימָא כֹּלָּא. וְלָא אִתְתְּקַן, בְּגִין דְּלָא שְׁכִיחַ.

לג. כַּד אִתְתְּקַן, אַפִּיק ט' נְהוֹרִין, דְּלַהֲטִין מִנֵּיהּ, מִתִּקּוּנוֹי. וְאִינּוּן נְהוֹרִין מִנֵּיהּ, מִתְנַהֲרִין וּמִתְלַהֲטִין, וְאָזְלִין וּמִתְפַּשְּׁטִין לְכָל עִיבָר. כְּבוֹצִינָא דְּאִתְפַּשְּׁטִין מִנֵּיהּ נְהוֹרִין לְכָל עִיבָר. וְאִינּוּן נְהוֹרִין דְּמִתְפַּשְּׁטִין, כַּד יִקְרְבוּן לְמִנְדַּע לוֹן, לָא שְׁכִיחַ אֶלָּא בּוֹצִינָא בִּלְחוֹדוֹי. כַּךְ הוּא עַתִּיקָא קַדִּישָׁא, הוּא בּוֹצִינָא עִלָּאָה, סְתִימָא דְּכָל סְתִימִין. וְלָא שְׁכִיחַ בַּר אִינּוּן נְהוֹרִין דְּמִתְפַּשְּׁטָן, דְּמִתְגַּלְיָין, וּטְמִירָן. וְאִינּוּן אִקְרוּן שְׁמָא קַדִּישָׁא. ובג"כ כֹּלָּא חַד.

לד. וּמַה דְּאַמְרֵי חַבְרָנָא בְּסִפְרֵי קַדְמָאֵי, דְּאִינּוּן דַּרְגִּין דְּאִתְבְּרִיאוּ, וְעַתִּיקָא קַדִּישָׁא אִתְגַּלֵּי בְּהוּ, בְּכָל חַד וְחַד. מִשּׁוּם דְּאִינּוּן תִּקּוּנִין דְּעַתִּיקָא קַדִּישָׁא. לָאו הַשְׁתָּא עִידָּנָא לְהָנֵי מִלִּין דְּהָא אֲמֵינָא לוֹן בְּאִדְרָא קַדִּישָׁא. וַחֲמֵינָא מַה דְּלָא יָדַעְנָא הָכִי, וְעַד הַשְׁתָּא אַסְתִּים בְּלִבָּאֵי מִלָּה. וְהַשְׁתָּא אֲנָא בִּלְחוֹדָאי אַסְהִידְנָא קַמֵּי מַלְכָּא קַדִּישָׁא, וְכָל הָנֵי זַכָּאֵי קְשׁוֹט דְּאָתוּ לְמִשְׁמַע מִלִּין אִלֵּין.

לה. גּוּלְגַּלְתָּא דְּרֵישָׁא חִוְּורָא, לָאו בֵּיהּ שֵׁירוּתָא וְסִיּוּמָא. קוּלְטְרָא דִּקְטִפּוֹי, אִתְפְּשַׁט וְאִתְנְהִיר, וּמִנֵּיהּ יַרְתוּן צַדִּיקַיָּיא ד' מְאָה עָלְמִין דְּכִסּוּפִין לְעָלְמָא דְּאָתֵי. מֵהַאי קוּלְטְרָא דִּקְטָפָא, דְּהִיא גּוּלְגַּלְתָּא חִוָּורָא, נָטִיף טַלָּא כָּל יוֹמָא, לְהַהוּא זְעֵיר אַנְפִּין, לַאֲתַר דְּאִתְקְרֵי שָׁמַיִם, וּבֵיהּ זְמִינִין מֵיתַיָּיא לַאֲחָיָיא לִזְמְנָא דְּאָתֵי. דִּכְתִּיב וְיִתֵּן לְךָ הָאֱלֹהִים מִטַּל הַשָּׁמַיִם. וְאִתְמַלְיָיא רֵישֵׁיהּ וּמֵהַהוּא זְעֵיר אַפִּין, נָטִיף לַחֲקַל תַּפּוּחִין. וְכָל חֲקַל תַּפּוּחִין, נְהִירִין מֵהַהוּא טַלָּא.

לו. הַאי עַתִּיקָא קַדִּישָׁא טָמִיר וְגָנִיז. וְחָכְמְתָא עִלָּאָה סְתִימָאָה, בְּהַהוּא גּוּלְגַּלְתָּא מִשְׁתְּכַח, וַדַּאי בְּהַאי עַתִּיקָא, לָא אִתְגַּלְיָיא אֶלָּא רֵישָׁא בִּלְחוֹדוֹי, בְּגִין דְּאִיהוּ רֵישָׁא לְכָל רֵישָׁא. וְחָכְמְתָא עִלָּאָה, דְּאִיהִי רֵישָׁא, בֵּיהּ סָתִים, וְאִקְרֵי מוֹחָא עִלָּאָה. מוֹחָא סְתִימָא. מוֹחָא דְּשָׁכִיךְ וְשָׁקִיט. וְלֵית דְּיָדַע לֵיהּ, בַּר אִיהוּ.

לז. תְּלַת רֵישִׁין אִתְגַּלְּפָן, דָּא, לְגוֹ מִן דָּא. וְדָא, לְעֵילָּא מִן דָּא. רֵישָׁא חֲדָא, חָכְמְתָא סְתִימָאָה, דְּאִתְכַּסְיָיא, וְלָאו מִתְפַּתְּחָא. וְחָכְמְתָא דָּא סְתִימָאָה, רֵישָׁא לְכָל רֵישֵׁיהּ, דִּשְׁאַר חָכְמוֹת. רֵישָׁא עִלָּאָה, עַתִּיקָא קַדִּישָׁא, סְתִימָא דְּכָל סְתִימִין. רֵישָׁא דְּכָל רֵישָׁא, רֵישָׁא דְּלָאו רֵישָׁא. וְלָא יָדַע, וְלָא אִתְיְדַע, מַה דַּהֲוֵי בְּרֵישָׁא דָּא, דְּלָא אִתְדְּבַק בְּחָכְמְתָא, וְלָא בְּסוּכְלְתָנוּ. וְעַל הַאי אִקְרֵי, בְּרַח לְךָ אֶל מְקוֹמֶךָ. וְהַחַיּוֹת רָצוֹא וָשׁוֹב.

לח. וּבְגִין כַּךְ עַתִּיקָא קַדִּישָׁא אִקְרֵי, אַיִן. דְּבֵיהּ תַּלְיָיא אַיִן. וְכָל אִינּוּן שַׂעְרֵי, וְכָל אִינּוּן נִימִין, מִמּוֹחָא סְתִימָאָה נָפְקִין. וְכֻלְּהוּ שְׁעִיעִין, בְּשִׁקּוּלָא. וְלָא אִתְחֲזֵי קְדָלָא.

לט. כֹּלָּא הוּא, בְּגִין דְּהַאי עַתִּיקָא קַדִּישָׁא בְּחַד הֲוֵי. כֹּלָּא בְּחִידוּ, וְלָא שַׁנְּיָא מֵרַחֲמֵי לְעָלְמִין. בִּתְלַת עֲשַׂר מְכִילָן דְּרַחֲמִין אִשְׁתְּכַח. בְּגִין דְּהַאי חָכְמְתָא סְתִימָאָה דְּבֵיהּ, מִתְפָּרַשׁ תְּלַת זִמְנִין לְאַרְבַּע אַרְבַּע. וְהוּא עַתִּיקָא, כְּלִיל לוֹן, וְשַׁלִּיט עַל כֹּלָּא.

מ. חַד אָרְחָא דְּנָהִיר בְּפַלְגּוּתָא דְּשַׂעֲרֵי דְּנַפְקֵי מִמּוֹחָא, הוּא אָרְחָא דְּנַהֲרִין בֵּיהּ צַדִּיקַיָּיא לְעָלְמָא דְּאָתֵי, דִּכְתִיב וְאֹרַח צַדִּיקִים כְּאוֹר נֹגַהּ וְגוֹ'. וע"ד כְּתִיב, אָז תִּתְעַנַּג עַל יְיָ'. וּמֵהַאי אָרְחָא מִתְנַהֲרִין כָּל שְׁאַר אָרְחִין, דְּתַלְיָין בִּזְעֵיר אַנְפִּין.

מא. הַאי עַתִּיקָא סָבָא דְּסָבִין, כִּתְרָא עִלָּאָה, לְעֵילָּא. דְּמִתְעַטְּרִין בֵּיהּ כָּל עִטְרִין, וְכִתְרִין, מִתְנַהֲרִין. וְכָל שְׁאַר בּוּצִינִין מִנֵּיהּ מִתְלַהֲטָן וּמִתְנַהֲרָן. וְהוּא, הוּא בּוּצִינָא עִלָּאָה, טְמִירָא דְּלָא אִתְיְדַע.

מב. הַאי עַתִּיקָא אִשְׁתְּכַח בִּתְלַת רֵישִׁין, וּכְלִילָן בְּחַד רֵישָׁא. וְהַהוּא רֵישָׁא עִלָּאָה, לְעֵילָּא לְעֵילָּא. וּבְגִין דְּעַתִּיקָא קַדִּישָׁא אִתְרְשִׁים בִּתְלַת, אוּף הָכֵי כָּל שְׁאַר בּוּצִינִין דְּנַהֲרִין מִנֵּיהּ, כְּלִילָן בִּתְלַת. עוֹד, עַתִּיקָא אִתְרְשִׁים בִּתְרֵין. כְּלָלָא דְּעַתִּיקָא בִּתְרֵין. הוּא כִּתְרָא עִלָּאָה דְּכָל עִלָּאִין, רֵישָׁא דְּכָל רֵישֵׁי. וְהַהוּא דַּהֲוֵי לְעֵילָּא מִן דָּא, דְּלָא אִתְיְדַע. כָּךְ כָּל שְׁאַר בּוּצִינִין, סְתִימִין בִּתְרֵין. עוֹד עַתִּיקָא קַדִּישָׁא אִתְרְשִׁים וְאִסְתִּים בְּחַד, וְהוּא חַד, וְכֹלָּא הוּא חַד. כָּךְ כָּל שְׁאַר בּוּצִינִין, מִתְקַדְּשִׁין, מִתְקַשְּׁרִין, וּמִתְהַדְּרִין בְּחַד, וְאִינּוּן חַד.

מג. מִצְחָא דְּאִתְגַּלֵּי בְּעַתִּיקָא קַדִּישָׁא, רָצוֹן אִקְרֵי, דְּהָא רֵישָׁא עִלָּאָה דָּא סָתִים לְעֵילָּא, דְּלָא אִתְיְדַע פָּשִׁיט חַד טוּרְנָא בְּסִימָא, יָאָה, דְּאִתְכְּלִיל בְּמִצְחָא. וּבְגִין דְּהַהוּא רַעֲוָא דְּכָל רַעֲוִין, אִתְתְּקַן בְּמִצְחָא, וְאִתְגַּלְיָיא בְּבוּסִיטָא, הַאי מִצְחָא אִקְרֵי רָצוֹן.

מד. וְכַד רָצוֹן דָּא אִתְגַּלְיָיא, רַעֲוָא דְּרַעֲוִין אִשְׁתְּכַח בְּכֻלְּהוּ עָלְמִין, וְכָל צְלוֹתִין דִּלְתַתָּא מִתְקַבְּלִין, וּמִתְנַהֲרִין אַנְפּוֹי דִּזְעֵיר אַנְפִּין, וְכֹלָּא בְּרַחֲמֵי אִשְׁתְּכַח, וְכָל דִּינִין אִתְטַמְּרָן וְאִתְכַּפְיָין.

מה. בְּשַׁבְּתָא בְּשַׁעֲתָא דִּצְלוֹתָא דְּמִנְחָה, דְּהוּא עִידָּן דְּכָל דִּינִין מִתְעָרִין, אִתְגַּלְיָיא הַאי מִצְחָא, וְאִתְכַּפְיָין כָּל דִּינִין, וְאִשְׁתְּכָחוּ רַחֲמִין בְּכֻלְּהוּ עָלְמִין. וּבְגִ"כ אִשְׁתְּכַח שַׁבָּת בְּלָא דִּינָא, לָא לְעֵילָּא וְלָא לְתַתָּא. וַאֲפִילּוּ אֶשָּׁא דְּגֵיהִנָּם אִשְׁתְּקַע בְּאַתְרֵיהּ, וְנַיְיחִין חַיָּיבַיָּא. וְעַל דָּא אִתּוֹסָף נִשְׁמְתָא דְּחִידוּ בְּשַׁבְּתָא.

מו. וּבָעֵי בַּר נָשׁ לְמֶחְדֵּי בִּתְלַת סְעוּדָתֵי דְּשַׁבְּתָא, דְּהָא כָּל מְהֵימְנוּתָא, וְכָל כְּלָלָא דִּמְהֵימְנוּתָא, בֵּיהּ אִשְׁתְּכַח, וּבָעֵי בַּר נָשׁ לְסַדְּרָא פָּתוֹרָא, וּלְמֵיכַל תְּלַת סְעוּדָתֵי דִּמְהֵימְנוּתָא, וּלְמֶחֱדֵי בְּהוּ.

מז. אָמַר רַבִּי שִׁמְעוֹן, אַסְהַדְנָא עָלַי לְכָל אִלֵּין דְּהָכָא, דְּהָא מִן יוֹמַאי לָא בָּטִילְנָא אִלֵּין ג' סְעוּדָתֵי, וּבְגִינֵיהוֹן לָא אִצְטְרִיכְנָא לְתַעֲנִיתָא בְּשַׁבְּתָא. וַאֲפִילּוּ בְּיוֹמֵי אָחֳרָנֵי לָא אִצְטְרִיכְנָא, כ"ש בְּשַׁבְּתָא. דְּמַאן דְּזָכֵי בְּהוּ, זָכֵי לִמְהֵימְנוּתָא שְׁלֵימְתָא. חַד, סְעוּדָתָא דְּמַטְרוֹנִיתָא. וְחַד, סְעוּדָתָא דְּמַלְכָּא קַדִּישָׁא. וְחַד, סְעוּדָתָא דְּעַתִּיקָא קַדִּישָׁא, סְתִימָא דְּכָל סְתִימִין. וּבְהַהוּא עָלְמָא יִזְכֵּי בְּהוּ לְאִלֵּין. הַאי רָצוֹן כַּד אִתְגַּלְיָיא, כָּל דִּינִין אִתְכַּפְיָין מִשּׁוּלְשְׁלֵיהוֹן.

מח. תִּקּוּנָא דְּעַתִּיקָא קַדִּישָׁא אִתְתְּקַן בְּתִקּוּנָא חַד, כְּלָלָא דְּכָל תִּקּוּנִין. וְהִיא חָכְמָה עִלָּאָה, סְתִימָאָה. כְּלָלָא דְּכָל שְׁאַר, וְהַאי אִקְרֵי עֵדֶן עִלָּאָה סְתִימָא. וְהוּא מוֹחָא דְּעַתִּיקָא קַדִּישָׁא. וְהַאי מוֹחָא אִתְפַּשַּׁט לְכָל עִיבַר, מִנֵּיהּ אִתְפַּשַּׁט עֵדֶן אָחֳרָא. וּמֵהַאי

עֵדֶן אִתְגְּלַף.

מט. וְהַהוּא רֵישָׁא סְתִימָא דִּבְרֵישָׁא דְּעַתִּיקָא דְּלָא אִתְיְדַע, כַּד פָּשִׁיט חַד טוּרְנָא, דַּהֲוָה מִתְתַּקַּן לְאִתְנְהָרָא, בָּטַשׁ בְּהַאי מוֹחָא, וְאִתְגְּלַף, וְאִתְנְהִיר בְּכַמָּה נְהִירִין, וְאַפִּיק, וְאַרְשִׁים כְּבוּסִיטָא דָּא, בְּהַאי מִצְחָא. וְאִתְרְשִׁים בֵּיהּ חַד נְהוֹרָא, דְּאִקְרֵי רָצוֹן. וְהַאי רָצוֹן אִתְפְּשַׁט לְתַתָּא בְּדִיקְנָא, עַד הַהוּא אֲתַר דְּמִתְיַשְּׁבָא בְּדִיקְנָא, וְאִקְרֵי חֶסֶד עִלָּאָה. וְדָא אִיהוּ נוֹצֵר חֶסֶד. וּבְהַאי רָצוֹן כַּד אִתְגַּלְיָיא, מִסְתַּכְּלִין מָארֵי דְּדִינָא וּמִתְכַּפְיָין.

נ. עֵינוֹי דְּרֵישָׁא דְּעַתִּיקָא קַדִּישָׁא, תְּרֵין בְּחַד שְׁקִילָן. דְּאַשְׁגְּחִין תָּדִירָא, וְלָא נָאִים. דִּכְתִּיב לֹא יָנוּם וְלֹא יִישָׁן שׁוֹמֵר יִשְׂרָאֵל, יִשְׂרָאֵל קַדִּישָׁא, בְּגִין כַּךְ לָא אִית לֵיהּ גְּבִינִין עַל עֵינָא, וְלָא כְּסוּתָא.

נא. הַהוּא מוֹחָא אִתְגְּלִיף וְנָהִיר בִּתְלַת חִוּוּרִין דְּעֵינָא, בְּחִוְּורָא חֲדָא מִסְתַּחֲיָין עַיְינִין דִּזְעֵיר אַנְפִּין, דִּכְתִּיב רוֹחֲצוֹת בֶּחָלָב. דְּהוּא חִוְּורָא קַדְמָאָה. וּשְׁאַר חִוְּורִין אִסְתַּחֲיָין וְנַהֲרִין לִשְׁאַר בּוֹצִינִין.

נב. מוֹחָא אִקְרֵי נְבִיעָא דְּבִרְכָתָא, נְבִיעָא דְּכָל בִּרְכָאן מִנֵּיהּ אִשְׁתְּכָחוּ. וּבְגִין דְּהַאי מוֹחָא לָהִיט בְּג' חִוּוּרִין דְּעֵינָא, בְּעֵינָא תַּלְיָא בֵּיהּ בִּרְכָתָא, דִּכְתִּיב טוֹב עַיִן הוּא יְבוֹרָךְ, דְּהָא בְּמוֹחָא תַּלְיָין חִוּוּרוּ דְּעֵינָא. הַאי עֵינָא כַּד אַשְׁגַּח בִּזְעֵיר אַנְפִּין, אַנְהֲרָן כֻּלְּהוּ בְּחֶדְוָו. עֵינָא דָא, הוּא כֹּלָּא יְמִינָא, לֵית בֵּיהּ שְׂמָאלָא. עַיְינִין דִּלְתַתָּא, יְמִינָא וּשְׂמָאלָא, תְּרֵי, בִּתְרֵי גַּוְונִין.

נג. בִּצְנִיעוּתָא דְּסִפְרָא אוֹלִיפְנָא, דְּהָא י' עִלָּאָה, י' תַּתָּאָה. ה' עִלָּאָה, ה' תַּתָּאָה. ו' עִלָּאָה, ו' תַּתָּאָה. כָּל אִלֵּין עִלָּאִין, בְּעַתִּיקָא תַּלְיָין. תַּתָּאִין, בִּזְעֵיר אַנְפִּין אִינּוּן. לָאו תַּלְיָין, אֶלָּא אִינּוּן מַמָּשׁ. וּבְעַתִּיקָא קַדִּישָׁא תַּלְיָין. דְּהָא שְׁמָא דְּעַתִּיקָא אִתְכַּסְיָיא מִכֹּלָּא, וְלָא אִשְׁתְּכַח. אֲבָל אִלֵּין אַתְוָון דְּתַלְיָין בְּעַתִּיקָא. בְּגִין דְּיִתְקַיְּימוּן אִינּוּן דִּלְתַתָּא. דְּאִי לָאו הָכִי לָא יִתְקַיְּימוּן.

נד. וּבְגִין כַּךְ, שְׁמָא קַדִּישָׁא סָתִים וְגַלְיָיא. הַהוּא דְּסָתִים לָקֳבְלֵיהּ דְּעַתִּיקָא קַדִּישָׁא, סְתִימָא דְּכֹלָּא. וְהַהוּא דְּאִתְגַּלְיָיא בִּזְעֵיר אַפִּין. וּבְגִין כַּךְ, כָּל בִּרְכָאן בָּעְיָין סָתִים וְגַלְיָיא. אִלֵּין אַתְוָון סְתִימָן דְּתַלְיָין בְּעַתִּיקָא קַדִּישָׁא.

נה. חוֹטָמָא, בְּהַאי חוֹטָמָא, בְּנוּקְבָא דְּפַרְדַּשְׁקָא דְּבֵיהּ, נָשִׁיב רוּחָא דְּחַיֵּי לִזְעֵיר אַפִּין. וּבְהַאי חוֹטָמָא, בְּנוּקְבָא דְּפַרְדַּשְׁקָא, תַּלְיָא ה', לְקַיְּימָא ה' אַחֲרָא דִּלְתַתָּא. וְדָא רוּחָא נָפִיק מִמּוֹחָא סְתִימָאָה, וְאִקְרֵי רוּחָא דְּחַיֵּי. וּבְהַאי רוּחָא, זְמִינִין לְמִנְדַּע חָכְמְתָא, בִּזְמְנָא דְּמַלְכָּא מְשִׁיחָא. דִּכְתִּיב, וְנָחָה עָלָיו רוּחַ יְיָ' רוּחַ חָכְמָה וּבִינָה וְגוֹ'. הַאי חוֹטָמָא, חַיִּין מִכָּל סִטְרִין, חֶדְוָו שְׁלִימָא. נַחַת רוּחַ. אַסְוָותָא. בְּחוֹטָמָא דִּזְעֵיר אַנְפִּין כְּתִיב, עָלָה עָשָׁן בְּאַפּוֹ וְגוֹ'. וְהָכָא כְּתִיב וּתְהִלָּתִי אֶחֱטָם לָךְ.

נו. וּבְסִפְרָא דְּאַגַּדְתָּא, דְּבֵי רַב יֵיבָא סָבָא, אוֹקִים, ה' בְּפוּמָא, וְהָכָא לָא מִתְקַיְּימָא הָכִי, וְלָא אִצְטְרָפָא, אע"ג דִּבְחַד סַלְקָא, אֶלָּא בְּהַ' דִּינָא תַּלְיָא, וְדִינָא בְּחוֹטָמָא תַּלְיָא, דִּכְתִּיב עָלָה עָשָׁן בְּאַפּוֹ. וְאִי תֵּימָא, הָא כְּתִיב וְאֵשׁ מִפִּיו תֹּאכֵל. עִקָּרָא דְּרוּגְזָא בְּחוֹטָמָא תַּלְיָא.

נז. כָּל תִּקּוּנִין דְּעַתִּיקָא קַדִּישָׁא, בְּמוֹחָא שָׁקִיט וְסָתִים מִתְתַּקְּנָן. וְכָל תִּקּוּנִין דִּזְעֵיר אַנְפִּין, בְּחָכְמָה תַּתָּאָה מִתְתַּקְּנָן. דִּכְתִּיב, כֻּלָּם בְּחָכְמָה עָשִׂיתָ וְהַ' כְּלָלָא דְּכֹלָּא וַדַּאי. מַה בֵּין ה' לְהַ'. ה' דְּהָכָא, דִּינָא אִתְּעַר מִנָּהּ. וּדְהָכָא רַחֲמֵי גּוֹ רַחֲמֵי.

נח. בְּדִיקְנָא דְּעַתִּיקָא קַדִּישָׁא, תַּלְיָא כָּל יְקִירוּ דְּכֹלָּא. מַזָּלָא דְּכֹלָּא אִקְרֵי. מֵהַאי

דִּיקְנָא, מַזָּלָא, יַקִּירוּתָא דְּכֹל יַקִּירִין, מַזָּלֵי עִלָּאֵי וְתַתָּאֵי. כֻּלְּהוּ מַשְׁגִּיחִין לְהַהוּא מַזָּלָא. בְּהַאי מַזָּלָא תַּלְיָא חַיֵּי דְּכֹלָּא, מְזוֹנֵי דְּכֹלָּא. בְּהַאי מַזָּלָא תַּלְיָין שְׁמַיָּא וְאַרְעָא. גִּשְׁמִין דְּרַעֲוָא. בְּהַאי מַזָּלָא, אַשְׁגָּחוּתָא דְּכֹלָּא. בְּהַאי מַזָּלָא תַּלְיָין כָּל חַיָּילִין עִלָּאִין וְתַתָּאִין.

נט. תְּלַת עֲשַׂר נְבִיעִין, דִּמְשַׁח רְבוּתָא טָבָא, תַּלְיָין בְּדִיקְנָא דְּמַזָּלָא יַקִּירָא דָּא. וְכֻלְּהוּ נָפְקִין לִזְעֵיר אַנְפִּין. לָא תֵּימָא כֻּלְּהוּ, אֶלָּא תִּשְׁעָה מִנַּיְיהוּ, מִשְׁתַּכְּחָן בְּזו״א, לְאַכְפְּיָיא דִּינִין.

ס. הַאי מַזָּלָא, תַּלְיָיא בְּשִׁקּוּלָא עַד טַבּוּרָא. כָּל קְדוּשֵׁי קְדוּשִׁין דִּקְדוּשָּׁא בֵּיהּ תַּלְיָין. בְּהַאי מַזָּלָא, פָּשִׁיט פְּשִׁיטוּתָא דְּקוּטְרָא עִלָּאָה. הַהוּא רֵישָׁא דְּכָל רֵישִׁין, דְּלָא אִתְיְדַע, וְלָא אִשְׁתְּמוֹדַע, וְלָא יַדְעִין עִלָּאִין וְתַתָּאִין. בְּגִין כַּךְ כֹּלָּא בְּהַאי מַזָּלָא תַּלְיָיא.

סא. בְּדִיקְנָא דָּא, ג׳ רֵישִׁין דְּאַמֵינָא, מִתְפַּשְּׁטָן. וְכֻלְּהוּ מִתְחַבְּרָן בְּהַאי מַזָּלָא, וּמִשְׁתַּכְּחִין בֵּיהּ. וּבְגִין כַּךְ, כָּל יְקִירוּ דְּיַקִּירוּתָא, בְּהַאי מַזָּלָא תַּלְיָיא. כָּל אִלֵּין אַתְוָון דְּתַלְיָין בְּהַאי עַתִּיקָא, כּוּלְּהוּ תַּלְיָין בְּהַאי דִּיקְנָא, וּמִתְחַבְּרָן בְּהַאי מַזָּלָא, וְתַלְיָין בֵּיהּ, לְקַיְּימָא אַתְוָון אַחֲרָנִין. דְּאִלְמָלֵי לָא סָלִיק אִלֵּין אַתְוָון בְּעַתִּיקָא, לָא קַיְימִין אִלֵּין אַחֲרָנִין. וּבְגִין כַּךְ אָמַר מֹשֶׁה כַּד אִצְטְרִיךְ, יְיָ׳ יְיָ׳, תְּרֵי זִמְנָא, וּפָסִיק טַעֲמָא בְּגַוַויְיהוּ. דְּהָא בְּמַזָּלָא תַּלְיָיא כֹּלָּא. מֵהַאי מַזָּלָא, מִתְכַּסְּפֵי עִלָּאֵי וְתַתָּאֵי, וּמִתְכַּפְיָין קַמֵּיהּ. זַכָּאָה חוּלָקֵיהּ מַאן דְּזָכֵי לְהַאי.

סב. הַאי עַתִּיקָא קַדִּישָׁא, סְתִימָא דְּכָל סְתִימִין, לָא אַדְּכַר, וְלָא אִשְׁתְּכַח. וּבְגִין דְּאִיהוּ רֵישָׁא עִלָּאָה לְכָל עִלָּאִין, לָא אִדְּכַר, בַּר רֵישָׁא חֲדָא, בְּלָא גּוּפָא, לְקַיְּימָא כֹּלָּא.

סג. וְהַאי טָמִיר וְסָתִים וְגָנִיז מִכֹּלָּא, תִּקּוּנוֹי אִתְתַּקְּנָן, בְּהַהוּא מוֹחָא סְתִימָאָה דְּכֹלָּא, דְּאִתְפַּשַּׁט וְאִתְתַּקַּן כֹּלָּא וְנָפִיק חֶסֶד עִלָּאָה, וְחֶסֶד עִלָּאָה אִתְפַּשַּׁט וְאִתְתַּקַּן וְאִתְכְּלִיל כֹּלָּא בְּמוֹחָא סְתִימָאָה דָּא. כַּד אִתְתַּקַּן חִוָּורָא דָּא בִּנְהִירוּ דָּא, בַּטַּשׁ מַאן דְּבַטַּשׁ, בְּהַאי מוֹחָא וְאִתְנְהִיר, וְתַלְיָיא מִמַּזָּלָא יַקִּירָא מוֹחָא אַחֲרָא, דְּאִתְפַּשַּׁט וְנָהִיר לִתְלָתִין וּתְרֵין שְׁבִילִין. כַּד אִתְנְהִיר נָהִיר מִמַּזָּלָא יַקִּירָא. אִתְנְהִירוּ ג׳ רֵישִׁין עִלָּאִין, תְּרֵין רֵישִׁין, וְחַד דְּכָלִיל לוֹן. וּבְמַזָּלָא תַּלְיָין, וְאִתְכְּלִילָן בֵּיהּ.

סד. מִכָּאן שָׁארֵי לְאִתְגַּלְיָיא יְקִירוּ דְּדִיקְנָא, דְּאִיהוּ מַזָּלָא סְתִימָאָה. וְאִינּוּן מִתְתַּקְּנָן, כְּמָה דְּעַתִּיקָא קַדִּישָׁא תְּלַת רֵישִׁין מִתְעַטְּרִין בֵּיהּ, הָכִי כֹּלָּא בִּתְלַת רֵישִׁין. וְכַד אִתְנַהֲרָן, תַּלְיָין כֻּלְּהוּ דָּא בְּדָא בִּתְלַת רֵישִׁין, תְּרֵין מִתְּרֵין סִטְרִין, וְחַד דְּכָלִיל לוֹן.

סה. וְאִי תֵּימָא, מַאן עַתִּיקָא קַדִּישָׁא. ת״ח, לְעֵילָּא לְעֵילָּא, אִית דְּלָא אִתְיְדַע, וְלָא אִשְׁתְּמוֹדַע, וְלָא אִתְרְשִׁים, וְהוּא כָּלִיל כֹּלָּא, וּתְרֵין רֵישִׁין בֵּיהּ כְּלִילָן. וּכְדֵין כֹּלָּא הָכִי אִתְתַּקַּן. וְהַהוּא לָאו בְּמִנְיָינָא, וְלָא בִּכְלָלָא וְלָא בְּחוּשְׁבָּן אֶלָּא בִּרְעוּתָא דְּלִבָּא, עַל דָּא אִתְּמַר, אָמַרְתִּי אֶשְׁמְרָה דְּרָכַי מֵחֲטוֹא בִלְשׁוֹנִי.

סו. אֲתַר דְּשֵׁירוּתָא אִשְׁתְּכַח, מֵעַתִּיקָא קַדִּישָׁא, דְּאִתְנְהִיר מִמַּזָּלָא, הוּא נְהִירוּ דְּחָכְמְתָא, דְּאִתְפַּשַּׁט לִתְלָתִין וּתְרֵין עִיבָר. וְנָפְקָא מֵהַהוּא מוֹחָא סְתִימָאָה, מִנְּהִירוּ דְּבֵיהּ. וּמַה דְּעַתִּיקָא קַדִּישָׁא נָהִיר בְּקַדְמֵיתָא, דָּא הִיא. וְשֵׁירוּתָא מִמָּה דְּאִתְגַּלְיָיא, וְאִתְעָבֵיד לִתְלַת רֵישִׁין, וְרֵישָׁא חֲדָא כָּלִיל לוֹן. וְאִלֵּין תְּלַת מִתְפַּשְּׁטָן לִזְעֵיר אַנְפִּין, וּמֵאִלֵּין נַהֲרִין כֹּלָּא.

סז. אִתְגְּלִיף הַאי חָכְמְתָא, וְאַפִּיק חַד נַהֲרָא, דְּנָגִיד, וְנָפִיק לְאַשְׁקָאָה גִּנְּתָא וְעָיֵיל בְּרֵישָׁא דִּזְעֵיר אַנְפִּין, וְאִתְעָבֵיד חַד מוֹחָא וּמִתַּמָּן אִתְמְשִׁיךְ וְנָגִיד בְּכָל גּוּפָא, וְאַשְׁקֵי כָּל אִינּוּן נְטִיעָאן. הה״ד, וְנָהָר יוֹצֵא מֵעֵדֶן לְהַשְׁקוֹת אֶת הַגָּן וְגוֹ׳.

סח. תּוּ אִתְגְּלִיף הַאי וְחָכְמְתָא, וְאִתְמְשַׁךְ וְעָיֵיל בְּרֵישָׁא דִּזְעֵיר אַנְפִּין, וְאִתְעֲבֵיד מוֹחָא אוּחֲרָא. הַהוּא נְהִירוּ דְּאִתְמְשָׁכָא מִנֵּיה אִלֵּין תְּרֵין מְשִׁיכָן אִתְגְּלִיפוּ, מִתְחַבְּרָן בְּחַד רֵישָׁא דְּעֲמִיקָא דִּבְירָא, דִּכְתִיב בְּדַעְתּוֹ תְּהוֹמוֹת נִבְקָעוּ. וְעָיֵיל בְּרֵישָׁא דִּזְעֵיר אַנְפִּין, וְאִתְעֲבֵיד מוֹחָא אוּחֲרָא, וּמִתַּמָּן אִתְמְשַׁךְ וְעָיֵיל לְגוֹ גּוּפָא, וּמַלְיָיא כָּל אִנּוּן אַדְרִין וְאַכְסַדְרִין דְּגוּפָא. הה"ד. וּבְדַעַת חֲדָרִים יִמָּלְאוּ.

סט. וְאִלֵּין נַהֲרִין, מִנְּהִירוּ דְּהַהוּא מוֹחָא עִלָּאָה סְתִימָאָה, דְּנָהִיר בְּמַזָּלָא. וְכֹלָּא דָא בְּדָא תַּלְיָין. וְאִתְקְשַׁר דָא בְּדָא, וְדָא בְּדָא, עַד דְּיִשְׁתְּמוֹדַע דְּכֹלָּא חַד, וְכֹלָּא הוּא עַתִּיקָא, וְלָא אִתְפְּרַשׁ מִנֵּיהּ כְּלוּם. אִלֵּין תְּלַת נְהוֹרִין, נָהֲרִין לִתְלַת אוּחֲרָנִין, דְּאִקְרוּן אַבְהָן. וְאִלֵּין נַהֲרִין לִבְנִין. וְכֹלָּא נָהִיר מֵאֲתַר חַד. כַּד אִתְגַּלְיָיא הַאי עַתִּיקָא, רַעֲוָוא דְּרַעֲוָון, כֹּלָּא נָהִיר וְכֹלָּא אִשְׁתְּכַח בְּחֶדְוֵוד שְׁלִימָתָא.

ע. הַאי וְחָכְמְתָא אִקְרֵי עֵדֶן, וְהַאי עֵדֶן אִתְמְשַׁךְ מֵעֶדֶן עִלָּאָה, סְתִימָאָה דְּכָל סְתִימִין. וּמֵהַאי עֵדֶן, אִקְרֵי שֵׁירוּתָא. דְּבְעַתִּיקָא לָא אִקְרֵי, וְלָא הֲוֵי שֵׁירוּתָא וְסִיּוּמָא. וּבְגִין דְּלָא הֲוֵי בֵּיה שֵׁירוּתָא וְסִיּוּמָא, לָא אִקְרֵי אַתָּה. בְּגִין דְּאִתְכַּסְיָיא וְלָא אִתְגַּלְיָיא. וְאִקְרֵי הוּא. וּמֵאֲתַר דְּשֵׁירוּתָא אִשְׁתְּכַח אִקְרֵי אַתָּה, וְאִקְרֵי אָב. דִּכְתִיב, כִּי אַתָּה אָבִינוּ.

עא. בְּאַגַּדְתָּא דְּבֵי רַב יֵיבָא סָבָא, כְּלָלָא דְּכֹלָּא, זְעֵיר אַנְפִּין אִקְרֵי אַתָּה. עַתִּיקָא קַדִּישָׁא דְּאִתְכַּסְיָיא, אִקְרֵי הוּא. וְעַפִּיר. וְהַשְׁתָּא קָרֵינָן בְּאֲתַר דָּא דְּשֵׁירוּתָא אִשְׁתְּכַח, אַתָּה. אע"ג דְּאִתְכַּסְיָיא, מִנֵּיהּ הֲוֵי שֵׁירוּתָא, וְאִקְרֵי אָב. וְהוּא אָב, לְאַבְהָן. וְהַאי אָב נָפִיק מֵעַתִּיקָא קַדִּישָׁא, דִּכְתִיב וְהַחָכְמָה מֵאַיִן תִּמָּצֵא. וּבְג"כ לָא אִשְׁתְּמוֹדַע.

עב. ת"ח, כְּתִיב אֱלֹהִים הֵבִין דַּרְכָּהּ, דַּרְכָּהּ מַמָּשׁ. אֲבָל וְהוּא יָדַע אֶת מְקוֹמָהּ, מְקוֹמָהּ מַמָּשׁ. וכ"ע דַּרְכָּהּ. וכ"ש דְּהַהוּא וְחָכְמָה דִּסְתִימָא בֵּיה בְּעַתִּיקָא קַדִּישָׁא.

עג. הַאי וְחָכְמָה שֵׁירוּתָא דְּכֹלָּא, מִנֵּיהּ מִתְפַּשְּׁטָן תְּלָתִין וּתְרֵין שְׁבִילִין. וְאוֹרַיְיתָא בְּהוּ אִתְכְּלִילַת בְּעֶשְׂרִין וּתְרֵין אַתְוָון, וַעֲשַׂר אֲמִירָן. הַאי וְחָכְמָה אָב, לְאַבְהָן. וּבְהַאי וְחָכְמָה, שֵׁירוּתָא וְסִיּוּמָא אִשְׁתְּכַח. וּבְג"ד, וְחָכְמָה עִלָּאָה וְחָכְמָה תַּתָּאָה. כַּד אִתְפַּשַּׁט וְחָכְמָה, אִקְרֵי אָב לְאַבְהָן. כֹּלָּא לָא אִתְכְּלִיל אֶלָּא בְּהַאי. דִּכְתִיב כֻּלָּם בְּחָכְמָה עָשִׂיתָ.

עד. זָקַף ר"ש יְדוֹי, וְחָדֵי, אָמַר, וַדַּאי עִידָן הוּא לְגַלָּאָה, וְכֹלָּא אִצְטְרִיךְ בְּשַׁעֲתָא דָא. תָּאנָא, בְּשַׁעֲתָא דְּעַתִּיקָא קַדִּישָׁא, סְתִימָאָה דְּכָל סְתִימִין, בָּעָא לְאַתְקְנָא כֹּלָּא, אַתְקִין כְּעֵין דְּכַר וְנוּקְבָּא. בְּאֲתַר דְּאִתְכְּלִילוּ דְּכַר וְנוּקְבָּא לָא אִתְקְיָּימוּ, אֶלָּא בְּקִיּוּמָא אוּחֲרָא דִּדְכַר וְנוּקְבָּא. וְהַאי וְחָכְמָה כְּלָלָא דְּכֹלָּא, כַּד נָפְקָא וְאִתְנְהִיר מֵעַתִּיקָא קַדִּישָׁא, לָא אִתְנְהִיר אֶלָּא בִּדְכַר וְנוּקְבָּא. דְּהַאי וְחָכְמָה אִתְפַּשַּׁט, וְאַפִּיק מִנֵּיהּ בִּינָה, וְאִשְׁתְּכַח דְּכַר וְנוּקְבָּא. הוּא, וְחָכְמָה אָב. בִּינָה אֵם. וְחָכְמָה וּבִינָה, בְּחַד מַתְקְלָא אִתְקְלוּ, דְּכַר וְנוּקְבָּא. וּבְגִינַיְיהוּ כֹּלָּא אִתְקְיָּים בִּדְכַר וְנוּקְבָּא דְּאַלְמָלֵא הַאי, לָא מִתְקַיְּימִין.

עה. שֵׁירוּתָא דָא אָב לְכֹלָּא, אָב לְכֻלְּהוּ אַבְהָן, אִתְחַבְּרוּ דָּא בְּדָא, וּנְהִירוּ דָא בְּדָא. כַּד אִתְחַבְּרוּ, אוֹלִידוּ, וְאִתְפַּשְּׁטַת מְהֵימְנוּתָא. בְּאַגַּדְתָּא דְּבֵי רַב יֵיבָא סָבָא, הָכִי תָּאנֵי, מַהוּ בִּינָה. אֶלָּא כַּד אִתְחַבָּר דָּא בְּדָא, יו"ד בְּה"א, אִתְעַבְּרַת, וְאַפִּיקַת בֵּן, וְאוֹלִידַת, וּבג"כ, בִּינָה אִקְרֵי, בֵּן יָ"הּ, שְׁלִימוּתָא דְּכֹלָּא. אִשְׁתְּכָחוּ תַּרְוַויְיהוּ דְּמִתְחַבְּרָן, וּבֵן בְּגַוַויְיהוּ. כְּלָלָא דְּכֹלָּא. בְּתִקּוּנַיְיהוּ אִשְׁתְּכַח שְׁלִימוּתָא דְּכֹלָּא, אָב וָאֵם, בֵּן וּבַת.

עו. מִלִּין אִלֵּין, לָא אִתְיַיהִיבוּ לְגַלָּאָה, בַּר לְקַדִּישֵׁי עֶלְיוֹנִין, דְּעָאלוּ וְנַפְקוּ, וְיָדְעִין אָרְחוֹי דְּקוּדְשָׁא בְּרִיךְ הוּא, דְּלָא סָטָאן בְּהוּ לִימִינָא וְלִשְׂמָאלָא. דִּכְתִיב, כִּי יְשָׁרִים

דַּרְכֵי יְיָ' וְצַדִּיקִים יֵלְכוּ בָם וְגוֹ'. זַכָּאָה חוּלָקֵיהּ, דְּמַאן דְּזָכֵי לְמִנְדַּע אוֹרְחוֹי, וְלָא סָטֵי, וְלָא יִטְעֵי בְּהוּ. דְּמִלִּין אִלֵּין סְתִימִין אִינּוּן וְקַדִּישֵׁי עֶלְיוֹנִין נְהִירִין בְּהוּ, כְּמַאן דְּנָהִיר מִנְּהִירוּ דְּבוּצִינָא. לָא אִתְמְסָרוּ מִלִּין אִלֵּין, אֶלָּא לְמַאן דְּעָאל וְנָפִיק. דְּמַאן דְּלָא עָאל וְנָפַק, טַב לֵיהּ דְּלָא אִבְרֵי. דְּהָא גַּלְיָא קַמֵּי עַתִּיקָא קַדִּישָׁא, סְתִימָא דְּכָל סְתִימִין, דְּמִלִּין אִלֵּין נְהִירִין בְּלִבָּאי, בְּאַשְׁלְמוּתָא דְּרְחִימוּתָא וּדְחִילוּ דְּקוּדְשָׁא בְּרִיךְ הוּא. וְאִלֵּין בְּנֵי דְּהָכָא, יַדְעְנָא בְּהוּ דְּהָא עָאלוּ וְנַפְקוּ, וְאִתְנְהִירָן בְּאִלֵּין מִלִּין, וְלָא בְּכֻלְּהוּ. וְהַשְׁתָּא אִתְנְהִירוּ בִּשְׁלִימוּתָא כְּמָה דְּאִצְטְרִיךְ. זַכָּאָה חוּלָקִי עִמְּהוֹן, בְּהַהוּא עָלְמָא.

עז. אָמַר ר' שִׁמְעוֹן, כָּל מַה דַּאֲמֵינָא דְּעַתִּיקָא קַדִּישָׁא. וְכָל מַה דַּאֲמֵינָא דִּזְעֵיר אַנְפִּין. כֹּלָּא וַחַד, כֹּלָּא הוּא וַחַד מִלָּה. לָא תַלְיָיא בֵּיהּ פֵּירוּדָא. בְּרִיךְ הוּא בְּרִיךְ שְׁמֵיהּ לְעָלַם וּלְעָלְמֵי עָלְמִין.

עח. ת"ח, שֵׁירוּתָא דָּא דְּאִקְרֵי אָב, אִתְכְּלִיל בְּיוּ"ד, דְּתַלְיָא מִמַּזָּלָא קַדִּישָׁא. וּבְגִ"כ, יו"ד כָּלִיל אַתְוָון אָחֳרָנִין. י' סְתִימָא דְּכָל אַתְוָון אָחֳרָן. י' רֵישָׁא וְסֵיפָא דְּכֹלָּא.

עט. וְהַהוּא נָהָר דְּנָגִיד וְנָפִיק, אִקְרֵי עָלְמָא דְּאָתֵי, דְּאָתֵי תָּדִיר וְלָא פָּסִיק. וְהַאי הוּא עִדּוּנָא דְּצַדִּיקַיָּיא, לְזַכָּאָה לְהַאי עָלְמָא דְּאָתֵי, דְּאַשְׁקֵי תָּדִיר לְגִנְּתָא, וְלָא פָּסִיק. עָלֵיהּ כְּתִיב וּכְמוֹצָא מַיִם אֲשֶׁר לֹא יְכַזְּבוּ מֵימָיו. וְהַהוּא עָלְמָא דְּאָתֵי, אִבְרֵי בְּיו"ד, הה"ד, וְנָהָר יוֹצֵא מֵעֵדֶן לְהַשְׁקוֹת אֶת הַגָּן. י' כָּלִיל תְּרֵין אַתְוָון ו"ד.

פ. בְּאַגַּדְתָּא דְּבֵי רַב יֵיבָא סָבָא תָּנֵינָן, אֲמַאי ו"ד כְּלִילָן בְּיו"ד. אֶלָּא נְטִיעָה דְּגִנְּתָא דָּא, אִקְרֵי ו'. אִית גִּנְּתָא אָחֳרָא, דְּאִיהִי ד'. וּמֵהַאי ו', אִשְׁתַּקְיָיא ד'. וְהַיְינוּ רָזָא דִּכְתִיב, וְנָהָר יוֹצֵא מֵעֵדֶן וְגוֹ'. מַאי עֵדֶן. דָּא חָכְמָה עִלָּאָה, וְדָא י'. לְהַשְׁקוֹת. אֶת הַגָּן, דָּא הוּא ו'. וּמִשָּׁם יִפָּרֵד וְהָיָה לְאַרְבָּעָה רָאשִׁים, דָּא הוּא ד', וְכֹלָּא כָּלִיל בְּיו"ד.

פא. וּבְגִין כַּךְ, אִקְרֵי אָב לְכֹלָּא. אָב, לַאֲבָהָן. שֵׁירוּתָא דְּכֹלָּא, בֵּיתָא דְּכֹלָּא, דִּכְתִיב בְּחָכְמָה יִבָּנֶה בָּיִת. וּכְתִיב, כֻּלָּם בְּחָכְמָה עָשִׂיתָ. בְּאַתְרֵיהּ, לָא אִתְגַּלְיָיא, וְלָא אִתְיְדַע. מִדְּאִתְחַבַּר בְּאִימָּא אִתְרְמִיז בְּאִימָּא וּבְגִ"כ אִימָּא כְּלָלָא דְּכֹלָּא, בָּהּ אִתְיְדַע, וּבָהּ אִתְרְמִיז, שֵׁירוּתָא וְסִיּוּמָא דְּכֹלָּא. דְּבָהּ סָתִים כֹּלָּא.

פב. כְּלָלָא דְּכֹלָּא, שְׁמָא קַדִּישָׁא. עַד הַשְׁתָּא רְמִיזְנָא, וְלָא אֲמֵינָא כָּל אִלֵּין יוֹמִין. וְהָאִידְנָא מִתְגַּלְּפִין סִטְרִין, י', כָּלִיל בְּהַאי חָכְמָה. ה' דָּא אִימָּא, וְקָרֵינָן בִּינָה. ו"ה, אִלֵּין תְּרֵין בְּנִין, דְּמִתְעַטְּרָן מֵאִימָּא. וְהָא תָּנֵינָן, דְּבִינָה אִתְכְּלִיל מִכֹּלָּא. יו"ד דְּמִתְחַבְּרָא בְּאִימָּא, וּמַפְּקִין בֵּ"ן. וְהַיְינוּ בִּינָה, אָ"ב וְאֵ"ם דְּאִינּוּן י"ה, בֵּן בְּגַוַּויְיהוּ.

פג. הַשְׁתָּא אִית לְאִסְתַּכְּלָא, בִּינָה, וְאִקְרֵי תְּבוּנָה, אֲמַאי אִקְרֵי תְּבוּנָה, וְלָא בִּינָה. אֶלָּא תְּבוּנָה אִקְרֵי, בְּשַׁעְתָּא דְּיָנְקָא לִתְרֵין בְּנִין, בֵּ"ן וּבַ"ת, דְּאִינּוּן ו"ה, וְהַהִיא שַׁעְתָּא אִקְרֵי תְּבוּנָה. דְּכֹלָּא כָּלִיל בְּאִלֵּין אַתְוָון, בֵּ"ן וּבַ"ת, אִינּוּן ו"ה. וְכֹלָּא וַחַד כְּלָלָא, וְהַיְינוּ תְּבוּנָה.

פד. בְּסִפְרָא דְּרַב הַמְנוּנָא סָבָא אָמַר, דִּשְׁלֹמֹה מַלְכָּא, תִּקּוּנָא קַדְמָאָה דְּגַלֵּי וְאָמַר, הִנָּךְ יָפָה רַעְיָתִי מֵהַאי הוּא. וְתִקּוּנָא תִּנְיָינָא, אִקְרֵי כַּלָּה, דְּאִיהִי נוּקְבָא דִּלְתַתָּא. וְאִינּוּן דַּאֲמְרֵי, דִּתְרַוַויְיהוּ לְהַאי נוּקְבָא דִּלְתַתָּא אִינּוּן, לָאו הָכִי. דְּהֵ"א קַדְמָאָה לָא אִקְרֵי כַּלָּה. וְהֵ"א בַּתְרָאָה, אִקְרֵי כַּלָּה, לִזְמְנִין יְדִיעָן. דְּהָא זִמְנִין סַגִּיאִין אִינּוּן, דִּדְכוּרָא לָא אִתְחַבַּר עִמָּהּ, וְאִסְתַּלַּק מִינָּהּ, בְּהַהוּא זִמְנָא כְּתִיב, וְאֶל אִשָּׁה בְּנִדַּת טוּמְאָתָהּ לֹא תִקְרַב. בְּשַׁעְתָּא דְּאִתְדַּכְאַת נוּקְבָא, וּדְכוּרָא בָּעֵי לְאִתְחַבְּרָא עִמָּהּ, כְּדֵין אִקְרֵי כַּלָּ"ה. כְּכַלָּ"ה מַמָּשׁ אַתְיָיא.

פה. אֲבָל הַאי אִימָּא, לָא אַפְסִיק רְעוּתָא דְּתַרְוַויְיהוּ לְעָלְמִין, בְּחַד נָפְקִין, בְּחַד שַׁרְיָין. לָא אַפְסִיק דָּא מִן דָּא, וְלָא אִסְתַּלַּק דָּא מִן דָּא. ובג״כ כְּתִיב וְנָהָר יֹצֵא מֵעֵדֶן, יוֹצֵא תָּדִיר, וְלָא אַפְסִיק. הה״ד, וּכְמוֹצָא מַיִם אֲשֶׁר לֹא יְכַזְּבוּ מֵימָיו. ובג״כ כְּתִיב רַעְיָתִי, בִּרְעוּתָא דְּאַוְוֹה שַׁרְיָין, בְּאַחֲדוּתָא שְׁלֵימוּתָא. אֲבָל הָכָא אִקְרֵי כַּלָּה, דְּכַד אָתָא דְּכוּרָא לְאִתְחַבְּרָא עִמָּהּ, הִיא כַּלָּה, כְּכַלָּה אִיהִי אַתְיָיא מַמָּשׁ.

פו. ובג״כ, תְּרֵי תִּקּוּנִין דְּנוּקְבֵי פָּרִישׁ שְׁלֹמֹה. תִּקּוּנָא קַדְמָאָה, סְתִימָא, בְּגִין דְּאִיהִי סְתִימָא. וְתִקּוּנָא תִּנְיָינָא, פָּרִישׁ יַתִּיר, וְלָא סָתִים כּוּלֵי הַאי. וּלְבָתַר תַּלְיָא כָּל שְׁבָחָא בְּהַהִיא דִּלְעֵילָּא. דִּכְתִּיב, אַחַת הִיא לְאִמָּהּ בָּרָה הִיא לְיוֹלַדְתָּהּ, וּבְגִין דְּאִיהִי אִימָּא מִתְעַטְּרָא בְּעִטְרָא דְּכַלָּה, וּרְעוּתָא דְּיו״ד לָא אַפְסִיק מִנָּהּ לְעָלְמִין, אִתְיְהִיב בִּרְשׁוּתָהּ כָּל חֵירוּ דְּעַבְדִין. כָּל חֵירוּ דְּכֹלָּא. כָּל חֵירוּ דְּחַיָּיבַיָּא, לְדַכָּאָה לְכֹלָּא. דִּכְתִיב כִּי בַיּוֹם הַזֶּה יְכַפֵּר עֲלֵיכֶם. וּכְתִיב וְקִדַּשְׁתֶּם אֵת שְׁנַת הַחֲמִשִּׁים שָׁנָה יוֹבֵל הִיא. מַאי יוֹבֵל. כד״א וְעַל יוּבַל יְשַׁלַּח שָׁרָשָׁיו. מִשּׁוּם הַהוּא נָהָר דְּאָתֵי וְנָגִיד וְנָפִיק, וְאָתֵי תָּדִיר, וְלָא פָּסִיק.

פז. כְּתִיב כִּי אִם לַבִּינָה תִקְרָא לַתְּבוּנָה תִּתֵּן קוֹלֶךָ. כֵּיוָן דְּאָמַר כִּי אִם לַבִּינָה תִקְרָא, אַמַּאי לַתְּבוּנָה. אֶלָּא כֹּלָּא כְּמָה דַּאֲמֵינָא. הֵי מִנַּיְיהוּ עִלָּאָה. בִּינָה עִלָּאָה מִתְּבוּנָה. בִּינָה אָב וָאֵם וּבֵן. י״ה: אָב וָאֵם, וּבֵן בְּגַוַויְיהוּ. תְּבוּנָה: כֹּלָּא כְּלָלָא דְּבִנְיָן, בֵּן וּבַת, ו״ה. וְלָא אִשְׁתַּכַּח אָב וָאֵם, אֶלָּא בְּבִינָה. וּבִתְבוּנָה וַדַּאי אִימָּא רְבִיעָא עֲלַיְיהוּ, וְלָא אִתְגַּלְיָיא. אִשְׁתַּכַּח, דִּכְלָלָא דִּתְרֵין בְּנִין, אִקְרֵי תְּבוּנָה. וּכְלָלָא דְּאָב אֵם וּבֵן, אִקְרֵי בִּינָה. וְכַד בָּעֵי לְאַכְלְלָא כֹּלָּא, בְּהַאי אִתְכְּלִיל.

פח. וְהַאי אָב וָאֵם וּבֵן, אִקְרוּן חָכְמָה בִּינָה וָדַעַת. בְּגִין דְּהַאי בֵּן, נָטִיל סִימָנִין דַּאֲבוֹי וְאִמֵּיהּ, אִקְרֵי דַּעַת, דְּהוּא סַהֲדוּתָא דְּתַרְוַויְיהוּ. וְהַאי בֵּן, אִקְרֵי בּוּכְרָא. דִּכְתִיב, בְּנִי בְכוֹרִי יִשְׂרָאֵל. וּבְגִין דְּאִקְרֵי בּוּכְרָא, נָטִיל תְּרֵין חוּלָקִין. וְכַד אִתְרַבֵּי בְּעִטְרוֹי, נָטִיל תְּלַת חוּלָקִין. וּבֵין כָּךְ וּבֵין כָּךְ, תְּרֵין חוּלָקִין, וּתְלַת חוּלָקִין כֹּלָּא חַד מִלָּה. וְהַאי וְהַאי חַד הֲוֵי, יְרוּתָא דַּאֲבוֹי וְאִמֵּיהּ יָרִית.

פט. מַאי יְרוּתָא דָּא. אַחֲסַנְתָּא דַּאֲבוֹי וְאִימֵּיהּ, וּתְרֵין עִטְרִין דַּהֲווֹ גְּנִיזִין בְּגַוַויְיהוּ, וְאַחְסִינוּ לְבֵן דָּא. מִסִּטְרָא דַּאֲבוֹי, הֲוָה גָּנִיז בְּגַוֵּיהּ חַד עִטְרָא, דְּאִקְרֵי חֶסֶד. וּמִסִּטְרָא דְּאִימָּא, חַד עִטְרָא, דְּאִקְרֵי גְּבוּרָה. וְכֻלְּהוּ מִתְעַטְּרִין בְּרֵישֵׁיהּ, וְאָחִיד לוֹן. וְכַד נַהֲרִין אִלֵּין אָב וָאֵם עָלֵיהּ, כֻּלְּהוּ אִקְרוּן תְּפִלִּין דְּרֵישָׁא. וְכֹלָּא נָטִיל בֵּן דָּא, וְיָרִית כֹּלָּא, וְאִתְפַּשַּׁט בְּכָל גּוּפָא. וְהַאי בֵּן, יָהִיב לִבְרַתָּא. וּבְרַתָּא מִנֵּיהּ אִתְזָן. ועכ״פ מִכָּאן, בְּרָא יָרִית, וְלָא בְּרַתָּא. בְּרָא יָרִית לַאֲבוֹי וּלְאִמֵּיהּ, וְלָא בְּרַתָּא. וּמִנֵּיהּ אִתְזָן בְּרַתָּא. כְּמָה דִּכְתִיב וּמָזוֹן לְכֹלָּא בֵיהּ.

צ. הָנֵי אָב וָאֵם, כְּלִילָן וּמִתְחַבְּרָן דָּא בְּדָא. וְאָב טָמִיר יַתִּיר. וְכֹלָּא אָחִיד מֵעַתִּיקָא קַדִּישָׁא, וְתַלְיָא מִמַּזָּלָא קַדִּישָׁא, יְקִירוּ דְּכָל יַקִּירִין. וְאִלֵּין אָב וָאֵם, מְתַקְּנִין בֵּיתָא, כְּמָה דַּאֲמֵינָא דִּכְתִיב, בְּחָכְמָה יִבָּנֶה בָּיִת וּבִתְבוּנָה יִתְכּוֹנָן וּבְדַעַת חֲדָרִים יִמָּלְאוּ כָּל הוֹן יָקָר וְנָעִים. וּכְתִיב כִּי נָעִים כִּי תִשְׁמְרֵם בְּבִטְנֶךָ.

צא. אר״ש, בְּאִדְּרָא לָא גַּלֵּינָא כֹּלָּא. וְכָל הָנֵי מִלִּין, טְמִירִין בְּלִבָּאי הֲווֹ עַד הַשְׁתָּא, וּבָעֵינָא לְאַטְמָרָא לוֹן לְעָלְמָא דְּאָתֵי, מִשּׁוּם דְּתַמָּן שְׁאֶלְתָּא שָׁאִיל לָנָא, כְּמָה דִּכְתִיב וְהָיָה אֱמוּנַת עִתֶּיךָ חֹסֶן יְשׁוּעֹת חָכְמַת וָדָעַת וְגוֹ׳, וְחָכְמָה בָּעְיָין מִינִי, וְהַשְׁתָּא רְעוּתָא דְּקוּדְשָׁא בְּרִיךְ הוּא בְּהַאי, הָא בְּלָא כְּסוּפָא אֵיעוֹל קַמֵּי פַּלְטְרוֹי.

צב. כתיב כי אל דעות יי'. דעות ודאי. הוא הדעת, בדעת כל פלטרי אתמליין, דכתיב, ובדעת חדרים ימלאו. דעת אחרא, לא אתגליא, דהא טמירא אזיל בגויה, ואתכליל ביה. דעת נהיר במוחין, ואתפשט במוחא כלא.צג. בספרא דאגדתא תנינן, כי אל דעות יי', אל תקרי דעות, אלא עדות. דהוא סהדותא דכלא, סהדותא דתרין חולקין, כד"א ויקם עדות ביעקב. ואע"ג דהאי מלה, אוקמוה בספרא דצניעותא בגוונא אחרא. התם באתריה שלים, הכא כלא שפיר, וכלא הוי, כד אסתים מלה.

צד. האי אב ואם, כלהו בהו כלילן, כלא בהו סתימן, ואינון סתימן במזלא קדישא, עתיקא דכל עתיקין. ביה כלילן. ביה סתימן. כלא הוא, כלא הוי. בריך הוא, בריך שמיה, לעלם ולעלמי עלמין.

צה. כל מלין דאדרא יאות, וכלהו מלין קדישין, מלין דלא סטאן לימינא ולשמאלא, כלהו מלין דסתימין, ואתגליין לאינון דעאלו ונפקו, וכלא הכי הוא. ועד השתא הוו מתכסיין אלין מלין, דדחילנא לגלאה, והשתא אתגליין. וגלי קמי עתיקא קדישא, דהא לא ליקרא דילי, ודבית אבא עבידנא, אלא בגין דלא איעול בכסופא קמי פלטרוי עבידנא. ועוד, הא חמינא, דקודשא בריך הוא, וכל הני זכאי קשוט דהכא משתכחן, כלהו מסתכמין על ידי. דהא חמינא דכלהו חדאן בהאי הלולא דילי, וכלהו זמינין בההוא עלמא בהילולא דילי, זכאה חולקי.

צו. א"ר אבא, כד סיים מלה דא בוצינא קדישא, בוצינא עלאה, ארים ידוי, ובכה וחייך. בעא לגלאה מלה חדא. אמר, במלה דא אצטערנא כל יומאי, והשתא לא יהבין לי רשותא. אתתקף, ויתיב, ורחיש בשפוותיה, וסגיד תלת זמנין, ולא הוה יכיל ב"נ לאסתכלא באתריה, כ"ש ביה. אמר, פומא פומא, דזכית לכל האי, לא אנגיבו מבועך. מבועך נפיק ולא פסק. עלך קרינן ונהר יוצא מעדן. וכתיב וכמוצא מים אשר לא יכזבו מימיו.

צז. האידנא אסהדנא עלי. דכל יומין דקאימנא, תאיבנא למחמי יומא דא, ולא סליק בידי, בר האידנא, דהא בעטרא דא מתעטר האי יומא. והשתא בעינא לגלאה מלין, קמיה דקודשא בריך הוא, דהא כלהו מתעטרין ברישי. והאי יומא לא יתרחק למיעל לדוכתיה, כיומא אחרא. דהא כל יומא דא ברשותי קיימא. והשתא שרינא לגלאה מלין, בגין דלא איעול בכסופא לעלמא דאתי. והא שרינא אימא.

צח. כתיב, צדק ומשפט מכון כסאך חסד ואמת יקדמו פניך. מאן חכימא, יסתכל בהאי, למחמי אורחוי דקדישא עלאה, דינין דקשוט, דינין דמתעטרין בכתרי עלאין. דהא חמינא דכלהו בוצינין נהרין מבוצינא עלאה, טמירא דכל טמירין, כלהו דרגין לאתנהרא. ובההוא נהורא דבכל דרגא ודרגא, אתגלייא מה דאתגלייא, וכלהו נהורין אחידן, נהורא דא בנהורא דא, ונהורא דא, בנהורא דא, ונהרין דא בדא, ולא מתפרשן דא מן דא.

צט. נהורא דכל בוצינא ובוצינא, דאקרון תקוני מלכא, כתרי מלכא, כל חד וחד, נהיר ואחיד בההוא נהורא דלגו לגו, ולא מתפרש לבר. ובג"כ כלא בחד דרגא אסתלק, וכלא בחד מלה אתעטר, ולא מתפרש דא מן דא, איהו ושמיה חד הוא. נהורא דאתגלייא, אקרי לבושא דמלכא. נהורא דלגו לגו, נהורא סתים, וביה שריא ההוא דלא אתפרש ולא אתגלייא.

ק. וְכֻלְּהוּ בּוּצִינֵי, וְכֻלְּהוּ נְהוֹרִין, נַהֲרִין מֵעַתִּיקָא קַדִּישָׁא סְתִימָא דְּכָל סְתִימִין, בּוּצִינָא עִלָּאָה. וְכַד מִסְתַּכְּלָן, כֻּלְּהוּ נְהוֹרִין דְּאִתְפַּשְּׁטָן. לָא אִשְׁתְּכַח בַּר בּוּצִינָא עִלָּאָה, דְּאַטְמַר וְלָא אִתְגַּלְיָיא.

קא. בְּאִינּוּן לְבוּשִׁין דִּיקָר, לְבוּשֵׁי קְשׁוֹט, תִּקּוּנֵי קְשׁוֹט, בּוּצִינֵי קְשׁוֹט, אִשְׁתְּכָחוּ תְּרֵין בּוּצִינִין, תִּקּוּנָא דְּכוּרְסְיָיא דְּמַלְכָּא, וְאִקְרוּן צֶדֶק וּמִשְׁפָּט. וְאִינּוּן שֵׁירוּתָא, וּשְׁלִימוּתָא, בְּכָל מְהֵימְנוּתָא. וּבְהָנֵי מִתְעַטְּרִין כָּל דִּינִין דִּלְעֵילָּא וְתַתָּא, וְכֹלָּא סָתִים בְּמִשְׁפָּט. וְצֶדֶק מֵהַאי מִשְׁפָּט אִתְּזָן. וּלְזִמְנִין קָרֵינָן לָהּ, וּמַלְכֵּי צֶדֶק מֶלֶךְ שָׁלֵם.

קב. כַּד מִתְעָרִין דִּינִין מִמִּשְׁפָּט, כֻּלְּהוּ רַחֲמֵי, כֻּלְּהוּ בִּשְׁלִימוּ. דְּהַאי מְבַסֵּם לְהַאי צֶדֶק, וְדִינִין מִתְתַּקְּנִין, וְכֻלְּהוּ נַחְתִּין לְעָלְמָא בִּשְׁלִימוּ, בְּרַחֲמֵי. וּכְדֵין שַׁעֲתָא דְּמִתְחַבְּרָן דְּכַר וְנוּקְבָא, וְכָל עָלְמִין כֻּלְּהוּ בְּרַחֲמֵי, וּבְחֶדְוָותָא.

קג. וְכַד אַסְגִּיאוּ חוֹבֵי עָלְמָא, וְאִסְתְּאֲבַת מַקְדְּשָׁא, וּדְכוּרָא אִתְרַחַק מִן נוּקְבָא, וְחִוְיָא תַּקִּיפָא שָׁרְיָא לְאִתְעָרָא, וַוי לְעָלְמָא דְּמִתְזָן בְּהַהוּא זִמְנָא מֵהַאי צֶדֶק. כַּמָּה חֲבִילֵי טְרִיקִין מִתְעָרִין בְּעָלְמָא, כַּמָּה זַכָּאִין מִסְתַּלְּקִין מֵעָלְמָא. וְכָל כַּךְ לָמָּה. בְּגִין דְּאִתְרְחַק דְּכוּרָא מִן נוּקְבָא, וּמִשְׁפָּט לָא קָרֵב בְּצֶדֶק דָּא. וְעַל הַאי כְּתִיב, וְיֵשׁ נִסְפֶּה בְּלֹא מִשְׁפָּט, דְּמִשְׁפָּט אִתְרְחַק מֵהַאי צֶדֶק, וְלָא אִתְבַּסְמָא, וְצֶדֶק יַנְקָא מֵאֲתַר אָחֳרָא.

קד. וְעַ"ד אָמַר שְׁלֹמֹה מַלְכָּא, אֶת הַכֹּל רָאִיתִי בִּימֵי הֶבְלִי יֵשׁ צַדִּיק אוֹבֵד בְּצִדְקוֹ וְגוֹ', הֶבֶל דָּא, הֶבֶל וַחֲדָא, מֵהֲבָלִים דִּלְעֵילָּא, דְּאִקְרוּן אַפֵּי מַלְכָּא, וְדָא אִיהוּ מַלְכוּתָא קַדִּישָׁא, דְּכַד הִיא מִתְעָרָא בְּדִינוֹי, כְּתִיב יֵשׁ צַדִּיק אוֹבֵד בְּצִדְקוֹ. מ"ט. מִשּׁוּם דְּמִשְׁפָּט אִתְרְחַק מִצֶּדֶק. וּבְגִ"כ אִקְרֵי, וְיֵשׁ נִסְפֶּה בְּלֹא מִשְׁפָּט.

קה. ת"ח, כַּד אִשְׁתְּכַח זַכָּאָה עִלָּאָה בְּעָלְמָא, רְחִימָא דְּקוּדְשָׁא בְּרִיךְ הוּא, אֲפִילּוּ כַּד אִתְּעַר צֶדֶק בְּלְחוֹדוֹי, יָכִיל עָלְמָא לְאִשְׁתְּזָבָא בְּגִינֵיהּ. וְקוּדְשָׁא בְּרִיךְ הוּא בָּעֵי בִּיקָרֵיהּ, וְלָא מִסְתְּפֵי מִן דִּינָא. וְכַד הַהוּא זַכָּאָה לָא קַיְּימָא בְּקִיּוּמֵיהּ, מִסְתְּפֵי אֲפִילּוּ מִמִּשְׁפָּט, וְלָא יָכִיל לְמֵיקַם בֵּיהּ. כ"ש בְּצֶדֶק.

קו. דָּוִד מַלְכָּא, בְּקַדְמֵיתָא אָמַר, בְּחָנֵנִי יְיָ' וְנַסֵּנִי. דְּהָא אֲנָא לָא מִסְתַּפֵּינָא מִכָּל דִּינִין, אֲפִילּוּ מֵהַאי צֶדֶק, וְכ"ש דַּאֲחִידְנָא בֵּיהּ, מַה כְּתִיב. אֲנִי בְּצֶדֶק אֶחֱזֶה פָנֶיךָ, בְּצֶדֶק וַדַּאי. לָא מִסְתַּפֵּינָא לְמֵיקַם בְּדִינוֹי. בָּתַר דְּחָב, אֲפִילּוּ מִמִּשְׁפָּט מִסְתְּפֵי, דִּכְתִּיב וְאַל תָּבֹא בְמִשְׁפָּט אֶת עַבְדֶּךָ. ת"ח, כַּד מִתְבַּסְמָא הַאי צֶדֶק מִמִּשְׁפָּט, כְּדֵין אִקְרֵי צְדָקָה. וְעָלְמָא מִתְבַּסְמָא בְּחֶסֶד, וְאִתְמַלְיָא מִנֵּיהּ. דִּכְתִּיב, אוֹהֵב צְדָקָה וּמִשְׁפָּט חֶסֶד יְיָ' מָלְאָה הָאָרֶץ.

קז. אַסְהַדְנָא עָלַי, דְּכָל יוֹמָאי הֲוֵינָא מִצְטַעַר עַל עָלְמָא, דְּלָא יֶעֱרַע בְּדִינוֹי דְּצֶדֶק, וְלָא יוֹקִיד עָלְמָא בְּשַׁלְהוֹבוֹי. כְּמָה דִּכְתִּיב, אָכְלָה וּמְוֹזְתָה פִּיהָ. מִכָּאן וּלְהָלְאָה, כְּפוּם כָּל וַחַד, כְּפוּם בֵּירָא עַמִּקָא, וְהָא בְּדָרָא דָּא אִית בֵּיהּ זַכָּאִין, וּזְעִירִין אִינּוּן דִּיקוּמוּן לְאַגָּנָא עַל עָלְמָא, וְעַל עָאנָא, מֵאַרְבָּעָה זִוְיָין.

קח. ע"כ אֲחִידָן מִלֵּי דָּא בְּדָא, וּמִתְפָּרְשָׁן מִלִּין דִּסְתִימִין בְּעַתִּיקָא קַדִּישָׁא, סְתִימָא דְּכָל סְתִימִין, וְהֵיךְ אֲחִידָן אִלֵּין בְּאִלֵּין. מִכָּאן לְהָלְאָה, מִלִּין דִּזְעֵיר אַנְפִּין, אִינּוּן דְּלָא אִתְגַּלְיָין בְּאִדְּרָא. אִינּוּן דַּהֲווּ סְתִימִין בְּלִבָּאי, וְתַמָּן לָא אִתְקָנוּ. הַשְׁתָּא אִתְתְּקָנוּ וְאִתְגַּלְיָין, וְכֻלְּהוּ מִלִּין סְתִימִין, וּבְרִירִין כֻּלְּהוּ. זַכָּאָה חוּלָקִי, וְאִינּוּן דְּיַרְתוּ יְרוּתָא דָּא, דִּכְתִּיב אַשְׁרֵי הָעָם שֶׁכָּכָה לּוֹ וְגוֹ'.

קט. הַאי דְּאוֹקִימְנָא, אָב וָאֵם בְּעַתִּיקָא אִתְאֲחִידָן, בְּתִיקּוּנוֹי, הָכִי הוּא. דְּהָא מִמּוֹחָא סְתִימָאָה דְּכָל סְתִימִין תַּלְיָין, וּמִתְאַחֲדָן בֵּיהּ. וְכַד יִסְתַּכְּלוּן מִלֵּי. כֹּלָּא הוּא עַתִּיקָא בִּלְחוֹדוֹי, הוּא הֲוֵי, וְהוּא יְהֵא. וְכָל הָנֵי תִּקּוּנִין בֵּיהּ. אָ"ב וָאֵ"ם מֵהַאי מוֹחָא נָפְקוּ, אִתְכְּלִילוּ בְּמַזָּלָא, וּבֵיהּ תַּלְיָין, וּבֵיהּ אֲחִידָן. זְעֵיר אַנְפִּין, בְּעַתִּיקָא קַדִּישָׁא תַּלְיָיא וְאָחִיד. וְהָא אוֹקִימְנָא מִלֵּי בְּאִדְּרָא. זַכָּאָה חוּלָקֵיהּ דְּמַאן דְּעָאל וְנָפִיק, וְיִנְדַּע אוֹרְחִין דְּלָא יִסְטֵי לִימִינָא וְלִשְׂמָאלָא. וּמַאן דְּלָא עָאל וְנָפַק, טַב לֵיהּ דְּלָא אִבְרֵי. וּכְתִיב כִּי יְשָׁרִים דַּרְכֵי יְיָ'.

קי. אָמַר רִבִּי שִׁמְעוֹן, מִסְתַּכֵּל הֲוֵינָא כָּל יוֹמָא בְּהַאי קְרָא, דִּכְתִיב, בַּיְיָ' תִּתְהַלֵּל נַפְשִׁי יִשְׁמְעוּ עֲנָוִים וְיִשְׂמָחוּ. וְהָאִידָּנָא אִתְקַיַּים קְרָא כֹּלָּא. בַּיְיָ' תִּתְהַלֵּל נַפְשִׁי וַדַּאי, דְּהָא נִשְׁמָתִי בֵּיהּ אֲחִידָא, בֵּיהּ לַהֲטָא, בֵּיהּ אִתְדַּבְּקַת וְאִשְׁתַּדְּלַת וּבְאִשְׁתַּדְּלוּתָא דָּא תִּסְתַּלַּק לְאַתְרָהָא. יִשְׁמְעוּ עֲנָוִים וְיִשְׂמָחוּ, כָּל הָנֵי צַדִּיקַיָּיא, וְכָל בְּנֵי מְתִיבְתָּא קַדִּישָׁא, וְזַכָּאִין דְּאַתְיָין הַשְׁתָּא עִם קוּדְשָׁא בְּרִיךְ הוּא, כֻּלְּהוּ שַׁמְעִין מִלַּי, וְחַדָּאן. בְּגִין כָּךְ, גַּדְּלוּ לַיְיָ' אִתִּי וּנְרוֹמְמָה שְׁמוֹ יַחְדָּיו.

קיא. פָּתַח וְאָמַר, כְּתִיב, וְאֵלֶּה הַמְּלָכִים אֲשֶׁר מָלְכוּ בְּאֶרֶץ אֱדוֹם. הה"ד, כִּי הִנֵּה הַמְּלָכִים נוֹעֲדוּ עָבְרוּ יַחְדָּיו. נוֹעֲדוּ, בְּאָן אֲתַר. בְּאֶרֶץ אֱדוֹם. בַּאֲתַר דְּדִינִין מִתְאַחֲדִין תַּמָּן. עָבְרוּ יַחְדָּיו, דִּכְתִיב וַיָּמָת וַיִּמְלוֹךְ תַּחְתָּיו. הֵמָּה רָאוּ כֵּן תָּמָהוּ נִבְהֲלוּ נֶחְפָּזוּ, דְּלָא אִתְקַיָּימוּ בְּאַתְרַיְיהוּ, בְּגִין דְּתִקּוּנִין דְּמַלְכָּא לָא אִתְתְּקָנוּ, וְקַרְתָּא קַדִּישָׁא וְשׁוּרוֹי, לָא אִזְדַּמְנוּ.

קיב. הה"ד, כַּאֲשֶׁר שָׁמַעְנוּ כֵּן רָאִינוּ וְגוֹ', דְּהָא כֻּלְּהוּ לָא אִתְקָיְימוּ, וְהִיא אִתְקַיְּימַת הַשְׁתָּא, בְּסִטְרָא דִּדְכוּרָא, דְּשַׁרְיָא עִמָּהּ. הה"ד, וַיִּמְלוֹךְ תַּחְתָּיו הֲדַר וְשֵׁם עִירוֹ פָּעוּ וְשֵׁם אִשְׁתּוֹ מְהֵיטַבְאֵל בַּת מַטְרֵד בַּת מֵי זָהָב. מֵי זָהָב וַדַּאי כְּמָה דְּאוֹקִימְנָא בְּאִדְּרָא.

קיג. בְּסִפְרָא דְּאַגַּדְתָּא דְּרַב הַמְנוּנָא סָבָא אִתְּמַר, וַיִּמְלוֹךְ תַּחְתָּיו הֲדַר. הֲדַר וַדַּאי, כד"א, פְּרִי עֵץ הָדָר. וְשֵׁם אִשְׁתּוֹ מְהֵיטַבְאֵל, כד"א כַּפּוֹת תְּמָרִים. וּכְתִיב, צַדִּיק כַּתָּמָר יִפְרָח, דְּאִיהִי דְּכַר וְנוּקְבָא. הַאי אִתְקְרִיאַת בַּת מַטְרֵד, בַּת מֵהַהוּא אֲתַר דְּטַרְדִין כֹּלָּא לְאִתְדַּבְּקָא, וְאִקְרֵי אָב. וּכְתִיב לֹא יָדַע אֱנוֹשׁ עֶרְכָּהּ וְלֹא תִמָּצֵא בְּאֶרֶץ הַחַיִּים. ד"א, בַּת מֵאִימָּא, דְּמִסִּטְרָהָא מִתְאַחֲדִין דִּינִין, דְּטַרְדִין לְכֹלָּא. בַּת מֵי זָהָב, דְּיָנְקָא בִּתְרֵין אַנְפִּין, דְּנָהִירוּ בִּתְרֵין גַּוְונִין. בְּחֶסֶד וּבְדִינָא.

קיד. עַד לָא אִבְרֵי עָלְמָא, לָא הֲווּ מַשְׁגִּיחִין אַנְפִּין בְּאַנְפִּין, וּבְגִין כַּךְ, עָלְמִין קַדְמָאֵי אִתְחֲרָבוּ, וְעָלְמִין קַדְמָאֵי בְּלָא תִּקּוּנָא אִתְעֲבִידוּ. וְהַהוּא דְּלָא הֲוָה בְּתִקּוּנָא, אִקְרֵי זִיקִין נִצוֹצִין, כְּהַאי אוּמָנָא, מַרְזַפְתָּא, כַּד אַכְתִּשׁ בְּמָנָא דְּפַרְזְלָא, אַפִּיק זִיקִין לְכָל עִיבָר, וְאִינּוּן זִיקִין דְּנָפְקִין, נָפְקִין לְהִיטִין וּנְהִירִין, וְדַעֲכִין לְאַלְתַּר. וְאִלֵּין אִקְרוּן עָלְמִין קַדְמָאֵי. וּבְגִין כַּךְ אִתְחֲרָבוּ, וְלָא אִתְקַיָּימוּ. עַד דְּאִתְתְּקַן עַתִּיקָא קַדִּישָׁא, וְנָפִיק אוּמָנָא לְאוּמָנוּתֵיהּ.

קטו. וְעַל הַאי תָּנֵינָא בְּמַתְנִיתָא דִּילָן, דְּבוּצִינָא אַפִּיק זִיקִין נִיצוֹצִין לִתְלַת מְאָה וְעֶשְׂרִין עִיבָר. וְאִינּוּן זִיקִין, עָלְמִין קַדְמָאֵי אִקְרוּן, וּמִיתוּ לְאַלְתַּר. לְבָתַר נָפִיק אוּמָנָא לְאוּמָנוּתֵיהּ, וְאִתְתְּקַן בִּדְכַר וְנוּקְבָא, וְהָנֵי זִיקִין דְּאִתְדַּעֲכוּ וּמִיתוּ, הַשְׁתָּא אִתְקַיָּים כֹּלָּא. מִבּוּצִינָא דְּקַרְדִּינוּתָא, נָפַק נִיצוֹצָא, פַּטִּישָׁא תַּקִּיפָא, דְּבָטַשׁ, וְאַפִּיק זִיקִין עָלְמִין קַדְמָאֵי, וּמִתְעָרְבֵי בַּאֲוִירָא דַּכְיָא, וְאִתְבַּסְּמוּ דָּא בְּדָא.

קטז. כַּד אִתְחַבָּר אַבָּ"א וְאִימָּ"א, וְהַהוּא אָב הוּא, מֵרוּחָא דְּגָנִיז בְּעַתִּיק יוֹמִין, בֵּיהּ אִתְגְּנִיז הַאי אֲוִירָא, וְאִכְלִיל לְנִיצוֹצָא, דְּנָפַק מִבּוּצִינָא דְּקַרְדִּינוּתָא, דְּגָנִיז בְּמֵעוֹי דְּאִימָּא. וְכַד אִתְחַבָּרוּ תַּרְוַויְיהוּ, וְאִתְכְּלִילוּ דָּא בְּדָא. נָפִיק גּוּלְגַּלְתָּא חַד תַּקִּיפָא, וְאִתְפָּשַׁט בְּסִטְרוֹי, דָּא בְּסִטְרָא דָּא, וְדָא בְּסִטְרָא דָּא. כְּמָה דְּעַתִּיקָא קַדִּישָׁא תְּלַת רֵישִׁין אִשְׁתְּכָחוּ בְּחַד, כַּךְ כֹּלָּא אִזְדַּמַּן בִּתְלַת רֵישִׁין, כְּמָה דַּאֲמֵינָא.

קיז. בְּהַאי גּוּלְגַּלְתָּא דז"א, נָטִיף טַלָּא מֵרֵישָׁא חִוָּורָא, וְהַהוּא טַלָּא אִתְחֲזֵי בִּתְרֵי גַּוְונֵי. וּמִנֵּיהּ מִתְזָן חַקְלָא דְּתַפּוּחִין קַדִּישִׁין. וּמֵהַאי טַלָּא דְּגוּלְגַּלְתָּא דָּא, טָחֲנִין מַנָּא לְצַדִּיקַיָּיא לְעָלְמָא דְּאָתֵי, וּבֵיהּ זְמִינִין מֵתַיָּיא לְאַחֲיָיא. וְלָא אִזְדַּמַּן מַנָּא דְּנָפַל מֵהַאי טַלָּא, בַּר הַהוּא זִמְנָא בְּזִמְנָא דְּאָזְלוּ יִשְׂרָאֵל בְּמַדְבְּרָא, וְזָן לְהוּ עַתִּיקָא דְּכֹלָּא, מֵהַאי אֲתָר. מַה דְּלָא אִשְׁתְּכַח לְבָתַר. הה"ד הִנְנִי מַמְטִיר לָכֶם לֶחֶם מִן הַשָּׁמָיִם. כד"א וְיִתֶּן לְךָ הָאֱלֹהִים מִטַּל הַשָּׁמַיִם וְגוֹ'. הַאי בְּהַהוּא זִמְנָא. לִזְמְנָא אַחֲרָא תָּנֵינָן, קָשִׁים מְזוֹנוֹתָיו שֶׁל אָדָם קַמֵּי קוּדְשָׁא בְּרִיךְ הוּא. וְהָא בְּמַזָּלָא תַלְיָיא בְּמַזָּלָא וַדַּאי. וע"כ בְּנֵי חַיֵּי וּמְזוֹנֵי, לָאו בִּזְכוּתָא תַּלְיָיא מִלְּתָא, אֶלָּא בְּמַזָּלָא תַּלְיָיא מִלְּתָא, וְכֹלָּא תַּלְיָין בְּהַאי מַזָּלָא, כְּמָה דְּאוּקִימְנָא.

קיח. תִּשְׁעָה אַלְפִין רִבּוֹא עָלְמִין, נַטְלִין וְסַמְכִין עַל הַאי גּוּלְגַּלְתָּא. וְהַאי אֲוִירָא דַּכְיָא אִתְכְּלִיל בְּכֹלָּא, כֵּיוָן דְּהוּא כָּלִיל מִכֹּלָּא וְכֹלָּא אִתְכְּלִיל בֵּיהּ, אִתְפַּשְּׁטוּ אַנְפּוֹי לִתְרֵין סִטְרִין, בִּתְרֵי נְהוֹרִין כְּלִילָן מִכֹּלָּא. וְכַד אִסְתְּכָלוּ אַנְפּוֹי, בְּאַנְפִּין דְּעַתִּיקָא קַדִּישָׁא, כֹּלָּא אֶרֶךְ אַפַּיִם אִקְרֵי. מַאי אֶרֶךְ אַפַּיִם. אֶלָּא הָכִי תָּנֵינָן, בְּגִין דְּאָרִיךְ אַפֵּיהּ לְחַיָּיבַיָּא. אֲבָל אֶרֶךְ אַפַּיִם, אַסְוָותָא דְּאַנְפִּין. דְּהָא לָא אִשְׁתְּכַח אַסְוָותָא בְּעָלְמָא, אֶלָּא בְּזִמְנָא דְּאַשְׁגְּחִין אַנְפִּין בְּאַנְפִּין.

קיט. בַּחֲלָלָא דְּגוּלְגַּלְתָּא, נְהִירִין תְּלַת נְהוֹרִין. וְאִי תֵּימָא תְּלַת, אַרְבַּע אִינּוּן, כְּמָה דַּאֲמֵינָא, אַחֲסַנְתֵּיהּ דַּאֲבוֹי וְאִמֵּיהּ, וּתְרֵין גְּנִיזִין דִּלְהוֹן, דְּמִתְעַטְּרָן כֻּלְּהוּ בְּרֵישֵׁיהּ, וְאִינּוּן תְּפִלִּין דְּרֵישָׁא. לְבָתַר מִתְחַבְּרָן בְּסִטְרוֹי, וְנַהֲרִין וְעָאלִין בִּתְלַת חֲלָלֵי דְּגוּלְגַּלְתָּא. נָפְקִין כָּל חַד בְּסִטְרוֹי, וּמִתְפַּשְּׁטִין בְּכָל גּוּפָא.

קכ. וְאִלֵּין מִתְחַבְּרָן בִּתְרֵי מוֹחֵי. וּמוֹחָא תְּלִיתָאָה כָּלִיל לוֹן, וְאָחִיד בְּהַאי סִטְרָא וּבְהַאי סִטְרָא, וּמִתְפָּשַׁט בְּכָל גּוּפָא, וְאִתְעָבֵיד מִנֵּיהּ תְּרֵי גַּוְונֵי כְּלִילָן כַּחֲדָא. וּמֵהַאי נָהִיר אַנְפּוֹי, וְאַסְהִיד בְּאַבָּא וְאִימָּא גַּוְונֵי דְּאַנְפּוֹי. וְהוּא אִקְרֵי דַּעַת, בְּדַעַת כְּתִיב, כִּי אֵל דֵּעוֹת ה' וְגוֹ', בְּגִין דְּאִיהוּ בִּתְרֵי גַּוְונֵי לוֹ נִתְכְּנוּ עֲלִילוֹת. אֲבָל לְעַתִּיקָא קַדִּישָׁא סְתִימָאָה, לָא נִתְכְּנוּ. מ"ט נִתְכְּנוּ לְהַאי. בְּגִין דְּיָרִית תְּרֵין חוּלָקֵי, וּכְתִיב עִם חָסִיד תִּתְחַסָּד וְגוֹ'.

קכא. וְהָא בְּקְשׁוֹט אוֹקִימוּ חַבְרַיָּיא, דִּכְתִיב, וַיַּגֵּד יַעֲקֹב לְרָחֵל כִּי אֲחִי אָבִיהָ הוּא. וַיַּגֵּד, הָא אוֹקְמוּהָ, דְּכֹלָּא רָזָא דְּחָכְמְתָא. וְכִי בֶּן רִבְקָה הוּא. בֶּן רִבְקָה, וְלָא כְּתִיב בֶּן יִצְחָק. רֶמֶז, וְכֹלָּא רְמִיזָא בְּחָכְמְתָא.

קכב. וְעַל הַאי אִקְרֵי שְׁלִים בְּכֹלָּא. וּבֵיהּ אִתְחֲזֵי מְהֵימְנוּתָא. ובג"כ כְּתִיב, וַיַּגֵּד יַעֲקֹב, וְלָא כְּתִיב וַיֹּאמֶר.

קכג. הָנֵי גַּוְונֵי, כְּמָה דְּנַהֲרִין בְּעִטְרָא דְּרֵישָׁא, וְעָאלִין בַּחֲלָלֵי דְּגוּלְגַּלְתָּא. הָכִי מִתְפַּשְּׁטִין בְּכָל גּוּפָא, וְגוּפָא אִתְאֲחִיד בְּהוּ. לְעַתִּיקָא קַדִּישָׁא סְתִימָא, לָא נִתְכְּנוּ, וְלָא יָאָן לֵיהּ, דְּהָא כֹּלָּא בְּחַד אִשְׁתְּכַח, וְחֵידוּ לְכֹלָּא, וְחַיִּים לְכֹלָּא. לָא תַלְיָיא בֵּיהּ דִּינָא. אֲבָל בְּהַאי, לוֹ נִתְכְּנוּ עֲלִילוֹת וַדַּאי.

קכד. בְּגוּלְגַּלְתָּא דְּרֵישָׁא, תַּלְיָין כָּל אִינּוּן רִבְוָון וְאַלְפִין מִקּוֹצֵי דְּשַׂעֲרִין, דְּאִינּוּן

אוּכָמִין. וּמִסְתַּבְּכִין דָּא בְּדָא, אֲחִידָן דָּא בְּדָא, דַּאֲחִידָן בִּנְהִירוּ עִלָּאָה דִּמְעַטֵּר בְּרֵישֵׁיהּ מֵאַבָּא, וּמִמּוֹחָא דְּאִתְנְהִיר מֵאַבָּא. לְבָתַר נָפְקִין נִימִין עַל נִימִין, מִנְּהִירוּ דְּמִתְעַטָּר בְּרֵישֵׁיהּ מֵאִימָּא, וּמִשְּׁאַר מוֹחֵי. וְכֻלְּהוּ אֲחִידָן, וּמִסְתַּבְּכֵי בְּאִינּוּן שַׂעֲרֵי דַּאֲחִידָן מֵאַבָּא, בְּגִין דְּאִינּוּן מִתְעָרְבִין דָּא בְּדָא, וּמִסְתַּבְּכִין דָּא בְּדָא.

קכה. וְכֻלְּהוּ מוֹחֵי אֲחִידָן בְּגוּלְגּוּלְתָּא, בְּמוֹחָא עִלָּאָה. וְכֻלְּהוּ מְשִׁיכָן אִתְמַשְּׁכָן מִתְּלַת חֲלָלֵי דְּמוֹחָא, אֲחִידָן בְּמוֹחֵי מִתְעָרְבָן דָּא בְּדָא, בְּדַרְכַיָא בְּמִסְאֲבָא. בְּכָל אִינּוּן טַעֲמִין, וְרָזִין, סְתִימִין וּמִתְגַּלְיָין. וּבְגִּ"כ כֻּלְּהוּ מוֹחֵי רְמִיזֵי בְּאָנֹכִי יְיָ' אֱלֹהֶיךָ וְכוּ', כְּמָה דִּנְהוֹרִין בְּעִטְרָא דְּרֵישָׁא, וְעָאלִין בַּחֲלָלֵי דְּגוּלְגַּלְתָּא.

קכו. כָּל אִינּוּן קוֹצִין אוּכָמִין, וְחַפְיָין וְתַלְיָין לִסְטְרָא דְּאוּדְנִין. וְהָא אוֹקִימְנָא, דִּבְגִּ"כ כְּתִיב, הַטֵּה יְיָ' אָזְנְךָ וּשְׁמָע. מִכָּאן אוֹקִימְנָא, מַאן דְּבָעֵי דְּיַרְכִּין מַלְכָּא אוּדְנֵיהּ לְקַבְּלֵיהּ, יְסַלְסֵל בְּרֵישֵׁיהּ דְּמַלְכָּא, וְיִפְנֶה שַׂעֲרֵי מֵעַל אוּדְנוֹי, וְיִשְׁמַע לֵיהּ מַלְכָּא בְּכָל מַה דְּבָעֵי.

קכז. בְּפַלְגּוּתָא דְּשַׂעֲרֵי, מִתְאַחֲדָא חַד אוֹרְחָא, בְּאָרְחָא דְּעַתִּיק יוֹמִין, וּמִתְפָּרְשָׁן מִנֵּיהּ כָּל אוֹרְחוֹי דְּפִקּוּדֵי אוֹרַיְיתָא, כָּל מָארֵיהוֹן דְּיַבָּבָא וִילָלָא תַּלְיָין בְּכָל קוֹצָא וְקוֹצָא, וְאִינּוּן מַפְרְשִׁין רִשְׁתָּא לְחַיָּיבַיָּא, דְּלָא יַדְעִין אִינּוּן אָרְחִין. הה"ד, דֶּרֶךְ רְשָׁעִים כָּאֲפֵלָה. וְכָל אִלֵּין תַּלְיָין בְּקוֹצִין תַּקִּיפִין, וּבְגִּ"כ כֻּלְּהוּ תַּקִּיפִין. וְאוֹקִימְנָא בְּאִינּוּן שְׂעִיעָן אִתְאַחֲדָן מָארֵיהוֹן דְּמַתְקְלָא, דִּכְתִיב, כָּל אָרְחוֹת יְיָ' חֶסֶד וֶאֱמֶת. וְכָל כָּךְ, בְּגִין דְּמַשְׁכִין מִמּוֹחִין סְתִימִין דִּרְהִיטֵי דְּמוֹחָא.

קכח. וּבְגִּ"כ מִשְׁתַּכְּחֵי כָּל חַד כְּפוּם אוֹרְחוֹי, מֵחַד מוֹחָא בְּאִינּוּן קוֹצִין שְׂעִיעָן, אִתְמַשְּׁכָן מָארֵיהוֹן דְּמַתְקְלָא, דִּכְתִיב כָּל אָרְחוֹת יְיָ' חֶסֶד וֶאֱמֶת.

קכט. מִמּוֹחָא תִּנְיָינָא, בְּאִינּוּן קוֹצִין תַּקִּיפִין, אִתְמַשְּׁכָן וְתַלְיָין מָארֵיהוֹן דְּיַבָּבָא וִילָלָא דִּכְתִיב בְּהוּ דֶּרֶךְ רְשָׁעִים כָּאֲפֵלָה לֹא יָדְעוּ בַּמֶּה יִכָּשֵׁלוּ. מַאי קָא מַיְירֵי. אֶלָּא לֹא יָדְעוּ, כְּלוֹמַר לָא יַדְעִין, וְלָא בָּעָאן לְמִנְדַּע, בַּמֶּה יִכָּשֵׁלוּ. אַל תִּקְרֵי בַּמֶּה, אֶלָּא בְּאִימָּא יִכָּשֵׁלוּ. בְּאִינּוּן דְּמִתְאַחֲדִין בִּסְטַר דְּאִימָּא. מַאי סִטְרָא דְּאִימָּא. גְּבוּרָה תַּקִּיפָא מִינָּהּ מִתְאַחֲדָן מָארֵיהוֹן דְּיַבָּבָא וִילָלָא.

קל. מִמּוֹחָא תְּלִיתָאָה, בְּאִינּוּן קוֹצִין דְּאִינּוּן בְּאֶמְצָעִיתָא, אִתְמַשְּׁכָן וְתַלְיָין מָארֵיהוֹן דְּמִידִין. וְאִקְרוּן אַפִּין נְהִירִין וְלָא נְהִירִין. וּבְהָנֵי כְּתִיב פַּלֵּס מַעְגַּל רַגְלֶךָ. וְכֹלָּא אִשְׁתְּכַח בְּאִינּוּן קוֹצִין דְּשַׂעֲרֵי דְּרֵישָׁא.

קלא. מִצְחָא דְּגוּלְגַּלְתָּא, מִצְחָא לְאִתְפַּקְדָא חַיָּיבַיָּא עַל עוֹבָדֵיהוֹן. וְכַד הַאי מִצְחָא אִתְגַּלְיָיא, מִתְעָרִין מָארֵיהוֹן דְּדִינִין, לְאִינּוּן דְּלָא מִתְכַּסְפִין בְּעוֹבָדֵיהוֹן. הַאי מִצְחָא סוּמָקָא כְּוַורְדָא. וּבְשַׁעֲתָא דְּאִתְגַּלְיָיא מִצְחָא דְּעַתִּיקָא בְּהַאי מִצְחָא, אִתְהַדְרַת חִוָּורָא כְּתַלְגָּא. וְהַהִיא שַׁעֲתָא, עֵת רָצוֹן אִקְרֵי לְכֹלָּא.

קלב. בְּסִפְרָא דְּאַגַּדְתָּא דְּבֵי רַב יֵיבָא סָבָא אָמַר, מֶצַח. זָכֵי מֶצַח, מִצְחָא דְּעַתִּיקָא. וְאִי לָאו, אַשְׁדֵּי ו' בֵּין תְּרֵין אַתְוָון, כד"א וּמָחַץ פַּאֲתֵי מוֹאָב.

קלג. וְאוֹקִימְנָא, דְּאִקְרֵי נֶצַח בְּאַתְוָון רְצוּפִין. וְכַמָּה נְצָחִים הֲווּ. וְאַע"ג דְּנֶצַח בְּאַתְרָא אָחֳרָא אִסְתַּלַּק, וְאִית נְצָחִים אָחֳרָנִין דְּמִתְפַּשְּׁטִין בְּכָל גּוּפָא. וּבְגִין דְּשַׁבְּתָא בְּשַׁעֲתָא דִּצְלוֹתָא דְּמִנְחָה, בְּגִין דְּלָא יִתְּעַר דִּינִין, גַּלְיָא עַתִּיקָא קַדִּישָׁא מִצְחָא דִּילֵיהּ, וְכָל דִּינִין אִתְכַּפְיָין וְאִשְׁתְּכְכוּ וְלָא אִתְעֲבִידוּ.

קלד. בְּהַאי מִצְחָא תַּלְיָין כ"ד בָּתֵּי דִּינִין, לְכָל אִינּוּן דְּחַצִּיפִין בְּעוֹבָדֵיהוֹן. כְּמָה

דִּכְתִּיב, וְאָמְרוּ אֵיכָה יָדַע אֵל וְיֵשׁ דֵּעָה בְעֶלְיוֹן. וְהָא עֶשְׂרִים אִינּוּן, ד' לָמָּה. לָקֳבְלֵיהוֹן דְּד' מִיתוֹת בֵּית דִּינָא לְתַתָּא, דְּתַלְיָין מִלְּעֵילָּא. וְאִשְׁתָּאֲרוּ עֶשְׂרִין. וּבְגִ"כ לָא מַעֲנִישִׁין בֵּי דִּינָא עִלָּאָה, עַד דְּיַשְׁלִים וְסַלְקָא לְכ' שְׁנִין, לָקֳבְלֵיהוֹן דְּכ' בָּתֵּי דִּינָא. בְּמַתְנִיתָא סְתִימָאָה דִּילָן תָּנֵינָן, לָקֳבְלֵיהוֹן דְּכ"ד סְפָרִים דְּאִתְכְּלִילָן בְּאוֹרַיְיתָא.

קלה. עַיְינִין דְּרֵישָׁא, אִינּוּן עַיְינִין דְּלָא מִסְתַּמְרִין מִנַּיְיהוּ וַזְיְיבָא. עַיְינִין דְּנַיְימִין וְלָא נַיְימִין. וּבְגִ"כ אִקְרוּ עֵינָיו כְּיוֹנִים. מַאי יוֹנִים. כד"א, וְלֹא תוֹנוּ אִישׁ אֶת עֲמִיתוֹ. וְעַ"ד כְּתִיב, וַיֹּאמְרוּ לֹא יִרְאֶה יָ"הּ וְגוֹ'. וּכְתִיב הֲנוֹטַע אֹזֶן הֲלֹא יִשְׁמָע וְגוֹ'.

קלו. תִּקּוּנָא דְּעַל עֵינָא, שַׂעֲרֵי דְּמִתְשַׁעְרָן בְּשִׁעוּרָא שְׁלִים. מֵאִינּוּן שַׂעֲרִין תַּלְיָין, אֲלַף וְז' מְאָה מָארֵי דְּאַשְׁגָּחוּתָא, לְאַגְחָא קְרָבָא. וּכְדֵין קַיְימֵי כֻּלְּהוּ מְשׁוּלְשְׁלֵיהוֹן וּמִתְפַּקְחִין עַיְינִין.

קלז. כְּסוּתָא דְּעַל עַיְינִין, גְּבִינִין מִתְאַחֲדָן בְּהוּ. וַאֲלַף וְד' מְאָה רִבְּוָון מָארֵי תְּרִיסִין אִתְאַחֲדָן בְּהוּ, וְאִינּוּן אִקְרוּן כְּסוּתָא דְּעַיְינִין. וְכָל אִינּוּן דְּאִקְרוּן עֵינֵי יְיָ', לָא פַּקְחִין, וְלָא אִתְעָרוּן, בַּר בְּזִמְנָא, דְּאִלֵּין כְּסוּתֵי דִּגְבִינִין, מִתְפָּרְשָׁן אִינּוּן תַּתָּאֵי מֵעִלָּאֵי. וּבְשַׁעֲתָא דְּאִתְפָּרְשָׁן גְּבִינֵי תַּתָּאֵי מֵעִלָּאֵי, וְיָהֲבִין אֲתַר לְאַשְׁגָּחָא מִתְפַּקְחִין עַיְינִין, וְאִתְחֲזֵי כְּמַאן דְּאִתְעַר מִשִּׁינְתֵיהּ. אִסְתַּחֲרוּ עַיְינִין וְחָמָא לְעֵינָא פְּקִיחָא, וְאִסְתְּחָן בְּחִוָּורָא דִּילֵיהּ. וְכַד אִסְתַּחְיָין, אִתְכַּפְיָין מָארֵיהוֹן דְּדִינִין לְיִשְׂרָאֵל. וּבְגִ"כ כְּתִיב, עוּרָה לָמָּה תִישַׁן יְיָ' הָקִיצָה וְגוֹ'.

קלח. אַרְבַּע גַּוְונִין אִתְחַזְיָין בְּאִינּוּן עַיְינִין. מֵאִינּוּן נְהִירִין ד' בָּתֵּי דִּתְפִלִּין, דְּנַהֲרִין בִּרְהִיטֵי מוֹחָא. ז' דְּאִקְרוּן עֵינֵי ה'. וְאַשְׁגָּחוּתָא נַפְקֵי, מִגַּוָּון אוּכְמָא דְּעֵינָא. כְּמָה דְּאוֹקִימְנָא בְּאִדְּרָא, דִּכְתִּיב עַל אֶבֶן אַחַת שִׁבְעָה עֵינָיִם. וְאִינּוּן גַּוְונִין מִתְלַהֲטִין בְּסִטְרַיְיהוּ.

קלט. מִסּוּמָקָא, נָפְקִין אוּחֲרָנִין, מָארֵי דְּאַשְׁגָּחוּתָא לְדִינָא. וְאִינּוּן אִקְרוּן, עֵינֵי יְיָ' מְשׁוֹטְטוֹת בְּכָל הָאָרֶץ. מְשׁוֹטְטוֹת, וְלֹא מְשׁוֹטְטִים. בְּגִין דְּכֻלְּהוּ דִּינָא. מִירוּקָא, נָפְקִין אוּחֲרָנִין, דְּקַיְימִין לְגַלָּאָה עוֹבָדִין, בֵּין טַב וּבֵין בִּישׁ. דִּכְתִּיב כִּי עֵינָיו עַל דַּרְכֵי אִישׁ. וְאִלֵּין אִקְרוּן, עֵינֵי יְיָ' מְשׁוֹטְטִים. מְשׁוֹטְטִים, וְלֹא מְשׁוֹטְטוֹת. בְּגִין דְּאִינּוּן לִתְרֵין סִטְרִין, לְטַב וּלְבִישׁ. מֵחִוָּורָא, נָפְקִין כָּל אִינּוּן רַחֲמֵי, כָּל אִינּוּן טָבָאן, דְּמִשְׁתַּכְחֵי בְּעָלְמָא, לְאוֹטָבָא לְהוּ לְיִשְׂרָאֵל. וּכְדֵין אִסְתַּחְיָין כָּל אִינּוּן תְּלַת גַּוְונֵי, לְרַחֲמָא עֲלַיְיהוּ.

קמ. אִלֵּין גַּוְונִין מִתְעָרְבִין דָּא בְּדָא, וְאִתְדַּבְקָן דָּא בְּדָא. כָּל חַד אוּזִיף לְחַבְרֵיהּ מִגַּוָונֵי דִּילֵיהּ, בַּר מֵחִוָּורָא, דְּכֻלְּהוּ כְּלִילָן בֵּיהּ כַּד אִצְטְרִיךְ, וְהוּא חָפֵי עַל כֹּלָּא. כָּל גַּוְונִין דִּלְתַתָּא, לָא יַכְלִין כָּל בְּנֵי עָלְמָא, לְאִסְתַּחֲרָא לוֹן חִוָּורָא, לְאוּכָמָא לְסוּמָקָא וְלִירוּקָא. וְהָכָא בְּאַשְׁגָּחוּתָא חַד, כֻּלְּהוּ אִתְאַחֲדָן וְאִסְתַּחְיָין בְּחִוָּורָא.

קמא. גְּבִינוֹי לָא מִשְׁתַּכְּחִין, בַּר כַּד בַּעְיָין גַּוְונִין דְּחִוָּורָא לְאַשְׁגָּחָא, בְּגִין דִּגְבִינִין יָהֲבִין אֲתָר לְאַשְׁגָּחָא, לְכֻלְּהוּ גַּוָונֵי. וְאִי אִינּוּן לָא יָהֲבִין אֲתָר, לָא יַכְלִין לְאַשְׁגָּחָא וּלְאִסְתַּכְּלָא. גְּבִינִין לָא קַיְימִין, וְלָא מִשְׁתַּכְּחִין שַׁעֲתָא חֲדָא שְׁלִימוּתָא, אֶלָּא פַּקְחִין וְסַתְמִין, סַתְמִין וּפַקְחִין, מִשּׁוּם עֵינָא פְּקִיחָא דְּקָאֵי עֲלַיְיהוּ. וְעַ"ד כְּתִיב, וְהַחַיּוֹת רָצוֹא וָשׁוֹב. וְהָא אוֹקִימְנָא.

קמב. כְּתִיב עֵינֶיךָ תִרְאֶינָה יְרוּשָׁלַם נָוֶה שַׁאֲנָן, וּכְתִיב תָּמִיד עֵינֵי יְיָ' אֱלֹהֶיךָ בָּהּ מֵרֵשִׁית הַשָּׁנָה וְגוֹ'. דְּהָא יְרוּשָׁלֵם בַּעְיָא כֵּן, דִּכְתִּיב, צֶדֶק יָלִין בָּהּ. וּבְגִ"כ יְרוּשָׁלַם, וְלָא צִיּוֹן. דִּכְתִּיב, צִיּוֹן בְּמִשְׁפָּט תִּפָּדֶה וְגוֹ', דְּכֹלָּא רַחֲמֵי.

קמג. עֵינֶיךָ, עֵינְךָ כְּתִיב, עֵינָא דְּעַתִּיקָא קַדִּישָׁא, סְתִימָא דְּכֹלָּא. הַשְׁתָּא, עֵינֵי יְיָ'

אֱלֹהֶיךָ בָּהּ, לְטָב וּלְבִישׁ, כְּמָה דְּאִתְחֲזֵי. בג"כ לָא אִתְקַיְּימוּ בְּקִיּוּמָא תָּדִיר. וְהָתָם עֵינָךְ תִּרְאֶינָה יְרוּשָׁלַםִ, כֹּלָּא לְטָב, כֹּלָּא בְּרַחֲמֵי. דִּכְתִּיב, וּבְרַחֲמִים גְּדוֹלִים אֲקַבְּצֵךְ.

קמד. תָּמִיד עֵינֵי יְיָ' אֱלֹהֶיךָ בָּהּ מֵרֵשִׁית הַשָּׁנָה. מֵרֵשִׁית חָסֵר א' כְּתִיב, וְלָא רֵאשִׁית בְּאָלֶף. מַאן הִיא. הֵ"א דִּלְתַתָּא. וּלְעֵילָּא כְּתִיב, הִשְׁלִיךְ מִשָּׁמַיִם אֶרֶץ תִּפְאֶרֶת יִשְׂרָאֵל. מַאי טַעֲמָא הִשְׁלִיךְ מִשָּׁמַיִם אֶרֶץ. מִשּׁוּם דִּכְתִּיב אַלְבִּישׁ שָׁמַיִם קַדְרוּת, וְעַיְינִין בְּקַדְרוּתָא, בְּגַוְונָא אוּכָמָא אִתְחֲזוּ.

קמה. מֵרֵשִׁית הַשָּׁנָה, מַאן אֲתָר מִסְתַּכְּלִין בִּירוּשָׁלַםִ אִלֵּין עֵינֵי יְיָ', וְחָזַר וּפֵירַשׁ, מֵרֵשִׁית הַשָּׁנָה, דְּהוּא דִּינָא בְּלָא אָלֶף, וְדִינָא אִתְאֲחִיד מִסִּטְרָהָא, אע"ג דְּלָאו הוּא דִּינָא מַמָּשׁ. וְעַד אַחֲרִית שָׁנָה, אַחֲרִית שָׁנָה וַדַּאי דִּינָא אִשְׁתְּכַח. דְּהָא כְּתִיב, צֶדֶק יָלִין בָּהּ, דְּהִיא אַחֲרִית הַשָּׁנָה.

קמו. ת"ח, א' בִּלְחוֹדוֹי אִקְרֵי רִאשׁוֹן, דְּכַר. בְּאָלֶף סָתִים וְגָנִיז מַה דְּלָא אִתְיְדַע. כַּד אִתְחַבַּר הַאי אָלֶף בַּאֲתַר אַחֲרָא, אִקְרֵי רֵאשִׁית. וְאִי תֵּימָא דְּאִתְחַבְּרָא. לָא. אֶלָּא אִתְגַּלְיָא בֵּיהּ, וְנָהִיר לֵיהּ, וּכְדֵין אִקְרֵי רֵאשִׁית. וַאֲפִילוּ בְּהַאי רֵאשִׁית, לָא אַשְׁגַּח בִּירוּשָׁלַםִ, דְּאִלְמָלֵא הֲוַת בְּהַאי, אִתְקַיְּימַת תָּדִירָא. אֲבָל מֵרֵשִׁית כְּתִיב. וּלְעָלְמָא דְּאָתֵי כְּתִיב, רִאשׁוֹן לְצִיּוֹן הִנֵּה הִנָּם וְגו'.

קמז. חוֹטָמָא דִּזְעֵיר אַנְפִּין, תִּקּוּנָא דְּפַרְצוּפָא. כָּל פַּרְצוּפָא בֵּיהּ אִשְׁתְּמוֹדַע. חוֹטָמָא דָּא, לָא כְּחוֹטָמָא דְּעַתִּיקָא קַדִּישָׁא סְתִימָאָה דְּכָל סְתִימִין. דְּחוֹטָמָא דְּעַתִּיקָא, חַיִּים דְּחַיִּים. דְּהָא מִתְּרֵין נוּקְבִין, נָפְקִין רוּחִין דְּחַיִּין, לְכֹלָּא. בְּהַאי זְעֵיר אַנְפִּין כְּתִיב, עָלָה עָשָׁן בְּאַפּוֹ וְגו'.

קמז/א. בְּהַאי תְּנָנָא כָּל גַּוְונֵי אֲחִידָן בֵּיהּ, בְּכָל גַּוְונָא וְגַוְונָא, אֲחִידָן כַּמָּה מָארֵיהוֹן דְּדִינָא קַשְׁיָא. דַּאֲחִידָן בְּהַהוּא תְּנָנָא. וְלָא מִתְבַּסְּמִין כֻּלְּהוּ, אֶלָּא בִּתְנָנָא דְּמַדְבְּחָא דִּלְתַתָּא. וע"ד כְּתִיב, וַיָּרַח יְיָ' אֶת רֵיחַ הַנִּיחוֹחַ. מַהוּ הַנִּיחוֹחַ. אִתְבַּסְּמוּתָא דְּמָארֵי דִּינָא, נַיְחַת רוּחַ.

קמז/ב. וַיָּרַח יְיָ' אֶת רֵיחַ הַנִּיחוֹחַ, אֶת רֵיחַ הַקָּרְבָּן לָא כְּתִיב, אֶלָּא אֶת רֵיחַ הַנִּיחוֹחַ. דְּכֻלְּהוּ גְּבוּרָאן דַּאֲחִידָן בְּחוֹטָמָא, וְכָל דְּאִתְאַחֲדָן בְּהוּ, כֻּלְּהוּ מִתְבַּסְּמָן. וְכַמָּה גְּבוּרָאן מִתְאַחֲדָן כַּחֲדָא, דִּכְתִּיב מִי יְמַלֵּל גְּבוּרוֹת יְיָ' יַשְׁמִיעַ כָּל תְּהִלָּתוֹ. וְהַאי חוֹטָמָא, מֵחַד נוּקְבָא נָפַק אֶשָּׁא דְּאַכְלָא כָּל שְׁאַר אֶשִּׁין. בְּחַד נוּקְבָא תְּנָנָא. וְהַאי וְהַאי אִשְׁתְּכַח בְּאֶשָּׁא וּתְנָנָא דְּמַדְבְּחָא. וְאִתְגַּלְיָיא הַאי עַתִּיקָא קַדִּישָׁא, וְאִשְׁתְּכַךְ כֹּלָּא. הַיְינוּ דְּאִתְּמַר וּתְהִלָּתִי אֶחֱטָם לָךְ.

קמט. חוֹטָמָא דְּעַתִּיקָא קַדִּישָׁא אָרִיךְ, וּמִתְפַּשַּׁט. וְאִקְרֵי אֶרֶךְ אַפַּיִם. וְהַאי חוֹטָמָא, זְעֵיר. וְכַד תְּנָנָא שָׁרֵי נָפִיק בִּבְהִילוּ, וְאִתְעֲבֵיד דִּינָא. וּמַאן מְעַכֵּב לְהַאי. חוֹטָמָא דְּעַתִּיקָא. וְכֹלָּא כְּמָה דְּאֲמֵינָא בְּאִדְרָא, וְאִתְּעָרוּ חַבְרַיָּיא.

קנ. וּבְסִפְרָא דְּרַב הַמְנוּנָא סָבָא, אוֹקִים הָנֵי תְּרֵי נוּקְבֵי. מֵחַד תְּנָנָא וְאֶשָּׁא. וּמֵחַד נַיְיחָא וְרוּחָא טָבָא. דְּאִית בֵּיהּ יְמִינָא וּשְׂמָאלָא, וּכְתִיב וְרֵיחַ לוֹ כַּלְּבָנוֹן. וּבְנוּקְבָא כְּתִיב, וְרֵיחַ אַפֵּךְ כַּתַּפּוּחִים. וּמַה בְּנוּקְבָא הָכִי, כָּל שֶׁכֵּן בֵּיהּ. וְשַׁפִּיר קָאָמַר.

קנא. וּמַה דְּאָמַר וַיָּרַח יְיָ' אֶת רֵיחַ הַנִּיחוֹחַ. הַנִּיחוֹחַ בִּתְרֵי סִטְרֵי, חַד נַיְיחָא, דְּאִתְגַּלְיָיא עַתִּיקָא קַדִּישָׁא סְתִימָא דְּכָל סְתִימִין, דְּהַאי הוּא נַיְיחָא וְאִתְבַּסְּמוּתָא לְכֹלָּא. וְחַד אִתְבַּסְּמוּתָא דִּלְתַתָּא, בְּהַהוּא תְּנָנָא וְאֶשָּׁא דְּמַדְבְּחָא. וּבְגִין דְּאִיהוּ מִתְּרֵין סִטְרִין, כְּתִיב

נִיחוֹחַ. וְכֹלָּא בִּזְעֵיר אַנְפִּין אִתְּמַר.

קנב. תְּרֵי אוּדְנִין, לְמִשְׁמַע טַב וּבִישׁ. וְתַרְוַויְיהוּ סַלְּקִין לְחַד. דִּכְתִּיב, הַטֵּה יְיָ' אָזְנְךָ וּשְׁמָע. אוּדְנָא לְגוֹ בְּגוֹ דִּילֵיהּ, תַּלְיָיא בִּרְשִׁימִין עֲקִימִין, בְּגִין דְּיִתְעַכַּב קָלָא לְאַעֲלָא בְּמוֹחָא, וְיַבְחִין בֵּיהּ מוֹחָא, וְלָא בִּבְהִילוּ, דְּכָל מִלָּה דַּהֲוֵי בִּבְהִילוּ, לָא הֲוָה בְּחָכְמְתָא שְׁלִימָתָא.

קנג. מֵאוּדְנִין אִלֵּין תַּלְיָין כָּל מָארֵיהוֹן דְּגַדְפִּין, דְּנַטְלִין קָלָא מֵעָלְמָא, וְכֻלְּהוּ הָכֵי אִקְרוּן אָזְנֵי יְיָ', דִּכְתִּיב בְּהוּ, כִּי עוֹף הַשָּׁמַיִם יוֹלִיךְ אֶת הַקּוֹל וְגוֹ'. כִּי עוֹף הַשָּׁמַיִם יוֹלִיךְ אֶת הַקּוֹל, הַאי קְרָא קַשְׁיָא, הַשְׁתָּא מַאי קוֹל אִיכָּא הָכָא, דְּהָא רֵישָׁא דִּקְרָא כְּתִיב גַּם בְּמַדָּעֲךָ מֶלֶךְ אַל תְּקַלֵּל, בְּמַדָּעֲךָ כְּתִיב, וּבְחַדְרֵי מִשְׁכָּבְךָ וְגוֹ'. מַאי טַעֲמָא כִּי עוֹף הַשָּׁמַיִם יוֹלִיךְ אֶת הַקּוֹל, וְהָא לֵיכָּא הָכָא קָלָא.

קנד. אֶלָּא וַדַּאי כָּל מַה דְּחָשִׁיב ב"נ, וְכָל מַה דְּיִסְתַּכַּל בְּלִבּוֹי, לָא עָבֵיד מִלָּה, עַד דְּאַפִּיק לֵיהּ בְּשִׂפְוָותֵיהּ, וְהוּא לָא אִתְכַּוַּון בֵּיהּ. וְהַהִיא מִלָּה דְּאַפִּיק, מִתְבַּקְעָא בַּאֲוִירָא, וְאָזְלָא וְסַלְּקָא וְטָסָא בְּעָלְמָא, וְאִתְעֲבֵיד מִנֵּיהּ קָלָא. וְהַהוּא קָלָא נַטְלִין לֵיהּ מָארֵי דְּגַדְפִּין, וְסַלְּקִין לֵיהּ לְמַלְכָּא, וְעָיֵיל בְּאוּדְנוֹי. הה"ד, וַיִּשְׁמַע יְיָ' אֶת קוֹל דִּבְרֵיכֶם. וַיִּשְׁמַע יְיָ' וַיִּחַר אַפּוֹ.

קנה. וּבְגִ"כ, כָּל צְלוֹתָא וּבָעוּתָא דְּבָעֵי ב"נ מִקַּמֵּי קוּדְשָׁא בְּרִיךְ הוּא, בָּעֵי לְאַפָּקָא מִלִּין בְּשִׂפְוָותֵיהּ, דְּאִי לָא אַפִּיק לוֹן, לָאו צְלוֹתֵיהּ צְלוֹתָא, וְלָאו בָּעוּתֵיהּ בָּעוּתָא. וְכֵיוָן דְּמִלִּין נָפְקִין, מִתְבַּקְּעִין בַּאֲוִירָא, סַלְּקִין וְטָסִין וְאִתְעֲבֵידוּ קָלָא, וְנָטִיל לוֹן מַאן דְּנָטִיל, וְאָחִיד לוֹן לְאַתְרָא קַדִּישָׁא, בְּרֵישָׁא דְּמַלְכָּא.

קנו. מִתְּלַת חַלְלֵי דְּמוֹחֵי, נָטִיף נְטִיפָא לְאוּדְנִין, וְהַהוּא אִקְרֵי נַחַל כְּרִית. כד"א, נַחַל כְּרִית, כְּלוֹמַר, כְּרוּתָא דְּאוּדְנִין. וְקָלָא עָיֵיל בְּהַהוּא עֲקִימָא, וְאִשְׁתְּאַב בְּהַהוּא נַהֲרָא, דְּהַהוּא נְטִיפָא. וּכְדֵין אִתְעַכַּב תַּמָּן, וְאִתְבְּחִין בֵּין טַב לְבִישׁ. הה"ד, כִּי אֹזֶן מִלִּין תִּבְחָן. וּמ"ט אֹזֶן מִלִּין תִּבְחָן. מִשּׁוּם דְּאִתְעַכַּב קָלָא בְּהַהוּא נַהֲרָא דִּנְטִיפָא, בַּעֲקִימוּתָא דְּאוּדְנִין, וְלָא עָיֵיל בִּבְהִילוּ. וּבְגִ"כ אִתְבְּחִין בֵּין טַב לְבִישׁ, וְחֵיךְ יִטְעַם לֶאֱכוֹל. מ"ט וְחֵיךְ יִטְעַם לֶאֱכוֹל. בְּגִין דְּיִתְעַכַּב תַּמָּן, וְלָא עָיֵיל בִּבְהִילוּ בְּגוּפָא, וְעַ"ד יִטְעַם וְיִתְבְּחַן, בֵּין מְתִיקָא לִמְרִירוּ.

קנז. בְּהַאי נוּקְבָא דְּאוּדְנִין, תַּלְיָין נוּקְבִין אוּחֲרָנִין, נוּקְבָא דְּעַיְינִין. נוּקְבָא דְּפוּמָא. נוּקְבָא דְּחוֹטְמָא. מֵהַהוּא קָלָא דְּעָיֵיל בְּנוּקְבָא דְּאוּדְנִין, אִי אִצְטְרִיךְ עָיֵיל לְנוּקְבֵי דְּעַיְינִין, וְנַבְעִין דִּמְעִין. מֵהַהוּא קָלָא אִי אִצְטְרִיךְ, עָיֵיל לְנוּקְבָא דְּחוֹטָמָא דְּפַרְדַּשְׁקָא, וּמַפְּקֵי תְּנָנָא וְאֶשָּׁא מֵהַהוּא קָלָא. הה"ד וַיִּשְׁמַע יְיָ' וַיִּחַר אַפּוֹ וַתִּבְעַר בָּם אֵשׁ יְיָ'. וְאִי אִצְטְרִיךְ, עָיֵיל הַהוּא קָלָא לְנוּקְבָא דְּפוּמָא, וּמַלִּיל וְגָזַר מִלִּין מֵהַהוּא קָלָא. כֹּלָּא מֵהַהוּא קָלָא דְּאוּדְנִין. עָיֵיל בְּכָל גּוּפָא וְאִתְרְגִישׁ מִנֵּיהּ כֹּלָּא. כַּמָּה תַּלְיָיא בְּהַאי אוּדְנָא. זַכָּאָה מַאן דְּנָטִיר מִלּוֹי. ע"ד כְּתִיב, נְצוֹר לְשׁוֹנְךָ מֵרָע וּשְׂפָתֶיךָ מִדַּבֵּר מִרְמָה.

קנח. הַאי אוּדְנָא קָרֵי בֵּיהּ שְׁמִיעָה. וּבִשְׁמִיעָה אִתְכְּלִילָן אִינּוּן מוֹחֵי. וְחָכְמָה אִתְכְּלִיל בֵּיהּ, דִּכְתִּיב, וְנָתַתָּ לְעַבְדְּךָ לֵב שׁוֹמֵעַ. בִּינָה, כְּמָה דְּאַתְּ אָמֵר דַּבֵּר כִּי שׁוֹמֵעַ עַבְדֶּךָ. כִּי שׁוֹמְעִים אֲנַחְנוּ. דַּעַת, כד"א, שִׁמְעוּ בָּנַי וְקִרְבוּ אֲמָרַי. וּמִצְוֹתַי תִּצְפּוֹן אִתָּךְ. הָא כֹּלָּא תַּלְיָין בְּאוּדְנִין בְּהַאי אוּדְנָא תַּלְיָין, צְלוֹתִין וּבָעוּתִין, וּפְקִיחָא דְּעַיְינִין. הֲדָא הוּא דִּכְתִּיב, הַטֵּה יְיָ' אָזְנְךָ וּשְׁמָע פְּקַח עֵינֶיךָ וּרְאֵה. הָא כֹּלָּא בֵּיהּ תַּלְיָיא.

קנט. בְּהַאי אוּדְנָא, תַּלְיָין רָזִין עִלָּאִין, דְּלָא נָפְקִין לְבַר, בְּגִ"כ הִיא עֲקִימָא לְגוֹ. וְרָזָא

דרזין סתימין ביה, ווי לההוא מגלה רזין. ובגין דהאי אודנא כניש רזין, ועקימותא דלגו נטיל לון, לא גלי רזין לאינון דעקימין בארחייהו, אלא לאינון דלא עקימין. הה"ד סוד יי' ליראיו ובריתו להודיעם, דנטלי ארחוי ונטילי מלין.

קס. ואינון דעקימין בארחייהו, נטלי מלין ועיילין לון בבהילו, ולית בהו אתר לאתעכבא. וכל נוקבין אחרנין, מתפתחין ביה, עד דנפקין מלין בנוקבא דפומא. ואלין אקרו וחייבי דרא, שנואי דקודשא בריך הוא, במתניתא דילן תנן, כאילו קטיל גוברין, וכאלו פלח לע"ז. וכלא בחד קרא, דכתיב, לא תלך רכיל בעמך לא תעמוד על דם רעך אני יי'. מאן דעבר על האי רישא דקרא, כאילו עבר על כלא.

קסא. זכאה חולקיהון דצדיקייא, דעלייהו כתיב, ונאמן רוח מכסה דבר. נאמן רוח ודאי, דהא רוחא דלהון מאתר עלאה קדישא אשתליף, ובג"כ נאמן רוח אקרון. וסימן דא אוקימנא, ההוא דמגלה רזין, בידוע דנשמתיה, לאו איהו מגופא דמלכא קדישא. ובג"כ לית ביה רזא, ולא מאתר דרזא הוא. וכד תיפוק נשמתיה, לא אתדבקא בגופא דמלכא, דהא לא אתריה הוא. ווי לההוא בר נש, ווי ליה, ווי לנשמתיה. זכאה חולקיהון דצדיקייא, דמכסין רזין, כל שכן רזין עלאין דקודשא בריך הוא. עלייהו כתיב, ועמך כולם צדיקים לעולם יירשו ארץ.

קסב. אנפוי, כתרין תקרובין דבוסמא. סהדותא על מה דאמינא, דהא סהדותא בהו תליא. ובכלא תליא סהדותא. אבל הני תקרובי דבוסמא, חוורא וסומקא, סהדותא לאבא ואימא. סהדותא לאחסנא דירית ואחיד לון. והא במתניתא דילן אוקימנא, כמה פרסי בין חוורא לסומקא, ואתכלילן ביה כחדא בסטרא דחוורא.

קסג. כד אתנהיר מנהירו דחוורא דעתיקא, חפייא ההוא חוורא על סומקא. וכלהו בנהירו אשתכחו. וכדין כתיב, יאר יי' פניו אליך. וכד חייבין סגיאין, תליין דינין בעלמא, אשתכחות סגירותא בכלא. וסומקא אתפשט באנפין, וחפא על חוורא. וכדין כלא אשתכח בדינא. וכדין כתיב פני יי' בעושי רע. וכלא בהאי תליא, ובגין דא סהדותא הוא בכלא.

קסד. כמה וכמה מארי תריסין מוחכאן להני גווני, מצפאן להני גווני. כד נהירין גווני, כל עלמין כלהו בחדו. בזמנא דנהיר חוורא, כלא אתחזו בההוא גוונא. וכד אתחזי בסומקא כלא הכי אתחזו בההוא גוונא.

קסה. באלין תקרובין דבוסמא, שארי דיקנא לאתחזאה, מרישא דאודנין, ונחית וסליק בתקרובא דבוסמא, שערין אוכמין דדיקנא, בתקונא יאה שפיר. כגיבר תקיף, שפיר. משחא דרבות דדיקנא עלאה דעתיקא, בהאי דיקנא דזעיר אנפין אתחזי, ונהיר.

קסו. שפירו דהאי דיקנא, בט' תקונין אשתכחו. וכד משחא דרבות, דתלת עשר נביעין דדיקנא דעתיקא קדישא נהיר בהאי דיקנא, אשתכחו כ"ב תקונין. וכדין מתברכין כלהו. וישראל סבא מתברכא בהאי, וסימן, בך יברך ישראל. כל תקונין דדיקנא דא, אוקימנא באדרא קדישא, דכלהו מתיקונין דעתיקא קדישא אתתקנו. והכא בעינא לגלאה, מה דלא אתגלי תמן, בגין למיעל בלא כסופא.

קסז. שיתא אינון, ט' אקרון. תקונא קדמאה, נפק ההוא ניצוצא בוצינא דקרדינותא, ובטש בתחות שערא דרישא, מתחות קוצין דעל אודנין, ונחית מקמי

פתוזא דאודנין, עד רישא דפומא, הא תקונא דא מעתיקא קדישא לא אשתכח, אלא כד נגיד מזלא דעתיקא קדישא, ותליא מניה ההוא מבועא דחכמתא, כד אימא אתמשכא ואתכלילת באוירא דכיא, ההוא חוורא נקיט אימא, וניצוצא עאלת ונפקת, ואתאחד דא בדא, ואתעבידת חד תקונא.

קסח. וכד אצטריך סלקא דא על דא, ואתכסיא חד מקמי חדא. ובג"כ כלא אצטריך, חד למעבד נוקמין. וחד לרחמא. ועל האי תאיב להאי דיקנא דוד מלכא, כמה דאוקימנא.

קסט. בהאי דיקנא ט' תקונין אשתכחו, שיתא רבוון דתליין בהו, ומתפשטין בכל גופא. ואלין שיתא דתליין, תליין בשערי דתחות תקרובא דבוסמין. תלת מהאי סטרא, ותלת מהאי סטרא. וביקירותא דדיקנא, תליין תלת אחרנין. חד לעילא בשפוון, ותרין באינון שערין דתליין עד טבורא. וכל הני שיתא, ג' מכאן וג' מכאן, אתמשכן ותליין כלהון, באינון שערי דתליין ומתפשטין בכל גופא.

קע. ובגין דהני תלתא אינון ביקירו דדיקנא יתיר מכלהו, כתיב בהו שמא קדישא. דכתיב, מן המצר קראתי יה, יי' לי לא אירא. והא דאוקימנא באדרא, מן המצר קראתי יה, מאתר דשרי דיקנא לאתפשטא, דהוא אתר דרחיק מקמי אודנין, שפיר הוא.

קעא. ובספרא דאגדתא דבי רב ייבא סבא, הכי אמר ואוקים, דשירותא דדיקנא מחסד עלאה, דכתיב, לך יי' הגדולה והגבורה והתפארת וגו'. וכלא הוא, והכי שארי, ותשעה אתמשכן ותליין בדיקנא, ומקמי אודנין, הכי שארי, וקיומא לא מתקיימין אלא באתר אחרא, כמה דאוקימנא.

קעב. וכד אצטריך עלמא לרחמי, אתגלייא מזלא קדישא. וכל הני תקונין דבדיקנא יקירא דזעיר אנפין, כלהו רחמי משתכחי. וכד אצטריך לדינא, מתחזייא דינא, וכדין עבדין נוקמין לשנאיהון דישראל, לאינון דעקין להו. כל יקירו דדיקנא, באינון שערי דתליין אינהו, משום דכלא בהאי תליין.

קעג. כל הני שערי דדיקנא דזעיר אנפין, כלהו קשישין תקיפין, משום דכלהו אכפיין לדינין, בשעתא דמזלא קדישא אתגלי. וכד בעא לאגחא קרבא, בהאי דיקנא אתחזי כגבר תקיף, מארי נצחן קרביא. וכדין מריט מאן דמריט, ואגליש מאן דאגליש.

קעד. הני תשעה תקונין, אמרן משה זמנא תניינא, בשעתא דאצטריך לאהדרא לון כלהו רחמי. דאע"ג דתליסר תקונין לא אמרן השתא, בכוונא תלייא מלתא, דהא לא ייעול בהני תקונין לאדכרא, אלא במזלא אתכוון, ואדכר ליה. הה"ד, עתה יגדל נא כח יי'. מאן כח יי'. ההוא דאקרי מזלא קדישא, סתימא דכל סתימין. דחילא דא, ונהירו דא, ממזלא תלי. וכיון דאמר משה דא, ואדכר דא, ואתכוון ביה, אמר הני תשעה תקונין, דתליין בזעיר אנפין. בגין דינהירו כלהו, ולא ישתכח דינא. וע"ד כלא במזלא תלי.

קעה. האי דיקנא כד שראן שערי לאתערא, אתחזי כגיבר תקיף כגיבר מארי נצוח קרבין. בהאי דיקנא, נגיד משח דרבות מעתיקא סתימאה. כד"א, כשמן הטוב על הראש יורד על הזקן זקן אהרן.

קעו. אלין שערי לא חפיין על שפוון, ושפוון כלהו סומקין כוורדא. דכתיב,

שִׂפְתוֹתָיו שׁוֹשַׁנִּים. שִׂפְוָון מִרַחֲשָׁן גְּבוּרָה, מְרַחֲשָׁן חָכְמְתָא. בְּאִינּוּן שִׂפְוָון תַּלְיָין טַב וּבִישׁ, חַיֵּי וּמוֹתָא. מֵאִלֵּין שִׂפְוָון תַּלְיָין מָארֵיהוֹן דְּאִתְעֲרוּתָא, דְּכַד מְרַחֲשִׁין אִלֵּין שִׂפְוָון, מִתְעָרִין כֻּלְּהוּ לְמִגְזַר דִּינָא, בְּכָל בָּתֵּי דִּינִין, דְּאִקְרוּן עִירִין. דִּכְתִיב, בִּגְזֵרַת עִירִין פִּתְגָּמָא וּבְמֵאמַר וְגוֹ'.

קעז. מַאי עִיר. בְּסִפְרָא דְּאַגַּדְתָּא, כד"א, וַיְהִי עָרֶךְ. דְּמִתְעָרִין דִּינִין לְאִינּוּן דְּלָא אִתְרְחִיצוּ לְעֵילָּא, בג"כ מִתְעָרִין אִלֵּין דְּאִינּוּן מָארֵי דְּדִבּוּ, ועכ"ד בִּתְרֵי גַּוְונֵי בְּרַחֲמֵי וְדִינָא, וע"ד אִקְרוּן עִיר וְקַדִּישׁ דִּינָא וְרַחֲמֵי.

קעח. וּבְאִלֵּין שִׂפְוָון, אִתְחֲזֵי פּוּמָא כַּד אִתְפְּתַח. רוּחָא דְּנָפִיק מִן פּוּמָא, בֵּיהּ מִתְלַבְּשִׁין כַּמָּה אֶלֶף וְרִבְבָן. וְכַד אִתְפָּשַׁט, מִתְלַבְּשִׁין בֵּיהּ נְבִיאָן מְהֵימְנֵי. וְכֻלְּהוּ פֶּה יְיָ' אִקְרוּן. כַּד מִלִּין נָפְקִין מִן פּוּמָא, וּמִתְרַחֲשִׁין בְּשִׂפְוָון, מִתְנַהֲרִין לְכֻלְּהוּ תְּמָנֵי סָרֵי אַלְפִין עָלְמִין, עַד דְּמִתְקַטְּרִין כֻּלְּהוּ כַּחֲדָא, בִּתְמָנֵיסַר אוֹרְחִין וּשְׁבִילִין, דְּאִשְׁתְּמוֹדְעָן.

קעט. וְכֹלָּא מְחַכָּאן לְפוּמָא דָּא, בְּלִישָׁן מְמַלֵּל רַבְרְבָן בְּקִיטְרָא דְּטִיהֲרָא בְּעוּטְרָא. וע"ד כְּתִיב, חִכּוֹ מַמְתַקִּים, מַמְתַּקִּים וַדַּאי. מַאי חִכּוֹ. כד"א, וְחֵיךְ יִטְעַם לֶאֱכוֹל. וְכֻלּוֹ מַחֲמַדִּים, אֵשׁ וּמַיִם. אֶשָּׁא וּמַיָּא מִתְתַקְּנָן, וְיָאָן בְּצִיּוּרוֹי, דְּהָא גַּוְונֵי מִתְחַבְּרָן כַּחֲדָא.

קפ. חִכּוֹ, בְּאַתְוָון רְשִׁימָן, דְּמִתְגַּלְּפָן בְּעִטְרוֹי גְּלִיפִין אחה"ע בְּגָרוֹן. א', דְּטָרִיד מַלְכִין, וּמְהַעְדָּא מַלְכִין, וּמְהָקֵם מַלְכִין. ח', דְּטָרִיד וְנָחִית, וְסָלִיק וְעָטִיר, כָּבִישׁ בְּאֶשָּׁא גְּלִיף בְּרוּחָא. ה' יְנִיקָה דְּאִימָא, סָטִיר לְנוּקְבָא, אִתְפָּשַׁט לְנוּקְבָא רַבָּא, בְּתִיאוּבְתָא דְּקַרְתָּא קַדִּישָׁא, מִתְקַטְּרֵי אַתְרִין דָּא בְּדָא. כד"א, הַר הַמּוֹר גִּבְעַת הַלְּבוֹנָה. ע' טִיהֲרָא דְּטִיפְסָא, גְּלִיפָא בְּטִיפְסָא, רְהִיטִין דְּעַנְפִּין מִתְאַחֲדָן, לְסִטְרוֹי לְרוּחִין גְּלִיפִין.

קפא. וְהָא בְּרָזֵי דְּאַתְוָון דִּשְׁלֹמֹה מַלְכָּא, אִתְעַטְּרוּ אִלֵּין אַתְוָון ד', בַּד' גִּיכ"ק בְּחֵיךְ כד"א וְחֵיךְ יִטְעַם לֶאֱכוֹל, הַיֵּאָכֵל תָּפֵל מִבְּלִי מֶלַח וְגוֹ'. וּכְתִיב וְהָיָה מַעֲשֵׂה הַצְּדָקָה שָׁלוֹם. הַנֶּחֱמָדִים מִזָּהָב וּמִפָּז רָב וּמְתוּקִים וְגוֹ'. מְתוּקִים וַדַּאי.

קפב. דָּוִד מַלְכָּא אָמַר, גַּם עַבְדְּךָ נִזְהָר בָּהֶם וְגוֹ'. אַסְהֲדְנָא עָלַי דְּכָל יוֹמָאי אִזְדַּהַרְנָא בְּהוּ, דְּלָא לְאַטְעָאָה בְּהוּ, בַּר יוֹמָא חַד דְּעָטִירְנָא עִטְרֵי מַלְכָּא, בִּמְעַרְתָּא דְּמִרוֹנְיָא, וַחֲמֵינָא בּוֹצִינָא דְּאֶשָּׁא מִתְלַהֲטָא אַפּוּתְיָא דִּמְעַרְתָּא, וְאִזְדַּעְזַעְנָא. מֵהַהוּא יוֹמָא אִזְדַּהַרְנָא בְּדַעְתָּאי בְּהוּ, וְלָא שְׁבִיקְנָא לוֹן כָּל יוֹמָאי. זַכָּאָה חוּלָקֵיהּ מַאן דְּאִזְדְּהַר בִּמְתִיקָא דְּמַלְכָּא, וְטָעִים בְּהוּ כִּדְחָזֵי. עַל דָּא כְּתִיב, טַעֲמוּ וּרְאוּ כִּי טוֹב יְיָ' וְגוֹ'. וּכְתִיב לְכוּ לַחֲמוּ בְלַחֲמִי וְגוֹ'.

קפג. אִתְפָּשַׁט דְּכוּרָא בְּדַעַת, וְאִתְמַלְיָין אַכְסַדְרִין וְאִדְרִין, מֵרֵישָׁא דְּגוּלְגַּלְתָּא שָׁרֵי, וְאִתְפָּשַׁט בְּכָל גּוּפָא, מֵחֲדוֹי וּדְרוֹעוֹי וּבְכֹלָּא. מֵאֲחוֹרוֹי, אִתְדַּבַּק נִיצוֹצָא דְּבוּצִינָא דְּקַרְדִּינוּתָא, וְלַהֲטָא וְאַפִּיק גֻּלְגַּלְתָּא וַחֲדָא, סְתִימָא מִכָּל סִטְרוֹי, וְנָהִירוּ דִּתְרֵי מוֹחֵי גְּלִיפָן בָּהּ, וְאִתְדַּבְּקַת בְּסִטְרוֹי דִּדְכוּרָא. בְּגִין כַּךְ אִתְקְרֵי יוֹנָתִי תַמָּתִי, אַל תִּקְרֵי תַמָּתִי אֶלָּא תְאוֹמָתִי וַדַּאי.

קפד. שַׂעֲרוֹי דְּנוּקְבָא כְּלִילָן בֵּיהּ גַּוְונֵי, כְּדִכְתִיב, וְדַלַּת רֹאשֵׁךְ כָּאַרְגָּמָן. אִתְקְטַר גְּבוּרָה בְּחָמֵשׁ גְּבוּרָאן, וְאִתְפַּשְּׁטַת נוּקְבָא בְּסִטְרָהָא, וְאִתְדַּבְּקַת בְּסִטְרוֹי דִּדְכוּרָא.

קפה. עַד דְּאִתְפָּרְשָׁא מִסִּטְרוֹי. וְאַתִיאַת לְאִתְחַבְּרָא עִמֵּיהּ אַפִּין בְּאַפִּין. וְכַד מִתְחַבְּרָן מִתְחַזְיָין חַד גּוּפָא מַמָּשׁ. מֵהָכָא אוֹלִיפְנָא, דְּכַר בִּלְחוֹדוֹי, אִתְחֲזֵי פַּלְגּ גּוּפָא, וְכֻלְּהוּ רַחֲמֵי. וְכֵן נוּקְבָא. וְכַד מִתְחַבְּרָן כַּחֲדָא, אִתְחֲזֵי כֹּלָּא חַד גּוּפָא מַמָּשׁ, וְהָכֵי

הוּא. אוּף הָכָא, כַּד דְּכַר אִתְחַבַּר בְּנוּקְבָא, כֹּלָּא הוּא חַד גּוּפָא, וְעָלְמִין כֻּלְּהוּ בְּחֵדוּ, דְּהָא כֻּלְּהוּ מִגּוּפָא שְׁלִים מִתְבָּרְכָן.

קפו. וְהַיְינוּ רָזָא, עַל כֵּן בֵּרַךְ יְיָ' אֶת יוֹם הַשַּׁבָּת וַיְקַדְּשֵׁהוּ. דְּהָא אִשְׁתְּכַח כֹּלָּא בְּחַד גּוּפָא שְׁלִים, דְּהָא מַטְרוֹנִיתָא אִתְדַּבְּקַת בְּמַלְכָּא, וְאִשְׁתְּכַח גּוּפָא חַד. וְעַל כֵּן בִּרְכָאן מִשְׁתַּכְּחִין בְּהַאי יוֹמָא. וּמֵהָכָא, מַאן דְּלָא אִשְׁתְּכַח דְּכַר וְנוּקְבָא, אִקְרֵי פַּלְגּ גּוּפָא, וְלֵית בִּרְכָתָא שַׁרְיָא בְּמִלָּה פְּגִימָא וַחֲסִירָא, אֶלָּא בַּאֲתַר שְׁלִים, בְּמִלָּה שְׁלִים, וְלָא בְּפַלְגּוּת מִלָּה, וּפַלְגּוּת מִלָּה לָא אִתְקַיַּים לְעָלְמִין, וְלָא אִתְבָּרְכָן לְעָלְמִין.

קפז. גּוֹי דְּנוּקְבָא, כֹּלָּא מִגּוֹי דִּדְכוּרָא הוּא. וְהָא אוֹקִימְנָא מִלֵּי, וְאִשְׁתְּמוֹדְעָן בֵּינֵי חַבְרַיָּיא. מֵהַאי נוּקְבָא מִתְאַחֲדָן כָּל אִינּוּן דִּלְתַתָּא. מִנָּהּ יַנְקִין, וּבָהּ תָּבִין, וְהִיא אִתְקְרִיאַת אֵם לְכֻלְּהוּ. כְּמָה דְּאַחֲרָא אֵם לְגוּפָא, וְכָל גּוּפָא מִנָּהּ יַנְקָא. כַּךְ הַאי אֵם לְכֻלְּהוּ אַחֲרָנִין דִּלְתַתָּא.

קפח. כְּתִיב, אֱמוֹר לַחָכְמָה אֲחוֹתִי אָתְּ. אִית חָכְמָה וְאִית חָכְמָה, וְהַאי נוּקְבָא, אִתְקְרֵי חָכְמָה זְעֵירָא לְגַבֵּי אַחֲרָא וְע"ד כְּתִיב, אָחוֹת לָנוּ קְטַנָּה וְשָׁדַיִם אֵין לָהּ וְגוֹ'. דְּהָא דָּא בְּגָלוּתָא אִתְמְשַׁךְ. אָחוֹת לָנוּ קְטַנָּה, וַדַּאי קְטַנָּה אִתְחֲזֵי אֲבָל רַבְרְבָא הִיא, וְסַגִּיאָה הִיא, דְּהָא הִיא שְׁלִימוּ דְּנָטִיל מִכֹּלָּא. כְּמָה דִּכְתִיב, אֲנִי חוֹמָה וְשָׁדַי כַּמִּגְדָּלוֹת. וְשָׁדַי, דְּהָא מַלְיָין אִינּוּן לְיַנְקָא לְכֹלָּא. כַּמִּגְדָּלוֹת, דְּאִינּוּן נַהֲרִין רַבְרְבִין דְּנָפְקוּ מֵאִימָּא עִלָּאָה.

קפט. תּוּ אִתְפַּשַּׁט דְּכוּרָא בִּימִינָא וּשְׂמָאלָא, בְּיָרוּתָא דְּאַחְסָנָא. וְכַד גְּוָונֵי אִתְחַבְּרוּ, אִקְרֵי תִּפְאֶרֶת. וְאִתְתַּקַּן כָּל גּוּפָא, וְאִתְעֲבֵיד אִילָנָא רַבְרְבָא, וְתַקִּיף, שַׁפִּיר וְיָאֶה, תְּחוֹתוֹהִי תַּטְלֵל חֵיוַת בָּרָא, וּבְעַנְפּוֹהִי יְדוּרוּן עוֹפֵי שְׁמַיָּא, וּמָזוֹן לְכֹלָּא בֵּיהּ. דְּרוֹעוֹי יְמִינָא וּשְׂמָאלָא. בִּימִינָא חַיִּים וָחֶסֶד, בִּשְׂמָאלָא מִיתָה וּגְבוּרָה. מֵעוֹי, אִתְתַּקַּן בְּדַעַת, וְאִתְמַלְיָין כָּל אַכְסַדְרִין וְאִדְרִין, כְּמָה דַּאֲמִינָא, דִּכְתִיב, וּבְדַעַת חֲדָרִים יִמָּלְאוּ.

קצ. תּוּ אִתְפַּשַּׁט גּוּפָא, בִּתְרֵין שׁוֹקִין. וּמִתְאַחֲדָן בֵּינַיְיהוּ תְּרֵין כּוּלְיָין, וּתְרֵין בֵּיעֵי דִּדְכוּרָא. דְּכָל מִשְׁחָא וּרְבוּת וְחֵילָא דְּכָל גּוּפָא, בְּהוּ אִתְכְּנַשׁ, דְּכָל חַיָּילִין דְּנָפִיק, מִנַּהוֹן נָפְקִין. וְשַׁרְיָין כֹּלָּא בְּפוּם אַמָּה. וּבג"כ אִקְרוּן צְבָאוֹת, וְאִינּוּן נֶצַח וְהוֹד. תִּפְאֶרֶת, יְדֹוָ"ד. נֶצַח וְהוֹד, צְבָאוֹת. וּבג"כ יְדֹוָ"ד צְבָאוֹת.

קצא. אַמָּה דִּדְכוּרָא, סִיּוּמָא דְּכָל גּוּפָא, וְאִקְרֵי יְסוֹד. וְדָא הוּא דַּרְגָּא דִּמְבַסֵּם לְנוּקְבָא. וְכָל תֵּיאוּבְתָּא דִּדְכוּרָא לְגַבֵּי נוּקְבָא, בְּהַאי יְסוֹד עָיֵיל לְנוּקְבָא, לַאֲתַר דְּאִקְרֵי צִיּוֹן. דְּהָתָם הוּא אֲתַר כְּסוּתָא דְּנוּקְבָא, כְּבֵית רֶחֶם לְאִתְּתָא. וּבג"כ, יְיָ' צְבָאוֹת אִקְרֵי יְסוֹד.

קצב. כְּתִיב כִּי בָחַר יְיָ' בְּצִיּוֹן אִוָּהּ לְמוֹשָׁב לוֹ. כַּד אִתְפָּרְשַׁת מַטְרוֹנִיתָא, וְאִתְחַבְּרַת בְּמַלְכָּא אַנְפִּין בְּאַנְפִּין, בְּמַעֲלֵי שַׁבְּתָא. אִתְעֲבֵיד כֹּלָּא חַד גּוּפָא, וּכְדֵין יָתִיב קוּדְשָׁא בְּרִיךְ הוּא בְּכוּרְסְיֵיהּ. וְאִקְרֵי כֹּלָּא שְׁמָא שְׁלִים, שְׁמָא קַדִּישָׁא, בְּרִיךְ שְׁמֵיהּ לְעָלַם לְעָלְמֵי עָלְמִין. כָּל אִלֵּין מִלִּין סְלִיקְנָא עַד יוֹמָא דָּא, דְּאִתְעַטַּר בְּהוּ לְעָלְמָא דְּאָתֵי, וְהַשְׁתָּא אִתְגַּלְיָין הָכָא, זַכָּאָה חוּלָקִי.

קצג. הַאי מַטְרוֹנִיתָא, כַּד אִתְחַבְּרַת עִם מַלְכָּא, כָּל עָלְמִין מִתְבָּרְכָן, וְאִשְׁתַּכְחוּ בְּחֶדְוָותָא דְּכֹלָּא. כְּמָה דִּדְכוּרָא כָּלִיל בִּתְלָתָא, וְשֵׁירוּתָא בִּתְלָתָא. כַּךְ כֹּלָּא הָכִי, וְסִיּוּמָא דְּכָל גּוּפָא הָכִי, וּמַטְרוֹנִיתָא לָא מִתְבָּרְכָא, אֶלָּא בִּכְלָלָא דִּתְלָתָא אִלֵּין, דְּאִינּוּן נֶצַח הוֹד יְסוֹד, וּמִתְבַּסְמָא וּמִתְבָּרְכָא בַּאֲתַר דְּאִקְרֵי קֹדֶשׁ הַקֳּדָשִׁים דִּלְתַתָּא. דִּכְתִיב, כִּי שָׁם צִוָּה יְיָ' אֶת הַבְּרָכָה. דְּהָא תְּרֵין דַּרְגִּין אִינּוּן לְעֵילָּא וְתַתָּא.

קצד. ובג"כ לֵית רְשׁוּתָא לְמֵיעַל תַּמָּן, בַּר כַּהֲנָא רַבָּא, דְּאָתֵי מִן סִטְרָא דְּחֶסֶד. בְּגִין דְּלָא עָ"יל לְהַהוּא אֲתַר דִּלְעֵילָּא, אֶלָּא הַהוּא דְּאִקְרֵי חֶסֶד, וְעָ"יל בְּקֹדֶשׁ הַקֳּדָשִׁים, וּמִתְבַּסְּמַת נוּקְבָּא. וּמִתְבָּרְכָא הַאי קֹדֶשׁ הַקֳּדָשִׁים בְּגוֹ לְגוֹ, אֲתַר דְּאִקְרֵי צִיּוֹן. צִיּוֹן וִירוּשָׁלַ‍ִם, תְּרֵין דַּרְגִּין אִינּוּן, חַד רַחֲמֵי, וְחַד דִּינָא. צִיּוֹן, דִּכְתִּיב צִיּוֹן בְּמִשְׁפָּט תִּפָּדֶה. יְרוּשָׁלַ‍ִם, דִּכְתִּיב צֶדֶק יָלִין בָּהּ כְּמָה דְּאוּקִימְנָא.

קצה. וְכָל תֵּיאוּבְתָּא דִּדְכוּרָא לְגַבֵּי נוּקְבָא, הָכָא הוּא, וְקָרֵינָן לְהוּ בְּרָכָה, דְּמִתַּמָּן נָפְקֵי בִּרְכָּן לְכֻלְּהוּ עָלְמִין, וְכֻלְּהוּ מִתְבָּרְכָן. הַאי אֲתַר אִקְרֵי קֹדֶשׁ. וְכָל קֳדָשִׁים דִּדְכוּרָא עָיְילִין תַּמָּן, בְּהַהוּא דַּרְגָּא דַּאֲמֵינָא, וְכֻלְּהוּ אַתְיָין מֵרֵישָׁא עִלָּאָה דְּגוּלְגַּלְתָּא דִּדְכוּרָא, מִסִּטְרָא דְּמוֹחֵי עִלָּאֵי, דְּשַׁרְיָין בֵּיהּ, וְנָגִיד הַהִיא בְּרָכָה בְּכָל שַׁיְיפֵי גּוּפָא, עַד אִינּוּן דְּאִקְרוּן צְבָאוֹת. וְכָל הַהוּא נְגִידוּ דְּאִתְנְגִיד מִכָּל גּוּפָא, מִתְכַּנְּשֵׁי תַּמָּן, וע"ד אִקְרוּן צְבָאוֹת, דְּכָל צִבְאוֹת דְּעִלָּאִין וְתַתָּאִין תַּמָּן נָפְקִין. וְהַהוּא נְגִידוּ בָּתַר דְּאִתְכְּנִישׁ, תַּמָּן, שַׁרְיָין לֵיהּ בְּהַהוּא יְסוֹד קַדִּישָׁא, כֻּלָּא חִוָּורָא, בג"כ אִקְרֵי חֶסֶד. וְהַהוּא חֶסֶד עָ"יל לְקֹדֶשׁ הַקֳּדָשִׁים, דִּכְתִּיב כִּי שָׁם צִוָּה יְיָ' אֶת הַבְּרָכָה חַיִּים עַד הָעוֹלָם.

קצו. א"ר אַבָּא, לָא סַיֵּים בּוֹצִינָא קַדִּישָׁא לְמֵימַר חַיִּים, עַד דְּאִשְׁתְּכָכוּ מִלּוֹי, וַאֲנָא כְּתַבְנָא, סְבַרְנָא לְמִכְתַּב טְפֵי, וְלָא שְׁמַעְנָא. וְלָא זָקִיפְנָא רֵישָׁא, דִּנְהוֹרָא הֲוָה סַגִּי, וְלָא הֲוָה יָכִילְנָא לְאִסְתַּכְּלָא. אַדְּהָכִי אִזְדַּעְזַעְנָא, שְׁמַעְנָא קָלָא דְּקָארֵי וְאָמַר אֹרֶךְ יָמִים וּשְׁנוֹת חַיִּים וְגוֹ'. שְׁמַעְנָא קָלָא אַחֲרָא, חַיִּים שָׁאַל מִמְּךָ וְגוֹ'.

קצז. כָּל הַהוּא יוֹמָא, לָא אַפְסִיק אֶשָּׁא מִן בֵּיתָא, וְלָא הֲוָה מַאן דְּמָטֵי לְגַבֵּיהּ, דְּלָא יָכִילוּ דִּנְהוֹרָא וְאֶשָּׁא הֲוָה בְּסוּחֲרָנֵיהּ. כָּל הַהוּא יוֹמָא נָפִילְנָא עַל אַרְעָא, וְגָעֵינָא. בָּתַר דְּאָזִיל אֶשָּׁא, חֲמֵינָא לְבוֹצִינָא קַדִּישָׁא קֹדֶשׁ הַקֳּדָשִׁים, דְּאִסְתַּלַּק מִן עָלְמָא, אִתְעֲטַף שָׁכִיב עַל יְמִינֵיהּ, וְאַנְפּוֹי חַיְיכִין.

קצח. קָם רִבִּי אֶלְעָזָר בְּרֵיהּ, וְנָטִיל יְדוֹי וְנָשִׁיק לוֹן, וַאֲנָא לָחִיכְנָא עַפְרָא דִּתְחוֹת רַגְלוֹי. בָּעוּ חַבְרַיָּיא לְמִבְכֵּי, וְלָא יָכִילוּ לְמַלְּלָא. שָׁארוּ חַבְרַיָּיא בְּבִכְיָה, וְרִבִּי אֶלְעָזָר בְּרֵיהּ נָפִיל תְּלַת זִמְנִין, וְלָא יָכִיל לְמִפְתַּח פּוּמֵיהּ. לְבָתַר פָּתַח וְאָמַר, אַבָּא אַבָּא. תְּלַת הֲווֹ, וְחַד אִתְהֲדָרוּ. הַשְׁתָּא תְּנוּד חֵיוָתָא, צִפֳּרָאן טָאסִין, מִשְׁתַּקְעָן בְּנוּקְבָאן דְּיַמָּא רַבָּא, וְחַבְרַיָּיא כֻּלְּהוּ שָׁתְיָין דָּמָא.

קצט. קָם רִבִּי חִיָּיא עַל רַגְלוֹי וְאָמַר, עַד הַשְׁתָּא בּוֹצִינָא קַדִּישָׁא מִסְתַּכֵּל עֲלָן. הַשְׁתָּא לָאו הוּא עִדָּן, אֶלָּא לְאִשְׁתַּדְּלָא בִּיקָרֵיהּ. קָם רִבִּי אֶלְעָזָר וְר' אַבָּא, נָטְלוּ לֵיהּ בְּטִיקְרָא דְּסִיקְלָא, מַאן חָמָא עִרְבּוּבְיָא דְּחַבְרַיָּיא, וְכָל בֵּיתָא הֲוָה סָלִיק רֵיחִין. סְלִיקוּ בֵּיהּ בְּפוּרְיֵיהּ, וְלָא אִשְׁתַּמַּשׁ בֵּיהּ, אֶלָּא ר' אֶלְעָזָר וְר' אַבָּא.

ר. אָתוּ טְרִיקִין, וּמָארֵי תְּרִיסִין דִּכְפַר צִפֳּרֵי וְטַרְדָא בְּהוּ בְּנֵי מְרוֹנְיָא, צָוְוחִין בִּקְטִירִין, דְּחָשִׁיבוּ דְּלָא יִתְקְבַר תַּמָּן. בָּתַר דְּנָפַק פּוּרְיָיא, הֲוָה סָלִיק בַּאֲוִירָא. וְאֶשָּׁא הֲוָה לָהִיט קַמֵּיהּ, שָׁמְעוּ קָלָא, עוּלוּ וְאָתוּ, וְאִתְכַּנְּשׁוּ לְהִילּוּלָא דְּרִבִּי שִׁמְעוֹן, יָבֹא שָׁלוֹם יָנוּחוּ עַל מִשְׁכְּבוֹתָם.

רא. כַּד עָאל לִמְעַרְתָּא שָׁמְעוּ קָלָא בִּמְעַרְתָּא, זֶה הָאִישׁ מַרְעִישׁ הָאָרֶץ מַרְגִּיז מַמְלָכוֹת, כַּמָּה פַּטְרִין בִּרְקִיעָא מִשְׁתַּכְּכִין בְּיוֹמָא דֵּין בְּגִינָךְ, דְּנָא רשב"י, דְּמָארֵיהּ מִשְׁתַּבַּח בֵּיהּ בְּכָל יוֹמָא. זַכָּאָה חוּלָקֵיהּ לְעֵילָּא וְתַתָּא. כַּמָּה גְּנִיזִין עִלָּאִין מִסְתַּמְּרָן לֵיהּ, עָלֵיהּ אִתְּמַר וְאַתָּה לֵךְ לַקֵּץ וְתָנוּחַ וְתַעֲמוֹד לְגוֹרָלְךָ לְקֵץ הַיָּמִין.

עַד כָּאן הָאִדְּרָא קַדִּישָׁא זוּטָא

רב. אָמַר ר' יוֹסֵי, כַּמָּה חֲבִיבִין יִשְׂרָאֵל קַמֵּי קוּדְשָׁא בְּרִיךְ הוּא, בְּקַדְמֵיתָא קָרָא לוֹן גּוֹי קָדוֹשׁ, דִּכְתִיב כִּי עַם קָדוֹשׁ אַתָּה וְגוֹ'. לְבָתַר קָרָא לוֹן קֹדֶשׁ, דִּכְתִיב קֹדֶשׁ יִשְׂרָאֵל לַיְיָ רֵאשִׁית תְּבוּאָתֹה. מַה בֵּין הַאי לְהַאי. א"ר אַבָּא, קֹדֶשׁ עִלָּאָה מִכֹּלָּא, דְּהָכִי תָּנֵינָן, כַּד אִתְחַבְּרָן כֻּלְּהוּ קְדוּשֵׁי כַּחֲדָא, אִקְרוּן קָדוֹשׁ. וְכֻלְּהוּ סַלְקִין וּמִתְכַּנְּשִׁין לְהַהוּא אֲתַר עִלָּאָה, דְּאִקְרֵי קֹדֶשׁ.

רג. וּבְג"כ קֹ קֹ קֹ, קֹדֶשׁ יִשְׂרָאֵל אִתְעֲבֵיד מִנַּיְיהוּ. וּבְגִין דְּיִשְׂרָאֵל בִּתְלַת דַּרְגִּין מִתְעַטְּרִין, כַּד אִתְחַבְּרוּ כַּחֲדָא, אִקְרוּן קֹדֶשׁ יִשְׂרָאֵל לַיְיָ, דְּאִיהִי רֵאשִׁית. וְהָא אוּקִימְנָא תְּבוּאָתֹה, בְּה"א. כָּל אוֹכְלָיו יֶאְשָׁמוּ, מַאי כָּל אוֹכְלָיו יֶאְשָׁמוּ. א"ר אַבָּא, הָא אִתְּמַר, דִּכְתִיב וְאִישׁ כִּי יֹאכַל קֹדֶשׁ בִּשְׁגָגָה. וּכְתִיב וְכָל זָר לֹא יֹאכַל קֹדֶשׁ, וְיִשְׂרָאֵל אִקְרוּן קֹדֶשׁ, בְּג"כ כָּל אוֹכְלָיו יֶאְשָׁמוּ.

רד. אר"א, שֵׁירוּתָא וְסִיּוּמָא דְּכֹלָּא, אִתְכְּלִיל בַּקֹּדֶשׁ. וְחָכְמָה עִלָּאָה אִקְרֵי, וְכַד נָהִיר דָּא וְחָכְמָה עִלָּאָה, וְחָכְמָה דִּשְׁלֹמֹה נָהִיר. כְּמָה דִּכְתִיב וַתֵּרֶב וְחָכְמַת שְׁלֹמֹה, דְּקַיְימָא סִיהֲרָא בְּאַשְׁלְמוּתָא. וְהָא אוּקִימְנָא. וְכַד אִתְבָּרְכָא מִיְּסוֹד, הָכִי קָרֵינָן לָהּ קֹדֶשׁ, דְּאִיהוּ אַנְהִיר בְּשַׁלִימוּ. וְכַד לָא אִתְנַהֲרָא מִתְעַטְּרָא בְּאַשְׁלְמוּתָא, קָרֵינָן לָהּ רוּחַ הַקֹּדֶשׁ, וְלָא אִתְקְרֵי קֹדֶשׁ כְּהַהוּא דִלְעֵילָּא.

רה. וְכַד מִתְבָּרְכָא מֵהַאי יְסוֹד, וְיָנְקָא לְכָל אִינוּן דִּלְתַתָּא, אִתְקְרֵי אֵם, כְּהַהִיא דִלְעֵילָּא. וְקָרֵינָן לֵיהּ קָדֳשִׁים. וּכְדֵין קָרֵינָן לֵיהּ קֹדֶשׁ הַקָּדָשִׁים, דְּבֵיהּ כֹּלָּה דִכְתִיב מִלְּבָנוֹן כַּלָּה וְגוֹ'. מַאי לְבָנוֹן. דָּא עֵדֶן, דְּאִתְחַלְּבָן מִכָּל סִטְרִין. וְעֵדֶן הָא יָדוּעַ לְגַבֵּי חַבְרַיָּא.

רו. תָּאנָא, כְּתִיב כִּי שֵׁם יְיָ אֶקְרָא, מַאי כִּי שֵׁם יְיָ אֶקְרָא. אר"ע, הָא כְּתִיב הָבוּ גֹדֶל לֵאלֹהֵינוּ. א"ר אַבָּא, הָבוּ גֹדֶל לֵאלֹהֵינוּ: דָּא גְּדוּלָה: דָּא גְּדוּלָה: הַצּוּר תָּמִים פָּעֳלוֹ: דָּא גְּבוּרָה. כִּי כָל דְּרָכָיו מִשְׁפָּט: דָּא תִּפְאֶרֶת. אֵל אֱמוּנָה: דָּא נֶצַח. וְאֵין עָוֶל: דָּא הוֹד. צַדִּיק: דָּא יְסוֹד. וְיָשָׁר: דָּא צֶדֶק. הוּא כֹּלָּא שְׁמָא קַדִּישָׁא דְּקוּדְשָׁא בְּרִיךְ הוּא, וּבְג"כ כִּי שֵׁם יְיָ אֶקְרָא.

רז. א"ר יוֹסֵי, שֵׁם יְיָ מַמָּשׁ. וּמֹשֶׁה בְּהַהִיא שַׁעֲתָא גָּלֵי לְהוּ לְיִשְׂרָאֵל. דִּכְתִיב, בֶּן מֵאָה וְעֶשְׂרִים שָׁנָה אָנֹכִי הַיּוֹם וְגוֹ'. מִכָּאן אוֹלִיפְנָא, הַהוּא זַכָּאָה דְּוָזָכְמָתָא עִלָּאָה בֵּיהּ, כַּד מָטֵי יוֹמָא לְאִסְתַּלְּקָא מֵעָלְמָא, בָּעֵי לְגַלָּאָה הַהִיא וְחָכְמְתָא, לְאִינוּן דִּי רוּחַ קַדִּישָׁא בֵּינַיְיהוּ. מְנָלָן. מִמֹּשֶׁה. דִּכְתִיב בֶּן מֵאָה וְעֶשְׂרִים שָׁנָה אָנֹכִי הַיּוֹם. וּכְתִיב, וְעַתָּה כִּתְבוּ לָכֶם אֶת הַשִּׁירָה הַזֹּאת וְגוֹ'.

רח. וְאִם לָאו, עָלֵיהּ כְּתִיב, אַל תִּמְנַע טוֹב מִבְּעָלָיו. כַּד"א, כִּי לֶקַח טוֹב נָתַתִּי לָכֶם וְגוֹ'. בִּהְיוֹת לְאֵל יָדְךָ לַעֲשׂוֹת. עַד לָא תִסְתַּלֵּק מִן עָלְמָא, וְלָא אִתְיְיהִיב לָךְ רְשׁוּתָא לְגַלָּאָה.

רט. א"ר וִוייָא, הַאי קְרָא אוֹלִיפְנָא מִנֵּיהּ וְחָכְמְתָא עִלָּאָה, וְהָכִי הוּא. אֲבָל סֵיפֵיהּ דִּקְרָא, מְקַשֵּׁר קִשּׁוּרָא דִּמְהֵימְנוּתָא, בְּמַאי דִּכְתִיב הוּא. כַּד"א, צַדִּיק וְיָשָׁר הוּא. כְּלוֹמַר הוּא כֹּלָּא. הוּא וָחַד בְּלָא פֵּרוּדָא. דְּאִי תֵּימָא כָּל הָנֵי סַגִּיאִין אִינוּן, וְזָר וְאָמַר הוּא, כֻּלְּהוּ סַלְקִין וּמִתְקַשְּׁרָן וּמִתְאַחֲדָן בְּחַד. וְכֹלָּא, הוּא הֲוָה, וְהוּא הֲוֶה, וְהוּא יְהֵא. וְהוּא חַד. בְּרִיךְ שְׁמֵיהּ לְעָלַם וּלְעָלְמֵי עָלְמִין. ע"כ מִתְקַטְּרִין מִלִּין, וּמִתְאַחֲדִין מִלִּין קַדִּישִׁין, דִּשְׁמָא דְּקוּדְשָׁא בְּרִיךְ הוּא.

רי. זַכָּאָה וְחוּלָקֵיהּ מַאן דְּקָרֵי לְמַלְכָּא, וְיִנְדַּע לְמִקְרֵי כְּדְקָא יָאוֹת. וְאִי אִיהוּ קָרֵי

וְלָא יָדַע לְמַאן קָרֵי, אִתְרְחִיק קוּדְשָׁא בְּרִיךְ הוּא מִנֵּיהּ, דִּכְתִּיב קָרוֹב יְיָ' לְכָל קוֹרְאָיו וְגוֹ'. קָרוֹב יְיָ' לְכָל קוֹרְאָיו, לְמַאן קָרוֹב. וְחָזַר וְאָמַר, לְכֹל אֲשֶׁר יִקְרָאוּהוּ בֶאֱמֶת, וְכִי אִית מַאן דְּיִקְרֵי לֵיהּ בְּשִׁקְרָא. א"ר אַבָּא אִין, הַהוּא מַאן דְּקָרֵי וְלָא יָדַע לְמַאן דְּקָרֵי. מְנָלָן. דִּכְתִּיב לְכֹל אֲשֶׁר יִקְרָאוּהוּ בֶאֱמֶת. מַאי בֶאֱמֶת. בְּחוֹתָמָא דְּגוּשְׁפַּנְקָא דְּמַלְכָּא, דְּהוּא שְׁלִימוּ דְּכֹלָּא. הה"ד, תִּתֵּן אֱמֶת לְיַעֲקֹב חֶסֶד לְאַבְרָהָם. ובג"כ לְכֹל אֲשֶׁר יִקְרָאוּהוּ בֶאֱמֶת כְּתִיב. זַכָּאָה חוּלָקֵיהּ דְּמַאן דְּעָאל, וְנָפַק לְמִנְדַּע אָרְחוֹי דְּקוּדְשָׁא בְּרִיךְ הוּא. וע"ד כְּתִיב, וְאֹרַח צַדִּיקִים כְּאוֹר נֹגַהּ וְגוֹ'. וּכְתִיב וְעַמֵּךְ כֻּלָּם צַדִּיקִים וְגוֹ'.

ריא. תַּנְיָא א"ר יִצְחָק, כָּל הָנֵי תִּקּוּנִין, וְכָל הָנֵי מִלֵּי, לְמוֹחַצְדֵּי חַקְלָא אִתְמַסְרָן. וְתָנֵינָן, חַיָּיבִין כִּבְיָכוֹל עָבְדִין פְּגִימוּתָא לְעֵילָּא. מַאי פְּגִימוּתָא. כְּמָה דִּכְתִּיב, שִׁחֵת לוֹ לֹא בָּנָיו מוּמָם דְּהָא כָּל הָנֵי תִּקּוּנִין לָא מִשְׁתַּכְּחֵי כַּדְקָא יָאוּת. כָּתוּב אֶחָד אוֹמֵר, וַיִּלְבַּשׁ צְדָקָה כַּשִּׁרְיָן, וְכָתוּב אֶחָד אוֹמֵר וַיִּלְבַּשׁ בִּגְדֵי נָקָם תִּלְבֹּשֶׁת. אֶלָּא א"ר יִצְחָק, וַיִּלְבַּשׁ צְדָקָה, בְּזִמְנָא דְּיִשְׂרָאֵל זַכָּאן. לָא זָכוּ, וַיִּלְבַּשׁ בִּגְדֵי נָקָם וְגוֹ'.

ריב. א"ר יוֹסֵי מַאי פְּגִימוּתָא. כְּמָה דְּתָנֵינָן, דְּאִבָּהָן לָא מִסְתַּפְּקִין לְאִתְבָּרְכָא מֵהַהוּא שַׁקְיוּ דְּנַחֲלָא. כ"ש בְּנִין. כד"א, שִׁחֵת לוֹ לֹא בָּנָיו מוּמָם. מַאי לוֹ לֹא תְּרֵי זִמְנֵי. אֶלָּא חַד לְעֵילָּא, וְחַד לְתַתָּא.

ריג. וְהַיְינוּ דאר"ש, כָּל זִמְנָא דְּחַיָּיבַיָּא סַגִּיאוּ בְּעָלְמָא, כִּבְיָכוֹל שְׁמָא קַדִּישָׁא לָא מִתְבָּרֵךְ בְּעָלְמָא. וְכָל זִמְנָא דְּחַיָּיבַיָּא לָא סַגִּיאוּ בְּעָלְמָא, שְׁמָא קַדִּישָׁא מִתְבָּרֵךְ בְּעָלְמָא. הה"ד, יִתַּמּוּ חַטָּאִים וְגוֹ', בָּרְכִי נַפְשִׁי אֶת יְיָ' הַלְלוּיָהּ. א"ר אַבָּא, מִקְרָא זֶה מַמָּשׁ הוּא, דִּכְתִּיב שִׁחֵת לוֹ לֹא בָּנָיו מוּמָם. מַאן גָּרִים לְחַבְּלוּתָא דָּא. דּוֹר עִקֵּשׁ וּפְתַלְתּוֹל, בְּגִין דְּאִינּוּן חַיָּיבַיָּא וְדָרָא אִשְׁתַּכַּח הָכִי.

ריד. בג"כ בָּתַר דְּאָמַר מֹשֶׁה כָּל הָנֵי מִלִּין, וְאַדְכַּר שְׁמָא קַדִּישָׁא כַּדְקָא יָאוּת, אָמַר וַדַּאי צַדִּיק וְיָשָׁר הוּא, מִלָּה בְּתִקּוּנֵיהּ. אֲבָל שִׁחֵת לוֹ לֹא בָּנָיו מוּמָם. מ"ט הָכִי. מִשּׁוּם דְּאִינּוּן דּוֹר עִקֵּשׁ וּפְתַלְתּוֹל. א"ר יְהוּדָה, לוֹ לֹא, כְּלוֹמַר לְגַרְמַיְיהוּ עָבְדִין דָּא חַיָּיבִין, דְּגַרְמִין לְאִסְתַּלְּקָא בִּרְכָאן מֵעָלְמָא. א"ר אַבָּא, לוֹ לֹא, הָא אוֹקִימְנָא וְהָכִי הוּא. מַה כְּתִיב בַּתְרֵיהּ. הַלַיְיָ' תִּגְמְלוּ זֹאת, לְשַׁלָּמָא גְּמוּל דָּא לְקוּדְשָׁא בְּרִיךְ הוּא, עַל כָּל אִינּוּן טָבָאן דְּגָרִים לָךְ, וְעָבִיד לְקַבְּלָךְ.

רטו. ר"א פָּתַח, וְאַף גַּם זֹאת בִּהְיוֹתָם בְּאֶרֶץ אוֹיְבֵיהֶם וְגוֹ'. זַכָּאִין אִינּוּן יִשְׂרָאֵל, עַל כָּל עַמִּין עכו"ם, דאע"ג דְּאַרְגִּיזוּ קָמֵי מָארֵיהוֹן, קוּדְשָׁא בְּרִיךְ הוּא לָא בָּעֵי לְשַׁבְקָא לוֹן. דִּבְכָל אֲתַר דְּגָלוּ בֵּינֵי עַמְמַיָּא, קוּדְשָׁא בְּרִיךְ הוּא עִמְּהוֹן בְּגָלוּתָא. הה"ד וְאַף גַּם זֹאת בִּהְיוֹתָם בְּאֶרֶץ אוֹיְבֵיהֶם וְגוֹ'.

רטז. ר' אַבָּא אָמַר, וְאַף גַּם זֹאת בִּהְיוֹתָם. ת"ח, כַּמָּה חֲבִיבוּתָא דְּקוּדְשָׁא בְּרִיךְ הוּא לְגַבַּיְיהוּ דְּיִשְׂרָאֵל, דאע"ג דְּגַרְמִין לְמִגְלֵי בֵּינֵי עַמְמַיָּא, שְׁכִינְתָּא לָא אִתְעֲדִיאַת מִנַּיְיהוּ לְעָלְמִין. דְּלָא תֵּימָא דְּאִינּוּן בִּלְחוֹדַיְיהוּ בְּגָלוּתָא מִשְׁתַּכְּחִין. אֶלָּא וְאַף גַּם זֹאת עִמְּהוֹן מִשְׁתַּכְּחִין. הה"ד וְאַף גַּם זֹאת בִּהְיוֹתָם בְּאֶרֶץ אוֹיְבֵיהֶם וְגוֹ'.

ריז. לְמַלְכָּא דְּאַרְגִּיז עַל בְּרֵיהּ, גָּזַר עָלֵיהּ עוֹנְשָׁא לְאִתְרַחֲקָא מִנֵּיהּ, וּלְמֵיזַל לְאַרְעָא רְחִיקָא. שְׁמָעָה מַטְרוֹנִיתָא וְאָמְרָה, הוֹאִיל וּבְרִי אָזִיל לְאַרְעָא רְחִיקָא, וְשַׁדֵּי לֵיהּ מַלְכָּא מֵהֵיכָלֵיהּ, אֲנָא לָא אֶשְׁבּוֹק לֵיהּ, אוֹ תַּרְוֵינָא כַּחֲדָא נֵיתוּב לְהֵיכָלָא דְּמַלְכָּא אוֹ תַּרְוֵינָא כַּחֲדָא נֵיתִיב בְּאַרְעָא אָחֳרָא. לִזְמְנִין, פָּקִיד מַלְכָּא עַל מַטְרוֹנִיתָא, לָא אַשְׁכְּחָהּ. דַּהֲוַת אָזְלַת עִם בְּרֵיהּ, אָמַר הוֹאִיל וּמַטְרוֹנִיתָא תַּמָּן תַּרְוַיְיהוּ יְתוּבוּן.

ריז. וּבְזִמְנָא דְּפָקִיד קוּדְשָׁא בְּרִיךְ הוּא לְמַטְרוֹנִיתָא, פָּקִיד לָהּ בְּקַדְמֵיתָא, וּבְגִינָהּ פָּקִיד לִבְנוֹי. הה"ד, וְגַם אֲנִי שָׁמַעְתִּי אֶת נַאֲקַת בְּנֵי יִשְׂרָאֵל וְגוֹ'. מַאן גָּרִים דַּאֲנָא שְׁמַעְנָא עֲקָתְהוֹן. כִּבְיָכוֹל, מַטְרוֹנִיתָא. דִּדְכַרְנָא לָהּ. הה"ד, וָאֶזְכֹּר אֶת בְּרִיתִי. וּכְתִיב וַיִּזְכֹּר אֱלֹהִים אֶת בְּרִיתוֹ. וְכַד קוּדְשָׁא בְּרִיךְ הוּא יַהֲדַר לְיִשְׂרָאֵל מִן גָּלוּתָא, מַה כְּתִיב. וְשָׁב יְיָ' אֱלֹהֶיךָ אֶת שְׁבוּתְךָ וְרִחֲמֶךָ, דָּא מַטְרוֹנִיתָא. וְעוֹד כְּתִיב, רָצִיתָ יְיָ' אַרְצֶךָ שַׁבְתָּ שְׁבוּת יַעֲקֹב.

ריט. א"ר יְהוּדָה, הַלַיְיָ' תִּגְמְלוּ זֹאת, בְּגִין דְּאַתּוּן דּוֹר עִקֵּשׁ וּפְתַלְתּוֹל, אַתּוּן הֲוֵיתוּן גַּרְמִין דְּתִתְגְּלֵי זֹאת בְּגָלוּתָא. הַלַיְיָ' תִּגְמְלוּ זֹאת. דָּא הוּא גְּמוּל דְּעָבֵיד עִמְּכוֹן, בְּכָל אִינּוּן נִימוּסִין דְּמִצְרַיִם, בְּכָל אִינּוּן אַתְוָון דְּעָבֵד לְכוּ, דָּא הוּא גְּמוּל דְּאַתּוּן שַׁלְמִין לְהַאי זֹאת. מַאן גָּרַם לְכוֹן דָּא. בְּגִין דְּאַתּוּן עַם נָבָל וְלֹא חָכָם, וְלָא מִסְתַּכְּלִין בְּכָל אִינּוּן טָבָן דְּעָבֵד לְכוּ עַד הַשְׁתָּא.

רכ. הַלַיְיָ' תִּגְמְלוּ זֹאת, דָּא שְׁכִינְתָּא. וְהָא אוּקִימְנָא מִלֵּי, דְּתַנְיָא, ה"א דְּבְהִבָּרְאָם, זְעֵירָא. ה"א דְּבְהַלַיְיָ' רַבְרְבָא. וְהָא אִתְּמַר דְּתַנְיָא, א"ר יְהוּדָה, ה"א דִּבְכָל אֲתַר קוּדְשָׁא בְּרִיךְ הוּא, וְאִקְרֵי אֵם. וּתְרֵי עָלְמִין נִינְהוּ, דִּכְתִיב מִן הָעוֹלָם וְעַד הָעוֹלָם. וְהָא תָּנֵינָן בְּרָזָא דִּקְרָא, בְּשֶׁמֶן כָּתִית רְבִיעִית הַהִין.

רכא. תַּנְיָא ר' יְהוּדָה אוֹמֵר, בְּכַמָּה אַתְרֵי אִסְתַּכַּלְנָא, דְּקוּדְשָׁא בְּרִיךְ הוּא לָא אַעֲדֵי רְחִימוּתָא מִנַּיְיהוּ דְּיִשְׂרָאֵל, דִּבְכָל אֲתַר דְּאִינּוּן הֲווֹ, קוּדְשָׁא בְּרִיךְ הוּא בֵּינַיְיהוּ. דִּכְתִיב לֹא מְאַסְתִּים וְלֹא גְעַלְתִּים לְכַלּוֹתָם לְהָפֵר בְּרִיתִי אִתָּם. דַּיְיקָא אִתָּם, בֵּינַיְיהוּ עִמְּהוֹן לָא אַעֲדֵי מִנַּיְיהוּ לְעָלְמִין.

רכב. ר' יִצְחָק הֲוָה אָזִיל בְּאָרְחָא, וּפָגַע בֵּיהּ ר' חִיָּיא, א"ל חֲמֵינָא בְּאַנְפָּךְ, דְּהָא בְּמָדוֹרָא דִּשְׁכִינְתָּא מָדוֹרָךְ. מַאי כְּתִיב. וָאֵרֵד לְהַצִּילוֹ מִיַּד מִצְרַיִם. וָאֵרֵד, אֵרֵד מִבָּעֵי לֵיהּ. וָאֵרֵד בְּקַדְמֵיתָא. אֵימָתַי. כַּד נָחַת יַעֲקֹב לְמִצְרַיִם. וְלָמָּה. לְהַצִּילוֹ מִיַּד מִצְרַיִם. דְּאַלְמָלֵא לָא הֲוָה בֵּינַיְיהוּ, לָא יַכְלִין לְמִסְבַּל גָּלוּתָא. כד"א עִמּוֹ אָנֹכִי בְצָרָה אֲחַלְּצֵהוּ וַאֲכַבְּדֵהוּ.

רכג. א"ל, וַדַּאי בְּכָל אֲתַר דְּיִשְׂרָאֵל שַׁרְיָין, קוּדְשָׁא בְּרִיךְ הוּא בֵּינַיְיהוּ. וְכָל אֲתַר דְּחַכִּימֵי דָּרָא אַזְלִין, קוּדְשָׁא בְּרִיךְ הוּא אָזִיל עִמְּהוֹן, דִּכְתִיב כִּי מַלְאָכָיו יְצַוֶּה לָּךְ וְגוֹ'. מְנָלָן דִּכְתִיב, וְיַעֲקֹב הָלַךְ לְדַרְכּוֹ וְגוֹ', וַיֹּאמֶר יַעֲקֹב כַּאֲשֶׁר רָאָם מַחֲנֵה אֱלֹהִים זֶה. הַשְׁתָּא נִשְׁתַּתֵּף כַּחֲדָא, וְנֵיזִיל בְּאָרְחָא, דְּהָא יָדַעְנָא דִּלְאֲתַר חַד אַזְלִינָן, לְקַבְּלָא אַנְפּוֹי דִּשְׁכִינְתָּא. א"ל, וַדַּאי. א"ר יִצְחָק, תָּנֵינָן, שְׁלוּחֵי מִצְוָה אֵינָן נִזּוֹקִין, לֹא בַּהֲלִיכָתָן וְלָא בַּחֲזָרָתָן. וַאֲנָן לְאִתְחֲזָאָה קַמֵּי קוּדְשָׁא בְּרִיךְ הוּא אַזְלִינָן, וְלָא דְּחִילְנָא.

רכד. עַד דַּהֲווֹ אָזְלֵי, א"ר חִיָּיא, כְּתִיב אֵלֶּה תוֹלְדוֹת הַשָּׁמַיִם וְהָאָרֶץ. הַשָּׁמַיִם, לְאַכְלְלָא קוּדְשָׁא בְּרִיךְ הוּא. וְהָאָרֶץ, לְאַכְלְלָא קוּדְשָׁא בְּרִיךְ הוּא וְכָל מַה דִּלְתַתָּא, אִינּוּן אִקְרוּן תּוֹלְדוֹת הַשָּׁמַיִם מִנַּיְיהוּ.

רכה. א"ל אִי הָכִי מַהוּ בְּהִבָּרְאָם, וְאִתְּמַר בְּה' בְּרָאָם. א"ל כֹּלָּא חַד מִלָּה, כַּד שָׁמַיִם אִתְחַבָּרוּ, הַאי ה' אַפִּיקַת תּוֹלְדוֹת, וְאִינּוּן אִקְרוּן, תּוֹלְדוֹת הַשָּׁמַיִם וְהָאָרֶץ. א"ל אִי הָכִי, בְּמַאי אוּקִימְנָא בְּה' בְּרָאָם, בְּאַבְרָהָם. א"ל כֹּלָּא חַד מִלָּה הוּא, בְּאַבְרָהָם, הַיְינוּ הַשָּׁמַיִם, דְּמִתַּמָּן שַׁרְיָין לְאִתְפַּשְּׁטָא. בְּה' בְּרָאָם, הַיְינוּ וְהָאָרֶץ, וְכֹלָּא חַד מִלָּה.

רכו. א"ל, וַדַּאי הָכִי הוּא, וְהָא אוֹלִיפְנָא, דִּכְתִיב, אֵלֶּה תוֹלְדוֹת הַשָּׁמַיִם וְהָאָרֶץ.

וְתָנֵינָן, הָעוֹלָם הַזֶּה נִבְרָא בְּה', דִּכְתִּיב בְּהִבָּרְאָם. וְהָעוֹלָם הַבָּא, נִבְרָא בְּי', דִּכְתִּיב, וְנָהָר יוֹצֵא מֵעֵדֶן לְהַשְׁקוֹת אֶת הַגָּן. לְאַכְלְלָא הַשָּׁמַיִם. אֶת הַגָּן, לְאַכְלְלָא אֶת הָאָרֶץ.

רכז. וְהָא אוֹקִימְנָא, דִּכְתִּיב, מַעְיַן גַּנִּים, דָּא הִיא הַשָּׁמַיִם, בְּאֵר מַיִם חַיִּים, דִּכְתִּיב וַיִּכְרוּ שָׁם עַבְדֵי יִצְחָק בְּאֵר, דִּכְתִּיב וַיַּעְתֵּק מִשָּׁם וַיַּחְפֹּר בְּאֵר אַחֶרֶת וְגוֹ'. וְנוֹזְלִין מִן לְבָנוֹן, דְּאִינּוּן מִתְעַטְּרִין לְעֵילָא, וְסַלְּקִין בְּרֵישָׁא דְּמַלְכָּא. דִּכְתִּיב, כִּי גָּדוֹל מֵעַל שָׁמַיִם חַסְדֶּךָ.

רכח. מִן לְבָנוֹן, מִתַּמָּן נָפְקִין לְבִינָה. וְנָגִיד וְאִתְמְשַׁךְ לְכָל זִוְויָין, עַד דְּנַגְדִּין אִינּוּן מַבּוּעִין, וְנַחְתִּין לְאִתְכַּנְּשָׁא לַאֲתַר דְּאִקְרֵי יַמָּא רַבָּא. דִּכְתִּיב כָּל הַנְּחָלִים הוֹלְכִים אֶל הַיָּם וְגוֹ'. וּכְתִיב, הַבִּיטוּ אֶל צוּר חוּצַּבְתֶּם וְגוֹ'. לְבָתַר כְּתִיב, גַּן נָעוּל אֲחוֹתִי כַלָּה וְגוֹ'. וּמִכָּאן, נָפְקוּ תּוֹלָדוֹת לְכֹלָּא. דִּכְתִּיב, בְּהִבָּרְאָם, בְּה' בְּרָאָם מַמָּשׁ, בְּאַבְרָהָם. א"ר יִצְחָק, וַאֲפִילּוּ בְּיַעֲקֹב מַמָּשׁ. וְכֹלָּא חַד מִלָּה.

רכט. א"ר יִצְחָק, כַּד אֲנָן יָתְבִין לְקַמֵּיהּ דר"ש, כֹּלָּא אִתְּמַר קַמֵּיהּ בְּאִתְגַּלְיָא, וְלָא אִצְטְרִיכְנָא לְכָל הַאי. א"ל, לָאו ר"ש כִּשְׁאַר בְּנֵי נָשָׁא, דְּכֻלְּהוּ קַמֵּיהּ, כִּשְׁאָר נְבִיאֵי לְקַמֵּי מֹשֶׁה. עַד דַּהֲווּ אָזְלֵי, א"ר חִיָּיא, כְּתִיב, הֲתִשְׁכַּח אִשָּׁה עוּלָהּ מֵרַחֵם בֶּן בִּטְנָהּ וְגוֹ'. הַאי קְרָא אוֹקְמוּהָ, וְהָכָא מַאי קָא מַיְירֵי. א"ר יִצְחָק, אִי בְּקִטּוּרָא דְּחַבְרַיָּיא, סְמִיכָא לָא אִסְמְכִנָא, אֲנָן מַה נֵּימָא.

רל. א"ל, דְּהָא קָלָא דְּרַמְיָא חַד, שְׁמַעְנָא יוֹמָא חַד, כַּד הֲוָה אָזִילְנָא בְּאָרְחָא, וְלָא יָדַעְנָא מַאן אָמַר, וְלָא יָדַעְנָא מִלָּה. ות"ח, ז' יוֹמִין הֲווּ דַּחֲלִישְׁנָא ע"ד, וְלָא טָעִימְנָא מִדֵּי. וְהַשְׁתָּא אָזִלְנָא לְגַבֵּיהּ דְּבוּצִינָא קַדִּישָׁא, דְּלֵימָא לִי דִּילְמָא אַדְכַּר. א"ל, דִּילְמָא הַהוּא יוֹמָא דַּהֲוָה אָזִיל ר' אֶלְעָזָר לְגַבֵּיהּ דְּחָמוּי, וְהַהוּא יוֹמָא אָזִילְנָא עִמֵּיהּ, וְהָא אַדְכַּרְנָא מִלָּה.

רלא. ת"ח, הָכִי א"ר אֶלְעָזָר מִשְּׁמֵיהּ דַּאֲבוֹי, אָמְרוּ יִשְׂרָאֵל קַמֵּי קוּדְשָׁא בְּרִיךְ הוּא, מִיּוֹמָא דְּנָפַלְנָא בְּגָלוּתָא, קוּדְשָׁא בְּרִיךְ הוּא שָׁבִיק לָן בְּגָלוּתָא, וְאַנְשֵׁי לָן. הֲדָא הוּא דִּכְתִּיב, וַתֹּאמֶר צִיּוֹן עֲזָבַנִי יְיָ' וַיְיָ' שְׁכֵחָנִי. אָמְרָה שְׁכִינְתָּא, הֲתִשְׁכַּח אִשָּׁה עוּלָהּ, וְכִי יִשְׂרָאֵל דְּאִקְרוּן בְּנִין, כְּמָה דְּאַתְּ אָמֵר, בָּנִים אַתֶּם לַיְיָ' אֱלֹהֵיכֶם. מֵרַחֵם בֶּן בִּטְנָהּ, כד"א, וְאָנֹכִי נְטַעְתִּיךְ שׂוֹרֵק כֻּלֹּה זֶרַע אֱמֶת. גַּם אֵלֶּה תִשְׁכַּחְנָה, דִּכְתִּיב, אֵלֶּה תּוֹלְדוֹת הַשָּׁמַיִם וְהָאָרֶץ. וְאָנֹכִי לֹא אֶשְׁכָּחֵךְ, מִכָּאן, דְּקוּדְשָׁא בְּרִיךְ הוּא לָא שָׁבִיק לוֹן לְיִשְׂרָאֵל לְעָלְמִין.

רלב. תּוּ אָמַר, הֲתִשְׁכַּח אִשָּׁה עוּלָהּ מֵרַחֵם בֶּן בִּטְנָהּ. דָּא הוּא רָזָא עִלָּאָה, דְּאָמַר קוּדְשָׁא בְּרִיךְ הוּא, הָא מִלִּין אִלֵּין בִּשְׁמֵיהּ אֲחִידָן, כְּמָה דְּקוּדְשָׁא בְּרִיךְ הוּא לָא אַנְשֵׁי שְׁמֵיהּ, דְּהָא הוּא כֹּלָּא. כַּךְ קוּדְשָׁא בְּרִיךְ הוּא לָא אַנְשֵׁי לוֹן לְיִשְׂרָאֵל דְּאִינּוּן אֲחִידָן בִּשְׁמֵיהּ מַמָּשׁ. אִתְרְגִּישׁ ר' חִיָּיא, אָמַר וַדַּאי דָּא הִיא מִלָּה. בְּרִיךְ יְהֵא קוּדְשָׁא בְּרִיךְ הוּא דְּאַעֲרַעְנָא לָךְ, וְיָדַעְנָא מִלָּה. וְיָדַעְנָא מַאן הַהוּא דִּשְׁמַעְנָא מִנֵּיהּ.

רלג. ות"ח, דְּהַהוּא יוֹמָא דַּהֲוֵיתְנָא ד' מִילִין, וְלָא אַשְׁכַּחְנָא מַאן הֲוָה. א"ל, בְּגִין דְּעָאלְנָא בְּחַד מְעַרְתָּא דר' אֶלְעָזָר נָפִישׁ שַׁעֲתָא חֲדָא. קָרֵי עָלֵיהּ רִבִּי חִיָּיא הָנֵי קְרָאֵי, אָז יִבָּקַע כַּשַּׁחַר אוֹרֶךָ וְגוֹ'. אָז תִּקְרָא וַיְיָ' יַעֲנֶה וְגוֹ' אָז תִּתְעַנַּג עַל יְיָ' וְגוֹ'.

רלד. זְכוֹר יְמוֹת עוֹלָם בִּינוּ שְׁנוֹת דּוֹר וָדוֹר וְגוֹ'. זְכוֹר יְמוֹת עוֹלָם, ר' אַבָּא אָמַר, מַאן יְמוֹת עוֹלָם. אִינּוּן שִׁיתָּא יוֹמִין, דְּעָבַד קוּדְשָׁא בְּרִיךְ הוּא עָלְמָא בְּהוּ. דִּכְתִּיב, כִּי שֵׁשֶׁת יָמִים עָשָׂה יְיָ' וְגוֹ'. שֵׁשֶׁת יָמִים, וְלָא בְּשֵׁשֶׁת יָמִים, וְהָא אוֹקִימְנָא. בִּינוּ שְׁנוֹת דּוֹר

וָדוֹר. כְּלוֹמַר, אִינּוּן יְמוֹת עוֹלָם, יָדְעוּ וְיִשְׁתְּמוֹדְעוּ כָּל אִינּוּן שְׁנִין וְיוֹמִין, וְכָל דָּרָא וְדָרָא, עַד דָּרָא דָּא דְּאַתּוּן קַיְימִין.

רלה. שְׁאַל אָבִיךָ וְיַגֵּדְךָ, דָּא קוּדְשָׁא בְּרִיךְ הוּא. הה״ד, הֲלֹא הוּא אָבִיךָ קָּנֶךָ. וְיַגֵּדְךָ, וְהוּא יְגַלֶּה עוּמְקָא דְּחָכְמְתָא. וּמַאי הִיא. אֶלָּא כַּד אִינּוּן שִׁיתָא יוֹמִין שַׁכְלִילוּ עָלְמָא, לָא שַׁכְלִילוּ לֵיהּ, אֶלָּא בְּגִינָךְ, דְּתֵיתֵי אַנְתְּ וּתְקַיֵּים אוֹרַיְיתָא. דְּתָנֵינָן, כָּל מַה דַּעֲבַד קוּדְשָׁא בְּרִיךְ הוּא, עַל תְּנַאי עֲבַד, דְּכַד יֵיתוּן יִשְׂרָאֵל, אִי יְקַבְּלוּן אוֹרַיְיתָא יָאוּת, וְאִי לָא דְּיִהֲדַר לֵיהּ לְתֹהוּ וָבֹהוּ. וּבְגִ״כ, אִינּוּן יְמוֹת עוֹלָם יָדְעוּ וְאִשְׁתְּמוֹדְעָן כֹּלָּא.

רלו. וְהָא תָּנֵינָן, הַנְהוּ עַנְפֵּי דְּאִילָנָא, הֵיךְ מִתְאַחֲדָן בְּגוֹ אִילָנָא, וְהָא אוֹקִימְנָא, כְּדֵין קוּדְשָׁא בְּרִיךְ הוּא בָּרֵר לוֹן, לְמִמְנָן תְּרִיסִין, עַל שְׁאַר עַמִּין, וְאַתּוּן מַה כְּתִיב. כִּי חֵלֶק יְיָ׳ עַמּוֹ יַעֲקֹב חֶבֶל נַחֲלָתוֹ, דְּלָא יָהֵב לְהוּ לְרַבְרְבָא, וְלָא לְמַלְאָכָא, וְלָא לְמִמְנָא אַחֲרָא, וְהַאי עַמָּא דְּקוּדְשָׁא בְּרִיךְ הוּא נָסַב לְחוּלָקֵיהּ.

רלז. בְּאָן אֲתָר אַשְׁכַּח לֵיהּ. יִמְצָאֵהוּ בְּאֶרֶץ מִדְבָּר וּבְתֹהוּ יְלֵל יְשִׁימוֹן וְגוֹ׳. דִּכְתִּיב, תֶּרַח אֲבִי אַבְרָהָם וְגוֹ׳. וָאֶקַּח אֶת אֲבִיכֶם אֶת אַבְרָהָם וְגוֹ׳. וּמֵהָכָא דָּבַר לְהוּ לְיִשְׂרָאֵל בְּכָל דָּרָא וְדָרָא, וְלָא אִתְפָּרַשׁ מִנַּיְיהוּ, וְדָבַר לְהוּ בְּרַחֲמֵי, הה״ד כְּנֶשֶׁר יָעִיר קִנּוֹ וְגוֹ׳.

רלח. כְּנֶשֶׁר יָעִיר קִנּוֹ. א״ר יוֹסֵי, לָא אַשְׁכַּחְנָא מַאן דְּחָיֵיס עַל בְּנוֹי, כְּהַאי נִשְׁרָא. וְעַ״ד תָּנֵינָן, כְּתִיב, וּפְנֵי אַרְיֵה אֶל הַיָּמִין וּפְנֵי שׁוֹר מֵהַשְּׂמֹאל. נֶשֶׁר בְּאָן דּוּכְתֵּיהּ. בַּאֲתָר דְּיַעֲקֹב קָאֵים. הה״ד, דֶּרֶךְ הַנֶּשֶׁר בַּשָּׁמַיִם. בְּהַהוּא אֲתָר מַמָּשׁ. מ״ט. בְּגִין דְּאִיהוּ רַחֲמֵי עַל בְּנוֹי, וְדִינָא לְגַבֵּי אַחֲרָנִין. כַּךְ קוּדְשָׁא בְּרִיךְ הוּא, דָּבַר לִבְנוֹי כְּנֶשֶׁר דָּא.

רלט. מַה כְּתִיב יְיָ׳ בָּדָד יַנְחֶנּוּ וְאֵין עִמּוֹ אֵל נֵכָר. הוּא בִּלְחוֹדוֹי, דִּכְתִּיב וַיְיָ׳ הוֹלֵךְ לִפְנֵיהֶם וְגוֹ׳. וְאֵין עִמּוֹ אֵל נֵכָר, דְּלָא דָּבַר לְהוּ לְיִשְׂרָאֵל לָא מַלְאָכָא, וְלָא מְמָנָא אַחֲרָא, דְּאִינּוּן אִקְרוּן אֵל נֵכָר. וְדָא הוּא דְּאָמַר מֹשֶׁה, אִם אֵין פָּנֶיךָ הוֹלְכִים אַל תַּעֲלֵנוּ מִזֶּה. הֲדָא הוּא דִּכְתִּיב, יְיָ׳ בָּדָד יַנְחֶנּוּ. הוּא בִּלְחוֹדוֹי, וְאֵין עִמּוֹ אֵל נֵכָר.

רמ. זַכָּאָה חוּלָקֵהוֹן דְּיִשְׂרָאֵל, דְּקוּדְשָׁא בְּרִיךְ הוּא דָּבַר עִמְּהוֹן, הָכִי עֲלַיְיהוּ כְּתִיב, כִּי יַעֲקֹב בָּחַר לוֹ יָהּ יִשְׂרָאֵל לִסְגֻלָּתוֹ, וּכְתִיב, כִּי לֹא יִטּוֹשׁ יְיָ׳ אֶת עַמּוֹ וְגוֹ׳. מ״ט לֹא יִטּוֹשׁ ה׳ אֶת עַמּוֹ. בַּעֲבוּר שְׁמוֹ הַגָּדוֹל, בְּגִין דְּהַאי בְּהַאי אִתְדְּבַק. וְעַ״ד לָא יִשְׁבּוֹק לוֹן קוּדְשָׁא בְּרִיךְ הוּא, דִּבְכָל אֲתָר דְּאִינּוּן שַׁרְיָין, קוּדְשָׁא בְּרִיךְ הוּא עִמְּהוֹן כְּמָה דְּאוֹקִימְנָא.

רמא. לוּ חָכְמוּ יַשְׂכִּילוּ זֹאת. א״ר יוֹסֵי, כָּל הָנֵי קְרָאֵי דְּהָכָא, אוֹכָחֵי אִינּוּן, דְּאוֹכַח לְהוּ מֹשֶׁה לְיִשְׂרָאֵל, בַּר הַהוּא שְׁמָא קַדִּישָׁא, דְּגַלֵּי בְּשֵׁירוּתָא דְּמִלּוֹי. א״ר אַבָּא, וַאֲפִילוּ מַה דְּאוֹכַח לְיִשְׂרָאֵל, בִּכְלָלָא דִּשְׁמָא קַדִּישָׁא הוּא, דְּלֵית מִלָּה בְּאוֹרַיְיתָא דְּנָפִיק מִכְּלָלָא דִּשְׁמָא קַדִּישָׁא. דְּאוֹרַיְיתָא כֹּלָּא שְׁמָא דְּקוּדְשָׁא בְּרִיךְ הוּא אִיהוּ.

רמב. וְהָנֵי קְרָאֵי יְדִיעָאן אִינּוּן. אֲבָל בְּגִין דִּשְׁמָא דְּקוּדְשָׁא בְּרִיךְ הוּא רָשִׁים בְּהַאי פַּרְשְׁתָא, אִצְטְרִיכְנָא עַד הַשְׁתָּא. וְהָכָא הָא כְּתִיב, לוּ חָכְמוּ יַשְׂכִּילוּ זֹאת, זֹאת וַדַּאי, וְהָא בְּכַמָּה אֲתָר אוֹקִימְנָא הַאי, דְּאִי יִשְׂרָאֵל יַנְדְּעוּן הַאי, אֵיךְ זֹאת אַחִידָא בְּדִינוֹי לְאִתְפָּרְעָא מִן חַיָּיבַיָּא, יָבִינוּ לְאַחֲרִיתָם, וְיִסְתַּמְּרוּ לְמֶהֱוֵי בָּהּ. כְּמָה דִּכְתִּיב, וְאֶרֶץ מִתְקוֹמָמָה לוֹ.

רמג. ד״א לוּ חָכְמוּ יַשְׂכִּילוּ זֹאת. דְּאִיהִי מִתְקַשְּׁרָא בְּהוּ בְּיִשְׂרָאֵל, כַּד נַטְרִין פִּקּוּדֵי אוֹרַיְיתָא, וְיִתְבִּין עִמָּהּ בִּשְׁלָם, יַנְדְּעוּן דְּסַיַּיעְתָּא דְּהַאי זֹאת עִמְּהוֹן, לְאִתְפָּרְעָא

מְשַׂנְאֵיהוֹן. וְיִשְׂרָאֵל דְּאִינּוּן זְעִירִין בֵּינֵי עַמְמַיָּא, יַנְדְעוּן, אֵיכָה יִרְדּוֹף אֶחָד אֶלֶף וּשְׁנַיִם יָנִיסוּ רְבָבָה. וּמַאן גָּרִים לְהוּ. הַאי זֹאת, דַּהֲוָה בְּהוּ בִּשְׁלָם, כַּד עַבְדִין פִּקּוּדֵי אוֹרַיְיתָא. וּלְעָלְמִין לָא אִתְעֲדֵי מִנַּיְיהוּ, לְמֶעְבַּד לְהוּ נוּקְמִין.

רמד. אִם לֹא כִּי צוּרָם מְכָרָם וַיְיָ' הִסְגִּירָם. מ"ט כִּי צוּרָם מְכָרָם. בְּגִין צוּר יְלָדְךָ תֶּשִׁי, דְּתִקּוּנִין לָא שָׁרָאן כַּדְקָא יָאוּת בְּאַתְרַיְיהוּ. אִם לֹא כִּי צוּרָם מְכָרָם. א"ר יְהוּדָה דָּא אַבְרָהָם, כְּמָה דְּאוֹקִימְנָא, דְּאָמַר אַבְרָהָם יִתְחַיְּיבוּן יִשְׂרָאֵל בְּגָלוּתָא, וְלָא יֵיעֲלוּן בַּגֵּיהִנָּם דִּתְרֵין אִלֵּין גָּלוּתָא וְגֵיהִנָּם, לָא יִסְבְּלוּן יִשְׂרָאֵל. וְקוּדְשָׁא בְּרִיךְ הוּא אִסְתְּכַם עַל יְדוֹי, דְּכָל זִמְנָא דִּי יְחוּבוּן יִשְׂרָאֵל, יִפְּלוּן בְּגָלוּתָא, וְיִשְׁתַּעְבְּדוּן בְּהוּ שַׂנְאֵיהוֹן. וּבְגִ"כ, צוּרָם מְכָרָם וַדַּאי, וַיְיָ' הִסְגִּירָם, וְאִסְתְּכַם עַל יְדוֹי.

רמה. תַּנְיָא, א"ר יְהוּדָה, מ"ט אוֹכַח לְהוּ מֹשֶׁה בְּהַאי שִׁירָה הָכִי, בְּגִין דְּאִינְהוּ זְמִינִין לְמֵיעַל לְאַרְעָא, וּלְאַשְׁרֵי בֵּינַיְיהוּ שְׁכִינְתָּא, וּבְגִ"כ אוֹכַח לְהוּ עַל הַאי.

רמו. ר' יִצְחָק אָמַר, בִּתְרֵי אַתְרֵי קוּדְשָׁא בְּרִיךְ הוּא זַמִּין לְאוֹכָחָא לְהוּ לְיִשְׂרָאֵל, וְחַדָּאן אוּמוֹת הָעוֹלָם. חַד דִּכְתִּיב, וְרִיב לַיְיָ' עִם יְהוּדָה וְלִפְקוֹד עַל יַעֲקֹב כִּדְרָכָיו וְגו'. שַׁמְעִין אוּמוֹת הָעוֹלָם וְחַדָּאן, אַמְרֵי, הַשְׁתָּא יִשְׁתֵּצוּן מֵעָלְמָא, כַּד חָמֵי קוּדְשָׁא בְּרִיךְ הוּא דְּאִינּוּן חַדָּאן, מַה כְּתִיב בַּתְרֵיהּ. בַּבֶּטֶן עָקַב אֶת אָחִיו וְגו'. כַּד שַׁמְעִין, אַמְרִין דָּא הוּא תְּשׁוּבָה.

רמז. לְאִתְּתָא דַּהֲוָה לָהּ קְטָטָה בִּבְרָהּ, אָזְלַת לְמַקְבִּיל עָלֵיהּ דִּינָא, וְחָמָאת לְדַיָּינָא דְּאִין נַפְשִׁין. מִנַּיְיהוּ לְאַלְקָאָה, לִצְלָבָא, לְאוֹקְדָא, אָמְרָה וַיְיָ מַה אַעֲבִיד מִן בְּרָא. כַּד סַיֵּים דִּינָא, אָמַר לְהַהִיא אִינְתּוּ, אִימָּא, מַה אַעֲבִיד לָךְ בְּרִיךְ, אָמְרָה קוּבְלָנִי עַכ"מ.

רמח. יִמְצָאֵהוּ בְּאֶרֶץ מִדְבָּר וּבְתֹהוּ, וַדַּאי לְבָתַר עָבֵד לְכָל אִינּוּן קְלִיפִּין, דִּיהוֹן כֻּלְּהוּ מִשְׁתַּעְבְּדִין לֵיהּ. עַד הָכָא הֲוָה כְּתִיב בְּהַהוּא סִפְרָא, דְּקַרְטָנָא אַסְיָא לְבָתַר הֲוָה רָשִׁים בְּהַאי קְרָא, כָּל נְטוּרָא דְּאִצְטְרִיךְ אַסְיָא וְחַכִּים לְמֶעְבַּד לְמָרַע דְּשָׁכִיב בְּבֵי מַרְעֵיהּ, בֵּי אֲסִירֵי דְּמַלְכָּא, לְמִפְלַח לְמָארֵי עָלְמָא.

רמט. דְּכַד אָזִיל אַסְיָא וְחַכִּים לְגַבֵּיהּ, יִמְצָאֵהוּ בְּאֶרֶץ מִדְבָּר וּבְתֹהוּ יְלֵל יְשִׁימוֹן, מַרְעִין דְּשַׁרְיָין עָלֵיהּ, אַשְׁכַּח לֵיהּ בַּאֲסִירוּ דְּמַלְכָּא. אִי תֵּימָא הוֹאִיל וְקוּדְשָׁא בְּרִיךְ הוּא פָּקִיד לְתַפְשָׂא לֵיהּ, דְּלָא יִשְׁתַּדֵּל בַּר נָשׁ אֲבַתְרֵיהּ. לָאו הָכִי, דְּהָא דָּוִד אָמַר, אַשְׁרֵי מַשְׂכִּיל אֶל דָּל וְגו', דָּל הַהוּא דְּשָׁכִיב בְּבֵי מַרְעֵיהּ. וְאִי אַסְיָא וְחַכִּים הוּא, קוּדְשָׁא בְּרִיךְ הוּא יָהִיב לֵיהּ בִּרְכָאן, לְהַהוּא דְּיִשְׁתַּדַּל בֵּיהּ.

רנ. וְהַהוּא אַסְיָא, יִמְצָאֵהוּ בְּאֶרֶץ מִדְבָּר, בְּבֵי מַרְעֵיהּ שְׁכִיב. וּבְתֹהוּ יְלֵל יְשִׁימוֹן, דְּאִינּוּן מַרְעִין דַּחֲזִקִין לֵיהּ. מַאי אִצְטְרִיךְ לֵיהּ לְמֶעְבַּד. יְסוֹבְבֶנְהוּ: יְסוֹבֵב סִבּוֹת, וְיֵיתֵי עִלּוֹת, בְּגִין דְּיִמְנַע מִנֵּיהּ אִינּוּן מִלִּין דְּנַזְקִין לֵיהּ. יַקִּיז לֵיהּ, וְיַפִּיק מִנֵּיהּ דָּמָא בִּישָׁא. יְבוֹנְנֵהוּ: יִסְתַּכַּל וְיָבִין הַהוּא מַרְעָא מִמָּה הֲוֵי, וְיִסְתַּכַּל בְּגִין דְּלָא יִתְרַבֵּי עִלּוֹי, וְיַמְאִךְ לֵיהּ. לְבָתַר יִצְּרֶנְהוּ כְּאִישׁוֹן עֵינוֹ, בְּגִין דִּיהֵא נָטִיר כַּדְקָא יָאוּת, בְּאִינּוּן מַשְׁקֵי, בְּאִינּוּן אַסְוָותָא דְּאִצְטְרִיכוּ לֵיהּ, וְלָא יִטְעֵי בֵּינַיְיהוּ. דְּאִלְמָלֵי יִטְעֵי, אֲפִילוּ בְּמִלָּה חַד, קוּדְשָׁא בְּרִיךְ הוּא חָשִׁיב עַל הַהוּא אַסְיָא, כְּאִלּוּ שָׁפִיךְ דָּמָא וְקַטְלֵיהּ.

רנא. בְּגִין דְּקוּדְשָׁא בְּרִיךְ הוּא בָּעֵי, דְּאע"ג דְּהַהוּא בַּר נָשׁ אִיהוּ בְּבֵי אֲסִירֵי דְּמַלְכָּא, וְאִיהוּ אָסִיר בְּבֵי אֲסִירֵי, דְּיִשְׁתַּדֵּל בַּר נָשׁ עָלֵיהּ, וִיסַיֵּיעַ לֵיהּ לְאַפָּקָא לֵיהּ מִבֵּי אֲסִירֵי. וַהֲוָה אָמַר הָכִי. קוּדְשָׁא בְּרִיךְ הוּא דָּן דִּינִין דִּבְנֵי עָלְמָא לְעֵילָּא, הֵן לְמָוֶת הֵן לִשְׁרוֹשֵׁי, הֵן לַעֲקוֹר, הֵן לַעֲנוֹשׁ נִכְסִין, וְלַאֲסוּרִין. מַאן דְּאִתְחֲזֵי לַעֲנוֹשׁ נִכְסִין, נָפַל בְּבֵי

מַרְעֵיהּ, וְלָא יִתְסֵי, עַד דְּיִתֵּן כָּל מַה דְּאִתְגְּזַר עָלֵיהּ. כֵּיוָן דְּאִתְעֲנַשׁ בְּמָמוֹנֵיהּ, וְיָהִיב כָּל מַה דְּאִתְגְּזַר עָלֵיהּ, אִתְסֵי, וְנָפַק מִבֵּי אֲסִירֵי. וע״ד אִצְטְרִיךְ לְאִשְׁתַּדְּלָא עָלֵיהּ דְּיִתֵּן עוֹנְשֵׁיהּ וְיִפּוּק.

רנב. מַאן דְּיִתְחֲזֵי לִשְׁרוֹשֵׁי, יִתְפְּסוּן לֵיהּ, וְיָהֲבֵי לֵיהּ בְּבֵי אֲסִירֵי, עַד דְּיִשְׁתְּרַשׁ מִכֹּלָּא. וּלְזִמְנִין דְּיִשְׁתְּרַשׁ מִשַּׁיְיפֵי, אוֹ מֵחַד מִנַּיְיהוּ, וּלְבָתַר יַפְקוּן לֵיהּ מִבֵּי אֲסִירֵי. מַאן דְּיִתְחֲזֵי לַמָּוֶת, הָכִי הוּא, דְּאִילּוּ יִתֵּן כָּל כּוּפְרָא, וְכָל מָמוֹנָא דְּעָלְמָא לָא יִשְׁתְּזִיב.

רנג. וְעַל דָּא אִצְטְרִיךְ לְאַסְיָא וְחַכִּים, לְאִשְׁתַּדְּלָא עָלֵיהּ, אִי יָכִיל לְמֵיהַב לֵיהּ אַסְוָותָא מִן גּוּפָא, יָאוּת. וְאִי לָאו, יִתֵּן לֵיהּ אַסְוָותָא לְנִשְׁמָתֵיהּ, וְיִשְׁתַּדֵּל עַל אַסְוָותָא דְּנִשְׁמָתָא. וְדָא הוּא אַסְיָא דְקוּדְשָׁא בְּרִיךְ הוּא יִשְׁתַּדֵּל עָלֵיהּ בְּהַאי עָלְמָא וּבְעָלְמָא דְּאָתֵי.

רנד. א״ר אֶלְעָזָר, עַד הַשְׁתָּא לָא שְׁמַעְנָא מֵאַסְיָא דָּא, וּמִסִּפְרָא דָּא. בַּר מִזִּמְנָא חֲדָא, דְּאָמַר לִי טַיְּיעָא חֲדָא, דְּשָׁמַע לַאֲבוֹי, דְּאַסְיָא חַד הֲוָה בְּיוֹמוֹי, דְּכַד הֲוָה מִסְתַּכַּל בְּב״נ, כַּד אִיהוּ בְּבֵי מַרְעֵיהּ, הֲוָה אָמַר, דָּא חַיֵּי וְדָא מֵת. וַהֲווּ אַמְרִין עָלֵיהּ דְּהוּא זַכָּאָה קְשׁוֹט, דְּחָזֵיל חַטָּאָה. וְכָל מַה דְּלָא יָכִיל לְמִדְבַּק מַה דְּאִצְטְרִיךְ, אִיהוּ הֲוָה קָנֵי, וְיָהִיב מִדִּילֵיהּ. הֲוָה אַמְרִין, דְּלֵית חַכִּים בְּעָלְמָא כְּגַוְונֵיהּ. וּבִצְלוֹתֵיהּ הֲוָה עָבֵיד יַתִּיר, מִמָּה דַּהֲוָה עָבֵיד בִּידוֹי. וּכְדֻדָמֵי לָן, דָּא הֲוָה הַהוּא אַסְיָא.

רנה. אָמַר הַהוּא טַיְּיעָא, וַדַּאי סִפְרָא דִּילֵיהּ בִּידִי אִיהוּ, דְּקָא יָרִיתְנָא מֵאָבִי אַבָּא, וְכָל מִלּוֹי דְּהַהוּא סִפְרָא, כֻּלְּהוּ אִתְיְיסָּדוּן עַל רָזִין דְּאוֹרַיְיתָא, וְרָזִין סְתִימִין אַשְׁכַּחְנָא בֵּיהּ, וּמִלִּין דְּאַסְוָותָא סַגִּיאִין, דְּאִיהוּ אָמַר דְּלָא יָאוּת לְמִפְעַל לוֹן, בַּר אִי אִיהוּ דְּחָזֵיל חַטָּאָה.

רנו. וְאִינּוּן מִמַּה דַּהֲוָה עָבֵיד בִּלְעָם, דַּהֲוָה לָחִישׁ לְחִישִׁין עַל מְרַע, וַהֲוָה אָמַר בְּפוּמוֹי וְאִתְסֵי מִיַּד. וְכֻלְּהוּ בָּרִיר לוֹן בְּהַהוּא סִפְרָא. וְאָמַר, דָּא אָסוּר, וְדָא מוּתָּר לְמַאן דְּדָחֵיל חַטָּאָה. בְּגִין דְּמַרְעִין סַגִּיאִין אָמַר, דְּתַלְיָיא אַסְוָותָא דִּלְהוֹן, בִּלְחִישׁוּ דְּפוּמָא. וְאִינּוּן מִסִּטְרָא דְּנָחָשׁ, וּמִנְּהוֹן מִסִּטְרָא דְּקֶסֶם. וְכָל אִינּוּן דְּאָסוּר לוֹמַר בְּפוּמָא, וְאָסוּר לְמֶעְבַּד בְּעוֹבָדָא, הֲוָה אָמַר. עַד דְּאַשְׁכַּחְנָא עַל מַרְעִין יְדִיעָאן דְּאִצְטְרִיךְ לוֹמַר כַּךְ. וּלְנַדּוּיֵי בְּנִדּוּי וּבְשַׁמְתָּא, עַל הַהוּא מְרַע. וְאִיהוּ תַּוְּוהָא סַגֵּי לְגַבָּן.

רנז. חַדֵּי ר׳ אֶלְעָזָר, וְחַדּוּ חַבְרַיָּיא. א״ר אֶלְעָזָר, אִי הַהוּא סִפְרָא הֲוָה לְגַבָּן נֶחֱמֵי מַה אִיהוּ אָמַר. אֲנָא אִמְסַר בִּמְסִירָה, עַל מְנָת לְאַחֲזָאָה לְבוּצִינָא קַדִּישָׁא. וְתָנֵינָן, א״ר אֶלְעָזָר, הַהוּא סִפְרָא הֲוָה בִּידִי תְּרֵיסָר יַרְחֵי, וְאַשְׁכַּחְנָא בֵּיהּ נְהוֹרִין עִלָּאִין וְיַקִּירִין. כַּד מָטֵינָא לְאִינּוּן רָזִין דַּהֲוָה מִבִּלְעָם תַּוְּוהְנָא.

רנח. יוֹמָא חַד לָחִישְׁנָא בְּאֲתַר חַד, וַהֲווּ אַתְוָון סַלְקָן וְנַחְתָּן. עַד דַּחֲמֵינָא בְּחֶלְמָא, וְאָמַר לִי מַה לָּךְ לְמֵיעַל בִּתְחוּמָא דְּלָא דִּילָךְ, וְלָא אִצְטְרִיךְ לָךְ. אִתְעַרְנָא, וְאַבְאִישׁ קַמָּאי, עַל רָזִין סְתִימִין דַּהֲווּ תַּמָּן. שָׁדַרְנָא לְהַהוּא יוּדָאִי, וְר׳ יוֹסֵי בַּר׳ יְהוּדָה שְׁמֵיהּ, וְיָהֵיבְנָא לֵיהּ סִפְרָא.

רנט. וּבְרָזִין דְּבִלְעָם אַשְׁכַּחְנָא, מֵאִינּוּן שְׁמָהָן דְּמַלְאָכִין דְּשָׁדַר לֵיהּ בָּלָק, וְלָא הֲווּ מִסְתַּדְּרָן עַל תִּקּוּנַיְיהוּ כִּדְקָא יָאוּת. אֲבָל כַּמָּה זִינֵי אַסְוָותָא אַשְׁכַּחְנָא בֵּיהּ, דְּקָא מִתְתַּקְּנֵי עַל תִּקּוּנֵי אוֹרַיְיתָא, וְרָזִין סְתִימִין דִּילָהּ. וַחֲמֵינָא דְּאִינּוּן בַּחֲסִידוּתָא. וּצְלוֹתִין וּבָעוּתִין לְקוּדְשָׁא בְּרִיךְ הוּא. וְאִי תֵּימָא, דַּהֲוָה עָבֵיד אַסְוָותָא בִּפְסוּקֵי אוֹרַיְיתָא, אוֹ בְּרָזִין דְּאוֹרַיְיתָא. ח״ו. אֶלָּא הֲוָה אָמַר רָזִין דְּאוֹרַיְיתָא, וְעַל הַהוּא רָזָא אַפִּיק רָזִין

דְּאַסְוָותָא, דְּלָא וְזַמִּינָא כְּהַהוּא גַּוְונָא לְעָלְמִין. אֲמֵינָא בְּרִיךְ רַחֲמָנָא, דְּאוֹכִים לִבְנֵי נָשָׁא מֵחָכְמְתָא דִּלְעֵילָּא.

רס. וּמֵאִינּוּן מִלִּין דְּבִלְעָם נָסִיבְנָא, וְזַמִּינָא בְּהוּ דְּלָא הֲוָה בְּעָלְמָא וְזָכִים בַּחֲרָשִׁין כְּגִינֵיהּ. אֲמֵינָא, בְּרִיךְ רַחֲמָנָא דְּבַטֵּל מֵעָלְמָא חַרְשִׁין, דְּלָא יִטְעוּן בְּנֵי נָשָׁא מִבָּתַר דַּחַלְתָּא דְקוּדְשָׁא בְּרִיךְ הוּא יִתְ' וְיִתְ' שְׁמוֹ אָמֵן. ע"כ.

בָּרוּךְ יְיָ' לְעוֹלָם אָמֵן וְאָמֵן יִמְלוֹךְ יְיָ' לְעוֹלָם אָמֵן וְאָמֵן.

The Secrets of the *Zohar*

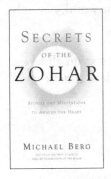

The *Zohar* is an acknowledged source of great spiritual wisdom that is as ancient as the Bible itself. Revealed to Moses as the "decoder" of the Bible, the *Zohar* was passed on as oral tradition until it was recorded as a text that remained hidden for thousands of years.

The *Zohar*'s secrets have never been revealed quite as they are here in these pages, which decipher the codes behind the words of the ancient sages and show how you can apply the wisdom of Kabbalah to your life to make it better than you ever imagined possible.

Michael Berg, renowned scholar and editor of the first English translation of the 23-volume *Zohar*, interprets here its "best" stories and offers a special meditation for each one. The original Aramaic letters and words are included, to scan and to read aloud. Entire portions of the *Zohar* are presented, with the Aramaic and its English translation in side-by-side columns.

This unique presentation allows you to draw on the *Zohar*'s full energy and will empower you to achieve true spiritual transformation, joy, and fulfillment, beginning right now.

English *Zohar*

"Bringing *The Zohar* from near oblivion to wide accessibility has taken many decades. It is an achievement of which we are truly proud and grateful."

—Michael Berg

Composed more than 2,000 years ago, *The Zohar* is a set of 23 books, a commentary on biblical and spiritual matters in the form of conversations among spiritual masters. But to describe *The Zohar* only in physical terms is greatly misleading. In truth, *The Zohar* is nothing less than a powerful tool for achieving the most important purposes of our lives. It was given to all humankind by the Creator to bring us protection, to connect us with the Creator's Light, and ultimately to fulfill our birthright of true spiritual transformation.

More than eighty years ago, when The Kabbalah Centre was founded, *The Zohar* had virtually disappeared from the world. Few people in the general population had ever heard of it. Whoever sought to read it—in any country, in any language, at any price—faced a long and futile search.

Today all this has changed. Through the work of The Kabbalah Centre and the editorial efforts of Michael Berg, *The Zohar* is now being brought to the world, not only in the original Aramaic language but also in English.

The new English *Zohar* provides everything for connecting to this text on all levels: the original Aramaic text for scanning; an English translation; and clear, concise commentary for study and learning.

One Million Zohars

Since its founding more than seventy-five years ago, The Kabbalah Centre has had a single mission: to improve and transform people's lives by bringing the power and wisdom of Kabbalah to all who wish to partake of it.

The primary tool of Kabbalah is the *Zohar*. Now the Centre is taking the most important step ever toward fulfilling its mission. Our goal is to bring the *Zohar* to as many people as possible, and as quickly as possible.

Over the next three years, we are committed to distributing one million copies of the *Zohar* to people throughout the world—free of cost to anyone who expresses a need to find out more please go to www.zohar.com.

Student Support

If you want to learn more about the *Zohar* or how you can enrich your life through the wisdom of Kabbalah, here is what you can do next:

Call 1-800-KABBALAH where trained instructors are available 18 hours a day. These dedicated people are available to answer any and all questions about the *Zohar* and Kabbalah while they guide you along in your effort to learn more.